Dieter Hamblock
Dieter Wessels

Großwörterbuch Wirtschaftsenglisch

Deutsch/Englisch

Dieter Hamblock
Dieter Wessels

Großwörterbuch Wirtschaftsenglisch

Deutsch/Englisch

Herausgegeben von
Dieter Wessels

5., aktualisierte
und erweiterte Auflage

Die Deutsche Bibliothek – CIP-Einheitsaufnahme
Ein Titeldatensatz für diese Publikation ist
bei Der Deutschen Bibliothek erhältlich.

Verlagsredaktion: Erich Schmidt-Dransfeld
Technische Umsetzung: Text & Form, Düsseldorf

Cornelsen online http://www.cornelsen.de

5. Auflage ✔ Druck 4 3 2 1 Jahr 02 01 2000 99

Druck: CS-Druck Cornelsen Stürtz, Berlin

ISBN 3-464-49451-9

Bestellnummer 494519

gedruckt auf säurefreiem Papier, umweltschonend hergestellt aus chlorfrei gebleichten Faserstoffen

Unserem akademischen Lehrer Ulrich Suerbaum

Vorwort

Dieses Großwörterbuch für die tägliche Praxis in Wirtschaft und Handel ist das Ergebnis langjähriger lexikographischer Arbeit. Seine ca. 175.000 ausgangssprachlichen Einträge sowie die deutlich größere Anzahl zielsprachlicher Lösungen sind einem breiten Spektrum fachsprachlicher Texte entnommen worden. Die für beide Sprachen ausgewerteten Textsorten umfassen mündliche Äußerungen, Geschäftsbriefe, Zeitungen und Zeitschriften, Monographien und Enzyklopädien, Fachbeiträge, Formulare und nicht zuletzt Kleingedrucktes aus Börsenprospekten, Bilanzen, Firmensatzungen, Kauf- und Mietverträgen, Versicherungspolicen usw.

Mit Hilfe der elektronischen Datenverarbeitung war es möglich, noch wenige Wochen vor dem Erscheinungsdatum zahlreiche Neologismen aufzunehmen und damit dem rapiden Wachstum des Fachwortschatzes Rechnung zu tragen. Andererseits ergab die Auswertung fachsprachlicher Texte einen relativ hohen Anteil bestimmter allgemeinsprachlicher Lexeme und Verbindungen, insbesondere solcher aus dem Bereich der Umgangssprache sowie bildhafte Wendungen. Es würde den Gebrauchswert eines Großwörterbuchs deutlich schmälern, wollte man auf diese im Umfeld der Fachsprache angesiedelten allgemeinsprachlichen Elemente verzichten.

Für den Benutzer wird ein Wörterbuch erst dann interessant, wenn es ihm mehr als lexematische Einzellösungen bietet. So haben die Autoren bei der Erfassung authentischer Äußerungen auch kontextuelle Merkmale berücksichtigt. Dabei ging es ihnen weniger um ausgefallene idiomatische Wendungen als vielmehr um authentische Kollokationen, wie sie in fachsprachlichen Texten immer wieder vorkommen. Diese lexikalischen Solidaritäten von Nomen und Adjektiv oder Nomen und Verb sollen den Benutzer in die Lage versetzen, fremdsprachliche Texte besser zu erfassen bzw. bei der Produktion solcher Texte ein hohes Niveau an Authentizität zu erreichen.

Fachsprachen sind durch eine weitgehende semantische Kongruenz zwischen ausgangs- und zielsprachlichen Lexemen gekennzeichnet. Diese Isomorphie gilt vornehmlich für den naturwissenschaftlich-technischen Bereich, nimmt jedoch in dem Maße ab, in dem institutionelle Unterschiede der sprachlich abzubildenden Realität an Bedeutung gewinnen. Für den Kernbereich dieses Wörterbuchs – die Wirtschaftssprache – manifestieren sich derartige Unterschiede zudem in der Divergenz zwischen britischem und amerikanischem Englisch. Die Verfasser haben sich bemüht, diese Unterschiede jeweils kenntlich zu machen, wohl wissend, dass viele Amerikanismen zunehmend auch in der britischen Wirtschaftssprache anzutreffen sind. Analoge Tendenzen in der Orthografie sind in diesem Wörterbuch bereits berücksichtigt worden.

Lehnwörter, insbesondere solche französischer und lateinischer Herkunft, sind nur dann als solche gekennzeichnet, wenn sie noch die Ursprungsform aufweisen und in der Regel als Fremdwörter empfunden werden. Bei geläufigen Warenbezeichnungen, die gleichzeitig Markenzeichen sind, haben die Verfasser dagegen von einer Herkunftsangabe abgesehen.

Von einer Berücksichtigung aller heute geläufigen Ländernamen innerhalb des eigentlichen Wörterbuchkorpus haben die Verfasser bewusst Abstand genommen. Statt dessen findet der Benutzer im Anhang eine auf den neuesten Stand gebrachte Übersicht über Ländernamen einschließlich der dazugehörigen Adjektive sowie der jeweiligen Währung. Desgleichen weist der Anhang eine tabellarische Übersicht aller wichtigen deutschen, britischen und amerikanischen Maße und Gewichte auf.

Die Verfasser möchten an dieser Stelle allen Freunden, Kollegen und Mitarbeitern danken, die zum Gelingen dieses Projekts beigetragen haben. Wertvolle Anregungen verdanken wir vor allem Mr. Michael Creighton, Herrn Friedrich-Wilhelm Kind, Herrn Dipl.-Hdl. Helmut Schulz, Herrn Winfried und Frau Ulla Wessels, Herrn Harald Hein, Herrn Marco Raspe, Frau Regine Jannack, Mr. Mark Adamson, Herrn Andreas Schlieper, unseren Kollegen Dr. Herbert Geisen und John Poziemski sowie Teilnehmern der Wirtschaftsanglistikkurse und Studenten der Ruhr-Universität Bochum.

Innerhalb des Verlags wurde dieses Wörterbuch seinerzeit von Herrn Melzer angeregt, dem wir ebenso zu Dank verpflichtet sind wie Herrn Schmidt-Dransfeld, der dieses immer umfangreicher werdende Projekt nicht nur mit Geduld begleitete, sondern auch die rechnergestützte Satzaufnahme initiierte. In diesem Zusammenhang gilt unser besonderer Dank Frau Rita Köhler für die Umsetzung des vorgegebenen Programms in eine lexikografisch adäquate Form sowie Frau Barbara Hoffmann, Frau Susanne Knorth, Frau Sabine Schütte und Frau Heike Wilpert für die weitere Textaufnahme und Korrektur sowie Frau Elke Linnepe für ihre Mitarbeit bei der Fahnenkorrektur. Bei der Aufbereitung der zunächst auf Karten festgehaltenen Stichwörter und Lösungen leisteten Frau Andrea Lohmann, Herr Ludger Pfeil und Frau Doerthe Wagelaar wertvolle Dienste. Schließlich möchten wir nicht versäumen, Herrn Prof. Dr. Koch und Herrn Prof. Dr. Suerbaum für Hilfestellungen zu danken, die uns ermutigten, dieses Großprojekt zum Abschluss zu bringen.

Dr. Dieter Hamblock
Dr. Dieter Wessels

Vorwort zur fünften überarbeiteten Auflage

In einer Welt der zunehmenden Globalisierung hat sich in den zehn Jahren seit Erscheinen dieses Großwörterbuches eine Vielzahl neuer Begriffe und Wendungen herausgebildet. So war es unumgänglich, dieses seinerzeit hoch aktuelle Nachschlagewerk von Grund auf zu überarbeiten. Das Ergebnis ist nicht nur ein umfangreicheres – wenngleich kompakteres – Wörterbuch, sondern auch ein benutzerfreundlicheres Hilfsmittel. Die semantische Differenzierung der angebotenen Lösungen zeichnet sich nunmehr durch eine numerische Hierarchisierung sowie durch zahlreiche neue Kontextangaben aus. Neue Begriffe und Wendungen sind in alle bislang abgedeckten Teilbereiche eingeflossen. Der Benutzer wird auch feststellen, dass die thematischen Felder, die in den letzten Jahren eine besondere Bedeutung erlangt haben, umfassend berücksichtigt worden sind. Vordergründig manifestiert sich dies in den neu eingeführten Symbolen, vor allem jenen aus dem Umweltbereich (Atom, Forstwirtschaft, Gas- und Ölförderung, Wasser). Erhebliche Zuwächse sind außerdem in den Bereichen Betriebswirtschaft, Kommunikationstechnologie, Logistik, Marketing und Recht zu verzeichnen.

Ein Novum sind die in beiden Bänden aufgeführten Abkürzungsverzeichnisse, wobei die Liste der englischen Abkürzungen der Praxis entsprechend die deutsche Liste an Umfang übersteigt.
Die Verfasser möchten an dieser Stelle all denen danken, die mit Anregungen, Kommentaren und Quellenmaterial unsere Arbeit unterstützt haben, sowie jenen, die bei der Neuauflage dieses Großwörterbuchs mitgearbeitet haben, insbesondere Cordula Berger, Heike Dittrich, Kirsten Fenner, Barbara Hamblock, Sandra Redicker, Andreas und Stephan Wessels. Unser besonderer Dank gilt Marc Neumeyer für seine umfassende Hilfestellung bei der elektronischen Umsetzung des Materials sowie Saskia Koltermann und Kornelia Kramer für die professionelle Aufnahme der neuen Einträge und auch der vielen Korrekturen und Ergänzungen des deutsch-englischen bzw. englisch-deutschen Bandes.

Bochum, im September 1999

Dieter Hamblock
Dieter Wessels

Preface

This full-size dictionary for everyday reference purposes in commerce and industry is the result of many years of lexicographical work. It contains approx. 175,000 source-language entries plus an even greater number of target-language solutions, both covering a wide range of subjects, for which a vast number of texts has been analyzed. The kinds of texts surveyed – both German and English – include oral utterances, business letters, newspapers and periodicals, monographs and encyclopaedias, special articles, forms and, by no means least, the small print of stock exchange prospectuses, balance sheets, articles of association, contracts of sale and hire, insurance policies etc.

Electronic data processing made it possible for numerous neologisms to be incorporated as late as a few weeks prior to publication, thus keeping up with the rapid increase in specific terminology. On the other hand, our evaluation of specific texts yielded a comparatively high proportion of certain general lexemes and collocations, especially colloquialisms and figurative phrases. It would greatly impair the practical use of a full-size dictionary if such general components of specific language were simply dispensed with. As a rule, users will find recourse to a dictionary particularly rewarding if they are offered more than isolated lexical items. This is why, in analyzing authentic texts, the authors have taken both contextual and cotextual features into account. In so doing, they have tried to identify authentic collocations of the kind occurring time and again in specific texts, rather than record unusual idiomatic phrases. Such instances of lexical solidarity, e.g. between noun and adjective or noun and verb, are to enable the user of this dictionary to better understand foreign-language texts and to achieve a high degree of authenticity in the production of target-language texts.

Specific texts are characterized by a high degree of semantic identity between source-language and target-language lexemes. Isomorphic features of this type naturally occur most frequently in the fields of science and technology. They tend to decrease as institutional divergences between the respective segments of reality to be expressed by means of language become significant. In the core area of this dictionary – the language of industry and commerce – such differences will be found also to manifest themselves notably in divergences between British and American English. The authors have endeavoured to highlight such discrepancies in each case, knowing full well that many Americanisms are increasingly used in British commercial parlance. Analogous orthographical developments have largely been incorporated in this dictionary.

Loan-words, especially those of French and Latin origin, have only been labelled as such if they are unchanged and still regarded as linguistic borrowings. On the other hand, designations of goods which are, at the same time, established trademarks have been incorporated without reference to their origin.

The authors have refrained from incorporating all current names of countries in the lexicographical corpus proper. Instead, the user will find an updated table of names of countries, the relevant adjectives and currencies in the appendix. The latter also contains a list of all important German, British and American weights and measures.

The authors wish to thank all friends, colleagues and contributors for their assistance. For valuable suggestions we are indebted to Mr. Michael Creighton, Herr Friedrich-Wilhelm Kind, Herr Dipl.-Hdl. Helmut Schulz, Herr Winfried and Frau Ulla Wessels, Herr Harald Hein, Herr Marco Raspe, Frau Regine Jannack, Mr. Mark Adamson, Herr Andreas Schlieper, our colleagues Dr. Herbert Geisen and John Poziemski as well as to members of our department's extramural courses and to students of the Ruhr-Universität Bochum.

At the publishers, it was Herr Melzer who, many years ago, first suggested that we compile this dictionary. We are equally indebted to Herr Schmidt-Dransfeld, who not only monitored the growing project with great patience, but also enabled us to employ a computer-aided compositing programme. In this context, we wish to extend our thanks, above all, to Frau Rita Köhler for translating the above programme into a lexicographically adequate shape, as well as to Frau Barbara Hoffmann, Frau Susanne Knorth, Frau Sabine Schütte and Frau Heike Wilpert for keying-in and correcting the text and Frau Elke Linnepe for her assistance with the proofreading. We also wish to thank Frau Andrea Lohmann, Herr Ludger Pfeil and Frau Doerthe Wagelaar for subediting the cards on which all entries were first recorded. Finally, we are greatly indebted to Prof. Dr. Koch and Prof. Dr. Suerbaum for their assistance, which encouraged us to complete this major project.

Dr. Dieter Hamblock
Dr. Dieter Wessels

Preface to the fifth revised edition

A multitude of terms and phrases has emerged in the wake of increasing globalization in the last ten years since this major dictionary was first published. It became therefore necessary to systematically revise this dictionary, which was up to date at the time. The result is a dictionary which is not only more comprehensive, although more compact, but also more user-focused. The lexical solutions offered are now semantically differentiated both by a new numerical hierarchy and by numerous new contextual references. New terms and phrases have been incorporated in all the lexical fields covered so far. However, the user will find that the thematic areas which have become increasingly important in recent years have been given broad coverage. On the face of it, this is manifested in the new symbols, especially those concerning the environment (atom, forestry, gas and oil production, water). There have also been considerable additions in the fields of business administration, communications technology, logistics, marketing and law.
A new feature of both volumes are the lists of abbreviations, with the number of English abbreviations exceeding the number of German items to reflect commercial practice. The table of countries and currencies takes account of the political changes that have taken place.
The authors would like to thank all those who have supported our work with suggestions, comments and source material as well as those who were actively involved in the revision of this dictionary, especially Cordula Berger, Heike Dittrich, Kirsten Fenner, Barbara Hamblock, Sandra Redicker, Andreas und Stephan Wessels. We are especially indebted to Marc Neumeyer for his comprehensive support in converting the lexical material into the appropriate EDP format as well as to Saskia Koltermann and Kornelia Kramer for keying in the new items as well as for the numerous corrections of and additions to the German-English and, respectively, the English-German volume.

Bochum, September 1999

Dieter Hamblock
Dieter Wessels

Erläuterungen für den Benutzer

Anordnung

Die Stichwörter sind streng nach dem Alphabet angeordnet. Dabei gilt das Hierarchieprinzip Nomen, Verb, Adjektiv, Adverb, Präposition, Konjunktion.
Für das Stichwort gilt folgende Anordnung:
1. Nomen: **Bank** *f*
2. Präposition + Nomen: **auf der Bank**
3. Nomen + präpositionale Verbindungen: **Bank der Länder**
4. Wendungen: **durch eine Bank gesichert**
5. Kollokation Nomen + Verb: **zur Bank gehen**
6. Kollokation Adjektiv + Nomen: **ausstellende Bank**
7. Komposita: **Bankadresse**.

Stichwort

Jedes Stichwort ist beim Ersteintrag grammatisch definiert nach Wortart (Adjektiv, Adverb, Präposition, Konjunktion) bzw. Genus (Nomen) bzw. nach den Kategorien transitiv, intransitiv, reflexiv, präpositional (Verb). Das Stichwort wird im Weiteren durch den Anfangsbuchstaben abgekürzt (ausstellende B.). Bei Komposita wird der Stichwortbestandteil durch einen senkrechten Strich angezeigt (Bank|adresse).

Bedeutungsunterschiede

Die Lösungen in der Zielsprache sind nach Bedeutung geordnet und in diesem Fall durch Semikolon getrennt. Vielfach erfolgt eine Zuordnung des Verwendungsbereichs durch ein Symbol (vgl. nachfolgende Aufstellung) oder durch einen Verweis in Kursivschrift in runder Klammer.

Zeichen

Die Tilde (~) vertritt ein Wort oder eine Wortgruppe. Das Verweiszeichen (→) verweist auf ein Stichwort mit denselben zielsprachlichen Lösungen, die nur an einer Stelle aufgenommen sind. Der Bindestrich (-) beim Ersteintrag einer Kompositagruppe beschließt einen in der deutschen Sprache unvollständigen Eintrag, dem im Englischen in der Regel adjektivische Lösungen entsprechen. Runde Klammern ( ) mit Text in Kursivschrift kennzeichnen den Verwendungsbereich einer Lösung und auch – mit entsprechenden Abkürzungen – die Sprachebene des Stichworts oder der Lösung. Eckige Klammern [ ] mit einer Länderabkürzung geben die Herkunft eines Worts an (Ausnahmen: (lat./frz.)). Der Schrägstrich (/) dient der Zusammenfassung von Lösungsalternativen und auch zur Aufzählung mehrerer Verwendungsbereiche von Stichwörtern oder deren Lösungen.

Orthografie und Trennungen

Für die Orthografie und Trennung der englischen Einträge war die Schreibweise in Collins Dictionary of the English Language maßgebend. In wenigen ausgewählten Fällen wurde neben der britischen auch die amerikanische Schreibweise angeführt.

Notes for the user

Arrangement

The entries are arranged in strict alphabetical order using the following hierarchy: noun, verb, adjective, adverb, preposition, conjunction.
Entries are subdivided in the following manner:

1. noun: **Bank** *f*
2. preposition + noun: **auf der Bank**
3. noun + prepositional phrase: **Bank der Länder**
4. phrases: **durch eine Bank gesichert**
5. collocation noun + verb: **zur Bank gehen**
6. collocation adjective + noun: **ausstellende Bank**
7. Compounds: **Bankadresse**.

Headword

Upon first entry each word is defined according to grammatical categories, i.e. parts of speech (adjective, adverb, preposition, conjunction) or gender (noun) or verb class (transitive, intransitive, reflexive, prepositional). Subsequently the headword is abbreviated by its first letter (ausstellende B.). In the case of compounds the headword is separated by a vertical bar (Bank|adresse).

Differences in meaning

The entries in the target language are arranged by meaning and may be separated by a semicolon. The field of application is marked by a symbol (cf. list below) or by an indication in brackets in italics.

Symbols

A word or group of words is replaced by a tilde (~). The arrow (→) refers to a headword with identical entries in the target language; these are only listed once.
The first entry of a paragraph of compounds sometimes ends with a hyphen to indicate an incomplete German entry which in English is often rendered by an adjective. Round brackets ( ) with explanations in italics refer to the field of application or – together with the appropriate abbreviation – to the level of style of either the entry word or its Enlish equivalent. Square brackets [ ] with an abbreviation for a country indicate the origin of a word (exceptions: (lat./frz.)).
The slash (/) is used to group together entries of a similar structure and meaning or fields of application.

Spelling and syllabification

The spelling and syllabification of Collins Dictionary of the English Language has been used throughout. In a few instances the American spelling is also given.

Verzeichnis der Symbole/List of symbols

	Baukunst/architecture
	Bergbau/mining
	Biologie/biology
	Chemie/chemistry
	Druck/printing
	EDV/EDP
	Eisenbahn/railway
	Elektrotechnik/electrical engineering
	Flugwesen/aviation
	Forstwirtschaft/forestry
	Handwerk; Technik/handicraft; engineering
	Hüttenwesen/metallurgy
	Industrie/industry
	Kraftfahrzeugwesen/automobile engineering
	Landwirtschaft/agriculture
	Lärm/noise
π	Mathematik/mathematics
	Medizin/medicine
	Metereologie/metereology
	militärisch/military term
	Nukleartechnik/nuclear technology
	Öl; Gas/oil; gas
	Postwesen/postal affairs
§	Rechtswissenschaft/law
⚓	Schifffahrt/nautical term
	Statistik/statistics
	Telekommunikation/telecommunications
	Theater/theatre
TM	Warenzeichen/trademark
	Wasserwirtschaft/water industry
	Zoll/customs

Verzeichnis der Abkürzungen/List of abbreviations

A	Österreich/Austria
adj	Adjektiv/adjective
adv	Adverb/adverb
abbr.	Abkürzung/abbreviation
AG	Aktiengesellschaft/stock corporation
AUS	Australien/Australia
BWL	Betriebswirtschaftslehre/business administration
CAN	Kanada/Canada
CH	Schweiz/Switzerland
conj	Konjunktion/conjunction
coll	umgangssprachlich/colloquial
D	Deutschland/Germany
DDR	Deutsche Demokratische Republik/German Democratic Republic
d.h.	das heißt/that is
e.g.	zum Beispiel/for example
E	Spanien/Spain
etc.	usw./and others
etw.	etwas/something
EU	Europäische Union/European Union
EWS	Europäisches Währungssystem/European Monetary System
f	Femininum/feminine
fig	bildlich/figuratively
frz.	französisch/French
GB	Großbritannien/Great Britain
GmbH	Gesellschaft mit beschränkter Haftung/private limited company
HV	Hauptversammlung/general meeting
I	Italien/Italy
i.e.	das heißt/that is
interj	Ausruf/interjection
IRL	Irland/Eire
IWF	Internationaler Währungsfonds/International Monetary Fund
jdm	jemandem/someone
jdn	jemanden/someone
jds	jemandes/someone's
lat.	lateinisch/Latin
Lit.	Literatur/literature
m	Maskulinum/masculine
Mus.	Musik/music
n	Nomen/noun
NL	Niederlande/Netherlands
nt	Neutrum/neuter
obs.	veraltet/obsolete
OHG	Offene Handelsgesellschaft/general partnership
o.s.	sich/oneself
OR	Operations Research

Pat.	Patent/patent
pej.	pejorativ/pejorative
pl	Plural/plural
prep	Präposition/preposition
prov.	Sprichwort/proverb
Scot.	Schottland/Scotland
sl	slang
so.	jemand/someone
sth.	etwas/something
UN	Vereinte Nationen/United Nations
US	Vereinigte Staaten/United States
v/i	intransitives Verb/intransitive verb
v/prep	präpositionales Verb/prepositional verb
v/refl	reflexives Verb/reflexive verb
v/t	transitives Verb/transitive verb
Vers.	Versicherungswesen/insurance
VWL	Volkswirtschaftslehre/economics
z.B.	zum Beispiel/for instance

A

a, (à) *prep* at, each; **a 1 Mark** at 1 DM each; **a conto** on account, for the account of; **a meta** on joint account

aalglatt *adj* slick, smooth

ab *prep* 1. *(wirksam)* as from, effective; 2. *(Versandort)* ex; 3. 🚆/✈ departure time; **ab und zu** at intervals, at odd times

abänder|bar *adj* 1. modifiable, alterable; 2. [§] commutable; **a.lich** *adj* alterable

abändern *v/t* 1. to modify/alter/vary/change; 2. *(Gesetz)* to amend; 3. *(Text)* to revise, to correct/rectify; **ergänzend a.** to amend

Abänderung *f* 1. modification, alteration, change; 2. *(Gesetz)* amendment; 3. *(Text)* revision, rectification; **A. vorbehalten** modifications reserved; **A. beantragen** *(Parlament)* to move an amendment; **A.en vornehmen** 1. to make changes/alterations; 2. *(Gesetz)* to amend, to adopt amendments

Abänderungs|antrag *m* *(Parlament)* amendment; ~ **einbringen** to table an amendment; **A.bescheid** *m* *(Pat.)* certificate of correction; **A.gesetz** *nt* amending law/act; **A.klage** *f* petition to modify a judgment; **A.klausel** *f* reopening clause; **A.recht** *nt* right of amendment; **A.termin** *m* variation date; **A.urteil** *nt* amending judgment

Abandon *nt* 1. *(Vers.)* abandonment; 2. abandon, relinquishment of a right; **A.erklärung** *f* notice of abandonment; **A.ist** *m* abandoner; **A.klausel** *f* abandonment clause; **a.nieren** *v/t* to abandon; **A.recht** *nt* right of abandonment; **A.revers** *m* declaration of abandonment, abandonment acknowledgment

abarbeiten *v/t* 1. *(Schulden)* to work off; 2. *(Befehl)* 🖳 to execute; *v/refl* to slave/toil/labour/drudge

Abarbeitung *f* processing; **parallele A.** 🖳 pipelining

Abart *f* variety, species; **a.ig** *adj* abnormal

Abbau *m* 1. *(Persona/Schulden)* cut, cutback, reduction; 2. *(Betrieb)* exhaustion; 3. ⚒ mining, extraction, exploitation, quarrying; 4. *(Gebäude/Maschinen)* dismantling; 5. *(Lager)* run-down; 6. *(Kontrolle)* removal, dismantlement, phasing-out, abolition; 7. *(Rückstand)* working-off

Abbau der Arbeitslosigkeit reduction of unemployment; **A. von Arbeitsplätzen** job shedding/cuts/pruning, slimming jobs, slashing manning levels; **A. der Belegschaft** slimming/reduction of the workforce, job pruning, slashing of manning level; **A. von Bodenschätzen** minerals extraction; ~ **Devisenreserven** rundown of foreign exchange reserves; ~ **Gelegenheitsarbeit** decasualization; **A. nicht tarifärer Handelshemmnisse** dismantling/removal of non-tariff barriers, non-tariff reduction; **A. der Handelsschranken** removal of barriers to trade, lowering of trade barriers; **A. von Hindernissen** removal of barriers; ~ **überschüssigen Kapazitäten** reduction of excess capacity; ~ **Lagerbeständen; A. der Vorräte** destocking, inventory rundown/liquidation, disinvestment in stocks; **A. von Überstunden** reduction of overtime; **A. der Verschuldung** reduction of debt(s); ~ **Zölle** reduction of tariffs; **A. von Zollschranken** removal/lowering of customs barriers; **A. der Zwangsbewirtschaftung** deregulation

kommerzieller Abbau ⚒ commercial recovery operation; **kontinuierlicher A.** continuous mining; **schrittweiser A.** 1. step-by-step reduction/removal, phase-out; 2. *(Kontrollen)* gradual dismantlement, step-by-step cancellation

biologisch abbaubar *adj* biodegradable; **nicht a.** non-degradable; **wirtschaftlich a.** ⚒ commercially exploitable

Abbaubetrieb *m* mining operation, extractive enterprise, wasting-asset industry

abbauen *v/t* 1. *(Arbeitsplatz)* to cut/axe, to abolish gradually; 2. *(Aufträge)* to work off; 3. *(Betrieb)* to phase out, to run down; 4. *(Gebäude/Maschinen)* to dismantle; 5. ⚒ to mine/extract/exploit, to work out; 6. *(Personal)* to reduce/cut/slim/retrench; 7. *(Schulden)* to pay off; **schrittweise a.** to phase out

abbau|fähig *adj* min(e)able, exploitable, recoverable; **A.fähigkeit** *f* exploitability; **gepachtete A.fläche** ⚒ take; **A.gerechtigkeit** *f* mining/quarrying right; **A.konzession** *f* mining franchise/concession, operating lease; **A.land** *nt* wasting assets; **A.menge** *f* volume of exploitation; **A.methode** *f* method of extraction, mining system; **A.politik** *f* ⚒ depletion policy; **A.produktivität** *f* ⚒ recovery efficiency; **A.recht** *nt* ⚒ mining right/concession, exploitation/mineral/quarrying right; **A. steuer** *f* severance tax *[US]*; **A.strecke** *f* ⚒ gate road; **A.tätigkeit** *f* ⚒ mining activity; **A.technik** *f* ⚒ mining/exploitation technology; **A.wirtschaft** *f* extractive industry; **a.würdig** *adj* exploitable, min(e)able, workable, recoverable; **A.würdigkeit** *f* mineability

abbedingen *v/t* [§] to eliminate by agreement; **vertraglich a.** to contract out

abberufen *v/t* *(Aufgabe)* to recall/dismiss/withdraw/remove

Abberufung *f* 1. *(Aufgabe)* recall, dismissal, removal, withdrawal; 2. [§] amotion; **A. eines Aufsichtsratsmitgliedes** withdrawal of a non-managing director; ~ **Geschworenen** withdrawal of a juror; **A. von Gesellschaftern** withdrawal of partners/shareholders

abbestellen *v/t* to cancel/countermand/discontinue/counterorder

Abbestellung *f* cancellation (of an order), countermand; **A. vorbehalten** right to cancel reserved

ab|bezahlen *v/t* to pay off, to repay; **nicht a.bezahlt** *adj* uncleared; **a.biegen** *v/t* 🚗 to turn off; **a.brechen** *v/t* 1. 🖳 to cancel; 2. 🏛 to pull down; **a.bilden** *v/t* 1. to reproduce/copy/display/illustrate; 2. *(Grafik)* to map

Abbildung *f* 1. reproduction, illustration, picture; 2. *(Grafik)* 🖳 mapping; **mit A.en versehen** to illustrate

abblasen *v/t* to call off

Abblocken des Fortschritts durch Sperrpatente *nt*

blocking and fencing; **a.** *v/t* to head off

Abbrechen *nt* 1. dismantling, breaking off; 2. 🏛 tearing/pulling down, demolition; 3. ▦ cutoff; 4. 💻 truncation; **a.** *v/t* 1. to break off; 2. 🏛 to tear/pull down, to demolish, to pull down; 3. to sever/discontinue; 4. *(Studium)* to drop out; 5. 💻 to abort, to cancel/quit/truncate

Abbrecher *m (Studium)* dropout; **A.quote** *f* dropout rate

ab|bremsen *v/ti* to slow down, to decelerate; **a.brennen** *v/t* to burn down; **a.bringen von** *v/prep* to dissuade from

Abbröckeln der Kurse *nt* price slippage; **~ Preise** easing of prices, drifting/edging down of prices; **a.** *v/i* 1. *(Börse)* to drift lower/down, to ease (off), to drop; 2. *(Preise)* to edge down, to crumble/recede/drop, to give way; **auf breiter Front a.** *(Kurse)* to drift generally lower; **a.d** *adj* crumbling, easing

Abbruch *m* 1. *(Beziehungen)* severance, rupture; 2. 🏛 demolition; 3. *(Maschinen)* dismantling, dismantlement; 4. *(Prozess)* discontinuance, discontinuation; 5. *(Verhandlungen)* break-off, breakdown; **A. von Industrieanlagen** dismantling of industrial plants

Abbruch|anordnung *f* demolition order; **A.arbeiten** *pl* demolition work; **A.betrieb** *m* demolition contractor, wrecker; **A.erlöse** *pl* revenue from dismantled buildings, plant and equipment; **A.kosten** *pl* demolition cost(s)/expense, dismantling cost(s), cost(s) of demolition/dismantling, removal expenses; **A.material** *nt* demolition rubbish/waste; **a.reif** *adj* derelict, condemned, dilapidated; **A.unternehmen** *nt* salvage company; **A.unternehmer** *m* housebreaker *[US]*, demolition contractor; **A.verfügung** *f* 🏛 condemnation/demolition order; **A.wert** *m* breakup value

abbuchen *v/t* to debit, to charge (off), to enter a debit against, to write/close off, to take out of the books

Abbuchung *f (Konto)* debiting, debit entry, charge; **A. uneinbringlicher Forderungen** bad debt write-off; **automatische A.** direct debit(ing)

Abbuchungs|auftrag *m* direct debit instruction, credit transfer instruction, collection order, direct debiting; **~ kündigen** to cancel a direct debiting instruction; **A.beleg** *m* debit slip; **A.ermächtigung** *f* direct debit mandate; **~ für Kreditkarten** credit card charge authorization; **A.karte** *f* charge card; **A.verfahren** *nt* direct debiting, preauthorized payment method

Abbüßen *nt* § serving one's sentence; **nach A. der Strafe** after serving one's sentence; **a.** *v/t* 1. § to serve a sentence; 2. to atone

ABC-Analyse *f* ABC analysis, inventory analysis and classification, usage analysis; **~ der Lagerhaltung** ABC inventory control system, selective inventory control, usage value analysis; **ABC-Staaten** *pl (Argentinien, Brasilien, Chile)* ABC countries

abdanken *v/i* 1. to resign/retire; 2. *(Monarchie)* to abdicate

Abdankung *f* 1. resignation, retirement; 2. *(Monarchie)* abdication; **A.surkunde** *f* instrument of abdication

abdecken *v/t* 1. *(Schulden/Kredit)* to cover/repay/settle, to pay back; 2. *(Börse)* to hedge; **sich automatisch a.d** *adj* self-liquidating

Abdecker *m* knacker; **A.ei** *f* knacker's yard

Abdeckung *f* 1. cover, covering, settlement, repayment; 2. *(Börse)* hedging, coverage; 3. *(Kredit)* repayment; 4. *(Platte)* cover; **A. des Marktes** *m* market coverage; **A. von Verlusten** provision(s) for losses

abdingbar *adj* § not mandatory, subject to being contracted away, modifiable, transactionable

Abdingungsvereinbarung *f* severance agreement, termination agreement

ab|disponieren *v/t (Geld)* to withdraw/transfer, to pay out; **A.disposition** *f* withdrawal, outpayment, transfer

abdrehen *v/t* to turn off; *v/i* ⚓ to change course

Abdrift *f* ⚓ drift

Abdruck *m* print, reprint, copy, cast; **unbefugter A.** unauthorized reproduction

abdrucken *v/t* 1. to print; 2. *(veröffentlichen)* to publish; 3. to reproduce

Abdruck|erlaubnis *f* copyright; **A.recht** *nt* copyright, authorization to reprint, right of reproduction; **A.stelle** *f* printing position

abebben *v/i* to slacken

Abend *m* evening; **A.anzug** *m* dinner suit, formal dress; **A.ausgabe** *f* late edition; **A.blatt** *nt* evening paper; **A.gesellschaft** *f* dinner party; **A.kleid** *nt* evening dress; **A.kurs** *m* evening class; **A.schule** *f* evening/night school; **A.verkauf** *m* late opening, night-time sales; **A.zeitung** *f* evening paper

Abenteuer *nt* adventure; **A.urlaub** *m* adventure holiday

Aberdepot *nt* bonds account, fungible security deposit, custody account of fungible securities

aberkennen *v/t* to deny so. a right, to deprive so. of a right, to dismiss a claim, to disallow

Aberkennung *f* deprivation, disqualification, disallowance; **A. der bürgerlichen Ehrenrechte** suspension/deprivation of civil rights; **A. des Facharbeiterstatus** deskilling; **A. der Rechtsfähigkeit** incapacitation; **~ Staatsangehörigkeit/-bürgerschaft** forfeiture of nationality, expatriation

Aberkonto *nt* bonds account

abernten *v/t* 🚜 to harvest/lift (the crop)

aberratio ictus *(lat.) (Fehlgehen der Tat)* § miscarriage of criminal act, transferred malice

abfackeln *v/t (Gas)* to flare off

abfahrbereit *adj* ready to depart

abfahren *v/i* 1. to depart/start; 2. ⚓ to sail; 3. to leave; **a. nach** to leave for; **a.d** *adj* outgoing, departing

Abfahrhafen *m* port of departure

Abfahrt *f* 1. departure; 2. ⚓ sailing; 3. start; **zur A. bereit liegen** to be ready to depart/sail

Abfahrts|bahnsteig *m* 🚂 departure platform; **A.datum** *nt* 1. departure date, date of departure; 2. ⚓ sailing date, date of sailing

Abfahrtszeit *f* 1. time of departure, departure time; 2. ⚓ sailing time; **tatsächliche A.** actual time of departure (atd); **voraussichtliche A.** expected/estimated time of departure (etd)

Abfall *m* 1. waste, refuse; 2. trash *[US]*, rubbish, garbage *[US]*, litter; 3. *(Produktion)* rejects(s); 4. drop, leavings, stuff, dross; 5. *(Bodenaushub)* spoilage; **Ab-**

fälle 1. waste; 2. odd-come-shorts, odds and ends, oddments; **mit Abfällen übersät** litter-strewn

Abfälle ablagern to deposit/leave waste; **A. behandeln** to treat waste; **A. beseitigen** to dispose of waste; **A. deponieren/lagern** to deposit waste; **A. verwerten** to recycle refuse; **Abfall wegwerfen** to discard litter

schwach aktiver Abfall ⚛ low-level waste; **fester A.** solid waste; **gewerblicher A.** industrial waste, trade refuse/waste; **nuklearer A.** nuclear waste; **organischer A.** organic refuse; **radioaktiver A.** 1. radioactive waste; 2. fallout

Abfall|analyse *f* volume analysis of scrap/waste/spoilage; **a.arm** *adj* low-waste, low-residue; **A.aufkommen** *nt* 1. waste volume, quantity of refuse, quantity discarded; 2. solid waste production; **A.behälter** *m* litter bin, dustbin, trash can *[US]*; **A.behandlung** *f* waste/refuse treatment; **A.behandlungsverfahren** *nt* waste treatment process; **A.belastungsnorm** *f* waste-loading standard; **A.berater** *m* waste disposal consultant

Abfallbeseitigung *f* refuse/waste disposal, waste management; **A.sanlage** *f* waste disposal plant, refuse disposal/destructor plant, solid waste plant; **A.sgesetz** *nt* Refusal Disposal (Amenity) Act *[GB]*; **A.skosten** *pl* waste disposal cost(s), cost(s) of waste disposal

Abfall|beutel *m* refuse bag; **A.börse** *f* waste materials exchange, exchange for the purchase and sale of waste; **A.eimer** *m* dustbin, trash can *[US]*

abfallen *v/i* 1. *(Kurs)* to drop/slide/descend/plummet; 2. *(Abfall)* to be a waste product; 3. *(politisch)* to defect/desert

Abfall|energie *f* waste energy; **A.erzeugnis** *nt* 1. waste product; 2. by-product, spin-off; **A.halde** *f* mound/heap of waste; **A.haufen** *m* 1. rubbish heap; 2. *(Schrott)* scrap heap; **A.holz** *nt* waste wood

abfällig *adj* derogatory, disparaging

Abfall|korb *m* waste-paper basket; **A.markt** *m* residuary products market; **A.material** *nt* 1. waste material; 2. *(Aushub)* spoilage; 3. *(Metall)* scrap; **A.menge** *f* volume of waste; **A.minimierung/A.reduzierung** *f* waste minimization; **A.papier** *nt* waste paper; **A.produkt** *nt* 1. waste/residual product; 2. by-product, spin-off product

Abfallstoff *m* refuse; **A.e** 1. wastes; 2. *(Rückstände)* residues, waste products/material/matter; 3. *(Metall)* scrap; **feste A.e** solid waste; **giftige A.e** toxic waste; **organische A.e** organic waste

Abfall|stück *nt* reject; **A.tourismus** *m* waste tourism; **A.vermeidung** *f* waste avoidance; **A.vermeidungsziel** *nt* no-waste goal; **A.verminderungsprämie** *f (Metall)* scrap cutting bonus; **A.vernichtung** *f* waste disposal; **A.versenkung** *f* dumping at sea; **A.verwertung** *f* recycling, disposition of spoilage/scrap, utilization of waste, salvage; **A.wirtschaft** *f* 1. waste management/control, recycling, utilization of waste products, garbology *[US]*; 2. waste disposal industry; **A.zerkleinerungsgerät** *nt* shredder *[GB]*, disposal unit *[US]*

ab|fangen *v/t* 1. *(Brief)* to intercept; 2. *(Entwicklung)* to head off, to cushion; **auf jdn a.färben** *v/i* to wash/rub off on so.

abfassen *v/t* to draw up, to draft/word/compose/formulate; **artikelweise a.** to article; **schriftlich a.** to draw up

Abfassung *f* wording; **A. der Anklageschrift** drawing-up the indictment; **A. des Urteils** composing the court judgment; **A. von Werbetexten** copywriting

abfeder|n *v/t* to cushion/temper/featherbed, to provide a cushion against; **steuerliche A.ung** tax cushion

abfeiern *v/t (Stunden)* to take time off

abfertigen *v/t* 1. to handle/dispatch/expedite/forward/process; 2. *(Kunden)* to serve, to deal with, to attend (to), to wait on customers; 3. ⊖ to clear; 4. to book/register; **beschleunigt a.** to expedite; **jdn. brüsk/kurz a.** to be very short with so., to give so. short shrift; **einfuhrrechtlich a.** ⊖ to carry out import procedure(s); **zollamtlich/zollmäßig a.** ⊖ to clear (through customs)

Abfertiger *m* dispatcher

Abfertigung *f* 1. *(Ware)* dispatch, forwarding; 2. *(Passagiere/Gäste/Gepäck)* check-in, check-out, handling; 3. disposal, processing, handling, service unit; 4. ⊖ clearance; 5. *(Schild)* channel

Abfertigung zur Anweisung ⊖ clearance for transit; **A. zum Dauerverbrauch** clearance for home use; **~ freien Verkehr** release for free circulation; **A. zur Wiedereinfuhr** clearance for reimportation/reentry

Abfertigung (von Einfuhrwaren) zum freien Verkehr beantragen ⊖ to enter (import goods) for consumption; **sich zur A. melden** ✈ to check in

normale Abfertigung ordinary handling; **schnelle A.** prompt dispatch; **zollamtliche A.** ⊖ customs clearance

Abfertigungs|agent *m* ⊖ clearing/clearance agent; **A.anlage** *f* service station; **A.beamter** *m* clearance officer; **A.bescheinigung** *f* 1. taking-over certificate; 2. ⊖ clearance certificate; **A.buch** *nt* dispatch book; **A.büro in der Stadt** *nt* ✈ city/town terminal; **A.gebäude** *nt* ✈ terminal (building); **A.gebühr** *f* 1. handling/processing charge; 2. ⊖ clearance/dispatch fee; 3. ✈ terminal charge; 4. 🚆 incidental rail charges; **A.hafen** *m* ⊖ port of clearance; **A.kasse** *f* payment office; **A.rate** *f* service rate; **mittlere A.rate** mean service rate; **A.schalter** *m* 1. ✈ check-in desk/counter, registration desk; 2. ⊖ control point; **A.spediteur** *m* dispatch agent, truck haulage carrier; **A.stelle** *f* 1. service point/station; 2. channel; 3. freight office/station; **A.vorschriften** *pl* 1. forwarding regulations; 2. clearance regulations; **A.zeit** *f* 1. ✈ check-in time; 2. ⚓ turnround time; 3. holding/service time

abfinden *v/t* 1. to pay off, to buy off/out; 2. *(entschädigen)* to indemnify/compensate; 3. *(Gläubiger)* to satisfy; 4. *(Forderung)* to settle; **a. mit** *v/refl* to put up with, to resign/reconcile o.s. to, to come to terms with, to accept, to face the facts, to be resigned to, to submit to; **sich a. lassen** to accept compensation

Abfindung *f* 1. compensation, indemnity; 2. *(Betrag)* pay off, paying-off, indemnification, (lump-sum) settlement, money compensation, buying-out, commutation/ex gratia payment; 3. *(Entlassung)* redundancy payment, termination of employment payment, severance pay(ment), (terminal) gratuity, terminal bonus, dismissal wage, accord and satisfaction, termination pay, golden handshake/parachute *(coll)*

Abfindung bei Kündigung/Verlust des Arbeitsplatzes redundancy pay(ment); **A. vereinbaren** to settle (a sum) by way of compensation

einmalige/pauschale Abfindung lump-sum payment/ settlement; **großzügige A.** golden handshake/parachute *(coll)*; **hinausgeschobene A.** deferred compensation

freiwillige Abfindungs|aktion voluntary termination programme; **A.angebot** *nt* 1. offer of compensation payment; 2. retirement/settlement offer, early retirement scheme; 3. take-over bid; **A.anspruch** *m* redundancy/severance claim, right to settlement; **A.aufwand** *m* severance cost(s); **A.entschädigung** *f* compensatory payment, compensation for loss of office; **A.erklärung** *f* release, indemnity agreement, acceptance declaration; **A.forderung** *f* 1. claim for compensation/redundancy pay; 2. partner's claim; **A.guthaben** *nt* (amount of) compensation, balance due in settlement of claims; **A.konto** *nt* indemnity account; **A.kosten** *pl* severance cost(s)/expenses, (expenditure for) severance pay; **A.leistung** *f* redundancy pay(ment); **A.maßnahme/A.regelung** *f* redundancy/severance scheme; **A.summe** *f* indemnity, redundancy pay(ment), amount of compensation, gratuity; **freiwillige A.vergütung** voluntary severance (terms); **A.vertrag** *m* settlement/termination agreement, composition, deed of settlement; **A.werte** *pl (Börse)* pay-off shares; **A.zahlung** *f* severance pay, redundancy/compensation payment, terminal gratuity; **A.zahlungen an weichende Erben** estate payments to heirs in settlement of inheritance share(s)

Abflachen *nt* *(Konjunktur)* levelling-off, flagging; **A. der Konjunkturkurve** slowing-down of the economy; **a.** *v/i* to slacken; *v/refl* to level off, to flatten (out), to tail off, to bottom/cap out

Abflachung *f* slackening, levelling-off, tail-off, dropping-off; **A. der Lohnkurve** slowing-down of wage increases, ~ the wage curve, slowing of the rise in wages; **A. des Zinsgefälles** narrowing of interest rate differentials; **konjunkturelle A.** levelling-off of economic activity, economic downturn

Abflauen *nt* tailing-off, subsidence, easing-off; **A. der Konjunktur** decline in activity, economic recession

abflauen *v/i* 1 to ease (off), to abate, to calm down, to tail off/away, to sag; 2. *(Nachfrage)* to level/taper off, to subside; **a. lassen** to depress

ab|fliegen *v/i* to depart/leave, to take off; **a.fließen** *v/i* to flow out, to drain away

Abflug *m* departure, take-off; **am A. gehindert** grounded

Abflug|gewicht *nt* take-off weight; **A.hafen** *m* airport of departure; **frei A.hafen** free/fob ... airport; **A.halle** *f* departure lounge; **A.karte** *f* embarkation card; **A.termin** *m* flight date; **A.zeit** *f* departure time, time of departure

Abfluss *m* outflow, drain; **A. finanzieller Mittel** financial outflows, cash drain; **A. liquider Mittel** cash drain; **A.rinne** *f* gutter(ing); **A.rohr** *nt* drainpipe, discharge pipe; **A.überwachung** *f* effluent control

Abfolge *f* sequence

abforst|en *v/t* to disafforest; **A.ung** *f* disafforestation, disafforestment

Abfrage *f* 1. request; 2. inquiry, retrieval; **A.einheit** *f* inquiry unit, console inquiry station; **A.einrichtung** *f* interrogate/interrogation feature; **A.möglichkeit** *f* interrogation/inquiry facility

abfragen *v/t* to scan/inquire/retrieve/interrogate; **zyklisch a.** to poll

Abfrage|sprache *f* query language; **A.station** *f* inquiry station/terminal; **A.steuerung** *f* inquiry control; **A.vorrichtung** *f* scanner

abfühlen *v/t* to read/sense

Abfühl|fehler *m* read(ing) error; **A.station** *f* reading station; **A.stift** *m* sensing pin/head

Abfuhr *f* 1. rebuff; 2. *(Spedition)* cartage

abführen *v/t* 1. *(Geld)* to pay off/over; 2. *(überweisen)* to remit/transfer; 3. *(Schuld)* to clear; 4. § to lead/take away

Abfuhrlohn *m* cartage

Abführung *f* 1. *(Geld)* payment, remittance; 2. *(Gewinn)* surrender; **a.spflichtig** *adj (Steuer)* payable

abfüll|en *v/t* 1. to fill; 2. to bottle; **A.er** *m (Getränke)* bottler; **A.anlage/A.fabrik** *f* bottling plant; **A.halle** *f* bottling hall; **A.ung** *f* filling

Abgabe *f* 1. *(Steuer etc.)* tax, duty, levy; 2. *(Gebühr)* charge, rate, toll; 3. *(Aushändigung)* delivery; 4. *(Verkauf)* sale, output; 5. *(Einfuhr)* import duty/levy; 6. contribution, fee; 7. *(Börse)* unloading; **A.n** 1. (fiscal) charges, dues; 2. *(Börse)* sales

Abgabe eines Angebots bidding, submitting an offer, submission bid; **A. auf das Betriebsvermögen** levy on operating assets; **A. einer Erklärung** issue of a statement; **A. der Sache an ein anderes Gericht** referral to another court; **A. auf das Grundvermögen** levy on real estate; **A. eines Gutachtens** giving an expert opinion; **A.n zu Lasten des Käufers** duties on buyer's account; **A. auf zu erschließendes Land** development land tax; **A.n für Luft- und Wasserverschmutzung** effluent charges; **A. auf Mineralbrennstoffe** fossil fuel levy; **A. der Steuererklärung** filing a tax return; **A.n mit gleicher Wirkung** other levies; **A. der Zollanmeldung** lodgment of the customs declaration

frei von Abgaben tax-free, duty-free; **alle A. werden vom Schiff getragen** steamer pays dues (S.p.d.)

Abgabe auf etw. anheben to raise duty on sth.; **zur A. von (Zeichnungs)Angeboten auffordern** to invite tenders/offers; **mit A.n belegen; A.n erheben** to impose duties/levies, to levy duties/tax, to collect revenue; **A. auf etw. erhöhen** to raise duty on sth.

direkte Abgaben direct taxes/taxation; **drückende A.** oppressive taxes; **gemeinsame A.** *[EU]* co-responsibility levy; **generelle A.** general fiscal charges; **gesetzliche A.** statutory levies; **große/massive A.** *(Börse)* heavy/hefty selling; **indirekte A.** indirect taxes/taxation; **inländische A.** internal taxes, internal duties and taxes; **kommunale A.** local/municipal rates; **öffent-**

liche A. public dues/charges, rates and taxes; **(gesetzliche) soziale A.** (statutory) social security contributions, social levies; **städtische A.** (local) rates, municipal taxes; **überdurchschnittliche A.** *(Börse)* oversold positions; **umfangreiche A.** *(Börse)* spate of selling, heavy sales, hefty selling

Abgabe|bereitschaft *f* 1. readiness to sell; 2. *(Börse)* inclination to sell; **A.beschränkungen** *pl* sales restrictions

Abgabedruck *m* *(Börse)* sales/selling pressure, hefty selling; **hoher A.** sharp selling; **massiver A.** heavy selling pressure

Abgabe|freiheit *f* immunity from taxes, zero rating; **A.frist** *f* filing/due date, deadline, final date for acceptance; **~ für die Steuererklärung** filing period for taxpayers; **A.kurs** *m* issue price; **A.land** *nt* source country; **A.leistung** *f* ⚡ power output; **A.termin** *m* time for filing, filing date

Abgabenautonomie *f* right to levy taxes and duties

Abgabenbefreiung *f* 1. tax exemption, immunity from taxation, exemption from taxes; 2. ⊖ relief/exemption from duties; **teilweise A.** ⊖ partial exemption; **vollständige A.** total exemption

Abgabenbelastung *f* tax burden

Abgabeneigung *f* *(Börse)* tendency/willingness to sell, selling tendency

Abgaben|erfolg *m* tax revenue collected; **A.erhebung** *f* imposition of duties; **a.frei** *adj* 1. tax-exempt, tax-free, duty-free, free of tax, zero-rated, exempt(ed) from duty/taxes, free from duty/taxes, non-assessable; 2. toll-free; 3. tariff-free; **A.freiheit** *f* exemption from duties/taxes; **A.hinterziehung** *f* defrauding the tax revenue, tax evasion; **A.last** *f* tax burden; **A.ordnung** *f* tax/revenue/fiscal code, tax system; **A.orientierung** *f* tax orientation (of plant location); **A.quote** *f* rate of duty, tax rate; **gesamtwirtschaftliche A.quote** overall ratio of levies; **A.recht** *nt* revenue law; **A.schuldner(in)** *m/f* person liable for duties/taxes; **A.struktur** *f* tax structure; **A.system** *nt* system of levies; **A.vergünstigung** *f* preferential tariff treatment

Abgabe(n)pflicht *f* tax liability, liability for tax, rat(e)ability; **a.ig** *adj* taxable, liable for duty, subject to duty, dutiable, customable; **A.iger** *m* taxpayer

Abgabe|preis *m* 1. selling price; 2. *(Benzin)* pump price; **empfohlener A.preis** suggested/recommended retail price; **A.rate** *f* instalment of levy; **A.satz** *m* 1. selling rate; 2. amount of fiscal charges; **A.schuld** *f* tax liability; **A.termin** *m* 1. due/closing/filing date, time for filing, deadline; 2. tax payment date; **letzter A.termin** deadline (for entries); **öffentlich-rechtliche A.verpflichtung** tax liability under public law

Abgang *m* 1. waste; 2. outflow; 3. *(Bilanz)* debit (entry), disposal, retirement, asset disposal/retirement, quantity withdrawn/issued; 4. *(Vers.)* termination; 5. *(Warenversand)* dispatch; 6. departure; **Abgänge** 1. *(Lager)* retirements, disposals; 2. *(Anlagevermögen)* retirements, disposals, deductions; 3. *(Bilanz)* losses, sales; 4. *(Personal)* leavers; 5. *(Vers.)* actual deaths; **A. aus Anlagevermögen; A. von Gegenständen des Anlagevermögens** *m* disposal/retirement of fixed assets; **natürlicher A.** *(Personal)* natural wastage, attrition

Abgänger(in) *m/f* 1. school leaver; 2. 🖳 branch emanating from node

abgängig *adj* missing, deficient, lost

Abgangs|alter *m* 1. *(Vers.)* age at expiry; 2. school-leaving age; **A.bahnhof** *m* departure/dispatching station; **A.datum** *nt* date of dispatch; **A.entschädigung** *f* severance pay; **A.flughafen** *m* airport of departure; **A.hafen** *m* port of departure; **A.kurve** *f* *(Vers.)* mortality curve, survivor life curve, retirement curve; **A.land** *nt* country of departure; **A.manifest** *nt* shipping list; **A.ordnung** *f* mortality table/sequence; **A.ort** *m* place of departure, departure point; **natürliche A.quote** *(Arbeitsmarkt)* attrition rate; **A.rate** *f* *(Personal)* separation rate; **A.rechnung** *f* asset retirement account(ing), tare account/note; **A.station/A.stelle** *f* dispatching station, departure point, place of departure; **A.tabelle** *f* *(Vers.)* mortality/retirement table; **A.vergütung** *f* *(Vers.)* withdrawal benefit; **A.wahrscheinlichkeit** *f* *(Vers.)* probability of exit, mortality probability; **A.zettel** *m* bag list; **A.zeugnis** *nt* leaving certificate; **A.zollstelle** *f* outgoing goods customs office, customs office of departure

Abgas *nt* exhaust/waste gas; **schädliche A.e** noxious fumes/gases

Abgas|entgiftung *f* 🚗 car exhaust decontamination; **A.entgiftungsanlage** *f* 1. anti-pollution device; 2. 🚗 exhaust emission control, emission control device; **a.frei** *adj* emission-free; **A.kontrolle** *f* 🚗 emission/exhaust control; **A.normen** *pl* exhaust (emission) standards; **A.reinigung** *f* 1. 🚗 car exhaust clean-up; 2. ⚙ flue scrubbing; **A.test** *m* 🚗 exhaust emission test; **A.turbine** *f* exhaust turbine; **A.vorschrift** *f* 🚗 exhaust emission standard(s); **A.werte** *pl* waste/exhaust gas composition

abgeändert *adj* amended, changed, modified

abgeben *v/t* 1. to deliver/deposit/submit/surrender, to hand in; 2. *(Verkauf)* to sell, to dispose of; 3. *(Medikament)* to dispense; **sich a. mit** to concern o.s. with; **billig a.** to sell/go cheap; **umständehalber ~ abzugeben** going cheap for a quick sale; **blanko a.** to sell short; **eigenhändig a.** to hand in personally; **kostenlos a.** to give away free

Abgeber *m* 1. giver; 2. *(Börse)* seller; 3. *(Erklärung)* § deponent; 4. ⊖ declarant; 5. *(Wechsel)* drawer

abge|bildet *adj* illustrated, figured; **a.brannt** *adj* 1. *(coll)* broke; 2. ⚛ spent; **a.dankt** *adj* resigned; **a.deckt** *adj* covered, **a.fasst** *adj* worded; **bevorzugt a.fertigt werden** *adj* to be given priority; **zollamtlich a.fertigt** customs-cleared; **a.flacht** *adj* flat-top; **a.funden** *adj* paid-off; **aktivisch a.grenzt** *adj* deferred

abgehen *v/i* 1. *(Absatz)* to sell; 2. *(Abzug)* to be deducted; 3. *(Transport)* to be dispatched, to depart

abge|hoben *adj* withdrawn; **nicht a.holt** *adj* unclaimed; **wird a.holt** to be called for; **a.kartet** *adj* collusive; **a.kürzt** *adj* abridged, abbreviated, condensed, shortened, summarized; **nicht a.laden** *adj* undischarged; **a.lagert** *adj* seasoned, matured; **nicht a.lagert** unseasoned; **a.laufen** *adj* expired, lapsed, due; **noch nicht a.laufen** unexpired

Abgeld *nt* discount; **mit A.** at a discount

abge|legen *adj* remote, isolated, distant, outlying, solitary, off the beaten track *(coll)*; **a.legt** *adj* 1. filed (for record); 2. secondhand; **a.leitet** *adj* 1. derived, derivative; 2. § constructive; **a.löst** *adj* 1. paid-off; 2. removed

abgelten *v/t* to discharge/indemnify/reimburse/compensate/satisfy/settle, to pay (off)

Abgeltung *f* discharge, indemnification, reimbursement, compensation, payment, settlement; **A. des Kapitaldienstes** debt servicing; **A. von Leistungen** payment for services rendered; **~ Schäden** compensation for damages; **zur A. der Schadensersatzansprüche** in settlement of claims for damage; **pauschale A.** lump-sum payment/settlement

Abgeltungs|betrag *m* settlement, redemption sum; **A.darlehen** *nt* redemption loan; **A.gesetz** *nt* indemnity act

abgemacht *adj* 1. settled, agreed, pre-arranged; 2. it's a deal; **fest a.** definitely agreed

abgeneigt *adj* disinclined, averse (to); **a. sein zu tun** to be loath to do; **einer Sache a.** ill-disposed towards sth.

abgenutzt *adj* 1. obsolete, worn (out), shabby; 2. *(Münze)* defaced; 3. *(Leder)* scuffed

Abgeordnete(r) *m/f* deputy, delegate, member, representative, Member of Parliament *[GB]*, Congressman/Congresswoman *[US]*; **A.neid** *m* parliamentary oath; **A.nimmunität** *f* parliamentary privilege (of immunity), ~ immunity; **A.nversammlung** *f* representative assembly

abgeordnet *adj* on secondment; **a. von** on secondment from

abge|packt *adj* (pre)packed, packaged; **gut a.passt** *adj* well-timed; **schlecht a.passt** ill-timed; **a.rechnet** *adj* settled; **a.rundet** *adj* round, in round figures/terms, rounded down; **A.sandte(r)** *f/m* delegate, envoy; **a.schafft** *adj* 1. abolished; 2. extinct; **a.schätzt** *adj* assessed, rated, valued; **A.schiedenheit** *f* seclusion

abgeschlossen *adj* 1. finished, complete(d), settled; 2. locked; 3. secluded; **in sich a.** self-contained; **hermetisch a.** hermetically sealed; **noch nicht a.** § to be pending

Abgeschlossenheit *f* seclusion; **strenge A.** strict seclusion

abge|schmackt *adj* in bad taste; **a.schnitten** *adj* isolated

abgeschrieben *adj* written off, depreciated; **nicht a.** unamortized; **voll a.** fully written off

leicht abgeschwächt *adj* *(Kurs)* slightly lower

abgesehen von *adv* except for, apart/aside from*[US]*, regardless of, leaving aside, short of, save, barring

abge|sessen *adj* § *(Strafe)* spent; **a.setzt** *adj* 1. *(Termin)* cancelled; 2. *(politisch)* deposed; **~ werden** *(Person)* to fall from power; **a.sichert** *adj (Vertrag)* covered by contract; **voll a.sichert** fully funded; **a.sondert** *adj* separate; **a.sprochen** *adj* 1. cut and dried; 2. collusive; **a.stellt** *adj* 🚗 parked; **a.stempelt** *adj* 1. stamped, cancelled; 2. ✉ postmarked; 3. *(Wertpapiere)* assented; **nicht a.stempelt** *(Wertpapiere)* unassented

abgestimmt *adj* 1. concerted, fine-tuned; 2. *(Konto)* reconciled; **a. auf** tailored to; **aufeinander a.** synchronized, concerted; **~ sein** to interface with; **schlecht a.** *(Zeit)* ill-timed

abge|stuft *adj* graduated, graded; **a.teilt** *adj* partitioned; **a.tragen** *adj* 1. *(Schulden)* paid-up; 2. *(Textilien)* threadbare; **a.trennt** *adj* detached, separated; **a.treten** *adj* ceded, assigned; **a.urteilt** *adj* convicted; **a.wertet** *adj* devalued, down-valued; **a.wickelt** *adj* closed-out, settled; **a.wiesen** *adj* § dismissed, non-suited; **a.wirtschaftet** *adj* run-down; **a.wogen** *adj* balanced, judicious; **a.zahlt** *adj* paid-up; **a.zinst** *adj* discounted, on a discounted basis

Abgleich *m* check, counter-check; **a.en** *v/t* 1. to match/balance/adjust; 2. 💻 to collate

Abgleichung *f* 1. adjustment, matching; 2. 💻 collation; **A. der Forderungen** reconciliation of claims; **A. von Konten** squaring of accounts

Abgleiten *nt* slide; **A. der Kurse** *(Börse)* weakness in the market; **a.** *v/i* 1. to slide/slip/decline/slump; 2. *(Notierung)* to drift down

ab|graben *v/t* to undermine/sap; **a.grenzen** *v/t* 1. *(Bezirk)* to mark off; 2. to demarcate/determine/delineate; 3. *(Aufgaben)* to define; 4. *(Bilanz)* to defer/adjust; 5. to accrue; **~ gegen** to demarcate (from), to mark/peg (out), to stake

Abgrenzung *f* 1. demarcation, delimitation, delineation; 2. *(Begriff)* definition; 3. *(Rechnung)* deferred earnings items, apportionment; 4. *(Bilanz)* accruals and deferrals, accrual accounting, delimiting

periodisch vergleichbare Abgrenzung von Aufwand und Ertrag matching of income and expense; **A. von Entdeckungen** *(Pat.)* delimiting unpatentable discoveries; **A. der Hoheitsgewässer** fixing the limits of territorial waters; **~ Steuerhoheit** delimitation of taxation powers; **A. von (regionalen) Teilmärkten** market zoning; **periodengerechte A. der Verkäufe** sales cut-off; **A. von Zinsaufwand** accrued interest income

periodengerechte Abgrenzung *(Bilanz)* cut-off; **sachliche A.** allocation of expense not related to the operational purpose; **Prinzip der sachlichen A.** matching principle; **zeitliche A.** allocation of expense unrelated to accounting period

Abgrenzungs|bogen *m* reconciliation sheet; **A.ergebnis** *nt* expense allocation statement; **A.kosten** *pl* deferrals and accruals; **A.merkmal** *nt* classification criterion; **A.posten** *m* 1. adjusting item, item of accrual and deferring; 2. *(aktiv)* deferred charges; 3. *(passiv)* deferred income; **A.rechnung** *f* statement of accruals and deferrals; **A.streitigkeit** *f (Gewerkschaft)* demarcation dispute

abgruppier|en *v/t* 1. to down-grade/demote; 2. *(Personal)* to delayer; **A.ung** *f* downgrading, grading down, demotional change of classification

ab|haken *v/t* to tick (off), to check off; **A.hakungszeichen** *nt* tick, check mark; **a.halten (von)** *v/t* to deter/prevent/bar (from), to detain/hinder; **a.handeln**

v/t 1. *(Preis)* to knock off, to beat down; 2. *(Thema)* to treat; **sich ~ lassen** to bargain away; **a.handen kommen** *adv* to get lost, to be missing/lost/mislaid; **~ gekommen** *adj* missing, lost, mislaid

Abhandlung *f* treatise, tract, proceedings, essay; **schriftliche A.** dissertation; **kurze A.** tract

abhängen *v/t* 1. to outdistance; 2. to unhitch/disconnect; **a. von** to depend/hinge on, to be subject to, ~ conditional on

abhängig von *adj* 1. dependent on/depending, subject to, conditional on, reliant on, contingent on/upon; 2. 🖳 online; **wechselseitig a.** interdependent; **wirtschaftlich a.** economically dependent; **a. machen von** to subject to, to make conditional (up)on, to hinge upon/on; **a. sein von** to depend on

Abhängige(r) *f/m* dependant, dependent

Abhängigkeit *f* dependence, dependency, reliance; **A. eines Patents** dependence on a dominating patent; **gegenseitige A.** inter-dependence

Abhängigkeits|bericht *m* dependent company report; **A.prüfung** *f* dependence audit; **A.verhältnis** *nt* 1. dependency, relationship of dependence; 2. paid employment relationship

ab|härten *v/t* ⚒ to harden (off); **a.hauen** *v/i (coll)* to flit *(coll)*; **~ mit** to walk off with

abheb|bar *adj (Geld)* withdrawable; **A.egebühr** *f* withdrawal charge

Abheben *nt* 1. *(Geld)* withdrawal; 2. ✈ take off, lift-off; **a.** *v/t* 1. *(Geld)* to withdraw, to draw out, to draw money, to take out/off; 2. ✈ to take off

Abhebung *f* withdrawal, drawing; **A. mittels Kreditkarte** card withdrawal; **A.en von Sparkonten** savings withdrawals, **tägliche A.en** day-to-day withdrawals

begebbarer Abhebungs|auftrag negotiable order of withdrawal; **A.befugnis/A.recht** *f/nt* drawing right; **A.grenze/A.höchstbetrag** *f/m* drawing limit; **automatisches A.konto** automatic withdrawal plan; **A.möglichkeit** *f* withdrawal facility

ab|heften *v/t* to file; **falsch a.heften** to misfile; **a.helfen** *v/i* to remedy/redress/relieve/rectify; **a.heuern** *v/t* ⚓ to pay off; *v/i* to be paid off; **heimlich a.heuern** to jump ship

Abhilfe *f* 1. remedy, remedial action, redress, relief; 2. § interlocutory revision; **A. bei angefochtenen Beschlüssen** redress of contested decisions; **A. im Verwaltungswege** administrative relief; **A. gewähren** to grant relief; to remedy/rectify sth.; **A. schaffen** to remedy/redress/relieve, to produce relief; **für A. sorgen** to take remedial action; **gerichtliche A.** judicial redress; **gesetzliche A.** legal redress/remedy

Abhilfe|behörde *f* redress authority; **A.bescheid** *m* redress/remedial decision; **A.gesetz** *nt* remedial statute; **A.gesuch** *nt* petition for relief; **A.recht** *nt* right to redress; **A.verfahren** *nt* redress proceedings

Abhilfsmaßnahme *f* remedial measure, corrective action/measure, measure needed to remedy; **A. in Gang setzen** to instigate/take corrective action

Abhitze *f* waste heat

Ab-Hof-Geschäft *nt* ex-farm business

abhol|bereit *adj* ready for collection; **A.- und Zustelldienst** *m* pickup and delivery service; **A.datum** *nt* collection date

abholen *v/t* 1. to collect/fetch/uplift, to pick up; 2. to take delivery; **a. lassen** to send/call for; **jdn a.** to pick so. up, to meet so.

Abholer *m* collector

Abhol|fach *nt* 1. ✉ post office box (P.O.B./P.O.Box); 2. pigeonhole; 3. *(Bank)* collection compartment; **A.frist** *f* period for taking up; **A.gebühr** *f* collection fee; **A.- und Zustellgebühr** *f* collecting and delivery; **A.großhandel** *m* cash and carry; **A.großhändler** *m* cash and carry wholesaler; **A.großmarkt/A.-Großhandelsmarkt/A.markt** *m* cash and carry (market); **A.grossist** *m* cash and carry wholesaler; **A.service** *m* collection service

Abholung *f* collection; **A. und Auslieferung** pick-up and delivery; **A. vom Werk** collection from works; **auf A. wartend** awaiting collection; **zur A. bereit liegen** to be ready for collection

abholz|en *v/t* to deforest/clear/fall; **A.ung** *f* deforestation, clearance, felling of trees

Abhör|anlage/A.gerät *f/nt* ✆ bugging/tapping device

abhören *v/t* ✆ to tap/bug/wire-tap/interrupt/monitor, to listen in; **A. von Telefonaten** *nt* interception of calls

Abitur *nt* high-school graduation, secondary school final, General Certificate of Education (A-level) *[GB]*

ab|kanzeln *v/t (coll)* to lecture, to give (so.) a dressing down; **A.kapselung** *f* walling-off, insulation

abkassieren *v/t* to cash up; **bei jdm a.** to get so. to pay

abkaufen *v/t* to buy (from); **jdm etw. a.** to take sth. off so.'s hands

Abkehr (von) *f* break (with), departure/shift/disassociation (from), trend away (from); **~ von der Geldhaltung** flight out of money; **a.en von** *v/refl* to dissociate o.s. from, to turn away from

Abklingen *nt* lull, slackening, abatement; **a.** *v/i* to slacken/wane/subside/flag, to fall off

abkommandieren *v/t (Person)* to second/post

Abkomme *m* descendant, descendent

Abkommen *nt* 1. agreement, arrangement, contract, settlement, accord; 2. *(Völkerrecht)* treaty, convention, covenant, understanding

Abkommen über die Assoziation convention of association; **A. auf Gegenseitigkeit** mutual/reciprocal agreement; **A. mit den Gläubigern** arrangement/settlement with the creditors; **A. über die Nutzung des Meeresbodens** deep seabed regime; **A. mit Schrittmacherfunktion** *(Lohntarif)* pace-setting settlement; **internationales A. zur Vollstreckung ausländischer Schiedssprüche** international agreement on the execution of foreign arbitration awards; **A. über die internationale Zivilluftfahrt** international civil aviation convention; **~ technologische Zusammenarbeit** technology pact; **~ wirtschaftliche Zusammenarbeit** agreement on economic co-operation

aus dem Abkommen ausscheiden to cease to be a party to the convention, to withdraw from an understanding; **einem A. beitreten** to accede to an agreement; **sich auf**

ein A. einlassen to consent to join an agreement; **A. erzielen** to reach (an) agreement; **A. schließen** to enter into a contract/an agreement, to conclude an agreement; **A. treffen** to make a deal, to come to an agreement

durch beiderseitiges Abkommen by mutual agreement; **diplomatisches A.** diplomatic agreement; **freiwilliges A.** voluntary agreement; **gütliches A.** amicable settlement; **internationales A.** international agreement/convention; **laufendes A.** valid/continuing/standing agreement; **mehrseitges A.** multilateral agreement; **mündliches A.** verbal agreement; **nicht präferenzielles A.** non-preferential agreement; **revidiertes A.** modified convention; **unwiderrufliches A.** binding agreement; **vertragliches A.** contractual understanding, conventional agreement; **völkerrechtliches A.** convention, treaty; **vorläufiges A.** tentative/stopgap agreement; **zweiseitiges A.** bilateral agreement; **zwischenstaatliches A.** intergovernmental agreement

Abkommens|bereich *m* scope of the agreement, area covered by the agreement; **A.konto** *nt* agreement account; **A.land** *nt* agreement country; **A.währung** *f* clearing currency

abkömmlich *adj* available, dispensable; **a. sein** to be available

Abkömmling *m* descendant, descendent, scion, offshoot; **A.e** offspring, progeny, issue; **direkter A. ersten Grades** direct descendant in first-degree lineage; **A.e gerader Linie** descendants in direct lineage

erbberechtigter Abkömmling inheritable descendant, descendant entitled to an inheritance; **nicht ehelicher A.** illegitimate offspring; **pflichtteilberechtigter A.** descendant entitled to compulsory portion

abkoppeln *v/t/v/refl* to decouple/uncouple; **A.ung vom Markt** *f* sheltering, market disengagement

abkühlen *v/t* to cool down; *v/refl (Streit/Konjunktur)* to cool off

Abkühlung *f* cooling; **A. der Konjunktur** cooling off, slowing down of the economy; **A. des Konjunkturklimas** cooling of the economic temperature; **konjunkturelle A.** cyclic(al) downturn/slump, (economic) slowdown; **wirtschaftliche A.** economic downturn

Abkühlungs|frist/A.phase/A.zeit *f* cooling-off period

Abkunft *f* descent, origin, lineage, parentage, ancestry

Abkupfern *nt (coll)* design piracy; **a.** *v/t (coll)* to copy/imitate, to pirate (a design), to fake

ab|kuppeln *v/t* 1. to decouple; 2. 🚂 to uncouple; **a.kürzen** *v/t* 1. to cut (short); 2. to shorten; 3. *(Text)* to abridge/abbreviate/ condense; **A.kürzung** *f* 1. *(Weg)* short cut; 2. *(Text)* abridgment, abbreviation

Ablade|gebühr *f* unloading charge; **echtes A.geschäft** import transaction with shipping port deemed place of transaction; **A.gewicht** *nt* shipping/unloading weight, delivered weight; **A.hafen** *m* port of discharge/shipment; **A.haus** *m* shipper, unloader; **A.klausel** *f* loading clause; **A.konnossement** *nt* shipped bill of lading; **A.kosten/A.lohn** *pl/m* unloading charge

Abladen *nt* unloading, shipment; **A. verboten!** no dumping/tipping; **a.** *v/t* to unload/ship/discharge/offload/dump

Abladeplatz *m* 1. dumping ground; 2. *(Müll/Schutt)* dump

Ablader *m* *(Seehafenspediteur)* discharger, shipper, sender, forwarder

Ablade|recht *nt* dumpage *[US]*; **A.schein** *m* certificate of discharge; **A.termin** *m* date set for unloading/shipment; **A.zeit** *f* turnabout time, ⚓ turnround time

Abladung *f* unloading, discharge, shipping

Ablage *f* files, filing tray, filing, pocket, file system; **alphabetische A** alphabetical filing; **gesteuerte A.** *(Lager)* controlled stacker

Ablage|einrichtung *f* filing equipment; **A.datum** *nt* filing date; **A.fach** *nt* pigeonhole, storage bin, stacker, (reception) pocket; **A.korb** *m* filing basket/tray; **A.mappe** *f* letter holder; **A.ordner** *m* binder *[US]*; **A.plan** *m* 1. filing system; 2. storage plan

ablager|n *v/t* to deposit; **A.ung** *f* 1. deposit; 2. deposition, storage

Ablage|steuerung *f* 🖳 stacker control; **A.system** *nt* filing system; **A.vermerk** *m* filing stamp

Ab-Lager-Verkauf *m* warehouse shopping

Ablass *m* deduction; **a.en** *v/t/v/prep* 1. *(Preis)* to reduce, to knock off; 2. *(Flüssigkeit)* to drain/bleed; *v/i* to forbear

Ablauf *m* 1. course, oredr of events; 2. expiry, expiration, termination, lapse, maturity; 3. process, procedure, operation; **bei A.** *(Vertrag)* at the end, on expiry, upon expiration; **mit dem A. von** upon the expiration of; **nach A. von** on the expiration of; **vor A. von** in less than

nach Ablauf der Amtstätigkeit/Amtszeit after the term of office; **A. der Bereitstellungsfrist** commitment expiry; **~ Frist** expiration of the deadline, expiring of a period, end of the term; **bei A. dieser Frist** after the expiry of such period; **nach A. der Frist** after expiration of the period/term, upon the expiry of the time limit; **vor A. der Frist fertig sein** to beat the deadline; **A. der Frist hemmen** to suspend the running of the period; **~ Geltungsdauer** expiration; **konkreter ~ Geschehnisse** real course of events; **~ Kündigungsfrist** expiration of notice period; **A. des Mietverhältnisses** expiration of lease/tenancy; **nach A. von ... Monaten** at the end of ... months; **A. des Pachtvertrags** expiration of lease; **~ Pachtverhältnisses** expiration of tenancy; **~ Patents** lapse/expiration of a patent, expiration of validity of a patent; **A. der Police** expiry of a policy; **~ Schutzfrist** *(Pat.)* expiration of patent term; **A. eines Vertrages** termination of a contract; **A. der Vertragszeit** date of expiry; **A. eines Wechsels** maturity of a bill; **bei A. des Wechsels** upon maturity

betriebliche Abläufe business process; **gesamtwirtschaftliche A.** (macro-)economic processes; **reibungsloser Ablauf** smooth functioning; **sequenzieller A.** 🖳 sequential mode of operation; **simultaner A. mehrerer Programme** 🖳 application sharing; **zeitlicher A.** time sequence; **im zeitlichen A.** in the course of

Ablauf|abschnitt *m* phase of work flow; **A.analyse** *f*

process analysis; **A.berg** *m* 🚂 hump, hill and dale; **A.diagramm** *nt* flow chart/diagram, process chart, route diagram, straight-line scheduling time of operations flow

ablaufen *v/i* 1. to expire/terminate/elapse/lapse, to run down/out; 2. *(Fälligkeit)* to fall due; 3. *(Vertrag)* to determine, to be nearing its term; **programmäßig a.** to go according to plan

Ablauf|frist *f* time limit, maturity; **A.hemmung** *f* § suspension of the running of a period; **A.kontrolle** *f* flow control; **A.linie** *f* flow line; **A.operation** *f* work planning instruction; **A.organisation** *f* process organisation, operational/procedural organisation, methods and procedures, structuring of operations; **technische A.organisation** structuring of operations; **A.organisator(in)** *m/f* operations manager, operations scheduler; **A.plan** *m* flow chart/diagram, schedule; **~ mit Einzelphasen** gap phasing; **A.planung** *f* operations planning, scheduling, production sequencing, job shop scheduling, routing; **~ mit überlappenden Phasen** telescoping, overlapping scheduling; **A.police** *f* expiration policy; **A.programm** *nt* operating cycle; **A.steuerung** *f* 🖳 processing/sequential control; **A.struktur** *f* process/flow structure; **A.termin** *m* date of expiry/maturity, due date

Ableben *nt* decease, death, demise; **bei A.** in the event of death

Ablegefach *nt* → **Ablagefach**

ablegen *v/t* 1. to file; 2. to discard; **falsch a.** to misfile; **als unbrauchbar a.** to discard

Ableger *m* *(Firma)* subsidiary, offshoot

Ablegung eines Eides *f* taking/swearing an oath; **~ Geständnisses** confession (of guilt), making a confession

ablehnen *v/ti* 1. to refuse/decline/reject/deny/renounce, to turn down; 2. *(Geschäft)* to turn away; 3. § to dismiss; 4. *(Parlament)* to defeat, to vote down; 5. *(Zeuge)* to challenge; **glatt(weg)/rundweg/strikt a.** to refuse outright/flatly/point-blank; **höflich a.** to decline (politely)

ablehnend *adj* unfavourable, unsympathetic, adverse; **einer Sache a. gegenüberstehen** to be opposed to sth.

Ablehngrenze *f* ▦ rejection line

Ablehnung *f* 1. refusal, rejection, defeat, denial; 2. § declinature, disapprobation; 3. *(Geschworene)* challenge (of jurors)

Ablehnung eines Antrags dismissal of a motion, refusal to grant an application; **~ Darlehensantrags** loan refusal; **A. durch Gegenangebot** rejection by counteroffer; **A. eines Gesuchs** rejection of a petition; **~ Prüfers** challenge of an examiner; **~ Richters wegen Besorgnis der Befangenheit** challenging a judge on suspicion of prejudice; **A. von Schöffen wegen Befangenheit** § peremptory challenge

auf Ablehnung stoßen to be met with refusal

ausdrückliche Ablehnung express rejection; **glatte A.** flat refusal/denial; **schroffe A.** blunt refusal

Ablehnungs|antrag *m* § challenging motion; **A.bereich** *m* ▦ rejection region; **A.bescheid** *m* notice of rejection/denial; **A.beschluss** *m* decision to reject; **A.grenze** *f* ▦ rejection line; **A.grund** *m* reason for refusal; **A.mitteilung** *f* rejection note; **A.wahrscheinlichkeit** *f* probability of rejection

Ableichtern *nt* ⚓ lighterage; **a.** *v/t* to lighter/trans(s)hip

ableist|en *v/t* *(Dienst)* to serve/perform; **A.ung von Sozialstunden** *f* community service

ableiten (aus) *v/t* 1. to derive/result/infer/deduce (from); 2. *(umleiten)* to divert; 3. to channel off; **a.d** *adj* derivative

Ableitung *f* 1. derivation; 2. π derivative; 3. diversion; 4. disposal; 5. drainage; **A.sregel** *f* rule of inference

ablenken *v/t* to deflect/divert/distract/sidetrack/detract; **jdn von etw. a.** to deflect so. from sth.

Ablenkung *f* 1. diversion, distraction; 2. deflection; **A.smanöver** *nt* red herring *(fig)*, diversionary exercise/tactics

Ab|lesefehler *m* reading error; **a.lesen** *v/t* to read (off); **A.lesung** *f* reading

Ableugnen *nt* denial (of a fact), disavowal (of action); **a.** *v/t* to deny/disavow

Ableugnung *f* denial

ablicht|en *v/t* to photostat/photocopy; **A.ung** *f* photostat, photocopy

Abliefer|er *m* deliverer; **a.n** *v/t* to deliver/surrender, to hand over

Ablieferung *f* 1. delivery; 2. surrender; **bis zur A.** pending delivery; **zahlbar bei A.** cash on delivery (COD/c.o.d.), pay on delivery (P.O.D.); **bei A. bezahlen** to pay on delivery; **bestimmungsmäßige A.** *(Börse)* good delivery; **verspätete A.** late delivery

Ablieferungs|anzeige/A.bescheid *f/m* advice/notice of delivery; **A.bescheinigung** *f* receipt of delivery; **A.buch** *nt* delivery book; **A.frist** *f* delivery time/period; **A.gewicht** *nt* delivery weight; **A.hindernis** *nt* obstacle to delivery; **A.klausel** *f* delivery clause; **A.kontingent/A.quote** *nt/f* 🚜 delivery quota; **A.ort** *m* place of delivery/destination; **A.pflicht** *f* 🚜 compulsory delivery, obligation to deliver; **A.preis** *m* price of delivery, delivery price; **A.prüfung** *f* delivery test; **A.schein** *m* delivery order (D/O), bill of delivery; **A.soll** *m* 🚜 delivery quota, required delivery; **A.termin** *m* date appointed/settled/fixed for delivery; **A.zwang** *m* compulsory delivery

ablochen *v/t* to punch/perforate

ablösbar *adj* 1. detachable; 2. redeemable; 3. separable; 4. repayable

Ablöse(summe) *f* 1. compensation, amount of redemption; 2. *(Fußball)* transfer fee

ablösen *v/t* 1. *(entfernen)* to detach; 2. *(ersetzen)* to supersede/supplant; 3. *(Schulden)* to repay/redeem/discharge

Ablösung *f* 1. *(Schuld)* discharge, (re)payment (payt.); 2. *(Anleihe)* redemption; 3. *(Person)* replacement; 4. *(Geldbetrag)* lump-sum payment; 5. *(Rente)* commutation; **A. einer Vermächtnisanwartschaft unter Lebenden** § ademption; **vorzeitige A.** *(Anleihe)* advance refunding, anticipatory redemption

Ablösungs|anleihe *f* redemption loan/bond; **A.anspruch** *m* redemption right; **A.berechtigte(r)** *f/m* party entitled to commutation; **A.betrag** *m* redemption capital/price; **A.finanzierung** *f* consolidation financing; **A.fonds** *m* redemption/sinking fund; **A.gutschrift** *f* commutation credit entry; **A.kapital** *nt* redemption capital; **A.pfandbrief** *m* redemption bond; **A.prämie** *f* redemption premium; **A.recht** *nt* right of redemption; **A.rente** *f* redeemable annuity

Ablösungsschuld *f* (inscribed) commutation debt; **A.hypothek** *f* refunding mortgage; **A.titel** *m* commutation bond; **A.verschreibung** *f* redemption/refunding/unified bond

Ablösungs|summe *f* redemption price/amount, composition; **A.termin** *m* redemption date; **A.vertrag** *m* contract to redeem; **A.wert** *m* redemption value; **A.zahlung** *f* redemption payment; **A.zinssatz** *m* discount rate on commutation; **A.zusage** *f* assurance of refinancing

Abluft *f* waste/exhaust air

abmachen *v/t* 1. to arrange/agree/settle, to make arrangements; 2. to stipulate; **gütlich a.** to settle amicably

Abmachung *f* 1. arrangement, agreement, settlement, deal, understanding, condition; 2. § stipulation, covenant; 3. compact; **A. (mit) gleicher Wirkung** arrangement having similar effect

Abmachung unter Dach und Fach bringen to lock down/clinch a deal; **A. einhalten** to honour an arrangement; **A. treffen** to make an arrangement/agreement, to make a bargain, to strike a deal; **A. verletzen** to break an agreement

allgemeine Abmachung general covenant; **ausdrückliche A.** express agreement; **außergerichtliche A.** private/out-of-court agreement; **alle Teile befriedigende A.** mutually satisfactory arrangement; **mehrere Währungen betreffende A.; auf ~ bezogene A.** multi-currency clause; **bindende A.** binding/obligatory agreement, agreement binding upon the parties; **ehrliche A.** square deal; **einschränkende A.** § restrictive covenant; **faire A.** fair/square deal; **gegenteilige A.** agreement to the contrary; **handelspolitische A.** trade agreement/policy; **mündliche A.** oral/parol agreement; **schriftliche A.** written agreement, contract in writing; **urkundliche A.** § instrument; **vorherige A.** prearrangement; **vertragliche A.** stipulation

abmahn|en *v/t* to warn, to serve notice (on); **A.schreiben** *nt* written warning notice

Abmahnung *f* warning, dunning notice, dunnage; **trotz A.** in spite of a warning being given; **A.sfrist** *f* period of warning; **A.sschreiben** *nt* written warning notice

abmark|en *v/t* *(Grundstück)* to mark the boundaries; **A.ungsgesetz** *nt* cadastral survey act

Abmeldeformular *nt* official form for giving notice of one's departure, form for notification of removal

abmeld|en *v/t/v/refl* 1. to cancel/withdraw; 2. *(Hotel)* to sign out, to check out, to deregister, to notify one's departure; **A.ung** *f* 1. withdrawal, cancellation; 2. *(Hotel)* check-out, notice of departure

abmess|en *v/t* 1. to measure (off); 2. *(eichen)* to ga(u)ge; **A.ungen** *pl* dimensions, measurements

abmilder|n *nt* to temper/cushion/soften/lessen; **A.ung** *f* alleviation

ab|montieren *v/t* to dismantle, to take down; **a.mühen** *v/refl* to slave away, to wrestle

Abnahme *f* 1. reduction, decline, decrease, drop, lessening, dwindling; 2. abatement, diminution, let-down; 3. *(Konjunktur)* downturn, falling-off; 4. ✪ acceptance test, inspection; 5. *(Gerät)* approval; 6. *(Waren)* offtake, intake, absorption, acceptance; 7. *(Kauf)* purchase, sale, order, taking delivery, offtake; 8. ✪/🏛 acceptance; **vor A.** before delivery

Abnahme der Bevölkerung fall in population; **A. des Leistungsumfangs** *(Handel)* trading down; **A. einer Lieferung** taking delivery; **A. größerer Mengen** bulk buying, ordering/purchasing of large quantities; **A. des Nutzungspotenzials** diminution of service yield; **A. einer Verklarung** ⚓ recording of a ship's protest; **A. der Währungsreserven der Notenbank** decrease in the central bank's monetary reserves

einer Abnahme beiwohnen to witness an inspection; **A. finden** to sell

degressive Abnahme degression; **effektive A.** actual receipt

Abnahme|abschnitt *m* customs control voucher; **A.abteilung** *f* service department; **A.attest** *nt* acceptance certificate; **A.beamter/A.beamtin** *m/f* acceptance/quality inspector; **A.beauftragte(r)** *m/f* inspector; **A.bedingungen** *pl* terms of acceptance; **A.bereich** ▦ acceptance region; **A.bericht** *m* acceptance/test report, inspector's report; **A.bescheinigung** *f* 1. certificate of acceptance, inspection certificate; 2. 🏛 certificate of occupancy; **a.fähig** *adj* ready for acceptance/inspection; **A.frist** *f* period for taking delivery; **A.garantie** *f* 1. guarantee to purchase, purchasing guarantee; 2. *(Emission)* underwriting guarantee; 3. guarantee of acceptance; **A.gesellschaft** *f* surveying/inspection company; **A.ingenieur** *m* inspector; **A.kontrolle** *f* acceptance check, quality control; **A.menge** *f* quantity ordered/purchased; **A.pflicht** *f* obligation to take delivery; **A.protokoll** *nt* inspection/acceptance report, certificate of acceptance; **A.prüfung** 1. inspection test, acceptance inspection/test; 2. ▦ sampling inspection; **~ an Hand qualitativer Merkmale** attribute inspection; **~ an Hand quantitativer Merkmale** variables inspection; **A.recht** *nt (Prämiengeschäft)* right of calling; **A.schein** *m* 1. certificate of inspection; 2. receipt; **A.toleranz** *f* acceptance tolerance; **A.umfang** *m* scope of inspection; **A.vereinbarung** *f* agreement to take; **A.verpflichtung** *f* purchase commitment, obligation to take delivery; **A.verweigerung** *f* non-acceptance, refusal to take delivery; **A.verzug** *m* delay in taking delivery, creditior's delay; **A.vorschrift** *f* acceptance specification; **A.vorschriften** *pl* acceptance standards, quality specifications; **A.zeugnis** *nt* acceptance/test certificate

abnehmbar *adj* detachable, removable

abnehmen *v/ti* 1. to diminish/decrease/decline, to fall/taper off, to give way, to go down, to tail off/away; 2. *(Ware)* to buy/purchase/order, to take delivery; 3. ✪ to inspect/accept; 4. to take down/off, to detach; 5. *(zurückgehen)* to slump/abate; 6. *(übernehmen)* to take over

allmählich abnehmen to taper off; **leicht a.** to ease; **stark a.** to drop sharply; **zahlenmäßig a.** to diminish in numbers

abnehmend *adj* diminishing, decreasing, declining

Abnehmer *m* buyer, purchaser, customer, client, consumer, taker; **keine A. finden** to find no market/sale; **A. sein** to be in the market

alleiniger Abnehmer sole buyer; **außergebietlicher A.** external customer; **gewerblicher/industrieller A.** business/commercial/industrial consumer, ~ customer; **möglicher A.** prospective/would-be customer, prospect; **öffentlicher A.** public buyer

Abnehmer|branche *f* customers; **A.gruppe** *f* customer group, market grouping; **A.kreis** *m* clientele, customers, consuming public; **A.land** *nt* customer/consumer/buyer country; **A.seite** *f* buyers; **A.staat** *m* buyer country; **A.station** *f* ϟ user, consumer; **A.struktur** *f* customer mix; **A.stufe** *f* link in the chain of distribution; **A.vertrag** *m* consumer contract

Abneigung *f* dislike, aversion, distaste, reluctance, hostility; **A. gegen etw.** horror of sth.; ~ **Veränderungen** aversion to change; ~ **Werbung** antipathy to advertising; **unüberwindliche A.** insurmountable aversion

abnicken *v/t* to nod through

abnormal *adj* abnormal; **A.ität** *f* anomaly, abnormality

abnutz|bar *adj* wasting, depreciable, liable/subject to wear; **a.en** *v/t* to wear out/down/thin, to outwear, to use up

Abnutzung *f* 1. wear (and tear), use, depreciation; 2. deterioration, erosion; **A. durch Gebrauch** wear and tear; **natürliche A.** (natural) wear and tear; **substanzielle A.** physical wear and tear, (substantial) depletion

Abnutzungs|aufwand *m* depreciation cost; **A.effekt** *m* wear-out effect; **A.entschädigung** *f* compensation for wear and tear; **A.erscheinung** *f* sign of wear and tear; **A.fonds** *m* depreciation fund; **A.grad** *m* rate of wear; **A.gut** *nt* wasting asset; **A.schaden** *m* damage due to wear and tear; **A.wert** *m* scrap value, carrying rate of asset

Abonnement *nt* subscription; **im A.** by subscription; **A. erneuern/verlängern** to renew a subscription; **A. kündigen** to stop a subscription

Abonnement|bedingungen *pl* subscription terms, conditions of subscription; **A.betrag** *m* subscription money; **A.dauer** *f* subscription period; **A.police** *f* floating policy; **A.preis** *m* subscription rate; **A.verkauf** *m* subscription sale

Abonnent *m* subscriber; **A.en werben** to solicit subscriptions

Abonnenten|versicherung *f* *(Zeitschrift)* subscriber's insurance; **A.werber** *m* subscription agent, canvasser; **A.werbung** *f* canvassing

abonnier|en *v/t* to subscribe, to take out a subscription (for sth.); **nicht a.t** *adj* unsubscribed

abordnen *v/t* 1. to delegate; 2. *(Personal)* to second

Abordnung *f* 1. delegation, deputation; 2. secondment; **A.sgeld** *nt* living allowance

Abpack|anlage *f* packing plant; **A.betrieb** *m* packing house/plant; **a.en** *v/t* to pack; **A.er** *m* packer

ab|pausen *v/t* to copy; **a.raten** *v/ti* to dissuade (from), to advise against

Abraum *m* 1. waste, spoil, spoilage; 2. ⚒ overburden, slag; **A.beseitigung** *f* removal of overburden, industrial reclamation

abräumen *v/t* 1. to clear; 2. *(Preise)* to sweep the board

Abraumhalde *f* slag heap, bank

abrechenbar *adj* invoiceable

abrechnen *v/t* 1. to render account, to invoice; 2. *(Bank)* to clear; 3. *(Börse)* to liquidate; 4. *(fig)* to settle accounts with, to square up; 5. *(abwickeln)* to settle/discount, to prove cash; 6. *(abziehen)* to deduct; **termingemäß a.** to invoice on the due date

Abrechner *m* clearing agent

Abrechnung *f* 1. invoicing, billing, accounting, liquidation; 2. (statement of) account, invoice, bill, statement; 3. *(Abwicklung)* settlement, settling of accounts; 4. *(Abzug)* deduction; 5. *(Bank)* clearance, clearing; 6. *(Börse)* contract note; 7. *(Projekt)* final accounting; 8. 🚜 *(Teilpacht)* settle *[US]*, billing; **laut A.** as per account rendered; **nur zur A.** not negotiable

Abrechnung eines Auftrags settlement of a contract; **A. nach Bau-/Projektfortschritt** progress billing; **A. des Börsenmaklers** contract note; ~ **Einkaufskommissionärs** account purchases (A/P); **A. eines Großauftrags** large contract billing, billing of a major order; **A des Konkursabwicklers** liquidator's accounts; **A. beim nächsten Liquidationstermin** for the account; **A.en des Verkaufskommissionärs** account sales (A/S)

Abrechnung erfolgt settlement is effected

Abrechnung|en ausgleichen to balance the books, to make the books balance; **in A. bringen** to deduct; **A. erteilen/vorlegen** to render an account, to account for; **A.en frisieren** to juggle/cook/doctor the accounts

endgültige Abrechnung final settlement; **frisierte/geschminkte A.en** cooked/doctored accounts; **zentrale monatliche A.** *(Einzelhandel)* central charge plan; **periodische A.** periodical settlement; **vollständige A.** full settlement

Abrechnungs|- accounting; **A.bank** *f* clearing bank; **A.bedingungen** settlement terms; **A.beleg** *m* clearing voucher **A.blatt** *nt (Börse)* name sheet; **A.bogen** *m* contract sheet; **A.buch** *nt* job ledger; **A.computer** *m* accounting computer; **A.daten** *pl* account information; **A.datum** *nt* accounting date; **berichtende A.einheit** reporting sub-unit; **A.gebahren** *nt* accounting procedure(s); **A.kurs** *m (Börse)* settlement price/rate, making-up/liquidating price price; **A.maschine** *f* accounting machine; **A.modus** *m* clearing/accounting method; **A.nota** *f* settlement/contract note; **A.periode** *f* 1. accounting/fiscal/settlement period, account (period); 2. *(Vers.)* underwriting account; **A.posten** *m* clearing/clearance item

Abrechnungspreis *m* *(Option)* settlement price; **A. bei Lieferung** delivery settlement price; **A. des Terminkontrakts** futures contract settlement price; **zu A.en bewerten** to mark to market

Abrechnungs|saldo *m* clearing balance; **A.schlüssel** *m* settlement formula; **A.spitze** *f* settlement fraction; **A.stelle** *f* clearing house; **zentrale A.stelle** accounting centre, central accounting point/unit; **A.stempelsteuer** *f* contract stamp duty; **A.stufe** *f* costing level; **A.system** *nt* clearing system; **A.tag** *m* settlement/account/settling/audit/pay day, value date, date of settlement, day of account, *(Börse)* name day; **letzter A.tag** *(Börse)* making-up day *[GB]*; **A.termin** *m* due date; accounting date; **A.valuta** *pl* settlement currency; **A.verbindlichkeiten** *pl (Vers.)* unsettled claims; **A.verfahren/A.verkehr** *nt/m* clearing (system); **örtlicher A.verkehr** town clearing; **A.währung** *f* settlement currency; **A.zeitraum** *m* 1. accounting/settlement/computation/fiscal period, account (period); 2. *(Vers.)* underwriting account; **kongruente A.zeiträume** co-terminous accounting periods; **A.zinssatz** *m* settlement interest rate

Abrede *f* 1. understanding, accord; 2. *(Vereinbarung)* agreement; 3. *(Leugnung)* denial; 4. *(heimlich)* conspiracy; **gegen die A. sein** to be contrary to the understanding; **in A. stellen** to deny/disavow/repudiate/gainsay; **A. treffen** to agree (informally); **mündliche A.** verbal agreement, oral understanding; **schriftliche A.** contract in writing; **wettbewerbsbeschränkende A.** conspiracy in restraint of trade/competition; **a.widrig** *adj* not in accordance with the agreement

Abreise *f* departure, start; **nahe A.** impending departure; **a.n** *v/i* to depart/leave; **A.tag** *m* day of departure

abreiß|bar *adj* detachable; **nicht a.bar** non-detachable; **a.en** *v/t* 1. 🏛 to pull/tear down, to demolish; 2. *(Zettel)* to detach; **A.kalender** *m* tear-off/sheet calendar

Ab|rieb *m* ⚙ abrasion; **a.riegeln** *v/t (Polizei)* to cordon off; **a.ringen** *v/t* to wrest (from)

Abriss *m* 1. *(Entwurf)* draft (dft.), outline, synopsis, extract; 2. 🏛 demolition; 3. *(Papier)* stub, tear-off (portion); **A. verfügen** 🏛 to condemn; **kurzer A.** brief outline; **A.karte** *f* stub card; **A.verfügung** *f* 🏛 demolition order

abroll|en *v/t* 1. to unroll; 2. to unwind; 3. *(Spediteur)* to cart away; **A.kosten** *pl* cartage, drayage *[US]*

abrücken (von) *v/i* to dissociate o.s./depart from

Abruf *m* 1. call; 2. *(Ware)* call(ing) forward notice, demand of delivery; 3. retrieval, requisition, fetch; 4. amount called; 5. 🖳 output; **auf A.** 1. at/on call, at short notice, at a minute's warning; 2. ready for delivery; **bei A. zahlbar** payable on demand; **auf A. abstellen** *(Kredit)* to make callable; **~ verkaufen** to sell for delivery

Abruf|auftrag/A.bestellung *m/f* call/off-the-shelf order; **(jederzeit) a.bar** *adj* callable; **a.bereit** *adj* ready for collection, available for the asking; **A.datei** *f* 🖳 demand file

Abrufen *nt (Daten)* 🖳 recall; **a.** *v/t* 1. to call (off); 2. 🖳 to retrieve/recall; 3. to call away

Abruf|gebühr *f* 🖳 user fee; **A.häufigkeit** *f* call frequency; **A.menge** *f* call-off amount; **A.programm** *nt* calling programme; **A.stückliste** *f* detailed parts list; **A.vertrag** *m* call-off purchase agreement; **A.zeitpunkt** *m* call-off time, time of collection

abrunden *v/t* to round off/down, to top off; to complement

Abrundung *f* rounding (off); **A.sschwelle** *f* rounding-off point

abrüst|en *v/i* 1. ⚔ to disarm; 2. ⚙ to dismantle; **A.ung** *f* 1. disarmament; 2. dismantling; **A.zeit** *f* dismantling time

ab|rutschen *v/i* to slide; *v/t* to go down, to nose downward; **a.sacken** *v/i* to slide/subside

Absage *f* 1. cancellation, countermand; 2. refusal, rejection, denial; 3. rejection ship; **A. erteilen** to decline/refuse; **jdm eine glatte A. erteilen** to give so. a flat refusal; **offene A.** point-blank refusal; **A.brief** *m* rejection letter, letter of regret

absagen *v/ti* 1. to cancel, to call off; 2. to countermand/counterorder; 3. to decline, to turn down

Absahn|en *nt (coll)* rip-off, rake-off, cream-skimming; **a.en** *v/t (coll)* to cream/skim off, to rake in; **A.preis** *m* skim-off price; **A.strategie** *f* skimming strategy

Absatz *m* 1. *(Ergebnis)* sale(s), turnover, volume sales, sales volume, level of sales; 2. ready sale, market; 3. *(Verkauf)* distribution, circulation, selling, marketing, disposal; 4. [§] subsection; 5. *(Text)* (sub)paragraph, passage, clause; 6. *(Vers.)* acquisition; 7. 🚂 deliveries

Absatz an gewerbliche Abnehmer; ~ die Industrie sales to industry; **A. in Europa** *(außer GB)* Continental sales; **A. durch ein Kartell** pool selling; **A. von Massengütern** mass marketing; **A. an höherwertigen Produkten** higher-value sales volume; **A. pro Quadratmeter** sales per square metre; **A. und Umsatz** sales in terms of volume and value; **~ Vertrieb** marketing

Absatz ankurbeln to spur/boost sales; **A. ausweiten** to build sales; **A. einschränken** to limit markets; **A. finden** to find a market, to sell/move, to go off; **guten A. finden** to sell well, to find a ready sale, to meet with/have/find a ready market; **laufenden/raschen A. finden** to find a ready market; **regen A. finden** to sell well; **reißenden A. finden** to sell briskly, to go fast, to sell like hot cakes *(coll)*; **schlechten A. finden** to run into heavy selling; **schnellen A. finden** to find a ready market; **A. fördern** to promote sales; **A. steigern** to boost/build/increase sales

direkter Absatz direct marketing; **flauer A.** dead sale; **flotter A.** quick/ready sale; **genossenschaftlicher A.** cooperative marketing; **lebhafter/reger A.** brisk sales; **möglicher A.** potential sales; **schlanker A.** ready sale; **schlechter/schleppender A.** slow sale, poor market; **schneller A.** ready market/sale

Absatz|abkommen *nt* marketing agreement; **A.abweichung** *f* sales variance; **A.aktivität** *f* marketing/sales activity; **A.analyse** *f* market/sales analysis; **A.analytiker** *m* marketing analyst; **A.anbahnung** *f* product promotion; **A.anstrengungen** *pl* sales efforts; **A.aufgabe** *f* marketing task; **A.aufgliederung** *f* sales breakdown; **A.aufteilung** *f* division of markets; **A.ausfall** *m* sales shortfall; **A.ausschuss** *m* marketing board, distribution committee; **A.aussichten** *pl* sales prospects; **A.ausweitung** *f* sales expansion; **übermäßige A.ausweitung** overtrading; **A.barometer** *nt* sales barometer;

A.bedingungen *pl* marketing/market/sales conditions; **A.belebung** *f* revival of sales, increase in sales, upturn in business, sales resurgance; **A.bemühungen** *pl* sales/marketing effort(s), marketing/sales/selling endeavours; **verstärkte A. bemühungen** intensified marketing efforts; **A.berater** *m* marketing adviser/consultant; **A.bereich** *m* market, trading area, market coverage/segment; **A.bericht** *m* quantity report; **A.beschränkung** *f* sales restriction; **A.beziehungen** *pl* distribution pattern; **A.bezirk** *m* distribution/marketing area, ~ territory; **a.bezogen** *adj* sales-related; **A.bilanz** *f* marketing record; **A.bindung** *f* marketing tie, tying distribution arrangement; **A.budget** *nt* sales/volume budget; **A.chancen** *pl* sales prospects/opportunities/potential, potential market; **A.diagramm** *nt* sales curve; **A.direktor** *m* general sales manager; **A.dispositionen** *pl* sales management; **A.einbruch** *m* slump/drop/fall/decline in sales; **A.einbuße** *f* decline/drop in sales, sales shortfall; **A.einnahmen** *pl* sales revenue; **A.elastizität** *f* sales elasticity; **A.entwicklung** *f* sales trend/development, development of sales; **steigende A.entwicklung** increase in sales; **A.erfahrung** *f* marketing experience; **A.erfolg** *m* sales result(s), selling track record; **A.ergebnis** *nt* sales revenue/result(s); **gutes ~ erzielen** to achieve good sales; **A.erhöhung** *f* increase/rise in sales, sales increase; **A.ertrag** *m* sales revenue; **A.erwägungen** *pl* marketing policy; **A.erwartungen** *pl* sales/market prospects, sales forecast/expectations/outlook, anticipations; **unsichere A.erwartungen** adverse sales outlook/prospects; **A.fachmann** *m* marketing expert/specialist; **a.fähig** *adj* sal(e)able, marketable, merchantable; **A.fähigkeit** *f* sal(e)ability, marketability, market acceptance; **gute A.fähigkeit** ready marketability; **A.feld** *nt* trading area; **A.feldzug** *m* marketing/sales campaign

Absatzfinanzierung *f* (instalment) sales financing/finance; **A.sgeschäft** *nt* sales financing business; **A.svertrag** *m* sales financing contract

Absatz|flaute *f* market stagnation, dullness in sales, period of dull sales, stagnant/stagnating/slack sales, flagging/low level of sales; **A.fonds** *m* sales promotion fund; **a.fördernd** *adj* sales-promoting; **A.förderung** *f* sales/product promotion, ~ aid, marketing, merchandising; **planmäßige A.förderung** sales drive; **A.forscher** *m* marketing specialist; **A.forschung** *f* market/marketing research; **A.funktion** *f* selling activity; **A.garantie** *f* sales guarantee

Absatzgebiet *nt* market, (sales) outlet, marketing/trading/distribution/sales area; **A.e mit gleichem Marktpotenzial** brick areas; **A.sstaffel** *f* graduated prices

Absatzgenossenschaft *f* marketing cooperative/association, cooperative marketing association; **landwirtschaftliche A.** cooperative farm

Absatzgeschwindigkeit *f* selling rate, sales turnover; **konstante A.** constant rate of selling; **variable A.** variable rate of selling

Absatz|grenze *f* sales limit; **A.hemmnis** *nt* sales barrier; **A.hilfe** *f* marketing aid, sales promotion grant; **A.höhe** *f* volume of trade; **A.impuls** *m* sales boost; **A.kalkulation** *f* sales calculation; **A.kampagne** *f* sales (promotion) drive/campaign; **A.kanal** *m* channel of distribution, sales/market/marketing channel, distributive (channel); **A.kapazität** *f* sales potential, selling capacity; **A.kartell** *nt* sales/distribution cartel, syndicate; **A.kette** *f* sales chain; **A.klima** *nt* sales climate, state of the market; **A.konjunktur** *f* sales boom; **A.kontingent** *nt* market/sales quota; **A.kontrolle** *f* sales control; **A.konzentration** *f* sales concentration

Absatzkosten *pl* marketing/distribution/selling cost(s), cost(s) of sales/disposition; **A.anpassung** *f* cost of sales adjustment; **A.senkung durch Absatzlagerverschiebung** *f* bump and shift method

Absatz|kredit *m* sales credit; **A.krise** *f* sales crisis, slump in sales; **A.kunde** *f* marketing; **A.kurve** *f* distribution curve, sales trend; **A.lage** *f* market/sales situation, sales position; **A.lager** *nt* trader's stock; **A.land** *nt* buying country; **A.lehre** *f* marketing theory/science; **A.leistung** *f* total sales and services, market performance; **A.leiter** *m* marketing manager/executive; **A.lenkung** *f* sales control; **A.mangel** *m* lack of sales; **A.marketing** *nt* sales marketing

Absatzmarkt *m* sales market/outlet, (commercial) outlet, (output) market, core marketplace; **A. für industrielle Erzeugnisse** industrial market; **(neuen) A. eröffnen/erschließen** to open up a (new) market, to find a new outlet; **A. schaffen** to create a market; **ausgedehnte Absatzmärkte** wide commercial outlets; **günstiger A.** seller's market, promising market; **inländischer A.** domestic market; **A.forschung** *f* market research; **A.preis** *m* sales market price

Absatz|menge *f* sales volume, quantity sold, amount of sales; **A.mengenplan** *m* volume budget, sales volume plan; **A.methode** *f* marketing (method), selling/merchandising/distribution method, marketing/selling technique; **aggressive A.methode** hard sell; **A.mittler** *m* marketing/sales/selling agent, sales representative, marketing intermediary/institution

Absatzmöglichkeit|(en) *f/pl* sales potential, potential market, market (potential), outlet; **A.en schaffen** to make a market; **beschränkte A.en** limited market

Absatz|netz *nt* distribution/sales network; **A.ordnung** *f* marketing regulations; **gemeinschaftliche A.organe** joint sales organisation

Absatzorganisation *f* sales/marketing/selling organisation, marketing agency; **A. des Exporteurs im Ausland/in Übersee** exporter('s) marketing organisation overseas; **landwirtschaftliche A.** agricultural marketing association

absatz|orientiert *adj* marketing-inspired, marketing-orient(at)ed; **A.periode** *f* selling period; **A.perspektive** *f* sales prospects; **A.phase** *f (Börse)* period of digestion; **A.plan** *m* sales budget/plan/forecast; **A.planung** *f* marketing, sales projection, sales/distribution planning, ~ forecasting; **A.plus** *nt* increase in sales; **A.politik** *f* marketing, marketing/sales/distribution policy; **a.politisch** *adj* marketing, sales, relating to sales policy, ~ promotion; **A.potenzial** *nt* sales potential; **A.preis** *m* selling price; **A.produktion** *f* production for an anonymous market; **A.prognose** *f* sales forecast, projections for demand, forward sales projection; **A.programm** *nt* marketing programme, sales mix; **A.programmfranchising** *nt* trademark licensing franchise system; **A.provision** *f* seller's/sales commission; **pauschale A.provision** override *[US]*, flat-rate sales commission; **A.prozess** *m* distribution/marketing process; **neue A.quellen** new markets; **A.quote** *f* sales quota/proportion; **A.recht** *nt* selling right; **A.region** *f* market area, marketing territory; **A.rendite** *f* profit margin on sales/turnover; **A.renner** *m* fast-moving/high-volume article; **A.richtung** *f* direction of trade; **A.risiko** *nt* marketing/merchandising risk; **A.rückgang** *m* decline/drop/let-down/falling-off/slump in sales, sales slump; **A.schwäche** *f* slackness in sales; **A.schwankungen** *pl* fluctuating sales; **A.-schwierigkeiten** *pl* marketing difficulties/problems, sales problems/resistance; **auf ~ stoßen** to meet with sales resistance; **A.schwund** *m* dwindling sales, decline in sales

Absatzsegment *nt* marketing segment; **A.ierung** *f* market segmentation; **A.rechnung** *f* segmental profitability analysis in marketing

Absatz|soll *nt* sales target; **A.spezialist** *m* marketing specialist; **A.spielraum** *m* scope for sales; **A.stagnation** *f* stagnating sales, stagnation of sales; **A.statistik** *f* sales/distribution statistics; **A.steigerung** *f* sales drive/increase/jump, growth in unit sales; **A.stelle** *f* marketing agency/institution; **A.steuerung** *f* sales control; **A.stockung** *f* slackness in sales, market stagnation; **A.strategie** *f* marketing/sales strategy, marketing system; **A.struktur** *f* sales pattern; **regionale A.struktur** regional sales pattern; **A.studie** *f* market study; **vorgelagerte A.stufe** *f* upstream stage of distribution; **A.stützpunkt** *m* marketing agency; **A.syndikat** *nt* sellers' ring; **A.system** *nt* distribution system; **A.technik** *f* marketing technique; **A.tendenz** *f* market trend; **A.tief** *nt* depressed sales; **A.umfang** *m* sales volume; **A.ventil** *nt* sales/market outlet; **A.verband/A.vereinigung** *m/f* marketing association; **A.vereinbarung** *f* distribution/sales agreement; **A.verhältnisse** *pl* market situation/conditions; **A.verlust** *m* loss of business; **A.vertretung** *f* distribution agency; **A.volumen** *nt* sales volume, volume of sales, ~ goods sold; **A.vorbereitung** *f* sales engineering; **A.wachstum** *nt* sales growth, incremental sales, rise in sales; **A.weg** *m* channel(s) of distribution, market(ing)/sales channel, trade channel(s); **A.wegeentscheidung** *f* channel decision; **A.werbung** *f* sales promotion/publicity; **A.wert** *m* value of sales; **A.wesen** *nt* marketing; **A.wirtschaft** *f* marketing, distributive trade; **a.wirtschaftlich** *adj* marketing; **A.zahlen** *pl* sales figures, market data; **A.zeitenstaffel** *f* graduated prices; **A.zentrum** *nt* distribution centre; **A.ziel** *nt* sales goal, marketing objective; **A.zielgruppe** *f* market target; **A.ziffern** *pl* sales figures; **A.zusammenschluss** *m* marketing association; **A.zuwachs** *m* sales gain/growth, growth in unit sales

absaugen *v/t* to siphon off

abschaffen *v/t* 1. to abolish/scrap/axe, to do away with; 2. *(Gesetz)* to repeal/abrogate; **in Etappen a.** to phase out

Abschaffung *f* 1. abolition, elimination, abolishment, phasing out; 2. § abrogation, annulment; **A. der Zölle** elimination of customs duties

abschalt|en *v/ti* 1. to switch off/turn off; 2. to disconnect; 3. *(Anlage)* to shut down; **automatisch a.end** *adj* self-cancelling; **A.ung** *f* 1. shutdown; 2. ⚡ switch-off; 3. disconnection

abschätzbar *adj* appraisable, ponderable, rat(e)able; **A.keit** *f* rat(e)ability

abschätz|en *v/t* to assess/estimate/appraise/evaluate/value/ga(u)ge/rate; **A.er** *m* appraiser, valuer, assessor, estimator; **A.ung** *f* assessment, estimate, appraisal, appraisement, evaluation, valuation, rating

Abschichtungsbilanz *f* *(OHG)* statement of assets and liabilities

abschicken *v/t* 1. to dispatch/ship/forward, to send off; 2. ✉ to post

Abschied *m* 1. farewell, departure, parting; 2. retirement, resignation; **A. bekommen** to be superannuated; **jdm. den A. geben** to dismiss so.; **A. nehmen** to take leave

Abschieds|essen *nt* farewell dinner; **A.feier** *f* farewell celebration; **A.geschenk** *nt* farewell/parting/leaving present; **A.gesuch einreichen** *nt* to tender one's resignation; **A.rede** *f* valedictory/farewell speech

ab|schießen *v/t* to shoot down, to zap; **a.schinden** *v/refl* to slave away

Abschirm|dienst *m* counter-intelligence; **a.en** *v/t* to screen/guard/protect/insulate, to erect barriers; **~ gegen** to shield against; **A.ung** *f* screening, shield(ing), protection, safeguarding, walling off

Abschlachten *nt* slaughter; **a.** *v/t* to slaughter

Abschlachtquote *f* slaughter rate

Abschlag *m* 1. reduction, discount, deduction, rebate; 2. instalment *[GB]*, installment *[US]*; 3. pay advance, advance pay/wage; 4. *(Preis)* mark-down, knock-off, abatement; 5. payment on account; **auf A.** on account; **mit A.** at a discount; **ohne A.** net; **A. bei Bruchteilkursen** trading difference; **auf A. (be)zahlen** to pay in part; **A. gewähren** to grant a discount; **mit A. verkaufen** to sell at a discount

abschlagen *v/t* *(Gesuch)* to refuse/decline, to turn down

abschläg|ig *adj* negative; **a.lich** *adj* on account

Abschlags|dividende *f* 1. interim (dividend), dividend on account, initial/fractional dividend; 2. *(Vers.)* interim bonus; **vierteljährliche A.dividende** quarter(ly) dividend; **A.verteilung** *f* intermediate distribution; **A.zahlung** *f* 1. pay advance; 2. payment on account, part/progress payment, (payment by) instalment, anticipation; **~ erhöhen** to raise payment against account

Abschleppdienst *m* breakdown/recovery service, towage (service)

Abschleppen *nt* towage; **a.** *v/t* to tow, to take in tow

Abschlepp|fahrzeug *nt* recovery/breakdown vehicle, tow truck *[US]*; **A.gebühr** *f* towage; **A.wagen** *m* tow truck, breakdown van

abschließbar *adj* lockable

abschließen *v/t* 1. to lock (up), to close; 2. *(Vertrag)* to conclude/negotiate; 3. *(Handel)* to strike a bargain; 4. *(Projekt)* to complete/finish/arrange; 5. *(beenden)* to finalize; 6. *(Konto)* to balance; 7. *(Vers.)* to take out

abschließen über *(Konto)* to clear through; **ausgeglichen a.** to break even; **erfolgreich a.** to bring to a successful conclusion; **fest a.** to close/clinch a deal; **passiv a.** to show a loss/deficit; **mit Plus Minus Null a.** to break even; **mit geringfügigen Veränderungen nach beiden Seiten a.** *(Börse)* to end narrowly mixed

Abschließungseffekt *m* trade-diverting/insulating effect, trade diversion

Abschluss *m* 1. close, termination, winding-up; 2. *(Projekt)* completion; 3. *(Vertrag)* conclusion, bargain, deal; 4. *(Zahlung)* settlement, transaction; 5. *(Bilanz)* financial statement(s)/accounts/report, result, balance, closing the accounts; 6. *(Tarifvertrag)* wage settlement; 7. sales contract; **Abschlüsse** 1. transactions, business done; 2. *(Börse)* bargains done; **bei A.** on completion; **kurz vor dem A.** near completion

Abschluss auf Abladung *(Warenmarkt)* transaction for delivery within a specified period; **A. mit Bestätigungsvermerk** certified financial statement; **A. der Bücher** closing of books, balancing the books; **bei A. unserer Bücher** on closing/balancing our books; **A. von Deckungsgeschäften** hedging; **A. eines Geschäfts** conclusion of a transaction; **A. des Geschäfts-/Haushaltsjahres** close of the financial year; **A. eines Kaufvertrages** conclusion of a purchase contract; **A. auf künftige Lieferung** futures contract, forward deal; **Abschlüsse an Ort und Stelle** floor sales; **~ am Sekundärmarkt** *(Börse)* secondary dealings; **A. auf Termin** time contract; **A. einer Vereinbarung** institution of an agreement; **~ Versicherung** taking out a policy, issuance of a policy; **A. der Wahl** close of polling; **A. in rollender oder schwimmender Ware** transaction for delivery of goods in transit; **A. durch Zuruf** *(Börse)* open outcry; **A. mit geringen Zuwächsen** *(Bilanz)* flat results

Abschluss billigen *(Verhandlung)* to put the seal of approval on a deal; **zum A. bringen** to finalize/terminate/consummate/conclude, to bring to a conclusion, to reach agreement; **A. erzielen** to close/clinch a deal; **zum A. gelangen** to reach agreement, to be closed/completed/settled; **zu einem A. kommen** to come to an agreement, to end; **A. machen** to make/draw up the accounts, to prepare the financial statements; **vor dem A. stehen** to be nearing completion; **A. tätigen** 1. to land a contract *(coll)*, to conclude a bargain, to clinch/close/strike a deal, to make a commitment; 2. *(Vers.)* to write insurance; **neue Abschlüsse tätigen** to secure new business; **Abschlüsse kamen nicht zustande** *(Börse)* there were no dealings

akademischer Abschluss university qualification; **außerbörslicher A.** *(Börse)* off-market deal; **bestätigter A.** stated accounts; **fester A.** firm deal; **kombinierter A.** combined financial statement; **konsolidierter A.** consolidated/group financial statement, group accounts; **nicht ~ A.** deconsolidated statement; **neuer A./neue Abschlüsse** new business/orders, new order bookings; **provisorischer A.** provisional balance; **testierter A.** audited accounts, certified financial statement; **unterjähriger A.** sub-annual statement; **veröffentlichter A.** published/disclosed accounts; **vorläufiger A.** provisional financial statement

Abschluss|abrechnung *f* contract note; **A.abteilung** *f* closing department; **A.agent** *m* 1. closing/recording agent; 2. *(Vers.)* policy-writing agent; **A.analyse** *f* financial statement analysis; **A.anweisung** *f* 🖳 close statement; **A.arbeiten** *pl* end-of-year balancing work; **A.auftrag** *m* winding-up order; **A.bedingungen** *pl* terms of business; **A.benachrichtigung** *f* year-end statement of account; **A.bericht** *m* final/annual report, closing statement; **A.besprechung** *f* 1. final conference/discussion, post-mortem *(coll)*; 2. discussion of the financial statement; **A.bestätigung** *f* 1. *(Devisenbörse)* confirmation advice, purchase and sale memorandum; 2. *(Börse)* transaction slip; **A.bilanz** *f* (final) balance; **A.buchung** *f* final/closing entry, adjustment; **A.buchungen** annual closing; **A.büro** *nt* dealer's room; **A.datum** *nt* 1. contract date; 2. *(Geldhandel)* transaction date; **A.dividende** *f* final/year-end dividend; **A.einheit** *f (Börse)* even/full *[US]* lot; **A.ergebnis** *nt* 1. trading/operating/closing result; 2. *(Vers.)* underwriting result; 3. *(Haushalt)* closed accounts; **A.erklärung** *f* final statement; **A.erläuterungen** *pl* notes; **A.examen** *nt* final (examination); **~ machen** *(Universität)* to graduate; **A.formel** *f (Brief)* complimentary close; **A.formular** *nt* form for statement of accounts; **A.gebühr** *f* 1. sales fee/charge; 2. *(Bausparvertrag)* completion fee, acquisition fee; **A.gratifikation** *f* year-end bonus; **A.kennzahlen** *pl* major balance sheet and income figures; **A.konsolidierung** *f* consolidation of financial statements; **A.konto** *nt* final/closing account; **A.kosten** *pl (Vers.)* acquisition costs, initial expenses; **A.kostensatz** *m* acquisition cost ratio; **A.kurs** *m* closing/contract price; **A.monat** *nt* closing month; **A.posten** *m* closing/end-of-year item; **A.prämie** *f* sales premium; **A.preis** *m* 1. closing price; 2. *(Optionshandel)* strike price; **A.provision** *f* 1. advance against instalment commission; 2. *(Vers.)* initial/acquisition commission; **A.prüfer** *m (Bilanz)* balance sheet auditor, statutory auditor

Abschlussprüfung *f* 1. *(Bilanz)* final audit, auditing, audit of financial statements, ~ annual accounts; 2. *(Examen)* final/terminal examination; **A. machen** to take one's finals, to graduate; **abschließende A.** final checkout; **freiwillige A.** non-statutory audit of financial statement; **juristische A.** bar final; **vorgeschriebene A.** *(Bilanz)* statutory audit

Abschluss|quote *f* *(Konkurs)* final dividend; **A.rechnung** *f* 1. *(Bilanz)* settling/balancing/liquidation account, final accounts; 2. *(Börse)* settlement note; **A.satz** *nt* dealing rate; **A.sitzung** *f* closing session; **A.sonderzahlung** *f* end-of-year special payment; **A.spesen** *pl* bank-return charges; **A.stichtag** *m (Bilanz)* closing day/date, balance sheet date, cut-off date; **A.summe** *f (Vers.)* contractually agreed amount; **A.tag**

m 1. closing day/date, balancing date; 2. *(Börse)* settlement day; **A.termin** *m* closing/cut-off date; **A.testat** *nt* final audit certificate; **A.übersicht** *f* work sheet; **A.unterlagen** *pl* financial statements; **A.vergütung** *f* terminal/end-of-year bonus; **A.veröffentlichung** *f* annual statement; **A.vertreter** *m* commercial agent with authority to sign; **A.vollmacht** *f* power to contract, authority to conclude a transaction, power of attorney to close a deal; **A.vorschriften** *pl* generally accepted accounting principles (GAAP); **A.wechsel** *m* appoint; **A.zahlung** *f* final payment/instalment, complete payment, balancing settlement, definitive liquidation; **A.zeit** *f* 1. accounting date; 2. time of closure; **A.zeitraum** *m* accounting period/year; **A.zeugnis** *nt* leaving certificate, diploma, qualification

abschmelz|en *v/t* to slim; **A.(ungs)prozess** *m* slimming-down; **A.ung des Darlehensbestandes** *f* slimming of the loan portfolio

Abschneiden *nt* 1. performance, showing; 2. 🖳 truncation; **finanzielles A.** financial performance

abschneiden *v/t* 1. to cut off, to clip; 2. to perform; **besser a. als** to compare favourably with; **günstig a.** to come off well, to measure up favourably; **gut a.** to perform/do well; **schlecht a.** to do badly; **schlechter a.** to come off worse

Abschnitt *m* 1. segment, section, sector, zone; 2. § clause; 3. *(Papier)* counterfoil, stub, slip; 4. *(Text)* paragraph, chapter, passage; 5. leg; 6. portion, part; 7. *(Zeit)* period, phase; **A. für die Rückfahrt** return half; **in A.e teilen** to segment; **A.sdeckung** *f* phased cover; **a.sweise** *adj* sectional

ab|schnüren *v/t* to strangle/throttle; **a.schöpfen** *v/t* 1. *(Gewinn)* to soak up, to siphon/skim/cream off; 2. *(Steuer)* to tax away; 3. *(Kaufkraft)* to absorb; 4. ⊖/*[EU]* to levy; 5. to mop up *(coll)*

Abschöpfung *f* 1. absorption, skimming(-off), skim, mopping-up *(coll)*; 2. (price adjustment) levy, import/agricultural levy *[EU]*

Abschöpfungs|anleihe *f* absorption loan; **A.betrag** *m* adjustment levy; **a.frei** *adj* exempt from levy/levies; **A.preispolitik** *f* skimming-the-market policy; **A.regelung** *f* levy system; **A.satz** *m* levy rate; **A.strategie** *f* skimming strategy; **A.system** *nt* price-adjusting import levies; **A.tarif** *m* (price adjustment) levy rate; **A.szahlung** *f* skimming-off payment

abschotten *v/t* to insulate, to seal off

Abschottung *f* 1. *(Markt)* sealing-off; 2. partition, compartmentation; **A.stendenz** *f* sealing-off tendency

ab|schrauben *v/t* to unscrew, to screw off; **a.schrecken** *v/t* to deter/intimidate/discourage, to frighten off, to scare away

Abschreckung *f* intimidation, deterrence, deterrent effect; **A.smittel** *nt* deterrent, disincentive; **A.sprinzip** *nt* principle of deterrence

abschreibbar *adj* 1. depreciable; 2. *(immaterielle Vermögenswerte)* amortizable; 3. *(Substanzverzehr)* depletable

abschreiben *v/t* 1. to write off/down, to depreciate/amortize, to charge/declare off; 2. *(Substanzverzehr)* to deplete; 3. *(Schuld)* to wipe off; 4. *(kopieren)* to copy; 5. *(andere Schrift)* to transcribe

degressiv abschreiben to write down on a reducing-balance basis; **einheitlich a.** to subject to uniform depreciation rules; **linear a.** to depreciate at a constant rate; **steuerlich a.** to write off against tax; **vollständig a.** to write off; **vorweg a.** to write down before

Abschreibe|police *f* floating/depreciation/declaration policy, floater; **A.r** *m* copying clerk; **produktabhängiges A.verfahren** output/production method

Abschreibung *f* 1. write-down, writing down, write-off, depreciation (accounting), mark-down; 2. *(immaterielle Anlagen)* amortization, depreciation allowance; 3. *(Substanzverzehr)* depletion, charge-off; **A.en** depreciation charge, capital (asset) consumption

Abschreibung für Abnutzung (AfA) depreciation for wear and tear, allowance for depreciation, depreciation allowance; ~ **Anlagegüter** annual allowance; **A. auf Anlagen** plant write-down; ~ **das Anlagevermögen** depreciation on investments, ~ fixed assets and long-term investments, annual depreciation; **A. von Anlagewerten** asset write-off; **A. vom Anschaffungspreis** original cost method (of depreciation); ~ **Anschaffungswert** straight-line method (of depreciation); **A. auf Beteiligungen** write-down of trade investments, depreciation of investments; ~ **Betriebsanlagen** depreciation of plant (and equipment), ~ industrial equipment; ~ **Betriebs- und Geschäftsausstattung** depreciation of office furniture and equipment; **A.en im Explorationsgeschäft** exploration write-off; **A. auf Fabrikgebäude** mills and factory allowance; ~ **Finanzanlagen** write-down of investments, depreciation on financial assets; ~ **Forderungen** allowance for bad and doubtful accounts, bad debts provisions, reserve for bad debts, provision for doubtful debts; **A. für Gebäude** depreciation of buildings; **A. auf Geschäftswert** amortization of goodwill; **A.en auf Grundstücke** real estate depreciation; **A. auf Inventar** inventory write-down; ~ **Investitionen** 1. investment write-down, depreciation of investments; 2. *(Steuer)* investment allowance; ~ **Lagerbestände** stock relief/write-down; ~ **Basis der Produktion** production-based method of depreciation; **A. mit konstanten Quoten** straight-line method; **A. auf Rentenbestand** write-off on fixed-income securites; **A. vom Restwert** reducing/declining/decreasing balance method (of depreciation); **A. auf Sachanlagen** fixed asset depreciation, depreciation on tangible assets, ~ property, plant and equipment; **A.en auf das Sachanlagevermögen** depreciation of fixed assets; **A. wegen Substanzverzehr** depletion; **A.en auf immaterielle Vermögensgegenstände** depreciation on intangible assets; ~ **für aufgegebene Vermögenswerte** write-offs for property abandoned; **A. auf Warenbestände** inventory write-down; ~ **Werksanlagen** depreciation on plant; **A.en und Wertberichtigungen** write-offs and (value) adjustments; ~ **auf Sachanlagen** depreciation and value adjustments on fixed tangible assets; **A. für Wertminderung** (allowance for) wear and tear; **A. auf den Wertpapierbe-**

stand/Wertpapiere; A.en und Wertberichtigungen auf das Wertpapierportefeuille portfolio write-down, write-down of the securities portfolio; **A. vom Wiederbeschaffungswert** depreciation on replacement value; **A. auf Grundlage der Wiederbeschaffungskosten** replacement method; **A. geringfügiger Wirtschaftsgüter** write-off of low-cost assets; **A. unter Berücksichtigung der Zinseszinsen** annuity depreciation method, compound interest depreciation method, sinking fund method of depreciation; **A. auf Zugänge des Geschäftsjahres** depreciation on additions made during the fiscal year

Abschreibungen verdienen to earn one's depreciation; **A. verrechnen** to charge depreciation; **A. vornehmen** to depreciate, to write off/down

akkumulierte Abschreibung accumulated depreciation; **aktive A.en** amounts written off; **steuerlich anerkannte A.** tax depreciation/write-off; **aufgelaufene A.en** accumulated depreciation, depreciation provision, property reserved, expired utility; **außerordentliche/außerplanmäßige A.en** extraordinary/ unplanned/ non-scheduled depreciation, exceptional (accelerated) depreciation, ~ amount written off, unscheduled write-off/depreciation, non-scheduled amortization; **beschleunigte A.** accelerated depreciation, ~ cost recovery system (ACRS) *[US]*, emergency amortization; **bilanzielle/bilanzmäßige A.** book depreciation, depreciation for financial statement purposes, ~ reporting purposes, bookkeeping allowances for depreciation, accounting provision for depreciation; **bilanzpolitische A.** policy depreciation; **bilanz- und finanzpolitische A.** in-lieu/policy depreciation; **buchhalterische A.** accounting depreciation; **buchmäßige A.** book depreciation; **degressive A.** declining-balance depreciation, reducing/declining/diminishing/decreasing balance method (of depreciation), diminishing-provision/reducing-fraction method (of depreciation); **arithmetisch-degressive/digitale A.** sum-of-the-year-digits depreciation, life period method; **geometrisch-degressive A.** declining-balance depreciation; **direkte A.** direct depreciation; **eingeholte A.** recaptured depreciation; **entstandene A.en** depreciation accruals; **erhöhte/fallende A.** accelerated depreciation; **finanzpolitische A.** policy depreciation; **gebrochene A.** broken-down depreciation; **gleichmäßige A.** straight-line method; **~ vom Anschaffungswert** fixed-instalment method; **handelsrechtliche A.** depreciation under commercial law; **100-prozentige A. im ersten Jahr nach Anschaffung** free depreciation *[GB]*; **indirekte A.** indirect method of depreciation; **individuelle A.** (single-)unit depreciation; **jährliche A.** annual depreciation (charge), depreciation per period; **kalkulatorische A.** depreciation for cost accounting purposes, ~ through use, fictitious/imputed depreciation allowance, calculated/physical/process depreciation; **laufende A.en** writing-down allowances; **leistungsabhängige/-bezogene/-proportionale A.** unit-of-production/product method, service-output/service-yield method, production (basis) method (of depreciation), unit basis method (of depreciation); **lineare A.** straight-line method (of depreciation), flat-rate/straight-line depreciation, original cost method (of depreciation), equal annual payment method; **nachgeholte A.** backlog depreciation; **normale/ordentliche A.** ordinary depreciation; **nutzungsbedingte A.** depreciation through use; **passive A.** indirect method of depreciation; **passivierte A.** accrued depreciation; **periodische A.** period depreciation charges; **planmäßige A.** ordinary/normal/regular/scheduled depreciation; **progressive/steigende A.** sinking-fund method (of depreciation), increasing-charge depreciation, increasing balance (method of) depreciation; **steuerliche A.** tax depreciation/write-off, depreciation for tax purposes; **steuerrechtlicheA.** statutory depreciation; **übermäßige A.** overdepreciation; **unterlassene A.en** depreciation shortfall; **verbrauchsbedingte A.** physical/wear-induced depreciation, capital (asset) consumption, depreciation due to wear and tear; **verdiente A.en** realized depreciation, (amount of) depreciation earned; **volkswirtschaftliche A.** depreciation for business purposes; **vorzeitige A.** accelerated depreciation; **wirtschafliche A.** functional depreciation; **steuerlich zulässige A.** tax-allowable depreciation/writeoff, tax/capital/investment allowance *[GB]*, tax write-off *[US]*

Abschreibungs|art *f* method of depreciation; **A.aufwand** *m* depreciation charge/expense, consumed asset cost; **jährlicher A.aufwand** annual depreciation expense; **A.ausgangsbetrag/A.basis** *m/f* depreciation base; **A.ausgleich** *m* depreciation adjustment; **A.bedarf** *m* depreciation requirements; **A.bedingungen** *pl* depreciation terms/conditions; **A.berechnung** *f* depreciation computation; **A.bestimmungen** *pl* depreciation provisions; **A.betrag** *m* depreciation charge/allowance/amount/expense, depreciable amount; **jährlicher A.betrag** annual rate of depreciation, ~ writing-down allowance; **A.betrug** *m* fraudulent writing-off practices; **A.dauer** *f* period of depreciation; **A.einheit** *f* depreciation unit; **A.ergebnis** *nt* depreciation result; **A.erleichterungen** *pl* depreciation concessions/privileges, accelerated depreciation facilities; **A.erlöse** *pl* depreciation proceeds; **a.fähig** *adj* amortizable, depreciable; **A.finanzierung** *f* depreciation financing; **A.fonds** *m* depreciation fund/reserve, accrued depreciation, allowance/reserve for depreciation; **A.fondsverfahren** *nt* depreciation fund method; **A.formel** *f* depreciation formula; **A.freibetrag** *m* depreciation/writing-down/amortization/write-down allowance; **A.funktion** *f* depreciation function; **A.gegenstand** *m* depreciation unit; **A.gegenwert** *m* depreciation equivalent; **A.gesellschaft** *f* tax loss/shelter company, project write-off company; **A.grundlage** *f* depreciation base; **A.grundwert** *m* depreciable value; **A.konto** *nt* depreciation charge/account; **A.korrektur** *f* adjustment for depreciation; **A.kosten** *pl* depreciation charges; **A.lasten** *pl* amortization charges

Abschreibungsmethode *f* depreciation method/procedure; **A. mit steigenden Quoten** sinking-fund method of depreciation

degressive Abschreibungsmethode declining balance method; **digitale A.** sum-of-the-years-digit method of depreciation; **direkte A.** direct method of depreciation; **indirekte A.** indirect method of depreciation; **kombinierte Abschreibungs- und Erhaltungsmethode** combined depreciation and upkeep method; **lineare A.** linear method, straight-line depreciation method

Abschreibungsmöglichkeit *f* write-off facility, depreciation allowance; **steuerliche A.** tax allowance, tax write-off facility; **ungeminderte A.** unrestricted depreciation; **vorzeitige A.en** faster write-off(s)

Abschreibungs|objekt *nt* tax-saving write-off project, write-off item; **a.pflichtig** *adj* liable to depreciation; **A.plan** *m* depreciation schedule/programme; **A.politik** *f* depreciation policy; **A.praxis** *f* depreciation practice; **A.präferenz** *f* special depreciation allowance; **A.prozentsatz** *m* depreciation rate; **A.quote** *f* (annual) depreciation rate/allowance/charge/provision/expense, depreciation per period, periodical depreciation charge; **durchschnittliche A.quote** composite rate depreciation; **A.rate für Kosten** *f* cost depreciation charge; **A.rechnung** *f* depreciation accounting; **A.regelungen** *pl* depreciation rules; **A.reserve** *f* depreciation reserve/fund, accrued depreciation, allowance/reserve for depreciation; **A.restwert** *m* depreciated value; **A.richtlinien** *pl* depreciation rules/provisions; **A.richtsätze** *pl* standard depreciation rates; **A.rücklage/A.rückstellung** *f* depreciation fund, accrued depreciation, allowance/reserve for depreciation

Abschreibungssatz *m* depreciation rate/charge, rate of depreciation; **konstanter A.** constant/fixed rate of depreciation; **linearer A.** straight-line rate, fixed-instalment rate

Abschreibungs|stichtag *m* depreciation date; **A.summe** *f* 1. depreciation expense/charge, service cost; 2. *(Bemessungsgrundlage)* depreciable cost, depreciation base; **A.tabelle** *f* depreciation-rate table, guideline lives *[US]*; **A.ursachen** *pl* factors of depreciation, causes of expiration of plant property costs

Abschreibungsverfahren *nt* depreciation method; **degressives A.** declining-balance method; **lineares A.** straight-line method

Abschreibungs|vergünstigung *f* depreciation allowance; **A.verlust** *m* retirement loss; **A.volumen** volume of depreciation; **A.vorteile** *pl* depreciation benefits; **A.wagnis** *nt* depreciation risk; **A.wert** *m* written-down value; **A.zeit** *f* period of amortization; **A.zeitraum** *m* depreciation/writing-down period

Abschrift *f* 1. copy; 2. *(Umschrift)* transcript, transcription; 3. [§] tenor; **beglaubigte A. aus einem Gerichtsprotokoll** [§] estreat; **A. anfertigen** to make a copy; **A. beifügen** to attach/enclose a copy; **A. machen (von)** to duplicate

amtliche Abschrift official/certified copy; **beglaubigte A.** certified copy; **gerichtlich ~ A.** court-attested/court-sealed copy; **notariell ~ A.** notarized copy; **genaue/getreue/gleichlautende/richtige A.** true copy; **saubere A.** fair copy; **mit der Urschrift übereinstimmende A.** true copy; **vollständige A.** full copy

Abschussliste *f* hit list; **auf der A. stehen** to be due for the chop

abschwächen *v/t* to water down, to attenuate/mitigate/moderate/temper/understate; *v/refl (Preise/Konjunktur)* to slow down, to decline/weaken/decelerate/dip/soften, to ease (off)/level/tail off; **a.d** *adj* weakening, flagging, contractive

Abschwächung *f* 1. decline, fall, fall-back; 2. *(Kurse)* levelling off, easing-off, weakening, slow-down, contraction; **A. der Binnenkonjunktur** domestic recession; **~ Geldsätze** easing of money rates; **konjunkturelle A.** cyclical/economic downturn, decline in activity; **A.smöglichkeiten** *pl* downside potential; **A.tendenz** *f* downward trend, downside potential

abschweif|en *v/i* to deviate/digress; **nicht a.en** to keep to the point; **A.ung** *f* deviation, digression

abschwenken *v/i* to turn

Abschwung *m* *(Konjunktur)* downswing, downturn, decline, downward movement, slow-down of economy; **sich im A. befinden** to be declining

fortschreitender Abschwung rolling regression; **konjunktureller A.** business recession/slow-down, slide/decline in cyclical/economic activity, cyclical decline/downturn; **saisonaler/saisonbedingter A.** seasonal downswing; **zyklischerA.** cyclical downturn

zyklische Abschwung|bewegung cyclical downward trend; **A.phase** *f* downward/contraction phase, period of recession, business cycle contraction, depression, recession period; **A.potenzial/A.wahrscheinlichkeit** *nt/f (Börse)* downside risk

absegnen *v/t* to give one's blessing, to rubberstamp *(coll)*; **etw. a.** to put one's name to sth.; **sich ~ lassen** to get so.'s blessing for sth.

abseh|bar *adj* foreseeable; **a.en** *v/t* to foresee; **es ~ auf** to go/be after; **~ von** to refrain from

Absenden *nt* forwarding, dispatch(ing); **a.** *v/t* 1. to dispatch/forward/ship/consign, to send off; 2. ✉ to post *[GB]*, to mail *[US]*

Absendeort *m* dispatch/forwarding point

Absender *m* sender, consignor, shipper, forwarder; **an den A. zurück** return to sender; **A.erklärung** *f* sender's declaration; **A.land** *nt* country of shipment

Absende|stelle *f* 1. forwarding point; 2. 🚂 station of dispatch; **A.termin** *m* date of dispatch

Absendung *f* 1. dispatch, despatch, sending-off; 2. ✉ posting *[GB]*, mailing *[US]*

absenk|en *v/t* to reduce/cut/diminish/lower; **A.ung von Kosten** *f* cost reduction/cutting, reducing cost(s)

Absentismus *m* absenteeism

absetzbar *adj* 1. *(verkäuflich)* sal(e)able, marketable; 2. *(abschreibbar)* depreciable; 3. *(steuerlich)* (tax-)deductible, allowable; 4. *(gegen)* offsettable

aktiv absetzbar deductible on the assets side; **nicht a.** 1. *(Steuer)* non-deductible; 2. *(Ware)* not merchantable; **schlecht/schwer a.** slow-moving; **steuerlich a.** tax-deductible, tax-allowable, eligible for tax relief, allowable, tax-privileged, rebatable

Absetzbarkeit *f* 1. *(Abzug)* deductibility; 2. *(Verkauf)*

marketability, sal(e)ability; **steuerliche A.** tax deductibility

absetzen *v/t* 1. *(Ware)* to sell/market/distribute/place, to dispose of; 2. *(Kosten)* to set off; 3. *(abziehen)* to deduct; to drop; 4. *(Amt)* to depose/displace/unseat/oust; 5. *(Prozess)* to discontinue; *v/refl* to abscond

bestens/bestmöglich absetzen to sell on a best offers basis; **billig a.** to sell cheap; **um den Kirchturm herum a.** to sell locally; **steuerlich a.** to set off against tax; **vorweg a.** to deduct before; **sich a. lassen** to sell/move/market; **sich leicht a. lassen** to sell well

Absetzung *f* 1. *(Beamter)* dismissal, deposition; 2. *(Kosten/Steuer)* allowance, deduction, writeoff, chargeoff

Absetzung für Abnutzung (AfA) 1. deduction for depreciation; 2. *(Steuer)* depreciation (for wear and tear), (writing-down) allowance; 3. *(immaterielle Anlagewerte)* amortization; ~ **außergewöhnliche Abnutzung** extraordinary depreciation; **A. von der Steuer** (tax) deduction; **(pauschale) A. für Substanzverringerung** (percentage) depletion allowance; ~ **Wertminderung** depletion allowance

direkte Absetzung specific charge-off method; **einstweilige A.** suspension; **erhöhte A.en** accelerated depreciation; **individuelle A.en** individual adjustments; **steuerliche A.** tax deduction, allowance against tax

absichern *v/t* 1 to secure/cover/safeguard/back/protect, to provide security for; 2. *(Kursrisiko)* to hedge; **a. (gegen)** *v/refl* to hedge/guard/safeguard (against), to hedge one's bets

Absicherung *f* 1. cover(ing), safeguarding; 2. *(Kursrisiko)* hedge, hedging; **A. gegen die Inflation** inflation proofing, hedge against inflation, inflation hedge; **A. nach unten** downside protection; **A. eines Kredits** provision of security for a loan; **wechselseitige A. von Warengeschäften** cross commodity hedging; **außenwirtschaftliche A.** safeguarding the economy against external influences; **soziale A.** social provision/cushioning; **A.sgeschäft** *nt* hedging operation; **A.sstrategie** *f (Börse)* hedging strategy

Absicht *f* 1. intention, object, aim, purpose; 2. § intent, tenor; 3. view, drift; **in/mit der A.** with a view to, intending, with intent to; **A. der Einnahmeerzielung** intent to realize receipts; ~ **Gewinnerzielung** intent to realize profits, gainful intent; ~ **Parteien** § intention of the parties

Absicht dartun to evince, to display an intention; **A.en hegen** to harbour intentions; **A. konkretisieren** to give practical effect to an intention; **in jds A. liegen** to be so.'s intention; **sich mit der A. tragen** to consider/contemplate

in der besten Absicht with the best of intentions; **bestimmte A.** definite intention; **in betrügerischer A.** with fraudulent intent, with intent to defraud; **böse A.** malice, evil intention, spirit of mischief; **in böser/böswilliger A.** 1. with malicious intent, maliciously; 2. § with malice aforethought; **vorbedachte böse A.** § malice aforethougth; **gesetzgeberische A.** intention/policy of the law; **gewinnsüchtige A.** avaricious intent, motive of lucre; **stillschweigende A.** implied intention; **verbrecherische A.** criminal intent; **in verbrecherischer A.** § with criminal/felonious intent, with malice aforethought, feloniously; **verfassungsfeindliche A.** treasonable/subversive intent

absichtllich *adj* intentional, deliberate, wilful, purposeful; *adv* on purpose, knowingly; **A.sanfechtung** *f* § petition to have a transaction rescinded because of intent to give creditor preferential treatment; **A.serklärung** *f* § declaration/letter/statement/earnest of intent(ion), letter of preparedness, memorandum of understanding, notice of intention

Absinken *nt* decline, fall, subsidence; **A. der Kurse** fall in/of prices; **a.** *v/i* to decline/fall/plummet/diminish

absolut *adj* absolute, all-time, out and out; *adv* in absolute terms; **A.wert** *m* absolute value

Absolvent(in) *m/f* 1. schoolleaver; 2. *(Universität)* graduate

absolvierlen *v/t* to complete (one's studies), to graduate; **A.ung eines Lehrgangs** *f* completion of a course

Absonderheit *f* anomaly

absondern *v/t* 1. to separate/isolate/segregate/abstract/detach, to set aside; 2. *(Konkurs)* to obtain preferential treatment

Absonderung *f* 1. separation, isolation, segregation, partition; 2. *(Konkurs)* preferential treatment, dissociation, separate satisfaction of lienholders; 3. ⚘ secretion

Absonderungslanspruch *m* *(Konkurs)* preferential claim, claim by a secured creditor; **a.berechtigt** *adj* preferential, secured; **A.berechtigter/A.gläubiger** *m* preferential/preferred creditor; **A.recht** *nt* preferential claim/right, right to segregation

absorbieren *v/t* to absorb, to mop up

Absorption *f* absorption; **heimische A.** total domestic expenditure; **A.sfähigkeit** *f (Markt)* absorbing capacity; **A.sprinzip** *nt* absorbing principle; **A.stheorie** *f* absorption approach

ablspalten *v/t/v/refl* to split off, to separate/segregate; **A.spaltung von Unternehmen** *nt* hiving/spinning off (of companies); **A.spannung** *f* fatigue; **A.sparen** *nt* dissaving; **sich etw. a.sparen** *v/refl* to stint o.s. of sth.; **A.specken** *nt* slimming (down); **a.specken** *v/ti* to slim (down), to shed; **a.speichern** *v/t* 🖫 to save; **a.spenstig machen** *adj* to estrange/alienate/poach, to entice away

absperren *v/t* 1. *(Gas/Wasser)* to turn off; 2. *(Straße/Bezirk)* to cordon/shut/block off

Absperrlhahn *m* ✿ stopcock; **A.kette** *f (Polizei)* cordon; **A.klausel** *f (Gewerkschaft)* obligation to hire union members

Absperrung *f* 1. barrier; 2. cordon

abspielen *v/t* *(Platte/Band)* to play; *v/refl* to occur/happen

Absplittern *nt* chippage; **a.** *v/i* to chip off

Absprache *f* 1. understanding, accord, agreement, arrangement; 2. collusion, civil conspiracy; **gemäß/laut A.** according to agreement, as agreed, as per arrangement/agreement; **in (geheimer) A. mit** in collusion with; **nach A. mit** after consultation with; **A. treffen** to make an arrangement

diskriminierende Absprache discriminating understanding; **geheime/heimliche A.** collusive agreement,

collusion; **kartellähnliche A.** loose combination *[US]*; **mündliche A.** verbal agreement; **unerlaubte A.** collusive practices; **verbotene A.** civil conspiracy; **ohne vorherige A.** without prior consultation
absprachegemäß *adv* as agreed, as per arrangement/agreement
ab|sprechen *v/t* 1. to settle; 2. § to disallow (a claim); *v/refl* to agree; **a.springen** *v/i (fig)* to opt out, to withdraw; **a.spulen** *v/t* to unwind; **a.stammen** *v/i* to descend
Abstammung *f* 1. origin; 2. § descent, parentage, birth, lineage, extraction, derivation, stock; **außer-/nicht-/uneheliche A.** § illegitimate descent; **eheliche A.** legitimate descent; **niedrige A.** humble birth/origin(s); **unmittelbare A.** direct descent
Abstammungs|feststellung *f* § certification of parentage; **A.feststellungsklage** *f* paternity suit; **A.nachweis** *m* proof of parentage; **A.prinzip/A.recht** *nt* jus sanguis *(lat.) [GB]*; **A.urteil** *nt* judgment concerning descent; **A.zeugnis** *nt* § certificate of patriality
Abstand *m* 1. distance, gap, space, spacing; 2. difference; 3. *(Zeit)* interval, shortfall; **in Abständen** at intervals; **mit A.** by far; **A. halten** to keep one's distance; **A. lassen** to space out; **A. nehmen von** to refrain/forbear/desist/shy away from; **A. verringern** to reduce the difference/distance
bezahlter Abstand *(Miete)* key money; **einzeiliger A.** single-line spacing; **in großen Abständen** far-between; **in kleinen Abständen** by easy stages; **in regelmäßigen Abständen** at regular intervals, periodically; **in unregelmäßigen Abständen** at irregular intervals; **zeitlicher A.** time-lag; **mit zweizeiligem A.** double-spaced
Abstands|erlass *m* 🏛 spacing ordinance; **A.fläche** *f* open space; **A.geld** *nt* 1. compensation; 2. *(Entlassung)* redundancy payment, severance pay, indemnity, indemnification; 3. *(Miete)* key money; 4. *(Börse)* option money; **A.liste** *f* spacing register; **A.summe** *f* 1. forfeit money, compensation, indemnity; 2. *(Miete)* key money; **imaginäre A.summe** notional premium; **A.zahlung** *f (Miete)* key money
ab|stauben *v/t* *(coll)* to scrounge/cadge; **A.stecher** *m* detour, excursion; **A.stecken** *nt* demarcation; **a.stecken** *v/t* to plot/demarcate, to delineate, to mark out
Absteige(quartier) *f/nt* *(coll)* lodging/doss house *(coll)*
absteigen *v/i* 1. *(Fahrrad)* to descend/to get off, to dismount; 2. *(Hotel)* to stay; **a.d** *adj* descending
abstellen *v/t* 1. *(Fehler)* to redress/remedy/rectify; 2. *(Gas/Wasser)* to turn off; 3. ⚡ to cut off; 4. to remove; 5. *(Personal)* to second/detach; 6. *(unterbinden)* to bring to an end, to stop; 7. *(Ärgernis)* to abate; **a. auf** to gear/tailor to, to aim at, to base on
Abstell|fläche *f* 1. parking area, car park; 2. storage space; **A.gebühr** *f (Autoverleih)* drop-off charge; **A.gleis** *nt* 🚂 siding *[GB]*, sidetrack *[US]*; **A.kammer** *f* store room; **A.möglichkeiten** *pl* storage facilities; **A.platz** *m* 1. storage space; 2. 🚗 parking area, car space; **A.raum** *m* 1. storage room; 2. lumber/store room
Abstellung *f* 1. redress, temporary transfer; 2. *(Personal)* secondment; **A. eines Übelstandes** redress of a grievance, abatement of a nuisance
abstempel|n *v/t* 1. to stamp/cancel, to postmark; 2. *(routinemäßig)* to rubberstamp; **A.ung** *f* stamping
absterbe|n *v/i* to die (off); **A.ordnung** *f (Vers.)* (observed) life table, order of survival
Abstieg *m* descent; **A.smobilität** *f* downward mobility
abstimmbar *adj* *(Buchhaltung)* reconcilable
Abstimmen *nt* 1. voting, vote; 2. harmonization, coordination; **a.** *v/t* 1. to coordinate/harmonize/tune/suit; 2. *(Konten)* to balance/reconcile/square; *v/i* to vote, to take the vote, to (take a) poll
abstimmen auf to gear/tailor/adjust to; **a. über** to vote on (sth.); **a. lassen über etw.** to put sth. to the vote; **aufeinander a.** *(Maßnahmen)* to concert/harmonize/synchronize/orchestrate; **einheitlich a.** to cast uniform ballots; **geheim a.** to vote by secret ballot; **~ lassen** to ballot; **namentlich a.** to vote by call-over; **schriftlich a. lassen** to ballot; **zeitlich a.** 1. to time; 2. to synchronize
Abstimmsumme *f* control total
Abstimmung *f* 1. vote, voting, poll; 2. *(Parlament)* division; 3. coordination, harmonization, synchronization; 4. *(Bücher)* balancing, adjustment, squaring; 5. *(Konkurs)* reconciliation; **in A. mit** in concert with
Abstimmung der Bücher checking of books; **A. mit Delegiertenstimmen** card vote; **A. laufender Einnahmen und Ausgaben** cash management; **A. der Fälligkeiten** maturities planning; **A. ohne Fraktionszwang** free vote; **A. durch Handaufheben** voting by show of hands; **A. zwischen Produktion und Lager** production smoothing; **A. des Produktionsprogramms** matching of production programme(s)
zur Abstimmung aufrufen to call a vote; **durch A. beschließen** to vote; **per A. befragen** to ballot; **zur A. bringen/stellen/vorlegen** to put to the vote; **~ schreiten** to put the question; **zur geheimen A. stellen** to put to the ballot; **sich bei der A. vertreten lassen** to vote by proxy
briefliche Abstimmung postal ballot(ing); **geheime A.** secret ballot, ballot vote; **namentliche A.** roll call vote, division; **offene A.** open vote, show of hands; **ressortmäßige A.** coordination between departments, interdepartmental coordination; **zeitliche A.** 1. timing; 2. synchronization; **zinspolitische A.** coordination of interest rate policies
Abstimmungs|arbeiten *pl* *(Buchhaltung)* reconciliation work; **A.art** *f* method of voting; **A.befugnis** *f* voting right/power; **a.berechtigt** *adj* entitled to vote; **A.bogen** *m* conciliation sheet; **A.ergebnis** *nt* ballot result, result of the vote; **A.kollegialität** *f* committee vote, voting procedure of team decision making; **A.mechanismus** *m* coordination procedure; **A.mitteilung** *f* verification statement; **A.recht** *nt* franchise; **A.regeln** *pl* voting procedure/rules; **A.spielraum** *m* voting margin; **A.termin** *m (Konto)* reconciliation date; **A.unterlagen** *pl (Hauptversammlung)* voting papers; **A.vereinbarung** *f* voting agreement; **A.verfahren** *nt* voting procedure; **A.verhältnis** *nt* propor-

tion of votes; **A.vorschriften** *pl* voting rules; **A.zettel** *m* ballot paper

Abstinenz *f* *(Alkohol)* temperance; **A.theorie** *f (Zins)* abstinence theory; ~ **des Zinses** agio theory of interest

abstoppen *v/t* to halt/stop, to bring to a standstill

Abstoßen *nt* divestiture, off-loading; **a.** *v/t* to unload/offload/divest/shed, to sell (off/out), to dispose of, to hive off, to get rid of, to cast aside; **a.d** *adj* repulsive, repugnant, forbidding

Abstottern *nt* *(coll)* hire-purchase, never-never *(coll)*; **a.** *v/t* to pay by/in instalments, to buy on the never-never *(coll)*

abstrahieren *v/t* to abstract/generalize/conceptualize

abstrakt *adj* abstract, absolute

Abstraktion *f* abstraction, generalization; **A.sniveau** *nt* level of generality

ab|strampeln *v/refl* to flaunder, to be struggling; **a.streichen** *v/t* to tick off, to check; **a.streiten** *v/t* to deny/contest/dispute; **glatt a.streiten** to deny flatly

Abstrich *m* cut, saving, deduction, cutback; **A. bei den Löhnen** cut in wages, pay cuts; **A.e machen** to make cuts, to retrench

abstuf|en *v/t* to grade/gradate/stagger; **A.ung** *f* grading, gradation, scale

Ab|sturz *m* crash; **a.stürzen** *v/i* to crash, *(fig)* to crash into an abyss

abstütz|en *v/t* 1. to support, to prop (up), to shore up; 2. 🏛 to underpin; **A.ung** *f* support

absuchen *v/t* 1. to search; 2. *(Radar)* to scan

etw. ad absurdum führen to make a nonsense of sth.

Abszisse *f* π abscissa, x-axis

abtakeln *v/t* ⚓ to unrig

Abtasten *nt* ⚡/💻 scanning; **elektrisches A.** brush reading; **erneutes A.** rescanning; **gerichtetes A.** direct scan; **optisches A.** optical scanning, **wahlfreies A.** raster-scan

abtasten *v/t* 1. to test/sense, to try out; 2. ⚡/💻 to scan; **erneut a.** to rescan

Abtaster *m* 💻 scanner; **A. zur Bildeingabe** image scanner; **optischer A.** optical scanner

Abtast|fehler *m* reading error; **A.gerät** *nt* scanner; **A.kopf** *m* sensing head; **A.strahl** *m* scanner beam

Abtastung *f* 💻 sensing, scan(ning); **optische A.** optical scanning

Abtastvorrichtung *f* scanner, scanning device

abtauen *v/t* to thaw (off), to defrost

Abteil *nt* 🚆 compartment; **A. erster Klasse** first-class compartment; **A. für Raucher** smoking compartment; ~ **Nichtraucher** no-smoking compartment

abteilen *v/t* 1. to divide/separate/segregate; 2. 🏛 to partition (off)

Abteilung *f* 1. department, division, section, office, unit; 2. *(Kolonne)* gang; 3. *(Krankenhaus)* ward; **zwischen den A.en** interdepartmental

Abteilung für Arbeitswirtschaft human resources department; ~ **Bankgeschäfte** banking department; ~ **Börsenzulassung** quotation department; ~ **die Entwicklung neuer Aktivitäten** new business department; ~ **Effektenverwaltung** investment management service; ~ **Finanzplanung und Analyse** budget and management department; ~ **Finanzstudien** analysis department; ~ **Firmenwesen** *(Wirtschaftsministerium)* Companies Department *[GB]*; ~ **Forderungsinkasso** collection department; **A. außerhalb der Linienhierarchie** collateral unit; **A. für Luftfrachtbuchungen** cargo booking section; ~ **Notenausgabe** issue department; ~ **Verkaufsförderung** promotion department; ~ **Vermögensverwaltung** trust department; **A. Wirtschaftskriminalität** Fraud Squad *[GB]*

mehrere Abteilungen betreffend interdepartmental, cutting across departmental boundaries

Abteilung auflösen to close a department; **A. leiten** to be in charge of a department; **A. verlegen** to transfer a department

beratende Abteilung advisory department; **chirurgische A.** surgical ward; **funktionsorientierte A.** functional department; **juristische A.** legal department; **technische A.** engineering department, support division; **versicherungsmathematische/-statistische A.** actuarial department; **volkswirtschaftliche A.** economic research department

Abteilungs|aufseher *m* section supervisor; **A.bericht** *m* departmental report; **A.bevollmächtigter** *m* deputy director; **A.bildung** *f* departmentalization; **A.chef/ A.direktor** *m* head of department, department manager; **A.erfolgsrechnung** *f* profit centre accounting, accounting by functions, activity accounting; **A.gemeinkosten** *pl* departmental expenses/overheads/burden; **A.gewinn** *m* departmental profit; **A.gliederung** *f* departmental/divisional structure; **A.handbuch** *nt* departmental manual; **A.haushalt** *m* sectoral budget; **A.hierarchie** *f* departmental hierarchy; **a.intern** *adj* intra-departmental; **A.kalkulation** *f* department(al) costing; **A.kosten** *pl* departmental cost(s)/expenses; **A.kostenrechnung** *f* departmental costing, ~ cost(s) method

Abteilungsleiter *m* departmental manager/head, head/chief of department, department head/manager, division/divisional manager, head of division, superintendent; **aufsichtführender A.** *(Laden)* shopwalker; **A.sitzung** *f* departmental meeting

Abteilungs|nummer *f* department number; **A.organisation** *f* departmental organisation; **A.rechnung** *f* departmental costing; **A.spanne** *f* departmental profit margin; **A.struktur** *f* divisional structure; **a.übergreifend** *adj* cutting across departmental boundaries, transdepartmental; **A.umlage** *f* departmental charge; **A.verrechnungssatz** *m* departmental rate; **A.versammlung** *f* departmental meeting; **A.vorstand** *m* → **Abteilungsleiter**; **a.weise** *adj* departmental; **A.zeichen** *nt* departmental code; **A.zuschlag** *m* departmental rate

ab|telegrafieren *v/t* to countermand by wire; **a.telefonieren** *v/t* to countermand/cancel by phone; **a.teufen** *v/t* ⚒ to sink (a shaft); **a.tippen** *v/t* to type; **a.tragen** *v/t* 1. *(Hypothek)* to redeem; 2. *(Rückstände)* to work off; 3. *(Schulden)* to pay off/down, to clear/repay/acquit/ liquidate; 4. *(Kleidung)* to wear out

abträglich *adj* detrimental, harmful, derogatory, defamatory, injurious, derogative; **a. sein** to harm/prejudice

Abtragung *f* 1. *(Schuld)* redemption, acquittance, payment; 2. *(Boden)* excavation

Abtransport *m* removal, transportation; **a.ieren** *v/t* 1. to remove, to cart/truck away; 2. to transport

abtreiben *v/t* ⚕ to abort, to cause an abortion, to procure a miscarriage

Abtreibung *f* ⚕ abortion, causing an abortion, criminal miscarriage; **A. der eigenen Leibesfrucht** self-induced abortion; **A. vornehmen** to perform an abortion; **A.seingriff** *m* abortion operation; **A.sklinik** *f* abortion clinic

abtrennlbar *adj* detachable, separable; **nicht a.bar** non-detachable; **a.en** *v/t* 1. to detach/separate/sever; 2. 🏛 to partition (off)

Abtrennung *f* 1. separation, segregation; 2. detaching; 3. § severance; **A. eines Verfahrens** § severance of an action; ~ **anordnen** to direct separate actions, to decide upon the separation of multiple suits in law; **A.srecht** *nt* right of severance

abtretbar *adj* transferable, conveyable; assignable, negotiable, alienable; **A.keit** *f* transferability, assignability, alienability

abtreten *v/ti* 1. *(Anspruch/Recht)* to cede/transfer/assign/relinquish/retire/surrender/concede, to sign/make over; 2. *(Amt)* to step/stand down, to resign; 3. *(Vermögen)* to sign away, to convey, to make an assignment; **wieder a.** to reassign, to retrocede

abtretend *adj* outgoing; **A.e(r)** *f/m* § transferor, assignor, cedent, cesser, cessor, surrendor, relinquisher

Abtretung *f* 1. § cession, transfer (trf.), demise, assignation, (legal) assignment; 2. *(Land)* conveyance; 3. *(Seevers.)* abandonment; 4. *(Vers.)* surrender

Abtretung von Bezugsrechten letter of renunciation; **A. nach Billigkeitsrecht** § equitable assignment; **A. einer Erfindung (durch den Arbeitnehmer)** assignment of invention; **A. des Ersatzanspruchs** subrogation assignment, assignment of compensation claims; **A. einer Forderung** assignment of a claim, ~ debt(s); **A. von Forderungen** assignment of accounts receivable; **A. kraft Gesetzes** assignment by operation of law; **A. von Gewährleistungsansprüchen** assignment of warranty claims; **A. einer Hypothek** mortage assignment (of policy); **A. von Lohn- und Gehaltsansprüchen** assignment of wages; **A. eines Rechts** surrender of a right; **A. und Übergabe** assignment and delivery; **A. des Urheberrechts** assignment of the copyright; **A. aufgrund rechtlicher Verpflichtungen** § subrogation; **A. der Versicherungsforderung** assignment of policy; **A. an Zahlungs statt** assignment as payment

Abtretung annehmen to take cession

beglaubigte Abtretung certified transfer; **fiduziarische A.** fiduciary assignment; **formlose A.** equitable assignment; **gütliche A.** voluntary assignment; **rechtsgeschäftliche A.** assignment by act of the parties; **stille A.** undisclosed assignment; **vorbehaltlose A.** absolute assignment; **zwangsweise A.** compulsory cession, assignment by operation of law, forced sale

Abtretungslanzeige *f* notice of assignment; **A.begünstigte(r)** *f/m* allottee, assignee; **A.ebene** *f* assignment level; **A.empfänger(in)** *m/f* assignee, transferee, assign; **A.erklärung** *f* declaration/act of assignment, ~ cession; *(Vers.)* letter of subrogation, act of transfer; **a.fähig** *adj* assignable, transferable, conveyable; **A.gläubiger(in)** *m/f* assignee; **A.klausel** *f* cessor clause; **A.provision** *f* ceding commission; **A.recht** *nt* subrogation right, right of assignment; **A.urkunde** *f* 1. assignation, deed/declaration/instrument of assignment; 2. *(Land)* deed of conveyance/release/transfer; 3. *(Verpfändung)* bill of sale; **A.verbot** *nt* covenant against assignment; **A.verbotsklausel** *f* non-assignment clause; **A.verfügung** *f* signing-over order; **A.vertrag** *m* contract of assignment, treaty of cession

Abtrieb *m* ⚓ drift; **A.snutzung** *f* 🚜 final yield/cut, harvest cut; **A.swert** *m* 🚜 stumpage value

aburteilen *v/t* § to sentence/adjudge, to pass sentence

Aburteilung *f* § conviction, sentencing, adjudgment; **zur A. bringen** to commit for trial, to bring to trial; ~ **überweisen** to remand for trial, to bring to trial; **nach strafgerichtlicher A.** upon conviction by a criminal court

ablverdienen *v/t* to work off; **A.verkauf** *m [A]* sale; **a.verlangen** *v/t* to demand

Abwägen *nt* consideration; **a.** *v/t* to consider/weigh (up)/ga(u)ge/balance; **das Für und Wider a.** to weigh the pros and cons, ~ one thing against the other; **a.d** *adj* critical

Abwägung *f* consideration, weighing; **bei A. aller Umstände** considering the facts and circumstances of the case; **nach sorgfältiger A.** after careful consideration

Ablwahl *f* voting out; deselection; **a.wählen** *v/t* to vote out/off, to deselect

Abwälzlen von Lasten *nt* beggar my neighbour policy *(coll)*; **a.en** *v/t* to shift, to pass on; **A.ung** *f* passing on, shifting

ablwandeln *v/t* to modify/adapt; **a.wandern** *v/i* 1. to migrate; 2. *(Arbeitskräfte)* to float off

Abwanderung *f* drift, shifting, (out)migration, outward migration, movement; **A. von Kapital** exodus of capital; ~ **Wissenschaftlern** brain drain

Ablwandlung *f* modification, adaption; **A.wärme** *f* surplus/waste heat, exotherm (process) heat

abwarten *v/ti* 1. to wait and see, to wait for, to see sth. through, to wait sth. out; 2. *(Börse)* to stay on the sidelines; **a.d** *adj* 1. cautious; 2. *(Börse)* in (a) cautionary mood

abwärts *adj* downward, downhill

Abwärtslbewegung *f* 1. downtrend, downward trend/movement/tendency, downturn, move downwards, decline, slide; 2. *(Börse)* bearish tendency; ~ **fortsetzen** to continue to slide, ~ the downward trend; **A.fusion** downstream/downstairs merger; **A.tendenz/A.trend** *f/m* 1. downward trend, downtrend; 2. *(Kursdiagramm)* downmarket/downward bias

Abwasser *nt* effluent, waste water, sewage (water), discharge; **A. einleiten** to discharge waste water

gewerbliche Abwässer trade effluents; **häusliche A.** domestic sewage; **städtische A.** residential sewage; **ungeklärte A.** raw sewage

Abwasser|abgabe *f* sewage levy; **A.abgabengesetz** *nt* water pollution control levy act; **A.analyse** *f* waste water analysis; **A.aufbereitung** *f* sewage treatment; **A.behandlungsanlage** *f* sewage water treatment plant; **a.belastend** *adj* polluting the waste water; **A.belastung** *f* sewage pollution (load); **A.beseitigung/A.entsorgung** *f* waste water/sewage disposal; **A.einleitung** *f* waste (water)/sewage/effluent discharge; **A.fracht** *f* sewage load; **A.kanal** *m* (foul) sewer; **A.reinigung** *f* waste water/sewage treatment; **A.reinigungsanlage** *f* sewage (treatment) plant; **A.technik** *f* waste water treatment technology; **A.teich** *m* sewage lagoon; **biologische A.verwertung** sewage farming; ~ **A.verwertungsanlage** sewage farm

abwechseln *v/refl* to take turns, to alternate; **a.d** *adj* alternate, rotatory; *adv* in rotation, in turn

Abwechslung *f* alternation, change; variety; **zur A.** for a change; **a.sreich** *adj* varied, diversified; ~ **gestalten** to diversify

abwegig *adj* wrong, mistaken, irrelevant, erroneous, fallacious; **A.keit** *f* irrelevance, fallacy, erroneousness

Abwehr *f* 1. defence, warding-off; 2. counter-intelligence

Abwehr|aktion *f* safeguard action; **A.anspruch** *m* § defensive claim/demand, claim to protection against abridgment of legal rights; **A.aussperrung** *f* defensive lockout

abwehren *v/t* to fend/ward/stave off

Abwehr|klage *f* § action to repel unlawful interference; **A.klausel** *f* protective clause; **A.konditionen** *pl* defensive conditions; **A.maßnahme** *f* defensive measure; insulating device; **A.maßnahmen gegen Kapitalzuflüsse** insulating measures against capital inflows; **A.mechanismus** *m* defence mechanism; **A.preis** *m* keep-out price; **A.reaktion** *f* defence reaction; **A.streik** *m* defensive strike; **A.tätigkeit** *f* defensive activity; **A.werbung** *f* counter-publicity, counter-offensive advertising; **A.zoll** *m* protective tariff

abweichen (von) *v/i* to deviate/differ/digress/depart/stray (from); **nachteilig ~ von** to derogate from; **a.d** *adj* different, divergent, differing, variant, dissenting, out-of-line; ~ **von** notwithstanding, contrary to, deviating from

Abweichung *f* 1. difference, discrepancy, deflection, variation, variance; 2. departure, divergence, deviation; 3. *(Gewicht)* tolerance; 4. abnormality; 5. ▦/ *(Messtechnik)* drift; **in A. von** by way of derogation from

Abweichung 2. Grades composite variation; **A. von der Norm** anomaly; ~ **Rechtsprechung** deviation from legal precedent; ~ **Regel** exception to the rule; **A. der Summen** differences in totals; **A. vom Thema** digression

Abweichung|en anerkennen to waive discrepancies; **A. zulassen** to authorize an exception

absolute Abweichung ▦ absolute deviation; **aufsummierte/kumulierte A.** accumulated deviation; **durchschnittliche A.** mean/average deviation, average of deviation; **erlaubte A.** agreed concession; **erwartete A.** budgeted variance; **mittlere A.** mean/average deviation; **prozentuale ~ A.** percentage standard deviation; **normierte A.** deviate; **positive A.** upward divergence; **mittlere quadratische A.** standard deviation; **relative A.** relative deviation; **sektorale A.** secoral variation; **statistische A.** statistical aberration/discrepancy; **verrechnete A.en** allocated variances; **wahrscheinliche A.** probable error; **zulässige A.** allowance

Abweichungs|analyse *f (Kalkulation)* margin/variance analysis, analysis of cost divergence, ~ deviations; **A.indikator** *m* indicator of divergence; **A.klausel** *f* deviation clause; **A.koeffizient** *m* coefficient of variation; **A.maß** *nt* measure of variation; **A.rechnung** *f* variance accounting; **A.schwelle** *f* threshold of divergence; **A.spanne** *f* divergence margin; **maximale A.spanne** *[EU]* maximum spread of divergence; **A.streuung** *f* ▦ error dispersion; **A.typ** *m* deviation type; **A.verteilung** *f* allocation of variances, circulation of cost(s)

abweisen *v/t* 1. to reject/refuse/repudiate/rebuff, to turn down; 2. *(Person)* to turn away, to rebuff; 3. § to dismiss/quash/nonsuit/overrule; **kostenpflichtig a.** § to dismiss with cost(s); **sich nicht a. lassen** to take no denial, not to take no for an answer

Abweisung *f* 1. refusal, rejection; 2. rebuff; 3. dismissal; **A. einer Klage** § dismissal of a case; **A.sbescheid** *m* § non-suit

abwend|bar *adj* avoidable, preventable, avertible; **a.en** *v/t* to avert/avoid/prevent/deflect, to ward/stave/head off; *v/refl* to shy away

Abwendung *f* avoidance; **A. des Konkurses** avoidance of bankruptcy; **zur A. der Zwangsvollstreckung bezahlen** to pay in order to ward off an execution; **A. eines Schadens** § prevention of the damage

abwerben *v/t* 1. to entice/lure/bid/draw away; 2. *(Kunden)* to alienate, to divert custom; 3. *(Arbeitskräfte)* to poach/head-hunt, to contract away

Abwerber *m* headhunter *(coll)*

Abwerbung *f* *(Arbeitnehmer)* alienation, enticement, poaching; **A. von Arbeitskräften** labour piracy/poaching, poaching of labour, head-hunting

abwerfbar *adj* ⚓ jettisonable

abwerfen *v/t* 1. to discard; 2. *(Gewinn)* to yield; 3. ⚓ to drop/jettison; **nichts a.** not to pay

abwerten *v/t* to devalue/devaluate/depreciate/devalorize/down-value, to write down

Abwertung *f* devaluation, (currency) depreciation, downvaluation, devalorization, write-down

Abwertung auf Fertigerzeugnisse inventory adjustments for finished goods; **A. wegen Preisrisiko** adjustment for price risk; **A. auf Roh-, Hilfs- und Betriebsstoffe** inventory adjustments for raw materials and supplies; **A. wegen Skonti und Niederstwert** adjustment for cash discounts and lowest value; ~ **Sonderlager** adjustment for special inventory risks; **A. aus Wettbewerbsgründen** competitive devaluation

versteckte Abwertung hidden devaluation

Abwertungs|automatismus *m* crawling peg; **a.bedingt** *adj* owing to the devaluation (of a currency); **A.druck** *m* devaluation pressure; **A.effekt** *m* devaluation effect; **A.gewinn** *m* devaluation gain/profit; **A.land** *nt* devaluing country; **A.satz** *m* rate of devaluation, devaluation rate; **a.sicher** *adj* devaluation-proof; **A.spirale** *f* devaluation spiral; **A.strudel** *m* depreciation spiral; **a.verdächtig** *adj* devaluation-prone; **A.verlust** *m* devaluation loss; **A.welle** *f* spate/batch of devaluations; **A.wettlauf** *m* competitive devaluations; **A.zyklus** *m* devaluation cycle

abwesend *adj* absent, missing; **geistig a.** absent-minded; **A.e(r)** *f/m* absentee

Abwesenheit *f* absence, non-existence; **in A. von** 1. in the absence of; 2. § in absentia *(lat.)*; **in jds. A.** behind so.'s back

in Abwesenheit des Angeklagten § reo absente *(lat.)*; **A. aus geschäftlichen Gründen** absence/being away on business; **A. in der Hauptverhandlung** § absence from trial; **A. wegen Krankheit** sickness absence

durch Abwesenheit glänzen to be conspicuous by one's absence; **krankheitsbedingte A.** sickness absence

Abwesenheits|erkenntnis *f* § judgment in absentia *(lat.)*; **A.geld** *nt* absence allowance; **A.pfleger** *m* curator in absentia *(lat.)*; **A.protest** *m* protest for absence; **A.quote/A.rate** *f* level/rate of absenteeism, absenteeism (rate), absence level; **A.urteil** *nt* judgment by default, ~ in absentia *(lat.)*; **A.verfahren** *nt* proceedings for non-appearance; **A.vermutung** *f* presumption of non-appearance; **A.vertreter** *m* absentee's representative; **A.zeit** *f* absence time

abwickeln *v/t* 1. to execute/handle/effect/transact/complete/process, to work off; to carry out; to deal with; 2. to phase out; 3. *(Schaden)* to adjust; 4. *(liquidieren)* to liquidate, to wind up; **federführend a.** *(Emission)* to lead-manage, to arrange as lead-manager; **in Stufen a.; stufenweise a.** to phase/stagger

Abwickler *m* 1. receiver, liquidator; 2. *(Vers.)* claims adjuster; **A. bestellen** to appoint a liquidator

Abwicklung *f* 1. processing, execution, handling, transaction; 2. adjustment, completion, settlement; 3. *(Liquidation)* liquidation, winding-up, run-down, dissolution; **in A.** in liquidation, in the process of winding up

Abwicklung des Auftragsbestandes back order management; ~ **Auslandsgeschäfts** *(Ausfuhr)* export merchanting; **A. der Buchhaltung** accounting practice; **A. einer Gesellschaft** winding up (of) a company; **A. von Handelsgeschäften durch den Staat** state trade operations; ~ **Havarieschäden** adjustment of average losses; **A. der Investitionen** investment management; **A. eines Kredits** repayment of a credit; **A. in Stufen** phasing; **A. von Wertpapiergeschäften** settlement of securities business; **A. des Zahlungsverkehrs** execution of payments

außergerichtliche Abwicklung out-of-court settlement; **freiwillige A.** creditors'/members' voluntary winding-up; **gerichtliche A.** juridical liquidation; **physische A.** physical handling; **stufenweise A.** phasing; **vorzeitige A.** advance termination

Abwicklungs|anfangsvermögen *nt* net worth at beginning of winding-up; **A.antrag** *m* winding-up petition; **A.bank** *f* liquidating/settling bank; **A.bedingungen** *pl* settlement terms; **A.bilanz** *f* liquidating/dissolution balance sheet, winding-up accounts; **A.endvermögen** *nt* net worth at end of winding-up; **A.eröffnungsbilanz** *f* opening balance sheet of company in liquidation; **A.firma** *f* company in liquidation; **A.gebühr** *f* liquidation fee; **A.geschäft** *nt* winding-up transaction; **A.gewinn** *m (Vers.)* winding-up profit; **A.information** *f* settlement information; **A.konto** *nt* liquidation/settlement account; **A.kosten** *pl* handling cost(s); **A.leistung** *f* old orders cleared off; **A.masse** *f* total assets and liabilities under liquidation; **A.meldung** *f* completion report; **A.periode** *f (Börse)* settlement period; **A.provision** *f* handling commission; **A.schlussbilanz** *f* closing balance sheet of company in liquidation; **A.stelle** *f* liquidating agency, clearing house; **zentrale ~ für den Wertpapierhandel** stock clearing corporation *[GB]*; **A.system** *nt* settlement/clearing sytem; **A.termin** *m* settlement day; **A.überschuss** *m (Vers.)* winding-up surplus; **A.verfahren** *nt* 1. liquidation/winding-up procedure; 2. § liquidation/winding-up proceedings; **A.wert** *m* liquidation value; **A.zeit** *f (Auftrag)* handling/processing time; **A.zeitraum** *m* settlement/winding-up/liquidation period; **A.zentrum** *nt* settlement centre

ab|wiegen *v/t* to weigh (out); **knapp a.wiegen** to give short weight; **a.wiegeln** *v/t* to appease; **A.wiegler** *m* appeaser; **a.wimmeln** *v/t (coll)* 1. to shake off; 2. to stall off; **a.winken** *v/i* to turn down; **a.wirtschaften** *v/t* to ruin; *v/i (Regierung)* to collapse

abwrack|en *v/t* 1. to dismantle; 2. to break up, to scrap; **A.er** *m* ⚓ shipbreaker; **A.prämie** *f* scrapping/break-up premium; **A.werft** *f* ⚓ breaker's yard

Abwurf *m* ⚓ *(Notwurf)* jettison

Abwürgen *nt* overkill; **a.** *v/t* 1. 🚗 to stall; 2. to throttle

abzahlbar *adj* redeemable; **monatlich a.** payable in monthly instalments

abzählbar *adj* countable, denumerable, enumerable

Abzahlbarkeit *f* redeemability

Abzahlen *nt* payment by instalments; **a.** *v/t* to pay off, to pay by instalments, to discharge debts, to amortize; **monatlich a.** to pay in monthly instalments

abzählen *v/t* to count/tell

Abzahlung *f* 1. hire purchase (h.p.) *[GB]*, deferred payment *[US]*, instalment; 2. *(Raten)* payment by instalments, paying off; 3. *(Tilgung)* payment in full; **A. in bequemen Raten** easy payment (facilities)

auf Abzahlung kaufen to buy on instalment, ~ hire purchase, ~ the never-never *(coll)*; **auf A. verkaufen** to sell on hire purchase, ~ the deferred payment system

Abzahlungs|bank *f* hire-purchase finance house, consumer credit agency; **auf A.basis** *f* on hire purchase, on the instalment plan, ~ never-never *(coll)*; **A.bedingungen** *pl* hire-purchase terms; **A.bestimmungen** *pl* hire-purchase regulations; **A.darlehen** *nt* instalment loan/credit; **A.finanzierung** *f* instalment plan financing, hire-purchase financing; **A.formular** *nt* hire-purchase form; **A.frist** *f* repayment period; **A.geschäft** *nt* 1. hire-purchase/instalment transaction; 2. instalment sale/business/buying; 3. *(Firma)* hire-purchase/instalment finance house, consumer credit business, tally shop/trade/system *[GB]*, instalment lending business; **A.gesellschaft** *f* personal loan company, hire-purchase company; **A.gesetz** *nt* hire-purchase act, Consumer Credit Act *[GB]*; **A.hypothek** *f* instalment/repayment mortgage; **A.kauf** *m* hire purchase, instalment buying, purchase on the deferred-payment system; **A.konto** *nt* hire-purchase/instalment account; **A.kosten** *pl* hire-purchase/instalment charges; **A.kredit** *m* hire-purchase/instalment/deferred-payment credit; **A.periode** *f* repayment period; **A.plan** *m* hire-purchase/instalment/deferred-payment plan; **A.preis** *m* hire-purchase/instalment/deferred-payment price; **A.rate** *f* hire-purchase instalment; **A.system** *nt* hire-purchase/deferred-payment system, tally system/trade; **A.verkauf** *m* hire-purchase/deferred-payment sale; **A.verpflichtungen** *pl* hire-purchase/deferred-payment commitments, debts, commitments; **A.vertrag** *m* hire-purchase/deferred-payment contract, credit sales arrangement, instalment agreement; **A.wechsel** *m* instalment bill, hire-purchase paper

Abzapfen von Strom *nt* abstraction of electricity; **a.** *v/t* 1. to siphon off; 2. ⚡ to abstract

Abzeichen *nt* badge, tab

abzeichnen *v/t* 1. to initial/sign; 2. *(Dokument)* to sign off; 3. *(abhaken)* to tick off; *v/refl* to emerge/appear/loom, to become evident; **sich klar a.** to become apparent

Abzieh|apparat *m* duplicator, duplicating machine; **a.bar** *adj* allowable, deductible; **A.bild** *nt* transfer, decalcomania, sticker

ab|ziehen *v/ti* 1. to deduct/subtract/discount/recoup, to reduce by; 2. *(Kapital)* to alienate, to siphon off; 3. *(Preis)* to take/knock *(coll)* off; **automatisch a.ziehen** to check off; **a.zielen auf** *v/i* to aim/level at, to target (on), to tend to, to be designed to; **a.zinsen** *v/t* to (apply) discount, to determine the present value of a future payment

Abzinsung *f* discounting, deduction of unaccrued interest, discount

Abzinsungs|betrag *m* discount, amount discounted; **A.faktor** *m* discount factor; **A.papier** *nt* security sold at a discount; **A.satz** *m* discount rate; **A.tabelle** *f* discount table; **A.titel** *m* discount instrument

Abzug *m* 1. deduction, discount, rebate, reduction, allowance; 2. penalty; 3. 🗋 print, copy; 4. *(Geld)* drawing out; 5. *(Waffe)* trigger; **Abzüge** statutory deductions; **nach A. von** after allowance for, net of; **unter A. von** less

Abzug für Betriebsausgaben deduction from gross/taxable income; ~ **neu** discount new for old; **automatischer A. der Gewerkschaftsbeiträge vom Lohn** checkoff *[US]*; **nach A. aller Kosten** after deduction of expenses, expenses/all costs deducted, after costs; **A. an der Quelle** deduction at source; **unberechtigter A. von Skonti** taking unearned cash discounts; **nach A. der Spesen** after deduction of expenses, all expenses deducted; **A. für Steuern** deduction for taxes; **nach A. der Steuern** after tax, tax paid/deducted, taxed, net of tax; **vor A. der Steuern** before tax, tax unpaid, pre-tax, untaxed; **nach A. aller Unkosten** all charges/expenses paid; **Ab- und Zuzug von Unternehmen** migration of companies

bar ohne Abzug; ohne A. gegen bar net cash, cash without discount; **sofort bar ohne A.** prompt net cash; **frei von Abzügen** 1. net; 2. netto netto (n.n.), free of deductions; **ohne jeglichen A.** strictly net

Abzüge einzeln aufführen to itemize deductions; **in Abzug bringen** to deduct; **A. gewähren** to discount; **in A. kommen** to be deducted; **Abzüge machen** 1. to make deductions; 2. to recoup

im Voraus gemachter Abzug unearned discount; **gleichbleibende Abzüge** fixed deductions; **gesetzliche Abzüge** statutory deductions; **handsignierter A.** 🗋 signed proof; **übliche Abzüge** customary deductions; **zulässiger A.** permissible deduction

abzüglich *prep* minus, less, net of, deducted; **a. 10 %** 10 % off

Abzugpost *f* mimeograph/manifold paper

Abzugs|betrag *m* deductible amount; **A.beträge** statutory deductions; **A.effekt** *m* outmigration/relocation effect

abzugsfähig *adj* allowable, deductible, rebat(e)able; **nicht a.** *(Steuer)* non-deductible; **steuerlich a.** (tax-) deductible, allowable for tax purposes; ~ **nicht a.** disallowable against tax; **voll a.; in voller Höhe a.** fully tax-deductible

Abzugsfähigkeit *f* deductibility; **steuerliche A.** tax deductibility; ~ **von Hypothekenzinsen** mortgage relief

Abzugs|franchise *f (Vers.)* deductible/excess franchise, in excess of usual trade allowance; **A.hahn** *m* trigger; **A.kanal** *m* exhaust duct; **A.kapital** *nt* capital items deducted from total; **A.methode** *f (Steuer)* exclusion method; **A.möglichkeit für Nettobetriebsverluste** *f* net operating loss deduction; **A.nachweiskarte** *f* deduction card; **A.posten** *m (Bilanz)* valuation item; **A.steuer** *f* withholding tax, tax deducted/stopped at source; **ausländische A.steuer** foreign withholding tax; **A.weg** *m* deduction method

abzweig|en *v/i* to branch off, to detour; *v/t (Geld)* to set aside, to siphon/channel off *(coll)*, to divert/deduct; **A.ung** *f* 1. arm; 2. deduction, setting aside; 3. *(Straße)* fork, junction

Achse *f* 1. axle, shaft; 2. *(geometrisch/politisch)* axis; **per A.** by land carriage, per wag(g)on

Achs|gewicht *nt* axle weight; **A.last** *f* axle load

Acht *f* ban; **außer A. lassen** to ignore/disregard; **a.bar** *adj* creditable, respectable

Achtelmeile *f* furlong *(ca. 200 m)*

achten *v/t* 1. to respect/esteem/regard; 2. *(Gesetz)* to respect/observe; **a. auf** to take care, to ensure, to have an eye to

ächten *v/t* 1. to ban/proscribe/boycott; 2. *(gesellschaftlich)* to outlaw/ostracize

Achter|deck *nt* ⚓ quarter deck
achtern *adj* ⚓ astern
Acht geben *v/i* to take care, to mind/heed; **a.los** *adj* careless, heedless; **a.sam** *adj* careful, circumspect
Achtstunden|schicht *f* eight-hour shift; **A.tag** *m* eight-hour day
Achtung *f* respect, esteem, consideration; **A. vor dem Gesetz** respect for the law; **sich allgemeiner A. erfreuen** to be held in general esteem; **A.serfolg** *m* reasonable success
Ächtung *f* 1. ban, proscription, boycott, outlawing; 2. *(gesellschaftlich)* ostracism
Acker *m* arable land, ploughed field; **A. bestellen** to till the soil
Ackerbau *m* farming, tillage; **A. nur für den Eigenbedarf** subsistence farming; **A. betreiben** to farm (the land); **A.betrieb** *m* arable farm; **A.er** *m* farmer, tiller; **A.erzeugnis** *nt* farming product; **A.kunde** *f* agronomy
Acker|boden *m* arable land, farmland; **A.frucht** *f* field crop; **A.land** *nt* farmland, arable/tilled land, cropland, tilth
ackern *v/t* to plough
Ackerschlepper *m* tractor
ad acta *adv* *(lat.)* to be filed; ~ **legen** to lay aside, to shelve/discard/file
Adapt|er *m* adapter, adaptor; **a.ieren** *v/t* to adapt
Ad|äquanztheorie *f* theory of adequate causation; **a.äquat** *adj* adequate, appropiate
Addier|barkeit *f* additivity; **A.einrichtung** *f* adder
addieren *v/t* 1. to add, to sum up, to total, to tot up *(coll)*; 2. *(Buchführung)* to foot (up); **nochmals a.** to refoot
Addiermaschine *f* adding machine, adder; **A. mit Kleintastenfeld** ten-key adding machine; ~ **Volltastatur** full-keyboard adding machine; **elektrische A.** electric adding machine; **handbetriebene A.** hand-operated adding machine
Addierwerk *nt* 1. totalizer; 2. 🖳 adding counter
Addition *f* 1. addition, summation; 2. *(Buchführung)* footing; **A. der Gemeinkosten zur Summe der Einzelkosten** loading; **A.sanweisung** *f* 🖳 add statement; **A.smaschine** *f* adding machine; **A.sübertrag** *m* add carry; **A.szähler** *m* accumulating counter; **A.szeichen** *nt* plus sign
Additivität *f* additivity, additive property
Ader *f* 1. ⚕ vein, artery; 2. ⚒ reef, seam; **A.lass bei den (Geld)Mitteln** *m* drain on the resources
Adhärenz *f* adherence
Adhäsions|verfahren *nt* adhesive procedure; **A.verschluss** *m* adhesive flap; **A.vertrag** *m* adhesion contract, supplementary agreement
ad-hoc ad hoc
Adjudi|kation *f* adjudication, award; **a.zieren** *v/t* to adjudge/adjudicate/award
adjustier|en *v/t* to adjust; **A.ung** *f* *(Vers.)* adjustment
Administra|tion *f* administration, management; **a.tiv** *adj* administrative
adoptieren *v/t* to adopt; **A.de(r)** *f/m* adopting parent
Adoption *f* adoption; **A.sbeschluss** *m* § adoption order; **A.sregister** *nt* adopted children's register; **A.sverhältnis** *nt* adoptive relationship; **A.svermittlung** *f* placement for adoption
Adoptiv|- adoptive; **A.eltern** *pl* adoptive/adopting parents; **A.kind** *nt* adoptee, adopted child; **A.mutter** *f* adoptive mother; **A.vater** *m* adoptive father; **A.verwandtschaft** *f* relationship by adoption
Adrema TM *f* addressing machine, addressograph
Adressant *m* consignor, sender, addresser
Adressat *m* 1. addressee, consignee; 2. *(Geld)* payee; 3. *(Wechsel)* drawee; 4. *(Angebot)* offeree; **A.enkreis** *m* target group
Adress|buch *nt* address book, directory; **A.datei** *f* address file/tape
Adresse *f* address, destination; **per A.** care of (c/o); **A. hinterlassen** to leave an address; **sich an die richtige A. wenden** to apply to the proper quarters
eingeprägte Adresse embossed address; **erste A.** *(Kredit)* prime-rated/first-rate/top-rate(d)/quality borrower, blue-chip customer, prime (corporate) borrower, prime/first-class name; **falsche A.** wrong address; **genaue A.** full address; **gute A.** borrower of good standing; **weniger** ~ **A.** borrower of lesser standing, lesser-rated borrower; **richtige A.** correct/proper address; **risikoreiche A.** high-risk (borrower); **schlechte A.** marginal account; **ständige A.** permanent/fixed address; **zweite A.** *(Kredit)* second-class name
Adressen|änderung *f* change of address; **A.aufkleber** *m* address label; **A.feld** *nt* address field; **A.kartei** *f* address file; **A.lieferant** *m* name supplier; **A.liste** *f* (mailing) list; **A.listenmakler/A.verlag** *m* list broker; **A.schreiber** *m* mailer; **A.schreibung** *f* address printing; **A.teil** *m* address part; **A.verwaltung** *f* 🖳 address filing system;; **A.verzeichnis** *nt* directory, (mailing) list; **A.zettel** *m* docket, label
adressieren *v/t* to address/consign/direct; **falsch a.** to misaddress/misdirect
Adressiermaschine *f* mailer, addressograph, addressing machine, addresser
falsch/unrichtig adressiert *adj* incorrectly addressed, misdirected; **an sich selbst a.** self-addressed
Adressierung *f* addressing; **falsche A.** misdirection; **A.sverfahren** *nt* addressing technique; **A.svorschrift** *f* addressing requirements
Adress|index *m* distribution index; **A.karte** *f* address card; **A.kommisssion** *f* consignment commission; **A.register** *nt* address register
Advokat *m* advocate, lawyer; **A.ur** *f* 1. law practice/office; 2. advocacy, profession of a lawyer
Aero|drom *nt* ✈ aerodrome *[GB]*, airdrome *[US]*; **A.gramm** *nt* ✉ aerogram
Affäre *f* affair, business
Affekt *m* affectation, emotional/uncontrollable impulse; **im A.** in the heat of passion, ~ the moment
Affektionswert *m* emotional value, fancy value
Affida|vierung *f* § certification by affidavit; **A.vit** *nt* affidavit, sworn declaration
Affiliation *f* 1. affiliation; 2. subsidiary bank, banking subsidiary
Affront *m* affront, insult, offence

à-forfait-Geschäft *nt* factoring transaction
AG → **Aktiengesellschaft**
Agenda *f* 1. agenda; 2. diary
Agens *nt* *(lat.)* driving force
Agent *m* agent, representative, factor, broker; **zugelassener A.** accredited agent; **A.enprovision** *f* agent's commission; **A.enstelle** *f* factorship
Agentur *f* 1. agency, factorship, branch/representative office; 2. press/news agency; **A. für Groß- und Kleinleben** *(Vers.)* combination agency; **staatliche A.** public agency
auf Agentur|basis *f* on an agency basis; **A.etat** *m* agency budget; **A.geschäft** *nt* agency business; **A.meldung** *f* news agency report; **A.tätigkeit** *f* agency service; **A.umsatz** *m (Werbung)* billing; **A.vereinbarung** *f (Sozialbeziehungen)* agency shop agreement; **A.vergütung** *f* agency commission, fee; **A.vertrag** *m* agency agreement, contract of agency; **A.vertrieb** *m* agency distribution; **A.waren** *pl* agency goods
Agglomeration *f* agglomeration; **A.szentrum** *nt* agglomeration centre
Aggregat *nt* 1. ✪ (power) unit; 2. *(Geld)* aggregate; 3. ▦ summation; **monetäres A.** monetary aggregate
Aggregation *f* aggregation, summation; **A.smethode** *f* bottom-up method
Aggregatzustand *m* state (of matter)
aggregiert *adj* aggregative
Aggress|ion *f* aggression; **a.iv** *adj* 1. aggressive; 2. *(Person)* abrasive; 3. thrusting, head-on; **A.ivität** *f* aggressiveness; **A.or** *m* aggressor
unter der Ägide von *f* under the auspices of
agieren *v/i* to act
Agio *nt* 1. agio, premium; 2. *(Emission)* share premium, paid-in surplus, stock discount; **A. aus Aktienemission** premium on capital stock, share premium; **A. genießen** to command a premium; **mit A. verkaufen** to sell at a premium; **stehendes A.** constant premium; **variables/veränderliches A.** fluctuating premium
Agio|erlös *m* paid-in surplus; **A.ertrag** *m* agio income; **A.erträge** *pl* premiums received; **A.geschäft** *nt* stockjobbing; **A.gewinn** *m* premium gain; **A.konto** *nt* share premium account; **A.papier** *nt* premium bond; **A.reserve/A.rücklage** *f* premium account, share premium account, ~ reserve, paid-in surplus
Agio|tage *f* premium hunting, jobbing, agiotage; **A.teur** *m* stockjobber; **A.theorie** *f* agio theory of interest; **a.tieren** *v/t* 1. to operate in stocks; 2. to deal in foreign exchange; **A.überschuss** *m* share premium reserve
Agitation *f* agitation; **aufrührerische A.** sedition
Agit|ator *m* agitator, rabble-rouser; **a.ieren** *v/i* to agitate
Agrar|- agricultural, agrarian; **A.abgaben/A.abschöpfung** *pl/f* agricultural levy; **A.abkommen** *nt* farm agreement; **A.ausfuhren** *pl* agricultural/farm exports; **A.ausgaben** *pl* agricultural/farm spending; **A.ausschuss** *m* agricultural committee; **A.bericht** *m* farm report; **A.bevölkerung** *f* farming/rural population; **A.-bilanz** *f* balance of trade in farm products; **A.einfuhren** *pl* agricultural/farm imports; **A.einkommen** *nt* farm(ing)/agricultural income; **A.erzeugnisse** *pl* agricultural products, produce, farm produce/products; **einheimische A.erzeugnisse** home/domestic produce; **A.experte** *m* agriculture expert, farm analyst; **A.exporte** *pl* agricultural/farm exports, agri-exports; **A.exporteur** *m* exporter of agricultural goods; **A.fläche** *f* acreage, farming land; **A.(garantie)fonds** *m [EU]* common agricultural fund, *[EU]* European Agricultural Guidance and Guarantee Fund; **A.forschungsinstitut** *nt* agricultural research institute; **A.funktionär** *m* farm lobbyist; **A.genossenschaft** *f* agricultural/farm cooperative; **A.geografie** *f* rural geography; **A.geschäft** *nt* agri-business *[US]*; **A.gesetzgebung** *f* farm legislation; **A.güter** *pl* agricultural/farm products; **A.handel** *m* trade in agricultural goods; **A.handelsbilanz** *f* agricultural trade balance; **A.haushalt** *m [EU]* farm budget; **A.hilfe** *f* agricultural support
Agrarierpartei *f* country/farmers' party
Agrar|importe *pl* farm/agricultural imports, agri-imports; **A.industrie** *f* agro-industry; **A.ingenieur** *f* technical agriculturalist; **A.investitionen** *pl* investment in agriculture
agrarisch *adj* agricultural, agrarian
Agrar|kommissar *m [EU]* farm commissioner; **A.konjunktur** *f* cyclical movements/developments in agricultural markets; **A.kredit** *m* farm/agricultural credit, ~ loan; **langfristiger A.kredit** credit on farm land; **A.kreditinstitut** *nt* farm loan bank; **A.krise** *f* agricultural/farm crisis; **A.land** *nt* agricultural country/ nation, agrarian country; **A.management** *nt* agro-management
Agrarmarkt *m* agricultural (commodities) market, market for farm products; **gemeinsamer A.** *[EU]* Common Agricultural Market; **A.ordnung** *f* agricultural market regime; **A.politik** *f* agricultural market policy
Agrar|ministerrat *m [EU]* Council of Agricultural/ Farm Ministers; **A.nachrichten** *pl* agricultural news; **gemeinsame A.organisation** *[EU]* common organisation of agricultural markets; **A.politik** *f* farm/agricultural policy, agrarian policy; **gemeinsame A.politik** *[EU]* Common Agricultural Policy (CAP)
Agrarpreis *m* farm/agricultural price; **A.erhöhung** *f* farm price review; **A.gefüge** *nt* farm price structure; **A.regelung** *f [EU]* farm price regime; **A.runde** *f* farm price review, round of farm prices; **A.senkung** *f* reduction of farm prices; **A.stützung** *f* farm price support; **A.subvention** *f* farm price subsidy, deficiency payment; **A.system** *nt [EU]* farm price system/regime
Agrar|produkt(e) *nt* agricultural/farm product, (~) produce; **leichtverkäufliches A.produkt** cash crop; **A.produktion** *f* agricultural/farm production; **A.protektionismus** *m* agricultural protectionism; **A.quote** *f* ratio of farming population to total labour force; **A.recht** *nt* agricultural law; **A.reform** *f* agrarian/agricultural reform; **A.revolution** *f* agricultural/green revolution; **A.rohstoff** *m* agricultural commodity, basic agricultural product; **A.schutz** *m* agricultural protection; **A.sektor** *m* agriculture, agricultural sector; **A.soziologie** *f* rural sociology; **A.staat** *m* agrarian state, agricultural nation; **A.statistik** *f* agricultural statistics;

A.steuer *f* farm tax; **A.struktur** *f* agricultural/farm structure; **A.stützpreis** *m* farm support price; **A.subventionen** *pl* farm support/subsidies/aid, farming development aid, agricultural aid, aid to farmers; **A.technik** *f* agricultural engineering; **A.überschuss** *m* agricultural surplus (production); **A.verfassung** *f* agrarian structure; **A.vermarktung** *f* marketing of farm products; **A.verordnung** *f* agricultural regulation; **A.-Währungsausgleich** *m [EU]* agricultural compensation; **A.wirtschaft** *f* 1. agricultural/rural economics, agronomics, farming; 2. agro-industry; **gemischte A.wirtschaft** mixed farming; **A.wissenschaft** *f* agricultural economics, agronomics; **A.wissenschaftler** *m* agronomist; **A.zoll** *m* agricultural duty, duty on agricultural goods; **A.zyklus** *m* agricultural cycle

Agro|chemie- agrochemical; **A.industrie** *f* agro-industry; **A.nom** *m* agronomist, agricultural/farm/agrarian economist; **A.nomie** *f* agronomy, agronomics, agricultural economics; **a.nomisch** *adj* agronomic(al); **A.technik** *f* agricultural technology

ahnden *v/t* to punish/penalize; **streng a.** to punish severely

ähnlich *adj* similar, like, akin to, quasi-; **täuschend ä.** deceptively similar; **ä. sein** to resemble

Ähnlichkeit *f* similarity, resemblance; **entfernte/schwache Ä.** faint/remote resemblance; **täuschende/verblüffende Ä.** striking resemblance; **Ä.steile** *pl* similar parts

Ähre *f* ear, spike

Airbus *m* TM airbus

Akademie *f* academy

Akademiker *m* (university) graduate; *pl* professional people, the professions; **A.arbeitslosigkeit** *f* graduate unemployment

akademisch *adj* professional, academic, collegiate; **nicht a.** *(Studien)* non-collegiate

akklimatisier|en *v/refl (fig)* to get used to (sth.), to become acclimatized; **a.t** *adj* naturalized

Akkord *m* 1. *(Arbeit)* piecework; 2. *(Vereinbarung)* composition, agreement, arrangement; **im A. arbeiten** to do piecework, to work by the piece; **~ bezahlt werden** to be paid by the piece; **degressive A.e** degressive premiums; **linearer A.** straight piecework

Akkord|abrechnung *f* piecework payroll accounting; **A.arbeit** *f* piecework, job/task work, piece rate work, jobbing (work); **reine A.arbeit** straight piecework; **A.arbeiter(in)** *m/f* pieceworker, task worker, jobber, operator on incentive; **A.ausgleich** *m* timeworkers' bonus; **A.brecher** *m* job spoiler, rate buster, rat *(coll)*, high-flier; **A.büro** *nt* rating office; **A.festsetzung** *f* rate fixing; **A.karte/A.laufzettel** *f/m* job ticket

Akkordlohn *m* piece(work) wage, piece rate bonus/earnings, piecework pay, task/job wage, piece wage(s), payment at piece rates; **A. erhalten** to be paid by the piece

Akkordlohn|satz *m* piece/job rate; **A.schein** *m* piece rate ticket; **A.system** *nt* piece rate system, contract wage system *[US]*; **A.zettel** *m* piecework card

Akkord|richtarbeiter *m* pacesetter; **A.richtsatz** *m* standard piece rate, wage target; **A.satz** *m* piece rate; **differenzierter A.satz** differential piece rate; **A.schere** *f* rate cutting; **A.stunde(nanteil)** *f/m* hour(s) on incentive; **A.system** *nt* piece rate plan, contract wage system *[US]*; **A.verdienst** *m* piece rate earnings/bonus, piecework earnings; **knappe A.vorgabezeit** tight rate; **A.zeit** *f* allowed/incentive time; **A.zettel** *m* piecework/rate slip, job ticket; **A.zuschlag** *m* piecework/payment-by-results bonus, make-up pay, bonus increment

akkreditier|en *v/t* 1. to accredit; 2. *(Kreditbrief)* to open a credit in favour of so.; **A.te(r)** *f/m* 1. accreditee; 2. beneficiary of a letter of credit, ~ an L/C

Akkreditierung *f* 1. *(Diplomat)* accreditation; 2. opening of a letter of credit, ~ an L/C; **A.sbrief** *m* letter of accreditation; **A.sstelle** *f* accrediting agency; **A.ssystem** *nt* accreditaion system, system of accreditation

Akkreditiv *nt* (commercial) letter of credit (L/C), documentary/bank credit, credit order

Akkreditiv mit Dokumentenaufnahme documentary (letter of) credit; **A. ohne Dokumente** clean letter of credit; **A. zur Verfügung für eine bestimmte Bank** straight credit; **A. mit hinausgeschobener Zahlung** deferred payment credit

Akkreditiv annullieren to cancel a letter of credit; **A. anzeigen** to notify a letter of credit; **A. ausstellen** to extend a credit, to extend a letter of credit; **A. bestätigen** to confirm a letter of credit; **jdm ein A. einräumen** to open a (letter of) credit in favour of so.; **A. eröffnen/stellen** to open/establish/issue a (letter of) credit; **A. brieflich/telegrafisch eröffnen** to open a credit by letter/cable; **A. hinauslegen** to open/establish/issue a (letter of) credit; **A. in Anspruch nehmen** to draw a letter of credit; **A. zurückziehen** to revoke a letter of credit

anweisbares Akkreditiv assignable credit; **begebbares A.** negotiable letter of credit; **bestätigtes A.** confirmed (letter of) credit; **unwiderruflich gültiges und ~ A.** irrevocable and confirmed (letter of) credit; **dokumentäres A.** documentary (letter of) credit; **einfaches A.** clean (letter of) credit; **sich automatisch erneuerndes/revolvierendes A.** revolving (letter of) credit; **negoziierbares A.** negotiable (letter of) credit; **normales A.** straight (letter of) credit; **teilbares A.** divisible (letter of) credit; **übertragbares A.** transferable/assignable (letter of) credit; **unbestätigtes A.** unconfirmed (letter of) credit; **ungültiges A.** invalid (letter of) credit; **unteilbares A.** undivisible (letter of) credit; **unwiderrufliches A.** irrevocable (letter of) credit; **bestätigtes ~ A.** confirmed irrevocable (letter of) credit; **widerrufliches A.** revocable (letter of) credit; **bestätigtes ~ A.** straight (letter of) credit

Akkreditiv|anzeige *f* notification of credit; **A.auftrag** *m* letter of authority, credit instruction, order to open a credit; **A.auftraggeber** *m* applicant for a (letter of) credit; **A.bank** *f* issuing/originating/opening bank; **A.bedingungen** *pl* terms and conditions of a letter of credit; **A.begünstigter** *m* beneficiary of a (letter of) credit; **A.bestätigung** *f* credit confirmation; **A.betrag**

m amount of a (letter of) credit; **A.bevorschussung** *f* anticipatory/packing/red-clause credit; **A.deckung** *f* credit cover(age); **A.deckungskonto** *nt* credit cover account; **A.ermächtigung** *f* letter of authority; **A.eröffnung/A.gestellung** *f* opening a letter of credit, issuance/issue of a letter of credit; **A.geschäft** *nt* documentary credit business; **A.inanspruchnahme** *f* drawing (under a credit); **A.inhaber** *m* accreditee; **A.klausel** *f* letter of credit clause; **A.konto** *nt* letter of credit account; **A.partei** *f* party to a letter of credit; **A.stellung** *f* ➔ **A.eröffnung**; **A.summe** *f* amount permitted by a (letter of) credit; **A.verbindlichkeit** *f* liability on credits opened; **A.verpflichtung** *f* liability under a letter of credit; **A.vorschuss** *m* packing credit; **A.währung** *f* currency of the credit; **A.währungsdeckungskonto** *nt* foreign currency credit cover account; **A.widerruf** *m* revocation of a (letter of) credit; **A.ziehung** *f* drawing under a (letter of) credit

Akkumulation *f* accumulation; **ursprüngliche A.** primary accumulation; **A.sfaktor** *m* accumulation factor; **A.squote** *f* accumulation rate/ratio; **A.srecht** *nt* right of accumulation

Akkumullator *m* accumulator; **a.lieren** *v/t* to accumulate; **a.lierend** *adj* accumulative

akkurat *adj* accurate

Akontozahlung *f* payment on account, down payment; **als A. erhalten** received on account; **A. leisten** to make payments on account

AKP-Länder *pl (Afrika, Karibik, Pazifik)* ACP countries

akquirieren *v/t (Vers.)* to canvass, to drum up *[US]*

Akquisiteur *m* canvasser, salesman, solicitor

Akquisition *f* canvassing, (direct) solicitation, acquisition; **A. von außen** outside canvassing; **A.sabteilung** *f* new business department; **A.skosten** *pl* acquisition cost, sales development cost; **A.stext** *m* sales text

Akt *m* act; **feindlicher A.** hostile act; **notarieller A.** notarization of a deed; **unfreundlicher A.** unfriendly act; **ungesetzlicher A.** unlawful act

Akte *f* 1. file, record, dossier; 2. file, folder; **A.n** papers, written proceedings; **bei den A.n** on file; **für Ihre A.n** for your reference; **zu den A.n** to be filed, on file

Akten anfordern to ask for records; **Akte ausfertigen** to execute a document; **bei den A. bleiben** to be retained in the files; **A. durchgehen** to examine records, to go through a file; **A. einsehen** to inspect the files; **in die A. eintragen** to put on record; **nach Lage der A. entscheiden** to judge sth. on its merits; **A. führen** to keep files/records, ~ tabs *(coll)*; **A. heranziehen** to consult records; **zu den A. legen/nehmen** to put/place on file, ~ record, to file; **~ reichen** 1. to put on file, to file (in the records); 2. [§] to submit to the court's records; **Akte schließen** to close a file; **~ verlegen** to misplace a file

notarielle Akte notary's file, notarial document

Aktenlablage *f* filing of records; **A.abschrift** *f* copy of documents on file; **A.auszug** *m* abstract of records; **A.beiziehung** *f* [§] ordering a case record to be submitted; **A.bündel** *nt* file, dossier; **A.deckel** *m* folder; **A.doppel** *nt* file copy; **A.durchsicht** *f* checking the files; **A.einforderung** *f* order for the return of a record/file; **A.einsicht** *f* inspection of records/files, access to records; **~ haben** to have access to the files; **A.einsichtsanspruch** *m* right to examine the files; **A.exemplar** *nt* record copy; **A.heft** *nt* dossier; **A.klammer** *f* paper clip; **A.koffer** *m* attaché case

aktenkundig *adj* 1. on record, recorded; 2. [§] known to the court; **a. machen** to place on record; **a. werden** to become a matter of record

Aktenlage *f* [§] status of the case, the record as it stands; **nach A.** on (the) record; **~ entscheiden** to judge sth. on its merits, to adjudicate the case as matters stand, to decide on the record(s); **A.nentscheidung** *f* ex officio decision

aktenlmäßig *adj* documentary, on record; **A.mensch** *m* bureaucrat; **A.notiz** *f* memo(randum), note; **A.ordner** *m* file (folder); **A.plan** *m* filing plan; **A.schrank** *m* filing/record cabinet; **A.stück** *nt* file, record; **A.tasche** *f* briefcase, portfolio; **A.vermerk** *m* memo(randum), note, return; **A.vernichtungsanlage** *f* document shredder; **A.verzeichnis** *nt* file index; **A.vorgang** *m* file; **A.widrigkeit** *f* [§] non-conformity with matters in the records; **A.zeichen** *nt* file number, reference number (Ref. No.), reference

Aktie *f* share *[GB]*/stock *[US]* (certificate); **A.n** corporate/capital stock *[US]*, equity values, equities; **100 Stück Aktien** round lot

Aktie(n) einer AG corporate share/stock; **A.n in treuhänderischem Besitz** nominee (share-/stock-) holding; **A. mit gleichbleibender Dividende/Gewinnerzielung** defensive share/stock; **~ normaler Dividendenberechnung** equity share/stock; **~ rückwirkender Dividendenberechtigung** cumulative share/stock; **~ Dividendengarantie** guaranteed stock; **~ Gewinnbeteiligung** participating stock; **~ den größten Kursgewinnen** top performer; **A. ohne Kurssteigerungspotenzial** lock-up share/stock; **A. mit garantierter Mindestdividende** guaranteed share/stock; **A.n von Nahrungsmittelherstellern** foods; **A. mit Nennwert** nominal value share/stock, par value share/stock, face value share/stock; **~ einem Nennwert von $ 25** quarter stock *[US]*; **~ einem Nennwert von $ 50** half stock *[US]*; **A. ohne Nennwert** unvalued share/stock, non-par (value) stock; **A. unter Nennwert** share/stock at a discount; **A.n und Obligationen** stocks and shares *[GB]*/bonds *[US]*, equities and debentures; **A. mittlerer Qualität** medium-grade share/stock; **A.n mit unterschiedlichen Rechten** classified shares/stocks; **A.n im Sammeldepot** shares/stocks in collective deposit; **A.n der Schwerindustrie** heavy industrials; **A. mit Stimmrecht** voting share/stock; **A.n von Transportunternehmen** transport(ation) shares/stocks; **A.n der Universalversicherungsgesellschaften** composites *[US]*; **~ Unterhaltungsindustrie** entertainments; **A.n konjunkturempfindlicher Unternehmen** cyclical shares/stocks; **A.n öffentlicher Versorgungsunternehmen** (public) utilities

Aktien abstoßen to sell shares/stocks; **A. vor öffent-**

licher Notierung zum Verkauf anbieten** to beat the gun *(coll)*; **A. zur Hauptversammlung anmelden** to deposit shares/stocks for the general meeting; **A. auflegen** to issue shares/stocks; **A. zur Zeichnung auflegen** to invite subscriptions to/of shares, ~ stocks; **A. ausgeben** to issue shares/stocks; **A. besitzen** to hold shares/stocks; **A. beziehen** to take up shares/stocks; **A. an der Börse einführen** to introduce shares/stocks on the market, to float shares/stocks; **mit A. eingedeckt sein** to be long of stock; **A. einreichen** to surrender share/stock certificates; **A. einziehen** to recall shares/ stocks, to call in shares/stocks; **A. erwerben** to buy shares/stocks; **mit A. handeln** to job; **in bezugsrechtslosen A. handeln** to deal in ex-rights; **A. hereinnehmen** to take in shares/stocks for a borrower, to borrow stock *[US]*; **A. als Deckung hinterlegen** to lodge shares/stocks as cover; **A.n hochjubeln** *(coll)* to puff shares *(coll)*; **A. kaduzieren** to cancel shares/ stocks; **A. lombardieren** to lend money on shares/stocks; **A. manipulieren** to manipulate shares/ stocks; **A. mitnehmen** to pick up shares/stocks; **auf A. nachzahlen** to pay a further call on shares/stocks; ~ **nachzeichnen** to subscribe (to) new shares/stocks; **A. notieren** to quote shares *[GB]*, to list stocks *[US]*; **A. an der Börse notieren lassen** to float shares/stocks; **in A. spekulieren** to speculate in shares/stocks, to play the (stock) market; **A. splitten/teilen** to split shares/ stocks; **A. übernehmen** to take up shares/stocks, to take delivery of shares/stocks; **A. übertragen** to assign shares/stocks; **A. umschreiben** to transfer shares/ stocks; **A. unterbringen** to place shares/stocks; **A. veräußern** to realize shares/stocks; **A. zeichnen** to subscribe shares/stocks, to take up shares/stocks; **junge A. zeichnen** to subscribe (to) new shares/stocks; **A. zulassen** *(Börse)* to quote shares *[GB]*, to list stocks *[US]*; **A. (in einer Aktienurkunde) zusammenfassen/-legen** to consolidate shares/stocks (in one certificate), to merge shares/stocks; **A. (voll) zuteilen** to allocate/allot shares/stocks (in full to all applicants)

alte Aktie existing/old share, ~ stock; **zur Zeichnung aufgelegte A.** share/stock in issue; **ausgegebene A.** issued share/stock; ~ **A.n** issued capital/stocks, issued (and outstanding) shares; **neu ~ A.** baby share/stock; **(noch) nicht ~ A.n** unissued capital/shares/stocks, potential shares/stocks; **ausstehende A.n** remaining shares, outstanding capital stock; **begebene A.** issued share/stock, share/stock in issue; **in Umlauf befindliche A.** outstanding share/stock; **beste A.** blue chip; **nicht bevorrechtigte A.** deferred share/stock; **bewilligte A.** authorized share/stock; **bezahlte A.** paid-up share/stock; **börsenfähige/-gängige/-notierte A.** quoted equity/share, sal(e)able/listed stock, share/stock listed on the stock exchange; **nicht ~ A.** letter stock *[US]*; **dividendenberechtigte A.** participating share/ stock; **eigene A.n** repurchased stock, own shares, (capital) stock in treasury *[US]*, treasury stocks; **amtlich eingeführte A.** listed share/stock; **nicht ~ A.** unlisted share/stock; **zur Einzahlung eingelieferte A.** surrendered share/stock; **teilweise eingezahlte A.** partly paid-up share/stock; **voll ~ A.n** fully paid capital stock, ~ shares, paid-up shares; **nicht voll ~ A.** partly paid share/stock; **eingezogene A.** recalled share/stock; **emittierte A.n** shares issued and outstanding; **empfindliche A.** skittish share/stock; **erstklassige A.** blue chip; **favorisierte A.** high-flyer, high-flier; **gangbare A.** sal(e)able share/stock; **gängige A.** active share/ stock; **gebundene A.** restricted share/stock; **zu Anlagezwecken geeignete A.** investment share/stock; **lebhaft gefragte A.** glamour share/stock; **auf Baisse gekaufte A.** short share/stock; **klein gestückelte A.** fractional share/stock; **gewinnberechtigte A.** participating share/stock; **gewöhnliche A.** ordinary/common share *[GB]*, common stock *[US]*; **gezeichnete A.** subscribed share/stock; **nicht ~ A.** unsubscribed share/stock; **aus dem Verkehr gezogene A.** withdrawn share/stock; **heisse A.** hot issue; **herrenlose A.** unclaimed share/stock; **hoch spekulative A.** wildcat share/stock; **junge A.** baby/new share, ~ stock; **kaduzierte A.** forfeited share/stock; **konjunkturempfindliche A.** cyclical share/stock; **kumulative A.** cumulative share/stock; **auf den Inhaber lautende A.** bearer share/stock; **lombardierte A.** pawned share/stock; **meistgehandelte A.** volume leader; **(nicht) nachschusspflichtige A.** (non-)assessable share/stock; **nennwertlose A.** non-par (value) share/stock, share/stock of no par value; **notierte A.** quoted share *[GB]*, listed stock *[US]*; **im Freiverkehr ~ A.** kerb share *[GB]*, curb stock *[US]*; **nicht ~ A.** displaced share/stock; **notleidende A.** non-dividend-paying share/stock; **sichere A.** blue chip; **solide A.** sound share/stock; **spekulative A.** hot share/stock; **stimmberechtigte A.** voting share/stock; **nicht ~/stimmrechtlose A.** non-voting share/stock; **teure A.** heavyweight; **nicht trendkonforme A.** trend bucker; **zum Wiederverkauf unentgeltlich überlassene A.n** donated capital stock; **formlos übertragene A.** street certificate; **umsatzstärkste A.** volume leader; **unfreie A.** non-free share/stock; **unsichere A.** wildcat share/stock; **unverkäufliche A.** sour share/stock; **verpfändete A.n** pawned shares/stocks; **verwässerte A.** watered/diluted share, ~ stock; **wertbeständige A.** blue chip; **widerstandsfähige A.** defensive share/stock; **zinsreagible A.** interest-rate sensitive share/stock; **zur Ausgabe zugelassene A.n** authorized issue; **an der Börse/zur Börsennotierung ~ A.** quoted share, listed stock; **nicht ~ A.** restricted share/stock; **zum Handel nicht offiziell ~ A.** letter share/stock; **zugeteilte A.** allotted share/ stock; **nicht ~ A.** unallotted share/stock; **zweitklassige A.** second liner

Aktien|abschluss *m* share/stock transaction; **A.abschnitt** *m* dividend warrant, coupon; **A.abstempelung** *f* official stamping; **A.agio** *nt* share/stock premium; **A.agiokonto** *nt* share/stock premium account; **A.analyse** *f* share/stock analysis; **technische A.analyse** charting, chart/technical analysis; **A.angebot** *nt (Übernahme)* share/stock bid, share/stock tender offer; **A.anlage** *f* 1. portfolio investment, investment in shares/stocks; 2. *(Bestand)* stock portfolio; **A.anleger**

m investor in shares/stocks; **A.anteil** *m* share/stock holding; **A.anteilsbuch** *nt* register of shareholders; **A.anteilschein** *m* share/stock (transfer) warrant, ~ (trust) certificate, certificate of stock/share; **A.aufgeld** *nt* share/stock premium; **überraschender A.aufkauf** *(Börse)* market raid; **~ bei Börsenbeginn** dawn raid; **A.aufruf** *m* call (on shares/stocks); **A.aufteilung** *f* share/stock split; **A.ausgabe** *f* share/stock issue, ~ flo(a)tation, issue of shares/stocks; **A.ausgabeagio** *nt* share/stock issue premium; **A.austausch** *m* exchange of shares/stocks, share/stock swap; **A.baisse** *f* bear(ish) market; **A.bank** *f* joint-stock *[GB]*/incorporated *[US]* bank

Aktienbesitz *m* shareholding(s), stockholding(s), holding(s), nominee holdings; **A. in Arbeitnehmerhand** employee share/stock ownership; **A. von Banken und Versicherungen** institutional holdings; **A. der Kundschaft von gemeinnützigen Unternehmen** customer ownership *[US]*; **A. streuen** to dilute a shareholding/stockholding; **anonymer A.** nominal holdings; **breitgestreuter A.** widespread shareholdings/stockholdings

Aktien|besitzer *m* shareholder, stockholder, share/stock owner, holder of shares/stocks; **A.bestand** *m* shareholding, stockholding, portfolio (of shares/stocks), share/stock portfolio; **A.beteiligung** *f* equity interest/stake, shareholding/stockholding interest, shareholding, stockholding; **ungerader A.betrag unter 100 Stück** odd lot; **A.betrug** *m* fraudulent activities concerning shares/stocks; **A.bewertung** *f* share/stock valuation

Aktienbezug für Mitarbeiter *m* qualified share/stock option; **A.srecht** *nt* share/stock option right, right, share/stock subscription, stock scrip, share/stock purchase warrant, warrant; **A.srechtsobligation** *f* option bond, subscription warrant; **A.s(rechts)schein** *m* share/stock (allotment/subscription) warrant

Aktien|blankett *nt* blank share/stock certificate; **A.bonus** *m* share/stock bonus; **A.börse** *f* stock exchange/market; **A.buch** *nt* shareholders'/stockholders' register, ~ ledger, stockbook, share/stock transfer journal, ~ record book, ~ register/ledger, register of shareholders/stockholders/members/shares/stocks; **A.depot** *nt* stock portfolio; **A.disagio** *nt* share/stock discount, discount of capital share/stock; **A.dividende** *f* share/stock dividend; **A.einziehung** *f* redemption of shares/stocks, share/stock impounding

Aktienemission *f* share/stock/equity issue, issuance/issue of shares/stocks, share/stock flo(a)tation, equity offering, initial public offering; **A. zum Fiasko werden lassen** to let a float flop; **an einer A. teilnehmen** to participate in an equity issue

Aktienemissions|agio *nt* share/stock issue premium; **A.disagio** *nt* share/stock issue discount; **A.geschäft** *nt* stock issuing (business); **A.kosten** *pl* share/stock issue cost; **A.kurs** *m* share/stock offering price

Aktien|empfehlung *f* share/stock recommendation; **A.ertrag** *m* share/stock earnings, return on shares/stocks; **A.erwerb** *m* acquisition of shares/stocks; **A.fachmann** *m* share/stock/security analyst; **A.fonds** *m* share/stock (holding) fund, common share/stock fund, equity fund; **A.führer** *m* share/stock guide; **A.future** *nt* equity future; **A.gattung** *f* class of shares/stocks, share/stock class, ~ category; **a.gebunden** *adj* equity-linked; **A.geschäft** *nt* share/stock deal, equities business/trade

Aktiengesellschaft (AG) *f* 1. public limited company (plc) *[GB]*, public company, company limited by shares; 2. joint-stock company/corporation, open corporation *[US]*, (stock) corporation/company, joint-stock office, incorporated society (Inc.) *[US]*, Cwmni cyfyngedic cyhoeddus (CCC) *[Walisisch]*

Aktiengesellschaft mit breiter Besitzstreuung public corporation; **~ bis zu 50 Mitgliedern** private company; **~ vorgeschriebener einheimischer Beteiligung** constrained share company *[CAN]*

als Aktiengesellschaft eintragen to incorporate *[US]*, to register; **A. gründen** to promote a joint-stock company *[GB]*, to organise a corporation *[US]*, to float/establish/launch/promote a company; **in eine A. umwandeln/umgewandelt werden** to go public

abhängige Aktiengesellschaft dependent/controlled public limited company; **fusionierte A.** consolidated corporation *[US]*; **kleine A.** small cap *(coll)*; **staatliche A.** stock corporation *[US]*

Aktien|gesetz *nt* stock corporation act, Companies Act *[GB]*, Corporation Law *[US]*; **A.guthaben** *nt* assets in shares/stocks

Aktienhandel *m* share/stock/equity trading, equity trade/transactions, dealing in shares/stocks, stockjobbing *[US]*, stock brokerage; **A. nach durchgeführter Emission** second-hand trading; **A. auf Grund von innerbetrieblichen Informationen** insider trading; **A. aussetzen** to suspend trading (in shares/stocks)

Aktien|händler *m* stockbroker, (equity) jobber, market maker, stock dealer; **A.hausse** *f* bull(ish) market, bull run, run-up in shares/stocks, upsurge in share/stock prices, rise, booming equities, surge in equities, share/stock market boom; **A.index** *m* 1. share/stock (price) index, average; 2. Financial Times Stock Exchange Index (Footsie), Financial Times (F.T.) Index *[GB]*, Dow Jones Index *[US]*; **A.inhaber** *m* shareholder, stockholder, holder of shares/stocks, equity holder; **A.kaduzierung** *f* forfeiture of shares/stocks

Aktienkapital *nt* share/stock/registered/authorized capital, equity funds/(share) capital, capital stock *[US]*/shares, (joint) stock, shareholders'/stockholders' equity; **A. der Bank** bank stock; **A. in Publikumsbesitz** outstanding stock; **A. ohne Vorrechte** ordinary share capital *[GB]*, common stock *[US]*

Aktienkapital erhöhen to increase the share/stock capital; **A. herabsetzen** to reduce the share/stock capital; **A. verwässern** to water the stock/capital, to dilute shares/stocks; **A. zusammenlegen** to write down/off capital

ausgegebenes Aktienkapital issued share capital, ~ capital stock, outstanding shares/stocks; **nicht ~ A.**

unissued capital (stock); **ausgeschöpftes A.** exhausted share/stock capital; **ausstehendes A.** outstanding capital stock, capital outstanding; **autorisiertes A.** nominal capital; **begebenes A.** outstanding shares; **effektiv ~ A.** issued stock/capital; **nicht bevorrechtigtes A.** common stock; **dividendenberechtigtes A.** participating share/stock capital; **eingezahltes A.** paid-up share capital *[GB]*, ~ capital stock *[US]*; **genehmigtes A.** authorized capital, ~ capital stock *[US]*; **nachrangiges A.** subordinated common stock; **stimmberechtigtes A.** voting stock; **unverwässertes A.** unwatered/undiluted stock *[US]*, ~ share capital *[GB]*; **verwässertes A.** diluted share capital *[GB]*, ~ capital stock *[US]*

Aktien|kauf *m* share/stock purchase, buying of shares/stocks, acquisition of shares/stocks; **A.konto** *nt* share/stock account; **A.konzern** *m* corporate trust *[US]*; **A.kreditbank** *f* trust company; **A.kupon** *m* coupon

Aktienkurs *m* share/stock price, ~ /market quotation, equity price; **fallende A.e** declining market; **gegenüber dem Vorgeschäft niedrigerer A.** down tick; **A.index** *m* share/stock price index; **A.liste/A.zettel** *f/m* share/stock (price) list; **A.schwankung** *f (innerer Wert)* random walk; **A.verfall** *m* stocks drawdown

Aktienmajorität *f* controlling interest/state, majority (holding), stock majority *[US]*; **A. besitzen** to hold the controlling interest; **A.sbesitzer** *m* controlling shareholder/stockholder

Aktien|makler *m* stockbroker, sharebroker; **A.mantel** *m* share/stock certificate

Aktienmarkt *m* share/stock/equity market; **auf dem A. spekulieren** to play the stock market; **rückläufiger A.** receding/soft/shrinking market; **A.index** *m* advance-decline index

Aktienmaterial *nt* shares/stocks on offer, offerings

Aktienmehrheit *f* majority of shares/stocks, majority interest(s)/holding, controlling portion of common stock; **A. haben** to hold a controlling interest, to control (a company); **A. halten** to have a majority holding (in); **kontrollierende A.** shareholding/stockholding control

Aktien|mittelwert *m* par line (of stock); **A.nachkauf bei steigenden Kursen** *m* pyramiding; ~ **fallenden Kursen** averaging; **A.notierung/A.notiz** *f* share/stock quotation, ~ price; ~ **aussetzen** to suspend a share/stock, ~ the stock exchange quotation/listing, to halt shares

Aktienoption *f* share/stock warrant, share/stock/equity option, option to subscribe (for) shares/stock; **A.enverkauf** *m* equity option sale; **A.splan** *m* share option scheme

Aktien|paket *nt* block/parcel of shares, ~ stocks, share(holding)/stock(holding) block, equity stake; ~ **abstoßen** to unload a block/parcel of shares; **A.platzierung** *f* share placing/placement, selling of stocks; **A.portefeuille** *nt* portfolio (of shares), stock/equity portfolio; **A.posten** *m* block of shares/stocks; **A.preis** *m* share/stock/equity price, share/stock quotation; **A.promesse** *f* scrip certificate; **A.qualität** *f* share/stock quality

Aktienrecht *nt* 1. company law, (stock) corporation law *[US]*; 2. law relating to joint-stock companies; 3. right inherent in shares; **a.lich** *adj* company law, as established in company law; **A.snormen** *pl* company *[GB]*/corporation *[US]* law norms; **A.sreform** *f* amendment of the stock laws, company law reform

Aktien|register *nt* share register *[GB]*, stock record *[US]*; **A.rendite** *f* earnings per share, yield on stocks/shares, stock yield; **A.rückgabe** *f* surrender of shares/stocks; **A.rückkauf** *m* share buy-back, ~ repurchase; **A.schein** *m* share/stock warrant, certificate of stock, share/stock (transfer) certificate, stock trust certificate; **A.schwindel** *m* share hawking/pushing, stock bubbling, fraudulent marketing of shares; **A.schwindler** *m* share/stock pusher; **A.sparen** *nt* saving through (investment in) shares/stocks, equity saving, shares save scheme; **A.sparer** *m* investor in stocks and shares; **A.sparplan** *m* share/stock saving scheme, personal equity plan (PEP) *[GB]*; **A.spekulation** *f* speculation in shares/stocks, stockjobbing; **A.spitze** *f* share/stock fraction; **A.split** *m* share/stock splitting, ~ split(-up), ~ bonus; **A.streubesitz** *m* spread of shareholdings/stockholdings, scattered shareholdings/stockholdings; **A.streuung** *f* share/stock distribution; **A.stückelung** *f* share/stock denomination; **A.swap** *m* equity swap; **A.tausch** *m* share/stock/equity swap, exchange of shares/stocks; **A.tausch- und Barabfindungsangebot** *nt* share/stock exchange and cash offer; **A.teilung** *f* share/stock split(ting); **A.übernahme** *f* share/stock takeover; **A.übernahmeangebot** *nt* share/stock tender offer; **A.übertragung/A.umschreibung** *f* share/stock transfer, transfer of shares/stock(s), assignation of shares, assignment of stock; **A.übertragungsbeauftragter** *m* transfer secretary; **A.umtausch** *m* stock/share swap, exchange of shares/stocks, reverse split-up/split-down; **A.umtauschangebot** *nt* capital stock exchange offer; **A.unterbringung** *f* share/stock placing; **A.urkunde** *f* share/stock certificate, ~ warrant; **A.verkäufe** *pl* share/stock sales; **betrügerischer A.verkäufer** share/stock pusher; **A.vermögen** *nt* active property, property in the form of shares; **A.verwahrung** *f* safekeeping of shares/stocks; **A.verzeichnis** *nt* share/stock register, ~ ledger, stockbook; **A.volumen** *nt* equities; **A.wachstumsfonds** *m* accumulative equity fund; **A.wert** *m* value of shares/stocks, share/stock value; **führender A.wert** leading equity/share/stock, equity leader; **A.wertung** *f* share/stock/investment evaluation; **A.zeichner** *m* applicant/subscriber for shares, ~ stocks, share/stock applicant; **spekulativer A.zeichner** stag

Aktienzeichnung *f* subscription/application (for shares/stocks); **A.sbuch** *nt* subscription ledger; **A.sliste** *f* allotment sheet

Aktien|zertifikat *nt* share/stock certificate, ~ warrant, certificate of stock, stock trust certificate; **vorläufiges A.zertifikat** scrip certificate, temporary share/stock certificate; **A.zettel** *m* share/stock list; **A.zusammenlegung** *f* reverse stock split, stock split-down, share consolidation/reduction; **A.zuteilung** *f* allocation/allotment of shares, ~ stocks, stock/share allotment

Aktion *f* 1. action, campaign, operation; 2. arrangement, scheme; **A. zur Kapitalbeschaffung** fund-raising exercise; **A. starten** to launch a campaign; **in A. treten** to swing into action; **direkte A.** direct action; **konzertierte A.** concerted action

Aktionär *m* 1. shareholder *[GB]*, stockholder *[US]*; 2. equity holder/owner/shareholder; **A.e abfinden** to indemnify shareholders/stockholders; **A. sein bei** to hold shares/stocks in; **A.e einberufen** to convene shareholders

ausgeschlossener Aktionär expelled shareholder/ stockholder; **außenstehender A.** outside shareholder/stockholder; **im Aktienbuch eingetragener A.** shareholder/stockholder of record; **namentlich ~ A.** registered shareholder *[GB]*, stockholder of record *[US]*; **freier A.** outside/free shareholder, ~ stockholder; **solidarisch haftender A.** contributory *[GB]*; **stimmgebundener A.** vote trust certificate holder *[US]*

Aktionärs|bank *f* shareholding/stockholding bank; **A.brief** *m* shareholders'/stockholders' newsletter, letter to shareholders/stockholders; **A.buch** *nt* shareholders'/stockholders' ledger, register of members/stockholders; **a.freudig/a.freundlich** *adj* 1. kind to shareholders/stockholders, in the interest of shareholders/stockholders; 2. *(Dividende)* generous; **A.gruppe** *f* class/group of shareholders, stockholder group; **A.informationen** *pl* shareholder information; **A.klage** *f* shareholder's/stockholder's action, ~ suit; **A.konsortium** *nt* shareholders'/stockholders' syndicate; **A.pflege** *f* service to shareholders, stockholder/investor relations; **A.publikum** *nt* shareholding/stockholding public; **A.rechte** *pl* shareholder's/stockholder's rights; **A.register** *nt* shareholders'/share register, record/list of stockholders; **A.repräsentant** *m* shareholders' representative; **A.schutz** *m* protection of shareholders/stockholders; **A.schutzvereinigung** *f* shareholders'/stockholders' protective association; **A.sprecher** *m* shareholders'/stockholders' representative; **A.stimmrecht** *nt* voting right of shareholders/stockholders; **A.vereinigung** *f* shareholders'/stockholders' association; **A.versammlung** *f* annual (general) meeting (AGM), meeting of shareholders/stockholders, company/shareholders'/stockholders' meeting; **A.vertreter(in)** *m/f* shareholders'/stockholders' representative; **A.verzeichnis** *nt* share list/register, shareholders'/stockholders' register, list of shares/shareholders/ stocks/stockholders, stock ledger, dividend book; **A.zeitschrift** *f* periodical/circular to shareholders/ stockholders

Aktionismus *m* actionism

Aktions|bereich *m* ✈ flying range; **A.einheit** *f* action/organisation/administrative unit; **A.fähigkeit** *f* ability to act; **A.forschung** *f* action research; **A.freiheit** *f* freedom of action; **A.gemeinschaft** *f* action/pressure group; **A.gruppe** *f* action team; **A.parameter** *m* action parameter, parameter of action; **A.plan** *m* course of action; **A.programm** *nt* plan of action, action programme; **A.rabatt** *m* special allowance; **A.radius** *m* 1. ⚓ cruising radius/range; 2. ✈ flying range; 3. room for manoeuvre, scope, leeway, reach; **A.schwerpunkt** *m* main emphasis (of action), scope of action; **a.unfähig** *adj* incapable of action, crippled; ~ **machen** to cripple; **A.variable** *f* action parameter/variable; **A.zeile** *f* 🖳 action bar

aktiv *adj* 1. active, positive; 2. *(Bilanz)* on the asset side; 3. *(Zahlungsbilanz)* favourable; **nicht a.** 1. inactive; 2. *(Teilhaber)* nominal; **übermäßig a.** overactive, hyperactive; **sich a. betätigen** to play an active part; **a. machen** to activate; **a. werden (auf dem Gebiet)** to move into

Aktiva *pl* assets, resources, active capital/property; **A. und Passiva** assets and liabilities; **A. einer Bank** bank resources; **A. feststellen** *(Konkurs)* to marshal assets

antizipatorische Aktiva accrued assets/income/revenue/receivables; **Zinsen bringende A.** interest-bearing assets; **ertragbringende A.** earning assets; **festliegende A.** fixed assets; **finanzielle A.** financial assets; **flüssige A.** current/floating/revolving/fluid/circulating assets, current funds/receivables; **freie A.** assets at disposal; **jederzeit greifbare A.** available/tangible assets; **nicht ~ A.; immaterielle A.** intangible assets; **kurzfristige/laufende A.** current assets; **primäre A.** primary assets; **leicht realisierbare A.** quick assets; **nicht ~ A.** frozen assets; **sofort ~ A.** liquid assets; **reine A.** net assets; **risikogewichtete A.** risk-weighted assets; **sekundäre A.** secondary assets; **sonstige A.** *(Bilanz)* other assets; **transitorische A.** deferred assets/charges/ debits/expense/liabilities, accounts paid in advance, prepaid assets/expenses, unexperienced expenses; **unzureichende A.** insufficient assets; **schwer verwertbare A.** sticky assets; **werbende A.** earning/productive/interest-bearing assets; **verzinsliche/zinstragende A.** interest-bearing/interest-earning assets; **zentralbankfähige A.** eligible assets

Aktiv|antizipation *f* accrued assets/income/expense/liabilities; **A.bestand** *m* available assets; **A.bezug** *m* pay; **A.bilanz** *f* favourable balance; **A.differenz** *f* difference on the credit/assets side

Aktive(r) *f/m* activist

Aktiven *pl* → **Aktiva**

Aktiv|finanzierung *f* lending; **A.forderungen** *pl* accounts receivable *[US]*; **A.geschäft** *nt (Bank)* loan business/function, lendings, lending/asset-side business, earning assets; **A.hypothek** *f* assets mortgage; **A.hypotheken** mortgage lending

aktivieren *v/t* 1. to activate/mobilize/intensify/increase; 2. *(Bilanz)* to capitalize, to charge to capital, to carry/recognize as assets, to show on the assets side

Aktivierung *f* 1. activation, mobilization, increase, intensification; 2. *(Bilanz)* capitalization, capitalizing, inclusion/carrying as assets (in a balance sheet)

Aktivierung von Einlagen deposit mobilization; **A. der Emissionsrücklage** capitalization of share premium accounts; ~ **Handelsbilanz** achieving an export surplus; **A. von brachliegendem Land** reclamation of derelict land

aktivierungs|fähig *adj* treatable as addition to assets, ... may be capitalized; **A.fähigkeit** *f* item which can be included in a balance sheet, ~ as an asset; **A.forschung** *f* activation research; **A.pflicht** *f* mandatory inclusion (as asset); **nicht a.pflichtig** *adj* non-capitalized; **A.recht** *nt* right to capitalize; **A.verbot** *nt* prohibited inclusion (as asset), asset capitalization prohibition; **A.wahlrecht** *nt* optional inclusion (as asset)

Aktivität *f* activity, operation; **A.en außerhalb des Fertigungsbereichs** non-manufacturing activities; ~ **im Fertigungsbereich/in der Produktion** manufacturing activities; ~ **zum Schutz der Umwelt** environmental protection activities; **A.en beschränken** to limit operations; **A. einschränken** to pare operations; **A. zurückschrauben** to wind down/limit/retrench operations

gesamtwirtschaftliche Aktivität general business activity; **geschäftliche A.en** business activities; **konjunkturelle A.** economic activity; **kritische A.** critical activity; **nachgeschaltete A.en** downstream operations/activities; **ökonomische A.** economic activity; **unternehmerische A.** business portfolio; **vorgeschaltete A.en** upstream operations/activities; **weltweite A.en** world activities

Aktivitätenstruktur *f* activity mix

Aktivitäts|analyse *f* activity analysis; **A.kennzahl** *f* activity ratio; **A.niveau** *nt* level of (marketing) activities, standard of activity; **A.ordnung** *f (Lebensvers.)* active life table

Aktiv|kapital *nt* active capital/assets; **A.konto** *nt* assets account; **A.kredit** *m* lending; **A.legitimation** *f* § entitlement/capacity/liability to sue, entitlement to a claim, right of action as the proper party; **mangelnde A.legitimation** incapacity to sue as the proper party; **A.masse** *f* assets, assets of a bankrupt's estate; **A.position** *f* asset; ~ **mit geringer Rendite** low-returning asset

Aktivposten *m* asset (item), credit item, advantage, plus; **A. der Zahlungsbilanz** credit item of the balance of payments; **antizipative A.** accrued income; **zeitweilig nicht einlösbarer A.** deferred asset; **potenzieller A.** contingent asset; **verzinslicher A.** earning asset

Aktiv|rente *f* actual pension; **A.saldo** *m* 1. assets-side/active/favourable balance, surplus; 2. *(Bank)* credit balance; ~ **in der Außenhandelsbilanz** favourable trade balance ~ **der Gesamtzahlungsbilanz** overall payments surplus; **A.schuld** *f* debt/account receivable, outstanding claim/receivables, active debt, debt due; **A.schulden** *pl* acceptances outstanding; **A.seite** *f* assets (side), active side; **A.tausch** *m* accounting exchange on the assets side; **A.überschuss** *m* credit surplus

Aktivum *nt* (financial) asset

Aktiv|urlaub *m* activity holiday; **A.vermögen** *nt* assets, actual net worth; **eingesetztes A.vermögen** assets employed, active capital; **A.wert** *m* asset(s) value; **A.wechsel** *m* bill receivable; **A.zins** *m* debit interest, interest on debit balances, interest receivable/charged; **unbezahlte A.zinsen** outstanding interest

aktualisier|bar *adj* updat(e)able; **a.en** *v/t* to update, to bring up-to-date, to upgrade; **A.ung** *f* updating, update, upgrade, upgrading

Aktualität *f* topicality, immediate importance; **A.sverlust** *m* loss of up-to-dateness

Aktuar *m* actuary, recorder

aktuell *adj* topical, up-to-date, current, immediate, live, front-page

akut *adj* acute, immediate, urgent, pressing, imminent, critical; **A.krankenhaus** *nt* emergency/acute hospital

Akzeleratlionsprinzip *nt* acceleration principle; **A.or** *m* accelerator

Akzent *m* accent, emphasis, stress, slant; **A.verschiebung** *f* shift of emphasis

Akzept *nt* (bill of) acceptance, accepted/acceptance bill; **A.e** *(Bilanz)* notes payable (banks); **mangels A.** in default of acceptance; **A. gegen Dokumente** acceptance against documents; **A.e für Kunden** acceptances für customers; ~ **im Umlauf** outstanding acceptances; **mangels A.s protestiert** protested for non-acceptance; ~ **zurück** returned for want of acceptance; **mit A. versehen** accepted

Akzept decken to provide for acceptance; **A. einholen** to present for acceptance; **A. einlösen** to honour/meet a draft; **mit A. versehen** to accept, to provide acceptance; **zum A. vorlegen** to present for acceptance

allgemeines Akzept clean acceptance; **bedingtes A.** qualified/conditional acceptance; **bedingungsloses A.** clean/unconditional acceptance; **vor Fälligkeit bezahltes A.** rebated/anticipated acceptance, acceptance under rebate; **domiziliertes A.** domiciled acceptance; **eigenes A.e** *(Bilanz)* promissory notes, (bank's) acceptances outstanding; **eingeschränktes A.** qualified/special acceptance; **fliegender A.** 💻 floating accent; **formell gültiges A.** approved acceptance; **laufende A.e** bills receivable *[US]*; **prolongiertes A.** delayed acceptance; **qualifiziertes A.** qualified acceptance; **reines A.** clean/general acceptance; **unbedingtes A.** absolute/unconditional acceptance; **unbeschränktes/uneingeschränktes A.** clean/general/unconditional/unqualified acceptance; **ungedecktes A.** blank acceptance; **verfallenes A.** acceptance due; **vorbehaltloses A.** clean acceptance

akzeptabel *adj* acceptable, reasonable; **beiderseitig a.** mutually acceptable; **nicht a.** unacceptable

Akzeptakkreditiv *nt* term credit

Akzeptant *m* acceptor

Akzeptanz *f* 1. acceptance, uptake; 2. acceptability; **soziale A.** social acceptance; **A.bereich** *m* ▦ accept/acceptance region; **A.studie** *f* consumer acceptance analysis

Akzeptationskredit *m* blank credit

Akzept|austausch *m* exchange of accommodation bills, ~ drafts; **A.bank** *f* accepting house, acceptance bank/corporation/house; **A.besorgung/A.einholung** *f* presentation/presentment for acceptance; **A.bestand** *m* bill holdings; **A.buch** *nt* acceptance ledger; **A.einlösung** *f* bill discounting; **a.fähig** *adj* bankable, negotiable; **A.frist** *f* term of acceptance; **A.gebühr** *f* acceptance charge; **A.geschäft** *nt* bill brokerage; **A.gläubiger(in)** *m/f* acceptance creditor; **A.haus** *nt* accepting house, merchant bank, acceptance bank/house; **kauf-**

männisches A.haus merchant banker; **A.höchstkredit** *m* acceptance line

akzeptieren *v/t* 1. to accept/approve, to go along with; 2. *(Wechsel)* to honour; **blanko a.** to accept in blank; **nicht a.** 1. to refuse to accept; 2. *(Wechsel)* to dishonour

Akzeptierung *f* acceptance; **A.sermächtigung** *f* authority to accept

Akzeptkonto *nt* acceptance account

Akzeptkredit *m* (banker's) acceptance credit; **dokumentärer A.** documentary acceptance credit; **A.linie/A.rahmen** *f/m* acceptance limit/line, line of acceptance

Akzept|leistung *f* acceptance; **A.leistungsstelle** *f* accepting agent/agency; **A.limit/A.linie** *nt/f* line of acceptance; **A.meldung** *f* notification of acceptance; **A.obligo** *nt* 1. bills receivable (B.R.); 2. bills payable; **A.provision** *f* accepting/acceptance commission, commission for acceptance; **A.schuldner** *m* acceptance debitor/debtor; **A.umlauf** *m* bills in circulation, acceptance commitments; **A.verbindlichkeiten** *pl* 1. bills receivable (B.R.), trade acceptances receivable; 2. bills payable, acceptance liabilities; **A.vermerk** *m* acceptance; **A.verweigerung** *f* (dishonour by) non-acceptance; **A.vorlage** *f* presentation for acceptance

Akzession *f* 1. accession; 2. *(Bücher)* acquisition

Akzesso|rität *f* accessoriness, dependence on principal debt; **a.risch** *adj* accessory, collateral, incidental

Akzidenz|arbeit *f* jobbing (work); **A.druck** *m* job printing/work; **A.drucker** *m* job printer

Akzise *f* excise, indirect tax, inland/excise duty

Alarm *m* alarm, alert; **A. schlagen** to raise the alarm; **blinder A.** false alarm

Alarm|anlage *f* 1. alarm system; 2. *(Einbruch)* burglar alarm; **A.bereitschaft** *f* standby, alert; **in ~ versetzen** to alert; **A.glocke** *f* alarm bell, tocsin

alarmieren *v/t* to alarm/alert

Alarm|knopf *m* panic button; **A.signal** *nt* warning/alarm signal; **A.stufe 1** *f (Ungewissheitsstufe)* uncertainty phase; **~ 2** *(Bereitschaftsstufe)* alert phase; **~ 3** *(Notstufe)* distress phase; **A.zeichen** *nt* danger/alarm signal

aleatorisch *adj* doubtful, aleatory, uncertain

Algorith|mus *m* algorithm; **nach speziellen A.men** according to special algorithms

Alibi *nt* alibi; **A. beibringen** to produce/provide an alibi, to establish one's alibi; **einwandfreies A.** perfect alibi; **konstruiertes A.** fabricated alibi

Aliment *nt (Vers.)* input, business put-in; **A.e** child support, alimony, maintenance/affiliation payments, aliment *[Scot.]*

Alimentation *f* alimony, maintenance

Alimenten|beschluss *m* § affiliation order; **A.forderung** *f* maintenance claim; **A.prozess** *m* § affiliation/maintenance proceedings

alimentieren *v/t* to sustain/feed, to provide funds

Aliudlieferung *f* delivery of the wrong goods, ~ goods other than those ordered

Alkohol *m* alcohol, spirit(s), liquor *(coll)*; **A.einwirkung** *f* influence of drink; **a.frei** *adj* non-alcoholic; **A.gehalt** *m* alcoholic strength/content, alcohol content; **A.genuss** *m* alcohol consumption; **a.haltig** *adj* alcoholic; **A.iker(in)** *f/m* alcoholic, habitual drinker; **a.isch** *adj* alcoholic; **A.ismus** *m* alcoholism; **A.missbrauch** *m* excessive use of intoxicants, alcohol abuse; **A.spiegel** *m* level of alcohol; **A.steuer** *f* alcohol duty; **a.süchtig** *adj* addicted to alcohol; **A.test** *m* breath/alcohol test; **A.testgerät** *nt* breathalyser, intoximeter; **A.verbot** *nt* prohibition; **A.vergiftung** *f* alcoholic poisoning/intoxication

Allbranchen|versicherer/A.versicherung *m/f* all-line(s) insurance (company)

alle *adv (aufgebraucht)* out, used up; **a. werden** *(Vorräte)* to run out of sth.

allein *adj* 1. alone, single, solitary; 2. single-handed; **für sich a.** per se *(lat.)*, on its merits

Allein|- single, exclusive, sole; **A.aktionär** *m* sole shareholder; **A.auftrag** *m (Makler)* exclusive order; **A.auslieferer** *m* sole distributor; **a.berechtigt** *adj* exclusively entitled, having exclusive rights; **A.berechtigung** *f* exclusive/sole right; **A.besitz** *m* exclusive ownership, exclusive/sole possession; **A.besitzer(in)** *m/f* sole owner/proprietor; **A.betrieb** *m* one-man business, sole trader/proprietor(ship); **A.betriebsrecht** *nt* operating monopoly; **A.bezugsrecht** *nt* sole purchase right; **A.bindung** *f* sole engagement; **A.eigentum** *nt* sole/exclusive ownership; **A.eigentümer(in)** *m/f* sole proprietor/owner, sole and unconditional owner; **A.erbe/A.erbin** *m/f* universal/sole heir; **A.erzieher(in)** *m/f* single parent, one-parent family; **A.finanzierung** *f* sole financing; **A.gang** *m* go-it-alone approach/policy; **im ~ tun** to go it alone, to strike out alone, ~ on one's own; **A.geschäftsführer** *m* sole director; **A.gesellschafter(in)** *m/f (GmbH)* sole proprietor; **A.gewahrsam** *m* solitary confinement; sole custody; **A.handel** *m* monopoly; **A.herrschaft** *f* autocracy; **A.hersteller** *m* sole manufacturer; **A.herstellungsrecht** *nt* monopoly

alleinig *adj* exclusive, sole, mere

Allein|import *m* sole/exclusive (right to) import; **A.importeur** *m* sole importer; **A.inhaber** *m* sole proprietor/owner/trader/holder; **A.konzessionär** *m* sole concessionaire; **A.lizenz** *f* sole/exclusive licence; **A.pächter** *m* sole tenant; **A.rechte** *pl* exclusive rights; **a.stehend** *adj* 1. single, unmarried; 2. 🏛 detached; **A.stehende(r)** *f/m* single (man/woman/person); **~ mit Kind(ern)** single-parent/one-parent family; **A.stellung** *f (Pat.)* unique position; **A.stellungswerbung** *f* monopolizing publicity; **A.steuer** *f* single tax; **A.unternehmer** *m* sole trader/proprietor; **a.verantwortlich** *adj* solely responsible, in sole charge; **A.verkauf** *m* exclusive sale, (sales) monopoly; **A.verkäufer** *m* exclusive sales agent, tied seller, exclusive distributor

Alleinverkaufs|recht *nt* exclusive right of sale, exclusive/sole selling right(s), franchise; **~ haben (für)** to hold a monopoly (on); **A.vertrag** *m* exclusive sales right

Allein|verschulden *nt* sole fault; **A.vertreter** *m* sole (distributing) agent/representative, sole distributor, exclusive agent

Alleinvertretung *f* 1. sole/exclusive agency, exclusive distributorship; 2. § sole representation; **A. haben** to be sole distributor

Alleinvertretungs|anspruch *m* claim to be the only legitimate representative; **A.befugnis** *f* sole power of representation; **a.berechtigt sein** to have single signature; **A.berechtigte(r)** *f/m* sole authorized signatory; **A.recht** *nt* 1. sole agency; 2. sole power of representation; ~ **vergeben** to grant sole selling rights, ~ the exclusive right of sale

Alleinvertrieb *m* 1. sole distributor/agency/distributing agent; 2. exclusive marketing/distribution/sale, monopoly

Alleinvertriebs|abkommen *nt* exclusive sales contract/agreement; **A.berechtigte(r)** *m/f* exclusive distributor; **A.gesellschaft** *f* principal underwriter; **A.klausel** *f* exclusive/sole right(s) clause; **A.recht** *nt* exclusive sales agency

Allein|vorstand *m* sole director; **A.werbung** *f* exclusive advertising

alleinzeichnungsberechtigt sein *adj* to have single signature; **A.e(r)** *f/m* sole authorized signatory

aller|feinst *adj* very finest, superprime; **a.neuest** *adj* latest, state-of-the-art, up-to-the-minute; **a.niedrigst** *adj* rock-bottom

Allerwelts|name *m* household name; **A.problem** *nt* bread-and-butter issue

Alles-oder-Nichts-Klausel *f* *(Submission)* all-or-nothing clause

All|faserabkommen *nt* multi-fibre agreement; **A.finanzbank** *f* all-service/full-service bank; **weltweit tätiges A.finanzinstitut** full-service global finance house; **A.gefahrenpolice** *f* all-risks policy

allgemein *adj* 1. general, universal, common, across-the-board; 2. nationwide; 3. *(Steuer)* broad-based; **im a.en** generally, in general

Allgemein|begriff *m* general term; **A.befinden** *nt* general health; **a.bildend** *adj* academic; **A.bildung** *f* general education/knowledge, liberal education

Allgemeine Deutsche Seeversicherungsbedingungen (ADS) German General Marine Insurance Clauses; **A. Versicherungsbedingungen (AVB)** general policy conditions

allgemein|gültig *adj* general, (generally) accepted/valid; **A.gültigkeit** *f* universal validity, universality, generality; **A.gut** *nt* 1. common knowledge; 2. public property; ~ **sein** to be an open secret; **A.heit** *f* (general) public, community, the public at large; **A.mediziner** *m* general practitioner (G.P.); **A.platz** *m* commonplace, cliché; **a.verbindlich** *adj* universally valid, generally binding; ~ **sein** to be of general application; **A.verbindlichkeit** *f* universally binding character; **A.verfügungen** *pl* general dispositions; **A.versicherungssparte** *f* general branch; **A.vollmacht** *f* general power-of-attorney; **a.wirtschaftlich** *adj* concerning the economy as a whole; **A.wissen** *nt* general knowledge; **A.wohl** *nt* common good/weal

Allheilmittel *nt* panacea, cure-all

Allianz *f* alliance; **strategische A.** strategic alliance/relationship

all|jährlich *adj* perennial; **a.mächtig** *adj* omnipotent, all-powerful; **a.mählich** *adj* gradual, piecemeal

Allmende *f* *(obs.)* 🚜 common land/pasture

Allod *nt* *(obs.)* § allodium, absolute property in land; **A.ialgut** *nt* fee simple

Allokation der Ressourcen *f* resource allocation

Allokations|effekt/A.ergebnis *m/nt* allocative effect; **A.effizienz** *f* allocative efficiency; **A.mechanismus** *m* allocative mechanism

Allonge *f* *(Wechsel)* rider, allonge, apron, renewal coupon, talon, counterstock, counter-tally

All|parteien- all-party; **(kumulative) A.phasen(-Umsatz)steuer** *f* (cumulative) all-stage turnover tax, value-added tax (VAT); **A.radantrieb** *m* 🚗 all-wheel/four-wheel drive

alltäglich *adj* routine, everyday, bread-and-butter, day-to-day, trivial, pedestrian, common

Alltags|- day-to-day, everyday; **A.beschäftigung** *f* everyday work; **A.leben** *nt* working-day life

all|umfassend *adj* all-inclusive, all-embracing; **A.wetter-** all-weather; **A.zeit-** all-time; **a.zu** *adv* unduly; **A.zuständigkeit** *f* § comprehensive jurisdiction

Allzweck|- all-purpose, general purpose; **A.raum** *m* utility room; **A.rechner** *m* general-purpose computer; **A.stichprobe** *f* general-purpose sample

Alm *f* 🚜 upland pasture

Almosen *nt* alms, charity, dole, handout; **von A. leben** to live on alms

Alphabet *nt* alphabet; **A.einrichtung** *f* 💻 alphabetic feature; **a.isch** *adj* alphabetical; **A.isierungskampagne** *f* literacy campaign; **A.sortierung** *f* alphabetic sorting; **A.speichereinrichtung** *f* alphabetic storage

alpha|merisch *adj* 💻 alphameric; **a.numerisch** *adj* alphanumeric

Als-ob-Bestimmung *f* deeming provision

alt *adj* aged, long-standing, old-established, existing; **zu a.** over age, overage

älter *adj* senior; **ä. als der Durchschnitt** overage

Alt|- existing; **A.aktie** *f* existing/old share, existing stock; **A.aktionär** *m* existing/old shareholder; **A.anlage** *f* existing plant, redundant unit; **a.ansässig** *adj* long-established; **A.bau** *m* old building; **A.bauer** *m* retired farmer; **A.bausanierung** *f* modernization, refurbishing, rehabilitation, refurbishment of existing houses, redevelopment of old buildings; **A.bauwohnung** *f* *[D]* pre-currency-reform dwelling; **A.bestände** *pl* existing stock; **a.bewährt** *adj* proven

Alte *pl* retirees, senior citizens

alt|ehrwürdig *adj* time-honoured; **a.eingeführt** *adj* old-established; **a.eingesessen** *adj* long-established, well-established, old-established; **A.eisen** *nt* scrap/old iron

Alten|hilfe *f* retirement benefit(s); **A.pflege** *f* care for the elderly, geriatric care; **A.pflegeheim** *nt* geriatric home/institution; **A.teiler** *m* 1. pensioner, retiree; 2. retired owner; **A.wohnheim** *nt* old people's home

Alter *nt* age, seniority, old age; **im A. von** aged; **A. unwesentlich** *(Anzeige)* age immaterial; **für sein A. sparen** to save for one's old age

anerkanntes Alter *(Vers.)* age admitted; **im arbeitsfähigen A.** of working age; **bestes A.** prime age; **erwerbsfähiges A.** working/employable age; **im erwerbsfähigen A.** of employable age; **erwünschtes A.** *(Anzeige)* probable age; **fortpflanzungsfähiges A.** reproductive age; **geschäftsfähiges A.** responsible age; **gesetzliches A.** legal age; **pensionsberechtigtes/pensionsfähiges/rentenfähiges/ruhegehaltsfähiges A.** retiring/pensionable age; **schulpflichtiges A.** school age; **unterscheidungsfähiges/verständiges A.** § age of discretion; **vollendetes A.** full age; **vorgeschriebenes A.** statutory age; **wahlfähiges A.** voting age

Ältere(r)/Älteste(r) *f/m* senior

Altern *nt* ageing; **a.** *v/i* to age

alternativ *adj* alternative; **A.angebot** *nt* alternative offer/tender; **A.anklage** *f* § alternative charge; **A.auftrag** *m* either-or order; **A.begünstigte(r)** *f/m* alternative beneficiary/payee; **A.bezogene(r)** *f/m* alternative drawee

Alternative *f* alternative, option, choice; **zweite A.** *(Ersatzinvestition)* challenger

Alternativ|frage *f* dichotomous/alternative question; **A.klausel** *f* alternative clause; **A.kosten** *pl* alternative(-use)/opportunity/economic cost(s); **A.lösung** *f* alternative solution; **A.plan** *m* contingency/alternative plan; **A.planung** *f* contingency/alternative planning; **A.prognose** *f* alternative forecast; **A.programm** *nt* alternative programme; **A.sanierung** *f* alternative reorganisation; **A.straftatbestände** *pl* § alternative counts; **A.verpflichtung** *f* alternative obligation; **A.vorbringen** *nt* § alternative/disjunctive allegations; **A.vorschlag** *m* alternative suggestion/proposal

Alters|abschreibung *f* depreciation for age; **A.angaben** *pl* age data; **A.aufbau** *m* age structure/distribution/pattern/pyramid; **A.bedingungen/A.beschränkungen** *pl* age restrictions/limits; **A.bereich** *m* age range/span; **A.bezüge** *pl* retirement pay; **A.durchschnitt** *m* average age; **A.einkommen** *nt* retirement income; **A.entlastungsbetrag** *m* old-age allowance/exemption; **A.erfordernisse** *pl* age requirements; **A.erscheinung** *f* symptom of old age; **A.folge** *f* seniority; **A.freibetrag** *m* (old) age allowance/exemption, age relief; **A.freibetragsgrenze** *f* age exemption limit; **A.fürsorge** *f* old-age relief/welfare (service); **A.genosse** *m* contemporary; **A.gliederung** *f* age structure/distribution

Altersgrenze *f* 1. age limit/qualification; 2. retirement/retiring age; **A. erreichen** to reach/attain retiring age; **flexible A.** flexible retiring age, ~ retirement (age); **vorgezogene A.** early retirement

aus Alters|gründen *pl* for reasons of age; **A.gruppe** *f* age group/bracket; ▦ age cohort; **A.heilkunde** *f* ⚕ geriatrics; **A.heim** *nt* old people's home; **A.hilfe** *f* old-age assistance/benefit(s); **A.jahrgang** *m* age cohort, birth year; **A.kapital** *nt (Vers.)* endowment sum; **A.kasse** *f* retirement fund

Altersklasse *f* age group/bracket/cohort; **A.neinstufung/A.neinteilung** *f* age grouping; **A.nverteilung** *f* age/class distribution

Alters|krankheit *f* ⚕ geriatric illness; **a.mäßig** *adj* by age groups, according to age; **A.präsident** *m* chairman by seniority, oldest member; **A.profil** *nt* age profile; **A.pyramide** *f* population pyramid, age pyramid/structure

Altersrente *f* old-age pension/benefits, superannuation, retirement pension/annuity/allowance/pay, pension annuity, retired pay; **A.neinkommen** *nt* retirement income; **A.nsteuer** *f* old-age security tax

Altersrentner(in) *m/f* old-age pensioner (O.A.P.), senior citizen

Altersruhegeld *nt* → **Altersrente; betriebliches A.** company pension; **vorgezogenes A.** early retirement pension, premature old-age pension

alters|schwach *adj* 1. senile, infirm; 2. 🏛 ramshackle; **A.sicherung** *f* provision for one's old age; **A.sitz** *m* retirement home; **a.spezifisch** *adj* age-specific, by age; **A.struktur** *f* age structure/distribution/mix/pyramid; **A.stufe** *f* age group/bracket/cohort; **A.tabelle** *f* age schedule; **A.unterschied** *m* age difference; **A.unterstützung** *f* old-age relief, retirement allowance

Altersversicherung *f* retirement/old-age insurance, (old-age) pension fund; **(bundes)staatliche Alters- und Hinterbliebenenversicherung** federal old-age and survivors' insurance *[US]*; **A.sbeitrag** *m* superannuation contribution

Altersversorgung *f* retirement benefits/pension, old-age pension; **A. und Hinterbliebenenversorgung** old-age and survivors' social security scheme

beitragsfreie Altersversorgung non-contributory pension scheme; **berufliche A.** occupational pension scheme; **(inner)betriebliche A.** company/occupational/employee pension scheme, industrial pension plan, company superannuation; **einkommensbezogene A.** earnings-related pension scheme; **freiwillige A.** voluntary pension scheme; **private A.** private pension plan/scheme; **staatliche A.** state pension (scheme)

Altersversorgungs|kasse *f* (old-age) pension fund; **A.plan** *m* pension plan; **betrieblicher A.plan** industrial pension plan

Alters|verteilung *f* age distribution; **A.voraussetzungen** *pl* age requirements; **A.vorrang** *m* seniority; **A.vorsorge** *f* old-age provision, retirement arrangement; **A.zulage/A.zuschlag** *f/m* age/superannuation allowance, age addition, seniority bonus

Alt|gebäude *nt* existing building; **a.gedient** *adj* veteran; **A.forderung** *f* existing claim; **A.gerät** *nt* trade-in; **A.gesellschafter** *m* 1. senior/former partner; 2. existing shareholder

Altglas *nt* waste/salvaged glass; **A.aufbereitungsanlage** *f* waste glas recycling plant; **A.behälter/A.container** *m* bottle bank; **A.verwertung** *f* waste glass recycling

Alt|gläubiger *m* existing/old creditor, assignor; **A.gold** *nt* old gold; **A.guthaben** *nt* old-age/existing assets; **a.hergebracht** *adj* long-standing, long-established, traditional; **A.hofsanierung** *f* 🚜 rehabilitation of old farms; **A.industrie** *f* rustbelt/sundown industry *[US]*, smokestack industry *[GB]*; **industrielle A.last** 1. derelict/contaminated (industrial) land, land contamination; 2. cost of rehabilitating contaminated soil, water, etc.

Altlastenǀbeseitigung *f* 1. restoring contaminated sites; 2. *(Boden)* land reclamation; **A.kataster** *nt* register of contanimated sites; **A.sanierung** *f* reclamation of contaminated industrial sites/land, ~ industrial waste sites

Altmaterial *nt* salvage, scrap; **A.händler** *m* scrap dealer; **A.verwertung** *f* salvage; **A.wert** *m* scrap/breakup value

Altǀmetall *nt* scrap metal; **A.mieter** *m* sitting tenant; **a.modisch** *adj* old-fashioned, out-of-date, antiquated, obsolete, out-of-fashion, unfashionable, megaout *(coll)*

Altöl *nt* waste oil; **A.raffinationsanlage** *f* waste oil refining plant; **A.sammlung** *f* waste oil collection

Altǀpapier *nt* waste paper; **a.renommiert** *adj* oldstanding; **A.risiko** *nt* unexpired risk; **A.rücklage** *f* reserves carried over/forward

altruisǀtisch *adj* altruistic; **A.mus** *m* altruism

Altǀschulden *pl* existing/old debt(s); **A.stoffbehandlung** *f* waste treatment/processing; **a.verdient** *adj* veteran; **A.vertrag** *m* existing contract/agreement; **a.vertraut** *adj* familiar; **die A.vorderen** *pl* forebears, ancestors; **A.warenhandel** *m* second-hand trade; **A.warenhändler** *m* scrap/second-hand dealer; **A.wert** *m* value before use

Aluminium *nt* aluminium, aluminum *[US]*; **A.blech** *nt* sheet alumin(i)um; **A.folie** *f* tinfoil; **A.industrie** *f* alumin(i)um industry; **A.weiterverarbeitung** *f* alumin(i)um processing

amalgamieren *v/t* to amalgamate

Amateur *m* amateur; **A.ökonomie** *f* jawbone economics *(coll)*

Ambivalenzkonflikt *m* plus-minus conflict

ambuǀlant *adj* 1. itinerant, mobile; 2. $ out-patient; **A.lanz/A.latorium** *f/nt* $ out-patients department/clinic

Amelioration *f* improvement

Amerikanisches Normenbüro American Standards Association (ASA)

Amnestie *f* amnesty, general pardon, act of grace; **A.gesetz** *nt* amnesty act

amnestieren *v/t* to pardon, to grant an amnesty, ~ a general pardon

Amortisation *f* 1. repayment, payback, payoff, payout; 2. *(Anleihe)* amortization, redemption; 3. *(Hypothek)* repayment, paying off; 4. *(Auslosung)* redemption by drawing

Amortisationsǀanleihe *f* redemption/amortization loan; **A.darlehen** *nt* redemption loan; **A.dauer** *f* recovery time, payback period; **A.fonds** *m* sinking/redemption fund; ~ **für Obligationen** bond sinking fund; **A.hypothek** *f* redemption/instalment mortgage, amortization loan/mortgage; **A.kasse** *f* sinking fund; **A.konto** *nt* redemption account; **A.kredit** *m* loan repayable by instalments; **A.methode** *f* payback method/analysis; **A.plan** *m* redemption table, amortization plan, sinking fund table; **A.quote** *f* redemption/instalment rate, amortization instalment; **A.rate** *f* payback rate; **A.rechnung** *f* payoff analysis, payback method; **A.rücklage** *f* sinking fund reserve; **A.schein** *m* redemption voucher; **A.schuld** *f* redeemable bonds; **A.vergleichsrechnung** *f* payoff/payback method; **A.verlauf** *m* amortization scheme/plan; **A.wert** *m* redemption value; **A.zahlung** *f* redemption/amortization payment, instalment; **A.zeit(raum)** *f/m* 1. *(Projekt)* payout time; 2. *(Anleihe)* payback/payoff/payout/amortizatian period, amortization/payback time

amortisierǀbar *adj* redeemable, repayable, amortizable; **a.en** *v/t* to redeem/amortize/sink, to pay off/back; **A.ung** *f* amortization, redemption, payback on investment

Amphibienǀ- amphibious

Ampuǀtation *f* $ amputation; **a.tieren** *v/t* to amputate; **A.tierte(r)** *f/m* amputee

Amt *nt* 1. office; 2. *(Behörde)* authority, board, department; **im A.** *(Regierung)* in office/power; **kraft seines A.es** by virtue of his office; **von A.s wegen** officially, ex officio *(lat.)*

Amt des Direktors managership, directorship; ~ **Geschäftsführers** managership; **A. in der Justiz** judicial office; **A. des Kassenwarts** treasurership; **A. auf Lebenszeit** life tenure; **A. für Liegenschaften** real estate office; **A. des Rechnungsführers** accountantship; ~ **Schriftführers** secretaryship; **A. für Stadtentwicklung** department of urban development, urban development board; ~ **Verbrauchssteuern** excise department/office; **A. in der Verwaltungsbehörde** ministerial/management office; **A. für Wirtschaftsförderung** board of economic/industrial development, department/board of trade promotion, office for the promotion of industry

unfähig für ein Amt ineligible to hold (an) office; **im A. Verbliebener** *(nach der Amtszeit)* holdover

Amt abgeben to relinquish a position; **A. antreten** to take office, to come into office, to accede to office; **A. aufgeben** to resign; **von einem A. ausgeschlossen sein** to be disqualified from holding (an) office; **aus dem A. ausscheiden** to retire, to leave office; **A. bekleiden** to hold (an) office, to fill a position, to occupy a post; **sich um ein A. bemühen** to apply for a position, to solicit an office; ~ **bewerben** *(Wahl)* to stand/run for office; **im A. bleiben** to remain/continue/stay in office; **in ein A. einsetzen** to appoint; **von einem A. entbinden** to release from an office; **aus dem A. entfernen** to remove from office; **jdn des A.es entheben** to dismiss/oust so. from office, to deprive/remove so. of (his) office, to retire so. compulsorily, to unseat/suspend/depose so., to strip s_. of his/her official duties; **jdn vorläufig ~ entheben** to suspend so. from office, to dismiss/relieve so. from his post; **von A.s wegen handeln** to act in an official capacity; **A. innehaben** to hold an office; **A. niederlegen** to resign/vacate, to lay down an office, to leave one's office, to step down; **von A.s wegen prüfen** to consider ex officio *(lat.)*, ~ without application; **aus dem A. scheiden** to resign/retire; **im A. sein** to be in office; **in A. und Würden sein** to be a man/woman of office and authority; **A. zur Verfügung stellen** to resign from office, to tender one's resignation; **A. übernehmen** to assume (an) office, to come into office, to act as; **im A. verbleiben** to continue/remain in office; **jdn aus dem A. verdrängen** to supersede so. in office; **A. versehen** 1. to hold office; 2. to officiate**A. verwalten/wahrnehmen** to hold (an) office; **des A.es walten** to officiate; **von einem A. zurücktreten** to resign

ausgewähltes Amt elected office; **Auswärtiges A.** ministry of foreign affairs, Foreign Office *[GB]*, State Department *[US]*; **einträgliches A.** lucrative office; **federführendes A.** main/originating office; **öffentliches A.** public office/appointment; public authority; **richterliches A.** judicial office; **städtisches A.** municipal office; **statistisches A.** statistical office/bureau; **weisungsgebundenes A.** subordinate office, duties subject to superior orders

Ämter|handel *m* office-jobbing; **Ä.häufung** *f* accumulation of offices; **Ä.jagd** *f* position hunting; **Ä.kauf** *m* selling public offices; **Ä.patronage** *f* spoils system; **Ä.schacher** *m* bargaining for public offices

amtieren *v/i* to act/serve/officiate; **stellvertretend a.** to deputize, to act as deputy, to step in; **a.d** *adj* 1. acting; 2. § sitting

amtlich *adj* official, ministerial; **nicht a.** unofficial, inofficial

Amts|alter *nt* seniority, length of service; **A.anklage** *f* § impeachment; **A.anmaßung** *f* usurpation, impersonating a public servant, false assumption of authority; **A.antritt** *m* assumption of office, entrance into office; **seit A.antritt** since taking office; **A.anwalt** *m* § official solicitor, public prosecutor; **A.arzt** *m* medical officer; **A.aufgabe** *f* resignation; **A.ausübung** *f* exercise of one's office; **A.befugnis** *f* authority, (official) competence; **A.beleidigung** *f* insulting a public official; **A.bereich** *m* 1. province, area of competence, beat, patch *(coll)*; 2. ✆ (local) area; **erweiterter A.bereich** ✆ extended area service; **A.bescheid** *m* 1. official letter/notification; 2. Patent Office ruling *[US]*; **A.bescheinigung** *f* official certification; **A.bezeichnung** *f* official title/designation/description, function, title; **A.bezirk** *m* 1. administrative district; 2. jurisdiction; precinct; **A.blatt** *nt* official register *[US]*/gazette *[GB]*, *[EU]* _fficial Journal/Bulletin; **~ des Europäischen Patentamts** official gazette of the European patent office; **A.bonus** *m* advantage of incumbency; **A.bürgschaft** *f* official fidelity guarantee; **A.dauer** *f* tenure (of office), term of office/government; **A.delikt** *m* § malfeasance, malpractice in office, criminal offence by a public official; **A.deutsch** *nt* officialese; **A.eid** *m* oath of office, official oath; **~ ablegen** to be sworn in; **A.eigenschaft** *f* authority; **A.einführung** *f* inauguration, induction, installation; **A.einsetzung** *f* installment, installation; **A.enthebung** *f* 1. removal from office, dismissal of an official, ouster, suspension, retirement, deposition; 2. § amotion; **A.ermittlung** *f* official investigation; **A.fehler** *m* § wrongful act or omission; **A.führung** *f* administration of office; **schlechte A.führung** misconduct; **A.geheimnis** *nt* official secret; **A.gericht** *nt* local/county court, magistrates' *[GB]*/district *[US]* court, Sheriff Court *[Scot.]*,; **~ in Strafsachen** petty sessions, criminal division of the local court; **A.geschäfte** *pl* official functionsduties; **A.gewalt** *f* authority, official powers; **A.haftung** *f* public liability, official/administrative responsibility, liability of the state; **A.haftungsklage** *f* legal action for public liability claim(s); **A.handlung** *f* official act; **konsularische A.handlung** consular transaction; **A.hierarchie** *f* official hierarchy, hierarchical administrative structure

Amtshilfe *f* official assistance, administrative cooperation/assistance/aid; **Amts- und Rechtshilfe** administrative and legal assistance; **A. leisten** to give (official) assistance; **A.ersuchen** *nt* § letters rogatory

Amts|inhaber(in) *m/f* office holder/bearer, incumbent, post-holder; **A.kasse** *f* cash office, borough/city treasurer's department; **A.kette** *f* chain of office; **A.kollege/A.kollegin** *m/f* colleague in office, counterpart, opposite number; **A.leiter(in)** *m/f* head of department, chief of the office/agency; **A.leitung** *f* ✆ line; **A.missbrauch** *m* malpractice, abuse of authority, misuse of power; **wegen ~ anklagen** § to impeach; **a.müde** *adj* weary of office; **A.mündel** *nt* § ward of court, ~ the youth office, child under guardianship of the youth office; **A.nachfolger(in)** *m/f* successor in office; **A.niederlegung** *f* resignation; **am A.ort tätig sein** *m* to be in residence; **A.periode** *f* tenure/term of office, term; **~ des Präsidenten/Vorsitzenden** presidential term; **A.pfleger** *m* statutory/official guardian; **A.pflegschaft** *f* compulsory care, ex officio *(lat.)* guardianship; **A.pflicht** *f* official duty, function; **A.pflichten** obligations arising from one's official duties; **A.pflichtsverletzung** *f* breach of official duty, violation of official duties; **A.prinzip** *nt* principle of ex officio *(lat.)* proceedings; **A.räume** *pl (Gericht)* court premises/rooms; **A.register** *nt* official registry

Amtsrichter *m* magistrate *[GB]*, district judge *[US]*; **A. für ländlichen Bezirk** county judge *[GB]*; **~ städtischen Bezirk** urban magistrate *[GB]*; **besoldeter A.** stipendiary magistrate *[GB]*

Amts|richterschaft *f* magistracy; **A.sache** *f* official business; **A.schimmel** *m (fig)* red tape *(fig)*; **A.siegel** *nt* official seal; **A.sitz** *m* (official) residence/seat, place of office; **A.sprache** *f* 1. official language; 2. officialese; **A.stab** *m* office staff; **A.stelle** *f* public office; **A.stempel** *m* official stamp; **A.stunden** *pl* office/official hours; **A.tätigkeit** *f* office, function, service; **A.tracht** *f* 1. robes of office; 2. livery; **A.träger** *m* office holder/bearer, officer; **öffentlich-rechtlicher A.träger** public official; **A.übernahme** *f* assumption of office; **a.unfähig** *adj* incapable of holding office; **A.unterschlagung** *f* misappropriation by a public official, malversation; **A.verfassung** *f* constitution of office; **A.vergehen** *nt* § malfeasance/misdemeanour in office, malpractice; **öffentlich-rechtliches A.verhältnis** office under public law; **A.verlust** *m* loss/forfeiture of office; **A.verschwiegenheit** *f* 1. official secrecy; 2. professional discretion; **A.verweser** *m* temporary administrator; **A.vollmacht** *f* official powers; **A.vorgänger** *m* predecessor (in office); **A.vormund** *m* official guardian, guardian ad litum *(lat.)*; **A.vormundschaft** *f* ex officio *(lat.)* guardianship; **A.vorsteher** *m* (official) head; **A.weg** *m* official channels; **A.widerspruch** *m* official opposition; **a.widrig** *adj* contrary to official regulations; **A.widrigkeit** *f* breach of official regulations, default in official duty; **A.zeichen** *nt* badge (of office); *pl* 1. insignia; 2. ✆ dialling *[GB]*/dial *[US]* tone

Amtszeit *f* term of office, tenure, duration of the term of office; **A. eines Ministers** secretaryship *[US]*; **verbleibende A.** remainder of the term of office

Amtszustellung *f* service ordered by the court, ~ upon official request

an sich [§] per se *(lat.)*

analog *adj* analogous, similar, like-for-like; *adv* by analogy; **A.computer** *m* analog(ue) computer

Analogie *f* analogy; **A.schluss** *m* conclusion/inference by analogy; **A.verfahren** *nt* analogy process

Analogrechner *m* analog(ue) computer

Analphabet *m* illiterate (person); **A.enquote** *f* illiteracy rate; **A.ismus/A.entum** *m/nt* illiteracy

Analyse *f* 1. analysis; 2. decomposition, dissection; 3. ▦ breakdown

Analyse des technischen Fortschritts technological assessment; **A. der Kapitalverhältnisse** financial ratio analysis; **~ Kostenabweichung** variance analysis; **~ Kostenvorteile** cost-benefit analysis; **~ optimalen Maschinenbelegung** equipment analysis; **~ Umweltwirkungen** environmental impact analysis; **kritische ~ Werbemaßnahmen** review of promotional activities; **~ Werbeträger** media analysis

charttechnische Analyse chart analysis; **dynamische A.** dynamic analysis; **eingehende/gründliche A.** in-depth study; **ex ante A.** ex ante *(lat.)* analysis; **finanztechnische A.** fiscal analysis; **kurzfristige A.** short-run analysis; **ökonomische A.** economic analysis; **quantitative A.** quantitative analysis; **statische A.** statics

Analyse|modell *nt* analysis model; **A.nabteilung** *f* analysis department; **A.nprobe** *f* test, sample; **A.nzertifikat** *nt* certificate of analysis

analy|sieren *v/t* to analyze/investigate/dissect; **A.st** *m* analyst; **A.tiker** *m* analyst; **a.tisch** *adj* analytic(al)

Anarch|ie *f* 1. anarchy; 2. free for all; **A.ismus** *m* anarchism; **A.ist** *m* anarchist, red; **a.isch** *adj* anarchist(ic), red

anbahnen *v/t* to open (up), to initiate, to prepare the ground; *v/refl* to begin, to be under way, ~ in the offing

Anbahnung *f* approach, inquiry, proposed business; **A. von Geschäften** business development; **~ Geschäftsbeziehungen** opening up of new business contacts; **A.skosten** *pl* business development costs

Anbau *m* 1. 🏛 wing, annex, building; 2. 🚜 cultivation, farming, tillage, growing; **biologischer A.** organic farming; **A.beschränkung** *f* acreage/crop restrictions, restriction of cultivation; **A.bedingung** *f* growing condition

anbauen *v/t* 1. 🏛 to extend, to add on; 2. 🚜 to cultivate/grow/plant

Anbauer *m* grower, cropper

anbaufähig *adj* 🚜 arable, tillable

Anbaufläche *f* acreage, arable/cultivable land, area under crops/cultivation; **A. verkleinern** to reduce acreage; **landwirtschaftliche A.** agricultural land; **überschüssige A.** surplus acreage

Anbau|gebiet *nt* cultivated/growing/production area, area under cultivation; **A.land** *nt* producer country; **A.methode** *f* cultivation method; **biologische A.methode** organic farming, natural food production; **A.möbel** *pl* unit/sectional furniture; **A.sorte** *f* 🚜 crop; **ertragreiche A.sorte** high-yield crop; **A.teil** *nt* accessory, attachment; **A.verfahren** *nt* 1. *(Kostenrechnung)* expense distribution transfer; 2. 🚜 growing methods; **A.vertrag** *m* 🚜 crop contract

von An|beginn *m* from the onset; **a.bei** *adv* enclosed, attached; **was ... a.belangt** as regards, in the matter of

anberaum|en *v/t* to appoint/call/assign, to fix a date; **A.ung** *f* appointing/setting a date; **ohne ~ eines neuen Termins** [§] sine die *(lat.)*

in Anbe|tracht *m* considering, given, in consideration/view of; **~ der Tatsache** given (the fact); **was a.trifft** as regards, as to

anbieten *v/t* to offer/tender/proffer/quote/tout *(coll)*, to put up for sale; *v/refl* to proffer one's services; **billiger/niedriger a.** to price lower; **zu billig a.** to underprice; **fest a.** to offer firm, to make/submit a firm offer; **freibleibend a.** to offer subject to confirmation; **gratis/kostenlos a.** to offer free of charge; **öffentlich a.** to offer for public subscription; **teurer a.** to price higher

Anbietender/Anbieter *m* offerer, offeror, supplier, tenderer; **A. von Logistikdienstleistungen** logistics supplier; **A. auf dem Markt** marketer

billigster Anbieter lowest bidder; **erfolgreicher A.** successful bidder; **marginaler A.** marginal supplier; **marktunabhängiger A.** non-captive supplier; **privater A.** private-sector supplier; **weltweit tätiger A.** global player; **zugelassener A.** qualified tenderer

Anbieter|absprache *f* *(Submission)* collusive bidding/tendering; **A.einheit** *f* selling centre; **A.gemeinschaft** *f* bidder coalition; **A.gruppe** *f* market grouping; **A.inflation** *f* supply inflation; **A.markt** *m* suppliers' market; **A.verzeichnis** *nt* list of suppliers

Anbietung *f* 1. tender; 2. putting up for sale by auction; **A.spflicht** *f* obligation to offer for sale, duty to offer

anbinden *v/t* to couple/connect/link; **a. an** to peg to

Anbindung *f* *(Verkehr)* link, connection; **verkehrstechnische A.** interconnecting facilities

anbrechen *v/t* to open/tap, to break into

Anbringen von Kennziffern *nt* coding; **a.** *v/t* 1. to affix; 2. to fit/fix/lodge

Anciennität *f* seniority

andauern *v/i* to continue/last/persist; **a.d** *adj* continuous, lasting, persistent, chronic; **lang a.d** lengthy

Andenken *nt* token, souvenir; **A.laden** *m* gift shop

Anderdepot *nt* trust deposit, third-party security deposit

unter ander|em among others, inter alia *(lat.)*; **a.erseits** *adv* on the other hand

Anderkonto *nt* trust/third-party/custodian(ship)/ custody/nominee/escrow account, solicitor's trust account

ändern *v/t* to change/modify/alter/amend/adjust/rearrange/vary; **sich geringfügig ä.** *(Börsenkurs)* to move narrowly; **sich ständig ä.** to fluctuate

andernfalls *adv* failing which/that, in the absence (there)of

anders *adv* different, otherwise; **a.denkend** *adj* dissenting, dissentient; **A.denkende(r)** *f/m* dissident; **a.lautend** *adj* to the contrary; **a.wo** *adv* elsewhere

Änderung *f* change, modification, alteration, amendment, rearrangement

Änderung der Adresse change of address; **~ Bedingungen** amendment of terms; **~ Beförderungsart** change in the mode of transport; **Ä. des Beschäftigungsgrades** change in the level of activity; **~ Flächennutzungsplans** rezoning; **~ Gerichtsstands** change of venue; **Ä. der Geschäftsgrundlage** § frustration of contract; **~ Geschäftsverteilung** reshuffle of responsibilities; **Ä. eines Gesetzes** amendment of a law; **Ä. der Grundversicherung** modification of primary insurance; **~ Lieferzeiten** rescheduling of orders; **~ Parität** change in parity; **~ Pläne** change in plans; **~ Rechtsprechung** change in court findings; **Ä. in der Teilhaberschaft** partnership changes; **unbefugte Ä. von Urkunden** unauthorized alteration of documents; **Ä. der Verfassung** constitutional amendment; **~ Vergleichsbasis** re-basing; **~ Vorschrift** amendment of a provision; **Ä. des Wortlauts** verbal changes; **kurzfristige Ä. der Zahlungsgewohnheiten** *(Außenhandel)* leads and lags; **Ä.en im Zeitablauf** changes in timing; **Ä. des Zinssatzes** change of the (interest) rate

(technische) Änderungen vorbehalten; vorbehaltlich Ä. subject to changes/alterations/modifications/revision, ~ change without notice

Änderung beantragen to propose an amendment; **Ä.en unterliegen** to be subject to change; **Ä. vornehmen** to change, to make an amendment/a modification

drastische Änderung|en sweeping changes; **durchgreifende Ä.** radical change; **einschränkende Ä.** narrowing amendment; **geringfügige Ä.** minor change; **grundlegende Ä.** fundamental/basic change; **mit späteren Ä.en** as amended; **tiefgreifende Ä.** fundamental change; **umfassende Ä.** sweeping change

Änderungs|antrag *m* amendment, modification request; **~ einbringen** to move an amendment; **Ä.anweisung** *f* modification specifications; **Ä.anzeige** *f* advice of amendment; **Ä.auftrag** *m* change order; **Ä.bescheid** *m* amending decision; **Ä.daten** *pl* change data; **Ä.dienst** *m* 1. updating (service), corrective maintenance service, revision service; 2. 🖳 file maintenance; **ä.fähig** *adj* changeable, modifiable, alterable; **Ä.gesetz** *nt* amendment act, amending law; **Ä.journal** *nt* changes journal; **Ä.klage** *f* action (seeking) to modify an enforceable judgment; **Ä.klausel** *f* escape clause; **Ä.kündigung** *f* notice of dismissal/termination pending a change of contract, ~ with option of reengagement on changed conditions, ~ and offer of reemployment (at less favourable terms); **Ä.mitteilung** *f* 1. modification notice; 2. 🖳 file maintenance notice; **Ä.programm** *nt* 🖳 updating program; **Ä.rate** *f* rate of change; **jährliche A.rate** annualized rate of change; **Ä.recht** *nt* right to require a change; **Ä.satz** *m* change record; **Ä.verbot** *nt* prohibited alterations; **Ä.vertrag** *m* agreement to change an existing contract; **Ä.vorbehalt** *m* reservation of the right of modification; **Ä.vorschlag** *m* 1. proposed change/modification/alteration, suggestion for modification; 2. *(Text)* proposed amendment

anderweitig *adj* other, further; *adv* elsewhere, otherwise

andeut|en *v/t* to hint/suggest/imply/intimate, to give a hint; **A.ung** *f* hint, suggestion, intimation; **versteckte A.ung** innuendo

andienen *v/t* to proffer/tender/deliver/offer

Andienung *f* offer, tender, delivery

Andienungs|pflicht *f* 1. duty to offer, obligation to offer to the official buyer; 2. *(Aktien)* obligation to offer for sale to existing shareholders; **a.pflichtig** *adj* (goods) to be offered to the official buyer; **A.preis** *m* tender price; **A.recht** *nt* right of tender, ~ to offer to the official buyer; **A.zettel** *m* notice of intention to deliver

Andrang *m* run, rush, congestion, throng; **A. auf eine Bank** run on a bank

jdm etw. an|drehen *v/t* *(coll)* to fob/foist sth. on so., to mis-sell so. sth; **a.drohen** *v/t* to threaten/warn, to give warning of

Androhung *f* threat, notice, warning; **ohne weitere A.** without further warning; **unter A. von** under threat of; **A. einer Ausschlussfrist** warning of a final time limit; **bei ~ Freiheits-/Gefängnisstrafe** under pain/penalty of imprisonment; **unter A. von Strafe** under pain of punishment

Andruck *m* 🗍 proof**; a.en** *v/t* to imprint

aneignen *v/refl* 1. to acquire; 2. *(widerrechtlich)* to appropriate/usurp, to possess o.s. (of sth.); **sich rücksichtslos a.** to grab; **sich widerrechtlich a.** to appropriate unlawfully, to misappropriate

Aneignung *f* 1. acquisition; 2. appropriation, occupancy; **rechtswidrige A. fremder beweglicher Sachen** § trover; **betrügerische/rechtswidrige/widerrechtliche A.** (fraudulant) conversion, misappropriation; **A.srecht** *nt* right of appropriation

aneinander|fügen *v/t* to tack together; **a.grenzen** *v/i* to adjoin; **A.reihung** *f* lining-up

Anerbieten *nt* offer, offering; **A. abweisen** to reject/dismiss an offer

anerkannt *adj* 1. admitted, accepted, approved, recognized, acknowledged, accredited; 2. *(Werk)* standard; 3. orthodox, noted; **a. werden** to win recognition, to pass; **allgemein a.** (generally) accepted; **~ werden** to win universal acceptance; **amtlich/behördlich a.** officially recognized; **als gültig a.** recognized as valid, accepted; **nicht a.** unaccredited; **staatlich a.** state-approved, state-recognized, government-recognized; **~ nicht a.** non-certificated; **steuerlich a.** Revenue-approved *[GB]*, tax-approved

anerkanntermaßen *adv* admittedly, allowedly

anerkennen *v/t* 1. to recognize/approve/acknowledge/appreciate; 2. *(Steuer)* to allow/accord/accept; 3. § to abide by, to admit; 4. *(ausländischer akademischer Grad)* to nostrificate; **dankbar a.** to appreciate; **nicht a.** to disaffirm/disown/disallow/disclaim/repudiate; **als offenkundig a.** § to take judicial notice; **steuerlich a.** to allow for tax purposes; **voll a.** *(Steuer)* to allow in full; **a.d** *adj* appreciative, commendatory

Anerkenntnis *nt* 1. acknowledgment, recognition, admission; 2. § recognizance, confession; **schriftliches A.** acknowledgment in writing, written acknowledgement; **A.schreiben** *nt* letter of acknowledgment; **A.urteil** *nt* judgment by confession, decree of registration, ~ by consent

Anerkennung *f* 1. acknowledgment, recognition, tribute, ratification; 2. appreciation, approval, respect; 3. *(Wechsel)* acceptance; 4. *(ausländischer akademischer Grad)* nostrification

Anerkennung von Ansprüchen acceptance of claims; **A. einer Forderung** allowance of a claim; **A. ausländischer Gerichtsentscheidungen** (judicial) comity of nations; **A. der Haftung** assumption of liability; **steuerliche A. von Hypothekenzinsen** mortgage relief; **ohne A. einer Rechtspflicht** ex gratia *(lat.)*, without prejudice, ~ admitting legal responsibility; **in A. der Tatsache** in recognition of the fact; **A. eines Testaments** acceptance of legality of a will; **A. der Vaterschaft** acknowledgment of paternity

Anerkennung verdienend meritorious

Anerkennung finden to gain/win acceptance; **auf A. eines Testaments klagen** to propound a will; **A. verdienen** to deserve credit; **A. zollen** to pay tribute

de facto/faktische Anerkennung de facto recognition; **de iure A.** de iure *(lat.)*/formal recognition; **diplomatische A.** diplomatic recognition; **einseitige A.** unilateral recognition; **gegenseitige A.** mutual/reciprocal recognition; **gerichtliche A.** recognition in court; **staatliche A.** governmental/state recognition; **steuerliche A.** tax authority's admission as correct; **stillschweigende A.** implied/tacit acceptance, implicit recognition

Anerkennungs|bescheid *m* recognition order; **A.betrag** *m* nominal amount; **A.dividende** *f* notional dividend; **a.fähig** *adj* acceptable, admissible; **A.preis** *m* notional price; **A.prozedur** *f* recognition process; **A.streik** *m* recognition *[GB]*/jurisdictional *[US]* strike; **A.urteil** *nt* decree of registration; **A.zinsen/A.zinssatz** *pl/m* notional interest

an|fachen *v/t* to fan/fuel; **a.fahren** *v/i* to start (up); *v/t* 1. to deliver; 2. to call/stop at; **A.fahren** *nt (Maschine)* start-up; **A.fahrt(sweg)** *m/f* access route, approach

Anfall *m* 1. *(Häufigkeit)* incidence, flow; 2. *(Ertrag)* yield, accrual; 3. ⚕ fit, spasm; **A. einer Erbschaft** devolution of an inheritance

anfallen *v/i* 1. to arise/occur, to come to hand, to become available; 2. *(Kosten)* to accrue/accumulate; **a.d** *adj* attributable, accruing

anfällig (für) *adj* 1. susceptible/prone (to); 2. vulnerable/sensitive (to); **A.keit** *f* susceptibility, proneness, vulnerability, sensitivity

Anfalls|berechtigter *m* § remainderman; **A.tag** *m* date of accrual

Anfang *m* beginning, start, outset, onset, commencement; **am A.** at the beginning/outset; **von A. an** since/from the inception, from the outset/onset; **gleich ~ an** right from the start; **~ an nichtig** void from the beginning; **vom A. bis zum Ende** from start to finish; **A. nächsten Monats** early next month; **A. nächster Woche** early next week

neuen Anfang machen to make a fresh start, to turn over a new leaf *(fig)*; **wieder am A. sein** to be back to square one *(coll)*; **etw. von A. an unterbinden; den Anfängen wehren** to stop sth. in its tracks, to nip things in the bud

kleiner Anfang humble/small beginning; **neuer A.** fresh start

anfangen *v/ti* to begin/start/commence, to embark upon, to set out; **von hinten a.** to start at the wrong end; **klein/ganz neu/mit nichts/(ganz) von vorn a.** to start from scratch *(coll)*; **von neuem a.** to start all over again

Anfänger(in) *m/f* beginner, novice, tyro *[US]*; **A.kurs** *m* beginners' course

anfänglich *adj* initial, incipient, at the onset

anfangs *adv* at the beginning/onset/outset

Anfangs|- initial, commencing; **A.ausgabe** *f* initial outlay; **A.auszahlung** *f* initial investment; **A.belastung** *f* initial debt service, ~ charge(s); **hohe A.belastung** front-end load; **A.bestand** *m* 1. *(Bilanz)* opening capital/stock; 2. *(Lager)* initial stock, beginning/opening inventory, amount at the beginning of the period; **A.bestellung** *f* initial order; **A.bilanz** *f* opening balance sheet, balance sheet at the beginning of the year

Anfangsbuchstabe *m* initial, index letter; **großer A.** majuscule; **kleiner A.** minuscule

Anfangs|buchung *f* opening entry; **A.datum** *nt* opening date; **A.dividende** *f* initial dividend; **steuerpflichtiges A.einkommen** *nt* tax threshold; **A.ereignis** *nt (OR)* initial event; **A.erfolg** *m* initial success; **A.finanzierung** *f* front-end finance, initial finance/financing; **A.gehalt** *nt* starting/commencing/beginning/initial salary, initial rate of pay; **A.guthaben** *nt* initial credit balance; **A.gewinne** *pl (Börse)* early gains; **A.inventar** *nt* opening stock; **A.investitionen** *pl* start-up/initial investments; **A.jahre** *pl* initial/start-up years; **A.kapazität** *f* initial capacity; **A.kapital** *nt* initial/original/start-up investment, seed/initial/opening/start-up capital; **A.kaution** *f (Vers.)* initial guarantee deposit; **A.kontostand** *m* initial/opening account balance; **A.kurs** *m* opening/starting price, opening/first quotation; **A.lohn** *m* starting wage, entrance/starting rate; **A.monat** *m* opening month; **A.notierung** *f* opening quotation/price, first quotation; **A.parität** *f (IWF)* initial parity; **A.phase** *f* initial stage/phase, start-up period; **A.plädoyer** *nt* opening statement (in court), counsel's opening speech; **A.rendite** *f* initial rate of return, ~ yield; **A.saldo** *m* opening balance; **A.schuld** *f* initial liabilities, ~ debit balance; **A.schwierigkeiten** *pl* start-up problems, teething troubles *(fig)*; **A.spalte** *f* begin column; **A.sparversicherung** *f* initial economy policy; **A.stadium** *nt* initial/early/incipient stage, infancy; **im A.stadium** in the early/initial stages; **A.stellung** *f* entry-level job; **A.tarif** *m* starting rate; **A.termin** *m* commencing/starting date; **A.verluste** *pl (Börse)* early losses; ~ **ausgleichen** to recover from an earlier fall; **A.vermögen** *nt* original assets; **A.verzinsung** *f* initial coupon; **A.verzug** *m* initial delay; **A.warenbestand** *m* original inventory; **A.wert** *m* initial value; **A.wertproblem** *nt* initial value problem; **A.zeile** *f* initial line; **A.zeitpunkt** *m (OR)* start(ing) time; **A.zustand** *m* starting state

Anfassen *nt (Waren)* fingering; **a.** *v/t* to touch/finger; **etw. falsch a.** to go about sth. the wrong way; **richtig a.** to tackle properly; **unangenehme Sache a.** to grasp the nettle *(fig)*

anfechtbar *adj* 1. controversial, open to criticism/question/dispute, not final; 2. challengeable, contestable; 3. § refutable, voidable, annullable, subject to appeal/review, revisable, avoidable, defeasible; **nicht a.** 1. final, incontestable, not subject to review; 2. *(Urteil)* not appealable

Anfechtbarkeit *f* voidability, contestability, right of avoidance, annullability, defeasibility, relative nullity; **A. wegen Irrtum** voidability due to error

anfechten *v/t* 1. to rescind/annul/appeal/avoid/litigate; 2. to challenge/dispute/oppose/contest/question; 3. *(Klage)* to traverse/impugn

Anfechtung *f* 1. avoidance, nullification; contestation, opposition, challenging; 2. *(Vertrag)* rescission; 3. *(Urteil)* appeal; **A. wegen Betrugs** rescission for fraud; **A. außerhalb des Konkurses** contestation outside bankruptcy; **A. der Kündigung** counter-notice

Anfechtungs|- rescissory; **A.befugnis** *f* contesting authority, authority to declare an avoidance; **A.berechtigte(r)** *f/m* party entitled to avoid; **A.frist** *f* time limit for an avoidance; **A.gegner** *m* party subject to avoidance, addressee of an avoidance; **A.grund** *m* cause of appeal, invalidating cause, ground for avoidance; **A.klage** *f* 1. rescissory action; 2. *(Ehe)* nullity suit, action for annulment/avoidance; **A.klausel** *f* avoidance clause; **A.recht** *nt* right of rescission/avoidance, right to nullify

anfertig|en *v/t* 1. to make/manufacture/prepare/produce, to make up; 2. *(Liste)* to make out; **gesondert a.en** to customize; **A.ung** *f* make, manufacture, making, production

anfeucht|en *v/t* to moisten; **A.er** *m* 1. envelope moistener/sealer, letter-sealing machine; 2. dampener

an|flehen *v/t* to implore/beseech/invoke; **a.fliegen** *v/t* 1. ✈ to approach; 2. to call at, to operate a service to

Anflug *m* ✈ approach; **A.hafen** *m* airport of call

anfordern *v/t* to require/requisition/call/seek/request, to call/ask for

Anforderung *f* requirement, requisition, claim, demand, request; **A.en** standards; **A. von Akten** § writ of certiorari *(lat.)*; **A. eines Bankausweises** bank call; **A.en an die Kapitalausstattung** capital adequacy ratio/requirement; **strenge ~ Sorgfaltspflicht** high degree of care and diligence required; **auf A. zahlbar** payable on demand; **den A.en (nicht) entsprechend** (not) up to (the required) standard, (not) up to scratch *(coll)*

den Anforderungen entsprechen to meet the requirements, to be up to standard, to suit the needs, to come up to scratch *(coll)*; **den gestellten A. entsprechen** *(Person)* to have the necessary qualifications; **den sittlichen A. entsprechen** to meet moral standards; **den A. genügen/Genüge tun/gerecht werden** to meet standards/requirements, to satisfy/meet all requirements, to be up to standard; ~ **nicht gerecht werden** to underperform; **A. höherschrauben** to raise one's claims; **A. stellen** to make demands; **geringe A. stellen** to make no great demands; **zu hohe A. stellen** to overtax

betriebliche Anforderung|en operational requirements; **ergonomische A.en** ergonomic requirements; **gerichtliche A.** invocation; **gesetzliche A.en** legal requirements; **hohe A.en** great demands; **personelle A.en** 1. staff requirements; 2. demands on employees; **physische A.en** physical demands/requirements; **psychische A.en** psychological requirements; **qualitative A.en** requirements as to quality; **sachliche A.en** material requirements; **wirtschaftspolitische A.en** economic requirements

Anforderungs|analyse *f* analysis of (customers') needs and requirements; **A.formular** *nt* requisition form; **A.grad** *m* degree of factor, standard of requirements; **A.karte** *f* order card; **A.kriterium** *nt* (job) specification/requirement; **A.niveau** *nt (Prüfung)* examination standards; **A.profil** *nt (Personal)* job specification/requirements, requirement profile, profile of qualification; **A.schein** *m* requisition note

Anfrage *f* 1. (letter of) inquiry/enquiry, investigation; 2. request, question; 3. § interpellation; **auf A.** upon inquiry; **A. wegen Kreditfähigkeit** status/credit inquiry; **sich der A.n kaum erwehren können** to be swamped with inquiries; **A. richten (an)** 1. to make/address an inquiry (to); 2. § to interpellate

anfragen (wegen) *v/i* to inquire/enquire (about); **schriftlich a.** to inquire in writing; **telefonisch a.** to inquire by telephone; **A.de(r)** *m/f* enquirer/inquirer

anfüg|en *v/t* to enclose/attach/affix/append; **A.ung** *f* enclosure, attachment, appendage

Anfuhr *f* delivery, carriage, cartage

anführ|bar *adj* quotable, citable; **a.en** *v/t* 1. mention/list; 2. *(Beispiel)* to cite/quote; 3. *(Liste)* to lead/top; 4. *(Bewegung)* to head/spearhead; 5. § to adduce; **A.er(in)** *m/f* (ring)leader; **A. sein** to spearhead

Anfuhr|gebühren/A.kosten *pl* cartage; **A.hafen** *m* cartage port; **A.rechnung** *f* cartage note

anfüllen *v/t* to stock/fill up

Angabe *f* 1. statement, indication, representation; 2. *(Anweisung)* instruction; 3. ⊖ declaration; 4. *(Einzelheit)* specification; **A.en** particulars, figures, details, data; **laut A.** as per statement, according to statement

Angabe von Ankaufs- und Verkaufskurs double-barrelled quotation; **~ Gründen** statement of reasons; **ohne ~ Gründen** without giving/stating reasons; **unter ~ Gründen** setting forth the reasons; **A.n zur Person** personal data/details, name and description, particulars; **~ Sache** statement(s) concerning the case as such; **nach A. des Zeugen** according to the testimony of the witness

seine Angaben beschwören to swear to the truth of one's statement, to take an oath on one's testimony; **unrichtige A. machen** to misrepresent; **vollstängige A. machen** to state full particulars

ausführliche Angaben detailed information; **betriebswirtschaftliche A.** business data; **detaillierte A.** full particulars; **entstellte A.** distorted information; **falsche A.** § misstatement, false statement, misrepresentation; **~ an Eides statt** false statements in lieu of an oath; **bewusst ~ A.** knowingly false statements; **unabsichtlich abgegebene ~ A.** innocent misrepresentation; **wissentlich ~ A.** fraudulent misrepresentation; **finanzielle A.** financial data; **genaue(re) A.** specification(s); **irreführende A.** misleading statements, fraudulent/misleading/deceptive representation(s); **kurze A.** brief data; **nachprüfbare A.** verifiable allegations; **nähere A.** details, particulars; **ohne ~ A.** not specified; **rechtserhebliche A.** § relevant information/statements; **sachdienliche A.** § pertinent data, relevant/useful information, details; **statistische A.** statistical data; **amtliche ~ A.** official information/returns; **technische A.** technical data; **unrichtige A.** incorrect data, misrepresentation; **unvollständige A.** incomplete statements; **vertrauliche A.** confidential data; **vollständige A.** full particulars; **wahrheitsgetreue A.** truthful statement; **weitere A.** further particulars; **wesentliche A.** material data; **widersprechende A.** inconsistent statements; **zweckdienliche A.** pertinent information

angängig *adj* feasible, practicable

Angarienrecht *nt* § (right of) angary

angebaut *adj* *(Haushälfte)* semi-detached; **biologisch a.** organic, biological

angeben *v/t* 1. to state/declare/mention/disclose/indicate; 2. to name; 3. § to allege; **einzeln/näher a.** to specify/itemize; **falsch a.** to misstate; **genau a.** to specify; **zu gering a.** to understate; **zu hoch a.** to overstate; **ungefragt a.** *(Information)* to volunteer

angeblich *adj* alleged, supposed, would-be, reputed, ostensible, purported

Angebot *nt* 1. *(Vorschlag)* proposal, proposition; 2. offer, quotation, bid, tender, estimate, proffer, quote *(coll)*; 3. *(Ware)* range; 4. *(Börse)* offering(s), offer price, many sellers, securities on offer; 5. *(VWL)* supply; **im A.** on offer/sale

Angebot junger Aktien primary offering; **A. und Annahme** offer and acceptance; **A. ohne Festpreis** subject bid; **A. am Geldmarkt** money supply; **A. aus einer Hand** one-stop-shopping; **A. für Kunden** customer offer; **A. und Nachfrage** supply and demand; **A. von einem Produkt** solus offer; **~ Wandelschuldverschreibungen** convertible debt offering

mehr Angebot als Nachfrage *(Börse)* sellers over

Angebot abgeben to submit/make an offer, to put in a bid, to tender; **A. ablehnen** to refuse/decline/reject an offer; **A. annehmen** to accept an offer; **A. aufrechterhalten** to maintain an offer; **A. ausarbeiten** to prepare an offer; **A. und Nachfrage ausgleichen** to equate supply and demand; **A. ausschlagen** to reject an offer; **auf ein A. eingehen** to respond to/accept an offer; **A. einholen** to ask for a quotation; **A.e einholen** to invite quotations/tenders, to solicit offers; **A. einreichen** to file/lodge a tender, to submit an offer; **A. erneuern** to remake an offer; **an sein A. gebunden sein** to be bound to one's offer; **über dem A. liegen** *(Nachfrage)* to outstrip supply; **A. machen** to make an offer, to tender/bid, to put in/make a tender; **günstiges A. machen** to underbid; **von einem A. Gebrauch machen; A. nutzen** to take up an offer, to avail o.s./take advantage of an offer; **sich auf ein A. stürzen** to leap/jump at an offer; **A. übersteigen** *(Nachfrage)*to outstrip supply; **A. unterbreiten/vorlegen** to submit an offer/a bid; **A. verwerfen/zurückweisen** to reject an offer; **A. widerrufen** to revoke an offer; **A. zurückziehen** to withdraw an offer, to retract a bid

abgeändertes Angebot qualified offer; **abgesprochenes A.** collusive tender; **befristetes A.** offer subject to confirmation by a specified future date, time-limited offer, offer for a limited time; **bindendes/festes A.** firm/binding offer; **nicht ~ A.** subject offer, offer without engagement; **einzelnes A.** single tender; **elastisches A.** 1. fluctuating tender, flexible/variable offer; 2. *(VWL)* elastic supply; **erstes A.** first bid, initial offer; **fingiertes A.** sham bid; **flächendeckendes A.** area-wide supply; **freibleibendes A.** subject/free/not binding offer, offer subject to confirmation, ~ without engagement; **gesamtwirtschaftliches A.** aggregate supply; **gleichbleibendes A.** standing offer; **günstiges A.** favourable/bargain/attractive offer, favourable quotation; **wirklich ~ A.** real bargain; **knappes A.** scanty supply; **konkurrierendes A.** competitive supply; **laufendes A.** *(Börse)* floating supply; **letztes A.** final offer; **maßgeschneidertes A.** customized/tailor-made offer; **mündliches A.** verbal/oral offer, offer transmitted by word of mouth; **offenes A.** open bid/tender; **öffentliches A.** public offering; **optimales A.** optimum offer; **preisgünstiges A.** 1. competetive/bargain offer; 2. low bid; **preiswertes A.** value offer, a real bargain *(coll)*; **reichhaltiges A.** plentiful supply; **reizvolles A.** attractive offer; **schriftliches A.** written offer, offer in writing; **solides A.** bona-fide *(lat.)* offer; **spontanes A.** voluntary offer; **stillschweigendes A.** implied offer; **strittiges A.** offer in/at issue; **subventioniertes A.** come-on bid; **tägliches A.** floating supply; **technisches A.** engineering proposal; **unelastisches A.** inelastic supply; **unverbindliches A.** subject/free/not binding offer; **unverlangtes A.** unsolicited offer; **ursprüngliches A.** original offer; **verbindliches A.** firm/binding offer; **verbundenes A.** joint supply; **verlangtes A.** quotation, solicited offer; **verlockendes A.** attractive/tempting offer; **verschlossenes A.** sealed offer; **verstecktes A.** buried/concealed offer; **vorbehalt-**

loses A. unconditional offer; **vorteilhaftes A.** favourable quotation/offer; **zusammengesetztes A.** composite/rival supply

angeboten *adj* offered, on offer, asked; **a. werden** to be on offer, ~ the market; **vereinzelt a. werden** to encounter scattered offerings; **fest a.** (offered) firm

Angebotsabgabe *f* tendering, bidding, submitting an offer; **abgekartete/manipulierte A.** collusive tendering/bidding

Angebots|absprache *f* collusive tendering/bidding; **A.abwicklung** *f* bid/offer/quotation/tender processing; **A.analyse** *f* comparative evaluation chart; **A.änderung** *f* shift/change in supply; **A.annahme** *f* acceptance (of an offer); **A.aufforderung** *f* invitation for tenders, ~ to tender; **A.ausarbeitung** *f* preparation of offers; **A.ausschreibung** *f* public invitation to tender; **A.bearbeiter** *m (Vers.)* proposal writer; **A.bedingungen** *pl* 1. *(VWL)* supply situation, supply-side condition; 2. bid terms, terms of a bid/an offer; **A.begrenzung** *f* 1. termination of offer; 2. limitation of the range of goods; **A.beschränkung** *f* supply restriction; **A.betrag** *m* offer/bid/supply/quoted price; **A.blankett** *nt (Ausschreibung)* form; **A.buch** *nt (Börse)* offer book; **A.druck** *m* selling pressure; **A.einengung** *f* limitation of the range of goods; **A.einholung** *f* invitation to tender; **A.elastizität** *f* (price) elasticity of supply, supply schedule/elasticity; **volkswirtschaftliche A.elastizität** overall elasticity of supply; **A.empfänger** *m* tenderee, offeree, recipient; **A.eröffnung** *f* bid opening, opening of tenders; **A.eröffnungstermin** *m* tendering/submission date; **A.erstellung** *f* preparation of (an) offer; **A.feld** *nt* range of offers; **A.formular** *nt* bid form, form of tender; **A.funktion** *f (VWL)* supply function; **gesamtwirtschaftliche A.funktion** aggregate supply function; **A.garantie** *f* bid/tender guarantee; **A.gegenüberstellung** *f* schedule/summary of forms; **A.gesetz** *nt (VWL)* law of supply; **a.induziert** *adj* supply-side, supply-induced; **A.inflation** *f* supply(-push) inflation, sellers' inflation; **A.kalkulation** *f* cost estimating, pricing of an offer, ~ a quotation; **A.knappheit** *f* supply shortage; **A.kontingentierung** *f* rationing of supplies

Angebotskurve *f* supply curve; **anomale A.** backward bending supply curve; **inverse A.** regressive supply curve

Angebots|lage *f* supply situation; **A.lücke** *f* supply gap, gap in the market; **A.macht** *f* supplier power, supplier's economic strength; **A.mangel** *m* supply deficit; **A.menge** *f* (volume of) supply; **A.monopol** *nt* suppliers' monopoly, monopoly of supply; **echtes A.monopol** pure monopoly; **A.muster** *nt* sample offer; **A.nehmer** *m* offeree; **A.oligopol** *nt* suppliers' oligopoly, oligopoly of supply; **A.oligopolist** *m* oligopoly supplier; **A.optimierung** *f* merchandising; **a.orientiert** *adj* supply-side, supply-led; **A.paket** *nt* bid package; **A.palette** *f* range (on offer), offer portfolio; **A.pflicht** *f* obligatory offer for sale; **A.politik** *f (VWL)* supply-side policy; **A.politiker** *m* supply-sider; **A.potenzial** *nt* potential supply; **A.preis** *m* asking/offer/quoted/tender/supply price; **A.produkt** *nt* product offering; **A.qualität** *f* product quality; **A.reserve** *f* reserve of supplies; **A.ring** *m* bidders' ring; **A.rundschreiben** *nt* offering circular; **~ mit Angabe der Anleihemodalitäten** new offering; **A.schreiben** *nt* tender letter; **A.schwemme** *f* supply glut; **A.seite** *f* supply side; **A.situation** *f* supply situation; **A.spektrum** *nt* range (on offer); **A.spielraum** *m* available supply; **a.starr** *adj* supply-inelastic; **A.steller** *m* tenderer, offeror, offerer; **A.steuerung** *f* supply management, control of supply; **A.tabelle** *f* supply schedule; **A.termin** *m (Ausschreibung)* closing date for tenders; **A.terminierung** *f* offer timing; **A.theorie** *f (VWL)* supply theory; **A.theoretiker** *m* supply theorist; **A.überhang/A.überschuss** *m* 1. supply overhang/surplus, oversupply, unabsorbed offerings, surplus of offers, excessive supply, excess in supply; 2. *(VWL)* excess/surplus supply; 3. deflationary gap; **A.unterlage** *f* tender/offer document; **A.verbund** *m* supply combination; **A.vergleich** *m* bid comparison; **A.verknappung** *f* reduction in supplies, shortfall in supply; **A.verringerung** *f* supply shortage, reduction of supplies; **A.verschiebung** *f* shift in supply; **A.verzeichnis** *nt* list of offers; **A.verzögerung** *f* supply lag; **A.vielfalt** *f* (widespread) range of products; **A.wachstum** *nt* supply growth; **A.wert** *m (Vertrag)* contract value; **A.wettbewerb** *m* supplier competition; **A.zeichnung** *f (Vers.)* proposal drawing; **A.zinssatz Londoner Banken** *m* London interbank offered rate (Libor)

angebracht *adj* appropriate, expedient, advisable, fit; **fest a.** non-detachable; **nicht a.** out of place

jdm etw. angedeihen lassen *v/i* to give so. sth., to provide so. with sth., to treat so. to sth.

ange|deutet *adj* implied; **a.fallen** *adj* accrued, earned; **einzeln/speziell a.fertigt** *adj* made to order, manufactured, made, custom-built, custom-made, purpose-made, purpose-built, customized; **a.fochten** *adj* § avoided, annulled, rescinded; **hier a.fügt** *adj* hereto attached; **a.führt** *adj* headed; **unten a.führt** *adj* undermentioned (u/m), below; **oben a.führt** *adj* abovementioned (a/m), above

angegeben *adj* indicated, advertised; **im Einzelnen a.** specified; **nicht ~ a.** unspecified; **unten a.** given below; **wie a.** as stated/indicated

ange|gliedert *adj* affiliated, associated; **a.häuft** *adj* aggregate; **a.heftet** *adj* attached

angehen *v/t* 1. to concern; 2. *(Problem)* to approach; 3. to beseech; 4. *(anfangen)* to go ahead with sth, to start; **a. gegen** to fight against, to buck; **jdn um etw. a.** to apply to so. for sth.; **geradewegs a.** to tackle head-on; **jdn nichts a.** to be none of so.'s business *(coll)*

was angeht as regards; **wen es a.** to whom it may concern

angehend *adj* prospective, would-be

angehören *v/i* to belong to

Angehörige|(r) *f/m* dependant, dependent, relative, member; **A. der freien Berufe** professional people; **A.(r) des öffentlichen Dienstes** public servant, official; **A.(r) der Finanzverwaltung** revenue official;

A.(r) eines Staates national of a country; **A. der Streitkräfte** military personnel; **nächste(r) A.(r)** next of kin; **mithelfende A.** assisting relatives

angehört werden *adj* to gain a hearing

angeklagt *adj* § charged; **a. wegen** *adj* charged with, accused of

Angeklagte|(r) *f/m* § accused, defendant, prisoner of the bar; **zugunsten des/der A.n entscheiden** to find for (the benefit of) the defendant

angekündigt *adj* advertised; **häufig a.** much-heralded

Angeld *nt* deposit, down payment, earnest money

Angelegenheit *f* matter, affair, case, business, concern; **A.en** occasions; **A. der freiwilligen Gerichtsbarkeit** non-contentious business; **A. von allgemeinem/gemeinsamem Interesse** matter of common concern

seine Angelegenheit|en abwickeln to wind up one's affairs; **A. beilegen** to settle a matter; **A. nicht auf sich beruhen lassen** not to allow matters to rest there; **A. besprechen** to discuss a matter; **sich wegen einer A. mit jdm besprechen** to take up a matter with so.; **A. bereinigen/erledigen/ordnen/regeln; A. in Ordnung bringen** to settle a matter/an affair; **A. zur Sprache bringen** to raise a matter; **sich in jds. A.en einmischen** to meddle in so.'s affairs; **seine A.en erledigen** to conduct one's affairs; **A. klären** to clear up a matter; **A. prüfen** to look into a matter; **jdm. eine A. übertragen** to place a matter into so.'s hands; **seine A. mit Nachdruck verfolgen** to press one's case; **A. auf später verschieben** to postpone sth., to accept the postponement of an offer, to take a raincheck *[US]*; **seine A. vortragen** to put one's case

auswärtige Angelegenheit|en foreign affairs; **dienstliche A.** official business; **in einer ~n A.** on business; **dringende A.** matter of urgency; **ernste A.** no laughing matter; **finanzielle A.en** financial affairs; **geschäftliche A.** business affair/matter/pursuit; **in einer ~n A.** on business; **häusliche A.** family matter; **innere A.en** home/internal/domestic affairs; **kitzelige A.** tickler; **laufende A.en** current affairs, day-to-day matters; **peinliche A.** embarrassment; **persönliche A.** private/personal matter; **riskante A.** risky business; **schwebende A.** pending question; **steuerliche A.en** tax affairs; **streitige/strittige A.** § controversial matter, matter for litigation, contentious case, bone of contention, subject in dispute

angelegt *adj* invested; **breit a.** broadly based; **darauf a.** designed; **fest a.** *(Kapital)* tied up; **groß a.** extensive, large-scale; **kurzfristig a.** for a turn; **nicht a.** *(Kapital)* idle; **sicher a.** safely invested; **verteilt a.** *(Kapital)* diversified; **auf ... Wochen a.** scheduled to run for ... weeks; **voll a.** *(Fonds)* fully invested

angelernt *adj* semi-skilled

Angel|gerät *nt* fishing tackle; **a.n** *v/t* to fish

Angelobung *f* § swearing in

Angel|punkt *m* 1. pivot, hinge, hub; 2. *(fig)* crucial point, kingpin, crux; **A.schein** *m* fishing licence *[GB]*/permit *[US]*

ange|maßt *adj* self-assumed, self-styled; **a.meldet** *adj* registered, incorporated *[US]*; **nicht a.meldet** unlicensed, unregistered

angemessen *adj* 1. appropriate, adequate, reasonable, just; 2. proportionate, moderate; 3. satisfactory, right; 4. § fair (and reasonable); 5. commensurate with, compatible; **es für a. halten** to see fit

Angemessenheit *f* adequacy, sufficiency, fairness, reasonableness, commensurability, suitability; **A. der Bewertung** proper valuation; **A. von Reserven** reserve adequacy

ange|mietet *adj* rented; **a.nähert** *adj* approximate

angenehm *adj* pleasant, agreeable, comfortable, desirable; **das A.e mit dem Nützlichen verbinden** to combine business with pleasure

angenommen *adj* 1. assumed, notional, fictitious; 2. accepted; 3. § constructive; **a. werden** 1. *(Gesetz)* to pass; 2. *(Antrag)* to be carried; **~ können** to be capable of acceptance; **einstimmig a. werden** to be carried unanimously

angeordnet *adj* 1. arranged; 2. *(Verordnung)* decreed, institutional; **gerichtlich a.** *adj* court ordered; **tabellarisch a.** tabular

angepasst *adj* adapted; **individuell a.** *adj* customized, tailor-made; **jahreszeitlich a.** seasonally adjusted

ange|rechnet *adj* accounted for, considered; **~ werden auf** 1. to be credited against; 2. § to be considered; **a.sammelt** *adj* 1. accumulated; 2. *(Erträge)* earned, aggregate; 3. *(Zinsen)* accrued

angeschlagen *adj* 1. battered, battle-scarred, stricken; 2. *(Unternehmen)* ailing; **finanziell a.** financially stricken; **schwer a. sein** *(Ruf)* to be in tatters

angeschlossen *adj* affiliated, attached; **nicht a.** non-affiliated; **a. an** linked with

ange|schmutzt *adj* shopsoiled *[GB]*, shopworn *[US]*; **a.schnitten werden** *adj (Thema)* to come up

Angeschuldigte(r) *f/m* § accused (person), suspect, indicted person

angesehen *adj* respected, respectable, esteemed, reputable, well-reputed, prestigious; **gut a. sein bei** to stand well with so.; **A.heit** *f* reputation

angesessen *adj* resident, domiciled

angesetzt *adj* 1. fixed, quoted; 2. calculated, estimated; **a. sein (für)** to be programmed, ~ set down for

von Angesicht zu Angesicht *nt* face to face; **a.s** *prep* in view of, in the light/face of, given

ange|spannt *adj* tense, tight, strained; **~ sein** to be under pressure; **a.spart** *adj* saved up; **a.sprochen** *adj (Bereich)* affected; **a.stammt** *adj* 1. ancestral, heriditary; 2. long-standing; **a.staubt** *adj* shopsoiled *[GB]*, shopworn *[US]*

angestellt *adj* employed, on the payroll; **a. sein bei** to be on the staff of; **fest a.** permanently appointed, on the permanent staff; **~ sein** to hold a salaried position; **nicht a.** unplaced; **tageweise a.** employed on a daily basis; **vorübergehend a.** in temporary employment

Angestellte(r) *f/m* white-collar employee/worker, salary earner, (salaried) employee, salaried/office/non-manual worker, staffer; *pl* (salaried/white-collar) staff/personnel, non-manual employees/workforce

Angestellte|(r) einer Bank bank clerk; **~ mit Börsen-**

vollmacht authorized clerk *[GB]*; ~ **in der Buchhaltung** accounts clerk; ~ **im öffentlichen Dienst** public servant/employee, ~ sector employee; ~ **Dienstleistungssektor** non-productive worker; **A. mit wöchentlicher Entlohnung** weekly paid staff; **A.(r) in der Kostenbuchhaltung** cost clerk; ~ **Lohnbuchhaltung** wages clerk; ~ **Probezeit** probationer; **A.(r) für das Rechnungswesen** accounts clerk; ~ **im Schalterdienst** counter clerk; **A. in leitender Stellung** executive; *pl* professional and managerial staff; ~ **in der Warenannahme** receiving clerk

AT (außertariflich bezahlter) Angestellter out-of-tariff salaried employee; **erfolgsbeteiligter A.** profit-sharing employee; **festbesoldeter A.** salaried/white-collar employee; **führender A.** executive, managerial employee; **gewerblicher A.** industrial employee; **kaufmännischer A.** clerical employee, clerk, member of the commercial staff; **leitender A.** (senior) executive/officer, top executive, (higher-level) manager, key/managerial employee; *pl* managerial/executive personnel, ~ staff, supervisory personnel/management; ~ **der Außenstelle** field executive; **männliche Angestellte** male staff; **probeweise A.** probationer; **städtischer A.** municipal employee; **technischer A.** technician, technical employee; **weibliche Angestellte** female staff; **zeichnungsberechtigter A.** confidential clerk

Angestellten|- white-collar, clerical; **A.ausbildung** *f* employee/staff training; **A.beruf** *m* white-collar/clerical occupation; **A.beurteilung** *f* employee appraisal; **A.einstufung** *f* employee rating; **A.fluktuation** *f* employee turnover; **A.gehälter** *pl* staff salaries; **A.gewerkschaft** *f* office workers'/staff/white-collar union, non-manual workers' union; **A.haushalt** *m* salary earner's household; **A.-Pensionskasse** *f* employee/staff pension fund; **A.position** *f* salaried post; **A.rabatt** *m* employee/staff discount; **A.stelle** *f* white-collar job, salaried post/position; **A.tätigkeit** *f* white-collar occupation; **A.vereinigung** *f* staff association; **A.verhältnis** *nt* (salaried) employment/post/position, status/position as employee; **A.versicherung** *f* (salaried) employees' insurance, social security; **A.versicherungskarte** *f* social security card

ange|strebt *adj* aimed at, targeted; **a.trieben von** *adj* ✪ powered by; **a.wachsen** *adj* accrued; **a.wandt** *adj* applied

angewiesen auf *adj* dependent on; **a. sein auf** to rely/depend on; **auf sich selbst a.** left to one's own devices *(coll)*; **stark a. sein auf** to rely heavily on; **A.e(r)** *f/m* drawee

angleichen *v/t* to adapt/adjust/harmonize/align, to bring into line, to make good

Angleichung *f* adaptation, adjustment, harmonization, alignment, equalization, approximation

Angleichung der Gehälter salary adjustment; ~ **Löhne** adjustment of wages; **automatische ~ Löhne an das Preisniveau** cost-of-living escalator; ~ **Preise** approximation of prices; **A. an die Preisstaffel** alignment on price lists; **A. der Währungen** monetary alignment; ~ **Wettbewerbsbedingungen** equalization/harmonization of conditions of competition; ~ **Zollsätze** alignment/adjustment of tariff rates, tariff harmonization

kulturelle Angleichung cultural homogenisation

Angleichungs|klausel *f* *(Preis)* escalator/escalation clause; **A.periode** *f* period of adjustment

angliederln *v/t* to affiliate/assimilate; **A.ung** *f* affiliation; **wirtschaftliche A.ung** economic assimilation

angreifbar *adj* open to attack

angreifen *v/t* 1. to attack/raid/assault/tackle/assail, to make inroads into/on; 2. *(Entscheidung)* to contest; 3. *(Reserven)* to eat into *(fig)*, to tap; **a.d** *adj* aggressive

Angreifer *m* aggressor, assailant

angrenzen *v/i* to border/adjoin, to be adjacent to; **a.d** *adj* adjacent, adjoining, neighbouring, contiguous; **unmittelbar ~ an** adjacent to

Angrenzer *m* immediate neighbour, abutting owner, abutter

Angriff *m* attack, raid, assault, onslaught, thrust; **A. der Baissepartei** bear campaign; ~ **Haussepartei** bull campaign; **A. auf das Leben** outrage against life, attempt on so.'s life, ~ to kill so.; ~ **die Menschenwürde** attack upon human dignity; **A. abwehren** to ward off an assault; **A. in die Wege leiten** to launch an attack; **in A. nehmen** to proceed to, to tackle/launch, to go about, to put in hand

bewaffneter Angriff armed attack; **gewalttätiger A.** § assault and battery; **hinterhältiger A.** stab in the back *(fig)*; **räuberischer A.** predatory assault; **rechtswidriger A.** unlawful attack, assault; **scharfer A.** *(verbal)* blistering attack; **tätlicher A.** § battery, assault

Angriffs|fläche bieten *f* to lay o.s. open to attack; **A.lust** *f* aggressiveness, militancy; **A.mittel** *nt* offensive means; **A.spitze** *f* spearhead; **A.waffe** *f* ⚔ offensive weapon

Angst *f* fear, anxiety; **aus A. vor** for fear of; **ständige A.** constant fear; **A.indossament** *nt* qualified indorsement/endorsement

ängstigen *v/t* to frighten/intimidate

Angst|käufe *pl* panic buying, scare purchasing/buying; **A.klausel** *f* qualified indorsement, no-recourse/non-liability/'without recourse'/safety clause; **A.macher** *m* scaremonger; **A.schwelle** *f* worry threshold; **A.sparen** *nt* panic saving; **A.verkauf** *m* panic sale; **A.verkäufe** panic selling

an|haftend *adj* adhesive; § appurtenant (to); **a.haken** *v/t* to tick (off), to put check marks

Anhalten *nt* stop, stoppage; **A. von Falschgeld** seizure of false money; ~ **Konsumgewohnheiten** habit persistence; **A. der Ware auf dem Transport** stoppage in transit

anhalten *v/t* 1. to stop/halt; 2. to persist/continue/last; 3. to rein back/in; 4. *(Bus/Taxi)* to flag down; **a. in** to call at; **jdn zu etw. a.** to enjoin so. to do sth.

anhaltend *adj* prolonged, sustained, continuous, persistent, continued, uninterrupted, lasting; **lang a.** long-running, protracted; **unvermindert a.** unabated

Anhalterecht *nt* right of stoppage in transit

Anhaltspunkt *m* pointer, clue, indication, criterion,

lead, guide; **keine A.e haben** to have nothing to go by/on; **erfassbare A.e** [§] tangible evidence; **konkreter A.** clear pointer

Anhaltswert *m* reference value

Anhang *m* 1. following; 2. *(Geschäftsbericht)* notes (to the accounts); 3. *(Vertrag)* appendix, annex, supplement, adjunct, accessory, addendum *(lat.)*; 4. *(Beilage)* enclosure, tailpiece; 5. [§] codicil, rider, schedule; 6. *(Wechsel)* slip, allonge; **A. zum Geschäftsbericht/ Jahresabschluss** notes to the (annual) accounts; **im A. zu diesem Vertrag** annexed to the treaty; **A. an einen Wechsel (Allonge)** rider, allonge; **als A. beifügen** to set out in an annex

Anhängeladresse *f* tie-on label; **A.filiale** *f* affiliated branch

anhängen *v/t* 1. to attach/affix; 2. [§] to annex; **sich an etw. a.** to latch onto sth.; **a.d** *adj* annexed, attached

Anhänger *m* 1. 🚗 trailer; 2. *(Zettel)* tag, label, slip, tally, swing ticket; 3. *(Person)* disciple, (camp) follower, adherent, supporter, devotee; **A. ohne Aufbauten** 🚗 platform trailer; **A. der Expansionspolitik** expansionist; **A. des Freihandels** free trader; **A. der freien Marktwirtschaft** free marketeer; **begeisterter A.** fan; **treuer A.** stalwart, loyal supporter; **unbemannter A.** 🚗 unaccompanied trailer

Anhängerlkupplung *f* 🚗 trailer coupling; **A.last** *f* trailer load; **A.schaft** *f* followers

Anhängelschild(chen) *nt* *(Preis)* tag; **A.schloss** *nt* padlock; **A.zettel** *m* tag, tally, tie-on label

anhängig *adj* [§] pending, unsettled, pendent, sub judice *(lat.)*; **A.keit** *f* pendency; **~ der Anmeldung** pendency of registration/the application; **~ eines Strafverfahrens** pendency of prosecution; **A.sein** *nt* [§] pendency

Anhängsel *nt* tag; addition, appendage, appurtenance, adjunct, tailpiece

anhäufen *v/t/v/refl* 1. *(Geld/Zinsen)* to (ac)cumulate/ accrue/hoard/aggregate; 2. *(Vorräte)* to stockpile/ amass, to store/pile up; **(sich) a.d** *adj* cumulative

Anhäufung *f* 1. (ac)cumulation, concentration, hoarding, collection; 2. ▦ cluster; 3. agglomeration; 4. aggregation, aggregate; 5. *(Zinsen)* accrual; **A. von Besitz** engrossment

anheben *v/t* 1. to lift/raise/increase/boost/hoist/elevate; 2. *(Preis)* to mark up, to hike

Anhebung *f* increase, marking up, rise, upward adjustment; **A. des (materiellen) Lebensstandards** rise in living standards; **lineare A.** accross-the-board increase

anheftlen *v/t* to affix/attach, to tack on; **A.ung** *f* tacking on

anheim fallen *v/i* to fall/revert to, to devolve upon; **a. stellen** *v/t* to submit/leave; **jdm a. stellen** to leave to so.'s discretion

anlheizen *v/t* 1. to stoke up, to fuel/heat; 2. to stimulate; **a.heuern** *v/ti* to hire/engage/recruit, to sign up/on, to enlist; **auf A.hieb** *m* at once, straight away, offhand

anhören *v/t* 1. to hear/consult; 2. *(Gericht)* to hear; **jdn. a.** to grant so. a hearing

Anhörung *f* 1. consultation, hearing; 2. [§] testimony; **bei einer A. durch** in evidence to; **nach A.** after (the) hearing; **~ Parteien** after the parties have been consulted; **A. ansetzen** to appoint/fix a hearing; **A. veranstalten** to conduct a hearing; **A. vertagen** to adjourn/defer a hearing; **ohne A. verurteilen** to condemn without a hearing; **öffentliche A.** public hearing; **nicht ~ A.** closed/private hearing

Anhörungslanspruch *m* right of audience; **A.frist** *f* consultation period; **A.pflicht** *f* duty to hear the parties; **A.recht** *nt* right to be heard, ~ given a hearing, right of audience, ~ to put one's case; **A.sitzung** *f* committee hearing; **A.termin** *m* hearing date; **A.verfahren** *nt* hearing

Animationsprogramm *nt* animation programme

animieren *v/t* 1. to encourage/animate/incite; 2. *(Getränk)* to stimulate

ankämpfen gegen *v/i* to fight/struggle against

Ankauf *m* purchase, acquisition, take-up, buying, purchasing, buy; **A. von Bezugsrechten** buying of subscription rights; **A. und Verkauf** 1. purchase and sale; 2. *(Börse)* round turn; **~ am gleichen Tag** day trading; **freihändiger A.** purchase at market prices

ankauflbar *adj* *(Wechsel)* discountable; **a.en** *v/t* to purchase/buy/acquire

Ankäufer *m* 1. buyer, purchaser; 2. *(Vertragstext)* vendee

Ankauflkurs/A.satz *m* buying rate; **A.recht** *nt* right to purchase

Ankaufslermächtigung *f* *(Dokumententratte)* authority to purchase/pay/negotiate, order to negotiate, purchasing permit; **A.etat** *m* purchase fund; **a.fähig** *adj* 1. purchasable; 2. *(Wechsel)* discountable; **A.finanzierung** *f* instalment sale financing; **A.fonds** *m* purchase fund; **A.genehmigung** *f* purchase approval; **A.kosten** *pl* acquisition cost(s), sales charge; **A.konsortium** *nt* take-over syndicate; **A.kosten** *pl* load cost, sales commission; **gestaffelte A.kosten** graduated sales charges; **A.kredit** *m* vendor credit; **A.kurs** *m* buying/check rate, purchase price; **zum A.kurs** at cost; **A.- und Verkaufskurs** *(Börse)* double price; **A.option** *f* purchase option; **~ auf Grundeigentum** option to purchase freehold; **A.politik** *f* purchasing strategy; **A.preis** *m* 1. purchase/buying(-in) price; 2. *[EU]* intervention price; **A.rechnung** *f* bought note; **A.recht** *nt* right to acquire; **A.satz** *m* buying rate; **A.spesen** *pl* acquisition cost(s); **A.summe** *f* purchase money; **A.wert** *m* original value, cost price

Anker *m* ⚓ anchor; **vor A. gehen** to anchor, to cast/drop anchor; **A. heben/lichten** to weigh anchor; **vor A. liegen** to lie/ride at anchor, to anchor; **~ vor** to lie off; **~ treiben** to drag anchor; **A. werfen** to cast/drop anchor

Ankerlboje *f* anchor buoy; **A.gebühr/A.geld** *f/nt* anchorage, ⚓ buoy dues; **A.grund** *m* anchorage; **A.kette** *f* anchor chain/cable

ankern *v/i* to anchor, to cast anchor

Ankerplatz *m* 1. anchorage; 2. *(Hafen)* berth; **A. für den Exportverkehr** export berth; **~ Hochsee- Containerschiff** deep-sea container berth; **~ kranlose Verladung** roll-on/roll-off berth

Ankerltau/A.trosse *nt/f* mooring/anchor rope; **A.währung** *f* *(EWS)* anchor currency

anklagbar *adj* [§] indictable

Anklage *f* 1. [§] (criminal) charge, accusation; 2. *(Schwurgericht)* indictment, assignment; 3. *(Staatsanwalt)* prosecution; **A. wegen Amtsvergehens** impeachment; ~ **Trunkenheit am Steuer** drink-drive charge; **der A. unterworfen** indictable

von einer Anklage absehen to drop a charge; **A. annehmen** to find a true bill; **A. erhärten** to support a charge; **A. erheben (gegen jdn)** to prefer/bring a charge (against so.), to bring an action, to bring/lay down/find an indictment (against so.), to arraign so; **A. für begründet erklären** to bring in a true bill; **A. fallen lassen** to drop/withdraw a charge; **von einer A. freisprechen** to acquit so. of a charge; **unter A. stehen** to be on trial, ~ charged, to face charges, to stand trial/indicted/accused; ~ **stellen** to charge/indict, to bring a charge; **sich wegen einer A. verantworten** to answer a charge; **A. vertreten** to act for the prosecution, to prosecute; **A. verwerfen** to quash an indictment; **A. zurücknehmen/-ziehen** to abandon an a. action, to drop/withdraw a charge

öffentliche Anklage criminal action; **schwebende A.** pending charge

Anklage|- accusatorial

Anklagebank *f* dock; **auf der A.** in the dock; **A. drücken; auf der A. sitzen** to stand/be in the dock

Anklage|behörde *f* (the) prosecution, Director of Public Prosecutions (DPP) *[GB]*, District Attorney *[US]*; **A.beschluss** *m* indictment; **A.erhebung** *f* indictment, formal accusation, preferring charges, preferral of charges; ~ **auf Initiative eines obersten Richters** voluntary bill of indictment *[US]*; **a.fähig** *adj* indictable

anklagen *v/t* 1. to accuse/charge/arraign/implead/incriminate/impeach; 2. *(Schwurgericht)* to indict

Anklagepunkt *m* count, (count/point of) charge; **jdn in allen A.en für schuldig befinden** to find so. guilty on all charges/counts; ~ **freisprechen** to clear so. on all counts

Ankläger *m* (public) prosecutor, counsel for the prosecution, district attorney *[US]*, indictor, accuser

Anklage|schrift *f* (bill of) indictment, charge (sheet), written accusation, charge and bill of particulars; ~ **vorlegen** to prefer a bill of indictment; **A.verfahren** *nt* accusatorial procedure; **A.verfügung** *f* indictment; **A.vertreter** *m* counsel for the prosecution, prosecutor, prosecuting attorney; **A.vertretung** *f* prosecution

Anklang *m* appeal, acceptance, response; **A. finden** to appeal, to achieve resonance, to meet with approval, to find a ready market, ~ acceptance; **guten A. finden** to attract attention, to go down well, to prove popular

ankleb|en *v/t* to affix, to glue/paste on; **A.er** *m* sticker

an|klingen lassen *v/i* to intimate; **a.klopfen** *v/i* to knock; **a.knüpfen** *v/t (Beziehungen)* to establish/form, to enter into

Anknüpfung *f* 1. starting; 2. forming, establishing; **A.spunkt** *m* link; **A.swerbung** *f* follow-up advertising

Ankommen *nt* arrival; **a.** *v/i* 1. to arrive/land; 2. *(Anklang finden)* to be a success, to catch (on); **a. auf** to depend on, to be at issue; **gut a.** *(Ware)* to go down well, to be a winner; **planmäßig a.** to arrive on time/schedule; **a.d** *adj* incoming

Ankömmling *m* newcomer, (new) arrival

an|koppeln *v/t* to couple; ~ **an** to hitch to; **a.kreuzen** *v/t* 1. to cross/tick/mark, to put check marks; 2. *(Formular)* to check *[US]*

ankündigen *v/t* 1. to give notice (of sth.); 2. to declare/introduce; 3. to announce/publish/advertise/bill; 4. *(vorhersagen)* presage/herald; 5. *(Ware)* to advise; **fristgemäß a.** *v/t* to give due notice; **groß a.** to fanfare; **offiziell a.** to announce publicly, to give due notice; **ordnungsgemäß/rechtzeitig a.** to give due notice

Ankündigung *f* 1. announcement, proclamation, introduction; 2. notice; 3. warning; 4. *(Ware)* advice; **A. von weiteren Beweisanträgen** [§] advice on evidence; **A. günstig aufnehmen** to give a favourable reception to an announcement

besondere Ankündigung special notice; **gerichtliche A.** legal notice; **öffentliche A.** public announcement; **schriftliche A.** notification; **vorherige A.** advance notice; **ohne ~ A.** without prior notice; **ohne weitere A.** without further notice

Ankündigungs|effekt *m* announcement effect; **A.schreiben** *nt* announcement letter, letter of advice, (letter of) notification

Ankunft *f* arrival; **bei/nach A.** on arrival; **rechtzeitige A.** seasonable arrival; **A.rate** *f* arrival rate

Ankunfts|anzeige *f* notice of arrival; **A.hafen** *m* port of arrival; **A.halle** *f* arrival lounge/hall; **frei A.waggon** *m* free arrival wag(g)on

Ankunftszeit *f* time of arrival, arrival time; **Ankunfts- und Abfahrtszeiten** arrivals and departures; **tatsächliche A.** actual time of arrival (ata); **voraussichtliche A.** expected time of arrival (eta), expected to arrive

ankurbeln *v/t* to boost/stimulate/reflate, to step/pep up, to give a shot in the arm *(fig)*

Ankurbelung *f* boost, stimulation, reflation, shot in the arm *(fig)*; **A. der Konjunktur** pump-priming, reflation, stimulation of economic activity; ~ **Nachfrage** stimulation of demand; ~ **Wirtschaft** pump-priming

Ankurbelungs|kredit *m* pump-priming/starting/opening credit; **A.maßnahmen** *pl* pump-priming, expansionary measures; **A.politik** *f* reflationary policy; **A.programm** *nt* pump-priming/stimulus programme

Anlage *f* 1. *(Anordnung)* layout, arrangement, plan, structure; 2. *(Talent)* talent, gift; 3. *(Kapital)* investment, placement, placing; 4. *(Beilage)* enclosure; 5. *(Betrieb)* plant, factory, works, facility; 6. *(Maschinen)* machinery, equipment, system; 7. *(Einbau)* installation; 8. *(Entwurf)* design, pattern; 9. *(Vertrag)* schedule, supplement, rider, annex, appendix; 10. [§] exhibit; **A.n** 1. capital/fixed assets, capital equipment; 2. facilities, plant, major equipment systems; **aus der A. ersichtlich** set forth in the enclosure; **in der A.** 1. enclosed; 2. *(Brief)* attached

Anlage abzüglich Abschreibungen net plant; **A. in Aktien** equity/risk investment, investment in shares/-stocks; ~ **öffentlichen Anleihen** investment in public securities, ~ government bonds; **A. im Ausland**

foreign investment; **A.n im Bau** construction in progress, plant/assets under construction, buildings and plants under construction; **~ Dauerbesitz** stable investments; **A.n aus Eigenmitteln** investment from one's own resources, investment of capital funds; **A. mit festem Ertrag** fixed-yield investment; **A. in Grundstücken** real-estate investment; **~ Industriewerten** industrial investment; **A. von Kapital** capital investment; **A. einer Kartei** card indexing; **A. überschüssiger Mittel** employment/investment of surplus funds; **A. in Obligationen/Rentenwerten** investment in bonds, ~ fixed interest securities; **~ Schuldverschreibungen** investment in bonds; **~ Staatspapieren** investment in government bonds, ~ public securities; **A.n für kranlose Verladung** roll-on/roll-off facilities; **A. mit variabler Verzinsung** variable-yield investments; **A. in Wertpapieren** portfolio investment; **~ ausländischen Wertpapieren** foreign portfolio investment, investment in foreign securities; **~ festverzinslichen Wertpapieren** investment in fixed-interest securities; **~ Witwen- und Waisenpapieren** defensive investing

Anlage abschreiben to write down an asset; **in der A. beifügen** to enclose/attach; **A. erstellen** to set up/build a plant; **A.n reaktivieren** to revalue/restore/write back assets

ausgesuchte Anlage choice investment; **außerbetriebliche A.n** non-operating assets; **bauliche A.n** building structures; **im Bau befindliche A.** plant(s) under construction, construction in process/progress; **fest eingebaute A.n** fixtures; **elektrische A.n** electrics; **empfehlenswerte A.** eligible investment; **aus der Bilanz ersichtliche A.n** balance sheet assets; **erste/erstklassige A.** first-class/high-quality/prime investments; **ertragreiche A.** profitable investment; **fahrbare A.** mobile systems; **feste/fixe A.(n)** 1. fixture; 2. fixed/property/slow assets, gross plant/property, fixed/long-term investments; **~ abzüglich/minus Abschreibungen** net property/plant; **festverzinsliche A.n** fixed(-interest/-yield) investment(s); **flüssige A.n** floating/liquid assets; **geistige A.n** natural gifts; **gemeinsame A.n** collective investments; **genehmigungsbedürftige/-pflichtige A.** installation subject to approval, ~ requiring official permit; **geschlossene A.** integrated unit; **gestreute A.n** scattered/diversified investments; **gewerbliche A.n** industrial plant and equipment; **gewinnbringende A.** paying investment, earning asset; **großtechnische A.** industrial/commercial plant; **haustechnische A.n** household durables; **hochliquide A.n** near cash; **hochwertige A.n** sophisticated equipment; **immaterielle A.n** intangibles, intangible assets; **interessante A.** promising investment; **kerntechnische A.** ⚛ nuclear facility; **kollektive A.n** collective investments; **komplette A.** complete plant; **krisensichere A.** crisis-proof investment; **kurzfristige A.(n)** short-term/temporary investment(s), near cash; **langfristige A.** permanent/long-term investment, ~ holding; **liquide A.n** liquid investments, cash/quick assets; **maschinelle A.n** equipment, machinery, plant and equipment; **militärische A.n** military facilities/premises; **mündelsichere A.** gilts, gilt-edged/trustee *[GB]*/eligible *[US]* investment, legal security *[US]*, trust stock *[US]*; **zur ~n A. gesetzlich zugelassen** legal for trust investment; **öffentliche A.n** public gardens/grounds/parks; **produktive A.** paying investment; **rentierliche A.** profitable investment; **risikobehaftete A.n** risk investments; **schlüsselfertige A.** turnkey system/plant; **selbsterstellte A.n** self-constructed/company-manufactured assets; **sichere A.** safe/sound investment; **besonders ~ A.** eligible investment *[US]*; **spekulative A.** speculative holdings/investment; **störende A.n** disturbing installations; **technische A.** plant; **~ A.n und Maschinen** plant and machinery, technical equipment and machines; **unbelastete A.n** available assets; **unproduktive A.n** dead assets; **veraltete A.n** ag(e)ing facilities; **verbrecherische A.** criminal leanings; **verfahrenstechnische A.** processing plant, process (research) plant; **verlockende A.** alluring/attractive investment; **vermietete A.n** leased equipment; **vermögensbildende A.** capital-forming investment; **vorübergehende A.n** current investments; **werbende A.** profitable/productive investment, earning asset; **werterhöhende A.n** improvements

Anlage|abgang *m* investment disposal; **A.abschreibung** *f* capital depreciation/allowance; **A.alternative** *f* alternative investment; **A.analyse** *f* investment analysis; **A.art** *f* type/form of investment; **A.aufschreibungen/A.aufzeichnungen** *pl* (plant) property records; **A.aufwand** *m* investment expenditure; **A.ausschuss** *m* investment committee; **A.bank** *f* investment bank; **A.bedarf** *m* investment demands/requirements; **A.bedingungen** *pl* terms of investment, investment climate; **A.beginn** *m* investment date; **A.berater** *m* 1. investment advisor/manager/analyst/consultant/counsel, account/investment officer; **A.beratung** *f* investment advisory service/work, ~ management/advice/counselling, *(Fonds)* counselling (service), portfolio management; **A.beratungsfirma** *f* investment house; **a.bereit** *adj* 1. ready for investment, investable; 2. *(Mittel)* investment-seeking, seeking investment; **A.bereitschaft** *f* propensity/readiness to invest, investor/investment confidence; **A.beschränkungen** *pl* investment restrictions; **A.besitz** *m* investment holdings; **A.betrag** *m* amount (to be) invested, ~ of investment; **A.bewertung** *f* investment appraisal/rating, assets valuation; **a.bezogen** *adj* in terms of investment; **A.buchführung** *f* investment accounting; **A.buchhaltung** *f* plant records; **A.dauer** *f* period of investment, investment duration; **A.devisen** *pl* investment currency; **A.disposition(en)** *f/pl* investment (decisions); **A.effekten** *pl* portfolio securities; **A.empfehlung** *f* investment advice; **A.entscheidung** *f* investment decision; **A.erfahrung** *f* investment experience; **A.erfolg/A.ergebnis** *m/nt* 1. (investment) performance; 2. *(Gewinne)* investment yields; **~ in der Vergangenheit** *nt (Fonds)* historic performance; **A.erfolgsziffer** *f* performance rate; **A.ertrag** *m* return on investment (ROI), investment return, return to investors, revenue from capital employed; **A.erträge/A.erträgnisse** *pl* investment earnings;

A.erwägung *f* investment consideration; **A.experte/ A.fachmann** *m* investment manager/analyst; **A.fantasie** *f* investor's imagination; **A.favorit** *m* preferred type of investment, investment favourite; **A.fazilitäten** *pl* investment services; **A.finanzierung** *f* investment financing

Anlagefonds *m* (investment/mutual) fund; **offener A.** open-ended fund; **A.anteilschein** *m* investment trust security

Anlageform *f* form/type of investment, investment form/vehicle; **kurzfristige A.** short-term instrument; **langfristige A.** long-term investment

Anlagegegenstand *m* fixed/capital asset; **A.gegenstände** assets, capital equipment; **A. mit eigenem Konto** asset accountability unit; **immaterieller A.** intangible asset

Anlage|geschäft *nt* investment banking/business; **A.gesellschaft** *f* investment trust/company; **A.gewinn** *m* return, (investment) yield; **A.grundsätze** *pl* investment standards; **A.gruppenersatzpolitik** *f* group replacement policy

Anlagegut *nt* (fixed/capital) asset, item of equipment; **A.güter** assets, capital goods/equipment/assets, fixed capital goods; **A. mit beschränkter Nutzungsdauer** limited life asset

materielle abnutzbare Anlagegüter depreciable fixed assets; **abschreibungsfähige A.** depreciable assets/ property; **bewegliche A.** movable equipment/assets; **steuerlich erfasste A.güter** chargeable business assets; **geringwertige A.** *(Steuer)* inadmitted assets; **immaterielle A.** intangible/immaterial assets; **selbsterzeugte ~ A.** self-created immaterial assets; **kurzfristige/kurzlebige A.** limited-life/wasting/short-lived/ short-life assets; **langfristige A.** permanent investments; **unbewegliche A.** fixed assets; **verschiedene A.** miscellaneous assets

Anlage|güterexport *m* capital goods export(s); **A.horizont** *m* investment horizon; **langfristiger A.horizont** long-term investment horizon; **a.hungrig** *adj* investment-seeking; **A.institut** *nt* investment bank; **A.instrument** *nt* investment medium/tool/vehicle, medium of investment; **A.interesse** *nt* investor interest, investment demand/need, readiness to invest; **A.interessent** *m* prospective/potential investor; **a.interessiert** *adj* investment-seeking

Anlageinvestition(en) *f/pl* investment in fixed assets, fixed capital formation/expenditure, fixed/capital investment, gross domestic investment *[US]*, business, plant and equipment spending, investment in material/new assets, expenditure for plant and equipment, (outlays for) fixed asset investment, (business) capital spending, capital equipment spending, new plant and equipment expenditure, capital expenditure on plant, equipment and property

Anlage- und Ausrüstungsinvestitionen business investment in plant and equipment, plant and equipment investment; **A. in Sachwerten** non-monetary investment; **A. der Unternehmen** business fixed investment; **~ gewerblichen Wirtschaft** private investment in plant and equipment, business capital investment/ spending

betriebliche Anlageinvestitionen business fixed investment

Anlage|investitionsgüter *pl* industrial/capital/instrumental goods; **A.kapazität** *f* plant capacity

Anlagekapital *nt* fixed/capital assets, capital investment, permanent/invested capital; **A. zurückziehen** to disinvest; **A.aufwand** *m* fixed capital expenditure; **A.bildung** *f* fixed capital formation

Anlagekatalog *m* range of investment facilities

Anlage|kauf *m* investment/portfolio buying, asset purchase; **A.käufe** *(Börse)* investment operations/buying, purchases; **~ des Publikums** public investment buying

Anlage|klima *nt* investment climate; **gutes A.klima** attractive climate for investments; **A.konstruktion** *f* system design; **A.konto** *nt* investment/accumulation/property/voluntary/fixed-asset account; **körperschaftliches A.konto** institutional account; **A.kosten** *pl* prime/plant/initial/capital cost(s), investment charges, initial investment; **fortgeführte A.kosten** depreciated book value, carrying rate of assets; **A.kredit** *m* investment/productive credit, credit for productive purposes, investment loan; **A.kriterien** *pl* investment criteria; **A.kundschaft** *f* investing public, investors; **A.land** *nt* country of investment; **A.management** *nt* investment management; **A.manager** *m* investment manager; **A.markt** *m* investment market; **A.medium** *nt* investment vehicle; **A.mentalität** *f* investment mentality; **A.mittel** *pl* investment/switch funds, investment resources

Anlagemöglichkeit *f* investment option/opportunity/ outlet; **flächendeckende A.en** comprehensive investment opportunities; **verschiedene A.en** types of investment

Anlagen → **Anlage**

Anlagen|abgang/A.abgänge *m/pl* retirement/disposal/sale of assets, loss in assets, fixed-asset retirement; **~ im Berichtsjahr/-zeitraum** deductions/disposals during period

Anlagen|abschreibung *f* asset write-down, write-down of assets; **A.auftrag** *m* plant construction order; **A.ausfall** *m* machine failure/breakdown; **A.auslastung** *f* capacity use in manufacturing, utilization of plant capacities; **A.ausmusterung** *f* retirement of fixed assets; **A.ausschlachtung** *f* asset stripping; **A.bau** *m* construction and engineering, plant engineering/industries/construction, process plant engineering/construction, project building; **A.bauer** *m* (plant) builder/contractor; **A.betreiber** *m* system operator; **A.besitz** *m* investment holding(s); **A.bestand** *m* 1. investment holdings; 2. fixed/capital assets, existing plant and equipment; **A.bestandsbuch** *nt* plant register; **A.buch** *nt* plant ledger; **A.buchhaltung** *f* (fixed-)asset/plant/ property/ accounting; **A.controlling** *nt* asset controlling; **A.deckung** *f* equity-assets ratio, cover for fixed assets; **A.deckungsgrad** *m* fixed-assets-to-net-worth ratio; **A.einheit** *f* fixed-asset unit, facility; **A.entwurf** *m* plant design; **A.erhaltung** *f* plant maintenance; **A.erneuerung** *f* plant renewal, replacement; **A.ersatz** *m* plant replacement; **A.erweiterung** *f* additions to plant and equipment; **A.erwerb** *m* acquisition of fixed assets; **A.finanzierung** *f* plant and equipment financing; **A.geschäft** *nt* 1. turnkey project; 2. capital equipment operations, major plant business, large-scale unit business, marketing major equipment systems, systems business; **A.grenze** *f* battery limit; **A.intensität** *f* capitalization ratio, ratio of fixed to total assets; **A.kartei** *f* fixed-asset file, plant ledger; **A.karteiblatt** *nt* plant record card; **A.kauf** *m* fixed asset acquisition; **~ mit dem Ziel der Einzelverwertung** asset stripping; **A.käufer ~ Einzelverwertung** *m* asset stripper; **A.konfiguration** *f* system configuration; **A.konto** *nt* accounting entity, plant ledger; **A.leasing** *nt* capital leasing; **A.leistungen** *pl* company assets from own production; **A.marketing** *nt* industrial marketing; **A.nachweis** *m* fixed-asset inventory

Anlagenot *f* shortage of securities for investment

Anlagen|nutzung *f* utilization of plant capacity; **A.organisation** *f (Unternehmen)* product-group-orient(at)ed structure; **A.pachtung** *f* plant hire/leasing; **A.prüfung** *f* asset account audit; **A.rechnung** *f* asset accounting; **A.statistik** *f* fixed-asset statistics; **A.streuung** *f* diversification/spreading of investments; **A.struktur** *f* asset structure; **A.tausch/A.umlagerung** *m/f* asset swap; **A.übertrag** *m* fixed-asset transfer; **A.umschichtung** *f* regrouping of investments; **A.veräußerung** *f* asset divestiture; **A.verkäufe** *pl* plant sales; **A.vermietung** *f* plant leasing; **A.verschleiß** *m* wear and tear (of equipment), abrasion; **A.vertrag** *m* construction contract; **A.verwalter** *m* 1. asset manager; 2. *(Bank)* treasurer; **A.verwaltung** *f* plant administration, asset management; **A.- und Maschinenverzeichnis** *nt* plant and machinery register; **eingetretene A.wagnisse** encountered risks on fixed assets and investments; **A.wertzuwachs** *m* appreciation of assets; **A.wirtschaft** *f* fixed-asset/plant management; **A.zugang** *m* accretion to fixed assets; **A.zugänge** additions to capital account, ~ plant and equipment, asset additions; **A.zuwachs** *m* asset growth

Anlage|objekt *nt* investment object; **A.pachtung** *f* plant hire, asset leasing; **A.palette** *f* investment facilities, range of investment vehicles/instruments

Anlagepapiere *pl* investment securities/bonds/stocks; **festverzinsliche A.** investment bonds; **kurzfristige A.** commercial papers; **mündelsichere A.** gilt-edged/legal investments *[US]*, gilts, widow and orphan stocks

Anlage|plan *m* investment plan, contract accumulation plan; **A.planung** *f* plant layout; **A.politik** *f (Fonds)* management policy, investment strategy/policy; **A.portefeuille** *nt* portfolio of investments; **A.posten** *m* asset item; **A.potenzial** *nt* investment potential; **A.programm** *nt* investment scheme, single payment programme; **A.projekt** *nt* investment project; **A.publikum** *nt* investing public, investors; **A.rechnung** *f* asset accounting; **A.rendite** *f* investment return/yield; **A.reserven** *pl* investment potential, capital available for investment; **A.richtlinien** *pl* investment rules; **A.risiko** *nt* investment risk; **A.rückgang per Saldo** *m* net disinvestment; **a.scheu** *adj* reluctant to invest; **A.schwerpunkt** *m* main investment objective, main target of investment; **A.seite** *f (Bilanz)* asset side; **A.spesen** *pl* investment charges; **A.spiegel** *m* statement of asset additions and disposals, fixed-asset investment schedule; **A.status** *m* asset status; **A.stoß** *m* investment shock; **A.strategie** *f* investment strategy; **A.streuung** *f* investment diversification/spreading, asset mix; **A.struktur** *f* asset allocation, investment mix, pattern of investment; **A.studie** *f* investment analysis; **a.suchend** *adj* investment-seeking, seeking investment; **A.talent** *nt* investment activity/talent; **A.titel** *m* security; **A.verhalten** *nt* investment behaviour; **A.verlust** *m* investment loss; **A.vermittler** *m* investment middleman

Anlagevermögen *nt* fixed (capital) assets, property investments, investment securities, fixed/invested capital, fixed investment, (long-term/permanent/non-current) assets; **A. zum Anschaffungswert** fixed assets at cost; **~ Nettobuchwert** fixed assets at net book value

abnutzbares Anlagevermögen depreciable fixed assets; **bewegliches A.** movables, non-real-estate fixed assets; **buchmäßiges A.** fixed assets as shown in the balance sheet, ~ in the accounts; **nicht durch Eigenkapital gedecktes A.** uncovered asset stock; **gesamtes A.** total investments; **immaterielles A.** intangible/fixed assets; **langfristiges A.** durable plant; **schwer liquidierbares A.** assets of the last resort; **materielles A.** tangible fixed assets, (fixed) tangible assets; **unbewegliches A.** immovables

Anlage|vermögensabgang *m* asset retirement; **A.verwaltung** *f* investment/property management; **A.verzinsung** *f* (investment) yield; **A.volumen** *nt* total investments, investment volume; **langfristiges A.vorhaben** capital project; **A.vorschriften** *pl* investment rules/regulations; **A.wagnis** *nt* investment/depreciation risk; **A.währung** *f* investment currency; **A.wechsel** *m* portfolio shift, regrouping of investments

Anlagewert *m* asset value, investment (value); **A.e** investment securities; **A. bei Außerbetriebnahme** exit price

ausgesuchter/hochwertiger Anlagewert *(Börse)* blue chip *[GB]*, glamor stock *[US]*; **ausgewiesener A.** declared asset value; **bevorzugte A.e** popular investments; **goldgeränderte/mündelsichere A.e** gilt-edged securities/stocks *[GB]*, gilts, legal securities *[US]*, trust investments *[US]*; **immaterielle A.e** intangibles, fixed/intangible assets, incorporeal chattels; **liquide A.e** cash assets; **materieller A.** physical asset

Anlagewert|minderung *f* capital depreciation; **A.steigerung** *f* capital appreciation

anlage|willig *adj* investment-seeking, seeking investment; **A.zeitraum** *m* investment horizon/period; **A.ziel** *nt* investment objective/goal/target/purpose; **A.zentrum** *nt* investment centre; **A.zinsen** *pl* interest on capital outlay/investment; **A.zweck** *m* investment objective/purpose

Anland|ebrücke *f* ⚓ jetty, landing stage; **A.egewicht** *nt* landed weight; **a.en** *v/t* to land; **A.evertreter** *m* landing agent; **A.ung** *f* landing

Anlass *m* occasion, reason, cause, inducement, trigger; **aus A. von** on the occasion of; **A. zur Beschwerde/ Klage** subject for a complaint, room for complaint

es besteht Anlass there are grounds; **A. geben zu** to give rise to, to make for; **A. zur Besorgnis geben** to give rise for concern; **allen A. haben** to have every reason

aktueller Anlass immediate cause; **besonderer A.** special/state occasion; **geringster A.** slightest provocation; **hinreichender A.** reasonable cause; **konkreter A.** tangible cause; **nichtiger A.** trifle; **unmittelbarer A.** immediate cause

anlassen *v/t* 1. 🚗 to start (up); 2. *(Kleidung)* to leave on; **sich gut a.** to augur well

Anlasser *m* 🚗 starter

anlässlich *prep* on the occasion of

anlastbar *adj* imputable (to), chargeable

anlasten *v/t* to charge/debit; **jdm etw. a.** to blame sth. on so., to lay sth. at so's door, to put the blame for sth. on so.

Anlauf *m* start(-up); **beim ersten A.** at the first onset; **im A. zu** in the run-up to; **A. unternehmen** *(fig)* to make an attempt; **A.betrag** *m* start-up cost(s), initial amount

Anlaufen *nt* 1. start-up, phase-in, launching; 2. *(Hafen)* call; **a.** *v/i (Betrieb)* to start; *v/t* 1. ⚓ to call (at a port), to make for (a port); 2. to operate a service to; **wieder a. lassen** to restart

Anlauf|finanzierung *f* start-up/early-stage financing, initial funding; **A.hafen** *m* port of call; **A.jahre** *pl* start-up/initial years; **A.kapital** *nt* initial capital; **A.kosten** *pl* 1. start-up/launching/initial/starting/up-front/breaking-in/set-up/development cost(s); 2. pump-priming costs, initial expenses, pre-operating expense/expenditure, starting load cost(s); **A.kredit** *m* start-up loan, pump-priming/starting/opening credit; **A.maßnahme** *f* initial measure; **A.phase** *f* start-up/take-off period; **A.planung mit Phasenüberlappung** *f* lap phasing; **A.schwierigkeiten** *pl* teething troubles/problems, start-up problems, initial difficulties; **verlustbringende A.schwierigkeiten** start-up losses; **A.stelle** *f* coordinating body; **A.verlust** *m* start(ing)-up/initial loss; **A.wert** *m* reaction time; **A.zahlungen** *pl* up-front cash expenditure; **A.zeit** *f* 1. start-up/preparatory/initial/ formative period; 2. ✿ set-up time, starting/breaking-in/running-in period, start-up; 3. 🖳 response time

Anlege|brücke *f* ⚓ jetty, landing stage; **A.gebühren** *pl* berthage, anchorage, moorage; **A.hafen** *m* port of call

Anlegen *nt* *(Geld)* placing, placement, investment; **A. von Ausgleichslagern/-vorräten** buffer stocking; ~ **Vorräten** stockpiling

anlegen *v/t* 1. *(Kapital)* to invest/spend; 2. *v/i* ⚓ to berth/land; **gut a.** *(Geld)* to turn to account; **sicher a.** to invest safely; **verzinslich/zinsbringend a.** to put out/invest at interest, to invest advantageously; **wieder a.** to reinvest/recycle, to plough back

Anlegeplatz *m* ⚓ dock, berth, wharf, landing stage

Anleger *m* investor, investment client; **A. ohne Gewinnrealisierungsmöglichkeit** locked-in investor; **A. in Industriebeteiligungen** trade investor; **A. zu einer Mindestrendite** margin investor

ausländischer Anleger foreign investor; **langfristig denkender A.** fundamentalist; **gebietsfremder A.** non-resident investor; **institutioneller A.** institutional investor/buyer, investing institution; **internationaler A.** *(Wertpapiere)* international portfolio investor; **kleiner A.** retail/small investor; **körperschaftlicher A.** institutional investor; **möglicher/potenzieller A.** prospective investor; **privater A.** non-institutional investor; **vertrauensvoller A.** trusting investor; **vorsichtiger A.** prudent investor

Anleger|interesse *nt* buying/investor interest; **A.käufe** *pl (Börse)* investment/portfolio buying; **A.kreise/ A.publikum** *pl/nt* investing public, investors; **breites A.publikum** general investing public; **A.risiko** *nt* exposure, investor's risk; **A.schicht** *f* class/category of investors; **A.schutz** *m* protection for the investor, ~ of investors, investor protection; **A.zurückhaltung** *f* investors' restraint

Anlege|station *f* ⚓ terminal; **A.stelle** *f* jetty, landing stage, anchorage, quay, contact point

anlehnen (an) *v/refl* to be based on, to lean on, to follow

Anlehnung *f* dependence, affiliation; **in A. an** in conformity with, on the basis of, on the same lines as

Anleihe *f* loan (stock), debenture (loan), bond (issue), obligation, accommodation

Anleihe ohne Begrenzung des Gesamtbetrags open-end bond, top stock; **A. mit Endfälligkeit** bullet maturity issue; **A. ohne Fälligkeitstermin** indeterminate bond; **A.n der öffentlichen Hand** public bonds; **A. mit Kurs unter Nennwert** discount bond; ~ **einer Laufzeit von 5 Jahren** 5-year issue; ~ **kurzer Laufzeit** short-dated/short-term bond; ~ **variabler Laufzeit** serial bond; ~ **Optionsscheinen** bond with warrants; **A.n und Schuldverschreibungen** bonds and debt instruments; **A. mit Tilgungsaufschub** bullet loan; **A. ohne Verfallfrist** dead loan; **A. mit variabler Verzinsung;** ~ **schwankendem/variablem Zins(satz)** floating-rate note (FRN), floater, variable-rate bond; ~ **steigendem Zins** escalator bond; ~ **Zinseinschluss im Kurs** flat bond; ~ **Zinszahlung bei Fälligkeit** discount bond

durch Anleihe aufbringen *(Mittel)* to raise (funds) by borrowing; **A. auflegen** to issue/launch/float a loan; **A. neu auflegen** to refloat a loan; **A. in Tranchen auflegen** to issue a loan in instalments; **A. zur Zeichnung auflegen** to invite subscriptions for a loan, to offer a loan for subscription; **A. aufnehmen** to raise/contract/take up a loan, to accommodate an issue; **A. ausgeben/begeben/emittieren** to issue/float/launch a loan, to issue a debt; **A. bedienen** to service a loan; **A. bewilligen/gewähren** to grant/award a loan; **A. auf den Markt bringen** to place a loan; **A. einlösen** to redeem/retire a loan; **A. konsolidieren** to fund a loan; **A. kontrahieren** to negotiate a loan; **A. konvertieren** to convert a loan; **A. kündigen** to call/draw in a loan; **A. lancieren** to float a loan; **A. platzieren** to place/negotiate a loan; **A. tilgen** to redeem a loan/bond; **A. übernehmen** to subscribe a loan; **A. überzeichnen** to oversubscribe a loan; **A. in Eigenkapital umwandeln** to convert a loan into equity; **A. unterbringen** to accommodate an issue, to place/negotiate/source a loan; **A. vermitteln** to negotiate a loan; **A. zeichnen** to subscribe a bond/loan; **A. zurückkaufen** to retire a loan

abgezinste Anleihe discount/zero-coupon bond; **ablösbare A.** redeemable loan; **ältere A.** seasoned bond; **ausländische/äußere A.** foreign bond, external loan; **besicherte A.** secured loan stock; **hypothekarisch ~ A.** mortgaged loan; **nachrangig ~ A.** subordinated bond; **nicht ~ A.** unsecured loan stock; **deckungsstockfähige A.** gilt-edged stock; **endfällige A.** bullet bond, term bond; **favorisierte A.** seasoned issue; **festverzinsliche A.** fixed-interest-bearing bond; **fundierte A.** consolidated loan; **gebundene A.** tied loan; **im Freiverkehr gehandelte A.** outside loan; **gesicherte A.** secured/collateral loan; **nicht ~ A.** unsecured loan; **durch Gesamthypothek ~ A.** general mortgage bond; **durch erststellige Hypothek ~ A.** first mortgage bond; **hypothekarisch ~ A.** mortgage loan; **nicht voll gezeichnete A.** undersubscribed loan; **nicht handelbare A.** straight loan; **hoch verzinsliche A.** high-coupon loan, cushion bond; **hypothekenbesicherte A.** collateralised mortgage obligation (CMO); **hypothekenunterlegte A.** mortgaged-backed bond; **internationale A.n** foreign lending; **kommunale A.** local government stock; **konsolidierte A.** consolidated bond/loan, consolidation/unifying bond, unified stock; **konventionelle A.** straight bond; **konvertible A.** convertible bond; **kündbare/kündigungsreife A.** callable/redeemable/demand loan; **kurzfristige A.** short-term loan/bond, short; **langfristige A.** long-term loan/bond, long; **auf ... lautende A.** bond denominated in ...; **mittelfristige A.** medium-term loan, medium; **mündelsichere A.** gilt-edged *[GB]*/trust *[US]* stock; **nachrangige A.** secondary loan; **notierte A.** quoted loan; **notleidende A.** bad loan; **öffentliche A.** public/civil loan, government stock, public credit/bond, public authority/sector bond, government agency issue; **nicht am Markt platzierte A.** private placement; **nicht platzierter Teil einer A.** float; **projektgebundene A.** project-related/tied loan; **staatliche A.** government loan/stock; **städtische A.** local government stock; **steuerbegünstigte A.** privileged/tax-favoured loan; **steuerfreie A.** tax-free/tax-exempt loan; **teileingezahlte A.** partly paid bond; **überzeichnete A.** oversubscribed loan; **unablösbare A.** consolidated fund; **unbesicherte/ungesicherte A.** unsecured loan/stock, plain bond; **ungedeckte A.** fiduciary loan; **unkündbare A.** irredeemable bond/debenture, uncallable debenture; **unveränderliche A.** closed issue; **unverzinsliche A.** non-interest-bearing/no-interest loan, non-paying issue; **variable A.** floating-rate bond; **verbriefte A.** bonded loan; **verzinsliche A.** interest-bearing loan; **höher ~ A.n** higher-coupon stocks; **niedriger ~ A.n** lower-coupon stocks; **variabel ~ A.** variable-interest bond, floating rate note (FRN), floater *(coll)*; **wertlose A.** junk bond; **zinslose A.** no-interest loan; **zweckgebundene A.** tied loan

Anleihe|abkommen *nt* loan agreement; **A.ablösung** *f* loan redemption; **A.abschnitt** *m* slice of a loan; **A.abteilung** *f* loans office; **A.agio** *nt* loan premium, premium on bonds; **a.ähnlich** *adj* bond-like; **A.aufnahme** *f* borrowing; **A.ausschuss** *m* loan committee; **A.ausstattung** *f* loan terms; **A.bank** *f* loan society; **A.bedarf** *m* borrowing requirement, loan demand; **A.bedingungen** *pl* loan terms, bond indenture; **A.begebung** *f* floating of a loan; **A.besitzer** *m* bondholder, loan subscriber; **A.beteiligung** *f* loan participation; **A.betrag** *m* bond amount; **A.bündel** *nt* loan package; **A.depot** *nt* fixed income portfolio; **A.dienst** *m* servicing of loans, loan service; **A.disagio** *nt* debenture discount, discount on bonds

Anleiheemission *f* loan issue, bond issue/flo(a)t ation; **A. in zwei Tranchen** two-part offering; **A.sagio** *nt* bond premium

Anleihe|erlös *m* loan/credit/issue proceeds, debenture capital, avail; **A.ermächtigung** *f* bond authorization; **A.ertrag** *m* bond yield, loan profitability; **A.finanzierung** *f* loan finance/financing, *(Staat)* gilt-edged financing; **A.fonds** *m* loan fund; **A.forderung** *f* (claim to repayment of) bonded debt; **A.garant** *m* underwriter; **A.garantie** *f* loan guarantee; **A.garantiemodell** *nt* loan guarantee scheme; **A.geber(in)** *m/f* lender, credit grantor; **A.geschäft** *nt* loan business, bond issue operations; **A.gläubiger(in)** *m/f* loanholder, bondholder, loan creditor; **klassischer A.gläubiger** standard-type bondholder; **A.inhaber** *m* bondholder; **A.interessent** *m* potential bond buyer; **A.kapital** *nt* debenture/loan/bond capital, stock; **A.konsortium** *nt* loan syndicate; **~ führen** to (lead-)manage an issue; **A.konto** *nt* loan account; **A.konversion** *f* loan/bond conversion; **A.kosten** *pl* bond issue cost(s); **A.kündigung** *f* redemption notice, calling in a loan; **A.kupon** *m* bond coupon; **A.kurs** *m* bond price, loan quotation; **A.laufzeit** *f* term/life of a loan; **A.mantel** *m* bond certificate; **A.markt** *m* debenture/bond market; **A.mittel** *pl* funds from loan issues; **A.modalitäten** *pl* terms of a loan; **A.nehmer** *m* loan subscriber, borrower; **A.notierung** *f* quotation of a loan; **A.papier** *nt* debenture, bond, (loan) stock, security; **A.politik** *f* borrowing/loan issue policy; **A.portefeuille** *nt* bond/loan portfolio; **A.rendite** *f* bond/loan yield; **A.rückkauf** *m* retirement of a loan, bond redemption; **A.rückzahlung** *f* bond redemption; **A.schein** *m* bond/loan certificate; **A.schuld** *f* funded/bond/loan/bonded debt; **A.schuldenlast** *f* bonded indebtedness; **A.schuldner** *m* loan/bond debtor, borrower; **zahlungsunfähiger A.schuldner** defaulting loan debtor; **A.stammbuch** *nt* bond register; **A.stücke** *pl* debenture stocks, bonds; **A.stückelung** *f* bond denomination; **A.tilgung** *f* loan redemption, amortization of a loan; **A.tilgungsfonds** *m* sinking fund; **A.titel** *m* bond; **A.tranche** *f* portion of a loan; **A.treuhänder** *m* bond trustee; **A.typ** *m* category of bond

Anleiheübernahme *f* loan underwriting; **feste A.** firm commitment underwriting; **A.konsortium** *nt* underwriting syndicate

Anleihe|umlauf *m* bond circulation, bonds outstanding; **A.umschuldung** *f* loan rescheduling; **A.umwandlung** *f* loan conversion; **A.unterbringung** *f* loan placement; **A.verbindlichkeiten** *pl* fixed debts, bonds, bonded debt; **A.verpflichtung** *f* loan commitment/liability; **A.verschuldung** *f* bonded debt, loan indebtedness; **A.vertrag** *m* loan contract/agreement; **A.verzinsung** *f* 1. loan service; 2. loan interest; **A.volumen** *nt* size of a loan; **A.vorhaben** *nt* planned bond issue; **A.währung** *f* bond issue currency; **A.werber** *m* applicant for a loan; **A.wert** *m* loan value; **A.zeichner** *m* loan subscriber; **A.zeichnung** *f* loan subscription; **A.zeichnungskurs** *m* loan subscription rate/price; **A.zertifikat** *nt* bond certificate; **A.zertifikate für kraftlos erklären** to cancel debentures; **A.zinsen** *pl* loan (stock) interest, coupon; **A.zinsendienst** *m* loan service; **A.zinssatz** *m* loan rate; **A.zuteilung** *f* loan allotment

anleiten *v/t* to instruct/direct/guide/teach

Anleitung *f* 1. instruction; 2. direction, guidance, tutelage; 3. *(gedruckt)* flysheet, flying sheet; **technische A.** technical directive, manual; **Technische A. Luft** *[D]* Clean Air Act *[GB]*

Anlernberuf *m* semi-skilled occupation

anlernen *v/t* to train

Anlern|ling *m* trainee, learner, improver, dilutee; **A.verhältnis** *nt* trainee status, learnership; **A.werkstätte** *f* training shop, vestibule school *[US]*; **A.zeit** *f* training period

anliefern *v/t* to deliver/supply

Anlieferung *f* delivery (at our works), supply; **A. per Schiene** delivery by rail; **A. frei Schiffsseite** delivery shipside; **A. per Straße** delivery by road

einsatz-/fertigungssynchrone/produktionsabgestimmte Anlieferung 1. just-in-time delivery (JIT); 2. synchronized supply, stockless buying, systems contracting; **gesplittete A.** split order; **synchrone A.** synchronized delivery/supply

Anlieferungs|kosten *pl* delivery cost(s), cost(s) of delivery; **A.schein** *m* delivery/shipping note; **a.synchron** *adj* 🏭 just-in-time (JIT)

Anliegen *nt* request, concern, suit; **berechtigtes A. haben** to have a good case; **A. vorbringen/vortragen** to express a wish, to state one's case; **berechtigtes A.** legitimate concern; **dringendes A.** urgent request

anliegen *v/i* to abut; **a.d** *adj* 1. *(Brief)* enclosed, attached; 2. *(Grundstück)* adjoining, adjacent, abutting

Anlieger *m* 1. adjacent owner, neighbour, abutter, contiguous occupier; 2. *(Straße)* resident; 3. *(Flussufer)* riparian proprietor

Anlieger|beitrag *m* front-foot charge, special assessment; **A.gebrauch** *m* use by adjacent owners; **A.grundstück** *nt* adjacent land, adjoining premises; **A.kosten** *pl* road charges; **A.recht** *nt* adjoining property rights; **A.staat** *m* 1. border state; 2. *(Fluss)* riparian state; 3. *(Meer)* littoral state; **A.straße** *f* access road

Anlock|en von Kunden *nt* baiting of customers; **a.en** *v/t* to attract/entice/bait/poach, to drum up; **A.ung** *f* attraction, enticement

anmahn|en *v/t* 1. to remind/dun, to press/request payment; 2. to issue a warning; **A.ung** *f* reminder; **~ säumiger Schuldner** sending of reminders to dilatory debtors

Anmarschweg *m* walk, approach, way

anmaßend *adj* arrogant, highhanded, domineering, presumptious

Anmaßung *f* 1. arrogance; 2. [§] arrogation

Anmelde|amt *nt* registration/receiving office; **A.bedürftige(r)** *f/m* indigent applicant; **A.bestimmungen** *pl* registration rules, provisions governing the application; **~ für Patente** regulations for patent applications; **A.buch** *nt* visitors' book; **A.datum** *nt* date of application, registration/filing date; **A.erklärung** *f* registration (statement); **A.formular** *nt* application form/entry/registration, form of application; **A.formalitäten** *pl* check-in procedure; **A.frist** *f* application/filing/declaration period, time for applications, period of registration, time allowed for filing; **A.gebühr** *f* 1. enrolment registration/application/fee; 2. *(Pat.)* filing fee; **A.kartell** *nt* application cartel; **A.liste** *f* registration list

anmelden *v/t* 1. to register/declare/file/announce; 2. ⊖ to enter/declare; 3. *(Pat.)* to apply/lodge/submit; *v/refl* 1. to register/book, to check in; 2. to put one's name down, to enter; 3. 🖳 to log-in; **gesondert a.** ⊖ to declare separately; **ordnungsgemäß a.** *v/t* to give due notice; **sich polizeilich a.** to register with the police

Anmelde|name *m* 🖳 log-in name; **A.pflicht** *f* compulsory registration, advance notification requirements; **a.pflichtig** *adj* 1. notifiable, subject to registration, registration-required *[US]*, to be registered; 2. ⊖ requiring declaration; **A.prinzip** *nt* principle of registration, first-to-file system; **A.priorität** *f* priority of filing date

Anmelder *m* applicant, registrant; ⊖ declarant; **gemeinsame A.** *(Pat.)* joint applicants

Anmelde|schein *m* registration/application/notification/report/entry form; **statistischer A.schein** ⊖ declaration for statistics; **A.schluss** *m* deadline for applications, closing/latest filing date, time limit; **A.stelle** *f* registration/filing office; **A.tag** *m* application date, date of filing; **letzter A.tag** closing date for applications; **A.termin** *m* application date, latest filing date; **A.unterlagen** *pl* application/registration documents; **A.verfahren** *nt* application/registration procedure, processing of applications; **A.vordruck** *m* registration/declaration form; **A.vorschriften** *pl* application requirements; **A.zwang** *m* compulsory registration

Anmeldung *f* 1. registration, application, filing, notification, lodgment; 2. *(Hotel)* check-in, reception; 3. *(Kurs)* enrolment; 4. ⊖ declaration; 5. submission, application for registration; 6. 🖳 log-in, entry

Anmeldung bei Ankunft des Schiffes ship's arrival declaration; **A. im Einspruch(sverfahren)** application in opposition; **A. eines Ferngesprächs** booking a telephone call; **handelsgerichtliche A. einer Firma** registration of a company *[GB]*/corporation *[US]*; **A. einer Forderung** notice of a claim; **A. zum Handelsregister** application for registration in the commercial register, ~ with the Registrar of Companies *[GB]*; **A. von Kartellen** notification of cartels; **A. des Konkur-**

ses bankruptcy notice; **A. einer Konkursforderung** proof (of debt) in bankruptcy, proof of debt; **A. der Ladung** ⊖ freight declaration; **A. eines Patents** application for a patent; **A. für den ausgeschiedenen Teil** *(Pat.)* divisional application; **A. von Transporten** ⊖ declaration of consignments; **A. der Warenausfuhr** ⊖ goods declaration outwards; ~ **Wareneinfuhr** ⊖ goods declaration inwards; **A. eines Warenzeichens** registration of a trademark; **A. von Wertpapieren** registration of securities; **A. nach Zusammenschluss** post-merger notification; **A. vor Zusammenschluss** pre-merger notification

Anmeldung einreichen to file an application; **einer A. entgegenstehen** to interfere with an application; **A. offen legen** to disclose a patent application; **A. weiterverfolgen** to prosecute an application; **A. zurückweisen** to refuse a patent application; **A. zurückziehen** to withdraw an application, to cancel one's application/registration

ältere/frühere Anmeldung *(Pat.)* prior registration, previous application; **anhängige A.** pending application; **ausgeschiedene A.** divisional application; **bekannt gemachte A.** published patent application; **entgegenstehende A.** interfering application; **feste A.** definite booking; **jüngere/spätere A.** subsequent application; **polizeiliche A.** registration (with the police authorities); **schwebende A.** pending/undisposed application, patent pending; **gleichzeitig ~ A.** copending application; **unerledigte A.** unsettled application; **vorausgehende A.** prior application; **vorliegende A.en** applications received; **vorschriftsmäßige A.** regular application; **wieder aufgenommene A.** renewal application

Anmeldungs|gebühr *f* registration/enrolment fee; **A.gegenstand** *m* subject matter of application; **A.stau** *m* backlog of pending applications; **A.unterlagen** *pl* application documents

anmerken *v/t* to annotate/note; **sich nichts a. lassen** to put a bold/brave face on it

Anmerkung *f* comment, note, footnote, annotation, disclosure; **A. machen** to comment; **mit A.en versehen** to annotate/footnote; **erläuternde A.en** explanatory notes

anmiet|en *v/t* to rent/hire/lease; **A.er** *m* lessee

Anmietung *f* leasing (of capital assets), hiring, renting, take-up; **reguläre/turnusmäßige A.** contract hire; **A.smöglichkeit** *f* leasing facility

an|mustern *v/ti* 1. ⚓ to sign on; 2. to enlist

annähern *v/t* to approximate; **a.d** *adj* approximative, approximate, rough

Annäherung *f* 1. approach; 2. π approximation; 3. *(Standpunkte)* convergence, rapprochement *[frz.]*; 4. *(Verordnungen)* alignment; **A. an** move(s) towards; **schrittweise A.** progressive alignment; **A.srechnung** *f* approximation; **A.sversuch** *m* approach, advances, overture; **A.swert** *m* approximate value, approximation

Annahme *f* 1. acceptance, receipt, adoption, reception; 2. *(Beschluss/Gesetz)* passage; 3. *(Vermutung)* assumption, presumption, guess, hypothesis, supposition; 4. taking on board; **bis zur A.** pending acceptance; **gegen A.** against acceptance; **in der A.** assuming (that); **mangels A.** for lack/want of acceptance; **nach A.** upon acceptance

Annahme eines Angebots acceptance of an offer; ~ **Antrags** adoption of a resolution, passing of a motion; **A. mit Einschränkungen** qualified acceptance; **A. einer Entschließung** passing of a resolution; **A. an Erfüllungs statt** acceptance in lieu of performance; **A. des schlimmsten Falles** worst-case scenario; **A. einer Gesetzesvorlage** passage of a bill, enactment; **A. an Kindes statt** adoption; **A. nach Protest** acceptance supra protest; **A. des Versicherungsantrags** acceptance of the proposal; **A. unter Vorbehalt** qualified acceptance; **(unerledigte) A. eines Wechsels** (unqualified) acceptance of a bill; **A. der Zustellung** acceptance of service

mangels Annahme zurück returned for non-acceptance, ~ want of acceptance; **A. erfüllungshalber** acceptance on account of performance; **A. verweigert** refused

Annahme der Leistung ablehnen to refuse to accept performance; **von der A. ausgehen** to assume; **A. einer Bestellung bestätigen** to acknowledge an order; **zur A. empfehlen** to recommend for adoption; **A. finden** to gain acceptance; **A. protestieren** to protest a bill; **mangels A. protestieren** to protest for non-payment; **A. eines Gesetzentwurfs verhindern** to block a bill; **A. verweigern** 1. *(Ware)* to refuse/decline acceptance, to refuse to take delivery; 2. *(Wechsel)* to dishonour, to refuse acceptance; **zur A. vorlegen** to present for acceptance

bedingte/beschränkte Annahme 1. conditional acceptance; 2. *(Wechsel)* qualified acceptance; **bedingungslose A.** unconditional/general acceptance; **eingeschränkte A.** qualified acceptance; **irrige A.** misconception, mistaken belief; **qualifizierte A.** qualified acceptance; **spätere A.** after acceptance; **stillschweigende A.** implied/tacit acceptance; **teilweise A.** partial acceptance; **unbedingte A.** absolute/general acceptance; **uneingeschränkte A.** unqualified acceptance; ~ **und unbedingte A.** unqualified and unconditional acceptance, general acceptance; **unweigerliche A.** obligatory acceptance; **versicherungsmathematische A.** actuarial assumption; **verspätete A.** late acceptance; **vorbehaltlose A.** outright acceptance, acceptance without reservation; **willkürliche A.** arbitrary assumption

Annahme|anordnung *f* acceptance order; **A.beamter** *m* receiving clerk; **A.bedingungen** *pl* conditions of acceptance; **a.berechtigt** *adj* entitled to accept; **A.bereich** *m* ▦ acceptance/accept region; **A.beschluss** *m* decision to accept (sth.); **A.bestätigung** *f* acceptance note, letter of acceptance, acknowledgment of receipt; **A.erklärung** *f* letter/declaration/notice of acceptance, acceptance; **widerrufbare A.erklärung** *(Aktie)* renounceable letter of acceptance; **A.formular** *nt* acceptance form; **A.frist** *f* time limit/period set for acceptance; **A.grenze** *f* ▦ acceptance boundary; **bevorzugte A.grenze** preferred average quality level; **A.kontrolle**

durch Stichproben *f* lot acceptance sampling; **A.kriterium** *nt* acceptance criterion, standard of acceptability; **A.linie** *f* ▦ acceptance line; **A.pflicht** *f* duty to take delivery, obligation to accept; **A.protest** *m* protest for non-acceptance, protested refusal to accept; **A.prüfung** *f* ✿ test, acceptance inspection/test; **A.quote** *f* take-up rate; **A.schreiben** *nt* letter of acceptance; **A.sperre** *f* stopping of acceptance; **A.stelle** *f* 1. receiving/register office, receiving centre/agent, point of acceptance; 2. *(Bank)* subscription agent; **A.stichprobenprüfung** *f* acceptance inspection/testing by sampling; **A.urkunde** *f* instrument of acceptance; **A.verhinderung** *f* obstruction of acceptance, inability to take delivery; **A.vermerk** *m (Wechsel)* (note of) acceptance; **A.vermutung** *f* implied acceptance; **A.verweigerung** *f* refusal (of acceptance), non-acceptance, rejection, refusal to take delivery, refused acceptance; **A.verzug** *m* default of acceptance, ~ in accepting; **A.wahrscheinlichkeit** *f* ▦ probability of acceptance, operating characteristic; **A.zahl** *f* ▦ acceptance number

Annalen *pl* annals

annehmbar *adj* 1. acceptable, reasonable, tolerable; 2. palatable; **beiderseitig a.; für beide Seiten a.** mutually acceptable

annehmen *v/t* 1. to accept, to agree to; 2. *(Entschließung)* to pass/carry/adopt; 3. *(vermuten)* to assume/presume/suppose/imagine/hypothesize/expect/gather, to regard as; **einstimmig a.** to adopt/pass unanimously; **nicht a.** to decline; **als selbstverständlich a.** to take for granted

Annehm|ender/A.er *m (Wechsel)* acceptor, drawee

Annehmlichkeit *f* comfort, convenience, amenity; **A.en des Lebens; materielle A.en** creature comforts

annektieren *v/t* to annex

Annex *m* annex, appendage

Annexion *f* annexation

Annonce *f* advertisement, ad, advert

Annoncen|agent/A.akquisiteur *m* advertising agent; **A.blatt/A.zeitung** *nt/f* advertising journal/paper, advertiser, freesheet, freebie *(coll)*; **A.expedition** *f* advertising agency, space buyer; **A.gebühr/A.tarif** *f/m* advertising rate

annoncier|en *v/ti* to advertise; **a.t** *adj* advertised

Annuität *f* annuity; **A. mit unbestimmter Laufzeit** contingent annuity

fallende Annuität decreasing annuity; **feste A.** fixed-term annuity; **hinausgeschobene A.** deferred annuity; **lebenslängliche A.** life annuity

Annuitäten|anleihe *f* annuity loan, perpetual bond; **A.darlehen/A.kredit** *nt/m* annuity loan; **A.faktor** *m* annuity factor; **A.hypothek** *f* redemption/instalment mortgage; **A.methode** *f* annuity method

Annuitätshilfe *f* subsidy towards annuity service, annuity assistance; **A.darlehen** *nt* annuity assistance loan

annullierbar *adj* voidable, rescindable, annullable, avoidable, cancellable, defeasible; **A.keit** *f* voidability, defeasibility

annullieren *v/t* 1. *(Auftrag)* to cancel/rescind/countermand/recall/revoke; 2. *(Urteil)* to quash, to set aside; 3. *(entwerten)* to void/invalidate/annul; **a.d** *adj* § dirimént

Annullierung *f* 1. *(Vertrag)* cancellation, rescission, defeasance, avoidance, revocation; 2. annulment, invalidation; **A. eines Auftrags** cancellation of an order; **A. einer Bürgschaft** revocation of a guarantee; **~ Einfuhrlizenz** cancellation of an import licence; **~ Eintragung** cancellation of an entry; **A. eines Testaments** cancellation of a will

anomal *adj* anomalous; **A.ie** *f* anomaly; **A.ität** *f* anomaly, abnormality

anonym *adj* anonymous; **A.ität** *f* anonymity

anordnen *v/t* 1. *(befehlen)* to order/prescribe/ordain; 2. to appoint/institute; 3. *(ordnen)* to arrange/sequence/marshall; 4. § *(Verfügung)* to enjoin

alphabetisch anordnen to arrange in alphabetical order; **ausdrücklich a.** to decree expressly; **chronologisch a.** to arrange in chronological order; **letztwillig a.** § to direct by last will and testament; **neu a.** 🖳 to reformat; **serienweise a.** to seriate; **staffelförmig a.** to echelon; **tabellarisch a.** to tabulate/tabularize; **versetzt a.** to stagger

Anordnung *f* 1. *(Befehl)* order, instruction, directive; 2. regulation, fiat *(lat.)*, ordinance; 3. § order, injunction, decree, precept; 4. arrangement, organisation, set-up, classification, grouping, order, structure, structuring, configuration, disposition, array, layout, system; **auf A. von** at the instance of; **bis auf weitere A.** until further notice; **gemäß Ihren A.en** in compliance with your instructions

Anordung des Erscheinens § judicial order to appear in person; **~ Gerichts** court/adjudication order; **auf ~ Gerichts** by order of the court; **A. mit Gesetzeskraft** statutory order *[GB]*; **A. der Haftentlassung** release order; **A. eines Haftprüfungstermins** writ of habeas corpus *(lat.) [GB]*; **A. einer Revision** inspection order; **A. der Schecksperre** stop order; **einstweilige A. auf Unterhaltszahlung** maintenance order; **A. der Untersuchungshaft** order to remand so. in custody, ~ for pre-trial confinement; **A. einer Zollrevision** inspection order; **A. der Zwangsliquidation** winding-up order; **~ Zwangsvollstreckung** attachment order

Anordnung|en befolgen to comply with instructions; **A. erlassen** to issue/make an order, to issue an instruction; **A.en nachkommen** to comply with instructions; **~ außer Kraft setzen** to suspend rules; **~ treffen** 1. to give instructions; 2. to make arrangements; 3. to grant/issue an order; **A. übertreten** to contravene an order; **A.en zuwiderhandeln** to act contrary to instructions

allgemeine Anordnung 1. general instruction; 2. layout; **behördliche A.** government regulation, administrative order, official directive; **einstweilige A.** 1. § interim/provisional order, provisional injunction, interlocutory relief; 2. interim measure, provisional arrangement; **gerichtliche A.** court/adjudication order, (judicial) writ, decision of a court; **auf ~ A.** by decision of a court; **letztwillige A.** testamentary disposition; **polizeiliche A.** police ordinance; **richterliche A.** judicial order/warrant, judge's warrant; **schematische A.** chart; **schriftliche A.** written order; **tabellarische A.** table, tabulation, schedule; **vorläufige A.** § interim order

Anordnungs|patent *nt* arrangement patent; **A.recht** *nt* regulatory power(s); **A.test** *m* ▦ order test; **A.weg** *m* chain of command, channels for orders

anorganisch *adj* inorganic

anpacht|en *v/t* to rent; **A.ung** *f* renting, leasing

anpacken *v/t* *(Problem)* to tackle, to go/set about

anpassen *v/t* to adapt/adjust/shape/modify, to bring into line; *v/refl* to conform/align/readjust; **a. an** to adapt/gear to, to suit, to bring into line with; **wieder a.** to readjust/realign

Anpassschaltung *f* 🖳 interface

Anpassung *f* (re-)adjustment, (re-)adaptation, (re-)alignment, conformance, conformity, adaption

Anpassung des Krankengeldes adjustment/revision of sickness benefit(s); **A. an die Kundensituation/-wünsche** customization; **A. der Löhne** adjustment of wages; **~ und Gehälter an die Lebenshaltungskosten** cost-of-living adjustment; **A. nach oben** upward revision; **A. der Produktion** adaption/adaptation of production; **~ Versicherungssumme** adjustment of the sum insured; **A. von Währungen** currency (re-)alignment

Anpassung verwirklichen to effect the adjustment

außenwirtschaftliche Anpassung external adjustment; **automatische A.** *(Löhne)* escalator adjustment; **beste A.** ▦ best fit; **intensitätsmäßige A.** fraction adjustment, variation of efficiency; **jahreszeitliche A** seasonal adjustment; **konjekturale A.** conjectural adjustment; **konjunkturelle/wirtschaftliche A.** economic adjustment; **kulturelle A.** cultural homogenisation; **strukturelle A.** structural adjustment; **verzögerte A.** lagged adjustment; **zeitliche A.** time adjustment

Anpassungs|anreiz *m* adjustment incentive; **A.bedarf** *m* need to adjust; **A.beihilfe** *f* adaptation benefit/subsidy, adjustment aid/assistance, aid towards readaptation; **A.bereitschaft** *f* willingness to adjust; **A.darlehen** *nt* adjustment loan; **A.druck** *m* adjustment pressure; **a.fähig** *adj* adaptable, flexible, adjustable; **A.fähigkeit** *f* adaptability, (action) flexibility, adjustability; **A.fortbildung** *f* updating (one's) skills; **A.geld** *nt* adaptation grant/benefits, adjustment aid; **A.gesetz** *nt* amendment act, matching law; **A.hilfe** *f* adaptation benefit/subsidy; **A.inflation** *f* adjustment/adaptation/adaptive inflation; **A.investitionen** *pl* capital expenditure on adjustment; **A.klausel** *f (Preis)* escalator arrangement/clause; **A.maßnahmen** *pl* (measures of) adjustment; **A.periode/A.phase** *f* period of adjustment; **A.plan** *m* adaption plan; **A.politik** *f* time-serving policy; **A.posten** *m (Bilanz)* accruals; **A.problem** *nt* problem of adjustment/adaptation; **A.protokoll** *nt* protocol of adjustment; **A.prozess** *m* process of adaptation/adjustment, adjustment (process); **A.schwierigkeiten** *pl* difficulties of adaptation; **A.strategie** *f* adjustment strategy; **A.subvention** *f* adaptation subsidy/benefit(s); **A.transaktion** *f* settling transaction; **A.verhalten/A.vermögen** *nt* adaptability; **A.vorgang** *m* adjustment process; **A.zeitraum** *m* period of adaptation/adjustment; **A.zwang** *m* adaptation requirement

anpeilen *v/t* 1. to aim at/for, to target/locate; 2. ⚓ to take bearings; 3. to budget for

anpflanz|en *v/t* to plant; **A.ung** *f* planting

anprangern *v/t* to pillory

anpreis|en *v/t* to praise; **nicht a.en** *(Werbung)* to undersell; **marktschreierische A.ung** puff

jdn anpumpen *v/t* *(coll)* to touch so. for money

Anrainer *m* neighbour, abutting owner; **A.staat** *m* border/*(Meer)* littoral/*(Fluss)* riparian state

Anraten *nt* advice; **a.** *v/t* to advise/recommend

anrechenbar *adj* 1. chargeable, imputable; 2. *(Steuer)* creditable, allowable; **nicht a.** *(Steuer)* non-creditable; **A.keit** *f* acceptability, allowability

anrechnen *v/t* 1. to set off, to offset/allow/credit/debit, to take into account, to count towards; 2. *(Schulden)* to score up; **a. auf** to charge up against; **jdm etw. hoch a.** to give so. credit for sth.

Anrechnung *f* 1. *(Abzug)* allowance, deduction; 2. *(Belastung)* charge, debit; 3. *(Gutschrift)* credit; 4. *(Vorsteuer)* imputation; **A. auf den Erbteil** taking into account for the portion of the estate; **A. ausländischer Steuern/im Ausland gezahlter Steuern** relief from double taxation, double taxation relief, foreign tax credit; **A. gezahlter Steuern** tax credit; **in A. bringen** 1. to charge/debit; 2. to allow for; **zur A. gelangen** to be taken into account; **fiktive A.** matching credit; **gewöhnliche A.** ordinary credit; **uneingeschränkte A.** full credit

anrechnungs|berechtigt *adj* entitled to imputation credit; **a.fähig** *adj* 1. deductible, allowable, reckonable; 2. *(Rente)* pensionable; **A.faktor** *m* weighting; **A.methode** *f* tax credit method; **A.möglichkeit** *f (Steuer)* allowability; **A.system/A.verfahren** *nt* 1. *(Steuer)* imputation system, tax credit method; 2. *(Doppelbesteuerung)* indirect relief; **körperschaftssteuerliches A.verfahren** corporate tax imputation procedure; **A.wert** *m* accepted value; **A.zeitraum** *m (Steuer)* tax credit period

Anrecht *nt* 1. entitlement, claim, right, title (to), legal interest, conditional future right; 2. § qualified property; **A. auf** right/entitlement to sth.; **A. geben** to entitle; **A. haben auf** to be entitled to; **A. sichern (auf)** to stake a claim (to); **wohlerwogenes A.** vested interest; **A.schein** *m* intermediate certificate; **~ auf eine Dividende** dividend warrant/scrip

Anrede *f* 1. *(Brief)* salutation; 2. (form of) address; **a.n** *v/t* to address/style

anregen *v/t* to suggest/inspire/encourage/stimulate/initiate; **a.d** *adj* exciting, stimulating

Anregung *f* suggestion, idea, hint, food for thought; **A.en geben** to inspire; **geistige A.** intellectual stimulus; **A.smittel** *nt* ⚕ stimulant; **A.sphase** *f* orientation phase

anreichern *v/t* to enrich/augment, to add to

Anreicherung *f* enrichment, augmentation; **A. der Arbeits-/Aufgaben-/Tätigkeitsinhalte** job enrichment

anreise|n *v/i* to arrive; **A.tag** *m* day of arrival

Anreiz *m* incentive, stimulus, attraction, stimulation, enticement, inducement, spur, fillip, stimulant; **finanzieller A. zum Verbleib im Unternehmen** golden handcuffs *(fig)*; **A. bieten** to offer an incentive, to encourage; **A.e schaffen** to provide/create incentives

finanzieller Anreiz financial/cash incentive; **moralischer A.** moral incentive; **negativer A.** disincentive; **staatlicher A.** state incentive; **steuerlicher A.** tax incentive, fiscal stimulus; **vertraglicher A.** contractual incentive; **wettbewerblicher A.** competitive incentive

Anreiz|artikel *m* leader/inducement article; **A.-Beitrags-Theorie** *f* inducements-contributions theory; **A.honorar** *nt* incentive fee; **A.instrument** *nt* incentive; **A.maßnahmen** *pl* incentive scheme; **A.prämie** *f* incentive bonus; **A.system** *nt* incentive system/scheme/plan; **~ mit Neuanpassung** measured day-rate plan

anrüchig *adj* ill-reputed; **a. Sache** dirty/discreditible business

Anruf *m* ✆ call, ring; **A. entgegennehmen** to handle/take a call, to answer the phone; **eingehende A.e entgegennehmen** to handle call reception; **gebührenfreier A.** (toll-)free call, freephone

Anruf|beantworter *m* answering machine, ansaphone *(coll)*; **automatischer A.beantworter** (automatic) telephone answering machine, ansafone *(coll)*; **A.beantwortung** *f* call reception; **A.bearbeitung** *f* call handling

anrufen *v/t* 1. to (tele)phone, to ring/call up, to phone in, to give so. a ring, to contact so. by phone; 2. § to invoke, to resort to, to have recourse to the law; 3. *(Konkursverwalter)* to call in

Anrufer *m* ✆ caller

Anruf|häufigkeit *f* call frequency; **A.taste** *f* request button; **A.übernahme** *f* call pickup; **A.umleitung** *f* call forwarding/diversion

Anrufung *f* 1. *(Gericht)* appeal at law, resort to courts of law; 2. *(Schiedsstelle)* submission; **A.sverfahren** *nt* appeal procedure

Anrufwiederholung *f* call repeating

Ansage *f* 1. announcement; 2. dictation; **a.n** *v/t* 1. to announce; 2. to dictate; **A.r(in)** *m/f* 1. announcer; 2. newsreader

ansammeln *v/t* to accumulate/amass/collect, to pile up; *v/refl* 1. to accumulate; 2. *(Zinsen)* to accrue

Ansammlung *f* 1. accumulation, collection, build-up, assemblage, aggregate, aggregation; 2. *(Menschen)* crowd; 3. *(Zinsen)* accrual; **unabhängiger A.splan** voluntary accumulation plan

ansässig (in) *adj* 1. residing at, based/established/resident/located in, local; 2. *(Firma)* domiciled in; **nicht a.** non-resident; **a. sein** to reside; **A.e(r)** *f/m* resident, local inhabitant; **zeitweilig A.e(r)** sojourner *[US]*; **A.keit** *f* residence

Ansatz *m* 1. *(Voranschlag)* estimate, valuation; 2. *(Haushalt)* appropriation, entry; 3. *(Methode)* approach; 4. beginnings; **Ansätze** rudiments, signs

unter den Ansätze|n bleiben to fall short of; **in Ansatz bringen** 1. to place to account; 2. to budget (for); **in den A.n steckenbleiben** to get stuck at the very outset; **gute A. zeigen** to augur well

güterorientierter Ansatz commodity approach; **heuristischer A.** heuristic approach; **systemanalytischer A.** systems approach; **warenanalytischer A.** commodity approach of distribution; **wissenschaftlicher A.** scientific approach

Ansatz|punkt *m* starting point; **A.stück** *nt (Wechsel)* allonge

anschaffen *v/t* 1. to buy/purchase/acquire/procure; 2. *(Vers.)* to provide cover; **a. bei** *(Kredit)* to make provision for credit with

Anschaffung *f* 1. purchase, acquisition; 2. buying, purchasing; 3. provision (of cover); 4. remittance; **A. von Investitionsgütern** investment in capital goods; **A. machen** to make a purchase; **größere A.** major investment

Anschaffungs|ausgabe *f* investment outlay; **auf A.basis** *f* at cost; **A.betrag** *m* purchase price; **A.darlehen** *nt* personal/consumer loan, bill payer's loan *[US]*; **persönliches A.darlehen** medium-sized consumer loan

Anschaffungsgeschäft *nt* 1. acquisition deal; 2. *(Wertpapiere)* acquisition of securities; **bedingtes A.** conditional acquisition; **befristetes A.** *(Steuer)* acquisition subject to a time limitation

Anschaffungs|jahr *nt* year of acquisition/purchase; **A.kapital** *nt* initial capital

Anschaffungskosten *pl* initial/historical/acquisition/economic/up-front/first/original/asset/enterprise cost(s), cost price, cost(s) of acquisition, cash outlay, original/initial investment; **zu A.** at cost; **A. als Bewertungsgrundlage** original cost standard; **A.- oder Herstellungskosten** 1. *(Bilanz)* cost(s) of acquisition or production, acquisition or construction cost(s); 2. historical/original cost(s); **A. zum Tageswert** adjusted historic(al) cost(s); **ursprüngliche A.** historic(al) cost(s); **A.regel** *f* historic(al) cost convention

Anschaffungs|kredit *m* consumer loan, (medium-sized) personal loan; **A.material** *nt* visual; **A.nebenkosten** *pl* incidental acquisition cost(s); **A.plan** *m* purchasing plan/budget; **A.preis** *m* initial cost, purchase/original/cost/first price; **~ des Anteilinhabers** shareholder's cost; **A.tag** *m* date of acquisition; **A.validität** *f* face validity

Anschaffungswert *m* cost/gross/initial/original/purchase/acquisition value, initial/historical/original/acquisition/market cost(s), initial investment, cost of acquisition; **zum A.; ~ oder Handelswert** at cost; **fortgeführter A.** net book value; **A.methode** *f* cost-value method; **A.prinzip** *nt* historic(al) cost principle

Anschaffungszeitpunkt *m* date of acquisition/purchase

anschaulich *adj* graphic, demonstrative, vivid, lucid; **A.keit** *f* lucidity

aus eigener Anschauung kennen *f* to know from (one's own) experience

Anschauungs|material *nt* demonstration material, visual aids/display, illustrations; **A.modell** *nt* mockup; **A.muster** *nt* representative sample; **A.unterricht** *m* object/model lesson, object teaching, visual instruction, graphic demonstration

Anschein *m* appearance, semblance, look; **ohne den A.**

eines Rechts without a semblance of right; **allem A. nach** on the face of it, prima facie *(lat.)*, to all appearances; **A. wahrend** *adj* face-saving; **A. haben** to smack (of sth.); **A. wahren** to keep up appearances; **erster A.** § prima facie *(lat.)*

Anscheins|beweis *m* § prima facie evidence, half proof; **A.eigentum** *nt* reputed ownership; **A.vollmacht** *f* ostensible/apparent authority, agency by estoppel

an|schicken (zu) *v/refl* to proceed (to); **a.schirren** *v/t* to harness

Anschlag *m* 1. estimate, rate; 2. *(Angriff)* assault, attempt; 3. *(Notiz)* notice; 4. *(Schreibmaschine)* keystroke, space; **Anschläge** characters; **~ pro Minute** characters a/per minute

in Anschlag bringen to allow for, to make allowance for; **A. einreichen** to submit an estimate; **A. machen** to post a notice, to put up a notice; **A. auf jdn. verüben** *(Attentat)* to make an attempt on so.'s life

Anschlag|brett *nt* notice/bill/call board; **A.fläche** *f* billboard, hoarding

anschlagen *v/t* 1. *(bewerten)* to value/assess; 2. *(Plakat)* to post/placard; **öffentlich a.** to post

Anschlag|geschirr *nt* ⚓ slinging gear; **A.kontrolle** *f* site inspection; **A.härte** *f (Schreibmaschine)* type pitch; **A.preis** *m* posted price; **A.säule** *f* advertising pillar; **A.tafel** *f* notice/bill/bulletin board, poster panel, hoarding; **A.wand** *f* hoarding; **A.werbung** *f* billboard advertising, bill posting; **A.zettel** *m* poster

anschließen *v/t* *(Gas/Wasser)* to lay on, to attach/connect, to plug into; *v/refl* 1. to join, to go along with; 2. to fall into line with, to associate with; **(sich) wieder a.** to rejoin; **a.d an** *adj* 1. after(wards); 2. attendant on/upon

Anschluss *m* 1. connection, connexion, link-up, interconnection, attachment; 2. *(Organisation)* affiliation, association; 3. *(Fahrplan)* connecting flight/train, connection; 4. ✆ exchange line; 5. *(Versorgungsleitungen)* service/mains connection, hook-up *[US]*; **im A. an** following, further to, subsequent to; **A. für Wählerverkehr** ✆ dial-up; **mit Anschlüssen versehen** *(Haus)* plumbed in

Anschluss bekommen ✆ to get through, to get a connection *[US]*; **A. erreichen** 🚂/✈ to catch, to make/get a connection; **A. verpassen** 1. *(fig)* to fail to keep abreast of developments; 2. 🚂/✈ to miss one's connection

wechselseitiger Anschluss interconnection

Anschluss|- follow-up; **A.absatz** *m* joint use of sales organisation; **A.adresse** *f* 🖳 link/linking/chain address; **A.anleihe** *f* conversion issue; **A.auftrag** *m* follow-up/follow-on/repeat/renewal/sequence order, add-on sale; **A.aufträge** *(Börse)* follow-through support/buying; **wegen fehlender A.aufträge** in the absence of follow-through support; **A.beitrag** *m (Versorgungsleitung)* connection charges contribution; **A.bergwerk** *nt* connecting mine; **A.berufung** *f* § cross-appeal, counter appeal, respondent's notice of appeal; **~ einlegen** to cross-appeal; **A.beschwerde** *f* § cross-complaint, respondent's notice of joining a complaint; **A.block** *m* 🖳 terminal block; **A.buchung** *f* ✈ onward booking; **A.carrier** *m* connecting carrier, oncarrier; **A.erweiterung** *f* 🖳 terminal/unit expansion; **A.finanzierung** *f* follow-up financing, ongoing finance; **A.firma** *f (Factoring)* client, associated firm; **A.flug** *m* connecting flight; **A.fracht** *f* onward transport; **A.frachtführer** *m* oncarrier; **A.gebühr** *f* ✆ connection charge; **A.gerät** *nt* 🖳 peripheral unit, terminal; **A.geschäft** *nt* follow-up business/contract; **A.gleis** *nt* 🚂 siding *[GB]*, sidetrack *[US]*; **A.käufe/A.kaufaufträge** *pl* follow-through buying; **A.konkurs** *m* subsequent bankruptcy, bankruptcy (after failure to agree on composition); **A.konkursverfahren** *nt* bankruptcy proceedings (after failure to agree on composition); **A.kosten** *pl* 1. connection charges; 2. follow-up cost(s); **A.kredit** *m* follow-up credit, continuation loan; **A.kreditnehmer** *m* prolific borrower; **A.kunde** *m (Factoring)* client; **A.markt** *m* after market; **A.miete** *f* renewal rent; **A.motiv** *nt* affiliation motive; **A.norm** *f* follow-up standard (specification); **A.nummer** *f* ✆ call number; **A.pacht** *f* renewal/reversionary lease; **A.pfändung** *f* second distress, secondary attachment; **A.pflicht** *f* obligation to supply; **A.planung** *f* follow-up planning; **A.programm** *nt* successor plan; **A.punkt** *m* (binding) post; **A.rediskont** *m* rediscount for succeeding period; **A.reeder** *m* ⚓ oncarrier, connecting carrier, on-carrying shipowner; **A.revision** *f* § cross-appeal (in error), counter-appeal; **A.spediteur** *m* connecting career; **A.stelle** *f* 🚗 junction; **A.verfahren** *nt* 1. § subsequent proceedings; 2. connecting procedure; **A.vertrag** *m* 1. association/follow-up agreement; 2. *(Völkerrecht)* treaty of accession; **A.werte** *pl* ϟ power requirements; **A.zone** *f* contiguous zone; **A.zug** *m* connecting train; **A.zwang** *m* compulsory participation

Anschreibe|konto *nt* charge/credit/passbook/running account; **A.kredit** *m* trade/account credit, credit in account

Anschreiben *nt* covering letter

anschreiben *v/t* 1. to contact, to write to; 2. to note down; 3. *(Kredit)* to charge/debit, to mark/chalk up; 4. *(Schulden)* to score up; **a. lassen** to take on credit/tick, to chalk it up *(coll)*

Anschreibung *f* ⊖ statement of services rendered and fees charged; **A.skonto** charge account

Anschrift *f* address; **ohne A.** unaddressed; **A. des Absenders** return address; **~ Empfängers** 1. *(Briefumschlag)* envelope address; 2. *(Briefbogen)* inside address; **A.enänderung** *f* change of address; **A.enkartei/A.enverzeichnis** *f/nt* mailing list

Anschubfinanzierung *f* start-up/launching/knock-on finance, ~ financing

anschuldigen *v/t* to accuse/charge/incriminate

Anschuldigung *f* accusation, charge, indictment, allegation, incrimination, imputation; **A.en aus der Luft greifen** to fabricate allegations; **A. zurückweisen** to reject an accusation; **A. zurücknehmen** to retract an accusation

falsche Anschuldigung false accusation, trumped-up charge, aspersion; **vorsätzlich/wissentliche ~ A.** malicious accusation, trumped-up/deliberate false charge;

irrtümliche A. false charge
anschwärz|en *v/t* to denigrate/disparage/blacken; **A.ung** *f* 1. denigration, disparagement, injurious/malicious falsehood; 2. *(Ware)* slander of goods; ~ **der Konkurrenz** trade libel, disparagement of a competitor
anschwell|en *v/i* to swell/rise/jump; **A.ung** *f* bulge
an|schwemmen *v/t* to wash ashore; **a.schwindeln** *v/t* to deceive/diddle *(coll)*
Ansehen *nt* reputation, repute, standing, respectability, respect, credentials, prestige, renown; **ohne A. der Person** without exception, ~ respect/distinction of person
zu Ansehen gelangen to win respect; **hohes A. genießen** to be held in high esteem; **A. gewinnen** to win a reputation; **jdn vom A. kennen** to know so. by sight; **dem A. nach zu schließen** to judge by appearances
berufliches Ansehen professional reputation/standing; **geschäftliches A.** goodwill, commercial/business reputation; **öffentliches A.** public esteem; **soziales A.** social standing
ansehen (als) *v/t* 1. to regard (as), to consider/deem/treat; 2. § to hold; **als erwiesen a.** to take for granted, to consider sth. to have been proved; **sich etw. kurz a.** to glance at sth.; **jdn streng a.** to give so. a stern look; **jdn. für voll a.** *(coll)* to take so. seriously
ansehnlich *adj* siz(e)able, considerable, handsome, respectable, presentable
in Ansehung *f* taking into consideration, with due regard for; **ohne A. der Person** without respect for a person's standing, irrespective of the person concerned
unmittelbares Ansetzen § proximate act
ansetzen *v/t* 1. *(schätzen)* to assess/estimate/state, to put at; 2. *(Haushalt)* to appropriate; 3. *(festlegen)* to show/rate/value/fix/schedule; **zu hoch a.** to overrate/overestimate; **zu niedrig a.** to underrate/understate
Ansetzung *f* 1. *(Preis)* quotation; 2. *(Termin)* appointment
an sich *adv* per se *(lat.)*, in principle
(unrechtmäßiges) Ansichreißen *nt* grab *(coll)*
Ansicht *f* view, opinion, estimation, point, sentiment, thinking; **zur A.** on approval, for inspection; **nach unserer A.** in our view, we consider; **A. des Gerichts** opinion of the court; **nach ~ Rechtsberaters** in the opinion of counsel
seine Ansicht ändern to change one's mind; **A. äußern** to voice an opinion; **jds A. beipflichten/beistimmen** to agree/concur with so.; **seine A.en bekanntgeben** to air one's views; **bei seiner A. bleiben** to stick to one's guns *(coll)*; **seine A.en darlegen** to state one's views; **jds A. erforschen** to sound so. out; **A. haben** to take a view; **entschiedene A.en über etw. haben** to feel strongly about sth.; **der A. sein** to take the view, to hold; **zur A. senden** to send on approval; **A. teilen** to subscribe to a view, to share so.'s views; **A. vertreten** to take the view/line, to hold (a view)
allgemeine/vorherrschende Ansicht general feeling; **dezidierte A.** strong views; **gegenteilige A.** opposite view; **widersprechende A.en** clash of opinions
Ansichts|exemplar *nt* inspection copy; **A.muster** *nt* (inspection) sample; **A.sache** *f* matter of opinion; **A.sendung** *f* "on approval" consignment, consignment (sent) on approval, sample on approval; **A.ware** *f* goods on approval
ansiedeln *v/t* 1. *(Firma)* to set up, to establish/settle; 2. to locate/site; **neu a.** to relocate
Ansiedler *m* settler
Ansiedlung *f* location, establishment, settlement; **A. von Gewerbebetrieben** location of commercial facilities; **A. einer Industrie** establishment of an industry; **ländliche A.** rural settlement; **ungesteuerte A.** settlement fragmentation
Ansiedlungs|erfolg *m* successful location; **A.fall** *m* newly established company; **A.fläche/A.gelände** *f/nt* site for industrial development; **A.politik** *f* industrial location policy; **A.vergünstigung/A.zuschuss** *f/m* establishment grant; **a.willig** *adj* interested in locating, intending an establishment
Ansinnen *nt* demand, request; suggestion; **A. zurückweisen** to reject a suggestion
anspannen *v/t* to strain/tax
Anspannung *f* strain, tension, tightness; **A. des Geldmarktes** monetary strain; **A. an den Finanzmärkten** tightening of the capital markets; **finanzielle A. der Unternehmen** financial corporate strain; **unter der A. zusammenbrechen** to buckle under the strain; **finanzielle A.** financial strain, strain on financial resources; **wirtschaftliche A.** economic strain(s)
Anspannungs|faktor *m* constrictive factor; **A.grad** *m* tightness; **A.index** *m* employment index; **A.koeffizient** *m* debt to total capital ratio
ansparen *v/t* to save up
Anspar|leistung/A.summe *f* 1. amount (to be) saved; 2. funds accumulated; **A.programm** *nt* savings scheme; **A.ung** *f* saving-up; **A.zeit** *f* saving period; **A.zuschuss** *m* savings scheme bonus
anspiel|en auf *v/prep* to hint at, to insinuate, to allude to, to point towards; **A.ung** *f* hint, allusion, suggestion, insinuation
Ansporn *m* encouragement, incentive, stimulus; **a.en** *v/t* to stimulate, to give incentives; **a.end** *adj* incentive
Ansprache *f* 1. address, speech; 2. *(fig)* approach; **A. des Präsidenten/Vorsitzenden** presidential address; **A. halten an** to address so., to deliver a speech
ansprechbar *adj* amenable, responsive, approachable
ansprechen *v/t* 1. to approach; 2. *(Werbung)* to appeal; 3. *(Kunden)* to canvass/attract/target; 4. *(Thema)* to mention; **a.d** *adj* attractive, appealing, pleasing, congenial
Ansprechpartner *m* (person/point of) contact, contact person
Anspringen der Konjunktur *nt* economic revival/upturn
Anspruch *m* 1. claim, title, right, entitlement; 2. request, demand, aspiration, due, interest; **Ansprüche** contractual claims, needs, requirements
Ansprüche aus dem Arbeitsverhältnis claims based on the employment contract; **Anspruch auf Ausliefe-**

rung *(Aktie)* right to delivery; ~ **bevorrechtigte Befriedigung** *(Konkurs)* preferential claim, prior claim to satisfaction; **mit dem ~ Dividende** dividend-bearing; **rückwirkender ~ Dividendenausschüttung** retroactive dividend entitlement; **Ansprüche Dritter** third-party claims; **A. auf Entlassungsgeld** redundancy pay entitlement; ~ **Erfüllung** claim to performance; ~ **Freibeträge** allowance entitlement; ~ **Geld** title to money; **A. aus unerlaubter Handlung** tort claim, claim in tort; **A. auf Herausgabe** garnishee, right to claim restitution; ~ **Land** land claim; ~ **Lohn- und Gehaltsfortzahlung** wage and salary continuation claim; **A. aus Mängeln** claim for defects; ~ **einem Recht** title (under a right); **A. auf Rente** pension claim, right to a pension; **A. an Sachen** title of property; **A. aus Sachschaden** property claim; **A. auf Schadenersatz** claim for damages, entitlement to damages; ~ **Sozialhilfe** benefit entitlement; **Ansprüche an das Sozialprodukt** demands/claims on the national product; **A. auf Vermögenswerte** equity (claim); ~ **Versicherungsleistung** insurance claim; **A. aus einem Vertrag** contractual claim, claim under a contract; **A. auf Zwischendividende** interim rights

nicht in Anspruch genommen unavailed; **A. verjährt** claim is barred; **unbeschadet irgendwelcher Ansprüche** without prejudice to any claim

Anspruch ableiten/herleiten von to derive a claim; **A. abtreten** to assign a claim/right; **A. anmelden** to lodge a claim; **Ansprüche abwägen** to weigh claims; **A. abweisen** to reject/dismiss a claim; **A. anerkennen** to recognise/admit/acknowledge a claim; **A. anmelden** to file/announce a claim; **Ansprüche auf die Konkursmasse anmelden** to sue for admittance; **A. aufgeben** to abandon a claim, to disclaim; **A. aufrechterhalten** to sustain a claim; **anderweitige Ansprüche ausschließen** to exclude any further claims; **A. befriedigen** to satisfy/settle a claim; **A. begründen** to substantiate/support a claim; **A. bestreiten** to contest/dispute/deny a claim; **A. bewerten** to assess a claim; **A. zu Fall bringen** to defeat a claim; **A. durchsetzen** to enforce/prosecute a claim; **auf einen A. eingehen** to entertain a claim; **A. einklagen** to file a claim in court; **A. einreichen** to file/lodge a claim; **A. einschränken** to narrow a claim; **einem A. entsagen** to waive a claim; **A. erfüllen** to meet a claim; **A. erheben (auf)** to claim, to prefer/raise/lodge/advance a claim (to), to lay claim (to); **keinen ~ auf** *(fig)* to make no pretence to *(fig)*; **Ansprüche erlassen** [§] to grant administrative relief; **über einen A. erkennen** to adjudicate concerning a claim; **der A. erlischt** claim expires, entitlement ceases; **A. fallen lassen** to waive a claim; **A. geltend machen** 1. to lodge/advance/assert a claim, to assert a title, to put in/bring forward a claim; 2. to put markers down *(fig)*, to peg out/stake (out) one's claim; **A. gerichtlich ~ machen** to enforce a claim; **den Ansprüchen genügen** to meet the requirements, to pass muster; **A. haben auf** to be entitled to, ~ eligible for, to have a claim/title to, to qualify for; **rechtmäßigen ~ auf** to be lawfully entitled to; **A. auf eine Rente haben** to be entitled to a pension; ~ **Steuerbefreiung haben** to qualify/be eligible for tax exemption; **die Ansprüche haben keine Erfindungshöhe** *(Pat.)* there is nothing inventive in the claims; ~ **herabsetzen** to lower one's sights *(fig)*; **A. nachweisen** to substantiate a claim; **in A. nehmen** to make use of, to utilize, to take up, to make inroads on/into, to employ the services, to draw/call/claim on, to make a claim on; **für sich ~ nehmen** to claim/arrogate; **übermäßig ~ nehmen** to encroach upon; **gegen jdn Ansprüche stellen wegen** to claim on so. for; **A. substanziieren** to substantiate a claim; **A. übergehen** to jump a claim; **A. verfolgen** to prosecute a claim; **zivilrechtlichen A. verfolgen** to pursue a claim in the civil courts; **A. verwerfen** to dismiss a claim; **auf einen A. verzichten** to waive/give up a claim; **A. vorbringen** to advance a claim; **A. zedieren** to assign a claim; **A. in Erwägung ziehen** to entertain a claim; **von einem A. zurücktreten** to back down from a claim; **A. zurückweisen** to reject/dismiss/repudiate a claim

abgeleiteter Anspruch derivative claim; **abgetretener A.** assigned claim; **älterer A.** prior claim; **anerkannter A.** proved claim; **ausgeschiedener A.** divisional claim; **bedingter A.** contingent claim; **befristeter A.** deferred claim, claim subject to a time limit; **begründeter A.** substantiated/good/sound/equitable/legitimate claim, good title; **schlecht ~ A.** bad claim; **vertraglich ~ A.** contractual claim; **berechtigter A.** legitimate/lawful/rightful/valid claim; **billiger A.** equitable claim/interest; **deliktischer A.** [§] tortious claim; **dinglicher A.** [§] claim ad rem *(lat.)*, real right; **einklagbarer A.** enforceable claim, chose in action; **entgegenstehender A.** conflicting claim; **erster A.** first claim; **erworbener A.** acquired entitlement/right; **fälliger A.** matured claim; **fehlerhafter A.** defective title/claim; **weit gefasster A.** broad claim; **geldwerter A.** monetary claim; **gesetzlicher A.** legal claim/title; **gewährbarer A.** allowable claim; **dubios gewordener A.** doubtful claim; **gültiger A.** [§] good title; **höchstpersönlicher A.** non-transferable/highly personal claim; **klagbarer A.** enforceable claim; **kollidierender A.** *(Pat.)* interfering claim; **mäßiger A.** moderate claim; **nächster A.** first claim; **nachträglicher A.** subsequent claim; **obligatorischer A.** 1. obligatory/personal right; 2. [§] chose in action; **possessorischer A.** possessory claim; **rechtmäßiger A.** lawful/equitable/legal claim, claim of right; **rechtsgültiger A.** valid claim, good/legal title; **rechtskräftiger A.** legally enforceable claim; **scheinbarer A.** specious claim; **schuldrechtlicher A.** 1. debt claim, claim under contract; 2. [§] chose in action; **territorialer A.** territorial claim; **übertragener A.** devolved interest; **unbegründeter A.** bad/unfounded claim; **unberechtigter A.** unjustified/false claim; **unbestreitbarer A.** unchallengeable right; **unechter A.** fictitious claim; **unverfälschter A.** indefeasible claim; **verbriefter A.** statutory entitlement; **verfallener A.** forfeited claim; **verjährter A.** stale claim, statute-barred debt; **vermögensrechtlicher A.** pecuniary claim, entitlement of a pecuniary nature, interest in property, claim under the law of property; **nicht ~ A.** non-pecuniary claim; **vermögenswerter A.** claim in the nature of an asset; **vertraglicher A.** contractual/contract claim, claim under contract; **vertretbarer A.** sustainable claim; **verwirkter A.** stale demand/claim; **vollstreckbarer A.** enforceable claim; **vorgehender/vorrangiger A.** prior claim; **wahlweiser A.** alternative claim; **weitergehender A.** (any) further claim; **widerstreitende Ansprüche** interfering/contending claims; **wohlerworbener A.** vested right; **zivilrechtlicher A.** civil claim; **zweifelhafter A.** doubtful claim

Anspruchs|abtretung *f* assignment of a claim; **A.änderung** *f* amendment of claim; **A.anpassung** *f* adjustment of aspiration level; **A.begründung** *f* establishment/founding of a claim; **a.berechtigt** *adj* eligible, entitled to a claim; **A.berechtigte(r)** *f/m* beneficiary, eligible/entitled person, (rightful) claimant, entitled party; **A.berechtigung** *f* eligibility, entitlement, validity of a claim; **A.bewertung** *f* claims assessment; **A.denken** *nt* high (material) expectations; **A.gebühr** *f* claims fee; **A.gegner(in)** *m/f* opposing party; **A.gesellschaft** *f* entitlement society; **A.grundlage** *f* basis/foundation of a claim; **A.häufung** *f* multiplicity of claims; **A.inflation** *f* competitive inflation; **A.klasse** *f* grade; **einer ~ zuordnen** to grade; **a.los** *adj* 1. modest, undemanding; 2. *(Produkt)* down-market; **A.losigkeit** *f* modesty; **A.mentalität** *f* entitlement mentality; **A.nachweis** *m* proof of claim; **A.nehmer(in)/A.steller(in)** *m/f* claimant; **A.niveau** *nt* level of aspiration/attainment, aspiration level, return target; **A.regulierung** *f* claim settlement; **A.übergang** *m* devolution/passing of claims; **A.verjährung** *f* limitation/barring of claims; **A.verwirkung** *f* forfeiture; **A.verzicht** *m* waiver of a claim; **a.voll** *adj* 1. demanding, exacting, discriminating, fastidious; 2. high-powered; 3. *(Produkt)* up-market; **weniger a.voll** *(Produkt)* down-market; **A.voraussetzung** *f* prerequisite of a claim; **der A.wirkung nicht unterworfen** *f* non-forfeiting

anstachel|n *v/t* 1. § to incite/instigate; 2. to whet/needle; **A.ung** *f* incitement, instigation

Anstalt *f* 1. institute, establishment, institution; 2. *(Stiftung)* foundation; 3. $ asylum; **A. des öffentlichen Rechts; öffentliche/öffentlich-rechtliche A.** public institution/body, corporate body, public(-law) corporation, incorporated public-law institution; **gemeinnützige A.** public welfare institution

Anstalts|arzt *m* resident physician; **A.aufsicht** *f* institutional supervision; **A.last** *f* institutional liability; **A.unterbringung** *f* committal to an institution

anständig *adj* decent, fair, honest, respectable, reputable; **sich gegenüber jdm a. verhalten** to do the decent thing by so.; **A.keit** *f* decency, fairness, propriety

Anstands|besuch *m* courtesy/formal call; **jdm einen ~ machen** to pay one's respects to so.; **A.frist** *f* decent interval; **A.gefühl** *nt* tact; **~ verletzen** to offend against decency; **a.los** *adj* 1. without hesitation; 2. with good grace; **A.pflicht** *f* moral obligation

anstatt *prep* instead, in lieu/place of

anstecken *v/t* $ to infect; *v/refl* to contract a disease; **a.d** *adj* $ infectious, contagious; **nicht a.d** non-infectious, non-contagious

Ansteckung *f* $ infection, contagion; **A.seffekt** *m* ripple effect; **A.gefahr** *f* risk of infection

anstehen *v/i* 1. to queue, to line up *[US]*; 2. to be up for, to be/fall due; **noch a.** to be pending; **a. zu** to be up for; **a.d** *adj* pending, upcoming

Ansteigen *nt* 1. rise, increase, swell; 2. *(Kurs)* firming-up; **steiles A.** surge

ansteigen *v/i* 1. to rise/increase/climb/mount/swell, to go up, to recover; 2. *(Börse)* to advance, to be up *[US]*; 3. *(Kurs)* to stage an advance/a rise, to ascend; 4. *(Nachfrage)* to reemerge

allmählich/langsam/leicht ansteigen to inch ahead, to edge up(wards); **rasch/scharf a.** to surge/soar, to leap/shoot/bounce up; **sprunghaft a.** to jump/surge/zoom, to rise by leaps and bounds, to leap ahead, to surge, to move up sharply; **stark a.** 1. to escalate; 2. *(Preis/Kurs)* to soar; **steil a.** to surge, to rise sharply/steeply; **wieder a.** to rebound/recover

ansteigend *adj* advancing, growing, upward(s), mounting; **sprunghaft a.** exponential; **stark a.** escalating

anstellbar *adj* employable; **einzeln an- und abstellbar** ✪ separately controlled

anstelle von *prep* in place/lieu of

anstellen *v/t* to engage/employ/appoint, to take on; *v/refl* to queue *[GB]*/line *[US]* up; **monatlich a.** to employ on a month-to-month basis; **wieder a.** to reinstate/reappoint/reemploy

Anstellung *f* employment, engagement, appointment, recruitment, position; **A. auf Lebenszeit** life/permanent tenure; **~ Probe** hiring on probation; **A. finden** 1. to find employment, ~ a job; 2. *(Arbeitsloser)* to leave the register; **feste A.** permanent appointment, regular employment; **lebenslängliche A.** *(öffentlicher Dienst)* life tenure; **in pensions-/ruhegehaltsfähige A.** pensionable employment

Anstellungs|bedingungen *pl* terms/conditions of employment, conditions of service; **A.behörde** *f* appointing authority; **A.betrug** *m* employment fraud; **A.urkunde** *f* document of appointment; **A.verhältnis** *nt* employment contract, terms of employment; **A.vertrag** *m* contract of employment, employment/hiring contract, service agreement; **A.zeitraum** *m* employment period

ansteuern *v/t* to head/make for

Anstieg *m* 1. rise, increase, upturn, surge, escalation; 2. *(Börse)* advance; 3. *(Inflation)* velocity growth; **A. auf breiter Front** *(Kurs)* broad advance, widespread surge; **A. der Industriepreise** industry price rise

beträchtlicher/nennenswerter Anstieg siz(e)able rise; **drastischer A.** dramatic rise; **hektischer A.** violent rise; **leichter A.** moderate rise; **plötzlicher A.** sharp advance; **prozentualer A.** increase/growth in percentage terms; **rascher A.** surge; **sprunghafter A.** jump, rise by leaps and bounds; **starker A.** hefty increase, escalation, surge; **steiler A.** upsurge

anstift|en *v/t* to instigate/incite/abet, to set so. on; **A.er** *m* 1. instigator, abbettor; 2. § accessory before the fact

Anstiftung *f* instigation, incitement, solicitation, inducing so. to commit a criminal offence; **A., den Lauf der Gerechtigkeit abzulenken** § incitement to pervert the course of justice; **A. zum Meineid** § subornation

Anstoß *m* 1. initiative, impact, impulse, impulsion; 2. offence; **A. erregen** to give offence, to scandalize; **A. geben** to give occasion, to initiate; **A. nehmen** to take offence/exception

anstoßen *v/t* 1. to nudge/push; 2. *(angrenzen)* to abut; **a. an** to impinge on; **heimlich a.** to nudge

anstoß|erregend; anstößig *adj* 1. offensive, objectionable; 2. indecent; **A.finanzierung** *f* start-up finance; **Anstößigkeit** *f* indecency; **A.wirkung** *f* knock-on/trigger effect, impact

an|strahlen *v/t* to floodlight; **a.streben** *v/t* to aim/strive for, to seek/aspire, to have as an objective, to go after, ~ in for

anstreich|en *v/t* to paint; **A.er** *m* painter; **~ und Tapezierer** painter and decorator

anstrengen *v/refl* to endeavour, to take pains, to push/strain o.s., to be at pains; **a.d** *adj* hard, strenuous, demanding, exacting, taxing

Anstrengung *f* 1. endeavour, effort; 2. *(Strapaze)* exertion, strain, stress; **erneute A.en machen** to renew one's efforts; **gemeinsame A.en machen** to combine one's efforts; **A. unternehmen** to make an effort; **gemeinsame/gemeinschaftliche/vereinte A.** combined/joint/team effort; **körperliche A.** physical stress

An|strich *m* paintwork, coating; **A.sturm** *m* rush, onslaught, run, assault; **~ auf eine Bank** run on a bank; **A.suchen** *nt* request, petition, solicitation; **a.tasten** *v/t* to touch

Anteil *m* 1. part, (proportional) share, portion, proportion, interest, stake, contingent, weighting, cut *(coll)*, lot, percentage, quota, ratio, due; 2. *(Gesellschaft)* share, stock; 3. *(Fonds)* unit; 4. *(Zuteilung)* allotment; 5. element, component, content; **A.e** holdings, participations

Anteil|e Dritter *(Bilanz)* minority interests; **A. der einheimischen Produktion** local production; **A. eines ausschüttenden Fonds** income unit; **A.e in Fremdbesitz** minority interests, shares in outside holders' hands; **A. der unehelich Geborenen** illegitimate ratio; **A.e anderer Gesellschaften/Gesellschafter** minority interests; **A. am Gewinn** share of the profit; **~ Kapital** share of the capital; **A. der Kontingentsmenge** quota share; **A. liquider Mittel** (bank) cash ratio; **A. der Minderheitsaktionäre am Eigenkapital** minority equity; **A. aus heimischer Produktion** local content; **A. der Stammaktien am Aktienkapital** common stock position; **A.e im Umlauf** shares outstanding; **A.e an assoziierten Unternehmen** investments in subsidiary or associated companies; **~ verbundenen Unternehmen** shares in affiliated companies; **kurzfristiger A. langfristiger Verbindlichkeiten** current long-term liabilities; **A. des Warenhandels** *(Außenhandel)* (degree of) commodity concentration; **A. der Wertpapiergattungen am Gesamtnominalkapital** capitalization ratio

Anteil aufstocken to build up one's stake; **A.e ausgeben an** to allot shares to; **jdm seinen A. auszahlen** to pay so. out; **A. beanspruchen** to claim a share; **seinen A. beitragen/bezahlen/zahlen** to pay one's share/whack *(coll)*/due(s); **A. an einem Unternehmen besitzen** to have a share in a business; **A. erwerben an** to take a stake in; **A. haben an** to have a stake in; **tätigen A. nehmen** to take an active part; **A. verkaufen** to sell out

ausgegebene Anteil|e shares outstanding; **ausgegebener A.** issued share; **beim Publikum befindliche A.e** outstanding common shares; **voll (ein)bezahlter A.** fully paid share; **gerechter A.** fair share; **gesamthänderischer A.** collective ownership share; **halber A.** half share; **prozentualer A.** percentage (share/contribution), contribution; **rechtmäßiger A.** lawful share; **steuerfreier A.** tax-free element; **treuhänderischer A.** fiduciary interest; **verbleibender A.** final take; **wachsender A.** rising stake (in); **zurückgenommener A.** redeemed share; **zustehender A.** due share

Anteil|berechnung *f* adjustment; **a.ig** *adj* (in) proportionate, pro-rata (to one's holdings), pro-rate; **A.inhaber** *m* shareholder, stockholder, holder of an interest (in a property); **a.mäßig** *adj* proportionate, proportional, pro-rata (to one's holdings), on a pro-rata basis, prorat(e)able, rate(e)able

Anteilnahme *f* interest; **aufrichtige A.** sincere sympathy; **rege A.** keen interest

Anteil|pacht *f* share farming/leasing/tenancy, sharecropping *[US]*, crop share; **A.sabsatz** *m (Investmentfonds)* sale of units; **A.satz** *m* proportion

anteils|berechtigt *adj* participating; **A.besitz** *m* share/stock ownership, shareholding *[GB]*, stockholding *[US]*; **A.bewertung** *f* unit evaluation; **A.buch** *nt* register of shareholders; **A.eigentum** *nt* share in ownership, part ownership, share; **A.eigentümer** *m* → **Anteilseigner**

Anteilseigner *m* 1. (equity) shareholder *[GB]*, stakeholder *[GB]*, stockholder *[US]*, owner of a share/stock, asset/equity holder; 2. *(Fonds)* unitholder; **außenstehender A.** outside shareholder; **eingetragener A.** shareholder of record; **körperschaftlicher A.** corporate shareholder; **A.vertreter** *pl* stockholder/capital side

Anteils|faktor *m* participation factor; **A.finanzierung** *f* proportional financing; **A.halter/A.inhaber** *m* → **A.eigentümer**; **A.kapital** *nt* shareholders'/stockholders' equity, equity stock *[US]*, equity/share capital; **A.kurs** *m* unit price; **A.mehrheit** *f* majority of shares/stocks; **A.menge eines Kontingents** *f* volume of quota share; **A.papier** *nt* share, stock; **A.prämie** *f* percentage premium; **A.preis** *m (Fonds)* unit price; **A.recht** *nt* equity interest/right

Anteilsschein *m* share *[GB]*/stock *[US]*/unit/participation certificate, investment/mutual fund certificate; **A. einer Aktie** scrip certificate *[US]*; **A.besitzer** *m* → **Anteilseigner**

Anteils|übereignung/A.übertragung *f* assignment of interest; **A.umlauf** *m* stocks/shares/units outstanding; **A.veräußerer** seller of a share, ~ an interest; **A.verkauf** *m* sale of shares/*(Fonds)* units; **A.wert** *m (Fonds)*

unit value; **A.werte** shares, stocks, equities, dividend-bearing securities; **A.(s)wertrückgang** *m* decline/drop in the unit price; **A.zeichner** *m* subscriber; **A.zeichnung** *f* subscription; **A.zertifikat** *nt* share/stock/unit certificate

Anteilzoll *m* *[EU]* compensatory levy

antelefonieren *v/t* to telephone, to ring up

Antidumping *nt* anti-dumping; **A.maßnahmen** *pl* anti-dumping measures; **A.untersuchung** *f* anti-dumping investigation; **A.verfahren** *nt* anti-dumping proceedings; **A.zoll** *m* anti-dumping duty/tariff

antil-inflationär *adj* anti-inflationary, counter-inflationary; **A.inflations-** anti-inflation(ary), counter-inflation; **A.inflationspolitik** *f* anti-inflation policy/strategy, counter-inflation policy/strategy; **a.kapitalistisch** *adj* anti-capitalist; **A.kapitalismus** *m* anti-capitalism; **A.kartellgesetzgebung** *f* anti-trust legislation; **a.kommunistisch** *adj* anti-communist; **A.krisenmanagement** *nt* crisis management; **A.-Marketing** *nt* demarketing; **A.nomie** *f* antinomy, contradiction; **A.pathie** *f* antipathy

Antiquar *m* antiquarian/secondhand bookseller; **A.iat** *nt* secondhand bookshop/department; **a.isch** *adj* antiquarian

antiquiert *adj* antiquated, obsolete, out of date

Antiquitäten *pl* antiques; **A.geschäft/A.laden** *nt/m* antique shop; **A.handel** *m* antique trade; **A.markt** *m* antique market; **A.sammler** *m* collector of antiques

Antilselektion *f* *(Vers.)* anti-selection, adverse selection; **A.streikgesetzgebung** *f* anti-strike legislation; **A.trust-** anti-trust; **A.trustgesetz/-recht** *nt* anti-trust law

antizipando *adv* in advance

Antizipationslaufwand *m* anticipated cost(s); **A.lager** *nt* anticipation inventory

antilzipativ *adj* *(Bilanz)* accrued, anticipative; **a.zipieren** *v/t* to anticipate; **a.zyklisch** *adj* countercyclical, anticyclical, contracyclical

Antrag *m* 1. application, claim, motion, petition, solicitation; 2. request, demand, bid; 3. (declaration) form; 4. proposal, proposition; 5. § submission; **auf A.** on application/request, at the instance of; **~ eigenen A.** § proprio motu *(lat.)*; **~ seinen A.** at his request

Antrag auf Abschluss eines Vertrages application/offer to conclude a contract; **~ Aktienzuteilung** application for (allotment of) shares; **~ Anberaumung eines Termins** § application for trial date; **A. unter Anwesenden** personal offer; **A. auf Aufhebung der Immunität** motion to lift immunity; **~ Baugenehmigung** planning application; **~ Beitritt** 1. application for accession; 2. § notice of intervention; **~ Börseneinführung/-zulassung** application for listing/quotation; **~ ein Darlehen** loan application, application for a loan; **~ Einstellung des Verfahrens** § application to stay proceedings, motion of adjournment; **~ Entlassungen** request for dismissal of redundant staff; **~ Entmündigung** § petition in lunacy; **A. auf Entscheidung ohne Anhörung des Gegners** § ex parte *(lat.)* application; **~ mündliche Verhandlung** § application for summons in chambers; **A. auf gerichtliche Entscheidung** motion for judgment; **~ Erklärung der Nichtigkeit** § petition for cancellation; **~ Erlass einer einstweiligen Verfügung** § petition for a temporary injunction; **~ Erlass eines Kostenfestsetzungsbeschlusses** § petition to fix costs; **~ Eröffnung des Konkursverfahrens** § petition in bankruptcy, bankruptcy petition, application for bankruptcy proceedings; **A. auf Erteilung einer Ausfuhrlizenz** application for an export licence; **~ Bankkonzession** notice of intent *[US]*; **~ Baugenehmigung** planning application, application for planning permission/consent; **~ Einfuhrgenehmigung** application for an import licence; **~ Konzession** application for a charter; **A. auf Fristverlängerung** application for extension of time; **~ Genehmigung** request for ratification; **A. im Verfahren der freiwilligen Gerichtsbarkeit** ex parte *(lat.)* application; **A. auf Geschäftseröffnung** business application; **A. zur Geschäftsordnung** motion on a point of order, procedural motion; **A. auf Gewährung eines Darlehens/Kredits** loan application, application for a loan; **~ Hypothekendarlehen** mortgage application; **~ Klageabweisung** § motion to dismiss the complaint; **auf A. des Klägers** § at the plaintiff's suit; **A. auf Konkurseröffnung** petition in bankruptcy, bankruptcy petition, application for bankruptcy proceedings; **~ Kostenfestsetzung** request for the fixing of costs; **~ einen Kredit** application for a loan; **~ Liquidation** winding-up petition; **~ Lohnsteuerjahresausgleich** application for annual adjustment of income tax; **~ Reisekostenerstattung** travel expenses claim; **~ Schankerlaubnis** licensing application; **~ Steuerrückerstattung stellen** to claim tax back; **~ Übertragung von Wertpapieren** stock transfer form; **~ Vertagung** motion for adjournment; **~ Vornahme einer gerichtlichen Handlung** praecipe *(lat.)*; **~ Wiederaufnahme des Verfahrens** § motion for a new trial; **A. auf Zollabfertigung** (customs) entry; **~ für den freien Warenverkehr** consumption entry; **~ für den freien Warenverkehr stellen** to enter for customs clearance, to file a customs clearance/entry, to make an entry; **A. auf Zulassung der Berufung** § petition for leave to appeal; **A. auf Zuteilung von Aktien** application for allotment of shares; **~ Ausstellungsfläche** application for space; **A. auf Zwangsliquidation** petition for (the) compulsory winding-up

Antrag ablehnen 1. to decline/reject/refuse/overrule an application, to turn down an application; 2. to defeat a motion; **der A. ist abgelehnt** *(Parlament)* the nays have it *[GB]*; **über einen A. abstimmen** to put a motion to the vote; **A. abweisen** § to turn down an application; **A. annehmen** to carry/adopt a motion, to accept a proposal; **der A. ist angenommen** *(Parlament)* the ayes have it *[GB]*; **A. aufsetzen** to draft a motion; **A. bearbeiten** to handle an application; **A. beschließen** to carry a motion; **A. bewilligen** § to grant an application; **A. zu Fall/zum Scheitern bringen** to defeat a motion/bill, to kill a bill; **A. durchbringen** to get a motion adopted; **A. einbringen** to bring in/table a motion, to table a proposal, to move a resolution, to put down/-

bring forward a motion; **A. einreichen** to file an application/petition, to send in/put up a petition; **A. genehmigen** to allow an application; **A. scheitern lassen** to kill a proposal *(fig)*; **einem A. stattgeben** to allow/grant a petition, to pass/sustain a motion, to grant an application; **A. stellen** to make/file an application, to bring forward/table a motion, to apply/move/propose; **neuen A. stellen** to reapply; **bei Gericht A. auf Auflösung stellen** to petition the court for dissolution; **A. auf Beurlaubung stellen** to apply for leave; ~ **Eröffnungsbeschluss stellen** to file a petition in bankruptcy; **A. überstimmen** to defeat a motion; **A. unterstützen** to second/support a motion; **A. verwerfen** to overrule a proposal; **A. zurücknehmen/-ziehen** to withdraw a motion; **A. zurückweisen** to dismiss a petition

begründeter Antrag § reasoned submission; **dringender A.** emergency motion; **erneuter A.** re-application; **formloser A.** informal application; **schriftlicher A.** written application; **unsittlicher A.** indecent proposition; **unwidersprochener A.** § unopposed petition

Antrags|bearbeitung *f* processing of applications; **A.berechtigte(r)** *f/m* eligible party/person, party entitled to apply, ~ to submit a request, rightful/authorized petitioner; **a.berechtigt sein** *adj* to be entitled to make an application, ~ to apply; **A.berechtigung** *f* right to apply, entitlement to the petition, cause for the petition; **A.bestand** *m* applications outstanding; **A.datum** *nt* date of application; **A.delikt** *nt* offence requiring an application for prosecution; **A.eingang** *m* receipt of application(s); **A.entwurf** *m* draft proposal; **A.ersuchen** *nt* petition; **A.formular** *nt* 1. application (form/blank), form of application; 2. *(Vers.)* proposal/claim form; ~ **auf Entschädigung** claim form; **A.frist** *f* application/request period, time for filing; **A.gebühr** *f* application fee; **A.gegner(in)** *m/f* 1. opponent; 2. § respondent, adverse party; **a.gemäß** *adj* as applied for; **A.grund** *m* reason for application; **A.pflicht** *f* duty to petition; **A.recht** *nt* right of motion/application

Antragsteller(in) *f/m* 1. applicant, petitioner, proponent, mover, raiser; 2. § petitioning party; 3. *(Sozialhilfe)* claimant; 4. *(Entschließung/Vers.)* proposer, submitter; 5. *(Entwicklungshilfe)* applicant country

Antragstellung *f* application, filing (of) an application, proposal of motion; **vor A.** prior to claiming; **bei A. zahlbar** payable on application

Antrags|verfahren *nt* 1. filing/claims/application procedure; 2. § proceedings initiated upon petition; **A.vordruck** *m* application form; **A.weg** *m* application channel

antreffen *v/t* to meet/encounter/find

antreib|en *v/t* 1. *(Person)* to urge; 2. ✿ to drive/power/propel; **a.end** *adj* incentive; **A.ersystem** *nt* 🏭 sweatshop system

Antrieb *m* 1. incentive, urge, boost, impetus, drive, impulsion; 2. ✿ drive, power propulsion/unit; **aus eigenem A.** of one's own accord

Antriebs|aggregat *nt* ✿ power unit/equipment; **A.element** *nt* driving element; **A.kraft** *f* 1. driving force; 2. *(Konjunktur)* expansive/stimulative/expansionary force, upward influence; 3. ✿ (motive) power; **A.mechanismus/A.system** *m/nt* driving mechanism; **A.- und Steuerungstechnik** *f* drive and control system; **A.welle** *f* ✿ drive shaft

Antritt *m* beginning, start, commencement; **A. von Beweisen** § offer of evidence

Antritts|besuch *m* first visit, formal call; ~ **machen** *(Diplomatie)* to present one's credentials; **A.gebühr** *f* reporting allowance; **A.rede** *f* inaugural/inauguration address; **A.svorlesung** *f* inaugural lecture

Antwort *f* answer, reply, response, reply by return of mail; **als A. auf** in reply/response to; **A. bezahlt, A. zahlt Empfänger** ✉ reply/answer paid

auf Antwort drängen/dringen to press for an answer; **abschlägige A. erhalten** to meet with a denial; ~ **geben** to answer in the negative; **um A. wird gebeten (u.A.w.g.)** *(Einladung)* R.S.V.P. (répondez s'il vous plait) *[frz.]*; **niemals um eine A. verlegen sein** to be never at a loss for an answer

ablehnende/abschlägige Antwort refusal; **abratende A.** discouraging reply; **ausweichende A.** evasive reply; **von Prestigerücksichten beeinflusste A.** *(Umfrage)* prestige bias; **bejahende A.** affirmative reply; **befriedigende A.** satisfactory reply; **entscheidende A.** definite answer; **kurze A.** curt answer; **positive A.** affirmative reply; **postwendende/prompte/sofortige/umgehende A.** immediate/prompt answer, ~ reply, reply by return of mail; **schnelle A.** speedy reply; **schriftliche A.** written answer; **unverbindliche A.** non-committal answer; **verschlüsselte A.** 💻 coded response message; **vorsichtige A.** guarded answer; **zustimmende A.** affirmative answer, answer in the affirmative

Antwort|auswahlprinzip *nt* multiple choice (system); **A.dienst** *m* answering service; **A.einrichtung** *f* 💻 respond feature

antworten *v/i* to answer/reply/respond, to make report; **kurz angebunden a.** to answer curtly; **ausweichend a.** to give an evasive answer; **mit ja oder nein a.** to answer yes or no; **positiv a.** to answer in the affirmative

Antwort|karte *f* business reply card; **A.quote** *f* response rate; **A.schein** *m* ✉ reply coupon; **internationaler A.schein** *m* International Reply Coupon; **A.telegramm** *nt* ✉ reply-paid telegram; **A.zeit** *f* 💻 response time

anvertrauen *v/t* 1. to entrust/commit/delegate/assign; 2. *(Geheimnis)* to confide; **jdm etw. a.** to entrust so. with sth.

Anverwandte|e *pl* relations, relatives; **A.schaft** *f* kinship, relationship

anvisieren *v/i* to zero in on, to target at, to envisage

Anwachsen *nt* growth, increase, build-up, accrual; **A. der öffentlichen Ausgaben** growth of public expenditure; ~ **Bevölkerung** population growth

anwachsen *v/i* to grow/increase/accrue/accumulate/augment/swell, to build up; **lawinenartig a.** to snowball *(fig)*; **rapide a.** to balloon *(fig)*

Anwachsungsrecht *nt* right to accruals, ~ of accrual

Anwählen *nt* ✆ dialling, calling; **automatisches A.** selective trunk dialling (STD), autocalling; **manuelles**

A. manual dialling; **a.** *v/t* to dial/call

Anwalt *m* 1. solicitor, lawyer; 2. *(Schwurgericht)* barrister *[GB]*, counsel(l)or *[US]*, attorney at law *[US]*, advocate *[Scot.]*

Anwalt des Beklagten counsel for the defence, attorney for the defendant *[US]*; **A. für Eigentums- und Grundstücksübertragungen** conveyancer; **A. der Gegenpartei** opposing counsel; **A. des Klägers** counsel for the plaintiff; **A. im Notdienst** duty solicitor; **A. für/in Steuersachen** tax attorney/lawyer, lawyer specializing in tax matters

Anwalt anweisen to instruct a solicitor/lawyer, to brief a barrister *[GB]*; **als A. auftreten** to appear as counsel; **A. beauftragen/beschäftigen/mandieren/nehmen** to retain/engage a lawyer, ~ solicitor; **sich mit seinem A. beraten** to confer with one's (legal) counsel, to consult one's lawyer; **(zum) A. bestellen** to brief a counsel/lawyer/solicitor/barrister; **A. bevollmächtigen** to give power of attorney to a lawyer; **A. in Anspruch nehmen** to employ a lawyer; **sich als A. niederlassen** to go into practice, to set up in practice; **als A. tätig sein** to practise at the bar *[GB]*; **Angelegenheit einem A. übergeben** to put a matter in the hands of an attorney/a solicitor; **A. verpflichten** to retain/engage a lawyer; **durch einen A. vertreten sein** to be legally represented; **zum A. einer Sache werden** to become the advocate of sth.; **A. zu Rate ziehen** to consult a lawyer/solicitor; **(als) A. zulassen** *(Schwurgericht)* to call to the bar *[GB]*

beratender Anwalt consulting barrister *[GB]*; **gerichtlich bestellter A.** duty solicitor *[GB]*, Official Solicitor *[GB]*, public defender *[US]*; **gegnerischer A.** opposing counsel/lawyer; **plädierender A.** barrister *[GB]*; **prozessführender A.** counsel, lawyer conducting a lawsuit; **raffinierter A.** slick lawyer

Anwaltslanderkonto *nt* solicitor's trust account; **A.assessor** *m* trainee lawyer, junior barrister; **A.beruf** *m* legal profession, bar; **~ ausüben** to practise at the bar; **A.bestellung** *f* retainer, briefing of a lawyer; **A.büro** *nt* chambers *[GB]*, law firm/office(s)

Anwaltschaft *f* legal profession/fraternity, bar, advocacy, attorneyship; **aus der A. ausschließen** to disbar; **zur A. zulassen** to admit/call to the bar; **~ zugelassen** entitled to practise before a court

Anwaltslfirma *f* law firm, firm of solicitors; **A.gebühren/A.honorar** *pl/nt* solicitor's/lawyer's/counsel's/attorney's fees, legal charges/fees, retainer; **A.geheimnis** *nt* attorney-client privilege; **A.gehilfe** *m* lawyer's clerk, articled clerk, legal assistant *[US]*; **vorläufiges A.honorar** attorney's fee, retainer; **weiteres A.honorar** refresher; **A.kammer** *f* Law Society *[GB]*, Bar Council *[GB]*; **A.kanzlei** *f* chambers *[GB]*, lawyer's/solicitor's office, barrister's chambers, law firm, firm of solicitors; **A.kosten** *pl* → **A.gebühren**; **A.- und Gerichtskosten** legal expenses and court costs; **A.liste** *f* roll of solicitors, Solicitors' Roll *[GB]*; **von der ~ streichen** to strike off the Solicitors' Roll; **A.notar** *m* lawyer commissioned as a notary; **A.plädoyer** *nt* attorney's speech; **A.praxis** *f* law practice; **~ haben** to practise law; **A.prozess** *m* litigation with necessary representation by lawyers; **A.rechnung** *f* solicitor's bill; **A.sonderkonto** *nt* solicitor's trust account; **A.sozietät** *f* law firm/partnership, firm of solicitors/lawyers; **A.stand** *m* legal profession, bar; **A.tätigkeit** *f* advocacy, work as a practising lawyer; **A.verein** *m* association of lawyers, Law Society *[GB]*; **A.verzeichnis** *nt* law list, roll of solicitors, Solicitors' Roll *[GB]*; **A.zulassung** *f* admission to practice as a lawyer, ~ to the bar *[GB]*, ~ as attorney *[US]*; **A.zwang** *m* mandatory legal counsel, ~ representation by lawyers, compulsory representation by a defence counsel

Anwandlung *f* fit; **moralische A.en** fits of morality

Anwärter(in) *m/f* candidate, contender, probationer, applicant; **A. auf den Anwaltsberuf** articled clerk *[GB]*; **erster A.** frontrunner; **A.kreis** *nt* candidates

Anwartschaft *f* 1. candidacy, eligibility, (reversionary/contingent) right, qualifying period, right in the course of acquisition, qualification; 2. *(Vers.)* expectancy; 3. *(Erbe)* remainder, future estate/interest; 4. § reversion, abeyance; **A. auf Altersruhegeld** retirement pension expectancy; **bedingte A.** contingent remainder, conditional future interest; **unentziehbare A.** vested remainder

anwartschaftlich *adj* reversionary

Anwartschaftslberechtigter *m* prospective beneficiary, reversioner, reversionary, remainderman, person entitled in expectancy; **A.dividende** *f* reversionary dividend; **A.gut** *nt* remainder estate

Anwartschaftsrecht *nt* reversionary interest, expectancy, expectant/contingent right; **bedingtes A.** contingent remainder; **dingliches A.** estate in expectancy; **unentziehbares A.** § vested remainder

Anwartschaftslrente *f* reversionary/deferred annuity, reversion; **A.zeit** *f* qualifying period

anweisen *v/t* 1. to instruct/order/direct; 2. *(Geld)* to remit/transfer; 3. *(zuweisen)* to allocate/assign/appropriate; **A.de(r)** *f/m* assignor, assigner, drawer

Anweisung *f* 1. order, instruction, briefing, direction, rule(s), regulation(s), directive, warning, specifications; 2. *(Auftrag)* commission; 3. *(Geld)* remittance, transfer; 4. *(Zuweisung)* assignment, allocation; 5. 🖳 (procedural) statement; 6. ⊖ transit

auf Anweisung von by order/direction of; **entsprechend/gemäß Ihren A.en; Ihren A.en gemäß** in accordance with your instructions, according to your directions; **laut A.** as per advice

Anweisung zur Arbeitsunterbrechung stop work order; **A. eines höheren Gerichts** perogative order *[GB]*; **A. an den Inhaber** bearer warrant; **A., einen Scheck zu sperren** stop payment notification; **A. zur Übersendung von Prozessakten** § order of certiorari *(lat.)*; **A., in jds Rechte einzugreifen** § writ of trespass

bis auf gegenteilige Anweisung unless countermanded; **~ weitere A.en** pending further instructions/notice/orders; **bis zum Eintreffen von A.en** pending instructions

Anweisung ablehnen to refuse an instruction; **A.en ab-**

warten to await instructions; ~ **ausführen** to execute instructions; ~ **befolgen/einhalten** to follow/observe instructions; **durch A. bezahlen** to remit; **A.en entgegennehmen** to take orders; **A. erlassen/erteilen** to issue a directive; **A. geben** to brief/instruct/direct, to issue a directive; **A.en hinterlassen** to leave instructions; ~ **Folge leisten; sich nach ~ richten** to follow instructions, to comply with instructions; **seine ~ überschreiten** to transcend one's instructions

ausdrückliche Anweisung strict instruction; **kaufmännische A.** bill of exchange drawn on a merchant; **klare und unmissverständliche A.** clear and unmistakable direction; **laufende A.** standing order; **mündliche A.** verbal instruction; **schriftliche A.** order in writing; **unbedingte A.** unconditional order

Anweisungs|bank *f* deposit bank; **A.betrag** *m* remittance; **A.blatt** *nt* ⊖ transit sheet; **A.empfänger** *m* payee, assignee, designated recipient; **A.garantie** *f* payment guarantee; **A.gebühr** *f* transfer charge; **A.schein** *m* assignment

anwendbar *adj* 1. applicable, pertinent, adaptable, exercisable, practicable, employable; 2. *(einschlägig)* relevant, usable, appropriable (to); 3. *(Hebesatz)* leviable; **sinngemäß a. sein** *(Bestimmung)* to apply by analogy; **gewerblich a.** susceptible of industrial exploitation, capable of exploitation in industry; **nicht a.** inapplicable; **praktisch a.** implementable; **unmittelbar a.** directly applicable

Anwendbarkeit *f* applicability, appropriability, practicability, usability; **A. eines Gesetzes** operation of a law; **gewerbliche A.** commercial/industrial application

anwenden *v/t* 1. to apply/employ/utilize/implement/effectuate/exercise/operate; 2. ⚕ to administer; 3. ⊖ to impose, to have recourse to; **einfach anzuwenden** easy to administer

falsch/missbräuchlich anwenden to misapply/misuse; **nebeneinander a.** to apply concurrently; **nicht a.** to disapply; **untereinander a.** to accord one another; **vorteilhaft a.** to utilize to advantage

Anwender *m* user; **A.beratung** *f* end-user consulting; **A.datei** *f* user file; **A.programm** *nt* application/user program; **A.software** *f* applications/user software

Anwendung *f* use, application, utilization, implementation, appliance, appropriation, exercise, employment, operation

Anwendung von Gewalt use/application of force; **unter ~ Gewalt** by force; **A. werbeanalytischer Methoden** value engineering; **A. von Normen** standards application; **A. einer Tarifierung** application of tariff classification; **A. multipler Wechselkurse** multiple-currency practices; **A. der Wettbewerbsvorschriften** application of the rules of competition

einfach in der Anwendung easy to administer

in/zur Anwendung bringen to apply, to bring to use; **A. finden** 1. to be applicable, to apply; 2. *(Gesetz)* to operate; **zur A. kommen** to apply, to come into operation; **nicht ~ kommen** to disapply

gezielte Anwendung selective application; **innerliche A.** ⚕ internal use; **kommerzielle A.** commercial application/use; **praktische A.** practical application; **räumliche A.** § territorial application; **rückwirkende A.** retroactive application; **strenge A.** strict application

Anwendungs|analyse *f* application analysis, analysis of application; **A.bedingung** *f* condition of use; **A.beispiel** *nt* example for application; **A.bereich** *m* 1. scope/territory (of application), range/field/area of application, terms of reference; 2. *(Gesetz)* scope of a law, territorial application; ~ **eines Vertrages** purview (of a treaty); **a.bezogen** *adj (Forschung)* applied; **A.entwicklung** *f* 💻 application development/management; **A.erfahrung** *f* application know-how; **A.fall** *m* example for application; **A.feld/A.gebiet** *nt* → **A.bereich**; **A.kontrolle** *f* application management; **A.konzeption** *f* application concept, concept of application; **A.leitfaden** *m* application guidance/guideline; **A.möglichkeit** *f* possible application; **theoretische A.möglichkeit** speculative application; **a.orientiert** *adj* application-orient(at)ed/focussed, geared to practical application; **A.programm** *nt* 💻 software; **A.richtlinie** *f* instructions for use; **A.schicht** *f* application layer; **A.steuerung** *f* application management; **A.system** *nt* applications system; **A.technik** *f* applications engineering, application know-how; **A.techniker** *m* applications engineer; **A.überwachung** *f* application management; **A.verfahren** *nt* method of application; **A.vorschrift** *f* instructions for use

Anwerbe|gebühr *f* recruitment fee; **A.land** *nt* country of recruitment

anwerb|en *v/t* to recruit, to drum up; **A.er** *m* recruiting agent

Anwerbe|stopp *m* recruitment ban/stop, ban on recruitment; **A.vereinbarung** *f* recruitment agreement

Anwerbung *f* recruitment, recruiting, enlistment; **A. von Arbeitskräften** labour recruitment, recruitment/procurement of labour; ~ **Führungskräften** executive recruitment; ~ **Hochschulabgängern/-absolventen** graduate recruitment; **A.skampagne** *f* recruitment drive

Anwesen *nt* premises, property, compound, § messuage; **sofort beziehbares A.** vacant possession; **im Sanierungsgebiet gelegenes A.** slum property; **landwirtschaftliches A.** farm

anwesend *adj* present; **a. sein** to attend, to be in residence; **A.e(r)** *f/m* attendee; **A.e** those present/attending

Anwesenheit *f* 1. attendance, presence; 2. *(in der Vergangenheit)* attendance record; **in A. von** in the presence of; **seine A. dokumentieren** to show the flag *(fig)*; **faktische/tatsächliche A.** actual presence; **physische A.** physical presence

Anwesenheits|appell *m* roll call; **A.bereitschaft** *f* (readiness) duty; **A.buch** *nt* attendance register/book; **A.dauer** *f* duration of stay; ~ **im Betrieb** portal to portal time; **A.geld** *nt* attendance allowance/fee; **A.karte** *f* attendance card; **A.liste/A.nachweis** *f/m* attendance list/record/sheet, record of attendance; **A.pflicht** *f* duty/obligation to attend; **A.prämie** *f* attendance bonus/allowance/money, call compensation, call-in pay; **A.stechkarte** *f* attendance clock card; **A.vergütung** *f* attendance allowance, reporting pay; **A.verzeichnis** *nt* attendance register

Anwesenheitszeit *f* attendance time, hours of attendance; **A.auswertung** *f* attendance (time) evaluation; **A.erfassung** *f* attendance recording/registration

Anwesenheitszulage *f* attendance allowance

Anwohner(in) *m/f* (local) resident

Anzahl *f* number, quantity, tally

Anzahl der Beförderungsfälle carryings; **~ Beschäftigten** payroll; **~ Buchungsposten** number of transactions; **A. in einer Klasse** ▦ absolute frequency; **A. von Kunden** flow of customers; **A. der Sitzplätze** seating capacity

in großer Anzahl in large numbers; **nur in beschränkter A. vorhanden sein** to be in short supply

beschlussfähige Anzahl quorum; **beträchtliche A.** a good many; **stattliche A.** fair number

anzahlen *v/t* to pay a deposit, to make a down payment, to pay down, ~ on account

Anzahlung *f* 1. down/initial/advance payment, deposit, payment on account, prepayment, downpay *[US]*; 2. *(Ratenkauf)* deposit (payment), partial payment; **keine/ohne A.** no deposit, nothing down, no down payment

Anzahlung auf Anlagen advance payment on buildings and plant; **geleistete A.en auf Anlagevermögen** down payment for fixed assets; **A. bei Auftragserteilung** down payment when placing the order; **erhaltene A.en auf Bestellungen** payments received on account of orders

Anzahlung leisten to leave/pay a deposit, to make a down payment, to pay on account/down; **A.en verrechnen** to allow for sums paid in advance

erhaltene Anzahlung payment received on account, advance payment, advance received from customer, customer prepayment; **geleistete A.en** payments on account/in advance, deposits with suppliers, advances to suppliers; **gutgläubig ~ A.** good faith deposit

Anzahlungs|bedingungen *pl* deposit requirements/terms; **A.bürgschaft** *f* down payment guarantee; **A.garantie** *f* advance (payment) guarantee, advance payment bond; **A.geschäft** *nt* selling on down payment terms; **A.summe** *f* deposit

Anzapfen von Telefonleitungen *nt* telephone/wire tapping, interception of calls; **a** *v/t* ϟ/✆ to tap

Anzeichen *nt* 1. sign, indication; 2. ⚕ symptom, trace; 3. evidence, manifestation, pointer; **es gibt A. dafür, dass** there is evidence that

Anzeige *f* 1. *(Presse)* advertisement, ad, advert, insertion, insert; 2. *(Ankündigung)* notification, note, announcement; 3. *(Avis)* advice, notice; 4. 🖳 panel, display; 5. ⚙ reading, indication; 6. *(Polizei)* information; **auf A. von** at the instance of; **laut A.** as per advice; **ohne weitere A.** without further notice

Anzeige unter Chiffre keyed advertisement; **A. gegen Unbekannt** information about a criminal offence committed by persons unknown

Anzeige aufgeben/platzieren/unterbringen to place/run/take out an advertisement, to advertise; **zur A. bringen** § to report; **A. disponieren** to place an advertisement; **A. erstatten** § to file charges, to lay information, to inform against, to bring an action against

amtliche Anzeige official announcement; **chiffrierte A.** keyed advertisement; **doppelseitige A.** double(-page) spread, double; **einmalige A.** one-appearance/one-off advertisement; **ganzseitige A.** spread; **gezielte A.** direct/selective advertisement; **grafische A.** graphic display; **interaktive A.** 🖳 interactive display; **kleine A.** classified ad; **~ A.n** small ads; **optische A.** 1. 🖳 display station/unit; 2. visual display; **telegrafische A.** cable message; **umrandete A.** boxed advertisement; **unverzügliche A.** immediate notice; **zweiseitige A.** double(-page) spread, double

optische Anzeige|einheit 🖳 visual display device; **A.einrichtung** *f* indicator; **a.frei** *adj* exempt from notification; **A.gerät** *nt (Börse)* ticker; **optisches A.gerät** 🖳 visual display unit (VDU), indicator; **A.hintergrund** *m* background display; **A.lampe** *f* indicator light

anzeigen *v/t* 1. to notify/announce/advise/declare/disclose, to give notice (of), to communicate, to be indicative of; 2. to publish/advertise; 3. § to report, to lay information against; 4. to indicate/show/signal, to be indicative of; 5. 🖳 to display

Anzeigen|abteilung *f* advertising department; **A.agentur** *f* advertising agency; **A.akquisiteur** *m* advertising agent; **A.annahme(stelle)** *f* advertising agency, advertisement office; **A.auftrag** *m* advertising order; **A.beilage** *f* advertising supplement/insert; **A.blatt** *nt* 1. advertiser, freesheet, freebie *(coll)*; 2. *(Amtsblatt)* gazette

anzeigend *adj* indicative

Anzeigen|datei *f* 🖳 display file; **A.expedition** *f* advertising agency; **A.fachmann** *m* advertising expert/specialist; **A.friedhof** *m* clutter of advertisements; **A.gebühr** *f* advertising charge; **A.geschäft** *nt* advertising business; **A.gestalter** *m* layouter; **A.grundpreis** *m* open rate; **A.kampagne** *f* advertising campaign; **A.kosten** *pl* advertising rates/charges, space charges; **A.kunde** *m* advertising customer; **A.mittler** *m* advertising agency/office; **A.platzierung** *f* positioning; **A.preis** *m* advertising rate; **A.preisliste** *f* advertising rate list; **A.raum** *m* advertising space; **A.raumvermittler** *m* space buyer; **A.schluss** *m* closing date; **A.serie** *f* advertising campaign, serial advertisement; **A.spalte** *f* advertisement column; **A.-Split** *m* split-run advertising; **A.tarif** *m* advertising rate; **kombinierter A.tarif** combination rate; **A.teil** *m* advertisement columns/space/section; **A.termin** *m* copy deadline; **A.text** *m* copy (text); **A.texter** *m* copywriter; **A.träger** *m* advertising medium; **A.umfang** *m* advertising volume; **A.vertrag** *m* advertising contract; **A.vertreter** *m* advertising agent/salesman; **A.werber** *m* canvasser; **A.werbung** *f* press advertising; **gezielte A.werbung** targeted advertising

Anzeigepflicht *f* 1. duty of disclosure, obligation to disclose/notify, duty to report; 2. *(Steuer)* disclosure requirement(s); **a.ig** *adj* notifiable, reportable

Anzeiger *m* 1. *(Presse)* advertiser, gazette; 2. indicator, index; 3. 🖳 pointer

unternehmerisches Anzeige|- und Warnsystem business radar *(fig)*; **A.tafel** *f* 1. indicator/display panel, ~ board, scoreboard; 2. *(Börse)* quotations board; **elektronische A.tafel** electronic display board

Anziehen *nt (Kurse/Preise)* rise, advance, increase, firming(-up); **A. der Kreditschraube** credit-tightening measure; **~ Kreditzügel** tightening of credit; **~ Preise** stiffening of prices; **~ Steuerschraube** tightening of the tax screw; **~ Zinssätze** firming of interest rates; **plötzliches A.** spurt

anziehen *v/t* 1. ✿ to tighten; 2. *(Kunden)* to attract; 3. *(Nachfrage)* to reemerge; *v/i (Preise)* to rise/advance/increase/harden/rally/gain/firm, to move up; **kräftig a.** to rise sharply, to recover smartly, to turn strong, to advance strongly; **langsam a.** to edge up; **leicht a.** *(Preis/Kurs)* to edge forward; **rasch a.** to advance sharply; **wieder a.** to rebound

Anziehungskraft *f* appeal, attraction, magnetism; **A. auf Kunden** appeal to customers; **magnetische A.** magnetic attraction, magnetism

Anziehungspunkt *m* centre of attraction

anzüglich werden to become personal

anzuwendend *adj* applicable

anzweifeln *v/t* to doubt

Apartment *nt* apartment, maisonette; **A.bewohner** *m* flatdweller

aperiodisch *adj* aperiodic, non-recurrent, not identified with a specific period

in den sauren Apfel beißen *m (fig)* to grasp the nettle *(fig)*, to bite the bullet *(fig)*; **für einen A. und ein Ei kaufen** *(coll)* to buy for a song *(coll)*, ~ on the cheap

Apotheke *f* chemist's (shop), drugstore *[US]*, pharmacy, dispensary

Apotheker *m* pharmacist, (dispensing) chemist, dispenser, druggist; **approbierter A.** registered pharmacist; **A.preise** *pl (fig)* stiff prices

Apparat *m* 1. apparatus; 2. gadget; 3. ✿02 device, appliance, contrivance; 4. ✆ telephone (extension), set; 5. organisation, set-up, machinery; **am A.** ✆ speaking, on the (tele)phone; **~ bleiben** ✆ to hold the line, to hang on *(coll)*, to bear with so.; **über den notwendigen A. verfügen** to be duly equipped

Apparatebau *m* instruments engineering, process equipment manufacturers/manufacturing

Apparatur *f* equipment, hardware

Appell *m* 1. appeal; 2. ✈ muster, roll call; **dringender A.** urgent appeal; **A.ant** *m* § appellant

Appellation *f* § appeal; **A.s-** appellate; **a.fähig** *adj* appealable; **A.gericht** *nt* court of appeal; **A.instanz** *f* appellate body

appellieren (an) *v/prep* to (make an) appeal (to)

ap|plaudieren *v/i* to applaud; **A.plaus** *m* applause

Applikationsingenieur *m* application engineer

Appoint *m* number, item; **per netto A. ziehen** to draw the exact amount

Approbation *f* ⚕ licence (to practise as a physician); **ärztliche A. entziehen** to strike off the medical register; **A.sordnung** *f* qualification/registration requirements

Äqui|distanz *f* equidistance; **Ä.valent** *nt* equivalent; **ä.valent** *adj* equivalent

Äquivalenz *f* equivalence; **Ä.konflikt** *m* plus-plus conflict; **Ä.prinzip** *nt* cost of service principle, benefit(s received) principle, compensatory principle of taxation, principle of equivalence; **Ä.verkehr** *m* setting-off with equivalent goods; **Ä.ziffer** *f* weighting figure

Arabischer Währungsfonds *m* Arab Monetary Fund (AMF)

Arbeit *f* 1. work, labour *[GB]*, labor *[US]*; 2. *(Tätigkeit)* activity, job, occcupation, employment; 3. *(Aufgabe)* task, assignment, work function; 4. *(Mühe)* effort, toil, chore; 5. *(Leistung)* performance; 6. *(Ausführung)* workmanship

in Arbeit in hand, under way, being processed; **bei der A.** 1. at/during work, busy, on the job; 2. *(Maschine)* during operation; **ohne A.** out of work, unemployed; **während der A.** in the course of one's employment

Arbeit außerhalb des Arbeitstaktes out-of-cycle work; **A. unter erschwerten Bedingungen** work under difficult conditions; **A. und Kapital** capital and labour; **A. mit leicht verdienbaren Prämien** fat work *(coll)*; **A. auf Prämienbasis** work on the bonus system; **A. im Steinbruch** quarrying; **A. statt Sozialhilfe** *[D]* welfare-to-work program *[US]*; **A. unter Tage** ⚒ underground work; **A. nach Vorschrift** work to rule, go-slow; **A. mit Zeitrichtwerten** controlled work

jdn. zur Arbeit anhalten to urge so. to work; **A. annehmen** to accept a job, to take up employment; **A. aufgeben** to quit, to give up work; **mit der A. aufhören** to knock off *(coll)*; **A. aufnehmen** to take up employment/work, to sign on for work; **A. wieder aufnehmen** to resume work; **A. ausführen** to execute work, to start working; **A.en ausschreiben** to put work out to tender, to invite tenders; **A. aussetzen** to suspend work; **A. beenden** to cease work; **A. beschaffen** to create/provide employment; **an der A. bleiben** to continue to work; **bei der A. bummeln** to go slow; **sich vor der A. drücken** to shirk work, to be on the skive *(coll)*; **A. einstellen** 1. to stop work(ing), to cease work; 2. *(Streik)* to down tools, to walk out; **sich die A. einteilen** to pace one's work; **A. erhalten** to obtain employment, to get work; **A. erledigen** to complete a job; **zur A. erscheinen** to turn up for work; **A. finden** to find work; **von der A. freistellen** to release/free from work; **A. außer Haus geben** to send out work, to contract out; **an die A. gehen** to set/go to work; **A. haben** to have a job, to be employed; **keine A. haben** to be out of work; **etw. in A. haben** to be working on sth.; **an eine A. herangehen** to tackle a job; **A. leisten** to do/perform work; **ausgezeichnete A. leisten** to do a first-class job; **ganze A. leisten/machen** to make a thorough/proper job of it, ~ clean sweep of it *(fig)*, to go the whole hog *(coll)*; **gute A. leisten** to do a good job; **halbe A. leisten** to do sth. by halves; **nützliche A. leisten** to do useful work; **sich an die A. machen** to get/settle/buckle *(coll)* down to work, to set to work, to roll up one's sleeves *(fig)*; **viel A. machen** to be a lot of work; **sich zur A. melden** to report for duty/work; **einer A. nachgehen** to pursue a profession, to ply a trade, to do a job, to go about one's work/business; **A. in Angriff nehmen** to set to work; **A. niederlegen** to down tools, to walk out, to lay down one's tools, to cease/stop work(ing); **an der A. sein** to be at work; **mit der A. über den Berg sein** to have broken the back of a job *(fig)*; **in A. sein** to be in hand; **ohne A. sein** to be out of work, ~ without employment, ~ unemployed/jobless; **in seiner A. nachlässig sein** to be negligent in one's work; **tief in der A. stecken** to be up to one's neck in work *(fig)*; **in A. stehen** to be employed/in (gainful) employment; **A. suchen** to seek employment, to look for employment/a job; **bei der A. trödeln** to slack up work; **seine A. tun** to do one's job; **A. übernehmen** to undertake a job; **A. verdingen/vergeben** to let out on contract, to contract out work; **A. verrichten** to do a job, to do work, to perform a task; **A. verschaffen** to provide work; **A. wiederaufnehmen** to resume work, to return to work; **A. zuweisen** to allocate work

regelmäßig anfallende Arbeit routine work; **anstrengende A.** arduous job; **ausführende A.** operative performance; **nachlässig/schlecht ausgeführte A.** slipshod work; **in der Ausführung begriffene A.** work in progress; **bequeme A.** soft/cushy job; **bezahlte A.** paid work; **nach Akkord ~ A.** work at piece rates, piecework; **nach Zeit ~ A.** work at time rates; **dispositive A.** directing activity; **einfache A.** low-grade task, menial job; **wenig ertragreiche A.** lean work; **fachmännische A.** professional job; **fehlerhafte A.** bad work(manship); **feste A.** regular employment, steady work; **freiwillige A.** voluntary work; **gefährliche A.** dangerous work; **geistige A.** white-collar work, intellectual/mental work; **geleistete A.** work done; **gemeinnützige A.** community work; **gesetzgeberische A.** legislative measures; **gesundheitsschädliche A.** unhealthy/unhygienic work; **gleichförmige A.** repetitive work; **gutbezahlte A.** well-paid job; **harte A.** hard work; **hervorragende A.** craftsmanship; **intensive A.** hard work; **konstruktive A.** constructive work; **körperliche A.** manual labour/work; **laufende A.** routine (work); **leichte A.** light work; **mäßige A.** mediocre work; **mechanische A.** routine job; **minderwertige A.** inferior workmanship; **mittelbare A.en** auxiliary work; **niedrige A.** menial work; **oberflächliche A.** slapdash work; **öffentliche A.en** public works; **gewerkschaftlich organisierte A.** organized labour; **praktische A.** work in the field; **produktive A.** direct work; **regelmäßige A.** steady work; **repetitive A.** repetitive work; **saubere A.** neat work; **schlampige A.** slipshod work, shoddy (piece of) work; **schlechte A.** poor workmanship; **schriftliche A.en** paper work; **schwere A.** hard work/job; **schwierige A.** tough job; **nicht selbstständige A.** paid employment; **stumpfsinnige A** tedious work; **in der täglichen A.** in harness *(fig)*; **vertraglich übernommene A.** contract labour; **unangenehme A.** nasty piece of work *(coll)*; **unerledigte A.** work in arrears; **ungelernte A.** unskilled work; **unproduktive A.** dead work; **unselbstständige A.** (paid) employment; **untergeordnete A.** low-grade work, menial task/work; **vorbereitende A.** dead work, preparation, make-ready activities; **vordringliche A.** priority job; **vorgetane A.** accumulated work; **vorübergehende/zeitweilige A.** temporary employment/work; **vorzügliche A.** craftsmanship; **zeitweilige A.** temporary work/employment

zielorientiertes Arbeiten goal-oriented work/working

arbeiten *v/i* 1. to work, to do/perform work, to be at work; 2. *(Maschine)* to operate/function; 3. *(Leistung)* to perform; 4. *(Bilanz)* to trade; **a. an** to work on, to be engaged in

ein bisschen arbeiten to do a spot of work; **einwandfrei a.** ⚙ to run smoothly; **ganztägig a.** to work full-time; **gewinnbringend a.** to trade profitably/at a profit, to run a surplus; **halbtags a.** to work half-time; **hart a.** to toil/graft *(coll)*; **hauptamtlich a.** to work on a full-time basis; **kostendeckend a.** to break even, to operate at break-even; **lange a.** to work long hours; **länger a.** to work extra; **methodisch a.** to work with method, ~ systematically; **nachlässig a.** to skimp; **nachts a.** to work nights; **planmäßig a.** to operate on schedule; **schlampig a.** to do slipshod/shoddy work; **schwer a.** to work hard, to labour, to be hard at it; **stramm/tüchtig a.** to work hard; **sich tot a.** to work o.s. to death, ~ one's fingers to the bone *(coll)*; **umschichtig a.** to take turns, to work in shifts; **umsonst a.** to waste one's labour; **ungleichmäßig a.** to work by fits and starts; **wieder a.** to return to work; **wirtschaftlich a.** to operate/work economically; **zufriedenstellend a.** to perform satisfactorily

arbeiten gehen to go out to work; **a. lassen** to employ

arbeitend *adj* 1. working, in/at work; 2. operating, operative; **nicht a.** *(Kapital)* idle

Arbeiter *m* 1. worker, workman, working man; 2. (wage-earning) employee, manual/blue-collar worker, labourer; 3. 🏭 operative; *pl* labour (force), people on the shop floor

Arbeiter und Angestellte wage and salary earners; **A. im Angestelltenverhältnis** bleached-collar employee *(coll)*; **A. auf Nachtschicht** night man; **A. in der Produktion** production/trade worker; **A. in einer Schlüsselposition** key worker

Arbeiter anwerben to recruit workers; **A. einstellen** to employ/recruit workers; **A. entlassen** to lay off/ dismiss workers, to make workers redundant; **A. vorübergehend entlassen** to lay off workers; **A. mit Waren entlohnen** to truck

Arbeiter gesucht hands wanted

ablösender Arbeiter relief worker; **angelernter A.** semi-skilled worker, hand; **ausländischer A.** foreign/immigrant/expatriate worker; **einheimische A.** indigenous labour; **geistiger A.** white-collar worker; **gelernter A.** skilled worker/workman; **gewerblicher A.** manual/industrial worker; **landwirtschaftlicher A.** agricultural labourer, farm hand; **organisierter A.** unionized worker; **qualifizierter A.** qualified worker; **solider A.** steady worker; **städtischer A.** council worker, local authority worker; **tüchtiger A.** hard worker; **ungelernter A.** unskilled worker/labourer;

vermittlungsfähige/-willige A. available workers

Arbeiter|bank *f* workers'/labor *[US]* bank; **A.bedarf** *m* manpower requirement(s); **A.belegschaft** *f* wage-earning labour force; **A.bevölkerung** *f* working class population, ~ class/population; **A.bewegung** *f* labour movement; **a.feindlich** *adj* anti-working class; **A.frage** *f* labour question; **a.freundlich** *adj* pro-working class; **A.führer** *m* labour leader; **A.fürsorge** *f* industrial welfare; **A.gesetzgebung** *f* labour legislation; **A.gewerkschaft** *f* trade *[GB]*/labor *[US]*/blue-collar union, manual workers' union; **A.haushalt** *m* 1. working-class household; 2. *(Geld)* working-class budget; **A.in** *f* woman/female worker, work(ing) girl; **A.klasse** *f* working/labouring class; **A.kontrolle** *f* workers' control; **A.kooperative** *f* worker cooperative; **A.mangel** *m* scarcity of workers; **A.milieu** *nt* working class environment; **A.nummer** *f* employee number; **A.organisation** *f* labour/workers' organisation; **A.partei** *f* Labour Party *[GB]*; **in eine Angestelltenstelle umgewandelte A.position** bleached-collar job; **A.rentenversicherung** *f* workers' pension insurance

Arbeiterschaft *f* 1. working/labouring class, working people; 2. labour force, workforce, workers, people on the shop floor; **organisierte A.** organised/unionized labour; **nicht ~ A.** free labour

Arbeiter|schutzgesetz *nt* Factory Act *[GB]*; **A.schutzgesetzgebung** *f* protective labour legislation; **A.selbstverwaltung** *f* workers' self-management/participation, autogestion; **A.siedlung** *f* 1. workers' housing estate, industrial colony; 2. homecroft *[GB]*; **A.stunde** *f* man-hour; **A.überschuss** *m* surplus labour; **A.unfall** *m* industrial accident; **A.unfallversicherung** *f* workmen's compensation insurance; **A.unruhen** *pl* labour unrest; **A.verein** *m* working men's club, workmen's club; **A.versicherung** *f* industrial insurance; **A.vertreter** *m* labour/workers' representative; **A.vertretung** *f* labour representation; **A.viertel** *nt* working class area/district, working quarter; **A.wohlfahrt** *f* workers' welfare organisation; **A.wohnung** *f* workers' dwelling; **A.zug** *m* workers' train, work peoples' train

Arbeitgeber *m* 1. employer, master, entrepreneur; 2. employment unit; **A. und Arbeitnehmer** employers and employees, management and labour, both sides of industry, master and men/servant(s) *(obs.)*; **A.-Arbeitnehmer-Beziehungen/Verhältnis** *pl/nt* industrial/labour/labour-management relations; **dem A. kündigen** to give the employer notice; **öffentlicher A.** public-sector employer; **strenger A.** taskmaster

Arbeitgeber|anteil/A.beitrag *m* *(Sozialvers.)* employer's (social security) contribution, employer contribution rate; **A.beiträge** *pl* employer expenditure *[US]*; **A.darlehen** *nt* loan by the employer; **a.feindlich** *adj* anti-employer; **a.freundlich** *adj* pro-employer

Arbeitgeberhaftpflicht *f* employer's liability; **A.versicherung** *f* employers's liability insurance, industrial insurance; **A.versicherungsgesetz** *nt* Employers' Liability (Compulsory Insurance) Act *[GB]*

Arbeitgeber|haftung *f* employer's liability; **A.nummer** *f* employer identification number; **A.organisation** *f* employers' federation/association/organisation; **A.schaft** *f* employers; **A.seite** *f* 1. employers, management side; 2. *(Aufsichtsrat)* shareholders' representatives; **a.seitig** *adj/adv* on the employer's part, by the employer; **A.übergewicht** *nt* employer supremacy; **A.verband/A.vereinigung** *m/f* employers' federation/association/organisation, trade association; **A.vertreter** *m* employers' representative; **A.zuschuss** *m* employer's contribution; **gesetzlicher A.zuschuss** employer's statutory social security contribution

Arbeitnehmer *m* employee, employed person; *p* labour, wage and salary earners; **A. und Arbeitgeber** both sides of industry; **A. im öffentlichen Dienst** public-sector employee; **A. in Leichtlohngruppen** low paid employees; **dem A. kündigen** to terminate so.'s employment

ausländischer Arbeitnehmer foreign worker/employee; **kurzfristig beschäftigter A.** part-time employee; **sozialversicherungspflichtig ~ A.** employee liable for social security contributions; **ein- und auswandernde A.** migrant workers; **entsandter A.** delegated employee; **gewerblicher A.** industrial employee, industrial/manual/manufacturing worker, wage-earner; **gewinnbeteiligter A.** profit-sharing employee; **inländischer A.** domestic/indigenous worker; **kaufmännischer A.** clerical/non-manual worker, salaried employee; **kaufmännische A.** staff and manual employees; **organisierte A.** organised labour/workers; **nicht ~ A.** non-union labour

Arbeitnehmer|aktie *f* employee's share/stock; **A.anteil** *m* employee('s social security) contribution; **A.bank** *f* *(Aufsichtsrat)* trade union side; **A.beitrag** *m* *(Sozialvers.)* employee (social security) contribution; **A.beratung** *f* employee counselling; **A.beteiligung** *f* worker participation/say; **A.darlehen** *nt* loan to employees; **A.einfluss** *m* employee influence; **A.einkommen** *nt* employee earnings; **A.erfinder** *m* employee inventor; **A.erfindervergütung** *f* compensation for employee's invention; **A.erfindung** *f* employee(s')/service invention; **a.feindlich** *adj* anti-employee; **A.flügel** *m* *(Partei)* workers' wing; **A.fonds** *m* employee trust; **A.freibetrag** *m* employee's personal tax allowance, personal allowance, earned income allowance/relief *[GB]*, ~ credit (EIC) *[US]*; **a.freundlich** *adj* pro-employee; **in A.hand** *f* employee-owned; **A.handbuch** *nt* company information manual; **A.haushalt** *m* employee household; **A.in** *f* female worker; **A.kapital** *nt* employee capital; **A.organisation** *f* employee organisation, organised labour; **A.pauschale** *f* earned income credit (EIC) *[US]*; **A.rechte** *pl* workers'/employee rights, **A.rechtsschutz** *m* legal protection of employees; **A.schaft** *f* workers, working-class, the employees, workforce; **A.schutz** *m* protection of employees; **A.seite** *f* 1. labour (side), worker/staff representatives, employees' side; 2. *(Aufsichtsrat)* the unions; **a.seitig** *adj/adv* on the employee's part, by the employee; **A.sparzulage** *f* bonus on employee savings schemes, employee's savings premium; **A.überlassung/A.verleih** *f/m* hiring out of employees; **A.verband/A.verei-**

nigung *m/f* trade/industrial/labor *[US]* union, employee(s') association; **A.vergütung** *f* employee compensation package; **A.vertreter** *m* employee(s')/worker(s') representative, shop steward; *pl* labour (side); **A.vertretung** *f* employee/workforce representation, representation of employees; ~ **im Aufsichtsrat** board-level worker representation

Arbeitsl- labour, industrial, working; **A.abkommen** *nt* employment contract

Arbeitsablauf *m* flow of work, production process, work flow, operational/processing/working sequence, cycle, operations; **A. automatisieren** *nt* to automate/dehumanize the work process

Arbeitsablauflabweichung *f* non-standard operation variance; **A.bogen** *m* flow process chart; **A.darstellung/A.diagramm** *f/nt* flow (process) chart; **A.flussplan** *m* flow-of-work chart, work-flow diagram; **A.gestaltung** *f* work-flow structuring; **A.handbuch** *nt* procedures manual; **A.karte** *f* route sheet; **A.organisation** *f* work-flow organisation; **A.plan** *m* flow chart, sequence of operations schedule; **A.planung** *f* work-flow planning; **A.schaubild/A.skizze** *nt/f* outline process chart; **A.studie** *f* flow-of-work/method study, work-flow analysis

Arbeitslabrechnungskarte *f* (operation) job card; **A.abschluss** *m* leaving-off/finishing-off time, end of work; ~ **registrieren** to clock out; **A.abweichung** *f* non-standard operation variance; **A.alltag** *m* daily (work) routine

arbeitsam *adj* diligent, industrious

Arbeitsamt *nt* labour exchange/office, job centre *[GB]*, (public) employment office; employment agency *[US]*; **A.sbezirk** *m* labour office district, employment service district; **A.smaßnahme** *f* labour office retraining scheme; **A.snachweis** *m* labour exchange report

Arbeitslanalyse *f* work/job/operation analysis, job study, breakdown of job operations; **A.anfall** *m* workload, volume/flow of work; **großer A.anfall** spate of work; **A.anforderung** *f* job/work requirement(s), work demands; **A.angebot** *nt* labour/manpower supply, available jobs; **A.angebotskurve** *f* labour supply curve; **A.anhäufung** *f* pressure of work; **A.anleitung** *f* working/operating instructions; **A.anreiz/A.ansporn** *m* work incentive, incentive to work; **A.- und Produktionsanreize** economic incentives; **A.anstrengung** *f* work effort; **A.anteil** *m* labour content; **A.antritt** *m* commencement/beginning of work, first working day; ~ **registrieren** to clock in; **A.anweisung** *f* instruction, briefing, work instruction/specifications/assignment, job sheet, dispatching; **A.anweisungen** workbook, job instructions; **A.anzug** *m* overalls; **A.atmosphäre** *f* working climate, work(ing) atmosphere; **A.aufbau** *m* job analysis; **A.auffassung** *f* attitude to work; **A.aufgabe** *f* job assignment, work function, task; **A.aufnahme** *f* beginning of work; **A.aufsicht** *f* factory inspection; **A.aufteilung** *f* division of labour; allocation of work/labour; ~ **auf mehrere Maschinen** split route scheduling

Arbeitsauftrag *m* commission, job, job/work/shop order, work/operation ticket, labour voucher; **A.skostenrechnung** *f* job order cost accounting; **A.snummer** *f* job number, work order number

Arbeitsaufwand *m* 1. effort, energy; 2. labour/manpower input; 3. *(Kosten)* labour input cost(s); **A. pro Einheit** unit labour cost(s); **unmittelbarer A.** direct labour (costs); **A.szahl** *f* labour constant

arbeitslaufwendig *adj* labour intensive; **A.auseinandersetzung** *f* industrial dispute/unrest, labour disturbance; **A.ausfall** *m* loss of working hours/manhours; **bezahlter A.ausfall** paid absence; **A.ausführung** *f* job performance, workmanship; **A.ausrüstung** *f* working equipment; **A.ausschuss** *m* study group, working party; **A.ausstand** *m* strike; **A.ausweitung** *f* job enlargement; **A.band** *nt* 🖳 job/scratch tape; **A.bank** *f* workbench; **A.basis** *f* working basis; **A.beanspruchung** *f* workload; **A.bedarf** *m* manpower requirement(s); **A.bedingungen** *pl* working conditions, (terms and) conditions of employment/service, work environment, conditions at the place of work; **normale A.bedingungen** standard working conditions; **A.beendigung** *f* completion of work; **A.befreiung** *f* release from work, time off, special leave; **A.befriedigung** *f* job satisfaction; **A.beginn** *m* commencement/start of work, starting time, clocking in; ~ **registrieren** to clock in; **A.belastung** *f* 1. workload, pressure of work; 2. *(Gericht)* case load; **A.berater** *m* employment guidance officer; **A.beratung** *f* employment guidance; **A.bereich** *m* field of work/activity/attention, work/working/scratch area, activity, walk, area of operations, work centre; ~ **zwischen Arbeitern und Angestellten** grey area occupation; **A.bereicherung** *f* job enrichment; **A.bereitschaft** *f* 1. readiness to work; 2. *(Zeit)* standby time; **A.bericht** *m* job/labour/manufacturing/work report; **technischer A.bericht** call/incident report

Arbeitsbeschaffung *f* job creation/fostering, provision of employment, relief work, work procurement

Arbeitsbeschaffungslkredit *m* job-creating loan; **A.maßnahme** *f* job-creation scheme/programme, work creation programme, special employment measure, workfare program *[US]*, make-work policy; **(öffentliche) A.maßnahme (ABM)** community programme *[GB]*; **A.programm/A.projekt** *nt* job-creating scheme/programme, job-creation/make-work scheme, ~ programme

Arbeitslbescheinigung *f* certificate of employment; **A.beschreibung** *f* job description/specification, work specification; **A.bestand** *m* working stock; **A.besuch** *m* working visit; **A.bewegung** *f* work flow

Arbeitsbewertung *f* job evaluation/analysis/rating, labour grading; **analytische A.** analytic job evaluation; **summarische A.** non-analytic job evaluation; **A.sverfahren** *nt* factor comparison

Arbeitslbewilligung *f* labour permit; **A.bezeichnung** *f* job identification; **A.beziehungen** *pl* industrial/labour relations; **A.blatt** *nt* 1. work sheet, spreadsheet; 2. *(Lohnzettel)* time sheet; **A.buch** *nt* workbook; **A.bühne** *f* platform; **A.datei** *f* 🖳 work file; **A.dauer** *f* working time, spell of work; **A.diagramm** *nt* flow/working diagram; **A.dienst** *m* labour service; **A.direktor** *m* 1. labour relations manager, worker director, personnel manager/director, industrial relations director, vice-president for personnel *[US]*, ~ for employee relations *[US]*, employee's representative on the board of management; 2. *[D]* employee relations director; **A.disposition** *f* work layout; **A.disziplin** *f* discipline at work, shop discipline; **A.durchführung** *f* operation; **A.-durchlaufkarte** *f* operations routing sheet; **A.effekt** *m* effectiveness of labour, per capita productivity; **A.eifer** *m* zeal, enthusiasm for work; **A.eignung** *f* aptitude for work; **A.einheit** *f* unit of work, activity; **A.einkommen** *nt* earned/employment/service income, income from employment, employee compensation, earnings, wages and salaries

Arbeitseinsatz *m* labour/work input, employment of labour, manpower management, amount of work; **A.bogen** *m* work input sheet; **A.planung** *f* manload planning

Arbeits|einstellung *f* 1. *(Haltung)* attitude to work; 2. *(Schließung)* shutdown; 3. *(Streik)* stoppage, strike; 4. *(Anstellung)* employment; **vorübergehende A.einstellung** suspension of work; **A.einteilung** *f* organisation of work, work management; **A.element** *nt* work element; **A.ende registrieren** *nt* to clock out; **A.entgelt** *nt* wage(s), earnings, pay, employees' remuneration; **A.erfahrung** *f* work experience; **A.erfolgsprämie** *f* performance incentive; **A.ergebnis** *nt* 1. result (of one's labour), operating/job result; 2. *(Effizienz)* efficiency; **A.ergiebigkeit** *f* labour productivity; **A.erlaubnis** *f* work permit; **A.ermüdung** *f* work fatigue; **A.erprobung** *f* aptitude check/test; **A.ersparnis** *f* labour saving

Arbeitsertrag *m* yield, return from labour, output, income from employment; **Arbeits- und Unternehmungsertrag** income from employment and enterprise; **A.ssteuer** *f* earned income tax

Arbeits|essen *nt* working dinner/lunch, luncheon meeting, business lunch(eon); **A.etat** *m* working budget; **A.ethos** *nt* work ethic

arbeitsfähig *adj* 1. employable; 2. capable of work, able-bodied, able/fit for work; 3. functioning; **bedingt a.** fit for limited employment, partially disabled; **vorübergehend nicht a.** temporarily incapacitated; **jdn für a. erklären; jdn a. schreiben** to pronounce so. fit for work; **A.keit** *f* 1. employability; 2. capacity/ability to work, fitness for work

Arbeits|feld *nt* field/sphere of action; **A.fläche** *f* 1. working area; 2. worktop, (laminated) working surface; **A.fluktuation** *f* labour turnover

Arbeitsfluss *m* work flow; **A.darstellung/A.diagramm** *f/nt* route diagram, operation flow chart; **A.überwacher** *m* progress/record chaser

Arbeitsfolge *f* operating/job sequence, sequence of operation(s); **A.n** sequencing; **A. der Werkstattfertigung** job shop sequencing

Arbeitsförderung *f* employment promotion; **A.sgesetz** *nt* employment promotion act

Arbeitsform *f* mode of working

Arbeitsfortschritt *m* state of progress; **A.sbericht** *m* progress report; **A.sdiagramm** *nt* progress chart; **A.splanung** *f* progress planning

Arbeits|freistellung *f* release from (employment) duties; **A.freude/A.freudigkeit** *f* keenness at work; **A.friede(n)** *m* industrial peace, peaceful labour relations; **A.frieden stören** to cause industrial unrest; **A.frühstück** *nt* working breakfast

Arbeitsgang *m* 1. work segment, operating sequence, operation, process, activity, cycle, work flow; 2. 🖳 pass; **in einem A.** in/by one operation; **A.folge** *f* work sequence, sequence/series of operations

Arbeits|gebiet *nt* line, field (of work/attention), sphere of operations, area covered, walk; **A.gelegenheit** *f* job opportunity, opportunity for work

Arbeitsgemeinschaft *f* 1. team; 2. working party/partnership, study group; 3. joint venture, consortium; **A. der Verbraucherverbände** Consumer Associations Working Party; **A. bilden mit** to team up with

Arbeits|genehmigung *f* labour/work permit; **A.gerät(schaft)** *nt/f* (working) implement, equipment, component

Arbeitsgericht *nt* industrial (relations) tribunal/court, labour court; **A.sbarkeit** *f* industrial jurisdiction, labour (court) jurisdiction, industrial tribunal claim; **A.sentscheindung/A.surteil** *f/nt* industrial tribunal decision *[GB]*; **A.sgesetz** *nt* labour courts act

Arbeits|geschwindigkeit *f* working speed; **A.gesetz** *nt* industrial/labour act; **A.gesetzgebung** *f* labour/industrial/employment legislation, labour law, ~ relations legislation; **A.gestaltung** *f* job organisation/design/structuring, work structuring, organisation/design of work; **A.gesuch** *nt* job application; **A.gewohnheiten** *pl* work habits; **A.grube** *f* (drop) pit

Arbeitsgruppe *f* 1. working party/group, (work) team, study group, section, task force; 2. *(Langzeitplanung)* ginger group *[GB]*; 3. *(Kolonne)* gang; **autonome/selbststeuernde A.** autonomous work group; **interdisziplinäre A.** cross-skilled team; **interministrielle A.** inter-departmental working party; **teilautonome A.** semi-autonomous team, ~ work group; **A.nleiter** *m* team leader

Arbeits|haltung *f* attitude to work; **A.haus** *nt* workhouse; **A.heft** *nt* workbook; **A.hygiene** *f* industrial hygiene; **A.hypothese** *f* working assumption/hypothesis; **A.inhalt** *m* job content; **A.intensität** *f* labour content/intensity; **a.intensiv** *adj* labour-intensive, laborious, resource-intensive; **A.intensivierung** *f* stretch-out; **A.jahr** *nt* working/business year; **A.kamerad** *m* fellow worker, work mate/fellow

Arbeitskampf *m* industrial dispute/action/conflict, labour dispute/struggle; **Arbeitskämpfe** labour troubles, industrial disruption/strife; **zulässiger A.** lawful trade dispute *[GB]*; **A.maßnahme** *f* industrial action; **A.recht** *nt* law of labour disputes; **A.rechtsprechung** *f* rulings on industrial disputes

Arbeits|kapazität *f* working capacity; **A.kapital** *nt* working capital; **A.karte** *f* work ticket; **A.kette** *f* work sequence; **A.klassifizierung** *f* job classification;

A.kleidung *f* overalls, work/industrial/occupational/working clothing, workwear; **A.klima** *nt* industrial/labour climate, working atmosphere/climate; **A.knappheit** *f* manpower/labour shortage; **A.koeffizient** *m* labour-output ratio; **A.kollege** *m* fellow worker, mate, work fellow, colleague at work; **A.kolonne/A.kommando** *f/nt* working party, gang; **Internationale A.konferenz** International Labour Conference; **A.konflikt** *m* labour/industrial conflict, trade/industrial dispute

Arbeitskosten *pl* 1. labour/employment cost(s), price of labour, bill of wages, total sum of wages and salaries, salaries and ancillary cost(s); 2. ↯ power generation cost(s); **direkte A.** direct labour cost(s); **indirekte A.** indirect cost(s) of labour, cost(s) of unproductive labour; **nicht wettbewerbsfähige A.** non-competitive employment cost(s); **A.belastung** *f* burden of labour cost(s); **a.intensiv** *adj* labour-intensive; **A.theorie** *f* labour cost theory

Arbeitskraft *f* 1. worker, hand, gainfully employed person; 2. working power/capacity, manpower; **Arbeitskräfte** 1. workers, workmen; 2. labour, labour force, workforce, staff, employees, human resources; **knapp an Arbeitskräften** short-handed, underhanded, short of hands/staff, understaffed

Arbeitskräfte abbauen to shed labour/employees, to reduce the labour force; **A. abziehen** to withdraw labour; **unnötige A. beschäftigen/einstellen** to featherbed; **A. einsetzen** to employ labour; **A. einsparen** to save labour; **A. einstellen** to recruit/hire labour, to take on labour, to enrol(l) workers, to recruit manpower/workers, to hire employees, to taken on (new) workers; **ungelernte A. einstellen** to dilute labour; **A. freisetzen** to shed labour/jobs, to cut jobs, to make workers redundant, to disemploy people; **A. freistellen** to lay off workers; **A. horten** to hoard labour; **A. suchen** to seek labour; **A. umsetzen/umgruppieren** to redeploy labour; **A. vermitteln** to place workers; **A. zuweisen** to allocate labour

angelernte Arbeitskräfte semi-skilled workers/labour; **ausgebildete A.** skilled labour; **ausführende Arbeitskraft** operative; **ausländische A.** foreign labour; **beschäftigungslose A.** redundant workers; **billige A.** cheap labour; ~ **illegale A.** stoop labour *[US]*; **einheimische A.** indigenous/native labour; **fehlende A.** manpower shortage; **freie A.** unemployed workers; **freigesetzte/-gewordene A.** redundant workers, workers made redundant; **gemietete A.** contract labour; **geschulte A.** qualified labour; **gewerbliche Arbeitskraft** bluecollar worker *(coll)*; **menschliche A.** manpower; **gewerkschaftlich organisierte A.** unionized/organised labour; **qualifizierte A.** skilled workers; **nicht registrierte A.** lump labour; **ständige A.** permanent staff/labour/personnel; **im Ausland tätige A.** expatriate manpower/staff; **überschüssige A.** surplus manpower/labour; **unausgenutzte A.** slack labour; **ungelernte A.** unskilled/manual labour, ~ workers, dilutees; **verfügbare A.** labour supply/resources, manpower (resources); **beschränkt verwendbare Arbeitskraft** worker of limited employability; **volle Arbeitskraft** full-time worker; **weibliche A.** female labour; **zusätzliche A.** outside help; **zwangsverpflichtete A.** indentured labour

Arbeitskräfte|abbau *m* labour-shedding, manpower reduction/cutback; **A.abgang** *m* labour wastage, attrition; **A.angebot** *nt* supply of labour/manpower, available manpower; **A.auslastungskurve** *f* workload curve; **A.bedarf** *m* manpower/labour requirements; **A.bedarfsbericht** *m* manpower loading report; **A.besatz** *m* manpower/staffing level; **A.beschaffung** *f* staff recruitment; **A.bewegung** *f* labour turnover; **A.defizit** *nt* labour shortage; **A.disponent(in)** *m/f* manpower planner; **A.einsatz** *m* manpower management/allocation, labour input, manning; **A.einsparung** *f* labour saving; **A.engpass** *m* manpower/labour bottleneck; **A.exportland** *nt* labour-exporting country; **A.fluktuation** *f* staff turnover; **A.knappheit/A.mangel** *f/m* shortage of manpower/labour/staff, manpower/labour/staff shortage, scarcity of labour/workers, tight labour market; **A.mobilität** *f* payroll job movement, fluidity of labour; **A.nachfrage** *f* demand for labour, personnel requirements; **A.planung** *f* human resources planning, manpower planning; **A.potenzial** *nt* human/manpower resources, labour pool/force/supply; **unproduktives A.potenzial** slack labour; **A.reserve** *f* manpower reserve, labour pool, marginal workforce; **A.reservoir** *nt* manpower reserve, recruitment sources *[US]*; **a.sparend** *adj* labour-saving; **A.statistik** *f* manpower/labour force statistics; **A.überangebot/A.überschuss** *nt/m* labour/manpower surplus, redundant labour, excess labour supply; **A.überhang** *m* overmanning, surplus labour; **versteckter A.überschuss** concealed surplus of labour; **A.verknappung** *f* manpower/labour shortage; **A.verteilung** *f* allocation of labour/manpower; **A.wanderung** *f* migration of labour

Arbeitskraft|reserve *f* labour reserve; **A.steuer** *f* selective employment tax (SET) *[GB]*

Arbeits|kreis *m* study group, working party/group; ~ **der Nutzer** user task group; **A.lage** *f* employment situation, operative position; **A.lager** *nt* labour/work camp; **A.laufzettel** *m* job ticket; **A.leben** *nt* working/professional life

Arbeitsleistung *f* 1. (on-the-)job performance, (work) output, (work) performance (level), labour productivity, work done; 2. 🏭 payload; **jährliche A. pro Person** man-year of work; **A. pro Tag** measured day work; **menschliche A.** 1. labour performance, amount of work done; 2. manpower, human labour; **A.sabweichung** *f* labour efficiency/time variance

Arbeits|lenkung *f* human resources management; **A.liste** *f* operating list; **A.lohn** *m* wage, pay, employment compensation/income; **A.löhne** *(Bilanz)* labour cost(s)

arbeitslos *adj* unemployed, out of work/employ, ~ a job, redundant, jobless, workless, off the payroll, inactive, stranded, idle, sitting on the sidelines of business, on the dole *(coll)*; **a. gemeldet** on the (unemployment) register

arbeitslos machen to make redundant, to put/throw out of work; **sich a. melden** to register for employment; **a. sein** to be out of work, ~ redundant; **als a. gemeldet/registriert sein** to be on the (unemployment) register, ~ dole; **a. werden** to be made redundant, to join the dole queue, to go on the unemployment register, to hit the streets *(coll)*

Arbeitslose\|(r) *f/m* unemployed person, workless, person out of/without work; **registrierte(r) A.(r)** registered unemployed person; *pl* the unemployed/jobless, the dole queue; **vermittlungswillige(r) A.(r)** available worker

Arbeitslosen\|armee *f* jobless army; **A.fürsorge** *f* unemployment relief

Arbeitslosengeld *nt* unemployment benefit/pay/relief/ compensation *[US]*, dole *(coll)*; **A. beziehen** to draw unemployment benefit, to be on the dole *(coll)*; **staatliches A.** unemployment benefit, dole

Arbeitslosen\|heer *nt* mass of unemployed/jobless; **A.hilfe** *f* unemployment relief/aid/assistance/benefit; **A.hilfekasse** *f* supplementary unemployment benefits fund; **A.pflichtversicherung** *f* statutory/compulsory unemployment insurance; **A.problem** *nt* unemployment problem; **A.prozentsatz** *m* rate of unemployment; **A.quote/A.rate** *f* unemployment rate/ratio, jobless rate, rate of unemployment; **A.register** *nt* unemployment register, list of the unemployed; **A.reservoir** *nt* pool of unemployed; **A.rückgang** *m* drop in unemployment; **A.schlange** *f* dole queue; **A.sockel** *m* underlying level of long-term unemployment, hard-core unemployment; **A.statistik** *f* unemployment figures/ statistics; **aus der ~ fallen** to leave the register

Arbeitslosenunterstützung *f* unemployment benefit/ relief/compensation/pay, dole *[GB]*; **A. beziehen** to draw/receive unemployment benefit, to be on the dole *(coll)*; **A.sbeitrag** *m* unemployment contribution; **A.sempfänger(in)** *m/f* recipient of unemployment benefit; **A.sfonds** *m* unemployment fund; **A.sgrundbetrag** *m* flat-rate unemployment benefit; **A.skasse** *f* unemployment fund

Arbeitslosenversicherung *f* unemployment insurance (fund/scheme), ~ compensation *[US]*; **A.sbeitrag** *m* unemployment insurance contribution, ~ tax *[US]*; **A.sträger** *m* unemployment insurance fund

Arbeitslosen\|zahl *f* unemployment figure/register, jobless figure, dole queue *(coll)*; **A.zählung** *f* census of unemployment; **A.ziffer** *f* unemployment/jobless figure

Arbeitslosigkeit *f* (level of) unemployment, joblessness, redundancy

Arbeitslosigkeit unter Erwachsenen adult unemployment; **A. durch Fluktuation** frictional/transitional unemployment; **A. bei Hochschulabsolventen** graduate unemployment; **A. unter Jugendlichen** youth unemployment; **A. wegen ausbleibender Nachfrage** deficient demand unemployment; **A. infolge von Rationalisierung** unemployment due to rationalization, ~ labour-saving methods

Arbeitslosigkeit abbauen to reduce/curb unemployment; **A. beheben** to alleviate unemployment; **A. bekämpfen** to fight/combat unemployment; **A. vergrößern** to add to unemployment

allgemeine Arbeitslosigkeit general/mass unemployment; **anhaltende A.** sustained unemployment; **außerökonomisch bedingte A.** incidental/accidental unemployment; **institutionell ~ A.** institutional unemployment; **nicht ökonomisch ~ A.** incidental unemployment; **technologisch/durch Technologisierung ~ A.** technological unemployment; **chronische/dauernde A.** hard-core/chronic/persistent unemployment; **fluktuierende/friktionelle A.** fluctuating/frictional unemployment; **freiwillige A.** voluntary unemployment; **konjunkturbedingte/konjunkturelle A.** cyclical/aggregate unemployment, business cycle unemployment; **langfristige A.** long-term/long-run unemployment; **latente A.** disguised/concealed/unrecorded unemployment; **nachfragebedingte A.** demand-deficient unemployment; **natürliche A.** natural rate of unemployment; **saisonale/saisonbedingte A.** seasonal/ fluctuating unemployment; **sektorielle A.** sectoral unemployment; **ständige A.** chronic/persistent unemployment; **strukturbedingte/strukturelle A.** structural unemployment/joblessness; **technische/technologische A.** technological unemployment; **unechte A.** fictitious unemployment; **unfreiwillige/unverschuldete A.** involuntary unemployment; **mit dem Arbeitsplatzwechsel verbundene A.** transitional unemployment; **verdeckte/verkappte/verschleierte/versteckte A.** disguised/concealed/hidden/unrecorded/camouflaged/fictitious unemployment; **verlagerte A.** transferred unemployment; **verschuldete A.** voluntary unemployment; **vorübergehende/zeitweilige A.** temporary unemployment; **wiederkehrende A.** intermittent unemployment; **zeitbedingte A.** secular unemployment; **zunehmende A.** rising unemployment; **zyklische A.** cyclical unemployment

Arbeitslosigkeits\|dauer *f* period of unemployment; **A.kurve** *f* unemployment curve/trend

Arbeits\|lust *f* enthusiasm for work; **A.mangel** *m* job scarcity, lack of work, work shortage

Arbeitsmarkt *m* labour/job/employment market; **A. für Teilzeitbeschäftigte/-kräfte** temporary job sector/market; **der A. ist ausgetrocknet** the availability of labour has evaporated; **für den A. verfügbar** available for work; **A. verstopfen** to clog the labour market

angespannter/leerer Arbeitsmarkt tight labour market; **betrieblicher A.** internal labour market; **regionaler A.** regional labour market; **regulärer A.** regular labour market

Arbeitsmarkt\|abgabe *f* labour market levy; **A.anspannung** *f* pressure on the labour market; **A.anpassung** *f* labour market adjustment; **A.ausgleich** *m* labour market equalization; **A.ausschnitt** *m* labour market segment; **A.aussichten** *pl* employment/job prospects, job perspectives; **A.bedingungen** *pl* labour conditions; **A.bilanz** *f* labour market situation; **A.daten** *pl* labour market data; **A.effekt** *m* effect on employment/jobs; **A.entwicklung** *f* employment trend/development; **A.erhebung** *f* labour force survey

Arbeitsmarktforschung *f* labour market research, employment research, labour economics; **externe A.** external labour market research; **interne A.** internal labour market research

Arbeitsmarkt|gleichgewicht *nt* labour market equilibrium; **A.lage** *f* employment/labour/manpower situation, situation on the labour market; **stabile A.lage** employment stability; **A.monopol** *nt (Gewerkschaft)* labour monopoly; **A.politik** *f* employment policy, labour market policy; **a.politisch** *adj* from the point of view of labour market/employment policy; **A.prognose** *f* labour market forecast, occupational forecasting; **A.programm** *nt* employment programme; **A.region** *f* regional labour market; **A.situation** *f* employment/labour market situation; **A.statistik** *f* employment/labour (force) statistics, census of employment *[GB]*; **A.theorie** *f* labour market theory, labour economics; **A.ungleichgewicht** *nt* labour market disequilibrium/imbalance; **A.verengung** *f* tightening of labour market conditions; **A.verhalten** *nt* labour market behaviour; **A.zahlen** *pl* employment statistics/data/figures, labour statistics

arbeits|mäßig *adj* in terms of work, work-wise; **A.material** *nt* stock-in-trade; **A.medizin** *f* industrial/occupational/professional medicine; **A.menge** *f* amount of work, workload; **A.merkmale** *pl* job characteristics; **A.methode** *f* method of work, working/operational method; **A.minister** *m* minister of employment, Employment Secretary *[GB]*, Minister of Labour *[GB]*, Secretary of Labor *[US]*, ~ State for Employment *[US]*; **A.ministerium** *nt* employment ministry, ministry of employment, Department of Employment *[GB]*, Ministry of Labour *[GB]*, Department of Labor *[US]*, Labor Department *[US]*; **A.minute** *f* manit (= man-minute); **A.mittel** *pl* tools, equipment

Arbeitsmobilität *f* labour/occupational mobility, mobility of labour; **horizontale A.** horizontal labour mobility; **vertikale A.** vertical labour mobility

Arbeits|modell *nt* working model; **A.möglichkeit** *f* job opportunity/opening; **A.moral** *f* attitude to work, worker/employee morale, work ethic; **~ heben** to boost morale; **A.motivation** *f* job/work motivation; **A.nachweis** *m* 1. certificate of employment; 2. performance record; 3. *(Agentur)* employment agency

Arbeitsniederlegung *f* strike, stoppage (of work), walk-out, industrial/work stoppage, downing tools; **kollektive A.** all-out strike; **kurze A.** downer, quickie strike *(coll)*; **plötzliche/spontane A.** wildcat/lightning/spontaneous strike

Arbeits|normen *pl* work norms/standards, labour standards, standard labour output, average work rates; **A.notizen** *pl* field notes; **A.ökonomie** *f* labour economics; **A.ordnung** *f* 1. shop regulations; 2. code of practice, rules of work; **A.organisation** *f* job/work organisation, work schedule; **A.orientierung** *f* labour orientation; **A.ort** *m* place of work; **A.pacht** *f* occupational tenancy; **A.papier** *nt* consultative document, exposure draft, working paper/document; **A.papiere** employment records, employment/employee papers; **A.pass** *m* labour permit; **A.pause** *f* rest period, (work) break; **~ zur Erledigung menschlicher Bedürfnisse** physical needs break; **A.pensum** *nt* workload, work schedule, task work; **bestimmtes A.pensum** stint *[GB]*; **A.periode** *f* 1. shift; 2. 🏭 run; **A.pferd** *nt* hard worker, workhorse, workaholic; **A.pflicht** *f* job duty/liability, obligation to work, compulsory work; **A.phase** *f* work/processing phase; **A.physiologie** *f* industrial physiology

Arbeitsplan *m* (work/production/working) schedule, operation layout/plan/sheet, production sheet, work plan; **A.daten** *pl* activity data; **A.er** *m* work scheduler

Arbeitsplanung *f* job/work/production scheduling, operation/work/manufacturing planning, computer-aided planning (CAP); **A.sbogen** *m* multiple activity chart

Arbeitsplatz *m* 1. *(Stellung)* job, post, position, job opening; 2. *(Stätte)* workplace, work location/station, duty station, job site, place of work/employment; 3.*(Werkhalle)* bay; **Arbeitsplätze** jobs, employment; **am A.** at work, on the shop floor, on the job; **A. in der Industrie** manufacturing job; **knapp an Arbeitsplätzen** job-short

Arbeitsplätze abbauen/aufgeben to shed/cut/trim jobs; **jdm einen Arbeitsplatz anbieten** to offer so. a job/position; **A. aufgeben** to shed jobs; **Arbeitsplatz aufwerten** to upgrade a job; **sofort einen ~ bekommen** to walk straight into a job; **~ besetzen** to fill a job; **A. bieten** to provide employment; **A. einsparen** to save labour, to cut jobs; **A. erhalten** to preserve jobs; **Arbeitsplatz freimachen** to free a job; **A. freisetzen** to shed/cut/axe jobs; **A. gefährden** to endanger jobs; **A. schaffen** to create/provide/add jobs, to provide/generate employment; **A. sichern** to safeguard jobs; **A. streichen** to axe/cut jobs; **A. tauschen** to swap jobs; **Arbeitsplatz umgestalten** to redesign a job; **A. verlagern** to transfer jobs; **Arbeitsplatz verlieren** to become redundant, to lose one's job; **A. vernichten** to destroy/butcher jobs; **Arbeitsplatz wechseln** to change jobs; **jdm den ~ wegnehmen** to deprive so. of his job, to price so. out of work; **A. wegrationalisieren** to abolish jobs by technological advance; **am Arbeitsplatz wohnen** to live in

freier Arbeitsplatz (job) vacancy; **gefährlicher A.** dangerous job; **gewerblicher A.** industrial occupation/job, job in industry, blue-collar job *(coll)*; **grafischer A.** 💻 graphic workstation; **krisensicherer A.** safe job; **neuer/zusätzlicher A.** new/extra/additional job; **sicherer A.** safe job; **unbesetzter A.** job vacancy; **unproduktiver A.** make-work job; **verfügbarer A.** available job/employment

Arbeitsplatz|- 💻 desk-top; **A.abbau** *m* labour cutback, shedding of jobs, job cuts/cutbacks/shedding; **A.ablösung** *f* job rotation; **A.analyse** *f* job analysis; **A.anforderungen** *pl* job requirements/skills; **A.angebot** *nt* vacancies, jobs offered, ~ on offer, job supply; **A.aufwertung/A.bereicherung** *f* job enrichment/improvement; **A.beschaffung** *f* job/employment creation, creation of employment; **A.beschreibung** *f* job specification/description, position guide; **A.bewertung** *f* job evaluation/rating; **A.bezeichnung** *f* job title; **a.bezogen** *adj* job-related; **A.bindung** *f* job tie; **A.computer** *m* desk(-top)/personal computer; **A.daten** *pl* job data; **A.defizit** *nt* job shortage, lack of jobs; **A.einbuße** *f* loss of jobs; **A.erhaltung** *f* job protection, preservation of jobs; **A.erweiterung** *f* job enlargement; **A.export** *m* job export(s); **A.förderung** *f* job promotion; **A.garantie** *f* 1. job(s) security/guarantee; 2. *(öffentlicher Dienst)* security of tenure; **A.gefährdung** *f* job risk, threat to jobs; **A.gestaltung** *f* job layout/design/ engineering, workplace design, human engineering, arrangement of the place of work, layout of the workplace; **A.mangel** *m* job shortage/scarcity, lack of jobs; **A.profil** *nt* job setting/profile, personnel profile; **A.rechner** *m* desk(-top) computer, workstation; **A.-risiko** *nt* occupational hazard, job risk; **A.rotation** *f* job rotation; **a.schaffend** *adj* job-creating; **A.sicherheit** *f* 1. *(Beschäftigung)* job/employment security; 2. job safety; **A.sicherung** *f* 1. *(Beschäftigung)* job security/protection, safeguarding of jobs, security of employment, employment stability; 2. occupational safety; **A.situation** *f* job situation; **A.sorgen** *pl* job worries/ apprehensions; **a.spezifisch** *adj* job-specific; **A.suche** *f* job search/hunting; **A.teilung** *f* job sharing/splitting; **A.umschichtung** *f* job relocation; **A.veränderung** *f* job changes; **A.verknappung** *f* job shortage; **A.verlagerung** *f* job displacement

Arbeitsplatzverlust *m* job loss, loss of a job; **A. durch Fortschritt** job dislocation; **freiwilliger A.** voluntary job loss

Arbeitsplatz|vernichter *m* job killer; **A.vernichtung** *f* 1. job destruction/displacement/shedding, destruction/elimination of jobs; 2. abolition profile; **A.wahl** *f* job choice; **A.wechsel** *m* change of job/employment, job rotation/change/switch, labour turnover; **systematischer A.wechsel** job rotation; **A.zuwachs** *m* job growth, gain in jobs; **A.zuweisung** *f* job placement

Arbeits|politik *f* employment policy; **A.potenzial** *nt* labour potential; **A.preis** *m* ↯ customer price; **A.probe** *f* 1. work sample test, aptitude check; 2. sample of one's work; **A.produktivität** *f* labour/per capita *(lat.)* productivity, work/working/labour efficiency; **A.programm** *nt* 1. work(ing) programme/schedule, scheme of work, agenda; 2. 💻 problem program

Arbeitsprozess *m* 1. (working/work) process, operating procedure, operation; 2. § labour case; **aus dem A. ausscheiden** to finish one's working life; **wieder in den A. eingliedern** to rehabilitate; **automatischer A.** automatic operating procedure

Arbeits|psychologie *f* industrial psychology; **A.qualität** *f* quality of work, workmanship; **A.raum** *m* workroom, office; **A.rechner** *m* host computer; **A.recht** *nt* industrial (relations) law, labour/employment law, ~ legislation, law of work/employment; **a.rechtlich** *adj* industrial; **A.register** *nt* 💻 general register; **a.reich** *adj* busy; **A.reserve** *f* labour reserve; **A.rhythmus** *m* work rhythm; **A.richter** *m* labour court judge; **A.richtlinien** *pl* rules of work, terms of reference, work rules; **A.rückstand** *m* backlog; **A.rückstände** work in arrears, arrears of work; **~ erledigen** to clear off arrears of work; **A.ruhe** *f* rest period; **A.schein** *m* work slip; **A.scheu** *f* idleness, aversion to work; **a.scheu** *adj* workshy, idle; **A.schicht** *f* shift; **A.schiedsgericht** *nt* Industrial Court *[GB]*, industrial arbitration; **A.schiedsstelle** *f* Advisory, Conciliation and Arbitration Service (ACAS) *[GB]*, Industrial Arbitration Board *[GB]*; **A.schluss** *m* knocking-off (time), stopping time, end of work, ~ the working day; **~ registrieren** to clock out; **A.schritt** *m* step

Arbeitsschutz *m* occupational safety/health, industrial safety/protection, protection of labour/employees, safety provisions for workers, health and safety standards; 2. job safety, labour/employment protection

Arbeitsschutz|bestimmung *f* health and safsty regulation; **A.gesetz** *nt* Factory Act *[GB]*, Health and Safety at Work Act *[GB]*; **A.gesetze/A.gesetzgebung** *pl/f* industrial safety legislation, legislation for the protection of labour, employment protection legislation, health and safety legislation; **A.kommission** *f* labour protection committee; **A.vorschriften** *pl* health and safety regulations, job safety provisions/regulations

Arbeits|schwierigkeit *f* workload; **A.sicherheit** *f* job/occupational/on-the-job safety, safety at work; **A.sitten** *pl* working practices/habits; **A.sitzung** *f* working session, committee meeting; **A.soziologie** *f* industrial sociology; **a.sparend** *adj* labour-saving; **A.speicher** *m* 💻 working storage, RAM, main memory; **A.sprache** *f* working language; **A.stab** *m* study group, team; **A.station** *f* 💻 workstation; **A.statistik** *f* labour (market) statistics

Arbeitsstätte *f* place of work/employment, workshop, work location; **A.nverordnung** *f* regulation(s) governing the workplace, workplace regulation(s); **A.nzählung** *f* job census, census of workplaces

Arbeitsstelle *f* 1. job, place of work/business; 2. 💻 workstation; 3. *(Bau)* working site; **zur A. kommen** to get to work; **A. verlassen** to quit (a job); **ständig wechselnde A.** regularly changing place of employment

Arbeits|stil *m* manner of work, workstyle; **A.störung** *f* disruption, labour dispute; **A.streckung** *f* work spreading/sharing; **A.streitigkeit** *f* labour/trade/industrial dispute, industrial conflict/strife; **A.struktur** *f* working pattern; **A.strukturierung** *f* structuring of work; **A.stück** *nt* workpiece; **A.stückliste** *f* production schedule; **A.studie** *f* work study, time and motion study; **A.studium** *nt* work study; **A.stufe** *f* operating/production stage

Arbeitsstunde *f* manhour, working hour; **A.n** office/-actual hours, hours worked; **~ berechnen** to charge labour; **festgelegte A.n** scheduled hours of work; **geleistete A.n** hours worked; **tatsächliche A.n** actual hours; **verlorene A.n** manhours lost; **A.nbuch** *nt* time book; **A.nsatz** *m* labour-hour/manhour rate

Arbeitssuche *f* job hunting, work hunt, search for employment/work, ~ a job; **auf A. gehen** to go job-hunting; **~ sein** to look for work; **a.nd** *adj* seeking employment

Arbeits|suchende(r) *f/m* job hunter/seeker, applicant, work searcher; **erstmalig A.suchende(r)** first-time/entry-level job seeker; **A.süchtige(r)** *f/m* workaholic; **A.synthese** *f* synthesis of work; **A.synthesestudien** *pl (REFA)* synthetic time studies; **A.system** *nt* work system; **A.tag** *m* 1. working/trading/stream day, workday, man-day, business day; 2. day's work; **normaler A.tag** basic day; **a.täglich** *adj* workaday, (per) working-day; **A.tagung** *f* workshop, business conference; **A.takt** *m* 1. work cycle/rhythm/curve; 2. time for an operation, phase time

Arbeitstätigkeit *f* job, work; **A. ausüben** to do a job; **bezahlte A.** gainful employment

Arbeits|team *nt* working team; **A.technik** *f* 1. working/operational technique; 2. industrial engineering; **a.teilig** *adj* based on the division of labour; **A.teilung** *f* division/specialization of labour; work-sharing, job-sharing; **A.tempo** *nt* pace of work, work pacing, rate of working; **A.therapie** *f* occupational therapy; **A.tier** *nt (fig)* workhorse *(fig)*, workaholic, slave; **A.tisch** *m* 1. desk, worktable, working/writing table; 2. workbench; **fahrbarer A.tisch** travelling table; **A.träger** *m* workstation (step); **A.trupp** *m* 1. working party; 2. *(Kolonne)* gang; **A.überlastung** *f* 1. pressure of work, excessive workload; 2. *(Maschine)* overloading; **A.überwachung** *f* job control; **A.umfeld/A.umgebung/A.welt** *nt/f* work(ing)/job environment, job context/surroundings; **A.umverteilung** *f* redistribution of work

arbeitsunfähig *adj* 1. disabled, incapacitated/unfit (for work), incapable of working, unable to work; 2. unemployable

Arbeitsunfähigkeit *f* disability (for work), disablement, unfitness/incapacity for work; **dauernde A.** permanent disability; **teilweise A.** partial disability; **vorzeitige A.** premature disablement/disability/incapacity

Arbeitsunfähigkeits|beihilfe *f* invalidity benefit; **A.bescheinigung** *f* certificate of disability, ~ unfitness for work; **ärztliche A.bescheinigung/A.meldung** sick note; **A.geld** *nt* disablement benefit; **A.rente** *f* breakdown pension

Arbeitsunfall *m* occupational/industrial accident, industrial/working injury, workman's accident, accident on the job, ~ at work; **tödlicher A.** industrial fatality

Arbeitsunfall|entschädigung *f* industrial injury benefit/compensation; **A.verletzung** *f* industrial injury; **A.versicherung** *f* workmen's compensation insurance, industrial injuries insurance; **A.- und Berufskrankenversicherung** employer's liability insurance

Arbeits|unlust *f* job boredom/dissatisfaction, disinclination to work; **A.unruhen** *pl* industrial unrest/trouble, labour troubles; **a.untauglich** *adj* unemployable; **A.unterbrechung** *f* 1. (work) stoppage, strike, delay, interruption, time out *[US]*; 2. *(unplanmäßig)* disruptive action; **A.unterbrechungsanweisung** *f* hold order; **A.unterlage** *f* working document/paper; **A.unterteilung** *f* job breakdown; **A.unterweisung** *f* job instruction; **A.unzufriedenheit** *f* job dissatisfaction; **A.urlaub** *m* working holiday; **A.verbot** *nt* prohibition of (gainful) employment; **A.verdienst** *nt* wage, pay, earnings, remuneration for work, income from employment, earned income; **A.verdienstgrenze** *f* earned income ceiling; **A.vereinbarung** *f* industrial agreement; **A.vereinfachung** *f* work simplification/rationalization; **A.verfahren** *nt* production/working method, work/operational procedure, work process, operating process/procedure; **A.verfassung** *f* employment system; **A.vergütung** *f* remuneration, pay; **A. verhalten** *nt* job/work behaviour

Arbeitsverhältnis *nt* 1. labour relations, contractual relationship between employer and employee, employer-employee relationship, working/employment relationship; 2. employment, job; 3. *(Vertrag)* contract of employment; **A.se** working conditions; **A. kündigen** to terminate a contract of employment, to give notice; **im Zusammenhang mit dem A. stehen** to go with the job

abhängiges Arbeitsverhältnis dependent employment; **befristetes A.** temporary employment, employment limited in time; **begrenztes A.** limited employment; **mittelbares A.** indirect employment; **privates A.** private employment

Arbeits|verlangsamung *f* go-slow, slowdown; **A.vermittler** *m* employment agent

Arbeitsvermittlung *f* *(Arbeitsamt)* labour exchange *[GB]*, job centre *[GB]*, employment agency/exchange, placement (service); **private A.** job bank; **A.sbüro** *nt* employment agency/bureau, registry; **A.sstelle** *f* labour exchange *[GB]*, job centre, government employment office *[US]*; **A.ssystem** *nt* job bank network

Arbeits|vermögen *nt* human capital/resources; **a.vernichtend** *adj* job-displacing; **A.vernichtung** *f* job destruction; **A.versäumnis** *nt* absenteeism; **A.verteilung** *f* division of labour, work sharing, assignment of work

Arbeitsvertrag *m* contract of employment, labour/employment/service contract; **befristeter A.** temporary employment contract; **A.srecht** *nt* law relating to employment (contracts)

Arbeits|verwaltung *f* manpower administration, employment service, labour office, ~ market authorities; **A.verweigerung** *f* refusal to work, ~ obey instructions; **A.verzögerung** *f* go-slow, ca'canny *[US]*; **A.volumen** *nt* volume of work, total manhours; **A.vorbereiter** *m* planning/tool/operations/methods engineer, work study officer; **A.vorbereitung** *f* operations/production/parts and materials scheduling production/(operation and) process planning, planning of process layout, progressing; **A.vorgang** *m* operation, process, job, working cycle/process; **banktechnische A.vorgänge** banking procedures; **A.vorhaben** *nt* project; **A.vorlage** *f* plan/model to work from; **A.vorrat** *m* unfilled orders, order backlog; **A.vorsteher** *m* planning engineer; **A.wechsler** *m* job mover

Arbeitsweise *f* 1. working (practice/method), workings, method, functioning, operating principles; 2. mode of operation; 3. operating characteristic(s); **interaktive A.** interactive mode; **kontinuierliche A.** continuous handling

Arbeitswelt *f* working environment/world

Arbeitswert *m* value of labour, job/work value; **Arbeits- und Zeitwerte** *(REFA)* work and time values

Arbeitswert|lehre/A.theorie *f* labour value theory, value of labour theory, labour (cost) theory of value; **A.lohn** *m* evaluated rate; **A.studie** *f* job analysis, job evaluation study

Arbeits|wiederaufnahme *f* resumption of work; **a.willig** *adj* willing to work; **A.willigkeit** *f* willingness to work; **A.wissenschaft** *f* ergonomics, labour economics, occupational/labour/industrial science, manpower studies; **A.wissenschaftler** *m* ergonomist; **a.wissenschaftlich** *adj* ergonomic

Arbeitswoche *f* working/work week, man-week; **gleitende A.** fluctuating work week; **normale A.** standard working week

Arbeits|wut *f* passion for work, work mania; **a.wütig** *adj* work-happy, workaholic; **A.zeichnung** *f* working drawing, rough draft

Arbeitszeit *f* 1. hours of work, working time/hours, spell; 2. operating time; **außerhalb der A.** out of hours; **auf Grund der A.** on a time basis; **während der A.** in the company's/employer's time, in/during working hours; **A. einer Maschine** machining time; **A. pro Tag** workday

normale Arbeitszeit|en haben to work office hours; **A. verkürzen** to reduce/cut working hours; **A. verlängern** to increase working hours

benötigte Arbeitszeit time for the job; **betriebsübliche A.** normal hours; **feste A.** fixed schedule; **tariflich festgelegte A.** agreed hours; **festgesetzte A.** scheduled hours of work; **flexible A.** flexible working hours, flex(i)time; **gekürzte A.** shorter hours; **gestaffelte A.** staggering of hours, staggered work(ing) hours; **gleitende A.** flex(i)time, flexible schedule/working hours, sliding worktime; **halbe A.** half time; **kontinuierliche A.** fluctuating workweek *[US]*, ~ working week *[GB]*; **kürzere A.en** shorter (working) hours; **lange A.** long hours; **nachgeholte A.** make-up work; **normale A.** normal/standard hours, straight time; **produktive A.** productive time; **starre A.** fixed working hours, ~ work time/schedule; **tägliche A.** working day; **tarifliche A.** contract(ual) hours/working time, nominal hours of work; **tatsächliche A.** productive time, actual hours worked; **unregelmäßige A.** irregular working hours; **tarifvertraglich vereinbarte A.** contractual/agreed working hours; **verkürzte A.** short time, reduced hours; **vertragliche A.** contract(ual) hours; **wöchentliche A.** working week *[GB]*, workweek *[US]*; **zusammenhängende A.** unbroken spell of work

Arbeitszeit|abkommen *nt* agreement on hours; **A.abweichung** *f* labour time/efficiency variance, working time deviation; **A.aufzeichnungen** *pl* time records; **A.ausfall** *m* loss of working hours; **A.einteilung** *f* work schedule; **A.erfassungsgerät** *nt* time recorder; **A.ermittlung** *f (REFA)* methods time measurement (MTM), work measurement; **A.gesetzgebung** *f* working time legislation; **A.gestaltung** *f* (re)organisation of working time; **A.kontrolle** *f* time-keeping; **A.kontrolleur** *m* timekeeper; **A.modell** *nt* working time/hours scheme; **A.nachweis** *m* time sheet/slip; **A.ordnung/A.regelung** *f* working hours code, working-time regulations; **A.struktur** *f* working-time pattern; **A.studie** *f* work measurement, ~ time study; **A.verkürzung/A.verringerung** *f* reduction of (working) hours, hours reduction, short time, cut in working hours; **~ bei vollem Lohnausgleich** reduction of (working) hours without loss of pay; **A.vorgabe** *f* labour/operation time standard, labour performance/quantity standard, efficiency standard

Arbeitszerlegung *f* job/task analysis, breaking down of operations; **A. in Teilvorgänge** elemental breakdown; **A.sdiagramm** breakdown structure

Arbeits|zettel *m* time sheet, labour/work slip, job card/ticket; **A.zeug** *nt* 1. tools, equipment; 2. *(Kleidung)* overalls; **A.zeugnis** *nt* 1. certificate of employment; 2. reference; **A.zimmer** *nt* 1. study; 2. *(Richter)* chambers; **A.zufriedenheit** *f* job satisfaction; **A.zuordnung** *f* assignment of tasks/activities; **A.zuteilung** *f* allocation of work

Arbeitszuweisung *f* job allocation, work assignment; **dezentralisierte A.** decentralized dispatching; **zentrale A.** centralized dispatching

Arbeits|zwang *m* 1. compulsory work/employment, requirement to work; 2. forced labour; **A.zyklus** *m* operation/working cycle

Arbitrage *f (Börse)* arbitration, arbitrage, shunting; **A. bei unternormalen Kursdifferenzen** backspread

direkte Arbitrage direct arbitration, two-point arbitrage; **indirekte A.** multiple-point/indirect/triangular arbitrage; **internationale A.** international arbitrage activity; **zusammengesetzte A.** compound arbitration

arbitrage|fähig *adj* eligible for arbitrage dealings; **A.geschäft** *nt* arbitrage transaction/business/dealings/activity; **A.gewinn** cross trading profit; **A.händler** *m* arbitrageur *[frz.]*, arbitrage dealer; **A.-Interventionspunkt** *m* arbitrage support point; **A.klausel** *f* arbitrage/arbitration clause; **A.operation** *f* switching transaction; **A.rechnung** *f* arbitrage calculation

Arbitrageur *m* cross trader, arbitrager, arbitragist, arbitrageur *[frz.]*, shunter

Arbitrage|verkäufe *pl* arbitrage selling; **A.werte** *pl* arbitrage stocks

Arbitragist *m* arbitrageur *[frz.]*, arbitrager

arbitrieren *v/i* to arbitrage

Arbitriumwert *m* value of ab enterprise as a whole

Architekt *m* architect; **bauleitender A.** architect directing construction; **A.enbüro** *nt* architect's office; **A.engruppe** *f* architectural firm; **A.enplan** *m* architectural drawing; **A.enteam** *nt* team of architects

architektonisch *adj* architectural, structural

Architektur *f* architecture

Archiv *nt* 1. archive(s), filing room, record office; 2. files, records

Archivar(in) *m/f* archivist, keeper of records, filing clerk, registrar, recorder; **A. der Gesellschaft** company archivist

Archiv|beamter *m* keeper of records; **A.bild** *nt* photo from the archives

archivierlen *v/t* to file, to put in the archives; **A.ung** *f* archiving

Archivlmaterial *nt* records; **A.schrank** *m* record/filing cabinet

Areal *nt* area, site, premises, compound

Ärger *m* trouble, anger, annoyance, irritation, aggravation; **Ä. im Betrieb** trouble at t'mill *(coll)*; **Ä. bereiten** to give trouble; **reichlich Ä.** no end of trouble *(coll)*

ärgerlich *adj* 1. annoying, galling, irritating, irksome, infuriating; 2. angry, cross; **höchst ä.** most annoying

ärgern *v/t* to annoy/irritate; *v/refl* to be annoyed (about sth.), to resent (sth.)

Ärgernis *nt* annoyance, nuisance, irritant; **A. abstellen** to abate a nuisance; **Ä. erregen** to cause annoyance, to commit a nuisance; **öffentliches Ä.** public nuisance, scandal, outrage upon decency

Arglist *f* malice, guile, malevolence, fraud; **A.einrede** *f* § plea of fraud, exceptio doli *(lat.)*; **a.ig** *adj* malicious, fraudulent, malevolent

arglos *adj* unsuspecting; **A.igkeit** *f* innocence, unsuspecting state of mind

Argument *nt* argument, point, reasoning; **A.e** § case; **A.e dafür und dagegen** the pros and cons; **A. für** case for; **A. gegen** case against

gewichtige Argumentle haben to have a strong case; **gute A.e für etw. anführen können** to make out a case for sth.; **~ auf seiner Seite haben** to have a case/point; **sich einem A. verschließen** to ignore an argument; **A. vorbringen** to make a point

durchschlagendes Argument telling argument; **einkommenpolitisches A.** argument of income policy; **handfestes A.** solid argument; **juristisches A.** legal point; **sachliches A.** concrete/pertinent argument; **stichhaltiges A.** valid argument; **unwesentliches A.** make-weight

Argumentation *f* reasoning, line of argument/reasoning; **A.skette** *f* line of argument

argumentativ *adj/adv* by argument

argumentieren *v/i* 1. to argue/reason, to take the line; 2. to plead (in court)

Argwohn *m* distrust, suspicion, mistrust; **A. erregen** to arouse suspicion; **A. schöpfen** to become suspicious

argwöhnlen *v/t* to suspect; **a.isch** *adj* suspicious, distrustful

Aristokrat *m* aristocrat; **A.ie** *f* aristocracy; **a.isch** *adj* aristocratic

Arithmeltik *f* arithmetic; **a.tisch** *adj* arithmetic

Arkade *f* arcade

Arm *m* arm; **A. des Gesetzes** arm of the law; **mit verschränkten A.en** with one's arms folded; **jdn mit offenen A.en aufnehmen/empfangen** to welcome so. cordially/with open arms; **jdm in den A. fallen** to stay so.'s hands; **jdm unter die A.e greifen** to help so.out

arm *adj* poor, indigent, needy, necessitous; **a. dran sein** to be in a bad/poor state; **a. machen** to impoverish

Armatur *f* fitting, fixture, instrument; **A.en** fittings; **A.enbrett** *nt* 1. 🚗 dashboard, panel; 2. instrument board/panel

Armeleuteviertel *nt* slum area

die Armen *pl* the poor

Armenlanwalt *m* § counsel representing legally-aided parties; **A.fürsorge** *f* poor relief *[GB]*, relief of the poor; **A.hilfe** *f* poverty/poor relief; **A.kasse** *f* relief fund; **A.küche** *f* soup kitchen; **A.pflege** *f* social welfare/relief; **A.pfleger(in)** *m/f* relief worker

Armenrecht *nt* 1. poor/poverty law; 2. *(Rechtshilfe)* legal aid (entitlement), grant of legal assistance, right to sue as a poor party; **A. beantragen** to apply for legal aid; **im A. klagen** to sue in forma pauperis *(lat.)*; **A.skasse** *f* Legal Aid Fund *[GB]*; **A.sverfahren** poor persons procedure

Armenviertel *nt* slum area

auf Armeslänge *f* at arm's length

ärmlich *adj* poor, miserable

armselig *adj* miserable, poor; **A.keit** *f* poverty

Armut *f* poverty, poorness, penury, neediness, destitution; **von der A. heimgesucht** poverty-stricken; **in A. leben** to live in necessity/poverty; **in äußerster A. leben** to live in dire need; **drückende A.** grinding poverty

Armutslfalle *f* poverty trap; **A.gebiet** *nt* poverty area; **A.grenze/A.linie** *f* poverty line; **A.zeugnis** *nt* poor person's certificate *[GB]*

Arrangement *nt* 1. arrangement, set-up *(coll)*, posturing; 2. § composition, settlement; **A. mit Gläubigern treffen** to compound with one's creditors

Arrangeur *f* *(Börse)* issue agent

arrangieren *v/t* 1. to arrange/engineer, to lay on; 2. to fix; *v/refl* to come to an arrangement, ~ to terms

Arrest *m* 1. *(Haft)* detention, arrest, taking into custody, confinement, arrestment; 2. *(Sachen)* attachment, seizure, distraint; **A. eines Schiffes** arrest of a vessel; **A. anordnen; mit A. belegen** to distrain/attach; **A. aufheben** to lift an attachment; **mit A. belegt sein** to be under distraint; **dinglicher A.** attachment, distraint (order); **offener A.** *(Konkurs)* receiving order; **persönlicher A.** arrest of debtor

Arrestlanordnung *f* distress warrant; **A.anstalt** *f* detention centre

Arrestant *m* arrested person, person distrained

Arrestlbefehl *m* *(Zwangsvollstreckung)* writ of attachment; **~ bewirken** to obtain a distraint, ~ writ of attachment; **A.beschluss** *m* attachment/distraint order; **~ verkünden** to give notice of distraint; **A.gläubiger(in)** *m/f* attaching creditor; **A.hypothek** *f* execution lien; **A.verfahren** *nt* attachment procedure; **A.verfügung** *f* 1. writ of attachment; 2. order of arrest; **A.zelle** *f* detention cell

arrondierlen *v/t* 1. to round off; 2. *(Grenze)* to adjust/realign; **A.ung** *f* *(Besitz)* rounding-off; **A.ungskauf** *m* rounding-off purchase

Arsenal *nt* arsenal, armoury; **A. an Finanzierungsmitteln** funding armoury

Art *f* 1. kind, sort, type, class; 2. order, character, category, description; 3. way, nature, run; 4. ✿ species

Art der Beförderung method of transport; **~ Darbietung** mode of presentation; **von gleicher A. und Güte** equal in kind and in quality; **von mittlerer ~ Güte** of average kind and quality, of merchantable quality, of reasonable fitness and quality; **A. der Überweisung** remittance type; **A. und Weise** way, manner, mode, method(s); **A. der Zuordnung** assignment type

ansprechende Art *(Person)* winning ways; **bedrohte A.** ✿ endangered species

arteigen *adj* peculiar to, characteristic of

Artenschutz *m* ✿ protection of endangered species; **A.konvention** *f* bio-diversity convention

Artikel *m* 1. article, product, item; 2. commodity, ware, line, manufacture; 3. *(Presse)* article, story; 4. § paragraph, clause, section; **A. im Sonderangebot** flash item; **A. mit geringen Umsätzen** low-volume product

sich auf einen Artikel berufen § to invoke an article; **A. auf den Markt bringen** to market a product; **A. führen** to stock/carry, to deal in an article; **sich auf einen A. spezialisieren** to specialize in a line; **A. umschreiben** to rewrite an article; **A. vermarkten** to market a product; **A. vertreiben** to distribute a product

ausgegangener Artikel out-of-stock item; **ausgelaufener A.** discontinued line; **bewirtschaftete A.** rationed goods; **neu eingeführter A.** novelty; **fehlerhafter A.** faulty product; **gängiger/gut gehender A.** seller, runner, high-volume/popular article, ~ product, fast-selling item; **schlecht gehender A.** bad seller, hard-to-sell item; **geschützter A.** branded commodity; **fabrikmäßig hergestellter A.** commercial product; **hochwertiger A.** article of high quality; **höherwertiger A.** superior product; **kleinpreisiger A.** low-price item; **konkurrenzlose A.** unrivalled goods; **kontingentierte A.** rationed goods; **kostenloser A.** give-away (article); **meistverkaufter/umsatzstärkster A.** volume leader; **minderwertiger A.** inferior product; **modischer A.** trendy article; **neuer A.** novelty; **patentierter/einem Alleinvertriebsrecht unterliegender A.** proprietary article; **hoch rentabler A.** profit spinner; **leicht verkäuflicher A.** fast-selling item, popular article/product; **schwer ~ A.** bad seller, hard-to-sell item; **verwandter A.** related product; **stets vorrätiger A.** stock article; **zugkräftiger A.** good seller

Artikel|analyse *f* item analysis; **A.aufschlag** *m* item markup; **A.bereich** *m* product section; **vertikaler A.bereich** vertical product group; **A.einstandswert** *m* item cost(s); **a.gebunden** *adj* article-linked; **A.gemeinkosten** *pl* product overhead(s); **A.gruppe** *f* line, product group/line; **umsatzstarke A.gruppe** lead line; **A.identifizierung** *f* product identification; **A.karte** *f* item/commodity card; **A.muster** *nt* product sample; **A.nummer** *f* product number; **A.nummerndatei** *f* master universal product order file *[US]*; **A.position** *f* item; **A.serie** *f* line of goods; **A.spanne** *f* item-related profit margin; **A.statistik** *f* item anaylsis; **A.tarif** *m* commodity tariff; **A.verwaltung** *f* stores management; **A.verzeichnis** *nt* articles list; **A.zeile** *f* product line

art|mäßig *adj* generic; **A.teilung** *f* type breakdown, breakdown/division of types

Arznei *f* medicine, drug; **A. verordnen/verschreiben** to prescribe a drug; **bittere A.** *(fig)* bitter pill *(fig)*; **lizenzfreie A.** generic drug; **rezept-/verschreibungspflichtige A.** ethical drug/pharmaceutical; **nicht ~ A.** proprietary/over-the-counter drug

Arznei|hersteller *m* drugs company; *pl* pharmaceutical industry; **A.kosten** *pl* cost of medicaments/medication

Arzneimittel *nt* drug, medicine, medicament, medical preparation; *pl* pharmaceuticals; **rezept-/verschreibungspflichtiges A.** prescription-only drug, ethical drug/pharmaceutical

Arzneimittel|bereich *m* pharmaceutics; **A.forschung** *f* pharmacological research; **A.gesetz** *nt* Medical Preparations Act *[GB]*; **A.hersteller** *m* drugs company/manufacturer; *pl* 1. pharmaceutical industry; 2. *(Börse)* drugs, pharmaceuticals; **A.industrie** *f* pharmaceutical/drug(s) industry; **A.konzern** *m* pharmaceutical group/concern; **A.kunde** *f* pharmaceutics; **a.pflichtig** *adj* ethical; **A.produktion** *f* pharmaceuticals production; **A.schrank** *m* medicine cabinet; **A.werte** *pl (Börse)* pharmaceuticals

Arznei|pflanze *f* medicinal plant; **A.waren** *pl* medical supplies

Arzt *m* physician, doctor, medical practitioner; **A. aufsuchen; sich an einen A.wenden** to consult/see a doctor, ~ physician; **sich als A. niederlassen** to set up in practice, to go into practice

approbierter Arzt qualified doctor, licensed physician *[US]*; **diensttuender A.** doctor in charge, duty physician; **niedergelassener/praktischer A.** general/medical practitioner (GP); **zuständiger A.** doctor in charge

Arzt|beruf *m* medical profession; **~ ausüben** to practise medicine; **A.besuch** *m* doctor's visit

Ärzte|ausschuss *m* medical board; **Ä.bedarf** *m* medical supplies; **Ä.besucher** *m* medical representative; **Ä.kammer** *f* General Medical Council *[GB]*, State Medical Board of Registration *[US]*; **Ä.kollegium** *nt* council of physicians; **Ä.muster** *nt* free drug sample; **Ä.schaft** *f* the medical profession; **Ä.verband** *m* medical association

Arzt|hausbesuch *m* doctor's visit; **A.helferin/A.hilfe** *f* doctor's assistant; **A.honorar** *nt* medical/doctor's fee(s); **A.kosten** *pl* medical cost(s)/expenses

Ärztin *f* → **Arzt**

ärztlich *adj* medical

Arzt|praxis *f* medical practice; **A.rechnung** *f* 1. doctor's/medical bill; 2. *(Vers.)* provider account; **A.-visite** *f* doctor's visit; **freie A.wahl** free choice of doctor

asaisonal *adj* unseasonal, counter-seasonal

Asbest *nt* asbestos; **A.ose** *f* ⚕ asbestosis

Asiatisch|e Entwicklungsbank Asian Development Bank (ADB); **A.-Pazifischer Rat** Asian and Pacific Council (ASPAC)

asozial *adj* unsocial, antisocial; **A.enviertel** *nt* slum quarters/area

Aspekt *m* aspect, feature, consideration; **externe A.** external considerations; **ökonomische A.e** economics; **steuerlicher A.** taxation aspect; **wirtschaftliche A.** economic considerations

Asperationsprinzip *nt* § principle of asperity

Assekurant *m* assurer, insurer, underwriter

Assekuranz *f* assurance, insurance, insurance industry,

underwriting; **A.branche** *f* insurance industry; **A.geschäft** *nt* underwriting
assekurieren *v/t* to underwrite/assure/insure
Assembler *m* assembler
assertorisch *adj* § assertory
Asservaten|konto *nt* suspense/holding account; **A.raum** *m* § property room
asservieren *v/t* to hold in suspense, to set aside
Assessor *m* 1. junior executive officer; 2. § junior/associate judge
Assimi|lation *f* assimilation; **a.lieren** *v/t* to assimilate
Assistent|(in) *m/f* assistant; **medizinisch-technische(r) A.(in)** medical laboratory assistant; **persönliche(r) A.** personal assistant; **physikalisch-technische(r) A.** physical laboratory assistant; **wissenschaftliche(r) A.** research assistant
Assistentenstelle *f* assistantship
Assistenzarzt *m* junior doctor, intern *[US]*, houseman *[GB]*
assortieren *v/t* to assort
Assoziation *f* association, adherence; **A.sabkommen** *nt* association agreement; **A.skoeffizient** *m* coefficient of association
assoziier|en *v/refl* 1. to associate, to become an associate member; 2. to enter into a partnership; **a.t sein** *adj* to hold associate status; **A.tenstatus** *m* associate status
Assoziierung *f* 1. association, process of confederating; 2. entering into a partnership; **A.sabkommen/A.svereinbarung/A.svertrag** *nt/f/m* association agreement, treaty of association/accession; **A.srat** *m* association council; **A.ssystem** *nt* arrangements for association
Ästhetik *f* esthetics
Asthma *nt* $ asthma
Asyl *nt* asylum, shelter, refuge, sanctuary; **A. gewähren** to grant asylum; **politisches A.** political asylum
Asylant(in) *m/f* asylum applicant/seeker
Asyl|antrag *m* asylum application; **A.bewerber** *m* asylum applicant/seeker; **A.gesuch** *nt* application for asylum; **A.gewährung** *f* granting of asylum; **A.recht** *nt* right of asylum/sanctuary
Asymme|trie *f* asymmetry; **a.trisch** *adj* asymmetric
asynchron *adj* asynchronous
AT-Angestellte|(r) *f/m* employee outside the collective agreement, out-of-tariff salaried employee; *pl* staff on above-scale pay
Atelier *nt* studio, workshop; **A.leiter** *m* art director
Atem *m* breath; **A.-** respiratory; **A.beschwerden** *pl* $ heavy breathing, respiration/ respiratory ailment
Atlan|tikküste *f* Eastern Seaboard *[US]*; **A.tische Gemeinschaft** Atlantic Community
Atmosphäre *f* 1. atmosphere, climate; 2. feeling, attitude; **A. des Einvernehmens** consensual atmosphere; **angenehme A.** congenial atmosphere; **gespannte A.** tense atmosphere; **kumpelhafte A.** clubby atmosphere; **steife A.** formal atmosphere; **zwanglose A.** relaxed atmosphere
atmosphärisch *adj* atmospheric
Atom|- nuclear, atom, atomic; **A.abfall** *m* nuclear waste; **mit A.antrieb** *m* nuclear-powered
atomar *adj* atomic, nuclear
Atomenergie *f* nuclear energy/power, atomic energy; **A.behörde** *f* Atomic Energy Authority *[GB]*; **A.kommission** *f* Atomic Energy Commission *[US]*
Atom|forschung *f* nuclear research; **A.gesetz** *nt* Atomic Energy Act *[GB]*; **a.getrieben** *adj* nuclear-powered; **A.gewicht** *nt* atomic weight; **A.industrie** *f* nuclear industry
atomisiert *adj* minutely detailed
Atom|kraft *f* nuclear power; **A.kraftwerk (AKW)** *nt* nuclear/atomic power station, nuclear generating station; **A.krieg** *m* nuclear war; **A.macht** *f* nuclear power; **A.meiler** *m* nuclear reactor/pile; **A.müll** *m* nuclear/-radioactive waste; **A.physik** *f* nuclear physics; **A.programm** *nt* nuclear energy programmme; **A.reaktor** *m* nuclear/power reactor; **A.spaltung** *f* nuclear fission; **A.(waffen)sperrvertrag** *m* non-proliferation agreement/treaty; **A.technik** *f* nuclear engineering/technology; **A.wirtschaft** *f* nuclear industry; **A.wissenschaft** *f* nuclear/atomic science; **A.zeitalter** *nt* nuclear/atomic age; **A.zerfall** *m* atomic decay
Attaché *m* attaché
Attack|e *f* attack, onset; **a.ieren** *v/t* to attack
Atten|tat *nt* attempt (on so.'s life), assassination (attempt); **A.täter** *m* assassinator, (would-be) assassin
Attentismus *m* wait-and-see attitude, cautious waiting
Attest *nt* medical/doctor's certificate, bill of health; **ärztliches A.** medical (exemption) certificate; **a.ieren** *v/t* to attest/certify
Attraktion *f* attraction, draw, crowd puller, attention getter; **große A.** big draw; **zusätzliche A.** added attraction
attraktiv *adj* attractive, palatable; **A.ität** *f* attractiveness, sell
Attrappe *f* dummy (display/pack), display package
Attribut *nt* attribute, (qualitative) characteristic, feature; **A.enkontrolle** *f* sampling by attributes; **A.enmerkmal** *nt* attribute; **A.enprüfung** *f* ▦ inspection by attributes
atypisch *adj* untypical, atypical
Audienz *f* audience, hearing; **um eine A. nachsuchen** to request a hearing
audio-visuell *adj* audio-visual
Audit *nt* audit; **A.durchführung** *f* auditing; **A.feststellung** *f* audit finding
auditier|en *v/t* to audit; **A.ung** *f* auditing
Auditor *m* auditor
Audit|plan *m* audit plan; **A.programm** *nt* audit programme
auf|addieren *v/t* to add/sum/foot up, to tot up *(coll)*; **a.arbeiten** *v/t* 1. to work off (arrears); 2. ✿ to recondition/rework, to do up; **A.arbeitung** *f* ✿ reconditioning
Aufbau *m* 1. organisation, set-up, establishment; 2. structure, pattern; 3. *(Montage)* erection, construction, build-up, make-up; 4. 🚗 body
Aufbau einer Existenz establishing of a means of livelihood; **A. von Lagerbeständen** stockpiling, inventory buildup; **A. der Verwaltung** organisation of the administration; **A. eines Wirtschaftsimperiums** corpo-

rate empire building

im Aufbau begriffen in the initial stages; **organisatorischer A.** organisation and structure; **sozialer A.** social structure

Aufbau|anleihe *f* reconstruction/development loan; **A.arbeit** *f* reconstruction work; **A.darlehen** *nt* reconstruction/rehabilitation loan

aufbauen *v/t* 1. to erect/build (up)/put up/construct; 2. *(Maschine)* to assemble; 3. to settle/organise, to set up; **jdn. a. für** to groom so. for *(fig)*; **wieder a.** to reconstruct; **a.d** *adj* constructive

Aufbau|finanzierung *f* financing of rehabilitation, reconstruction finance; **A.konto** *nt (Sparen)* build-up account; **A.kredit** *m* reconstruction loan; **A.kurs/ A.lehrgang** *m* 1. advanced/continuation course; 2. *(Wiederholung)* refresher course; **A.leistung** *f* rebuilding achievement; **A.möbel** *pl* sectional/knockdown/ flatpack furniture; **A.organisation** *f* organisation/organisational structure; **A.prinzip** *nt* design/structural principle; **A.programm** *nt* reconstruction/reorganisation programme; **A.studiengang** *m* course of further study; **A.technik** *f* mechanical design; **A.ten** *pl* 1. ⚓ superstructure; 2. *(LKW)* bodywork; **anlagen- bzw. erzeugnisgebundene A.unterlage** system or equipment-linked installation document; **~ zu Angeboten** installation tender document

aufbereiten *v/t* 1. to prepare/process; 2. 💻 to edit

Aufbereitung *f* 1. preparation, processing; 2. 💻 editing; 3. ▦ organisation; 4. ✐ beneficiation

chemische Aufbereitung chemical processing; **manuelle A.** manual processing; **maschinelle A.** 1. mechanical processing; 2. ▦ machine tabulation; **redaktionelle A.** editorial preparation

Aufbereitungs|anlage *f* processing/treatment plant; **A.fehler** *m* processing error; **A.technik** *f* process engineering, treatment technology

aufbesser|n *v/t* 1. to improve/increase/augment; 2. *(Einkommen)* to raise; **A.ung** *f* 1. increase, addition; 2. improvement; 3. *(Einkommen)* rise, raise

aufbewahren *v/t* to keep (in custody), to deposit/store/ save; **kühl a.!** to be kept in a cool place; **trocken a.!** keep dry, do not store in a damp place; **kühl a.** to keep in (a) cool place; **liegend a.** to store flat; **sicher a.** to keep in safe custody, ~ safe, ~ in a safe place

Aufbewahrung *f* 1. safekeeping, (safe) custody; 2. storage, (goods) deposit; **A. von Aufzeichnungen** record-keeping; **zur A. übergeben** to deliver into custody; **ordnungsgemäße A.** proper custody; **sichere A.** safekeeping

Aufbewahrungs|frist *f* 1. safekeeping period; 2. keeping/deposition/retention period, retention time; **A.gebühr** *f* 1. *(Lager)* storage charge; 2. *(Bank)* safe deposit fee; **A.gepäck** *nt* left luggage *[GB]*, checked baggage *[US]*; **A.ort** *m* depository, depot, location; **A.pflicht** *f* obligation to keep/preserve business records, ~ books and records; **einstweilige A.pflicht** § compulsory safe custody; **A.schein** *m* certificate of deposit; **A.stelle für postlagernde Briefe** *f* ✉ poste restante *[frz.]*; **A.zeitraum** *m* (file) retention period

Auf- und Abbewegung *f* move up and down, ups and downs

auf|bieten *v/t* to summon (up)/muster; **unter A.bietung aller Kräfte** *f* with the utmost effort; **a.blähen** *v/t* to inflate, to blow up; **A.blähung** *f* inflation; **inflatorische ~ der Käufe** inflatory bulge in purchases; **a.blasen** *v/t* to inflate; **a.blühen** *v/i* to flourish/thrive; **a.brauchen** *v/t* 1. to use up, to exhaust/consume, to finish completely; **a.brechen** *v/i* 1. to start, to set off, to make a move, to sally forth; 2. to burst; 3. *(Konflikt)* to break out; *v/t* 1. to force, to prize/break open, to unseal; 2. *(Schloss)* to pick

aufbringen *v/t* 1. *(Geld)* to raise/fund/provide/collect/ procure, to stump/put up; 2. *(Kapital)* to subscribe; 3. ⚓ to arrest/capture, to (enter and) seize; 4. *(psychologisch)* to provoke/incite

Aufbringung *f* 1. *(Geld)* raising, funding, contribution; 2. ⚓ arrest, capture (at sea), seizure; **A. und Beschlagnahme nicht versichert** free of capture and seizure; **A. von Finanzbeträgen** funding, fund raising, apportionment of financial contribution(s); **~ Kapital(ien)** capital flo(a)tation

Aufbringungs|fähigkeit *f* *(Geld)* fund-raising ability; **A.klausel** *f (Vers.)* contributory clause; **A.- und Beschlagnahmeklausel** ⚓ free of capture and seizure clause; **a.pflichtig** *adj* contributory; **A.pflichtige(r)** *f/m* contributory, contributor; **A.schuld** *f* contribution, liability to produce funds; **A.schuldner(in)** *m/f* contributory; **A.soll** *nt* required contribution; **A.stelle** *f* collecting agency; **A.umlage** *f* levy, contribution

aufbürden *v/t* to (impose a) burden, to saddle

aufdeck|en *v/t* to disclose/reveal/expose/discover/uncover/detect; **A.ung** *f* disclosure, revelation, exposure, discovery, detection; **~ von Schiebungen** racket busting

Auf-Deck-Verladung auf Risiko des Befrachters *f* shipped on deck at shipper's risk

Aufdrängen *nt* intrusion, imposition; **a.** *v/t* 1. to impose on, to force upon; 2. *(Ware)* to presssure to take; *v/refl* to intrude

aufdringlich *adj* 1. intrusive, importunate; 2. pushy; 3. *(Werbung)* aggressive; **A.keit** *f* 1. importunity; 2. pushiness

Aufdruck *m* imprint, stamp, lettering; **a.en** *v/t* to imprint/stamp

Aufeinander|folge *f* sequence, succession; **a.folgend** *adj* consecutive, successive; **A.treffen** *nt* clash, collision; **a. treffen** *v/i* to clash/collide

Aufenthalt *m* 1. stay, residence, abode, living; 2. sojourn; 3. stop

dauernder Aufenthalt permanent residence, fixed abode; **gewöhnlicher A.** usual/ordinary residence, habitual abode/residence, customary place of abode; **kurzer A.** stopover, brief stay; **langer A.** extended stay; **ordnungsgemäßer A.** lawful residence; **ständiger A.** permanent residence, fixed abode

Aufenthalts|berechtigung *f* residence permit; **A.bescheinigung** *f* residence certificate; **A.beschränkung** *f* restriction on residence, limitation of stay; **A.bestim-**

mung *f* custody, residence provisions; **A.bewilligung** *f* residence permit; **A.dauer** *f* period of residence, duration of stay; **A.erfordernis** *f* residential requirement(s); **A.erlaubnis/A.genehmigung** *f* residence permit, permission to take up residence, leave to remain; **A.kosten** *pl* living expenses

Aufenthaltsort *m* 1. (place of) residence, abode, dwelling place, home, habitation; 2. whereabouts; **ohne festen A.** of no fixed abode/address; **ständiger A.** fixed abode

Aufenthaltsraum *m* rest/day/common/reception room

Aufenthaltsrecht *nt* 1. right of abode/residence; 2. law concerning residence of aliens; **A. erwerben** to acquire residence *[US]*; **uneingeschränktes A.** permanent right of residence

Aufenthaltslsichtvermerk *m* residence control stamp; **A.staat** *m* state of residence; **A.steuer** *f* residents' tax; **A.verbot** *nt* residence ban, exclusion order; **A.verlängerung** *f* extension of stay, ~ residence permit

auferleglen *v/t* to impose/inflict, to lay upon; **A.ung** *f* imposition, infliction; **unter ~ der Kosten** § with costs

auffächerln *v/t* to diversify/broaden; **A.ung** *f* diversification

auffahrlen *v/i* 🚗 to run into, to collide from behind; **zu dicht a.en** to tailgate *[US]*; **A.unfall** *m* rear-end/nose-to-tail collision, pile-up

Auffahrt *f* drive

auffallen *v/i* to be conspicuous, to catch the eye, to strike; **nicht a.** *v/i* to go unnoticed; **unangenehm a.** to make a bad impression; **a.d** *adj* conspicuous, striking, noticeable, notable

auffällig *adj* 1. striking, conspicuous, noticeable, distinctive; 2. ostentatious, flashy, marked, demonstrative

Auffangbehälter *m* receptacle

Auffangen *nt* absorption; **a.** *v/t* 1. to absorb/cushion, to lessen the effect, to ward off, to avert; 2. to rescue; 3. *(Signal)* to pick up

Auffanglgebiet *nt* reception area; **A.gesellschaft** *f* recipient/shell/rescue/receiving company, lifeboat *(fig)*; **A.konsortium** *nt* support group; **A.reserve** *f* cushioning reserve; **A.tatbestand** *m* § omnibus clause, subsidiary clause of an enactment

auffassen *v/t* to understand/interpret; **falsch a.** to misinterpret/misconceive

Auffassung *f* opinion, view, understanding, comprehension, concept, conception, perception, approach; **nach meiner A.** to my mind; **A. teilen** to share a view; **A. vertreten** 1. to maintain, to take the view; 2. § to hold; **irrige A.** mistaken belief

auffassungslfähig *adj* perceptive; **A.gabe** *f* perceptive faculty; **rasche/schnelle ~ haben** to be quick on the uptake *(coll)*

auffindlbar *adj* traceable; **a.en** *v/t* to trace/locate/discover; **wieder a.en** to retrieve; **A.ungssystem** *nt (Informationen)* retrieval system

auffordern *v/t* 1. to demand/request/urge/summon/call (upon)/invite; 2. to incite

Aufforderung *f* 1. request, demand (note), invitation; 2. warning, call, calling; 3. incitement; **auf A.** on demand; **ohne A.** unsolicited

Aufforderung zur Abgabe eines Angebots invitation to tender, ~ submit an offer, ~ treat; **~ Erhöhung der Einschusszahlung** margin call; **~ Einzahlung auf Aktien** call on shares; **A. zu Gewaltmaßnahmen/-taten** § provocation to commit acts of violence; **~ strafbaren Handlungen; ~ Straftaten** inciting punishable acts; **A. zur Kapitaleinbringung; A. zum Kapitaleinschuss** cash call; **bedingungslose/eindeutige A. zur Leistung** unconditional request for performance; **A. zur Rückzahlung** recall for redemption; **A. unter Strafandrohung** § subpoena *(lat.)*; **A. zur Unterbreitung eines Angebots** invitation to treat/tender; **~ Zahlung gezeichneter Aktienbeträge** call on unpaid subscriptions

zahlbar bei Aufforderung payable on demand

einer Aufforderung nachkommen to comply with/settle a demand

dringende Aufforderung urgent request; **förmliche A.** formal request; **gerichtliche A.** summons, judicial request; **gütliche A.** moral suasion; **letzte A.** final notice; **öffentliche A.** public request; **schriftliche A.** demand/request in writing

Aufforderungslcharakter *m* stimulative nature; **A.schreiben** *nt* call letter, letter of invitation

Aufforstlen *nt* (af)forestation; **a.en** *v/t* to afforest/wood/reforest; **wieder a.en** to re(af)forest; **A.ung** *f* (af)forestation, reforestation

auffrischen *v/t* 1. *(Wissen)* to brush/polish up, to renew; 2. *(Vorräte)* to replenish

Auffrischung *f* 1. *(Vorrat)* replenishment; 2. renewal; **A.sausbildung** *f* booster training; **A.skurs** *m* refresher course; **A.slehrgang** *m* refresher programme; **A.sseminar** *nt* updating session

Auffuhr *f* 🚜 fatstock coming onto the market

aufführen *v/t* 1. to quote; 2. *(Posten)* to enter/list/mention; 3. 🏛 to build/erect; 4. 🎭 to produce/perform; **einzeln/postenweise a.** to specify/itemize

Aufführung *f* 1. quotation; 2. *(Buchung)* entry, listing; 3. 🏛 erection, construction; 4. 🎭 performance, production; **A. eines Bauwerks** erection/production of a building; **öffentliche bühnenmäßige A.** 🎭 public stage performance; **A.srechte** *pl* 🎭 stage/performing rights, rights of performance

Auffülldeponie *f* landfill (disposal site)

auffüllen *v/t* to replenish/refill/restock/renew, to stock/build up; to top up; **wieder a.** to replenish

Auffüllladung *f* ⚓ berth cargo

Auffüllung *f* replenishment; **A. von Lagerbeständen** inventory buildup, stockpiling

Aufgabe *f* 1. task, job, function, chore, business; 2. duty, responsibility, assignment, remit, office; 3. *(Absendung)* dispatch, ✉ mailing, posting; 4. *(Preisgabe)* waiver, abandonment, surrender, discontinuation, termination, giving-up; 5. ⚓ abandonment; 6. *(Geschäft)* retirement from business, closing-down; 7. *(Auftrag)* placing; 8. *(Anzeige)* insertion; **laut A.** as per advice

Aufgabe von Ansprüchen relinquishment of claims; **A. der Anwartschaft** renunciation of an expectancy; **A. einer Bestellung** placing of an order; **A. eines Briefes** posting/mailing *[US]* of a letter; **~ Geschäfts** closing down; **~ Rechts** relinquishment/surrender/abandonment of a right; **A. einer Tätigkeit** discontinuance; **besondere A.n der Verwaltung** special administrative obligations

Aufgabe folgt advice in due course; **A. vorbehalten** *(Börse)* name to follow

Aufgabeln abgrenzen *(Behörden)* to define (the) functions; **A. bewältigen** to cope with a task; **A. erfüllen** to carry out a task; **seine A. erfüllen/tun** to do one's duty; **A. erledigen** to perform a task; **A. erleichtern** to facilitate a task; **A. lösen** to solve a problem; **es sich zur A. machen** to make sth. one's business; **einer A. nicht gerecht werden** to fall down on a job; **~ gewachsen sein** to be up to a job, ~ equal to a task; **~ nicht gewachsen sein** not to be up to a job, to be unequal to a task; **(jdm) eine A. stellen** to assign a task (to so.); **A. übernehmen** 1. to take on/assume a responsibility, to undertake to do sth.; 2. to take up a part; **jdm A.n übertragen** to devolve duties upon so.; **A. wahrnehmen** to discharge a duty, to carry out a task; **(jdm) eine A. zuweisen** to assign a task (to so.)

mit beratender Aufgabe in an advisory capacity; **dankbare A.** rewarding task; **eindeutige A.** specified task; **einfache A.** menial task/work; **faszinierende A.** fascinating task/assignment; **finanzielle A.** financial task; **hoheitsrechtliche A.n** governmental functions; **lockende A.** challenge; **öffentliche A.** public function; **öffentlich-rechtliche A.n** functions in the sphere of public law; **schwere/schwierige A.** arduous job, difficult/uphill/onerous task, chore; **(gut) strukturierte A.** (well-)structured task; **wenig ~ A.** non-operations activity; **unangenehme A.** chore; **untergeordnete A.n** menial/ancillary duties; **verantwortungsvolle A.** position of broad responsibility; **zugewiesene A.** assigned task

Aufgabe|bescheinigung *f* ✉ postal receipt; **A.erklärung** *f* ⚓ notice of abandonment; **a.gemäß** *adv* as per advice; **A.makler** *m (Börse)* name-to-follow broker

Aufgaben|analyse *f* functional/task analysis, critical performance analysis; **zentrale A.bearbeitung** central order processing (system)

Aufgabenbereich *m* 1. (scope of) duties, task area, area of responsibility, remit, sphere of action, province, purview; 2. *(Ausschuss)* terms of reference, competence, brief, jurisdiction; **außerhalb des A.s** outside one's remit; **in jds A. fallen** to come within so.'s province

Aufgaben|bereicherung *f* job enrichment; **A.beschreibung** *f* description of duties; **A.delegation** *f* delegation of tasks; **A.erfindung** *f* problem invention; **A.erfüllung** *f* realization of tasks, task fulfilment; **A.erfüllungsprozess** *m* process of work realization, task realization, ~ fulfilment process; **A.erweiterung** *f* job enlargement; **A.gebiet** *nt* 1. duties, brief, task area, area of responsibility, province, remit, assignment, workload, scope; 2. *(Ausschuss)* terms of reference; **A.gliederung** *f* breakdown of activities, task structuring; **A.katalog** *m* set of objectives/targets; **A.kreis** *m* duties, remit, responsibility, scope; **innerhalb des A.kreises liegen** to come within the scope; **a.orientiert** *adj* task-orient(at)ed, job-orient(at)ed; **nicht a.orientiert** non-task; **A.pensum** *nt* workload; **A.segmentierung** *f* segmentation of tasks; **A.stellung** *f* 1. assignment (of duties), problem (definition), tasks set; 2. *(Ausschuss)* terms of reference; **A.strukturierung** *f* task/job structuring; **A.synthese** *f* task synthesis; **A.system** *nt* task system; **A.teilung** *f* division of responsibilities/tasks, task/work division; **A.träger** *m* 1. ultimate unit of responsibility; 2. 💻 task station; **A.vergrößerung** *f* job enlargement; **A.verteilung** *f* job allocation, allocation of responsibilities/tasks; **A.verwalter** *m* 💻 task manager; **A.verwaltung** *f* task management; **A.vielfalt** *f* multiplicity of tasks; **A.wahrnehmung** *f* discharge of duties; **A.wechsel** *m* job rotation; **A.ziel** *nt* task goal; **A.zuweisung** *f* task assignment, assignment of duties/tasks, job allocation

Aufgabe|ort *m* ✉ place of mailing/posting/origin; **A.postamt** *nt* mailing office; **A.schein** *m* 1. advice of delivery; 2. *(Gepäck)* receipt, check *[US]*; **A.spediteur/A.spedition** *m/f* initial carrier; **A.stelle** *f* place of dispatch; **A.stempel** *m* ✉ date stamp, postmark; **A.tag** *m* date of dispatch; **A.zeit** *f* time of dispatch

aufgearbeitet *adj* ⚙ reconditioned, done-up

Aufgeben eines Schiffes *nt* abandonment of a ship/vessel

aufgeben *v/t* 1. ✉ to post/mail; 2. *(Sendung)* to consign/dispatch; 3. *(Gepäck)* to register, to check in; 4. *(Anspruch/Besitz)* to abandon/renounce, to part with sth.; 5. *(aufhören)* to give up, to stop/cease/discontinue/ditch *(coll)*; 6. *(Stelle)* to vacate/resign/quit *(coll)*; 7. *(Bestellung)* to place; 8. *(Recht)* to waive/surrender/release/relinquish; 9. *(Anzeige)* to insert/place; **nicht a.** to hold on to

Aufgeber *m* sender, consignor

aufgebläht *adj* bloated, inflated; **nicht a.** uninflated

Aufgebot *nt* 1. *(Heirat)* banns, public notice; 2. *(Wertpapiere)* cancellation; 3. *(Pat.)* public invitation to advance claims; **mit großem A.** in strength; **unter A. aller Kräfte** with might and main

aufgeboten *adj* *(Wertpapiere)* called in, withdrawn

Aufgebots|frist *f* period set for public notice; **A.system** *nt (Pat.)* examination-plus-opposition system; **A.verfahren** *nt* 1. *(Wertpapiere)* cancellation proceedings, public citation; 2. *(Pat.)* public announcement procedure, forfeiture proceedings

aufge|bracht *adj* excited, outraged, incensed, indignant; **~ sein** to be up in arms *(fig)*; **a.braucht** *adj* used up, spent; **a.deckt werden** *adj* to come to light; **a.druckt** *adj* embossed; **a.führt** *adj* listed; **oben a.führt** above-mentioned (a/m); **unten a.führt** undermentioned (u/m), below-mentioned

Aufgehen *nt* *(Fusion)* merger; **a.** *v/i (Rechnung)* to work out, to tally; **in etw. a.** to be merged in/with, to merge with, to disappear into (sth.); **a. lassen** to merge

aufgelhoben *adj* 1. lifted, cancelled; 2. *(Urteil)* reversed, set aside; **a.klärt** *adj* enlightened; **a.lassen** *adj* *(Grundstück)* conveyed; **a.laufen** *adj* accrued, accumulated, cumulative

Aufgeld *nt* 1. premium, agio, paid-in surplus; 2. surcharge, mark-up, extra charge; 3. *(Börse)* contango (rate); **mit A.** at a premium; **A. verlangen** to charge a premium; **A.konto** *nt* agio account; **A.rücklage** *f* share premium account

aufgellegt *adj* *(Anleihe)* issued, open for subscription; **neu a.legt** 📖 reprinted, reissued; **a.löst** *adj* wound-up; **a.macht** *adj* dressed; **a.nommen** *adj* 1. received, accepted; 2. recorded; **gut/positiv ~ werden** to meet with a good reception, to go down well

aufgerufen *adj* 1. called; 2. *(Obligationen)* recalled; **nicht a.** *(Kapital)* uncalled; **a. werden** *(Prozess)* to be put up

aufgelrundet *adj* π in round terms, rounded-up; **a.saugt** *adj* absorbed

aufgeschlossen *adj* 1. open-minded, open, sympathetic, liberal, receptive, alive (to); 2. ⚒ opened up, proven; **A.heit** *f* open-mindedness, receptiveness

aufgelschlüsselt *adj* itemized, broken down; **a.stellt** *adj* ⚙ mounted; **a.stiegen** *adj* ✈ airborne; **a.wendet** *adj* expended, spent; **a.wertet** *adj* revalued, up-valued; **a.zeichnet** *adj* recorded

aufgliederbar *adj* classifiable

aufgliedern *v/t* 1. to break down, to itemize; 2. to classify/subdivide/categorize, to split up; **anteilmäßig a.** to average/prorate

Aufgliederung *f* 1. breakdown, itemization; 2. classification, subdivision, categorization; 3. dissection, analysis; 2. *(Betrag)* breakdown

Aufgliederung in Abteilungen departmentalization, compartmentalization; **A. der Ausgaben** breakdown of expenditure; **~ Bilanz** analysis sheet; **A. des Gesamtbetrages** breakout; **A. der Kosten** itemization of cost(s); **zeitliche A. des Materialflusses** materials explosion; **A. des Reingewinns** *(Bilanz)* appropriation section; **A. nach Sachgebieten** functional classification; **A. des Sozialprodukts nach dem Ursprung** breakdown of the national product according to sources; **A. nach Sparten** divisional breakdown

berufliche Aufgliederung occupational distribution; **branchenmäßige A.** industrial classification

aufgreifen *v/t* to take/pick up/seize; **etw. begeistert a.** to jump/leap at sth.

auf Grund *prep* on the strength/grounds of, by virtue/reason of

auf haben *v/t* *(Geschäft)* to be open

aufhaldlen *v/t* to stockpile; **A.ung** *f* stockpiling, ⚒ increase of pithead stocks

aufhaltlbar *adj* stoppable; **A.eaktion** *f* holding action

aufhalten *v/t* 1. to hold up, to check/stop/halt/detain/retard; 2. *(Verfahren)* to stay; *v/refl* to reside/stay/be; **nicht aufzuhalten** unstoppable

Aufhänger *m* 1. (coat) hanger; peg; 2. *(fig.)* pretext; 3. *(Marketing)* sales anchor; **als A. benutzen** to peg

aufhäuflen *v/t* to accumulate; **A.ung** *f* accumulation

aufhebbar *adj* 1. voidable, rescindable, cancellable, annullable; 2. § defeasible, divestible; **A.keit** *f* § defeasibility

aufheben *v/t* 1. to pick/lift up; 2. *(Beschränkung)* to remove/lift/abolish; 3. *(Entscheidung)* to reverse/annul/cancel/rescind/void/countermand, to eliminate/revoke/supersede/abrogate/overrule; 4. *(Gesetz)* to repeal; 5. *(sparen)* to save; 6. § to quash/overturn/reverse/disaffirm, to set aside; 7. *(Streik)* to call off; 8. *(Versammlung)* to close/terminate/end; *v/refl* to balance/offset; **sich gegenseitig a.** to cancel each other, to neutralize; **zeitweilig a.** to suspend; **a.d** *adj* § diriment

Aufhebung *f* 1. *(Beschränkung)* lifting, removal, abolition; 2.*(Entscheidung)* annulment, cancellation, revocation, abrogation, invalidation, extinguishment, neutralization, nullification, foreclosure; 3. § reversal, repeal, rescission, avoidance, defeasance, disaffirmance, vitiation

Aufhebung der Beschlagnahme derequisition; **A. von Beschränkungen** removal/lifting/abolition of restrictions, deregulation; **A. nach Billigkeitsrecht** § equitable rescission; **A. der öffentlichen Bindung** deregulation; **~ Blockade** raising of the blockade; **~ Börsenzulassung** delisting; **~ Devisenkontrollen** lifting of exchange/currency controls; **A. einer Ehe** annulment of a marriage; **A. der Einlösungspflicht von Banknoten** suspension of specie payments; **~ Gemeinnützigkeit** demutualization; **~ ehelichen Gemeinschaft** judicial separation; **A. einer Gesellschaft** 1. winding up a company; 2. dissolution of a partnership; **A. eines Gesetzes** repeal of a law, abrogation of a law/statute; **A. des Haftbefehls** revocation of warrant of arrest; **A. der Handelsbeziehungen** non-intercourse *[US]*; **~ Immunität** withdrawal/suspension of immunity; **A. einer Klage** withdrawal of an action; **A. des Konkursverfahrens** discharge, closing of bankruptcy proceedings; **gerichtliche ~ Konkursverfahrens** order of discharge; **A. der Kontrolle** decontrol; **~ Kontrollbestimmungen** deregulation; **~ Kreditkontrollen** removal of credit controls; **~ ehelichen Lebensgemeinschaft** judicial separation, dissolution of conjugal community, separation from bed and board; **A. des Pachtvertrages** cancellation of lease; **A. der Preisbindung** abolition of resale price maintenance, price decontrol; **~ Preiskontrollen** deregulation, decontrol; **A. eines Rechtsstatuts** disestablishment; **A. einer Sitzung** termination of a meeting; **A. eines Urteils** quashing/reversal of a judgment; **A. einer Verfügung** lifting of an injunction; **A. eines Vertrages** rescission/cancellation of a contract; **A. von Zöllen** removal/abolition of tariffs; **A. der Zwangsbewirtschaftung** deregulation

zur Aufhebung kommen to be cancelled; **einstweilige A.** suspension

Aufhebungslantrag *m* motion in arrest of judgment; **A.bestimmung** *f* rescinding clause; **A.entgelt** *nt* *(Arbeitsvertrag)* redundancy payment; **A.erklärung** *f* declaration of avoidance; **A.klage** *f* 1. action for rescission; 2. *(Ehe)* nullity suit; **A.klausel** *f* overriding clause; **A.prämie** *f* *(Vers.)* cancellation premium; **A.vertrag** *m* agreement to revoke a debt, ~ terminate a contract

Aufhellungstendenzen *pl* *(Konjunktur)* brighter outlook

aufhetzlen *v/t* to instigate/incite/agitate; **A.ung** *f* instigation, incitement, agitation; ~ **zum Rassenhass** incitement to racial hatred

aufhollen *v/ti* 1. to make good, ~ up for, to catch/pick up, to recover lost ground; 2. *(Börse)* to rally; **A.prozess** *m* catching-up process

Aufhören *nt* cessation

aufhören *v/i* to cease/stop/end/discontinue, to let up; **allmählich/langsam a.** to peter out, to taper off; **plötzlich a.** to stop short; **rechtzeitig (zu spekulieren) a.** to cut one's losses; **a. zu bestehen** to cease to exist, to pass out of existence

Aufkauf *m* buying-up, buyout, takeover, acquisition; **Aufkäufe** buying-in

Aufkauf durch Betriebs-/Firmenleitung/Geschäftsführung management buyout (MBO); **A. von Buchforderungen** factoring; ~ **Gesellschaften** corporate acquisition; ~ **Industrieunternehmen** asset backing; ~ **Schulden** factoring; **A. eines Unternehmens durch die Belegschaft** employee buyout; **A. des gesamten Vorrats** coemption; **A. von Warenforderungen** factoring

durch Aufkauf den Markt beherrschen to forestall the market; **mit Krediten finanzierter A.** leveraged buyout

Aufkaufen *nt* cornering; **a.** *v/t* 1. to buy up/in/off/out, to purchase/acquire; 2. to engross/corner/forestall; 3. *(Gesellschaft)* to take over

Aufkäufer *m* buyer-up, purchaser, forestaller, corner man; **A.gruppe** *f* corner

Aufkauflgerücht *nt* takeover rumour; **A.handel** *m* buying-up trade; **A.s- und Verkaufspreise** *pl* purchasing and selling prices

auflkeimend *adj* burgeoning, incipient; **a.klären** *v/t* 1. to clear up, to clarify/enlighten; 2. *(Vorgang)* to shed light on sth.

Aufklärung *f* enlightenment, clarification; **A. über ein Produkt** product publicity; **gezielte A.** pin-pointed information

Aufklärungslaktion/A.kampagne *f* information campaign; **A.arbeit** *f* educational work; **A.material** *nt* informational material; **A.pflicht** *f* duty of discovery, ~ to warn; **A.quote** *f (Verbrechen)* detection/clear-up rate, percentage of cases solved; **A.werbung** *f* educational/informative advertising

Aufklebel- stick-on; **A.adresse** *f* gummed address/mailing label; **A.marke** *f* adhesive stamp

aufkleben *v/t* to paste/stick on, to gum down

Aufkleber *m* (adhesive) label, sticker; **A. für Einschreibesendungen** ✉ registration label

Aufklebezettel *m* sticker, adhesive label

Aufkommen *nt* 1. emergence; 2. *(Einnahmen)* yield, receipts, revenue, accrual, proceeds, resources; 3. output; **A. für die Kosten** defrayal of cost(s)/expenses; **A. an Steuer** tax revenue; **haushaltsmäßiges A.** budgetary yield/revenue/receipts

aufkommen *v/i* 1. *(entstehen)* to emerge/arise, to come up; 2. *(zahlen)* to pay/defray; **für etw. a.** 1. to be responsible for sth., to make good sth.; 2. *(Kosten)* to bear, to pay expenses; **gesamtschuldnerisch a.** to be jointly responsible

Aufkommenslelastizität *f* *(Steuer)* revenue elasticity; **A.entwicklung** *f (Steuer)* rate of accrual; **a.neutral** *adj* revenue-neutral; **a.stark** *adj (Verkehr)* heavy

aufkündbar *adj* terminable, revocable

aufkündigen *v/t* 1. to cancel; 2. *(Kapital)* to recall, to call in; 3. *(Dienst)* to give notice; 4. *(Vertrag)* to terminate, to give notice of termination; 5. *(Hypothek)* to foreclose, to call for redemption

Aufkündigung *f* 1. *(Kapital)* recall; 2. *(Dienst)* notice to quit; 3. *(Vertrag)* termination; 4. *(Hypothek)* foreclosure; **A. der Mitgliedschaft** notice of withdrawal

Aufladlen *nt* 1. loading; 2. ϟ charging; **a.en** *v/t* 1. to load/lift; 2. ϟ to charge; **A.er** *m* loader

Auflage *f* 1. *(Anweisung)* direction, instruction, condition; 2. *(Verpflichtung)* obligation, commitment, enjoinder, import; 3. *(Zeitung)* circulation; 4. *(Buch)* edition, print run; 5. *(Produktionsmenge)* production run, batch, lot size; 6. *(Steuer)* levy, tax, duty; 7. § enjoinder, (regulatory) requirement, burden, requisition, imposition; 8. ⛉ overlay; 9. *(Behörde)* order; **mit der A.** subject to the condition; **ohne A.n** (with) no strings attached *(coll)*; **A. der Bewährungszeit** conditions of probation; **gerichtliche A. zwecks Unterlassung/Vornahme einer Handlung** § writ of mandamus *(lat.)*; **mit A.n belastet** encumbered by/charged with obligations

Auflageln erfüllen/genügen to satisfy/meet the requirements, to meet the standards; ~ **machen** to impose conditions/terms/requirements; **zur A. machen** to make mandatory, to enjoin; **an gerichtliche A.n gebunden sein** to be under terms

begrenzte/beschränkte Auflage 📖 limited edition; **durchgesehene und verbesserte A.** 📖 revised and improved edition; **gerichtliche A.** court ban/order; **gesetzliche A.** mandatory restriction, legal restraint/requirements; **hohe A.** 1. 📖 wide circulation; 2. large production run; **polizeiliche A.** police ordinance; **verbesserte A.** 📖 revised edition; **verkaufte A.** 📖 net paid circulation

Auflagegüter *pl* goods subject to official regulations

Auflagenlanstieg *m* 📖 rising circulation; **A.degression** *f* economies of scale, ~ large-scale production; **A.höhe** *f* 1. 📖 circulation, print run; 2. *(Münzen)* amount minted; **A.rückgang** *m* drop/decline in circulation; **A.ziffer** *f* printing, print run

auflassen *v/t* *(Grundstück)* to convey/surrender/transfer

Auflassung *f* conveyance (of land), transfer of fee simple, sasine *[Scot.]*

Auflassungslanspruch *m* entitlement to a conveyance of land; **A.eintragung** *f* entry of conveyance; **A.erklärung** *f* conveyance, transfer of fee simple; **A.urkunde** *f* deed/record of conveyance (of land), transfer deed, transfer of fee simple; **A.vormerkung** *f* priority notice/entry of conveyance

Auflauf *m* run, gathering, unlawful assembly; **A. verursachen** to create a disturbance
Auflaufen *nt* 1. accumulation, accrual; 2. ⚓ grounding; **A. von Kosten** accrual of cost(s); ~ **Zinsen** accrual of interest
auflaufen *v/i* 1. to pile up, to accrue/accumulate; 2. *(Rückstände)* to fall into arrears; 3. ⚓ to run aground, to founder
Aufleben *nt* 1. revival, recovery; 2. *(Vers.)* reinstatement; **a.** *v/i* to revive/recover; **wieder a. lassen** to revive/reactivate/revitalize
auflegen *v/t* 1. ✆ to ring off, to hang up, to put back the receiver; 2. 📖 to publish; 3. *(Steuern)* to levy/impose; 4. *(Fonds)* to set up, to establish/launch; 5. *(Aktien)* to issue/float; 6. ⚓ to lay up; **neu a.** 📖 to reissue/reprint
Auflegung *f* 1. *(Anleihe)* issue, flo(a)tation; 2. launching; 3. ⚓ lay-up; **öffentliche A.** public offering, invitation for general subscription; **A.stag** *m* date of issue/flo(a)tation; **optimale A.szahl** optimum lot number
auflehn|en *v/refl* to revolt/rebel; **A.ung** *f* insurgence, revolt, insurrection
auf|lesen *v/t* to pick up/gather; **a.leuchten** *v/i* to light up
Aufliefer|er *m* sender, consignor; **a.n** *v/t* to dispatch/consign/send; **A.ung** *f* consignment, dispatch
auflieg|en *v/i* 1. to be open for inspection; 2. ⚓ to lie up, to be laid up; **A.er** *m* 🚗 (semi-)trailer; **A.ertonnage** *f* ⚓ laid-up tonnage
auflist|en *v/t* to list; **einzeln a.en** to itemize; **A.ung** *f* listing, list; ~ **des Lieferumfanges** list of deliverables
auflockern *v/t* 1. to relax/ease/slacken; 2. to disperse/loosen, to break up
Auflockerung *f* 1. relaxation, easing; 2. thinning out; 3. diversification; 4. loosening, breaking up; **A. von Bestimmungen** relaxation of restrictions; **A. der Geldpolitik** relaxation of monetary policy; **A. des Kapitalmarkts** easing of the capital market
auflösbar *adj* 1. ⚗ soluble; 2. *(Vertrag)* terminable
auflösen *v/t* 1. *(Geschäft)* to liquidate, to wind up/down, to dissolve; 2. *(Konto)* to close; 3. *(Vertrag)* to terminate/rescind/cancel/invalidate/annul; 4. *(Reserven)* to release/retransfer, to write back; 5. *(Kartell)* to break up; 6. *(Rätsel)* to resolve; 7. *(Gruppe)* to disband; *v/refl* 1. to dissolve/fold/disintegrate/disaggregate, to fall apart; 2. *(Menschenmenge)* to disperse; **a.d** *adj* 1. disruptive; 2. ⚗ solvent
Auflösung *f* 1. dissolution, break-up, disintegration; 2. *(Konto)* closing; 3. *(Vertrag)* rescission, termination, cancellation; 4. *(Geschäft)* closing, winding-up; 5. *(Gesellschaft)* dissolution; 6. *(Reserven)* release, writing-back, retransfer; 7. *(Kartell)* breaking-up
Auflösung durch Beschluss der Gesellschafter dissolution by agreement/assent of the partners; **A. einer Ehe** dissolution of a marriage; **A. von Eigenkapital** withdrawal from reserves; **A. eines Fonds** winding up/liquidation of a fund; **A. durch Gerichtsentscheid** dissolution by decree of court; **A. eines Geschäfts** winding up of a business; **A. einer Gesellschaft** dissolution of a company; **A. kraft Gesetzes** dissolution by operation of the law; **A. einer Handelsgesellschaft** separation of a partnership; **A. von Haussepositionen** bull liquidation; **A. der Konkursmasse** liquidation; **A. eines Kontos** closing of an account; ~ **in mehrere Konten** fanout; **A. einer OHG/KG** dissolution of a partnership; **A. von Rechnungsabgrenzungsposten** amortization of accruals and deferrals; ~ **Rücklagen** writing back (of reserves), reversal of provisions; ~ **Rückstellungen** writing back, adjustment of provisions, release from bad debt provisions; ~ **Sondereinlagen** *(Bank)* release of special deposits; **A. eines Vertrags** cancellation of a contract
freiwillige Auflösung voluntary winding-up
Auflösungs|antrag *m* winding-up petition; **A.beschluss** *m* 1. § winding-up order; 2. resolution to liquidate (the business); **A.bestätigung** *f* termination confirmation; **A.betrag** *m (Rückstellungen)* amount written back, ~ released from reserves; **A.graph** *m* ▦ explosion graph; **A.gründe** *pl* statutory grounds for dissolution; **A.klage** *f* § petition for judicial dissolution, action for dissolution; **A.portfolio** *nt* closure portfolio; **A.preis** *m [EU] (Agrarmarkt)* activating price; **A.verfügung** *f* winding-up order; **A.volumen** *nt* closing volume; **A.zahlungen** *pl* closure payments
aufmach|en *v/t* 1. to open (up), to lay out; 2. *(Dispache)* to draw up; *v/refl (nach)* to (start to) travel to; **A.er** *m (Zeitung)* lead; **A.ung** *f* 1. display, presentation, layout, appearance, make-up; 2. *(Ware)* get-up; 3. *(Havarie)* average adjustment; **äußere A.** outer appearance
Aufmaß *nt* 🏛 quantity survey; **A. nehmen** to measure up; **A.liste** *f* list of measurements; **A.techniker** *m* quantitiy surveyor
aufmerksam *adj* 1. attentive, observant; 2. considerate; 3. *(wachsam)* vigilant; **a. machen auf** to point out; **jdn auf etw. a. machen** to bring sth. to so.'s attention
Aufmerksamkeit *f* 1. attention, notice; 2. alertness
der Aufmerksamkeit entgehen to escape one's notice/detection; **jds A. erregen** to catch so.'s eye, to attract notice; **A. auf etw. lenken** to draw attention to sth., to focus attention on sth.; **jds A. auf etw. lenken** to bring sth. to so.'s attention; **A. zuwenden** to bestow attention (on sth.)
kleine Aufmerksamkeit *(fig)* small token, little gift
Aufmerksamkeits|erreger *m* attention getter, eye-catcher, eye-stopper *(coll)*; **A.faktor** *m* attention factor
Aufnahme *f* 1. reception, acceptance; 2. absorption, assimilation; 3. *(Waren)* taking up, take-up, uptake; 4. *(Kursus)* intake, enrolment, admission; 5. inclusion, incorporation, affiliation; 6. *(Geld)* borrowing, raising; 7. *(Waren)* pick-up; 8. *(Gespräch)* start, commencement; 9. *(Ton/Fernsehen)* recording, shot; 10. *(Foto)* photograph; 11. 🏛 survey; **A.n** *(Kredit)* borrowings
Aufnahme der Bestände stocktaking; **A. des Betriebs** start-up; **A. von Beweisen** § hearing of evidence; **A. diplomatischer Beziehungen** establishing diplomatic relations; **A. in die EU** accession to the EU; **A. von Fremdmitteln** borrowing, debt assumption; **A. der Geschäftstätigkeit** commencement of business operations; **A. von Kapital** raising of capital; **A. einer Klau-**

sel insertion of a clause; **A. eines Kredits** recourse to a credit; **A. in die Kundenliste** listing; **A. eines Mitglieds** admission of a member; **A. von Mitteln** *(Kredit)* borrowing, fund raising; ~ **Schulden** contraction of debts; **A. einer Tätigkeit** taking up an activity; **A. eines Teilhabers** admission of a partner; **A. einer Tratte** honouring a bill of exchange; **A. eines Verfahrens** § resumption of proceedings; **A. des Vertriebs** initiation of distribution

Aufnahme beantragen to apply for admission; **gute A. finden** to meet with a good reception, to have a high take-up (rate); **jdm A. gewähren** to grant so. admission, to allow so. in; **A.n machen** to take photographs; **um A. nachsuchen** to apply for admission; **A. verweigern** to refuse admission

günstige Aufnahme 1. *(Produkt)* acceptancy, favourable acceptance; 2. *(Fördermaßnahme)* high take-up rate; **körperliche/tatsächliche A.** *(Inventur)* physical inventory; **zügige A.** *(Anleihe)* ready taking

Aufnahme|antrag *m* application for membership/accession/admission, ~ to join; **A.ausschuss** *m* membership committee; **A.bedingungen** *pl* conditions of admission; **A.beitrag** *m* enrolment fee; **a.bereit** *adj* 1. receptive; 2. 🖳 pre-loaded; **A.bereitschaft** *f* receptiveness; ~ **der Verbraucher** consumer acceptance; **A.bogen** *m* check-list; **a.fähig** *adj* 1. receptive; 2. *(Markt)* ready; 3. *(Börse)* buoyant; **nicht a.fähig** unreceptive; **A.fähigkeit** *f* 1. (absorbing/absorptive) capacity, receptivity; 2. *(Lager)* capacity; ~ **des Marktes** sales potential **A.gebühr** *f* admission/enrolment/entrance fee; **A.gespräch/A.interview** *nt* intake interview/initial; **A.gesuch** *nt* application for membership; **A.grenze** *f (Markt)* marginal increment; **A.land** *nt* host/receiving country; **A.potenzial** *nt* absorbing power; **A.prüfung** *f* entrance examination; **A.staat** *m* receiving/host state; **A.studio** *nt* recording studio; **A.voraussetzungen** *pl* entrance requirements; **A.zentrum** *nt* reception centre

Aufnehmen *nt* 🖳 record position

aufnehmen *v/i* 1. to admit/receive/accept; 2. to absorb, to take/mop up; 3. *(Kredit)* to raise/borrow; 4. *(Lager)* to take into store; 5. *(Ton/Fernsehen)* to record; 6. *(Film)* to film/photograph; 7. *(Mitglied)* to enlist/enrole; 8. *(Personalien)* to take down; 9. 🖳 to insert; **jdn bei sich a.** to put so. up; **jdn freundlich a.** to make so. welcome; **gierig a.** to snap up; **stenografisch a.** to take down in shorthand

aufopfern *v/t v/refl* to sacrifice, to give up; **a.d** *adj* devoted

Aufopferung *f* sacrifice; **A.sanspruch** *m* denial damage

aufpäppeln *v/t* to beef up *(coll)*, to nurse back to health

aufpass|en *v/i* to watch/mind/heed; **A.er** *m (Behörde)* watchdog *(coll)*

auf|pflanzen *v/t* to superimpose; **a.pfropfen** *v/t* to graft on, to add to; **a.platzen** *v/i* to burst open; **a.polieren** *v/t* to brush/polish up, to revamp; **a.prägen** *v/t* to imprint/impress/emboss

Aufprall *m* impact, collision; **a.en** *v/ti* to hit/impact, to collide (with)

Aufpreis *m* mark-up, (price) premium, additional/extra charge; **mit einem A.** at a premium; **A. der Kassa-/Spotware gegenüber Terminwaren** *(Rohstoffbörse)* backwardation; ~ **Terminware gegenüber der Kassa-/Spotware** contango

auf|pumpen *v/t* to inflate, to pump up; **a.raffen** *v/refl* to make an effort

Aufräum|(ungs)arbeiten *pl* clean-up (operation); **A.en** *nt* clean-up, clearance; **a.en** *v/t* to tidy/clean/clear (up), to mop up *(coll)*; **mit etw. a.en** to eliminate sth.; **A.ungskosten** *pl* clearance/demolition costs

aufrech|enbar *adj* offsettable, subject to compensation; **a.nen** *v/t* to add/sum/reckon up, to set off, to offset; ~ **gegen** to offset (against), to set off/against, to balance/counterbalance, to count towards, to discharge by way of counterclaim

Aufrechnung *f* set(ting)-off, offset(ting), squaring/balancing of accounts, counterbalancing; **gegenseitige A.** *(Vers.)* knock for knock (arrangement); **A.sanspruch** *m* set-off claim, right of set-off; **A.seinrede** *f* § defence of set-off; **A.sverbot** *nt* unlawfulness/contractual exclusion of set-off

aufrecht *adj* 1. upright; 2. honest; *adv* in upright position; **a.erhalten** *v/t* 1. to maintain/uphold/sustain/preserve, to keep up, to abide by; 2. *(künstlich)* to bolster (up)

Aufrechterhaltung *f* maintenance, preservation, upkeep, renewal; **A. der Betriebsfähigkleit** care and maintence; **unter ~ persönlichen Einreden** § subject to equities, ~ a plea of demurrer; **A. wohlerworbener Rechte** preservation of acquired rights; **A. der öffentlichen Ruhe und Ordnung** preservation of law and order, ~ the public peace; **A.sgebühr** *f (Pat.)* renewal fee (for the application)

aufrechtzuerhalten *adj* sustainable; **nicht a.** unsustainable

auf|reihen *v/t* to line up; **a.reißen** *v/t* to tear/rip (open); **a.reizen** *v/t* to stir up, to instigate/incite/provoke; **a.reizend** *adj* provocative

aufrichtig *adj* sincere, honest, genuine, unaffected, straightforward, candid; **A.keit** *f* sincerity, honesty, candour

Auf|riss *m* 1. *(Anzeige)* layout; 2. 🏛 front view, elevation; **a.rollen** *v/t* to roll up

Aufrücken *nt* promotion, advance(ment); **a.** *v/i* to advance, to move up, to be promoted

Aufruf *m* 1. call; 2. appeal; 3. proclamation; 4. public notification/notice; 5. *(Gläubiger)* summons; 6. *(Kapital)* recall; **A. von Noten** calling-in of notes; ~ **Wertpapieren** retirement of securities; **A. erlassen** to issue a proclamation; **A. richten an** to appeal to; **letzter A.** final call; **namentlicher A.** roll call

aufrufen *v/t* 1. to call (for/in); 2. *(Gericht)* to call/summon; 3. *(Gläubiger)* to recall; 4. to give public notice; **zu etw. a.** to launch an appeal for sth.; **namentlich a.** to roll-call

aufruf|fähig *adj* callable; **a.pflichtig** *adj* subject to call

Aufruhr *m* insurrection, riot, unrest, uproar, insurgence, turmoil, revolt, rebellion, (civil) commotion; **A. und bürgerliche Unruhen** § riots and civil commo-

tion; **A., Bürgerkrieg und Streik** riots, civil commotion and strike (r.c.c.&s.)
Aufrührer *m* insurgent, rioter, rebel, insurrectionist; **a.isch** *adj* insurgent, riotous, rebellious, inflammatory, insurrectionist
Aufruhr|klausel *f* riot clause; **A.schäden** *pl* riot damage; **A.versicherung** *f* civil commotion insurance
aufrund|en *v/t* π to round up/upward/off, to half-adjust; **A.ung** *f* rounding up
aufrüst|en *v/t* to rearm; **A.ung** *f* rearmament
auf|rütteln *v/t* to stir up, to rouse; **a.sammeln** *v/t* to gather
Aufsatz *m* 1. article, composition, essay; 2. ✿ attachment
auf|saugen *v/t* to absorb, to soak up; **wieder a.saugen** to reabsorb; **a.schichten** *v/t* to stack, to pile up
aufschiebbar *adj* adjournable, deferrable, delayable
Aufschieben von Kasseneinnahmen *nt* lapping; **a.** *v/t* 1. to put off/back, to delay/postpone/defer/respite/demur; 2. *(vertagen)* to adjourn; **sich nicht a. lassen** to brook no delay; **a.d** *adj* dilatory, suspensive, suspensory; ~ **bedingt** conditional, subject to condition precedent, ~ suspense condition
Aufschiebung *f* 1. delay, suspension, postponement; 2. adjournment, putting-off
Aufschlag *m* 1. surcharge, premium, extra charge, mark-up, advance, rise; 2. recargo; 3. *(Preis)* knock-on; **mit einem A.** at a premium; ~ **versehen** *(Vers.)* to load
Aufschlag für Anlagedevisen investment currency premium; ~ **Bearbeitung** service charge; **A. bei Bruchteilkursen** trading difference; **A. auf den Einfuhrpreis** import mark-up; **A. für vorzeitige Tilgung** redemption fee, prepayment penalty
zusätzlicher Aufschlag surcharge, additional mark-up/mark-on
aufschlagen *v/t* to surcharge, to mark up
Aufschlags|gewinn *m* mark-up; **A.(preis)kalkulation** cost-plus/mark-up pricing; **A.punkt** *m* point of impact; **A.stärkeregler** *m* impression control
aufschließen *v/t* ⚒ to open up, to develop
Aufschließung *f* development; **A.seffekt** *m* trade-creating effect, trade creation; **A.skosten** *pl* development cost(s); **A.smaßnahmen** *pl* land improvements
aufschlitzen *v/t* to slit open
Aufschluss *m* 1. information, explanation, data; 2. ⚒ development, extraction; 3. ⚗ breaking down, digestion; **A. geben** to throw light upon, to tell/explain
Aufschluss|bergbau *m* ⚒ prospecting; **A.methode** *f* 1. ⚒ method of extraction; 2. ⚗ method of digestion; **a.reich** *adj* revealing, informative, instructive, telling, illuminating; **im A.stadium sein** *nt* to be in the process of being developed
aufschlüsseln *v/t* to break down, to itemize/analyse/apportion/classify/subdivide
Aufschlüsselung *f* (detailed) breakdown, classification, itemization, allocation, apportionment, subdivision; **A. der Ausgaben** breakdown/classification of expenditure; **A. nach Berufen** breakdown by occupations
aufschreib|en *v/t* to write/put down, to book; **schnell a.en** to jot down; **A.er** *m* marker; **A.ungen** *pl* records
Aufschrift *f* inscription, label, address; **A.zettel** *m* label
Aufschub *m* 1. delay; 2. suspense, suspension; 3. *(Vertagung)* postponement, deferment, deferral, adjournment; 4. *(Zahlung)* respite, extension, indulgence; 5. *(Wechsel)* period of grace, grace period; 6. § derogation, stay (of proceedings), reprieve
Aufschub der Urteilsvollstreckung § reprieve; ~ **(Zwangs)Vollstreckung** *f* stay of execution; ~ **Zahlungsfrist** respite
um Aufschub bitten to ask for time; **keinen A. dulden/leiden** to brook no delay; **A. erlangen/erwirken** to win a reprieve, to obtain a delay; **A. gewähren** to grant so. an extension, ~ a respite, to reprieve/respite, to allow time
kurzer Aufschub brief delay
Aufschub|anmeldung *f* deferment notification; **A.frist** *f* respite; **A.konto** *nt* deferment account
jdm etw. auf|schwätzen/a.schwatzen *v/t* to talk so. into (taking) sth.; ~ **a.schwindeln** *v/t* to palm sth. off on so.
Aufschwung *m* 1. *(Konjunktur)* recovery, upturn, upswing, revival, rise, uptrend, pick-up *(coll)*, expansion, boom, prosperity; 2. *(Preise)* rally; **A. des Handels** increase in/of trade; **A. nach Maß** tailor-made recovery; **im A. begriffen** booming, on the upswing; **jdm/etw. neuen A. geben** to give so./sth. a new lease of life; **A. nehmen** to boom; **A. tragen** to support the upturn/recovery
gesamtwirtschaftlicher Aufschwung nationwide boom, overall economic progress; **konjunktureller A.** economic recovery, cyclical recovery/upswing/expansion/upturn, improvement of the economic situation; **konsuminduzierter A.** consumer-led economic recovery; **saisonbedingter A.** seasonal recovery; **starker/stürmischer A.** boom; **wirtschaftlicher A.** economic revival, takeoff, cyclical expansion
Aufschwung|kräfte *pl* upswing/expansive forces; **A.phase** *f* upward phase, business cycle expansion; **A.situation** *f* state of upswing, expansive situation; **A.tendenz** *f* upward/boom tendency, uptrend
Aufseher *m* 1. supervisor, foreman, inspector, controller, attendant, overseer, overman, minder; 2. *(Gefängnis)* warder, guard, prison officer; **A.in** *f* 1. forewoman; 2. *(Gefängnis)* wardress, matron *[US]*
Aufsetz|en *nt* ✈ touchdown; **a.en** *v/t (Schriftstück)* to draft, to draw up; *v/i* ✈ to touch down; **A.zeit** *f* set-up time
Aufsicht *f* 1. inspection, supervision, control, attendance; 2. care, surveillance; 3. *(Examen)* invigilation; 4. superintendent; 5. *(Geschäft)* shopwalker; 6. *(Bankwesen)* regulators; **A. (über)** custody (of), supervision; **ohne A.** without surveillance, uncontrolled, unattended; **unter A.** invigilated
Aufsicht führen 1. to supervise, to watch over; 2. *(Prüfung)* to invigilate; **A. haben** 1. to be in charge; 2. to invigilate; **unter der A. von jdm stehen** to be under the authority of so.; **unter A. stellen** to put under surveillance; **A. übernehmen** to take charge; **staatlicher A. unterliegen** to be subject to state control; **einer A. un-**

terstehen to be subject to control

amtliche Aufsicht official supervision; **ärztliche A.** medical supervision; **behördliche A.** official supervision; **innerbetriebliche A.** internal control; **mangelnde A.** lack of supervision; **polizeiliche A.** police surveillance; **staatliche A.** government supervision, state supervision/control; **unter staatlicher A.** state-controlled

Aufsichts|- supervisory, regulatory

Aufsichtsamt *nt* supervisory board/office, inspectorate, regulatory authority, control board; **A. für Bausparkassen** Building Societies Commissioner *[GB]*; **~ die Wasserversorgung** water regulator; **~ einen Wirtschaftszweig** industry regulator

Aufsichts|beamter *m* 1. supervisor, superintendent; 2. 🚂 dispatcher; **A.befugnis** *f* supervisory/visitatorial power(s); **A.behörde** *f* regulatory authority/agency/body/organisation, supervisory authority/agency/body, watchdog, regulator; **oberste A.behörde** supreme board of control; **A.bezirk** *m* inspector's district; **a.führend** *adj* supervisory; **A.führende(r)** *f/m* 1. supervisor, superintendent; 2. *(Prüfung)* invigilator; **A.führung** *f* 1. supervision; 2. *(Prüfung)* invigilation; **A.funktion** *f* management control; **A.gewalt** *f* supervisory power(s); **A.gremium** *nt* governing body, watchdog committee; **A.instanz** *f* supervisory jurisdiction; **A.kräfte** *pl* supervisory personnel; **A.maßnahmen** *pl* supervisory action, policy measures; **A.norm** *f (Bankenaufsicht)* standards of supervision; **A.organ** *nt* supervisory body/organ/authority, controlling/regulatory body; **A.person** *f* 1. supervisor; 2. *(Geschäft)* shopwalker; **A.personal** *nt* supervisory staff/personnel/employees

Aufsichtspflicht *f* supervisory duty; **A. verletzen** to neglect one's supervisory duty; **a.ig** *adj* subject to supervision; **A.verletzung** *f* violation of supervisory duties

Aufsichtsrat *m* 1. board of (non-managing/non-executive) directors, company/supervisory board; 2. *(GmbH)* board of trustees, chairman's committee, directorate; **im A.** on the board, at board level; **in den A. eintreten** to join the board; **A. entlasten** to approve the board's decision(s); **im A. sitzen** to be/sit on the (supervisory) board; **A. wählen** to elect a board

Aufsichtsrats|ausschuss *m* committee of the supervisory board; **A.bericht** *m* supervisory board's (annual) report, directors' report; **A.beschluss** *m* board decision; **A.bezüge** *pl* directors' emoluments, boardroom pay bill; **auf A.ebene** *f* at board level; **A.mandat** *nt* directorship, supervisory board seat; **sein ~ niederlegen** to resign from the (supervisory) board; **A.mehrheit** *f* board majority

Aufsichtsratsmitglied *nt* member of the board, board/non-executive/outside member, (controlling) director; **ausscheidendes A.** retiring board member; **unabhängiges A.** unaffiliated director

Aufsichtsrats|posten *m* directorship, seat on the board; **~ innehaben** to hold a directorship, to be on the board; **A.präsidium** *nt* presiding committee of the supervisory board; **A.sitz** *m* seat on the board (of directors), directorship; **A.sitzung** *f* board meeting, meeting of the supervisory board; **A.steuer** *f* directors' tax; **A.tantiemen/A.vergütungen** *pl* directors' emoluments/fees; **A.tätigkeit** *f* boardroom activity; **A.vorsitz** *m* chairmanship (of the board) *[GB]*, presidency *[US]*; **A.vorsitzender** *m* chairman of the board of directors, ~ supervisory board, non-executive chairman *[GB]*, president *[US]*; **A.- und Vorstandsvorsitzender** executive chairman; **A.wahl** *f* board/corporate elections, election of directors, ~ the (supervisory) board

Aufsichtsrecht *nt* right of control

aufspalten *v/t* to split (up); *v/refl* to disintegrate

Aufspaltung *f* 1. ▦ disaggregation; 2. split, disintegration, dispersion; **A. in Teilklagen** § splitting a cause of action

auf|speichern *v/t* to store (up), to stock; **a.spielen** *v/refl* to give o.s. airs

Aufsplittern *nt* chippage; **a.** *v/t* 1. to fragment/chip; 2. to break/split up; 3. to compartmentalize

Aufsplitterung|en *pl* chippage; **betriebliche A.** fragmentation of production units

auf|spüren *v/t* to track (down), to ferret out; **a.stacheln** *v/t* to incite/instigate

Aufstachelung *f* incitement; **A. zum Aufruhr** *f* § incitement to riot

Aufstand *m* rebellion, rising, uprising, revolt, insurrection, insurgency; **A. niederschlagen/niederwerfen** to quell a rising/riot, to squash a riot

aufständisch *adj* rebellious, insurgent; **A.e(r)** *f/m* rebel, insurgent

Aufstandsversicherung *f* riot and civil commotion insurance

auf|stapeln *v/t* to stack, to pile (up), to stockpile; **a.stauen** *v/t* 1. to build up; 2. *(Fluss)* to dam; *v/refl* to pile up

im Aufsteigen begriffen *nt* in the ascendant; **a.** *v/i* to ascend/rise/mount/climb, to rise in rank; **a.d** *adj* rising, ascending, ascendent, ascendant

Aufsteiger *m* climber; **sozialer A.** social climber; **A.schicht** *f* group of social climbers

Aufstellen einer Präferenzordnung *nt* ranking/marshalling/ordering of preferences; **a.** *v/t* 1. to set up, to mount/fit; 2. to install/situate/position/station/plant/establish, to line/make up; 3. *(Bilanz)* to prepare, to draw up; 4. 🏛 to erect; 5. *(Kosten)* to specify; 6. *(Kandidat)* to nominate; **ordnungsgemäß a.** to marshall

Aufstel|ler *m* point-of-sale (POS)/point-of-purchase advertising, display; **A.plakat** *nt* showcard

Aufstellung *f* 1. statement; 2. list, schedule, table, scheme, inventory, specification, plan; 3. installation, line up; 4. *(Bilanz)* preparation, breakdown, drawing-up; 5. *(Anordnung)* arrangement, setting-up; 6. *(Personen)* deployment; 7. *(Kandidat)* nomination; **A.en** records, accounts; **laut A.** as per account

Aufstellung von Aktiva und Passiva statement of assets and liabilities; **A.en über Betriebsvorgänge** operational records; **A. der Bilanz** preparation of the balance sheet; **~ Devisenengagements** position sheet; **A. eines Flächennutzungsplans** zoning; **A. des Jahres-**

abschlusses preparation of the annual financial statement, drawing up of the annual accounts; **A. der Kosten** statement of charges; **A. einer Präferenzordnung** ranking/marshalling/ordering of preferences; **A. von Streikposten** picketing; **A. der Verlustquellen** deficiency account; **tabellarische A. von Versicherungsverträgen** bordereau *[frz.]*; **A. über Zahlungsrückstände** backbills

Aufstellungen vorlegen to render statements

amtliche Aufstellung register; **detaillierte A.** breakdown; **monatliche A.** monthly statement; **statistische A.** statistical table/statement; **steuerliche A.** tax statement; **tabellarische A.** table, tabulation, schedule

Aufstellungs|fläche *f* floor space; **A.kosten** *pl* installation/erection cost(s); **A.ort** *m* place of installation, site; **am A.ort** on site; **A.plan** *m* layout plan; **A.provision** *f* installation commission; **A.zeichnung** *f* installation drawing

Aufstieg *m* 1. rise; 2. ascent; 3. *(Konjunktur)* surge, recovery; 4. promotion, career development, advance, advancement; **A. und Untergang** rise and fall

beruflicher Aufstieg career progression/development; **innerbetrieblicher A.** in-house career system, line of advancement; **steiler A.** steep rise, upsurge; **wirtschaftlicher A.** recovery, takeoff

Aufstiegschancen *pl* career/promotion prospects, opportunities for promotion, ~ upward mobility, scope for advancement; **ohne A.** dead-end

Aufstiegsmöglichkeit *f* promotion opportunity/prospects, upward mobility; **A.en** career/advancement opportunities, career/promotion prospects, job expectations, opportunities for promotion; **gute A.en** good prospects; **soziale A.en** upward/social mobility

auf|stöbern *v/t* to unearth, to hunt/ferret out; **a.stocken** *v/t* 1. to raise/increase, to top up; 2. *(Zuschuss)* to supplement; 3. *(Lager)* to replenish/stockpile, to build up; 4. 🚜 to enlarge existing farms

Aufstockung *f* 1. increase, rise, top-up; 2. *(Kapital)* capital increase, increase of capital; 3. *(Lager)* build-up; **A. zu kleiner Betriebe** 🚜 upgrading of farms; **A. des Plafonds** rallonge *[frz.]*

Aufstockungs|aktie *f* 1. bonus share; 2. scrip/capitalization issue; **A.bedarf** *m* need for increase of stocks; **A.koeffizient** *m* revaluation coefficient; **A.prozess** *m* 1. stockpiling; 2. scaling up; **A.wert** *m* capitalization candidate

Aufstrandsetzen *nt* ⚓ beaching

aufstrebend *adj* 1. rising, aspiring, ambitious; 2. emerging, up-and-coming

jdn auf|suchen *v/t* to call on/see so.; **a.summieren** *v/t* to add up; *v/i* to sum up; **a.tabellieren** *v/t* to tabulate/tabularize, to put in tabular form; *v/i* to formulate tabularly; **a.takeln** *v/t* ⚓ to rig up

Auftakt *m* prelude, lead-up, first step

Auftauchen *nt* emergence; **a.** *v/i* to emerge, to crop up; **wieder a.** to reappear

aufteilbar *adj* apportionable, allocable, divisible

aufteilen *v/t* 1. to divide/apportion/distribute/partition/parcel (out)/separate, to split/break/carve up, to portion out; 2. *(zuteilen)* to allot/allocate; **anteilmäßig a.** to prorate; **neu a.** to reapportion

Aufteilung *f* 1. distribution, partition, division, split(ting)-up, split-off, break-up, carving-up; 2. *(Land)* parcelling; 3. *(Kosten/Kapital)* allocation, apportionment

Aufteilung der verfügbaren Arbeit job sharing, allocation of available work; ~ **Einsatzfaktoren** input distribution; **A. des Frachtaufkommens/-geschäfts** ⚓ cargo (level) sharing; **A. der Gesamtgewinne** apportionment of the total profits; **A. eines Kontingents** allocation of shares in a quota; ~ **Kostenblocks** fragmentation; **A. der Kosteneinsparungen auf Arbeitgeber und Arbeitnehmer** cost reduction plan; ~ **Märkte** market sharing, sharing of markets; **zeitliche A. des Materialflusses** explosion; **A. auf verschiedene Werbeträger** media allocation

anteilmäßige Aufteilung proration

Aufteilungs|plan *m* allocation scheme; **A.verhältnis** *nt* allocation ratio

Auftrag *m* 1. order, sales/purchasing order, commission, contract; 2. *(Aufgabe)* (letter of) instruction, assignment, task, job, request, mission, commitment, remit; 3. § *(Anwalt)* mandate, brief

aus meinem Auftrag on account of my order; **ihrem A. gemäß** according to your instructions, as per instructions; **im A. (i.A.)** per procurationem (p.p.) *(lat.)*; ~ **von/für** on behalf of, by order of, under the authority of, commissioned by, on a ... mission; ~ **und für Rechnung von** by order and for the account of, on behalf and for account of; **laut A.** as ordered, as per order; **mit besonderem A.** on a special mission; **ohne A.** without mandate

Auftrag auf Abruf option order; **A. zur sofortigen Ausführung** immediate or cancel order; **A. mit interessewahrender Ausführung** not held order; **A. zur Bestandsauffüllung** replacement order; **A. zum Festpreis** *(Option)* stop order; ~ **regulären Festpreis** straight fixed-price contract; **A. für die Lieferung einer schlüsselfertigen Anlage** turnkey order; **A. zur Nachbesserung** rework order; **A. zum nächst günstigen Preis** *(Börse)* market order; **A. mit Preisbegrenzung** stop order; **A. zur Risikoabdeckung** *(Börse)* hedging order; **A. mit Rückgaberecht** order subject to cancellation; **A. gültig für einen Tag** good for today; **A. mit einem Tag Gültigkeit** immediate order; **A. gültig bis zum Widerruf** good till cancelled order; **A. zur Zahlungseinstellung** stop(-payment) order

Auftrag ablehnen to refuse to accept an order, to turn away business; **A. abwickeln/bearbeiten** to execute/handle/process/fill an order, to put a matter in hand, to transact business; **nach A. anfertigen** to make to order; **A. annehmen** to accept an order; **A. annullieren** to cancel/rescind an order; **A. aufgeben** to (place an) order; **A. ausführen** 1. to carry out/complete/execute/fill/meet an order; 2. *(Botengang)* to run an errand; **jdn mit einem A. beehren/begünstigen** to favour so. with an order; **sich um einen A. bemühen** to tender, to chase business; **A. beschaffen/hereinholen** 1. to attract/solicit new business, to land/clinch/obtain/secure/win an order; 2. to canvass; **A. bestätigen** to confirm an order; **mündlichen A. schriftlich bestätigen** to confirm an oral order in writing; **sich um einen A. bewerben** to bid, to tender for a contract; **pro A. bezahlen** to pay by the job; **A. unter Dach und Fach bringen** to clinch an order; **A. buchen** to book/secure an order; **Aufträge einschränken** to slash orders; **~ entgegennehmen** to take (in) orders; **dem A. entsprechen** to comply with the order; **A. erhalten** to secure/win an order, to secure a contract, to obtain work; **A. erledigen** to execute/meet an order, to complete a job; **erste Aufträge erledigen** *(Börse)* to clear up early orders; **A. erneuern** to reorder; **A. erteilen** to place/give an order, to award a contract, to favour so. with an order; **in A. geben** to commission/order; **im A. von jdm handeln** to act on behalf of so.; **Aufträge hereinholen** to win business, to collect orders; **neue ~ hereinholen** to pick up new business; **A. hereinnehmen** to take in orders; **A. rückgängig machen** to cancel an order; **einem A. nachkommen** to execute an order; **A. notieren** to book an order; **mit Aufträgen ausgelastet sein** to have full order books; **sich neue Aufträge sichern** to secure new business; **A. stornieren** to rescind/cancel/reverse/countermand an order; **A. streichen** to cancel an order; **A. übermitteln** to transmit an order; **sich nach Aufträgen umsehen** to look for business; **A. untervergeben** to contract out, to subcontract; **A. verbuchen (können)** to secure a contract; **A. vergeben** to award a contract, to place an order; **A. nach außerhalb/an Subunternehmer vergeben** to contract/farm out, to subcontract; **über einen A. verhandeln** to negotiate an order; **A. vormerken** to book/enter an order; **A. weiter(ver)geben** to farm out/job a contract; **um Aufträge werben** to solicit orders/business; **A. widerrufen/zurücknehmen** to countermand/cancel/rescind an order; **A. zuerkennen** to award a contract; **Aufträge zusammenfassen** to pool orders; **A. zusammenstellen** to make up an order; **A. zuschlagen** to award a contract

abgabefreier Auftrag under-bond order; **abgerechneter A.** billed contract; **nicht rechtzeitig ausgeführter A.** back order; **bedingter A.** conditional order; **in Arbeit befindliche Aufträge** live load, active backlog; **brandeiliger A.** hot job; **eiliger A.** rush job; **eingehender A.** incoming order; **mündlich erhaltener A.** order received by verbal means; **erster A.** initial order; **mündlich erteilter Auftrag** oral order; **schriftlich ~ A.** written order; **fester A.** firm/binding/standing order; **freibleibender A.** conditional order; **freihändiger A.** open order; **gekoppelte Aufträge** contingent orders; **gerichtlicher A.** court order, order of the court; **gesetzlicher A.** statutory mandate; **gewerblicher A.** commercial contract; **innerbetrieblicher A.** shop order; **interessanter A.** useful order; **limitierter A.** *(Börse)* limited/stop/contingent order; **nachlassende Aufträge** falling orders; **neue Aufträge** new business; **öffentlicher A.** government/public/cost-plus contract; **offizieller A.** official mission; **periodischer A.** repeat order; **rückständige Aufträge** back orders; **schlüsselfertiger A.** turnkey order; **schriftlicher A.** order in writing; **telegrafischer A.** cable order; **überfällige Aufträge** jobs past due; **umfangreicher A.** substantial order; **unerledigter A.** open order; **unerledigte Aufträge** backlog of orders, outstanding/unfilled orders, hung-over work; **unlimitierter A.** *(Börse)* market order, order at best; **vordringlicher A.** rush order/job

jdm etw. auftragen *v/t* to charge/instruct so. to do sth.

Auftraggeber *m* 1. principal, contractor, customer, client, purchaser; 2. sponsor, employer, remitter, mandant, instructing party; 3. *(Bau)* client, owner; 4. *(Werbung)* advertiser; **A. und Auftragnehmer** principal and agent; **maßgeblicher A.** major customer, biggest contractor; **stiller A.** undisclosed principal; **A.effekt** *m* sponsorship bias

auftrag|los *adj* § without mandate; **A.nehmer** *m* supplier, contractor, successful bidder

auftrags|abhängig *adj* order-related; **A.abrechnung** *f* invoicing, job order cost accounting, order cost and proceeds summary; **bilanzielle A.abrechnung** balance sheet of contract results; **A.abschluss** *m* award of contract; **A.abteilung** *f* order department; **A.abwicklung** *f* execution of an order, order filling/processing/administration/procedure, order handling (system), job processing, physical distribution; **A.akquisition** *f* canvassing orders, order canvassing; **A.änderung** *f* change of order, order change; **A.angelegenheiten** *pl* delegated functions, matters handled upon request; **A.annahme** *f* acceptance of an order; **A.annahmestelle** *f* order-booking office; **A.anstieg** *m* increase/jump in orders; **A.arbeit** *f* jobbing work, job order; **A.ausführung** *f* execution/realization of orders, order handling/processing; **A.baisse** *f* decline in orders, drop in order intake; **A.bearbeitung** *f* 1. order/contract processing, handling customers' orders, sales order processing; 2. order servicing,; **A.bedingungen** *pl* terms of a contract; **A.belebung** *f* increase in ordering activity, ~ orders; **A.berechnung** *f* job order cost accounting, job/contract costing; **A.bereinigung** *f* elimination of dead orders; **A.beschaffung/A.besorgung** *f* solicitation of orders, order getting, canvassing for orders

Auftragsbestand *m* orders on hand, back/unfulfilled orders, order backlog/book/stock/portfolio, orders booked, outstanding orders book, level/portfolio of orders, volume of orders on hand, state of order book; **A. abarbeiten** to work off the backlog of orders; **A. von ... haben** to hold an order book of ...

gegenwärtiger Auftragsbestand orders/work on hand; **geringer A.** weak order book; **gesamter A.** total backlog; **hoher A.** strong order book, high level of order backlog; **niedriger A.** thin order book; **offener A.** open orders; **reichlicher A.** well-filled order book; **unerledigter A.** backlog (of) orders; **wachsender A.** lengthening order books

Auftragsbestands|kartei *f* open order file; **A.übersicht** *f* order status information; **A.wert** order book value

Auftrags|bestätigung *f* contract note, confirmation/acceptance/acknowledgment of (an) order; **A.bewegung**

f changes in order backlog; **A.bewegungsliste** *f* statement of changes in order backlog; **a.bezogen** *adj* order-related

Auftragsbuch *nt* order book/register, book of commissions/orders, job ledger; **Auftragsbücher für Festverzinsliche** cans; **dickes A.** long order book; **prall gefülltes A.** well-filled order book, ~ portfolio of orders

Auftrags|buchführung *f* order filing (department); **A.buchhalter** *m* order clerk; **A.datei** *f* job/order file; **A.datum** *nt* order date; **A.deckung** *f (Vers.)* contract coverage; **A.disposition** *f* ordering; **A.doppel** *nt* copy order; **A.drucker** *m* 1. ▯ job printer; 2. job printing; **A.druckerei** *f* job press

Auftragseingang *m* incoming orders/business, order(s) intake, inflow/intake/rate of (new) orders, receipt of an order, orders received/booked, order bookings/(in) flow, (manufacturer's) new orders, new order intake; **mangels A.** owing to a lack of orders

Auftragseingang aus dem Ausland inflow of export orders, export orders booked, foreign bookings; **A. der Industrie** orders reaching industry; **A. aus dem Inland** home-market orders

hinter dem Auftragseingang hinterherhinken to lag behind incoming orders

hoher Auftragseingang rush of orders; **nachlassender A.** flagging orders, fewer new orders, slackening (in) orders; **schwächerer A.** thinner order books

Auftrags|eingangsziel *nt* planned/targeted order intake; **A.empfang** *m* order intake, receipt of (purchase) order; **A.entwicklung** *f* trend in/of incoming orders; **A.erfassung** *f* order reporting/recording; **A.erfindung** *f* invention made under contract, commissioned invention; **teilweise A.erfüllung** partial fill; **A.ergebnis** *nt* order/contract result; **A.erhalt** *m* receipt of an order; **A.erledigung** *f* execution of an order, order filling/termination, contract processing; **umgehende A.erledigung** prompt attention to an order; **A.erneuerung** *f* renewal of an order

Auftragserteilung *f* placing an order, award/letting of contract, order filling/placing, contract letting/award; **bei A.** on ordering, with order; **zahlbar ~ A.** cash with order; **dialogmäßige A.** ▯ conversational remote job entry; **endgültige A.** final award of contract

Auftrags|erwartungen *pl* expected order intake; **A.fahrplan** *m* order schedule; **A.fertigung** *f* contract/customized/jobbing/made-to-order production, job-order system/production/manufacturing, contract manufacturing; **A.finanzierung** *f* order financing; **A.flaute** *f* stagnation of orders, slack order intake; **A.flut** *f* flood/spate of (new) orders; **A.formular** *nt* order form; **A.forschung** *f* contract/committed research; **a.gemäß** *adv* as per order, to order, in compliance with your order, as instructed; **A.geschäft** *nt* commission business

Auftragsgröße *f* order size/quantity, (job) lot, size of an order; **optimale A.** optimum order size; **wirtschaftliche A.** economic order size

Auftrags|gruppenüberwachung *f* block control; **A.häufigkeit** *f* order frequency; **A.hereinnahme** *f* order intake; **A.höhe** *f* order(ing) level; **A.index** *m* index of orders booked; **A.kalkulation** *f* job cost estimate; **A.karte** *f* order/job card, order sheet; **A.kartei** *f* order register/file, customer file; **A.kennzeichen** *nt* job order code; **A.kontrolle** *f* job inspection, checking/supervision of orders; **A.kopie** *f* copy order

Auftragskosten *pl* job/contract cost(s), job order costs, order expenses; **kalkulierte A.** estimated job order cost(s); **vorverrechnete A.** job order cost(s) billed in advance; **A.rechnung** *f* job/contract costing; **A.sammelblatt** *nt* job cost sheet

Auftrags|kurve *f* order intake chart; **A.kürzung** *f* cutback in orders

Auftragslage *f* order (book) position/situation, level of incoming orders; **gute A.** full order books; **schlechte A.** weak order books; **verbesserte A.** improved order position

Auftrags|lenkung *f* allocation of contracts; **A.loch** *nt* order gap; **A.lohnschein** *m* job card/ticket; **A.lohnverfahren** *nt* processing under contract; **A.lücke/A.mangel** *f/m* shortage/lack/dearth of orders, order shortage; **A.material** *nt* materials not in stock; **A.meldung** *f* order note; **A.nachtrag** *m* order amendment; **A.nummer** *f* order number; **A.papier** *nt* document for collection; **A.planung** *f* job order planning; **A.plus** *nt* increase in orders

Auftragspolster *nt* backlog/cushion/reserve/portfolio of orders, order backlog/book; **dickes A.** long/full order books; **schwindendes A.** declining order books, decline in orders on hand

Auftrags|produktion *f* production to order, one-off production; **öffentliches A.programm** public works program(me); **A.prüfung** *f* order checking; **A.recht** *nt* law of mandate, rights arising from a commission; **A.reserve** *f* order backlog, cushion of orders in hand; **A.rückgang** *m* drop/slow-down in orders, decrease of orders, decline in new orders, falling-off of/falling orders; **A.rückstand** *m* backlog of orders, order backlog, unfilled orders; **A.schein** *m* order form; **A.schema** *nt* investigation schedule; **A.schreiben** *nt* (written) order; **A.schwemme** *f* order boom; **A.schub** *m* rush of orders; **A.sendung** *f* drop shipment; **A.sprache** *f* ▯ command language; **A.statistik** *f* order statistics; **A.status** *m* order status; **A.steigerung** *f* increase of orders; **A.steuerung** *f* job control; **A.stornierung/A.streichung** *f* cancellation of an order, order cancellation; **A.stoß** *m* rush of orders, surge in orders; **A.taktik** *f* procurement tactics; **A.teilung** *f* job-splitting; **A.überhang** *m* backlog of orders, order backlog, dead load, unfilled orders; **A.übermittlungszeit** *f* time span of order transmission; **A.überwachung** *f* order control, inspection/supervision of orders; **A.umfang** *m* size of order; **A.verarbeitung** *f* manufacturing order processing; **A.verfolgung** *f* job tracking, order tracing

Auftragsvergabe *f* 1. commissioning, award(ing)/letting of contract(s), order/contract placing, contract award/letting, placing of an order; 2. *(Submission)* acceptance of bid tender(s); **~ an Subunternehmer** farmout; **freihändige A.** free order placing, discretionary award of contract; **öffentliche A.** public procurement

Auftrags|verhältnis *nt* agency (contract), ~ mandate relationship; **A.verwaltung** *f* 1. administration as agents, ~ by commission, job administration; 2. *(Bund)* administration on behalf of the federal government; **A.volumen** *nt* volume/size of orders, contract volume, awards total; **A.wechsel** *m* job changeover; **a.weise** ; *adj* order-related; *adv* by order, by way of commission, on instructions, under a mandate; **A.welle** *f* spate/rush/flow of (new) orders; **A.werbung** *f* solicitation of orders; **A.wert** *m* 1. contract/contractual/order value; 2. *(Werbung)* billings; **voraussichtlicher A.wert** scope value; **öffentliches A.wesen** public procurement, public-sector ordering; **a.widrig** *adj* contrary to instructions; **A.zeit** *f* job/process time; **gesamte A.zeit** total job/process time; **A.zettel** *m* order form, contract note; **A.zugang** *m* order intake; **A.zugänge aus dem Inland** incoming home-market orders; **verstärkter A.zugang** pick-up in orders; **A.zusammensetzung** *f* composition of orders, job order setup; **A.zusammenstellung** *f* (order) picking; **A.zuwachs** *m* increase in orders; **A.zyklus** *m* order cycle

Auf|treffen *nt* impact; **a.treiben** *v/t* 1. to get hold of, to find; 2. *(Geld)* to raise/procure

Auftreten *nt* 1. manner(s); 2. emergence, appearance, incidence; **selbstsicheres A.** air of confidence; **a.** *v/i* 1. to act; 2. to appear/arise/occur; **bestimmt a.** to take a strong line; **sicher a.** to have poise, to be confident; **wieder a.** to recur; **periodisch a.d** *adj* intermittent, recurrent

Auftrieb *m* 1. upswing, upsurge, boost, fillip, (up)lift, expansionary phase, pick-up, impetus, stimulus; 2. *(Börse)* buoyancy, surge, upward momentum, rally; 3. *(Preis)* upward pressure, upturn; 4. ✈ lift; **erneut A. erhalten** to be revived; **A. geben** to buoy up, to give a boost/fillip, to put new life into sth.; **jdm A. geben** to boost so.'s morale; **anhaltender A.** continued momentum; **inflatorischer A.** inflatory pressure/stimuli, bouts of inflation; **konjunktureller A.** cyclical upswing/upsurge/uptrend

Auftriebs|element *nt* stimulating force; **A.faktor** *m* 1. expansive factor; 2. *(Preis)* inflationary factor; **A.impuls** *m* stimulant, stimulating factor; **A.kraft** *f* 1. uplifting/stimulating/expansive force; 2. ⚓ buoyancy; **A.kräfte** stimulating/expansive factors, forces of economic recovery, upswing/buoyant/propellant forces; **konjunkturelle A.kräfte** cyclical forces; **A.tendenz** *f* rising tendency, upward momentum/tendency/pressure

Auftritt *m* appearance; **A.sverbot** *nt* 🎭 stage ban, ban on a stage performance

sich drohend auftürmen *v/refl* to loom large

Aufwand *m* 1. (operating) expenditure, cost(s), (working) expenses, outlay; 2. luxury, extravagance; **ohne A.** without circumstance

verteilbarer Aufwand für Anlagegüter depreciable/service cost(s); **A. für ungenutzte Anlagen** carrying charges; **~ den laufenden Betrieb** nuts and bolts spending *(coll)*; **A. an Energie** expenditure of energy; **A. und Ertrag** income/revenue and expense; **A. für Ertragsteuern** provision for income taxes; **~ den Erwerb immaterieller Güter** intangible cost(s)/expenses; **A. der öffentlichen Hand** government spending; **A. für Roh-, Hilfs- und Betriebsstoffe** cost of raw materials and supplies; **~ die Verlängerung der Nutzungsdauer** improvement(s)

in den Aufwand gebucht expensed; **mit einem A. von** at a cost of; **als A. (ab-/ver)buchen/verrechnen** to (charge to) expense

abgegrenzter Aufwand deferred charges; **aktivierungspflichtiger A.** capital expenditure, expenditure to be capitalized; **anschaffungsnaher A.** expense closely related to the acquisition of an asset; **außerordentlicher A.** non-recurrring charge, sundry expenses, extraordinary charge/expenses; **betrieblicher A.** current cost; **betriebsbedingter/-bezogener A.** operating expenditure/expenses; **betriebsfremder A.** other expense, non-operating expenditure; **erfolgswirksamer A.** revenue expenditure; **mit großem A.** at great expense; **kapitalisierter A.** capitalized expenditure; **neutraler A.** non-operating expenditure, extraordinary expenses; **sonstiger A.** 1. other charges, sundries; 2. *(Bilanz)* sundry expenses; **sozialer A.** social/welfare expenditure; **übertriebener/übermäßiger A.** extravagant expense

Aufwands|art *f* type of expenditure/expense; **A.ausgleichskonto** *nt* expense-matching account; **A.budget** *nt* expense budget; **A.entschädigung(en)** *f* expense/representation allowance, allowance for special expenditure, fringe benefits, social allowance, emoluments; **pauschalierte A.entschädigung** lump-sum emoluments; **A.-Ertragsbudget bei gegebenem Beschäftigungsgrad** *nt* current budget; **A.konto** *nt* expense/entertainment account; **A.- und Ertragskonto (eines Bereichs)** activity account; **~ Ertragskonten** revenue and expense accounts, nominal accounts, profit and loss accounts; **A.kontrolle** *f* cost control; **A.kosten** *pl* current outlay cost(s); **A.position/A.posten** *f/m (Bilanz)* expense/expenditure item; **A.rechnung** *f* account of expenditures; **A.- und Ertragsrechnung** account of receipts and expenditure(s), ~ expenses and proceeds, accounting on an accrual basis, income statement; **periodenechte ~ Ertragsrechnung** accrual basis of accounting; **A.-Ertrag-Relation/A.rentabilität** *f* cost-income ratio; **A.rückstellung** *f* deferred expenses, reserve, provision for operating expenses; **A.seite** *f* expenses side; **A.steigerung** *f* cost increase; **A.steuer** *f* tax on consumption/expenditure, outlay/use *[US]* tax; **A.struktur** *f* expenditure pattern; **A.verteilung** *f* cost allocation; **~ nach Fündigwerden** full cost accounting; **A.zinsen** *pl* interest paid/payable, interest charges/expenses

erneut auf|wärmen *v/t* *(Argument)* to rehash, to bring up again; **a.warten mit** *v/i* 1. *(Ergebnis)* to show, to come up with; 2. to offer sth.

aufwärts *adv* upward(s), uphill

Aufwärtsbewegung *f* *(Börse/Preise/Konjunktur)* rise,

advance, upturn, upswing, uptrend, upsurge, upward movement, move upwards; **A. fortsetzen** to continue on the growth path, ~ to rise; **verstärkte A.** increase in the upward movement

Aufwärts|druck *m* upward pressure; **A.entwicklung** *f* rise, growth, upswing, upsurge, upward movement/ path/trend; **zögerliche A.entwicklung** sluggish rise; **A.schwung** *m* upward momentum; **A.sog** *m* upward pull; **A.tendenz/A.trend** *f/m* uptrend, upward movement/trend; **A.trieb** *m* upward pressure

Aufwartung *f* attendance; **jdm seine A. machen** to pay so. a courtesy call

aufweich|en *v/t* to soften (up), to weaken; **A.ung** *f* softening, weakening

auf|weisen *v/t* to show/boast; **a.wenden** *v/t* to spend/expend/pay; **a.wendig** *adj* costly, expensive, extravagant, luxurious, entailing great expenses

Aufwendungen *pl* (operating) expenditure(s), spending, charges, outlay, (working) expenses, provisions

Aufwendungen für die Altersversorgung pension contributions; **~ Altersversorgung und Unterstützung** old-age benefits and support, expenditure on old-age pensions and benefits; **~ Aufsichtsrat und Vorstand** boardroom pay bill; **~ Arbeitsmittel** *(Steuer)* expenses for professional necessities; **~ die Betriebsführung** expenditure on operation; **~ Bewirtung** entertainment expenses; **~ Eigenkapitalbeschaffung** commissions and expense on capital; **~ Einrichtungen und Geschäftsausstattung** furniture and equipment expense; **~ die Errichtung und Erweiterung eines Unternehmens** formation expenses; **A. und Erträge** income account, costs and earnings, income and expense; **A. für Fahrten zwischen Wohnung und Arbeitsstätte** cost of travel to work; **~ Forschung und Entwicklung** spending on research and development; **~ die berufliche Fortbildung** educational/training expenses; **~ Geschäftsausstattung** equipment expense; **A. und Instandhaltung** maintenance; **A. im Käuferland** local cost(s); **A. für bezogene Leistungen** purchased services; **~ Roh-, Hilfs- und Betriebsstoffe** expenditure on raw materials, auxiliary and operating materials; **A. zum persönlichen Verbrauch** personal consumption expenditure; **A. für Verkehrsleistungen** transportation expenses; **A. aus Verlustübernahme** expenditure on assumption of losses, ~ due to loss takeover

Aufwendungen bestreiten to defray (the) expenses

aktivierte Aufwendungen capitalized expenditure; **andere A.** *(Bilanz)* other expenses; **anfängliche A.** initial outlay; **außergewöhnliche/-ordentliche A.** non-recurrent expenditure, extraordinary expenses/expenditure; **begünstigte A.** tax-favoured expenditure; **betriebliche A.** operating cost(s)/expenditure/expenses/ charges; **~ und ordentliche A.** operative and ordinary expenses; **betriebsfremde A.** non-operating/other expense(s); **~ und außerordentliche A.** non-operative and non-recurring expenses; **einmalige A.** non-recurring expenses/expenditure; **entstandene, aber noch nicht fällige A.** accrued expenses; **externe A.** external charges, outside expenditure; **hohe A.** heavy spending; **kapitalisierte A.** capitalized expenses; **laufende A.** 1. current expenditure; 2. *(Bilanz)* operating expenses; **neutrale A.** non-operating expense(s), deductions from income, income deductions; **periodenfremde A.** below-the-line items; **persönliche A.** private expenses; **sonstige A.** 1. miscellaneous (expense), sundry expenditure, sundries; 2. *(Bilanz)* other (operating) expenses; **soziale A.** social/welfare expenditure, social benefit expenses; **steuerabzugsfähige A.** deductibe/allowable expenses; **tatsächliche A.** out-of-pocket expenses; **umsatzabhängige A.** turnover-related expenditure; **verschiedene A.** miscellaneous expenses; **vorleistungsbedingte A.** input-related expenditure; **vorübergehende A.** temporary expense; **werterhöhende A.** expenditure for improvements; **zinsähnliche A.** interest-related expense(s); **nicht zurechenbare A.** unallocated expenses; **zusätzliche A.** extra cost(s)

Aufwendungs|anspruch *m* right of indemnity; **A.beihilfe** *f* interest and redemption subsidy; **A.darlehen** *nt (Wohnungsbau)* redemption loan; **A.ersatz** *m* reimbursement/repayment of expenses; **A.ersatzanspruch** *m* claim for compensation of expenses; **A.zuschuss** *m* redemption subsidy

aufwerfen *v/t* 1. *(Frage)* to raise/pose; 2. *(Thema)* to moot; *v/refl* to pose as; **a.werten** *v/t* 1. to enhance/upgrade; 2. to revalue (upward), to revaluate/revalorize/ upvalue/valorize; 3. *(Güter)* to appreciate

Aufwertung *f* 1. (upward) revaluation, currency appreciation, upvaluation, (re)valorization; 2. *(Grundstück)* appreciation, reassessment; **A. von Anlagen** appreciation of assets; **A. einer Währung** revaluation/ upvaluation of a currency; **soziale A.** social advancement; **versteckte A.** shadow revaluation

Aufwertungs|anhänger *m* revaluationist; **A.anleihe** *f* stabilization loan; **a.bedingt** *adj* resulting from the revaluation; **A.druck** *m* upward pressure; **A.effekt** *m* revaluation effect; **A.erlös** *m* revaluation gains; **A.erwartung** *f* imminent/expected revaluation; **A.fantasie** *f* revaluation speculation; **A.gewinn** *m* revaluation gain/surplus; **A.land** *nt* upvaluing country; **A.rate/ A.satz** *m* revaluation rate; **A.spekulation** *f* revaluation speculation; **a.trächtig/a.verdächtig** *adj* revaluation-prone; **A.verlust** *m* revaluation loss

aufwickel|n *v/t* to wind up; **A.rolle/A.spule** *f* supply reel

aufwiegel|n *v/t* to incite, to stir up; **A.ung** *f* § incitement, sedition; **~ zur Auflehnung** *f* § incitement to disaffection

aufwiegen *v/t* to counterbalance/offset/countervail

Aufwind *m* 1. *(Börse)* rising tendency; 2. *(Preise)* upward presure; 3. ✈ lift; **im A.** on the up, rising

Aufwuchsgründe *pl (Fischerei)* maturing grounds

aufzähl|en *v/t* to (e)numerate/list; **A.ung** *f* enumeration, list; **erschöpfende A.ung** exhaustive enumeration

auf|zehren *v/t* 1. to use up, to eat into/up, to clean out; 2. *(Gewinn)* to erode; **a.zeichnen** *v/t* 1. to record/note/register, to take/put down, to chart/book/log; 2. *(zeichnen)* to draw

Aufzeichnung *f* record, note, memorandum, recording, notation; **A.en** records, log, books and records, documentation

Aufzeichnungen der Kundenbuchhaltung accounts receivable records; **A. über Löhne** payroll records; ~ **Vorräte** inventory records; ~ **Warenausgang** merchandise sales records; ~ **Wareneingang** merchandise purchases records; ~ **Zeitaufwand** time record

sich Aufzeichnungen machen to take notes

doppelte Aufzeichnung double-sided recording; **einfache A.** single-sided recording; **magnetische A.** magnetic recording; **stenografische A.** stenograph

Aufzeichnungs|dichte *f* 🖳 storage/recording density; **A.fehler** *m* recording error; **A.pflicht** *f* legal obligation to keep (books and) records; **a.pflichtig** *adj* liable to be recorded

aufzeigen *v/t* 1. to point out, demonstrate; 2. to disclose/show; **genau a.** to pinpoint

aufzinsen *v/t* to compound/accumulate, to mark up for (accrued) interest

Aufzinsung *f* compounding, accumulation; **A.sfaktor** *m* accumulation factor, compound amount

Aufzucht *f* 🚜 breeding, raising; **A.stall** *m* rearing station

aufzwingen *v/t* to enforce/impose, to force upon

Auge *nt* eye; **A. des Gesetzes** eye of the law; **in die A.n fallend** conspicuous; **mit offenen A.n** open-eyed

im Auge behalten to keep an eye on, to watch, to keep tabs on, ~ track of, ~ in view, to maintain a watching brief (on sth.); **mit einem blauen A. davonkommen** *(fig)* to get off lightly; **unter vier A.n besprechen** to talk in private; **ins A. fassen** to envisage/eye; ~ **gehen** to go wrong, to backfire; **wachsames A. haben auf etw.** to keep an eye on sth.; **einer Sache gelassen/ruhig ins A. schauen** to face sth. calmly; **jdn unter vier A.n sprechen** to have a word in so.'s ear, to talk in privacy to so.; **ins A. springen/stechen** to be conspicuous, to meet the eye; **A. auf etw. werfen** to have an eye on sth.

Augen|arzt; A.ärztin *m/f* ⚕ eye specialist, ophtalmologist

Augenblick *m* moment, instant, juncture; **günstigen A. abpassen** to bide one's time; **keinen A. schwanken** not to hesitate a moment; **im richtigen A.** well-timed, at the right moment; **den ~ abwarten** to bide one's time

augenblicklich *adj* current, present, momentary; *adv* at present

Augenblicks|bild *nt* snapshot; **A.gewinn** *m* instant profit; **A.verband** *m* single-purpose association; **A.verzinsung** *f* continuous convertible interest

augen|fällig *adj* obvious; **A.krankheit** *f* eye disease; **A.leiden** *nt* eye complaint; **A.licht** *nt* (eye)sight; **A.maß** *nt* 1. sense of proportion; 2. *(fig)* prudence; **mit A.maß** realistically; **A.merk** *nt* eye

Augenschein *m* § real evidence; **dem A. nach** to all appearances; **etw. in A. nehmen** to take stock of sth.; **richterlicher A.** judicial inspection; **a.lich** *adj* apparent, evident, manifest, ostensible, obvious; ~ **machen** to evidence in writing; **A.sbeweis** *m* ocular/real/demonstrative evidence

Augen|wischerei *f* window dressing; **A.zeuge** *m* eyewitness; ~ **sein** to (eye)witness; **A.zeugenbericht** *m* eyewitness account/report

Auktion *f* auction (sale), sale by auction, (public) sale, vendue *[US]*; **A. mit fallenden Geboten** Dutch auction; **zur A. bringen** to auction; **auf einer A. kaufen** to buy at/by auction; **zur A. kommen** to come up for sale; **durch/im Wege der A. verkaufen** to auction (off)

Auktion|ator *m* auctioneer, appraiser *[US]*, vendue master *[US]*; **a.ieren** *v/t* to sell by auction, to auction, to put up for auction

Auktions|ankündigung *f* auction notice; **A.firma** *f* auction house; **A.gebühren** *pl* auction fees; **A.halle/A.lokal/A.raum** *f/nt/m* auction/sales room, mart; **A.haus** *nt* auction house; **A.katalog** *m* sale catalog(ue); **A.preis** *m* knock-down price; **A.system** *nt* system of establishing prices by auction; **A.verkauf** *m* auction sale, sale by auction

ausarbeit|en *v/t* 1. to draw up, to prepare/elaborate/plan/compose, to map out; 2. *(Kompromiss)* to hammer out; **bis ins Einzelne a.en** to work out in detail; **A.ung** *f* 1. elaboration, working out, preparation; 2. study paper, memo(randum); ~ **eines Vertrages** drafting of a contract

ausbalancier|en *v/t* to balance out; **a.t** *adj* well-balanced

Ausbau *m* 1. expansion, development; 2. 🏛 extension; 3. *(Sicherung)* consolidation, strengthening; 4. *(Demontage)* dismantlement; 5. removal; **A. der Fertigungskapazität** increase of production capacity, upstepping of productive capacity; **externer A.** *(Firma)* outward investment; **innerer A.** inward investment; **A.anleihe** *f* development loan; **A.anleitung** *f* 1. dismantling instructions; 2. extension instructions; **A.beihilfe** *f* configurating aid

ausbauen *v/t* 1. to extend/develop/improve/expand; 2. *(Demontage)* to dismantle/remove

ausbaufähig *adj* 1. expandable promising; 2. extensible, capable of extension; **a. sein** *(fig)* to have potential; **A.keit** *f* extendibility

Ausbau|gebiet *nt* (structural) development area; **A.gewerbe/A.handwerk** *nt* 🏛 finishing/fitting-out trade; **A.patent** *nt* improvement patent; **A.phase** *f* development phase/period; **A.plan** *m* development scheme; **A.programm** *nt* (plant) extension programme; **A.strecke** *f* 1. 🚆 upgraded line; 2. 🚗 upgraded road; **A.stufe** *f* stage of expansion, capacity/development stage; **A.vorhaben** *nt* extension plan

ausbe|dingen *v/t* to stipulate/reserve/require; **A.dingung** *f* stipulation; **a.dungen** *adj* stipulated, agreed upon

Ausbessern *nt* mending; **a.** *v/t* to repair/mend, to touch up

Ausbesserung *f* repair; **A.en** maintenance and repair; **A.sarbeiten** *pl* repairs; **A.swerft** *f* ⚓ repair yard; **A.swerk/A.swerkstatt** *nt/f* 1. repair shop; 2. railway workshop

(wirtschaftlich) ausbeutbar *adj* (economically) exploitable/harnessable

Ausbeute *f* 1. profit, gain, yield (coefficient); 2. distributable profit; 3. output; 4. pickings; **A.abweichung** *f* yield variation; **a.fähig** *adj* exploitable

ausbeuten *v/t* 1. to exploit/milk *(coll)*; 2. ⚒ to work; 3. *(aufbrauchen)* to deplete; **industriell/kommerziell a.** to exploit on a commercial basis, ~ commercially, to commercialize

Ausbeuter *m* exploiter, sweatshop operator; **A.betrieb** *m* sweatshop; **a.isch** *adj* exploitative

Ausbeutesatz *m* rate of yield; **pauschaler A.** standard rate of yield

Ausbeutung *f* 1. exploitation, utilization, depletion, milking *(coll)*; 2. ⚒ extraction, working; 3. *(Personal)* sweating; **A. der Arbeiter** exploitation of workers; **monopolistische A.** monopolistic exploitation; **rücksichtslose A.** ruthless exploitation; **ungezügelte A.** unbridled exploitation; **A.srecht** *nt* operating/working right; **A.stempo** *nt* ⚒ rate of exploitation/extraction

ausbezahl|en *v/t* to pay out/off; **a.t** *adj* paid-off

ausbilden *v/t* to train/school/instruct; *v/refl* to study; **sich a. lassen** to train for sth.

Ausbilder *m* instructor, trainer, training officer

Ausbildung *f* instruction, education, (manpower/skills) training, drill, development; **in der A.** undergoing training, being trained

Ausbildung leitender Angestellter executive training; **A. am Arbeitsplatz** 1. on-the-job/in-service/in-house training; 2. *(Büro)* desk training; **A. außerhalb des Arbeitsplatzes** off-the-job/institutional training; **A. im Ausland** cross-border training; **A.- und Fort-/Weiterbildung** further/initial and advanced training; **A. von Führungskräften** management/executive training

Ausbildung abschließen to qualify, to complete one's training/education; **A. absolvieren** to serve an apprenticeship; **A. beendet haben** to be through one's training; **A. intensivieren** to improve training

akademische Ausbildung college/university/academic training, university education; **alternierende A.** sandwich course, recurrent education; **auffrischende A.** refresher/booster/updating training; **außerbetriebliche A.** outside/institutional training; **außerschulische A.** out-of-school education; **berufliche A.** vocational/occupational/employment/professional training; **berufsbezogene A.** career-orient(at)ed training; **(inner)betriebliche A.** 1. industrial/in-service/in-house/in-plant/in-company training; 2. *(gewerblich)* shop/vestibule training; **einsatzmäßige A.** operational training; **fachliche A.** vocational/specialized training; **fertigkeitsbezogene A.** competence-based training; **gewerbliche A.** industrial apprenticeship; **gewerblich-technische A.** industrial training; **grenzüberschreitende A.** cross-border training; **handwerkliche A.** training for a trade; **intensive A.** hands-on training; **juristische A.** legal training; **kaufmännische A.** commercial education/training/apprenticeship, business/trade training; **praktische A.** on-the-job/hands-on training; **schulische A.** academic education, schooling; **technische A.** technical training; **vielseitige A.** allround/polyvalent training; **wissenschaftliche A.** academic training

Ausbildungs|- apprenticeable, training; **A.abgabe** *f* training levy; **A.abschlussprüfung** *f* final trainee examination; **A.beihilfe** *f* training/education grant, ~ allowance; **A.berater** *m* training adviser/counsel(l)or; **A.beratung** *f* educational guidance; **A.beruf** *m* apprenticeable trade; **anerkannter A.beruf** recognized training occupation; **A.betrieb** *m* apprentice's employer, training company; **A.chance** *f* training opportunity; **A.dauer** *f* training period, length of education/training; **A.erfolg** *m* success of training; **a.fähig** *adj* trainable

Ausbildungsförderung *f* 1. training grant/promotion; 2. promotion of industrial training; **A.sgesetz** *nt* industrial training assistance act; **A.sprogramm für Jugendliche** *nt* Youth Training Scheme (YTS) *[GB]*

Ausbildungs|freibetrag *m* education(al) allowance, deduction for educational expenses; **A.gang** *m* educational course/background, training; **A.geld** *nt* training grant; **A.handbuch** *nt* training manual; **A.jahr** *nt* year of training; **A.kammer** *f* industrial training board; **A.kapazität** *f* capacity for training; **A.kosten** *pl* training cost(s); **A.kostenzuschuss** *m* training/education allowance; **A.krankenhaus** *nt* teaching hospital; **A.kurs** *m* training course; **A.lager** *nt* training camp; **A.lehrgang** *m* 1. training/vocational course; 2. *(Aufbaulehrgang)* refresher course; **A.leiter** *m* training manager/officer, instructor; **an einer A.maßnahme teilnehmen** *f* to undergo training; **A.material** *nt* training aids; **A.methode** *f* training method/technique, instruction(al) technique; **A.möglichkeiten** *pl* training facilities; **A.niveau** *nt* training standard; **A.not** *f* dearth of traineeships; **A.ordnung** *f* training regulation(s), rules for vocational training; **A.personal** *nt* training staff, trainers; **A.pflicht** *f* statutory duty to provide vocational training; **A.plan** *m* training schedule; **A.planung** *f* planning of training

Ausbildungsplatz *m* apprenticeship (place), traineeship, training place, trainee place/position; **A.abgabe** *f* training levy; **A.angebot** *nt* 1. availability of apprenticeships/traineeships, vacancies for apprentices/trainees, available apprenticeships/traineeships; 2. training provision

Ausbildungs|programm *nt* training scheme/programme; **A.quote** *f* training ratio; **A.stand** *m* level of training

Ausbildungsstätte *f* training centre/establishment/body; **A.n** training facilities; **staatlich anerkannte/staatliche A.** statutory training board; **betriebliche A.** company training centre, vestibule school *[US]*

Ausbildungs|stipendium *nt* educational scholarship; **A.umlage** *f* training (board) levy; **A.vergütung** *f* apprentice wage, apprentice's pay, trainee's salary, trainee allowance, training benefit/allowance; **A.verhältnis** *nt* apprenticeship, learnership, vocational/professional training contract; **A.versicherung** *f* educational endowment assurance *[GB]*, ~ insurance *[US]*; **A.vertrag** *m* indenture, articles/contract of apprenticeship; **A.vorschrift** *f* training manual; **A.weg** *m* training scheme; **A.werkstatt** *f* training shop, vestibule school *[US]*; **A.wesen** *nt* training, education; **betriebliches A.wesen** employee training; **A.zeit** *f* apprenticeship/training period; **A.zentrum** *nt* training centre; **A.ziel** *nt* training objective; **A.zulage** *f* trainee allowance; **A.zuschuss** *m* training allowance

Aus|biss *m* ⛏ outcrop; **sich a.bitten** *v/t* to ask for, to request

Ausbleiben *nt* 1. 🚆 non-arrival; 2. *(Dienst)* absence, non-attendance, non-appearance, failure to appear, default (of appearance); **A. der Zahlung** default, non-payment; **unentschuldigtes A.** absence without valid excuse; **a.** *v/i* to default, to fail to appear, to be absent

ausblend|en *v/t* 1. 🖳 to mask out; 2. to fade out; **A.ung** *f* 1. shielding; 2. *(Film)* fade-out

Ausblick *m* outlook, prospect, perspective

Ausbluten *nt* ⚕ h(a)emorrhage; **a.** *v/t (coll)* to squeeze dry; **finanziell a.** to bleed (financially); **a. lassen** to drain

aus|bojen *v/t* ⚓ to buoy off; **a.booten** *v/t* ⚓ to disembark; **a.brechen** *v/i* 1. to break out; 2. to burst; 3. *(Streit)* to flare up

ausbreit|en *v/t* to spread/display/extend/propagate; *v/refl* to spread, to branch out; **A.ung** *f* expansion, spread, proliferation, propagation

aus|brennen *v/i* to burn out; **a.bringen** *v/t* to produce

Ausbringung *f* output, production, yield; **A. bei Vollbeschäftigung** full employment equilibrium; **betriebsoptimale A.** optimum output; **gewinnmaximale A.** profit maximization output; **mehrmalige A.** continuous output; **mögliche A.** work opportunity

Ausbringungs|einheit *f* unit of output; **A.menge** *f* (volume of) output, production volume; **A.quote** *f* output quota; **A.soll** *nt* production target; **A.technik** *f* 🚜 application technique

Ausbruch *m* 1. burst, outbreak, onset, sally, bout; 2. *(Gefängnis)* escape from prison, jailbreak

Ausbrüten *nt* 🚜 incubation; **a.** *v/t* to hatch out

ausbuch|en *v/t* 1. to debit/abandon/retire, to charge/write off, to close out, to take out of the books; 2. *(Konto)* to balance; **A.ung** *f* debit, abandonment, retirement, charge-off, write-off, balancing

ausbürger|n *v/t* to expatriate/denationalize/denaturalize, to deprive of one's citizenship; **A.ung** *f* expatriation, denaturalization, depriving so. of his/her citizenship

Ausdauer *f* endurance, perseverance, stamina; **a.nd** *adj* 1. persistent, tenacious; 2. preserving

ausdehn|bar *adj* extendible; **a.en** *v/t* to extend/prolong/broaden/enlarge/expand/widen, to spin out; *v/refl* to extend/stretch/last; **a.end** *adj* extensive

Ausdehnung *f* 1. extension, dimension; 2. expansion, enlargement; 3. extent; incidence; **A. der Offenmarktpolitik auf Staatsanleihen** bills preferable policy *[US]*; **territoriale A.** territorial expansion; **übermäßige A.** overexpansion; **wirtschaftliche A.** economic expansion; **A.sfähigkeit** *f* extendibility; **A.szuschlag** *m* extension supplement

aus|denken *v/refl* to devise/conceive; **nicht a.zudenken** not to bear thinking about; **a.diskutieren** *v/t* to thrash out, to have/talk out

Ausdruck *m* 1. expression, phrase; 2. *(Fachausdruck)* term; 3. 🖨/🖳 printout, hard copy; **A. der Rechtssprache** legal term; **zum A. bringen** to express/voice/state/indicate; **~ kommen** to be expressed; **einer Sache A. verleihen** 1. to give voice to sth.; 2. *(Gefühl)* to give vent to sth.; **beschönigender A.** euphemism; **bilanztechnischer A.** balance sheet term; **juristischer A.** law/legal term, legal phrase; **technischer A.** technical term

ausdrucken *v/t* to print out

ausdrücken *v/t* 1. to phrase/express/utter, to put in words; 2. § to couch in legal terms; **sich a.** to express o.s.

klar ausdrücken to spell out, to formulate; **sich ~ a.** to make o.s. clear; **um es gelinde/milde auszudrücken** to put it mildly, to say the least; **~ knapp auszudrücken** to put it in a nutshell *(fig)*; **sich konkret a.** to be explicit; **sich schlecht a. können** to be inarticulate; **sich unflätig a.** to use foul language

ausdrücklich *adj* 1. express, positive, distinct, definitive, specific; 2. in as many words; *adv* positively, expressly, expressis verbis *(lat.)*; **a. oder stillschweigend** expressly or by implication

Ausdrucksweise *f* style, terms, mode of expression; **juristische A.** legal parlance, legalese

Ausdünn|en/A.ung *nt/f* thinning, dilution; **a.en** *v/t* to thin (out), to dilute

ausebnen *v/t* to level off

auseinander *adv* apart, separate; **a. bauen** *v/t* to dismantle; **a. brechen** *v/i* to disintegrate, to fall apart; *v/t* to break up, to dismember; **a. entwickeln** *v/refl* to grow apart; **a. fallen** *v/i* to disintegrate, to break/crack up, to go to pieces; **a. gefallen** *adj* fragmented; **a. gehend** *adj* diverging; **a. halten** *v/t* to distinguish; **A.klaffen** *nt* disparity, divergence, gap; **a. klaffen** *v/i* to diverge; **a. nehmen** *v/t* to dismantle/disassemble, to strip down, to take to pieces; **a.setzen** *v/t* to explain, to set forth; **sich ~ mit** to come/get to grips with, to deal with

Auseinandersetzung *f* 1. *(Streit)* dispute, argument, struggle, contest, row; 2. § arrangement, settlement, apportionment, division (of net assets), final division; **A. der Tarifparteien** industrial strife; **A. in der Unternehmensleitung** boardroom row

arbeitsrechtliche Auseinandersetzung labour/industrial dispute; **bewaffnete/kriegerische A.** armed conflict; **entscheidende A.** showdown; **erregte A.** fierce argument; **gerichtliche A.** § litigation, lawsuit; **hitzige A.** heated debate; **innenpolitische A.** domestic quarrel; **innerparteiliche A.en** party quarrels; **interne A.en** internal feuding; **polemische A.** slanging match; **tarifpolitische A.** industrial/wage dispute; **vermögensrechtliche A.** apportionment of assets and liabilities; **zwischengewerkschaftliche A.** inter-union dispute

Auseinandersetzungs|anspruch *m* claim to a distribution quota, settlement right; **A.bilanz** *f* dissolution/apportioning balance sheet; **A.guthaben** *nt* credit balance in case of partition, balance of retiring partner's capital account; **A.versteigerung** *f* forced sale upon termination of partnership; **A.vertrag** *m* deed of partition; **A.zeugnis** *nt* clearing certificate

auseinander strebend *adj* diverging

auserllesen *adj* choice, select; **a.sehen** *v/t* to choose/select, to mark out; *adj* designate

ausfahrlen *v/i* 1. to depart/leave; 2. ⚓ to sail, to put to sea; 3. *(Waren)* to deliver; **A.gleis** *nt* access/egress line; **A.er** *m* delivery man

Ausfahrt *f* 1. exit; 2. *(Hafen)* mouth

Ausfall *m* 1. deficiency, shortfall, loss; 2. *(Ergebnis)* outturn, result; 3. *(Veranstaltung)* cancellation; 4. *(Ausbleiben)* non-response, absence; 5. *(Fehlbetrag)* deficit; 6. ✿ breakdown, failure, stoppage; 7. *(Dividende)* omission; 8. ϟ outage *[US]*, blackout; 9. *(Atom)* fallout; 10. ▟ outage; **A. der Bedingung** cessation of the contingency; **A. eines Fluges/Zuges** cancellation, non-departure; **A. decken** to cover a deficit

begrenzter Ausfall ϟ greyout, brownout *[US]*; **kritischer A.** ▦ critical defect; **unkritischer A.** ▟ benign failure; **vermuteter A.** estimated loss of receivables; **voraussichtlicher A.** contingent loss; **wetterbedingter A.** weather-induced loss

Ausfalllart *f* failure mode; **A.analyse** *f* failure analysis; **A.betrag** *m* deficiency, deficit; **A.bürge** *m* deficiency guarantor, surety, guarantor of collection; **A.bürgschaft** *f* letter/bond of indemnity, indemnity bond, deficiency/deficit/secondary/conditional guarantee, guarantee of collection; ~ **übernehmen** to give a letter of indemnity; **A.dauer** *f* ▟ downtime; **A.dichte** *f* ▦ failure density

ausfallen *v/i* 1. *(Ergebnis)* to turn out; 2. ✿ to break down, to fail; 3. *(Veranstaltung)* to be cancelled; **geringer a.** to turn out to be smaller; **schlecht a.** to turn out badly; **a. lassen** 1. to cancel; 2. *(Dividende)* to omit

Ausfalllentschädigung *f* deficiency compensation; **A.forderung** *f* claim of preferential creditor(s); **A.geld für Kurzarbeit** *nt* short-time (working) compensation; **A.haftung** *f* deficit guarantee, contingent liability; **A.häufigkeit** *f* ✿ failure frequency

ausfällig *adj* offensive, abusive

Ausfallklasse *f* risk allowance group; **A.klausel** *f* indemnity clause; **A.kosten** *pl* 1. idle production cost(s), out-of-production/outage cost(s) *[US]*; **A.muster** *nt* reference/output sample, pattern reference; **A.provision** *f* deficiency commission; **A.quote** *f* 1. flop/default rate, failure quota; 2. *(Darlehen)* loss/delinquency rate, loan chargeoff ratio; **A.rate** *f* 1. rate of failure, failure/refusal rate, out-of-production proportion; 2. ▦ non-achievement rate; 3. *(Erhebung)* non-response rate; 4. *(Produktion)* proportion of defectives; **A.risiko** *nt* credit/default/payment risk, risk of default/non-payment, loan loss risk; **A.satz** *m* deficiency rate/experience; **A.schicht** *f* shift not worked; **a.sicher** *adj* fail-safe; **A.straße** *f* arterial/main road; **A.stunden** *pl* manhours lost; **A.tag** *m* day lost/off; **A.ursache** *f* ▦ failure cause, force of mortality; **A.urteil** *nt* § deficiency judgment; **A.versicherung** *f* insurance against loss, contingency insurance; **A.vorhersage** *f* prediction of failure; **A.wahrscheinlichkeit** *f* probability of failure; **bedingte A.wahrscheinlichkeit** conditional probability of failure; **A.zahlung** *f* deficiency payment; **A.zeit** *f* dead/down/fault/outage time, time off; **maschinenbedingte A.zeit** machine-spoilt processing time

ausfertigen *v/t* 1. to make/write out, to exemplify; 2. *(Wechsel/Kreditbrief)* to issue; 3. *(Vertrag)* to draw up; 4. *(Formular)* to complete; 5. *(Urkunde)* to engross/execute; **doppelt a.** to make out in duplicate

Ausfertigung *f* 1. *(Abschrift)* (official) copy; 2. *(Wechsel/Kreditbrief)* issue; 3. *(Vertrag)* draft; 4. *(Urkunde)* execution, engrossment, counterpart, exemplification; 5. drawing-up, issuing, making-out; **A. von Abtretungs- und Auflassungsurkunden** § conveyancing; **A. einer Police** *(Vers.)* issue of a policy

in doppelter/zweifacher Ausfertigung in duplicate; **in dreifacher A.** in triplicate; **in vierfacher A.** in quadruple/quadruplicate; **in fünffacher A.** in quintuplicate; **in sechsfacher A.** in sextuplicate; **in siebenfacher A.** in septuplicate

amtliche Ausfertigung official/office copy; **erste A.** 1. original; 2. *(Wechsel)* First of Exchange; **gerichtliche A.** court-sealed copy; **vollstreckbare A.** § special execution, enforceable official copy, ~ proof of indebtedness; **zweite A.** 1. copy; 2. *(Wechsel)* Second of Exchange

Ausfertigungsldatum *nt* date of issue; **A.gebühr** *f* *(Vers.)* issuing fee; **A.tag** *m* day of issue

ausfindig machen *adj* to find/spot/locate/discover/detect/trace, to track down, to hunt/seek out; **A.-machen** *nt* discovery, tracing

ausfischen *v/t* to exhaust fish resources

Ausflagglen/A.ung *nt/f* ⚓ flagging out, transfer to a foreign flag, ~ foreign ports of registration, deregistration, sailing under a foreign flag; **a.en** *v/i* to flag out, to transfer to a foreign flag, ~ a foreign port of registration, to deregister

Ausflucht *f* excuse, pretext, evasion; **Ausflüchte machen** to evade a question, to make excuses; **alle möglichen Ausflüchte** all sorts of excuses

ausfluchtlen *v/t* 🏛 to align; **A.ung** *f* 🏛 alignment

Auslflug *m* excursion, outing, trip; **A.flügler** *m* excursionist

Ausflugslfahrkarte *f* excursion ticket; **A.tarif** *m* excursion fare; **A.zug** *m* 🚆 excursion train

Ausfluss *m* 1. outflow, outfall; 2. outlet; 3.effluent

ausfolglen *v/i* to deliver, to hand over; **A.eschein** *m* bill of delivery, delivery order (D/O); **A.ung** *f* delivery; ~ **der Dokumente** handing over of documents; **A.ungsprotest** *m* protest for non-delivery

ausforschen *v/t* to sound out, to investigate

Ausfracht *f* ⚓ outward freight

Ausfragen *nt* examination, questioning; **a.** *v/t* to question/interrogate/examine

Ausfuhr *f* → **Export** export(s), exporting, exportation, shipment; **A. von Industriegütern/Industrieerzeugnissen** industrial/manufactured/manufacturing exports; **A. zu Schleuderpreisen** export dumping; **vo-**

rübergehende A. zur passiven Veredlung temporary exportation for outward processing; **A. von Waren** export of commodities; **zur A. geeignet** exportable; **bei A. verzollen** ⊖ to clear outward

gewerbliche Ausfuhr industrial exports; **indirekte/mittelbare A.** indirect export(s); **sichtbare A.** visible export(s); **unentgeltliche A.** exports free of charge; **unmittelbare A.** direct export(s); **unsichtbare A.** invisible export(s); ~ **Aus- und Einfuhren** invisibles; **vorübergehende A.** temporary export(ation); **vorzeitige A.** ⊖ prior exportation

Ausfuhr|abfertigung *f* ⊖ export clearance; **A.abgabe** *f* export duty/levy; **besondere A.abgabe** special charge on exports; **a.abgabenpflichtig** *adj* liable to export duty; **a.abhängig** *adj* export-dependent; **A.abhängigkeit** *f* dependence on exports, export dependency; **A.abschluss** *m* export transaction; **A.abschöpfung** *f* export levy, *[EU]* price adjustment levy; **A.abteilung** *f* export department/section/division; **A.abwicklungskonto** *nt* export settlement account; **A.agent** *m* export agent; **A.anmeldung** *f* ⊖ entry outwards, export notification; **A.anreiz** *m* export incentive; **A.anstieg** *m* rise in exports; **A.anteil** *m* export content; **A.antrag** *m* application for export; **A.artikel** *m* export article/item/share/goods/product; **A.auftrag** *m* export order; **A.ausschuss** *m* export committee; **A.ausweitung** *f* export expansion

ausführbar *adj* 1. feasible, practicable, executable; 2. *(zur Ausfuhr geeignet)* exportable; **nicht a.** 1. non-executable; 2. non-exportable; **A.keit** *f* feasibility, practicability

ausfuhr|bedingt *adj* export-induced; **A.bedingungen/A.bestimmungen** *pl* export regulations/terms; **A.beihilfe** *f* export bonus/subsidy; **A.behinderungen** *pl* barriers to export; **A.belebung** *f* increase in exports, revival of export activities; **A.bescheinigung** *f* ⊖ certificate of clearance outwards, export certificate; **A.beschränkungen** *pl* export restraints/restrictions/controls, restriction of/curb on exports; **mengenmäßige A.beschränkungen** quantitative restrictions on exports; **A.bestimmungen** *pl* export regulations; **A.bewilligung** *f* export approval/authorization/licence/permit; **A.blatt** *nt* ⊖ exportation sheet; **A.bürgschaft** *f* export (credit) guarantee; **A.defizit** *nt* export deficit; **A.deklaration** *f* ⊖ entry outwards, export specification; **A.dokument** *nt* export document; **A.einheit** *f* export unit; **A.einnahmen** *pl* export receipts; **A.embargo** *nt* export embargo

ausführen *v/t* 1. to export; 2. to carry out, to put into execution; 3. *(durchführen)* to effect/implement/fulfil(l)/execute/realize, to attend to, to go through with; 4. *(Rede)* to state/explain/argue; 5. *(Straftat)* to perpetrate; 6. § to submit; 7. *(Befehl)* 🖥 to execute; **weiter a.** to elaborate/expand; **wieder a.** to re-export

ausführend *adj* executive; **A.e(r)** *f/m* executant

Ausfuhrentwicklung *f* development of export activities

Ausführer *m* exporter; **ermächtigter A.** approved exporter

Ausfuhr|erklärung *f* ⊖ entry outwards, export declaration/specification; **A.erlaubnis** *f* export licence/permit

Ausfuhrerlös|(e) *pl* export earnings/receipts/proceeds; **A.defizit** *nt* export deficit; deficit in export revenues; **A.meldung** *f* exports proceeds notification; **A.schwankungen** *pl* export fluctuations

Ausfuhr|erstattung *f* export refund; **A.erzeugnis** *nt* export product; **a.fähig** *adj* exportable; **A.fähigkeit** *f* export viability; **A.finanzierung** *f* export financing; **A.förderung** *f* export promotion/enhancement, state aid to exports; **A.förderungsprogramm** *nt* export incentive scheme; **A.forderungen** *pl* receivables from exports; **A.garantie** *f* export guarantee; **A.genehmigung** *f* export approval/licence/permit/authorization; **a.genehmigungspflichtig** *adj* subject/liable to export authorization; **A.geschäft** *nt* export transaction; **A.gewährleistung** *f* export guarantee; **A.grundquote** *f* basic export quota; **A.güter** *pl* exports, export commodities; **A.güterangebot** *nt* supply of goods for export; **A.hafen** *m* port of exportation/export/exit; **A.handel** *m* export/outward trade; **A.händler** *m* export trader; **A.händlervergütung** *f* refund/bonus to exporters; **A.höchstgrenze** *f* export ceiling; **A.intensität** *f* proportion of exports to output, export intensity; **a.intensiv** *adj* export-intensive; **A.kalkulation** *f* export cost accounting; **A.kartell** *nt* export(-promoting) cartel; **A.katalog** *m* export catalogue; **A.kaution** *f* ⊖ export security, (export) bond; **A.kommissionär** *m* export commission house; **A.konnossement** *nt* outward/export bill of lading (B/L), export bill; **A.kontingent** *nt* export quota; **A.kontrolle** *f* export control

Ausfuhrkredit *m* export credit; **A.finanzierung** *f* export credit financing; **A.garantie/A.versicherung** *f* export credit insurance; **A.gesellschaft** *f* Export Credit Company; **A.limitierung** *f* export credit restrictions; **A.risiko** *nt* export credit risk; **A.vereinbarungen** *pl* export credit arrangements; **staatliche A.versicherung** government export credit insurance; **A.versicherungsanstalt** *f* Export Credits Guarantee Department (ECGD) *[GB]*; **A.zins** *m* export credit rate

Ausfuhrland *nt* exporting country, country of export; **begünstigtes A.** beneficiary exporting country

ausführlich *adj* detailed, in detail, at length; **sehr a.** at great length; **A.keit** *f* particularity

Ausfuhr|lieferung *f* export delivery; **A.liste** *f* export list; **A.lizenz** *f* export licence/permit; **A.lizenzverfahren** *nt* export licence procedure; **A.markt** *m* export market; **A.meldung** *f* export notification; **A.menge** *f* volume of exports; **A.mindestpreis** *m* minimum export price; **A.müdigkeit** *f* reluctance to export; **A.nachweis** *m* export certificate, evidence of export shipment, proof of export (shipment); **A.organisation** *f* export organisation; **a.orientiert** *adj* export-oriented, exporting; **A.ort** *m* exit point, place of dispatch; **A.papier** *nt* export document; **A.periode** *f* shipment period *[US]*; **A.politik** *f* export policy

Ausfuhrprämie *f* export premium/subsidy/bonus/bounty; **offene A.** open export bounty; **versteckte A.** hidden export bounty

Ausfuhrpreis *m* export price; **A.bestimmung** *f* export price regulation; **A.index** *m* export price index

Ausfuhr|quote *f* export quota/ratio/share, ~ income ratio; **A.rechte** *pl* export rights

Ausfuhrrisiko *nt* export risk, shipment risk *[US]*; **A.garantie** *f* export risk guarantee; **A.haftung** *f* export risk liability

Ausfuhr|rückerstattung/A.rückvergütung *f* export refund/rebate; **A.schein** *m* 1. export document/certificate/permit; 2. ⊖ certificate of clearance outwards; **A.sendung** *f* export consignment; **A.sortiment** *nt* range of exports; **A.sperre** *f* export ban/embargo/prohibition, embargo on exports; **A.statistik** *f* export statistics/figures; **A.steuer** *f* export tax, tax on exports; **A.subvention** *f* export subsidy; **A.tag** *m* day of exportation; **A.tarif** *m* export rate; **a.trächtig** *adj* export-inducing; **A.überschuss** *m* export surplus; **A.überwachung** *f* export control(s); **A.umsatzsteuer** *f* export turnover tax

Ausführung *f* 1. execution, implementation, realization, fulfilment, performance, achievement; 2. *(Produkt)* make, version, design, model, quality; 3. *(Qualität)* workmanship, finish; **A.en** 1. remarks, argument, statement, observations; 2. § submissions (to the court), pleadings; **nach A.** according to quality

Ausführung der Arbeit workmanship; **A. eines Auftrags** execution of an order; **A. einer Entscheidung** compliance with a decision; **A. der Erfindung** reduction to practice; **unzulässige A. einer rechtmäßigen Handlung** § misfeasance; **A. des Haushalts** implementation of the budget; **A.en zum Sachverhalt** factual arguments; **A. der Straftat** § commission of the act; **A. in gewerblichem Umfang** working on a commercial scale; **A. eines Verfahrens** carrying out of a process

Ausführung eines Auftrags anzeigen to advise the execution of an order; **zur A. bringen** to implement/effect/execute; ~ **gelangen/kommen** to be effected/implemented, to come to fruition; **A.en machen** to present observations; **einleitende ~ machen** § to open a case

in doppelter Ausführung in duplicate; **fehlerhafte/mangelhafte A.** faulty/defective/inadequate workmanship, faulty execution; **hervorragende A.** excellent craftsmanship; **normale A.** standard version; **rechtliche A.en** legal arguments; **schlechte A.** poor workmanship

Ausführungs|anweisung *f* implementing instruction; **A.anzeige** *f* 1. advice note, confirmation slip, advice of execution (slip); 2. *(Wertpapiergeschäft)* contract note, advice of deal; **besondere A.art** *(Pat.)* particular embodiment; **A.befehl** *m* executive instruction; **A.behörde** *f* executive/implementing authority; **A.beispiel** *nt (Pat.)* embodiment; **A.beschluss** *m* execution order, executory decision; **A.bestätigung** *f* contract note; **A.bestimmung** *f* declaratory/regulatory statute, (implementing) regulation; **A.bestimmungen** executive provisions, by(e)-law(s); ~ **enthaltend** self-executing; **A.bogen** *m* execution slip; **A.datum** *nt* date of execution, ~ exercise; **A.ebene** *f* operating level, level of management; **A.fehler** *m* faulty workmanship; **A.frist** *f* period of performance; **A.garantie** *f* performance guarantee/bond; **A.geschäft** *nt* (agent's) implementing transaction, follow-up business; **A.gesetz** *nt* implementing act, executive order *[US]*, regulatory statute; **A.grenzen** *pl* scope of tender; **A.nachweis** *m* evidence/proof of execution; **A.ordnung** *f* implementing regulations; **A.phase** *f* implementation/execution/contract-in-process phase; **A.praxis** *f* operating practice; **A.provision** *f* execution commission; **A.qualität** *f* workmanship, quality of performance; **A.verfahren** *nt* operational procedure; **A.verordnung** *f* bylaw, byelaw, implementing ordinance, regulatory statute; **A.verordnungen** § statutory rules and orders (s. r. & o.); **A.vorschrift** *f* regulatory instruction; **A.zeichnung** *f* workshop drawing; **A.zeit** *f* 1. execution time; 2. ▦ object/completion time

Ausfuhr|verbot *nt* export ban/prohibition, ban/embargo on exports, prohibition to export; **A.verfahren** *nt* export procedure; **A.vergünstigung** *f* export refund; **A.vergütung** *f* export rebate/refund/drawback, bounty on exports; **staatliche A.versicherung** export credit guarantee insurance; **A.vertrag** *m* export contract; **A.volumen** *nt* volume of exports, total exports; **A.vorfinanzierung** *f* export prefinancing, ~ advance financing; **A.wachstum** *nt* increase in exports, export growth; **gehemmtes A.wachstum** constrained export growth; **A.waren** *pl* exports, export goods; **A.wert** *m* export value; **A.werterklärung** *f* ⊖ declaration of export value; **A.wirtschaft** *f* export trade, exporters; **A.zahlen** *pl* export statistics; **A.zeitplan** *m* export delivery schedule; **A.zeugnis** *nt* export licence/certificate; **A.ziffern** *pl* export figures

Ausfuhrzoll *m* export duty/tariff/tax, customs outwards, external tariff, (customs) duty on exports; **A.erklärung** *f* ⊖ entry outwards, export declaration; **A.stelle** *f* ⊖ customs office of exports; **A.tarif** *m* export tariff

ausfüllen *v/t* to fill in *[GB]*/out *[US]*, to fulfil(l)/complete; **nicht a.** to leave blank

Ausgabe *f* 1. *(Geld)* expense, expenditure, spending, disbursement, emission, outlay; 2. *(Aktie)* issue; 3. *(Anleihe)* flo(a)tation; 4. *(Buch)* edition, copy; 5. *(Ausstoß)* output; 6. *(Befehl)* issuance; 7. *(Ware)* issuing, issue; 8. *(Zeitschrift)* number, issue; 9. 🖳 printout, output; **A.n** 1. expenses, expenditure(s), outlay, outgoings, spending, disbursement, spend *(coll)*; 2. *(Liquidität)* cash disbursements

Ausgabe von Aktien issue of shares; **A.n für Anlagen** capital expenditure(s); ~ **Anlageinvestitionen** fixed investment expenditure; **A.n von Auslandsreisenden** tourist spending abroad; **A. von Banknoten** note issue; ~ **Belegschaftsaktien** employee share scheme; ~ **Berichtigungsaktien** issue of bonus shares, bonus/capitalization/scrip issue; ~ **Bezugsrechten zur Kapitalerhöhung** rights issue; **A.n des Bundes** federal spending; **A.n für Entwicklung** development spending; ~ **Forschung** research spending; ~ **Forschung**

und Entwicklung (FE) research and development (R&D) spending; **A. von Gratisaktien** issue of bonus shares, bonus/scrip/capitalization issue; ~ **Gratisvorzugsaktien** preference scrip issue; **A.n der öffentlichen Hand** public spending/expenditure; **A.n für Hausverwaltung** housekeeping expenses; ~ **Immobilienerwerb** property outgoings; ~ **Investitionsgüter** capital equipment spending, investment of capital funds; ~ **Lebensmittel** food expenditure; **A. von Namensaktien** inscription; **A. geringeren Ranges** junior issue; **A. von Schuldverschreibungen** issuance of debt; **A.n für Straßenbau** spending on roads; **A.n zur freien Verfügung** discretionary spending; **A.n im Vorgriff** anticipatory expenses; **A.n für Werbemaßnahmen** promotional spending; **A. von Wertpapieren** issue of securities; **A.n für den Wohnungsbau** housing expenditure; **A. von Zusatzaktien** issue of bonus shares

Ausgaben aufschlüsseln to itemize expenditure(s); **A. belegen** to account for expenses; **A. beschneiden/beschränken** to cut expenditure(s), to whittle away/down expenditures; **A. bestreiten/bezahlen** to defray expenditure/expenses; **eigene A. bestreiten** to support o.s.; **als Ausgabe buchen** to enter as expenditure; **A. decken** to cover expenses; **A. drosseln** to curb expenditure(s)/spending; **A. einschränken** to cut/curtail/limit expenditure(s); **A. erhöhen** to step up spending; **A. erstatten** to refund expenses; **über A. Buch führen** to keep an account of expenses; **A. kürzen** to cut spending, to clamp down on spending, to put the lid on spending; **A. neu ordnen** to rejig spending; **A. reduzieren** to cut spending/expenditure, to tighten the purse strings; **A. strecken** to stretch expenditure; **sich in A. stürzen** to incur expenditure; **A. übernehmen** to pick up the expenses/bill *(coll)*; **A. überwachen** to control expenditure/spending; **A. vermindern/verringern** to cut/reduce expenditure(s), ~ spending; **A. vornehmen** to spend; **A. wiedereinbringen** to recover expenses

absetzbare/abzugsfähige Ausgaben 1. (tax-)deductible expenses; 2. *(Steuer)* allowable expenses; **aktivierte A.** capitalized expenses; **alte Ausgabe** old edition, back copy/issue/number; **angefallene A.** incurred expenses; **aufwandsgleiche A.** revenue expenditure, current outlay cost(s); **außerordentliche A.** extraordinary/extra-budgetary expenditure; **außerplanmäßige A.** unbudgeted expenditure; **bare A.** cash expenditure(s); **bearbeitete Ausgabe** revised edition; **betriebliche A.** operating expenditure(s); **betriebsfremde A.** non-operating items; **bisherige A.** preliminary expenses; **einmalige A.** non-recurring expenses/expenditure, one-off expenditure; **endgültige Ausgabe** definitive edition; **erwerbsbedingte A.** business expenses; **noch nicht fällige A.** accrued expenses; **feste A.** fixed charges; **vertraglich nicht festgelegte A.** non-obligatory expenditure; **fiktive A.** fictional expenses; **gesetzlich fixierte A.** statutory expenditure, compulsory spending; **fortdauernde/fortlaufende A.** (re)current expenses; **galoppierende A.** runaway spending; **gebundene Ausgabe** hardback; **gehabte A.** incurred expenses; **gekürzte Ausgabe** abridged edition; **gelegentliche A.** incidentals, casual/incidental expenses; **gemeine A.** ordinary expenses; **geplante A.** expenditure requirements; **gerechtfertigte A.** warranted outlay; **urheberrechtlich geschützte Ausgabe** copyright(ed) edition; **induzierte A.** induced spending; **investive A.** investment expenditure/spending; **kassenmäßige A.** cash expenditure; **kleinere A.** minor expenses; **konsumtive A.** consumer spending, expenditure/spending on consumption, consumption expenditure; **kreditfinanzierte A.** credit-financed expenditure/spending; **laufende A.** current expenses/expenditure, running/fixed/ordinary expenses; **letzte Ausgabe** *(Zeitung)* final edition; **unberechtigt nachgedruckte Ausgabe** pirated edition; **neueste Ausgabe** current issue; **notwendige A.** necessary expenditure(s); **obligatorische A.** compulsory expenditure; **nicht ~ A.** non-compulsory expenditure; **öffentliche A.** public(-sector) expenditure/spending, national/government expenditure, government(al) spending; **ordentliche A.** ordinary expenses/expenditure; **private A.** private spending; **reihenweise Ausgabe** stream output; **revidierte Ausgabe** revised edition; **sachliche A.** expenditure on materials, material cost(s); **satzweise Ausgabe** record output; **sonstige A.** other expenditure(s); **unbezahlte A.** outstanding expenses; **unerwartete/unvorhergesehene A.** contingencies, contingent expenses; **ungekürzte Ausgabe** unabridged edition; **veranschlagte A.** budgeted expenditure(s); **vermögenswirksame A.** asset-creating expenditure; **verschiedene A.** sundry expenses; **vollständige Ausgabe** unabridged/full edition; **weitere A.** additional expenditure; **werbende A.** productive expenses/expenditure; **wiederkehrende A.** recurrent expenditure/spending/expenses, **nicht zurechenbare A.** unallocated expenses

Ausgabe|abgeld *nt* offering discount; **A.abstrich** *m* expenditure cut; **A.anforderung** *f* output request; **A.ansatz** *m* expenditure appropriation(s)/estimate(s), projected expenditure; **A.aufgeld** *nt* offering premium; **A.aufschlag** *m (Fonds)* issuing premium, initial service charge, front-end load, front-end and management fee, issuance mark-up on the offering price; **A.bank** *f* issuing bank, bank of issue; **A.bedingungen** *pl* terms of issue; **A.befehl** *m* output instruction; **A.beleg** *m* receipt (for expenditure), disbursement voucher; **A.beschluss** *m* expenditure approval; **A.betrag** *m* amount of issue, disbursement amount; **A.bewilligung** *f* budgetary/budget appropriation, expenditure authorization; **A.datei** *f* output file; **A.daten** *pl* output data; **A.datum** *nt* date of issue/issuance; **A.drang** *m* propensity to spend; **A.einheit** *f* output unit; **A.entscheidung** *f* spending decision; **A.ermächtigung** *f* capital commitment, budget authority *[US]*, obligational/spending authority; **a.freudig** *adj* spendthrift, free-spending, ready to spend, happy-go-spending; **A.freudigkeit** *f* extravagance; **A.funktion** *f* expenditure function; **A.gerät** *nt* output device; **A.gewohnheiten** *pl* spending habits; **A.jahr** *nt* year of issue; **A.kurs** *m* issue/(initial) offering/buying/issuing/coming-out price, issue par, rate of issue; **A.kurswert** *m* issue price; **A.kurve** *f* outlay curve; **A.land** *nt* issuing country; **A.liste** *f* analysis sheet; **A.locher** *m* output punch; **A.modalitäten** terms of issue

Ausgaben|abstriche *pl* expenditure cuts; **A.anstieg** *m* expenditure rise; **A.aufwand** *m* outlay; **A.bedarf** *m* expenditure requirements; ~ **decken** to meet one's expenditure requirements; **A.begrenzung** *f* limitation of spending; **A.beleg** *m* receipt (for expenditure), disbursement voucher; **A.beschränkung** *f* expenditure cut, cash limit, curb on spending, spending curb, curtailment of expenditure; **A.bewilligung** *f* budget appropriation; **a.bewusst** *adj* expenditure-conscious; **A.block** *m* chunk of expenditure; **A.buch** *nt* book of charges, cashbook; **A.dämpfung** *f* expenditure dampening

(marginale) Ausgabeneigung *f* (marginal) propensity to spend

Ausgaben|einschränkung *f* spending/expenditure cut, retrenchment; **A.entwicklung** *f* trend of spending; **A.ermächtigung** *f* spending authority/authorization; **A.erstattung** *f* reimbursement of expenses; **A.etat** *m* budget appropriation(s); **A.gebaren** *nt* financial management, handling of expenditure, spending; **A.gestaltung** *f* financial management; **A.gleichung** *f* spending equation; **A.grenze** *f* cash/budget ceiling; **A.gruppe/ A.kategorie** *f* class/category of expenditure; **geplante A.höhe** spending target, planned spending; **A.journal** *nt* expenditure/cost journal; **A.kompetenz** *f* spending power; **A.-Konsum-Kurve** *f* expenditure consumption curve; **A.kontrolle** *f* spending control; **A.kurve** *f* expenditure/outlay curve; ~ **der Nachfrager** demand outlay curve; **A.kürzung** *f* spending cut/squeeze, cut in expenditure/spending; **A.multiplikator** *m* spending multiplier; **A.neigung** *f* propensity to spend; **A.plafond** *m* expenditure ceiling; **A.plan** *m* outgoing payments budget; **A.politik** *f* spending (policy); **A.position/A.posten** *f/m* expenditure item; **A.quote** *f* quota/ proportion of expenditure; **A.rahmen** *m* expenditure ceiling, overall/total authorized expenditure; **A.rausch** *m* spending spree; **A.rechnung** *f* bill of cost(s); **A.reste** *pl* unspent budget balances, unexpended balances; **A.rhythmus** *m* timing of expenditure; **A.rückgang** *m* drop in spending; **A.schätzung** *f* budget estimates, estimate of expenditures; **A.schub** *m* sharp rise of expenditure; **A.seite** *f* 1. payment/spending side; 2. expenditure column; **A.sperre** *f* spending freeze, embargo on spending, blocking of expenditure; **A.steigerung** *f* expenditure growth/increase; **A.steuer** *f* expenditure/ spending tax; **A.streckung** *f* spending slowdown; **A.ströme** *pl* cash outflow; **A.struktur** *f* expenditure pattern, pattern of expenditure; **A.überhang** *m* excess expenditure; **A.überprüfung** *f* review of expenditure; **A.überschuss** *m* amount overspent, excess spending; **A.überwachung** *f* spending control; **A.überziehung** *f* overrun in expenditure; **A.umfang** *m* volume of expenditure; **A.umschichtung** *f* expenditure switching; **A.verteilung** *f* expenditure spread; **A.verzeichnis** *nt* schedule of expenses; **A.vollmacht** *f* spending power; **A.volumen** *nt* volume of expenditure; **A.voranschlag** *m* expenditure/spending estimate(s); ~ **der öffentlichen Hand** public spending estimates; **A.wachstum** *nt* spending growth; **A.wirtschaft** *f* expenditure management, spending; **A.währung** *f* expenditure currency; **ressortegoistische A.wünsche** departmental spending plans; **A.zettel** *m* expense slip; **A.zuwachs** *m* rise/increase in expenditure; **A.zuweisung** *f* allocation of expenditure

Ausgabe|ort *m* place of issue; **A.preis** *m* offer(ing)/ issue price, price of issue; **jeweils gültiger A.preis** current offering price; **A.programm** *nt* 🖳 output routine; **A.prozedur** *f* 🖳 output procedure; **A.prozessor** *m* 🖳 output processor; **A.schalter** *m* issue desk, delivery/ issuing counter; **A.schreibmaschine** *f* 🖳 output typewriter; **A.speicher** *m* 🖳 output storage; **A.stelle** *f* issuing agency/office; **A.steuerkarte** *f* 🖳 output option card; **A.tag** *m* date/day of issue; **A.verpflichtung der öffentlichen Hand** *f* public spending commitment; **A.welle** *f* wave of expenditure(s); **A.wert** *m* issue price/ value; **a.wirksam** *adj* spending; **A.zweck** *m* function/purpose of expenditure

Ausgang *m* 1. result, outcome, issue; 2. exit, gate, outlet, way out; 3. 🖳 output; **Ausgänge** *(Geld)* outgoings; **A. der Abstimmung** election result, result of the vote; **A. aus der Gemeinschaft** *m [EU]* ⊖ exit from the Community; **A. des Rechtsstreites** outcome of the lawsuit; **A. haben** to have a/the day off; **guten A. nehmen** to turn out well; **grüner A.** ⊖ green exit/channel; **roter A.** ⊖ red exit/channel

Ausgangs|- initial; **A.abfertigung** *f* ⊖ clearance outwards; **A.abgaben** *pl* export duties and taxes; **A.annahme** *f* initial assumption; **A.anschluss** *m* 🖳 output terminal; **A.bahnhof** *m* 🚆 dispatch station; **A.basis** *f* starting base/point, initial position; **A.bedingung** *f* starting condition; **A.bescheinigung** *f* ⊖ exit visa; **A.beschränkung** *f* curfew; **A.betrag** *m* initial amount; **A.daten** *pl* source/raw data; **A.deklaration** *f* ⊖ clearance outwards; **A.erzeugnis** *nt* primary/initial product; **A.fakturenbuch** *nt* sales book; **A.finanzierung** *f* initial finance; **A.fracht** *f* outward/outbond freight, carriage outwards, freight out; **A.funktion** *f* output/emitting/distributive function; **A.gebot** *nt (Auktion)* starting price; **A.gesamtheit** *f* ▦ universe, (parent) population; **A.gewicht** *nt* base weight; **A.größe** *f* initial value; **A.hafen** *m* port of embarkation; **A.hypothese** *f* starting assumption; **A.kapital** *nt* initial capital; **A.kasse** *f* checkout; **A.knoten** *m* starting node; **A.kontrolle** *f* checkout, pre-delivery inspection; **A.korb** *m* out-tray; **A.lage** *f* starting situation, scenario; **A.land** *nt* country of departure; **A.leistung** *f* ϟ power output; **A.maß** *nt* ▦ basic dimension; **A.material** *nt* raw/basic/source material; **A.niveau** *nt* base level; **A.parität** *f* starting parity, initial par value; **A.position** *f* initial position, platform; **in einer vorteilhaften A.position** in pole position; **A.post** *f* outgoing mail; **A.posten** *m* outgoing item; **A.preis** *m* issue price; **A.produkt** *nt* primary/initial product; **A.prüfung** *f* pre-delivery inspection;

A.punkt *m* basis, starting point, point of departure; **A.rechnung** *f* sales invoice; **A.rohstoff** *m* source material; **A.situation** *f* current situation; **A.sortierung** *f* final sort pass; **A.sprache** *f* source language; **A.stand** *m* initial position, starting total, amount at beginning of period; **A.stellung** *f* 1. initial position; 2. ✿ neutral; **in ~ bringen** to restore; **A.stichprobe** *f* ▦ master sample; **A.stoff** *m* source material; **A.urteil** *nt* judgment of the first instance, original judgment; **A.versand** *m* ⊖ outward transit; **A.wert** *m* 1. original/basic value; 2. ▦ basic dimension; **A.zahl** *f* reference/benchmark figure; **A.zeitpunkt** *m* base period; **A.zeitraum** *m* reference period

Ausgangszoll *m* export/basic duty; **A.satz** *m* basic duty; **A.stelle** *f* outgoing-goods customs office, office of exit

Ausgangszustand *m* initial/starting state

bis ins einzelne ausgelarbeitet *adj* elaborate; **a.baut** *adj* (fully) developed

ausgeblbar *adj* issuable; **wieder a.bar** reissuable; **A.ben** *nt* spending

ausgeben *v/t* 1. to distribute; 2. *(Geld)* to spend/expend/disburse/dispense, to lay/pay out; 3. *(Wertpapiere)* to issue/emit; 4. *(an jdn.)* to issue so. with; 5. 🖳 to print out

sich fälschlich ausgeben 1. to pretend to be; 2. [§] to personate; **ganz a.** *(Geldmittel)* to exhaust; **großzügig a.** to lash out; **kommissionsweise a.** *(Aktien)* to issue on commission; **leichtfertig a.** *(Geld)* to fritter away, to squander; **verschwenderisch a.** to lavish/overspend; **zu viel a.** to overspend; **zu wenig a.** to underspend

Ausgeber *m* issuer, emitter; **A.kredit** *m* issuer's standing

ausgebildet *adj* trained, skilled, qualified; **juristisch a.** legally trained; **voll a.** fully qualified

ausgelblieben *adj* overdue; **(voll) a.bucht** *adj* 1. (fully) booked, booked up; 2. charged/written off; **A.bürgerte(r)** *f/m* expatriate; **a.dehnt** *adj* 1. extensive, widespread, extended, broad; 2. long-drawn (out); **a.dient** *adj* 1. retired; 2. clapped/worn out

Ausgedinge *nt* 🚜 farm annuity

ausgedrückt *adj* stated; **a. in** in terms of; **einfach a.** in plain language; **konkret a.** to be specific; **kurz a.** to put it briefly, ~ in a nutshell *(fig)*

ausgelfallen *adj* unusual, off-beat; **a.feilt** *adj* polished, sophisticated, worked out in detail, well-devised; **a.fertigt** *adj (Urkunde)* given, executed, done, exemplified, engrossed; **a.fuchst** *adj* crafty, cunning; **a.führt** *adj* 1. executed; 2. exported; **a.gangen** *adj (Ware)* sold out

ausgegeben *adj* 1. *(Geld)* spent; 2. *(Aktie)* issued; **nicht a.** 1. unspent; 2. unissued; **sinnvoll a.** well-spent

ausgeglichen *adj* 1. in balance, (well-)balanced, steady; 2. *(Konto)* settled, square; **nicht a.** *(Etat)* unbalanced; **a. sein** to be in balance, ~ on an even keel, to balance

ausgehen *v/i* *(Vorräte)* to run out/short; **a. von** 1. to assume, to be guided by, to take as a basis; 2. to emanate from; **frei a.** *(ohne Strafe)* to get off; **a.d** *adj (Ladung)* outward, outbound

ausgelklügelt *adj* elaborate, sophisticated, intricate, ingenious; **zu a.klügelt** overelaborate; **a.laden** *adj* unloaded

ausgelastet *adj* utilized, employed; **gut a.** well occupied; **nicht a.** underemployed; **voll a.** working to capacity; **~ sein** to work to capacity, to be fully stretched, ~ at full stretch, to operate at ceiling capacity; **nicht ~ a.** understretched, underutilized

ausgellernt *adj* 1. qualified; 2. *(Lehrling)* time-served; **~ haben** to take up one's indenture, to be through one's apprenticeship; **a.liefert** *adj* 1. delivered; 2. *(Person)* extradited; 3. *(ohne Hoffnung)* at the mercy of; **verzinslich a.liehen** *adj* out at interest; **a.lost** *adj* drawn; **a.macht** *adj* settled, agreed, fixed, stipulated; **a.nommen** *adv* except(ed), exempt(ed), barring, save, **a.nutzt** *adj* utilized; **nicht voll a.nutzt** underemployed, underutilized; **a.prägt** *adj* marked, pronounced, distinct, distinctive, well-developed; **a.gereift** *adj* advanced, fully operational; **technisch a.reift** sophisticated, mature; **a.reizt** *adj* 1. *(Möglichkeiten)* exhausted; 2. *(Börsenkurs für Unternehmen)* fully priced

ausgerichtet auf *adj* geared to, focused on; **international a.** *adj* internationally orient(at)ed; **materiell a.** money-orient(at)ed

ausgelrüstet mit *adj* equipped/fitted with; **gut a.rüstet** well-equipped; **a.schieden** *adj* retired; **a.schlossen** *adj* 1. excluded, excluding; 2. barred; **a.schmückt** *adj* decorated; **a.schöpft** *adj* exhausted, utilized; **a.schrieben** *adj* 1. written in full; 2. *(Stelle)* advertised; **voll a.schrieben** in full; **a.schüttet** *adj (Dividende)* distributed, issued; **a.setzt** *adj* 1. *(Termin)* deferred, suspended; 2. *(Preis)* offered; 3. *(Rente)* settled; 4. *(Wetter)* exposed; **A.setztsein** *nt* exposure; **a.sperrt** *adj (Arbeiter)* locked out; **a.sprochen** *adj* distinct, marked, pronounced; *adv* downright, positively

ausgestaltlen *v/t* 1. to arrange; 2. to decorate; **A.ung** *f* 1. layout, formation; 2. *(Pat.)* embodiment

ausgestattet *adj* 1. provided, furnished; 2. *(Raum)* appointed; **a. mit** 1. endowed with; 2. fitted/supplied with; **gut a.** well appointed/equipped; **nicht a.** unprovided

ausgestellt *adj* 1. *(Dokument)* issued; 2. *(Wechsel)* made out; 3. *(Messe)* exhibited, on show/view/display; **a. sein** to be on display/exhibition; **falsch a.** *(Scheck)* incorrectly drawn; **nachträglich a.** issued retrospectively

ausgelsucht *adj* choice, selected, exeptional; **a.tüftelt** *adj* intricate, subtle; **nicht a.geübt** *adj (Option)* unexercised; **a.wachsen** *adj* fully grown/fledged, full-blown; **a.wählt** *adj* select(ed), choice, assorted; **a.wiesen** *adj* 1. *(Betrag/Dividende)* declared, shown; 2. *(Dokument)* accounted for; 3. *(Flüchtling)* expelled

ausgewogen *adj* (well-)balanced, evenly balanced; **gut a.** well proportioned; **A.heit** *f* balance, (state of) equilibrium, harmony

ausgelzahlt *adj* paid-off; **a.zeichnet** *adj* 1. first-rate, first-class, excellent; 2. *(Preis)* priced; 3. distinguished, magnificent; **nicht a.zeichnet** unpriced

Ausgleich *m* 1. *(Abrechnung)* balance, balancing; 2. *(Mangel)* compensation; 3. *(Schulden)* settlement, settling, squaring; 4. *(Unterschied)* offset, adjustment, set-off; 5. *(Handel)* swing, evening up, levelling, equalization; **als/zum A.** as/in/by way of compensation, in return for, to compensate for; **zum vollen A.** in full discharge

Ausgleich von Angebot und Nachfrage equilibrium of supply and demand; **A. in bar** cash settlement/adjustment; **A. der offenstehenden Beträge** settlement of outstanding accounts; **zum A. aller Forderungen** in settlement of all claims, in full settlement; **~ des Handels** to ensure that the budget is balanced; **A. des Geldmarkts** equalization of the money market; **A. unter Gesamtschuldnern** settlement by contributions; **A. durch Kauf und Verkauf** *(Börse)* evening up; **zum A. des Kontos** to balance the account; **~ unseres Kontos/unserer Rechnung** in settlement/payment of our account, in full discharge of our account; **A. der Produktionszyklen** life-cycle balance; **A. des tatsächlichen Schadens** compensatory damages; **A. der Unterschiede** levelling off the differences; **~ Währungsströme** compensation of currency flows; **~ Zahlungsbilanz** balance of payments equilibrium, squaring of the balance of payments

Ausgleich gewähren to compensate

formaler Ausgleich balancing on paper only; **gütlicher A.** amicable settlement; **vollständiger A.** full settlement

ausgleichbar *adj* adjustable

ausgleichen *v/t* 1. to make good, ~ up (for), to redress, to iron out, to counteract/counterbalance/countervail; 2. to balance/compensate/adjust/offset/neutralize/square, to cancel out, to set off; 3. *(Verlust)* to wipe out; 4. *(decken)* to cover; 5. to trade off; 6. *(glattstellen)* to even up, to redeem; *v/refl* to balance, to level out

in bar ausgleichen to settle in cash; **einnahmemäßig a.** to offset; **nicht ganz a.** *(Schaden)* to undersettle; **mehr als a.** 1. to outweigh; 2. *(Schaden)* to oversettle; **nach oben a.** to level up; **nach unten a.** to level down

ausgleichend *adj* countervailing, compensatory

Ausgleichs|- compensatory; **A.abgabe** *f* 1. compensatory levy/tariff, countervailing duty/charge, contingent levy, equalizing duty; 2. *(Steuer)* income tax surcharge, equalization levy; **A.abkommen** *nt* clearing agreement; **A.abschöpfung** *f [EU]* compensatory levy; **A.anspruch** *m* equitable damages, equalized claim, claim for adjustment, right of contribution; **A.arbitrage** *f* offsetting arbitrage; **A.bedarf** *m* compensation requirement; **a.berechtigt** *adj* entitled to contribution; **A.berechtigte(r)** *f/m* person entitled to equalization payments; **A.betrag** *m* (monetary) compensatory/compensation/adjusting amount, compensation contribution, balance; **A.buchung** *f* charge-back, balancing entry; **A.dividende** *f* equalizing dividend; **A.einrede mehrerer Bürgen** *f* benefit of division; **A.empfänger** *m* recipient of equalization payments; **A.entschädigung** *f* compensation, compensatory damages; **a.fähig (durch)** *adj* offsettable (against); **A.faktor** *m* balancing/compensatory factor; **A.fehler** *m* counter error; **A.fonds** *m* equalization fund; **A.forderung** *f* equitable damages, equalization claim; **A.frist** *f* equalization period; **A.gesetz der Planung** *nt* law on balancing organisational plans; **A.guthaben** *nt* compensating balance; **A.gutschrift** *f* compensatory credit entry; **A.kasse** *f* compensation fund; **A.kalkulation** *f* offsetting calculation, compensatory pricing; **A.klausel** *f (Lohn)* escalator clause; **A.koeffizient** *m* coefficient of equivalence; **A.konto** *nt* compensation/balance/regulation/settlement account, overs and shorts account; **A.kredit** *m* compensatory credit, stopgap loan; **A.kredite** borrowing to smooth budgetary irregularities; **A.kurs** *m* clearing rate; **A.kürzung** *f* compensatory cut; **A.lager** *nt* 1. *(Rohstoff)* buffer stocks; 2. storage warehouse; **A.leistung** *f* compensation/side payment, equalization of burdens payment; **A.lohn** *m* compensation pay; **A.maßnahme** *f* countervailing measure, carry-over arrangement; **A.mechanismus** *m* compensatory mechanism; **A.messzahl** *f* equalization figure; **A.operation** *f* settlement, settling/accommodating transaction; **A.pflicht** *f* compensation payments liability; **A.pflichtige(r)** *f/m (Erbe)* collator

Ausgleichsposten *m* per contra/adjusting/adjustment/compensating item, counter entry, tax-equalization item; **A. für Anteile in Fremdbesitz** minority interests; **A. aus der Konsolidierung** adjustment from consolidation

Ausgleichs|prämie *f* compensating bonus, catch-up allowance; **A.preis** *m* compensatory price; **A.punkt** *m* break point; **A.quittung** *f* receipt in full discharge; **A.regelung** *f* compensatory adjustment; **A.rente** *f* equalizing pension; **A.reserve** *f* buffer pool/stocks; **A.rücklage** *f* operating/equalization reserve; **A.ruhezeit** *f* time-off in lieu; **A.schuld** *f* equalization debt; **A.stelle** *f* clearing house; **A.steuer** *f* compensatory duty, regulatory/use *[US]* tax; **A.stock** *m* equalization fund; **A.tendenz** *f* compensating tendency; **A.termin** settlement date; **A.transaktionen** *pl* accommodating/settling transactions; **A.umlage** *f* equalization levy; *[EU]* perequation levy; **A.verfahren** *m* composition proceedings; **A.vorrat** *m* buffer stock(s); **A.wechsel** *m* bill in full settlement, remittance per appoint; **A.zahlung** *f* deficiency/equalization/compensatory/parity/side/perequation *[EU]* payment, monetary compensatory amount, compensation pay-out; **A.zeit** *f* balancing time; **A.zoll** *m* compensatory/countervailing/contingent/matching/equalizing duty, compensating tariff; **A.zugeständnis** compensatory concession; **A.zulage** *f* cost-of-living allowance; **A.zuweisung** *f* deficiency grant, equalization payment

Ausgleichung *f* clearing, settlement, adjustment, compensation, neutralization, equation, composition; **A.sdumping** *nt* anticipatory dumping; **A.srechnung** *f* method of compensation

ausglieder|n *v/t* 1. *(Unternehmen)* to divest/separate/disincorporate, to hive/spin off; 2. *(Bilanz)* to show separately, to take out; **A.ung** *f* separation, hiving off, spin-off

ausgrab|en *v/t* to dig up/out, to excavate/unearth/disinter; **A.ung** *f* excavation

ausgründ|en *v/t* to disincorporate, to hive/float/spin off; **A.ung** *f* disincorporation, dissolution, float-off, hiving-off, spin-off; **A.ungsvertrag** *m* hiving-off agreement

aushalten *v/t* 1. to endure/bear/stand; 2. *(Druck)* to withstand; **sich a. lassen** to live at so.'s expense

aushandelbar *adj* negotiable; **A.keit** *f* negotiability

Aushandeln *nt* bargaining, negotiation; **a.** *v/t* to negotiate/bargain/settle/secure; **neu a.** to renegotiate

aushändigen *v/t* 1. to hand over, to deliver; 2. *(Dokumente)* to surrender

Aushändigung *f* 1. handing-over, delivery, disposition; 2. *(Dokumente)* surrender; **A.sschein** *m* receipt of delivery

Aushang *m* 1. notice; 2. notice board, billboard *[US]*; **durch A. bekanntgeben** to post up

aushängen *v/t* to put up, to post

Aushängeschild *nt* 1. signboard, front; 2. *(fig)* advertisement; 3. §/$ shingle *[US]*; 4. flagship, showpiece *(fig)*

aushebel|n *v/t* 1. to undermine/erode; 2. to water down; **A.ung** *f* 1. undermining, erosion; 2. watering down

aus|heilen *v/ti* $ to heal; **a.helfen (mit)** *v/i* 1. to help out, to assist; 2. *(Geld)* to accommodate

Aushilfe *f* 1. assistance, help, aid; 2. temporary (worker), temp *(coll)*, casual *(coll)*; 3. *(Geld)* accommodation

Aushilfs|arbeit *f* casual work; **A.arbeiter** *m* odd-job man; *pl* casual labour, temporary workers, call workforce; **A.bestimmungen** *pl* subsidiary provisions; **A.kraft** *f (Büro)* temp *(coll)*, support worker, temporary; **A.kräfte** casual staff, temporary workers/personnel, non-permanent employees, temps *(coll)*; **A.krankenschwester** *f* bank nurse; **durch Agentur vermittelte A.krankenschwester** agency nurse; **A.lehrer(in)** *m/f* supply teacher; **A.lohn** *m* part-time salary; **A.personal** *nt* temporary staff/personnel, casual staff, non-permanent employees; **A.sekretärin** *f* relief secretary, temp *(coll); * **A.tätigkeit** *f* temporary work, temping; **a.weise** *adj* temporary; *adv* on a temporary basis

aushöhlen *v/t* 1. to erode/undermine; 2. *(fig)* to sap

Aushöhlung *f* erosion; **A. des Gehalts-/Lohngefälles** erosion of differentials; **A. der Steuerbasis** tax erosion; **A.seffekt** *m* backwash effect

Aushungern *nt* starvation; **a.** *v/t* to starve

aus|kalkulieren *v/t* to cost, to make a complete estimate; **a.kaufen** to buy out, to forestall; **a.kehren** *v/t* to clear/pay out; **in bar a.kehren** to pay out in cash

auskennen *v/refl* to be familiar with, to know one's way about, to know a trick or two *(coll)*; **sich genau a.** to know the ropes *(coll)*, ~ the ins and outs; **sich überhaupt nicht mehr a.** to be at a loss, ~ all at sea *(fig)*

aus|kippen *v/t* to dump; **a.klagen** *v/t* § to recover by court action, to sue, to decide by litigation; **a.klammern** *v/t* to exclude, to leave aside

Ausklarier|en *nt* ⊖ clearance outwards, outclearance, port clearance; **a.en** *v/t* to clear (out/outwards), to give clearance; **A.ung** *f* clearance outwards; **~ aus dem Zolllager** clearance from bond

aus|kleiden *v/t* *(Kiste)* to line; **A.kleidung** *f* lining; **a.klügeln** *v/t* to work out, to devise ingeniously; **a.kohlen** *v/t* ⚒ to clear (of coal)

Auskommen *nt* livelihood, subsistence; **sein A. habe[n]** to get by, to pay one's way; **kärgliches A. haben** to ek[e] out a (scanty) living; **hinreichendes A.** sufficiency

auskommen (mit) *v/i* to manage (with sth.); **a. müsse[n]** to have to manage; **mit etw. a.** to make do with sth., t[o] dispense with sth.; **ohne etw. a.** to go/make do withou[t] sth., to dispense with sth.; **mit jdm gut a.** to have a goo[d] working relationship with so., to hit it off with so.; **gerade so/knapp a.** to make both ends meet *(fig)*

auskömmlich *adj* sufficient, adequate

auskundschaften *v/t* to sound/spy out, to scout trace/explore/reconnoitre

Auskunft *f* 1. information, intelligence, disclosure; 2 enquiry, information/enquiry office; 3. *(Bewerbung* reference; 4. ☎ directory enquiries/assistance *[US]*; 5 *(Stelle)* information desk; **Auskünfte** information; **A der Auskunftei** agency report; **A. über Kreditwürdigkeit** status report; **~ Straftaten** disclosure of previous convictions

um Auskunft bitten to ask for/request information; **A einholen** to obtain information; **~ über jdm** to take u[p] a reference; **A. erteilen** to furnish/give/supply information; **falsche Auskünfte erteilen** to furnish false information; **A. geben** to provide information, to give intelligence; **Auskünfte preisgeben** to disclose information; **A. verweigern** to decline information

falsche Auskunft false/wrong information, misinformation; **~ und entstellte Auskünfte** false and misleading information; **genaue A.** detailed information **günstige A.** favourable information; **quantitativ[e] Auskünfte** facts and figures; **sach-/zweckdienlich[e] Auskünfte** § relevant/pertinent information; **unbestimmte A.** vague information; **ungünstige A.** unfavourable information

Auskunftei *f* 1. inquiry/credit agency, credit burea[u] *[US]*, information office/bureau, inquiry office, commercial/mercantile agency; 2. *(Kredit)* status agency **A.bericht** *m* credit information, status agency report

Auskunft|ersuchen *nt* letter of inquiry, request for information; **A.geber** *m* informant, referee

Auskunfts|abteilung *f* intelligence/information department; **A.anspruch** *m* entitlement to discovery, right t[o] be informed; **A.begehren** *nt* request for information **a.berechtigt** *adj* entitled to receive information; **A.berechtigter** *m* person entitled to receive information **A.bereitschaft** *f* willingness to disclose/give information; **A.blatt** *nt* information document/sheet; **A.buch über Kunden** *nt* opinion book; **A.büro** *nt* information/inquiry/enquiry office, (general) information centre, information bureau; **A.dienst** *m* 1. information service; 2. ☎ directory enquiries; **A.ersuchen** *nt* lette[r] of inquiry, trade inquiry; **a.freudig** *adj* forthcoming with information; **A.person** *f* informant, consultant **A.pflicht** *f* duty of disclosure, obligation to give/provide information, ~ disclose, liability to discover **a.pflichtig** *adj* required to give information, liable t[o] provide information, ~ to discovery, obliged to disclose; **A.recht** *nt* right to (demand/obtain) information

A.schalter/A.stand *m* information desk; **A.schein** *m* information slip; **A.stelle** *f* inquiry/information office; **A.suchende(r)** *f/m* enquirer; **A.verfahren** *nt (Bank)* reference procedure; **A.verlangen** *nt* request for information; **A.verweigerungsrecht** *nt* privilege of non-disclosure, right of refusal to give information

Auslade|bahnhof *m* 🚂 unloading station; **A.hafen** *m* ⚓ port of discharge

Ausladen *nt* unloading, discharge, landing; **beim A.** on discharge; **a.** *v/t* to unload/discharge/land/lighten/unship, to load out

Ausladeort *m* place of discharge, unloading point

Auslader *m* unloader

Ausladerampe *f* unloading platform

Ausladung *f* discharge, unloading; **A. über Schiffsseite** discharge overside

Auslage *f* 1. *(Geld)* expense, outlay, disbursement; 2. *(Schaufenster)* display, goods displayed, set-out *(coll)*; **A.n** *(Geld)* outlay, expenditures, expenses, disbursement, out-of-pocket expenses; **A.n des Zeugen** expenses of witness

Auslagen bestreiten to defray expenses; **A. ersetzen/(zurück)erstatten/vergüten** to refund/reimburse expenses; **A. wieder hereinbekommen** to recover one's outlay; **A. tragen** to meet the expenses

allgemeine Auslagen ordinary expenses; **angemessene A.** reasonable expenses; **erstattungsfähige A.** reimbursable expenses; **finanzielle A.** financial outlay; **kleine A.** petty expenses; **notwendige A.** necessarily incurred expenses; **sonstige A.** sundries

Auslagen|abrechnung *f* statement of expenses, expense account; **A.aufstellung** *f* specification of disbursements; **A.ersatz/A.erstattung** *m/f* reimbursement of expenses; **A.erstattungsanspruch** *m* claim for reimbursement of expenses; **A.klausel** *f* disbursement clause; **A.material** *nt* display material; **A.nota** *f* account of disbursements; **A.rechnung** *f* note of disbursements

auslagern *v/t* 1. to take out of store, to withdraw from a warehouse, to remove, to store outside; 2. *(Arbeit)* to outsource

Auslagerung *f* 1. release from store/stock, removal, retrieval; 2. *(Betrieb)* dislocation; 3. outsourcing; **A.stendenz** *f* trend towards outsourcing

Auslagetisch *m* display counter

Ausland *nt* foreign countries; **aus dem A.** from abroad; **im/ins A.** abroad, overseas, offshore; **im A. geboren** foreign-born; **~ hergestellt** foreign-made; **ins A. gehen** to go abroad; **~ reisen** to travel abroad; **aus dem A. zurückbringen** to repatriate

Ausländer|(in) *m/f* 1. foreigner; 2. foreign national/person, non-national, foreign subject, § alien; 3. *(Steuer)* non-resident; **für A. frei konvertierbar** externally convertible; **unerwünschter A.** undesirable alien

Ausländer|amt *nt* aliens office/department; **A.anlage** *f* foreign investment; **A.beschäftigung** *f* employment of foreigners; **A.datei** *f* records of aliens; **A.depot** *nt* non-resident securities account; **a.feindlich** *adj* hostile (to foreigners), xenophobic; **A.feindlichkeit** *f* racial tension, xenophobia; **A.gesetz** *nt* law concerning foreigners, aliens act; **A.guthaben** *nt* external assets; **A.konto** *nt* foreign resident's account, external/non-resident/registered account; **A.konvertibilität/A.konvertierbarkeit** *f* external/non-resident convertibility, convertibility for non-residents; **A.reiseverkehr** *m* foreign tourist trade; **A.sonderkonto** *nt* non-resident's special account; **A.status** *m* § alienage; **A.vermögen** *nt* alien/foreign-owned property

ausländisch *adj* foreign, alien

Auslands|- offshore, overseas; **a.abhängig** *adj* dependent on foreign influences; **A.absatz** *m* export/external sales, sales abroad, foreign market; **A.abteilung** *f* foreign department, international division; **A.akkreditiv** *nt* credit opened in a foreign country; **A.aktie** *f* foreign share; **A.aktiva** *pl* foreign/external assets; **A.aktivitäten** *pl* overseas/external operations; **A.akzept** *nt* foreign bill/acceptance; **A.angebot** *nt* supply from abroad; **A.anlage** *f* foreign investment/assets, investment abroad, ~ in foreign countries; **A.anleihe** *f* foreign loan/bond, external loan/bond; **A.anteil** *m* foreign content/proportion/share; **A.arbitrage** *f* outward arbitrage; **A.aufenthalt** *m* residence/stay abroad; **A.auftrag** *m* export/foreign/offshore/overseas order, order from abroad, overseas/export contract, indent; **A.auftragseingang** *m* (inflow of) foreign orders; **A.bank** *f* foreign/offshore bank; **A.bau** *m* foreign construction work/activities; **A.bedarf** *m* foreign demand; **A.belegschaft** *f* overseas employees, employees operating abroad; **A.berichterstatter** *m* foreign correspondent; **A.besitz** *m* 1. overseas/foreign holdings; 2. assets held abroad/by foreigners

Auslandsbestellung *f* export/foreign/overseas/offshore order, indent; **A. für ein Markenprodukt** closed/specific indent; **A. ohne Markenspezifizierung** open indent

Auslands|beteiligung *f* 1. *(Investition)* holding/investment abroad, foreign investment(s)/participations/interests, investment in foreign countries; 2. *(Messe)* foreign exhibitors; **A.beteiligungen** *pl* foreign/overseas holdings; **A.bevollmächtigter** *m* foreign agent; **A.bezug** *m* goods purchased abroad; **A.bezüge** imports; **A.bilanz** *f* foreign balance sheet; **A.bond** *m* external bond; **A.brief** *m* letter sent abroad, overseas letter *[GB]*; **A.darlehen** *nt* overseas loan; **A.debitoren** *pl* foreign receivables; **A.direktion** *f* international division; **A.effekten** *pl* foreign stocks/securuties; **A.einkommen/A.einkünfte** *nt/pl* overseas *[GB]*/foreign income; **A.einlagen** *pl* foreign/non-resident deposits; **A.einsatz** *m* international assignment; **A.emission** *f* foreign issue; **A.engagement** *nt* foreign investment, capital expenditure abroad, investments abroad; **A.erfahrung** *f* international experience, experience acquired abroad; **A.erträge** *pl* foreign earnings; **A.erzeugnis** *nt* overseas product; **A.fakturenbuch** *nt* sales journal; **A.fertigung** *f* manufacturing abroad, foreign production; **A.filiale** *f* overseas/foreign branch, branch abroad; **A.flug** *m* international/non-domestic flight; **A.fonds (mit Sitz in Steueroase)** *m* offshore fund; **A.forderung** *f* foreign debt; **A.forderungen** external claims, foreign debtors/receivables/assets; **A.fracht** *f* cargo/freight sent abroad; **A.geld(er)** *nt/pl* foreign funds/money/balances; **A.geschäft** *nt* 1. export trade, overseas/international operations, ~ business, foreign transaction/business, foreign-related business; 2. *(Bank)* foreign services; **A.gespräch** *nt* ✆ international call; **A.gewinne** *pl* offshore profits; **A.gläubiger(in)** *m/f* foreign creditor; **A.güter** *pl* foreign goods; **A.guthaben** *pl* foreign deposits/assets/balances, external accounts, non-resident deposits; **A.handelskammer** *f* foreign chamber of commerce; **A.hilfe** *f* foreign aid; **A.investition(en)** *f/pl* foreign/offshore/international/cross-boarder investment, foreign issue, investment/capital expenditure abroad, investments in foreign countries; **A.kapital** *nt* foreign capital/funds/funding; **A.kapitalanlage** *f* investment abroad, offshore investment; **A.kauf** *m* offshore purchase; **A.käufe** *(Börse)* foreign buying; **A.konjunktur** *f* foreign boom; **A.konkurrenz** *f* foreign competitors, competition from abroad; **A.kontakte** *pl* contacts abroad; **A.konto** *nt* external/foreign/rest-of-the-world account; **A.korrespondent(in)** *m/f* foreign/ commercial correspondent; **A.korrespondenz** *f* foreign correspondence

Auslandskredit *m* foreign credit/lending/borrowing; **kurzfristiger A.** swing credit; **A.geschäft** *nt* international lending (business)

Auslands|kunde *m* foreign buyer/customer, overseas buyer; **A.markt** *m* overseas/foreign/export/external market; **A.messe** *f* foreign (trade) fair; **A.montage** *f* offshore assembly; **A.nachfrage** *f* foreign/overseas/external/export demand, demand from abroad; **A.netz** *nt* foreign network; **A.niederlassung** *f* overseas/foreign branch, branch abroad; **A.obligo** *nt* lendings to foreign borrowers; **A.order** *f* foreign/overseas order, order from abroad; **a.orientiert** *adj* foreign-orient(at)ed; **A.passiva** *pl* external liabilities; **A.patent** *nt* foreign patent; **A.porto** *nt* 1. foreign postage; 2. international/overseas postage (rate); **A.postanweisung** *f* international/overseas money order, foreign currency order; **A.praktikum** *nt* traineeship abroad; **A.produkt** *nt* overseas product; **A.rechtsstreit** *m* out-of-state case

Auslandsreise *f* trip abroad; **A.n** foreign travel; **A.nder** *m* export traveller; **A.tätigkeit** *f* foreign travel; **A.versicherung** *f* foreign travel insurance

Auslands|rente *f* non-resident's pension; **A.repräsentanz** *f* representative office abroad; **A.risiken** *pl (Kredit)* cross-border exposure; **A.sache** *f* § out-of-state case; **A.saldo** *m* net foreign position; **A.scheck** *m* foreign cheque *[GB]*/check *[US]*; **A.schuld(en)** *f/pl* overseas/foreign/external/international debt(s); **A.schuldendienst** *m* service of foreign debts; **A.schuldverschreibung** *f* external/foreign bond; **A.schutzbrief** *m* international travel cover; **A.sichtguthaben in Inlandswährung** *nt* foreign exchange; **A.spediteur** *m* foreign shipper; **A.status** *m* foreign position, foreign assets and liabilities; **A.strafregister** *nt* criminal register of offences committed abroad; **A.straftaten** *pl* offences committed abroad; **A.strecke** *f* ✈ international/foreign route; **A.stück** *nt* foreign-owned security; **A.telefongespräch** *nt* overseas/international/foreign call; **A.telegramm** *nt* international telegramme; **A.titel** *m (Börse)* external security; **A.tochter** *f* foreign/overseas subsidiary, overseas offshoot; **A.tourismus** *m* foreign travel, travel abroad; **A.überweisung** *f* foreign currency remittance; **A.umsatz** *m* overseas/foreign/international sales, sales abroad, export turnover; **A.urlaub** *m* holiday abroad; **A.verbindlichkeit** *f* external/foreign liability, liability to non-residents; **mindestreservepflichtige A.verbindlichkeiten** reserve-carrying foreign liabilities; **A.verflechtung** *f* international capital links; **A.verkäufe** *pl* foreign sales, selling/sales abroad; **A.vermögen** *nt* external/foreign assets, assets held abroad, alien property; **A.verpflichtung** *f* foreign liability; **A.verschuldung** *f* foreign/external debt(s); **öffentliche A.verschuldung** public foreign debts; **A.vertreter** *m* overseas agent, foreign representative/factor, representative abroad; **A.vertretung** *f* 1. foreign branch, representative office abroad; 2. diplomatic mission abroad; **A.währung** *f* foreign currency; **A.wechsel** *m* foreign bill of exchange, external/foreign bill, bill in foreign currency; **A.wert** *m* foreign share/value; **A.werte/A.wertpapiere** *pl* foreigners, foreign securities/stocks/assets; **a.wirksam** *adj* effective abroad, externally effective; **A.wirtschaft** *f* foreign economy; **A.wohnsitz** *m* residence abroad; **A.zahlung** *f* foreign payment, payment from abroad; **A.zahlungsverkehr** *m* international/foreign payments, foreign payment transactions; **A.zulage** *f* foreign service/overseas allowance; **A.zustellung** *f* § service beyond national jurisdiction, service abroad

auslass|en *v/t* to omit/jump, to leave out; **A.ung** *f* 1. omission; 2. *(Bemerkung)* remark

auslasten *v/t* to utilize/employ, to use to capacity; **nicht a.** to underutilize/underuse

Auslastung *f* 1. workload, volume of work; 2. *(Produktion)* capacity usage/utilization, loading, extent of utilization, utilization of facilities, utilization/operating rate; 3. *(Fahrzeug)* use of loading capacity; 4. *(Hotel)* occupancy level; **bei voller A.** at capacity; **höhere A. der Arbeitskraft** stretch-out *[US]*; **volle ~ Betriebskapazität** full utilization of plant; **~ Fertigung** production loading

durchschnittliche Auslastung average utilization; **geplante A.** budgeted level of activity; **kostendeckende A.** break-even load; **mangelnde A.** underemployment; **volle A.** working to capacity, capacity utilization

Auslastungs|grad *m* degree of utilization, capacity utilization rate, load factor, workload level, capacity usage ratio, overall performance, operating rate; **~ der Produktionskapazität** utilization of production capacity; **A.kontrolle** *f* utilization supervision; **A.kontrollkarte** *f* load chart; **A.quote** *f* 1. revenue load factor, occupancy/operating rate, degree of utilization; 2. *(Hotel)* occupancy rate; **A.srate** *f* occupancy rate

Auslauf|ausgabe *f* residual expenditure, expenditure carried over; **a.bereit** *adj* ⚓ ready to sail; **A.datum** *nt* 1. expiry date; 2. ⚓ sailing date

Auslaufen *nt* 1. *(Gültigkeit)* expiry; 2. ⚓ sailing; 3. *(Produktion)* phasing out; 3. *(Flüssigkeit)* leakage, discharge; **am A. gehindert** ⚓ weatherbound; **A. von Chemikalien** *nt* chemical spillage; ~ **Öl** oil spill

auslaufen *v/i* 1. *(Gültigkeit)* to expire/mature, to run out; 2. ⚓ to sail, to leave port, to weigh anchor; 3. *(Produkt)* to discontinue, to be phased out; 4. *(Übernahmeangebot)* to become unconditional; 5. *(Flüssigkeit)* to leak (out); **a. lassen** to phase out, to wind up; **langsam a.** to taper/tail off

auslaufend *adj* ⚓ outbound, outward-bound

Auslauf|genehmigung *f* ⚓ clearance; **A.hafen** *m* port of departure; **A.modell** *nt* 1. discontinued line; 2. 🚗 end-of-range-model; **A.periode** *f* extension period; **A.phase** *f* 1. *(Produktionszyklus)* abandonment stage; 2. *(Konjunktur)* waning phase; **A.produkt** *nt* discontinued item, dog *[US]*; **A.verlust** *m* 1. terminal loss; 2. *(Flüssigkeit)* leakage, ullage

Auslaugen des Bodens *nt* soil exhaustion; **a.** *v/t* 1. *(Boden)* to exhaust; 2. ⚗ to leach

auslegen *v/t* 1. to lay out, to design; 2. *(Ware)* to display/exhibit; 3. *(Geld)* to disburse; 4. *(Kredit)* to grant/lend/advance; 5. *(Kiste)* to line; 6. § to interpret/construe, to put a construction on sth.

einschränkend/eng auslegen 1. to interpret restrictively, to give a narrow interpretation; 2. § to construe strictly, to put a narrow construction on; **falsch a.** to misconstrue/misinterpret; **großzügig/weit a.** 1. to give a broad interpretation, to interpret widely/liberally; 2. § to put a broad construction on

Ausleger *m* ⚓ boom; **A.kran** *m* jib crane

Auslege|schrift *f* *(Pat.)* specification (for public inspection), publication of the examined application; **A.tag** *m (Pat.)* publication date

Auslegung *f* 1. interpretation, reading; 2. § construction; 3. ⚙ specification(s), configuration, layout, design; **A. von Gesetzen** statutory interpretation; **A. eines Vertrages** construction of a contract

abweichende Auslegung divergent interpretation; **amtliche A.** official interpretation; **begriffliche A.** conceptual/doctrinal interpretation; **buchstäbliche A.** literal interpretation; **einheitliche A.** uniform interpretation; **enge A.** narrow construction; **falsche A.** misinterpretation; **maßgebliche A.** authoritative interpretation; **öffentliche A.** laying open to public inspection, display for public inspection; **richterliche A.** judicial interpretion/construction; **sinngemäße A.** equitable construction, logical interpretation; **sinnwidrige A.** misinterpretation, misleading interpretation; **strenge A.** rigorous interpretation, strict construction; **verbindliche A.** authoritative interpretation; **verfahrenstechnische A. (von Anlagen)** process design; **weite/weitgehende A.** broad/liberal interpretation; **wohlwollende (dem Willen des Erblassers nahekommende) A.** § cy-près *[frz.]*; **wörtliche A.** literal interpretation

Auslegungs|bedürftigkeit *f* necessity of interpretation; **A.bestimmung** *f* interpretation clause; **A.frage** *f* question of interpretation; **A.freiheit** *f* permissible extent of interpretation; **A.grundsätze** *pl* canons of construction; **A.regeln** *pl* rules of interpretation; **A.spielraum** *m* scope of interpretation; **A.sache** *f* matter of interpretation

ausleih|bar *adj* borrowable, loanable; **A.bibliothek/A.bücherei** *f* lending library

ausleihen *v/t* 1. *(entleihen)* to borrow; 2. *(verleihen)* to lend/loan, to hire out; **kurzfristig a.** to lend short(-term); **langfristig a.** to lend long(-term)

Ausleiher *m* 1. lender, credit grantor; 2. borrower; 3. *(Pfandleiher)* pawnbroker

Ausleih|möglichkeiten *pl* borrowing facilities; **A.prioritäten** *pl* priority lending; **A.quote** *f* lending ratio

Ausleihung *f* 1. borrowing; 2. lending, hiring out, loan, advance; **A.en** 1. loans, outstanding lending, credit outstanding; 2. lendings, lending commitment; 3. credit activities/operations

Ausleihungen an Geschäftskunden business lending; **A. mit einer Laufzeit von ...** loans for a term of ...; **A. an Privatkunden** personal lending; **A. zum festen Zinssatz** fixed-interest lending

Bank-zu-Bank Ausleihungen inter-bank lendings; **kurzfristige A.** short-term lendings; **langfristige A.** long-term lendings; **sonstige A.** other loans

Ausleihungs|befugnis *f* lending power(s); **A.quote** *f* lending ratio; **A.satz** *m* borrowing/lending/loan rate; **A.stand** *m* total lendings

Ausleihverpflichtung *f* lending obligation

Auslese *f* selection, choice; **natürliche A.** natural selection; **A.n** *nt* 1. selection; 2. sorting; 3. 💻 read-out; **a.n** *v/t* 1. to select; 2. to sort out

Auslese|politik *f* *(Notenbank)* eligibility policy; **A.prozess** *m* selection process/procedure; **A.prüfung** *f* competitive examination; **A.verfahren** *nt* screening process; **A.vorrichtung** *f* sorter

auslicht|en *v/t* 🌲 to clear, to thin out; **A.ung** *f* clearance

Auslieferer *m* distributor, deliverer

ausliefern *v/t* 1. to deliver/ship; 2. to supply; 3. *(Dokumente)* to surrender; 4. *(Person)* to extradite

Auslieferung *f* 1. delivery; shipment, supply; 2. *(Dokumente)* surrender; 3. *(Person)* extradition; **zahlbar bei A.** cash on delivery; **A. der Schiffspapiere gegen Bezahlung** documents against payment (D/P); **A. eigener Staatsangehöriger** extradition of nationals; **A. von Stücken** *(Wertpapiere)* delivery of securities, physical delivery; **A. ablehnen** to refuse extradition; **freie A.** *(Handel)* store-door delivery service; **verzögerte A.** delayed delivery

Auslieferungs|abkommen *nt* § extradition treaty; **A.abteilung** *f* delivery department; **A.agent** *m* ⊖ distributing/forwarding agent; **A.anspruch** *m* claim/right to delivery; **A.antrag** *m* § application/request for extradition; **A.anweisung/A.auftrag** *f/m* delivery order (D/O); **A.bedingungen** *pl* terms/conditions of delivery; **A.befehl** *m* § extradition order; ~ **ausstellen** to make an extradition order; **A.beleg/A.bescheinigung** *m/f* delivery ticket, certificate of delivery; **A.beschluss** *m* § writ of extradition; **A.buch** *nt* delivery book; **A.datum** *nt* date of delivery; **A.ersuchen** *nt* § application/request for extradition; **a.fähig** *adj* § extraditable; **A.fahrer** *m* delivery (rounds) man; **A.gebühr** *f* delivery charge; **A.gesetz** *nt* extradition act; **A.gewicht** *nt* delivered weight; **A.hafen** *m* port of delivery; **vorläufige A.haft** § detention/confinement pending extradition, custody prior to extradition, provisional arrest; **A.inspektion** *f* pre-delivery inspection; **A.klausel** *f* delivery clause; **A.lager** *nt* distribution centre/depot/warehouse, consignment stock, (distributing) depot, supply station/store/depot; **A.nachweis** *m* proof of delivery; **A.personal** *nt* delivery staff; **A.plan** *m* supply schedule; **A.provision** *f* delivery commission; **A.rhythmus** *m* rate of delivery; **A.schein** *m* delivery note, delivery order (D/O); **A.tag** *m* date of delivery; **A.termin** *m* delivery date; **A.verbot** *nt* § prohibition of extraditing so.; **A.verfahren** *nt* § extradition proceedings; **A.verpflichtung** *f* § obligation to extradite; **A.versprechen** *nt* promise of delivery; **A.vertrag** *m* 1. § extradition treaty; 2. delivery contract; **A.verweigerung** *f* refusal to deliver; **A.werk** *nt* supply plant; **A.zettel** *m* delivery note/slip

aus|liegen *v/i* to be displayed; **a.liquidieren** *v/t* to liquidate fully

auslist|en *v/t* *(Lieferanten)* to delist; **A.ung** *f* delisting

auslob|en *v/t* to offer a reward/prize; **A.ung** *f* (offer of a) reward; **A.ungstarif** *m* special rate

auslosbar *adj* callable by lot, drawable, redeemable by drawings

auslösbar *adj* redeemable; **A.keit** *f* redeemablility

auslösch|en *v/t* 1. to extinguish; 2. *(Schrift)* to efface; **A.ung** *f* 1. extinction; 2. effacement

auslosen *v/t* to draw (by lot), to raffle, to distribute by lots

auslös|en *v/t* 1. to release; 2. to trigger (off), to set/spark off, to unleash/precipitate/actuate, to give rise to, to prompt/cause; 3. *(tilgen)* to redeem/pay; **A.er** *m* ✿ trigger; **A.etaste** *f* ⌨ release bar

Auslosung *f* 1. *(Anleihe)* (bond-)drawing; 2. raffle, prize competition; 3. lottery draw

Auslösung *f* 1. release; 2. (field) allowance, severance pay, termination payment; 3. *(Tilgung)* redemption; 4. ✿ actuation; **A. einer Vertragsstrafe** forfeiture of a penalty bond, events resulting in a penalty

Auslosungs|anleihe *f* lottery/premium *[GB]* bond; **A.anzeige** *f* notice of drawing; **A.gruppe** *f* drawing group; **A.kurs** *m* redemption/drawing price; **A.liste** *f* list of drawings; **A.nummern** *pl* numbers drawn

Auslösungs|preis *m* *[EU]* activating price; **A.recht** *nt* right of redemption, ~ to redeem

Auslosungs|recht *nt* drawing right; **A.schein** *m* drawing certificate; **A.tag/A.termin** *m* drawing date, date of drawing

auslot|en *v/t* to take soundings; **A.ung** *f* sounding

ausmachen *v/t* 1. to account for; 2. to represent/constitute/make; 3. *(Zahlen)* to work out as, to add up to, to amount/come to; 4. *(Vereinbarung)* to arrange/stipulate; 5. to agree/settle; 6. to turn off/out; 7. 🚜 to lift; **bis zu a.** to stretch to; **viel a.** to make all the difference

ausmanövrieren *v/t* to outmanoeuvre/outsmart

Ausmarkung *f* exclusion of land from local jurisdiction

Ausmaß *nt* 1. degree, extent, scale, rate, proportion, scope, magnitude; 2. measure, size, dimension(s); **A.e** dimensions, proportions, measurements; **A. der Liberalisierung** degree of liberalisation; **~ Steuerbelastung** tax exposure; **A. des Verschuldens** § degree of negligence; **A. einer Epidemie annehmen** to reach epidemic proportions

in nie dagewesenem Ausmaß on an unprecedent scale; **in gleichem A. (wie)** commensurate (with); **in großem A.** on a large scale; **in solchem A.** to such an extent; **riesige A.e** gigantic dimensions/proportions

aus|merzen *v/t* to eliminate/eradicate, to weed/comb/stamp out; **A.merzung** *f* elimination; **a.messen** *v/t* 1. to measure (out), to ga(u)ge; 2. *(Grundstück)* to survey; **a.münzen** *v/t* to mint/coin; **A.münzung** *f* mintage, coinage

ausmuster|n *v/t* 1. to take out of service, to decommission; 2. *(Ware)* to reject/discard; 3. 🏭 to withdraw/scrap; **A.ung** *f* 1. decommissioning; 2. *(Ware)* rejection; 3. 🏭 withdrawal, scarpping; **~ von Anlagen** elimination/scrapping of equipment

Ausnahme *f* 1. exception, exclusion; 2. *(Befreiung)* exemption; 3. *(Vorbehalt)* proviso; **mit A. von** except for, saving, save (that), with the exception of, excepting, barring; **ohne A.** without exception; **A. von der Regel** exception to the rule; **A.n zur Wahrung der Sicherheit** security exceptions; **die A. bestätigt die Regel** the exception proves the rule; **A. bilden** to be on exception; **rühmliche A.** noteworthy exception

Ausnahme|- exceptional; **A.behandlung** *f* exemptive treatment; **A.bescheinigung** *f* exempting certificate; **A.bestimmung** *f* saving clause, exceptional provision, special regulation; **A.bewilligung** *f* dispensation, exceptional grant; **A.erscheinung** *f* exception; **A.fall** *m* exception, special/exceptional case, emergency, eventuality; **im A.fall** by way of exception; **A.frachtsatz** *m* differential rate; **A.genehmigung** *f* special licence/authorization, derogation exemption, exceptional permission; **A.gericht** *nt* special tribunal; **A.gerichtsbarkeit** *f* special jurisdiction; **A.gesetz** *nt* emergency act/law; **A.gesetzgebung** *f* emergency legislation; **A.klausel** *f* exemption/exception clause; **A.preis** *m* exceptional/special price; **A.prinzip** *nt* principle of exception, exception principle; **A.recht fremder Staatsangehöriger** *nt* special legal status of foreigners; **A.regelung** *f* exception, exceptional regulation/rule, derogation, saving regulation; **A.situation** *f* special/exceptional situation; **A.stellung** *f* special position; **A.tarif** *m* 1. preferential/special/differential rate; 2. 🚆 exception rate; **~ im Binnenverkehr** special internal tariff; **A.verordnung** *f* provisional order; **A.vorrecht** *nt* exemption privilege; **A.vorschrift** *f* exception stipulated in the contract; **A.zustand** *m* state of emergency; **~ verhängen** to declare a state of emergency

ausnahms|los *adv* invariably, without exception; **a.weise** *adv* by way of exception, exceptionally, as an exceptional measure

ausnehmen (von) *v/t* 1. to exempt/except (from), to

make an exception, to set aside; 2. *(ausbeuten)* to exploit (so.)

ausnutzen/ausnützen *v/t* 1. to make use of, to utilize/exploit, to take (undue) advantage of, to cash in/captilize (on sth.), to trade on; 2. *(Kapazität)* to employ; 3. *(Pat.)* to work; **gründlich/voll a.** to take full advantage of, to use to the full; **gut a.** to turn to (good) account

Ausnutzung/Ausnützung *f* utilization, exploitation, use, milking *(coll)*; **A. von Anlagen** capacity utilization, utilization of (existing) plant; **A. der Marktlage** exploiting of the market situation; **missbräuchliche ~ Marktmacht** abuse of market power; **A. des Rechtsweges** § exhaustion of remedies; **mangelnde A.** underemployment; **missbräuchliche A.** abuse; **rationelle A.** effective/rational utilization, efficient employment; **A.sgrad** *m* utilization level, level of capacity utilization, capacity utilization level/ratio, load factor

Auspacken *nt* *(Container)* destuffing; **a.** *v/t* 1. to unpack/unwrap; 2. to speak out/up *(coll)*; 3. *(Container)* to destuff/strip

Aus|packer *m* unpacker; **a.pendeln** *v/t* to commute (out); *v/refl* to settle down, to stabilize; **A.pendler** *m* commuter; **a.plündern** *v/t* to pillage/loot/sack/ransack/drain/raid; **A.plünderung** *f* pillage, plunder; **a.prägen** *v/t* to mint/coin; **A.prägung** *f* 1. characteristic; 2. ▦ group, class, attribute; 3. mintage, coining; **a.preisen** *v/t* to price; **a.pressen** *v/t* to squeeze (out); **a.probieren** *v/t* to test, to try out, to have a go (at sth.), to give sth. a try

Auspuff *m* 1. 🚗 exhaust; 2. ✿ discharge nozzle; **A.gase** *pl* exhaust (fumes/gases)

aus|pumpen *v/t* to pump out; **a.quartieren** *v/t* to dislodge; **a.radieren** *v/t* to erase, to rub out; **A.radierung** *f* erasure/erasion; **a.rangieren** *v/t* to withdraw/discard/scrap; **a.rauben** *v/t* to rob/plunder; **a.räumen** *v/t* to clear out

ausrech|nen *v/t* to calculate/compute, to figure/work out, to cast accounts; **falsch a.nen** to miscalculate; **A.nung** *f* calculation, computation, reckoning, extension, worked-out figues

ausreichen *v/i* 1. to suffice/serve, to be adequate; 2. *(Kredit)* to grant/extend; **a.d** *adj* satisfactory, sufficient, adequate, ample

Ausreichung(en) *f* lending

ausreif|en *v/i* to mature; **A.ungszeit des Kapitals** *f* gestation period

Ausreise *f* departure, outward voyage/journey, exit, outvoyage; **auf der A. (befindlich)** outbound, outward-bound; **bei A. verzollen** ⊖ to clear outward; **A.erlaubnis/A.genehmigung** *f* 1. exit permit, permission to leave the country; 2. sailing permit *[US]*; **a.nd** *adj* outward-bound; **A.visum** *nt* exit visa

aus|reißen *v/t* 1. to tear out; 2. *(weglaufen)* to run away; **A.reißer** *m* 1. ▦ maverick, outlier, blip, extreme, erratic item; 2. runaway, escapee, fugitive; **a.reizen** *v/t* to exhaust; **a.renken** *v/t* $ to dislocate

ausrichten *v/t* 1. to accomplish/achieve; 2. to take a message; 3. to gear/tailor to; 4. ✿ to align/adjust; 5. *(Feier)* to arrange; 6. *(Veranstaltung)* to organise; **neu a.** to realign/readjust; **jdm etw. a. lassen** to leave a message for so.

Ausrichter *m* organiser

Ausrichtung *f* 1. alignment, orientation; 2. organisation, arrangement; 3. *(Zeitung)* bias; 4. gearing, tailoring; **A. auf den Kunden** client orientation, customer focus; **A. der Politik** orientation of a policy; **strategische A.** strategic orientation; **A.s- und Garantiefonds** *m [EU]* guidance and guarantee fund; **A.sort** *m* host city

ausrollen *v/t* to roll out; *v/i* ✈ to taxi

ausrott|en *v/t* to exterminate/eradicate, to wipe out, to kill off; **etw. mit Stumpf und Stiel a.en** to destroy sth. root and branch; **sich schwer a.en lassen** to die hard; **A.ung** *f* extermination, eradication, destruction

Ausruf *m* exclamation, outcry; **a.en** *v/t* 1. to call out; 2. *(Lautsprecher)* to page; **A.preis** *m* reserve price; **A.ung** *f* proclamation; **~ des Streiks** strike call

ausrüsten *v/t* 1. to equip/outfit/treat/supply; 2. to fit out, to rig up; 3. 🏭 to tool up; **jdn a. mit** to issue so. with; **nachträglich a.** to retrofit; **neu a.** to reequip/🏭 retool

Ausrüster *m* outfitter

Ausrüstung *f* 1. *(Gegenstand)* equipment, outfit, rig, harness, kit, tackle; 2. fitting-out, equipping; 3. plant equipment; **~ Kleinbuchstaben** lower-case capability

elektrische Ausrüstung electrical equipment; **vom Kunden gestellte A.** customer-provided equipment; **gewerbliche A.(en)** industrial equipment; **kaufmännische A.(en)** commercial equipment; **technische A.** technical equipment; **wissenschaftliche A.** scientific equipment

Ausrüstungs|aufwand *m* equipment spending; **A.beihilfe** *f* configurating aid; **A.gegenstand** *m* piece of equipment; **A.gegenstände** fittings, fixings *[US]*; **A.güter** *pl* machinery and equipment, equipment (goods); **A.industrie** *f* supplies industry; **A.investitionen** *pl* equipment investment/spending, capital expenditure on equipment, expenditure on machinery and equipment, plant and equipment expenditure, business plant and equipment outlays; **gewerbliche A.investitionen** business investment in plant and equipment; **A.investitionsgüter** *pl* capital equipment; **A.kosten** *pl* cost of equipment; **A.lieferant** *m* outfitter; **A.paket** *nt* equipment package; **A.schlüssel** *m* feature number; **A.schwerpunkt** *m* outfitting centre; **A.stück** *nt* piece of equipment; **A.teil** *nt* accessory, piece of equipment; **A.vermietung** *f* equipment leasing

Aussaat *f* 🚜 sowing, seeding; **A.fläche** *f* area sown

Aussage *f* 1. *(Erklärung)* statement; 2. *(Behauptung)* opinion, allegation; 3. *(Bericht)* report; 4. *(Werbung)* message; 5. § deposition, evidence, testimony; **A. des Angeklagten** statement by the accused; **A. unter Eid** deposition, evidence on oath; **A. der Prozessparteien** pleadings; **A. des Sachverständigen** expert's testimony; **auf Grund eigener A. überführt** self-convicted

eidesstattliche Aussage abgeben to swear/take an affidavit; **A. beschwören** to be sworn as witness; **seine A.**

beweisen to prove one's statement; **bei seiner A. bleiben** to stick to one's statement; **A. erpressen** to extort a statement; **freiwillige A. machen** to volunteer for questioning; **A. überprüfen** to verify a statement; **zur falschen A. verleiten** to suborn; **A. verweigern** 1. § to refuse to give evidence; 2. to decline to answer questions; **berechtigt sein, die A. zu verweigern** to be privileged; **A. widerrufen** to retract a statement, to back down from a statement

abträgliche Aussage detrimental testimony; **eidesstattliche A.** solemn declaration; **eidliche A.** affidavit, sworn testimony/deposition, evidence on oath; **nicht ~ A.** unsworn statement; **mündliche A.** parol evidence; **sachliche A.** matter-of-fact statement; **schlagwortartige A.** slogan-like message; **unbeeidigte/uneidliche A.** unsworn statement/evidence/testimony; **falsche ~ A.** false unsworn testimony; **widersprechende A.** counter-statement; **~ A.n** conflicting statements/evidence, divergent testimonies; **widersprüchliche A.** inconsistent statement

Aussage|erpressung *f* extortion of a statement; **a.fähig** *adj* meaningful, revealing; **A.fähigkeit** *f* evidential value, value as evidence; **A.funktion** *f* statement function; **A.kraft** *f* significance, informative value; **wenig ~ haben** to mean little; **a.kräftig** *adj* significant, valid, informative, meaningful

aussagen *v/t* 1. § to state (in evidence), to declare/allege; 2. *(vor Gericht)* to depose; 3. *(Zeuge)* to testify, to (give) evidence; **a. für** to witness for; **a. gegen** to witness against; **in eigener Sache a.** to give evidence as the defendant; **eidlich a.** to declare on oath, to swear; **falsch a.** to give false evidence; **~ gegen jdn** to misinform against so.

Aussagende(r) *f/m* § deponent

Aussage|pflicht *f* duty to give evidence; **A.protokoll** *nt* record of evidence, deposition, minutes of the examination of a witness

Aussageverweigerung *f* refusal to give evidence, ~ testify, ~ answer questions, ~ make a statement; **A. des Angeklagten** silence of the accused

Aussageverweigerungsrecht *nt* legal privilege, right to refuse to give evidence; **A. wegen Gefahr der Selbstbezichtigung** self-incrimination privilege; **A. des Rechtsanwalts** legal professional privilege; **~ Zeugen** privilege of witness; **sich auf das A. berufen** to claim privilege; **anwaltliches A.** privilege of communications between client and solicitor; **berufliches A.** professional privilege

Aussage|wahrscheinlichkeit *f* ▦ confidence coefficient; **A.wert** *m* informative/evidential value, credibility, value as evidence

ausschalt|en *v/t* 1. ✪ to switch/turn off, to deactivate, to cut out; 2. to eliminate; 3. *(Wettbewerb)* to shut out, to squeeze out of business; **A.er** *m* off-switch

Ausschaltung *f* 1. elimination; 2. ✪ cutout

Ausschaltung saisonaler Einflüsse; A. von Sonderbewegungen seasonal adjustment; **A. der Konkurrenz** elimination of competitors; **A. des Trends** trend elimination; **A. von Verlusten** loss elimination; **A. des Währungs-/Wechselkursrisikos** elimination of the exchange risk; **~ Wettbewerbs** suppression of competition; **~ Zwischenhandels** elimination of the middleman

automatische Ausschaltung ✪ automatic cutout

Ausschank *m* public house/bar; **konzessionierter A.** licensed premises; **A.verbot** *nt* prohibition of the on-premise sale of alcoholic beverages; **A.zeiten** *pl* licensing hours

Ausschau *f* lookout; **A. halten nach** to be in the market for, ~ on the lookout for, to look for

Ausscheiden *nt* 1. retirement, termination of employment, departure, withdrawal, exit; 2. removal

Ausscheiden von Aufsichtsrats-/Vorstandsmitgliedern directors' retirement; **A. vor Eintritt in die Warteschlange** *(OR)* balking; **A. aus dem Erwerbsleben** withdrawal from employment; **A. eines Gesellschafters** withdrawal/retirement of a partner; **~ Marktteilnehmers** exit; **A. der besseren Risiken** *(Vers.)* adverse selection; **A. eines Wirtschaftsgutes** retirement of an asset

freiwilliges Ausscheiden voluntary redundancy/retirement/severance; **turnusmäßiges A. (von Verwaltungsratsmitgliedern)** rotation of directors *[GB]*, retirement by rotation; **vorzeitiges A.** taking early retirement

ausscheiden *v/ti* 1. to eliminate/discard; 2. *(absondern)* to separate/earmark, to set aside; 3. *(Personal)* to depart, to quit; 4. *(Pensionierung)* to retire/resign, to leave the employ (of); 5. *(Beamter)* to leave the service; 6. *(Amt)* to step down; 7. to drop out; **turnusgemäß a.** to retire by rotation; **völlig a.** to be utterly out of the question; **vorzeitig a.** to take early retirement

ausscheid|end *adj* outgoing; **A.etafel** *f (Vers.)* decrement table, table of decrements

Ausscheidung *f* 1. elimination; 2. withdrawal; 3. removal; **A.sanmeldung** *f (Pat.)* divisional application; **A.srate** *f (Investitionen)* cut-off rate; **A.srunde** *f* qualifying round; **A.swettbewerb** *m* competitive examination

aus|scheren *v/i* to pull out, to fall/step out of line; **a.schiffen** *v/refl* to disembark/land; *v/t (Ladung)* to unload/discharge

Ausschiffung *f* 1. disembarkation, landing; 2. unloading, discharging; **A.shafen** *m* port of disembarkation; **A.skarte** *f* landing/disembarkation card; **A.skosten** *pl* landing charges

Ausschlachten *nt* ➔ **Ausschlachtung**; **a.** *v/t* 1. to cannibalize/scavenge/disassemble; 2. ⚓ to break up; 3. *(Firma)* to asset-strip/exploit, to strip (assets); **A. von Unternehmen** asset-stripping

Ausschlachter *m* 1. asset stripper; 2. ⚓ ship-breaker

Ausschlachtung *f* 1. exploitation; 2. ⚓ breaking up; 3. ✪ cannibalization, scavenging; 4. *(Firma)* asset-stripping; **A.swert** *m* recovery/break-up value

Ausschlag *m* 1. *(Entscheidung)* decision, decisive factor; 2. ✪ variation, deviation; 3. *(Preis)* fluctuation; 4. *(Pendel)* swing; **A. des Preisbarometers** price movement; **A. geben** to tip the scales, to tilt the balance

Ausschlagen *nt (Angebot)* rejection; **a.** *v/t* 1. to reject/refuse/decline/renounce/relinquish; 2. *(Erbschaft)* to disclaim; 3. § to waive; *v/i* 1. *(Pendel)* to swing; 2. *(Kiste)* to line; **weit a.** to fluctuate widely

ausschlaggebend *adj* decisive, crucial, ruling, material; **a. sein** to prevail

Ausschlagung *f* 1. refusal, rejection, non-acceptance, relinquishment, renouncement, turning-down of an offer; 2. *(Erbschaft)* disclaimer; 3. § waiver; 4. *(Kiste)* lining; **A. einer Erbschaft** disclaimer of an inheritance, renunciation of a succession; **A. eines Vermächtnisses** disclaimer of a testamentary gift; **A.sfrist** *f* period of disclaimer/renunciation; **A.srecht** *nt* right to disclaim

ausschließbar *adj* excludable

ausschließen *v/t* 1. to exclude/eliminate/except/disqualify/preclude; 2. to expel; 3. *(Anwalt)* disbar; 4. foreclose, to rule out; **a. von** to debar/bar/preclude from; **sich gegenseitig a.** to be incompatible; **vertraglich a.** to contract out; **jdn zeitweilig a.** to suspend so.

ausschließlich *adj* exclusive, sole; **A.keit** *f* exclusiveness

Ausschließlichkeits|abkommen *nt* exclusive agreement; **A.anspruch** *m* claim to sole rights; **A.bindung** *f* exclusive clause/dealing/engagement; **A.erklärung** *f* exclusive agency arrangement; **A.klausel** *f* tying clause/agreement, exclusive clause, clause providing for exclusive dealing; **A.patent** *nt* sole/exclusive patent; **A.politik** *f* policy of exclusiveness; **A.recht** *nt* exclusive/peremptory/monopoly right, right to exclude, ~ of exclusivity; **A.vereinbarung** *f* exclusive dealing clause; **A.vertrag** *m* sole agency contract, exclusive (dealer) contract, ~ dealing arrangement, requirement contract

Ausschließung *f* ➔ **Ausschluss** 1. exclusion, disqualification, preclusion, foreclosure; 2. expulsion; 3. *(Anwalt)* disbarment; **A. eines Gesellschafters** exclusion of a partner; **A.sfrist** *f* time limit; **A.sgrund** *m* disqualification, reason for exclusion; **A.sklage** *f* expulsion suit; **A.surteil** *nt* expulsion ruling

Ausschluss *m* 1. exclusion, disqualification, foreclosure, preclusion; 2. expulsion; **mit A. von** with the exception of; **unter A. von** excluding, to the exclusion of

Ausschluss aller Abreden exclusion of verbal agreements; **unter A. weiterer Ansprüche** any further claims excluded; **A. der Ausgleichspflicht von Mitversicherten** *(Seevers.)* American Institute Clauses; **A. des Bezugsrechts** exclusion of the subscription right; **unter A. jeglicher Diskriminierung** on a non-discriminatory basis; **A. des allgemeinen Gerichtsstandes** exclusion/ouster of jurisdiction; **A. der Gewährleistung** non-warranty clause; **unter ~ Gewährleistung** with all faults, without guarantee, caveat emptor *(lat.)*; **A. der/jeglicher Haftung** non-liability, no recourse, exclusion of any liability; **mit ~ Haftung** non-liable; **unter A. der Konkurrenz** non-competitive; **willkürlicher A. von Kunden** redlining; **A. der Öffentlichkeit** exclusion of the public; **unter A. der Öffentlichkeit** 1. behind closed doors; 2. § in camera *(lat.)*; **~ entscheiden** § to give a ruling in camera; **~ verhandeln** § to sit in camera, ~ closed court, to hear in private; **A. des Rechtswegs** no recourse to courts of law, admitting of no appeal; **A. der Schadensersatzpflicht** exclusion of remedy; **~ strafrechtlichen Verantwortung** exemption from criminal responsibility; **A. des Wettbewerbs** restraint of trade

vertraglich festgelegte Ausschlüsse contractual exclusions; **zeitweiliger Ausschluss** suspension

Ausschluss|frist *f* time limit (on claims), preclusive period, period of limitation, time of preclusion; **A.kauf** *m* preclusive buying; **A.klage** *f* foreclosure action; **A.klausel** *f (Vers.)* exclusion/memorandum/preclusion clause; **A.option** *f* exclusive option; **A.prinzip** *nt* exclusion principle; **~ des Preises** *nt* exclusion principle; **A.recht** *nt* exclusive right, monopoly, power of exclusion; **A.termin** *m* 1. cut-off date; 2. § bar date; **A.urteil** *nt* exclusory judgment, foreclosure decree

aus|schmücken *v/t* 1. to decorate; **A.schmückung** *f* 1. decoration, decor; **a.schneiden** *v/t (Zeitung)* to clip, to cut out

Ausschnitt *m* 1. section, sector, detail; 2. *(Zeitung)* clipping, cutting; **A.sdienst** *m* press-cutting service

ausschöpfen *v/t* to exhaust/utilize

Ausschöpfung *f* exhaustion, full utilization; **A. von Kapazitätsreserven** exhaustion of capacity reserves, **A. des Rechtsweges** exhaustion of the legal remedies; **A.squote** *f* employment ratio

ausschreiben *v/t* 1. to write out (in full), to make out; 2. *(öffentlich)* to invite tenders/offers, to go to open tender, to put out to tender; 3. to announce/advertise; 4. *(Stellung)* to advertise, to invite applications; **international a.** to put out to international tender; **neu a.** to readvertise; **öffentlich a.** to invite tenders; **vollständig a.** to write out in full

Ausschreiber *m* advertiser

Ausschreibeunterlagen *pl* specifications and terms

Ausschreibung *f* 1. invitation to tender/bid/apply, public tender, call for bids, contract out to tender; 2. advertising, specification; 3. *(Wettbewerb)* conditions of entry; 4. *(Stelle)* (job) advertisement; **durch A.** by tender

Ausschreibung der Ausfuhrabschöpfung tendering for export levies; **A. einer Emission** offer for sale by competitive bidding; **A. zu einem variablen Kurs; A. im Tenderverfahren** offer for sale by tender

sich an einer Ausschreibung beteiligen; an einer A. teilnehmen to tender, to participate in a tender; **A. veranstalten** to invite tenders/offers (for), to put out to tender, to invite offers for sth.; **durch A. verkaufen** to sell by tender; **beschränkte A.en vornehmen** to put out selective tenders

beschränkte/eingeschränkte Ausschreibung limited/restricted (invitation to) tender; **echte/freie A.** competitive tendering; **offene A.** public announcement; **öffentliche A.** public invitation to tender, bid invitation *[GB]*, advertised bidding; **wöchentliche A.** weekly tender

Ausschreibungs|absprache *f* collusive tendering; **A.angebot** *nt* tender offer; **A.-Angebots-Auswahlzyklus** *m* announcement-bid-selection cycle; **A.bedin-**

gungen *pl* tender terms, terms of the tender, bidding requirements; **A.beteiligter** *m* contract bidder; **A.betrag/A.satz** *m (Einfuhrkontingent)* amount for which applications are invited; **A.frist** *f* deadline for tenders/ bidding, bidding period; **A.garantie** *f* tender guarantee, bid bond; **A.konsortium** *nt* bidding syndicate; **A.pflicht** *f* obligation to invite tenders; **A.schluss/ A.termin** *m* closing date for (submission of) tenders, tender date, date for tendering; **A.unterlagen** *pl* tender documents, specifications; **A.verfahren** *nt* tendering procedure, bid process; **im A.verfahren** by tender; **A.wettbewerb** *m* competitive bidding on a tender basis; **A.zeitraum** *m* tender period

Ausschreitung *f* riot, outrage, tumult, violence, excess

Ausschuss *m* 1. committee, panel, task force, board, commission, caucus *[US]*; 2. *(Abfall)* waste, refuse, wastage, rummage, spoilage, scrap, scrappage; 3. *(Produktion)* bad work, sub-quality units, defective items/ units, (factory) rejects

Ausschuss für Arbeit Labor and Human Resources Committee *[US]*; **~ die Außenhandelsstatistik** *[EU]* Committee on External Trade Statistics **~ Bildungsfragen** education committee; **~ Konjunkturpolitik** economic policy committee; **~ Regionalpolitik** regional policy committee; **~ innere Revision** *(AG)* audit committee; **~ das Schema des Gemeinsamen Zolltarifs** *[EU]* Committee on Common Tariff Nomenclature; **~ das harmonisierte System** *[EU] (Brüsseler Zollrat)* Harmonized System Committee; **~ Umweltfragen** environmental committee; **~ Ursprungsfragen** *[EU]* Committee on Origin; **~ das gemeinschaftliche Versandverfahren** *[EU]* Committee on Community Transit; **A. von Vertrauensleuten** shop stewards' committee; **A. für Wirtschaft** economic affairs committee; **~ Wirtschaft und Technik** *[EU]* Scientific and Engineering Committee; **~ Zollbefreiungen** *[EU]* Committee on Duty-Free Arrangements; **~ allgemeine Zollregelungen** *[EU]* General Customs Procedures Committee; **~ das Zolltarifschema** *[EU]* Nomenclature Committee; **~ Zollveredelungsverkehr** *[EU]* Customs Processing Arrangement Committee; **~ Zusammenarbeit im Zollwesen** *[EG]* Customs Cooperation Committee; **~ wirtschaftliche Zusammenarbeit** economic cooperation committee

einem Ausschuss angehören to be on a committee; **in einen A. berufen** to appoint to a committee; **A. bestellen/einsetzen/konstituieren** to appoint a committee; **A. bilden** to form a committee; **in den A. gelangen** *(Gesetzentwurf)* to reach the committee stage; **A. leiten** to run a committee; **in einem A. sitzen** to sit on a committee; **an einen A. überweisen** to refer to a committee

Ad-hoc Ausschuss ad hoc committee; **beratender A.** consultative/advisory/prudential committee, advisory/ consultative council, advisory panel; **paritätisch besetzter A.** joint committee (with equal representation); **besonderer A.** special committee; **engerer A.** select committee; **gemeinsamer/gemischter A.** joint/common committee; **geschäftsführender A.** administrative council, managing committee; **interministerieller A.** interdepartmental committee; **kommissarischer A.** transitional committee; **konjunktur-/wirtschaftspolitischer A** economic policy committee; **leitender A.** steering committee; **paritätischer A.** joint committee; **parlamentarischer A.** parliamentary committee; **städtischer A.** municipal committee; **ständiger A.** standing committee/commission; **statistischer A.** statistical committee; **vollziehender A.** executive committee; **vorbereitender A.** steering/preparatory committee; **wirtschaftswissenschaftlicher A.** economic-study committee

Ausschuss|abweichung *f* 🏭 spoilage rate variance; **A.anteil** *m* scrap rate, percentage of defective items; **mittlerer A.anteil** process average fraction defective; **A.arbeit** *f* committee work; **A.artikel** *m* reject; **A.beratung** *f* 1. committee meeting; 2. report stage; **A.bericht** *m* committee/commission/panel report; **A.betrieb** *m* executive structure; **A.entscheidung** *f* commission ruling; **A.grenze** *f* ▦ limiting quality, lot tolerance, per cent defective; **A.kostenverrechnung** *f* 🏭 accounting for spoiled goods; **A.meldung** *f* scrap reporting; **A.mitglied** *nt* committee/panel member, panelist; **A.papier** *nt* 🏭 waste paper; **A.planung** *f* 🏭 planned spoilage; **A.protokoll** *nt* committee minutes/ record; **A.prozentsatz** *m* percentage defective; **A.prüfung** *f* ▦ attribute ga(u)ge; **A.quote** *f* wastage/ reject/spoilage rate, reject/breakage frequency; **~ in der Herstellung** production scrap rate; **A.senkung** *f* lowering the spoilage rate; **A.sitzung** *f* committee meeting; **A.stadium** *nt (Gesetz)* committee stage; **A.stück** *nt* reject; **relative A.toleranz** ▦ rejectable quality level; **A.verhütung** *f* elimination of spoilage; **A.vorsitzende(r)** *f/m* committee chairman/chairwoman/chairperson; **A.wagnis** *nt* 🏭 risk of spoilage; **A.ware** *f* rejects, rummage/defective/reject goods, wastrel; **zulässige A.zahl** 🏭 tolerance number of defects, allowable defects

ausschütt|bar *adj (Dividende)* distributable; **a.en** *v/t* to distribute, to pay out

Ausschüttung *f* distribution (of profits), dividend (paid), payout; **ohne A.** ex distribution/dividend; **A. an Aktionäre/Anteilseigner** distribution to shareholders; **A. einer Dividende** distribution of a dividend; **~ beschließen** to declare a dividend; **A. von Kapitalgewinnen** capital distribution; **A. realisierter Kursgewinne** capital gains distribution; **A. erhöhen** to raise the distribution; **zur A. gelangen** to be distributed; **A. kürzen** to cut the distribution

anrechenbare/berücksichtigungsfähige Ausschüttung qualifying distribution; **steuerfreie A.** tax-free distribution; **unveränderte A.** unchanged dividend/ payout; **verdeckte A.** hidden distribution; **vorgeschlagene A.** proposed distribution; **vorläufige A.** provisional distribution

Ausschüttungs|anspruch *m* dividend entitlement; **A.belastung** *f* tax on dividends, burden on distributions, distribution rate/burden; **a.berechtigt** *adj* dividend-carrying, carrying dividend rights, entitled to dividends; **A.beschluss** *m* dividend/payout vote; **A.be-**

trag *m* amount distributed, payout amount; **A.datum** *nt* date of distribution; **A.erfordernis** *nt* amount required for distribution; **a.fähig** *adj* distributable; **A.gewinnbeteiligung** *f* distribution/profit-sharing payment; **A.politik** *f* dividend record/policy, payout policy; **dynamische A.politik** flexible dividend policy; **A.quote** *f* payout ratio, proportion of profit distributed; **A.satz** *m* payout rate; **A.sperre** *f* dividend payout restriction; **A.sperrbilanz** *f* balance sheet with prohibited profit distribution; **A.summe** *f* (total) dividend amount; **A.termin** *m (Dividende)* distribution date

aussehen *v/i* to look; **es sieht (ganz) so aus als ob** the odds are that, it would appear that; **rosig a.** *(Zukunft)* to look bright

aussein auf *(Information)* to fish/go for, to be out for

außen *adv* (on the) outside

Außen|- external, (smooth) exterior; outdoor, field; **A.abmessungen** *pl* dimensions; **A.abnahme** *f* source inspection; **A.absatz** *m* external sales, sales to third parties; **A.akquisition** *f* outside canvassing; **A.anlage** *f* external plant; **A.anlagen** 1. 🏛 grounds, outside facilities; 2. land improvements, external improvements of a property; **A.anschluss** *m* ✆ outside number; **A.ansicht** *f* exterior view; **A.arbeit** *f* 1. *(Außendienst)* field work; 2. *(Heimarbeit)* outwork; 3. outdoor job, outside work; **A.arbeiter** *m* 1. field worker; 2. *(Heimarbeiter)* outworker; **A.beitrag** *m* external contribution, net exports, ~ foreign demand; **A.beruf** *m* outdoor job, outdoor/outside occupation; **A.beziehungen** *pl* external/foreign relations; **A.bezirk** *m* outskirts, suburb; **im ~ gelegen** suburban; **A.bilanz** *f* external/foreign balance; **A.bord-; a.bords** *adv* ⚓ outboard; **A.büro** *nt* branch office

Außendienst *m* 1. *(Personal)* field service/work/organisation/staff, sales force; 2. *(Tätigkeit)* outside work, work in the fields, customer engineering; 3. agency plant; **im A.** in the field; **technischer A.** 1. service department; 2. customer engineering

Außendienst|bericht *m (Verkauf)* field-service/sales force report; **A.berichtssystem** *nt* field service reporting system; **A.einsatz** *m* field work; **A.kosten** *pl* field cost(s)/expense; **A.leiter** *m* field executive, agency manager; **A.mitarbeiter** *m* sales representative, field worker/representative, rep *(coll)*; *pl* field/outdoor staff; **A.organisation** *f* 1. sales force, field organisation/service; 2. agency plant; **A.personal** *nt* field staff/personnel; **A.steuerung** *f* field-service control; **A.tätigkeit** *f* field service/work; **A.techniker** *m* customer engineer, field-service technician

Außen|durchmesser *m* outer diameter; **A.einsatz** *m* field work; **A.finanzbedarf** *m* external finance requirements; **A.finanzier** *m* outside creditor; **A.finanzierung** *f* external/outside financing; **A.finanzierungsbedarf** *m* external financing requirements; **A.gebäude** *nt* outbuilding, outhouse; **A.geld** *nt* outside money; **A.grenze** *f* external frontier; **A.großhandel** *m* foreign trade wholesaling; **A.hafen** *m* outer harbour, outport

Außenhandel *m* external/foreign/(import-)export/cross-border/trans-border trade, imports and exports, foreign/external commerce; **A. liberalisieren** to liberalize foreign trade; **gelenkter A.** controlled international trade; **gemeinsamer A.** combined foreign trade; **A. mit Fremdschiffen** passive commerce; **~ eigenen Schiffen** active commerce

Außenhandels|abhängigkeit *f* dependence on foreign trade; **A.abkommen** *nt* foreign trade agreement; **A.abteilung** *f* foreign trade department; **A.aktivität** *f* foreign commercial activity; **A.aktivsaldo** *m* favourable foreign trade balance; **A.analyse** *f* foreign trade studies; **A.bank** *f* merchant/export bank, foreign trade bank; **A.beirat** *m* foreign trade advisory council; **A.beschränkungen** *pl* foreign trade restrictions, restraints of foreign trade; **A.beziehungen** *pl* foreign trade/export relations, external commercial relations

Außenhandelsbilanz *f* balance of trade/payments, external (payments) balance, foreign trade balance; **aktive/günstige A.** active/favourable trade balance; **angespannte A.** balance of payments stress; **defizitäre/passive/ungünstige A.** adverse/unfavourable trade balance; **A.position** *f* balance of trade/payments position

Außenhandels|bürgschaft *f* foreign trade guarantee; **A.daten** *pl* trade figures; **A.defizit** *nt* (foreign) trade deficit, trade gap; **A.einkommen** *nt* external income; **A.finanzierung** *f* foreign trade finance/financing/credit, financing of foreign trade; **A.förderung** *f* foreign trade promotion; **A.garantie** *f* foreign trade guarantee; **A.gebiet** *nt* foreign trade zone *[US]*; **A.geschäft** *nt* external/import/export transaction, import-export trade; **A.gesellschaft** *f* export trading company

Außenhandelsgewinn *m* gains from trade; **dynamische A.e** dynamic/non-allocative gains from trade; **statistische A.e** allocative gains from trade

Außenhandels|haus *nt* foreign trade company, export trading company; **a.intensiv** *adj* highly geared to foreign trade; **A.kammer (AHK)** *f* chamber for foreign trade; **A.kaufmann** *m* import and export merchant; **A.klima** *nt* foreign trade conditions; **A.kommission** *f* foreign trade commission; **A.konto** *nt* external current account; **A.kredit** *m* foreign trade credit; **A.lücke** *f* trade gap; **A.markt** *m* export market; **A.monopol** *nt* foreign trade monopoly; **A.multiplikator** *m* foreign trade multiplier; **A.organisation** *f* overseas trade service; **a.orientiert** *adj* geared to foreign trade, trade-focussed; **A.papiere** *pl* foreign trade documents; **A.partner** *m* trading partner, party to foreign trade; **A.passivsaldo** *m* adverse foreign trade balance; **A.platz** *m* foreign trade centre; **A.politik** *f* (foreign) trade policy; **gemeinsame A.politik** *[EU]* common external trade policy; **A.quote** *f* trade ratio; **A.risiko** *nt* foreign trade risk; **A.saldo** *m* foreign trade balance, external payments balance; **A.statistik** *f* foreign/external trade statistics; **A.stelle** *f* foreign trade office/agency; **A.struktur** *f* pattern of foreign trade, trade patterns; **A.tätigkeit** *f* foreign trade activity; **A.überschuss** *m* (foreign/external) trade surplus, surplus on visible trade; **A.umsatz** *m* imports plus exports; **A.unternehmen** *nt* import/export merchant, foreign trade firm, export management company *[US]*; **A.verflechtung** *f* foreign trade links/network; **A.vertrag** *m* foreign trade agreement; **A.volumen** *nt* foreign trade/export volume, volume of imports and exports, ~ foreign trade; **A.wachstum** *nt* trade growth; **A.zahlen/A.ziffern** *pl* foreign trade figures, trade data

Außen|händler *m* foreign trader, merchant; **A.konsolidierung** *f* external consolidation; **A.kräfte** *pl* field staff; **A.lager** *nt* field warehouse/inventories, external warehouse/depot/storehouse; **A.markt** *m* external market; **A.maße** *pl* external dimensions; **A.mauer** *f* 🏛 outer wall; **A.minister** *m* minister for foreign affairs, Foreign Secretary *[GB]*, Secretary of State *[US]*; **A.ministerium** *nt* ministry of foreign affairs, Foreign Office *[GB]*, State Department *[US]*, Department of State *[US]*; **A.montage** *f* field assembly; **A.montagelöhne** *pl* field assembly wages; **A.organisation** *f* field staff/organisation; **gemaltes A.plakat** painted bulletin; **A.politik** *f* 1. international/foreign affairs; 2. foreign policy; **A.prüfer/A.revisor** *m* field/travelling auditor; **verantwortlicher A.prüfer** accountant in charge; **A.prüfung** *f* 1. field auditing; 2. external/independent audit; **abgekürzte A.prüfung** summary examination; **A.reede** *f* ⚓ outer harbour; **A.reklame** *f* outdoor advertising; **A.schutz** *m* ⊖ tariff protection; **A.seite** *f* outside, exterior; **A.seiter(in)** *m/f* 1. outsider; 2. independent; 3. dark horse *(fig)*, misfit; ~ **der Gesellschaft** social outcast; **A.sitz** *m* outside seat; **A.sicherung** *f* hot-money defence policy

Außenstände *pl* outstanding/active debts, accounts/debts receivable, outstandings, outstanding/overdue accounts, uncollected receivables, customer exposure; **A. abtreten** to assign outstanding debts; **A. eintreiben** to recover debts; **A. einziehen** to collect outstanding debts/accounts; **sichere A.** safe debts; **verlorene A.** irrecoverable debts; **zweifelhafte A.** doubtful/bad debts

Außen|station *f* 1. 🖳 remote terminal; 2. outstation; **a.stehend** *adj* 1. external; 2. minority-held; **A.stehende(r)** *f/m* outsider, bystander; **A.stelle** *f* 1. branch, field office, service depot, 2. *(Laden)* satellite store; **A.steuerrecht** *nt* tax legislation for non-residents; **A.tarif** *m* external tariff, extra-bloc tariff; **A.temperatur** *f* ambient/outside temperature

Außenumsatz/Außenumsätze *m/pl* external sales, sales to third parties, ~ external customers, revenue from external sales, revenues from unaffiliated customers; **A.erlöse** *pl* external sales (proceeds); **A.gewinn** *m* profit from external sales

Außen|verhältnis *nt* 1. external relationship; 2. relation(s) to the outside world; 3. legal relationship with third parties; **A.verpackung** *f* packing; **A.versicherung** *f* external insurance; **A.vertreter** *m* (field/sales) representative, traveler *[US]*, travelling salesman, (commercial) traveller, rep *(coll)*; **A.währungspolitik** *f* monetary policy towards third countries; **A.wanderung** *f* external migration; **A.welt** *f* outside (world); **A.werbung** *f* outdoor advertising

Außenwert *m* *(Währung)* external value, purchasing power abroad; **gewogener A.** *(Währung)* weighted external value, trade-weighted exchange rate

Außenwirtschaft *f* foreign/external/export trade, external economic relations; **a.lich** *adj* external, relating to foreign trade and payments

Außenwirtschafts|abteilung *f* foreign trade department; **A.bestimmungen** *pl* foreign trade and payments provisions; **A.beziehungen** *pl* foreign trade relations; **A.bilanz** *f* external balance/account, external payments balance; **A.gesetz** *nt* foreign trade and payments act, external trade act, foreign trade legislation; **A.partner** *m* trading partner, party to foreign trade; **A.politik** *f* foreign trade/commercial/international/foreign economic policy; **A.recht** *nt* foreign trade and payments legislation; **A.theorie** *f* international economics; **A.verflechtung** *f* foreign trade links/network; **A.verkehr** *m* foreign trade and payments (transactions); **A.verordnung** *f* foreign trade and payments order/ordinance; **A.zahlen** *pl* (foreign) trade data/figures; **A.zweig** *m* outdoor branch of activity

Außenzoll *m* external tariff; **Gemeinsamer A./A.tarif** *[EU]* Common External Tariff (CET); **A.satz** *m* external rate of duty, ~ tariff

außer *prep* except(ing), save, excluding, in addition to, short of; **a. wenn** unless

Außer|achtlassung *f* disregard; **a.beruflich** *adj* non-occupational

außerbetrieb|lich *adj* 1. private, outside, external, off-the-job, out-plant, extraneous; 2. *(Ausgaben)* non-operational; **A.nahme/A.setzung** *f* 1. closure, decommissioning, withdrawal, abandonment; 2. *(zeitweilig)* shutdown

außer|bilanziell *adj* off-balance-sheet; **a.börslich** *adj* unofficial, over the counter (OTC), off-the-exchange, outside exchange hours, off-the-board, off-market, off-the-kerb, off-floor

außerdienst|lich *adj* private, off-duty, unofficial; **A.stellung** *f* withdrawal, decommissioning, closure

Äußere *nt* exterior; **von angenehmem Ä.n** personable; **ansprechendes Ä.s** attractive appearance

außer|europäisch *adj* non-European; **a.fahrplanmäßig** *adj* unscheduled, non-scheduled; **a.gerichtlich** *adj* out-of-court, extrajudicial, amicable; **a.geschäftlich** *adj* private; **a.gesetzlich** *adj* outside the law, illegal, extralegal; **a.gewöhnlich** *adj* unusual, extraordinary, exceptional, abnormal, non-recurring, superordinary; **a.halb** *prep/adv* 1. outside; 2. out-of-town

Außer-Haus-|Essen/A.-Verzehr *m* eating out

Außerkraft|setzung *f* 1. suspension, cancellation, invalidation; 2. *(Gesetz)* repeal, waiver, abrogation; **A.treten** *nt* ceasing to be in force; **A.tretenlassen eines Gesetzes** *nt* repeal of a law

Außerkurssetzung *f* 1. withdrawal; 2. *(Börse)* suspension of a quotation; 3. *(Münze)* demonetization

äußerlich *adj* external, outward; **A.keit** *f* formality

äußern *v/t* to utter/express/remark/observe, to offer an opinion; *v/refl* 1. to comment (on), to make one's attitude known; 2. to manifest itself, to show; **sich abfällig/abschätzig/missfällig ä.** to disparage/scoff, to speak disparagingly; **sich vertraulich ä.** to speak off the record

außer|ökonomisch *adj* non-economic; **a.ordentlich** *adj* 1. extraordinary; 2. exceptional, beyond all measure, non-recurrent; 3. *(Menge)* prodigious, special; **a.orts** *adv* out-of-town; **a.parlamentarisch** *adj* extraparliamentary; **a.periodisch** *adj* outside the period, relating to another period; **a.planmäßig** *adj* 1. unscheduled, non-scheduled, unforeseen; 2. *(Ausgabe)* unbudgeted; **a.preislich** *adj* non-price; **a.saisonal** *adj* non-seasonal; **a.schulisch** *adj* extracurricular, extra-mural, out-of-school

außer|städtisch *adj* out-of-town; **a. Stande** *adv* incapable, unable; ~ **setzen** to disable; **a.tariflich** *adj* 1. above/beyond the agreed rate, extracontractual; 2. non-tariff, outside-tariff; **a.universitär** *adj* extra-mural, extracurricular

Äußerung *f* remark, comment, observation, utterance, statement; **sich zu keiner Ä. hinreißen lassen** to refuse to be drawn

beiläufige/gelegentliche Äußerung [§] obiter dictum *(lat.)*; **dienstliche Ä.** official statement/comment; **ehrenrührige Ä.** disparaging statement; **kritische Ä.** critical remark, animadversion; **pauschale Ä.** sweeping statement

Außer|verfolgungsetzung *f* discharge by the court before completion of trial; **a.vertraglich** *adj* non-contractual

aussetzen *v/t* 1. *(Zahlung)* to suspend/defer/discontinue; 2. *(Rente)* to settle; 3. *(Verfahren)* to stay/suspend; 4. *(Preis)* to offer; *v/i* 1. *(Maschine)* to stop/fail; 2. *(Wetter)* to expose

Aussetzung *f* 1. *(Aufschub)* suspension, withholding; 2. *(Vollstreckung)* stay of execution; 3. *(Preis)* offer; 4. *(Rente)* settlement; 5. *(Wetter)* exposure; 6. abandonment

Aussetzung eines Anhörungstermins [§] adjournment of a hearing; **A. der Bekanntmachung** postponement of publication; **A. einer Belohnung** offer of a reward; **A. zur Bewährung** [§] suspension of sentence on probation; **A. der Börsennotiz** suspension of trading/a share/a quotation, share suspension; ~ **Eingangsabgaben** ⊖ conditional relief from import duties and taxes; **befristete A. eines Gerichtsbeschlusses** [§] temporary stay of an order; **A. der Gerichtsentscheidung** [§] suspension of judgment; **A. des Handels** *(Börse)* suspension of dealings; **A. der Jugendstrafe auf Bewährung** [§] supervision order; **A. des Konkursverfahrens** [§] suspension of bankruptcy proceedings; **A der (Kurs-) Notierung** suspension of trading/a share/a quotation, share suspension; ~ **amtlichen Notierung** suspension; **A. des Schuldendienstes** moratorium on principal and interest; **A. der Steuerfestsetzung** suspension of tax assessment; **A. des Strafverfahrens** stay of execution; **A. der Strafvollstreckung** stay/suspension of execution (of sentence); ~ **zur Bewährung** probation order, suspension of punishment on probation; **A. eines Termins** [§] adjournment of a hearing; **A. der Urteilsvollstreckung** [§] reprieve; **A. des Verfahrens** [§] stay/suspension of proceedings, arrest of judgment; **A. der Vollstreckung/Vollziehung** [§] stay of execution; ~ **Zahlung** suspension of payment; **zeitweilige ~ Zollsätze** temporary suspension of customs duties; **A. eines Zugeständnisses** withholding of a concession; **A. der Zwangsvollstreckung** stay/suspension of execution

Aussetzungsbeschluss *m* [§] suspension order

Aussicht *f* 1. outlook, prospect, expectation; 2. view, vista; **A. auf** prospect of; **in A.** in prospect; **mit A. auf** 🏛 overlooking; **A. auf Erfolg** fighting chance; **keine ~ haben** not to have a leg to stand on *(coll)*; **A.en für die Zukunft** future prospects; **nicht die geringste/mindeste A.** not a ghost of a chance *(coll)*, not the least chance

keine Aussicht|en bieten *(Beruf)* to offer no scope; **A. haben auf** *(Beförderung)* to be in line for; **in A. haben** to have in prospect; ~ **nehmen** to envisage/schedule/conceive; ~ **stehen** to be in the offing; ~ **stellen** to promise, to hold out the prospect of, ~ hopes; **jdm die A. verbauen** 🏛 to obstruct so.'s view; **A. verbessern** to enhance prospects; **A.en verdüstern** to dim prospects

allgemeine Aussicht|en general outlook; **glänzende A.en** bright/glittering prospects; **günstige A.** 1. good prospects/outlook; 2. *(Stelle)* opening; **konjunkturelle/wirtschaftliche A.en** economic prospects/outlook; **schlechte A.en** poor prospects, clouded outlook; **trübe A.en** dull prospects, clouded outlook

aussichts|los *adj* hopeless, pointless, futile, unpromising, no go *(coll)*, beyond all hope; **A.losigkeit** *f* hopelessness, futility; **a.reich** *adj* 1. promising, fair, favourable, odds on; 2. with good prospects; **A.restaurant** *nt* observation lounge, rooftop restaurant

aussieben *v/t* to eliminate, to weed out *(coll)*

aussied|eln *v/t* to evacuate; **A.ler(in)** *m/f* evacuee, refugee, emigrant; **A.lung** *f* evacuation, resettlement; ~ **aus engen Dorflagen** transfer of farmsteads

aus|sitzen *v/t* to sit out; **a.söhnen** *v/t/v/refl* to reconcile (o.s. with); **A.söhnung** *f* (re)conciliation

aussondern *v/t* 1. *(ausmustern)* to reject; 2. to sift/single/sort/parcel out, to set apart; 3. *(Konkurs)* to separate/segregate/recover; **Gegenstand (aus der Masse) a.** to separate an asset from the bankrupt's estate

Aussonderung *f* 1. rejection, selection; 2. *(Konkurs)* separation, segregation, recovery, separate settlement, assertion of rights of ownership against the bankrupt's estate; 3. ⊖ stoppage in transit

Aussonderungs|anspruch *m* claim of exemption, ~ to the separation of an asset from the bankrupt's estate, personal recovery claim; **a.berechtigt** *adj* entitled to recovery from the bankrupt's estate; **a.fähig** *adj* recoverable; **A.gläubiger(in)** *m/f* creditor entitled to recovery; **A.recht** *nt (Konkurs)* right of recovery/separation/segregation, colourable claim, right to separate settlement; **A.verfahren** *nt* recovery/reclamation/segregation proceedings

Aussortier|en/A.ung *nt/f* 1. sorting (out); 2. grading; **a.en** *v/t* 1. to sort out; 2. to grade; 3. to reject

Ausspannen *nt* relaxation; **a.** *v/refl* to relax; *v/t (Kunden)* to entice away

aus|sparen *v/t* 1. to spare; 2. to leave blank; **a.speichern** *v/t* 💻 to roll out; **a.sperren** *v/t (Arbeiter)* to lock out; **A.sperrung** *f* lock out; **jdn a.spielen gegen** *v/t* to play so. off against; **A.spielung** *f (Lotterie)* draw; **a.spionieren** *v/t* to spy out

Aussprache *f* discussion, debate, talk; **offene A. mit jdm haben** to be quite frank with so.

aussprechen *v/t* to express/utter/declare; **sich a. für** to advocate sth.; ~ **gegen** to speak out/argue against sth.

Ausspruch *m* 1. statement; 2. [§] pronouncement, dictum *(lat.)*; 3. *(Schiedsspruch)* award; **A. im Schiedsverfahren** arbitration award; **richterlicher A.** judicial pronouncement, court award

ausstaffierlen *v/t* to equip, to fit out, to rig up; **A.ung** *f* equipment, make-up

Ausstand *m* strike, stoppage (of work), labour/industrial dispute, industrial action, walk-out; **im A.** on strike, in dispute; **in den A. treten** to go/to come out on strike, to down tools, to take industrial action, to walk out; **landesweiter A.** national strike/stoppage; **24-stündiger A.** one-day strike

ausstatten *v/t* 1. to equip/furnish/provide/outfit/endow, to rig up, to fit out; 2. to tool up; 3. *(Anleihe)* to fix the terms; **jdn. a. mit** to issue/furnish so. with; **finanziell a.** to fund/resource; **neu a.** to reequip/refit; **finanziell unzureichend a.** to underfund

Ausstatter *m* outfitter

Ausstattung *f* 1. equipment, appointments, outfit, fittings, fixture(s); 2. *(Möbel)* furnishing; 3. *(Kapital)* endowment, provision of funds, structure; 4. *(Anleihe)* terms; 5. *(Verpackung)* design of packing, get-up ; **A. der Anleihe** loan terms; ~ **Emission** terms of issue; **A. mit Kapital** capitalization

attraktive Ausstattung attractive terms; **einmalige A.** once-and-for-all allocation; **finanzielle A.** funding; **unzureichende ~ A.** underfunding; **maschinenmäßige A.** machinery; **originäre A.** initial allocation; **technische A.** technical equipment

Ausstattungslgegenstand *m* fixture; **A.grad** *m (Kapital)* funding level; **A.investitionen** *pl* equipment investment; **A.kosten** *pl* cost of fixed assets; **A.merkmale** *pl (Anleihe)* structure; **A.schutz** *m (Warenzeichen)* legal protection; **A.zuschuss** *m* outfit allowance

auslstechen *v/t* *(Konkurrenz)* to outdo/oust/outmanoeuvre/supplant; **a.stehen** *v/i* 1. *(Forderung)* to be (over)due/outstanding; 2. [§] to be pending; **a.stehend** *adj* outstanding, receivable, remaining

aussteiglen *v/i* 1. to alight, to get off/out; 2. *(Vertrag)* to contract/opt out; 3. *(Geschäft)* to pull/bail/walk out; 4. *(fig)* to drop/opt/back out; **A.er** *m (fig)* drop-out

Ausstelldatum *nt* *(Wechsel)* date of issue, drawing date

Ausstellen *nt* 1. exhibiting; 2. *(Scheck)* issuing, drawing, making out; **A. einer Bescheinigung** certification; **a.** *v/t* 1. to exhibit/display, to set/put on show; 2. *(Dokument)* to issue, to make/write out, to draw up; 3. *(Wechsel)* to draw; **blanko a.** to make out in blank; **auf jdn a.** to make out to so.

Aussteller(in) *m/f* 1. exhibitor; 2. *(Scheck)* drawer, issuer, maker; 3. *(Wechsel)* drawer, giver, drafter; 4. *(Wertpapiere)* emitter, issuer, creator, originator

Aussteller eines Gefälligkeitsakzepts accommodation maker; ~ **Schecks** drawer/issuer/maker of a cheque; **A. einer eidesstattlichen Versicherung** [§] affirmant; **A. eines Wechsels** drawer of a bill of exchange, maker of a note; ~ **Wertpapiers** prime maker

an den Aussteller zurück *(Wechsel)* refer to drawer (R.D.)

Ausstellerlausweis *m* *(Messe)* exhibitor's pass/identification; **A.haftung** *f* 1. liability of drawer; 2. *(Akkreditiv)* issuer's liability, issuing bank's liability; **A.provision** *f* drawing commission; **A.verzeichnis** *nt (Messe)* fair directory, list of exhibitors

Ausstellung *f* 1. exhibition, (trade) fair, show, exposition; 2. *(Ware)* display, setout *(coll)*; 3. *(Wechsel)* drawing; 4. *(Scheck)* drawing, issuing, making, writing; 5. *(Akkreditiv)* issue, emission; 6. *(Rechnung)* invoicing, making out

Ausstellung eines Frachtbriefes memorandum billing; **A. einer Lizenz** granting of a licence; ~ **Rechnung** invoicing, making out an invoice; **A. eines Schecks** drawing of a check *[US]*/cheque *[GB]*; **A. ungedeckter Schecks** drawing of cheques where no funds; **A. eines Überziehungsschecks** overcertification; **A. einer Urkunde** execution of a document; **A. von Waren** display

Ausstellung beschicken to exhibit (at a fair); **A. besuchen** to attend/visit a fair; **sich an einer A. beteiligen** tp participate in a fair; **A. eröffnen** to open a fair; **A. veranstalten** to hold a fair, to stage an exhibition

landwirtschaftliche Ausstellung agricultural fair/show

Ausstellungslartikel *m* exhibit; **A.behörde** *f* 1. exhibition board, fair authorities; 2. issuing authority; **A.bescheinigung** *f* 1. certificate of exhibition; 2. certificate of issue; **A.besuch** *m* fair attendance; **A.besucher** *m* fairgoer; **A.beteiligung** *f* participation in a fair; **A.datum** *nt* date of issue/issuance; **A.fenster** *nt* show-window; **A.fläche** *f* floor/exhibition/stand space; ~ **mieten** to rent exhibition space; **A.gebäude** *nt* exhibition building; **A.gegenstand** *m* exhibit; **A.gelände** *nt* fairground, (trade) fair site, showground, exhibition grounds/site; **A.gesellschaft** *f* fair/exhibition corporation; **A.güter** *pl* exhibits, exhibition goods, goods displayed at a fair; **A.halle** *f* exhibition hall; **A.jahr** *nt* year of issue; **A.kalender** *m* fair calendar; **A.katalog** *m* fair catalogue, official catalogue (of a fair); **A.kosten** *pl* exhibition cost(s); **A.leitung** *f* fair authorities/management, exhibition board; **A.lokal** *nt* showroom; **A.material** *nt* display material; **A.modell** *nt* display/exhibition model; **A.muster** *nt* sample; **A.objekt** *nt* exhibit; **A.ort** *m* 1. *(Wechsel)* drawer's domicile; 2. *(Wertpapier)* place of issue; **A.park** *m* fairground, exhibition grounds; **A.platz** *m* exhibition site/grounds, showplace; **A.priorität** *f* exhibition priority; **A.raum** *m* showroom, exhibition/display room; **A.recht** *nt* right of exhibition; **A.restaurant** *nt* fair restaurant; **A.saison** *f* fair season; **A.stand** *m* fairstand, exhibition booth/stand; **A.stück** *nt* display article, showpiece, exhibit; **A.stücke** display goods; **A.tag** *m* 1. *(Scheck/Wechsel)* date of issue; 2. *(Dokument)* issuing date; **A.versicherung** *f* exhibition insurance; **A.währung** *f* issuing currency; **A.werbung** *f* exhibition advertising

auf dem Aussterbeetat stehen *m* to be phased out, ~ doomed

Aussterben *nt* extinction; **a.** *v/i* to die out, to become extinct

Aussteuer *f* dowry, portion, dot, dotal property, dotation, trousseau *[frz.]*; **a.n** *v/t* 1. to endow; 2. 🖳 to select; 3. *(Vers.)* to disqualify

Aussteuer|police *f* endowment policy; **A.ung** *f (Vers.)* disqualification; **A.versicherung** *f* endowment assurance *[GB]*/insurance *[US]*; **A.versicherungspolice** *f* endowment assurance/insurance policy

Ausstieg *m* exit, pullout, opting out, withdrawal; **A.sklausel** *f* get-out clause; **A.skurs** *m* selling/takeout price

Ausstoß *m* 1. 🏭 output, outturn, production; 2. *(Ausschluss)* expulsion; 3. *(Abfallstoff)* discharge; **A. pro Arbeitsstunde** manhour output; ~ **Betrieb** plant output; **A. der herstellenden Industrie** manufacturing output; **A.einheit** *f* output unit

ausstoßen *v/t* 1. to turn out, to produce; 2. *(ausschließen)* to expel/exclude; 3. to eject; 4. *(Schadstoff)* to discharge/emit

Ausstoß|messziffer *f* output measure; **A.plus** *nt* increase in output/production; **A.rate** *f* rate of output/production; **A.rückgang** *m* decline in output/production; **A.stagnation** *f* stagnating output; **verzögerte A.variable** lagged output term/variable; **A.wachstum/A.zuwachs** *nt/m* growth of output/production

ausstrahlen *v/t* 1. to radiate, to give off; 2. *(Radio)* to transmit/emit; 3. *(Fernsehen)* to screen

Ausstrahlung *f* 1. radiation, magnetism, effect, repercussion; 2. *(Radio)* transmission; 3. *(Fernsehen)* screening; **A.seffekt** *m* spillover effect

aus|streichen *v/t* to cross/strike out, to delete/cancel/deface, to strike off; **A.streichung** *f* deletion, cancellation; **a.streuen** *v/t (Gerücht)* to spread/disseminate; **A.strömen** *nt* 1. discharge; 2. *(Gas)* escape, leak; **a.strömen** *v/i* to escape/leak; **a.suchen** *v/t* to choose/select, to single out; *v/refl* to choose, to take one's choice

Austakt|en des Bandes *nt* assembly line balancing; **a.en** *v/t (Montageband)* to balance; **A.verfahren** *nt* line of balance system

austarieren *v/t* to average out, to balance

Austausch *m* 1. exchange, barter, interchange; 2. *(Ersatz)* replacement, substitution; **im A.** on an exchange basis

Austausch von Besatzungen ✈ crew shifting; ~ **Höflichkeiten** exchange/reciprocation of courtesies; ~ **Informationen** exchange of information; ~ **Kreditinformationen** credit information interchange; **A. der Ratifikationsurkunden** exchange of the instruments of ratification; **A. von Strafnachrichten** exchange of information from judicial records; **A. der Vollmachten** exchange of powers; **A. von Waren** substitution of goods

zwischenstaatlicher Austausch external/foreign trade

austauschbar *adj* 1. interchangeable, exchangeable, substitutable, commutative; 2. *(Währung)* convertible; replaceable; **A.keit** *f* 1. exchangeability, interchangeability, substitutability; 2. *(Währung)* convertibility

Austausch|bedingungen *pl* *(Handel)* terms of trade; **A.beziehung** *f* trade relationship, trade-off

austauschen *v/t* 1. to exchange/interchange/change; 2. to replace/substitute; **vollständig a.** to replace completely

Austausch|gefälle *nt* run of trade; **A.gerät** *nt* replacement; **A.geschäft** *nt* barter deal/transaction; **A.palette** *f* interchangeable pallet; **A.produkt** *nt* substitute, similar product; **A.recht** *nt* right of exchange; **A.relationen (im Außenhandel)** *pl* terms of trade, exchange ratio; **feste A.relation** *(Philipps-Kurve)* trade-off; **A.scheck** *m* exchange cheque *[GB]*/check *[US]*; **A.stück/A.teil** *nt (Ersatzteil)* replacement, spare/exchange part; **A.student(in)** *m/f* exchange student

Austauschverhältnis *nt* 1. exchange rate/ratio, rate of exchange; 2. *(Handel)* terms of trade, proportion of imports to exports; **A.se im Außenhandel** terms of trade; **A. Gold- gegen Silbermünzen** mint ratio; **(doppelt) faktorales A.** (double) factoral terms of trade; **reales A.** (barter) terms of trade

Austausch|vertrag *m* reciprocal agreement; **A.volumen** *nt* volume of imports and exports

austeil|en *v/t* 1. to distribute, to deal/share/hand out; 2. *(Befehl)* to issue; 3. to dispense/pass; 4. *(Almosen)* to dole out; **A.er** *m* dispenser; **A.ung** *f* 1. distribution, handing out, shareout; 2. *(Befehl)* issuance; 3. *(Almosen)* dispensation

Austesten *nt* ✿ debugging; **a.** *v/t* to debug

Austrag *m* *(Umwelt)* emission, discharge; **a.en** *v/t* 1. ✉ to deliver; 2. *(löschen)* to cancel; *v/refl* to sign out; **gerichtlich a.en** to litigate

Aus|träger *m* delivery man, roundsman; **A.tragung** *f* 1. ✉ delivery; 2. *(Posten)* retirement, cancellation; **a.treten** *v/i* to resign/withdraw/retire/quit/leave; **a.tricksen** *v/t (coll)* to outsmart

Austritt *m* 1. resignation, retirement, withdrawal, opting out; 2. *(Gas)* leak, escape; 3. *(Umwelt)* discharge, release; 4. outlet

Austritts|alter *nt* *(Vers.)* age at withdrawal; **A.anzeige** *f* notice of withdrawal; **A.erklärung** *f* letter of resignation; **A.klausel** *f* excape clause; ~ **im Konsortialvertrag** market out-clause; **A.ort** *m* ⊖ place/point of exit; **A.recht** *nt* right of withdrawal

austrocknen *v/t* to dry up/out

ausüb|bar *adj* exercisable; **a.en** *v/t* 1. to exercise/pursue/practise/execute; 2. *(Amt)* to hold; 3. *(Druck)* to exert; 4. *(Option)* to assign; **berufsmäßig a.en** to professionalize; **nicht a.en** *(Option)* to abandon; **a.end** *adj* executive, practising

Ausübung *f* exercise, pursuit, practice

Ausübung eines Amtes exercise of an office, ~ a function, performance of one's duty; **bei der A. seines Amtes** in the execution of one's duties; **A. des Anwaltsberufes** practice of law; **A. einer Banktätigkeit** exercise of a banking function; **in A. der Befugnisse** in exercising the powers; **A. eines freien Berufes** performance of a professional service; **in A. seines Berufes sterben** to die in harness *(fig)*; **A. des Bezugsrechts** exercise of the subscription right; **in ~ Dienstes** in discharge of one's duties; **~ Ermessens** exercise of discretion; **in A. öffentlicher Funktionen** in discharge of governmental functions; **A. der Gerichtsbarkeit** administration of justice, exercise of jurisdiction; **~ öffentlichen Gewalt** exercise of public authority; **A. von Monopolen** enforcement of monopolies; **A. dienstlicher Obliegenheiten** performance of one's duties; **auf die A. des Pfandrechts verzichten** to waive the lien; **A. einer Pflicht** discharge/execution of a duty; **jdn bei der A. seiner Pflichten behindern** to obstruct so. in the execution of his duties; **A. des Prämienrechts** exercise of an option; **A. eines Rechts** exercise of a right, ~ an authority, enjoyment; **A. der Rechte** exercise of powers/rights; **~ mit dem Patent verbundenen Rechte** exercise of the rights attached to a patent; **~ Steuerhoheit** exercise of taxing power(s); **A. des Stimm-/Wahlrechts** exercise of the voting right

unbefugte Ausübung 1. *(Beruf)* unauthorized practice; 2. *(Amt)* usurpation; **unerlaubte A.** illicit practice

Ausübungs|bestätigung *f* confirmation of execution/exercise; **A.datum** *nt* exercise date; **A.frist** *f (Option)* exercise period; **A.preis** *m* exercise/settlement/strike price; **A.tag** *m* exercise/expiry day

ausufern *v/i* to proliferate/escalate, to go beyond; **a.d** *adj* proliferating

Ausverkauf *m* 1. (bargain/clearing/clearance) sale, sell-off, sellout, selling out/off; 2. *(Geschäftsaufgabe)* winding-up/closing-down/close-out/clean-up sale; **A. wegen Geschäftsaufgabe** closing-down sale; **~ Inventur** stocktaking sale; **vollständiger A.** clearance sale

ausverkaufen *v/t* to sell off/out, to clear

Ausverkaufs|preis *m* sale/bargain price, bargain basement price; **A.ware** *f* sale goods, clearance items

ausverkauft *adj* 1. sold out, out of stock; 2. *(Dienstleistung)* all booked up, fully booked

auswachsen zu *v/refl* to develop into sth.

Auswahl *f* 1. choice, selection, range, variety; 2. collection, assortment; 3. sampling; 4. ▦ sample; **A. nach dem Konzentrationsprinzip** cut-off method; **A. mit gleichen Wahrscheinlichkeiten** ▦ selection with equal probability

gute Auswahl bieten to offer a wide range; **in die engere A. gelangen** to be shortlisted; **freie A. haben** to be able to pick and choose; **gute A. haben** to be well-stocked; **in der A. stehen** *(Bewerbung)* to be in the running; **A. treffen** to make a choice/selection; **A. unter den Bewerbern treffen** to screen/shortlist candidates

adäquate Auswahl ▦ adequate sample; **bewusste A.** purposive sample; **direkte A.** direct sampling; **engere A.** *(Bewerber)* shortlist; **extensive A.** ▦ extensive sampling; **geschichtete A.** ▦ stratified sample; **proportional ~ A.** proportional sampling; **gewogene A.** weighted sample; **große A.** great choice, wide range/variety; **größenproportionale A.** proportionate sampling; **indirekte A.** indirect sampling; **intensive A.** intensive sampling; **inverse A.** inverse sampling; **kritische A.** selectivity; **mehrstufige A.** ▦ nested sampling; **periodische A.** periodic selection; **proportionierte A.** ▦ proportionate sampling; **reiche A.** wide/large selection; **repräsentative A.** representative selection; **selbstgewogene A.** ▦ self-weighted sample; **systematische A.** systematic selection; **typische A.** cross section; **verzerrte A.** ▦ selective bias

Auswahl|abstand *m* ▦ sampling interval; **A.antwort** *f* multiple choice; **A.ausschuss** *m* selection committee; **A.einheit** *f* ▦ sampling unit, unit of sampling; **letzte A.einheit** ultimate sampling unit

auswählen *v/t* to select, to (pick and) choose, to pick (out); **a.d** *adj* selective

Auswahl|fehler *m* ▦ sampling error; **A.feld** *nt* ▭ selection field; **A.frage** *f* multiple-choice/cafeteria *(coll)* question; **A.fragebogen** *m* multiple choice questionnaire; **A.gespräch** *nt* selection interview; **A.gremium** *nt* selection board/committee; **A.grundlage** *f* ▦ frame; **A.gruppe** *f* ▦ sampling fraction; **A.käufe** *pl* selective buying; **A.kommission** *f* selection board; **A.kriterium** *nt* selection criterion; **A.liste** *f* shortlist; **A.muster** *nt* reference sample; **A.phase** *f* ▦ choice activity; **A.prüfung** *f* qualifiying examination; **jdn einer ~ unterziehen** to screen so.; **A.satz** *m* ▦ sampling ratio/fraction; **A.sendung** *f* on-approval consignment; **A.test** *m* selection test

Auswahlverfahren *nt* 1. screening test, selection procedure, shortlisting; 2. ▦ sampling procedure; **bewusstes A.** purposive sampling; **repräsentatives A.** representative sample

Auswanderer|er *m* 1. emigrant; 2. *(politisch)* emigré *[frz.]*; **a.n** *v/i* to emigrate

Auswanderung *f* emigration; **A.sbüro** *nt* emigration office; **A.srecht** *nt* right of emigration; **A.süberschuss** net emigration; **A.sverbot** *nt* ban on emigration

auswärt|ig *adj* 1. external, non-resident, non-local, outside, exterior; 2. foreign; **a.s** *adv* outward, outside; **A.svergabe** *f* sub-contracting, outsourcing, farming out

auswechsel|bar *adj* exchangeable, interchangeable, replaceable, removable; **A.barkeit** *f* exchangeability; **a.n** *v/t* to exchange/interchange/replace/shift

Auswechslung *f* exchange, replacement

Ausweg *m* 1. way out, remedy, solution, expedient, resource, loophole; 2. *(fig.)* exit/escape route *(fig.)*; **A. finden** to find a way; **letzter A.** last resort; **als ~ A.** in the last resort

Ausweich|- alternative; **A.betrieb** *m* 🏭 overspill plant, shadow factory

ausweichen *v/i* 1. to evade/sidestep, to evade the issue; 2. *(Verantwortung)* to shirk; 3. to switch, to change over; **a.d** *adj* evasive, elusive

Ausweich|flughafen *m* alternative airport; **A.klausel** *f* escape clause; **A.kurs** *m* fictitious security price; **A.lager** *nt* buffer stocks, reserve store; **A.manöver** *nt* 1. *(Unfall)* evasive action; 2. prevarication; **A.möglichkeit** *f* alternative, way out, escape; **A.plan** *m* contingency plan; **A.stelle** *f* emergency location; **A.stoff** *m* substitute

Ausweis *m* 1. permit, pass, (membership) card; 2. *(amt-*

lich) (means of) identification, identification card, legitimation, identity paper, proof of identity, laissez-passer *[frz.]*; 3. ▦ return, disclosure; 4. *(Bilanz)* report, return; 5. *(Konto)* statement of account; **A. von Planzahlen** forward financial statement; **A. des Steuereinziehers** tax warrant; **bilanzieller A.** statement; **monatlicher A.** monthly returns; **A.einziehung** *f* cancellation of an identification document

ausweisen *v/t* 1. to expel/deport/exclude/banish; 2. *(Wohnung)* to evict/oust, to order to leave; 3. *(Bilanz)* to show/list/report/disclose/state/reveal; *v/refl* to identify o.s., to establish/prove one's identity, to show one's papers; **gesondert a.** to show separately; **zu hoch a.** to overstate; **zu niedrig a.** to underreport/understate

Ausweis|fälschung *f* forgery of an identification document; **A.karte** *f* identity/identification card, badge, pass, (plastic) identification badge; **A.kontrolle** *f* identity card check, identity control/check; **A.leser** *m* identification card/badge reader; **a.lich** *adv* according to, as evidenced by, as shown in, as appears from; **A.locher** *m* badge punch; **A.marke** *f* badge; **A.methode** *f* recording method; **A.papier** *nt* (identification) papers/document; **A.papiere** credentials; **A.pflicht** *f* 1. obligation to carry identification papers, ~ an identification badge; 2. *(Bilanz)* duty to disclose, publicity/disclosure requirement(s); **a.pflichtig** *adj* requiring publication/disclosure, obliged to disclose; **A.schema** *nt (Bilanz)* form of return; **A.stichtag** *m (Bilanz)* return date: **A.trichter** *m* badge slot

Ausweisung *f* 1. expulsion, deportation, banishment; 2. *(Wohnung)* eviction, ouster; 3. *(Bebauungsplan)* allocation; **A. als Bauland** designation as building land; **A.sbefehl/A.sbeschluss** *m* 1. § deportation/expulsion order; 2. *(Wohnung)* § eviction order; **A.sverfahren** *nt* § deportation proceedings

ausweiten *v/t* 1. to expand/enlarge/widen/broaden/extend/stretch, to step up; 2. *(Sortiment)* to diversify; *v/refl* to widen

Ausweitung *f* 1. expansion, enlargement, extension, widening; 2. *(Sortiment)* diversification

Ausweitung der Aktivitäten expansion of operations; **A. des Geschäftes** business expansion; **~ Handels** increase in trade; **A. der Handels-/Zinsspanne** margin expansion; **internationale ~ Inflation** international spread of inflation; **~ Investitionen** investment expansion

konjunkturelle Ausweitung expansive trend; **wirtschaftliche A.** economic expansion

auswerfen *v/t* 1. to eject/cast, to throw out; 2. ▦ to segregate; 3. *(Zahlen)* to produce; 4. *(Rente)* to settle

auswerten *v/t* 1. to evaluate/analyse/appraise/interpret; 2. to utilize/cull; **kommerziell a.** to commercialize/exploit

Auswertung *f* 1. evaluation, analysis, appraisal, interpretation; 2. follow-up, utilization; 3. tabulation; **A. eines Patents** exploitation of a patent; **A. des Vorstellungsgesprächs** interview assessment; **laufende A.** periodic evaluation and reporting; **statistische A.** statistical evaluation; **ungenügende A.** underutilization; **A.-Planung** *f* planning evaluation; **A.-Planvergleich** *m* evaluation of project comparison

Auswertungs|bogen *m* evaluation sheet; **A.formular** *nt* answer/scoring sheet; **A.zeitraum** *m* evaluation period

aus|wickeln *v/t* to unwrap; **a.wiegen** *v/t* to weigh

auswirken (auf) *v/refl* 1. to have/take effect (on), to bear upon, to impact (on); 2. *(Maßnahmen)* to work/impact *[US]*; 3. to begin to bite, to spill over, to have consequences; **sich dämpfend a.** to have a restrictive effect; **sich deutlich a.** to make an impact; **sich einkommensmindernd a.** to have an income-reducing effect; **sich günstig a. auf/für** to have a favourable effect on , to operate in favour of; **sich kostensteigernd a.** to have a cost-increasing effect; **sich nachteilig/ungünstig a. (für)** to be detrimental to, to entail harmful consequences, to operate/militate against, to be a drag on, to have an adverse effect (on)

Auswirkung *f* consequence, result, effect, impact, implication, repercussion, reaction; **A.en** aftermath

Auswirkung|en auf den Arbeitsmarkt employment effects; **~ die Beschäftigungslage** employment effects; **A. von Beschränkungen** incidence of restrictions; **A. auf das Handeln der Konkurrenz** effect on competition; **A. der Inflation** impact of inflation; **A. auf die Umwelt** environmental impact/effect

vor den Auswirkungen abschirmen to insulate from the brunt; **A. dämpfen** to cushion the effects; **A. haben/zeigen auf** to have repercussions on

externe Auswirkung|en external effects; **günstige A.** beneficial effect/impact; **negative A.** adverse impact; **organisatorische A.en** effects on the organisation; **soziale A.en** social repercussions; **steuerliche A.** tax implication; **verheerende A.** devastating effect

aus|wischen *v/t* to wipe out; **A.wuchs** *m* excess, exaggeration; **A.wurf** *m* ejection

auszahlbar *adj* disbursable, payable

auszahlen *v/t* 1. to pay out/off, to disburse; 2. *(Aktionäre)* to buy out; 3. to buy off; *v/refl* to pay (off), to be worthwhile; **in bar a.** to pay cash down, to cash out; **jdn a.** to put so. in funds; **voll a.** to pay out in full

auszählen *v/t* 1. *(Stimmen)* to count; 2. ▦ to tabulate

Auszahl|er *m* payer; **A.plan** *m* payout plan; **A.schein** *m* disbursement note

Auszahlung *f* 1. payment, payout, disbursement, outpayment, amount actually paid, ~ paid out; 2. advance; 3. repayment; 4. paying off, buying out; 5. *(Betrag)* outlay, capital distribution; 6. *(Darlehen)* avail, net proceeds; 7. *(Kasse)* disbursement spot; 8. *(Termin)* disbursement forward; **A.en** moneys paid out

verzögerte Auszahlung des Akkreditivbetrags deferred payment; **A. der Gläubiger** satisfaction of creditors; **~ Löhne** payment of wages; **A. von Rentenansprüchen** *(Vers.)* vesting bonus; **vorzeitige A. der Rentenansprüche** early payment of pension enttitlements; **einmalige A. des Rentenbetrages** non-recurring capital payment; **A. einer Riesendividende** cutting a melon *(coll) [US]*; **A. eines Teilhabers** buying out a partner

zur Auszahlung gelangen to be paid out; **zur A. fällig werden** to become payable; **A. kürzen** *(Dividende)* to cut the distribution; **A. sperren** to stop/suspend payment

briefliche Auszahlung ✉ mail transfer; **telegrafische A.** cable/telegraphic transfer; **verzögerte A.** deferred payment; **vorzeitige A.** *(Investition)* encashment

Auszählung *f* count(ing), computation, sorting; **erneute A.** recount

Auszahlungs|anweisung *f* disbursing/payment order, cash note; **negoziierbare A.anweisung** negotiable order of withdrawal; **A.aufschub** *m* 1. delayed payment; 2. delayed encashment; **A.auftrag** *m* disbursement order; **A.beleg** *m* disbursement voucher, deposit account debit; **A.betrag** *m* 1. amount payable, ~ paid out, payout amount; 2. net loan proceeds; **A.bewilligung** *f* payment authorization; **A.datum** *nt* pay date, date of payment; **A.disagio** *nt* discount; **A.ermächtigung** *f* authorization to pay; **A.kasse** *f* paying agent/department; **A.konto** *nt* disbursing account; **A.kurs** *m* 1. *(Anleihe)* percentage; 2. *(Hypothek)* payout ratio, outpayment rate; **A.liste** *f* pay sheet; **A.matrix** *f* payoff matrix; **A.postamt** *nt* office of payment; **a.reif** *adj* ready for disbursement; **A.reihe** *f* cash outflows; **A.schalter** *m* paying counter, teller's window; **A.schein** *m* withdrawal slip; **A.spanne** *f* margin between principal and amount paid out; **A.sperre** *f* stop payment order; **A.stelle** *f* paying agency/agent; **A.strom** *m* cash outflow, outpayment flow; **A.summe** *f* 1. amount payable; 2. amount paid (out); **A.tabelle** *f* payoff table; **A.termin** *m* pay date; **A.überschuss** *m* net disbursements/ outpayments, excess of outpayments; **A.verbot** *nt* stop payment; **A.verfügung** *f* disbursing order; **A.verkehr** *m* outpayments; **A.volumen** *nt (Kredit)* volume of loans granted; **A.voraussetzungen** *pl (Kredit)* conditions precedent; **A.wert** *m* 1. amount payable; 2. amount paid out; 3. *(Kredit)* loan proceeds; **A.wunsch** *m* drawdown request

Auszählverfahren *nt* counting method

auszehr|en *v/t* to deplete/exhaust/drain; **A.ung des Eigenkapitals** *f* depletion of assets, asset consumption; **~ der Ertragskraft** erosion of earnings capacity

auszeichnen *v/t* 1. to price/label/tag, to mark with prices; 2. *(Orden)* to award; *v/refl* to distinguish o.s., to win distinction, to excel; **billiger a.** *(Ware)* to mark down; **neu a.** to reprice; **teurer a.** to mark up

Auszeichner *m* classifier

Auszeichnung *f* 1. *(Waren)* labelling, pricing, price mark(ing), mark; 2. *(Orden)* award; 3. prize, distinction, honour, accolade; **mit A.** 1. with merits; 2. *(Examen)* honours *[GB]*, with distinction; **A. mit gebrochenen Preisen** odd pricing; **~ runden Preisen** round pricing; **mit A. bestehen** to pass with first-class honours; **jdm eine A. verleihen** to confer an honour on so.; **akademische A.** academic honour; **höhere A.** *(Preis)* markup; **niedrigere A.** *(Preis)* markdown

Auszeichnungs|abteilung *f* marking department, classifying section; **A.bestimmungen** *f* labelling provisions; **A.pflicht** *f* duty to price goods displayed; **A.zettel** *m* price tag

Ausziehen *nt (Umzug)* removal; **a.** *v/i* 1. *(umziehen)* to move; 2. to pull out; *v/t (Auszug machen)* to extract/ excerpt

ausziffer|n *v/t (Buchung)* to match; **A.ung** *f* matching; **A.ungsliste/A.ungsnummer** *f* item match list

Auszubildende(r) *f/m* trainee, apprentice; **gewerbliche(r) A.** craft apprentice/trainee(s); **kaufmännische(r) A.** commercial trainee/apprentice

Auszug *m* 1. extract, abstract, excerpt, extraction; 2. outline, summary, abridgement; 3. *(Bank)* statement; 4. *(Umzug)* removal; **laut A.** according to/as per statement

Auszug aus der Bilanz condensed balance sheet; **~ dem Grundbuch** abstract of title, extract from the land register, ~ registry file; **~ dem Handelsregister** extract from the commercial register; **~ dem Sitzungsprotokoll** abstract of the minutes; **~ dem Strafregister** extract from the register of previous convictions, ~ judicial records

Auszug machen von to abstract

Auszugs|datum *nt* statement date; **A.information** *f* statement information; **A.nummer** *f* statement number; **a.weise** *adj* abridged

etw. auszu|setzen haben an to find fault with, to fault; **a.üben** exercisable

autark *adj* self-sufficient, self-reliant, autarchic; **A.ie** *f* self-sufficiency, self-reliance, autarchy, autarky

authen|tisch *adj* authentic, genuine, true; **a.tizieren** *v/t* to authenticate; **A.tizität** *f* authenticity

Auto *nt* automobile, (motor) car, motor vehicle; **A. anmelden** to register a (motor) car; **A. (unter)halten** to run a car; **A. mieten** to hire/rent a car; **jdn im A. mitnehmen** to give so. a lift; **A. zulassen** to license a vehicle; **abgasarmes/umweltfreundliches A.** low-pollution car; **abgasfreies A.** clean/pollution-free car; **gepanzertes A.** armoured/armour-plated car; **verschrottetes A.** junked car

Auto|abgas *nt* car exhaust; **A.aktien** *pl* → **Automobilaktien**; **A.atlas** *m* motoring atlas; **A.ausstellung** *f* automobile/motor show

Autobahn *f* motorway *[GB]*, freeway *[US]*, superhighway *[US]*, expressway *[US]*; **A.abfahrt/A.ausfahrt** *f* motorway exit, junction; **A.auffahrt** *f* junction, slip road; **A.bau** *m* motorway construction; **A.gebühr** *f* motorway toll; **A.kreuz** *nt* motorway intersection/interchange; **A.netz** *nt* motorway network; **A.ring** *m* orbital motorway *[GB]*; **A.zubringer** *m* motorway feeder (road)

Auto|bank *f* drive-in bank/window; **A.besitzer** *m* car owner; **A.branche** *f* car/motor/automobile industry, ~ trade

Autobus *m* coach, bus; **A.bahnhof** *m* bus/coach terminal, ~ station; **A.haltestelle** *f* bus stop; **A.schaffner** *m* bus conductor

Autodafé *nt* act of faith

Autodidakt *m* self-trained/self-educated person; **a.isch** *adj* self-taught, self-educated, self-trained

Auto|dieb *m* car thief; **A.diebstahl** *m* car theft; **A.fähre** *f* ⚓ car/vehicle ferry; **A.fahren** *nt* motoring; **A.fah-**

rer(in) *m/f* motorist, driver; **A.fahrerhotel** *nt* motel; **A.fahrt** *f* car ride, drive; **A.friedhof** *m* car cemetery/dump; **A.frühling** *m (fig)* car (sales) boom; **A.giro** *nt* gyroplane; **a.grafieren** *v/t* to autograph; **A.gramm** *nt* autograph; **A.haftpflichtversicherung** *f* public liability motor insurance, third-party liability car insurance; **A.händler** *m* car/motorcar dealer; **A.hersteller** *m* automobile/car manufacturer, carmaker; **A.herstellung** *f* car production/manufacturing, autmobile production; **A.importeur** *m* car importer; **A.industrie** *f* automobile/motor/car industry; **A.kauf** *m* purchase of a car, car purchase; **A.käufer** *m* car buyer; **A.kino** *nt* drive-in cinema; **A.konvoi/A.korso** *m* motorcade

autokrank *adj* car-sick; **A.heit** *f* car-sickness

Autokrat *m* autocrat; **A.ie** *f* autocracy; **a.isch** *adj* autocratic, caesarist

Autolkredit *m* car purchase loan; **A.kunde** *m* customer with a car; **A.marke** *f* car make, marque *[frz.]*; **A.markt** *m* car market

Automat *m* 1. robot; 2. vending machine, slot machine; **mit A.en ausrüsten** to automate; **auf ~ umstellen** to automate; **A.enbedienung** *f* merchandising by vending machine; **A.endiebstahl** *m* theft from (an automatic) vending machine; **A.enstraße** *f* vending machines; **A.enverkauf** *m* vending, sale by vending machines, automatic merchandising

Automatik *f* 1. automatic system/mechanism, automatism; 2. 🚗 automatic transmission/gearbox; **A.wagen** *m* autmotic

Automation *f* automation, automization; **A. im Büro** office automation; **A. der technischen Planung** engineering design automation; **technische A.** industrial automation; **A.sgrad** *m* degree of automation

automatisch *adj* automatic(al), auto

automatisierlen *v/t* to mechanize/automate/automatize; **a.t** *adj* mechanized

Automatisierung *f* mechanization, automation, automatization; **A.sgrad** *m* degree of automation, automation level; **A.stechnik** *f* automation technology

Automatismus *m* automatism; **alkoholbedingter A.** automatism arising from drink

Autolmechaniker *m* car/motor mechanic; **A.miete** *f* car hire/rental, **A.möbelzug** *m* pantechnicon

Automobil *nt* (motor-)car, automobile, motor vehicle; **A.-** automotive; **A.aktien** *pl* motors, motor shares/manufacturers, automotive stocks, automobiles; **A.arbeiter** *m* autoworker; **A.ausrüster** *m* automobile outfitter; **A.ausstellung** *f* motor/automobile show; **A.bau** *m* car/automobile/vehicle manufacture, car manufacturing; **A.einfuhr** *f* car imports; **A.fabrikant/A.hersteller** *m* car/automobile/vehicle manufacturer, carmaker, automaker; **A.geschäft** *nt* car operations; **A.handel** *m* motor trade; **A.händler** *m* motor trader, car dealer; **A.industrie** *f* car industry, motor(-vehicle)/automobile/automotive industry

Automobilist *m* motorist

Automobillklub *m* motoring association; **A.konjunktur** *f* car boom; **A.konzern** *m* automotive/motor group; **A.markt** *m* car market; **A.produktion** *f* car/automobile production, car manufacturing; **A.salon** *m* car/motor show; **A.versicherung** *f* motor insurance/underwriting, car insurance; **A.werte** *pl* → **Automobilaktien**

autonom *adj* autonomous, self-governing, independent; unilateral

Autonomie *f* autonomy, home rule, regionalization; **finanzielle A.** financial autonomy; **A.grad** *m* scope of autonomy; **A.prinzip** *nt* principle of autonomy

Autolnummer *f* car/licence/registration number; **A.nummernschild** *nt* number plate; **A.papiere** *pl* car papers

Autopsie *f* ⚕ postmortem, autopsy

Autor(in) *m/f* author, authoress

Autolradio *nt* car radio; **A.regression** *f* ▦ auto-regression; **A.reisezug** *m* 🚆 motorail (train)

Autorenlanteil *m* royalty; **A.exemplar** *nt* author's copy; **A.honorar** *nt* (author's) royalties; **A.rechte** *pl* copyright, author's rights

Autoreparatur *f* car repair; **A.werkstatt** *f* garage, car repair shop

Autorisation *f* authorization

autorisierlen *v/t* to authorize/empower/approve; **a.t** *adj* authorized, empowered; **A.ung** *f* authorization

autoritär *adj* authoritarian

Autorität *f* 1. authority; 2. *(Fachmann)* expert; **seine A. geltend machen** to assert one's authority; **funktionale A.** functional authority

autoritativ *adj* authoritative

Autoritätslmissbrauch *m* abuse of authority; **A.prinzip** *nt* principle of authority; **A.struktur** *f* authority structure; **A.verletzung** *f* defiance of authority

Autorschaft *f* authorship

Autolschalter *m* drive-in (window/counter/teller/bank), drive-up window; **A.schaltereinrichtung** *f* autobank facility; **A.schlosser** *m* motor mechanic; **A.spedition** *f* trucking; **A.schlüssel** *m* car key; **A.stellplatz** *m* parking space; **A.steuer** *f* vehicle/car tax; **A.straße** *f* motor road; **A.telefon** *nt* carphone, car/cellular telephone, cell-phone; **A.transportfahrzeug/-wagen** *nt/m* 🚗/🚆 car carrier; **A.transportgewerbe** *nt* motor transport industry; **A.unfall** *m* motor(ing)/car accident; **A.verkauf** *m* car/vehicle sale; **A.verkäufer** *m* car salesman; **A.verkehr** *m* motor traffic; **A.verleih/A.vermietung** *m/f* 1. car hire/rental/leasing; 2. car hire/rental firm; **A.vermieter** *m* (car) renter, rental firm; **A.versicherung** *f* automobile/motor (car) insurance; **A.waschanlage** *f* car wash; **A.werkstatt** *f* car repair (work)shop; **A.wrack** *nt* wrecked motorcar, wreck; **A.zubehör** *nt* car/automobile accessories; **A.zubehörteil** *nt* car/automotive component; **A.zulieferindustrie** *f* car component industry

Aval *m* guarantee, surety, aval, guarantee of a bill of exchange; **per A.** *(Wechsel)* as guarantor of payment; **A.akzept** *nt* collateral/guaranteed acceptance; **A.begünstigte(r)** *f/m* beneficiary under a guarantee; **A.bürge** *m* guarantor, surety; **A.forderung** *f* guarantee claim; **A.geschäft** *nt* guarantees

avalieren *v/t* to guarantee

Avalist *m* *(Wechselbürge)* guarantor

Avallkonsortium *nt* guarantee syndicate; **A.kredit** *m* surety credit/acceptance, credit by way of guarantee, guaranteed credit; **A.linie** *f* line of guarantee; **A.obligo** *nt* liability on payments guaranteed; **A.provision** *f* commission on guarantee, support fee; **A.rechnung** *f* aval account; **A.wechsel** *m* guaranteed bill of exchange

Avantgarde *f* vanguard

Avionik *f* avionics

Avis *m* advice (note), notification; **laut A.** according to/as per advice, as per statement; **mangels A.** for want of advice; **mit A. überweisen** to send money under advice

avisierlen *v/t* to advise/notify/inform; **rechtzeitig a.en** to advise in due course; **A.ung** *f* advice, notification

Avistawechsel *m* sight bill

Aviszettel *m* advice slip

Axiom *nt* axiom

Axt schwingen *f* to wield an axe

Azubi (Auszubildende(r)) *f/m* trainee, apprentice

azyklisch *adj* non-cyclical, acyclic

B

Babylausstattung *f* layette; **B.bond** *m* Premium Treasury Bond *[GB]*, savings/baby *[US]* bond; **B.kleidung** *f* babywear

den Bach hinuntergehen *(fig)* to go down the drain *(fig)*

Bäcker *m* baker; **B.ei** *f* 1. baker's shop; 2. bakery; baking trade; **~ und Konditorei** baker's (and confectionery) shop *[GB]*, bakery goods store *[US]*; **B.handwerk** *nt* (small-scale) bakery trade; **B.laden** *m* baker's shop *[GB]*, bakery goods store *[US]*

Baco-Schiff barge-container ship

Bad *nt* 1. bath(room); 2. health resort, spa

Badelheilkunde *f* ⚕ balneotherapy; **B.ort** *m* health resort, spa

Bäderamt *nt* baths department

Bagatelll- petty, negligible; **B.ausgaben** *pl* minor disbursements; **B.betrag** *m* trifle, trifling amount; **B.delikt** *nt* § minor/petty offence; **B.diebstahl** *m* petty theft/thievery, pilferage; **B.e** *f* trifle, bagatelle; **B.fehler** *m* negligible mistake; **B.forderung** *f* small claim; **B.grenze** *f* minimum limit, small claims limit; **b.isieren** *v/t* to belittle/minimize/scorn, to play down, to make little/light of; **B.klausel** *f* 1. franchise clause *[GB]*; 2. *(Kartell)* minor-merger clause; **B.konto** *nt* ultra-small account; **B.rechnung** *f* invoice for a small amount; **B.sache** *f* 1. § petty/minor case; 2. small claim; **B.schaden** *m* trivial/petty/minimal/minor/superficial damage, trivial/petty loss; **B.schuld** *f* small debt; **B.steuer** *f* trifling/nuisance tax; **B.strafsache** *f* petty/summary offence; **B.täter(in)** *m/f* § petty criminal; **B.vergehen** *nt* § minor offence, petty crime; **B.zölle** *pl* ⊖ nuisance rates

Bagger *m* 1. 🏛 excavator, digger; 2. ⚓ dredger; **B.arbeiten** *pl* ⚓ dredging (work); **B.führer** *m* operator; **b.n** *v/ti* 1. to dig/excavate; 2. to dredge

Bahn *f* 1. way, path; 2. 🚂 railway (Ry) *[GB]*, railroad *[US]*; **mit der B; per B.** by rail; **frei B.** free on rail (f.o.r.), carriage free to station of destination

mit der Bahn befördern to send by rail; **sich auf neuen B.en bewegen** to break new/fresh ground; **sich in ruhigen B.en bewegen** *(Börse)* to be inactive; **freie B. erhalten** *(fig)* to receive the go-ahead; **mit der B. (ver)schicken/senden** to (forward/send by) rail; **wieder in geordneten B.en verlaufen** *(fig)* to be back to normal

freie Bahn go-ahead; **geordnete B.en** orderly lines; **in geordneten B.en** orderly

Bahnlabfertigung *f* dispatch by rail; **B.aktien** *pl* railway/railroad stocks *[US]*, railroads *[US]*; **b.amtlich** *adj* railway, by railway/railroad officials, in accordance with railroad rules and regulations; **B.angestellte(r)** *f/m* railway/railroad employee; **B.anlagen** *pl* railway/railroad installations; **~ zum Schutz der Gleisanlieger** accommodation works; **B.anleihe** *f* railway bond, equipment/terminal bond *[US]*; **B.anschluss** *m* siding, rail(way) link, rail connection; **B.anschlussgleis** *nt* railway switch track, (railroad) siding; **B.arbeiter** *m* railway/railroad worker; **B.avis** *nt* railroad/railway advice; **B.bauprojekt** *nt* civil engineering project, permanent way project; **B.beamter** *m* railway official; **B.beförderung** *f* rail transport, carriage by rail; **B.benutzer** *m* rail user; **B.betrieb** *m* rail operation; **B.betriebswerk** *nt* engine shed *[GB]*, motive power depot *[US]*; **b.brechend** *adj* pioneering, revolutionary, epoch-making, trail-blazing; **~ sein/wirken** to pioneer; **B.brecher** *m* pioneer; **B.brief** *m* train letter; **B.bus** *m* rail bus; **B.damm** *m* railway embankment; **b.eigen** *adj* railway-owned; **B.eigentum** *nt* railway property; **B.express** *m* rail express; **B.fahrkarte** *f* train ticket; **B.fahrt** *f* train ride/journey

Bahnfracht *f* rail freight/carriage/charge, railroad freight

Bahnfrachtlbrief *m* railway/railroad bill (of lading), letter of consignment, (railway) consignment note, freight bill; **B.dienst** *m* rail freight service; **B.gebühren** *pl* rail charges; **B.geschäft** *nt* rail forwarding/transport, railway goods traffic, railroad carriage; **B.gut** *nt* rail cargo; **B.kosten** *pl* rail freight charges; **B.satz/B.tarif** *m* railroad rate, railway (freight) rate, rail freight rate; **B.verkehr** *m* rail(road) freight traffic

bahnlfrei *adj* carriage paid (c.p., cge. paid), free on rail (f.o.r.), free on board (rail station), carriage free to station of destination; **B.gleis** *nt* (rail) track

Bahnhof *m* (railway/railroad) station, depot *[US]*; **von B. zu B.** station-to-station; **franko/frei B.** free station; **jdn vom B. abholen** to meet so. at the station; **jdn mit großem B. empfangen** *(fig)* to roll out the red carpet for so. *(fig)*, to give so. the red carpet treatment; **großer B.** *(fig)* red carpet reception

Bahnhofslbuchhandlung *f* station bookshop; **B.gaststätte** *f* station restaurant; **B.gebäude** *nt* station building; **B.halle** *f* (station) concourse; **B.hotel** *nt* station hotel; **B.vorsteher** *m* stationmaster; **B.werbung** *f* advertising in railway stations

Bahn|kapazität *f* rail capacity; **B.kilometer** *m* passenger mile; **B.körper** *m* permanent way, railway track; **B.kunde** *m* railway customer; **B.lagergeld** *nt* railway rent; **b.lagernd** *adj* to be called for at railroad station, ~ left at station until called for; **B.lieferung** *f* railway consignment, carriage by rail; **B.linie** *f* railway/railroad line; ~ **stilllegen** to close a line; **B.meisterei** *f* permanent way department; **B.netz** *nt* rail network; **B.polizei** *f* railway/transport *[GB]* police

Bahnpost *f* railway/railroad mail (service); **B.amt** *m* railway/station/travelling post-office; **B.dienst** *m* railway/railroad mail service; **b.lagernd** *adj* to be called for at station office; **B.wagen** *m* postal car, mail van

Bahn|reisen *pl* rail travel; **B.reisespezialist** *m* rail travel specialist; **B.rollfuhr** *f* cartage; **B.-Sammelverkehr** *m* railway groupage; **B.-Sammelwaggon** *m* railway groupage wag(g)on; **B.schranke** *f* level crossing, grade-crossing barrier/gate *[US]*; **B.spediteur** *m* rail/railway carrier, rail forwarding agent, goods/railroad agent, cartage contractor; **B.spedition** *f* railway express agency, rail carriage; **frei B.station** free on rail (f.o.r.)

Bahnsteig *m* (departure) platform; **B.karte** *f* platform ticket; **B.sperre** *f* platform barrier

Bahn|strecke *f* railway line, railroad track; **B.tarif** *m* 1. rail(way) fare/tariff; 2. *(Fracht)* rail charges; **B.tourismus/B.touristik** *m/f* rail travel; **B.transport** *m* rail(road) transport, railage, carriage of goods/transportation by rail; **(schienengleicher) B.übergang** *m* level *[GB]*/grade/railroad *[US]* crossing; **B.unternehmen** *nt* railway/railroad company; **B.verbindung** *f* rail link, train service; **B.verkehr** *m* rail(road) traffic; **B.versand** *m* dispatch/forwarding by rail, railway consignment, rail shipment; **B.verwaltung** *f* railway administration; **B.wärter** *m (Strecke)* linesman, trackman *[US]*; **B.zustellung** *f* rail(road) delivery

Baisse *f* slump, depression, bear market, drop, sharp fall, downturn, market depression, fall of prices; **zur B. tendierend** bearish

Baisse herbeiführen to bear the market/stocks; **auf/in B. spekulieren** to bear *[GB]*, to sell short, ~ a bear, to operate/speculate on a fall, to go for a fall; **in der B. verkaufen** to go bear *[GB]*/short *[US]*; **B. vorwegnehmen** to undersell the market

Baisse|angebot *nt* short offer; **B.angriff** *m* bear operation/drive; **B.bewegung** *f* bearish/downward movement; **B.clique** *f* operators for a fall, bears; **B.druck** *m* bear squeeze; **B.einfluss** *m* bearish influence; **B.engagement** *nt* short/bear position, short interest/account; **B.faktor** *m* depressive factor; **B.gerüchte** *pl* bear rumours; **B.geschäft** *nt* bear transaction, short sale; **b.günstig** *adj* bearish; **B.haltung** *f* bearish attitude; **B.kampagne** *f* bear campaign/tack *[US]*; **B.klausel** *f* slump clause; **B.konto** *nt* bear account; **B.manöver** *nt* bear raid; **B.markt** *m* bear(ish)/short market; **B.moment** *nt* 1. bear point; 2. depressive factor; **B.papiere** *pl* securities held short; **B.partei** *f* operators for a fall, short side; **B.position** *f* bear position, bear/short account; **B.situation** *f* bear market; **B.spekulant** *m* bear (seller) *[GB]*, short *[US]*, banger, speculator for a fall; **B.spekulation** *f* bear(ish) operation/speculation, going/selling short, shortselling, the bears; **B.- Spread** *m (Option)* bear spread; **B.stimmung** *f* bearish mood/tendency/tone, depression of the market, bearishness; **B.tendenz** *f* downward/bearish tendency, downward bias, bearishness; **b.tendenziös** *adj* bearish *[GB]*, short *[US]*; **B.termingeschäft** *nt* trading on the short side; **massive B.verkäufe** banging the market

Baissier *m* bear (seller), short; **eingedeckter B.** covered bear; **geschlagener B.** stale bear

Bake *f* ⚓ buoy, beacon; **B.ngeld** *nt* beaconage

Bakschisch *nt* bribe, backhander, baksheesh

Bakterie *f* 1. bacterium; 2. ⚕ germ; **B.n** bacteria

Balance *f* balance, equilibrium; **B.akt vollführen** *m (fig)* to walk/tread on a tightrope

bald *adv* shortly, soon; **möglichst b.** 1. at an early date; 2. *(Brief)* at your earliest convenience

Balken *m* 🏛 beam, joist; **B.code** *m* bar code; **B.codeleser** *m* bar code scanner; **B.diagramm** *nt* bar chart/diagram, histogram, Gantt chart; **B.plan** *m* load chart

Ballast *m* 1. ballast, dead weight; **B. abwerfen** 1. to shed/discharge ballast; 2. *(fig)* to slim, to shake out; **mit B. beladen** to ballast, to load with ballast; **B.fracht** *f* ⚓ dead freight, deadweight charter; **B.ladung** *f* ballast; **B.reise** *f* ballast passage

Ballen *m* bale, bundle(s), package (pkg), pack; **in B. pressen** to press in bales, to bale; ~ **verpacken** to bale; **B.gut** *nt* bale cargo; **b.weise** *adv* in bales; **B.zeichen** *nt* bale mark

Ballo|tage *f* ballot vote; **b.tieren** *v/t* to ballot

Ballung *f* 1. concentration; 2. ▦ bunching; **B. belastender Industrien** concentration of polluting industries; **B. großer Steuertermine** tax-gathering season; **räumliche B.** geographical concentration

Ballungs|gebiet/B.raum/B.zone *nt/m/f* conurbation, metropolitan area, agglomeration, overcrowded region, congested (urban) area, area of industrial concentration; **B.kern/B.zentrum** *m/nt* 1. core/metropolitan area; 2. conurbation, (industrial) agglomeration; **B.rand (zone)** *m/f* suburbia, suburban area

Bananendampfer *m* banana boat

Band *nt* 1. strap, bond, tie; 2. *(Tonband)* tape; 3. *(Schreibmaschine)* ribbon; 4. *(Eisen)* band; 5. *(Breite)* range, spread; 6. *(Fertigung)* assembly/production line; 7. *(Transport)* (conveyer) belt; 8. *(Buch)* volume; **auf B. aufnehmen** to (record on) tape, to tape-record; **vom B. laufen** 🏭 to come/roll off the assembly line; **am laufenden B. produzieren** to churn out; **vom B. rollen** to come off the line; **Bände sprechen** to speak volumes

familiäre Band|e family ties; **laufendes B.** 🏭 conveyor belt; **am laufenden B.** *(fig)* non-stop, continuously, in rapid succession; **unbespieltes B.** blank tape

Bandabgleich *m* 🏭 assembly-line smoothing/balancing

Bandage *f* ⚕ bandage; **mit harten B.n** *(fig)* with the gloves off *(fig)*

Band|anfang *m* ▭ leading end; **B.arbeit** *f* ▟ assembly-line work; **B.arbeiter(in)** *m/f* assembly-line worker; **B.archiv** *nt* tape library; **B.aufbereitung** *f* tape editing; **B.aufnahme/B.aufzeichnung** *f* tape recording; **B.betriebssystem** *nt* tape operating system; **B.bibliothek** *f* tape library

Bandbreite *f* 1. range, band, spread; 2. *(Preis/Kurs)* (fluctuation) margin, margin/range of fluctuation, currency band, support points; **innerhalb der B.n** within the limits; **B. der Arbeitszeit** *(Gleitzeit)* bandwidth; **B. für Kursschwankungen** *(Währung)* fluctuation/parity band; **B. der Wechselkurse** range of fluctuation

angepeilte Bandbreite target range; **erweiterte B.n** widened parity bands; **gleitende B.n** *(Wechselkurs)* crawling/sliding peg, sliding parity, gliding bands; **zulässige B.** admissible range of fluctuations

Bandebreiten|flexibilität *f* flexible target range; **B.ziel** *nt* target range

Band|datei/B.datenbestand *f/m* tape file; **B.diagramm** *nt* ▦ band chart; **kumulatives B.diagramm** cumulative band chart, band (curve) chart, surface chart

Bande *f* gang

Bandeisen *nt* hoop iron, metal band/strap; **durch B. gesichert** metal-banded, metal-strapped, steel-strapped; **B.sicherung** *f* metal/steel strapping

Bandende *nt* end of tape

Banden|diebstahl *m* gang theft, theft committed by a gang; **B.führer** *m* ringleader; **B.krieg** *m* gang warfare; **B.mitglied** *nt* gangster, member of a gang, ~ terrorist group; **B.schmuggel** *m* joint (contraband) smuggling; **B.werbung** *f* background/board advertising, advertising on hoardings in sports facilities

Banderole *f* revenue stamp; **B.nsteuer** *f* revenue stamp duty

Bänderschaubild *nt* ▦ band chart

Band|fertigung *f* ▟ assembly-line production; **B.förderer** *m* belt conveyor, conveyer belt; **B.gerät** *nt* magnetic tape unit; **B.geschwindigkeit** *f* 1. ▟ line speed; 2. tape speed

bändigen *v/t* to tame/curb

Bandit *m* bandit, gangster, outlaw

Band|kassette *f* tape cartridge; **B.länge** *f* tape length; **B.laufwerk** *nt* magnetic tape drive; **B.leiter** *m* ▟ assembly-line manager; **B.maß** *nt* tape measure, measuring tape; **B.montage** *f* ▟ progressive/line assembly, flow system; **B.organisation** *f* tape organisation; **B.produktion** *f* ▟ assembly-line production; **B.rolle** *f* tape reel; **B.satz** *m* tape record; **B.scheibenschaden** *m* ⚕ slipped disc/disk; **~ bekommen** to slip a disc/disk; **B.schreibmarke** *m* tape mark; **B.sicherung** *f* file protection; **B.speicher** *m* tape store/storage; **B.spule** *f* (tape) reel; **B.stahl** *m* ✐ strip steel; **B.start** *m* start of production; **B.steuereinheit** *f* tape control; **B.verschluss** *m* metal/steel strapping; **B.vorschub** *m* tape feed/transport; **B.walzwerk/B.walzstraße** *nt/f* ✐ strip mill; **B.zuführung** *f* tape feed

Bank *f* 1. bank, banking establishment/house/organisation, monetary/financial institutions, moneyed corporation *[US]*; 2. *(mit bundesstaatlicher Konzession)* national bank *[US]*; 3. *(mit einzelstaatlicher Konzession)* state bank *[US]*; 4. *(Sitz)* bench; **auf der B.** at a bank

Bank mit Autoschalter drive-in bank; **B. der Banken** bankers' bank; **B. außerhalb des Clearingsystems** non-member/non-par bank; **B. im Einkaufszentrum** money center *[US]*; **B. von England** Bank of England, Old Lady of Threadneedle Street *(coll)*; **führende B. im Konsortium** syndicate/lead manager; **B. für Laufkundschaft** financial supermarket *[US]*; **~ internationalen Zahlungsausgleich (BIZ)** Bank for International Settlements (BIS); **B. mit mehreren Zweigstellen** multiple-office/multiple-branch bank; **B. ohne Zweigstellen** unit bank *[US]*

durch die Bank *(coll)* across the board; **~ B. gesichert** bank-backed; **nicht bei einer B. hinterlegt** unbanked; **mit B.en überversorgt** overbanked

seine Bank anweisen to instruct one's bank; **mit einer B. arbeiten** to bank with; **auf die B. bringen** *(Geld)* to bank; **(eine) B. einschalten** to interpose a bank; **durch eine B. zahlbar machen** *(Scheck)* to cross; **auf die lange B. schieben** *(fig)* to shelve, to put on the shelf, to let the grass grow under one's feet, to put off (till kingdom come), to table *[US]*; **B. sprengen** to break the bank; **einer B. zur Aufbewahrung übergeben** to place with a bank for safe-keeping; **durch die B. überweisen** to remit through the bank; **auf eine B. ziehen** to draw on a bank; **bestimmten B.en zur Verrechnung zuleiten** to clear to particular banks

akkreditivstellende Bank issuing/opening bank; **angegliederte B.** bank affiliate; **angeschlossene B.** affiliate(d) bank, bank subsidy; **dem Abrechnungsverkehr/Clearingsystem ~ B.** member/clearing bank; **ausstellende B.** issuing bank; **auszahlende B.** paying bank; **avisierende B.** advising/notifying bank; **beauftragte B.** paying bank; **bestätigende B.** confirming bank; **bezogene B.** drawee bank; **bundeszugelassene B.** chartered bank *[CAN]*; **diskontierende B.** discount bank; **eingeschaltete B.** intermediary bank; **einlösende B.** negotiating bank; **einziehende B.** collecting bank; **emittierende B.** issuing bank; **eröffnende B.** issuing/opening bank; **erstklassige B.** blue-blooded bank, prime banking name; **(feder)führende B.** lead(ing) bank, leader of a consortium; **gemischtwirtschaftliche B.** semi-private bank; **genossenschaftliche B.** cooperative bank; **halbstaatliche B.** semi-private bank; **konsortialführende B.** managing/agent bank; **kontoführende B.** account managing bank, bank in charge of an account; **konzessionierte B.** chartered bank; **vom Einzelstaat ~ B.** state bank *[US]*; **korrespondierende B.** reporting/corresponding bank; **kreditabwickelnde B.** agent bank; **kreditgebende B.** lending bank; **bundesstaatlich lizensierte B.** national bank *[US]*; **einzelstaatlich ~ B.** state bank *[US]*; **maßgebende B.** leading bank; **negoziierende B.** negotiating bank; **aktienrechtlich organisierte B.** joint-stock bank *[GB]*, financial corporation *[US]*; **privilegierte B.** chartered bank; **städtische B.** municipal bank; **im**

Ausland tätige US-B. *(mit Billigung der Federal Reserve Bank)* agreement corporation; **über-/vermittelnde B.** agent bank; **überweisende B.** remitting bank; **verwahrende B.** custodian bank; **zahlende B.** drawee/paying bank; **zugelassene B.** chartered bank; **bundesstaatlich ~ B.en** national banking system; **einzelstaatlich ~ B.** state bank *[US]*; **zweitbeauftrage B.** *(Akkreditiv)* corresponding/intermediary/intermediate/paying bank

Bank|abbuchung *f* direct debit; **B.abbuchungs-/B.abrufverfahren** *nt* direct debiting, automatic debit transfer system; **B.abhebung** *f* bank withdrawal; **B.abrechnungsstelle** *f* (banker's) clearing house; **B.abstimmung** *f* bank reconciliation; **B.abteilung** *f* banking department; **B.adresse** *f* bank address/name; **erste B.adresse** first-class bank; **B.agent** *m* bank representative; **B.agio** *nt* premium charged by banks; **b.ähnlich** *adj* quasi-banking; **B.akkreditiv** *nt* clean credit; **B.aktien** *pl (Börse)* banks, bank shares *[GB]*/issues/stocks *[US]*

Bankakzept *nt* (banker's) acceptance; **fremdes B.** acceptance by another bank; **prima B.** fine/prime *[US]* banker's acceptance

Bank|angelegenheiten *pl* banking affairs/matters; **B.angestellte(r)** *f/m* bank clerk/employee/officer/official/assistant, teller *[US]*; **die B.angestellten** bank staff, banking workforce; **B.anleihe** *f* bank bond; **B.anleihekonsortium** *nt* bank syndicate for loan issue; **B.anteil** *m* banking interest; **B.anweisung** *f* cheque *[GB]*, check *[US]*, banker's order/payment, bank money order; **B.arbeitstag** *nt* working day

Bankaufsicht *f* 1. banking supervisor; 2. banking regulations *[US]*; **B.sbehörde** *f* bank supervisory authority; **B.sratsmitglied** *nt* bank director; **B.svereinbarung** *f* international banking supervisory code

Bank|auftrag *m* banker's order, instruction to the bank; **B.ausbildung** *f* bank training; **B.ausgänge** *pl* bank payments; **B.auskunft** *f* 1. banker's/bank/financial reference, bank's opinion; 2. bank disclosure; 3. (bank/banker's) inquiry; **B.auskunftsverfahren** *nt* (banker's) reference procedure; **B.ausleihungen** *pl* bank lendings; **B.ausschuss** *m* bank committee; **B.ausweis** *m* bank return/report/statement/balance, balance of the bank; **B.auszug** *m* statement of account, bank statement; **B.automat** *m* cash dispenser, service till, automatic banking machine, automated teller (machine) (ATM); **B.automation** *f* automation of bank services; **B.aval** *m* bank guarantee; **B.avis** *nt* bank advice; **B.beamter/B.beamtin** *m/f* bank clerk/official/assistant, cashier *[US]*; **B.behörde** *f* banking authority; **B.belege** *pl* bank records; **B.belegschaft** *f* bank staff; **B.beratergruppe** *f* bank advisory committee; **B.bericht** *m* bank return *[GB]*/report *[US]*; **B.beruf** *m* banking job/profession; **B.bestände** *pl* bank's holdings; **B.bestätigung** *f* bank confirmation/certificate, banker's proof of payment; **B.beteiligungen** *pl* 1. banking interests/investments; 2. affiliated banks; **B.betrieb** *m* banking operations/trade/business, practice of banking; **B.betriebslehre** *f* banking (management); **B.bevollmächtigte(r)** *f/m* authorized signatory; **B.bezirk** *m* banking district/area; **B.bilanz** *f* bank balance sheet; **B.bilanzen** banking figures; **B.bonifikation** *f* underwriting fee; **B.boss** *m* bank chief; **B.bote** *m* bank messenger, walk clerk; **B.buch** *nt* pass/deposit book; **B.buchhalter(in)** *m/f* bank accountant; **B.buchhaltung** *f* bank accounting; **B.bürgschaft** *f* 1. banker's/bank guarantee; 2. guaranteed credit; **B.darlehen** *nt* bank credit/loan/accommodation/advance/borrowing(s), banker's advance; **B.deckung** *f* bank cover; **B.depositen** *pl* bank deposits; **B.depositenzertifikat** *nt* bank certificate of deposit; **B.depot** *nt* bank deposit/custody; **B.dienstleistungen** *pl* banking/financial services; **~ für Privatkunden** retail financial services; **B.direktor** *m* bank manager/director; **B.diskont** *m* Bank Rate *[GB]*, banker's/bank discount, discount rate; **B.diskontrate/-satz** *f/m* discount/bank rate; **b.domiziliert** *adj* bank-domiciled; **b.eigen** *adj* own; **B.eigenschaft** *f* bank status; **B.einbruch** *m* bank raid; **B.eingänge** *pl* bank receipts

Bankeinlage *f* bank/banker's/savings deposit; **B.n von Ausländern** non-resident bank deposits; **B.nversicherung** *f* bank deposit insurance

Bank|einrichtungen *pl* bank facilities; **B.einzug** *m* direct debiting, automatic debit transfer

Banken|abrechnung *f* (bank) clearing; **B.abrechnungsstelle** *f* clearing house; **B.apparat** *m* banking system, banks; **universeller B.apparat** all-purpose banking system

Bankenaufsicht *f* bank supervisory authorities, ~ supervision, banking authority/supervision; **staatliche B.** state banking department *[US]*; **B.samt** *nt* bank supervisory authorities, Comptroller of the Currency *[US]*; **B.behörde** *f* banking supervisory/regularity authority

Banken|bonifikation *f* bank's commission; **B.debitoren** *pl* loans and advances to banks, accounts receivable/dues from banks; **B.dienstleistung** *f* banking service; **B.erlass** *m* banking decree; **B.filialsystem** *nt* multiple branch banking, branch network; **B.fonds** *m* bank fund; **B.fusion** *f* bank merger, consolidation of banks; **B.gelder** *pl* money from banks, monies received from other banks

Bankengeld|markt *m* wholesale/interbank money market; **B.marktsatz** *m* wholesale/interbank money market rate; **B.schöpfung** *f* bank money creation

Banken|gemeinschaft *f* bank syndicate, group of banks; **internationale B.gemeinschaft** international banking community; **B.gesetzgebung** *f* banking legislation/laws; **B.gruppe** *f* banking group, group of banks; **B.gruppierung** *f* banking club; **B.handel** *m* interbank dealings/trading; **im B.handel** in interbank trading; **B.kommissar** *m* bank commissioner, conservator *[US]*; **staatlicher B.kommissar** state bank examiner *[US]*; **B.kommission** *f* bank commission; **B.konsortium** *nt* consortium/group of banks, banking syndicate, bank/underwriting group; **B.konzentration** *f* concentration of banks; **B.kreditoren** *pl* accounts payable/due to banks; **in B.kreisen** *pl* in bank(ing) circles, in the (banking) trade/business; **B.krise** *f* bank(ing) crisis; **B.landschaft** *f* banking system; **B.liquidität** *f* bank liquidity; **B.markt** *m* interbank/banking market; ~ **für Kleinkunden** retail banking market; **B.neuordnung** *f* banking reform; **B.nummerierung** *f* system of bank routing numbers; **B.orderscheck** *m* bank order cheque *[GB]*/check *[US]*; **B.platz** *m* banking centre; **B.privileg** *nt* bank charter; **B.publikum** *nt (Börse)* bank traders

Bankenquête *f* banking inquiry

Banken|sektor *m* banking sector, banks; **aus B.sicht** *f* from the banks' point of view; **B.statistik** *f* banks' statistics; **B.stimmrecht** *nt* banks' voting right(s), banks'/bankers' proxy votes; **B.struktur** *f* banking structure, structure of the banking industry; **B.stützungsaktion** *f* banking support; **B.system** *nt* banking system; **B.tarifvertrag** *m* general salary agreement for banks; **B.titel/B.werte** *pl (Börse)* banks, bank shares *[GB]*/stocks *[US]*/issues; **B.überweisungsverkehr** *m* bank transfer system; **B.vereinigung** *f* banking/bankers' association; **B.verfahren** *nt* banking procedure; **B.vertreter** *m* bank representative, representative of a bank; **B.viertel** *nt* banking area; **B.welt** *f* bank(ing) community/world; **B.zentrum** *nt* financial/banking centre

Bankerträge *f* bank's earnings

Bankett *nt* 1. banquet; 2. 🚗 verge, shoulder; **befestigtes B.** hard shoulder

Bank|fach *nt* 1. *(Gewerbe)* banking (profession); 2. *(Schließfach)* safe, safe (deposit) box; **im B.fach** in banking, in the banking profession; **B.fachmann** *m* banking economist/specialist; **b.fähig** *adj* negotiable, bankable, eligible, discountable; **nicht b.fähig** non-negotiable, unbankable; **B.fähigkeit** *f* negotiability, bankability; **B.fazilität** *f* banking/bank/credit facility; **B.feiertag** *m* bank holiday; **B.filiale** *f* branch (bank), bank branch, banking outlet; **B.filialnetz** *nt* network of branches, ~ branch banks, branch network; **b.finanziert** *adj* bank-financed; **B.finanzierung** *f* bank finance, financing through a bank; **gegenwärtige B.forderungen** interbank balances; **b.fremd** *adj* non-banking, other than/outside banking; **B.fusion** *f* bank merger; **B.garantie** *f* banker's/bank guarantee; **B.garantiefonds** *m* bank guarantee fund *[GB]*; **B.gebäude** *nt* bank (building/premises); **B.gebühren** *pl* bank/banking/activity charges; **B.geheimnis** *nt* banker's discretion, ~ duty of secrecy, (banking) confidentiality, bank(ing) secrecy; **B.geld** *nt* bank/eposit money; **B.geldabschöpfung** *f* creation of bank money

Bankgeschäft *nt* 1. banking (activity/trade/business); 2. bank; **B.e** banking operations/transactions, credit activities/operations; ~ **in Anlagewerten** investment banking; ~ **auf der Grundlage von Warenhandelsgeschäften** deal-based banking; **B.e mit Privatkunden** personal banking; ~ **Unternehmen** corporate banking; **B.e machen mit; ~ tätigen bei** to bank with; **elektronische B.e** electronic banking; **internationales B.** international banking; **B.sstelle** *f* banking office

Bankgesellschaft *f* banking company *[GB]*/corporation *[US]*, joint-stock bank *[GB]*

Bankgesetz *nt* banking act, Banking and Financial Dealings Act *[GB]*; **B.e** banking/bank laws; **B.gebung** *f* banking legislation; **b.lich** *adj* banking-law

Bank|gewerbe *nt* banking (business/trade/industry); **privates B.gewerbe** private banking industry; **b.gewerblich** *adj* banking; **b.giriert** *adj* bank-endorsed, endorsed by a bank; **B.giro** *nt* bank endorsement/giro, credit transfer, non-cash clearing; **B.gläubiger(in)** *m/f* bank creditor; **B.grundstücke und -gebäude** *pl (Bilanz)* bank premises; **B.gruppe** *f* bank group; **B.gruppensystem** *nt* chain banking

Bankguthaben *nt* bank balance/deposits, cash (at/in bank), cash assets/account, banking account, effects, balances with banks, balance in bank, credit/balance at the bank; **gegenseitige B.** interbank deposits; **unbeanspruchtes B.** dormant bank balance; **wechselseitige B.** interbank deposits; **zinsloses B.** free balance

Bank|hauptbuch *nt* bank ledger; **B.haus** *nt* bank, banking house/firm; **B.herr** *m* banker; **B.-Holding** *f* bank holding

Bankier *m* 1. banker; 2. *(Inhaber)* proprietor of a bank; **B.bonifikation** *f* banker's commission, re-allowance, underwriting fee/commission; **B.stagung/B.tag** *f/m* bankers' congress

Bank|indossament *nt* bank stamp; **B.inhaber** *m* private banker, proprietor of a bank; **B.inspektor** *m* superintendent of banks; **B.institut** *nt* bank, banking institution/establishment; **b.intern** *f* within the bank; **B.intervention** *f* banking support; **B.justiziar** *m* legal adviser of a bank; **B.kalkulation** *f* bank costing, bank's cost and revenue accounting; **B.kapital** *nt* bank funds/capital; **B.karte** *f* bank/banker's/debit *[US]* card; **B.kassierer** *m* cashier, teller, bank receiver; **B.kauffrau/B.kaufmann** *f/m* bank clerk/officer/employee; **B.klima** *nt* banking climate; **B.kommissar** *m* superintendent of banks; **B.konditionen** *pl* bank's terms; **B.konkurs** *m* bank crash/failure; **B.konsortium** *nt* banking consortium

Bankkonto *nt* bank/banking account; **B. eröffnen** to open a bank account, ~ an account with a bank; **B. haben/unterhalten bei** to bank with

Bank|kontokorrent *nt* current account with a bank; **B.kontrolle** *f* bank audit; **B.konzern** *m* banking group/combine; **B.konzerngeschäfte** *pl* group banking; **B.konzession** *f* bank charter; **B.kostenrechnung** *f* bank costing, bank cost accounting; **B.krach** *m* bank crash/failure, collapse of a bank

Bankkredit *m* 1. bank credit/loan/advance, cash credit, banker's advance, overdraft *[GB]*; 2. lending; 3. borrowing, recurring appropriation; **B. aufnehmen** to take up money at a bank, to raise a bank loan, to borrow; **über einen B. verfügen** to have a credit with a bank; **durch Bürgschaft gesicherter B.** secured/guaranteed credit; **mittelfristiger B.** bank term credit; **B.gewährung** *f* bank lending/credit; **B.volumen** *nt* bank credits, lending

Bank|kreise *pl* banking circles/interests/quarters/community, bankers; **B.krise** *f* banking crisis

Bankkunde *m* bank customer/client, depositor; **B.nkarte** *f* banker's/bank card, cheque guarantee card; **B.nbetreuer** *m* account manager

Bank|kundschaft *f* customers (of a bank), clientele; **B.lehre** *f* bank training; **B.lehrling** *m* bank trainee; **B.leistungen** *pl* banking/bank's services; **B.leitung** *f* bank management; **B.leitzahl (BLZ)** *f* bank code (number), bank identification/routing number, branch code number, (bank) sort(ing) code, routing symbol; **B.leitzahlsystem** *nt* system of bank routing numbers; **B.liquidität** *f* bank liquidity; **B.lombardgeschäft** *nt* collateral loan business; **B.marketing** *nt* bank marketing; **b.mäßig** *adj* bankable, banking, in line with banking practice(s); **B.netz** *nt* banking network; **B.niederlassung** *f* banking agency

Banknote *f* banknote, bank bill; **B.n** paper currency/ money; **~ der Bundesreservebanken** federal reserve notes *[US]*

Banknoten aufrufen to call in (bank)notes; **B. einlösen** to cash/redeem banknotes; **B. einziehen** to withdraw banknotes; **B. fälschen** to forge banknotes; **B. in Umlauf setzen** to issue banknotes; **B. aus dem Verkehr ziehen** to withdraw notes from circulation

aufgerufene Banknote|n notes withdrawn from circulation; **ausländische B.n und Münzen** foreign notes and coins; **falsche/gefälschte/unechte B.** forged/ counterfeit banknote, dud, stunner *[GB]*; **durch Werterhöhung gefälschte B.** raised bill; **in Gold zahlbare B.** gold note

Banknoten|ausgabe *f* note issue, issue/emission of banknotes; **B.bündel** *nt* wad/sheaf of notes; **B.druck** *m* banknote printing; **B.druckerei/B.presse** *f* note press; **B.einziehung** *f* withdrawal of banknotes; **B.emission** issue of banknotes, note issue; **B.fälscher** *m* counterfeiter of banknotes, note forger; **B.fälschung** *f* counterfeiting, bill forgery, forgery of banknotes; **B.kontingent** *nt* note issue limit; **B.monopol** *nt* note-issuing monopoly; **B.papier** *nt* 1. banknote paper; 2. bondpaper; **B.privileg** *nt* right to issue banknotes; **B.rolle** *f* bankroll; **B.schlüssel** *m* note-issuing power; **B.steuer** *f* tax on note issue; **B.umlauf** *m* notes in circulation, (bank-)note/active circulation, circulating banknotes

Bankobligation *f* bank bond

Bankomat *m* cash dispenser/terminal, automated teller machine (ATM), cash card service

Bank|orderscheck *m* bank order cheque; **B.organisation** *f* bank's organisation; **B.panik** *f* run on a bank, bank run; **B.papiere** *pl* bank paper(s); **B.partner** *m* bank partner; **B.personal** *nt* bank(ing) staff/workforce; **B.pfandrecht** *nt* banker's lien; **B.platz** *m* banking centre, bank(ing) place; **~ für Auslandsgeschäfte** offshore centre; **B.pleite** *f* bank failure; **B.politik** *f* banking/bank policy; **B.post** *f* ▯ bond paper; **B.praxis** *f* banking usage/practice(s); **B.preise** *pl* bank charges; **B.privileg** *nt* bank charter; **B.provision** *f* banking charges/commission/agio, banker's commission; **B.prüfung** *f* audit of the bank balance sheet; **B.quittung** *f* bank receipt; **B.rat** *m* bank council; **B.rate** *f* bank/discount rate, minimum lending rate (MLR); **B.raub** *m* bank raid/robbery/holdup; **B.räuber** *m* bank robber; **B.räume** *pl* banking premises; **B.recht** *nt* banking law, bank laws; **B.referenz** *f* banker's/bank reference; **B.regel** *f* banking rule; **goldene B.regel** bankers' rule; **B.rembours** *m* commercial (letter of) credit, reimbursement, bank documentary credit; **B.reserve** *f* bank/banker's/banking reserve(s); **B.revision** *f* banking audit, bank inspection/examination *[US]*; **B.revisor** *f* bank auditor/inspector/examiner

Bankrott *m* bankruptcy, (business/commercial) failure, insolvency, collapse, suspension of payments, smash, bust-up *(coll)*; **b.** *adj* bankrupt, insolvent, broken, collapsed, bust *(coll)*, on the rocks *(coll)*

Bankrott anmelden to file a petition in bankruptcy; **B. erklären** to declare o.s. bakrupt; **b. gehen/machen** to go bankrupt/bust *(coll)*/broke/bankrott, to fail, to smash/break/fold up *(coll)*, to go to the wall *(fig)*; **B. riskieren** to go for broke *(coll)*; **kurz vor dem B. stehen** to be on the verge of bankruptcy; **für b. erklärt werden** to be declared/adjudicated bankrupt

betrügerischer Bankrott fraudulent bankruptcy, insolvency offence; **fahrlässiger B.** reckless bankruptcy; **offenkundig gewordener B.** notorious bankruptcy, ~ bankrupt *[Scot.]*; **leichtsinniger B.** wilful bankruptcy; **unverschuldeter B.** simple bankruptcy

Bankrott|erklärung *f* § bankruptcy notice, declaration of bankruptcy, petition/adjudication in bankruptcy; **B.eur** *m* bankrupt, defaulter; **B.gesetz** *nt* Bankruptcy Act *[GB]*

Bank|rücklage *f* bank's reserve; **B.safe** *m* bank safe, safe-deposit box; **B.saldenbestätigung** *f* confirmation of bank balance; **B.saldo** *m* bank balance; **B.sanierung** *f* bank's reorganisation/restructuring; **B.satz** *m* bank/ discount rate; **B.schalter** *m* (bank) counter; **B.schalterstunden** *pl* banking hours; **B.scheck** *m* bank cheque/ draft, banker's draft, cashier's/banker's/officer's/registered cheque, official check *[US]*, teller cheque/ check; **B.schein** *m* banker's note; **B.schließfach** *nt* (bank) safe, safe deposit box, bank safety deposit box; **nach B.schluss** *m* after banking hours

Bankschuld|en *pl* bank debts/indebtedness, ordinary debts, indebtedness/due to banks; **kurzlaufende B.en** short-dated bank bonds; **B.ner(in)** *m/f* bank borrower, debtor of a bank; **B.schein** *m* borrower's note issued by bank; **B.verschreibung** *f* bank bond

von Bank|seite *f* from banking sources; **B.sektor** *m* banking industry/sector; **B.sicherheit** *f* collateral; **B.sparbrief** *m* bank savings bond; **B.sparen** *nt* saving at banks; **B.spesen** *pl* bank(ing) charges, activity charge(s); **B.statistik** *f* banking statistics; **B.status** *m* bank status; **B.statut** *nt* 1. bank charter; 2. bank statement; **B.stelle** *f* bank(ing) outlet, bank branch/office; **B.stellennetz** *nt* bank branch network; **B.steuer** *f* bank levy/tax; **B.system** *nt* banking system; **B.tag** *m* banking day; **B.tätigkeit** *f* banking operations/activity; **~ ausüben** to bank; **b.technisch** *adj* banking; **B.titel** *pl* → **B.werte**; **B.tochter(gesellschaft)** *f* bank(ing) subsidiary; **B.transaktion** *f* banking operation/transaction; **B.tratte** *f* bank/banker's draft (B.D.); **B.tresor** *m* bank vault; **B.überfall** *m* bank raid/robbery/hold-up; **B.übernahmekonsortium** *nt* bank syndicate for loan issue; **B.überweisung** *f* bank remittance/transfer, banker's order, (bank) credit/banker's/giro transfer, bank money order; **B.überweisungsformular** *nt* credit transfer form; **B.überziehung** *f* overdraft; **B.überziehungskredit** *m* overdraft facility/loan; **b.üblich** *adj* in accordance with banking practice(s), normal/customary in banking, usual; **B.umsätze** *pl* bank turnovers; **B.unkosten** *pl* bank charges; **B.unterlagen** *pl* bank documents; **B.unternehmen** *nt* bank; **B.usancen** *pl* banking customs/practice(s)/usage; **B.valoren** *pl* 1. bank shares *[GB]*/stocks *[US]*; 2. bank valuables; **B.valuta** *pl* bank money; **B.verbindlichkeit** *f* bank liability; **B.verbindlichkeiten** due to banks, bank borrowings; **B.verbindung** *f* 1. account; 2. banking connection/relations, relationship with a bank, bank affiliation, banker; **B.verein/B.vereinigung** *m/f* bankers'/banking association, association of banks; **B.verkehr** *m* interbank dealings, bank transactions, banking (transactions/operations/business); **B.vermögen** *nt* bank assets; **gegenseitige B.verpflichtungen** interbank balances; **B.verschuldung** *f* bank borrowing(s)/indebtedness; **B.vertreter** *m* bank agent; **B.vollmacht** *f* power of attorney, mandate; **B.vorausdarlehen** *nt* preliminary bank loan; **B.vorschuss** *m* bank loan; **kurzfristige B.vorschüsse** day-to-day advances; **B.vorstand** *m* bank management; **B.währung** *f* bank money; **B.wechsel** *m* banker's draft (B.D.)/bill/acceptance, bank draft (B.D.)/bill/paper/acceptance; **B.welt** *f* banking circles/community/world/industry; **B.werte** *pl* bank shares *[GB]*/stocks *[US]*, banks; **B.wesen** *nt* banking (system), ~ business/trade; **genossenschaftliches B.wesen** cooperative banking; **B.wirtschaft** *f* banking industry; **b.wirtschaftlich** *adj* banking; **B.wissenschaft** *f* science of banking; **B.woche** *f* bank return week; **B.wochenstichtag** *m* weekly bank return date; **B.zahlung** *f* banker's payment; **B.zahlungsmittel** *pl* bank payment media; **B.zentrum** *nt* financial/banking centre; **B.ziehung** *f* banker's draft (B.D.), bill drawn by a bank; **B.zinsen** *pl* bank interest, interest on loan capital; **B.zinsrate/-satz für erstklassige Adressen** *f/m* prime rate; **B.zusammenbruch** *m* bank failure/crash; **B.zusammenschluss** *m* bank merger

Bann *m* 1. spell; 2. ban, interdiction, outlawing; **B.bruch** *m* ⊖ customs violation

bannen *v/t* 1. to banish/allay; 2. to avert, to ward off

Bann|gut *nt* ⊖ contraband goods; **B.kreis** *m* protected parliamentary zone; **B.meile** *f* inviolable precincts (of parliament), protected zone; **B.wirtschaft** *f* prohibition system

bar *adj* cash (down), in cash; *prep* devoid of; **gegen b.** for cash, cash down; **nur ~ b.** cash only; **in b.** in cash/specie; **b. ohne Abzug** net cash; **~ jeden Abzug** cash without any deductions; **sofort ~ Abzug** prompt net cash; **b. abzüglich Diskont/Rabatt/Skonto** cash less discount; **b. auf die Hand** (in) cash

Bar|abfindung *f* cash settlement/payment, monetary settlement/payment, cash/money/pecuniary compensation, indemnification in cash; **B.abfindungsangebot** *nt* cash offer; **B.abgeltung** *f* cash settlement/compensation, indemnification in cash; **B.abhebung** *f* cash withdrawal/drawing, withdrawal of cash; **B.ablösung** *f* cash settlement, repayment in cash; **B.ablösungswert** *m* cash surrender value; **B.abschluss** *m* cash transaction; **B.abwicklung** *f* cash settlement; **B.abzug** *m* cash withdrawal/deduction/reduction; **B.akkreditiv** *nt* cash/clean credit, cash/standby *[US]* letter of credit (L/C); **B.alternative** *f* cash alternative; **B.anforderung** *f* cash requirement; **B.angebot** *nt* cash offer; **B.ansammlung** *f* cash build-up; **B.anschaffung** *f* provision of cash, cash payment/remittance; **B.anteil** *m* cash share/element

Baratterie *f* ⚓ barratry

Bar|aufwand *m* cash outlay; **B.aufwendungen** *pl* out-of-pocket expenses; **B.aufzahlung** *f* additional cash payment; **B.ausgaben** *pl* cash expenditure; **B.ausgänge** *pl* cash outgoings; **B.auslage(n)** *pl* out-of-pocket expenses, cash expense(s)/expenditure/outlay; **B.ausschüttung** *f* cash bonus/dividend, cash/capital distribution, payout in cash; **B.ausstattung** *f* cash allocation/available; **B.auszahlung** *f* payment in cash, cash handout/payment/disbursement/advance; **~ von einem Postscheckkonto** outpayment; **B.bedarf** *m* cash requirement(s); **B.bestand** *m* cash (in hand), ~ holdings/position, amount/balance in cash, effects; **B.bestände** cash assets; **B.betrag** *m* amount in cash, cash amount; **~ aus eigenem Grundbesitz** proprietary equity; **B.bezüge** *pl* compensation in cash; **B.bonus** *m* cash bonus

Barcode *m* bar code; **B.aufkleber** *m* bar code sticker; **B.lesegerät** *nt* barcode reader/scanner

Bar|darlehen *nt* cash loan/advance; **B.deckung** *f* cash cover

Bardepot *nt* cash deposit, deposit in cash; **B.gestellung** *f* putting up of cash deposits; **B.pflicht** *f* cash deposit requirements; **B.satz** *m* cash deposit ratio

Bar|diskont *m* cash discount; **B.dividende** *f* 1. cash dividend, dividend in specie; 2. *(Vers.)* cash bonus; **B.eingänge** *pl* cash receipts; **B.einkauf** *m* cash purchase/buying; **B.einkommen** *nt* cash earnings; **B.einlage** *f* cash deposit/investment/subscription/contribution; **B.einlagen** cash capital/on deposit, contribution in cash; **B.einlösung** *f* redemption for cash; **B.einnahmen** *pl* cash receipts/earnings/takings; **B.einschuss** *m* 1. payment on account; 2. margin, cash deposit/injection, ~ loss payment; **B.einschusspflicht** *f* cash margin requirement; **B.einzahlung** *f* cash deposit/inpayment/contribution; **B.ein- und Auszahlungen** cash transactions; **B.einzahlung auf ein Postscheckkonto** inpayment

sich einen Bärendienst erweisen *m* *(fig)* to shoot o.s. in the foot *(fig)*; **jdm. ~ erweisen** to do so. a disservice

Bar|entlohnung *f* cash remuneration; **B.entnahme** *f* cash withdrawal; **B.entnahmen** cash drawings; **B.erlös** *m* net/cash proceeds, proceeds in cash; **B.erstattung** *f* cash refund; **B.ertrag** *m* cash yield; **B.finanzierung** *f* direct financing; **B.forderung** *f* money claim

B.freimachung *f* bulk franking; **B.gebot** *nt* cash bid/offer; **reines B.gebot** all-cash bid

Bargeld *nt* (ready/liquid/hard) cash, ready/current/effective money, cash in hand/vault, money in cash/hand, balance/amount in cash, cash assets/equity; **B. abheben** to draw (out) cash; **B. an-/einnehmen** to take in cash; **in B. schwimmen** to be cash-rich; **aufgerufenes B.** notes called in for cancellation; **verfügbares B.** cash in hand

Bargeld|abfluss *m* cash drain; **B.abhebung** *f* cash withdrawal; **B.anforderung** *f* cash call; **B.ausgaben** *pl* outgoing cash payments; **B.(auszahlungs)automat** *m* cashomat *[US]*, (automatic) cash dispenser, cash (dispensing) machine, automated teller machine (ATM), cash (advance) terminal; **B.bedarf** *m* cash requirements; **B.bestand** *m* cash holdings/balance, ~ in hand, amount in cash; **B.betrag** *m* amount in cash; **B.durchfluss** *m* cash flow; **B.einlage** *f* cash deposit; **B.einnahmen** *pl* (incoming) cash receipts; **B.einschuss** *m* 1. payment on account, cash deposit; 2. cash loss payment, margin; **B.knappheit/B.mangel** *f/m* cash shortage/squeeze; **an ~ leiden** to be cash-strapped; **B.leistung** *f (Vers.)* cash benefit; **b.los** *adj* 1. cashless, non-cash, without ready money, paid by cheque; 2. cash-strapped; **B.loszahlung** *f* cashless/non-cash payment; **B.menge** *f* note and coin circulation; **laufende B.mengen** currency; **B.reserve** *f* cash reserve/hoard, spare cash; **B.rückfluss** *m* return flow of notes and coins; **B.sendung** *f* cash remittance; **B.spende** *f* cash donation; **B.umlauf** *m* circulation of money, note and coin/monetary circulation, cash circuit; **B.verkehr** *m* cash transaction(s); **B.volumen** *nt* notes and coins in circulation; **B.vorrat** *m* amount in cash

Bar|geschäft *nt* 1. cash transaction/deal/operation/sale; 2. *(Börse)* spot business/transaction; **B.geschenk** *nt* cash present; **B.gründung** *f* formation by founders' cash subscription; **B.guthaben** *nt* cash assets/balance, cash in hand; **B.gutschrift** *f* cash credit; **B.hinterlegung** *f* cash deposit; **B.inanspruchnahme** *f* cash drawing

Barkapital *nt* cash capital; **Bar- oder Sachkapital** contributed capital; **B.anlage** *f* cash investment; **B.erhöhung** *f* capital increase for cash

Bar|kasse *f* 1. petty cash, cash department; 2. ⚓ launch; **B.kauf** *m* cash purchase/sale, buying for cash; **B.kaution** *f* cash bond

Barkredit *m* cash credit/advance, clean credit (c/c), overdraft, encashment/financial credit; **persönlicher B.** personal loan; **B.rahmen** *m* overdraft facility

Bar|kunde *m* cash customer; **B.leistung** *f* cash payment/benefit; **kurzfristige B.linien** liqudity lines; **B.liquidität** *f* cash liquidity/ratio, available/liquid cash; **B.lohn** *m* cash/money wage, money compensation

Bärmarkt *m (Börse)* bear market

Barmherzig *adj* merciful

Barmittel *pl* cash (in/on hand), liquid cash/funds, amount of ready money, (resources) cash equity; **B. und Bankforderungen** cash and due from banks; **mangels B.** for lack of funds; **um B. verlegen** cash-strapped; **B. auffüllen** to build up cash; **B.verknappung** *f* cash shortage; **B.zufluss** *m* cash inflow

Baro|graf *m* barograph; **B.meter** *nt* 1. barometer; 2. *(fig)* indicator, pointer

Baron *m* 1. baron; 2. (business) magnate

Bar|position *f* cash position; **B.prämie** *f* cash bonus; **B.preis** *m* cash price; **B.preisbedingungen** *pl* cash terms; **B.rabatt** *m* cash discount; **B.regulierung** *f* cash adjustment

Barren *m* 1. ✎ ingot; 2. *(Gold/Silber)* bullion, bar; **prompter B.** spot bullion

Barrendite *f* cash yield

Barren|gewicht *nt* bar weight; **B.gold** *nt* gold bullion; **B.silber** *nt* silver bullion

Barreserve *f* cash/legal reserve, cash hoard, vault cash *[US]*; **B.n der Banken** till money; **B.satz** *m* cash ratio

Barriere *f* barrier, wall, bar; **B. durchbrechen** to go/crash through a barrier

Bar|rückkaufswert *m* cash surrender value; **B.saldo** *m* cash balance; **B.schaft** *f* cash, ready money; **B.scheck** *m* open/uncrossed cheque; **B.schuld** *f* cash debt, debt in ready money; **B.sendung** *f* cash remittance, remittance in cash, consignment in specie; **B.sicherheit** *f* cash collateral/deposit; **B.sortiment** *nt* book wholesaler's

Bartergeschäft *nt* barter transaction, counter trade

Bar|transaktion *f* cash transaction; **B.transfer** *m* cash transfer; **B.übernahmeangebot** *nt* cash takeover bid, all cash/paper (tender) offer; **B.überschuss** *m* cash balance/surplus, balance in/on hand; **B.überweisung** *f* cash transfer/remittance; **B.umsätze** *pl* cash transactions; **B.vergütung** *f* cash benefits/refund/compensation/bonus; **B.verkauf** *m* cash sale/transaction; **B.verkaufsschein** *m* sales slip; **B.verkehr** *m* cash transactions, trading on cash terms; **B.verkehrsmarkt** *m* spot market; **B.verlust** *m* net loss; **B.vermögen** *nt* net/cash assets, cash in hand, liquid funds; **B.vertrag** *m* cash contract; **B.vorlage** *f* cash disbursement; **B.vorrat** *m* cash reserve, amount in cash; **B.vorschuss** *m* cash advance/float, payment in advance

Barwert *m* cash/present/capitalized/collection/realization value, actual cash value, present worth, cash equivalent; **B. der Rückflüsse** present value of net cash inflows; **B.anwartschaft** *f* present value of an expectancy; **B.(be)rechnung** *f* discounted cash flow method; **B.faktor** *m* present-value factor; **B.methode** *f* present value method; **B.veränderung** *f* change in present value

Barzahler *m* cash buyer/user

Barzahlung *f* cash payment/settlement, payment in cash, cash on delivery (COD, c.o.d.), cash (down), specie/down/cash-down payment, spot cash, disbursement; **gegen B.** for cash, cash down; **B. ohne Abzug** cash without discount; **B. bei Auftragserteilung** cash with order (CWO); **B. gegen Dokumente** cash against documents (C/D); **B. bei Lieferung** cash/collect *[US]* on delivery (COD, c.o.d.); **B. vor Lieferung** cash before delivery; **bei B. x % Skonto** x per cent discount for cash; **gegen B. und bei eigenem Transport** cash and carry; **B. leisten** to pay cash; **sofortige B.** spot cash

Barzahlungs|angebot *nt* cash offer; **B.auftrag** *m* cash order; **B.bedingungen** *pl* cash terms; **B.geschäft** *nt* 1. cash transaction; 2. spot firm; **B.konto** *nt* cash discount; **B.kunde** *m* cash customer; **B.nachlass** *m* cash discount; **B.pflicht** *f* cash payment; **B.preis** *m* cash price; **B.rabatt** *m* cash/straight/sales discount, discount/reduction for cash; **B.system** *nt* cash system; **B.verfahren** *nt* cash-based payment system; **B.verkehr** *m* cash transactions; **B.vertrag** *m* cash contract

Bar|zeichnung *f* subscription in cash; **B.zufluss** *m* cash inflow/flow; **B.zuschuss** *m* cash grant/allowance/aid; **B.zuzahlung** *f* additional cash payment

Basar *m* bazaar

basieren auf *v/i* to base/rest on, to be based on

Basis *f* 1. basis, base, foundation, footing; 2. π radix; 3. substratum; 4. *(Parteien/Gewerkschaft)* the rank and file; **an der B.** at grass-roots level; **auf der B. der Gegenseitigkeit** on a basis of reciprocity

auf breiter Basis 1. broadly based; 2. *(Anstieg)* widely spread; **gemeinsame B.** common ground; **gemischte B.** 🖳 mixed base; **auf gleicher B.** on equal terms; **industrielle B.** industrial/manufacturing base; **künstliche B.** artificial basis; **monetäre B.** monetary/cash/credit base; **auf privater B.** privately; **solide B.** firm foundation; **statistische B.** statistical base

Basis|adresse *f* base address; **B.arbeit** *f* ground work; **B.ausgleichsbetrag** *m [EU]* basic compensatory amount; **B.beschäftigung** *f* basic volume of activity; **B.bevölkerung** *f* base population; **B.bilanz** *f* basic balance; **B.chemikalie** *f* ⚗ commodity chemical; **B.daten** *pl* ▦ basic data; **B.einkommen** *nt* underlying earnings; **~ des Haushalts** break-even level of income; **B.einstandspreis** *m* base/basic cost; **B.geldreserven** *pl* reserve base; **B.geschäft** *nt* core/bread-and-butter *(coll)* business; **B.gesellschaft** *f* letter box/foreign-based company; **B.gewicht** *nt* ▦ base weight; **B.information** *f* basic information; **B.innovation** *f* basic/fundamental innovation; **B.jahr** *nt* base/basic year; **B.kalkulation** *f* standardized cost estimate; **B.kurs** *m* basic rate/price; **B.ladeprogramm** *nt* 🖳 initial programming load; **B.laufzeit** *f* effective base period; **B.linie** *f* base line; **B.lösung** *f* basic solution; **B.modell** *nt* bare bones version; **B.patent** *nt* basic patent; **B.periode** *f* base period

Basispreis *m* 1. reference price; 2. *(Optionshandel)* basic/base/exercise/striking price; **B.schritt** *m* exercise price interval; **B.system** *nt* reference/basic price system

Basis|produktion *f* primary production; **B.punkt** *m* basis point; **B.punktsystem** *nt* base point system; **B.qualifikation** *f* foundation qualification; **B.satz** *m* basic statement; **B.steuer** *f* normal tax *[US]*; **B.stichtag** *m* base reference date; **B.technologie** *f* base/basic technology; **B.titel** *m* → **B.wert** 2. ; **B.trend** *m* basic trend; **B.variable** *f* basic variable; **B.währung** *f* reference currency; **B.wert** *m* 1. basic dimension; 2. *(Terminbörse)* underlying security; **B.zeit(raum)** *f/m* ▦ base period; **B.zins(satz)** *m* base (lending) rate; **B.zyklus** *m* ▦ reference cycle

Basler Eigenkapitalübereinkunft Basle Capital Adequacy Accord

Bastel|artikel/B.ware *pl/f* do-it-yourself goods

basteln *v/t* to tinker, to do handicraft work

Batzen *m* chunk; **B. Gold** lump of gold; **einen B. koster** to cost a pretty penny *(coll)*

Bau *m* 1. building, construction, fabrication; 2. 🏛 erec tion; 3. *(Struktur)* structure, fabric; 4. *(Maschine)* manufacture; **im B. (befindlich)** under construction, in the process of construction; **zum B. genehmigt** 🏛 approved, planning permission granted; **frei B.** free con struction site; **B. aufführen** to erect a building; **B. aus führen** to carry out a building project; **im B. sein** to be under construction; **B. vergeben** to award a building project

gewerblich genutzte/gewerbliche Bau|ten commer cial/industrial/non-residential buildings; **gewerbli cher und industrieller B.** commercial and industria building; **landwirtschaftlicher B.** agricultural/farn building; **öffentlicher B.** public building/works, ~ building and works, ~ construction activity

Bau|- constructional

Bauabnahme *f* building/final inspection, building sur vey, acceptance of construction work; **B.beamter** *m* building surveyor; **B.schein** *m* final architect's certifi cate

Bau|abrechnung *f* builder's account, work measure ment and billing; **B.abschnitt** *m* section, stage, phase **B.aktien** *pl* building issues/shares *[GB]*/stocks *[US]* buildings; **B.amt** *nt* (local) planning/building authori ty, Board of Works *[GB]*; **B.anschlag** *m* building esti mate; **B.antrag** *m* planning/building application, ap plication for a building permit; **B.arbeiten** *pl* building work(s)/operations, construction work(s); **B.arbeiter** *m* 1. building/construction worker; 2. *(ungelernt)* (build er's) labourer; **B.arbeitsgemeinschaft** *f* constructio consortium; **B.art** *f* 1. type, make; 2. ✿ design; 3 architecture; **B.artgenehmigung/-zulassung** *f* pat tern/type approval, conformity certificate; **B.auflage** building regulations, conditions imposed for construc tion; **B.aufschwung** *f* upturn in the building industry **B.aufsicht** *f* building inspector(ate)/inspection, plan ning controls, supervision of construction work, site supervision; **B.aufsichtsbehörde** *f* building inspector ate, ~ supervisory authority

Bauauftrag *m* building/construction order; **öffentliche Bauaufträge** public works contracts; **B.geber** *m* pro ject owner

Bau|aufwand *m* building expenditure/cost(s)/outlay cost of construction; **veranschlagter B.aufwand** esti mated building cost(s); **öffentliche B.aufwendungen** public expenditure on building; **B.ausführung** *f* 1. building operation/execution/quality; 2. execution construction (of the works), cost of construction; ~ **oder Montage** building site or construction or assem bly project; **B.ausschreibung** *f* invitation of tenders, to tender (for construction work); **B.ausschuss** *m* plan ning/building committee; **B.bedarf** *m* building sup plies/materials; **B.beginn** *m* 1. construction start, star of building (work); 2. housing start; **B.behörde**

building authority, planning department, Board of Works *[GB]*; **B.berichterstattung** *f* building statistics; **B.beruf** *m* construction job, constructional occupation; **B.berufe** building and allied trades; **B.beschränkungen** *pl* planning/zoning/building restrictions, bulk zoning; **B.beschränkungsvereinbarung** *f* restrictive covenant; **B.beschreibung** *f* specification(s); **B.bestand** *m* existing buildings, housing stock; **B.bestimmungen** *pl* building regulations; **B.beteiligte(r)** *f/m* party to a construction undertaking; **B.betreuer** *m* construction supervisor, project/building/construction management agent; **B.betreuung** *f* construction management; **B.bewilligung** *f* building permit, planning permission *[GB]*; **B.biologie** *f* organic architecture; **B.boom** *m* building/construction boom; **B.branche** *f* building industry/trade, construction industry; **B.büro** *nt* site office

Bauch *m* 1. ⚕ stomach, abdomen; 2. ▦ belly, bulge; **B.-** ⚕ abdominal; **B.landung** *f* ✈ belly/pancake landing; **B.speicheldrüse** *f* ⚕ pancreas

Bau|darlehen *nt* building/construction/home loan, building credit; **B.denkmal** *nt* ancient monument, historic building; **anerkanntes B.denkmal** listed building; **B.dezernat** *nt* construction department; **B.dispens** *m* exceptional waiver of building restrictions, spot zoning; **B.dock** *nt* ⚓ stocks; **B.einheit** *f* module, (physical) unit; **B.einstellung** *f* stoppage of work at building site

Bauelement *nt* component (part), module, (structural) unit; **integriertes B.** integrated device; **kundenspezifisches B.** tailor-made/custom-made component

bauen *v/t* to construct/build/erect; **auf jdn b.** to rely on so.

Bauentwurf *m* drawing, plan

Bauer *m* farmer, peasant, husbandman, grazier *[AUS]*; **kleiner B.** smallholder, crofter *[Scot.]*; **selbstständiger B.** farm proprietor

Bauerlaubnis *f* planning permission, building permit/licence

äuerlich *adj* rural, agricultural, farmers'

Bauern|bank *f* farmers' bank; **B.bund** *m* farmers' association, country party; **B.existenz** *f* farmer's livelihood; **B.fänger** *m* confidence trickster/man, con-man *(coll)*; **B.fängerei** *f* confidence trick/game, swindle; **B.haus** *nt* farmhouse

Bauernhof *m* farm, farmstead, farmholding, agricultural holding; **B. pachten** to take a farm on lease; **ge-/verpachteter B.** tenanted farm

Bauern|partei *f* country party; **B.stand** *m* farming community; **B.streik** *m* farmers' strike; **B.tum** *nt* farming community, farmers; **B.verband** *m* farmers' association/union, National Farmers' Union *[GB]*

au|erwartungsland *nt* development/developable land, prospective building land, property in the course of development; **B.fach** *nt* building trade/line, construction industry; **B.facharbeiter** *m* building craftsman/worker; **B.(stellen)fahrzeug** *nt* heavy plant vehicle

aufällig *adj* dilapidated, derelict, run-down, in disrepair, in bad repair, decrepit, structurally unsound, ramshackle, tumble-down; **b. werden** to fall into disrepair; **B.keit** *f* dilapidation, disrepair, dereliction, dilapidated condition

Bau|fehler *m* structural fault/error, constructional defect, fault of construction; **B.fertigstellung** *f* completion (of a building project); **B.fertigstellungsanzeige** *f* completion notice; **B.fertigteil** *nt* prefabricated building component

Baufinanzierung *f* building/property finance, construction (project) financing; **gewerbliche B.** commercial building finance; **B.sanalyse** *f* building/construction finance analysis; **B.skredit** *m* building/construction loan

Baufirma *f* building contractor/firm, construction company, builder

Baufläche *f* building land, land for building development; **B. mit gemischter Nutzung** area for mixed uses; **gewerbliche B.** land for industrial building; **erschlossene ~ B.** developed land for industrial building

Bau|fluchtlinie *f* building/straight/row line; **B.fortschritt** *m* construction progress; **nach ~ zahlen** to make progress/milestone payments; **B.führer** *m* site superintendent/supervisor/manager; **B.führung** *f* site supervision/management; **B.garantie** *f* construction guarantee; **B.gebiet** *nt* development area; **saniertes B.gebiet** rehabilitated/upgraded area; **B.gelände** *nt* 1. (building) site; 2. development area, land for building; **B.geld** *nt* building funds/capital

Baugenehmigung *f* planning permission/consent *[GB]*, building/development permit *[US]*, building licence, approval of building plans, permission for building, planning and building permission; **vorläufige B.** outline planning consent/permission; **B.sbehörde** *f* planning authority, authority for granting planning permission; **B.sgebühr** *f* planning permission fee; **B.sstopp** *m* ban on the issue of building permits

Bau|genossenschaft *f* 1. (mutual) building association, building cooperative; 2. *(Bausparkasse)* building society, building/savings and loan association *[US]*; **B.gerät(e)** *nt/pl* construction equipment; **B.gerüst** *nt* scaffold(ing); **B.geschäft** *nt* building contractor/firm, builder; **B.gesellschaft** *f* 1. construction/building/development company, builder; 2. property company; **B.gesetz** *nt* building act; **B.gesuch** *nt* building application, application for planning permission; **B.gewerbe** *nt* building (and construction) trade/industry, construction industry; **B.grube** *f* building basis; **B.grund** *m* building land/site, land for development/building; **B.grundstück** *nt* (building) plot, (home) site; **~ auf der grünen Wiese** greenfield(s) site; **B.grundverhältnisse** *pl (Boden)* soil composition/condition; **B.gruppe** *f* 1. package; 2. 🏭 (sub-)assembly; **B.gruppennummer** *f* 🏭 indent number; **B.gutachter** *m* surveyor; **B.haftpflichtversicherung** *f* builder's risk insurance; **B.handwerk** *nt* building trade(s)/craft(s); **B.handwerker** *m* building/construction worker, builder; **B.hauptgewerbe** *nt* building (and civil engineering) trade, building industry proper, building/construction trades and industry, construction industry

Bauherr *m* builder-owner, (project) owner, housebuilder, client, employer, promoter, principal (of a building contract)

Bauherren|gemeinschaft *f* association of employers/owners; **B.haftpflichtversicherung** *f* liability insurance for builder-owners, builder's risk insurance; **B.haftung** *f* liability of building principal; **B.modell** *nt* scheme for tax-favoured construction of residential properties, house builders scheme

Bau|hilfsarbeiter *m* builder's labourer; **B.hilfsgewerbe** *nt* ancillary building trade, construction-related trade; **B.hof** *m* builder's/timber yard; **B.holz** *nt* timber *[GB]*, lumber *[US]*; **B.hypothek** *f* building/construction mortgage; **B.index** *m* 1. building output index; 2. construction price index; **B.industrie** *f* building industry/trade, construction industry; **B.ingenieur** *m* 1. construction engineer; 2. *(Tiefbau)* civil engineer; **B.ingenieurwesen** *nt* civil engineering; **B.inspektor** *m* district surveyor; **B.interessent** *m* would-be builder, person wishing to build; **B.investition(en)** *f/pl* construction spending/investment, building investment (s)/projects, expenditure on building, investment in building; **B.jahr** *nt* 1. 🏛 year of construction; 2. 🚗 year of manufacture; **B.kapazität** *f* construction/building capacity; **B.kapital** *nt* building capital

Baukasten *m* construction set, kit; **B.-** modular; **B.fertigung** *f* unit system manufacturing; **B.prinzip** *nt* unit/modular construction principle, modularity, building block concept; **B.stückliste** *f* parts list arranged in bins; **B.system** *nt* modular building-block system

Bau|kolonne *f* gang of construction/building workers, construction gang/team, building gang; **B.konjunktur** *f* building/construction boom, overall construction/building activity, activity/trend in building, economic situation of the building industry; ~ **anheizen** to kindle the building boom; **B.konsortium** *nt* construction consortium, group of building contractors; **B.kontingent** *nt* building quota; **B.konto** *nt* construction account

Baukosten *pl* construction/building cost(s), cost(s) of construction, construction expenditure; **B.index** *m* construction cost(s) index; **B.kalkulator** *m* quantity surveyor; **B.überschreitung** *f* construction cost(s) overrun; **B.voranschlag** *m* building/builder's estimate; **B.zuschuss** *m* building cost(s) subsidy, building grant/subsidy; **verlorener B.zuschuss** non-repayable contribution to building costs

Baukredit *m* building/construction loan

Bauland *nt* building land/plot/site, land for building development, development area; **B. erschließen** to develop land, to open up new land; **B.beschaffung** *f* release of land for development, procurement of building land; **B.erschließung** *f* land/property/real estate development; **B.erschließungsabgabe** *f* development land tax; **B.preise** *pl* building land prices; **B.steuer** *f* land hoarding tax/charge, development land tax

Bauleistung *f* building/construction output, ~ work; **B.ssteigerung** *f* increase in building output; **B.sversicherung** *f* works/erection and assembly insurance

bau|leitend *adj* *(Architekt)* directing construction; **B.leiter** *m* site superintendent/manager/surveyor/engineer, clerk of works

Bauleit|plan *m* development plan, real estate utilization plan; **B.planung** *f* development planning, town and country planning, planning for real estate utilization and building; **B.planverfahren** *nt* (development/town and country) planning procedure

Bauleitung *f* 1. site management/supervision; 2. site supervising staff; 3. *(Büro)* site office

baulich *adj* structural, constructive; **B.keit** *f* construction; **B.keiten** buildings

Bau|los *nt* lot; **B.löwe** *m* 1. building tycoon, (property) developer; 2. building speculator; **B.lücke** *f* gap (between existing buildings), empty site; **B.lust** *f* desire to build; **b.lustig** *adj* wishing to build; **B.lustige(r)** *f/m* would-be/potential builder

dominanter Baum *(OR)* dominant requirement tree; **mit Bäumen bepflanzen** to plant trees, to wood

Baumarkt *m* 1. building suppliers, builder's yard, do-it-yourself (DIY) store; 2. construction/building market

Baumaschine *f* construction/building machine; **B.n** construction machinery/equipment/plant, building/construction-related machinery; **B.nhandel** *m* building machinery trade; **B.nhersteller** *m* producer/manufacturer of construction machinery; **B.nvermietung** *f* plant hire

Baumaßnahme *f* building project, construction work, development; **B. auf der grünen Wiese** greenfield(s) development; **B. strecken** to slow construction

Baumaterial *nt* building/construction material(s); **B.händler/B.lieferant** *m* builders' merchant

Baum|bestand *m* tree population, stand; **B.bestandsschutzauflage** *f* tree-preservation order; **B.diagramm** *nt* tree diagram

Bau|meister *m* (master) builder; **B.mittel** *pl* building funds/capital

Baum|schule *f* nursery (garden), tree nursery; **B.stamm** *m* trunk, log; **B.sterben** *nt* dying trees, tree dieback **B.struktur** *f* 🖳 tree structure

Baumuster *nt* model; **B.prüfung** *f* type approval

Baumwoll|artikel *pl* cotton goods; **B.börse** *f* cotton exchange

Baumwolle *f* cotton; **B. ernten** to pick cotton

Baumwoll|ernte *f* 1. cotton harvest; 2. *(Ertrag)* cotton crop; **B.erzeugung** *f* cotton production; **B.handel** *m* cotton trade; **B.industrie** *f* cotton industry; **B.kleidung** *f* cottons; **B.markt** *m* cotton market; **B.spinnerei** *f* cotton mill; **B.stoffe/B.waren** *pl* cottons; **bedruckter B.stoff** cottonprint

Baunachfrage *f* construction demand

Bauneben|gewerbe *nt* ancillary building trade, construction-related trade; **B.kosten** *pl* ancillary construction cost(s), ancillary/additional building cost(s); **B.leistung** *f* ancillary building service

Bau|nummer *f* manufacturing code; **B.nutzungsverordnung** *f* ordinance on use of buildings; **B.objekt** *nt* building/construction project; **B.obligation** *f* building bond

Bauordnung *f* building regulations/code, construction code; **B.samt** *nt* building authority; **B.srecht** *nt* build ing law/regulations

Baulpachtrecht *nt* building lease; **B.parzelle** *f* building plot; **B.pause** *f* hold-up in building, building freeze; **B.plan** *m* 1. architect's drawing/plan, working drawing, building/construction plan; 2. *(Vorhaben)* project

Bauplanung *f* architectural/construction planning; **B.samt** *nt* planning department/authority; **B.srecht** *nt* law on planning building projects

Baulplatz *m* (building) plot/site/lot/ground; **B.polizei** *f* official inspectors for building, municipal survey office; **B.preise** *pl* building cost(s)/prices; **B.preisniveau** *nt* construction cost level; **B.produktion** *f* building/construction output; **B.programm** *nt* building programme, construction schedule; **B.projekt** *nt* building/construction project; ~ **in Angriff nehmen** to start a building project; **B.recht** *nt* 1. building law, planning and building laws and regulations; 2. right to build; **B.reederei** *f* shipyard, shipbuilding yard; **b.reif** *adj* developed, ready/available for building; **B.reifmachung** *f* (land) development/preparation; **B.reihe** *f* 1. construction series, (model) range; 2. 🚂 class; **B.rezession** *f* construction slump

Baurisiko *nt* builder's risk; **B.police** *f* builder's risk policy; **B.versicherung** *f* builder's risk insurance

Baulsache *f* § building land case; **B.sachverständiger** *m* (building/quantity) surveyor; **B.saison** *f* building season; **B.satz** *m* kit (of components), assembly (kit); ~ **montieren** to assemble a kit

in Bausch und Bogen *m* wholesale, in bulk; ~ **verdammen** to condemn wholesale

Baulschaden *m* structural damage; **B.schadenversicherung** *f* builder's risk insurance; **B.schein** *m* builder's certificate; **B.schild** *nt* 🏛 agent board; **B.schutt** *m* (builder's) rubble, demolition waste; **B.schutzbereich** *m* safety zone around a building site; **b.seitig** *adj* by the builder/employer, owner-, builder-; **b.seits** *adv* by the builder/contractor; **B.sektor** *m* construction industry/market, building and allied trades, ~ engineering; **öffentlicher B.sektor** public-sector building

Bausparlbedingungen *pl* saving contract terms; **B.beitrag/B.einlage** *m/f* building society deposit, payment into a building society account; **B.brief** *m* savings agreement for building purposes; **B.darlehen** *nt* building society loan; **B.einlage** *f* building saving deposit

Baulsparen *nt* saving for building purposes, ~ through building societies; **B.sparer** *m* building society saver

Bausparlfinanzierung *f* building society funding; **B.geld(er)/B.guthaben** *nt* building society deposit(s)/funds, balance on building society account, savings at building societies; **B.gemeinschaft** *f* (group of) building society savers; **B.hypothek** *f* building society mortgage

Bausparkasse *f* building society *[GB]*, savings and loan association (S & L)/institution *[US]*, homestead association *[US]*, guaranty stock loan and savings association *[US]*, (home) building and loan/savings association *[US]*, thrift *[US]*, housing credit association *[Malaysia]*; **B.n** savings and loan industry; **genossenschaftliche B.** mutual loan and savings association *[US]*

Bausparkassenlbeiträge *pl* (savings) deposits with building societies; **B.gesetz** *nt* Building Societies Act *[GB]*; **B.konto** *nt* building society account; **B.kredit** *m* building society loan; **B.mittel** *pl* building society funds; **B.verband** *m* Building Societies Association/Commission *[GB]*; **B.wesen** *nt* savings and loan industry; **B.nzentralbank** *f* Federal Home Loan Bank *[US]*

Bausparlkredit *m* building society loan; **B.prämie** *f* premium on building society savings; **B.summe** *f* targeted amount of savings, building society money; **zugeteilte B.summe** granted loan plus released deposit; **B.verein** *m* building society *[GB]*, savings and loan association (S&L) *[US]*; **B.versicherung** *f* building society indemnity; **B.vertrag** *m* building society savings agreement, savings agreement for building purposes, building loan contract, savings contract with a building society, home loan and savings contract; **B.zinsen** *pl* building society interest (rate)

Baulspekulant *m* speculative builder, building speculator; **B.spekulation** *f* speculative building; **im B.stadium** *nt* under construction; **B.stahl** *m* 1. structural steel; 2. 🏛 reinforcing steel

Baustein *m* 1. brick; 2. *(System)* building block, module; **elektronischer B.** chip, electronic component; **B.system** *nt* modular system

Baustelle *f* construction/building/work(s)/(project/job) site; **auf der B.** on(-)site; **außerhalb der B.** off-site; **frei B.** free site; **B.nbuchhaltung** *f* job-site accounting; **B.nfertigung** *f* job-site/construction-site production; **B.nleiter** *m* site manager; **B.nverkehr** *m* 1. on-site/works traffic; 2. 🚗 *(Schild)* heavy plant crossing; **B.nverwaltung** *f* (on-)site administration/management

Baustil *m* architecture

Baustoff *m* building/construction material, building product; **schlechter B.** inferior material

Baustofflaufbereitung *f* building material processing; **B.handel** *m* building materials trade; **B.händler** *m* builder's merchant; **B.handlung** *f* builder's merchant, building supply firm; **B.industrie** *f* building materials industry; **B.konzern** *m* building materials group; **B.recycling** *nt* building materials recycling

Baulstopp *m* building freeze, cessation of building work; **B.struktur** *f* structure of buildings; **B.substanz** *f* structure, fabric; **B.summe** *f* construction/total building cost(s); **B.tätigkeit** *f* construction activity/work, building/development activity; **öffentliche B.tätigkeit** public sector building/construction (activity), public building/works; **B.technik** *f* structural engineering; ~ **für Atomanlagen** nuclear engineering; **B.techniker** *m* site engineer; **b.technisch** *adj* structural, architectural

Bauteil *nt* element, assembly, component, module, prefabricated part; **elektronisches B.** electronic component; **B.eliste/B.eübersicht** *f* list of components

Bautempo *nt* rate of building

Bautenstandsbericht *m* housebuyer's report

Baultest *m* building survey; **B.titel** *m (Börse)* building issue/share *[GB]*/stock *[US]*; *pl* buildings

Bauträger(gesellschaft/-unternehmen) *m/f/nt* builder (promoter), building contractor, (commercial/property) developer, (real estate) development company/corporation, firm of builders and contractors; **B.modell** *nt* house-builders' scheme

Bau|trupp *m* (building) gang; **B.überhang** *m* building backlog, unfinished building projects; **B.überwachung** *f* building inspection; **B.unternehmen** *nt* construction company, building contractor/enterprise; **B.unternehmer** *m* construction company, (master) builder, (building) contractor, developer; **unseriöser B.unternehmer** cowboy builder, jerrybuilder; **B.unternehmung** *f* firm of builders and contractors; **B.verbot** *nt* building ban/prohibition; **B.verfahren** *nt* building technique; **B.vergabe** *f* building/construction award; **B.vergabeverfahren** *nt* award procedure; **B.verordnung** *f* construction code; **B.versicherung** *f* builder's risk insurance; **globale/pauschale B.versicherung** construction all risks insurance; **B.vertrag** *m* building/construction/owner-contractor contract; **B.verwaltung** *f* building authorities; **B.volumen** *nt* construction/building volume, volume of building, ~ construction output, scope of building, ~ civil engineering activities, total building work done; **B.voranfrage** *f* planning inquiry, preliminary planning application; **B.vorhaben** *nt* construction/building project, development (project); **~ in Angriff nehmen** to start a building project; **B.vorlagen** *pl* building specifications; **B.vorschriften** *pl* 1. building regulations; 2. *(Flächenplan)* zoning regulations/ordinances, construction code; **B.wechsel** *m* building bill

Bauweise *f* (method/type of) construction; **feuerhemmende B.** fire-resistant construction; **lockere B.** varied form of building; **offene B.** detached building/houses, low-density housing

Bau|werft *f* shipbuilding yard; **B.werk** *nt* construction, building, edifice; **B.werksprüfung** *f* surveying; **B.werksvertrag** *m* building contract; **B.wert** *m* adjusted building cost(s); **B.werte** *(Börse)* building/shares *[GB]*/stocks *[US]*, buildings; **B.wesen** *nt* architecture, construction/structural engineering, building industry/trade; **B.wesenversicherung** *f* builder's risk insurance, building project insurance, ~ and civil engineering risks insurance; **B.wettbewerb** *m* architectural competition, competition in building design; **B.wich** *m* minimum spacing of buildings; **b.willig** *adj* wishing to build; **B.willige(r)** *f/m* would-be builder; **B.wirtschaft** *f* building trade/industry, construction industry

Bauxit *m* bauxite

Bau|zaun *m* hoarding, fence; **B.zeichner** *m* draughtsman; **B.zeichnung** *f* architectural drawing

Bauzeit *f* construction period, period of construction; **B.(en)plan** *m* construction/works progress schedule; **B.planung** *f* time scheduling

Bau|zinsen *pl* interest for building finance; **B.zuschuss** *m* building subsidy; **B.zwischenfinanzierung** *f* interim finance of building, ~ construction financing; **B.zwischenkredit** *m* intermediate building credit

BB (bezahlt Brief) *(Börse)* many sellers

beabsichtig|en *v/t* to intend/plan/propose/envisage/mean/design, to aim at, to have in view; **b.t** *adj* intentional, envisaged; **es ist b.t** it is proposed

beacht|en *v/t* to take notice (of), to observe/heed; **nicht b.en** to ignore/disregard; **streng b.en** to observe strictly; **b.enswert** *adj* remarkable, noteworthy, worthy of note, notable, on the map; **b.lich** *adj* remarkable, considerable, significant, notable

Beachtung *f* regard, observance, compliance, notice, attention, heed; **unter B. von** in compliance with; **zur B.** please note; **B. der Verbote** compliance with the prohibitions; **B. finden** to attract attention; **starke B. finden** to prove popular; **B. schenken** to heed, to pay heed/respect to; **keine B. schenken** to disregard/ignore; **strenge B.** strict observance/compliance

beackern *v/t* 1. 🚜 to till/plough/work; 2. *(fig)* to go into

Beamten|anwärter(in) *m/f* candidate for a civil service position, civil service trainee; **B.apparat** *m* civil service (machinery), bureaucracy; **B.bank** *f* officials' bank; **B.beleidigung** *f* insulting a public official; **B.besoldung/B.bezüge** *f/pl* civil service pay, officials' emoluments; **B.bestechung** *f* corruption of public officials, bribery of an official; **B.chinesisch** *nt* officialese; **B.eid** *m* oath of office; **B.gehalt** *nt* civil service salary; **B.gesetz** *nt* civil service act; **B.haftung** *f* public liability; **B.haushalt** *m* civil servant's household; **B.laufbahn** *f* civil service career; **~ einschlagen** to join the civil service; **B.nötigung** *f* coercion of public officials; **B.pension** *f* civil service pension, official's retirement pension, retirement benefit for established civil servants; **B.recht** *nt* civil service law; **B.schaft** *f* civil service/servant, officialdom, bureaucracy; **B.stand/B.tum** *m/nt* officialdom, civil servants/service; **B.status/B.verhältnis** *m/nt* civil service status, status of a public official; **B.streik** *m* civil service strike; **B.versorgung** *f* civil service pension(s)

Beamter/Beamtin *m/f* 1. civil/public servant, (public/state) official, (administrative/ministerial) officer, office bearer; 2. *(Schalter)* clerk

Beamter im aktiven Dienst active official/servant; **B. des einfachen Dienstes** official/civil servant of the subclerical class; **~ gehobenen Dienstes** official/civil servant of the executive class, senior civil servant; **~ höheren Dienstes** senior civil servant, official/civil servant of the administrative class; **~ mittleren Dienstes** official/civil servant of the clerical class; **B. auf Lebenszeit** established civil servant, permanent official; **~ Probe** civil servant on probation, probationer, government officer on probation; **B. im Ruhestand** retired civil servant; **~ einstweiligen Ruhestand** civil servant in provisional retirement; **~ höheren Staatsdienst** senior official, ~ civil servant; **B. auf Widerruf** civil servant/official on recall; **B. zur Wiederverwendung** *f* civil servant suspended from duty; **B. auf Zeit** non-permanent civil servant, civil servant/public official on limited appointment

Beamten ablösen/absetzen to remove an official; **B.**

entlassen to dismiss a civil servant
amtierender Beamter official/civil servant in charge; **diensttuender/federführender B.** official/civil servant in charge; **hoher B.** high(-ranking) official; **höherer B.** senior civil servant/official; **kleiner B.** petty official; **leitender B.** chief officer; **politischer B.** political civil servant; **städtischer B.** local government officer, municipal officer; **untergeordneter B.** minor official; **vorgesetzter B.** senior officer; **zuständiger B.** official/officer in charge; **fachlich ~ B.** expert, specialist, responsible civil servant

beanspruch|bar *adj* claimable; **b.en** *v/t* 1. *(belasten)* to strain; 2. to claim/demand/reclaim/arrogate/require, to take up; **stark b.t** *adj* hard-pressed, very busy

Beanspruchung *f* 1. *(Belastung)* strain, stress, pressure, duty; 2. § claim, demand; 3. *(Finanzen)* drain, call; **B. des Kapitalmarkts** recourse to the capital market; **B. der Priorität** claim to priority; **funktionsbedingte B.** functional stress; **übermäßige B.** excessive stress; **umweltbedingte B.** environmental stress

beanstanden *v/t* 1. to object to, to complain about, to query/claim, to find fault with, to take exception to; 2. *(Ware)* to reject

Beanstandung *f* 1. objection, complaint, claim, exception; 2. § demurrer; 3. *(Ware)* notice of defect; **B. geltend machen** § to demur, to enter a demurrer; **B.sabzug** *m* allowance

beantragen *v/t* 1. to claim/apply/submit/demand, to file an application; 2. § to seek leave, to apply for; 3. *(Entschließung)* to move; 4. *(Aufruf)* to call upon; **erneut b.** to reapply

Beantragung *f* application, demand, proposal

beantworten *v/t* to reply/answer/respond; **umgehend b.** to reply/answer by return of post *[GB]*/mail *[US]*

Beantwortung *f* reply, answer; **in B.** in reply/answer to; **~ der Anzeige** in reply/answer to an advertisement; **~ ihres Schreibens** in reply to your letter; **B. eines Rechtshilfeersuchens** § answer to letters rogatory; **schriftliche B.** written reply/answer; **B.sfrist** *f* time for filing a reply

bearbeitbar *adj* workable; **maschinell b.** machinable

bearbeiten *v/t* 1. to handle, to deal with; 2. to process/treat/dress; 3. to machine; 4. *(Markt)* to canvass; 5. *(Kunden)* to high-pressure; 6. 🚜 to cultivate; **b. nach** *(Text)* to adapt from; **fertig b.** to finish; **leicht zu b.** *(Person)* tractable, pliable; **maschinell/mechanisch b.** to machine; **redaktionell b.** to edit

Bearbeiter(in) *m/f* 1. person in charge; 2. processor; 3. *(Eintrag)* prepared by

bearbeitet *adj* 1. *(Text)* adapted, edited; 2. 🏭 processed; **wird b.** receiving attention; **b. werden** *(Brief)* to receive attention; **roh b.** roughly dressed

Bearbeitung *f* 1. handling, dealing with, processing; 2. tooling, treatment, working; 3. 🚜 cultivation; 4. *(Text)* edition, adaption; **in B.** in process, being processed, in the pipeline *(coll)*; **B. von Versicherungsverträgen** handling of policies; **kostenmäßige B.** cost accounting; **manuelle B.** manual handling; **maschinelle/mechanische B.** (mechnical) machining; **zollamtliche B.** customs treatment

Bearbeitungs|- processing; **B.aufschlag** *m* service charge; **B.betrieb** *m* processing plant; **B.dauer** *f* 1. processing/handling time; 2. § period of pendency; **B.entgelt** *nt* handling fee, service charge; **B.fehler** *m* processing/clerical error; **B.gebühr** *f* processing fee, handling/management charge, ~ fee, service charge; **B.hemmnis** *nt* processing snag/hold-up; **B.kapazität** *f* processing capacity; **B.kennzeichen (BKZ)** *nt* processing marking; **B.kosten** *pl* 1. handling/processing/⚙ tooling cost(s); 2. claim expenses; 3. *(Vers.)* cost(s) of writing insurance; **B.mangel** *m* defect (in workmanship); **B.maschine** *f* machine tool; **B.maschinen** machining equipment; **B.methode** *f* manufacturing technique; **B.produkt** *nt* product being processed; **B.provision** *f* handling commission; **B.prozess** *m* machining process; **B.stempel** *m* date stamp; **B.verfahren** *nt* tooling method, treatment; **B.vorgang** *m* manufacturing/processing operation; **B.vorschrift** *f* processing prescription; **B.zeit** *f* process/operation/handling/holding time

beaufsichtigen *v/t* 1. to supervise/oversee; 2. to police/guard; 3. to inspect/control/superintend; 4. *(Betrieb)* to manage

Beaufsichtigung *f* 1. supervision; 2. control, inspection; 3. policing; **staatliche B.** governmental/state control

beauftragen *v/t* 1. to charge/instruct/mandate/direct; 2. to engage/hire/contract/commission/appoint; 3. to authorize/delegate/empower/task; **jdn b. mit** to entrust so. with; **besonders b.** to detail

beauftrag|t *adj* authorized, commissioned; **B.te(r)** *f/m* 1. representative, agent, appointee, commissioner, assign, mandatory; 2. § attorney-in-fact; **~ der obersten Leitung** management representative; **B.ung** *f* 1. instruction; 2. *(Anwalt)* retention; **~ von Sachverständigen** commissioning of experts

bebaubar *adj* 1. buildable, suitable/available for building; 2. 🚜 cultivable, workable; **B.keit** *f* workability

bebauen *v/t* 1. to build (on); 2. 🚜 to cultivate/farm/till; 3. to develop; **zu dicht b.** to overbuild

bebaut *adj* 1. built-up, built on; 2. 🚜 cultivated, in crop

Bebauung *f* 1. development; 2. 🚜 cultivation, tillage; 3. (type and extent of) building, buildings; **aufgelockerte B.** low-density housing; **mehrfache B.** 🚜 multiple cropping

Bebauungs|beschränkungen *pl* planning *[GB]*/zoning *[US]* restrictions; **B.dichte** *f* site density, density/level of development/building, plot ratio; **b.fähig** *adj* 1. suitable/available for development, developable; 2. 🚜 arable, tillable; **B.gebiet** *nt* building/development area; **B.genehmigung** *f* planning permission; **B.gesetz** *nt* Town and Country Planning Act *[GB]*, zoning law *[US]*; **B.kosten** *pl* building cost(s)

Bebauungsplan *m* (urban/land) development/building plan, ~ scheme, zoning law/plan *[US]*/ordinance, local plan; **B. ändern** to rezone; **B.änderung** *f* zoning plan change; **B.gebiet** *nt* zoning area

Bebauungs|verhältnis *nt* plot ratio; **B.verordnung** *f* development order *[GB]*, zoning law *[US]*; **B.vor-**

schriften *pl* planning/zoning regulations, zoning laws/ classification
Beben *nt (Erdbeben)* earthquake
bebilder|n *v/t* to illustrate; **b.t** *adj* illustrated, pictorial; **B.ung** *f* illustration
Becken *nt* 1. basin; 2. *(Gefäß)* bowl; 3. ⚕ pelvis
bedacht *adj* anxious, designed; **b. auf** mindful/attentive of, aimed at, intent on; **B.e(r)** *f/m* 1. beneficiary, recipient, grantee; 2. prospective legatee; **testamentarisch B.e(r)** legatee, devisee, beneficiary under a will
bedächtig *adj* deliberate, staid; **B.keit** *f* deliberation
bedanken *v/refl* to express one's thanks
Bedarf *m* need(s), want(s), demand, requirements, supplies; **bei B.** on demand, by/on request, when required; **nur bei B.** only if required; **nach B.** as required/requested, according to demand/requirement
Bedarf an Arbeitskräften manpower requirements/ needs; ~ **Bargeldreserven** cash reserve requirements; ~ **flüssigen/liquiden Mitteln** cash/liquid asset requirements; **B. der gewerblichen Wirtschaft an kurzfristigen Krediten** corporate short-term credit demand; **Pro-Kopf B. an Rohstoffen** per-capita demand for raw materials
Bedarf neu ausschreiben to rebid a requirement; **B. befriedigen/decken** to match/meet the demand, to meet/cover requirements, to meet/satisfy/supply a need; **notwendigen B. disponieren** to order the necessary quantities; **B. haben an** to need/require, to be in the market for; **B. hervorrufen/schaffen/wecken** to create a demand; **B. übersteigen** to exceed/outstrip demand
aktueller Bedarf current/immediate demand, ~ requirements; **alltäglicher B.** day-to-day needs; **aufgestauter B.** pent-up demand; **dringender B.** urgent need; **durchschnittlicher B.** average requirement; **echter B.** effective demand; **einheimischer B.** domestic demand/needs; **elastischer B.** elastic demand; **gehobener B.** non-essential demand; **herstellereigener B.** in-house requirements; **latenter B.** latent demand; **laufender B.** current demand/requirements, day-today needs; **lebensnotwendiger/-wichtiger B.** essential supplies/supply, necessaries/necessities of life; **möglicher B.** potential demand; **öffentlicher B.** public requirements; **örtlicher B.** local needs; **Pro-Kopf B.** per-capita requirements; **regionaler B.** area needs; **starrer B.** inelastic demand; **steigender B.** growing demand; **täglicher B.** everyday use, basic necessities; **tatsächlicher/vorhandener/wirklicher B.** effective demand; **ungebrochener B.** unabated demand; **voraussichtlicher B.** anticipated demand/requirements; **zurückgestellter B.** deferred demand
Bedarfs|analyse *f* demand analysis; **B.artikel** *pl* requisites, necessaries; **B.auslösung** *f* creation of a demand/need; **B.befriedigung** *f* satisfaction of demand; **B.beschreibung** *f* requirements definition, specification
Bedarfsdeckung *f* meeting of requirements, demand coverage, supply of needs; **kostenoptimale B.** cost-optimal coverage of demand; **B.swahrscheinlichkeit** *f* probability to meet demand, ~ of demand coverage; **B.swirtschaft** *f* subsistence economy; **B.sziel** *nt* demand-covering objective
Bedarfs|elastizität *f* demand elasticity; **B.entwicklung** *f* demand trend; **B.erfüllung** *f* meeting of demand; **B.erkennung** *f* demand recognition; **B.ermittlung**; **B.feststellung** *f* determination/assessment of demand; **B.faktor** *m* factor of demand; **im B.fall** *m* in case of need, if/as necessary, if and when required, if need be; **B.fluggesellschaft** *f* charter air carrier; **B.forschung** demand research; **B.gegenstand** *m* commodity, requisite, implement; **B.gegenstände** necessaries; **b.gerecht** *adj* tailored to suit the needs of the market; **B.gesellschaft** *f* consumer society
Bedarfsgüter *pl* staple/basic commodities, consumer goods, necessaries; **forstwirtschaftliche B.** silvicultural commodities; **landwirtschaftliche B.** agricultural commodities
Bedarfs|haltestelle *f* 1. *(Bus)* request stop *[GB]*; 2. 🚂 halt *[GB]*, flagstop *[US]*; **B.landwirtschaft** *f* subsistence farming/agriculture; **B.lenkung** *f* demand management; **B.lenkungsziel** *nt* demand-channelling objective; **B.lücke** *f* demand gap, unsatisfied demand; **B.material** *nt* material for a particular order; **B.meldung** *f* purchase requisition
Bedarfsmengenplanung *f* materials budgeting, ~ requirements planning, planning of demand volume; **programmgebundene B.** programmed demand estimation, programme-fixed planning of demand volume; **synthetische B.** synthetic demand estimation, ~ planning of demand volume; **verbrauchsgebundene B.** demand estimation based on consumption, consumption-fixed planning of demand volume, usage based materials budgeting
Bedarfs|ordnung *f* preference system; **b.orientiert** *adj* demand-orient(at)ed, need-based; **B.plan** *m* list of requirements, plan of demand
Bedarfsplanung *f* requirement/demand planning; **integrierte B.** least cost planning *[US]*; **kurzfristige B.** short-term demand planning; **langfristige B.** long term demand planning; **programmgebundene B.** programmed/programme-fixed demand planning; **qualitative B.** qualitative demand planning; **quantitative B.** quantitative demand planning; **verbrauchsgebundene B.** demand planning based on consumption, consumption-fixed demand planning
Bedarfs|prämie *f (Vers.)* net premium, premium required; **technische B.prämie** (pure) burning cost(s); **B.preis** *m* demand price; **B.prognose** *f* demand forecasting, prognosis of demand; **B.prüfung** *f* public need test; **B.quote** *f (Arbeitskräfte)* vacancy ratio; **B.rate** demand rate; **B.rechnung** *f* assessment of demand; **B.sättigung** *f* saturation of demand; **veränderte B.situation** changing needs; **B.spanne** *f* required margin, cover-requiring expenses, net expense ratio; **B.spiegel** *m* level of demand; **B.spitze** *f* peak demand; **B.steuerung** *f* (flow of) demand control/management; **B.stoffe** *pl* materials; **B.struktur** *f* preference system, order of preference; **B.termin** *m* date by which sth. is re

quired; **B.träger** *m* 1. user, consumer; 2. would-be borrower; **B.verkehr** *m* occasional transport(s); **B.verlagerung** *f* shift in demand; **B.verlust** *m* loss of demand; **B.vorhersage** *f* inventory forecasting; **B.verteilung** *f* demand distribution; **B.wandel** *m* change in demand; **B.weckung** *f* creation of a demand/need(s), demand creation, creating needs, stimulation of demand; **B.wirtschaft** *f* subsistence/needs economy; **B.zunahme/B.zuwachs** *f/m* increased demand, increase in demand

edauerlich *adj* regrettable, unfortunate, deplorable, untoward

edauern *nt* regret; **mit B.** regretfully; **sein B. aussprechen** to express one's regrets; **zu seinem B. hören** to be sorry to hear/learn

edauern *v/t* to regret/deplore; **lebhaft b.** to regret deeply: **b.d** *adj* regretful; **b.swert** *adj* pitiable

edeck|en *v/t* 1. to cover (up); 2. *(mit einer Plane)* to tilt; **B.ung** *f* 1. covering; 2. provision of cover

edenken *pl* objection, misgivings, doubt, mental reservations, qualms; **B. äußern** § to demur; **jds B. entgegenkommen** to meet so.'s objections; **B. erheben** to raise doubts; **B. haben** to hesitate, to have reservations

edenken *v/t* 1. to take into account, to bear in mind, to consider/remember/ponder, to weigh up; **jdn b.** to provide for so.; **jdn testamentarisch b.** to remember so. in one's will

edenkenlos *adj* unscrupulous

edenk|frist *f* 1. time for consideration; 2. *(Wechsel)* grace period; **b.lich** *adj* doubtful, grave, questionable, alarming, disturbing, critical, disquieting, undesirable; **B.zeit** *f* 1. time for consideration; 2. *(Aufschub)* respite; 3. *(Wechsel)* grace period; 4. *(Streik)* cooling-off period

edeuten *v/t* to mean/signify/represent/imply/connote/spell/purport; **b.d** *adj* important, significant, heavy, great, momentous; **nichts B.es** nothing of note, ~ to write home about *(coll)*

edeutsam *adj* significant; **B.keit** *f* significance

edeutung *f* 1. importance, significance; 2. seriousness, concern, gravity, weight; 3. implications, relevance; 4. sense, meaning; **ohne B.** of no weight/significance; **von B.** relevant, on the map; **B. des einzelnen Prüfungsgegenstandes** *(Pat.)* materiality of each item; **nichts von B.** nothing of note, ~ to write home about *(coll)*

edeutung beimessen to attach importance (to); **einer Sache große B. beimessen** to set great store by sth., to give weight to sth.; **von B. sein** to matter; **von großer B. sein** to be of great importance; **an B. überragen** to outrank; **einer Sache B. verleihen** to add weight to sth.; **an B. verlieren** to lose in weight

on allergrößter Bedeutung of paramount importance; **außerordentliche B.** crucial importance; **eigentliche B.** 1. real significance; 2. proper meaning; **entscheidende B.** crucial importance; **entwicklungsraffende B.** time-accelerating significance; **geringe B.** marginal significance; **von geringer B.** of little importance; **materiell-rechtliche B.** import in substantive law; **von nennenswerter B.** of great importance; **rechtliche B.** legal significance/effect/meaning; **ohne ~ B.** legally irrelevant; **rechtserhebliche B.** relevance in law; **überragende B.** overriding importance; **übertragene B.** figurative sense; **von untergeordneter B.** of minor importance; **wirtschaftliche B.** economic importance, commercial prominence/relevance; **wörtliche B.** literal meaning

bedeutungs|los *adj* 1. insignificant, of no significance/weight; 2. § irrelevant; **B.losigkeit** *f* insignificance, irrelevance, irrelevancy; **B.unterschied** *m* semantic difference; **b.voll** *adj* meaningful

Bedienbarkeit *f* serviceability

Bedienen *nt* waiting, serving; **b.** *v/t* 1. to serve/attend, to wait on; 2. *(Maschine)* to operate/tend; 3. to attend to; 4. *(Kredit)* to service; *v/refl* to help o.s., to have recourse to, to utilize, to call upon; **zinsmäßig b.** to provide interest service

Bediener|(in) *m/f* operator, operative; **B.anweisungen** *pl* 🖳 program run sheet; **b.freundlich** *adj* user-friendly, easy to use; **B.führung** *f* 🖳 operator prompting, prompt; **B.oberfläche/B.schnittstelle** *f* 🖳 user interface; **B.station** *f* control station

Bedienpanel *nt* ⚙ control panel

Bedienstete|(r) *f/m* employee, servant; **öffentliche(r) B.(r)** public employee/servant, ~ authority worker; **öffentliche B.** public(-sector)/governmental employees

Bedienung *f* 1. service, attention, attendance; 2. *(Maschine)* operation, operating, control, actuation; 3. *(Anleihe)* service (charge); **B. am Auto** curb service *[US]*; **B. des Grundkapitals** servicing of capital; **~ Kredits** debt service; **B. der Kunden** serving the customers; **~ Staatsschulden** servicing of government debts; **B. (an der Theke)** counter service; **einschließlich B.** service included; **falsche B.** *(Maschine)* improper handling; **persönliche B.** personal(ized) service; **sofortige B.** prompt service

Bedienungs|anforderung *f* 🖳 service call; **B.anleitung/B.anweisung** *f* (operating) instructions/manual, instruction manual/booklet/book; **B.aufruf** *m* 🖳 operator request; **B.aufschlag** *m* service charge; **B.einrichtungen** *pl* operating facilities; **B.element** *nt* control element; **B.fehler** *m* operating error; **B.feld** *nt* 1. 🖳 keyboard; 2. operator control panel; **zwangsläufige B.folge** 🖳 enforced transaction sequence; **b.freundlich** *adj* convenient, easy to operate, user-friendly; **B.freundlichkeit** *f* convenience, serviceability, ease of operation, user friendliness; **B.gebiet** *nt* supply area; **B.geld** *nt* service charge, tip, staff gratuity; **B.handbuch** *nt* operating/service manual, user handbook, manual of instruction; **B.komfort** *m* ease of operation; **B.konsole** *f* 🖳 (operator) control panel, operator('s) console; **B.kraft/B.person** *f* operator; **B.leistung** *f* service, operation; **B.personal** *nt* 1. operators, operating personnel/staff; 2. waiters; 3. shop assistants; **B.platz** *m* operator control station; **B.pult** *nt* control console, operating panel; **B.quote** *f* service ratio; **B.rate** *f* service rate; **B.stand** *m* operating platform; **B.station/B.stelle** *f* service point/facility; **B.strategie** *f* service policy; **B.system** *nt* system of service points; **B.tafel** *f* system console, operator('s) panel; **B.tisch** *m* 1. control desk; 2. counter; **B.vorschriften** *pl* operating instructions; **mittlere B.zeit** mean service time; **B.zuschlag** *m* service charge

bedingen *v/t* 1. to necessitate/require; 2. to cause; 3. to call for

bedingt *adj* conditional, contingent, qualified, limited; **b. durch** conditional on, contingent upon, relative to, caused by, resulting from, attributable to

auflösend bedingt § subject to a resolutory/dissolving condition; **aufschiebend b.** § subject to a suspensive condition; **haushaltstechnisch b.** for reasons of budget procedure; **jahreszeitlich b.** seasonal; **lagerzyklisch b.** caused by the stock cycle; **spekulativ b.** speculative

Bedingt|geschäft *nt* conditional transaction; **B.heit** *f* conditionality; **B.heitstheorie** *f* contingency theory; **B.lieferung** *f* sale or return delivery

Bedingung *f* 1. condition, stipulation, proviso, provision, requirement, prerequisite, qualification; 2. *(Vertrag)* clause, term; **B.en** 1. terms and conditions; 2. *(fig)* strings; 3. environment; **gemäß den B.en** as per the terms; **zu B.en** on terms

Bedingungen des Ausbildungsvertrags/Lehrvertrags terms of the indenture; **B. der Zug-um-Zug-Erfüllung** concurrent condition, condition current; **~ Police** terms of a policy; **~ Strafbarkeit** prerequisites of punishability, necessary collateral elements of crime; **unter den B. des freien Wettbewerbs** under fully competitive conditions

gemäß deren Bedingung|en by their terms; **ohne irgendwelche B.en** (with) no strings attached; **unter der B., dass** on condition/the stipulation that, provided that, under the provision that; **unter keiner B.** under no circumstances; **zu denselben B.en** on the same terms and conditions

von einer Bedingung abhängen to be conditional on sth.; **B.en ändern** to alter/amend the terms; **~ angeben** to quote terms; **~ annehmen** to accept the terms; **~ auferlegen** to impose conditions (on); **~ aufstellen/festlegen** to stipulate (terms), to draw up/lay down/determine conditions, to lay down the terms; **~ einhalten** to comply with the terms, to adhere/conform to the terms, to fulfil obligations; **sich über ~ einigen** to agree terms; **~ erfüllen** to comply with the conditions/terms, to satisfy conditions, to conform to the terms, to fulfil the qualifications, to satisfy/meet the requirements; **~ (schriftlich) fixieren/niederlegen** to set out the terms; **zur B. haben** to be conditional upon; **etw. ~ machen** to make sth. a condition, to stipulate; **~ stellen/vereinbaren** to stipulate conditions; **sich ~ unterwerfen** to submit to conditions; **~ zustimmen** to accede to terms; **~ stillschweigend zustimmen** to acquiesce in the terms

allgemeine Bedingung|en standard terms and conditions; **unter annehmbaren B.en** on accommodating terms; **auflösende B.** dissolving/resolutory condition, condition subsequent; **aufschiebende B.** suspensive/suspensory condition, § condition precedent; **ausdrückliche B.** express condition; **außenwirtschaftliche B.en** foreign trade conditions; **außergewöhnliche B.en** freak conditions; **besondere B.en** particular conditions; **drückende B.en** onerous terms; **einheitliche B.en** standard terms; **einschränkende B.** 1. restrictive stipulation/covenant; 2. limiting condition; **gegenseitige B.** concurrent conditions; **gesetzliche B.** statutory provision, legal stipulation/condition; **unter gleichen B.en** on equal terms; **günstige B.en** easy/favourable/concessional/reasonable terms, optimum conditions; **zu günstigen B.en** on easy/favourable terms; **harte B.en** hard/stiff terms; **institutionelle B.en** institutional constraints; **knallharte B.en** tight/tough conditions; **konjunkturpolitische B.en** economic policy conditions; **optimale B.en** optimum conditions; **rechtliche B.** legal condition; **rechtswidrige B.** illegal condition; **sanitäre B.en** sanitary conditions; **simulierte B.en** mockup; **sittenwidrige B.** § condition contra bonos mores *(lat.)*; **soziale B.en** social condition; **steuerliche B.en** tax environment; **stillschweigende B.** implied/understood condition; **übliche B.en** usual terms (u.t.)/conditions (u.c.); **uneigentliche B.** unreal condition; **unerlässliche B.** vital condition; **ungewisse B.** contingent condition; **ungünstige B.en** unfavourable terms; **rechtlich unzulässige B.** illegal condition; **vereinbarte B.en** stipulated conditions; **volle (übliche) B.en** full terms (f.t.); **vertragliche B.en** terms of contract; **vorangehende B.** condition precedent; **zu vorteilhaften B.en** on favourable terms; **wesentliche B.** essential (condition); **wirtschaftspolitische B.en** economic-policy conditions

Bedingungs|anpassung *f* adjustment of terms/conditions; **b.feindlich** *adj* unconditional, absolute, not permitting a condition; **B.kauf** *m* conditional sale; **B.konstellation** *f* combination of circumstances; **b.los** *adj* unconditional, unqualified, unquestioning, without qualification

bedrängen *v/t* 1. to press/urge/harass/batter/beset/beleaguer, to put pressure on; 2. *(Schuldner)* to dun

Bedrängnis *nt* need, hardship, difficulty, embarrassment; **in B.** 1. in need; 2. troubled; **in schwerer B.** hard-pressed; **in B. bringen** to batter; **~ sein** to be hard-pressed, ~ hard up

bedrängt *adj* troubled, hard-pressed, beleaguered beset; **arg b.** sorely troubled; **finanziell b.** financially battered; **schwer b.** hard-pressed

bedroh|en *v/t* to threaten/menace; **gewalttätig b.en** to threaten with violence; **b.lich** *adj* ominous

Bedrohung *f* threat(s), threatening (behaviour); **B. der öffentlichen Ordnung** danger to public order, threat to public peace; **B. darstellen für** to pose a threat to; **ernsthafte B.** grave threat; **tätliche B.** § assault; **unmittelbare B.** imminent threat; **unqualifizierte B.** § common assault

be|drucken *v/t* to (im)print; **b.drücken** *v/t* to weigh on one's mind, to depress; **b.drückend** *adj* depressing burdensome; **b.dürfen** *v/i* to require/need/want

Bedürfnis *nt* 1. need, requirement, want, necessity; 2. *(Nachfrage)* demand; **B.se** tastes and preferences; **B. der Selbstverwirklichung** self-actualization need

uf individuelle Bedürfnis|se abstellen to tailor to individual needs; **den B.sen anpassen** to gear to the needs; **B. befriedigen** to satisfy a need/want, to meet/accommodate/provide for/cater for a need; **den B.sen entsprechen** to suit the needs; **einem B. Rechnung tragen** to accommodate a need; **B. wecken** to create a want/need

erufliche Bedürfnis|se occupational needs; **dringendes B.** strong desire, urgent need; **elastische B.se** variable requirements; **immaterielle B.se** non-material wants; **individuelles B.** private want; **kollektive B.se** collective needs; **leibliche B.se** bodily wants; **materielle B.se** material needs, necessities of life; **meritorische B.se** merit wants; **öffentliche B.se** public wants/necessities; **praktische B.se** practical exigenc(i)es

edürfnis|befriedigung *f* satisfaction of needs/wants, need satisfaction, satiation of wants; **subjektive B.befriedigung** subjective satisfaction; **B.hierarchie** *f* hierarchy of needs; **(doppelte) B.koinzidenz** *f* (double) coincidence of wants; **B.lohn** *m* living/cultural wage; **b.orientiert** *adj* need-based; **B.prüfung** *f* public need test; **B.pyramide** *f* hierarchy of needs; **B.skala** *f* scale of preferences; **B.struktur** *f* want pattern/structure; **B.vielfalt** *f* plurality of needs

edürftig *adj* needy, indigent, necessitous, poor; **B.e(r)** *f/m* pauper

edürftigkeit *f* 1. need, neediness, indigence; 2. § poverty; **B. einwenden** § to plead poverty; **B. prüfen** to means-test

edürftigkeits|beihilfe *f* needs allowance, supplementary benefit *[GB]*; **B.nachweis** *m* 1. proof of need; 2. means test *[GB]*; **B.prinzip** *nt* principle of need; **B.prüfung** *f* means test(ing), no-means test, test of need; **B.zuschlag** *m* supplementary benefit *[GB]*, hardship allowance

eehren *v/t* to honour/favour; *v/refl* to have the honour

eeid|en *v/t* to swear/take/confirm on oath, to swear (to the truth of) sth.; **b.et/b.igt** *adj* sworn; **b.igen** *v/t* to swear a witness (in), to administer an oath; **B.igung** *f* 1. administration of an oath; 2. *(Amt)* swearing in

eeilen *v/refl* to hurry/hasten, to move swiftly

eeindruck|bar *adj* impressionable; **b.en** *v/t* to impress; **b.end** *adj* impressive; **wenig b.end** unimpressive

eeinflussbar *adj* susceptible; **nicht b.** non-controllable, uncontrollable

eeinflussen *v/t* to influence/affect/impact *[US]*/determine/bias/sway/lobby; **jdn zu b. suchen** § to tamper with so.; **etw. b. gegen** to weigh against; **~ zugunsten von** to weigh in favour of; **sich gegenseitig b.** to interact; **etw. günstig b.** to have a favourable effect on sth.; **künstlich b.** to manipulate; **nachteilig/negativ/ungünstig b.** to influence/affect adversely, to have an adverse effect, to impair/penalize; **etw. ungehörig b.** to have an undue influence on sth.

eeinflusst *adj* under persuasion (from), swayed (by)

eeinflusser *m* influencer

eeinflussung *f* influence, manipulation; **B. von Zeugen** exercising undue influence on witnesses, tampering with witnesses; **psychologische B.** open-mouth policy; **sittenwidrige B.** improper influence; **ungebührliche/unzulässige B.** § undue influence

beeinträchtigen *v/t* 1. to harm/hit/erode/restrict/infringe/impair/injure/dim/reduce/interfere with/prejudice, to affect adversely; 2. to encroach upon, to abrogate from; 3. § to taint; **ernstlich b.** to have a serious effect (on)

Beeinträchtigung *f* 1. impairment, erosion, infringement, curtailment, encroachment; 2. § detriment, derogation; 3. detraction; 4. liability, damage, mutilation; 5. *(Belästigung)* nuisance, interference; **ohne B.** without prejudice to

ohne Beeinträchtigung irgendwelcher Ansprüche without prejudice to any claim; **~ der Belange** without detriment to the interests; **~ durch Dritte** without any interference by third parties, peaceably and quietly; **B. der Erwerbstätigkeit** impairment of earning capacity; **~ persönlichen Freiheit** infringement/invasion of personal liberty; **~ Rechte (anderer)** impairment of rights, interference with so.'s rights

Beeinträchtigung abstellen/beseitigen to abate a nuisance

beenden/beendigen *v/t* 1. to finish/end/conclude/terminate; 2. to complete/finalize; **etw. ein für alle Mal b.** to put paid to sth. *(coll)*; **schrittweise b.** to phase out

beendet sein to be complete

Beendigung *f* termination, completion, cessation, rescission; **bei B.** on completion

Beendigung der Arbeit cessation of work; **B. des Arbeits-/Beschäftigungsverhältnisses** termination of employment; **vor ~ stehen** to face termination; **B. des Beamtenverhältnisses** termination of civil service status; **B. von Schuldverhältnissen** discharge of obligations; **B. eines Vertragsverhältnisses** 1. discharge of a contract; 2. termination of a contractual relationship

vorzeitige Beendigung early/premature termination

beengt *adj* cramped; **räumlich b.** cramped for space; **räumliche B.heit** spatial/geographical confinement

(jdn) beerben *v/t* to inherit (from so.), to succeed (to so.), to be heir (of so.); **gesetzlich b.** to inherit an intestate, to succeed so. by intestate succession

Beerbung *f* inheriting, succession upon death

beerdigen *v/t* to bury/inter

Beerdigung *f* funeral, burial; **B.sinstitut** *nt* undertaker *[GB]*, funeral parlor *[US]*; **B.skosten** *pl* funeral expenses

befähig|en zu *v/prep* to qualify for, to enable/equip/empower (so.) to do (sth.); **b.t** *adj* able, competent, eligible, qualified

Befähigung *f* ability, competence, competency, qualification, eligibility, aptitude; **B. für ein öffentliches Amt** qualification for public office; **B. zum Richteramt** qualification for holding judicial office; **B. nachweisen** to furnish proof of qualifications

Befähigungs|nachweis *m* qualification certificate, certificate of (professional) competence/qualification, evidence of formal qualification, credentials, proof of qualification/competence; **juristischer B.nachweis** legal qualifications; **B.prüfung** *f* aptitude test

befahrbar *adj* 1. passable, negotiable, open to traffic; 2.

⚓ navigable; **nicht b.** 1. impassable, closed to traffic; 2. unnavigable; **B.keit** *f* navigability

befahren *v/t* 1. to travel/drive/use; 2. ⚓ to navigate/sail

Befall *m* *(Schädling)* infestation; **schädlicher B.** contamination; **b.en** *v/t* 1. *(Zweifel)* to beset; 2. to infest/attack

befangen *adj* biased, prejudiced; **jdn für b. erklären** to declare so. to be prejudiced, to challenge so. on the grounds of partiality; **sich ~ erklären** to declare o.s. biased

Befangenheit *f* prejudice, bias, lack of impartiality; **wegen B. ablehnen** to challenge because of prejudice, ~ for favour; **jdm die B. nehmen** to put so. at ease

befass|en mit *v/refl* to deal with, to attend to, to go into, to be concerned with, to occupy/concern o.s. with, to process; **jdn ~ mit** to bring a matter before so.; **b.t sein mit** to be concerned with

Befehl *m* 1. command, order, direction, mandate, dictate; 2. 🖳 statement, instruction; **auf B.** by order, on the order of; **bis auf weiteren B.** pending further orders; **B. eines Vorgesetzten** superior order; **B. ausführen** to execute an order; **B. geben** to give an order; **auf B. handeln** to act according to instructions; **B. übernehmen** to assume command; **B. verweigern** to refuse (to obey) an order; **höherer B.** superior order; **richterlicher B.** § court order, judicial/bench/judge's warrant; **strikter B.** strict order

befehlen *v/t* to order/command/dictate

Befehls|aufbau *m* 🖳 instruction format; **B.code** *m* 🖳 instruction/operation code; **B.decodiereinrichtung** *f* 🖳 decoder; **B.ebene** *f* echelon; **B.einheit** *f* 1. instruction processing unit; 2. 🖳 command entry; **B.empfänger** *m* recipient of an order; **B.folge** *f* 🖳 sequence of instructions, command sequence; **B.geld** *nt* fiat money; **b.gemäß** *adv* in compliance with instructions, as ordered; **B.gewalt** *f* authority, power of command; **B.haber** *m* commander; **B.hierarchie** *f* order of command; **B.kette** *f* 1. chain/lines of command; 2. 🖳 instruction chain; **B.liste** *f* 🖳 instruction list; **B.missbrauch** *m* abuse of authority; **B.notstand** *m* acting under superior orders; **B.recht** *nt* right of command; **B.register** *nt* 🖳 instruction register; **B.schlüssel** *m* 🖳 instruction code; **B.sprache** *f* 🖳 order code, command language; **B.struktur** *f* command structure; **B.verweigerung** *f* refusal to obey instructions/orders; **B.weg** *m* line of command; **b.widrig** *adj* contrary to/against orders; **B.wirtschaft** *f* 1. command/planned economy; 2. government planning, state control; **B.wort** *nt* 🖳 instruction word; **B.zähler** *m* 🖳 program counter; **B.zentrale** *f* ✈ operations room; **B.zentrum** *nt* command centre

befestig|en *v/t* to attach/fix/fasten/mount/secure/affix/tighten; *v/refl (Börse)* to firm/harden; **leicht b.t** *adj (Börse)* quietly firm

Befestigung *f* 1. attachment, fastening, securing; 2. *(Börse)* firming, advance, rise, consolidation, hardening; **B.smittel** *nt* ⊖ *(T.I.R.)* fastenings

Befinden *nt* 1. (state of) health; 2. *(Meinung)* judgment, opinion; **b.** *v/ti* 1. to express a view, to decide; 2. § to find/rule/hold/(ad)judge/decree/pass; 3. ⚕ to diagnose; *v/refl* 1. to be; 2. to fare; **für einwandfrei b.** to clear **richtig b.** to find correct

zu stark be|fischen *v/t* to overfish; **b.flaggen** *v/t* ⚓ to flag/dress; **b.fleißigen** *v/refl* to strive for, to endeavour **b.fliegen** *vt* to fly, to operate (on); **b.flügeln** *v/t* to quicken/inspire/stimulate

Befolgen *nt* compliance, observance, adherence; **b.** *v/t* to observe/follow/obey, to abide by, to adhere to, to comply with; **genau b.** to observe strictly; **nicht b.** 1. to disobey; 2. *(Rat)* to neglect

Befolgung *f* compliance (with), observance (of), abidance (by), adherence (to); **genaue/strikte B.** strict compliance/adherence/observance

Beförderer *m* carrier, conveyor

befördern *v/t* 1. to carry/convey/handle/transport/transmit/route/forward/despatch/dispatch; 2. to ship freight/airmail/🚗 haul; 3. *(höherstufen)* to promote upgrade/advance, to move up, to elevate to a higher rank; **rentabel b.** to ship profitably

befördert werden *adj* *(Stellung)* to be promoted, to get promotion, to rise in rank

Beförderung *f* 1. *(Güter)* carriage, transport(ation), forwarding, shipment, carrying, movement, conveyance portage, dispatch, transit, handling, 🚗 haulage; 2. *(Reiseverkehr)* (passenger) movement; 3. *(Stellung)* promotion, advance, upgrading, preferment

Beförderung per Bahn rail transport; **B. nach Dienstalter** promotion by seniority; **B. als Frachtgut** freight transportation (frt.); **B. von Gepäck** transportation of baggage; **~ Haus zu Haus** door-to-door transport; **B. auf dem Landweg; B. zu Lande** land transport; **B. mit Lastkraftwagen** road transport/haulage; **B. auf dem Luftweg** air transport; **B. von Massengütern** bulk transport; **~ Personen** passenger transport, conveyance of passengers; **B. per Schiene** rail transport; **~ Schiff** waterborne transport; **B. auf dem Seewege** carriage by sea; **B. im Straßenverkehr** road transport/haulage; **B. von Stückgut** transport of general cargo; **B. im Transitverkehr** through transport, transport in transit; **B. mit Umladung** trans(s)hipment; **B. auf dem Wasser(weg)** waterborne transport, waterage; **B. im Zollversand** transport under customs transit; **B. unter Zollverschluss** transport under customs seal

zur Beförderung anstehen to be in line for promotion **B. erschleichen** to avoid/evade payment on public transport; **auf seine B. hinarbeiten** to urge one's promotion; **zur B. vorsehen** to mark out for promotion

durchgehende Beförderung through transportation **frachtfreie B.** carriage at no charge to the customer **grenzüberschreitende B.** international transport **hausinterne B.** internal promotion; **innerstaatliche B.** domestic transport (operation); **manuelle B.** manual handling; **öffentliche B.** public transport

Beförderungs|anspruch *m* seniority right, right to advancement; **B.anweisungen** *pl* forwarding instructions; **B.art** *f* mode of transport/carriage, manner of shipment; **B.aufkommen** *nt* carryings; **B.aussichten** *pl* career/promotion prospects; **B.bedingungen** *pl* terms of carriage/transportation, conditions of trans port/carriage, forwarding conditions; 2. conditions of contract/promotion; **B.bestimmungen** *pl* conditions of carriage; **B.chancen** *pl* promotion prospects; **B.dauer** *f* transportation period, delivery/transmission time; **B.einheit** *f* transport unit; **B.einrichtungen** *pl* transport(ation) facilities; **B.entgelt** *nt* 1. transport charges/rate, portage; 2. *(Person)* fare; 3. ✉ postage; **b.fähig** *adj* transportable, conveyable; **B.fall** *m (Taxi)* fare, transportation case; **B.fälle** number of items/passengers carried, passenger carryings; **B.frist** *f* period allowed for carriage; **B.gebühr** *f* 1. carriage; 2. *(Person)* fare; **B.gut** *nt* cargo; **B.haftpflichtgesetz** *nt* Carriers' Liability Act *[GB]*; **B.hindernis** *nt* circumstances preventing carriage; **B.kosten** *pl* transport(ation) cost(s), carriage/carrying/transport(ation) charges, 🚗 haulage; **inländische B.kosten** inland carriage; **B.leistung** *f* 1. volume of traffic, transport operations, transportation service, traffic performance; 2. *(öffentliche Verkehrsmittel)* ridership figures *[US]*; **B.leiter** *f* promotion ladder; **B.liste** *f* promotion list; **B.menge** *f* volume (to be) carried; **B.mittel** *nt* 1. means of transport(ation) *[US]*/conveyance, conveyance, mode of transport, transportation, transport facility; 2. vehicle; **öffentliches B.mittel** public conveyance; **B.möglichkeiten** *pl* promotion prospects, chances of advancement; **B.papier** *nt* transport/transit document; **B.pflicht** *f* 1. obligation to carry; 2. ✉/*(Verkehr)* public service obligation (PSO); **B.risiko** *nt* transportation risk; **B.rohr** *nt* dispatch tube; **B.satz** *m* freight rate; **B.schein** *m* waybill (W.B.); **B.steuer** *f* transport tax; **B.system** *nt* means of transport(ation); **B.tarif** *m* 1. transport rate, transportation charges; 2. ✉ postage rate; **B.tarife festlegen** to pitch fares; **B.technik** *f* systems/technology of transportation; **B.unternehmen** *nt* transport/carriage undertaking, carrier; **B.unternehmer** *m* carrier, 🚗 haulage contractor; **B.verhältnisse** *pl* physical transport conditions; **B.vertrag** *m* contract of carriage/transport(ation), transport/shipping/forwarding contract; **B.volumen** *nt* transport volume; **B.vorschriften** *pl* forwarding instructions; **B.weg** *m* (transport/transit) route; **vorgesehener B.weg** intended route; **B.zahlen** *pl (Fahrgäste)* carryings, ridership figures *[US]*; **B.zeit** *f* transit time, period of transport; **B.zulage** *f (Stellung)* seniority allowance/pay; **B.zwang** *m* 1. obligation to carry; 2. ✉/*(Verkehr)* public service obligation (PSO)

Beforstung *f* (af)forestation

befrachtbar *adj* charterable

Befrachten *nt* lading; **b.** *v/t* to charter/freight/affreight/ship/load

Befrachter *m* charterer, freighter, shipper; **B. zahlt Abgaben** charterer pays dues (c.p.d.); **B.beirat** *m* shippers council

Befrachtung *f* charter(age), freightage, affreightment, freight contracting, freighting

Befrachtungs|bedingungen *pl* conditions of affreightment; **B.büro** *nt* shipping agency; **B.makler** *m* chartering broker; **B.tarif** *m* charter rates; **B.vertrag** *m* contract of affreightment, charter party

befragen *v/t* 1. to question/interview; 2. § to interrogate; 3. to examine/consult; 4. *(Meinungsforschung)* to survey/canvass; **persönlich b.** to interview

Befrager|(in) *m/f* interviewer; **B.instruktion** *f* investigator's instruction; **B.überwachung** *f* supervision of investigators

Befragte(r) *f/m* 1. respondent, interviewee; 2. informant

Befragung *f* 1. interview; 2. survey, poll; 3. § questioning, interrogation; **B. einer Grundgesamtheit** ▦ canvass; **B. durchführen** to carry out a survey

briefliche Befragung mail interview, postal inquiry; **demoskopische B.** poll; **formlose B.** informal interview; **gegabelte B.** split ballot; **mündliche B.** oral/face-to-face interview; **nachfassende B.** follow-up interview; **persönliche B.** personal interview; **repräsentative B.** opinion poll; **schriftliche B.** questionnaire; **telefonische B.** telephone interview

Befragungszeitraum *m* survey period

befreien *v/t* 1. to free/release/liberate/rid; 2. *(Steuer)* to exempt/relieve; 3. *(Haftung)* to absolve; 4. *(entlasten)* to exonerate/discharge; **b. von** to dispense/exempt/rescue from; *v/refl (Vertrag)* to contract out of

befreit *adj* 1. exempt from, free, relieved; 2. § immune; **nicht b.** non-exempt

Befreiung *f* 1. freeing, releasing, liberation, delivery; 2. *(Steuer)*/⊖ exemption, relief; 3. § immunity; 4. exoneration, dispensation

Befreiung von Abgaben exemption from duties and taxes; **~ Eingangsabgaben** waiver of import duties; **~ der Gerichtsbarkeit** jurisdictional immunity, exemption from jurisdiction; **~ der geschuldeten Leistung** discharge of an obligation; **B. mit Progression** exemption with progression; **B. von der Spekulationssteuer** capital gains tax relief; **~ der Steuer** tax exemption; **~ einer Verbindlichkeit** release from an obligation; **B. vom Zoll** exemption from duty

Befreiung bewilligen to grant an exemption; **B. erlangen** § to be granted relief

absolute Befreiung *(Schuldner)* absolute discharge; **bedingte B.** § conditional relief; **diplomatische B.** diplomatic privilege; **pauschale B.** blanket exemption; **persönliche B.** personal redemption; **uneingeschränkte B.** full exemption; **vollständige B.** complete relief

Befreiungs|anspruch *m* right of exemption/indemnity, ~ to be relieved of an obligation, claim to exoneration; **B.bestimmungen** *pl* exemption provisions; **B.gründe** *pl* grounds for exemption; **B.klausel** *f* exemption/escape clause; **B.methode** *f* exemption system; **B.verordnung** *f* exempting order; **B.versicherung** *f* exempting insurance; **B.vorschriften** *pl* exemption rules

Befremd|en *nt* displeasure; **b.lich** *adj* strange, disconcerting

befrieden *v/t* to pacify

befriedigen *v/t* 1. to satisfy/gratify; 2. *(Forderung)* to meet/discharge; 3. *(Schuld)* to pay (off); 4. *(Anspruch)* to settle; **nicht b.** to dissatisfy; **schwer zu b.** hard to please; **b.d** *adj* satisfactory

Befriedigung *f* satisfaction, gratification
Befriedigung eines Anspruchs satisfaction of a claim; **B. des Bedarfs** satisfaction of demand; **B. der elementaren materiellen Bedürfnisse** satisfaction of elementary wants; **B. einer Forderung** settlement of a claim; **vergleichsweise ~ Forderung** compounding of a claim; **B. der Gläubiger** satisfaction/paying-off of creditors; **gemeinschaftliche B. aller Gläubiger** joint paying-off of all creditors; **B. der Nachfrage** meeting of demand
Befriedigung suchen bei to seek satisfaction in
abgesonderte Befriedigung preferential settlement (of a claim), separate realization of a secured creditor; **anteilige B.** pro-rata payment; **berufliche B.** job satisfaction; **bevorzugte/vorzugsweise B.** preferential settlement/payment/satisfaction, preferred settlement; **gesonderte B.** preferential settlement; **teilweise B.** satisfaction/discharge in part, part satisfaction
Befriedigungs|recht *nt* right to be paid, ~ obtain satisfaction; **B.vorrecht** *nt* right to preferential payment
Befriedung *f* pacification
befrist|en *v/t* to set a time limit, to fix a deadline/term, to limit, to put a time limit on; **b.et** *adj* temporary, limited (in time), non-permanent, restricted, terminable, at fixed term; **auf ... Jahre b.et** *(Stelle)* tenable for ... years
Befristung *f* limitation, restriction, terminability, time set, time limit imposed, setting a time limit, fixing a period, deferment; **B. des Vertrages** setting a time limit for the contract; **B.sart** *f* duration category
befruchten *v/t* 1. to fertilize/enrich; 2. *(geistig)* to stimulate; **künstlich b.** to inseminate artificially
Befruchtung *f* fertilization; **gegenseitige B.** cross-fertilization; **künstliche B.** ⚕ artificial insemination
befugen *v/t* to authorize/warrant
Befugnis *f* 1. authority, warrant; 2. authorization, entitlement; 3. jurisdiction, power(s), competence, legitimacy; **B.se** area of authority; **außerhalb der B.se; über die B.se hinausgehend** § ultra vires *(lat.)*; **B.se der Unternehmensleitung** managerial rights; **~ besitzen** to be authorized; **B., etw. zu tun** discretion to do sth.; **seine B.se überschreiten** 1. to exceed one's authority, to overstep one's competence; 2. § to act ultra vires *(lat.)*; **B.se übertragen** to delegate authority/functions, to confer powers
scharf begrenzte Befugnis|se clearly defined powers; **hoheitsrechtliche B.se** governmental/sovereign powers; **originäre B.** inherent powers; **rechtsgeschäftliche B.** competence for legal transactions; **satzungsmäßige B.** statutory/corporate powers; **übergeordnete B.** overriding powers; **währungspolitische B.se** monetary powers, powers in the field of monetary policy
Befugnisliste *f* 🖳 capability list
befugt *adj* authorized, entitled, empowered, qualified, competent; **b. sein** to have the authority
Befund *m* finding(s), result, diagnosis; **B.anzeige** *f* statement of finding; **B.bericht** *m* report on the condition
befürchten *v/t* to fear, to be fearful/suspicious of sth.
Befürchtung *f* misgiving, fear, apprehension; **in der B., dass** for fear of; **B.en beschwichtigen/zerstreuen** to allay/quell/dispel fears
befürworten *v/t* to approve/recommend/favour/back, support/sponsor/endorse/advocate, to deliver a favourable opinion
Befürworter(in) *m/f* supporter, proponent, backer, promoter, advocate; **B. der Goldwährung** goldbug *(coll)*; **~ Schutzzollpolitik** protectionist; **~ freien Wirtschaft** free enterpriser; **leidenschaftlicher B.** ardent supporter
Befürwortung *f* approval, support, backing, recommendation, endorsement, advocacy; **B.sschreiben** *nt* letter of recommendation
begabt *adj* talented, gifted, able; **hervorragend b.** of outstanding ability
Begabung *f* talent, gift, aptitude, vocation; **mittlere B.** medium capacity; **unternehmerische B.** entrepreneurial equity/talent; **B.sreserve** *f* reservoir of talent, untapped educational potential
begebbar *adj* negotiable, marketable, transferable, endorsable, indorsable, issuable, assignable; **nicht b.** non-negotiable; **wieder b.** reissuable
Begebbarkeit *f* negotiablility; **formelle B. beeinträchtigen** to affect the formal negotiability; **B.sklausel** *f* negotiable words, negotiability clause
begeben *v/t* 1. to negotiate; 2. *(Anleihe)* to float/issue/launch/sell; **sich b. zu** to proceed to; **zu pari b.** to issue at par; **wieder b.** to reissue
Begebende(r) *f/m* endorser
Begebenheit *f* occurrence
Begebung *f* 1. *(Wertpapiere)* issue, issuance, emission; 2. § waiver; 3. *(Wechsel)* floatation, flotation, issue, negotiation; **B. von Aktien** share *[GB]*/stock *[US]* issue, creation of shares; **B. einer Anleihe** issue/placing/launching of a loan; **~ Euroanleihe** eurobond issue; **B. von Stammaktien** equity issue
Begebungs|aviso *nt* advice of negotiation; **b.fähig** *adj* negotiable; **B.fähigkeit** *f* negotiability; **B.konsortium** *nt* issuing syndicate, selling/issuing group; **B.kosten** *pl* issuing cost(s); **B.kurs/B.preis** *m (Wertpapier)* issuing/subscription/coming-out price; **B.ort** *m* place of issue/commission; **B.tag** *m* date of issue; **B.vertrag** *m* transfer deed
begegnen *v/i* 1. to encounter/meet; 2. to counter
Begegnung *f* encounter, meeting; **B.sverkehr** *m* rendez-vous *[frz.]* traffic
begehen *v/t* 1. *(Fest)* to celebrate; 2. § to perpetrate/commit, to be guilty of; 3. to inspect
Begeher einer unerlaubten Handlung *m* § tortfeasor
Begehren *nt* petition, request, demand, desire; **b.** *v/t* to seek/desire/petition/request/require/demand
begehrlich *adj* covetous, desirous
begehrt *adj* sought-after, prized, in demand; **b. sein** to be in request; **lebhaft b. werden** to be in brisk demand
Begehung *f* 1. § perpetration, commission, committal, commitment; 2. (local) inspection; **B. einer unerlaubten Handlung** malfeasance, commission of a tort/an offence; **fahrlässige B.** negligent commission; **gemeinschaftliche B.** joint commission; **B.sdelikt** *nt* of-

fence by commission; **B.srecht** *nt* right of way

begeister|n *v/t* to encourage; *v/refl* to enthuse; **b.t** *adj* enthusiastic, euphoric, delighted, exuberant; **B.ung** *f* enthusiasm, euphoria, zeal, gusto, zest; **wachsende B.ung** mounting enthusiasm

Beginn *m* 1. beginning, start, commencement, onset, outset, threshold, inception, initiation; 2. *(Eröffnung)* inauguration; **B. der Hauptverhandlung** § opening of the trial; ~ **Mietzeit/Pachtzeit** lease inception; ~ **Rechtsfähigkeit** beginning of legal capacity; **vor ~ Zwangsverwaltung** prior to receivership

beginnen *v/ti* 1. to begin/start/commence/initiate/launch, to embark (on sth.); 2. *(Vers.sschutz)* to attach; **b.d** *adj* incipient, inchoate

beglaubigen *v/t* 1. to attest/certify/authenticate/legalize/prove/verify/accredit/acknowledge; 2. § to homologate; **amtlich b.** to certify/legalize; **notariell b.** to certify/notarize/attest/legalize, to authenticate by a notary; **öffentlich b.** to certify/notarize/legalize, to authenticate by notary public or by court; **urkundlich b.** to certify

beglaubig|end *adj* certificatory; **B.er** *m* attestor, certification officer

beglaubigt *adj* certified, authenticated, legalized, attested, witnessed, accredited; **nicht b.** uncertified, non-certified; **notariell b.** notarized, certified by a notary, notarially authenticated; **öffentlich b.** certified, notarized, legalized

Beglaubigung *f* 1. certification, authentication, legalization, attestation, verification; 2. § homologation; **B. einer Konsulatsfaktura** legalization of a consular invoice; ~ **Unterschrift** attestation of a signature

amtliche Beglaubigung legalization; **eidliche B.** verification; **gerichtliche B.** legalization, attestation by the court, court's authentication; **notarielle B.** notarial/notary's authentication; **öffentliche B.** authentication by notary public or by court

Beglaubigungs|befugnis *f* authority to attest/authenticate; **B.formel/B.klausel** *f* attestation clause; **B.gebühr** *f* certification/legalization fee; **B.praxis** *f* certification practice; **B.schreiben** *nt (Diplomatie)* credentials, letter of credence, letters credential; **B.vermerk** *m* certificate of acknowledgement, attestation clause; **B.zeuge/B.zeugin** *m/f* § attesting witness

begleichen *v/t* 1. to settle/pay/clear/meet; 2. *(Schuld)* to discharge/honour; 3. *(Konto)* to square; **vollständig b.** to settle in full

Begleichung *f* 1. settlement, payment; 2. discharge, acquittance, satisfaction; **zur B. von** in payment/settlement of; **zur teilweisen B.** in part-payment; **B. einer Rechnung** settlement of an account, payment of an invoice; **in B. unserer Rechnung** in payment of our account; **zur B. Ihrer Rechnung** in settlement of your account; **B. einer Schuld** satisfaction/discharge of a debt; **B. von Verbindlichkeiten** discharge of liabilities, settlement/payment of accounts

Begleit|blatt *nt* advice note; **B.brief** *m* covering/cover/accompanying letter; **B.dokument** *nt* accompanying document

begleiten *v/t* 1. to accompany/escort; 2. ✉ convoy; **b.d** *adj* concomitant, attendant, collateral

Begleiter(in) *m/f* companion, attendant, escort

Begleiterscheinung *f* 1. side effect, implication, concomitant, accompaniment; 2. ⚕ attendant symptom/phenomenon

begleitet *adj* accompanied; **b. werden von** *(Nachteil)* to be dogged by

Begleit|maßnahmen *pl* accompanying measures; **B.material** *nt* backing-up material; **B.papier** *nt* accompanying document; **B.programm** *nt* associated/support programme; **B.risiko** *nt* attendant risk; **B.schein** *m* 1. bill of delivery, delivery note/order; 2. 🚗 waybill (W.B.); **B.schiff** *nt* ⚓ escort vessel, tender; **B.schreiben** *nt* covering/accompanying/cover letter, letter of transmittal, covering note; **B.transport** *m* accompanied/escorted transport; **B.umstände** *pl* 1. attendant/collateral circumstances; 2. § res gestae *(lat.)*

Begleitung *f* company, attendance, escort; **in B. von** in the company of; **ohne B.** unaccompanied; **B.sdienst** *m* escort duty

Begleit|untersuchungen *pl* parallel tests; **B.zettel** *m* 1. compliment(s) slip; 2. 🚗 waybill (W.B.); **B.zeugnis** *nt* 1. ⊖ transire, bond note; 2. waybill

be|glückwünschen *v/t* to congratulate; **b.gnadigen** *v/t* to (grant a) reprieve/pardon

Begnadigung *f* § pardon, reprieve; **allgemeine B.** amnesty, general pardon; **B.sakt** *m* act of clemency; **B.sbefugnis/B.srecht** *f/m* power to pardon, prerogative of mercy; **B.sgesuch** *nt* petition for clemency; **B.skommission** *f* Parole Board *[GB]*, clemency board; **B.smöglichkeit** *f* remissibility; **B.ssachen** *pl* clemency matters

be|gnügen mit *v/refl* to content o.s. with, to settle for, to be content with; **b.graben** *v/t* 1. to bury/inter; 2. *(Hoffnung)* to abandon

Begräbnis *nt* burial, funeral; **B.kosten** *pl* funeral expenses; **B.zuschuss** *m* funeral benefit

begreif|en *v/t* to comprehend/grasp/understand/conceive/realize; **schnell b.en** to be quick on the uptake *(coll)*; **b.lich** *adj* understandable

finanziell begrenzbar *adj* cash-limitable

begrenzen *v/t* 1. to limit/restrict/confine, to put a limit on; 2. *(zeitlich)* to terminate; **nach oben b.** to put a ceiling on, to cap; **örtlich b.** to localize; **zeitlich b.** to set a time limit

Begrenzer *m* 1. 💻 delimiter; 2. 🚗 *(Geschwindigkeit)* governor

begrenzt *adj* limited, restricted, finite, determinable; **örtlich b.** localized, regional; **zeitlich b.** terminable, limited (in duration/time)

Begrenzung *f* 1. limitation, limit, curb, margin; 2. *(Lohn/Preis)* restriction, control, capping

Begrenzung der Ansprüche claim limit; ~ **Außen-/Fremdfinanzierung** external financing limit; ~ **Haftung** limitation of liability; ~ **Kreditaufnahme/des Kreditvolumens** debt ceiling, credit restriction/squeeze/containment; ~ **Laufzeit** maturity limit; **territoriale B. des Patents** territorial limitation of the patent; **B. der**

Verpflichtungen für die Gläubiger creditor limit; **B. des Währungsrisikos** currency risk control; ~ **Zinsrisikos** interest rate risk control

gesetzliche Begrenzung statutory limit, limitation in law; **zeitliche B.** time limit, limitation as to time, terminability

Begrenzungs|licht *nt* 🚗 sidelight(s); **B.linie** *f* boundary line; **B.zeichen** *nt* 💻 delimiter

Begriff *m* notion, term, concept; **im B.** on the verge/point of; **B. der Erfindung** concept of invention; **allgemeine B.e des Rechts** general legal concepts; **nach heutigen B.en** by present-day standards

unter den Begriff fallen to come under the heading; **sich einen B. machen von** to form an idea; **im B. sein** to be poised, ~ on the point of; **gängiger B.** standard term; **juristischer B.** legal term/concept

begrifflich *adj* notional, conceptual

Begriffsbestimmung *f* definition; **B. des Zollwerts** definition of value; **sich der B. entziehen** to elude definition

Begriffs|inhalt *m* connotation, meaning; **B.vermögen** *nt* comprehension, understanding, grasp

begründen *v/t* 1. to establish/create/found/form; 2. to set up; 3. *(erklären)* to account for, to explain/reason/justify/support, to state/give reasons; 4. § to constitute, to make good; 5. *(Anspruch)* to substantiate (a claim); **eingehend b.** to give full reasons; **rechtsgeschäftlich b.** to constitute completely; **schlüssig b. und glaubhaft machen** § to establish a prima facie *(lat.)* case

Begründer *m* founder, originator

begründet *adj* valid, well-founded, justified; **für b. halten** to deem valid; **b. sein durch** to be supported by; **rechtlich b.** legally justified; **schlecht b.** ill-founded; **wohl b.** well-founded

Begründetheit *f* reasonable justification

Begründung *f* 1. foundation, establishment, formation; 2. justification, substantiation, explanation, argumentation, statement of reasons, explanatory notes, reason(ing), grounds; 3. findings of law; **mit der B. (dass)** on the grounds of/that; **zur B.** in support of

Begründung eines Anspruchs substantiation of a claim, grounds for a claim; **zur B. meines Antrags** in support of my motion; **B. des Beamtenverhältnisses** appointment of a civil servant; **B. einer Entscheidung** reasons for a decision; **B. eines Gesellschaftsverhältnisses** establishment of a partnership; **B. einer Mängelrüge** statement of a claim; **B. eines Rechts** creation of a right; **B. einer Schuld** contraction of a debt, establishment of/incurring an obligation; **B. eines Urteils** grounds for a judgment; ~ **Wohnsitzes** establishment of (a) residence

Begründung vortragen to state a case

bestehende Begründung specious argumentation; **eingehende B.** full reasons; **mangelnde B.** lack of supporting arguments; **nähere B.** substantiation; **rechtliche B.** legal argument; **schlüssige B.** cogent argument, sound reasoning; **schriftliche B.** written explanation; **vertretbare B.** tenable/valid/cogent argument

Begründungs|frist *f* time for stating reasons; **b.pflichtig** *adj* requiring substantiation/justification; **B.zusammenhang** *m* context of justification; **B.zwang** *m (Pat.)* requirement to file supporting arguments, obligation to give/indicate reasons

begrüßen *v/t* 1. to welcome/hail; 2. *(fig)* to acclaim; **b.swert** *adj* welcome/desirable

Begrüßung *f* welcome, greeting, salutation, reception, **B.sansprache** *f* welcoming speech; **B.sgeld** *nt* golden hello *(fig)*; **B.sgeschenk** *nt* handsel

begünstigen *v/t* 1. to favour/benefit/prefer/patronize/foster/promote/assist/support/forward, to give preferential treatment; 2. to further, to be conducive to; 3. § to aid and abet, to act as accessory after the fact; 4. to designate as a beneficiary

Begünstiger(in) *f/m* § accessory after the fact, abettor

steuerlich begünstigt *adj* tax-supported, tax-favoured, tax-privileged

Begünstigte|(r) *f/m* 1. beneficiary; 2. *(Zahlung)* payee; 3. § accessory after the fact; 4. designee, nominee *[US]*; **B. eines Vertrages** covenantee; **B. einer Versorgunsgsstiftung** beneficiary of a provident fund; **den B.n benachrichtigen** to notify a beneficiary; ~ **einsetzen** *(Vers.)* to nominate a beneficiary; **eventuell B.** *(Vers.)* contingent beneficiary; **wirklich B.** *(Vers.)* ultimate beneficiary

Begünstigung *f* 1. preferential treatment, preference, patronization, patronage, encouragement, furthering, support, promotion, connivance; 2. § *(persönlich)* aiding and abetting, abetment; 3. *(sachlich)* acting as an accessory after the fact; 4. designation as a beneficiary; **B. im Amt** favouritism in office; **sich der B. schuldig machen** to be an accessory after the fact; **steuerliche B.** tax privilege

Begünstigungs|absicht *f* intention of benefitting so.; **B.klausel** *f* 1. beneficiary clause; 2. benefit clause; **B.rahmen** *m (Vers.)* maximum amount eligible; **B.tarif** *m* preferential tariff; **B.zeitraum** *m* 1. tax concession period; 2. period of benefit payments

begutacht|en *v/t* to examine/appraise/assess/evaluate/inspect/survey/screen, to give an opinion, to deliver an expert opinion; **B.er** *m* 1. appraiser, assessor, expert; 2. 🏛 surveyor

Begutachtung *f* 1. examination, appraisal, assessment, evaluation, inspection, expert opinion/valuation, appraisement; 2. 🏛 survey; **B. mittels Betriebsbesichtigung** site visit review; **fachmännische B.** expert appraisal; **negative B.** negative expert's opinion; **positive B.** favourable expert's opinion; **B.sgebühr** *f* 🏛 survey fee

(reich) begütert *adj* wealthy, affluent, propertied, well-off, opulent, well-heeled *(coll)*; **die B.en** *pl* the well-off

be|haftet *adj* subject to, entailing, surrounding; **b.haglich** *adj* cosy, comfortable

Behalt|efrist *f* retention period; **b.en** *v/t* to retain/keep/have

Behälter *m* container, bin, receptacle, repository, box, tank; **in B.n transportieren**; **auf B. umstellen**; **in B.n verpacken** to containerize; **leere B.** empties

Behälter|abkommen *nt* convention on containers;

B.anlagen *pl* container facilities; **B.bau** *m* tank construction; **B.glas** *nt* glass container, container glass; **B.nummer** *f* bin number; **B.schiff** *nt* ⚓ container ship/vessel; **B.verkehr** *m* container traffic/service/transport; **B.verkehrhafen** ⚓ container port; **B.wagen** *m* 🚂 tank car; **B.zettel** *m* bin card

Behältnis *nt* receptacle, repository

behandeln *v/t* 1. to treat/handle/approach/tackle/cover, to deal with; 2. ⚕ to treat/medicate

abschließend behandeln 1. to finalize; 2. 🏭 to finish; **jdn ambulant b.** ⚕ to treat so. as an outpatient; **jdn anständig b.** to give so. a fair deal; **ärztlich b.** to treat; **bevorzugt b.** to give preferential treatment/priority to, to prefer; **diskret b.** to handle with discretion; **als besonders dringlich b.** to give high priority; **eingehend b.** to particularize; **jdn fair b.** to give so. a fair deal; **falsch b.** to mishandle; **gleich b.** to treat equally; **grob b.** to maul; **jdn kühl b.** to be cold to so., to coldshoulder so.; **medizinisch b.** to medicate; **nochmals b.** *(Antrag)* to reconsider; **pfleglich b.** to treat carefully, to nurse; **jdn rücksichtslos b.** to ride roughshod over so.; **rücksichtsvoll b.** to treat with respect; **schlecht b.** to ill-treat, to mistreat; **schonend b.** 1. *(Person)* to treat gently; 2. *(Objekt)* to handle with care; **steuerlich b.** to treat for tax purposes; **stiefmütterlich b.** to pay little attention to; **ungerecht b.** to discriminate (against), to victimize, to treat so. unfairly; **ungeschickt b.** to mismanage; **unterschiedlich b.** to discriminate (against); **jdn verächtlich b.** to turn a cold shoulder on/upon so., to give so. the cold shoulder, to coldshoulder so.; **vertraulich b.** to treat as confidential; **vordringlich b.** to give high priority to; **vorsichtig b.** 1. to handle with care; 2. *(Person)* to handle with kid gloves *(fig)*; **zollamtlich b.** to clear through customs

behandelt *adj* treated; **gut b. werden** to get a fair/good deal; **schlecht b. werden** to get a bad/raw deal; **ungerecht b. werden** to be hard done by

Behandlung *f* handling, treatment, approach; **B. eines Themas** approach to a subject; **zolltarifliche B. der Waren** tariff treatment of goods; **B. verordnen** ⚕ to prescribe a treatment

ambulante Behandlung ⚕ outpatient treatment; **anständige B.** square deal; **ärztliche B.** medical treatment/care; **bevorzugte B.** preferential treatment; **buchhalterische B.** accounting treatment; **diskriminierende B.** discriminatory treatment; **fachärztliche B.** specialist treatment; **falsche B.** mishandling; **gleiche B.** equal/same treatment; **grobe B.** rough handling; **medizinische B.** medical treatment, medication; **nachlässige B.** negligent handling; **parlamentarische B.** reading, passage; **privatärztliche B.** private treatment; **sachgemäße B.** proper handling; **schlechte B.** maltreatment, mistreatment; **stationäre B.** ⚕ inpatient treatment; **steuer(recht)liche B.** tax(ation) treatment, treatment for tax(ation) purposes; **stiefmütterliche B.** neglect; **ungleiche/unterschiedliche B.** discrimination, discriminating treatment; **unsachgemäße B.** improper handling, mistreatment *[US]*; **zahnärztliche B.** dental treatment; **zollrechtliche B.** customs treatment

Behandlungs|kosten *pl* 1. ⚕ medical cost(s)/expenses, cost of treatment; 2. handling charges; **B.raum** *m* ⚕ consulting room; **B.rechnung** *f* doctor's bill

Beharren *nt* insistence, persistence, perseverance; **b.** *v/i* to insist/persist/persevere, to remain adamant

beharrlich *adj* insistent, persistent, tenacious, single-minded, adamant, steadfast; **B.keit** *f* persistence, persistency, tenacity, steadfastness

behaupten *v/t* 1. to claim/maintain/assert/allege/argue/contend; 2. § to aver; *v/refl* 1. to hold one's own, to stand one's ground; 2. *(Preis)* to remain/hold steady; 3. *(Börse)* to hold firm, to steady; **sich b. gegen** to hold out against; **sich gut b.** 1. to hold one`s own; 2. *(Kurse)* to hold firm; **sich b. können** to hold one's ground; **sich auf hohem Niveau b.** *(Börse)* to continue high

behauptet *adj* *(Börse)* steady; **knapp b.** barely steady

Behauptung *f* 1. claim, assertion, allegation, proposition, submission, contention, statement; 2. § averment; **B. gegen B.** one man's word against another's; **B. ohne Beweisantritt** assertion unsupported by evidence; ~ **Grundlage** unfounded assertion, assertion without substance; **B., dass etw. wissentlich getan ist** § scienter *(lat.)* rule

Behauptung aufrechterhalten to maintain a claim, to assert; **B. aufstellen** to claim/assert/allege; **B. belegen** to substantiate/support a claim; **B. bestreiten** to deny a claim/an allegation/an assertion; **B. beweisen** to substantiate a claim, to prove an assertion; **B. widerrufen** to retract an allegation; **B. zurückweisen** to reject/rebut an allegation

rechtserhebliche Behauptung|en allegations relevant to the issue; **tatsächliche B.** statement of fact, allegation; **unbewiesene B.** unproved assertion

Behausung *f* dwelling, habitation; **jämmerliche/kümmerliche B.** wretched/miserable dwelling; **menschliche B.** human habitation

beheb|bar *adj* remediable, rectifiable, amendable; **b.en** *v/t* 1. to remedy/repair/rectify/mend/solve/remove; 2. *(Schaden)* to redress, to put right

Behebung *f* 1. redress, repair, removal, remedying; 2. *(Missstand)* rectification; 3. *(Ärgernis)* abatement; **gütliche B.** friendly/amicable settlement

beheimatet *adj* domiciled, based, resident, residing, native

beheiz|en *v/t* to heat; **B.ung** *f* heating; **B.ungskosten** *pl* heating cost(s)

Behelf *m* 1. makeshift, stopgap, expedient, substitute; 2. § remedy; **b.en** *v/refl* to manage (somehow or other), to make do

Behelfs|- makeshift; **B.ausfahrt** *f* 🚗 temporary exit; **B.flugplatz** *m* airstrip; **B.lösung** *f* temporary measure/expedient; **b.mäßig** *adj* makeshift; **B.smaßnahme** *f* stopgap measure; **B.mittel** *nt* expedient; **B.unterkunft** *f* makeshift/temporary accommodation

behellig|en *v/t* to trouble/bother/molest; **B.ung** *f* molestation

beherberg|en *v/t* to accommodate/house/lodge; **B.ung** *f* accommodation

Beherbergungs|betrieb *m* hotel, inn, boarding house,

guesthouse; **B.betriebe** hospitality industry; **B.betrug** *m* hotel fraud; **B.gewerbe** *nt* hotel industry/trade; **B.steuer** *f* accommodations tax *[US]*
beherrschen *v/t* 1. dominate/rule, to hold sway, to have a hold on sth; 2. to control; 3. to master; *v/refl* to restrain o.s.; **allein b.** to monopolize; **souverän b.** to be in complete command of, to master; **b.d** *adj* controlling, dominant; **alles b.d** domineering
Beherrschung *f* 1. domination, dominance; 2. mastery; 3. control, restraint; 4. *(Sprachen)* command (of); **B. verlieren** to lose one's temper; **faktische B.** factual control; **fließende B. (von)** *(Sprachen)* fluency (in); **B.svertrag** *m* control contract, contract of domination, ~ providing for control, control/subordination agreement
beherzligen *v/t* to heed; **b.t** *adj* bold, brave, courageous
behilflich *adj* helpful, instrumental; **b. sein** to lend a helping hand, to be of service/help
behindern *v/t* to impede/obstruct/hamper/hinder/inhibit/block/discourage, to interfere with, to form an obstacle, to be obstructive
behindert *adj* handicapped, disabled, incapacitated; **geistig b.** mentally handicapped; **körperlich b.** disabled, physically handicapped; **nicht b.** unimpeded; **B.e(r)** *f/m* handicapped/disabled person
Behindertenlausweis *m* certificate of disability; **b.gerecht ausgestattet** *adj* equipped for the disabled; **B.werkstatt** *f* sheltered workshop
Behinderung *f* 1. obstruction, hindrance (to), obstacle, handicap; 2. disturbance, restraint, encumbrance, impediment; 3. *(Invalidität)* disablement; **ohne jede B.** § without let or hindrance; **B. des Konkursverfahrens** obstruction of bankruptcy; **B. der Rechtspflege** obstructing the course of justice, obstruction of justice; **widerrechtliche B. durch Streikposten** unlawful picketing; **B. des Wettbewerbs** restraint of trade; **geistige B.** mental handicap; **körperliche B.** physical disability; **schwere B.** severe disablement; **B.swettbewerb** *m* restraint of competition
Behörde *f* authority, board, government department/agency, civil service department, administration, public agency, administrative body/agency; **B. für Immissionsschutz** authority for the protection against noxious substances; **den B.n melden** to notify the authorities
aus-/durchführende Behörde executive body; **ausstellende B.** issuing authority; **betreffende B.** relevant authority; **Hohe B.** *[EU]* High Authority; **kommunale B.** local authority; **maßgebliche B.** competent authority; **mittlere/nachgeordnete B.** subordinated authority, subordinate agency; **obere B.** higher authority; **oberste B.** supreme authority; **öffentliche B.** public authority; **örtliche B.** local authority; **regionale B.** district authority; **staatliche B.** 1. government authority/agency/unit; 2. *[EU]* national authority; **städtische B.** local authority; **übergeordnete B.** senior authority; **untere B.** inferior authority; **veranlagende B.** tax-assessing authority; **vollziehende B.** executive authority, ~ public agency; **vorgesetzte B.** superior/senior authority; **zuständige B.** appropriate/proper/competent authority, authority in charge, responsible department; **sachlich nicht ~ B.** functionally incompetent authority
Behördenlapparat *m* official machinery; **B.aufbau** *m* structure of public administration; **B.deutsch** *nt* officialese; **b.eigen** *adj* authority's own; **B.einkauf** *m* public purchasing/procurement; **B.fahrzeug** *nt* official vehicle; **B.handel** *m* purchasing and distribution within a government agency; **B.kaution** *f* government bond; **B.kram** *m* red tape; **B.leiter** *m* commissioner, head of a public authority, ~ government agency; **B.müll** *m* institutional waste; **B.sprache** *f* officialese; **B.vertrag** *m* government contract; **B.weg** *m* official/administrative channels; **B.zentrum** *nt* civic centre
behördlich *adj* official, governmental, administrative
behutsam *adj* cautious, careful, chary; **B.keit** *f* caution
bei *prep* 1. ✉ care of (c/o); 2. near (nr.); 3. in case of, in the event of; 4. given; 5. in pursuance of
Beilakten *pl* related files, ancillary papers; **B.band** *m* supplement, supplementary volume
beibehalten *v/t* to maintain/retain, to keep up, to stick to
Beibehaltung *f* retention, maintenance, keeping (up); **unter B. von** while maintaining; **B. der Dividende** maintaining the dividend; **B. von Übereinkünften** maintenance of agreements
Beilblatt *nt* supplement, rider; **B.boot** *nt* ⚓ tender, dinghy
beibringen *v/t* 1. to procure/produce; 2. *(Dokumente)* to furnish/supply/submit; 3. *(Kapital)* to contribute; **jdm etw. schonend b.** to break the news to so.
Beibringung *f* production, furnishing, supplying; **B. von Akten** production of documents in court; **B. neuen Beweismaterials** special pleading; **B.sfrist** *f* deadline for submission; **B.sgrundsatz** *m* principle of party presentation
beiderseitig *adj* reciprocal, mutual, bilateral
Beidlhanddiagramm *nt* simultaneous motion cycle chart, simo chart; **b.händig** *adj* two-handed
beidrehen *v/ti* ⚓ to bring/heave to
beidseitig *adj* mutual, bilateral, on both sides
Beifahrerl(in) *m/f* 1. 🚗 co-driver, front-seat passenger; 2. *(LKW)* driver's mate; **B.seite** *f* 🚗 nearside; **B.sitz** *m* passenger seat
Beifall *m* applause, approval, acclaim; **unter B.** to applause; **mit B. aufnehmen** to applaud; **B. finden (von)** to meet with the approval (of); **B. der Kritiker finden** to win critical acclaim; **ungeteilten B. finden** to win full support; **(jdm) B. spenden/zollen** to applaud (so.); **rauschender B.** thundering applause; **reicher B.** a big hand; **stürmischer B.** ovation, roaring applause
beilfällig *adj* approving, in terms of approval; **B.fang** *m* unwanted catch; **B.fangquote** *f* quota of unwanted catch; **B.film** *m* supporting film; **b.folgend** *adj* enclosed; **B.fracht** *f* ⚓ mariner's portage; **b.fügen** *v/t* to enclose/attach/affix/add/annex; **B.fügung** *f* enclosure, addition, annex; **B.gabe** *f* extra, appurtenance, adjunct
beigeben *v/t* to enclose/attach; **klein b.** to back/climb down, to knuckle under
beigelfügt *adj* 1. enclosed, attached, within; 2. *(Vertrag)*

annexed; **b.ordnet** *adj* associate, affiliated, adjunct to; **B.ordnete(r)** *f/m* 1. associate, adjunct; 2. alderman; 3. deputy town clerk; **b.schlossen** *adj* enclosed, attached; **B.schmack** *m (fig)* overtone; **b.trieben** *adj (Forderung)* collected, recovered

Bei|handdiagramm *nt* simultaneous motion cycle chart, simo chart; **B.heft** *nt* supplement; **B.heften** *nt* attachment; **b.heften** *v/t* to attach; **B.helfer(in)** *m/f* § accessory

Beihilfe *f* 1. grant, allowance, assistance (benefit), help, subsidy, benefit(s), contribution, aid, grant-in-aid; 2. § aiding and abetting, abetment

Beihilfe für Alleinerzieher one-parent benefit; **B. sozialer Art** social assistance; **B. in besonderen Fällen** special hardship allowance; **B. für die Haltung eines Kraftfahrzeugs** *(Invalidität)* motability allowance; **~ Krankenhausbehandlung** hospital treatment allowance; **B. zur Patentverletzung** § aiding and abetting infringement; **B. für Schwerbehinderte** severe disablement allowance; **~ schwer Vermittelbare** unemployability allowance

Beihilfe gewähren/leisten 1. to support; 2. § to aid and abet, to counsel and procure; **sich der B. schuldig machen** § to be an accessory before the fact

allgemeine und zugewiesene Beihilfe|n general and appropriated allowances; **ergänzende B.** supplementary allowance; **finanzielle B.** financial assistance, pecuniary aid; **innerstaatliche B.** national aid; **staatliche B.** public assistance, state grant/aid

Beihilfe|empfänger(in) *m/f* benefit recipient; **B.gemeinschaft** *f* provident association, mutual assistance association; **B.regelungen** *pl* grant system, systems of aid, arrangements for aid; **B.zahlung** *f* payment of assistance/subsidies

(einer Sache) beikommen *v/i* to tackle, to cope with

beilad|en *v/t* to co-load, to add to the cargo; **B.er** *m* coloader; **B.ung** *f* 1. additional load, cargo added; 2. § third-party summons to attend proceedings

Beilage *f* 1. enclosure, blow-away; 2. *(Zeitung)* supplement, insert, annex; 3. inset; **lose B.** loose insert

beiläufig *adj* incidental, casual, passing, perfunctory

beilegen *v/t* 1. to enclose/attach/insert; 2. *(Streit)* to settle/reconcile/heal; **durch einmalige Zahlung b.** to compound; **freundschaftlich/gütlich b.** to settle amicably, to compromise; **schiedsgerichtlich/-richterlich b.** to settle by arbitration; **~ b. lassen** to refer to arbitration

Beilegung *f* 1. settlement, adjustment, reconciliation, arrangement; 2. insertion, enclosure

Beilegung einer Auseinandersetzung dispute settlement; **B. durch Schlichtung** arbitrational/arbitral settlement; **B. eines Streits/einer Streitigkeit** settlement of a dispute; **B. nachbarlicher Streitigkeiten** fence mending *(fig)*; **B. im Vergleichswege** composition, settlement by compromise

außergerichtliche Beilegung out-of-court settlement; **friedliche/gütliche B.** amicable settlement/adjustment; **gerichtliche B.** court settlement; **schiedsgerichtliche/-richterliche B.** settlement by arbitration, arbitral/arbitrational settlement

Beileid *nt* condolence, sympathy; **sein B. aussprechen** to offer one's condolences; **B.sbesuch** *m* visit of condolence; **B.sbrief/B.sschreiben** *m/nt* letter of condolence; **B.skarte** *f* condolence card; **B.stelegramm** *nt* condolatory telegramme

beiliegend *adj* 1. enclosed, attached, annexed; 2. hereto, herewith, within, under same cover

bei|mengen/b.mischen *v/t* to add/admix; **B.mengung/B.mischung** *f* admixture/infusion; **b.messen** *v/t* to attach/attribute/impute

Bein *nt* leg; **sich ein B. ausreißen** *(fig)* to bend over backwards *(fig)*; **sich kein B. ausreißen** *(fig)* not to break one's neck *(fig)*; **sich etw. ans B. binden** *(fig)* to burden o.s. with sth.; **etw. auf die B.e bringen** to get sth. up; **~ fallen** to fall on one's feet; **jdm wieder ~ helfen** *(fig)* to give so. a leg up *(fig)*; **wieder ~ kommen** to get back on one's feet; **auf eigenen B.en stehen** *(fig)* to support o.s.; **mit beiden B.en fest auf dem Boden stehen** *(fig)* to have both feet on the ground *(fig)*; **jdm ein B.(chen) stellen** to trip so. (up); **etw. auf die B. stellen** to line/get sth. up

zweites Bein *(Produktion)* additional line

Beinahe|ausgeglichenheit *f* near-balance; **B.geld** *nt* near-money, quasi-money; **B.unfall** *m* near miss, close shave *(coll)*; **B.zusammenbruch** *m* near-collapse; **B.zusammenstoß** *m* 🚗/✈ near-miss, near-collision

Beiname *m* surname

Bein|bekleidung *f* trousers; **B.bruch** *m* ⚕ broken leg

beinhalten *v/t* to imply/comprise/include/cover

beinhart *adj* *(Kampf)* fierce, intense

beiord|nen *v/t* to assign (as counsel); **B.nung** *f* assignment

Beipack *m* accessory; **b.en** *v/t* to add (to a case), to enclose; **B.liste** *f* collie/packing specification, packing list; **B.sendung** *f* collective/pooled consignment; **B.zettel** *m* 1. package leaflet/instruction, packing list/specification, collie specification; 2. ⚕ drug guide

bei|pflichten *v/i* to concur/assent/agree/accede; **B.programm** *nt* supporting programme; **B.produkt** *nt* coproduct

Beirat *m* 1. advisory council/body/board, prudential committee, consultative body; 2. trustee board; 3. *(Einzelperson)* adviser; **juristischer B.** legal adviser; **ständiger B.** permanent advisory council; **wissenschaftlicher B.** think tank *[GB]*, brains trust *[US]*, scientific advisory council

beisammen *adv* together; **B.sein** *nt* gathering; **geselliges B.sein** social gathering

beischließen *v/t* *(Dokument)* to enclose

im Beisein von *nt* in the presence of

beiseite bringen/schaffen *adv* *(Geld)* to misappropriate/remove/abstract/secrete, to stash away; **b. lassen** to set/leave aside; **b. legen** to put/lay/set aside; **jdn b. nehmen** to take so. aside

Beiseiteschaffen *nt* 1. *(Geld)* misappropriation, abstraction; 2. § removing by stealth, secreting; **B. gepfändeter Gegenstände** secret removal of attached objects

beiseite schieben *(Argument)* to toss aside; **b. treten** to sidestep

beisetzlen *v/t* to bury; **B.ung** *f* funeral, burial

Beisitzer(in) *m/f* 1. § associate/puisne judge; 2. advisory/panel member; **rechstkundiger B.** assessor

Beispiel *nt* example, instance, illustration, paradigm, lead; **zum B. (z.B.)** for instance, e.g.; **wie zum B.** such as; **um ein B. zu geben** by way of example

Beispiel anführen to quote an instance, to cite an example; **dem B. folgen** to follow suit, ~ the lead, to take a leaf out of so.'s book *(fig)*; **als B. hinstellen** to hold up as an example; **sich ein B. an jdm nehmen** to let so. be an example, to take a leaf from so.'s book; **B. nennen** to give/cite an example; **mit gutem B. vorangehen** to set a good example, to take the lead

abschreckendes Beispiel deterrent; **eindrucksvolles B.** object lesson; **einschlägiges B.** case in point; **klassisches B.** classic example; **warnendes B.** cautionary tale

beispiellhaft *adj* exemplary, paradigmatic; **b.los** *adj* unparalleled, all-time, unprecedented, beyond example, matchless; **B.rechnung** *f* model calculation

beißend *adj* 1. acrimonious; 2. *(Kritik)* slashing

Beistand *m* 1. help, assistance, support, aid, standby; 2. *(Person)* adviser, counsel, backer; **ohne B.** unaided; **B. leisten** to assist/second, to render assistance; **bilateraler B.** bilateral assistance; **finanzieller B.** financial assistance; **gegenseitiger B.** mutual assistance

Beistandslabkommen *nt* standby agreement; **B.fazilität** *f (EWS)* support facility; **B.kredit** *m* standby credit/loan; **B.mechanismus** *m (Währungen)* standby arrangement, support mechanism; **B.pakt** *m* mutual assistance pact; **B.pflicht** *f* duty to assist; **B.system** *nt (EWS)* support system

beilstehen *v/i* to help/support/second/assist, to back up, to come to so.'s defence; **b.stellen** *v/t* 1. to attach/contribute/supply; 2. *(Material)* to provide, to make available; **B.stellung** *f (Material)* provision of materials

beisteuern *v/t* to contribute, to chip in, to provide a contribution (to); **b.d** *adj* contributive, contributory

Beitrag *m* 1. contribution, levy, subscription; 2. *(Zuschuss)* allowance; 3. capital brought in, premium; 4. *(IWF)* quota; **Beiträge** dues, public charges; **als B. zu** towards

Beiträge zur Arbeitslosenversicherung unemployment insurance contributions; **B. zu Bausparkassen** savings deposits with building societies; ~ **Berufsverbänden** membership dues to trade or professional organisations; **einmaliger B. auf Lebenszeit** life subscription; **B. zur gesetzlichen Rentenversicherung** social insurance contributions, state earnings-related pension (SERPS) contributions *[GB]*; ~ **Sozialversicherung** social security contributions *[GB]*; FICA (Federal Insurance Contribution Act) taxes *[US]*; **B. für wohltätige Zwecke** charitable contributions

seinen Beitrag bezahlen to pay one's subscription; **B. entrichten/erbringen** to pay a contribution, to contribute; **B. erheben** to impose a contribution; **B. leisten** 1. to contribute, to make/provide a contribution; 2. to pull one's weight, to play one's part

anteiliger/anteilmäßiger Beitrag rat(e)able/pro-rata contribution; **gesetzlich fälliger B. von** statutory contribution, contribution lawfully due (from so.); **finanzieller B.** financial contribution; **gestaffelte Beiträge** graduated contributions; **jährlicher B.** *(Mitgliedschaft)* annual subscription; **pauschaler/pauschalierter B.** flat-rate/lump-sum contribution; **steuerabzugsfähiger B.** deductible subscription

beitragen *v/ti* to contribute/subscribe/promote, to chip in; **wesentlich b.** to be instrumental; **mit dazu b.** to be a contributory factor; **erheblich b. zu** to be a big/major contributor

beitragend *adj* contributory; **B.e(r)** *f/m* contributor

Beitragsl- contributory; **B.abführung** *f* remittance of (social insurance) contributions; **B.abschnitt** *m* contribution period; **B.abzug** *m* 1. *(Sozialvers.)* deduction of social insurance contributions; 2. *(Gewerkschaft)* check-off; **B.abzweigung** *f* diverting of contributions; **B.angleichung** *f (Vers.)* premium adjustment; **B.angleichungsklausel** *f* premium adjustment clause; **B.anpassung** *f* premium adjustment/increase; **B.aufkommen** *nt* 1. contribution(s) income; 2. *(Vers.)* premium income; **B.ausgleichung** *f* principle of adjustable contributions; **B.bedingungen** *pl* contribution conditions; **B.befreiung** *f* 1. exemption from contributions; 2. *(Vers.)* waiver of premium; **B.beleg** *m* contribution record

Beitragsbemessung *f* rating, contribution assessment; **B.sgrenze** *f* 1. contribution assessment ceiling, rating limit, income threshold; 2. *(Vers.)* earnings ceiling, income limit for contributions assessment; 3. *(Pflichtvers.)* upper earnings limit, income threshold; ~ **anheben/erhöhen** to lift the earnings ceiling; **B.sgrundlage** *f* earnings limit for contributions

Beitragslberechnung *f* computation of contributions, premuim computation; **b.bezogen** *adj* contribution-related; **B.einnahmen** *pl* premium income, contributions received; **B.einziehung** *f (Gewerkschaft)* check-off; **B.einzugsverfahren** *nt* contributions/dues check-off system; **B.entrichtung** *f* premium payment; **B.erhöhung** *f* increased contribution, premium increse; **B.ermäßigung** *f* premium rebate; **B.erstattung** *f* contribution/premium refund; **B.fonds** *m* contributory fund; **B.forderungen** *pl* outstanding dues; **b.frei** *adj* 1. non-contributory; 2. paid-up; ~ **stellen** to make paid-up, to exempt from premium payments; **B.freiheit/ B.freistellung** *f* exemption from contributions; **B.grenze** *f* contribution ceiling; **B.hinterziehung** *f* evasion of (social insurance) contributions; **B.höhe** *f* (level of) contribution; **B.jahr** *nt* 1. contribution year, year of contribution/subscription; 2. *(Vers.)* premium year; **B.kapital** *nt* contribution capital; **B.klasse** *f* scale/class of contribution; **B.konto** *nt* premium account; **B.last** *f* burden of contribution; **B.leistende(r)** *f/m* contributor

Beitragsleistung *f* premium payment, contribution; **mit B.** contributory; **ohne B.** non-contributory; **freiwillige B.** voluntary contribution

Beitragslmarke *f* subscription stamp; **B.monat** *m* contribution month

Beitragspflicht *f* liability for contributions, liability/obligation to pay contributions, ~ to contribute; **b.ig** *adj* contributory, liable to contribute, ~ pay insurance premiums; **nicht b.ig** non-contributory; **B.ige(r)** *f/m* contributor

Beitrags|rückerstattung *f* reversionary bonus, premium refund/rebate, return of premium; **B.rückstand** *m* 1. contribution(s) in arrears; 2. arrears of premiums; **B.rückvergütung** *f* premium refund/rebate, return of premium; **B.satz** *m* contribution rate, membership fee; **einheitlicher B.satz** flat-rate contribution; **B.stabilität** *f* unchanged premiums, premium stability; **B.staffelung** *f* grading of premiums; **B.übertrag** *m (Vers.sbilanz)* premium surplus; **B.überwachung** *f* control of contributions collection; **B.versicherung** *f* contributory insurance; **B.vollstreckung** *f* enforcement of contribution debts by execution; **B.voraussetzungen** *pl* contribution conditions; **B.wert** *m* contributory value; **anteiliger B.wert** rat(e)able contribution; **B.zahler (in)** *m/f* contributor, dues payer; **B.zahlung** *f (Vers.)* premium payment; contribution, contributory payment; **B.zeit** *f* period of contribution payments; **zurückgelegte B.zeiten** periods of coverage completed; **B.zuwachs** *m* growth of premium income

beitreibbar *adj* recoverable, collectible, enforceable; **B.keit** *f* recoverableness, recoverability

beitreiben *v/t* to recover/collect/requisition, to enforce payment

Beitreibung *f* recovery, (enforced) collection, exaction, execution for a money debt; **B. von Außenständen** collection of outstanding accounts, ~ accounts receivable, overdue account(s) collection; **B. der Steuerschuld** enforced collection of taxes due; **B. von Zöllen** recovery of duties; **außergerichtliche B.** collection without judicial process; **B.skosten** *pl* collection charges/expenses; **B.sverfahren** *nt* collection/recovery proceedings

beitreten *v/i* 1. to join; 2. *(Abkommen)* to accede to, to opt in; 3. to enter, to become a member, to sign up

Beitritt (zu) *m* 1. accession (to), entry into; 2. § intervention

Beitritts|akte *f* act of accession; **B.alter** *nt (Vers.)* age at entry; **B.antrag** *m* application for membership/entry, application to join; **B.ausgleichsbetrag** *m [EU]* accession compensatory amount; **B.bedingungen** *pl* conditions of membership/accession, subscription terms; **B.datum** *nt* date of entry, accession date; **B.erklärung** *f* declaration of accession, enrolment; **B.gebühr** *f* joining fee; **B.gegner** *m [EU]* anti-marketeer; **B.gesuch** *nt* application for membership; **B.klausel** *f* accession clause; **B.land** *nt [EU]* acceding country; **B.pflicht** *f* compulsory membership; **B.urkunde** *f* § instrument of accession; **B.verhandlungen** *pl* membership/accession negotiations; **B.vertrag** *m (Völkerrecht)* treaty of accession; **B.zwang** *m* compulsory membership

Bei|wagen *m* 1. *(Motorrad)* sidecar; 2. *(Straßenbahn)* trailer; **B.werk** *nt* accessory, accessories; **überflüssiges B.werk** frills, padding

beiwohn|en *v/i* 1. *(Veranstaltung)* to attend, to be present, to assist at; 2. § to cohabit; **B.er(in)** *m/f* cohabitee

Beiwohnung *f* 1. presence, attendance; 2. § cohabitation; **B.spflicht** *f* duty to cohabit; **~ verletzen** to desert

bei|ziehen *v/t* 1. to call in; 2. § to obtain the file of another case; **b.zumessen** *adj* attributable (to)

bejahen *v/t* to affirm, to answer in the affirmative; **b.d** *adj* affirmative, positive; **b.denfalls** *adv* if so

Bejahung *f* affirmative answer

bekämpfen *v/t* to fight/combat/oppose; **erbittert/bis aufs Messer/mit allen Mitteln b.** to fight tooth and nail

Bekämpfung *f* fight (against); **B. der Arbeitslosigkeit** fight against unemployment; **B. des Defizits** action on the deficit

bekannt *adj* (well-)known, familiar, acquainted, noted, renowned, prominent; **b. mit** conversant (with), versed in; **miteinander b.** acquainted; **sattsam/sehr b.** well-known; **nicht b.** undivulged

bekannt geben *v/t* 1. to announce/disclose/inform/notify/publicize, to release to the press, to make known/public; 2. *(Gesetz)* to promulgate; **wir geben hiermit b.; hiermit wird b. gegeben(, dass)** notice is hereby given (that); **amtlich b. geben** to gazette, to declare officially; **feierlich b. geben** to proclaim; **öffentlich b. geben** 1. to proclaim/post; 2. *(Gesetz)* to promulgate; **(nicht) b. gegeben** *adj* (un)divulged

bekannt machen *v/t* 1. to announce/inform/notify/divulge/declare/acquaint, to bring to so.'s notice, to make known; 2. *(Gesetz)* to promulgate; **~ mit** to introduce to; **jdn b. machen** to introduce so.; **öffentlich b. machen** 1. to proclaim/advertise, to give official notice; 2. *(Gesetz)* to promulgate

bekannt sein für etw. to have a name for sth.; **polizeilich b. sein** to have a police record; **b. werden** to transpire, to leak (out), to come to so.'s knowledge; **es wurde b.** it was learnt; **allmählich b. werden** to filter through, to transpire

Bekannte(r) *f/m* acquaintance, friend

Bekanntgabe *f* 1. notice, announcement, disclosure, notification; 2. *(Gesetz)* promulgation; 3. *(Zeitung)* publication; **B. eines Maklerverzugs** *(Börse)* hammering *[GB]*; **nach gehöriger B.** after/on/upon due notification; **im Wege öffentlicher B.** by public announcement

Bekanntheits|grad *m* 1. degree of popularity, awareness level; 2. degree to which sth. is known; **B.test** *m (Werbung)* awareness test(ing)

bekannt|lich *adv* as is known; **B.machen von Informationen** *nt* leakage of information

Bekanntmachung *f* 1. announcement, notice, notification; 2. proclamation, manifestation, advice; 3. *(Gesetz)* promulgation; 4. *(Pat.)* publication; **im Wege öffentlicher B.** by public announcement; **B. der Börsenorgane** notification by stock exchange authorities; **~ Firmenänderung** notification of change of corporate name; **öffentliche ~ Konkurseröffnung** public notice/announcement of adjudication in bankruptcy; **B.**

anschlagen to put up a notice; **amtliche B.** official announcement, public notice; **gerichtliche B.en** court notices; **öffentliche B.** public notice/announcement/disclosure, proclamation; **B.sgebühr** *f* publication fee; **amtliches B.sorgan** official gazette; **B.spflicht** *f* disclosure duty/requirement, duty to disclose publicly

Bekanntschaft *f* acquaintance; **B. machen/schließen (mit)** to become acquainted (with); **bei näherer B.** on closer acquaintance; **oberflächliche B.** nodding acquaintance; **unmittelbare B.** first-hand acquaintance

Bekanntwerden *nt* *(Tatsache)* emergence; **B. von Informationen** leakage of information

bekehr|en *v/t* to convert; **B.ung** *f* conversion

bekennen *v/t* to confess/admit; **sich schuldig b.** to plead guilty; **sich zu etw. b.** to confess to sth.

Bekenner|anruf *m* call claiming/admitting responsibility; **B.brief** *m* letter claiming/admitting responsibility

Bekenntnis *nt* 1. confession, admission; 2. *(Religion)* denomination, religious affiliation; **politisches B.** political belief(s)

beklagen *v/t* to lament/mourn/bemoan; **b.swert** *adj* lamentable, deplorable

Beklagte|(r) *f/m* 1. § defending party, defendant; 2. *(Ehescheidung)* respondent; **zugunsten der/des B.n entscheiden** to find for the defendant; **B.n vertreten** to appear for the defence; **nicht erschienene(r) B.(r)** non-appearing defendant

be|kleben *v/t* to paste/plaster; **b.kleiden** *v/t (fig) (Amt)* to hold

Bekleidung *f* clothing, clothes, garments, wear, apparel; **B. eines Amtes** tenure of office; **unfähig zur ~ Richteramtes** not qualified to hold (a) judicial office; **B. von der Stange** off-the-peg clothes

Bekleidungs|artikel *m* garment; **B.geschäft** *nt* clothing store; **B.gewerbe/B.industrie** *nt/f* clothing/textile/apparel/garment industry; **B.gutschein** *m* clothing coupon; **B.markt** *m* garment market; **B.sektor** *m* garment industry; **B.stück** *nt* garment, article of clothing; **B.textilien** *pl* clothing textiles

be|knien *v/t* 1. to beg; 2. *(Kunden)* to high-pressure; **b.kohlen** *v/t* to coal

bekommen *v/t* 1. to obtain/get/gain; 2. *(Geld)* to take; **etw. kostenlos b.** to get sth. for nothing, ~ owt for nowt *(coll) [GB]*

bekömmlich *adj* 1. wholesome; 2. *(Klima)* healthy

beköstig|en *v/t* to cater for, to feed, to wine and dine *(coll);* **B.ung** *f* board, catering

bekräftig|en *v/t* 1. to confirm/(re)affirm/reinstate; 2. § to corroborate/substantiate; **B.ung** *f* 1. confirmation, affirmation; 2. § corroboration, substantiation

bekunden *v/t* to show/signal/manifest

Belade|fähigkeit *f* loading capacity; **B.frist** *f* loading period; **B.gebühr** *f* loading charges

Beladen *nt* 1. loading; 2. *(Container)* stuffing; **Be- und Entladen** 1. ⚓ turnaround; 2. loading and unloading; **b.** *v/t* 1. to load/freight/pack/stow/lade; 2. *(Container)* to stuff; **b. mit** *adj (fig)* fraught with; **schwer b.** heavily laden; **voll b.** fully laden

Belader *m* 1. loader; 2. ⚓ stevedore

Belade|- und Entladeschäden *pl* damage resulting from loading and unloading; **B.technik** *f* loading technique; **B.termin** *m* loading date

Beladung *f* 1. loading, lading; 2. load, cargo; **B.sgrenze** *f* maximum load, load limit; **B.skosten** *pl* loading cost(s)

Belag *m* *(Straße)* surface

belagern *v/t* 1. to besiege; 2. to beset *(fig)*

Belagerung *f* 1. siege; 2. § besetting; **B.swirtschaft** *f* siege economy; **B.szustand** *m* state of siege

Belang *m* 1. concern, matter, issue, interest; 2. importance, significance, relevance; **B.e** concerns; **ohne B.** irrelevant; **von B.** relevant, material; **~ für** germane to; **B.e vertreten von** to represent the interests of; **gemeinsame B.e** matters of common concern; **öffentliche B.e** public interest(s), matters of public concern; **schutzwürdige B.e** legitimate interests; **wirtschaftliche B.e** economic interests

belangbar *adj* § indictable, suable, actionable, subject to legal proceedings

belangen *v/t* § to take legal steps, to sue/prosecute, to hold so. responsible, to sue so. at law; **jdn disziplinarisch b.** to take disciplinary action against so.; **gerichtlich b.** to sue, to take legal action

belanglos *adj* irrelevant, immaterial, insignificant, trifling, trivial, pettifogging, puny, petty; *adv* neither here nor there *(coll)*; **B.igkeit** *f* irrelevance, insignificance, triviality

belassen *v/t* to leave; **es dabei b.** to leave it at that

Belassung *f* 1. leaving, amount left; 2. *(Devisen)* permitted retention; **B.sfrist** *f* prolongation period; **B.sgebühr** *f* prolongation charge

belastbar *adj* 1. chargeable, debitable; 2. *(Mensch)* able to work under pressure, resilient; **hypothekarisch b.** mortgageable; **B.keit** *f* 1. load-carrying capacity/ability; 2. ϟ power-rating; 3. capacity; 4. *(Mensch)* resilience

belasten *v/t* 1. to debit/charge/burden/load/strain/tax/weight, to weigh down, to weigh on, to affect adversely; 2. *(beanspruchen)* to stretch, to put pressure on, to put a strain on; 3. *(Umwelt)* to pollute; 4. § to encumber; 5. *(Markt)* to depress; **jdn b.** 1. to subject so. to stress; 2. § to incriminate/implicate so.; **anteilig b.** to charge pro rata; **dinglich/hypothekarisch b.** to encumber/hypothecate/mortgage, to encumber with a mortgage; **erneut/neu b.** *(Hypothek)* to remortgage; **steuerlich b.** to tax, to burden with taxes; **zu viel b.** to overcharge/overdebit; **zu wenig b.** to undercharge; **zusätzlich b.** to surcharge

belastend *adj* 1. § incriminatory, incriminating, inculpatory; 2. burdensome, harmful, detrimental, damaging; 3. polluting

belastet *adj* 1. strained, fraught; 2. *(Konto)* charged, debited; 3. *(verpfändet)* bonded; 4. *(Hypothek)* mortgaged, encumbered; 5. *(Umwelt)* polluted; **dinglich/hypothekarisch b.** mortgaged, burdened with mortgages, encumbered; **~ nicht b.** unencumbered, unmortgaged

belästig|en *v/t* 1. to annoy/trouble/disturb/bother/inconvenience; 2. to harass/pester/importune/molest; **b.t werden von** to be plagued by

Belästigung *f* 1. disturbance, annoyance, nuisance; 2. harassment, solicitation; molestation; **nachbarrechtliche B.** nuisance by adjacent owner, private nuisance

Belastung *f* 1. burden, liability, drag, levy, drain, pressure, difficulty, handicap; 2. strain, stress; 3. *(Betrag)* surcharge; 4. *(Konto)* debit item/entry, debiting, payload; 5. *(Hypothek)* mortgage, charge, encumbrance; 6. load, weight (wt.); 7. workload; 8. *(Umwelt)* pollution

Belastung durch Lohnzahlungen pay load; ~ **industrielle und gewerbliche Tätigkeit** industrial loading; **B. der Umwelt** pollution, pressure on the environment; **B. von Vermögensteilen** charge on assets

Belastung aushalten to take the strain; **etw. großen B.en aussetzen** to place great strains on sth.; **B. bestellen** to create a charge; **B. erteilen** to debit; **mit einer B. im Rang nachrücken** *(Grundbuch)* to postpone a charge; **B. sein für** to be a drag on; **großen B.en ausgesetzt sein** to be under strain

außenwirtschaftliche Belastung external strain; **außergewöhnliche B.** extraordinary debit(s), ~ financial burden, exceptionals; **außerordentliche B.en** 1. extraordinary charge; 2. *(Steuer)* extraordinary expenses; **äußerste B.** maximum load; **ausstehende B.en** deferred charges; **dauernde B.** standing charge; **dingliche B.** encumbrance; **einmalige B.** one-time/one-off charge; **erbliche B.** hereditary taint; **feste B.** fixed charge; **finanzielle B.** financial strain/burden, charge, drain on finances; **schwere ~ B.** a great drain on the purse; **fließende B.** floating charge; **zu geringe B.** undercharge; **geringste B.** *(Maschine)* minimum load; **geschäftliche B.en** business pressures; **gleichbleibende B.** fixed charge; **hypothekarische B.** mortgage (charge/debt), encumbrance, real estate mortgage; **beurkundete ~ B.** charge by way of legal mortgage *[GB]*; **nachträgliche B.** supplementary charge: **psychische B.** emotional stress; **schwebende B.** floating charge; **schwere B.** severe strain; **seelische B.** psychic/mental strain; **soziale B.** welfare burden; **steuerliche B.** tax burden/charge/incidence, burden of taxation, tax bill *(coll)*; **tragbare B.** reasonable burden; **unmittelbare B.** direct charge; **vorrangige B.** prior charge; **zulässige B.** safe load; **höchst ~ B.** maximum (permissible) load; **zumutbare B.** reasonable/acceptable burden

Belastungs|anweisung *f* debit/charge *[US]* ticket; **B.anzeige/B.aufgabe** *f* debit note/advice/memo(randum)/ticket; **B.ausgleich** *m* smoothing, levelling; **B.beleg** *m* debit slip; **B.buchung** *f* debit entry; **B.fähigkeit** *f* load factor; **B.faktor** *m* 1. load/capacity factor; 2. *(Börse)* depressive/constrictive factor; 3. *(Umwelt)* level of pollution; **B.grenze** *f* 1. *(Grundstück)* limit of encumbrances; 2. weight limit; 3. maximum capacity; **steuerliche B.grenze** taxation/taxable capacity; **B.material** *nt* § incriminating evidence; **B.prinzip** *nt* burden/charge principle; **B.probe** *f* 1. loading test; 2. *(Börse)* test, ordeal; **B.quote** *f (Steuer)* load ratio; ~ **des Bruttosozialprodukts** public sector share of gross national product; **B.spitze** *f* ϟ peak load; **B.tendenz** *f* *(Börse)* depressive tendency, bearish factor; **B.zeuge** *m* witness for the prosecution/Crown *[GB]*, prosecution/detrimental witness; **B.ziel** *nt (BWL)* burden-allocation objective

belaufen auf *v/refl* to amount/come/run to, to run/stand at, to add/sum up to, to tot up, to account for, to reach/aggregate, to be running at; **sich insgesamt b. auf** to total/aggregate

beleben *v/t* 1. to stimulate/encourage/animate, to inject life into; 2. to enliven/invigorate/liven up/revive; *v/refl* 1. *(Wirtschaft)* to pick up, to increase; 2. *(Nachfrage)* to reemerge; **neu/wieder b.** to revive/revitalize; **b.d** *adj* stimulating, invigorating

belebt *adj* active, busy, brisk

Belebung *f* 1. *(Konjunktur/Nachfrage)* recovery, pick-up, upturn, uptrend, upswing, revival, rise, increase; 2. *(Tätigkeit)* stimulation, rekindling

Belebung des Auftragseingangs picking up of orders; **B. der Binnenkonjunktur** domestic recovery; ~ **Exportkonjunktur** increase in exports; ~ **Investitionstätigkeit** investment upturn, recovery of investments, stimulation of investment activty; **kurze B. durch Kaufaufträge** *(Börse)* flurry of buying; **B. der Konjunktur** economic recovery/upturn/revival/upswing; ~ **Nachfrage** upturn in demand, recovery of demand; ~ **Wirtschaft** economic revival, invigoration of industry

zur Belebung beitragen to play a stimulative role

gesamtwirtschaftliche Belebung overall economic recovery; **konjunkturelle/wirtschaftliche B.** cyclical upswing, economic recovery, rekindling; **plötzliche B.** *(Börse)* flurry; **saisonale B.** seasonal upswing/upturn

Belebungs|effekt *m* revitalizing effect; **B.tendenz** *f* signs of recovery; **B.verkauf** *m* stimulating sale

Beleg *m* 1. record, reference, (original) document, warrant, evidence, proof; 2. *(Buchhaltung)* voucher, slip, ticket; 3. *(Quittung)* receipt; **B.e** supporting data/records; ~ **beibringen/einreichen/vorlegen** to submit/furnish evidence; ~ **kontieren** to code documents; **anerkannter B.** approved voucher; **einzeiliger B.** single-line document; **geprüfter und zur Zahlung freigegebener B.** audited voucher; **schriftlicher B.** documented evidence; **urkundlicher B.** documentary proof/evidence

Beleg|ablage *f* voucher storage; **B.abriß** *m* stub; **B.abschnitt** *m (Scheck)* stub, counterfoil, cheque voucher; **B.addition** *f* pre-listing; **B.arzt** *m* ⚕ (hospital) consultant; **B.aufbereitung** *f* voucher processing, document preparation; **b.bar** *adj* provable (by documents), demonstrable, verifiable; **B.bearbeitung** *f* voucher processing, document handling; **B.block** *m* pad of forms; **B.buch** *nt* slip book; **B.buchhaltung** *f* voucher bookkeeping, bookless/ledgerless accounting, slip system, file posting; **B.datum** *nt* voucher date; **B.doppel** *nt* voucher copy; **B.drucker** *m* voucher/statement/document printer; **B.durchlaufgeschwindigkeit** *f* 🖳 document/circuit speed

belegen *v/t* 1. to prove/vouch, to support (by evidence); 2. to cover; 3. *(mit Abgaben)* to levy/impose; 4. 🖳 to use/assign; 5. *(Kolleg)* to read; 6. *(Zimmer/Platz)* to reserve/occupy; **dokumentarisch/urkundlich b.** to furnish documentary evidence, to provide certification of sth., to support by voucher, to document/evidence; **genau b.** to give chapter and verse *(fig)*; **neu b.** *(Zimmer)* to reoccupy; **statistisch b.** to support by statistics

belegen *adj* § situated

Belegenheit *f* 1. location, situation; 2. § situs *(lat.)*; **B.sfinanzamt** *nt* local tax office; **B.sgemeinde** *f* municipality of situs; **B.sgerichtsstand** *m* forum rei sitae *(lat.)*; **B.sstaat** *m* state of situs, state where property is situated

Beleg|erstellung *f* voucher/document preparation; **B.exemplar** *nt* specimen/author's copy; **B.fälschung zur Vertuschung von Unterschlagung** *f* teeming and lading; **B.feld** *nt* 🖳 document field; **B.fluss** *m* flow of records, document flow; **B.folgeprüfung** *f* document position checking; **b.gebunden** *adj* paper-based; **B.grundbuch** *nt* voucher journal; **B.kopie** *f* document/voucher copy; **B.lauf** *m* voucher routing; **B.lesen** *nt* 🖳 videoscan document reading; **B.leser** *m* 🖳 document/voucher reader; **optischer B.leser** optical character reader (OCR), videoscan document reader; **B.lesung** *f* character reading; **b.los** *adj* paperless, voucherless; **B.material/B.nachweis** *nt/m* documentary evidence, documentation; **B.nummer** *f* reference/voucher number; **B.nummerierung** *f* item numbering; **fortlaufende B.nummerierung** serial numbering; **b.pflichtig** *adj* requiring proof; **B.prinzip** *nt* voucher principle; **B.-prüfung** *f* 1. verification of documents, voucher audit; 2. ⊖ documentary check; **B.quittung** *f* accountable receipt; **B.quote/B.rate** *f (Hotel)* occupancy level/rate; **B.register** *nt* voucher journal/record/register; **B.registratur** *f* voucher filing; **B.satz** *m* voucher record, form set; **B.schacht** *m (Buchung)* document bin/chute

Belegschaft *f* workforce, staff (number), employees, workers, personnel, payroll, labour/working force, hands; **B. abbauen/reduzieren/verringern** to reduce the labour force, to slim/reduce/retrench the workforce, to cut/slash/trim/shed jobs, to mount down staff members; **B. demoralisieren** to demoralize the workforce; **B. erhöhen** to mount up staff numbers, to recruit (new staff); **zur B. gehören** to be on the payroll; **eine zu große B. haben** to be overmanned; **nicht organisierte/unorganisierte B.** non-union staff; **reduzierte B.** diminished staff

Belegschafts|abbau *m* manpower/staff cut, ~ reduction, demanning, slimming/reduction of the workforce, personnel cutback; **natürlicher B.abgang** natural wastage, attrition

Belegschaftsaktien *pl* employee/staff shares *[GB]*, ~ stocks *[US]*, labour force/buckshee *(coll)* shares; **B. ausgeben** to operate an employee shareholding scheme; **B.besitz** *m* employee share/stock ownership; **B.modell** *nt* employee share/stock purchase plan

Belegschafts|aktionär *m* employee/staff/worker shareholder, holder of staff shares, ~ employee stocks, stockholder/shareholder employee; **B.angehörige(r)** *f/m* employee, staff member; **B.beteiligung** *f* participation by employees; **B.fluktuation** *f* 1. personnel mobility; 2. natural wastage; **B.fonds** *m* employee trust; **B.mitglied** *nt* employee, member of staff; **B.mitglieder** staff; **nicht organisierte/unorganisierte B.mitglieder** non-union staff; **B.plan** *m (Einsatzplan)* (employee) roster; **B.schulung** *f* employee/staff training; **B.spende** *f* payroll donation; **B.stärke** *f* manpower strength/level; **B.struktur** *f* staffing pattern; **B.tantieme** *f* staff bonus; **B.treffen** *nt* office reunion; **B.versammlung** *f* employee/staff meeting; **B.versicherung** *f* employee insurance plan; **B.vertreter(in)** *m/f* workforce/personnel/staff representative; **B.vertretung** *f* 1. employee representative body; 2. works council; **B.wechsel** *m* staff turnover; **B.zahl** *f* payroll, employee roll

Beleg|seite *f* tear sheet; **B.sortiermaschine** *f* document sorter; **B.stelle** *f* reference, authority; **B.streifen** *m* detail strip; **B.stück** *nt* 1. voucher copy, tear sheet; 2. *(Buch)* author's copy; **B.system** *nt* voucher system

belegt *adj* 1. occupied, engaged, reserved, booked; 2. on record; **urkundlich b.** 1. documented; 2. supported/evidenced by documents

Beleg|transport *m* document transport; **B.überprüfbarkeit** *f* audit trail

Belegung *f* 1. occupancy, reservation; 2. documentation; **B. von Frachtraum** freight booking; **urkundliche B.** documentation; **unstrukturierte B.** unstructured reservation

Belegungs|dauer *f* 🖳 holding time; **B.plan** *m (Raum)* room plan; **B.quote/B.rate** *f (Hotel)* (bed) occupancy, occupancy rate; **B.zeit** *f* ✪ holding time

Beleg|verarbeitung *f* document handling, voucher processing; **B.verweis** *m* audit trail; **B.verzeichnis** *nt* voucher register; **B.vorderkante** *f* 🖳 leading edge; **B.wesen** *nt* voucher system; **B.zähler** *m* 🖳 document counter; **fortlaufende B.zufuhr** 🖳 continuous feeding; **B.zwang** *m* duty to keep records

belehn|bar *adj* eligible as security; **b.en** *v/t* to lend on the security of sth.; **B.ungsgrenze** *f* lending limit

belehren *v/t* 1. to inform/advise; 2. § to instruct/caution; 3. to advise so. of his rights; 4. to direct the jury; **sich b. lassen** to listen to reason; **falsch b.** 1. to misinform; 2. § to misdirect; **b.d** *adj* instructive, informative

Belehrung *f* 1. instruction, guidance, direction; 2. § *(Warnung)* caution; **B. zum Schutz des Beschuldigten** § cautionary instruction; **unrichtige B.** misdirection

beleidig|en *v/t* to insult/offend; **tätlich b.en** to assault; **b.end** *adj* offensive, insulting, slanderous; **b.t sein** to take offence

Beleidigung *f* 1. insult, offence; 2. § libel, affront; **B. des Gerichts** contempt of court; **B. der Gesetzgebungsorgane** insult against the legislative organs; **mündliche B.** slander; **schriftliche B.** libel; **strafbare B.** criminal libel; **tätliche B.** assault (and battery); **verleumderische B.** libel, slander; **vorsätzliche B.** studied insult; **B.sklage** *f* libel action, action for libel/defamation; **B.sprozess** *m* slander/libel trial

beleihbar *adj* 1. eligible, acceptable (as collateral); 2. *(Wertpapier)* marginable, pledgeable, suitable; **B.keit** *f* 1. acceptability; 2. *(Wertpapier)* eligibility to serve as collateral, hypothecary value

beleihen *v/t* 1. to lend (on security/collateral), to loan; 2. *(Grundstück)* to mortgage/hypothecate; 3. to advance money

Beleihung *f* 1. lending; 2. *(Grundstück)* hypothecation; **B. von Effekten** pledging of securities; **~ Immobilien** property lending; **B. einer Police/Versicherung** policy loan; **B. von Versicherungspolicen** loans and advances on insurance policies; **~ festverzinslichen Wertpapieren** loan on bonds; **zur B. zulassen** to admit to serve as collateral; **gewerbliche B.** industrial collateral lending

Beleihungs|auslauf *m* loan-to-value ratio; **B.bereich** *m* loan category; **b.fähig** *adj* acceptable as collateral, suitable as security; **B.garantie** *f* loan guarantee; **B.geschäft** *nt* lending (business); **B.grenze** *f* lending limit/ceiling, credit line, line/limit of credit, loan-to-value ratio; **~ überschreiten** to overlend; **B.grundsätze** *pl* lending principles; **B.höchstsatz** *m* maximum advance; **B.höhe** *f* lending volume; **B.kredit** *m* loan on collateral; **B.objekt** *nt* collateral; **B.quote/B.satz** *f/m* lending rate, loan-to-value ratio; **b.reif** *adj* qualifying for mortgage loans; **B.stopp** *m* lending freeze

Beleihungswert *m* loan/collateral/hypothecary/lending/hypothecation value, mortgageable market value, percentage of loan value; **höchster B.** maximum loan value; **B.ermittelung** *f (Hypothek)* mortgage valuation

beleucht|en *v/t* 1. to light/illuminate; 2. to highlight; **spärlich/schlecht b.et** *adj* poorly lit

Beleuchtung *f* light, lighting (equipment), illumination(s); **B. mit Leuchtstoffröhren** fluorescent lighting;

Beleuchtungs|anlage *f* lighting installation; **B.industrie** *f* lighting equipment industry; **B.ingenieur/B.techniker** *m* lighting engineer; **B.körper** *pl* light fittings, lighting fixtures; **B.kosten** *pl* lighting cost(s); **B.vorschriften** *pl* lighting regulations

gut beleumdet *adj* reputable, reputed, held in good repute; **übel b.** disreputable

Belieben *nt* 1. discretion; 2. choice, convenience; **nach B.** at discretion, ad libitum *(lat.)*, at random/will/pleasure; **~ handeln** to act as one may see fit, to exercise one's discretion

beliebig *adj* 1. discretionary, optional, arbitrary; 2. any

beliebt *adj* popular, favourite, in demand; **B.heit** *f* popularity; **sich wachsender ~ erfreuen** to become increasingly popular

beliefern *v/t* to supply/provide/furnish; **jdn b. mit** to supply so. with, to purvey for so.; **ungenügend b. mit** to undersupply

Belieferung *f* delivery, supply, drop; **B.sfolge/B.splan/B.zyklus** *f/m* delivery/supply schedule; **B.stockung** *f* slowing-down of deliveries

belobig|en *v/t* to commend; **B.ung** *f* commendation, mention

belohnen *v/t* to reward/remunerate/recompense; **überreichlich b.** to overpay

Belohnung *f* 1. reward, recompense, premium, remuneration, gratification; 2. prize, award; **B. mit einer Geldsumme** pecuniary reward; **B. ausschreiben/aussetzen** to offer a reward; **angemessene B.** due/adequate reward

belüften *v/t* to ventilate/aerate/air

Belüftung *f* ventilation, aeration, airing; **B.sanlage** *f* ventilation system, ventilator; **B.sschacht** *m* ⛏ ventilation shaft

be|mächtigen *v/refl* to take possession/hold of, to seize; **b.mängeln** *v/t* to find fault with; **b.mannen** *v/t* to man/crew; **zu stark b.mannen** to overman

Bemannung *f* manning, crew; **B.svorschrift** *f* ⚓ manning rule

bemäntel|n *v/t* to cloak, to gloss over; **B.ung** *f* gloss, covering-up

bemerkbar *adj* noticeable, perceptible; **sich b. machen** to attract attention

bemerk|en *v/t* 1. to observe; 2. to notice/find; 3. *(äußern)* to remark/note; **b.enswert** *adj* remarkable, noticeable, striking, worth noting, noteworthy, notable, marked, conspicuous; **nebenbei b.t** *adv* incidentally, by the way

Bemerkung *f* remark, comment, note, observation; **B.en machen über** to comment on; **verleumderische ~ jdn** to speak disparagingly of so.

abfällige Bemerkung snide remark; **abwertende B.** derogatory remark; **anzügliche B.** personal/offensive remark; **beiläufige B.** 1. casual remark; 2. § obiter dictum *(lat.)*; **einleitende B.en** introductory/preliminary remarks; **erläuternde B.en** explanatory remarks; **geistreiche B.** wisecrack *(coll)*; **kritische B.en über** stricture(s) on; **scharfe/schneidende B.** cutting/caustic remark; **spitze B.** pointed remark; **unpassende B.** inopportune remark

bemessen *v/t* 1. to rate/assess/measure/quantify/determine/proportion; 2. to allocate/award; **sich b. nach** to be proportionate to; **zu hoch b.** to overrate; **zu knapp b.** to scrimp; **knapp b.** *adj* limited; **reichlich b.** generous

Bemessung *f* 1. rating, assessment, appraisal, valuation, calculation, determination; 2. allocation; **B. der Eingangsabgaben** assessment of import duties; **~ Steuer** tax computation; **B. des Wittums** admeasurement of dower

Bemessungs|faktor *m* assessment ratio; **B.formel** *f (Steuer)* apportionment ratio; **B.grenze** *f* upper limit of assessment

Bemessungsgrundlage *f* 1. assessment/depreciation/valuation/determination basis, depreciable cost(s), basis for determination, ~ of assessment/proration/valuation; 2. *(Steuer)* tax base, basis for assessing tax; **B. für die Besteuerung der Veräußerungsgewinne** basis for the taxation of capital gains; **~ den Gewinn** *(Vers.)* rate base; **persönliche B.** insured person's basis of assessment; **B.nteile** *pl* tax base components

Bemessungs|maßstab *m* standard of assessment; **B.tag** *m* determining date; **B.verfahren** *nt* assessment procedure; **B.zeitraum** *m* assessment period, income year

be|mittelt *adj* well-off, well-heeled; **b.mogeln** *v/t* to shortchange, to diddle *(coll)*

Bemühen *nt* endeavour, effort; **in dem B.** in a bid,

anxious/desirous to

bemühen *v/refl* to endeavour/strive; **sich b. um** to work at, to go for: **sich besonders b.** to go out of one's way; **sich ehrlich b.** to try to the best of one's ability; **sich sehr b.** to go to great lengths

bemüht *adj* anxious; **eifrig b.** studious

Bemühung *f* endeavour, effort, move; **ärztliche B.en** medical services/attention; **für ~ liquidieren** to charge for medical services; **energische B.en** strenuous efforts; **intensive B.en** great efforts; **nutzlose B.** vain endeavour

sich be|müßigt fühlen *adj* to feel obliged; **b.mustern** *v/t* 1. to pattern; 2. to sample; **b.nachbart** *adj* neighbouring, adjacent, adjoining, contiguous

benachrichtigen *v/t* to inform/notify/advise, to appraise of; **fernmündlich b.** to inform by telephone; **unverzüglich schriftlich b.** to notify promptly in writing; **telegrafisch b.** to telegraph/cable/wire

Benachrichtigung *f* 1. information, notification, advice, communication, warning, notice; 2. *(Handel)* advice note; **mangels B.** for want of advice; **B. über Anhängigkeit bei einem Schiedsgericht** notice of reference; **~ Fristablauf** expiration notice; **B. von der Geltendmachung des Zurückbehaltungsrechts** notice of lien; **ohne B. zahlbar** payable on demand

mündliche Benachrichtigung oral notification; **bei ordnungsgemäßer B.** on due notice; **rechtzeitige/satzungsgemäße B.** due notice; **schriftliche B.** written advice/communication/ notification; **sofortige B.** immediate notice; **telefonische B.** telephone message; **vorherige B.** prior/advance notice; **ohne ~ B.** without notice

Benachrichtigungs|adresse *f* notify address/party; **B.formular** *nt* notification form; **B.pflicht** *f* obligation to notify; **B.schein** *m* advice note; **B.schreiben** *nt* advice note, letter of advice, (letter of) notification

benachteiligen *v/t* to affect adversely, to prejuce/discriminate/handicap/penalize/damage; **jdn b.** to discriminate against so., to put so. at a disadvantage; **b.d** *adj* discriminatory, injurious

benachteiligt *adj* handicapped, disadvantaged; **sich b. fühlen** to feel aggrieved; **sozial b. sein** to suffer from social deprivation; **b. werden** to be prejudiced, ~ discriminated against

Benachteiligte(r) *f/m* prejudiced party, injured party/person, victim, underdog *(coll)*

Benachteiligung *f* 1. discrimination (against), handicap; 2. *(Gläubiger)* prejudice; 3. ⊖ discrimination, unfavourable treatment; **B. im Arbeitsleben; B. am Arbeitsplatz** job discrimination; **B. aufgrund des Geschlechts** sexual discrimination; **grobe B.** raw deal; **steuerliche B.** tax discrimination

Benchmarking *nt* *(durch Vergleichsstudien)* benchmarking

Benefiz|spiel *nt* *(Sport)* charity match/game; **B.vorstellung** *f* charity perfomance

Benehmen *nt* 1. conduct, behaviour, demeanour, deportment; 2. *(Umgangsformen)* manners; **im B. mit** in consultation with; **sich ins B. setzen mit jdm** to consult so., to get in touch with so.

anständiges Benehmen decent behaviour; **empörendes B.** outrageous behaviour; **höfliches B.** polite manners; **ordentliches B.** proper behaviour; **schlechtes B.** misconduct, misbehaviour; **ungebührliches B.** impropriety, misconduct; **ungehöriges B.** misbehaviour, incorrect behaviour

sich daneben/schlecht benehmen to misbehave; **sich würdelos b.** to demean o.s.; **sich zwanglos b.** to be free and easy

jdn. um etw. beneiden *v/t* to envy so. sth.; **b.swert** *adj* enviable; **nicht b.swert** unenviable

benennen *v/t* to name/nominate/denominate/specify/designate; **neu b.** to rename

Benennung *f* 1. description, designation, (de)nomination; 2. appointment; 3. *(Wertpapier)* title, term; **B. eines Zeugen** naming a witness, calling of a witness, offering the testimony of a witness; **falsche B.** misnomer; **gemeinsame B.** joint designation; **zolltarifliche B.** tariff description; **B.sgebühr** *f* designation fee; **B.ssystem** *nt* nomenclature

benoten *v/t* to mark/grade

benötig|en *v/t* 1. to need/require; 2. *(Produkt)* to be in the market for; **jdn b.en** to require so.'s services; **dringend b.en** to be in dire/urgent need of; **b.t** *adj* required; **mehr als augenblicklich b.t** in excess of current needs; **dringend b.t** much/urgently needed

Benotung *f* 1. mark, grade; 2. marking, grading

benummer|n *v/t* to number; **B.ung** *f* numbering

benutzbar *adj* usable, available

benutzen *v/t* 1. to use/utilize, to make use of, to employ; 2. *(Gelegenheit)* to avail o.s. of; **gemeinsam b.** to share; **missbräuchlich b.** to misuse/misappropriate

Benutzer(in) *m/f* user; **eingetragener B.** registered user; **gutgläubiger B.** user in good faith

Benutzer|abfrage *f* 🖳 user inquiry; **B.akzeptanz** *f* user acceptance; **B.ausweis** *m* library ticket; **B.berechtigung** *f* user authorization; **B.bibliothek** *f* user library; **B.etikett** *nt* user label; **b.freundlich** *adj* user-friendly, user-orient(at)ed; **B.freundlichkeit** *f* user-friendliness; **B.führung** *f* 🖳 user instructions, interactive computer communication; **B.gebühr** *f* usage/user fee, (direct) user charge; **B.gruppe** *f* user group; **B.handbuch** *nt* user's manual/guide, user handbook; **B.identifikation/B.identifizierung** *f* 1. 🖳 user identification; 2. sign/log on; **B.kennsatz** *m* 🖳 user label; **B.kosten** *pl* user cost; **B.kreis** *m* users; **B.oberfläche** *f* 🖳 user interface/surface; **b.orientiert** *adj* user-orient(at)ed, user-focused; **B.privileg** *nt* user privilige; **B.profil** *nt* user profile; **B.programm** *nt* application programme; **B.sprache** *f* 🖳 user language; **B.station** *f* 🖳 user terminal; **B.struktur** *f* user mix; **B.zeit** *f* 🖳 user time, uptime; **verfügbare B.zeit** available user time; **B.zugang** *m* 🖳 user access

benutzt *adj* used, employed; **häufig b.** widely used

Benutzung *f* 1. use, utilization, employment; 2. *(Pat.)* exploitation; **unter B. von** with the aid of; **B. und Besitz** use and occupation; **B. durch andere Sachverständige** *(Pat.)* use by other persons skilled in the art;

widerrechtliche B. an einer gepfändeten Sache abuse of distress; **B. nur für Anlieger** residents only; ~ **Gäste** residents only; **jdm etw zur B. überlassen** to put sth. at so.'s disposal

ausschließliche Benutzung exclusive use; **freie B.** fair use; **missbräuchliche B.** misuse, improper use; **öffentliche B.** public use; **ordnungsgemäße B.** proper use; **nicht ~ B.** improper use; **unbefugte B.** unauthorized use

Benutzungs|anleitung *f* directions, handling specification; **B.bedingungen** *pl* usage conditions, terms and conditions of use, ~ for users; **B.dauer** *f* utilization/capacity time; **B.entgelt/B.gebühr** *nt/f* usage/user fee, occupancy/service/usage/hire charge; **B.kosten** *pl* user cost(s); **B.lizenz** *f* licence to use; **B.recht** *nt* licence, right of user, ~ to use; **B.- und Aufenthaltsrecht** right of use and habitation; **eigenes B.recht** legitimate use; **B.zähler** *m* usage meter; **B.zwang** *m* compulsory use, compulsion to use

Benzin *nt* petrol *[GB]*, gas(oline) *[US]*; **bleifreies/unverbleites B.** unleaded/lead-free/non-leaded petrol, ~ gasoline, ~ fuel; **bleihaltiges/verbleites B.** leaded petrol/gasoline/fuel; **klopffestes Benzin** high-octane petrol/gasoline

Benzin|einsparung *f* fuel conservation/economy; **B.einspritzung** *f* fuel injection; **B.fresser** *m* gas guzzler *[US]*; **B.geld** *nt* petrol allowance, car fuel benefit; **B.gutschein** *m* petrol coupon; **B.kanister** *m* petrol/gasoline can; **B.knappheit** *f* petrol/gasoline shortage; **B.motor** *m* petrol/gasoline engine; **B.preis** *m* fuel/petrol/gasoline price; **b.sparend** *adj* fuel-efficient; **B.steuer** *f* petrol duty/tax *[GB]*, gasoline tax *[US]*; **B.tank** *m* petrol/gas tank; **B.uhr** *f* petrol/fuel ga(u)ge; **B.verbrauch** *m* petrol/gas *[US]* consumption; **B.zuteilung** *f* petrol rationing

beobachten *v/t* 1. to observe/note/remark/study/monitor/watch, to keep tabs on *[US]*; 2. *(Lage)* to keep under review; **genau b.** to keep a beady eye on; **kritisch b.** to eye with suspicion; **laufend b.** to monitor

Beobachter(in) *m/f* observer; **scharfer B.** keen observer; **B.status** *m* observer status

Beobachtung *f* observation, perception; **B.en anstellen** to make observations; **unter B. stellen** to place under observation

Beobachtungs|auftrag *m* *(Anwalt)* § watching brief; **B.bogen** *m* observation form; **B.daten** *pl* observation data; **B.fehler** *m* error of observation, ascertainment error; **B.material** *nt* data; **B.notizen** *pl* field notes; **B.periode/B.zeitraum** *f/m* observation period; **B.posten/B.stelle** *m/f* observation post, look-out; **B.station** *f* ⚕ observation ward; **B.wert** *m* observed value; **B.zeit** *f* elapsed/effective time

be|ordern *v/t* to commission/order; **b.packen** *v/t* to pack/load/burden

bepflanz|en *v/t* to plant; **B.ung** *f* planting

bequem *adj* 1. convenient, comfortable, easy; 2. *(faul)* lazy, indolent; **es sich b. machen** to make o.s. comfortable; **b.en** *v/refl* to bestir o.s.; **B.lichkeit** *f* convenience, comfort, ease

berappen *v/t* *(coll)* to shell/fork out, to stump up

beraten *v/ti* 1. to advise/counsel, to give advice/guidance; 2. to discuss/deliberate; *v/refl* to debate; **sich b. mit** to confer with, to consult, to take counsel with; **sich b. lassen** to seek advice; **sich anwaltlich/juristisch b. lassen** to take legal advice; **abschließend b.** to finalize; **erneut b.** *(Antrag)* to reconsider; **schlecht b.** to miscounsel; **steuerlich b.** to advise on taxation/tax matters

gut beraten *adj* well-advised; **schlecht b.** *adj* ill-advised

beratend *adj* advisory, consultative

Beratene(r) *f/m* counsellee

Berater(in) *m/f* 1. adviser, advisor, counsellor, consultant; 2. *(Bank)* account manager; **B. für Absatzfragen** marketing consultant; **sachverständiger B. des Gerichts** amicus curiae *(lat.)* *[US]*; **B. der Geschäftsführung** management consultant; **B. für Öffentlichkeitsarbeit** public relations consultant/adviser; **B. in Steuerfragen/-sachen** tax adviser; **jdn als B. hinzuziehen** to consult so.

außenpolitischer Berater foreign policy adviser; **freier B.** freelance/independent consultant; **interner B.** in-house consultant; **juristischer B.** legal adviser; **politischer B.** policy adviser; **technischer/technologischer B.** consulting engineer, technology consultant, technical consultant/adviser; **unabhängiger B.** outside consultant; **versicherungstechnischer B.** actuarial consultant; **wirtschaftlicher B.** economic adviser; **wissenschaftlicher B.** scientific adviser

Berater|firma *f* consulting firm, consultancy; **B.gebühr** *f* consultancy fee; **B.gremium/B.gruppe** *nt/f* advisory group; **B.honorar** *nt* § retainer; **B.kreis** *m* advisory board; **B.stab** *m* brains trust; **B.tätigkeit** *f* consultancy, consulting, counselling; **B.vertrag** *m* advisory/consultative/consultancy contract

beratschlag|en *v/i* to discuss/deliberate; **B.ung** *f* deliberation, discussion

Beratung *f* 1. advice, guidance, counsel(ling); 2. consultancy, consultation, consulting; 3. discussion, deliberation, meeting; 4. *(Parlament)* reading; **B.en** consultations, proceedings, conference

Beratung auf dem Anlagengebiet investment advice; **B. in Berufsfragen** vocational guidance; **B. und Beschlussfassung** *(Tagesordnung)* to consider and, if deemed fit, to pass; **B. in Finanz-/Geldangelegenheiten** financial advice; **B. des Haushaltsplans** budget debate

geheime Beratung|en abhalten 1. to meet behind closed doors; 2. *(Gericht)* to sit in camera *(lat.)*; **sich zur B. zurückziehen** to retire for deliberation

ärztliche Beratung medical advice; **ausführliche B.** in-depth guidance; **fachmännische B.** expert advice/guidance; **finanzielle B.** financial advice; **gemeinsame B.** joint consultation; **juristische B.** legal advice; **neutrale B.** independent advice; **parlamentarische B.** *(Gesetz)* parliamentary passage; **sachkundige B.** expert guidance; **technische B.** technical consulting; **wirtschaftliche B.** commercial consulting; **wirtschaftspolitische B.** economic counselling

Beratungs|- consultative; **B.abteilung** *f* consultancy division; **B.agentur** *f* consulting agency; **B.angebot** *nt* range of advisory services; **B.auftrag** *m* consultancy contract; **B.aufwand** *m* consultancy expenses/cost(s); **B.ausschuss** *m* advisory board; **B.befugnis** *f* advisory powers; **B.büro** *nt* consultancy; **B.dienst** *m* advisory service, consulting, consultancy; **landwirtschaftlicher B.dienst** agricultural advisory/extension service; **B.erfahrung** *f* consultancy experience; **B.firma** *f* consulting firm, consultancy; **technische B.firma** consulting engineers; **B.funktion** *f* advisory capacity/function; **B.gebühr** *f* consultation/consultancy fee; **B.gegenstand** *m* subject matter, item on the agenda; **B.geheimnis** *nt* secrecy of the deliberations; **B.gesellschaft** *f* consultancy/consulting firm, ~ company; **B.gespräch** *nt* interview; **B.gremium** *nt* advisory body; **B.hilfe** *f* counselling; **B.ingenieur** *m* consulting engineer; **B.inhalt** *m* topic/subject of discussion; **B.kosten** *pl* consultation/consultancy fee(s); **B.leistung** *f* advisory service (rendered); **öffentliche B.leistung** publicly funded counselling service; **B.organ** *nt* advisory body, deliberative organ; **B.pflicht** *f* legal duty to give advice; **B.praxis** *f* [§] chamber practice; **B.programm** *nt* counselling scheme; **B.protokoll** *nt* minutes of the proceedings; **B.service** *m* advisory/consulting service; **B.stelle** *f* advisory office, consulting agency; **betriebswirtschaftliche B.stelle** business advisory service; **B.struktur** *f* counselling structure; **B.tätigkeit** *f* 1. consultancy, consulting; 2. advisory service, counselling; **B.unternehmen** *nt* consultancy/consulting firm; **B.vertrag** *m* consultancy contract/agreement; **B.wesen** *nt* 1. consultancy, consulting; 2. counselling; **landwirtschaftliches B.wesen** agricultural advisory/extension service; **B.zuschuss** *m* consultancy grant

beraub|en *v/t* 1. to rob; 2. to deprive/divest; **seines Rechts b.t** *adj* aggrieved

Beraubung *f* 1. robbery, robbing, pilferage; 2. privation, divestment, divestiture; **B.sversicherung** *f* robbery insurance (policy)

berechenbar *adj* 1. calculable, computable; 2. predictable; **B.keit** *f* 1. calculability, computability; 2. predictability

berechnen *v/t* 1. to calculate/compute/work out/assess; 2. *(schätzen)* to estimate/reckon; 3. *(Rechnung)* to invoice/bill; 4. to debit/charge, to place/put to account, to make a charge; 5. to quote (a price); **nicht genau zu b.** unquantifiable

annähernd berechnen to extrapolate, to make a rough calculation/estimate; **erneut/neu b.** to recalculate/recompute; **falsch b.** to miscalculate/miscount; **genau b.** to make a close calculation; **grob b.** to make a rough calculation/estimate; **knapp b.** to calculate closely; **niedriger b.** *(Preis)* to underquote; **zu viel b.** to overcharge; **im Voraus b.** to precalculate; **zu wenig b.** to undercharge/underbill

berech|nend *adj* calculating, scheming; **B.ner** *m (Schaden)* assessor

berechnet *adj* 1. calculated; 2. *(Rechnung)* invoiced, charged, billed; **gesondert b. werden** to be charged extra; **nicht b.** uncharged, free of charge

Berechnung *f* 1. calculation, computation, assessment, count, evaluation; 2. *(Rechnung)* invoicing, billing; 3. *(Belastung)* charge; 4. *(Schätzung)* estimate, assessment; **ohne B.** free of charge, at no charge; **nach dieser B.** by this count; **nach meiner B.** according to my calculation, by my reckoning

Berechnung der Fristen computation of time limits; **~ Kosten** cost estimate; **B. zum Selbstkostenpreis** cost pricing; **B. der Zinsen** computation of interest; **~ Zinstage** computation of elapsed days

Berechnung anstellen to calculate; **sich allen B.en entziehen** to defy all calculations; **aus B. tun** to do for gain; **B. über den Haufen werfen** to upset a calculation

annähernde Berechnung approximation; **einmalige B.** one-time charge; **falsche B.** miscalculation, miscomputation; **gemittelte B.** average calculation; **komplizierte B.** complex calculation; **mathematische B.** mathematical calculation; **statistische B.** statistical computation; **nach ungefährer B.** at a rough estimate; **versicherungsmathematische B.** actuarial computation; **vorläufige B.** provisional estimate; **vorsichtige B.** conservative estimate

Berechnungs|art *f* mode/method of calculation; **B.einheit** *f* 1. unit of account; 2. work unit; **B.faktor** *m* factor; **B.fehler** *m* computation error, error of calculation; **B.formel** *f* computational formula; **B.größe** *f* parameter; **B.grundlage** *f* 1. basis of calculation/computation; 2. *(Steuer)* basis of assessment; **B.ingenieur** *m* quantity surveyor; **B.methode** *f* method of calculation, valuation method; **B.schema/B.schlüssel** *nt/m* computational formula; **B.tafel** *f* computation table; **B.zeitraum** *m* base period, period of computation

berechtigen *v/t* 1. to authorize/entitle/empower; 2. to justify/qualify/enable; **b. zu** to qualify for, to confer the right to

berechtigt *adj* 1. justified, justifiable, authorized, legitimate, reasonable; 2. eligible, entitled; **b., die Aussage zu verweigern** to be priviledged; **dinglich b.** [§] entitled in rem *(lat.)*; **nicht b.** unauthorized, non-eligible; **voll b.** fully entitled; **b. sein (zu)** 1. to be entitled/empowered to, to have the authority, ~ a title to; 2. *(Anspruch)* to rank/qualify for, to be qualified/eligible for; **gemeinschaftlich b. sein** to hold concurrently

Berechtigte(r) *f/m* 1. (rightful) claimant, party entitled, eligible person; 2. *(Vertrag)* covenantee, holder; 3. *(Eigentum)* rightful owner; 4. *(Vers.)* beneficiary, obligee, promisee; **B. aus Grundpfandrecht** [§] encumbrancer

Berechtigung *f* 1. justification, legitimacy; 2. *(Schein)* warrant, permit; 3. eligibility, entitlement; 4. [§] right, claim, title; 5. *(Vollmacht)* power, authority; **moralische B.** moral right

Berechtigungs|alter *nt* qualifiying age; **B.bestimmungen/B.erfordernisse** *pl* eligibility requirements; **B.karte** *f* pass; **B.matrix** *f* 💻 access matrix; **B.nachweis** *m* 1. eligibility requirement, qualification; 2. licence, certificate (of eligibility), proof of authority/entitlement; **B.schein** *m* 1. authorization; 2. voucher, coupon, scrip; 3. *(Dividende)* warrant; 4. *(Vers.)* benefit certificate; ~ **zum Erwerb neuer Aktien** subscription warrant *[GB]*, stock warrant/scrip *[US]*; **B.urkunde** *f* certificate of entitlement

Berechtsame *nt* ⚒ mining rights

bereden *v/t* to discuss; **jdn b.** to persuade so.; **sich mit jdm b.** to talk sth. over with so.

beredsam *adj* eloquent, persuasive; **B.keit** *f* eloquence

beredt *adj* eloquent, fast-talking

Bereich *m* 1. sector, area, region; 2. *(Tätigkeit)* sphere, scope, province, ambit, arm; 3. band, array, field, category; 4. *(Branche)* trade, industry, sector, branch, segment, domain; 5. *(Organisation)* group, division, operation(s), concern; 6. *(Reichweite)* range; 7. *(Gebäude)* precinct; **im B. von** in the range/field of

Bereich mit selbstständiger Ergebnisrechnung/-verantwortung profit centre; **B. des Marktes** market segment; **im ~ Möglichen** within the range of possibilities; **elastischer B. der Nachfragekurve** elastic range of demand; **B. realisierbarer Verbrauchspläne** budget space; **B. der Wirtschaft** economic sector; ~ **Wissenschaft** academia, academe, **B. mit hohen Zuwachsraten** high-growth area

ausgedehnter Bereich wide range; **erfasster B.** ▦ coverage; **geschäftsführender B.** managing sector; **gewerblicher B.** industry, industrial sector; **gewerblich-technischer B.** engineering (sector); **industrieller B.** industrial sector; **kritischer B.** critical region; **kurzer B.** *(Anleihemarkt)* short end of the market; **öffentlicher/staatlicher B.** public sector; **privater B.** private sector; **Waren produzierender B.** goods-producing sector; **überdeckter B.** ▦ coverage; **verarbeitender B.** manufacturing sector; **nicht ~ B.** non-manufacturing sector; **ziviler B.** ✈ commercial sector/market

bereichern *v/t* 1. to enrich; 2. to enlarge; *v/refl* to line one's pockets/purse *(fig)*, to enrich o.s., to profiteer, to feather one's nest *(fig)*, to make one's pile

Bereicherung *f* 1. enrichment, gain; 2. enlargement; **sittenwidrige B.** immoral enrichment; **ungerechtfertigte B.** undue/unjustified/unjust enrichment, unjustified benefit, § gain without legal cause; **B.sabsicht** *f* intent to enrich oneself; **B.sanspruch** *m* claim on account of unjust enrichment; **B.sklage** *f* action on the grounds of enrichment, ~ for unjust enrichment

Bereichs|- divisional; **B.abkommen** *nt* area agreement; **B.ausgangspreis** *m* internal price; **B.ausnahme** *f* industry-wide exemption; **B.bildung** *f* compartmentalization, divisionalization; **B.controller** *m* area controller; **B.definition** *f* area definition; **B.direktor** *m* senior divisional manager; **B.gliederung** *f* divisional structure; **B.grenze** *f* area limit/boundary; **b.intern** *adj* internal, departmental, area-; **B.kapital** *nt* equity capital of a division; **B.leiter** *m* divisional/area/section manager, divisional (managing) director, vice-president *[US]*; **B.leitung** *f* divisional/area management; **B.rechnung** *f* divisional statement; **b.spezifisch** *adj* area-specific; **B.struktur** *f* divisional structure; **b.übergreifend** *adj* cross-functional, overlapping, interdepartmental, transdepartmental; **B.variable** *f* array variable; **B.vorstand** *m* divisional management, ~ manager; **B.zuordnung** *f* category assignment

bereinigen *v/t* 1. to tidy/clean up; 2. to shake out, to streamline/adapt; 3. to eliminate; 4. to put things/set straight, to straighten out; 5. ⊖ to regularize; 6. *(Streit)* to settle; 7. ▦ to adjust/correct/revise; 8. *(Wertpapiere)* to revalidate; **saisonal b.** to deseasonalize

bereinigt *adj* adjusted, settled; **nicht b.** uncleared, unadjusted; **saisonal b.** seasonally adjusted; **statistisch b.** statistically adjusted

Bereinigung *f* 1. shake-out, streamlining; 2. elimination; 3. standardization, simplifying; 4. *(Bilanz)* verification; 5. ▦ adjustment; 6. *(Konto)* correction; 7. ⊖ regularization; 8. *(Wertpapiere)* revalidation; 9. clearing-up, settlement; **B. und Neufassung von Gesetzen** revision of statutes; **B. des Programms** streamlining the range; ~ **Sortiments** streamlining of the product range, product range simplification; **B. von Verzerrungen** unwinding of distortions; **strukturelle B.** *(Wirtschaft)* structural adjustment; **technische B.** *(Börse)* closing of open positions

Bereinigungs|effekt *m* shake-out effect; **B.wettbewerb** *m* eliminatory competition

bereisen *v/t* 1. to tour/travel; 2. *(Vertreter)* to cover

bereit *adj* 1. ready, prepared, willing, poised; 2. clear; 3. forthcoming; **sich b. erklären (zu tun)** to express one's willingness, to agree (to do)

bereiten *v/t* 1. to prepare; 2. *(verursachen)* to cause

bereit|gestellt *adj* earmarked, on hold, provided, supplied; **b.halten** *v/t* to keep ready/to hand, to hold in store; *v/refl* to stand by; **b.liegen** *v/i* to be ready; **b.machen** *v/t* to prepare, to gear up

Bereitschaft *f* readiness, willingness, preparedness, attendance; **in B.** on call/duty/standby; **seine B. erklären** to express one's willingness

Bereitschafts|anwalt *m* § duty solicitor; **B.arzt** *m* doctor on duty; **B.dienst** *m* standby duty, emergency service; ~ **haben** to be on call/duty; **B.erklärung** *f* letter of intent, notice of readiness; **B.kosten** *pl* standby charges/cost(s); ~ **mit langfristiger Bindungsdauer** committed cost(s), standby charges; **B.kredit** *m* 1. standby credit; 2. *(Kontokorrent)* overdraft facility; **B.kreditabkommen** *nt* standby agreement; **B.polizei** *f* riot police, flying squad *[GB]*; **B.platz** *m (Container)* loading point; **B.prämie** *f* on-call premium; **B.rechner** *m* standby computer; **B.reserve** *f* standby reserve(s); **B.stufe** *f (Alarmstufe 2)* alert phase; **B.system** *nt* standby/backup system; **B.wahrscheinlichkeit** *f* pointwise availability, operational readiness; **B.zeit** *f* waiting time; **B.zusage** *f (Kredit)* loan commitment

bereitstehen *v/i* to stand by, to be ready; **vorsorglich b.d** *adj* standby

bereitstellen *v/t* 1. to put up, to prepare/earmark; 2. *(Material)* to provide/supply, to make available; 3. *(Geld)* to appropriate/allocate, to set aside, to place at so.'s disposal

Bereitstellfläche *f* supply area

Bereitstellung *f* 1. provision, supply; 2. *(Geld)* appropriation, allocation, earmarking

Bereitstellung von Dienstleistungen provision of services; ~ **Finanzmitteln** provision of finance; ~ **Geldbeträgen** appropriation of funds; ~ **Geldbeträgen für bestimmte Zwecke** earmarking of funds; ~ **Grundstücken** appropriation of land; ~ **Gütern** provision/supply of goods; ~ **Gütern und Dienstleistungen** production of goods and services; ~ **Haushaltsmitteln** appropriation/allocation (of budget funds); ~ **Krediten** allocation of credits, credit/loan allocation; ~ **Mitteln** appropriation/granting of funds; ~ **Ressourcen** resourcing; ~ **Wohnungen** provision of housing

Bereitstellung von Haushaltsmitteln bewilligen to grant/approve an appropriation; **jährliche B.** annual allocation/provision

Bereitstellungs|fonds *m* appropriation fund/account, earmarked fund; **B.garantie** *f* commitment guarantee; **B.gebühr** *f (Kredit)* arrangement/procurement/standby fee, commitment fee/charge; **B.konto** *nt* appropriation/allocation account; **B.kosten** *pl* 1. standby cost(s), reserve inventory cost(s); 2. *(Kredit)* arrangement fee, commitment charges; **B.kredit** *m* standby/commitment credit; **B.maßnahmen** *pl* arrangements, allocation, commitment, earmarking; **B.menge** *f* service level; **B.plafond** *m* commitment ceiling; **B.planung** *f* procurement budgeting, supply planning; **B.prinzipien** *pl* principles of procurement, supply principles; **B.provision** *f (Kredit)* commitment fee/commission, arrangement/procurement/facility fee, appropriation/standby commission; **B.prozess** *m* supply process; **B.struktur** *f* supply structure; **B.zinsen** *pl* commitment interest

Berg *m* mountain; **B.e von Papier** mounds of paper; ~ **Schulden** lots of debts; **über den B. kommen** *(fig)* to turn the corner *(fig)*; ~ **sein** *(fig)* to be out of the red/woods *(fig)*, to have turned the corner *(fig)*, ~ broken the back of sth. *(fig)*; **goldene B.e** *(fig)* pie in the sky *(fig)*

berg|ab *adv* down(ward), downhill; **B.akademie** *f* ⚒ mining academy; **B.amt** *nt* mining board/authority

Bergarbeiter *m* 1. ⚒ miner, mine-worker; 2. *(Kohle)* collier; **B.dorf** *nt* mining village; **B.gewerkschaft** *f* miners' union; **B.siedlung** *f* miners' estate; **B.stadt** *f* mining town; **B.streik** *m* miners' strike

bergauf *adv* up(ward), uphill

Bergbau *m* mining (industry), extractive industry

Bergbau|aktivitäten *pl* mining operations; **B.ausrüstung** *f* mining equipment; **B.berufsgenossenschaft** *f* statutory/compulsory miners' accident insurance (scheme); **B.erlöse** *pl* mining revenue(s); **B.freiheit** *f* equal opportunity of mining; **B.gebiet** *nt* 1. mining area; 2. *(Kohle)* coalfield; **B.gesellschaft/B.unternehmen** *f/nt* mining company *[GB]*/concern/corporation *[US]*; **B.industrie** *f* mining industry; **B.ingenieur** *m* mining engineer; **B.investition(en)** *f/pl* mining investment; **B.konzession** *f* mining licence; **B.produktion** *f* mining output; **B.revier** *nt* mining district; **B.technik** *f* mining (technology); **B.tochter** *f* mining subsidiary; **B.unternehmer** *m* mine operator

Berg|behörde *f* ⚒ mining authority; **B.dorf** *nt* mountain village

Berge|geld *nt* ⚓ salvage money; **B.halde** *f* ⚒ slag heap, **B.leistung** *f* ⚓ salvage; **B.lohn** *m* salvage money/award; **B.lohnforderung** *f* salvage claim; **B.material** *nt* ⚒ slag, waste, refuse, debris, spoilage

bergen *v/t* 1. to recover/retrieve/rescue; 2. ⚓ to salvage **etw. in sich b.** to hide/hold

Berger *m* ⚓ salvager

Bergewert *m* salvage/residual value

Berg|gerechtigkeit *f* ⚒ mining concession; **B.grundbuch** *nt* mining register; **B.hoheit** *f* (sovereign) mining right; **B.industrie** *f* mining industry; **B.landwirtschaft** *f* hill farming; **B.mann** *m* 1. ⚒ miner, mine-worker, pit worker; 2. *(Kohle)* collier; **B.recht** *nt* mining law, **b.rechtlich** *adj* mining; **B.regal** *nt* mining royalty; **B.regalabgabe** *f* dead/royalty rent; **B.rutsch** *m* landslide; **B.schaden/B.senkung** *m/f* subsidence, mining damage

Bergung *f* 1. recovery, rescue; 2. ⚓ salvage, salvaging

Bergungs|aktion/B.arbeiten *f/pl* 1. ⚓ salvage operation/work; 2. rescue operation/work; **B.arbeiter** *m* 1. salvager; 2. rescue worker; **B.boot/B.dampfer** *nt/m* salvage craft/vessel; **B.dienst** *m* rescue service; **B.fahrzeug** *nt* 1. 🚗 recovery vehicle; 2. salvage vessel; **B.gebühren** *pl* salvage dues; **B.gesellschaft** *f* salvage company; **B.gut** *nt* salvage; **B.kommando/B.mannschaft** *nt/f* 1. rescue/team party; 2. salvage party; **B.kosten** *pl* salvage/recovery cost(s), ~ charges; **B.lohn** *m* salvage money; **B.recht** *nt* right of salvage; **B.schaden** *m* salvage loss; **B.schiff** *nt* salvage craft/vessel; **B.schlepper** *m* salvage tug; **B.unternehmen** *nt* salvage company; **B.vertrag** *m* salvage contract/agreement; **B.verpflichtung** *f* salvage bond; **B.wert** *m* salvage value

Bergwerk *nt* 1. mine, pit; 2. colliery; **B. in betriebsfähigem Zustand halten** to keep a mine on a care and maintenance basis; **B. markscheiden** to measure out/survey a mine

Bergwerks|abgabe *f* mining royalty; **B.aktien** *pl* mining shares *[GB]*/stocks *[US]*, mines; **B.anteil** *m* registered mining share; **B.betrieb** *m* 1. mining operation; 2. *(Gesellschaft)* mining company *[GB]*/corporation *[US]*; **B.direktor** *m* mine manager; **B.eigentümer** *m* mine-owner; **B.gerechtigkeit** *f* mining concession; **B.gesellschaft/B.unternehmen/B.verein** *f/nt/m* mining company *[GB]*/corporation *[US]*; **B.inspektor** *m* inspector of mines; **B.konzession** *f* mining concession/licence; **B.pacht** *f* mining lease; **B.recht** *nt* 1. mining law/rights; 2. right to work/extract minerals; **B.unglück** *nt* mining disaster

Bericht *m* 1. report, account; 2. *(Unternehmen)* return, statement; 3. *(Mitteilung)* memorandum, advice; 4. *(Zeitung)* (news) story; 5. *(Protokoll)* minutes; **laut B.** as per advice/statement, as advised, according to statement; **mangels B.** 1. for want of advice; 2. *(Wechsel)* no advice

Bericht über begrenzte Abschlussprüfung *(Emission)* comfort letter; ~ **den Auftragsbestand** backlog reporting; **B. der Auskunftei** credit/status report; **B. über die Beratungen** report of the proceedings; **B. des Buch-**

prüfers auditor's report; **innerbetrieblicher B. über die Budget-/Istkosten** operating report; **B. über die wichtigsten Ereignisse** highlight report; ~ **die Finanzlage** financial statement; **B. der Führung der Gesellschaft** management report; **B. der Minderheit** minority report; **B. bezüglich des Sorgerechts für Kinder in Scheidungsfällen** welfare report; **B. über Umsatzverlust** lost revenue report; ~ **die Vermögenslage** financial report/statement; **B. des Wirtschaftsprüfers** auditor's report

Bericht abfassen/anfertigen to draw up/compile/frame *[US]* a report; **B. ab-/erstatten** to report (back), to render account, to give/make a report, to give an account of; **B. ausarbeiten** to prepare/compile/draw up a report; **B. bestätigen** to confirm/verify a report; **B. einreichen** to file/submit a report; **B. frisieren** *(coll)* to cook/doctor a report; **B. veröffentlichen** to publish a report; **B. vorlegen** to present/submit/issue a report

amtlicher Bericht official report/returns; **ausführlicher B.** detailed/long-form report; **eingehender B.** extensive/detailed report; **erlogener B.** false report; **genauer B.** detailed account; **gegenteiliger B.** report to the contrary; **irreführender B.** misleading report; **jährlicher B.** annual report; **kurzer B.** brief report, summary; **mündlicher B.** oral report; **objektiver B.** unbiased report; **optimistischer B.** *(Börse)* bullish report; **statistischer B.** statistical returns; **gemeinsam verfasster B.** joint report; **vertraulicher B.** confidential report; **vorläufiger B.** interim report; **wörtlicher B.** verbatim report; **zusammengefasster B.** consolidated report

berichten *v/t* to report/tell, to make a report; **jdm b.** *(Personal)* to report to so.; **ausführlich b.** to give a detailed account

Berichterstatter *m* 1. reporter, correspondent, commentator; 2. referee; 3. *(Pat.)* reporting examiner

Berichterstattung *f* 1. report(ing); 2. *(Presse)* (news/media/press) coverage; 3. disclosure; **B. durch Medien** media coverage; **B. über Qualitätsaudits** audit reporting

detaillierte Berichterstattung in-depth/segmental reporting; **finanzwirtschaftliche B.** financial reporting (system); **gesellschaftsbezogene B.** social accounting/report(ing); **lückenlose B.** full coverage; **unrichtige B.** misinformation; **unterlassene B.** failure to report; **unternehmensinterne B.** internal reporting

Berichterstellung *f* report preparation

berichtig|en *v/t* to correct/rectify/amend/adjust/revise, to (put) right, to straighten out; **b.t** *adj* adjusted, rectified; **nicht b.t** ▦ crude; **steuerlich b.t** tax-adjusted

Berichtigung *f* correction, rectification, amendment, adjustment, revision

Berichtigung des Aktienkapitals adjustment of capital stock; **B. von Amts wegen** § amendment by the court of its own motion; **B. falscher Aussagen** correction of false statements; **B. des Grundbuchs** rectification of the land register; **B. der Steuerfestsetzung** change of tax assessment; **B. eines Urteils** rectification of a judgment; **B. der Verbindlichkeiten** adjustment of liabilities; **B. des Vorjahresergebnisses** prior-period adjustment; ~ **Wareneinsatzes** cost of sales adjustment

Berichtigung vorbehalten subject to revision; **B. nach oben** upward(s) revision; ~ **unten** downward(s) revision; **für B. Vorsorge treffen** to allow for adjustment; **einmalige B.** one-off adjustment; **rückwirkende B.** retroactive adjustment

Berichtigungs|aktie *f* scrip issue *[GB]*, stock dividend *[US]*, bonus share, capitalization issue/share; **ex B.aktien** ex bonus shares, ex capitalization issue; **B.aktienemission** *f* capitalization/scrip issue; **B.anspruch** *m* right to have sth. corrected, claim for rectification; **B.anwärter** *m* capitalization candidate; **B.anzeige** *f* notice of error; **B.ausgabe** *f* capitalization/bonus issue; **B.bescheid** *m (Pat.)* certificate of correction; **B.betrag** *m [EU]* 1. 🚜 corrective amount; 2. *(Steuer)* correcting amount; **B.bilanz** *f* revised balance sheet

Berichtigungsbuchung *f* adjusting/adjustment/correcting/rectifying entry, (audit) adjustment, adjusting journal entry; **B. nach Abschlussprüfung** audit adjustment; **B. am Jahresende** year-end adjustment

Berichtigungs|eintragung *f* adjustment entry; **B.element** *nt [EU]* corrective; **b.fähig** *adj* rectifiable; **B.feststellung** *f* adjusting assessment; **B.haushalt** *m* amended budget; **B.konto** *nt* reconciliation/adjustment account; **B.mitteilung** *f* correction notice; **B.posten** *m (Bilanz)* deferred charges, adjusting entry, valuation account; ~ **für Wertminderungen** adjustment item; **B.recht** *nt* right to correct; **B.rücklage** *f* qualifying reserve; **B.satz** *m* ⊖ rate of adjustment; **B.schein** *m (Pat.)* certificate of correction; **B.schreiben** *nt* rectifying letter/advice, letter of rectification; **B.veranlagung** *f* adjusting assessment; **B.verhältnis** *nt* scrip issue ratio

Berichts|abschnitt *m* 1. period under review; 2. section of the report; **B.auflagen** *pl* reporting requirements; **B.daten** *pl (Fakten)* reporting data; **B.datum** *nt* reporting date; **B.entwurf** *m* draft report; **B.form** *f* narrative form; **B.formular** *nt* report form; **B.gebiet** *nt* reporting area; **B.grundlage** *f* terms of reference; **B.halbjahr** *nt* half-year under review; **B.heft** *nt* report book/sheet; **B.jahr** *nt* year under review/revision, trading/reporting year; **B.kreis** *m* group of reporting companies; **B.kritik** *f* audit report review, report referencing; **B.monat** *m* month under review; **B.normen** *pl* reporting standards; **B.periode** *f (Revision)* 1. audit/given period; 2. period under review; **B.pflicht** *f* 1. mandatory report(ing), duty to report/disclose; 2. *(AG)* disclosure/reporting requirements; **b.pflichtig** *adj* required to report, subject to disclosure/reporting requirements; **B.quartal** *nt* quarter under review; **B.tag** *m* reporting day; **B.termin** *m* reporting/return date; **B.vorlage** *f* presentation of a report

Berichtswesen *nt* reporting (system/procedure), management accounting, company/management reporting, information disclosure; **adressatenorientiertes B.** addressee-oriented reporting; **automatisiertes B.** automated reporting; **betriebliches B.** corporate reporting; **internes B.** internal reporting

Berichts|woche *f* week under review; **B.zeit(raum)** *f/m* period under review, reporting/review/given period; **B.zeitpunkt** *m* date of report, key/reporting date

beriesel|n *v/t* 🚜 to irrigate; **B.ung** *f* irrigation; **B.ungsanlage** *f* 1. irrigation system; 2. ✪ sprinkler system

Berliner Testament double/mutual will

Berner Übereinkunft über das Urheberrecht Berne Copyright Convention

Bersten *nt* ⚓ break-up; **zum B. voll** full to bursting; **b.** *v/i* to burst/break/crack

berüchtigt *adj* notorious, ill-reputed, of evil repute

berücksichtigen *v/t* 1. to consider, to take into account/consideration, to allow/provide for, to take account/note of, to make allowance for, to bear in mind; 2. *(Börse)* to discount; 3. to accommodate, to pay due regard to; **nicht b.** to ignore/disregard, to leave out; **strafmildernd b.** § to consider in mitigation

Berücksichtigung *f* consideration, inclusion, regard; **nach B. von** after allowing for; **ohne B. von** regardless of, disregarding; **unter B. von** allowing for, with regard to, taking into account, account being taken of; **zur B.** to take account of; **mit B. aller Abzüge** all deductions made; **B. der Erträge aus Vermögensanlagen** proconsideration; **B. in den Medien** media coverage; **unter B. aller Umstände** having considered the facts and circumstances; **B. finden** to be considered, ~ taken into consideration; **gebührende B.** due regard

(steuerlich) berücksichtigungsfähig *adj* allowable (for tax purposes), (tax-)deductible

Beruf *m* 1. occupation, profession, job, trade, business; 2. career; 3. calling, vocation; **von B.** by occupation/trade/profession; **B. ohne Aufstiegsmöglichkeiten** blind-alley/dead-end/terminal job; **B. in der Bauindustrie** construction job; **B. mit Fachausbildung** skilled trade; **B. in der Grundstoffindustrie** extractive/primary occupation; **in meinem B.** in my occupation/profession

in seinem Beruf aufgehen to be completely absorbed in one's work; **nach B.en aufgliedern** to organise by occupation, ~ on an occupational basis; **für einen B. ausbilden** to train; ~ **neuen B. ausbilden** to retrain; **B. ausüben/betreiben; einem B. nachgehen** to pursue an occupation/a job/a profession, to practise a profession, to ply a trade; **keinen festen B. ausüben** to have no regular employment; **B. ergreifen** to take up a job, to embark on a career, to enter a profession; **anderen B. ergreifen** to change jobs; **zum B. machen** to professionalize; **ohne festen B. sein** to be of no regular employment; **sich auf einen B. vorbereiten** to train for a job; **seinen B. wechseln** to change one's job, ~ jobs; **sich mit voller Hingabe seinem B. widmen** to devote o.s. to one's job

akademischer Beruf profession; **in einem akademischen B. selbstständig tätig** in profession; **ärztlicher B.** medical profession; **ausgeübter B.** occupation held; **gelegentlich ~ B.** casual job; **aussichtsloser B.** blind-alley/dead-end/terminal job; **einträglicher B.** profitable job; **erlernter B.** (skilled) trade; **fester B.** regular occupation; **freier B.** profession, professional occupation; **gefährlicher B.** hazardous occupation/employment; **gelernter B.** skilled trade; **geistiger B.** white collar job; **gewerblicher B.** industrial/manufacturing occupation, blue-collar job; **grafische B.e** printing and allied trades; **grafischer B.** graphical/printing trade; **handwerklicher B.** handicraft (trade); **juristischer B.** legal profession; **kaufmännischer B.** mercantile occupation, commercial job; **kunsthandwerklicher B.** handicraft; **pharmazeutischer B.** pharmaceutical profession; **praktischer B.** trade; **schwerer B.** hard job; **sozialer B.** caring profession; **ständiger B.** regular occupation; **steuerberatender B.** tax-advising/tax-counselling profession; **technischer B.** engineering profession/trade

berufen *v/t* 1. to appoint/nominate/designate; 2. *(Versammlung)* to convene/convoke; **sich b. auf** 1. to cite, plead; 2. to refer to, to quote as a reference; 3. § to invoke

beruflich *adj* occupational, vocational, professional; *adv* in so.'s career/job

Berufs|- occupational, vocational, professional; **B.abschluss** *m* training/vocational qualification; **B.analyse** *f* occupational analysis; **B.anfänger(in)** *m/f* job/workforce entrant, newly qualified person, first jobber; **B.aufbaulehrgang** *m* vocational refresher course; **B.aufbauschule** *f* advanced-level vocational school, vocational extension school; **B.auffassung** *f* professional standard; **B.aufgaben** *pl* occupational duties

Berufsausbildung *f* job/industrial/vocational/trade/professional training, professional education, job preparation, pre-employment training; **B. am Arbeitsplatz** on-the-job training; **mit abgeschlossener B.** trained, (fully) qualified; **betriebliche B.** in-plant/in-service/industrial training; **individuelle B.** customized job training

Berufsausbildungs|abgabe *f* industrial training levy; **B.beihilfe** *f* occupational training grant; **B.förderung** *f* promotion of occupational training; **B.förderungsgesetz** *nt* industrial training assistance act; **B.gesetz** *nt* industrial training act; **B.kosten** *pl* cost(s) of occupational training; **B.lehrgang** *m* vocational training course; **B.programm** *nt* vocational training scheme/programme; **B.stätte** *f* industrial training centre; **B.vertrag** *m* contract of apprenticeship/traineeship, indenture(s); **B.wesen** *nt* vocational training

Berufs|ausrüstung *f* professional effects, tools of the trade, occupational outfit; **B.aussichten** *pl* job/career prospects, employment prospects/outlook; **B.ausübung** *f* exercise of one's profession/trade; **B.beamtentum** *nt* (permanent) civil service, officialdom; **B.beamter; B.beamtin** *m/f* (established) civil servant; **b.bedingt** *adj* occupational; **B.befähigung** *f* professional qualification(s); **B.beginn** *m* job start; **B.berater(in)** *m/f* placement consultant, job/vocational counsellor, vocational/career adviser, careers officer

Berufsberatung *f* vocational/occupational/careers guidance, careers information, career/job counselling, career advice, placement consultancy; **B.sdienst** *m* occupational guidance service; **B.slehrer** *m* careers master

Berufs|bewertung *f* job evaluation; **B.bezeichnung** *f* job title/identification; **b.bezogen/b.orientiert** *adj* 1. vocation-oriented; 2. professional; **B.bild** *nt* 1. occupational image; 2. job analysis/outline

Berufsbildung *f* vocational/professional training, vocational education; **B.sabgabe** *f* training levy; **B.sgesetz** *nt* industrial training act; **B.sgrundjahr** *nt* preparatory year; **B.sjahr** *nt* vocational training year; **B.sreform** *f* reform of vocational training; **B.ssystem** *nt* vocational training system; **B.szentrum** *nt* vocational/adult training centre

Berufs|chance *f* job/career opportunity, opening; **B.diplomat** *m* career diplomat; **B.eignung** *f* vocational aptitude, qualification; **B.ehre** *f* professional honour; **B.eingruppierung** *f* job classification; **B.einkäufer** *m* professional buyer; **B.einkommen** *nt* earned/employment income; **B.einschränkungen** *pl* job restrictions; **B.einstieg** *m* job start; **B.einstufung** *f* job rating; **B.engagement** *nt* job commitment; **B.entscheidung** *f* career decision; **b.erfahren** *adj* experienced

Berufserfahrung *f* work(ing)/professional/occupational/job/vocational/practical/commercial experience, proven experience in ...; **B. nach Abschluss der Ausbildung; ~ Ausbildungsende; erste B.** post-qualification/post-qualifying experience; **Person mit B.** second jobber

Berufs|erfolg *m* job success, track record *(coll)*; **bisheriger B.erfolg** track record; **B.erfordernisse** *pl* job requirements; **B.erwartung** *f* career expectations; **B.erziehung** *f* vocational training/education; **B.ethik/B.ethos** *f/nt* professional ethics; **B.examen** *nt* professional examination; **B.fachschule** *f* technical school/college, training college, trade school; **B.feld** *nt* occupational field, group of training occupations; **B.förderung** *f* career advancement; **B.förderungsstätte** *f* career advancement centre; **B.forschung** *f* occupational research; **B.fortbildung** *f* further vocational training, professional/advanced training; **B.fortbildungslehrgang** *m* advanced/vocational training course, further training scheme; **B.freiheit** *f* occupational liberty, freedom to choose a career, ~ take up any profession or trade; **b.fremd** *adj* non-occupational, outside one's occupation/trade; **B.fürsorge** *f (Vers.)* training promotion; **B.gefahr** *f* occupational hazard; **normale B.gefahr** ordinary occupational hazard; **B.geheimnis** *nt* 1. professional/trade secret; 2. professional secrecy/discretion, confidentiality; **B.genossenschaft** *f* professional/trade association, employees' industrial compensation society; **B.gericht** *nt* professional disciplinary tribunal; **B.gerichtsbarkeit** *f* professional jurisdiction; **B.gewerkschaft** *f* craft/occupational/professional/job union; **B.gliederung** *f* occupational classification

Berufsgrund|bildung *f* basic vocational training; **B.bildungsjahr** *nt* basic vocational training year; **B.sätze** *pl* professional standards, code of practice/conduct; **B.schule** *f* basic vocational school

Berufsgruppe *f* occupational category/group; **B.neinteilung** *f* occupational classification; **B.nschlüssel** *m* occupation code

Berufs|haftpflichtversicherung *f* professional risk indemnity insurance, ~ liability insurance, ~ indemnity cover; **B.handel** *m (Börse)* professional trade/dealing; **B.händler** *m* 1. professional trader, market professional, broker; **B.hilfe** *f* training promotion; **B.informationszentrum (BIZ)** *nt* career information centre; **B.interesse** *nt* occupational/professional interest; **B.invalidität** *f* industrial disablement, occupational disability; **B.jahr** *nt* year's service; **B.kammer** *f* professional organisation; **B.kategorie** *f* occupational category; **B.kasse** *f* pension fund of a professional association; **B.kennzeichen** *nt* job characteristic; **B.klassifizierung** *f* job classification; **B.kleidung** *f* occupational clothing, working clothes; **B.kodex** *m* code of professional conduct; **B.kollege** *m* fellow, workmate; **B.kollegen** *pl* the profession; **B.körperschaft** *f* professional body; **B.kraftfahrer** *m* driver; **B.krankheit** *f* $ industrial/occupational/vocational disease, ~ illness, occupational ill-health; **B.kriminalität** *f* professional crime; **B.kunde** *f (BWL)* business administration; **B.laufbahn** *f* career path/structure/pattern; **B.leben** *nt* working/professional life; **im ~ stehen** to be working; **B.leistung** *f* job performance; **B.leiter** *f (fig)* job ladder *(coll)*; **b.mäßig** *adj* occupational, professional, on a professional basis; **B.merkmal** *nt* job characteristic; **B.möglichkeiten** *pl* occupational/job opportunities; **B.moral** *f* professional ethics; **B.normung** *f* job standardization; **B.opponent** *m* professional opponent; **B.ordnung** *f* vocational regulations; **B.organisation** *f* professional/trade association, employee organisation; **nicht b.orientiert** *adj* non-vocational; **B.pflicht** *f* professional obligation/duty; **B.pflichtverletzung** *f* professional misconduct/negligence; **B.planung** *f* career planning; **B.politiker(in)** *m/f* full-time/professional politician; **B.praktikum** *nt* work experience/shadowing (scheme), practical; **(einschlägige) B.praxis** *f* (relevant) work/professional experience; **B.prognose** *f* occupational forecast; **B.psychologie** *f* occupational psychology; **B.qualifikation** *f* vocational/occupational qualification, occupational/professional skill; **B.recht** *nt* employment law; **B.rente(nversicherung)** *f* occupational pension (scheme); **B.richter(in)** *m/f* 1. professional/permanent judge; 2. *(Amtsgericht)* stipendiary magistrate *[GB]*; **B.risiko** *nt* occupational hazard/risk, professional risk; **B.sachverständige(r)** *f/m* vocational expert; **B.schaden** *m* industrial injury

Berufsschul|e *f* vocational/training/trade school, commercial/technical college; **B.lehrer(in)** *m/f* vocational teacher; **B.pflicht** *f* compulsory vocational education; **B.wesen** *nt* vocational education

Berufs|schüler(in) *m/f* student at a vocational school; **B.situation** *f* job scene; **B.soldat** *m* regular/professional soldier; **B.solidarität** *f* professionalism; **B.spekulant** *m* market operator; **b.spezifisch** *adj* job-specific; **B.sprache** *f* (occupational) jargon; **B.stand** *m* trade, profession; **die höheren B.stände** the professional classes; **b.ständisch** *adj* professional, occupational, trade; **B.starter** *m* job entrant; **B.statistik** *f* occupational statistics; **B.status/B.stellung** *m/f* occupational/professional/job status; **B.stolz** *m* pride of job; **B.struktur** *f* occupational structure/pattern; **B.systematik** *f* occupational classification, structure of occupational groups

berufstätig *adj* (gainfully) employed, working, operational in a job; **halbtags b.** part-time; **nicht b.** non-working, non-employed; **b. werden** to start work; **B.e** *pl* working/gainfully employed people

Berufstätigkeit *f* 1. professional activity, job, work, gainful employment, occupation; 2. working life; **entgeltliche B.** gainful occupation/employment; **B. unterbrechen** to take a career break

Berufs|träger *m* gainfully employed person; *pl* wage and salary earners; **B.tüchtigkeit** *f* occupational efficiency; **B.umschulung** *f* vocational retraining; **b.unfähig** *adj* disabled, incapacitated, unable to work

Berufsunfähigkeit *f* disablement, (industrial/occupational/partial) disability, incapacity; **B.sgeld** *nt* disablement benefit; **B.srente** *f* (industrial) disability/invalid(ity)/breakdown pension; **B.sversicherung** *f* occupational disablility insurance

Berufsunfall *m* occupational accident/injury, industrial injury; **B.rente** *f* industrial injury benefit; **B.versicherung** *f* industrial injuries insurance, occupational accident insurance

Berufs|verband *m* professional/trade/trading association, professional body; **B.verbot** *nt* 1. prohibition to practise a profession; 2. disqualification from public service; **B.verbrecher** *m* professional/habitual criminal; **B.verbrechertum** *nt* organised crime; **B.vereinigung** *f* professional association/body, trade association; **B.vergehen** *nt* professional misconduct, malpractice; **B.verhalten** *nt* attitude to work, work habits; **B.verkäufe** *pl (Börse)* shop selling; **B.verkehr** *m* rush hour, commuter/peak-hour/office-hour traffic; **B.verlauf** *m* career (path), job history; **B.verlaufsuntersuchung** *f* career pattern study; **B.versicherung** *f* professional insurance; **B.vertretung** *f* professional/occupational representation, trade association

Berufsvorbereitung *f* pre-vocational training; **B.sjahr** *nt* basic vocational year, year of prevocational training; **B.sprogramm** *nt* job start scheme *[GB]*

Berufs|wahl *f* career choice, choice of occupation/profession/trade; **freie B.wahl** freedom of choice of occupation/profession; **B.wechsel** *m* change of job/occupation, job change; **B.welt** *f* working/professional world; **b.widrig** *adj* unprofessional; **B.wunsch** *m* career aspirations, intended career, job objective; **B.zählung** *f* occupational census; **B.zeitschrift** *f* trade journal; **B.ziel** *nt* job goal/objective; **B.zugehörigkeit** *f* occupational class, job, seniority; **einjährige B.zugehörigkeit** one year in the trade/profession; **B.zusammensetzung** *f* occupational structure; **B.zuschlag** *m (Vers.)* additional premium for occupational risks; **B.zweig** *m* occupation

Berufung *f* 1. appointment, nomination; 2. *(Beruf)* vocation, calling; 3. invoking; 4. § appeal, plea; 5. letter of designation; **unter B. auf** with reference to

Berufung auf einen Artikel invocation of an article; **B. in das Beamtenverhältnis** appointment as civil servant; **B. auf Prozessunfähigkeit/Unzurechnungsfähigkeit** plea of insanity; **B. in eine leitende Stellung** managerial appointment; **B. gegen das Strafmaß** appeal against the sentence; **B. in Strafsachen** criminal appeal; **B. eines Treuhänders** appointment of a trustee; **B. in den Vorstand** board appointment; **B. auf die Wahrnehmung berechtigter Interessen** plea in justification; **B. in Zivilsachen** appeal in civil cases

keine Berufung zulassend non-reversible

Berufung anmelden/einlegen to appeal, to give notice of appeal, to enter/institute/file/lodge an appeal; **B. frist- und formgerecht einlegen** to appeal in due form and time; **B. für zulässig erklären** to grant leave to appeal; **in die B. gehen** (to go) to appeal; **der B. stattgeben** to allow/uphold an appeal; **~ unterliegen** to be subject to appeal; **B. versagen** to refuse leave to appeal; **B. verwerfen/zurückweisen** to dismiss an appeal; **B. als unzulässig verwerfen; B. nicht zulassen** to disallow an appeal; **B. zulassen** to grant/give leave to appeal, to allow an appeal

erfolglose Berufung unsuccessful appeal; **zugelassene B.** leave to appeal

Berufungs|abteilung *f* appellate division; **B.ausschuss** *m* 1. § appeal tribunal; 2. nominating committee; **B.begründung** *f* statement of grounds of appeal; **B.beklagte(r)** *f/m* appellee, respondent; **B.entscheidung** *f* appellate decision

berufungsfähig *adj* appellate, appealable; **nicht b.** non-appealable; **B.keit** *f* appealability

Berufungs|frist *f* time (prescribed) for an appeal; **B.führer(in)** *m/f* appellant, party appealing; **B.gegner(in)** *m/f* appellee

Berufungsgericht *nt* court of appeal, appeal/appellate court, appeal tribunal, appellate division; **B. in Strafsachen** Criminal Division of the Court of Appeal *[GB]*; **~ Zivilsachen** Civil Division of the Court of Appeal *[GB]*; **letztinstanzliches B.** final court of appeal; **B.sbarkeit** *f* appellate jurisdiction

Berufungs|gründe *pl* grounds for appeal; **B.instanz** *f* appellate authority/instance, court of appeal, higher/second instance; **in der B.instanz** on appeal; **B.kammer** *f* court of appeal, appeal tribunal; **B.klage** *f* appeal; **B.kläger(in)** *m/f* appellant, appellor; **B.möglichkeit** *f* liberty to appeal, remedy of appeal; **ohne B.möglichkeit** without resort; **B.recht** *nt* right of appeal; **B.richter** *m* appellate judge, justice of appeal; **B.sache** *f* case on appeal; **B.schrift** *f* instrument of appeal; **B.stelle** *f* board of appeal; **B.urkunde** *f* letters patent; **B.urteil** *nt* judgment on appeal; **B.verfahren** *nt* appeals procedure, appellate procedure/proceedings; **B.verhandlung** *f* hearing of an appeal, sitting of the appellate court; **B.verzicht** *m* waiver of the appeal

beruhen auf *v/ti* to be based on, to rest upon; **etw. auf sich b. lassen** to let a matter rest

beruhigen *v/t* to reassure/quieten, to calm down, to set at rest; *v/refl* 1. to acquiesce; 2. *(Preise)* to ease; 3. *(Lage)* to cool down

Beruhigung *f* 1. reassurance; 2. *(Nachfrage)* slacken

ing, lessening, easing; 3. steadying; **B. des Preisanstiegs** slowdown of price increases; ~ **Preisklimas** steadying of prices; **wirtschaftliche B.** slowdown of economic activity; **B.sfrist** *f* cooling-off period; **B.smittel** *nt* ⚕ sedative, palliative, tranquillizer

erühmt *adj* famous, renowned, noted (for), legendary, prominent; **b. werden** to make one's name; **B.heit** *f* 1. fame; 2. *(Person)* celebrity; **traurige B.heit** notoriety

erühmung *f* *(Pat.)* marking and notification

erühren *nt* *(Waren)* fingering, touch; **b.** *v/t* to touch/affect

erührung *f* touch, contact; **ohne B. des Zollgebiets** ⊖ without crossing the customs territory; **in B. kommen** to come into contact; **B.sbildschirm** *m* touch screen; **B.spunkt** *m* point of contact

e|rüsten *v/t* 🏛 to scaffold; **b.sagen** *v/t* to mean/imply/purport

esam|en *v/t* *(künstlich)* to inseminate; **B.ung** *f* insemination; **B.ungsbulle** 🚜 AI (artificial insemination) bull; **B.ungsstation** *f* AI (artificial insemination)/insemination centre

esatz *m* 🚜 (animal) stocking rate; **B.artikel** *m* trimmings

esatzung *f* 1. ⚓/✈ crew, (ship's) complement/company; 2. personnel; 3. ⚔ occupation; **B. abmustern** to pay off the crew; **B. anheuern** to crew; **mit der ganzen B. untergehen** to be lost with all hands; **volle/vollständige B.** (full) complement

esatzungs|- scrip; **B.geld** *nt* scrip/occupation money; **B.macht** *f* occupying power; **B.mitglied** *nt* crew member, ⚓ (deck/ship) hand; **B.recht** *nt* law imposed by the occupying power; **B.statut** *nt* occupational statute

eschädigen *v/t* to damage/injure/mutilate, to knock about

eschädigt *adj* 1. damaged, in ~ condition, defective, injured; 2. *(Ware)* shopsoiled *[GB]*, shopworn *[US]*; 3. *(Urkunde)* mutilated; 4. *(Lebensmittel)* spoilt; 5. ⚓ averaged; 6. § disabled; **leicht b.** slightly damaged; **schwer b.** 1. badly/seriously damaged; 2. ⚕ badly/seriously injured; **unterwegs b.** damaged in transit

eschädigte|(r) *f/m* § injured party; *(Vers.)* disabled person; **B.enrente** *f* disability pension

eschädigung *f* 1. damage; 2. ⚓ average; 3. ⚕ disability, disablement; 4. *(Urkunde)* mutilation; **B. von Siegeln** damaging official seals; **B. während des Transports** damage in transit; **einschließlich B.** ⚓ with average (W.A.); **frei von B.** ⚓ free of particular average (f.p.a.; F.P.A.); ~ **B., wenn unter 3 %** with particular average if amounting to 3 %; ~ **jeder B.** ⚓ free of all average (f.a.a.; F.A.A.); **absichtliche B.** wilful damage; **böswillige B.** malicious damage; **leichte B.** slight damage; **mutwillige B.** (casual) vandalism; **vorsätzliche B.** wilful/malicious damage; **B.sschein** *m* certificate of damage

eschaffen *v/t* 1. to buy/purchase/procure/acquire/(re) source/secure; 2. to supply/provide; 3. *(Beweis)* to furnish; 4. *(Geld)* to raise; 5. *(Information)* to chase up; **intern b.** to get in-house; **zu b.** procurable; **gut b.** *adj* in good condition; **schlecht b.** in poor condition, ill-conditioned

Beschaffenheit *f* 1. condition, state, quality; 2. property, nature, texture; **B. der Waren** nature of goods; **innere B. und Inhalt unbekannt** inside and contents unknown

bauliche Beschaffenheit 🏛 structural condition, state of repair; **formelle B.** form; **äußerlich gute B.** apparent good order and condition; **mangelhafte B.** state of disrepair; **tarifliche B.** ⊖ tariff description; **technische B.** technical quality/structure

Beschaffenheits|angabe *f* quality description; **wesentliches B.merkmal einer Ware** essential character of an article; **B.prüfung** *f* *(Waren)* conditioning; **B.schaden** *m* inherent defect/vice; **B.sicherung** *f* quality protection; **B.zeugnis** *nt* certificate of inspection

Beschaffer *m* buyer, purchaser

Beschaffung *f* 1. buying, purchasing, procuring, procurement, supply, (re)sourcing; 2. purchase, acquisition; 3. provision; 4. *(Akzept)* security

Beschaffung von Arbeitskräften procurement of labour; **B. eines Darlehens** procurement of a loan; **B. für die lagerlose Fertigung** stockless/hand-to-mouth buying; **B. von Fremdkapital** provision of outside finance; ~ **Geld/Mitteln** fund raising, raising of funds; ~ **Kreditmitteln** procurement of finance; ~ **Kreditunterlagen** loan documentation; ~ **einem Lieferanten** single sourcing; ~ **Rimessen** provision; **B. zur sofortigen Verwendung** hand-to-mouth buying

direkte Beschaffung direct purchasing; **fallweise B.** individual buying; **gemeinsame B.** joint purchasing; **lagerlose/produktionssynchrone B.** stockless buying; **öffentliche B.** public procurement/purchasing; **weltweite B.** global sourcing

Beschaffungs|abteilung *f* purchasing department; **B.amt** *nt* purchasing/procurement office, government purchasing authority; **B.aufgabe** *f* buying task; **B.ausgaben** *pl* acquisition cost(s)/expenditure; **B.beamter** *m* procurement officer; **B.begleitkarte** *f* purchase traveller; **B.behörde** *f* procuring agency; **B.bestimmungen** *pl* procurement specifications; **B.budget** *nt* procurement budget; **B.dokument** *nt* purchasing document; **B.einrichtung** *f* purchasing organisation, procurement facilities; **B.engpass** *m* supply bottleneck; **B.ermächtigung** *f* procurement authorization; **B.etat/B.haushalt** *m* purchase/purchasing budget; **B.förderung** *f* promotion of purchasing; **B.forschung** *f* purchasing/procurement research; **B.gebiet** *nt* procurement area; **B.gruppe** *f* buying centre; **B.häufigkeit** *f* purchasing frequency; **B.jahr** *nt* year of purchase; **B.kanäle** *pl* procurement channels; **B.kartell** *nt* buying cartel; **B.kosten** *pl* procurement/purchasing cost(s), capital outlay, cost(s) of acquisition, ~ goods purchased, incidental procurement expense; **B.kredit** *m* procurement loan, buyer credit; **B.lehre** *f* purchasing management; **B.leiter** *m* head of the purchasing department, purchasing manager; **B.liste** *f* procurement list; **B.logistik** *f* supply logistics; **B.marketing** *nt* procurement marketing

Beschaffungsmarkt *m* buying/procurement/input market, (supply) market; **B.analyse** *f* supply market analysis; **B.forschung** *f* purchasing market research; **B.preis** *m* market price

staatliche Beschaffungs|maßnahmen government procurement; **B.menge** *f* order size, purchasing volume, (re-) order quantity; **dynamische B.menge** dynamic order size; **optimale B.menge** optimal purchasing/(re-)order quantity, ~ order size, ~ purchasing volume; **B.methode** *f* purchasing method; **B.nebenkosten** *pl* incidental procurement/purchasing cost(s); **B.objekt** *nt* purchasing object; **B.philosophie** *f* purchasing philosophy; **B.plan** *m* purchasing/procurement budget, purchase plan; **B.planung** *f* purchase/procurement planning

Beschaffungspolitik *f* purchasing policy; **betriebsgerichtete B.** company-orient(at)ed purchasing policy; **marktgerichtete B.** market-orient(at)ed purchasing policy; **staatliche B.** public purchasing policy

Beschaffungs|preis *m* supply/purchase price; **zum ursprünglichen B.preis** on a historical cost-profit basis; **B.programm** *nt* buying/purchasing programme; **B.programmpolitik** *f* purchasing programme policy; **B.prozess** *m* buying process, purchasing (activity); **B.quelle** *f* source of supply; **B.reserven** *pl* buying reserves

Beschaffungsrhythmus *m* procurement cycle; **festgelegter B.** fixed cycle; **variabler B.** variable cycle

Beschaffungs|risiko *nt* supply risk; **B.statistik** *f* procurement statistics; **B.stelle** *f* purchasing/procurement/procuring agency; **B.verfahren** *nt* procurement/sourcing system; **B.verhalten** *nt* buyer behaviour; **B.vertrag** *m* supply/procurement contract; **B.vollzug** *m* realization of purchasing; **B.vollzugsplanung** *f* detailed procurement planning; **B.weg** *m* trade/procurement channels; **normaler B.weg** usual trade channel; **B.werbung** *f* purchasing advertising; **B.wert** *m* acquisition value

Beschaffungswesen *nt* procurement, purchasing, system of supply; **öffentliches B.** public/government procurement, ~ purchasing; **staatliches B.** government procurement

Beschaffungs|wirtschaft *f* procurement (management); **beständelose B.wirtschaft** jobless buying, job lot control; **B.zeit** *f* procurement/purchasing cycle, vendor/purchasing/inventory lead time; **B.zyklus** *m* purchasing/procurement cycle

beschäftigen *v/t* 1. to occupy; 2. to employ/engage, to give employment; **anderweitig b.** to redeploy; **sich mit etw. b.** to be engaged in sth., to occupy o.s. with sth., to deal with sth.; **entgeltlich b.** to employ for remuneration; **wieder b.** to reemploy/reinstate; **nicht zu b.** unemployable

beschäftigt *adj* 1. occupied, busy, engaged; 2. employed, in employment, operative; **b. bei jdm** in so's employ; **b. sein** to be engaged (in), ~ concerned (with); **aushilfsweise b. sein** to be in temporary employment; **mit etw. besonders b. sein** to be preoccupied with sth.; **voll b. sein** *(Betrieb)* to work to capacity; **einträglich/gewerblich b.** gainfully employed; **ganzzeitlich b.** fulltime

Beschäftigte|(r) *f/m* employee, employed person; **die B.n** the (gainfully) employed, the labour force, personnel

Beschäftigte(r) im öffentlichen Dienst public-sector employee/worker; *pl* public sector staff; **~ Einzelhandel** shop worker; **B. in der Fertigung** production/process worker; **~ Linienfunktion** line operative; **~ leitender Position** executive; **~ der Privatwirtschaft** private sector worker; **~ Stabspositionen** staff operative

abhängig Beschäftigte(r) wage and salary earner, person in dependent employment; **befristet/unständig B.** temporarily employed person; **geringfügig B.** parttime employee; **unselbstständig B.** salary/wage earner

Beschäftigten|abbau *m* labour shedding, reduction of jobs, ~ the labour force, demanning; **B.gruppe** *f* group of employees; **B.kartei** *f* employment records; **B.potenzial** *nt* labour supply, potential labour force; **B.stand** *m* level of employment, number of persons employed; **B.statistik** *f* employment statistics; **B.struktur** *f* employment pattern, manpower structure; **B.stunde** *f* man-hour; **B.zahl** *f* employment figure/roll, number of people/employees/persons employed, labour force, payroll

Beschäftigung *f* 1. *(Arbeit)* employment, occupation, job, work, activity, employ, engagement; 2. *(Auslastung)* capacity usage/utilization, activity; 3. output, (production) volume; 4. *(Zahl)* number of employees, payroll; **ohne B.** unemployed, jobless, out of work/employ/a job

Beschäftigung männlicher/weiblicher Arbeitskräfte male/female employment; **B. unnötiger Arbeitskräfte** overmanning, overstaffing, featherbedding *(fig)*; **B. in der Bauindustrie** construction employment; **B. auf der Baustelle** on-site employment; **B. im öffentlichen Dienst** public service employment; **~ Dienstleistungsbereich/-gewerbe** service employment; **B. von Frauen** female employment; **B. in der Industrie** industrial employment; **B. von Jugendlichen** youth employment; **B. an der Kapazitätsgrenze** capacity output/production; **B. von Kindern** child labour; **B. an Land** shore-based employment; **B. in der Landwirtschaft** agricultural employment; **B. im Lohn- oder Gehaltsverhältnis** paid employment, activity as an employed person; **B. auf See** shipboard employment; **B. im öffentlichen Sektor** public sector employment; **~ Staatsdienst** state employment; **B. in abhängiger Stellung** paid employment; **~ der gewerblichen Wirtschaft** industrial employment

Beschäftigung annehmen to take employment; **B. aufnehmen** to take up work/employment; **B. aussetzen** to suspend employment; **B. ausüben** to ply a trade, to be employed; **B. einschränken** to reduce employment; **B. finden** to find employment; **B. gewährleisten/sichern** to maintain employment; **einer geregelten B. nachgehen** to go about one's lawful business; **ohne B. sein** to be out of work; **B. suchen** to look for/seek employment; **B. wechseln** to change jobs

abhängige Beschäftigung dependent employment; **außerberufliche B.** outside occupation/activity; **beitragspflichtige B.** contributory employment; **berufliche B.** employment; **einträgliche B.** gainful occupation/employment; **entgeltliche B.** waged employment; **erneute B.** reinstatement; **exportabhängige B.** export-related/export-based employment; **feste B.** regular employment; **geeignete B.** suitable employment; **gefahrgeneigte B.** hazardous occupation; **gelegentliche B.** casual employment/labour; **geplante B.** budgeted level of activity; **geregelte B.** regular employment; **geringfügige B.** minor occupation, low-paid employment; **gewerbliche B.** industrial employment; **gewinnbringende B.** gainful employment; **gewöhnliche B.** usual occupation; **gleichbleibende B.** steady workload; **gleichwertige B.** equivalent occupation; **hauptamtliche B.** full-time employment/job; **kaufmännische B.** commercial employment; **kontinuierliche B.** continuous/uninterrupted employment; **leichte B.** light occupation; **lohnende B.** gainful employment; **mangelnde B.** 1. underemployment; 2. lack of jobs; **nebenberufliche B.** part-time employment/job; **optimale B.** optimum (level of) output; **passende B.** suitable employment; **pensions-/ruhegehaltsfähige B.** pensionable employment; **probeweise B.** probationary employment; **produktive B.** productive employment; **qualifizierte B.** skilled employment; **regelmäßige B.** regular employment/occupation; **nicht selbstständige/unselbstständige B.** paid/gainful employment; **sitzende B.** sedentary occupation; **stetige B.** continuity of employment; **unständige/vorübergehende/zeitweilige B.** temporary employment/occupation; **unzumutbare B.** unacceptable employment; **versicherungsfreie B.** uninsured/insurance-exempt employment; **versicherungspflichtige B.** covered/contributory employment; **nicht ~ B.** non-insurable occupation; **zusagende B.** suitable employment

Beschäftigungs|abbau *m* labour shedding, job cuts, reduction of jobs, demanning; **B.abfall/B.abnahme** *m/f* decline in employment; **b.abhängig** *adj* employment-related; activity-related, output-related; **B.abweichung** *f* utilization/volume/activity variance, (idle) capacity variance; **B.änderungen** *pl* change of employment figures, fluctuations in activity; **B.angebot** *nt* job offer(s); **b.anregend** *adj* stimulating employment; **B.anreiz** *m* employment incentive; **B.anstieg** *m* rise in employment; **B.art** *f* form/type of employment, employment category; **B.aussichten** *pl* job/employment prospects, ~ outlook; **B.ausweitung** *f* increase in the number of jobs; **B.bedingungen** *pl* terms of employment, conditions of employment/service; **B.beginn** *m* commencing date of employment; **(oberste) B.behörde** *f* (supreme) employing agency/authority; **B.bereich** *m* area of employment, range of activity; **B.bescheinigung** *f* certificate of employment; **B.chancen** *pl* job/employment prospects, job opportunities; **B.dauer** *f* period/duration of employment, length of service, employment period; **B.dichte** *f* density of employment; **B.ebene** *f* occupational level; **B.effekt** *m* impact/effect on employment; **B.einbruch** *m* 1. drop/decline in employment; 2. drop in economic activity; **B.einbuße** *f* loss of jobs; **B.engpass** *m* employment bottleneck; **B.entwicklung** *f* 1. employment trend; 2. trend of economic activity; **B.feld** *nt* field of activity; **b.fördernd** *adj* employment-inducing; **B.förderung** *f* promotion of employment; **B.garantie** *f* employment/job guarantee; **B.gesellschaft** *f* employment corporation; **B.grad** *m* 1. employment level, level of employment; 2. operating rate, capacity utilization rate, utilization of capacity; plant utilization factor, volume of operation, production volume, level of activity, activity level, rate of activity/operation/production; **B.impuls** *m* positive effect on employment; **B.index** *m* 1. employment index; 2. index of volume; **B.indikator** *m* employment indicator; **B.initiative** *f* job-creation initiative; **b.intensiv** *adj* labour-intensive, employment-intensive; **B.intensität** *f* degree of employment; **relevantes B.intervall** relevant range of volume; **B.kategorie** *f* employment category

Beschäftigungslage *f* 1. employment/job situation, situation on the labour market, level of employment; 2. workload; **B. im Bankwesen** bank(ing) employment; **~ verarbeitenden Gewerbe** capacity utilization in the manufacturing sector; **gleichbleibende B.** steady workload

Beschäftigungs|land *nt* country of employment; **B.loch/B.lücke** *nt/f* employment gap; **b.los** *adj* unemployed, jobless, workless, without occupation/work, out of work; **~ machen** to make redundant/jobless; **B.losigkeit** *f* unemployment, joblessness; **B.maßnahme** *f* job creation scheme; **B.misere** *f* employment crisis; **b.mindernd** *adj* reducing employment; **B.minderung** *f* reduction of employment, job cut(s)

Beschäftigungsmöglichkeit *f* employment (opportunity), job opportunity/opening; **B.en** job/employment prospects; **B. für Hochschulabsolventen** graduate employment

Beschäftigungs|nachweis *m* employment record, certificate of employment; **b.neutral** *adj* having no effect on employment; **B.niveau** *nt* employment/activity level, level of employment; **B.offensive** *f* job creation campaign; **B.optimum** *nt* maximum employment; **b.orientiert** *adj* employment-based, employment-focused; **B.ort** *m* place of employment; **B.perspektiven** *pl* job prospects; **B.planung** *f* planning of activity level; **B.politik** *f* employment/manpower policy; **b.politisch** *adj* relating to employment policy; **B.potenzial** *nt* labour potential, potential labour force; **B.prämie** *f* employment premium; **B.problem** *nt* employment problem; **B.profil** *nt* occupation profile; **B.programm** *nt* job-creation scheme, employment/make-work programme; **befristetes B.programm** temporary employment programme; **B.prozentsatz** *m* employment rate; **B.quote** *f* employment level; **B.reserve** *f* manpower reserve, reserve of potential labour; **B.risiko** *nt* employment risk; **B.rückgang** *m* decline/reduction of employment, employment contraction/decline/reduction, contraction in employment; **b.schaffend** *adj* employment-creating, job-creating; **B.schutz** *m* employment protection; **B.schwankungen** *pl* employment fluctuations; **b.sichernd** *adj* safeguarding employment/jobs; **B.sicherung** *f* safeguarding of jobs; **B.situation** *f* job/employment situation, labour market situation; **B.sorgen** *pl* job worries; ~ **haben** to have employment problems; **b.stabilisierend** *adj* stabilizing employment

Beschäftigungsstand *m* employment level/figures, level of employment, number of people employed; **B. im Maschinenbau** engineering employment; **hoher B.** high employment level

Beschäftigungs|statistik *f* employment statistics; **B.stätte** *f* place of employment; **b.steigernd** *adj* increasing employment; **B.stelle** *f* place of work; **b.stimulierend** *adj* stimulating employment; **B.struktur** *f* employment structure/pattern; **B.tendenzen** *pl* employment trends; **B.theorie** *f* theory of income and employment; **B.therapie** *f* occupational therapy; **b.unabhängig** *adj* non-volume

beschäftigungsunfähig *adj* unemployable; **B.keit** *f* unemployability; **B.keitsunterstützung** *f* unemployability supplement

Beschäftigungsverbot *nt* prohibition of employment

Beschäftigungsverhältnis *nt* employment (relationship), employ; **B. beendigen** to terminate employment; **B. eingehen** to take up employment; **B. ruhen lassen** to suspend employment; **geringfügiges B.** part-time employment

Beschäftigungs|volumen *nt* volume of employment; **B.wachstum** *nt* employment growth, growth in the number employed; **b.wirksam** *adj* with a positive impact on jobs, employment-creating, employment-boosting; **B.wirkung** *f* impact/effect on employment; **B.zahlen** *pl* employment figures/statistics

Beschäftigungszeit *f* period of employment; **anrechenbare B.** reckonable period of employment; **B.zulage** *f* service allowance

Beschäftigungs|ziel *nt* employment/activity target; **B.ziffern** *pl* employment figures; **B.zugang/B.zunahme/B.zuwachs** *m/f/m (Stellen)* employment growth/gains, rise in employment, job growth; **B.zuschuss** *m* employment subsidy; **B.zweig** *m* area of employment

Beschau *f* examination, inspection; **B. von Waren** ⊖ physical inspection of goods; **eingehende B.** full examination/inspection; **zollamtliche B.** customs inspection

beschau|en *v/t* to inspect/examine; **B.er** *m* inspector; **B.recht** *nt* right of inspection; **B.ung** *f* inspection

Bescheid *m* 1. answer, reply, information, notification; 2. decision, verdict, ruling, order; 3. *(Steuer)* assessment notice; **B. über unrichtige Angaben in der Steuererklärung** notice of deficiency; **erster B. der Prüfungsstelle** *(Pat.)* first communication from the examining section

Bescheid erhalten to be informed; **B. erteilen** to render an administrative decision; **B. geben** to inform, to leave word; **B. wissen** to be well informed; **genau/gründlich B. wissen** to know the ins and outs (of sth.), ~ all about it

abschlägiger Bescheid negative reply, adverse decision, refusal, denial; **amtlicher B.** official reply/notification; **endgültiger B.** final decision/information; **frühzeitiger B.** advance warning/notice; **schriftlicher B.** written notification/advice; **vorläufiger B.** interim decision, provisional ruling

bescheiden *v/t* to notify/inform; **abschlägig b.** to reject, to turn down; *adj* 1. modest, unassuming, unpretentious, moderate, humble, in a small way; 2. *(Leistung)* lacklustre

bescheinigen *v/t* to certify/certificate/attest/acknowledge/evidence, to confirm in writing; **amtlich b.** to authenticate; **notariell b.** to legalize/certify/attest

bescheinigt *adj* certified; **amtlich b.** authenticated; **hiermit wird b.** this is to certify

Bescheinigung *f* 1. certificate, certification, acknowledgment, bill, written confirmation; 2. *(Quittung)* receipt; 3. *(Überschrift)* to whom it may concern; 4. credentials; **ohne B.** uncertificated

Bescheinigung des Abschlussprüfers audit/auditor's certificate; **B. der Echtheit** authentication; **B. über das Eigentum** ownership certificate; **B. des Konsulats** consular certificate; **B. über zusätzliche Nämlichkeitszeichen** ⊖ certificate concerning additional identification marks; **B. des Revisors** audit/auditor's certificate; **B. über Schäden** certificate of damages; ~ **Schuldbefreiung** acquittance; **B. des Ursprungs** certificate of origin; **B. der Ursprungsbezeichnung** certificate of designation of origin; ~ **Wiederausfuhr** certificate of re-exportation; ~ **Wiedereinfuhr** certificate of re-importation; ~ **Zahlungsfähigkeit** certificate of discharge; ~ **Zahlungsunfähigkeit** certificate of disability; **B. über zu viel gezahlte Zollgebühren** over-entry certificate; **B. der Zollstelle** customs certificate

Bescheinigung ausstellen to certify, to issue a certificate; **B. beibringen/vorlegen** to furnish/produce/submit a certificate

amtliche Bescheinigung (official) certificate/certification, governmental authorization; **ärztliche B.** medical certificate, doctor's note; **eigenhändig ausgestellte B.** self-certificate; **beglaubigte B.** authenticated certification; **behördliche B.** official certificate; **konsularische B.** consular certificate; **notarielle B.** notarial certificate/attestation; **vorläufige B.** provisional/interim certificate; **zollamtliche B.** customs certificate

Bescheinigungs|pflicht *f* duty/obligation to certify; **B.verfahren** *nt* certification procedure

beschenken *v/t* to give/make a present, to donate; **sich gegenseitig b.** to exchange presents

Beschenkte(r) *f/m* presentee, donee

beschich|ten *v/t* to coat/laminate; **B.tung** *f* coating, lamination

beschick|en *v/t* 1. to send representatives; 2. *(Ausstellung)* to send exhibits; 3. ✐ to charge; **B.ung** *f* charging

beschilder|n *v/t* 1. to signpost; 2. *(Waren)* to label; **B.ung** *f* 1. signposting; 2. labelling; 3. signage

beschimpf|en *v/t* to insult/slander/abuse; **B.ung** *f* insult, abuse, abusive language

Beschlag *m* § confiscation, attachment, seizure, distraint, sequestration, embargo; **Beschläge** fittings, hardware; **mit B. belegen; in B. nehmen** 1. to confiscate/seize/attach/distrain/sequester/garnish/impound/

appropriate/⚓ arrest, to levy a distress/distraint, *(coll)* to preempt; 2. ✈ to requisition

Beschlag|hersteller *m* hardware manufacturer; **B.industrie** *f* housefitting industry

Beschlagnahme *f* 1. confiscation, seizure, attachment, distraint, distress, embargo, sequestration, condemnation, ⚓ arrest, levy; 2. ✈ requisition(ing); 3. restraint, detainment; 4. trustee process *[US]*, order of attachment of debts

Beschlagnahme beim Drittschuldner garnishment; **B. von Forderungen** attachment of debts; **B. des Führerscheins** seizure of the driver's license *[US]*/driving licence *[GB]*; **B. durch Pfändungs- und Überweisungsbeschluss** attachment of debts by garnishee order; **B. eines Schiffes** arrest of a ship; **B. von Schmuggelware** ⊖ seizure of contraband; **B. des Vermögens** attachment of property; **B. im Zuge des Vorverfahrens** § pre-trial attachment; **B. und Zwangsvollstreckung** sequestration

frei von Beschlagnahme und Aufbringung ⚓ free of capture and seizure (f.c.& s.)

Beschlagnahme anordnen/verfügen to levy an attachment order, to order the seizure (of); **B. aufheben** to lift the seizure, to set aside an attachment; **unter B. stehen** to be under embargo; **der B. unterliegen** to be subject to seizure; **B. vornehmen** to effect a seizure

gerichtliche Beschlagnahme judicial attachment/seizure/ sequestration; **rechtswidrige B.** illegal/improper seizure

Beschlagnahme|- confiscatory; **B.anordnung/B.beschluss** *f/m* requisition/sequestration/attachment order; **B.beamter** *m* sequestrator, bailiff; **b.fähig** *adj* seizable, attachable, sequestrable, liable to be seized, distrainable; **b.frei** *adj* exempt from seizure

beschlagnahmen *v/t* 1. to seize/confiscate/sequestrate/distrain/attach/impound/requisition/levy, to put a writ on, to levy a distress on; 2. ✈ to commandeer/appropriate; 3. to condemn *[US]*

Beschlagnahme|recht *nt* right of seizure; **B.risiko** *nt* risk of seizure; **B.verfügung** *f* § writ of attachment, requisition/sequestration/confiscation order, warrant of attachment/arrest/distress, confiscatory/charging/requisitioning order; **B.versicherung** *f* seizure insurance; **B.vollmacht** *f* 1. confiscatory powers, power of seizure; 2. *(Konkurs)* receiver's certificate; **B.wirkung** *f* impounding effect

Beschlagnahmung *f* seizure, requisition, impoundage; **B. einer Forderung** garnishment; **B. des Vermögens; B. von Vermögenswerten** asset seizure

beschleunigen *v/t* to expedite/accelerate/hurry/hasten, to speed up, to press forward with; *v/i* to accelerate, to pick up/gather speed; *v/refl* to quicken/accelerate

Beschleunigung *f* 1. acceleration, expedition, speed-up, speeding up, pick-up; 2. *(Inflation)* velocity growth; **B. der Expansion** quickening of expansion; **~ Inflation** quickening of inflation; **B. des Verfahrens** § expediting proceedings; **B.seffekt** *m* accelerating effect; **B.sfaktor** *m* acceleration factor; **mittlere B.skosten** average variable cost(s)

beschließen *v/t* 1. to decide/determine/resolve; 2. to vote/ approve/conclude; 3. to round off, to end/conclude, to wind up; 4. to adopt a resolution

beschlossen *adj* decided, settled; **b. und verkündet** § ordered and pronounced as follows; **b.e Sache** that's settled

Beschluss *m* 1. resolution, decision, act; 2. vote; 3. § ruling, decree, court order

Beschluss auf einseitigen Antrag § order ex parte *(lat.)*; **B. über die Aufhebung eines Haftbefehls** release order; **B. des Aufsichtsrats** board decision; **richterlicher B. im Bürowege** order in chambers; **B. über die Dividendenausschüttung** declaration of the dividend; **B. zur Einsetzung eines Konkursverwalters** receiving order; **B. über die Eröffnung des Konkursverfahrens** bankruptcy order, order of adjudication in bankruptcy; **B. mit einfacher Mehrheit** ordinary resolution, resolution by simple majority; **B. auf Verwerfung eines Rechtsmittels** order to dismiss; **B. des Vorstandes** board decision; **B. auf Wiederaufnahme eines ruhenden Verfahrens** § order of revivor *(lat.)*

Beschluss ablehnen to reject a resolution; **B. annehmen** to carry/adopt a resolution; **B. aufheben** to rescind a decision/decree, to annul a resolution, to discharge an order; **B. ausführen** to execute a decision; **B. aussetzen** to stay the execution of a decree; **B. ergehen lassen** to issue a decree; **es ergeht folgender B.** § be it resolved, it is ordered and decreed as follows; **B. für nichtig erklären** § to rescind a decision; **B. fassen** to pass a resolution; **sich an die Beschlüsse halten** to toe the line *(fig)*

bindender Beschluss binding vote; **einstimmiger B.** unanimous vote/resolution; **gerichtlicher B.** writ, (court) order; **kreditpolitische Beschlüsse** credit policy decisions; **ordentlicher B.** ordinary resolution; **rechtskräftiger B.** non-appealable order; **richterlicher B.** judge's order; **vorläufiger B.** § rule nisi *(lat.)*; **zwingender B.** peremptory order

Beschluss|abteilung *f* decision-making department; **B.entwurf** *m* draft resolution; **b.fähig** *adj* qualified to decide by vote; **~ sein** to constitute/have a quorum

Beschlussfähigkeit *f* (presence of a) quorum; **B. festlegen** to determine the quorum; **B. herbeiführen/herstellen** to muster a quorum; **mangelnde B.** failure to muster a quorum

Beschlussfassung *f* decision, voting, (adoption of/passing a) resolution; **B. zur Dividendenausschüttung** declaration of a dividend; **~ Verwendung des Bilanzgewinns** resolution on the appropriation of profits; **B. aussetzen** to defer a decision

Beschluss|gremium/B.organ *nt* decision-making body; **b.reif** *adj* ready to be voted on; **b.unfähig sein** to lack/not to have a quorum; **B.unfähigkeit** lack/absence of a quorum; **B.vorlage** *f* draft resolution

beschmutz|en *v/t* 1. to stain/tarnish/defile, to foul (up); 2. *(Ruf)* to taint; **b.t** *adj* 1. smudged, dirtied, spotted; 2. *(Ware)* (shop)soiled *[GB]*, shopworn *[US]*

beschneid|en *v/t* to cut/trim/curtail/retrench/curb/lop/ prune/clip/truncate, to scale down, to pare (down), to trim/cut back; **B.ung** *f* cut, curtailment, pruning, trunca-

tion, retrenchment
beschönig|en *v/t* to embellish, to gloss over; **B.ung** *f (fig)* sugar coating, gloss(ing over)
beschränkbar *adj* limitable, restrictable
beschränken *v/t* 1. to limit/restrict/curb; 2. *(Macht)* to restrain/confine/retrench, to pare (down), to put a limit on; **b. auf** to narrow down to; *v/refl* to confine/restrict o.s. (to), to be confined (to); **örtlich b.** to localize; **b.d** *adj* restrictive
beschränkt *adj* limited, restricted; **b. sein auf** to be limited/restricted/confined to
Beschränkung *f* 1. restriction, limitation, curtailment, retrenchment; 2. limit, ban, constraint, curb, restraint; **ohne B.** ⚓ with average (W.A.)
Beschränkung der Ansprüche narrowing of claims; **B.en der Ausfuhr/des Exports** export restrictions; **B. der Berichterstattung** § reporting restrictions; **~ Erbenhaftung** § limiting the liability for debts of the estate; **~ Geldmenge** restriction of the money supply, monetary/financial deflation, deflation of the currency; **B.en des Handelsverkehrs** trade restrictions; **B. ausländischer Investitionen** foreign investment control; **B.en des Kapitalverkehrs** restrictions on capital movements; **B. der Offenmarktpolitik auf den Geldmarkt** bills only policy *[US]*; **B.en zum Schutze der Zahlungsbilanz** restrictions to safeguard the balance of payments; **B.en des Teilzahlungsgeschäfts** hire purchase controls; **~ Zahlungsverkehrs** restrictions of capital movements; **B. der Zuständigkeit** § limitation of jurisdiction
keinen Beschränkungen unterworfen without restrictions
Beschränkungen abbauen to relax/moderate restrictions, to delimitize; **B. auferlegen** to impose/place restrictions on; *v/refl* to restrain o.s.; **B.(en) aufheben/beseitigen** to lift a ban, to remove controls, to remove/lift/abrogate restrictions; **B. festlegen/festsetzen für** to place limits on, to impose restrictions (on); **B. lockern** to ease/relax/moderate restrictions; **B. unterliegen** to be subject to restrictions; **B. unterwerfen** to subject to restrictions; **B. verschärfen** to tighten up/intensify restrictions
baurechtliche Beschränkung|en zoning restrictions; **devisenrechtliche B.en** (foreign) exchange/currency restrictions; **finanzielle B.en** financial restrictions; **freiwillige B.** voluntary restraint; **gesetzliche B.** statutory/mandatory restriction, statutory limitation, legal restraint; **haushaltsrechtliche B.en** budgetary restrictions; **immanente B.** self-qualifying element; **mengenmäßige B.** quota, quantitative restriction; **monetäre B.** monetary restraint; **parabolische B.en** *(OR)* parabolic constraints; **verschleierte B.** disguised restriction; **vertragsmäßige B.** § restrictive covenant; **zeitliche B.** time limit/threshold
monetäre Beschränkungsmaßnahmen monetary restraint
beschreiben *v/t* to describe/specify/depict, to set out; **ausführlich/genau b.** to set out in detail, to detail; **nicht genau zu b.** unquantifiable; **b.d** *adj* descriptive
Beschreibung *f* description, specification, report, account, depiction; **auf B.** on (quality) description; **laut B.** according to description; **(genaue) B. der Ware** (detailed) description of the goods; **der B. entsprechen** 1. *(Person)* to answer a description; 2. *(Ware)* to conform to specifications; **ausführliche B.** full description; **endgültige B.** *(Pat.)* complete specification; **falsche/unzutreffende B.** misdescription; **vorläufige B.** *(Pat.)* provisional specification; **B.smodell** *nt* description model
beschreiten *v/t (Weg)* to pursue/follow; **B. des Rechtsweges** *nt* recourse to the (courts of) law
beschriften *v/t* to label/mark/letter/inscribe
Beschriftung *f* 1. label(ling), marking, lettering, inscription; 2. *(Kiste)* lettering and marking; **dauerhafte B.** permanent marking; **mangelhafte B.** ✉ insufficient address
beschuldigen *v/t* 1. to accuse (of); 2. § to charge (with), to indict (for); 3. to incriminate/blame
Beschuldigte(r) *f/m* § accused, defendant
Beschuldigung *f* 1. accusation; 2. § charge, indictment; 3. allegation, incrimination, inculpation, imputation; **B. bezüglich des Leumunds des Staatsanwalts** imputations on the character of the prosecutor
Beschuldigung beweisen to make a charge stick *(coll)*; **B. erheben** to level/lodge/bring a charge; **B. widerrufen** to retract a charge; **B. zurückweisen** to reject a charge, to refute an allegation
falsche Beschuldigung false accusation/allegation; **gegenseitige B.** recrimination; **grundlose B.** baseless charge
Beschwerde *f* 1. complaint, objection; 2. *(Betrieb)* grievance; 3. § (interlocutory) appeal, plaint, request for relief, appeal against an administrative act, ~ a court order
einer Beschwerde abhelfen 1. to redress/remedy/adjust/silence a complaint, to take remedial action upon a complaint, to remove the cause of complaint; 2. § to allow an appeal; **B. ablehnen** to refuse a claim; **B. abstellen** to redress/remedy a grievance; **B. abweisen** to refuse an appeal; **B. anbringen/einbringen** to lodge a complaint; **B. anerkennen** to grant a claim; **auf eine B. eingehen** to entertain a complaint; **B. einlegen/einreichen/erheben** 1. to appeal; 2. to lodge/file a complaint, ~ claim; **B. führen** to complain (about), to lodge/file a complaint; **B.n nachgehen** to monitor complaints; **einer B. stattgeben** 1. to uphold/allow an appeal; 2. to uphold/allow a complaint; **B. überprüfen** 1. to review a grievance; 2. to follow up a complaint; **B. verwerfen** to dismiss/refuse an appeal; **B. vorbringen/vortragen** 1. to lodge/make a complaint; 2. to air/voice a grievance; **B. zulassen** to allow an appeal; **B. zurückweisen** 1. to dismiss an appeal; 2. to repudiate a complaint; **B. zurückziehen** to withdraw an appeal
berechtigte Beschwerde justifiable complaint, well-founded claim/complaint, legitimate claim, objection; **förmliche B.** administrative appeal; **grundlose B.** unfounded complaint/claim; **leichte B.** ⚕ minor ailment; **schriftliche B.** letter of complaint, claim letter; **sofortige B.** immediate appeal; **ungerechtfertigte B.** un-

founded complaint/claim

Beschwerde|abteilung *f* complaints department; **B.antrag** *m* application for relief (in an appeal); **B.ausschuss** *m* grievance/appeal committee; **B.behörde** *f* competent authority; **B.berechtigte(r)** *f/m* person entitled to appeal; **B.brief** *m* letter of complaint, complaint letter; **B.buch** *nt* complaints book, book of complaints; **B.einlegung** *f* 1. lodging of/filing an appeal; 2. lodging a complaint; **B.entscheidung** *f* determination of a complaint; **b.fähig** *adj* subject to appeal, appealable; **B.fall** *m* 1. appeal case; 2. complaint; **B.frist** *f* time for (lodging an) appeal, appeal notice period; **b.führend** *adj* complaining; **B.führer(in)** *m/f* 1. appellant, appealing party; 2. complainant, aggrieved party, (re)claimant, petitioner, plaintiff; **B.führung** *f* (filing/lodging a) complaint; **B.gebühr** *f* fee for appeal; **B.gegner(in)** *m/f* appellee, respondent; **B.gericht** *nt* court of appeal, appellate division; **B.grund** *m* cause for complaint, grievance, ground for complaint/appeal; **B.instanz** *f* court of appeal, appellate instance; **B.kammer** *f* appellate division, board of appeal; **große B.kammer** enlarged board of appeal; **B.quote** *f* rate of grievances; **B.recht** *nt* right of appeal/complaint; **B.schreiben** *nt* letter of complaint, claim letter; **B.schrift** *f* bill of complaint; **B.senat** *m* board of appeal; **B.stelle** *f* complaints department/office, ombudsman; **B.verfahren/B.weg** *nt/m* 1. § appellate/appeal procedure; 2. grievance/complaints procedure

beschweren *v/t* to weight; *v/refl* 1. to complain (about), to file/lodge/make a complaint, to air a grievance; 2. § to appeal

beschwerlich *adj* 1. cumbersome, onerous, tiresome, tiring; 2. *(Arbeit)* troublesome, burdensome, arduous

Beschwerte(r) *f/m* aggrieved person

beschwichtigen *v/t* to appease/placate/conciliate/pacify/mollify/allay, to set at rest; **b.d** *adj* placatory

Beschwichtigung *f* appeasement, placation, pacification; **B.sinstrument** *nt (VWL)* social mollifier; **B.smittel** *nt* sop *(coll)*; **B.spolitik** *f* appeasement policy

beschwindel|n *v/t* 1. to cheat/defraud/fiddle/juggle/bamboozle/swindle; 2. to con *(coll)*, to rip off *(coll)*; **B.ung** *f* defraudation

be|schwören *v/t* 1. to swear (to), to take on oath; 2. to implore (so.); **genau b.sehen** *v/t* to examine closely; **wie b.sehen** *(Auktion)* as seen/inspected, tel(le) quel(le) *[frz.]*

beseitigen *v/t* 1. *(entfernen)* to remove, to dispose of, to do away with; 2. *(aufheben)* to remove/eliminate/lift/abolish/abrogate; 3. *(abräumen)* to dismantle/clear/strip; 4. *(Mängel)* to remedy/redress/obviate

Beseitigung *f* 1. removal, disposal; 2. lifting, elimination, abolition, abrogation; 3. *(Missstand)* rectification, remedy, redress; **B. von Beschränkungen** lifting of restrictions, removal of constraints; **~ Präferenzen** elimination of preferences; **B. eines Rechtsmangels** removing a deficiency in title; **B. einer Störung** abatement of a nuisance; **B. von Verlustquellen** loss elimination; **B. der Zölle** removal/abolition of tariffs; **~ Zollhindernisse** removal of customs barriers; **schrittweise B.** *(Kontrollen)* step-by-step removal

Beseitigungs|anspruch *m* 1. right to the abatement of a nuisance; 2. right to have sth. removed; **B.kosten** *pl* disposal cost(s); **B.methode** *f* disposal method; **B.pflicht** *f* duty to dispose of waste; **B.verfügung** *f* condemnation order

Besetzen einer Planstelle *nt* filling of an established post; **~ offenen Position** *(Börse)* cover

besetzen *v/t* 1. to occupy; 2. to take possession of, to seize; 3. *(Arbeitsplätze)* to fill/man/staff

besetzt *adj* 1. occupied, engaged, taken up; 2. ✆ engaged *[GB]*, busy *[US]*; **doppelt b.** *(Personal)* double-manned; **gut b.** *(Personal)* well-staffed; **zu ~ b.** *(Personal)* overmanned, overstaffed, featherbedded; **zu schwach/ungenügend b.** *(Personal)* undermanned, understaffed; **stark b.** crowded, packed; **voll b.** fully occupied, filled to capacity, full up *(coll)*

Besetztzeichen *nt* ✆ engaged signal/tone *[GB]*, circuit-busy signal *[US]*

Besetzung *f* 1. occupation; 2. manning; **B. von Fabrikanlagen** plant sit-in, stay-in strike; **B. einer Führungsposition** managerial appointment; **~ Schlüsselposition** key appointment; **~ Stelle** filling of a vacancy; **B. mit Verwaltungspersonal** administrative staffing; **personelle B.** manning; **~ im Absatzgebiet** sales territory manning; **B.sproblem** *nt* ▦ occupancy problem; **B.sumfang** *m* manning level; **B.szahl** *f* ▦ absolute frequency; **~ eines Tabellenfeldes** ▦ cell frequency

besicher|n *v/t* to secure/securitize/collaterate *[US]*, to provide/furnish security; **grundpfandrechtlich b.t** *adj* secured by property; **nachrangig b.t** secured by junior mortgage

Besicherung *f* securitization, collateralization, provision of security/collateral, ~ a bank guarantee; **B. durch Bankbürgschaft** providing security by way of a bank guarantee; **bankmäßige B.** providing bank guarantees; **dingliche B.** provision of real/collateral security, providing real/collateral security; **B.svorschlag** *m* proposal for the provision of security/collateral; **B.swert** *m* collateral value

Besicht *f* inspection; **ohne B.** sight unseen; **auf B. kaufen** to buy subject to inspection

besichtig|en *v/t* 1. to inspect/survey/view/examine; 2. to tour/visit; 3. *(Vers.)* to hold a survey; **zu b.en** on show, open to inspection; **wie b.t** as is/seen

Besichtigung *f* 1. inspection, survey, examination; 2. conducted tour; 3. *(Auktion)* viewing (time); 4. drawing samples; **B.en** sightseeing; **B. durch geladene Gäste** private viewing; **~ das Gericht** judicial inspection; **~ den Lieferanten** vendor inspection; **B. vor Ort**; **B. an Ort und Stelle** on-site inspection, on-the-spot examination; **B. des Tatorts** inspection of the scene of the crime; **zur B. freigegeben** open for/to inspection, on view; **B. vorbehalten** subject to inspection; **eilige B.** hurried inspection; **gerichtliche B.** judicial inspection; **nähere B.** close inspection

Besichtigungs|bericht *m* survey/inspector's report; **B.erlaubnis** *f* viewing permit; **B.fahrt/B.reise** *f* tour of inspection, inspection tour; **B.gebühr** *f* survey fee;

B.genehmigung *f* viewing permit; **B.protokoll** *nt* survey report, certificate of survey; **B.rundfahrt/B.rundgang** *f/m* tour of inspection; **B.schein** *m* survey certificate; **B.zeiten** *pl (Auktion)* viewing time; **B.zeugnis** *nt* survey certificate, certificate of inspection

besiedel|n *v/t* to colonize/settle/populate; **dicht b.t** *adj* densely populated, populous; **dünn b.t** sparsely/thinly populated

Besiedlung *f* 1. housing (density); 2. colonization, settlement; **B.sdichte** *f* 1. density of population; 2. housing density; **B.sgebiet** *nt* settlement area; **B.splan** *m* settlement project; **B.spolitik** *f* settlement policy

be|siegeln *v/t* to seal, to put one's seal (to); **b.siegen** *v/t* to defeat/overcome/subdue/overthrow

Besitz *m* 1. ownership, possession, title; 2. *(Effekten)* holding, possessorship; 3. *(Vermögen)* fortune; 4. *(Grundbesitz)* estate, tenure, property, seisin; **im B. von** in possession of

Besitz von Aktien shareholding *[GB]*, stockholding *[US]*; **B. ohne Gewahrsam** possession in law; **in vollem B. seiner geistigen Kräfte** § of sound mind (and memory); **nicht ~ Kräfte** of unsound mind; **im B. seiner Sinne** in one's right mind; **B. an beweglichem Vermögen** personal estate; **B. nach Vertragsablauf** holdover

Besitz abstoßen to sell off one's property/possessions; **B. antreten** to take possession of, to enter into possession; **B. aufgeben** to part with/surrender possession of; **B. ausüben** to retain possession; **in B. bringen** to take possession of; **B. entziehen** to dispossess; **B. erben** to come into property; **B. ergreifen** 1. to take possession of, to occupy/appropriate; 2. *(Land)* § to take in seisin; **B. erlangen** to come into possession; **B. erwerben** to acquire possession/property; **im B. haben** to hold, to be in possession of; **von seinem B. leben** to live of one's estates; **in B. nehmen** to take possession of, to occupy/seize; **widerrechtlich ~ nehmen** to usurp; **wieder ~ nehmen** to resume possession of, to repossess; **im B. sein von** to be owned by; **im ausschließlichen B. sein von** to be the sole possessor of, ~ in sole possession of; **in jds B. übergehen** to pass into so.'s ownership; **jdm einen B. überlassen** to resign a property to so.; **(jdm) B. überschreiben/übertragen** to settle property (on so.), to transfer/transmit property (to so.); **im B. verbleiben** to remain in possession; **seinen B. verschleudern** to dissipate one's fortune; **aus dem B. vertreiben** to oust; **B. wiedererlangen** to resume possession

abgeleiteter Besitz derivative possession; **in ausländischem B.** foreign-owned; **ausschließlicher B.** exclusive possession; **einheitlicher B.** unity of possession; **fehlerhafter B.** faulty/adverse possession; **fiktiver/fingierter B.** constructive possession; **gebundener B.** settled property; **gemeinsamer B.** joint ownership/possession/tenancy *[US]*, tenancy in common *[US]*, collective ownership, communion; **in gemeinsamem B.** jointly owned; **gemeinschaftlicher B.** 1. collective/joint ownership, joint possession, co-ownership; 2. *(Erbschaft von unbeweglichem Eigentum)* coparcenary, estate in joint tenancy; **gutgläubiger B.** bona-fide *(lat.)* possession; **landwirtschaftlicher B.** agricultural property; **mittelbarer B.** possession in law, indirect/constructive possession; **in öffentlichem B.** in publi ownership, publicly owned; **persönlicher B.** 1. person belongings; 2. *(Grundbesitz)* private property; **i privatem B.** privately owned; **rechtmäßiger B.** lawf possession; **redlicher B.** bona-fide *(lat.)* possessio possession in good faith; **staatlicher B.** state propert **in staatlichem B.** 1. state-owned; 2. *(Gold)* officiall held; **tatsächlicher B.** actual/naked possession; **treuhänderischer B.** fiduciary possession; **unbefugter B** unauthorized possession; **ungestörter B.** full/quie possession; **unmittelbarer B.** physical/immediate/actual/direct possession; **mit Eigentumsvermutun verbundener B.** § seisin, seizin; **vorheriger B.** preoccupation; **wertvoller B.** valued possession; **widerrechtlicher B.** unlawful possession, faulty ownershi **wohlerworbener B.** vested possession

Besitz|- § possessory; **B.anspruch** *m* possessor claim/right, title; **B.antritt** *m* entry; **B.art** *f* ownershi category; **B.aufgabe** *f* surrender of possession, dereliction; **B.ausübung** *f* enjoyment of possession; **B.daue** *f* tenure, term of possession; **B.diener** *m* possessor servant, possessor's agent; **B.einkommen** *nt* unearne income/revenue, property income, income from property; **B.einräumung** *f* granting of possession; **(gerichtliche) B.einweisung** *f* vesting order, writ of possession

besitzen *v/t* to possess/own/hold/occupy/have, to hav and to hold; **fehlerhaft b.** to be in adverse possessio **gemeinsam b.** to own jointly; **rechtmäßig b.** to be th rightful owner; **treuhänderisch b.** to hold as a truste **voll und ganz/vorbehaltslos b.** to own outright

besitzend *adj* possessory, propertied

Besitz|enthebung *f* § dispossession; **B.entsetzung** eviction; **B.entziehung** *f* dispossession, exclusion an ouster, amotion, divestiture, divestment; **widerrechtliche B.entziehung** dispossession; **B.entzug** *m* divestment, dispossession

Besitzer(in) *m/f* 1. owner, proprietor, holder, maste possessor; 2. occupant, occupier; **B. der Aktienmehrheit** majority shareholder *[GB]*/stockholder *[US]*; **B durch Erbschaft** hereditary proprietor; **B. einer gewerblich genutzten Immobilie** commercial propert owner; **B. auf Lebenszeit** holder for life; **B. mit dinglichem Recht gegenüber Dritten** § bailee; **B. vo wandelbaren Vorzugsaktien** convertible stockholde *[US]*; **B. wechseln** to change hands

alleiniger Besitzer sole owner/proprietor; **bösgläubiger/böswilliger B.** mala-fide *(lat.)* possessor, holde possessor in bad faith; **fehlerhafter B.** adverse possessor; **gutgläubiger B.** bona-fide *(lat.)* possessor, holde possessor in good faith, holder in due course; **juristischer B.** naked possessor; **mittelbarer B.** indirect/constructive possessor; **rechtmäßiger B.** rightful owne lawful possessor/owner, holder in due course; **tatsächlicher B.** de facto *(lat.)* owner; **treuhänderischer B.** [bailee; **unmittelbarer B.** direct holder, actual possessor; **unredlicher B.** mala-fide *(lat.)* owner; **wirkliche**

B. true owner

esitzergreif|end *adj* possessive; **B.er(in)** *m/f* occupier, occupant, seizor; **widerrechtlicher B.er** usurper; **B.ung** *f* occupation, occupancy, entry, appropriation, seizure, seisin, taking possession; **widerrechtliche B.ung** usurpation

esitzerin *f* proprietress

esitz|erlangung *f* coming/reduction into possession, gaining possession; **B.erwerb** *m* acquisition, obtaining possession

esitzerschaft *f* ownership

esitz|fehler *m* improper title; **B.firma/B.gesellschaft** *f* holding firm; **B.gegenstand** *m* property item; **wertvoller B.gegenstand** prize possession; **b.gierig** *adj* possessive; **B.größe** *f* size of holding; **B.institut** *nt* § possessory agreement; **B.klage** *f* possessory action, writ of entry; **B.klasse** *f* propertied class; **B.konstitut** *nt* constructive possession; **B.konzentration** *f* concentration of ownership; **B.kredit** *m* property-financing loan; **b.los** *adj* unpropertied, non-possessory; **B.lose(r)** *f/m* non-property owner; **B.mittler(in)** *m/f* § bailor; **B.mittlungsverhältnis** *nt* bailment; **B.nachfolger(in)** *m/f* assignee, subsequent holder; **B.nachweis erbringen** *m* to prove possession

esitznahme *f* (taking) possession; **erneute B.** repossession; **frühere/vorherige B.** preoccupancy; **gesetzwidrige B.** intrusion; **B.recht** *nt* right of occupancy

esitz|-Personengesellschaft *f* partnership leasing its assets; **B.pfandrecht** *nt* possessory lien; **B.posten** *m* property item

esitzrecht *nt* title, right of ownership/possession, possessory/occupancy right, estate; **B. auf ein Grundstück** estate at will; **B. aufgeben** to surrender possession; **B. erwerben** to gain possession; **alleiniges B.** sole proprietorship; **ungestörtes B.** quiet possession; **b.lich** *adj* possessory

esitz|reform *f* reform of tenure; **B.schutz** *m* protection of title, legal protection of possession

esitzstand *m* vested/acquired rights, property; **(sozialen) B. wahren** to safeguard the standard of living, to stay even; **B.seinbuße** *f* impairment of vested rights; **B.sschutz** *m* protection of vested rights; **B.sverlust** *m* loss of vested rights; **B.swahrung** *f* non-impairment/protection of vested rights

esitz|steuer *f* property tax; **B.- und Verkehrssteuern** tax on property and transactions; **B.störer(in)** *m/f* § trespasser

esitzstörung *f* § trespass, interference with possession; **nachbarliche B.** § private nuisance; **B.sklage** *f* action for trespass

esitz|teile *pl* assets; **B.titel** *m* 1. possessory title, right to possession, tenure; 2. *(Urkunde)* title deed(s), document of title; **präsumptiver B.titel** presumptive title

esitztum *nt* property, possession, estate; **befriedetes B.** enclosed premises; **geistliche Besitztümer** church lands; **B.sübergang** *m* change of possession

esitz|übergang *m* change of possession; **B.übernahme** *f* entry into possession; **B.übertragung/B.überschreibung** *f* transfer of possession/title; **B.umschichtung** *f* rearrangement of holdings

Besitzung *f* estate, property; **B.en** possessions; **ausländische B.en** foreign possessions

Besitz|urkunde *f* title deed(s), deed of ownership, document/root of title, (possessory) title; **B.verhältnis** *nt* ownership (system), tenure; **ländliche B.verhältnisse** land tenure; **B.verlust** *m* loss of possession/property; **B.verschaffung** *f* delivery of possession; **mittelbare B.verschaffung** constructive delivery; **B.versicherung** *f* occupancy insurance; **B.vertreibung** *f* eviction, ouster, ejection; **B.verschiebung** *f* rearrangement of holdings; **B.vorenthaltung** *f* ouster, deprivation of the enjoyment of property

Besitzwechsel *m* 1. change of title/owner/ownership/holder, ~ in possession; 2. *(Wechsel)* trade note receivable; *pl (Bilanz)* bills receivable (B.R.); **B.buch** *nt* bills receivable journal; **B.konto** *nt* remittance account

Besitz|wehr *f* defence of possession and custody; **B.wert** *m* property value; **B.wille** *m* intention to possess; **B.zeit** *f (Pacht)* term; **B.zersplitterung** *f* scattered holdings, fragmentation of holdings

besold|en *v/t* to pay/remunerate; **b.et** *adj* 1. salaried, remunerated; 2. *(Richter)* stipendiary

Besoldung *f* pay(ment), salary, remuneration

Besoldungs|dienstalter *nt* pay seniority; **B.entwicklung** *f* growth of civil service pay; **B.gruppe** *f* salary group/bracket/level, grade, pay bracket; **B.liste** *f* salary list; **B.niveau** *nt* pay level; **B.ordnung** *f* salary scale; **B.satz** *m* salary rate; **B.stelle** *f* pay office; **B.stufe** *f* salary grade/bracket, pay bracket; **B.zulage** *f* allowance

besondere(r,s) *adj* 1. special, specific, separate; 2. particular, extra, notable, extraordinary; **im b.n** particularly

Besonderheit *f* 1. (distinctive/special) feature, particularity, peculiarity; 2. *(Warenzeichen)* distinctiveness; **B.en** the ins and outs; **technische B.** technical specificity

besonnen *adj* prudent, circumspect, sober-minded; **B.heit** *f* prudence, circumspection, discreetness

besorgen *v/t* to provide/supply/procure/obtain/secure, to attend to, to take care of; **sich etw. b.** to provide/furnish o.s. with sth.

Besorger *m* procurer

Besorgnis *f* anxiety, concern, apprehension, alarm, worry; **B. der Befangenheit** fear of prejudice, apprehension of partiality, doubt of impartiality; **wegen ~ ablehnen** to object on the grounds of suspected partiality; **B. erregend** *adj* alarming, worrisome, disquieting; **B. ausdrücken**; **B. zum Ausdruck bringen** to express/voice concern; **mit B. beobachten** to view with concern; **zur B. Anlass geben** to give cause for concern; **anhaltende B.** lingering anxiety; **große B.** grave disquiet; **wachsende/zunehmende B.** mounting concern

besorgt *adj* 1. concerned, anxious; 2. apprehensive, distressed, fearful, jealous, worried

Besorgung *f* 1. procurement, purchase, obtaining; 2. management; 3. *(Botengang)* errand; **B.en** shopping; **B. von Aufträgen** execution of orders; **~ Geld** fund raising; **B.en erledigen/machen** to do the shopping, to

go shopping, to run errands; **B.sgebühr** *f* handling fee
jdn bespitzeln *v/t* to spy on so.
besprechen *v/t* 1. to discuss, to talk over; 2. *(Buch)* to review; *v/refl* to confer; **öffentlich b.** to air
Besprechung *f* 1. discussion, conference, talk, meeting, parley; 2. *(Buch)* review; **B. unter vier Augen** private conference; **B. auf höchster Ebene** top-level conference; **B. abhalten** to have a conference; **B. einberufen** to convene a conference; **B. leiten** to chair a conference; **geschäftliche B.** business conference
Besprechungs|exemplar *nt* review copy; **B.programm** *nt* agenda; **B.raum** *m* conference room; **B.teilnehmer(in)** *m/f* conference member; **B.zimmer** *nt* 1. conference/briefing room; 2. *(Hotel)* commercial room
besser *adj* better, superior, preferable; **b. gestellt** *adj* better off; **es früher b. gehabt haben** to have seen better days; **b. sein als** to outperform, to compare favourably with; **b. stehen** *v/refl* to be better off (financially); **b. werden** to improve, to look up
bessern *v/refl* 1. to improve, to take a turn for the better; 2. to look up; 3. *(Person)* to mend one's ways
materielle Besserstellung *f* material advancement
Besserung *f* recovery, upturn, improvement, amelioration; **auf dem Wege der B.** on the mend; **B. zeigen** to improve; **bruchteilige/geringfügige B.** marginal improvement; **deutliche/nachhaltige/offensichtliche/sichtbare B.** marked improvement
Besserungs|abrede *f* debtor warrant; **b.fähig** *adj* 1. improvable; 2. *(Forderung)* reclaimable; **B.maßregeln** *pl* measures for improvement and correction; **B.schein** *m* 1. debtor warrant, income and adjustment bond; 2. income bond *[US]*; **B.scheininhaber(in)** *m/f* bondholder; **B.tendenz** *f* signs of improvement
die Besser|verdienenden/B.verdiener *pl* the higher-paid; **B.wisser** *m* know-all
bestal|len *v/t* to appoint/engage/commission; **nicht b.t** *adj* non-commissioned
Bestallung *f* appointment; **B. als Nachlasspfleger** § letters testamentary; **B. eines Vertreters** agency appointment; **B. als Vormund** letters of guardianship; **B.surkunde** *f* 1. letter of appointment; 2. ✈ commission; 3. letters patent; 4. § vesting deed
Bestand *m* 1. continued existence, continuance; 2. *(Geld)* balance, funds, position; 3. *(Effekten)* portfolio, holding; 4. *(Waren)* stock, inventory, amount; 5. ▦ population; 6. *(Bank)* cash assets; 7. *(Vers.)* portfolio of insurance; 8. 🌲 stand, population; 9. *(Maschinen)* population; **Bestände** (inventory) stocks, stock-in-trade, merchandise on hand; **abzüglich B.** less amount in portfolio
Bestand an eigenen Aktien treasury stock *[US]*; ~ **Arbeitskräften** manpower resources; ~ **Aufträgen** orders in/on hand; ~ **Auslandsaufträgen** export order book, ~ orders in/on hand; ~ **Bargeld** cash in/on hand; ~ **Devisen** foreign exchange reserves; ~ **Diskonten** bills discounted; ~ **Diskontwechseln** discount holdings; ~ **Effekten** *(Bilanz)* securities in hand; ~ **fertigen Erzeugnissen** inventory of final/finished goods; ~ **fertigen und unfertigen Erzeugnissen** stocks of products and stock in trade; ~ **halbfertigen Erzeugnisse[n]** work-in-progress inventory; ~ **unfertigen Erzeugnissen** work-in-progress/process/un-process(ed) inventory, inventory of intermediate goods; ~ **Exportaufträgen** → ~ **Auslandsaufträgen**; ~ **unfertigen Güter[n]** in-process inventory; ~ **Handelswaren** merchandise inventory; ~ **derivaten Instrumenten** derivative instruments holding; **B. am Jahresende** year-end stocks/total; **B. an Schafen** sheep population; ~ **Schiffskaskoversicherungen** hull portfolio, ~ underwriting account; ~ **Verbraucherdarlehen** consumer loan portfolio; ~ **Waren** stocks of goods on hand; ~ **Wertpapieren** investment portfolio, security holdings; ~ **Zuchtschweinen** pig breeding herd
Bestände abbauen 1. *(Börse)* to liquidate one's position; 2. *(Lager)* to destock, to run down stocks, to liquidate an inventory; **alte B. abstoßen** to get rid of old stock; **B. auffüllen** to restock, to replenish stocks, to stock up; **Bestand aufnehmen** to take stock, to (take) inventory; ~ **haben** to be there to stay; **im ~ halten** *(Wertpapiere)* to keep; **B. räumen** to clear stocks; **von Bestand sein** to last; **über den ~ verkaufen** to oversell; **B. verringern** to destock
bruttoverfügbarer Bestand gross inventory; **eiserner B.** 1. contingency reserve, minimum/base/reserve stock(s), safety level/stock, minimum inventory level; 2. *(Geld)* reserve/permanent funds; **flottierender B.** floating supply; **geschlossener B.** *(Abschreibung)* closed end account; **von kurzem B.** short-lived; **liquide Bestände** cash holdings; **maximaler B.** maximum inventory; **obsoleter B.** obsolete inventory; **offener B.** *(Abschreibung)* open-end account; **optimaler B.** optimum size of inventory; **spekulativer B.** speculative stock; **tatsächlicher B.** real stock(s); **überholte Bestände** excessive stock levels; **unsichtbare Bestände** invisible supply; **unverkäufliche Bestände** dead stock; **veralteter B.** obsolete inventory
Beständeeinheitswert *m* inventory unit value
bestanden *adj* *(Prüfung)* pass(ed); **nicht b.** *adj* fail(ed)
Bestände|rechnung *f* inventory, stocktaking; **B.schwund** *m* inventory shrinkage; **B.stückwert** *m* inventory unit value; **B.wagnis** *nt* inventory risk
beständig *adj* 1. permanent, invariable, constant, persistent, consistent, steadfast, reliable; 2. firm, steady, stable; 3. ✿ resistant, lasting, durable, perennial; **B.keit** *f* stability, permanence, durability, resistance
Bestands|abbau *m* destocking, inventory reduction; **B.abfrage** *f* inventory accounting; **B.abnahme** *f* falling stock levels; **B.abschreibung** *f* inventory write down; **B.änderung** *f* inventory change; **B.änderungsrechnung** *f* statement of changes in stocks; **B.angabe** total shown; **B.aufbau/B.auffüllung** *m/f* restocking, stocking up, increase in inventories, replenishment of stocks/inventories
Bestandsaufnahme *f* 1. (physical) inventory, stocktaking, inventory-taking; 2. assessment of the current situation; 3. census; 4. *(Firmenlage)* corporate appraisal; **B. der laufenden Arbeiten** work-in-progress inventory

belegmäßige Bestandsaufnahme voucher-based materials inventory; **finanzielle B.** financial review; **karteimäßige B.** card-file monitored inventory; **körperliche B. (der Warenvorräte)** physical inventory count, ~ stocktaking, inventory; **laufende B.** perpetual inventory; **periodische B.** cycle count; **räumliche B.** regional survey

Bestands|aufstockung *f* 1. stock-building, increase in inventories/stocks; 2. *(Wertpapiere)* increase in portfolio holdings; **B.band** *nt* 🖳 master tape; **B.bedingungen** *pl* stock conditions; **B.begrenzung** *f* holding limits; **B.beleg** *m* stock voucher; **B.bericht** *m* stock status report; **~ über Lagervorräte** balance-of-stores record; **B.berichtigung** *f* inventory adjustment; **B.bewegung** *f* stock movement(s), changes of business in force

Bestandsbewertung *f* stock appreciation, stock/inventory valuation; **B. zu Anschaffungs- oder Herstellungskosten** inventory valuation at acquisition or production cost; **B.smethode** *f* stock/inventory valuation method

Bestands|bilanz *f* inventory balance; **B.buch** *nt* inventory, warehouse book; **B.buchführung** *f* stock/inventory accounting; **B.datei/B.daten** *f/pl* inventory data; **B.dichte** *f* 🌳 stand structure; **B.differenz** *f* inventory discrepancy; **B.entwicklung** *f* inventory change; **B.erfolgskonten** *pl* mixed accounts; **B.ergänzung** *f* replenishing of stocks; **B.erhöhung** *f* inventory increase, increase in stocks; **B.ermittlung** *f* stocktaking, inventory-taking; **~ durch retrograde Kalkulation von den Verkaufswerten** retail method of inventory pricing; **B.fehlbetrag** *m* inventory shortage; **B.fortschreibung** *f* perpetual inventory (system), inventory updating/update/roll-forward; **B.führung** *f* inventory management, maintenance; **B.führungssystem** *nt* shop floor system; **B.garantie** *f* guarantee for the continuity of operations at present levels; **B.gewinn** *m* inventory profit; **B.größe** *f* stock (variable), size of stock; **B.gruppe** *f (lifo-Bewertung)* lifo pool; **B.höhe** *f* service level, amount of inventory carried; **B.investition** *f* inventory investment; **B.karte** *f* balance card, inventory record; **B.kartei** *f* inventory file; **laufende B.kartei** perpetual inventory file/records; **B.konto** *nt* real/asset/impersonal account, stock/inventory/permanent account; balance sheet account; **B.kontoposten** *m* balance sheet item; **B.kontrolle** *f* stock/inventory control; **B.kraft** *f* § legal validity; **b.kräftig** legally valid; **B.lager** *nt* inventory stockroom; **B.liste** *f* inventory, holdings/inventory list, stock sheet; **~ aufstellen** to draw up an inventory; **B.masse** *f* ▦ population of period data; **B.meldung** *f* stock report, return (of assets and liabilities); **B.mehrung** *f* inventory/stock increase; **B.menge** *f* stock quantity; **B.minderung** *f* inventory/stock decrease, decrease in stock; **B.nachweis** *m* 1. inventory, stocktaking; 2. substantiation of assets and liabilities; **B.obergrenze** *f* maximum inventory; **B.pflege** *f (Vers.)* conservation, policy service, portfolio management; **B.plan** *m (Bebauung)* as-built plan; **B.planung** *f* inventory planning; **B.position** *f* (asset) item; **B.posten** *m* inventory item; **B.prüfer** *m* inventory checker; **B.prüfung** *f* inventory audit; **B.reduzierung** *f* inventory reduction; **B.rechnung** *f* statement of stocks, ~ inventory values; **B.rente** *f* existing pension; **B.reserve** *f* existing reserve; **B.risiko** *nt* inventory risk; **B.satz** *m* master record; **B.schwankung** *f* inventory fluctuation; **B.schutz** *m (Vers.)* portfolio protection; **B.schwund** *m* inventory shrinkage; **B.steuerung** *f* inventory control; **B.überschuss** *m* overage; **B.übertragung** *f* transfer of stock; **B.überwachung** *f* stock monitoring; **B.umschichtung** *f* 1. *(Lager)* stock change; 2. *(Wertpapier)* change in portfolio holdings; **B.umschlagshäufigkeit** *f* inventory turnover rate; **B.veränderung** *f* 1. inventory change, stock movement, change in inventories, stock change(s); 2. *(Vers./Wertpapiere)* portfolio change; **~ an fertigen und unfertigen Erzeugnissen** change in stocks of finished goods and in work-in-progress; **B.vergleich** *m* 1. net worth comparison; 2. *(Inventur)* stocktaking; **B.verlust** *m* inventory loss/shrinkage; **B.vermehrung** *f* 1. increase in stocks/inventories, inventory increase; 2. *(Wertpapiere)* increase in portfolio holdings; **B.verminderung/B.verringerung** *f* 1. decrease in stock/inventories, inventory decrease/reduction; 2. *(Wertpapiere)* decrease in portfolio holdings; **B.verwaltung** *f* 1. management of stock, inventory/stock management; 2. *(Vers./Wertpapiere)* portfolio management; **B.verzeichnis** *nt* 1. inventory (sheet), stock book; 2. real property register, fixed assets list; **B.wagnis** *nt* inventory risk; **B.wert** *m* total value, value shown; **B.wesen** *nt* inventory management; **B.zahlen** *pl* inventory figures; **B.zugang** *m* inventory entry; **B.zunahme/B.zuwachs** *f/m* 1. inventory growth/build-up, increase in inventories, stock increase; 2. *(Vers.)* new business

Bestandteil *m* 1. part, component (part); 2. ingredient, constituent; 3. section, unit; **B.e aus Drittländern** third-country materials; **B. sein von** to form an integral part of; **fester ~ von** to be part and parcel of

fester Bestandteil permanent feature; **gesetzliche B.e** statutory features; **notwendiger B.** essential part; **organischer B.** integral part; **unwesentlicher B.** non-essential part; **wesentlicher B.** integral/essential part, essential feature, immovable fixture, element, part and parcel; **wichtigster B.** feature

bestärken *v/t* to encourage/reinforce/confirm

bestätigen *v/t* 1. to confirm/acknowledge/(re-)affirm/endorse/corroberate, to rubber-stamp, to bear out; 2. to accredit/ratify; 3. § to bear witness; 4. *(Urkunde)* to certify/evidence/validate; 5. *(Urteil)* to uphold; *v/refl* to prove true/correct; **amtlich b.** to certify/authenticate, to confirm officially; **brieflich b.** to confirm in writing, ~ by letter; **gerichtlich b.** to confirm judicially; **nicht b.** to disaffirm; **sich ~ b.** to prove false; **notariell b.** to certify/attest/legalize; **schriftlich b.** to confirm/evidence in writing; **b.d** *adj* affirmative, confirmative, confirmatory

bestätigt *adj* confirmed, certified; **es wird hiermit b.** this is to certify; **nicht b.** unconfirmed; **unterschriftlich b.** § witness our hands

Bestätigung *f* 1. confirmation, acknowledgment, endorsement, ratification, recognition, corroberation; 2. proving, witness; 3. *(Dokument)* certification, attestation, validation, indorsation, verification; 4. § affirmation; **in B.** in acknowledgment; **vorbehaltlich der B.** subject to confirmation

Bestätigung des Abschlusses *(Wirtschaftsprüfung)* auditors' report *[GB]*, certification of financial statements *[US]*; **B. eines Auftrags/einer Bestellung** confirmation of an order; **B. einer Aussage** corroboration of a statement; **schriftliche ~ mündlichen Bestellung** written confirmation of an oral order; **B. der Bestellungsannahme** acknowledgment of an order; **B. des Buchprüfers** audit certificate, certificate of account; **B. über die Einhaltung der Bedingungen** certificate of compliance (with the terms); **B. des Empfangs** (confirmation of) receipt; **~ Fixings** fixing confirmation; **~ Jahresabschlusses** certification of the annual financial statements; **B. eines Kontoauszugs** bank confirmation, verification of an account; **B. der Richtigkeit** verification; **B. eines Schecks** certification of a cheque *[GB]*/check *[US]*; **~ Überziehungskredits** overcertification; **~ Urteils** confirmation of a judgment; **gerichtliche ~ Vergleichs** confirmation of a settlement by a court; **B. einer Zeugenaussage** corroboration of a witness

um Bestätigung des Empfangs wird gebeten please acknowledge receipt; **B. erteilen** to deliver confirmation; **B. finden** to prove true/correct

amtliche Bestätigung official certification/confirmation; **baldige B.** early confirmation; **eidliche B.** confirmation by/upon oath; **gerichtliche B.** judicial confirmation; **schriftliche B.** written confirmation, confirmation in writing, letter of confirmation; **unbedingte B.** unconditional confirmation; **vorbehaltlose B.** positive certification

Bestätigungs|brief *m* letter of confirmation; **b.fähig** *adj* confirmable; **B.formular** *nt* confirmation blank; **B.karte** *f (Vers.)* cover note; **B.meldung** *f* acknowledgment; **B.provision** *f (Akkreditiv)* confirming commission; **B.schreiben** *nt* letter of acknowledgment/confirmation, confirmation note

Bestätigungsvermerk *m (Bilanz)* audit certificate/opinion/report, auditors'/accountant's report, certifcate (of account), certification, opinion, short-form audit report; **B. des Rechnungs-/Wirtschaftsprüfers** audit/auditor's opinion; **B. einschränken** to qualify the audit certificate; **B. erteilen** to certify; **uneingeschränkten B. erteilen** to certify without qualification; **B. versagen** to refuse the audit certificate; **eingeschränkter B.** qualified audit certificate, ~ report/opinion, with-the-exception-of opinion; **negativer B.** negative/adverse audit opinion; **uneingeschränkter B.** unqualified audit certificate/report, ~ opinion; **versagter B.** disclaimed opinion

Bestattung *f* funeral, burial; **B. auf hoher See** burial at sea; **B.sfeierlichkeiten** *pl* obsequies; **B.sinstitut** *nt* undertakers, funeral parlor *[US]*; **B.skosten** *pl* funeral expenses; **B.sort** *m* burial place; **B.sunternehmer** *m* funeral director, undertaker

Best|auftrag *m* market order; **b.bekannt** *adj* best known; **B.beschäftigung** *f* optimum activity level; **B.bietende(r)** *f/m* highest bidder

beste|(r,s) *adj* optimum, best; **sich als das B. erweisen** to turn up trumps *(coll)*; **das B. herausholen; ~ machen aus** to maximize, to make the best of; **sein B.s tun** to do one's (level) best

bestechen *v/t* to bribe/corrupt, to grease so.'s palm *(coll)*, to buy off; **sich b. lassen** to take bribes

bestechlich *adj* corrupt(ible), bribable, open to bribery, venal; **B.keit** *f* corruption, corruptibility, accepting bribes, venality

Bestechung *f* 1. corruption, bribery, bribing, graft *[US]*, payola *(coll) [US]*; 2. § embracery; **B. eines Zeugen** § subornation of a witness; **aktive B.** bribery, offering bribes; **passive B.** bribe-taking, taking bribes

Bestechungs|fonds *m* slush fund; **B.geld** *nt* bribe, backhander *(coll)*, graft *[US]*, improper payment, (corporate) pay-off, boodle *(coll) [US]*, payola *(coll) [US]*, slush fund; **B.skandal** *m* bribery scandal; **B.summe** *f* bribe; **B.versuch** *m* attempted bribery

Besteck *nt* (set of) cutlery, flatware *[US]*; **ärztliches B.** § surgical instruments; **B.industrie** *f* cutlery industry; **B.kasten** *m* canteen (of cutlery), flatware chest *[US]*

Bestehen *nt* 1. existence, continuance; 2. *(Jubiläum)* anniversary; **während des B.s** during the life; **B. einer Prüfung** passing an examination

bestehen *v/i* 1. to exist/obtain; 2. *(Prüfung)* to pass; **b. auf** to insist on, to assert, to make a point of; **b. aus** to consist of, to be composed of, ~ divided into; **b. in** to consist in; **zu b. aufhören** to cease to exist; **(weiterhin) b. bleiben** to remain in existence/place, to continue to exist; **etw. b. lassen** to let sth. stand; **nebeneinander b.** to coexist; **nicht b.** *(Prüfung)* to fail; **gerade noch b.** *(Prüfung)* to scrape through *(coll)*; **unbeschadet b.** not to affect

bestehend *adj* existing, established, existent, in force/existence; **b. aus** comprising; **bereits b.** pre-existing; **noch b.** still existent; **seit langer Zeit b.** long-standing

be|stehlen *v/t* to rob, to steal (from so.); **b.steigen** *v/t* 1. *(Verkehrsmittel)* to board, to get on; 2. ⚓ to go on board; 3. *(Berg)* to climb

Bestell|abschnitt *m* order coupon; **B.abstände** *pl* ordering intervals; **B.abteilung** *f* ordering department; **B.abwicklung** *f* ordering, order handling/processing; **B.annahme** *f* order booking; **b.bar** *adj* 1. deliverable; 2. 🚜 arable, cultivable, tillable; 3. *(Platz)* bookable; **B.bestand** *m* reordering quantity, reorder point; **B.block** *m* order pad, pad of order forms; **B.buch** *nt* order book/register, book of commissions; **B.datum** *nt* date of order; **B.dienst** *m* order service

Bestelleingang *m* new/incoming orders, order intake/(in)flow/bookings, orders received; **laufender B.** current order inflow, continuous inflow of orders; **nachlassender B.** flagging/slackening orders

Bestelleinheit *f* ordering unit

bestellen *v/t* 1. to order/commission, to place an order; 2. to indent; 3. *(zur Lieferung ins Haus)* to order in; 4. *(abonnieren)* to subscibe to; 5. to call for; 6. *(Amtsin-*

haber) to appoint/assign/elect; 7. 🚜 to cultivate/till; 8. *(Platz)* to book/reserve; **von jdm etw. b.** to order sth. from so.; **jdn zu sich b.** to summon so.; **elektronisch b.** to teleorder; **fernmündlich/telefonisch b.** to order by (tele)phone; **mündlich b.** to order orally; **neu b.** to reorder; **telegrafisch b.** to order by telegram; **im Voraus b.** to book in advance

Bestellendwert *m* final order value

Besteller|(in) *m/f* 1. buyer, customer, client, purchaser; 2. *(Abonnent)* subscriber; **B.kredit** *m* buyer's credit, buyer loan; **B.land** *nt* ordering country; **B.risiko** *nt* consumer's risk

Bestell|formular *nt* order blank/form/sheet, purchase order form; **b.freudig** *adj* ready to place orders; **B.frist** *f* order deadline; **B.häufigkeit** *f* frequency of ordering/acquisition; **B.index** *m* order index; **B.intervall** *nt* replenishment cycle; **B.karte** *f* 1. order card; 2. *(Werbung)* return card; 3. ⚕ appointment card; **B.kosten** *pl* ordering cost(s); **B.kupon** *m* reply coupon; **B.liste** *f* list of orders

Bestellmenge *f* order(ing) size/quantity, quantity ordered; **festgelegte B.** fixed order quantity; **optimale B.** economic/optimum order(ing) quantity; **variable B.** variable order quantity

Bestell|nummer *f* order/supply number, order code, purchase order number; **B.obligo** *nt* commitments (from orders); **B.politik** *f* ordering policy; **B.praxis** *f* *(Termin)* appointment system; **B.produktion** *f* make-to-order production, manufacture to order; **B.programm** *nt* ordering programme; **B.punkt** *m* order point; **B.punktsystem** *nt* maximum-minimum system, order point system; **B.rhythmus** *m* order cycle; **B.rhythmussystem** *nt* order cycling system, periodic inventory review system, ~ ordering, fixed cycle system; **B.schein** *m* order form/sheet/slip, docket; **B.schreiben** *nt* order letter; **B.schreibung** *f* order writing; **B.stand** *m* purchase contract register; **B.system** *nt* reorder system; **~ mit Fixgrößen** fixed order system, maximum-minimum inventory control; **verbrauchsorientiertes B.system** consumption-orientated ordering system

bestellt *adj* 1. on order, ordered; 2. booked, reserved; 3. appointed; **amtlich b.** officially appointed; **gerichtlich b.** court-appointed; **öffentlich b.** publicly appointed; **ordnungsmäßig b.** *(Amt)* duly appointed

Bestelltätigkeit *f* ordering activity; **rege B.** brisk ordering (activity)

Bestellte(r) *f/m* appointee

Bestell|teil *nt* ordered part; **B.überwachung** *f* order monitoring/management

Bestellung *f* 1. placing an order; 2. commission, (purchase/purchasing/customer/sales) order; 3. 🚜 cultivation, tillage, tilling; 4. *(Ernennung)* appointment; 5. *(Platz)* booking, reservation; 6. *(Zeitung)* subscription; **auf B.** to/on order, made-to-order, customized, bespoke; **~ von** on the order of; **bei B.** on order, when ordering, on placing the order; **in B.** on order; **laut B.** (as) per order

Bestellung auf Abruf off-the-shelf order; **B. eines Aufsichtsratmitglieds** appointment of a non-executive director; **B. des Aufsichtsrats** election of the board; **B. eines/einer Bevollmächtigten** appointment of a proxy; **B. des Geschäftsführers** appointment of the manager; **B. einer Hypothek** creation/granting of a mortgage, execution and registration of a mortgage; **B. eines Konkursverwalters** appointment of a receiver; **B. der Rechnungsprüfer/Revisoren** appointment of auditors; **B. von Sicherheiten** furnishing of collateral (security), providing security, putting up of collateral, collateralization; **B. aus Übersee** overseas order; **B. eines Verteidigers** appointment of a defence counsel; **B. des Vorstandes** election of the board; **B. eines Vorstandsmitglieds** appointment of a managing director; **B. von Wirtschaftsprüfern** appointment of auditors

auf/nach Bestellung (an)gefertigt custom-made, custom-built, customized, made to order; **B.en von mehr als** orders in excess of

Bestellung ablehnen to refuse/decline an order; **auf B. anfertigen** to make to order, to customize; **B. annehmen** to take/accept an order; **B. annullieren** to cancel/rescind an order; **auf B. arbeiten** to work to order; **B. aufgeben** to place/give an order, to order; **B. aufnehmen** to book an order; **B. ausführen** to execute/complete an order, to deal with/carry out an order; **mündliche B. schriftlich bestätigen** to confirm an oral order in writing; **B.en einschränken** to slash orders; **B. entgegennehmen** to send for orders; **auf B. fertigen/produzieren** to make to order; **B. in Auftrag geben** to put an order in hand; **auf B./aufgrund einer B. liefern** to supply to an order; **B. machen** to place an order; **B. rückgängig machen** to cancel/rescind an order; **einer B. nachkommen** to execute/fill/meet an order; **B. stornieren** to cancel an order; **B. übermitteln** to transmit an order; **B. vormerken** to book/enter an order; **B. vornehmen** to place an order; **B. widerrufen** to countermand/cancel/rescind an order

dringende Bestellung rush order; **einlaufende B.en** incoming orders, orders received; **feste B.** firm order; definite booking; **interne B.** inter-company order; **laufende B.** standing order; **mündliche B.** oral (purchase) order; **offene B.en** outstanding purchasing orders; **schriftliche B.** written order; **telefonische B.** telephone order; **terminierte B.en** timed ordering; **umfangreiche B.en** substantial orders; **unerledigte B.en** unfilled orders, outstanding purchasing orders; **verbindliche B.** binding order

Bestellungs|annahme *f* acceptance/acknowledgment/confirmation of order; **B.statistik** *f* order statistics; **B.termin** *m* purchase date; **B.vertrag** *m* deed of settlement; **B.zeitraum** *m* ordering period

Bestell|unterlage *f* ordering document; **B.verkehr** *m* ordering; **B.weg** *m* order routing; **B.wert** *m* order/contract value; **B.wesen** *nt* ordering (system), purchase order processing, order booking; **B.zeit** *f* 🚜 seed time; **B.zeitpunkt** *m* date of order; **B.zettel** *m* order form/slip

am besten at best, preferable; **b.falls** *adv* 1. at best; 2. in the best of cases

bestens *adv* *(Börse)* at best, at (the) market; **B.auftrag/B.order** *m/f* 1. market/discretionary order, order

at best/the market; 2. *(Verkauf)* order at the best price
besteuerbar *adj* 1. taxable, liable for tax, assessable, chargeable; 2. *(Gemeinde)* rat(e)able; **nicht b.** non-taxable, tax-exempt, duty-free; **B.keit** *f* 1. taxability; 2. rat(e)ability
besteuern *v/t* 1. to tax, to levy/charge/impose/put a tax on, to assess/burden; 2. *(Gemeinde)* to rate; **zu hoch b.** to overtax; **nicht b.** to zero-rate; **niedrig b.d** *adj* low-tax, low-duty
besteuert *adj* taxed, assessed; **getrennt b.** taxed separately; **niedrig b.** low-taxed, low-duty; **stark b.** heavily/highly taxed; **B.e(r)** *f/m* 1. taxpayer; 2. *(Gemeinde)* ratepayer, assessed
Besteuerung *f* 1. taxation, assessment, tax treatment, imposition of taxes, levying of tax; 2. tax; 3. *(Gemeinde)* rating; **B. nach Durchschnittssätzen** taxation at flat rates; **B. des Ertrags** taxation on income; **~ Gewinns** taxation on profit; **B. von Schenkungen unter Lebenden** tax on gifts inter vivos *(lat.)*, ~ made during life; **~ Transferleistungen** clawback, (capital) transfer tax; **von der B. ausgenommen** tax-exempted; **der B. unterliegend** 1. taxable, liable for tax; 2. *(Gemeinde)* rat(e)able; **von doppelter B. befreien** to relieve of double taxation; **aus der B. herausnehmen** to exempt from taxation; **der B. unterliegen** to be subject to taxation, ~ taxable/chargeable, ~ liable for tax
abgestufte Besteuerung graduated taxation; **abschreckende B.** tax disincentive; **anteilmäßige B.** proportional taxation; **degressive B.** graduated taxation; **direkte B.** direct taxation; **diskriminierende B.** discriminatory taxation; **doppelte B.** double taxation; **einheitliche B.** standard taxation; **einschränkende B.** restrictive taxation; **erneute B.** reimposition (of tax); **exterritoriale B.** foreign taxation; **fiskalische B.** revenue taxation; **geringe B.** light taxation; **gestaffelte B.** graduated taxation; **gleichmäßige B.** equal and uniform taxation; **zu hohe B.** excessive/prohibitive taxation, overtaxation; **indirekte B.** indirect taxation; **kommunale B.** rating, rates; **leistungshemmende B.** tax disincentive; **mehrfache B.** multiple taxation; **progressive B.** progressive taxation; **regressive/rückwirkende B.** regressive taxation; **übermäßige B.** excessive taxation; **unterschiedliche B.** discriminatory taxation; **versteckte B.** hidden taxation; **zusätzliche B.** supplementary taxation
Besteuerungs|art *f* type of taxation; **B.bestimmungen** *pl* taxing provisions; **B.einheit** *f* tax unit; **b.fähig** *adj* 1. taxable; 2. *(Gemeinde)* rat(e)able; **B.fähigkeit** *f* 1. taxability, taxable capacity; 2. *(Gemeinde)* rat(e)ability; **B.freigrenze** *f* exemption; **B.gegenstand** *m* taxable event; **B.grenze** *f* margin of taxation, upper tax limit; **B.grundlagen** *pl* (tax/revenue) base, tax basis, basis for taxation; **B.grundsätze** *pl* principles/canons of taxation; **B.hoheit/B.recht** *f/nt* power to tax, taxation/taxing power, right to impose tax; **subsidiäres B.recht** subsidiary right to tax; **B.satz** *m* rate of taxation, tax rate; **B.struktur** *f* structure of taxation; **B.system** *nt* system of taxation; **B.unterschiede** *pl* discrepancies in taxation; **B.verfahren** *nt* method of taxation, tax proceedings; **B.vorschriften** *pl* tax regulations; **B.wesen** *nt* taxation, tax system; **B.zeitraum** *m* tax/taxable period
Best|fall *m* optimum; **im B.fall** at best; **B.form** *f* top condition; **b.gehend** *adj* best-selling
bestimmbar *adj* determinable; **qualitativ b.** qualifiable; **quantitativ b.** quantifiable; **schwer b.** hard to determine, elusive
bestimmen *v/t* 1. to specify/state/stipulate/regulate/assign/ordain; 2. *(entscheiden)* to determine/decide, to lay down; 3. *(anordnen)* to direct; 4. *(ernennen)* to appoint/designate/nominate; 5. *(Gesetz)* to govern; 6. *(planen)* to design; 7. *(verfügen)* to rule; 8. to define/classify; 9. *(vorsehen)* to provide; 10. *(Zweck)* to earmark; **b. für** to target for; **sich b. nach** to depend on; **genau b.** to pinpoint/identify, to tie down; **mengenmäßig b.** to quantify; **näher b.** to define/qualify
bestimmend *adj* determinant, dominant, determinative, governing
bestimmt *adj* 1. definite, specific, distinct; 2. appointed, particular, set, given; 3. positive, clear-cut, express, determinate; 4. assertive; **b. für** meant/intended for, allotted to; **dafür b.** designed; **falls nicht anders b.** failing (an) agreement to the contrary; **soweit ... nicht etw. anderes b.** unless ... provided otherwise; **soweit nicht ausdrücklich etw. anderes b. ist** in the absence of any provision to the contrary; **gesetzlich b.** provided/prescribed by law; **b. sein** to be provided for
Bestimmtheit *f* 1. certainty, definiteness; 2. determination, assertiveness; **mit B. erklären** to state positively; **~ wissen** to know for certain; **B.smaß** *nt* determination coefficient, coefficient of determination
Bestimmung *f* 1. direction, disposition, instruction, determination; 2. *(Begriff)* definition; 3. *(Ernennung)* appointment, designation; 4. *(Gesetz/Vertrag)* term, provision, clause, rule, condition, covenant; 5. *(Verordnung)* regulation, stipulation; 6. *(Zuweisung)* allocation; **B.en** terms, conditions laid down, provisions; **aufgrund der ~ von** under the terms of; **laut B.** in accordance with the provisions; **nach den B.en von** under the provisions of
Bestimmung|en für den Aktienhandel trading rules; **B. des Gesellschaftszwecks** definition of the objects of the company; **B.en über Konsultationen** consultation provisions; **B. durch das Los** draw; **B.en des Vertrags** terms of the contract/agreement; **B. über die Vertragsdauer** terminating clause; **B.en über den Zahlungsverkehr** exchange arrangements; **B. der Zuständigkeit** [§] jurisdictional decision
Bestimmung anwenden to apply a provision; **B. auslegen** to construe a clause; **B.en aufheben** to lift/repeal provisions; **~ beeinträchtigen** to conflict with the provisions; **sich auf gesetzliche ~ berufen** to invoke the provisions of a statute; **den ~ entsprechen** to abide by/comply with/conform to the regulations, to conform to requirements; **~ für nichtig erklären** to declare provisions to have lapsed; **~ erlassen** to lay down provisions; **unter eine B. fallen** to be subject to a provision, to fall within a definition; **B.en lockern** to relax rules;

kreditpolitische ~ lockern to ease credit controls; **B. nichtig machen** to nullify a provision; **B.en übertreten** to contravene regulations; **den ~ unterliegen** to be subject to (the) provisions; **nach den ~ verfahren** to act according to the rules; **B. verletzen** to infringe a clause, to contravene regulations; **B.en verschärfen** to tighten regulations; **den ~ zuwiderlaufen** to contravene the regulations

abweichende Bestimmung § derogation; **allgemeine B.en** general provisions; **amtliche B.en** official regulations; **vorbehaltlich anderslautender/anderweitiger B.** except as/unless otherwise provided; **arbeitsrechtliche B.en** labour regulations; **aufhebende/auflösende B.** rescinding/conditional clause; **ausdrückliche B.(en)** express stipulation/terms; **ausreichende B.en** satisfactory provisions; **bahnamtliche B.en** railway *[GB]*/railroad *[US]* rules and regulations; **bankengesetzliche B.en** banking regulations; **behördliche B.en** official regulations; **besondere B.en** special provisions; **eingefügte B.** inserted clause; **einschlägige B.en** relevant provisions; **einschränkende B.** restrictive provision, proviso; **einzelstaatliche B.en** *[EU]* national provisions; **endgültige B.** *(Ort)* final destination; **entgegenstehende/gegenteilige B.** stipulation/regulation to the contrary; **ungeachtet gegenteiliger B.** notwithstanding any provisions to the contrary; **gesetzliche B.** legal/statutory provision, enactment; **den gesetzlichen B.en gemäß** as required by law; **gesundheitspolitische B.en** sanitary regulations; **gewerbepolizeiliche B.en** factory acts; **haushaltsrechtliche B.en** budgetary regulations; **innergemeinschaftliche B.en** *[EU]* internal provisions; **lästige B.** onerous clause; **maßgebliche B.en** governing rules; **gemäß den nachstehenden B.en** as hereinafter provided; **nähere B.en** particulars; **obligatorische B.** mandatory provision; **ordnungsgemäße B.** proper use; **postalische B.en** post office regulations; **protokollarische B.en** rules of protocol; **räumliche B.** spatial location; **rechtliche B.en** provisions of the law; **satzungsgemäße B.en** rules laid down in the statutes; **steuerrechtliche B.en** tax regulations; **den steuerrechtlichen B.en entsprechend** under/pursuant to tax law, in accordance with tax regulations; **umfassende B.** omnibus clause, catch-all provision; **vertragliche B.** 1. contractual provision; 2. *[EU]* conventional provision; **vertragsmäßige B.en** rules laid down in agreements; **wesentliche B.** essential proviso, material term; **zollamtliche B.en** customs regulations; **zwingende B.** mandatory provisions

Bestimmungs|adresse *f* notify address; **B.amt** *nt* designated office; **B.bahnhof** *m* (station of) destination; **B.faktor** *m* determinant, determining factor; **B.flughafen** *m* (airport of) destination; **b.gemäß** *adj* according to the rules/terms/regulations, as provided/agreed, in accordance with provisions

Bestimmungsgröße *f* parameter, determinant, determining factor; **exogene B.** exogenous determinant; **konjunkturelle B.** economic factor

Bestimmungs|grund *m* decisive factor, determinant; **unmittelbarer B.grund** proximate determinant; **B.hafen** *m* (port of) destination; **B.kauf** *m* sale subject to buyer's specifications; **B.land** *nt* country of destination; **B.landprinzip** *nt* destination principle; **B.mitgliedsstaat** *m [EU]* Member State of Destination

Bestimmungsort *m* (place of/final) destination; **franko/frei B.** free delivered/destination; **frei B. verzollt** free destination cleared through customs; **endgültiger B.** final destination; **vereinbarter B.** agreed/contractual destination; **B.-Konnossement** *nt* destination bill of lading

Bestimmungs|recht *nt* option; **B.zollstelle** *f* (customs) office of destination; **letzte B.zollstelle** office of final destination; **B.zone** *f* zone of destination; **B.zweck** *m* intended purpose

Best|kauf *m* purchase at the lowest price; **B.kurs** *m* best price; **B.leistung** *f* record achievement/performance

bestmöglich *adj* 1. best possible, optimum; 2. *(Börse)* at best; **sein B.es tun** to do one's (level) best

bestock|en *vt* to stock; **B.ung** *f* 1. stocking; 2. ♣ growing stock

Bestpreis *m* best/highest/optimum price

bestrafen *v/t* 1. to punish/penalize/sentence; 2. *(Geldstrafe)* to fine; **disziplinarisch b.** to discipline; **schwer/streng b.** to punish severely

Bestrafung *f* punishment, sentencing; **B. durch Parlamentsgesetz** act of attainder *[GB]*; **B. wegen eines Verkehrsdelikts** motoring conviction; **von einer B. absehen** to refrain from punishment; **sich der B. aussetzen** to be liable to punishment; **der B. entgehen** to escape punishment; **B. nach sich ziehen** to carry a penalty; **strenge B.** severe punishment

bestrahl|en *v/t (Lebensmittel)* to irradiate, to zap *(coll)*; **B.ung** *f* irradiation

Bestreben *nt* endeavour, attempt; **in dem B.** anxious to (do), in quest of

bestrebt *adj* anxious, solicitous; **b. sein** to endeavour/strive

Bestrebung *f* effort, endeavour; **staatsfeindliche B.en** subversive activities

Bestreiken *nt* picketing, blacking; **B. einer Baustelle** site picketing; **B. eines mittelbar betroffenen Betriebs; B. von Drittbetrieben** secondary picketing; **B. von Industriebetrieben** industrial picketing; **friedliches B.** peaceful picketing; **b.** *v/t* 1. to strike/block/black; 2. *(Streikposten)* to picket; **weitere Betriebe b.** to extend picketing action

bestreik|t *adj* strike-bound, strike-hit; **B.ung** *f* picketing, blocking, blacking

bestreitbar *adj* 1. contestable, disputable, open to question; 2. *(Kosten)* defrayable, payable; **nicht b.** *adj* incontestable

Bestreiten *nt* 1. contestation; 2. denial; 3. § traverse; 4. *(Kosten)* financing, defrayal; **B. der Echtheit der Urkunde** § plea of non est factum *(lat.)*

bestreiten *v/t* 1. to deny/repudiate/gainsay/disclaim/impugn; 2. *(anfechten)* to contest/challenge/dispute; 3. *(Kosten)* to defray/finance, to pay/account for; **es läßt sich nicht b.** there is no denying/gainsaying; **energisch/entschieden b.** to deny stoutly/categorically/vigorously

Bestreitung *f* 1. *(Klage)* defence; 2. *(Kosten)* defrayal; **B. des Unterhalts** providing maintenance; **zur B. der Kosten beitragen** to contribute to the cost(s)

Bestseller *m* bestseller

bestück|en *v/t* 1. to equip; 2. 🖳 to populate; **B.ung** *f* 1. equipment; 2. 🖳 population; 3. component parts

Bestwert *m* optimum (value)

Besuch *m* 1. visit, call; 2. *(Veranstaltung)* attendance; 3. *(Kunde)* patronage; **B. bei** call on; **B. absagen** to cancel a visit; **jdn einen B. abstatten** to (pay so. a)visit, to pay so. a call, to call on so.; **B. empfangen** to receive visitors; **B. erwidern** to return a visit; **bei jdm einen kurzen B. machen** to look in on so.

guter Besuch *(Veranstaltung)* good attendance; **häufiger B.** frequenting; **informeller B.** informal visit; **kurzer B.** flying visit, look-in; **lästiger B.** tiresome visitor; **nachfassender B.** *(Vertreter)* follow-up visit; **offizieller B.** official visit; **regelmäßiger B.** patronization, patronage; **schwacher B.** *(Veranstaltung)* poor attendance; **unangemeldeter B.** *(Vertreter)* cold call; **zweiter B.** *(Vertreter)* callback

besuchen *v/t* 1. to call at/on, to make a call on so., to visit; 2. *(Kunden)* to canvass; 3. *(als Kunde)* to patronize; 4. *(Veranstaltung)* to attend; **häufig/regelmäßig b.** to frequent/patronize

Besucher(in) *m/f* visitor, caller; **B. aus Übersee** overseas visitor; **B. melden** to announce a visitor; **befugter B.** qualified visitor; **lästiger B.** tiresome visitor; **regelmäßiger B.** regular visitor

Besucher|frequenz *f* number of visitors; **B.kreis** *m* patronage; **B.land** *nt* country sending visitors; **B.pass** *m* visitor's passport; **B.strom** *m* flood of callers, stream of visitors; **B.visum** *nt* tourist visa; **B.zahl** *f* number of visitors, attendance (figures)

Besuchs|bericht *m* travel/call/visit report; **B.erlaubnis** *f* visitor's/visiting permit; **B.frequenz/B.häufigkeit** *f* call frequency; **B.gang** *m* round of visits; **angemessene B.regelung** *(Scheidung/Kinder)* reasonable access; **B.stunden/B.zeit** *pl/f* visiting hours; **B.verbot** *nt* ban on visits

schwach besucht *adj* poorly attended; **stark b.** crowded, packed; **wenig b.** unfrequented

betätigen *v/t* 1. to operate/work; 2. ✿ to actuate/activate/press; **sich aktiv b.** to take an active part; **sich erfolgreich b.** to succeed; **sich geschäftlich b.** to be in business; **sich nützlich b.** to make o.s. useful; **mechanisch b.** to operate mechanically

Betätigung *f* 1. activity, pursuit; 2. ✿ actuation/activation; **erwerbswirtschaftliche B.** business activity; **gewerkschaftliche B.** trade union activity; **politische B.** political activity

Betätigungs|bereich *m* field of activity; **B.feld** *nt* field of activity, scope of action, operation, outlet, range of activities; **B.freiheit** *f* freedom of action; **B.möglichkeit** *f* activity; **B.vorrichtung** *f* actuator

Beta-Verteilung *f* ▦ beta distribution

beteiligen (an) *v/refl* to take part (in), to participate/contribute/share/engage (in), to be party to, to come in on; **sich aktiv b.** to take an active part; **sich finanziell b.** 1. to acquire an interest, to become financially interested, to take an equity stake in, to chip in *(coll)*; 2. to have a share in; **sich lebhaft b.** to take an active part

beteiligt *adj* 1. concerned, interested, participating; 2. *(Unfall)* involved; **b. sein an** to be involved/interested in, ~ a party to, to participate in, to have a stake/share/interest in, to be concerned; 3. *(Handlung)* to be instrumental in; **nicht ~ an** to have no part in

Beteiligte|(r) *f/m* 1. party; participant, co-partner; 2. *(Teilhaber)* partner; **die B.n** the parties concerned, those concerned; **mehrere am Delikt B.** § joint and several tortfeasors; **B.(r) eines Vertrags** party to a contract; **B. laden** § to summon the parties; **mittelbar B.(r)** remote party; **unmittelbar B.(r)** immediate party; **wesentlicher B.(r)** substantial investor

Beteiligtsein *nt* involvement

Beteiligung *f* 1. participation, involvement, concern; 2. investment, holding, stake, share, money invested, equity/participating interest; 3. *(Bilanz)* trade investment; 4. sharing; 5. *(Veranstaltung)* attendance, turnout; 6. *(Mitwirkung)* cooperation; 7. subsidiary; **B.en** 1. equity/financial investments, shareholdings (in outside companies), (participating) interests; 2. *(Bilanz)* investments in subsidiaries and associated companies, ~ affiliated/investee/subsidiary companies

Beteiligung am Aktienkapital equity participation/stake/holding; **B. der Anwohner** resident participation; **B. der Arbeitnehmer** employee participation; ~ **am Aktienmarkt** employee shareholding *[GB]*/stockholding *[US]* (scheme); ~ **am Gewinn** employee profit-sharing (scheme); **B. an einer Ausschreibung** participation in a tender; **B.en zum Buchwert** investments at amortized cost; **B. Dritter am Rechtsstreit** third-party notice; **B. am Firmenkapital** equity participation; **B.en der Geschäftsleitung** management holdings; **B. an Gesellschaften** investment in companies; **wesentliche ~ einer Gesellschaft** material interest in a company; **B. am Gewinn** 1. (employee) profit-sharing (scheme); 2. share in the profit; **B. in ungenannter Höhe** unquantified interest; **B. an Kapitalgesellschaften** equity investment; **B. außerhalb des Kerngeschäfts** non-core interest; **B. an einem Konsortium** underwriting participation; **~ den Kosten** cost sharing; ~ **syndizierten Krediten** participations, underwritings; ~ **einer Messe** participation in a fair; **B. der Mitarbeiter am Unternehmen** employee shareholding *[GB]*/stockholding *[US]*; **B. an der Patentverwertung** interest in patent exploitation; **B. am Stammkapital** equity interest; **B.en über Strohmänner** intermediary holdings; **direkte B. an einem Unternehmen** direct stake in a company; **indirekte ~ Unternehmen** indirect stake in a company; ~ **börsennotierten Unternehmen** quoted investment; ~ **Verbrechen** complicity in a crime; **B.en und andere Wertpapiere** bonds and other interests

Beteiligung abgeben to sell off an interest; **B. abstoßen** to hive/spin off a stake; **B. anbieten** *(Geschäft)* to offer so. an interest; **B. aufgeben** to withdraw; **B. aufstocken/erhöhen/erweitern** to increase/to top up a holding, to build up a stake; **B. erwerben** to acquire/secure an interest, to acquire an equity investment, to take a holding, to buy a stake in a company; **B. haben/halten** to hold a stake; **B.en umschichten/umstellen** to shuffle holdings; **B. verkaufen** to sell off an interest; **seine B. verlieren** to lose one's stake; **B. verwässern** to dilute a holding

anteilige Beteiligung pro-rata participation; **angemessene B.** fair share; **ausländische B.en** foreign interests; **erhebliche B.** material interest; **finanzielle B.** financial interest/holding/participation; **100-prozentige B.** wholly owned subsidiary/interest; **industrielle B.** industrial holding; **interne B.** intercompany participation; **kommanditistische B.** limited partnership interest, partnership in commendam *(lat.)*; **konsolidierte B.en** interests in subsidiaries and consolidated companies; **maßgebliche B.** controlling/substantial interest; **mittelbare B.** indirect (security) holding; **offizielle B.** official participation; **persönliche B.** personal investment/participation; **rege B.** good attendance; **schlechte/schwache B.** poor attendance; **staatliche B.** state participation/holding; **stille B.** silent/dormant partnership, dormant equity holding, sleeping partnership interest, ~ partner's holding; **unmittelbare B.** direct participation; **unwesentliche B.** immaterial holding; **verdeckte B.** undisclosed participation; **verschiedene B.en** *(Bilanz)* sundry investments and interests; **wechselseitige B.en** cross-ownership, cross shareholdings, mutual participations; **wesentliche B.** 1. material interest; 2. substantial investment, ~ equity holding

Beteiligungs|absicht *f* intention to acquire a stake; **B.aktivitäten** *pl* financial investments; operations of associated companies; **seinen B.anteil aufstocken** *m* to build up one's stake; **B.aufstockung** *f* increase of the stake; **B.bank** *f* equity/investment/associate/affiliated bank, bank affiliate; **B.basis** *f* investment base; **B.besitz** *m* trade investments, participations; **B.bestand** *m* investment portfolio, ~ in companies; **B.betrag** *m* amount invested; **B.buchwert** *m* book value of participations, ~ investments in subsidiaries and associated companies; **B.charakter** *m (Darlehen)* equity feature; **B.darlehen** *nt* trade investment by way of loan; **B.engagement** *nt* investment commitment; **B.ergebnis** *nt* investment income/result, net result from investments; **B.ertrag** *m* investment earnings/income, income from subsidiaries and associates, profit from interests; **B.erträge** *pl* dividends/income from affiliates; **B.erwerb** *m* purchase of an interest, acquisition (of participations); **~ im Ausland** foreign acquisition; **B.fähigkeit** *f* § capacity to participate in the proceedings; **B.finanzierung** *f* equity financing, financing of participations; **B.firma** *f* holding company, affiliate, associate; **B.fonds** *m* equity/investment fund; **B.garantiegemeinschaft** *f* underwriting syndicate; **B.geschäft** *nt* joint venture, transaction on joint account; **B.gesellschaft** *f* holding/affiliated/associate(d)/investment company, joint venture, partly owned subsidiary; **B.gewinn** *m* investment earnings; **B.investition** *f* trade/portfolio/direct investment; **B.kapital** *nt* equity (participation)/venture capital, outside equity/capital, trade investments; **B.kauf** *m* acquisition of participation(s); **B.konto** *nt* 1. (trade) investment account, syndicate/participation/joint (venture) account; 2. *(Bilanz)* trade investments (item); **B.konzern** *nt* controlled corporate group; **B.lohn** *m* profit-related pay (PRP) *[GB]*; **B.modell** *nt* profit-sharing scheme; **B.note** *f (Vers.)* insurance slip; **B.option** *f* participation option; **B.papier** *nt (Aktie)* equity; **B.partner** *m* investment partner; **B.politik** *f* acquisition/acquisitive policy; **B.portefeuille** *nt* investments, investment portfolio, interests held, portfolio of participating interests; **B.prozentsatz** *m* working interest, participation percentage; **B.quote** *f* share, interest, contingent, interest share; **B.recht** *nt* interest, share, equity; **B.sondervermögen** *nt* investments, investment portfolio, holdings, equity interests; **B.sparen** *nt* equity/(capital) investment saving; **B.stichtag** *m* date of acquisition; **B.struktur** *f* investment structure; **B.syndikat** *nt* underwriting syndicate; **B.system** *nt (Vermögensbildung)* profit-sharing scheme, sharing plan *[US]*; **B.umfang** *m* size of holding; **B.umschichtung** *f* rearrangement of holdings; **B.unternehmen** *nt* associate/holding company; **B.veräußerung** *f* sale of participation/interest; **B.verfahren** *nt* consultation procedure; **B.verhältnis** *nt* share, quota, participation ratio/relationship, interest held; **B.vertrag** *m* partnership/joint venture agreement, contract of partnership; **B.wechsel** *m* change of investments; **b.willig** *adj* interested to acquire a stake, ~ in acquiring trade investments; **B.wert** *m* book value of investment in subsidiaries and associated companies

beteuern *v/t* to assert/protest/affirm

Beteuerung *f* assertion, protestation, affirmation; **eidliche B.** assertory oath

betitel|n *v/t* to head/entitle; **b.t** *adj* headed; **B.ung** *f* heading

Beton *m* 🏛 concrete; **B.bau** *m* concrete building

betonen *v/t* to stress/emphasize/underline/underscore *[US]*/highlight, to point out, to lay/put emphasis on

Betongold *nt* assets in the form of commercial or residential buildings

beton|t *adj* pointed, demonstrative; **B.ung** *f* stress, emphasis

Betonwerk *nt* 🏛 concrete mixing plant

Betr. *(Brief)* re., subject

außer Betracht bleiben *m* to be ruled out; **in B. kommen** to be possible; **~ kommen für** to qualify for, to be considered for; **nicht ~ kommen** to be out of the question, ~ ruled out; **~ kommend** concerned, under consideration; **außer B. lassen** to disregard, to leave out of account; **in B. ziehen** to consider/contemplate, to take into consideration/account, ~ account of, to look at, to allow for

betrachten *v/t* to view/regard/consider/treat/deem/eye, to look at; **langfristig b.** to take a long view; **als selbstverständlich b.** to take for granted

Betrachter(in) *m/f* viewer, observer

für sich betrachtet on its merits; **äußerlich/oberfläch-**

lich/vordergründig b. on the face of it, ~ surface; **theoretisch b.** in theory

beträchtlich *adj* considerable, siz(e)able, great, substantial, heavy, notable, respectable

Betrachtung *f* consideration, reflection

bei genauer Betrachtung on closer examination; **bei langfristiger B.** on a longer view; **bei nachträglicher/rückblickender B.** looking back, with hindsight; **bei näherer B.** on close inspection; **bei nüchterner B.** considered dispassionately; **bei oberflächlicher/vordergründiger B.** on the face of it

Betrachtungsweise *f* approach; **gesamtwirtschaftliche B.** macro-economic approach; **nüchterne B.** pragmatism; **wirtschaftliche B.** commercial approach

Betrachtungszeitraum *m* viewing period

Betrag *m* 1. amount, sum, figure; 2. rate, value, worth; 3. fee; **bis zum B. von** up to the amount of, to the extent of; **im B. von** to the amount of, amounting to; **über einen B. von** *(Wechsel)* good for; **B. in Buchstaben/Zahlen** amount in figures; **B. für die Zwischendividende** interim payout; **B. erhalten** for value received, payment/amount received; **B. bar erhalten** cash received; **B. dankend erhalten** payment received with thanks

Betrag abbuchen to debit an amount; **B. abführen** to pay a sum; **B. abheben** to withdraw an amount; **B. abrunden** to round off a sum; **B. abzweigen** to set aside an amount; **B. anrechnen** to to credit an amount; **B. auszahlen** to pay out an amount; **B. bereitstellen** to allocate/earmark an amount; **B. bewilligen** to allow/allocate a sum; **B. einzahlen** to deposit an amount; **eingeforderten B. einzahlen** to pay a call on shares; **in zweistellige Beträge gehen** to get into double figures; **jdm einen B. gutbringen/gutschreiben** to enter/place an amount to so.'s credit, to credit so. with an amount, ~ a sum to so.; **B. guthaben** to have a balance in one's favour; **B. einem Konto gutschreiben** to credit an account with an amount, to credit/place/pass/carry an amount to so.'s account; **B. hinterlegen** to deposit a sum/an amount; **B. registrieren** *(Kasse)* to ring up the sale; **B. zur Verfügung stellen für** to subscribe a sum for; **B. überschreiten** to exceed an amount; **B. überweisen** to remit an amount/a sum; **B. vorlegen/vorschießen** to advance an amount/a sum; **B. vortragen** to bring forward an amount/a sum

abgebuchter Betrag amount debited; **abgehobener B.** withdrawal, amount withdrawn; **abgerundeter B.** round(ed) sum; **absoluter B.** absolute value; **abzugsfähiger B.** *(Steuer)* allowable deduction, personal allowance; **abzugsfähige Beträge** tax deductibles; **anfallende Beträge** accruals, accruing amounts; **angegebener B.** indicated amount; **angelegter B.** amount invested; **angezahlter B.** deposit; **anteiliger B.** prorated amount; **aufgekommener B.** funds obtained; **aufgelaufener B.** accrual, cumulative figure; **ausgemachter B.** amount agreed upon; **im Rahmen des ausgeschriebenen B.es** within the limits of the amount stated in the public announcement; **ausgewiesener B.** amount stated; **ausgezahlter B.** amount paid out, disbursement; **ausmachender B.** 1. amount debited/credited; 2. actual/final amount, actual cost/proceeds; **ausstehender B.** amount owing/owed/outstanding, sum/balance due; **auszuzahlender B.** amount payable; **beliebiger B.** any amount; **zu viel berechneter B.** overcharge; **zu wenig ~ B.** undercharge; **bestimmter B.** definite sum, specific amount; **frei disponierbarer B.** discretionary allowance; **einbehaltener B.** amount withheld; **eingeforderter B.** amount called in; **eingeklagter B.** amount sued for; **eingeplanter/haushaltsmäßig eingesetzter B.** budget(ed) amount; **eingezahlter B.** paid-up amount, amount paid in/deposited; **einmaliger B.** one-off payment, lump sum; **entnahmefähiger B.** amount available for withdrawal; **sich ergebender B.** resultant amount; **erheblicher B.** substantial amount; **erzielbarer B.** recoverable sum; **fälliger B.** amount/sum due; **fehlender B.** missing amount; **ganzer B.** full amount, sum total; **gedeckter B.** *(Vers.)* amount covered; **genauer B.** exact/precise amount; **haushaltsmäßig genehmigter B.** amount provided/admitted for by the budget; **sehr geringer B.** nominal sum; **gesamter B.** sum total; **geschuldeter B.** amount due/owing; **in Rechnung gestellter B.** 1. charge; 2. billings; **zu viel gezahlter B.** overpayment; **gezeichneter B.** amount subscribed; **gutgeschriebener B.** credited amount, amount credited; **hinterlegter B.** amount deposited; **als Kaution/Sicherheit ~ B.** § bail; **kleiner B.** small sum/amount, pittance; **krummer B.** odd/broken amount; **lächerlicher B.** pittance, paltry sum; **lohnsteuerfreier B.** income-tax-free amount; **monatlicher B.** monthly sum; **nachzuversteuernder B.** taxable amount for previous years; **namhafter/nennenswerter B.** considerable amount, substantial sum; **offener B.** amount outstanding/owing/owed; **offen stehender B.** outstanding amount, open item; **passender B.** precise amount; **pfändungsfreier B.** exemption; **restlicher B.** remainder, remaining amount, balance due; **roher B.** gross amount; **rückständiger B.** (amount in) arrears; **steuerabzugsfähige Beträge** tax deductibles; **steuerfreier B.** tax-free/tax-exempt amount; **steuerpflichtiger B.** taxable amount; **strittiger B.** amount at issue; **überfälliger B.** amount/sum (over)due, delinquent amount; **überwiesener B.** remittance, amount remitted; **überzahlter B.** excess amount; **überzogener B.** overdraft; **unbedeutender B.** paltry sum; **ungeklärter B.** balancing item; **ungeklärte Beträge** *(Bilanz)* errors and omissions; **verausgabter B.** expenditure; **verfügbarer B.** amount available; **vierstelliger B.** four-figure amount; **voller B.** full amount; **vorausgezahlter B.** prepaid amount; **zuerkannter B.** award; **zugeflossener B.** accrual, amount received

Betragen *nt* conduct, behaviour, manners; **musterhaftes B.** model conduct; **unanständiges B.** indecent behaviour

betragen *v/i* 1. to amount/run/come to, to add up to, to account for; 2. to represent, to be; *v/refl* to conduct o.s.; **durchschnittlich b.** to average (out); **im Ganzen b.** to aggregate; **insgesamt b.** to total; **sich musterhaft b.** to behave perfectly; **sich ungebührlich b.** to misbehave

Betrags|feld *nt* amount field; **b.mäßig** *adv* in figures, relating to amount; **B.spalte** *f* amount column; **B.spanne** *f* gross margin

jdn betrau|en mit *v/t* to entrust so. with, to put so. in charge of; **b.t mit** in charge of

Betreff *m* 1. reference, subject; 2. *(Brief)* re., ref.; **B. angeben** to state reference, ~ subject matter

betreffen *v/t* to concern/affect, to pertain/relate to, to cover/hit, to be of concern to

betreffend *adj* respecting, concerned, pertaining/relating to, in question; *prep* re. (reference), concerning, regarding, on the subject of

betreffs *prep* → **betreffend**

Betreiben *nt* 1. § *(Klage)* pursuit; 2. operation, management, running; **auf jds B.** at one's instigation; **auf B. von** 1. at the instigation/instance of; 2. § at the suit of; **B. unreeller Maklergeschäfte** bucketing

betreiben *v/t* 1. to operate/run/conduct/manage, to be engaged in; 2. to initiate/move, to carry out; 3. to pursue; **gemeinsam b.** to run jointly; **gewerbsmäßig b.** to make a business of sth.

Betreiber(in) *m/f* operator; **B. von Anlagen** plant operator; **B. eines Ausbeutungsbetriebs** sweatshop operator; **B. von Kabelkanälen** cable operator; ~ **Verbrauchermärkten** superstore operator; **unseriöser B.** cowboy operator *(coll)*; **B.gesellschaft** *f* operating company; **B.modell** *nt* operator modell

Betreibung *f* → **Betreiben**

Betreten *nt* entry; **B. (des Grundstücks) verboten** no trespassing; **B. bei Strafe verboten** trespassers will be prosecuted; **unbefugtes B.** § trespass, unlawful entry; ~ **eines Grundstücks** trespass; ~ **eines eingefriedeten Grundstücks** breach of close; **widerrechtliches B. fremden Besitztums** breach of close, trespass

betreten *v/t* to enter; **unbefugt/widerrechtlich b.** to trespass

betreu|en *v/t* 1. to look after, to take care of; 2. *(Person)* to mind; 3. *(Firma)* to serve/service; **B.er(in)** *m/f* 1. *(Kunde)* account manager; 2. $ care attendant

Betreuung *f* 1. care, looking-after; 2. cover, servicing, support activities; **B. von Markenartikeln** brand management; **B. durch die Tochter** *(Steuer)* daughter's services; **ärztliche B.** medical care; **häusliche B.** home care; **nachträgliche B.** 1. after-sales service; 2. $ aftercare; **soziale B.** social work

Betreuungs|auftrag *m* *(Vertreter)* assignment for coverage; **B.gebühr** *f* attendance fee; **B.intensität** *f* service intensity; **B.stelle** *f (sozial)* welfare centre; **B.tätigkeit** *f (sozial)* welfare work

Betrieb *m* 1. plant, factory, works, workshop, shop; 2. firm, enterprise, company, establishment, undertaking, business unit, concern; 3. facility; 4. ✿ operation, running, working; **außer B.** 1. out of order/use/operation, disused, inoperative; 2. off line; **im B.** on the shop floor, at plant level; **in B.** 1. operational, on stream, in action/use/operation; 2. on line

Betrieb für Auftragsfertigung job shop, ~ order plant; ~ **die Eigenfertigung** captive shop; **B. mit Gewerkschaftszwang** closed *[GB]*/union *[US]* shop; **B. an der Grenze der Rentabilität** marginal plant; **B. von Hand** manual operation; **B. der öffentlichen Hand** public-ownership company; **B. einer Handelsgärtnerei** market gardening *[GB]*, truck farming *[US]*, trucking *[US]*; **B. mit Kundenauftragsfertigung** job-order/make-to-order plant; ~ **Lagerfertigung** make-to-stock plant; **B. der Land- und Forstwirtschaft** agricultural establishment; **B. von Seeschiffen und Luftfahrzeugen** operation of ships and aircraft; **B.e der Urproduktion** extractive industry; **im B. des Versicherungsnehmers** on the premises of the insured; **B. mit Vorzugsbehandlung für Gewerkschaftsmitglieder** preferential shop; **B. im Zollfreigebiet** in-bond plant; **B. mit gewerkschaftlicher Zwangsmitgliedschaft** closed *[GB]*/union *[US]* shop; ~ **nach Eintritt** post-entry closed shop; ~ **vor Eintritt** pre-entry closed shop; **B. ohne gewerkschaftliche Zwangsmitgliedschaft** open shop

nicht in Betrieb inoperative; **voll in B.** fully operational; ~ **befindlich** operating

Betrieb aufgeben to close/discontinue a business, ~ plant, to shut up shop *(coll)*; **B. aufnehmen** 1. to start production/operating, ~ up, to become operational, to begin operating, to put on stream, to take into operation; 2. to start a business; **B. ausdehnen** to expand operations; **B. besichtigen** to tour/visit a plant; **B. einschränken** to cut back operations; **B. einstellen** to stop working, to close down, to cease operations; **B. eröffnen** 1. to start operating; 2. to open a business; **B. errichten** to establish a plant, ~ an operation; **B. straff führen** to run a tight ship *(fig)*; **in B. gehen** to come/go on line, ~ stream, to go into operation, to be commissioned; ~ **halten** to keep going/operating; **B. leiten** to manage (a plant); **außer B. nehmen** to take out of operation/service, to withdraw/retire/abandon/shut down; **in B. nehmen** 1. to put/take into operation, ~ into service, to start operating, to press the button *(fig)*; 2. to exploit; **B. rationalisieren** to streamline operations; **B. schließen** to close (down) a plant, to go out of business; **B. vorübergehend schließen** to shut down a plant; **außer B. sein** to be out of order, to stand idle, not to be working; **in B. sein** to operate, to be operational/working; **voll ~ sein** to be fully operational, to operate a full service; **außer B. setzen** to put out of action/operation, to render inoperative, to decommission, to go/take off stream; **in B. setzen** to activate/start/operate/prime, to put in(to) action, ~ on stream, to press the button *(fig)*, to set going, to put/bring into operation; **wieder ~ setzen** to restart; **B. stilllegen** to close down (a plant); **auf maschinellen B. umstellen** to mechanize; **B. verlagern/verlegen** to relocate a plant, to move operations; **B. in vollem Umfang weiterführen** to operate a full service; **B. wiederaufnehmen** to resume operations; **aus dem B. ziehen** to withdraw

aktiver/arbeitender Betrieb going concern; **billig arbeitender B.** low-cost plant; **bahngesteuerter B.** continuous-path operation; **bedienungsfreier B.** unattended operation; **bestreikter B.** strike-bound plant; **drahterzeugender/-verarbeitender B.** wire works;

durchgehender B. continuous process/operation; **im eigenen B.** 1. in-house; 2. on the home front *(fig)*; **einschichtiger B.** single-shift operation; **einstufiger B.** single-stage plant; **einträglicher B.** profitable concern; **endgültiger B.** final operating conditions; **neu errichteter B.** newly established enterprise; **forstwirtschaftlicher B.** forestry operation; **ordentlich geführter B.** well-run business; **wissenschaftlich ~ B.** scientific management; **gemeinnütziger B.** 1. non-profit-making enterprise; 2. ⚡/*(Gas/Wasser)* (public) utility company; **gewerblicher B.** industrial/business enterprise, manufacturing plant/facility/establishment; **gewerkschaftsfeindlicher Betrieb** anti-union shop; **gewerkschaftsfreier B.** open/non-union shop; **gewerkschaftsgebundener/-pflichtiger B.** closed/agency *[US]*/union shop; **grafischer B.** printing shop; **gutgehender B.** prosperous concern; **handwerklicher B.** handicraft enterprise, craftsman's business/establishment; **indirekter B.** 🖳 off-line operation; **kaufmännischer B.** commercial enterprise/establishment; **kleiner B.** small enterprise/firm; **kleine und mittlere B.e** small and medium-sized businesses, smaller operators; **kontinuierlicher B.** 🏭 steady working, continuous operation; **kostendeckender B.** self-supporting enterprise; **landwirtschaftlicher B.** farm (enterprise), agricultural undertaking/enterprise/establishment; **laufender B.** day-to-day business; **lebenswichtige B.e** essential services; **manueller B.** manual operation; **markthallenähnlicher B.** farmers' market; **mehrstufiger B.** multi-stage plant; **milchverarbeitender B.** milk-processing plant, dairy; **mittelständischer B.** small firm/business/enterprise/company; **mittlerer B.** medium-sized firm/enterprise/business; **notleidender B.** ailing enterprise; **offener B.** *(ohne Gewerkschaftszwangsmitgliedschaft)* open shop; **öffentlicher B.** public(-sector) undertaking/enterprise/corporation; **programmabhängiger B.** 🖳 programme-sort mode; **rentabler B.** profitable operation/enterprise; **sparsamer B.** economic operation; **staatlicher B.** state enterprise; **steuerpflichtiger B.** taxable enterprise; **stillgelegter B.** closed plant, outgoer; **störungsfreier B.** trouble-free/uninterrupted operation; **staatlich subventionierter B.** government-subsidized enterprise; **verlagerter B.** relocated plant; **volkseigener B.** *[DDR]* nationalized enterprise; **vollautomatischer B.** fully automatic operation; **werbender B.** productive enterprise; **wettbewerbsfähiger B.** competitive undertaking; **wirtschaftlicher B.** 🏭 profitable/economic operation; **zweckdienlicher B.** effective operation

betrieben *adj* managed, operated, run; **elektrisch b.** electrically operated; **maschinell b.** hand-operated, power-operated; **staatlich b.** state-run

betrieblich *adj* 1. operational, operating, managerial; 2. in-house, company

Betriebs|- operational, shop-floor, company, corporate; **B.ablauf** *m* operational procedure/sequence, in-plant/inter-plant flow; **B.ablaufplanung** *f* operation sequencing; **B.abrechner** *m* cost/operational accountant; **B.abrechnung** *f* operational/cost/internal/shop accounting, operating cost and revenue accounting, ~ statement; **B.abrechnungsbogen** *m* operation/assignment sheet, cost apportionment sheet, master summary sheet, departmental cost distribution summary, overhead allocation/distribution sheet, ~ statement; **B.abschnitt** *m* operational stage; **B.abstimmung** *f* *(Wahl)* shop-floor vote

Betriebsabteilung *f* operating department/unit, division, branch, general management department; **kaufmännische B.** commercial department; **kundenorientierte B.** customer-facing operating division; **technische B.** engineering/technical department

Betriebs|abwicklung *f* 🚆 train operation; **B.aktiva** *pl* active assets

betriebsam *adj* active, busy; **B.keit** *f* activity

Betriebs|analyse *f* operation(al) analysis; **B.änderung** *f* operational change, change in plant operations; **B.anforderungen** *pl* operating requirements; **B.angehörige(r)** *f/m* employee, staff member, worker; *pl* staff, personnel; **aktive B.angehörige** current staff

Betriebsanlage *f* plant, (operational) facility, equipment; **B.n** plant facilities; **bestehende ~ erweitern** to extend existing plant(s); **nicht ausgenutzte B.n** idle equipment; **stillliegende B.n** idle facilities; **B.werte** *pl* plant assets

Betriebs|anleitung *f* operator/operating manual, working/operating instructions; **B.anordnung/B.anweisung** *f* operating instruction, directive; **B.archiv** *nt* company archives; **B.art** *f* 1. mode/type (of operation), operating mode; 2. type of business enterprise; **B.arzt** *m* company/plant/works physician, works doctor/medical officer; **B.assistent(in)** *m/f* managerial assistant, assistant to the manager; **B.aufbau** *m* business structure; **B.aufgabe** *f* closure, closing-down, termination of a business; **B.aufgabegewinn** *m* closing-down profit; **B.auflösung** *f* closing-down, (plant) closure; **B.aufnahme** *f* commencement of operation, putting on stream, taking into operation; **B.aufseher** *m* plant supervisor; **B.aufsicht** *f* plant inspection/inspectorate; **B.aufspaltung** *f* operational split; **B.aufstellung** *f* operating statement; **B.aufwand/B.aufwendungen** *m/pl* operating cost(s)/expenditure, operating/working/running expense(s); **B.aufzeichnungen** *pl* company records; **B.ausbildung** *f* industrial/in-service training; **B.ausfall** *m* breakdown, shutdown, loss of production; **B.ausflug** *m* works/staff outing; **B.ausgaben** *pl* operating/working expenditure, operating cost(s), running/business/commercial/operating expenses; **B.ausgabenabzug** *m* deduction of running expenses, ~ operating cost(s); **B.auslastung/B.ausnutzung** *f* plant utilization, factory operating rate; **B.ausrüstung** *f* industrial equipment; **B.ausschuss** *m* shop/works committee; **gemeinsamer B.ausschuss** joint committee of management and employees, ~ labour-management/production committee; **B.ausstattung** *f* 1. factory/plant equipment; 2. (investment in) plant and equipment; **B.- und Geschäftsausstattung** *(Bilanz)* fixtures, fittings, tools and equipment, equipment and fittings, furniture and fixtures, office furniture and equipment; **B.ausweis** *m* company identification card; **B.ausweitung** *f* plant extension/expansion, industrial expansion; **b.bedingt** *adj* operational; **B.bedingungen** *pl* operational/operating conditions; **landwirtschaftliche B.bedingungen** agricultural practice; **B.bedürfnisse** *pl* operational/operating requirements; **B.begehung** *f* plant inspection, tour of the plant; **b.begleitend** *adj* parallel; **B.belastung** *f* working load; **B.berater** *m* management/business consultant; **B.beratung** *f* management consultancy/consulting; **B.bereich** *m* 1. (profitable) area of operation; 2. operation area, operating range

betriebsbereit *adj* operational, in running/working order, ready for operation; **b. machen** to ready; **b. werden** to become operational; **B.schaft** *f* operational readiness, standby, capacity; **B.schaftskosten** *pl* ready-to-serve cost(s)

Betriebs|besetzung *f* factory/plant occupation, ~ sit-in, occupation of a factory by workers; **B.besichtigung** *f* factory tour, tour of the plant, plant visit; **B.bestimmungen** *pl* operating instructions; **B.bewertung** *f* going-concern valuation; **b.bezogen** *adj* operational, company-related; **B.bilanz** *f* operating statement, working balance; **b.blind** *adj* blinkered, blind to things outside one's company, ~ organisational deficiencies, blunted by habit; **B.blindheit** *f* blindness to organisational deficiencies, organisational blindness

Betriebsbuch *nt* log(book); **B.führung** *f* operational accounting, operating accounts; **B.halter** *m* plant/works/cost accountant; **B.haltung** *f* 1. (internal) cost accounting, operational/industrial/factory/plant accounting; 2. company accounts; 3. cost accounting department

Betriebs|budget *nt* operating budget; **B.büro** *nt* works office; **B.code** *m* 🖳 operation code

Betriebsdaten *pl* 1. operating data/conditions, production/operational data; 2. operating/trading results; **B.erfassung (BDE)** *f* factory floor management system, operational data collection/capture; **B.rückmeldung** *f* feedback of operational data

Betriebs|dauer *f* service/operating life, operating period, work time, plant operating time; **B.defizit** *nt* operating loss; **B.demokratie** *f* industrial democracy; **B.dezernent** *m* plant manager; **B.dichte** *f* ratio of business enterprises to population/territory; **B.dienst** *m* technical service; **B.direktor** *m* plant/works manager, chief operating officer, plant superintendent; **B.ebene** *f* plant level; **auf B.ebene** on the shop floor, at factory/plant level; **b.eigen** *adj* company(-owned), in-house; **B.eigentümer** *m* factory owner

Betriebseinheit *f* operating/production/plant unit, operating centre; **industrielle B.** industrial unit; **lebensfähige B.** viable unit

Betriebs|einkommen *nt* operating income; **landwirtschaftliches B.einkommen** farm income; **B.einnahmen** *pl* operating receipts/income/revenue, working revenue, business/operating earnings, trading/business receipts; **~ aus freiberuflicher Tätigkeit** income from professional services; **B.einrichtung** *f* (factory/production) equipment, plant facilities; **B.einrichtungskosten** *pl* start-up cost(s)/expenses; **B.einschränkung** *f* production cut, reduction of activity, cutting back of operations; **B.einstellung** *f* (plant) closure, termination of operation; **zeitweilige B.einstellung** shutdown; **B.erfahrung** *f* operating experience, industrial know-how; **B.erfindung** *f* service/in-house/employee invention; **B.erfolg** *m* operating result, trading profit; **bereinigter B.erfolg** net operating result; **B.erfordernis** *nt* operating requirement

Betriebsergebnis *nt* operating/trading/operational result, trading/working/operation/corporate profit, net/operating income, operating profit or loss, earnings from operations, results of operations, trading performance; **B.se** operating/performance data; **B. steigern** to lift earnings; **geplantes B.** targeted (net) income; **negatives B.** trading/operating loss; **B.quote** *f* profit ratio; **B.rechnung** *f* operating statement, contribution/operating income statement

Betriebs|erkundung *f* job experience; **B.erlaubnis** *f* 1. operating licence/permission; 2. type approval; **B.eröffnung** *f* business start-up; **B.errichtung** *f* setting-up of a business/company; **B.erträge** *pl* operating profit/income/earnings/proceeds, trading income, business proceeds; **B.erweiterung** *f* plant/industrial/factory expansion, factory extension, expansion of plant facilities; **B.erweiterungskosten** *pl* cost(s) of plant expansion; **B.erwerb** *m* acquisition of a business enterprise

betriebsfähig *adj* operational, in working order/condition, operative, ready for operation, serviceable; **nicht b.** out of order, unworkable; **voll b.** fully operational; **B.keit** *f* working condition/order, operating conditions

Betriebs|faktoren *pl* operating factors; **B.ferien** *pl* plant/works holidays, staff vacation, vacation close-down; **alljährliche B.ferien** annual holidays; **b.fertig** *adj* ready for use/operation, in running order, operational; **B.fest** *nt* staff party; **zuständiges B.finanzamt** local tax office; **B.finanzen** *pl* corporate/business finance; **B.fläche** *f* plant area, wasting asset; **landwirtschaftliche B.fläche** farmed area, acreage; **B.fonds** *m* operating/working fund, stock; **B.form** *f* 1. type of firm/business; 2. *(Einzelhandel)* outlet; **~ des Einzelhandels** retail outlet; **B.fortführung** *f* continuation of operations; **b.fremd** *adj* outside, non-operating; **B.fremde(r)** *f/m* outsider; *pl* non-company employees; **B.frequenz** *f* operating frequency; **B.frieden** *m* industrial peace; **B.führer** *m* plant manager, operator

Betriebsführung *f* (plant/company/business/industrial) management, running; **B. durch Zielvorgabe** management by objectives; **landwirtschaftliche B.** agricultural/farm management; **mehrstufige B.** multiple management; **schlechte B.** mismanagement; **wirtschaftliche B.** economic operation; **wissenschaftliche B.** scientific management

Betriebsführungs|gemeinschaft *f* joint management; **B.gesellschaft** *f* management/operating/managing company; **B.grundsätze** *pl* management principles; **B.praxis** *f* management practice; **B.rechner** *m* 🖳 operations control computer; **B.verfahren** *nt* management technique; **B.vertrag** *m* business management/operating agreement

Betriebs|funk *m* professional mobile radio; **B.funktion** *f* operational function; **B.fürsorge** *f* industrial welfare

Betriebsgebäude *nt* (company) premises, factory building; **B., Maschinen und Einrichtungen** *(Bilanz)* plant and equipment; **gewerbliches B.** commercial property, plant building

Betriebs|gebiet *nt* operating area; **B.gefahr** *f* operational risk/hazard; **B.gefährdung** *f (Kartell)* disparagement of competition; **B.gefüge** *nt* corporate structure; **B.geheimnis; B.- und Geschäftsgeheimnis** *nt* industrial/trade/operational/business/company secret; **B.gelände** *nt* factory premises/operations/land, company/business premises, plant site/area/premises; **B.gelder** *pl* operating/working funds; **B.gemeinkosten** *pl* operating/factory overheads, factory indirect expense; **B.gemeinschaft** *f* joint operation/business; **B.genehmigung** *f* operating/operator's licence, licence to operate; **B.genossenschaft** *f* cooperative; **landwirtschaftliche B.genossenschaft** agricultural cooperative; **B.geschehen** *nt* plant/workshop activities; **B.gesellschaft** *f* operating company; **B.gestaltung** *f* organisation of operations; **B.gewerkschaft** *f* house/workers'/company/yellow union; **B.gewicht** *nt* dead weight

Betriebsgewinn *m* trading/operating/operational/industrial/working profit, operating/earned surplus, earnings/profit from operations, operating income; **ausschüttungsfähiger B.** unappropriated profits/surplus; **versteuerter B.** taxed operating profit; **den Rücklagen zugeführter/zugewiesener B.** appropriated profits/surplus; **B.marge** *f* trading profit margin

Betriebs|gleichgewicht *nt* equilibrium of firm; **B.gleis** *nt* 🚂 industrial siding *[GB]*/sidetrack *[US]*

Betriebsgröße *f* plant/company/unit size, scale of operations, size of firm/corporation; **abgestimmte B.** balanced plant size; **optimale B.** optimum (plant) size, efficient scale of operation(s); **B.nstruktur** *f* mix of plant sizes, capacity structure of business; **B.nvariation** *f* plant-size variation

Betriebs|grundstück *nt* factory/plant site, business property, company premises; **B.grundstücke** factory-site/plant-site land, company properties; **B.gründung** *f* (business) start-up, setting up of a business; **B.gründungszuschuss** *m* start-up grant; **B.gruppe** *f* 1. work team; 2. *(Konzern)* division

Betriebshaftpflicht *f* employer's liability; **B.versicherung** *f* employer's liability insurance, workmen's compensation insurance; **allgemeine B.versicherung** general liability insurance/policy

Betriebs|handbuch *nt* operating/operation manual, operator's handbook, company information manual; **B.- und Wartungshandbuch** operation and maintenance manual; **B.handelsspanne** *f* trading/operating margin, gross merchandise margin, maintained mark-up; **~ minus Warenbeschaffungskosten** gross operating spread; **B.haushaltsplan** *m* operating budget; **B.hierarchie** *f* management hierarchy/structure; **B.hygiene** *f* industrial/plant hygiene; **B.informatik** *f* business informatics; **B.ingenieur** *m* production/plant engineer, plant and maintenance engineer; **B.inhaber(in)** *m/f* owner/proprietor of a business, ~ firm, operator; **B.inhaberwohnung** *f* proprietor's flat; **B.inspektion** *f* factory inspection; **B.inspektor** *m* 1. factory inspector; 2. maintenance manager; **b.intern** *adj* in-house, in-company, inside, internal, within the company; **B.inventar** *nt* plant/business inventory; **B.investition(en)** *f/pl* plant investment; **B.jahr** *nt* trading/financial/fiscal/working/operating year; **B.jubiläum** *nt* company anniversary; **B.justiz** *f* internal disciplinary measures; **B.kalkulation** *f* operational/cost accounting; **B.kalkulator** *m* cost/operational accountant; **B.kantine** *f* works canteen, company restaurant; **B.kantinenwesen** *nt* industrial catering; **B.kapazität** *f* operating/plant/factory capacity; **volle B.kapazität** full operating capacity

Betriebskapital *nt* trading/operating/working/activity/current/rolling/floating/circulating capital, (capital) stock, working assets, stock-in-trade; **B.gesellschaft** *f* operating company, operational stock company; **b.intensiv** *adj* requiring much working capital; **B.verhältnis** *nt* working capital ratio; **B.wert** *m* working capital value

Betriebs|kasino *nt* company restaurant; **B.kassenmittel** *nt* working cash/funds; **B.kaufhaus** *nt* company store; **B.kennzahlen** *pl* operating figures/ratios/data; **B.klima** *nt* industrial/working climate, working atmosphere, atmosphere at work; **B.koeffizient** *m* operating/input-output ratio; **B.komplex** *m* company premises; **B.konfiguration** *f* operating environment; **B.kontingent** *nt* production quota; **B.konto** *nt* operating/trading account; **B.konzession** *f* operating licence

Betriebskosten *pl* 1. overheads, operating cost(s)/expenses/expenditure/accounts/overheads, operational/working cost(s), running expenses, cost of operation; 2. 🚗 running costs; **B. pro Einheit** unit working cost(s); **B. bei Unterbeschäftigung** partial capacity operating cost(s); **Betriebs- und Verwaltungskosten** expenses for management and administration; **B. abbauen/senken** to shed overheads; **allgemeine B.** turnover cost(s); **B.erhöhung** *f* increase of operating cost(s), ~ overheads; **B.ermittlung** *f* cost accounting; **B.kalkulation** *f* cost effectiveness analysis; **B.rechnung** *f* operational accounting, ~ expense costing; **B.zuschlag** *m* loading for expenses; **B.zuschuss** *m* operational grant

Betriebs|krankenkasse *f* company sickness benefit fund, company health insurance (scheme); **B.kredit** *m* operating/business loan, working/operational credit, working capital loan; **B.kreislauf** *m* operating cycle; **B.küche** *f* works kitchen; **B.laden** *m* 1. company store, factory outlet; 2. commissary *[US]*; **B.last** *f* working load; **B.lehre** *f* theory of management; **landwirtschaftliche B.lehre** agricultural economics; **B.leistung** *f* performance, (plant/total) output; **volle B.leistung** full operating capacity

Betriebsleiter *m* works/production/plant/operating/operations/factory manager, (plant) superintendent, chief operating officer, works supervisor/superintendent/clerk, director of operations, operations/plant director; **landwirtschaftlicher B.** farm manager; **technischer B.** chief engineer

Betriebs|leiterin *f* manageress; **B.leitung** *f* 1. works/plant/operations/factory management; 2. managerial staff; **B.lieferant** *m* company supplier; **B.markt** *m* at-work market; **B.material** *nt* stock-in-trade, plant/factory supplies; **B.maximum** *nt* maximum capacity; **B.medizin** *f* industrial medicine; **B.meister** *m* 1. foreman; 2. master; **B.minimum** *nt* minimum of average variable cost(s); **B.mitteilung** *f* company release

Betriebsmittel *pl* 1. working/current/rolling/floating/trading/circulating capital, capital equipment, operating funds/resources; 2. machines and equipment, (production equipment and) facilities, stock-in-trade, stock; 3. 🚃 rolling stock; **bare B.** corporate cash; **entziehbare B.** preemptive resources; **landwirtschaftliche B.** farm equipment/input; **umlaufende B.** inventory of current assets

Betriebsmittel|bedarf *m* resource requirements, working capital needs/requirement(s); **B.grundzeit** *f* equipment base time; **B.guthaben** *nt* working balance; **B.kredit** *m* operational credit, working capital/funds loan, operating/capital loan; **B.kreditaufnahme** *f* working capital borrowing; **B.planung** *f* resource scheduling; **B.rechnung** *f* working funds statement; **B.rücklage** *f* operating cash reserve; **B.rüstzeit** *f* machine setup time; **B.überweisung** *f* working funds transfer; **B.verbund** *m* resource sharing; **B.verwaltung** *f* resource management; **B.vorrat** *m* working stock; **B.zeit** *f* available machine/process time; **B.zuschuss** *m* operating grant/subsidy; **B.zuweisung** *f* resource allocation, working funds allocation

Betriebs|modernisierung *f* plant modernization; **B.nachkalkulation** *f* subsequent revision of books; **b.nah** *adj* near-operating, practical; **B.nebenkosten** *pl* secondary operating costs; **b.neutral** *adj* non-operating; **b.notwendig** *adj* operationally necessary, required; **B.notwendigkeit** *f* operational necessity; **B.obmann** *m* shop steward; **B.optimierung** *f* optim(al)ization of operations; **B.optimum** *nt* optimum scale of operations, minimum of average/absolute total cost(s), ideal capacity, optimum output/cost(s); **B.ordnung** *f* company/factory regulations, works rules, rule book; **B.organisation** *f* plant/industrial/management organisation, operational structure; **personelle B.organisation** person-centred organisation; **B.panne** *f* breakdown, failure; **B.pension** *f* company pension; **B.pensionskasse** *f* company pension fund; **B.periode** *f* operating/busy period; **B.personal** *nt* (operating) staff/personnel, workforce, employees; **B.pflicht** *f (Versorgungsbetriebe)* public service obligation, statutory obligation to operate; **B.plan** *m* operation schedule; **B.planung** *f* corporate/operational/management planning; **B.politik** *f* management/corporate/business policy; **B.praktikum** *nt* industrial/work placement, work experience, practical (training), clerkship, internship, in-plant apprenticeship; **B.prämie** *f* company bonus; **B.preis** *m* product price; **B.probebilanz** *f* trial balance; **B.problem** *nt* operational problem; **B.programm** *nt* 1. production programme; 2. 💻 software; **B.prüfer** *m* 1. company/internal auditor; 2. *(Steuer)* tax inspector/auditor; **B.prüferbilanz** *f* tax auditor's balance sheet

Betriebsprüfung *f* 1. (internal) audit, auditing; 2. fiscal audit of the accounts, tax office investigation (of the accounts); **B.en durchführen** to conduct an audit; **fiskalische B.** tax office inspection; **steuerliche B.** tax audit; **B.sbilanz** *f* tax audit balance sheet; **B.sstelle** *f* tax audit office; **B.sverfahren** *nt* tax auditing procedure

Betriebs|psychologe/B.psychologin *m/f* industrial psychologist; **B.psychologie** *f* industrial psychology; **B.pult** *nt* ✿ control panel; **B.punkt** *m* operating unit

Betriebsrat *m* 1. works/staff/labour/employees'/workers' council, works/factory/shop committee; 2. *(Mitglied)* member of the work council, ~ factory comittee

Betriebsräteversammlung *f* assembly of (the) works councils

Betriebsrats|ausschuss *m* committee of the works council, shop stewards' committee *[GB]*; **B.büro** *nt* works council office; **B.mandat** *nt* seat on the works council; **B.mitglied** *nt* works councillor, member of the works council; **B.sitzung** *f* meeting of the works council; **B.vorsitzende(r)** *f/m* (works) convener *[GB]*, chairman/chairwoman of the works council; **B.wahl** *f* works council election

Betriebs|rechner *m* plant computer; **B.rechnung** *f* operating statement, trading/operating account; **B.rechnungswesen** *nt* managerial/management accounting; **B.reingewinn** *m* net operating income/profit; **B.rendite** *f* return on assets; **B.renovierung** *f* plant refurbishment; **B.rentabilität** *f* operating return

Betriebsrente *f* company/employee/private/occupational/industrial/staff pension (scheme), company-paid annuity; **nicht verfallende B.nanwartschaft** portable pension; **B.nkasse** *f* company pension fund; **B.nversicherungspolice** *f* certificate of participation

Betriebsrentner(in) *m/f* company pensioner

Betriebsreserve *f* 1. operating/general reserve(s); 2. *(Personal)* call workforce; **B. angreifen** to draw on general reserves; **allgemeine B.** general business reserve

Betriebs|revision *f* (internal) audit; **B.revisor** *m* internal/company auditor; **B.richtlinien** *pl* plant rules; **B.risiko** *nt* operational hazard, operating/business risk; **B.ruhe** *f* shutdown; **B.satzung** *f* shop-floor rules; **B.schaden** *m* industrial damage; **B.schließung** *f* 1. plant closure/closing, closing/shutdown (of the plant/enterprise); 2. *(zeitweilig)* (plant) shutdown; **B.schließungskosten** *pl* closure cost(s); **B.schlosser** *m* maintenance engineer/fitter; **B.schluss** *m* closing hours, end of business/factory hours; **nach B.schluss** 1. after business/factory hours; 2. after work; **B.schulden** *pl* business liabilities/debts; **B.schwierigkeiten** *pl* operational difficulties; **B.schwund** *m* shrinking number of enterprises; **B.seelsorger** *m* works chaplain; **B.selbstkosten** *pl* net production cost(s), operating expenses; **b.sicher** *adj* safe to operate, reliable; **B.sicherheit** *f* .1 operational/industrial/occupational/factory safety, reliability of operation; 2. factory/works security; **B.sitz** *m* domicile, headquarters; **B.soziologe/B.soziologin**

m/f industrial sociologist; **B.soziologie** *f* industrial sociology; **B.spannung** *f* ϟ operating voltage; **B.sparen** *nt* industrial/workplace saving(s); **B.sperre** *f* plant shutdown; **B.sprache** *f* working/🖳 operating language; **B.stadium** *nt* operational stage; **B.standort** *m* plant/facility location, industrial site; **B.statistik** *f* management/operational/operating/business statistics

Betriebsstätte *f* 1. business premises, place of business/manufacture, (company) plant, factory; 2. operational/manufacturing facility, operating unit, permanent establishment; **B. verlegen** to relocate a plant; **ausländische B.** permanent establishment abroad; **selbstständige inländische B.** regular domestic establishment; **mehrgemeindliche B.** establishment extending over more than one local authority; **steuerliche B.** taxable business entity

Betriebs|steuer *f* operating tax; **B.stilllegung** *f* 1. (plant) closure, closure of a site; 2. *(zeitweilig)* shutdown, suspension of operations; **B.stillstandskosten** *pl* down-time cost(s); **B.stillstandsversicherung** *f* business interruption insurance; **B.stockung** *f* breakdown, holdup; **B.stoffe** *pl* 1. operating materials/supplies, bought-in goods, working/expense materials, single-use items; 2. fuels; **B.störung** *f* breakdown, stoppage, delay, interruption (of service), equipment failure; **B.strom** *m* ϟ operating current; **B.struktur** *f* company/plant/corporate/business structure, plant set-up; **B.stufe** *f* operating stage

Betriebsstunde *f* operating/machine hour; **B.n** worktime; **B.nzähler** *m* elapsed time indicator, hour counter/meter

Betriebs|system *nt* 1. production/executive system; 2. 🖳 operating software system; **B.tätigkeit** *f* operating activity; **B.technik** *f* production engineering, administration and maintenance; **b.technisch** *adj* operational; **B.teil** *m* operating unit; **B.teile ausgliedern** to hive/spin off operations; **B.temperatur** *f* operation/service temperature; **B.treue** *f* (long) service for the company; **B.treuhandversicherung** *f* plant fidelity insurance; **B.typ** *m* 1. type of plant/company; 2. *(Einzelhandel)* outlet; **b.typisch** *adj* typical; **B.übergabe** *f* transfer of an enterprise; **B.überlassungsvertrag** *m* business transfer contract, company surrender/takeover agreement; **B.übernahme** *f* (plant) takeover; **B.überschuss** *m* operating surplus, trading profit; **B.übersicht** *f* work sheet; **B.überwachung** *f* 1. factory inspection; 2. plant supervision; **B.überwachungsbehörde** *f* factory inspectorate *[GB]*; **B.umfang** *m* scale of operation(s); **B.umsiedlung** *f* factory relocation; **b.unfähig** *adj* 1. out of order, inoperable; 2. disabled

Betriebsunfall *m* industrial accident/injury, accident at work, industrial/industry/occupational/workman's accident, work injury; **tödlicher B.** industrial fatality; **B.entschädigung** *f* workmen's compensation; **B.rente** *f* industrial injuries benefits; **B.versicherung** *f* industrial accident/injuries insurance, workmen's compensation insurance, workers' compensation fund; **B.versicherungswesen** *nt* workers' compensation scheme

Betriebsunkosten *pl* ➔ **Betriebskosten** operating cost(s)/expenses, overheads; **allgemeine B.** overheads; **laufende B.** current operating cost(s)

Betriebsunterbrechung *f* interruption of business, stoppage, tie-up, plant interruption; **B.sschaden** *m* business interruption loss, use and occupancy loss; **B.sversicherung** *f* (business) interruption insurance, (loss of) profit(s) insurance, use and occupancy insurance, consequential loss insurance

Betriebs|unterlagen *pl* plant/factory records, operational data; **B.untersuchung** *f* operations analysis; **B.urlaub** *m* works holidays; **B.veräußerung** *f* sale of a plant/business; **B.verband** *m* joint venture; **B.verbesserungen** *pl* operational/plant improvements; **B.verbindungen** *pl* intercompany cooperation; **B.vereinbarung** *f* plant/shop/works/company agreement, labour-management contract; **B.vereinheitlichung** *f* standardization of factories; **B.verfahren** *nt* operation, process

Betriebsverfassung *f* works constitution, shop rules; **B.sgesetz** *nt* works/industrial/shop constitution act, labour-management relations act, works councils act, employees' representation act; **B.srecht** *nt* industrial constitution law; **B.swesen** *nt* works constitution legislation

Betriebs|vergleich *m* interplant/intercompany/interfirm comparison, external/comparative analysis, interfactory comparative/intra-industrial studies; **B.vergrößerung** *f* plant extension; **B.verhalten** *nt* operating behaviour; **B.verhältnisse** *pl* plant/shop-floor/operating conditions; **B.verkleinerung** *f* retrenchment; **B.verlagerung/B.verlegung** *f* factory/company/plant relocation, relocation of an enterprise, movement of operations; **B.verlust** *m* operating/trading/working/manufacturing/operational loss, operating/trading deficit; **laufender B.verlust** current trading loss

Betriebsvermögen *nt* business/circulating capital, business/company property, operating/working/business/company/base assets; **gesamtes B.** aggregate assets; **gewillkürtes B.** peripheral assets, voluntary business property; **gewilltes B.** store of value *[US]*; **landwirtschaftliches B.** farming stock; **notwendiges B.** requisite capital, necessary business property; **produktives B.** active/operating/productive assets; **aus dem B. ausscheiden** to be withdrawn from business assets; **B.sinhaber** *m* holder of business assets; **B.smehrung** *f* growth of business assets; **B.svergleich** *m* balance sheet comparison

Betriebs|verpflegung *f* company catering; **B.versammlung** *f* works/personnel assembly, works/staff/employee/factory/mass/plant/shop-floor meeting; **B.versicherung** *f* business insurance; **kombinierte B.versicherung** trader's combined insurance; **B.vertrauensmann** *m* shop steward; **B.vertretung** *f* employee representation, staff council; **B.verwalter** *m* manager; **B.verwaltung** *f* management, operating agency; **B.verwaltungsgemeinkosten** *pl* administrative overheads; **B.vollmacht** *f* operating authority; **B.voranschlag** *m* operating estimate; **B.vorrat** *m* stock-in-trade, trading stock; **B.vorrichtungen** *pl* plant facilities; **B.vorschrift** *f* (plant) regulation(s); **B.wagenwerk** *nt* 🚂 carriage maintenance depot; **B.wagnis** *nt* occupational/operating risk; **B.weise** *f* operating method/procedure; **B.werk** *nt* 🚂 engine shed *[GB]*, motive power depot *[US]*, carriage maintenance depot; **B.wert** *m* product price; **B.wirkungsgrad** *m* availability

Betriebswirt *m* business administrator, management expert, graduate in business management; **graduierter B.** Bachelor/Master of Business Administration (BBA/MBA)

Betriebswirtschaft *f* business administration/studies/economics/management, industrial economics/management/administration, microeconomics; **B.ler(in)** *m/f* (business) economist, business administrator; **b.lich** *adj* managerial, operational, economic; **B.lichkeit** *f* economy of operation; **B.lichkeitsquotient** *m* operating ratio; **B.slehre (BWL)** *f* business administration/economics/management, industrial management, microeconomics, science of industrial administration, management/business science, business studies, business and management economics; **allgemeine B.slehre** general business administration; **B.spolitik** *f* business/company policy; **B.sstelle** *f* fuel/power department

Betriebs|wissenschaft *f* management science; **B.zahl** *f* operating expense ratio

Betriebszeit *f* 1. service life, (plant) operating time, up time, machine running time, attended time; 2. factory hours; **tägliche B.** daily use; **verfügbare B.** serviceable time; **B.raum** *m* operating period; **B.schrift/B.ung** *f* company magazine/newspaper, house journal/organ, works magazine; **B.zähler** *m* running-time meter

Betriebs|- und Innovationszentrum *nt* business and innovation centre; **B.ziel** *nt* management/operational objective; **B.ziffern** *pl* business data

Betriebszugehörigkeit/B.sdauer *f* length of service, (company) seniority, period of employment, years of employment/service; **erwartete B.** expected service life; **längere B.** seniority

Betriebs|zusammenlegung *f* plant amalgamation; **B.zuschuss** *m* operating grant/subsidy; **B.zustand** *m* working order; **B.zuverlässigkeit** *f* (use) reliability; **B.zweck** *m* objects of a company; **B.zweig** *m* operations, branch of business; **B.zyklus** *m* operating cycle

betrifft re; **was ... b.** as to, as regards, with regard to, in terms of, on the ... front *(coll)*

betroffen *adj* concerned; affected; **b. sein** 1. *(Maßnahme)* to be hit; 2. to be concerned, ~ taken aback; **b. werden** to be affected; **nachteilig b.** adversely affected; **am schlimmsten b.** worst hit; **am stärksten b.** hardest hit

die Betroffenen *pl* those affected

Betroffenheit *f* concern, constrenation

betrogen *adj* deceived, cheated

betrüb|en *v/t* to grieve; **b.lich** *adj* distressing, deplorable; **b.t** *adj* distressed

Betrug *m* 1. § fraud, defraudation, deceit; 2. dishonesty, deception, cheating, swindle, scam, rip-off *(coll)*; **B. auf See** maritime fraud; **B. begehen** to commit (a) fraud, to cheat; **sich des B.es schuldig machen** to be guilty of fraud

betrügen *v/t* 1. § to defraud, to commit fraud; 2. to cheat/deceive/swindle/trick/juggle; **jdn b.** to sell so. short *(coll)*

Betrüger|(in) *m/f* 1. § defrauder, deceiver, fraudster; 2. swindler, crook, fiddler, double-dealer, (confidence) trickster, con-man *(coll)*; **B.ei** *f* fraudulent practice(s), double-dealing, crookery; **b.isch** *adj* fraudulent, deceitful, deceptive, dishonest, double-dealing, crooked

Betrugs|absicht *f* § intent to defraud, fraudulent purpose; **in ~ handeln** to intend to defraud; **B.delikt** *nt* (tort of) fraud; **B.dezernat** *nt* fraud squad; **B.fall** *m* fraud case, case of fraud; **B.handlung** *f* fraudulent act; **B.schwindel** *m* racket(eering); **B.strafsache** *f* fraud trial; **B.verfahren** *nt* fraud trial, action in deceit; **B.versuch** *m* attempted fraud

Bett *nt* 1. bed; 2. *(Koje)* berth; **B.en abbauen** *(Kapazität)* to close beds; **B. belegen** *(Krankenhaus)* to fill a bed

bettel|arm *adj* destitute; **B.betrug** *m* fraudulent begging; **B.brief** *m* begging letter; **B.ei** *f* → **Betteln**; **B.lohn** *m* pittance

Betteln *nt* begging, beggary; **b.** *v/i* to beg; **b. gehen (bei jdm)** to go cap in hand (to so.)

Betten|berg *m* surplus beds; **B.mangel** *m* lack of sleeping accommodation

Bett|karte *f* ⚓/🚂 berth ticket; **b.lägerig** *adj* bedridden; **B.lägerigkeit** *f* ⚕ confinement

Bettler|(in) *m/f* beggar; **B.ei** *f* beggary; **B.lohn** *m* beggarly wage, pittance

Bett|platz *m* ⚓/🚂 berth; **B.platzbelegung** *f* berth reservation; **B.waren/B.zeug** *pl/nt* bedding; **B.wäsche** *f* (bed) linen

betucht *adj* well-to-do; **gut b.** well heeled *(coll)*; **die B.en** *pl* the well-off

Beugehaft *f* § coercive detention

beugen *v/refl* to submit, to knuckle down

beunruhig|en *v/t* 1. to worry/alarm; 2. to annoy/trouble; **b.end** *adj* disturbing, alarming, disquieting; **b.t** *adj* concerned, worried, alarmed, disturbed; **B.ung** *f* concern, alarm

beurkunden *v/t* 1. to testify/certify/acknowledge/authenticate; 2. to register/record, to place on record; **notariell b.** to notarize, to record in a notarial deed

beurkundet *adj* certified, authenticated, witnessed, recorded; **amtlich b.** officially recorded; **nicht b.** not documented, not laid down in writing; **notariell b.** recorded by a notary, notarized

Beurkundung *f* certification, authentication, attestation, verification, recording (of an act or transaction); **B. einer Geburt** registration of a birth; **B. eines Sterbefalles** registration of a death; **gerichtliche B.** legalization; **notarielle B.** notarization, notarial authentication, recording by a notary; **öffentliche B.** authentication by a notary public or by a court; **B.sgebühr** *f* authentication/attestation fee; **B.svermerk** *m* attestation clause

beurlaub|en *v/t* to grant leave; **b.t** *adj* on leave

Beurlaubung *f* 1. leave of absence; 2. suspension from office; time off; **zeitweise B.** temporary lay-off; suspension; ~ **vom Dienst** suspension from duty, administrative suspension

beurteilen *v/t* to judge/assess/evaluate/rate/view/appraise; **erneut b.** to reappraise; **falsch b.** to misjudge; **milde b.** to take a lenient view; **etw. sachgemäß b.** to judge sth. on its merits; **vorsichtig b.** to take a cautious view; **zuversichtlich b.** to take a positive view

Beurteillende(r) *f/m* judge, appraiser, rater; **B.te(r)** *f/m* ratee

Beurteilung *f* 1. judgment, assessment, evaluation, rating, appreciation, estimation; 2. diagnosis; 3. appraisal report/work

Beurteilung von Angestellten employee appraisal/rating; **B. der Anlagemöglichkeiten** investment appraisal; ~ **Aussichten** assessment of prospects; **B. durch Gleichgestellte** peer rating; **B. der Kreditwürdigkeit** credit assessment/rating; ~ **Leistung** efficiency rating, performance appraisal; ~ **Mitarbeiter** employee appraisal/rating; **B. durch Untergebene** rating by subordinates

bilanzmäßige Beurteilung balance sheet assessment; **dienstliche B.** performance assessment/appraisal; **falsche B.** error of judgment, misjudgment; **gerechte B.** fair appraisal; **gerichtliche B.** judicial record; **vernünftige kaufmännische B.** reasonable commercial assessment; **rechtliche B.** 1. decision(s) on points of law; 2. legal assessment; **an die ~ gebunden sein** to be bound by the ratio decidendi *(lat.)*

Beurteilungslausschuss *m* rating committee; **B.blatt/B.bogen** *nt/m* rating/appraisal sheet; **B.fehler** *m* rating/appraisal error; **B.gespräch** *nt* appraisal interview; **B.kriterien** *pl* appraisal factors; **B.maßstab** *m* criterion, yardstick; **B.modell/B.system** *nt* assessment/rating/appraisal system; **B.skala** *f* rating scale; **leistungsbezogenes B.system** performance appraisal system; **B.verfahren** *nt* evaluation/appraisal/assessment procedure; **B.zeitraum** *m* rating period, period of appraisal

Beute *f* loot, spoils, prey, haul, booty; **sich die B. teilen** to share the spoils; **leichte B.** easy prey/meat *(coll)*; **B.gut** *nt* swag

Beutel *m* 1. bag, sack; 2. *(Geld)* purse; 3. pouch; **an den B. gehen** *(fig)* to cost a lot; **sich nach seinem B. richten** to cut one's coat according to one's cloth *(fig)*

Beutelschneider *m* cutpurse, swindler; **B.ei** *f* sharp practices, profiteering

Beutelrecht *nt* right of plunder; **B.stück** *nt* 1. booty, trophy; 2. droits *[frz.]* of admirality *[GB]*; **B.zug** *m* ⚓/§ raid, haul, foray

bevölkern *v/t* to populate/people/inhabit

bevölkert *adj* populated; **dicht b.** densely/thickly populated; **dünn/schwach/spärlich b.** sparsely populated

Bevölkerung *f* population, people, inhabitants; **B. im schulpflichtigen Alter** school-age population; ~ **Einzugsgebiet** catchment population; **B. zählen** to take a (population) census

arbeitende/beschäftigte/erwerbstätige Bevölkerung working population; **dichte B.** dense population; **einheimische B.** native/indigenous population; **ländliche B.** rural population; **landwirtschaftliche B.** agricultural community; **ortsansässige B.** local/resident population; **sesshafte B.** settled population; **städtische B.** urban population; **unselbstständig tätige B.** employed population; **überquellende B.** overspill

Bevölkerungsl- demographic; **B.abnahme** *f* decline/fall in population; **B.anstieg** *m* population growth; **b.arm** *adj* sparsely/thinly populated; **B.aufbau** *m* demographic structure, structure of population; **B.bewegung** *f* population movement; **B.bilanz** *f* net population growth/decline; **B.dichte** *f* population density, density of population; **geringe B.dichte** open population; **B.druck** *m* population pressure; **B.entwicklung** *f* demographic/population trend(s); **rückläufige B.entwicklung** declining population; **B.explosion** *f* population explosion, baby boom; **B.falle** *f* population trap; **B.gruppe/B.kreis** *f/m* segment/section of the population, ethnic/population group; **B.kunde/B.lehre** *f* demography, population theory; **B.lage** *f* demographic situation; **B.modell** *nt* demographic model; **B.politik** *f* demographic/population policy; **b.politisch** *adj* demographic; **B.prognose** *f* demographic forecast; **B.pyramide** *f* population/age pyramid, age structure of the population; **b.reich** *adj* densely populated, populous; **B.rückgang** *m* population decline, decline/decrease in population

Bevölkerungsschicht *f* social/demographic stratum, class of society; **alle B.en** all walks of life; **die unteren B.en** the lower classes; **B.ung** *f* structure of population

ziviler Bevölkerungslschutz civil defence; **B.statistik** *f* demographic/population/popular/vital statistics; **ständige B.stichprobe** current population survey; **B.struktur** *f* demographic/population structure; **fluktuierender B.teil** floating population; **B.überschuss** *m* surplus population, overspill, overflow of population; **abgewanderter B.überschuss** population overspill; **B.verlagerung/B.verschiebung** *f* shift in population, population shift; **B.verteilung** *f* population distribution; **B.wachstum/B.zunahme/B.zuwachs** *nt* rise/increase in population, population growth/increase; **B.wissenschaft** *f* demography; **B.wissenschaftler(in)** *m/f* demographer

bevollmächtigen *v/t* to authorize/empower/commission/warrant/delegate; **jdn uneingeschränkt b.** to give so. full power(s)

bevollmächtigt *adj* authorized, entitled, empowered, commissioned; **von jdm b. sein** to hold power of attorney for so.; **nicht b.** unauthorized, non-commissioned

Bevollmächtigtel(r) *f/m* 1. (authorized) agent, (mandatory) proxy, commissioner, representative, delegate, envoy, plenipotentiary; 2. *(Treuhänder)* trustee; 3. § attorney-in-fact; 4. authorized signatory/representative, assign(ee), nominee, ; 5. *(Konkurs)* syndic; **durch einen B.n** by proxy; **B.(r) für den Verkauf von Aktien** transfer agent; **durch einen B.n abstimmen lassen** to vote by proxy; **als B.(r) auftreten** to act as agent; **B.n bestellen** to appoint a proxy; **B.(r) sein** to act as agent for, ~ a sole agent

Bevollmächtigung *f* authorization, authority, mandate, power of attorney, delegation, proxy (statement), procuration, empowerment; **durch B.** by proxy; **B.sschreiben/B.surkunde** *nt/f* letter of authorization

bevormund|en *v/t* to patronize; **zu stark b.en** to overgovern; **B.ung** *f* patronage

bevorrat|en *v/t* to stockpile, to stock up; **gut b.et sein** *adj* to be well stocked

Bevorratung *f* stockpiling, supply of stores, storing; **B.skredit** *m* credit for storage, storage credit; **B.smaßnahme** *f* stockpiling, build(ing)-up of stocks; **B.stheorie** *f* inventory theory

bevorrechtigen *v/t* to privilege, to give prior claim, to grant privileges

bevorrechtig|t *adj* 1. preferential, privileged, preferred; 2. *(Gläubiger)* secured; **nicht b.t** 1. unprivileged, non-privileged, non-preferential, non-preferred, simple, ordinary; 2. *(Gläubiger)* unsecured; **b.t sein** *(Konkurs)* to rank; **B.te(r)** *f/m* priority holder; **B.ung** *f* preference, priority, privilege

bevorschussen *v/t* to (grant/make an) advance

Bevorschussung *f* advance; **B. von Rechnungen** invoice discounting; **~ Verschiffungsdokumenten** advance against shipping documents; **~ Wertpapieren** loan against securities

Bevorstehen *nt* imminence; **b.** *v/i* to be in the offing/pipeline *(fig)*, to impend; **nahe b.** to be close at hand; **unmittelbar b.** to be imminent, ~ round the corner *(fig)*

bevorstehend *adj* forthcoming, impending, oncoming, upcoming, in the offing; **kurz/nahe/unmittelbar b.** imminent, near at hand

bevorzug|en *v/t* to prefer/favour/privilege, to give preferential treatment; **jdn b.en** to discriminate in favour of so.; **b.t** *adj* preferential, preferred, favoured, privileged

Bevorzugung *f* preference, preferential treatment, positive discrimination; **betrügerische B.** fraudulent preference; **B.sbereich** *m* ▦ zone of preference

bewach|en *v/t* to guard; **B.er(in)** *m/f* guard, guardian

Bewachung *f* guard, custody; **B.sunternehmen** *nt* security company

be|wahren *v/t* to keep/preserve/conserve/save; **b.währen** *v/refl* 1. to prove o.s., to prove worthwhile, to pay off; 2. to stand the test; **sich langfristig b.währen** to stand the test of time; **b.wahrend** *adj* preservative; **b.wahrheiten** *v/refl* to come true; **b.währt** *adj* proven, time-tested, tried and tested/trusted, approved, established; **B.wahrung** *f* preservation, keeping, retaining

Bewährung *f* 1. trial, test; 2. § probation, parole; **auf B.** on probation/parole; **~ entlassen/freilassen** to release/place so. on probation, ~ parole

Bewährungs|auflagen *pl* § conditions of probation, probation order; **B.aufstieg** *m* automatic progression/promotion; **B.frist/B.zeit** *f* probation(ary) period; **B.helfer(in)** *m/f* § probation officer; **B.hilfe** *f* § probation service; **B.probe** *f* trial, test, proving ground; **~ bestehen** to pass the test; **B.urteil** *nt* § probation order

bewald|en *vt* to afforest, to plant trees; **b.et** *adj* forested, wooded; **licht b.et** sparsely wooded; **B.ung** *f* 1. afforestation; 2. woodlands

bewältig|en *v/t* to cope with, to manage/master/handle; **B.ung** *f* handling, accomplishment

be|wandert *adj* versed, proficient, experienced, conversant, knowledg(e)able; **b.wässerbar** *adj* irrigable; **b.wässern** *v/t* to irrigate

Bewässerung *f* irrigation; **B.sanlagen** *pl* irrigation works; **B.sgraben/B.skanal** *m* irrigation canal/channel, feeder; **B.singenieur** *m* irrigation engineer; **B.sprojekt** *nt* irrigation scheme

bewegen *v/t* 1. to move/shift; 2. to induce/prompt; *v/refl* to move/range/fluctuate; **jdn zu etw. b.** to induce so. to do sth.; **sich b. um** *(Zahlen)* to hover about; **sich von ... bis ... b.** *(Preise)* to range from ... to ...; **sich aufwärts b.** to be on the up; **sich frei b.** to move freely; **sich sprunghaft b.** to move erratically; **sich vorwärts b.** to move forward; **sich mühsam ~ b.** to limp

Beweggrund *m* motive, inducement, reason, cause; **niedriger B.** base motive; **tieferer B.** ulterior motive; **unternehmenspolitische Beweggründe** corporate policy objectives

beweglich *adj* 1. mobile, flexible, movable, moving; 2. *(Geist)* versatile; 3. *(Zins)* variable; 4. adjustable

Beweglichkeit *f* 1. mobility, flexibility, resilience; 2. ✿ manoeuvrability, movability; **B. von Führungskräften** management mobility; **berufliche B.** occupational/job mobility; **geistige B.** active mind

bewegt *adj* *(Handel)* brisk

Bewegung *f* 1. movement, motion, trend; 2. *(Börse)* action; 3. *(Verhandlung)* progress; **B.en des Anlagevermögens** changes in fixed assets; **B. auf Bankkonten** fluctuation on bank accounts; **etw. in B. setzen** to get sth. going, to put sth. to work; **erfolgreiche B.** bandwaggon *(fig)*; **rückgängige/-läufige B.** downward/retrograde movement

Bewegungs|ablauf *m* series of movements; **B.bilanz** *f* statement (of sources and) of application of funds, flow-of-funds analysis/statement, money flow analysis/statement, flow process chart, statement of changes in financial position, capital recapture rate, funds/sources and uses statement; **budgetierte B.bilanz** balance sheet budget; **B.bild** *nt* trend; **B.datei** *f* 🖳 activity file; **B.energie** *f* kinetic energy

Bewegungsfreiheit *f* 1. leeway, scope, freedom of movement/action; 2. *(Beine)* legroom; **große B.** ample scope; **wirtschaftliche B.** freedom of economic action, scope for economic activity

Bewegungs|häufigkeit *f* activity ratio; **B.komponente** *f* ▦ component, movement; **B.lehre** *f* dynamics; **b.los** *adj* motionless; **B.masse** *f* ▦ period-based population; **B.möglichkeit** *f* scope, leeway; **B.ökonomie** *f* motion economy, economy in human movement; **B.rechnung** *f* funds flow statement; **B.reihe** *f* motion series; **B.spielraum** *m* scope, room for manoeuvre; **B.studie** *f* (time and) motion study/analysis; **B.zahl** *f* flow figure; **B.zählung** *f* activity count; **B.zeitstudie** *f* time and motion study

Beweis *m* 1. § proof, evidence, testimony; 2. demonstration, substantiation; 3. *(Symbol)* token; **als B.** in evidence, as proof; **mangels B.es** for lack of evidence, for want of proof, failing proof; **zum B. dafür** in witness thereof; ~ **von** in substantiation/support of; **B. des ersten An-/Augenscheins** prima facie *(lat.)* evidence; **bis zum ~ Gegenteils** failing proof of the contrary, in the absence of proof to the contrary; **B. durch Zeugen** § evidence by witnesses

Beweis anbieten to offer evidence, to tender an averment; **B.e anerkennen** to admit proofs; **zum B. anführen** to cite/state in evidence; **B. antreten** to furnish/tender evidence, to offer proof; **B. aufnehmen** to hear the evidence; **B. beibringen/führen/liefern** to furnish proof/evidence, to procure evidence; **B. entkräften** to refute evidence, **B. erbringen** to furnish/provide/procure/adduce evidence, to evidence; **B. erheben** to hear/take evidence; **B.e sammeln** to collect evidence; **unter B. stellen** to evidence, to furnish evidence, to prove, to give proof of sth.; **B. vorbringen** to submit/furnish evidence; **als B. vorbringen** to cite/put in evidence; **B. würdigen** to weigh the evidence; **als B. zulassen** to admit in evidence; **jdn zum B. zulassen** to admit so.'s evidence

angetretener Beweise evidence adduced; **ausreichender B.** sufficient evidence; **ausschlaggebender B.** decisive proof; **auf Indizien beruhender B.** circumstantial evidence; **deutlicher B.** manifestation; **dokumentarischer B.** documentary evidence; **dürftiger B.** flimsy/slim evidence; **eindeutiger/einwandfreier B.** 1. positive evidence/proof, proof positive; 2. incontestable evidence; **endgültiger B.** positive/conclusive evidence; **entscheidender B.** clinching argument; **faktischer B.** factual proof; **glaubhafter B.** prima facie *(lat.)* evidence; **gültiger B.** valid proof; **handfester B.** tangible proof; **hinlänglicher/hinreichender B.** satisfactory evidence, ample proof; **indirekter B.** indirect evidence; **innerer B.** internal evidence; **klarer/konkreter B.** tangible evidence/proof; **lückenhafter B.** incomplete evidence; **mittelbarer B.** secondary evidence; **neue(r) B.(e)** fresh evidence; **primärer B.** best evidence; **rechtserheblicher B.** material evidence; **sachdienlicher B.** material/pertinent evidence; **scheinbarer B.** specious proof; **schlagender/schlüssiger B.** conclusive evidence, striking proof; **selbstständiger B.** independent proof; **sicherer B.** positive proof/evidence; **sichtbarer B.** ocular proof; **triftiger B.** valid proof/evidence; **überzeugender B.** clear and convincing proof, conclusive evidence; **nicht ~ B.** flimsy evidence; **unmittelbarer B.** direct evidence; **unwiderleglicher B.** conclusive/incontrovertible evidence; **urkundlicher B.** documentary evidence/proof; **vollgültiger B.** full proof; **vorläufiger B.** preliminary proof; **zahlenmäßiger B.** quantitative evidence; **zulässiger B.** admissible evidence; **nicht ~ B.** inadmissible evidence; **zwingender B.** conclusive/cogent evidence, conclusive proof

Beweis|- evidential, evidentiary; **B.anerbieten** *nt* averment; **B.angebot** *nt* offer of proof/evidence; **B.antrag** *m* averment, motion to take/hear evidence; **B.antritt** *m* submission/production of evidence

Beweisaufnahme *f* § hearing/taking of evidence; **in die B. eintreten** to take evidence; **B. schließen** to close th[e] case

beweis|bar *adj* demonstrable, provable, capable o[f] proof; **B.barkeit** *f* demonstrability; **B.dokument** *nt* in[strument] of evidence; **B.einrede** *f* demurrer to evi[dence]

beweisen *v/t* to show/prove/demonstrate/substantiate/support/aver, to make out, ~ evident, to evidence *[US]*; **gerichtlich b.** to prove to the court; **klar b.** to prove un[mistak(e)ably]; **schlüssig b.** to prove conclusively; **un[widerlegbar] b.** to prove beyond doubt; **urkundlich b[.]** to furnish documentary evidence

Beweis|erhärtung *f* corroboration of evidence; **b.er[heblich]** *adj* material, evidentiary; **B.erheblichkeit** [*f*] relevance of evidence; **B.erhebung** *f* hearing of/takin[g] evidence; **mündliche B.erhebung** parol evidence; **b.fähig** *adj* provable, capable/susceptible of proof; **b.fällig** *adj* unable to produce proof; **B.fälschung** cooking of evidence; **B.fragen** *pl* questions relating t[o] evidence; **B.führer(in)** *m/f* party submitting evidence, demonstrator; **B.führung** *f* demonstration, reasoning, presentation of one's case; **B.führungslast** *f* burden, onus of proof; **B.gegenstand** *m* exhibit; **B.grund** *m* evidence, proof; **B.kette** *f* chain of proof/evidence; **B.konflikt** *m* conflicting evidence

Beweiskraft *f* 1. conclusive force, conclusiveness, probative/evidential value; 2. evidentiary effect; **B. einer Aussage** strength of a statement; **mangelnde B.** insufficient evidence

beweis|kräftig *adj* conclusive, cogent, evidential, probative; **B.lage** *f* body of evidence

Beweislast *f* § burden/onus of proof, weight of evidence, onus probandi *(lat.)*; **jdn die B. aufbürden** to put the burden of proof on so.; **B. umkehren/verlagern** to shift the burden of proof/evidence; **B.pflicht** [*f*] burden/onus of adducing evidence; **B.umkehr/B.verschiebung** *f* change in the onus of proof, shift in the burden of proof

Beweismangel *m* lack of evidence

Beweismaterial *nt* supporting evidence, (body of) evidence, proof

Beweismaterial beibringen/liefern/vorlegen to furnish/submit evidence; **B. fälschen** to cook up (the) evidence; **B. sorgfältig prüfen** to sift the evidence; **B[.] sammeln/zusammenstellen** to collect evidence; **B[.] unterdrücken/-schlagen** to suppress evidence; **B[.] zurückhalten** to withhold evidence

ausreichendes Beweismaterial satisfactory evidence; **belastendes B.** incriminating evidence; **bestätigende B.** corroborative/probative evidence; **einwandfreie[s] B.** incontestable evidence; **entlastendes B.** evidenc[e] for the defence; **hinreichendes B.** satisfactory evidence; **neues B.** fresh evidence; **originäres B.** origina[l] evidence; **rechtserhebliches B.** material evidence; **schriftliches B.** written evidence; **unanfecht-/unwiderlegbares B.** incontestable/irrefutable evidence; **unterstützendes B.** secondary/supporting evidence; **unzulässiges B.** inadmissible evidence; **vorhandene[s] B.** available evidence; **widersprüchliches B.** con flicting evidence; **zulässiges B.** admissible/competent evidence

Beweismittel *nt* § evidence, proof, exhibit; **als B.** evidentiary; **gesetzliches B.** primary evidence; **neues B.** further evidence; **nicht zugelassenes B.** non-admitted evidence; **zulässiges B.** admissible evidence

Beweis|not *f* 1. inability to furnish proof; 2. lack of evidence; **B.pflicht** *f* obligation to furnish proof/evidence; **b.pflichtig** *adj* responsible for producing proof; **B.pflichtige(r)** *f/m* party bearing the burden of proof; **B.protokoll** *nt* transcript of evidence; **B.recht** *nt* law of evidence; **b.rechtlich** *adj* evidentiary; **B.regeln** *pl* rules of evidence; **B.schwierigkeit** *f* difficulty of proving sth.; **B.sicherung** *f* conservation/preservation of evidence; **B.sicherungsverfahren** *nt* proceedings for the preservation of evidence, action to perpetuate testimony; **B.stück** *nt* exhibit, piece of evidence, corpus delicti *(lat.)*; **belastendes B.stück** incriminating evidence; **untergeordnete B.tatsache** minor fact; **B.umkehrung** *f* shifting the burden of proof; **b.unerheblich** *adj* immaterial, irrelevant; **B.urkunde** *f* instrument of evidence; **B.verfahren** *nt* evidence; **B.vernichtung** *f* destruction of evidence; **B.vermutung** *f* evidentiary presumption; **B.vorlage** *f* submission of proof; **B.wert** *m* probative value

Beweiswürdigung *f* summing up, assessment of the evidence; **B. vornehmen** to sum up the evidence; **freie B.** free evaluation of facts and evidence

es dabei bewenden lassen *v/i* to leave it at that, to be content with sth.

Bewerben *nt* solicitation; **b.** *v/t (Produkt)* to advertise for, to promote; **sich b. bei** *(Firma)* to apply to; **~ um** 1. to apply (for), to contend for; 2. *(Auftrag)* to tender/bid (for); 3. *(Kandidatur)* to run (as a candidate) for; **sich neu b.** to reapply

Bewerber(in) *m/f* 1. applicant, candidate, contender, entrant; 2. *(Auftrag)* competitor, bidder, tenderer; 3. *(Mitgliedschaft)* would-be entrant; **B. mit Berufserfahrung** second jobber; **B. ablehnen** to turn down a candidate; **B. prüfen** to examine a candidate; **B. sieben** to screen candidates; **aussichtsreicher B.** frontrunner; **erfolgreicher B.** successful candidate; **ernsthafter B.** serious contender; **konkurrierender B.** competing bidder; **möglicher B.** prospective candidate; **qualifizierter B.** eligible candidate; **B.auswahl** *f* shortlist of applicants; **B.liste** *f* list of candidates/applicants; **B.überhang** *m* excess applicants

Bewerbung *f* 1. (job/employment) application; 2. *(Amt)* candidacy, candidature; 3. *(Gesuch)* petition; 4. *(Auftrag)* bid (for), tender; 5. *(Produkt)* promotion, promotional service; **B. ablehnen** to turn down an application; **B. aufsetzen** to write a letter of application; **jds B. befürworten** to back so.'s application; **B. richten an** to send an application to

Bewerbungs|bogen/B.formular *m/nt* application (form); **B.datum** *nt* date of application; **B.frist** *f (Ausschreibung)* application/tender period; **B.gespräch** *nt* (job) interview; **B.schluss/letzter B.termin** *m* deadline/closing date for applications; **B.schreiben** *nt* letter of application; **B.unterlagen** *pl* application papers/file/documents; **B.verfahren** *nt* application procedure; **B.vordruck** *m* application form

bewerkstellig|en *v/t* to effect/manage/accomplish/contrive/realize/engineer; **schwer zu ~ sein** to be hard to accomplish; **B.ung** *f* managing, accomplishment, realization

bewertbar *adj* assessable, appraisable, rat(e)able

bewerten *v/t* 1. to value/assess/evaluate/valuate/rate/appraise, to put a value on sth.; 2. to judge/weigh/consider/estimate; 3. to assay; 4. *(Börse)* to capitalize

hoch bewerten to set/put a high value on sth.; **zu ~ b.** to overrate; **höher b.** to uprate, to upvalue, to mark up; **neu b.** 1. to revalue/reassess/reappraise/rerate; 2. to reevaluate/reprice/revalorize; **vorbörslich ~ b.** to mark up on the pre-market; **(etw.) niedrig b.** to set a low value on sth.; **zu ~ b.** to underrate/underestimate/undervalue; **niedriger b.** to mark down; **rangmäßig b.** to rank; **steuerlich b.** 1. to assess; 2. *(Kommunalsteuer)* to rate

bewertet *adj* assessed, valued; **höher b.** higher priced; **niedrig b.** low-priced; **zu ~ b.** underpriced; **vernünftig b.** reasonably priced; **b. zu durchschnittlichen Anschaffungskosten bzw. zum niedrigeren Marktpreis** valued at the lower of cost or market, ~ cost or market whichever is lower

Bewertung *f* evaluation, assessment, appraisal, valuation, rating, appraisement, estimate, review

Bewertung einer Aktie share rating; **B. von Aktiva** valuation of assets; **B. fester Anlagen; B. des Anlagevermögens** fixed-asset valuation; **B. eines Anspruchs** assessment of a claim; **B. einer Arbeit** job rating; **B. eines Betriebs** going-concern valuation; **B. durch die Börse** *(Aktie)* stock market valuation; **B. von Büroarbeit** clerical work evaluation; **B. zu Durchschnittspreisen**; **B. zum Mittel der Einstandspreise** average cost(ing) method; **B. selbsterstellter Erzeugnisse** product costing; **B. zu Festpreisen** *(Vorrat)* standard costing; **B. von Forderungen** valuation of claims; **B. zu Gestehungskosten** valuation at cost; **B. eines Grundstücks; B. von Grundvermögen** property valuation; **rangmäßige B. von Gütern** ranking of commodities; **B. zu Herstellungs- oder Anschaffungskosten** accounting valuation; **B. zum Jahresbeginn** opening assessment; **~ Jahresende** closing assessment; **B. des Lagerbestandes** stock assessment/appraisal; **B. einer Leistung** performance rating; **B. zum Marktpreis** valuation at market (prices); **B. des Materialverbrauchs** costing of material usage; **B. zum Nettowert** net valuation; **B. nach dem Niederstwertprinzip** valuation at the lower of cost or market, ~ cost or market whichever is the lower; **B. auf Grund des erzielten Preises** valuation on the basis of the price paid; **B. zum Rechnungswert** cost method valuation; **B. durch Sachverständige(n)** expert appraisal; **B. eines Schadens** assessment of a damage; **B. von Schuldverschreibungen** bond ranking/rating; **B. einer Sicherheit** valuation of a security; **B. des Unternehmens als Ganzes** valuation of the enterprise as a whole, ~ as a going concern; **B. nach dem Verkaufspreisverfah-**

ren retail costing; **B. zu festen Verrechnungspreisen** standard cost method; **B. zum Verkehrswert** market valuation; **B. des Vertriebsplanes** marketing plan evaluation; ~ **Vorratsvermögens** inventory valuation; **B. zum Wiederbeschaffungspreis** valuation at replacement cost; **B. für Zollzwecke** customs valuation

einer Bewertung unterziehen; B. vornehmen to appraise/value

erneute Bewertung revaluation; **finanzielle B.** capital rating; **gerechte B.** fair estimate; **handelsmäßige/-rechtliche B.** commercial valuation; **kalkulatorische B.** pricing of input factors; **kursmäßige B.** valuation in quoted prices; **laufende B.** current year assessment; **marktgemäße B.** market valuation; **medizinische B.** medical assessment; **richtige B.** fair estimate; **steuerliche B.** valuation for tax (purposes); **subjektive B.** subjective assessment; **technische B.** technical evaluation; **versicherungstechnische B.** actuarial valuation; **vorsichtige B.** conservative estimate/valuation; **zollamtliche B.** customs valuation

Bewertungs|abschlag *m* depreciation, write-down, reduction in stock valuation, downward valuation adjustment; **B.abschreibung** *f* asset valuation below balance sheet value; **B.agentur** *f* rating agency; **B.analyse** valuation analysis; **B.änderung** *f* valuation adjustment; **B.ausschuss** *m* assessment committee; **B.basis** *f* valuation basis; **B.bedarf** *m* valuation requirement; **B.bericht** *m* valuation report; **B.bestimmungen** *pl* valuation principles; **B.bogen** *m* valuation sheet; **B.datum** *nt* evaluation date; **B.differenzen** *pl* assessment variances; **B.durchschnitt** *m* weighted average; **B.einheit** *f* valuation unit; **B.erfordernis** *nt* valuation/assessment requirement; **B.erhöhung** *f* valuation increase; **B.fachmann** *m* appraiser; **B.faktor** *m* appraisal factor; **B.fehler** *m* valuation error; **B.frage** *f* evaluative problem; **B.freiheit** *f (Bilanz)* discretionary valuation, free depreciation; **B.gebühr** *f* appraisal fee; **B.gewinn** *m* appreciation surplus; **B.grenze** *f* valuation/assessment limit; **B.größe** *f* factor of evaluation; **B.grundlage** *f* 1. valuation base/basis, basis of value; 2. *(Aufwandsrechnung)* cost basis; **B.grundsatz** *m (Bilanz)* valuation principle, axiom/principle/standard of valuation; **B.gutachten** *nt* appraisal report; **B.index** *m* weighted index; **B.kommission** *f* appraisal committee; **B.konglomerat** *nt* valuation mix; **B.kontinuität** *f* continuity of valuation; **B.korrektur** *f* reappraisal, revaluation; **B.kriterien** *pl* valuation provisions, set of criteria; **b.mäßig** *adj* valuational; **B.maßstab** *m* 1. criterion; 2. rate of assessment; 3. *(Bilanz)* standard of valuation, accounting measurement/valuation standard; **B.matrix** *f* value matrix; **B.merkmal** *nt* appraisal factor; **B.methode** *f* valuation method/technique; **dividendenabhängige B.methode** dividend valuation method; **B.modell** *nt* appraisal/valuation model; **B.niveau** *nt* valuation level; **B.prinzip** *nt* valuation/assessment principle; **B.prozess** *m* scoring process; **B.recht** *nt* property valuation law; **B.regel** *f* valuation rule, assessment principle; **B.reserve** *f* cushion, reserve due to undervaluation; **B.richtlinien** *pl* 1. assessment principles; 2. *(Bilanz)* valuation rules; **unabhängiger B.sachver-ständiger** independent valuation expert; **B.schlüssel** *m* key of ratings, rating key; **B.skala** *f* rating scale; **B.ste-tigkeit** *f* consistency of valuation; **B.stichtag** *m* 1. valuation date; 2. *(Bausparen)* reference date for valuation purposes; **B.tabelle** *f* rating table; **B.tätigkeit** *f* appraisal activity; **B.technik** *f* valuation technique/method; **B.überschuss** *m* appraisal/appreciation surplus; **B.unterlagen** *pl* valuation data; **B.unterschied** *m* difference in valuation, valuation difference/variance; **B.verfahren** *nt* valuation process/method; **B.verhältnis** *nt* valuation ratio; **B.verlust** *m* loss on valuation; **B.versto[ß]** *m* infringement of valuation rules

Bewertungsvorschriften *pl* 1. *(Bilanz)* valuation rules 2. *(Steuer)* assessment principles; **Bewertungs- und Gliederungsvorschriften** valuation and classification rules; **steuerliche B.** tax valuation rules

Bewertungswahlrecht *nt* discretionary valuation, option between different values, right to choose between alternative valuation bases

bewiesen *adj* proven, proved; **nicht b.** not proven; **unwiderlegbar b.** proved beyond doubt; **urkundlich b.** evidenced by documents

bewilligen *v/t* 1. to allow/grant/permit; 2. to authorize/approve/concede/sanction; 3. *(Geldmittel)* to appropriate/award/allot; **global b.** to vote as a lump sum; **rückwirkend b.** to grant with retroactive effect

Bewilliger(in) *m/f* grantor, granter

Bewilligung *f* 1. consent, permission, permit, leave, approval; 2. authorization, concession, licence; 3.allowance, grant(ing of a subsidy), appropriation, allocation, provision; **B. kraft gesetzlicher Auslegung** § constructive allowance; **B. von Geldmitteln** appropriation of funds; **B. einer Hypothek** mortgage approval; **B. eines Kredits** approval of a loan; **B. erteilen** to grant permission; **globale B.** block grant; **nachträgliche B.** supplementary appropriation

Bewilligungs|ausschuss *m* allocation/authorizing/appropriation committee; **B.bescheid** *m* notification of approval, decision on an application, letter of grant, authorization; **B.grenze** *f* approval limit; **B.inhaber** *m* holder of an authorization; **der B.pflicht unterliegen** to be subject to authorization; **b.pflichtig** *adj* subject to authorization/approval; **B.recht** *nt (Geldmittel)* appropriation privilege; **B.schreiben** *nt* letter of grant; **B.stelle** *f* authorizing agency, licensing authority; **B.verfahren** *nt* authorization/approval/licensing procedure; **B.vollmacht** *f* approval powers; **B.vorlage** *f* appropriation(s) bill; **B.zeitraum** *m* appropriation period

be|wirken *v/t* to effect/cause/effectuate, to bring about; **b.wirten** *v/t* to entertain (to a meal)/treat, to wine and dine

bewirtschaft|en *v/t* 1. to manage/administer/run; 2. to control/allocate; 3. 🚜 to farm/cultivate/work; 4. *(zwangsweise)* to ration; **B.er** *m* manager; **B.erin** *f* manageress; **b.et** *adj* 1. rationed; 2. *(Wohnung)* rent-controlled; 3. 🚜 cultivated; **nicht mehr b.et** 1. decontrolled; 2. uncultivated

Bewirtschaftung *f* 1. management, administration, planning; 2. control, husbandry, rationing, allocation, fixing of quotas; 3. 🚜 farming, cultivation; **B. von Lebensmitteln** food rationing; **B. des Wohnungsmarktes** housing control; **B. aufheben; aus der B. herausnehmen** to decontrol/deregulate; **gemeinsame B.** 1. joint management; 2. 🚜 joint farming; **gute B.** good husbandry; **nachhaltige B.** sustainable management; **schonende B.** conserving cultivation/management; **sparsame B.** economy; **staatliche B.** government control

Bewirtschaftungs|art *f* 🚜 type/mode of culture; **B.kosten** *pl* administrative/management cost(s); **B.maßnahme** *f* 1. rationing device; 2. control measure; **B.plan** *m* 1. rationing scheme; 2. 🚜 cultivation scheme; **B.stelle** *f* ration board; **B.system** *nt* control/rationing/allocation system; **B.vertrag** *m* management contract

Bewirtung *f* entertainment, hospitality, treat, ; **B. von Geschäftsfreunden** entertainment of visitors; **B.sgewerbe** *nt* catering trade; **B.skosten** *pl* entertainment expenses

bewohnbar *adj* fit for habitation, habitable, tenantable, liv(e)able; **B.keit** *f* habitability

bewohn|en *v/t* to inhabit/occupy; **B.er(in)** *m/f* inhabitant, resident, occupant, dweller, occupier, inmate; **b.t** *adj* occupied, inhabited, in occupation

beworben *adj* 1. advertised; 2. promoted

Bewuchs *m* 1. vegetation; 2. ⚓ barnacles

bewusst *adj* 1. aware, conscious, knowing; 2. wilful, deliberate, intentional; 3. § cognizant; **sich b. sein** to be aware of, ~ alive to, to realize; **sich einer Sache deutlich b. sein** to be acutely aware of sth.; **sich b. werden** to become aware of, to wake up to sth., to awake to

Bewusstsein *nt* awareness, consciousness; **in dem B.** recognizing; **im B. der Schuld** having guilty knowledge; **~ Unschuld** aware of one's innocence; **etw. klar zu B. bringen** to drive sth. home; **B.slücke** *f* (momentary) blackout; **B.sstörung** *f* mental disturbance, confusion of the mind; **B.swandel** *m* change of attitudes

bezahlbar *adj* payable; affordable

bezahlen *v/t* 1. to pay, to cough/stump up *(coll)*; 2. *(Rechnung)* to settle; 3. *(Scheck)* to honour; 4. *(Schulden)* to discharge/settle/clear/acquit

(in) bar bezahlen to pay (in/spot) cash, ~ cash down; **sofort ~ b.** to pay in ready cash, ~ on the nail *(coll)*; **doppelt so viel b.** to pay twice as much; **fristgemäß b.** to pay within the specified time; **ganz b.** to pay in full; **getrennt b.** to go Dutch *(coll)*; **netto b.** to pay net; **nicht b.** to default/dishonour, to bilk *(coll)*; **postnumerando b.** to pay on receipt; **pränumerando b.** to pay in advance; **pünktlich b.** to pay promptly; **restlos b.** to pay in full; **schlecht b.** to underpay; **selbst b.** to pay out of one's own pocket; **sofort/auf der Stelle b.** to pay cash down, ~ on the spot/nail *(coll)*; **stundenweise b.** to pay by the hour; **teilweise b.** to make a part payment; **teuer b.** to pay dear(ly)/a heavy price *(fig)*; **zu ~ b.** to pay through the nose *(coll)*; **voll(ständig) b.** to pay (up)/settle in full, to pay up; **im Voraus b.** to prepay, to anticipate payment, to pay in advance; **~ zu b.** prepayable

bezahlt *adj* 1. paid (pd), received; 2. remunerated, paid for, settled; 3. *(Scheck/Wechsel)* honoured; 4. *(Börse)* prices negotiated; 5. *(nicht ehrenamtlich)* stipendiary; **b. und Brief (bB)** *(Börse)* sellers over; **~ Geld (bG)** *(Börse)* buyers over/ahead, dealt and bid; **sich b. machen** to pay (off/well), to pay dividends; **stundenweise b. werden** to be paid by the hour

bar bezahlt cash paid; **gering b.** low-paid; **gut b.** well paid; **hoch b.** highly paid; **nicht b.** unpaid; **niedrig/schlecht/ungenügend b.** low-paid, underpaid, poorly/badly paid; **termingerecht b.** paid at maturity; **voll b.** fully paid (up) (f.p.), paid in full; **im Voraus b.** prepaid

Bezahlt|kurs *m* price paid, price agreed upon; **B.meldung** *f* advice of payment

Bezahlung *f* 1. pay, payment, remuneration, rate of pay; 2. *(Rechnung)* settlement; 3. *(Scheck/Wechsel)* honouring; 4. *(Schulden)* discharge, (ac)quittance; **bei B.** on payment; **gegen B.** cash (down), against payment, for pecuniary reward; **nur ~ B.** cash only

Bezahlung durch Aktien und in bar share and cash consideration; **B. nach Anwesenheitsdauer im Betrieb** portal-to-portal pay; **B. bei Auftragserteilung/Bestellung** cash with order (CWO/cwo); **B. nach Erfolg** payment by results; **~ Lieferung** cash on delivery (COD/cod); **B. einer Rechnung** settlement of an account, payment/settlement of invoices; **B. gegen offene Rechnung** clean payment; **B. nach Rechnungseingang** cash on invoice, payment after receipt of invoice; **B. von Schulden** settlement of debts

Bezahlung erfolgt settlement is effected, ~ to be effected

Bezahlung ablehnen/verweigern to refuse payment; **auf B. bestehen/dringen** to insist on payment

einmalige Bezahlung lump-sum payment; **bis zur endgültigen B.** until fully paid, pending payment in full; **fristgemäße B.** due payment; **zu geringe B.** underpayment; **gleiche B.** equal pay; **langsame B.** dilatory payment; **leistunsgbezogene B.** performance-based payment; **leistungsgerechte B.** payment by results, incentive wage plan; **schlechte B.** poor pay; **sofortige B.** prompt cash, immediate payment, **gegen ~ B.** for spot cash; **symbolische B.** token payment; **teilweise B.** part/partial payment; **übermäßige B.** overpayment; **volle/vollständige B.** payment/settlement in full, full payment; **bis zur vollständigen B.** until payment has been made in full

bezeichnen *v/t* 1. *(beschriften)* to mark/describe/label/call/indicate; 2. to style/dub/identify; 3. to name/denominate/designate; 4. to refer to; **b. als** to term; **genau/näher b.** to specify/define; **b.d** *adj* typical, characteristic, significant, indicative, distinctive, telling, symptomatic; **~ sein** to set the tone, to typify

Bezeichner *m* name

bezeichnet *adj* marked, designated, undermentioned; **nachstehend b.** here(in)after referred to

Bezeichnung (Bez.) *f* 1. description, term, title, name, designation, denotation, denomination; 2. *(Ware)* label, mark, brand; **B. der Anlagegegenstände** fixed-asset classification; **~ Erfindung** title of the invention; **B.**

des Kontos description of the account; **B. als Markenartikel** branding; **B. der Ware** description of goods

amtliche Bezeichnung official term/designation; **falsche B.** misnomer; **genaue B.** exact specification; **geschützte B.** proprietary description; **handelsübliche B.** commercial/customary description, trade description (of goods); **irreführende/mißverständliche B.** misleading name/description; **kurze B.** short title; **offizielle B.** official term/designation/nomenclature; **technische B.** technical term/designation

Bezeichnungs|merkmal *nt* distinguishing feature; **B.weise** *f* terminology

bezeug|en *v/t* to witness/testify/attest/depose/vouch, to bear testimony to, to give evidence; **B.ung** *f* attestation; **urkundliche B.ung** documentary proof/evidence

bezichtig|en *v/t* to accuse/incriminate/charge; **b.t werden** *adj* to be under imputation; **B.ung** *f* accusation, incrimination, charge, imputation

beziehbar *adj* *(Ware)* obtainable; **sofort b.** 1. *(bezugsfertig)* ready to move into; 2. *(Gebäude)* vacant (possession)

beziehen *v/t* 1. to receive; 2. *(Kauf)* to buy/purchase/obtain/procure/source; 3. *(Haus)* to move into, to occupy; 4. *(Einkünfte)* to draw/derive; 5. *(Aktien)* to subscribe, to take up; **sich b. auf** 1. to refer/relate to, to be pertinent to, ~ concerned with; 2. [§] to pertain to; **sofort zu b.** *(Haus)* (for) immediate occupation; **direkt b.** to buy first-hand, to obtain (at) first hand

Bezieher(in) *m/f* 1. *(Einkommen)* recipient, drawer; 2. *(Kauf)* buyer, taker, procurer; 3. *(Zeitung/Aktien)* subscriber; 4. *(Wohnung)* person moving in; **B. fester Einkommen** person on a fixed income; **die B. niedriger Einkommen** the low-paid; **B. von Firmenruhegeld** occupational pensioner

Beziehung *f* relation(ship), link, tie, association, connection, contact, rapport; **B.en** connections, links, relations, working relationship, dealings, old-boy network *(coll)*; **ohne B.** unrelated; **~ zu** extraneous to; **B.en zwischen Arbeitgebern und Arbeitnehmern**; **~ den Sozialpartnern/Tarifparteien** industrial/labour relations; **B.en auf der Beschaffungsseite** procurement links; **~ der Wirtschaftszweige** inter-industry relations; **in B. stehend** [§] referable

Beziehung|en abbrechen to break off/sever relations; **~ anknüpfen/aufnehmen/herstellen/knüpfen** to establish relations, to enter into relations, to form/establish links; **~ beeinträchtigen** to sour relations; **in gegenseitige B. bringen** to interrelate; **gute B.en haben** 1. to be well connected; 2. *(persönlich)* to be on good terms; **B.en pflegen** to nurse relations/connections; **auswärtige ~ pflegen** to attend to foreign relations; **in B. setzen** to relate; **B.en spielen lassen** to pull strings/wires; **in enger B. stehen** to be closely connected; **in gegenseitiger B. stehen** to interrelate; **in guten B.en stehen** to be on good terms; **mit jdm in B. treten** to enter into relations with so.; **zu jdm B.en unterhalten** to maintain/entertain relations with so.; **gute B.en unterhalten** to maintain good relations; **über ~ verfügen** to have connections; **über gute ~ verfügen** to be well connected

außereheliche Beziehungen extramarital relations; **ausgedehnte B.** widespread connections; **auswärtige B.** foreign/external relations; **diplomatische B.** diplomatic relations; **eheliche B.** marital relations; **enge B.** close links/relationship; **ex-ante B.** ex ante constructions; **exponentionelle B.** curvilinear relationship; **freundschaftliche B.** friendly relations; **geschäftliche Beziehung** business connection/relationship, business/commercial relations; **gespannte B.** strained relations; **in gewisser Beziehung** in a way; **gute B.** good terms; **mit guten B.** well connected; **industrielle B.** industrial relations, labour(-management) relations; **juristische B.** legal relations; **nicht lineare B.** curvilinear relationship; **menschliche B.** human relations; **rechtliche B.** legal relations; **schuldrechtliche/vertragliche B.** contractual relations; **verwandtschaftliche B.** (family) relationship, kinship; **wechselseitige Beziehung** interrelation; **zwischenmenschliche B.** interpersonal human relations

Beziehungs|kauf *m* direct purchase; **b.los** *adj* unrelated, unconnected; **B.preis** *m* direct purchase price; **b.weise** *adv* respectively; **B.zahl** *f* ▦ relative number

beziffer|n (auf) *v/t* 1. to put (a figure) at, to estimate; 2. to bankroll (with), to figure *[US]*, to put a figure (on sth.); *v/refl* to amount to; **B.ung** *f* numbering

Bezirk *m* 1. district, region, area, territory, precinct, patch *(coll)*; 2. quarter; 3. ward, beat; **B. bearbeiten** *(Vertreter)* to work a district, to cover a territory; **ländlicher B.** rural district; **postalischer B.** postal district; **städtischer B.** urban district

Bezirks|- regional; **B.abgeordnete(r)** *f/m* district councillor; **B.agent** *m (Börse)* district jobber; **B.agentur** district office; **B.amt/B.behörde** *nt/f* district office, local government office, area/district authority; **B.büro** *nt* district/area office; **B.direktion** *f* 1. regional (head) office, regional/district management; 2. *(Vers.)* general agency; **B.direktor** *m* 1. area/district manager, regional director; 2. *(Vers.)* general agent, agency superintendent; **B.filiale** *f* regional office; **B.finanzdirektion** *f* regional tax office

Bezirksgericht *nt* 1. county/district/divisional court; 2. assizes *(obs.)* *[GB]*; **B. für Strafsachen** crown court *[GB]*; **B.stage** *pl* [§] assizes *(obs.)* *[GB]*

Bezirks|grenze *f* regional boundary; **B.inspektor** *m* area controller, area/regional manager; **B.karte** *f (Nahverkehr)* rover/roundabout ticket; **B.leiter** *m* area manager, regional director; **~ der Gewerkschaft** union district organiser, divisional officer; **B.leitung** *f* area headquarters; **B.planungsrat** *m* regional planning council; **B.postamt** *nt* district post office; **B.rat** *m* district council *[GB]*; **B.regierung** *f* regional government/authority/administration; **B.richter** *m* district magistrate; **B.sekretär** *m* 1. district/regional officer; 2. *(Gewerkschaft)* divisional/regional organiser; **B.staatsanwalt** *m* district attorney *[US]*; **B.umlage** *f* district levy; **B.umsatz** *m* area/district turnover; **B.verband** *m* regional/district association; **B.vertreter** *m* 1. area/regional representative; 2. *(Vers.)* special/sole agent, inspector *[CAN]*; **B.vertretung** *f* area office; **B.ver**

sammlung *f* regional/district assembly; **B.verwaltung** *f* regional office/authority, district office; **b.weise** *adv* by districts; **B.zentrale** *f* area headquarters

bezogen *adj (Wechsel)* drawn; **b. werden** *(Haus)* to be occupied; **B.e(r)** *f/m (Wechsel)* drawee, payer; **B.eindruck** *m (Scheck)* printed designation of drawee; **bankrotter B.er** bankrupt drawee

Bezug (Bez.) *m* 1. reference, re., subject; 2. *(Kauf)* purchase, buying, sourcing, procurement; 3. *(Zeitung)* subscription; 4. *(Einkommen)* drawing; 5. *(Stoff)* cover(ing); **bei B.** when ordering; **in B. auf** with regard to, in respect of, in the case of, relating to, in relation to, regarding; **mit B. auf** with reference to, related to; **ohne B.** unrelated; **B. neuer Aktien** allocation of new shares; **B. aus einer Quelle** single sourcing; **B. von Waren** purchase of goods; **zum B. anbieten** *(Aktie)* to offer for subscription; **in B. bringen** to relate; **B. haben zu** to refer to, to be pertinent to; **B. kündigen** to stop a subscription; **B. nehmen auf** to refer to; **hilfsweise ~ auf** § to make subsidiary reference to; **direkter B.** direct buying/purchasing; **zeitlicher B.** goal period

Bezüge *pl* 1. emoluments, remuneration, earnings, pay, salary, income; 2. *(Ware)* supplies, goods purchased; **B. der Gesellschafter** partners' drawings; **B. aus Nebeneinkünften** income/earnings from secondary sources; **B. mit Pensionsberechtigung** pensionable emoluments; **B. eines Verwaltungsrats-/Vorstandsmitglieds** director's emoluments; **einmalige B.** non-recurring income, one-time emoluments, one-off/lump-sum payment(s) *(coll)*; **feste B.** stipend; **monatliche B.** monthly pay/income/earnings; **ruhegehaltsfähige B.** pensionable pay; **sonstige B.** miscellaneous receipts; **steuerfreie B.** tax-free earnings; **wiederkehrende B.** recurrent benefits/payments

bezüglich (bez.) *prep* re., regarding, referring to, with regard/respect to, in respect of, relating/relative to, in the matter of, on the subject of

Bezugnahme *f* reference; **unter B. auf** referring to, with reference to; **unter weiterer B. auf** with further reference to

bezugnehmend auf referring to

Bezugsladresse *f* reference address; **B.aktien** *pl* rights/new/pre-emptive shares; **ex/ohne B.aktien** ex cap(italization); **B.angebot** *nt (Aktien)* rights issue/offer *[GB]*, subscription warrant *[US]*, offer of new shares; **B.anweisung** *f* delivery order (D/O); **B.aufforderung** *f* request to exercise an option right; **B.ausweis** *m* 1. buying permit; 2. receipt to bearer; **B.band** *nt* 💻 standard tape; **B.basis** *f* reference base, basis of comparison, benchmark figures; **B.bedingungen** *pl* 1. terms of delivery, terms and conditions of sale; 2. *(Katalog)* conditions of purchase; 3. *(Zeitung)* terms/conditions of subscription; **b.berechtigt** *adj* 1. *(Rente)* entitled to draw; 2. *(Emission)* eligible to subscribe; **B.berechtigte(r)** *f/m* 1. beneficiary, allottee; 2. *(Rente)* authorized drawer

Bezugsberechtigung *f* 1. subscription privilege, rights issue, allotment; 2. *(Schein)* appointment of beneficiary; 3. *(Vers.)* title to benefits; **widerrufliche B.** *(Vers.)* revocable appointment of beneficiary; **B.sschein** *m* 1. subscription/purchase warrant, scrip; 2. coupon; **~ für Aktien** stock purchase warrant

Bezugslbescheinigung *f* allotment certificate; **(un)widerrufliche B.bescheinigung** (ir)revocable appointment of beneficiary; **B.betrag** *m* reference amount; **B.datum** *nt* reference date; **B.dauer** *f* subscription period; **B.dokument** *nt* reference document; **B.erklärung** *f* application for subscription; **B.ermächtigung** *f* purchasing authorization; **b.fertig** *adj* 1. *(Haus)* 🏛 ready for immediate occupany, ~ occupation, ready to occupy, ~ move into; 2. (for) immediate occupation; 3. *(Anzeige)* vacant possession, turnkey; **B.formular** *nt* 1. order form; 2. *(Aktien)* subscription form/blank; **B.frist** *f* subscription period; **B.gebiet** *nt* supply area, area of purchase; **B.gebühr** *f* subscription fee; **B.genehmigung** *f* purchasing authorization; **B.genossenschaft** *f* cooperative purchasing association

Bezugsgröße *f* base, reference/benchmark figure, parameter, yardstick, standard for comparison, basic amount, unit of reference; **B.n** terms of reference; **B.nkalkulation** *f* operations cost system

Bezugsljahr *nt* reference/base year; **B.kalkulation** *f* cost price estimate; **B.klasse** *f* ▦ reference class; **B.kommissionsnummer** *f* reference order number; **B.kontingent** *nt* purchasing quota; **B.kosten** *pl* delivery/purchase cost(s), cost of acquisition, freight in, carriage inwards *[US]*; **B.kurs** *m* issue/subscription/reference price; **B.land** *nt* country of origin, supplying country; **B.leistung** *f (REFA)* reference performance; **B.lohn** *m* reference wage; **B.marke** *f* coupon; benchmark; **B.maß** *nt* basic/reference size; **B.möglichkeit** *f* sourcing option; **B.nummer** *f* reference number (Ref. No.); **B.obligation** *f* bond with stock subscription rights; **B.option** *f* call (option), option for new shares; **B.patent** *nt* related patent; **B.periode** *f* 1. ▦ reference/base period; 2. relevant/subscription period; **B.pflicht** *f* obligation to buy; **B.prämie** *f* call premium; **B.preis** *m* 1. *(Aktien)* subscription price/rate, exercise price; 2. reference/purchase/marker price; **angekündigter B.preis** advertised price; **B.punkt** *m* benchmark, reference point; **einheitlicher B.punkt** uniform base period

Bezugsquelle *f* source (of supply), buying (re)source, sourcing option; **B.nnachweis** *m* sources of supply; **B.nverzeichnis** *nt* trade directory

Bezugslrahmen *m* terms/frame of reference; **B.raum** *m* reference area, area concerned

Bezugsrecht *nt* 1. subscription privilege/right, option (to subscribe), (stock) right, purchase warrant, preemption of new issues, right to subscribe, ~ of option, share(holder's) pre-emptive right; 2. rights issue; **ex B. (ex Bez.)** ex rights (x.r.), ex new/claims/drawing/allotment; **inklusive/mit B.** cum rights (c.r.), rights on; **ohne B.** ex new/rights, without rights; **im Wege des B.s** by way of rights; **B. pro alte Aktie** (fractional) share entitlement; **B. auf junge/neue Aktien** stock option, option on new stock, stock subscription right; **inklusive ~ Aktien** cum new; **B. für Belegschaftsmitglieder** restricted stock option; **B. auf Dividendenwerte** subscription right on dividend-bearing securities; **B.**

(für Aktionäre) ausschließen to exclude/preclude the subscription right (of shareholders); **B. ausüben** to exercise an option, to take up one's rights, ~ an option; **mit B.en handeln** to deal in rights; **gesetzliches B.** statutory subscription right; **auf den Namen lautendes B.** registered subscription warrant *[US]*

Bezugsrechts|abschlag *m* ex-rights markdown; **B.angebot** *nt* rights offer(ing)/issue; **~ machen** to make a rights offer; **B.ankündigung** *f* notice of rights, announcement of a rights issue; **B.anwärter** *m* rights candidate; **B.ausgabe** *f* rights issue; **B.ausschluss** *m* exclusion of the subscription right; **B.ausübung** *f* exercise of a subscription right; **B.dividende** *f* scrip dividend; **B.emission** *f* capitalization/rights issue; **B.erlös** *m* allotment yield; **B.erlöse** proceeds from stock rights; **B.handel** *m* rights dealing, trading in subscription rights; **B.kurs** *m* subscription price; **b.los** *adj* without rights; **B.mitteilung** *f* allotment letter *[GB]*, certificate of allotment *[US]*; **B.obligaton** *f* option bond; **B.schein** *m* option certificate/warrant, subscription warrant; **festverzinsliche B.scheine** registered unsecured notes; **B.spitze** *f* fractional (share) entitlement(s); **B.stichtag** *m* record date; **B.urkunde** *f* subscription warrant; **B.verzicht** *m* subscription waiver; **B.wert** *m* subscription value; **B.zertifikat** *nt* subscription warrant; **B.zuteilung** *f* allotment letter *[GB]*/certificate *[US]*, letter of allotment

Bezugsregister *nt* base register

Bezugsschein *nt* 1. *(Aktien)* subscription warrant/certificate, scrip; 2. *(Waren)* coupon, ration card; **B. einlösen** to cash a coupon; **b.frei** *adj* coupon-free; **b.pflichtig** *adj* rationed; **B.rationierung** *f* coupon rationing

Bezugs|schlüssel *m* reference scale; **B.sperre** *f* refusal to buy; **B.spesen** *pl* delivery expenses; **B.sprache** *f* reference language; **B.stelle** *f* subscription agency/agent; **B.stoff** *m* upholstery fabric; **B.system** *nt* terms/frame of reference, framework, reference system; **B.tag** *m* 1. reference date; 2. allotment day; **B.termin** *m* 1. reference date; 2. delivery period/date; 3. *(Haus)* date for moving in; **B.verhältnis** *nt* exchange/subscription ratio; **B.vertrag** *m* supply/purchase contract, open-end contract; **B.währung** *f* reference currency; **auf einer ~ basieren; auf eine ~ gründen** to be linked to a reserve currency; **B.wert** *m* 1. reference value, base; 2. security carrying subscription rights; **B.zahl** *f* reference figure; **B.zeichen** *nt* reference mark; **B.zeitpunkt** *m* reference date; **B.zeitraum** *m* 1. reference/relevant/base period; 2. subscription period

bezuschuss|en *v/t* to subsidize; **B.ung** *f* subsidization; **b.ungsfähig** *adj* eligible (for a grant/subsidy)

be|zwecken *v/t* to aim at, to have as the object, to purport; **b.zweifeln** *v/t* to question/doubt/query/dispute; **b.zwingen** *v/t* to conquer/overcome

BfA → **Bundesversicherungsanstalt (für Angestellte)**

bG (bezahlt und Geld) buyers ahead

BGB → **Bürgerliches Gesetzbuch;** → **Bundesgesetzblatt**; **BGB-Gesellschaft** *f* civil/unlimited/trading partnership, company under private law, joint venture

BGH → **Bundesgerichtshof**

BGS → **Bundesgrenzschutz**

Bhf → **Bahnhof**

Bibliothek *f* library; **öffentliche B.** public library; **B.ar(in)** *m/f* librarian; **B.sausweis** *m* library ticket; **B.stantiemen** *pl* lending rights, royalties

Biene *f* bee; **B.nzucht** *f* beekeeping, apiculture

Bier *nt* beer, ale; **B.absatz** *m* beer sales; **B.brauer** *m* (beer) brewer; **B.steuer** *f* beer tax; **B.verbrauch** *m* beer consumption; **B.verlag** *m* beer wholesaler, beer-selling agency, brewer's agent; **B.verleger** *m* beer wholesaler, brewer's agent

Bieten *nt* bidding

bieten *v/t* 1. to offer/tender; 2. to give/furnish/provide; 3. *(Versteigerung)* to (make a) bid; *v/refl* to present itself; **höher b.** to raise the bid; **mehr b. als** to outbid (so.); **weniger b. als** to underbid; **zu viel b.** to overbid

Bietende(r)/Bieter(in) *m/f* bidder, tenderer; **interessierter B.** would-be bidder

Bietergemeinschaft *f* bidding syndicate

Biet|- → **Bietungs-**; **B.garantie** → **Bietungsgarantie**

Biet|problem *nt* bidding problem; **B.schluss** *m* closing date for tenders

Bietungs|bürgschaft *f* participation bond; **B.garantie** tender/bid guarantee, participation/bid/proposal bond, provisional deposit, earnest money; **B.konsortium** *m* bidding company/syndicate; **B.kurs** *m* bidding price, rate; **B.schluss** *m* tender date; **B.vollmacht** *f* authorization to bid

Bijouterie *f* jewellery and trinkets

Bilanz *f* 1. balance sheet, accounts, statement assets and liabilities, ~ (of financial position), assets and liabilities statement *[US]*, consolidated statement of condition, (annual) financial statement, assets and equities, balance of account(s), set of accounts/figures, net movement, record review; 2. *(Lage)* balance, end result

Bilanz einer Aktiengesellschaft corporate balance/statement; **B. der Arbeigeber-Arbeitnehmerbeziehungen** industrial relations record; **~ Faktoren** review of the factors; **B. des Kapitalverkehrs** statement of capital transactions; **~ kurzfristigen Kapitalverkehrs** (net balance on) short-term capital account; **~ langfristigen Kapitalverkehrs** (net balance on) long-term capital account, ~ movement(s); **B. über Kreuz** matrix balance sheet; **B. des Lagerbestands** balance of stock; **B. der unentgeltlichen Leistungen** balance of unilateral transfers; **~ unsichtbaren Leistungen** balance of services account, invisible balance; **B. in Matrizenform** matrix balance sheet; **B. auf Nettoliquiditätsbasis** net liquidity base; **B. der laufenden Posten** (balance of payments on) current account; **B. mit Prüf(ungs)vermerk** certified financial statement; **B. in laufender Rechnung** external current account; **B. der offiziellen Reservetransaktionen** official reserve transaction balance; **B. des Sparverkehrs** net movement of savings; **~ Tourismus** tourist balance; **B. der Transportleistungen** balance of transport services; **~ Übertragungen** balance of unilateral transfers; **B. des Warenhandels** visible (trade) balance, balance on merchandise account n der Bilanz aktivieren to carry as assets, to charge to capital, to capitalize; **B. aufmachen** to make up a balance sheet; **B. aufschlüsseln** to analyze/itemize a balance sheet, to break down a balance sheet; **B. aufstellen/erstellen** to draw up/prepare a balance (sheet); **B. ausgleichen** to redress the balance; **B. bereinigen** to wipe the balance sheet clean, to clean up a balance sheet; **B. (ver)fälschen/frisieren/manipulieren/verschleiern** to cook the books, to cook/forge/doctor/fake the balance sheet, to tamper with the balance sheet; **B. genehmigen** to approve (of) a balance sheet; **B. machen** to balance (one's books); **B. prüfen** to audit a balance (sheet); **B. mit eingeschränktem Testat versehen** to qualify accounts; **B. vorlegen** to submit a balance sheet; **B. zergliedern** to break down/analyze a balance sheet; **B. ziehen** 1. to make up the accounts, to balance one's books; 2. to strike a balance, to sum up

abgekürzte Bilanz condensed balance sheet; **abgeleitete B.** derived balance sheet; **aktive B.** favourable balance, credit balance; **aufgeblähte B.** blown-up balance; **ausgeglichene B.** break-even result, zero balance; **außenwirtschaftliche B.** 1. *(Handel)* balance of trade; 2. *(Zahlung)* balance of payments; **außerordentliche B.** special balance sheet; **berichtigte B.** rectified/adjusted balance sheet; **dynamische B.** dynamic accounting; **fiktive B.** pro-forma balance sheet, ~ statement; **finanzwirtschaftliche B.** statement of application of funds; **frisierte/gefälschte B.** cooked/doctored balance sheet, doctored accounts *(coll)*; **gut fundierte B.** soundly based balance sheet; **vertikal gegliederte B.** vertical-form balance sheet; **genehmigte B.** approved balance sheet; **geprüfte B.** certified/audited balance (sheet); **vom Wirtschaftsprüfer nicht ~ B.** unaudited accounts; **handelsrechtliche B.** balance sheet according to commercial law; **jährliche B.** annual balance sheet; **kalkulatorische B.** balance sheet in cost accounting; **konjunkturpolitische B.** assessment of cyclical trends; **konsolidierte B.** consolidated/group balance sheet, consolidated balance/statement/results/accounts, consolidated/group financial statement, group statement of condition; **laufende B.** current balance; **letzte B.** ultimate balance; **monatliche B.** monthly balance (sheet); **passive B.** adverse balance; **provisorische/rohe B.** trial/rough balance; **reine B.** final balance; **statische B.** point-in-time balance; **steuerrechtliche B.** tax balance sheet, balance sheet in cost accounting; **ungeprüfte B.** unaudited accounts, ~ financial results; **unverkürzte B.** unabbreviated balance sheet; **verkürzte B.** summary of assets and liabilities, condensed/abridged balance sheet; **verschleierte B.** cooked/doctored balance sheet; **versicherungstechnische B.** actuarial estimate, actuarially valued balance sheet; **volkswirtschaftliche B.** review of the economic situation; **vorläufige B.** interim balance (sheet), tentative balance, pro-forma/trial balance sheet; **weltwirtschaftliche B.** world's economic performance; **zusammengefasste/-gezogene B.** consolidated/condensed balance (sheet)

Bilanz|abgang *m* deletion; **B.abschluss** *m* financial statement, closing of accounts, balancing of the books; **B.abschreibung** *f* depreciation (in financial accounts); **B.abteilung** *f* accounting/auditing department; **B.adressat** *m* addressee of the balance sheet, user of accounts; **B.akrobatik** *f* balance sheet gymnastics, creative accounting; **B.analyse** *f* (financial) statement analysis, balance sheet analysis, analysis sheet, ratio analysis; **B.änderung** *f* alteration of a balance sheet; **B.angaben** *pl* balance sheet data; **B.anlage** *f* balance sheet supplement; **B.ansatz** *m* (valuation/recording of a) balance sheet item, amount stated in the balance sheet; **B.aufbereitung** *f* reshuffling of balance sheet items; **pagatorische B.auffassung** pagatoric balance sheet; **B.aufgliederungsbogen** *m* analysis sheet; **monatlicher B.aufgliederungsbogen** monthly balance sheet; **B.aufstellung** *f* (preparation of the) balance sheet, statement of assets and liabilities, ~ (the) financial position

Bilanzausgleich *m* balancing adjustment; **buchhalterischer B.** accountancy equation; **B.sposten** *m* adjustment item

Bilanz|ausschuss *m* (financial) audit committee; **B.ausweis** *m* statement; **B.auswertung** *f* balance sheet evaluation; **B.auszug** *m* summary of assets and liabilities, condensed balance sheet, abstract of a balance sheet, accounting summary; **B.bereinigung** *f* balance sheet adjustment; **B.bericht** *m* notes to the balance sheet; **B.berichtigungen** *pl* debit and credit memoranda, corrections of the balance sheet; **B.besprechung** *f* press presentation/disclosure of the financial statements; **B.betrag** *m* balance; **B.bewertung** *f* balance sheet valuation; **B.bild verfälschen** *nt* 1. to distort the balance sheet; 2. to cook/doctor the balance sheet, to window-dress; **~ verschönern** to window-dress; **B.bogen** *m* statement of assets and liabilities, balance sheet; **B.buch** *nt* audit book, balance sheet book; **B.buchhalter** *m* (chartered) accountant, balance sheet clerk; **B.buchhaltung** *f* auditing department; **B.deckung** *f* balance sheet assets; **B.delikt** *nt* accounting fraud, fraudulent accounting; **B.details** *pl* balance sheet supporting data; **B.ebene** *f* budget surface; **B.einsichtspflicht** *f* obligation to inspect the balance sheet; **B.entwurf** *m* draft/tentative balance sheet

Bilanzergebnis *nt* balance sheet result, ~ profit/loss, net result; **ausgeglichenes B.** break-even result; **B.vortrag** *m* undistributed net result of preceding/prior year

Bilanz|erklärung *f* statement of assets and liabilities; **B.erläuterungen** *pl* balance sheet notes; **B.erstellung** *f* drawing up/preparing the balance sheet; **B.experte** *m* accounting expert/practitioner; **B.fälschung** *f* falsification of the balance sheet, window-dressing, cooking of accounts; **B.formblatt** *nt* balance sheet form; **B.frisur** *f* window-dressing, creative accounting; **B.genehmigung** *f* approval of the balance sheet; **B.gerade** *f* budget (constraint) line, opportunity curve, price line; **B.gestaltung** *f* balance sheet layout; **B.gewinn** *m* balance sheet profit, net earnings/income/profit, annual/declared/distributable/disposable/accumulated profit, accumulated earnings/income, statement/available earnings; **B.gleichgewicht** *nt* balance in equilibrium; **B.gleichung** *f* balance sheet/(fundamental) accounting/identity/budget equation; **B.gliederung** *f* balance sheet layout/spread, spread of financial statements, classification of balance sheet items; **B.hauptspalte** *f* main balance sheet column; **B.hochrechnung** *f* balance sheet extrapolation; **B.identität** *f* correspondence of closing and opening balance sheets

bilanziell *adj* balance sheet

bilanzieren *v/t* to draw/make up the balance sheet, to show in the balance sheet, to prepare a balance sheet, to (strike a) balance, to report; **neu b.** to rebalance

bilanziert *adj* shown in the balance sheet; **nicht b.** unaccounted

Bilanzierung *f* drawing up a balance sheet, balancing (of accounts), striking of a balance, showing in the balance sheet, preparation of a balance sheet, accounting; **B. unter Berücksichtigung der Inflation; inflationsbereinigte B.** inflation accounting; **ausgefuchste B.** creative accountancy/accounting; **ordnungsgemäße B.** proper accounting

Bilanzierungs|aufgabe *f* accounting operation; **B.bestimmung** *f* accounting rule; **B.erfordernisse** *pl* accounting requirements; **b.fähig** *adj* capable of being shown in the balance sheet; **B.fähigkeit** *f* item which can be included in the balance sheet; **B.form** *f* financial reporting standard; **B.gepflogenheiten** *pl* balance sheet/accounting practices; **B.gesetzgebung** *f* accounting legislation; **B.gliederung** *f* balance sheet format

Bilanzierungsgrundsätze *pl* accounting principles/axioms; **B. der kaufmännischen Vorsicht** principles of prudence; **allgemein anerkannte B.** generally accepted accounting principles (GAAP); **steuerliche B.** tax-based accounting principles

Bilanzierungs|handbuch *nt* accounting manual; **B.kennziffer** *f* balance sheet ratio; **B.mäßstäbe** *pl* accounting standards; **B.methode** *f* financial reporting technique, accounting practices/treatment; **B.norm** *f* financial reporting standard; **B.periode** *f* accounting period; **gleichlaufende B.perioden** co-terminous accounting periods; **b.pflichtig** *adj* 1. to be shown in the balance sheet; 2. required to produce a balance sheet; **B.politik** *f* accounting policy, practice of balance sheet make-up, accounting treatment; **B.praxis** *f* balance sheet practices; **B.recht** *nt* 1. balance sheet law; 2. right to enter into a balance sheet; **B.regel** *f* accountancy/accounting rule, financial reporting standard; **gemäß/nach den geltenden B.regeln** in accordance with applicable accounting standards; **B.richtlinien** *pl* accounting standard(s)/axiom(s)/principles; **allgemein anerkannte B.richtlinien** generally accepted accounting principles (GAAP); **B.schema** *nt* model balance sheet; **B.schlüssel** *m* balance sheet code; **B.stichtag** *m* balance sheet/reporting date; **B.tag** *m* accounting date; **B.technik** *f* accounting technique; **B.vorschriften** *pl* accounting rules/regulations, balance sheet regulations; **B.weise** *f* accounting method; **B.zeitraum** *m* reporting period; **B.ziel/B.zweck** *nt/m* accounting objective

Bilanz|jahr *nt* financial year; **B.kategorie** *f* balance ca[t]egory; **B.kennzahl** *f* balance sheet ratio, accounting ra[]tio; **B.klarheit** *f* clarity of the balance sheet, princip[le] of unambiguous presentation; **B.kongruenz** *f* equilib[]rium of total accrued earnings and total cash flow earn[]ings over the entire life of the company; **B.kontinuitä[t]** *f* principle of balance sheet consistency; **B.konto** *n[t]* balance sheet/real account; **B.kontoform** *f* customar[y] form; **B.kosmetik** *f* creative accounting, window-dress[]ing; **B.kritik** *f* balance sheet analysis/evaluation[;] **B.kurs** *m (Aktie)* book value, balance sheet rate[;] **b.mäßig** *adj* as shown in the balance sheet; **B.materi[]al** *nt* balance sheet material; **b.neutral** *adj* off balance[;] **b.optisch** *adj* balance sheet, for window-dressing pur[]poses; **B.periode** *f* accounting period; **B.politik** *f* ac[]counting/balance sheet policy; **B.portfolio** *nt* balanc[e] portfolio; **B.position** *f* balance sheet item/position

Bilanzposten *m* balance sheet item/heading, item of th[e] balance sheet, note to/on the accounts; **mittel- un[d] langfristige B.** non-current items; **unsichtbare B.** in[]visible items

Bilanz|pressekonferenz *f* press briefing on annual re[]sults, results presentation/announcement, news confer[]ence marking the end of the fiscal year; **B.prüfer** *m* chartered/certified accountant, (independent/balance sheet) auditor, comptroller *[US]*; **B.prüfung** *f* (balance sheet) audit, audit(ing)/checking of accounts, ~ the fi[]nancial statement; ~ **durchführen** to perform an audit, to audit the accounts; **B.recht** *nt* balance sheet law[;] **B.reform** *f* reform of accounting principles, rearrange[]ment of balance sheet classifications; **B.regel** *f* balanc[e] sheet rule; **goldene B.regel** golden balance sheet rule[;] **B.relationen** *pl* balance sheet ratios, ratio(s) betwee[n] balance sheet items; **B.revision** *f* auditing (of the finan[]cial statement), internal balance sheet audit; **B.richt[]linien** *pl* accounting conventions/principles, *[EU* Fourth Directive; **B.richtliniengesetz** *nt* Accountin[g] Directives Law, ~ and Reporting Law; **B.saison** *f* re[]porting season; **B.saldo** *m* capital balance; **B.sanie[]rung** *f* balance sheet restructuring; **B.schema** *nt* bal[]ance sheet classification, statement heading, model bal[]ance sheet; **B.sitzung** *f* meeting to approve the balance sheet; **B.statistik** *f* balance sheet statistics; **B.stichta[g]** *m* accounting/reporting/balance (sheet) date, date o[f] balance sheet, key date for the balance sheet; **B.struk[]tur** *f* structure of the balance sheet, balance sheet struc[]ture; ~ **verbessern** to restore the balance sheet to [a] healthier position

Bilanzsumme *f* balance sheet total/footing, total assets[;] **erweiterte B.** extended balance sheet total; **B.nexpan[]sion/B.nwachstum** *f/nt* growth/increase of the balance sheet total

Bilanz|tag *m* balance sheet date; **b.technisch** *adj* bal[]ance sheet, accounting; **b.theoretisch** *adj* relating t[o] accounting theory

Bilanztheorie *f* accounting theory; **dynamische B.** dy[]namic accounting theory; **organische B.** organic ac[]counting theory; **pagatorische B.** pagatoric account[]ing theory; **statistische B.** static accounting theory

Bilanz|umstrukturierung *f* reshuffling of balance sheet items; **b.unwirksam** *adj* off-balance-sheet; **B.vergleich** *m* comparison of financial statements, ~ balance sheets, balance sheet comparison; **interner B.vergleich** internal balance sheet comparison; **B.verhältnisse** *pl* ratio(s) between balance sheet items; **B.verkürzung** *f* balance sheet contraction; **B.verlängerung** *f* increase in total assets and liabilities, balance sheet extension; **B.verlust** *m* balance sheet/net/accumulated/annual loss, loss for the financial year; **anteiliger B.verlust** proportionate share in the loss; **B.vermerk** *m* note(s) to the accounts, ~ financial statement; **B.verschleierung** *f* faking of/doctoring the balance sheet, window-dressing, creative accounting; **betrügerische B.verschleierung** fraudulent (financial) statement; **B.verschönerung** *f* window-dressing; **B.volumen** *nt* balance sheet total, total assets; **B.vorlage** *f* presentation of the balance sheet; **B.wachstum** *nt* balance sheet growth; **B.wahrheit** *f* accuracy of balance sheet figures; **B.wert** *m* balance (sheet) value; **~ der Stammaktie** book value per share of common; **b.wirksam** *adj* on-balance-sheet; **B.zahlen/B.ziffern** *pl* balance sheet figures; **B.zergliederung** *f* analysis sheet; **B.ziehung** *f* balancing; **B.zusammenhang** *m* continuity of balance sheet presentation; **B.zuwachsrate** *f* balance sheet growth rate

bilateral *adj* bilateral; **B.ismus** *m* bilateralism

Bild *nt* 1. picture; 2. appearance; 3. pattern, design; 4. *(Vorstellung)* image; **B. der Gesamtlage** overall picture; **B. abgeben** to present a picture; **im B.e sein** to be in the picture; **jdn ins B. setzen** to put so. in the picture; **B. trüben** to mar the picture; **falsches B.** wrong impression

Bild|- pictorial; **B.abtaster** *m* 🖳 scanner; **B.abtastung** *f* scanning; **B.abzug** *m* print; **B.analyse und B.verstehen** *f/nt* 🖳 cognitive computer graphics; **B.anzeige** *f* 1. illustrated advertisement; 2. 🖳 information display; **B.archiv** *nt* photographic archive(s); **B.ausschnitt** *m* detail; **B.band** *m* pictorial volume, coffee table book; **B.beilage** *f* colour/illustrated supplement; **B.bericht** *m* photographic report; **B.berichterstatter(in)** *m/f* press photographer; **B.brief** *m* teleautogram(me); **B.datenstruktur** *f* picture data structure; **B.diagramm** *nt* pictograph; **B.dokumentation** *f* photographic record; **B.einstellung** *f* camera shot, focussing

bilden *v/t* to form/shape/constitute/accumulate, to make/set up; *v/refl* 1. to develop/form; 2. to educate o.s., to improve one's mind; **sich neu b.** to regenerate; **b.d** *adj* constructive, formative

Bilder|buch *nt* picture book; **B.dienst** *m* picture service; **B.sprache** *f* metaphorical language

Bild|fahrplan *m* graphic timetable; **B.feld** *nt* 🖳 scanning field; **B.fernschreiber** *m* facsimile teletype/teleprinter, telefax; **B.fernsprechen** *nt* videotelephony; **B.fernsprecher** *m* video(tele)phone; **auf der B.fläche erscheinen** *f (fig)* to appear on the scene; **von ~ verschwinden** to vanish; **B.- und Tonfolge** *f* series of images and sounds; **B.frequenz** *f* picture frequency, filming speed; **B.funk** *m* facsimile/picture transmission; **B.funktelegraf** *m* facsimile telegraph, telefax; **B.generierung** *f* 🖳 generative computer graphics

Bildhauer|(in) *m/f* sculptor; **B.ei/B.kunst** *f* sculpture

Bild|helligkeit *f* brightness; **B.journalist** *m* photo journalist; **B.katalog** *m* illustrated catalog(ue); **b.lich** *adj* figurative, graphic; **B.material** *nt* 1. visual material, photographic and film material, pictures; 2. *(Schule)* visual aids; **B.platte** *f* picture/video disk; **B.projektor** *m* slide projector; **B.raster** *m* 🖳 scanning field; **B.redakteur** *m* picture editor; **B.reportage** *f* picture story; **B.röhre** *f* television tube, cathode ray tube

Bildschirm *m* (picture/display) screen, visual display unit (VDU)/terminal, monitor, tubeface; **vom B. ablesen** to read a screen; **aktiver B.** emissive display; **alphanumerischer B.** alphanumeric display; **flacher B.** flat panel display; **passiver B.** non-emissive display

Bildschirm|arbeitsplatz *m* 🖳 (video) workstation; display console/workstation; **B.arbeiter(in)** *m/f* VDU operator; **B.computer** *m* video computer; **B.dialog** *m* interactive mode; **B.einheit/B.gerät** *f/nt* visual display unit (VDU), (video) display terminal; **B.konsole** *f* display console; **B.platz** *m* video workstation; **B.schoner** *m* screen saver; **B.speicherbereich** *m* graphic storage area; **B.telefon** *nt* video telephone

Bildschirmtext *m* viewdata, (interactive) videotex, teletext; **B. -Anbieter** *m* information provider; **B.-Automat** *m* videotex processor/computer; **B.-Dienst** *m* videotex service; **öffentlicher B.-Dienst** public videotex service; **B.-Endgerät** *nt* videotex terminal; **B.-Gebühren** *pl* videotex charges; **B.-Inhouse-System** *nt* videotex in-house system; **B.-Monitor** *m* videotex monitor; **B.-Programm** *nt* videotex programme; **B.-System** *nt* interactive videotex, videotext system, viewdata; **B.-Teilnehmer(in)** *m/f* 1. videotex subscriber; 2. *(Gerät)* user terminal; **B.-Vermittlungsstelle** *f* videotex computer centre; **B.-Zentrale** *f* interactive videotex centre

Bild|sender *m* facsimile/fax transmitter; **B.signal** *nt* picture/video signal; **B.stelle** *f* 1. photographic service; 2. film hire service; **B.steuerung** *f* picture/video control; **B.streifen** *m* film strip; **B.sucher** *m* viewfinder; **B.telefon** *nt* video/picture telephone; **B.telegrafie** *f* photo-telegraphy, facsimile, fax; **B.telegramm** *nt* picture telegram(me); **B.text** *m* caption; **B.übermittlungsdienst** *m* phototelegraph service; **B.überschrift/B.unterschrift** *f* caption; **B.übertragung** *f* picture transmission, image communication(s)

Bildung *f* 1. formation, foundation, setting up; 2. breeding; 3. *(Erziehung)* education; 4. learning, knowledge; 5. *(Kapital)* accumulation, formation; **B. eines Ausschusses** constitution of a committee; **gemeinsame B. von Reserven** pooling of reserves; **B. von Rücklagen** formation/creation of reserves; **B. einer Zollunion** institution of a customs union; **akademische B.** university education; **berufliche B.** vocational/occupational/job training; **höhere B.** higher education; **humanistische B.** classical education

Bildungs|- educational; **B.abschluss** *m* educational qualification(s)/attainment(s); **B.anforderung** *f* educational requirement(s)/need(s); **B.angebot** *nt* educational offer; **B.anstalt** *f* educational establishment; **B.arbeit** *f* educational work; **gewerkschaftliche B.arbeit** trade union education/training; **B.aufwand/B.ausgaben** *m/pl* education spending; **B.bedarfsanalyse** *f* analysis of educational requirements; **B.bürgertum** *nt* educated classes; **B.chance** *f* educational opportunity; **gleiche B.chancen** equality of educational opportunities; **B.einrichtung** *f* 1. educational establishment/institution; 2. cultural institution; **B.einrichtungen** educational facilities/services; **B.erfordernisse** *pl* educational requirements; **b.feindlich** *adj* anti-education; **B.forschung** *f* educational research; **B.gang** *m* 1. educational background; 2. school/university/college career; **B.grad** *m* level of education; **B.inhalt** *m* content of education; **B.investition** *f* investment in the educational system; **B.lücke** *f* educational deficiency, gap in one's education; **B.mangel** *m* defective education; **B.markt** *m* educational market; **B.maßnahme** *f* educational measure; **B.ministerium** *nt* Department for Education (DfE) *[GB]*; **B.möglichkeiten** *pl* educational opportunities/facilities; **B.monopol** *nt* monopoly of learning; **B.nachfrage** *f* educational demand; **B.niveau** *nt* level/standard of education; **B.ökonomie** *f* economics of education, ~ human capital; **B.planung** *f* educational planning; **B.politik** *f* education policy; **b.politisch** *adj* educational; **B.programm** *nt* educational programme; **B.referent** *m* educational consultant; **B.reform** *f* educational reform; **B.stand** *m* level of education, educational level, standard of knowledge; **B.stätte** *f* educational institution/establishment, place/seat of learning; **B.system** *nt* educational system; **B.träger** *m* training body, educational establishment/institution; **B.urlaub** *m* educational/study leave; **zweiter B.weg** night school education; **B.welle** *f* education explosion; **B.werbung** *f* educational advertising; **B.wesen** *nt* education(al) system, (system of) education; **innerbetriebliches B.wesen** in-house training; **B.zentrum** *nt* education centre; **B.ziel** *nt* educational objective

Bild|unterschrift *f* caption; **B.verarbeitung** *f* 🖳 imaging, image processing; **digitale B.verarbeitung** digital image processing; **B.verschiebung** *f* 🖳 positioning; **B.wähler** *m* display selector; **B.wand** *f* projection screen; **B.warenzeichen** *nt* picture trademark; **B.werbung** *f* pictorial advertising; **B.werfer** *m* (slide) projector; **B.wörterbuch** *nt* illustrated/pictorial dictionary; **B.zeichen** *nt* 1. pictogram; 2. figurative trademark; 3. logo; **B.zeile** *f (Fernsehen)* scanning line; **B.zerleger** *m* scanner; **B.zerlegung** *f* scanning; **B.zuschrift** *f* reply enclosing photograph

Bilge *f* ⚓ bilge; **B.nwasser** *nt* bilgewater

Billett *nt* ticket

Billiarde *f* thousand billion *[GB]*/trillion *[US]*, quadrillion *[US]*

billig *adj* 1. cheap, inexpensive, reasonable, cut-price, moderately priced, low-priced, low-budget, low-cost; 2. § equitable; **nicht mehr als b. sein** to be only fair; **b. abzugeben** going cheap

Billig|- cut-price; **B.anbieter** *m* discounter, cut-pric competitor/supplier, cheap supplier; **B.angebot** *nt* ba gain(-basement) offer; **B.artikel** *m* catchpenny artic *[GB]*; **B.einfuhr** *f* cut-price/cheap/low-cost imports

billigen *v/t* to approve/back/sanction/endorse, to oka *(coll)*; **stillschweigend b.** to acquiesce (in sth.)

billiger cheaper, lower-priced; **b. machen** to mar down, to take sth. off; **b. werden** to diminish in pric to become cheaper

billigerweise *adv* reasonably, equitably, by rights

mit Billig|erzeugnissen handeln to trade down; **B.flag ge** *f* ⚓ flag of convenience; **B.flaggenland** *nt* oper registry country; **B.flieger/B.fluggesellschaft/B.flug linie** *m/f/f* budget carrier, bargain airline, cut-rate line **B.flüge** *pl* discount air travel; **B.flugpreis** *m* cut-pric air fare; **B.importe** *pl* low-cost/cut-price/cheap im ports

Billigkeit *f* § equity, equitableness, justice; **B.san spruch** *m* equitable claim, claim in equity; **B.sen scheidung** *f* equitable decision; **B.serlass** *m (Steue* equitable tax relief; **b.sgerichtlich** *adj* equitable **B.sgerichtsbarkeit** *f* equity jurisdiction; **B.sgründe** reason(s) of fairness/equity; **B.sgrundsatz** *m* equit principle; **B.spfand** *nt* equitable mortgage/lien

Billigkeitsrecht *nt* § (law of) equity, equity/equitabl law; **B.e** equitable defence; **B. hilft dem Aufmerk samen** equity aids the vigilant; **B. ruht auf dem Ge wissen** equity acts on the conscience; **B. ist personen bezogen** equity acts in personam *(lat.)*; **dem B. fehl niemals ein Treuhänder** equity never lacks a trustee **b.lich** *adj* equitable

Billigkeitswert *m* fair and equitable value

Billig|kredit *m* 1. cheap credit/loan; 2. *(subventionier* soft loan; **B.land** *nt* low-cost country; **B.lohnland** *n* low-wage country; **B.marke** *f* down-market/cheap discount brand

Billigpreis|geschäft *nt* cut-price/discount store; **B.lan** *nt* low-price country; **B.waren** *pl* low-price goods

Billigreise *f* discount travel

billigst *adv (Börse)* at best, at the market; **B.(ens)auf trag/B.(ens)order** *m/f* market order, order at the mar ket, ~ best price

Billigst|gebot *nt* lowest bid; **B.kauf** *m* purchase at th best price; **B.tarif** *m* budget fare; **im B.verfahren her gestellt** *nt* produced at rock-bottom cost

Billig|tarif *m* 1. bargain/discounted/cheap/cut-pric fare; 2. cheap rate; **B.taxi** *nt* jitney *[US]*

Billigung *f* approval, backing, assent, endorsement, ap probation, sanction; **B. durch das Parlament** parlia mentary approval; **B. von Straftaten** approving crimi nal acts; **B. finden** to meet with approval; **gerichtlich B.** sanction of court; **stillschweigende B.** tacit approv al, acquiescence

Billig|warengeschäft *nt* cut-price/discount/penn *[GB]*/dime *[US]* store; **B.zinspolitik** *f* cheap mone policy, low interest rate policy

Billion *f* billion (bn) *[GB]*, trillion (trn) *[US]*

bimetall|isch *adj* bimetallic; **B.ismus** *m* bimetalism double currency

bimodal *adj* ▦ bimodal

binär *adj* binary; **B.zeichen** *nt* 🖳 binary digit; **B.ziffer** *f* bit

Binde *f* ⚕ bandage, *(Arm)* sling; **B.frist** *f (Preis/Geldanlage)* blocking period; **B.glied** *nt* (connecting) link, tie, bond, linking pin; **B.mittel** *nt* adhesive

binden *v/t* 1. to tie (up), to bind/engage/fix/peg/oblige/restrict; 2. § to obligate, to tie down; 3. *(Gelder)* to immobilize/block/freeze/commit, to lock/tie up; *v/refl* to commit/bind o.s.; **sich zu sehr b.** to overcommit o.s.; **vertraglich b.** to bind by contract; **sich ~ b.** to covenant

bindend *adj* 1. binding, compulsory, obligatory, valid, effectual, stringent, hard and fast; 2. *(Zusage)* definite; 3. § mandatory, binding; **b. für** binding on; **b. machen** to sanction; **rechtlich b.** legally binding/obliging; **unbedingt b.** *(Vertrag)* hard and fast

Binder *m* 1. 🚜 binder; 2. composer, linkage editor; **B.maschine** *f* (harvester) binder

Bindfaden *m* (pack-)thread, string, twine

Bindung *f* 1. *(Vertrag)* engagement, obligation, commitment, liability; 2. bond, tie; 3. *(Preise/Zinsen)* pegging, freezing; 4. *(Geldmittel)* immobilization, sterilization, commitment; 5. ◈ bond

Bindung an den Aktienkurs linking to the share *[GB]*/stock *[US]* price; **~ Auflagen** tie-up; **B. auf der Beschaffensseite** procurement tying; **B. von Geldmitteln** earmarking of funds; **B. überschüssiger Liquidität** absorption of surplus liquidity; **B. freier/vagabundierender Mittel** soaking up loose funds; **B. von Preisen** price maintenance; **~ im Einzelhandel** retail price maintenance (rpm); **B. von Währungen** currency pegging/linking

vertragliche Bindungen eingehen to enter into a contract, to commit o.s.

einseitige Bindung naked bond; **gegenseitige B.** mutual commitment; **indexmäßige B.** indexation; **kapitalmäßige B.** capital linkage; **kausale B.** causal connection; **persönliche B.en** private links; **rechtliche B.** legal obligation; **vertragliche B.** contractual commitment/engagement, priority of contract

Bindungs|bilanz *f* immobilization balance; **B.dauer** *f* blocking/commitment period; **~ des Kapitals** average capital utilization time, turnover time; **B.ermächtigung** *f* commitment authorization; **B.frist** *f (Zinsen/Konditionen)* commitment/blocking period

binnen *prep* within

Binnen|- inland, internal, intra-block, home, domestic, national *[EU]*; **B.auftrag** *m* home/domestic order; **b.bords** *adv* ⚓ inboard; **B.festland** *nt* onshore; **B.fischerei** *f* freshwater fishing; **B.flotte** *f* inland waterways fleet; **B.flughafen** *m* domestic airport; **B.fracht** *f* inland/domestic transport; **B.frachtführer** *m* domestic carrier; **B.gebiet** *nt* inland; **B.geld** *nt* internal currency; **B.geldwert** *m (Währung)* internal value; **B.gewässer** *nt* inland waters/waterways, territorial waters; **B.grenze** *f* internal frontier; **B.großhandel** *m* domestic wholesaling; **B.hafen** *m* inland/inner port, inner harbour, river post

Binnenhandel *m* 1. domestic/home/inland/internal trade, domestic commerce; 2. intra-Community trade *[EU]*; **B.- und Außenhandel** commerce; **B.sverkehr** *m* internal trade

Binnen|industrie *f* home/domestic industry; **B.kartell** *nt* domestic cartel; **B.kaufkraft** *f* domestic/internal purchasing power; **B.konjunktur** *f* domestic boom/activity, internal economic trend, domestic economic activity; **B.konnossement** *nt* inland (waterway) bill of lading; **B.konsum** *m* domestic consumption; **B.land** *nt* inland; **b.ländisch** *adj* internal, inland, domestic; **B.luftverkehr** *m* domestic air traffic/services; **B.markt** *m* home/domestic/internal market, national market *[EU]*; **europäischer B.markt** single European market; **B.marktpreis** *m* domestic price; **B.meer** *nt* internal/inland sea; **B.monopol** *nt* domestic monopoly; **B.nachfrage** *f* domestic/home/internal demand; **b.orientiert** *adj* inward orientated; **B.schiff** *nt* inland waterway craft, barge; **B.schiffer** *m* 1. inland waterway carrier; 2. bargee *[GB]*, bargeman *[US]*, sailor on inland waterways

Binnenschifffahrt *f* inland waterway transport, ~ water navigation/transportation, interior/inland/internal navigation; **B.sbehörde** *f* British Waterways Board *[GB]*; **B.sempfangsbescheinigung** *f* inland waterway consignment note; **B.sspediteur/B.sunternehmen** *m/nt* inland waterway carrier; **B.sverkehr** *m* transport by inland waterway; **B.sversicherung** *f* inland waterway insurance; **B.sweg** *m* inland waterway

Binnenschiffs|register *nt* inland ship register; **B.transport** *m* shipment by inland waterway; **B.verkehr** *m* inland waterway transport

Binnen|staat *m* land-locked country; **B.steuern** *pl* internal taxes; **B.tarif** *m* inland rate, domestic tariff; intra-bloc tariff; **B.transport** *m* inland transportation, internal carriage; **B.transportversicherung** *f* inland marine insurance *[US]*; **B.umsätze** *pl* internal turnover; **B.umschlagsverkehr** *m* domestic trans(s)hipment traffic; **B.verkehr** *m* internal traffic/transport, inland traffic/transport; **B.versand** *m* internal transit; **B.vorfall** *m* internal transaction; **B.wachstum** *nt* internal growth; **B.währung** *f* internal/domestic currency; **B.wanderung** *f* internal migration

Binnenwasser|fahrzeug *nt* internal waterway craft, barge; **B.straße** *f* inland waterway; **B.straßennetz** *nt* inland waterways system

Binnen|wert *m* domestic/internal/inland value; **B.wertentwicklung** *f (Währung)* development of the internal value; **B.wettbewerb** *m* internal competition; **B.wirtschaft** *f* domestic/internal economy, domestic/home trade; **b.wirtschaftlich** *adj* domestic, internal

Binnenzoll *m* internal tariff, inland/internal duty; **B.amt/B.stelle** *nt/f* inland customs office, interior customs post *[US]*; **B.satz** *m* internal rate of duty

binomial *adj* π binomial; **B.verteilung** *f* binomial distribution

in die Binsen gehen *pl* *(coll)* to go to rack and ruin *(coll)*, to be a washout *(coll)*; **B.wahrheit** *f* home truth; truism

Bio|-Bauer *m* organic farmer; **B.chemie** *f* biochemistry; **B.chemiker(in)** *m/f* biochemist; **b.chemisch** *adj* biochemical; **B.graf** *m* biographer; **B.grafie** *f* biography; **B.kost** *f* organic food; **B.laden** *m* whole/organic food shop; **B.loge; B.login** *m/f* biologist; **B.logie** *f* biology; **B.masse** *f* biomass; **B.metrie** *f* biometrics; **B.müll** *m* organic waste; **B.sphäre** *f* biosphere; **B.technik/ B.technologie** *f* biotechnology, bioengineering; **B.tonne** *f* bio-bin, bio-container; **B.wissenschaft(en)** *f/pl* life/ biological science(s)

bis *prep* until, till, by, as far as; **bis dann** by then; **b. heute** to date; **b. jetzt** so far; **von ... b.** from ... to/till; **b. auf weiteres** until/pending further notice; **b. zu(m)** until, pending

bis|her/b.lang *adv* previously, so far, hitherto, to date; **b.herig** *adj* previous, existing

Biss *m* 1. bite; 2. *(fig)* clout, punch; **ohne B.** *(fig)* toothless

Bit *nt* bit; **B.dichte** *f* bit density; **B.geschwindigkeit** *f* bit rate

Bitte *f* request, plea, application, suit; **B. um Kreditauskunft** status *[GB]*/credit *[US]* inquiry; **B. abschlagen** to turn down a request; **B. aussprechen** to ask for sth.; **einer B. entsprechen/nachkommen; B. erfüllen/gewähren** to comply with/accede to a request, to grant a request/petition; **jdn mit einer B. überfallen** to spring a request on so.; **b. wenden (b.w.)** PTO (please turn over); **dringende B.** urgent request/plea, solicitation, entreaty; **letzte B.** final/dying request

bitten *v/t* to ask/beg/request/petition/invite; **b. um** to ask for, to seek; **dringend/inständig b.** to plead with (so.), to beg urge/implore/beseech/entreat

bitter *adj* bitter, acrimonious, sour, acerbic, acrid; **B.keit** *f* acrimony, bitterness

Bitt|gang *m* approach with a request; **~ machen** to go cap in hand *(fig)*; **B.gesuch** *nt* petition, plea for help; **B.schreiben/B.schrift** *nt/f* petition; **~ einreichen** to send in/put up a petition; **B.steller(in)** *m/f* petitioner, solicitant, suppliant

Bitübertragungsschicht *f* physical layer

BIZ (Bank für internationalen Zahlungsausgleich) BIS (Bank for International Settlements); **BIZ-Eigenkapitalquote** *f* BIS capital ratio

B/L → Konnossement bill of lading (B/L)

blamabel *adj* humiliating, disgraceful

Blamage *f* disgrace, humiliation

blamieren *v/refl* to make a fool of o.s., to disgrace o.s.

blank *adj* 1. shiny, bright; 2. *(pleite)* broke *(coll)*

Blankett *nt* blank (form), specimen; **B.ausfüllungsbefugnis** *f* authorization to fill in a blank; **B.einkaufsauftrag** *m* blanket purchase order; **B.fälschung** *f* blank document forgery; **B.gesetz** *nt* blanket act, global law; **B.missbrauch** *m* fraudulent use of documents signed in blank; **B.police** *f* blank policy; **B.vorschrift** *f* outline provision

blanko *adj* 1. blank; 2. *(Kredit)* unsecured

Blanko|abgaben *pl* shortselling; **B.abtretung** *f* assignment in blank; **B.akzept/B.annahme** *nt/f* acceptance in blank, blank/uncovered acceptance, inchoate instrument; **B.aufgabe** *f* first-class name; **B.auftrag** *m* blank/blanket order; **B.bankscheck** *m* counter check *[US]*; **B.formular** *nt* blank paper/form, blank; **B.geschäft** *nt* blank/uncovered transaction; **B.giro** *nt* blank endorsement/transfer, endorsement/assignment in blank; **B.indossament** *nt* blank/general endorsement, endorsement/assignment in blank; **B.instrument** *nt* inchoate instrument; **B.karte** *f* dummy card; **B.konnossement** *nt* blank bill of lading (B/L)

Blankokredit *m* unsecured/open/uncovered/blank, clean credit, blank advance, uncovered loan; **B. gewähren** to lend money without security; **b.fähig** *ad* good for unsecured credit

Blanko|offerte *f* offer in blank; **B.papier** *nt* blank instrument/paper/certificate; **B.police** *f* blank policy **B.quittung** *f* blank receipt; **B.scheck** *m* blank cheque *[GB]*, counter check *[US]*; **B.übergabe** *f* transfer o blank endorsement; **B.übertragung** *f* transfer in blank **B.unterschrift** *f* blank signature, signature in blank **B.verkauf** *m* short sale, shortselling; **B.verkäufer** *n* shortseller, bear; **B.verpflichtung** *f* blanket bond **B.vollmacht** *f* (unlimited) blank power, unlimited/ful power of attorney, carte blanche *[frz.]*; **B.vorschuss** *n* unsecured/blank credit, blank advance; **B.wechsel** *n* blank bill/acceptance; **B.zertifikat** *nt* blank certificate **B.zession** *f* blank transfer, assignment/transfer in blan

Blase *f* bubble

blass *adj* 1. pale, dim; 2. *(Person)* unassertive

Blasstahlwerk *nt* direct-oxygen converter

Blatt *nt* 1. sheet, leaf(let), page; 2. *(Zeitung)* (news)paper, journal; **B. Papier** sheet of paper; **das B. hat sic gewendet** *(fig)* the fortunes have changed; **kein B. vo den Mund nehmen** *(fig)* to speak one's mind, not t mince matters/words; **leeres B.** blank sheet; **loses B** loose leaf/sheet; **unbeschriebenes B.** 1. blank; 2. *(fig* dark horse *(fig)*

blätter|n *v/i* to leaf through; **B.wald** *m (fig)* the press

Blatt|gold *nt* gold leaf; **B.leser** *m* document reade **doppelseitige B.mitte** *(Inserat)* centre spread **B.schreiber** *m* page printer/teleprinter; **B.silber** *n* silver leaf; **B.tabak** *m* leaf tobacco

blauäugig *adj* *(fig)* naive

ins Blaue *nt* at random; **das B. vom Himmel verspre chen** to promise the moon

Blau|machen *nt* absenteeism; **b. machen** *v/i (coll)* to b absent from work, to skip work, to be on the ski *(coll)*; **B.mann** *m (coll)* boilersuit, overalls; **B.pause** blueprint; **~ machen** to blueprint; **B.stift** *m* blue penc

Blech *nt* 1. sheet metal, metal sheet, tin; 2. *(Grobblec* plate; **B.büchse/B.dose** *f* tin *[GB]*, can *[US]*

blechen *v/t* *(coll)* to shell/fork out *(coll)*, to cough/pon *[US]* up *(coll)*; **viel b.** to pay through the nose *(coll)*

Blech|geschirr *nt* tinware; **B.kanne** *f* metal can; **B.rol laden** *m* metal blind; **B.schaden** *m* bodywork dam age, damage to the bodywork; **B.schmied** *m* tinsmit **B.schmiede** *f (coll)* tin-bashing shop, metal basher(*(coll)*; **B.walzwerk** *nt* sheet/plate mill; **B.waren** *pl* ti ware

Blei *nt* lead

Bleibe *f* (place of) abode, accommodation; **keine B. h ben** to have nowhere to live

leiben *v/i* to remain/stay; **b. bei** to adhere to, to hang on to, to stick with; **erfolglos b.** *(Projekt)* to come to nothing; **fest b.** 1. to stand firm; 2. *(Börse)* to remain firm; **geschlossen b.** to remain closed; **gültig b.** to valid/remain in force; **sich selbst überlassen b.** to be left to one's devices; **vorn b.** to keep ahead

leibend *adj* lasting

leich *adj* pale, pallid; **B.mittel** *nt* brightening agent

leiern *adj* lead(en)

leilerz *nt* lead ore; **B.farbe** *f* lead paint; **b.frei** *adj (Benzin)* unleaded, lead-free; **B.gehalt** *m* lead content; **b.haltig** *adj* ⚒ plumbiferous; **B.hütte** *f* lead smelter; **B.satz** *m* metallic/hot type

leistift *m* (lead) pencil; **mit dem spitzen B. rechnen** *(fig)* to economize; **B.halter** *m* pencil holder; **B.schoner** *m* pencil cap; **B.schale** *f* pencil tray; **B.spitzmaschine** *f* pencil-sharpening machine; **B.spitzer** *m* pencil sharpener; **B.verlängerer** *m* pencil holder

leilvergiftung *f* lead poisoning; **B.verseuchung** *f* lead pollution

lende *f* 1. optical screen, diaphragm, filter, cover; 2. *(Foto)* aperture

lendlfrei *adj* glare-free, non-glare; **B.schirm** *m* eye shade; **B.werk** *nt* false front

lick *m* 1. look; 2. view; 3. sight, glance, gaze; **B. auf** prospect/view (of); **auf den ersten B.** at first sight, prima facie *(lat.)*, on the face of it; **B. für etw. haben** to have an eye for sth.; **sich den B. nicht trüben lassen** to keep a clear head; **mit einem B. sehen; auf den ersten B. sehen** to see at a glance; **B. auf etw. werfen** to cast an eye on sth.; **kurzen ~ werfen** to have a glance at sth.; **flüchtiger B.** glimpse, cursory/brief glance; **neugierige B.e** prying eyes

lickfang *m* eye-catcher, attention getter, eye-appeal

lickfeld *nt* field of vision; **ins B. geraten** to come into sight; **~ rücken** to come into focus; **aus dem B. verschwinden** to vanish from sight

licklpunkt *m* aspect, focus; **im ~ der Öffentlichkeit** in the limelight; **B.richtung** *f* line of sight; **B.winkel** *m* angle, view

lind *adj* 1. blind; 2. unquestioning, indiscriminate

lindlanweisung *f* 🖥 null statement; **B.anzeige** *f* blind advertisement; **B.befehl** *m* dummy instruction; **B.bewerbung** *f* unsolicited application; **B.buchung** *f* blind entry; **B.darm** *m* ⚕ appendix; **B.darmentzündung** *f* appendicitis

linde(r) *f/m* blind person

lindenlanstalt/B.heim *f/nt* institute/home for the blind; **B.freibetrag** *m* blind person's allowance; **B.hund** *m* guide dog; **B.schrift** *f* braille; **B.unterstützung** *f* blindness disability benefit; **B.waren** *pl* products made by the blind

linderinnerungstest *m* *(Werbung)* blind product test; **B.flug** *m* instrument flying; **B.fluggerät** *nt* instrument-flying equipment; **B.gänger** *m* 1. dud; 2. *(fig)* non-starter; **B.gängerbeseitigung** *f* bomb disposal; **B.heit** *f* blindness; **B.landung** *f* ✈ instrument landing; **B.leistung** *f* reactive power; **b.lings** *adv* headlong, slapdash; **B.material** *nt* blank material; **B.muster** *nt* dummy; **B.schacht** *m* ⚒ staple shaft; **B.schreiben** *nt* touch-typing

Blinkbake *f* ⚓ flashing beacon

blinken *v/i* *(Licht)* to flash

Blinker *m* 1. 🚗 indicator; 2. 🖥 cursor

Blinklfeuer *nt* ⚓ flashing beacon; **B.licht** *nt* flashlights

Blitz *m* lightning; **B. aus heiterem Himmel** *(fig)* bolt from the blue *(fig)*

Blitzl- snap; **B.ableiter** *m* lightning conductor; **B.abstimmung** *f* snap vote; **B.besuch** *m* flying visit; **b.blank** *adj* spotless, shipsshape, spick and span; **B.entscheidung** *f* flash decision; **B.funktelegramm** *nt* priority radiotelegram; **B.gespräch** *nt* ☎ express long-distance call, lightning call; **B.licht** *nt* flashlight; **B.meldung** *f* news flash, flash message; **B.programm** *nt* crash programme; **B.prüfung** *f* lightning check; **B.reaktion** *f* kickback; **b.sauber** *adj* spick and span, spotless; **B.schaden** *m* lightning damage, damage caused by lightning; **B.schätzung** *f* flash estimate

Blitzschlag *m* (stroke of) lightning; **vom B. getroffen werden** to be struck by lightning; **B.klausel** *f* lightning clause; **B.versicherung** *f* lightning insurance

blitzlschnell *adj* as quick as lightning; **B.strahl** *m* flash of lightning; **B.streik** *m* lightning strike; **B.telegramm** *nt* lightning telegram, flash message; **B.test** *m (Werbung)* blind product test; **B.umfrage** *f* straw/snap poll; **B.würfel** *m (Foto)* flash cube

Block *m* 1. block; 2. *(Schreibblock)* pad; **monolithischer B.** monolith

Blockade *f* blockade; **B. aufheben** to lift/raise a blockade; **B. durchbrechen** to run a blockade; **B. durchführen** to enforce a blockade; **B. lockern** to relax a blockade; **B. verhängen** to impose a blockade, ~ an embargo; **B. verschärfen/verstärken** to tighten a blockade; **B.brecher** *m* blockade runner; **B.freischein** *m* navicert; **B.politik** *f* embargo policy

Blockladresse *f* block address; **B.anzahl** *f* block count; **B.bestand** *m (Wertpapiere)* stockpile; **B.bildung** *f* *(Politik)* bloc formation; **handelspolitische B.bildung** formation of trade blocs; **B.buchung** *f* block booking; **B.diagramm** *nt* block diagram, closed-loop system

blocken *v/t* to block

Blocklfloaten/B.floating *nt* common/joint float, block floating; **b.frei** *adj* non-aligned, non-committed, uncommitted; **B.freiheit** *f* non-alignment; **B.handel** *m* block trade; **B.haus/B.hütte** *nt/f* log cabin; **B.heizkraftwerk** *nt* block heating and generating plant

Blockieren *nt* jam; **b.** *v/t* 1. to jam/stall/obstruct, to block (up); 2. *(Kapital)* to freeze/peg, to tie up; 3. 🖥 to inhibit

Blockierlimpuls *m* 🖥 inhibit pulse; **B.patent** *nt* blocking-off patent; **b.t** *adj (Konto)* frozen; **B.ung** *f* 1. blockage; 2. *(Konto)* freeze, tying-up

Blocklager *nt* block store; **B.methode** *f* block method; **B.police** *f* ticket policy; **B.posten** *m* block, item, lot; **B.prüfung** *f* block check; **B.schrift** *f* block letters; **Bitte in ~ ausfüllen** please print; **B.stapelung** *f* block stacking; **B.stunde** *f* block hour; **B.ungsfaktor** *m* blocking factor; **B.unterricht** *m (Lehrling)* block release; **B.zeit** *f* core period, block time

bloß *adj* mere, pure; **b.legen** *v/t* to lay open, to expose/uncover; **b.stellen** *v/t* to expose/compromise, to put on the spot; **B.stellung** *f* exposure

blühen *v/i* to flourish/prosper/thrive/flower/blossom; **b.d** *adj* booming, flourishing, thriving, prosperous, burgeoning, buoyant

Blume *f* flower; **durch die B. zu verstehen geben** to drop a hint

Blumen|anbau *m* cultivation of flowers; **B.arrangement** *nt* flower arrangement; **B.ausstellung** *f* flower show; **B.bau** *m* floriculture; **B.beet** *nt* flower bed; **B.geschäft/B.laden** *nt/m* florist's, flower shop; **B.handel** *m* florist's trade; **B.händler(in)** *m/f* florist; **B.markt** *m* flower market; **B.zucht** *f* floriculture; **B.züchter** *m* floriculturist, flower-grower; **B.zwiebel** *f* bulb

Blut *nt* blood; **jdn bis aufs B. aussaugen** to bleed so. white; **blaues B.** blue blood; **böses B.** *(fig)* ill feeling; **frisches B.** *(fig)* new blood

Blut|armut *f* anaemia; **B.auffrischung** *f (fig)* invigorating inflow; **B.bank** *f* blood bank; **B.druck** *m* blood pressure; **erhöhter B.druck** hypertension

Blüte *f* 1. *(fig)* prime; 2. *(Falschgeld)* counterfeit(ed)/faked/forged banknote, snide *(coll)*, phon(e)y, stunner; **in der B. des Lebens** in the prime of life

bluten *v/i* to bleed; **jdn b. lassen** *(fig)* to sweat so. *(fig)*; **schwer b. müssen** *(fig)* to pay through the nose *(fig)*

Blut|entnahme *f* blood sample; **B.entzug** *m (fig)* drain on resources

die Blütenträume reifen *pl* fond hopes are coming true

Blütezeit *f* *(Konjunktur)* heyday, prime, boom, bonanza

Blut|farbstoff *m* haemoglobin; **B.geld** *nt* blood money; **B.krebs** *m* ⚕ leukaemia; **B.pass** *m* blood-group card; **B.probe** *f* 1. *(Untersuchung)* blood test; 2. *(Menge)* blood sample/specimen; **B.sauger** *m* bloodsucker; **B.spende** *f* blood donation; **B.spender** *m* blood donor; **B.sturz** *m* ⚕ haemorrhage

blutsverwandt *adj* related by blood, cognate, consanguineous; **B.e(r)** *f/m* blood relation, cognate; **B.schaft** *f* blood relationship

Blut|tat *f* bloody deed; **B.transfusion** *f* blood transfusion; **B.untersuchung** *f* blood test; **B.vergiftung** *f* blood poisoning; **B.zufuhr** *f* blood supply

BLZ (Bankleitzahl) *f* bank code

Boden *m* 1. ground; 2. soil, land; 3. base; 4. *(Fußboden)* floor; 5. *(Schiff/Fass)* bottom; **auf dem B. der Tatsachen** realistically, facing the facts; **kein B. ohne Herr** § nulle terre sans seigneur *[frz.]*

Boden bereiten to set the stage, to prepare the ground, to pave the way; **B. bestellen** 🚜 to till the soil; **sich auf gefährlichem B. bewegen** to be on slippery ground; **auf dem B. des Gesetzes bleiben** to keep within the bounds of the law; **auf fruchtbaren B. fallen** to fall on fertile ground; **B. gewinnen** *(fig)* to make inroads, to gain ground; **B. gutmachen** to make up/recover lost ground, to pick up/gain ground, to catch up; **festen B. unter den Füßen haben** to be on firm ground, ~ secure; **auf dem B. des Meeres ruhen** to rest on the bottom of the sea; **aus dem B. schießen** to mushroom; **a[...] dem B. stampfen** to improvise; **sich auf den B. d[...] Tatsachen stellen** to face the facts; **an B. verlieren** [...] lose ground; **jdm den B. unter den Füßen ent-/we[...] ziehen** to cut the ground from under so.'s feet, to pu[...] the plug on so. *(fig)*; **verlorenen B. wiedergewinne[...] -gutmachen** to make up lost ground

doppelter Boden 1. false bottom; 2. ⚓ double botto[...] **ertragreicher/fruchtbarer B.** fertile/productive so[...] **fauler B.** ⚓ foul bottom; **landwirtschaftlich genut[...] ter B.** farm/cultivated/agricultural land; **lehmiger** [...] heavy soil; **marginaler B.** marginal land/soil; **une[...] giebiger B.** poor soil; **verfügbarer B.** available lan[...] **verseuchter B.** contaminated soil

Boden|analyse *f* soil analysis; **B.anlagen** *pl* ✈ grour[...] facilities; **B.anleihe** *f* land-grant bond; **B.auffüllung** landfill; **B.bank** *f* mortgage bank; **B.bearbeitun[...] B.bestellung** *f* 🚜 tillage, tilling, cultivation of so[...] **B.bearbeitungsmaschinen** *pl* agricultural machiner[...] **B.belastung** *f* (level of) soil pollution; **B.beschaffe[...] heit** *f* soil condition/characteristics, quality of lan[...] **B.beschaffung** *f* land acquisition; **B.bewertung** *f* lar[...] appraisal

Bodenbewirtschaftung *f* tillage, cultivation of lan[...] farming; **extensive B.** extensive cultivation; **gewer[...] liche B.** commercial extraction of minerals and oth[...] deposits; **intensive B.** intensive cultivation

Boden|degradation *f* land degradation; **B.dienst** *m* [...] ground services; **B.entwässerung** *f* land drainag[...] **B.erhebung** *f* elevation; **B.erneuerung** *f* land renewa[...] **B.erosion** *f* soil erosion

Bodenertrag *m* produce (of the soil), crop yield, retu[...] of land; **B.serwartungswert** *m* soil-rent expectatio[...] expectation value; **B.swert** *m* soil rent

Boden|erzeugnis *nt* product of the soil; **B.feuchtigke[...]** *f* 1. 🏛 rising damp; 2. 🚜 soil humidity; **B.filtration** *f* i[...] termittent sand filtration; **B.fläche** *f* 1. floor space; [...] 🚜 acreage, area of land; **B.fonds** *m* land fun[...] **B.früchte** *pl* 1. fruits of the earth; 2. § fructus natur[...] les *(lat.)*; **B.geräte** *pl* ✈ ground equipment; **aus B.ha[...] tung** *f* 🚜 free range; **B.höhe** *f (Haus)* ground leve[...] **B.infrastruktureinrichtungen** *pl* ✈ ground infr[...] structure facilities; **B.kapital** *nt* soil capital; **B.knap[...] heit** *f* shortage of land; **B.kontrolle** *f* ✈ ground contr[...]

Bodenkredit *m* agricultural/rural credit, (real) estat[...] land-secured credit, credit on landed property; **B.a[...] stalt/B.bank/B.institut/B.kasse** *f/nt/f* (land) mortgag[...] bank, land bank, real estate credit institution, agricu[...] tural mortgage corporation; **B.pfandbrief** *m* mortgag[...] bond

Boden|kultur *f* 1. agriculture and forestry; 2. 🚜 fie[...] crop; **B.kunde** *f* soil science; **B.leistung** *f* produce [...] the soil; **b.los** *adj* bottomless; **B.mannschaft** *f* grour[...] crew; **B.markt** *m* land market; **B.nähe** *f* ground leve[...] **B.nebel** *m* ground fog; **B.nutzung** *f* soil utilizatio[...] land use, utilization/use of land; **B.organisation** [...] ground organisation; **B.personal** *nt* ✈ ground staf[...] crew; **B.pfandbrief** *m* mortgage bond, real estate bon[...] **B.preis** *m* land price; **B.prinzip** *nt* § jus sangui *(lat*

[GB]; **B.probe** *f* soil sample; **B.produkt** *nt* (agricultural/raw) produce; **inländische B.produkte** home produce; **B.produktion** *f* produce of the soil; **B.recht** *nt* 1. land law; 2. § jus soli *(lat.) [GB]*; **B.rechte** land rights; **B.reform** *f* agrarian/land reform; **B.reinertrag** *m* soil rent; **B.reinertragslehre/B.reinertragstheorie** *f* soil-rent theory; **B.rente** *f* ground/soil rent; **B.sanierung** *f* land reclamation

Bodensatz *m* 1. sediments, dregs, residue; 2. *(Einlagen)* core deposits; 3. *(Arbeitslosigkeit/Kriminalität)* hard core; **B. eigener Akzepte** working inventory; **B. von Einlagen** deposit base; **B.arbeitslosigkeit** *f* hard-core unemployment; **B.theorie** *f* sediment theory

Boden|schätze *pl* (natural/mineral) resources, minerals; **nach B.schätzen suchen** to prospect; **B.schätzung** *f* land appraisal; **B.schicht** *f* layer of soil; **B.schutz** *m* soil protection; **B.schutzgesetz** *nt* soil protection act; **B.schwelle** *f* sleeper; **B.senkung** *f* subsidence; **B.spekulant** *m* land jobber/speculator; **B.spekulation** *f* land speculation, speculation in real estate, real estate speculation/venture; **B.spekulationssteuer** *f* land speculation tax; **b.ständig** *adj* native, indigenous; **B.temperatur** *f* ground temperature; **B.transport** *m* surface transport; **B.untersuchung** *f* soil analysis/test; **B.verbesserung** *f* amelioration, land improvement, soil conditioning/improvement; **B.verkehr** *m* 1. ground traffic, surface transport; 2. *(Grundstückskäufe)* property transactions; **B.verkehrsdienst** *m* 1. ✈ ground service; 2. surface transport; **B.vermessung** *f* surveying; **B.verschmutzung/B.verunreinigung** *f* soil pollution; **B.verschuldung** *f* real-property indebtedness; **B.verseuchung** *f* land/soil contamination; **~ durch Industrie** industrial land contamination; **B.vorrat** *m* land bank; **B.wert** *m* soil/land value; **B.wertzuwachssteuer** *f* land value tax; **B.zins** *m* ground rent

Bodmerei *f* bottomry, gross adventure, lending on ships; **auf B. gehen** to lend on bottomry; **~ nehmen** to borrow/take on bottomry

Bodmerei|brief *m* bottomry bond, maritime loan, bill of bottomry/adventure; **~ auf Schiff und Ladung** respondentia bond; **B.darlehen** *nt* maritime loan; **B.geber(in)** *m/f* lender on bottomry; **B.geld** *nt* bottomry loan; **B.gläubiger(in)** *m/f* bottomry bondholder; **B.kredit** *m* maritime loan, loan on bottomry; **B.nehmer(in)/B.schuldner(in)** *m/f* borrower on bottomry; **B.prämie** *f* bottomry interest; **B.schuld** *f* bottomry debt; **B.versicherung** *f* bottomry insurance; **B.vertrag** *m* bottomry bond, bill of (gross) adventure; **B.zins** *m* bottomry interest

Bogen *m* 1. sheet (of paper); 2. *(Wertpapiere)* coupon sheet; **B. Briefpapier** sheet of notepaper; **großen B. um jdn/etw. machen** to give so./sth. a wide berth, to steer clear of so./sth.; **B. überspannen** *(fig)* to overdo it

Bogen|anschlag *m* bill advertising; **B.elastizität** *f* arc elasticity; **B.endanzeiger** *m* ▯ page end indicator; **B.erneuerung** *f* coupon sheet renewal; **B.format** *nt* sheet size; **B.linie** *f* curvature; **b.los** *adj* couponless

Bohrarbeit *f* drilling work; **B.en** drillings

bohr|en *v/ti* to drill/bore; **B.er** *m* drill

Bohr|gesellschaft *f* drilling company/association; **B.insel** *f* drilling/oil rig, (offshore) oil platform; **B.konzession/B.lizenz** *f* exploration concession/licence; **B.loch** *nt* well, borehole, (oil) wellhead; **B.maschine** *f* 1. drill, drilling machine; 2. ⚡ power drill; **B.rechte** *pl* drilling rights; **B.schiff** *nt* drilling ship; **B.tätigkeit** *f* drilling; **B.tiefe** *f* drilling depth; **B.trupp** *m* drilling team; **B.turm** *m* rig, derrick

Bohrung *f* bore, drilling, well; **B. niederbringen** to sink a well

Bohrunternehmen *nt* drilling company

böig *adj* 1. squally, gusty; 2. *(Flug)* bumpy

Boje *f* buoy; **B.n auslegen; durch ~ kennzeichnen; mit ~ markieren** to buoy off; **B.ngebühr** *f* buoyage

Bollwerk *nt* bulwark, stronghold

Bombe *f* bomb; **wie eine B. einschlagen** *(Nachricht)* to strike/hit like a bombshell

Bomben|anschlag *m* bomb attack; **B.drohung** *f* bomb threat; **B.erfolg** *m (coll)* 1. huge success; 2. 🚜 bumper harvest *(coll)*; **B.geschäft** *nt (coll)* 1. gold mine *(coll)*, roaring business/trade *(coll)*; 2. land office business *(coll)*; **~ machen** to do a roaring trade, to make a killing *(coll)*; **B.leger(in)** *m/f* terrorist; **b.sicher** *adj* 1. bombproof; 2. *(coll)* as sure as death; **B.stelle** *f (coll)* plum job *(coll)*, job in a million

Bon *m* 1. coupon, token, voucher; 2. cash register slip, receipt, (sales) ship

bona fide *adj* *(lat.)* in good faith, bona fide; **B.-fide-Klausel** *f* bona-fide clause; **~-Kaufgeschäft** *nt* bona-fide sale

Bonbon *nt* 1. sweet, candy *[US]*; 2. *(fig)* goody, sop, sweetener

bongen *v/t* *(coll) (Kasse)* to ring up

Bonifikation *f* 1. compensation, (re-)allowance; 2. underwriting commission, (selling) commission; 3. bonus, premium; **B.sabschlag** *m* deduction of issuing/underwriting commission; **b.sfrei** *adj (Anleihe)* free of reallowance; **B.srückvergütung** *f* repayment of selling commission

Bonität *f* creditworthiness, credit status/standing/quality/score, soundness, (financial) standing, (credit) solvency, reliability, payment option; **eigene B.** internal credit quality; **einwandfreie/erstklassige B.** first standing; **fremde B.** external credit quality

Bonitäts|anforderung *f* credit standard inquiry; **B.auskunft** *f* 1. account solicitation service; 2. credit information; **B.beurteilung/B.einstufung** *f* credit rating; **B.herabstufung** *f* credit downgrading; **B.kategorie** *f* credit rating/standing; **B.klasse** *f* creditworthiness category; **B.maßstab** *m* rating standard; **B.problem** *nt* problem of security; **B.prüfung** *f* credit check/rating/investigation, status/trade inquiry; **B.risiko** *nt* counterparty/creditworthiness/credit quality risk; **B.vermerk** *m* credit rating

bonitier|en *v/t* to assess/appraise; **B.ung** *f* valuation, land classification and appraisal

Bonus *m* 1. bonus, premium, surplus, rebate, bounty, extra; 2. surplus/surprise/extra/special dividend; **B. in**

bar cash bonus; **B. bei Schadensfreiheit** no-claims bonus; **B.aktie** *f* bonus share; **B.zuteilung** *f* bonus distribution

Bonze *m* *(coll)* bigwig, big shot, mandarin

Boom *m* boom; **inflatorischer B.** inflationary boom, boomflation; **b.artig** *adj* boomlike; **B.jahr** *nt* boom year

Boot *nt* boat; **B. aussetzen; B. zu Wasser bringen** to launch a boat; **im gleichen B. sitzen** to be in the same boat; **seetüchtiges B.** sea-going craft

Bootslausstellung *f* boat show; **B.bauer** *m* boat builder; **B.besitzer** *m* boat owner; **B.deck** *nt* boat deck; **B.hafen** *m* marina, boat harbour; **B.haus** *nt* boat house; **B.körper** *m* hull; **B.steg** *m* landing stage; **B.verleih** *m* boat hire (business); **B.werft** *f* boat yard

Bord *m* board; *nt* shelf, rack; **an B.** on board (ship), aboard, afloat (aft.), embarked; **über B.** overboard; **B. zu Boden** ✈ air-ground

an Bord gebracht und gestaut free on board and trimmed; **franko B.; frei an B.** free on board (FOB), franco à bord; **frei an B. und wieder frei von B.** free on board/free off board (f.o.b./f.o.b.); ~ **des Flugzeugs** free on aircraft (f.o.a.); **frei B. mittschiffs** free board amidships

an Bord bleiben to remain on board (ship); ~ **bringen** to put on board; ~ **gehen** to board/embark, to go on board; **über B. gehen** to go by the board; **von B. gehen** to leave the ship/plane, to disembark; **an B. des Schiffes liefern** to deliver on board (the) ship; **frei ~ zu liefern** to be delivered free on board; ~ **nehmen** to take/receive on board, to uplift, to take up; **über B. spülen** to wash overboard; **an B. verladen** to ship on board; **über B. werfen** 1. ⚓ to jettison, to throw overboard, to cast away; 2. *(fig)* to throw out of the window *(fig)*, to scrap; ~ **zu werfen** jettisonable

Bordl- 1. ⚓ on board; 2. ✈ in-flight; **B.bescheinigung/B.empfangsschein** *f/m* ⚓ mate's receipt (M.R./m/r); **B.buch** *nt* 1. logbook, log; 2. ✈ flight log, journal; **B.computer** *m* vehicle-borne/on-board computer; **b.eigen** *adj* 1. ship's; 2. plane's

Borderau *m/nt* 1. memorandum, delivery note; 2. *(Zustellung der Zession)* borderau; **B.verzeichnis** *nt* bill of specie, specification

Bordlfunk *m* 1. ship's radio; 2. (aircraft) radio equipment; **B.gepäck** *nt* cabin luggage *[GB]*/baggage *[US]*; **B.ingenieur** *m* flight engineer; **B.karte** *f* boarding card; **B.konnossement** *nt* ship's bill, shipped/ocean/on-board bill of lading; **B.küche** *f* galley; **B.linie** *f* water line; **B.mechaniker/B.monteur** *m* ✈ flight/air/⚓ ship's mechanic; **B.papiere** *pl* ⚓ ship's/✈ plane's papers; **B.personal** *nt* 1. crew; 2. ✈ flying personnel; 3. ⚓ ship's complement/personnel; **B.personalbedarf** *m* ✈ in-flight staff requirements, air crew requirements; **B.proviant** *m* ⚓ ship's/✈ aircraft stores; **B.seite** *f* ship's side; **b.seitig** *adj* on behalf of the ship, by the ship's personnel; **B.service** *m* in-flight service; **B.sprechanlage** *f* intercom; **B.stein** *m* kerb *[GB]*, curb *[US]*; **B.verpflegung** *f* ✈ in-flight/⚓ on-board catering; **B.wand** *f* ship's side; **B.zeitung** *f* ship's newspaper

auf Borg *m* on credit/tick *(coll)*; ~ **kaufen** to buy on tick

Borgen *nt* 1. borrowing; 2. lending; **b.** *v/t* 1. to borrow; 2. to lend/advance

Borger *m* 1. borrower; 2. lender

Borgkauf *m* purchase on credit

Börse *f* 1. (stock) exchange, security market/exchange, stock market, bourse *[frz.]*; 2. *(Geldbörse)* purse, wallet; **an der B.** at/on the exchange; **Londoner B.** London Stock Exchange; **New Yorker B.** Wall Street, Consolidated Exchange, Big Board; **Pariser B.** Bourse; **an der B. eingeführt/notiert/zugelassen** quoted *[GB]*/listed *[US]* (at the stock exchange)

(Unternehmen) an die Börse bringen to float (a company) (on the stock exchange); **an der B. einführen** to quote/list, to obtain a quotation *[GB]*; **an die B. gehen** to go public, to join/tap the stock market, to seek a quotation, ~ stock exchange listing, to obtain a listing, to float (a company); **an der B. handeln** to deal/quote/list (at the stock exchange); ~ **notieren** to quote/list at the stock exchange; ~ **B. notiert werden** to be listed/quoted at/on the stock exchange; **B. zeitweilig schließen** to suspend trading; **an der B. spekulieren/spielen** to play the market, ~ stock exchange; **der B. Impulse verleihen** to give fresh impetus to the market; **an der B. zulassen** to list/quote, to admit to the stock exchange

bewegte Börse agitated/disturbed market; **europäische B.** bourse *[frz.]*; **federführende B.** leading stock exchange; **feste B.** firm/buoyant/steady/advancing market; **flaue B.** dull/flat market; **freundliche B.** cheerful market; **gedrückte B.** depressed market; **gehaltene B.** steady market; **haussierende B.** market strength; **inoffizielle B.** kerb *[GB]*/curb *[US]* market; **lebhafte B.** brisk/active market; **lustlose B.** dead/flat/listless market (activity), inactive market; **empfindlich/leicht reagierende B.** sensitive market; **schwache B.** weak market; ~ **infolge von Glattstellungen** liquidating market; **schwarze B.** black bourse, bucket shop; **stabile B.** steady market; **steigende B.** buoyant market; **tonangebende B.** standard market; **umsatzschwache B.** dead market; **fast umsatzlose B.** nominal market; **unbelebte B.** dull market; **widerstandsfähige B.** resistant market

Börsenabkürzung *f* stock exchange/ticker abbreviation

Börsenabrechnung *f* broker's ticket, stock exchange settlement; **B.sstelle** *f* stock exchange clearing office; **B.szettel** *m* broker's ticket

Börsenlabschluss *m* stock exchange transaction, bargain; **B.abschlusseinheit** *f* full lot; **B.abteilung** *f* stock exchange department, securities trading department, stock office; **B.agent** *m* broker, stock dealer; **B.analyse** *f* market analysis/report; **B.anfang** *m* opening of the market; **B.anmeldung** *f* stock exchange registration; **B.aufschwung** *m* market upturn; **B.aufsicht** *f* stock exchange supervisory body, exchange supervision; **B.aufsichtsbehörde** *f* Securities and Exchange Commission (SEC) *[US]*

Börsenauftrag *m* stock exchange order; **B. in mehreren Abschnitten** split order; **B. für gleichzeitigen**

Kauf und Verkauf matched order; **limitierter B.** limit(ed) order; **unlimitierter B.** market order

Börsenlauftragsbuch *nt* stock market order book; **B.ausdruck** *m* stock exchange term; **B.auskunft** *f* stock market information; **B.ausschuss** *m* 1. stock committee; 2. Stock Exchange Council (SEC) *[GB]*, Securities and Exchange Commission (SEC) *[US]*; ~ **für Übernahmen** Takeover Panel *[GB]*; ~ **für Übernahmen und Zusammenschlüsse** Panel on Takeovers and Mergers *[GB]*; **B.barometer** *nt* market indicator, business/market barometer; **B.bedingungen** *pl* stock market rules

Börsenbeginn *m* opening of the market; **bei B.** *m* when dealings start(ed), at the start of the session, in early trading; **vor B.** before official hours, in the street

Börsenlbehörde *f* stock exchange authorities; **B.beobachter** *m* market analyst; **B.bericht** *m* stock exchange report, (stock) market report/review, share list, financial news, review of the market; **B.bestimmungen** *pl* exchange regulations; **B.besucher** *m* stock market member/operator *[US]*; **B.bewertung** *f* market/bourse valuation, market rating/assessment; **B.blatt** *nt* stock exchange gazette, financial paper, commercial newspaper; **B.brauch** *m* stock exchange custom; **B.brief** *m* market letter, stock market information; **optimistischer B.brief** broker's bullish circular; **B.buch** *nt* bargain book; **B.büro** *nt (Bank)* stock exchange department; **B.coup** *m* deal on the stock exchange; **B.darlehen** *nt* stock exchange loan; **B.diener** *m* waiter; **B.dilettant** *m* dabbler (in stocks and shares), market dabbler; **B.effekten** *pl* quoted/listed securities

Börseneinführung *f* quotation *[GB]*, listing *[US]*, float, flo(a)tation, admission to official listing, initial placement, ~ public offering (IPO), introduction of securities to the stock exchange; **amtliche B.** official stock exchange introduction

Börseneinführungslantrag *m* application for quotation *[GB]*/listing *[US]*; **B.gebühr/B.provision** *f* quoting/listing commission; **B.prospekt** *m* prospectus

Börsenlengagement *nt* engagement, commitment; **B.enquete** *f* stock exchange inquiry, inquiry into the stock exchange; **B.entwicklung** *f* 1. market trend, tendencies of the market; 2. market performance; **B.erholung** *f* (stock) market rally; **B.eröffnung** *f* opening of the market; **B.erwartungen** *pl* market estimates; **B.fachmann** *m* stock exchange expert, market specialist

börsenfähig *adj* marketable, negotiable, quoted *[GB]*, listed *[US]*, listable, flo(a)table, sal(e)able, eligible for stock exchange quotation, ~ listing on a stock exchange; **nicht b.** non-negotiable, unqoted, unlisted, non-marketable; **B.keit** *f* marketability, negotiability; **öffentliche B.keit** public marketability

Börsenlfantasie *f* market operators' imagination; **B.-favorit** *m* market/stock exchange favourite, seasoned security; **B.feiertag** *m* stock exchange holiday, customary recess; **B.fernschreiber** *m* (stock/quotation) ticker, tape machine; **B.fernschreibdienst** *m* ticker service; **B.flaute** *f* dull market, market dullness; **B.freiverkehr** *m* kerb *[GB]*/curb *[US]* market; **B.führer** *m* stock market guide; **B.gang** *m* flo(a)tation, (initial) public offering (IPO), going public; **b.gängig** *adj* listed, quoted, marketable, current on exchange; **nicht b.gängig** non-marketable, unmarketable; **B.gebühren** *pl* dealing cost(s); **b.gehandelt** *adj* exchange traded

täglich fälliges Börsengeld call money; **kurzfristiges B.** stock exchange loan; **langfristiges B.** time money

Börsenlgepflogenheiten *pl* stock exchange customs; **B.gerücht** *nt* market rumour

Börsengeschäft *nt* (stock) exchange transaction; **B.e** stock exchange dealings; **kurzfristiges B. machen** to be in and out of the market; **abgeschlossenes B.** round transaction; **gekoppelte B.e** matched sales

Börsenlgeschehen *nt* market dealings, (stock) market activities; **B.gesellschaft** *f* quoted/listed company; **B.gesetz** *nt* stock exchange act, Financial Services Act *[GB]*, Securities Exchange Act *[US]*; **B.gewinn** *m* stock market gain, exchange profit; **leicht erzielter B.gewinn** velvet *(coll)*; **B.gläubiger(in)** *m/f* stock exchange creditor; **erste B.hälfte** first half of the session; **zweite B.hälfte** second half of the session

Börsenhandel *m* stock exchange dealing/trading, market dealings/trading, stock brokerage, jobbing, stockbroking, dealings on change, dealing in stocks; **zum B. zugelassen werden** to obtain a listing; **amtlicher B.** official stock exchange dealings

Börsenlhändler *m* market trader/maker, securities dealer, dealer in stocks, stock operator/jobber, trading floor operator, floor broker; **B.hausse** *f* market boom, bull market; **B.horizont verdunkeln** *m* to loom; **B.index** *m* 1. stock exchange index, ~ average, stock price average; 2. Financial Times (F.T.) Index *[GB]*, Footsie *(coll) [GB]*; Dow Jones Index *[US]*; **B.information** *f* market/trading information; **B.informationsbrief** *m* investment letter; **B.interesse** *nt* interest in shares; **B.jobber** *m* (stock)jobber; **B.kapitalisierung** *f* market capitalization

Börsenklima *nt* stock exchange mood, stock market situation, market climate/sentiment/mood/tone/trend/conditions, conditions/tone of the market; **freundliches B.** cheerful tone/market/sentiment, favourable conditions; **gedrücktes B.** market dullness

Börsenkommissar *m* stock market commissioner

Börsenkommission *f* stock exchange committee, Stock Exchange Council (SEC) *[GB]*, Securities and Exchange Commission (SEC/Secom) *[US]*; **B.sfirma** *f* commission broker; **B.sgeschäft** *nt* stockbroking transaction, broker's business

Börsenlkompensationsgeschäft *nt* cross trade; **B.konsortium** *nt* stock exchange syndicate, price ring; **B.krach** *m* stock market crash/collapse, collapse of the market; **B.kredit** *m* stock market loan; **B.kreise** *pl* stock exchange circles

Börsenkurs *m* market quotation/price, stock exchange quotation/price, quoted value; **zum B.** at the market; **B.e hochtreiben** to bull the market; **letzter B.** final quotation; **B.blatt** *nt* list of quotations; **B.wert** *m* market/quoted/listed value; **B.zettel** *m* market report, stock list

Börsen|lage *f* stock market situation; **B.leitung** *f* stock exchange management; **B.liebling** *m* stock exchange/market favourite

Börsenmakler *m* stockbroker, market maker, jobber *[GB]*, floor *[US]*/exchange broker, operator, ticker firm *[US]*; **unreeller B.** bucketeer; **B.ei** *f* jobbery; **B.firma** *f* commission house

Börsen|manipulation *f* market rigging; **B.mann** *m* stockjobber; **B.manöver** *nt* stock exchange manoeuvre, market rigging, share pushing, rig, shaking out; **~ der Baissiers** gunning for stocks; **b.mäßig** *adj* market-, stock exchange-, according to usance

Börsenmitglied *nt* member of the stock exchange, floor member; **nicht aktives B.** inactive member; **auf eigene Rechnung spekulierendes B.** floor/room *[US]* trader

Börsen|müdigkeit *f* staleness; **B.nachrichten** *pl* stock exchange news, City news *[GB]*; **wegen B.nervosität unter Verkaufsdruck geraten** *f* to come under nervous selling; **B.neuling** *m* newcomer to the stock exchange, stock market newcomer; **b.notiert** *adj* quoted *[GB]*, listed (on the stock exchange) *[US]*, on-board; **nicht b.notiert** unquoted, unlisted

Börsennotierung *f* (market) quotation *[GB]*, (stock market) listing *[US]*, (stock) exchange quotation/listing, price, quote; **B. aussetzen** to suspend listings/quotation(s); **B. einer Aktie aussetzen** to suspend a share; **B. beantragen** to seek the quotation (of shares); **amtliche B.** official quotation/list; **letzte B.** last price/quotation

Börsen|notiz *f* → **Börsennotierung**; **B.order** *f* stock exchange order; **B.ordnung** *f* stock exchange regulations, rules of the (stock) exchange; **B.organe** *pl* stock exchange authorities/bodies; **B.panik** *f* panic; **B.papiere** *pl* quoted securities *[GB]*, listed stocks *[US]*; **B.parkett** *nt* (trading) floor; **B.pflichtblatt** *nt* authorized journal for stock market announcements; **B.platz** *m* stock exchange/market, exchange centre, securities trading centre; **B.preis** *m* stock market price, stock exchange quotation/price, market rate, House Price *[GB]*; **Börsen- oder Marktpreis** current market price, stock market price or market value; **B.primanota** *f* stock exchange/market transactions journal; **B.prognose** *f* market forecasting; **B.prospekt** *m* (flotation) prospectus; **B.reaktion** *f* stock exchange/market reaction; **B.recht** *nt* law governing stock exchange transactions; **B.reform** *f* reorganisation of the stock exchange; **~ von 1986** *[GB]* Big Bang; **B.register** *nt* official list; **B.regeln** *pl* stock exchange rules; **b.reif** *adj* ready to go public; **B.rendite** *f* stock market yield; **B.richtlinien** *pl* stock market rules (book); **B.saal** *m* (tradung) floor, pit *[US]*, dealing room, boardroom; **kleiner B.saal** garage *(coll) [US]*; **B.schätzungen** *pl* market estimates; **B.scheingeschäft** *nt* matched sales, washing, wash transactions *[US]*; **B.schiedsgericht** *nt* stock arbitration (tribunal)

Börsenschluss *m* 1. (official) close, close of exchange, finish; 2. *(Handelseinheit)* lot, trading unit; **bei B.** at the closing of business, at the close of trading; **bis zum B.** by the close; **nach B.** after hours/close, after official hours, in the street; **voller B.** full lot; **bei B. höher notieren** to close dearer/up; **~ um ... Punkte höher notieren** to close ... points up; **~ niedriger notieren** to close down; **B.hoch** *nt* closing peak; **B.tief** *nt* closing low

Börsen|schreiber *m* stock exchange clerk; **B.schwankung** *f* market fluctuation; **B.schwankungen** stock exchange fluctuations; **B.schwindel** *m* stock exchange swindle, stockjobbery; **B.sitz** *m* seat

Börsensitzung *f* trading/market hours, (trading) session; **zu Beginn der B.** *(Bericht)* when dealings started, at the start of trading; **erste Hälfte der B.** first section of the exchange

Börsen|situation *f* market situation, conditions on the stock exchange; **B.skandal** *m* stock exchange scandal; **B.spekulant** *m* stock exchange operator/speculator, (stock)jobber, gambler, (average) punter, bargain hunter; **B.spekulation** *f* stock exchange/market speculation, (stock)jobbing, gambling on the exchange, bargain hunting; **B.spiel** *nt* premium hunting, agiotage; **B.sprache** *f* stock exchange parlance/jargon; **B.stand** *m* trading post, pitch; **B.stempel** *m* turnover tax stamp; **B.stimmung** *f* market/investor sentiment, tendency, tone of the market, mood; **gedrückte B.stimmung** subdued market; **B.straße** *f* street; **B.strategie** *f* market strategy; **B.stunden** *pl* trading/official hours, stock exchange hours; **B.sturz** *m* market collapse; **B.tag** *m* 1. trading session; 2. stock exchange/trading/market/dealing/business day; **b.täglich** *adj* (on) every trading day; **B.technik** *f* market practices; **B.teil** *m (Zeitung)* City news *[GB]*; **B.telegraf** *m* (quotation) ticker, tape machine

Börsentendenz *f* (stock) market trend, trend/tendency of the market; **feste B.** strength of the market, bullish mood; **unfreundliche B.** bearishness

Börsen|termingeschäft *nt* futures trading/deal, option, time bargain, forward (exchange) transaction(s); **B.terminhandel** *m* futures/forward trading; **B.terminologie** *f* stock exchange parlance; **B.tip** *m* stock (exchange) tip; **B.titel** *m* quoted/listed security; **B.transaktion** *f* stock exchange transaction/operation, deal on the stock exchange, bargain; **vollständig durchgeführte B.transaktion** turn; **B.trend** *m* market trend, stock market tendency; **ungünstiges B.umfeld** bleak trading environment; **B.umsatz** *m* stock exchange trading; **B.umsätze** market dealings, stock exchange turnover

Börsenumsatzsteuer *f* (security/stock) transfer tax, stock exchange (turnover) tax, stamp tax, (transfer) stamp duty *[GB]*; **b.frei** *adj* free of stamp (duty); **B.vergütung** *f* stock exchange turnover tax refund

börsen|unerfahren *adj* inexperienced; **B.usancen** *pl* stock exchange customs/practices; **B.verein** *m* stock exchange members' association; **~ des Buchhandels** *[D]* Stationers' Company *[GB]*; **B.verhältnisse** *pl* state of the market; **B.verkehr** *m* stock exchange dealings/transactions; **im B.verlauf** *m* in the course of the session; **B.verlust** *m* stock loss; **B.versammlung** *f* trading session; **B.version** *f* stock exchange rumour; **B.vertreter** *m* (stock) exchange agent/representative;

staatlicher B.vertreter government broker; **B.viertel** *nt* The City *[GB]*, The Street *[US]*; **B.vollmacht** *f* power of attorney for the stock exchange; **B.volumen** *nt* volume of securities traded, trading volume; **B.vorstand** *m* 1. committee of the stock exchange; 2. Stock Exchange Commission (SEC); 3. Council of the Stock Exchange *[GB]*; 4. *(US-Börse)* Board of Directors; 5. *(New York Stock Exchange)* Board of Governors

Börsenwert *m* 1. quoted/listed security, ~ value, stock exchange value, (stock) market value, marketable security, realizable stock, exchange price; 2. market capitalization; **führender B.** market leader; **B. mit hohen Umsätzen** big-volume stock

Börsen|wesen *nt* stock exchange system; **B.zeit** *f* trading/official hours; **B.zeitung** *f* financial gazette, stock exchange journal; **B.zettel** *m* stock (exchange) list, list of (market) quotations

Börsenzulassung *f* listing *[US]*, admission (of securities), new admission, permission to deal; **B. beantragen** to seek a public quote, to apply for official quotation

Börsenzulassungs|antrag *m* application for quotation at the stock exchange *[GB]*, listing application *[US]*; **B.ausschuss** *m* quotation/listing committee; **B.gebühr** *f* quotation/listing fee; **B.prospekt** *m* quotation/listing prospectus; **B.verfahren** *nt* quotation/listing procedure; **B.vorschriften** *pl* stock exchange quotation/listing requirements

Börsen|zusammenbruch *m* stock market crash, collapse of the market; **B.zwang** *m* compulsory stock exchange dealing, stock exchange monopoly

Börsianer *m* market operator, stock exchange operator/speculator, stockbroker, marketmaker, jobber

bösartig *adj* 1. mischievous, ill, malicious, vicious; 2. malignant

Böschung *f* 1. bank; 2. *(Trasse)* embankment; 3. slope

Böse *nt* evil; **nichts B.s im Sinn haben/vorhaben** to mean/intend no harm; **jdm B.s nachreden** to cast a slur on so.'s character; **b.** *adj* evil; mad, annoyed; **B.wicht** *m* villain, miscreant

bösgläubig *adj* § mala fide *(lat.)*, in bad faith; **B.keit** *f* bad faith, mala fides *(lat.)*

bos|haft *adj* wicked, malicious, spiteful; **B.haftigkeit** *f* spite; **B.heit** *f* wickedness, malice

Boston-Effekt *m* experience curve

böswillig *adj* malicious; **B.keit** *f* malice, malevolence

Bote *m* messenger, runner, courier, delivery boy; **durch B.n** by messenger/hand

Boten|dienst *m* messenger service; **B.dienste tun** to run errands; **B.gang** *m* errand; **~ machen** to run an errand; **B.inkasso** *nt* collection by hand; **B.junge** *m* messenger boy; **B.lohn** *m* delivery/messenger's fee, porterage

Botin *f* (female) messenger

Botschaft *f* 1. message, mission, missive, communication; 2. embassy; **B. ausrichten/überbringen/übermitteln** to take/transmit a message; **frohe B.** good tidings/news

Botschafter *m* ambassador, envoy

Botschafts|angehörige(r) *f/m* embassy official; **B.-sekretär** *m* secretary of embassy

Boulevard|blatt/B.zeitung *nt/f* tabloid (paper), popular daily; **B.presse** *f* gutter/tabloid press

Boutique *f* boutique

Boxpalette *f* box pallet

Box-Pierce-Test *m* portmanteau lack of fit test

Boykott *m* boycott, blacking; **B. aufheben** to call off/lift a boycott; **direkter/unmittelbarer B.** primary boycott; **gemeinsamer B.** collective boycott; **indirekter/mittelbarer B.** secondary boycott

boykottier|en *v/t* to boycott/black; **B.ung** *f* blacking, boycott

Boykottliste *f* blacklist

brach *adj* 1. fallow, uncultivated; 2. idle, unused

Brache *f* fallow/waste/unused/derelict land, fallow; **B.zeit** *f* fallow period

Brach|fläche/B.land *f/nt* fallow/waste/unused/derelict land; **b.liegen** *v/t* 1. to lie idle, to be neglected; 2. *(Land)* to lie fallow/waste, to go to waste; **b.liegend** *adj* 1. unworked, barren; 2. idle, unused, unemployed, waste, dormant

Brachzeit *f* down/idle/dead/lost time, machine idle time; **B. bei Mehrstellenarbeit** interference time; **B. wegen Störung** machine down time; **ablaufbedingte B.** machine idle time; **störungsbedinge B.** machine down time

Brailleschrift *f* braille

Bramme *f* slab

Branche *f* (branch of) industry, (business) sector, (line of) business, trade, line; **in der B.** in the business/trade/industry/line; **in einigen B.n** in some branches of industry, ~ industrial sector/trades; **mehrere B.n umfassend** multi-industry; **quer durch alle B.n gehen** to affect all trades/industries

junge Branche start-up sector; **konjunkturempfindliche B.** sensitive sector; **nachgelagerte B.** downstream industry; **neue B.** new industry; **notleidende B.** ailing industry; **verbrauchsnahe B.** near-consumer industry; **vorgelagerte B.** upstream industry; **wachstumsschwache B.** stagnant/flat-growth industry; **zukunftsträchtige B.** growth industry

Branchen|- sectoral, industry-specific; **B.adressbuch** *nt* (trade/classified) directory; **B.analyse** *f* industry survey, sector analysis; **B.aufgliederung** *f* breakdown by industries; **B.auswertung** *f* industry comparison; **B.bank** *f* bank serving a particular industry or trade; **b.bedingt** *adj* sectoral, due to the conditions in the trade/industry, owing to the nature of the trade/industry; **B.beobachter** *m* industrial observer; **B.beobachtung** *f* industry survey and appraisal; **B.berichterstattung** *f* (line of) business reporting; **B.besatz** *m (Einzelhandel)* retail mix; **B.brauch** *m* trade custom; **B.brief** *m* trade newsletter; **B.code** *m* industry code; **B.durchschnitt** *m* industrial/industry average; **B.entwicklung** *f* development of the industry, sectoral development/growth; **b.erfahren** *adj* experienced in the line of business; **B.erfahrung** *f* industry-specific/trade experience; **B.erlöse** *pl* industry revenue; **B.erster** *m* industry leader; **B.experte** *m* industry analyst; **B.fonds** *m* industry fund; **b.fremd** *adj* alien to the trade/industry; **B.frem-**

der *m* outsider; **B.führer** *m* market/business/industry leader, bellwether of an industry; **B.geschäft** *nt* single-line store; **b.gleich** *adj* relating to the same trade/industry, in the same line of business; **B.gliederung** *f* breakdown by industries, branch-of-business classification; **B.index** *m* single industry/industrial/sectoral index; **B.informationssystem** *nt* industry information system; **b.intern** *adj* intra- industry; **B.kenner** *m* trade expert, industry analyst/expert/observer, sector analyst; **B.kenntnisse** *pl* 1. knowledge of the trade industry, experience in a line of business; 2. tricks of the trade *(coll)*; **B.kennzahl/B.kennziffer/B.koeffizient** *f/m* industry ratio; **B.konjunktur** *f* sectoral trend/boom, economic activity in an industry; **B.kreise** *pl* trade sources; **in B.kreisen** in trade circles, in the trade; **b.kundig** *adj* well up/versed in the trade/industry; **B.liste** *f* trade directory; **entgegen landläufiger B.meinung** contrary to the generally held opinion in the industry; **B.messe** *f* trade fair; **B.mix** *m* industry mix; **B.norm** *f* industry-wide standard; **B.organ** *nt* industry publication; **B.position** *f* industry position; **B.prognose** *f* industry forecast; **B.publikation** *f* trade journal; **B.quotenziele** *pl* industry quota objectives; **B.schlüssel** *m* trade/industry code; **B.schnitt** *m* industrial average; **B.situation** *f* situation in the industry, state of trade; **B.spanne** *f* average industry margin; **B.spezialisierung** *f* industrial specialization; **b.spezifisch** *adj* sectoral; **B.statistik** *f* industry statistics, branch of business statistics; **B.struktur** *f* industry mix; **B.telefonbuch** *nt* Yellow Pages *[GB]*; **b.typisch/b.üblich** *adj* customary (in this line of business), customary/usual in the trade; **B.untersuchung** *f* industry study; **B.verband** *m* industrial federation; **im B.vergleich** *m* on a sectoral comparison; **B.vertreter** *m* industry official/representative; *pl* trade sources; **b.verwandt** *adj* related; **B.verzeichnis** *nt* classified/trade directory, ✆ Yellow Pages *[GB]*; **B.vorausschau** *f* sectoral forecast; **b.weit** *adj* industry-wide; **B.werbung** *f* trade/institutional advertising; **B.zeitschrift** *f* industry publication; **B.zyklus** *m* single-industry cycle

Brand *m* 1. fire, blaze; 2. $ gangrene; **in B. geraten** to catch fire; **B. löschen** to extinguish a fire; **in B. setzen/stecken** to set on fire; **ausgedehnter B.** conflagration

Brand|anschlag *m* arson attack; **B.bekämpfung** *f* fire fighting; **b.beschädigt** *adj* fire-damaged; **B.beschädigung** *f* fire damage; **B.brief** *m* urgent reminder, dunning letter *(coll)*; **B.diebstahl** *m* § theft committed during a fire; **b.eilig** *adj (coll)* very urgent; **B.eisen** *nt* 🚜 branding iron; **B.fackel** *f* torch; **B.gefahr** *f* fire risk/hazard; **B.glocke** *f* fire bell; **B.herd** *m* seat of fire; **B.kasse** *f* fire insurance/office; **B.legung** *f* arson; **b.marken** *v/t* 1. 🚜 to brand; 2. to denounce; **B.markung** *f* denunciation; **B.mauer** *f* fire wall; **B.meldeeinrichtung** *f* fire alarm; **b.neu** *adj* brand-new; **B.risiko** *nt* fire hazard; **B.rodung** *f* slash-and-burn; **B.schaden** *m* fire loss/damage; **b.schatzen** *v/t* to loot/pillage/plunder; **B.schätzer** *m (Vers.)* fire/loss adjuster; **B.schatzung** *f* pillage; **B.schott** *f* ⚓ fireproof bulkhead; **B.schutz** *m* fire protection; **B.schutzbehörde** *f* fire authority; **B.stelle** *f* scene of fire; **B.stifter** *m* fire raiser arsonist, incendiary, firebug *(coll)*

Brandstiftung *f* § arson, setting fire; **einfache B.** simple arson; **fahrlässige B.** causing fire by negligence; **schwere B.** aggravated arson

Brandung *f* surf; **B.sboot** *nt* surf boat; **B.srisiko** *nt* surf risk; **B.swelle** *f* breaker

Brand|ursache *f* cause of the fire/blaze; **B.verhütung** *f* fire prevention/protection/precaution; **B.verhütungsvorschriften** *pl* fire regulations; **B.versicherung** *f* fire insurance; **B.versicherungspolice** *f* fire policy; **B.wache** *f* fire ward(en)/watch; **B.wunde** *f* $ burn; **B.zeichen** *nt* 🚜 brand; **mit ~ versehen** to brand

Branntwein *m* spirit(s), liquor, brandy; **B.abgabe** *f* spirits duty; **B.brenner** *m* distiller; **B.brennerei** *f* distillery; **B.monopol** *nt [D]* spirits monopoly; **B.schmuggel** *m* bootlegging *[US]*; **B.steuer** *f* tax on spirits/liquors, liquor tax *[US]*, duty on spirits

Brauch *m* custom, usage, practice(s); **allgemeiner B.** common usage; **althergebrachter B.** time-honoured custom; **ortsüblicher B.** local custom

brauchbar *adj* 1. useful, of use, serviceable, usable, practicable; 2. acceptable; 3. *(Plan)* workable

Brauchbarkeit *f* 1. usefulness; 2. practicability, viability; 3. availability, acceptability; 4. *(Plan)* workability; **B. der Erfindung** usefulness of the invention; **handelsübliche B.** merchantableness; **B.sdauer** *f* service life; **B.sminderung** *f* diminution of service yield, decline in economic usefulness, expired utility, lost serviceability/usefulness, loss of serviceability/usefulness

brauchen *v/t* 1. to use, to make use of; 2. *(benötigen)* to require/need; **dringend b.** to be in urgent need (of); **nicht b.** to have no need

Brauch|tum *nt* custom(s), folklore; **B.wasser** *nt* process/industrial water, general purpose water, water for domestic use

brau|en *v/t* to brew; **B.er** *m* brewer

Brauerei *f* brewery, brewer; **B.aktien/B.titel/B.werte** *pl* breweries; **B.gaststätte** *f* tied house; **B.gewerbe/B.wirtschaft** *nt/f* brewing industry; **B.konzern** *m* brewing group; **B.verband** *m* Brewers's Society *[GB]*

Brau|gerste *f* malting barley; **B.gewerbe/B.industrie** *nt/f* brewing industry

Braunkohle *f* lignite, soft/brown/wood coal; **B.(n)förderung** *f* lignite mining; **B.nkraftwerk** *nt* lignite-fired/lignite-based power station; **B.ntagebau** *m* open-cast lignite mining

Brau|unternehmen *nt* brewery; **B.wirtschaft** *f* brewery industry

Bravourstück *nt* master stroke

brechen *v/t* 1. to break/crack; 2. § to violate/infringe/rupture

Brecher *m* breaker; **B.anlage** *f* crusher plant

Brei *m* 1. broth; 2. 🏭 pulp

breit *adj* wide, broad, ample; **b.er werden** to widen

Breitband *nt* broad band; **B.datenübertragung** *f* broadband data transmission; **B.kabel** *nt* broad band cable

Breite *f* width, breadth, broadness, latitude

Breiten|geschäft *nt* 1. bulk/core business, main lines; 2. *(Bank)* retail business; **B.grad** *m* degree of latitude; **B.wirkung** *f* widespread impact, effectiveness

breit| gefächert *adj* wide-ranging, widely spread, diversified; **b. gestreut** *adj* broadly diversified/based, widely spread; **B.seite** *f* ⚓ broadside; **B.spur** *f* 🚂 broad/wide ga(u)ge; **b.spurig** *adj* broad-ga(u)ge; **etw. b.treten** *v/t* to dwell on sth., to labour a point; **B.wagenmaschine** *f (Schreibmaschine)* long-carriage typewriter/machine

Bremse *f* 1. brake; 2. *(fig)* disincentive; **B. betätigen** to step/put on the brake(s); **monetäre B.n lockern** to ease monetary restrictions; **fehlerhafte B.** faulty/defective brake(s); **fiskalische B.** fiscal drag; **geldpolitische B.** monetary brake

bremsen *v/ti* 1. to brake, to step/put on the brake(s), to slow down; 2. *(fig)* to restrain/retard; **nicht zu b.** unstoppable; **~ sein** *(fig)* to be out of control; **scharf b.** to jam on the brakes

Brems|politik *f* anti-cyclical policy; **B.spur** *f* skid marks; **B.strecke** *f* stopping/braking distance

Bremsung *f (Entwicklung)* retarding, curbing, slowing down, slowdown

Brems|weg *m* stopping/braking distance; **langen ~ haben** *(fig)* to take a long time to take effect; **B.wirkung** *f* 1. braking power; 2. *(fig)* slowdown effect

brennbar *adj* combustible, (in)flammable; **leicht b.** highly inflammable/combustible

brennen *v/i* 1. to burn, to be on fire; 2. ⚗ to distil

Brenner *m* 1. burner; 2. *(Alkohol)* distiller; **B.ei** *f* 1. distillery, still; 2. *(Ziegel)* brickworks; 3. *(Kaffee)* coffee roasting plant

Brenn|gas *nt* combustible gas; **B.holz** *nt* firewood; **B.holzgerechtigkeit** *f* § estovers; **B.material** *nt* fuel; **B.ofen** *m* kiln; **B.öl** *nt* fuel oil

Brennpunkt *m* focus, focal point, centre; **B. des Booms** centre of the boom; **~ Interesses** focus of interest; **in den B. rücken** to focus (on); **im B. stehen** to be in the limelight

Brennstab *m* ⚛ fuel rod; **abgebrannter B.** spent fuel rod

Brennstoff *m* fuel; **B.e** fuels, combustibles; **fester B.** *m* solid/compact fuel; **flüssiger B.** liquid fuel; **fossiler B.** fossil fuel; **gasförmiger B.** gaseous fuel; **konkurrierender B.** competitor fuel

Brennstoff|bedarf *m* fuel requirements; **B.behälter** *m* 1. fuel tank; 2. ⚛ fuel flask; **B.einsparung** *f* fuel conservation; **B.ersatz** *m* fuel substitute; **B.ersparnis** *f* fuel savings; **B.industrie** *f* fuel industry; **B.knappheit** *f* fuel shortage; **B.lager** *nt* fuel depot; **B.rechnung** *f* fuel bill; **b.sparend** *adj* fuel-efficient; **B.verbrauch** *m* fuel consumption; **B.versorgung** *f* fuel supply; **B.vorräte** *pl* fuel stocks/reserves; **B.zelle** *f* fuel cell

brenzlig *adj* precarious, tricky, hairy, touch-and-go *(coll)*

Bresche *f* breach, gap; **in die B. springen** to step into the breach, to come to the rescue

Brett *nt* board, plank; **mit B.ern vernageln** to board up; **Schwarzes B.** notice/bulletin *[US]* board; **ans Schwarze B. schlagen** to put up on the board

Bretter|kiste/B.verschlag *f/m* crate; **B.wand/B.zaun** *f/m (Reklame)* hoarding

Brief *m* 1. letter, missive; 2. *(Börse)* many sellers, ask, asked, offer price; **B. und Geld** *(Börse)* ask and bid, bills and money; **mehr B. als Geld** *(Börse)* buyer's market, buyers over; **unter B. und Siegel** under my hand and seal; **B. mit Wertangabe** insured letter; **B. angeboten** *(Börse)* mainly sellers; **B. folgt** letter to follow; **bezahlt B. (bB)** *(Börse)* more sellers than buyers; **gehandelt und B.** *(Börse)* sellers ahead; **vorwiegend B.** *(Börse)* sellers over

Brief abfangen to intercept a letter; **B. abheften/ablegen** to file a letter; **B. abholen** to call for a letter; **B. abschicken/absenden/aufgeben** to post/mail/dispatch a letter; **B. abschließen** to close a letter; **B. aufsetzen** to draft a letter; **jdm einen B. aushändigen** to hand so. a letter; **B.e austauschen** to exchange letters; **B. austragen** to deliver a letter; **B. beantworten** to answer a letter; **B. zur Post bringen** to post/mail/dispatch a letter; **B. datieren** to date a letter; **B.e einordnen** to sort (out) letters; **B.e einsammeln** to collect letters; **B. einschreiben** to register a letter; **B. einwerfen** to post/mail a letter; **einem B. entnehmen** to learn/understand from a letter; **B. erhalten** to receive a letter; **B. für unzustellbar erklären** ✉ to dead a letter; **B. expedieren** to dispatch a letter; **B. fehlleiten** to misdirect a letter; **B. frankieren/freimachen** to frank a letter; **B. ausfindig machen** to trace a letter; **B. nachsenden** to forward a letter; **B. unberechtigt öffnen** to break the seal of a letter; **B.e ordnen/sortieren** to sort (out) letters; **B. an jdn richten** to direct a letter to so.; **B. schließen** to end a letter; **B. unterschlagen** to suppress a letter; **B. verschließen** to seal a letter; **B. mit Datum versehen** to date a letter; **B. mit späterem Datum versehen** to postdate a letter; **B.e wechseln** to correspond; **B. zukleben** to seal a letter; **B. zustellen** to deliver a letter

nicht abgeholter Brief unclaimed letter; **anonymer B.** anonymous/poison-pen letter; **beiliegender B.** enclosed letter; **beleidigender B.** libellous letter; **blauer B.** *(coll)* 1. § mittimus *(lat.)*; 2. notice to quit, one's cards *(coll)*; **eigentlicher B.** body of a letter; **eigenhändiger B.** autograph letter; **eingeschriebener B.** ✉ registered letter; **~ mit Empfangsbestätigung** ✉ recorded delivery letter; **frankierter B.** stamped/prepaid letter; **geharnischter B.** strongly worded letter, stinker *(coll)*; **geschäftlicher B.** business letter; **geschlossener B.** closed letter; **gewöhnlicher B.** ✉ unregistered letter; **offener B.** open letter; **persönlicher B.** private/personal letter; **portofreier B.** ✉ letter exempt from postage; **postlagernder B.** ✉ caller's/poste restante *[frz.]* letter; **unbehobener B.** ✉ unclaimed letter; **unbestellbarer/unzustellbarer B.** dead letter; **undatierter B.** undated letter; **unfrankierter B.** unpaid letter; **versiegelter B.** sealed letter; **vertraulicher B.** confidential/personal letter; **vorgehender B.** previous letter

Brief|abfertigung *f* dispatch of mail; **B.abholung** *f* collection of letters; **B.ablage** *f* 1. letter file; 2. filing of letters; **B.abschluss** *m* close; **B.abschrift** *f* copy; **B.anfang** *m* opening; **B.annahme** *f* ✉ receiving counter, mail drop *[US]*; **B.anordnung** *f* layout of a letter; **B.aufgabe** *f* ✉ posting, mailing; **B.aufgabestempel** *m* postmark; **B.aufschrift** *f* address; **B.ausgabe** *f* postal delivery; **B.ausgang** *m* outgoing mail; **B.ausgangsbuch** *nt* letters dispatched book; **B.beantwortung** *f* reply/answer to a letter; **B.beförderung** *f* conveyance of letters; **B.beilage** *f* enclosure; **B.beileger** *m* envelope stiffener; **B.beschwerer** *m* paperweight; **B.beutel** *m* mail/letter bag; **B.block** *m* letter pad; **B.bogen** *m* notepaper, letter paper, sheet of paper; **B.bombe** *f* letter bomb; **B.bote** *m* postman *[GB]*, mailman *[US]*; **B.buch** *nt* letter book; **B.bündel** *nt* packet of letters; **B.chen** *nt* 1. note; 2. *(Gel/Pulver)* sachet *[frz.]*; ~ **Streichhölzer** book of matches; **B.datum** *nt* date of a letter; **B.dienst** *m* ✉ letter-post service; **B.drucksache** *f* circular letter, printed matter; **B.durchschlag** *m* copy of a letter; **B.eingang** *m* incoming letters/mail, receipt of letters; **B.eingangsbuch** *nt* letters received book; **B.einlauf** *m* letters received; **B.einwurf** *m* 1. mail drop, letter box; 2. posting (of a letter); **B.empfang** *m* receipt of letters; **B.entwurf** *m* draft (of a) letter; **B.fach** *nt* 1. pigeonhole; 2. ✉ post-office box (P.O.B.); **B.frankiermaschine** *f* franking machine; **B.freund(in)** *m/f* penfriend; **B.gebühr(ensatz)** *f/m* letter/mail rate, ~ tariff; **B.geheimnis** *nt* privacy of letters/correspondence, inviolability of letters; ~ **verletzen** to violate the secrecy of letters; **B.gestaltung** *f* layout of a letter; **B.grundschuld** *f* certified land charge; **B.hülle** *f* envelope, cover; **B.hypothek** *f* registered/certificated/certified mortgage

Briefing *nt* briefing

Brief|inhalt *m* content of a letter; **B.karte** *f* letter/correspondence card; **B.kassette** *f* writing case

Briefkasten *m* 1. letter box; 2. ✉ mail/pillar/post box; **B. leeren** to collect (the) letters; **elektronischer B.** electronic mailbox; **B.adresse** *f* accommodation address; **B.firma/B.gesellschaft** *f* tax haven/alien *[US]* corporation, accommodation address, nominee/letter-box/brass-plate/dummy/bubble *(coll)* company, letter-drop box company; **B.leerung** *f* collection (of letters), postal collection

Brief|klammer *f* paperclip; **B.kopf** *m* letterhead, heading, superscription; **B.kopierbuch** *nt (handschriftlich)* letter book; **B.korb** *m* desk tray; **B.kurs** *m* 1. *(Börse)* offer/asked/selling price, seller's/selling rate, asked quotation, offer, rate asked, price offered; 2. *(Devisen)* drawing rate; **letzte B.- und Geldkurse** closing bid and asked prices; **B.kursnotiz** *f* offer quotation; **B.kuvert** *nt* envelope; **B.laufzeit** *f* ✉ delivering time; **b.lich** *adj* by letter, in writing; **B.mappe** *f* writing case

Briefmarke *f* (postage) stamp; **B. aufkleben** to affix a stamp; **B. ausgeben** to issue a stamp; **B. entwerten** to cancel a stamp; **B. stempeln** to cancel a stamp; **aufgeklebte B.** affixed stamp; **eingedruckte B.** impressed stamp; **entwertete B.** cancelled stamp; **gummierte B.** adhesive stamp

Briefmarken|ausgabe *f* issue of stamps; **B.automat** *m* stamp machine; **B.fälschung** *f* stamp forgery; **B.händler(in)** *m/f* stamp dealer; **B.heft** *nt* book of stamps; **B.sammeln** *nt* philately; **B.sammler(in)** *m/f* stamp collector, philatelist; **B.sammlung** *f* stamp collection; **B.stempel** *m* postmark

Brief|muster *m* model letter; **B.notierung/B.notiz** *f (Börse)* asked/offer quotation; **B.öffner** *m* letter opener, paper knife; **automatischer B.öffner** letter-opening machine; **B.ordner** *m* letter file

Briefpapier *nt* stationery, note/letter/writing paper; **B. mit aufgedrucktem Firmenkopf** headed notepaper; **dünnes B.** lightweight stationery

Brief|partner(in) *m/f* correspondent; **B.porto** *nt* letter rate/tariff, postage

Briefpost *f* 1. letter post, mail matter *[US]*; 2. Royal Mail *[GB]*; **bevorzugt abgefertigte B.** first-class mail; **nicht ~ B.** second-class mail

Brief|qualität *f* 🖳 letter quality; **B.repartierung** *f (Börse)* scaling down of selling orders; **B.sack** *m* letter bag; **B.satz** *m (Börse)* selling/offer rate, rate asked; ~ **unter Banken** inter-bank offer rate; **B.schlitz** *m* mail drop; **B.schluss** *m* close, tail of a letter; **B.schreiber(in)** *m/f* letter writer; **B.schulden** *pl* arrears of correspondence; **B.sendung** *f* 1. letter; 2. ✉ letter post, mail matter *[US]*, consignment by mail; **B.sperre** *f* suspension of mail; **B.stil** *m* epistolary style; **B.tagebuch** *nt* letter book, daily mail ledger *[US]*

Brieftasche *f* wallet, billfold *[US]*, pocketbook *[US]*, notecase; **dicke B.** fat purse; **prall gefüllte B.** well-lined purse

Brief|taube *f* carrier pigeon; **B.telegramm** *nt* 1. letter-telegram; 2. day letter, night letter(gram) *[US]*; **b.telegrafisch** *adj* by letter telegram; **B.text** *m* body of a letter; **B.ton** *m* sound of a letter; **B.träger** *m* postman *[GB]*, mailman *[US]*, letter carrier *[US]*; **B.überweisung** *f* postal order (p.o.)

Briefumschlag *m* envelope, cover; **grau gefütterter B.** grey-lined envelope; **gummierter B.** adhesive envelope; **B.klappe** *f* envelope flap

Brief|unterschlagung *f* suppression/diversion of letters (from addressee); **B.verfasser(in)** *m/f* letter writer; **B.verkehr** *m* correspondence; **elektronischer B.verkehr** electronic mail; **B.verschlussmaschine** *f* letter-sealing machine; **B.waage** *f* letter scales/balance, postal scale; **B.wahl** *f* postal ballot/vote *[GB]*, mail ballot *[US]*, voting in writing; **B.wähler** *m* absentee/postal voter

Briefwechsel *m* correspondence, exchange of letters; **B. führen; im B. stehen** to correspond; **B. unterhalten** to maintain a correspondence; **reger B.** lively correspondence

Brief|zensur *f* postal censorship; **B.zusteller** *m* postman *[GB]*, mailman *[US]*; **B.zustellung** *f* postal *[GB]*/mail *[US]* delivery, delivery of letters

Brikett *nt* briquette *[frz.]*

Brilliant *m* cut diamond; **b.** *adj* brilliant

brillieren *v/i* 1. to sparkle; 2. to be brilliant

bringen *v/t* 1. to bring/take/carry; 2. *(Ertrag/Zinsen)* to earn/yield/fetch; 3. *(Zeitung)* to carry/contain; **an sich b.** to seize/arrest; **dazu b.** to induce/tempt; **etw. hinter**

sich b. to get sth. over (and done) with, to turn a corner *(fig)*; **mit sich b.** to imply/entail/involve, to bring in (its) train; **es nicht über sich b.** not to find it in one's heart; **nicht viel b.** not to yield much; **es weit b.** to achieve a great deal

Bring|geld *nt* deposits; **B.schuld** *f* debt by specialty, debt lying in render, debt to be discharged at creditor's domicile, obligation to be performed at creditor's habitual residence; **B.system** *nt* delivery system

brisan|t *adj* explosive; **B.z** *f* explosiveness

Britischer Normenausschuss British Standards Institute (B.S.I.); **B. Unternehmerverband** *m* Confederation of British Industry (CBI)

Brocken *m* lump, chunk; **dicker B.** big lump, large chunk; **harter B.** tough job; **schwer zu verdauender B.** enormous bite to swallow

Broker *m* broker; **B. an der Warenbörse** *m* commodity broker; **B.firma** *f* brokerage/commission/wire *[US]* house, broker firm; **B.haus** *nt* securities company; **zugelassener B.vertreter** registered representative

Bronchitis *f* ⚕ bronchitis

broschiert *adj* 📖 paperback, stitched, unbound, bound in paper

Broschüre *f* brochure, leaflet, booklet, folder, hand-out; **aufwendig aufgemachte B.** glossy brochure

Brot *nt* bread; **sich das B. vom Munde absparen** to stint o.s. of food; **sein B. ehrlich verdienen** to earn an honest living; **~ schwer verdienen** to work hard for one's living; **sich ~ selbst verdienen** to earn one's living; **belegtes B.** sandwich; **selbstgebackenes B.** home-made bread; **tägliches B.** daily bread

Brötchen *nt* roll; **kleine B. backen** *(fig)* to eat humble pie *(fig)*; **seine B.verdienen** to earn one's living/daily bread; **B.geber** *m (coll)* employer

Broterwerb *m* breadwinning; **als B.** for a living; **nur auf den B. bedacht** bread-and-butter-minded

Brot|getreide *nt* bread/food grain, bread cereals; **B.getreideerzeugnis** *nt* bread cereal product; **B.industrie** *f* bread industry; **B.korb** *m* bread basket; **jdm den ~ höher hängen** *(fig)* to put so. on short rations/commons *(coll)*, to keep so. short; **b.los** *adj* unemployed; **jdn ~ machen** to throw so. out of work, to put so. out of business; **B.marke** *f* bread coupon/ticket; **B.verdiener** *m* breadwinner; **B.verknappung** *f* bread shortage; **B.zeit** *f* tea break

Bruch *m* 1. crack, break; 2. *(Entwicklung)* interruption; 3. *(Beziehungen)* severance; 4. *(Transport)* breakage; 5. § breach, violation, infringement; 6. ⚓ breakup; 7. π fraction; 8. ⚕ *(Knochen)* fracture; 9. *(Eingeweide)* rupture, hernia

Bruch der Amtsverschwiegenheit breach of official secrecy; **~ Behördenhaftung** breach of warranty of authority; **B. eines Berufsgeheimnisses** breach of a professional secret; **B. der Beschlagnahme** breach of arrestment; **B. des Friedens** breach of (the) peace; **B. der Garantiehaftung** breach of warranty; **B. in einer Kurve** jump in a curve; **B. eines Vertrages** breach/infringement of (a) contract; **B. einer Vertragsklausel** event of default

frei von Bruch free from breakage; **~ und Beschädigung** free from breakage and damages

zu Bruch gehen to get broken; **in die Brüche gehen** to crack up; **B. kürzen** π to reduce a fraction; **B. machen** to crash; **B. vertiefen** to widen a breach

echter Bruch π proper fraction; **gemeiner B.** vulgar fraction; **gewöhnlicher B.** 1. ordinary breakage; 2. π simple fraction; **unechter B.** improper fraction

Bruch|bude *f* *(coll)* tumble-down/dilapideted/ramshackle building; **b.fest** *adj* unbreakable; **B.festigkeit** *f* breaking/ultimate strength; **b.frei** *adj* free from breakage; **B.gefahr** *f* risk of breakage; **B.glas** *nt* glass cuttings

brüchig *adj* 1. fragile, brittle; 2. 🏛 crumbling; **B.keit** *f* brittleness

Bruch|klausel *f* breakage clause; **b.landen** *v/t* ✈ to crash-land; **B.landung** *f* ✈ crash landing; **B.last** *f* breaking load; **B.probe** *f* breaking test; **B.punkt** *m* breaking point; **B.rechnung** *f* π fractional arithmetic, fractions; **B.risiko** *nt* risk of breakage; **~ des Eigentümers** owner's risk of breakage

Bruchschaden *m* breakage; **frei von B.** *m* free from breakage; **versichert gegen B.- und Transportschäden** insured against breakage and damage in transit; **B.versicherung** *f* insurance against breakage

Bruch|schluss *m* *(Börse)* odd lot; **B.schrift** *f* 📖 grotesque *[GB]*, gothic *[US]*; **b.sicher** *adj* break-proof; **B.stein** *m* quarry stone; **B.stelle** *f* 1. break; 2. ⚕ fracture; **B.strich** *m* π fraction stroke/bar; **B.stück** *nt* fragment, fractional part; **b.stückhaft** *adj* fragmented, fragmentary

Bruchteil *m* fraction, fractional part, fragment; **zu einem B. der Kosten** at a fraction of the cost; **B.aktie** *f* fractional certificate, share fraction; **B.fonds** *m* unit trust fund; **b.ig** *adj* fractional; **B.notierung** *f* split quotation; **B.recht** *nt (Aktie)* fractional (share)/residual entitlement

Bruchteils|aktie *f* fractional share; **B.eigentum** *nt* part/fractional ownership, severalty, ownership by fractional shares, tenancy in common; **B.eigentümer(in)** *m/f* part/severalty owner, owner of a fractional share; **B.gemeinschaft** *f* community of part-owners; **B.vermögen** *nt* severalty; **B.versicherung** *f* fractional value insurance; **B.wert** *m* fractional value

Bruch|zahl *f* fractional number; **B.zins** *m* broken-period interest

Brücke *f* 1. bridge; 2. *(Teppich)* rug; **jdm goldene B.n bauen** *(fig)* to make it easy for so.; **B. schlagen** to bridge; **gebühren-/mautpflichtige B.** toll bridge

Brücken|bau *m* bridge construction; **B.bauingenieur** *m* bridge engineer; **B.geld/B.zoll** *nt/m* (bridge) toll, pontage; **B.kopf** *m* beachhead, bridgehead; **B.kran** *m* bridge/gantry crane; **B.pfeiler** *m* pier; **B.waage** *f* weighbridge;

(dicker) Brummer *m* *(coll)* 🚗 juggernaut *(coll)*

Brunnen *m* well; **B. bohren** to sink a well; **artesischer B.** artesian well; **B.industrie** *f* mineral water industry; **B.leistung** *f* well capacity

brüskier|en *v/t* to snub; **B.ung** *f* snub

Brüsseler Grundsätze ⊖ Brussels principles; **B. Zollrat** *m* 1. *(Rat für die Zusammenarbeit auf dem Gebiet des Zollwesens) [EU]* Customs Cooperation Council (CCC); 2. Harmonized Customs Committee; **B. Zolltarifschema (BZT/NRZZ)** *nt [EU]* Brussels tariff nomenclature

schwach auf der Brust sein *f (fig)* to be short of m. money

brüsten *v/refl* to brag/boast; **sich b. mit** to gloat over sth., to preen o.s. on sth.

Brut *f* *(Geflügel)* clutch

brutal *adj* brutal; **B.ität** *f* brutality, violence

Brüter *m* breeder; **Schneller B.** fast breeder, fusion reactor

Brut|hitze *f* scorching heat; **B.stätte** *f* breeding ground, seedbed, hotbed

brutto *adj* gross, before tax, overall; **b. für netto** gross for net

Brutto|- gross; **B.absatz** *m* gross sales; **B.aggregat** *nt* gross aggregate; **B.aktienrendite** *f* gross redemption yield; **B.-Allphasen-Umsatzsteuer** *f* cascade tax; **B.anlageinvestitionen** *pl* gross investment (in fixed assets), ~ capital investment, ~ investment capital, ~ fixed capital earnings/formation; **B.anlagevermögen** *nt* gross fixed assels/capital; **inländisches B.anlagevermögen** gross domestic fixed capital assets; **B.arbeitseinkommen** *nt* earned income before deductions; **B.arbeitslohn** *m* gross wage/pay; **B.aufschlag** *m* gross mark-up/margin, mark-on; **berichtigter B.auftragseingang** *m* adjusted gross sales; **B.ausgaben** *pl* gross expenditure; **B.austauschverhältnis** *nt* gross barter terms of trade; **B.ausweis** *m* gross statement; **B.bedarf** *m* gross demand; **B.bedarfsermittlung** *f* determination of gross demand; **B.bedarfsspanne** *f* gross cover requiring expenses; **B.belastung** *f* gross load; **B.belegungsquote** *f* gross occupancy; **B.berechnung** *f* grossing up; **B.bestand** *m* gross inventory/total; **B.betrag** *m* gross amount; **~ errechnen** to gross up

Bruttobetriebs|ergebnis *nt* gross operating result, ~ trading profit/loss; **B.gewinn** *m* gross trading profit; **B.verlust** *m* gross trading loss; **B.vermögen** *nt* gross operating assets, operating investment

Brutto|bezüge *pl* gross pay, earnings; **B.bilanz** *f* gross balance; **B.bilanzsumme** *f* rough balance sheet total; **B.bodenproduktion** *f* gross produce of the soil; **B.buchwert** *m* gross book value; **B.-Cashflow (BCF)** *m* gross cash flow (GCF); **B.dividende** *f* gross dividend; **B.eigenkapitalrendite** *f* gross return on net assets; **B.einkaufspreis** *m* gross purchasing price

Bruttoeinkommen *nt* gross income/pay/earnings, income/earnings before tax; **B. aus unselbstständiger Arbeit** gross wage and salary income; **~ Vermögen** gross property income

Brutto|einkünfte *pl* gross income; **B.einnahmen** *pl* gross earnings/receipts/takings; **B.entgelt** *nt* gross pay; **B.erfolgsrechnung** *f* grossed income statement; **B.ergebnis** *nt* gross operating result, ~ (trading) profit, earnings before tax; **B.erlös(e)** *m/pl* gross proceeds/revenue/income/sales; **B.ersparnis/B.ersparnisbildung** *f* gross savings

Brutto|ertrag *m* gross proceeds/earnings, ~ yield from investment, gross/before-tax profit; **betriebliche B.erträge** gross operational revenue

Bruttoertrags|analyse *f* cash flow statement; **B.lage** *f* cash flow position; **B.prinzip** *nt* gross earnings principle; **B.spanne** *f* gross income margin; **B.wert** *m (Haus)* gross estimated rental; **B.ziffer** *f* gross yield, cash flow

Brutto|etat *m* gross budget; **B.etatisierung** *f* gross budgeting principle; **B.forderungen** *pl* gross receivables *[US]*; **B.forderungsposition** *f (Geldmarkt)* gross asset position; **B.fracht** *f* gross freight; **B.gegenwert** *m* gross equivalent; **B.gehalt** *nt* gross pay/salary; **B.gehaltssumme** *f* gross/total salaries; **B.geschäftsgewinn** *m* gross trading profit; **B.geschossfläche** *f* gross floor area; **B.gewicht** *nt* gross weight (gr. wt.)

Bruttogewinn *m* gross profit/income/proceeds/earnings/margin, trading profit, net operating income, profit contribution, gross profit on sales, contribution margin; **B. dividiert durch Nettoerlöse** gross profit ratio; **B. pro Einheit der Engpassbelastung** marginal income per scarce factor; **B.analyse** *f* gross profit analysis; **B.marge/B.spanne** *f* gross (profit) margin/spread, marginal income; **B.zuschlag** *m* gross mark-on/profit mark-up

Bruttoinlandsinvestitionen *pl* gross domestic investment, ~ fixed capital formation; **private B.** gross private domestic investment

Bruttoinlandsprodukt (BIP) *nt* gross domestic product (GDP/gdp); **B. zu Faktorpreisen** gross domestic product at factor cost; **~ konstanten Preisen** gross domestic product at constant cost; **~ Marktpreisen** gross domestic product at market prices

Brutto|inlandsproduktion *f* gross domestic production; **B.investitionen** *pl* gross investment/capital formation; **B.investitionsquote** *f* gross investment ratio

Bruttojahres|arbeitsentgelt *nt* annual gross wages or salaries; **B.ertrag** *m* gross annual value; **B.gehalt** *nt* gross annual salary

Bruttokapital|bildung *f* gross capital formation; **B.rendite** *f* gross yield on investment; **B.produktivität** *f* gross capital productivity

Brutto|kreditaufnahme *f* gross borrowing; **B.kreditvergabe** *f* gross lending; **B.kundeneinlagen** *pl (Bank)* gross retail receipts; **B.ladefähigkeit** *f* deadweight cargo; **B.leergewicht** *nt* gross unladen weight

Bruttolohn *m* gross wage/earnings/pay, before-tax wage; **b.bezogen** *adj* based on gross wages and salaries; **B.summe** *f* total payroll, total of wages and salaries, total gross wages (and salaries)

Brutto|marge *f* gross margin; **B.mehrwertsteuer** *f* output tax; **B.meilentonne** *f* gross ton mile; **B.menge** *f* gross quantity; **B.miete** *f* gross rent; **B.mietertrag** *m* gross rental; **B.mietwert** *m* gross annual rental; **B.nationalprodukt (BNP)** *nt* gross national product (GNP/gnp); **B.neuanlage** *f* gross new investments; **B.pacht** *f* gross rental; **B.prämie** *f* gross premium; **B.preis** *m* gross price; **B.preisliste** *f* gross price list; **B.prinzip** *nt* gross presentation method, gross principle; **B.produktion** *f* gross/total output, total volume of output; **B.produktionswert** *m* gross value/volume of output, gross product/output; **B.provision** *f* gross commission; **B.raumgehalt** *nt* ⚓ gross (registered) tonnage; **B.raumzahl** *f* ⚓ gross ton measurement; **B.realeinkommen** *nt* gross real income; **B.registertonnage** *f* ⚓ gross (registered) tonnage; **B.registertonne** *f* ⚓ gross (registered) tonne (GRT); **B.rendite** *f* gross yield/return; **B.rente** *f (Boden)* gross return; **B.reserven** *pl* gross reserve assets; **B.rückstellung** *f* gross provision; **B.sachanlagenwert** *m* gross fixed assets value; **B.sachvermögensbildung** *f* gross investment, ~ capital formation; **B.schaden** *m (Vers.)* gross loss; **B.schadensquote** *f* gross loss quota; **B.selbstfinanzierung** *f* gross plough-back, ~ self-financing; **B.sozialaufwand** *m* gross national expenditure

Bruttosozialprodukt (BSP) *nt* gross national product (GNP/gnp); **B. zu Faktorkosten** gross national product at factor cost; ~ **Marktpreisen** gross national product at market prices; **reales B.** real product

Bruttolspanne *f* gross margin; ~ **ohne Skontoabzug** gross merchandising margin; **B.steuerbelastung** *f* gross tax load ratio; **B.stundenlohn** *m* gross hourly wage; **B.tonnage** *f* ⚓ gross tonnage; **B.tonne** *f* ⚓ gross ton; **B.überschuss** *m* cash flow, gross surplus

Bruttoumsatz *m* gross sales/turnover/returns/expenditure, raw sales; **B.erlös** *m* gross sales revenue, return, sales including VAT; **B.rendite** *f* gross profit-sales ratio; **B.steuer** *f* gross turnover tax

Bruttolverbuchung *f* gross accounting procedure; **B.verdienst** *m* gross/before-tax earnings; **B.verdienstspanne** *f* gross margin/profit, ~ income margin, mark-up; **B.verkäufe** *pl* gross sales; **B.verkaufserlös/B.verkaufswert** *m* gross sales; **B.verkaufspreis** *m* gross selling price; **B.verlust** *m* gross loss; ~ **an Einlagegeldern** disintermediation; **B.vermögen** *nt* gross assets/wealth; **B.verzinsung** *f* gross-interest return; **B.volkseinkommen** *nt* gross national income; **B.warengewinn** *m* gross trading profit; **B.warenumsatz** *m* gross sales; **B.wert** *m* gross/grossed-up value; **B.wertschöpfung** *f* gross value added, ~ product; **B.zahlungen** *pl* gross payments; **B.ziehungen** *pl (IWF)* gross drawings

Bruttozins *m* gross interest; **B.differenz** *f* uncovered interest differential; **B.satz** *m* all-in rate; **B.spanne** *f* gross interest margin

Buch *nt* 1. book; 2. *(Band)* volume; 3. register; 4. *(Exemplar)* copy; 5. *(Hauptbuch)* ledger; **zu B. stehend** at a book value of

Buch abschließen to rule off a book; **B. besprechen** to review a book; **B. binden** to bind a book; **in ein B. eintragen** to enter in a book; **B. führen (über)** to keep account (of), ~ the accounts (of), ~ a record/log/tally (of); **B. herausgeben** to edit a book; **B. rezensieren** to review a book; **zu B. schlagen** to stand at, to produce a significant effect, to make a (significant) difference; ~ **stehen mit** to be valued at, to stand at, to have a book value of; **B. überarbeiten** to revise a book; **B. überfliegen** to glance through a book; **B. verlegen/veröffentlichen** to (undertake to) publish a book; **jdm ein B. widmen** to dedicate a book to so.

Buch mit sieben Siegeln *(fig)* complete mystery, closed book *(fig)*

broschiertes Buch paperback; **dickes B.** tome; **preisgekröntes B.** prize book

Buchlabschluss *m* closing the books, balancing of the books/accounts; **B.abschreibung** *f* book depreciation; **B.ankündigung/B.anzeige** *f* book notice; **B.anzeiger** *m* book gazette; **B.ausstattung** *f* get-up of a book; **B.ausstellung** *f* book fair; **B.auszug** *m* statement of account; **B.beleg** *m* voucher; **B.besprechung** *f* book review; **gute B.besprechung** write-up; **B.bestände** *pl* book inventories; **B.bestellung** *f* book order; **B.bewegung** *f* book transfer; **B.binden** *nt* bookbinding; **B.binder** *m* bookbinder; **B.club** *m* book club; **B.deckel** *m* (book) cover; **B.druck** *m* letterpress (printing); **B.drucker** *m* typographer, printer; **B.druckerkunst** *f* typography; **B.druckpresse** *f* printing press; **B.effekte** *f* book security; **B.eigentum** *nt (Grundbuch)* registered ownership; **B.einlagen** *pl (Bank)* time deposits and savings accounts; **B.einsicht** *f* inspection of books, access to books and accounts

buchen *v/t* 1. to book/enter/post/record/reserve, to make an entry; 2. *(Kasse)* to register; 3. *(reservieren)* to book/reserve; **blind b.** to book blind; **falsch b.** to misenter; **gleichförmig/gleichlautend/konform/übereinstimmend b.** to enter/book in conformity; **tagfertig b.** to post up

Bücher *pl* books (and records), accounts, (business/accounting) records; **B. und sonstige Aufzeichnungen** books and records; **B. der Betriebsbuchhaltung** cost accounts; ~ **Finanzbuchhaltung** financial accounts; ~ **Geschäftsbuchhaltung** general accounts; **B. und Geschäftspapiere** books and records; **mit den B.n übereinstimmend** in conformity with the books

Bücher abschließen to balance/close books; **B. abstimmen** to balance books, to agree accounts; **B. auf den neuesten Stand bringen** to bring/keep books up to date; **B. einsehen** to inspect the books; **B. fälschen/frisieren** *(coll)* to cook/doctor the books *(coll)*, to falsify the accounts; **B. führen** to keep the books; **in den B.n führen** to carry in the books; **B. kontrollieren/(über) prüfen** to audit/examine/inspect the books, to audit the accounts; **B. revidieren** to audit/check the books, ~ the accounts; **B. saldieren** to balance the books; **B. schließen** to close the books; **über seinen B.n sitzen** to be at the books, to pore over one's books; **B. veröffentlichen** to publish books

frisierte/verschleierte Bücher cooked accounts/books; **grundlegende B.** basic reading; **kaufmännische B.** books of account, accounting books, ledgers

Bücherl- ➔ **Buchl-**; **B.abschluss** *m* closing the books, balancing of accounts; **B.abstimmung** *f* book squaring; **B.bus** *m* mobile library; **B.drucksache** *f* ✉ book post

Bücherei *f* library

Bücherleinsicht *f* inspection of books; **B.fälschung** *f* cooking *(coll)*/falsification of accounts; **B.freund/B.liebhaber(in)** *m/f* bibliophile; **B.gestell** *nt* bookcase;

B.gilde *f* book club; **B.gutschein** *m* book token; **B.katalog** *m* book catalogue; **B.liste** *f* book list; **B.mappe** *f* briefcase; **B.markt** *m* book market; **B.regal** *nt* bookshelf, bookcase; **B.revision** *f* audit, auditing/checking of accounts

Bücherrevisor *m* auditor, chartered/public accountant; **beeideter/geprüfter/vereidigter B.** chartered *[GB]*/ certified public *[US]* accountant; **öffentlicher B.** public auditor, chartered *[GB]*/certified public accountant *[US]*

Bücher|sammlung *f* collection of books; **B.schrank** *m* bookcase; **B.sendung** *f* 1. ✉ book post, printed papers at reduced rates; 2. book consignment; **B.stand** *m* bookstall *[GB]*, bookstand *[US]*; **B.verkäufer(in)** *m/f* bookseller; **B.verzeichnis** *nt* catalog(ue) of books; **B.vorrat** *m* stock of books

Buch|fälschung *f (Bilanz)* cooking the books, falsification of accounts

Buchforderung *f* account receivable, outstanding account, book account/debt/claim; **B.en** receivables, accounts receivable, active debts, outstanding accounts; **abgetrennte B.** assigned book account

in Buch|form *f* in book form; **B.führer** *m* bookkeeper, accountant

Buchführung *f* 1. bookkeeping; 2. accounting, accountancy; 3. accounting department; 4. recording system; **B. und Fakturierung** accounting and billing

amerikanische Buchführung tabular bookkeeping; **doppelte B. (Doppik)** double-entry (bookkeeping), dual system; **einfache B.** single-entry bookkeeping; **~ betreffend** single entry; **elektronische B.** electronic bookkeeping; **handschriftliche B.** manual bookkeeping; **kameralistische B.** governmental and institutional accounting, cameralistic/government accounting; **kontenlose B.** ledgerless accounting, open-item (system of) accounting; **kaufmännische B.** commercial bookkeeping/accounting; **landwirtschaftliche B.** accounting of farm and forestry establishments; **maschinelle B.** mechanical bookkeeping; **nationale B.** national/overall accounting, ~ accounts; **ordnungsgemäße B.** proper accounts, sound accounting practice, adequate and orderly accounting; **periodengerechte B.** accounting on an accrual basis; **treuhänderische B.** fiduciary accounting

Buchführungs|- accounting; **B.abteilung** *f* accounting department; **B.angaben** *pl* accounting information; **B.belege** *pl* accounting records; **B.dienst** *m* accounting service; **B.grundsätze** *pl* accounting principles; **B.jahr** *nt* accounting year; **B.kontrolle** *f* auditing; **B.mängel** *pl* accounting deficiencies; **B.methode** *f* accounting/bookkeeping method, basis of accounting; **amerikanische B.methode** tabular bookkeeping; **B.pflicht** *f* bookkeeping/record-keeping duty, compulsory bookkeeping; **b.pflichtig** *adj* required to keep accounts; **nicht b.pflichtig** non-bookkeeping; **B.regeln/B.richtlinien** *pl* bookkeeping rules, accounting guidelines/rules/principles; **B.system/B.verfahren** *nt* bookkeeping/accounting system, ~ procedure; **B.technik** *f* accounting methods; **B.unterlagen** *pl* accounting records; **B.vorgang** *m* accounting process; **B.vorschriften** *pl* bookkeeping rules/regulations; **handelsrechtliche B.vorschriften** commercial accounting standards; **zu B.zwecken** *pl* for accounting purposes

Buch|geld *nt* book/credit/deposit/checkbook/bank (account)/deposit money, derivative/primary/demand deposits, credit/deposit/cheque currency, money in account; **B.geldmenge** *f* deposit money supply; **B.gemeinschaft** *f* book club; **B.gewerbe** *nt* book trade; **B.gewinn** *m* accounting/book/inventory profit, paper gain/profit/surplus; **B.gläubiger(in)** *m/f* book creditor; **B.grundschuld** *f* registered land charge; **B.guthaben** *nt* book credit, credit balance in account; **B.gutschein** *m* book token

Buchhalter(in) *m/f* bookkeeper, accountant, bookkeeping/accounts/ledger clerk; *pl* accounts staff; **erster B.** chief accountant/clerk; **geprüfter B.** chartered *[GB]*/certified public *[US]* accountant; **leitender B.** senior accountant; **selbstständiger B.** private accountant; **zweiter B.** junior clerk

Buchhalter|ei *f* accounting department; **b.isch** *adj* 1. accounting; 2. bookkeeping; **B.riegel** *m* ruling off; **B.stelle** *f* accountantship

Buchhaltung *f* 1. bookkeeping, record keeping, accounting, accounts, accountancy; 2. accounts/bookkeeping/accounting department

abgebende Buchhaltung transferring accounting unit; **EDV-gestützte B.** computer-aided accounting; **kaufmännische B.** commercial accounting; **korrespondierende B.** corresponding accounting unit; **maschinelle B.** machine posting; **offene-Posten-B.** open-item system; **pagatorische B.** financial accounting; **vorgeordnete B.** central accounting unit

Buchhaltungs|abteilung *f* bookkeeping/accounts/accounting department, check desk *[US]*; **B.angaben** *pl* accounting information; **B.aufwand** *m* accounting cost; **B.aufzeichnungen** *pl* accounting records; **B.beleg** *m* accounting/booking voucher, entry ticket; **B.chef(in)** *m/f* head of accounting, chief accountant; **B.daten** *pl* accounting information; **B.fachmann** *m* 1. *(freiberuflich)* public accountant; 2. *(unselbständig)* private accountant; **B.gepflogenheiten** *pl* accounting practices; **B.grundsätze** *pl* accounting principles; **B.handbuch** *nt* accounting manual; **B.kosten** *pl* bookkeeping expense; **B.kraft** *f* accounts clerk, bookkeeper; **B.leiter(in)** *m/f* head of accounting, chief accountant; **B.maschine** *f* ledger machine; **B.posten** *m* post; **B.praxis** *f* accounting practice; **B.regel** *f* accounting rule; **B.richtlinien** *f* accounting conventions; **B.sachbearbeiter(in)** *m/f* accounts clerk, bookkeeper, ledger clerk; **B.system/B.verfahren** *nt* accounting system/ procedure; **B.technik** *f* accounting methods; **b.technisch** *adj* accounting, for accounting reasons/purposes; **B.theorie** *f* accounting theory; **B.unterlagen** *pl* accounts; **B.vorgang** *m* accounting transaction, bookkeeping operation; **B.wesen; B.- und Bilanzwesen** *nt* accounting, accountancy

Buch|handel *m* book trade; **im ~ erhältlich** available/on sale in bookshops; **B.handelspreis** *m* trade price; **B.händler(in)** *m/f* bookseller *[GB]*, book dealer *[US]*; **B.handlung** *f* bookshop *[GB]*, bookstore *[US]*; **B.honorar** *nt* book royalty; **B.hülle** *f* book/dust jacket; **B.hypothek** *f* registered/uncertificated/uncertified mortgage, registered land charge; **B.inventar** *nt* book inventory; **B.inventur** *f* book/record inventory, perpetual inventory system; **B.klub** *m* book club; **B.konto** *nt* book account; **B.korrektur** *f* accountancy adjustment; **B.kredit** *m* book/open-account/sight credit, credit in current account, book loan; **offener B.kredit** open book account, charge/advance account, open account financing, overdraft; **B.laden** *m* bookshop *[GB]*, bookstore *[US]*

Büchlein *nt* booklet

Buch|macher *m* bookmaker, turf accountant, bookie *(coll)*; **b.mäßig** *adj* according to the books, as shown by the books; **B.messe** *f* book fair

Buchprüfer *m* auditor, accountant; **beeidigter/vereidigter/öffentlich zugelassener B.** chartered accountant *[GB]*, certified *[US]*/licensed public accountant; **B.tätigkeit** *f* accounting (practice)

Buchprüfung *f* audit(ing) (of accounts), checking of accounts, audit of the financial records; **B. durch betriebsfremde Prüfer** external audit; **B. abschließen** to conclude an audit; **B. durchführen** to audit; **betriebseigene B.** internal audit; **laufende B.** continuous audit

Buchprüfungs|bericht *m* audit/auditor's report; **B.-dienst** *m* audit/accountancy service; **B.gesellschaft** *f* firm of auditors, ~ licensed public accountants; **B.kosten** *pl* auditing fee; **B.termin** *m* audit date; **B.verfahren** *nt* audit/accounting procedure; **B.vermerk** *m* audit certificate

Buch|restwert *m* residual book value; **B.revision** *f* audit(ing); **B.rezensent(in)** *m/f* book reviewer; **B.rezension** *f* book review; **B.sachverständiger** *m* auditing/accounting expert, general accountant; **B.saldo** *m* balance; **B.satz** *m* book value; **B.scheck** *m* book token; **B.schuld** *f* book debt/obligation, accounting debt; **B.schulden** ordinary debts, accounts payable *[US]*, stated liabilities; **offene B.schulden** outstanding book debts; **B.schuldner** *m* book debtor; **linke B.seite** ▯ verso; **rechte B.seite** ▯ recto

Büchse *f* 1. tin *[GB]*, can *[US]*; 2. rifle, gun; **in B.n konservieren** to tin *[GB]*/can *[US]*

Büchsen|fleisch *nt* tinned/canned meat; **B.macher** *m* gunsmith; **B.metall** *nt* box metal; **B.milch** *f* tinned/canned milk; **B.öffner** *m* tin/can opener

Buch|spalte *f* column; **B.sparen** *nt* account saving, saving through accounts

Buchstabe *m* letter, type, character; **in B.n** in words; **B. des Gesetzes** letter of the law; **dem B.n und Inhalt nach** by letter and spirit; **am B.n des Gesetzes kleben** to stick to the letter of the law; **großer B.** capital letter

Buchstaben|bezeichnung *f* 1. lettering; 2. π literal notation; **B.drucker** *m* character printer; **B.form** *f* lettering; **b.getreu** *adj* to the letter; **B.gleichung** *f* π literal equation; **B.schlüssel** *m* alphabetic code

Buchstabier|en *nt* spelling; **b.en** *v/t* to spell; **falsch b.en** to misspell; **B.wort** *nt* identification word

buch|stäblich *adj* literal, to the letter; **B.stelle** *f* accounting agency

Bucht *f* bay, bight

Buchumschlag *m* book cover, dust jacket

Buchung *f* booking, entry (in the accounts), posting, reservation; **B. von Eliminierungen** eliminating entry; **B. eines Fluges** air booking; **B. ohne Gegenbuchung** unbalanced entry; **B. einer Pauschalreise** package tour booking; **B. ohne Spezifizierung** blind entry; **B. abändern** to alter a booking, ~ an entry; **B. berichtigen** to adjust/amend an entry; **B.en einlesen** to read in bookings; **B. machen/vornehmen** to make/effect an entry; **B.en saldieren** to balance bookings; **B. stornieren** 1. to reverse/cancel an entry; 2. to cancel a reservation; **B. mit Rückvaluta vornehmen** to backvalue

debitorische Buchung debit(-side) entry; **direkte B.** straightforward entry; **durchlaufende B.** transit entry; **einfache B.** single entry; **erfolgswirksame B.** entry affecting the operating result; **falsche B.** misentry, wrong entry; **feste B.** firm booking; **fiktive B.** fictitious/covering entry, imputation; **gleichförmige B.** entry in conformity; **gleichlautende B.** corresponding entry; **irrtümliche B.** erroneous entry; **konditionelle B.** *(Ladung)* tentative booking of freight space, option on freight space; **manuelle B.** manual posting; **nachträgliche B.** post-entry, subsequent entry/posting; **provisorische/transitorische/vorläufige B.** suspense entry; **übereinstimmende B.** corresponding entry; **zentrale B.** centralised reservation system; **zusammengefasste/-gesetzte B.** compound entry

Buchungs|abteilung *f* 1. accounts department; 2. booking department; **B.anfall** *m* volume of accounting work; **B.anzeige** *f* advice note; **B.aufgabe** *f* entry advice, booking note; **B.ausweis** *m* accounting statement; **B.automat** *m* automatic booking machine

Buchungsbeleg *m* accounting record/voucher, booking/journal voucher, entry ticket; **B.e** records and vouchers; **maschinell erstellter B.** computer-produced voucher

Buchungs|bescheinigung *f* booking certificate; **B.bestätigung** *f* booking confirmation; **B.betrag** *m* booking amount; **B.datum** *nt* date of entry, booking/posting date; **interner B.fall** accounting transaction; **B.fehler** *m* false entry, bookkeeping error, error of posting; **B.formel** *f* entry formula; **B.formular** *m* bookkeeping form; **B.gebühr** *f* 1. entry/booking fee, account management fee; 2. *(Bank)* transaction charge; **B.gruppe** *f* posting group; **B.karte** *f* posting/charge card; **B.kontrollen** *pl* audit trails; **B.kurs** *m* booking rate; **B.maschine** *f* accounting/bookkeeping machine; **vorbereitende B.maßnahmen** vouching; **B.monat** *m* accounting month; **B.note** *f* ⚓ booking note; **laufende B.nummer** journal number; **b.pflichtig** *adj* accountable; **B.platz** *m* 💻 booking terminal

Buchungsposten *m* (booking) item, bookkeeping entry, post; **B. abgleichen/abstreichen** to check an entry; **ausgesetzter B.** deferred entry; **B.zahl** *f* number of transactions

Buchungs|problem *nt* accounting problem; **B.regel** *f*

accounting rule; **B.satz** *m* (set of) entries, entry formula; **zusammengesetzter B.satz** compound entry formula; **B.schluss** *m* closing date for entries; **B.schlüssel** *m* posting key, booking code; **B.schnitt** *m* accounts closing day, accounting deadline; **B.stand** *m* state of accounts, accounting position; **B.stelle** *f* 1. accounting office/centre/agency, accountancy office; 2. booking/reservation office; **B.stoff** *m* bookkeeping data; **B.system** *nt* booking system; **B.tag** *m* entry date; **b.technisch** *adj* accounting, for bookkeeping purposes; **B.text** *m* booking text, entry legend/description, explanation, details, particulars, memo; **B.unterlage** *f* accounting record/voucher, posting medium; **B.unterlagen** records and vouchers, accounting documents/records; **B.verfahren** *nt* accounting system/process, bookkeeping method; **interner B.verkehr** internal transactions; **B.verlust** *m* bookkeeping loss; **B.vermerk** *m* confirmation notice, posting reference; **B.vorfall/B.vorgang** *m* accounting/accountable event, bookkeeping operation, booking/accounting procedure; **B.vortrag** *m* carry-forward; **B.wert** *m* accounting value; **B.zeitpunkt** *m* date of entry; **B.zeitraum** *m* accounting period; **B.zentrum** *nt* accounting centre; **B.zusage** *f* confirmed booking; **B.zyklus** *m* accounting cycle

Buch|verlag *m* (book) publisher, publishing house; **B.verleger** *m* book publisher; **B.verleih** *m* lending library; **B.verlust** *m* book/accounting/paper loss

Buchweizen *m* ⛟ buckwheat

Buchwert *m* accounting/book/asset/depreciated/carrying/accounting value, book/unallowed cost, balance sheet value, written-down/write-off value, unallowed expenditure, carrying rate of asset, cost, salvage value *[US]*; **B.e** book figures, nominal assets; **B. vor Abschreibungen** gross book value; **B. des Anlagevermögens** plant and equipment, net investment in property; **B. von Gütern mit Substanzverzehr** depleted cost(s); **B. der Investitionen** book value of investments; **B. bei Unternehmensfortführung** going(-concern) value; **B. herabsetzen** to write down the book value; **B. heraufsetzen** to write up the book value; **B.abschreibung** *f* declining/diminishing balance depreciation, book value depreciation, declining balance method; **B.methode** *f* book value method

Buch|wissen *nt* book knowledge/learning; **B.zahlung** *f* cashless payment

Buckel *m* bulge, hump; **den B. voll Schulden haben** *(fig)* to be up to one's eyes/neck in debt *(fig)*

Bude *f* 1. hut; 2. stall, stand, booth, kiosk; **B. zumachen** *(coll)* to shut up shop *(coll)*, to pack up *(coll)*; **B.nangst** *f* claustrophobia; **B.nbesitzer** *m* stall keeper/holder

Budget *nt* ➔ **Etat, Haushalt** budget, estimates; **B. der Fertigung** manufacturing/production budget; **B. des Materialbereichs** inventory and purchases budget; **B. für Vertrieb und Marketing** sales and marketing budget; **B. der Wartungskosten** maintenance budget

Budget aufstellen to prepare a budget; **B. ausgleichen** to balance the budget; **B. einbringen** to submit the budget; **B. einhalten** to keep to the budget; **B. genehmigen** to vote the (budget) estimates; **B. machen** to budget; **B.s neu verteilen** to rejig spending; **B. vorlegen** to submit/open the budget; **im B. vorsehen** to budget for

ertragsorientiertes Budget performance budget; **flexibles B.** flexible/variable/step/sliding-scale budget, expense control budget; **investives B.** investment budget; **kompensatorisches B.** compensatory budgeting; **konventionelles B.** administrative budget; **laufendes B.** current budget; **rollendes B.** perpetual/rolling budget; **städtisches B.** municipal/city budget; **starres B.** fixed budget; **vorläufiges B.** tentative/trial budget; **zielorientiertes B.** performance budget

Budget|- budgetary; **B.abstrich** *m* budget cut; **B.abweichung** *f* budget variance/variation; **B.anforderung** *f* budget request; **B.anpassung** *f* flexing; **B.ansatz** *m* budget estimate(s); **B.anteil** *m* budget contribution; **b.är** *adj* budgetary; **B.aufstellung** *f* budgeting; **aufgabenorientierte B.aufstellung** mission budgeting

Budgetausgleich *m* budget balancing/equalization; **zyklischer B.** cyclical budgeting; **B.sfonds** *m* budget equalization fund

Budget|ausschuss *m* budget committee; **B.beratung/B.debatte** *f* budget debate; **B.beschränkung** *f* budget balance; **B.buchführung** *f* budgetary accounting; **B.defizit** *nt* budget deficit; **B.disziplin** *f* budget discipline; **B.einsparungen** *pl* budget cuts; **B.entwurf** *m* draft budget; **B.gebaren** *nt* budgeting; **B.genehmigung** *f* budget authorization; **B.genehmigungsblatt** *nt* budget authorization form; **B.gerade** *f* budget (constraint) line, opportunity curve, consumption possibility line, iso-expenditure/price line; **B.gesetz** *nt* budget act; **B.gleichung** *f* budget equation; **B.grenze** *f* budget margin; **B.hilfe** *f* budgetary aid/assistance/support, budget aid

Budgetierung *f* budgeting; **B.stechnik** *f* technique of budgeting, budgeting technique; **B.szeitraum** *m* budget period

Budget|inflation *f* public demand-pull inflation; **B.jahr** *nt* fiscal year; **B.kontrolle** *f* budgetary control; **B.kosten** *pl* target cost(s), budgeted expenditure; **B.kostenrechnung** *f* budget costing; **B.kreislauf** *m* budget cycle/circulation; **B.kürzung** *f* (budget) cut; **b.mäßig** *adj* budgetary; **B.periode** *f* budget period; **B.planung** *f* budgeting; **B.posten** *m* budget(ary) item; **B.praktiken** *pl* budget(ary) practices; **B.praxis** *f* budgetary practice; **B.prinzipien** *pl* budget principles; **gleitende B.prognose** moving projection; **B.projektion** *f* budget forecast; **B.rechnungswesen** *nt* budgeting; **B.rede** *f* budget speech/message *[US]*; **B.restriktion** *f* budget constraint; **B.soll** *nt* budgeted figure, budget request, target/request budget; **B.überschreitung** *f* budget overrun, overspending, over budget, exceeding the budget; **B.überschuss** *m* budget surplus; **B.übertragung** *f* carryover funds; **B.unterschreitung** *f* budget underrun, under budget; **B.voranschlag** *m* budget estimate(s); **B.ziel** *nt* budget target; **B.zyklus** *m* budget cycle

büffeln *v/i* *(coll)* to work hard, to cram/swot *(coll)*

Büffet *nt* buffet, refreshment bar

Bug *m* 1. ⚓ bow, prow; 2. ✈ nose; **B.flagge** *f* ⚓ jack; **B.klappe** *f* bow door(s)

Bugsier|dampfer/B.schlepper *m* ⚓ tug(boat)
Bugsieren *nt* ⚓ towage; **b.** *v/t* to tow
Bugsierer *m* ⚓ → **Bugsierdampfer**
Bugsier|gebühr/B.lohn *f/m* towage; **B.leine/B.trosse** *f* towrope; **B.schlepper** *m* tug(boat)
Buhne *f* breakwater
Bühne *f* platform; **von der B. abtreten** to quit the scene; **auf die B. bringen** to stage; **glatt/reibungslos über die B. gehen** *(coll)* to go without a hitch, ~ smoothly, to be plain sailing
Bühnen|arbeiter *m* stage hand; **B.rechte** *pl* stage rights; **B.schaffende(r)** *f/m* dramatic artist
Bulkladung *f* ⚓ bulk cargo/load
Bull|auge *nt* ⚓ porthole; **B.dozer** *m* bulldozer
Bulle *m* 1. bull; 2. *(Polizist) (coll)* copper *(coll) [GB]*; **junger B.** bullock; **B.enmarkt** *m (Börse)* bull market
Bulletin *nt* (news) bulletin
Bummel *m* stroll; **B. machen** to (take a) stroll
Bummelant *m (coll)* slowcoach *(coll)*, slowpoke *[US]*, bum *(coll) [US]*, loafer *(coll)*, idler; **B.entum** *nt* absenteeism
Bummelei *f* loafing about, idling
Bummeln *nt (Arbeit)* soldiering, slackness; **b.** *v/i* 1. to stroll/loiter; 2. to be/go slow
Bummelstreik *m* work-to-rule, go-slow/slow-down/stop-go strike; **B. machen; im B. stehen** to go slow
Bummelzug *m* slow train
Bummler *m* lounger, laggard
Bund *m* 1. union, (con)federation, league, alliance, association; 2. *[D]* federal government; 3. *(Vertrag)* covenant; *nt* bundle; **B. der Ehe** bond of marriage; **B. und Länder** the Federal Government and the Länder
Bündel *nt* bundle, pack, bunch; parcel, package (pkg)
Bündel von Banknoten wad of banknotes; **~ Maßnahmen** package/set of measures; **B. geld- und steuerpolitischer Maßnahmen** fiscal monetary mix; **B. von Notizen** sheaf of notes; **~ Reformvorschlägen** reform package; **~ Sanierungsmaßnahmen** rescue package; **~ Sozialleistungen** fringe benefits package; **~ Sparmaßnahmen** austerity package; **B. Stroh** truss of straw
in Bündel|n packen to bundle, to make up in bundles; **B. schnüren** to tie a bundle; **sein B. schnüren** 1. to pack one's kit; 2. *(fig)* to pack up *(coll)*
bündeln *v/t* 1. to bundle/group, to make up in bundles; 2. *(Optik)* to focus
Bündel|patent *nt* batch patent; **B.police für Industrie und Gewerbe** *f* commercial package; **B.presse** *f* packing press
Bündelung *f* bunching (up), grouping, groupage
bündelweise *adv* in bundles
Bundes|- federal; **B.adler** *m* federal eagle; **B.amt** *nt* federal bureau/office/agency; **Statistisches B.amt** *[D]* Federal Bureau of Statistics, ~ Statistical Office, Census Bureau *[US]*; **B.angelegenheit** *f* federal matter
Bundesangestellt|e(r) *f/m* federal employee; **B.entarif** *m* statutory salary scale; **B.entarifvertrag** *m* federal employees collective salary agreement
Bundesanleihe *f* federal loan/bond; **B.n** federal/state securities; **B.konsortium** *nt* federal loan syndicate
Bundesanstalt *f* federal institution/institute/administration/corporation; **B. für Arbeit (BfA)** federal employment/labour office, labour agency; **~ Arbeitsschutz** federal institute of industrial health and safety; **~ Arbeitsvermittlung und Arbeitslosenversicherung** federal agency for the placement of labour and unemployment insurance, federal labour office
Bundes|anwalt *m* 1. federal prosecutor/attorney *[US]*; 2. attorney of the federal supreme court; 3. *[CH]* public prosecutor; **B.anwaltschaft** *f* federal prosecutor's office; **B.anzeiger** *m* federal gazette/journal; **B.arbeitsgericht** *nt* federal labour court, ~ court of arbitration in labour matters; **B.arbeitsministerium** *nt* federal ministry of labour; **B.ärztekammer** *f* professional organisation of German doctors; **B.aufgaben** *pl* functions of the federal administration; **B.aufsicht** *f* federal supervision/control
Bundesaufsichtsamt *nt* federal supervisory office; **B. für das Bankwesen** Federal Bank Board *[US]*; **~ das Kreditwesen** federal banking supervisory office, ~ credit control authority, Board of Trade *[GB]*, Federal Control Office for Credit Matters, Securities and Exchange Commission *[US]*; **~ Versicherungswesen** federal supervisory office for insurance companies
Bundes|aufsichtsbehörde für das Bausparkassenwesen *f* Federal Home Loan Board *[US]*; **B.ausbaugebiet** *nt* federal development area; **B.ausgaben** *pl* federal expenditure, expenditure of the federal government; **B.ausgleichsamt** *nt* federal equalization of burdens office; **B.autobahn** *f* federal motorway; **B.bahn** *f* federal railways
Bundesbank *f* 1. German central bank, federal bank, Federal Reserve Bank *[US]*; 2. lender of last resort
Bundesbank|ausweis *m* federal bank return; **B.ausschüttung** *f* federal bank payout; **B.beirat** *m* Federal Advisory Council *[US]*; **B.bezirk** *m* federal reserve district; **b.fähig** *adj (Wechsel)* eligible for rediscount; **B.fähigkeit** *f* eligibility for rediscount; **B.gewinn** *m* profits of the federal bank; **B.guthaben** *nt* deposits/balance at federal bank; **B.leitzins** *m* federal bank rate; **B.rat** *m* Board of Governors *[US]*, federal bank council
Bundes|beamter/B.beamtin *m/f* federal civil servant, ~ officer/official; **B.beauftragte(r)** *f/m* federal commissioner; **B.bedienstete(r)** *f/m* federal employee/official, ~ civil servant; **B.behörde** *f* federal agency *[US]*/authority/department; **B.beihilfe** *f* federal grant; **B.betriebsprüfungsstelle** *f* federal tax examination office; **B.bürgschaft/B.deckung** *f [D]* federal (loan) guarantee, state backing; **b.deutsch** *adj* German; **B.dienststelle** *f* federal agency; **B.druckerei** *f* federal printing works, Government Printing Office *[US]*; **B.durchschnitt** *m* federal/national average; **auf B.ebene** *f* at national/federal level; **b.eigen** *adj* federally owned, government-owned, national government, federal; **B.einkommen** *nt* federal income; **B.einkommenssteuer** *f* federal income tax *[US]*; **B.energiebehörde** *f* Federal Energy Administration *[US]*; **B.ernährungsminister** *m* federal minister of food and agriculture;

B.ernährungsministerium *nt* federal food ministry; **B.etat** *m* federal budget; **B.fernstraße** *f* federal (long-distance) highway, trunk road; **B.fernstraßennetz** *nt* federal trunk road network

Bundesfinanz|behörde *f* Commissioner of Internal Revenue *[US]*; **B.hof** *m [D]* federal finance court; **B.minister** *m* federal minister of finance, Secretary of the Treasury Department *[US]*; **B.ministerium** *nt* federal ministry of finance, Treasury Department *[US]*; **B.verwaltung** *f* federal revenue administration

Bundes|flagge *f* federal flag; **B.forschungsanstalt** *f* federal research institute; **B.forschungsministerium** *nt* federal ministry of research; **B.garantie** *f* federal guarantee; **B.gebiet** *nt* federal/national territory; **B.gebührenordnung** *f* federal fee scale (regulation); **B.geld** *nt* federal money; **B.genosse/B.genossin** *m/f* ally; **B.genossenschaft** *f* alliance; **B.gericht(shof)** *nt/m* federal court (of justice), Supreme Court *[US]*; **oberstes B.gericht; oberster B.gerichtshof** (Federal) Supreme Court *[US]*; **B.gerichtsbarkeit** *f* federal jurisdiction; **B.gesellschaft** *f* federally owned company

Bundesgesetz *nt* federal act; **B.blatt** *nt* federal law gazette, statutes at large, legal gazette; **B.geber** *m* federal legislator/legislature; **B.gebung** *f* federal legislation

Bundes|gewalt *f* federal power; **B.gremium** *nt* federal board/body; **B.grenzschutz (BGS)** *m* federal border guard, federal guarantee; **B.haftung** *f* federal liability; **B.handelskommission** *f* Federal Trade Commission (FTC) *[US]*; **B.hauptkasse** *f* federal cash office, Receiver General *[CAN]*; **B.hauptstadt** *f* federal capital; **B.haushalt** *m* federal budget; **B.hilfe** *f* federal aid; **B.hoheit** *f* federal sovereignty; **B.jugendplan** *m* federal youth plan; **B.justizminister** *m* federal minister of justice, Attorney General *[US]*; **B.justizministerium** *nt* federal ministry of justice, Department of Justice *[US]*; **B.kabinett** *nt* Federal Cabinet; **B.kanzler** *m* federal chancellor; **B.kanzleramt** *nt* Federal Chancellery; **B.kartellamt** *nt* federal cartel office; **B.kasse** *f* federal cash office; **B.knappschaft** *f [D]* federal miners' insurance; **B.kompetenz** *f* federal responsibility; **B.körperschaftssteuer** *f* federal income tax; **B.kriminalamt (BKA)** *nt* Federal Bureau of Investigation (FBI) *[US]*; **B.land** *nt* state, province, Land *[D]*

Bundesminister *m* federal minister; **B. für Arbeit** federal minister of labour, Secretary of State for Employment *[US]*; **~ Finanzen** federal minister of finance; **B. der Justiz** federal minister of justice; **B. für Wirtschaft** federal minister of economic affairs

Bundesministerium *nt* federal department/ministry; **B. für Ernährung, Landwirtschaft und Forsten** federal ministry of food, agriculture and forestry

Bundes|mittel *pl* federal funds; **B.nachlasssteuer** *f* federal estate tax *[US]*; **B.nachrichtendienst (BND)** *m* German counter-intelligence service; **B.notarkammer** *f* national association of notaries; **B.oberbehörde** *f* superior federal authority; **B.obligation** *f* federal bond; **B.organ** *nt* federal constitutional organ; **B.parlament** *nt* federal parliament; **B.patentgericht** *nt* federal patents court; **B.post** *f* federal postal administration, ~ post office; **B.präsident** *m [D]* President of the Federal Republic, federal president; **B.präsidialamt** *nt* Office of the Federal President; **B.rat** *m* federal council; **B.rechnungshof** *m* federal audit court/office, General Accounting Office (GAO) *[US]*

Bundesrecht *nt* federal law; **B. bricht Landesrecht** federal law supersedes state law; **b.lich** *adj* according to federal law

Bundes|regierung *f* federal government; **B.republik (Deutschland)** Federal Republic (of Germany); **B.ressort** *nt* federal department/ministry; **B.richter** *m* federal judge; **Oberster B.richter** chief justice *[US]*

Bundesschatz|amt *nt* Federal Reserve Board *[US]*; **B.anweisung** *f* federal treasury note; **B.brief** *m* federal savings bond

Bundes|schenkungssteuer *f* federal gift tax *[US]*; **B.schifffahrtsbehörde** *f* Federal Maritime Commission *[US]*

Bundesschuld *f* federal debt; **B.buch** *nt* federal debt register; **B.enverwaltung** *f [D]* German federal debt administration; **B.schein** *m* federal note; **B.verschreibung** *f* federal bond

Bundes|sortenamt *nt [D]* 🚜 federal plant registration office; **B.sozialgericht** *nt* federal social court, supreme social insurance tribunal; **B.sozialhilfegesetz** *nt* federal public assistance act; **B.staat** *m* federal state; **b.staatlich** *adj* federal; **B.statistik** *f* federal statistics; **B.stelle** *f* federal agency; **B.steuer** *f* federal tax; **B.strafregister** *nt* federal criminal records register; **B.straße** *f* federal highway/road; **B.tag** *m* federal diet, parliament; **B.treue** *f* allegiance to the federal government; **b.unmittelbar** *adj* directly federal; **B.unternehmen** *nt* federal enterprise/undertaking, federally owned company; **B.unterstützung** *f* federal aid; **B.verband** *m* federal association; **~ der deutschen Industrie (BDI)** German (con)federation of industry; **b.verbürgt** *adj* federally guaranteed; **B.verdienstkreuz** *nt* federal order of merit; **B.vereinigung** *f* federal union/association

Bundesverfassung *f* federal constitution; **B.sgericht (BVG)** *nt* federal constitutional court, German constitutional court; **B.sgerichtsbarkeit** *f* federal jurisdiction on constitutional questions

Bundes|verkehrsministerium *nt* federal ministry of transport; **B.vermittlungsdienst** *m* Federal Mediation Service *[US]*

Bundesvermögen *nt* federal property; **B.sstelle** *f* federal property agency; **B.sverwaltung** *f* federal property administration

Bundesversicherungs|amt *nt* federal insurance office; **B.anstalt** *f* federal pension office; **~ für Angestellte (BfA)** federal insurance institution for salaried employees

Bundes|verteidigung *f* national defence; **B.verwaltung** *f* federal agency *[US]*/administration; **B.verwaltungsgericht** *nt* federal administrative court; **B.vorstand** *m* national executive committee; **b.weit** *adj* nationwide, national; **B.wirtschaftsministerium** *nt* federal ministry for economic affairs; **B.wohnungsministerium** *nt* federal housing ministry

Bundeszentral|archiv *nt* federal records office; **B.bank** *f* German central bank; **B.bankgesetz** *nt* Federal Reserve Act *[US]*

Bundeszoll|behörde *f* federal customs office; **B.blatt** *nt* federal customs gazette; **B.verwaltung** *f* federal customs administration

Bundes|zulassung *f* national chartering; **B.zuschuss** *m* federal grant/subsidy/grant-in-aid; **B.zuständigkeit** *f* federal jurisdiction; **B.zwang** *m [D]* federal enforcement

bündig *adj* 1. brief, concise, summary, succinct, curt; 2. 🕮 flush, aligned; **b. machen** *v/t* to align

Bündnis *nt* alliance, league, pact; **B. schließen** to form an alliance; **b.frei** *adj* non-aligned, non-committed, uncommitted; **B.freiheit** *f* non-alignment; **B.pakt** *m* treaty of alliance; **B.politik** *f* alliance policy, alignment; **B.vertrag** *m* treaty of alliance, pact, mutual assistance pact

Bunker *m* 1. ⚓ bunker; 2. *(Getreide)* silo; 3. shelter; **frei in B.** free into bunker (f.i.b.); **B.ausgleichsfaktor/-zuschlag** *m* bunker adjustment factor

Bunkern *nt* bunkering; **b.** *v/t* to bunker

Bunker|rauminhalt *m* bunker capacity; **B.ung** *f* fuel storage

Bunt|druck *m* colour printing; **B.heit** *f* variegation; **B.metall** *nt* non-ferrous metal; **B.metallmarkt** *m* non-ferrous metal market; **B.papier** *nt* coloured paper

Bürde *f* burden, load

Bürge *m* 1. guarantor, warranter, warrantor, warrant, surety, sponsor; 2. [§] bailer, bailor, bail, bailsman, bondsman; **B. für eine Schuld** surety for a debt; **als B. auftreten/haften** to stand security, to act as bailsman; **sich an den B.n halten; B.n in Anspruch nehmen** to resort to surety; **B. sein für** to stand security for; **B. stellen** to provide/give bail

In Konkurs gegangener Bürge bankrupt surety; **gesamtschuldnerische B.n** joint and several guarantors; **bedingt haftender B.** conditional guarantor; **bedingungslos ~ B.** absolute guarantor; **selbstschuldnerischer B.** absolute/liable guarantor, primary obligor; **sicherer/tauglicher B.** substantial bail/surety; **unsicherer B.** straw bail

Bürgegeld *nt* surety

bürgen (für) *v/i* 1. to vouch/answer (for), to sponsor/warrant/guarantee, to swear (to); 2. to stand bail/security/surety; **selbstschuldnerisch b.** to give a guarantee of payment

Bürgengemeinschaft *f* joint guarantors

Bürger(in) *m/f* 1. citizen, resident; 2. civilian; 3. townsman/townswoman; 4. *(Staatsbürger)* national; **steuerzahlender B.** taxpayer; **B.beauftragter** *m* ombudsman; **B.beratungsbüro/-stelle** *nt/f* Citizens' Advice Bureau *[GB]*; **B.beteiligung** *f* public involvement/participation

Bürger|initiative *f* local pressure group, (citizens'/civic) action group, citizens' rights group, public interest group; **B.krieg** *m* civil war; **b.lich** *adj* 1. civil/civic; 2. middle-class

Bürgerliches Gesetzbuch (BGB) *nt* (German) Civil Code

Bürgermeister *m* mayor, magistrate *[Scot.]*; **B.amt** *nt* mayorality, mayor's office; **B.in** *f* mayoress

bürger|nah *adj* populist; **B.organisation** *f* civic action group; **B.pflichten** *pl* civil/civic duties

Bürgerrecht *nt* civil right/liberty, political liberty; **B.e und -pflichten** public rights; **b.lich** *adj* (under) civil law; **B.sgesetze** *pl* civil rights laws

Bürger|schaft *f* citizenry, citizens, city parliament; **B.sinn** *m* public spirit; **B.steig** *m* pavement *[GB]*, footway, sidewalk *[US]*; **B.steuer** *f* poll/local tax, community charge; **B.stolz** *m* civic pride; **B.tum** *nt* middle class; **B.wehr** *f* militia

Bürgschaft *f* 1. security, guarantee, guaranty *[US]*, surety(ship), sponsorship, (surety) bond, pledge, del credere, letter of comfort, warranty, caution; 2. [§] *(Strafrecht)* bail; **gegen B.** against security; on bail

Bürgschaft einer Bank bank guarantee; **B. Dritter** third-party guarantee; **B. für Erscheinen vor Gericht** common bail; **staatliche ~ Firmengründer** loan guarantee scheme *[GB]*; **B. in offener Höhe** open covenant bond; **öffentliche/staatliche B. für Mittelstandskredite** Small Business Loan Guarantee Scheme *[GB]*

Bürgschaft aufbringen to raise bail; **B. eingehen** to stand surety/security; **gegen B. freibekommen** to bail out; **~ freilassen** to release on bail, to allow bail; **B. gewähren** to give a guarantee; **B. leisten** to stand/furnish/give/deposit security, to (put up) bail, to warrant/guarantee, to stand surety; **B. schießen lassen** to jump bail; **B. verfallen lassen** to forfeit one's bail; **gegen B. auf freiem Fuß sein** to be out on bail; **B. stellen** to put up/stand bail; **B. übernehmen** to stand security/surety, to put up a guarantee; **selbstschuldnerische B. übernehmen** to be liable as principal debtor; **durch B. verpflichten** to bind over; **sich B. verschaffen** to find bail

nicht dinglich abgesicherte Bürgschaft personal security; **einfache B.** secondary guarantee; **einwandfreie B.** trustworthy guarantee; **gesamtschuldnerische B.** joint and several guarantee *[GB]*/guaranty *[US]*; **gewöhnliche B.** conditional guaranty; **kaufmännische B.** commercial bail; **öffentliche B.** public authority guarantee; **persönliche B.** personal security; **selbstschuldnerische B.** absolute guarantee/guaranty/suretyship, joint and several guarantee, guarantee of payment, ~ with direct liability as co-debtor, directly enforceable guarantee; **sichere B.** good security; **solidarische B.** collateral bail; **persönlich übernommene B.** personal warranty; **unsichere B.** 1. straw bail; 2. floating security; **wechselseitige B.** cross bail; **wertlose B.** straw bail

Bürgschafts|angebot *nt* offer of security; **B.antrag** *m* application for guarantee; **B.bedingungen** *pl* bail conditions; **B.bescheinigung** *f* guarantee certificate; **B.brief** *m* letter of indemnity; **B.darlehen** *nt* loan secured by personal guarantee; **B.empfänger(in)** *m/f* 1. warrantee; 2. bailee; **B.erklärung** *f* declaration of suretyship/guarantee, (statement of) guarantee/guaranty, surety warrant/bond; **b.fähig** *adj* bailable; **B.fonds** *m* guarantee fund; **B.formular** *nt* guarantee form; **B.geber(in)** *m/f* surety; **B.geschäfte** *pl* guarantee operations; **B.girant** *m* irregular endorser; **B.gläubiger(in)** *m/f* guarantee; **B.karte (ITI)** *f* ⊖ guarantee card; **B.kette** *f* guarantee chain; **B.klausel** *f* guarantee clause; **B.kredit** *m* guaranteed/secured credit, ~ loan; **B.leistung** *f* 1. guarantee, guaranty *[US]*; 2.bailment; 3. standing surety; **B.linie/B.obergrenze/B.plafond** *f/m* guarantee limit/line/ceiling; **B.makler** *m* security dealer; **B.nehmer(in)** *m/f* guarantee bailee/creditee; **B.provision** *f* commission on guarantees; **B.rahmen** *m* guarantee line/limit; **B.regelung** *f* bonding arrangement; **B.risiko** *nt* guarantee risk; **B.schein/B.urkunde** *m* 1. security bond, deed of suretyship, guarantee deed; 2. (warranty) bail bond; **B.schuld** *f* principal debt, guarantee indebtednes; **B.sicherheit** *f* collateral; **B.summe** *f* bail; **B.vergabe** *f* providing suretyship; **B.verhältnis** *nt* principal and bail/surety; **einfaches/schriftliches B.verhältnis** guarantee under hand; **B.verpflichtung** *f* guarantee, guaranty *[US]*, surety bond/obligation, bondage; **B.versicherung** *f* suretyship/guarantee insurance; **B.versprechen/B.vertrag** *nt/m* suretyship, covenant of warranty/suretyship, surety bond, contract of guarantee, guarantee contract, warrant; **notarielles B.versprechen** guarantee under seal; **B.volumen** *nt* total guarantees; **B.wechsel** *m* guaranteed bill of exchange, security bond; **B.wert** *m* security value

Bürgschein *m* 1. surety bond; 2. *(Strafrecht)* bail bond

Büro *nt* office, bureau *[US]*; **im B.** at the office; **B. für technische Abwicklung** backroom office; **B. der Bauleitung** 🏛 site office; **B. des Freiverkehrsmaklers** bucket shop *(coll)*; **B. für Reklamationen** complaints office; **sich im B. melden** to report in the office; **B. unterhalten** to maintain an office; **im B. angestellt** clerical, white-collar; **hinten gelegenes B.; vom Publikumsverkehr getrenntes B.** back office; **kleines B.** cellular office; **ständiges B.** permanent office; **technisches B.** engineering department, drawing/technical office

Büro|- clerical, secretarial; **B.adresse** *f* business address; **B.angestellte(r)** *f/m* office/clerical/white-collar worker, clerk; *pl* clerical staff, office staff/personnel; **B.anschluss** *m* office telephone

Büroarbeit *f* clerical/office work, ~ job, secretarial/white-collar work; **B.en** clerical duties/operations; **B.er** *m* clerical/white-collar worker; **B.splatz** *m* office/white-collar job

Büro|artikel *pl* office supplies/requisites/equipment; **B.assistent(in)** *m/f* office worker; **B.aufwand** *m* office expenditure; **B.ausstattung** *f* office/business equipment; **B.automation/B.automatisierung** *f* office automation; **B.bauten** *pl* office buildings; **B.bedarf(sartikel)** *m/pl* 1. office supplies/articles/materials, stationery; 2. *(Geräte)* office appliances; **B.bereich** *m* office area; **B.beruf** *m* clerical/white-collar/commercial occupation, office job; **B.bildschirmgerät** *nt* 🖳 office terminal; **B.block** *m* office block, block of offices; **B.bote** *m* office messenger/boy, messenger; **B.buchhaltung** *f* clerical accounting; **B.buchhaltungssystem** *nt* clerical accounting system; **B.chef(in)** *m/f* chief clerk; **B.computer** *m* office/business computer; **B.diebstahl** *m* office theft; **B.diener** *m* office messenger/porter, commissionaire *[frz.] [GB]*; **B.dienst** *m* clerical service; **B.dienste** office services; **B.einrichtung; B.- und Geschäftseinrichtung** *f* office equipment; **B.erfahrung** *f* clerical experience; **B.fachkraft** *f* trained clerk, clerical assistant; **B.fernschreiben** *nt* teletex service; **B.fernschreiber** *m* office teleprinter; **B.fläche** *f* office space; **B.flächenmarkt** *m* markt for office space; **B.formular** *nt* business form; **B.gebäude** *nt* office building/block; **B.gegenstände** *pl* office fixtures; **B.gehilfe/B.gehilfin** *m/f* clerical assistant, secretarial help, office junior/boy/girl; **B.gemeinschaft** *f* office-sharing arrangement; **B.gerät** *nt* office machine; **B.gestaltung** *f* office planning; **B.halde** *f* surplus office space; **B.handel** *m (Börse)* unofficial trading; **B.haus** *nt* office building/block **B.hengst** *m (coll)* penpusher *(coll)*; **B.hilfe/B.hilfskraft** *f* secretarial help, office boy/girl; **B.hochhaus** *nt* office block/tower; **B.immobilie** *f* office property; **B.informationssystem** *nt* office information system; **B.inventar** *nt* office fixtures; **B.kauffrau/B.kaufmann** *f/m* (trained) office clerk; **B.klammer** *f* (paper-)clip, bulldog clip; **B.klatsch** *m* office gossip; **B.kommunikation** *f* office communication; **B.kommunikationssystem** *nt* office communication system; **B.komplex** *m* office block; **B.kosten** *pl* office cost(s); **B.kraft** *f* clerical employee, office worker; **B.kräfte** clerical staff

Bürokrat *m* bureaucrat(ist); **B.entum** *nt* red tapery

Bürokratie *f* 1. red tape, red-tapism; 2. bureaucracy, officialdom; **schwerfällige B.** cumbersome bureaucracy

bürokratisch *adj* bureaucratic

Bürokratisier|ung *f* bureaucratization; **b.en** *v/t* to bureaucratize

Bürokratismus *m* 1. bureaucracy, officialdom; 2. red tape(ry), red-tapism, departmentalism

Büro|landschaft *f* landscaped/panoramic/open-plan office, office landscape, open-office area; **B.lehrling** *m* clerical/office apprentice, ~ trainee; **B.leiter(in)** *m/f* office manager(ess)/supervisor; **B.mädchen** *nt* office girl

Büromaschine *f* office machine; **B.n** office equipment; **B. und Rechenmaschinen** office and computing machines; **B.nhersteller** *m* manufacturer of office machines

Büro|material *nt* office supplies, stationery; **B.miete** *f* office rent; **B.möbel** *pl* office furniture; **~ für Direktoren** executive furniture; **B.mobiliar und Einbauten** *nt* office furniture and fixtures; **B.organisation** *f* office management; **B.personal** *nt* office/clerical staff, office personnel/workers; **untergeordnetes B.personal** junior office staff; **B.planung** *f* office planning; **B.posten** *m* clerical/white-collar/office job; **B.produktivität** office productivity; **B.projekt** *nt* 🏛 office development; **B.rationalisierung** *f* office rationalization

Büroraum *m* office space/accommodation; **zugehöriger B.** ancillary office(s); **B.gestalter** *m* office planner

Büro|schluss *m* (office) closing time; **nach B.schluss** after office hours; **B.schrank** *m* storage cabinet; **B.schreibmaschine** *f* office typewriter; **B.stuhl** *m* office chair; **B.stunden** *pl* office hours; **B.tätigkeit** office job/work, white-collar occupation/job, non-manual/clerical work; **B.technik** *f* office technology/machines/machinery/procedures; **B.- und Organisationstechnik; B.technologie** *f* office technology; **B.trakt** *m* office block/wing; **B.turm** *m* office block; **B.umsiedlung** *f* office relocation; **B.unkosten** *pl* office/clerical expenses; **B.unterlagen** *pl* files; **B.verwaltung** *f* office management; **B.vorsteher(in)** *m/f* chief clerk, office manager(ess)/supervisor, senior/head clerk; **B.wand** *f* office wall; **B.wirtschaft** *f* office management; **B.zeit** *f* office hours; **B.zubehör** *nt* office supplies; **B.zuschuss** *m* secretarial allowance; **für B.zwecke** *pl* for office use

Bus *m* *(Reisebus)* coach, bus; **zweistöckiger B.** double-decker; **B.bahnhof** *m* bus/coach station

Busch *m* bush; **auf den B. klopfen** *(fig)* to sound (so.) out, ~ out the situation, to fish for information, to pump (so.)

Büschelkarte *f* ▦ bunch graph/map; **B.nanalyse** *f* bunch map analysis

Bus|depot *nt* bus depot; **B.fahrer** *m* bus/coach driver; **B.fahrkarte** *f* bus ticket; **B.fahrplan** *m* bus timetable; **B.fahrt** *f* bus ride; **B.haltestelle** *f* bus stop; **B.ladung** *f* busload; **B.reisen** *nt* coach travel; **B.spur** *f* bus lane; **B.unternehmen** *nt* bus/coach operator, ~ company; **B.unternehmer** *m* bus/coach opeartor

Buße *f* 1. fine, penalty (money), forfeit, vindictive/punitive damages; 2. atonement

für etw. büßen *v/ti* to pay for sth.

bußfertig *adj* penitent, repentant; **B.keit** *f* penitence, repentance

Bußgeld *nt* (administrative) fine, penalty, punitive/exemplary damages; **B. verhängen** to impose a fine; **hohes B.** stiff penalty; **B.bescheid** *m* penalty notice, notice of a fine; **B.katalog** *m* schedule of penalties, penalty chart; **b.pflichtig** *adj* fin(e)able, liable to a fine; **B.-sache** *f* summary offence; **B.verfahren** *nt* 1. summary/fine proceedings; 2. fining system

Bußzahlung *f* fine

Bus|verbindung *f* bus connection; **b.weise** *adv* in busloads; **B.zubringerdienst** *m* coach service

Butan *nt* ⚗ butane

Büttel *m* *(obs.)* § beadle, bailiff

Bütten|papier *nt* hand-made paper; **handgeschöpftes B.papier** hand-made paper; **B.rand** *m* deckle edge

Butter *f* butter; **in B.** *(coll)* in perfect order

Butter|berg *m* *[EU]* butter mountain; **für ein B.brot kaufen** *nt (fig)* to buy for a song *(fig)*; **B.brotpapier** *nt* greaseproof paper; **B.fett** *nt* butterfat; **B.käse** *m* cream/soft cheese; **B.säure** *f* butyric acid; **B.schiff** *nt* butter boat; **B.schmalz** *nt* clarified butter

bzw. → **beziehungsweise**

C

Cabotage *f* cabotage, ⚓ coasting trade; **C.freiheit** *f* freedom of cabotage

Cabriolet *nt* 🚗 convertible

Call *m* call; **C.-Center** *nt* call centre *[GB]*/center *[US]*

Calvo-Klausel *f* Calvo clause

Carnet *nt* ⊖ international customs pass, carnet

Car-sharing *nt* car-sharing

jdm Carte blanche geben *f* to give so. a blank cheque

Cash and Carry *nt* cash and carry; ~ **-Klausel** *f* cash-and-carry clause

Cash-|Flow *m* cash-flow, (net) cash generation/income; **abgezinster C.-Flow** discounted cash-flow; **C.-Markt** *m* cash market; **C.-Prognose** *f* cash forecast; **C.-Rate** *f* cash-flow rate

Catering *nt* catering; **C.branche** *f* catering trade; **C.unternehmen** *nt* catering company

CEPT-Standard *m* ✉ CEPT standard

cessio legis *(lat.)* § assignment by operation of law

ceteris paribus *(lat.)* other things being equal

Chance *f* chance, opportunity, look-in *(coll)*; **C.n** odds

seine Chance abwarten to bide one's time; **sich eine C. entgehen lassen; C. verpassen/versäumen** to miss a chance/an opportunity, ~ the boat/bus *(coll)*; **C. ergreifen/nutzen/wahrnehmen** to seize an opportunity; **mit gleichen C.n kämpfen** to meet on even ground; **C. verspielen** to gamble away a chance

nicht genutzte Chance waste of opportunities; **gleiche C.** equal opportunity

Chancen|gleichheit *f* equality of opportunity, equal opportunities; **c.los** *adj* bound to fail; **c.reich** *adj* promising, bound to succeed

Chaos *nt* chaos, shambles, pandemonium, welter, mayhem, snafu *(coll) [US]*

chaotisch *adj* chaotic

Charakter *m* 1. character, nature; 2. moral courage; **obligatorischer C. eines Vertrags** obligatory scope of a contract; **C. bilden** to mould/form a character; **amtlichen C. haben** to be official; **in jds C. begründet sein** to be in so.'s character

amtlicher Character official (nature); **ehrlicher C.** upright character; **fiskalischer C.** fiscal nature; **tadelloser C.** unimpeachable character

Charakter|anlage *f* disposition; **C.eigenschaft** *f* trait of character; **C.fehler** *m* flaw of character, character defect

charakterisieren *v/t* to characterize/describe/qualify

Charakteristikum *nt* (characteristic) feature

charakter|istisch *adj* typical, characteristic, distinctive, distinct; **c.lich** *adj* personal, character; **C.schwäche** *f* weakness of character; **C.stärke** *f* moral fibre

Charge *f* 1. *(Stoffeinsatz)* charge, batch; 2. part shipment

Chargen|fertigung *f* batch process/production; **C.kalkulation** *f* batch costing; **C.schwankung/C.streuung** *f* batch variation; **C.umfang** *m* batch size; **C.verfolgung** *f* batch control/tracing

Charta *f* charter

Chart|analyse *f* chart analysis; ~ **durchführen** to conduct a chart analysis; **C.-Analyst** *m* chartist

Charter *m* charter, charterage; **C. für die ganze Reise** voyage charter; ~ **Hin- und Rückreise** round-trip charter; **C. auf Zeit** time charter; **bankfähige C.** bankable charter

Charter|bedingungen *pl* charter terms; **C.dienst** *m* charter service

Charterer *m* charterer

Charter|flug *m* charter flight; **Ch.flüge** air charter; ~ **durchführen** to operate charters

Charterflug|geschäft *nt* charter operation; **C.gesellschaft** *f* charter operator/carrier; **C.passagier** *m* charter (flight) passenger; **C.reisen** *pl* charter travel, air charter; **C.zeug** *nt* charter plane

Charter|geschäft *nt* charter operation/business; **C.gesellschaft** *f* charter carrier; **C.makler** *m* ⚓ owner's broker; **C.maschine** *f* ✈ charter(ed) plane; **C.miete** *f* charter hire

chartern *v/t* 1. to charter/hire; 2. ⚓ to charter/freight/affreight

Charter|partie *f* ⚓ charter party (C/P); **C.transportgesellschaft** *f* charter carrier

Charterung *f* chartering, charterage

Charter|unternehmen *nt* charter carrier; **C.verkehr** *m* non-scheduled traffic, charter traffic; **C.vertrag** *m* charter party (CP)/contract, ⚓ contract of affreightment; ~ **ohne Besatzung** ⚓ bareboat/demise charter

Chassis *nt* 🚗 chassis, frame; undercarriage *[US]*

Chauff|eur *m* chauffeur, driver; **c.ieren** *v/t* to drive/chauffeur

Chaussee *f* highway

Chauvinis|mus *m* jingoism, chauvinism; **C.t** *m* jingoist, chauvinist; **c.tisch** *adj* jingoistic, chauvinistic

check|en *v/t* to check; **C.liste** *f* check list

Chef *m* principal, boss, chief, head, master (obs); **C. der Militärjustiz** Judge Advocate-General *[GB]*; ~ **Verwaltung** head of administration, chief magistrate; **strenger C.** taskmaster

Chef|arzt/C.|ärztin *m/f* head doctor, senior consultant; **C.buchhalter** *m* chief accountant; **C.delegierter** *m* head of (a) delegation, chief delegate; **C.einkäufer(in)** *m/f* head/chief buyer; **C.etage** *f* executive/management/boardroom floor

Chefin *f* boss, head

Chef|informationssystem *nt* executive information system (EIS); **C.ingenieur** *m* chief engineer; **C.inspektor** *m* chief inspector; **C.koch** *m* chef *(frz)*; **C.konstrukteur** *m* chief designer; **C.redakteur** *m* editor-in-chief, chief editor; **C.redaktion** *f* editorship, (main) editorial office; **C.schreibtisch** *m* executive desk; **C.sessel** *m* executive chair; **C.sekretärin** *f* personal secretary/assistant (P.A.); **C.syndikus** *m* chief legal adviser; **C.unterhändler** *m* senior/chief negotiator

Chemie *f* chemistry; **technische C.** engineering chemistry

Chemie|- chemical; **C.aktien** *pl* chemicals; **C.anlage** *f* chemical plant; **C.erzeugnis** *nt* chemical product; **C.faser** *f* synthetic/man-made fibre; **C.gigant/C.riese** *m* chemical major/giant; **C.industrie** *f* chemical industry; **C.ingenieur** *m* chemical engineer; **C.ingenieurwesen** *nt* chemical engineering; **C.komplex** *m* integrated chemical plant; **C.konjunktur** *f* chemical industry cycle; **C.konzern** *m* chemical group; **C.markt** *m* chemicals market; **C.produkt** *nt* chemical (product); **C.unfall** *m (Börse)* chemical accident; **C.unternehmen** *n* chemicals company; **C.werk** *nt* chemical plant; **C.werte** *pl* chemicals

Chemikalie *f* chemical (product); **gefährliche C.** *(Schild)* volatile chemicals; **C.neinsatz** *m* chemical input, use of chemicals; **C.ntanker** *m* ⚓ chemicals tank

Chemiker(in) *m/f* chemist

chemisch *adj* chemical

Chemotechnik *f* chemical engineering, technochemistry; **C.er** *m* chemical engineer

Chemotherapie *f* ⚕ chemotherapy

Chi|-Maßzahl *f* ▦ chi-statistic; **C.-Quadratverteilun** *f* chi-square distribution

Chiffre *f* 1. code, cipher, key; 2. *(Zeitung)* box numbe

Chiffre|anzeige *f* keyed/box-number advertisemen **C.beamter** *m* code clerk; **C.depesche/C.telegram** *f/nt* cipher/code(d) telegram(me); **C.kode/C.schlüss** *m* cipher code; **C.nummer** *f (Zeitung)* code/box number; **C.schrift** *f* cipher writing; **C.werbung** *f* keyed advertising

Chiffreur *m* code clerk

chiffrier|en *v/t* to code/encode/ciper/encipher/scramble; **C.gerät** *nt* scrambler; **C.schlüssel** *m* code key **C.stelle** *f* cipher office; **c.t** *adj* keyed, in code; **C.ung** coding, ciphering

Chip *m* chip; **kundenspezifischer C.** customized chip **Ein-C.-Computer** *m* micro-computer unit; **C.karte** chip/smart card

Chiropraktiker(in) *m/f* ⚕ chiropodist

Chirurg *m* surgeon; **C.ie** *f* surgery; **plastische C.ie** plastic surgery; **c.isch** *adj* surgical

Chlor *nt* ⚗ chlorine; **c.en** *v/t* to chlorinate; **C.kohlenwasserstoff (CKW)** *m* chlorinated hydrocarbon (CHC

Chrom *nt* chromium, chrome

Chronik *f* chronicle

chronisch *adj* chronic(al)

Chronist *m* chronicler

Chrono|logie *f* chronology; **c.logisch** *adj* chronological; **C.meter** *nt* timepiece

cif|-Agent *m* CIF agent; **c.-Geschäft** *nt* CIF transactio **c.-Klausel** *f* CIF clause; **c.-Lieferung** *f* CIF delivery **c.-Preis** CIF price; ~ **Abladekosten** CIF price-landed

circa *adv* circa, approximately (approx.), of the order o

circulus vitiosus *m (lat.)* vicious circle

City *f* city centre; **C.-Bahn** *f* express commuter train **C.-Lage** *f* city centre/downtown *[US]* location; **C.-Logistik** *f* city logistics; **C.-Logistikdienstleister** *m* provider of city logistics services

Clearing *nt* clearing; **C. zum Pariwert** par clearance **durch C. abrechnen** to clear; **bilaterales C.** bilateral clearing; **multilaterales C.** multilateral clearing

Clearing|abkommen *nt* clearing agreement; **C.bank** clearing/associated bank; **C.dienst** *m* clearing service **C.forderungen** *pl* clearing receivables/claims; **C.guthaben** *nt* clearing balance/deposits/assets; **C.haus** **C.institut/C.stelle** *nt/f* clearing house/centre; **C.konto** *nt* clearing account; **C.schuld** *f* clearing debt; **C.verkehr** *m* clearing transactions/system; **C.vorschuss** *m* clearing advance

lever *adj* clever, smart, cute, sharp; **C.ness** *f* cleverness, smartness, sharpness
lientele-Effekt *m* clientele effect
lique *f* faction, clique, crowd, set; **C.nwesen** *nt* partisanship
lub|raum *m* lounge; **C.reise** *f* club holiday; **C.reisen** club travel
lusteranalyse *f* ▦ cluster analysis
NC-Steuerung *f* ✿ computerized numerical control (CNC)
CO_2-Gehalt *m* CO_2 content
ockpit *nt* ✈ cockpit, cabin
ocktail *m* cocktail; **C.empfang** *m* cocktail reception
ocoon-Einspinnverfahren *nt* cocoon process
ode *m* code; **C.buch** *nt* code book; **C.schlüssel** *m* cipher key; **C.übersetzung/C.umwandlung** *f* code translation
odieren *v/t* to code/encode/scramble
odier|gerät *nt* encoder, scrambler; **C.zeile** *f* coding/coded line
ollage *f* collage
ollico *m* collapsible container
ommercial Paper *nt* commercial paper
ommonwealth-Staat *m* Commonwealth country
ompagnon *m* *(frz)* partner
ompakt → Kompakt; **C.rechner** *m* compact computer
omputer *m* computer, computational device; **mit C.n ausrüsten** to computerize; **dem C. eingeben** to feed (into) the computer; **~ Daten eingeben** to enter data into the computer; **auf C. umstellen** to computerize; **durch C. verbunden** linked by computer, computer-linked
omputer|arbeitsplatz *m* workstation; **C.ausbildung** *f* computer training; **C.ausdruck** *m* printout; **auf C.basis** *f* computerized; **C.benutzer** *m* computer user; **auf C.betrieb umstellen** *m* to computerize; **C.betrug** *m* computer crime/fraud; **C.börse** *f* screen trading system, computerized trading; **C.branche** *f* computer industry; **C.brief** *m* personalized computer letter; **C.experte** *m* computer professional; **C.geld** *nt* electronic/disk money; **C.generation** *f* computer generation; **c.gesteuert** *adj* computerized, computer-controlled; **c.gestützt** *adj* computer-aided, computer-assisted, computer-based; **C.grafik** *f* computer graphics; **C.grundwissen** *nt* computer literacy; **C.handel** *m* computer trading; **C.industrie** *f* computer industry; **C.ingenieur** *m* computer engineer; **C.kriminalität** *f* computer crime; **C.lauf** *m* computer run; **c.lesbar** *adj* machine-readable; **C.missbrauch** *m* computer abuse; **C.personal** *nt* liveware; **C.programm** *nt* computer program; **mechanische C.recherche** mechanized search; **C.recherchenanfrage** *f* computer query; **C.revision** *f* computer audit; **C.satz** *m* ⎕ computerized composition; **C.spezialist** *m* computer specialist; **C.spionage** *f* computer espionage; **C.sprache** *f* computer language; **C.steuerung** *f* computer control; **C.system** *nt* computerized system; **C.verbindung** *f* computer link; **C.verbund** *m* computer link/network; **~ mit der Filiale** branch computer link; **C.virus** *m* (electronic) virus, phantom bug, bogusware, Trojan horse; **C.vorgang** *m* computing process
conditio sine qua non *f* *(lat.)* § absolute condition precedent
Conférencier *m* *(frz)* compère, announcer
ConRo Schiff *nt* ConRo ship
Consignation *f* → **Konsignation**; **in C.** on consignement
Consultant/Consulter *m* consultant
Consulting *nt* consulting, consultancy; **C.firma** *f* consulting firm, firm of consultants; **C.leistung(en)** *f/pl* consulting/consultancy service(s)
Container *m* container; **C. mit offenem Dach** open-top container; **C. ohne Seitenwand** open-side container; **in C.n verpacken** to containerize; **Haus-zu-Haus C.** door-to-door container; **offener C.** 1. open-top container; 2. *(Abfall)* skip
Container|auskleidung *f* container lining; **C.bahnhof** *m* container terminal/depot; **C.bereich** *m* containers division; **C.beschläge** *pl* container hinges; **C.brücke** *f* container bridge; **C.depot** *nt* container yard; **C.dienst** *m* container service; **C.einrichtungen** *pl* container facilities; **C.entladung** *f* container stripping; **C.expresszug** *m* freightliner train; **C.expresszugverbindung** *f* freightliner service; **C.fahrgestell** *nt* bogie, container chassis
Containerfracht *f* container/containerized freight, capsule cargo; **C.brief** *m* container bill of lading (B/L); **C.geschäft** *nt* container business/operations
Container|geschäft *nt* container business/operation; **C.hafen** *m* container port; **C.hof** *m* container yard; **C.isierung** *f* containerization; **C.-Komplettladung** *f* full container load (F.C.L.); **C.kran** *m* container crane; **C.ladebrücke** *pl* container terminal/crane; **C.ladestelle** *f* container freight station
Container|ladung *f* container load; **weniger/kleiner als eine C.** less than container load (L.C.L.); **volle C.** full container load (F.C.L.)
Container|-Linie *f* ⚓ container line; **C.logistik** *f* container logistics; **C.packstation** *f* container terminal, ~ freight station; **C.platz** *m* container yard; **C.rate** *f* *(Fracht)* container rate; **C.sendung** *f* container shipment; **C.schiff** *nt* container ship/vessel, van ship; **C.schifffahrt** *f* container shipping; **C.sparte** *f* containers division; **C.stapel** *m* unit load; **C.stapler** *m* container carrier truck; **C.stellplatz** *m* container depot, slot; **C.terminal** *nt* container terminal; **C.umschlag** *m* container handling; **C.umschlagstelle** *f* container terminal; **C.zugverbindung** *f* container train service; **C.verkehr** *m* container service/traffic/operations; **C.verriegelung** *f* container lockings
Contango *nt* contango; **C.-Zins** *m* contango, continuation, carryover
Contiglühe *f* ✐ continuous annealing line
à conto for the account of
contra § versus
Controller(in) (der Kostenrechnung) *m/f* (cost) controller
Controlling *nt* 1. controlling; 2. performance measure-

ment; **aktuarielles C.** actuarial controlling; **strategisches C.** strategic controlling; **C.-Assistent(in)** *m/f* assistant controller; **C.organisation** *f* controlling organisation
Copyright *nt* copyright
cornern *v/t* *(Börse)* to corner
corpus delicti *nt* *(lat.)* § material evidence
Couleur *f* *(politisch)* complexion
Countertrade-Methode *f* countertrading method
Coup *m* coup; **C. landen** to make a scoop
Coupon *m* ➔ **Kupon** *(frz.)* coupon; **mit C.** cum coupon; **C.bogen** *m* coupon sheet; **C.steuer** *f* coupon tax
Courtage *f* *(frz.)* brokerage, commission (charge), turn, commercial rate, courtage, broker's fee/return; **franko C.** free of broker's commission, no brokerage; **c.frei** *adj* free of brokerage; **C.rechnung** *f* brokerage statement/account; **C.satz** *m* commission/brokerage rate; **C.tarif** *m* scale of commission *[GB]*, schedule of commission charges *[US]*; **C.volumen** *nt* brokerage volume
Couvert *nt* *(frz)* envelope
CP|-Anlagen *pl* CP (commercial paper)-investments; **C.-Ziehungen** *pl* CP-drawings
Crash-Kurs *m* crash course
Credo *nt* 1. creed; 2. *(Firma)* mission statement
Creme *f* *(fig)* cream, elite
Cross-Rate *f* *(Börse)* cross rate
Curriculum *nt* curriculum
Cursor *m* 💻 cursor

D

D-Zug *m* express (train), through train
Dach *nt* roof, housetop; **alles unter einem D.** *(Einkauf)* one-stop shopping; **unter D. und Fach** signed, sealed and delivered, home and dry, cut and dried, settled, arranged, all wrapped up and in a bag; **~ bringen** *(Geschäft)* to wrap up, to clinch, to fix up; **D. richten** to erect the roof, to top out; **unter einem D. zusammenfassen** to concentrate in one building/under one roof
Dach|- rooftop; **D.decker** *m* roofer, slater, tiler; **D.deckerarbeiten** *pl* roofing; **D.fonds** *m* fund of funds, holding fund; **D.garage** *f* rooftop garage; **D.geschoss** *nt* attic; **D.gesellschaft** *f* 1. umbrella/parent/proprietary/controlling/dominant/leading company, holding (company); 2. fund of funds; **D.gewerkschaft** *f* parent union; **D.kapital** *nt* covering capital; **D.marke** *f* umbrella/assortment/family brand; **D.organisation** *f* umbrella/parent/cover/head organisation; **D.pappe** *f* roofing felt; **D.pfanne** *f* (roof) tile; **D.restaurant** *nt* rooftop restaurant; **D.schädenversicherung** *f* roof damage insurance; **D.unternehmen** *nt* parent enterprise
Dachverband *m* umbrella/head/central organisation; **D. der amerikanischen Gewerkschaften** American Federation of Labor (AFL), Congress of Industrial Organizations (CIO); **~ britischen Gewerkschaften** Trades Union Congress (TUC)

Dachwohnung *f* 1. *(Hochhaus)* penthouse; 2. attic fla
Dafürhalten *nt* opinion
noch nie dagewesen *adj* unprecedented, all-time, with out precedent
dahin *adv* thereunto; **bis d.** heretofore; **d.gestellt sei lassen** *adj* to leave open; **d.scheiden** *v/i* to depar **d.schlängeln** *v/refl* to meander; **d.schwinden** *v/i* t fade/dwindle away
dahinter klemmen *v/refl* to set to, to concentrate on; **d kommen** *v/i* to get wise to sth., to find out, to get there **d. stecken** *v/i* to be behind it; **d. stehen** *v/i* 1. to bac sth.; 2. to underlie sth.
dahinziehen *v/refl* to trail
Damast *m* damask
Damen|bekleidung *f* ladies'/women's wear; **D.hand tasche** *f* handbag; **D.oberbekleidung** *f* ladies' oute wear; **D.unterwäsche** *f* lingerie *[frz.]*
Damm *m* bank, dam, dike
dämm|en *v/t* 1. to dam/dyke; 2. 🏛 to insulate; **D.mate rial/D.stoff** *nt/m* insulating material
Damm|straße/D.weg *f/m* causeway
Dämmung *f* (heat/sound) insulation
Damnationslegat *nt* civil-law legacy
Damnum *nt* 1. damnum, loss, debt discount; 2. *(Bank* discount
Dampf *m* (head of) steam, vapour; **Dämpfe** fumes; **D ablassen** to let off steam; **D. machen** to (make a) push **jdm D. machen** to put pressure on so.
Dampf|behälter *m* steam vessel/container; **d.betrie ben** *adj* steam-hauled; **D.druck** *m* steam pressure, hea of steam
dampfen *v/i* to steam
dämpfen *v/t* 1. to dampen/absorb/moderate/cushion curb/temper, to slow/damp down, to put a check on, t retard; 2. *(Konjunktur)* to depress
Dampfer *m* steamer, steamship (SS), steamboat
Dämpfer *m* dampener, setdown; **etw. einen D. aufset zen** to pour cold water on sth., to put a damper on sth **jdm ~ aufsetzen** to bring so. down a peg or two *(coll)*
Dampfer|anlegestelle *f* landing stage; **D.linie** *f* steam ship line; **D.track** *m* ocean lane
Dampf|gefäß *nt* steam vessel/container; **D.heizung** steam heating
Dampfkessel *m* (steam) boiler; **D.anlage** *f* boiler plan **D.überwachung** *f* boiler inspection; **D.versicherung** boiler insurance
Dampf|kraft *f* steam power; **D.kraftwerk** *nt* stea power station; **D.leistung** *f* steam output; **D.lokomo tive/D.maschine** *f* steam engine; **D.pumpe** *f* stea pump
Dampfschiff *nt* steamship (SS), steamboat; **D.fahrt** steam navigation; **D.fahrtsgesellschaft** *f* steam navi gation company
Dampfturbine *f* steam turbine
Dämpfung *f* dampening, check, curb(ing), cushionin (effect), slackening, slowdown, absorption; **D. der Ex portkonjunktur** curb on exports; **~ Investitionsfreu digkeit** curbing the propensity to invest; **~ Lohnent wicklung** holding down of wages; **konjunkturelle D**

recession, economic slowdown; **D.spolitik** *f* policy of restraint

Danebengehen *v/i* to misfire/miscarry, to go awry/wrong, to come unstuck

Daniederliegen *nt* depression; **d.** *v/i* to languish/stagnate, to be dull, ~ in the doldrums

Dank *m* 1. gratitude, thanks; 2. acknowledgment

Dank abstatten; D. zum Ausdruck bringen to express one's appreciation; **seinen D. aussprechen** to express one's thanks; **keinen D. erwarten** not to expect any appreciation; **jdm (großen) D. schulden; jdm zu (großem) D. verpflichtet sein** to be (greatly) indebted to so.; **D. zollen** to express one's gratitude

Dankadresse *f* vote/letter of thanks

dankbar *adj* grateful, obliged; appreciative; **maßlos d.** immensely grateful; **d. sein** to appreciate, to be obliged; **D.keit** *f* gratitude

Dankbrief *m* letter of acknowledgment

danken für *v/i* to be obliged for; **jdm überschwenglich d.** to thank so. profusely

Dankes|rede *f* vote for thanks; **D.schuld** *f* debt, indebtedness

Dank|sagung *f* vote/letter of thanks; **D.sagungsadresse** *f* vote of thanks; **D.schreiben** *nt* letter of thanks, bread-and-butter letter *(coll)*

daran|machen *v/refl* to set out (to do sth.); **alles d.setzen** *v/t* to go all-out, to make an all-out effort

Daraufgabe *f* extra

darben *v/i* to starve/famish, to be needy

darbiet|en *v/t* to present/offer; **D.ung** *f* presentation, show, performance; **effektvolle D.ung** showmanship

auseinandergezogen dargestellt *adj* exploded view

darlegen *v/t* to explain/state/outline/demonstrate, to point/set/spell out, to set forth; **ausführlich d.** to elaborate, to set out in detail; **eingehend d.** to particularize/specify; **glaubhaft d.** § to establish a prima facie *(lat.)* case, to substantiate; **klar d.** to spell out; **schriftlich d.** to evidence in writing

Darlegung *f* explanation, presentation, statement; **D. des Falles** § statement of the case; **D.slast** *f* onus of presentation; **D.spflicht** *f* 1. reporting requirement(s); 2. § obligation to present the case to the court

Darleh(e)n *nt* 1. credit, loan, grant, imprest; 2. *(Vorschuss)* advance, advancement, accommodation, appropriation; 3. § loan for compensation

Darleh(e)n einer Bank bank loan; **D. an Geschäftskunden** business lending; **D. von Kreditinstituten** bank loans; **D. mit täglicher Kündigung** loan at call; **D. einer städtischen Leihanstalt** municipal credit; **D. gegen Pfänder** loan against collateral; **~ Pfandbestellung** collateralized loan, loan secured by chattel mortgage; **D. an erster Stelle** prior lien loan; **D. der Tochter an die Konzernmutter** upstream loan; **D. an Tochtergesellschaften** 1. downstream loan; 2. advances to subsidiaries; **D. der Zentralbank** reserve bank credit

Darleh(e)n aufnehmen to raise/obtain/secure/take up a loan, to take a credit; **D. aushandeln** to negotiate a loan; **D. beantragen** to apply for a loan; **D. beschaffen** to procure a loan; **D. besichern** to cover a loan; **D. erhalten** to obtain credit; **D. geben** to grant a loan; **als geschenktes D. geben** to gift-loan; **D. gewähren** to grant/extend a loan, to advance a credit, to loan/lend, to accommodate so. with a loan; **D. kündigen** to (re)call a loan; **D. tilgen/zurückzahlen** to redeem/repay/pay off a loan; **D. verbuchen** to book a loan

bares Darlehen cash loan; **befristetes D.** time/term loan; **besichertes D.** collateralized loan, loan on collateral; **hypothekarisch ~ D.** mortgage loan; **nachrangig ~ D.** subordinated loan; **auf einmal in voller Höhe fälliges D.** straight loan; **gedecktes D.** secured advance; **öffentlich gefördertes D.** publicly sponsored loan; **gesichertes D.** secured loan; **durch Forderungsabtretung ~ D.** loan on the security of accounts receivable; **gegen Sichtvermerk gewährtes D.** sight loan; **hypothekarisches D.** mortgage loan; **inkongruente D.** mismatched loans; **kündbares D.** callable loan, loan at notice; **täglich ~ D.** call/demand(ed)/callable/day-to-day loan; **kurzfristiges D.** demand/short-term loan; **landwirtschaftliches D.** farm/agricultural loan, farm credit; **längerfristiges D.** time loan; **langfristiges D.** long-term/term/fixed/long-sighted loan; **nachrangiges D.** junior(-ranking) loan, loan of subsequent rank; **öffentliches D.** public authority loan; **partialisches D.** loan with profit participation; **pauschales D.** all-in/inclusive credit; **projektgebundenes D.** tied/non-recourse loan; **tilgungsfreies D.** interest-only loan; **unbefristetes D.** credit of unlimited duration; **unbe-/ungesichertes D.** unsecured/fiduciary loan; **unkündbares D.** uncallable loan; **unsicheres D.** precarious loan; **unverzinsliches D.** interest-free loan; **verbürgtes D.** loan secured by a personal guarantee; **vereinbartes D.** contractual loan; **verzinsliches D.** interest-bearing loan, loan on interest; **zinsfreies D.** free/interest-free/gift loan, non-interest-bearing/flat credit; **zinsgünstiges D.** soft/low-interest loan; **zwischengesellschafliches D.** inter-company loan

Darlehens|abgeld *nt* loan/bank/debt discount; **D.abruf** *m* drawing on a loan; **D.abteilung** *f* credit department; **D.agio** *nt* loan premium; **D.angebot** *nt* tender of a loan; **D.antrag** *m* loan application, application for a loan; **D.aufnahme** *f* borrowing, raising a loan; **D.auszahlung** *f* advance; **D.bank** *f* lending/loan/credit bank, lender; **D.bedingungen** *pl* terms of a loan, loan terms; **D.bereitstellung** *f* loan appropriation/commitment/provision; **D.besicherung** *f* security for borrowing, collateralization, securitization; **D.bestand** *m* loan portfolio; **D.bestimmungen** *pl* loan terms; **D.betrag** *m* loan principal/amount, amount borrowed; **D.betrug** *m* obtaining a loan by false pretences; **D.bewilligung** *f* lending, commitment; **D.bürgschaft** *f* loan guarantee; **D.dauer** *f* life of a loan; **D.empfänger** *m* borrower; **D.finanzierung** *f* loan funding, financing on loans

Darlehensforderung *f* claim in respect of a loan, receivables from loans, money due under a loan; **D.en gegenüber Betriebsangehörigen** dues from officers and employees; **~ abzüglich Wertberichtigungen** loans less provisions

Darlehens|geber *m* lender, creditor, rentier, loaner, grantor, lending/financing body, advance man; **partialischer D.geber** lender with participation in debtor's profits; **D.gebühren** *pl* loan charges; **D.geschäft** *nt* lending/loan operation(s), ~ business; **D.gesellschaft** *f* loan society, finance company; **D.gesuch** *nt* loan application; **D.gewährung** *f* grant of loan, loan accommodation; **D.gläubiger** *m* loan creditor; **D.hingabe** *f* grant of a loan; **D.hypothek** *f* loan (securing) mortgage; **D.inanspruchnahme** *f* loan drawdown; **D.interessent** *m* would-be borrower; **D.kapital** *nt* loan capital; **D.kasse** *f* loan bank/association/office/society, credit bank; **D.kassenverein** *m* loan association; **D.konto** *nt* loan account; **D.kosten** *pl* loan charges; **D.kunde** *m* borrowing customer; **D.makler** *m* loan agent/broker; **D.mittel** *pl* loan funds; **D.nehmer** *m* borrower, loanee, debtor, credit receiver/user; **D.nennbetrag** *m* nominal amount of the loan; **D.obligo** *nt* customers' liability on loans granted; **D.politik** *f* loan policy; **D.programm** *nt* loan scheme; **D.rückzahlung** *f* loan repayment, mortgage capital repayment, amortization of a loan; **D.satz** *m* loan rate; **D.schein** *m* loan certificate; **D.schuld** *f* loan debt; **D.schuldner(in)** *m/f* borrower, loan debtor; **D.stock** *m* total lendings; **D.stopp** *m* ceiling on lending, lending freeze; **D.summe** *f* amount borrowed, loan principal/amount; **D.tilgung** *f* loan repayment; **D.urkunde** *f* loan certificate; **D.valuta** *f* loan proceeds; **D.verbindlichkeiten** *pl* borrowings, loan liabilities; **D.verein** *m* loan society; **D.vereinbarung** *f* loan agreement; **D.vermittler** *m* loan agent/broker; **D.versprechen** *nt* loan undertaking, promise to grant a loan; **D.vertrag** *m* loan contract/agreement; **D.vorvertrag** *m* preliminary loan agreement; **D.zinsen** *pl* lending/borrowing rate(s), mortgage/loan interest, interest on loan capital; **D.zinssatz** *m* loan/borrowing/bank rate, bank lending rate, interest rate on a loan, loan interest; **D.zusage** *f* loan undertaking/commitment, lending commitment, promise of a loan, consent to grant a loan; **offene D.zusagen** outstanding loan commitments

Darleiher *m* (money)lender

darstellen *v/t* 1. to (re)present/display/constitute/describe/be; 2. to show/portray; **ausführlich d.** to particularize; **bildlich d.** to illustrate; **digital d.** to digitize; **falsch d.** to misrepresent/misstate/falsify; **genau d.** to delineate; **grafisch d.** to plot/graph, to represent graphically; **neu d.** to restate; **schief d.** to distort; **tabellarisch d.** to tabulate; **übertrieben d.** to exaggerate; **ungenau d.** to misrepresent

darstellend *adj* descriptive

Darsteller(in) *m/f* actor, actress

Darstellung *f* 1. presentation, representation, statement, account, story; 2. demonstration, rendering, description, depiction, format; 3. display; 4. *(Zahlen)* number format

Darstellung der Erfindung disclosure of invention; **D. des Operationsablaufs** function chart; **~ Sachverhalts** statement of the facts (and circumstances); **genaue ~ Sachverhalts** full statement of the facts; **kurze ~ Sachverhalts** summary of the facts; **~ Tatbestands geben** to state the facts; **D. in Umrissen** outline; **wahrheitsgemäße und realistische D. der Unternehmenslage** *(Bilanz)* fair presentation; **angemessene D. der Vermögens- und Ertragslage** fair view of the assets and earnings position

amtliche Darstellung official version; **wirtschaftlich angemessene D.** fair presentation; **bildliche D.** illustration; **falsche D.** misrepresentation, misstatement; **figürliche D.** pictogram; **genaue D.** delineation; **grafische D.** diagram, graph, chart, graphical representation, plot; **knappe D.** terse account; **kontenmäßige D.** account-type presentation; **logarithmische D.** logarithmic chart; **maschinengebundene D.** hardware representation; **mikrofotografische D.** micrograph; **tabellarische D.** graph, chart, table, tabulation; **übertriebene D.** overstatement; **ungenaue D.** misrepresentation; **zurückhaltende D.** understatement; **zusammenfassende D.** sumnary analysis; **zusammengefasste D.** summary

Darstellungs|einheit *f* display unit; **kleinste D.einheit** bit; **D.form** *f* form of presentation; **D.technik** *f* presentation technique; **D.tiefe** *f* depth of view

dartun *v/t* 1. to set forth; 2. to evidence

Dasein *nt* 1. existence; 2. presence; **nacktes D. fristen** to live at subsistence level; **jämmerliches D. führen** to eke out a scanty living; **D.sberechtigung** *f* right to exist; **D.skampf** *m* struggle for existence

Datei *f* data unit/file/set, file

gemeinsam benutzte Datei shared file; **gekettete D.** chained file; **katalogisierte D.** catalogued data set; **permanente D.** permanent file; **ungeschützte D.** scratch file; **untergliederte D.** partitioned data set

Datei|abschlussanweisung *f* close statement; **D.abschnitt** *m* file section; **D.aufbau** *m* file layout/format; **D.aufbereitung** *f* file editing; **D.bezeichnung** *f* file identification/name; **D.ende** *nt* end of file; **D.glied** *nt* file member; **D.größe** *f* file size; **D.katalog** *m* data set catalogue; **D.kennzeichen** *nt* file identifier; **D.löschprogramm** *nt* file delete program; **D.name** *m* data/file name; **D.nummer** *f* file serial number

Dateiorganisation *f* data/file organisation; **gestreute D.** direct organisation; **indexierte D.** indexed organisation

Datei|schutz *m* file security/protection; **D.speicherungsform** *f* data set organisation; **D.steuerung** *f* file control; **D.system** *nt* file/filing system; **D.umfang** *m* file size; **D.verarbeitung** *f* file processing; **D.verbund** *m* linked file system; **D.verwaltung** *f* file management; **D.verwaltungsprogramm** *nt* file manager; **D.verzeichnis** *nt* (data file) directory; **D.wartung** *f* file maintenance; **D.zugriffskontrolle** *f* file access control

Daten *pl* data, particulars, facts, conditions; **keine D.** no data available

Daten abrufen to retrieve information, to recall data; **D. ansteuern** to access data; **D. erfassen** to accumulate/acquire/collect data; **D. übertragen** to transfer data; **D. verarbeiten** to process data

alphabetische Daten alphabetic data; **alphanumerische D.** alphanumeric data; **analoge D.** analog data

anwenderspezifische D. user-specific data; **aufgegliederte D.** disaggregated data; **betriebswirtschaftliche D.** operating data; **digitale D.** digital data; **numerische D.** numeric data; **personenbezogene D.** personal data; **statistische D.** statistics, statistical data; **technische D.** specifications, engineering/technical data; **unaufbereitete D.** raw data; **verschlüsselte D.** coded data; **währungsstatistische D.** monetary statistics; **zusammengefasste D.** integrated data

Datenabgleich *m* matching of data, data comparison

Datenabruf *m* 🖳 information retrieval, polling; **D.signal** *nt* polling signal; **D.verfahren** *nt* polling system, information retrieval system

Daten|analyse *f* data analysis; **D.anzeige(einrichtung)** *f* data display; **D.aufbereiter** *m* editor; **D.aufbereitung** *f* data preparation/processing; **D.aufnahme** *f* data input/logging, acquisition of data; **D.aufzeichnung** *f* data recording/logging; **D.ausgabe** *f* data output; **D.austausch** *m* 1. data interchange/exchange/communication/transfer; 2. *(Bank)* electronic banking; **elektronischer D.austausch** electronic data interchange (EDI); **D.auswertung** *f* evaluation of data, data evaluation; **D.autobahn** *f* data highway, digital/information super-highway

Datenbank *f* 1. data bank, database, information bank; 2. library; 3. *(Zentralstelle)* database; **dezentrale D.** remote database; **verteilte D.** distributed database; **zentrale D.** data centre

Datenbank|administrator/D.verwalter *m* database manager; **D.administration** *f* database administration; **D.abfrage** *f* database inquiry; **D.analyse** *f* database analysis; **D.halter** *m* data bank holder; **D.hierarchie** *f* databank hierarchy; **D.parameter** *m* database parameter; **D.recherche** *f* database look-up; **D.recherchendienst** *m* database look-up service; **D.rechner** *m* database computer; **D.reorganisation** *f* database reorganization; **D.spezialist** *m* databank expert/specialist; **D.unternehmen** *nt* database company; **D.verwaltung(ssystem)** *f/nt* database management (system); **D.zugang** *m* database access

Daten|basis *f* database; **D.bearbeitung** *f* data manipulation/capture; **D.bereich** *m* data area; **D.beschaffung** *f* data gathering, collection of data; **D.beschreibung** *f* data definition; **D.bestand** *m* database, data stock/set; **D.blatt** *nt* data sheet; **technisches D.blatt** specification sheet; **D.darstellung** *f* data representation; **D.darstellungsschicht** *f* presentation layer; **D.direktübertragung** *f* online data transmission; **D.durchlauf** *m* data throughput; **D.eingabe** *f* data input/entry; **D.einheit** *f* data unit; **D.element** *nt* 1. data item; 2. elementary item

Datenend|einrichtung *f* data(-processing) terminal equipment; **D.gerät/D.platz** *nt/m* (data-processing) terminal; **D.station** *f* communication terminal; **D.stelle** *f* data terminal

Datenerfassung *f* data gathering/collection/recording/entry/logging/acquisition, collection; **dezentrale/dezentralisierte D.** decentralised data collection/acquisition; **mobile D.** mobile data collection/gathering/capture, portable data collection device; **simultane D.** simultaneous data collection; **stationäre D.** stationary data collection device; **sukzessive D.** successive data collection; **zentrale D.** centralized data collection

Datenerfassungs|beleg *m* coding sheet; **D.kasse** *f* point-of-sale system (POS); **optische D.station** optical image unit; **D.system** *nt* data logger, ~ handling system

Daten|erhebung *f* data collection; **D.ermittlung** *f* data acquisition; **D.fälschung** *f* data falsification; **D.fehler** *m* data error; **D.feld** *nt* item, data field; **D.feldlänge** *f* field width

Datenfernübertragung (DFÜ) *f* teleprocessing, telecommunication, long-distance data transmission; **D.snetz** *nt* teleprocessing network/system, telecommunications network; **D.ssystem** *nt (Banken)* direct fund transfer system

Datenfernverarbeitung *f* remote (data) processing, telecomputing, teleprocessing; **indirekte D.** offline teleprocessing; **D.ssystem** *nt* data communication system, remote data processing system

Datenfluss *m* data flow; **D.plan** *m* data flow chart/diagram; **D.steuerung** *f* data flow control

Daten|format *nt* data format; **D.geheimnis** *nt* data secrecy; **d.gesteuert** *adj* data-directed, data-controlled; **D.gewinnung** *f* data acquisition/collection; **D.gruppe** *f* array, group item; **D.gruppierung** *f* data aggregate; **D.informationsdienst** *m* data service; **D.inkonsistenz** *f* inconsistent data; **D.kanal** *m* data channel; **D.karte** *f* data card; **D.kasse** *f* point-of-sale terminal (POS); **D.kettung** *f* data chaining; **D.kommunikation** *f* data communication; **D.kompression/D.komprimierung** *f* data compression; **D.konstellation** *f* state of facts; **D.konvertierung** *f* data conversion; **D.kranz** *m* set of data/figures; **D.lieferant** *m* information provider; **D.liste** *f* data list; **D.lochprogramm** *nt* data-recording program; **D.material** *nt* data (base), body of data; **geordnete D.menge** data set; **D.missbrauch** *m* data misuse/abuse; **D.modellierer** *m* data modeller; **D.name** *m* data name; **D.netz** *nt* data network; **D.objekt** *nt* data object; **D.organisation** *f* data organisation/management/system; **gestreute D.organisation** scattered data organisation; **D.paket** *nt* set of data; **D.paketübertragung** *f* packet switching; **D.quelle** *f* data source; **D.recherche** *f* data investigation; **D.register** *nt* data cartridge; **D.reihe** *f* (data) stream, statistical series; **D.reorganisation** *f* data reorganization; **D.rückgewinnung** *f* data retrieval; **D.rückmeldung** *f* data transmission; **D.sammeln** *nt* data logging; **D.sammelsystem** *nt* data acquisition/data-gathering system, multi-user data entry system; **D.sammlung** *f* collection of data, data collection; **D.satz** *m* (data) record; **aktueller D.satz** current record; **D.satzname** *m* record name; **D.schema** *nt* data(-processing) plan; **D.schnittstelle** *f* data interface; **D.schrott** *m* rubbish data

Datenschutz *m* data protection, privacy; **benutzerspezifischer D.** 🖳 user profile protection

Datenschutz|(aufsichts)behörde *f* data protection authority; **D.beauftragte(r)/Datenschützer** *f/m* data protection officer/registar *[GB]*, commissioner for data protection; **D.gesetz** *nt* Data Protection Act *[GB]*; Privacy Act *[US]*; **D.gesetzgebung** *f* data protection legislation; **D.vorschrift** *f* data protection regulation

Daten|sicherheit *f* data security; **D.sicherung** *f* data protection/security/storage/saving; **D.sichtgerät** *nt* visual display unit (VDU), video data terminal, data display device; **D.sichtplatz** *m* data display console; **D.signal** *nt* data/polling signal; **D.speicher** *m* data logger/storage/memory, memory bank; **D.speicherung** *f* data storage/capture; ~ **im Computer** computer storage; **D.stapel** *m* data record; **D.station** *f* terminal station/unit, data transmission terminal/unit, (communication) terminal; **intelligente D.station** intelligent data terminal; **D.steuerung** *f* data link control; **D.stromverfahren** *nt* streaming mode; **D.struktur** *f* data format/structure; **D.suchen** *nt* file scan function; **D.suchsteuerung** *f* scan feature; **D.tausch** *m* infoswitch; **D.technik** *f* data processing, data systems technology; **mittlere D.technik** office technology/computers

Datenträger *m* data carrier, data/input-output/recording medium, online storage

Datenträger|austausch *m* data media exchange, magnetic tape clearing; **D.etikett/D.kennsatz** *nt/m* volume label; **D.nummer** *f* volume serial number; **D.tausch** *m* exchange of data carriers/media

Daten|transfer/D.transport *m* data transfer; **D.typ** *m* data type; **D.typistin** *f* punch operator, keyboarder; **D.übergabe an Transporteur** *f* data transfer to (freight) carrier

Datenübermittlung *f* data communication/transmission; **D.seinheit/D.sgerät** *f/nt* data transmission terminal/unit; **D.ssystem** *nt* data communication system

Datenübernahme *f* data option

Datenübertragung *f* data transfer/transmission, communication link; **parallele D.** parallel data transmission; **serielle D.** serial data transmission

Datenübertragungs|block *m* frame; **D.dienst** *m* Datel *[GB]*; **D.geschwindigkeit** *f* transmission speed; **D.kontrolle** *f* transmission control; **D.netz** *nt* data transmission network; **D.system** *nt* data transmission system; **D.weg** *m* data bus; **D.zeit** *f* data time

Daten|umsetzer *m* data translator; **D.umsetzung** *f* data conversion; **D.ursprung** *m* data origination; **d.verarbeitend** *adj* data-processing; **D.verarbeiter** *m* data processor

Datenverarbeitung *f* data processing/handling, information processing; **D. außer Haus** external data processing; **D. mit mehreren Prozessoren** multi-processing

automatische/automatisierte Datenverarbeitung (ADV) automated data processing (ADP); **dezentrale D.** distributed data processing, remote job entry (R.J.E.); **elektronische D. (EDV)** electronic data processing (EDP); **grafische D.** computer-aided design (CAD), graphic data processing, computer graphics; **integrierte D.** integrated data processing; **lokale D.** local processing; **schritthaltende D.** real-time processing; **(organisatorisch) verteilte D.** distributed data processing

Datenverarbeitungs|anlage *f* data processing machine/equipment, computer (centre); **programmgesteuert D.anlage** program-controlled computer; **D.gerät** *n* computer; **D.geräte** hardware; **kleines D.gerät** micro processor; **D.industrie** *f* computer industry; **D.system** *nt* data-processing/information-processing system; **D.technologie** *f* technology of data processing

Daten|verbindung *f* data connection/link; **D.verbun** *m* data link(-up)/network, communications network public database; **D.verdichtung** *f* data reduction/compression; **D.verkehr** *m* data traffic; **D.verlust** *m* dat overrun; **D.vermittlungseinrichtung** *f* data communication facility; **D.vermittlungstechnik** *f* data switching; **D.verschlüsselung** *f* data codification; **D.verwaltung** *f* data management; **D.verwaltungssystem** *nt* information management system (IMS); **D.weitergabe** disclosure of data; **D.wort** *nt* (data) item; **abhängige D.wort** contiguous item; **D.zentrum** *nt* data centre **D.zugriff** *m* data retrieval; **D.zwischenträger** *m* interim data file, data medium for temporary storage

Datex *nt* ✉ *[D]* datex network; **D.-L-Netz** *nt* datex line switching network; **D.-P-Netz** datex packet switching network

datierbar *adj* datable

datieren *v/t* to date; **falsch d.** to misdate; **im Voraus d** to date in advance

datiert (vom) *adj* dated (the); **nicht d.** undated

Datierung *f* dating

bis dato *adv* to date, hitherto; **nach d.** after date

Datowechsel *m* date draft/bill, (after) date bill, long bill bill after date

Datum *nt* date; **nach D.** after date; **ohne D.** undated

Datum des Angebots date of quotation; **D. der Antragstellung** date of application; ~ **Ausstellung einer Police** anniversary date; **D. und Ort der Ausstellung** date and place of issue; **D. der Einreichung** filing date **D. des Inkrafttretens** effective date; ~ **Poststempel** date as (per) postmark, date of postmark; ~ **Verkaufsbeginns** kick-off date; ~ **Versands** mailing date; **D. der Zustellung** date of service

älteren Datum|s of early date; **gleichen D.s** of the same date; **heutigen D.s** of this date; **unter dem heutigen D.** under today's date; **jüngeren/neueren D.s** of recent date

Datum bestimmen/festsetzen to fix a date; **D. einsetzen** to insert the date; **durch D. entwerten** to cancel; **D. tragen** to bear a date; **mit D. versehen** to date

falsches Datum wrong date; **maßgebliches D.** decisive date

Datumsänderung *f* change of date

Datumsangabe *f* date, dating; **ohne D.** undated, without date; **mit D. stempeln** to datestamp; **falsche D.** misdating

Datums|grenze *f* dateline; **D.prüfung** *f* date check **D.stempel** *m* 1. date stamp; 2. ✉ postmark, dater **D.wechsel** *m* day bill; **D.zeile** *f* date line

Dauer *f* 1. duration, length, term, period, standing elapsed time; 2. § perpetuity; **auf (die) D.** permanently, in the long run, for good; § in perpetuity; **für die D. von** for a term/period of

auer der Amtstätigkeit term of office; **D. einer Anlage** life/term of a loan; **D. der Arbeitslosigkeit** length of unemployment; **~ Arbeitsunfähigkeit** period of disability; **D. des Aufenthalts** period of residence, duration of stay; **D. der Beschäftigung** length of service, duration of employment; **~ Betriebszugehörigkeit** length of service (in a company), (company) seniority; **~ Haftung** indemnity period; **D. eines Patents** life of a patent; **für die D. des Prozesses** pending the lawsuit/action suit, pendente lite *(lat.)*; **~ Verfahrens** pending the proceedings/action, while proceedings are pending; **während der D. des Vertrages** during the life of the contract; **D. der Zugehörigkeit zum Unternehmen** company seniority

on Dauer sein to be here/there to stay, ~ long-lasting

on gleicher Dauer (wie) commensurate (with); **von kurzer D.** short-lived; **optimistische D.** *(OR)* optimistic time; **unbestimmte D.** indefinite period; **wahrscheinliche D.** most probable duration

auer|- permanent; **D.abfluss** *m* permanent drain; **D.abwesenheit** *f* chronic absence; **D.akkreditiv** *nt* permanent credit; **D.akte** *f (Revision)* continuing/permanent audit file; **D.aktionär** *m* long-term shareholder/stockholder; **D.angestellte(r)** *f/m* permanent employee; **D.anlage** *f* lockup, long-term/lasting/permanent investment; **D.anleger** *m* long-term investor; **D.anschlag** *m* permanent advertising

auerarbeits|lose *pl* long-term unemployed; **D.losigkeit** *f* chronic/hard-core/persistent unemployment; **D.platz** *m* permanent job, place of permanent employment; **D.verhältnis** *nt* permanent employment

auerarrest *m* custody for an indefinite time

auerauftrag *m* standing/banker's/blanket order; **~ einrichten** to place a standing order; **D. erteilen** to place a standing order

auer|ausschreibung(sverfahren) *f/nt* standing invitation to tender; **D.ausschuss** *m* standing committee; **D.ausstellung** *f* permanent exhibition; **D.ausweis** *m (Fahrkarte)* season ticket; **D.beanspruchung** *f* 1. endurance test; 2. permanent load; **D.belastung** *f* 1. permanent burden; 2. ⚙ constant load; **D.belegschaft** *f* regular/core workforce; **D.beschäftigung** *f* 1. permanent employment; 2. *(Stelle)* permanent position; **D.besitz** *m* permanent holding; **D.betrieb** *m* continuous operation; **auf ~ umstellen** 🏭 to decasualize; **D.delikt** *nt* § continuing offence; **D.einkommen** *nt* regular income; **D.einladung** *f* standing invitation; **D.einnahme** *f* regular revenue; **D.einrichtung** *f* permanent institution/feature; **D.einsatz** *m* long-term work; **D.emission** *f* tap stock/issue, constant issue; **D.emittent** *m* tap issuer, constant borrower/issuer; **D.erfolg** *m* long-running success; **D.erkrankung** *f* permanent sickness; **D.erprobung** *f* endurance test; **D.erscheinung** *f* permanent feature; **D.ertrag** *m* sustained yield; **d.fest** *adj* fatigue-free; **D.festigkeit** *f* fatigue life, durability; **D.finanzierung** *f* continuous/long-term financing; **D.folgen** *pl* permanent result; **D.frost** *m* permafrost; **D.garantie** *f* continuing guarantee/security/guaranty, continuous security; **D.geschwindigkeit** *f* 🚗 cruising speed; **D.grünlandstandort** *m* pasture land; **D.güter** *pl* durables

dauerhaft *adj* 1. permanent, durable, lasting, stable, long-lasting, standing; 2. *(Güter)* non-perishable; 3. *(Farbe)* fast; **nicht d.** *(Ware)* non-durable; **D.igkeit** *f* 1. durability, permanence; 2. *(Farbe)* fastness; **~ des Erfolgs** permanent continued success

Dauer|haltbarkeit *f* durability; **D.inflation** *f* persistent inflation; **D.inserent** *m* regular advertiser, rate holder; **D.inserierung** *f* regular advertising; **D.invalidität** *f* permanent disablement/disability/invalidity; **D.kalender** *m* perpetual calendar; **D.karte** *f* season ticket; **D.karteninhaber** *m* season ticket holder; **D.konsortium** *nt* standing loan syndicate; **D.krankheit** *f* permanent sickness; **D.kredit** *m* long-term loan, permanent credit; **D.krise** *f* permanent/continuing crisis; **D.kunde** *m* regular customer, repeat buyer; **D.kundschaft** *f* established clientele; **D.last** *f* continuous load; **D.lasten** standing charges; **D.leistung** *f* ⚙ continuous output/rating; **D.lösung** *f* durable solution; **D.mandat** *nt* § general retainer, continuing mandate; **D.miete** *f* long lease/tenancy; **D.mieter** *m* permanent tenant; **D.mietverhältnis** *nt* permanent tenancy

dauern *v/i* to last/take/continue; **lange d.** to take long; **schrecklich lange d.** to take ages *(coll)*

Dauernachfrage *f* repeat demand

dauernd *adj* permanent, perpetual, continuing, lasting, continual

Dauer|nutzungsrecht *nt* registered perpetual lease, proprietary lease; **D.parken** *nt* all-day parking; **D.parker** *m* all-day parker; **D.parkplatz** *m* long-stay car park; **D.planstelle** *f* established post; **D.posten** *m* permanent position/post; **D.produkt** *nt* durable (product); **D.prüfung** *f* 1. *(Revision)* continuing audit; 2. ⚙ endurance test; **D.regelung** *f* permanent/fixed arrangement; **D.regen** *m* continuous/incessant rain; **D.rente** *f* perpetual annuity, permanent pension; **D.schaden** *m* 1. permanent damage; 2. *(Person)* permanent injury

Dauerschuld|(en) *f/pl* permanent/fixed/long-term debt; **D.ner** *m* prolific borrower; **D.verhältnis** *nt* continuous obligation; **D.verschreibung** *f* perpetual debenture; **D.zinsen** *pl* interest on fixed/long-term debt

Dauer|sparen *nt* continuous/long-term saving; **D.speicher** *m* 🖳 permanent memory; **D.stelle/D.stellung** *f* permanent position/job/post/situation/appointment, (fixed) tenure; **in (einer) D.stelle/D.stellung** *(Personal)* tenured; **D.test** *m* full trial, long-term/endurance test; **D.ton** *m* steady tone; **D.überweisungsauftrag** *m* standing order; **D.verlust** *m* permanent loss; **D.verpflichtungen** *pl* permanent obligations; **gesetzliche D.verpflichtungen** permanent statutory obligations; **D.verfügung** *f* § permanent injunction; **D.versuch** *m* long-term/endurance test; **D.vertrag** *m* continuing agreement; **D.visum** *nt* permanent visa; **D.vollmacht** *f* permanent power of attorney; **D.ware** *f* durable article, preserved/canned goods; **D.waren** durables; **D.werkzeuge** *pl* permanent tools; **D.wert** *m* lasting value; **D.wirkung** *f* (long-)lasting effect; **D.wohnrecht** *nt* permanent residential/occupancy right; **D.wohnsitz** *m* permanent residence; **D.zahlungsauftrag** *m* standing (payment) order; **D.zustand** *m* permanency, perpetuity, permanent state of affairs

Daumen *m* thumb; **über den D. gepeilt** *(fig)* at a rough estimate, to (make a) guestimate, by rule of thumb; **D. drehen** to twiddle one's thumbs; **D. drücken** *(fig)* to touch wood *(fig)*; **über den D. kalkulieren/peilen** to make/give a rough estimate; **D.abdruck** *m* thumbmark, thumbprint; **D.index** *m* thumb index; **D.schätzung** *f* guestimate

davon *adv* thereof

davongaloppieren *v/i (Preise)* to run away

davonkommen *v/i* to get away; **billig d.** to get off cheaply; **glimpflich d.** to get off lightly; **gut d.** to get a fair deal; **noch einmal d.** to get off the hook; **schlecht d.** to get a bad/raw deal; **ungeschoren/ungestraft d.** to escape scot-free/unscathed, to get away with it

davon|laufen *v/i* 1. to clear off, to run away; 2. *(Preise)* to get out of control, to outstrip; **d.machen** *v/refl* to make/clear off, to scuttle; **sich heimlich/still d.machen** to sneak off, to take French leave *(coll)*, to steal away; **d.tragen** *v/t* to carry away

dazu|geben *v/t* to throw into the bargain; **gratis d.geben** to throw in; **d.gehören** *v/i* to belong to; **d.gehörig** *adj* appertaining, appurtenant, attendant, associated, matching; **d.rechnen** *v/t* to add on; **d.schlagen** *v/t* to add

dazwischen|kommen *v/i* to interfere/interpose/supervene; **d.liegend** *adj* intermediate, intermediary; **d.schalten** *v/t* to bring in; **D.schaltung** *f* interposition, employment of an intermediary; **d.schreiben** *v/t* to intersperse; **D.treten** *nt* intervention, interference; **d.treten** *v/i* to intervene/interfere; **d.tretend** *adj* § mesne

Deal|en *nt* 1. dealing, trading; 2. (drug) trafficking; **D.er** *m* 1. dealer, trader; 2. (drug) trafficker; **D.er-Anteil an den Ankaufskosten** *m* dealer reallowance

Debakel *nt* debacle

Debatte *f* debate, discussion, dispute, controversy

Debatte beschließen to wind up; **D. eröffnen** to open a debate; **zur D. stehen** to be at stake/issue; **nicht ~ stehen** not to be for discussion; **zur D. stellen** to question, to put forward for discussion; **D. verschleppen** to protract a debate

erregte Debatte heated debate; **lebhafte D.** lively debate

Debattier|club *m* debating society; **d.en** *v/ti* to debate/discuss/reason

Debet *nt* debit (side), debtor; **D. und Kredit** debit and credit, debitor and creditor; **in/zum D. stehen** to be on the debit side

Debet|anzeige *f* debit note; **D.beleg** *m* debit voucher; **D.buch** *nt* debit book; **D.buchung** *f* debit entry/item; **D.konto** *nt* debit/debtor account; **D.note** *f* debit note; **D.posten** *m* debit item; **als ~ buchen** to debit; **D.saldo** *nt* debt/debit balance, balance outstanding/due, net outgoings; **D.seite** *f* debit (side); **auf der D.seite** on the debit side; **D.spalte** *f* debit column; **D.umsätze** *pl* bank debits; **D.zeichen** *nt* debit symbol; **D.zinsen** *pl* debit interest, interest on debit balances; **D.zinssatz** *m* lending rate, debit interest rate

debitieren *v/t* to debit/charge

Debitor *m* debtor; **D.en** debtors, receivables, accounts receivable, active debts, customers' accounts; **D.en un** **Kreditoren** personal accounts; **D.en aus Schuldsche** **nen, Wechseln und Akzepten** accounts receivable *[US*

abgetretene Debitoren assigned debts; **ausstehend** **D.** outstanding debts *[GB]*/receivables *[US]*; **divers** **D.** sundry debtors; **dubiose D.** doubtful debtors; **lang** **fristige D.** long-term debts *[GB]*/receivables *[US]*; **s** **chere D.** good debtors; **sonstige/verschiedene D.** sur dry debtors; **zweifelhafte D.** doubtful debtors

Debitoren|abtretung *f* assignment of debts; **D.aufste** **lung/D.auszug** *f/m* accounts receivable statemen **D.ausfälle** *pl* loan write-offs; **D.bestand** *m* (level o accounts receivable; **D.bewegungsdatei** *f* accounts re ceivable journal; **D.buch** *nt* sales/customers' ledge accounts receivable transactions ledger; **D.buchha** **ter(in)** *m/f* sales ledger clerk, accounts receivable ac countant/clerk; **D.buchhaltung** *f* accounts receivab department, sales ledger accounting, accounts recei able accounting; **D.buchung** *f* accounts receivable er try; **D.geschäft** *nt* lending, advances and overdraft loan business; **D.guthaben** *nt* accounts receivable, n receivables; **D.journal** *nt* accounts receivable transac tions ledger; **D.karte** *f* accounts receivable ledge **D.konto** *nt* customer/debtor/debit account, accoun receivable (account); **D.kontoauszug** *m* accounts re ceivable statement; **D.kontokorrent** *m* detail accoun receivable ledger; **D.kredit** *m* accounts receivabl loan; **D.management** *nt* credit management; **D.risik** *nt* default risk; **D.saldo** *m* balance due, debit balanc **D.sätze** *pl* lending rates; **D.stand** *m* debit balance ou standing; **D.steigerung** *f* increase/growth of debt **D.überwachung** *f* accounts receivable managemen **D.umschlag** *m* receivables turnover, (average) days c receivables; **D.umschlagskennzahl** *f* days' sales in re ceivables, debtor days ratio *[GB]*; **D.verkauf** *m* sale c accounts receivable, factoring; **D.verluste** *pl* bad de losses; **D.versicherung** *f* accounts receivable insuranc trade credit insurance; **D.wagnis** *nt* accounts recei able risk; **D.ziehung** *f* bill drawn on a debtor

debitorisch *adj* on the debit side, as a debtor

Debitseite *f* the red

Debüt *nt* début

debutieren *v/i* to make a first appearance

dechiffrieren *v/t* to decipher/decode/unscramble

Deck *nt* ⚓ deck; **an D. verladen** to ship on deck; **I** **überspülen** to wash over the deck

Deck|adresse *f* cover/code address; **D.anstrich** *m* pro tective coat (of paint); **D.beladung** *f* deckload; **D.be** **zeichnung** *f* code name; **D.blatt** *nt* flyleaf

Decke *f* 1. blanket, cover; 2. ceiling; **unter einer I** **stecken** *(coll)* to collude; **sich nach der D. strecke** *(coll)* to make both ends meet *(coll)*, to cut one's co according to one's cloth *(coll)*

Deckel *m* 1. lid, top, cap; 2. cover; **d.n** *v/t (coll)* to cap

decken *v/t* to cover/back/secure; **sich (teilweise) d.** t overlap

Decken|beleuchtung *f* ceiling lights; **D.hänger** *(Werbung)* dangler; **D.lampe** *f* ceiling lamp; **D.miete** tarpaulin/wag(g)on sheet hire

eck|güter/D.ladung *pl/f* ⚓ deck cargo, deckload; **D.konto** *nt* fictitious account; **D.ladungsversicherung** *f* deck cargo insurance; **D.mantel** *m* cover, cloak; **D.name** *m* alias, pseudonym; **D.passage** *f* ⚓ deck passage; **D.passagier** *m* deck passenger

eckung *f* 1. cover(age), covering, provision (of funds); 2. *(Banknote)* backing; 3. *(Kapital)* funds; 4. *(Sicherheit)* security, collateral; 5. *(Termingeschäft)* margin; 6. *(Wechsel)* protection; **mangels D.** for want/lack of funds, for insufficient funds; **ohne D.** uncovered, short

eckung des Akkreditivs cover of a letter of credit (L/C); **D. durch Aktiva** asset coverage; **D. der Anleihezinsen durch den Gewinn** interest times earned; **D. des Annahmerisikos** non-acceptance coverage; **D. der Ausfuhrrisiken** (post-)shipment coverage; **zur ~ Ausgaben** to cover the expenditure; **D. des Bedarfs** meeting of requirements; **D. der Kosten** meeting of cost(s); **D. im Leergeschäft** cover, short covering; **D. politischer Risiken** political risks coverage; **D. gegen alle Schäden und Gefahren** comprehensive cover; **zur D. der Unkosten** in order to meet expenses

eine Deckung no funds (N/F), no effects, effects not cleared

eckung ablehnen to disclaim liability; **D. anschaffen** to provide/furnish cover, to cover/remit, to put the banker in funds, to provide payment; **D. für einen Wechsel anschaffen** to cover a bill; **ohne D. arbeiten** to operate without cover; **D. beschaffen/besorgen** to provide cover(age); **als D. dienen** to serve as cover/collateral *[US]*; **D. gewähren/verschaffen** to provide cover; **D. in Händen haben** to be covered; **als D. hinterlegen** to lodge as cover; **ohne kapitalmäßige D. spekulieren** *(Börse)* to overtrade; **ohne D. verkaufen** to sell short, to shortsell; **mit D. versehen** to furnish/provide with cover

ısreichende Deckung sufficient funds; **erforderliche D.** requisite cover; **genügende D.** ample security, sufficient funds; **totale D.** *(Vers.)* seamless cover; **ungenügende D.** insufficient funds (I/F), not sufficient; **volle D.** *(Vers.)* full cover(age), all-risk(s) cover; **vorgeschriebene D.** *(Vers.)* legal reserve; **vorläufige D.** *(Vers.)* provisional cover(age), binder; **zusätzliche D.** additional cover

eckungs|aktivum *nt* covering asset; **D.anforderung** *f* coverage requirement; **D.anschaffung** *f* provision of cover, remittance of cover funds; **D.anspruch** *m* claim for cover; **D.auflage** *f* 🕮 break-even number of copies; **D.auftrag** *m* covering order; **D.austausch** *m* shifting of funds; **D.beginn** *m* commencement of cover

eckungsbeitrag *m* contribution/price/manufacturing margin, marginal income, variable gross margin/profit, offsetting/profit contribution, current cost returns; **D. in %** contribution margin percentage/ratio; **D. pro Stück** unit contribution margin

eckungsbeitrags|plan *m* contribution budget; **D.rechnung** *f* break-even analysis, contribution income statement, contribution margin accounting/technique, direct/marginal costing, contribution analysis/costing; **D.verhältnis** *nt* marginal income ratio

Deckungs|bescheid/D.bestätigung *m/f* *(Vers.)* cover(ing) note, confirmation of cover; **D.beschränkung** *f (Vers.)* cover restriction; **D.bestand** *m (Vers.)* cover funds; **D.betrag** *m* profit contribution, provision, amount of coverage; **D.darlehen** *nt* covering loan, loan serving as cover; **D.erfordernis** *f* coverage requirement; **D.erweiterung** *f (Vers.)* extension of cover(age); **d.fähig** *adj* 1. eligible to serve as collateral, eligible as cover; 2. *(Vers.)* coverable; **nicht d.fähig** ineligible as cover, ~ to serve as collateral; **gegenseitige D.fähigkeit von Haushaltsmitteln** virement *[frz.]*; **D.faktor** *m* contribution margin ratio; **D.fehlbetrag** *m* deficit; **D.fonds** *m* cover fund; **D.forderung** *f* covering claim; **D.frist** *f (Vers.)* duration of cover; **D.gegenstand** *m (Vers.)* risk, item covered/insured

Deckungsgeschäft *nt* hedge, covering transaction; **D. abschließen** to cover os. forward

deckungs|gleich *adj* consistent; **~ sein 1.** to coincide; 2. *(Aussage)* to agree; **D.grad** *m* liquidity/cash ratio; **D.grenze** *f (Vers.)* cover/legal limit; **D.guthaben** *nt* covering balance, coverage deposit; **D.höhe** *f (Vers.)* cover; **D.kapital** *nt (Vers.)* premium/mathematical reserve, guarantee/reimbursement fund, reserve(s), legal capital, covering capital fund, cover of assurance; **D.kauf** *m (Börse)* short/bear(ish) covering, hedge buying, covering purchase; **D.käufe der Baissiers** bear covering; **~ erzwingen** to squeeze the shorts; **D.klausel** *f* cover/savings clause; **D.kongruenz** *f* matching cover, correctness of cover; **D.konto** *nt* cover/fund account; **D.leistung** *f* contribution margin; **d.los** *adj* short; **D.lücke** *f* shortfall, (budget) deficit/gap; **~ im Staatshaushalt** government budget deficit; **D.masse** *f* cover/guarantee fund, general revenue fund; **D.mittel** *pl* (cover/covering) funds, resources, funds for reimbursement; **ordentliche D.mittel** ordinary budget receipts; **D.nehmer** *m (Vers.)* the insured; **D.note** *f (Vers.)* cover(ing) note; **D.order** *f* covering order; **D.papiere** *pl* securities pledged as collateral; **d.pflichtig** *adj* requiring cover; **D.prämie** *f* premium reserve; **D.prinzip** *nt* expectancy-cover principle; **D.punktanalyse** *f* break-even analysis; **D.quote/D.rate** *f* 1. cover(age)/reserve ratio; 2. *(Exportfinanzierung)* guaranteed/insured percentage, ~ portion; **D.rechnung** *f (Kalkulation)* break-even analysis, marginal/differential costing; **D.register** *nt* cover register; **D.reserve** *f* reserve; **D.rücklage/D.rückstellung** *f* cover/premium/mathematical/insurance reserve, unearned premium; **D.satz** *m* cover ratio, minimum reserve ratio; **D.schein** *m* covering deed, cover(ing) note; **D.schuldurkunde** *f* collateral debt certificate; **D.schuldverschreibung** *f* collateral bond; **D.schutz** *m* insurance cover/protection, coverage, cover; **~ gewähren** to provide/extend/give cover; **D.sicherheit** *f* collateral security; **D.spanne** *f* cover margin

Deckungsstock *m* 1. *(Bausparkasse)* cover fund, guarantee stock, premium reserve fund; 2. *(Vers.)* unearned premium reserve, committed assets

Deckungsstock|anlage *f* covering investment; **d.fähig** *adj* eligible to serve as collateral, ~ for cover funds;

D.fähigkeit *f* eligibility to serve as collateral; **D.vermögen** *nt* cover fund assets
Deckungs|struktur *f* *(Bilanz)* cover ratio; **D.summe** *f* sum insured, total policy value, amount covered, maximum liability insured; **D.summenbegrenzung** *f* limitation of indemnity; **D.umfang** *m (Vers.)* liability insured, extent of cover; **D.umsatz** *m* break-even sales; **D.verfahren** *nt* funding; **D.verfügung** *f* covering warrant; **D.verhältnis** *nt* reserve/cover ratio; **gesetzlich vorgeschriebenes D.verhältnis** legal/stautory reserve requirements; **D.verkauf** *m* hedge selling, covering/hedging sale, resale; **D.vermögen** *nt* cover fund; **D.vorrat** *m (Währung)* cover holding; **D.vorschrift** *f (Geld)* backing regulation; **D.werte** *pl* covering assets
Deckungszeit *f* period of coverage; **D. durch vorausgezahlte Prämie** unexpired risk; **D.punkt** *m* break-even time
Deckungszusage *f (Vers.)* certificate of insurance (c/i), (insurance) binder, binding receipt, cover note; **vorläufige D.** slip, cover(ing) note, provisional cover, binder
Deck|verladung *f* shipment on deck; **D.wort** *nt* code word
Decod|er *m* 🖳 decoder; **d.ieren** *v/t* to decode; **D.ierer** *m* decoder; **D.ierung** *f* decoding
Dedikationsexemplar *nt* complimentary copy
de facto *(lat.)* to all intents and purposes
Defekt *m* defect, fault, malfunction, flaw, failure; **D. beheben** to remedy a defect; **D. haben** to malfunction; **geistiger D.** mental deficiency; **d.** *adj* out of order, defective, faulty, damaged
Defektivzinsen *pl* deficient interest
defensiv *adj* defensive; **in der D.e** *f* on the defensive; **D.marke/D.warenzeichen** *f/nt* defensive trademark; **D.strategie** *f* defensive strategy; **D.streik** *m* defensive strike
Deficit-Spending *nt* deficit spending
definierbar *adj* definable; **schwer d.** hard to define; elusive; **D.keit** *f* definability
definieren *v/t* 1. to define/identify; 2. to circumscribe/spell out; **erneut/neu d.** to redefine; **genau d.** to pinpoint
Definition *f* definition; **genormte D.** formal definition; **D.sbereich** *m* domain of definition; **D.sgleichung** *f* definitional equation
definitiv *adj* definitive, positive
definitorisch *adj* definitional, by definition
Defizit *nt* 1. deficit, shortfall, shortage, the red, short; 2. deficiency, shortcoming, bad, wantage; **ins D.** to the bad
Defizit im Außenhandel foreign-trade deficit; **D. der öffentlichen Hand** public-sector deficit; **D. in der Handelsbilanz** balance-of-trade deficit; **D. im Haushalt** budget deficit; **D. in der Leistungsbilanz; D. in laufender Rechnung** current account deficit, deficit on current account; **D. im Reiseverkehr** tourist deficit; **~ Steueraufkommen** revenue shortfall; **D. durch Steuersatzsenkung** deficit without spending; **D. in der Zahlungsbilanz** balance-of-payments deficit, external deficit
Defizit abbauen/verringern to reduce/staunch the deficit, to whittle down the deficit; **D. abdecken** to cov a deficit; **mit einem D. abschließen; D. aufweisen** show a deficit/loss; **D. ausgleichen/decken** to ma good/up a deficit, to cover a loss; **ins D. geraten** to r into the red, to chalk up a deficit/loss; **plötzlich/nac haltig ~ geraten** to plunge into the red; **im D. sein** to in the red, to run (at) a deficit
strukturelles Defizit structural/built-in deficit; **ver cherungsmathematisches D.** actuarial deficit
defizitär *adj* loss-making, loss-stricken, in deficit, a verse, deficit-ridden, money-losing
Defizit|ausgleich *m (Vertrag)* deficit clause; **D.fina zierung** *f* 1. deficit financing/spending; 2. *(Hausha* deficit budgeting; **D.haushalt** *m* budget in defic **D.land** *nt* deficit country; **D.politik** *f* deficit polic **D.posten** *m* outgoing item; **D.spending/D.wirtscha** *nt/f* deficit spending; **D.voranschlag** *m* deficit proje tion
Deflation *f* deflation; **D. durchführen** to deflate a cu rency; **offene D.** undisguised deflation
deflationär *adj* deflationary
deflationier|en *v/t* to deflate; **D.ungsfaktor** *m* deflat deflationary factor
deflationistisch *adj* deflationary, deflationist
Deflations|- deflationary, deflationist; **D.anhänge D.befürworter** *m* deflationist; **D.bewegung** *f* deflatio ary movement; **D.druck** *m* deflationary pressur **D.faktor** *m* deflator; **D.lücke** *f* deflationary ga **D.marge** *f* deflationary margin; **D.maßnahmen** *pl* d flationary measures; **D.periode** *f* deflation perio **D.politik** *f* deflation(ary) policy, policy of deflatio **D.spirale** *f* deflationary spiral; **D.zeit** *f* deflation peri
Deflator *m* deflator; **d.isch** *adj* deflationary, disinflatio ary, deflationist
Deformation *f (Vers.)* deformation
Defraud|ant *m* defrauder, peculator; **D.ation** *f* frau peculation
Degeneration *f* degeneration; **D.sphase** *f* decline sta
Deglomeration *f* decongestion, deconcentration
degradier|en *v/t* 1. to downgrade/degrade; 2. to d mote; **D.ung** *f* 1. downgrading, reduction in rank; 2. demotion
Degression *f* degression; **D.seffekt/D.sgewinne** *m* economies of scale, scale economies, degressive eff
degressiv *adj* sliding-scale, degressive, declining, o diminishing scale
dehn|bar *adj* elastic, flexible; **d.en** *v/t* to stretch
Deich *m* dike, sea wall; **D.ordnung** *f* dike law/ordinan **D.schleuse** *f* floodgate(s)
dekartellisier|en *v/t* to decartelize/deconcentra **D.ung** *f* decartelization, deconcentration
Deklaration *f* 1. declaration; 2. ⊝ entry; **D. zur Zo einlagerung** warehousing entry
Deklarations|formular *nt* declaration form; **D.prote** *m* declaratory protest; **D.schein** *m* declaration certi cate, bill of entry; **D.wert** *m* declared value
deklaratorisch *adj* declaratory
deklarieren *v/t* ⊝ to declare/enter; **zu wenig d.** *(Ware* to underbill

deklassieren *v/t* to degrade
Dekompositions|methode *f* decomposition method; **D.prinzip** *nt* decomposition principle
Dekonzen|tration *f* deconcentration; **d.ieren** *v/t* to deconcentrate
Dekorateur *m* 1. house furnisher; 2. *(Schaufenster)* windowdresser, displayer
Dekoration *f* 1. display; 2. *(Schaufenster)* windowdressing
Dekorations|fenster *nt* display window; **D.stoffe** *pl* soft furnishings, furnishing fabrics; **D.stück** *nt* ornament; **D.ware** *f* goods on display
dekorativ *adj* ornamental
dekorieren *v/t* 1. to decorate; 2. *(Schaufenster)* to display
Dekort *m* deduction, rebate; **D.franchise** *f* deductible amount
dekotieren *v/t* *(Börse)* to delist
Dekret *nt* decree; **d.ieren** *v/t* to decree/ordain
Delegation *f* delegation, deputation; **D. von Kompetenz/Verantwortung** delegation of authority; **D. leiten** to head a delegation
Delegations|befugnis *f* power of delegation; **D.bereich** *m* delegated decision area; **D.chef(in)/D.leiter(in)** *m/f* head of delegation; **D.mitglied** *nt* member of a delegation
delegieren *v/t* to delegate; **nach unten d.** to delegate down the line
Delegierten|büro *nt* delegate office; **D.konferenz/D.versammlung** *f* delegate conference
Delegierte(r) *f/m* delegate
delikat *adj* delicate, tricky, awkward
Delikatessengeschäft *nt* delicatessen shop
Delikt *nt* § tort, wrong, offence, tortious act
fortgesetztes Delikt continued offence; **geringfügiges D.** petty offence; **politisches D.** political offence; **strafbares D.** actionable tort; **verwandte D.e** kindred offences; **völkerrechtliches D.** offence under international law; **zivilrechtliches D.** (actionable) tort
delikt|isch *adj* § tortious; **D.sanspruch** *m* § claim based on tort
deliktfähig *adj* capable of tortious liability, ~ unlawful acts; **D.keit** *f* capacity for tortious liability, ~ to commit unlawful acts; **beschränkte D.keit** limited capacity for unlawful acts; **volle D.keit** unlimited capacity to commit unlawful acts
Delikthaftung *f* liability in tort, tortious liability
Delinquent *m* offender, delinquent
Delphi|-Methode *f* delphi method; **D.-Prognose** *f* jury-of-executive opinion
Delkredere *nt* surety, guarantee, del credere, provision for contingent losses; **D. anbieten** to offer guarantee; **D. stehen** to stand surety; **D. übernehmen** to assume the credit risk/del credere, to stand surety, to guarantee payments/performance/accounts; **individuelles D.** individual contingency reserve
Delkredere|agent *m* del credere agent; **D.fonds** *m* contingency fund; **D.geschäft** *nt* del credere business; **D.haftung** *f* del credere liability; **D.klausel** *f* guarantee/del credere clause; **D.kommission** *f* del credere commission; **D.konto** *nt* contingency/del credere account, provision for doubtful debts; **D.provision** *f* guarantee/del credere commission; **D.reserve** *f* contingency reserve; **D.risiko** *nt* collection/del credere risk; **D.rückstellung** *f* contingency/del credere reserve, contingency fund, provision for doubtful debts; **D.versicherung** *f* credit/del credere insurance, doubtful debt insurance; **D.vertrag** *m* del credere agreement; **D.vertreter** *m* del credere agent; **D.wertberichtigung** *f* write-down of uncollectible receivables, allowance for doubtful accounts
Delle *f* *(Grafik)*/🚗 dent
Delta *nt* delta; **D.hedge** *m* delta hedge
Demark|ation *f* demarcation; **d.ieren** *v/t* to demarcate
Dementi *nt* denial, disclaimer, disavowal; **amtliches D.** official denial; **entschiedenes D.** emphatic/flat denial; **formelles D.** official denial
dementieren *v/t* to deny/disclaim
Demission *f* resignation; **D. einreichen** to tender one's resignation; **d.ieren** *v/i* to resign
demobilisier|en *v/t* to demobilize; **D.ung** *f* demobilization
Demograf *m* demographer; **D.ie** *f* demography; **d.isch** *adj* demographic
Demokrat *m* democrat; **D.ie** *f* democracy; **~ im Betrieb** industrial democracy; **d.isch** *adj* democratic
demokratisier|en *v/t* to democratize; **D.ung** *f* democratization; **~ der Arbeit** democratization of work
demolier|en *v/t* to demolish/wreck/vandalize; **D.ung** *f* demolition
demonetisier|en *v/t* to demonetize/withdraw; **D.ung** *f* demonetization, withdrawal
Demonstrant *m* demonstrator
Demonstration *f* demonstration, march; **D.sanlage** *f* pilot/demonstration plant; **großtechnische D.anlage** commercial demonstration plant
demonstrativ *adj* demonstrative, as an exhibit
demonstrieren *v/ti* 1. to demonstrate, to hold a demonstration; 2. to hit the streets *[US]*, to take to the streets
Demontage *f* dismantlement, dismantling
demontier|en *v/t* to dismantle/strip/disassenble, to break up; **d.t** *adj* completely knocked down (ckd), dismantled; **D.ung** *f* dismantling
demoralisier|en *v/t* to demoralize/deprave; **D.ung** *f* demoralization
Demoskop *m* (opinion) pollster; **D.ie** *f* (public) opinion research; **d.isch** *adj* (public) opinion
Demotivation *f* demotivation
demütig *adj* submissive, humble, meek; **d.en** *v/t* to humiliate; **D.ung** *f* humiliation
demzufolge *adv* thereby
denaturalis|ieren *v/t* to denaturalize, to deprive of citizenship status; **D.ierung/D.ation** *f* denaturalization
denaturier|en *v/t* 1. *[EU]* to methylate/denature; 2. to pervert the nature (of sth.), to emasculate; **D.ung** *f* *[EU]* denaturing
Denk|ansatz *m* starting point; **D.anstoß** *m* food for thought *(fig)*; **D.arbeit** *f* mental effort; **d.bar** *adj* thinkable, conceivable, possible, potential

Denken *nt* (way of) thinking; **kostenbewusstes D.** cost-consciousness; **schlussfolgerndes D.** deductive reasoning; **unternehmerisches D.** entrepreneurial thinking; **wirtschaftliches D.** economic thinking

denken *v/i* to think/believe/consider; **zu d. geben** to give food for thought; **kaufmännisch d.** to think in commercial terms; **praktisch d.** to have a practical (turn of) mind

Denk|fabrik *f (fig)* think tank *(fig)*; **D.fähigkeit** *f* reasoning skills; **D.mal** *nt* monument; **D.malschutz** *m* architectural conservation; **D.modell** *nt* idea, line of reasoning, conceptual model, working hypothesis; **D.pause** *f* cooling-off period; **D.richtung** *f* school/line of thought; **D.schrift** *f* memorandum, memoir

Denkungsart *f* bent of mind

Denk|weise *f* way of thinking; **d.würdig** *adj* memorable

Dentist *m* dentist, dental surgeon

Denunz|iant *m* informer; **d.ieren** *v/t* to inform against, to denounce

depalettier|en *v/t* to depalletize; **D.er** *m* depalletizer

Dependence *f* 1. *(Laden)* satellite store; 2. *(Hotel)* annexe

Depesche *f* cable, dispatch, wire; **D.nanschrift** *f* telegraphic address; **D.nbüro** *nt* dispatch agency

depeschieren *v/t* to cable/wire

deplatziert *adj* inappropriate

Deponent *m* depositor, bailor, bank depositor; **D.enaktien** *pl* deposited shares

Deponie *f* 1. refuse dump, waste/refuse disposal site, disposal site/facility, landfill (site), dumping ground, tip; 2. repository; **D.gas** *nt* landfill gas; **D.gaswerk** *nt* landfill gas plant

deponier|en *v/t* 1. *(Geld)* to deposit/lodge, to place on deposit, to hand over for safekeeping; 2. *(Abfall)* to landfill/bury; **wieder d.en** to redeposit; **d.t** *adj* in/upon deposit

Deponierung *f* 1. lodg(e)ment, depositation; 2. goods deposit, consignation, consignment; 3. *(Abfall)* landfilling, tipping; **neuerliche D.** redeposit

Deponiestandort *m* landfill site, waste disposal site

Deport *m* 1. backwardation, deport; 2. discount, delayed delivery penalty

Deportation *f* deportation

Deportgeschäft *nt* backwardation business

deportier|en *v/t* to deport; **D.ung** *f* deportation; **D.ter** *m* deportee

Deport|kurs/D.satz *m* backwardation rate, forward discount rate

Deposit *nt* deposit; **D.en** deposits, deposited funds

befristete Depositen time/term deposits; **sofort/täglich fällige D.** demand/sight deposits; **nicht in Anspruch genommene D.** unclaimed deposits; **durch effektive Einlagen geschaffene D.** primary deposits; **durch Kreditgewährung ~ D.** derivative/secondary deposits

Depositar *m* depositary, bailee

Depositen|abteilung *f* deposit department, ~ banking division/department; **D.bank** *f* deposit(ary) bank, bank of deposit; **D.bankgeschäft** *nt* commercial banking; **D.brief** *m* certificate of deposit; **D.buch** *nt* pass/deposit book; **D.einlagen** *pl* (time) deposits, deposited funds; **D.gelder** *pl* deposit(ed) funds, deposits, money on deposit, consigned money; **D.geschäft** *nt* deposit banking/function, acceptance of deposits; **D.guthaben** *n* bank deposit; **D.inhaber** *m* depositor; **D.kapital** *nt* deposited funds; **D.kasse** *f* 1. deposit account department 2. agency, sub-branch

Depositenkonto *nt* deposit account/ledger, depositors ledger; **D. mit festgesetzter Fälligkeit** deposit accoun with fixed maturity; **~ vereinbarter Kündigungsfris** deposit account at notice

Depositen|kunde *m* depositor; **D.posten** *m* deposi item; **D.register** *nt* deposit/depositors' ledger; **D. schein/D.zertifikat** *m/nt* certificate of deposit (C/D) deposit receipt; **D.sparen** *nt* saving through deposit ac counts; **D.versicherung** *f* (bank) deposit insurance **D.volumen** *nt* total deposits; **D.zinsen** *pl* interest o deposits

Depot *nt* 1. *(Bank)* deposit, portfolio, safe custody (ac count) *[GB]*, custodian(ship) account *[US]*; 2. *(Lager* depot, dump, (distribution) warehouse, storage, store house; 3. *(Gegenstände)* deposits; **als D.** on deposit; **i D.** in/upon deposit; **D. für unverzollte Ware** bonde warehouse; **in D. geben** to place on deposit; **D. ver walten** to manage a (securities) portfolio

auf Wertsteigerung angelegtes Depot aggressive por folio; **effizientes D.** effcient portfolio; **festes D.** speci deposit; **gemischtes D.** balanced portfolio; **geschlosse nes D.** trust deposit; **gesperrtes D.** frozen/blocked de posit; **hochrentierliches D.** high-yield portfolio; **no leidendes D.** securities in abeyance; **offenes D.** saf custody *[GB]*/custodianship *[US]* account, open depos it; **unregelmäßiges D.** irregular deposit; **verschlosse nes D.** safe/sealed deposit

Depot|abstimmung *f* securities deposit reconciliatio **D.abteilung** *f (Bank)* safe custody *[GB]*/securitie *[US]* department; **D.aktien** *pl* deposited share **D.analyse** *f* portfolio analysis; **~ durchführen** to co duct a portfolio analysis; **D.anspruch** *m* claim for d posit; **D.aufbewahrung** *f* safe custody; **D.aufglied rung** *f* portfolio breakdown/description; **D.aufste lung/D.auszug** *f/m* statement of securities deposited, safe custody account, list of deposited securitie **D.ausgang** *m* securities sold; **D.bank** *f* depositor custodian bank, deposit company; **D.berechtigter** depositor, entitled person, holder of a securities a count; **D.bescheinigung** *f* trust receipt, deposit certi cate, safe custody receipt *[GB]*, deposit slip *[US* **D.besitz** *m* securities portfolio; **D.bestand** *m (Wertp piere)* portfolio holdings; **D.bewertung** *f* portfolio va uation; **D.buch** *nt* securities ledger *[GB]*, safe depos register *[US]*; **D.buchhaltung** *f* securities accounts d partment; **D.eingang** *m* securities purchased; **D.em fangsbescheinigung** *f* deposit slip, safe custody recei (slip); **D.garantie** *f* depository bond; **D.gebühr** *f* sa custody charges/fee, holding charge, custodian/sa keeping fee; **D.geld** *nt* fixed-date time deposit; **D geschäft** *nt* 1. custodianship; 2. (security) depos banking/business, portfolio deal/management, cu todian business, safe custodies, safe custody of securities and valuables; **D.- und Kreditgeschäft** commercial banking; **D.gewichtung** *f* portfolio weighting; **D.gutschrift** *f* (advice of) credit to security deposit account; **D.handel** *m* silent trade; **D.inhaber** *m* 1. depositor; 2. holder of a safe custody account; **D.kommissionär** *m* deposit trading agent; **D.konto** *nt* deposit/securities/custody account, custodian(ship) account; ~ **für Fondsanteile** share custody account; **D.kosten** *pl* custody cost(s); **D.kredit** *m* loan against securities in custodian account; **D.kunde** *m* depositor; **D.manager** *m* depot manager; **D.miete** *f* safe deposit rent; **D.mischung** *f* portfolio mix; **D.nummer** *f* custody account number; **D.pflicht** *f* obligation to deposit; **D.primanota** *f* securities accounts journal; **D.prüfung** *f* audit of deposited securities; **D.quittung/D.schein** *f/m* 1. deposit receipt/slip; 2. certificate of deposit (C/D), custody/banker's receipt; **D.statistik** *f* securities accounts statistics; **D.stelle** *f* safe custody, depositary; **D.stellung** *f* booking into safe custody account; **D.steuer** *f* bank deposit tax *[US]*; **D.stimmrecht** *nt* proxy (voting power), voting rights pertaining to shares held in safe custody, ~ of nominee shareholders; ~ **ausüben** to exercise proxy votes; **D.stück** *nt* safe-custody item, security held on deposit; **D.übersicht** *f* list of deposited securities; **D.übertrag** *m* transfer of securities; **D.umbuchung** *f* transfer of securities, transmission of shares; **D.umschichtung** *f* portfolio shift/switch(ing); ~ **bei starken Kursschwankungen** anomaly switching; **D.unterlagen** *pl* deposit records; **D.unterschlagung** *f* misappropriation of deposited items; **D.veränderung** *f* portfolio change; **D.verbindlichkeiten** *pl* custody account liabilities; **D.verkehr** *m* portfolio transfers; **D.verpfändung** *f* pledging of deposited securities; **D.versicherung** *f* deposit insurance, safe deposit box insurance; **D.vertrag** *m* safe-custody contract; **d.verwahrt** *adj* kept on deposit; **D.verwahrung** *f* securities custody; **D.verwahrungsart** *f* type of securities deposit; **D.verwalter** *m* portfolio manager, account officer; **D.verwaltung** *f* portfolio management, administration of safe-custody/custodianship accounts, safe custody account administration; **D.verwaltungsgebühr** *f* safe-custody charges; **D.verzeichnis** *nt* memorandum of deposits, deposit list *[US]*; **D.volumen** *nt (Bank)* custody accounts; **D.wechsel** *m* collateral/deposit/pawned bill, bill in pension/on deposit; **D.wert** *m (Wertpapiere)* portfolio value; **D.wertvergleich** *m* comparative valuation of deposited securities; **D.zertifikat** *nt* certificate of deposit (C/D), deposit certificate; **D.zusammensetzung** *f* portfolio selection; **D.zwang** *m* compulsory safe custody

Depression *f* depression, slump, business panic

deprimierlend *adj* depressing; **d.t** *adj* depressed, dispirited

Deputat *nt* 1. allowance/payment in kind; 2. ⛏ concessionary fuel allowance; **D.entlohnung** *f* production sharing

Deputation *f* deputation

Deputatlkauf *m* employee's reduced-price purchase; **D.kohle** *f* concessionary fuel allowance, ~ coal

Deputierter *m* delegate

Deregulierung *f* deregulation, liberalization

Dereliktion *f* dereliction

Derivat *nt* derivative; **D.bestand** *m* derivatives holding; **D.ehandel** *m* derivatives trading; **d.iv** *adj* derivative

Deroglation *f* § derogation, part-repeal of a statute; **d.ieren** *v/t* to derogate, to repeal parts of a statute

Deroutle *f (Börse)* collapse, slump, panic; **d.ieren** *v/t (Börse)* to upset the market

Derrickkran *m* derrick tower gantry

Desaggreglation/D.ierung *f* breakdown, disaggregation

Design *nt* design; **grundlegendes D.** design baseline; **D.änderung** *f* design change

Designationsrecht *nt* power of appointment

Designler *m* designer; **D.ergebnis** *nt* design output; **D.er-Mode** *f* designer fashion

designierlen *v/t* to designate/elect; **D.ungsverfahren** *nt (IWF)* designation procedure

Designlkomplexität *f* design complexity; **D.lenkung** *f* design control; **D.merkmal** *nt* characteristic of design; **D.phase** *f* design phase, stage of design; **D.planung** *f* design planning; **D.programm** *nt* design program; **D.prüfung** *f* design review; **D.review** *f* design review; **D.tätigkeit** *f* design activity; **D.verifizierung** *f* design verification; **D.vorgabe** *f* design input

desillusionierlen *v/t* to disillusion; **d.t** *adj* disenchanted; **D.ung** *f* disenchantment

Desinfektion *f* disinfection; **D.smittel** *nt* disinfectant

deslinfizieren *v/t* to disinfect; **D.inflation** *f* disinflation; **d.inflationär** *adj* disflationary; **D.information** *f* disinformation; **D.integration** *f* disintegration

Desinteressle *f* lack of interest, unconcern; **d.iert** *adj* uninterested, lackadaisical, detached

desinvestieren *v/t* to disinvest

Desinvestition *f* disinvestment, negative investment; **geplante D.** intended/planned disinvestment; **D.speriode** *f* recovery period; **D.sprogramm** *nt* disinvestment program(me); **D.vorgang** *m* disinvestment process

Desktop-Applikation *f* desktop application

Desorganisation *f* disorganisation, chaos

Despot *m* despot; **d.isch** *adj* despotic; **D.ismus** *m* despotism

Dessin *nt* pattern, design

destabilisierlen *v/t* to destabilize; **d.end** *adj* destabilizing, disequilibrating; **D.ung** *f* destabilization

Destillation *f* 🏭 distilling, distillation; **D.sanlage** *f* distilling/distillation plant; **D.skapazität** *f* distilling capacity; **D.sprodukt** *nt* distillate

destillierlen *v/t* to distil; **D.ung** *f* distilling

Destinator *m* consignee, beneficiary

destruktiv *adj* destructive, counter-productive

Detail *nt* 1. detail; 2. *(Handel)* retail; **D.s** particulars, niceties; **ins D. gehen** to go into detail; **en d. verkaufen** to sell at retail

Detaillbericht *m* detailed report; **D.frage** *f* question of detail; **D.geschäft** *nt* retail business; **D.handel** *m* retail trade; **D.handelskette** *f* retail chain; **D.handelsumsätze** *pl* retail sales; **D.händler** *m* retailer, retail dealer/

trader; **D.informationen** *pl* detailed information
detaillier|en *v/t* to itemize/specify/detail; **d.t** *adj* in detail, in-depth; **D.ung** *f* itemization
Detaillist *m* retailer
Detail|kenntnisse *pl* detailed/expert knowledge; **D.kollektion** *f* primary collection; **D.planung** *f* detailed/fine-tune planning; **D.preis** *m* retail price; **D.schilderung** *f* detailed description; **D.studie** *f* detailed study; **D.verkauf** *m* retail sale; **D.verkäufer** *m* 1. retailer; 2. *(Börse)* jobber; **D.waren** *pl* retail goods; **D.zeichnung** *f* detail drawing; **D.zwischenhändler** *m* retail middleman
Detektei *f* detective agency, private investigation agency
Detektiv *m* detective, private eye *(coll)*, sleuth *(coll)*; **D.büro** *nt* private investigation agency
Detergens *nt* ⚗ detergent
Determinante *f* determinant
Deton|ation *f* blast, detonation; **d.ieren** *v/i* to detonate
deuteln *v/i* to quibble
deuten *v/t* to interpret, to make (of sth.); **falsch d.** to misinterpret
deutlich *adj* 1. distinct, definite, marked, perceptible; 2. appreciable, conspicuous, clear-cut, hefty, explicit, pronounced; 3. loud and clear; **d. unter** well below
Deutsche Angestelltengewerkschaft (DAG) German Union of Salaried Workers; **D. Bundesbahn (DB)** German Federal Railways; **D. Bundesbank** Federal Bank of Germany, German central bank; **D.s Bundespatentamt** German Federal Patent Office; **D. Bundespost** German Federal Post Office; **D.r Gewerkschaftsbund (DGB)** German Federation of Trade Unions; **D. Industrienorm (DIN)** DIN standard, German Industrial Standard; **D.r Industrie- und Handelstag (DIHT)** Association of German Chambers of Industry and Commerce; **D.r Richtertag** Congress of German Judges; **D.r Städtetag** Association of German Municipal Corporations; **D. Terminbörse (DTB)** German futures market
Deutschstämmige(r) *f/m* ethnic German
Deutung *f* construction, interpretation, reading
devalorisier|en *v/t* to devalorize; **D.ung** *f* devalorization
Devalu|ation *f* devaluation; **d.ieren** *v/t* to devaluate/devalorize
Devise *f* motto
Devisen *pl* (foreign) exchange, foreign currency, exchange instruments; **D. zu Tageskursen** bills at the day's quotation; **in D. zahlbar** payable in currency
Devisen anmelden to declare foreign exchange; **D. aufnehmen** to take up amounts of foreign currency; **D. beantragen** to apply for foreign exchange; **D. beschaffen** to provide foreign currency; **mit D. eingedeckt sein** to be long of exchange *[GB]*; **D. tauschen** to exchange currencies; **D. übernehmen** to take in foreign currency; **D. umrechnen** to convert foreign currencies; **in D. zahlen** to pay in foreign currency
blockierte/eingefrorene Devisen blocked foreign exchange; **nicht frei konvertierbare D.** blocked currency; **kursgesicherte D.** rate-hedged foreign exchange
Devisen|- foreign-currency, foreign-exchange; **D.abfluss/D.abgang** *m* (foreign) currency outflow/drai flow of foreign funds, outflow of foreign exchang **D.abkommen** *nt* foreign exchange agreement, curre cy agreement; **D.abrechnung** *f* foreign exchang clearing/statement/settlement; **D.abrechnungsstelle** foreign exchange clearing office; **D.abteilung** *f* foreig exchange department; **D.abwehrmaßnahme** *f* ex change controls on inflows; **D.allokation** *f* currency a location; **D.anforderungen** *pl* currency/exchange re quirements, currency demands; **D.ankauf** *m* purchas of foreign currency; **D.ankaufskurs** *m* buying rat **D.anleihe** *f* foreign-currency loan; **D.anspannung** foreign exchange squeeze
Devisenarbitrage *f* currency/exchange arbitrage, ar bitration of exchange, foreign exchange arbitrage, di ferential (foreign exchange) deal(s); **D. in drei Wäh rungen** triangular exchange; **direkte/einfache I** direct/simple arbitrage; **indirekte D.** indirect arbitra ge/exchange
Devisen|aufgeld *nt* premium on exchange; **D.aufwan** *m* exchange cost(s)/expenditure
Devisenausgleich *m* offset payments, offsetting, equal zation; **D.sabkommen** *nt* exchange offset agreemen **D.sfonds** *m* exchange stabilization/equalization fun **D.skonto** *nt* exchange equalition account
Devisen|ausländer *m* non-resident (in terms of foreig exchange regulations); **D.ausleihung** *f* foreign curren cy borrowing; **D.bank** *f* exchange bank; **D.bedarf** need of foreign exchange; **D.behörden** *pl* foreig exchange authorities; **D.belastung** *f* foreign exchang burden; **D.berater** *m* foreign exchange adviser/consult ant; **D.beschaffung** *f* procurement of foreign exchange **D.bescheinigung** *f* foreign exchange certificate; **D.be schränkungen** *pl* currency/(foreign) exchange restric tions; **D.bestände** *pl* foreign exchange funds/hold ings/reserves, currency/monetary reserves, currency exchange holdings, holdings of exchange, reserve ba ances; **D.bestimmungen** *pl* currency/foreign exchang regulations, exchange (control) regulations; **~ aufhe ben** to dismantle/lift currency conrols, ~ exchange con trols; **nicht ausgenutzte D.beträge** remaining foreig exchange; **D.betriebsfonds** *m* foreign exchange work ing fund; **D.betriebskapital** *nt* currency working fun
Devisenbewirtschaftung *f* (foreign) exchange/curren cy/monetary control(s), control of foreign exchange **D. abbauen** to dismantle exchange controls; **D.sbe stimmungen** *pl* exchange control regulations; **D.smaß nahmen** *pl* exchange controls
Devisen|bilanz *f* net inflow/outflow of foreign exchange foreign exchange account/movement, balance of for eign exchange payments; **D.bonus** *m* percentag allowance for earners of foreign currency; **D.börse** currency exchange, foreign exchange market; **amtli che D.börse** official foreign exchange bourse; **d.brin gend** *adj* foreign-exchange earning; **D.bringer** *m* cur rency/foreign exchange earner; **D.buch** *nt* currenc book; **D.buchhaltung** *f* currency/foreign exchange ac counting; **D.-Call** *m* currency call; **D.clearing** *n* exchange clearing; **D.deckung** *f* exchange cove

D.derivat *nt* currency/foreign exchange derivative; **D.eigenhandel** *m* foreign exchange dealings for own account; **D.einbringer** *m* foreign currency earner; **D.eingänge** *pl* inflow/influx of foreign exchange; **D.eingangsanmeldung** *f* notification of foreign exchange received; **D.einkünfte** *pl* foreign exchange/overseas earnings; **D.einnahmen** *pl* foreign exchange earnings, currency receipts, exchange proceeds; **D.einnahmequelle** *f* currency/foreign exchange earner; **D.engagement** *nt* foreign currency exposure, (foreign) exchange commitments; **D.erfordernisse** *pl* (foreign) exchange requirements; **D.ergebnisrechnung** *f* foreign exchange result report; **D.erklärung** *f* currency declaration; **D.erlaubnis** *f* foreign exchange permit; **D.erleichterungen** *pl* relaxion of currency controls, exchange facilities; **D.erlös/D.ertrag** *m* foreign exchange proceeds/earnings; **D.erwerb** *m* purchase of foreign exchange; **D.experte** *m* foreign exchange analyst; **D.forderung** *f* foreign currency claim; **D.freibetrag/D.freigrenze** *m/f* (foreign) currency allowance; **D.future** *nt* forex future; **D.gebühren** *pl* exchange fees; **D.genehmigung** *f* (foreign) exchange permit, exchange authorization, treasury licence

Devisengeschäft *nt* (foreign) exchange transaction/business, transaction in foreign exchange, currency/spot transaction, forex trade, swap; **D.e** foreign exchange trading/trade, dealings in foreign exchange; **sich mit D.en befassen; D.e durchführen** to transact foreign exchange business

Devisen|gesetz *nt* foreign exchange act; **D.gesetzgebung** *f* foreign exchange legislation; **D.gewinn** *m* foreign exchange earnings, exchange gains; **D.guthaben** *nt* foreign currency/exchange holdings, currency assets, assets in foreign currency

Devisenhandel *m* (foreign) exchange dealings/business/trade/trading/transactions, currency dealings, dealings in foreign exchange, forex trade; **intervalutarischer D.** cross exchange dealing; **kurzfristiger D.** short exchange *[GB]*; **D.sgeschäfte** *pl* foreign exchange dealings/business, currency dealings; **D.splatz** *m* currency exchange, foreign exchange market

Devisen|händler *m* currency dealer/trader, (foreign) exchange dealer/trader, money/forex dealer; **zugelassener D.händler** authorized dealer; **D.haushalt** *m* foreign exchange budget/position; **D.hoheit** *f* monetary sovereignty; **D.inländer** *m* resident (in terms of foreign exchange regulations); **D.investition** *f* foreign currency investment

Devisenkassa|geschäft *nt* spot (exchange) transaction; **D.handel** *m* foreign exchange spot transaction, spot business in foreign exchange; **D.kurs** *m* spot exchange rate, quotation on spot exchange; **D.markt** *m* foreign exchange spot market, spot exchange market; **D.notierung** *f* quotation on spot exchange

devisen|knapp *adj* short of foreign exchange; **D.knappheit** *f* (foreign) exchange/currency shortage, scarcity of currency, shortage/lack of (foreign) exchange, exchange stringency; **D.kommissionsgeschäft** *nt* foreign exchange transaction for customers; **D.komponente** *f* currency element; **D.kontingent** *nt* foreign exchange quota; **D.kontingentierung** *f* foreign exchange control/allocation/rationing; **D.konto** *nt* foreign currency/exchange account; **D.kontrakt** *m* currency contract; **D.kontrolle** *f* 1. (foreign) exchange/currency control; 2. ⊖ currency check; **D.kontrollen lockern** to relax foreign exchange controls; **D.kredit** *m* foreign currency loan, foreign exchange credit

Devisenkurs *m* (commercial) rate of exchange, (foreign) exchange rate, currency price; **amtlicher D.** official exchange rate; **freier D.** free exchange rate; **künstlich gehaltene D.e** pegged exchange rates; **in Pence notierte D.e** direct rates *[GB]*

Devisenkurs|arbitrage *f* foreign exchange arbitrage; **D.berechnung** *f* calculation of exchange; **D.blatt** *nt* list of foreign exchanges; **D.feststellung** *f* exchange rate fixing; **D.gewinne** *pl* currency profits; **D.liste** *f* exchange list; **D.notierung** *f* exchange rate quotation; **D.schwankungen** *pl* exchange rate fluctuations; **D.sicherung** *f* forward exchange covering, (exchange) rate hedging, exchange rate covering/guarantee; **D.sicherungsgeschäft** *nt* currency hedging transaction; **D.zettel** *m* list of foreign exchange

Devisen|lage *f* foreign exchange position; **D.leihe** *f* foreign currency loan; **D.leihgeschäft** *nt* currency arbitrage lending; **D.makler** *m* (foreign) exchange broker, cambist; **D.management** *nt* foreign currency management; **D.mangel** *m* lack/scarcity of foreign exchange, currency shortage, lack/scarcity of currency, foreign exchange stringency/shortage

Devisenmarkt *m* (foreign) exchange/currency market, the foreign exchange; **am D. intervenieren** to intervene in the foreign exchange market; **geregelter D.** regulated foreign exchange market; **gespaltener D.** two-tier/split/dual foreign exchange market

Devisenmarkt|geschehen *nt* exchange market activities; **D.intervention** *f* exchange market intervention; **D.kurs** *m* exchange market rate; **D.störungen** *pl* currency unrest

Devisen|mehrankäufe *pl* net foreign exchange purchases; **D.mittelkurs** *m* middle rate; **D.notierung** *f* currency/foreign exchange quotation, quotation of foreign exchange rates; **D.operationen** *pl* foreign exchange transactions/deals

Devisenoption *f* currency/forex option; **D.enkauf** *m* forex option purchase; **D.enverkauf** *m* forex option sale; **D.sgeschäft** *nt* currency option, foreign exchange/forex transaction

Devisen|pensionsgeschäft *nt* 1. purchase of foreign exchange for later resale; 2. sale of foreign exchange for later repurchase; **D.plafond** *m* foreign exchange limit/ceiling; **D.politik** *f* exchange policy; **D.polster** *nt* exchange reserves, currency assets; **D.portefeuille** *nt* foreign exchange holdings; **D.position** *f* foreign exchange/currency position, foreign currency/exchange exposure, position sheet; **~ eingehen** to open a foreign exchange position; **D.primanota** *f* foreign exchange journal; **D.-Put** *m* currency put; **D.quote** *f* foreign exchange quota; **D.quotierung** *f* foreign exchange rationing; **D.reportgeschäft** *nt* swap; **D.reserven** *pl* (foreign) exchange/currency reserves; **D.restriktionen** *pl* currency restrictions/controls, exchange restrictions/controls; **D.risiko** *nt* foreign exchange risk; **D.rückfluss** *m* reflux of foreign currency; **D.rücklage** *f* currency reserve; **D.rücküberweisung** *f* repatriation of foreign exchange; **D.sache** *f* foreign exchange matter; **D.schieber** *m* currency profiteer/racketeer, illegal currency operator; **D.schiebung** *f* currency racket, illegal foreign exchange transsaction; **D.schmuggel** *m* currency smuggling, smuggling of foreign exchange; **d.schwach** *adj* short of foreign exchange, with low foreign currency reserves; **D.schwankungen** *pl* currency fluctuations; **D.sicherungsinstrument** *nt* currency hedging instrument; **D.skontro** *nt* foreign exchange holding record book; **D.spekulation** *f* currency/foreign exchange speculation; **D.sperre** *f* currency/exchange embargo; **D.spielraum** *m* foreign exchange margin; **D.status** *m* foreign exchange position; **D.strom** *m* currency flow; **~ in die D-Mark leiten** to channel foreign currency into deutschmarks; **D.ströme** flow of foreign currencies; **D.-Swap(geschäft)/D.tausch(geschäft)** *m/nt* currency/foreign exchange swap

Devisenterminlbörse *f* forward currency market; **D.geschäft** *nt* forward (foreign) exchange transactions/dealings/contract, forward currency operation, future exchange transactions, outright forward transaction/exchange deal, exchange futures; **D.handel** *m* forward exchange trading/transactions; **D.kontrakt** *m* foreign exchange future; **D.kurs** *m* forward exchange rate; **D.markt** *m* foreign exchange futures market, forward exchange (market); **D.operation** *f* forward foreign exchange transaction; **D.politik** *f* forward exchange policy; **D.verkauf** *m* forward currency sale

Devisenltransfer *m* currency transfer, transfer of foreign exchange; **D.überschuss** *m* foreign exchange/currency surplus; **D.überwachung** *f* currency control(s); **D.umrechnung** *f* currency conversion; **D.verbindlichkeiten** *pl* currency liabilities; **D.verfügbarkeit** *f* availability of foreign exchange; **D.vergehen** *nt* currency offence, violation of foreign exchange regulations; **D.verkauf** *m* foreign currency sale; **D.verkaufskurs** *m* selling rate

Devisenverkehr *m* currency dealings, foreign exchange transactions; **freier D.** freedom of exchange operations, parallel market; **D.sbeschränkungen** *pl* currency/exchange restrictions; **D.skontrollsystem** *nt* system of exchange controls

Devisenlverlust *m* loss on foreign exchange, exchange loss, re-exchange leakage *[GB]*; **D.verpflichtungen** *pl* foreign-exchange commitments; **D.verrechnungsabkommen** *nt* exchange clearing agreement; **D.volatilität** *f* foreign exchange volatility; **D.vorleistung** *f* foreign exchange prepayment; **D.vorräte** *pl* currency reserves; **D.vorschriften** *pl* currency regulations, exchange rules; **D.währung** *f* (foreign) exchange/currency standard; **D.wechsel** *m* foreign exchange bill/draft, currency bill/draft; **langfristiger D.wechsel** long exchange; **D.wert** *m* 1. foreign exchange/currency value; 2. foreign security/asset; **D.wertberichti**gung *f* foreign exchange/currency adjustment; **frei**
D.wirtschaft free currency transactions; **D.zahlung**
currency payment; **D.zugang/D.zufluss** *m* currency in
flow, influx/inflow of foreign currency, ~ exchange
accrual of exchange; **D.zuteilung** *f* 1. foreign currenc
allocation, allocation of foreign exchange/currency; 2
(Fremdenverkehr) tourist allowance; **D.zwangswirt**
schaft *f* foreign exchange controls, currency controls

dezentral *adj* decentralized; **D.isation** *f* decentralizatio

dezentralisierlen *v/t* to decentralize/localize/depart
mentalize; **D.ung** *f* 1. decentralization, localization, re
gionalization; 2. *(Politik)* devolution *[GB]*

Dezernat *nt* 1. department, division, section, opera
tion/functional area; 2. *(Polizei)* squad

Dezernent *m* head of department

Dezibel *nt* decibel

Dezil *nt* ▦ decile

Dezimall- decimal; **D.komma/D.punkt** *nt/m* decima
point; **D.punktkonstante** *f* π basic real constan
D.schreibweise *f* decimal notation; **D.stelle** *f* decima
digit/place; **D.system** *nt* decimal system; **D.währung**
decimal currency/coinage; **D.wert** *m* decimal value
D.zahl *f* decimal

dezimierlen *v/t* to decimate, to thin out/down; **D.ung**
decimation, drastic reduction

DGB *m* → Deutscher Gewerkschaftsbund

Dia *nt* → **Diapositiv**

Diabetiker(in) *m/f* $ diabetic

Diagnose *f* diagnosis, analysis; **D.programm** *nt* 🖳
diagnostic program/routine

Diagnostik *f* 1. diagnosis; 2. 🖳 diagnostics; **D.pro**
gramm *nt* 🖳 diagnostic program/routine

diagnostizieren *v/t* to diagnose

diagonal *adj* diagonal; **D.e** *f* diagonal; **D.produktregel**
diagonal product rule; **D.regression** *f* diagonal regressio

Diagramm *nt* diagram, graph, chart; **D.konstruktion**
diagram design

Dialog *m* 1. dialogue *[GB]*, dialog *[US]*; 2. consultatio
[US]; **sozialer D.** labour-management consultations
wirtschaftspolitischer D. economic policy dialogue

Dialoglbetrieb *m* 🖳 conversational/interactive mode
D.buchhaltung *f* conversational accounting; **D.daten**
verarbeitung *f* dialog processing; **D.gerät** *nt* conver
sational computer; **D.rechner** *m* interactive compute
D.sprache *f* interactive language; **D.system** *m* conver
sational system; **D.terminal** *nt* interactive termina
D.transaktion *f* interactive operation; **D.verarbei**
tung *f* conversational mode; **D.verfahren** *nt* dialo
processing; **D.verkehr** *m* interactive mode

Dialysegerät *nt* $ dialysis machine

Diamant *m* diamond; **geschliffener D.** cut diamond
hochwertiger D. high-grade diamond; **ungeschliffe**
ner D. rough diamond

Diamantenlbörse *f* diamond exchange; **D.händler** *r*
diamond merchant; **D.schleifen** *nt* diamond cutting

Diamantmine *f* diamond mine

diametral *adj* 1. diametrical; 2. *(Ansicht)* diametricall
opposed

Dia|positiv *nt* transparency, slide; **D.-Projektor** *m* slide projector
Diät *f* 1. *(Abgeordneter)* parliamentary pay, attendance fee; 2. *(Ernährung)* diet; **D.en** emoluments; **D.assistent(in)** *m/f* diatician
Dichotomie *f* dichotomy
dicht *adj* 1. dense, tight, compact; 2. *(Nebel)* thick; 3. closely knit; **d. an d.** chock-a-block
Dichte *f* density, compactness; **D.funktion** *f* density function
dicht gedrängt *adj* packed; **d.halten** *v/i* to keep mum *(coll)*, ~ one's mouth shut; **nicht d.halten** to spill the beans *(coll)*
Dichtung *f* ✿ gasket, seal; **D.smittel** *nt* sealant; **D.sring** *m* washer
dick *adj* fat, thick; **D.e** *f* diameter, thickness; **d.fellig** *adj* thick-skinned; ~ **sein** to have a thick skin
Dickicht *nt* thicket
Dieb(in) *m/f* 1. thief, pilferer; 2. *(Einbrecher)* burglar; **gewerbsmäßiger D.** professional thief; **kleiner D.** petty thief, pilferer
Diebes|bande *f* gang/pack of thieves; **D.gut** *nt* stolen goods/property, spoils, loot, swag *(coll)*; **D.nest** *nt* den of thieves; **d.sicher** *adj* thief-proof; **D.werkzeug** *nt* thief's tools and instruments
diebisch *adj* light-fingered
Diebstahl *m* 1. theft, burglary, stealing, § larceny; 2. *(geringfügig)* pilfering, pilferage; **Diebstähle** thieving; **D., Beraubung, Nichtauslieferung** § theft, pilferage, non-delivery (t.p.n.d.); **D. geistigen Eigentums** plagiarism, theft of ideas; **des D.s schuldig** guilty of theft; **geistigen D. begehen bei** to pick so.'s brain, to plagiarize; **literarischen D. begehen** to plagiarize
einfacher Diebstahl plain theft, simple larceny; **geistiger D.** plagiarism; **kleiner D.** petty theft/larceny; **literarischer D.** plagiarism; **räuberischer D.** robbery, violent larceny; **schwerer D.** aggravated theft, compound larceny
Diebstahl|gefahr *f* theft risk; **D.klausel** *f* theft clause; **d.sicher** *adj* burglar-proof, theft-proof, thief-proof; **D.sicherung** *f* burglar alarm, anti-theft device; **D.versicherung** *f* theft insurance, insurance against theft
dienen *v/i* to serve/act/attend, to be of service; **d. als** to serve as; **d. zu** to serve sth.; **d.d** *adj* § servient
Diener *m* servant, valet, waiter; **Ihr ergebener D.** *(Brief)* Your (most) obedient servant; **D.schaft** *f* servants, domestic staff
dienlich *adj* 1. helpful, useful; 2. expedient, advisable; 3. conducive (to), serviceable; **etw. nicht für d. halten** not to think sth. advisable; **d. sein** to be of service; **D.keit** *f* usefulness
Dienst *m* service, duty, attendance, work; **D.e** employ; **außer D.** retired; ~ **D.en (a.D.)** retired from service; **im D.** on duty; **nicht im D.** off duty; **im D.e von** in the service of; **D. nach Vorschrift** work-to-rule, work by the book; **im D. befindlich/stehend bei** attendant on/upon; **im aktiven D. stehend** active (official); **in D. gestellt** ⚓ commissioned; **stets zu Ihren D.en** always at your service

seine Dienst|e anbieten to offer/tender one's services; **seinen D. antreten** to start work, to take up one's duties, ~ a post; **aus dem D. ausscheiden** to retire; **D. beenden** to go off duty; **D. beginnen** to commence duties; **vom D. beurlauben** to suspend; **in jds. D.e eintreten** to enter into so.'s service; **aus dem D. entfernen/entlassen** to dismiss, to remove from office; **D. erweisen** to render a service; **jdm einen guten D. erweisen** to do so. a good turn; **schlechten D. erweisen** to do/perform a disservice; **D. haben** to be on duty; **D. leisten** to render a service; **sich zum D. melden** to report for duty/work; **in D. nehmen** to employ/hire/engage, to take into service; **jds. D.e in Anspruch nehmen** to enlist so.'s services; **D. quittieren** to resign, to quit one's job; **aus dem D. scheiden** to resign/retire/quit; **im D. sein** to be on duty; **nicht ~ sein** to be off duty; ~ **stehen** to serve; **jdm zu D.en stehen** to wait on so.; **außer D. stellen** 1. to decommission/withdraw, to take out of service; 2. *(zeitweilig)* ⚓ to mothball *(fig)*; **in D. stellen** to put into service, to commission; **wieder ~ stellen** to recommission/demothball; **D. tun** to be on duty; **D. nach Vorschrift tun** to work to rule; **seinen D. verrichten/versehen** to do one's job; **sich der D.e von jdm versichern** to secure so.'s services
anwaltliche Dienst|e professional services of a lawyer; **auswärtiger/diplomatischer D.** diplomatic service; **einfacher D.** lower grade, subclerical service class; **eingeschränkter D.** skeleton service; **gehobener D.** higher grade, executive service class; **geleistete D.e** services rendered; **gute D.e** good offices; **höherer D.** administrative service class, senior civil service; **konsularischer D.** consular service; **mittlerer D.** clerical service class; **niedrige D.e** menial services; **öffentlicher D.** public/civil service, public employment; **schlechter D.** disservice; **soziale D.e** social services; **technischer D.** technical service/staff, engineering staff; **treue D.e** faithful service; **unentgeltlicher D.** free service
Dienst|abwesenheit *f* absence from duty; **D.abzeichen** *nt* badge; **D.alter** *nt* length/years of service, (job) seniority; **höheres D.alter** seniority (of tenure); **d.älter** *adj* senior
Dienstalters|prinzip *nt* seniority principle; **D.stufe** *f* grade of seniority; **D.zulage** *f* seniority allowance/pay, long service award, service increment
dienst|ältest *adj* longest serving, most senior; **D.älteste(r)** *f/m* senior; **D.angebot** *nt* offer of service; **D.angelegenheit** *f* official business; **D.anschluss** *m* office telephone; **D.antritt** *m* beginning of work, assumption of office; **sich zum ~ melden** to report for service; **D.anweisung** *f* standing instructions, (service) instruction, staff regulations; **D.auffassung** *f* sense of duty
Dienstaufsicht *f* supervision; ~ **führen** to be in charge; **D.sbehörde** *f* supervisory/superior authority; **D.sbeschwerde** *f* disciplinary/formal complaint; **D.sverfahren** *nt* disciplinary proceedings
Dienst|auftrag *m* service order; **D.aufwand** *m* service expense; **D.aufwandsentschädigung** *f* service/expense allowance; **D.ausübung** *f* discharge of one's duties;

D.ausweis *m* ID (identity) card, (official) pass, ~ identification card; **D.auto** *nt* office car, official vehicle, company car; **d.bar machen** *adj* to utilize

Dienstbarkeit *f* 1. § servitude; 2. *(Immobilien)* easement; **D. ablösen** to commute an easement; **D. einräumen** to grant an easement; **D. löschen** to release an easement

beschränkte Dienstbarkeit 1. § limited personal servitude; 2. restricted easement; **herrschende D.** dominant tenement; **negative D.** negative servitude/easement; **persönliche D.** personal servitude; **positive/unbeschränkte D.** positive/affirmative easement; **sichtbare D.** apparent servitude; **staatliche D.** *(internationales Recht)* state servitude; **subjektive D.** easement in gross

Dienst|befehl *m* official/routine order; **d.beflissen** *adj* zealous, assiduous, officious; **D.beflissenheit** *f* zealousness, assiduty, assiduousness, officiousness; **D.befreiung** *f* leave; **D.beginn** *m* commencement of work

Dienstbehörde *f* authority; **oberste D.** top-level authority, highest administrative authority; **vorgesetzte D.** superior authority

Dienst|bereich *m* sphere, competence; **d.bereit** *adj* 1. *(Person)* on duty; 2. *(Geschäft)* open; 3. stand-by; **D.bereitschaft** stand-by duty; **~ haben** to be on duty/call; **D.besprechung** *f* conference; **D.betrieb** *m* routine; **D.bezeichnung** *f* designation of post, title, grade, rank; **D.bezüge** *pl* emoluments, remuneration, salary; **ruhegehaltsfähige D.bezüge** pensionable pay; **D.bote/D.botin** *m/f* servant; **D.boteneingang** *m* service entrance; **D.eid** *m* oath of office; **D.eifer** *m* zeal; **d.eifrig** *adj* zealous; **D.einkommen** *nt* salary; **D.einstufung** *f* service rating; **D.enthebung** *f* discharge; **vorläufige D.enthebung** suspension from duty; **D.entlassung** *f* dismissal; **D.erfindung** *f* employee/service invention; **D.erfüllung** *f* exercise of one's duties; **D.exemplar** *nt* office copy; **d.fähig** *adj* fit for service/duty; **D.fahrzeug** *nt* official/service vehicle, company car; **d.frei** *adj* free, day off, off-duty, non-working; **D.gang** *m* errand; **D.geber** *m* employer; **D.gebrauch** *m* official use; **D.gehalt** *nt* salary; **D.geheimnis** *nt* official/trade secret; **D.gehorsam** *m* subordination; **D.geschäft** *nt* official business; **D.gespräch** *nt* ✆ business/official call

Dienstgrad *m* rank; **D. mit Patent** substantive rank; **D.herabsetzung** *f* demotion

Dienst|gut *nt* § socage; **d.habend** *adj* on duty, in charge, duty; **D.handlung** *f* official act; **D.herr** *m* principal, master, employer; **D.hoheit** *f* independent power of employment; **D.jahre** *pl* years of service; **anrechenbare/ruhegehaltsfähige D.jahre** reckonable years of service, pensionable service; **D.jubiläum** *nt* anniversary; **D.karte** *f* ID (idenification) card; **D.kleidung** *f* uniform, working dress; **D.kraftfahrzeug** *nt* service vehicle; **d.leistend** *adj* service-rendering; **D.leister** *m* service producer/provider, person providing a service; **logistischer D.leister** logistics services provider

Dienstleistung *f* service; **D.en** 1. services; 2. invisible trade, invisibles

Dienstleistungen einer Agentur agency service; D **der Banken** banking services; **~ Firma** corporate ser vices; **D. im Marketingbereich** marketing service **D. der Versicherungen** insurance services; **D. für di Wirtschaft** business services; **D. der Wirtschaftsför derung** business support services

Dienstleistung anbieten to market a service; **D. er bringen** to render/provide/perform a service

erbrachte Dienstleistungen services rendered, outpu of services; **ergänzende D.** back-up services; **freibe rufliche D.** professional services; **fremde D.** pur chased services; **haushaltsbezogene D.** household-re lated services; **öffentliche D.** public(-utility) service **soziale D.** social services; **staatliche D.** governmen services; **städtische D.** urban/municipal services; **ver wandte D.** allied services; **zusätzliche D.** auxiliar services

Dienstleistungs|abend *m* late closing night; **D.abkom men** *nt* service agreement

Dienstangebot *nt* service offered/offering, mix/port folio/range of services; **D. der Bank** bank service facil ities; **mit komplettem/umfassendem/vollem D.** full service

Dienst|auftrag *m* service order; **gesetzlicher D.auftra** public service obligation (PSO); **D.ausfuhr** *f* servic exports; **D.ausführung** *f* service performance; **D.be reich** *m* services/tertiary sector, tertiary industry **D.beruf** *m* service occupation; **D.betrieb** *m* servic enterprise/company; **öffentlicher D.betrieb** publi service; **d.bezogen** *adj* service-oriented; **D.bilanz** balance of invisible trade, invisible balance, ~ import and exports, invisibles, services account; **D.bilanz überschuss** *m* surplus on invisibles; **D.branche** *f* ser vice industry; **D.bündel** *nt* service package; **D.einfuh** *f* service imports; **D.entgelt** *nt* service charge/fee **D.erbringer** *m* renderer of a service, service provide provider of services; **D.erträge** *pl* yield from services **D.firma** *f* service company; **D.forderung** *f* service re quirement; **D.freiheit** *f* freedom of service-rendering **D.garantie** *f (Vers.)* services policy; **D.geber** *m* pro vider of services; **D.gebühr** *f* service fee/charge; **D.ge nossenschaft** *f* service cooperative; **D.geschäft** *n* service business/transaction; **D.geschäfte** agency ser vices, service transactions; **D.gesellschaft** *f* 1. servic economy/society; 2. non-trading/service company **D.gewerbe** *nt* service trade/industry, tertiary industry non-manufacturing industries; **D.handwerk** *nt* ser vice-rendering craft, handicraft enterprise; **D.industri** *f* service economy/industry; **D.kalkulation** *f* servic costing; **D.kategorie** *f* services category; **D.kompo nente** *f* service component; **D.konsum** *m* consumptio of services; **D.konto** *nt* invisible account; **D.kosten** *p* cost of services; **D.lastenheft** *nt* service brief; **D.mar ke** *f* service badge/mark; **D.marketing** *nt* service mar keting; **D.nachfrage** *f* demand for services; **D.organi sation** *f* service organisation; **d.orientiert** *adj* service oriented; **D.paket** *nt* service package; **D.palette** array/range of services; **D.pflicht** *f* duty to render ser vices; **D.pflichtenheft** *nt* service brief; **D.prämie**

service charge/fee; **D.qualität** *f* quality of service, service quality; **D.rechner** *m* 🖳 host computer; **D.sektor** *m* services/tertiary sector, non-productive industries; **D.sortiment** *nt* range of services; **D.sparte** *f* services sector, category of service-rendering; **D.ströme** *pl* movements of services; **D.unternehmen** *nt* service corporation (SC) *[US]*, service business/firm/enterprise/provider; **D.verkehr** *m* services, service transactions/trade, invisible imports and exports; **freier D.verkehr** freedom to provide services, free supply of services; **D.verpflichtung** *f* service obligation; **D.vertrag** *m* [§] service contract, contract of service; **D.vorgang** *m* service operation; **D.wirtschaft/D.zweig** *f/m* → **D.sektor**

Dienst|lich *adj* official, on business; **D.lohn** *m* pay; **D.mädchen** *nt* domestic servant, maid; **D.mann** *m* (street) porter; **D.marke** *f* 1. revenue stamp; 2. badge of office; **D.obliegenheit** *f* official duty; **D.ordnung** *f* service/official regulations, decree regulating working conditions; **D.ort** *m* duty station, place of employment/office; **D.pass** *m* pass; **D.personal** *nt* 1. servants; 2. employees, staff, personnel

Dienstpflicht *f* 1. duty; 2. ⚔ military/compulsory service; **D.en** responsibility of office; **von den ~ entbinden** to suspend (from office); **D. verletzen** to neglect one's duty; **D.verletzung** *f* neglect of duty, violation of official duty

Dienst|plan *m* 1. rota; 2. (duty-)roster; **D.planerstellung** *f* rostering; **D.post** *f* official mail; **D.prämie** *f* bonus, gratuity; **D.programm** *nt* 🖳 utility/service program, ~ routine; **D.rang** *m* seniority (of position); **D.reise** *f* business trip/travel; **auf D.reise** travelling on business; **D.rente** *f* service pension *[GB]*

Dienstsache *f* official business; **gebühren-/portofreie D.** ✉ official, On His/Her Majesty's Service (OHMS) *[GB]*; **geheime D.** classified matter

Dienst|schluss *m* closing hours, finishing-off time; **D.schreiben** *nt* official letter; **D.siegel** *nt* official stamp/seal, seal of office, office seal; **D.sitz** *m* registered office, residence

Dienststelle *f* department, office, bureau, agency, authority, sub-office

ausführende Dienststelle implementing agency; **ausstellende D.** issuing office; **nachgeordnete D.** subordinate agency/authority; **oberste D.** supreme service authority; **öffentliche D.** public office; **zuständige D.** proper department

Dienststellen|gliederung *f* departmental structure; **D.leiter** *m* chief of (the) agency/office

Dienst|stellung *f* official position; **D.stempel** *m* official stamp; **D.strafe** *f* disciplinary punishment/penalty

Dienststraf|gericht *nt* disciplinary tribunal; **D.kammer** *f* disciplinary court; **D.ordnung** *f* disciplinary rules; **D.verfahren** *nt* disciplinary proceedings

Dienst|stunden *pl* office/business hours; **nicht ruhegehaltsfähige D.tätigkeit** non-pensionable service; **d.tauglich** *adj* ⚔ able-bodied; **d.tuend** *adj* in charge, on duty; **frankierter D.umschlag** penalty envelope; **d.unfähig** *adj* unfit for work, disabled; **D.unfähigkeit** *f* disability, disablement; **D.unfall** *m* occupational/industrial accident; **d.untauglich** *adj* unfit; **D.vereinbarung** *f* service agreement; **D.vergehen** *nt* [§] malfeasance, disciplinary offence, breack/neglect of duty

Dienstverhältnis *nt* employment; **öffentlich-rechtliches D. und Treueverhältnis** civil service status; **D. beenden** to terminate a contract of employment; **ins D. übernommen werden** to become a public employee

Dienst|vernachlässigung *f* dereliction of duty; **d.verpflichten** *v/t* to conscript; **D.verpflichtung** *f* 1. *(Person)* conscription; 2. *(Sache)* requisition (order); **D.verpflichtungsvertrag** *m* *(Lehrling)* indenture; **D.versäumnis** *nt* dereliction of duty; **D.verschaffungsvertrag** *m* contract for the procurement of services; **D.verschwiegenheit** *f* official discretion

Dienstvertrag *m* service contract/agreement, contract of service/employment, employment contract; **D. lösen** to terminate a contract; **gültiger D.** unexpired service contract

Dienst|verweigerung *f* refusal to work; **D.vorgesetzte(r)** *f/m* superior; **D.vorschrift** *f* service/official regulation; **D.wagen** *m* official/company car, service vehicle

Dienstweg *m* official channels, chain of command, channels for orders; **auf dem D.** through the proper/official/authorized channels; **D. benutzen** to go through (the proper) channels; **D. einhalten** to use the proper channels, to go through the channels; **D. nicht einhalten** to jump channels

dienst|widrig *adj* contrary to regulations; **D.widrigkeit** *f* irregularity; **D.wohnung** *f* company dwelling/flat, official residence, service flat

Dienstzeit *f* period/length of service, work(ing) hours, tenure; **außerhalb der D.** out of hours; **anrechnungsfähige D.** qualifying period of service; **ruhegehaltsfähige D.** pensionable employment period

Dienst|zeugnis *nt* testimonial, reference; **D.zimmer** *nt* 1. office; 2. *(Richter)* chambers; **D.zulage** *f* service allowance; **D.zwang** *m* compulsory service

diesbezüglich *adv* to this effect

Diesel|fahrzeug *nt* diesel-engined road vehicle (derv), diesel-powered vehicle *[US]*; **D.kraftstoff** *m* diesel (oil/fuel), derv *[GB]*; **D.lokomotive** *f* diesel engine/locomotive; **D.motor** *m* diesel engine; **D.öl** *nt* diesel/gas oil

diesjährig *adj* this year's, of this year

diffamier|en *v/t* to defame/calumniate/vilify; **d.end** *adj* defamatory; **D.ung** *f* defamation, calumny, vilification

Differential *nt* π differential; **D.einkommen** *nt* differential income; **D.fracht** *f* ⚓ differential freight rate; **D.gleichung** *f* π differential equation

Differentialkosten *pl* differential cost; **D.rechnung** *f* differential costing; **D.spanne** *f* cost differential

Differential|lohnsystem *nt* differential piece-rate system; **D.politik** *f* differentials policy; **D.rechnung** *f* π differential calculus; **D.rente** *f* differential profit/return/rent, economic rent/surplus, windfall profits; **D.stücklohn** *m* differential piece rate; **D.tarif** *m* differential tariff; **D.zoll** *m* differential tariff, discriminating duty

Differenz *f* 1. difference, spread *[US]*, discrepancy; 2. margin, balance, shortfall; 3. *(Meinung)* difference of opinion, disagreement
Differenz zwischen Angebot und Nachfrage demand-supply gap; ~ **Kaufpreis und Buchwert** acquisition excess; ~ **Kassa- und Terminpreis** basis; ~ **Überschussreserven und Zentralbankkrediten** net borrowed reserves; ~ **Umlaufvermögen und kurzfristigen Verbindlichkeiten** working capital; ~ **Zahl und Wort** *(Scheck)* discrepancy in amounts
Differenz halbieren/teilen to split the difference; **D.en summieren** to total deviations; **ausgewogene D.en** balanced differences; **statistische D.** residual item
Differenz|abgabe *f* ⊖ differential charge; **D.besteuerung** *f* differential charge; **D.betrag** *m* difference, balance, discrepancy, residual quantity; ~ **übernehmen/zahlen** to make up the difference, to settle the balance; **D.bildung** *f* working out the difference; **D.frachtsatz** *m* differential freight rate; **D.geschäft** *nt (Börse)* margin business, call, gambling in futures; **D.geschäfte machen** to speculate for differences, to stag *[GB]*; **D.gewinnrate** *f* rate of return over cost; **D.gleichung** *f* π difference equation; **D.handel** *m* margin business
differenzier|en *v/t* to distinguish/differentiate, to discriminate (between); **D.ung** *f* differentiation, modification, discrimination
Differenziertheit *f* sophistication; **regionale D.** regional distinctions
Differenz|investition *f* fictitious investment; **D.konto** *nt* difference/over-and-short account; **D.kosten** *pl* marginal/differential/relevant/avoidable/incremental cost(s); **D.methode** *f* variate difference method; **D.posten** *m* reconciling/balancing item, errors and omissions (e & o); **D.wert** *m* marginal value; **D.zahlung** *f* marginal payment; **D.zoll** *m* differential duty
differieren *v/i* to differ/vary
diffus *adj* diffuse
Diffusion *f* diffusion; **D.sindex** *m* ▦ diffusion index; **D.stheorie** *f* diffusion theory (of taxation)
digital *adj* digital; **D.abschreibung** *f* life-period method, sum-of-the-years digit method; **D.anzeige** *f* 🖳 digital display; **D.computer/D.rechner** *m* digital computer
digitalisier|en *v/t* to digitalize; **D.tablett** *nt* 🖳 graphic data table; **D.ung** *f* digitalization
Digital|technik *f* digital technology; **D.uhr** *f* digital watch/clock
Diktaphon *nt* dictaphone, dictation machine
Diktat *nt* 1. dictation; 2. *(Politik)* dictate; **D. aufnehmen** to take dictation; **nach D. schreiben** to write from dictation; **D. übertragen** to transcribe notes; **nach D. verreist** dictated by ... and signed in his/her absence
Diktator *m* dictator; **d.isch** *adj* dictatorial
Diktatur *f* dictatorship; **D. des Proletariats** dictatorship of the proletariat
Diktatzeichen *nt* reference/identification initials
diktier|en *v/t* to dictate; **D.gerät** *nt* dictating/dictation machine, dictaphone; **D.taste** *f* dictate bar
Diktion *f* diction

Diktum *nt* saying, dictum
dilatorisch *adj* dilatory
Dilemma *nt* dilemma, predicament, quandary, star[k] choice; **sich in einem D. befinden** to be in a quandary ~ on the horns of a dilemma
Dimension *f* dimension; **richtig d.ieren** *v/t* to right-size **D.sanalyse** *f* factor analysis
DIN-Norm *f* DIN standard
Ding *nt* thing, object, article; **unverrichteter D.e ab[-] ziehen** to return empty-handed; **eine Menge ~ behan[-] deln** to cover a lot of ground; **(krummes) D. drehe[n]** *(coll)* to pull sth. off, ~ a job *(coll)*; **krumme D.e dre[-] hen** *(coll)* to be on the fiddle *(coll)*; **über beruflich[e] D.e sprechen** to talk shop; **es geht nicht mit rechte[n] D.en zu** there is something fishy about it; **wie die D. lie[-] gen** as matters stand
dingen *v/t* to hire/employ
ding|fest machen to run in, to nail *(coll)*; **nicht ~ ge[-] macht werden** to escape detection; **d.lich** *adj* 1. rea[l] material, collateral; 2. § in rem *(lat.)*
Diplom *nt* diploma, certificate, degree; **D. für Fortge[-] schrittene** advanced certificate; **D.-Agrarökonom** *[m]* Master of Agrarian Economics; **D.and(in)** *m/f* grad[-] uand; certificate holder; **D.arbeit** *f* thesis, dissertation
Diplomat *m* diplomat
Diplomaten|beruf *m* diplomatic profession; **D.gepäc[k]** *nt* diplomatic luggage; **D.koffer** *m* executive (brief-case, attaché case; **D.pass** *m* diplomat's passport **D.sichtvermerk** *m* visa for diplomatic officials
Diplomat|ie *f* diplomacy; **d.isch** *adj* diplomatic
Diplom|-Betriebswirt *m* graduate in business adminis[-] tration/management, master of business administratio[n] (M.B.A.); **D.-Dolmetscher** *m* certified interpreter
diplomiert *adj* certified, certificated, chartered
Diplom|ingenieur *m* certified engineer, academicall[y] trained engineer, qualified engineer; **D.inhaber** *m* di[-] ploma/certificate holder, graduate; **D.-Kaufmann** *[m]* graduate in business administration/management Bachelor/Master of Business Administration (BBA M.B.A.); **D.-Landwirt** *m* agricultural graduate, agri[-] culturist, Master of Agriculture; **D.-Ökonom/D. Volkswirt** *m* economics graduate, graduate in (politi[-] cal) economics, Master of Economics; **D.-Politologe** *[m]* Master of Political Science; **D.-Soziologe** *m* Master o[f] Arts (Sociology), Master of Science (Social Sciences) **D.-Wirtschaftsingenieur** *m* graduate in industrial en[-] gineering, Master of Science (Industrial Engineering (MSc)
direkt *adj/adv* 1. direct, immediate, outright, straigh[t] first-hand, proximate; 2. forthright, plain-spoken; 3 *(Radio/Fernsehen)* live
Direkt|abbuchung *f* direct debiting; **D.absatz** *m* direc[t] sell(ing)/marketing/sale; **D.akquisition** *f* direct can[-] vassing; **D.aufruf** *m* 🖳 fast path; **D.ausfuhr** *f* direct ex[-] porting; **D.ausleihungen** *pl* direct loans; **D.bank** *f* re[-] mote bank; **D.belieferung** *f* direct/drop shipment, di[-] rect supply; **D.bezug/D.einkauf/D.erwerb** *m* direc[t] buying/purchasing; **D.buchung** *f* 🖳 on-line accoun[t-] ing/posting; **D.buchungssystem** *nt* on-line accountin[g]

system; **D.daten** *pl* immediate data; **D.diskont** *m* direct discounting; **D.einfuhr** *f* direct importing; **D.eingabe** *f* direct input; **D.emission** *f* direct issue/offering; **D.empfang** *m* direct reception; **D.entnahme von Trinkwasser aus Flüssen** *f* direct abstraction of drinking water from rivers; **D.export** *m* direct exporting; **D.exporte** direct exports; **D.finanzierung** *f* direct financing; **D.flug** *m* through flight; **D.geschäft** *nt* direct business; **D.handel** *m* direct commerce/trade; **D.händler** *m* dealer; **D.heit** *f* straightforwardness; **D.hypothek** *f* direct mortgage loan; **D.import** *m* direct import(ing); **D.investition** *f* direct investment; **ausländische D.investitionen** direct foreign investment; **D.investment** *nt* private placement

Direktion *f* 1. management, administration; 2. head office, headquarters; 3. board

Direktionalprinzip *nt* principle of executive prerogative

Direktions|- managerial; **D.assistent** *m* management secretary, assistant manager; **D.ausschuss** *m* steering/management committee; **D.befugnis** *f* right to issue instructions; **D.beschluss** *m* management decision; **D.gremium** *nt* board of management; **D.recht** *nt* executive prerogative, right to issue instructions

Direktive *f* directive, instruction(s)

Direkt|kostenrechnung *f* direct costing; **D.kredit** *m* direct loan/credit; **D.kredite** direct financing/borrowing/lending; **D.lieferung** *f* direct/drop shipment; **D.marketing** *nt* direct marketing; **D.operand** *m* 💻 direct operand

Direktor *m* 1. director, manager, executive; 2. *(Bildungseinrichtung)* master, warden, head, principal; 3. *(Schule)* headmaster; 4. *(Gefängnis)* governor

geschäftsführender Direktor managing director, president *[US]*; **kaufmännischer D.** business/commercial manager; **leitender D.** managing director; **stellvertretender D.** deputy manager/director, assistant manager, executive vice president *[US]*; **technischer D.** director of engineering, technical director/manager, chief of operations; **turnusmäßig zuständiger D.** alternate director

Direktor|amt/D.at *nt* directorate, directorship

Direktoren|posten *m* directorate, directorship; **D.stelle** *f* 1. directorship; 2. *(Schule)* headship

direktorial *adj* directorial, managerial; **D.prinzip** *nt* board leadership principle

Direktorin *f* 1. manageress; 2. *(Schule)* headmistress, school mistress

Direktorium *nt* board of directors/management, executive management, managing board, directorate, governing body; **im D.** on the board; **D. der Bank von England** Court of Directors of the Bank of England; **D.smitglied** *nt* board member

Direktplatzierung *f* *(Emission)* direct placement

Direktrice *f* manageress

Direkt|rufnetz *nt* 1. 💻 quick-line network; 2. ✆ self-dialling network; **D.schulden** *pl* direct debts; **D.schuldner(in)** *m/f* direct debtor; **D.sendung** *f* *(Radio/Fernsehen)* live broadcast; **D.steuerung** *f* direct control; **D.subventionen** *pl* direct aid; **D.übertragung** *f* 1. ✆ direct transmission; 2. *(Radio/Fernsehen)* live transmission; **D.überweisung** *f* direct transfer; **D.unterbringung** *f* *(Wertpapiere)* direct placement; **D.verbindung** *f* 1. direct link; 2. 🚃/✈ through connection, through train, direct flight

Direktverkauf *m* direct selling/sale/sell, personal/door-to-door selling; **D. über Haushaltsreisende** door-to-door selling; **persuasiver D.** forced selling

Direkt|verkehr *m* *(Verkauf)* direct transactions/dealing; **D.verladungseinrichtung** *f* roll-on/roll-off facilities; **D.verpflichtung** *f* direct commitment; **D.versand/D.verschiffung** *m/f* direct/drop shipment; **D.versandwerbung** *f* direct mail advertising; **D.versicherer** direct/original insurer, ~ underwriter; **D.versicherung** *f* direct/original insurance; **D.vertretung** *f* direct representation; **D.vertrieb** *m* direct sale/selling/sell/marketing; **D.verzehr(sbereich)** *m* in-hand sector; **D.wahl** *f* 1. *(Politik)* direct election/voting; 2. ✆ trunk dialling; **D.werbung** *f* direct advertising, direct-mail promotion; **~ durch die Post** direct-mail advertising; **D.zugriff** *m* 💻 random/direct access; **D.zugriffsspeicher** *m* random access memory (RAM); **D.zusage** *f* direct commitment

dirigieren *v/t* 1. to manage/direct/steer; 2. *(Ware)* to route; 3. *(Musik)* to conduct

Dirigismus *m* regulation, dirigism, planned economy, regimentation; **staatlicher D.** planned economy; **zu starker D.** over-regulation; **wirtschaftlicher D.** regulation of business

dirigistisch *adj* dirigistic; **nicht d.** non-dirigistic

Disaggregation *f* disaggregation

Disagio *nt* (loan/debt) discount, disagio; **Disagien** long-term debts; **mit D.** at a discount/disagio; **D. bei Ausgabe von Schuldverschreibungen** bond discount; **D. und Kreditaufnahmekosten** debt discount and expense; **mit D. verkaufen** to sell at a discount

Disagio|anleihe *f* non-interest-bearing/deep discount bond; **D.aufwand** *m* disagio cost; **D.betrag** *m* discount on loan received, discount sum; **D.erträge** *pl* discounts earned; **D.gewinn** *m* income from loan discounts; **D.zusatzdarlehen** *nt* additional loan to cover discount

Discounter *m* discounter, discount house *[US]*, cut-price shop

Discount|geschäft/D.laden *nt/m* cut-price/discount shop, discount house *[US]*; **D.händler** *m* discount dealer; **D.kette** *f* discount chain

Diskette *f* 💻 (floppy) disk/disc, diskette; **D.nbegleitzettel** *m* disk accompanying note; **D.nlaufwerk** *nt* (floppy) disk drive; **D.nspeicher** *m* disk storage

Diskont *m* 1. discount, rate of discount; 2. rebate, rediscount; **D.en** 1. discount(ed) bills, discounts; 2. *(Bilanz)* discount holdings; **ab(züglich) D.** less discount; **bar ~ D.** cash less discount; **mit D.** at a discount

Diskont anheben to raise the bank rate; **zum D. bringen/einreichen** to present for discount; **D. einräumen/gewähren** to allow/grant a discount; **D. erhöhen** to raise the bank *[GB]*/rediscount *[US]* rate; **D. herabsetzen** to reduce/cut the discount; **in D. nehmen** to take on discount; **D. senken** to lower (the) bank *[GB]*/rediscount *[US]* rate; **D. vergüten** to allow a discount

amtlicher Diskont bank rate *[GB]*, rediscount rate *[US]*; **echter D.** true discount; **einbehaltener D.** retained discount; **einfacher D.** simple discount; **nicht in Anspruch genommener D.** lost discount; **handelsüblicher D.** trade/commercial discount; **prima D.** first-class/prime bill, prime banker's acceptance *[US]*

Diskont|abrechnung *f* discount note; **D.abzug** *m* discount reduction

Diskontant *m* party presenting a bill for discount

Diskont|aufwendungen *pl* discounts allowed; **D.bank** *f* discount house/bank/company, acceptance house; **D.bedingungen** *pl* discount terms; **D.bestände** *pl (Bilanz)* discount holdings; **D.bestimmungen** *pl* discount terms; **D.einräumung** *f* allowance of a discount; **D.einreichung** *f* presentation for discount

Diskontenwechsel *pl* discount bills

Diskonter *m* discount retailer

Diskont|erhöhung *f* rise/increase in the discount rate, ~ bank rate, raising of the bank rate; **D.erlös/D.ertrag** *m* 1. discount(s) earned, net avails *[US]*; 2. proceeds of discounting; **D.ermäßigung** *f* bank rate reduction *[GB]*, lowering of the rediscount rate *[US]*, reduction of the bank/discount rate *[GB]*; **d.fähig** *adj* discountable, bankable, eligible for discount; **nicht d.fähig** ineligible, unbankable; **D.fähigkeit** *f* discountability, eligibility for discount; **D.faktor** *m* discount factor; **D.fuß** *m* bank *[GB]*/rediscount *[US]* rate; **D.geber** *m* bill *[GB]*/ note *[US]* broker; **D.gefälle** *nt* discount rate differential; **D.geschäft** *nt* discount outlet/store/shop, discounting; **D.geschäfte** discount transactions/business; **D.gesellschaft** *f* discount company; **D.grenze** *f* discount limit; **D.gutschrift** *f* discount note; **D.haus** *nt* discount company/house, merchant bank *[GB]*; **D.herabsetzung** *f* bank rate reduction *[GB]*, lowering of the rediscount rate *[US]*

diskontierbar *adj* bankable, discountable, eligible for discount; **nicht d.** undiscountable; **D.keit** *f* discountability

diskontier|en *v/t* 1. to discount, to rediscount *[US]*, to take on discount; 2. *(Wechsel)* to take up under rebate; **D.er** *m* 1. discounter; 2. *(Wechsel)* discount bank(er)

Diskontierung *f* 1. discounting; 2. *(Wechsel)* negotiation; **D. von Buchforderungen** receivables discounting; **~ Tratten** discounting of drafts; **~ Wechseln** discounting of bills

Diskontierungs|faktor *m* discount factor; **D.möglichkeiten** *pl* discounting facilities; **D.tag** *m* date of discount; **D.zeitraum** *m* discount period

Diskontinstrument *nt* discount rate instrument

diskontinuierlich *adj* discontinuous

Diskont|kasse *f* discount office; **D.kontingent** *nt* rediscount quota; **D.kredit** *m* discount credit/loan, rediscount credit *[US]*; **D.laden** *m* discount store/house/shop, cut-price shop; **D.makler** *m* bill *[GB]*/note *[US]* broker, discount broker; **wucherischer D.makler** note shaver *(coll)*; **D.markt** *m* discount/bill/rediscount market; **D.material** *nt* bills eligible for discount; **D.note** *f* bill of discount, discount note; **D.politik** *f* bank/discount rate policy, rediscount/discount/bank policy; **D.prinzip** *nt* discount principle of marketing; **D.provision** *f* discount commission; **D.rechnung** *f* statement of discount, discount note

Diskontsatz *m* bank *[GB]*/discount/rediscount *[US]* rate, rate of rediscount *[US]*/discount, central bank discount rate; **D. für kurzfristige Schatzwechsel** tap rate *[GB]*; **D. anheben/erhöhen** to raise the bank rate, ~ rediscount rate, ~ the discount; **D. ermäßigen/herabsetzen/senken** to cut/lower the bank rate, ~ rediscount rate, ~ discount; **niedrigster D.** fine rate of discount

Diskont|schranke *f* bank rate weapon/screw; **D.senkung** *f* reduction in/of the bank rate, ~ discount rate, bank rate cut/reduction, lowering of the bank/discount rate; **D.spesen** *pl* discount charges; **D.tag** *m* discount day; **D.tage** terms of discount; **D.verbindlichkeiten** *pl* bills discounted, discounts payable *[US]*; **D.-Warenhaus** *nt* discounter, discount house

Diskontwechsel *m* discounted bill; **D. zum Einzug hereinnehmen** to accept bills for collection; **D.buch** *nt* discount ledger; **D.händler** *m* note broker

Diskont|wert *m* discounted value; **D.zinsen** *pl* discount interest; **D.zügel** *pl* discount rein(s); **D.zusage** *f* discount commitment, undertaking of discount

diskreditieren *v/t* to discredit, to bring into disrepute

Diskrepanz *f* discrepancy, difference, disparity, gap, diversity; **zeitliche D.** time-lag

diskret *adj* discreet, unobtrusive

Diskretion *f* discretion, confidentiality; **mit D. behandeln** to treat as a matter of confidence; **D.stage** *pl (Wechsel)* days of grace

diskriminieren *v/t* to discriminate (against); **d.d** *adj* discriminatory, discriminating

Diskriminierung *f* discrimination; **D. am Arbeitsplatz** job/hiring discrimination; **D. wegen des Geschlechts** gender discrimination; **berufliche D.** job discrimination; **positive D.** affirmative action *[US]*; **steuerliche D.** tax discrimination; **D.sverbot** *nt* prohibition of discrimination; **D.svermögen** *nt* discriminatory powers

Diskussion *f* discussion, debate; **zur D. stehend** under discussion

in eine Diskussion eintreten to enter into a discussion; **zur D. kommen** to come up for discussion; **~ stehen** to be under discussion; **nicht ~ stehen** not to be for discussion; **~ stellen** to put up for discussion, to submit to the debate/discussion; **in der D. überlegen sein** to outargue

rege Diskussion lively discussion

Diskussions|basis *f* basis of discussion; **D.beitrag** *m* contribution to the discussion; **D.entwurf** *m* discussion paper; **D.grundlage** *f* basis of discussion; **D.gruppe/D.kreis** *f/m* discussion group/circle; **D.leiter(in)** *m/f* moderator; **D.papier** *nt* consultative document, exposure draft, consultation paper; **D.redner** *m* speaker; **D.stadium** *nt* discussion stage; **D.teilnehmer(in)** *m/f* debater, panel(l)ist; *pl* panel; **D.thema** *nt* subject for debate

diskutabel *adj* debatable

diskutier|en *v/t* to discuss/debate/reason/argue wrangle; **lange d.t** *adj* long-mooted

Dispache *f* average/loss adjustment, statement/adjustment of average, general-average statement; **D. aufmachen/aufstellen** to prepare the general-average statement, to draw/make up the statement; **D.kosten** *pl* adjustment charges

Dispacheur *m* (general-)average adjuster, average agent/stater/taker

dispachier|en *v/t* to adjust average; **D.ung** *f* adjustment of average

Disparität *f* disparity, misalignment; **d.isch** *adj* unequal

Dispens *m* dispensation, exemption; **d.ieren** *v/t* to dispense/exempt/excuse

Dispersion *f* ▦ dispersion, variance, variation; **D.sindex** *m* index of dispersion; **D.sparameter** *m* parameter of dispersion

Display *nt* display

Disponent(in) *m/f* 1. chief/managing clerk, factor; 2. purchasing/procurement manager, ~ officer, purchase clerk, materials requirements planner, expediter; 3. (fund) manager

disponibl|el *adj* available, disposable; **D.ilität** *f* availability

Disponieren *nt* planning; **d.** *v/ti* 1. to arrange/procure, to make arrangements, to dispose of, to withdraw; 2. to place orders, to order/plan/schedule, to draw on; 3. *(Börse)* to buy/sell

über etw. disponieren to have sth. at one's disposal; **entsprechend d.** to make the appropriate arrangements, ~ arrangements to the effect; **geschickt d.** to arrange cleverly; **langfristig d.** *(Anlage)* to invest long-term; **vorsichtig d.** *(Börse)* to act cautiously/with caution

Disposition *f* 1. arrangement, provision, management, disposition, planning, scheduling; 2. disposal; 3. layout, plan; **D.en** *(Konto)* drawings; **laut D.** according to instructions; **D. und Abwicklung** disposition and settlement; **D.en des Handels** ordering; **~ der öffentlichen Haushalte** public authorities' operations; **D. und Kontoführung** disposition and account management; **zu Ihrer D.** at your disposal; **zur D. stellen** to make available

aktuelle Disposition current disposition; **kurzfristige D.en** 1. short-term trading, hand-to-mouth ordering; 2. short-range arrangements; **längerfristige D.en** long-term arrangements/planning; **saisonale D.en** seasonal preparations/buying; **überhöhte D.en** excessive buying; **verbrauchsgesteuerte D.en** consumption-driven material planning; **vorsichtige D.en** guarded market activities

Dispositions|befugnis *f* managerial powers; **D.bereitschaft** *f* readiness to take commitments; **D.datum** *nt* disposition date; **d.fähig** *adj* authorized; **D.fähigkeit** *f* authority, power; **D.fonds** *m* appropriation fund, general revenue fund; **D.freigabe** *f* planning release; **D.freiheit** *f* authority; **d.freudig** *adj* ready to act/order; **D.grenzdatum** *nt* marginal date of disposition; **D.guthaben** *nt* balance available; **D.hoheit** *f* freedom of action; **D.kartei** *f* materials planning file; **D.kredit** *m* overdraft facility/credit, drawing/retail-customer credit; **persönlicher D.kredit** drawing credit; **D.limit** *nt* disposition limit; **D.möglichkeit** *f* leeway, freedom; **D.nummer** *f* item number; **D.papier** *nt* document of title, transferable title-conferring instrument; **D.planung** *f* disposition planning; **D.reserve** *f* available reserve, general (operating) reserve; **D.schein** *m* banker's note; **D.stelle** *f (Bank)* trading office; **D.unterlagen** *pl* planning documents; **D.zeichnung** *f* outline drawing, layout plan; **D.zeitraum** *m* availability period

dispositiv *adj* optional, permissive; **D.ität** *f* organisational freedom

disproportional *adj* disproportional; **D.ität** *f* disproportion

Disqualifikation *f* disqualification

disqualifizier|en *v/t* to disqualify/incapacitate; **D.ung** *f* disqualification

Dissens *m* 1. lack of agreement, dissent; 2. ambiguity; **offener D.** patent ambiguity, open lack of agreement; **versteckter D.** latent ambiguity, hidden disagreement

Dissertation *f* thesis, dissertation

Dissident *m* dissident

Distanz *f* 1. distance; 2. reserve; **auf D. bleiben/halten; D. wahren** to keep one's distance, ~ aloof, ~ at arm's length; **auf D. gehen** to become distant

Distanz|delikt *nt* § offence committed over a distance; **D.fracht** *f* distance freightage, pro-rata freight, freightage by distance, freight pro rata; **D.geschäft** *nt* option business; non-local business; **D.handel** *m* mail-order business

distanzier|en *v/refl* to dissociate/distance o.s.; **d.t** *adj* reserved, detached; **D.ung** *f* dissociation, disclaimer

Distanz|kauf *m* non-local purchase; **D.scheck** *m* out-of-town cheque *[GB]*/check *[US]*; **D.wechsel** *m* out-of-town bill

Distribution *f* distribution

Distributions|abteilung *f* distribution branch; **D.analyse** *f* distribution analysis; **D.betrieb** *m* distributor, marketing enterprise; **D.dienstleistungen** *pl* distribution services; **D.ergebnis** *nt* sales result; **D.funktion** *f* distributive function; **D.grad** *m* degree of distribution; **D.index** *m* distribution index; **D.kette** *f* distribution chain; **D.lager** *nt* distribution warehouse; **D.logistik** *f* logistics of distribution, distribution logistics; **D.mix** *m* distribution mix; **D.planung** *f* distribution planning; **D.politik** *f* distribution mix; **D.problem** *nt* transport problem; **D.prozess** *m* distribution process; **D.theorie** *f* theory of distribution; **D.weg** *m* channel of distribution

Distrikt *m* district; **D.srat** *m* district council

Disziplin *f* discipline, branch of knowledge, subject; **eiserne/stramme/strenge D.** strict discipline; **wirtschaftspolitische D.** economic discipline

Disziplinar|- disciplinary; **D.angelegenheit** *f* disciplinary case; **D.ausschuss** *m* disciplinary committee; **D.befugnis** *f* disciplinary powers; **D.behörde** *f* disciplinary authority; **D.bestimmungen** *pl* disciplinary regulations; **D.fall** *m* disciplinary case; **D.gericht** *nt* disciplinary court/tribunal, court of honour; **D.gerichtsbarkeit** *f* disciplinary jurisdiction; **D.gesetz** *nt* disciplinary code; **D.gewalt** *f* disciplinary powers/authority

disziplinarisch *adj* disciplinary

Disziplinar|kammer *f* disciplinary court; **D.maßnahme** *f* disciplinary action/measure; **D.maßnahmen ergreifen/treffen** to take disciplinary action; **D.ordnung** *f* disciplinary regulations/rule/machinery; **D.recht** *nt* disciplinary law; **D.regeln** *pl* disciplinary regulations; **D.richtlinien** *pl* disciplinary code; **D.sache** *f* disciplinary case; **D.strafe** *f* disciplinary penalty/punishment; **D.untersuchung** *f* disciplinary investigation; **D.verfahren** *nt* disciplinary action/proceedings/procedure/machinery; **D.vergehen** *nt* disciplinary offence, breach of discipline; **D.vollmacht** *f* disciplinary powers; **D.vorgesetzte(r)** *f/m* superior (of a public servant)

disziplinieren *v/t* to discipline, to bring to heel

Disziplinierung *f* disciplinary action; **D.seffekt** *m* disciplinary effect

Disziplinlosigkeit *f* indiscipline

Divergenz *f* divergence; **D.schwelle** *f [EU]* threshold of divergence

divergieren *v/t* to diverge

divers *adj* divers(e), miscellaneous; **D.e(s)** *pl/nt* miscellaneous, sundries

Diversifikation *f* diversification, branching out; **horizontale D.** horizontal diversification; **komplementäre D.** complementary diversification; **vertikale D.** vertical diversification; **D.sbemühungen** *pl* efforts to diversify; **D.seffekt** *m (Anlage)* portfolio effect; **D.spolitik** *f* policy of diversification

diversifizieren *v/t* to diversify

Diversifizierung *f* diversification; **D.sinvestition** *f* investment to diversify operations

Dividende *f* dividend, payout; **abzüglich/ausschließlich/ex/ohne D.** dividend off, ex dividend, coupon detached; **einschließlich/inklusive/mit D.** dividend on/included, cum dividend

Dividende pro Aktie dividend per share; **D.n aus Anlagewertpapieren** *(Bilanz)* dividends on investments; **D. mit aufgeschobener Fälligkeit** deferred dividend; **D. in Form von Aktien** scrip/stock *[US]* dividend; **~ bar oder in Form einer Gratisaktie** optional dividend; **ausgeschüttete ~ Prozent des Kapitalertrags** payout ratio; **D. in Form eigener Obligationen** bond dividend; **~ von Schuldurkunden** liability dividend; **~ von Schuldverschreibungen (der betreffenden Gesellschaft)** bond dividend; **D. auf Stammaktien** ordinary dividend, common (stock) dividend; **~ Vorzugsaktien** preferred (stock) dividend; **~ kumulative Vorzugsaktien** cumulative dividend

Dividende abwerfen to yield a dividend; **D. anheben** to lift the dividend; **D. ankündigen** to announce a dividend payout; **D. ausfallen lassen** to omit/pass the dividend; **D. ausschütten** to distribute/pay/strike a dividend; **keine D. ausschütten** to pass the dividend; **D. beschließen/erklären/festsetzen** to declare a dividend; **D. erhöhen** to raise/increase/up/lift the dividend, to lift dividend payments; **D. halten** to maintain the dividend; **D. herabsetzen/kürzen/senken** to cut the/lower/reduce dividend; **D. heraufsetzen** to increase the dividend; **ex D. notieren** to quote clean; **ohne D. notiert** quoted flat; **D. streichen/nicht verteilen; keine D. zahlen** to pass the dividend; **D. verteilen** to declare a dividend; **D. vorschlagen** to propose/recommend a dividend; **gleiche D. zahlen** to maintain the dividend

abgehobene Dividende collected dividend; **nicht ~ D.** unclaimed dividend; **angemessene D.** adequate/reasonable dividend; **aufgelaufene D.** accumulated/accrued dividend; **aufgeschobene D.** deferred dividend; **ausgefallene D.** passed dividend; **ausgeschüttete D.** distributed/declared dividend; **außerordentliche D.** extraordinary/surplus/special/surprise dividend, melon *[US]*; **noch ausstehende D.** pending dividend, dividend arrears; **fällige D.** payable dividend, dividend due; **später ~ D.** deferred dividend; **festgesetzte D.** declared dividend; **fiktive D.** sham dividend; **gehaltene D.** maintained dividend; **durch Ausgabe von Schuldverschreibungen gezahlte D.** liability dividend; **gleichbleibende D.** invariable dividend; **konzerninterne D.n** intercompany dividends; **kumulative D.** cumulative/accumulative dividend; **garantierte ~ D.** guaranteed cumulative dividend; **nicht ~ D.** noncumulative dividend; **laufende D.** regular/accrued dividend; **reinvestierte D.** reinvested dividend; **rückständige D.** dividend in arrears, passed dividend, arrears on dividend; **satzungsmäßige D.** statutory dividend; **unbare D.** non-cash dividend; **unbehobene D.** unclaimed dividend; **unveränderte D.** unchanged dividend/payout; **unvorhergesehene D.** contingent dividend; **vorgeschlagene D.** proposed dividend; **vorläufige D.** interim dividend; **wahlweise D.** optional dividend; **zusammengesetzte D.** compound dividend; **zusätzliche D.** additional dividend

Dividenden|abgabe *f* dividend tax; **d.abhängig** *adj* dividend-related; **D.abrechnung** *f* dividend (settlement) note; **D.abschlag** *m* 1. *(Börse)* quotation ex dividend, ex-dividend markdown; 2. interim (dividend), dividend on account; **D.abschnitt** *m* dividend warrant/coupon; **D.aktien** *pl* participating shares *[GB]*/stocks *[US]*; **D.anfall** *m* accrual of dividends; **D.anhebung** *f* dividend increase; **D.ankündigung** *f* notice/notification of dividend; **D.ansammlung** *f* accumulation of dividends

Dividendenanspruch *m* dividend claim/entitlement, right to (receive) a dividend; **mit D.** entitled to a dividend; **D. haben** to qualify/rank for dividend, to be entitled to a dividend

Dividendenausfall *m* passed dividend, dividend omission, passing of a dividend

Dividendenausgleich *m* dividend equalization; **D.skonto** *nt* dividend equalization account; **D.srücklage** *f* dividend equalization reserve

Dividenden|ausschreibung *f* declaration of a dividend; **D.ausschüttung** *f* distribution of dividends, dividend disbursement/payout/distribution/payment, share-out; **~ zuzüglich Abschreibung** cash flow; **D.aussetzung** *f* dividend omission

Dividendenauszahlung *f* dividend payment; **D.sanweisung** *f* dividend order; **D.sgebühr** *f* dividend disbursing fee

Dividenden|begrenzung *f* dividend restriction; **D.bekanntmachung** *f* dividend notice, notice/notification of dividend; **D.bemessung** *f* fixing of the dividends; **d.berechtigt** *adj* eligible/qualified for dividend, dividend-bearing, entitled to dividends; **~ sein** to rank/qualify for dividend

Dividendenberechtigung *f* dividend rights, right to receive a dividend, entitlement to a dividend; **mit D. (ab)** with dividend rights (for); **rückwirkende D.** retroactive dividend entitlement; **D.sschein** *m* dividend warrant

Dividenden|beschluss *m* declaration of dividend, dividend/payout vote; **D.beschränkung** *f* dividend constraints/restraint; **D.besteuerung** *f* dividend taxation; **D.betrag** *m* dividend amount; **D.bewertung** *f* dividend valuation; **D.bewertungsmethode** *f* dividend valuation model; **D.bewirtschaftung** *f* dividend control; **D.bezugsschein** *m* dividend warrant/coupon; **D.bogen** *m* coupon sheet; **D.deckung** *f* dividend/earnings cover, payout ratio; **D.deckungsverhältnis** *nt* dividend cover ratio; **D.einkommen/D.einnahme** *nt/f* dividend income; **D.einkünfte** *pl* dividend receipts; **D.entwicklung** *f* dividend performance; **D.erhebung** *f* dividend collection; **D.erhöhung** *f* dividend growth/increase; **D.erklärung/D.festsetzung** *f* declaration of dividend; **D.ertrag** *m* dividend yield/earnings/received; **D.erträge nach Steuern** franked income; **D.erwartungen** *pl* dividend expectations, expected dividend; **D.fonds** *m* dividend/bonus fund; **D.forderungen** *pl* dividends receivable; **d.freundlich** *adj* willing to pay good dividends; **D.garantie** *f* dividend guarantee; **d.gekoppelt** *adj* dividend-linked; **D.gewinnverhältnis** *nt* dividend ... times covered; **d.gleich** *adj* ranking equally for dividend; **D.gutschrift** *f* dividend credit; **D.heraufsetzung** *f* dividend increase; **D.höhe** *f* level of dividend; **D.inkasso** *nt* collection of dividends; **D.kontinuität** *f* dividend continuity, payment of unchanged dividends, stable dividend policy; **D.konto** *nt* dividend (payout) account; **D.kupon** *m* dividend coupon; **D.kürzung** *f* dividend cut, reduction/cut in the dividend; **d.los** *adj* 1. ex/without dividend *[GB]*, dividend off *[US]*; 2. paying no dividend; **D.nachweis** *m* dividend record; **D.nachzahlung** *f* payment of dividends accrued; **D.optik** *f* dividend record; **D.papier** *nt* dividend-bearing security/share, equity (share/security/value), dividend paper, dividend-paying stock; **D.politik** *f* dividend/payout policy, dividend record; **D.prognose** *f* dividend forecast; **~ stellen** to make a dividend forecast; **D.rechte** *pl* dividend rights; **ohne alle D.rechte** ex all; **D.rendite** *f* (dividend) yield, dividend return, ~ price ratio; **D.renditeverhältnis** *nt* dividend-yield ratio; **D.reserve** *f* bonus reserve; **D.rest** *m* dividend balance; **D.rücklage** *f* dividend reserve fund; **D.rückstände** *pl* dividends in arrear(s); **D.rückstellung** *f* dividend equalization reserve; **D.satz** *m* dividend/payout rate; **D.satzbeteiligung** *f* dividend-rate sharing; **D.scheck** *m* dividend cheque *[GB]*/check *[US]*; **D.schein** *m* dividend coupon/warrant; **D.schluss** *m* shut for dividend; **D.schnitt/D.senkung** *m/f* dividend cut; **D.steuer** *f* tax on dividends, withholding/dividend tax; **D.stock** *m* dividend reserve fund; **D.stopp** *m* dividend freeze; **D.summe** *f* total dividend appropriation/payment, dividend sum; **D.summenbeteiligung** *f* dividend-sum sharing payment; **D.termin** *m* dividend due date, payout date; **D.transfer** *m* dividend remittance; **D.übersicht** *f* dividend record; **D.verbindlichkeiten** dividends payable; **D.verteilung** *f* dividend distribution; **D.verzeichnis** *nt* dividend register; **D.verzicht** *m* passing the dividend; **D.vorhersage** *f* dividend forecast; **~ machen** to make a dividend forecast; **D.vorrecht** *nt* preferential right to dividend; **D.vorschlag** *m* proposed dividend, dividend recommendation/proposal; **D.vorzug** *m* extra dividend (payable on preference shares); **D.wert** *m (Aktie)* dividend-bearing security/equity, equity security; **börsengängige D.werte** negotiable stock; **D.wiederanlageplan** *m* dividend-reinvestment plan; **D.zahlstelle** *f* dividend payment agency

Dividendenzahlung *f* dividend payment, payout; **D. mit voraus zu entrichtender Körperschaftssteuer** qualifying distribution; **D. wiederaufnehmen** to resume/renew dividend payments, to return to the dividend list

Dividendenzuschlag *m* extra dividend

dividieren *v/t* to divide

Division *f* π division; **abgekürzte D.** short division

Divisionalisierung *f* divisionalization

Divisions|anweisung *f* 💻 divide statement; **D.kalkulation** *f* process system of accounting, output costing; **mehrstufige D.kalkulation** process costing; **D.management** *nt* divisional management; **D.manager** *m* divisional manager

d.M. (dieses Monats) inst

DM-|Auslandsanleihe *f* foreign DM bond; **DM-Schuldschein** *m* DM promissory note

DNA (Deutscher Normenausschuss) German Committee on Standards

Dock *nt* ⚓ dock, wharf, quay, berth

Dock|anlagen *pl* dock(ing) facilities; **D.arbeiter** *m* docker, longshoreman *[US]*, dock worker, wharfman; **D.becken** *nt* dock basin; **D.empfangsschein** *m* dock warrant

docken *v/ti* to dock/berth

Dock|gebühren/D.geld *pl/nt* wharfage, dock dues/charges, quayage, dockage, wharf charges; **~ und Verschiffung** dock dues and shipping (DD&Shpg); **D.gesellschaft** *f* dock company; **D.lagermiete** *f* dock rent; **D.lagerschein** *m* dock warrant (DW); **D.meister** *m* dock master; **D.wand** *f* dockside

Dogma *nt* dogma, doctrine; **d.tisch** *adj* dogmatic, doctrinal

Dogmengeschichte *f* *(Wirtschaftstheorie)* history of economic thought

Doktor *m* doctor; **D. der Ingenieurwissenschaften** doctor of engineering; **~ Medizin** doctor of medicine (M.D.); **~ Philosophie** doctor of philosophy (Ph.D.,

D.Phil.); ~ **Rechte** doctor of laws (LL.D.); **D. holen** $ to send for the doctor

Doktor|and(in) *m/f* post-graduate student; **D.arbeit** *f* thesis, dissertation; **D.grad** *m* degree of doctor, doctor's degree; **D.titel** *m* doctorate

Doktrin *f* doctrine; **D. der Vollmachtüberschreitung** § ultra vires *(lat.)* rule, doctrine of ultra vires; **d.är** *adj* doctrinaire

Dokument *nt* document, deed, instrument, title, act, bill; **D.e** documentation, papers, documents; ~ **anbei** documents attached

Dokumente gegen Akzept documents against acceptance (D/A); ~ **bar** documents against cash; ~ **(Be)Zahlung/Kasse** documents against/upon payment (D/P), cash against documents (C.A.D.); ~ **gegen Einlösung der Tratte** documents against payment

Dokument abfassen to draw up a deed; **D.e andienen** to present/tender the documents; ~ **aufbewahren im Auftrage von** to hold documents to so.'s order; ~ **aufnehmen** to accept documents; ~ **nicht aufnehmen** to refuse documents; **D. ausstellen** to prepare a document; **D. beglaubigen lassen** to have a document authenticated; **D.e beibringen** to furnish documents; **D. beischließen** to enclose a document; **D.e prüfen** to verify documents; ~ **übergeben** to surrender documents; ~ **vorlegen** to tender/present documents, to present instruments; ~ **zurückweisen** to refuse/reject documents

amtliches Dokument official document; **ausgefülltes Dokument** completed document; **begebbares D.** negotiable instrument; **beizubringende D.e** documents to be furnished; **echtes D.** authentic document; **handelsübliches D.** commercial document; **handschriftliches D.** holograph; **zu getreuen Händen hinterlegtes D.** § escrow; **Rechtswirkung verleihendes D.** vesting deed

nicht dokumentär *adj (Akkreditiv)* clean, open

Dokumentar|bericht *m* documentary; **D.film** *m* documentary (film)

dokumentarisch *adj* documentary

Dokumentar|kredit *m* documentary credit; **D.sendung** *f (Radio/Fernsehen)* documentary; **D.tratte** *f* documentary bill

Dokumentation *f* 1. documentation, documents, informative material; 2. record keeping; **D. abwickeln/erledigen** to handle the documentation

Dokumentations|abteilung *f* documentation section; **D.rechnung** *f* documentary accounts; **D.status** *m* state of documentation; **D.system** *nt* retrieval/documentation/indexing system; **texterschließendes D.system** information retrieval system; **D.wesen** *nt* documentation; **D.zentrum** *nt* document exchange

Dokumenten-Akkreditiv *nt* documentary/commercial letter of credit (L/C), documentary/acceptance credit; **unwiderrufliches D.** irrevocable documentary credit; **widerrufliches D.** revocable documentary credit; ~ **und bestätigtes D.** irrevocable and confirmed documentary credit, ~ letter of confirmation

Dokumenten|aufnahme *f* taking up documents; **D.auftrag** *m* order for payment against documents; **D.aushändigung** *f* surrender of documents; **D.austausch** *m* documents exchange; **D.disposition steht der Inkas sobank zu** *f* documents against discretion of collectin bank; **d.echt/d.fest** *adj (Tinte)* water-proof; **D.einrei chung** *f* presentation of documents; **elektronisch D.erfassung** imaging; **D.erledigung** *f* documen processing; **d.gebunden** *adj* document-linked; **D.ge genwert** *m* currency equivalent of documents; **D.ge schäft** *nt* documentary business; **D.inkasso** *nt* collec tion against documents, ~ of documents/bills; **D.kredi (brief)** *m* documentary (letter of) credit; **D.nachweis** *n* documentary reference; **D.pfand** *nt* documentary pledge **D.satz** *m* set of documents; **d.sicher** *adj* permanent **D.tratte** *f* documentary bill (D/B)/draft (D/D), com modity paper, acceptance bill; ~ **bevorschussen** to mak an advance against a documentary draft; **D.übergabe** surrender of documents; **D.verarbeitung** *f* docu ment processing; **D.versand** *m* despatch of documents **D.verwaltung** *f* document management; **D.vorlage** presentation of documents; **D.vorschuss** *m* advanc against documents; **D.wechsel** *m* documentary accept ance/bill (D/B), documentary draft (D/D)

dokumentier|en *v/t* to document/evidence/attest/reveal **D.ung** *f* documentation

Dollar *m* dollar, buck *(coll)*; **1000 D.** grand; **D. aus dem Markt nehmen** to take dollars out of the market; **grü ner D.** green dollar

Dollar|abfluss *m* dollar outflow; **D.abwanderung** dollar flight, flight of the dollar; **D.abwertung** *f* dolla devaluation; **D.agio** *nt* dollar premium; **D.akzept** *n* dollar acceptance; **D.anleihe** *f* dollar bond/loan dollar(-) denominated bond; **D.anstieg** *m* advance/surge of the dollar; ~ **bremsen** to halt the rise of the dollar **D.ausgleichssystem** *nt* dollar subsidy scheme; **au D.basis** *f* dollar-denominated, denominated in dollars **D.bestände** *pl* dollar holdings; **D.bilanz** *f* dollar balance of payments; **D.block** *m* dollar area; **D.devisen** *p* dollar exchange; **D.flucht** *f* dollar flight, flight of the dollar; **D.fluss** *m* flow of dollars; **D.guthaben** *nt* dolla deposit(s); **D.klausel** *f* dollar clause; **D.knappheit** dollar shortage/gap; **D.kredit** *m* dollar loan; **D.kurs** *n* dollar rate; **D.land** *nt* dollar country; **D.lücke** *f* dolla gap; **D.notierung/D.notiz** *f* dollar quotation; **D.obligation** *f* dollar bond; **D.parität** *f* dollar parity, parity o the dollar; **D.prämie** *f* dollar premium; **D.raum** *m* dollar area/region; **D.reserve** *pl* dollar reserves/resources **D.schwäche** *f* weakness of the dollar; **D.schwemme/D.überfluss** *f/m* dollar glut; **D.schwund** *m* dolla drain; **D.überhang** *m* surplus dollars; **D.umtausch D.wechsel** *m* exchange of dollars, dollar exchange **D.verfall** *m* dollar decline; **D.wert** *m* dollar value; **D.-Wertdurchschnitt** *m* dollar-averaging; **D.zeichen** *n* dollar sign; **D.zuschlag** *m* dollar premium

Dolmetschanlage *f* interpreting facility

dolmetschen *v/ti* to interpret

Dolmetscher(in) *m/f* interpreter; **beeidigter/vereidigter D.** sworn interpreter; **D.diplom** *nt* interpreter's certificate; **D.prüfung** *f* interpreter's examination

Dolus *m (lat.)* § malice, intent; **d. eventualis** *(lat.)* contingent intent

Domäne *f* *(fig)* 1. province, domain, preserve; 2. § desmesne; **staatliche D.** crown property *[GB]*, public domain *[US]*

Domänen|besitz *m* desmesne lands, crown property *[GB]*; **D.einnahme** *f* land revenue; **D.verwalter** *m* crown land commissioner *[GB]*; **D.verwaltung** *f* factorship

Dominante *f* dominant factor

dominieren *v/i* to (pre)dominate/prevail; **d.d** *adj* dominating, prevailing, commanding

Dominoeffekt *m* knock-on effect

Domizil *nt* domicile, residence

Domizil|akzept *nt* domiciled acceptance; **D.gebühr** *f* domiciliation commission; **D.gesellschaft** *f* domiciled/foreign-based company

Domiziliant *m* payer of a domiciled bill

Domiziliat *nt* payee

domizilier|en *v/i* to domicile/domiciliate/reside, to be located; **D.ung** *f* domiciliation

Domizil|klausel *f* domicile clause; **D.land** *nt* country of domicile, home country; **D.ort** *m* *(Wechsel)* place of payment; **D.provision** *f* domicile commission, commission for domiciling; **D.statut** *nt* law of domicile; **D.stelle** *f* place for presentation; **D.vermerk** *m* domicile clause; **D.wechsel** *m* domiciled/addressed bill

Dontgeschäft *nt* premium dealing *[GB]*

Doppel *nt* 1. duplicate, copy; 2. double, twin, counterpart

Doppel|anschluss *m* ✆ party line; **D.anspruch** *m* double claim; **D.arbeit** *f* duplication; **D.auszeichnung** *f* dual pricing; **D.band** *m* two volumes; **D.belastung** *f* 1. double burden; 2. *(Steuer)* double taxation; **D.belegung** *f* 1. 🖳 dual assignment; 2. double booking; **D.beschäftigung** *f* double employment

Doppelbesteuerung *f* double taxation; **D.sabkommen** *nt* double taxation agreement/treaty; **D.sregelung** *f* double taxation arrangements

Doppel|bestrafung *f* punishing twice for the same offence; **D.boden** *m* false floor/bottom; **D.brief** *m* overweight letter; **D.bruch** *m* π compound fraction; **D.buchhaltung** *f* double-entry bookkeeping; **D.buchstabe** *m* compound letter; **D.decker** *m* ✈ biplane; **D.decker-Bus** *m* double-decker; **d.deutig** *adj* ambiguous; **D.ehe** *f* bigamous marriage, bigamy; **D.eigentum** *nt* dual ownership; **D.eintrag** *m* double entry; **D.erfassung** *f* duplication, double counting; **D.erntewirtschaft** *f* double cropping; **D.führung** *f* dual plan; **D.funktion** *f* dual function; **~ innehaben** to double; **D.gesellschaft** *f* split company, syndicate; **D.gesellschafter** *m* simultaneous partner/member; **d.gesichtig** *adj* two-faced, ambivalent; **D.gleis** *nt* 🚂 double track; **d.gleisig** *adj* 🚂 twin-track; **D.haus(hälfte)** *nt/f* semi-detached house, semi *(coll)*, duplex house *[US]*; **D.heft** *nt* 🗍 double issue; **D.investition** *f* duplicated investment; **D.lochung** *f* 🖳 double punching; **D.mandat** *nt* dual mandate; **D.mitgliedschaft** *f* dual membership; **D.moral** *f* double standards

doppeln *v/t* to double/duplicate/reproduce

Doppel|name *m* double-barrelled name; **D.nummer** *f* 🗍 double issue; **D.packung** *f* twin pack; **D.patentierung** *f* double patenting; **D.prämie** *f* compound/double premium; **D.preissystem** *nt* dual pricing; **D.quittung** *f* duplicate receipt; **degressive D.ratenabschreibung** double rate declining balance method, double declining method of depreciation; **D.reifen** *m* 🚗 twin tyre *[GB]*/tire *[US]*; **D.schalter** *m* ⚡ two-way switch; **D.schicht** *f* double shift; **D.schutz** *m* simultaneous protection; **D.seite** *f* 🗍 double-page (spread); **d.seitig** *adj* *(Zeitungsmitte)* centre spread; **D.sitz** *m* double seat; **D.spur** *f* twin-track; **D.staatler** *m* dual national/citizen, person of dual nationality; **D.staatsangehörigkeit** *f* dual nationality; **D.stichprobennahme** *f* ▦ double sampling; **D.stichprobenplan** *m* ▦ double sampling plan; **D.stockwagen** *m* 🚂 double-deck car carrier wag(g)on; **D.strategie** *f* double-barrelled strategy, two-pronged attack

doppelt *adj* double, twofold, dual, twin; **D.-** twin, dual; **D.e** *nt* double; **um das ~ steigen** to double

Doppel|tür *f* double door; **D.veranlagung** *f* double assessment

Doppelverdiener *m* 1. double wage earner, dual jobholder; 2. two-income/two-paycheck *[US]* family, two-career couple *[US]*; 3. *(Schwarzarbeit)* moonlighter *(coll)*; *pl* working couple; **D. ohne Kinder** dinks (double income no kids); **D.ehe** *f* two-earner married couple; **D.haushalt** *m* two-earner/two-paycheck/paycheque family

Doppel|verdienst *m* double earnings; **D.verglasung** *f* 🏛 double-glazing; **mit ~ versehen** to double-glaze; **D.verrechnung** *f* double counting; **D.versicherung** *f* double insurance; **D.versicherungsklausel** *f* double indemnity clause; **D.währung** *f* bimetalism, bimetallic/double currency/standard, parallel standard; **D.währungsanleihe** *f* dual-currency loan; **D.wechsel** *m* second of exchange; **D.wohnsitz** *m* second domicile/residence; **D.zahlung** *f* duplicated/double payment; **D.zählung** *f* double counting, duplication; **d.zeilig** *adj* 🗍 double-spaced; **D.zentner** *m* quintal; **D.zimmer** *nt* double room

Doppik *f* double-entry bookkeeping, dual system

Doppler *m* 🖳 card reproducer

Dorf *nt* village; **D.bewohner** *m* villager; **D.erneuerung** *f* village renewal; **D.gasthaus/D.kneipe** *nt/f* village pub/inn; **D.gemeinde/D.gemeinschaft** *f* rural/village community; **D.laden** *m* village shop *[GB]*/store *[US]*, country store; **D.postamt** *nt* village post-office; **D.sanierung** *f* village renewal

Dörfchen *nt* hamlet

Dörrobst *nt* dried fruit(s)

Dose *f* tin *[GB]*, can *[US]*, metal box; **in D.n** tinned, canned; **~ einmachen** to tin *[GB]*/can *[US]*

Dosen|- tinned, canned; **D.bier** *nt* canned beer; **D.container** *m* can bank; **D.hersteller** *m* canmaker; **D.konserven** *pl* tinned *[GB]*/canned *[US]* food; **D.milch** *f* evaporated/condensed milk; **D.öffner** *m* tin *[GB]*/can *[US]* opener

dosieren *v/t* to dose/regulate/proportion, to measure out

Dosierung *f* 1. regulating, measuring out; 2. *(Menge)*

dosage, dose; **tödliche D.** lethal dose; **zeitliche D.** timing
Dosis *f* dose, dosage, instalment; **tödliche D.** lethal dose
Dossier *nt* file, dossier
Dotal *nt* dotal
Dotation *f* endowment, allocation; **D.skapital** *nt* endowment/dotation capital, officially provided capital
dotieren *v/t* 1. to endow/allocate; 2. to fund; 3. *(vergüten)* to remunerate/pay; 4. to capitalize with equity
dotiert *adj* endowed, funded; **gut d.** well funded; **hoch d.** highly paid; **nicht d.** unendowed
Dotierung *f* endowment, allocation, funding, inpayment, dotation, renumeration; **D. eines Kontos** alimentation of an account; **D. der Reserven/Rücklagen** allocation/transfer to reserves, reserve allocation, **~ Stelle** renumeration
Doyen *m* doyen, dean
Doxologie *f* public opinion research
Dozent|(in) *m/f* (college) lecturer, reader, (university) teacher; **D.ur** *f* readership, professorship
dozieren *v/i* to lecture
Draht *m* wire; **auf D. sein** *(coll)* to be on one's toes *(coll)*; **Drähte ziehen** *(fig)* to pull strings *(fig)*; **heißer D.** ✆ hotline
Draht|akzept/D.annahme *nt/f* telegraphic acceptance; **D.angabe** *f* telegraphic quotation; **D.anschrift** *f* telegraphic/cable/telegram address; **D.antwort** *f* telegraphic answer, wire reply; **D.anweisung** *f* telegraphic/cable transfer (C.T.); **D.aviso** *nt* cable advice; **D.barren** *m* wire bar; **D.bericht** *m* telegraphic report; **D.bestätigung** *f* telegraphic/cable confirmation; **D.drucker** *m* 🖳 wire printer
drahten *v/t* to cable/wire
Draht|fabrik *f* wire works; **D.fernsehen** *nt* cable television; **D.funk** *m* cable radio; **d.los** *adj* wireless; **D.mitteilung** *f* telegraphic communication; **D.nachricht** *f* telegram (message), wire; **D.offerte** *f* cable offer
Drahtseil *nt* 1. wire rope; 2. *(Artist)* tightrope; **D.akt vollführen** *m* to tread a tightrope; **D.bahn** *f* cableway; **D.fähre** *f* cable ferry
Draht|stift *m* wire nail; **D.straße** *f* ✐ wire-drawing mill; **D.telegrafie** *f* line telegraphy; **D.überweisung** *f* cable transfer (C.T.); **D.verbindung** *f* wire connection; **D.wort** *nt* telegraphic address; **D.zieher** *m* 1. wire drawer; 2. *(fig)* string/wire puller; **D.zieherei** *f* wire-drawing mill
Draisine *f* 🚃 trolley
drakonisch *adj* draconian
Dränage *f* drainage, draining
dranbleiben *v/i* 1. ✆ to hold on, to hold the line; 2. *(Arbeit)* to stick at it
Drang *m* urge, pressure; **D. ins Ausland** push overseas; **D. nach Beteiligungserwerb** acquisitive thirst
Drängen *nt* urge, insistence; **d.** *v/ti* 1. to push/urge/press/constrain; 2. to lobby for sth.; 3. *(Zeit)* to be running short; **nicht d.** *(Sache)* not to be urgent; **auf etw. d.** to press for sth.; **d.d** *adj* pressing, urgent
Dränger *m* hustler
drangsalier|en *v/t* to harass/victimize/bully; **D.ung** *f* victimization, harassment

dran|halten *v/refl* to keep going; **d.hängen** *v/refl* t[o] climb on/aboard the bandwaggon; **d.kommen** *v/i* t[o] come up, to be one's turn; **jdn d.kriegen** *v/t* to nail so. **jdn d.lassen** *v/t* to let so. have a go; **d.machen** *v/re[fl]* *(coll)* to set about doing sth., to get cracking *(coll)*
dränieren *v/ti* to drain
drastisch *adj* drastic, striking, sweeping, marked
drauf und dran on the brink of; **~ sein etw. zu tun** to b[e] poised to do sth.
Drauf|gabe/D.geld *f/nt* earnest/bargain/boot/forfeit/ear[]nest money, token payment, deposit; **~ leisten** to give i[n] earnest; **D.gänger** *m* pusher, go-getter, go-ahead, dare[-]devil; **d.gängerisch** *adj* dare-devil, go-getting; **d.ge[]ben** *v/t* to throw in *(coll)*; **d.gehen** *v/i (coll)* to be lost **d.hauen/d.schlagen** *v/i (Geld)* to slap on; **d.losarbei[]ten** *v/i* to beaver away *(coll)*; **jdn d.setzen** *v/t (coll)* t[o] let so. down; **D.sicht** *f* top/plan view; **d.zahlen** *v/ti* t[o] lose money on sth.
draußen *adv* outside, outdoor(s); **weiter d.** furthe[r] afield
Dreck *m* dirt, filth; **der letzte D.** *(coll)* absolute rubbis[h] **jdn wie (den letzten) Dreck behandeln** *(coll)* to trea[t] so. like dirt; **jdn mit D. bewerfen** to sling mud at so. **sich einen D. um etw. kümmern** *(coll)* not to care [a] damn about sth. *(coll)*, not to give a hoot for sth. *(coll)* **sich um jeden D. kümmern** *(coll)* to be a stickler fo[r] details; **aus dem gröbsten D. heraus sein** *(coll)* to b[e] out of the woods *(coll)*; **einen D. wert sein** *(coll)* not t[o] be worth a damn *(coll)*; **in den D. ziehen** to disparage
Dreck(s)arbeit *f* dirty/donkey *(coll)* work
Dreh *m* trick, hang, knack; **D. herausbekommen** to ge[t] the hang of sth.
Dreh|- und Angelpunkt *m* fulcrum; **D.arbeit(en)** *f/p[l]* *(Film)* shooting; **D.bank** *f* ⚙ (turning) lathe; **d.bar** *ad[j]* movable, revolving, rotable, rotating; **D.brücke** [] swing bridge; **D.buch** *nt (Film)* scenario, script screenplay; **D.buchautor** *m* scriptwriter
Drehen an der Steuerschraube *nt* tightening/loosen[]ing the tax screw; **~ Zinsschraube** turning the interes[t] rate screw
drehen *v/t* to turn/twist; *v/refl* 1. to revolve/rotate; 2 *(Wind)* to veer; **sich d. um** to hinge on; **an einer Sach[e] d.** to turn sth., to wangle sth. *(coll);* **sich d.d** *adj* revolv[]ing
Dreher *m* ⚙ lathe operator
Dreh|(funk)feuer *nt* ⚓ rotating beacon, revolvin[g] lighthouse; **D.flügel** *m* ✈ rotor; **D.flügelflugzeug** *nt* rotorplane; **D.kartei** *f* rotary file; **D.knopf** *m* knob **D.kopf** *m* swivel; **mit ~ versehen** *adj* swivelled **D.kraft** *f* 🚗 torque, rotary power; **D.kran** *m* rotar[y] crane, derrick; **D.kreuz** *nt* 1. turnstile; 2. ✈ gateway **D.moment** *nt* 🚗 torque; **D.ort** *m (Film)* (filming) site location; **D.punkt** *m* pivot; **D.scheibe** *f* 1. 🚃 turntable 2. *(fig)* centre; 3. ✆ dial; **D.stuhl** *m* swivel/revolvin[g] chair; **D.tür** *f* revolving door
Drehung *f* turn, twist, revolution, rotation, torsion; **neu[e] D. an der Preisschraube** new turn of the pricin[g] wheel; **~ Steuerschraube** tax hike
Dreh|vervielfältiger *m* rotary duplicator; **D.zahl** *f* num-

ber of revolutions; **D.zahlmesser** *m* 🚗 rev counter, tachometer; **D.zapfen** *m* swivel

Dreilabweichungsmethode *f* three-way overhead analysis; **D.achser** *m* 🚗 six-wheeler; **d.bändig** *adj* 📖 three-volume; **d.dimensional** *adj* three-dimensional, three-D

Dreieck *nt* triangle; **magisches D.** magic/uneasy triangle (full employment, price stability and balance of payments equilibrium); **d.ig** *adj* triangular, three-cornered

Dreiecks|- triangular, tripartite; **D.arbitrage** *f* triangular exchange; **D.geschäft** *nt* triangular transaction/operation, three-cornered deal, three-way switch deal; **D.handel** *m* triangular trade; **D.verhältnis** *nt* three-cornered relationship; **D.verkehr** *m* ⊖ triangular system/trade

Dreier|- tri-partite; **D.konferenz** *f* three-cornered conference

dreifach *adj* triple, threefold, treble; *adv* in triplicate; **D.e** *nt* triple

Drei|farbendruck *m* three-colour printing; **D.felderwirtschaft** *f* three-field rotation/system, three-year crop rotation (system); **D.gangschaltung** *f* 🚗 three-speed transmission; **D.gespann** *nt* troika; **D.gewaltenlehre** *f* separation of powers doctrine

Dreijahres|frist *f* three-year period; **im D.rhytmus** *m* triennially; **D.zeitraum** *m* triennium

drei|jährig *adj* triennial; **D.meilengrenze** *f* ⚓ three-mile limit; **D.meilenzone** *f* ⚓ three-mile zone; **d.monatlich** *adj* quarterly

Dreimonats|- quarterly, three-month(s); **D.akzept** *nt* three-month(s) acceptance; **D.bankakzept** *nt* three-month(s) banker's acceptance; **D.einlage/D.geld** *f/nt* three-month(s) deposit/money, ninety-days loan; **D.frist** *f* period of three months; **D.geldsatz** *m* three-month(s) interest rate; **D.interbanksatz** *m* interbank rate for three-month(s) funds; **D.material** *nt (Rohstoffbörse)* three-month(s) contracts; **D.papier** *nt* three-month(s) bill/draft; **D.-Termindevisen** *pl* three-month(s) exchange; **D.ware** *f (Rohstoffbörse)* three-month(s) contracts; **D.wechsel** *m* three-month(s) bill/draft

drein|fügen *v/refl* to resign o.s. to sth.; **D.gabe** *f* gift, discount, bargain money; **als D.gabe** into the bargain

Drei|parteien- tripartite; **d.phasig** *adj* three-phase; **D.produkttest** *m* triadic product test; **D.radfahrzeug** *nt* 🚗 three-wheeler; **D.satzrechnung** *f* π rule of three; **D.schichtenbetrieb** *m* three-shift operation; **D.schichtler** *m* three-shift worker; **d.seitig** *adj* trilateral, tripartite; **D.spaltentarif** *m* triple column tariff; **d.spurig** *adj* three-lane

dreist *adj* impudent, brazen, perky, brash, cheeky

drei|stellig *adj* treble, triadic; **D.stufen-; d.stufig** *adj* three-stage, three-tier; **d.teilig** *adj* three-past, tripartite; **D.teilung** *f* three-way classification; **D.vierteljahresabschnitt** *m* nine-month(s) period; **D.viertelmehrheit** *f* three quarters majority; **d.wertig** *adj* trivalent, three-valued

dresch|en *v/t* 🚜 to thresh; **D.er; D.maschine** *m/f* thresher

Dressman *m* male (fashion) model

Driftkarte *f* ⚓ drift envelope/card

Drillmaschine *f* 🚜 seed drill

dringen *v/i* to urge/press; **bis zu jdm d.** *(Nachricht)* to reach so.; **in jdn d.** to plead with so.

dringend *adj* urgent, pressing, exigent; **äußerst d.** a matter of urgency, of the utmost urgency

dringlich *adj* urgent, pressing, exigent; **d. sein** to brook no delay

Dringlichkeit *f* 1. urgency, priority, exigency, exigence; 2. emergency; **größte/höchste D.** top/overriding priority

Dringlichkeits|antrag *m* urgency/privileged/emergency motion; **D.auftrag** *m* priority order, rush job; **D.bescheinigung** *f* certificate of priority; **D.debatte** *f* emergency debate; **D.fall** *m* urgent case; **D.folge** *f* priority schedule; **D.grad** *m* degree of urgency; **D.klausel** *f* emergency clause; **D.liste** *f* priority list, list of priorities; **D.programm** *nt* emergency programme; **D.reparatur** *f* emergency repair; **D.sache** *f* matter of urgency; **D.stufe** *f* priority/precedence rating, degree of urgency; **höchste D.stufe** top priority; **D.treffen** *nt* emergency meeting; **D.verfahren** *nt* emergency/summary procedure; **D.vermerk** *m* urgent note/memorandum; **D.vorlage** *f (Parlament)* urgent business

drinnen *adv* indoors

Dritt|anspruch *m* § third-party claim; **D.ausfertigung** *f* 1. riplicate, third copy; 2. *(Wechsel)* third of exchange; **D.begünstigter** *m* third-party/tertiary beneficiary; **D.beteiligung** *f* 1. third-party interest; 2. one-third interest

Drittel(r) *f/m* § third party/person, outsider; **zugunsten D.r** for the benefit of third persons; **D.r im Scheidungsprozess** § co-respondent; **zum D.n und Letzten** *(Auktion)* for the (third and) last time of asking, going, going, gone; **D. Welt** *f* Third World; **D. Welt-Laden** *m* OXFAM shop *[GB]*, thrift store *[US]*

gutgläubiger Dritter innocent (third) party; **lachender D. sein** to be the real winner, to come off best; **unschuldiger D.** innocent bystander

Dritt|eigentümer(in) *m/f* third-party owner; **D.erwerb** *m* subsequent acquisition; **D.erwerber** *m* third-party purchaser; **D.geschäft** *nt* third-party transaction; **D.gläubiger(in)** *m/f* third-party creditor; **d.klassig** *adj* third-rate; **D.kontrahent** *m* third contracting party; **D.kunde** *m* third-party customer; **D.land** *nt* third country; *[EU]* non-EC country; **D.landsware** *f* goods from third countries; **D.landzoll** *m [EU]* duty applicable to third countries; **D.markt** *m* third/outside/foreign/export market; **D.mittel** *pl* third-party funds; **D.mittelforschung** *f* sponsored research; **D.organschaft** *f* third-party organ principle; **d.platziert** *adj* third-placed; **d.rangig** *adj* third-rate

Drittschaden *m* third-party damage; **D.sliquidation** *f* realization of third-party damage; **D.versicherung** *f* third-party damage insurance

Dritt|schrift *f* third copy; **D.schuldner(in)** *m/f* 1. third-party/assigned debtor, garnishee; 2. *(Factoring)* customer; **D.staat** *m* third country; **D.umsatz** *m* customer sales; **D.vergleich** *m* dealing-at-arm's-length rule; **D.vermögen** *nt* third-party assets; **D.verpfändung** *f* third-party pledging; **D.verwahrer** *m* third-party depositary; **D.verwahrung** *f* § escrow, third-party custody; **D.verzug** *m* cross default; **D.währung** *f* foreign currency; **D.währungsanleihe** *f* foreign currency loan

Drittwiderspruch *m* § third-party opposition; **D.sklage** *f* third-party claim proceedings, ~ action against execution; **D.skläger(in)** *m/f* interpleader

Drittwirkung *f* effect on third party

Droge *f* drug, dope *(coll)*; **D.n** narcotics; **mit ~ handeln** to traffic in drugs

Drogen|geschäft *nt* drug trade; **D.handel** *m* drug trafficking/traffic, trafficking in drugs; **D.händler** *m* drug trafficker, drysalter, pusher *(coll)*; **D.missbrauch** *m* drug abuse; **D.schmuggel** *m* drug smuggling, (illicit) drug trafficking; **D.sucht** *f* drug addiction; **D.süchtige(r)** *f/m* drug addict; **D.vergehen** *nt* § drug offence

Drogerie *f* chemist's (shop) *[GB]*, drugstore *[US]*

Drogist(in) *m/f* chemist, druggist

Drohbrief *m* threatening letter

drohen *v/i* 1. to threaten/menace; 2. *(Unheil)* to loom/impend/overhang; **d.d** *adj* 1. threatening, menacing; 2. *(Unheil)* impending, looming; **unmittelbar d.d** imminent

Drohne *f* 1. drone; 2. sponger

Drohung *f* threat, menace; **D. mit Gefahr für Leib und Leben** threat to life and limb; **~ Repressalien/Vergeltungsmaßnahmen** reprisal threat; **leere D.** empty threat; **schwere D.** fulmination; **versteckte D.** veiled threat; **widerrechtliche D.** unlawful threat

Drohverlustrückstellungen *pl* provisions for anticipated losses/risks

Droschke *f* taxi, (taxi)cab, hackney cab; **D.n(halte)platz** *m* taxi/cab rank, ~ stand

drosseln *v/t* to reduce/lower/restrict/restrain/curb/curtail/choke/throttle, to put a check on sth., to cut back/down

Drosselung *f* 1. reduction, cutdown, lowering, curb(ing), dampening, throttling; 2. restriction, contraction; 3. *(Tempo)* deceleration; **D. der Ausgabe(n)** expenditure cut; **~ Einfuhr** curb on imports; **D. des Konsums** cut in consumption; **D. der Produktion** production cut; **D. des Wachstumstempos** curbing of growth; **D.smaßnahmen** *pl* restrictive measures

Druck *m* 1. pressure, squeeze, pinch; 2. urgency, impact, stress, duress, strain; 3. weight (wt.); 4. *(fig)* head of steam; 5. ▯ print(ing); **im D.** printing, in the press, in print; **in D.** ▯ printing; **unter D.** under pressure

Druck von außen external pressure; **D. auf die Erträge/den Gewinn** squeeze on profits; **~ die Gehälter** salary depression; **~ dem Geldmarkt** pressure on the money market; **~ die Gewinnspanne/-marge** squeeze on margins, price-cost squeeze; **~ die Handelsspanne** squeeze on margins; **D. nach oben** upward pressure; **D. auf die Rentabilität** profitability squeeze; **D. der Verhältnisse** force of circumstances; **unter dem ~ Verhältnisse** forced by circumstances; **D. auf die Zinsspannen** pressure on interest margins, squeeze on margins

Druck ausüben to bring pressure to bear, to exert pressure, to leverage/press, to lean on; **D. auf jdn ausüben** to pressurize so., to twist so.'s arm *(coll)*; **sich dem D. beugen** to bow to pressure; **sich im D. befinden** ▯ to be printing; **im D. erscheinen** ▯ to appear in print; **in D. geben** ▯ to send to press; **~ gehen** ▯ to go to press; **unter D. geraten** to come under pressure/strain; **~ handeln** to act under pressure; **D. mildern** to relieve pressure; **D. mindern** to reduce the pressure; **dem D. nachgeben** to give way/bow to pressure, to yield under pressure; **unter D. setzen** to put pressure on, to bring pressure to bear, to pressurize, to breathe down so.'s neck *(coll)*; **~ stehen** to be under pressure; **D. vermindern** to ease pressure; **D. verstärken** to step up/increase pressure, to turn the screw (on sth.)

atmosphärischer Druck atmospheric pressure; **finanzieller D.** financial squeeze; **großer D.** ▯ large print/type; **kleiner D.** ▯ small print/type; **moralischer D.** moral pressure; **sanfter D.** gentle pressure; **schlechter D.** ▯ poor print; **wirtschaftlicher D.** economic pressure

Druck|- depressant; **D.abfall** *m* ✿ pressure drop; **D.aggregat** *nt* ▯ printing unit; **D.anstalt** *f* ▯ printing plant; **D.anwendung** *f* (exertion of) pressure; **D.anzeiger** *m* ✿ pressure ga(u)ge; **D.anzug** *m* pressure suit; **D.arbeiten** *pl* ▯ printing; **D.aufbereitung** *f* ▯ editing; **D.auflage** *f* print run; **D.auftrag** *m* printing order; **D.ausgabespeicher** *m* 🖳 printout storage; **D.ausgleich** *m* ✿ pressure equalization/balance/balancing; **D.ausübung** *f* exertion of pressure; **D.band** *nt* print tape; **D.befehl** *m* 🖳 print instruction; **D.behälter** *m* ✿ pressure vessel; **D.bewilligung** *f* ▯ licence to print; **D.bild** *nt* printing format; **D.breite** *f* ▯ print span; **D.buchstabe** *m* print, block letter; **D.datei** *f* ▯ print file

Drückeberger *m* dodger, shirker, slacker

Drucken *nt* ▯ printing; **D. von Kleinbuchstaben** lower case printing; **einzeiliges D.** single-line printing

drucken *v/t* to print; **fett d.** to set in bold type; **gesperrt d.** to space out; **kursiv d.** to print in italics; **neu d.** to reprint

drücken *v/t* 1. to press/squeeze/depress; 2. *(Preis)* to beat down; 3. *(Kurs)* to knock down; *v/refl* 1. to shirk; 2. *(Problem)* to duck; **d.d** *adj* onerous, oppressive

Drucker *m* 1. 🖳 printer; 2. printing-press operator, print(ing) worker; **D. und Tastatur** printer-keyboard; **~ Verleger** printer and publisher; **mechanischer D.** impact printer

Drücker *m* push-button; **am D. sein** *(coll)* to be in control, ~ at the controls, ~ on the ball *(coll)*

Drucker|anschluss *m* 🖳 printer adapter; **D.auswahl** *f* printer selection

Druckerei *f* printing works/plant/office, print room centre, printery *[US]*, (the) printers, press room

Druckerei|betrieb *m* printing plant; **D.gewerbe** *nt* printing trade/industry; **D.gewerkschaft** *f* print/printers'/printing union

Drückerkolonne *f* door-to-door sales team

Druckerlaubnis *f* licence to print, imprimatur *(lat.)*

Drucker|presse *f* letterpress, printing press; **D.schwärze** *f* printer's/printing ink; **D.steuerung** *f* printing control; **D.treiber** *m* 🖳 printer driver; **D.zeichen** *nt* printer's mark

Druck|erzeugnis *nt* publication, printed matter; **D.exemplar** *nt* printer's copy; **d.fähig** *adj* printable, fit for printing; **nicht d.fähig** unprintable; **D.fahne** *f* galley proof; **D.fehler** *m* misprint, printing/literal/printer's error; *pl (Verzeichnis)* errata *(lat.)*, corrigenda *(lat.)*; **d.fertig** *adj* ready for press; ~ **machen** to edit; **d.fest** *adj* ⚙ pressure-proof, resistent to pressure; **D.form** *f* 🗋 printing block; **D.format** *nt* 🗋 print format; **d.frisch** *adj* hot/fresh from the press; **D.gang** *m* 🗋 printing cycle/run; **D.gefälle** *nt* ⚙ pressure drop; **D.gefäß** *nt* ⚙ pressure vessel; **D.genehmigung** *f* licence to print, imprimatur *(lat.)*; **D.geschwindigkeit** *f* 1. printing rate; 2. 🖳 print rate; **D.gewerbe/D.industrie** *nt/f* printing trade/industry; **D.größe** *f* type size; **D.jahr** *nt* date of impression; **D.kammer** *f* ⚙ pressure chamber; **D.kessel** *m* ⚙ (pressure) boiler; **D.kette** *f* 🗋 print chain; **D.knopf** *m* push/press button; **D.knopfsteuerung** *f* push-button control; **D.kontakt** *m* pressure contact, press key; **D.kopf** *m* 🖳 print head

Druckkosten *pl* printing cost(s)/expenses; **D.gebühr** *f* printing fee; **D.voranschlag** *m* printing estimate

Druck|kugelschreiber *m* retractable ballpoint pen; **D.legung** *f* printing, going to (the) press; **D.leiste** *f* 🖳 print group; **D.leistung** *f* 🗋 printing capacity

Druckluft *f* ⚙ compressed air; **mit D. betrieben/angetrieben** pneumatic, pneumatically operated

Druckluft|- pneumatic; **D.bremse** *f* air(-pressure) brake; **D.messer** *m* air(-pressure) ga(u)ge

Druck|maschine *f* (printing) press; **D.medien-Werbung** *f* publication advertising; **D.menu** *nt* 🖳 print menu

Druckmittel *nt* leverage; **D. gegen jdn anwenden** to bring pressure to bear on so.; **als D. ausnutzen** to use as leverage; **wirtschaftliches D.** economic pressure

Druck|ort *m* 1. 🗋 place of publication; 2. print site, place of printing; **D.papier** *nt* printing paper; **D.platte** *f* (printing) plate; **D.posten** *m (fig)* soft/cushy job; **D.presse** *f* 🗋 letter/printing press; **D.probe** *f (Publikation)* proof; **D.programm** *nt* 🖳 print program; **D.prüfung** *f* print check; **D.puffer** *m* print buffer; **D.pumpe** *f* ⚙ pressure pump; **D.punkt** *m* ⚙ pressure point; **D.regler** *m* ⚙ pressure regulator; **d.reif** *adj* good/ready for printing; **D.rohr** *nt* ⚙ pressure tube

Drucksache *f* ✉ printed matter/paper; **D.n** literature; **D. ohne Umschlag** self-mailer; **als D. schicken/senden** to send (by) printed matter, ~ at printed paper rate; **D.nporto/D.ntarif** *nt/m* ✉ printed paper rate; **D.nwerbung** *f* direct mail advertising, circularization

Druck|satz *m* 🗋 composition, type; **D.schleuse** *f* ⚙ air lock; **D.schloss** *nt* latch

Druckschrift *f* 1. block/capital letters, printscript; 2. print; 3. *(Veröffentlichung)* publication; **in D. schreiben** to print, to write in print, ~ printed/block letters; **amtliche D.** official publication; **öffentliche D.** *(Pat.)* printed publication

Druck|seite *f* printed page; **D.spalte** *f* 🗋 column (of type); **D.speicher** *m* 🖳 print storage; **D.standort** *m* printing site; **D.stelle** *f* 1. 🗋 print position; 2. mark; **D.steuerung** *f* 🗋 printer adapter, printer/print control; **D.stift** *m* push pencil; **D.stock** *m* 1. 🗋 block; 2. ⚙ electroplate; **D.stoff** *m* print cloth; **D.symbole** *pl* printer graphics

Drucktaste *f* ϟ press key, push button; **D.nbedienung** *f* push-button operation; **D.nwahl** *f* ☏ push-button dialling

Druck|technik *f* 1. 🗋 printing (technology); 2. *(Verfahren)* printing technique; **d.technisch** *adj* typographical; **D.ventil** *nt* ⚙ pressure valve; **D.verfahren** *nt* 🗋 printing process; **elektrofotografisches D.verfahren** electrophotographic printing; **D.verlust** *m* ⚙ pressure loss; **D.vermerk** *m* impressum *(lat.)*; **D.vorlage** *f* 1. 🗋 manuscript, copy; 2. 🖳 print layout; **D.walze** *f* 🗋 printing roll; **D.waren** *pl* printed goods; **D.wasserreaktor** *m* ⚛ pressurized water reactor (PWR); **D.zeichen** *nt* 🗋 print character; **D.zeichner** *m* tracer; **D.zeile** *f* print line

Dschungel *m* jungle; **D. durchforsten** to weed out the jungle

DTP (Desktop Publishing)-Anwender *m* 🖳 DTP user; **DTP-Fachmann** *m* DTP specialist

Dualbasis *f (OR)* dual base

wirtschaftlicher Dualismus dual economy

dualistisch *adj* double-purpose

Dualität *f* duality; **D.srestriktionen** *pl (OR)* dual constraints; **D.stheorie** *f* duality theory

Dualsystem *nt* 🖳 binary system

dubios *adj* doubtful, dubious; **D.e** *pl* doubtful accounts/debts; **D.enrückstellung** *f* allowance for bad debts

Dublette *f* duplicate

Duckmäuser *m* cringer, yes-man

Duell *nt* duel; **D.ant** *m* duellist

Dukatenesel *m (coll)* money-spinner, cash-coiner, money machine

dulden *v/t* to tolerate/permit/stand, to be passive; **stillschweigend d.** to condone/connive/acquiesce

Duldung *f* toleration, sufferance, indulgence, featherbedding; **D. einer Rechtsverletzung** acquiescence; **stillschweigende D.** acquiescence, connivance; **wohlwollende D.** benign neglect; **D.spflicht** *f* obligation to tolerate; **D.svollmacht** *f* § agency by estoppel, power of representation/authority

Dummheit *f* stupidity, foolishness; **D. begehen** to blunder; **kolossale D.** colossal blunder

Dummy-Konto *nt* dummy account

Dumping *nt* dumping; **D. betreiben** to dump, to practice dumping

eigentliches Dumping dumping proper; **negatives/umgekehrtes D.** reverse dumping; **räuberisches D.** predatory dumping; **soziales D.** social dumping; **verschleiertes D.** hidden dumping

Dumping|abwehr *f* resistance to dumping; **D.bekämpfungszoll** *m* anti-dumping tariff; **D.einfuhr** *f* dumped import; **D.politik** *f* dumping policy; **D.praktiken** *pl* dumping practices; **D.preis** *m* dumping/give-away price; **D.rate** *f* uncommercial rate; **D.spanne** *f* margin of dumping; **D.verbot** *nt* ban on dumping; **D.verfah-**

ren *nt* § dumping proceedings; **D.waren** *pl* dumped goods
Düngemittel *nt* fertilizer; **D.aktien/D.werte** *pl* fertilizers; **D.fabrik** *f* fertilizer plant; **D.hersteller** *m* fertilizer producer; **D.industrie** *f* fertilizer industry
düng|en *v/t* 1. to fertilize; 2. *(Naturdünger)* to manure; **D.er** *m* 1. fertilizer; 2. manure; **D.ung** *f* 1. fertilizing, fertilizaton; 2. manuring
Dunkel *nt* dark, obscurity; **d.** *adj* dark, grim, gloomy, obscure
im Dunklen bleiben to remain in the dark; **~ lassen** to leave in the dark; **~ tappen** to grope/be in the dark
Dünkel *m* vanity, arrogance; **d.haft** *adj* self-important, vain, arrogant
Dunkelziffer *f* number of undisclosed cases
dünn *adj* 1. thin, meagre, flimsy; 2. slim, tenuous, lean; 3. sparse; **D.druck** *m* light face
Dunst *m* haze, mist; **blauer D.** *(fig)* hot air *(fig)*; **D.glocke** *f* smog, haze; **d.ig** *adj* hazy, misty
Duo|pol *nt* duopoly; **D.pson** *nt* duopsony
Duplik *f* § rejoinder
Duplikat *nt* duplicate, copy, double, counterpart; **D. anfertigen/machen** to duplicate; **D.enfrachtbrief** *m* duplicate of railroad bill of lading
Duplikation *f* duplication
Duplikat|quittung *f* duplicate receipt; **D.rechnung** *f* duplicate invoice; **D.wechsel** *m* duplicate (bill)
duplizier|en *v/t* to duplicate; **D.funktion** *f* duplication function
Duplizität *f* duplicity; similarity, likeness; **D. der Ereignisse** concurrence of events, coincidence
durch|ackern *v/t* to work/plough through; **d.arbeiten** *v/t* to work through, to study thoroughly; **d.beißen** *v/refl* to fight one's way through; **d.bekommen** *v/t* to get through
Durch-B/L *f* through B/L
durchblättern *v/t* to browse/leaf/thumb/flick through
Durchblick *m* knowledge; **D. haben** to know what is what *(coll)*; **nicht mehr d.en** *v/i* to be all at sea *(fig)*; **d.en lassen** to hint/intimate/imply
durch|bohren *v/t* to pierce; **d.boxen** *v/t* to push/railroad through; **d.brechen** *v/t* to break through, to breach; **d.brennen** *v/i (coll)* to run away
durchbringen *v/t* 1. *(Gesetz)* to pass, to get through; 2. *(Geld)* to squander; *v/refl* to manage; **sich ehrlich d.** to make an honest living; **sich kümmerlich d.** to eke out/scrape a living
Durchbruch *m* breakthrough; **D. erzielen** to make a breakthrough; **zum D. kommen** to become apparent; **zum D. verhelfen** to popularize
durchbuchen *v/t* to book through
durchdacht *adj* considered; **sorgfältig d.** elaborate
durch|deklarieren *v/t* ⊖ to declare/enter as transit; **d.denken** *v/t* to think over; **d.diskutieren** *v/t* to thrash out; **d.dringbar** *adj* permeable; **d.dringen** *v/t* 1. to penetrate/permeate/pierce/pass; 2. to prevail; **d.dringend** *adj* piercing, strident, pervasive
Durchdringung *f* penetration, impregnation; **gegenseitige D.** interpenetration; **geografische D.** *(Markt)* geographical penetration; **D.svermögen** *nt* penetration
durchdrück|en *v/t* to enforce, to force through **D.packung** *f* blister/strip pack(age)
Durcheinander *nt* 1. confusion, chaos, turmoil; 2 mess, tangle, muddle, hotch-potch, snafu *(coll) [US]* **D. verursachen** to wreak/cause havoc; **heilloses/unheimliches/völliges D.** utter confusion, complete mess, shambles, topsy-turvy, utter chaos
durcheinander *adj/adv* messy, topsy-turvy, out of kilter; **d. sein** to be in (a) shambles; **völlig d. sein** to be in disarray
durcheinander bringen *v/t* 1. to upset/unsettle; 2. to throw into disarray, ~ off balance; 3. to confuse/muddle, confound, to mess up; **d. geraten** *v/i* to go haywire *(coll)*; **d. mischen** *v/t* to mix up
durch|erkennen *v/t* § to render a final decision as to the merits of the case; **d.fahren** *v/ti* 1. to go/drive through 2. to navigate, not to stop
Durchfahrt *f* 1. ⚓ passage; 2. thoroughfare, channel pass, passage in transit; **bloße D.** simple passage **freie/friedliche D.** innocent passage
Durchfahrt|breite *f* clearance/passage width; **D.erlaubnis** *f* ⊖ transit licence; **D.freiheit** *f* ⊖ freedom of transit; **D.shöhe** *f* 1. headroom; 2. clearance/passage height; **D.srecht** *nt* 1. ⚓ right of passage, passage right 2. ⊖ right of transit; **D.sstraße** *f* throroughfare, through road; **D.zoll** *m* 1. ⊖ transit duty; 2. toll
Durchfall *m* *(Prüfung)* failure, flop; **d.en** *v/i* 1. to fail; 2. *(Wahl)* to be defeated; **D.quote** *f (Prüfung)* failure rate
durch|fechten *v/t* to fight to get sth. through, to push through, to have it out; **d.finanzieren** *v/t* to finance completely; **D.finanzierung** *f* financing to completion, complete financing; **d.fliegen** *v/t* 1. ✈ to fly through; 2. *(Prüfung)* to fail; 3. *(Buch)* to skim through; **d.fließen** *v/t* to flow through
Durchfluss *m* flow; **D.geschwindigkeit** *f* flow capacity/rate; **D.leistung** *f* throughput; **D.wirtschaft** *f* throughput economy
durch|forschen *v/t* to explore/dredge; **d.forsten** *v/t* 1. *(Akten)* to go through, *(fig)* to comb; 2. thin out; **D.forstung** *f* thinning
Durchfracht *f* through/transit freight, through shipment/rate; **D.brief/D.konnossement** *m/nt* through bill of lading (B/L), combined transport bill of lading, waybill *[US]*
durchfrachten *v/t* to freight through
Durchfracht|rate/D.satz *f/m* through rate; **D.verladung** *f* through-freight shipment
Durchfuhr *f* transit, passage; **unmittelbare D.** through transit; **D.abgabe** *f* ⊖ transit duty
durchführbar *adj* feasible, viable, realizable, practicable, workable; **praktisch d.** feasible
Durchführbarkeit *f* feasibility, viability, practicability, workability; **wirtschaftliche D.** commercial feasibility; **D.sprüfung** *f* validity check; **D.sstudie** *f* feasibility study
Durchfuhr|berechtigungsschein *m* ⊖ transit permit, ~ authorization certificate; **D.bescheinigung** *f* transit certificate; **D.beschränkung** *f* transit restriction; **D.be-**

willigung *f* transit permit; **D.deklaration** *f* transit declaration

urchführen *nt* conduct; **d.** *v/t* 1. to carry out, to perform; 2. to implement/enforce; 3. to conduct/realize; 4. to transact/handle/operate/instrument; 5. ⊖ to carry through; *v/i* to lead through; **erfolgreich d.** to pull through, to make a success of

urchfuhr|erklärung *f* ⊖ transit entry; **D.erlaubnis/D.genehmigung** *f* transit permit; **D.fracht** *f* transit freight; **D.freiheit** *f* freedom of transit; **D.gut** *nt* transit goods, goods/merchandise in transit; **D.handel** *m* transit trade; **D.land** *nt* transit country; **D.papier** *nt* transit document; **D.recht** *nt* right of passage, transit licence; **D.schein** *m* transit bill/pass; **D.spediteur/D.spedition** *m/f* forwarding agency/agent; **D.staat** *m* transit country; **D.tarif** *m* transit/through rate

urchführung *f* 1. carrying-out, implementation, enforcement; 2. execution, conduct, realization, transaction, handling; 3. performance; 4. *(Test)* administration

urchführung eines Abkommens implementation of an agreement; **D. von Aufgaben** performance of duties; **D. eines Auftrags** execution of an order; **D. der Geldpolitik** implementation of monetary policy; **~ Kapitalerhöhung** fund-raising exercise; **~ Vereinbarung** satisfaction of an accord; **~ Verfügung** execution of an order; **D. eines Vertrages** implementation/fulfilment of a contract; **D. von Videokonferenzen** videoconferencing; **D. der Zollvorschriften** customs enforcement

ur Durchführung bringen to implement; **D. erzwingen** to enforce a rule; **praktische D.** implementation

urchführungs|abkommen *nt* implementing agreement/convention; **D.anordnung** *f* implementing order; **D.behörde** *f* executive authority; **D.bestimmungen** *pl* implementation clauses, implementing regulation(s)/instructions, provisions in execution, rules and regulations; **D.erlass** *m* implementation order, statute of practice *[GB]*; **D.garantie** *f* performance bond; **D.gesetz** *nt* implementing/regulatory act; **D.organ** *nt* executive body; **D.phase** *f* implementation stage; **D.planung** *f* operational planning; **D.stelle** *f* regulatory agency; **D.verordnung** *f* executive order, implementing regulations/order, bylaw; **D.verzögerung** *f* administrative lag; **D.vorschrift** *f* rules for implementation, implementing rule

urchfuhr|verbot *nt* ⊖ prohibition of transit, transit embargo; **D.verkehr** *m* transit traffic/trade, through traffic; **D.waren** *pl* transit goods; **D.zoll** *m* transit duty

urchgang *m* 1. passage, passageway, pass(ing), throughfare; 2. run, throughput; 3. ⊖ channel; **D. verboten** no passage/thoroughfare; **gebührenfreier D.** ⊖ transit free of duty; **grüner D.** ⊖ green channel; **öffentlicher D.** public thoroughfare; **roter D.** ⊖ red channel

urchgängig *adj* general, universal, widespread, uniform

urchgangs|abgabe *f* ⊖ transit tax/duty; **D.amt** *nt* ⊖ transit office; **D.bahnhof** *m* through station; **D.fahrkarte** *f* through ticket; **D.flughafen** *m* transit airport

Durchgangsfracht *f* through freight/shipment; **D.brief** *m* through bill of lading (B/L), waybill *[US]*; **D.gebühren** *pl* through freight charges; **D.satz** *m* transit rate

Durchgangs|gebühr *f* ⊖ transit charge; **D.güter** *pl* ⊖ transit goods; **D.halle** *f* transit hall; **D.handel** *m* transit trade; **D.hafen** *m* transit port; **D.konnossement** *nt* through bill of lading (B/L); **D.konto** *nt* internal transfer account, transit/suspense account; **D.ladung** *f* through shipment; **D.lager** *nt* 1. *(Waren)* transit warehouse; 2. *(Personen)* transit camp; **D.land** *nt* transit country; **D.platz** *m* transit/exchange point; **D.posten** *m* transitory/suspense item, item in transit; **D.recht** *nt* right of transit/way; **D.reisende(r)** *f/m* transit passenger; **D.satz** *m* through/transit rate; **D.sendung** *f* through shipment; **D.station** *f* through station; **D.stelle** *f* 1. transit point; 2. channelling agency; **D.straße** *f* thoroughfare, through road; **D.strecke** *f* through/transit route, thoroughfare; **D.tarif** *m* through/transit rate; **D.transport** *m* transit/through transport; **D.verbindung** *f* through route; **D.verkehr** *m* through traffic, transit (traffic); **D.verkehrsstraße** *f* 1. transit road; 2. through road, thoroughfare; **D.visum** *nt* transit visa; **D.wagen** *m* 🚂 through carriage/coach; **D.waren** *pl* ⊖ goods in transit, transit goods; **D.weg** *m* thoroughfare; **D.zertifikat** *nt* ⊖ transit certificate; **D.zoll** *m* transit tax/duty; **D.zollstelle** *f* customs office en route; **D.zug** *m* through train

durch|geben *v/t* *(Radio)* to announce/broadcast; **telefonisch d.geben** to telephone a message; **d.gefallen** *adj* unsuccessful, failed; **d.gezogen** *adj (Linie)* thickly drawn; **d.gehen** *v/ti* 1. to go over/through; 2. *(Gesetz)* to pass; 3. *(prüfen)* to examine/sift; **jdm etw. ~ lassen** to allow so. to get away with sth., to let so. off sth.

durch|gehend *adj* 1. continuous, uninterrupted, nonstop; 2. ⊖ through; 3. pervasive; 4. twenty-four-hour; 5. *(Verkehr)* direct; **d.gesehen** *adj (Text)* revised

Durchgreifen (gegen) *nt* clampdown/crackdown (on); **d.** *v/t* to take drastic measures; **energisch/hart/rigoros/scharf d.** to crack/clamp down, to get tough, to take drastic measures; **d.d** *adj (Maßnahme)* drastic, radical, sweeping, far-reaching

Durchgriff *m* 1. drastic action; 2. [§] enforcement of liability; **D.shaftung** *f* direct liability of controlling shareholder

durch|halten *v/t* to hold/stand out, to stay the course, to see through, to last; **D.haltevermögen** *nt* stamina; **d.jagen** *v/t* to rush through; **d.kämmen** *v/t* to go through with a fine comb, to scour

durchkommen *v/i* 1. to pass through, to manage; 2. to succeed; **nicht d.** to fail; **mit etw. d.** to make sth. stick

Durch|konnossement *nt* through bill of lading; **d.konstruieren** *v/t* to design down to the last detail; **d.kreuzen** *v/t* to thwart/frustrate/block/counteract/ba(u)lk/cross; **D.kreuzung** *f* counteraction

Durchlass *m* 1. opening, passage; 2. permission to pass; **D.bereich** *m* ▦ pass band

durchlassen *v/t* to let in/through

durchlässig *adj* permeable, leaky, pervious; **D.keit** *f* permeability

Durchlass|schein *m* pass; **D.zone** *f* ▦ gap

Durchlauf *m* 🖳 pass(age), throughput, run; **D.anweisung** *f* 🖳 perform statement; **D.betrieb** *m* continuous operation

durchlaufen *v/ti* to pass, to be in transit, to run through; **d.d** *adj* 1. continuous; 2. *(Buchung)* transitory

Durchlauf|erhitzer *m* flow heater; **D.glühe** *f* ✐ continuous annealing line; **D.konto** *nt* interim account; **D.palettenregal** *nt* drive-through pallet rack; **D.posten** *m* suspense/transitory item, item in transit; **D.regal** *nt* live storage racking; **D.taste** *f* 🖳 overriding key; **D.terminierung** *f* manufacturing lead time scheduling; **D.wahrscheinlichkeit** *f (OR)* reliability; **D.wirtschaft** *f* throughput economy; **D.zeit** *f* 1. throughput/operating/flow/production/machining time; 2. door-to-door time; **betriebliche D.zeit** operating cycle

durch|lavieren *v/refl* to muddle through, to make sth. by the skin of one's teeth; **d.leiten** *v/t (Kredit)* to transmit, to pass on, to channel through; **kassenmäßig d.leiten** to pass through the books

Durchleit|gelder *pl* transmitted monies/funds; **D.kredit** *m* transmitted loan/credit, passed-on credit; **D.marge** *f (Bank)* turn-on rate, margin on transmitted credit

Durchleitung *f* transmission; **D.sposten** *m* transmitted item; **D.srecht** *nt* right of way

durchlesen *v/t* to read through, to peruse; **flüchtig d.** to peruse/skim

durchleucht|en *v/t* 1. to investigate/examine/check; 2. *(Marketing)* to audit; 3. ⚕ to x-ray; **jdn d.en** to screen so.; **D.ung** *f* 1. investigation; 2. ⚕ x-ray

Durchlieferung *f* transit (shipment); **d.löchern** *v/t* to perforate/punch/puncture/hole; **d.lösen** *v/t* 🚆 to book through; **d.lotsen** *v/t* 1. to pilot through; 2. 🚗 to guide through; **d.lüften** *v/t* to air; **d.machen** *v/t* to undergo/endure; **d.messen** *v/t* to pace/cover

Durchmesser *m* diameter, calibre; **lichter D.** inside diameter

durch|mogeln *v/refl* to muddle through, to wangle sth.; **d.mustern** *v/t* to scrutinize; **d.nummerieren** *v/t* to number serially/consecutively; **d.organisieren** *v/t* to organize in detail; **D.palettendienst** *m* through-pallet service; **d.pausen** *v/t* to trace; **d.peitschen** *v/t* to push/rush/bulldoze/railroad *[US]* through, to steamroller; **d.planen** *v/t* to plan (down) to the last detail; **d.queren** *v/t* to traverse

durchrationalisier|en *v/t* to streamline, to rationalize fully; **D.ung des Betriebs** *f* streamlining of the operation

durchrechnen *v/t* to go over the figures, to check/calculate, to make a detailed estimate

Durchreise *f* passage, transit; **auf der D. sein** to be passing through; **D.genehmigung** *f* transit permit; **d.n** *v/t* to pass through; **D.nde(r)** *f/m* 1. transit/through passenger; 2. transient *[US]*; **D.sichtvermerk/D.visum** *m/nt* transit visa

sich zu etw. durch|ringen to bring o.s. to do sth., to come round to doing sth.; **d.sacken** *v/i* ✈ to sag/stall

Durchsage *f* announcement, message; **telefonische D.** telephone announcement; **d.n** *v/t* to announce

Durchsatz *m* throughput; **D. pro Woche** weekly throughput; **D.kapazität** *f* throughput capacity; **D.menge** *f* throughput rate

durch|schaubar *adj* transparent; **d.schauen** *v/t* to see through; **d.scheinen** *v/i* to show through; **d.schießen** *v/t* 🕮 to interleave

Durchschlag *m* copy, carbon (copy)

durchschlagen (auf) *v/i* 1. to have effect (on), to feed through; 2. to make one's mark (on); **sich allein d.** to fend for o.s.; **sich gerade noch d.** to make both ends meet; **sich kümmerlich/mühsam/schlecht und recht d.** to scrape along, to eke out a living; **voll d. auf** to take full effect on, to feed through

durchschlagend *adj* 1. sweeping, striking, potent; 2. *(Erfolg)* resounding; 3. effective, decisive

Durchschlag|papier *nt* manifold, carbon/copying/onionskin *[US]* paper, flimsy (paper); **D.skraft** *f* punch, impact, penetration; **D.svermögen** *nt* effectiveness

durch|schleusen *v/t* ⚓ to lock through; **D.schleusungsverkehr** *m* ⊖ through-going traffic; **(mittlerer) D.schlupf** *m* ▦ average outgoing quality (AOQ); **größter D.schlupf** ▦ average outgoing quality limit

Durchschnitt *m* 1. average, standard; 2. par, common/ordinary run; 3. ▦ arithmetic mean; **im D.** on (an) average, on a par; **über dem D.** above/better than average; **unter dem D.** below average

Durchschnitt berechnen to average; **im D. betragen/ergeben/erzielen** to average; **D. ermitteln** to average out; **hinter dem D. zurückbleiben** to underperform

annähernder Durchschnitt rough average; **gewichteter/gewogener D.** *(Kurs)* (trade-)weighted average; **gleitender D.** moving average; **guter D.** fair average; **langjähriger D.** multi-year average; **repräsentativer D.** representative cross-section; **ungefährer D.** rough average

durchschnittlich *adj* 1. average, standard, mean, middle-of-the-road; 2. ▦ median; **von d.** on average

Durchschnitts|- average, standard, ordinary, run-of-the-mill *(coll)*; **D.alter** *nt* average age; **D.aufwand** *m* average cost(s); **D.beitragssatz** *m* average rate of contribution; **D.bestand** *m* average stock/holding, standard inventory; **täglicher D.bestand** average daily holding; **D.besteuerung** *f* average tax rate, income averaging; **D.betrag** *m* average amount; **D.bewertung** *f* average valuation, inventory valuation at average prices; **D.bezahlung** *f* average pay; **D.bürger** *m* average man/citizen, Mr. Average *(coll)*; **D.einkommen** *nt* average income/pocket; **D.einstandspreis** *m* average cost price; **D.entgelt** *nt* average pay; **D.ergebnis** *nt* average result; **D.erlös** *m* average revenue/proceeds, ~ price obtained; **D.ertrag** *m* average profit/returns/yield/product; **D.erzeugnis** *nt* run of the mill product; **D.fachmann** *m* average person familiar with the art; **D.gehalt** *nt* average pay/salary; **D.gemeinkostensatz** *m* average burden rate; **D.geschwindigkeit** *f* average speed; **D.gestehungspreis** *m* average cost price; **D.gewinn** *m* average profit; **D.größe** *f* average size, mean quantity; **D.guthaben** *nt* average balance

Durchschnittskosten *pl* average/absorbed cost(s); **D.**

vermindern *(durch günstige Zukäufe)* to average down; **langfristige D.** long-run average cost(s); **variable D.** average variable cost(s)

Durchschnittskosten|bewertungsmethode *f* average-cost method of valuation; **D.methode** *f* average-cost method, cost averaging, periodic average method; **D.minderung** *f (Börse)* averaging down; **D.rechnung** *f* absorption costing

Durchschnitts|kunde *m* average customer; **D.kurs** *m* average rate/price, market average, middle price; **D.kurswert** *m* average market value; **D.laufzeit** *f* average/mean life (time), equated mean; **D.leistung** *f* ✪ average performance/output, mean output; **D.lohn** *m* average pay/wage; **D.menge** *f* average quantity; **D.mensch** *m* average person; **D.methode** *f (Bilanz)* inventory valuation at average prices; **D.miete** *f* average rent; **D.muster** *nt* representative sample; **D.niveau** *nt* average level; **D.notierung** *f* average quotation; **D.plus** *nt* average increase; **D.prämie** *f* level premium, flat rate; **D.preis** *m* average/middle price, market average; **D.preisermittlung** *f* determining average prices; **D.produkt** *nt* average product; **D.produktion** *f* average output; **D.prozentsatz** *m* average percentage; **D.qualität** *f* fair average quality (f.a.q.); **gute D.qualität** good/fair middling quality; **D.rechnung** *f* averaging; **D.rendite** *f* average yield/return; **D.restlaufzeit** *f* average residual term; **D.saldo** *m* (average) balance of account; **D.satz** *m* 1. average/composite rate; 2. *(Steuer)* average rate of taxation; **D.satzbesteuerung** *f* average rate method of tax computation; **D.spanne** *f* average profit margin; **D.stückkosten** *pl* average unit cost(s); **D.stundenverdienst** *m* average hourly earnings; **D.summe** *f* average sum; **D.tara** *f* average tare; **D.temperatur** *f* average/mean temperature; **D.umsatz** *m* average sales; **D.valuta** *f* average period to maturity, ~ value date; **D.verbrauch** *m* average consumption; **für den D.verbraucher** *m (geistig)* middle-brow; **D.verdiener** *m* average earner; **D.verdienst** *m* average earnings, ~ wages and salaries; **D.verfalltag** *m* average due date; **D.verzinsung** *f* average yield, ~ interest rates, yield mix; **D.ware** *f* article(s) of average quality; **gute/gesunde D.ware** fair average quality (f.a.q.), fair merchantable (f.m.); **D.wert** *m* 1. mean quantity/value, standard value; 2. *(Börse)* market average; **gewogener D.wert** weighted average (price); **D.zahl** *f* average figure/number, mean; **D.zins** *m* average interest

Durchschreibe|bestellbuch *nt* carbon-copy order book; **D.block** *m* carbon-copy pad; **D.buch** *nt* manifold book; **D.buchführung** *f* duplicating bookkeeping, duplicate recording/one-write *[US]* system; **D.schreibepapier** *nt* carbonless paper; **D.satz** *m* multi-part form set; **D.system** *nt* duplicating system

durch|schreiten *v/t* to walk through, to pace; **D.schrift** *f* carbon copy; **D.schubsicherung** *f (Logistik)* pallet backstop; **D.schuss** *m* ⎕ space, interleaf

durch|sehen *v/t* to look through/over, to examine/revise/inspect, to go over, to skim through; **flüchtig d.sehen** to run over; **d.sein** *v/i* to be through

durchsetzbar *adj* enforceable, recoverable; **nicht d.** unenforceable; **D.keit** *f* enforceability

durchsetzen *v/t* to enforce/implement, to force/push through; *v/refl* to prevail, to assert/establish o.s., to come out on top, to have/get one's way, to assert one's authority, to stand one's ground, to make one's point

Durchsetzung *f* enforcement, implementation; **D. der Wechselansprüche** enforcement of claims under a bill of exchange; **D.svermögen** *nt* 1. punch, clout, self-assertion; 2. *(Gewerkschaft)* industrial muscle; **~ haben** to have punch/clout; **über genügend ~ verfügen** to have enough muscle

Durchsicht *f* 1. inspection, examination, check; 2. revision, review; 3. *(Text)* perusal; **bei D.** on inspecting; **bei nochmaliger D.** on second inspection

Durchsicht von Akten paperwork; **bei D. unserer Bücher** on inspecting/checking our books; **~ der Sendung** on checking the consignment; **zur gefälligen D.** for your kind inspection; **einer sorgfältigen D. unterziehen** to examine carefully

durchsichtig *adj* transparent; **D.keit** *f* transparency

Durchsickern *nt* seepage, leakage; **d.** *v/i* 1. *(Information)* to filter (through), to transpire; 2. *(Flüssigkeit)* to seep through, to leak out; **d. lassen** 1. *(Information)* to leak; 2. to percolate

durch|sieben *v/t* 1. *(Personen)* to screen; 2. to filter; **d.sprechen** *v/t* to talk over, to go over the ground; **gründlich d.sprechen** to thrash out

Durchstart|effekt *m (Konjunktur)* flying restart effect; **d.en** *v/t* 1. ✈ to pull up; 2. to accelerate again

durchstehen *v/t* to endure/weather, to ride/face out; **D.vermögen** *nt* stamina, staying power

durch|stellen *v/t* 1. to transfer; 2. ✆ to put through; **d.stöbern** *v/t* to rummage, to rake through; **D.stoß** *m* throughput

durchstreich|en *v/t* to delete, to cross/strike out, to deface; **D.ung** *f* deletion, crossing out

durchsuchen *v/t* 1. to search, to go through/over, to ransack; 2. § to search (under a search warrant); 3. 💻 to browse; **genau d.** 1. to rifle/dredge; 2. *(Person)* to frisk *(coll)*

Durchsuchung *f* search, going over; **D. und Beschlagnahme** § search and seizure; **D. machen** to make a search; **körperliche D.** body/strip search; **rechtmäßige D.** lawful search

Durchsuchungs|befehl *m* § search warrant; **D.kommando** *nt* ⚓ boarding party; **D.recht** *nt* right of search; **D.vollmacht** *f* power of entry and search

Durch|tarif *m* through tariff; **d.tränken** *v/t* to saturate

durchtrieben *adj* cunning, crafty, wily, tricky; **D.heit** *f* cunning

Durchwahl *f* 1. ✆ extension (number); 2. direct dialling; **D.nummer** *f* dialling code, direct dial number

durch|weg *adv* consistently, without exception; **d.winden** *v/refl* to wriggle through; **d.winken** *v/t* ⊝ to wave on, to nod through; **d.wursteln** *v/refl (coll)* to muddle/scrape through; **d.zählen** *v/t* to count, to number off; **d.zeichnen** *v/t (Papier)* to trace; **d.ziehen** *v/t* 1. to go through with; 2. to thread

dürftig *adj* 1. needy, poor, indigent, necessitous; 2.

slim, meagre, scant(y), flimsy, lean; **D.keit** *f* poverty, indigence, poorness; **D.keitseinrede** *f* § plea of insufficient assets in an estate

dürr *adj* dry, arid

Dürre *f* drought, aridity; **D.katastrophe** *f* disastrous/catastrophic drought; **D.periode** *f* drought

Durststrecke *f* *(fig)* lean period/patch, barren/bad patch; **D. bei Neuinvestitionen** front-end loading; **D. überstehen** to go through a lean period, ~ barren patch

Düse *f* jet, nozzle

Düsen|antrieb *m* jet propulsion; **mit D.antrieb** jet-propelled; **D.flugzeug/D.maschine** *nt* jet (plane/aircraft/liner); **D.fracht** *f* jet freightage; **D.frachtflugzeug** *nt* jet freighter; **D.motor** *m* jet engine; **D.verkehrsflugzeug** *nt* jet airliner, jetliner

düster *adj* grim, dismal, dim

Dutzend *nt* dozen; **im D. abgepackt** packed in dozens; **im D. billiger** cheaper by the dozen; **großes D.** long dozen; **knappes D.** bare dozen; **rundes D.** good dozen; **D.preis** *m* price by the/per dozen; **D.ware** *f* mass-produced article/item; **d.weise** *adv* by the dozen

DV (Datenverarbeitung) *f* 🖳 DP (data processing); **DV-Anlage** *f* DP appliance

Dynamik *f* drive, dynamics, liveliness, dynamic strength/nature, rapid pace, growth; **D. der Betriebsformen im Handel/Einzelhandelsbetriebsform(en)** wheel of retailing; ~ **Renten** flexibility of pensions; **an D. verlieren** to lose momentum; **komparative D.** comparative dynamics; **unternehmerische D.** managerial/entrepreneurial dynamism; **weltwirtschaftliche D.** dynamics of the world economy

dynamisch *adj* 1. dynamic, energetic, self-motivating, self-starting, strong, flexible; 2. *(Rente)* index-linked

dynamisier|en *v/t* to index; **d.t** *adj* index-linked; **D.ung** *f* 1. index-linking, indexation; 2. *(Verfahren)* dynamization, speeding up

Dynamo *m* 1. dynamo; 2. *(fig)* powerhouse

E

Ebbe *f* low tide, ebb; **E. und Flut** the tides, ebb and flow; **E. in der Kasse** *(coll)* out of funds

eben *adj* even, flat, level, plane

ebenbürtig *adj* 1. equal; 2. of equal rank; **jdm e. sein** to rank equal, to be on a par with so.; **E.e(r)** *f/m* peer; **E.keit** *f* par, equality of rank

ebenda (ebd.) *adv* ibid. (ibidem) *(lat.)*

Ebene *f* 1. level, tier; 2. echelon; 3. plain; 4. π plane; **über zwei E.n gebaut** 🏛 split-level

auf allen Ebene|n at all levels; **geneigte E.** oblique plane; **auf gleicher E.** on a level; **auf höchster E.** at the highest level, at top level, high-level; **auf kommunaler E.** at local authority level; **auf monetärer E.** on the monetary front; **nachgeordnete E.** lower level; **auf nationaler E.** nationwide, on a national scale/level; **schiefe E.** inclined plane

eben|erdig *adj* at ground level; **e.mäßig** *adj* regula[r]; **e.so** *adv* likewise, equally

ebnen *v/t* to level

Echo *nt* echo, response, repercussion, reverberation; **E[cho] finden** to meet with a response; **schwaches E.** fai[r] response; **E.effekt** *m* echo effect

echt *adj* 1. real, genuine, true, pure, authentic, warranted, sterling; 2. bona fide *(lat.)*; 3. ⚗ unadulterated; **garantiert e.** warranted pure/genuine

Echtheit *f* authenticity, genuineness; **E. der Unterschrift** genuineness of signature; **E. bestätigen** to authenticate; **E. bestreiten** § to put in a plea of forgery; **E. einer Urkunde bestreiten** to challenge the validity of a deed; **E. feststellen; auf E. prüfen** to authenticate/verify; **augenscheinliche E.** apparent authenticity

Echtheits|bescheinigung *f* certificate of authenticity; **E.beweis** *m* proof of authenticity/genuineness; **E.bürgschaft** *f* warranty of genuineness; **E.erklärung** *f* authentication; **E.zeugnis** *nt* certificate of authenticity

Echtzeit *f* 🖳 real time; **E.betrieb** *m* real-time operation; **E.fähigkeit** *f* real-time capability; **E.system** *nt* real-time system; **E.verarbeitung** *f* real-time processing

Eck|artikel *m* *(Handel)* key line; **E.beschläge** *pl (Container)* corner fittings; **E.daten** *pl* key/benchmark data; **gesamtwirtschaftliche E.daten** key economic data; **E.datum** *nt (Netzplan)* milestone

Ecke *f* 1. corner, nook, edge; 2. *(OR)* node; **abgeschlagene/angestoßene E.** chipping

Eck|fenster *nt* corner window; **E.grundstück** *nt* corner lot/plot; **E.haus** *nt* corner house; **E.laden** *m* corner shop, shop on the corner; **E.lohn** *m* base/basic/benchmark/corner rate, standard/reference/basic wage; **E.lohnsatz** *m* benchmark rate/wage; **E.pfeiler** *m (fig)* cornerstone *(fig)*; **E.stein** *m* cornerstone; **E.termin** *m* basic time limit; **E.wert** *m* 1. key datum *(pl* data), benchmark, reference figure, basic value/rate; 2. *(Lohn)* basic wage; **erwarteter E.wert** best estimate; **E.zins** *m* (bank) base rate, prime rate *[US]*, basic rate (of interest), standard (rate of) interest; ~ **der Clearingbanken für Ausleihungen** base lending rate

ECU *m* *[EU] (Rechnungseinheit)* European Currency Unit

edel *adj* noble; **E.gas** *nt* ⚗ rare gas; **E.holz** *nt* precious wood

Edelmetall *nt* bullion, precious/noble metal; **ungemünztes E.** bullion

Edelmetall|börse *f* bullion market, precious metals market; **E.eigenhandel** *m* precious-metal dealing, trade in precious metals for own account; **E.geschäft** *nt* precious metals business/trade; **E.gewicht** *nt* troy weight; **E.handel** *m* bullion dealing/trade, precious metals trading; **E.händler** *m* bullion dealer; **E.hausse** *f* upswing of precious metal prices; **E.katalysator** *m* 🚗 noble-metal catalyst; **E.makler** *m* bullion broker; **E.markt** *m* bullion market, precious metals market; **E.prüfer** *m* assayer; **E.unze** *f* troy ounce (= 31,104 g); **E.termingeschäft** *nt* precious metal forward; **E.terminkontrakt** *m* precious metal future; **E.wert** *m* *(Münze)* bullion value

delmütig *adj* magnanimous

Edelstahl *m* special/fine/high-grade steel; **E.werk** *nt* special steels company/plant

Edelstein *m* precious stone, jewel, gem(stone); **ungeschliffener E.** uncut gemstone; **E.börse** *f* precious stone market

Edieren *nt* editing; **e.** *v/t* to edit

Edikt *nt* edict, law, court order

ditier|bar *adj* editable; **e.en** *v/t* to edit; **E.station** *f* editing/videotex terminal; **E.tastatur** *f* editing keyboard; **E.terminal** *m/nt* editing terminal

Editionseid *m* disclosure on oath

EDV (elektronische Datenverarbeitung) *f* EDP (electronic data processing); **E.-Abteilung** *f* data-processing department; **E.-Analphabet** *m* computer illiterate; **E.-Anlage** *f* EDP/computer system; **auf E.-Basis** *f* database; **E.-Branche** *f* data-processing business; **E.-Fachmann** *m* computer specialist; **E.-Liste** *f* computerized list; **E.-Personal** *nt* data processing personnel, liveware *(coll)*; **E.-Überweisungsverkehr** *m* electronic funds transfer (EFT)

Effekt *m* effect; **ohne E.** ineffective, without avail; **gewünschten E. erzielen** to have the desired effect

desinflatorischer Effekt disinflationary effect; **externe E.e** external effects, externalities; **monetärer externer E.** pecuniary spillover; **negative externe E.e** negative externalities, social costs; **positive ~ E.e** positive externalities, social benefits; **technologischer externer E.** technical externality; **konjunkturpolitischer E.** impact on the economy; **kumulative E.e** aggregative effects; **rationalisierender E.** rationalization effect; **wirtschaftliche E.e** economic results

Effekten *pl* 1. securities, stocks (and shares), effects, paper securities, negotiable instruments; 2. *(Bilanz)* investments

zur Sicherheit gegebene Effekten auswechseln to commute collateral; **E. beleihen** to advance money/lend on securities; **E. glatt hereinnehmen** to take in stocks without charging contango; **E. hinterlegen** to deposit/lodge securities; **E. lombardieren** to advance money on securities; **~ lassen** to borrow on securities; **E. verpfänden** to pledge securities; **E. verwahren** to hold securities for safekeeping; **E. verwalten** to manage a portfolio; **E. vortragen** to carry over stock *[US]*

nicht abgestempelte Effekten unassented securities; **beleihbare E.** eligible securities; **börsengängige E.** marketable securities; **an der Börse eingeführte E.** listed securities; **eingetragene E.** registered securities; **erstklassige/hochwertige E.** blue chips; **festverzinsliche E.** fixed-interest(-bearing) securities; **fungible E.** marketable securities; **abhanden gekommene E.** lost securities; **hinterlegte E.** deposited securities; **lombardierte E.** pledged securities, pawned stocks *[US]*; **marktfähige E.** marketable/negotiable securities; **mündelsichere E.** gilt-edged stocks, gilts; **persönliche E.** personal belongings/effects; **vorgetragene E.** carried-over stocks

Effekten|abrechnung *f* stock account, contract note; **E.abrechnungsstelle** *f* clearing house; **E.abteilung** *f* investment/securities department, stock office *[US]*; **E.agio** *nt* premium on shares, stock discount *[US]*; **E.analyse** *f* investment analysis; **E.anlage** *f* investment in securities; **E.anlageberater** *m* investment adviser/consultant; **E.arbitrage** *f* securities/stock arbitrage, stock arbitration, arbitrage in securities; **E.aufstellung** *f* statement of securities; **E.auftrag** *m* buying/selling/stock order; **E.ausgang** *m* outgoing securities; **E.austausch** *m* portfolio switch; **E.baisse** *f* bear(ish) market; **E.bank** *f* issuing/clearing/security house, investment bank, trust company *[US]*; **E.bankgeschäft** *nt* investment banking; **E.bankier** *m* investment banker; **E.beleihung** *f* advance against securities, margin/share/stock loan; **E.berater** *m* investment adviser, security analyst; **E.beratung** *f* investment advice/counselling; **E.bescheinigung** *f* register certificate; **E.besitz** *m* stock holdings; **E.besitzer(in)** *m/f* stockholder, stockowner; **E.bestand** *m* security holdings/portfolio, (investment/stock) portfolio, stocks/securities in hand; **risikoarmer E.bestandteil** defensive portion; **risikoreicher E.bestandteil** aggressive portion; **E.bewertung** *f* securities rating; **E.börse** *f* stock exchange/market, securities exchange; **E.buch** *nt* securities/stock ledger, stockbook; **E.depot** *nt* safe custody account *[GB]*/deposit, security/custodianship *[US]* account , securities portfolio, deposit/register of securities; **E.differenzgeschäft** *nt* margin(al) trading, margin buying/business; **E.diskont** *m* securities discount(ing); **E.eigenhandel(sgeschäft)** *m/nt* security trading for own account; **E.einführung** *f* marketing of securities; **E.eingang** *m* securities received, incoming securities

Effektenemission *f* issue of securities, capital issue, stock flo(a)tation; **E. garantieren** to underwrite an issue; **E.sbank** *f* issuing house *[GB]*, trust company *[US]*, investment bank; **E.sgeschäft** *nt* securities underwriting; **E.skonsortium** *nt* underwriting syndicate; **E.sprovision** *f* underwriting commission

Effekten|engagement *nt* stock market commitment; **E.erwerb** *m* purchase of securities; **E.finanzierung** *f* financing through securities; **E.finanzierungsgesellschaft** *f* investment trust; **E.forderungen** *pl* securities receivable; **E.garantie** *f* underwriting (guarantee); **E.gattung** *f* description/category of securities

Effektengeschäft *nt* stockbroking, stockjobbing, securities business, business in securities, dealing in stocks/securities, operation in securities; **E. mit kleinen Abschnitten** odd-lot transaction; **~ Einschuss** margin call *[US]*

Effektengiro *nt* stock transfer, transfer of securities; **E.bank** *f* securities clearing institution/bank; **E.verkehr** *m* securities clearing/transfer

Effektenguthaben *nt* portfolio of securities

Effektenhandel *m* securities trading/dealing, security transaction(s), trading/proprietary dealing in securities, stock trading/brokerage, stockbroking, jobbing, dealing (in stocks); **E. in kleinen Abschnitten** odd-lot trading; **außerbörslicher E.** over-the-counter (OTC) trading

Effekten|händler *m* stockbroker, securities/stock dealer, stockjobber *[US]*, market maker, dealer (in stocks), (equity) jobber; **E.haus** *nt* securities trading house; **E.hausse** *f* stock-market boom, bull(ish) market; **E.index** *m* share/stock index, index of a number of securities; **E.inhaber** *m* 1. holder of securites, stockholder; 2. *(Anleihen)* bondholder; **E.kapital** *nt* equity capital

Effektenkauf *m* purchase of securities, securities/stock purchase; **E. mit Einschuss** buying on margin; ~ **Sicherheitsleistung** margin system *[US]*; **E.abrechnung** *f* securities/bought note

Effektenlkommissionär *m* securities commission agent; **E.kommissionsgeschäft** *nt* securities transactions on commission; **E.konto** *nt* safe custody/stock account, securities register; **E.kredit** *m* stock/security/broker's/margin loan, advance on securities, loan to purchase stock; **E.kreditkonto** *nt* margin account; **E.kundschaft** *f* investing public, investors (in securities); **E.kurs** *m* stock-market price, stock quotation/ price, security price; **E.kursniveau** *nt* stock-market level; **E.liquidationsbüro** *nt* settlement department *[GB]*, clearing house *[US]*; **E.lombard(kredit)** *m* advance on securities, collateral advance, margin/ share/stock loan, advance(s)/loan against securities; **E.makler** *m* stockbroker, securities broker; **E.markt** *m* stock/security market; **E.notierung** *f* stock quotation, ~ market price; **E.order** *f* stock order; **E.paket** *nt* block of shares, lot; **E.parität** *f* stock parity; **E.pensionierung** *f* pledging of securities, bed and breakfasting *(coll) [GB]*; **E.platzierung** *f* securities placing, placement of securities; **E.portefeuille/E.portfolio** *nt* (securities/investment) portfolio, ~ holdings; **E.preise** *pl* security prices; **E.primanota** *f* securities journal; **E.provision** *f* stock (exchange) commission; **E.quittung** *f* stock receipt; **E.rechnung** *f* stock/security account; **E.register** *nt* securities register; **E.sammeldepot** *nt* collective securities deposit; **E.schalter** *m* bargain counter, securities department counter; **E.scheck** *m* security (transfer) cheque *[GB]*/check *[US]*; **E.sektor** *m* securities business; **E.skontro** *nt* securities ledger, ~ holding record book; **E.sparen** *nt* investment saving, portfolio investment; **E.sparer** *m* portfolio investor, investment saver; **E.spekulant** *m* stock market speculator; **E.spekulation** *f* stock market speculation, speculation in securities, bargain hunting, stock adventure, agiotage; **E.statistik** *f* securities statistics; **E.stempel** *m* contract/finance *[GB]* stamp, consideration money *[GB]*; **E.stempelsteuer** *f* stamp duty (on securities); **E.steuer** *f* transfer duty; **E.strazze** *f* securities journal *[GB]*, blotter *[US]*; **E.tausch** *m* portfolio switch; **E.termingeschäft** *nt* trading in securities futures, forward operation in securities; **E.transaktion** *f* stockbroking transaction; **E.übertragung** *f* transfer of securities

Effektenverkauf *m* sale of securities, stock sale; **E.sabrechnung** *f* securities/sold note; **E.sbefugnis/E.svollmacht** *f* stock power *[US]*

Effektenlverkehr *m* dealings in securities, stockbroking; **E.verwahrung** *f* securities custody (deposit), safekeeping of securities; **E.verwalter** *m* portfolio manager; **E.verwaltung** *f* 1. portfolio/securities/investment management; 2. *(Bank)* custodianship, security deposit department; **E.verwertungsgesellschaft** *f* securities company *[US]*; **E.verzeichnis** *nt* securities register; **E.zinsen** *pl* interest on securities

Effekthascherei *f* showmanship, histrionics

effektiv *adj* effective, in real terms, real, actual

Effektivlbestand *m* actual balance/amount, real assets; **E.betrag** *m* actual amount; **E.bezüge/E.einkommen** *pl/nt* real/net earnings; **E.einnahmen** *pl* actual receipts, takings; **E.garantieklausel** *f* clause safeguarding effective pay; **E.geld** *nt (Vers.)* cash value; **E.geschäft** *nt* cash/money/spot transaction, actual/physical business; **E.handel** *m* transaction for actual delivery

Effektivität *f* effectiveness; **wirtschaftliche E.** economic effectiveness

Effektivlklausel *f* 1. currency clause; 2. actual wage clause; **E.kosten** *pl* actual cost(s); **E.lohn** *m* effective pay (rate), ~ take-home, real/actual/net wage, actual net earnings; **den Tariflohn übersteigende E.löhne** bootleg wages *[US]*; **E.lohnklausel** *f* actual wage clause; **E.preis** *m* cash price; **E.rendite** *f* dividend/redemption yield; **E.verdienst** *m* actual/real earnings; **E.verzinsung** *f* effective interest/yield, true/redemption yield, yield rate, market rate, effective/real rate of interest, ~ annual yield/rate; **E.ware** *f* actual goods (for immediate delivery); **E.wert** *m* cash value; **E.zahl** *f* actual number

Effektivzins *m* real/effective interest (rate), real rate of interest, market rate; **E.berechnung** *f* yield rate calculation; **E.satz** *m* real interest rate

Effektivzoll *m* effective tariff

effektuieren *v/t* to effect

effizient *adj* efficient

Effizienz *f* 1. efficiency; 2. performance; **E. des Dienstleistungsbereichs** service productivity; **ökonomische E.** economic efficiency; **prognostische E.** predictive record

Effizienzleinbußen *pl* efficiency losses; **automatisch wirkende E.elemente** built-in efficiency; **E.gewinn** *m* efficiency gain; **E.grenze** *f* efficiency limit; **E.kontrolle** *f* performance check; **E.kriterium** *nt* performance criterion; **E.mangel** *m* lack of efficiency, organisational slack; **E.revolution** *f* revolution in efficiency; **E.steigerung** *f* increase in efficiency; **E.theorem** *nt* efficiency theorem

egal *adj/adv* irrespective of, no matter what, alike

egalisieren *v/t* to equalize/adjust

EG (Europäische Gemeinschaft) *f* → **EU** EC (European Community); **EG-Landwirtschaftspolitik** *f* Common Agricultural Policy (CAP); **EG-Marktordnung** *f* EC regime; **EG-Marktpreis** *m* Community market price; **4. EG-Richtlinie** *f* Fourth Directive; **EG-Stahlkartell** *nt* Eurofer

Egolismus *m* selfishness, egoism; **e.istisch** *adj* selfish, egoistic; **e.zentrisch** *adj* self-centred

Ehe *f* 1. marriage, matrimony; 2. *(fig)* alliance

Ehe anfechten to contest the validity of a marriage; **E. annullieren** to annul a marriage; **E. aufheben/(auf)lösen** to dissolve a marriage; **E. brechen** to commit adultery; **in die E. einbringen** to provide as a dowry; **E.**

eingehen to contract a marriage, to get married; **E. für nichtig/ungültig erkären** to annul a marriage; ~ **lassen** to have a marriage nullified; **E. scheiden** to grant a divorce, to divorce a couple; **E. schließen** to enter into (a) marriage, to marry; **E. stiften** to make a match; **E. vollziehen** to consummate a marriage

nfechtbare Ehe [§] voidable marriage; **bürgerliche E.** civil wedding/marriage; **aus erster E.** of/from the first marriage; **erzwungene E.** shotgun marriage *(fig)*; **freie/wilde E.** common-law marriage; **gemischte E.** mixed marriage; **gültige E.** lawful marriage; **morganatische E.** morganatic marriage; **nichtige/ungültige E.** void marriage; **rechtsgültige E.** legal/valid marriage; **standesamtliche E.** civil marriage; **vollzogene E.** consummated marriage; **zerrüttete E.** broken-down/wrecked/dead marriage

:helanbahnung *f* matchmaking, marriage broking; **E.anbahnungsinstitut** *nt* matrimonial agency, marriage bureau; **E.anerkennung** *f* recognition of marriage; **E.anfechtungs-/E.aufhebungsklage** *f* suit of nullity of marriage, nullity suit; **E.aufgebot** *nt* banns; **E.aufhebung/E.auflösung** *f* dissolution/annulment of a marriage; **E.band/E.bund** *nt/m* marital bond/tie; **E.berater(in)** *m/f* marriage guidance counsellor; **E.beratung** *f* marriage guidance; **E.beratungsstelle** *f* marriage guidance council; **E.brecher** *m* adulterer; **E.brecherin** *f* adulteress; **e.brecherisch** *adj* adulterous; **E.bruch** *m* adultery; ~ **begehen** to commit adultery; **E.dispens** *m* exemption from marriage impediments; **E.erlaubnis** *f* marriage licence

hefähig *adj* 1. marriageable; 2. *(Frau)* nubile; **E.keit** *f* 1. *(Frau)* nubility; 2. freedom to marry; **E.keitszeugnis** *nt* certificate of nubility

:hefrau *f* wife, married woman; **rechtmäßig angetraute E.** lawful/wedded wife; **arbeitende/berufstätige E.** working wife; **nicht ~ E.** stay-at-home wife; **mitarbeitende/mitverdienende E.** earning/working wife

:hegatte *m* 1. spouse; 2. husband; 3. wife; **mitarbeitender E.** working spouse/husband/wife; **überlebender E.** surviving spouse

:hegattenlbesteuerung *f* taxation of spouses, ~ husband and wife; **E.freibetrag** *m* married couple's marriage allowance; **E.gehalt** *nt* spouse's salary; **E.testament** *nt* mutual will of spouses; **E.unterhalt** *m* matrimonial maintenance

:helgelöbnis *nt* marriage vows; **E.genehmigung** *f* marriage licence; **E.gesetz** *nt* Marriage Act *[GB]*; **E.güterrecht** *nt* marriage property law

:hehindernis *nt* [§] impediment (to marriage); **absolutes E.** absolute impediment (to marriage); **gesetzliches E.** legal impediment (to marriage); **trennendes E.** diriment impediment (to marriage)

:helleben *nt* married/conjugal life; **E.leute** *pl* married couple, husband and wife, conjoints, spouses

helich *adj* 1. conjugal, matrimonial, connubial, marital; 2. *(Kind)* legitimate; **für e. erklären** to legitimate/legitimize; **e.en** *v/t* to marry

:helichkeit *f* *(Kind)* legitimacy; **E.sanfechtung** *f* denial of legitimacy; **E.serklärung** *f* act of legitimation

ehelos *adj* unmarried, single; **E.keit** *f* unmarried state

ehemalig *adj* ancient, former, sometime; **E.e** *f* old girl; *pl* alumni *(lat.)*; **E.er** *m* old boy

Ehelmann *m* husband; **e.mündig** *adj* 1. of marriageable age; 2. *(Frau)* nubile; **E.mündigkeit** *f* 1. marriageable age; 2. *(Frau)* nubility; **E.name** *m* married name

Ehenichtigkeit *f* nullity of marriage; **E.santrag/E.sklage** *m/f* nullity suit; **E.serklärung** *f* annulment of marriage; **E.sgrund** *m* diriment impediment

Ehenichtigkeitsurteil *nt* decree of nullity; **endgültiges E.** decree absolute; **vorläufiges E.** decree nisi

Ehepaar *nt* (married) couple; **berufstätiges E.** dual career couple (DCC); **gemeinsam veranlagtes E.** jointly assessed couple, couple filing a joint tax return

Ehelpartner *m* spouse; **E.prozess** *m* matrimonial case; **E.recht** *nt* matrimonial/marriage law; **internationales Ehe- und Kindschaftsrecht** private international law on marriage, parenthood and childhood; **E.sache** *f* [§] matrimonial case

Ehescheidung *f* divorce, dissolution of marriage; **E. bei gegenseitigem Einverständnis** divorce by mutual consent; **E. beantragen** to sue for a divorce

Ehescheidungslgericht *nt* divorce court; **E.gesetz** *nt* 1. divorce law, Matrimonial Causes Act *[GB]*; 2. matrimonial statutes; **E.grund** *m* grounds for divorce; **E.klage** *f* divorce suit; ~ **einleiten** to institute divorce proceedings; **E.prozess/E.sache** *m/f* divorce suit; **E.recht** *nt* divorce law; **E.urteil** *nt* divorce decree; **E.verfahren** [§] divorce proceedings; **E.ziffer** *f* divorce rate

Eheschließende(r) *f/m* party contracting a marriage; *pl* bride and groom

Eheschließung *f* 1. wedding, (contracting a) marriage; 2. celebration of marriage; **vor der E.** pre-nuptial; **E. vornehmen** to contract a marriage; **durch nachfolgende E. ehelich werden** to be legitimated by subsequent marriage; **bürgerliche E.** civil marriage; **standesamtliche E.** registry office marriage; **E.srate** *f* marriage rate; **E.surkunde** *f* marriage certificate

Ehestand *m* married state, matrimony, wedlock; **E.sbeihilfe/E.sdarlehen** *f/nt* marriage grant, matrimonial loan

Ehelstifterin *f* matchmaker; **E.streit** *m* marital discord; **e.tauglich** *adj* 1. marriageable; 2. *(Frau)* nubile; **E.urkunde** *f* marriage certificate; **E.verbot** *nt* marriage prohibition, restraint of marriage; **E.verlöbnis** *nt* engagement; **E.vermittlung** *f* matchmaking; **E.versprechen** *nt* promise of marriage; **E.vertrag** *m* articles of marriage, marriage contract/settlement/articles, matrimonial property agreement; **e.widrig** *adj* constituting a matrimonial offence; **E.zerrüttung** *f* irretrievable breakdown (of a marriage); **E.zwist** *m* marital discord

Ehrlabschneidung *f* character assassination; **e.bar** *adj* respectable, honest, decent; **E.barkeit** *f* honesty, respectability, decency

Ehre *f* honour, kudos; **bei meiner E.** upon my word; **zu E.n von** in honour of

es als Ehre betrachten to consider it an honour; **jdm E. erweisen** to pay homage to so.; **jdm die letzte E. er-**

weisen to pay so. one's last respects; **seiner E. verlustig gehen** to forfeit one's honour; **jdm zur E. gereichen** to be a credit to so.; **jdm die E. rauben** to defame so.; **seiner E. schuldig sein** to be bound in honour; **jds E. verletzen** to cast a slur on so.'s reputation

ehren *v/t* to honour/dignify

Ehren|akzept *nt* acceptance supra/under protest, ~ for honour, ~ by invention, collateral acceptance; **E.akzeptant** *m* acceptor for honour, ~ supra protest; **E.amt** *nt* honorary office/appointment/post/function; **e.amtlich** *adj* honorary, unpaid, unsalaried; **E.angelegenheit** *f* matter of honour; **E.annahme** *f* → **E.akzeptanz**; **E.beamter** *m* official of honorary rank, honorary officer; **E.bürger** *m* freeman of the city; **E.doktorwürde** *f* honorary doctorate; **E.eintritt** *m* payment for honour, act of honour; **E.erklärung** *f* 1. declaration of honour, statement in defence, fidelity, amende-honorable *[frz.]*; 2. *(Beleidigung)* apology; **E.garde** *f* guard of honour; **E.gast** *m* guest of honour

Ehrengericht *nt* disciplinary court/committee, court of honour; **E.sbarkeit** *f* disciplinary jurisdiction; **E.sverfahren** *nt* disciplinary proceedings

ehren|haft *adj* honourable, worthy; **E.intervention** *f* intervention supra protest; **E.karte** *f* complimentary ticket; **(beruflicher) E.kodex** *m* code of honour/conduct/ethical practise, (professional) code of ethics; **E.komitee** *nt* committee of honour; **E.kränkung** *f* defamation, affront; **E.liste** *f* roll of honour; **E.mal** *nt* memorial; **E.mann** *m* man of honour; **E.mitglied** *nt* honorary member; **E.mitgliedschaft** *f* honorary membership; **E.platz** *m* place of honour, pride of place; **~ einnehmen** *(fig)* to take pride of place; **E.präsident(in)** *m/f* honorary president; **E.preis** *m* (honorary) prize

Ehrenrechte *pl* honorary rights; **bürgerliche E.** civil/civic rights; **~ aberkennen** to deprive (so.) of (his/her) civil rights

Ehren|rettung *f* rehabilitation, whitewash *(coll)*; **e.rührig** *adj* 1. defamatory; 2. libellous, slanderous; 3. discreditable; **E.sache** *f* 1. point/matter of honour; 2. § libel/slander case, ~ suit; **E.schuld** *f* debt of honour; **E.schutz** *m* protection of honour; **E.sold** *m* honorary pay; **E.tafel** *f* roll of honour; **E.tage** *pl (Wechsel)* days of grace; **E.titel** *m* honorary title; **e.voll** *adj* honourable; **E.vorsitzende(r)** *f/m* honorary chairman/president/chairperson; **E.wache** *f* guard of honour; **e.wert** *adj* honourable, worthy

Ehrenwort *nt* 1. word of honour; 2. § parole; **auf E. freigelassen** to be (out) on parole; **sein E. geben** to give one's word

Ehren|zahler *m* *(Wechsel)* payer for honour; **E.zahlung** *f* payment for honour, ~ supra protest; **E.zeichen** *nt* decoration, medal; *pl* insignia

ehr|erbietig *adj* respectful, deferential; **E.erbietung** *f* (show of) honour, respect, homage; **E.furcht** *f* awe; **E.gefühl** *nt* sense of honour

Ehrgeiz *m* ambition; **hemmungs-/schrankenloser E.** unbound/unbridled ambition; **e.ig** *adj* ambitious, aspiring, self-driven; **allzu e.ig** overambitious; **E.ling** *m* highflyer, highflier

ehrlich *adj* 1. honest, frank, square, sincere, above board, straightforward; 2. § bona fide *(lat.)*; **E.keit** *f* honesty, sincerity

ehrlos *adj* dishonourable

Ehrung *f* honour; **jdn mit E.en überhäufen** to shower honours upon so.

Ehrverletzung *f* defamation, injuring so.'s reputation; **E. in mündlicher Form** § slander; **~ schriftlicher oder anderer dauerhafter Form** § libel

ehrwürdig *adj* venerable

Eichamt *nt* ga(u)ging office, weights and measures department, Office of Weights and Measures *[GB]*; Bureau of Standards *[US]*

eichen *v/t* to calibrate/gauge *[GB]*/gage *[US]*

Eich|gewicht *nt* standard/stamped weight; **E.maß** *nt* ga(u)ge; **E.meister** *m* surveyor of weights and measures, ga(u)ger; **E.schein** *m* 1. ga(u)ger's certificate; 2. ⚓ certificate of measurement; **E.stab** *m* ga(u)ging rod

Eichung *f* calibration, ga(u)ging, rectification

Eichverwaltung *f* → **Eichamt**

Eid *m* oath; **an E.es Statt** in lieu of an oath/affidavit; **unter E.** on/under oath

Eid ablegen to swear/take an oath, to be sworn; **jdm den E. abnehmen** 1. to administer an oath to so.; 2. *(Amt)* to swear so. in; **E. auferlegen** to put on oath; **unter E. aussagen** to declare under oath, to give evidence on oath; **durch E. bekräftigen** to affirm upon oath; **unter E. bezeugen** to testify under oath; **E. brechen** to break one's oath; **von einem E. entbinden** to release from an oath; **an E.es Statt erklären** to make a solemn declaration; **unter E. erklären** to declare under oath; **E. leisten/schwören** to swear/take an oath; **auf seinen E. nehmen** to take on oath; **falschen E. schwören** to commit perjury; **unter E. stehen** to be under oath; **E. verletzen** to violate an oath

außergerichtlicher Eid extrajudicial oath; **beschränkter E.** qualified oath; **falscher E.** false oath; **wissentlich ~ E.** perjury; **feierlicher E.** solemn oath; **gerichtrichterlicher E.** judicial oath

Eid|bruch *m* perjury, breach of an oath, oathbreaking; **e.brüchig** *adj* perjured, oathbreaking

Eides|abnahme *f* administration of an oath; **E.belehrung** *f* caution concerning an oath; **E.delikt** *nt* offence of false swearing; **e.fähig** *adj* oathworthy; **E.fähigkeit** *f* oathworthiness; **E.formel** *f* wording of an oath; **vorgeschriebene E.formel** set form of an oath; **E.leistende(r)/E.leister** *f/m* oathmaker, affiant *[US]*; **E.leistung** *f* swearing/taking of an oath; **nach E.leistung** after an oath has been taken; **e.stattlich** *adj* in lieu of an oath; **E.verletzung** *f* violation of an oath; **E.verweigerer** *m* non-juror

eid|gebunden *adj* oathbound; **e.lich** *adj* on oath, juratory

frische Eier newly laid eggs; **E.erzeugung in Intensivhaltung** *f* battery hen production; **E.kopf** *m (coll)* egghead *(coll)*, boffin *(coll)*

Eifer *m* eagerness, keenness, zeal, zest, diligence, application; **im E. des Gefechts** *(fig)* in the heat of the moment; **missionarischer E.** missionary zeal

Eiferer *m* zealot; **E.sucht** *f* jealousy; **e.süchtig** *adj* jealous

eifrig *adj* eager, keen, diligent, strenuous, zealous, assiduous

eigen *adj* (of one's) own, distinct, inherent in, particular, proper; **sich zu E. machen** to adopt as one's own

Eigen|akzept *nt* promissory note; **E.anfertigung** *f* own make; **E.anlage** *f* own plant; **E.anteil** *m* own share; **E.anteile** proprietary interest; **mit E.antrieb** *m* self-propelled; **E.anzeige** *f* self-accusation; **E.arbeit** *f* do-it-yourself (DIY) work; **E.art** *f* characteristic feature, particular nature, peculiarity; **e.artig** *adj* peculiar, strange, queer, odd; **E.aufkommen** *nt* own output; **E.aufwand** *m* personal expense; **E.ausgaben** *pl* own expenditure; **E.bau** *m* self-construction; **E.bauten** own buildings; **E.bedarf** *m* 1. own/personal requirements, ~ use; 2. *(Handel)* in-house requirements/needs, domestic requirements; **E.bedarfsklage** *f* action for self-possession

Eigenbehalt *m* retention; **E.sprämie** *f* retained premium; **E.squote** *f* proportion retained; **E.ssatz** *m* retention ratio; **E.stabelle** *f* retention table

Eigen|belastung *f* dead load, taxpayer's burden; **E.beleg** *m* internal voucher, self-prepared document; **E.besitz** *m* 1. proprietary ownership/possession, owner-possession, proprietorship, exclusive possession; 2. *(Grundstück)* freehold, own holding, estate held in real tenure; **im ~ haben** *(Wertpapiere)* to hold beneficially; **E.besitzer(in)** *m/f* proprietary possessor; **E.bestand** *m* own holding

Eigenbeteiligung *f* equity contribution, own contribution/funding/funds; **mit E.** contributory; **ohne E.** non-contributory

Eigen|betrieb *m* owner-operator, proprietary enterprise, public undertaking/utility; **kommunaler E.betrieb** municipal enterprise; **E.bewerbung** *f* unsolicited application; **E.bewirtschafter** *m* owner-occupier; **E.bewirtschaftung** *f* owner-occupancy/cultivation; **E.bezug** *m* internal supply; **E.bild** *nt (Unternehmen)* internal image; **E.depot** *nt* own security deposit; **E.diagnose** *f* self-diagnosis; **E.dünkel** *m* self-esteem; **E.dynamik** *f* self-reinforcing tendencies, (own) momentum, (own) propelling force; **E.effekten** *pl* own security holdings; **E.einfuhr** *f* own imports; **E.entwicklung** *f* company/own development; **E.erstellung** *f* own/internal/in-firm production, internal source of supply, internally produced goods; **E.erzeugnis** *nt* own/company-manufactured product; **E.erzeugung** *f* own production/output; **E.fabrikat** *nt* own make

Eigenfertigung *f* own/in-firm/in-house production, in-house sourcing, company-produced goods; **E. oder Fremdbezug** make or buy, in-firm production or outside purchases; **E.santeil** *m* share of own products, ~ company-produced products

eigenfinanziert *adj* financed out of own resources

Eigenfinanzierung *f* self-financing, equity/own/internal financing, financing from own resources; **E. von Investitionen** investment from own resources; **E.skraft** *f* self-financing power; **E.smittel** *pl* internal resources, internally generated funds; **E.squote** *f* 1. equity financing ratio, self-finanicng ratio; 2. *(Außenhandel)* exporter's retention

Eigen|förderung *f* own output; **e.gebildet** *adj* self-generated; **E.gebrauch** *m* personal use; **E.gefahr** *f* *(Vers.)* individual risk; **e.gefertigt** *adj* company-manufactured, in-house produced; **E.geschäft** *nt* transaction on own account, business for/on (one's) own account, independant operation; **E.gewächs** *nt* home-grown/own product; **E.gewässer** *pl* inland/internal waters; **E.gewicht** *nt* 1. dead weight/load, tare/empty weight, net weight (nt.wt.); 2. unladen weight; **E.gut** *nt* § fee simple, freehold; **E.haftung** *f* broker's perfomance liability; **E.handel** *m* 1. private/proprietary trade, trading on/for own account, own-account trading/dealing, personal dealings; 2. dealing in own shares; 3. intra-company trade; **E.handelsgewinn** *m* profit from own account dealings; **e.händig** *adj* 1. single-handed, of/with one's own hand; 2. handwritten, holographic

Eigenhändler *m* 1. trader on own account, principal, agent, dealer; 2. *(Börse)* jobber *[GB]*, floor trader *[US]*; **als E.** as principal; **E.vertrag** *m* exclusive dealer contract

Eigenheim *nt* owner-occupied dwelling/house/home, homestead *[US]*, private home; **erstes E.** starter home; **zweites E.** second home

Eigenheim|anteil *m* residential segment; **E.bau** *m* home building, owner-occupied construction; **E.besitz** *m* owner-occupation/occupancy, home ownership; **E.besitzer** *m* owner-occupier, home owner; **E.bewohner** *m* owner-occupier; **E.erwerb** *m* home purchase; **E.erwerber** *m* home buyer; **E.finanzierung** *f* home financing; **E.grundstück** *nt* home site/plot; **E.hypothek** *f* home loan/mortgage, domestic/residential mortgage; **E.heimkauf** *m* house purchase; **E.nutzung** *f* owner-occupancy, owner occupation

Eigen|heit *f* particularity, feature; **e.initiativ** *adj* self-motivated; **E.initiative** *f* self-starting qualities, own initiative; **~ haben** to self-start; **E.interesse** *nt* self-interest, own/vested interest; **aufgeklärtes E.interesse** enlightened self-interest; **E.investition** *f* own/internal investment, own capital expenditure

Eigenkapital *nt* 1. equity (capital), owners' equity, ownership/share/proprietary *[US]*/owner's/proprietor's capital, equity funds, shareholders' interests, shareholders'/stockholders' funds, ~ equity, breakup value; 2. *(Bilanz)* capital and reserves, proprietorship *[US]*, equity share capital, ~ resources, net total assets, total equity, invested/working capital, capital at risk, ~ employed, (corporate/capital) net worth

Eigenkapital je Aktie net assets per share; **E. gemäß BIZ (Bank für internationalen Zahlungsausgleich)** BIS (Bank for International Settlements) capital; **E. minus Firmenwert** tangible net worth; **Eigen- und Fremdkapital** equity and debt capital; **E. und Rücklagen** capital and retained earnings; **mit E. unterlegen** to back by capital and reserves

ausgewiesenes Eigenkapital reported net worth; **bankaufsichtsrechtliches E.** regulatory capital, capital and reserves for bank regulatory purposes; **berichtigtes E.** adjusted net worth; **festgesetztes E.** legal (capital) value; **haftendes E.** liable (equity) funds/capital, liable shareholders' equity, net worth; **handelsrechtliches E.** company-law capital and reserves; **konsolidiertes E.** consolidated net assets; **nominelles E.** nominal capital; **risikobereites E.** risk/venture capital; **sichtbares E.** stated equity capital; **verwendbares E.** available net equity, distributable equity capital

eigenkapitalähnlich *adj* quasi-equity, quasi-capital

Eigenkapitalanteil *m* equity ratio, proprietary interest, own capital contribution; **mit hohem E.** heavily capitalized; **E.smethode** *f (Bilanzierung)* equity method

Eigenkapital|ausstattung *f* equity base/capitalization/position/equipment, own equity resources; **~ verstärken** to improve/strengthen the equity position; **E.auszehrung** *f* depletion of proprietary capital, ~ shareholders' equity; **E.basis** *f* equity/capital base, net worth; **zu schmale E.basis** overtrading; **E.bedarf** *m* equity requirements; **E.beschaffung** *f* raising equity capital; **E.beteiligung** *f* stake/participation in the equity capital; **E.bewegungsbilanz** *f* statement of shareholders' equity, ~ stockholders' net worth; **E.bildung** *f* equity capital formation, equity accumulation; **E.decke** *f* equity position, leverage; **schrumpfende E.decke** declining equity position; **E.erhöhung** *f* increase in equity (capital); **E.ersatzfinanzierung** *f* equity-substitute financing; **E.ertrag** *m* return on equity; **E.finanzierung** *f* equity finance/financing; **E.geber** *m* equity supplier; **E.gliederung** *f* breakdown of net worth; **E.hilfe** *f* capital resources aid; **E.hilfeprogramm** *nt* capital resources aid programme; **E.konto** *nt* proprietary/equity account; **E.kosten** *pl* cost of equity (capital); **E.lücke/E.mangel** *f/m* equity gap; **wilder E.markt** unorganised equity market; **E.mehrung** *f* increase in equity; **E.minderung** *f* decrease of equity; **E.polster** *nt* capital cushion; **E.quote** *f* equity ratio, capital to assets ratio, stockholders' equity as a percentage of total assets; **E.rendite/E.rentabilität** *f* return on equity (RoE), (rate of) return on net worth, equity return, earnings-equity ratio, income to assets ratio; **~ vor Steuern** return on equity before tax; **geforderte E.rendite** required rate of return on equity; **E.reserven** *pl* capital and revenue reserves; **E.schwund** *m* dwindling assets; **E.stärkung** *f* increase in equity; **E.umschlag** *m* turnover of equity, sales-equity ratio; **E.verzinsung** *f* equity yield rate, rate of return on equity (RoE), interest on equity (capital); **E.vorschriften** *pl* equity rules; **E.zinsen** *pl* interest on equity; **kalkulatorische E.zinsen** imputed/fictitious interest on equity; **E.zufuhr** *f* new equity injection, injection of equity finance; **E.zuschuss** *m* equity capital subsidy

Eigen|kontrolle *f* self-control, self-regulation; **E.kosten** *pl* primary cost(s); **E.lager** *nt* own warehouse/depot; **E.leben** *nt* independent existence, life of its own

Eigenleistung *f* 1. *(Fertigung)* self-construction, self-production, own contribution(s)/performance; 2. *(Finanzen)* borrowers' own funding; **E.en** company-produced assets; **aktivierte E.** own work capitalized, capitalized cost(s) of self-constructed assets, ~ expens[e] own performance, internally produced and capitalize[d] assets, company-produced additions to plant and equip[-] ment, ~ to fixed assets, work performed by the unde[r-] taking for its own purposes and capitalized, compan[y-] manufactured additions to assets; **andere ~ E.en** oth[er] company-produced additions to plant and equipment

Eigen|liquidation *f* members' voluntary liquidatio[n]; **E.macht** *f* self-given authority, high-handedness; **ve[r-] botene E.macht** § private nuisance, illegitimate inte[r-] ference, unlawful interference with possession, am[o-] tion; **e.mächtig** *adj* 1. arbitrary, unauthorized, witho[ut] proper authority; 2. high-handed; **E.marke** *f* ow[n] private/house brand, ~ label, own-label product, ow[n] brand offer; **E.markenartikel** *m* own-brand product

Eigenmittel *pl* equity finance, own/internal/sharehol[d-] ers'/company-generated funds, internal/own resource[s]

Eigenmittel|ausstattung *f* equity equipment; **E.basi[s] stärken** *f* to beef up capital resources; **E.quote** *f* equit[y] ratio; **E.rechnung** *f* own resources account; **E.renta[-] bilität** *f* return on own funds; **E.zufuhr** *f* capital injec[-] tion, paid-in capital

Eigen|nachfrage *f* reverse demand; **E.name** *m* famil[y/] proper name; **E.nutz** *m* self-interest, selfishness; **e.nützi[g]** *adj* self-interested, selfish; **E.nutzung** *f* private/interna[l] own use, proprietor's own use; **E.nutzungswert** *[m] (Haus)* imputed rent; **E.obligo** *nt* own commitmen[t]; **E.produktion** *f* own production; **in ~ herstellen** to mak[e] (sth.) o.s.; **auf E.rechnung** *f* on own account; **e.regeln[d]** *adj* self-adjusting; **E.reklame** *f* self-advertisement

eigens *adv* expressly, specifically

Eigenschaden *m* own damage

Eigenschaft *f* 1. quality, property, attribute, earmark[,] feature, nature, trait, characteristic; 2. § capacity[,] status; **in der E. als** in the capacity as; **E. des Unter[-] zeichneten** description of the signatory; **körperlich[e] E. der Waren** physical characteristics of goods

in amtlicher/dienstlicher Eigenschaft in an offici[al] capacity, ex officio *(lat.)*; **beratende E.** consultative[/] advisory capacity; **berufliche E.** professional capaci[-] ty; **besondere E.en** special features; **charakteris[-] tische E.** distinctiveness; **gute E.** virtue; **hervorragend[e] E.** sterling quality; **kredittechnische E.en** qualities a[s] credit instrument; **in offizieller E.** in an official capaci[-] ty, ex officio *(lat.)*; **physikalische/stoffliche E.en** phys[-] ical properties; **rechtliche E.** legal status; **speziel[le] E.en** functional characteristics; **in treuhänderische[r] E.** in a fiduciary capacity; **wertvolle E.** asset; **wesent[-] liche E.** indispensable feature, essential(ity); **wichtig[e] E.** key quality; **zugesicherte E.** warranted quality

Eigenschaftsbeurteilung *f* quality rating

Eigensinn *m* stubbornness; **e.ig** *adj* stubborn, self[-] willed, intractable, quirky

eigenstaatlich *adj* sovereign; **E.keit** *f* sovereignty[,] statehood

eigenständig *adj* self-contained, autonomous, independ[-] ent, intrinsic; **E.keit** *f* independence, autonomy

eigentlich *adj* 1. essential, intrinsic, real, actual, virtual[;] 2. underlying, specific(al)

Eigenltor *nt* own goal; **e.trassiert** *adj (Wechsel)* drawn by the maker

Eigentum *nt* 1. property; 2. ownership, possession, proprietorship, tenancy; 3. title, right of property; 4. *(Immobilie)* owner-occupation; 5. *(Vermögen)* estate

Eigentum an ausstehenden Aktien beneficial interest; **E. und Besitz** full right; **E. nach Bruchteilen** common ownership, tenancy in common; **E. Dritter** third-party property; **E. der Gesellschaft** corporate/company property; **E. zur gesamten Hand** joint title/property, tenancy in common, coparcenary; **E. im eigenen Interesse** beneficial ownership; **ungeteiltes gemeinsames E. an einer Liegenschaft** undivided share in land; **E. und Nießbrauch** [§] fee simple and usufructuary right; **E. an beweglichen Sachen** movable/personal property, property in movables; **~ unbeweglichen Sachen** property in land, immovable property; **~ Waren** title to goods

Eigentum auflassen to convey/release a property; **E. beanspruchen** to claim (a) title; **E. belasten** to encumber/charge property; **E. beschlagnahmen** to seize property; **E. besitzen** to own property; **E. erwerben** to acquire/obtain property, ~ ownership; **E. haben** to hold/own property; **~ an (Waren)** to have (a) title to (goods); **E. konkretisieren** to appropriate the goods to a contract; **E. übergehen lassen** to pass title; **E. pfänden** to distrain property; **E. retten** to preserve property; **in E. stehen** to be owned; **E. übernehmen** to take over property, to assume ownership; **E. übertragen** to convey/transfer/release a property, to pass title, to vest title in sth.; **E. verletzen** to trespass upon/infringe so.'s property; **in jds E. vollstrecken** to distrain upon so.'s property; **sich das E. vorbehalten** to reserve one's proprietary rights, ~ the right of property, to keep/retain title; **~ an den gelieferten Waren bis zur vollständigen Bezahlung vorbehalten** to reserve title to the goods delivered pending payment in full; **E. wiedergeben/zurückgeben** to restore property; **jds. E. zurückbehalten** to withhold so.'s property

absolutes Eigentum absolute property; **später anfallendes E.** contingent estate; **im ausländischen E.** foreign-owned; **ausschließliches E.** exclusive property; **bedingtes E.** qualified title, conditional estate; **mit Rechtsmängeln behaftetes E.** bad title; **belastetes E.** encumbered/mortgaged property; **beschränktes E.** restricted/qualified ownership; **erbrechtlich ~ E.** estate in tail; **bewegliches E.** chattel(s) (personal), personal effects/property/estate, movables; **unbedingtes dingliches E.** absolute ownership; **doppeltes E.** dual ownership; **eingeschränktes E.** qualified title; **einwandfreies E.** clear title; **fingiertes E.** reputed property; **fiskalisches E.** government/Crown *[GB]* property; **freies E.** freehold property; **fremdes E.** third-party property; **geistiges E.** intellectual/literary property; **gemeinsames/-schaftliches E.** joint property/ownership; **im gemeinsamen E.** jointly owned; **gesamthänderisches E.** joint tenancy; **gesetzliches E.** legal ownership; **gewerbliches E.** 1. industrial property; 2. proprietary rights; **herrenloses E.** abandoned property; **juristisches E.** legal ownership; **kommerzielles E.** commercial property; **konkursfreies E.** exempt property; **lastenfreies E.** unencumbered estate; **literarisches E.** literary property; **materielles E.** beneficial ownership; **nacktes E.** bare right; **nutznießerisches E.** beneficial ownership; **öffentliches E.** state/public property, public assets; **im öffentlichen E.** publicly owned, under public ownership; **persönliches E.** personal belongings/property/estate, private property, chattels personal; **pfändungsfreies E.** exempt property; **privates E.** private property; **rechtmäßiges E.** good/lawful title, rightful property; **städtisches E.** municipal property; **treuhänderisches E.** 1. trust property/capital; 2. equitable lien; 3. beneficial interest; **zur Sicherheit überlassenes E.** pledged property; **unbelastetes E.** clear title; **unbestreitbares E.** good title; **unbewegliches E.** real estate; **unvollständiges E.** imperfect title; **vermutetes/vermutliches E.** reputed ownership; **versicherbares E.** insurable property; **volles E.** good title, unrestricted ownership; **wirtschaftliches E.** 1. beneficial ownership, equitable property; 2. *(Unternehmen)* economic interest

Eigentümer *m* 1. owner, proprietor; 2. master; 3. title holder; 4. *(Mietsache)* landlord; 5. *(Haus/Wohnung)* owner-occupier; 6. *(Effekten)* holder; 7. possessor; **E. eines Anlageguts** asset-holder; **E. zu Bruchteilen** severalty owner; **E. zur gesamten Hand** joint owner; **E. einer geborgenen Ladung** ⚓ salvagee; **E. auf Lebenszeit** life owner

vom Eigentümer bewohnt owner-occupied

Eigentümer wechseln to change hands; **zum ursprünglichen E. zurückkommen** to revert to the original owner

absoluter/alleiniger Eigentümer [§] sole (and unconditional) owner; **alleinverfügungsberechtigter E.** sole and unconditional owner; **augenscheinlicher E.** reputed owner; **eingetragener E.** registered owner; **formeller E.** legal owner; **früherer E.** previous owner; **gutgläubiger E.** holder in good faith, bona-fide *(lat.)* owner, ~ of value; **institutioneller E.** institutional owner; **lebenslänglicher E.** life owner; **materieller E.** beneficial owner; **mutmaßlicher E.** presumed owner; **rechtlicher/-mäßiger E.** 1. lawful/legal/rightful owner; 2. *(Effekten)* holder in due course; **tatsächlicher E.** equitable owner; **unbeschränkter/uneingeschränkter E.** absolute owner, freeholder; **verfügungsberechtigter E.** beneficial owner; **vorheriger E.** previous owner, predecessor in title; **wirtschaftlicher E.** beneficial/equitable owner

Eigentümerl-Besitzer-Verhältnis *nt* owner-possessor relationship; **E.gemeinschaft** *f* joint owners; **E.grundschuld** *f* 1. owner's (land) charge; 2. (limited) owner's charge; **zu Sicherheitszwecken hinterlegter E.grundschuldbrief** equitable mortgage; **E.haftpflicht** *f* owner's liability; **E.haftpflichtversicherung** *f* owner's liability insurance; **E.hypothek** *f* owner's mortgage, mortgage in favour of owner

Eigentümerin *f* → **Eigentümer** proprietoress

Eigentümerlkreis *m* owners; **E.rechte** *pl* owner's

rights; **E.schaft** *f* ownership; **E.these/E.theorie** *f* proprietary/ownership theory; **E.-Unternehmer** *m* owner-manager, entrepreneur; **E.versammlung** *f* owners' meeting; **E.verzeichnis** *nt* register of owners; **E.wechsel** *m* change of ownership

eigentümlich *adj* 1. peculiar; 2. proprietary; **E.keit** *f* peculiarity

Eigentums|- proprietary; **gültige E.ableitung** § good root of title; **urkundliche E.ableitung** § root of title; **E.anspruch** *m* ownership/property claim, title (to property), right of ownership, property right; **glaubwürdiger E.anspruch** colour of title; **E.anteil** *m* ownership interest; **E.aufgabe** *f* dereliction, abandonment of ownership; **E.ausübung** *f* enjoyment of property; **E.beeinträchtigung** *f* § *(Grundstück)* trespass; **E.belastung** *f* charge on property; **E.benutzer** *m* owner-user; **e.berechtigt** *adj* beneficially entitled; **E.bescheinigung** *f* ownership certificate, certificate of title; **E.beschränkung** *f* restriction of title; **E.bildung** *f* formation/creation of property, private acquisition of property; **E.delikt** *nt* § property offence

Eigentumserwerb *m* acquisition of property/title, accession of title

Eigentumserwerb durch Anwachsung accession; ~ **Erbgang** title by descent; ~ **Ersitzung** title by adverse possession; ~ **Kauf** title by purchase; ~ **Schenkung** title by gift; ~ **Verjährung** title by prescription; ~ **Vermächtnis** title by devise

derivativer Eigentumserwerb succession of title; **originärer E.** primary acquisition of title

Eigentums|feststellungsklage *f* § title suit; **E.feststellungsverfahren** *nt* title proceedings; **E.fläche** *f* owned area; **E.folge** *f* § devolution of title; **e.fördernd** *adj* promoting private ownership; **E.gefüge** *nt* property/ownership structure; **E.gegenstände** *pl* effects; **E.gesellschaft** *f* proprietary company; **E.herausgabeanspruch** *m* § revindication, claim for possession based on ownership; **E.klage** *f* property/ownership suit; **E.konkretisierung** *f* appropriation; **E.konzentration** *f* concentration of ownership; **böswillige E.leugnung** § slander of title; **E.mangel** *m* § defect of title; **E.maßnahme** *f* property-creating/wealth-creating action; **E.nachweis** *m* proof of ownership, evidence/document of title, property qualification; **E.nutzung** *f* use/enjoyment of property; **E.ordnung** *f* rules governing the system of property ownership, property system; **E.politik** *f* policy of promoting property ownership

Eigentumsrecht *nt* 1. right of ownership/possession, proprietary interest/right, title, property/proprietorial right, ownership (right), proprietorship, dominion; 2. law of property; 3. *(Urheber)* copyright

unbeschränktes Eigentumsrecht an Grundbesitz freehold, fee simple; **E. am Grundstück** freehold estate; **auflösend bedingtes E. an Grundstücken** base fee; **E. ohne Rechtsmängel** merchantable/marketable title; **E. an Waren** title to goods

volles Eigentumsrecht besitzen; **volle E.e haben** to own outright; **E. bestreiten** to dispute a title; **in E. eintreten** to assume ownership; **E. erwerben** to acquir title; **E.e geltend machen** to claim ownership; **E. sichei stellen** to secure an estate; **sich das E. vorbehalten** t reserve one's proprietary rights, ~ the right of propert

absolutes Eigentumsrecht absolute ownership; **al leiniges E.** sole ownership/proprietorship; **ausgeübte E.** estate in possession; **bedingtes E.** qualified title, property right; **nur auf dem Papier bestehendes E** paper title; **dingliches E.** absolute title; **fehlendes/fehler-/mangelhaftes E.** bad title; **formelles/gesetzliche E.** legal title; **materielles E.** beneficial ownership; **originäres E.** original estate; **schutzwürdiges E.** protec table ownership (right); **unbeschränktes E.** absolut ownership

Eigentums|schutz *m* protection of property, legal ownership, ; **E.störung** *f* 1. actionable nuisance; 2 *(Grundstück)* trespass, infringement of property rights **E.streuung** *f* dispersal of property; **E.störungsklage** action for trespass; **E.titel** *m* instrument/document c title, title deed, title to property; **fehlerhafter E.tite** imperfect title; **E.träger(in)** *m/f* owner; **E.übergabe** delivery; **E.übergang** *m* devolution/passage of title conveyance, passing of ownership/title, transfer o property/title; ~ **von Todes wegen** transfer by death **E.überschreibung** *f* conveyance (of property)

Eigentumsübertragung *f* transfer of ownership/property/title, conveyance/conveyancing (of property) settlement of property, passing title; **E. vornehmen** 1 to assign; 2. *(Grundbesitz)* to convey; **E.surkunde** *f* assurance

Eigentums|umwandlung *f* home reversion (scheme) **E.urkunde** *f* 1. *(Immobilien)* title deed, deed of ownership, root of title; 2. muniments; **unechte E.urkunde** paper title; **E.ursprung** *m* root of title; **E.vergehen** *n* property offence; **E.verhältnisse** *pl* 1. ownership structure, (status of) ownership; 2. distribution of property; **E.verletzung** *f* trespass, violation of property rights; **E.verlust** *m* loss of property/ownership; **E.vermutung** *f* presumption of ownership; **E.verschaffungsvermerk** *m* entry of claim to ownership; **E.verzeichnis** *nt* register of owners; **E.verzicht** *m* relinquishment/abandonment/renunciation of title

Eigentumsvorbehalt *m* 1. reservation of title/ownership/property, ~ proprietary rights; 2. secret lien; 3. titl retention; 4. *(Spediteur)* shipper's order; **E. machen** t reserve one's proprietary rights; **erweiterter/verlängerter E.** extended reservation of ownership, ~ proprietary rights; **schriftlicher E.** retaining note; **weitergeleiteter E.** transferred reservation of ownership **E.sklausel** *f* retention of title clause, retaining note **E.srecht** *nt* right to reserve ownership

Eigentums|wechsel *m* change of ownership/title **E.wert** *m* property value; **E.wohnung** *f* 1. privately owned flat, freehold/owner-occupied flat, condominium *[US]*; 2. cooperative apartment; **E.wohnungen bauen** to build flats for owner occupation; **E.zeichen** *n* property sign, earmark

Eigen|umsatz *m* internal turnover; **e.verantwortlich** *adj* directly responsible, autonomous; **E.verantwort**

lichkeit/E.verantwortung *f* own responsibility, self-reliance, individual/personal responsibility, autonomy; **E.verbrauch** *m* own/private/personal consumption, own usage, self-supply, personal use; **~ von Gütern und Diensten** in-feeding; **E.veredelung** *f* processing for processor's own account; **E.verkehr** *m* plant-operated traffic; **E.vermögen** *nt* proprietary/owner's capital, net worth; **E.versicherung** *f* self-insurance, insurance for one's own account; **E.versorger** *m* producer, self-supporter; **E.versorgung** *f* 1. self-sufficiency, self-supply; 2. subsistence farming; **e.verwahrt** *adj* held in self-custody; **E.verwahrung** *f* *(Wertpapiere)* owner custody, self-custody; **e.verwaltet** *adj (Wertpapiere)* in investor's own custody; **E.verwertung** *f* utilization for own account

igenwechsel *m* sola/single bill, note (of hand), single-name paper, promissory note (P.N.); **E. mit Unterwerfungsklausel** cognovit *(lat.)*/judgment note; **in Raten fälliger E.** instalment note; **durch Sicherheiten gedeckter E.** collateral note; **bei Sicht zahlbarer E.** demand note

igen|werbung *f* individual advertising, self-advertising, self-advertisement; **E.wert** *m* intrinsic value; **e.willig** *adj* self-willed, arbitrary; **E.wirtschaftlichkeit** *f* economic viability, independent profitability

ignen (für) *v/refl* to qualify (for), to be suited (to), ~ fit (for)

igner|(in) *m/f* 1. owner, proprietor; 2. shareholder; **E.s Gefahr** owner's risk (O.R.)

ignung *f* 1. ability, aptitude, qualification, fitness; 2. feasibility, suitability, acceptability; 3. eligibility; 4. applicability; **E. für eine Führungsposition** executive ability; **E. erwerben für** to qualify for

erufliche Eignung professional qualification(s), skill(s), occupational aptitude/competence; **besondere E.** special aptitude; **erforderliche E.** necessary qualification(s); **fachliche E.** professional qualification(s); **mangelhafte E.** unfitness, lack of ability

ignungs|anforderung *f* required qualifications; **E.bewertung** *f* appraisal of aptitude; **E.nachweis** *m* pre-qualification, proof of competence/competency, aptitude test, certification; **E.prüfung** *f* aptitude test, qualifying examination; **berufliche E.prüfung** examination of professional competence; **E.schwerpunkt** *m* special aptitude; **E.test** *m* fitness/acceptance/aptitude/screening test, qualifying examination; **E.voraussetzung** *f* required qualifications; **E.wert** *m* service value

il|abfertigung *f* speedy dispatch, **E.angebot** *nt* express offer; **E.auftrag** *m* urgent/express/deadline order, rush job *(coll)*; **E.beförderung** *f* express delivery, expressage; **E.bestelldienst** *m* special delivery service; **E.bestellung** *f* 1. express/special delivery; 2. urgent/express order

ilbote *m* courier, despatch rider, special delivery/express messenger, ✉ expressman *[US]*; **durch E.n** ✉ special/express delivery; **~ bezahlt** express paid; **per E.n** ✉ by special delivery *[US]*, by express; **~ bezahlt** special delivery paid; **E.nsendung** *f* express delivery consignment

Eilbrief *m* ✉ express letter *[GB]*, special delivery *[US]*; **E.umschlag** *m* special delivery envelope *[US]*; **E.zustellung** *f* express delivery *[GB]*, special delivery service *[US]*

Eildienst *m* express service

Eile *f* hurry, haste, urgency, despatch, expedition; **in E.** with dispatch; **in großer E.** posthaste; **zur E. antreiben** to hurry; **keine E. haben** to be in no hurry

Eileinzug *m* urgent collection

eilen *v/i* to hurry/hasten; **nicht e.** not to be urgent

Eilfracht *f* fast/express/time *[US]* freight, express goods, expressage *[US]*; **als E. senden** to send express freight; **E.brief** *m* fast freight waybill; **E.er** *m* ⚓ express freighter

Eilgebühr *f* ✉ express(age), express delivery charge; **E. bezahlt** express paid

Eilgeld *nt* dispatch money *[GB]*; **E. für die gesparte Arbeitszeit** dispatch working time saved; **E. in Höhe des halben Liegegeldes** ⚓ dispatch half demurrage; **E. nur im Ladehafen; E. wird nur bei schnellem Beladen gezahlt** ⚓ dispatch loading only; **E. nur im Löschhafen** ⚓ dispatch discharging only

Eilgut *nt* fast/express freight, express/dispatch/fast goods, grande vitesse *[frz.]* goods (g.v.); **als E.** by express, by fast freight, by passenger/fast train; **beschleunigtes E.** accelerated express freight; **E.beförderung** *f* express carriage

Eilgüterzug *m* fast goods train

Eilgut|fracht *f* express goods, expressage *[US]*; **E.-ladeschein** *m* express bill of lading; **E.tarif** *m* express tariff; **E.zuschlag** *m* extra charge for urgent work; **E.zustellungsgebühr** *f* expressage

eilig *adj* urgent, pressing, hurried; **es e. haben** to be in a hurry; **e. sein** *(Sache)* to require haste

eiligst *adv* at full speed, with dispatch

Eil|kurier *m* express messenger; **E.maßregeln** *pl* urgent measures; **E.meldung** *f* (news)flash; **E.mittel** *pl (Bank)* dispatch money

Eilpaket *nt* ✉ express parcel *[GB]*/package *[US]*; **als E.** by express parcel post; **E. aufgeben** to (send a parcel) express

Eil|post *f* ✉ express *[GB]*, special delivery *[US]*; **E.-sache** *f* urgent matter, matter of urgency; **E.sendung** *f* ✉ express mail/delivery/letter/parcel, special delivery *[US]*; **im E.tempo** *nt* at high speed; **E.überweisung** *f* rapid money transfer, urgent transfer; **E.zug** *m* (semi-)fast train; **E.zusteller** *m* ✉ express messenger *[GB]*, special delivery messenger *[US]*; **E.zustellgebühr** *f* expressage

Eilzustellung *f* rush delivery, express (delivery) *[GB]*, special delivery *[US]*; **E.sdienst** *m* express service *[GB]*, special delivery service *[US]*; **E.sgebühr** *f* expressage

Eimer *m* bucket, pail; **e.weise** *adv* in bucketfuls

Ein|achser *m* two-wheeler; **e.achsig** *adj* two-wheeled, one-axle

einarbeiten *v/t* 1. to work/break in, to instruct/train; 2. to incorporate/include; *v/refl* to settle down

Einarbeitung *f* 1. training, breaking-in, adjustment to a new job, (job) familiarization, induction, orientation; 2. inclusion, incorporation; **E.skosten** *pl* employee orientation cost(s); **E.szeit** *f* break-in/familiarization/orientation/lead-in period, induction (period/time); **E.szuschlag** *m* learner allowance; **E.szuschuss** *m* job familiarization allowance

Ein|bahnstraße *f* one-way street; **E.bahnverkehr** *m* one-way traffic; **E.band** *m* binding, cover; **fester E.band** hard back/cover; **e.bändig** *adj* single-volume

Einbau *m* 1. installation, fitting, placement on site; 2. incorporation, integration; **E. vor Ort** field assembly; **E. im Werk** factory installation; **nachträglicher E.** retrofit; **E.-** built-in, fitted

einbauen *v/t* 1. to install/fit; 2. to incorporate, to put in; 3. to slot in; **nachträglich e.** to retrofit

Einbau|fehler *m* faulty installation; **e.fertig** *adj* ready for installation, ready to fit/be fitted/mount; **E.kosten** *pl* installation cost(s); **E.küche** *f* fitted/built-in kitchen; **E.möbel** *pl* fitted/unit furniture, furniture units; **E.ort** *m* place of installation; **E.schrank** *m* fitted cupboard; **E.teil** *nt* fitted part

Einbauten *pl* fixtures (and fittings); **E. in gemietete Räume** leasehold improvements; **E. und Zubehör** fixtures and fittings

einbegriffen *adj* included, inclusive; **stillschweigend e.** implicit

Einbehalt *m* retention (money); **e.en** *v/t* 1. *(Geldbetrag)* to withhold, to dock; 2. *(Gewinn)* to retain, to keep/hold back, to plough back *(fig)*; **automatisch e.en** to check off

Einbehaltung *f* 1. retention; 2. *(Geldbetrag)* withholding; **E. und Abführung** check-off; **E. von Gewerkschaftsbeiträgen** check-off of union dues; **~ Gewinnen** profit retention, ploughing back of profits; **E. des Lohns** stoppage of pay; **E. der Lohnsteuer** withholding of income tax; **der E. eines Bruchteils des Gehalts unterliegen** to be subject to a retention of earnings

einbehaltungs|fähig *adj* retainable; **E.frist** *f* retention period

einberufen *v/t* 1. *(Versammlung)* to call/convene/summon/convoke; 2. to call up/draft *[US]*; **erneut/wieder e.** to reconvene; **ordnungsgemäß e.** *adj* duly convened

Ein|berufender/E.berufer *m* convener; **E.berufener** *m* conscript, draftee *[US]*

Einberufung *f* 1. convocation, convening, calling, convention; 2. call-up, draft *[US]*; 3. *(Gläubiger)* summoning; **E. der Gläubiger** summoning of creditors; **~ Hauptversammlung** notice of meeting, calling for shareholders' meeting; **besondere E.** *(HV)* special notice; **satzungsgemäße E.** due notice

Einberufungs|befehl *m* conscription/draft *[US]* order; **E.behörde** *f* drafting board; **E.bekanntmachung** *f* notice of meeting; **E.frist** *f* period of notice of meeting

ein|betonieren *v/t* to set in concrete; **e.betten** *v/t* to embed

Einbett|kabine *f* single-berth cabin; **E.zimmer** *nt* single bedroom

einbezahl|en *v/t* to pay in; **e.t** *adj* paid in, paid-up

einbezieh|bar *adj* includible *[US]*; **e.en** *v/t* t include/incorporate/imply; **E.ung** *f* incorporation inclusion, integration

ein|bezogen *adj* inclusive; **e.biegen** *v/i* to turn into

e.bilden *v/refl* 1. to imagine/fancy; 2. to engage in th fiction (that); **sich etw. ~ auf** to preen os. on sth

Einbildung *f* 1. imagination, fancy; 2. *(Trugbild)* delu sion; **nur in der E. vorhanden** imaginary

einbind|en *v/t* 1. to bind; 2. to integrate; **E.ung** *f* 1. binding; 2. link, integration

einblend|en *v/t* *(Film)* to fade in; **E.ung** *f* fade-in

Einblick *m* insight; **E. gewinnen** to gain an insigh (into); **E. nehmen** to look into; **E. in die Akten neh men** to examine the files; **weitreichender E.** in-dept understanding

ein|booten *v/refl* to embark/board; **e.brechen** *v/i* 1. t break in, to burgle *[GB]*/burglarize *[US]*, to commit (a burglary, to break and enter; 2. *(Preis/Kurs)* to cave ir

Einbrecher *m* burglar, housebreaker, shopbreake **E.bande** *f* gang of burglars; **E.warngerät** *nt* burgla alarm

Einbringen von bereits abgebuchten Forderungen *n* recovery of bad debts

einbringen *v/t* 1. to bring in, to contribute/invest/save realize/return; 2. *(Gewinn)* to yield/fetch/earn; 3 *(Geld)* to make money, to logde; 4. *(Ernte)* to harves 5. to store up; 6. to import; 7. *(Antrag)* to move/table 8. *(Unterlagen)* to file; **mit e.** to bring in; **netto/rein e.** to net; **viel e.** to make good returns; **wieder e.** to recou

einbringlich *adj* profitable, paying

Einbringung *f* 1. contribution, bringing in, investmen 2. harvesting; **E. der Ernte** harvesting; **E. in ein Gesellschaft** transfer to a company in exchange f stock; **E. von Sachwerten** contribution in kind, ~ c physical assets; **E. eines Unternehmens** contributic of an enterprise

Einbringungs|bilanz *f* bringing-in balance shee **E.forderung** *f* claim to collection; **E.gegenstand** *m* item brought in; **E.kapital** *nt* capital invested; **E.we** *m* bringing-in value

Einbruch *m* 1. burglary, housebreaking, break-i breaking and entering; 2. *(Preis/Kurs)* drop, slum fall, crash; 3. *(Verlust)* setback, dent; 4. breakdown; **E. in den Markt** inroads into a market; **E. der Preis** sharp tumble; **E. begehen** to commit burglary; **Ein brüche erzielen** *(Markt)* to make inroads; **bewaffne ter E.** armed burglary; **konjunktureller E.** cyclic downswing; **saisonbedingter E.** seasonal slum **E.meldeanlage** *f* burglar alarm

Einbruchsdiebstahl *m* 1. burglary; 2. housebreakir (and theft); **E. bei jdm begehen** to burgle so.; **ve schärfter E.** aggravated burglary; **E.police** *f* burglar policy

Einbruchs(diebstahl)versicherung *f* burglary (ar house-breaking) insurance, resident and outside the insurance; **E. für Waren und Wertpapiere in Saf** mercantile safe insurance; **~ Warenlager** mercanti stock insurance

inbruchsicher *adj* burglar-proof

inbruchs|sicherung *f* burglar alarm; **E.versicherung** *f* burglary insurance; **E.versicherungsschutz** *m* residential theft coverage; **E.versuch** *m* § attempted burglary; **E.werkzeuge** *pl* housebreaking tools

inbuchen *v/t* 1. *(Hotel)* to book in; 2. *(Scheck)* to give the value date

inbucht|en *v/t* 1. *(coll)* to put behind bars; 2. ▯ to indent, **E.ung** *f (Grafik)* dent

in|bunkern *v/t* ⚓ to bunker/fuel; **e.bürgern** *v/t* to naturalize; *v/refl* to take root; **wieder e.bürgern** to repatriate

inbürgerung *f* naturalization; **E.surkunde** *f* naturalization papers, certificate of naturalization; **E.sverfahren** *nt* naturalization proceedings

inbuße *f* 1. damage, loss; 2. impairment, forfeiture; **E. erleiden** to suffer a setback; **E.n hinnehmen** to suffer losses; **empfindliche E.** severe loss

in|büßen *v/t* to lose/forfeit, to be impaired; **E.büßung** *f* loss; **e.dämmen** *v/t* to contain/curb/check/stem

indämmung *f* containment, curtailment, curbing, checking; **E. der Ausgaben** curtailment of expenditure; **E. des Kostenanstiegs** curbing of cost increases

indecken *v/t* to provide/cover/store; *v/refl* to provide o.s. (with sth.), to stock up, to buy in/ahead, to lay in a supply; **überreichlich e.** to overstock

indeckung *f* stocking up, replenishment, provision, buying back/ahead, precautionary buying, covering; **E. einer offenen Position** *(Börse)* cover(ing); **E.smeldebestand** *m* reorder inventory level; **E.smöglichkeit** *f* source of supply

indeich|en *v/t* to dyke; **E.ung** *f* dyke building

indeutig *adj* definite, clear, unmistakable, positive, evident, plain, obvious, hard and fast, decided, conclusive, clear-cut, explicit, unequivocal

indeutsch|en *v/t* to Germanize; **E.ung** *f* Germanization

in|dimensional *adj* ▦ univariate; **e.docken** *v/t* ⚓ to dock; **E.dollarmann** *m* dollar-a-year man; **e.dosen** *v/t* to can/tin/pack

indringen *nt* 1. intrusion; 2. *(Markt)* penetration, inroads; 3. *(Völkerrecht)* incursion; **E. in fremde Räume** unlawful entering of enclosed premises; **gewaltsames E.** forcible entry; **e.** *v/i* 1. to penetrate/intrude; 2. *(widerrechtlich)* to enter forcibly; **auf jdn e.** *(Bitte)* to plead with so.

indring|lich *adj* 1. urgent; 2. forcible; **E.ling** *m* 1. intruder, penetrator; 2. 🖳 hacker; 3. *(Feier)* gatecrasher; **e.ungssicher** *adj* 🖳 tamper-proof

indruck *m* 1. impression, feelings; 2. ▯ imprint

indruck haben to feel; **E. machen** to impress; **keinen E. auf jdn. machen** to be lost on so., to cut no ice with so.; **um E. zu schinden** for show; **E. vermitteln** to create/give an impression, to be suggestive of

ngenehmer/positiver Eindruck favourable impression; **bleibender E.** lasting impression; **optischer E.** visual impact; **tiefer E.** profound impression; **zwiespältiger E.** mixed impression

in|drucken *v/t* ▯ to imprint; **e.drücken** *v/t* to press; **e.drucksvoll** *adj* impressive, striking, forceful; **e.ebnen** *v/t* to level, to iron out; **E.ebnung des Zinsgefälles** *f* levelling down of interest rate differentials; **E.ehe** *f* monogamy

einengen *v/t* to narrow/restrict/limit, to hem in; **finanziell e.** to restrict financially

Einengung *f* restriction, narrowing; **E. des Haushaltsrahmens** fiscal squeeze; **~ Liquiditätsspielraums der Banken** narrowing of the banks' liquidity margin; **~ Nachfragespielraums** reduction of the scope of demand; **~ Produktionsprogramms** product specialization

einer nach dem anderen *pron* one at a time

tägliches Einer|lei *nt* the daily grind *(coll)*; **e.seits** *adv* on the one hand

einfach *adj* 1. simple, basic, plain, straightforward, ordinary; 2. frugal; 3. *(Fahrkarte)* single, one-way; 4. *(Arbeit)* menial; 5. *(Buchführung)* sinlgle-entry

Einfach|adresse *f* 🖳 single-address message; **E.arbitrage** *f* direct arbitration; **E.fertigung** *f* single-process production; **E.formular** *nt* single-copy form; **E.heit** *f* 1. simplicity; 2. frugality; **der ~ halber** for the sake of simplicity; **E.strichprobennahme** *f* ▦ simple sampling

einfädeln *v/t* 1. to thread; 2. *(fig)* to put over, to engineer; 3. *(Verkehr)* to filter in

Einfahr|bereich *m* *(Lager)* accessible area; **e.en** *v/ti* 1. to drive in; 2. *(fig)* to establish; 3. ✿ to retract; 4. 🚗 to run/break in; 5. *(Ergebnis)* to turn in, to earn; 6. 🚜 to harvest; 7. ⚓/🚂 to enter/arrive; **E.gleis** *nt* 🚂 access line

Einfahrt *f* 1. entry, entrance, entry way *[US]*; 2. 🚗 drive; 3. 🚂 arrival; **E. verboten!** no entry; **E.shafen** *m* port of entry

Einfahr|vorschriften *pl* 🚗 running-in instructions; **E.zeit** *f* running-in period

Einfaktortheorie *f* single-factor theory

Einfall *m* 1. idea; 2. collapse; 3. inroad; **besonderer E.** gag; **geistreicher/guter E.** 1. brainwave; 2. good idea

einfallen *v/i* 🏛 to tumble down, to cave in, to collapse; **jdm e.** to occur to so.; **sich etw. e. lassen** to come up with sth., to cook up sth.

einfalls|los *adj* unimaginative; **~ sein** to lack imagination; **e.reich** *adj* resourceful, imaginative, ingenious; **E.reichtum** *nt* ingenuity, inventiveness, resourcefulness

Ein|falt *f* simplicity; **e.fältig** *adj* simple-minded

Einfamilienhaus *nt* single house, family residence, single-family home; **freistehendes E.** self-contained/detached house

ein|fangen *v/t* to capture/seize; **e.fassen** *v/t* ▯ to box in, to line; **E.fassung** *f* ▯ border; **e.finden** *v/refl* to turn up, to appear/muster; **E.firmenvertreter** *m* one-firm agent; **e.flechten** *v/t* to work in; **e.flicken** *v/t (Text)* to interpolate; **e.fliegen** *v/t* to fly in; **e.fließen lassen** *v/t* to hint; **E.flugschneise** *f* ✈ landing path

Einfluss *m* influence, leverage, pull, hold, control, sway, dominance; **E. auf das Preisniveau** leverage on price levels

ganzen Einfluss aufbieten to pull all the strings *(fig)*; **E. ausüben** to exert/exercise/wield influence; **unzulässigen E. auf jdn ausüben** to breathe down so.'s neck *(coll)*; **E. gewinnen** to gain influence; **E. haben auf** to have control over, ~ a bearing on; **großen ~ auf** to carry weight with; **seinen E. geltend machen** to bring one's influence to bear, to exert/use one's influence, to throw one's weight about *(coll)*, to pull strings *(fig)*; **auf jdn E. nehmen wollen** *(Parlament)* to lobby so.

äußerer Einfluss outside influence; **beherrschender/bestimmender E.** control, dominating influence; **deflationistische Einflüsse** deflationary influences; **einmaliger und zufälliger E.** non-recurring and random component; **expansive Einflüsse** expansionary forces; **koordinierender E.** coordinating influence; **preistreibender E.** inflationary factor; **qualifizierter E.** limited influence; **saisonbedingter E.** seasonable influence; **schädliche Einflüsse** exposure; **staatlicher E.** statism; **tendenzbestimmender E.** decisive influence; **wirtschaftlicher E.** industrial muscle *(fig)*

Einfluss|bereich *m* sphere of influence, reach, province; **außerhalb des E.bereichs von** beyond so.'s control; **E.faktor** *m* influencing factor; **wirtschaftliche E.faktoren** economic environment; **E.größe** *f* factor, variable, determinant; **e.los** *adj* without influence; **E.nahme** *f* exertion of influence, control; **E.rechnung** *f* ▦ regression analysis; **e.reich** *adj* influential, important; **sehr ~ sein** to cast a long shadow *(fig)*; **E.sphäre** *f* sphere of influence

einforderbar *adj* demandable, claimable

Einfordern von Kapitaleinlagen *nt* call-in of unpaid capital contributions; **E. nicht eingezahlter Zeichnungen** call on unpaid subscriptions; **e.** *v/t* to call (in), to claim, to demand payment; **von jdm etw. e.** to hold so. to sth.

Einforderung *f* *(Geld)* call, claim

einfried|en *v/t* to enclose; **E.ung** *f* enclosure

Einfrier|en *nt* freeze, blocking; **e.en** *v/t* 1. to freeze/block; 2. *(Vertrag)* to suspend; 3. to deep-freeze/quick-freeze; **E.ung** *f* 1. *(Gelder)* freezing; 2. *(Beziehungen)* suspension

einfrosten *v/t* to (quick-)freeze

Einfüge|modus *m* 🖳 insert mode; **e.n** *v/t* to insert/introduce, to work in; *v/refl* to adapt, to toe the line; **E.taste** *f* 🖳 insert key

Einfügung *f* insertion; **E.szeichen** *nt* insertion character

einfühlsam *adj* sensitive, understanding

Einfühlungsvermögen *nt* empathy, sympathetic understanding, sensitivity, insight

Einfuhr *f* → **Import** import, importing, importation, import trade; **E.en** imported goods, negative exports

Einfuhr durch Agentur agency importation; **E. von Billigwaren** cut-price imports; **~ Fertigwaren** manufacturing imports; **E. zum eigenen Gebrauch** ⊖ home-use entry; **E. von Industrieanlagen** plant imports; **E. im Inkassoweg** import for cash against documents; **E. auf Partizipationsrechnung** import on joint account; **~ dem Seewege** importation by sea; **E. aus Staatshandelsländern** imports from state-trading countries; **vorübergehende E. zur aktiven Veredlung** temporary admission for inward processing; **E. nach passiver Veredelung** importation after outward processing; **E. von Waren in handelsüblichen Mindestmengen** importation of goods in minimum commercial quantities; **E. unter Zollvermerkschein** entry under bond; **~ Zollverschluss** importation in bond

Einfuhr und Ausfuhr imports and exports, import-export trade; **sichtbare Ein- und Ausfuhren** visible items/trade, visibles; **unsichtbare ~ Ausfuhren** invisible items/trade, invisibles, invisible transactions

zur Einfuhr geeignet importable

Einfuhr beschränken to restrict imports; **E. drosseln** to reduce imports; **E. kontingentieren** to fix import quotas; **E. liberalisieren** to decontrol imports; **bei E. verzollen** to clear inward

abgabenfreie Einfuhr duty and tax-free importation; **bedingte E.** conditional imports; **begünstigte E.** preferential imports; **direkte E.** direct importing; **endgültige E.** permanent/outright importation; **entgeltliche E.** imports against payment; **erleichterte E.** liberalized imports; **genehmigungsfreie E.** import not subject to licensing; **genehmigungspflichtige E.** import subject to licensing; **gewerbliche E.** commercial and industrial imports; **kommerzielle E.en** commercial imports; **kontingentfreie E.en** non-quota imports; **kontingentierte E.en** quota imports, import quotas; **lizenzfreie E.** imports on general licence; **präferenzbegünstigte E.** preferential imports, imports eligible for preferential treatment; **sichtbare E.** visible imports; **symbolische E.en** token imports; **unentgeltliche E.en** imports free of payment; **unsichtbare E.en** invisible imports; **verlängerte E.en** extended imports; **vorübergehende (zollfreie) E.** temporary import(ation)/admission; **zollfreie E.** (duty-)free entry/import(ation)

Einfuhrabfertigung *f* ⊖ import clearance, clearance inwards

Einfuhrabgabe *f* import levy/duty/charge/tariff/deposit, border tax on imports; **E.n** import dues; **variable E.** variable import levy; **E.nbefreiung** *f* exemption from import duties

Einfuhr|abhängigkeit *f* import dependency; **E.abschöpfung** *f* *[EU]* import levy; **variable E.abschöpfung** variable import levy; **E.agent** *m* importer; **E.anmeldung** *f* import declaration/notification; **E.anrecht** *nt* right to import; **E.anstieg** *m* rise in imports; **E.antrag** *m* import application; **E.artikel** *m* import, imported product; **nicht kontingentierte E.artikel** non-quota goods/imports; **E.aufschlag** *m* import mark-up; **E.ausgleich** *m* import equalization; **E.ausgleichsabgabe** import equalization levy; **E.ausschuss** *m* import advisory committee

einführbar *adj* importable; **E.keit** *f* importability

Einfuhr|barriere *f* import barrier; **E.bedarf/E.bedürfnisse** *m/pl* import requirements; **E.beglaubigung** *f* import documentation; **E.begrenzung** *f* import restriction(s); **betragsmäßige E.begrenzung** restrictions on the value of imports; **E.belastung** *f* import charge; **E.bescheinigung** *f* import/entry certificate, certificate of clearance inwards; **E.beschränkungen** *pl* import restrictions/controls/cuts, curbs/restrictions on imports

mengenmäßige E.beschränkungen import quotas, quantitative import restrictions; **E.besteuerung** *f* taxation of imports, imposition of taxes on importation; **E.bestimmungen** *pl* import regulations; ~ **verschärfen** to tighten up import regulations; **E.bewilligung** *f* import licence/permit/authorization; **E.bewilligungsverfahren** *nt* import licensing scheme; **E.bewirtschaftung** *f* import controls; **E.blatt** *nt* ⊖ importation sheet; **E.bremse ziehen** *f* to impose import restrictions, to put a curb on imports; **E.deklaration** *f* ⊖ import entry, entry inwards, bill of entry; **E.dispositionen** *pl* import arrangements; **E.dokument** *nt* import document; **E.drosselung** *f* curb on imports; **E.durchschnittswert** *m* average value of imports; **E.dynamik** *f* growth of imports; **E.einheit** *f* import unit; **E.embargo** *nt* import embargo

Einführen *nt* ➔ **Einführung**

einführen *v/t* 1. to import; 2. to phase in, to introduce; 3. to put/introduce on the market, to launch/popularize; 4. ✪ to insert; 5. *(Maßnahme)* to adopt; *v/refl* to establish o.s.; **schritt-/stufenweise e.** to phase in; **ungehindert e.** to import freely; **wieder e.** to re-import

einführend *adj* 1. introductory; 2. importing

Einführer *m* importer

Einfuhr|erklärung *f* ⊖ bill of entry, declaration of imports, import declaration; **E.erlaubnis/E.freigabe/E.genehmigung** *f* import licence/permit/authorization; **E.erleichterung** *f* import facility; ~ **gewähren** to ease importation procedures; **E.erzeugnis** *nt* import, imported product; **E.finanzierung** *f* import financing; **E.firma** *f* importing firm; **E.flut** *f* flood of imports; **E.formalitäten** *pl* import formalities; **E.freigabe** *f* release for import; **E.freiliste** *f* import free list, import calendar; **E.gebiet** *nt* importing territory; **E.genehmigungsverfahren** *nt* import licensing/permit/authorization; **E.geschäft** *nt* import transaction/trade; **E.gesellschaft** *f* importing firm/company, importer; **E.großhandelsstufe** *f* importer-wholesaler stage; **E.gut** *nt* import(s); **E.hafen** *m* port of importation/entry; **E.handel** *m* import/inward trade; **E.händler** *m* importer, import merchant; **E.hemmnis** *nt* import handicap, impediment to imports; **E.hindernis** *nt* import(s) bar; **E.hinterlegungssumme** *f* import deposit; **E.-impuls** *m* import stimulant; **E.kartell** *nt* import cartel; **E.kommissionär** *m* import commission merchant/agent; **E.konnossement** *nt* inward bill of lading (B/L)

Einfuhrkontingent *nt* import/allocated quota; **E.e verteilen** to apportion import quotas; **E.ierung** *f* rationing/limitation of imports, imposing import quotas

Einfuhr|kontrolle *f* import control; **E.kontrollmeldung/-mitteilung** *f* import control declaration; **E.kontrollsystem** *nt* system of import controls; **E.kredit** *m* import credit; **E.kreditbrief** *m* import letter of credit; **E.kurve** *f* trend of imports; **E.kürzung** *f* import cut; **E.land** *nt* importing country, country of importation; **E.liberalisierung** *f* liberalization/decontrol of imports, import decontrol; **E.liste** *f* import list/calendar, list of arrivals

Einfuhrlizenz *f* import licence/permit; **E. beantragen** to apply for an import licence; **E. erteilen** to grant an import licence

Einfuhr|makler *m* import broker; **E.menge** *f* volume of imports; **E.monopol** *nt* import monopoly; **E.müdigkeit** *f* reluctance to import; **E.ort** *m* place of entry; **E.papier** *nt* import document; **E.plafond** *m* import ceiling; **E.politik** *f* import policy; **E.potenzial** *nt* importing capacity; **E.prämie** *f* import bonus; **E.preis** *m* import/entry price; **E.quote** *f* import quota; **E.rechnung** *f* total imports; **E.rechte** *pl* import rights; **ausschließliche E.rechte** exclusive import rights; **E.regelungen** *pl* import arrangements/rules; **gemeinsame E.regelungen** *[EU]* common rules for import; **E.restriktionen** *pl* curbs on imports, import restrictions/controls/cuts; **E.saison** *f* importing season; **E.schein** *m* import certificate, certificate of clearance inwards; **E.schikane** *f* hidden/technical import barrier; **E.schleuse** *f* import sluice(gate); **E.schranke** *f* import barrier; **E.schub** *m* surge of imports; **E.sendung** *f* import consignment; **E.sog** *m* import pull/demand, pressure of imports; **E.sonderzoll** *m* ⊖ import surcharge; **E.sperre** *f* embargo/ban on imports; **E.stelle** *f* import(ing) agency; **E.- und Vorratsstelle** 1. import and stockpiling agency, marketing board; 2. *[EU]* import and storage agency; ~ **für landwirtschaftliche Erzeugnisse** *[EU]* intervention board for agricultural produce; **E.steuer** *f* customs duty, import (excise) tax *[US]*, tax on imports; **der ~ unterliegen** to bear customs duty; **E.stopp** *m* ban on imports; **E.strom** *m* flow of imports; **E.subvention** *f* import subsidy; **E.tag** *m* day of importation; **E.tarif** *m* import duty/tariff; **E.tempo** *nt* rate of imports; **E.tief** *nt* low point of imports; **E.überschuss** *m* import surplus, excess of imports; **E.überwachung** *f* surveillance of imports; **gemeinschaftliche E.überwachung** *[EU]* Community surveillance of imports; **E.umfang** *m* import volume; **E.umsatzsteuer** *f* import turnover tax, turnover tax on imports, import levy/excise tax; **E.unbedenklichkeitsbescheinigung** *f* ⊖ clearance/import certificate, certificate of non-objection

Einführung *f* 1. introduction, adoption, approach, implementation; 2. *(Sachgebiet)* grounding; 3. *(Markt)* promotion, phase-in, launch, launching; 4. *(Amt)* induction; **als/zur E.** by way of introduction

Einführung von Beschränkungen institution of restrictions; ~ **Computern** computerization; **E. des Dezimalsystems** 1. decimalization; 2. ✪ metrication; **E. eines neuen Modells** model launch; **E. durch Probepackungen** *nt* sampling; **E. neuer Produkte** product launch/pioneering, launching of new products; **E. in Stufen** phasing in

Einführung an der Börse beantragen to seek stock exchange quotation/listing; **bundesweite E.** *[D]* general introduction in the federal republic; **feierliche E.** inauguration; **schritt-/stufenweise E.** phasing in

Einführungs|- introductory; **E.angebot** *nt* introductory/opening offer; **E.anzeige** *f* launch ad; **E.brief** *m* introductory letter; **E.datum** *nt* launch date; **E.entscheidung** *f* decision to introduce; **E.geschenk** *nt* introductory gift; **E.gesetz** *nt* introductory act; **E.gespräch** *nt* induction interview; **E.kampagne** *f* introductory campaign; **E.klausel** *f* enacting clause; **E.konsortium** *nt* underwriting/introduction syndicate; **E.kosten** *pl* launching cost(s); **E.kurs** *m* 1. introduction price; 2. rate of issue; 3. *(Lehrgang)* introductory course, induction programme; **E.lehrgang** *m* induction course/programme; **E.patent** *nt* patent of importation; **E.phase** *f* phase-in period, introduction stage; **E.preis** *m* 1. introduction/introductory/advertising/cut-rate price; 2. *(Börse)* opening/placing price; **E.programm** *nt* induction programme; **E.prospekt** *m (Börse)* (listing) prospectus; **E.provision** *f* listing commission; **E.rabatt** *m* introductory/promational/get-acquainted discount; **E.referat** *nt* introductory talk/lecture; **E.schreiben** *nt* letter of introduction, introductory letter; **E.seminar** *nt* orientation course, introductory seminar; **E.tag** *m (Börse)* first day of listing; **E.tarif** *m* introductory rate; **E.test** *m* product placement test; **E.werbung** *f* launch/initial advertising, introductory/announcement campaign

Einfuhr|ventil *nt* import outlet/tap; **E.verbilligung** *f* reduction/decrease of import prices; **E.verbindlichkeiten** *pl* import liabilities; **E.verbot** *nt* import ban/prohibition, ban/embargo/prohibition on imports; **~ verhängen** to place a ban on imports; **E.verbrauchsabgabe** *f* import excise tax *[US]*; **E.verfahren** *nt* import procedure; **E.verlagerung** *f* shift in imports; **E.vertrag** *m* contract for importation, import agreement; **E.verweigerung** *f* non-importation; **E.volumen** *nt* volume of imports, total imports; **E.vorgang** *m* import operation; **E.vorschriften** *pl* import regulations; **E.waren** *pl* imports, imported goods, articles of import; **E.welle** *f* tide of imports; **E.wert** *m* import value, value on importation; **E.ziele** *pl* terms of import payments; **E.ziffern** *pl* import figures

Einfuhrzoll *m* import duty/tariff, customs (inward), customs duties/duty on imports, duty on entry, inward/primage duty; **E.anmeldung** *f* import declaration; **E.erklärung** *f* duty-paid entry; **E.förmlichkeiten** *pl* customs import formalities; **E.kontingent** *nt* import tariff quota; **E.schein** *m* bill of entry

Einfuhr|zusatzabgabe/-steuer *f* import surcharge; **E.zuschuss** *m* import subsidy; **E.zuteilung** *f* import allocation

einfüll|en *v/t* to fill in; **E.trichter** *m (Schüttgut)* hopper

Eingabe *f* 1. 🖳 input, entry, feed, keying-in; 2. *(Bittschrift)* petition, submission; 3. *(Klageschrift)* exhibit; **E.n entgegennehmen** to take submissions; **E. machen** to (file a) petition; **einer E. stattgeben** to grant a petition; **akustische E.** 🖳 acoustic input; **manuelle E.** manual input (device), keyboard entry; **reihenweise E.** stream input; **satzweise E.** record input

Eingabe-Ausgabe|anweisung *f* 🖳 input-output statement; **E.einheit** *f* input-output unit; **E.steuerung** *f* input-output control/adapter

Eingabe|befehl *m* 🖳 read instruction; **E.bereich** *m* input block/area; **E.datei** *f* input file; **E.daten** *pl* input data; **E.einheit** *f* input unit, data entry unit; **E.fehler** *m* keying(-in) error; **E.feld** *nt* 🖳 entry field; **E.gerät** *nt* input device; **E.karte** *f* input card; **E.leser** *m* input reader; **E.maske** *f* input mask; **E.operation** *f* alter operation; **E.prozessor** *m* input processor; **E.puffer** *m* input buffer; **E.speicher** *m* input factor storage/memory; **E.station** *f* input station; **E.stelle** *f* input unit; **E.steuerung** *f* program emitter; **E.tastatur** *f* (data) entry keyboard; **E.taste** *f* input key; **E.vorgang** *m* input process

Eingang *m* 1. entrance, entry, entry way *[US]*; 2. receipt; 3. *(Schulden)* recovery; 4. *(Aufträge)* intake; 5. ✉ incoming mail; **Eingänge** 1. receipts, incomings; 2. *(Waren)* arrivals; **bei E. von** on receipt of; **nach E.** upon entry, on receipt; **~ von** on payment of

Eingänge aus Akzepten/Wechseln notes receivable; **Eingang von Aufträgen** incoming orders; **Eingänge und Ausgänge** incomings and outgoings; **E. bereits aufgegebener Forderungen** recoveries; **E. für Lieferanten** tradesmen's entrance; **E. der Zahlung** receipt of payment

Eingang vorbehalten due payment provided, reserving due payment; **E. bestätigen** to acknowledge receipt; **E. finden** *(Waren)* to find acceptance; **sich E. verschaffen** to gain admission; **schleppende Eingänge** slow collections; **separater E.** private entrance; **verbotener E.** no entry

eingängig *adj* single-operation

Eingangs|abfertigung *f* ⊝ inward clearance, clearance inwards; **E.abgabe** *f* ⊝ import duty, duty (on importation), import duties and taxation/taxes; **E.abteilung** *f* receiving department; **E.amt** *nt* first post/appointment; **E.anzeige** *f* 1. notice of arrival/receipt; 2. *(Gutschrift)* credit advice; 3. *(Zahlung)* acknowledgment of receipts; **E.befehl** *m* 🖳 entry instruction; **E.beleg der Hand-/Portokasse** *m* petty cash receipt; **E.benachrichtigung** *f* arrival notice; **E.bescheinigung** *f* receipt; **E.bestätigung** *f* acknowledgment/confirmation of receipt, notice of arrival; **E.buch** *nt* book of receipts, receipt book, register of merchandise received; **E.buchung** *f* original entry; **E.daten** *pl (Ware)* receipt data; **E.datum** *nt* 1. date of receipt; 2. *(Scheck)* value date; **E.deklaration** *f* ⊝ bill of entry, clearance inwards; **E.durchgangszollstelle** *f* office of entry en route; **E.durchschnittspreis** *m* average price per delivered unit; **E.fakturenbuch** *nt* invoice book; **E.fehler** *m* 🖳 inherited error; **E.formel** *f* 1. § preamble; 2. *(Brief)* opening phrase; **E.fracht** *f* carriage inwards, freight in(ward); **E.funktion** *f* 1. *(OR)* input function; 2. contributive function; **E.gewicht** *nt* weight delivered; **E.hafen** *m* port of entry; **E.halle** *f* entrance hall, foyer, lobby *[US]*; **E.impuls** *m* 🖳 input pulse; **E.informationsträger** *m* input medium; **E.journal** *nt* book of entries; **E.kontrolle** *f* 1. pre-delivery check; 2. *(Ware)* check-in; **E.korb** *m* in-tray; **E.lager** *nt* incoming stores; **E.liste einer Sendung** *f* receiving apron; **E.meldung** *f* receiving report; **E.mitgliedsstaat** *m [EU]* Member State of entry; **E.ort** *m* point/port/place of entry; **E.preis** *m [EU]* threshold price; **E.prüfung** *f* 1. receiving inspection (and testing)/control; 2. qualifying examination; 3. *(Bürovorgang)* examination of filing; **E.qualifikation** *f* entrance qualification; **E.quit**

tung *f* receipt; **E.rechnung** *f* purchase invoice; **E.satz** *m (Steuer)* basic/standard rate; **E.stelle** *f* 1. ⊖ entry point; 2. 🖳 inconnector; 3. receiving section; **E.stempel** *m* receipt/received/date stamp; **E.steuersatz** *m* marginal tax rate, threshold tariff; **E.stufe** *f* 1. *(Steuer)* first bracket rate; 2. *(Schule)* observation period; 3. entry level; **E.tag** *m* date of receipt; **E.tarif** *m [EU]* threshold tariff; **E.tor** *nt* gateway; **E.tür** *f* front door; **E.vermerk** *m* file mark, notice of receipt; **E.versand** *m* inward transit; **E.voraussetzungen** *pl* threshold provisions; **E.wert** *m* 🖳 input

Eingangszoll *m* inward/entrance duty; **E.amt/E.stelle** *nt/f* import customs office, customs office of entry; **E.schein** *m* jerque note

eingebaut *adj* built-in, in-built, fitted

Eingeben von Hand *nt* manual input; **e.** *v/t* 1. to hand in; 2. 🖳 to key/tap in, to input/feed/enter; 3. *(Ladenkasse)* to ring up

eingebildet *adj* conceited, proud

einboren *adj* native; **E.e(r)** *f/m* native; **E.enreservat** *nt* native reservation; **E.enviertel** *nt* native quarter

eingelbracht sein *(Antrag)* to be on the table; **e.bunden** *adj* integrated; ~ **sein in** to be pegged to

eingedeckt *adj* 1. stocked, bought in; 2. *(Börse)* covered, long; 3. *(Aufträge)* swamped (with); **zu hoch e.** overstocked; **nicht e. sein** *(Börse)* to be short

eingeldenk *prep* bearing in mind (that), conscious of; **e.drückt** *adj* pressed in, dented; **e.fleischt** *adj* dyed in the wool *(coll)*; **e.fordert** *adj* called; **nicht e.fordert** uncalled; **e.führt** *adj* 1. introduced; 2. imported; 3. *(Börse)* quoted *[GB]*, listed *[US]*; 4. *(Geschäft)* established; **erst e.führt** novel; **e.gliedert** *adj* integrated, affiliated; **nicht e.gliedert** *(Gesellschaft)* unaffiliated

Eingehen *nt* 1. *(Angebot)* acceptance; 2. *(Aufhören)* closing down; 3. demise; 4. *(Schulden)* recovery; **E. auf ein Angebot** acceptance of an offer; **E. einer Ehe** conclusion of a marriage; ~ **Firma** closure/demise of a firm; **E. eines Risikos** taking a risk

eingehen *v/i* 1. to arrive, to come in, to be received; 2. *(Firma)* to close down, to fold (up); 3. *(Vieh)* to die; *v/t* 1. *(Risiko)* to incur; 2. *(Verpflichtung)* to undertake/assume; 3. *(Material)* to shrink; **e. auf** to accede/defer/respond to, to be responsive to

eingehend *adj* 1. detailed, full, thorough, close, in-depth; 2. incoming; **nicht e.** *(Material)* shrink-proof

Eingehungsbetrug *m* fraud in treaty

eingelklammert *adj* in brackets, bracketed; **frei e.laden** *adj* free in (f.i.); **E.ladene(r)** *f/m* invitee; **e.lagert** *adj* warehoused, stored; **e.löst** *adj* redeemed, discharged, paid; **nicht e.löst** 1. unredeemed; 2. *(Scheck)* unpaid; 3. *(Wechsel)* dishonoured; 4. *(Police)* not taken up

Eingemachtels *nt* preserves; **auf das E. zurückgreifen** *(fig)* to draw on one's reserves

eingemeindlen *v/t* to incorporate/municipalize/suburbanize/communalize; **E.ung** *f* incorporation, municipalization, suburbanization, communalization, local government reform

eingemottet *adj* 1. in mothballs; 2. *(fig)* decommissioned

eingenommen *adj* received; **von sich e.** full of o.s.; **für jdn e. sein** to be prepossessed in so.'s favour

eingelrechnet *adj* inclusive; **alles e.rechnet** all things considered; **e.richtet** *adj* 1. established; 2. *(Wohnung)* furnished; **neu e.richtet** 1. newly created; 2. newly furnished; **e.rissen** *adj* torn; **e.rückt** *adj* ▯ indented; **e.schaltet** *adj* 1. ↯ on; 2. in action; **e.schlagen** *adj (Papier)* wrapped; **e.schlossen** *adj* 1. inclusive; 2. locked in; **finanziell e.schnürt** *adj* financially strapped; **e.schossig** *adj* 🏛 single-storey, single-storied; **e.schränkt** *adj* 1. restricted, limited, qualified; 2. bounded; **nicht e.schränkt** unlimited, unrestricted; **e.schrieben** *adj* registered, in registered form; ~ **sein** to be on the books; **e.schworen auf** *adj* committed to; **e.sessen** *adj* resident, domiciled, long-established; **E.sessene(r)** *f/m* resident; **e.setzt** *adj* institutional

Eingeständnis *nt* admission, confession

eingestehen *v/t* to admit/confess/acknowledge

eingestellt *adj* 1. engaged, hired; 2. discontinued, abandoned; 3. ✿ pre-set; **fortschrittlich e.** progressively minded; **praktisch e.** practically minded; **scharf e.** *(Kamera)* in focus

eingetragen *adj* registered, recorded, incorporated, on record; **amtlich e.** incorporate(d) *[US]*; **gerichtlich e.** registered with the court; **handelsgerichtlich e.** registered, incorporated; **nicht e.** unincorporated, unlisted, unregistered, unrecorded, unentered

zu spät eingeltroffen *adj* late; **e.wandert** *adj* immigrant; **E.wanderte(r)** *f/m* immigrant

Eingeweide *pl* ⚕ entrails, innards; **E.bruch** *m* hernia

eingeweiht *adj* initiated, in the secret/know, privy to; **in etw. e. sein** to be privy to sth., ~ in on the secret; **E.e(r)** *f/m* insider, adept; **E.sein** *nt* privity

eingewöhnlen *v/refl* to settle down, to find one's feet *(fig)*, to establish; **E.ung** *f* familiarization

eingezahlt *adj* paid in, paid-up, deposited; **nicht e.** undeposited, unpaid; **teilweise e.** partly paid; **voll e.** fully paid(-up) (f.p.)

eingezogen *adj* 1. ▯ indented; 2. *(konfisziert)* seized, confiscated; 3. *(Geld/Steuer)* collected; 4. ✈ conscripted, drafted *[US]*; **E.er** *m* conscript, draftee *[US]*

einlgipflig *adj* ▦ unimodal; **e.glasen** *v/t* 1. to glaze; 2. ⚛ to vitrify; **E.glasung** *f* vitrification; **e.gleisig** *adj* 🚂 single-track

eingliedern *v/t* to integrate/(re)incorporate/include/absorb/rehabilitate, to fit in; *v/refl* to fit in; **wieder e.** to reintegrate

Eingliederung *f* 1. integration; 2. *(Unternehmen)* incorporation, affiliation; 3. subordination, absorption; **E. in den Arbeitsprozess;** ~ **das Erwerbsleben** occupational integration, integration into the labour force; **E. von Unternehmen der nachgelagerten Produktionsstufe** forward integration; ~ **vorgelagerten Produktionsstufe** backward integration

berufliche Eingliederung occupational integration, integration into the labour force; **finanzielle E.** financial integration; **organisatorische E.** organisational integration; **schrittweise E.** progressive integration; **wirtschaftliche E.** economic integration

Eingliederungs|beihilfe *f* settling-in allowance; **E.darlehen/E.kredit** *nt/m* integration loan; **E.hilfe** *f* integration assistance/aid, settling-in allowance

eingliedrig *adj* π monadic

eingravieren *v/t* to engrave

Eingreifen *nt* intervention, interference; **E. des Staates** state/government intervention; **gerichtliches E.** judicial intervention; **polizeiliches E.** police intervention; **e.** *v/i* 1. to intervene/interfere, to exert influence; 2. *(Rechte)* to encroach (upon); **unmittelbar e.** to use direct measures

Eingreifreserve *f* standby reserve

eingrenzen *v/t* 1. § to circumstance/circumscribe; 2. to fence in, to ring-fence

Eingriff *m* 1. action, interference, intervention, measure; 2. *(Rechte)* encroachment, infringement, impingement (on), impairment, inroad (on/upon), intrusion; 3. ⚕ operation; **E. im Ausnahmefall** management by exception; **E. in den Naturhaushalt** intervention in the natural ecology; ~ **das Privateigentum** interference with private property; ~ **die Rechte anderer** breach of privilege, infringement

chirurgischer Eingriff operation; **enteignungsgleicher E.** inverse condemnation; **hoheitlicher E.** official action; **hoheitsrechtlicher E.** *(Vers.)* restraint of princes and rulers; **kostensenkende E.e** cost-cutting surgery; **öffentlicher/staatlicher E.** government(al) intervention/interference, state interference/intervention/control; **restriktiver E.** government interference; **störender E.** interference; **unmittelbare wirtschaftspolitische E.e** direct controls

Eingriffs|befugnis/E.rechte *f/pl* powers to intervene, ~ of intervention; **E.instrument** *nt* intervention tool; **E.intensität** *f* intensity of interference; **E.möglichkeit** *f* chance to intervene, possibility of intervention; **E.schwelle** *f* interference threshold

eingruppier|en *v/t* to classify/grade; **E.ung** *f* classification, grading

einhaken *v/t* *(Kran)* to hook on

Einhalt *m* restraint; **einer Sache E. gebieten** to put a stop to, to call time, to stem/check, to halt sth.

Einhalten der Bandbreiten *nt* *(Wechselkurse)* internal pegging; **e.** *v/t* 1. to comply with, to observe; 2. *(Anordnungen)* to conform with; **genau/streng e.** to observe strictly, to adhere strictly to

Einhaltung *f* observance, adherence, compliance, abidance

Einhaltung der Arbeitszeit timekeeping; ~ **Bedingungen** compliance with the terms/conditions; ~ **Frist** meeting a deadline; ~ **Gesetze** observance of the law(s); **E. des Vertrages** compliance with the terms of the contract, adherence to a contract; **E. von Vorschriften** compliance with regulations; **E. der gesetzlichen Vorschriften** statutory compliance

ohne Einhaltung der Kündigungsfrist entlassen to discharge/dismiss without notice; **E. einer Bestimmung erzwingen** to enforce a rule; **E. von Produktionsquoten erzwingen** to enforce production quotas; **auf E. der Kündigungsfrist verzichten** to waive notice

strenge/strikte Einhaltung strict adherence/compliance/observance

einhandeln *v/t* to barter, to trade in; **sich etw. e.** to barter for sth.

einhändig|en *v/t* to hand in, to submit/surrender; **E.ung** *f* handing in, submission, surrender, delivery

einhängen *v/i* ✆ to ring off, to hang up

Einhänge|akte/E.tasche *f* suspension file

einheften *v/t* to file

einheimisch *adj* domestic, indigenous, internal, home, local, home-made, national; **E.e(r)** *f/m* native, local

ein|heimsen *v/t* to rake in, to pocket, to scoop in; **e.heiraten** *v/i* to marry into

Einheit *f* 1. unit, entity; 2. *(Währung)* denomination; 3. unity; **E. der Auftragserteilung** unbroken line of authority and instruction, unity of command; ~ **erster Auswahlstufe** first-stage/primary unit; ~ **zweiter Auswahlstufe** secondary/second-stage unit; **E. darstellen** to form a whole; **in E.en zergliedern** to unitize

in sich abgeschlossene/selbstständige Einheit self-contained unit; **angeschlossene E.** ✿ bolt-on unit; **nur ganze E.en** no decimal digits; **juristische E.** legal unity; **lineare E.** 💻 linear unit; **organisatorische E.** organisational unit; **periphere E.** 💻 peripheral unit; ~ **E.en** peripheral equipment; **rechtliche E.** separate legal unit; **statistische E.** statistical unit, observation; **wirtschaftliche E.** economic unit/unity

Einheiten|art *f* device type; **E.nummer** *f* device number

einheitlich *adj* uniform, standard(ized), homogeneous, coherent, integrated, unified, consistent, unitary, non-selective

Einheitlichkeit *f* uniformity, unity; **E. der Erfindung** unity of invention; ~ **Zollsysteme** uniformity of customs systems; **mangelnde E.** *(Pat.)* lack of unity of invention

Einheits|- standard, non-selective; **E.beitrag** *m* flat-rate contribution; **E.bewertung** *f* 1. standard/uniform evaluation; 2. *(Grundstück)* rating; ~ **des Betriebsvermögens** assessed valuation of company assets; **E.bilanz** unified balance sheet; **E.brief** *m* ✉ standard letter; **E.buchführung** *f* job order cost accounting; **E.budget** *nt* unified budget *[US]*; **E.erzeugnis** *nt* standardized product; **E.fertigung** *f* standardized production; **E.feuerversicherungspolice** *f* standard fire (insurance) policy; **E.format** *nt* standard size/format; **E.formblatt/E.formular** *nt* standard form; **E.frachtrate/-tarif** *f/m* ⚓ group/all-commodity rate; **E.gebühr** standard rate/fee; **E.geschäft** *nt (Vers.)* omnium business; **E.gesellschaft** *f* unit/unified company; **E.gewerkschaft** *f* unified trade *[GB]*/labor *[US]* union, industrial union, non-partisan industry-based union; **E.gewicht** *nt* standard weight; **E.größe** *f* standard size; **E.gründung** *f* single-step formation; **E.hypothek** unified mortgage bond union; **E.konditionen** *pl* unified conditions of sale and delivery; **E.kontenrahmen** *m* uniform scheme of accounts; **E.konto** *n* standard/unified account; **E.kosten** *pl* unit/standard cost(s), cost per unit of output; **E.kurs** *m* 1. *(Börse)* official rate; 2. uniform/unitary rate, single/uniform quo tation, middle/uniform price, quotation for odd lots; **E.ladung** *f* ⚓ unitized load/cargo; **E.liste** *f* single list; **E.lohn** *m* standard wage (rate); **E.markt** *m (Börse)* single-price market; **E.miete** *f* standard rent; **E.mietvertrag** *m* standard tenancy agreement; **E.modell** *nt* standard model; **E.muster** *nt* standard pattern; **E.notierung** *f (Börse)* standard quotation, official rate, quotation for odd lots; **E.police** *f* 1. standard policy; 2. *(Muster)* policy specimen; **E.prämie** *f (Lebensvers.)* single premium, flat rate

Einheitspreis *m* standard/unit/single/uniform/flat price, flat rate; **E.angebot** *nt* unit price bid; **E.festsetzung** *f* unit pricing, price lining; **E.geschäft** *nt* one-price shop, variety store; **E.system** *nt* standard costing

Einheits|qualität *f* standard quality; **E.rate** *f* unit rate; **E.rechnung** *f (Kostenrechnung)* job order cost system; **E.rente** *f* flat/basic pension, state pension *[GB]*; **E.satz** *m* flat/standard/unified rate; **E.scheck** *m* standard cheque *[GB]*/check *[US]*; **E.sorte** *f* standard grade

Einheitssteuer *f* single/standard/uniform/unitary/flat-rate tax; **E.satz** *m* standard rate of taxation; **E.tarif** *m* flat(-rate) tax

Einheits|stücklohn *m* standard piece rate; **E.tarif** *m* flat rate, single-schedule/uniform/general/unilinear tariff; **E.verkauf** *m* unified sale/selling; **E.verpackung** *f* standard packing; **E.versicherung** *f* all-risks/combined-risk insurance, standard policy; **E.vertrag** *m* standard form contract, ~ contract/agreement, simple contract; **E.vordruck** *m* standard form; **E.währung** *f* standard currency; **E.waren** *pl* standard articles; **E.wechsel** *m* standard bill (of exchange)

Einheitswert *m (Grundstück/Haus)* rat(e)able/standard/rated/basic/assessed/assessment value; **E. festsetzen** to rate; **steuerlicher E.** rat(e)able value; **E.bescheid** *m* assessment notice; **E.steuer** *f* tax based on assessed value; **E.zuschlag** *m* assessed value adjustment

Einheits|zeit *f* standard time; **E.zins** *m* standard rate of interest; **E.zoll** *m* uniform duty, standard/uniform tariff; **E.zolltarif** *m* single-scheduled tariff

ein|hellig *adj* unanimous; **e.hergehen (mit)** *v/i* to accompany, to be accompanied by; **E.holen** *nt* shopping; **e.holen** *v/t* 1. to catch up; 2. *(Genehmigung)* to obtain/procure; 3. *(Gutachten)* to obtain; 4. *(Verluste)* to recoup/recover, to make good; 5. to shop, to go shopping; **E.holung von Auskünften** *f* request for information; **e.hüllen** *v/t* to wrap/shroud

einig *adj* agreed, in agreement with; **sich e. sein** to be in agreement; **sich nicht e. sein** to differ; **(sich) e. werden** to agree (on), to come to terms

einigen *v/t* to unify; *v/refl* to come to terms, ~ an agreement, to reach a settlement/an agreement, to make terms, to compound, to settle on sth.; **sich außergerichtlich/gütlich e.** to settle out of court, ~ amicably, to make an out-of-court settlement

einigermaßen *adv* to some extent, reasonably

mit jdm einig gehen *v/prep* to agree with so.

Einigkeit *f* 1. unity; 2. unanimity, agreement, mutual consent

Einigung *f* settlement, agreement, arrangement, mutual consent; **E. mit den Gläubigern** arrangement/settlement with the creditors, composition in bankruptcy; **E. und Übergabe** agreement and delivery; **E. erzielen** to reach agreement; **zu einer E. gelangen/kommen (mit)** to arrive at an agreement, to come to an agreement/a settlement/an understanding (with); **außergerichtliche E.** out-of-court settlement; **grundsätzliche E.** agreement in principle; **gütliche E.** amicable settlement/agreement, arrangement, out-of-court settlement; **vertragliche E.** contractual agreement

Einigungs|amt *nt* arbitration board/tribunal; **E.bemühungen** *pl* unification efforts/endeavours; **E.grundsatz** *m* principle of formal agreement; **E.mangel** *m* lack of agreement; **E.prozess** *m* process of reaching an agreement; **E.stelle** *f (Schlichtung)* arbitration/conciliation board; **E.verfahren** *nt* conciliation procedure/proceedings; **E.vorschlag** *m* proposal for a settlement; **E.werk** *nt* unification work

Einjahres|geld *nt* twelve months' money; **E.kultur** *f* 🚜 annual crop

einjährig *adj* yearling, year-long, one-year

einkalkulieren *v/t* to take into account, ~ account of, to reckon with, to allow for

Einkammer|gesetzgebung *f* unicameral legislation; **E.system** *nt (Parlament)* single-chamber system, unicameralism

einkapseln *v/t* to encapsulate

einkassierbar *adj* encashable, collectible; **nicht e.** uncollectible

einkassieren *v/t* 1. *(Geld)* to collect/encash/cash (in); 2. *(Wechsel)* to call in

Einkassierung *f* encashment, collection; **E. ausstehender Schulden** recovery of outstanding debts

Einkauf *m* 1. purchase; 2. shopping; 3. buying, purchasing; 4. purchasing department; 5. *(Ware)* offtake; **E. (alles) unter einem Dach; E. im Einkaufszentrum** one-stop/single-stop shopping; **E. des Einzelhandels** retail buying; **E. nach Katalog** catalogue buying; **Ein- und Verkauf** buying and selling, purchase and sale; **Einkäufe in der Stadt erledigen** to do one's shopping in town; ~ **machen** to shop, to do the shopping; **E. tätigen** to effect a purchase

bargeldloser Einkauf cashless shopping; **dezentraler E.** decentralized purchasing/buying; **en gros E.** wholesale purchase/buying; **gemeinsamer E.** joint buying; **genossenschaftlicher E.** cooperative buying; **kluger E.** judicious purchase; **regelmäßiger E.** patronage; **weltweiter E.** global sourcing; **zentraler E.** centralized purchasing/buying

Einkaufen *nt* shopping; **regelmäßiges E. bei einem Geschäft** patronage of a shop

einkaufen *v/t* to shop/purchase, to buy (in); **e. gehen** to go shopping, to do/get one's messages *[Scot.]*; **sich e. in/bei** to buy (one's way) into; **billig/günstig/vorteilhaft e.** to buy cheap; **billiger e.** to underbuy; **en gros e.** to buy wholesale; **preiswert e.** to get good value; **regelmäßig e.** to frequent; **stückweise e.** to buy piecemeal

Einkäufer *m* 1. buyer, purchasing agent/officer, buying agent, head of the buying department; 2. shopper; **E.**

für die Industrie industrial buyer; **im Ausland ansässiger E.** non-resident buyer; **erster E.** head buyer; **ortsansässiger E.** resident buyer; **E.ausweis** *m* buyer's pass/permit

Einkaufs|abrechnung *f* account purchases (A/P); **E.abteilung** *f* buying/purchasing department; **E.- und Verkaufsabteilung** buying and sales department; **E.abweichung** *f* purchasing variance; **E.abwicklung** *f* purchasing; **E.agent** *m* 1. buying/purchasing agent; 2. *(im Einkaufsland)* resident buyer; **E.akkreditiv** *nt* buying letter of credit; **E.angebot** *nt* purchase tender; **E.anweisung/E.anforderung** *f* purchase requisition (form); **E.auftrag** *m* purchase order, indent; **E.ausweis** *m* buyer's permit/pass; **E.bedingungen** *pl* conditions of purchase, purchase terms; **E.beleg** *m* purchase voucher; **E.berechtigung** *f* purchasing authorization; **E.bestellung** *f* purchase order; **E.bruttopreis** *m* gross cost/purchase price; **E.buch** *nt* purchase book/journal/ledger; **E.budget/E.etat** *nt/m* purchase budget; **E.bummel** *m* shopping expedition/spree, buying/spending spree; **E.büro** *nt* procurement/purchasing office; **E.chef** *m* head buyer; **E.disponent(in)** *m/f* purchasing manager; **E.disposition** *f* buying arrangement/order; **E.ermächtigung** *f* purchasing authorization/permit; **E.fahrt** *f* shopping trip/expedition; **E.finanzierung** *f* purchasing finance; **E.führer** *m* shopping guide; **E.gebiet** *nt* shopping area; **E.gemeinschaft** *f* buying group, purchasing combine/group; **E.genehmigung** *f* purchasing permit, docket; **E.genossenschaft** *f* wholesale cooperative/society/association, purchasing association/cooperation, retailer cooperation, cooperative purchasing/buying/wholesale association; **E.gesellschaft** *f* purchasing agency; **E.gewohnheit** *f* buying habit; **E.gremium** *nt* buying centre; **E.gruppe** *f* buying group; **E.handbuch** *nt* purchasing manual; **E.häufigkeit** *f* purchasing freqency; **E.journal** *nt* purchase book/journal; **E.kartell** *nt* buying/purchasing cartel; **E.kommission** *f* buying commission; **E.kommissionär** *m* commission buyer, buying agent, purchasing commission agent; **E.konditionen** *pl* conditions of purchase, purchase terms; **E.kontingent** *nt* purchase/buying quota, purchase ration; **E.konto** *nt* purchase account; **E.kontor** *nt* purchasing agency; **E.konzentration** *f* concentration of purchasing power; **E.korb** *m* shopping basket; **E.kosten** *pl* costs of purchasing, procurement costs; **E.kredit** *m* loan to finance purchase; **E.kreditkarte** *f* charge/store card; **E.land** *nt* country of purchase; **E.leiter** *m* (chief) buyer, purchasing manager/agent, head of purchasing (department); **E.liste** *f* shopping list; **E.logistik** *f* purchasing logistics; **E.los** *nt* purchased lot; **E.macht** *f* bulk-buying strength, purchasing muscle; **E.manager(in)** *m/f* purchasing manager; **E.marketing** *nt* purchasing marketing; **E.markt** *m* superstore, hypermarket; **E.möglichkeiten** *pl* shopping facilities; **~ vor Ort** local shopping facilities; **E.netz** *nt* string bag; **E.niederlassung** *f* purchasing branch office; **E.order** *m* indent; **E.organisation** *f* purchasing organisation; **E.passage** *f* shopping arcade/mall; **E.planung** *f* purchase planning; **E.platz** *m* point of purchase; **E.politik** *f* procurement policy; **E.praxis** *f* shopping habit

Einkaufspreis *m* 1. purchase/purchasing/buying price; 2. first/original/cost/wholesale price, first cost; **unter E.** below purchase price; **zum E.** at purchase price

Einkaufs|programm *nt* purchasing programme; **E.provision** *f* buying commission, commission on purchase; **E.quelle** *f* source of supply; **E.rabatt** *m* purchase discount; **E.ratgeber** *m* shopping guide; **E.rechnung** *f* invoice, account purchase; **E.rechnungspreis** *m* invoice price; **E.retouren** *pl* purchase returns; **E.sachbearbeiter(in)** *m/f* assistant buyer, purchasing agent/clerk; **E.stadt** *f* shopping town; **E.statistik** *f* purchasing/procurement statistics; **E.steuer** *f* purchase tax; **e.steuerfrei** *adj* purchase tax-free, exempt from purchase tax

Einkaufsstraße *f* shopping/high *[GB]*/main *[US]* street; **autofreie E.** pedestrianized shopping street; **überdachte E.** mall *[US]*

Einkaufs|syndikat *nt* buying syndicate; **E.tag** *m* shopping day; **E.tasche** *f* shopping bag; **E.tour** *f* shopping trip, spending/buying spree; **E.tüte** *f* shopping bag; **E.verband/E.vereinigung** *m/f* voluntary/buying group, purchasing association; **E.verfahren** *nt* purchasing pattern; **E.verhalten** *nt* buying habit/pattern/behaviour; **E.vertrag** *m* buying contract; **E.vertreter** *m* purchasing/buying agent; **E.vertretung** *f* buying agency; **E.viertel** *nt* (shopping) precinct/area; **E.volumen** *nt* purchasing volume; **E.wagen** *m* shopping trolley/cart; **E.wert** *m* cost value, acquisition cost; **zum ~ einsetzen** to value at cost; **E.zentrale** *f* buying office; **E.zentrum** *nt* shopping centre/area/precinct/parade/mall, plaza *[US]*, hypermarket, business/retail park; **~ für Tiefkühlkost** freezer centre; **E.zettel** *m* shopping list; **E.zusammenschluss** *m* combination of purchases

einkeller|n *v/t* to store; **E.ung** *f* storage, cellarage

einklagbar *adj* 1. § recoverable by law; 2. actionable, enforceable, suable *[US]*, demandable; **nicht e.** unenforceable, non-actionable; **selbstständig e.** actionable per se; **E.keit** *f* enforceability, suability *[US]*

ein|klagen *v/t* to sue (for), to file a suit (for); **e.klammern** *v/t* to insert/put in brackets, to bracket

Einklang *m* accord; **in E. mit** in accordance/keeping with, commensurate with, in line/step/compliance with; **~ bringen** to match/harmonize/conciliate/conform/align/reconcile, to bring into line; **mit jdm ~ stehen** to be of one mind with so.; **nicht ~ stehen mit** to be out of line with

einklarier|en *v/t* ⊖ to enter, to clear in(wards); **E.ung** entry, clearance inwards, import clearance

Einkommen *nt* 1. *(Lohn)* income, earnings, pay; 2. *(Bezüge)* emoluments; 3. *(Mittel)* means; 4. *(Einnahmen)* revenue, incomings, gains

Einkommen nach Abzug der Steuern income after tax; **E. vor Abzug der Steuern** pre-tax income; **E. einer AG** corporate income; **E. aus selbstständiger Arbeit** self-employment income, self-employed (earned) income; **~ nicht selbstständiger Arbeit** earned income, income from paid employment; **~ Arbeit und Kapital** mixed income; **E. verschiedener Art** miscellaneaou income; **E. aus freier Berufstätigkeit** self-employment income, professional income/earnings; **E. der unselbstständig Beschäftigten** employee compensation/earnings; **E. aus Besitz** property income; **E., Ertrag und Vermögen** income, profit and net worth; **E. aus Gewerbebetrieb** industrial earnings; **~ Grundbesitz** property income; **verfügbares E. der privaten Haushalte** personal disposable income; **E. im Kalenderjahr** full year's earnings; **E. aus Kapitalgewinn/-vermögen** investment/unearned income; **E. pro Kopf der Bevölkerung** per capita income; **E. aus Nachlassvermögen** estate income; **E. vor Steuerabzug** pre-tax income; **E. aus unselbstständiger Tätigkeit** employment income; **~ Treuhandvermögen** trust income; **E. angestellter Unternehmer** contractual entrepreneurial income; **E. aus Unternehmenstätigkeit** business/entrepreneurial income, income from entrepreneurship; **~ Vermietung und Verpachtung** income from rent and lease; **~ Vermögen** unearned income, income from property; **~ Wertpapieren** income from securities

Einkommen angeben to declare one's income; **E. aufbessern** to supplement one's income; **E. besteuern** to tax earnings/income; **E. beziehen** to draw an income; **E. verringern** to cut down income, to pare/whittle down earnings, to diminsh income/earnings

abgeleitetes Einkommen derived/transfer(red) income; **angemessenes E.** fair income; **angenommenes E.** constructive receipt of income; **antizipatorisches E.** deferred income; **arbeitsloses E.** unearned income; **ausgezahlte E.** income receipts; **ausreichendes E.** sufficient income; **beitragspflichtiges E.** income liable to contributions; **besteuerungsfähiges E.** taxable income; **geringer besteuertes E.** tax-reduced income; **disponibles E.** disposable/available/spendable income; **effektives E.** real income; **einkommensteuerfreies E.** preferred income; **erarbeitetes E.** earned income; **nicht ~ E.** unearned income; **exportabhängiges E.** basic income; **festes E.** fixed/regular/stable/settled income, fixed earnings; **fiktives E.** notional/imputed income; **freies E.** disposable/net income, surplus value, take-home pay; **fundiertes E.** unearned/property income; **gemeinsames E.** joint/combined income; **geringes/geringfügiges E.** low earnings; **geschätztes E.** estimated income/earnings; **gesichertes E.** secured income; **gewerbliches E.** business/industrial income, trading profit; **inländisches E.** domestic income; **jährliches E.** 1. annual income; 2. *(aus Kapitalvermögen)* annuity; **kontraktbestimmtes E.** contractual(ly determined) income, income paid under contract; **kümmerliches E.** scanty income; **landwirtschaftliches E.** farm/farmer's income; **land- und forstwirtschaftliches E.** agricultural and forestry income; **lebenslängliches E.** life income; **maßgebliches E.** relevant income; **mäßiges E.** moderate income; **mittleres E.** middle-bracket *[GB]*/median *[US]* income; **nationales E.** gross national product (gnp); **niedriges E.** low/reduced earnings; **nominales E.** nominal income; **originäres E.** primary income; **persönliches E.** private/personal/individual income; **verfügbares ~ E.** disposable personal income; **reales E.** real income; **regelmäßiges E.** regular income; **ruhegehaltsfähiges E.** pensionable income; **sicheres E.** safe/assured income; **sozialversicherungspflichtiges E.** income liable to social security contributions; **spärliches E.** pittance; **ständiges E.** regular/fixed income; **stetiges E.** steady income; **steuerbares/-pflichtiges E.** taxable/chargeable income; **steuerfreies E.** tax-exempt income; **symbolisches E.** nominal income; **tatsächliches E.** real/effective income; **transitorisches E.** transitory income; **unfundiertes E.** earned income; **unmoralisches E.** immoral earnings; **unselbstständiges E.** income from paid employment, employment income; **unversteuertes E.** pre-tax income; **veranlagungspflichtiges E.** assessable income; **vertraglich vereinbartes E.** contractual income; **verfügbares E.** discretionary/disposable/net income, spendable earnings; **frei ~ E.** available/discretionary/spendable/real disposable income; **persönlich ~ E.** personal disposable income; **verläßliches E.** dependable income; **versicherungspflichtiges E.** eligible earnings; **zu versteuerndes E.** 1. taxable income; 2. assessable profit; **versteuertes E.** taxed income; **vertragsbestimmtes E.** income paid under contract; **vorweggenommenes E.** deferred income; **wirkliches E.** real income; **zurechenbares E.** imputed income; **zurückbehaltenes E.** retained income; **zuzurechnendes E.** attributable income; **zusätzliches E.** additional income

einkommen *v/i* *(Geld)* to come in; **um etw. e.** to ask/apply for sth.

einkommens|abhängig *adj* 1. earnings-related, earnings-linked, income-related; 2. *(Beihilfe)* means-tested; **E.abstand** *m* income gap; **E.aktie** *f* income stock; **E.anspruch** *m* claim to income; **überzogene E.ansprüche** excessive claims to income; **E.anstieg** *m* earnings rise; **E.art** *f* type/class of income, type of revenue; **(inflationsbedingte) E.aufblähung** *f* earnings dilution; **E.aufstellung** *f* income statement; **E.aufteilung** *f (Steuer)* split, income-splitting; **E.ausfall** *m* loss of income; **E.-Ausgabenmodell** *nt* income-expenditure approach; **E.ausgleich** *m* income equalization; **E.austauschverhältnis** *nt* income terms of trade; **E.beihilfe** *f* income support *[GB]*/supplement *[US]*; **E.belastung(en)** *f* income squeeze, charges on income; **E.bereich** *m* income bracket; **E.bestandteil** *m* earnings element, pay element item, part of earnings, element of the pay package, portion of income; **E.besteuerung** *f* personal/income taxation, taxation of income(s); **e.bestimmt** *adj* income-induced; **E.betrag** *m* amount of income; **E.bezieher** *m* income earner/recipient; **e.bezogen** *adj* 1. earnings-related, earnings-linked; 2. *(Beihilfe)* means-tested; **E.bildung** *f* production of income, income formation; **E.defizit** *nt (Staat)* revenue deficit/shortfall; **E.differenz** *f* earnings gap, pay disparity, wage differential; **E.disparität** *f* pay inequalities; **E.effekt** *m* income(-generating) effect; **E.einbuße** *f* loss of income; **E.einheit** *f* unit of income; **e.elastisch** *adj* income-elastic; **E.elastizität** *f* income elasticity; ~ **der Nachfrage** income elasticity of demand; **E.empfänger** *m* income recipient/receiver; **E.entstehung** *f* origination of income; **E.entwicklung** *f* growth of incomes, incomes development; **allgemeine E.entwicklung** general earnings growth; **E.erklärung** *f* income tax return; **E.ermittlung** *f* income determination, determination of (taxable) income; **E.ertrag** *m* income yield; **E.erzielung** *f* earning; **E.faktor** *m* income producer/factor; **E.fonds** *m* income fund; **E.fortschritt** *m* growth of income; **E.garantie** *f* guaranteed income; **E.gefälle** *nt* income/pay differential, earnings gap; **E.gleichung** *f* cash balance equation; **E.grenze** *f* income limit, margin of income

Einkommensgruppe *f* income group/bracket; **höhere E.** higher income bracket; **mittlere E.** middle income group; **niedrige/untere E.** lower income bracket, low-income earners, the low-paid

Einkommens|höhe *f* income level, level of income/earnings; **absolute E.hypothese** absolute income theory; **E.inflation** *f* income inflation; **E.kategorie/E.klasse** *f* income group/bracket; **E.kluft** *f* income gap; **E.konsumfunktion** *f* income-consumption function; **E.konsumkurve** *f* income-consumption curve; **E.konto** *nt* income account; **E.kreislauf** *m* income cycle, (circular) flow of income, circular income flow; **E.kreislaufgeschwindigkeit des Geldes** *f* income velocity of circulation, circular velocity of money; **E.kuchen** *m* income pie; **E.mechanismus** *m* income mechanism; **e.mindernd** *adj* income-reducing; **E.minderung** *f* reduction/loss of income, reduced earnings, pay cut; **E.-Nachfragefunktion** *f* income-demand function; **E.nachweis** *m* proof of earnings; **E.neuverteilung** *f* redistribution of income; **E.niveau** *nt* income/pay level, level of income; **E.nivellierung** *f* income equalization, levelling of incomes; **E.obergrenze** *f* upper earnings limit; **E.pfändung** *f* attachment of earnings, garnishment of incomes; **E.politik** *f* incomes policy; **e.politisch** *adj* income policy; **E.pyramide** *f* income pyramid; **E.quelle** *f* source of income; **E.quellensteuerabzug/-besteuerung** *m/f* taxation (of income) at source, pay-as-you-earn (PAYE) system; **e.reagibel** *adj* sensitive to income variations; **staatliche E.regulierung** statutory control of incomes; **E.rücklage** *f* unspent income; **E.schätzung** *f* income estimate; **übereinstimmende E.schätzung** consensus earnings estimate; **E.schere** *f* income gap; **E.schicht** *f* income group/bracket; **E.schichtung** *f* income stratification; **E.schmälerung** *f* reduction in earnings, ~ of income, reduced earnings; **E.schöpfung** *f* income creation; **e.schwach** *adj* low-income; **E.schwache** *pl* low-income earners; **E.schwelle** *f* income threshold; **E.seite** *f* income side; **E.sicherung** *f* income support/protection/maintenance; **E.situation** *f* income situation; **E.skala** *f* pay league; **E.stand** *m* income level; **e.stark** *adj* high-income; **E.statistik** *f* income statistics; **e.steigernd** *adj* income-boosting; **E.steigerung** *f* income increment; **E.stufe** *f* income bracket; **E.teil** *m* income element; **E.tendenz** *f* income trend

Einkommensteuer *f* (federal) income tax *[US]*, personal income tax *[GB]*

von der Einkommensteuer befreien to exempt from income tax; **E. einbehalten** to withhold income tax; **E. erheben** to impose/charge income tax; **E. festsetzen** to assess income tax; **E. hinterziehen** to evade income tax; **E. staffeln** to graduate income tax; **der E. unterliegen** to be liable for income tax; **zur E. veranlagen** to assess for income tax, to make an income tax assessment

einstufige Einkommensteuer unified personal income tax *[GB]*; **einzelstaatliche E.** state income tax *[US]*; **gestaffelte E.** graduated income tax; **hinterzogene E.** evaded income tax; **nachgezahlte E.** conscience money; **negative E.** negative/reverse income tax; **persönliche E.** personal income tax; **progressive E.** progressive income tax; **staatliche E.** state income tax; **umgekehrte E.** reverse income tax (R.I.T.); **veranlagte E.** assessed, individual *[US]* income tax; **zurückgestellte E.** deferred income tax

Einkommensteuer|abteilung *f* Inland Revenue Department *[GB]*, Bureau of Internal Revenue *[US]*; **E.abzug** *m* income tax deduction, pay-as-you-earn system; **e.abzugsfähig** *adj* deductible from income tax; **E.änderung** *f* income tax amendment; **E.aufkommen** *nt* income tax revenue; **E.aufstellung** *f* income sheet; **E.behandlung** *f* income tax treatment; **E.behörde** *f* Inland Revenue Department *[GB]*, Internal Revenue Service (IRS) *[US]*; **E.belastung** *f* income tax burden/load; **E.bemessung** *f* income tax assessment; **E.bemessungsgrundlage** *f* income tax base; **E.berechnung** *f* income tax computation; **E.bescheid** *m* income tax assessment/bill; **E.bestimmungen** *pl* income tax regulations; **E.bilanz** *f* income tax balance sheet; **E.buchführung** *f* income tax accounting; **E.durchführungsverordnung** *f* income tax regulation; **E.einbehaltung** *f* withholding of income tax; **E.erhebung** *f* collection of income tax

Einkommensteuererklärung *f* declaration of income, income tax return *[GB]*/statement *[US]*, federal ~ return *[US]*; **E. abgeben** to file an income tax return/statement; **gemeinsame E. abgeben** to file a joint return; **getrennte E. abgeben** to file separate returns; **E. aufsetzen/ausfüllen** to prepare an income tax return/statement; **jährliche E.** annual income tax return/statement

Einkommensteuer|erlass *m* abatement of income tax; **E.erleichterung/E.ermäßigung** *f* income tax relief/credit *[US]*, direct taxation relief; **E.erstattung** *f* income tax refund; **E.festsetzung** *f* income tax assessment; **E.formular** *nt* income tax form/schedule *[US]*; **e.frei** *adj* free of income tax

Einkommensteuerfreibetrag *m* earned income/income tax/personal *[GB]* allowance, income tax credit *[US]*/relief; **E. für Alleinstehende** single person's allowance; **~ Arbeitnehmer** earned income allowance; **~ Verheiratete** married man's allowance

Einkommensteuer|freigrenze *f* income tax/personal *[GB]* allowance; **E.gesetz** *nt* Income Tax Act *[GB]*, Federal Income Tax Act *[US]*; **aus E.gründen** *pl* for income tax reasons; **E.grundtabelle** *f* basic income tax scale; **E.gruppe** *f* income tax bracket/schedule; **E.hin**

terzieher *m* income tax dodger/evader; **E.hinterziehung** *f* income tax evasion; **E.klasse** *f* income bracket; **E.kürzung** *f* income tax cut; **E.nachlass** *m* income tax rebate/concession; **E.novelle** *f* income tax amendment

Einkommensteuerpflicht *f* liability for income tax; **beschränkte E.** non-resident's income tax liability; **e.ig** *adj* liable for income tax; **E.igkeit** *f* liability for income tax

Einkommensteuer|progression *f* income tax progression; **E.prüfer** *m* inspector of taxes; **E.reform** *f* income tax reform; **E.recht** *nt* income tax law; **E.richtlinien** *pl* income tax guidelines/directives; **E.rückerstattung/-zahlung** *f* income tax refund; **E.rückstellung** *f* income tax reserve; **E.rückvergütung** *f* income tax refund; **E.satz** *m* income tax rate, rate of income tax; **individueller E.satz** personal income tax rate; **E.schätzung** *f* (arbitrary) assessment of income tax; **E.schuld** *f* income tax liability; **E.schwelle** *f* income tax threshold; **E.senkung** *f* income tax cut; **E.splittingtabelle** *f* joint marital income tax scale; **E.system** *nt* income tax system; **E.stufe** *f* income tax bracket; **E.tabelle** *f* income tax schedule/scale; **E.tarif** *m* income tax rate/scale; **E.veranlagung** *f* income tax assessment/coding, assessment of income tax; **aufgeschobene E.verbindlichkeit** deferred income tax; **E.vergünstigung** *f* income tax relief; **E.verlust** *m* income tax loss; **E.vorauszahlung** *f* prepayment of estimated income tax; **E.zahler** *m* income tax payer; **E.zahlung** *f* income tax payment; **E.zuschlag** *m* surtax, supertax, income tax surcharge

Einkommens|struktur *f* composition of income; **E.stufe** *f* income band/bracket; **höchste E.stufe** top bracket; **E.tabelle** *f* income schedule; **E.teilung** *f* split(ting); **E.theorie** *f* theory of income determination, national income theory; **E.- und Beschäftigungstheorie** income analysis; **E.träger** *m* income receiver; **E.transfer** *m [EU]* redistribution of income, direct income aid; **E.überschuss** *m* revenue surplus; **E.übersicht** *f* all-inclusive income statement

öffentliche Einkommensübertragung income transfer, transfer of income/payments; **private E.** personal transfer payment; **staatliche E.en** government transfer payments, ~ transfers

Einkommens|umlagerung *f* income switching; **E.umschichtung/E.umverteilung** *f* redistribution of income, income redistribution, shift in income patterns; **E.unterschied** *m* income/pay differential; **E.unterstützung** *f* income support *[GB]*, supplementary benefit *[GB]*; **E.veranlagung** *f (Sozialhilfe)* means test; **E.verbesserung** *f* income enhancement/gain, growth of income; **direkte E.verbesserungen** cash-in-hand income supplements; **E.verhältnisse** *pl* income levels/standards; **E.verlagerung** *f* income shift; **E.verlust** *m* loss of earnings/income, income loss; **realer E.verlust** real wage cut; **e.vermehrend** *adj* income-increasing; **E.verschiebung** *f* income shift, shift in income distribution, redistribution of income

Einkommensverteilung *f* income/earnings distribution, distribution of income, income transfer; **E. auf mehrere Jahre** income averaging; **funktionelle E.** functional (income) distribution; **gleichmäßige E.** egalitarian distribution of income; **personelle E.** personal income distribution; **E.sinflation** *f* income share inflation

Einkommens|verwendung *f* distribution/application of income; **E.wachstum** *nt* earnings growth, increase in income; **E.zusatzsteuer** *f* surtax; **E.zuschuss** *m* income supplement/support *[GB]*; **E.zuwachs** *m* growth of income, income gain, earnings rise; **E.zuwachsrate** *f* earnings growth rate

einkreisen *v/t* to encircle; **etw./jdn e.** to zero in on sth./so.

Einkreisung *f* encirclement; **E.skette** *f* dragnet technique; **E.spatent** *nt* fencing-in patent; **E.spolitik** *f* policy of isolation

Einkünfte *pl* 1. *(Lohn/Bezüge)* income, earnings, pay, emoluments; 2. *(Einnahmen)* receipts, revenue, proceeds, incomings; 3. *(Miete)* rents

Einkünfte aus selbstständiger Arbeit/Erwerbstätigkeit self-employment income; ~ **unselbstständiger Arbeit** wage/earned income; ~ **einem freien Beruf** income derived in respect of professional services; **E. der Ehefrau** wife's (earned) income; **E. aus öffentlichen Erwerbsunternehmungen** revenue from government-owned enterprises; ~ **dem Fremdenverkehr** tourist earnings/receipts; ~ **Geldvermögen** capital income; ~ **Gewerbebetrieb** trading profit/income, business income; ~ **bebauten Grundstücken** income from improved properties; ~ **unbebauten Grundstücken** income from unimproved properties; **E. der öffentlichen Hand** public revenue; **E. aus unsichtbarem Handel** invisibles receipts; ~ **Kapitalanlagen** investment income; ~ **Kapitalbesitz/-vermögen** unearned/investment income, income from interest/capital, returns; ~ **Land- und Forstwirtschaft** income from agriculture and forestry; ~ **Maklertätigkeit** brokerage earnings; ~ **Miete und Pacht** rents, rental (earnings); ~ **dem Passagierverkehr** passenger revenue; ~ **dem Personenverkehr** passenger revenue; ~ **Schwarzarbeit** black earnings; ~ **freiberuflicher Tätigkeit** professional income; ~ **nicht selbstständiger Tätigkeit** earned income; ~ **Teilzeitarbeit** part-time earnings; **E. von Todes wegen** death benefit; **E. aus dem Tourismus** tourist earnings/receipts, travel credits; ~ **dem Überseegeschäft** overseas income; ~ **Vermietung (und Verpachtung)** rental income/earnings, rent return/roll/yield, rents; ~ **Wertpapiervermögen** income from securities

Einkünfte aufbessern to augment one's income; **E. beschaffen** to provide revenue; **E. beziehen** to derive revenue/income, to source income; **E. an der Quelle steuerlich erfassen** to tax revenue at source; **E. erzielen** to desire revenue

anrechnungsfähige Einkünfte reckonable earnings; **ausgewiesene E.** declared revenue; **ausländische E.** income from abroad, foreign-source income; **außerbetriebliche E.** non-operating revenue(s); **außerordentliche E.** extraordinary income; **steuerlich begünstigte E.** preference income; **berufliche E.** earned income; **betriebsfremde E.** non-operating revenue(s); **in Anrechnung zu bringende E.** reckonable earnings; **ein-**

malige E. non-recurring revenue(s); **feste E.** fixed earnings, regular income; **freiberufliche E.** professional income; **gewerbliche E.** industrial earnings, business income, trading profits; **inländische E.** domestic income; **leistungslose E.** unearned income; **negative E.** negative income, losses; **normale E.** ordinary income; **rückständige E.** income in arrears; **sonstige E.** miscellaneous revenue(s)/income, other income; **steuerfreie E.** tax-exempt income, exclusions from gross income; **steuerliche E.** tax receipts/revenue; **thesaurierte E.** accumulated earnings; **überseeische E.** overseas income; **unerwartete E.** windfall profits; **unmoralische E.** immoral earnings; **unsichtbare E.** invisibles, invisible earnings; **wiederkehrende E.** recurring revenues; **nicht ~ E.** non-recurring revenues; **zurechenbare E.** attributable income

Einkunftslabgrenzung *f* classification of income; **E.art/E.kategorie** *f* type/class of income, ~ revenue; **E.quelle** *f* source of income; **E.tabelle** *f* income schedule

Einkuvertierlen *nt* stuffing; **e.en** *v/t* to put into an envelope; **E.ungsdienst** *m* envelope-stuffing service

Einladen *nt* loading; **Ein- und Ausladen** loading and unloading; **vom E. im Ladehafen bis zum Ausladen im Löschhafen** ⚓ from tackle to tackle

einladen *v/t* 1. to load/ship; 2. *(Gast)* to invite; **e.d** *adj* inviting; **nicht e.d** uninviting

Einladung *f* 1. invitation; 2. *(Versammlung)* convening notice; **auf E. von** at the invitation of; **E. zur HV** notice of meeting; **~ Subskription/Zeichnung** subscription offer

Einladung ablehnen to decline an invitation; **E. annehmen** to accept an invitation; **E. aussprechen** to extend an invitation; **ohne E. hereinplatzen** to gatecrash; **einer E. Folge leisten** 1. to accept/take up an invitation; 2. § to answer a summons

Einladungslanzeige *f* *(Versammlung)* convening notice; **E.karte** *f* (invitation) card; **E.schreiben** *nt* 1. letter of invitation; 2. *(Versammlung)* convening notice

Einlage *f* 1. *(Kapital)* deposit, investment, advanced capital, (capital) contribution; 2. *(Gesellschaftsanteil)* share, proprietor's capital holding; 3. *(Brief)* enclosure; 4. *(Zeitung)* insert, insertion, inset, filling; 5. *(Kiste)* lining; 6. *(Wette)* stake; **E.n** 1. *(Bank)* deposits, deposit money/funds; 2. *(Inland)* deposits in domestic offices; 3. assets brought in, paid-in capital; **E.n (Ausland)** *(Bilanz)* deposits in foreign offices; **mit E.** *(Material)* padded; **ohne E.** *(Material)* unpadded

Einlageln von Anteilseignern shareholders'/stockholders' capital contribution; **E. bei Bausparkassen** savings deposits with building societies; **E. auf Depositenkonto** fixed deposit; **E.n bei ausländischen Filialen und Töchtern** *(Bilanz)* deposits in foreign offices; **E. zu Geldmarktzinsen** money market deposits, money on deposit; **E. des persönlich haftenden Gesellschafters** general partner's share; **E.n der öffentlichen Hand** government deposits; **E. des Kommanditisten** limited partner's share; **E.n im Kontokorrentverkehr** deposits on current account; **E.n mit Kündigungsfrist** deposits at notice, ~ subject to an agreed term of notice; **~ siebentägiger Kündigungsfrist** seven-day money; **~ besonders vereinbarter Kündigungsfrist** availability items *[US]*; **~ fester Laufzeit** time deposits; **E.n von Privatkunden** personal deposits, retail funds; **E.n auf gebührenfreier Rechnung** *(Bankbilanz)* current deposits; **~ und sonstige Gläubiger** current deposits and other accounts; **~ Sicht** sight deposits

auf die Einlage beschränkt *adj* *(Haftung)* limited by shares

Einlagen abbauen to run down deposits; **E. entgegennehmen** to accept deposits; **bis zur Höhe seiner E. haften** to be liable to the extent of one's investment; **E. kündigen** to give notice of withdrawal of deposits; **E. machen** *(Bank)* to lodge deposits; **E. verzinsen** to pay interest on deposits

abrufbare Einlagen call deposits; **ausstehende E.** unpaid/outstanding call on shares, subscribed capital unpaid, outstanding contributions, ~ capital stock, uncalled liability on share capital, unpaid subscriptions; **~ auf das Grundkapital** subscribed capital stock; **Bank-bei-Bank-E.** interbank deposits; **bedingte E.** deposits in escrow; **bedungene E.** stipulated capital contributions; **befristete E.** time/fixed deposits; **effektive E.** primary deposits *[US]*; **sofort/täglich fällige E.** demand deposits; **feste/gebundene E.** fixed deposits; **gemeinschaftliche E.** joint deposits; **gesetzliche E.** legal minimum deposits; **kleine E.** small deposits; **kündbare E.** deposits at notice, ~ subject to notice; **kurzfristige E.** short(-term) deposits, deposits at short notice; **länger-/langfristige E.** time/long-term deposits; **mindestreservepflichtige E.** eligible liabilities; **mittelfristige E.** medium-term deposits; **öffentliche E.** public deposits; **gegen Kündigung rückzahlbare E.** demand deposits; **terminierte E.** term/time deposits; **unkündbare E.** irrevocable deposits; **unversicherte E.** uninsured deposits; **unverzinsliche E.** non-interest-bearing deposits; **verschlossene E.** sealed deposits; **versicherte E.** insured deposits; **verzinsliche E.** interest-bearing deposits

Einlagelblatt *nt* ▯ loose leaf; **E.brief** *m* certificate of deposit; **E.buch** *nt* depositor's book, pass/bank/deposit book; **E.heft** *nt* passbook; **E.kapital** *nt* deposit/paid-in capital, contribution; **E.konto** *nt* deposit/investment account; **E.minderung** *f* reduction of deposits

Einlagenlabgänge *pl* outflow of deposits; **E.abteilung** *f* deposit banking division, ~ department; **E.abzug** *m* withdrawal of deposits; **E.basis** *f* deposits base; **E.bestand** *m* (total) deposits; **durchschnittlicher E.bestand** deposit line; **E.bildung** *f* deposit formation; **E.entwicklung** *f* movement of deposits; **E.garantiefonds** *m* deposit guarantee fund; **E.geschäft** *nt* deposit banking/business; **E.-(Depot-) und Kreditgeschäft** commercial banking; **E.höhe** *f* 1. intake of funds; 2 *(Unternehmen)* (level of) capital contributions; **E.institut** *nt* depository institution; **E.konto** *nt* deposit account/ledger, depositor's ledger; **E.plus** *nt* net deposit growth; **E.politik** *f* deposit policy; **durchschnittlicher**

E.saldo *(Konto)* line of deposit; **E.schein** *m* certificate of deposit (C/D); **E.schutz** *m* deposit protection; **E.schwund** *m* decline of deposits; **E.seite** *f* deposits side

Einlagensicherung *f* *(Bank)* protection of deposits, deposit insurance (scheme); **E.sfonds** *m* deposit guarantee/insurance fund; **E.ssystem** *nt* deposit insurance system

Einlagen|steigerung *f* deposits increase; **E.stilllegung** *f* blocking of deposits; **E.termingeschäfte** *pl* deposit futures transactions; **E.trächtigkeit** *f* deposit-producing potential; **E.überhang** *m* excess of deposits over lendings; **E.überschuss** *m* surplus of deposits, net deposits; **E.umschichtung** *f* shift of deposits: **~ auf höher verzinsliche Kurzläufer** disintermediation; **E.verbindlichkeiten** *pl* deposit liabilities

Einlagenversicherung *f* (bank) deposit insurance; **staatliche E.** Federal Deposit Insurance *[US]*; **E.sanstalt** *f* Federal Deposit Insurance Corporation *[US]*

Einlagen|volumen *nt* total deposits; **E.wachstum** *nt* growth of deposits, deposits growth; **E.zertifikat** *nt* certificate of deposit (C/D) *[US]*, depository certificate/receipt; **begeb-/handel-/übertragbares E.zertifikat** negotiable certificate of deposit; **E.zins(en)** *m/pl* deposit rate, interest for/on deposits; **E.zinssatz** *m* banker's deposit rate; **~ für Kleinkunden** retail deposit rate; **E.zuflüsse** *pl* inflow of deposits

einlagepflichtig *adj* required to deposit

Einlagerer *m* depositor

Einlagern *nt* storage, warehousing, stockpiling, wharfage

einlagern *v/t* to warehouse/stock(pile)/deposit, to store (up/away), to lay in, to put into storage, to place/deposit in a warehouse; **zu viel e.** to overstock; **zu wenig e.** to understock

Einlagerung *f* storage, warehousing, stockpiling, (goods) deposit; **E. unter Zollverschluss** bonding; **vorübergehende E.** temporary storage/warehousing

Einlagerungs|gebühr *f* storage fee, warehouse charges; **allgemeine E.genehmigung** *[EU]* general storage permit; **E.gewicht** *nt* storage weight of goods receipted; **E.kapazität** *f* storage capacity; **E.kosten** *pl* storage costs; **E.kredit** *m* warehouse loan, storage/stockpiling credit; **E.land** *nt* country of warehousing; **E.schein** *m* warehouse receipt; **E.wechsel** *m* warehouse/storage bill

Einlagezinsen *pl* interest on deposits

Einlass *m* 1. admission, admittance, access; 2. ticket gate; **E. finden** to gain admittance; **jdm E. gewähren** to grant so. admission, to admit so.; **sich E. verschaffen** to gain access; **E. verwehren** to refuse access

einlassen *v/t* to admit, to let in; *v/refl* § to enter an appearance, to testify (on sth.), to defend a case, to plead guilty or not guilty; **sich auf etw. e.** to engage in sth., to embark upon sth., to take sth. on, to let o.s. in on/for sth., to get mixed up with sth.

Einlass|geld *nt* entrance fee; **E.karte** *f* admission ticket/card, pass check; **E.schein** *m* entry permit

Einlassung *f* § *(Gericht)* testimony, admission, defence, appearance, answer, entering a plea to a charge; **E. des Beklagten** entry of appearance; **E. zur Hauptsache** plea as to the merits of the plaintiff's claim, joinder of issue; **~ Sache** pleading on the merits of a case; **bedingte E.** conditional appearance; **vorbehaltlose E.** general appearance; **E.serklärung** *f* memorandum of appearance; **E.sfrist** *f* notice to plead, period for filing a defence

Einlauf *m* *(Brief)* incoming mail, letters received; **in der Reihenfolge des E.s** in order of receipt; **freier E. und Auslauf** free ingress and egress

Einlaufen *nt* 1. ⚓ entry; 2. *(Waren)* arrival; 3. *(Stoff)* shrinkage; **e.** *v/i* 1. to arrive, to come in; 2. ⚓ to put in; 3. *(Stoff)* to shrink; **e.d** *adj* incoming; **nicht e.d** *(Textilien)* non-shrink, unshrinkable

Einlauf|hafen *m* ⚓ port of entry; **E.kurve** *f* start-up cost curve

einleben *v/refl* to get accustomed to, to settle down; **sich gut e.** to settle down well

Einlege|arbeit *f* inlay work; **E.blatt** *nt* loose-leaf; **E.bogen** *m* insert sheet

einlegen *v/t* 1. *(Geld)* to deposit, to pay in; 2. *(Brief)* to enclose; 3. *(Protest)* to register/lodge/file/intercalate

Einleger *m* 1. *(Bank/Kapital)* depositor, investor; 2. *(Gesellschaft)* contributor; **öffentlicher E.** public depositor

Einleger|entschädigung *f* compensation for savers/investors; **E.konto** *nt* deposit account; **E.schutz** *m* 1. protection of savers; 2. Deposit Protection Scheme *[GB]*

Einlegung *f* 1. deposit; 2. lodging, filing; **E. eines Rechtsbehelfs** lodging of a legal remedy; **~ Rechtsmittels** lodging of an appeal

einleiten *v/t* 1. to initiate/introduce/start/institute, to take steps, to set in train, to usher in; 2. *(Abwässer)* to discharge; **e.d** *adj* introductory, preliminary, incipient

Einleiter *m* discharger; **E. von Schadstoffen** polluter

Einleitung *f* 1. introduction, initiation, preliminary; 2. *(Abwässer)* discharge; 3. preface

Einleitung eines Konkursverfahrens institution of bankruptcy proceedings; **~ beantragen** to file a petition in bankruptcy, to make an application for receivership *[GB]*, to petition for the appointment of a receiver *[US]*; **E. von Schadstoffen** discharge of polluting substances; **E. gerichtlicher Schritte; E. eines gerichtlichen Verfahrens** institution of legal proceedings; **E. eines Strafverfahrens** institution of a prosecution

Einleitungs|- introductory; **E.beschluss** *m* *(Konkurs)* receiving order; **E.formel** *f* *(Urkunde)* caption, heading

ein|lenken *v/i* to give in, to adopt a conciliatory stance; **e.lesen** *v/t* 🖳 to read in; **e.leuchten** *v/i* to stand to reason, to make sense; **e.leuchtend** *adj* plausible, reasonable, apparent, obvious, satisfactory

Einlieferer *m* depositor, party lodging sth.

einliefern *v/t* 1. to hand in, to submit; 2. *(Brief)* to post/mail; 3. *(Effekten)* to deliver/deposit; 4. *(Gefängnis)* to commit (to); 5. *(Krankenhaus)* to admit (to)

Einlieferung *f* 1. handing in; 2. ✉ posting, mailing, sending; 3. *(Effekten)* delivery, deposit, surrender; 4. *(Krankenhaus)* admission; 5. § committal, commitment; **E. ins Gefängnis; E. in die Haftanstalt** § committal to prison

Einlieferungs|befehl *m* § committal order/warrant; **E.beleg** *m* lodgment voucher; **E.bescheinigung/ E.schein** *f/m* 1. receipt; 2. ✉ certificate of posting, postal receipt; 3. *(Geld)* paying-in slip; 4. *(Effekten)* deposit slip; **E.postamt** *nt* office of posting

einliegen *v/i* *(Brief)* to be enclosed; **e.d** *adj* enclosed

Einlieger *m* lodger; **E.wohnung** *f* self-contained/ granny *(coll)* flat

Einliniensystem *nt* straight-line organisation, unit of command, single-line system

ein|lochen *v/t* to punch in; **e.logieren** *v/refl (Hotel)* to put up

einlösbar *adj* (en)cashable, redeemable, due, collectible, payable, convertible; **nicht e.** irredeemable, unredeemable, inconvertible, non-convertible; **E.keit** *f* redeemability, redemption, cashability, collectibility

einlösen *v/t* 1. *(Wechsel)* to pay/honour/protect; 2. *(Scheck)* to cash (in), to turn into cash; 3. *(Akzept)* to discharge; 4. *(Tilgung)* to redeem; 5. *(Vers.)* to surrender/ convert; 6. *(Gutschein)* to collect; 7. *(Pfand)* to take out of pawn/pledge; 8. *(Dokumente)* to take up; **gegen bar einzulösen** redeemable for cash; **in bar e.** to (en)cash; **nicht e.** *(Wechsel)* to dishonour

Einlöser *m* redeemer

Einlösestelle *f* redemption centre

Einlösung *f* 1. *(bar)* cash-in, encashment; 2. *(Akzept)* discharge; 3. *(Tilgung)* redemption; 4. *(Wechsel)* honouring, payment (payt.); **gegen E. von** against surrender of

Einlösung einer Anleihe redemption/retirement of a loan; **E. von Banknoten** redemption of banknotes; **E. bei Fälligkeit** payment/redemption at maturity; **E. vor Fälligkeit** anticipated repayment; **E. zum Nennwert; E. zu pari** redemption at par; **E. von Schuldverschreibungen** redemption/retirement of bonds, ~ debentures; **E. gegen Sicherheitsleistung** *(Pfand)* § replevin; **E. bei Verfall** redemption at maturity; **E. vor Verfall** mandatory redemption; **E. einer Versicherung** cash-in of (a) policy; **E. eines Wechsels** payment of a bill; **E. von Zinsscheinen** coupon collection

zur Einlösung aufrufen to call for redemption; **~ auslosen** to draw for redemption; **~ vorlegen** to present for payment

verspätete Einlösung *(Scheck)* delayed encashment; **vorzeitige E.** previous redemption

Einlösungs|abschnitt *m* redemption warrant; **E.aufforderung** *f (Schuldverschreibung)* call; **E.auftrag** *m* order to clear, encashment/collection order; **E.bedingungen** *pl* terms of redemption; **E.beitrag** *m (Vers.)* redemption amount/price; **E.bestimmungen** *pl* redemption provisions; **E.betrag** *m* redemption capital/amount/money; **E.ermächtigung** *f* authority to pay; **E.fonds** *m* redemption/sinking/amortization fund; **E.frist** *f* redemption period, period for honouring; **E.gewinn** *m* gain on redemption; **E.kasse** *f* redemption office; **E.klausel** *f* redemption clause; **E.kurs/E.preis** *m* redemption price, rate of redemption; **E.pflicht** *f* obligation to convert; **E.prämie** *f* redemption premium; **E.provision** *f* payment commission; **E.recht** *nt* right of redemption; **~ des Hypothekenschuldners** equity of redemption; **E.schein** *m* redemption voucher; **E.stelle** *f* paying office/agent, redemption office; **E.tag/E.termin** *m* date of maturity/redemption; **E.vorschriften** *pl* redemption provisions; **E.wert** *m* 1. redemption value; 2. *(Lebensvers.)* surrender value

ein|lotsen *v/t* ⚓ to pilot; **e.machen** *v/t (Obst)* to preserve/bottle

einmal *adv* once; **auf e.** 1. at a stroke; 2. *(Geld)* in one amount

Einmal|- 1. disposable, single-use; 2. one-off, nonrecurring, once only; **E.abschreibung** *f* initial allowance; **E.anlage** *f* one-off/once-only investment; **E.aufwand/E.aufwendung** *m/f* non-recurring expenditure/expense; **E.behälter** *m* disposable container; **E.belastung** *f* non-recurring burden; **E.betrag** *m* 1. lump sum; 2. *(Vers.)* single premium; **E.eins** *nt* π multiplication table; **E.emission** *f* one-off/once-only issue; **E.emittent** *m* occasional issuer; **E.erträge** *pl* non-recurring gains/earnings; **E.geschäft** *nt* 1. non-recurrent business; 2. *(Bank als Makler)* transaction banking; **E.herstellung** *f* one-off production

einmalig *adj* 1. non-recurring, non-recurrent, one-off, once-only, one-shot *(coll)*, one-time; 2. single, unique, once and for all

Einmal|käufer *m* one-time buyer; **E.kohlepapier** *nt* one-time carbon paper; **E.konto** *nt* single-use account; **E.kosten** *pl* non-recurring cost(s); **E.packung** *f* disposable package; **E.prämie** *f* single premium; **E.prämienpolice** *f (Vers.)* single-premium bond; **E.produktion** *f* one-off production; **E.rückstellung** *f* non-recurrent transfer to reserves, ~ provision; **E.sparbetrag** *m* single savings inpayment; **E.tarif** *m* one-time rate; **E.verkauf** *m* one-off sale; **E.zahlung** *f* single payment

Einmann|betrieb *m* one-man operation/business/ firm/show *(coll)*; **E.firma/E.gesellschaft/E.unternehmen** *f/nt* one-man firm/company *[US]*/business, sole trader business, single proprietorship, corporation sole *[GB]*; **E.-GmbH** *f* one-man private limited company

ein|mauern *v/t* to wall in; **e.mengen** *v/refl* to interfere; **e.mieten** *v/refl* to take lodgings; *v/t* 🚜 to clamp

einmischen *v/refl* to interfere/intervene/meddle; **sich dauernd e.** to be meddlesome; **sich nicht e.** to remain on the sidelines, to keep aloof

Einmischung *f* interference, intervention, intrusion, meddling; **E. von außen** outside interference; **staatliche E.** state interference; **unerwünschte E.** meddling

einmonat|ig *adj* one-month; **e.lich** *adj* monthly, **E.bilanz** *f* monthly balance sheet

einmott|en *v/t* to mothball; **E.ung** *f* mothballing

einmünd|en *v/i* to merge in, to lead to; **E.er** *m* 💻 branch leading to node; **E.ung** *f* 🚗 junction

einmütig *adj* unanimous, with one accord; **E.keit** *f* unanimity, unanimous agreement

Einnahme(n) *f/pl* 1. (cash) receipts, takings, take; 2. income, earnings; 3. proceeds, revenue, gains, returns drawing; 4. *(Sport)* gate money; **E.(n) in bar** cash receipts

Einnahme|n aus Arbitragegeschäften arbitrage revenue; **E.n und Ausgaben** income/receipts and expenditure(s), receipts and disbursements; **E.n aus dem Fremdenverkehr** tourist receipts; ~ **laufendem Geschäft** trading revenues; **E. einer interventionistischen Haltung** adoption of an interventionist stance; **E.n aus der Kraftfahrzeugsteuer** road tax revenue; ~ **unsichtbaren Leistungen** invisible earnings; **E.n in laufender Rechnung** current account receipts; **E. von Steuern** collection of taxes; **E.n aus Telefongrundgebühren** exchange line rental turnover; ~ **Umlagen** income from encumbrances; ~ **der Veräußerung von Dividendenscheinen** income from the disposition/disposal of dividend certificates

Einnahmen beschaffen/erheben to raise revenues; **E. schaffen** to provide revenue; **E. stilllegen** to sterilize receipts

außerordentliche Einnahmen extraordinary income; **außerplanmäßige E.** unbudgeted income; **betriebsfremde E.** non-operating income; **einmalige E.** non-recurring income; **jährliche E.** annual receipts; **laufende E.** current receipts; **keine nennenswerte E.** no income to speak of; **öffentliche E.** public/government revenue(s); **passivierte E.** deferred liabilities; **periodische E.** accrued cash receipts; **sonstige E.** *(Bilanz)* other/sundry receipts; **staatliche E.** public revenues; **steuerfreie E.** non-taxable income; **wirkliche E.** actuals; **zweckgebundene E.** earmarked/restricted receipts

Einnahme|aufgliederung *f* revenue classification; **E.ausfall** *m* 1. revenue shortfall, loss of income, reduction in revenue, lost revenue; 2. *(Geschäft)* loss of takings; **E.buch** *nt* cash receipts journal, receipt book, book of receipts; **E.decke** *f* revenue-cover ratio; **E.defizit** *nt* revenue shortfall; **E.fluss** *m* revenue flow; **E.kasse** *f* cash-receiving office; **E.konto** *nt* revenue/income account; **E.minderung** revenue-reduction

Einnahmen|- und Ausgabenbuch *nt* book of receipts and disbursements/expenditures; ~ **Ausgabenbuchführungssystem** *nt* cost-book principle; ~ **Ausgabenbudget/-plan/-planung** *nt/m/f* cash budget(ing); ~ **Ausgabenkonten** *pl* nominal accounts; **E.politik** *f* revenue policy; **E.- und Ausgabenrechnung** *f* 1. bill of receipts and expenditures, statement of revenue and expenditure; 2. cash-based accounting, accounting on a cash basis, cash basis of accounting; **E.reihe/E.strom** *f/m* stream of earnings; **E.steuer** *f* receipt tax; **E.verbuchung** *f* revenue realization

Einnahmeposten *m* credit/revenue item

Einnahmequelle *f* source of revenue/income, revenue raiser/source; **sich eine E. erschließen** to open up a source of income; **nicht aus Steuern herrührende E.** non-tax source; **neue E.** new income streams

Einnahme|rahmen *m* total/budgeted receipts; **E.rhythmus** *m* incidence of receipts; **E.rückgang** *m* drop in revenue; **E.rückstände** *pl* receipts in arrear(s); **E.schätzungen** *pl* receipts projection; **e.schwach** *adj* low-revenue; **E.seite** *f* 1. revenue side; 2. *(Bilanz)* income account; **E.spitze** *f* peak in receipts; **E.strom** *m* income flow; **E.struktur** *f* revenue pattern

Einnahmeüberschuss *m* 1. surplus/excess revenue, revenue surplus, net receipts, surplus of receipts (over expenditure), cash flow; 2. *(Vers.)* premium income; **E. über laufende Ausgaben** surplus revenues over current expenditures; **diskontierter E.** discounted cash flow; **jährlicher E.** annual cash flow; **E.rechnung** *f* net income method, cash receipts and disbursement method

Einnahme|unterdeckung *f* negative cash flow; **E.vakuum** *nt* revenue shortfall; **E.verlust** *m* loss of income/business, lost revenue; **E.wirkungen** *pl* revenue effects

einnehmen *v/t* 1. to receive/collect; 2. *(Geld)* to take (in); 3. *(Haltung)* to adopt; **jdn für sich e.** to win so.'s favour; **jdn für/gegen etw. e.** to bias so. towards/against sth.

einnehmend *adj* *(Person)* likeable, engaging

Einnehmer *m* *(Steuer)* receiver, collector

Einöd|e *f* desert, wilderness; **E.hof** *m* isolated farm

einordnen *v/t* 1. to arrange/sort/range; 2. to class/classify; 3. to file/pigeonhole; *v/refl* 1. 🚗 to get into a lane; 2. to fall into line; **richtig e.** to place in the proper perspective; **sich schwer e. lassen** to be difficult to place

Einordnung *f* arrangement, classification

Einpacken *nt* packing; **e.** *v/t* to wrap (up)/pack (up)/box

Einpacker *m* packer

Einpackpapier *nt* packing/wrapping paper

ein|passen *v/t* to fit; **E.passieren** *nt* ⚓ inward passage

einpendeln *v/i* to commute in, ~ to work; *v/refl (Kurs)* to level off, to even out, to settle down, to find a level

Einpendler *m* commuter

einperiodig *adj* single-period

Einpersonen|gesellschaft *f* corporation sole, sole trader, single proprietorship *[GB]*, one-man corporation *[US]*; **E.haushalt** *m* single-person household

ein|pferchen *v/t* to cram, to coop up; **e.pflanzen** *v/t* 1. 🚜 to plant; 2. ⚕ to implant

Einphas|ensteuer *f* one-stage/single-stage tax; **e.ig** *adj* single-phase

einplanen *v/t* 1. to allow for, to plan/schedule, to take into account/consideration; 2. *(Zeit)* to budget for; 3. *(Geld)* to set aside

Ein|planwirtschaft *f* single-plan economy; **E.platzsystem** *nt* single-user system

einpräg|en *v/t* to impress (upon/on), to imprint/inculcate; **e.sam** *adj* easily remembered, catchy, striking; **E.ung** *f* imprint, inculcation

Einprodukt|betrieb/E.unternehmen *m/nt* single-product firm

einprogrammieren 💻 to feed in

Einpunktklauseln *pl* shipping terms where cost(s) and risks devolve on the buyer at the same point

ein|quartieren *v/t* 1. to lodge; 2. ✈ to billet; **e.rahmen** *v/t* 1. *(Bild)* to frame; 2. *(Anzeige)* 📄 to box in; **e.räumen** *v/t* to grant/allow/concede/admit/acknowledge/accord/extend

Einräumung *f* admission; concession; **E. von Nut-**

zungsrechten 1. grant of usufruct; 2. granting of licences; **E. eines Zahlungsziels** extension/granting of credit; **~ verweigern** to refuse credit

einrechnen *v/t* to allow for, to take into account; **mit e.** to include in the account

Einrede *f* § objection, plea, (procedural) defence, demurrer

Einrede der Arglist exception of fraud, objection on the grounds of malice; **~ Aufrechnung** defence of set-off, plea in reconvention; **~ Erfüllung** plea in discharge; **E. des Notstandes** defence of necessity; **E. der Rechtshängigkeit** plea of another action pending; **~ Rechtskraft** plea of former adjudication; **~ Teilung** benefit of division; **~ Unzurechnungsfähigkeit** plea of insanity; **~ Unzuständigkeit** plea as to the jurisdiction; **~ Verjährung** plea of the statute of limitations, ~ lapse of time; **~ Verjährung erheben** to plead lapse of time, ~ the statute of limitations; **E. des erfüllten Vertrages** plea in discharge; **~ nicht erfüllten Vertrages** plea of non-performance; **E. der Vorausklage** plea of unexhausted remedies, defence of preliminary proceedings against principal debtor, benefit of discussion; **~ Vorveröffentlichung** plea of prior publication

Einrede begründen to establish a defence on the grounds that; **E. erheben/vorbringen; E. geltend machen** to enter a plea, to set up a defence, to demur/interpose, to plead as a defence; **prozesshindernde E. vorbringen** to estop

absolute Einrede absolute defence, peremptory plea; **aufschiebende/dilatorische E.** dilatory plea/defence; **ausschließende E.** peremptory defence; **begründete E.** good defence; **besondere/neue E.** special plea; **hemmende E.** dilatory exception; **negatorische E.** negative plea; **peremptorische/zerstörende E.** peremptory defence, defence in bar; **persönliche E.** personal defence; **prozesshindernde E.** plea in bar, (common law) estoppel, general demurrer, demurrer in action; **prozessuale E.** defence to an action, plea in abatement; **rechtshindernde/-vernichtende E.** plea in bar/law; **selbstständige E.** independent defence; **verzögernde E.** dilatory defence

jdm einreden *v/t* to make so. believe; **auf jdn e.** to buttonhole so. *(coll)*

Einregistrierungsurkunde *f* certificate of register, ship's register

Einreichen eines Angebots *nt* submission to tender; **e.** *v/t* 1. to hand/put in, to submit/file/lodge/bring; 2. *(Klage)* to present; 3. *(Scheck)* to pay in, to deposit; 4. *(Gesuch)* to apply for, to request; **schriftlich e.** to submit in writing

Einreicher *m* 1. exhibitor; 2. *(Wechsel)* presenter, presenting party, discounter; 3. *(Scheck)* depositor; **E.bank** *f* presenting/remitting bank; **E.obligo** *nt* discounter's liability; **E.obligonachweis** *m* discounter's liability record

Einreichung *f* 1. presentation, handing in, submission, submittal, surrender, exhibition; 2. *(Offerte)* tender; 3. *(Klage)* lodgment, filing; 4. *(Wechsel)* discounting; 5. *(Scheck)* depositing; 6. *(Gesuch)* application, request

Einreichung zum Akzept presentation for acceptance; **E. eines Antrags** filing of an application; **E. der Klage** filing of the action; **E. einer Patentanmeldung** filing of a patent application; **E. von Schriftsätzen** § delivery of pleadings; **E. einer Strafanzeige** bringing a criminal charge against

zur Einreichung von Angeboten auffordern to invite tenders

Einreichungs|datum *nt* filing date; **E.frist** *f* 1. term for filing, tender/submission period; 2. deadline (for presentation); **E.schluss** *m* cut-off/closing date, bid closing; **E.termin** *m* filing/closing date, last day; **~ für Steuererklärungen** due date of tax returns

einreih|en *v/t* to arrange/classify/file; *v/refl* to take one's place (in the queue); **E.ung** *f* classification

Einreise *f* entry; **E. verweigern** to refuse entry; **bei E. verzollen** to clear inward

Einreise|bedingungen *pl* conditions of entry; **E.bewilligung/E.erlaubnis/E.genehmigung** *f* entry permit, visa

einreisen *v/i* to enter (a country)

Einreise|verbot *nt* refusal of entry: **~ für Ausländer** exclusion of aliens; **E.visum** *nt* entry/entrance permit, ~ visa

ein|reißen *v/t* 1. to tear; 2. 🏛 to knock down, to demolish; *v/i (Unsitte)* to become a habit; **wieder e.renken** *v/t (fig)* to straighten out

Einrichtelöhne *pl* set-up wages

einrichten *v/t* 1. to establish, to set up, to install/institute/organise/arrange/manage; 2. to furnish, to equip, to fit up/out with; *v/refl* to settle in; **sich auf etw. e.** to prepare for sth.; **sich häuslich e.** to settle down

Einrichter *m* 🏭 machine setter

Einricht|ezeit *f* 🏭 set-up/setting-up time; **E.kosten** *pl* set-up cost(s);

Einrichtung *f* 1. plant, establishment; 2. institution; 3. facility, system; 4. equipment, fittings, furnishing, furniture; 5. device, scheme, feature, outfit, arrangement; 6. setting up, set-up, opening, starting; 7. 🏭 machine set-up; **E.en** facilities; fixtures and fittings, machinery, equipment, installations, office equipment and furnishings

Einrichtung und Betrieb maschineller/industrieller Anlagen plant engineering; **E.en für die Belegschaft** staff facilities/amenities; **~ Lagerung** storage facilities; **E.en des öffentlichen Rechts** bodies governed by public law

banktechnische Einrichtung banking facility; **betriebliche E.en** plant facilities; **bleibende/festinstallierte E.** permanent fixture; **finanzielle E.en schaffen** to make financial arrangements; **gemeinnützige E.** public utility, non-profit-making/charitable institution, public-welfare service; **gemeinsam genutzte E.en** shared facilities; **gewerbliche E.en** commercial premises; **karitative/mildtätige E.** charitable institution; **kulturelle E.** cultural facility; **maschinelle E.** mechanical machinery; **nützliche E.** utility, facility; **oberzentrale E.** facility of a regional centre; **öffentliche E.** public utility/facility, public(-sector) institution; **sanitäre E.en** hygienic/municipal/sanitary facilities, plumbing fixtures; **soziale E.en** social services, welfare services/facilities; **staatliche E.** government institution; **städtische E.en** municipal services; **ständige E.** permanent institution; **technische E.en** technical/engineering facilities; **universitäre E.en** university facilities; **werkseigene E.** company facility; **wissenschaftliche E.** scientific body; **zusätzliche E.en** supporting facilities; **zwischenstaatliche E.** international organisation, inter-governmental agency

Einrichtungs|darlehen *nt* installation loan; **E.gegenstände** *pl* (home) furnishings, fixtures; **bewegliche und unbewegliche E.gegenstände** fixtures and fittings; **E.gigant** *m (Möbel)* furnishing giant; **E.haus** *nt* furniture shop *[GB]*/store *[US]*; **E.hilfe** *f* installation assistance; **E.konto** *nt* equipment account; **E.kosten** *pl* start-up expenditure, initial capital expenditure; **E.kredit** *m* installation loan; **E.mittel** *nt* equipment

einrosten *v/i* to rust

Einrücken *nt* 1. *(Anzeige)* insertion; 2. ▯ indentation; **e.** *v/t* 1. to insert; 2. ▯ to indent; **e. lassen** *(Anzeige)* to insert

Ein|rückung *f* 1. *(Anzeige)* insertion; 2. ▯ indent(ation); **e.rüsten** *v/t* to scaffold; **e.sacken** *v/t* 1. to sack, to put in sacks; 2. *(coll)* to bag/pocket; 3. *(Gewinn)* to rake in

Einsammeln *nt* collection, ingathering; **e.** *v/t* to collect/gather (in); **wieder e.** *(Wahlgeschenke etc.)* to claw back

Einsammlung *f* collection

Einsatz *m* 1. *(Arbeit/Kapital)* use, employment, utilization, investment; 2. action, operation; 3. *(Material)* input; 4. mission; 5. *(Wette)* stake, commitment; 6. *(Kiste)* lining; 7. *(Personal)* deployment; 8. *(Mitarbeit)* commitment; **beim E.** in operation; **durch E. von** by using; **E. von Arbeitskräften** labour deployment; **~ Bildschirmtext** videotex use; **E. aller Kräfte** exertion of all one's strength; **unter E. des Lebens** at the risk of one's life; **E. von Mitteln** employment of funds

zum Einsatz bringen to employ/use/deploy; **E. erhöhen** *(Wette)* to raise/up the stakes; **zum E. kommen** to be employed; **größeren E. machen** to lay long odds; **sich zum E. melden** to report for duty; **um große Einsätze spielen** to play for high stakes; **mit kleinem E. spielen** to run small books; **seinen E. verlieren** to lose one's stake; **~ zurückziehen** to withdraw one's stake

anlieferungssynchroner Einsatz synchronized/just-in-time (jit) deliveries, simultaneous application of supply; **bestmöglicher E.** optimum use; **hoher E.** high stake(s); **im praktischen E.** in the field; **wirtschaftlicher E.** efficient employment

Einsatz|art *f* application; **E.bedingung** *f* operational/operating condition; **E.bereich** *m* range/field of application

einsatzbereit *adj* 1. operational, ready for use; 2. usable, employable, viable; 3. *(Person)* fit for employment; 4. ✈ ready for combat; **e. werden** to become operational; **nicht e.** out of operation; **voll e.** fully operational

Einsatz|bereitschaft *f* 1. operational objective, readiness for action, willingness for service; 2. *(Personal)* stand-by (duty); 3. *(Polizei)* flying squad *[GB]*; **E.besprechung** *f* briefing (session); **E.daten** *pl* field data; **E.erfahrung** *f* field experience; **E.erprobung** *f* field trial; **e.fähig** *adj* → **einsatzbereit**; **E.fähigkeit** *f* viabilty; **E.faktor** *m* input factor; **E.form** *f* form/method of employment; **E.freude** *f* drive; **e.freudig** *adj* dynamic, keen, zealous, eager; **E.gebiet** *nt* field of application, operational area; **E.gewicht** *nt* input/charge weight; **E.gruppe/E.kommando** *f/nt* task force; **mobile E.gruppe** *(Polizei)* flying squad *[GB]*; **E.güter** *pl* 1. factors of production; 2. charge materials, input, feedstock; **E.häufigkeit** *f* incidence of usage; **E.kosten** *pl* input cost(s); **E.leiter** *m* director of operations; **E.material** *nt* 1. input/charge material; 2. ⚗ feedstock; **E.menge** *f* input; **E.möglichkeit** *f* (field of) application, possible application; **e.nah** *adj* just-in-time (jit); **E.niveau** *nt* input level; **E.ort** *m* work location; **E.plan** *m* 1. plan of action; 2. *(Personal)* roster; **~ festlegen; im ~ vorsehen** to roster; **E.planung** *f* 1. applications planning; 2. rostering; **E.preis** *m* 1. input price; 2. *(Auktion)* starting price; **E.produkte** *pl* 1. input material(s); 2. ⚗ feedstocks; **e.reif** *adj* ready for use; **E.schwerpunkt** *m* main application; **E.spektrum** *nt* range of application(s); **ständig wechselnde E.stelle** regularly changing place of employment; **zentrale E.steuerung** overall logistics function; **E.stoffe** *pl* → **E.produkte**; **e.synchron** *adj (Anlieferung)* just in time (jit); **E.teil** *nt* ✿ insert, attachment; **E.wert** *m (Buchhaltung)* value entered; **E.zeit** *f* operating time; **E.zweck** *m* intended use, purpose, application

einsaugen *v/t* to absorb, to soak up

einschalten *v/t* 1. to switch/turn on, to start; 2. to bring/call in, to use the services (of), to engage; *v/refl* 1. *(Person)* to chip in; 2. *(Konflikt)* to intervene/intermediate/interpose

Einschalter *m* ϟ on switch

Einschalt|preis für Werbespots *m* advertising rates; **E.quote** *f (Fernsehen)* viewing rate(s)/figure(s), (audience) rating, share of audience; **E.quoten messen** to measure television viewing

Einschaltung *f* 1. *(Vermittler)* calling in, engaging; 2. *(Anzeige)* insertion, putting in; 3. intervention; **E. eines Maklers** listing

einschärfen *v/t* to inculcate; **jdm etw. e.** to impress sth. on so.

einschätzbar *adj* assessable, ponderable

einschätzen *v/t* 1. to value/estimate/evaluate/assess/appraise, to put at, to give a forecast, to sum up; 2. to prize/rate/judge; **falsch e.** 1. to misjudge; 2. to miscalculate; **gering e.** to set little store (by sth.); **hoch e.** to set great store (by sth.); **zu ~ e.** to overestimate, to put too high a value (on sth.); **zu niedrig e.** to underestimate

Einschätzung *f* 1. valuation, estimate, evaluation, assessment, appraisal; 2. rating, judgement; 3. appreciation, estimation; **E. der Aussichten** assessment of prospects; **~ Kreditfähigkeit/-würdigkeit** credit rating/standing; **falsche E.** miscalculation; **zu hohe E.** overestimation; **medizinische E.** medical assessment; **zu niedrige E.** underestimation

Einschicht|betrieb *m* one-shift operation; **e.ig** *adj* 1. single-shift; 2. single-layered; **E.ler** *m* one-shift worker
ein|schicken *v/t* to send in; **e.schieben** *v/t* 1. to put in, to insert, to fit in (so./sth.); 2. to interpolate
Einschiebung *f* 1. insertion; 2. interpolation; **E.sfolge** *f* insertion sequence
Einschienenbahn *f* monorail
einschießen *v/t* *(Kapital)* to contribute/inject, to put in; **sich auf etw. e.** to home in on sth.
einschiffen *v/refl* to embark/board; **sich wieder e.** to reembark
Einschiffung *f* embarkation; **E.shafen** *m* port of embarkation; **E.skarte** *f* embarkation card
Einschlag *m* 1. stroke, impact; 2. ♣ felling (rate); 3. *(Produkt)* timber
einschlagen *v/i* *(Artikel)* to catch on, to hit the market; *v/t* 1. *(Weg)* to pursue/follow; 2. *(einpacken)* to wrap up, to fold; 3. *(Laufbahn)* to enter on; 4. ♣ to fell; **sofort e.** *(Ware)* to be an immediate success
ein|schlagend *adj* sal(e)able; **e.schlägig** *adj* relevant, appropriate, pertinent, respective, of a professional nature
Einschlag|papier *nt* wrapping paper; **E.soll** *nt* ♣ felling target; **E.tuch** *nt* wrapping cloth
ein|schleichen *v/refl* to creep in, to infiltrate; **e.schleppen** *v/t* 1. ⚓ to tow in; 2. $ to bring in; **e.schleusen** *v/t* to channel/let in, to funnel (into); **wieder e.schleusen** to recycle
Einschleusung *f* channelling; **E.spreis** *m [EU]* sluicegate/threshold price
einschließen *v/t* 1. to involve/comprise/include/comprehend/incorporate/cover/encompass; 2. *(Brief)* to enclose; 3. to lock in/up; **e. in** to be included
einschließend *adj* inclusive
Einschließklausel *f* omnibus clause
einschließlich *prep* inclusive (of), including (incl.), included, comprising; **e. bis** up to/until and including, through to *[US]*
Einschließung *f* *(Brief)* enclosure
Einschluss *m* incorporation, inclusion, enclosure; **mit E. von** inclusive of, including, comprising; **~ aller Kosten** all costs included; **unter E. der Spesen** including expenses; **E.klausel** *f* omnibus clause
einschmeichel|n *v/refl* to curry favour, to ingratiate o.s.; **E.ung** *f* insinuation
Einschmelzen *nt* melting down; **E. von Münzen** garbling; **e.** *v/t* to melt down, to remelt
ein|schmieren *v/t* to grease; **e.schmuggeln** *v/t* to smuggle/sneak (sth.) in; **e.schneiden** *v/t* to cut into; **e.schneidend** *adj* drastic, radical, trenchant, far-reaching
Einschnitt *m* 1. cut, break; 2. turning point, hiatus, inroad; 3. $ incision; 4. *(Kerbe)* notch; **E. machen** *(Buchhaltung)* to draw a line
einschnür|en *v/t* to strangulate/contract, to tie up; **E.ung** *f* strangulation
einschränken *v/t* 1. to limit/restrict/curtail/curb/retrench/narrow/diminish/impair/shorten, to cut (back/down), to pare down, to place restrictions on; 2. *(Behauptung)* to qualify; 3. § to abrigde; *v/refl* to economize, to retrench one's expenses, to tighten one's belt; **etw. bis auf das äußerste e.; etw. drastisch e.** to pare sth. to the bone *(fig)*
einschränkend *adj* 1. restrictive; 2. qualificatory
Einschränkung *f* 1. reduction, restriction, limitation, curb, restraint, austerity, retrenchment, cutback; 2. constraint, diminution; 3. economy, economizing; 4. qualification, reservation; **mit der E.** subject to the proviso; **mit E.en** with reservations; **ohne E.en** without reserve/reservations; **ohne jede E.** without any qualification
Einschränkung von Ausgaben expenditure cut; **E. des Bestätigungsvermerks** *(Bilanz)* qualification (of opinion); **E.en der Einfuhr** import restrictions; **E. der Freiheit** restriction of liberty; **~ Pressefreiheit** restriction of the freedom of the press; **E. des (freien) Wettbewerbs** restraint of trade, restriction of competition
Einschränkung|en auferlegen to impose restrictions (on); **~ machen** to make qualifications; **E. spüren** to feel the pinch/bite *(fig)*; **zu großen E. unterwerfen** to overgovern
ausdrückliche Einschränkung express reservation; **gesetzliche E.en** legal constraints
Einschränkungsmaßnahmen aufheben *pl* to deregulate/derestrict, to lift restrictions
Einschreibe|brief *m* ✉ registered/certified letter *[US]*, recorded delivery *[GB]*; **~ mit Empfangsbestätigung** recorded delivery letter; **E.gebühr** *f* 1. postal registration; 2. *(Kurs)* registration/entrance fee
Einschreiben *nt* ✉ registered letter, certified letter/parcel *[US]*, recorded delivery *[GB]*; **per E.** by registered post; **E. mit Empfangsbestätigung** recorded delivery letter; **~ Rückschein** registered letter with acknowledgment of receipt
einschreiben *v/refl* 1. to write in; 2. *(Kurs)* to register/enrol(l), to put one's name down; 3. *(Universität)* to matriculate
Einschreibe|paket *nt* ✉ registered/certified *[US]* packet, ~ parcel; **E.sendung** *f* ✉ registered *[GB]*/certified *[US]* mail
Einschreibung *f* 1. registration, enrol(l)ment; 2. *(Universität)* matriculation
Einschreiten *nt* intervention, clampdown; **e.** *v/i* to intervene, to take action; **(energisch) gegen etw. e.** to clamp down on sth.; **gegen jdn gerichtlich e.** to proceed against so.
einschrumpfen *v/i* to dwindle, to shrivel (up)
Einschub *m* 1. insertion, interpolation, parenthesis; 2. plug-in unit
einschüchter|n *v/t* to intimidate/daunt/cow; **E.ung** *f* intimidation
einschul|en *v/t* to send to school; **E.ung** *f* (school) enrolment
Einschuss *m* 1. *(Börse)* contribution, (trading) margin, initial deposit, margin requirement; 2. *(Kapital)* investment, stake; 3. infusion; 4. *(Kugel)* bullet hole; **E. bei Effektenkrediten** contribution margin; **E. für Havarie** deposit for general average; **~ Havarie-große** provisional general average contribution; **durch E.**

decken to margin; **E. erhöhen** to raise the margin; **auf E. kaufen** to buy on margin; **E. leisten** to contribute, to make a contribution to capital; **zusätzlicher E.** additional margin

Einschuss|aufforderung *f* (margin) call; **E.bedarf** *m* margin requirements; **E.betrag erhöhen** *m* to raise the margin; **E.forderung/E.pflicht** *f* margin requirement; **E.konto** *nt* margin/marginal account; **E.quittung** *f* *(Vers.)* contribution receipt; **E.schaden** *m (Vers.)* cash loss; **E.verrechnung** *f (Börse)* margin offset; **E.zahlung** *f* margin; ~ **entrichten** to post margin

ein|schwärzen *v/t* 🗋 to ink/blacken; **e.schweißen** *v/t* to shrink-wrap, to heat-seal; **E.schweißfolie** *f* shrink-wrapping; **e.sehen** *v/t* 1. to inspect, to look into; 2. *(verstehen)* to appreciate/realize/accept

einseitig *adj* 1. unilateral, one-sided, slanted, biased, partial, ill-balanced, unbalanced; 2. § ex parte *(lat.)*; **E.keit** *f* 1. one-sidedness; 2. partiality; 3. *(Vorurteil)* bias

Einsendeabschnitt *m* ✉ return coupon

einsenden *v/t* to send in, to submit

Einsender *m* 1. sender; 2. *(Geld)* remitter; 3. *(Zeitung)* contributor, submitter

Einsendeschluss *m* deadline, closing date, latest date for entries

Einsendung *f* 1. sending, submission; 2. *(Geld)* remittance

einsetzbar *adj* usable, suitable; **vielseitig e.** versatile

Einsetzen *nt* onset

einsetzen *v/t* 1. *(verwenden)* to use/employ/utilize; 2. to institute/insert, to put in; 3. to establish, to set up, to set in, to begin/start; 4. *(Geld)* to stake (money) on, to bet, to risk; 5. *(Stellung)* to appoint/instal(l); 6. *(Personal)* to deploy/roster, to move in, to put to work; 7. 🖳 to input; 8. *(Ausschuss)* to set up; **sich e. für** to put in a good word for, to plead for, to support

anderweitig einsetzen *(Personal)* to redeploy; **sich ganz/voll e.** to go all out, to show commitment, to pull one's weight; **gemeinsam e.** to pool; **gezielt e.** to target (on); **höher e.** *(Bilanz)* to write up; **vorsichtig e.** to husband; **wieder e.** to reinstate/reinstal(l)/reappoint

Einsetzung *f* 1. appointment, nomination; 2. substitution; 3. establishment

Einsetzung von Arbeitskräften deployment of labour; **E. eines Begünstigten** *(Lebensvers.)* nomination of a beneficiary; ~ **Erben** appointment of an heir; **E. der Geschworenen** panellation; **E. eines Geschworenengerichts** array of a jury; **E. einer Klausel** insertion of a clause; **E. eines Nachfolgers** designation of a successor; ~ **Testamentsvollstreckers** appointment of an executor

testamentarische Einsetzung appointment by will

Einsetzungsregel *f* rule of substitution

Einsicht *f* 1. *(Verständnis)* insight; 2. realization, comprehension, understanding, discernment; 3. *(Akten)* inspection, examination; **zur E.** for inspection; **E. in die Akten** inspection of the files; ~ **Bücher** inspection of books (and records); **E. der Strafbarkeit der Tat** § understanding of right and wrong; **dem Publikum zur E. offen** open to inspection by the public; **zur öffentlichen E. ausliegen** to be open to/available for (public) inspection; **E. gewinnen in** to gain an insight into; **E. nehmen** to inspect/examine; **zur E. stehen** to be open to inspection; ~ **vorlegen** to submit for inspection; **mangelnde E.** lack of discernment; **zu späte E.** hindsight

einsichtig *adj* 1. reasonable, understanding; 2. perceptive, discerning; 3. self-critical

Einsichtnahme *f* inspection, examination; **zur E.** for your attention; **E. in die Akten** inspection of the files; ~ **das Grundbuch** local(-authority) search; **E. durch die Öffentlichkeit** public inspection; **zur E. frei** open for (public) inspection

Einsichts|fähigkeit *f* capacity to understand; **E.recht** *nt* right of inspection; **e.voll** *adj* judicious, discerning

einsickern *v/i* *(fig)* to infiltrate, to seep in

Ein|siedelei *f* hermitage; **E.siedler** *m* hermit

ein|sinken *v/i* to subside, to cave in; **e.sitzen** *v/i* to be imprisoned, to serve a prison sentence; **e.sortieren** *v/t* 1. to sort in, to sort and put away; 2. *(Dokumente)* to file away

Einspalten|tarif/E.zoll *m* single-column/unilinear tariff

einspaltig *adj* single-column

einspannen *v/t* 1. to harness; 2. *(Papier)* to feed; **jdn für sich e.** to enlist so.'s help

Einspareffekt *m* actual savings

einsparen *v/t* 1. to economize/save (on); 2. *(Kosten)* to shave/cut, to dispense with, to cut down on; 3. *(Personal)* to reduce

Einsparpotenzial *nt* savings potential

Einsparung *f* economy, economizing, saving, conservation, reduction (of cost(s)), cutting expenses; **E.en** *(Handel)* margin benefits; **E. an Arbeitskräften** manpower savings, saving of labour, reduction of the workforce; **E. durch rationelle Auslastung/Massenproduktion** economies of scale; **E. von Kosten** cutting down/saving cost(s), cost-cutting (exercise); **E.en bei der Vermögenssteuer** estate tax savings; **E.en vornehmen** to economize, to retrench (one's) expenses; **betriebliche E.en** operational/business savings; **freiwillige E.** voluntary conservation

Einsparungs|effekt *m* saving effect; **E.feldzug** *m* cost-cutting drive; **E.maßnahmen** *pl* economy measures/exercise; **E.möglichkeit/E.potenzial** *f* savings possibility/potential; **E.möglichkeiten** potential savings; **E.politik** *f* austerity policy

ein|speichern *v/t* 1. to roll in, to store; 2. 🖳 to feed in, to enter; **e.speisen** *v/t* 1. ϟ to feed (in); 2. 🖳 to enter; **E.speisung** *f* 1. ϟ feeding in; 2. input

Einsperren *nt* imprisonment; **widerrechtliches E.** false imprisonment; **e.** *v/t* to imprison, to lock up/in, to bar in, to put behind bars, to take into custody

ein|spiegeln *v/t* 🗋 to copy-fit; **e.spielen** *v/refl* to establish o.s., to work out, to become established; **E.sprechende(r)** *f/m* § opponent; **e.springen** *v/i* 1. to stand/step in; 2. *(mit Geld)* to help out; 3. *(Vertretung)* to cover for; **e.spritzen** *v/t* to inject; **E.spritzung** *f* injection

Einspruch *m* 1. objection, protest; 2. intervention, veto, remonstrance, caveat *(lat.)*, reclamation, opposition; 3. § appeal, interpellation, demurrer, traverse; **E. der mangelnden Erfindungshöhe** *(Pat.)* allegation of obviousness, opposition for lack of inventiveness; **E. wegen mangelnder Neuheit** opposition for lack of novelty

einem Einspruch abhelfen to meet an objection; **E. aufrechterhalten** to sustain a demurrer; **E. einlegen/erheben** 1. to lodge/file an objection, to lodge an appeal/opposition, to appeal/protest, to make representations/a plea, to put in/enter/file a caveat *(lat.)*; 2. *(Klage)* to traverse; **E. einleiten** to give notice of (an) opposition; **E. entgegennehmen** to receive a protest; **E. erheben gegen** to object to, to veto; **E. nicht gelten lassen** to overrule an objection; **einem E. stattgeben** to uphold/sustain/allow an objection; **dem E. wird nicht stattgegeben** objection overruled; **E. verwerfen/zurückweisen** 1. to disallow/overrule an objection; 2. *(Pat.)* to reject an opposition; **E. zurücknehmen/-ziehen** 1. to withdraw an objection; 2. *(Pat.)* to withdraw an opposition

begründeter Einspruch well-founded objection; **nachträglicher/verspäteter E.** belated/late opposition

Einspruchs|abteilung *f* *(Pat.)* opposition division; **E.begründung** *f (Pat.)* grounds for opposition; **E.einlegung** *f* 1. filing of the objection; 2. *(Pat.)* notice of opposition; **E.entscheid** *m (Pat.)* decision on an opposition; **E.erhebende(r)** *f/m* objector; **E.erhebung** *f* intervention, appeal; **E.erklärung** *f (Pat.)* notice of opposition; **E.erwiderung** *f* rejoinder to an opposition; **E.frist** *f* 1. period for objection, term of preclusion; 2. *(Pat.)* time limit for entering opposition, opposition period; **E.gebühr** *f (Pat.)* opposition fee; **E.partei** *f (Pat.)* party in oppostion, opponent; **E.patent** *nt* opposition patent; **E.prozedur** *f* appeal machinery; **E.recht** *nt* right of review/appeal/veto/objection, veto power(s); **E.schriftsatz** *m* memorandum supporting the opposition; **E.stelle** *f (Pat.)* opposition division; **E.verfahren** *nt* 1. appeal hearing/procedure; 2. § appeal machinery/procedure, inter-party proceedings; 3. *(Pat.)* opposition proceedings; **nachgeschobenes/nachträgliches E.verfahren** post-grant/belated opposition

einspurig *adj* 1. 🚗 single-lane; 2. 🚆 single-track

einstampfen *v/t* *(Papier)* to pulp (down)

Einstand *m* 1. entrance, start; 2. debut *[frz.]*; **seinen E. geben** to pay (for) one's footing

Einstands|bedingungen *pl* *(Kredit)* all-in price; **E.berechnung** *f* cost accounting; **E.geld** *nt* footing, entrance money; **E.kosten** *pl* cost price, prime/original/landed/input cost(s), total acquisition cost(s); **~ der Fremdmittel** cost of borrowed funds; **E.kurs/E.preis** *m* historic buying rate, cost/purchase/input/original price, landed/initial cost(s); **unter E.preis** below cost; **zu E.preisen** at cost; **E.preis verkaufter Handelsware** cost of merchandise sold; **E.recht** *nt* right of preemption; **E.wert** *m* cost value, acquisition/initial cost; **E.zinssatz** *m* effective/all-in interest rate

einstechen *v/t* to punch in

einstecken *v/t* 1. to put in; 2. *(Gewinn)* to pocket, to scoop in; 3. *(Beleidigung)* to swallow; 4. ϟ to plug in

einstehen (für) *v/i* to be liable/responsible for, to guarantee, to answer/vouch for; **für jdn e.** to stand bail for so., to answer for so.

Einsteigedieb *m* cat burglar; **E.stahl** *m* cat burglary, larcency by means of climbing in

einsteigen *v/i* 1. to get in, to enter; 2. to buy; 3. § to climb in; 4. *(Vertrag)* to contract in; **e. bei** 1. *(Firma)* to become a partner of, to join a business undertaking; 2. to get in on the act, to participate in, to get into sth.; **e. in** to pile into, to branch out into; **in etw. groß e.** *(fig)* to get/move into sth. in a big way

Einsteiger *m* beginner; **e.n** *v/i* to bid in

Einsteig|karte *f* ⚓/✈ boarding card; **E.loch** *nt* 🏛 manhole, inspection chamber

einstellbar *adj* adjustable

einstellen *v/t* 1. *(Personal)* to employ/hire/engage/recruit/appoint, to take on, to give employment; 2. *(beenden)* to stop/cease/discontinue/suspend/halt, to shut down, to close out; 3. *(Motor)* to tune; 4. 🏭 to abandon; 5. § *(Verfahren)* to stay/adjust; 6. to adapt (to); 7. *(Bilanz)* to transfer, to allocate to; 8. ⚙ to adjust/preset/regulate/set; 9. 🚗 to park; *v/refl* to appear/arise; **sich e. auf** to adjust/adapt o.s. to, to gear up to; **sich plötzlich e.** to supervene; **wieder e.** to reinstate/reappoint, to re-employ

Einstellen der Druckoptionen *nt* 💻 printer set-up; **E.arbeit** *f* single-place job

Einstellgenauigkeit *f* setting accuracy

einstellig *adj* single, one-digit, single-digit, one-figure, single-figure

Einstell|kosten *pl* hiring cost(s); **E.lohn** *m* entrance rate; **E.marke** *f* adjusting mark; **E.quote** *f* hiring/accession rate *[GB]*; **E.platz** *m* 🚗 parking bay/accommodation; **überdachter E.platz** carport

Einstellung *f* 1. *(Personal)* recruitment, hiring, employment, appointment,engagement, placement, enlistment, accession; 2. 🏭 abandonment, discontinuation, shutdown, cessation, discontinuance; 3. *(Haltung)* approach, attitude, view, outlook, feelings, frame of mind, stance; 4. *(Verfahren)* § stay, stoppage, staying; 5. ⚙ adjustment, setting, set-up; 6. *(Bilanz)* allocation, appropriation, increase, transfer; 7. *(Zahlung)* suspension

Einstellung eines leitenden Angestellten senior appointment; **E. der Arbeit** suspension of work, stoppage, walkout; **E. zur Arbeit** job attitude; **E. von Arbeitskräften** recruitment, recruiting, hiring; **E. des Aufgeldes aus Kapitalerhöhungen** allocation from premium; **E. unter Bevorzugung bestimmter Gruppen** preferential hiring; **E. des Ermittlungsverfahrens** discontinuation of criminal investigations; **E. der Förderung** discontinuation of subsidies; **E. wegen Geringfügigkeit** § nolle prosequi *(lat.)*; **E. der Geschäftstätigkeit** suspension of business; **E. in die Gewinnrücklage** addition to retained profit; **E. des Handels** *(Börse)* suspension of dealings; **E. von Hochschulabsolventen** graduate recruitment; **E. aus dem**

Jahresüberschuss allocation from the annual surplus; **E. des Konkursverfahrens** suspension of bankruptcy proceedings; **E. von Leistungen** cutoff; **E. mangels Masse** *(Konkurs)* closing of bankruptcy proceedings due to inadequate assets; **E. der Notierung** *(Börse)* delisting; ~ **Öffentlichkeit** public attitude(s); **E. auf Probe** probationary appointment; **E. der Produktion** abandonment of production; **E. in die Rücklagen** allocation to reserves, transfer to reserve(s); ~ **die offenen Rücklagen** allocation to declared reserves; ~ **Sonderposten mit Rücklagenanteil** allocation to special items including reserve portion, ~ special reserves; **E. des Strafverfahrens** dismissal of a criminal case; ~ **Verfahrens** § stay of proceedings, supersedeas *(lat.)*, abatement of an action; **E. der Vollstreckung** stay/discontinuance of execution; ~ **anordnen** to grant a stay of execution; **E. der Zahlung** suspension of payment; ~ **Zwangsvollstreckung** stay of execution

einstweilige Einstellung § provisional stay of the proceedings; **unkonventionelle E.** fresh appraoch; **vorläufige/vorübergehende E.** *(Betrieb/Zahlung)* suspension; **werbemäßige E.** advertising angle

Einstellungs|alter *nt* recruiting/hiring age; **E.beamter** *m* recruitment officer; **E.bedingungen** *pl* conditions of employment; **E.behörde** *f* recruiting authority; **E.chance** *f* opening, job opportunity; **E.forschung** *f* image research; **E.gespräch** *nt* (job/employment/hiring) interview; **E.kosten** *pl* recruiting expenses; **E.leiter** *m* recruiter; **E.obergrenze** *f (Personal)* staff ceiling; **E.politik** *f* recruitment policy; **E.praxis** *f* recruitment/hiring practice(s); **E.prüfung** *f (Produkt)* set-up inspection; **E.quote** *f* hiring/accession rate; **E.sachbearbeiter** *m* recruitment officer; **E.skala** *f* opinion scale; **E.sperre/E.stopp** *f/m* recruitment/recruiting ban, ~ stop, employment/job freeze, ban on recruitment; **E.termin** *m* starting date, first date of service; **E.test** *m* employment test; **E.verfahren** *nt* employment/hiring procedure; **E.verfügung** *f* § writ of supersedeas *(lat.) [GB]*, ~ prohibition *[US]*; **E.vertrag** *m* contract of employment

Ein|steuer *f* single tax; **E.steuerung** *f* positioning control; **E.stichprobentest** *m* single sampling test

Einstieg *m* 1. entrance; 2. *(fig)* toehold; 3. § *(Diebstahl)* entry; **beruflicher E.** professional debut; **E.schance** *f* opening; **E.sgehalt** *nt* starting salary; **E.skosten** *pl* start-up costs; **E.skurs** *m* buying price; **E.smodell** *nt* capture/entry-level model; **E.spreis** *m (Optionshandel)* strike price

Ein-Stimmen-Mehrheit *f* majority of one

einstimmig *adj* unanimous, with no/without dissent, with one accord/voice, in unison

Einstimmigkeit *f* unanimity; **E. in allen Punkten** agreement on all points; **E. erzielen** to reach unanimity; **E.sregel** *f* unanimity rule

ein|stöckig *adj* two-stor(e)y; **e.stöpseln** *v/t* to plug in; **e.streichen** *v/t (coll)* to pocket, to mop up; **e.streuen** *v/t* to intersperse; **e.strömen** *v/i* to pour in; **e.studieren** *v/t* to rehearse/produce; **E.studierung** *f* production

einstufen *v/t* to grade/rate/graduate/classify/categorize/scale, to rank with/among; **höher e.** to upgrade; **neu e.** to reclassify/regrade; **niedriger e.** to downgrade; **rangmäßig e.** to classify according to rank

einstufig *adj* single-tier, single-stage

Einstufung *f* grading, rating, classification, placement; **E. in eine höhere/niedrigere Besoldungsgruppe** promotional/demotional change in classification; **E. nach Leistung** performance rating; **E. der Risiken** *(Vers.)* rating of risks; **E. als hohes Risiko** high-risk rating; **E. der Tätigkeit** activity rating, job ranking; **berufliche E.** job grading, service rating; **steuerliche E.** tax classification; **zolltarifliche E.** tariff classification

Einstufungs|fehler *m* rating error; **E.gruppe** *f* class, grade; **E.prüfung/E.test** *f/m* placement test; **E.skala/E.tabelle** *f* rating scale; **E.verfahren** *nt* rating scheme

einstündig *adj* hourly

Einsturz *m* collapse, crash

einstürzen *v/i* 1. to collapse/crash/founder; 2. to cave in

Einsturz|gefahr *f* danger of collapse; **E.klausel** *f (Vers.)* fallen-building clause

einstweilig *adj* provisional, temporary, interim

Ein|system *nt* interlinked financial and cost accounting; **e.tägig** *adj* one-day

Eintags|- ephemeral; **E.fliege** *f (fig)* passing fad/craze, nine-day wonder *(coll)*

Eintast|bereich *m* key entry area; **E.en** *nt* keying-in; **e.en** *v/t* to key in; **E.fehler** *m* keying error; **E.geschwindigkeit** *f* keying(-in) speed; **E.ung** *f* key depression

Eintauchen *nt* plunge, immersion; **e.** *v/ti* to immerse/submerge, to dip (in)

Eintausch *m* barter, exchange, swap, conversion; **im E. für** in exchange for; **e.bar** *adj* convertible

eintauschen *v/t* 1. to barter/swap, to trade (in), to convert, to give in exchange, to exchange (for); 2. *(Devisen)* to change

Eintauschwert *m* trade-in value; **E. alter Anlagen** trade-in value of old equipment

ein|taxieren *v/t* to size up; **e.teilen** *v/t* 1. to divide/classify/grade/scale; 2. *(zur Arbeit)* to allocate/detail; 3. to calibrate; **systematisch e.teilen** to regiment

einteilig *adj* one-piece

Einteilung *f* 1. (sub)division; 2. classification, organisation; 3. planning, budgeting; 4. calibration; **E. nach Altersgruppen** age grouping; **E. der Arbeit** planning of work; ~ **Gesetzesverstöße** classification of offences; **E. in Gruppen** grouping; **E. zollpflichtiger Güter** tariff classification; **E. in Zonen** zoning; **zeitliche E.** timing; **zweifache E.** two-way classification

eintippen *v/t* to key/tap in

eintönig *adj* tedious, dull, monotonous, humdrum; **E.keit** *f* monotony

Eintracht *f* harmony, concord

Eintrag *m* → **Eintragung** entry, registration, record; **E. ohne Gegenbuchung** single entry; **E. in das Hauptbuch** post into the ledger; **E.-Nr.** *f* entry no.; **E. vornehmen** to make an entry; **falscher E.** misentry; **nachträglicher E.** post-entry

eintragbar *adj* registrable, enterable
eintragen *v/t* 1. to enter/record/register/log/book/inscribe/post; 2. *(Karte)* to plot; *v/refl* to sign/register, to put one's name down, to book in, to sign the register; **falsch e.** to misenter; **viel e.** to pay well; **e. lassen** to register
einträglich *adj* remunerative, rewarding, profitable, profit-making, paying, gainful, lucrative, moneymaking, revenue-earning; **nicht e.** unremunerative; **wenig e.** unprofitable; **E.keit** *f* remunerativeness, profitability
Eintragung *f* → **Eintrag** 1. entry, recording, inscription, posting; 2. incorporation *[US]*, registry, registration; 3. enrol(l)ment; 4. ⎕ (description) clause; **laut E.** as per entry; **mangels E.** for want of record
Eintragung im Aktionärsregister registration of stock; **E. der Auflassungsvormerkung; E. eines Eigentumsrechts ins Grundbuch** registration of (a) title to a property; **E. von Belastungen** § registration of charges; **E. auf dem Führerschein** endorsement; **E. einer Geburt** registration of a birth; **E. ohne Gegenbuchung** single entry; **E. einer Gesellschaft** company registration; **E. von Grundbesitz; E. ins Grundbuch** land registration, entry in the land registry, recording of title; **E. im/ins Handelsregister** entry in the commercial register, ~ register of companies; **E. im Index** index entry; **E. eines Musters** registration of a design; **E. von Obligationen** registration of bonds; **E. eines Patents** grant/issue/issuance/registration of a patent; **E. einer Urkunde** registration of a deed; **E. eines Warenzeichens** registration of a trademark
Eintragung abändern/berichtigen to rectify an entry; **zur E. einreichen** to file for registration; **E. löschen/tilgen** to delete/cancel an entry, to cancel a registration; **E. eines Warenzeichens löschen** to expunge the registration of a trademark; **E. auf dem Führerschein machen/vornehmen** 🚗 to endorse a licence; **E. verbessern** to rectify an entry; **E. vornehmen** to make an entry
amtliche Eintragung registration; **beschleunigte E.** *(Pat.)* urgent registration by summary procedure, early registration; **falsche E.** misentry; **fehlerhafte E.** erroneous entry; **handelsgerichtliche E.** registration, incorporation *[US]*; **im Rang nachgehende E.** § inferior entry; **nachträgliche E.** subsequent entry; **permanente E.** permanent entry; **zollamtliche E.** customs entry; **zusammengefasste E.** compound entry
Eintragungslantrag *m* application for entry in the register, ~ registration; **E.bedingungen** *pl* registration requirements; **E.bekanntmachung** *f* registration statement; **E.bescheinigung/E.bestätigung** *f* registration certificate, certificate of register; **E.bewilligung** *f* grant of consent for entry in the register, recording consent *[US]*; **E.bewilligungsklage** *f (Grundbuch)* suit for consent to entry, ~ to correction of the land register; **E.buch** *nt* entry book, register; **E.datum** *nt* registration date; **E.erfordernis** *f* registration/recording requirement; **e.fähig** *adj* registrable, recordable; **E.fähigkeit** *f* registrability, recordability; **E.gebühr** *f* registration/incorporation/recording fee; **E.- und Umschreibegebühr** registration and transfer fee; **E.genehmigung** *f* recording consent *[US]*; **E.hindernis** *nt* bar to registration; **e.pflichtig** *adj* subject to/requiring registration; **E.stelle** *f* registry (office); **E.termin** *m* registration date; **handelsgerichtliche E.urkunde** certificate of registration/incorporation *[US]*; **E.verfahren** *nt* registration procedure; **E.voraussetzungen** *pl* recording requirements; **E.zertifikat** *nt* certificate of registry; **E.zwang** *m* compulsory registration
Eintreffen *nt* arrival; **bis zum E. weiterer ...** pending further ...; **~ von (gegenteiligen) Anweisungen** pending instructions (to the contrary); **e.** *v/i* to arrive; **bei jdm e.** to reach so.
eintreibbar *adj* 1. recoverable, collectible, enforceable, redeemable; 2. *(Steuern)* extractable; **nicht e.** non-collectible, unenforceable; **E.keit** *f* enforceablility, recoverability
eintreiben *v/t* 1. to collect/enforce/recover/exact; 2. *(Steuern)* to extract
Eintreibung *f* recovery, collection, collecting, enforcement, encashment; **E. von Außenständen** collection of outstanding accounts; **~ Forderungen/Schulden** collection/recovery of debts; **zwangsweise E. einer Forderung einleiten** to take steps to recover debts at law; **E.skosten** *pl* collection cost(s)
Eintreten *nt* 1. *(Befürwortung)* advocacy, espousal; 2. *(Ereignis)* event, occurrence; 3. *(Betreten)* entry; **E. des Erbfalls** event of an inheritance
eintreten *v/i* 1. to enter, to step in; 2. *(Ereignis)* to occur/arise, to come to pass; 3. to apply; 4. *(Verein)* to join; 5. *(Vers.risiko)* to attach; **für etw. e.** to support sth., to stand for sth.; **für jdn e.** 1. to support so.; 2. *(intervenieren)* to intercede on so.'s behalf; **häufig e.** to occur frequently; **sofort e.** *(Ereignis)* to be instantaneous; **wieder e.** to re-enter
Eintretende(r) *f/m* entrant
Eintritt *m* 1. entrance, entry, admission (charge/fee), admittance, access charge, ingress; 2. *(Verein)* joining; 3. § accession; 4. beginning, start; 5. *(Ereignis)* event, occurrence, happening; **vor E.** *(in die Firma)* pre-entry
Eintritt der Bedingung occurence of the event, happening of the contingency, fulfilment of the condition; **bei ~ Dunkelheit** at nightfall; **E. ins Erwerbsleben** joining the labour force; **vorzeitiger E. der Fälligkeit** acceleration of maturity; **E. in eine Firma** joining a firm; **~ das laufende Geschäft** *(Vers.)* taking over the portfolio; **~ die Geschäftsführung** joining the management; **E. der Geschäftsunfähigkeit** supervening incapacity; **E. in eine Partei** joining a party; **~ Rechte** subrogation to the rights; **E. der Rechtshängigkeit** date of bringing forward a claim; **E. des Schadensfalles** occurrence of risk; **bei ~ Schadensfalls** in the event of damage/loss; **E. in den bestehenden Tarifvertrag** *(Fusion)* assignment of contract; **bei E. des Todes** upon death; **E. eines Umstandes** occurrence of an event; **E. des Versicherungsfalls** *(Schaden)* occurrence of loss, ~ the events insured against
Eintritt frei admission free; **E. verboten!** no admittance/entrance; **E. erlangen** to gain admission; **freien E. erschleichen** to evade entrance fees; **sich gewalt-**

sam E. verschaffen to make a forcible entry; **E. verwehren** to deny access; **freier E.** admission free

intrittslalter *nt* age at entry, entry age; **E.barriere** *f* barrier of entry; **E.bescheinigung** *f* entrance certificate; **E.bilanz** *f* balance sheet drawn up upon entry of a new partner/shareholder; **E.datum** *nt* date of entry; **E.erlaubnis** *f* admission; **E.examen** *nt* entrance examination; **E.gebühr/E.geld** *f/nt* admission charge/fee, entrance fee; ~ **zahlen** to pay an entrance fee; **E.grenzzollamt** *nt* customs office at place of entry; **E.hafen** *m* port of entry; **E.häufigkeit** *f* frequency of occurrence; **E.karte** *f* (admission/entry) ticket, pass check, entrance card/ticket; **E.prämie** *f* takeover/entry premium; **E.preis** *m* admission fee, charge; **E.recht** *nt* right of access, ingress (into); **befristetes E.recht** option; **E.sperren** *pl* restrictions of entry, barriers to entry; **E.sperrenpreis** *m* limit price; **E.wahrscheinlichkeit** *f* probability of event

intüten *v/t* to bag

inverfahren- single-process

inverleibIen *v/t* to incorporate/merge; *v/refl* to swallow/annex; **E.ung** *f* incorporation, annexation

Einvernahme *f* § hearing, interrogation

Einvernehmen *nt* understanding, agreement, approval, consent; **im E. mit** in accordance with, after consulting; **strafbares E. zur Veröffentlichung einer obszönen Schmähschrift** § conspiracy to publish an obscene libel; **E. erzielen** to reach agreement; **im gegenseitigen E.** by mutual agreement, by common accord; **geheimes E.** collusion; **stillschweigendes E.** tacit understanding

einvernehmen *v/t* to interrogate

einvernehmlich *adj* amicable, consensual; *adv* by mutual agreement

einverstanden *adj* agreed; **sich e. erklären** to express one's approval; **e. sein** to agree, to be agreeable (to), to endorse; **nicht e. sein** to disapprove/disagree

einverständlich *adj* by mutual consent

Einverständnis *nt* consent, agreement, accordance, approval, understanding, assent, concurrence; **im E. mit** in suit with; **E. der Eltern** parental consent; **in geheimem/heimlichem E. handeln** to act in collusion, to collude; **in heimlichem E. stehen** to connive at

beider-/gegenseitiges Einverständins mutual consent; **in beider-/gegenseitigem E.** by mutual consent/agreement, by common accord, in mutual agreement; **geheimes/heimliches E.** (hidden) collusion; **schriftliches E.** written consent, consent in writing; **stillschweigendes E.** connivance, acquiescence, tacit agreement

Einverständniserklärung *f* declaration of consent; **schriftliche E.** written consent

Einwaage *f* weight of contents (excluding juice)

Einwand *m* 1. objection, argument, contradiction; 2. observation; 3. § plea, demur(rer), defence; **ohne E.** without demur

Einwand der Arglist § defense of malice; ~ **Nichtigkeit** plea of nullity; ~ **unzulässigen Rechtsausübung** plea of estoppel; ~ **Rechtshängigkeit** jus alibi pendens *(lat.)*; ~ **Rechtskraftwirkung** plea of res judicata *(lat.)*; **E. des Rechtsmissbrauchs** plea of estoppel; **E. der Verwirkung** implied waiver

dem Einwand abhelfen to meet objections; **der E. ist berechtigt** the objection is sound; **Einwände erheben** § to enter a plea, to raise an objection, to remonstrate; **rechtshemmenden E. erheben** to estop; **E. der Unzurechnungsfähigkeit erheben** to plead insanity; ~ **Unzuständigkeit des Gerichts erheben** to put in a plea as to the jurisdiction; **E. geltend machen** to demur; **E. machen** to raise an objection; **einem E. stattgeben** to sustain/uphold an objection; **E. übergehen** to foreclose an objection; **E. vorbringen** to make/raise/set up an objection, to object; **E. der Mittellosigkeit vorbringen** to plead poverty; **Einwände vorwegnehmen** to preclude objections; **E. widerlegen** to refute an objection; **E. zurückweisen** to overrule an objection; **jds Einwänden zuvorkommen** to obviate so.'s objections

berechtigter Einwand justifiable/good objection; **auf Billigkeitsrecht beruhender E.** equitable estoppel; **formaler/formeller E.** technical objection/defense/traverse; **grundsätzlicher E.** rooted objection; **nichtiger E.** insubstantial argument; **rechtserheblicher E.** relevant plea; **rechtshemmender E.** estoppel, dilatory defense; **technischer E.** technicality, technical estoppel; **unerheblicher E.** immaterial plea; **unzulässiger E.** inadmissible defence; **wesentlicher E.** material issue

EinwandererIer *m* immigrant; **e.n** *v/i* to immigrate

Einwanderung *f* immigration

Einwanderungslabteilung *f* immigration department; **E.beamter** *m* immigration officer; **E.behörde** *f* immigration authority/office; **E.beschränkungen** *pl* immigration restrictions; **E.bestimmungen** *pl* immigration rules; **E.bewilligung/E.erlaubnis/E.genehmigung** *f* immigration permit; **e.feindlich** *adj* anti-immigrative; **E.kontingent** *nt* immigration quota; **E.kontrolle** *f* immigration control; **E.land** *nt* immigration country; **E.recht** *nt* right of immigration; **E.sperre/E.verbot** *f/nt* immigration ban; **E.verfahren** *nt* immigration proceedings; **E.visum** *nt* immigration visa

einwandfrei *adj* 1. faultless, flawless, perfect, clean; 2. *(Ruf)* impeccable; 3. unexceptionable, correct, immaculate, irreproachable, unobjectionable; **juristisch e.** (legally) watertight/correct; **methodisch e.** by unassailable methods; **moralisch e.** of good character; **nicht e.** faulty, objectionable; **nicht ganz e.** shady; **technisch e.** conforming to specifications

einwärts *adv* inwards

einwechsIeln *v/t* to change/exchange/convert/cash; **E.lung** *f* exchange

einwecklen *v/t* 1. to preserve; 2. *(Obst)* to bottle; **E.glas** *nt* preserve/bottling jar

Einwegl- non-returnable, disposable, unreturnable, one-way, throwaway; **E.behälter** *m* one-way/disposable/one-trip/unreturnable container; **E.flasche** *f* non-refillable, non-returnable/one-way bottle; **E.miete** *f* 🚗 one-way rent; **E.(ver)packung** *f* non-returnable/disposable/one-way package; **E.palette** *f* one-way pallet

einweihen *v/t* to open/inaugurate/dedicate; **jdn in etw. e.** to let so. in on sth.

Einweihung *f* inauguration, dedication; **E.sfeier** *f* 1. (official) opening, inauguration ceremony; 2. *(Haus/Wohnung)* house-warming party; **E.srede** *f* inaugural address

einweisen *v/t* 1. to instruct/brief/familiarize; 2. *(Amt)* to install; 3. *(Krankenhaus)* to admit

Einweisung *f* 1. instruction, briefing, familiarization, induction training; 2. *(Amt)* installation; 3. *(Krankenhaus)* admission; **E. in die Haftanstalt** committal to prison; **~ ein Krankenhaus** hospitalization; **E.sanordnung** *f* § committal order; **E.sbeschluss** *m* § committal order, commitment; **E.sverfügung** *f (Krankenhaus)* hospital order

einwenden *v/t* to object/plead/demur/oppose/protest; **man könnte e.** it could be argued: **etw. einzuwenden haben** to have an objection; **nichts ~ haben** to have no objection

Einwendung *f* 1. objection, comment, remonstration; 2. § plea, defence, demurrer; **E. der Prozessunfähigkeit** plea of non-ability; **E.en erheben gegen** 1. to raise objections to; 2. § to demur; **sich ~ vorbehalten** to reserve one's defence; **~ zurückweisen** to overrule objections

berechtigte Einwendung good defence; **materiellrechtliche E.** defence for reasons of substantive law; **prozessuale E.** special demurrer; **rechtserhebliche E.** valid objection; **rechtsvernichtende E.** traverse, plea in bar; **schikanöse E.** pettifogging objection

Einwendungsdurchgriff *m* *(Wechsel)* right to put up defence

ein|werben *v/t* *(Auftrag)* to attract; **e.werfen** *v/t* 1. ✉ to post *[GB]*/mail *[US]*; 2. *(Münze)* to insert; 3. *(Bemerkung)* to chip in; **e.wickeln** *v/t* to wrap (up), to fold; **E.wickelpapier** *nt* wrapping paper; **e.wiegen** *v/t* to weigh out; **e.willigen (in)** *v/i* to consent/agree/assent/accede (to), to comply (with), to acquiesce (in)

Einwilligung (in) *f* 1. agreement/consent/assent (to), acceptance (of), compliance (with), indulgence/acquiescence (in), approval (of); 2. *(Vertrag)* adherence (to); **E. der Eltern** parental consent; **E. erteilen** to give one's consent; **E. verweigern** to refuse one's consent; **elterliche E.** parental consent; **schriftliche E.** written consent, consent in writing; **stillschweigende E.** acquiescence; **E.sbescheinigung** *f* certificate of compliance *[US]*

einwirken (auf) *v/i* to affect/influence, to impact/work (on), to exert influence (on)

Einwirkung *f* impact, effect, influence; **liquiditätspolitische E.en** effects on liquidity; **E.sbereich** *m* sphere of influence; **E.sgremium** *nt* pressure group; **E.smöglichkeit** *f* (possibility to) influence; **E.spotenzial** *nt* impact potential

einwöchig *adj* one-week

Einwohner(in) *m/f* resident, inhabitant; *pl* population; **E.meldeamt** *nt* (residents') registration office; **E.meldepflicht** *f* compulsory registration; **E.schaft/E.zahl** *f* (resident) population, number of inhabitants; **e.stark** *adj* populous; **E.steuer** *f* poll tax, community charge *[GB]*

Einwurf *m* 1. objection; 2. *(Münze)* insertion; 3. ✉ posting *[GB]*, mailing *[(US]*

einzahlbar *adj* payable

einzahlen *v/t* to pay in, to deposit/bank/place; **zu viel e.** *(Vers.)* to overcontribute; **voll e.** *(Aktien)* to pay up **wieder e.** *(Geld)* to redeposit

Einzahler *m* (bank) depositor, contributor, payer

Einzahlung *f* deposit(ing), (in)payment, money paid in, contribution; **E.en** proceeds, receipts; **~ und Abhebungen** deposits and withdrawals; **~ in Aktienfonds** contributions to equity funds; **~ und Auszahlungen** *(Kasse)* collections and disbursements; **ausstehende ~ auf das Grundkapital** unpaid capital; **zur E. einer Einlage auffordern; E. auf Aktien verlangen** to make a call on shares; **E. leisten** to (make a) deposit; **E. auf Aktien leisten** to pay a call on shares; **E. vornehmen** to effect payment; **nicht rechtzeitig geleistete E.** call in arrears; **noch nicht verbuchte E.** deposit in transit

Einzahlungs|aufforderung *f* call letter, request for payment; **~ auf Anteile** call on shares; **E.beleg/E.bescheinigung/E.formular** *m/f/nt* pay(ing)-in/credit/deposit(ary)/remittance slip, certificate of deposit (C/D), credit voucher/memorandum, depository account credit, deposit ticket, inpayment form; **E.bescheinigung einer Bank** demand certificate of deposit *[US]*; **E.buch** *nt* paying-in book *[GB]*, passbook, bankbook *[US]*; **E.gebühr** *f* activity charge *[US]*; **E.kasse** *f* cash inpayment section; **E.kassierer** *m* receiving teller; **E.pflicht** *f (Aktie)* obligation to pay subscriptions, ~ pay up shares; **E.quittung** *f* → **E.beleg**; **E.quote** *f* amount paid up; **E.reihe** *f* stream of cash proceeds/inflows; **E.schalter** *m* collection window; **E.schein** *m* → **E.beleg**; **E.strom** *m* cash/inpayment inflow, revenue stream; **E.stromüberschuss** *m* cash inflow surplus; **E.termin** *m* date of payment; **E.überschuss** *m (Sparen)* net payments/deposits, excess of new deposits; **E.verpflichtung** *f* 1. depositary obligation; 2. *(Aktie)* call-in obligation, contingent liability for calls; **~ des Aktionärs** shareholder's *[GB]*/stockholder's *[US]* liability; **E.zettel** *m* → **E.beleg**

einzäun|en *v/t* to fence in, to enclose; **E.ung** *f* enclosure

einzeich|nen *v/t* 1. to inscribe; 2. *(Plan)* to plot; *v/refl* 1. to put one's name down, to subscribe; 2. to mark; **E.nung** *f* 1. entry, subscription; 2. marking

einzeilig *adj* single-line, single-space(d), one-line

Einzel|- single, separate; **E.abkommen/E.abmachung** *nt/f* separate/individual agreement, individual contract; **E.abnehmer** *m* individual customer; **E.abrede** *f* special arrangement; **E.abschlag** *m* itemized deduction; **E.abschluss** *m (Bilanz/Konzern)* individual accounts; **E.abschreibung** *f* unit/single-asset depreciation; **E.abstimmung** *f* checking in detail; **E.abzug** *m (Steuer)* itemized deduction; **E.akkord** *m* individual piecework; **E.akkordlohn** *m* individual piecework rate; **E.akzeptant** *m (Kunde)* early adopter; **E.anerkennung** *f* individual recognition; **E.anfertigung** *f* job work, single-piece job, single-unit production, made to specification; **E.angaben** *pl* particulars, specification(s), specified data; **E.anleger** *m* individual investor; **E.anmelder** *m (Pat.)* individual applicant/inventor; **E.anschluss** *m* ✆ single line; **E.antrag** *m* separate application; **E.anwender** *m* 🖳 single/individual user; **E.arbeitsvertrag** *m* individual employment contract; **E.aufführung** *f* itemization; **E.aufgliederung/E.aufstellung** *f* itemized list, detailed breakdown/classification/list, specification; **E.auftrag** *m* separate/individual/one-off order; **E.aufzählung** *f* itemization; **E.aufzeichnungen** *pl* detail records; **E.ausbildung** *f* individual training; **E.ausgabe** *f* separate edition; **E.ausschreibung** *f* individual invitation to tender; **E.ausnahme** *f* individual exemption; **E.aussteller** *m* individual exhibitor; **E.bank** *f* unit bank; **E.bankwesen** *nt* unit banking; **E.beispiel** *nt* isolated instance; **E.beleg** *m* single form/voucher; **E.belegprüfung** *f* detailed checking; **E.bericht** *m* detailed report; **E.beschaffung** *f* single-batch order, individual buying; **E.besteuerung** *f* individual taxation; **E.betrag** *m* single item; **e.betrieblich** *adj* (at) plant-level; **E.betriebsbuchhaltung** *f* factory accounting; **E.bewertung** *f* unit/separate/individual/piecemeal/single(-asset) valuation, valuation applied to specific items; **E.bieter** *m* individual bidder; **E.bilanz** *f* individual statement, ~ balance sheet; **E.buchung** *f* individual entry; **E.bürgschaft** *f* individual guarantee; **E.darstellung** *f* monograph; **E.dokument** *nt* single document; **E.depot** *nt* special deposit; **E.eigentümer** *m* owner of an individual asset; **E.entlassung** *f* individual dismissal; **E.erbfolge** *f* singular succession; **E.erfinder** *m* sole inventor; **E.erscheinung** *f* isolated instance/case/occurrence; **E.ertragsverfahren** *nt* individual yield appraisal; **E.erzeuger** *m* sole producer; **E.erzeugnis** *nt* individually manufactured product; **E.etat** *m* departmental/separate budget; **E.fahrkarte/-schein** *f/m* single (ticket), one-way ticket; **E.fahrpreis** *m* single fare; **E.fall** *m* isolated instance/occurrence, particular/individual case; **im konkreten E.fall** in the actual individual case

Einzelfertigung *f* job/(single-)unit/individual/non-repetitive/one-off production, job shop system, unique product production; **in E. hergestellt** made-to-order, custom-made, customised; **E.smaterial** *nt* direct material

Einzel|feuerungsanlage *f* single-furnace plant; **E.finanzierung** *f* single-purchase financing; **E.firma/E.geschäft/E.gesellschaft** *f/nt/f* sole trader/proprietorship, one-man company/business, individual company, individual/single proprietorship *[US]*; **E.formular** *nt* single-copy form; **E.frachttarif** *m* commodity rate *[US]*; **E.frage** *f* point of detail; **interessante E.frage** point at interest; **E.führung** *f (Kostenrechnung)* single plan; **E.gang** *m* 🖳 detail printing; **E.gänger(in)** *m/f* 1. individualist, loner; 2. maverick, lone wolf *(fig)*; **e.gefertigt** *adj* bespoke, purpose-made, purpose-built, tailor-made, custom-made, customized; **E.gehöft** *nt* isolated farm; **E.genehmigung** *f* exclusive licence, special permit; **E.genehmigungsverfahren** *nt* individual licensing procedure

Einzelgeschäft *nt* → **Einzelfirma**; **E.sbericht** *m (Konzern)* company's report; **E.sführung** *f* individual conduct of business

Einzel|gesellschafter *m* individual partner; **E.gewerbetreibender** *m* sole trader; **E.gewerkschaft** *f* 1. single trade union, single-industry union; 2. affiliated union; **E.haft** *f* § solitary confinement; **E.haftpflicht** *f* single liability

Einzelhandel *m* 1. retail trading/trade/industry/business; 2. retail(ing), shopkeeping; **im E. kosten** to retail at/for; **~ verkaufen/vertreiben** to retail, to sell (goods by) retail; **im E. erhältlich** available retail; **stationärer E.** over-the-counter retail trade

Einzelhandels|- retail; **E.absatz** *m* consumer sales; **E.artikel** *pl* retail goods; **E.beratung(sdienst)** *f/m* retail advisory service; **E.bereich** *m* retail arm; **E.bestandsprüfung** *f* shop audit

Einzelhandelsbetrieb *m* retail operation/business/store, customer outlet; **unabhängiger E.** independent(ly owned) retail store; **E.sform** *f* retail outlet

Einzelhandels|branche *f* retail trade/industry/sector; **E.einkaufsgenossenschaft** *f* retail cooperative; **E.entwicklung** *f* development in the high street, ~ retail sector, retail sector development; **E.erhebung** *f* dealer survey; **E.fachgeschäft** *nt* specialist shop/retailer, speciality store *[US]*, single-line retail store; **E.firma** *f* retail enterprise/firm; **E.geschäft** *nt* retail outlet/store/shop, drugstore *[US]*, retail(ing) business, outlet, unit store; **E.gesellschaft** *f* retail company; **E.gewerbe** *nt* retail trade; **E.gewinn** *m* retailing profit(s); **E.gewinnspanne** *f* retail margin; **E.großbetrieb** *m* large retail firm; **E.haus** *nt* retailer; **E.immobilie** *f* retail property; **E.index** *m* retail price index (RPI); **E.kaufmann** *m* 1. retailer, shopkeeper; 2. sole proprietor, **E.kaufmann/E.kauffrau** *m/f* trained retail salesman/saleswoman; **E.kette** *f* retail(ing) chain, multiple operator/chain; **E.konjunktur** *f* retail spending boom; **E.konzentration** *f* retail concentration; **E.konzern** *m* retailing group; **E.konzession** *f* retail licence; **E.(kunden)kredit** *m* retail credit, billpayers' loan *[US]*; **E.kreditauskunftei** *f* retail credit bureau; **E.kunde** *m* retail customer; **E.marke** *f* retail brand; **E.mindestpreis** *m* minimum resale price; **E.organisation** *f* retail organisation; **E.politik** *f* retail trade policy

Einzelhandelspreis *m* retail/shop price; **E.bindung** *f* retail price maintenance(rpm); **E.preisgesetz** *nt* Resale Prices Act *[GB]*; **E.index** *m* index of retail prices, retail price index (RPI); **E.niveau** *nt* retail price level; **E.statistik** *f* retail price figures

Einzelhandels|rabatt *m* retail discount; **E.richtpreis** *m* recommended retail price; **E.riese** *m* giant retailer; **E.spanne** *f* retail(er's) margin; **E.steuer** *f* retail (trade) tax; **E.struktur** *f* pattern of retailing; **E.tochter** *f* retail arm; **E.umsatz** *m* retail/shop/high-street sales, retail turnover/spending, turnover in the retail trade; **E.umsatzsteuer** *f* retail sales tax; **E.unternehmen** *nt* retailer, retail enterprise/operation/establishment; **E.verband** *m* retail (trade) association, ~ consortium; **E.verkauf** *m* retail selling/sale/issue; **E.verkaufsstelle** *f* retail outlet; **E.versandgeschäft** *nt* retail mail-order house; **E.vertreter** *m* retail representative; **E.vertrieb** *m* retail sale/marketing; **E.werbung** *f* retail advertising; **E.zweig** *m* retail line

Einzelhändler *m* retailer, retail trader/merchant/dealer; **selbstständiger E.** independent retailer; **E.genossenschaft** *f* retail cooperative; **E.verband/E.vereinigung** *m/f* retail(ers') association

Einzel|handlungsvollmacht *f* § power to act alone; **E.haus** *nt* detached house; **E.haushalt** *m* 1. departmental/department/separate budget; 2. single-person household; **E.heft** *nt* single copy

Einzelheit *f* detail; **E.en** 1. details, particulars, detailed information; 2. *(Verfahren)* procedure; **~ zur Betriebsweise** operating details; **~ des Zusammenschlusses** merger details; **bis in alle E.en** in fine detail; **in allen E.en** in detail, at length

Einzelheiten angeben to furnish particulars; **genaue E. angeben** to state full particulars; **auf E. eingehen** to go into details; **E. erarbeiten** to thrash out details; **E. festlegen** to lay down detailed rules; **in E. gehen** to go into details; **E. kennen** to know (the) details; **Sache in allen E. kennen** to know the ins and outs of a matter; **sich um jede E. kümmern** to be a stickler for detail(s); **in allen E. schildern** to give a detailed account; **E. übergehen** to pass over the details; **sich in E. verlieren** to get bogged down in details; **E. vorlegen** to submit details

nähere Einzelheiten further particulars, details; **technische E.** 1. technical details; 2. administrative arrangements, technicalities; **unbedeutende/untergeordnete E.** minor details; **weitere E.** further particulars

Einzel|hof *m* isolated farm; **E.honorar** *nt* fee for service, individual fee; **E.inhaber** *m* sole proprietor/owner/trade; **E.inhaberschaft** *f* sole proprietorship; **E.kabine** *f* 1. ⚓ single cabin; 2. cubicle; 3. roomette *[US]*; **E.kalkulation** *f* unit/job-order calculation, unit costing; **E.kapitalversicherung** *f* single-life insurance; **E.karte** *f* detail card; **E.kaufmann** *m* sole trader/proprietor, owner-manager, one-man firm, § homme saler; **E.kind** *nt* only child; **E.kontingent** *nt* individual quota; **E.konto** *nt* private/personal/detail/sole account; **E.konzession** *f* exclusive licence; **E.körperschaft** *f* § corporation sole

Einzelkosten *pl* unit/prime cost(s), direct cost(s)/charge/expense; **E.abweichung** *f* direct-cost variance; **E.lohn** *m* direct labour; **E.material** *nt* direct material

Einzelkredit *m* personal loan; **E.versicherung** *f* individual credit insurance; **E.vertrag** *m* individual credit agreement

Einzel|lebensversicherung *f* single-life assurance; **E.leistung** *f* 1. individual performance; 2. *(Sozialvers.)* separate/individual benefit; **E.lieferung** *f* supply of single items; **E.lizenz** *f* individual licence; **E.löhne** *pl* direct labour

Einzellohn|kosten *pl* productive wages/labour; **E.satzabweichung** *f* labour rate/time/efficiency variance; **E.zeitabweichung** *f* labour efficiency, ~ time variance

Einzel|maßnahme *f* ad hoc measure; **E.material** *nt* (cost of) direct material; **E.mischungsabweichung** *f* mixture; **E.preisabweichung** *f* material price variance; **E.verbrauchsabweichung** *f* materials quantity variance

Einzel|mensch *m* individual; **E.mieter** *m* sole tenant; **E.mitglied** *nt* individual member

einzeln *adj* single, separate, isolated, individual, particular, odd; **im e.en** in detail; **E.e(r,s)** (private) individual

Einzel|nachfolge *f* singular succession; **E.nachfrager** *m* individual would-be buyer; **E.nachweis** *m* detailed statement, specification; **~ führen** to itemize (expenses); **E.objekt** *nt* 1. single item; 2. individual property; **E.pächter** *m* sole tenant; **E.person** *f* individual; **E.plafond** *m (Haushalt)* departmental budget; **E.plan** *m (Haushalt)* section, individual plan; **E.planung** *f* detail planning; **E.police** *f* 1. specific policy; 2. ⚓ voyage policy; **E.position/E.posten** *f/m* single item; **E.postenkarte** *f* detail card; **E.prämie** *f* single premium

Einzelpreis *m* 1. unit price; 2. price per copy; **E.ausschreibung** *f* item pricing; **E.errechnung** *f* unit price calculation

Einzelprodukt *nt* specific product; **E.test** *m* monadic product test; **E.unternehmen** *nt* single-product firm

Einzel|programm *nt* individual programme; **E.prüfer** *m* independent/individual auditor; **E.punktsteuerung** *f* point-to-point system; **E.recherche** *f* isolated search; **E.recht** *nt* individual right; **E.rechtsnachfolge** *f* singular succession; **E.rechtsnachfolger(in)** *m/f* singular successor; **E.reisen** *pl* individual travel; **E.reisende(r)** *f/m* individual passenger/traveller; **E.richter** *m* magistrate, single/sole judge; **E.schiedsvertrag** *m* special agreement; **E.schrittbetrieb** *m* single-step/one-shot/step-by-step operation

Einzelschuld *f* several/individual debt; **E.buchanforderung** *f* individual debt register claim; **E.ner(in)** *m/f* sole/individual debtor; **E.verhältnis** *nt* several/individual obligation

Einzel|sendung *f* retail consignment; **E.spalte** *f* single column; **E.spanne** *f* item-related profit margin; **E.sparer** *m* individual saver; **e.staatlich** *adj [EU]* national, state *[US]*; **E.stoffkosten** *pl* direct material; **E.strafe** *f* individual sentence; **E.straftat** *f* single/sole crime; **E.strategie** *f* individual strategy; **E.stück** *nt* oddment, one-off, single item/piece; **E.tarifvertrag** *m* shop agreement; **E.teil** *nt* (individual) unit, part, component (part), piece; **E.titelauswahl** *f (Börse)* stock picking; **E.transport** *m* individual shipment; **E.treuhänder** *m* sole trustee; **E.übertragung** *f* singular succession; **E.unfall** *m* personal accident; **E.unfallversicherung** *f* personal accident insurance, ~ injury cover; **E.unterlagen** *pl* detailed/specified data; **E.unternehmen/E.unternehmung** *nt/f* sole proprietorship/trader/tradership, one-man company/business/firm, individual enterprise *[US]*, individual/single proprietorship *[US]*; **E.unternehmer** *m* sole trader/proprietor, owner-manager; **E.unterricht** *m* private lessons/tuition; **e.unterschriftsberechtigt** *adj* having power of sole signature; **E.urkunde** *f* 1. individual document; 2. *(Aktie)* individual certificate; **E.verantwortung** *f* individual responsibilty; **E.verarbeitung** *f* single tasking; **E.veräußerungspreis** *m* unit sales price; **E.verkauf** *m* retailing, retail sale; **E.verkaufspreis** *m* retail (selling) price; **E.vermächtnis** *nt* § specific legacy; **E.vernehmung** *f* § interrogation in private; **E.verpackung** *f* individual packing; **E.versand** *m* single shipment; **E.versicherer** *m* individual underwriter/insurer

Einzelversicherung *f* single-item insurance, personal insurance, individual insurance/assurance; **E.sschein** *m* specific policy; **E.sunternehmer** *m* private underwriter

Einzel|versteuerung *f* separate assessment; **E.vertrag** *m* individual contract/agreement; **E.vertretung** *f* sole/special agency, individual/sole representation; **E.vertretungsmacht** *f* individual power of representation; **E.verwahrung** *f* special deposit, individual safekeeping; **E.vollmacht** *f* special power/authority, ad hoc *(lat.)* power, individual power of representation; **E.währung** *f* single standard, monometallism; **E.wechsel** *m* sola bill, sola/sole of exchange, single bill of exchange; **E.werbung** *f* direct/individual advertising, detailing; **konkurrierende E.werbung** competitive advertising

Einzelwert *m* individual asset value; **e.berichtigt** *adj* individually adjusted; **E.berichtigung** *f* adjustment of value, individual/value adjustment, provision for losses on individual accounts

Einzelwesen *nt* individual

Einzelwirtschaft *f* isolated economy, individual economic/commercial undertaking; **bäuerliche E.** farming unit; **gärtnerische E.** horticultural enterprise; **e.lich** *adj* individual, applying to individual economic units/businesses, relating to an individual enterprise

Einzel|zeichnungsberechtigte(r) *f/m* authorized sole signatory; **E.zeit** *f* element time; **E.zeitverfahren** *nt* flyback timing; **E.zelle** *f* 1. cubicle; 2. single cell; **E.ziel** *nt* individual goal; **E.zimmer** *nt* single (bed)room; **E.zuweisung/E.zuwendung** *f* segregated/itemized appropriation

einziehbar *adj* 1. collectible, recoverable, callable, cashable; 2. *(Vermögen)* divestible, attachable, redeemable, seizable; **nicht e.** *adj* non-forfeitable; **E.keit** *f* collectibility

Einziehen *nt* collection, cashing; **e.** *v/t* 1. *(Geld)* to collect/recover/(en)cash/debit; 2. *(Kapital)* to call in; 3. *(beschlagnahmen)* to seize/confiscate/sequester/impound; 4. *(Wechsel)* to retire/redeem; 5. *(Steuern)* to gather; 6. *(Münzen)* to demonetize, to withdraw from circulation; *v/i* 1. *(Umzug)* to move in; 2. ☛ to call up, to draft

Einziehung *f* 1. recovery, collection; 2. confiscation, collecting, forfeiture, immobilization; 3. *(Geld)* encashment, calling in, debiting; 4. *(Wechsel)* retirement, redemption; 5. *(Münzen)* demonetization, withdrawal from circulation; 6. § deprivation of property; **zur E.** for collection

Einziehung von Aktien recalling of shares *[GB]*/stocks *[US]*; **~ Außenständen** debt collection; **~ Banknoten** withdrawal of banknotes; **~ Falschgeld** confiscation of counterfeit/false money; **~ Forderungen** debt recovery; **E. des Führerscheins** forfeiture of driving *[GB]*/driver's *[US]* licence; **E. von Gebühren** collection of fees; **E. der Miete** rent collection; **E. von Noten** confiscation of notes; **E. des Passes** withdrawal of a passport; **E. von Pfandbriefen** redemption of bonds; **~ Schulden** collection of debts; **~ Steuern** collection of taxes; **zur/zwecks E. und Überweisung** for collection and return; **E. des Vermögens** confiscation/seizure of property

Einziehungs|anzeige *f* advice of collection; **E.auftrag** *m* collection order; **E.befehl/E.beschluss** *m* § sequestration order, precept; **E.benachrichtigung** *f* advice of collection; **E.gebühr** *f* collection fee/charge; **E.geschäft** *nt* collection business; **E.kosten** *pl* collection expenses/cost(s), recovery charges; **E.preis** *m* call price; **E.provision** *f* collecting commission; **E.schalter** *m* collection teller/window; **E.spesen** *pl* recovery charges; **E.verfahren** *nt* collection procedure

einzig *adj* single, sole, only, solitary; **e.artig** *adj* unique, singular, matchless

Einzimmer|- one-room

Einzug *m* 1. entry, entrance; 2. collection, encashment; 3. retirement, redemption; 4. § seizure; 5. *(Geld)* withdrawal from circulation; 6. ▯ indent(ation); **ohne E.** ▯ flush; **zum E. (durch)** for collection (through); **E. von Aktien** retirement of shares; **~ Schecks** collection of cheques *[GB]*/checks *[US]*; **einer Bank einen Scheck zum E. übergeben** to lodge a cheque *[GB]*/check *[US]* with a bank for collection

Einzugs|auftrag *m* 1. collection order; 2. direct debit; **E.bank** *f* collecting bank; **e.berechtigt** *adj* authorized to collect; **E.berechtigte(r)** *f/m (Bank)* originator; **E.bereich** *m* catchment/trading area; **städtischer E.bereich** commuter belt; **e.bereit** *adj (Wohnung)* ready for occupation; **E.ermächtigung** *f* direct debit(ing) authorization/mandate, direct debit form; **E.ermächtigungsverfahren** *nt* direct debiting; **E.fähigkeit** *f* collectibility, cashability; **E.gebiet** *nt* catchment/trading area; **E.gebühren** *pl* collection charges; **E.geschäft** *nt* collection business; **E.kosten** *pl* collection charges, cost of collection; **E.papier** *nt* item sent for collection; **E.provision** *f* collection fee, commission for collecting; **E.quittung** *f* collection receipt; **E.spesen** *pl* collecting charges/commission, collection charges/fee; **E.stelle** *f* collection agency/agent, collecting agency; **E.verfahren** *nt* 1. collection procedure; 2. *(Bank)* direct debiting, automatic debit transfer; **E.verkehr** *m* collection system; **E.vollmacht** *f* collection authority; **E.wechsel** *m* bill for collection; **E.weg** *m* collection procedure

Einzweck|- single-purpose

Eis *nt* ice; **vom E. eingeschlossen** icebound; **im E. festsitzen** to be icebound; **auf E. legen** *(fig)* to shelve, to put on hold; **E.berg** *m* iceberg; **E.bestand** *m* frozen stock; **E.brecher** *m* ⚓ icebreaker

Eisen *nt* iron; **zum alten E. gehören** *(fig)* to be past it, ~ no longer of any use, ~ on the scrap heap, ~ on the shelf; **~ geworfen werden** to be thrown on the scrap heap; **mehrere E. im Feuer haben** *(fig)* to have a few irons in the fire; **zum alten E. werfen** to scrap, to discard (as worthless/useless); **heißes E.** *(fig)* explosive/hot issue, hot potato *(fig.)*, thorny problem *(fig)*

Eisenbahn *f* railway (Ry) *[GB]*, railroad *[US]*; **frei E.**

free on rail (f.o.r.); **mit der E. fahren** to go by train; **elektrische E.** electric railway; **höchste E.** *(coll)* high time

Eisenbahn|aktien *pl* rail(way) shares *[GB]*, railroad stocks *[US]*, railroads *[US]*; **E.angestellter/E.beamter** *m* railway/railroad official; **E.anlagen** *pl* railway/railroad installations; **E.anleihe** *f* railway loan; **E.anschluss** *m* siding *[GB]*, sidetrack *[US]*, junction; **E.ausbesserungswerk** *nt* railway repair shop, railway (engineering) workshop; **E.avis** *m* railway/railroad advice; **E.bau** *m* railway construction/engineering; **E.bauunternehmer** *m* railway contractor; **E.beförderung** *f* rail transport, transport by rail; **E.benutzer** *m* railway user; **E.betrieb** *m* railway/rail operation; **E.brief** *m* railway/train letter; **E.brücke** *f* railway brigde; **E.empfangsbescheinigung** *f* railway receipt, consignment note

Eisenbahner *m* railway employee, railwayman *[GB]*, railroader *[US]*, railway worker *[GB]*, railroad man *[US]; pl* railway community; **E.gewerkschaft** *f* railwaymen's/rail union; **E.streik** *m* rail strike

Eisenbahn|fähre *f* train ferry; **E.fahrkarte** *f* rail/railway/railroad/train ticket; **E.fahrplan** *m* railway timetable *[GB]*, schedule of trains *[US]*; **E.fahrt** *f* train/rail journey; **E.fernstrecke** *f* (railway/railroad) trunk line

Eisenbahnfracht *f* rail freight, tarnsport by rail; **E.brief** *m* (railroad) waybill, railroad/railway bill of lading, rail consignment note; **E.geschäft** *nt* rail transport; **E.tarif** *m* rail freight rate(s), railroad rates

Eisenbahn|gesellschaft *f* railway company, railroad corporation *[US]*; **E.gleis** *nt* railway/railroad track; **E.gütertarif** *m* rail freight rates, railroad rates; **E.güterverkehr** *m* rail freight traffic, railway goods traffic; **E.kesselwagen** *m* tank wag(g)on *[GB]*, (railroad) tank car *[US]*; **E.knotenpunkt** *m* (railway/railroad) junction; **E.konnossement/E.ladeschein** *nt/m* railway/railroad bill of lading; **E.kosten** *pl* railway fare(s); **E.kursbuch** *nt* railway/railroad directory; **E.linie** *f* railway/railroad line; **E.netz** *nt* railway network/system, railroad system/network, network of railways/railroads; **E.oberbau** *m* permanent way, roadbed; **E.obligation/E.schuldverschreibung** *f* rail bond, railway debenture/bond; **E.schiene** *f* rail; **E.schwelle** *f* sleeper *[GB]*, tie *[US]*; **E.spurweite** *f* railway gauge *[GB]*, railroad gage *[US]*; **E.station** *f* railway/railroad station

Eisenbahn|strecke *f* railway/railroad line; **eingleisige E.** single-track railway; **zweigleisige E.** double-track railway

Eisenbahn|tankwagen *m* tank wag(g)on *[GB]*, (railroad) tank car *[US]*; **E.tarif** *m* railway/railroad rate, railroad fee; **E.technik** *f* railway engineering; **E.titel** *pl* rail(way) shares *[GB]*, railroad stocks *[US]*, railroads *[US]*; **E.transport** *m* rail transport, carriage by rail, railing; **E.trasse** *f* railway/railroad track; **E.überführung** *f* railway/railroad bridge; **E.übergang** *m* railway/level crossing; **E.übernahmebescheinigung** *f* railways receipt (R/R); **E.unglück** *nt* railway disaster, train crash; **E.verbindung** *f* 1. rail link; 2. *(Anschluss)* connection; **E.verkehr** *m* rail transport/traffic, railway service/traffic, railroad traffic *[US]*; **E.verkehrsordnung** *f* railway traffic regulations; **E.versand** *m* dispatch by rail, rail transport; **E.verwaltung** *f* railway/railroad management

Eisenbahnwagen/E.waggon *m* (railway) carriage *[GB]*, (railroad) coach *[US]*, railway truck *[GB]*, freight car *[US]*; **E. mit mehreren Klassen** composite carriage; **frei E.** free on rail (f.o.r.); ~ **in E.** free in wag(g)on (f.i.w.)

Eisenbahn|werbung *f* railway/railroad advertising; **E.werte** *pl* → **Eisenbahntitel**; **E.wesen** *nt* railway matters, railroading *[US]*

Eisen|bergwerk *nt* iron mine; **E.beton** *m* 🏛 reinforced concrete, ferroconcrete; **E.blech** *nt* sheet iron; **verzinntes E.blech** tin plate; **E.börse** *f* iron exchange; **E.draht** *m* iron wire; **E.erz** *nt* iron ore; **E.erzbergbau** *m* iron ore mining; **E.erzeugung** *f* iron production; **E.erzgrube** *f* iron ore mine; **E.erzvorkommen** *nt* iron ore deposits; **E.fass** *nt* drum; **E.gehalt** *m* iron content; **E.gießerei** *f* iron foundry; **E.glimmer** *m* ⚗ ferric oxide; **E.gussstück** *nt* iron casting; **e.haltig** *adj* ferrous, iron-bearing; **nicht e.haltig** non-ferrous

Eisenhütte *f* ironworks; **E.nbesitzer** *m* ironmaster; **E.nwerk** *nt* ironworks

Eisen|- und Stahlindustrie *f* iron and steel industry; **E.karbid** *nt* ⚗ cementite; **E.kies** *m* ⚗ iron pyrite; **E.kunst** *f* ironwork handicraft; **E.legierung** *f* iron alloy; **E.mangel** *m* $ iron deficiency; **E.schwamm** *m* sponge iron; **e.verarbeitend** *adj* iron-processing; **E.verarbeitung** *f* iron processing

Eisenwaren *pl* ironware, hardware, metal goods; **E.geschäft/E.handlung** *nt/f* ironmonger's shop, hardware shop *[GB]*/store *[US]*; **E.händler** *m* hardware merchant, ironmonger; **E.messe** *f* hardware fair

eis|frei *adj* ice-free; **E.gang** *m* ⚓ ice drift; **E.glätte** *f* 1. icy surface; 2. 🚗 black ice

eisig *adj* icy

eis|kalt *adj* ice-cold; **E.keller** *m* ice cellar, cold store, coldroom; **E.kruste** *f* crust of ice; **E.lotse** *m* ⚓ ice pilot; **E.mann/E.verkäufer** *m* ice-cream man *[GB]*, iceman *[US]*; **E.papier** *nt* frosted paper; **E.regen** *m* sleet; **E.schicht** *f* layer of ice; **E.scholle** *f* ice floe; **E.schrank** *m* refrigerator *[GB]*, icebox *[US]*, fridge *(coll)*; **e.sicher** *adj* non-icing; **E.treiben** *nt* ice drift; **E.würfel** *m* ice cube

Eiter *m* $ pus; **e.n** *v/i* to fester/suppurate

Eiweiß *nt* ⚗ protein; **e.arm** *adj* low-protein; **E.mangel** *m* protein deficiency; **e.reich** *adj* high-protein

Eklat *m* stir, sensation; **e.ant** *adj* sensational; blatant, flagrant

Ekzem *nt* $ eczema

elaborieren *v/t* to elaborate

Elan *m* drive, spirit, zest, pep; **mit E. an etw. gehen** to roll up one's sleeves *(fig)*; **unternehmerischer E.** entrepreneurial drive

elastisch *adj* flexible, elastic, resilient; **vollkommen e.** perfectly elastic

Elastizität *f* 1. flexibility, elasticity, resilience; 2. *(Markt)*

buoyancy; **E. des Angebots** elasticity of supply; **~ Nachfrage** elasticity of demand: **unendliche/vollkommene E.** perfect elasticity; **E.sansatz** *m* elasticity approach; **E.skoeffizient** *m* coefficient of elasticity

lefant im Porzellanladen *m* *(fig)* bull in a china shop *(fig)*; **E.enhochzeit** *f* giant/jumbo/mega/megadollar merger, juggernaut marriage

lelgant *adj* fashionable, elegant, delicate, stylish, plush; **E.ganz** *f* elegance, smartness

lektrifizierlen *v/t* to electrify; **E.ung** *f* electrification

'lektriker *m* electrician

lektrisch *adj* electric(al); **E.e** *f* tram(way)

lektrisierlen *v/t* 1. to electrify; 2. *(fig)* to galvanize; *v/refl* to get electric shock; **E.ung** *f* electrification

:lektrizität *f* electricity; **E. erzeugen** to generate electricity

:lektrizitätslaktien *pl* electricals; **E.arbeiter** *m* power worker; **E.erzeugung** *f* electricity generation; **E.genossenschaft** *f* electrical cooperative; **E.gesellschaft/E.(versorgungs)unternehmen (EVU)** *f/nt* (electric) power company, electricity-generating board *[GB]*, electricity supply company, distribution company; **E.industrie** *f* electricity industry; **E.netz** *nt* electricity grid; **E.rechnung** *f* electricity bill; **E.titel/E.werte** *pl* electricals; **E.verbrauch** *m* electricity consumption; **E.versorgung** *f* electricity/power supply; **E.werk** *nt* 1. power station/plant, electricity-generating plant/station, powerhouse; 2. electric power company; **E.wirtschaft** *f* power industry, electricity(-generating/supply) industry; **E.zähler** *m* electricity meter

:lektrolabteilung *f* electrical department; **E.aktien** *pl* electricals, electrical equipment shares; **E.akustik** *f* electro-acoustics; **E.antrieb** *m* electric drive; **E.artikel** *pl* electrical goods/appliances; **E.artikelgeschäft** *nt* electrical supply shop; **E.auto** *nt* electric car; **E.branche** *f* electrical engineering sector/industry; **E.energie** *f* electrical energy; **E.fahrzeug** *nt* electric vehicle; **E.gerät** *nt* electrical appliance; **E.geräte** electrical equipment; **E.geschäft** *nt* electrical shop; **E.großanlage** *f* heavy electrical equipment; **E.handwerk** *nt* electrical trade; **E.industrie** *f* electrical (engineering/equipment) industry/sector; **E.ingenieur** *m* electrical engineer; **E.installateur** *m* electrician, electrical fitter; **E.karren** *m* small electrictruck; **E.konzern** *m* electrical group; **E.lok** *f* electric locomotive; **E.lumineszensbildschirm** *m* 🖳 electroluminescent display; **E.lyseanlage** *f* electrolysis facility; **E.markt** *m* electrical equipment market; **E.material** *nt* electrical equipment; **E.messe** *f* electrical goods fair; **E.monteur** *m* electrical fitter; **E.motor** *m* electric motor

Elektronenlblitz *m* electronic flash; **E.buchführung** *f* electronic accounting; **E.gehirn** *nt* electronic brain; **E.rechner** *m* (electronic) computer; **E.strahlbildschirm** *m* flat CRT display

Electronic Banking *nt* electronic/home banking; **E. Mail** *nt* electronic mail

Elektronik *f* electronics; **E.industrie** *f* electronics industry; **E.schrott** *m* electronics waste; **E.schrottrecycling** *nt* electronic waste recycling; **E.unternehmen** *nt* electronics company

elektronisch *adj* electronic

Elektroltechnik *f* electrical engineering; **E.techniker** *m* electrical engineer, electrician; **e.technisch** *adj* electrical; **E.titel/E.werte** *pl (Börse)* electricals, electrical equipment shares, ~ equipments, ~ engineering shares *[GB]*/stocks *[US]*; **E.type** *f* ▯ electro(type); **E.wagen** *m* electric truck/car; **E.waren** *pl* electrical appliances; **E.warenhändler** *m* electrical dealer; **E.werkzeug** *nt* power tool

Element *nt* 1. element, factor, unit; 2. *(Bauelement)* component; **E. des Wandels** factor of change

ausschlaggebendes Element key determinant/element; **beitragendes E.** contributory factor; **erratisches E.** erratic factor; **konjunkturhemmendes E.** depressant; **motivierendes E.** motivator; **radioaktives E.** radioisotope; **stabilisierendes E.** stabilizing factor

elementar *adj* elementary, rudimentary, fundamental

Elementarlaufgabe *f* elementary task; **E.bewegung** *f* basic motion, elemental movement; **E.ereignis** *nt* Act of God, force majeure *[frz.]*; **E.erkenntnisse** *pl* fundamentals; **E.faktor** *m* (basic/elementary) production factor, basic factor of production; **E.kenntnisse** *pl* rudimentary knowledge; **E.kombination** *f* basic factor combination; **E.markt** *m* single-market model, elemental/individual market; **E.schaden** *m* emergency loss; **E.schadenversicherung** *f* storm and tempest insurance; **E.schule** *f* primary school; **E.zeitbestimmung** *f (REFA)* methods time measurement (MTM); **E.zweig** *m (Vers.)* storm and tempest branch

Elend *nt* distress, plight, destitution, misery; **ins E. geraten** to be reduced to poverty; **soziales E.** social hardship; **e.(ig)** *adj* poor, miserable, poverty-stricken, wretched

Elendslquartier/E.viertel *nt* 1. slum (area); 2. *(Dritte Welt)* shanty town

Elfenbein *nt* ivory; **E.turm** *m* ivory tower

Elimination *f* ➔ **Eliminierung**

eliminieren *v/t* to eliminate

Eliminierung *f* elimination; **E. konzerninterner (Lieferungen und) Leistungen** intercompany elimination; **E. des Trends** trend elimination; **E.sbuchung** *f* eliminating entry

Elite *f* élite, cream, pick

Elle *f* yard

Ellenbogen *m* elbow; **E.freiheit** *f* elbow room; **E.gesellschaft** *f* dog-eat-dog society

ellenllang *adj* very long; **E.maß** *nt* yardstick

Eloge *f* praise

E-Lok *f* electric locomotive

elolquent *adj* eloquent; **E.quenz** *f* eloquence

elterlich *adj* parental

Eltern *pl* parents; **berufstätige/doppelverdienende E.** dual career parents; **leibliche E.** natural parents

Elternlabend *m* parents' evening; **E.beirat** *m (Schule)* parent-teacher association; **E.haus** *nt* parental home; **E.initiative** *f* (parents') action group; **E.mord** *m* § parenticide; **e.los** *adj* parentless; **E.pflicht** *f* parental duty; **E.recht** *nt* parental right; **E.schaft** *f* 1. parents; 2. parenthood; **E.sprechtag** *m* open/visiting day; **E.teil** *m* parent; **E.vereinigung** *f* parents' association; **E.versammlung** *f* parents' meeting

E-mail *f* E-mail, e-mail; **E. (ver)schicken** to send an e-mail; **E.-Adresse** *f* e-mail address

Emaille *f* enamel; **mit E. beschichtet** enamelled; **~ verarbeitet** *adj* enamel-finished

emallier|en *v/t* to enamel; **e.t** *adj* enamel-finished, enamelled

Emanzipa|tion *f* emancipation; **e.torisch** *adj* emancipatory

emanzipiert *adj* emancipated

Emballage *f* package, packaging, cover, baling

emballieren *v/t* to bale

Embargo *nt* 1. embargo; 2. *(Preis)* restraint of prices; 3. ⚓/*(Konnossement)* restraint of princes; **E. aufheben** to lift an embargo; **E. nicht beachten** to defy an embargo; **E. durchsetzen** to enforce an embargo; **E. erlassen** to impose an embargo; **einem E. unterwerfen; E. verhängen** to (impose an) embargo; **E. verhängen über** to lay/place/put under embargo; **staatsrechtliches E.** civil embargo; **völkerrechtliches E.** hostile embargo; **E.liste** *f* embargo list, denials list *[US]*; **E.risiko** *nt* risk of embargo

Emblem *nt* emblem

Emi|grant(in) *m/f* emigrant; **E.gration** *f* emigration; **e.grieren** *v/i* to emigrate

eminent *adj* eminent

Emirat *nt* emirate

Emission *f* 1. 🏭 emission, pollution, release, discharge; 2. *(Wertpapiere)* issue, (stock market) flo(a)tation; 3. issuance *[US]*

Emission einer AG corporate issue *[US]*; **E. von Anleihen** bond issue; **~ Banknoten** issue of banknotes; **E. zur Kapitalbeschaffung** fund-raising issue; **E. zum Nennwert** par issue; **E. von Obligationen/Schuldverschreibungen** bond/debenture issue; **~ Schuldverschreibungen mit Bezugs-/Umtauschrecht** privileged issue; **~ Stammaktien** equity issue; **E. durch Submissionsverfahren; E. auf dem Submissionswege** issue by tender; **E. von Vorzugsaktien** privileged issue; **~ Wertpapieren** issue of securities; **E. mit Zinsanpassung/variablem Zinssatz** floating-rate issue

Emission begeben to launch/float an issue; **E. garantieren** to underwrite an issue; **zur E. kommen** to be issued; **E. platzieren/unterbringen** to place an issue; **E. fest übernehmen** to purchase an issue outright, to underwrite an issue; **E. federführend zeichnen** to manage an issue; **fällige E.en zurückkaufen** to retire outstanding issues

nach unten abgesicherte Emission defensive issue; **alte E.** senior stock; **öffentlich begebene E.** public offering; **nicht ~ E.** private placement; **fällige E.en** outstanding issues; **favorisierte E.en** seasoned issues; **fiduziarische E.** fiduciary issue; **geplante E.en** slated issues; **junge/nachrangige E.** junior stock; **laufende E.** tap issue; **öffentliche E.** public (authority) issue

Emissions|abgabe *f* 1. *(Umwelt)* emissions levy/charge; 2. *(Börse)* stamp duty on new issues; **E.abgeld** *nt* offering/issuing discount; **E.abteilung** *f* issue/issuing department; **E.agio** *nt* 1. capital surplus *[US]*; 2. issuing/issue/offering/share/stock/bond/underwriting premium; **E.angebot** *nt* issues on offer; **E.aufgeld** *nt* issue/issuing premium; **E.auflage** *f* emissions requirement; **E.ausschreibung** *f* competitive bidding; **E.bank** *f* issuing house, bank (of issue), issue/investment *[US]* bank, underwriter; **E.bedingungen** *pl* offering terms, terms of an issue; **E.begrenzung** *f* emission control; **E.broker** *m* issuing broker; **E.buch führen** *nt* to be the bookrunner; **E.bündelung** *f* bunching of issues; **E.daten** *pl* emissions/release data; **E.disagio** *nt* issuing/share/stock/bond/debt/offering discount; **E.dosierung** *f* issue regulation; **E.erlaubnis** *f* emissions certificate; **E.erlös** *m* issuing/redemption proceeds, proceeds of an issue; **e.fähig** *f* issuable, capable of issuing; **E.fahrplan** *m* new issue calendar; **verfahrensbezogener E.faktor** process-related emission factor; **E.fenster** *nt* new issue window; **E.firma** *f* underwriting house; **e.frei** *adj* emission-free; **E.garant** *m* fund sponsor; **E.garantie** *f* underwriting; **E.genehmigung** *f* issue permit, authorization to issue securities; **E.geschäft** *nt* issuing business/transaction, new issue business, investment banking, underwriting (and distribution); **E.gesellschaft** *f* issuing company; **geschäftsführende E.gesellschaft** managing underwriter; **E.gewinn** *m* underwriting profit; **E.grenze** *f (Umwelt)* admissible emission; **E.grenzwert** *m* maximum permissible level of emissions; **E.gläubiger** *m* issuing creditor; **E.häufung** *f* bunching of issues; **E.haus/E.institut** *nt* issuing company/house, investment bank(er), underwriter; **E.jahr** *nt* year of issue; **E.kalender** *m* issue/debt calendar; **E.kapital** *nt* issued capital; **E.kennzahl** *f* emission parameter; **E.klima** *nt* conditions for new issues, ~ issuing securities; **E.konsortialvertrag** *m* agreement among underwriters, underwriting agreement; **E.konsortium** *nt* underwriting syndicate/group/team, buying/issuing syndicate, underwriters; **E.kontingentierung** *f* fixing a maximum for new issues, security issue rationing; **E.konto** *nt* issue account; **E.kontrolle** *f* security issue control; emission monitoring/control; **E.kosten** *pl* 1. stock issue/issuing cost(s), underwriting cost(s); 2. *(Aktie)* capital expenses; **E.kredit** *m* 1. standing as security issuer; 2. credit obtained through security issue; **E.kurs** *m* issue/issuing/offer/placing/coming-out price, initial (public) offering price, issue par, price/rate of issue; **E.land** *nt* country of issue, issuing country; **E.limit** *nt* ceiling on new issues; **E.makler** *m* issue/issuing broker; **E.markt** *m* new issue market, (primary) issue market

Emissionsminderung *f (Umwelt)* emission cut/reduction; **E.skosten** *pl* abatement costs; **E.sziel** *nt* (emission) reduction target

Emissions|menge *f* release quantity; **E.messtechnik** *f* emissions gauging technology; **E.minderung** *f* reduction of emissions; **E.modalitäten** *pl* terms of a new issue; **E.nebenkosten** *pl* ancillary issue cost(s); **E.ort** *m* place of issue; **E.pause** *f* freeze on new issues; **E.plan** *m* (new) issue calendar, calendar of new issues; **E.politik** *f* new issue policy; **E.preis** *m* → **E.kurs**; **E.prospekt**

m (underwriting/issuing/flotation) prospectus, offer document; **vorläufiger E.prospekt** red-herring prospectus; **E.rabatt** *m (Anleihe)* original issue discount (OID) *[US]*; **E.recht** *nt* 1. issue right; 2. emission permit/right; **E.rendite** *f* issue yield, new issue rate, yield on newly issued bonds, ~ new issues; **E.reserve** *f* potential stock; **E.richtwert** *m* emission standard; **E.risiko** *nt* underwriting risk; **E.satz** *m* tender rate; **E.schuldner** *m* issue debtor; **E.schutz** *m* 🏭 protection from noxious substances, emission protection; **E.schwemme** *f* spate/wave of new issues; **E.sperre** *f* ban on new issues; **E.spielraum** *m* margin for new issues; **E.spitze** *f* portion of unsold new issues; **E.statistik** *f* new issue statistics; **E.stelle** *f* issuing agency; **E.steuer** *f* 1. securities issue tax, capital duty; 2. emission tax; **E.stopp** *m* security issue ban; **E.syndikat** *nt* underwriting syndicate; **E.tag** *m* date/day of issue; **E.tätigkeit** *f* issuing activity; **E.träger** *m* fund sponsor; **E.überhang** *m* placing backlog, unsold new issues; **E.übernahme(geschäft)** *f/nt* (new issue) underwriting; **E.übernahmevertrag** *m* underwriting contract; **E.unterlagen** *pl* offer documents; **E.verbot** *nt* prohibition of issue; **E.vergütung** *f* underwriting/issue commission; **E.verlust** *m* underwriting loss; **E.vertrag** *m* underwriting contract/agreement; **E.volumen** *nt* (new) issue volume; **E.vorhaben** *nt* issue project; **E.währung** *f* issuing currency, bond issue currency; **E.ware** *f* issues; **E.welle** *f* spate/wave of new issues; **E.wert** *m* 1. declared value; 2. emission level

mittent *m* issuer, emitter; **erstklassiger E.** prime issuer; **inländischer E.** domestic issuer; **öffentlicher E.** public issuer

mittier|bar *adj* issuable; **e.en** *v/t* 1. *(Wertpapiere)* to issue/float; 2. 🏭 to emit/discharge; **nicht e.t** *adj* unissued

mpfang *m* 1. receipt; 2. reception; 3. *(Begrüßung)* welcome; 4. *(Hotel)* receptionist; **bei E.** on receipt/delivery; **E. eines Auftrags** receipt of an order; **E. der Ware** receipt of goods; **zahlbar bei E.** cash *[GB]*/ collect *[US]* on delivery (C.O.D./c.o.d.), payable on receipt

mpfang anzeigen to acknowledge receipt; **E. bescheinigen/bestätigen** to (certify/acknowledge) receipt; **E. eines Briefes bestätigen** to acknowledge the receipt of a letter; **auf E. bleiben/stehen** *(Radio)* to stand by; **E. geben/veranstalten** to hold a reception; **in E. nehmen** to receive, to take delivery; **E. quittieren** to (certify) receipt; **bei E. zahlen** to pay on delivery; **nach E. zahlen** to pay upon receipt

egeisterter Empfang enthusiastic welcome; **feierlicher/formeller E.** formal reception; **frostiger/ kühler E.** cool reception, chilly welcome; **herzlicher E.** warm reception; **schlechter E.** *(Radio)* poor reception

mpfangen *v/t* to receive, to take delivery; **e. am Kai; e. zur Verschiffung** received for shipment

mpfänger(in) *m/f* 1. addressee, consignee, recipient; 2. *(Zahlung)* beneficiary; 3. *(Überweisung)* remittee, transferee; 4. *(Wechsel)* payee; 5. § assignee, grantee; 6. *(Radio)* receiver, receiving set; **E. von Angleichszahlungen** recipient of equalization payments; ~ **abandonnierten Gegenständen** *(Vers.)* abandonee; **E. einer Jahresrente** annuitant; **E. bezahlt** cash *[GB]*/collect *[US]* on delivery (C.O.D./c.o.d.); **vom E. zu erheben** to collect from consignee; **gutgläubiger E.** bona-fide *(lat.)* receiver; **neuer E.** transferee; **zugelassener E.** authorized consignee

Empfänger|abschnitt *m* receipt ship; **E.bank/E.institut** *f/nt* payee's bank; **E.kreis** *m* recipients, addressees; **E.land** *nt* recipient/host/donee country; **E.nummer** *f* recipient number; **E.seite** *f* recipient side

empfänglich (für) *adj* 1. responsive, receptive (to); 2. susceptible (to)

Empfangnahme *f* receipt, taking delivery

Empfängnis *f* ⚕ conception; **e.verhütend** *adj* contraceptive; **E.verhütung** *f* contraception; **Maßnahmen zur E.verhütung** contraceptive methods; **E.verhütungsmittel** *nt* contraceptive

Empfangs|abteilung *f* receiving department; **E.anzeige** *f* notice of receipt; **E.apparat** *m* receiver; **E.bahnhof** *m* receiving yard/station; **e.berechtigt** *adj* 1. eligible; 2. authorized to receive (payments/goods); **nicht e.berechtigt** ineligible; **E.berechtigte(r)** *f/m* authorized beneficiary/recipient

Empfangs|bescheinigung/E.bestätigung *f* 1. (notice/ acknowledgment of) receipt; 2. notice of delivery, consignment note; ~ **ausstellen** to (issue a) receipt; **vorbehaltlose E.bestätigung** clean receipt

Empfangs|betrieb *m* receive mode; **E.bevollmächtigte(r)** *f/m* receiving agent, person authorized to take delivery; **E.büro** *nt* reception desk; **E.chef(in)** *m/f* 1. receptionist, reception clerk; 2. *(Hotel)* head porter *[GB]*, room clerk *[US]*; **E.dame** *f* 1. receptionist, hostess; 2. *(Hotel)* room clerk *[US]*; **E.datum** *nt* date of receipt; **E.gebäude** *nt* 🚂 station building; **E.gerät** *nt* 1. receiver; 2. receiving set; **E.hafen** *m* port of discharge; **E.halle** *f* arrival hall; **E.huckepackgesellschaft** *f* receiving piggy-back-company; **E.komitee** *nt* reception committee; **E.konnossement** *nt* received for shipment bill of lading (B/L); **E.land** *nt* recipient country; **E.postamt** *nt* receiving office; **E.prämie** *f (Börse)* premium of receipt; **E.quittung** *f* receipt; **E.raum** *m* reception room; **E.schalter** *m* reception desk; **E.schein** *m* receipt, counterfoil (of delivery note); **eingeschränkter E.-schein** foul receipt; **E.schreiben** *nt* advice of receipt; **E.spediteur** *m* receiving forwarder, receiving (and forwarding) agent, terminal carrier, break bulk agent; **E.spediteurvergütung** *f* terminal carrier fee; **E.station** *f* 1. destination/receiving station; 2. 💻 receiving terminal, slave station; **E.stempel** *m* receipt stamp; **E.zeit** *f* time of delivery; **E.zimmer** *nt* drawing/receiving/reception room

empfehlen *v/t* to recommend/advise/commend/counsel; *v/refl* 1. *(Ware)* to be its own recommendation; 2. *(Abschied)* to take one's leave; **zu e.** recommendable; **dringend/warm e.** to recommend strongly/highly

empfehlend *adj* recommendatory

empfehlenswert *adj* recommendable, commendable, advisable; **nicht e.** inadvisable

Empfehlung *f* 1. recommendation, commendation, advice; 2. referral; 3. testimonial, reference; 4. compliment; **E.en** greetings, compliments; **auf E. von** on the recommendation of; **E. abgeben** to formulate a recommendation; **E. aussprechen/machen** to make a recommendation; **E. unterbreiten** to submit a recommendation; **mit (den besten) E.en** courtesy of

erstklassige Empfehlung first-class reference; **geschäftliche E.** business reference; **konkrete E.** explicit recommendation; **persönliche E.** personal reference; **unverbindliche E.** non-committal recommendation

Empfehlungs|- commendatory; **E.brief** *m* letter(s) of recommendation; **E.charakter haben** *m* to serve as recommendation; **E.karte** *f* "with compliments" slip; **E.liste** *f* recommended list; **E.preis** *m* recommended price; **E.schreiben** *nt* reference, letter of recommendation/introduction/appraisal/credence, testimonial, credentials, introductory/recommendatory letter; **ausgezeichnete E.schreiben** excellent references; **E.vereinbarungen** *pl* recommended arrangements; **E.werbung** *f* display advertising; **E.zettel** *m* "with compliments" slip

empfindlich *adj* 1. sensitive, delicate, damageable, vulnerable, susceptible (to); 2. *(Person)* touchy; **E.keit** *f* susceptibility, sensitivity, delicacy; **E.keitsanalyse** *f* sensitivity analysis

Empir|ie *f* 1. empirical science; 2. experience; **e.isch** *adj* empirical

emporarbeiten *v/refl* to work one's way up

empören *v/refl* to be indignant/outraged/exasperated, to wax indignant; **e.d** *adj* outrageous

Emporkommen *nt* rise; **e.** *v/i* to rise

Emporkömmling *m* upstart, (social) climber

Emporschnellen *nt* upsurge; **e.** *v/i* to soar/zoom, to leap ahead; **e. lassen** to force up

empört *adj* indignant, outraged, in high dudgeon *(fig)*; **e. sein** to be up in arms *(fig)*

emportreiben *v/t* to drive up

Empörung *f* indignation, outrage

emsig *adj* active, busy, eager, keen

End|- final; **E.abnahme** *f* final inspection; **E.abnahmeprotokoll** *nt* final certificate of acceptance, ~ inspection report; **E.abnehmer** *m* ultimate/end buyer, end/intended user; **E.abrechnung** *f* 1. closing statement, final account; 2. *(Projekt)* final accounting; **E.absatz** *m* sale to ultimate buyer; **E.alter** *nt (Vers.)* age at expiry, maturity

Endausbau *m* 🏛 completion, final stage of completion; **im E.** when completed; **E.stufe** *f* final stage of completion

End|auswertung *f* final evaluation; **E.bahnhof** *m* 🚂 railhead, terminus; **E.bank** *f* last bank; **E.bearbeitung** *f* finish(ing); **E.bedarf** *m* 1. ultimate demand; 2. demand from ultimate users; **E.behandlung** *f* finish, final treatment; **E.benutzer** *m* end-user; **E.benutzersystem** *nt* end-user system; **E.bescheid** *m* definite answer, final decision; **E.bestand** *m* closing inventory/stocks, balance/stock on hand, net balance at end of period, final balance; **E.betrag** *m* total, final/total amount

Ende *nt* 1. end(ing), termination, conclusion, expiration, expiry, finish, stop; 2. issue, outcome; 3. demise winding up; 4. tail end

Ende der Beschäftigung; E. des Beschäftigungsverhältnisses termination of employment; **E. der Börsenstunde** (official) close; **~ Geschäftszeit** close o business; **~ Laufzeit** *(Vers.)* maturity date; **das E. vom Lied** *(coll)* the upshot of it all *(coll)*; **E. des laufenden Monats** the last instant; **~ Patentschutzes** terminatio of patent protection; **E. der Seite** bottom/foot of the page **am oberen ~ Skala** at the top end of the scale; **am unteren ~ Skala** at the bottom end of the scale; **~ Straße** *(fig)* the end of the road *(fig)*; **~ Übergangszeit** expiry of the transitional period; **~ Versicherung** expiry of the policy; **zum E. des Versicherungsjahres** at policy anniversary; **E. der Wiedergewinnungszeit** break-even point

ohne Ende endless; **letzten E.es** in the final analysis, a the end of the day, in the last resort, ultimately; **von einem E. zum anderen** from end to end

einer Sache ein Ende bereiten to put an end to sth., ~ paid to sth., to call a halt to sth.; **bis zum E. bleiben** to sit sth. out; **zu E. bringen** 1. to finish; 2. *(Debatte)* to wind up; **bis zum E. durchhalten** to stick it out; **zu E. gehen** 1. to draw to a close, ~ an end, to peter out, to be in/on/upon the wane; 2. *(Vorräte)* to run out of; **~ lassen** to phase out; **ohne Einigung zu E. gehen** *(Gespräche)* to end in deadlock; **bis zum bitteren E. kämpfen** to fight to the finish; **einer Sache ein E. machen/setzen** to put a stop to sth., to bring sth. to an end **sich dem E. nähern** to draw to a close; **böses/schlimmes/schmähliches E. nehmen; kein rühmliches E. nehmen** to come to a bad/wretched end; **am falschen E. sparen** to be penny-wise and pound-foolish, to make a false economy; **letzten E.s tun** to end up doing; **dem E. zugehen; sich ~ zuneigen** to draw to a close

das dicke Ende *(coll)* the worst; **oberes E.** top end; **unteres E.** bottom end; **am unteren E.** at the bottom end

im Endeffekt *m* in the final analysis, to all intents and purposes, in the long run

endemisch *adj* endemic

Endempfänger *m* ultimate consignee

enden *v/i* to end/cease/finish/terminate/expire/close, conclude; **unentschieden e.** to result in a draw; **vorzeitig e.** to terminate prematurely

End|entscheidung *f* ▦ terminal decision; **E.ereignis** *nt* terminal event; **E.ergebnis** *nt* final outcome, final/ultimate/end result; **im E.ergebnis** in the long run; **E.erwerber** *m* ultimate purchaser; **E.erzeugnis/E.fabrikat** *nt* finished/end product; **E.erzeugung** *f* finishing process; **E.fälligkeit** *f* final maturity; **mit E.fälligkeit** maturity-certain; **E.fertigung** *f* finishing (process); **E.finanzierung** *f* permanent financing, financing to completion; **E.fläche einer Verteilung** *f* ▦ tail area **E.gehalt** *nt* final salary

Endgerät *nt* 💻 terminal; **entferntes E.** remote terminal **E.esystem** *nt* system of terminals

endgültig *adj* 1. ultimate, final, definite, definitive, for good, determinate; 2. *(Angebot)* unconditional; 3. *(Beweis)* conclusive; **E.keit** *f* finality

End|hafen *m* ⚓ navigation head, final port; **E.haltestelle** *f* terminus

endigen *v/ti* to eventuate/terminate

End|kapital *nt* end value, new principal; **E.kontrolle** *f* pre-delivery/final inspection; **E.kosten** *pl* final/terminal cost(s); **E.kostenstelle** *f* final cost centre; **E.kreditnehmer** *m* ultimate borrower; **E.lager/E.lagerstätte** *nt/f* ⚛ final/permanent disposal site, (final) repository; **E.lagerung** *f* ⚛ permanent (waste) disposal, final deposition/disposal/dumping; **E.laufzeit** *f* period to final maturity, life to maturity

endlich *adj* 1. π finite; 2. *(Rohstoff)* non-renewable, finite; *adv* eventually, ultimately; **E.keit der fossilen Energiequellen** *f* finiteness of fossile energy resources; **~ des Raumes** finiteness of space

endlos *adj* endless, infinite, boundless

Endlos|band *nt* endless belt; **E.druck** *m* continuous printing; **E.formular/E.vordruck** *nt/m* continuous form; **E.lochstreifen** *m* continuous tape; **E.papier** *nt* continuous/fanfold paper, tear sheet; **~ in Faltstapeln** continuous fanfold paper

End|lösung *f* final solution; **E.montage** *f* 🏭 final assembly/erection

Endnachfrage *f* ultimate/final demand, final consumption, ~ bill of goods; **gesamtwirtschaftliche E.** total final demand; **E.aggregat** *nt* ultimate demand aggregate

Endnutzung *f* final use

endogen *adj* endogenous

End|phase *f* 1. *(Produktionszyklus)* abandonment stage; 2. final stage; **in der E.phase** in the final stages; **E.preis** *m* final/retail price; **E.produkt** *nt* final/finished/end product; **E.produkte** outputs; **E.produkt-Spezifikation** *f* final product specification; **E.prüfung** *f* final inspection, ~ and test(ing), final verification

Endpunkt *m* terminal/end point, destination, terminus; **E. der Beförderung** terminal point of transportation; **E. einer Eisenbahnstrecke** railhead

End|rente *f* maximum pension (payable); **E.resultat** *nt* final result/outcome; **E.rückzahlung** *f* final repayment; **E.saldo** *m* closing/ending/final balance; **E.schuldner(in)** *m/f* final debtor; **E.spalte** *f* end column; **im E.stadium** *nt* in the final stages; **E.stand** *m* final result/balance; end-of-period stock(s); **E.station** *f* 1. destination; 2. 🚆 terminus *[GB]*, terminal *[US]*; 3. final stage; **E.stufe** *f* final stage; **E.summe** *f* (final/grand) total, final amount; **E.termin** *m* 1. deadline, final/latest/target date, completion time; 2. closing bid; **E.urteil** *nt* 1. final decision/verdict/judgment/sentence; 2. *(Scheidung)* decree absolute; **obsiegendes E.urteil** final recovery *[US]*; **E.verarbeitung** *f* finish(ing)

End|verbleib *m* final deposition; **E.sbestätigung** *f* end-use certificate; **E.skontrolle** *f* control of final deposition; **E.snachweis** *m* proof of final deposition

Endverbrauch *m* ultimate/final consumption, end use

Endverbraucher *m* final/ultimate/end/retail consumer, final/ultimate/end user, retail customer; **E.nachfrage** *f* demand from ultimate consumers; **E.preis** *m* consumer/retail price; **E.werbung** *f* consumer advertising

Endverbrauchs|güter *pl* (ultimate) consumer goods; **E.nachweis** *m* end-use certificate; **E.produkt** *nt* end-use product; **E.steuer** *f* retail sales tax

End|verkaufspreis *m* (final) sales price, retail price; **E.vermögen** *nt (Konkurs)* ultimate net worth; **E.vermögensmaximierung** *f* maximization of assets at the end of the planning period

Endwert *m* accumulated/end/terminal/final/compound value; **E. einer Annuität** accumulation of an annuity; **E.methode** *f* compound-value method; **E.modell** *nt* final value model

End|zahl *f* count; **E.zeile** *f* end line; **voraussichtliche E.zeit** expected end time; **frühester E.zeitpunkt** *(OR)* earliest completion time; **E.ziel** *nt* final aim, ultimate goal; **E.ziffer** *f* final number, last digit; **E.zinssatz** *m* all-in interest rate; **E.zustand** *m* final state; **E.zweck** *m* final aim

Energie *f* 1. ⚙ energy, power; 2. drive; **keine E. haben** *(fig)* to lack drive; **E. sparen** to save energy; **alternative E.** alternative (source of) fuel; **elektrische E.** electric power/energy; **erneuerbare E.** renewable energy; **ungenutzte E.** waste energy; **voller E.** full of beans *(coll)*

Energie|abgabe *f* energy output; **E.absatz** *m* energy sales; **Internationale E.agentur** International Energy Agency (IEA); **E.aktien** *pl* energy shares *[GB]*/stocks *[US]*, utilities; **E.angebot** *nt* energy supply; **E.anlagen** *pl* utilities; **E.aufwand** *m* energy input; **E.ausfall** *m* power failure; **E.bedarf** *m* energy/power demand, energy requirement(s)/needs/consumption, demand for energy; **E.berater** *m* adviser on energy, energy adviser; **E.beratungsagentur** *f* energy consulting agency; **E.bereich** *m* energy sector/industry; **E.besteuerung** *f* energy taxation; **E.bevorratung** *f* energy stocking; **e.bewusst** *adj* energy-conscious; **e.bezogen** *adj* energy-related; **E.bilanz** *f* energy balance; **E.bündel** *nt (fig)* bundle of energy, live wire *(fig)*; **E.dichte** *f* energy content; **E.durchleitung** *f* power transmission; **E.einfuhr** *f* energy imports; **E.einsatz** *m* energy input; **E.einsparung** *f* 1. energy savings/conservation/efficiency; 2. *(Treibstoff)* fuel economy; **E.erzeuger** *m* electricity producer; **E.erzeugung** *f* electricity/power generation, production of energy; **E.farm** *f* energy farm; **E.fluss** *m* energy flow; **e.geladen** *adj (Person)* full of energy/beans *(coll)*; **E.geschäft** *nt* energy business; **E.gewinnung** *f* production of energy; **E.haushalt** *m* 1. energy budget, power procurement arrangements; 2. ratio of power generation to energy requirements; **e.hungrig** *adj* energy-consuming; **E.intensität** *f* energy intensity; **e.intensiv** *adj* energy-intensive; **E.knappheit** *f* energy shortage; **E.kombinat** *nt* integrated power plant

Energiekosten *pl* energy/fuel cost(s), utility charges; **E. für Privathaushalte** household fuel bill; **E.senkung** *f* energy cost reduction

Energie|krise *f* energy crisis/crunch; **E.lage** *f* power supply situation; **E.leistung** *f* power output; **E.lieferant** *m* energy/power supplier; **E.lücke** *f* energy gap, **E.management** *nt* energy management; **E.markt** *m* energy/power-supply market; **E.ministerium** *nt* Department of Energy *[GB]*; **E.nachfrage** *f* demand for energy; **E.notstand** *m* energy crisis; **E.nutzung** *f* energy utilization/use; **E.pflanze** *f* 🚜 energy crop; **E.politik** *f* energy policy; **E.preis** *m* energy price; **E.programm** *nt* energy/power-plant programme; **E.quelle** *f* fuel/energy source; **E.quellen** sources of power/energy, energy/power resources; **E.rechnung für Haushalte** *f* household fuel bill; **E.reserve** *f* energy reserve/resource; **E.rohstoff** *m* energy-producing raw material; **E.rückführung/-gewinnung** *f* energy recovery; **e.schonend** *adj* energy-preserving; **E.sektor** *m* energy sector, power supply sector; **E.sicherung** *f* safeguarding the supply of energy

Energiespar|en *nt* energy saving; **e.end** *adj* economical, energy-efficient, energy-saving, fuel-efficient; **E.maßnahme** *f* energy conservation measure, energy-saving measure, energy efficiency scheme/application; **E.potenzial** *nt* energy saving/conserving potential; **E.programm** *nt* energy conservation programme, ~ thrift campaign

Energie|steuer *f* energy tax; **E.strom** *m* energy flow; **E.system** *nt* power distribution system; **E.technik** *f* power/energy engineering; **E.träger** *m* source of energy, power resources, fuel; **E.überschuss** *m* reserve power; **E.übertragung** *f* power transmission; **E.umwandlung** *f* energy conversion; **E.unternehmen** *nt* energy supply company, utility company

Energieverbrauch *m* energy/power consumption, expenditure of energy; **sparsam im E.** energy-efficient, fuel-efficient; **sparsamer E.** efficient use of energy; **E.er** *m* energy consumer

Energie|verbund(netz) *m/nt* energy grid; **E.verlust** *m* power/energy loss; **E.verschwendung** *f* wast(ag)e of energy, energy waste; **E.versorger** *m* (power) utility

Energieversorgung *f* (electric) power supply, energy supply; **alternative E.** renewable energy system; **E.sunternehmen (EVU)** *nt* energy supply company, public/power utility, electricity-generating company

Energie|verteilung *f* energy distribution; **E.verteuerung** *f* increase of energy/fuel prices; **E.verwendung** *f* use/utilization of energy; **E.vorräte** *pl* energy resources/supplies; **E.werte** *pl* energy shares *[GB]*/stocks *[US]*, utilities; **E.wirtschaft** *f* 1. electric power industry, energy (supply) industry; 2. energy (management); **E.zufuhr** *f* power supply/feed

energisch *adj* energetic, vigorous, resolute, strenuous, strong, stringent

eng *adj* close, narrow, tight, dense; **allzu e.** *(Beziehung)* incestuous; **e.er werden** to narrow

Engagement *nt* 1. commitment, involvement, application; 2. interests, undertaking, investment; 3. *(Beteiligung)* (acquiring an) interest; 4. *(Kredit)* (credit) exposure, lending commitment; **E. eingehen** to commit o.s.; **E. lösen** 1. to liquidate commitments; 2. *(Börse)* to liquidate positions; **zu hohes E.** *(Kredite)* overexposure; **persönliches E.** ego involvement; **ungedecktes E.** open position; **unternehmerisches E.** corporate involvement; **E.risikofaktor** *m* commitment risk factor; **E.strategie** *f* relationship strategy

engagieren *v/t* to employ/engage, to take on; *v/refl* t commit o.s., to take a commitment, to invest; **sich e. i** *(Börse)* to pile into; **sich zu hoch e.** *(Kredit)* to overex pose o.s.

engagiert *adj* committed, dedicated, caring; **e. sein** to b involved

Enge *f* 1. confined space, narrowness, tightness; *(geldlich)* straitened circumstances; **jdn in die E. trei ben** to squeeze/stalemate so., to pin so. down, t push/send so. to the wall; **~ getrieben** with one's bac to the wall

Engel *m* angel; **rettender E.** *m (Übernahme)* whit knight *(fig)*

Englandlfeind *m* anglophobe; **e.feindlich** *adj* anglc phobe; **E.freund** *m* anglophile; **e.freundlich** *ac* anglophile

kaufmännisches Englisch commercial English; **E kenntnisse** *pl* command of English; **e.sprechend** *ac* English-speaking

engmaschig *adj* close-knit

Engpass *m* bottleneck, shortage, squeeze, defile; **finan zieller E.** financial constraints/squeeze/straits; **E. be seitigen** to open up a bottleneck; **E.bereich** *m* bottle neck area; **E.faktor** *m* constraining/critical/limitin factor; **E.investition** *f* investment to clear a bottleneck bottleneck investment; **E.monopol** *nt* bottleneck mc nopoly; **E.situation** *f* bottleneck situation

en gros *adj* wholesale, bulk

Engros|abnehmer *m* wholesale/bulk buyer; **E.bezug** wholesale/bulk buying; **E.firma** *f* wholesale hous firm; **E.geschäft** *nt* wholesale business, warehous **E.handel** *m* wholesale (trade/trading); **E.händle E.kaufmann** *m* wholesaler, wholesale merchan **E.kauf** *m* wholesale purchase; **E.käufer** *m* wholesal buyer; **E.kosten** *pl* volume cost(s); **E.preis** *m* whole sale price; **E.rabatt** *m* trade discount; **E.sortimenter** cash-and-carry wholesaler; **E.verkauf** *m* wholesal (trade/trading); **E.verkäufer** *m* wholesaler; **E.zwi schenhändler** *m* wholesale middleman

engstirnig *adj* narrow-minded, parochial, blinkere hidebound

Enkel(in) *m/f* grandchild; **E.gesellschaft** *f* second-ti subsidiary, sub-subsidiary, company controlle through a subsidiary

Enklave *f* enclave

enorm *adj* enormous, immense, tremendous, uncor scionable

Enquête *f* (official) inquiry; **E.-Kommission** *f* con mission/committee of inquiry, study committee

entart|en *v/i* to degenerate; **nicht e.et** *adj* non-degenera

Entartung *f* degeneracy, degeneration; **E.sfall** *m* deg nerate case; **E.sgrad** *m* degree of degeneracy

entäußer|n *v/refl* to alienate/forego/relinquish, to pa with, to dispose of, to divest os. of; **E.ung** *f* alienatio abandonment, relinquishment, disposal

entbehr|en *v/t* to dispense with, to spare, to do/manag without; **e.lich** *adj* dispensable, unnecessary, supe fluous, surplus to requirements; **E.ung** *f* privation, d privation, want

ntbinden (von) *v/ti* 1. to dispense/release (from), to discharge; 2. ⚕ to deliver

ntbindung *f* 1. *(Eid)* release; 2. *(Pflicht)* discharge; 3. ⚕ delivery, childbirth

ntbindungs|abteilung/E.station *f* ⚕ maternity ward/unit; **E.anstalt/E.heim** *f/nt* maternity home/hospital; **E.beihilfe** *f* maternity allowance/grant; **E.fürsorge** *f* maternity care; **E.geld** *nt* maternity benefit; **E.kostenpauschale** *f* flat-rate birth benefit; **E.urlaub** *m* maternity leave

ntblätterung *f* ✿ defoliation

ntbündelungsstrategie *f* sales mix reduction strategy

ntblöß|en *v/t* to denude; **e.t** *adj* bare, nude; **E.ung** *f* divestiture

ntbürokratisier|en *v/t* to free from bureaucracy, to debureaucratize; **E.ung** *f* debureaucratization

ntdecken *v/t* to discover/detect/spot/find, to find out; **wieder e.** to rediscover; **etw. zufällig e.** to stumble across sth.

ntdecker *m* dicoverer

ntdeckt werden to come to light

ntdeckung *f* discovery, spotting, detection, find; **E. eines Mangels** discovery of a defect; **E.sreise** *f* exploratory expedition; **auf ~ gehen** to go exploring; **E.szusammenhang** *m* context of discovery

ntdocken *v/t* ⚓ to undock

nte *f* *(fig)* hoax; **lahme E.** *(fig)* lame duck *(fig)*

ntehren *v/t* to dishonour/degrade; **e.d** *adj* discreditable, degrading

nteig|nen *v/t* to expropriate/dispossess/disappropriate/condemn *[US]*; **E.ner** *m* dispossessor

nteignung *f* 1. expropriation, dispossession, compulsory purchase, condemnation, disappropriation; 2. *(Immobilien)* ouster; **drohende E.** threat of condemnation; **entschädigungslose E.** expropriation without compensation; **staatliche E.** government expropriation

nteignungs|- expropriatory; **staatliche E.befugnis** ⚓ eminent domain; **E.beschluss** *m* § compulsory purchase/condemnation order; **E.entschädigung** *f* expropriation/dispossession compensation, ~ payment, condemnation award, compensation for expropriated property; **E.gesetz** *nt* expropriation act; **e.gleich** *adj* confiscatory, tantamount to dispossession; **E.recht des Staates** *nt* ⚓ eminent domain; **E.verfahren** *nt* expropriation/condemnation proceedings

nteis|en *v/t* to defrost/de-ice; **E.ung** *f* defrosting, deicing

ntente Cordiale *f* entente cordiale *[frz.]*

nterbar *adj* ⚓ boardable

nterb|en *v/t* to disinherit; **E.ung** *f* disinheritance, disinheriting

nterhaken *m* ⚓ grappling hook/iron

ntern *nt* ⚓ boarding; **e.** *v/t* to board

nt|fachen *v/t* to kindle, to spark off, to set alight; **e.fallen** *v/i* 1. not to apply, to be inapplicable; 2. to lapse, to be dropped; 3. *(Kosten)* to be apportionable to, to fall upon; **e.fällt** *(Formular)* not applicable; **e.falten** *v/t/v/refl* to unfold/develop/evolve

ntfaltung *f* development, evolution, growth; **E. der Persönlichkeit** pursuit of happiness *[US]*; **E.sfreiheit** *f* free development of personality

entfernen *v/t* 1. to remove/eliminate/withdraw/strip; 2. *(Person)* to retire; *v/refl* to leave; **sich heimlich/unerlaubt e.** to abscond, to take French leave *(coll)*; **zwangsweise e.** to oust

entfernt *adj* remote, distant; **weit e.** a long way off, far off

Entfernung *f* 1. distance; 2. removal; **E. aus dem Amt** removal from office, ~ a post, ouster, dismissal; **E. zurücklegen** to cover a distance; **geringe E.** short distance; **aus geringer E.** at close quarters; **kurze E.** short way off; **mittlere E.** mean distance; **zurückgelegte E.** distance covered; **zwangsweise E.** ejection, ouster; mandatory removal

Entfernungs|kilometer *m* distance in kilometres; **E.staffel** *f* graded distance schedule

entflammbar *adj* (in)flammable; **leicht e.** highly inflammable; **schwer e.** fire-resistant; **E.keit** *f* (in)flammability

ent|flammen *v/t* to set alight, to kindle; **e.flechten** *v/t* 1. to break up, to demerge/deglomerate/decartelize/deconcentrate/deconsolidate; 2. to unscramble, to unbundle; 3. to dismember; **E.flechter** *m* trustbuster

Entflechtung *f* break-up, demerger, deglomeration, deconcentration, decentralization, decartelization, trust busting, divestment, divestiture (of assets), disengagement, dismemberment, dissolution; **E.sanordnung** *f* divesting order; **E.sbehörde** *f* decartelization agency; **E.sverhandlungen** *pl* disengagement negotiations

ent|fliehen *v/i* to escape; **e.flohen** *adj* fugitive

entfremd|en *v/t* to alienate/estrange/antagonize; **e.et** *adj* disaffected; **E.ung** *f* alienation, estrangement, disaffection; ~ **am Arbeitsplatz** shop-floor alienation

entfrist|en *v/t* to remove the time limit; **E.ung** *f* removal of the time limit

entführ|en *v/t* 1. to kidnap/abduct; 2. ✈ to hijack/skyjack; **E.er** *m* 1. kidnapper, abductor; 2. ✈ hijacker; **E.ung** *f* 1. kidnapping, abducation; 2. ✈ hijacking

entfusionier|en *v/t* to demerge; **E.ung** *f* demerger

entgegen|arbeiten *v/i* to oppose, to work against; **e.gesetzt** *adj* opposite, contrary, reverse, conflicting, opposing; **diametral/genau e.gesetzt** diametrically/directly opposed; **e.halten** *v/t* to reply, to object (to)

Entgegen|haltung *f* *(Pat.)* citation, opposed publications; **als ~ dienen** to be used as citation; **e.handeln** *v/i* to act in contravention

Entgegenkommen *nt* concession, accommodation, courtesy, give and take; **e.** *v/i* to accommodate/accept, to comply with; **e.d** *adj* 1. accommodating, accommodative, considerate, forthcoming, obliging, compliant, complaisant; 2. 🚗 oncoming; **nicht e.d** unaccommodating; **wenig e.d** unobliging, uncooperative

entgegenlaufen *v/i* to run counter (to)

Entgegennahme *f* receipt, acceptance, receival; **bei E.** on receipt/acceptance; **E. von Nominierung und Wahl** receipt and action on nomination

entgegen|nehmen *v/t* 1. to receive/accept; 2. *(Einlage)* to take; **e.sehen** *v/i* to look forward to, to await; **e.set-**

zen *v/t* to counter; **e.stehen** *v/i* to bar/impede/preclude/impair, to be opposed to; **e.stehend** *adj* adverse, conflicting; **e.treten** *v/i* to oppose/counter; **E.wirken** *nt* counteraction; **e.wirken** *v/i* to counteract/stem

entgeg|nen *v/ti* to answer/reply/rejoin; **E.nung** *f* 1. answer, reply; 2. objection, rejoinder

entgehen *v/i* to escape/avoid; **sich e. lassen** to miss

Entgelt *nt* 1. payment, remuneration, wages, consideration, fee, compensation, reward; 2. *(Sozialvers.)* benefit; 3. § valuable consideration; **als E. für** in return/exchange for, in consideration of; **gegen E.** for a consideration/fee, for money/value, for (pecuniary) reward, for remuneration; **ohne E.** free of charge (f.o.c.); **E. für Unternehmensführung** remuneration of management

angemessenes Entgelt adequate consideration; **leistungsgerechtes E.** § quantum meruit *(lat.)*; **vereinbartes E.** agreed compensation, consideration agreed upon; **vereinnahmte E.e** income received, considerations collected; **versicherungspflichtiges E.** eligible income/earnings; **zurückgewährte E.e** refunds

Entgeltanspruch *m* pay claim

entgelten *v/t* to compensate/remunerate/pay/indemnify

Entgelt|funktion *f* payment function; **E.klausel** *f* consideration clause; **e.lich** *adj* 1. for a consideration, against payment; 2. *(Vertrag)* onerous; **~ oder unentgeltlich** gratuitously or for a consideration; **E.minderung** *f* reduction of compensation; **E.politik** *f* pay policy; **E.regelung** *f* compensation arrangements; **E.steigerung** *f* pay increase; **E.tarifvertrag** *m* agreement concerning remuneration for services; **E.überträge** *pl* *(Vers.)* unearned premiums on balance sheet date

entgift|en *v/t* to decontaminate/detoxify; **E.ung** *f* decontamination, detoxification

Entgleisen *nt* 🚃 derailment; **zum E. bringen** to derail; **e.** *v/i* to jump the rails, to become/be derailed, to come off the rails

Entgleisung *f* 1. derailment; 2. *(fig)* lapse

entgründ|en *v/t* to dissolve; **E.ung** *f* dissolution

enthaft|en *v/t* to release from a charge; **E.ung** *f* disclaimer of liability, release from pledge, waiver of lien

enthalt|en *v/t* to contain/comprise/include/incorporate/hold, to cover; *v/refl* 1. to for(e)bear; 2. *(Wahl)* to abstain; **E.ung** *f* abstention

entheben *v/t* to discharge/release/relieve/displace; **e. von** to dispense from; **vorläufig e.** to suspend

Enthebung *f* dismissal, discharge, removal, deprivation; **vorläufige E.** suspension

Entherrschungsvertrag *m* disengagement agreement

Enthorten *nt* *(Geld)* dishoarding; **e.** *v/t* to dishoard

enthüllen *v/t* 1. to disclose/reveal/divulge; 2. to expose/unveil/uncover, to take the wraps off *(coll)*

Enthüllung *f* revelation, disclosure, exposure, showing; **E.sjournalist** *m* muckraker *[US]*; **E.sjournalismus** *m* muckraking (journalism)

enthusiastisch *adj* enthusiastic

entindustrialisier|en *v/t* to deindustrialize; **E.ung** *f* deindustrialization

entkartellisier|en *v/t* to decartelize; **E.ung** *f* decartelization

entkeimen *v/t* ⚕ to sterilize/pasteurize

entkern|en *v/t* to reduce the density of housing; **E.ung** *f* deglomeration

entkleiden *v/t* *(Amt)* to divest; *v/refl* to undress/strip

Entkommen *nt* escape, getaway; **knappes E.** narrow escape; **e.** *v/i* to escape, to get away; **jdm e.** to give so. the slip *(coll)*; **knapp e.** to escape by the skin of one's teeth *(fig)*

entkonsolidier|en *v/t* to deconsolidate; **E.ung** *f* deconsolidation

entkräft|en *v/t* to invalidate; **E.ung** *f* weakness, exhaustion

Entkrampfung *f* 1. relaxation, easing; 2. *(Geldmarkt)* loosening of the monetary logjam

entkriminalisier|en *v/t* to decriminalize; **E.ung** *f* decriminalization

Entlade|dauer *f* unloading time; **E.einrichtung** *f* unloading gear; **E.erlaubnis** *f* discharge permit; **E.frist** *f* (stipulated) unloading period; **E.gebühr** *f* unloading charge; **E.hafen** *m* 1. port of discharge/unloading/delivery, discharge port; 2. port of disembarkation/debarkation; **E.kosten** *pl* unloading charges, discharging cost(s); **E.mannschaft** *f* dock crew, unloading party

Entladen *nt* unloading, discharge, offloading; **e.** *v/t* to unload/discharge/offload/unship/stevedore; **nicht e.** *adj* undischarged

Entlade|ort *m* unloading point, place of unloading **E.platz** *m* ⚓ unloading berth

Entlader *m* unloader, stevedore

Entlade|rampe *f* unloading platform; **E.termin** *m* unloading date; **E.zeit** *f* discharging time

Entladung *f* unloading, discharge; **Ent- und Beladung** turnround; **E. auf Zollboden** ⊖ unloading to temporary store; **frei bis zur E.** ⚓ free overside/overboard

entlang *prep/adv* along

entlarv|en *v/t* to unmask/expose; **E.ung** *f* exposure detection

entlassen *v/t* 1. to dismiss/discharge/fire/free/release displace/oust/sack *(coll)*; 2. *(Vertrag)* to terminate/retire, to remove from office, to make redundant; 3. to pension off, to furlough *[US]*; 4. to send away; **e. werden** to get the sack, ~ one's cards, to be fired, to get the chop *(coll)*; **jdn bedingt e.** § to parole so., to release so on parole/licence, to put so. on parole; **jdn fristlos/sofort/ohne Kündigungsfrist e.** to discharge/dismiss without notice; **vorübergehend e.** to lay off, to stand off

Entlassene(r) *f/m* released/dismissed person

Entlassung *f* 1. dismissal, discharge (from employment), release, sack(ing), removal (from office), redundancy; 2. permanent layoff, retirement, pensioning off

Entlassung aus dem Amt removal from office; **E. auf Antrag** resignation; **E. mangels Beschäftigung** redundancy; **E. der zuletzt Eingestellten** bumping procedure; **E. aus triftigem Grund** discharge for cause release; **~ der Haft** release from custody; **~ dem Krankenhaus** discharge from hospital; **E. ohne Einhaltung der Kündigungsfrist** termination without notice; **E aus dem Staatangehörigkeitsverhältnis** release from nationality

m seine Entlassung bitten; seine E. einreichen to tender one's resignation

edingte Entlassung § conditional discharge/release; **bedingungslose E.** § absolute discharge/release; **begründete E.** discharge for cause; **ehrenhafte E.** honourable discharge; **endgültige E.** *(Konkurs)* full discharge; **fristlose/sofortige E.** dismissal without notice, summary/instant dismissal; **gesetzwidrige E.** wrongful dismissal; **grundlose/unberechtigte/ungerechtfertigte E.** dismissal without cause, unfair/wrongful dismissal; **unbeschränkte E.** § absolute discharge; **unehrenhafte E.** dishonourable discharge; **gesetzlich unterstellte/vermutete E.** § constructive dismissal; **unzulässige E.** wrongful dismissal/termination; **vorübergehende E.** lay-off, suspension; **zwangsweise E.** compulsory redundancy, mandatory removal

ntlassungs|abfindung/E.ausgleich/E.entschädigung/E.geld *f/m/f/nt* severance/termination/dismissal pay, redundancy/termination payment, redundancy compensation, golden handshake *(coll)*, lay-off benefit, terminal/severance/dismissal wage; **E.alter** *nt (Schüler)* school-leaving age; **E.anordnung** *f* § discharge; **E.bedingungen** *pl* conditions of discharge; **E.bescheid** *m* dismissal notice, redundancy slip; **E.bescheinigung** *f* discharge slip; **E.fall** *m* discharge case; **E.frist** *f* waiting period for dismissal; **E.gehalt** *nt* dismissal pay; **E.gesuch** *nt* (letter of) resignation; ~ **einreichen** to tender one's resignation; **E.grund** *m* grounds for discharge/dismissal; **auf der E.liste stehen** *f* to be due for the chop *(coll)*

ntlassungspapiere *pl* discharge/dismissal papers; **E. anfordern; um die E. bitten** to ask for one's cards; **E. bekommen** to get one's walking orders *(coll)*

ntlassungs|plan *m* redundancy scheme/programme; **E.politik** *f* redundancy policy; **E.quote** *f* lay-off rate; **E.schein** *m* 1. certificate of discharge; 2. discharge papers; **E.schreiben** *nt* redundancy/dismissal/lay-off notice, notice of dismissal; **E.tag** *m* date of dismissal; **E.urlaub** *m* terminal leave; **E.verfügung** *f* release order; **E.verbot** *nt* ban on dismissals; **E.welle** *f* spate/wave of redundancies, ~ of dismissals; **E.zeugnis** *nt* 1. testimonial; 2. school leaving certificate

ntlasten *v/t* 1. to relieve/ease, to take the strain off; 2. to release/ratify/discharge/clear, to approve the activities of; 3. § to exonerate/acquit; **e.d** *adj* exonerating, exculpatory, relief-affording

ntlaster *m* releasor

ntlastet *adj* discharged; **nicht e.** undischarged; **E.e(r)** *f/m* releasee

ntlastung *f* 1. relief; 2. (grant of) discharge, acquittance; 3. *(Schulden)* release, credit entry, disencumbrance, easing; 4. *(Rechtfertigung)* exoneration, remission; 5. *(Vorstand)* (formal) approval, ratification; 6. § quietus *(lat.)*, quittance

ntlastung des Abschlussprüfers discharge of the auditor; ~ **Arbeitsmarkts** reducing unemployment; ~ **Aufsichtsrats** discharge of the supervisory board; **E. eines Gemeinschuldners** discharge of a bankrupt; **E. des Vorstands** discharge of the board of managers, ratification of the acts of management; **E. der Wirtschaft** easing the pressure on the economy; ~ **Zahlungsbilanz** easing the strain on the balance of payments

Entlastung beschließen to ratify the acts of management; **E. erteilen** 1. to (grant a) discharge, to ratify/approve the acts of management; 2. to give relief; **E. verlangen** *(Treuhänder)* to demand a release; **E. verweigern** to withhold release

endgültige Entlastung full discharge; **steuerliche E.** tax relief; **vollkommene E.** absolute discharge

Entlastungs|- standby; **E.antrag** *m* § petition of discharge; **E.anzeige** *f* credit note; **E.auftrag** *m* relief order; **E.bericht** *m (Konkurs)* record of release; **E.beschluss** *m (HV)* vote of approval; **E.beweis** *m* exculpatory/exonerating evidence; **E.effekt** *m* relief; **E.erteilung** *f (Vorstand)* discharge, (vote of) approval, ratification, grant of release; **E.funktion** *f* relief function; **E.gebiet** *nt (Siedlung)* overspill area; **E.grund** *m* § relief; **E.klausel** *f* 1. exculpatory clause; 2. relieving clause; **E.material** *nt (Gericht)* evidence for the defence; **E.straße** *f* relief road, bypass; **E.verweigerung** *f* disallowance; **E.zeuge/E.zeugin** *m/f* witness for the defence, defence witness; **E.zeugnis** *nt* certificate of discharge; **E.zug** *m* relief train

entlaub|en *v/t* to defoliate; **E.ung** *f* defoliation; **E.ungsmittel** *nt* defoliant

ent|ledigen *v/refl* to get rid of, to rid o.s. of; **e.leeren** *v/t* to empty/drain; **E.leerung** *f* depletion

entlegen *adj* remote, outlying, out of the way; **E.heit** *f* remoteness

entlehn|en *v/t* to borrow; **E.ungsfreiheit** *f (Zitat)* liberty of quotation

Entleih|en *nt* borrowing; **e.en** *v/t* to borrow; **E.er** *m* borrower

entliberalisier|en *v/t* to deliberalize; **E.ung** *f* deliberalization

entlohnen *v/t* to pay (off), to reward/remunerate/compensate; **schlecht e.** to underpay

Entlohnung *f* 1. remuneration, payment, compensation; 2. reward; **gegen E.** for a consideration; **E. auf Leistungsgrundlage** payment by results; **E. in Sachwerten** payment in kind; **E. nach Tarif** payment in line with the collective pay agreement; ~ **Vorgabezeiten** standard time system; **feste E.** fixed payment; **gleiche E.** equal pay; **leistungsbezogene E.** incentive pay/wage; **schlechte E.** poor pay

Entlohnungs|bestandteil *m* pay component/item; **betriebliche E.politik** industrial wage policy; **E.verfahren** *nt* payments system

Entlöhnung *f* pay

entlüft|en *v/t* to ventilate/air; **E.er** *m* ventilator; **E.ung** *f* ventilation, airing; **E.ungsanlage** *f* ventilation system

entmacht|en *v/t* to deprive of power; **e.et werden** to fall from power; **E.ung** *f* deprivation of power

entmann|en *v/t* 1. to emasculate; 2. to castrate; **E.ung** *f* 1. emasculation; 2. castration

entmiet|en *v/t* to clear/evict of tenants; **E.ung** *f* clearance

entmilitarisier|en *v/t* to demilitarize; **E.ung** *f* demilitarization

Entmobilisierung *f* demobilization

entmonetisier|en *v/t* to demonetize; **E.ung** *f* demonetization

entmotten *v/t* to recommission/demothball

entmündig|en *v/t* 1. to disqualify/incapacitate/disable, to declare (so.) legally incapable, to place under guardianship; 2. *(Geisteskranker)* to certify; **e.t** *adj* 1. incapacitated; 2. under restraint; 3. certified; **E.te(r)** *f/m* 1. person deprived of legal capacity; 2. certified person

Entmündigung *f* incapacitation, disqualification, deprivation of legal capacity; **E.santrag** *m* petition for mental incompetency, lunacy petition; **E.sbeschluss** *m* order of guardianship; **E.sverfahren** *nt* inquest of lunacy, proceedings to certify so. legally/mentally incapable

entmutig|en *v/t* to discourage/daunt; **jdn. e.en** to destroy so.'s morale; **E.ung** *f* demoralization, discouragement

entmystifizier|en *v/t* to demystify; **E.ung** *f* demystification

Entnahme *f* 1. withdrawal, drawing; 2. abstraction, removal; 3. *(Probe)* sampling; 4. *(Kapital)* distribution; 5. ↯ use; 6. *(Geld)* draw-down; **bei E.** on taking; **E. der Gesellschafter** drawing by the partners; **E. von Proben** taking samples, sampling; **E. aus den Rücklagen** transfer from reserves, charge to reserves; **E. von Stichproben** random sampling; **durch ~ Mustern prüfen** to sample; **widerrechtliche E.** § abstraction

entnahme|fähig *adj* withdrawable; **E.konto** *nt* drawing account; **E.maximierung** *f* maximization of withdrawals; **E.schein** *m* stock requisition (sheet)

entnehmen *v/t* 1. to gather/see; 2. *(Geld)* to withdraw, to draw down; 3. to draw from, to take out; 4. to tap; 5. *(Buch)* to quote; **einer Sache e.** to glean from sth.

Entnehmer *m* drawer, user, taker

entnommen *adj* 1. withdrawn; 2. *(Zitat)* quoted; **nicht e.** *(Gewinn)* unwithdrawn, retained, undistributed

entpflicht|en *v/t* 1. to discharge/release; 2. to retire; **E.ung** *f* 1. discharge, release, dispensation; 2. retiral

ent|politisieren *v/t* to depoliticize; **e.puppen** *v/refl* 1. to reveal o.s.; 2. to turn out; **etw. e.raten müssen** *v/i* to have to forego sth.; **e.rätseln** *v/t* to unravel

entrecht|en *v/t* to deprive of a right; **E.ung** *f* deprivation of (fundamental) rights

entreißen (von) *v/t* to wrest/snatch (from)

Entre|pot *nt [frz.]* ⊖ bonded store/warehouse; **E.sol** *nt [frz.]* mezzanine

entricht|en *v/t* to pay/discharge; **E.ung** *f* payment, discharge; **~ von Schulden** discharge of debts

Entropie *f* entropy, average information content

entrümpel|n *v/t* to clear out; **E.ung** *f* clearance (of rubbish)

entrüst|en *v/refl* to be outraged; **e.et** *adj* indignant; **E.ung** *f* indignation; **öffentliche E.ung** public anger

ent|sagen *v/i* to forswear/renounce; **e.salzen** *v/t* to desalinate, to desalt

Entsalzung *f* desalination; **E.sanlage** *f* desalination plant

Entsatz *m* relief, rescue

entschädigen *v/t* 1. to compensate/indemnify/recompense/remunerate; 2. to reimburse/repay/recoup; 3. t repair/restitute a damage, to reimburse (so.) for a damage, to pay an indemnity

entschädigend *adj* indemnificatory, compensatory **E.e(r); Entschädiger(in)** *m/f* indemnitor

Entschädigte(r) *f/m* indemnitee

Entschädigung *f* 1. indemnification, indemnity, compensation, recompense, reimbursement, recoupment, redress, recourse, restitution, reparation, damages; remuneration, return, reward, consideration; **E. für entgangene Einnahmen** indemnity for loss of income; **E. in Geld** pecuniary compensation/reparation; **E. für entgangenen Gewinn** consequential damages; **~ im materiellen Schaden** solace; **als E.** as/in compensation, by way of compensation; **E. in bar** compensation in cash

Entschädigung beanspruchen to claim damages/compensation; **gegen E. beilegen** to compound; **E. festsetzen** to fix damages; **E. fordern/verlangen** to claim damages, to seek redress; **E. gewähren/zahlen** to pay damages/compensation; **E. zuerkennen** § to award compensation, to order reparation

angemessene Entschädigung fair damages, (fair and reasonable/appropriate compensation; **besondere E.** additional damages; **billige E.** equitable remedy/redress, appropriate damages, fair compensation; **dürftige E.** scanty compensation; **erzielbare E.** recoverable sum; **finanzielle E.** pecuniary damages/compensation/reparation; **freiwillige E.** ex gratia *(lat.)* payment; **nominelle E.** token indemnity; **staatliche E.** governmental indemnification; **vertraglich vereinbarte E.** contractually agreed compensation, liquidated damages; **volle E.** full compensation

Entschädigungs|abkommen *nt* indemnification agreement; **E.aktion** *f* compensation arrangement; **E.anspruch** *m* indemnity/compensation claim, claim for damages/compensation, right to indemnification; **E.antrag** *m* action for damages; **E.ausgleich** *m* compensating adjustment; **e.berechtigt** *adj* entitled to damages/compensation; **E.berechtigte(r)/E.empfänger(in)** *f/m* indemnitee; **E.beschluss** *m* § compensation order; **E.bestimmungen** *pl* compensation provisions; **E.betrag** *m* indemnity, amount of consideration; **e.fähig** *adj* § redressible; **E.festsetzung** *f* assessment of damages; **E.fonds** *m* indemnity/relief/compensation fund; **E.forderung** *f* indemnity claim; **E.gewinn** *m* indemnity benefits; **E.grenze** *f* limit of indemnity; **E.kammer** *f* indemnification panel/tribunal; **E.kasse** *f* indemnity fund; **E.klage** *f* action for damages; **E.leistender** *m* indemnitor; **E.leistung** compensatory payment, indemnification, compensation, adjustment; **freiwillige E.leistung** ex gratia *(lat* payment; **e.los** *adj* without compensation; **E.maß** measure of indemnity; **E.nehmer(in)** *m/f* indemnitee

Entschädigungspflicht *f* liability for damages, ~ to effect compensation, duty to compensate; **e.ig** *adj* liable to pay damages, ~ render compensation; **E.ige(r)** *f/m* party liable to pay compensation

ntschädigungs|recht *nt* right to compensation; **E.rente** *f* compensatory pension; **E.schuld** *f* indemnification debt; **E.schuldverschreibung** *f* indemnification bond; **E.stelle für Opfer von Gewaltverbrechen** *f* Criminal Injuries Compensation Board *[GB]*; **E.summe** *f* indemnity, award, damages, amount of compensation; ~ **bestimmen** to assess damages; **E.vereinbarung** *f* agreement for compensation; **E.verfahren** *nt* compensation proceedings; **E.vertrag** *m* indemnity contract; **E.vorteil** *m* indemnity benefits; **E.zahlung** *f* compensatory/compensation payment; **E.zeitraum** *m* compensation period

ntschärf|en *v/t* 1. to defuse/mitigate/ease; 2. *(Konflikt)* to deescalate, to take the heat/sting out of sth.; **E.ung** *f* deescalation

ntscheid *m* decision, answer, decree; **gerichtlicher E.** legal decision; **schiedsgerichtlicher E.** (arbitration) award, arbitrament

ntscheiden *v/t* 1. to decide/determine/arbitrate; 2. § to rule/adjudicate/hold, to (pass a) decree; *v/refl* to make up one's mind, to decide, to elect (to do sth.); **sich e., etw. zu tun** to elect to do sth.; ~ **für** to opt/settle for, to pitch on/upon, to plump for, to embrace; **sich gegen etw. e.** to decide against sth., to opt out of sth.; **zu Gunsten jds e.** § to find for so.

ndgültig entscheiden to settle (once and for all); **gerichtlich e.** to adjudicate (upon); **rechtsfehlerhaft e.** to err in law; **richterlich e.** to hear and determine a case; **schiedsrichterlich e.** to arbitrate; **vorab e.** to give a preliminary ruling

ntscheidend *adj* 1. decisive, final, determining, governing, dramatic; 2. prime, paramount, chief; 3. make or break, crucial, critical, vital

ntscheider *m* decider, decision-maker

ntscheidung *f* 1. decision, determination; 2. § ruling, adjudication, judgment

ntscheidung nach Lage der Akten decision as the case lies; **E. über die Kosten** decision on cost(s); ~ **Produktpalette** product portfolio decision; **E. bei Risiko und Unsicherheit** decision under risk and uncertainty; **E. am grünen Tisch** armchair decision; **E.en der Unternehmensleitung** administrative action; **E. in mündlicher Verhandlung** hearing a case in open court; **E. ohne mündliche Verhandlung** decision on the basis of the records

is zur Entscheidung; **solange eine E. aussteht** pending a decision; **zur E. anstehend** on the table *(fig)*, at issue; **E. für/gegen etw.** thumbs up/down for sth. *(coll)*; **rechtlich (un)erheblich für die E.** (ir)relevant to the issue

ntscheidung abändern to revise a decision; **sich mit einer E. abfinden** to submit to a decision; **E. anfechten** to contest a decision, to appeal against a decision; **E. anführen** to cite a ruling; **E. angreifen** to dispute a decision; **E. aufheben** § to overrule/reverse/quash/overturn/set aside/disaffirm a decision; **E. in der Berufungsinstanz aufheben** to quash a sentence on appeal; **E. aufschieben** to shelve a decision; **E. aussetzen** to adjourn a decision; **E. bestätigen** § to uphold a decision; **E. in der Berufungsinstanz bestätigen** to uphold a decision on appeal; **E. billigen** to endorse a decision; **auf eine E. drängen** to press for a decision; **E. erlassen** § to give a ruling, to render judgment; **E. erzwingen** to force an issue, to bring matters to a head; **E. fällen** 1. to make a decision; 2. § to render judgment; **durch E. feststellen** § to record by decision; **sich einer E. fügen** to accept a decision; **an E.en gebunden sein** § to be bound by precedents; **zu einer E. gelangen/kommen** to arrive at/reach a decision; **sich an eine E. halten** to abide by a decision; **E. herbeiführen** to bring about a decision; **E. in etw. herbeiführen** to bring sth. to an issue; **E. mit Gewalt herbeiführen** to force a decision; **E. rückgängig machen** to reverse a decision, to cancel an election/decision; **E. nachprüfen** § to review a decision; **E. realisieren** to implement a decision; **zur E. stellen** to submit for (a) decision; **E. treffen** 1. to make a decision; 2. § to rule; **E. umstoßen** § to reverse/quash/overrule a decision; **E. verschieben** to put off a decision; **E. mit Gründen versehen** to state the reasons for a decision; **E. vertagen** to postpone a decision, to take a rain check; **E. verzögern** to take a rain check *(fig)*; **sich die E. vorbehalten** to reserve one's decision; **zur E. vorlegen** to submit for decision, to refer a decision upwards; **E. widerrufen** to cancel an election/decision; **E. zurückstellen** to reserve one's decision, to hold a decision over; **zur weiteren E. zurückverweisen** § to remit (the case) for further prosecution; **durch gerichtliche E. zusprechen** to adjudicate/adjudge

ablehnende Entscheidung decision of refusal; **abschließende E.** final decision; **abweisende E.** judgment of dismissal; **angefochtene E.** decision appealed; **anstehende E.** cause at issue; **bedeutsame E.** key decision; **beschwerdefähige E.** decision subject to appeal; **bindende E.** 1. binding decision; 2. § precedent; **echte E.** genuine decision; **einmalige E.** one-shot decision; **einschlägige E.** § precedent; **einstimmige E.** unanimous decision; **rechtlich einwandfreie E.** decision without error; **endgültige E.** final verdict/decision; **vorbehaltlich einer endgültigen E.** subject to final decision; **erstinstanzliche E.** first instance decision, decision of the lower court; **finanzwirtschaftliche E.** financial decision; **freie E.** option; **frühere E.** previous decision; **gerichtliche E.** court ruling/finding/verdict/decision, adjudication, legal/judicial decision, ruling of the court; **geschäftspolitische E.** business decision; **gleichlautende E.** concurrent decision; **grundlegende E.** substantive decision; **grundsätzliche E.** leading decision; **höchstrichterliche E.** supreme court decision, decision of the highest court; **maßgebliche E.** ruling case; **mehrstufige E.** multiphase decision; **objektive E.** disinterested/objective decision; **rechtsfehlerhafte E.** misdirection; **rechtskräftige E.** non-appealable/final decision; **richterliche E.** adjudication, court finding(s), judgment, judicial/court decision; **sachliche E.** objective decision; **schiedsgerichtliche/-richterliche E.** arbitration award, arbitrage, arbitrament; ~ **einholen** to go to arbitration; **schriftliche E.** [§] decision in chambers; **unanfechtbare E.** absolute rule; **unpopuläre E.** unpopular decision; **unternehmerische E.** management decision; **unwiderrufliche E.** irrevocable decision; **verbindliche E.** binding decision; **mit Gründen versehene E.** reasoned decision; **nicht veröffentlichte E.** unreported decision; **vollstreckbare E.** enforceable decision; **vorläufige E.** 1. interlocutory decree, summary procedure; 2. [§] interim award

Entscheidungs|ablauf *m* decision-making process; **E.analyse** *f* decision analysis; **E.autonomie** *f* autonomy of decision-making; **E.baum** *m* decision/logical tree; **E.baumverfahren** *nt* decision-tree method; **E.bedarf** *m* need for a decision; **E.befugnis** *f* jurisdiction, decision-making power(s), competence, power(s) of decision, power to take decisions, power/authority to decide, authority to adjudicate; **E.begründung** *f* legal findings of the court; **E.bereitschaft** *f* decisiveness, willingness to take decisions; **E.bildung** *f* decision-making; **E.blockierung** *f* deadlock in the decision-making process; **E.daten** *pl* decision data; **E.delegation** *f* delegation of decision-making; **E.dezentralisation** *f* decentralization of decisions, delegation of authority; **E.ebene** *f* decision-making level; **E.einheit** *f* decision(-making) unit; **E.ereignis** *nt* decision box; **e.erheblich** *adj* relevant to the issue; **E.erheblichkeit** *f* relevancy to the issues of the case; **E.fähigkeit** *f* judgment; **E.fehler** *m* error of decision; **E.feld** *nt* decision area; **E.findung** *f* decision-making, decision-taking; **E.findungssystem** *nt* decision support system; **E.forschung** *f* decision-making research; **E.freiheit** *f* 1. discretion, discretionary powers; 2. freedom of decision-making; **e.freudig** *adj* decisive, ready to make/take decisions; **E.freudigkeit** *f* readiness to make/take decisions; **E.funktion** *f* decision function; **gemischte E.funktion** randomized decision function; **E.gehalt** *m* decision content; **E.gewalt** *f* power of decision, jurisdiction, competence; **E.gremium** *nt* decision-making body; **obere E.grenze** ▦ upper control limit; **E.grund** *m* 1. reason for the decision; 2. [§] ratio decidendi *(lat.)*; **E.grundlage** *f* basis for the decision; **E.hierarchie** *f* hierarchy of authority, decision-making hierarchy; **E.hilfe** *f* decision support/aid; **E.horizont** *m* time span of decision; **E.instanz** *f* 1. decision-making body, authority, decision-maker(s); 2. *(Sozialhilfe)* adjudication officer; **E.kampf** *m* showdown; **E.knoten** *m* decision box; **E.kompetenz in Finanzangelegenheiten** *f* financial authorization; **E.kriterien** *pl* 1. criteria of decision; 2. deciding factors; **E.lehre** *f* decision theory; **E.logik** *f* decision logic; **E.matrix** *f* decision matrix; **E.mechanismus** *m* chain of decisions; **E.merkmal** *nt* criterion

Entscheidungsmodell *m* decision model; **E. mit mehreren Zielfunktionen** multi-objective decision model; **geschlossenes E.** closed decision model; **offenes E.** open decision model

allgemeines Entscheidungs|netzwerk generalized activity network; **E.paket** *nt* decision package; **E.parameter** *m* decision parameter; **E.pflicht** *f* obligation to render a decision; **E.phase** *f* phase of decision making process; **E.problem** *nt* decision problem; **E.programm** *nt* decision program; **E.prozess** *nt* decision-making process; ~ **an der Front** process of operational decision-making; **E.raum** *m* ▦ decision space; **E.rechnung** *f* functional accounting; **E.regel** *f* decision rule; **e.reif** *adj* ripe for decision/judgment; **E.sammlung** *f* [§] case book, law reports; **E.schnittstelle** *f* decision interface; **e.schwach** *adj* indecisive; **E.schwäche** *f* weakness in decision-making, indecision; **E.sequenz** *f* interlocked sequence of decision steps; **programmiertes E.spiel** action maze; **E.spielraum** *m* scope, discretion, freedom of choice, room for manoeuvre; **E.stelle** *f* decision-making body; **E.struktur** *f* decision-making structure; **E.stufe** *f* level of decision-making; **E.subjekt** *nt* decision unit; **E.tabelle** *f* decision table; **E.technologie** *f* decision technology; **E.theorie** *f* decision theory; **analysierende E.theorie** decision analysis

Entscheidungsträger *m* decision-maker, decider, decision-making body, decision(-taking) unit; **personaler E.** decision-maker; **politischer E.** policy maker

Entscheidungs|umsetzung *f* decision implementation; **E.unterstützungssystem** *nt* decision support system; **E.variable** *f* decision variable; **E.verfahren** *nt* decision-making process, decision rule; **E.verhalten** *nt* decision-making behaviour; **E.verlauf** *m* decision-making process; **E.verzögerung** *f* decision/action lag; **E.vollzug** *m* implementation of decisions; **E.vorbereitung** *f* preparation of a decision; **E.weg** *m* chain of communication, line of decision; **E.zeitpunkt** *m* time of decision-making; **E.zeitraum** *m* period for decision-making; **E.zentrum** *m* decision-making centre, locus of decision-making

entschieden *adj* 1. decided, definite; 2. distinct; 3. determined, resolute; **längst e.** cut and dried; **noch nicht e.** [§] sub judice *(lat.)*; ~ **höchstrichterlich e.** without precedent; **E.heit** *f* resolution, resoluteness, determination

ent|schlacken *v/t* ✿ to decarbonize; **e.schließen** *v/refl* to decide/resolve, to make up one's mind

Entschließung *f* resolution, motion; **E. ablehnen** to reject a resolution; **E. annehmen** to pass/adopt/carry a resolution; **E. einbringen** to move/propose a resolution; **einstimmige E.** unanimous resolution; **gemeinsame E.** joint resolution

Entschließungs|antrag *m* motion (for resolution); **E.entwurf** *m* draft resolution

entschlossen *adj* determined, resolute, resolved, single-minded; **fest e.** resolved; **kurz e.** on the spur of the moment *(coll)*; **schnell e.** ready; **E.heit** *f* determination, resolution, resolve

Entschluss *m* decision, resolution, counsel, determination; **bei seinem E. bleiben** to abide by one's decision; **E. fassen; zu einem E. kommen** to reach a decision, to make up one's mind, to arrive at a decision, to come to a decision; **E. vertagen** to postpone a decision; **blitzschneller E.** split-second decision; **aus eigenem E.** on one's own initiative; **fester E.** firm resolution; **aus freiem E.** voluntarily

Entschlüssel|er *m* decoder; **e.n** *v/t* to decipher/decode/unscramble; **E.ung** *f* decoding, deciphering

Entschluss|freudig *adj* decisive; **E.kraft** *f* initiative, determination

Entschuldbar *adj* excusable, pardonable; **E.keit** *f* excusability

Entschuld|en *v/t* to reduce indebtedness, to clear the debts, to free of debts, to disencumber; **e.et** *adj* free from encumbrances

Entschuldig|en *v/t* to excuse/pardon/condone; *v/refl* to apologize, to excuse o.s., to offer an excuse, ~ one's apologies; **sich bei jdm ~ für** to make an apology to so. for; **e.t** *adj* excused

Entschuldigung *f* excuse, apology; **als E.** by way of excuse/apology; **wir bitten um E.** please accept our apologies; **um E. bitten** to apologize; **E. vorbringen** to offer an excuse; **ausreichende E.** reasonable excuse; **fadenscheinige E.** flimsy/paltry excuse; **unzureichende E.** lame excuse

Entschuldigungs|brief *m* letter of apology; **E.grund** *m* excuse

Entschuldung *f* reduction of indebtedness, debt relief/clearance, disencumbrance, disencumberment; **E.sbereitschaft** *f* willingness to reduce the debt burden

Entschwefel|n *v/t* to desulphurize; **E.ung** *f* desulphurization (DeSox); **E.ungsanlage** *f* desulphurization plant (DeSox plant)

Entsend|eland *nt* sending country; **e.en** *v/t* to send/delegate/nominate; **E.ung** *f* sending, delegation, deputation, nomination

Entsetzen *nt* horror; **e.** *v/t* 1. to horrify/appal; 2. § to dispossess/evict/oust

Entsetzung *f* 1. relief, rescue; 2. § ouster, dispossession; 3. *(Amt)* dismissal, removal; 4. amotion

Entseuch|en *v/t* to decontaminate/disinfect; **E.ung** *f* decontamination, disinfection; **E.ungsmittel** *nt* decontaminant

Entsiegeln *v/t* to unseal, to break the seal; **E.ung** *f* unsealing, taking off the seal

Entsorgbarkeit *f* disposability

Entsorgen *v/t* to cleanse, to dispose of waste/sewage

Entsorgung *f* waste disposal/management, refuse disposal, decontamination; **E. von Verpackungsmüll** packaging waste management; **ordnungsgemäße E.** legal disposal; **umweltverträgliche E.** environmentally compatible disposal; **unsachgemäße E.** irregular disposal

Entsorgungs|abgabe *f* waste disposal charge/levy; **E.anlage** *f* waste disposal unit; **E.aufgabe** *f* disposal function, responsibility to dispose; **E.beauftragter** *m* waste management officer; **E.betrieb** *m* disposal company/firm, waste disposal facility/plant; **E.firma** *f* waste management company; **E.fläche/E.park** *f/m* waste disposal site; **E.gebühren** *pl* (waste) disposal charges; **E.infrastruktur** *f* waste disposal infrastructure; **E.kapazität** *f* disposal capacity; **E.logistik** *f* disposal logistics; **E.nachweis** *m* proof of disposal; **E.pflicht** *f* disposal requirement; **E.technik** *f* waste disposal technology; **E.unternehmen** *nt* disposal company/operation/business/firm; **E.vertrag** *m* disposal agreement/contract; **E.wirtschaft** *f* 1. disposal management; 2. (waste) disposal industry/management

entspannen *v/t* to relax/slacken/ease; *v/refl* to relax, to ease off

Entspannung *f* 1. relaxation, alleviation of tension, letup, easing; 2. recreation; **E. des Geldmarkts** monetary relaxation; **E.spolitik** *f* policy of detente *[frz.]*

entspar|en *v/t* to dissave; **geplantes E.en** planned/intended dissaving; **E.ung** *f* dissaving, negative saving

entsperren *v/t* to deblock/unblock

entsprechen *v/i* 1. to conform with/to, to correspond with/to, to match/equal/meet/answer/fulfil, to be equal to (sth.); 2. *(Anordung)* to comply with; *v/refl* to be on a par with; **in etwa e.** to approximate; **genau e.** to match; **einer Sache nicht e.** to fall short of sth.; **das entspricht; was ... entspricht** equivalent to

entsprechend *adj/prep* 1. corresponding (to), equivalent (to), similar (to), proportionate (to); 2. suitable (to), appropriate (to); 3. due, in conformance/compliance (with), conformable (to), concordant (with); 4. relative (to), parallel (to), commensurate (with), like-for-like; *adv* accordingly, to this effect

Entsprechung *f* equivalent, counterpart, corollary

ent|springen *v/i* to spring from; **e.staatlichen** *v/t* to privatize/denationalize; **E.staatlichung** *f* privatization, denationalization; **e.stammen** *v/i* to descend/come/issue from

entstanden *adj* 1. *(Kosten)* incurred; 2. *(Zinsen)* accrued; **nebenher e.** incidental

entstauben *v/t* to effect dust collection/removal, to extract dust

Entstaubung *f* dust extraction/removal/collection; **E.sanlage** *f* dust extraction plant

Entstehen *nt* ➔ **Entstehung**; **im E.** in the making; **E. von Forderungen und Verbindlichkeiten** accrual; **noch im E. sein** to be (still) in the making/egg *(fig)*

entstehen *v/i* to arise/emerge/accrue/start/form, to build up, to come into existence/being, to originate (in); **e.d** *adj* incoming, accruing

Entstehung *f* 1. emergence; 2. origin, build-up, formation; 3. *(Zinsen)* accrual; 4. *(Gesellschaft)* birth; **in der E.** in the making/egg *(fig)*; **E. des Klageanspruchs** accrual of an actionable claim; **~ Sozialprodukts** formation of the national product; **E. der Zollschuld** creation of the customs debt; **zur E. gelangen** to accrue

Entstehungs|datum *nt* date of origin; **E.gebühren** *pl* creation charges; **E.rechnung** *f* commodity service method, output method/measure, production approach; **E.seite** *f* output side; **auf der E.seite** by operation; **E.termin einer Steuerschuld** *m* lien date

entstell|en *v/t* 1. to disfigure/deface/distort/deform; 2. to pervert; **e.t** *adj* distortionate, distorted

Entstellung *f* 1. distortion, misrepresentation, disfigurement, deformation; 2. *(Text)* corruption; **E. von Tatsachen** misrepresentation, distortion of the facts; **E. der Wahrheit** perversion of the truth

entsticken *v/t* to DeNox/denitrify

Entstickung *f* nitrogen oxide reduction (DeNox), denitrification; **E.sanlage** *f* nitrogen oxide reduction plant, DeNox plant

entstör|en *v/t* *(Radio)* to (spark-)suppress; **E.ungsdienst** *m* fault-clearing service; **E.ungsstelle** *f* ✆ telephone maintenance service

enttäusch|en *v/t* to disappoint/frustrate, to let (so.) down; **E.ung** *f* disappointment, frustration, rebound, let-down

enttrümmer|n *v/t* to clear the debris/rubble; **E.ung** *f* rubble clearance

entvölker|n *v/t* to depopulate; **E.ung** *f* depopulation

entwaffn|en *v/t* to disarm; **E.nung** *f* disarmament

entwald|en *v/t* to disafforest/deforest; **E.ung** *f* disafforestation, disafforestment, deforestation

entwarn|en *v/i* ✈ to sound the all-clear; **E.ung** *f* all-clear, raiders past signal; ~ **geben** to give/sound the all-clear

entwässer|n *v/t* 1. to drain; 2. ⚗ to dehydrate; **E.ung** *f* 1. drainage, draining; 2. ⚗ dehydration; **E.ungsanlage** *f* drainage system

Ent|weder-Oder *nt* take-it-or-leave-it *(coll)*; **e.weichen** *v/i* 1. *(Gas/Flüssigkeit)* to escape/leak; 2. *(Person)* to abscond

entwend|en *v/t* 1. [§] to misappropriate/abstract/purloin/steal; 2. *(unterschlagen)* to embezzle, to take away unlawfully; **E.ung** *f* misappropriation, abstraction, theft, stealing, petty larceny, embezzlement

Entwerfen *nt* design, drafting; **computergestütztes E.** computer-aided design (CAD); **e.** *v/t* 1. to design/draft/project/chart; 2. to devise/outline/delineate/scheme/style/contrive; 3. 🏛 to plant; 4. to draw up, to map out; **flüchtig e.** to sketch; **neu e.** to redraft

Entwerfer *m* designer

entwert|en *v/t* 1. *(Währung)* to devalue/depreciate/devaluate/devalorize/down-value; 2. *(Stempel)* to cancel/invalidate/deface; **E.er** *m (Fahrkarte)* cancelling machine

Entwertung *f* 1. *(Währung)* depreciation, demonetization; 2. devaluation, down-valuation, devalorization; 3. decline in economic usefulness, reduction in value; 4. invalidation, cancellation, withdrawal; 5. *(Geld)* inflation; **E. durch technischen Fortschritt** obsolescence; **tatsächliche E.** physical depreciation; **technische E.** physical depreciation of assets; **wirtschaftliche E.** non-physical depreciation (of assets)

Entwertungs|faktor *m* factor of depreciation, cause of expiration of fixed asset cost; **E.klausel** *f* depreciation clause; **E.rücklage** *f* allowance/provision for depreciation; **E.satz** *m* depreciation rate; **E.stempel/E.stempler** *m* cancellation stamp, canceller, defacer; **E.zeichen** *nt* cancellation mark

entwickeln *v/t* 1. to develop/devise/promote/contrive; 2. *(Gedanken)* to elaborate, to come up (with sth.); *v/refl* to develop/perform/evolve/grow/expand/germinate, to shape up

sich achtbar entwickeln to perform creditably; **sich gut e.** to perform/shape well; **sich überdurchschnittlich e.** to outperform (the market); **sich lawinenartig e.** to snowball; **neu e.** to redevelop; **sich rückläufig e.** to regress; **sich schlechter e. als (der Markt); sich un|terdurchschnittlich e.** to underperform (the market|; **sich schnell e.** to boom/sprout; **sich uneinheitlich e** *(Börse)* to be mixed; **sich zufriedenstellend e.** to b| shaping (up) well

entwickelt *adj* developed; **gut e.** well-developed; **hoc| e.** sophisticated; **voll e.** full(y)-fledged

Entwickler *m* developer

Entwicklung *f* 1. development, trend, movement, de| sign, tendency; 2. performance, growth, working ou| 3. evolution, history, germination

Entwicklung von Arbeitsplätzen job development; **E| der Ausfuhr** export trend; ~ **Beschäftigungslage** em| ployment trend/development; **E. von Erzeugnisse|** product engineering; **E. des Führungskräftepotenzi| als** management development; **E. eines Gewerbege| biets** commercial development; **E. des Jahresergeb| nisses** profit trend; **E. von Neugründungen** new com| pany development; **E. der Personalfluktuation** sta| turnover trend; **E. eines Produkts von der Angebots| seite** supply push; **E. der Wechselkurse** exchange rat| development; ~ **Wirtschaft** economic developmen| **E. über einen längeren Zeitraum** *(Markt)* majc| swing

in der Entwicklung befindlich/begriffen developing| under development; **E. mitgestalten** to be at the lead| ing edge (of); **E. umkehren** to turn the tide

abgestimmte Entwicklung coordinated developmen| **berufliche E.** career development/progression/path| **betriebliche E.** development of an enterprise; **binnen| wirtschaftliche E.** domestic trend, trends in the domes| tic economy; **defizitäre E.** loss-making tendency, defi| cit trend; **enttäuschende E.** poor business record; **ex| pansive E.** expansive trend; **gesamtwirtschaftliche E|** macroeconomic/overall economic development, ag| gregate demand; **geschäftliche E.** business develop| ment; **günstige E.** favourable trend; **industrielle E.** in| dustrial development; **institutionelle E.** change in func| tions; **kassenmäßige E.** movement in cash position| **konjunkturelle E.** cyclical/economic trend, cyclica| development, course of the economy, development o| the trade cycle/economy, ~ business activity; **negativ| E.** poor business record; **regionale E.** regional de| velopment; **reibungslose E.** stable development; **re| zessive/rückläufige E.** 1. downward trend/movemen| recession; 2. *(Börse)* trading deterioration; **soziale E|** social evolution; **städtebauliche E.** urban develop| ment; **technische E.** technological development| **volkswirtschaftliche E.** economic development/pro| cess; **voraussichtliche E.** foreseeable developmen| **wesentliche/wichtige E.** material development; **wirt| schaftliche E.** economic/commercial developmen| course of the economy; **wirtschaftskonjunkturelle E|** development of business tendencies; **wochenweise E|** week-to-week movement; **zukünftige E.** futur| trend(s); **nachhaltig zukunftsverträgliche E.** sustain| able development; **zwischenzeitliche E.** interim de| velopment; **zyklische E.** cyclical movement

Entwicklungs|- developing, evolutionary; **E.ablauf** *m*

evolution; **E.abschnitt** *m* phase; **E.abteilung** *f* development/research department; **E.agentur** *f* development agency; **E.anleihe** *f* development loan; **E.anstrengung** *f* development efforts; **E.arbeit** *f* design/development work; **E.aufwand/E.aufwendungen** *m/pl* development expense(s)/cost(s), costs of development; **E.ausgaben** *pl* development expenditure; **E.ausschuss** *m* development committee; **E.bank** *f* development bank; **E.bericht** *m* progress report; **E.chance** *f* opportunity for development; **E.darlehen** *nt* development loan; **E.diagramm** *nt* progress chart; **E.dienst** *m* Voluntary Service Overseas (VSO) *[GB]*, Peace Corps *[US]*; **e.fähig** *adj* developable, promising, viable, susceptible of development; ~ **sein** to have development potential, to be worth following; **E.fähigkeit** *f* 1. viability, development potential, capacity for development; 2. *(Stelle)* prospects; **E.finanzierung** *f* development finance; **E.firma** *f* development company; **E.fonds** *m* development fund; **E.förderung** *f* development support/aid; **E.forschung** *f* development engineering; **E.führer** *m* leading developer; **E.gang** *m* career development/path; **E.gebiet** *nt* development/growth area; **E.gefahren** *pl* product development risks; **E.gefälle** *nt* culture lag; **E.geschichte** *f* life history; **E.gesellschaft** *f* development agency/corporation, (industrial/research and) development company; **E.gewinn(e)** *m/pl* development gains; **E.helfer(in)** *m/f* voluntary worker, aid official, development worker/volunteer, overseas(-aid) volunteer, Voluntary Service Overseas (VSO) *[GB]*/Peace Corps *[US]* worker

Entwicklungshilfe *f* development/foreign/overseas aid; **E. für die Landwirtschaft** farming development aid; **E. mit Lieferbindung; gebundene E.** tied aid, procurement tying

Entwicklungshilfe|anleihe *f* development aid loan; **E.bank** *f* development aid bank; **niedrig verzinsliches E.darlehen** *nt* soft aid; **E.etat/E.haushalt** *m* (foreign) aid budget; **E.komitee** *nt* Development Assistance Committee (DAC); **E.kredit** *m* aid/development loan; **E.kredite** *pl* development lending; **E.leistung** *f* development aid (payment); **E.politik** *f* development aid policy; **E.programm** *nt* development aid programme; ~ **der Vereinten Nationen** United Nations Development Program (UNDP); **E.zusage** *f* foreign aid commitment

Entwicklungs|ingenieur *m* development engineer; **e.intensiv** *adj* requiring much development; **E.jahre** *pl* formative years; **E.kapazität** *f* (product) development potential; **E.konsortium** *nt* development consortium; **E.kosten** *pl* development cost(s)/expenses/expenditure; ~ **abschreiben** to amortize development cost(s); **E.kredit** *m* development loan; **E.kosten** *f* development costs

Entwicklungsland *nt* developing country/nation/area, industrializing/less developed/underdeveloped country; **Entwicklungsländer mit geringem Pro-Kopf-Einkommen** less developed countries (LDC), middle-income countries; ~ **sehr geringem Pro-Kopf-Einkommen** least developed countries (LLDC), low-income countries

Entwicklungs|linie *f* trend; **e.mäßig** *adj* developmental

Entwicklungsmöglichkeit *f* growth/development potential, potentiality; **E.en** open-ended capability/capabilities; **berufliche/fachliche E.** opportunity for professional development

Entwicklungs|muster *nt* model; **E.niveau** *nt* development level; **E.pause** *f* stationary phase; **E.perspektive** *f* prospective trend; **E.plan** *m* development plan; **E.planung** *f* development planning; **E.politik** *f* development policy; **E.potenzial** *nt* development potential; **E.prognose** *f* development forecast; **(wirtschaftliches) E.programm** *nt* (economic) development programme; **E.projekt** *nt* development project; **E.rate** *f* pace of development; **E.reihe** *f* ▦ series; **E.richtung** *f* trend, line of development; **E.risiko** *nt* research and development risk; **E.ruine** *f* white elephant *(fig)*; **E.schema** *nt* pattern; **E.schub** *m* development surge/push; **E.schwerpunkt** *m* growth centre, core development area; **E.sprung** *m* jump ahead; **E.stadium** *nt* pilot/shell stage, stage of development; **im E.stadium** on the drawing board *(fig)*; **E.stand** *m* stage of development, development state; **hoher E.stand** sophistry; **E.störung** *f* disturbance in the development; **E.strategie** *f* development strategy; **E.tätigkeit** *f* development work; **E.tendenz** *f* trend, tendency; **E.unterlagen** *pl* development documents; **E.verlauf** *m* (economic) trend; **E.verlust** *m* development loss; **E.vorhaben** *nt* development project/scheme; **E.vorsprung** *m* developmental lead; **E.wagnis** *nt* research and development risk; **E.zeit** *f* *(Produkt)* lead time, gestation period; **E.zentrum** *nt* development/design centre; **E.ziel** *nt* development objective

entwidm|en *v/t* to privatize, to withdraw from public use; **E.ung** *f* withdrawal from public use, privatization

ent|winden *v/t* to wrest (from); **e.wirren** *v/t* to unscramble/unravel/disentangle/untangle/unwind; **speziell e.worfen** *adj* purpose-designed

entwürdig|en *v/t* to degrade/demean; **E.ung** *f* degradation

Entwurf *m* 1. draft, plan, design, scheme, study; 2. project; 3. projection, outline; 4. conception, proposal, consultation paper, blueprint, rough copy; 5. layout, skeleton, sketch

Entwurf eines Gesetzes bill; ~ **Handelsabkommens** proposed commercial agreement; **E. des Haushaltsplans** draft budget, budget estimates; **E. einer Übereinkunft** draft convention; **E. eines Vertrages** draft agreement

Entwurf anfertigen to make a draft; **im E. sein** to be in the planning stage, ~ on the drawing board *(fig)*

abgeänderter Entwurf amended draft; **endgültiger E.** final draft; **erster E.** rough/first draft; **neuer E.** new draft; **vorläufiger E.** provisional draft

Entwurfs|exemplar *nt* draft copy; **E.form** *f* draft form; **E.grafiker** *m* layouter; **E.phase/E.stadium** *f/nt (Projekt)* design activity, planning stage; **im E.stadium** on the drawing board *(fig)*; **E.schreiben** *nt* rough copy/draft, first draft; **E.text** *m* draft (text)

entwurzeln *v/t* to uproot

entzerr|en *v/t* 1. to disentangle, to straighten out; 2. *(zeitlich)* to stagger; **E.ung** *f* 1. straightening out, correcting the distortion; 2. staggering

entziehen *v/t* 1. to withdraw/deprive/divest/detract, to take away; 2. *(Besitz)* to dispossess; 3. ⚗ to extract; *v/refl* to evade/avoid/abscond/escape/elude

Entziehung *f* withdrawal, deprivation, revocation, divestment

Entziehung des Besitzes dispossession; **E. der bürgerlichen Ehrenrechte** forfeiture/suspension/deprivation of civic rights; ~ **Fahrerlaubnis** disqualification from driving, suspension of driver's license *[US]*, forfeiture of the driving licence *[GB]*; ~ **elterlichen Gewalt** withdrawal of parental control; **E. des Immobiliarbesitzes** § ejectment; **E. einer Konzession/Lizenz** withdrawal of a licence; **E. der Staatsangehörigkeit** expatriation; **E. des Wahlrechts** dis(en)franchisement

Entziehungs|kur *f* detoxication treatment; **E.recht** *nt* power of revocation

entzifferl|bar *adj* decipherable, decodable; **e.n** *v/t* to decipher/decode; **E.ung** *f* deciphering, decoding

Entzug *m* → **Entziehung** withdrawal, revocation, absorption, deprivation; **E. der Fahrerlaubnis; E. des Führerscheins** § disqualification from driving, driving ban; **E. des Immobilienbesitzes** § ouster; ~ **Rechts der Vermögensverwaltung** loss of the right to manage one's estate; ~ **Wahlrechts** dis(en)franchisement

Entzugs|effekte *pl* withdrawals, deprivation effects; **E.erscheinung** *f* ⚕ withdrawal symptom

entzündbar *adj* (in)flammable; **leicht e.** highly inflammable; **nicht e.** non-flammable; **E.keit** *f* (in)flammablility

entzünden *v/t* to light/ignite; *v/refl* 1. to ignite; 2. to catch fire; 3. ⚕ to become inflamed

entzündlich *adj* (in)flammable; **leicht e.** highly inflammable

entzündet *adj* ⚕ inflamed

Entzündung *f* 1. *(Feuer)* ignition; 2. ⚕ inflammation

entzweil|en *v/t* to split/divide; *v/refl* to fall out; **e.end** *adj* divisive; **E.ung** *f* (serious) rift, rupture

Enzyklopädie *f* encyclopaedia

Epi|demie *f* ⚕ epidemic; **E.lepsie** *f* ⚕ epilepsy

erarbeiten *v/t* to acquire (by labour), to work for; to work out, to evolve; **mühsam e.** to eke out

nicht erarbeitet *adj* unearned

Erarbeitung *f* working out, drawing up

meines Erachten|s (m. E.) in my opinion; **e. für** *v/t* to deem; **es für angemessen e.** to see fit

Erb|abfindung *f* settlement for an inheritance; **E.anfall** *m* inheritance, hereditary succession (tax); **E.anfallsteuer** *f* inheritance tax, estate duty

Erbanspruch *m* title/claim/right to an inheritance; **auf weitere Erbansprüche verzichten** to forisfamiliate; **bedingter E.** contingent remainder

Erbanteil *m* portion, share in an estate; **e.sberechtigt sein** *adj* to have an interest in an estate; **E.ssteuer** *f* legacy duty

Erb|antritt *m* succession to an estate, assumption of succession; **E.anwachs** *m* portion accruing to eac[h] heir; **E.anwärter(in)** *m/f* expectant/apparent heir, claim[]ant; **E.anwartschaft** *f* contingent estate/remainder, ex[]pectancy of inheritance

erbärmlich *adj* miserable, pitiable, lamentable

erbarmungslos *adj* 1. merciless, pitiless; 2. *(Entwick[]lung)* inexorable

erbau|en *v/t* to build/construct/fabricate/erect; **E.er** *m* builder, constructor

Erb|auseinandersetzung *f* dispute over an inheritance[;] division of the estate, partition of an inheritance[;] **E.auseinandersetzungsklage** *f* petition to distribut[e] an estate; **E.ausgleich** *m* settlement of rights of succes[]sion; **E.ausschlagung** *f* repudiation/relinquishment o[f] an inheritance, disclaimer; **E.ausschließung** *f* exclu[]sion from an inheritance

Erbbau|berechtigte(r) *f/m* leaseholder; **E.recht** *nt* 1 leasehold, building lease (in perpetuity), heritable build[]ing right, mixed estate *[US]*; 2. rental right; **E.rechts[]vertrag** *m* leasehold contract; **E.vertrag** *m* buildin[g] lease agreement; **E.zins** *m* ground rent; **E.zinsan[]spruch** *m* claim for ground rent

erbberechtigt *adj* entitled to an/the inheritance, ~ in[]herit; **e. sein** to have an interest in an estate; **E.e(r)** *f/m* (legal) heir, inheritor, successor; **nächster E.er** first hei[r]

Erb|berechtigung *f* right of inheritance, ~ to succeed heirship, right/claim to inheritance; **E.beschränkun[g] aufheben** *f* to cut off an entail; **E.besitz** *m* inheritance

Erbe *m* *(Person)* heir, (in)heritor, successor, legatee, re[]al representative; **ohne E.n** heirless; **E. mit Beschrän[]kung auf das Nachlassverzeichnis** beneficiary heir **E. auf Grund des Erbvertrages** conventional heir; **E durch Geburtsrecht** natural heir; **E. erster Ordnung** heir of the first degree; **E. in der Seitenlinie** heir col[]lateral

jdn als Erben anerkennen to own so. as heir; **E. nicht anerkennen** to disown an heir; **E. bestimmen** to desig[]nate an heir; **sich zum E. erklären** to declare o.s. heir **keine E. hinterlassen** to die without issue, to leave n[o] issue; **auf die E. übergehen** to devolve/pass to/upon one's heirs

alleiniger Erbe sole/universal heir, ~ successor; **au[f] das Nachlassvermächtnis beschränkter E.** benefi[]ciary heir; **testamentarisch bestimmter E.** heir testa[]mentary; **direkter E.** lineal heir, heir of the body **falscher E.** suppositious heir; **fiduziarischer E.** fi[]duciary heir; **gesetzlicher E.** heir-at-law, legal/right[]ful/statutory/mandatory heir; **leiblicher E.** bodily heir **letzter E.** last heir; **männlicher E.** male heir; **mut[]maßlicher E.** heir presumptive/apparent; **nächster E.** immediate heir; **pflichtteilbeteiligter E.** forced heir **rechtmäßiger E.** lawful/rightful/legal heir; **aus de[r] Seitenlinie stammender E.** collateral heir; **testamen[]tarischer E.** heir testamentary, devisee, testamentar[y] heir, heir entitled under a will; **vermeintlicher E.** hei[r] presumptive; **zukünftiger E.** heir apparent

Erbe *nt* *(Erbschaft)* inheritance, bequest, estate, herit[]age; **E. antreten** to succeed to/accept an inheritance; **E. ausschlagen** to disclaim/refuse an inheritance; **sein E.**

vergeuden to squander one's estate; **nationales E.** national heritage; **väterliches E.** patrimony
rb|eigen *adj* allodial; **E.einsetzung** *f* appointment of an heir
rben *v/t* to inherit/succeed; **zusammen e.** to inherit (con)jointly
:rben|aufgebot *nt* public notice to trace heirs; **E.eigenschaft** *f* heirship; **E.gemeinschaft** *f* community of heirs, joint heirs, privity of estate, estate in coparcenary/common; **ungeteilte E.gemeinschaft** estate in common; **E.haftung** *f* liability of an heir; **e.los** *adj* heirless; **E.losigkeit** *f* default of heirs, escheat, failure of issue; **E.mehrheit** *f* plurality of heirs
:rb|ersatzanspruch *m* substituted inheritance right; **E.erschleichung** *f* legacy-hunting
:rbeserbe *m* heir to an heir, reversioner
vie er|beten as requested; **e.betteln** *v/t* to beg; **e.beuten** *v/t* to capture/seize
rbfähig *adj* hereditable, inheritable, heritable; **E.keit** *f* hereditability, legal capacity/ability to inherit
:rbfall *m* succession, devolution/accrual of an inheritance; **im E.** in the case of inheritance
:rbfolge *f* 1. (heritable) succession, succession by inheritance, line of succession; 2. *(Grundeigentum)* entail; **E. an den Ältesten** primogeniture; **~ Jüngsten** ultimogeniture; **E. in gerader Linie** lineal succession; **~ der Seitenlinie** collateral inheritance; **E. aufheben** to dock the entail; **von der E. ausschließen** to bar from succession
;esetzliche Erbfolge legal/intestate succession, legal order of succession; **gewillkürte E.** testamentary succession; **legitime E.** legitimate succession; **mittelbare E.** mediate descent; **testamentarische E.** testamentary succession; **auf Grund testamentarischer oder gesetzlicher E.** by device or descent; **unbekannte E.** vacant succession; **vorweggenommene E.** advance settlement of rights of succession
:rbfolge|ordnung *f* order of succession, statute of descent; **E.recht** *nt* right of succession
:rbgang *m* devolution of inheritance; **im E.** by inheritance; **~ anfallen** to accrue by way of succession
:rb|gut *nt* entail, inheritance, heritage, allodium *(lat.)*; **unveräußerliches E.gut** entailed estate; **E.hof** *m* fee tail
·rbieten *v/refl* to offer/volunteer
:rbin *f* heiress, (in)heritrix, female heir, inheritress
·r|bitten *v/t* to request/seek/solicit; **e.bittern** *v/t* to incense/enrage/exacerbate; **e.bittert** *adj (Auseinandersetzung)* acrimonious
:rbkrankheit *f* hereditary disease
:rblasser *m* 1. testator, bequeather, deceased, legator, decedent *[US]*; 2. *(Grundbesitz)* devisor; **E.in** *f* testatrix; **e.isch** *adj* legatorial
:rblehen *nt* entail; **E. veräußern** to bar/dock an entail; **unbeschränktes E.** § fee simple
:rb|legitimation *f* certificate of inheritance; **e.lich** *adj* (in)heritable, hereditary, inherited; **E.lichkeit** *f* here(di)tability
:rbmasse *f* estate; **steuerpflichtige E.** taxable estate; **verteilbare E.** available quota

Erb|monarchie *f* hereditary monarchy; **E.nachfolge** *f* hereditary succession; **E.nachweis** *m* proof of inheritance/heirship
Erbpacht *f* leasehold, copyhold, (perpetually) renewable/heritable/perpetual lease, lease in perpetuity; **E. gegen niedere landwirtschaftliche Dienste** § socage *(obs.)*
Erbpacht|berechtigte(r) *f/m* leaseholder, copyholder; **E.besitz** *m* customary freehold; **E.besitzer(in)** *m/f* leaseholder; **E.grundstück** *nt* leasehold property; **E.gut** *nt* customary freehold; **E.recht** *nt* right of hereditary tenure, ~ inheritable tenancy; **E.vertrag** *m* building lease; **E.zins** *m* ground rent
Erb|portion *f* portion of the estate; **E.quote** *f* proportional right to an inheritance
Erbrecht *nt* 1. right of inheritance; 2. law of succession/inheritance, inheritance law, heirship; **gesetzliches E. des Fiskus** escheat; **~ E.** legal right to an inheritance; **testamentarisches E.** law of testamentary succession; **unzweifelhaftes E.** heir apparency
ohne Erb|regelung sterben *f* to die intestate; **E.rente** *f* entailed interest
erbringen *v/t* 1. *(Geld)* to realize/fetch/yield/net; 2. *(Leistung)* to render/provide/effect/perform/furnish; **brutto e.** to gross; **nichts e.** to come to nothing
Erbringer von Dienstleistungen *m* provider of services; **~ Transportleistungen** transport services provider
Erbringung von Dienstleistungen *f* provision/performance/delivery of services, tertiary production, service provision/delivery; **~ Leistungen** provision/rendering of services, service rendering; **E.sprozess** *m* provisioning process
Erbschaft *f* inheritance, heritage, heirship, deceased/descendant's/descendent's estate, legacy
jdm durch Erbschaft anfallen to devolve upon so.; **E. antreten** to enter upon/come into an inheritance; **E. ausschlagen** to disclaim an inheritance/estate; **E. hinterlassen** to leave an estate; **E. machen** to come into an inheritance; **auf eine E. spekulieren** to wait for a dead man's shoes *(fig)*; **E. verteilen** to parcel out an inheritance; **auf eine E. verzichten** to relinquish an inheritance; **durch E. zufallen** to descend
angefallene Erbschaft vested estate; **noch nicht angetretene E.** estate in abeyance; **dem Staat anheim gefallene E.** escheat; **annehmbare E.** fair heritage; **rechtlich einwandfreie E.** rightful inheritance; **zu erwartende E.** estate in expectancy; **gemeinsame E.** coparceny, co-inheritance, coheritage; **nicht geregelte E.** unsettled estate; **ruhende E.** estate in abeyance; **unerwartete E.** windfall
Erbschafts|anfall *m* accrual of an inheritance, reversion; **E.angelegenheiten** *pl* probate matters, matters of inheritance; **E.annahme** *f* acceptance of an inheritance; **E.anspruch** *m* claim to an inheritance, right of inheritance, ~ to succeed; **gleicher E.anteil** coparceny; **E.antritt** *m* accession to an estate, entrance upon an inheritance; **E.anwärter(in)** *m/f* expectant heir; **E.aufteilung** *f* partition of an estate; **E.ausschlagung** *f* re-

nunciation of inheritance, disclaimer; **E.auseinandersetzung** *f* dispute over an inheritance; **E.besitzer** *m* heritor; **E.besitzerin** *f* heritress, heritrix; **E.erschleichung** *f* subreption of a legacy; **E.erwerber** *m* purchaser of an inheritance as a whole

Erbschaftsgegenstände *pl* items of property in the estate; **bewegliche E.** corporeal heriditaments; **unbewegliche E.** incorporeal heriditaments

Erbschafts|gläubiger(in) *m/f* creditor of an estate; **E.gut** *nt* inherited goods; **E.klage** *f* inheritance recovery action; **E.masse** *f* estate; **steuerpflichtige E.masse** taxable estate; **E.schulden** *pl* debts of the estate; **E.steuer** *f* death/estate/inheritance/legacy/succession/probate duty, inheritance/estate/death/transfer tax; **E.- und Schenkungssteuer** capital transfer tax *[GB]*; **kumulative ~ Schenkungssteuer** cumulative donee tax, accession tax; **E.teilung** *f* partition of an estate; **E.übergang** *m* devolution of an estate; **E.verfahren** *nt* § probate proceedings; **E.vermögen** *nt* adventitious property; **E.verwalter** *m* § executor; **E.verwalterin** *f* executrix; **E.verwaltung** *f* administration of an estate;**E.verzicht** *m* disclaimer (of an inheritance)

Erbschein *m* letters testamentary, heir's certificate *[US]*, grant of probate, certificate of inheritance; **E. ausstellen/erteilen** to grant probate of will; **gegenständlich beschränkter E.** certificate of inheritance limited to assets within the country; **gemeinschaftlicher E.** joint certificate of inheritance; **E.erteilung** *f* (granting of) probate

Erbschleicher *m* legacy hunter; **E.ei** *f* legacy hunting, subreption

Erbschuld *f* inherited debt

Erbsenzähler *m* *(coll)* beancounter *(coll)*

Erbstück *nt* heirloom

Erbteil *nt/m* 1. portion; 2. *(Witwe)* dowry, share of the inheritance; **E. aushändigen** to forisfamiliate; **elterlicher E.** patrimony; **gemeinschaftlicher E.** joint share in the inheritance; **gesetzlicher E.** legal/legitimate portion; **mütterlicher E.** matrimonial estate; **väterlicher E.** patrimony, patrimonial estate

Erb|teilung *f* estate distribution, partition/dividing of an inheritance, partition/distribution of an estate; **E.teilungsklage** *f* petition to divide an inheritance; **durch E.übergang an jdn fallen** *m* to devolve on so.; **e.unfähig** *adj* incapable of succeeding to an estate; **E.unfähigkeit** *f* incapacity to inherit; **e.unwürdig** *adj* unworthy to inherit; **E.vergleich** *m* family settlement; **E.verpächter** *m* lessor; **dem ~ zufallen** to revert to the lessor; **E.vertrag** *m* testamentary contract, contract of inheritance; **E.vertragserbe** *m* conventional heir; **E.verzicht** *m* relinquishment of an inheritance, disclaimer; **E.voraus** *nt* advance of inheritance; **im E.wege** *m* by inheritance; **~ übertragbar** (in)heritable; **E.zins** *m* ground rent, rent charge; **E.zinsobligation** *f* rent charge bond

Erd|arbeit *f* groundwork; **E.arbeiten/E.bewegungen** *pl* earthwork, exacavations; **E.arbeiter** *m* navvy *[GB]*; **E.aushub** *m* ⌂ excavation

Erdbeben *nt* earthquake; **e.gefährdet** *adj* earthquake-prone; **E.klausel** *f* earthquake clause; **e.sicher** *adj* earthquake-proof; **E.versicherung** *f* earthquake insurance

Erd|bewohner *m* terrestrial; **E.boden** *m* earth; **dem ~ gleichmachen** to raze to the ground

Erde *f* 1. earth, world, globe; 2. ↯ earth *[GB]*, ground *[US]*; **E. umkreisen** to orbit; **zu ebener E.** at ground level; *(Haus)* on the ground floor; **gewachsene E.** natural earth; **seltene E.n** ⚗ rare earths; **verbrannte E.** scorched earth

erden *v/t* ↯ to earth *[GB]*/ground *[US]*

erdenk|bar/e.lich *adj* conceivable, imaginable; **e.en** *v/t* to make/think up, to devise

Erd|erschütterung *f* earth tremor; **E.erwärmung** *f* global warming; **E.temperatur** *f* surface temperature

Erdgas *nt* natural gas; **verflüssigtes E.** liquified natural gas (LNG); **E.feld/E.vorkommen** *nt* gas field

Erd|geschoss *nt* ground *[GB]*/first *[US]* floor; **E.hälfte** *f* hemisphere; **E.harz** *nt* bitumen; **E.inneres** *nt* interior of the earth; **E.kabel/E.leitung** *nt/f* ↯ underground cable; **E.kugel** *f* globe; **E.kunde** *f* geography; **E.nuss** *f* peanut, groundnut; **E.oberfläche** *f* surface of the earth

Erdöl *nt* (crude/mineral) oil, petroleum; **E. fördern** to extract oil; **auf E. stoßen** to strike oil; **nach E. suchen** to prospect for oil

Erdöl|aktien *pl* oil shares *[GB]*/stocks *[US]*, oils; **E.arbeiter** *m* oilman; **E.ausfuhrland** *nt* oil-exporting/petroleum-exporting country; **E.besteuerung** *f* oil taxation; **E.bohranlage** *f* oil-well drilling station; **E.chemieunternehmen** *nt* petrochemical company, oil and chemical company; **e.exportierend** *adj* oil-exporting, petroleum-exporting; **E.feld** *nt* oil field; **E.förderung/E.gewinnung** *f* oil/petroleum production; **e.haltig** *adj* petroliferous; **E.gas** *nt* petroleum gas; **E.industrie** *f* oil industry; **E.markt** *m* (crude) oil market **E.produkt** *nt* petroleum product; **E.quelle** *f* oil well, **E.raffinerie** *f* oil refinery; **E.steuer** *f* petroleum revenue tax; **E.titel/E.werte** *pl (Börse)* oil shares *[GB]*/stocks *[US]*, oils; **E.verarbeitung** *f* crude oil processing

Erdreich *nt* soil

erdreisten *v/refl* to have the cheek/nerve

erdrossel|n *v/t* to throttle/strangle/strangulate; **E.ung** *f* strangulation

erdrücken *v/t* to crush/overpower; **e.d** *adj* crushing, crippling, overwhelming

Erd|rutsch *m* landslide; **E.stoß** *m* tremor; **E.teil** *m* continent; **E.temperatur** *f* earth temperature, geo-temperature; **E.umkreisung** *f* orbit

Erdung *f* ↯ earth *[GB]*/ground *[US]* connection, earthing *[GB]*, grounding *[US]*

Erd|wall *m* bank, earthwork; **E.wärme** *f* natural heat of earth

ereignen *v/refl* to occur/happen, to take place

Ereignis *nt* event, occurrence, incident, happening, occasion; **E. mit überholender Kausalität** § supervening cause/event; **falls keine unvorhergesehenen E.se eintreten** barring unforeseen developments/events; **falls unvorhergesehene E.se eintreten sollten** should unforeseen circumstances arise

abgeleitetes Ereignis derived event; **alltägliches E.** common occurrence; **sich gegenseitig ausschließende E.se** mutually exclusive events; **außergewöhnliches E.** exceptional occurrence; **aufeinander bezogene E.se** related events; **sicher eintretendes E.** definite event; **entgegengesetztes E.** ▦ complementary event; **festgehaltenes E.** posted event; **großes E.** great event; **die jüngsten E.se** recent events; **kriegerische E.se** hostilities, acts of war; **rechtsgründendes E.** law-creating event; **unabwendbares E.** force majeure *[frz.]*, Act of God, inevitable accident/event/incident; **ungewisses E.** contingent event, contingency; **unvermeidbares E.** inevitable catastrophe; **unvorhergesehenes/-sehbares E.** unforeseen/fortuitous event; **vorbehaltlich unvorhergesehener E.se** barring unforeseen developments; **zufälliges E.** *(Vers.)* fortuitous event

Ereignis|eintritt *m* occurrence of an event; **E.folge** *f* run; **E.masse** *f* population of point/cumulative data; **E.prinzip** *nt* occurrence basis; **E.puffer** *m (OR)* slack; **E.raum** *m* ▦ sample space; **E.wahrscheinlichkeit** *f* probability of occurrence/acceptance

ererbt *adj* inherited; **E.es** *nt* inherited property

erfahren *v/t* to hear/learn/understand/experience, to hear on the grapevine *(coll)*, to come to know, to find out; *adj* experienced, skilled, expert, knowledgeable, wise, seasoned, sophisticated; **e. in** conversant (with); **banktechnisch e.** with banking experience

Erfahrenheit *f* experience, sophistication

Erfahrung *f* experience, practice, (practical) knowledge; **E.en** know-how; **ohne E.** inexperienced

Erfahrung|en im Anlagengeschäft investment experience; **~ Außendienst** field experience; **E. in der Betriebsführung** managerial experience, management practice/experience; **~ Buchhaltung** accounting experience; **~ Fertigung** manufacturing expertise; **E. in mehreren Industriezweigen** multi-industry experience; **~ der Planung** planning experience

um eine Erfahrung reicher wise after the event

Erfahrung|en austauschen to compare notes; **in E. bringen** to find out, to hear/learn; **keine E. als öffentlicher Redner haben** to be unaccustomed to public speaking; **aus E. lernen** to learn by experience; **E. machen** to experience; **E.en sammeln** to gather/gain experience; **aus eigener E. wissen** to know from experience

eingehende Erfahrung in-depth experience; **frühere E.** previous experience; **geschäftliche/kaufmännische E.** commercial/business experience; **historische E.** past experience; **konjunkturhistorische E.** past economic experience; **langjährige E.** years of experience; **lehrreiche E.** educational experience; **nachgewiesene/nachweisliche E.** track record, demonstrable/proven experience; **praktische E.** 1. practical/field experience; 2. rule of thumb *(coll)*; **reiche/umfassende E.** ample/broad experience; **unternehmerische E.** entrepreneurial experience

Erfahrungs|austausch *m* exchange of experience, interchange of know-how; **E.bericht** *m* progress report; **e.gemäß** *adv* (as) experience shows, from (previous) experience, according to experience; **E.kurve** *f* experience curve; **E.methode/E.regel** *f* rule of thumb *(coll)*; **E.niveau** *nt* level of experience; **E.potenzial** *nt* wealth of experience; **E.richtsatz** *m* 1. *(Vers.)* experience rate; 2. maxim; **E.schatz** *m* wealth of experience; **E.tatsache** *f* empirical fact; **gelenkte E.vermittlung** *(BWL)* guided-experience method; **E.wert** *m* empirical value, expectancy; **nach den E.werten** (empirical) experience shows, from previous experience; **E.wissen** *nt* know-how; **E.wissenschaft** *f* empirical science

erfassbar *adj* ascertainable, recordable, registrable; **zahlenmäßig e.** quantifiable; **E.keit** *f* ascertainability, recordability

Erfassen und Abrechnen von Kosten und Leistungen zur Wirtschaftlichkeitskontrolle *nt* responsibility/activity accounting

erfassen *v/t* 1. to cover/comprise; 2. to register/record; 3. to accumulate/gather/collect; 4. to acquire/reach; 5. to grasp/understand; 6. *(Buchhaltung)* to enter in the records; 7. to ascertain; 8. *(Daten)* to capture; 9. *(Müll)* to collect

amtlich erfassen to register; **bilanziell e.** to accrue to, to show in the balance sheet; **kartografisch e.** to chart; **listenmäßig e.** to list/register, to record in a list; **statistisch e.** to record statistically; **steuerlich e.** to tax; **zahlenmäßig e.** to count

das Wesentliche erfass|end *adj* discerning; **e.t** *adj* ascertained; **statistisch nicht e.t** unrecorded; **zahlenmäßig e.t** numerically recorded

Erfassung *f* 1. registration, recording; 2. coverage; 3. inclusion; 4. *(Daten)* collection, compilation, acquisition, capture; 5. assessment; 6. *(Müll)* collection; 7. ▭ logging

Erfassung von Daten data gathering/capture; **~ Geschäftsvorfällen** recording of business transactions; **~ Pfandobjekten** marshalling of liens; **E. an der Quelle** *(Steuer)* stoppage at source; **periodengerechte E. der Vorräte** inventory cutoff; **zollamtliche ~ Waren** customs treatment of goods

buchmäßige Erfassung entry in the accounts; **steuerliche E.** taxation

Erfassungs|bereich/E.breite *f* ▦ scope; **geschlossene E.gruppe** ▦ cluster; **E.kosten** *pl* registration cost(s); **E.merkmal** *nt* criterion for recording; **E.quote** *f (Müll)* collection ratio; **E.stelle** *f* registration office; **zentrale ~ für Grundstücksbelastungen** Land Charges Department *[GB]*; **E.system** *nt (Müll)* collection system; **E.technik** *f* ascertainment methods; **E.zeitraum** *m* recorded time, period under review

erfinden *v/t* 1. to invent; 2. to fabricate/devise/concoct; 3. *(Wort)* to coin

Erfinder *m* inventor; **E. der Haupterfindung** original inventor; **alleiniger E.** sole inventor; **eigentlicher E.** original inventor; **freier E.** independent inventor; **früherer E.** preceding inventor; **gemeinsame E.** joint inventors

Erfinder|anteil *m* royalty; **E.berater** *m* inventors' consultant; **E.eigenschaft** *f* inventive skill, inventorship; **E.geist** *m* inventiveness, inventive talent

erfinderisch *adj* inventive, ingenious, resourceful, imaginative; **e. tätig werden** to become inventive

Erfindernennung *f* mention/naming/identification of the inventor; **E.sprinzip** *nt* first-to-invent system; **E.sschein** *m* inventor's certificate; **E.svergütungssystem** *nt* inventor award system

Erfinder|prämie *f* award to inventor; **E.prinzip** *nt* first-to-invent system; **E.recht** *nt* inventor's/patent right; **E.schein** *m* inventor's certificate; **E.schutz** *m* protection of inventors/inventions, safeguarding inventor's rights; **E.vergünstigung** *f* technical bonus; **E.vergütungssystem** *nt* inventor compensation/award scheme

Erfindung *f* 1. invention; 2. device, contrivance; 3. concoction; 4. brainchild *(fig)*

Erfindung zum Patent anmelden to file a patent application for an invention; **E. ausführen** to implement an invention; **E. (be)nutzen/verwerten** to exploit an invention; **E. machen** to invent; **E. deutlich und vollständig offenbaren** to disclose an invention clearly and completely; **E. patentieren lassen** to take out a patent for an invention

ältere Erfindung prior invention; **bahnbrechende E.** breakthrough; **freie E.** free/uncommitted invention; **gebundene E.** tied invention, invention made available to the employer; **gemeinschaftliche E.** joint invention; **kollidierende E.** interfering invention; **patentfähige E.** patentable invention; **patentierte E.** patented invention; **nicht ~ E.en** *(Bilanz)* know-how; **gegen die Sitten verstoßende E.** scandalous invention; **verwandte E.** cognate invention; **verwertete E.** exploited invention; **nicht ~ E.** unexploited invention; **vorweggenommene E.** anticipated invention

Erfindungs|aufgabe *f* object of an invention; **E.eigenschaft** *f* sufficiency of an invention; **fehlende E.eigenschaft** lack of invention; **E.gabe** *f* ingenuity; **E.gedanke** *m* inventive idea; **E.gegenstand** *m* (object of) invention, claimed subject matter, subject matter of the invention; **e.gemäß** *adj* in accordance with the present invention, according to the invention; **E.höhe** *f* level/amount of invention, degree of novelty, inventive level; **mangelnde E.höhe** lack of inventiveness; **E.maßstab** *m* standard of invention; **E.patent** *nt* letters patent, patent for an invention; **E.priorität** *f* priority of invention; **E.reichtum** *m* inventive talent, inventiveness, ingenuity; **E.schutz** *m* protection of an invention; **E.vorteil** *m* benefit of an invention; **E.wert** *m* invention value

Erfolg *m* 1. success (story), result, outcome, fruit(s); 2. effectiveness, win; 3. performance; 4. *(Gewinn- und Verlustrechnung)* profit or loss; **mit E.** *(Prüfung)* pass; **ohne E.** to no avail/purpose; **E. am Arbeitsplatz** on-the-job performance; **E. unserer Bemühungen** result of our efforts; **von E. gekrönt** crowned with success; **kein E.** no go *(coll)*; **kein E., keine Zahlung** *(Vers.)* no cure, no pay

Erfolg erzielen to score a success, to get results; **einen E. nach dem anderen erzielen** to go from strength to strength; **zum E. führen** to lead to success; **E. haben** 1. to succeed/prosper, to meet with success, to get on/off, to be a success; 2. *(Werbung)* to put across; **dem E. greifbar nahe kommen** to come within measurable distance of success; **etw. zum E. machen/verhelfen** to make a go of sth.; **E. versprechen** to promise/augur well

geschäftlicher Erfolg commercial success; **großer E.** resounding success; **nachweislicher E.** (proven) track record, proven record of success; **neutraler E.** non-operating income, ~ profit or loss; **nominaler E.** profit or loss based on historical cost(s); **ökonomischer E.** economic performance; **realer E.** profit or loss based on current cost(s); **voller E.** complete success

erfolgen *v/i* 1. to take place, to occur; 2. to result; 3. to be effected, ~ carried out

erfolglos *adj* ineffectual, ineffective, unsuccessful, without effect/success, to no avail/effect, futile, abortive; **E.igkeit** *f* failure

erfolgreich *adj* successful, effective, prosperous; **e. sein** to succeed, to be a success; **~ bei jdm** *(Werbung)* to go down well with so.

erfolgs|abhängig *adj* profit-related, profit-orient(at)ed, dependent on success/results; **E.abwendung** *f* § preventing the effect of a crime; **E.aktie** *f* high performer; **E.analyse** *f* 1. performance analysis; 2. profit/earnings analysis, analysis of results; **E.anteil** *m* profit share, share in the results/profit, bonus, royalty; **E.aussicht** *f* 1. promise of reward; 2. chance/prospect of success; **E.ausweis** *m* trading report; **auf E.basis** *f* on a contingent basis; **E.bericht** *m* success story

Erfolgsbeteiligung *f* profit-sharing scheme/plan/payment (for employees), share of profit paid out to employees; **~ der Arbeitnehmer** employee profit-sharing (scheme); **E.smodell** *nt* profit-sharing scheme

erfolgs|bezogen *adj* profit-related, profit-orient(at)ed; **E.bilanz** *f* 1. *(Bilanz)* operating/surplus statement, profit and loss account, good results; 2. track/performance record, (proven) record of success; **~ vorlegen** to report a successful year; **E.chance** *f* chance of success; **E.delikt** *nt* § objective crime; **E.druck** *m* pressure to succeed; **E.erlebnis** *nt* sense of achievement, experience of success; **E.ermittlung** *f* 1. performance evaluation; 2. (net) income determination; **Grundsatz der periodengerechten E.ermittlung** *(Bilanz)* accrual principle; **E.faktor** *m* factor of performance, success factor; **E.geheimnis** *nt* secret of success; **E.größen** *pl* profit/performance data; **E.haftung** *f* liability for damage caused, strict liability; **E.honorar** *nt* payment by results, contingent/incentive/contingency/success/performance fee; **E.kennzahl/-ziffer** *f* operating ratio, earnings indicator; **negative E.komponente** profit-reducing item; **E.konsolidierung** *f* consolidation of earnings, intercompany elimination

Erfolgskonto *nt* profit and loss account, operating/trading/nominal/temporary account, income/revenue and expense account; **Erfolgskonten** income expense accounts; **E.saldo** *m* profit and loss (item)

Erfolgskontrolle *f* performance review, cost-revenue control, efficiency review/control, result testing; **betriebswirtschaftliche E.** cost accounting; **innerbetriebliche E.** internal control

Erfolgs|konzept *nt* concept of profit; **E.kriterien** *pl* criteria for success, performance criteria; **auf E.kurs** *m* on the road to success; **E.kurve** *f* 1. path of success, success curve; 2. sales graph; **E.leiter** *f* ladder of success/achievement; **E.lohn** *m* incentive pay, payment by results; **E.manager** *m* successful manager; **E.mandat** *nt* § result fee *[GB]*, champerty *[US]*; **E.marke** *f* successful brand; **E.maßstab** *m* yardstick/indicator of performance, measure of success, performance criterion; **E.meldung** *f* report/news of success, good news; **E.mensch** *m* careerist, achiever; **E.messung** *f* 1. *(Werbung)* activation research; 2. measurement of results; **E.nachweis** *m* evidence/record of success, (proven) track record; **e.neutral** *adj* not affecting the operating result; **e.orientiert** *adj* achievement-orient(at)ed; **E.orientierung** *f* profit orientation; **E.ort** *m* § place of effect; **E.plan** *m* profit plan; **E.planung** *f* performance/profit planning (and budgeting); **langfristige E.planung** long-range/long-term profit planning; **E.posten** *m* profit and loss item; **E.potenzial** *nt* profit potential; **E.prämie** *f* efficiency/performance-linked bonus, incentive payment, bonus dependent on profit earned; **E.provision** *f* profit commission, commission contingent on success; **E.quote** *f* 1. success rate; 2. share of profit; **E.rate** *f* yield

Erfolgsrechnung *f* profit and loss account/statement, income/earnings statement, trading account; **E. für einzelne Versicherungszweige** insurance expense exhibit; **außenwirtschaftliche E.** balance of payments; **hochgerechnete E.** extrapolated income statement; **kurzfristige E.** monthly/weekly/quarterly income statement, operating/short-term statement of income; **monatliche E.** monthly income statement; **zusammengefasste E.** earnings summary

Erfolgs|regulierungsposten *m* deferred item; **E.relationen** *pl* performance ratios; **E.rezept** *nt* recipe for success; **E.saldo** *nt* income balance; **E.serie** *f* string of successes; **E.tag** *m (Börse)* break-even day; **e.trächtig** *adj* promising; **E.träger** *m* profit-yielding product; **E.vergleichsrechnung** *f* comparative earnings analysis; **E.verwendung** *f* appropriation of profits, profit distribution; **e.verwöhnt** *adj* spoilt by success; **e.wirksam** *adj* effecting the current result; **E.zahlen** *pl* performance figures, results; **E.ziel** *nt* profit target, performance goal; **E.zurechnung** *f* allocation of earnings; **kurzfristiger E.zwang** pressure to make short-term profits

erfolgversprechend *adj* promising; **wenig e.** unpromising

erforderlich *adj* 1. necessary, required, needed, essential; 2. (pre)requisite; **falls e.** if required, if/where needed; **e. machen** to necessitate; **e. sein** to call for, to be required; **alles E.e veranlassen** 1. to take appropriate steps/measures; 2. to make all the necessary arrangements; **unbedingt e.** imperative; **e.enfalls** *adv* if required, if/where necessary; **E.keit** *f* necessity, need, requirement

erfordern *v/t* 1. to require, to call/crave for, to necessitate; 2. to take; 3. to need/demand/involve/entail; 4. *(Dividende)* to absorb

Erfordernis *nt* 1. requirement(s), need, condition; 2. necessity, prerequisite; 3. qualification; **E. zur Bildung von außerordentlichen Rücklagen** extra reserve requirement; **~ Eigenkapitalbeschaffung** equity funding requirement; **E.se der Kassendisposition** cash management needs; **E. der Schriftform** writing requirement, necessity of written form; **alle E.se eines Testaments aufweisen** to constitute a will; **den E.sen entsprechen/genügen** to conform to requirements, to fit/meet the requirements, to meet the needs; **dem E. Rechnung tragen** to take into account the need (for sth.)

dringendes Erfordernis necessity, exigency; **fakultative/unwesentliche E.se** non-essentials; **gesetzliche E.se** legal formalities; **ökologische E.se** ecological/environmental requirements; **unbedingtes E.** must, absolute necessity; **verfassungsmäßige E.se** constitutional requirements; **wesentliche E.se** essentials

erforschen *v/t* 1. to explore/probe/sift, to find out; 2. to investigate, to reserach/enquire (into sth.); **e.d** *adj* exploratory

Erforschung *f* 1. exploration, sifting, investigation, inquiry; 2. research (into); **E. des Meeresbodens** seabed exploration; **E. der Verbrauchermotive** consumer motivation research

erfragen *v/t* to inquire/ascertain/obtain

erfreu|en *v/t* to please/delight/gratify; **e.lich** *adj* enjoyable, gratifying, welcome; **e.t** *adj* pleased, delighted

erfrier|en *v/i* to freeze to death, to die of exposure; **E.ung** *f* $ hypothermia

erfrischen *v/t* to refresh

Erfrischung|en *pl* refreshments; **E.sraum** *m* refreshment room, snack bar; **E.sstand** *m* refreshment stand

erfüllbar *adj* satisfiable; **E.keit** *f* satisfiability

erfüllen *v/t* 1. to fulfil(l)/satisfy/complete/implement/observe, to comply with; 2. *(Pflicht)* to carry out, to perform/discharge/honour/grant, to live up to; 3. *(Verbindlichkeit)* to meet, to make good, to carry out, to render performance, to consummate; 4. *(Anordnung)* to conform with; 5. *(Erwartung)* to come up to; *v/refl* to come to fruition, to materialize; **etw. buchstabengetreu e.** to abide by sth. to the letter; **nicht e.** to default

Erfüllung *f* 1. fulfilment, satisfaction, completion, compliance(with), consummation; 2. *(Vertrag)* performance, implementation, discharge; 3. *(Erwartung)* realization; 4. *(Soll)* achievement

Erfüllung einer Amtspflicht execution of duty; **E. eines Anspruchs** satisfaction of a claim, discharge of a right/claim; **E. der Aufgaben** performance of the tasks; **E. einer Bedingung** compliance with a condition, fulfilment/performance of a condition; **E. von Einfuhrformalitäten** carrying out the import formalities; **E. einer Forderung** satisfaction/settlement of a claim; **E. von Formalitäten** compliance with formalities; **E. einer Garantiepflicht** implementation of a guarantee; **E. eines Kaufvertrags** performance of a (contract of) sale; **E. von Pflichten** discharge of duties; **in E. seiner Pflicht** in discharge of one's duty; **E. eines Traums** dream come true; **E. von Verbindlichkeiten** discharge of debts; **E. einer Verpflichtung** discharge of an obligation, ~ a liability; **E. eines Vertrages** implementation/performance/completion of a contract; **bis zur E. einer Vertragsbedingung hinterlegen** § to place in escrow; **E. der Vertragsverpflichtungen** performance of contractual obligations; **~ Voraussetzungen** satisfaction of conditions; **E. eines Wertpapiergeschäfts** execution of bargain

in Erfüllung Ihrer Anordung in compliance with your order; **an E.s Statt** in lieu of performance; **E. Zug um Zug** mutual simultaneous performance, contemporaneous performance, performance for performance

Erfüllung durchsetzen to enforce performance; **in E. gehen** to come to fruition, to be fulfilled; **auf E. klagen** to sue for (specific) performance

ausdrückliche Erfüllung *(Vertrag)* specific performance; **fristgerechte E.** regular delivery; **mangelhafte E.** defective performance/compliance; **restlose E.** full discharge; **sofortige E.** prompt discharge; **teilweise E.** part performance; **vergleichsweise E.** accord and satisfaction; **vertragsgetreue E.** performance pursuant to contract

Erfüllungs|angebot *nt* offer of performance; **E.annahme** *f* acceptance as performance; **E.anspruch** *m* claim/right to performance, mercenary claim; **E.berechtigte(r)** *f/m* beneficiary; **E.eid** *m* suppletory oath; **E.frist** *f* time for performance; **E.garantie** *f* performance/contract/completion/supply bond, performance warranty/guarantee, contract guarantee; **E.gehilfe/E.gehilfin** *m/f* 1. vicarious agent, subcontractor; 2. accomplice; **für den E.gehilfen haftbar sein** to be vicariously liable; **E.- und Verrichtungsgehilfen** servants and assistants; **E.geschäft** *nt* transaction in fulfil(l)ment of an obligation, delivery, transaction to perform a contract; **e.halber** *adv* on account of performance, with a view to performance, as conditional payment; **E.hindernis** *nt* obstacle to performance; **E.interesse** *nt* positive interest, general damages; **E.klage** *f* § action of assumpsit *(lat.)*; **E.mangel** *m* failure of performance; **E.ort** *m* 1. place of performance/payment/fulfilment/delivery; 2. *(Börse)* delivery/settling place; 3. *(Wechsel)* domicile, domicilium executandi *(lat.)*; **E.pflicht** *f* obligation to perform; **E.prinzip** *nt* performance principle; **E.schuldverschreibung** *f* quittance bond; **E.tag** *m* 1. performance/due date, account day; 2. *(Rechnung)* payday; 3. *(Börse)* settlement day; **E.termin** *m* compliance/settlement date; **E.übernahme** *f* vicarious performance, assumption of an obligation to perform; **E.verpflichtung** *f* obligation of performance; **E.verweigerung** *f* repudiation, refusal to fulfil an obligation; **E.zeit(punkt)** *f/m* completion time, time/date of performance

erfunden *adj* invented, fictitious, phon(e)y; **frei e.** imaginary

ergänzen *v/t* 1. to supplement/complement; 2. *(Lager/Vorräte)* to replenish; 3. to renew; 4. to complete; 5. *(Gesetz)* to amend; 6. to add to; 7. *(stützen)* to underpin; *v/refl* to be complementary, to complement each other

ergänz|end *adj* complementary, additional, ancillary, supplementary, supplemental; **nicht e.t** *adj (Gesetz* unamended

Ergänzung *f* 1. supplementing, supplement(ation) completion; 2. complement; 3. replacement; 4. *(Lager/Vorräte)* replenishment; 5. addition, adjunct; 6 *(Dokument)* rider; 7. *(Gesetz)* amendment; **E.en** *(Buch* addenda *(lat.)*; **als E. zu; in E. von** supplementary to **E. einer Police** endorsement on a policy, addendum amendment to a policy; **erläuternde E.en** § gloss; **tarifvertragliche E.** supplementary wage agreement

Ergänzungs|- supplementary, complementary; **E.abgabe** *f* (corporation) surtax, (income tax) surcharge supplementary tax, special/supplementary levy, tax surcharge, supertax; **~ auf Kapitaleinkünfte** investment income surcharge; **E.abkommen** *nt* complementation agreement; **E.abschnitt** *m* supplementary section; **E.antrag** *m (Gesetz)* amendment, supplementary bill; **E.anweisung** *f* supplementary regulation; **E.band** *m (Buch)* supplement; **e.bedürftig** *adj* in need of completion; **E.bericht** *m* supplementary report; **E.bescheid** *m* § supplementary ruling; **E.bestimmungen** *pl* supplementary provisions; **E.bilanz** *f* supplementary statement; **E.blatt** *nt* supplement, supplementary sheet; **E.eid** *m* § suppletory oath; **E.etat** *m* supplementary budget; **e.fähig** *adj (Gesetz)* amendable; **E.finanzierung** *f* supplementary financing; **E.frage** *f* probe question; **E.gesetz** *nt* amendment, amending law, supplemental bill/act; **E.haushalt** *m* supplementary budget; **E.heft** *nt* supplement; **E.hinweis** *m* supplementary reference; **E.kapital** *nt* cushion/supplementary capital **E.kredit** *m* supplementary credit; **~ gewähren** to supplement a credit; **E.lager** *nt* replenishment stock(s) **E.lieferung** *f (Buch)* supplement; **E.patent** *nt* supplementary patent; **E.police** *f* supplementary policy **E.produkt** *nt* add-on product; **E.programm** *nt* supplementary programme; **E.statut** *nt* bylaw, bye-law **E.steuer** *f* supplementary tax; **E.verordnung** *f* supplementary order; **E.versicherung** *f* complementary insurance; **staatliche E.versicherung** State Reserve Scheme *[GB]*; **E.vertrag** *m* complemental agreement; **E.vorlage** *f* amending bill; **E.vorschlag** *m* amendment; **E.wahl** *f* by(e)-election *[GB]*, special election *[US]*; **E.werbung** *f* accessory advertising; **E.zone** *f (Seerecht)* contiguous zone; **E.zuweisung** *f* supplementary appropriation/payment, additional/supplementary grant

er|gattern *v/t* to snatch/grab, to get hold of; **e.gaunern** *v/t* to graft

ergeben *v/t* 1. to yield/produce/recoup; 2. to amount to to result in, to work out as; *v/refl* to follow/result ensue/arise; **sich e. aus** to result/ensue from, to be consequent on, ~ the result of; **durchschnittlich e.** to average; **sich nicht kampflos e.** to go down fighting; **sich zwingend e. aus** to result necessarily from

ergeben *adj* devoted, acquiescent; **treu e.** devoted

sich ergebend *adj* resultant from

Ihr(e) ergebene(r) your obedient servant *(obs.)*

Ergebenheit *f* devotion, loyalty

Ergebnis *nt* 1. result, outcome, yield; 2. *(Gewinn- u. Verlustrechnung)* profit or loss, operating result, (net) income; 3. operating/performance data; 4. effect, upshot, conclusion, issue, performance, fruit, fruition, showing, corollary (of/to); **E.se** findings

Ergebnis je Aktie net earnings per share; **E. aus dem Emissionsgeschäft** underwriting result; **E. des laufenden Geschäfts** trading/operating profit, ~ loss; **~ Geschäftsjahres** profit/loss for the year; **E. aus gewöhnlicher Geschäftstätigkeit** core business activities, result from ordinary activities; **E. der Gruppe** consolidated results; **E. des letzten Jahres** last year's performance; **E. nach Steuern** result after tax; **E. vor Steuern** pre-tax income; **E. im Versicherungsgeschäft** underwriting result

Ergebnis ausweisen/erzielen to show/turn in a result; **ausgeglichenes E. erwirtschaften/erzielen** to break even, to achieve/return a break-even result; **E. feststellen** *(Wahl)* to establish the result; **zu einem E. kommen** to come to a conclusion; **E.se zeitigen** *(fig)* to bear fruit *(fig)*; **gute ~ zeitigen** to yield results

ausgeglichenes Ergebnis break-even result(s), balanced result; **außerordentliches E.** extraordinary profit/loss; **beachtliches E.** creditable result; **brauchbares E.** acceptable result; **buchmäßiges E.** result as shown in the books; **finanzielles E.** financial result; **greifbares/konkretes E.** tangible result; **günstiges E.** favourable result; **interne E.se** inside data; **kümmerliches/mageres/miserables E.** poor result; **neutrales E.** non-operating result/profit/loss; **ganz ordentliches E.** no mean feat; **sichtbares E.** measurable result; **deutlich verbessertes E.** significantly improved result; **versicherungstechnisches E.** underwriting result; **vorläufiges E.** preliminary results, provisional figures; **wirtschaftliches E.** economic performance; **unerwartetes zusätzliches E.** windfall *(fig)*

Ergebnis|abführung(svereinbarung/-svertrag) *f/m* profit and loss transfer (agreement), surrender of profits (agreement); **E.analyse** *f* performance analysis; **E.aufstellung** *f* earnings statement; **E.ausschließungsvertrag/-vereinbarung** *m/f* profit and loss exclusion agreement; **E.ausweis** *m* declared/disclosed profit; **E.beitrag** *m* contribution to operating income; **positiver E.beitrag** positive contribution to results; **E.bekanntgabe** *f* declaration of results; **E.bericht** *m* report on results; **E.berichterstattung** *f* performance reporting; **E.berichtigung früherer Jahre** *f* prior period adjustment; **E.beteiligung** *f* profit-sharing; **E.einbruch** *m* drop in earnings; **E.einheit** *f* profit centre; **E.kontrolle** *f* cost-revenue control, efficiency review; **E.lohn** *m* payment by result; **e.los** *adj* inconclusive, abortive, unsuccessful, fruitless, to no effect, without effect/result; **E.losigkeit** *f* fruitlessness; **E.matrize** *f* payoff matrix; **e.neutral** *adj* not affecting profits/income; **E.prognose** *f* profit and loss/results forecast; **E.protokoll** *nt* minutes of the meeting; **E.rechnung** *f* profit and loss account, earnings statement, statement of operating results, ~ total gains and losses, operating result calculation; **E.rückgang** *m* decrease/decline of earnings; **E.schätzung** *f* profit estimate; **E.situation** *f* net income situation; **E.steigerung** *f* increase of earnings, improvement of profits, performance improvement; **E.übernahmevertrag** *m* profit and loss pooling/transfer/assumption agreement; **E.übersicht** *f* earnings statement, statement of results; **konsolidierte E.übersicht** combined statement of results; **E.verantwortung** *f* profit responsibility; **E.verbesserung** *f* profit/(post-tax) performance improvement; **E.verschlechterung** *f* deterioration of profits/performance/results; **E.verwässerung** *f* profits dilution; **E.-verwendung** *f* appropriation of profits/net income; **E.-verwirklichung** *f* profit realization; **E.vorschau** *f* profit and loss forecast; **E.vortrag** *m* profit/loss brought forward, unappropriated net income; **e.wirksam** *adj* affecting net income; **E.ziel** *nt* performance target; **E.zuwachs** *m* increase in profits

ergehen *v/i* 1. *(Gesetz)* to be enacted/promulgated/issued/published; 2. *(Urteil)* to be pronounced; to fare

ergiebig *adj* 1. profitable, (high-)yielding, lucrative, abundant; 2. productive, fertile, rich, plentiful, fruitful; **E.keit** *f* profitability, plentifulness, productivity, yield value; abundance; **~ des Marktes** market capacity

Ergonom *m* ergonomist; **E.ie** *f* ergonomics, human (-factor) engineering; **e.isch** *adj* ergonomic(al)

Ergreifen *nt* seizure, grab; **e.** *v/t* 1. to seize; 2. to grasp/grip; 3. to arrest/apprehend

Ergreifung *f* 1. seizure; 2. arrest, apprehension; **E. von Grundbesitz** [§] seisin *[GB]*, seizin *[US]*

ergründen *v/t* to fathom/explore, to find out

erhaben *adj* 1. high-flown, majestic, lofty, sublime; 2. raised, embossed

Erhalt *m* 1. receipt; 2. preservation; **nach E.** on receipt; **E. eines Auftrages** receipt of an order; **Maßnahmen zum E. von Arbeitsplätzen** job-conservation measures; **bei E. zahlbar** payable on receipt; **~ zahlen** to pay on receipt

erhalten *v/t* 1. to receive/obtain/gain; 2. to preserve/conserve/keep/maintain/sustain; **e. bleiben** to survive; **zu e. (bei)** obtainable (at); **bar e.** *adj* cash received; **dankbar e.** received with thanks; **gut e.** in good condition/repair, well-kept, well-preserved; **ordnungsgemäß e.** duly received; **schlecht e.** in poor condition

erhaltend *adj* preservative

erhältlich *adj* obtainable, available, procurable, on sale; **frei e.** freely available, unrationed; **nicht e.** unavailable; **~ sein** not to be had; **schwer e.** difficult to obtain, hard to come by; **E.keit** *f* availability

Erhaltung *f* 1. preservation, conservation, upkeep; 2. maintenance, support; 3. 🏛 state of repair

Erhaltung des gegenwärtigen Abschlussniveaus maintenance selling; **E. von Arbeitsplätzen** job preservation; **E. eines Gebäudes** preservation of a building; **E. der Kaufkraft** maintenance of purchasing power; **~ Preisstabilität** preservation of price stability; **E. von Vermögenswerten** conservation of assets

Erhaltungs|aufwand/E.aufwendungen *m/pl* maintenance cost(s)/expenditure; **E.grad** *m* state of repair; **E.investitionen** *pl* replacement investment; **gewöhnliche E.kosten** regular maintenance cost(s); **E.marketing** *nt* maintenance marketing; **E.projekt** *nt* 🏛 conservation scheme; **E.subvention** *f* maintenance subsidy; **E.werbung** *f* maintenance advertising; **E.zustand** *m* 🏛 state of repair/preservation; **ordnungsgemäßer E.zustand** proper state of repair

erhärt|en *v/t* to corroborate/confirm/substantiate/reinforce/support, to bear out, to confirm by oath; **eidlich e.** to affirm by oath; **nicht e.et** *adj* unsubstantiated; **E.ung** *f* corroboration, substantiation, confirmation; **zur E.ung** in substantiation of

erhaschen *v/t* to catch/seize/grab

erhebbar *adj* collectible

erheben *v/t* 1. to collect/charge/levy/raise/impose/encash; 2. *(Daten)* to ascertain; 3. to elevate; *v/refl* 1. to rise, to get up; 2. *(Frage)* to arise; **sich drohend e.** to loom large

erheblich *adj* 1. considerable, siz(e)able; 2. substantial, material, relevant, serious, formidable; **e. mehr/weiter als** way beyond; **E.keit** *f* relevance, relevancy; **E.keitsschwelle** *f (Kartell)* relevance threshold

Erhebung *f* 1. *(Untersuchung)* survey, investigation, enquiry, inquiry; 2. ▦ census; 3. *(Geld)* collection, imposition, levy; 4. *(Aufstand)* revolt, uprising; **E.en** data collected, statistics

Erhebung einer Abgabe imposition/levy of a duty; **E. innerer Abgaben auf Waren** application of internal taxes to goods; **E. durch Abzug an der Quelle** levying by deduction at source; **E. eines Anspruchs** lodging of a claim; **E. des Beitrags** premium collection; **E. von Ersatzansprüchen** raising of claims; **E. im Groß- und Einzelhandel** census of distribution; **E. einer Klage** § institution of proceedings; **E. im produzierenden Gewerbe** census of production; **E. im Postwege** postal survey; **E. von Steuern** collection/levying of taxes; **E. durch Veranlagung** levying by direct assessment

Erhebung|en anstellen to make inquiries/investigations; **E. durchführen** to carry out a survey

amtliche Erhebung official census, inquiry; **authentische E.** authoritative survey; **indirekte E.** desk research; **primärstatistische E.** collection of data (for a specific statistical purpose); **sekundärstatistische E.** utilization of existing statistical data; **statistische E.** statistical survey/recording/inquiry; **trockenfallende E.** ⚓ drying shoal; **unvollständige E.** incomplete census

Erhebungs|analyse *f* survey analysis; **E.angaben** *pl* census data; **E.auswahl** *f* sample; **E.bogen** *m* census form, questionnaire, schedule; **E.daten** *pl* survey data; **E.einheit** *f* statistical survey/unit; **E.fehler** *m* ascertainment error, error in survey; **systematischer E.fehler** procedural bias; **E.forschung** *f* survey research; **E.gebiet** *nt* collection/investigated area; **E.gesamtheit** *f* coverage; **E.grundlage** *f* (sampling) frame; **E.jahr** *nt* census year; **E.kosten** *pl* collection expenses/charges, expense incurred in collection; **E.methode** *f* data collection method; **E.monat** *m* month under investigation; **E.plan** *m* survey; **E.prinzip** *nt* claims made basis; **E.reihe** *f* repeated survey; **E.stichtag** *m* collection/reference/reporting date; **E.struktur** *f* reporting structure; **E.technik** *f* data collection procedures, investigation method; **E.termin** *m* 1. collection date; 2. *(Steuer)* tax payment date; **E.verfahren** *nt* collection method; **~ für Zölle und Belastungen** method of levying duties and charges; **E.zeitraum** *m* 1. ▦ survey/check period; 2. *(Steuer)* period of collection, levying period

er|hellen *v/t* to illuminate, to become evident/clear; **e.hellend** *adj* illuminating, revealing; **e.hoben** *adj (Steuer)* collected; **nicht e.hoben** uncollected; **e.hoffen** *v/t* to hope for, to anticipate

erhöhen *v/t* 1. to raise/increase, to put up; 2. to scale/level up; 3. *(Wert)* to enhance; 4. *(Preis)* to raise/increase/uprate/lift/up/bolster/enhance/heighten/boost/elevate, to mark up; 5. to jack/beef up, *(coll)* to hike *(coll)*; **bedingt e.** to increase subject to; **sich stark e.** *(Preise)* to surge ahead

erhöht *adj* 1. increased; 2. 📖 embossed

Erhöhung *f* 1. rise, increase, mark-up, advance, gain; 2. enhancement; 3. *(Vermehrung)* augmentation; 4. *(Lohn)* raise; 5. *(Lager)* build-up; 6. elevation

Erhöhung des Aktienkapitals increase in share capital; **E. der Bestände** inventory build-up/increase, increase in stocks; **E. des Diskontsatzes** increase in the bank rate; **E. der Eigenkapitalrentabilität (durch Ausgabe von Schuldverschreibungen und Vorzugsaktien)** leverage earnings; **E. des lokalen Fertigungsanteils** indiginization; **E. der Haldenbestände** *(Kohle)* increase in pithead stocks; **E. als Inflationsausgleich** *(Lohn)* catch-up increase; **schrittweise E. der Kontingente** progressive quota increase; **E. der Mindestreserve** supplementary special deposits; **E. liquider Mittel** increase in net funds; **E. um einen Punkt** one-point rise; **E. der Verarbeitungstiefe** downstream expansion; **~ Zahl der Arbeitsplätze** increase of jobs

Erhöhung aufweisen to show an increase; **E. durchsetzen** 1. *(Lohn)* to succeed in obtaining an increase; 2. *(Preis)* to push through a higher price

allgemeine/lineare/pauschale Erhöhung across-the-board/package increase; **einmalige E.** one-shot increase; **jährliche E.** year-on-year rise/increase; **saftige E.** hefty increase; **schleichende E.** creeping increase; **spürbare E.** appreciable increase; **stufenweise E.** staggered increase

Erhöhungs|rate/E.satz *f/m* rate of increase

erholen *v/refl* 1. to recover/rally/improve/revive/rebound/recuperate, to pick up; 2. to get better, to perk up; 3. *(Börse)* to stage a recovery/rally, to turn upward; 4. to relax; **sich gut e.** *(Börse)* to stage a good rally, to make a good recovery; **sich leicht e.** *(Börse)* to manage a small gain

erholsam *adj* relaxing, restful

erholt *adj* recovered; **leicht e.** *(Börse)* slightly higher

Erholung *f* 1. recovery, improvement, rally, pick-up, revival, rebound; 2. relaxation, rest; **E. am Aktienmarkt** market rally; **E. der Erlöse/Gewinne** profit recovery; **~ Investitionstätigkeit** recovery of investments; **E. am Rentenmarkt** rally of bond prices; **dringend E. brauchen** to badly need a rest; **E. einleiten** to effect a recovery; **zu einer E. führen** to bring about a rebound

gesamtwirtschaftliche Erholung overall economic recovery; **konjunkturelle E** economic/cyclical/business recovery, economic rebound/comeback, pick-up in economic activity, upturn, upswing; **einsetzende ~ E.** emerging economic recovery; **~ stützen** to support the recovery; **kräftige E.** *(Börse)* strong rally; marked recovery; **leichte E.** *(Börse)* modest recovery, slight rally/recovery; **(markt)technische E.** technical rally/recovery; **nachhaltige E.** sustained pick-up; **rasche/ schnelle E.** speedy recovery, rally; **späte E.** *(Börse)* tardiness of the rally, late rally; **wirtschaftliche E.** economic recovery, rebound/upswing in the economy, pick-up in economic activity; **zögernde E.** fledgling recovery

Erholungs|- recreational; **E.aufenthalt** *m* rest cure, holiday, vacation *[US]*; **e.bedürftig** *adj* in need of a rest, run-down; **E.einrichtungen** *pl* recreational facilities; **e.fähig** *adj (Markt)* buoyant; **E.fähigkeit** *f (Markt)* buoyancy; **E.gebiet** *nt* recreation area; **E.heim** *nt* ⚕ convalescent/rest home, sanatorium; **E.kur** *f* rest cure; **E.ort** *m* (health) resort, spa; **E.pause** *f* rest period, break, breather; **E.platz** *m* 🏭 recreation centre; **konjunktureller E.prozess** economic recovery; **E.raum** *m (Zimmer)* rest room; **E.stätte** *f* rest centre; **E.tendenz** *f (Börse/Konjunktur)* recovery trend; **E.urlaub** *m* 1. holiday, vacation, recreational leave; 2. ⚕ convalescent/sick leave; **jährlicher E.urlaub** annual holiday; **E.wert** *m* recreational value; **E.zeit** *f* 1. recreation time, compensating rest; 2. ⚕ convalescence; **E.zeitzuschlag** *m* relaxation allowance; **E.zentrum** *nt* leisure/rest centre; **E.zuschlag** *m (REFA)* fatigue/relaxation allowance, compensation relaxation factor (CR factor)

erinnern *v/t* to remind; *v/refl* to remember/recall/recollect, to call to (one's) mind; **jdn an etw. e.** to remind so. of sth.; **e. an** to be reminiscent of; **sich nur schwach e. an** to have a faint recollection of

Erinnerung *f* 1. recollection; 2. memory, remembrance; 3. *(Rechnung)* reminder; **E. gegen Pfändungsbeschluss** action of replevin

jdm etw. in Erinnerung bringen to remind so. of sth.; **E. einlegen** § to make objections, ~ a special appeal; **noch gut in E. haben** to be fresh in one's memory; **lebhaft ~ haben** to remember vividly; **~ rufen** to bring to mind, to hark back to

schwache Erinnerung dim/faint recollection

Erinnerungs|anzeige *f* reminder advertisement; **E.brief/E.schreiben** *m/nt* reminder, follow-up letter; **E.fähigkeit** *f* memorative faculty; **E.hilfe** *f (Werbung)* aided recall; **E.lücke** *f* 1. gap in one's memory; 2. partial amnesia; **E.posten** *m* memorandum item, promemoria figure/item, reminder/nominal value; **E.postwurfsendung** *f* follow-up mailing; **E.schwäche** *f* weakness of memory; **E.test (mit Gedächtnisstütze)** *m (Werbung)* aided recall; **E.verlust** *m* amnesia, loss of memory; **E.vermögen** *nt* memory, memorative faculty, power of recollection; **E.werbung** *f* follow-up/ reminder advertising; **E.wert** *m* 1. reminder value, nominal price; 2. *(Bilanz)* pro-memoria figure/item

er|kalten *v/i* to cool down; **e.kälten** *v/refl* ⚕ to catch/go down with a cold; **E.kältung** *f* ⚕ cold, chill

etw. er|kämpfen *v/refl* to struggle for sth.; **schwer e.kämpft** *adj* hard-won; **e.kannt** *adj* 1. § held, ruled; 2. *(Konto)* credited; **etw. von jdm e.kaufen** *v/t* to bribe so. into doing sth.; **teuer e.kauft** *adj* dearly bought; **e.kennbar** *adj* noticeable, recognizable, visible, discernible, identifiable

Erkennen von Entscheidungsbedarf *nt* decision recognition

erkennen *v/t* 1. to recognize/realize/discern/detect; 2. to perceive/identify/spot; 3. § to hold, to pass judgment; 4. *(Konto)* to credit, to enter on the credit side; **sich zu e. geben** to disclose one's identity; **e. lassen** to show/ reveal/signal/evince/betray/infer; **antragsgemäß e.** § to find for the plaintiff; **jdn für schuldig e.** § to find so. guilty

erkennend *adj* § discerning, adjudicative

erkenntlich *adj* grateful; **sich e. zeigen** to show one's gratitude, to reciprocate; **E.keit** *f* reciprocation

Erkenntis *f* 1. perception, awareness, knowledge; 2. § finding, judgment, decision; **in der E.** *(Vertragsformel)* aware; **allerneueste E.se** latest insights; **richterliche E.** finding, sentence

erkenntnis|mäßig *adj* perceptive; **E.stand** *m* state of knowledge; **E.verfahren** *nt* § trial, court procedure leading to a judgment; **E.wert** *m* informative value

Erkennung *f* recognition, perception, identification

Erkennungs|dienst *m (Polizei)* identification/records department; **E.karte** *f* identity card; **E.kartei** *f* identification register; **E.marke** *f* identification disk/tag, identity disc; **E.melodie** *f* signature tune *[GB]*, theme song *[US]*; **E.merkmal** *nt* distinct feature; **E.nummer** *f* identification number; **E.teil** *nt* 💻 identification division

Erkennungsverzögerung *f* recognition lag; **statistisch bedingte E.** disturbance lag; **diagnosebedingte E.** diagnostic lag; **prognostische E.** prognostic lag

Erkennungs|wort *nt* password; **E.zahl** *f* key number; **E.zeichen** *nt* 1. identification mark; 2. ✈ markings

erklären *v/t* 1. to explain/define/illustrate/elucidate, to account for, to spell out; 2. to declare/pronounce/ avouch/assert/state/plead, to make a statement; *v/refl* 1. to declare; 2. *(Differenzgeschäft)* to declare options; **sich etw. e.** to account for sth.

jdn bankrott erklären to declare/adjudge so. bankrupt; **sich bereit e.** to declare one's willingness; **eidlich e.** § to state under oath, to swear an affidavit; **eidesstattlich e.** § to make a solemn declaration, to depose to/affirm sth.; **sich einverstanden e.** to agree; **für eröffnet e.** to declare open; **für fällig e.** to declare due; **feierlich e.** to state in solemn form; **sich gegen etw. e.** to come out against sth.; **für geheim e.** *(Information)* to classify; **näher e.** to specify; **für neutral e.** to neutralize; **für (null und) nichtig e.** 1. to nullify/invalidate/annul, to declare (to be) void, ~ nul and void; 2. § to set aside; **öffentlich e.** to profess; **für rechtsgültig e.** § to validate; **für rechtmäßig e.** to legitimize/legitimate; **für schuldig e.** § to convict, to find guilty; **sich von selbst e.** to be self-explanatory; **sich solidarisch e. mit jdm** to identify with so.; **jdn für tot e.** to declare so. dead; **für**

ungesetzlich e. to outlaw; **für ungültig e.** § to invalidate/repeal/reverse; **für unschuldig e.** § to find not guilty; **sich ~ e.** to plead not guilty; **für unwirksam e.** § to declare void; **jdn für volljährig e.** to declare so. to be of age; **sich für zahlungsunfähig e.** to file a petition in bankruptcy, to declare o.s. insolvent; **zollamtlich e.** ⊖ to declare

erklärend *adj* explanatory; **sich selbst e.** self-explanatory

Erklärende(r) *f/m* declarant, declaring person

erklärlich *adj* understandable

erklärt *adj* avowed, declared; **e.ermaßen** *adv* avowedly/declaredly

Erklärung *f* 1. explanation, definition, interpretation, elucidation; 2. declaration, statement, assertion; 3. § deposition; 4. 🖳 description entry

Erklärung zur Anweisung ⊖ declaration of dispatch in transit; **E. des Ausführers** declaration by the exporter; **E. für die vorübergehende Ausfuhr** temporary export declaration; **E. zum Bauland** designation as building land; **E. unter Eid** § deposition; **E. an Eides statt** affidavit, solemn/statutory declaration; **E. für die vorübergehende Einfuhr** temporary import declaration; **E. über die Einhaltung der Gründungsvorschriften** declaration of compliance; **E. zur Feststellung des Einheitswerts** report for the determination of the assessed value; **~ gesonderten und einheitlichen Feststellung** statement of a separate and uniform determination; **E. vor Gericht** judicial declaration; **E. auf dem Sterbebett** § dying declaration; **E. über geschätzte Steuerschulden** declaration of estimated tax; **eidesstattliche ~ Urkundenechtheit** affidavit/declaration of verification; **E. einer Vertragspartei** representation; **eidesstattliche E. über die Vernichtung von Wertpapieren** cremation certificate; **E. für die Wiedereinfuhr** re-importation declaration

Erklärung abgeben to make a statement; **eidesstattliche E. abgeben** to make a solemn declaration, to affirm sth., to swear/execute an affidavit; **~ abnehmen** to administer an affirmation; **E. abschwächen** to qualify a statement; **keiner E. bedürfen** to be self-explanatory, to speak for itself, to need no explanation; **E. einschränken** to qualify a statement; **jdm eine E. schulden** to owe so. an explanation; **E. widerrufen** to retract a statement

aus freiem Entschluss abgegebene Erklärung voluntary statement; **amtliche E.** official statement; **ausdrückliche E.** express declaration; **ausführliche E.** full statement; **beglaubigte E.** certification; **ordnungsgemäß ~ E.** duly attested statement/declaration; **begründete E.** reasoned statement; **belastende E.** incriminating statement; **berichtigende E.** qualifying statement; **beschworene E.** § affidavit, (statutory) deposition; **eidesstattliche E.** affidavit, solemn declaration, declaration in lieu of oath; **eidliche E.** (statutory) deposition, statement/declaration on oath, sworn declaration; **eidunstattliche E.** § statement in lieu of an oath; **einleitende E.** opening statement; **einseitige empfangsbedürftige E.** unilateral declaration requiring communication; **feierliche E.** solemn declaration; **förmliche E.** formal statement; **zu Protokoll gegebene E.** § verbal, statement made for the record; **gemeinsame E.** joint statement/declaration; **gesetzliche E.** § statutory declaration; **hinreichende E.** satisfactory explanation; **irrtümliche E.** mistaken statement; **kurze E.** brief statement; **legalisierte E.** duly certified declaration; **mündliche E.** 1. verbal statement/deposition; 2. § parol; **durch ~ E.** by parol; **öffentliche E.** public statement; **offizielle E.** official statement/explanation; **rechtsgeschäftliche E.** act in law; **rechtsgestaltende E.** dispositive act; **rechtsunerhebliche E.** immaterial statement; **schriftliche E.** written statement, notice in writing; **durch ~ E.** by notice in writing; **zu stark verallgemeinernde E.** sweeping statement; **vollständige/umfassende E.** full statement; **gesetzlich vorgeschriebene E.** statutory declaration; **weitreichende E.** sweeping statement; **widersprechende E.en** conflicting statements

erklärungsbedürftig *adj* requiring (further) explanation; **e. sein** to call for an explanation

Erklärungs|bote/E.mittler *m* communicating messenger; **E.empfänger** *m* addressee; **E.frist** *f* 1. time for answer; 2. § time fixed for making a declaration; **allgemeine E.frist** filing period; **E.irrtum** *m* mistake in the declaration itself; **E.pflicht** *f* obligation to make a statement, ~ plead; **E.tag** *m* 1. date of declaration; 2. *(Börse)* contango day; **~ für Optionen** option declaration day; **E.theorie** *f* doctrine of declared intention; **E.verfahren** *nt* ⊖ declaration procedure; **E.versuch** *m* approach; **E.wert** *m* explanatory power; **E.wille** *m* intention to state sth. of legal consequence

erkrank|en *v/i* to be taken ill, to fall ill; **lebensgefährlich e.t** *adj* on the danger list

Erkrankung *f* illness, sickness; **schwere E.** severe illness; **im E.sfall** *m* in case of illness, in the event of sickness; **E.sziffer** *f* sickness rate

erkund|en *v/t* to sound out, to explore/scout/glean; **e.end** *adj* exploratory; **e.igen** *v/refl* to inquire, to make inquiries

Erkundigung *f* inquiry, investigation, query; **E.en anstellen** to take soundings; **~ einholen/einziehen** to make inquiries, to gather information; **eingezogene E.en** information obtained; **nähere E.en** further inquiries

Erkundung *f* exploration, scout; **E.sbohrungen** *pl* exploratory drilling; **E.sgespräche** *pl* exploratory talks/discussions; **E.sreise** *f* fact-finding tour, mission of inquiry

erlangbar *adj* obtainable

erlangen *v/t* to achieve/obtain/attain/acquire/gain/procure, to derive from; **auf betrügerische Weise e.** to obtain by fraud

Erlangung *f* attainment, obtainment, recovery, acquisition; **E. eines Schadenersatzes** recovery of damages; **zwecks ~ Vermögensvorteils** for pecuniary gain; **~ Vermögensvorteils durch Täuschung** § obtaining of pecuniary advantage by deception

Erlass *m* 1. *(Verordnung)* decree, mandate, directive, edict, order, ordinance; 2. enactment, pronouncement, passing; 3. *(Schulden)* remission, acquittal, waiver; 4. *(Strafe)* remission, release; 5. *(Rabatt)* reduction, abatement

Erlass von Abgaben exemption from duties; **E. der Eingangsabgaben** remission of import duties and taxes; **E. einer Forderung** release of a claim; **E. der Gebühren** remission of fees, cancellation of charges; **E. eines Gesetzes** promulgation of a law; **E. einer Schuld** release from a debt; **~ geringfügigen Schuld** § acceptilation; **E. von höherer Stelle** § superior order; **E. einer Steuer** remission of (a) tax; **~ Strafe** remission of a sentence; **E. der restlichen Strafe** remission of the unserved part of the sentence; **E. eines Urteils** rendering a judgment; **E. einer Verfügung** § issue of a writ; **~ einstweiligen Verfügung** grant of an injunction; **~ Vorschrift** introduction of a provision

Erlass aufheben to annul a decree; **auf E. einer einstweiligen Verfügung klagen** to bring an action for injunction; **E. ergehen lassen** to issue a decree

amtlicher Erlass (official) decree; **förmlicher E.** release under seal; **gerichtlicher E.** writ; **ministerieller E.** ministerial order

Erlassbescheid *m* exemption order

Erlassen *nt (Gesetz)* enactment; **e.** *v/t* 1. to render/pass; 2. *(Rabatt)* to deduct; 3. *(Schuld)* to remit/release/ waive, to dispense with; 4. *(Strafe)* to remit/abate/discharge; 5. *(Verordnung)* to decree/issue

Erlassung *f* → **Erlass** waiver, remission, dispensation

Erlass|vergleich *m* composition by waiver; **E.vertrag** *m* 1. release agreement; 2. acquittal contract

erlauben *v/t* to allow/permit/grant/let, to give permission; *v/refl* to take the liberty; **sich etw. e. können** *(pej.)* to get away with sth.; **nicht e.** to disallow

Erlaubnis *f* 1. permission, leave, consent; 2. licence, permit, authority; **mit E. von** with the leave of, by leave of; **mit Ihrer E.** by your leave; **ohne E.** unauthorized; **E. des Eigentümers** owner's permission; **E. zur Geschäftsführung** letter of licence; **E. zollfreier Warenausfuhr von Hafen zu Hafen** ⊖ bill of sufferance

Erlaubnis ausstellen to issue a permit; **um E. bitten** to ask (for)/seek permission; **E. erhalten** to obtain permission, to be authorized; **E. erteilen** to grant/give permission, to issue a licence; **E. haben, etw. zu tun** to be at liberty to do sth.; **um E. nachsuchen** to seek permission; **E. versagen** to refuse permission/a licence

behördliche Erlaubnis official permit; **beschränkte E.** limited permission; **besondere E.** special permission/ licence; **gerichtliche E.** leave of court; **polizeiliche E.** permission by the police; **staatliche E.** government permission; **uneingeschränkte E.** plenary licence; **vertragliche E.** contractual licence; **zollamtliche E.** customs permission

Erlaubnis|bescheid *m* licence; **E.erteilung** *f* granting of permission, licensure *[US]*; **E.irrtum** *m* error as to the permissibility of the offence; **E.kartell** *nt* authorized cartel; **E.schein** *m* permit; **E.scheininhaber** *m* permit holder; **E.tatbestandsirrtum** *m* § factual mistake as to the permissibility of the offence; **E.verfahren** *nt* procedure for obtaining a permit; **E.vorbehalt** *m* reservation with regard to granting permission

erlaubt *adj* permissible, allowable, permitted, allowed; **generell e.** permitted by general licence; **gesetzlich e.** legitimate, lawful

erläutern *v/t* 1. to explain/illustrate/outline/expound/ elucidate; 2. *(klarstellen)* to clarify; **e.d** *adj* explanatory

Erläuterung *f* 1. explanation, illustration, elucidation, comment, explanatory note, clarification; 2. *(Buchhaltung)* narration; **E.en zur Bilanz und zur Gewinn- und Verlustrechung; E.en zum Jahresabschluss** notes to the accounts, ~ financial statements; **ohne E. verständlich** self-explanatory; **mit E.en versehen** to annotate; **E.sbericht** *m* notes to the accounts, ~ annual financial statements, explanatory statement/report

erleb|en *v/t* 1. to experience/undergo; 2. *(Erfolg)* to enjoy; 3. *(Niederlage)* to suffer; **selbst e.t haben** to know from experience

im Erlebensfall *m (Vers.)* in case of survival; **E.alter** *nt* qualifying age; **E.kapital** *nt* endowment sum; **E.versicherung** *f* endowment assurance (policy)

Erlebens|rentenversicherung *f* retirement income insurance; **reine E.versicherung** pure endowment assurance *[GB]*/insurance *[US]*; **E.wahrscheinlichkeit** *f* average life expectancy; **E.zeit** *f (Vers.)* endowment period

Erlebnis *nt* experience; **E.tourismus** *m* adventure tourism

erledigen *v/t* 1. to deal with, to take care of, to attend to, to settle/effect/handle/dispatch; 2. to complete/meet/ arrange/discharge, to dispose of (sth.), to work off, to give (sth.) one's attention, to get (sth.) done, to finish (off/up); *v/refl* to settle itself, to take care of itself

geräuschlos erledigen to handle smoothly; **gut e.** to make a good job (of); **rasch e.** to dispatch; **schnell e.** to rush (sth.) through; **sich von selbst e.** to take care of itself; **selbstständig e.** to be in sole charge (of); **etw. sofort e.** to see to/deal with sth. promptly

erledigt *adj* 1. settled; 2. *(Person)* finished, done; **e. werden** to have so.'s attention

Erledigung *f* 1. handling, execution, settlement, completion, attention; 2. arrangement, disposition; 3. dispatch, discharge; **bis zur E.** pending settlement; **gegen E.** on/against payment; **nach E.** on completion; **zur E.** in settlement; **zur sofortigen E.** for immediate attention

Erledigung eines Auftrags execution of an order; **E. einer Beschwerde** adjustment of a claim; **E. von Formalitäten** compliance with formalities; **E. (in) der Hauptsache** § termination of the substantive dispute; **E. des Rechtsstreits** termination of the case, settlement of litigation; **~ Rechtshilfeersuchens** execution of the letters rogatory; **E. unter Vorbehalt** ⊖ conditional discharge

jdm eine Sache zur Erledigung übertragen to put a matter into so.'s hands

außergerichtliche Erledigung out-of-court settlement; **endgültige E.** final disposition; **glatte E.** smooth settlement; **gütliche E.** amicable settlement/arrangement; **prompte/rasche/schnelle/umgehende E.** immediate attention, expeditiousness, (speedy) dispatch; **schiedsrichterliche E.** submission to arbitration; **vollständige E.** final settlement

Erledigungslabschnitt *m* ⊖ discharge voucher; **E.bescheinigung** *f* ⊖ discharge certificate, certificate of discharge; **E.liste** *f* to-do list; **E.schein** *m* release, quitclaim; **E.vermerk** *m* notice of performance, discharge note

erleichterln *v/t* to lighten/facilitate/ease/relieve/alleviate/assuage; **die Dinge e.n** to oil the wheels *(fig)*; **e.t** *adj* relieved

Erleichterung *f* 1. relief, alleviation; 2. facilitation; **E.en** facilities

Erleichterung zur Gewinnerzielung featherbedding *(fig)*; **steuerliche E.en für Investitionen** investment tax credit; **E. am Geldmarkt; E. des Geldmarkts** easing in money rates, monetary relaxation, relaxation of money; **E. der Zahlungsbedingungen** payment facilities

Erleichterung bewilligen to grant relief; **jdm E. gewähren** to grant so. every facility

allgemeine Erleichterunglen general facilities; **besondere E.** special facilities; **kreditpolitische E.** easing of credit; **steuerliche E.** tax relief

erleiden *v/t* to suffer/experience

erlernlbar *adj* *(Handwerk)* apprenticeable; **E.en** *nt* learning; **e.en** *v/t* to learn

erlesen *adj* choice, superior, exquisite, select(ed)

erleuchtlen *v/t* to illuminate; **E.ung** *f* illumination; **plötzliche E.ung** *(fig)* brainstorm

zum Erliegen bringen *nt* 1. *(Verkehr)* to immobilize; 2. to bring to a standstill, to paralyze; ~ **kommen** 1. to come to a standstill, to grind to a halt, to stop; 2. to dry up; **e.** *v/i* to succumb to

erlogen *adj* false, trumped-up

Erlös *m* proceeds, returns, profit, payoff, realization; **E.e** 1. revenue, takings; 2. sales; 3. prices obtained

Erlös auf Anschaffungskostenbasis historical earnings; **E. einer Auktion** auction proceeds; **E.e aus Diskontierung** net avails *[US]*; ~ **Veräußerungen** sales returns; **E. aus dem Verkauf von Anlagen** proceeds from the sale of fixed assets

sich aus dem Erlös befriedigen to pay o.s. out of the proceeds; **E. maximieren** to maximize revenue(s); **E. schmälern** *adj* to reduce the profit; **E. teilen** to split the proceeds; **E. überweisen** to remit the proceeds; **E. verteilen** to distribute the proceeds

erntekostenfreier Erlös 🌳 stumpage price; **sonstige E.e** miscellaneous revenue(s); **verminderter E.** diminished proceeds

Erlöslanteil *m* profit share; **E.art** *f* type of proceeds; **E.ausfall** *m* revenue loss; **E.beitrag** *m* contribution to profits; **E.bild** *nt* earnings picture; **E.bindung** *f* tying up proceeds

erloschen *adj* 1. extinguished; 2. *(Firma)* extinct, dissolved; 3. *(Vers.)* expired

Erlöschen *nt* 1. expiration, extinguishment; 2. *(Vers.)* expiry, lapse; 3. *(Firma)* extinction; 4. *(Prokura)* discontinuance, cessation; **bei E.** on expiry

Erlöschen der Ansprüche expiration of the claim; **E. einer Forderung** discharge of a debt; ~ **Grunddienstbarkeit** extinguishment of an easement; ~ **Hypothek** cancellation of a mortgage; **E. der Mitgliedschaft** termination of membership; **E. wegen Nichtausübung** *(Pat.)* lapse for non-working; **E. eines Patents** expiry/lapse of a patent; ~ **Pfandrechts** voidance of a lien; ~ **Rechts** extinction of a right; ~ **Schuldverhältnisses** discharge of an obligation, cancellation of a debt; **E. einer Steuerbefreiung** termination of a tax exemption; **E. des Urheberrechts** extinguishment of copyright; **E. der Verbindlichkeiten** discharge of indebtedness; **E. einer Versicherung** expiration of an insurance; **E. eines Vertrages** lapse of a contract; **E. der Vollmacht** termination of authority

zum Erlöschen bringen to extinguish

erlöschen *v/i* 1. to expire/cease, to become extinct; 2. *(Pat.)* to lapse/expire

Erlösldruck *m* earnings squeeze; **E.einbruch** *m* profit slump; **E.einbuße** *f* profits shortfall, fall in profits, ~ sales revenue, drop in earnings

erlösen *v/t* *(Verkauf)* to realize; **jdn e.** to get so. off the hook *(fig)*

Erlöslertrag *m* profit, yield; **E.faktor** *m* profit factor; **E.funktion** *f* revenue function; **E.konto** *nt* revenue account; **E.lage** *f* profit situation; **E.maximierung** *f* revenue maximization; **e.mindernd** *adj* revenue-reducing, profit-reducing; **E.minderung** *f* reduction in earnings; **e.orientiert** *adj* profit-orient(at)ed; **E.quelle** *f* revenue raiser; **E.rechnung** *f* revenue accounting; **E.rückgang** *m* drop in profits, decline/decrease in earnings; **E.-Kosten-Schere** *f* revenue-cost gap; **e.schmälernd** *adj* profit-reducing; **E.schmälerung** *f* reduction in earnings, ~ of sales/revenue/proceeds, sales reduction; **E.situation** *f* profit situation, revenue picture; **E.spanne** *f* profit margin; **E.stabilisierung** *f* earnings stabilization; **E.steigerung** *f* increase in earnings; **E.summe** *f* total sales revenue; **E.verbesserung** *f* profit/earnings improvement; **E.verfall** *m* profit slump, declining profits; **E.verknappung** *f* earnings pinch; **E.wert** *m* net realizable value

ermächtiglen *v/t* to authorize/empower/license/enable/mandate, to vest with authority; **e.t** *adj* authorized, warranted, entitled; **E.te(r)** *f/m* authorized person

Ermächtigung *f* 1. authorization, empowerment, entitlement; 2. authority, mandate, warranty (of authority), enabling/delegated/private power, fiat *(lat.)*; 3. *(Vollmacht)* power (of attorney), proxy; **ohne E.** 1. unauthorized; 2. § ultra vires *(lat.)*

Ermächtigung zur Abhebung drawing authorization; ~ **Anwendung außerordentlicher Maßnahmen;** ~ **Anwendung von Notstandsmaßnahmen** emergency powers; ~ **Auszahlung von Vorschüssen vor Einreichung der Dokumente** *(Akkreditiv)* red clause; ~ **Bestellung dinglicher Rechte** enabling power; **E., Dokumententratten auf den Käufer zu ziehen** drawing authorization; **E. der Einkaufsabteilung** purchase requisition; **E. zum Erlass von Rechtsvorschriften** delegated powers to issue legal regulations; **E. zur Kre-**

ditaufnahme borrowing authorization; ~ **Tätigung von Ausgaben** spending power(s); **E. zum Wechseleinzug** drawing authorization

:rmächtigung erteilen to authorize; **gesetzliche E.** statutory authority/power(s); **richterliche E.** judicial authority

:rmächtigungs|depot *nt* authorized deposit; **E.formular** *nt* proxy form; **E.gesetz** *nt* enabling act, general powers act; **E.gesetze** enabling legislation; **E.grundlage** *f* legal basis for authorization; **E.indossament** *nt* restrictive endorsement, endorsement for collection only; **E.klausel** *f* enabling provision; **E.paragraf** *m* enabling provision; **E.rahmen** *m* scope of authority; **E.schreiben** *nt* letter of authority/authorization; **E.urkunde** *f* certificate of entitlement; **E.vorschriften** *pl* authorization provisions

rmahn|en *v/t* 1. to warn; 2. to exhort/admonish; 3. § to caution; **E.ung** *f* 1. warning; 2. exhortation, admonition; 3. § caution

n Ermangelung von *f* in the absence of, failing, for want/lack of, in default of; ~ **genauer Anweisungen** for want of definite instructions; ~ **von Beweisen** for want of evidence; ~ **eines Gegenbeweises** in the absence of proof to the contrary; ~ **einer besonderen Vereinbarung** failing special agreement

rmäßig|en *v/t* 1. to reduce/lower/abate; 2. *(Preis)* to mark down, to decrease/cut; **e.t** *adj* reduced, cut(-rate), concessionary

:rmäßigung *f* 1. reduction, relief, allowance, rebate, abatement, markdown, decrease, lowering; 2. *(Strafe)* remission; **E. der Geldmarktsätze** relaxation of money rates; **E. bei Mengenabgabe** quantity discount; **E. gewähren** to allow/grant a discount; **starke E.** big cut

:rmessen *nt* discretion, judgment; **im E.** at the discretion (of); ~ **des Gerichts** at the discretion of the court; **E. des Prüfers** auditor's judgment; **E. der Verwaltungsbehörde** administrative discretion; **dem E. anheim gegeben; ins E. gestellt** discretionary

ds Ermessen anheimstellen to leave it to/to be in so.'s discretion; **sein E. ausüben** to exercise one's discretion; **nach pflichtgemäßem E. entscheiden** to decide as in duty bound; **nach bestem E. handeln** to use one's best judgment; **im richterlichen E. liegen** to be left to the discretion of the court; **E. missbrauchen** to misuse powers; **jds E. anheim gestellt sein; in jds E. stehen** to be at/in so.'s discretion; **etw. in jds E. stellen; etw. jds E. überlassen** to leave sth. to so.'s discretion

behördliches Ermessen administrative discretion; **nach bestem E.** to the best of one's judgment; **billiges E.** equitable discretion; **nach billigem E.** at so.'s reasonable discretion; **nach eigenem E.** at one's own discretion; **freies E.** absolute/unqualified discretion; **nach freiem E.** at one's own discretion, on a discretionary basis; **gerichtliches/richterliches E.** judicial/legal discretion, discretion of the court; **nach pflichtgemäßem E.** according to one's best judgment; **rechtliches E.** legal discretion; **uneingeschränktes E.** absolute/unqualified discretion

:rmessen *v/t* to judge/ga(u)ge/calculate, to weigh up

Ermessens|akt *m* (act of) discretion, discretionary decision; **E.ausübung** *f* exercise of discretion; **E.auswahl** *f* ▦ judgment/non-probability sampling, convenience sample; **e.bedingt** *adj* discretionary; **E.befugnis** *f* discretionary power(s); **E.bereich** *m* scope/field of discretion; ~ **der Verwaltung** administrative discretion; **E.beschluss/E.entscheidung** *m/f* 1. discretionary decision; 2. § decision ex aequo et bono *(lat.)*; **E.fehler** *m* mistake in the exercise of discretion, abuse of discretion; **E.frage** *f* matter of discretion

Ermessensfreiheit *f* discretionary powers, discretion; **E. missbrauchen** to abuse discretionary powers; **eingeschränkte E.** bounded discretion

Ermessens|gebrauch *m* exercise of discretion; **E.handlung** *f* discretionary act; **E.irrtum** *m* error of judgment; **E.kredit** *m* discretionary credit/loan; **E.missbrauch** *m* misuse of powers, abuse of discretion, misfeasance; **E.nachprüfung** *f* review of discretion; **E.recht** *nt* discretionary powers; **E.reserve** *f* discretionary reserve; **E.sache** *f* matter of discretion; **E.schaden** *m* discretionary damages; **E.spielraum** *m* (scope of) discretion, liberty, discretionary powers; **seinen ~ missbrauchen** to exceed one's discretionary powers; **E.überschreitung** *f* abuse of power, misfeasance; **E.umfang** *m* scope of discretion; **E.vollmacht** *f* discretionary powers; **E.vorschrift** *f* discretionary rule of law

ermitteln *v/t* 1. to ascertain/investigate/establish/determine, to find out; 2. to identify/locate/discover/trace; 3. π to compute; **vorher e.** to predetermine

ermittelt *adj* ascertained; **nicht e.** unascertained

Ermittler *m* 1. investigator, investigating officer; 2. ▦ observer

Ermittlung *f* 1. *(Untersuchung)* investigation, inquiry, tracing, locating; 2. ascertainment, determination, fixing; 3. calculation; 4. *(Schätzung)* valuation, appraisal

Ermittlung von Amts wegen ex officio *(lat.)*/official inquiry; **E. der Anleiherendite** loan pricing; ~ **optimalen Beschaffungsmenge** estimating/calculating optimal order size, determination of optimal purchasing volume; ~ **idealen Bestandshöhe** coverage analysis; **E. des Einkommens** determination of income; ~ **zu versteuernden Einkommens** computation of taxable income; ~ **Gewinns** determination of taxable income; **E. gesamtwirtschaftlicher Größen** aggregation; **E. von Marketingparametern und Datenaggregation** bottom up; **E. des Preises** determination of the price; **E. und Verteilung der Wertminderung über die Nutzungsdauer** depreciation accounting; **E. des Wahlergebnisses** counting of votes; ~ **Zollwerts** establishing the customs value

Ermittlungen anstellen to make inquiries, to investigate, to carry out investigations; **E. aufnehmen** to start investigations; **E. einstellen** to drop investigations; **E. führen** to conduct investigations

Ermittlungs|akten *pl* investigation records; **E.arbeit** *f* detection; **E.ausschuss** *m* committee of inquiry, fact-finding committee; **E.beamter** *m* investigating officer, investigator; **E.befugnis** *f* power(s) of investigation, ~ to investigate; **E.behörde** *f* investigating authority;

E.fehler *m* ▦ ascertainment error; **E.grundsatz** *m* principle of ex officio *(lat.)* inquiries; **E.rechnung** *f* computation; **E.richter** *m* examining magistrate, summary judge

Ermittlungsverfahren *nt* preliminary proceedings/investigation, judicial inquiry, procedure before trial; **E. einleiten** to hold a preliminary investigation; **E. einstellen** to drop the charge; **empirisches E.** trial and error method

Ermittlungs|vollmacht *f* investigatory power(s); **E.zeitraum** *m* period investigated, investigation period, period of assessment

ermöglichen *v/t* to render/make possible, to allow/enable/manage

ermord|en *v/t* to murder/assassinate; **E.ung** *f* murder, assassination, murdering

ermüden *v/ti* to tire; **e.d** *adj* tiresome, backbreaking, tedious

Ermüdung *f* fatigue; **E.serscheinung** *f* sign of slackening; **E.sfestigkeit** *f* ⚙ fatigue strength; **E.sgrenze** *f* endurance limit; **E.skurve** *f* fatigue curve; **E.sprobe** *f* fatigue test

ermunter|n *v/t* to encourage/rouse; **e.t werden durch** to draw encouragement from; **E.ung** *f* encouragement

ermutig|en *v/t* to encourage/abet; **e.end** *adj* encouraging, heartening; **e.t werden durch** to draw encouragement from; **E.ung** *f* encouragement, cheer

ernähren *v/t* to feed/nourish/support; *v/refl* to subsist; **sich selbst e.** to earn one's keep; **sich e. von** to live on; **zwangsweise e.** [§] to force-feed

Ernährer (der Familie) *m* breadwinner, provider

Ernährung *f* food, nourishment, nutrition; **für menschliche E. ungeeignet** unfit for human consumption; **einfache E.** plain food; **richtige E.** correct/appropriate diet

Ernährungs|- nutritional, dietary; **E.amt** *nt* Food Office *[GB]*; **E.berater(in)/E.fachmann/E.sachverständige(r)** *m/f* dietician/diatitian, nutritionist, nutrition expert; **E.forschung** *f* nutritional research; **E.güter** *pl* foodstuffs; **E.gewerbe** *nt* food industry; **E.gewohnheiten** *pl* dietary/eating habits; **E.industrie** *f* food industry; **E.kette** *f* ✿ food chain; **E.krankheit** *f* nutritional disease; **E.kunde** *f* dietetics, nutritional science; **E.lage** *f* food conditions; **E.- und Landwirtschaftsorganisation** *f* Food and Agriculture Organisation (FAO); **E.physiologie** *f* physiology of nutrition; **E.sektor** *m* food sector; **E.standard** *m* nutrition standard; **E.weise** *f* diet, form of nutrition; **E.wirtschaft** *f* food industry/economy; **E.wissenschaft** *f* nutritional science, dietetics; **E.wissenschaftler(in)** *m/f* dietician/dietitian, nutritionist

ernannt *adj* appointed, designate; **neu e.** newly appointed; **E.e(r)** *f/m* appointee

ernennen *v/t* to appoint/nominate/assign/designate/name; **wieder e.** to reappoint

Ernennender/Ernenner *m* nominator

Ernennung *f* appointment, nomination, designation

Ernennung auf Lebenszeit appointment for life; **E. zum Mitglied des Vorstands** appointment to the board; **E. eines Nachfolgers** designation of a successor; **E. auf Probe** probationary appointment; **E. vo Rechnungsprüfern** appointment of auditors; **E. au Widerruf** temporary appointment

Ernennung bestätigen to confirm an appointment; **E widerrufen** to revoke an appointment

recht-/vorschriftsmäßige Ernennung regular appointment/nomination; **vorläufige E.** temporary appointment/assignment

Ernennungs|ausschuss *m* appointments board/committee, nomination committee; **E.befugnis/E.rech** *f/nt* power(s) of appointment; **E.schreiben** *nt* letter o appointment; **E.urkunde** *f* letters patent, certificate o appointment; **E.verfahren** *nt* appointment procedure

erneuerbar *adj* renewable; **nicht e.** non-renewable

erneuern *v/t* 1. to renew/replace/renovate/remake/revive; 2. *(Kredit)* to revolve; 3. *(Vertrag)* to prolong **sich periodisch e.** *(Lagerbestand)* to revolve

Erneuerung *f* 1. renewal, renovation, replacement, regeneration, revival, facelift; 2. *(Kredit)* extension; 3 *(Vertrag)* prolongation, **bei E.** *(Vers.)* at renewal

Erneuerung eines Abkommens renewal of an agreement; **E. der Anlagen** plant refurbishment; **E. de Eigentumsanspruchs** renewal of title; **~ Kredits** roll over; **stillschweigende ~ Pachtvertrags** (tacit) relocation; **E. der Police** renewal of a policy; **~ Verlagsrechte** renewal of copyright; **~ Versicherung** insurance renewal; **E. des Wagenparks** 🚂 stock renewal

wirtschaftliche Erneuerung economic regeneration

Erneuerungs|anspruch *m* *(Lebensvers.)* right of reinstatement; **E.arbeit** *f* repair; **E.auftrag** *m* renewal order; **E.bedarf** *m* replacement demand; **e.bedürftig** *ad* in need of repair; **e.fähig** *adj* renewable; **E.fonds** *m* renewal/depreciation reserve; **E.gebühr** *f* renewal fee **E.investitionsausgaben** *pl* replacement capital expenditure; **E.kommission** *f (Vers.)* renewal commission **E.konto** *nt* depreciation/renewal reserve account **E.police** *f* renewal/continuation policy; **E.prämie** *(Vers.)* renewal bonus; **E.rücklage** *f* renewals reserve replacement fund, reserve for renewal and replacement; **E.schein** *m* renewal certificate/coupon, talon apron, (counterstock) tally; **E.tag** *m* renewal date **E.vertrag** *m* renewal contract; **E.wert** *m* replacemen value

erneut *adj* renewed

erniedrigen *v/t* 1. to debase/diminish/reduce; 2 *(demütigen)* to humiliate; **e.d** *adj* humiliating

Erniedrigung *f* 1. debasement, reduction; 2. *(Demütigung)* humiliation

Ernst *m* severity, gravity, seriousness, earnest; **e.** *adj* serious, grave, earnest; **allen E.es** in all seriousness **wenn es e. wird** when it comes to the point; **es e. meinen** to mean business; **e. nehmen** to take seriously

Ernstfall *m* emergency; **im E.** 1. in case of emergency 2. ✈ in case of war; **für den E. vorbeugen** to provid for an emergency

ernst|gemeint *adj* serious, bona-fide *(lat.)*; **e.haft** *ad* serious, wholehearted; **e.lich** *adj* serious

Ernte *f* 1. harvest(ing); 2. harvested crops, crop, yield

3. *(Bodenfrüchte)* lifting; 4. *(Obst)* picking; **E. auf dem Halm** standing crop; **E. einbringen/einfahren** to harvest, to lift a crop; **gute E. hervorbringen** to yield a good crop; **zum Verkauf bestimmte E.; verkäufliche E.** cash crop; **magere E.** lean harvest; **niedrige E.** short crop; **reiche E.** bumper/heavy crop; **schlechte E.** poor crop

Erntelanfall *m* crop yield; **E.arbeit** *f* harvesting, harvestry; **E.arbeiter** *m* 1. harvest worker; 2. *(Obst)* picker; **E.ausfall** *m* crop failure/shortfall, failure of crops, harvest shortfall; **E.aussichten** *pl* crop/harvest prospects; **E.berichterstattung** *f* crop reporting; **E.dankfest** *nt* 1. harvest festival; 2. Thanksgiving Day *[US]*; **E.einbringung** *f* harvesting; **E.einlagerung** *f* crop stockpiling; **E.ergebnis/E.ertrag** *nt/m* crop, harvest/crop yield; **E.erträge** *pl* cash crops; **E.gut** *nt* crop; **E.jahr** *nt* crop year; **E.katastrophe** *f* crop disaster; **E.kredit** *m* crop loan; **E.maschine** *f* harvester, reaper; **E.maschinen** harvest machinery

ernten *v/t* 1. to harvest/reap; 2. *(Bodenfrüchte)* to lift; 3. *(Obst)* to pick

Erntelpfandrecht *nt* agricultural lien; **unverwertbarer E.rest** crop residues; **E.schaden** *m* crop damage/loss; **E.schätzung** *f* crop estimate; **E.segen** *m* rich harvest; **E.stützungskredit** *m* crop support loan; **E.überschuss** *m* crop surplus; **E.übertrag** *m* carryover; **E.verfahren** *nt* harvesting method/technique; **E.verlust** *m* crop loss; **E.versicherung** *f* crop(s) insurance; **E.zeit** *f* harvest (time)

ernüchterln *v/t* to disillusion; **e.nd** *adj* disillusioning, sobering; **e.t** *adj* disenchanted; **E.ung** *f* disenchantment, disillusionment

erobern *v/t* 1. to capture/conquer; 2. to win

Eroberung *f* conquest, capture; **E.en auf dem Exportmarkt machen** to make inroads in the export market; **E.sdumping** *nt* predatory/aggressive dumping

erodieren *v/t* to erode

eröffnen *v/t* 1. to open/establish, to set up; 2. *(Mitteilung)* to disclose; 3. *(einweihen)* to inaugurate; 4. *(Verhandlung)* to enter into; 5. § *(Verfahren)* to institute; **jdm etw. e.** to notify so., to break so. the news

feierlich eröffnen to inaugurate; **fest e.** *(Börse)* to open on a firm note, ~ firm/steady; **leichter e.** *(Börse)* to open lower; **ruhig e.** *(Börse)* to open on a quiet note; **uneinheitlich e.** *(Börse)* to open irregularly/mixed; **vorsichtig e.** to open cautiously; **wieder e.** to reopen

neu eröffnet *adj* newly opened, under new management

Eröffnung *f* 1. opening, establishment, inauguration; 2. *(Mitteilung)* disclosure

Eröffnung eines Akkreditivs opening a (letter of) credit; **~ veranlassen** to arrange for the opening of a credit; **E. der Feindseligkeiten** opening of hostilities; **E. eines Geschäfts** setting up shop; **E. des Hauptverfahrens** § arraignment, committal for trial; **~ ablehnen** to quash the indictment; **E. der Hauptversammlung** call to order; **E. des Konkursverfahrens** commencement/institution of bankruptcy proceedings; **E. und Schließung einer Position innerhalb eines Börsentages** day trading; **E. eines Testaments** probate/proving of a will; **E. des Vergleichsverfahrens** decree of insolvency, institution of composition proceedings; **E. von Zollpräferenzen** opening of tariff preferences

feierliche Eröffnung inauguration; **feste E.** *(Börse)* firm opening

Eröffnungslansprache *f* opening/inaugural address; **E.antrag** *m* § petition to institute proceedings; **E.anweisung** *f* open statement; **E.bank** *f* opening bank; **E.beschluss** *m* 1. *(Konkurs)* bankruptcy/receiving order, adjudication in bankruptcy *[US]*, writ; 2. § committal for trial; **jdm einen gerichtlichen ~ zustellen** to serve a process on so.; **E.bestand** *m* opening inventory/balance/stock; **E.bilanz** *f* opening/first/initial balance (sheet); **E.bilanzkonto** *nt* opening balance sheet account; **E.buchung** *f* opening entry; **E.fahrt** *f* inaugural run; **E.feier/E.feierlichkeiten** *f/pl* opening ceremony, inauguration; **E.flug** *m* inaugural flight; **E.gebot** *nt* opening bid; **E.geschäft** *nt (Börse)* early trading; **E.inventar** *nt* original inventory; **E.inventur** *f* opening inventory; **E.kurs/E.notierung/E.preis** *m/f/m* starting/first price, opening quotation/price/rate; **E.kurse/E.notierungen** 1. opening levels; 2. *(Börse)* opening prices/call; **E.programm** *nt* (cold) start program; **E.protokoll** *nt (Nachlass)* § record of probate proceedings; **E.rabatt** *m* opening discount; **E.rede/E.vortrag** *f/m* opening speech, inaugural address; **E.runde** *f* opening round; **E.schreiben** *nt* advice of credit; **E.sitzung** *f* opening session/meeting; **E.tag** *m* opening day; **E.veranstaltung** *f* kick-off meeting *(coll)*; **E.verhandlung** *f* § *(Nachlass)* probate proceedings; **E.vermerk** *m* probate record; **E.vorstellung** *f* first night; **E.woche** *f* opening week

erörterln *v/t* to discuss/debate/wrangle; **nicht e.t** *adj* unventilated

Erörterung *f* discussion, debate, argument, ventilation; **zur E. kommen** to come up for discussion; **nach gründlicher E.** after thorough discussion; **e.sbedürftig sein** to need to be considered; **E.spflicht** *f* § obligation to discuss a case; **E.sstadium** *nt* discussion stage

Erosion *f* erosion

ERP-Sondervermögen *nt* E.R.P. Special Fund

erpicht *adj* anxious, eager, keen, bent (on); **e. sein, etw. zu tun** to be out to do sth.

erpresslbar *adj* open to blackmail; **e.en** *v/t* to extort/blackmail, to hold to ransom; **E.er** *m* 1. blackmailer, extortioner; 2. *(Entführung)* kidnapper; **E.erbrief** *m* blackmail letter; **e.erisch** *adj* extortionate, blackmailing; **organisiertes E.erunwesen** protection racket

Erpressung *f* blackmail(ing), extortion; **E. im Amt** extortion by public officials; **E. eines Geständnisses** extraction of a confession under duress; **förmliche E.** literary blackmail; **räuberische E.** extortionate robbery; **E.sversuch** *m* attempted blackmail

erproblen *v/t* to test/prove/trial, to put to the test, to performance-test, to make a trial (of); **praktisch e.** to field-trial, to put to the test of experience; **e.t** *adj* tested, proven, approved, tried (and tested)

Erprobung *f* testing, test, trial, proving; **E.seinheit** *f* test unit; **E.sphase** *f* trial phase; **E.sstufe** *f* pilot stage
erratisch *adj* erratic
errechlnen *v/t* to calculate/compute, to work out; **E.nung** *f* calculation, computation
erreglen *v/t* to incite/excite/rouse, to stir up; **e.end** *adj* dramatic; **E.er** *m* $ germ; **e.t** *adj* excited, agitated
Erregung *f* excitement, agitation; **E. öffentlichen Ärgernisses** indecent exposure, disorderly conduct, offence against public order and decency
erreichbar *adj* 1. able to be reached; 2. attainable, achievable, approachable; 3. *(Ort)* accessible; 4. on the cards, within (one's) reach; **leicht e.** within easy reach, handy; **telefonisch e. sein** to be on the (tele)phone; **E.keit** *f* accessibility
erreichen *v/t* 1. to reach/achieve/attain/accomplish/make, to get somewhere; 2. to secure/gain; 3. to total; 4. *(Kurs)* to touch/approach; 5. to fetch (a price); **bequem zu e.** within easy reach; **fast e.** to touch/nudge/approximate; **nicht e.** to fall short of; **fußläufig zu e.** within walking distance
Erreichung *f* attainment; **bei E. der Altersgrenze** on reaching the age limit; **E. des Qualitätsziels** quality attainment/performance
errichten *v/t* 1. to erect/construct/build, to put up; 2. *(gründen)* to found/establish/constitute, to set up, to create/make; 3. to settle/fabricate
Errichter eines Treuhandverhältnisses *m* trust maker
Errichtung *f* 1. erection, construction; 2. establishment, formation, foundation, setting-up; 3. fabrication; 4. § incorporation
Errichtung in gehöriger Form *(Testament)* due execution; **E. einer Gemeinschaft** establishment of a community; **~ Gesellschaft** formation of a company; **~ Gewerkschaft** formation of a trade *[GB]*/labor *[US]* union; **~ Zollunion** establishment of a customs union
Errichtungskosten *pl* 1. 🏛 construction cost(s); 2. formation cost(s)
erringlen *v/t* to achieve/win; **E.ung** *f* achievement
Errungenschaft *f* 1. achievement; 2. acquisition; 3. *(Eherecht)* acquired property; **geistige E.** intellectual achievement; **soziale/sozialpolitische E.** social achievement; **technische E.** technological achievement; feat of engineering; **E.sgemeinschaft** *f* community property system
Ersatz *m* 1. *(Gegenstand)* replacement, substitute, reserve, stopgap, surrogate; 2. *(Tätigkeit)* replacement, substitution, replenishment; 3. *(Erstattung)* reimbursement (of outlay), compensation, redress, refund, recompense, reparation; **als E.** in exchange for, by way of/as compensation
Ersatz von Anlagegegenständen replacement of assets; **E. der Auslagen** reimbursement for outlay incurred; **E. barer Auslagen; E. von Barauslagen** - reimbursement of cash outlay; **E. für Folgeschäden** consequential loss; **E. von Gegenständen des Anlagevermögens** replacement of assets; **E. in Geld** monetary compensation; **E. veralteter Maschinen** junking; **E. immateriellen Schadens** special damages; **E. des tatsächlichen Schadens** compensatory damages; **E. durch äquivalente Waren** ⊖ equivalent compensatio[n]
als Ersatz einspringen to step in as a substitute, to stan[d] in (for so.); **E. erhalten** to receive compensation; **E. für Havarie erhalten** to recover average; **E. fordern/verlangen** to claim damages/compensation; **E. leisten** to compensate/reinstate, to make restitution, t[o] pay/provide compensation; **zum E. verpflichtet sei[n]** to be liable for damages; **E. stellen** to provide a substitute; **E. des mittelbaren Schadens verlangen** t[o] claim constructive damages; **sich E. verschaffen** to recover (sth.)
behelfsmäßiger Ersatz makeshift, stopgap; **dürftige E.** poor substitute; **kostenloser E.** free-of-charge replacement
Ersatzl- spare, standby, substitute, alternative, substitutional, substitutive, surrogate; **E.aggregat** *nt* backup; **E.aktie** *f* substitute share; **E.anlage** *f* 1. ✿ replacement; 2. standby set; **E.anschaffungen** *pl* replacements; **E.anspruch** *m* 1. claim (for damages), compensation/indemnity/damage claim; 2. § entitlement t[o] compensation, right to damages; **E.anzeige** *f* replacement ad; **E.arbeiter** *m* relief worker; **E.arbeitsplatz/-plätze** *m/pl* alternative employment, substitute/new job(s); **E.artikel** *m* substitute; **E.aufwand/E.aufwendungen** *m/pl* replacement outlay/expenditure; **E.ausrüstung** *f* re-equipment; **E.bedarf** *m* replacement needs/demand/requirements; **E.befriedigung** *f* vicarious satisfaction; **E.beleg** *m* substitute document; **e.berechtigt** *adj* entitled to damages
Ersatzbeschaffung *f* replacement (purchase), re-equipment; **E.en aus Abschreibungen** replacements funde[d] from depreciation allowances; **E.smethode** *f* replacement method; **E.srücklage** *f* replacement reserve
Ersatzlbescheinigung *f* substitute certificate; **E.blatt** *n[t]* replacement sheet; **E.deckung** *f* substitute cover; **E.deckungswerte** *pl* substitute cover assets; **E.diens[t]** *m* community service; **E.einlage für Ringbücher** *f* filler paper; **E.einstellung** *f (Personal)* replacement recruitment; **E.erbe** *m* substitute/alternate heir; **E.erbfolge** *f* substituted succession; **E.erklärung** *f* statemen[t] in lieu; **E.erzeugnis** *nt* substitute; **E.fahrzeug** *nt* replacement vehicle; **e.fähig** *adj* § redressible; **E.finanzierung** *f* replacement finance; **E.forderung** *f* clai[m] for compensation, damage claim; **E.freiheitsstrafe** *f* § imprisonment in default of payment of fine; **E.geld** *n[t]* token money; **E.geldstrafe** *f* § option of fine in lieu o[f] imprisonment; **E.gerät** *nt* standby equipment, replacement; **E.geschäft** *nt* substituted purchase; **E.geschworene(r)** *f/m* alternate juror; **E.güter** *pl* ⊖ compensating goods; **E.handlung** *f* substitute act; **E.import** *m* relie[f] import; **E.indikator** *m* proxy indicator; **E.investition(en)** *f/pl* replacement (investment), capital expenditure on replacement, replacement capital assets, equipment replacement; **E.(kranken)kasse** *f* substitutional/alternative health insurance institution/scheme; **E.kennzahl** *f* proxy indicator; **E.konnossement** *n[t]* exchange bill of lading; **E.ladung** *f* substitute cargo; **E.leistung** *f* indemnification, indemnity, compensa

tion payment, substitute performance; reinstatement; **E.leitweg** *m* alternate routing; **E.lieferung** *f* replacement, substitute/compensation delivery; **kostenlose E.lieferung** replacement free of charge; **E.linie** *f* substituted line; **E.lösung** *f* alternative solution; **E.mann** *m* substitute; **E.mannschaft** *f* reserve team; **E.maschinen** *pl* standby equipment; **E.mine** *f* refill (cartridge); **E.mitglied** *nt* alternative/substitute member; **E.mittel** *nt* surrogate, substitute; **E.pfändung** *f* ancillary attachment

Ersatzpflicht *f* liability to pay damages/compensation, obligation to render/pay compensation; ~ **ausschließen** to preclude liability for damages; **e.ig** *adj* liable to pay damages/compensation; **E.ige(r)** *f/m* party liable

Ersatz|produkt *nt* substitute, replacement product; **E.rad** *nt* 🚗 spare wheel; **E.reifen** *m* 🚗 spare tyre *[GB]*/tire *[US]*; **E.reifengeschäft** *nt* tyre/tire replacement business; **E.reservewährung** *f* substitute reserve currency; **E.revision** *f* § writ of error in lieu of appeal; **E.richter** *m* alternate judge; **E.rückgriff** *m* recourse for reimbursement; **E.schöffe** *m* substitute juror; **E.standort** *m* secondary location; **E.stoff** *m* substitute (material), surrogate; **E.strafe** *f* § substitute penalty; **E.stück** *nt* 1. replacement; 2. *(Urkunde)* replacement certificate

Ersatzteil *nt* 1. spare, spare/reserve/replacement/renewal part, substitute; **E.e** 1. spares, replacement parts; 2. *(Verschleiß)* wear and tear parts; **E. einsetzen** to fit a spare part

Ersatzteil|belieferung *f* parts delivery; **E.dienst** *m* spare parts service; **E.knappheit** *f* parts shortage; **E.lager** *nt* 1. stock of spare parts; 2. (spare) parts centre/depot, reserve depot; **E.lagerung** *f* parts warehousing; **E.lieferant** *m* parts supplier; **E.lieferung/E.versorgung** *f* parts supply; **E.liste** *f* (spare) parts list; **E.recycling** *nt* parts recycling; **E.verwaltung** *f* parts management

Ersatz|testamentsvollstrecker *m* executor by substitution; **E.theorie** *f* renewal/replacement theory; **E.unterbringung/E.unterkunft** *f* alternative accommodation; **E.urkunde** *f* replacement certificate, substitute document; **E.variable** *f* proxy variable; **E.vermächtnis** *nt* substitutional legacy; **E.verpflichtung** *f* secondary obligation; **E.versicherungsabschluss** *m* remedial underwriting action; **E.version** *f* 💻 backup services; **E.vornahme** *f* § substitute performance, substitution; **E.wahl** *f* by(e)-election, election to fill a vacancy; **E.währung** *f* alternative currency; **E.ware** *f* substitute (goods); **E.wechsel** *m* replacement draft; **e.weise** *adv* alternatively, as a replacement; **E.werkstoff** *m* alternative material; **E.wert** *m* replacement value; **E.wirtschaftsgut** *nt* replacement asset; **E.wohnraum** *m* alternative accommodation, replacement housing

Ersatzzeit *f* *(Vers)* substituted/fictitious qualifying period; **beitragslose Ersatz- und Ausfallzeiten** substituted qualifying periods; **E.punkt** *m* reinvestment/replacement time

Ersatzzustellung *f* § substituted service

erschaff|en *v/t* to create; **E.ung** *f* creation

Erscheinen *nt* 1. appearance, emergence, arrival; 2. 📖 publication; **bei/per E.** 1. 📖 on publication; 2. *(Börse)* when issued; **E. vor Gericht** appearance in court, court attendance; **E. von Zeugen** attendance of witnesses; **im E. begriffen** 📖 (to be) forthcoming; **E. einstellen** *(Zeitung)* to cease publication; **äußeres E.** outward appearance; **persönliches E.** personal appearance; **plötzliches E.** burst; **tägliches E.** *(Zeitung)* daily publication

erscheinen *v/i* 1. to appear, to turn up, to put in an appearance; 2. to figure/seem; 3. *(Börse)* to be issued; 4. 📖 to be published, to come out

demnächst erscheinen 📖 to be published shortly; **erforderlich e.** to prove necessary; **nicht e.** *(Gericht)* to forfeit one's bail, to fail to appear, to default; **persönlich e.** to appear in person; **täglich e.** to appear daily; **uneingeladen e.** to gatecrash *(fig)*; **wieder e.** to reappear; **zahlreich e.** to come in strength

demnächst erscheinend *(Publikation)* forthcoming; **periodisch/regelmäßig e.** *adj* serial, periodical

Erscheinung *f* 1. appearance, feature, sign, element; 2. phenomenon; **in seiner E. nachlässig sein** to be careless of one's attire; **in E. treten** to emerge, to manifest itself; **alltägliche E.** everyday occurrence; **äußere E.** outward/outside/physical appearance; **repräsentative E.** distinguished appearance; **vorübergehende E.** passing phase, temporary development

Erscheinungsbild *nt* image, picture, appearance; **E. in der Öffentlichkeit** public image; **E. des Unternehmens; einheitliches E. einer Unternehmung** corporate identity (CI); **neues E. geben** to re-image; **äußeres E.** 1. outward/physical appearance; 2. *(Firma)* corporate image; ~ **u. inneres E.** *(Firma)* corporate identity (CI); **inneres E.** *(Firma)* corporate culture (CC)

Erscheinungs|datum/E.tag/E.termin *nt/m* 1. 📖 publication date; 2. *(Börse)* date of issue; **E.form** *f* manifestation; **E.jahr** *nt* year of publication; **E.ort** *m* place of publication; **E.vermerk** *m* 📖 imprint; **E.weise** *f* publication dates; **wöchentliche E.weise** appearing weakly

erschienen *adj* 1. 📖 published, in print; 2. present; **nicht e.** *(Person)* absent; **E.e(r)** *f/m* § appearer, deponent

erschlaff|en *v/i* to droop/flag; **E.ung** *f* flagging

Erschleich|en *nt* obtaining under false pretences, subreption; ~ **einer Erbschaft** subreption of a legacy; **e.en** *v/t/v/refl* to obtain by fraud, ~ subreptitiously; **E.ung** *f* → **Erschleichen**

er|schlichen *adj* subreptitious; **e.schließbar** *adj* developable

erschließen *v/t* 1. *(Markt/Gelände)* to develop, to open up; 2. *(Geldquelle)* to tap; 3. *(Gelände)* to improve; **verkehrstechnisch e.** to open for traffic

Erschließung *f* development, opening-up, improvement

Erschließung von Bauland land development; ~ **Bodenschätzen** exploitation of natural resources; **E. eines Gewerbegrundstücks** commercial property development; **E. der wirtschaftlichen Hilfsquellen** development of economic resources; **E. eines Landes** development/exploitation of a country; ~ **Marktes** opening a market; **E. von Ödland** reclamation of wasteland

industrielle Erschließung industrial development; **regionale E.** regional development

Erschließungs|abgabe *f* development (land) tax, ~ charge; **E.anlagen** *pl* land/public improvements; **E.arbeit** *f* development work; **E.aufwand/E.aufwendungen** *m/pl* development expenditure, ~ and improvement cost(s), cost(s) of improvement; **E.bedarf** *m* latent demand (for land); **E.beitrag** *m* betterment charge, assessment; **E.finanzierung** *f* development finance; **E.gebiet** *nt* development/improvement area; **E.gebühr** *f* development fee; **E.gelände** *nt* land ready for building; **industrielle E.genehmigung** industrial development certificate; **E.gesellschaft** *f* development corporation, property/(real estate) developer; **industrielle E.gesellschaft** industrial development agency/corporation; **E.gewinn** *m* development gain; **E.grundstück** *nt* development land; **E.kosten** *pl* development cost(s), cost of developing real estate; **landwirtschaftlicher E.kredit** farming development loan; **E.maßnahmen** *pl* development activities; **E.phase** *f* development period; **E.plan** *m* development scheme; **E.straße** *f* access road; **E.unternehmen** *nt* property/real estate developer; **E.vorhaben** *nt* development scheme/project, planning scheme; **E.wert** *m* development value; **E.zuschlag** *m* exploration surcharge

erschöpf|bar *adj* exhaustable; **e.en** *v/t* 1. to exhaust/deplete; 2. ⛏ to work out; *v/refl* to wear out; **e.end** *adj* 1. exhaustive; 2. exhausting, backbreaking

erschöpft *adj* 1. exhausted, depleted; 2. worn-out, overwrought; **bald e.** *(Vorrat)* running low; **nicht e.** unexhausted; **völlig e.** *adj* utterly exhausted; **e. werden** *(Kredit)* to run out

Erschöpfung *f* 1. exhaustion, depletion; 2. fatigue; **E. der Deckungssumme** exhaustion of the limit; **E. des Instanzenzuges/Rechtsweges; E. der Rechtsmittel** exhaustion of remedies, ~ appellate instances; **E. der Quellen** depletion of resources; **~ Rohstoffe** material depletion; **völlige E.** complete exhaustion; **E.szustand** *m* $ state of exhaustion

Erschrecken *nt* scare; **e.** *v/t* to scare; *v/refl* to be scared; **e.d** *adj* daunting, alarming

erschütter|n *v/t* to shake/shock/shatter/rock; **e.nd** *adj* staggering, shocking; **e.t** *adj* shocked; **E.ung** *f* shock (wave), vibration, tremor

erschweren *v/t* to complicate/aggravate/compound/hamper/bedevil; **e.d** *adj* § aggravating

Erschwernis *f* difficulty, impediment, handicap, hindrance; **E.zulage** *f* severity allowance, hardship pay, hazard bonus

Erschwerung *f* complication, aggravation, handicap

erschwindel|n *v/t* to swindle, to obtain by fraud; **alles e.t** pure fabrication

erschwing|bar/e.lich *adj* affordable, within one's means; **nicht e.bar/e.lich** beyond one's means; **E.barkeit/E.lichkeit** *f* affordability; **e.en** *v/t* to afford

er|sehen *v/t* to see/learn; **e.sehnt** *adj* sought-after

ersetzbar *adj* replaceable, substitutable, recoverable; **E.keit** *f* substitutability

ersetz|en *v/t* 1. to replace/substitute/supplant/displace/supersede; 2. *(Kosten)* to compensate/reimburse/refund/recompense/recoup, to pay back, to make good/up; 3. *(Kosten)* to make up; **jdn e.en** to fill so.'s place; **e.t werden durch** to give way to

Ersetzung *f* 1. replacement, substitution, renewal; 2. *(Schaden)* reparation; 3. *(Kosten)* compensation, reimbursement, repayment, recoupment; **E. von Anlagen** replacement/supersession (of plant); **dingliche E.** physical substitution; **E.sbefugnis** *f* right offer alternative performance

ersichtlich *adj* evident, obvious, manifest, apparent

ersinnen *v/t* to devise/contrive/conceive/concoct

ersitz|en *v/t* § to acquire by prescription, ~ adverse possession, to usucapt; **E.er(in)** *m/f* § adverse possessor, usucaptation

Ersitzung *f* § adverse possession, (acquisitive) prescription, usucaption, lost modern grant; **E. von Grund und Boden** acquisition of land by prescription

Ersitzungs|besitz *m* acquisition by squatting rights; **E.eigentum** *nt* title by prescription; **e.fähig** *adj* prescribable; **E.frist** *f* time of prescription, prescriptive period; **E.recht** *nt* title by prescription, squatter's title; **E.rechte geltend machen** to prescribe, to claim a right by prescription

ersparen *v/t* 1. to save; 2. to spare

Ersparnis *f* saving(s), economy; **E.se der öffentlichen Haushalte** government savings; **~ privaten Haushalte** family savings; **~ Unternehmen** corporate savings

Ersparnisse abheben to withdraw savings; **E. angreifen** to dip into one's savings; **E. zusammenlegen/werfen** to pool savings; **auf E. zurückgreifen** to draw on savings

ex ante Ersparnis planned savings; **echte E.se** genuine savings; **negative externe E.se** external diseconomies; **positive ~ E.se** external benefits/economies; **freie/freiwillige E.se** voluntary savings; **geplante E.** slated savings; **negative interne E.se** internal/negative diseconomies; **positive ~ E.se** internal economies; **laufende E.se** current savings; **negative E.se** dissaving; **persönliche E.se** personal savings; **private E.se** personal/private savings; **volkswirtschaftliche E.se** aggregate/total savings

Ersparnisbildung *f* saving, savings formation/accumulation, formation of supply of savings; **E. der privaten Haushalte** private/consumer savings; **freiwillige ~ Haushalte** propensity saving; **negative E.** dissaving; **private E.** private saving

aus Ersparnisgründen *pl* for reasons of economy

Erspartes *nt* savings, nest egg *(fig)*

Erstabnehmer *m* initial buyer

Erstabsatz *m* 1. initial sales; 2. *(Wertpapiere)* initial placing; **E. von Wertpapieren** initial placing of securities; **E.potenzial** *nt* potential of initial sales

Erst|abschreibung *f* initial capital allowance; **E.angebot** *nt* bidding price; **E.anlage** *f* initial/original investment; **E.anleger** *m (Börse)* newcomer; **E.anmeldedatum** *nt* original filing date; **E.anmelder** *m* first applicant; **E.anmeldung** *f* original application/filing; **E.antrag** *m* originating application

rstarklen *v/i* to strengthen, to gain strength, to become stronger; **E.ung** *f* strengthening, recovery

rstarrlen *v/i* to stiffen/solidify; **e.t** *adj* rigid; **E.ung** *f* rigidity, frozen state

rstatten *v/t* 1. to reimburse/repay/refund/indemnify/recompense/return/restore, to pay back; 2. *(Bericht/Anzeige)* to report; **wieder e.** to reimburse/refund/replace

rstattung *f* 1. reimbursement, repayment, refund, rebate, restitution; 2. *(Steuer)* claw-back; **E. notwendiger Aufwendungen** reimbursement of necessary expenses; **E. bei der Ausfuhr** refund on exports; **E. zuviel gezahlter Beträge** repayment of amounts overpaid; **auf E. der Kosten gegenseitig verzichten** mutually to waive all claims to cost(s)

rstattungslangebot *nt* refund offer; **E.anspruch** *m* claim for reimbursement/repayment/refund, claim to restitution; **E.antrag** *m* expense/refund/repayment claim, request for reimbursement; **E.anweisung** *f* reimbursement authorization; **E.beleg** *m* refund voucher; **e.berechtigt** *adj* eligible for a refund; **E.berechtigte(r)** *f/m* eligible claimant; **E.bescheid** *m* notice of repayment; **E.beschluss** *m* § restitution order; **E.betrag** *m* 1. refund, amount refunded; 2. *(Ausfuhr)* export refund; **e.fähig** *adj* refundable, reimbursable, repayable, reclaimable, recoverable, rebatable; **nicht e.fähig** non-refundable, non-repayable; **E.pflicht** *f* duty to repay; taxability; **e.pflichtig** *adj* 1. reimbursable, requiring reimbursement; 2. taxable; **E.rückstände** *pl* repayment arrears; **E.satz** *m* rate of refund; **E.verfahren** *nt* reimbursement procedure, restitution; **E.ware** *f* replacement goods

rstlaufführung *f* 🎭 opening/first night, premiere; **E.auflage** *f* 📖 first edition/printing, initial run; **E.auftrag** *m* first/initial order

rstaunen *nt* astonishment, amazement; **in E. versetzen** to astonish/amaze; **e.** *v/t* to astonish/amaze

rstaunllich *adj* amazing, astonishing, surprising, taken aback, astounding, prodigious; **e.t sein** *adj* to be astonished/taken aback

rstlausbildung *f* initial/original training; **berufliche E.ausbildung** initial vocational training; **E.ausfertigung** *f* original, engrossed document; **E.ausführung** *f* ✿ prototype

rstausgabe *f* 1. 📖 first edition; 2. *(Börse)* initial (public) offering (IPO); **E.kurs/E.preis** *m (Emission)* issue price, initial offer price, ~ (public) offering price; **E.zeit** *f* initial offering period

rstlausleihung *f* initial lending; **E.ausrüster** *m* original equipment manufacturer (OEM); **E.ausrüstung** *f* original/first-time/initial equipment

rstausstattung *f* 1. original equipment, initial supply/equipment; 2. *(Kredit)* initial allowance; **finanzielle E.** initial funding; **E.sgeschäft** *nt* original equipment sales

rstlbegünstigte(r) *f/m* first/primary beneficiary; **E.benutzer** *m* original user; **E.bescheid** *m* first ruling; **E.besteller** *m* launch customer; **E.bestellung** *f* initial/first order; **E.druck** *m* first impression/edition

erste(r,s) *adj* first, prime, initial; **zum E.en, zum Zweiten, zum Dritten!** *(Auktion)* going, going, gone

erstehen *v/t* to purchase/buy/acquire; **billig e.** to buy cheap

Erstehler *m* 1. purchaser/buyer; 2. *(Auktion)* highest/successful bidder; **E.ung** *f* purchase, acquisition

Ersteigerler *m* highest/successful bidder; **e.n** *v/t* to purchase/buy at auction; **E.ung** *f* purchase by/at auction

Erstleinlage *f* original investment; **E.einreichung** *f* 1. first presentation; 2. *(Wechsel)* initial discounting; **E.eintragung** *f* first registration; **E.einzahlung** *f* initial deposit

erstellen *v/t* 1. 🏛 to erect/construct/create; 2. to establish; 3. *(Bericht)* to draw up, to prepare; 4. ▦ to compile, to make up/out

Ersteller von Büroraum *m* office developer; **E.kürzel** *nt* creator short name

Erstellung *f* 1. 🏛 construction, erection; 2. *(Bericht)* compilation, preparation, furnishing, drawing up, making out; **E. eines konsolidierten Abschlusses** consolidation; **E. einer versicherungstechnischen Bilanz** actuarial valuation; **E. eines Fertigungs-/Terminplans** master scheduling; **E. einer versicherungstechnischen Garantie** issue of a guarantee; **E. des Produktionsprogramms** production programming; **E. der Spundwände** 🏛 piling works

Erstellungsldatum *nt* creation date; **E.kosten** *pl* 🏛 construction cost(s); **E.nummer** *f* 🖳 generation number

erstens *adv* in the first place/instance

Erstlerfassung *f* primary/original/source data collection; **E.erfassungsbeleg** *m* source document; **E.erwerb** *m* first/original acquisition, initial taking/purchase; **E.erwerber** *m* first(-time) buyer, first purchaser/taker, perquisitor; **E.erwerberstatistik** *f* initial placing statistics; **E.finanzierung** *f* initial financing; **e.geboren** *adj* first-born; **E.gebot** *nt* first bid; **E.geburt(srecht)** *f/nt* § primogeniture; **e.genannt** *adj* first-mentioned, aforesaid; **E.gericht** *nt* trial court; **E.geschäft** *nt (Börse)* early buying; **E.girant** *m* principal endorser; **E.güteprüfung** *f* original inspection; **E.gutschrift** *f* initial crediting; **E.hypothek** *f* senior/first mortgage

Ersticken *nt* 1. suffocation; 2. ⚕ asphyxiation; **e.** *v/i* 1. to choke/suffocate; 2. to stifle/throttle/smother; 3. ⚕ to asphyxiate

Erstlimpfung *f* primary vaccination; **E.innovation** *f* initial innovation; **e.instanzlich** *adj* at first instance, in the first instance; **E.investition** *f* start-up/original investment; **E.karte** *f* primary (card); **E.kartendatei** *f* primary file; **E.kartenmagazin** *nt* primary feed; **E.kauf** *m* initial purchase; **E.käufer** *m* direct purchaser; **E.kläger(in)** *m/f* first-named plaintiff; **e.klassig** *adj* 1. first-rate, first-class, prime, top-grade, top-quality, high-class, high-grade, choice, A 1; 2. *(Wertpapiere)* gilt-edged, supreme, blue-chip, top-line, top-flight; **E.konsolidierung** *f* first-time/initial consolidation; **E.konsolidierungseffekte** *pl* effects of initial/first consolidation; **E.kreditnehmer** *m* first-time/initial borrower; **E.kunde** *m* launch customer; **e.malig** *adj* unprecedented, first-time; **e.platziert** *adj* first-placed; **E.platzierung** *f* initial placing; **E.prämie** *f* first premium; **e.rangig** *adj* 1. first rate; 2. *(Hypothek)* first

erstreben *v/t* to aspire to; **e.swert** *adj* desirable, worthwhile

erstrecken *v/refl* to extend/range/cover, to pertain to; **sich e. bis** to stretch to, to reach; ~ **über** to span/embrace

Erstreckungs|doktrin *f* § doctrine of overreaching; **E.klausel** *f* overreaching clause

erstreiten *v/t* § to recover, to gain by lawsuit/litigation

Erst|richter *m* trial judge; **E.risikoversicherung** *f* first-loss insurance; **E.schrift** *f* original, initial/first copy; **e.schuldend** *adj* as primary debtor; **E.schuldner(in)** *m/f* primary/principal debtor; **E.semester** *nt* first-year student, fresher, freshman; **e.stellig** *adj* first(-rank); **E.stück-Prüfung** *f* first-piece inspection; **E.(straf)täter** *m* first(-time) offender; **E.tat** *f* § first-time offence; **E.verarbeiter** *m* primary processor; **E.verkauf** *m* initial sale; **E.veröffentlichung** *f* first publication; **E.verpflichtete(r)** *f/m* principal; **E.versicherer** *m* lead(ing)/direct/original/reinsured underwriter, direct/original/primary insurer, direct-writing/ceding company; **E.versicherung** *f* direct/original/primary insurance; **E.versicherungsgeschäft** *nt* prime insurance business; **E.verwahrer** *m* original custodian; **E.wohnung** *f* principal residence/home; **E.zeichner** *m* original/initial subscriber; **E.zeichnung** *f* initial subscription

Ersuchen *nt* request, application, petition, entreaty, solicitation; **auf E. von** at the request of; **E. um Auskunft** application for information; **behördliches E.** official request; **dringendes E.** urgent request; **förmliches E.** § requisition; **richterliches E.** § letters rogatory

ersuchen (um) *v/t* to request/petition; **jdn e.** to beseech so.; **e.d** *adj* § precatory

ertappen *v/t* to catch/surprise/take/nail *(coll)*; **e. und bestrafen** to catch and bring to book; **jdn e.** to catch s.o. out

erteil|en *v/t* 1. to confer/grant/issue; 2. *(Auftrag)* to place/give; 3. *(Auskunft)* to give; **e.t** *adj* granted, issued

Erteilung *f* grant (of), issue, granting, issuing, bestowal

Erteilung einer Auskunft giving information; **E. von Einfuhrgenehmigungen/-lizenzen** import licensing; ~ **Genehmigungen** granting of permits, issuing of licences; **E. einer Lizenz** grant of a licence; **E. eines Patents** granting of a patent; **E. einer Steuerkennziffer** tax coding; **E. des Stimm-/Wahlrechts** enfranchisement; **E. von Unteraufträgen** subcommissioning; **E. einer Urkunde** issue of a certificate; ~ **Vollmacht** conferring power of attorney

Erteilungs|antrag *m* request for a grant; **E.gebühr** *f* patent fee; **E.verfahren** granting procedure

Ertrag *m* 1. *(Einnahmen)* revenue, return(s), profit, yield, gain, proceeds, income; 2. rate of return; 3. *(Produktion)* output, production, outturn; 4. 🚜 crop, produce, yield; 5. avails, pickings *(coll)*; **Erträge** proceeds, earnings, profits, gains, income; **ohne E.** non-income-producing

Erträge aus dem Abgang von Gegenständen des Anlagevermögens (book) profits on the retirement of fixed assets; **E. vor Abzug der Steuern** pre-tax profits, profits before tax(ation); **E. aus Anlageabgang** gain on disposal of fixed assets/investments; **E. unserer Arbeit** fruits of our labour; **E. aus der Auflösung von Rückstellungen** proceeds from the dissolution of provisions, receipts from the writing back of provisions; ~ **von Sonderposten mit Rücklagenanteil** proceeds from the release/dissolution of special items including reserve portion; **E. aus Beteiligungen** investment income/earnings, income from participations/investments, ~ participating interests, ~ investments in affiliated companies; ~ **an Tochtergesellschaften** income from subsidiaries; **E. aus Finanzanlagen** investment income; ~ **anderen Finanzanlagen** income from other financial investments; ~ **dem laufenden Geschäft** earnings from continuing operations; **E. für das volle Geschäftsjahr** full year's earnings; **E. aus Gewinnabführungsverträgen** income from profit transfer agreements; ~ **Gewinngemeinschaften** income from profit-pooling agreements; **Ertrag aus Grund und Boden** income from property; **E. im ersten/zweiten Halbjahr** first/second half earnings; **E. aus Investmentanteilen** income from investment shares; **E. im ersten Jahr** initial yield; **E. in der ersten/zweiten Jahreshälfte; E. im ~ Quartal** first/second period earnings; **E. aus investiertem Kapital** 1. return on investment (ROI), ~ capital employed; 2. earnings from investments; ~ **der Nominalverzinsung** nominal yield; **E. aus dem Verkauf von Anlagen, Beteiligungen und verbundenen Unternehmen** sales of investments and associated companies; ~ **Liegenschaften und Immobilien** sales of properties; ~ **Tochterunternehmen** sales of subsidiaries; **V. aus Verlustübernahme** income from loss absorption; ~ **dem Versicherungsgeschäft** underwriting yield; ~ **Warenverkäufen** income from sales; ~ **festverzinslichen Wertpapieren** receipts from bonds

Ertrag abwerfen/bringen to yield a profit; **guten E. abwerfen** to pay well, to yield high returns; **zukünftigen E. kapitalisieren** to capitalize future yields

abnehmender Ertrag diminishing return(s); **anfallende Erträge** attributable earnings; **ausgewiesener E.** stated earnings, reported profits, posted yield; **auskömmlicher E.** reasonable return; **außerordentlicher/einmaliger E.** non-recurring/extraordinary income, one-time/extraordinary gain; **ausschüttungsgleiche Erträge** revenues deemed equivalent to distributions; **barer E.** net proceeds; **sonstige betriebliche Erträge** other operating income; **betrieblicher/betriebsbedingter/-bezogener E.** operating revenue/income; **betriebsfremde/-neutrale Erträge** non-operating/outside income, other revenue; **im voraus eingegangene Erträge** deferred income; **einmalige Erträge** extraordinary items, one-time gains; **fette/reiche Erträge** rich pickings *(fig)*; **fiskalischer E.**

revenue yield; **konsolidierter E.** consolidated earnings; **landwirtschaftlicher E.** produce, crop yield, agricultural output, farm income; **laufender E.** current yield/receipts/income, operating income; **monatlicher E.** monthly earnings; **neutrale Erträge** non-operating income; **periodenechter E.** current operating income; **periodenfremder E.** below-the-line item; **reinvestierte Erträge** reinvested earnings; **schrumpfender E.** diminishing returns; **schwankender E.** variable yield; **sonstige Erträge** miscellaneous/other income, ~ revenue; **soziale Erträge** social benefits; **unsichtbare Erträge** invisible earnings; **unterdurchschnittlicher E.** substandard yield; **sich vermindernder E.** diminishing returns; **volkswirtschaftlicher E.** national income, social returns; **voraussichtlicher E.** prospective yield; **zinsähnliche Erträge** interest-related income; **zukünftiger E.** future earnings

ertragbringend *adj* 1. 🚜 productive, fertile; 2. profitable, earning, income-yielding, income-producing, remunerative

ertragen *v/t* to bear/endure/tolerate/sustain/stand

er|träglich *adj* bearable, tolerable; **e.traglos** *adj* 1. unprofitable, rentless; 2. 🚜 unproductive, infertile

Erträgnis *nt* return; **E.se** returns, earnings, profits; ~ **des Amortisationsfonds** sinking-fund income; **abnehmende E.se** diminishing returns; **einmalige E.se** nonrecurring income; **sonstige E.se** non-operating income

Erträgnis|aufstellung *f* income statement, profit and loss account, earnings report; **E.ausschüttung** *f* distribution; **E.schein** *m* coupon; **E.transfer** *m* investment income transfer

ertragreich *adj* 1. profitable, profit-yielding, lucrative, remunerative, gainful, fruitful, incremental; 2. fertile, productive, efficient; **e. sein** to leave/yield a profit

ertrags|abhängig *adj* earnings-linked, profit-related, geared to earnings; **E.abnahme** *f* diminishing returns; **E.abweichung** *f* yield variance; **E.aktivierung** *f* capitalization of earnings; **E.analyse** *f* profit analysis; **sprunghafter E.anstieg** jump in earnings; **E.anteil** *m* interest portion, royalty; **e.arm** *adj* 1. unproductive; 2. *(Boden)* poor, infertile; **(inflationsbedingte) E.aufblähung** *f* earnings dilution; **E.aufstellung** *f* record of income/earnings; **E.aufteilung** *f* earnings apportionment; **E.ausfall** *m* loss of earnings; **E.ausschüttung** *f (Fonds)* distribution of income/earnings, income dividend, dividend distribution; **E.aussichten** *pl* earnings/profit prospects, prospective earnings; **E.ausweis** *m* profit and loss statement, ~ account, statement of earnings; **e.berechtigt** *adj* dividend-bearing, entitled to a dividend; **E.bericht** *m* earnings record; **E.besteuerung** *f* taxation of earnings, tax on profits; **E.beteiligung** *f* profit-sharing (payment); **E.bewertung** *f* evaluation of earning power; **E.bilanz** *f* balance of payments on current account; **E.chance(n)** *f/pl* yield prospect(s), earnings prospects, prospective return; **E.decke** *f* earnings cover; **E.denken** *nt* thinking in terms of profit; **E.differenz** *f* yield differential; **E.druck** *m* squeeze on profits; **E.dynamik** *f* profits/earnings growth; **E.einbruch/E.einbuße** *m/f* earnings slump, dip in profits, dent/loss/slump in earnings, loss of revenue, reduction of profit, profits dilution/decline; **E.entwicklung** *f* profit trend, trend of earnings, earnings development, performance; **E.erwägungen** *pl* yield considerations; **E.erwartungen** *pl* profit expectations; **e.fähig** *adj* 1. productive; 2. profitable; **E.fähigkeit** *f* 1. productiveness, productivity; 2. earning capacity/power, income productivity; **an der Grenze der Rentabilität liegende E.fähigkeit** marginal productivity; **E.faktor** *m* profit maker; **E.fantasie** *f (Unternehmen)* profit expectations; **E.funktion** *f* return/production function; ~ **bei Niveauvariation** returns-to-scale function; **E.gebirge** *nt* (physical) production surface; **E.gesetz** *nt* law of diminishing/nonproportional returns, ~ variable proportions; **E.gesichtspunkte** *pl* yield considerations; **E.grenze** *f* margin of profit; **e.günstig** *adj* profitable, high-yield, yielding a good return; **E.intensität** *f* profitability; **E.isoquante** *f* revenue isoquant; **E.komponente** *f* component of income, income component; **E.konsolidierung** *f* consolidation of earnings/income; **E.kontinuität** *f* sustained profits growth; **E.konto** *nt* income/revenue account; **E.kosten** *pl* profit cost(s); **E.kostenrelation** *f* earnings-cost ratio

Ertragskraft *f* earning capacity/power, profitability, yield capacity; **E. des Unternehmens** corporate profitability; **E. stärken** to improve profitability, ~ earning power

Ertrags|kurve *f* yield curve, total product curve; **E.lage** *f* income/profit situation, earnings (picture/situation/status), returns, profits, profitability, net earnings position; ~ **verbessern** to improve profitability; **E.leistung** *f* 1. earnings performance; 2. *(in der Vergangenheit)* earnings record; **E.leiter** *f* earnings ladder; **E.loch/E.lücke** *nt/f* dent/gap in earnings, yield/earnings gap; **e.los** *adj* profitless; **E.losigkeit** *f* profitlessness; **E.marge** *f* profit margin; **E.miete** *f* breakeven/economic rent; **e.mindernd** *adj* profit-reducing; **E.minderung** *f* reduction/decline in earnings, ~ of profits, decrease in profits/returns; **E.niveau** *nt* level of earnings; **E.obligation** *f* revenue bond; **e.orientiert** *adj* income-related, geared to earnings, profit- minded, profit-motivated, profit-orient(at)ed; **E.planziel** *nt* earnings target; **E.plus** *nt* earnings increase; **E.position** *f* earning power/base; **E.posten** *m* revenue/income item; **E.- und Aufwandsposten** revenue and expense items; **E.potenzial** *nt* earning/yield capacity, profit potential; **E.quote/E.rate** *f* rate of return; **marginale E.quote** marginal internal rate of return; **soziale E.rate** social rate of return; **E.rechnung** *f* profit and loss account, earnings/income statement, statement of income; **E.rückgang** *m* drop in profits, decline in earnings, revenue decline, diminishing returns, profit shortfall; **E.rücklage** *f* revenue reserve *[GB]*; **E.schätzung** *f* profits estimate, calculation of earning power; **E.schein** *m* dividend coupon/warrant, interest coupon; **E.scheinbogenerneuerung** *f* renewal of coupon sheets; **E.schmälerung** *f* → **E.minderung**; **e.schwach** *adj* low-yield(ing), weak in earning power, yielding a low return; **E.schwäche** *f* weakness in earning power; **E.schwankung** *f* earnings fluctuation, fluctuation in earnings; **E.schwelle** *f* break-even point; **~ überschreiten** to break even, to achieve profitability, to move into the black; **E.schwund** *m* declining profits; **E.seite** *f* earnings side; **E.situation** *f* profit situation, earnings position; **E.spanne** *f* profit/earnings margin; **E.spitze** *f* peak yield; **E.stabilisierung** *f* earnings stabilization, stabilization of earnings; **e.stark** *adj* high-yield(ing), profitable, yielding a high return; **E.stärke** *f* earning power; **E.steigerung** *f* earnings growth/increase, increase in earnings, performance improvement; **E.stelle** *f* profit centre, earning unit; **E.stellenrechnung** *f* profit-centre/earning-unit accounting

Ertragssteuer *f* profits/earnings tax, tax on earnings, (applicable) income tax; **E. für Körperschaften** corporate (income) tax; **abgegrenzte E.n** deferred taxation; **ausgewiesene E.** reported income tax

ertragssteuer|begünstigt *adj* income tax-privileged; **E.bilanz** *f* earnings-tax balance sheet; **e.frei** *adj* exempt from income tax; **e.pflichtig** *adj* subject to income tax; **E.tarif** *m* income tax scale

Ertrags|ströme *pl* flow of yields; **E.tief** *nt* slump in earnings; **E.überlegungen** *pl* considerations of income; **ordentlicher E.überschuss** net investment income; **nicht vorkalkulierter E.überschuss** unappropriated income; **E.umsatz** *m* revenue, sales; **E.verbesserung** *f* improvement of earnings, ~ in profit, profit improvement; **E.verfall/E.verlust** *m* deterioration of earnings/profits, loss of earnings; **E.vermögen** *nt* earning power; **E.verwirklichung** *f* profit realization; **E.vorschau** *f* earnings/yield forecast(ing), profits forecast/projection; **E.wachstum** *nt* revenue growth

Ertragswert *m* (capitalized) earning power, earning-capacity/capitalized/productive/income value, capitalized value (of potential earnings); **E.ansatz** *m* income value appraisal method; **E.verfahren** *nt* gross rental method; **rückversetzte E.zinsen** displaced capital interest

ertrags|wirksam *adj* affecting net income; **E.wirtschaft** *f* profit-based economy; **E.zahlen** *pl* earnings/profit figures; **E.zentrum** *nt* profit centre; **E.ziel** *nt* profit target; **E.ziffer** *f* yield; **E.zinsen** *pl* interest received/receivable/earned; **E.zinssatz** *m* rate of interest receivable; **E.zuwachs** *m* earnings growth, income gain

erübrigen *v/t* to spare; *v/refl* to be superfluous, to obviate

eruieren *v/t* to investigate

erwachsen (aus) *v/i* to accrue/result/develop/arise (from); **e.** *adj* adult, grown-up, mature; **e.d** *adj* incoming, accruing

Erwachsenenalter *nt* adult age

Erwachsenenbildung *f* adult education; **berufliche E.** adult vocational training; **E.szentrum** *nt* adult training centre

Erwachsenenwahlrecht *nt* adult suffrage

erwägen *v/t* to consider/contemplate/debate/deliberate/ponder/meditate/weigh; **von neuem/nochmals e.** to reconsider; **e.swert** *adj* worth considering

Erwägung *f* consideration, deliberation, contempla[tion]; **in E. ziehen** to consider/contemplate/ponder, t[o] take into consideration

grundlegende Erwägung|en basic principles; **nac[h] kommerziellen E.en** along commercial lines; **ohn[e] kommerzielle E.en** not of a commercial nature; **kon[junktur]junkturpolitische E.en** cyclical policy considera[tions]; **nochmalige E.** reconsideration; **nach reifliche[r] E.** after due consideration; **steuerliche E.en** tax consid[er]ations

erwählen *v/t* to elect/choose

erwähnen *v/t* to mention/state, to refer to, to make men[tion] of, ~ reference to, to touch upon; **einzeln e.** to mak[e] individual mention; **namentlich e.** to refer to by name[,] to mention by name; **e.swert** *adj* worth mentioning[,] worthy of mention

erwähnt *adj* mentioned, referred to, cited; **oben e.** men[tioned] above, above-mentioned (a/m); **unten e.** men[tioned] below, undermentioned (u/m), below-men[tioned]

Erwähnung *f* mention, reference; **E. in der Press[e]** press mention; **ehrenvolle E.** citation; **lobende E[.]** complimentary reference, mention

erwärmen *v/t* to heat (up); **sich für etw. e.** to warm u[p] to sth.

erwarten *v/t* 1. to expect/anticipate, to look for; 2. *(pas[siv])* to await; **etw. von jdm e.** to look to so. to do sth.[;] **zu e. sein** to be in the offing, ~ on the cards

Erwartung *f* expectation, anticipation, expectancy[,] speculation, prospect; **in E.** in anticipation; **~ Ihre[r] Antwort** looking forward to your reply, ~ hearing from you; **~ des Zwischenberichts** ahead of interim figures[;] **den E.en entsprechend** up to the mark; **wider all[e] E.en** contrary to all expectations

den Erwartungen entsprechen; sich ~ entsprechen[d] entwickeln; die E. erfüllen to come/measure up t[o] expectations, to be/develop in line with expectations, t[o] come up to scratch *(coll)*, to deliver the goods *(fig)*, t[o] live up to expectations/a promise; **~ nicht entspre[chen]; E. nicht erfüllen**; **hinter ~ zurückbleiben** t[o] fall short of expectations; **E. übersteigen/-treffen** t[o] exceed/surpass expectations; **E. zurücknehmen[/] -schrauben** to scale down expectations

berufliche Erwartung|en career expectations; **ge[-] dämpfte E.en** subdued outlook; **hochgespannte/-ge[-] steckte E.en** high hopes/expectations; **kühnste E.e[n]** wildest expectations; **mathematische E.** mathematica[l] expectation; **negative E.en** pessimistic expectations

Erwartungs|bereich *m* expectancy range; **e.gemäß** *ad[v]* as expected, according to expectation, predictable[;] **E.grad** *m* ▦ degree of rational belief; **E.haltung** *f* ex[-]pectations; **E.horizont** *m* level of expectations; **E.hy[-]pothese** *f* expectation hypothesis; **E.kauf** *m* sale by ex[-]pectancy; **E.parameter** *m* expectation parameter[;] **E.struktur** *f (Marketing)* anticipation; **E.test** *m* expecta[-]tion test; **e.treu** *adj* ▦ unbiased; **E.treue** *f* unbi[-]asedness; **E.variable** *f* expectation variable; **e.voll** *ad[j]* expectant

Erwartungswert *m* ▦ anticipation term, expectation

expected value; **bedingter E.** conditional expectation; **mathematischer E.** ▦ expectation value

|wecken *v/t* to inspire/arouse; **sich e.weichen lassen** to relent

weisen *v/t* to evidence/establish/show/demonstrate/ prove; *v/refl* to turn out (to be), to prove; **sich als beweglich e.** to show flexibility/resilience; **~ nützlich e.** to prove useful, to come in handy; **~ wahr e.** to prove to be true

weislich *adj* demonstrable, verifiable, provable

weiter|bar *adj* expandable, expandible; **e.n** *v/t* to expand/extend/widen/enlarge/increase/broaden

rweiterung *f* expansion, extension, enlargement, widening, increase, improvement

ktivierungspflichtige Erweiterung des Anlagevermögens capitalization unit; **E. der Arbeitsaufgaben; E. des Aufgabenbereichs** job enlargement; **E. des Arbeitsinhalts** job enrichment; **E. der Bandbreiten** *(EWS)* widening the margin of fluctuations; **E. des Betriebs** plant expansion; **E. der Deckungszusage** extension of cover; **~ Haftung** extension of liability; **E. des Klageantrages** extending the claim of the action; **E. der Produktionsanlagen** enlargement of production facilities; **E. des Teilzahlungsvertrages** add-on contract; **E. der Unternehmenstätigkeit** business expansion, expansion of entrepreneurial activity; **E. des Wirtschaftskreislaufs** expansion of the economy

ultiple Erweiterung multiple plant expansion

rweiterungs|bau *m* extension; **E.bedarf** *m* expansion demand; **E.fähigkeit** *f* expandibility; **E.finanzierung** *f* finance for expansion; **E.gruppe** *f* 💻 line group; **E.investition** *f* expansion/plant-expanding investment, capital expansion/widening, ~ expenditure for the purpose of expansion/extension, increase in capital investments; **E.karte** *f* 💻 expansion card; **E.maßnahme** *f* expansion scheme; **E.plan/E.programm** *m/nt* expansion scheme/project; **E.platine** *f* 💻 expansion board; **E.steckplatz** *m* 💻 expansion slot

rwerb *m* 1. *(Kauf)* purchase, buying, purchasing; 2. acquisition, acquirement, attainment, obtaining

rwerb eigener Aktien acquisition of own shares; **E. einer Beteiligung** acquisition of an interest; **E. unter aufschiebender Bedingung** conditional transfer of property; **E. durch Gebietsfremde** non-resident purchases; **E. einer Kaufoption** *(Börse)* giving for a call, call writing; **E. aus der Konkursmasse** acquisition from a bankrupt's estate; **E. eines Leistungsanspruchs** acquiring the right to benefit; **E. unter Lebenden** § acquisition inter vivos *(lat.)*; **E. einer Minderheitsbeteiligung** minority investment; **E. von Nichtberechtigten** acquisition from a non-entitled party; **~ Todes wegen** § acquisition mortis causa *(lat.)*; **kostenfreier E. eines Vermögenswertes** donated asset

uf Erwerb gerichtet acquisitive, profit-making; **nicht ~ gerichtet** non-profitable, non-profit-making

inem Erwerb nachgehen to earn one's living

bgeleiteter/derivativer Erwerb derivative acquisition; **bedingter E.** conditional purchase; **gemeinschaftlicher E.** joint purchase; **gutgläubiger E.** bona-fide *(lat.)* purchase/transaction, innocent purchase, acquisition in good faith; **mehrfacher E.** multiple acquisition; **nachhängiger E.** *(Wertpapiere)* subsequent acquisition; **unentgeltlicher E.** gratuitous acquisition, ~ transfer of property

erwerben *v/t* 1. to purchase/buy/acquire/procure; 2. to earn/obtain/acquire/gain/attain/win/secure; **betrügerisch e.** to obtain by fraud; **billig e.** to buy cheap; **entgeltlich e.** to acquire by means of purchase, to take for value; **gutgläubig e.** to purchase/acquire in good faith; **käuflich e.** to buy/purchase, to acquire by (means of) purchase; **rechtsmäßig e.** to acquire/obtain lawfully, ~ by legitimate methods

Erwerber(in) *m/f* 1. purchaser, buyer; 2. acquiror, acquirer, acquiring party, taker, acquisitor, alienee, vendee; 3. § transferee, beneficiary, grantee, assign; **E. einer Sachgesamtheit** bulk transferee; **E. von Wertpapieren** transferee

bösgläubiger Erwerber mala-fide *(lat.)* purchaser/ buyer, purchaser/acquirer in bad faith; **gutgläubiger E.** bona-fide *(lat.)* buyer/purchaser, purchaser/acquirer in good faith, innocent purchaser, good-faith taker; **redlicher E.** innocent party; **späterer E.** subsequent transferee; **unentgeltlicher E.** acquirer by way of gratuitous conveyance

Erwerbs|altersgrenze *f* age limit for gainful occupation; **E.arbeit** *f* gainful employment; **e.berechtigt** *adj* entitled to acquire; **E.berechtigte(r)** *f/m* authorized transferee; **e.beschränkt** *adj* partially disabled; **E.beschränkung** *f* partial disablement; **E.beschränkungen** occupational restrictions; **E.besteuerung** *f* taxation of earned income; **E.beteiligung** *f* labour force participation; **E.betrieb** *m* commercial operation/enterprise; **öffentlicher E.betrieb** public undertaking; **E.bevölkerung** *f* working/active population, labour force; **E.charakter** *m* gainfully productive character; **E.datum** *nt* date of purchase; **E.einkommen/E.einkünfte** *nt/pl* income from employment, earned/wage/ business income; **e.fähig** *adj* capable of work/gainful employment, employable, fit for employment/work, able to earn a livelihood, ~ work; **E.fähige(r)** *f/m* employable person, person of employable age, ~ capable of employment, earner; **die E.fähigen** potential labour force

Erwerbsfähigkeit *f* ability/capacity/fitness to work, earning capacity/power; **eingeschränkte E.** restricted earning power; **verminderte E.** partial disability

Erwerbs|gartenbau *m* market gardening *[GB]*, truck farming *[US]*; **E.genossenschaft** *f* trading/cooperative association; **E.gesellschaft** *f* 1. acquisitive society; 2. *(Firma)* purchase association, trading corporation/ company; **E.grundlage** *f* source of income, livelihood; **E.instinkt** *m* acquisitve instinct; **E.kapital** *nt* acquisitive capital; **E.klasse** *f* occupation category; **E.kosten** *pl* purchase price, cost of acquisition, acquisition/buying cost(s); **E.kraft** *f* earning power; **E.kurs** *m* purchase/basis/flat price; **~ plus aufgelaufene Zinsen** and interest price

Erwerbsleben *nt* working life, gainful activity; **aus dem E. (aus)scheiden** to leave the labour force, to withdraw from working life, to retire; **ins E. eintreten** to start one's working life, to join the labour force/ workforce; **im E. stehen** to be gainfully employed

erwerbslos *adj* unemployed, jobless, workless, out of work/employment, without work

Erwerbslose|(r) *f/m* unemployed/jobless person, person without work; **die E.n** the unemployed/jobless/ workless, persons out of work

Erwerbslosen|fürsorge *f* unemployment relief; **E.quote** *f* rate of unemployment; **E.unterstützung** *f* unemployment benefit, dole *(coll)*; ~ **beziehen** to be on the dole; **E.versicherung** *f* unemployment insurance; **E.ziffer** *f* unemployment figure

Erwerbs|losigkeit *f* unemployment; **E.minderung** *f* reduction of earning capacity, reduced working capacity; **E.mittel** *nt* means of living; **E.möglichkeit** *f* job opportunity; **e.orientiert** *adj* acquisitive

Erwerbsperson *f* employed/working/active person, gainfully employed person, person in gainful employment; **die E.en** working/active population, labour force; **abhängige E.en** dependent labour force; **gesamte E.en** total labour force; **selbstständige E.** self-employed person; **unselbstständige E.en** wage and salary earners; **E.enpotenzial** *nt* persons of employable age; **E.enstatistik** *f* manpower statistics

Erwerbs|preis *m* purchase/purchasing price; **zum E.preis** at cost; **E.prinzip** *nt* commercial principle; **E.quelle** *f* source of income, means of living; **E.quote** *f* 1. employment rate; 2. (employee) activity rate, labour force activity, participation rate; **E.recht** *nt* purchase right; **E.schwelle** *f* earnings/income threshold; **E.sinn** *m* business sense; **E.statistik** *f* labour force statistics; **E.steuer** *f* purchase/sales tax; **E.streben** *nt* acquisitive pursuit

erwerbstätig *adj* gainfully employed, in gainful employment, working, economically active; **e. sein** to be gainfully employed, ~ in (gainful) employment; **e. werden** to join the workforce; **nicht e.** non-working

Erwerbstätige(r) *f/m* gainfully employed (person), person in gainful employment, gainful worker; *pl* gainfully employed people, labour force, working population, people at work, wage and salary earners; **selbstständig E.** self-employed (person); **E.npotenzial** *nt* potential labour force; **E.nstunde** *f* manhour; **E.nzahl** *f* employment figure, number of people/persons employed

Erwerbstätigkeit *f* gainful employment/activity, waged employment, remunerative occupation; **selbstständige E.** self-employment; **vorübergehende E.** temporary employment; **E.szeiten** *pl* periods of gainful employment

Erwerbstitel *m* title deed; **E.trieb** *m* acquisitiveness, pursuit of money; **e.tüchtig** *adj* acquisitive

erwerbsuchend *adj* job-seeking, seeking employment

erwerbsunfähig *adj* disabled, incapacitated; **E.e(r)** *f/m* disabled person

Erwerbsunfähigkeit *f* (occupational/premature/total) disability, disablement; **E. oder Minderung der E werbsfähigkeit** total disability or reduced earning c pacity; **auf Krankheit beruhende E.** sickness disab ity; **dauernde E.** permanent disability; **vollständige** total disability; **vorübergehende/zeitweilige E.** ter porary disability; **E.sklausel** *f* disability claus **E.srente** *f* invalid(ity)/disability/breakdown pension

Erwerbs|unternehmen *nt* commercial enterpris **E.urkunde** *f* title deed, deed of ownership; **E.verha ten** *nt* employment behaviour; **E.verhältnis** *nt* gainf employment; **E.vermögen** *nt* earning assets, produ tive property; **E.wert** *m* purchase cost/value, acquis tion value; **zum E.wert** at cost; **E.wirtschaft** *f* busine (activity); **e.wirtschaftlich** *adj* business, profit-ear ing, trading, commercial; **E.zahl** *f* payroll emplo ment; **E.zeitpunkt** *m* time of purchase/acquisitio **E.zweck verfolgen** *m* to be profit-making; **keinen verfolgen** to be non-profit making; **E.zweig** *m* line business, trade, profession, branch of industry

Erwerbung *f* acquisition, purchase, procurement, a quirement

erwidern *v/t* 1. to reply/answer/respond/retort; 2. § rejoin; 3. to reciprocate/return

Erwiderung *f* 1. answer, reply, response, riposte; 2. [rejoinder; 3. reciprocation; **als E. auf** in response to; **der/des Beklagten** answer of the defendant, § rejoi der; **E. des Klägers; E. der Klägerin** § replication; **E. Ihres Schreibens** in reply to your letter; **scharfe** retort

erwiesen *adj* proven, established, demonstrated; **ei deutig e.** beyond doubt

er|wirken *v/t* 1. to achieve/effect/obtain/secure, to brir about; 2. § to sue out; **e.wirtschaften** *v/t* to earn/gene ate/produce, to make (a profit); **e.wischen** *v/t (coll)* catch(s.o. out)/take/nail *(coll)*

kürzlich erworben *adj* recently acquired; **unrech mäßig e.** ill-gotten, misgotten

erwünscht *adj* desirable

Erz *nt* ⚒ ore, mineral (ore); **abbaufähiges E.** min(e able ore; **ergiebiges E.** rich ore

Erz|- arch; **E.abbau** *m* (iron) ore mining, minerals e traction; **E.ader** *f* mineral vein; **E.aufbereitung** *f* ore dressing/preparation; **E.bergbau** *m* ore minin **E.bergwerk** *nt* ore mine; **E.bildung** *f* mineralization

erzeugen *v/t* 1. to manufacture/produce, to turn o (goods); 2. to generate/create; 3. to breed/spawn/ge minate; **e.d** *adj* producing, manufacturing, productiv

Erzeuger *m* producer, manufacturer, maker; **einheim scher/inländischer E.** domestic/national produce **gewerblicher E.** commercial producer/manufacture **vom E. abgefüllt** *(Wein)* chateau-bottled, estate- bottle

Erzeuger|abfüllung *f* *(Wein)* estate-bottled; **E.beihil** *f* producer subsidy; **E.gemeinschaft/E.genosse schaft** *f* 1. producers' association/cooperative; 2. farmers' cooperative; **landwirtschaftliche E.geno senschaft** agricultural producers' cooperativ **E.großmarkt** *m* central market; **E.handel** *m* produc trade, direct selling; **E.kosten** *pl* production cost(s **E.land** *nt* producer country; **E.mindestpreis** *m* min mum producer price; **E.mitgliedsstaat** *m [EU]* producer member state; **E.monopol** *nt* production monopoly

rzeugerpreis *m* producer('s)/manufacturer's/factory gate price; **landwirtschaftlicher E.** farm price; **E.garantie** *f* producer price guarantee; **E.index** *m* producer price index; **E.inflation** *f* producer price inflation, factory gate price inflation; **E.niveau** *nt* producer price level

rzeuger|produktion *f* manufacturing output; **E.richtpreis** *m* producer target price; **E.ring** *m* 🚜 producers' cooperative; **E.risiko** *nt* producer's risk; **E.sachkapital** *nt* stock of capital; **E.subvention** *f* production subsidy; **E.verband** *m* producers' association; **E.vorräte** *pl* producer's stocks

rzeugnis *nt* 1. product, manufacture, commodity, production; 2. 🚜 produce; **E.se** goods, wares

rzeugnis|se aller Art goods, wares and merchandise; **E. des Bodens** product of the soil; **E.se in der Fabrikation** *(Bilanz)* work in progress/process *[US]*; **E. des Maschinenbaus** engineering product; **E. der ersten Verarbeitungsstufe** product of first-stage processing

rzeugnis absetzen; E. auf den Markt bringen to market a product; **E. eingehen/sterben lassen** to axe a product; **mit höherwertigen E.sen handeln** to trade up; **neues E. herausbringen** to launch a new product; **E. vermarkten** to market a product; **auf E.se verrechnen** to charge to products; **für ein E. werben** to promote a product

om Einkommen des Durchschnittverbrauchers abhängige Erzeugnis|se responsive products; **ausländische E.se** foreign products; **zur Verarbeitung bestimmtes E.** product (intended) for processing; **einheimische E.se** 1. domestic/*[EU]* national products, domestic manufactures; 2. 🚜 home produce; **fehlerhaftes E.** faulty product; **fertige E.se** finished goods; **gewerbliches E.** manufactured/industrial product; **gewerbliche E.se** industrial goods, manufactures; **gewinnträchtiges E.** profitable/profit-yielding product; **gleichgestellte E.se** *[EU]* assimilated products; **halbfertige E.se** semi-finished products/manufactures, goods in process, work in progress/process; **handwerkliche E.se** craft products; **fabrikmäßig hergestelltes/industrielles E.** commercial/industrial product; *pl* manufactures; **hochwertiges E.** high-quality product; **höherwertiges E.** superior product; **inländische E.se** 1. local/national/home products, domestics; 2. 🚜 inland/home produce; **konjunkturabhängiges E.** cyclical product; **konkurrenzlose E.se** unrivalled goods; **konkurrierendes E.** competing product; **konsumnahes E.** consumer product; **ladeneigenes E.** store-brand article; **landwirtschaftliche E.se** agricultural produce/products/commodities, farm produce/products; **langlebiges E.** durable product; **leichtindustrielles E.** light-industry product; **minderwertiges E.** inferior product; **petrochemische E.se** petrochemicals; **nicht sortierte E.se** non-graded products; **im Wettbewerb stehende E.se** competing products; **überschüssige E.se** surplus products; **unfertige E.se** semi-finished goods/products, semi-manufactured goods, in-process work, work in progress/process, unfinished products; **veredelte E.se** inproved products; **wenig ~ E.se** products in the early stage of processing; **verkaufsfähiges E.** sal(e)able product; **vermietete E.se** leased equipment; **vertragsgemäße E.se** contract products; **verwandtes E.** related product; **weiterverarbeitete E.se** processed products; **strategisch wichtige E.se** strategic items; **wichtigstes E.** core product

Erzeugnis|bereich *m* product division; **E.bestand** *m* stock of finished and unfinished products; **E.fixkosten** *pl* product-traceable fixed cost(s); **E.gliederung** *f* product classification; **E.gruppe** *f* product group; **E.hauptstoff** *m* primary product; **E.hilfsstoff** *m* secondary product; **E.interesse** *nt* production interest; **E.kalkulation** *f* product cost calculation; **E.kapazität** *f* product/production capacity; **E.kosten** *pl* product cost(s); **E.kostenrechnung** *f* product cost accounting; **E.nummer** *f* product number; **E.patent** *nt* product patent; **E.planung** *f* product planning; **E.programm/ E.spektrum** *nt* range of products, product range; **E.struktur** *f* product mix; **E.übersicht** *f* product survey

außen erzeugt *adj* exogenous

Erzeugung *f* 1. *(Herstellung)* manufacture, production; 2. *(Ware)* output; 3. creation; 4. ⚡ generation; **E. elektrischer Energie** electricity/power generation, generation of electric power, electric power production; **E. nach Sektoren** sectoral output; **E. beschränken** to curtail production; **einheimische E.** *[EU]* national production; **gewerbliche E.** manufacturing production; **landwirtschaftliche E.** agricultural/farm production; **mengenmäßige E.** volume of output

Erzeugungs|bereich *m* 1. production area; 2. manufacturing division; **E.einheit** *f* 1. unit of production; 2. batch; **E.gebiet** *nt* production area; **E.kosten** *pl* production/manufacturing cost(s); **E.kraft** *f* production capacity; **E.land** *nt* producer country; **E.menge** *f* output; **E.ort** *m* place of production/manufacture; **E.potenzial** *nt* production capacity/potential; **E.programm** *nt* production programme; **E.quote** *f* production quota; **E.stadium/E.stufe** *nt/f* stage of production; **E.stätte** *f* production plant, factory; **E.vorhaben** *nt* production scheme

Erz|feind(in) *m/f* arch-enemy; **e.führend** *adj* ⚒ ore-bearing; **E.gauner** *m (coll)* crook, arch-swindler, arch-rogue; **E.gehalt** *m* grade of ore; **E.gewinnung** *f* production of ore, exploitation of mineral deposits; **E.grube** *f* ore mine

erzieh|bar *adj* trainable; **e.en** *v/t* to educate/train, to bring up; **e.end** *adj* educational, disciplinary

Erzieher *m* educator, educationalist, teacher, trainer; **E.in** *f* governess; **e.isch** *adj* educational

Erziehung *f* 1. education, upbringing, training, breeding; 2. educational background; **gemeinsame E. von Jungen und Mädchen** coeducation; **E. zum Umweltbewusstsein** environmental education

akademische Erziehung academic training; **allgemeinbildende E.** liberal education; **anspruchslose/ einfache E.** bread-and-butter education; **gute E.** good breeding; **höhere E.** higher education; **schlechte E.** ill breeding; **vorschulische E.** pre-school education

Erziehungs|- educational; **E.alter** *nt* educational age; **E.anstalt** *f* 1. educational establishment; 2. § remand home *[GB]*, borstal *[GB]*, reform school *[US]*, reformatory *[US]*; **E.behörde** *f* education authority; **E.beihilfe/E.geld** *f/nt* tuition assistance, child care benefit, child-rearing wage, educational maintenance allowance, education benefit/grant; **E.beratung** *f* educational/child guidance; **E.beratungsstelle** *f* child guidance centre; **E.berechtigte(r)** *f/m* parent, guardian; **E.gewalt** *f* parental authority/power/control; **E.heim** *nt* → **E.anstalt**; **E.minister** *m* minister of education, Education Secretary *[GB]*, secretary of state for education; **E.ministerium** *nt* ministry of education, Department of Education *[GB]*, Education Office *[US]*; **E.- und Wissenschaftsministerium** Department of Education and Science *[GB]*; **E.niveau** *nt* educational level; **E.recht** *nt* right of care and custody; **E.urlaub** *m* parental leave; **E.wesen** *nt* (system of) education; **staatliches E.wesen** state education; **E.wissenschaft** *f* educational science, pedagogics; **E.zoll** *m* educational tariff

erziel|bar *adj* achievable, obtainable; **e.en** *v/t* 1. to achieve/obtain/reach/attain; 2. *(Gewinn)* to turn in, to make; 3. *(Preis)* to secure/fetch; **durchschnittlich e.en** to average; **E.ung** *f* achievement, attainment

Erz|lager *nt* ⚒ ore/mineral deposits, ore bed/fields; **E.lagerstätte** *f* ore deposit/body; **E.monetarist** *m* arch-monetarist; **E.mühle** *f* ore mill; **E.schiff** *nt* ⚓ ore carrier; **E.vorkommen** *nt* ore deposits/body

erzwingbar *adj* enforceable; **nicht e.** unenforceable; **E.keit** *f* enforceability; **~ von Zeugenaussagen** compellability of witness(es)

erzwingen *v/t* to enforce/extort/compel, to obtain by compulsion

Erzwinger *m* enforcer

Erzwingung *f* enforcement, compulsion; **E. der Gesetze** law enforcement; **E.sgeld** *nt* § contempt fine, compulsion money; **E.shaft** *f* arrest to enforce a court order, confinement prison for contempt; **E.sstrafe** *f* punishment to enforce a court order, ~ for contemptuous disobedience; **E.sstreik** *m* strike to enforce a claim

erzwungen *adj* enforced, forced; **gerichtlich/richterlich e.** judge-enforced

Escape-Taste *f* 🖳 escape key

Eskal|ation/E.ierung *f* escalation; **e.ieren** *v/ti* to escalate/snowball

Eskompt *m* discount

eskomptier|en *v/t* to discount/anticipate, to make due allowance for; **e.t** *adj* discounted; **E.ung** *f* discounting

Eskort|e *f* escort; **e.ieren** *v/t* to escort

Ess|apfel *m* eating apple, eater; **e.bar** *adj* edible, eatable, comestible; **E.besteck** *nt* cutlery

Esse *f* ✿ 1. flue, chimney; 2. *(Schmiede)* hearth

Essen *nt* 1. dinner; 2. *(Mittag)* lunch(eon), meal; 3. *(Nahrung)* food, fare, grub *(coll)*; **nach dem E.** postprandial; **E. auf Rädern** meals on wheels; **E. und Trinken** fare, wining and dining *(coll)*; **zum E. ausgehen** to eat/dine/lunch out; **jdn zum E. einladen** to invite so. for dinner/lunch; **e.** *v/i* to eat; **auswärts e.** to eat/dine/lunch out

Essens|ausgabe *f* serving counter; **E.bon/E.gu schein/E.marke** *m/f* luncheon voucher (LV) *[GB* meal ticket *[US]*; **E.geld/E.zuschuss** *nt/m* meal allow ance/subsidy; **E.zeit** *f* mealtime

Ess|geschirr *nt* 1. tableware, flatware; 2. dinner servic **E.gewohnheit** *f* eating habit

Essig *m* vinegar; **E.essenz** *f* vinegar concentrate; **e.sau** *adj* ⚗ acetic; **E.säure** *f* ⚗ acetic acid

Ess|kultur *f* gastronomic culture; **E.lokal** *nt* restauran **E.waren** *pl* food, provision

etablieren *v/t* to establish, to set up; *v/refl* to settle i **jdn e.** to establish so. in business

Etage *f* floor, level, storey, story *[US]*; **erste E.** fir floor, second story/floor *[US]*; **obere E.** upstairs, to floor; **unterste E.** bottom floor

Etagen|haus *nt* block of flats; **E.service** *m* room se vice; **E.wohnung** *f* flat, apartment; **~ mit Bedienun** service flat

Etappe *f* stage, phase, leg; **in E.n** in stages; **e.nweise** *a adj* in stages, by easy stages

Etat *m* → **Budget, Haushalt** budget; **E. für Materia beschaffung** inventory and purchases budget; **E. ein Werbeagentur** 1. billings; 2. *(Kunde)* account

Etat annehmen to pass the budget; **E. aufstellen** draw up the budget, to prepare the estimates, to budge **E. ausgleichen** to balance the budget; **E. belasten** burden the budget; **E. beraten** to debate the budget; **beschneiden** to prune the budget; **E. bewilligen/g nehmigen** to approve the budget, to vote the budg estimate; **E. einbringen** to submit the budget; **E. ei halten** to keep to the budget; **in den E. einstellen** to i clude in the budget; **E. gewinnen** *(Werbung)* to pitch a account; **E. kürzen** to cut the budget; **E. überschre ten/-ziehen** to exceed one's allowance, ~ the budget; **umschichten** to revamp the budget; **E. verabschiede** to adopt a budget; **E. vorlegen** to open/present th budget; **im E. vorsehen** to budget for; **E. zusamme streichen** to slash a budget

den Produktionsschwankungen angepasster Et variable budget; **ausgeglichener E.** balanced budge **außerordentlicher E.** special/extraordinary budge **bewilligter E.** budget appropriations; **elastischer** flexible budget; **genehmigter E.** approved budget; **o dentlicher E.** ordinary budget; **veränderlicher** sliding budget; **veranschlagter E.** (budget) estimate **vorläufiger E.** tentative budget

Etat|abweichung *f* budget variance/variation; **E.anfo derung** *f* budget requirement; **E.ansatz** *m* appropri tion, budget projection/estimate/appropriation, pla ned expenditure, ~ budget figure; **E.aufschlüsselung** breakdown of a budget; **E.aufstellung** *f* preparation a budget; **E.ausgleich** *m* balanced budget, budgetar balance, balancing the budget, budget balancing; **E.b ratung** *f* budget debate; **E.begrenzung** *f* cash limi **E.beschränkung** *f* budget restriction; **E.defizit** budget deficit, adverse budget; **E.druck** *m* budg squeeze; **E.einnahmen** *pl* budgetary receipts, budg revenue; **E.einsparungen** *pl* budget savings; **E.en wurf** *m* proposed/draft budget, budget draft, estimate

etatisieren *v/t* to budget for, to estimate, to include in the budget

Etat|jahr *nt* fiscal/financial/budgetary year; **E.kontrolle** *f* budgetary control; **E.kunde** *m* (advertising) account; **E.kürzung** *f* budget/spending cut; **e.mäßig** *adj* budgetary; **E.mittel** *pl* budget funds/resources, budgetary means/funds, public monies; **bewilligte E.mittel** budget(ary) appropriations; **E.planung** *f* budgeting, budget planning; **E.posten/E.titel** *m* budget(ary) item; **E.recht** *nt* budget law; **E.rede** *f* budget speech; **E.richtlinien** *pl* budget procedure; **E.spielraum** *m* budgetary scope; **E.überschreitung/-ziehung** *f* budget overrun, over budget, overspending; **E.überschuss** *m* budget surplus; **E.überschüsse** carryover funds; **E.unterschreitung** *f* budget underrun/underspending; **E.veränderung** *f* budget shift; **E.verwalter** *m* budget keeper; **E.voranschlag** *m* budget(ary) estimate; **E.ziel** *nt* budget target; **E.zuweisung** *f* budget appropriation

Ethik *f* ethics; **E.abteilung** *f* ethics department

ethisch *adj* ethical

ethnisch *adj* ethnic

Ethno|loge *m* ethnologist; **E.logie** *f* ethnology

Ethos *nt* ethos

Etikett *nt* label, tag, tally, tab, ticket, docket; **mit E. versehen** to label; *adj* labelled; **gummiertes E.** sticker; **E.angaben** *pl* label information

Etikette *f* etiquette, decorum; **auf E. halten** to stand on ceremony

Etiketten|druck *m* printing of labels; **E.fälschung/E.schwindel** *f/m* false/fraudulent labelling

etikettier|en *v/t* to label/tag/tally/docket; **neu e.en** to relabel; **E.ung** *f* labelling

Etui *nt* wallet, case

etwa *adv* approximately, in the neighbourhood of; **so e.** thereabouts, roughly

etwaig *adj* any, possible

EU (Europäische Union) *f* → **EG** EU (European Union); **EU-Agrarminister** *m* EC farm minister; **EU-Beamter** *m* EU official; **EU-Behörde** *f* EU institution; **EU-Haushalt** *m* Community budget; **EU-Ministerrat** *m* Council of Ministers; **EU-Mitgliedschaft** *f* Community membership; **EU-Mitgliedsland** *nt* EU member state; **EU-Norm** *f* EU standard; **EU-Rechnungseinheit** *f* EU unit of account; **EU-Regelung** *f* EU regulation; **EU-Staat** *m* EU country

Eulen nach Athen tragen *(prov.)* to carry coals to Newcastle *(prov.)*

Euro *m* Euro; **E.aktienmarkt** *m* Euro-equity market; **E.anleihe** *f* Eurobond, Euro-currency loan/issue, Euroloan; **E.anleihe-/E.bondmarkt** *m* Eurobond/Euro loan market; **E.bond** *m* Eurobond; **E.bondemission** *f* Eurobond issue; **E.control** *f* ✈ Eurocontrol; **E.devisen** *pl* Euro-currencies; **E.dollar** *m* Eurodollar; **E.dollarmarkt** *m* Eurodollar market; **E.emission** *f* Euro security issue; **E.gelder** *pl* Euro funds

Eurogeld|markt *m* Euro-currency/Euro-money market; **E.marktgeschäfte** *pl* Euro-currency transactions; **E.marktsatz** *m* Euro-currency deposit rate; **E.transaktion** *f* Euro-money transaction

Euro|kapitalmarkt *m* Euro-capital market; **E.konsortialgeschäft** *nt* syndicated Eurocredit sector/business; **E.konsortialkredit** *m* syndicated Eurocredit; **E.krat** *m* Eurocrat; **E.kredit** *m* Eurocredit, Euroloan, Eurocurrency credit; **E.kreditgeschäft** *nt* Euromarket lending; **E.kredittransaktion** *f* Eurocredit transaction; **E.markt** *m* Euromarket, Euro-money market; **E.marktkapital** *nt* Euro-capital

Europa|anhänger(in) *m/f* pro-integrationist; **E.beamter** *m* Eurocrat; **E.bewegung** *f* European movement; **E.gedanke** *f* European idea/concept

europäisch *adj* European

Europäische|r Arbeitgeberverband Union of Industrial and Employers' Confederations of Europe (UNICE); **E. Artikelnummerierung** European product coding; **E. Artikelnummer** European article number; **E. Atombehörde** European Nuclear Energy Agency; **E.s Atomforum** European Atomic Forum (FORATOM); **E. Atomgemeinschaft (EAG, Euratom)** European Atomic Energy Community; **E.r Ausgleichs- und Garantiefonds für die Landwirtschaft** European Agricultural Guidance and Guarantee Fund; **E.r Ausschuss für Forschung und Entwicklung** European Research and Development Committee; **E.r Entwicklungsfonds** European Development Fund (EDF); **E.r Fonds für regionale Entwicklung** European Regional Development Fund; **~ währungspolitische Zusammenarbeit** European Monetary Cooperation Fund (EMCF); **E. Freihandelsgemeinschaft** European Free Trade Association (EFTA); **E. Freihandelszone** European Free Trade Area; **E. Gemeinschaft (EG)** European Community (EC); **~ für Kohle und Stahl (EGKS)** European Coal and Steel Community (ECSC); **E.r Gerichtshof** European Court of Justice (ECJ); **~ für Menschenrechte** European Court of Human Rights; **E.r Gewerkschaftsbund (EGB)** European Trade Union Confederation (ETUC); **E. Handelsgesellschaft** European trading company; **E. Investitionsbank** European Investment Bank (EIB); **E. Kernenergieagentur** European Nuclear Energy Agency (ENEA); **E.s Kernforschungszentrum** European Nuclear Research Centre (CERN); **E. Kommission** European Commission; **~ für Menschenrechte** European Commission of Human Rights; **e.r Kontinent** continental Europe; **E. Marktordnung** European market regulations; **E. Menschenrechtskonvention** European Convention of Human Rights; **E.s Niederlassungsabkommen** European Convention for Establishments; **E. Organisation zur Erforschung des Weltraums** European Space Research Organisation (ESRO); **~ für Kernforschung** European Organisation for Nuclear Research (CERN); **~ für wirtschaftliche Zusammenarbeit** Organisation for European Economic Cooperation (OEEC); **E.s Parlament** European Parliament (EP); **E.s Patentamt** European Patent Office; **E. Patentorganisation** European Patent Organisation; **E.s Patentregister** Register of European Patents; **E.s Patentübereinkommen** European Patent Convention; **E. Produktivitätszentrale** European Productivity Agency; **E.r Rat** European

Council; **E. Raumfahrt-Organisation** European Space Authority (ESA); **E. Rechnungseinheit (ERE)** European Unit of Account (EUA); **E. Sozialcharta** European Social Charter; **E.r Sozialfonds** *m* European Social Fund; **E. Übereinkunft über Formerfordernisse bei Patentanmeldungen** European Convention Relating to the Formalities Required for Patent Applications; ~ **über die internationale Patentklassifikation** European Convention on the International Classification of Patents for Invention; **E. Union (EU)** European Union (EU); **E.s Währungsabkommen** European Monetary Agreement; **E. Währungseinheit** European Currency Unit (ECU); **E.r Währungsfonds** European Monetary Fund (EMF); **E.s Währungssystem (EWS)** European Monetary System (EMS); **E. Währungsunion (EWU)** European Currency Union (ECU); **E.r Wechselkursverbund** Currency Snake; **E.s Wiederaufbauprogramm** European Recovery Programme (ERP); **E. Wirtschaftsgemeinschaft (EWG)** European Economic Community (EEC); **E.r Wirtschaftsrat** European Economic Council (EEC); **E.r Wirtschaftsraum** European Economic Area (EEA); **E. Zahlungsunion** European Payments Union; **E. Zollunion** European Customs Union

Europa|patent *nt* Europatent; **E.rat** *m* Council of Europe, European Council; **E.recht** *nt* European law; **E.schiff** *nt* standardized barge; **E.union** *f* European Union; **E.vertrag** *m* Treaty of Rome

Euro|pfund/E.sterling *nt/m* Eurosterling; **E.scheck** *m* Eurocheque; **E.scheckkarte** *f* Eurocheque card; **E.währung** *f* Eurocurrency; **E.währungsmarkt** *m* Eurocurrency market; **E.zinsen** *pl* European interest rates

evakuier|en *v/t* to evacuate; **E.tenrecht** *nt* law concerning evacuees; **E.te(r)** *f/m* evacuee; **E.ung** *f* evacuation

evaluier|en *v/t* to evaluate/assess; **E.ung** *f* evaluation, assessment

Event-Marketing *nt* events marketing

Eventual|anspruch *m* contingent (liability) claim, alternative claim; **E.antrag** *m* secondary motion; **E.beihilfe** *f* contingent benefit; **E.budget/E.haushalt** *nt/m* contingency budget; **E.fall** *m* eventuality, contingency, case of need, rainy day *(fig)*; **E.fallplan** *m* contingency plan; **E.fonds** *m* contingency fund; **E.forderung** *f* contingent claim; **E.haftung** *f* contingent liability/liabilities; **quotale E.haftung** contingent proportionate liability

Eventualität *f* contingency, eventuality; **E.splanung** *f* contingency planning

Eventual|kosten *pl* contingent charge; **E.obligo** *nt* contingent commitment; **E.plan** *m* contingency plan; **E.planung** *f* contingency planning; **E.reserve** *f* contingency reserve; **E.standpunkt** *m* alternative contention; **E.verbindlichkeit/E.verpflichtung** *f* contingent/indirect/secondary liability, contingency, standby commitment; **E.vertrag** *m* [§] aleatory contract

eventuell *adj* possible, potential; *adv* in certain circumstances

evident *adj* evident, obvious, manifest, clear

Evidenz|büro/E.stelle *nt/f* [§] recording agency, registry; **E.theorie** *f* [§] principle of nullity of evident[ly] faulty administrative acts; **E.zentrale** *f* 1. informatic[on] centre; 2. *(Vers.)* central risk office

Evokationsrecht *nt* right to withdraw a matter from th[e] cognizance of another court, right to issue a writ [of] certiorari *(lat.)*

Evolution *f* evolution; **E.s-** evolutionary

evolutorisch *adj* evolutive

E-Werk *nt* → **Elektrizitätswerk** power station; **E.-Verbund** *m* electricity pool

ewig *adj* eternal, in perpetuity; **e.gestrig** *adj* ultra-conservative; **E.gestriger** *m* diehard

ex ante *(lat.)* in prospect; **ex lege** *(lat.)* [§] by operation of law; **ex nunc** *(lat.)* from now on; **ex officio** *(lat.)* e[x] officio; **ex post** *(lat.)* after the event

exakt *adj* precise, exact, detailed, strict, concise, prope[r], spot on *(coll);* **E.heit** *f* exactness, conciseness

Examen *nt* examination, exam *(coll)*; **E. abhalten** [to] hold an examination; **E. ablegen** to sit an examination; **E. bestehen** to pass an examination; **E. nicht bestehen; bei einem E. durchfallen** to fail an examination; **vor kurzem E. gemacht haben** to be newly qualified; **mit abgeschlossenem Examen** graduated, newly qualified; **mündliches E.** oral examination, viva voc[e] *(lat.)*; **schriftliches E.** written examination

Examens|arbeit *f* examination paper, script; **E.aufgabe** *f* paper, test; **E.ausschuss** *m* board of examiners; **E.gebühr** *f* examination fee

examinieren *v/t* to examine

exceptio doli *(lat.)* [§] plea of fraud, ~ bad faith

exekutieren *v/t* 1. *(Börse)* to sell out (against so.); 2. *(Schuldner)* to distrain (upon so.); 3. *(Verbrecher)* [to] execute

Exekution *f* 1. *(Börse)* buying in, selling out; 2. execution; **E.sbefehl** *m* death warrant; **E.srecht** *nt* right o[f] execution; **E.sverkauf** *m* forced sale

Exekutiv|aufgaben *pl* executive functions; **E.ausschuss** *m* executive committee/council

Exekutive *f* executive (authority/organ), administrative power

Exekutiv|gewalt *f* executive power; **E.organ** *nt* executive body/organ/authority; **europäische E.organe** European executive bodies; **E.rat** *m* executive council, board

Exempel *nt* example; **E. statuieren** to make an example (of so.)

Exemplar *nt* 1. ▯ copy; 2. *(Muster)* pattern, sample, specimen; 3. *(Urkunde)* set; 4. *(Zeitung)* number; **E. Abgang** *m* ⊖ departure copy; **E. Bestimmung** ⊖ destination copy; **in zwei E.en** in duplicate; **altes E.** ▯ back number; **maßgebliches E.** master copy; **unverkauftes/nicht verkauftes E.** unsold copy

exemplarisch *adj* exemplary

exemplifizieren *v/t* to exemplify/typify

Exequatur *f* exequatur

Exil *nt* exile; **ins E. schicken** to exile

Exim-Regelung *f* ⊖ exim arrangements

existent *adj* existing

Existenz *f* existence, livelihood, living, subsistence

ch eine Existenz aufbauen to make a new life for o.s., to set up as a self-employed person; **E. gefährden** to jeopardize one's living; **E. gründen** to establish a business; **auskömmliche E. haben** to have enough to live on; **keine sichere E. haben; unsichere E. haben** to have no secure livelihood, to eke out/make a precarious living

escheiterte Existenz failure; **gesicherte/sichere E.** secure existence; **unsichere E.** hand-to-mouth existence; **verkrachte E.** dead beat

xistenz|angst *f* 1. existential fear; 2. fear for one's livelihood; **E.aufbauberatung** *f* start-up counselling; **E.aufbaudarlehen** *nt* business set-up/start-up loan; **E.bedingungen** *pl* living conditions; **e.bedrohend** *adj* jeopardizing so.'s livelihood; **E.bedrohung** *f* jeopardizing so.'s livelihood; **E.berechtigung** *f* right to exist; **e.fähig** *f* 1. viable; 2. able to exist; **E.fähigkeit** *f* viability; **E.frage** *f* matter of life and death; **e.gefährdend** *adj* threatening so.'s livelihood; **E.gefährdung** *f* threat to the livelihood; **E.gründer** *m* founder of a business; **E.gründerzentrum** *nt* science park, business innovation centre; **E.grundlage** *f* livelihood; **jdn seiner ~ berauben** to pull the rug from underneath so. *(fig)*

xistenzgründung *f* business start(ing)/start-up, establishing a livelihood, establishment of a business; **E.sberatung** *f* start-up counselling; **E.sdarlehen** *nt* start-up loan, business set-up loan; **E.shilfe** *f* start-up aid; **E.sprogramm** *nt* scheme for the promotion of new company formations; **E.ssparen** *nt* start-up savings scheme; **E.svorhaben** *nt* start-up project

xistenz|kampf *m* struggle for existence/survival; **E.lohn** *m* subsistence wage; **E.minimum** *nt* living wage, subsistence wage/level/minimum, poverty line, minimum standard of living, ~ survival needs; **~ nicht erreichen** to live below the poverty/bread line; **E.sicherung** *f* securing/safeguarding so.'s livelihood; **E.verlust** *m* loss of one's livelihood; **E.vernichtung** *f* destruction of so.'s livelihood

xistieren *v/i* to exist/subsist; **nicht e.d** *adj* non-existent

xklusiv *adj* exclusive, select, upmarket

xklusiv|- exclusive; **E.bindung/E.betrieb/E.geschäft** *f/m/nt* exclusive dealing

xklusivität *f* exclusiveness, classiness, selectedness

xklusiv|handel *m* exclusive dealership; **E.konzession** *f* exclusive licence; **E.liste** *f* exclusive list; **E.meldung** *f* scoop *(coll)*; **E.recht** *nt* ⊖ exclusive (dealing) right; **E.verkauf** *m* exclusive sale; **E.verkaufsrecht** *nt* dealer franchise; **E.vertrag** *m* 1. exclusive (purchasing) agreement, tying contract, full requirements contract; 2. ⊖ exclusive rights contract; **E.vertrieb** *m* exclusive market; **E.vertretung** *f* sole agency

xkulpationsbeweis *m* [§] exculpatory proof

xkulpieren *v/t* to exonerate/excuse

xkursion *f* excursion

xmission *f* [§] eviction, dispossession; **E.sauftrag** *m* dispossession warrant; **E.sverfahren** *nt* dispossession proceedings

xmittier|en *v/t* [§] to evict/dispossess; **E.ung** *f* eviction; **faktische E.ung** constructive eviction

Exnotierung *f* *(Börse)* quotation ex ...

exogen *adj* exogenous

exorbitant *adj* exorbitant, unusually large/high

Exot|e *m* *(Börse)* highly speculative security; **e.isch** *adj* outlandish, exotic

expandieren *v/ti* to expand/grow; **rapide e.** to balloon; **e.d** *adj* expanding, go-ahead

Expansion *f* expansion, growth; **gleichgewichtige E.** moving equilibrium; **industrielle E.** industrial expansion; **monetäre E.** expansion of the money supply; **stürmische E.** rapid expansion

expansionistisch *adj* expansionist

Expansions|bremse *f* expansion curb; **E.drang** *m* expansionism, expansionist tendencies; **e.freudig** *adj* expansionist, expansive; **E.gebiet** *nt* growth area; **E.grenze** *f* ceiling; **E.kurs** *m* expansionary policy; **E.kurve** *f* expansion curve; **E.möglichkeit** *f* growth potential; **E.multiplikator** *m* expansion multiplier; **E.phase** *f* growth stage; **E.pfad** *m* expansion path; **E.politik** *f* expansionist/expansionary policy, policy of expansion, expansionism; **E.prognose** *f* expansion forecast; **E.prozess** *m* expansionary movement; **E.rate/E.rhythmus/E.tempo** *f/m/nt* rate of growth/expansion, expansion pace, pace of expansion; **E.stoß** *m* burst of expansion; **E.tendenzen** *pl* expansive tendencies; **E.welle** *f* phase of marked expansion

expansiv *adj* 1. expansionary, expansionist; 2. *(Gas)* expansive

expatriier|en *v/t* to expatriate/exile, to deprive of citizenship; **E.ung** *f* expatriation

Expedient(in) *m/f* shipping/dispatch clerk, dispatcher; **E. im Versand** dispatch clerk, dispatcher

expedieren *v/t* to forward/despatch/dispatch/ship/expedite, to send off

Expedition *f* 1. forwarding, dispatch(ing), expediting; shipping/dispatch department, dispatch office; 2. *(Forschung)* expedition; **E.sabteilung** *f* forwarding/shipping/dispatch department; **E.sbüro** *nt* forwarding office; **E.sgebühren** *pl* forwarding/shipping charges

Experiment *nt* experiment; **e.ell** *adj* experimental; **e.ieren** *v/i* to experiment

Experimentier|fall *m* test bed; **E.freude/E.freudigkeit** *f* fondness for experiments

Experte *m* expert, professional, specialist, pundit *(coll)*; **E. im Hintergrund** backroom boy; **E. für Verkaufsförderung** *f* merchandizer

Experten|befragung *f* survey of experts; **E.gruppe/E.kommission/E.kreis** *f/m* 1. panel/body of experts, brains trust; 2. experts; **E.rat** *m* 1. professional advice; 2. brains trust; **E.system** *nt* expert system; **E.tum** *nt* professionalism

Expertise *f* expertise, survey, expert's opinion/report

explodieren *v/i* 1. to explode/detonate; 2. to fulminate; 3. *(Preis)* to go through the ceiling, to hit the roof

Exploration *f* exploration, prospecting (operations); **E.saufwendungen** *pl* exploration cost; **E.slaparotomie/E.soperation** *f* $ exploratory operation; **E.stätigkeit** *f* exploration activity; **E.svorhaben** *nt* exploration project

Explosion *f* explosion, blast; **E. der Börsenkurse** explosive move in the stock market; **~ Lohnkosten** wage explosion; **e.sartig** *adj* explosive; **E.sgefahr** *f* danger of explosion; **E.sversicherung** *f* explosion insurance; **E.szeichnung** *f* exploded view

explosiv *adj* explosive; **E.stoff** *m* explosive

Exponat *nt* exhibit

Exponent *m* 1. advocate, exponent; 2. exhibitor, exhibiter

Exponential|funktion *f* π exponential function; **E.gleichung** *f* exponential equation; **E.trend** *m* exponential trend; **E.verteilung** *f* exponential distribution

exponentiell *adj* exponential

exponier|en *v/t* to expose; *v/refl* to stick out one's neck, to put one's neck on the block, to make one's presence felt; **sich nicht e.en** to keep a low profile; **e.t** *adj* exposed, open to attack

Export *m* ➔ **Ausfuhr** 1. export(s), export trade; 2. exportation; **E. in Entwicklungsländer** downstream trade; **E. ohne Gegenleistung** unrequited exports; **E. von Industriegütern/I.erzeugnissen** industrial/manufactured exports; **E.e behindern** to hamstring exports; **für den E. bestimmt** intended for export; **zum E. geeignet** exportable; **direkter E.** direct export(s)/exporting; **indirekter E.** indirect export(s)/exporting; **sichtbare E.e** visible exports; **unsichtbare E.e** invisible exports

Export|abfertigung *f* ⊖ export clearance; **E.abgabe** *f* export duty; **e.abgabenpflichtig** *adj* liable to export duty; **e.abhängig** *adj* export-dependent; **E.abhängigkeit** *f* export dependency, dependence on exports; **E.absatz** *m* export sales/market; **E.absichten** *pl* export plans

Exportabteilung *f* export department/section/division; **eingegliederte E.** integrated/built-in export department; **selbstständige E.** separate/divorced export department

Export|abwicklungskonto *nt* export settlement account; **E.agent** *m* export broker/agent; **E.akkreditiv** *nt* export letter of credit; **E.akkreditivdeckungskonto** *nt* export credit cover account; **E.angebot** *nt* export offer; **E.anreiz** *m* export incentive; **E.anstieg** *m* jump/rise in exports; **E.anstrengung** *f* export drive/effort; **E.anteil** *m* export content/share; **E.artikel** *m* export (item/earner/article/product); *pl* export goods; **E.auflage** *f* required export quota; **E.aufschwung** *m* surge in exports; **E.auftrag** *m* export order/contract; **E.ausführung** *f* export model; **E.ausschuss** *m* export committee; **E.ausweitung** *f* export expansion, increase/growth of exports

Exportbasis *f* export/economic base; **E.analyse** *f* base analysis; **E.anteil** *m* base component; **E.einkommen** *nt* basic income; **E.industrie** *f* basic industry; **E.koeffizient** *m* economic base ratio; **E.multiplikator** *m* base multiplier; **E.sektor** *m* basic sector; **E.theorie** *f* economic base concept, base theory

export|bedingt *adj* export-led, export-induced; **E.bedingungen** *pl* export terms; **E.bedürfnisse** *pl* export requirements; **E.behinderung** *f* export barriers; **E.beihilfe** *f* export bonus/subsidy; **E.bemühungen** *pl* export drive; **E.beratung** *f* export advisory service; **E.be-scheinigung** *f* export certificate

Exportbeschränkung *f* export restriction; **E.en** restri- tions/curbs on exports, export controls/restraints; **fre- willige E.** voluntary export restraint; **gesetzliche E.e** legally enforced export controls; **E.sabkommen** *nt* o- derly market arrangement

Export|bestimmungen *pl* export regulations; **E.bewi- ligung** *f* export permit/licence; **E.bonus** *m* export sub- sidy; **E.bremse** *f* curb on exports; **E.bürgschaft** *f* ex- port (credit) guarantee; **E.defizit** *nt* export defici- **E.deklaration** *f* ⊖ entry outwards; **E.devisen** *pl* expo- exchange; **E.dokumente** *pl* export document- **E.druck** *m* pressure to export; **E.einheit** *f* export uni- **E.einnahmen/E.erlöse** *pl* export revenues/receipt- earnings/proceeds; **E.entwicklung** *f* export tren- **E.erfolg** *m* export achievement; **E.ergebnis** *nt* expo- performance; **E.erlösausfall** *m* loss of export incom- **E.erlösschwankungen** *pl* export fluctuations; **E.er- stattung** *f* export subsidy/restitution; **~ von Einfuhr- zoll** customs drawback *[GB]*; **E.erzeugnis** *nt* expo- (product)

Exporteur *m* exporter, export firm/trader; **E.garantie** 1. exporter's guarantee; 2. export credit guarante- **E.kredit** *m* exporter's credit

Export|fabrikant *m* direct exporter; **E.factoring** *nt* ex- port factoring; **e.fähig** *adj* exportable; **E.fähigkeit** *f* 1. exportability; 2. export ability/viability; **E.feldzug** *m* export drive; **E.finanzierung** *f* export finance/finan- cing; **E.- und Importfinanzierung** foreign trade fi- nancing; **E.finanzierungsinstrument** *nt* export-finan- cing instrument; **E.firma** *f* export firm/house, exporte- firm of exporters; **selbstständige E.firma** export sub- sidiary; **E.fonds** *m* export fund; **E.forderung** *f* claim t- export proceeds; **E.forderungen** *pl* export receivable-

Exportförderung *f* export promotion/enhancemen- promotion of exports; **generelle E.** across-the-boar- export promotion; **staatliche E.** state aid to exporter- **E.skampagne** *f* export drive; **E.skredit** *m* export (pro- motion) credit; **E.sprogramm** *nt* export-incentiv- scheme

Export|garantie *f* export guarantee; **E.gemeinschaft** export association; **E.genehmigung** *f* export licenc- permit/authorization; **E.geschäft** *nt* export busines- transaction; **~ finanzieren** to finance an export trans- action; **E.gesellschaft** *f* export house, firm of exporter- **e.gestützt** *adj* export-led; **E.gewinn** *m* export profi- **E.gut** *nt* export

Exportgüter *pl* exports, export goods/commoditie- goods for export; **E.angebot** *nt* supply of goods for ex- port; **E.struktur** *f* commodity pattern

Export|handel *m* export trade; **E.händler** *m* expor- merchant, exporter, merchant shipper; **selbstständige E.händler** *(für mehrere Hersteller tätig)* combinatio- export manager; **E.haus** *nt* export firm, firm of export- ers; **E.höchstgrenze** *f* export ceiling

exportieren *v/t* to export

Export|industrie *f* export industry; **e.induziert** *adj* ex- port-led; **E.informationen** *pl* export intelligence

E.inkasso *nt* export bill collection; **E.intensität** *f* export ratio/intensity, proportion of exports to total sales; **e.intensiv** *adj* heavily exporting, export-intensive; **E.interesse** *nt* interest in exporting; **E.investitionen** *pl* export-promoting investment; **E.kalkulation** *f* export cost accounting; **E.kampagne** *f* export drive; **E.kartell** *nt* export cartel; **E.katalog** *m* export catalog(ue); **E.kaufmann** *m* export merchant, exporter; **E.kaution** *f* export bond; **E.koeffizient** *m* export ratio; **E.kommissionär** *m* consignment agent, export commission agent; **E.konjunktur** *f* export boom/trend; **E.konnossement** *nt* export/outward bill of lading (B/L); **E.kostenfunktion** *f* export cost function; **E.kontingent** *nt* export quota; **E.kontingentierung** *f* allocation/fixing of export quotas; **E.kontrolle** *f* export control; **E.kraft** *f* export capacity

Exportkredit *m* export credit; **E.brief** *m* export letter of credit; **E.finanzierung** *f* export credit financing; **E.garantie** *f* export credit(s) guarantee; **E.limitierung** *f* export credit restrictions; **E.risiko** *nt* export credit risk; **E.vereinbarungen** *pl* export credit arrangements; **E.versicherung** *f* export (credit(s)) insurance; **E.zins** *m* export credit rate

Export|kunde *m* export customer; **E.land** *nt* 1. exporting country; 2. country taking exports; **e.lastig** *adj* top-heavy in exports; **E.lastigkeit** *f* predominance of exports; **E.leistung** *f* export performance; **E.leiter(in)** *m/f* export (sales) manager, head of the export department; **E.lieferung** *f* export delivery/shipment; **E.lieferwert** *m* value of exports; **E.lizenz** *f* export licence; **E.makler** *m* export broker/agent; **E.manager(in)** *m/f* export (sales) manager, head of the export department; **E.markt** *m* export market/outlet; **E.marktforschung** *f* export market research; **E.messe** *f* export goods fair; **E.mittler** *m* export middleman/intermediary; **selbstständiger E.mittler** combination export manager; **E.modell** *nt* export model; **E.möglichkeiten** *pl* export opportunities; **E.müdigkeit** *f* reluctance to export; **E.multiplikator** *m* export multiplier; **E.nachfrage** *f* export demand; **e.nah** *adj* concerned with exporting; **E.neigung** *f* propensity to export; **e.neutral** *adj* not affecting exports; **E.offensive** *f* export drive; **E.organisation** *f* export organisation; **e.orientiert** *adj* export-orient(at)ed, exporting; **E.packerei** *f* export packing area; **E.papiere** *pl* export documents; **E.politik** *f* export policy; **E.potenzial** *nt* export potential; **E.prämie** *f* export bonus, bounty; **E.prämienschein** *m* bounty certificate; **E.praxis** *f* export practice(s); **E.preis** *m* export price; **E.preisfunktion** *f* export price function

Exportquote *f* export quota/ratio/share, ratio of exports to total sales, net exports of goods and services, export-income ratio, propensity to export; **durchschnittliche E.** average propensity to export; **marginale E.** marginal propensity to export

Export|rabatt *m* export rebate; **E.rechte** *pl* export rights; **E.restriktionen** *pl* export restrictions

Exportrisiko *nt* export(-related) risk; **E.garantie** *f* export risk guarantee; **E.haftung** *f* export risk liability

Export|rückgang *m* decline in exports; **E.rückvergütung** *f* ⊖ customs drawback *[GB]*, export rebate; **E.sachbearbeiter** *m* export clerk; **E.-Sammelladungsverkehr** *m* consolidated export cargo traffic; **E.schlager** *m* export earner; **E.schnittstelle** *f* export interface; **refinanzierungsfähiger E.schuldtitel** eligible export debt obligation; **E.schwerpunkt** *m* major export (item); **E.selbstbehalt** *m* exporter's retention; **E.selbstbeschränkung** *f* voluntary export restraint; **E.sendung** *f* export shipment; **beim Zoll vorzulegende E.sendung** ⊖ manifest straight; **E.situation** *f* export position; **E.sortiment** *nt* export product range; **E.sperre** *f* export ban/embargo, ban/embargo on exports; **E.statistik** *f* export statistics; **E.steigerung** *f* increased exports; **E.steuer** *f* export tax/duty/levy, tax on exports; **E.strafsteuer** *f* penal tax on exports; **E.struktur** *f* structure of exports, export pattern; **E.subvention** *f* export subsidy; **E.tätigkeit** *f* exporting, exports; **e.trächtig** *adj* export-inducing; **E.tratte** *f* export draft; **E.trattenverfahren** *nt* export draft method; **E.überhitzung** *f* overly large exports; **E.überschuss** *m* export surplus; **E.überwachung** *f* export control; **E.umsatzsteuer** *f* export turnover/sales tax; **E.unternehmen** *nt* firm of exporters; **E.valutaerklärung** *f* declaration of export value; **E.ventil** *nt* export outlet; **E.verbot** *nt* export ban, prohibition of exports; **E.vergütung** *f* ⊖ (customs) drawback, export refund; **E.verpackung** *f* export packing; **E.versandanweisungen** *pl* export cargo shipping instructions; **E.versandliste** *f* ⚓ export manifest, ~ cargo packing declaration; **E.versicherer** *m* export underwriter; **E.versicherung** *f* insurance of exports, export credit guarantee insurence; **E.vertrag** *m* export contract; **E.vertreter** *m* (manufacturer's) export agent, export house; **E.verweigerung** *f* non-exportation; **E.volumen** *nt* export volume, volume of exports; **E.vorfinanzierung** *f* export pre-financing; **E.wachstum** *nt* export growth, growth of exports; **gehemmtes E.wachstum** constrained export growth; **E.ware(n)** *f/pl* 1. exported articles, exports; 2. export goods, goods for export; **E.wechsel** *m* export bill; **E.welle** *f* export wave, surge of export orders; **E.weltmeister** *m* export champion; **E.werbung** *f* export advertising; **E.wert** *m* export value; **e.wichtig** *adj* important for export; **E.wirtschaft** *f* 1. export trade/sector/industry; 2. exporters; **E.zeitplan** *m* export delivery schedule; **E.ziffern** *pl* export figures; **E.zoll** *m* export duty; **E.zunahme** *f* growth of exports; **E.zuteilung** *f* export allocation

Exposé *nt* exposé, memorandum

Ex-Position *f* ex heading

Express *m* express

Express|beförderung *f* express/special delivery; **E.bote** *m* special messenger; **E.brief** *m* ✉ express (letter), special delivery *[US]*; **E.gebühr** *f* expressage; **E.gut** *nt* express consignment/parcel/goods; **als E.gut** by express; **E.gutschein** *m* express parcels consignment note; **E.gutverkehr** *m* express goods traffic/operations, Rail Express Parcels (Red Star) *[GB]*; **E.paket** *nt* express parcel; **E.zug** *m* express train; **E.zustellung** *f* express/special delivery; **E.zustellungsgebühr** *f* expressage

expropriier|en *v/t* to expropriate; **E.ung** *f* expropriation
exquisit *adj* exquisite
extempor|e *adv* off the cuff; **e.ieren** *v/i* to extemporize
extensiv *adj* extensive
extern *adj* external
Externalitäten *pl* external effects/benefits/economics, externalities, spillovers, neighbourhood effects; **negative E.** negative externalities; **positive E.** positive externalities
Externe(r) *f/m* 1. person from outside; 2. *(Internat)* day pupil/scholar
Externspeicher *m* 💻 external memory
exterritorial *adj* exterritorial, extraterritorial; **E.ität** *f* exterritoriality, extraterritoriality, diplomatic privilege
extra *adv* extra, over and above, spare; **keine/ohne E.s** no frills
Extra|ausgabe/E.blatt *f/nt* 📰 special edition; **E.ausgaben** sundry expenses, sundries; **E.ausstattung** *f* optional equipment, options, extras; **E.dividende** *f* special/super/surplus dividend, bonus, plum *(coll)*; **E.-handel** *m [EU]* external trade
extrahieren *v/t* to extract
Extra|honorar *nt (Anwalt)* refresher; **E.kosten** *pl* extra charges
Extrakt *nt* 1. extract, excerpt, extraction; 2. *(Zusammenfassung)* synopsis; **E.ionskosten** *pl* ⛏ extractive costs
keine Extra|leistungen *pl* no frills; **E.liegetage** *pl* ⚓ days of demurrage
Extrapol|ation *f* extrapolation; **e.ieren** *v/i* to extrapolate
Extra|prämie *f* special bonus, overagio; **E.rabatt** *m* special discount/rebate; **E.risiko** *nt* special risk; **E.spesen** *pl* extra charges; **E.steuer** *f* surtax, supertax; **e.territorial** *adj* extraterritorial; **e.vagant** *adj* flamboyant, extravagant; **E.vaganz** *f* extravagance; **E.vergütung** *f* special allowance; **E.versicherung** *f* additional insurance
Extrem *nt* extreme; **e.** *adj* extreme
Extremis|mus *m* extremism; **E.t(in)** *m/f* extremist
Extremkostenversicherung *f* catastrophic coverage
Extrusion *f* extrusion
Exzendent *m (Vers.)* excess of line/loss, surplus; **E.en** *(Vers.)* excess; **E.enrückversicherung** *f* excess/surplus reinsurance, excess loss insurance, stop-loss treaty, surplus treaty reinsurance; **E.envertrag** *m (Rückvers.)* excess insurance treaty
Exzentri|ker(in) *m/f* eccentric, oddball *(coll)*; **e.sch** *adj* eccentric
exzerp|ieren *v/t* to excerpt; **E.t** *nt* excerpt, extract
Exzess *m* excess, outrage

F

F & E (Forschung und Entwicklung) research and development (R & D)
Fa. *f (Anrede bei Personengesellschaften)* Messrs. *(Messieurs) [frz.]*

Fabrik *f* 1. plant, works, factory; 2. *(Stahl/Textil/Papier)* mill; 3. manufacturing facility/unit, manufactory 4. shop (floor); **ab F.** ex works/plant/factory/mill; **F. zur Be-/Verarbeitung von Waren unter Zollaufsicht; F. unter Zollverschluss** ⊖ bonded factory, ~ manufacturing warehouse
Fabrik abreißen to dismantle a plant; **F.en auslasten** to load/utilize plants; **F. mit Maschinen ausstatten** to tool up a factory; **F. besichtigen** to look over a factory, to tour a plant; **F. bestreiken** to strike a plant *[US]*; **F. betreiben** to run a factory; **ab F. kaufen** to buy ex works; **F. in Betrieb nehmen** to open a factory, to take a factory on line; **F. schließen/stilllegen** to close/shut (down) a plant/factory, to take a factory off line; **F. verlegen** to relocate a plant
automatische Fabrik automated plant; **bestreikte F.** strike-bound plant; **chemische F.** chemical plant; **im Voraus errichtete F.** advance factory; **kleine F.** *(zu Ausbildungszwecken)* nursery factory; **stillgelegte F.** closed(-down) plant; **vollautomatische F.** fully automatic plant
Fabrik|abgabepreis *m* ex works (sales) price, price ex factory; **F.absatz** *m* direct selling; **F.abteilung** *f* manufacturing department; **F.abwässer** *pl* industrial effluents; **F.angestellte(r)** *f/m* industrial employee
Fabrikanlage *f* (industrial) plant, works, industrial unit; **komplette F.** full-scale plant; **leerstehende/ungenutzte F.** idle factory/plant
Fabrikant *m* manufacturer, producer, factory owner, industrialist
Fabrik|arbeit *f* 1. factory work; 2. *(Ware)* manufactured goods; **F.arbeiter(in)** *m/f* industrial/factory worker, factory/mill hand, operative; **F.areal** *nt* factory site
Fabrikat *nt* manufacture, make, model, product, brand, production; **ausländisches F.** foreign product; **einheimisches/inländisches F.** domestic product; **heimische F.e** home-produced goods
Fabrikate|gemeinkosten *pl* product overheads; **F.gruppe** *f* product group; **F.gruppenleiter** *m* product group manager; **F.konto** *nt* finished product account
Fabrikation *f* → **Fertigung, Produktion** 1. *(Fertigung)* manufacture, manufacturing, production, fabrication; 2. production department/division
Fabrikations|abfall *m (Ausschuss)* broke; **F.ablauf** *m* manufacturing/production process; **F.abteilung** *f* manufacturing division; **F.anforderungen** *pl* manufacturing/production requirements; **F.anlage** *f* production/manufacturing facility, ~ plant; **F.auftrag** *m* job/production order; ~ **erteilen** to award a contract; **F.ausstoß** *m* factory output; **vor F.beginn** *m* in advance of manufacture; **F.betrieb** *m* manufacturing operation/plant/enterprise, producing firm; **F.buch** *nt* factory ledger; **F.dampf** *m* process steam; **F.dauer** *f* production period; **F.einrichtungen** *pl* production facilities; **F.fehler** *m* flaw, manufacturing defect/fault; **F.fläche** *f* manufacturing space; **F.gang** *m* manufacturing/production process; **F.geheimnis** *nt* industrial/trade secret; **F.gemeinkosten** *pl* manufacturing/pro-

duction/plant overheads; **F.genehmigung** *f* production permit; **F.gesellschaft** *f* manufacturing company; **F.gewinn** *m* manufacturing profit; **F.halle** *f* factory building, work shed; **F.jahr** *nt* year of manufacture; **F.kapazität** *f* production/manufacturing capacity; **F.komplex** *m* manufacturing unit; **F.konto** *nt* work-in-progress/process account; **F.kontrolle** *f* production control; **F.kosten** *pl* manufacturing cost(s), cost of production; **F.leiter** *m* production manager; **F.lizenz** *f* production licence: **F.lohn** *m* direct labour; **F.lohnkosten** *pl* direct/manufacturing labour cost(s); **F.methode** *f* manufacturing/production process; **F.monopol** *nt* production monopoly; **F.nummer** *f* serial/manufacturing number; **F.ort** *m* place of manufacture; **F.partie** *f* job lot; **F.plan** *m* production plan; **F.preis** *m* manufacturing/cost price; **F.programm** *nt* production plan/programme, manufacturing/production schedule; **F.prozess** *m* manufacturing/production process; **F.rechte** *pl* manufacturing rights; **F.richtlinie** *f* manufacturing instructions; **F.risiko** *nt* risk of manufacture; **F.stätte** *f* manufacturing/production plant, factory; **F.steuer** *f* production tax; **F.straße** *f* assembly line; **F.system** *nt* system of manufacture; **F.tätigkeit** *f* manufacturing activity; **F.unkosten** *pl* manufacturing cost(s), cost of production; **F.verbot** *nt* production ban; **F.verfahren** *nt* manufacturing/production process, productive method; **F.volumen** *nt* production volume; **F.vorhaben** *nt* production project; **F.zeit** *f* production time; **F.zweig** *m* manufacturing branch, branch of production

fabrikatorisch *adj* manufacturing

Fabrikatsteuer *f* product tax

Fabrik|auftrag *m* manufacturing order; **F.ausbau** *m* factory extension; **F.auslastung** *f* factory operating rate; **F.auslieferung** *f* delivery ex works; **F.ausstattung** *f* production equipment; **F.ausstoß** *m* manufacturing output; **F.bauten** *pl* factory buildings, plant facilities; **F.besetzung** *f* factory/plant occupation, ~ sit-in; **F.besichtigung** *f* factory tour, plant visit; **F.besitzer** *m* factory owner, manufacturer; **F.bestände** *pl* factory stocks; **F.betrieb** *m* manufacturing plant/operation, industrial unit; **F.buchhaltung** *f* factory/plant accounting; **F.direktor** *m* plant/works/factory manager, plant director; **F.einheit** *f* workshop unit; **F.einrichtung** *f* factory equipment; **F.errichtung** *f* factory construction; **F.erzeugnis** *nt* manufactured article, manufacture; **f.fertig** *adj* factory-built; **F.fläche** *f* factory space; **f.frisch** *adj* straight from the factory; **F.gebäude** *nt* factory/industrial building, factory premises; **bezugsfertiges/leerstehendes F.gebäude** *(Industrieansiedlung)* shell building, advance factory; **F.geheimnis** *nt* industrial/trade secret; **F.gelände** *nt* works area, factory/plant site, ~ premises; **ungenutztes F.gelände** idle industrial land; **F.geschäft** *nt* 1. business with manufacturers; 2. factory outlet; **F.gleis** *nt* industrial siding *[GB]*/ sidetrack *[US]*; **F.grundstück** *nt* industrial/plant/factory site; **F.halle** *f* factory building; **F.handel** *m* direct selling/purchasing, direct-marketing manufacture; **F.herr** *m* manufacturer, industrialist; **F.hof** *m* factory yard; **F.inspektion** *f* factory inspection; **F.inventar** *nt* industrial inventory; **F.klausel** *f* ex factory clause; **F.kosten** *pl* manufacturing cost(s); **F.lage** *f* plant location; **F.lager** *nt* 1. industrial inventory; 2. factory stores; **F.leiter** *m* plant/works manager; **F.leitung** *f* plant/factory/works management; **F.leitungsgemeinkosten** *pl* plant management overhead(s); **F.mädchen** *nt* work/ mill girl; **F.marke** *f* manufacturer's/producer's brand; **f.mäßig** *adj* industrial; **F.musterlager** *nt* permanent display of samples; **f.neu** *adj* brand-new, straight from the factory, virgin; **F.niederlage/F.niederlassung** *f* sales office, factory outlet; **F.nummer** *f* serial number; **F.ordnung** *f* plant/shop rules; **F.ort** *m* production site; **F.packung** *f* original packing; **F.personal** *nt* plant/factory personnel; **F.planung** *f* factory planning, plant layout; **F.posten** *m* factory/plant job; **F.preis** *m* price ex works, cost/factory/industrial price; **F.raum** *m* factory space; **F.schiff** *nt* processing ship, factory ship/vessel; **F.schließung** *f* 1. plant closure; 2. *(zeitweilig)* plant shutdown; **F.schornstein** *m* factory chimney/smokestack; **F.sirene** *f* (factory) hooter; **F.stadt** *f* industrial town/city; **F.tor** *nt* factory/plant gate; **F.unfall** *m* industrial accident; **tödlicher F.unfall** industrial fatality; **F.unterlagen** *pl* factory/plant records; **F.verkauf** *m* factory outlet; **F.verkaufsstelle/-zentrum** *f/nt* factory outlet (centre) (FOC); **F.verlagerung** *f* plant/ factory relocation, transfer of a plant/factory; **F.vertreter** *m* manufacturer's agent; **F.ware** *f* manufactured goods, manufactures; **F.wesen** *nt* factory system; **F.zeichen** *nt* manufacturer's brand, trade/certification mark; **F.zentrum** *nt* manufacturing centre

fabrizieren *v/t* 1. to manufacture/produce/make/fabricate; 2. to contrive

Facette *f* facet

Fach *nt* 1. *(Abteil)* compartment; 2. *(Arbeitsgebiet)* line; 3. *(Handwerk)* trade; 4. *(Bücherregal)* shelf, box; 5. *(Geschäftszweig)* trade, business, branch, division; 6. *(Schrank)* pigeonhole; 7. *(Thema)* field, subject, discipline; **in meinem F.** in my line of business, ~ profession

Fach beherrschen/bewältigen to master a subject; **F. gut beherrschen** to have a good grasp of a subject; **sich auf ein F. beschränken** to specialize; **vom F. sein** to be an expert, ~ in the trade; **sich in einem F. spezialisieren** 1. to specialize in a subject; 2. *(Universität)* to major in a subject *[US]*; **sein F. verstehen** to know one's business (inside out)

technisches Fach engineering subject

Fach|abteilung *f* special branch, department concerned, specialized/operating department; **F.amt** *nt* office, department; **F.anwalt** *m* specialized lawyer/solicitor; ~ **für Steuerrecht** tax lawyer; ~ **für Wettbewerbsfragen** competition lawyer; **F.arbeit** *f* skilled work

Facharbeiter *m* 1. skilled worker/workman; 2. *(Geselle)* journeyman, technician, craft worker; *pl* skilled labour/workers, professional workers; **angelernter F.** semi-skilled worker; **gelernter F.** skilled worker/ workman, craftsman

Facharbeiter|beruf *m* skilled occupation/trade;

F.brief *m* craft certificate, skilled worker's certificate, certificate of proficiency; **F.gewerkschaft** *f* craft union; **F.lohn** *m* journeyman wage, wage of a skilled worker; **F.mangel** *m* skill shortage, skilled labour/worker shortage, lack of skilled workers; **F.stamm** *m* permanent staff of skilled workers

Fach|arzt *m* (medical) specialist/consultant; ~ **für Kinderheilkunde** $ paediatrician; **f.ärztlich** *adj* by a specialist; **F.aufsicht** *f* supervisory power, supervising authority; **F.ausbildung** *f* 1. special(ized)/specialist training; 2. industrial/vocational/occupational/technical training; **industrielle F.ausbildung** industrial training; **F.ausdruck** *m* technical term; **juristischer F.ausdruck** legal term, term of legal parlance; **F.ausschuss** *m* 1. *(Parlament)* select committee *[GB]*; 2. special/expert/professional committee; **F.ausstellung** *f* trade exhibition/show/fair, specialized fair; **F.berater(in)** *m/f* technical adviser/consultant, (trade) consultant; **F.beratung** *f* technical advice; **F.bereich** *m* department, division, special field; **F.bereichsleiter** *m* division manager, head of department; **F.bericht** *m* technical report; **F.beruf** *m* skilled trade/occupation; **F.bezeichnung** *f* technical term; **F.bibliothek** *f* specialized/specialist library; **F.blatt** *nt* trade/professional journal; **F.buch** *nt* technical book; **F.buchverlag** *m* specialist publishing company; **F.bücherei** *f* specialized library; **F.chinesisch** *nt* technical jargon; **F.diplom** *nt* professional degree; **F.discounter** *m* specialized discount store; **F.eignung** *f* professional qualification(s); **F.einkäufer** *m* specialist buyer; **F.einzelhandel** *m* specialized retail trade, specialist trade; **F.einzelhändler** *m* specialized/specialist retailer, stockist, dealer

Fächer *m* 1. fan; 2. scope, range; **breiter F.** *(Warenangebot)* wide range; **f.förmig** *adj* fan-shaped

fachfremd *adj* foreign to the subject

Fachgebiet *nt* field, line, subject, province, domain; **F.sleiter** *m* line manager; **F.sleitung** *f* line management

Fach|gelehrte(r) *f/m* scholar, scientist, expert; **f.gemäß** *adj* expert, professional; **F.gemeinschaft** *f* 1. scientific community; 2. trade association; **f.gerecht** *adj* 1. ✿ workman-like; 2. expert, specialist; 3. *(Personal)* professional; **F.geschäft** *nt* 1. specialist/speciality/specialized shop, speciality store *[US]*, one-line *[GB]*/single-line *[US]* shop, stockist; 2. business with the trade; **F.gespräch** *nt* expert/technical discussion; **F.gespräche führen** to talk shop; **F.gewerkschaft** *f* craft union; ~ **für mehrere Spezialberufe** multi-craft union; **F.gremium** *nt* group/committee of experts, expert committee/group, technical/specialized body; **F.größe** *f* authority; **F.großhandel** *m* specialized wholesale trade; **F.großhändler** *m* specialized wholesaler; **F.gruppe** *f* 1. special group/division, working party, team of specialists, professional group; 2. sub-branch, industrial division, (specialized) section, trade group; **F.gutachten** *nt* expert report/opinion; **F.gütermesse** *f* specialized trade fair; **F.handel** *m* specialized traders/trade; **F.handelssortiment** *nt* speciality dealers' range; **F.händler** *m* stockist, (specialist) dealer, specialist supplier; **F.hochschule** *f* polytechnic (college) *[GB]*, professional school *[US]*; **F.idiot** *m* specialist borné **F.information** *f* specialist information; **F.ingenieur** *m* engineering specialist, (special) engineer; **F.jargon** *m* 1. technical/occupational jargon, lingo, buzz words; 2 bafflegal *(pej.)*; **F.jurist(in)** *m/f* legal authority **F.kenntnis** *f* expert knowledge, experience, expertise **F.kenntnisse** know-how, (spezialized) knowledge, labour skills; **F.kommission** *f* expert committee; **F.kompetenz** *f* technical competence; **f.kompetent** *adj* competent; **F.können** *nt* specialized skill

Fach|kraft *f* specialist, skilled worker, qualified person/employee, expert; **F.kräfte** skilled personnel/labour/workers, trained staff/personnel/men, specialized staff; **qualifizierte F.** qualified employee

Fach|kräftemangel *m* skill shortage, lack of skilled workers; **F.kreise** *pl* specialist circles shortage; **in F.kreisen** in the business; **f.kundig** *adj* expert, informed competent; **F.kundige(r)** *f/m* expert, authority; **F.kurs** *m* training course; **F.lehrer(in)** *m/f* specialist teacher **F.lehrgang** *m* special course; **F.leute** *pl* experts, specialists, (learned) authorities; **f.lich** *adj* technical, specialist professional; **F.literatur** *f* (specialist/trade/special) literature; ~ **für Führungskräfte** management literature

Fachmann *m* 1. expert, authority, professional (man) specialist, person skilled in the art, practitioner, master hand, consultant; 2. *(Pat.)* average person familiar with the art; **F. für Absatzförderung** marketing specialist; **F. des Rechnungswesens** accountant; **sich als F. ausgeben** to pose as an expert; **F. befragen/hinzuziehen** to consult an expert; **alterfahrener F.** old-timer, old hand; **anerkannter F.** recognized authority; **durchschnittlicher F.** *(Pat)* person of ordinary skill in the art

fachmännisch *adj* expert, workmanlike, professional; **nicht f.** non-professional

Fach|markt *m* 1. *(Messe)* trade/specialized fair; 2. specialized (suburban) discount store; **F.messe** *f* trade fair/show, specialized fair; **F.ministerium** *nt* competent ministry; **F.niveau** *nt* level of competence; **F.norm** *f* specialized standard; **F.oberschule** *f* technical college; **F.organ** *nt* trade journal; **F.organisation** *f* trade organisation, specialized agency; **F.personal** *nt* skilled labour/personnel/staff, trained/specialized staff/personnel, professional personnel, specialist staff, experts; **F.presse** *f* trade publication/press/magazines, specialist publications; **F.promoter** *m* professional/expert promoter; **F.prüfung** *f* qualifying/professional examination; **F.prüfungsverfahren** *nt* professional examination procedure; **F.publikation** *f* specialist publication; **F.redakteur** *m* special editor; **F.richtung** *f* subject (area), branch, (field of) specialization; **F.schaft** *f* trade association; **F.schau** *f* trade exhibition/fair; ~ **des Baugewerbes** special exhibition of the building trades; **F.schulbildung** *f* technical/vocational training

Fachschule *f* vocational/professional school, technical college; **F. für kaufmännische Berufe** commercial college; ~ **das Gaststättengewerbe** catering college; **landwirtschaftliche F.** agricultural college; **technische F.** technical school, college of technology

Fach|schulreife *f* vocational extension certificate; **von F.seite** *f* by experts, by people in the trade; **F.simpelei** *f* shop talk; **f.simpeln** *v/t* to talk shop; **F.spediteur/F.spedition** *m/f* common carrier *[US]*; **f.spezifisch** *adj* technical, subject-specific; **F.spitzenverband** *m* trade association; **F.sprache** *f* 1. special/technical language, (occupational) jargon, technical parlance; 2. nomenclature, technical terminology; **juristische F.sprache** legal parlance, legalese; **F.stelle** *f* technical office; **F.studium** *nt* professional training/studies; **F.tagung** *f* symposium, trade conference; **F.technik** *f* special engineering; **F.terminologie** *f* special terminology; **F.terminus** *m* technical term; **F.text** *m* specialist text; **f.übergreifend** *adj* interdisciplinary; **F.übersetzer(in)** *m/f* technical/specialized translator; **F.übersetzung** *f* technical translation; **F.unternehmen** *nt* specialized enterprise; **F.unterricht** *m* expert tuition, technical instruction; **F.verband** *m* trade/industrial/professional association, trade body; **F.verkäufer(in)** *m/f* trained salesman/salesperson/sales clerk; **F.verlag** *m* specialist publishers, ~ publishing house; **F.vertrag** *m* professional contract; **f.verwandt** *adj* related; **F.vokabular** *nt* technical vocabulary; **F.wahl** *f* choice of subject; **F.welt** *f* specialist circles, the trade/profession; **in der F.welt** among the experts; **F.werk** *nt* 🏛 framework, half-timbered construction; **F.werkhaus** *nt* 🏛 half-timbered house

Fachwissen *nt* know-how, expertise, expert/technical/specialized knowledge, professionalism, knowledge of the subject; **kein F. haben; über ~ verfügen** to lack know-how; **ausländisches F.** expatriate skills

Fach|wissenschaft *f* science; **F.wort** *nt* technical term; **F.wörterbuch** *nt* special/technical dictionary

Fachzeitschrift *f* trade journal/publication/paper, technical/professional/trade magazine, ~ journal, specialist journal; **F.en** trade press; **billige/kostenlose F.** trade rag *(pej.)*; **technische F.** engineering journal

Façonwert *m* goodwill

Factoring *nt* (credit) factoring; **F. mit (Kreditrisiko und) Forderungsverwaltung** maturity factoring; **echtes F.** non-recourse/old-line factoring, factoring without recourse; **notifiziertes/offenes F.** notification factoring; **stilles/verdecktes F.** non-notification factoring

Factoring|entgelt *nt* factorage; **F.gebühr** *f* factor's commission; **F.geschäft** *nt* factoring; **F.institut** *nt* finance/factoring company; **F.provision** *f* factorage; **F.unternehmen** *nt (Einzelhandel)* commercial credit company

Faden *m* 1. thread, string; 2. ⚡ filament; 3. ⚓ fathom; **an einem dünnen/seidenen F. hängen** to hang by a thread; **Fäden in der Hand haben/halten** to pull the strings; **F. verlieren** *(fig)* to lose the thread; **F. wiederaufnehmen** to pick up the threads, to resume the thread; **gesponnener F.** yarn

Faden|diagramm *nt* string diagram; **F.heftung** *f* 📖 thread stitching; **f.scheinig** *adj* 1. flimsy, specious; 2. thin, poor, threadbare

fähig *adj* 1. able, capable, competent; 2. fit, efficient, amenable (to); **f. zur Arbeit** fit for work

Fähigkeit *f* 1. ability, capability, capacity, competence, competency; 2. function; 3. aptitude, skill, faculty, talent; **F. zur Mitarbeiterführung** social skill; **F. zum Richteramt** eligibility to act as a judge; **F., Zeuge zu sein** [§] competence of witness (to testify)

angeborene Fähigkeit inherent capacity; **berufliche F.** occupational/professional skill; **erworbene F.** acquired skill, acquirement; **geistige F.** mental faculty; **handwerkliche F.** mechanical skill; **kaufmännische F.en** business acumen; **körperliche F.** physical faculty; **nachgewiesene F.** demonstrated ability; **organisatorische F.** organising/organisational skill; **rechtliche F.** legal capacity

Fähnchen *nt* pennant

fahnd|en *v/i* to search/hunt/investigate/pursue; **F.er** *m* detective

Fahndung *f* search, hunt, investigation

Fahndungs|aktion *f* search; **F.beamter** *m* 1. investigation officer; 2. *(Steuer)* tax ferret *(fig)*; **F.behörde** *f* investigative authority; **F.blatt** *nt* wanted persons list, police gazette; **F.buch/F.liste** *nt/f* wanted persons file; **F.dienst** *m* investigative service; **F.meldung** *f* investigation message; **F.stelle** *f* investigative unit

Fahne *f* 1. flag, banner, standard; 2. 📖 galley, proof

Fahne aufziehen to hoist the flag; **F. hochhalten** to keep the flag flying; **F. niederholen** to lower the flag; **F. schwenken** to wave/brandish the flag; **F. senken** to dip the flag; **mit fliegenden F.n untergehen** to go down fighting

Fahnen|abzug *m* 📖 galley (proof); **F.flucht** *f* ✈ desertion; **f.flüchtig** *adj* deserting; **~ werden** to desert; **F.flüchtiger** *m* deserter; **F.korrektur** *f* 📖 galley proof; **F.mast** *m* flagpole; **F.träger** *m* standard-bearer

Fahr|abteilung *f* transport unit; **F.auftrag** *m* 1. 🚗 driving order; 2. ⚓ sailing orders; **F.ausweis** *m* ticket, travel voucher

Fahrbahn *f* 1. 🚗 roadway, lane, carriageway; 2. *(Spur)* lane; **F. wechseln** to change lanes; **äußere F.** offside lane; **innere F.** inside lane; **mittlere F.** central lane; **verengte F.** narrow road; **F.markierung** *f* lane/surface marking; **F.verschmutzung** *f* dirt on the road

fahr|bar *adj* movable, mobile, rolling; **F.bereich** *m* travelling distance, cruising range; **f.bereit** *adj* 🚗 roadworthy, in running order; **F.bereitschaft** *f* 1. motor/car pool; 2. roadworthiness

Fähr|betrieb *m* ⚓ ferry service; **F.boot** *nt* 1. ⚓ ferry(boat); 2. 🚆 train ferry

Fahr|damm *m* 1. 🚗 roadway, carriageway; 2. 🚆 permanent way; **F.dienst** *m* 1. 🚆 rail service; 2. train controller; 3. 🚗 motor pool

Fährdienst *m* ⚓ ferry service

Fahrdienstleiter *m* 🚆 traffic superintendent, dispatcher

Fähre *f* ⚓ ferry(boat)

Fahreigenschaften *pl* 🚗 handling (qualities), roadability

Fahren *nt* 1. 🚗 driving; 2. riding, travelling; **F. unter Alkoholeinfluss** driving while under the influence of drink; **F. nach Entzug der Fahrerlaubnis** driving whilst disqualified; **F. ohne Führerschein** driving without licence

grob fahrlässiges Fahren reckless driving; **rücksichtsloses F.** reckless/inconsiderate driving; **zu schnelles F.** speeding; **unvorsichtiges F.** § careless driving

fahren *v/i* 1. to go/travel/ride; 2. 🚗 to drive/motor, to take the wheel; 3. ⚓ to navigate/sail; 4. 🚂 to run; 5. *(schnell)* to speed; **f. nach** ⚓ to sail for

gut mit etw. fahren *(fig)* to do well with sth.; **langsamer f.** to slow down; **rücksichtslos f.** to drive recklessly; **rückwärts f.** to reverse; **schnell f.** to drive fast; **zu ~ f.** to speed; **vorsichtig f.** to drive with caution, ~ carefully

fahrend *adj* 1. travelling; 2. itinerant

Fahrer(in) *m/f* 1. driver, chauffeur; 2. *(techn. Gerät)* operator; **rücksichtsloser F.** reckless driver, roadhog *(coll)*; **sicherer F.** safe driver; **vorsichtiger F.** careful driver

Fahrerausbildung *f* driver training

Fahrerlaubnis *f* driving *[GB]*/driver's *[US]* licence; **jdm die F. entziehen** § to disqualify so. from driving; **F.entziehung** *f* disqualification from driving

Fahrer|flucht *f* § hit-and-run (driving) offence, failure to stop after an accident; **F.haus** *nt* 🚗 cab(in); **F.sitz** *m* driving/driver's seat

Fahrgast *m* 1. passenger; 2. *(Taxi)* fare; **F. auf Abruf** ✈ standby passenger; **F. ohne Sitzplatz** standing passenger; **F. absetzen** to drop a passenger; **Fahrgäste aufnehmen/einschiffen** to embark/pick-up passengers; ~ **befördern** to carry passengers; **abgewanderte Fahrgäste** lost passengers; **unentgeltlich fahrender F.** non-fare-paying passenger

Fahrgast|aufkommen *nt* number of passenger journeys, passenger figures/volume, volume of passengers, carryings; **F.bedürfnisse** *pl* passenger requirements; **F.fährschiff** *nt* passenger ferry; **F.kapazität** *f* passenger capacity; **F.raum** *m* passenger cabin/space; **F.schiff** *nt* passenger liner/boat; **F.zahlen** *pl* passenger carryings, ridership (figures) *[US]*; **F.zelle** *f* 🚗 passenger compartment

Fahr|gebiet *nt* ⚓ shipping route, trading area, area served; **F.gefühl** *nt* 🚗 driving sensation

Fahrgeld *nt* 1. fare; 2. ⚓ passage; 3. travelling expenses; **F. zum Arbeitsplatz** fare to work; **F. für Hin- und Rückfahrt** return fare; **Fahr- und Wegegelder** fare payments; **F. abgezählt bereithalten** to tender the correct fare; **passendes F.** correct fare

Fährgeld *nt* ⚓ ferry dues, ferriage

Fahrgeld|beihilfe *f* *(Invalidität)* mobility allowance; **F.erstattung** *f* fare refund, reimbursement of travelling expenses; **F.hinterziehung** *f* fare dodging, obtaining transport by fraud; **F.preller** *m* fare dodger; **F.zuschuss** *m* 1. transport allowance; 2. ⚓ assisted passage

Fahr|gelegenheit *f* 1. transport facilities, conveyance; 2. *(Anhalter)* lift; **F.gemeinschaft** *f* car pool/sharing

Fährgerechtigkeit *f* ⚓ ferry franchise/licence

Fahrgeschwindigkeit *f* travelling/cruising speed

Fährgesellschaft *f* ⚓ ferry operator

Fahrgestell *nt* 1. 🚗 chassis; 2. ✈ undercarriage; **F. einziehen** to retract the undercarriage; **einziehbares F.** retractable undercarriage; **F.nummer** *f* chassis numbe auto tag number *[US]*

Fahrkarte *f* (passenger) ticket; **F. eines Fahrscheir heftes** mileage ticket *[US]*; **F. für die Hinfahrt** ou ward ticket; **F. erster Klasse** first-class ticket; **F. zu vollen Preis** full fare

Fahrkarte|n ausgeben to issue tickets; **F. knipsen/lc chen** to punch a ticket; **F. lösen** to get/buy/book ticket; **F. vorzeigen** to produce a ticket

durchgehende Fahrkarte through ticket; **einfache F** single/one-way ticket; **ermäßigte F.** reduced fare

Fahrkarten|ausgabe *f* ticket/booking office; **F.aus stellung** *f* ticketing; **F.automat** *m* ticket (vending) ma chine; **F.büro** *nt* ticket office/agent; **F.drucker** *m* ticket printer; **F.kontrolle/F.prüfung** *f* ticket contro inspection; **F.kontrolleur** *m* ticket collector; **F.schal ter** *m* ticket/booking office, ticket window; **F.sperre** ticket gate; **F.umsatz** *m* ticket sales; **F.verkäufer(in** *m/f* booking clerk; **F.verkaufsstelle** *f* ticket agen agency

Fährkonzession *f* ⚓ ferry licence

Fahr|korb *m* ⚒ cage, car; **F.kosten** *pl* travelling ex penses; **F.kostenzuschuss** *m* travel allowance; **F.kra** *m* travelling crane; **F.ladeschaffner** *m* 🚂 luggag guard *[GB]*, baggage man *[US]*

fahrlässig *adj* negligent, careless, heedless, reckless **grob f.** grossly negligent, reckless

Fahrlässigkeit *f* § negligence, carelessness, want c proper care, recklessness, heedlessness; **durch F** through want of (proper) care

bewusste/grobe Fahrlässigkeit wilful/gross/consciou negligence, recklessness, wanton/wilful carelessness **gewöhnliche/konkrete F.** ordinary negligence; **leich te F.** slight/ordinary negligence; **rechtserhebliche F** actionable/legal negligence; **schuldhafte F.** culpabl negligence; **schwere F.** gross negligence; **strafbare F** criminal negligence; **zu vertretende/zurechenbare F** imputed negligence, liability for negligence

Fahrlässigkeitsdelikt *nt* act/tort of negligence, offenc committed by negligence

Fahr|lehrer *m* 🚗 driving instructor; **F.leistung** *f* 1. per formance; 2. mileage

Fährmann *m* ⚓ ferryman

Fahrnis *f* § movables, (goods and) chattels, persona movable property, personalty

Fährnis *f* hazard

Fahrnis|gemeinschaft *f* § conventional community **F.hypothek** *f* chattel mortgage; **F.pfandrecht** *nt* charge o chattels; **F.pfändung** *f* seizure of property; **F.vermö gen** *nt* movables, chattels; **F.versicherung** *f* insuranc of movable property, property insurance; **F.voll streckung** *f* seizure and sale of movable property

Fahr|motor *m* ϟ traction motor; **F.personal** *nt* (train/bus) crew

Fahrplan *m* 1. timetable *[GB]*, schedule *[US]*; 2. ⚓ sail ing schedule; **F. einhalten** to run on time, to maintain schedule *[US]*; **F. erstellen** to compile a timetable

Fahrplan|änderung *f* timetable/schedule change **F.auskunft** *f* timetable information; **F.gestaltung**

timetabling; **F.lage** *f* 🚂 path; **f.mäßig** *adj* on time/schedule, scheduled, regular; **nicht f.mäßig** non-scheduled

ahrpreis *m* 1. fare, car fare *[US]*; 2. 🚂 rail fare; 3. ⚓ passage; **F. per Kilometer/Meile** mileage (rate); **einfacher F.** single fare; **ermäßigter/vergünstigter F.** concessional/reduced fare; **halber F.** half price/fare; **voller F.** full price/fare

ahrpreis|anzeiger *m* 1. fare schedule; 2. taxi meter; **F.bestimmungen** *pl* tariff provisions; **F.differenz** *f* differential; **F.erhöhung** *f* fare increase/rise, revision of fares; **F.ermäßigung** *f* fare reduction, reduced fares; **F.gefüge** *nt* fare structure; **F.verzeichnis** *nt* table/register of fares; **F.zone** *f* fare stage; **F.zuschlag** *m* fare supplement, supplementary fare

ahrprüfung *f* 🚗 driving *[GB]*/driver's *[US]* test; **F. bestehen** to pass one's driving/driver's test

ahrrad *nt* bicycle, cycle, bike *(coll)*; **F.geschäft** *nt* cycle shop; **F.händler** *m* cycle dealer; **F.stand** *m* bicycle stand; **F.versicherung** *f* bicycle insurance; **F.weg** *m* cycle track/path

ahr|- und Gehrechte *pl* easement of passage; **F.rinne** *f* 1. ⚓ (deep/shipping) channel, fairway; 2. 🚂 track; **F.schacht** *m* ⛏ manway

ahrschein *m* ticket; **F.automat** *m* ticket (vending) machine; **F.block/F.heft** *m/nt* ticket book, mileage book *[US]*; **F.entwerter** *m* ticket stamping machine; **F.inhaber** *m* ticket holder

ährschiff *nt* ⚓ ferry(boat); **F. mit Ein- und Ausfahrrampe** drive-on/drive-off ship, roll-on/roll-off ship

ahr|schule *f* 🚗 driving/motoring school, school of motoring; **F.schüler(in)** *m/f* 1. 🚗 learner (driver); 2. *(Schule)* day pupil; **f.sicher** *adj* 🚗 roadworthy; **F.sicherheit** *f* 🚗 roadworthiness; **F.spur** *f* 🚗 lane; **F.steg/F.steig** *m* mobile walkway *[US]*, travelator; **F.straße** *f* roadway, highway; **F.strecke** *f* distance; **F.streifen** *m* 🚗 (traffic) lane

ahrstuhl *m* lift *[GB]*, elevator *[US]*; **F.führer** *m* lift boy *[GB]*, elevator man *[US]*; **F.kabine** *f* cage

ahrstunde *f* 🚗 driving lesson

ahrt *f* 1. 🚗 drive; 2. ride, journey, trip, run; 3. ⚓ voyage; **in F.** ⚓ under way

ahrt achteraus ⚓ sternway; **F. ins Blaue** mystery tour/trip; ~ **Grüne** summer outing; **F. voraus** ⚓ seaway, headway; **volle F. voraus** ⚓ full speed ahead; **volle F. zurück** ⚓ full steam astern

ahrt antreten 1. to start a journey; 2. ⚓ to sail; **F. aufnehmen** ⚓ to sail; **in F. bringen** to propel; **F. gewinnen** to gather speed/momentum/pace; **F. halten** to maintain speed; **in F. kommen** 1. ⚓ to get under way; 2. *(fig)* to gain/gather momentum; **F. machen** ⚓ to make headway/way; **in F. sein** to be under way; **F. unterbrechen** to break one's journey; **F. unternehmen** 🚗 to go for a drive; **F. vermehren** to increase speed; **F. vermindern** to reduce speed; **aus der F. ziehen** 🚗 to lay up

reie Fahrt 1. green light, open drive, road clear; 2. ⚓ free passage; **große F.** ⚓ foreign trade, ocean/overseas voyage; **kleine F.** ⚓ home trade, short-sea shipping

fahrtauglich *adj* 🚗 roadworthy; **F.keit** *f* 🚗 roadworthiness

Fahrt|auslagen *pl* travel(ling) expenses; **F.berichtsheft** *nt* logbook; **F.dauer** *f* time for the journey

Fährte *f* 1. trail, track, trace; 2. scent; **von der F. abkommen** to be thrown off the scent; **falsche F.** red herring *(fig)*; **frische F.** hot trail

Fahrtechnik *f* 🚗 driving technique

Fahrten|buch *nt* 🚗 logbook, vehicle log, truck driver's log book/logger; **F.schreiber** *m* 🚗 tachograph, spy in the cab *(coll)*

Fahrt|gebiet *nt* ⚓ shipping route/area, area served; **F.geschwindigkeit** *f* travelling speed

Fahrtkosten *pl* 1. travelling/commuting expenses; 2. 🚂 rail fare; **F.entschädigung** *f* travel allowance, compensation for travel expenses; **F.erstattung** *f* reimbursement of travelling expenses; **F.zuschuss** *m* travel(ling) allowance, transportation/mobility allowance

Fahrtrichtung *f* direction; **F.sänderung** *f* 🚗 change of course/direction; **F.sanzeiger** *m* indicator

Fahrt|route/F.strecke *f* 1. route, itinerary; 2. ⚓ trade

fahrtüchtig *adj* 🚗 roadworthy; **F.keit** *f* roadworthiness

Fahrtunterbrechung *f* break, stopover

Fähr|unternehmen/F.unternehmer *nt/m* ⚓ ferry operator

fahr|untüchtig *adj* 1. unfit to drive; 2. 🚗 unroadworthy; **F.untüchtigkeit** *f* 🚗 unroadworthiness; **F.verbot** *nt* driving ban; **F.verhalten** *nt* driving characteristics, road behaviour; **F.verkauf** *m* route salesman system; **F.verkäufer** *m* route salesman

Fährverkehr *m* ⚓ ferry service/traffic

Fahrvorschriften *pl* traffic regulations, Highway Code *[GB]*

Fahrwasser *nt* ⚓ navigable water, passage, fairway, shipping/navigation channel, track; **in ruhigeres F. geraten** to get into calmer waters; **F. räumen** to sweep the channel; **offenes F.** open fairway, clear water; **F.bezeichnung** *f* channel markings

Fahr|weg *m* 🚗 roadway, carriageway, driveway *[US]*; **F.werk** *nt* 1. 🚗 chassis; 2. ✈ undercarriage; **F.weise** *f* (mode of) driving; **F.zeit** *f* 1. running/driving time; 2. ⚓ working life

Fahrzeug *nt* 1. vehicle, craft, conveyance; 2. ⚓ vessel; **per F.** by road; **F. mit/zur Personenbeförderung** passenger-carrying vehicle; **F. für Schnellentladung** hopper; **für F.e gesperrt** closed for vehicular traffic; **auf ein F. auffahren** to run into the back of another car; **F. zum Halten bringen** to bring a vehicle to a stop

ausländisches Fahrzeug foreign(-made) vehicle; **geländegängiges F.** cross-country vehicle; **firmeneigenes F.** company-owned vehicle; **geparktes F.** stationary vehicle; **gewerbliches F.** commercial vehicle; **leichtes F.** runabout; **miteinander verbundene F.e** combination of vehicles

Fahrzeug|abnahme *f* 🚗 M.O.T. (Ministry of Transport) test *[GB]*; **F.aufbauten** *pl* vehicle superstructure; **F.ausrüstung** *f* vehicle equipment; **F.ausstattung** *f* vehicle accessories; **F.bau** *m* vehicle building/construction, automobile/vehicle manufacture, automobile/automotive/motor(-vehicle) industry; **F.bauer** *m* vehicle builder, automobile manufacturer; **F.beleuchtung** *f* vehicle lighting; **F.benutzer** *m* vehicle user; **F.bestand** *m* number of vehicles, vehicle population; **F.brief** *m* 🚗 log book, registration document; **F.dichte** *f* motor vehicle density, traffic density; **F.erneuerung** *f* vehicle replacement; **F.flotte** *f* vehicle fleet; **F.führer** *m* driver; carman *[US]*; **F.gewicht** *nt* vehicle weight; **F.halle** *f* vehicle bay; **F.halter** *m* motorist, vehicle/car owner; **F.handel** *m* motor trade; **F.händler** *m* car/motor dealer; **F.hersteller** *m* automobile/car/vehicle manufacturer; **F.industrie** *f* motor/vehicle/car/automotive industry; **F.insasse** *m* passenger, vehicle occupant; **F.kolonne** *f* convoy/line of vehicles; **F.leasing** *nt* vehicle contract hire; **F.mechaniker** *m* motor mechanic; **F.nummer** *f* vehicle/registration number; **F.papiere** *pl* vehicle registration certificate, registration papers/documents, claim check *[US]*; **F.park** *m* → **Fuhrpark** vehicle fleet, (haulage) fleet, motor pool *[GB]*; **F.produktion** *f* vehicle/automobile/car production; **F.reparatur** *f* vehicle/car repair; **F.reparaturwerkstatt** *f* vehicle/car repair workshop; **F.schaden** *m* vehicle/car damage; **F.schlange** *f* queue of cars/vehicles; **F.steuer** *f* vehicle tax, ~ excise duty; **F.tank** *m* vehicle tank; **F.technik** *f* automobile/vehicle technology; **F.teile** *pl* vehicle parts; **F.typ** *m* type of vehicle/car; **F.überprüfung/F.untersuchung** *f* vehicle test(ing), M.O.T. (Ministry of Transport) test *[GB]*; **F.unfall** *m* road/car accident; **F.unterhaltung** *f* vehicle maintenance; **F.unterhaltungskosten** *pl* vehicle maintenance cost(s); **F.unternehmen** *nt* vehicle builder; **F.veräußerer** *m* disposer of a vehicle; **F.verkehr** *m* vehicular/road traffic; **F.vermietung** *f* car rental/hire/leasing; **F.versicherung** *f* vehicle/motor insurance; **F.vollversicherung** *f* comprehensive vehicle/car insurance; **F.wartung** *f* vehicle maintenance; **F.waschanlage** *f* 1. car wash; 2. 🚃 carriage washing facility; **F.werte** *pl (Börse)* motor shares *[GB]*/stocks *[US]*, motors; **F.zubehör** *nt* car accessories; **F.zubehörteil** *nt* car accessory; **F.zulassung** *f* vehicle licensing/registration; **F.zuschuss** *m* car allowance

faillieren *v/i [frz.]* to fail/collapse, to fold up, to go bankrupt

fair *adj* fair, equitable; **F.ness** *f* fairness, equity; **F. Value** fair value

Faksimile *nt* 1. facsimile; 2. *(Dokument)* specimen; **F.ausgabe** *f* facsimile edition; **F.druck** *m* facsimile print; **F.gerät** *nt* fax machine, facsimile device; **F.stempel** *m* signature/facsimile stamp; **F.übertragung** *f* facsimile; **F.unterschrift** *f* facsimile signature

faksimilieren *v/t* 1. to facsimilize; 2. to fax

Fakten *pl* facts; **reich an F.; f.reich** *adj* fact-filled

Faktion *f* faction

faktisch *adj* factual, effective, actual, virtual, in material respects, de facto *(lat.)*

Faktor *m* 1. factor, element, criterion; 2. factor of production; 3. 🗍 department head; 4. foreman; **F. in Rechnung stellen** to take a factor into consideration

arbeitshemmender Faktor disincentive; **auslösender F.** trigger; **außerbetrieblicher F.** external factor; **beeinträchtigender F.** adverse factor; **bestimmender F.** key determinant; **entscheidender F.** decisive factor; **hemmender F.** deterrent, inhibiting factor; **konjunkturabschwächender F.** depressant; **konjunktureller F.** cyclical/economic factor; **leistungshemmender F.** disincentive; **liquiditätsbestimmender F.** liquidity determinant; **menschlicher F.** human factor; **negativer F.** minus item; **ökonomische F.en** economics; **preisbestimmender F.** pricing factor; **produktiver F.** factor of production, productive factor; **veränderlicher F.** variable; **wachstumshemmender F.** growth-inhibiting factor; **wichtiger F.** asset; **wichtigster F.** key factor

faktoral *adj* factoral

Faktor|allokation *f* allocation of resources; **F.analyse** *f* factor analysis; **F.angebot** *nt* factor supply; **F.anpassungskurve** *f* expansion path; **F.ausdehnungsfunktion/-pfad** *f/m* expansion path; **F.ausstattung** *f* factor endowment; **F.bank** *f* factoring institution; **F.bewertung** *f* ▦ factor loading; **F.differenzial** *nt* factor differential

Faktorei *f* agency, factoring company; **F.handel** *m* agency business

Faktoreinkommen *nt* factor income/earnings/payments

Faktoreinsatz *m* factor input; **fortlaufender F.** current/continuous input; **F.kosten** *pl* input costs; **F.menge** *f* input (volume), input of resources; **F.planung** *f* resources scheduling

Faktoren|analyse *f* → **Faktoranalyse**; **F.entgelt** *nt* factor's remuneration; **kalkulatorischer F.ertrag** implicit factor returns; **F.gewichtung** *f* factor weighting; **F.markt** *m* production factor market; **F.preisausgleich** *m* equalization of factor prices

Faktorentlohnung *f* factor payments

faktorenunabhängig *adj* non-factor

Faktor|erträge *pl* factor returns, earnings of factors of production; **F.expansionspfad** *m* input expansion path; **F.fehlleitung** *f* misallocation of resources; **F.funktion** *f* input function; **F.geschäft** *nt* factoring business; **F.gesellschaft** *f* factoring company; **F.grenzkosten** *pl* marginal resource cost(s), marginal cost(s) of acquisition, factor cost(s)

faktorier|en *v/t* to invoice; **F.ung** *f* invoicing

Faktoring *nt* → **Factoring**

Faktorintensität *f* factor input ratio

faktorisieren *v/t* to factorize

Faktor|isoquante *f* factor isoquant; **F.koeffizient** *m* production coefficient

Faktorkombination *f* combination of inputs, factor combination/mix; **neue F.en** innovations; **optimale F.** optimum input combination

Faktor|kosten *pl* factor cost(s); **F.kurve** *f* factor curve; **F.leistungen** *pl* productive services; **F.lücke** *f* factor gap, inflationary gap in the factor market; **F.markt** *m* factor/input/resource market; **feste F.mengen** fixed inputs; **F.minderungen** *pl* input minimization; **F.mo-**

bilität *f* mobility of production factors; **F.nachfrage** *f* factor demand

Faktorpreis *m* factor/input/unit/resource price, factor cost(s); **F.ausgleich** *m* factor price equalization; **F.gleichgewicht** *nt* factor price equilibrium

Faktor|produktivität *f* factor productivity; **F.proportionen** *pl* factor proportions; **F.qualität** *f* factor quality; **F.ströme** *pl* factor flows; **F.substitution** *f* factor substitution; **f.unabhängig** *adj* non-factor; **F.verlagerung** *f* shift of resources; **f.vervielfachend** *adj* factor-augmenting; **F.wanderungen** *pl* factor movements; **F.wert** *m* input level

Faktotum *nt* handiman, odd-job man, factotum, jack-of-all-trades

Faktum *nt* fact

Faktura *f* → **Rechnung** invoice, account, bill; **laut F.** as invoiced, as per invoice; **F. ausstellen/erteilen** to (make out an) invoice; **F. beglaubigen** to legalize an invoice; **beglaubigte F.** legalized invoice; **fingierte F.** pro-forma invoice; **mit Preisen versehene F.** priced invoice

Faktura|betrag *m* invoice(d) amount; **F.buch** *nt* invoice book; **F.duplikat** *nt* duplicate of invoice; **F.handbuch** *nt* billing and guidebook; **F.preis** *m* invoice(d) price; **F.stempel** *m* invoice stamp; **F.währung** *f* invoicing currency; **F.wert** *m* invoice(d) value

Fakturen|abteilung *f* billing/invoice department; **F.betrag** *m* invoice(d) amount; **F.buch** *nt* book of invoices; **F.währung** *f* invoicing currency; **F.wert** *m* invoice(d) value/amount

Fakturier|abteilung *f* billing/invoice department; **F.automat** *m* automatic billing machine; **F.computer** *m* invoicing computer

Fakturieren *nt* invoicing, billing; **f.** *v/t* to bill/invoice, to make out a bill/an invoice

Fakturiermaschine *f* billing machine

wie fakturiert *adj* as invoiced

Fakturierung *f* invoicing, billing, invoice processing, invoiced sale; **F.sfehler** *m* billing error; **F.smethode** *f* billing method; **F.ssumme** *f* total invoiced sales

Fakturist(in) *m/f* invoice/billing clerk

Fakultät *f* faculty, school; **F. für Betriebswirtschaft** school of business studies, business school; **~ Medizin** school of medicine, medical school; **~ Rechtswissenschaften** school of law, law school; **~ Volkswirtschaft/Wirtschaftswissenschaft** school of economics

betriebswirtschaftliche Fakultät school of business studies, business school; **geisteswissenschaftliche F.** faculty of arts, arts faculty/school, the humanities; **ingenieurwissenschaftliche F.** faculty of engineering; **juristische/rechtswissenschaftliche F.** faculty/school of law, law school/faculty; **medizinische F.** medical school/faculty, school of medicine; **naturwissenschaftliche F.** faculty of science, science faculty; **philosophische F.** faculty of arts; **wirtschaftswissenschaftliche F.** business school, school of economics

fakultativ *adj* 1. optional, voluntary; 2. § permissive; **F.fach** *nt* optional subject; **F.klausel** *f* optional/option clause

Falke *m* 1. ✿ falcon; 2. hawk; 3. *(fig)* hardliner

Fall *m* 1. case, matter, affair, instance, event; 2. *(Sturz)* fall, plunge; 3. downfall, overturn; 4. § precedent; **für den F.; im F.e** in case of, in the event of

im Fall des Ausbleibens failing; **F. von Betrug** case of fraud; **Fälle besonderer Dringlichkeit** critical circumstances; **F. von Fahrlässigkeit** case of negligence; **~ Geisteskrankheit** mental case; **für den F. der Rechtshängigkeit** § pending suit; **im F. eines Unfalls** in case of an accident; **~ der Unzustellbarkeit** ✉ in case of non-delivery; **~ eines Verstoßes** in case of non-compliance; **~ des Verzuges** in case of undue delay

auf alle Fälle *(Vorsorge)* to be on the safe side; **auf jeden Fall** in any case/event, at any rate, fully, by all means; **auf keinen F.** under no circumstances, in no case, no way *(coll)*; **im anderen F.** alternatively; **im besten F.** at best; **in allen übrigen Fällen** save as aforesaid; **in vielen Fällen** in many instances; **im vorliegenden F.** in the instant case; **nicht mein F.** *(coll)* not my cup of tea *(coll)*; **gesetzt den F.** assuming, supposing; **von F. zu F.** case by case, as the case arises, on a case-to-case basis

Fall abschließen § to complete a case; **F. absetzen** to strike off (a case); **seinen F. auf Treu und Glauben abstellen** to rest one's case on equity; **F. aufgreifen** to take up a case; **F. (wieder) aufrollen** to reopen a case; **F. bearbeiten; sich mit einem F. befassen** to handle a case, to deal with a case; **F. für sich allein beurteilen** to consider a case on its merits; **zu F. bringen** 1. § to overturn/torpedo; 2. *(Vorlage)* to kill; 3. to (strike) down, to scupper *(coll)*; **jdn ~ bringen** to topple so., to trip so. up; **F. vor Gericht bringen** to take an issue to court; **seinen F. darlegen** to state one's case; **F. schriftlich darlegen** to submit a written statement of a case; **F. einmotten** to mothball a case; **F. allein aufgrund der ihm innewohnenden Umstände entscheiden** to decide a case strictly on its merits; **von F. zu F. entscheiden** to decide on the merits of each particular case; **seinen F. erläutern** to put one's case; **F. erledigen** to dispose of/settle a case; **zu F. kommen** to trip up; **F. vor Gericht anhängig machen** to take a matter to court; **F. leiten** to head a case; **F. untersuchen** to investigate/study a case; **F. verhandeln** § to hear/try a case, to sit in judgment on a case, to deal with a case, to try an action; **F. erneut verhandeln** to re-try a case; **F. vor Gericht vertreten** to present a case, to appear for so.; **F. vortragen** to state/submit/put a case, to present one's brief; **seinen F. vortragen** § to plead one's case/cause

abgeschlossener Fall closed case; **analoger F.** analogous case; **aussichtsloser F.** hopeless case; **bahnbrechender F.** seminal case; **in begründeten Fällen** in cases where there is adequate reason; **betreffender F.** case in point; **nach den bisherigen Fällen** according to precedent; **dringender F.** matter/case of urgency, exigency, exigence, urgent case; **in dringenden Fällen** in case of urgency; **in äußerst ~ Fällen** in cases of extreme urgency; **einschlägiger/konkreter F.** 1. case in point; 2. § precedent; **freier Fall** free fall; **gleichgela-**

gerter F. similar case; **grundlegender F.** landmark case; **im günstigsten F.** at best; **im konkreten F.** in the case under consideration; **innerhalb der Zuständigkeit liegender F.** case within the purview; **möglicher F.** contingency; **plötzlicher F.** plunge; **schwebender F.** § pending case, lis pendens *(lat.)*; **im schlimmsten/ungünstigsten F.** at the worst, if the worst comes to the worst; **zur Entscheidung stehender F.** case at issue/bar; **strittiger F.** contested case, contentious issue, case at issue, ~ in dispute; **todsicherer F.** airtight case; **typischer F.** case in point; **im umgekehrten F.** in the reverse case, conversely; **unerledigter F.** unsettled case; **vereinzelter F.** isolated instance; **vorgetragener F.** case stated; **vorliegender F.** case at issue, ~ under review; **im vorliegenden F.** in the case under review/consideration, in the present case

Fall|bodenwaggon *m* hopper car; **F.bö** *f* air pocket

Falle *f* 1. trap, snare; 2. pitfall *(fig)*; **F. aufstellen** to set a trap; **in einer F. fangen** to trap; **in eine F. gehen/tappen** to walk/fall into a trap, to take the bait; **in die eigene F. gehen** to be hoist with one's own petard; **F. stellen** to (set a) trap

Fallen *nt* fall, drop, slump; **im F. begriffen** on the decline/wane

fallen *v/i* 1. to fall/drop, to come/go down; 2. *(stark)* to slump/plunge; 3. *(langsam)* to abate/sink/slide/slip; 4. *(Preis)* to ease, to be on the way down, to look down; 5. *(Vertriebsgrenzen)* to collapse

etw./leicht fallen *(Preis/Kurs)* to edge down, to ease; **kräftig/rapide/stark f.** *(Börsenkurse)* to (take a) plunge, to dip/nosedive/tumble/plummet; **plötzlich f.** to plunge/slump/tumble; **f. unter** to come within the scope of, to fall within the terms of

Fällen *nt* felling; **F. von Entscheidungen** decision-making; **f.** *v/t* 1. *(Baum)* to fell; 2. *(Urteil)* to pass

fallend *adj* falling, declining, receding; **langsam f.** gradually declining

fallen lassen *v/t* 1. to drop/abandon/dump/ditch; 2. *(Preise)* to send down

Fallensteller *m* trapper

Fall|frist *f* § period set; **F.geschichte** *f* § case history/law; **F.grube** *f* pitfall

Fallieren *nt* failure, bankruptcy, insolvency, collapse; **f.** *v/i* to fail/collapse, to go bankrupt/bust *(coll)*

fällig *adj* 1. (falling) due, (due and) payable, outstanding, overdue; 2. mature, matured; **jederzeit/sofort/täglich f.** due at call, at sight, (repayable) on demand, immediate; **längst f.** overdue; **noch nicht f.** unmatured, unexpired

fällig gestellt (called) due; **f. werdend am ...** maturing on ...; **f. sein** to be due; **f. stellen** to call due, to fix a due date; **vorzeitig f. stellen** to accelerate the due date; **f. werden** 1. to fall/become due; 2. to mature; 3. to expire; **sofort f. werden** *(Kredit)* to fall due immediately

Fälligkeit *f* 1. due date, day of falling due, payability, time for payment; 2. settlement date; 3. maturity; 4. expiration; **bei F.** 1. when due; 2. at maturity, as it matures; **vor F.** prior to maturity, ahead of schedule; **F. des Kredits** due date of the credit, date of payment of the credit; **F. der Prämie** premium due date; **F. eines Wechsels** date of a bill; **bei F. bezahlt** paid at maturity; **~ zahlbar; zahlbar bei F.** payable when due, ~ at/on maturity

Fälligkeit|en nicht aufeinander abstimmen to mismatch maturities; **F. aufschieben** to defer maturity; **vor F. (be)zahlen** to prepay, to pay before maturity, ~ in advance, to anticipate payment; **F. hinausschieben** to prolong; **F. vorverlegen** to accelerate the due date; **bei F. zahlen** to pay at maturity, ~ when due

bedingte Fälligkeit contingent payment; **mit kurzer F.** short-dated; **mittlere F.en** *(Anleihe)* lives of five to fifteen years, mediums, medium-dated bonds; **vorzeitige F.** accelerated maturity

Fälligkeits|analyse *f* age analysis; **F.anspruch** *m* maturity claim; **F.aufschub** *m* postponement of maturity; **F.aufstellung** *f* ag(e)ing statement; **F.avis** *m* reminder of due date; **F.basis** *f* accrual basis; **F.betrag** *m* amount due at maturity; **F.buchführung** *f* accrual accounting; **F.darlehen** *nt* fixed-term loan; **F.datum** *nt* due date, maturity (date), date of maturity; **F.frist** *f* maturity; **F.gebühr** *f* delinquency fee; **F.gliederung** *f* spacing of maturities; **F.grundlage** *f* maturity basis; **F.grundschuld** *f* fixed-date land charge; **F.hypothek** *f* fixed-date mortgage (loan); **F.jahr** *nt* year of maturity; **F.klausel** *f (Abzahlung)* accelaration/accelerating clause; **F.liste** *f* 1. expiration/maturity list, ag(e)ing schedule; 2. *(Scheck)* deposit list; **F.plan** *m* schedule of due dates; **F.schlüssel** *m* maturity code; **F.steuern** *pl* taxes payable by operation of law; **F.struktur** *f* maturity structure/profile; **F.tabelle** *f* ag(e)ing schedule; **F.tag/F.termin** *m* day of falling due, due/maturity/accrual date, date of maturity/expiration/expiry, due/expiration/settlement day; **mittlerer F.termin** average due date; **F.verteilung** *f* maturities mix; **F.wert** *m* maturity value; **F.zinsen** *pl* interest after due date; **F.zuschlag** *m* delinquency fee

früh-/vorzeitige Fällig|stellung acceleration of maturity; **F.werden** *nt (Wechsel)* expiration

Fallissement *nt* failure, bankruptcy, collapse, insolvency

Fallit *m* bankrupt; **F.enmasse** *f* bankrupt's estate

Fallmethode *f* case method, case-by-case approach

Fall|recht *nt* § case law, law of precedents; **F.reep** *nt* gangway, accommodation ladder; **F.rohr** *nt* gutter pipe; **F.sammlung** *f* § law reports, casebook, digest; **F.schirm** *m* parachute; **F.strick** *m* snare, noose; **F.stricke** *(fig.)* pitfalls; **F.studie** *f* case study; **F.tür** *f* trap door

Fällungsplan *m* felling/harvesting/cutting plan

fall|weise *adv* ad hoc *(lat.)*; **F.wind** *m* downwind

falsch *adj* 1. false, wrong, incorrect, faulty, mistaken, erroneous; 2. *(Fälschung)* falsified, forged, counterfeit; 3. *(unecht)* imitated, fake(d), mock, false, spurious, bogus; 4. *(ungenau)* inaccurate; **völlig f. liegen** to be quite wrong

Falsch|anmeldung *f* ⊖ false declaration; **F.anschuldigung** *f* false accusation, § trumped-up charge; **F.anzeige** *f* misrepresentation, false accusation; **F.auskünfte** *pl* erroneous information; **F.aussage** *f* § false evidence/testimony/statement; **zur ~ verleiten** [§] to suborn

Falschbeurkundung *f* false certification, falsification of a registry, making a false entry; **F. im Amt** false certification by public officer; **mittelbare F.** constructive false certification

Falsch|bezeichnung *f* *(Waren)* misbranding; **F.buchung** *f* misentry, fraudulent/false entry, manipulation of accounts; **F.darstellung** *f* misrepresentation (of facts); **fahrlässige/schuldlose F.darstellung** [§] innocent misrepresentation; **F.eid** *m* perjury, false oath/swearing; **~ schwören** to commit perjury, to forswear

Fälschen *nt* doctoring; **f.** *v/t* 1. to forge/fake/counterfeit/falsify; 2. to fabricate; 3. *(Konten)* to tamper, 4. *(Bilanz)* to doctor/cook; 5. *(Wechsel)* to kite; 6. *(Urkunde)* to tamper (with)

Fälscher *m* forger, faker, counterfeiter, fabricator; paperhanger *(fig) [US]*; **F.bande** *f* counterfeiting ring

Falschgeld *nt* counterfeit/forged/false/bad/bogus/base money, counterfeit coin(s), snide *(coll)*; **F. anfertigen** to counterfeit money; **F. in Umlauf bringen/setzen; ~ den Verkehr bringen** to put counterfeit money into circulation, to pass counterfeit money

Falschgeld|abschieber *m* distributor/dropper of counterfeit money; **F.anfall** *m* counterfeit money detected; **F.druckerei** *f* forging press; **F.note/F.schein** *f/m* counterfeit note, spurious bill *[US]*; **F.verteiler** *m* dropper

Falschheit *f* falsehood, falsity, incorrectness

fälschlich *adj* mistaken, wrong, erroneous

Falsch|lieferung *f* wrong shipment; **F.meldung** *f* false news, hoax; **F.münze** *f* counterfeit/base coin; **f.münzen** *v/t* to counterfeit/forge

Falschmünzer *m* counterfeiter, forger, falsifier, coiner; **F.bande** *f* counterfeiting ring; **F.ei** *f* counterfeiting, forgery, making and uttering counterfeit money; **~ betreiben** to counterfeit coins; **F.werkstatt** *f* coiner's den

Falschstück *nt* counterfeit item

Fälschung *f* 1. *(Gegenstand)* forgery, imitation, counterfeit, dud, fake, phon(e)y, counterfeit product; 2. faking, forging, falsification, fabrication; 3. paperhanging *(fig) [US]*; **F. von Buchungsunterlagen** padding; **~ Postwertzeichen** forgery of postal stamps; **~ Rechnungsbüchern** falsification of accounts, cooking the books; **F. der Wahlergebnisse** election fraud; **F. begehen** to commit forgery; **F. einwenden** [§] to put in a plea of forgery; **F. herstellen** to counterfeit

Fälschungs|einwand erheben *m* to put in a plea of forgery; **f.sicher** *adj* forge-proof, counterfeit-proof, unforgeable; **F.versuch** *m* attempted forgery

Falsch|urkunde *f* forged/fabricated document; **F.verteilung** *f* maldistribution; **F.werbung** *f* misleading advertising

Falsifikat *nt* forgery, counterfeit, fake, falsification, imitation

falsifizieren *v/t* to falsify

falt|bar *adj* collapsible; **F.behälter** *m* palletainer; **F.blatt/F.prospekt** *nt/m* folder, leaflet; **großes F.blatt** broadsheet

Falte *f* 1. fold, crease; 2. *(Haut)* wrinkle

falten *v/i* to fold; **einmal f.** to fold double

Falt|kalender *m* fan-fold planner; **F.kiste** *f* collapsible box; **F.marke** *f* fold-mark indicator; **F.prospekt** *m* folder, leaflet; **F.schachtel** *f* folding/collapsible box; **F.schachtelhersteller** *m* manufacturer of collapsible boxes; **F.stuhl** *m* collapsible chair; **F.tür** *f* folding door

Falz *m* 1. fold; 2. 🗍 lap; **f.en** *v/t* to fold; **F.maschine** *f* folding machine

Familie *f* 1. family, house, kin; 2. *(Abkunft)* lineage; **F. mit nur einem Elternteil** single-parent/one-parent family

in eine Familie einheiraten to marry into a family; **F. ernähren/unterhalten** to maintain/support a family; **F. gründen** to start a family; **an die F. zurückfallen** to return to the family

angesehene Familie respectable family; **Unterhalt beziehende F.** family on relief; **dreiköpfige F.** family of three; **engste F.** immediate family; **feine F.** genteel family; **fürsorgebedürftige F.** needy family; **aus guter F.** from a good family; **kinderreiche F.** large family

Familien|abzug *m* *(Steuer)* personal allowance, allowance for dependants/dependents; **F.-Aktiengesellschaft** *f* private limited company *[GB]*, family-owned/closed *[US]* corporation; **F.aktionär** *m* family shareholder; **F.angehörige(r)** *f/m* family member, dependent/dependant relative; *pl* dependents, dependants, members of the family; **F.angelegenheit** *f* family affair/matter; **F.anlage** *f* ✆ private circuit; **mit F.anschluss** *m* as one of the family; **F.anwalt** *m* family lawyer; **F.anzeige** *f* personal advertisement; **F.anzeigen** personal column; **F.arbeitskraft** *f* working family member; **F.ausgabe** *f (Text)* household edition; **F.ausgleichskasse** *f* family equalization fund; **F.bad** *nt* mixed bathing; **F.bande** *pl* family ties

Familienbeihilfe *f* family allowance/grant/benefit, allowance for dependants/dependents, aid to needy families *[US]*; **zusätzliche F.** family income supplement; **F.kasse** *f* family allowance fund

Familien|besitz *m* family estate/property/interest; **in F.besitz** family-owned, family-controlled; **F.besteuerung** *f* family taxation; **F.betrieb** *m* 1. family-owned business, family(-run) business/enterprise; 2. 🚜 family farm; **bäuer-/landwirtschaftlicher F.betrieb** family farm; **F.buch** *nt* family book, genealogical register, register of marriages; **F.budget** *nt* family budget; **F.diebstahl** *m* larceny from members of the family; **f.eigen** *adj* family-owned; **F.eigenheim** *nt* family home; **F.einheit** *f* family unit; **F.einkommen** *nt* family income; **durchschnittliches F.einkommen** medium family income; **F.erbstück** *nt* family heirloom; **F.fahrkarte** *f* family ticket; **F.fürsorge** *f* family care/welfare; **f.freundlich** *adj* family-orient(at)ed; **F.gemeinschaft** *f* (family) household; **f.gerecht** *adj* suiting the needs of families; **F.gericht** *nt* family court/division *[GB]*, domestic court; **F.geschichte** *f* family history; **F.gesellschaft** *f* family-owned company/corporation, family partnership, close company *[GB]*; **F.größe** *f* family size, **F.gründung** *f* starting a family, foundation of a family; **F.gut** *nt* family estate; **F.handelsgesellschaft** *f* family trading company; **F.haupt** *nt* head of (the) family; **F.haushalt** *m* 1. family household; 2. household budget; **F.haushaltsrechnung** *f* family accounting; **F.heim und Mobiliar** *nt* matrimonial home and contents; **F.heimfahrt** *f* trip home; **F.herkunft** *f* family background; **F.hilfe** *f* 1. family assistance; 2. *(Geld)* family allowance *[GB]*, home responsibilities protection (HRP); **F.hotel** *nt* family/residential hotel; **F.kreis** *m* family circle; **F.lasten** *pl* family responsibilities; **F.lastenausgleich** *m* equalization of family burdens; **F.leben** *nt* family/domestic life; **F.leistungen** *pl* family allowances/benefits; **F.lohn** *m* family-based income; **F.marke** *f* family brand; **F.mitglied** *nt* family member; **F.nachrichten** *pl (Zeitung)* births, marriages and deaths; **F.name** *m* family name, surname; **F.oberhaupt** *nt* head of (the) family, family head; **F.packung** *f* family pack, family-size package; **F.pauschalversicherung** *f* comprehensive family policy/insurance; **F.pension** *f* family/residential hotel; **F.planung** *f* family planning, birth control; **F.politik** *f* family policy; **F.rat** *m* family council; **F.recht** *nt* family law, law of domestic relations *[US]*; **f.rechtlich** *adj* under family law; **F.rechtssache/F.rechtsprozess/F.sache** *f/m/f* § domestic proceedings, case involving family law; **F.register** *nt* family register; **F.richter(in)** *m/f* family court judge; **F.roman** *m* family saga; **F.schande** *f* skeleton in the cupboard *(coll)*, family skeleton *(coll)*; **F.senat** *m* § family division; **F.sitz** *m* family estate; **F.sozialhilfe** *f* family income supplement; **F.splitting** *nt* income tax splitting; **F.stammbaum** *m* family tree

Familienstand *m* marital/family/personal/civil status; **F. der Ehefrau** § coverture; **F.sbescheinigung** *f* certificate of marital status; **F.slohn** *m* family wage

Familien|stiftung *f* private/family trust, family foundation; **F.streit** *m* family row; **F.treffen** *nt* family gathering; **F.übereinkommen** *nt* family arrangement; **F.unterhalt** *m* upkeep of a family, family maintenance; **F.unterkünfte** *pl* ✈ married quarters; **F.unternehmen** *nt* family business/partnership/concern, family-run concern/business; **F.unterstützung** *f* 1. *(Kindergeld)* family allowance *[GB]*; 2. *(Sozialhilfe)* (family) supplementary benefit *[GB]*, allowance for dependants/dependents; **F.vater** *m* breadwinner, family man; **F.verhältnisse** *pl* family background/circumstances; **F.vermögen** *nt* family assets/property/estate; **F.versicherung** *f* family insurance; **F.versorgungs-/F.vorsorgeversicherung** *f* family income benefit policy, ~ protection policy; **F.vertrag** *m* family contract; **F.vorstand** *m* head of (the) family; **F.wappen** *nt* household coat of arms; **F.wirtschaft** *f* family economy; **F.wohnung** *f* family dwelling; **F.zulage/F.zuschlag/F.zuschuss** *f/m* family allowance; **F.zusammenführung** *f* reunification of families; **F.zuwachs** *m* addition to the family

Famulatur *m* ⚕ elective/medical/clinic clerkship, internship

famulieren *v/t* ⚕ to walk the wards, to do some practical work

Fanal *nt* beacon, torch *(fig)*

Fana|tiker(in) *m/f* fanatic; **f.tisch** *adj* fanatic; **F.tismus** *m* fanaticism

Fanfare *f* fanfare

Fang *m* catch, haul, take; **guten F. machen** to make a scoop; **guter F.** *(Kauf)* bargain

Fang|abkommen *nt* fishery agreement; **F.beschränkung** *f* fishing restriction

fangen *v/t* to catch; **sich wieder f.** to recover

Fang|ergebnis/F.ertrag *nt/m* catch; **F.fabrikschiff** *nt* fish-processing trawler; **F.flotte** *f* fishing fleet; **F.frage** *f* trick question, deliberate trap; **F.gebiet/F.grund** *nt/m* fishing grounds; **F.netz** *nt* 1. net; 2. *(Polizei)* dragnet; **F.platz** *m* fishing grounds

Fangquote *f* fishing/catch quota; **zulässige F.** allowable catch, total allowed catch; **F.naufteilung/F.nfestlegung** *f* fishing quota allocation

Fang|rechte *pl* fishing rights; **F.schaltung** *f* ✆ telephone trap; **F.schiff** *nt* fishing vessel, trawler; **F.schuss** *m* coup de grace *[frz.]*; **F.verbot** *nt* fishing ban

Fantasie *f* 1. imagination; 2. fancy; 3. fantasy, make-believe; **jds F. anregen** to tickle so.'s fancy; **jds F. beflügeln** to fire so.'s imagination; **seiner F. die Zügel schießen lassen** to give free rein to one's imagination; **blühende/lebhafte/rege F.** vivid imagination; **reiche F.** fertile imagination; **reine F.** pure fabrication

Fantasie|bezeichnung *f* fanciful trade name, fancy name; **F.gebilde** *nt* daydream, figment of one's imagination; **f.los** *adj* lacking imagination, uninspired; **~ sein** to lack ideas; **F.name** *m* fancy name; **F.preis** *m* fancy price; **f.reich** *adj* imaginative; **f.voll** *adj* fanciful; **F.werte** *pl* bazaar securities, cats and dogs

fantastisch *adj* 1. fantastic; 2. fanciful, imaginative, out of this world *(coll)*

Farb|abstufung *f* colour tone; **F.abweichung** *f* colour distortion; **F.anstrich** *m* coat of paint; **F.anzeige** *f* colour(ed) advertisement; **F.aufnahme** *f* colour photograph

Farbband *nt* typewriter/ink ribbon; **einfarbiges F.** single-coloured ribbon; **zweifarbiges F.** two-coloured ribbon

Farbband|drucker *m* 🖳 ribbon printer; **F.einsteller** *m* ribbon switch; **F.kassette/F.spule** *f* ribbon cartridge; **F.transport** *m* ribbon feed; **F.umschaltung** *f* ribbon reserve; **F.wechsel** *m* ribbon replacement

Farb|beilage *f* colour supplement; **F.diapositiv** *nt* colour slide; **F.druck** *m* coloured print; **F.drucker** *m* colour printer

Farbe *f* 1. colour *[GB]*, color *[US]*, paint, dye(stuff); 2. *(Farbton)* shade, hue

Farbe auftragen to apply paint; **F. bekennen** *(fig)* to come clean, to own up, to show one's hand, to come out into the open; **jdn zwingen, F. zu bekennen** to force so. out into the open; **etw. in hellen F.n malen** to paint an upbeat picture; **in schwarzen F.n schildern** to paint black; **in glühenden F.n von jdm sprechen** to speak in glowing terms of so.; **F. verlieren** to discolour

lebhafte/leuchtende Farbe bright colour; **licht- und waschechte F.** fast colour; **schreiende F.n** gaudy colours

farbecht *adj* (colour-)fast
Färbemittel *nt* 1. *(Lebensmittel)* colouring matter; 2. *(Textil)* dye(stuff)
farbempfindlich *adj* colour-sensitive
färben *v/t* to dye/colour
farben|blind *adj* colour-blind; **F.blindheit** *f* colour blindness; **F.fabrik** *f* paint factory; **f.freudig** *adj* vivid; **F.geschäft** *nt* paint shop *[GB]*/store *[US]*; **F.händler** *m* paint dealer; **F.industrie** *f* paint/dyestuffs industry; **F.kunstdruck** *m* coloured plate; **F.markt/F.werte** *m/pl (Börse)* chemical shares *[GB]*/stocks *[US]*, chemicals
Färber *m* dyer; **F.ei** *f* dye works
Farb|faksimile *nt* colour telefax; **F.fernsehen** *nt* colour television; **F.fernseher** *m* colour television set; **F.film** *m* colour film; **F.filter** *m* colour filter; **F.fotografie** *f* colour photograph(y); **F.gebung** *f* tint(ing), colouring
farbig *adj* coloured; **F.e(r)** *f/m* coloured (person)
Farb|kissen *nt* ink/inking pad; **F.klausel** *f* colour clause; **F.klischee** *nt* ▯ colour engraving; **F.kopie** *f* colour print; **f.los** *adj* lacklustre, colourless, drab; **F.mine** *f* colour cartridge; **F.mischer** *m* paint mixer; **F.monitor** *m* colour monitor; **F.muster** *nt (Werbung)* swatch; **F.schattierung** *f* hue; **F.skala** *f* colour chart, range of colours; **F.steuerung** *f* colour control; **F.stift** *m* coloured pencil, water colour pencil, crayon
Farbstoff *m* 1. pigment, colouring, dye, dyestuff; 2. *(Lebensmittel)* artificial colouring; **F.industrie** *f* dyestuff industry; **F.pflanze** *f* dye plant
Farb|tafel *f* colour chart; **F.ton** *m* shade, tint, hue
Färbung *f* hue, tinge, colour(ing)
Farb|walze *f* ▯ inking roller; **F.zusammenstellung** *f* colour scheme; **F.zusatz** *m* colouring (matter)
Farce *f* farce, mockery; **etw. zur F. machen** to make a mockery of sth.; **reine F. sein** to be a sham/farce; **f.nhaft** *adj* farcical
Farm *f* farm; **F.arbeiter** *m* rancher *[US]*, stockman *[US/AUS]*; **F.er** *m* farmer
Fasel|ei *f* waffle, drivel, twaddle; **f.n** *v/ti* to waffle, to talk rot
Faser *f* fibre *[GB]*, fiber *[US]*, filament
internationales Faser|abkommen multi-fibre agreement; **f.artig/f.ig** *adj* fibrous; **F.optik** *f* fibre optics; **schweres F.papier** cover stock; **F.platte** *f* fibreboard *[GB]*, fiberboard *[US]*; **f.reich** *adj* fibrous, high-fibre *[GB]*, high-fiber *[US]*; **F.stoff** *m* fibre *[GB]*, fiber *[US]*, fibrous material, textile; **f.verstärkt** *adj* fibre-reinforced; **F.zeichen** *nt (Banknote)* thread mark
Fass *nt* 1. barrel; 2. *(Einlegen)* vat; 3. *(Wein)* cask; 4. *(Bier)* keg; 5. ⚗ drum; **großes F.** *nt* hogshead; **vom F.** *(Getränk)* on tap; **F. ohne Boden** *(fig)* bottomless pit *(fig)*; **F. anstechen** to tap a barrel
Fassade *f* 1. face, façade; 2. (shop) front; **F. erneuern** to reface; **hinter die F. schauen** to see behind the curtain; **falsche F.** false front
Fassaden|aufriss *m* 🏛 front elevation; **F.kletterer** *m* cat burglar *[GB]*, porch climber *[US]*; **F.klinker** *m* 🏛 facing brick; **F.reinigung** *f* exterior cleaning; **F.stein** *m* 🏛 facing brick; **F.verkleidung** *f* 🏛 cladding

fassbar *adj* measurable
Fassbier *nt* draught/draft beer, beer on tap
Fässchen *nt* keg
fassen *v/t* 1. *(greifen)* to seize/grasp; 2. *(begreifen)* to understand/conceive/grasp; 3. *(Beschluss)* to make/take; 4. *(Volumen)* to contain/hold; 5. *(Anker)* to bite; 6. *(Verbrecher)* to catch/apprehend; *v/refl* to collect o.s.; **sich kurz f.** to be brief; **neu f.** to rephrase/reword/redraft; **schwer zu f.** elusive
Fassladung *f* barrel cargo
schwer fasslich *adj* hard to understand
Fasson *f* shape; **aus der F. geraten** to lose ist shape, to go haywire *(fig)*; **F.gründung** *f* formation of a shell company; **F.wert** *m* goodwill
Fassreifen *m* hoop
Fassung *f* 1. version, wording, formulation, form of words, definition; 2. ⚡ socket; **in der F. von** as amended
Fassung bewahren to keep one's composure/head, ~ cool *(coll)*; **aus der F. bringen** to put out, to discomfit; **~ geraten** to lose one's composure/self-control, to get rattled *(coll)*; **mit F. tragen** to keep one's balance; **F. verlieren** to lose one's balance; **seine F. wiedergewinnen** to regain one's composure
abgeänderte Fassung amended version; **erste F.** first draft; **gekürzte F.** abridged version; **maßgebende/-gebliche F.** authoritative/authorized version; **revidierte F.** revised version; **überarbeitete F.** revised form; **ursprüngliche F.** original version; **verbindliche F.** authentic text
Fassungs|kraft *f* grasp, mental capacity; **jds. ~ übersteigen** to be beyond one's grasp; **F.vermögen** *nt* 1. (seating/cubic) capacity; 2. mental capacity; 3. content; **beschränktes F.vermögen** limited capacity
Fass|waren *pl* barrelled goods; **f.weise** *adv* by the barrel
Fastunfall *m* near miss
Faszikel *nt* fascicle
Faszination *f* fascination, spell
faszinieren *v/t* to fascinate/spellbind/captivate/intrigue/mesmerize; **f.d** *adj* fascinating
fatal *adj* fatal, disastrous; **F.ismus** *m* fatalism; **f.istisch** *adj* fatalistic
Fata Morgana *f* mirage
faul *adj* 1. lazy, idle, indolent, workshy; 2. *(Obst)* rotten; 3. *(Lebensmittel)* off; 4. *(fig)* fishy; 5. phon(e)y; 6. *(Firma)* unsound; 7. *(Kunde/Wechsel)* bad; **durch und durch f.** rotten to the core
Faulbehälter *m* septic tank
Fäule *f* decay
faulen *v/i* to rot/decay/putrefy
Faulenzen *nt* idleness; **f.** *v/i* to idle/loaf, to laze about
Faulenzer *m* loafer, lazybones, idler; **F.ei** *f* idleness
Faul|fracht *f* ⚓ dead freight; **F.heit** *f* idleness, sloth, inertia
Fäulnis *f* rot, decomposition, decay; **F.erreger** *m* germ of decompositon, putrefactive agent
faulig *adj* septic
Fauna *f* wildlife
Faust *f* fist; **auf eigene F.** on one's own account, off one's own bat; **F. ballen** to clench one's fist; **mit der F.**

auf den Tisch hauen/schlagen to bang one's fist on the table
Faust|feuerwaffe *f* small firearm; **F.formel/F.regel** *f* rule of thumb; **griffige F.formel** rough and ready formula; **F.kampf** *m* boxing match
Faustpfand *nt* pawn, (dead-)pledge; ~ **in Verhandlungen** bargaining chip; **F.kredit** *m* loan against pledge; **F.recht** *nt* law of pledge, right to hold as pledged collateral
Faust|recht *nt* lynch law, law of the jungle, club-law, right of private warfare; ~ **ausüben** to take the law into one's own hands; **F.regel** *f* → **F.formel**; **F.schlag** *m* punch; **F.skizze** *f* rough/thumbnail sketch, freehand drawing
Fautfracht *f* ⚓ dead freight
Fauxpas *m* *[frz.]* gaffe, slip, blunder, clanger
favorisieren *v/t* to favour
Favorit *m* 1. favourite, frontrunner; 2. *(Börse)* seasoned security
Fazilität *f* facility; **kompensatorische F.** compensatory facility
Fax *nt* → **Telefax** fax (massage); **als F. senden** to send by fax
faxen *v/t* to fax, to send by fax
Fax|gerät *nt* fax (machine); **F.nummer** *f* fax number; **F.sendung** *f* fax
Fazit *nt* final result, upshot; **F. ziehen** to sum up
Feder *f* 1. feather; 2. pen; 3. quill; 4. ✿/*(Spirale)* spring (ring); **F.n lassen** *(fig)* to be mauled/plucked, not to come out unscathed; **fremde F.n** borrowed plumes
feder|führend *adj* leading, main, responsible, in (overall) charge, acting as general coordinator; ~ **sein** to lead-manage; **F.führer** *m (Konsortium)* lead manager, syndicate leader, leading bank
Federführung *f* 1. leadership; 2. *(Konsortium)* lead management, leader of a consortium; 3. central handling; **unter der F. von** 1. under the aegis/leadership of, ~ overall control of; 2. *(Konsortium)* lead-managed by; **gemeinsame F.** co-general contracting, co-management
nicht viel Feder|lesens machen *nt* to make short work (of so./sth.), to give (so.) short shrift; **F.mäppchen** *nt* pencil case
federn *v/i* to spring
Feder|rücken *m* springback; **F.schloß** *nt* spring lock; **mit einem F.strich** *m* at a stroke, with a stroke of the pen
Federung *f* 🚗 (spring) suspension
Feder|vieh *nt* poultry, fowl; **F.waage** *f* fish scales; **F.zirkel** *m* spring dividers, bow compass(es)
Fehde *f* feud; **F.handschuh** *m* gauntlet; ~ **hinwerfen** to throw down the gauntlet
Fehl|ablieferung *f* misdelivery; **F.abschluss** *m* deficit (balance); **F.alarm** *m* false alarm; **F.allokation von Produktionsfaktoren/Ressourcen** *f* misallocation of resources; **F.annahme** *f* misconception
Fehlanpassung *f* maladjustment, mismatch; **konjunkturelle F.** cyclical maladjustment; **strukturelle F.** structural maladjustment
Fehl|anzeige *f* 1. nil-return, nil-report; 2. nothing doing *(coll)*; **F.aushändigung** *f* wrong delivery; **F.auslegung** *f* misinterpretation; **F.bedarf** *m* shortfall, deficit **F.bedienung** *f* operating error; **F.belegungsabgabe** unauthorized tenant levy; **F.benennung** *f* misnomer **F.berechnung** *f* miscalculation; **F.besetzung** *f* 1 mistaken appointment; 2. 🎭 miscasting; **F.bestand** *m* shortage, deficiency, stock discrepancy, stockout; ~ **an Arbeitskräften** manpower shortage
Fehlbetrag *m* deficit, shortfall, shortage, short, (net) loss, deficiency, minus/missing amount, wantage; **F. im Haushalt** budget deficit, deficiency in receipts; **mit einem F. (ab)schließen** to close with a deficit; **F. ausgleichen** to make up a shortage; **geschrumpfter F.** reduced deficit; **rechnerischer F.** numerical shortage, shortfall
Fehl|beurteilung *f* error of judgment, misjudgment; **F.bezeichnung** *f* misnomer; **F.bitte** *f* vain request; **F.bohrung** *f* abortive exploration, dry hole, negative strike; **F.buchung** *f* incorrect/erroneous entry, reversal of entries; **F.deutung** *f* misinterpretation; **F.disposition** *f* miscalculation, misplanning, bad arrangement, misguided action; **F.druck** *m* misprint; **f.drucken** *v/t* to misprint; **F.einsatz** *m* misdirection; **F.einschätzung** *f* error of judgment, mistaken assessment
Fehlen *nt* 1. *(Person)* absence; 2. lack; 3. failure
häufiges Fehlen am Arbeitsplatz absenteeism; **F. der zugesicherten Eigenschaft** lack of promised quality; ~ **Gegenleistung** absence of consideration; ~ **Geschäftsgrundlage** absence of valid subject matter; **F. einer gesetzlichen Grundlage** lack of any legal basis; **F. wegen Krankheit** absence due to illness, sick leave; **F. eines Testaments** intestacy; **F. von Transportmitteln** shortage of transport
krankheitsbedingtes Fehlen absence due to illness, sick leave; **unentschuldigtes F.** 1. *(Arbeit)* absence without leave/valid excuse, absenteeism, unauthorized absence; 2. *(Schule)* truancy
fehlen *v/i* 1. *(Person)* to be missing/absent; 2. to lack/fail, to be deficient/wanting; 3. *(Arbeitsplatz)* to be off work; **es fehlt an** there is a shortfall/shortage of; **entschuldigt f.** to be on leave of absence; **unentschuldigt f.** 1. to be absent without leave; 2. *(Schule)* to play truant
Fehl|entscheidung *f* wrong decision, misjudgment; **F.entwicklung** *f* 1. wrong/abortive development, development in the wrong direction, mistake; 2. aberration; 3. ✿ white elephant *(fig)*
Fehler *m* 1. error; 2. mistake, fault, non-conformity; 3. *(Mangel)* defect, flaw; 4. stumble, slip, shortcoming, balk; 5. *(Störung)* default, vice, bug, ✿ failure; 6. [§] non-performance
Fehler der Ausführung faulty workmanship; **systematischer F. in der Erhebung** ▦ procedural bias; **F. des Gerichts** judicial error; **F. der Konstruktion** faulty design; **F. erster Ordnung** error of the first kind; **F. im Rubrum** [§] defect in title
offenbar ohne Fehler fair on its face
Fehler anstreichen to mark a mistake; **F. aufspüren** to trace an error; **F. aufweisen** 1. to contain errors; 2. to

prove faulty; **F. begehen** to commit an error, to make a mistake; **F. beheben/berichtigen/beseitigen/gutmachen** to remedy/mend a defect, to correct an error, to debug errors; **F. beschönigen/bemänteln** to smooth over a fault; **F. einkalkulieren** to allow for a margin of error; **seine F. einsehen** to see the error of one's ways; **F. feststellen** to trace an error; **F. machen** to commit an error, to go wrong, to make a mistake; **jdm seine F. nachsehen** to overlook so.'s faults; **F. offen legen** to reveal a defect; **mit F.n behaftet sein** to be defective, to have defects; **voller F. stecken; von F.n strotzen** to teem with errors/mistakes, to be full of mistakes; **F. suchen** to debug/troubleshoot; **F. verbessern** to correct a mistake

absoluter Fehler absolute error; **aufgelaufener F.** accumulated error; **wiederholt auftauchender/auftretender F.** repetitive error; **ausgleichender F.** offsetting error; **ausgleichsfähiger F.** compensating error; **belangloser F.** 1. trifling error; 2. ▦ irregularity; **durchschnittlicher F.** mean (absolute) error; **grober F.** gross error; **grundlegender F.** vital error; **haarsträubender F.** glaring mistake; **innerer F.** inherent defect/vice; **kleiner F.** slight error; **mit kleinen F.n** slightly imperfect; **latenter F.** hidden defect; **leichter F.** slip; **mitgeschleppter F.** inherited error; **mitlaufender F.** ▦ propagated error; **mittlerer F.** ▦ standard/mean-square error, mean derivation; **natürlicher F.** inherent defect; **nebensächlicher F.** incidental defect; **offener/offenkundiger F.** obvious/patent defect, apparent vice/error; **orthografischer F.** spelling mistake; **programmabhängiger F.** program-sensitive fault; **schwerer F.** serious mistake, grave error; **statistischer F.** random error; **stichprobenfremder F.** non-sampling error; **systematischer F.** ▦ inherent/specification bias, cumulative/systematic/biased error; **mit systematischen F.n** ▦ biased; **verzerrender systematischer F.** ▦ bias; **taktischer F.** tactical error; **unbeachteter F.** innocent error; **unverzerrter F.** ▦ unbiased error; **verborgener/versteckter F.** hidden/latent defect; **vorübergehender F.** temporary error; **wahrscheinlicher F.** ▦ probable deviation/error; **nicht zufälliger F.** systematic error

Fehler|analyse *f* non-conformity/error analysis; **f.anfällig** *adj* error-prone, fault-prone; **F.anpassungsmechanismus** *m* error adjustment mechanism; **durchschnittlicher F.anteil** process average defective; **geschätzter mittlerer F.anteil** ▦ estimated process average; **F.anzeige** *f* error indicator/display/message; **F.baum-Analyse** *f* fault-tree analysis; **F.bearbeitung** *f* error correction; **F.behandlung** *f* 🖳 error control processing; **F.behebung** *f* 🖳 debugging; **F.berechnung** *f* computation of errors; **F.bereich** *m* 1. margin of error, error margin; 2. ▦ error band, range of errors; **F.bericht** *m* non-conformity report; **F.beseitigung** *f* 1. 🖳 debugging; 2. elimination of errors, troubleshouting; **F.code** *m* error code; **F.datei** *f* file listing non-conformities; **F.eingrenzung** *f* localization of a fault; **F.erfassungsblatt** *nt* error log sheet; **F.erkennung/F.feststellung** *f* error detection; **F.erkennungscode** *m* error detecting code; **F.fach** *nt* 🖳 reject stacker; **F.findung** *f* fault-finding; **F.fortpflanzung** *f* 🖳 propagation of error; **f.frei** *adj* perfect, faultless, flawless, clean, correct; **F.freiheit in Werkstoff und Werkarbeit** *f* faultlessness of material and workmanship; **F.funktion** *f* 🖳 error function; **F.gefahr** *f* risk of error; **F.grenze** *f* margin of error, error margin/limit, performance tolerance

fehlerhaft *adj* 1. faulty, defective, flawed; 2. deficient, incorrect, false, non-conforming; 3. *(Arbeit)* poor; 4. *(Ware)* damaged, substandard, imperfect; 5. *(Konnossement)* unclean, foul; **sich als f. erweisen** to prove defective; **F.igkeit** *f* 1. faultiness, defective condition; 2. imperfection, defectiveness; 3. incorrectness

Fehler|häufigkeit *f* error frequency/rate; **F.kennzeichen** *nt* 🖳 error flag; **F.korrektur** *f* error correction; ~ **bei Fernverarbeitung** 🖳 line correction; **F.kosten** *pl* failure costs; **normale F.kurve** normal curve of error; **F.liste** *f* error list; **f.los** *adj* faultless, flawless, perfect, impeccable; **F.losigkeit** *f* impeccability; **F.marge** *f* margin of error; **F.meldung/F.nachricht** *f* 🖳 error message; **F.möglichkeits- und -einflussanalyse (FMEA)** failure mode and effect analysis (FMEA); **F.nachweis** *m* error detection

Fehl|ernährung *f* malnutrition; **F.ernte** *f* 🚜 crop failure

Fehler|ortung *f* localization of a fault; **F.protokoll** *nt* 🖳 error list; **F.prüfcode** *m* 🖳 error-checking code; **F.prüfung** *f* error check(ing); **F.quelle** *f* source of errors, bug *(coll)*; **F.quote/F.rate** *f* error rate, level of mistakes; **F.risiko** *nt* error margin, risk of error; **F.sicherung** *f* 🖳 error protection; **F.signal** *nt* error signal; **F.spanne/F.spielraum** *f/m* margin of error; **F.stelle** *f* fault, flaw, defective area; **F.suche (und -behebung)** *f* 1. 🖳 debugging; 2. troubleshooting *(coll)*; **F.suchprogramm** *nt* 🖳 diagnostic program/routine; **F.tabelle** *f* accuracy table; **F.theorie** *f* theory of error; **f.tolerant** *adj* 🖳 fault-tolerant; **F.toleranz** *f* fault-tolerance; **F.ursache** *f* cause of non-conformity; **F.variable** *f* error term; **F.varianz** *f* error variance; **F.verbesserung** *f* correction; **F.verhütung** *f* prevention; **F.verhütungskosten** *pl* prevention costs; **F.verzeichnis** *nt* 📖 errata *(lat.)*, corrigenda *(lat.)*; **F.wahrscheinlichkeit** *f* error probability

Fehl|exploration *f* abortive exploration; **F.fabrikat** *nt* defective article; **F.farbe** *f* off-shade; **F.fracht (für weniger als vereinbarte Ladung)** *f* ⚓ dead freight (d/f); **F.funktion** *f* 📶 disorder; **F.geburt** *f* 1. ⚕ miscarriage; 2. *(fig)* dud; ~ **haben** to miscarry; **F.gehen der Tat** *nt* § miscarriage of criminal act, transferred malice; **f.gehen** *v/i* 1. to go astray; 2. to fail; 3. to be mistaken; **F.geld** *nt* risk money; **F.geldentschädigung** *f* cash indemnity; **f.geleitet** *adj* misdirected; ~ **werden** *(Brief)* to miscarry; **f.geschlagen** *adj* abortive, ill-fated; **F.gewicht** *nt* false/short weight, underweight; **F.grenze** *f* *(Münze)* maximum deficiency; **F.griff** *m* blunder, mistake; **F.information** *f* misinformation; **f.informiert** *adj* misinformed; **F.interpretation** *f* misinterpretation, misconstruction; **F.investition** *f* investment failure, misinvestment, malinvestment, white elephant *(fig)*, unprofitable/bad/misdirected investment; **F.jahr** *nt* bad year; **F.kalkulation** *f* miscalculation, miscount;

F.konstruktion *f* faulty design/construction, white elephant *(fig)*; **F.kontakt** *m* unsuccessful contact; **F.landung** *f* ✈ aborted landing; **f.laufen** *v/i* to go astray; **F.leistung** *f* failure, slip, mistake; **unternehmerische F.leistung** mismanagement; **f.leiten** *v/t* ✉ to misdirect

Fehlleitung *f* misdirection, misrouting; **F. volkswirtschaftlicher Produktivkräfte** misallocation of productive resources; **F. von Ressourcen** misallocation of resources

Fehl|lenkung von Kapital *f* misapplication of funds; **F.lieferung** *f* misdirected/wrong delivery; **F.liste** *f* wants list; **F.meldung** *f* false report

Fehlmenge *f* deficiency, shortage, deficit, shortage in weight, shortfall (in supply); **F. bei Ankunft der Sendung; ~ Einladung; bei Schiffsankunft festgestellte F.** short-landed cargo; **F. bei Lieferung** shortage of delivery; **F.nkosten** *pl* shortage/penalty/stockout cost(s), cost of not carrying; **F.nmitteilung** *f* discrepancy/deficiency note

Fehl|planung *f* planning mistake, bad planning; **städtische F.planung** urban blight; **F.produkt** *nt* faulty product; **F.prognose** *f* incorrect forecast; **F.quote** *f* absence level; **F.rate** *f* absence level; **F.rechnung** *f* miscalculation; **F.schaltung** *f* ✆ wrong connection; **F.schätzung** *f* incorrect estimation, misestimation; **F.schicht** *f* dropped shift; **F.schichten** (level of) absenteeism

Fehlschlag *m* failure, flop, setback, non-success, bad job, cropper; **F. erleiden** to suffer a setback; **sich als F. erweisen** 1. to prove abortive, to (be a) flop; 2. *(Investition)* to go/turn sour; **völliger F.** total loss

Fehlschlagen *nt* failure, collapse; **f.** *v/i* to fail/miscarry/misfire/flop/backfire, to fall through, to go wrong, to be abortive

Fehl|schluss *m* fallacy; **statistischer F.schluss** statistical fallacy; **F.spekulation** *f* bad/wrong/unlucky speculation; **F.spruch** *m* § judicial error, miscarriage of justice; **F.start** *m* ✈ aborted takeoff; **F.streuung** *f* *(Marketing)* circulation waste, waste circulation; **F.stunden** *pl* hours absent; **F.subventionierung** *f* misdirected subsidy; **F.tritt** *m* misconduct, aberration, stumble; **~ tun** to stumble; **F.übersetzung** *f* mistranslation; **F.urteil** *nt* § miscarriage/failure of justice, false judgment, misjudgment, error of judgment, wrong conviction

Fehlverhalten *nt* misconduct, misbehaviour, misdemeanour, inappropriate behaviour, default; **grobes F.** gross misconduct; **soziales F.** social maladjustment; **strafwürdiges F.** criminal misconduct

Fehl|verladung *f* sending of goods to a wrong destination, misdirection of goods; **F.versand** *m* sending of goods to the wrong destination; **F.versuch** *m* unsuccessful/abortive attempt; **f.verwenden** *v/t* to misappropriate; **F.verwendung** *f* misappropriation

Fehlzeit *f* time absent/off, absenteeism; **F.en** working hours lost through absenteeism; **krankheitsbedingte F.en** sickness absenteeism; **F.enquote** *f* rate of absenteeism, absence rate

fehl|zünden *v/i* 🚗 to backfire; **F.zündung** *f* backfiring **~ haben** to backfire; **F.zustellung** *f* ✉ misdelivery

Feier *f* celebration, ceremony; **zur F. des Tages** tc celebrate/mark the occasion

Feierabend *m* closing/knocking-off time; **nach F.** afte hours; **F. machen** *(coll)* to knock off, to call it a day

feierlich *adj* solemn, formal, ceremonial, festive; **F.kei** *f* 1. ceremony, celebration; 2. *(Veranstaltung)* festivitie

feiern *v/t* 1. to celebrate; 2. *(fig.)* to acclaim; **f. müsser** *(Arbeit)* to be laid off; **jdn f.** to lionize so.; **groß f.** tc celebrate in style

Feier|schicht *f* dropped/cancelled/idle shift, shift no worked, day off in lieu, lay-off (period); **~ einlegen/verfahren** to drop/cancel a shift; **F.stunde** *f* ceremony

Feiertag *m* (official/public) holiday, feast; **allgemeiner F.** public/bank holiday; **beweglicher F.** movable holiday/feast; **gesetzlicher/öffentlicher/staatlicher F.** bank holiday *[GB]*, public/statutory/national holiday, legal holiday *[US]*; **halber F.** half holiday

feiertags *adv* on holidays; **F.arbeit** *f* rest-day working; **F.bezahlung** *f* impingement pay; **F.lohn/F.zuschlag** *m* holiday pay; **F.ruhe** *f* holiday closing

feil *adj* for/on sale; **f.bieten** *v/t* to put up/offer for sale

Feile *f* file; **f.n** *v/t* to file; **an etw. f.n** to polish sth. up

Feilhalten *nt* *(Ware)* exposure/keeping/offering for sale, sale, marketing; **f.** *v/t* to offer/keep for sale, to market

Feilsch|en; F.erei *nt/f* bargaining, haggling, wrangling; **f.en** *v/t* to bargain/haggle/wrangle/chaffer/higgle; **F.er** *m* haggler, bargainer

fein *adj* fine, refined, delicate, subtle, tenuous

Fein|abstimmung *f* fine tuning/adjustment; **F.arbeit** *f* precision work; **F.ausgleichung** *f* 💻 microspacing; **F.ausrichtung** *f* fine detenting; **F.auszeichnung** *f* additional classification; **f.bearbeiten** *v/t* to finish; **F.bearbeitung** *f* finish(ing); **F.blech** *nt* ✐ tin plate, sheet; **F.chemie** *f* fine chemicals (industry)

Feind(in) *m/f* enemy; **zum F. machen** to antagonize; **~ überlaufen** to defect (to the enemy); **F.begünstigung** *f* aiding and abetting the enemy; **F.bild** *nt* concept of the enemy; **F.einwirkung** *f* ⚔ enemy action

Feindesland *nt* enemy country, hostile territory

feind|lich *adj* hostile; **F.schaft** *f* enmity, hostility

feindselig *adj* hostile; **F.keit** *f* hostility, ill will; **~ erneuern** ⚔ to resume hostilities; **~ eröffnen** ⚔ to start hostilities; **offene F.keit** overt hostility

Feindvermögen *nt* enemy/alien property

Fein|einstellung *f* fine tuning/adjustment; **F.gefüge** *nt* microstructure; **F.gefühl** *nt* tact, sensitivity

Feingehalt *m* 1. *(Edelmetall)* assay(ed) value; 2. *(Gold)* fineness; **F. feststellen** to assay

Feingehalts|einheit *f* standard of fineness; **F.stempel** *m* hallmark, standard mark; **mit einem ~ versehen** to hallmark; **F.wert** *m* assay (office) value

Fein|gewicht *nt* standard; **F.gold** *nt* fine/pure/standard gold; **F.goldgehalt** *m* fine gold content, weight of fine gold

Feinheit *f* 1. fineness, delicacy; 2. subtlety, nicety; **F.en** the ins and outs; **F.sgrad** *m* fineness

ein|keramik *f* fine ceramics; **F.korn** *nt (Foto)* fine grain; **F.kost** *f* delicatessen; **F.kostladen/-geschäft** *m/nt* delicatessen shop *[GB]*/store *[US]*/sector; **f.-maschig** *adj* fine(-)mesh; **F.mechanik** *f* precision engineering/mechanics; ~ **und Optik** precision mechanics and optics; **F.mechaniker** *m* precision engineer/mechanic; **F.planung** *f* detailed planning/design, fine-tuned planning; **F.regulierung/F.steuerung** *f* fine tuning/adjustment/control; **F.silber** *nt* fine silver; **f.sinnig** *adj* subtle; **F.sortierung** *f (Belege)* fine sort; **F.straße** *f* sheet rolling mill; **F.struktur** *f* microstructure, fine structure; **F.unze** *f* troy ounce; **F.wäsche** *f* 1. fine laundering; 2. delicate lingerie *[frz.]*; **F.waschmittel** *nt* mild(-action)/light-duty detergent; **F.zucker** *m* refined sugar

eld *nt* 1. open country; 2. field; 3. array; 4. *(Bereich)* field, sphere, domain; **F. für Problembezeichnung** identification field; **F. eines Vordrucks** block; **F. abbauen** to work a face; **ins F. führen** to cite; **jdn aus dem F.e schlagen** to eliminate so.; **zu F.e ziehen** *(fig)* to campaign; **bestelltes F.** tilled field; **auf freiem F.** in the open country; **leeres F.** *(Formular)* blank space

eld|ansteuerung *f* field selection; **F.arbeit** *f* 1. farm work; 2. *(Vertrieb)* field work; **F.arbeiter** *m* 1. agricultural labourer; 2. field worker; *pl* field staff; **F.bahn** *f* narrow-ga(u)ge railway; **F.bau/F.bestellung** *m/f* agriculture, tillage, cultivation; **F.diebstahl** *m* theft of crops in the fields; **F.- und Forstdiebstahl** theft from fields or forests; **F.dienst** *m* field service; **F.erfahrung** *f* field experience

elderwirtschaft *f* crop rotation

eld|fernsprecher *m* field telephone; **F.flughafen** *m* airfield; **F.forschung** *f* field research; **F.frucht** *f* field crop/produce, agricultural crop; ~ **für den Eigenbedarf** subsistence crop; **F.funksprechgerät** *nt* walkie-talkie; **F.hüter** *m* field warden; **F.herrnhügel** *m (fig)* commanding height; **F.markierung** *f* field boundary; **F.maß** *nt* hide of land *(ca. 48 ha)*; **F.messer** *m* surveyor; **F.pflanze** *f* agricultural crop; **F.schaden** *m* crop damage; **F.scheune** *f* Dutch barn; **F.schlüssel** *m* field code; **F.stecher** *m* (pair of) binoculars; **F.studie** *f* field/comparative study; **F.überschrift** *f* column head; **F.untersuchung** *f* field investigation; **F.versuch** *m* field test; ~ **machen** to test in the field, to field-trail; **F.weg** *m* farm road, cart/dirt track; **F.wert** *m* field value; **F.zug** *m* campaign; ~ **starten** to mount/launch a campaign

elge *f* (wheel) rim

ell *nt* 1. hide, skin, fur, pelt; 2. *(Schaf)* fleece; **F. abziehen** to skin; **F.handel** *m* trade in skins

eme|gericht *nt* 1. unlawful secret court, vehmic court; 2. *(Gewerkschaft)* kangaroo court *[GB]*

enster *nt* window; **zum F. heraus** *(fig)* down the drain *(fig)*; **F. einwerfen** to smash a window; **zum F. hinaus reden** *(fig)* to talk to a brick wall *(fig)*

enster|aufkleber *m* *(Werbung)* window streamer/sticker; **F.briefumschlag** *m* window/panel envelope; **F.glas** *nt* plate glass, window pane, glazing; **F.glasversicherung** *f* plate glass insurance; **F.platz/F.sitz** *m* window seat; **F.putzer** *m* window cleaner; **F.rahmen** *m* window frame; **F.recht** *nt* § right of light; **F.scheibe** *f* (window) pane, panel; **F.technik** *f* windowing (technique); **F.überschrift** *f* window title; **F.umschlag** *m* window/panel envelope; **F.verwaltung** *f* window management; **F.vorhang** *m* blind

Ferien *pl* 1. holiday(s), vacation *[US]*, leave; 2. *(Parlament)* recess; **in den F.** on holiday; **in F. fahren** to go on holiday, to take a holiday; **F. haben** to be on holiday; **F. machen** to go on holiday, to take a holiday, to vacation *[US]*; **große F.** summer holidays, long vacation *[US]*

Ferien|adresse *f* holiday/vacation address; **F.andrang** *m* holiday rush; **F.anwalt** *m* vacation barrister *[GB]*; **F.arbeit** *f* holiday/vacation job, ~ work; **F.aufenthalt** *m* holiday stay; **F.billet/F.fahrkarte** *nt/f* holiday/excursion ticket; **F.budget** *nt* holiday/vacation budget; **F.dauer** *f* holiday length; **F.domizil** *nt* holiday home; **F.dorf** *nt* holiday/vacation village; **F.führer** *m* holiday guide; **F.gast** *m* holiday/paying guest, holiday maker; **F.gebiet** *nt* holiday/tourist area; **F.geld** *nt* holiday pay, vacation payment; **F.gewerbe** *nt* holiday trade; **F.haus** *nt* holiday home/cottage/chalet *[frz.]*; **F.hotel** *nt* resort hotel; **F.industrie** *f* holiday/vacation trade, ~ industry; **F.job** *m* holiday job; **F.kammer** *f* § vacation court *[US]*; **F.kolonie** *f* holiday camp, vacation colony; **F.kreuzfahrt** *f* holiday cruise; **F.kurs** *m* holiday/vacation course, ~ workshop; **F.lager** *nt* holiday camp; **F.lektüre** *f* holiday reading; **F.ordnung** *f* holiday/vacation schedule; **F.ort** *m* (holiday/tourist) resort, tourist/vacation spot; **F.plan** *m* vacation schedule; **F.quartier** *nt* holiday accommodation; **F.reise** *f* holiday/vacation travel; **F.reisende(r)** *f/m* holidaymaker *[GB]*, vacationer *[US]*; **F.reisezug** *m* holiday train/express; **F.reservierung** *f* holiday booking; **F.saison** *f* holiday/tourist season; **F.schließung** *f* holiday/vacation shutdown; **F.sparkonto** *nt* vacation club account; **F.tag** *m* holiday; **F.tätigkeit** *f* holiday/vacation job; **F.tarif** *m* holiday tariff; **F.unterbringung/F.unterkunft** *f* holiday accommodation; **F.vergütung** *f* holiday pay; **F.verkehr** *m* holiday/vacation/tourist traffic; **F.versicherung** *f* holiday insurance; **F.vertreter(in)** *m/f* holiday deputy, *(Arzt/Apotheker)* locum *(lat.)*; **F.vertretung** *f* holiday replacement, deputizing (during vacation), *(Arzt/Apotheker)* locum *(lat.)*; **F.wohnung** *f* holiday flat/home; **F.zeit** *f* holiday time/season/period, vacation period; **F.zentrum** *nt* holiday centre; **F.ziel** *nt* tourist centre; **F.zulage/F.zuschlag** *f/m* holiday allowance, vacation bonus/benefit

Ferkel *nt* piglet; **F.erzeugung** *f* piglet breeding

fern *adj* far, distant, remote

Fern|abfrage *f* remote control (facility); **F.ablesung** *f* remote reading; **F.amt** *nt* operator *[GB]*, telephone/toll *[US]*/trunk exchange; **F.anfrage** *f* remote inquiry; **F.anzeige** *f* remote indication; **F.anzeigegerät** *nt* distant-reading instrument; **F.aufnahme** *f* telephoto; **F.auskunft** *f* trunk enquiries; **F.auslöser** *m* remote-control release; **F.bahn** *f* main line service; **F.bahnstrecke** *f* main line; **f.bedient** *adj* remote-controlled

Fernbedienung *f* 1. remote control/operation; 2. *(Verkauf)* mail order merchandising; **F.sanschluss** *m* remote control connection; **F.sgerät** *nt* remote control device

Fernlbeförderung *f* long-distance transport; **F.belastung** *f* out-of-town debit entry; **f.betätigen** *v/t* to operate by remote control

Fernbleiben *nt* absence, non-attendance; **entschuldigtes F.** authorized absence; **unentschuldigtes F.** absence without leave, absenteeism; **f.** *v/i* to stay away; **f. von** to absent oneself from; **unentschuldigt f.** 1. to be absent without leave; 2. *(Schule)* to play truant

Fernlblick *m* vista; **F.buchführung** *f* accounting centre bookkeeping; **F.buchung** *f* remote entry

Ferndatenlkanal *m* line data channel; **F.register** *nt* line register; **F.station** *f* remote station

Ferndrucker *m* teleprinter, ticker

Ferne *f* distance, remoteness; **in weiter F.** in the distant future

Fernleingabe *f* remote input; **F.empfang** *m* long-distance reception

ferner *adv* in addition, furthermore; **f. liefen** *(fig)* to be an also-ran *(fig)*

Fernlfahrer *m* long-distance lorry driver, truck driver, trucker; **F.fahrergaststätte/-lokal** *f/nt* transport café *[GB]*, truck stop *[US]*; **F.faksimilemaschine** *f* telecopier, telefax terminal/machine, fax (machine); **F.fischerei** *f* long-range fishing; **F.frachtverkehr** *m* long-distance haulage; **F.flug** *m* long-distance/long-haul flight

Ferngas *nt* grid/long-distance gas; **F.gesellschaft** *f* gas transmission company; **F.leitung** *f* long-distance gas pipe(line); **F.lieferung** *f* long-distance gas supply; **F.netz** *nt* long-distance gas pipeline grid

ferngelenkt *adj* remote-controlled

Ferngespräch *nt* trunk/long-distance/toll *[US]* call; **F. anmelden** to book a trunk call, to put in a long-distance call; **F. herstellen** to put a call through; **abgehendes F.** outgoing long-distance call; **ankommendes F.** incoming long-distance call; **dringendes F.** priority/urgent call; **F.sgebühr** *f* telephone tariff; **F.sverbindung** *f* trunk connection

fernlgesteuert *adj* remote-controlled, radio-controlled; **f.getraut** *adj* proxy-wedded; **F.giroverkehr** *m* distant giro transfer; **F.glas** *nt* (pair of) binoculars

fernhalten *v/t* to keep away, to hold off; **f. von** to debar from; *v/refl* to steer clear of *(fig)*

Fernlheizung *f* district heating; **F.heizungsnetz** *nt* district heating system; **F.hörer** *m* receiver; **F.kabel** *nt* trunk/long-distance cable; **F.kauf** *m* teleshopping

Fernkopie *f* fax copy

Fernkopiererldienst *m* telecopy/telefax service; **F.empfangsgerät** *nt* facsimile terminal

Fernkopieren *nt* facsimile (transmission services) telecopying; **f.** *v/t* to telecopy/fax

Fernlkopierer *m* fax (machine), facsimile equipment/system/unit/terminal, telecopier, remote copier; **F.kurs** *m* correspondence course; **F.lastfahrer** *m* long-distance lorry driver, truck driver, trucker; **F.laster/F.lastzug** *m* long-distance lorry, truck, juggernaut *(coll)*; **F.lastverkehr** *m* long-distance road traffic, haulage/trucking, long-haul trucking; **F.lehranstalt/institut** *f/nt* correspondence college; **F.lehrgang** correspondence course; **F.leihverkehr** *m* inter-librar loans

Fernleitung *f* 1. trunk/toll line, long-distance line; 2. *(Rohr)* pipeline; **F.snetz** *nt* trunk/toll line network, long-distance line network; **F.swahl** *f* trunk diallin

Fernllenkung *f* remote control; **F.licht** *nt* headlight(s), main beam; **abgeblendetes F.licht** dipped headlight(s); **F.lieferungsengagement** *nt (Terminmark* distant-delivery position; **F.linie** *f* trunk line

Fernmeldelamt *nt* long-distance/telephone/trun exchange; **F.anlage** *f* telephone system; **F.ausstattun** *f* telecommunications equipment; **F.behörde** *f* Britis Telecommunications *[GB]*, Federal Communicatio Administration *[US]*; **F.dienst(leistung)** *m/f* telephone/telecommunication service; **F.einrichtunge** *pl* telecommunication facilities; **F.gebühren** *pl* telephone charges; **F.geheimnis** *nt* secrecy of telecommunications; **F.industrie** *f* telecommunications industr **F.ingenieur** *m* telecommunications engineer; **F.leitung** *f* telephone/(tele)communication/transmissio line; **F.netz** *nt* telephone/telecommunications network; **dienstintegrierendes F.netz** integrated service digital network (ISDN); **F.ordnung** *f* telecommunication regulations; **F.rechnungsstelle** *f* telephon accounting service, telecommunications accountin department; **F.recht** *nt* law governing telecommunications; **F.satellit** *m* telecommunications satellite; **F.stelle** *f* communications centre; **F.system** *nt* communications system; **F.technik** *f* (tele)communications engineering; **F.techniker** *m* telecommunications enginee **F.turm** *m* telecommunication tower; **F.verbindunge** *pl* telecommunications; **F.verkehr/F.wesen** *m/nt* telecommunications; **F.verwaltung** *f* Federal Communication Administration *[US]*; **F.zentrale** *f* communications centre

Fernmesslanlage *f* telemetrograph; **F.daten** *pl* telemetric data; **F.gerät** *nt* telemeter; **F.technik** *f* telemetr

fernmündlich *adj* by phone, telephonic

Fernost *m* Far East

Fernlpendler *m* long-distance commuter; **F.rechnen** remote computing; **F.registrierung** *f* remote recording; **F.reise** *f* long-haul journey; **F.rohr** *nt* telescope **F.ruf** *m* telephone call; **F.scheck** *m* cash letter, out-of-town cheque *[GB]*/check *[US]*; **F.schnellzug** *m* expres train; **F.schreibanlage** *f* teleprinter connection, tele terminal; **F.schreibdienst** *m* teleprinter/telex service

Fernschreiben *nt* telex (message), teletype; **mit/per F** by telex; **per F. mitteilen; F. schicken** to (send a telex; **f.** *v/t* to telex/teleprint/teletype

Fernschreiber *m* 1. teleprinter, telex, teletype (printer typewriting telegraph; 2. *(Person)* telex operator; **übe den F. hereinkommen** to come over the ticker **F.dienststelle** *f* teleprinter service

Fernschreiblgebühr *f* telex charge; **F.grundgebühr** telex rental; **F.kanal** *m* telex channel; **F.korrespondenz** *f* teleprinter communication; **F.leitung** *f* teleprint er/telex line; **F.maschine** *f* teleprinter; **F.mietgebühr** *f* telex line charge/rental; **F.netz** *nt* teleprinter network; **F.stelle** *f* teleprinter/telex unit; **F.system** *nt* telex system; **F.teilnehmer** *m* teleprinter/telex user; **F.verbindung** *f* teleprinter/telex connection; **F.verkehr** *m* teleprinter/telex communication; **F.vermittlung** *f* telex exchange

fernschriftlich *adj* by telex/teleprinter/cable

Fernsehlanlage closed-circuit television; **F.ansager(in)** *m/f* television announcer; **F.ansprache** *f* television address; **F.anstalt** *f* television corporation; **F.antenne** *f* television aerial; **F.apparat** *m* television set/receiver; **F.aufnahme/F.aufzeichung** *f* television recording; **F.auftritt** *m* television appearance; **F.autor** *m* screen writer; **F.band** *nt* videotape; **F.bearbeitung** *f* television adaptation; **F.berichterstattung** *f* television coverage

Fernsehbild *nt* television picture; **F.röhre** *f* television tube; **F.schirm** *m* television screen; **F.sender** *m* picture transmitter

Fernsehlempfang *m* television reception; **F.empfänger** *m* television receiver/set; **gemeinschaftliche F.empfangsanlage** covision *[US]*

Fernsehen *nt* television, telly *(coll)*; **im F. bringen/übertragen** to televise/screen/telecast; **innerbetriebliches F.** closed-circuit television; **kommerzielles F.** commercial television *[GB]*, pay television *[US]*, pay-tv; **öffentliches F.** open-circuit television

fernsehen *v/i* to watch television

Fernseher *m* television set, telly *(coll)*; **tragbarer F.** portable (television set)

Fernsehlfilm *m* telefilm, television film; **F.filmkassette** *f* video cassette; **F.gebühr** *f* television licence (fee); **F.genehmigung** *f* 1. television licence; 2. *(Gesellschaft)* television franchise; **F.gerät** *nt* television set; **F.gerätehersteller** *m* television manufacturer; **f.gerecht** *adj* tailored for television; **F.gesellschaft** *f* television company/corporation; **F.industrie** *f* television industry; **F.ingenieur** *m* television engineer; **F.inszenierung** *f* television production; **F.interview** *nt* television interview; **F.journalist(in)** *m/f* television reporter; **F.kabel** *nt* television cable; **F.kamera** *f* television camera; **F.kanal** *m* television channel; **F.kassette** *f* television/video cassette; **F.koffergerät** *nt* portable (television set); **F.konferenzschaltung** *f* confravision; **F.konserve** *f* canned television programme; **F.konzession** *f* television franchise; **F.kurs/F.lehrgang** *m* television course, telecourse; **F.lizenz** *f* 1. television licence; 2. *(Gesellschaft)* television franchise; **F.mast** *m* television mast; **F.netz** *nt* television network; **F.nachrichten** *pl* television news; **innerbetriebliches F.netz** closed-circuit television; **F.programm** *nt* 1. television programme; 2. channel, station; **F.publikum** *nt* television audience; **F.recht** *nt* television law; **F.rechte** television rights; **F.redakteur(in)** *m/f* television editor; **F.regisseur** *m* television producer; **F.reklame** *f* television advertising; **F.röhre** *f* television tube; **F.schirm** *m* television screen; **F.sender** *m* 1. television station; 2. ✿ television transmitter; **F.sendung** *f* television broadcast; **günstig gelegene F.sendung** prime-time television programme; **F.serie** *f* television serial; **F.spot** *m* tv ad; **F.sprecher(in)** *m/f* telecaster, television broadcaster/announcer; **F.star** *m* TV celebrity; **F.station** *f* television station; **F.stück** *nt* television/screen play; **F.technik** *f* television engineering; **F.techniker** *m* television engineer; **F.teilnehmer(in)** *m/f* television viewer; **F.telefon** *nt* video telephone; **F.teleskop** *nt* video camera; **F.tonbandgerät** *nt* videotape recorder; **F.truhe** *f* television cabinet; **F.turm** *m* television tower; **F.übertragung** *f* television transmission/broadcast; **direkte F.übertragung** live television transmission/broadcast; **F.werbesendung** *f* television commercial, tv ad; **kurze F.werbesendung** television spot; **F.werbung** *f* television advertising; **gezielte F.werbung** narrow-casting advertising *[US]*; **F.zeitschrift** *f* tv guide; **F.zensur** *f* television censorship; **F.zuschauer(in)** *m/f* (television) viewer

Fernsprechlalphabet *nt* telephone alphabet; **F.amt** *nt* (telephone) exchange; **F.anlage** *f* telephone system; **F.ansagedienst** *m* telephone information service; **F.anschluss** *m* (telephone) connection, subscriber's line; **F.apparat** *m* telephone; **F.auftragsdienst** *m* 1. telephone services; 2. automatic telephone answering service; **F.auskunft** *f* telephone directory enquiries, directory assistence *[US]*; **F.auslandsdienst** *m* international telephone service; **F.automat** *m* telephone booth/kiosk, public call box, pay station *[US]*; **F.buch** *nt* telephone directory; **F.dienst** *m* telephone service

Fernsprecher *m* (tele)phone; **durch F.** on the phone; **öffentlicher F.** public telephone, public call box, payphone, pay station *[US]*

Fernsprechlgebühr(ensatz) *f/m* telephone tariff, scale of telephone charges; **F.geheimnis** *nt* secrecy of telephone communications; **F.grundgebühr** *f* telephone rental, ~ subscription rate; **F.hauptanschluss** *m* telephone connection/station, main extension; **F.häuschen/F.kabine** *nt/f* telephone booth/kiosk, public call box, pay station *[US]*; **F.interview** *nt* telephone interview; **F.konferenz** *f* audio-conference

Fernsprechleitung *f* telephone line; **F. anzapfen** to tap a telephone line; **F. überprüfen** to check a telephone line; **F. unterbrechen** to disconnect a telephone line

Fernsprechnebenstelle *f* telephone extension; **F.nanlage** *f* private branch exchange (PBX)

Fernsprechnetz *nt* telephone network/system, common carrier exchange, public network; **digitalisiertes F.** digital telephone network; **öffentliches F.** public telephone network; **privates F.** private-line network

Fernsprechlnummer *f* (tele)phone/subscriber's/call number; **F.ordnung** *f* telephone regulations; **F.ortsnetz** *nt* local telephone network; **F.rechnung** *f* telephone bill, account of telephone charges and rentals; **F.technik** *f* telephone engineering; **F.teilnehmer(in)** *m/f* (telephone) subscriber; **~ sein** to be on the telephone; **F.verbindung** *f* telephone link/connection; **~ herstellen** to put so. through, ~ through a call; **F.verkehr** *m* telephone operations/communications/service/traffic; **F.vermittlung** *f* telephone exchange;

F.verzeichnis *nt* telephone directory; **F.wesen** *nt* telephony, telephone system; **F.zelle** *f* call/telephone box, pay station *[US]*; **öffentliche F.zelle** public call box; **F.zentrale** *f* telephone exchange

Fern|stapelverarbeitung *f* remote batch processing; **F.steuereinrichtung** *f* remote-control equipment; **f.steuern** *v/t* to operate by remote control; **F.steuerung** *f* remote control

Fernstraße *f* trunk/major road *[GB]*, highway *[US]*, long-distance route; **F.nnetz** *nt* trunk road network *[GB]*, highway network *[US]*; **F.nverbindung** *f* trunk road connection; **F.nverknüpfung** *f* link between trunk roads

Fern|strecke *f* main/trunk line; **F.student(in)** *m/f* correspondence course student; **F.studium** *nt* 1. distance education/learning; 2. correspondence (degree) course, Open University course *[GB]*; **F.tourismus** *m* long-haul tourism; **F.transport** *m* long-distance transport/haulage; **F.trauung** *f* marriage by proxy, proxy wedding; **F.übertragung/-weisung** *f (Bank)* out-of-town/inter-branch transfer; **F.überwachung** *f* remote control, telecontrol; **F.universität** *f* Open University *[GB]*; **F.unterricht** *m* correspondence course, postal tuition; **F.verarbeitung** *f* remote processing, teleprocessing; **F.verbindung** *f* trunk connection

Fernverkehr *m* long-distance traffic/transport, long hauls, long-haul traffic; **F.sbereich** *m* trunk zone; **F.sflugzeug** *nt* long-range airliner; **F.skonzession** *f* long-distance haulage licence; **F.snetz** *nt* long-distance communications network; **F.sstraße** *f* trunk road *[GB]*, highway *[US]*

Fern|verlagerung *f* (far-off) relocation; **vertragliche F.verpflegung** contract catering; **F.versorgung** *f* long-distance supply; **F.wahl** *f* trunk dialling; **F.wärme** *f* district/long-distance heating; **F.wärmenetz/-schiene** *nt/f* district/long-distance heating system, ~ network; **F.wartung** *f* remote maintenance; **gezielte F.werbung** narrow-casting advertising; **F.wirken** *nt* telementry; **F.wirkung** *f* remote/indirect/secondary effect; **F.zahlungsverkehr** *m* intercity payments; **F.ziel** *nt* distant goal; **F.zug** *m* long-distance train

fertig *adj* 1. finished, ready, completed; 2. *(erschöpft)* exhausted, worn-out; 3. *(Ausbildung)* (fully) qualified; 4. *(Produkt)* ready-made

mit etw. fertig werden to see sth. off *(coll)*, to cope with sth., to come to terms with sth.; **mit einer Sache endlich f. werden** to see the last of a job; **schnell ~ mit jdm** to make short shrift with so., to give so. short shrift; **spielend ~ mit** to make light work (of sth.), to take (sth.) in one's stride; **spielend ~ mit jdm** to put so. in one's pocket

Fertiganzug *m* ready-made suit

Fertigbau *m* prefabricated building, prefabrication, prefab *(coll)*; **F.weise** *f* prefabricated construction; **in ~ erstellt** prefabricated

Fertig|bearbeitung *f* finish(ing); **F.beton** *m* ready-mixed concrete; **f.bringen** *v/t* to manage/achieve

fertigen *v/t* to manufacture/produce/make/fabricate; **rationell f.** to manufacture cost-effectively

Fertig|erzeugnis/F.fabrikat *nt* finished/end/manufac tured product; **F.erzeugnisse/F.fabrikate** finishe goods/products/articles, manufactured goods, manu factures; **F.fabrikatingenieur** *m* product engineer

Fertiggericht *nt* pre-cooked meal, ready-to-serve dis **F.e** convenience food(s); **F.elieferant** *m* (contrac caterer

fertig|gestellt *adj* finished, completed; **noch nicht f.ge stellt** in the making; **F.gewicht** *nt* finished weigh **F.güter** *pl* finished goods; **F.güterbranche** *f* finishe goods industry; **F.haus** *nt* prefabricated house, prefa *(coll)*

Fertigkeit *f* 1. skill, craft, sleight of hand, accomplish ment; 2. *(geistig)* proficiency; **F.en** attainments, set c skills; **~ auffrischen** to update skills; **F.sanforderun** *f* skill requirement/need; **F.santeil** *m* skill conten **F.shierarchie** *f* skill hierarchy; **F.sverlust** *m* skill los

Fertig|kleidung *f* ready-made clothes; **F.ladenbau** pre-assembly shop fitting; **F.lager** *nt* finished goods in ventory; **f. machen** *v/t* to finish (off/up), to complete prepare; **F.mahlzeit** *f* ready-to-serve dish; takeaway takeout *[US]* meal; **F.meldung** *f* order completion re port; **F.metall** *nt* finished metal; **F.montage** *f* final as sembly; **F.packung** *f* prepack; **F.produkt** *nt* fin ished/end/manufactured product; **F.stand** *m* prefabri cated stand; **f. stellen** *v/t* to complete/finish/accomplis

Fertigstellung *f* completion, finishing; **F. im nächste Jahr vorgesehen** scheduled for completion next yea **fristgemäße F.** completion on schedule

Fertigstellungs|bescheinigung *f* certificate of manu facture; **F.frist** *f* time/period for completion; **F.garan tie** *f* completion guarantee; **F.termin** *m* completio date; **F.zeugnis** *nt* certificate of manufacture

Fertig|stoff *m* processed material; **F.teil** *nt* prefabri cated part, component, finished part/item; **F.teile** fin ished/bought-out parts; **F.teilelager** *nt* finished part store

Fertigung *f* production, manufacturing, manufacture fabrication, assembly

Fertigung durch Arbeitsgruppen group technology **F. im Fließbetrieb**; **F. nach Flussbetrieb** flow-lin production; **F. nach Kundenangaben** customized pro duction, customization; **F. einer Niederschrift** drawin up the minutes

Fertigung drosseln to curb production; **F. einstellen** t cease production; **in die F. gehen** to go into productio

abfallose Fertigung non-scrap manufacture; **automa tisierte F.** automated manufacturing/production; **be darfsorientierte F.** demand-orient(at)ed productior **beherrschte F.** controlled process; **nicht ~ F.** out-of control process; **computergestützte/-unterstützte F** computer-aided/computer-assisted manufacturin (CAM); **computerintegrierte F.** computer-integrate manufacturing (CIM); **großtechnische/handelsübli che F.** commercial production; **handwerkliche F** handicraft/manual production; **hochentwickelte F** sophisticated manufacturing; **industrielle F.** industri production/manufacturing; **lagerlose F.** stockless pro duction; **lokale F.** local manufacturing/production

manuelle F. manual/hand assembly; **marktnahe F.** near-market manufacturing; **spanabhebende F.** machining production; **spanlose F.** forming production; **vollautomatische F.** automatic assembly

ertigungsablauf *m* manufacturing/production sequence

ertigungsablauflplan *m* process/organisation chart, route/operation sheet, manufacturing bill, ~ data sheet, master route sheet, ~ operations list; **F.planung/ F.steuerung** *f* production sequencing; **F.studie** *f* production study

ertigungslabteilung *f* production department, manufacturing (department); **F.anlage** *f* (manufacturing/ production) plant

ertigungsanteil *m* production share; **ausländischer F.** foreign content; **einheimischer F.** local content; **einheimischen F. erhöhen** to indigenize production; **lokaler F.** (level of) indigenization

ertigungslapparat *m* manufacturing operation; **F.aufgabe** *f* abandonment of production; **F.aufnahme** *f* production start-up; **F.auftrag** *m* production/manufacturing order, job; **F.auftragsbearbeitung** *f* production order processing; **F.ausfall** *m* production loss, lost production; **F.ausweitung** *f* expansion of production; **F.automation** *f* automation of production; **f.bedingt** *adj* required for production; **F.bedingungen** *pl* production/manufacturing conditions; **F.beobachtung** *f* production surveillance; **F.bereich** *m* product line, manufacturing sector; **auf den ~ ausgerichtet** manufacturing-orient(at)ed; **F.beruf** *m* production job; **F.betrieb** *m* manufacturing enterprise/unit/plant/establishment/company, assembly facility *[US]*; **f.bezogen** *adj* production-related; **F.büro** *nt* production office; **F.datenblatt** *nt* production data sheet; **F.datum** *nt* date of manufacture/production; **F.dauer** *f* production time/period; **F.diagramm** *nt* production chart; **F.durchlauf** *m* manufacturing process; **F.einheit** *f* production unit, unit of manufacture; **F.einrichtung** *f* manufacturing/process equipment; **F.einrichtungen** production/manufacturing facilities; **F.einzelkosten** *pl* prime cost(s); **F.endstelle** *f* final production cost centre; **F.ergebnis** *nt* production result; **F.fehler** *m* manufacturing defect; **F.fluss** *m* production flow; **F.freigabe** *f* production release; **F.frist** *f* period fixed for completion; **F.gehälter** *pl* direct salaries

ertigungsgemeinkosten *pl* production/manufacturing/direct overheads, unproductive wages, (applied) manufacturing expense/burden/cost(s), non-productive/indirect labour, factory burden/expense/overheads, burden cost(s); **fixe F.** fixed manufacturing overheads; **variable F.** variable factory overheads; **verrechnete F.** absorbed indirect cost(s), ~ burden, ~ overhead expenses

ertigungsgemeinkostenllohn *m* indirect labour; **F.material** *nt* indirect material(s); **F.unterdeckung** *f* unabsorbed production overheads; **F.zuschlag** *m* allocated production overheads

rreichbare Fertigungslgenauigkeit process capability; **F.grad** *m* stage of completion; **F.grobplanung** *f* master scheduling; **F.gruppe** *f* production unit; **mittlere F.güte** average process quality; **F.hauptkostenstelle** *f* production/manufacturing cost centre; **F.hilfskostenstelle** *f* indirect production cost centre, subsidiary manufacturing department, indirect department; **F.hinweis** *m* manufacturing reference; **F.industrie** *f* manufacturing/production/process industry; **F.ingenieur** *m* production engineer; **F.insel** *f* manufacturing cell; **F.jahr** *nt* year of production/manufacture; **F.kapazität** *f* manufacturing/production capacity; **F.kontrolle** *f* production/process control, manufacturing/ production inspection, production testing, control engineering

Fertigungskosten *pl* production/manufacturing/processing/factory/conversion cost(s), cost(s) of production; **F.kontrolle** *f* manufacturing cost control; **F.stelle** *f* production cost centre

Fertigungslleiter *m* production manager; **F.lenkung** *f* production control; **F.linie** *f* production line; **verkettete F.linien** interlinked production lines

Fertigungslohn *m* direct labour (cost(s)), manufacturing labour cost(s), manufacturing/direct wage(s), productive labour/wages; **angefallene Fertigungslöhne** actual direct labour (cost(s)); **F.zettel** *m* direct labour slip

Fertigungslos *nt* production lot/batch, (manufacturing) lot

Fertigungsmaterial *nt* direct material(s), charge material; **F.kosten** *pl* direct material; **F.schein** *m* requisition sheet; **tatsächlicher F.verbrauch** actual direct material

optimale Fertigungslmenge economic manufacturing quantity; **F.methode** *f* production/assembly method; **F.nachweis** *m* progress record; **F.neuordnung** *f* restructuring/reorganisation of production; **F.nummer** *f* manufacturing number; **F.organisation** *f* organisation of production; **F.ort** *m* manufacturing site; **F.phase** *f* production stage; **F.plan** *m* production schedule/plan, master operations list, operation sheet

Fertigungsplanung *f* production/order/shop planning, production control; **F- und Ablaufplanung in der Produktion** shop floor routing; **~ -steuerung** production management; **routinemäßige F.** routine planning

Fertigungslpotenzial *nt* production capacity; **F.programm** *nt* production/manufacturing programme, manufacturing schedule, production range/forecast, range of products, line; **gemischtes F.programm** product mix; **F.projekt** *nt* production scheme

Fertigungsprozess *m* production, manufacturing (process); **beherrschter F.** controlled process; **nicht ~ F.** out-of-control process

Fertigungsqualität *f* quality of conformance, manufacturing/production quality; **durchschnittliche F.** process average; **erreichbare F.** process capability

fertigungslreif *adj* ready for production; **F.rentabilität** *f* profitability of production; **F.sektor** *m* secondary sector; **F.serie** *f* production run; **F.sonderkosten** *pl* special production cost(s); **F.sortiment** *nt* product(ion) mix, range of products; **F.spannvorrichtung** *f* manufacturing jig; **F.spannweite** *f* process range; **F.stand** *m* production/manufacturing stage; **F.station** *f* production centre/department; **F.stätte** *f* plant, production/manufacturing facility, ~ site, factory, place of manufacture; **neue F.stätten errichten** to set up new manufacturing facilities; **F.stelle** *f* production centre/department; **F.stellengemeinkosten** *pl* (plant) departmental overhead; **F.steuerung** *f* manufacturing/production/process control, process planning; **F.straße** *f* assembly/production line; **F.stückliste** *f* manufacturing bill of materials; **F.stufe** *f* stage of production/completion; **F.stunde** *f* production hour; **F.system** *nt* production system; **F.technik** *f* production engineering, manufacturing/production technology, manufacturing technique; **f.technisch** *adj* manufacturing, relating to production engineering; **F.technologie** *f* manufacturing technology; **F.teil** *nt* production part; **F.tempo** *nt* production rate; **F.terminübersicht** *f* master schedule; **F.tiefe** *f* vertical range of manufacture, production depth; ~ **verringern** to outsource; **F.toleranz** *f* manufacturing/production/process tolerance; **F.überwachung** *f* production monitoring/control/surveillance; **F.unterlagen** *pl* factory/manufacturing documents; **F.unternehmen** *nt* manufacturing enterprise, production company; **F.vereinfachung** *f* production simplification; **F.verfahren** *nt* production method, manufacturing process, method/system of manufacture, ~ production; **F.vertriebsrechnung** *f* production/sales cost accounting; **F.vorbereitung** *f* production scheduling, preparatory work; **F.vorgang** *m* production/manufacturing process; **F.wagnis** *nt* manufacturing/production risk; **f.wirtschaftlich** *adj* manufacturing; **F.zahlen** *pl* production figures; **F.zeit** *f* production time/period/cycle, manufacturing time/period/cycle, production lead time; **F.zelle** *f* manufacturing cell; **F.zuschlag** *m* combined rate for direct labour and overheads; **F.zweig** *m* production line

Fertig|verarbeitung *f* finishing; **f.verpackt** *adj* prepacked

Fertigwaren *pl* manufactures, finished goods/articles/products/manufactures, manufactured goods

Fertigwaren|bestand *m* finished goods inventory; **F.importe** *pl* imported finished products; **F.industrie** *f* manufacturing industry; **F.lager** *nt* finished goods inventory, stock of finished goods/products, inventory of final/finished goods; **F.vorerzeugnis** *nt* primary product

Fertilität *f* fertility; **F.sökonomie** *f* economics of family

Fessel *f* fetter; **F.n** *(fig)* shackles; ~ **abnehmen** to unshackle; **goldene F.n** golden handcuffs

fesseln *v/t* 1. to fetter; 2. to tie/handcuff; 3. to hobble/shackle; 4. to attract/fascinate; **f.d** *adj* fascinating

Fest *nt* party, feast, festival; **bewegliches F.** movable feast; **rauschendes F.** sumptuous feast

fest *adj* 1. fixed, stable; 2. solid, sound; 3. secure, tight; 4. firm, adamant; 5. tough, sturdy, stiff, unshaken; 6. non-variable; 7. *(Personal)* regular, permanent; 8. *(Verpackung)* strong; 9. *(Plan)* definite; 10. *(Börse)* firm, staedy, rising, buoyant; **f.er** *(Börse)* cheerful, better, firmer; **geringfügig f.er** *(Börse)* slightly firme **f.er werden** *(Börse)* to firm/stiffen

Fest|akt *m* ceremony; **F.angebot** *nt* firm/binding offe **F.angestellte(r)** *f/m* job holder, permanent employe *pl* permanent staff/employees; **F.anlage** *f* time/ter deposit; **F.ansprache** *f* ceremonial address; **F.anteil** *(Bausparen)* term share *[GB]*; **F.aufführung** *f* ga performance; **F.auftrag/F.bestellung** *m/f* firm/stanc ing order; **F.beitrag** *m (Vers)* fixed/flat premium; **f.b soldet** *adj* salaried; **F.betrag** *m* fixed amount; **F.b wertung** *f* permanent evaluation, stating of an item at fixed value over time, asset valuation on a standar value basis; **f.binden** *v/t* to tie up; **f. bleiben** *v/i* to r main firm; **F.brennstoff** *m* solid fuel; **F.darlehen** fixed-rate loan; **F.dividende** *f* fixed dividend; **F.einla ge** *f* fixed deposit; **F.essen** *nt* banquet, feast; **f.fahre** *v/refl* to reach (a) deadlock, to get stuck, to seize up, get/become bogged down, to bog down, to grind to halt; **F.feuer** *nt* fixed light; **F.fracht** *f* fixed rate; **F.ga be** *f* 1. presentation, gift; 2. *(Buch)* commemorativ publication; **F.gebot** *nt* firm offer; **f.gefahren** *a (Verhandlungen)* deadlocked, bogged down, at a stal mate; **f.gefügt** *adj* tight, firmly knit; **F.gehalt** *nt* fixe salary

Festgeld/F.anlage/F.einlage *nt/f* time/term deposit, money, fixed(-term) deposit, consolidated/locke up/tied-up money, long(er)-term funds; **F.hypothek** fixed mortgage; **F.konto** *nt* deposit/term account, fixe deposit account, time deposit; **F.zins** *m* fixed-period i terest rate, interest on fixed-term deposits

festgelegt *adj* 1. appointed, scheduled, fixed; 2. *(Gel* tied up, **genau f.** determinate; **nicht ~ f.** indeterminat **vertraglich f.** contracted, covenanted, establishe stipulated by contract

Fest|genommene(r) *f/m* detainee, arrested perso **F.geschäft** *nt* firm bargain/deal; **f.gesetzt** *adj* fixed, se given, stated, stipulated, settled, determinate

festgestellt *adj* stated, established, ascertained; **amtlic f.** on record; **nicht f.** *(Schaden)* unliquidated

Fest|grundschuld *f* fixed-date land charge; **F.halle** festival hall; **F.haltefunktion** *f* hold function

Festhalten *nt* adherence; **f.** *v/t* 1. *(Person)* to detai hold/arrest; 2. to record/retain, to pin down; 3. *(betone* to stress/emphasize; **f. an** to adhere/stick/cling to, t hold/hang on to; **aktenmäßig f.** to place/put on (the) re ord; **schriftlich f.** to place on record, to commit to writin

fest|hängen *v/i* to be stuck; **F.hypothek** *f* endow ment/fixed mortgage, fixed-date mortgage loan

festigen *v/t* to strengthen/reinforce/cement/fasten/stab lize; *v/refl (Preis/Kurs)* to steady/firm/stabilize/ha den/consolidate

Festigkeit *f* 1. strength, firmness, stability; 2. solidity; *(Börse)* buoyancy; **F. des Marktes** market strengt **F.sgrenze** *f* ✿ breaking point

Festigung *f* 1. consolidation, strengthening, stabiliz tion; 2. *(Preise)* firming

Festival *nt* festival

Fest|jahre *pl* *(Darlehen)* call-free years; **F.kapital** fixed capital; **F.kauf** *m* firm purchase; **f.klammern** *v*

1. to fasten, to clip (on); 2. *(Wäsche)* to peg; **sich ~ an** to cling to; **f.kleben** *v/i* to stick

Festkomma *nt* π fixed (decimal) point; **F.darstellung** *f* fixed-point representation; **F.konstante** *f* fixed-point constant; **F.rechnung** *f* fixed-point computation; **F.variable** *f* fixed-point variable; **F.wert** *m* fixed-point value; **F.zahl** *f* fixed-point number

Festlkonditionen *pl* *(Kredit)* fixed lending rates; **F.konto** *nt* time/term deposit, deposit account; **F.körper** *m* solid; **F.kosten** *pl* fixed cost(s)/charges, overheads; **F.kredit** *m* fixed-rate loan; **zinsgünstiger F.kredit** low fixed-rate loan; **F.kurs** *m* fixed rate/quotation; **F.kurssystem** *nt (EWS)* fixed-rate system

Festland *nt* mainland, continent; **auf dem F.** onshore; **europäisches F.** the Continent *[GB]*, mainland Europe; **~ bereisen** to travel on the Continent

festländisch *adj* continental

Festlandslsockel *m* continental shelf; **F.produzent** *m* land-based minerals producer; **F.währung** *f* continental currency

Festlaufzeit *f* fixed term

festlegen *v/t* 1. to fix/determine/stipulate, to tie/lay down; 2. to schedule/state/establish/assign/appoint, to spell out; 3. to restrict/limit; 4. *(Kapital)* to freeze/block; 5. *(Währung)* to peg/immobilize, to tie/lock up; 6. ⚓ to lay up; *v/refl* to commit o.s., to make a commitment; **sich nicht f. lassen/wollen** to keep an open mind, to refuse to be drawn; **jdn f.** to pin so. down; **sich noch nicht f.** to keep one's options open

ausdrücklich festlegen to stipulate expressly; **erneut/neu f.** to redefine; **genau f.** to pinpoint; **gesetzlich f.** to stipulate/regularize; **terminlich f.** to schedule; **vertraglich f.** to stipulate/agree (by contract); **im Voraus f.** to predetermine

Festlegung *f* 1. stipulation, fixing; 2. *(Geld)* immobilization, locking-up, tying-up, blocking, commitment; **F. von Akkordsätzen** rate fixing; **F. der Arbeitsfolge** routing; **F. von Kapital** locking up of capital; **~ Prioritäten** assignment of priorities; **endgültige F.** finalization; **gesetzliche F.** statutory determination

Festlegungsldauer *f* *(Kapital)* immobilization period; **F.frist** *f* blocking/commitment period, commitment deadline; **F.pflicht** *f* immobilization/locking-up requirement; **F.zeitraum** *m (Geld)* commitment period

festlich *adj* festive; **F.keit** *f* festivity

festlliegen *v/i* 1. *(Kapital)* to be tied/locked up; 2. 🚗 to be stranded; **F.lohn** *m* fixed wage; **F.macheboje** *f* ⚓ mooring buoy; **F.macheleine** *f* ⚓ mooring line; **f.machen** *v/t* 1. to fasten/fix/secure; 2. ⚓ to moor; 3. *(Geschäft)* to wrap up *(fig)*; **F.meter** *m* cubic metre; **F.miete** *f* fixed rent; **F.müll** *m* solid waste; **F.müllbeseitigungsanlage** *f* solid waste disposal plant; **f.nageln** *v/t* to pin/nail down

Festnahme *f* § arrest, detention, apprehension; **F. auf frischer Tat** apprehension in the very act; **F. durch jedermann** citizen's arrest; **sich der F. durch Flucht entziehen** to abscond; **vorläufige F.** provisional apprehension; **widerrechtliche F.** unlawful arrest; **F.befugnis** *f* arrest warrant, power of arrest

festnehmen *v/t* 1. to arrest/detain/apprehend/seize; 2. *(vorläufig)* to take into custody

Festlnotierung *f* fixed quotation; **F.offerte** *f* firm offer; **F.platte** *f* 🖳 fixed/hard disk, ~ disc; **F.plattenlaufwerk** *nt* hard disk drive; **F.platz** *m* fairground

Festpreis *m* fixed/set/firm price; **F.auftrag/F.vertrag** *m* fixed-price contract/order, lump-sum contract; **F.garantie** *f* fixed-price guarantee; **F.ratensystem** *nt* fixed-rate system; **F.vereinbarung** *f* fixed-price arrangement; **F.zuschlag** *m* fixed-price charge

Festlpunkt *m* 🖳 fixed point, benchmark; **F.rede** *f* address; **F.redner** *m* (main) speaker; **F.saal** *m* assembly/banquet room; **F.satzkredit** *m* fixed-rate credit

festlschnallen *v/t* to fasten/buckle; *v/refl* 🚗/✈ to fasten one's seat belt; **f.schreiben** *v/t* 1. *(Wertpapiere)* to lock up, to block/invest; 2. to establish once and for all; 3. § to enact

Festlschreibung *f* 1. blocking, fixing, locking-up; 2. § enactment; **F.schreibungsfrist** *f* 1. *(Wertpapiere)* blocking period; 2. *(Zins)* commitment period; **F.schrift** *f* commemorative publication, festschrift; **f.setzbar** *adj* determinable

festsetzen *v/t* 1. to stipulate/determine, to lay down; 2. to provide/arrange/settle; 3. *(Frist)* to set/fix/appoint; 4. to state/decide/assess/assign; *(Haft)* to arrest/detain; *v/refl* to entrench o.s.; **f. auf** to pitch at; **anteilsmäßig f.** to prorate; **neu f.** *(Wechselkurse)* to realign

Festsetzung *f* 1. stipulation, determination; 2. assessment, assignation, condition, convention; 3. *(Termin)* fixing, appointment; 4. *(Polizei)* arrest, detention

Festsetzung der Dividende declaration of dividend; **~ Dringlichkeit** priority rating; **~ Entschädigung** assessment of damages; **gutachtliche ~ Gebühren durch Rechtsanwaltskammer** remuneration certificate; **F. des Goldpreises** gold fixing; **F. von Kampfpreisen** predatory pricing/price-rigging; **F. der Lohnsätze** rate setting; **F. von Marktpreisen** market pricing; **~ Mindestlöhnen** setting of minimum rates; **F. höherer Prämien** fixing of higher rpremiums; **F. neuer Paritäten/Wechselkurse** (currency) realignment; **F. der Prämie nach Schadenshäufigkeit** retrospective rating; **~ Prozesskosten** taxing of cost(s); **F. von Schadenersatz** assessment of damages; **F. der Versicherungssumme** valuation of the policy; **F. des Witwenteils** assignment of dower; **F. von Zielen** goal setting; **F. des Zollwerts** assessment of dutiable value

anteilsmäßige Festsetzung allocation, apportionment; **gerichtliche F.** judicial determination

Festsetzungslbescheid *m* notice of assessment; **F.frist** *f* assessment period

festsitzen *v/i* to be (left) stranded, ~ stuck

Festlspeicher *m* 🖳 permanent/non-erasable storage, read-only memory (ROM); **reversibler F.speicher** erasable programmable read-only memory (EPROM); **F.spiel** *nt* festival; **f.stecken** *v/t/i* 1. to pin/fasten; 2. to be stuck

feststehen *v/i* *(Tatsache)* to be established; **im Voraus/von vornherein f.** to be a foregone conclusion; **f.d** *adj* 1. established, fixed, standing, positive; 2. stationary, static

feststelllbar *adj* identifiable, ascertainable, determinable, discernible; **nicht f.bar** unascertainable; **F.bremse** *f* 🚗 parking brake

feststellen *v/t* 1. to discover/detect/note/notice/observe/find (out)/ascertain/establish/determine/identify; 2. to state/declare; 3. to deem adopted; 4. *(Abschluss)* to adopt; 5. *(Schaden)* to assess

aktenmäßig feststellen to place on record; **etw. ausdrücklich f.** to make a point of sth.; **endgültig f.** *(Haushalt)* to adopt finally; **genau f.** to pinpoint; **gerichtlich f.** to establish in court; **termingerecht f.** to finish on time

feststelllend *adj* declaratory; **F.er** *m (Schreibmaschine)* shift lock; **F.hebel** *m* detent arm; **F.taste** *f* shift lock

Feststellung *f* 1. ascertainment, establishment, finding, determination; 2. declaration, statement, remark, comment, conclusion; 3. *(Abschluss)* adoption; 4. *(Schaden)* assessment

amtliche Feststellung der Devisenkurse fixing; **F. der Echtheit** verification, authentication; **F. des Einheitswertes** rating valuation *[US]*, valuation for rating purposes; **F. einer Forderung** statement of requirement, official recognition of a claim; **F. der Förderungswürdigkeit** deciding whether a company is eligible for assistance; **F. des Haushalts** adoption of the budget; **~ Jahresabschlusses** adoption of the annual accounts, approval of the annual financial statements; **F. der Kreditwürdigkeit** credit investigation; **F. des amtlichen Kurses** fixing of the official quotation; **F. der Personalien** identification; **~ eines Zeugen** identification of a witness; **F. eines Rechts** proof of a right; **~ Rechtsanspruchs** proof of title; **F. der Richtigkeit** verification; **F. des Sachverhalts** ascertainment of the facts; **F. der Satzung** execution of the articles of incorporation; **F. des Schadens(ersatzes)** assessment of damages; **F. der Schadensursache** determination of the cause of the loss; **F. des Tatbestandes** ascertainment of the facts; **F. der Vaterschaft** affiliation, ascertainment of paternity; **gerichtliche ~ Vaterschaft** judgment of filiation; **F. einer Verletzung** *(Gesetz)* establishment of the infringement; **F. des Wahlergebnisses** establishment of the election result; **~ mittleren Zahlungstermins** equation of payments

durch unsere eigenen Feststellungen by our own evidence

Feststellung treffen to make a finding

abschließende Feststellung final statement, closing remark; **aktenmäßige F.** recording; **gerichtliche F.** court finding(s), declaration by the court; **gesonderte F.** *(Steuer)* separate determination; **herabsetzende F.** injurious falsehood; **maßgebende F.** authoritative statement; **rechtliche F.** legal findings; **rechtskräftige F.** § non-appealable declaratory judgment; **richterliche F.** judicial finding

Feststellungslanspruch *m* § entitlement to a declaratory judgment; **F.antrag** *m (Lastenausgleich)* petition for declaration; **F.beamter** *m* assessor, adjuster; **F.behörde** *f* assessment office; **F.bescheid** *m* 1. *(Steuer)* (notice of) assessment; 2. *(Wertpapiere)* declaratory decision; 3. *(Behörde)* declaratory administrative ruling; **F.interesse** *nt* legal interest in a declaratory judgment; **F.klage** *f* declaratory action, suit for a declaration, action for a declaratory judgment; **negative F.klage** jactitation suit; **F.urteil** *nt* declaratory judgment, declaration of title; **F.verfahren** *nt* declaratory proceedings; **F.widerklage** *f* declaratory cross-petition; **F.zeitpunkt** *m* point of time of a determination; **F.zeitraum** *m* period for determination; **F.zwischenurteil** *nt* declaratory interlocutory order

Festlstimmung *f* festive mood/atmosphere; **F.stoff** *m* solid(s), solid matter; **F.stoffproduktion** *f* solid production; **F.tag** *m* holiday, feast; **F.übernahme** *f (Anleihe)* firm underwriting

Festung *f* ⚔ fortress, stronghold; **F.sanlage** *f* fortification(s); **F.shaft** *f* incarceration, confinement in a fortress

Festlveranstaltung *f* commemorative event; **F.verkauf** *m* fixed sale; **f.verzinslich** *adj* fixed-interest, fixed-rate, fixed-yield, at a fixed rate of interest, fixed-interest-bearing; **F.verzinsliche** *pl* fixed-interest-bearing issues/securities, fixed-yield securities, bonds; **lebhaft gehandelte F.verzinsliche** active crowd *(coll)*; **F.vorstellung** *f* gala performance

Festwert *m* 1. fixed/base/constant/standard value, fixed valuation/asset; 2. π constant; **F.regelung** *f* constant value control; **F.verfahren** *nt (Abschreibung)* standard value method

Festlwiese *f* fairground; **F.woche** *f* gala week; **F.wort** *n* 💻 fixed-length word; **f.wurzeln** *v/i* to take root; **f.ziehen** *v/t* to tighten

Festzins *m* fixed(-rate) interest; **F.anleihe** *f* straight bond; **zu F.bedingungen/F.konditionen** *pl* at fixed interest rates; **F.darlehen** *nt* fixed-rate loan; **F.emission** *f* fixed-rate issue; **F.hypothek** *f* fixed-rate mortgage; **F.kredit** *m* fixed-interest loan; **F.kredite** fixed rate finance; **F.satz** *m* fixed-interest rate; **F.sparen** *nt* fixed-rate saving

Festzug *m* procession

Fett *nt* 1. fat; 2. ✿ grease; 3. *(Schmalz)* lard, dripping; **F. abschöpfen** to cream off, to skim off the cream; **mit F. einschmieren** to grease; **im F. schwimmen** *(fig)* to live in clover *(fig)*; **pflanzliches F.** vegetable fat; **tierische F.** animal fat

fett *adj* 1. fat, rich; 2. 🗋 bold

fettlarm *adj* low-fat; **f.dicht** *adj* ✿ grease-proof; **F.druck** *m* 🗋 bold print/type/face; **in F.druck** in bold type

fetten *v/t* ✿ to grease

Fettlfleck *m* grease stain/mark; **f.gedruckt** *adj* 🗋 bold, in bold (face); **f.ig** *adj* greasy; **F.kohle** *f* bituminous coal; **f.los** *adj* non-fat, fat-free; **F.lösungsmittel** *nt* grease remover; **ins F.näpfchen treten** *nt (fig)* to put one's foot in it *(fig)*, to drop a brick/clanger *(fig)*; **F.pflanze** *f* oil crop/plant; **F.presse** *f* ✿ grease gun; **f.reich** *adj* high-fat; **F.schrift** *f* 🗋 bold (type/face); **F.stift** *m* grease pencil

Fetzen *m* 1. shred; 2. *(Papier)* scrap; **nicht der F. eines Beweises** not a shred of evidence; **F. Papier** scrap of paper; **in F. reißen** to tear to shreds

[F]eucht *adj* damp, moist, wet, humid; **F.gebiet** *nt* wetland(s), marshland

[F]euchtigkeit *f* moisture, damp(ness), humidity; **vor F. schützen!** keep dry; **f.sabweisend** *adj* damp-resistant; **F.sanzeiger** *m* hydroscope; **F.sbescheinigung** *f* moisture certificate; **F.sgehalt** *m* humidity, moisture content(s)/level; **f.sgeschützt** moisture-proof; **F.smesser** *m* hygrometer

[F]eudal *adj* 1. feudal; 2. magnificent, sumptuous; **F.herr** *m* feudal lord; **F.ismus/F.system** *m/nt* feudalism

[F]euer *nt* fire, conflagration, blaze; **F. und Flamme** *(coll)* as keen as mustard *(coll)*; **F. durch Brandstiftung** incendiary fire, fire caused by incendiarism

[F]euer anfachen to fan the flames, to add fuel to the flames *(fig)*; **F. bekämpfen** to fight a fire; **F. einstellen** ☙ to cease fire; **F. eröffnen** ☙ to open fire; **F. fangen** to catch fire, to kindle; **jdm F. geben** to give so. a light; **F. legen** to commit arson; **F. an etw. legen** to set fire to sth.; **F. löschen** to extinguish a fire; **F. schüren** to fan the flames; **F. speien** to belch fire; **mit dem F. spielen** to play with fire, *(fig)* to court disaster

[F]euer|abgabe *f* *(Vers.)* fire cession; **F.alarm** *m* fire alarm; **F.alarmübung** *f* fire drill; **F.anzünder** *m* fire lighter; **F.assekuranz** *f* fire insurance; **F.ausbruch** *m* outbreak of fire; **F.bake** *f* ⚓/✈ beacon; **F.bekämpfung** *f* fire fighting; **f.beschädigt** *adj* fire-damaged, damaged by fire; **f.beständig** *adj* fire-proof, fire-resistant; **F.bestattung** *f* cremation; **F.betriebsunterbrechung** *f* interruption of business due to fire; **F.brand** *m* conflagration; **F.eifer** *m* enthusiasm; **F.einstellung** *f* ☙ ceasefire; **f.fest** *adj* fire-proof, fire-resistant; **F.festigkeit** *f* fire resistance; **F.gefahr** *f* fire hazard/risk: **Vorsicht, F.gefahr** highly inflammable; **f.gefährlich** *adj* (in)flammable; **nicht f.gefährlich** non-inflammable; **F.gefecht** *nt* ☙ shooting, shoot-up; **F.glocke** *f* fire bell; **F.hahn/F.hydrant** *m* fire hydrant; **F.haken** *m* fire hook; **f.hemmend** *adj* fire-resistant, fire-retardant; **F.industriegeschäft** *nt (Vers.)* industrial fire; **F.leiter** *f* fire escape; **F.löscher/F.löschgerät** *m/nt* fire extinguisher; **F.löschfahrzeug** *nt* fire engine; **F.löschübung** *f* fire drill; **F.meldeanlage/F.melder** *f/m* 1. fire alarm; 2. *(automatisch)* fire detector

[f]euern *v/t* *(coll)* to fire/sack, to give so. the sack, ~ his cards, ~ the order of the boot *(coll)*

[F]euer|pause *f* ☙ ceasefire; **F.police** *f* fire policy; **F.prämie** *f* fire insurance premium; **F.probe** *f (fig)* crucial/acid test, ordeal; **F.risiko** *nt* fire hazard, ~ (insurance) risk; **F.rost** *m* fire grate

[F]euersbrunst *f* blaze, conflagration

[F]euerschaden *m* fire damage/loss; **unmittelbarer F.** direct fire damage, ~ loss by fire; **F.sabteilung** *f (Vers.)* fire department

[F]euer|schiff *nt* lightship; **F.schneise** *f* firebreak, fireguard, fire line; **F.schott** *nt* ⚓ fire bulkhead

[F]euerschutz *m* fire protection; **F.anstrich** *m* fire-retardant paint; **F.behörde** *f* fire (protection) authority; **F.maßnahmen** *pl* fire precautions; **F.mauer** *f* fire wall; **F.steuer** *f* fire protection tax; **F.tür** *f* fire door

[F]euersgefahr *f* fire hazard

feuer|sicher *adj* fire-proof; **F.sog** *m* vortex; **F.sparte** *f (Vers.)* fire insurance; **F.spritze** *f* fire engine; **F.stätte/F.stelle** *f* fireplace, hearth; **F.stein** *m* flint; **F.sturm** *m* fire storm; **F.taufe** *f* ☙ baptism of fire; **F.teufel** *m (coll)* incendiary, pyromaniac; **F.treppe** *f* fire escape; **F.tür** *f* fire door; **F.verhütung** *f* fire prevention; **F.verhütungsvorschriften** *pl* fire regulations *[GB]*/code *[US]*; **F.verlust** *m* loss by fire; **F.versicherer** *m* fire insurer/underwriter

Feuerversicherung *f* fire insurance/cover/office; **industrielle F.** industrial fire insurance; **F.sgeschäft** *nt* fire account; **F.sgesellschaft** *f* fire insurance company, ~ underwriters/office; **F.spolice** *f* fire policy

Feuer|vorhang *m* fire curtain; **F.vorkehrungen** *pl* fire precautions; **F.vorschriften** *pl* fire regulations; **F.wache** *f* fire station/watch, station house *[US]*; **F.waffe** *f* firearm, gun; **F.wand** *f* fire wall; **F.warnanlage** *f* fire alarm (system)

Feuerwehr *f* fire brigade/service/authority/department *[US]*

Feuerwehr|aktion *f* last-minute rescue operation; **F.auto/F.fahrzeug/F.wagen** *nt/nt/m* fire engine, fire-fighting vehicle; **F.bezirk** *m* fire district; **F.fonds** *m* rescue/guarantee/emergency fund, deposit insurance system; ~ **der Banken** deposit protection scheme; **F.frau** *f* firefighter *[US]*; **F.kosten** *pl* fire protection expense; **F.leiter** *f* fire/aerial ladder; **F.mann** *m* firefighter, fireman; **F.mannschaft** *f* fire brigade (team); **F.schlauch** *m* fire hose; **F.übung** *f* fire drill; **F.zufahrt** *f* fire lane

Feuer|werk *nt* fireworks; **F.werker** *m* 1. pyrotechnician; 2. ☙ ordnance technician; **F.werkskörper** *m* firework, pyrotechnic article; **F.zeug** *nt* lighter

feurig *adj* fiery

Fiasko *nt* flop, fiasco, failure; **mit einem F. enden** to (be a) flop

Fiberglas *nt* fibreglass *[GB]*, fiberglass *[US]*

Fibor *(Zinssatz unter Frankfurter Banken)* Frankfurt interbank offered rate

Fideikommiss *nt* § entail, entailed estate; **F. ablösen** to disentail an estate; **F. auflösen** to break an entail; **als F. besitzen** to hold in trust; **F. errichten/konstituieren** to found an entail; **als F. vererben** to entail an estate; **F.auflösung** *f* disentailment; **F.besitz** *m* § fee tail; **F.erbe** *m* feoffee in trust

Fiduzial|grenze *f* ▦ probability limit; **F.verteilung** *f* ▦ fiducial distribution

Fiduziar *m* trustee

fiduziär/fiduziarisch *adj* fiduciary, undisclosed, on trust

Fieber *nt* ⚕ temperature, fever; **hohes F.** high temperature; **F.kurve** *f* temperature curve

FIFO-Methode *f* first-in, first-out method

Figur *f* figure; **gute F. machen** 1. to cut a fine figure; 2. *(fig)* to make a good show; **jämmerliche/schlechte/traurige F. abgeben/machen** to cut a poor figure; **unglückliche F. machen** to cut a sorry figure; **lächerliche F.** laughing stock

figurieren *v/i* to figure/appear

Fiktion *f* fiction; **F. des Kennens** § imputed knowl-

edge; **gesetzliche/juristische F.** legal fiction/figment, fiction of jurisprudence/law
fiktiv *adj* fictitious, notional
Filament|garn *nt* filament yarn; **F.weben/F.weberei** *nt/f* filament weaving
Filial|abteilung *f* branch office; **F.avis** *m* branch advice; **F.bank** *f* branch/multiple-office bank; **F.banksystem/-wesen** *nt* branch banking (system), multiple-branch/multiple-office/chain/group banking; **F.bereich** *m* branch organisation, branches; **F.berichterstattung** *f* branch reporting; **F.betrieb** *m* 1. branch; 2. branch operation/establishment, multiple operator, chain (store); **F.betriebsorganisation** *f* branch/chain store organisation; **F.bilanz** *f* branch balance sheet; **F.buchführung** *f* branch accounting; **F.büro** *nt* branch office; **F.direktor** *m* branch manager
Filiale *f* branch (office/establishment), local branch, agency, affiliate, field office; **F. im Ausland** overseas branch/offshoot; **F. schließen** to close a branch; **voll ausgebaute F.** fully fledged branch; **kontoführende F.** account-holding branch; **überseeische F.** overseas branch/offshoot
Filial|geschäft *nt* 1. branch; 2. *(Bank)* branch banking; 3. chain store, (multiple) shop; **F.gesellschaft** *f* chain store company; **F.großbank** *f* major branch bank; **F.hauptbuch** *nt* branch(es) ledger; **f.intensiv** *adj* with a large branch network; **F.inventar** *nt* branch inventory
Filialisierung *f* branching out; **F.sgrad** *m* degree of branching
Filialist *m* multiple (shop)
Filial|kalkulation *f* branch office accounting; **F.kette** *f* chain (store), multiple store/operator; **F.konto** *nt* branch/agency account; **F.leiter** *m* 1. (branch/store) manager; 2. *(Bank)* bank manager; **F.leiterin** *f* manageress; **F.leitzahl** *f (Bank)* branch sort code; **f.los** *adj* branchless; **F.netz** *nt* branch/store network, network of branch offices; **flächendeckendes F.netz** extensive branch network; **F.prokura** *f* branch signing power; **F.tätigkeit** *f* branch activities; **F.unternehmen** *nt* multiple (chain), chain store (company); **F.vergleich** *m* interbranch comparison; **F.verkehr** *m* interbranch transactions; **F.vertrieb** *m* branch sales; **F.verwaltung** *f* branch administration; **F.vorsteher** *m* branch manager; **F.wechsel** *m* house bill
Filigranarbeit *f* filigree work
Film *m* film, movie, motion picture *[US]*
Film belichten to expose a film; **F. drehen** to (shoot a) film; **F. entwickeln** to develop a film; **F. herstellen** to produce a film; **F. schneiden** to cut a film; **F. vorführen** to show/screen a film
abendfüllender Film full-length movie; **während des Fluges gezeigter F.** ✈ in-flight movie; **lichtempfindlicher F.** fast film; **unbelichteter F.** unexposed film
Film|abtastung *f* film scanning; **F.archiv** *nt* film archive(s)/library; **F.atelier** *nt* film studio, motion picture studio; **F.aufnahme** *f* shooting, shoot; **F.autor** *m* script/screen writer; **F.bearbeitung** *f* film/screen adaptation; **F.bericht** *m* film report; **F.breite** *f* film ga(u)ge; **F.(e)macher** *m* film-maker
filmen *v/t* to film/shoot
Film|entwicklung *f* film processing; **F.fassung** *f* film version; **F.festival/F.festspiele** *nt/pl* film festival; **F.geschäft/F.industrie** *nt/f* film/movie industry, motion picture industry; **F.kamera** *f* cine/movie camera; **F.kassette** *f* film/movie cartridge; **F.länge** *f* (film/movie) footage; **F.leinwand** *f* screen; **F.lochkarte** *f* 🖳 aperture card; **F.manuskript** *nt* film/movie script, scenario; **F.material** *nt* film; **F.produzent** *m* film producer; **F.projektor** *m* film projector; **F.prüfstelle** *f* film review board, board of censors; **F.publikum** *nt* cinema/movie goers; **F.rechte** *pl* screen/film rights; **F.regisseur** *m* film director; **F.reklame** *f* screen advertising; **F.reportage** *f* film report; **F.rolle** *f* 1. film part; 2. *(Fotoapparat)* roll, spool, reel; **F.schaffender** *m* film maker; **F.speicher** *m* 🖳 photographic storage; **F.spule** *f* film reel; **F.star** *m* movie star; **F.streifen** *m* film strip; **F.studio** *nt* film studio; **F.uraufführung** *f* film premiere; **F.verleih** *m* film distribution/rental; **F.verleiher** *m* (film) distributor; **F.voranzeige** *f* trailer; **F.vorführer** *m* projectionist; **F.vorführgerät** *nt* film projector; **F.vorführung** *f* film show; **~ vor Uraufführung** preview; **F.vorstellung** *f* film/picture show; **F.werbung** motion-picture advertising; **F.- und TV-Werbung** screen advertising; **F.werk** *nt* cinematographic work; **F.zensur** *f* film censorship, motion picture censorship
Filter *m* 1. filter; 2. *(Foto)* optical screen; **F.anlage** *f* 1. filtration plant, filter equipment; 2. emission control device; **F.frage** *f* strip question
adaptives Filtern adaptive filtering; **f.** *v/t* to filter, percolate
Filtration *f* filtration, percolation
Filtriertrichter *m* percolator
Filz *m* 1. felt; 2. *(coll)* corruption
filzen *v/t* *(coll)* to nick/frisk *(coll)*
Filzokratie *f* *(coll)* spoils system
Filz|schreiber/F.stift *m* felt(-tipped) pen; **F.unterlage** *f* felt pad
Financier *m* *[frz.]* → **Finanzier**
Finanz|- financial; **F.abgabe** *f* revenue duty, fiscal charge; **F.abkommen** *nt* financial/monetary agreement; **F.abteilung** *f* 1. finance department/division; 2. *(Redaktion)* City desk *[GB]*; **F.adel** *m* plutocrats, plutocracy; **F.akrobatik** *f* financial tricks/wizardry *(coll)*; **F.aktien** *pl* general credit shares; **F.aktivitäten** *pl* financial activities; **F.akzept** *nt* accepted finance bill
Finanzamt *nt* 1. tax/revenue/collection office, tax authorities, Inland Revenue (Office) *[GB]*, Internal Revenue Service (IRS) *[US]*, tax assessor *[US]*, Uncle Sam *[US]*; 2. the taxman, revenue *(coll)*; **vom F.** from the taxman *(coll)*; **ans F. abführen** to remit to the tax/revenue office; **zuständiges F.** local inland revenue office *[GB]*; **F.sbescheid** *m* tax demand, ~ inspector's assessment; **F.sleiter** *m* commissioner of internal revenue, head of the local tax office
Finanz|analyse *f* financial/investment analysis; **F.analyst/F.analytiker** *m* financial analyst; **F.anforderungen** *pl* financial requirements; **F.angelegenheiten** *pl*

financial matters/affairs; **F.anlageinvestitionen** *pl* investment in financial assets, trade investment(s)

inanzanlagen *pl* financial/non-trading *[GB]* assets, financial/long-term/trade/permanent investments; **langfristige F.** long-term investments, cash funds; **sonstige F.** other investments; **F.abgang** *m* disposed-of assets, disposal of assets; **F.zugang** *m* assets received

inanzlanlagevermögen *nt* financial assets/investments, long-term receivables; **F.anschlag** *m* budget estimate(s); **F.anspruch** *m* financial claim; **F.anteil** *m* ⊖ fiscal element; **F.apparat** *m* fiscal machine; **F.aristokratie** *f* plutocrats, plutocracy; **F.arithmetik** *f* fiscal arithmetic; **F.aufgaben** *pl* treasury functions; **F.aufkommen** *nt* budgetary receipts/revenue; **F.auflagen** *pl* financial covenants; **F.aufstellung** *f* financial statement; **F.aufwand** *m* financial requirement(s); **F.ausdruck** *m* financial term; **F.aufwendungen** *pl* expenditure

inanzausgleich *m* revenue sharing, financial compensation, fiscal/intergovernmental equalization; **F. zwischen Händlern** pass-over system; **F. der Länder** *[D]* tax/fiscal equalization scheme among the states; **horizontaler F.** 1. horizontal system of tax sharing, fiscal adjustment between authorities, tax equalization; 2. *[D]* fiscal equalization among the states; **kommunaler F.** local government tax equalization scheme, financial equalization at local government level; **vertikaler F.** general revenue sharing, tax sharing, vertical distribution of tax revenue, inter-level fiscal adjustment

inanzausgleichslbetrag *m* monetary compensatory amount; **F.mittel** *pl* revenue-sharing funds, shared revenue; **F.politik** *f* tax-sharing/revenue-sharing policy; **F.system** *nt* financial equalization; **F.zahlung** *f* intergovernmental transfer, revenue equalization payment

inanzlauskunft *f* status report; **F.auskunftei** *f* status enquiry agency; **F.ausschuss** *m* finance committee, financial policy committee; **F.ausstattung** *f* funding, capital equipment, finance, financial equipment/base; **F.ausweis** *m* financial statement, report; **F.autonomie** *f* financial autonomy; **F.beamter/F.beamtin** *m/f* inspector of taxes, tax collector/inspector, revenue officer, taxman *(coll)*; **F.beamte** *pl* tax office staff

inanzbedarf *m* borrowing/financial/monetary requirements, finance requirements; **F. der öffentlichen Hand** public sector borrowing requirement (PSBR); **F.sdeckung** *f* covering of financial requirements; **F.splanung** *f* financial requirements planning; **F.srechnung** *f* financial requirements analysis

inanzl- und Geschäftsbedingungen *pl* financial and business conditions; **F.bedürfnisse** *pl* → **Finanzbedarf**; **F.befehl** *m* fiscal order; **F.behörde** *f* fiscal/treasury authority, tax office, revenue office/board, taxing body; **oberste F.behörde** Board of Inland Revenue *[GB]*, Internal Revenue Office *[US]*; **F.beitrag** *m* financial contribution; **F.belastung** *f* financial burden; **F.berater** *m* financial adviser/consultant, debt counsellor; ~ **im Handelsvertreterstatus** *(Bank)* financial adviser working as tied agent; **F.beratung** *f* financial advice/consultation/counselling, corporate finance consulting; **F.bereich** *m* financial sphere; **F.bericht(erstattung)** *m/f* financial report/return; **F.berichtswesen** *nt* financial reporting (system); **F.besprechung** *f* financial talks; **F.beteiligung** *f* financial participation; **F.brief** *m* financial letter; **F.buchhalter** *m* financial accountant; **F.buchhaltung** *f* financial accounting (department), general accounts/accounting, administrative accounting, financial activities; **F.budget** *nt* capital/financial budget; **F.chef** *m* financial executive/manager, director of finance, company treasurer, finance chief *(coll)*; **F.controller** *m* financial controller; **F.controlling** *nt* financial controlling; **F.daten** *pl* financial data; **F.decke** *f* financial ceiling/cover, available finance/funds; **F.defizit** *nt* financial deficit; **F.derivat** *nt* financial derivative; **F.dienstleister** *m* financial service provider

Finanzdienstleistunglen *pl* financial services; **F.sbranche/F.ssektor** *f/m* financial services sector/industry; **F.sgeschäft** *nt* financial services business; **F.skonzern** *m* financial services group; **F.sunternehmen** *nt* financial services company/provider; **F.svermittler** *m* financial services broker

Finanzldiplomatie *f* dollar diplomacy; **F.direktor** *m* director of finance, finance chief/director, financial director, (corporate) treasurer, vice president finance *[US]*; **F.disponent** *m* treasurer; **F.dispositionen** *pl* financial arrangements, ~ investments management; **kurzfristige F.dispositionen** cash management; **F.disziplin** *f* financial discipline

Finanzen *pl* 1. finance, finances; 2. exchequer; **für die F. verantwortlich** in charge of finance; **seine F. ordnen/regeln** to put one's financial affairs in order; **F. einer Firma sanieren** to reconstruct a company; **gesunde F.** sound finance(s); **öffentliche F.** public finance(s); **ungeregelte F.** disordered/disorganised finances; **zerrüttete F.** shattered finances

Finanzlentscheidung *f* financial decision; **F.ergebnis** *nt* financial performance/result/income; **verbessertes F.ergebnis** improved financial performance; **F.ertrag** *m* financial yield/income; **F.experte/F.fachmann** *m* financial expert/specialist, financier, City analyst *[GB]*; **Züricher F.experten** Gnomes *(fig)*; **F.flussanalyse** *f* cash flow analysis; **F.flussrechnung** *f* cash flow/funds statement, financial flow statement, statement of changes in financial position; **F.forderung** *f* financial claim; **F.frage** *f* question of finance; **F.gebaren/F.gebarung** *nt/f* financial management/conduct/policy, conduct/management of (public) finances; **gesundes F.gebaren; solide F.gebarung** sound finance, ~ financial position; **F.genie** *nt* financial wizard

Finanzgericht *nt* Court of Exchequer *[GB]*/Claims *[US]*, tax tribunal/court, fiscal/finance court; **F.sbarkeit** *f* fiscal jurisdiction; **F.sordnung** *f* code of procedure for fiscal courts; **F.sverfahren** *nt* fiscal proceedings

Finanzlgeschäft *nt* financial transaction/operation, investment banking; **F.geschehen** *nt* financial affairs/transactions; **F.gesellschaft** *f* finance company

Finanzgesetz *nt* Finance Act *[GB]*; **F.entwurf/F.esvorlage** *m/f* money/finance bill; **F.gebung** *f* fiscal/financial legislation, budgetary laws; **f.lich** *adj* budgetary

intermediäre Finanz|gewalt auxiliary fiscal agent; **F.gewaltiger** *m* financial tycoon; **F.gruppe** *f* finance group, financial services group, syndicate; **F.guthaben** *nt* financial assets; **F.hai** *m* financial shark; **F.haushalt** *m* financial budget; **gesellschaftlicher F.haushalt** corporate housekeeping activities; **F.hedging** *nt* financial hedging; **F.hilfe** *f* financial assistance/aid, pecuniary aid, moneyed/financing assistance, funding support; **F.hof** *m* fiscal court, Court of Exchequer *[GB]*/Claims *[US]*; **F.hoheit** *f* financial sovereignty/autonomy, fiscal jurisdiction/prerogative/autonomy, power to levy tax; **F.holding** *f* financial holding

finanziell *adj* financial, fiscal, monetary, pecuniary, moneyed, in financial terms; **nicht f.** non-financial; **in f.en Größen** in financial terms; **f. angeschlagen** financially stricken; **f. gesehen** in financial terms; **f. schwach** cash strapped, financially weak

Finanzier *m* 1. financier, moneylender, money broker, funder; 2. bank roller *[US]*; **F.s** financial community

finanzieren *v/t* to finance/fund/support/sponsor/source/bankroll *(coll)*, to provide funds; **gemeinsam f.** to co-finance; **neu f.** to refinance/recapitalize; **selbst f.** to finance from one's own resources; **sich ~ f.** to be self-supporting; **sich selbst f.d** *adj* self-financing

frei finanziert *adj* privately financed; **knapp f.** on a shoestring *(fig)*; **öffentlich f.** publicly financed; **staatlich f.** state-financed; **unzureichend f.** underfunded; **voll f.** fully funded/financed

Finanzierung *f* 1. financing, funding, (provision of) finance, sponsorship; 2. financing package

Finanzierung durch Abtretung der Debitoren; F. mittels Forderungsabtretung accounts receivable financing; **F. von Abzahlungsgeschäften** hire-purchase finance; **F. über Aktien; F. durch Aktienemission** equity finance/financing, stock financing, financing issue; **F. von Aktiengesellschaften** corporation financing; **F. mit hohem Anteil an Fremdmitteln** highly-geared financing; **F. durch eine Bank** bank finance; **~ Einräumung eines Erbbaurechts** leasehold financing; **F. von Entwicklungsaktivitäten** development funding; **~ Exportgeschäften** export finance; **F. durch Fremdmittel** outside finance; **F. von Gemeinschaftsunternehmen** joint venture finance; **F. eines Händlerlagers** floor planning; **F. des Haushalts** budget finance; **F. von Investitionen** investment finance; **geldwertneutrale ~ Investitionen** non-inflationary financing of investments; **~ Konsignationslagern** financing of consignment stocks; **F. aus eigener Kraft** financing with internally generated funds; **F. durch Kredite** financing by means of credit; **F. des Lagers** stock financing; **F. mit Lieferantenkrediten** trade credit financing; **F. eines Projekts** project funding; **F. von Ratengeschäften** instalment finance; **F. mit Risikokapital** venture capital financing; **F. der Staatsausgaben** government funding; **F. mittels Steuererhöhungen** tax increment financing; **F. unter Umgehung gesetzlicher Vorschriften** back-door financin[g]; **F. durch Verkauf offener Buchforderungen; F. vo[n] Warenforderungen** accounts receivable financing; **[F.] von Wandelschuldverschreibungen/-obligatione[n]** convertible financing

Finanzierung aus einer Hand bieten to offer one-st[op] financial shopping; **F. sichern** to procure adequate f[i]nancing

ausgleichende Finanzierung compensatory financin[g]; **bankmäßige F.** financing by banks; **bequeme F.** eas[y] financing facilities; **endogene F.** internal financin[g]; **exogene F.** external financing; **gemeinsame F.** joint f[i]nancing; **kongruente F.** co-terminous financin[g]; **kurzfristige F.** short-term financing; **langfristige F.** long-term financing; **leichte F.** ease of raising capita[l]; **mittelfristige F.** medium-term financing; **nichtkon[-] gruente F.** non-matched funding; **regresslose F.** non[-]recourse financing; **staatliche F.** government finan[-]cing; **überteuerte F.** high-margin buying debt; **un[-] genügende F.** insufficient capitalization; **zinsgünstig[e] F.** reduced-interest/low-interest financing; **zweckge[-] bundene F.** tied/dedicated funding; **zweitstellige F.** f[i]nancing on second charge

Finanzierungs|abkommen *nt* financing agreemen[t]; **F.abschnitt** *m* phase of financing; **F.angebot** *nt* fun[d]ing offer; **F.anteil** *m* share of the funding packag[e]; **F.antrag** *m* funding request; **F.art** *f* financing metho[d], type of financing; **übliche F.art** conventional finan[-]cing; **F.aufgabe** *f* financial requirements; **F.aufschla[g]** *m* finance/financing charge; **F.aufwand/F.aufwen[-] dungen** *m/pl* financial expenditure, financing/finan[-]cial charges; **F.bank** investment/issuing/financia[l] bank; **F.basis** *f* funding base; **F.bedarf** *m* borrow[-]ing/funding/financing requirements; **kurzfristige[r] F.bedarf** short-term funding requirement; **F.bedin[-] gungen** *pl* terms of financing; **F.beihilfe** *f* fundin[g] grant, financing aid/support; **F.beispiel** *nt* model fun[d]ing scheme; **F.beitrag** *m* financial contribution; **laten[-] te F.berichtigung** deferred gearing adjustment; **F.be[-] willigung** *f* financing authorization; **F.bilanz** *f* flow-o[f-] funds analysis; **F.darlehen** *nt* financial loan; **F.defizi[t]** *nt* finance/budget deficit; **F.dienst** *m* financing servic[e]; **F.einrichtung** *f* financial institution; **F.entscheidung** decision on funding; **F.erfahrung** *f* financing experi[-]ence/history; **F.erleichterungen** *pl* financial facilitie[s]; **F.ermächtigung** *f* expenditure appropriation; **F.etat** [*m*] finance budget; **f.fähig** *adj* eligible for financing; **F.fa[ll]** *m* financial transaction; **F.fazilität** *f* financing facilit[y]; **F.fazilitäten** financing services; **F.förderung** *f* cred[it] subsidy; **F.form** *f* financing method, form of financin[g]; **F.fragen** *pl* finance matters; **F.funktion** *f* finance func[-]tion; **F.gebühr** *f* financing charge; **F.geschäft** *nt* finan[-]cing business/transaction

Finanzierungsgesellschaft *f* finance company/hous[e], financing company/agency; **F. für Industriebedar[f]** industrial trust *[US]*; **~ Kleinkredite** finance compan[y], consumer loan company

Finanzierungs|gesetz *nt* finance/revenue act; **F.gleich[-] gewicht** *nt* balance of financing; **F.grundlage** *f* finan[...]

cial base; **F.grundsätze** *pl* financing principles; **F.handbuch** *nt* financing manual; **F.hilfe** *f* financial assistance/aid; **öffentliche F.hilfen** official financing assistance; **F.holding** *f* finance holding

Finanzierungsinstitut *nt* financial enterprise/institution/institute/house, bank, finance house, credit institution; **intermediäres F.** financial intermediary, non-bank financial institution; **paramonetäres F.** non-financial/non-monetary intermediary

Finanzierungs|instrument *nt* 1. financing instrument, finance package, financial instrument/vehicle; 2. *(Unternehmen)* corporation paper; **F.instrumente** means of financing, financing machinery; **F.instrumentarium** *nt* financial instruments, finance package; **F.kapital** *nt* capital for financing purposes; **F.kennzahl** *f* financing ratio; **F.konditionen** *pl* terms of financing; **F.konsortium** *nt* financing/financial syndicate; **F.kontingent** *nt* borrowing quota; **F.kontrolle** *f* cash control, internal financial control; **F.kosten** *pl* financing charges/cost(s), funding/front-end cost(s), cost(s) of financing/finance, financial charges/expense, promotion money, finance charge; **F.konzept** *nt* financing solution; **F.kredit** *m* finance loan; **F.- und Teilzahlungskreditinstitute** *pl* secondary banking; **F.kunde** *m* borrower; **F.last** *f* burden of financing, financing burden; **F.leasing** *nt* financial/finance leasing, full-payment lease; **F.leitsatz** *m* financing principle; **F.lücke** *f* finance gap, funding shortfall/gap; **F.makler** *m* finance/credit broker; **F.maßnahme** *f* financing arrangement; **F.methode** *f* method of financing, financing method

Finanzierungsmittel *pl* credit/financing instruments, (financing) facilities/funds, financial resources, sources of finance; **zusätzliche F.** additional finance; **F.markt** *m* finance market

Finanzierungs|modalitäten *pl* financing arrangements/terms; **F.modell** *nt* financing solution; **F.modus** *m* financing method; **F.möglichkeit** *f* financial arrangement, finance facility, way of providing finance, financing vehicle, source of finance, capital facilities; **~ für Industriegüter** capital financing option; **F.nachweis** *m* financing statement; **F.obligo** *nt* financing commitment; **F.organ** *nt* financing agency; **F.paket** *nt* financial package; **F.papier** *nt* financing instrument, financial paper; **F.plan** *m* funding programme, financial arrangement/schedule/plan; **F.politik** *f* financial policy; **F.potenzial** *nt* finance/funding potential, available financial resources; **F.praxis** *f* funding practice, practice of finance; **F.programm** *nt* financing programme/scheme; **F.promesse** *f* advance/preliminary commitment; **F.quelle** *f* source of finance/financing, financial resources; **F.quellen erschließen** to raise funds; **F.rahmen** *m* financing limit

Finanzierungsrechnung *f* flow-of-funds analysis, capital finance account, statement of changes in financial position; **Finanzierungs- und Investitionsrechnung** statement of enterprise growth; **gesamtwirtschaftliche F.** capital finance account, money flow analysis; **volkswirtschaftliche F.** changes in financial assets and liabilities, flow-of-funds data

Finanzierungsregel *f* financing rule; **goldene F.** golden rule of finance, hedging principle; **klassische F.** normal rule of financing

Finanzierungs|reserve *f* financial reserve, reserve of financing power; **F.reserven** funding sources; **F.risiko** *nt* funding risk; **F.saldo** *m* net financial investment, financial surplus/deficit, debit and credit balance; **F.schätze** *pl* financing bonds; **F.schwierigkeiten** *pl* financing problems, problems of finance; **F.spielraum** *m* financial margin; **F.strom** *m* flow of funds, financial flow; **F.struktur** *f* financing mix; **F.system** *nt* financing system; **F.tätigkeit** *f* financing activity; **F.technik** *f* financial engineering; **f.technisch** *adj* financial, from the point of view of financing (methods); **F.theorie** *f* theory of managerial finance; **F.titel** *m* finance paper; **F.träger** *m* financing institution, finance company, financial backer; **F.überschuss** *m* financial surplus, surplus cash; **F.übersicht** *f* financing summary; **F.unterlagen** *pl* loan/financing documents; **F.vereinbarung** *f* financing agreement, funding arrangement(s); **F.verfahren** *nt* financing method, scheme of finance; **F.vermittler** *m* money/finance broker; **F.vermittlung** *f* assistance in the arranging of finance; **F.vermögen** *nt* financing power; **F.vertrag** *m* finance agreement; **F.volumen** *nt* financing volume; **F.voranschlag** *m* budget estimate; **F.vorgang** *m* financing transaction; **F.vorhaben** *nt* financial project/enterprise; **zusätzliche F.vorkehrung** additional financing facility; **F.vorschlag** *m* financial/funding proposal; **maßgeschneiderter F.vorschlag** tailor-made financing proposal; **F.vorschrift** *f* financing rule; **F.wechsel** *m* finance bill; **F.weise** *f* method of finance; **F.werte** *pl* finance stocks; **F.ziele** *pl* objectives of financial decisions; **F.zusage** *f* financial/financing commitment, promise to finance, loan undertaking/commitment; **F.zuschuss** *m* funding/finance grant, grant-in-aid

Finanz|imperium *nt* financial empire; **F.innovation** *f* financial innovation

Finanzinstitut *nt* finance company/house, financial enterprise/institution; **beteiligtes F.** cooperating institution; **intermediares F.** non-bank financial institution

Finanz|institution *f* financial institution; **F.instrument** *nt* financial instrument; **derivatives F.instrument** financial derivative, derivative financial instrument; **F.interessen** *pl* financial interests; **F.intermediär** *m* financial intermediary; **F.investition** *f* financial/portfolio investment; **F.jahr** *nt* financial/fiscal/budget/business year, fiscal; **F.kabinett** *nt* (ministerial) finance committee; **F.kapital** *nt* money/financial capital; **F.kasse** *f* revenue office, treasury; **F.klemme** *f* financial squeeze; **F.kommissar** *m [EU]* finance commissioner; **F.kompetenz** *f* financial responsibility; **F.konsortium** *nt* financial/finance syndicate, consortium of banks; **F.konto** *nt* financial account; **F.kontrolle** *f* financial/budgetary control, financial monitoring; **F.konzern** *m* finance/financial group; **F.kosten** *pl* cost(s) of finance; **F.kraft** *f* financial power/muscle/strength/clout; **f.kräftig** *adj* financially strong; **F.kredit** *m* financial loan/credit; **F.kreditdeckung** *f* financial loan security; **F.kreise** *pl* financial circles/community/quarters; **F.krise** *f* financial crisis

Finanzlage *f* financial situation/standing/status/condition/position/posture, finances; **F. der Unternehmen** corporate finance

angespannte Finanzlage strained finances, situation of strained resources; **desolate F.** (desperate) financial plight; **gesunde F.** sound finances; **schlechte F.** financial embarrassment; **verschlechterte F.** deteriorated financial position

Finanz|last *f* finance charge; **F.lasten** financial charges; **F.leistung** *f* financial performance; **F.leiter** *m* financial manager, vice-president finance *[US]*; **F.loch** *nt* financial gap/deficit, money gap; **F.magnat** *m* financial tycoon; **F.makler** *m* money/finance/loan/credit/funds broker, financial intermediary, finder; **F.management** *nt* financial management; **F.mann** *m* financier, moneylender, City man *[GB]*; **F.markt** *m* capital/financial/finance market (place), (wholesale) money market; **F.masse** *f* total revenue; **F.mathematik** *f* investment mathematics; **F.miete beweglicher Wirtschaftsgüter** *f* finance equipment leasing; **F.minister** *m* minister of finance, finance minister, financial secretary, Chancellor of the Exchequer *[GB]*, Treasury Secretary *[US]*, Treasurer *[AUS]*; **F.ministerium** *nt* ministry of finance, finance ministry, Treasury *[GB]*, Exchequer *[GB]*, Treasury Department *[US]*; **F.misere** *f* financial plight/disaster/difficulties; **F.mitteilung** *f* financial note

Finanzmittel *pl* funds, capital, financial facilities; **gebundene F.** committed funds, tied(-up) funds; **zusätzliche F.** additional finance; **F.bindung** *f* absorption of funds

Finanz|monopol *nt* financial/fiscal monopoly, revenue-producing monopoly; **F.not** *f* financial straits; **F.operation** *f* monetary transaction; **F.option** *f (Börse)* financial option; **F.ordnung** *f* financial regulations, financing rules; **F.periode** *f* fiscal/budgetary period

Finanzplan *m* (financial) budget, budget plan, financial projection; **kurzfristiger F.** cash budget; **rollender F.** moving budget

Finanzplanung *f* financial management/planning/forecasting/modelling, budgeting, budgetary accounting/planning, fiscal planning, management/business/cash budgeting; **F. und Analyse** budget and management department; **betriebliche F.** managerial finance planning; **flexible F.** flexible financial planning; **kurzfristige F.** short-term financial planning, administrative budget; **mittelfristige F. (mifrifi)** medium-term financial strategy/planning/budgeting, ~ fiscal/budgetary planning, intermediate financing; **F.-Plandaten** financial planning anticipation data

Finanz|planungsrat *m* fiscal planning council; **F.platz** *m* money market, financial centre

Finanzpolitik *f* financial/fiscal/monetary policy, financial strategy; **expansive F.** expansionary fiscal policy; **interventionistische F.** monetary fiscal policy; **kompensatorische F.** compensatory financial policy

finanz|politisch *adj* financial, fiscal; **F.polster** *nt* financial cushion; **F.produkt** *nt* financial product; **F.prüfung** *f* financial audit; **F.quellen** *pl* financin sources; **F.rahmen** *m* financing limit, budget; **ir F.rahmen** within the budget; **F.rechnung** *f* cash flo statement; **F.recht** *nt* fiscal/financial law, law of publi finance; **F.reform** *f* fiscal reform; **goldene F.regel** go den rule of financing; **F.regelung** *f* financial arrange ment; **F.relationsvereinbarungen** *pl* financial cov enants; **F.richter(in)** *m/f* tax-court judge; **F.- un Währungsrisiko** *nt* financial and currency risk **F.sachverständige(r)** *f/m* financial expert; **F.schul den** *pl* finance/money debts, loan capital; **f.schwac** *adj* financially weak; **F.schwierigkeiten** *pl* financi difficulties; **F.senator** *m* finance minister; **F.spiel raum** *m* financial margin/scope; **F.spritze** *f* cash injec tion/infusion, injection of fresh funds/money, shot i the arm *(fig)*, fiscal hypo; **f.stark** *adj* financially strong **F.stärke** *f* financial power/muscle/strength; **F.statis tik** *f* financial statistics

Finanzstatus *m* financial status, statement of affairs, financial condition; **gesicherter F.** established finar cial status; **seriöser F.** reputable financial status

Finanz|stelle *f* fiscal agency; **F.steuer** *f* revenue-raisin tax, revenue raiser; **F.steuerung** *f* financial/finance er gineering; **F.strategie** *f* financial strategy; **F.strom** cash flow

Finanzstruktur *f* financial structure, pattern of financ financing mix; **horizontale F.** horizontal financi structure; **vertikale F.** vertical financial structure

Finanz|studie *f* financial study; **F.studienabteilung** analysis department; **F.system** *nt* financial/fiscal sys tem; **F.tarif** *m* revenue tariff; **F.tätigkeit** *f* financin transactions/activity; **f.technisch** *adj* financial, fisca **F.teil** *m (Zeitung)* financial page(s), City page(s) *[GB* **F.terminbörse/-markt** *f/m* financial futures marke **F.terminkontrakt** *m* financial option/future; **F.theor** *f* financial theory, theory of finance; **F.titel** *pl (Börs* financial futures; **F.transaktion** *f* financial/mon tary/money transaction, financial/fiscal operatio **F.transfer** *m* cash/revenue transfer; **F.überschuss** *m* cash flow; 2. financial surplus; **F.umlaufvermögen** current financial assets; **F.unterlagen** *pl* financial r cords; **F.verantwortung** *f* financial accountabilit **F.verbindlichkeit** *f* financial liability; **F.verfahren** financing method; **F.verfassung** *f* financial system

Finanzverhältnisse *pl* financial conditions; **geordne Finanz- und Kapitalverhältnisse/gesunde F.** soun (financial) position, ~ finances; **unsolide F.** unsound f nances; **zerrüttete F.** disordered/disorganised finances

Finanz|verknappung *f* scarcity of funds; **F.vermöge** *nt* financial assets; **F.verwalter** *m* financial manager

Finanzverwaltung *f* 1. tax authority, fiscal administr tion, revenue department, Board of Inland Reven *[GB]*, Finance Department *[US]*; 2. financial manag ment/administration; .3 money management; **F. für i direkte Steuern** excise department; **F.srecht** *nt* fisc administrative law

Finanz|volumen *nt* financing limit, total expenditur **F.voranschlag** *m* budget estimate; **F.vorlage** *f (Parl ment)* money/revenue bill; **F.vorschau** *f* financial for casting/projection, profit and loss forecast; **F.vorschriften** *pl* financial provisions; **F.vorstand** *m* finance director/chief *(coll)*, vice president finance *[US]*, financial executive/director/officer, (corporate *[US]*/ company) treasurer, chief financial officer

inanzwechsel *m* accommodation/finance/financial/ credit bill, accommodation note; **F. von Großunternehmen** commercial paper; **kurzfristige öffentliche F.** revenue bonds *[US]*

inanz|welt *f* financial world/community, the City *[GB]*, Wall Street *[US]*, moneyed interest(s); **F.weltjargon** *m* Cityspeak *[GB]*; **F.werte** *pl* finance stocks, financial institutions

inanzwesen *nt* finance, financial affairs/world/organisation/system/management; **öffentliches F.** public finance; **staatliches F.** public/national finance

inanzwirrwarr *m* financial chaos

inanzwirtschaft *f* (public/corporate) finance, financial management/market/community, fiscal economics, finance industry; **betriebliche F.** corporate/business finance, business financing; **öffentliche/staatliche F.** public/national finance; **f.lich** *adj* financial, fiscal

inanzwirtschafts|lehre *f* theory/science of finance, fiscal theory; **F.politik** *f* fiscal policy

inanzwissenschaft *f* public-sector economics, (public) finance; **funktionelle F.** functional finance; **F.ler** *m* expert on public finance; ~ **F.slehre** *f* functional finance theory

inanz|zeitung *f* financial paper; **F.zentrum** *nt* financial/money centre; **F.ziel** *nt* financial objective/target; **F.zoll** *m* revenue tariff/duty, financial/fiscal duty, customs duty of a fiscal nature, tax revenue, tariff for revenue; **F.zusage** *f* funding commitment; **F.zuschuss** *m* capital grant

inanzzuweisung *f* 1. budget appropriation, allocation of funds, financial grant; 2. *(zweckgebunden)* specific grant; 3. *(nicht zweckgebunden)* block grant; **F. des Bundes** shared revenue; **F. bei Eigenbeteiligung** matching grant

indelkind *nt* foundling

nden *v/t* 1. to find/locate; 2. to consider; 3. to meet with; **nichts dabei f.** to see no harm in sth.; **es schwer f.** to find the going hard; **zufällig f.** to come across

inder *m* finder; **F.lohn** *m* finder's reward

ndig *adj* resourceful; **F.keit** *f* ingenuity, resourcefulness

indling *m* 1. *(Kind)* foundling; 2. *(Geologie)* erratic

inesse *f* refinement, subtlety, nicety, finesse, intricacy; **alle F.n kennen** to know all the tricks of the trade *(coll)*

inger *m* finger; **aus den F.n gezogen** *(coll)* trumped-up

w. in die Finger bekommen to get one's hands on sth.; **seine F. überall drin haben** to have a finger in every pie *(coll)*; ~ **im Spiel haben** to have one's fingers in the pie *(coll)*, ~ a hand in sth.; **jdm auf die F. klopfen** to give so. a rap over/on the knuckles, to rap so. over the knuckles; **keinen F. krümmen/rühren** not to lift/stir a finger; **F. von etw. lassen** to leave (sth.) well alone; **F. auf etw. legen** to put one's finger on sth.; **krumme/lange F. machen** to pilfer; **jdm auf die F. sehen** to keep an eye on so.; **sich die F. verbrennen** to burn one's fingers, to stub one's toes; **an den F.n zählen** to count on one's fingers

Finger|abdruck *m* fingerprint, fingermark; ~ **nehmen** to fingerprint (so.); **F.anschlag** *m (Schreibmaschine)* finger stop; **kein F.breit** *m* not an inch; **keinen ~ nachgeben** not to budge an inch; **F.fertigkeit** *f* sleight of hand, dexterity; **F.hakeln** *nt* tug-of-war; **F.spitze** *f* fingertip; **F.spitzengefühl** *nt* intuition, intuitive feeling, instinct, flair; **F.sprache** *f* deaf-and-dumb language; **F.zeig** *m* pointer, tip-off, lead, cue

fingier|en *v/t* to simulate/sham/feign/fake; **f.t** *adj* 1. sham, feigned, fictitious, bogus; 2. § constructive

finster *adj* 1. pitch-dark; 2. bleak *(fig)*, gloomy, sinister; **F.keit** *f* gloominess, darkness; **im F.n tappen** to grope in the dark

Finte *f* red herring, trick

firm *adj* 1. firm; 2. (well-)versed

Firma *f* (name of a) firm, enterprise, business, establishment, company, concern, commercial house, corporate/commercial name, (firm and) style, goodwill; **Firmen** corporate sector; **in F.** care of (c/o); **F. einer AG** corporate name *[US]*, name of the company; **F. des Dienstleistungsbereichs** service company; **F. einer Gesellschaft** name of a company

bei einer Firma anfangen to join a firm; **unter eigener F. auftreten; F. unter eigenem Namen betreiben** to trade under/in one's own name; **aus einer F. ausscheiden** to leave a company; **sich an einer F. beteiligen** to acquire an interest in a firm; **F. handelsgerichtlich eintragen (lassen)** to register *[GB]*/incorporate *[US]* a company; **in eine F. eintreten** to join a firm; **F. gründen** to start (up)/vest a company, to set up a firm, to create/found a business; **einer F. aus der Klemme helfen** *(coll)* to bail out a company *(fig)*; **F. herunterwirtschaften** to run down a company; **unter der F. klagen und verklagt werden** to sue and be sued in the firm's name; **F. leiten** to run a firm; **F. liquidieren** to wind up a company; **F. löschen** to expunge a firm, to strike a company's name from the register; **F. sanieren** to reorganise a company; **F. übernehmen** to take over a firm/company; **F. vertreten** to represent a firm; **für eine F. zeichnen** to sign on behalf of a firm; **F.en zusammenschließen** to consolidate companies

abgeleitete Firma derived firm; **alteingesessene/gut eingeführte F.** (old-/well-)established firm, established company; **angesehene F.** respected company; **ausstellende F.** exhibitor; **bezogene F.** drawee; **einbezogene Firmen** ▦ firms covered; **eingetragene F.** registered company/firm; **erloschene F.** defunct firm; **führende F.** leading firm; **gut fundierte F.** sound company; **junge F.** new company; **kränkelnde/marode F.** ailing firm; **kreditaufnehmende F.** corporate borrower; **metallverarbeitende F.** metalworking enterprise; **mittlere F.** medium-sized company; **notleidende F.** ailing firm; **ortsansässige F.** local firm; ~ **Firmen** companies in the locality; **reelle/seriöse/solide F.** reliable/sound firm, sound company; **renommierte F.**

firm of good repute; **unseriöse F.** rogue firm; **unsolide F.** unreliable firm; **untersuchte F.** surveyed firm; **unzuverlässige F.** shaky firm; **zahlungsfähige F.** solvent firm

Firmen|- corporate; **F.ableger** *m* spin-off; **F.absatz** *m* company/corporate *[US]* sales; **F.akten** *pl* company files; **F.aktiva** *pl* assets; **F.akquisition** *f* corporate acquisition, buying-up of a firm; **F.altersversorgung** *f* company pension scheme; **F.änderung** *f* change of a firm's name; **F.angabe** *f* business name; **F.angehörige(r)** *f/m* company employee; *pl* company staff; **F.angelegenheiten** *pl* corporate affairs; **F.angestellte(r)** *f/m* company official; **F.anleihe** *f* corporate loan; **F.anmeldung** *f* company registration, registration of a firm; **F.anschrift** *f* company/business address; **F.ansehen** *nt* goodwill, corporate image; **F.anteil** *m* business interest, participation in a firm; **F.anwalt** *m* company/corporate/(in-)house lawyer; **F.archiv** *nt* company archives/records; **F.aufdruck** *m* 1. company stamp; 2. *(Brief)* letterhead

Firmenaufkauf *m* buying-up of a firm; **F. durch Betriebsangehörige** employee buyout; **~ Führungskräfte** management buy-in; **fremdfinanzierter ~ Führungskräfte** leveraged management buyout; **~ Führungspersonal** *m* management buyout; **~ (durch Betriebsangehörige) mit Kreditmitteln** leveraged buyout

Firmen|aufkäufer *m* corporate raider; **F.auflösung** *f* winding-up/dissolution of a company, company winding-up; **F.aufwand** *m* corporate expenditure; **F.auskunft** *f* trading reference; **F.ausschlachter** *m* asset stripper; **F.ausschließlichkeit** *f* exclusive right to a firm's name; **F.ausweis** *m* company identification card; **F.bankrott** *m* company bankruptcy; **F.beratung** *f* business advisory service, corporate advice; **F.beratungsgesellschaft** *f* business advisory company, ~ consultancy; **F.besitzer** *m* proprietor/owner of a company; **F.besteuerung** *f* company taxation; **F.bezeichnung** *f* company/firm/trade name, style; **F.bilanz** *f* company/corporate statement; **F.briefpapier** *nt* headed paper; **F.bürgschaft** *f* company guarantee; **F.chef(in)** *m/f* company head, head of the firm/business; **F.code** *m* company code; **F.darlehen** *nt* corporate loan; **F.depot** *nt* commercial deposit; **f.eigen** *adj* company-owned, in-house, proprietary, own; **F.eigentum** *nt* company/corporate *[US]* property; **F.eintragung** *f* company registration, incorporation *[US]*, registration of a business name; **F.eintritt** *m* joining a firm; **F.ergebnis** *nt* company/corporate results; **F.erwerb** *m* acquisition of a company, buying-up of a firm; **F.fahrzeug** *nt* company car/vehicle, fleet car; **F.flugzeug** *nt* 1. company plane; 2. *(Düsenflugzeug)* corporate jet *[US]*; **F.fortführung** *f* continuation of a firm (name); continued existence; **F.garantie** *f* company guarantee; **F.gebrauch** *m* use of the firm name; **F.geheimnis** *nt* company secret, corporate secrecy; **F.gelände** *nt* company property/site/premises; **F.geschäft** *nt (Bank)* corporate affairs; **F.geschichte** *f* company history; **F.gewinn** *m* company/corporate profit; **F.gigant** *m* giant firm; **F.gläubiger(in)** *m/f* company/corporate creditor; **F.größe** *f* compan[y] size; **F.gründer** *m* founder/promoter of a compan[y] company promoter; **F.gründung** *f* company found[a]tion/formation/promotion, establishment/launch of [a] company; **F.gruppe** *f* group (of companies), combin[e] **F.gruppenversicherung** *f* group contract; **F.haftung** corporate liability; **F.hauptquartier** *nt* company/co[r]porate headquarters, head office; **F.hochzeit** *f* corp[o]rate marriage; **F.image** *nt* company/corporate imag[e] **F.inhaber(in)** *m/f* proprietor/owner (of a compan[y] business); **f.intern** *adj* in-company, in-house; **F.inve[n]tar** *nt* business/company inventory; **F.investitionen** *[pl]* corporate investment; **F.jargon** *m* in-house jargo[n] **F.jubiläum** *nt* company anniversary; **F.jurist** *m* con[m]pany/corporate/in-house lawyer; **F.kapital** *nt* con[m]pany/corporate capital, equity; **F.karte** *f* company/co[r]porate card; **F.kauf** *m* company buying, buying up [a] company, acquisition of a firm; **F.kern** *m* essential el[e]ment of a firm name; **F.klüngel** *m* boardroom politic[s] **F.komplex** *f* company premises; **F.konjunktur** *f* co[r]porate boom; **F.konkurs** *m* corporate/company ban[k]ruptcy; **F.konsortium** *nt* consortium of firms/con[m]panies; **F.konto** *nt* company/corporate/business (ban[k] account; **auf F.kosten** *pl* at company's expense; **wec[h]selseitige F.kredite** back-to-back credits; **F.kreditg[e]schäft** *nt (Bank)* corporate lending; **F.kreis** *m* ▦ firm[s] covered; **F.kultur** *f* corporate culture (CC)

Firmenkunde *m* 1. corporate/commercial customer; [2.] business information; **F.nabteilung** *f (Bank)* corpora[te] department; **F.nbetreuer(in)** *m/f* corporate accou[nt] manager, call officer; **F.ngeschäft** *nt* corporate bus[i]ness; **F.nmarkt** *m* wholesale market

Firmen|kundschaft *f* corporate sector, commercial/bus[i]ness/corporate customers; **F.leitung** *f* company/corp[o]rate management; **F.leitungskosten** *pl* general ma[n]agement cost(s); **F.lieferant** *m* company supplier; **F.l[i]quidierung** *f* company winding-up; **F.liquidität** company/corporate liquidity; **F.logo** *nt* company log[o] **F.löschung** *f* deletion from the company registe[r] **F.mantel** *m* shell (company), corporate shell, non-ope[r]ating company, shell of the company; **F.marke** *f* bran[d] trademark; **F.mitteilung** *f* company release; **F.mitt[el]** *pl* company/corporate funds; **F.nachweis** *m (Ze[it]schrift)* company reference; **F.nähe** *f* proximity [to] companies; **F.name** *m* company/corporate/firm/bus[i]ness/trade/trading name, name of the company/fir[m] style; **F.neueintragung** *f* new registration; **F.ne[u]gründung** *f* new company formation, business sta[rt]-up; **F.pensionär** *m* company pensioner; **F.personal** [*nt*] company personnel; **F.persönlichlkeit** *f* corpora[te] identity (CI); **F.philosophie** *f* corporate/company ph[i]losophy, mission statement; **F.plan** *m* corporate pla[n] **F.pleite** *f* business/company failure; **F.politik** *f* corp[o]rate/company strategy, company policy; **vernünfti[ge] F.politik** sound company policy; **F.portrait** *nt* co[m]pany profile; **F.post** *f* company mail; **F.publizität** corporate publicity; **F.rechnungswesen** *nt* manag[e]ment/managerial accounting; **F.rechte** *pl* trade righ[ts] **F.register** *nt* company register, register of companie[s]

~ commercial firms, register general; **F.registrierung** *f* company registration *[GB]*/incorporation *[US]*; **F.rembours** *m* non-bank documentary credit; **F.rente** *f* company/employee/private/occupational/works pension, employer's/company pension scheme, company-paid annuity; **~ für leitende Angestellte** top-hat pension *(coll)*; **F.sanierung** *f* company rehabilitation/reconstruction, financial reorganisation; **F.satzung** *f* articles of association *[GB]*/incorporation *[US]*; **F.schild** *nt* name plate, company/business plaque; **F.schriftzug** *m* logo(-type); **F.schulden** *pl* company/corporate debt(s); **F.schutz** *m* protection of the firm name; **F.siedlung** *f* company housing estate; **F.siegel** *nt* corporate/company seal

Firmensitz *m* corporate/registered office, situs, company/corporate headquarters, location of the head office, (commercial) domicile, residence *[US]*; **F. (haben) in** (to be) based/headquartered in, (~ commercially) domiciled in; **eingetragener F.** registered seat

Firmenspenden *pl* corporate giving, donations; **f.spezifisch** *adj* company-specific; **F.sprecher(in)** *m/f* company spokesman/spokeswoman; **F.statuten** *pl* articles of association; **F.stempel** *m* company/business stamp; **F.sterben** *nt* business failures/mortality; **F.substanz** *f* company('s) assets, company's intrinsic value; **F.symbol** *nt* (company) logo; **F.syndikus** *m* company secretary, company/corporate lawyer; **F.tarif** *m* company pay scale; **F.tarifvertrag** *m* company wage contract, ~ pay agreement; **F.treue** *f* job/company loyalty; **F.übergang** *m* devolution of a firm (name); **F.übernahme** *f* acquisition, takeover; **F.umsatz** *m* company/corporate sales; **F.veranlagung** *f* company rating; **F.verband/F.verbund** *m* group of companies; **F.verbindlichkeiten** *pl* company/corporate liabilities; **F.verhalten** *nt* corporate behaviour; **F.verletzung** *f* violation of the rights of a firm's name; **F.vermögen (nach Abzug aller Belastungen)** *nt* company assets, corporate equity; **F.verschmelzung** *f* merger (of companies); **F.vertreter(in)** *m/f* company/corporate agent, company official/spokesman/spokeswoman, firm's representative; **F.verzeichnis** *nt* trade directory; **F.vorstand** *m* board of directors; **F.wagen** *m* company/fleet car, company vehicle; **F.wanderung** *f* migration of companies; **F.wechsel** *m* company note; **F.werbung** *f* institutional/corporate advertising

Firmenwert *m* goodwill; **derivativer F.** acquired goodwill; **immaterieller F.** goodwill; **konsolidierter F.** consolidated goodwill; **negativer F.** bad will; **originärer F.** created/developed/unpurchased/self-generated goodwill; **übernommener F.** consolidation excess; **F.abschreibung** *f* goodwill amortization

Firmen|wohnung *f* company dwelling; **F.zeichen** *nt* firm's distinctive symbol, (company) logo, stamp, brand (name); **F.zeitschrift/F.zeitung** *f* in-house magazine, house journal; **F.zentrale** *f* head office; **F.zugehörigkeit** *f* length of service, (number of years') service in a firm; **F.zukauf** *m* acquisition; **F.zusammenbruch** *m* corporate/business failure; **F.zusammenschluss** *m* (company) merger, merger of companies

firmier|en *v/i* to trade under a name/firm, to have the firm name (of); **F.ung** *f* business style

Firnis *m* varnish, veneer

first-party-Qualitätsaudit *nt* first-party audit

Fisch *m* fish; **F.e** fish; **kleine F.e** *(coll)* small beer/fry *(coll)*; **f.arm** *adj* low in fish; **F.armut** *f* scarcity of fish; **F.besatz** *m* fish stocking rate; **F.bestände** *pl* fish stocks/population, fishery resources; **F.dampfer** *m* trawler

fischen *v/ti* 1. to fish; 2. *(mit Netz)* to trawl

Fischer *m* fisherman; **F.boot** *nt* fishing boat/vessel; **F.dorf** *nt* fishing village

Fischerei *f* 1. fishing; 2. *(Gewerbe)* fishing industry, fishery, fisheries; **küstennahe F.** offshore fishing/fisheries

Fischerei|abkommen *nt* fishing agreement, fishery convention; **F.anschlusszone** *f* contiguous fishing zone; **F.aufseher** *m* water bailiff; **F.boot** *nt* fishing boat/vessel, trawler; **F.distrikt** *m* fishing ground(s); **F.erzeugnisse** *pl* fish products; **F.fabrikschiff** *nt* fishery factory ship; **F.fahrzeug** *nt* fishing boat/vessel, trawler; **F.(fang)flotte** *f* fishing fleet; **F.gebiet** *nt* fishing ground(s); **F.gerät(e)** *nt/pl* fishing tackle; **F.gerechtigkeit/F.gerechtsame** *f* common fishery, fishing rights, common of piscary; **F.gesetze** *pl* fishery laws; **F.gewässer** *pl* fishing grounds, fishery; **F.grenzen** *pl* fishing limits; **F.hafen** *m* fishing port; **F.industrie** *f* fishery industry; **F.ordnung** *f [EU]* fish regime; **F.pachtvertrag** *m* fishing lease; **F.politik** *f* fisheries policy; **gemeinsame F.politik** *[EU]* common fisheries/fishing policy; **F.quote** *f* fishing quota; **F.recht** *nt* fishing rights, fishery; **F.schein** *m* fishing licence/permit; **F.- und Fabrikschiff** *nt* trawler-cum-factory vessel; **F.schutz** *m* fishery protection; **F.schutzfahrzeug** *nt* fishery protection vessel; **F.wesen** *nt* fishing; **F.wirtschaft** *f* fishing industry; **F.wirtschaftsjahr** *nt* fishing year; **F.zone** *f* fishery, fishing zone

Fischertrag *m* fish harvest

Fischfang *m* fishing, fishery; **F. für gewerbliche Verwertung; gewerblicher F.** industrial fishing; **F.flotte** *f* fishing fleet; **F.gebiet** *nt* fishing ground(s)

Fisch|geschäft *nt* fishmonger's (shop); **F.grund/F.gründe** *m/pl* fishing ground(s); **F.händler** *m* fishmonger, fish dealer *[US]*; **F.industrie** *f* fishing industry; **F.kutter** *m* fishing cutter; **F.laden** *m* fish shop; **F.laderaum** *m* ⚓ fishhold; **F.markt** *m* fish market; **F.mehl** *nt* fish meal; **F.netz** *nt* fishing net; **F.öl** *nt* fish oil; **F.rechte** *pl* fishing rights; **F.reichtum** *m* abundance of fish, richness in fish; **F.restaurant** *nt* fish restaurant; **F.stäbchen** *pl* fish fingers; **F.teich** *m* fish pond; **f.verarbeitend** *adj* fish-processing; **F.verarbeiter** *m* fish processor; **F.verarbeitung** *f* fish processing; **F.verarbeitungsschiff** *nt* factory vessel; **F.wirtschaft** *f* fishing industry; **F.zeit** *f* open season; **F.zubereitung** *f* 1. fish processing; 2. fish preparation, processed fish; **F.zucht** *f* fish farming; **F.zuchtanlage/-betrieb** *f/m* water/fish farm; **F.zug** *m* haul

Fiskal|- fiscal, revenue; **F.gelder** *pl* tax money; **F.gesetzgebung** *f* tax legislation; **F.hoheit** *f* fiscal power

fiskalisch *adj* fiscal; **nicht f.** non-revenue
Fiskalismus *m* fiscalism
Fiskal|jahr *nt* fiscal year; **F.lasten** *pl* fiscal charges
Fiskalpolitik *f* fiscal/financial/tax policy; **antizyklische/kompensatorische F.** compensatory finance/fiscal policy; **expansive F.** expansionary fiscal policy
Fiskal|wesen *nt* fiscal/taxation/tax system; **F.zoll** *m* revenue-raising duty
Fiskus *m* 1. revenue (department), fiscal/financial administration, internal revenue, Treasury *[GB]*, Exchequer *[GB]*; 2. fisc *(obs.)*; **an den F. abführen** to pay to the Exchequer/Treasury; **~ fallen** § to revert by escheat; **dem F. ein Schnippchen schlagen** to beat the taxman
jdn unter seine Fittiche nehmen *(fig)* to take so. under one's wing *(fig)*
fix *adj* 1. fixed, set, firm; 2. *(Kosten)* non-variable; 3. *(schnell)* quick; **f. und fertig** 1. completed, finished, cut and dried; 2. *(erschöpft)* half-dead
Fixauftrag *m* firm order
Fixen *nt* shortselling, selling short; **f.** *v/t (Börse)* to sell short, to (sell a) bear
Fixer *m* *(Börse)* short(seller), bear (seller)
Fixgeschäft *nt* 1. firm deal/bargain; 2. *(Börse)* short sale, time bargain, fixed date purchase; **F.e** *(Börse)* shortselling, time bargains, fixed-date purchases; **F. und Deckungskauf am gleichen Tag** day trading
fixieren *v/t* to settle/fix; **schriftlich f.** to put/set down in writing, to reduce to writing
Fixiermittel *nt* fixing agent
fixiert *adj* pre-arranged
Fixierung *f* fixation, stipulation, specification
Fixigkeit *f* brightness, agility, speed
Fixing *nt* fixing; **F.preis** *m* fixing level
Fix|kauf *m* time purchase, future(s) deal; **F.klausel** *f* fixed-date clause
Fixkosten *pl* 1. fixed cost(s), overheads, period charges/cost(s)/expenses, standby costs; 2. unavoidable/time/committed/constant/capacity/volume/non-variable cost(s); 3. ready-to-serve cost(s); **durchschnittliche F.** average fixed cost(s); **nicht teilbare F.** joint fixed cost(s)
Fixkosten|abbau *m* slashing of fixed cost(s); **F.bestandteil** *m* fixed-cost component; **F.block** *m* pool of fixed cost(s); **F.koeffizient** *m* fixed-cost ratio; **F.senkung** *f* overhead(s) reduction; **F.umlage** *f* fixed-cost allocation
Fix|kurs *m* fixing level; **F.punkt** *m* benchmark, fixed point; **F.summenspiel** *nt* constant sum game; **F.termin** *m* fixed/firm date
Fixum *nt* fixed allowance/commission, basic salary/fee
Fix|verkauf *m* fixed-date sale; **F.wertprinzip** *nt* lower-of-cost-or-market rule as fixed value
flach *adj* 1. flat(-type), level, even, plane; 2. *(Wasser)* shallow
Flach|ablage *f* horizontal filing; **F.bau** *m* low building; **F.bauweise** *f* low style of building; **F.bildschirm** *m* flat screen; **F.container** *m* flat container; **F.dach** *nt* flat roof; **F.druck** *m* level printing, planograph; **F.druckverfahren** *nt* planography
Fläche *f* 1. area, plane, stretch; 2. surface, superficial area
bebaute Fläche 1. built-up area; 2. area under crops/cultivation; **bestellte F.** seeded acreage; **forstwirtschaftliche F.** forestry area/land; **freie F.** open space; **gewerblich genutzte F.** industrial space/land; **gewerbliche F.** *(Innenraum)* industrial floor space; **landwirtschaftliche F.** agricultural land; **landwirtschaftlich nutzbare F.** farm land; **öde F.** wasteland; **verfügbare F.** available land; **zusammengelegte F.** consolidated area
Flächen|angebot *nt* land supply; **F.anspruch/F.bedarf** *m* space/land requirement(s), requirements of (floor) space; **F.aufteilung** *f* zoning; **F.ausdehnung** *f* surface area; **F.aussperrung** *f* area-wide lockout; **F.beanspruchung** *f* land use; **F.bedarfsermittlung** *f* area calculation; **F.berechnung** *f* planimetry; **F.bevorratung** *f* 1. land hoarding/reserves; 2. stocking of land; **f.bezogen** *adj* site-specific; **F.blitz** *m* sheet lightning; **F.brand** *m* conflagration; **f.deckend** *adj* area-wide, region-wide; **F.deckung** *f* area-wide coverage; **F.diagramm** *nt* area diagram; **F.druck** *m* relief printing; **F.einheit** *f* square unit; **F.engpass** *m* shortage of land, land bottleneck; **F.ertrag** *m* yield per unit of area; **F.heizung** *f* panel heating; **F.inanspruchnahme** *f* land use/development, space utilization; **F.inhalt** *m* 1. acreage; 2. floor space; **f.intensiv** *adj* land-intensive; **F.maß** *nt* square/superficial measure
Flächennutzung *f* 1. *(Raum)* space utilization; 2. *(Boden)* land utilization, land use/development; **F. für gewerbliche Tätigkeit** land use for industrial purposes, industrial land use
Flächennutzungs|gesetz *nt* Town and Country Planning Act *[GB]*, zoning law *[US]*; **F.plan** *m* 1. municipal development plan, local/development plan, planning purposes map; 2. zoning law *[US]*, zoning plan/ordinance; 3. country/town map; **~ ändern** to rezone; **F.planung** *f* land zoning; **F.verordnung** *f* (general) development order *[GB]*, zoning law *[US]*
Flächen|politik *f* land policy; **F.potenzial** *nt* available land; **F.produktivität** *f* productivity per unit of area; **F.sanierung** *f* area redevelopment; **F.staat** *m* territorial state; **F.stichprobe** *f* area sample; **F.stichprobenverfahren** *nt* area sampling
Flächenstilllegung *f* *[EU]* set-aside (scheme); **F.sprämie** *f* set-aside compensation payment; **F.sprogramm** *nt* acreage reduction/set-aside scheme
Flächen|streik *m* area-wide strike; **F.tarifverhandlungen** *pl* national bargaining; **F.tarifvertrag** *m* area-wide national/industry-wide wage agreement; **F.umwidmung** *f* rezoning; **F.verbrauch** *m* land use; **F.vorrat** *m* land bank; **F.wert** *m* site value; **F.widmungsplan** *m* zoning plan; **F.winkel** *m* plane angle; **F.zuschnitt** *m* zoning
Flach|erzeugnisse *pl* *(Stahl)* flats; **f.fallen** *v/i* to come to nothing, to end; **F.glas** *nt* sheet/plate glass; **F.glasmarkt** *m* flat glass market; **F.heit** *f* flatness
flächig *adj* flat
Flach|land *nt* plain, lowland, flat country; **F.palette**

flat pallet; **F.produkt** *nt* flat product; **F.registratur** *f* horizontal files, ~ filing system

lachs *m* flax; **F.(an)bau** *m* flax growing

lach|stahl *f* flats, flat steel; **F.vervielfältiger** *m* flat duplicator; **F.wagen** *m* flat/platform car, flat wag(g)on; ~ **für den Huckepackverkehr** piggyback flat car

lackern *v/i* to flicker

lagge *f* 1. flag; 2. ensign, colours; **F. der britischen Handelsmarine** Red Ensign

lagge aushängen to put out the flag; **F. dippen** to dip the flag; **F. einziehen** to haul down the flag; **F. entrollen** to unfurl a flag; **unter einer F. fahren; F. führen** to fly a flag; **F. hissen** to hoist a flag, to run up a flag, to show one's colours; **F. niederholen/streichen** to haul down/lower the flag; **unter falscher F. segeln** to sail under false colours; **F. auf Halbmast setzen** to fly the flag at half-mast; **F. zeigen** to show one's flag/colours, to display one's flag

illige Flagge ⚓ flag of convenience/necessity; **unter falscher F.** under false colours

laggen *v/i* to fly a/the flag; **halbmast f.** to half-mast a flag

laggen|attest *nt* ⚓ certificate of registry; **F.buch** *nt* ⚓ flag book; **F.diskriminierung** *f* ⚓ flag discrimination; **F.führung** *f* flying a flag; **F.gruß** *m* flag salute; **F.mast** *m* flagstaff; **F.missbrauch** *m* abuse of a flag; **F.protektionismus** *m* flag protectionism; **F.recht** *nt* flag law; **F.rechte** ⚓ flag rights; **F.signal/F.zeichen** *nt* flag signal; **F.staat** *m* flag state; **F.statistik** *f* ⚓ nationality statistics

laggschiff *nt* flagship, flag vessel

n flagranti 1. red-handed; 2. [§] in the act, flagrante delicto *(lat.)*

lamme *f* flame; **in F.n** ablaze, on fire; ~ **stehen** to be ablaze, ~ on fire; **F.nsog** *m* vortex of flames

lammpunkt *m* flashpoint

lanke *f* flank; **F.nschutz** *m* flank protection

lankieren *v/t* to flank/support/accompany

lasche *f* bottle; **in F.n abgefüllt** bottled; **auf F.n abfüllen/ziehen** to bottle

laschen|abfüllung/F.abzug *f/m* bottling; **F.bier** *nt* bottled beer; **F.gas** *nt* cylinder gas; **F.gestell** *nt* bottle rack; **F.hals** *m* bottleneck, neck of a bottle; **F.milch** *f* bottled milk; **F.öffner** *m* bottle opener; **F.pfand** *nt* (bottle) deposit; **mit F.pfand** returnable; **F.wein** *m* bottled wine; **f.weise** *adv* by the bottle; **F.zug** *m* pulley (block), lifting jack

atter|haft *adj* volatile; **F.satz** *m* ragged copy

au *adj* *(Börse/Geschäft)* quiet, flat, slack, weak, dull, depressed, sluggish, stale, stagnant, dead, inactive, dragging, gloomy, at a low ebb; **f. gehen** to drag; **f. sein** to stagnate; **f. werden** to slacken; **F.heit** *f* dullness

laute *f* flatness, weakness, dullness, depression, stagnation, slack(ness), sluggishness, lull, slump, dip, doldrums, stagnancy, slack period; **in der F.** in the doldrums; **F. auf dem Bausektor** construction industry depression; ~ **Immobilienmarkt** property slump; **in der F. stecken** to be in the doldrums; **F. überwinden** to sail out of the doldrums; **jahreszeitlich bedingte F.** seasonal slack; **geschäftliche F.** sluggishness of the market/business; **konjunkturelle F.** cyclical depression, economic downturn/recession/slowdown, sluggish economy, sluggish state of the economy; **wirtschaftliche F.** economic depression; **F.jahr** *nt* year of depression

Fleck *m* 1. stain, spot, blot, discoloration; 2. *(Ruf)* blemish, taint; **F. auf der weißen Weste haben** *(coll)* to have blotted one's copybook *(coll)*; **vom F. kommen** *(Verhandlungen)* to make progress; **nicht ~ kommen** to be bogged down, to mark time, to get nowhere; **sich nicht ~ rühren** to stay put

Flecken *m* *(Ort)* hamlet; **f.los** *adj* spotless, unmarked

Fleckfieber *nt* spotted fever

flehen *v/i* to implore/beg; **f.d/f.tlich** *adj* appealing, imploring

Fleisch *nt* 1. *(essbar)* meat; 2. flesh; **sein eigenes F. und Blut** one's own flesh and blood, kith and kin; **sich ins eigene F. schneiden** *(coll)* to cut off one's nose to spite one's face *(coll)*; **jdm in F. und Blut übergehen** to become second nature for/with so.

Fleisch|abteilung *f* meat department; **F.anfall** *m* meat supply

Fleischbeschau *f* meat inspection; **F.er** *m* meat inspector; **F.gebühren** *pl* meat inspection charges

Fleischer *m* butcher; **F.ei/F.laden** *f/m* butcher's shop *[GB]*, meat store *[US]*; **F.handwerk** *nt* butcher's trade, butchery; **F.innung** *f* butchers' guild

fleisch|fressend *adj* carnivore, carnivorous; **F.gericht** *nt* meat dish; **F.konserve** *f* meat preserve, tinned *[GB]*/canned *[US]* meat; **F.präparate/F.produkte** *pl* meat preparations; **f.verarbeitend** *adj* meat-processing; **F.- und Wurstwaren** *pl* meat products; **F.warenindustrie/F.wirtschaft** *f* meat industry; **F.wunde** *f* laceration

Fleiß *m* activity, diligence; **ohne F. kein Preis** *(prov.)* success never comes easily; **f.ig** *adj* diligent, hardworking, industrious

flexibel *adj* 1. flexible, versatile; 2. variable, adjustable; 3. *(Zins)* floating

Flexibilität *f* flexibility, adjustability; **umweltbezogene F.** external flexibility; **unternehmensinterne F.** internal flexibility

Flickarbeit(en) *f/pl* 1. mending; 2. patchwork

Flicken *m* patch; **f.** *v/t* to patch (up), to mend

Flick|schneider *m* jobbing tailor; **F.schuster** *m* cobbler; **F.schusterei/F.werk** *f/nt (fig)* patchwork *(fig)*; **F.stelle** *f* mend; **F.wort** *nt* expletive

fliegen *v/i* 1. ✈ to fly, to go by plane/air, to travel by air; 2. *(entlassen werden)* to be fired/sacked; 3. *(Strecke/Zeit)* ✈ to log; **f.d** *adj* flying

Fliegen|falle/F.fänger *f/m* flycatcher, fly-paper; **F.gitter** *nt* fly screen, wire mesh; **F.schrank** *m* meat safe

Flieger *m* ✈ flyer, aviator, airman; **F.alarm** *m* air raid warning; **F.anzug** *m* flying suit

Fliegerei *f* flying, aviation

Flieger|notsignal *nt* aircraft distress signal; **F.schule** *f* flying school; **F.zulage** *f* flying allowance

fliehen *v/i* 1. to flee; 2. to escape/defect/abscond
Fliehkraft *f* centrifugal force
Fliese *f* tile; **F.n legen** to tile, to lay tiles; **f.n** *v/t* to tile; **F.nleger** *m* tiler, tile-setter *[US]*
Fließarbeit *f* assembly line work, continuous sequence of operations, standardized (mass) production, progressive operations
Fließband *nt* assembly/production line, conveyor/assembly belt, band conveyor; **am F. arbeiten** to work on the assembly/production line; **F. verlassen** to come off the assembly line
Fließband|abgleich/F.abstimmung *m/f* assembly line balancing; **F.arbeit** *f* assembly line work, conveyor belt work; **F.arbeiter(in)** *m/f* assembly line worker; **F.arbeitsplatz** *m* screwdriver job *(coll)*; **optimale F.belegung** assembly line balancing; **F.fertigung/F.montage/F.produktion** *f* assembly line production, flow/continuous/belt production, conveyor line/belt production, flow system, progressive assembly; **F.system/F.verfahren** *nt* conveyor belt system; **F.station** *f* assembly station; **F.verarbeitung** *f* pipelining
Fließ|bild *nt* flow sheet; **F.diagramm** *nt* flow chart
fließen *v/i* to flow; **f.d** *adj* 1. fluent, flowing; 2. *(Wasser)* on tap
Fließ|fertigung *f* assembly line production, flow(-line)/serial/standardized/repetitive/process production, progressive assembly/operations, flow shop, continuous process; **F.gleichgewicht** *nt* steady state; **F.inselfertigung** *f* continuous group manufacturing; **F.komma** *nt* floating point; **F.papier** *nt* absorbent paper; **F.prinzip** *nt* continuous production principle, flow-shop principle; **F.straße** *f* assembly/production line; **F.text** *m* continuous text, body copy; **F.verfahren** *nt* flow process; **F.zustand** *m* state of flux
flimmern *v/i* to flicker
flink *adj* agile, nimble, expeditious, zippy, alert
Flinte *f* shotgun, rifle; **F. ins Korn werfen** *(coll)* to throw the sponge *(coll)*
Flipflop *nt* flipflop
Float *m* float
Floaten *nt* float(ing); **F. ohne Staatsintervention** clean floating; **gesteuertes F.** controlled float(ing); **sauberes F.** clean float(ing); **schmutziges F.** dirty/uncontrolled/filthy float(ing); **zeitweiliges F.** temporary float(ing); **f.** *v/ti* to float
Floatgewinn *m* profit from floating exchange rates
Floating *nt* → **Floaten**
Flocke *f* flake
Floh *m* flea; **F.markt** *m* jumble sale, flea market
Flop *m* non-starter, flop; **F.rate** *f* flop/failure rate
Flora *f* flora
(St.) Florianspolitik *f* beggar-my-neighbour policy
florieren *v/i* to prosper/flourish/boom/thrive; **f.d** *adj* booming, prosperous, flourishing, thriving
Floskel *f* (set) phrase
Floß *nt* raft
Flosse *f* fin
Flößer *m* raftsman
flöten gehen *v/i* *(coll)* to go down the drain *(coll)*

flott *adj* 1. brisk, fast, speedy, zippy; 2. ⚓ always afloa
flottant *adj* floating, non-permanent
Flotte *f* 1. fleet, navy; 2. /*(Fahrzeuge)* pool, flee **fahrende F.** working fleet
Flotten|- naval; **F.abkommen** *nt* naval agreemen **F.gericht** *nt* naval court; **F.rabatt** *m (Autovers.)* poo rebate; **F.stützpunkt** *m* naval base; **F.vergrößerung** *f* fleet expansion; **F.vertrag** *m* naval treaty/agreement
flottgehend *adj* flourishing, thriving
flottieren *v/i* to float
Flotille *f* flotilla
(wieder) flottmachen *v/t* 1. ⚓ to refloat; 2. *(Unternehmen)* to put on its feet again
Flöz *nt* seam, reef, coalface
Flucht *f* flight, escape, getaway, defection; **auf der F** on the run; **F. aus dem Dollar** dollar flight; **F. in di Sachwerte** flight into real assets; **F. aus eine Währung** flight from a currency
Flucht nach vorn antreten *(coll)* to take the bull by th horns *(coll)*; **jds F. begünstigen** to aid so.'s escape; **F ergreifen** 1. to take to one's heels; 2. to turn tail; **in di F. schlagen** to put to rout/flight; **auf der F. sein** to b on the run; **jdm zur F. verhelfen** to help so. escape
panikartige/wilde Flucht headlong flight, stampede
flucht|artig *adj* hasty, hurried, headlong; **F.auto** *n* getaway car
flüchten *v/i* to flee/escape/abscond
Flucht|gefahr *f* danger of escape/absconding, risk c flight; **F.geld** *nt* runaway/refuge capital, hot/fun money; **F.geldströme** *pl* hot money flows; **F.helfer** *r* escape agent; **F.hilfe** *f* [§] aiding and abetting an escap
flüchtig *adj* 1. *(Person)* fugitive, on the run, at large, ur apprehended; 2. *(oberflächlich)* superficial, perfunc tory, slapdash; 3. *(kurz)* cursory, brief, quick; 4. *(kurz lebig)* short-lived, passing; **f. sein** to have absconded, t be on the run; **f. werden** to abscond
Flüchtigkeit *f* superficiality, carelessness; **F.sfehler** *r* careless mistake, slip(-up), oversight
Fluchtkapital *nt* hot money, flight/runaway capital
Flüchtling *m* 1. refugee, expellee; 2. fugitive, runawa **politischer F.** political refugee/emigré
Flüchtlings|hilfe *f* refugee relief; **F.kommissar** *m (UN* United Nations High Commissioner for Refugees **F.lager** *nt* refugee camp; **F.siedlung** *f* refugee settle ment/colony
Fluchtlinie *f* building line, alingement; **F.nbestim mungen** *pl* zoning regulations; **F.nplan** *m* zoning ord nance; **F.ntafel** *f* alignment chart
Flucht|route *f* escape route; **F.verdacht** *m* suspicion c flight/absconding; **f.verdächtig** *adj* suspected of ir tending to abscond; **F.versuch** *m* attempted escape, a tempt to escape/abscond; **F.weg** *m* escape route
Flug *m* ✈ flight; **F. ohne Zwischenlandung** non-sto flight; **F. antreten** to embark on a flight; **F. aufrufen** t call a flight; **F. buchen** to book a flight; **F. storniere** to cancel a a flight; **einfacher F.** single flight; **plan mäßiger F.** scheduled/regular flight
Flug|abfertigung *f* flight handling, handling of flight

F.ablaufplan *m* flight plan; **F.abschnitt** *m* flight coupon; **F.anschluss** *m* flight connection; **F.anweisung** *f* flight instructions; **F.asche** *f* flying ashes, flue ash; **F.aufnahme** *f* aerial photograph; **F.bahn** *f* 1. ✈ flight path; 2. *(Rakete)* trajectory; 3. *(Satellit)* orbit; **F.bedingungen** *pl* flying conditions; **F.begleiter(in)** *m/f* steward(ess), air hostess, flight attendant; **F.begleitpersonal** *nt* cabin crew, flight attendants; **F.benzin** *nt* aviation fuel, kerosene; **f.bereit** *adj* ready for takeoff; **F.betrieb** *m* air traffic, airline operations; **F.bewegung** *f* aircraft/flight movement; **F.blatt** *nt* leaflet, handbill, flier *[US]*, flysheet; **F.blattaktion** *f* leafletting campaign; **F.boot** *nt* flying boat, seaplane; **F.brücke** *f* landing stage; **F.buch** *nt* logbook; **F.datenschreiber** *m* flight recorder; **F.dauer** *f* duration of flight; **F.deck** *nt* flying deck; **F.dienst** *m* air/airline service; **F.dienste über den Atlantik** transatlantic (air) services; **F.drehscheibe** *f* hub airport; **F.eigenschaften** *pl* flying qualities

Flügel *m* 1. ✈/🏛 wing; 2. 🏛 annex; **jdm die F. stutzen** *(coll)* to clip so.'s wings *(coll)*; **linker F.** left wing; **rechter F.** right wing

flügel|lahm *adj* 1. *(coll)* lame; 2. *(Unternehmen)* ailing; **F.schraube** *f* ⚙ butterfly nut; **F.spanne** *f* ✈ wing span; **F.tür** *f* folding door

Flug|entfernung *f* flying/air distance; **F.erfahrung** *f* flying experience; **f.erprobt** *adj* flight-tested; **F.erprobung** *f* flight test; **F.etappe** *f* flight stage; **f.fähig** *adj* airworthy; **F.fähigkeit** *f* airworthyness; **F.frequenz** *f* frequency of flights; **F.funk** *m* air radio; **F.feld** *nt* airfield, aerodrome, airstrip

Fluggast *m* (air) passenger, airline customer; **F. auf der Warteliste** standby passenger; **nicht erschienener F.** no-show

Fluggast|abfertigung/F.annahme *f* 1. check-in; 2. passenger handling; **F.abfertigungsgebäude** *nt* air terminal; **F.aufkommen** *nt* passenger figures, number of passengers carried; **F.gebühr** *f* passenger service charge; **F.kapazität** *f* passenger capacity; **F.kilometer** *m* air passenger kilometre; **F.kontrolle** *f* airport security check; **F.meile** *f* air passenger mile; **F.verkehr** *m* air passenger transport; **F.versicherung** *f* air passenger insurance

flügge *adj* fully fledged

Flug|gelände *nt* airfiled; **F.gepäck** *nt* passenger luggage *[GB]*/baggage *[US]*; **F.gepäcksabschnitt** *m* baggage check; **F.gerät** *nt* aircraft; **F.geräusch** *nt* aircraft noise; **F.geschwindigkeit** *f* air/cruising/flying speed

Fluggesellschaft *f* airline, airways, (air) carrier; **fahrplanmäßig(e) (verkehrende) F.** scheduled airline; **nicht ~ verkehrende F.** non-scheduled airline; **nationale F.** flag carrier (airline); **staatliche F.** state-owned airline

Fluggewicht *nt* flying/all-up weight

Flughafen *m* airport, aerodrome; **frei F.** free airport

Flughafen|abfertigungsgebäude *nt* air(port) terminal; **F.ausbau** *m* airport expansion/development; **F.bau** *m* airport construction; **F.befeuerung** *f* airport lights; **F.bus** *m* airport bus/shuttle; **F.feuerwehr** *f* airport fire fighting service; **F.gebäude** *nt* air(port) terminal; **F.gebühr** *f* airport (service) charge, ~ tax; **F.gelände** *nt* airport grounds/premises; **F.hotel** *nt* airport hotel, airtel; **F.nähe** *f* airport proximity; **F.polizei** *f* airport police; **F.restaurant** *nt* airport restaurant; **F.steuer** *f* airport tax; **F.zollstelle** *f* airport customs office; **F.zubringer** *m* airport access road, ~ feeder

Flug|handbuch *nt* flight manual; **F.höhe** *f* (cruising) altitude, flying height; **F.ingenieur** *m* air/flight engineer; **F.instrumente** *pl* flying instruments; **F.kanzel** *f* cockpit; **F.kapitän** *m* captain (of the aircraft)

Flugkarte *f* air(line)/passenger ticket; **F. lösen** to book/buy a ticket; **F.nbestellung** *f* air booking

Flug|kilometer *m* passenger mile/kilometre; **f.klar** *adj* ready for takeoff; **F.körper** *m* flying object; **unbekannter F.körper** unidentified flying object (UFO); **F.korridor** *m* air corridor; **F.kosten** *pl* air fare(s); **F.krankheit** *f* airsickness; **F.lärm** *m* aircraft noise; **F.lehrer** *m* flight instructor; **F.leistung** *f* flying record/performance; **F.leitung** *f* 1. flight control; 2. air traffic control

Fluglinie *f* 1. airline; 2. air route; 3. *(Rakete/Geschoss)* trajectory; **F. abstecken** to chart a route; **festgelegte F.** air corridor; **F.nantrag** *m* air route application; **F.nlizenz** *f* air carrier permit; **F.nverkehr** *m* airline traffic

Flug|lotse *m* air traffic controller; **F.maschine** *f* flying machine; **F.mechaniker** *m* aircraft mechanic; **F.meile** *f* passenger mil(e)age/mile; **F.meldezentrale** *f* filter centre; **F.modell** *nt* flying model; **F.motor** *m* aircraft/aero engine; **F.motorenhersteller** *m* aircraft/aero engine maker; **F.navigation** *f* air navigation; **F.netz** *nt* air network, net of air routes; **F.nummer** *f* flight number; **F.passagier** *m* air/flight passenger; **F.-pauschalreise** *f* air (charter) package tour; **F.personal** *nt* air staff, flying personnel, cabin crew; **F.plan** *m* flight timetable *[GB]*, flying schedule *[US]*; **F.platz** *m* aerodrome *[GB]*, airfield, airport, airdrome *[US]*; **F.post** *f* air mail; **F.praxis** *f* flying experience; **F.preis** *m* (air) fare; **F.preiserhöhung** *f* air fare rise/increase; **F.prüfung** *f* flying examination; **F.radius** *m* flying range

Flugreise *f* air tour/travel, plane trip, journey by air; **F.büro** *nt* air travel agency; **F.nde(r)** *f/m* air passenger/traveller; **F.veranstalter** *m* air tour operator; **F.versicherung** *f* air travel insurance

Flug|reservierung *f* flight reservation; **F.richtung** *f* course; **F.route** *f* air route/lane, flight path; **~ abstecken** to chart a route; **F.sand** *m* drifting sand; **F.schau** *f* air show

Flugschein *m* (flight/air(line)/plane) ticket, flight coupon; **F.ausgabe/F.ausstellung** *f* ticketing; **F.gebühr** *f* *(Zuschlag)* flight ticket tax/surcharge; **grauer F.-markt** market for bucket-shop air tickets; **F.verkaufsstelle** *f* airline ticket centre *[GB]*/center *[US]*

Flug|schneise *f* flying lane, air corridor, flight path; **F.schreiber** *m* flight recorder, black box *(coll)*; **F.schrift** *f* pamphlet; **F.schule** *f* flying school; **F.schüler(in)** *m/f* trainee pilot

Flugsicherheit *f* air safety; **F.sbehörde** *f* civil aeronautics board; **F.sdienst** *m* air traffic control (service)

Flugsicherung *f* air traffic control; **F.sdienst** *m* air traffic control (service); **F.spersonal** *nt* air traffic control staff; **F.sturm** *m* control tower; **F.szentrale** *f* air traffic control centre

Flug|sicht *f* flight visibility; **F.speditionsvertreter** *m* ramp agent; **F.staub** *m* flue dust; **F.steig** *m* 1. (departure) gate; 2. airbridge; **F.steigkarte** *f* boarding card/ticket; **F.stornierung** *f* flight cancellation; **F.straße** *f* airway, air corridor; **F.strecke** *f* flight, air route; **F.stunde** *f* flying hour; **F.stützpunkt** *m* air base

flugtauglich *adj* 1. airworthy; 2. fit to fly; **F.keit** *f* airworthiness; **F.keitsbescheinigung/-zeugnis** *f/nt* certificate of airworthiness

Flug|taxi *nt* air taxi; **F.technik** *f* 1. aviation; 2. aeronautics; 3. aircraft engineering; **F.techniker** *m* aircraft mechanic/engineer; **f.technisch** *adj* aeronautical; **F.termin** *m* flight date; **F.test** *m* flight test; **F.ticket** *nt* flight/plane ticket; **F.tourismus/F.touristik** *m/f* air travel/tourism; **F.tourist** *m* air tourist, tourist air passenger; **f.tüchtig** *adj* airworthy; **F.tüchtigkeit** *f* airworthiness; **F.überwachung** *f* air traffic control; **F.überwachungsinstrumente** *pl* flying instruments; **F.unfall** *m* air travel/flying accident; **F.unfallentschädigung** *f* air accident compensation; **F.unterbrechung** *f* stopover; **F.unterricht** *m* flying lesson(s); **f.untüchtig** *adj* unairworthy; **F.verbindung** *f* 1. air link/route/connection; 2. *(Anschluss)* connecting flight; **F.verbot** *nt* flying ban

Flugverkehr *m* air traffic; **F.sgesellschaft** *f* airline; **F.slinie** *f* 1. airline; 2. air route; **F.snetz** *nt* airline network, network of air routes; **F.svorschriften** *pl* air traffic regulations

Flug|versicherung *f* flight insurance; **F.vorführung** *f* air display; **F.warte** *f* aeronautical weather station; **F.weg** *m* flight path; **F.wesen** *nt* aviation; **F.wetter** *nt* flying weather; **F.zeit** *f* flying time

Flugzeug *nt* aeroplane, aircraft, (air)plane; **mit dem/per F.** by air/plane; **F. für die Touristenklasse** air coach; **frei F.** free on aircraft

Flugzeug abfertigen to handle a flight; **mit dem F. befördern** to send/ship by air; **F. besteigen; in ein F. einsteigen** to board a plane, ~ an aircraft; **F. entführen/kapern** to hi(gh)jack a plane; **F. fliegen/steuern** to pilot/fly a plane; **mit dem/per F. reisen** to go/travel by air; **aus dem F. springen** *(mit Fallschirm)* to bail out

im Linienverkehr eingesetztes Flugzeug commercial airliner; **unverkauftes F.** white tail (aeroplane)

Flugzeug|abfertigung *f* ground handling; **F.absturz** *m* plane/air crash; **F.aktien** *pl (Börse)* aircrafts, aviation shares *[GB]*/stocks *[US]*; **F.anschluss** *m* connecting plane/flight; **F.aufnahme** *f* aerial view; **F.auftrag** *m* aircraft contract; **F.bau** *m* aircraft construction; **F.bauer** *m* aircraft manufacturer, plane maker; **F.behälter** *m* air container; **F.benzin** *nt* aviation fuel; **F.besatzung** *f* (air/flight) crew; **F.entführer** *m* hi(gh)jacker, skyjacker; **F.entführung** *f* hi(gh)jacking, sky-jack(ing); **F.fabrik** *f* aircraft factory; **F.fahrgestell** *nt* landing gear, undercarriage; **F.firma** *f* aircraft company; **F.flotte** *f* aircraft fleet; **F.frachtbrief** *m* air waybill

Flugzeugführer(in) *m/f* pilot, aviator; **F.schein** *m* pilot's licence; **F.stand** *m* cockpit

Flugzeug|halle *f* hangar; **F.hersteller** *m* aircraft manufacturer, plane maker; **F.herstellung** *f* aircraft manufacture/production, plane making; **F.industrie** *f* aircraft/aviation industry, aircraft-making industry; **F.ingenieur** *m* 1. *(Besatzung)* flight engineer; 2. aeronautical engineer; **F.kapazität** *f* aircraft capacity; **F.kaskoversicherung** *f* aircraft hull insurance; **F.katastrophe** *f* air disaster/crash; **F.konstrukteur** *m* aircraft designer; **F.ladung** *f* plane load; **F.leasingfonds** *m* aircraft leasing fund; **F.markt** *m* aircraft market; **F.mechaniker/F.monteur** *m* aircraft mechanic, aeromechanic; **F.mieter** *m* (aircraft) charterer; **F.modell** *nt* model plane; **F.motor** *m* aero engine; **F.park** *m* aircraft fleet; **F.passagier** *m* air passenger; **F.personal** *nt* flightdeck crew; **F.produktion** *f* aircraft production/manufacture; **F.propeller** *m* airscrew, propeller; **F.reparatur** *f* aircraft repair; **F.rumpf** *m* fuselage, body of an airplane, aviation/aircraft hull; **F.schuppen** *m* hangar; **F.start** *m* takeoff; **F.träger** *m* aircraft carrier; **F.treibstoff** *m* aviation fuel/spirit; **F.trümmer** *pl* wreckage of a plane; **F.unfall/F.unglück** *m/nt* plane crash/accident, air catastrophe; **F.versicherer/F.versicherungsgesellschaft** *m/f* aviation insurer/underwriter; **F.versicherung** *f* aviation insurance; **F.wart** *m* aircraft mechanic; **F.wartung** *f* aircraft maintenance; **F.werte** *pl (Börse)* aircrafts, aviation shares*[GB]*/stocks*[US]*; **F.wrack** *nt* wreckage of a plane

Flug|ziel *nt* destination; **F.zustand** *m* flying condition

Fluidum *nt* atmosphere, aura

Fluktuation *f* 1. fluctuation, flow; 2. *(Arbeitskräfte)* (labour/employee/manpower) turnover, natural wastage, quit rate; 3. *(Währung)* swing; **natürliche F.** *(Personal)* natural wastage

Fluktuations|abgang *m* attrition, natural wastage, loss of workers due to turnover; **F.analyse** *f* analysis of fluctuation, ~ labour turnover; **F.arbeitslosigkeit** *f* frictional/casual unemployment; **f.bedingt** *adj* frictional, fluctuation-induced; **F.bestand** *m* (level of) frictional unemployment; **F.ersatz** *m* replacements, **F.grenze** *f* fluctuation limit; **F.kennzahl/F.quote/F.rate** *f (Personal)* turnover level, (labour/net) turnover rate, rate of fluctuation; **F.reserve** *f* fluctuation reserve

fluktuieren *v/i* to fluctuate/flow; **f.d** *adj* floating

Fluorchlorkohlenwasserstoff (FCKW) *m* chlorofluorocarbon (CFC)

Flur *f* farm land, field; *m* hall; **allein auf weiter F.** quite alone

Flurbereinigung *f* (farm)land consolidation, reparcelling of land, consolidation of (fragmental) holdings, reallocation of land, shake-out; **F.samt** *nt* (farm)land consolidation authority; **F.sgericht** *nt* (farm)land consolidation tribunal; **F.splan** *m* (farm)land consolidation plan; **F.sverfahren** *nt* (farm)land consolidation proceedings

Flur|buch *nt* cadastral map, lot book; **F.fördergerät** *nt* ground conveying equipment; **F.förderzeuge** *pl* industrial trucks; **F.karte** *f* field map; **F.schaden** *m* field damage; **F.streifen** *m* strip of land; **F.stück** *nt* 1. plot, lot; 2. *(Grundbuch)* title number; **F.zersplitterung** *f* subdivision of agricultural units, splitting up of farm units; **F.zwang** *m* compulsory cultivation/rotation, open-field system

Fluss *m* 1. river, stream; 2. flow; **am F. gelegen** riverine; **in F. kommen** *(Unterhaltung)* to warm up; **~ sein** to be in (a state of) flux; **nicht homogene Flüsse** multi-commodity flows; **kostenminimaler F.** *(OR)* minimal cost flow; **schiffbarer F.** navigable river

flusslab(wärts) *adv* downstream; **F.ablagerung** *f* river deposit(s); **F.anlieger** *m* riparian, riverain; **F.arm** *m* branch/arm of a river; **f.aufwärts** *adv* upstream; **F.behörde** *f* river authority; **F.bett** *nt* river bed/basin; **F.bild/F.diagramm** *nt* flow chart/diagram, route diagram; **F.dampfer** *m* river steamer; **F.deich** *m* embankment; **F.fahrzeug** *nt* river craft

Flussfrachtlgeschäft *nt* inland waterway transportation; **F.gut** *nt* river freight; **F.satz** *m* river freight rate; **F.sendung** *f* inland waterway consignment

Flusslgraph *m* flow graph; **F.größe** *f* flow item; **F.grundstück** *nt* riverside property; **F.hafen** *m* river port

flüssig *adj* 1. liquid, fluid; 2. *(Verkehr)* flowing; 3. *(Lesen)* fluent; 4. uninterrupted; 5. *(Geldmittel) (coll)* afloat, available, cash-rich, cash flow positive *(coll)*; **nicht f.** illiquid, non-liquid; **f. machen** *(Kapital)* to realize/mobilize, to convert into cash; **f. sein** to be awash with money

Flüssigl- liquefied; **F.brennstoff** *m* liquid fuel; **F.gallone** *f* liquid gallon; **F.gas** *nt* liquefied (petroleum) gas (LPG)

Flüssigkeit *f* 1. liquid, fluid; 2. *(Geld)* liquidity, solvency, availability; **F. des Geldmarktes** money market liquidity; **F. - nicht kippen!** liquids - do not tilt; **ausgelaufene F.** spill

Flüssigkeitslbehälter/F.container *m* tank, liquid container; **F.druck** *m* hydraulic pressure; **F.erfordernisse** *pl* commercial standards of solvency; **F.getriebe** *nt* ✿ hydraulic transmission; **F.grad** *m* degree of liquidity; **F.koeffizient** *m (Zentralbank)* reserve ratio *[US]*; **F.maß** *nt* liquid measure; **F.menge** *f* amount of liquid; **F.pegel** *m* fluid level; **F.position** *f* liquid position; **F.verhältnis** *nt* acid test ratio, liquid assets ratio; **F.verlust (am Fass)** *m* ullage

Flüssigkristallbildschirm *m* 💻 liquid crystal display (LCD)

Flüssiglmachen *nt* liquidation, realization, mobilization; **f. m.** *v/t* to liquidate/realize/mobilize

Flusslkonnossement/F.ladeschein *nt/m* inland waterway bill of lading, river bill of lading, shipping note; **F.lauf** *m* river course; **F.linie** *f* flow line; **F.mitte** *f* middle of the river; **in der F.mitte** midstream; **F.mündung** *f* river mouth, estuary; **F.ordnung** *f* river regulations; **F.polizei** *f* river police, water guard; **F.regulierung** *f* river control; **F.risiko** *nt* river hazard; **F.schiff** *nt* (river) barge; **F.schifffahrt** *f* river navigation; **F.spediteur** *m* inland waterways carrier; **F.transport** *m* river transport, shipment by inland waterway; **F.übergang** *m* river crossing; **F.ufer** *nt* riverside, river bank; **F.verkehr** *m* river traffic; **F.verschmutzung** *f* river pollution; **F.versicherung** *f* river insurance

Flüsterlpropaganda *f* whispering campaign; **F.tüte** *f (coll)* loudhailer, megaphone

Flut *f* 1. flood; 2. incoming tide, (high) tide, tide water; 3. torrent, deluge; 4. *(Menge)* spate; **F. von Aufträgen** flood/rush of orders; **der F. Einhalt gebieten** *(fig)* to stem the tide *(fig)*; **F.becken** *nt* ⚓ wet dock

fluten *v/i* to flood

Flutlgebiet *nt* tidal waters; **F.hafen** *m* tidal harbour; **F.katastrophe** *f* flood disaster; **F.licht** *nt* floodlight(s); **F.linie/F.marke** *f* high-water mark, tide mark; **F.schleuse** *f* tide lock/gate; **F.welle** *f* tidal wave

FOA free on airplane, f.o.b. airport

FOB (frei an Bord) free on board, f.o.b.; **FOB-Geschäft** *nt* f.o.b. sale; **FOB-Kalkulation** *f* f.o.b. calculation; **FOB-Klausel** *f* f.o.b. clause; **FOB-Kosten** *pl* f.o.b charges; **FOB-Lieferung** *f* delivery f.o.b; **FOB-Preis** *m* f.o.b. price; **FOB-Schiff** *nt* f.o.b. vessel

Föderallismus *m* federalism; **f.istisch** *adj* federal, federalist

Föderatlion *f* federation; **f.iv** *adj* federative

Foetus *m* ⚕ f(o)etus

Föhn *m* föhn

Fokus *m* focus; **f.sieren** *v/ti* to focus; **F.sierungsstrategie** *f* focus strategy

Folge *f* 1. *(Ergebnis)* consequence, outcome, result, effect, impact, implication, aftermath; 2. series, sequel, part, instalment; 3. string; 4. succession, order

Folge von wechselseitigen Angeboten bargaining path; **~ Belegen** chain of documentation; **F. der Ereignisse** sequence of events/occurrences; **~ Inflation** impact of inflation; **F. eines Krieges** aftermath of war; **ununterbrochene F. von Testamentsvollstreckern** § chain of representation

den Folgeln begegnen to face the consequences/music *(coll)*; **in eine F. bringen** to sequence; **zur F. haben** to entail/involve/implicate, to result in, to lead to; **F. leisten** to obey, to comply with; **F.n auf sich nehmen; F.n tragen** to bear/take the consequences, to face the music *(coll)*; **F. sein von** to arise from, to be consequent on; **sich die F.n überlegen** to count the cost(s); **unangenehme F.n nach sich ziehen** to have unpleasant consequences

absehbare Folgeln predictable consequences; **absteigende F.** descending sequence; **arithmetische F.** π arithmetic sequence/progression; **aufsteigende F.** ascending order/sequence; **in dichter F.** in rapid succession; **geometrische F.** π geometric sequence/progression; **logische F.** corollary (of/to); **in loser F.** sporadically; **mittelbare F.** indirect consequence; **nachteilige F.** ill-effect; **neue F.** new series; **negative F.n** harmful consequences; **notwendige F.** logical consequence; **in rascher/schneller F.** in quick/rapid succession, hand over fist/hand; **rechtliche F.n** legal consequences; **in regelmäßiger F.** sequential; **schlimme F.n** dire/dreadful consequences; **schwerwiegende F.n** serious consequences; **unmittelbare F.** proximate consequence;

unvermeidliche F. necessary consequence; **wirtschaftliche F.** economic effect, commercial consequence; **in zwangloser F.** at irregular intervals

Folge|- consequential, resultant; **F.abschreibungen** *pl* depreciation in subsequent years; **F.adresse** *f* 🖳 sequence link; **F.analyse** *f* follow-up analysis; **F.angaben** *pl* sequential data; **F.arbeit** *f* subsequent processing; **F.arbeitsplatz** *m* knock-on job; **F.audit** *nt* follow-up audit; **F.aufnahme** *f* follow shot; **F.auftrag** *m* follow-up/subsequent order; **wiederholte F.ausbildung** recurrent education; **F.ausgaben** *pl* follow-up/subsequent expenditure; **F.betrieb** *m* 🖳 serial operation; **F.blatt** *nt* follow-up sheet; **F.brief** *m* follow-up letter; **F.diagramm** *nt* sequence chart; **F.einrichtung** *f* ancillary facility; **F.entscheidung** *f* sequential decision; **F.erscheinung** *f* corollary (of/to), sequel, result, after-effect, consequence; **F.erzeugnis** *nt* derived product; **F.fehler** *m* 🖳 sequence error; **F.geschäft** *nt* follow-up business; **F.investition** *f* follow-up/subsequent investment; **F.karte** *f* 🖳 trailer/continuation card; **F.kartenbeschriftung** *f* ▯ repetitive printing; **F.kontrolle** *f* sequence check/control; **F.kosten/F.last(en)** *pl/f* follow-up/resulting/resultant cost(s), on-costs, subsequent expenditure, back-end cash, consequential charges, ongoing maintenance charges; **F.leistung** *f* follow-up service; **F.leistungssektor** *m* non-basic sector; **F.liste** *f* follow-up list; **F.maßnahme** *f* follow-up action

folgen *v/i* 1. to ensue/result/follow; 2. to be sequential to/upon; 3. *(Anordnung)* to comply with; **f. auf** to succeed; **wie folgt** as follows

Folgenbeseitigungs|anspruch *m* claim to remedial action, ~ to nullify consequence(s); **F.urteil** *nt* judgment for remedial action

folgend *adj* following, subsequent, successive; **f. auf** attendant on/upon; **im F.en** herein(after); **f.ermaßen** *adv* as follows, thus

folgen|los *adj* ineffective, without consequences; **f.reich/f.schwer** *adj* far-reaching, momentous, weighty, serious, effective, consequential

Folge|prämie *f* *(Vers.)* renewal/subsequent premium; **F.problem** *nt* resultant problem; **F.produkt** *nt* derived product; **F.provision** *f (Vers.)* instalment commission; **F.prozess** *m* § successive action; **F.prüfung** *f* ▦ sequence check/control/analysis, sequential test; **F.recht** *nt* 1. right of stoppage in transitu *(lat.)*; 2. droit de suite *[frz.]*; **F.regelung** *f* 🖳 sequence control; **f.richtig** *adj* consistent, consequential, legitimate, logical; **F.richtigkeit** *f* consistency

folgern *v/t* to conclude/infer/deduce/gather

Folgerückversicherung *f* retrocession

Folgerung *f* conclusion, inference, implication, consequence, deduction; **F.en ziehen** to draw conclusions; **rechtliche F.en** conclusions of law

Folgerungs|- inferential

Folge|sachen *pl* § supplemental proceedings; **F.schaden** *m* consequential damage/loss, indirect/resulting loss, constructive damage; **F.schadensversicherung** *f* consequential loss insurance; **F.schätzung** *f* ▦ sequential damage; **F.spalte** *f* 🖳 continue column; **F.spur** *f* 🖳 overflow track; **F.stanzen** *nt* gang punching; **F.steuer** *f* equalization/follow-up tax; **F.steuerung** *f* 🖳 sequential control; **F.symbol** *nt* sequence symbol; **F.testverfahren** *nt* sequential analysis/sampling; **F.verarbeitung** *f* sequential scheduling; **F.verzug** *m* consequential delay; **f.widrig** *adj* inconsistent; **F.widrigkeit** *f* inconsistency; **F.wirkung** *f* consequential/knock-on effect; **F.zeile** *f* continuation line; **F.zeitverfahren** *nt* differential timing

folglich consequently, hence, accordingly, thus

Foliant *m* ▯ folio (volume)

Folie *f* 1. foil, film; 2. transparency; **f.nbeschichtet** *adj* laminated; **F.npackung** *f* blister pack

Folio|band *m* ▯ folio (volume); **F.blatt** *nt (Format)* folio; **F.format** *nt* folio (size); **F.spalte** *f* folio column

Folklore *f* folklore

Folter *f* torture; **auf die F. spannen** *(fig)* to tantalize, to keep (so.) on tenterhooks

foltern *v/t* to torture/torment

Folterung *f* torture; **F.sverhör** *nt* third-degree practices, interrogation with torture

Fonds *m* fund(s), investment fund, real property fund, trust

Fonds für unvorhergehene Ausgaben contingency fund; **F. einer Kapitalanlagegesellschaft** investment fund; **gemischter F. mit Lebensversicherungsdeckung** managed fund; **F. flüssiger/liquider Mittel** cash fund; **F. des Nettoumlaufvermögens** working capital fund; **F. mit unveränderlichem Portefeuille** fixed fund/trust; **~ veränderlichem Portefeuille** flexible fund/trust; **F. im Rahmen des Sonderziehungskontos** *(IWF)* Special Drawing Account; **F. des Reinumlaufvermögens** net working capital fund; **F. mit Risikostreuung** spread trust; **F. für Staatsanleihen** gilt fund; **~ politische Zwecke** political fund

Fonds alimentieren/dotieren to endow a fund; **F. auffüllen** to reestablish a fund; **F. (zur Zeichnung) auflegen** to invite subscriptions for a unit trust; **F. auflösen** to liquidate a fund; **F. bewilligen** to vote a fund; **F. bilden** to set up a fund

sich automatisch auffüllender Fonds; sich stets erneuernder F. revolving fund; **dynamischer F.** index-tracking fund; **aus Sonderveranlagungen gebildeter F.** special-assessment fund; **gemeinsamer F.** pool; **gemischter F.** mixed fund; **geschlossener F.** closed(-end) fund/trust; **konsolidierte F.** consols (consolidated stock/annuities) *[GB]*; **liquidierter F.** cash-heavy fund; **offener F.** open-end(ed) fund, open fund; **rechtlicher F.** autonomous public fund; **revolvierender F.** revolving fund; **schwarzer F.** slush fund *(coll)*, surreptitious fund; **spekulativer F.** *(Investment)* hedge fund; **thesaurierender F.** accumulating/cumulative/no-dividend fund; **unangreifbarer F.** non-expendable fund; **von einer Treuhandstelle verwalteter F.** trust fund

Fonds|anlage *f* trust investment; **F.anteil** *m* (trust) unit, sub-unit, share (in a fund), mutual fund share; **F.anteilinhaber/F.anteilseigner** *m* unitholder; **F.auflösung** *f* liquidation of a fund; **F.beitrag** *m* contribution; **F.be-**

sitzer *m* fundholder; **F.bestände** *pl* fund holdings; **F.börse** *f* stock exchange; **erweiterte F.fazilität** *(IWF)* extended fund facility; **f.gebunden** *adj* unit-linked; **F.gesellschaft** *f* investment company, fund management company; **F.gruppe** *f* fund management group; **F.händler** *m* (stock)jobber; **F.kapital** *nt* certificate capital; **F.konto** *nt* fund account; **F.leasingfinanzierung** *f* fund leasing finance; **F.makler** *m* bond broker, stockbroker; **F.management** *nt* fund management; **F.manager** *m* fund/portfolio manager; **F.performance** *f* fund performance; **F.rechnung** *f* funds statement; **F.struktur** *f* fund structure, net assets breakdown; **F.überschuss** *m* fund surplus; **F.veränderungsrechnung** *f* change of funds statement; **F.vereinigung** *f* consolidation of funds

Fondsvermögen *nt* fund/total assets, assets of the fund, asset value, trust fund; **F. angreifen** to invade a trust; **ausgewiesenes F.** declared asset value

Fonds|verpflichtung *f* fund liability; **F.verwalter** *m* trust/fund/plan manager; **F.verwaltung** *f* fund administration/management; **F.volumen** *nt* fund volume; **F.wert** *m* (trust) fund value; **F.zuweisung** *f* appropriation

Footsie (Financial Times Stock Exchange Index) *m* *(coll) [GB]* Footsie

f.o.r. (frei Waggon) free on rail, f.o.r.

forcieren *v/t* to force/push/strain/accelerate, to speed/step up, to press on/ahead with

Forcierung des Exports *f* export drive

Förder|abgaben *pl* mining royalties; **F.anlage** *f* 1. conveyor, conveying/hauling plant, conveying machine; 2. ⚒ extraction plant; **F.antrag** *m* application for a grant/subsidy; **F.ausfall** *m* ⚒ production loss, shortfall in output; **F.band** *nt* conveyor/moving belt, conveyor; **f.bar** *adj* 1. ⚒ workable; 2. eligible for subsidies; **F.beitrag** *m* contribution; **F.betrieb** *m* ⚒ production; **F.eimer** *m* ⚒ bucket; **F.einschränkung** *f* restriction on subsidies

Förderer *m* 1. promoter, sponsor, sponsoring body, developer, booster; 2. *(Kunst)* patron, fosterer

Förder|ergebnis *nt* ⚒ output, production; **F.gebiet** *nt* *(Staatshilfe)* assisted/development area, free enterprise zone; **F.gefälle** *nt* subsidy differential; **F.gemeinschaft** *f* promotion society; **F.gerät** *nt* ⚒ conveyor; handling machine; **F.geräte und -anlagen** materials handling equipment; **F.gerüst** *nt* ⚒ winding gear; **F.gremium** *nt* sponsoring body; **F.höchstbetrag** *m* ⚒ output/production ceiling; **F.höchstgrenze** *f (Subvention)* maximum subsidy; **F.kapazität** *f* ⚒ production capacity; **F.kette** *f* ⚒ conveyor chain; **F.klasse** *f (Schule)* remedial class; **F.kontingent** *nt* ⚒ output quota; **F.korb** *m* 1. hoisting cage; 2. ⚒ cage; **F.kosten** *pl* extraction costs, *(Öl)* lifting costs; **F.kreis** *m* (circle of) supporters, sponsoring group; **F.kübel** *m* ⚒ bucket; **F.kulisse** *f* range/scope/background of promotional/sponsoring activities; **F.land** *nt* ⚒ producing country; **F.lehrgang** *m* advanced training course, instructional course; **F.leistung** *f* ⚒ output, production; **f.lich** *adj* conducive (to), beneficial; **F.maschine** *f* ⚒ mine hoist, winding machine; **F.maßnahme** *f* assistance/promotional measure; **F.maßnahmen** measures of aid; **F.menge** *f* ⚒ output, tonnage, extraction rate; **F.mittel** *nt* ⚒ mechanical handling equipment; *pl (Staatshilfe)* grant(s), subsidies; **F.mitteleinsatz** *m* employment of subsidies; **F.möglichkeit** *f* development potential/prospects

fordern *v/t* 1. to demand; 2. *(Preis)* to ask/claim, to call/go for, to require/exact/request, to assert a claim; **lauthals f.** to clamour (for sth.); **weniger f.** to underbid; **zusätzlich f.** to surcharge; **zu viel f.** to overcharge

fördern *v/t* 1. *(materiell)* to promote/sponsor/subsidize/encourage/support; 2. to facilitate/assist/further/help/boost/stimulate/spearhead/forward/enhance; 3. *(Kunst)* to foster/patronize; 4. ⚒ to extract/mine; 5. *(Öl)* to lift; **um etw. zu f.** in furtherance of; **zu Tage f.** to bring to light; **f.d** *adj* promotional, promotive

Förder|plattform *f* production platform; **F.politik** *f* 1. development/production policy; 2. *(Öl)* depletion policy; **regionale F.politik** regional development policy; **F.prämie** *f* ⚒ output premium/bonus; **F.programm** *nt* development/advancement programme, promotion scheme; **öffentliches F.programm** government support programme; **F.quote** *f* production quota; **F.satz** *m* grant level; **F.schacht** *m* ⚒ mining shaft; **F.schicht** *f* ⚒ production shift; **F.seil** *nt* ⚒ hoisting cable; **F.sohle** *f* ⚒ winding/drawing/haulage level; **F.soll** *nt* ⚒ planned production, output target; **F.staat** *m* 1. ⚒ producing country; 2. sponsoring state; **F.stollen** *m* ⚒ working level; **F.strecke** *f* ⚒ haulage way/road; **F.system** *nt* handling equipment, materials handling system, conveyor system; **F.- und Lagersysteme** storage and conveying systems; **f.täglich** *adj* ⚒ per production day; **F.tätigkeit** *f* sponsorship; **F.technik** *f* 1. ⚒ production technology, conveyor system; 2. recovery technique; **F.- und Verkehrstechnik** technology of transportation; **F.turm** *m* ⚒ winding/hoisting gear

Forderung *f* 1. claim, demand, call (for), request, requirement, postulate; 2. *(Bilanz)* credit side, exposure; **F.en** accounts receivable, receivables, debts (receivable), (trade) debtors, outstanding debts/accounts, book debts

Forderung|en aus Aktienzeichnungen share *[GB]*/stock *[US]* subscriptions receivable; **~ gegenüber leitenden Angestellten und Aktionären** accounts receivable from officers, directors and shareholders *[GB]*/stockholders *[US]*; **F. nach Arbeitszeitverkürzung** claim/demand for shorter hours; **F.en ans Ausland** foreign debts; **F. für geleistete Dienste** service charge; **F.en an Gesellschafter** *(GmbH)* due from shareholders; **F. nach Gleichbehandlung/-stellung** *(Lohn)* parity claim; **F. auf Herausgabe** § garnishment; **F.en aus Inkassogeschäften** collections receivable; **~ an Konzernunternehmen** dues from affiliates, ~ affiliated companies, indebtedness of affiliates; **kurzfristige ~ gegenüber Konzerngesellschaften** current amounts due from parents and subsidiaries; **~ aus Kreditgeschäften** receivables from lending operations; **F.en an Kreditinstitute** due from banks; **~ Kunden** 1.

trade accounts receivable, loans and advances to customers; 2. *(Bank)* due from non-bank customers; **F.en aus Lieferungen und Leistungen** trade debtors/receivables, accounts receivable for sales and services, trade accounts receivable; **~ an das Produkt** product requirements; **F. aus laufender Rechnung** claim founded on open account; **F.en an/gegen verbundene Unternehmen** intercompany receivables, receivables from associated/affiliated companies, due from subsidiaries and affiliated companies; **~ und Verbindlichkeiten** debtors and creditors, receivables and payables *[US]*; **~ eines Vertrags** contract requirements; **~ auf Waren und Leistungen** customers' accounts; **~ aus Warenlieferungen und Leistungen** trade debtors/receivables, ~ accounts receivable, accounts receivable trade, outstanding trade debts

Forderung abbuchen to wipe off a debit balance; **F. abgelten** to discharge a debt; **F. ablehnen/abweisen** to refute a claim; **F.en abschreiben** to write off debts, ~ delinquent accounts; **uneinbringliche F. abschreiben** to charge off a debt; **zweifelhafte F. abschreiben** to write off a doubtful claim; **von einer F. absehen** to waive a claim; **F. hypothekarisch absichern** to secure a debt by mortgage; **F. abtreten** to assign/cede a claim; **F. anerkennen** to recognize/allow a claim; **F. anmelden** to file/lodge a claim, to prove a debt; **F. zur Konkursmasse anmelden** to prove against the estate of a bankrupt, ~ one's claim/debt, to lodge/tender a proof of debt; **F. aufgeben** to abandon/waive a claim; **F.en aufkaufen** to factor receivables; **F. aufrechterhalten** to insist on a claim/demand; **gegenseitige F.en ausgleichen** to set off claims; **F. beanstanden** to demur to a claim; **F.en befriedigen/begleichen** to satisfy/pay a claim, to settle a claim/demand; **F. begründen** to vindicate a claim; **F.en beitreiben** to recover/collect accounts receivable; **F. belegen/beweisen** to prove/support a claim; **auf einer F. bestehen** to press/maintain a claim; **F. bestreiten** to contest/impugn a claim; **F.en bevorschussen** to factor receivables; **F. durchsetzen** to enforce a claim; **F. einbringen/einreichen** to lodge/file/enter a claim; **auf eine F. eingehen** to accede to a demand; **F. einklagen** to litigate a claim; **F.en einklagen** to sue for (the recovery of) debts; **F. eintreiben/einziehen** to collect an account, ~ a claim; **F. durch einen Wechsel einziehen** to collect an account by means of a draft; **einer F. entgegentreten** to refute a claim, to reject a demand; **der F. entsprechen** to meet the requirements; **einer F. entsprechen** to accede to a demand; **F. erfüllen** to satisfy/meet a claim, to accede/agree to a demand; **F. erheben (auf)** to lodge/file/vindicate a claim, to claim; **F. gegen den Gemeinschuldner erheben/haben** to claim a debt against a bankrupt; **F. erlassen/fallenlassen** to waive/remit/release a claim, to release so. from a debt; **an einer F. festhalten** to press a claim, to persist with a demand; **bevorrechtigte F.en haben** to have a prior claim to assets; **F.en höher schrauben** to raise one's claims, to bump up claims *(coll)*; **F. geltend machen** to lodge/file/press/prefer a claim, to claim (against), to make a demand; **F. gerichtlich ~ machen** to assert a claim by legal action, to prosecute a claim; **einer F. nachkommen** to accede to a demand; **den F.en des Klägers nachkommen** to satisfy a claimant; **F. nachweisen** to prove a claim; **von einer F. Abstand nehmen** to relinquish/abandon/waive a claim; **F. pfänden** to arrest a debt; **F. beim Drittschuldner pfänden (lassen)** to garnish; **F. regulieren** to settle a claim; **F. senken** to reduce a claim; **F. sichern** to secure a debt; **einer F. stattgeben** to allow a claim; **an jdn eine F. stellen** to indent upon so.; **F. in Abrede stellen** to repudiate/refute a claim; **F. einem Anwalt zum Einzug übergeben** to place an account with an attorney for collection; **F. an ein Inkassobüro übergeben** to turn an account over to a collection agency; **F. übertragen/zedieren** to assign/cede/transfer a claim; **F. umreißen** to stake (out) a claim; **F. verrechnen** to offset a claim; **auf eine F. verzichten; von einer F. zurücktreten** to relinquish/waive/renounce/resign a claim; **F. wiederholen** to renew a claim; **F. zulassen** to allow a claim; **F. zurückweisen** to repudiate/refute/reject a claim, to refuse to recognize a claim

abgeschriebene Forderung written-down receivable; **abgetretene F.** 1. assigned claim/debt; 2. *(Factoring)* account receivable discounted; **~ F.en** discounted receivables; **ältere F.** anterior/prior claim; **anerkannte F.** allowed/admitted/recognized claim; **angemeldete F.** *(Konkurs)* submitted claim; **anmeldefähige F.** provable claim; **nach dem Alter aufgeschlüsselte F.en** aged receivables; **ausgeklagte F.** judgment debt; **aussonderungsfähige F.** claim of exemption; **ausstehende F.(en)** active debt, receivables, (outstanding) accounts receivable, outstanding debts/credit; **bedingte F.** contingent receivable, ~ (liability) claim; **befristete F.** deferred claim; **begründete F.** legitimate claim; **behördliche F.** regulatory requirement; **beitreibbare F.** recoverable debt, enforceable claim; **berechtigte/billige F.** equitable claim, reasonable demand; **beschlagnahmte F.** claim attached by judgment creditor; **bestehende F.** provable/existing debt; **bestrittene F.** disputed debt; **betagte F.** deferred/old claim; **bevorrechtigte/-zugte F.** preferential/privileged/priority/secured/preferred debt, prior claim/charge, preferential/privileged/preferred claim; **nicht ~ F.** unsecured/ordinary debt; **buchmäßige F.** book claim/debt; **offene ~ F.en** outstanding book debts; **diverse F.en** *(Bilanz)* sundry debtors, sundries; **dubiose F.en** doubtful accounts/debts, notes and accounts; **eingefrorene F.** blocked/frozen/tied-up claim; **eingeklagte F.** litigious right; **einklagbare F.** enforceable/recoverable claim, debt recoverable by law; **nicht ~ F.** debt dead in law; **entstandene F.en** accruals receivable; **erdichtete/fingierte F.** specious/bogus claim; **lautstark erhobene F.** clamour; **leichtfertig ~ F.** frivolous claim; **erloschene F.** extinct/extinguished claim, discharged debt; **fällige F.** liquid debt, matured claim, debt due (and payable); **täglich ~ F.en** immediately realizable claims; **faule F.en** bad debts; **gegenseitige F.en** mutual claims/debts; **geldwerte F.** monetary claim; **gepfändete F.** garnished

debt; **gesetzliche F.** legal claim, statutory requirement
gesicherte Forderung secured debt/claim, priviledged debt; **durch unbewegliches Vermögen ~ F.** indebtedness secured by immovable property; **dinglich ~ F.en** debts covered by a security; **hypothekarisch ~ F.** mortgage debt; **nicht ~ F.** unsecured debt
gesperrte Forderung blocked debt; **getilgte F.** debt paid; **hochliquide F.** highly liquid claim; **hypothekarische F.** mortgage claim/charge, hypothecary debt; **konzerninterne F.en** intercompany receivables; **künftige F.en** deferred debts/claims; **kurzfristige F.en** *(Bilanz)* liquid/current assets; **lächerliche F.** preposterous claim; **langfristige F.en** 1. long-term receivables; 2. *(Bilanz)* uncollectible receivables; **laufende F.** current account; **lohnfremde F.** non-wage demand; **mäßige F.** moderate demand; **maßlose F.** excessive demand; **nachgewiesene F.** proved debt; **nachweisbare F.** proven claim, provable debt; **obskure F.en** doubtful claims/accounts; **offene F.** unsettled claim; **privilegierte F.** preferential debt/claim, privileged debt; **nicht direkt realisierbare F.en** non-current reveivables; **rückständige F.** debt in arrears; **schuldrechtliche F.** contractual claim; **sichere F.** good/safe debt; **sichergestellte F.** secured debt; **sonstige F.en** sundry/other debtors, other (accounts) receivable, miscellaneous debts, sundries; **strittige F.** disputed/litigious claim; **technische F.** technical specification; **titulierte F.** enforceable claim, judgment debt, debt of record; **überfällige F.(en)** overdue/delinquent account (receivable), past-due account, claim past due, stretched-out receivables; **übertragbare F.** assignable right/claim; **übertriebene/überzogene/unangemessene F.** exorbitant/exaggerated/unreasonable demand, exaction; **ultimative F.** peremptory demand; **umstrittene F.** controversial claim; **unberechtigte F.** unfounded claim; **unbestrittene F.** undisputed claim; **ungedeckte F.** unsecured claim; **unbegründete F.** unsubstantiated/bad claim; **uneinbringliche F.en** uncollectibles, bad debts, doubtful accounts/receivables, irrevocable debts/claims/accounts, uncollectible accounts; **uneintreibbare F.** irrecoverable debt; **ungedeckte/ungesicherte F.** unsecured debt/claim; **ungewisse F.en** contingent receivables; **ungültige F.** stale claim; **unmäßige F.** exorbitant demand; **unpfändbare F.** ungarnishable third-party debt; **unsichere F.** bad debt, doubtful claim; **unübertragbare F.** non-transferable claim; **unverzinsliche F.** passive debt; **verbriefte F.** bonded claim/debt, securitized debt, documented claim; **nicht ~ F.** non-bonded claim; **verjährte F.** statute-barred claim/debt; **verschiedene F.en** *(Bilanz)* sundry debtors, sundries; **verzinsliche F.** interest-bearing debt; **vollstreckbare F.** judgment debt, enforceable claim; **vorrangige F.** preferential/prior claim, preferred debt; **zivilrechtliche F.** [§] civil claim; **zulässige F.** allowable claim; **zweifelhafte F.en** doubtful accounts/debts/claims, bad debts, delinquent receivables
Forderungsabschreibung *f* 1. *(Wertberichtigung)* write-down of incollectible receivables, bad debt allowance; 2. *(Kreditgeber)* debt write-down
Forderungsabtretung *f* assignment of accounts receivable, ~ a claim/debt, (absolute) assignment; **formlose F.** equitable assignment; **gesetzliche F.** assignment by operation of law; **stille F.** undisclosed assignment
Forderungs|anerkennung *f* allowance of claims; **F.anmeldefrist** *f (Konkurs)* period for filing debts; **F.anmeldung** *f* 1. filing of a claim; 2. *(Konkurs)* proof of claim; **F.aufkauf** *m* purchase of accounts receivable
Forderungsausfall *m* (bad) debt loss, loss of receivables; **Forderungsausfälle in % vom Umsatz** bad-debt loss index/ratio; **F.kosten** *pl* bad-debt expense; **F.quote** *f* loan charge-off ratio; **F.versicherung** *f* debt loss insurance
Forderungs|ausschlusstermin *m* claims bar date; **f.berechtigt** *adj* entitled to (a) claim, eligible; **F.berechtigte(r)** *f/m* 1. (rightful) claimant, creditor, debtee, obligant, obligor, obligee; 2. *(Vers.)* beneficiary; **F.bestand** *m (Bilanz)* debts, accounts receivable; **F.betrag** *m* amount claimed, amount of claim; **F.bevorschussung** *f* receivables financing; **F.bewertung** *f (Bilanz)* valuation of receivables; **F.durchgriff** *m* [§] enforcement of liability; **F.eingänge** *pl* collections; **F.einziehung/F.einzug/F.inkasso** *f/m/nt* collection of debts/receivables, ~ accounts receivable, debt/receivables collection; **F.finanzierung** *f* receivables finance; **F.garantie** *f* guarantee of receivables outstanding; **F.gläubiger(in)** *m/f* garnisher, creditor, claimant; **F.höhe** *f* amount claimed, ~ of claim; **F.inhaber(in)** *m/f* holder of a claim; **F.kauf** *m (Factoring)* purchase of accounts receivable; **F.klage** *f* [§] personal action, suit in equity; **F.laufzeit** *f* life of a receivable; **F.normen** *pl* requirements standards; **F.paket** *nt* platform of demands; **F.papier** *nt* title-conferring instrument; **F.pfandgläubiger** *m* garnisher; **F.pfandrecht** *nt* right of attachment; **F.pfändung** *f* attachment of debts, (equitable) garnishment, arrest of a debt; **~ durchführen** to garnish; **F.posten** *m* asset item; **F.recht** *nt* 1. [§] chose in action; 2. legal claim, right to (recover) a claim; **F.risiko** *nt* risk on receivables; **F.saldo** *m* net claim/asset; **F.sicherung** *f* securitization; **F.strom** *m* flow of monetary claims; **F.stundung** *f* respite; **F.tausch** *m* financial assets switch, exchange of accounts outstanding; **F.tilgung** *f* redemption/repayment of a debt, discharge of a debt by payment, settlement of a claim; **F.transfer** *m* transfer of claims
Forderungsübergang *m* subrogation, assignment of a claim, transmission of claims; **F. kraft Gesetzes** legal subrogation; **gesetzlicher F.** assignment by operation of law, legal subrogation
Forderungs|überhang *m* net receivables; **F.übernahme** *f* assumption of debt; **F.übernehmer** *m* assignee, transferee, assign, cessionary; **F.übertragung** *f* assignation/transfer of a claim, assignment; **F.umschlag** *m* collection ratio, receivables turnover ratio; **F.verkauf** *m* factoring, factorization; **F.verletzung** *f* breach of an obligation; **F.verlust** *m* loss on bad debts; **F.vermögen** *nt* financial assets; **F.verzeichnis** *nt (Konkurs)* schedule of a bankrupt's estate; **F.verzicht** *m* waiver (of debts outstanding), remission of a claim/debt; **F.wert** *m* equity value

Förderung *f* 1. promotion, advancement, sponsorship; 2. assistance, help, support; 3. furtherance, encouragement, boost, stimulation; 4. patronization; 5. *(Subvention)* (financial) subsidy, (development) grant, aid, subvention *[EU]*; 6. ⚒ production, output, exploitation; 7. *(Öl)* lifting; 8. mining; **zur F. von** in furtherance of

Förderung der Allgemeinheit furtherance of public welfare; **staatliche F. privater Anlagen; ~ von Beteiligungen an nicht börsennotierten Unternehmen; ~ von Privatfirmen** Business Expansion Scheme *[GB]*; **F. des Fortschritts** furtherance of progress; **F. mit der Gießkanne/nach dem Gießkannenprinzip** indiscriminate promotion/subsidization; **F. gewerblicher Interessen** furtherance of commercial interests; **F. der Investitionstätigkeit** encouragement of investment; **F. langfristiger Kapitalanlagen** promotion of long-term financial investments; **F. des Warenhandels** promotion of commodity trade

Förderung ausweiten to expand output; **F. beeinträchtigen** to hit output; **F. erhöhen/steigern** to increase production/output; **F. verdienen** to merit promotion, to deserve support; **F. zurückfahren** to curb/reduce output

berufliche Förderung career advancement; **betriebliche F.** 1. corporate promotion; 2. in-service training; **finanzielle F.** financial aid, subsidy, grant; **zweckgebundene ~ F.** tied aid/grant, dedicated funding; **gezielte F.** selective incentives; **indirekte F.** indirect promotion; **regionale F.** (measures of) regional development; **staatliche F.** government aid/assistance/promotion; **verwertbare F.** ⚒ usable output; **wirtschaftliche F.** economic assistance/aid

Förderungs|anspruch *m* eligibility for assistance; **F.art** *f* type of subsidy; **F.ausfall** *m* ⚒ lost production/output; **F.bedingungen** *pl* development criteria; **F.beginn** *m* ⚒ production start-up; **F.berechtigung** *f* eligibility for assistance; **F.dauer** *f* period of grant; **f.fähig** *adj* eligible for a grant/subsidy; **F.gebiet** *f* development/assisted area; **F.instrument** *nt* incentive; **F.instrumentarium** *nt* range of incentives, ~ support measures; **F.kontingent** *nt* ⚒ production quota; **F.kredit** *m* development loan; **F.kriterien** *pl* development criteria, criteria for granting subsidies; **F.maßnahmen** *pl* aid scheme, promotion(al) measures, employee development (measures); **unternehmensbezogene F.maßnahmen** company-related state support, ~ grant; **F.mittel** *pl* development funds, monies for development; **staatliche F.mittel** government financial aid, government/support grant; **F.modus** *m* method of assistance; **F.paket** *nt* aid package; **staatlicher F.plan** state development plan; **F.politik** *f* aid/development policy; **F.programm** *nt* promotion(al)/development/aid/support/advancement programme; **F.richtlinien** *pl* guidelines for economic development measures; **F.satz** *m* rate of support; **F.summe** *f* level of subsidy, grant total; **F.träger** *m* sponsor, promoter; **F.volumen** *nt* total amount available for promotion; **f.würdig** *adj* eligible for a grant/subsidy, worthy of support, promotable, deserving (encouragement); **volkswirtschaftlich f.würdig** eligible for a grant/subsidy on economic grounds; **F.würdigkeit** *f* eligibility for aid/promotion; **F.zuschlag** *m* 1. incentive bonus; 2. ⚒ output bonus

Förder|unterricht *m* remedial teaching/instruction; **F.wagen** *m* ⚒ trolley, truck; **betriebliches F.wesen** internal transportation; **F.zahl/F.ziffer** *f* ⚒ production, output figure; **F.ziel** *nt* ⚒ production/output target; **F.zins** *m* ⚒ (mining) royalties, royalty (tax)

Forelle *f* trout; **F.nteich** *m* trout hatchery; **F.nzucht** *f* trout farming; **F.nzuchtbetrieb** *m* trout farm

Forfaiteur/Forfaitierer *m* forfaiter, forfaiting house

Forfaitierung *f* forfaiting, non-recourse financing; **F.sgeschäft** *nt* factoring business, forfaiting transaction; **F.smaterial** *nt* à-forfait *[frz.]* paper

Form *f* 1. form, shape, design, outline; 2. formality; 3. ✐ mould; **in F.** in good shape, in fine fettle, up to scratch; **in der F. von** by way of; **der F. halber** pro forma *(lat.)*, for form's sake; **F. der Anmeldung** application format; **summarische ~ Arbeitsbewertung** non-analytic job evaluation; **F.en des Anstands** proprieties; **F. des Pachtverhältnisses** form of tenancy; **F.en einer gerichtlichen Verfügung** frame of a writ

Form annehmen to take shape; **feste/konkrete F.en annehmen** to materialize, to take shape; **in aller F. benachrichtigen** to give due notice; **F. bewahren** to keep the shape; **in F. bringen** to get into trim; **in die richtige F. bringen** to lick into shape *(coll)*; **einer Sache feste F. geben** to give shape to sth.; **der F. halber tun** to go through the motions *(coll)*; **F. wahren** to observe the proprieties

in abgekürzter Form *(Text)* abridged; **endgültige F.** finalization; **gehörige F.** due/requisite form; **in gehöriger/gültiger F.** in due form; **gesetzliche F.** statutory form; **in mündlicher F.** orally, verbally, by word of mouth; **notarielle F.** notarial form; **in schriftlicher F.** in writing; **strenge F.** stringent form; **vorgeschriebene F.** formality, prescribed/legal/due form; **in der vom Gesetz vorgeschriebenen F.** in the manner specified by law

formal *adj* 1. formal, regular, in form (but not in fact); 2. technical

Formal|ausbildung *f* formal education, educational qualifications; **F.beleidigung** *f* verbal insult; **F.delikt** *nt* technical offence; **F.einwand** *m* § technical traverse, special exception

Formalie *f* formality, matter of form, formal requirement, technicality

formalisier|en *v/t* to formalize; **F.ung** *f* formalization

Formal|ismus *m* formalism; **F.ist** *m* formalist, stickler for ceremony/details; **f.istisch** *adj* formalistic

Formalität *f* formality, form, technicality

Formalitäten einhalten to comply with the formalities; **alle F. erledigen** to go through all the formalities; **F. klären** to handle the formalities; **F. vereinfachen** to reduce the formalities; **auf F. verzichten** to dispense with the formalities

gerichtliche Formalität|en forms of court; **gesetzliche F.en** legal formalities; **leere F.en** dead forms; **reine F.** mere formality; **technische F.** technicality, technical formality

Formal|prüfung *f* examination as to formal requirements; **f.rechtlich** *adj* in accordance with the letter of the law, technical; **F.struktur der Organisation** *f* formal organisational structure; **F.versprechen** *nt* § covenant; **F.vertrag** *m* formal contract; **F.wissenschaft** *f* formal science; **F.ziel** *nt* formal objective/goal

Format *nt* format, size, shape; **abweichendes F.** odd size; **F.angabe** *f* specification; **f.frei** *adj* unformated

formatier|en *v/t* to format; **neu f.en** to reformat; **F.ung** *f* format(t)ing

Formation *f* formation, rank

Formatkennzeichen *nt* format identifier

form|bar *adj* pliable, malleable; **f.bedürftig** *adj* § requiring a specific form; **f.beständig** *adj* 1. shape-retaining; 2. consistent; **F.blatt** *nt* form, blank, schedule *[US]*; **F.brief** *m* form letter; **F.einwand** *m* technical objection

Formel *f* formula; **F.flexibilität** *f* formula flexibility; **f.haft** *adj* 1. stereotyped; 2. in set phrases

formell *adj* procedural, formal; **rein f.** purely formal; **f. und materiell** § in form and in fact, in adjective and substantive law

formen *v/t* 1. to form/shape/compose/frame, to put into shape; 2. to mould; **neu f.** to reshape; **f.d** *adj* formative

Former *m* moulder

Formerfordernis *nt* formal requirement, requisite of form

Formfehler *m* flaw, formal error/defect, irregularity, informality, defect of form; **F. in der Ausstellung** *(Wechsel)* irregularly drawn; **F. im Beschlusswege heilen** to vote to waive an irregularity

Form|frage *f* matter of form; **f.frei** *adj* informal, exempt from formalities; **F.freiheit** *f* informality, freedom of form, absence of formal requirements; **F.gebung** *f* design, moulding, styling; **industrielle F.gebung** industrial design; **f.gerecht** *adj* formal, due, in due form, duly, in the proper form; **f.- und fristgerecht** in due form and time; **F.gestalter** *m* designer; **F.gestaltung** *f* design; **f.gültig** *adj* formally correct; **F.gültigkeit** *f* formal validity

formieren *v/refl* to form

Formkaufmann *m* merchant by legal form

förmlich *adj* formal, ceremonial, conventional, official, in due form; **nicht f.** unceremonious; **f. sein** to stand on ceremony, ~ one's dignity

Förmlichkeit *f* formality, form; **sehr auf F. aus sein** to stand on ceremony, to be a stickler for formalities; **auf F.en verzichten** to dispense with formalities

formlos *adj* 1. shapeless, formless; 2. informal, without formality; 3. unstructed; **mündlich f.** § verbal; **F.igkeit** *f* 1. shapelessness, formlessness, informality, absence of formal requirements; 2. lack of structure

Form|mangel *m* lack/insufficiency of form, formal defect, want of legal form, irregularity, defect in form, non-compliance with required form; **f.rechtlich** *adj* § in accordance with the letter of the law, technical, formalistic; **F.sache** *f* formality, technicality, matter of form; **bloße/reine F.sache; lediglich eine F.sache** merely a formality, a mere formality/technicality, pro forma *(lat.)*; **F.schreiben** *nt* letter in set form, set-form letter

Formular *nt* printed/blank form, blank, schedule *[US]*; **F.e** stationery; **F. für die Einkommensteuererklärung** income tax return form; **F. ausfüllen** to fill in *[GB]*/out *[US]*/complete a form; **gedrucktes F.** printed form

Formular|arbeitsvertrag *m* model form of employment contract; **F.ausfüllung** *f* completion of a form, form-filling; **F.bahn** *f* form feeding track; **F.brief** *m* form letter; **F.buch** *nt* formulary; **F.einführung** *f* document insertion; **F.entwurfsblatt** *nt* spacing chart; **f.gebunden** *adj* paper-based; **F.gestaltung** *f* form layout; **f.mäßig** *adj* on a form; **F.mietvertrag** *m* standard form lease; **F.satz** *m* set of forms; **vollständiger F.satz** *(Konnossement)* full set; **F.streifen** *m (Bank)* slip; **F.transport/F.vorschub** *m* form feed; **F.überlauf** *m* form overflow; **F.vertrag** *m* standard/model form contract, precedent; **F.zwang** *m* requirement to use a form

formulieren *v/t* to phrase/word/formulate/draft, to couch in a ... language; **abschließend f.** to finalize; **neu f.** to rephrase

formuliert *adj* worded, couched; **geschliffen f.** polished; **scharf f.** strongly worded

Formulierung *f* wording, formulation, phrasing; **vorsichtige F.** careful wording; **F.sfehler** *m* faulty drafting

Formung *f* 1. forming; 2. moulding

Form|verletzung *f* want of legal form, non-compliance with the required form; **F.verstoß** *m* break of form; **F.vertrag** *m* standard/pro-forma agreement

Formvorschrift *f* formal/procedural requirement, formality, requisite of form; **F.en** requirements of form; ~ **für die Anmeldung** formal filing requirements; **gesetzliche F.en** formal legal requirements; **wesentliche F.en** essential requirements of form

form|widrig *adj* irregular, incorrect, contrary to form, not in compliance with formal requirements; **F.widrigkeit** *f* irregularity, informality; **F.zwang** *m* compulsory legal form, mandatory compliance with statutory form

forsch *adj* vigorous, energetic, perky

forschen *v/i* to research, to do research work; **f. nach** to hunt up, to search for

Forscher(in) *m/f* research worker, researcher, investigator; **F.gruppe** *f* research unit

Forschheit *f* smartness

Forschung *f* research, analysis; **F. und Entwicklung (F & E)** research and development (R & D); **F. betreiben; in der F. tätig sein** to do research work

angewandte Forschung applied research; **anwendungsbezogene F.** action research; **außerbetriebliche F.** external research; **betriebswirtschaftliche/-wissenschaftliche F.** business (management) research; **freie F.** uncontrolled/uncommitted research; **hochschulfreie F.** non-academic research; **laufende F.** research in progress; **produktionswirtschaftliche F.** research in production economics; **tropenforstliche F.** tropical forest research; **wissenschaftliche F.** scientific research; **zweckfreie F.** pure research

Forschungs|abkommen *nt* research agreement; **F.abteilung** *f* research unit/department; **F.aktivität** *f* research activity; **F.- und Entwicklungsaktivität** research and development activity; **F.anlage** *f* research facility/plant; **F.ansatz** *m* approach; **F.anstalt** *f* research institute/institution/establishment; **F.arbeit** *f* research (work); **F.aufgabe** *f* research assignment; **F.auftrag** *m* research contract/assignment; **F.aufwand/F.aufwendungen/F.ausgaben** *m/pl* research expenditure/spending, investment in research; **F.- und Entwicklungsausgaben** research and development (R&D) expenditure; **F.beihilfe** *f* research grant; **F.bemühungen** *pl* research activities; **F.bericht** *m* research report; **F.dienst** *m* research service

Forschungseinrichtung *f* research institution/facility/institute/establishment/faculty; **außeruniversitäre F.** non-university research institute; **universitäre F.** university research institute

Forschungs|- und Technologieeinsatz *m* use/input of research and technology; **anwendungsreifes F.ergebnis** research (results) capable of immediate/direct application; **F.etat** *m* research budget; **F.förderung** *f* promotion/sponsoring of research; **F.gebiet** *nt* field of research/study; **F.gegenstand** *m* object of research; **F.geheimnis** *nt* research secret; **F.gelder** *pl* research funds; **F.gemeinschaft/F.gruppe** *f* research team/community; **F.haushalt** *m* research budget; **F.ingenieur** *m* research engineer; **F.institut** *nt* research institute/faculty; **wissenschaftliches F.institut** economic research institute; **f.intensiv** *adj* research-intensive; **F.kosten** *pl* research cost(s); **F.- und Entwicklungskosten** cost(s) of research and development (R&D), research and development costs; **F.labor** *nt* research laboratory; **F.leiter(in)** *m/f* director of research; **F.mannschaft/F.personal** *f/nt* research staff/team/personnel; **F.methoden** *pl* research methods; **volkswirtschaftliche F.methoden** economic research methods; **F.minister** *m* minister of research and science; **F.ministerium** *nt* ministry of research and development; **F.- und Investitionsmittel** *pl* research and investment appropriations; **F.ökonomik** *f* research economics; **F.- und Entwicklungspolitik** *f* research and development (R&D) policy; **F.potenzial** *nt* research capabilities/capacity; **F.programm** *nt* research programme; **F.projekt** *nt* research project; **F.rat** *nt* research/science council; **F.reaktor** *m* ⚛ research reactor; **F.reise** *f* exploratory expedition; **F.schwerpunkt** *m* main research area; **F.stätte/F.stelle** *f* research centre/institute/establishment/body; **F.stipendiat** *m* research fellow; **F.stipendium** *nt* research grant/scholarship; **F.subvention** *f* research subsidy/grant; **F.tätigkeit** *f* research work/activity; **F.unternehmen** *nt* research project; **F.urlaub** *m* sabbatical (leave); **F.vertrag** *m* research contract/agreement; **F.verwaltung** *f* research management; **F.vorhaben** *nt* research project; **laufendes F.vorhaben** current research project; **F.vorsprung** *m* research lead; **F.wissenschaftler(in)** *m/f* research scientist; **F.zentrum** *nt* research centre; **F.ziel** *nt* research objective; **F.zuschuss** *m* research grant

Forst *m* forest; **F.en** forestry

Forst|akademie *f* school of forestry; **F.amt** *nt* fores authority/office; **F.arbeiter** *m* forestry worker; **F.aufseher** *m* forest inspector/warden; **F.aufsicht** *f* forest inspectorate; **F.beamter** *m* forestry official; **F.behörde** forestry office, Forestry Commission *[GB]*; **F.betrieb** *m* 1. forestry operation; 2. forest enterprise; **gehobene F.dienst** higher-grade/higher-level forest service

Förster *m* forester, forest ranger *[US]*/warden *[GB]*

Forst|erhaltung *f* (forest) conservancy; **F.fach** *nt* forestry; **F.gericht** *nt* court for forest offences; **F.gesetz** *n* Forestry Act *[GB]*; **F.kommission** *f* Forestry Commission *[GB]*; **F.kontrolle** *f* conservancy; **F.kultur** *f* silviculture; **F.meister** *m* forest commissioner, chief (forest) ranger; **F.politik** *f* forestry policy; **F.polizei** *f* forest police; **F.produkt** *nt* forest product; **F.recht** *nt* forest law; **F.revier** *nt* forest district; **F.schaden** *m* forest damage; **F.schädling** *m* forest pest; **F.verwaltung** *f* forest administration, Forestry Commission *[GB]*; **F.wart** *m* forest keeper/warden; **F.wesen** *nt* forestry; **F.wirt** *m* forester

Forstwirtschaft *f* forestry, silviculture; **nachhaltige F** sustainable forest management; **f.lich** *adj* silvicultural; **F.sbetrieb** *m* forestry operation; **F.sjahr** *nt* timber felling year

Forstwissenschaft *f* forestry science

fortan *adv* henceforth, henceforward, as of/from now

Fort|bestand/F.bestehen *m/nt* survival, continued/ongoing existence, continuance, continuation; **F. eines Unternehmens** continued/ongoing existence of a company

fortbestehen *v/i* to continue (to exist); **f.d** *adj* continuing

fortbewegen *v/t* to move; **sich langsam f.** 🚗 to (be reduced to a) crawl

Fortbewegung *f* progression, transport; **F.smittel** *n* vehicle

fortbilden *v/refl* to improve one's knowledge, to continue one's education, to update one's skills; *v/t (Personal)* to upskill; **sich beruflich f.** to upgrade one's skills

Fortbildung *f* upskilling, further/advanced training continuative/continuing education; **berufliche F.** skill enhancement, further training, advanced (vocational) training; **(inner)betriebliche F.** on-the-job/in-plant in-service/company/in-house training; **ständige F.** recurrent education

Fortbildungs|bedarf *m* training requirements; **F.einrichtungen** *pl* training facilities; **F.kosten** *pl* cost of further training; **F.kurs/F.lehrgang** *m* in-service training course, continuation course; **F.maßnahme** *f* training measure; **F.methode** *f* training technique; **F.programm** *nt* training programme; **F.schule** *f* continuation/night school; **F.seminar** *nt* training course **F.studium** *nt* sandwich course; **F.unterricht** *m* further education; **F.urlaub** *m* study leave, leave for training **F.verein** *m* mutual improvement society; **F.wesen** *n* continuative education; **F.ziel** *nt* training objective

fortbleiben *v/i* to stay away

'ortdauer *f* 1. continuation, continuance; 2. persistence, persistency

ırtdauern *v/i* 1. to continue, to go on; 2. to persist/subsist; **f.d** *adj* continuing, continual, continued, recurrent

ırtentwick|eln *v/t* to develop; **F.lung** *f* development

ırtfahren *v/i* 1. to continue/proceed; 2. to depart/leave; **entschlossen f.** to forge ahead

'ortfall *m* cessation, omission, discontinuance; **F. der Geschäftsgrundlage** frustration of contract

ırt|fallen *v/i* to cease; **f.führen** *v/t* to continue, to carry on

'ortführung *f* continuation, pursuance; **F. des Betriebs** continued plant operation; **F. der Firma** continuation of the firm name, ~ business; **F.sgrundsatz** *m* ongoing concern concept

'ortgang *m* 1. progress, process; 2. procedure; departure; **F. des Verfahrens** § continuation of the proceedings

ort|gehen *v/i* to depart/leave; **f.gelten** *v/i* to continue to apply; **F.geltung** *f* continued validity

ortgeschritten *adj* advanced, forward; **genügend weit f.** sufficiently advanced; **F.enkurs** *m* advanced course; **F.e(r)** *f/m* advanced student

ort|gesetzt *adj* continued; **f.jagen** *v/t* to chase away

'ortkommen *nt* 1. career (development); 2. *(Existenz)* livelihood, living; **sein F. finden** to make a living; **berufliches F.** career (development/opportunities/growth), professional/occupational advancement

ortlaufen *v/i* to run away; **f.d** *adj* progressive, continuous, permanent, ongoing, on a(n) ongoing/continuing basis, consecutive

ort|loben *v/t* to kick upstairs; **f.pflanzen** *v/refl* 1. to breed/reproduce/propagate; 2. *(Gerücht)* to spread

'ortpflanzung *f* reproduction, propagation, breeding; **F.sorgan** *nt* reproductive organ

'ortschaffen *nt* removal; **widerrechtliches F.** § asportation; **f.** *v/t* to remove/convey, to carry/spirit away; **widerrechtlich f.** § to asport

'ortschätzung *f* forward projection

ort|scheuchen *v/t* to scare away; **f.schicken** *v/t* to dispatch, to send off/away; **f.schleppen** *v/t* to drag away; **f.schreiben** *v/t* 1. to extrapolate/adjust/update/continue; 2. *(Programm)* to roll forward

'ortschreibung *f* 1. (forward) projection, extrapolation; 2. file maintenance, continuation, update/updating; **F. des Grundstückswertes** adjustment of real-estate value

'ortschreibungs|datei *f* update/transaction file; **F.differenz** *f* updating difference; **F.statistik** *f* current intercensus estimates; **F.verfahren** *nt* grossing-up procedure

ortschreiten *v/i* to advance/develop/proceed, to (make) progress, to go forward; **rasch f.** to make headway; **f.d** *adj* progressive

'ortschritt *m* progress, advance(ment), improvement, movement forward, development; **F.e** headway, progress

'ortschritt bedeuten/darstellen to be a step forward; **F. erzielen** to make progress/headway; **F.e machen** to make headway/progress, to advance, to take shape; **rasche F.e machen** to make great strides

entschiedener Fortschritt marked progress; **erzielte F.e** progress achieved; **merklicher F.** marked progress; **sequentieller F.** sequential progress; **sozialer F.** social progress; **ständiger F.** progressive advance; **technischer F.** technological advance/improvement/progress, engineering/technical progress; *(Pat.)* improvement in the arts, progress of the arts; **(investitions)gebundener ~ F.** embodied technological/technical progress; **(investitions)ungebundener ~ F.** disembodied technological/technical progress; **technologischer F.** technological progress; **wirtschaftlicher F.** economic progress; **wissenschaftlicher F.** scientific progress

fortschrittlich *adj* progressive, go-ahead, forward-looking; **F.keit** *f* progressiveness

Fortschritts|bericht *m* progress/status report; **F.beteiligung** *f* progress sharing; **f.feindlich** *adj* anti-progressive; **F.feindlichkeit** *f* anti-progressiveness; **F.kontrolle** *f* progress control; **F.-Rückschritts-Linienmethode** *f* advance and decline method; **F.möglichkeit** *f* innovation potential; **F.optimismus** *m* belief in progress; **F.rate** *f* growth rate; **F.zahlung** *f* progress/milestone payment; **F.zeitverfahren** *nt* cumulative timing

fortsetzen *v/t* 1. to continue/sustain, to carry on; 2. to resume; **immerwährend f.** to perpetuate

Fortsetzung *f* 1. continuation, continuance; 2. resumption; 3. part, instalment

Fortsetzung der Expansion continuance of expansion; **F. des Gesellschaftsverhältnisses** continuance of the partnership; **~ Pachtverhältnisses** attornment; **F. eines ruhenden Verfahrens** § revival of an action

Fortsetzung folgt to be continued

in Fortsetzung|en drucken/veröffentlichen to serialize; **F. schreiben** to write a sequel

Fortsetzungs|anzeige *f* follow-on (advertisement); **F.delikt** *nt* § continuing offence; **automatische F.klausel** renewal clause by stated terms; **F.zeile** *f* continuation line; **F.zusammenhang** *m* § continuation of offence

fort|spülen *v/t* to wash away; **f.tragen** *v/t* to carry away; **f.während** *adj* continuous

fortwälz|en *v/t* 1. to roll away; 2. to shift forward; **F.ung** *f* forward shifting

fort|ziehen *v/i* to move/leave/migrate; **F.zug** *m* move, migration from an area, (out)migration

Forum *nt* forum, platform, panel; **F. der Öffentlichkeit** forum of public opinion; **F.smitglied/F.steilnehmer(in)** *nt/m/f* panelist

Foto *nt* photo

Foto|abzug *m* print; **F.album** *nt* photo album; **F.apparat** *m* camera; **F.archiv** *nt* photo archives; **F.artikel** *pl* photographic goods; **F.atelier** *nt* photographic studio; **F.ausrüstung** *f* photographic equipment; **F.geschäft** *nt* photographic shop *[GB]*/store *[US]*; **F.graf** *m* photographer; **F.grafie** *f* photograph(y); **f.grafieren** *v/t* to (take a) photograph; **f.grafisch** *adj* photographic; **F.industrie** *f* photographic industry

Fotokopie *f* photostat(ic) copy, photocopy, xerox ™; **beglaubigte F.** certified photostat copy

Fotokopier|automat/F.er/F.gerät/F.maschine *m/m/nt/f* photocopier, photostat, xerox ™ (photocopying/machine); **f.en** *v/t* to photocopy/photostat xerox ™

Foto|labor *nt* photographic laboratory, darkroom; **F.material** *nt* photographic material; **f.mechanisch** *adj* photomechanical; **F.montage** *f* photo composition, photmontage; **F.satz** *m* ▯ filmsetting, phototypography, ▯ photocomposition *[US]*; **im ~ herstellen** to filmset; **F.sektor** *m* photographic and allied trades; **f.technisch** *adj* photographic; **F.termin** *m* photograph session, photo opportunity

Fotothek *f* photograph collection, photographic library

Fotozelle *f* 1. photo-electric/solar cell; 2. photo document sensor; **F.nabtastung** *f* photo-electric scanning

Foyer *nt* foyer, lobby

Fracht *f* 1. *(Ladung)* cargo, freight (frt.), shipment, load, goods, payload; 2. *(Gebühr)* freightage, carriage (charges), cartage, portage, waggonage; 3. transport operation; **ohne F.** without freight; **F. in Bausch und Bogen** lump-sum/flat-rate freight; **F. und Versicherung** freight and insurance

Fracht bei Ankunft der Ware zu bezahlen freight forward (frt. fwd.); **F. bezahlt** carriage paid (c/p, cge. paid), ~ prepaid, freight paid; **F. (be)zahlt Empfänger** carriage forward (c/f, carr. fwd.), freight forward/collect; **F. zu Ihren Lasten** carriage forward (c/f, carr. fwd.); **F. gegen/per Nachnahme** freight forward (frt. fwd.), ~ collect, carriage forward (c/f, carr. fwd.); **F. vorausbezahlt** freight prepaid (frt. ppd.), carriage paid (c/p); **F. zahlbar am Bestimmungsort** carriage forward (c/f, carr. fwd.); **franko F.** free of freight; **~ und Zoll** carriage and duty prepaid

Fracht bedingen to settle freight terms; **F. befördern** to carry cargo; **F. berechnen** to charge freight; **F. im Voraus bezahlen** to prepay freight; **F. einladen** to take in cargo; **auf F. fahren** ⚓ to sail on freight; **F. führen** to carry goods; **F. löschen** to discharge cargo; **F. nachnehmen** to freight forward (frt. fwd.), ~ on delivery; **per F. schicken** to (send) freight; **F. umschlagen** to handle freight/cargo; **F. zusammenstellen** to consolidate shipments, to group freight

abgehende/ausgehende Fracht outward freight; **aus- und eingehende F.** freight back and forth; **unterwegs befindliche F.** floating cargo; **von mehreren Spediteuren beförderte F.** interline freight; **zu Vorzugsbedingungen ~ F.** preference freight; **nicht deklarierte F.** undeclared freight; **durchgehende F.** through freight; **eingehende F.** inward freight; **fiktive F.** phantom freight; **freie F.** optional freight; **ganze F.** gross freight; **gemischte F.** general cargo; **gestundete F.** respited freight; **in gewöhnlicher F.** paying freight as customary; **rollende F.** wheeled cargo; **in Aussicht stehende F.** anticipated freight; **tote F.** dead freight; **ungebrochene F.** ⊖ through freight/charge; **unvorhergesehene F.** back freight; **vorausbezahlte F.** freight prepaid (frt. ppd.), prepaid/advanced freight; **am Bestimmungsort zahlbare F.** freight payable at destination; **zahlende F.** revenue freight; **zusätzlich F.** optional freight

Fracht|abfertigung *f* freight/cargo handling; **F.abnahme** *f* acceptance of consignment/shipment; **F.abrechnung** *f* invoicing of freight charges; **F.abschlag** *m* abatement; **F.abschluss** *m* freight fixing; **F.abteil** *nt* cargo section; **F.agent** *m* freight agent; **F.angebot** *nt* freight offered; **F.annahme** *f* acceptance of consignment, memorandum collection; **F.annahmeschein** *m* shipping note; **F.anspruch** *m* freight claim; **F.anteil** *m* primage proportion of freight charges; **F.aufkommen** *nt* freight (carried), freight volume, number of items carried; **F.aufschlag** *m* extra/additional freight, additional carriage, surcharge; **F.aufseher** *m* ⚓ supercargo, cargo superintendent; **F.auftrag** *m* shipping order; **F.ausgleich** *m* freight equalization; **F.ausschuss** *m* freight bureau; **F.aval** *m* freight guarantee; **F.basis** *f* por equalization, basing/equalization point; **F.bedingungen** *pl* freight terms, terms of carriage; **F.beförderung** *f* freightage, carriage of goods; **F.behälter** *m* freight container; **F.benachrichtigung** *f* ⚓ landing notice

Frachtberechnung *f* calculation of freight (charges); **F. nach Gewicht oder Maß** weight or measurement (W/M); **F.sgrundlage** *f* rate basis

Fracht|betrieb *m* transport/shipment operation; **F.bezahlung bei Warenankunft** *f* freight forward; **F.bilanz** *f* net freights; **F.börse** *f* freight/shipping exchange

Frachtbrief *m* 1. bill of freight/carriage, consignment note, freight bill; 2. ⚓ manifest, forwarding note bill/letter of consignment; 3. 🚂 letter of conveyance bill of carriage, railroad bill of lading (B/L), (freight railroad) waybill (W.B.); **F. ausstellen** to make out consignment note

durchgehender Frachtbrief through waybill; **erloschener F.** spent bill of lading; **internationaler F** international consignment note

Frachtbrief|abrechnung *f* waybill accounting; **F.doppel/F.duplikat** *nt* duplicate waybill, ~ consignment note, ~ of a railroad bill of lading *[US]*, counterfoil waybill

Fracht|buch *nt* cargo book; **F.buchung** *f* freight booking; **F.büro** *nt* freight/cargo office; **F.charter** *f* charter party (C/P); **F.dampfer** *m* freighter, cargo boat/steamer vessel, (freight) steamer; **zusätzliche F.deckungsklausel** institute cargo clause; **F.dienst** *m* cargo service; **F.differenz** *f* freight differential; **F.dokument** *nt* freight document; **F.eigner** *m* cargo owner; **F.eingangsbenachrichtigung** *f* landing/arrival notice; **F.einkünfte** *pl* freight/cargo revenue; **F.empfänger** *m* consignee; **F.empfangsbescheinigung** *f* freight receipt **f.empfindlich** *adj* sensitive

Frachten|ausgleich *m* freight equalization; **F.aval** *m* guarantee of freight payment; **F.bildung** *f* formation of freight rates; **F.börse** *f* freight market, shipping exchange; **F.inkasso** *nt* collection of freight charges **F.kontor** *nt* freight centre; **F.kontrolle** *f* freight control; **F.makler** *m* freight broker/agent/canvasser, ship broker

Frachtentgelt *nt* freight, carriage charge(s)

rachtenversicherer *m* cargo underwriter

rachter *m* 1. freighter; 2. ⚓ cargo-carrying ship; 3. cargo/carrying vessel

rachtǀerhöhung *f* increase in freight rates; **F.ermäßigung** *f* freight reduction, reduction of freight; **F.erstattung** *f* refund of freight charges; **F.ertrag/F.erträgnisse** *m/pl* cargo revenue, freight receipts

rachtflug *m* cargo flight; **F.hafen** *m* cargo airport; **F.verkehr** *m* air-freight service, freight plane service; **F.zeug** *nt* cargo/freight plane, airfreighter

rachtforderung *f* freight claim

rachtfrei *adj* carriage paid (c.p., c/p, cge. paid)/prepaid/free, free of charge, freight (and carriage) paid; **fracht- und spesenfrei** freight and charges prepaid; **f. Grenze** carriage paid to frontier

rachtfreigabe *f* freight authorization

rachtführer *m* 1. carrier; 2. 🚗 haulage contractor, haul(i)er, common/contract carrier, bailee; **F. im Kombiverkehr** combined transport operator (CTO); **frei F.** free carrier (FCA)

usländischer Frachtführer alien carrier; **erster F.** first carrier; **gewerbsmäßiger/öffentlicher F.** common carrier; **nachfolgender F.** successive carrier

rachtführerǀklausel *f* carrier clause; **F.pfandrecht** *nt* carrier's/cargo lien; **~ haben** to have a lien upon a cargo

rachtfuhrǀunternehmen *nt* haulage company, haulier; **F.unternehmer** *m* haulage contractor, haulier

rachtgebühr *f* 1. carriage, freight (frt.), freightage, freight charge; 2. *(Rollfuhr)* cartage; 3. ⚓ boatage; 4. 🚆 wag(g)onage; **zu viel erhobene F.** freight overcharge; **in Raten gezahlte F.** time freight

rachtǀgeld *nt* → **Frachtgebühr**; **F. und Liegegeld** freight and demurrage; **F.geschäft** *nt* carriage (business), freight business, carrying trade, freighting; **F.gewicht** *nt* waybilling weight; **f.günstig** *adj* low-freight

rachtgut *nt* 1. cargo, freight; 2. slow traffic; **als F.** 🚆 by goods train, by slow freight; **F. befördern** to carry cargo, to haul freight; **als F. senden** to despatch by rail/sea, to send (as ordinary) freight

rachtgutǀbeförderung *f* freight transportation; **F.sendung** *f* consignment

rachtǀhilfe *f* freight subsidy; **F.inhaber** *m* cargo owner; **F.inkasso** *nt* collection of freight charges; **f.intensiv** *adj* high-freight; **F.kahn** *m* ⚓ barge; **F.kapazität** *f* freight capacity; **F.kilometer** *m* freight kilometre/mile; **F.klausel** *f* freight clause, long- and short-haul clause *[US]*; **F.kommission** *f* freight commission; **F.konjunktur** *f* freight rates trend; **F.konto** *nt* freight/carriage account; **F.kontrakt** *m* 1. freight contract; 2. ⚓ charter party; **F.kontrolleur** *m* tally clerk

rachtkosten *pl* 1. freight (frt.), freight charges, freightage, carriage, carrying charges; 2. ⚓ shipping cost(s); 3. *(Rollgut)* drayage, cartage; 4. 🚆 railage, waggonage; **F. per Nachnahme; F. zahlt Empfänger** carriage forward (carr. fwd., c/f); **zu bezahlende F.** freight to collect; **F. berechnen** to charge for freight; **F. bezahlen** to pay freight charges

rachtkostenǀausgleich *m* freight equalization; **F.ersparnis** *f* freight saving; **F.erstattung** *f* refund of freight (charges); **F.nachnahme** *f* carriage forward; **F.übernahme** *f* freight absorption(s)

Frachtǀkredit *m* freight deferment; **F.kursnotierung** *f* freight quotation; **F.lager** *nt* freight depot; **F.leistung** *f* freight carried; **F.leistungen** freights, freight earnings; **F.liniendienst** *m* scheduled freight service; **F.liste** *f* ⚓ (cargo) manifest; **F.lohn** *m* 1. carriage, freightage; 2. *(Rollgut)* cartage

Frachtmakler *m* freight broker; **F.gebühr** *f* freight brokerage; **F.geschäft** *nt* freight broking

Frachtmanifest *nt* ⚓ (cargo) manifest; **F.nachlass** *m* freight rebate; **F.nachnahme** *f* carriage forward (c/f, carr. fwd.), collect shipment; **F.niederlage** *f* goods depot; **F.note** *f* freight note/bill; **F.notierung/F.notiz** *f* freight quotation; **F.offerte** *f* freight offered

Frachtpapier *nt* 1. shipping/transport/forwarding/freight document; 2. *(Konnossement)* bill of lading (B/L); **durchgehendes F.** through bill of lading, through B/L; **veraltetes F.** stale bill of lading

Frachtǀparität *f* basing point; **F.paritätensystem** *nt* basing-point system; **F.passage** *f* cargo passage; **F.police** *f* cargo/freight policy; **F.postzentrum** *nt* freight mail centre; **F.prämie** *f* cargo premium; **F.quittung** *f* freight receipt; **F.rabatt** *m* freight rebate; **F.rate** *f* cargo/freight/shipping rate

Frachtraum *m* 1. freight/cargo/shipping space, freight capacity/tonnage; 2. ⚓ (cargo) hold; 3. ✈ cargo pit; **F. belegen/buchen** to book freight space; **freier F.** surplus cargo space; **F.zuteilung** *f* space allocation

Frachtǀrechnung *f* freight bill/note/account; **F.recht** *nt* carriage of goods law; **F.satz** *m* freight rate/tariff, transportation rate, rate of freight; **F.schaden** *m* cargo damage, damage in transit

Frachtschiff *nt* freighter, general ship, cargo ship/boat, carrying vessel, transport vessel/ship; **F. für Bulkladung** bulk carrier; **F. im Liniendienst** cargo liner

Frachtǀschifffahrt *f* cargo shipping; **F.schuld** *f* freight liability, debt for freight; **F.sendung** *f* freight shipment, consignment; **F.sondertarif** *m* special freight tariff; **F.spediteur** *m* shipper, (freight) forwarder, cargo agent; **F.spesen** *pl* freightage, carriage outwards/inwards, freight in/out; **F.stück** *nt* package (pkg); **F.stundung** *f* freight deferment; **F.tafel** *f (Gebühr)* scale of freight rates; **F.tarif** *m* shipping/freight/transportation rate, rate of freight, (freight) tariff; **kombinierter F.tarif** combination rate; **F.terminal** *nt* freight terminal; **F.terminkontrakt** *m* freight index future; **F.tochter** *f* freight subsidiary; **F.tonne** *f* freight/measurement ton, ton weight; **F.tonnenkilometer** *m* freight-ton kilometre/mile; **F.transport** *m* transport of goods, goods transport; **F.umschlag** *m* freight handling/traffic, cargo movement(s); **f.ungünstig** *adj* high-freight; **F.unkosten** *pl* transportation cost(s); **F.unterbietung** *f* rate cutting; **F.unternehmen/F.unternehmer** *nt/m* haulage firm/contractor, freight corporation *[US]*, carrier, 🚗 haulier; **F.urkunde** *f* waybill; **F.verabredung** *f* freight engagement; **F.vergünstigung** *f* freight reduction; **F.verkehr** *m* cargo/goods/freight(liner) traffic; **kombinierter F.verkehr** multi-modal freight service;

F.vermerk *m* freight clause; **F.verpflichtung** *f* freight engagement; **F.versender** *m* shipper, consignor, consigner; **F.versicherer** *m* cargo/carriage underwriter; **F.versicherung** *f* carriage/cargo/freight insurance, insurance of merchandise; **F.- und Transportversicherung** transportation and merchandise insurance; **F.versicherungspolice** *f* cargo policy; **F.vertrag** *m* 1. contract of carriage/affreightment, freight contract; 2. ⚓ charter party/contract; **F.vorlage/F.vorschuss** *f/m* freight prepaid (frt. ppd), advance freight (charges); **F.weg** *m* freight route; **F.zahler** *m* payer of freight; **F.zahlung im Bestimmungshafen** *f* freight payable at destination; **F.zahlungsweise** *f* mode/manner of freight payment; **F.zentrum** *nt* freight village; **F.zettel** *m* waybill, dispatch note, freight bill; **F.zuschlag** *m* excess freight, primage, freight surcharge/penalty, additional freight/carriage; **F.zustellgebühr** *f* cartage; **F.zustellung** *f* cartage, freight delivery; **F.zuteilung** *f* space allocation

Frage *f* question, point, query, issue; **ohne F.** without question; **F. mit vorgegebenen Antworten** closed-end question; **F. der Zeit** a matter of time; **in F. kommend** possible, eligible; **nicht ~ kommend** ineligible

Frage anschneiden to raise/broach/moot a question; **F. aufwerfen** to raise a point/matter/question, to pose/moot a question; **einer F. ausweichen** to dodge a question, to hedge; **jdn in einer F. beraten** to advise so. on a question; **jdn mit F.n bombardieren** to pelt so. with questions; **mit F.n auf jdn eindringen** to ply so. with questions; **~ einstürmen** to pester so. with questions; **F. erledigen** to settle a question, to dispose of a question; **F. entscheiden** to decide/resolve a question; **F. erörtern** to discuss a question; **nicht in F. kommen** to be ruled out; **F. lösen** to solve a question/problem; **eine Menge F.n offen lassen** to leave a lot of questions unanswered, to beg a number of questions; **F. an jdn richten** to put a question to so.; **außer F. stehen** to be out of the question, ~ beyond doubt; **F. stellen** to raise/put a question; **in F. stellen** to question/query/challenge, to cast doubt on, to call into question; **F. umformulieren** to rephrase a question; **an der eigentlichen F. vorbeigehen** to bug a question; **F. zulassen** *(Prozess)* to overrule an objection, to admit a question; **jdm mit F.n zusetzen** to ply so. with questions

häufig aufgeworfene Frage oft-mooted question; **frei beantwortbare F.** open-ended question; **bohrende F.** searching/probing question; **entscheidende F.** crucial question; **geschlossene F.** closed question; **gesundheitliche F.** health (protection) question; **gezielte F.** pointed/specific question; **grundsätzliche F.** point of principle; **hypothetische F.** hypothetical question; **innenpolitische F.** domestic issue; **Ja-nein-F.** dichotomous question; **juristische F.** legal question; **lächerliche F.** absurd question; **materiell-rechtliche F.** point of substantive law, matter of substance; **mehrdeutige F.** ambiguous question; **müßige F.** superfluous question; **offene F.** open(-ended) question, moot point; **peinliche F.** awkward question; **präjudizielle F.** question involving a precedent; **rechtserhebliche F.** issue of legal relevance; **rhetorische F.** rhetorical questio[n]; **schwierige F.** knotty question; **soziale F.** social question; **strittige F.** point at issue, controversial question, question in dispute; **umstrittene F.** vexed question; **unentschiedene F.** open question; **untergeordnete F.** subordinate question; **verfahrensrechtliche/-technische F.** procedural/technical question, question of procedure; **wesentliche F.** vital question/issue

Fragebogen *m* 1. questionnaire; 2. form, schedule *[US]*, check list; 3. *(Umfrage)* survey; **F. ausfüllen** to fill in *[GB]*/out *[US]* a questionnaire; **F.aktion** *f* survey

fragen *v/t* to ask/question/inquire; *v/refl* to wonder; **nach jdm f.** to ask for so.

Fragen|komplex *m* issue area; **F.steller** *m* interviewer, questioner, interrogator, enquirer

Frager *m* questioner

Frage|recht *nt* § *(Prozess)* right to interrogate witnesses; **F.stellung** *f* wording of a question; **F.stunde** *(Parlament)* question time

frag|lich *adj* 1. questionable, in question, uncertain, doubtful, dubious; 2. problematic, disputable, under discussion; 3. § before the court; **f.los** *adv* beyond dispute, unquestionable

Fragment *nt* fragment; **f.arisch** *adj* fragmentary

fragwürdig *adj* doubtful, questionable, shady, problematic, ill-founded

Fraktil *nt* fractile

Fraktion *f* parliamentary party/group

Fraktions|einpeitscher *m* whip *[GB]*; **F.führer** *m* leader of the parliamentary party, floor leader *[US]*; **~ der Regierungspartei** Leader of the House *[GB]*; **f.los** *adj* independent; **F.lose(r)** *f/m* 1. independent; 2. *(Oberhaus)* cross-bencher *[GB]*; **F.sitzung** *f* caucus session *[US]*; **F.vorsitzende(r)** *f/m* leader of the parliamentary party; **F.wechsel** *m* crossing the floor *[GB]*

Fraktionszwang *m* (three-line) whip *[GB]*; **F. aufheben** to allow a free vote, to take off the whips *[GB]*; **F. nicht einhalten** to break the whip *[GB]*

Fraktur *f* 1. $ fracture; 2. black letter, Gothic; **F. reden** to be blunt with so., to do some straight talking, to tell so. what's what, to talk turkey with so. *[US]*

Franchise *f* 1. franchise; 2. *(Vers.)* (deductible) excess insurance, free average, percentage exemption margin; 3. weight variation allowance; **ohne F.** *(Vers.)* irrespective of percentage (i.o.p.)

Franchise|geber *m* franchisor, franchiser; **F.geschäft** *nt* franchising; **F.klausel** *f* franchise clause; **F.nehmer(in)** *m/f* franchisee; **F.system** *nt* franchising system; **F.unternehmen** *nt* franchise company; **F.vertrag** *m* franchise/franchising agreement

franco (f.c.o.) *adv* → **franko** uncharged, free

Franczone *f* French franc area

Frank *m* *(Währung)* franc

Frankatur *f* 1. payment of charges; 2. *(Fracht)* prepayment (of freight), mode/manner of freight payment

Frankatur|maschine *f* franking machine; **F.vermerk** *m* freight payment marking; **F.vorschrift** *f* franking regulations; **F.zwang** *m* compulsory freight prepayment

rankier|automat/F.maschine *m/f* franking/mailing/stamping machine, mailer, postage meter
·ankier|en *v/t* to stamp/frank/prepay, to pay postage; **f.t** *adj* stamped, postage paid (p.p.), prepaid (ppd)
·anko *adv* postage paid (p.p), prepaid (ppd.), carriage paid (c/p, c.p., cge. paid), carriage/post/postage free, post paid, free of all charges; **f. ab** delivered at
ranko|posten *m* item free of charge; **F.preis** *m* price including freight; **F.umschlag** *m* stamped envelope; **F.vermerk** *m* note of prepayment
·appierend *adj* striking
'rau *f* 1. woman, female; 2. [§] feme; **sich von seiner F. scheiden lassen** to divorce one's wife
lleinstehende Frau 1. single woman; 2. [§] feme sole; **berufstätige F.** working/career woman, career girl; **gnädige F.** *(Anrede)* madam; **geschiedene/verwitwete F.** [§] feme discovert; **ledige F.** 1. unmarried woman; 2. [§] feme sole; **unbescholtene F.** innocent/unblemished woman; **verheiratete F.** [§] feme covert
'rauen|angelegenheiten *pl* women's issues; **F.arbeit** *f* 1. female occupation; 2. female labour; 3. jobs for women; **F.arbeitslosigkeit** *f* female unemployment; **F.beauftragte** *f* women's representative, commissioner for women's issues; **F.beruf** *m* feminine trade, career for women; **F.beschäftigung** *f* female employment; **F.bewegung** *f* women's movement; **F.emanzipation** *f* women's emancipation; **F.erwerbsquote** *f* level of female employment; **F.erwerbstätigkeit** *f* female employment; **F.fachschule** *f* domestic science college; **F.haus** *nt* women's refuge; **F.rechte** *pl* women's rights; **F.rechtlerin** *f* feminist, suffragette; **F.stimmrecht/F.wahlrecht** *nt* female suffrage
·aulich *adj* womanly
·rech *adj* impertinent, impudent, cheeky *(coll); F.heit f* impertinence, impudence, insolence, cheek *(coll)*; **die ~ besitzen, etw. zu tun** to have the nerve to do sth.
'regatte *f* ⚓ frigate
·rei *adj* 1. free, unrestricted, at liberty, unattached, unfettered; 2. off duty; 3. *(Platz)* vacant, unoccupied, unfilled, spare; 4. *(kostenlos)* free (of charge), gratuitous; 5. ✉ postage paid (p.p.), postage prepaid (ppd), franco (f.c.o.); **f. von** exempt from
·rei aus free out; **f. ein und aus** free in and out (f.i.o.); **~ und gestaut** ⚓ free in and out stowed (f.i.o.s.); **f. und unbelastet** free and clear; **garantiert f. von** warranted free of
·rei ausgehen to get off scot-free; **f. bekommen** to get time off, ~ a day off, ~ leave; **f. haben** to be on holiday; ~ off duty; **f. lassen** *(Formular)* to leave blank; **f. machen** to clear; **sich f. nehmen** to take time off; **f. sein** to be available; **f. sprechen** to speak without notes; **f. werden** to become/fall vacant
'rei|aktie *f* bonus share *[GB]*/stock *[US]*; **F.anlage** *f* installation outdoor, outdoor unit; **F.antwort** *f* prepaid reply; **F.bankfleisch** *nt* substandard meat; **F.benzin** *nt* concessionary fuel allowance; **F.berufler(in)** *m/f* self-employed person, freelance, professional worker; *pl* professional people/classes, the professions; **f.beruflich** *adj* self-employed, freelance, in profession, professional, in private practice; **F.berufliche** *pl* → **Freiberufler**; **F.besitz** *m* freehold
Freibetrag *m* 1. (personal) allowance, relief, allowable/standard deduction, exemption; 2. ⊖ basic abatement *[US]*; 3. *(Steuer)* tax-free allowance, tax-exempt amount, credit *[US]*
Freibetrag für Arbeitseinkünfte earned-income relief; **~ außergewöhnliche Belastungen** allowance for extraordinary financial burden(s); **~ (Beschäftigung einer) Haushaltshilfe** domestic help allowance, houskeeper's allowance; **~ Ehepaare** marital deduction; **~ Ehegatten und Kinder** personal allowance; **~ Existenzminimum** deduction for minimal survival needs; **F. auf Lebenszeit** lifetime exemption; **F. für Ledige** single person's allowance; **~ die Unterstützung abhängiger Verwandter** dependant/dependent relatives relief; **~ Verheiratete** married couple's allowance; **~ Versicherungen** insurance relief; **~ Vormund** guardian's allowance
pauschaler Freibetrag flat exemption; **persönlicher F.** personal/individual allowance, ~ tax exemption
Frei|beuter *m* ⚓ freebooter, buccaneer; **F.bezirk** *m* 1. franchise; 2. free port area; **f.bleibend** *adj* 1. no/without obligation, subject to change without notice, without engagement, on condition, not binding, subject to alteration; 2. [§] without prejudice
Freibord *nt* ⚓ freeboard; **F.abkommen** *nt* load line convention; **F.zeugnis** *nt* freeboard certificate
Frei|börse *f* kerb *[GB]*/curb *[US]* market, ~ exchange, unofficial market; **F.brief** *m* letters patent, charter; **königlicher F.brief** royal charter *[GB]*; **F.denker** *m* freethinker
im Freien in the open, open-air, outdoor, on open ground
Frei|exemplar *nt* free sample/copy, presentation/complimentary copy; **F.fahrkarte/F.fahrschein** *f/m* free pass/ticket; **F.fahrt** *f* free ride/journey; **f.finanziert** *adj* 🏛 privately financed; **F.fläche** *f* open space; **F.flug** free flight
Freigabe *f* 1. release, clearance; 2. decontrol, lifting of controls; 3. deregulation, liberalization; 4. *(Währung)* floating; 5. *(Gelder)* unfreezing; 6. [§] *(Pfand)* replevin
Freigabe eines gepfändeten Gegenstandes [§] replevin; **F. von Land (zur Erschließung/Bebauung)** release of land (for development); **~ Mitteln** release/unblocking of funds; **F. der Preise** price decontrol; **F. für die Presse** press release; **F. einer Straße** opening a road; **F. zur Veröffentlichung** release for publication; **zollrechtliche F. von Waren** release of goods for free circulation; **F. der Wechselkurse** floating
Freigabe anordnen [§] to discharge/release an attachment; **F. erlangen** [§] *(Pfand)* to replevy/replevin; **F. von Waren aus dem Zollgewahrsam erwirken** to secure the release of goods from customs custody
schrittweise Freigabe gradual release/decontrol; **zollamtliche F.** customs clearance
Freigabe|antrag *m* [§] *(Pfand)* replevin; **F.anweisung** *f* release statement; **F.bescheinigung** *f* release note; **F.datum** *nt* 🖳 purge date; **F.signal** *nt* 🖳 enabling sig-

nal; **F.stempel** *m (Scheck)* release stamp; **F.verfügung** *f* § *(Pfand)* replevy, replevin

Freigang *m* 1. § work release; 2. day release

freigeben *v/t* 1. to release; 2. *(Konto)* to clear/unblock; 3. *(Tarif)* to deregulate/decontrol/liberalize, to lift controls; 4. § *(Pfand)* to replevy/replevin; 5. *(Geld)* to unfreeze; 6. *(Preise)* to unpeg

freigiebig *adj* generous, lavish, free-handed, openhanded; **allzu f.** overgenerous; **F.keit** *f* generosity, munificence, largesse, open-handedness

Freigelände *nt* open-air site/grounds/space/*(Messe)* stand, open area

freigelassen *adj* released; **bedingt f.** § released/out on probation; **f. werden** to go free

freigemacht *adj* ✉ prepaid (ppd), postage paid, stamped; **nicht f.** unfranked, unpaid

Freigepäck *nt* free luggage *[GB]*/baggage *[US]*; **F.grenze** *f* luggage/baggage allowance

frei|gesetzt *adj* redundant, idle, displaced; **f.gesprochen** *adj* § acquitted; **nicht f.gesprochen** unacquitted

freigestellt *adj* 1. optional; 2. laid-off; 3. freed from duty; **jdm f. sein** to be at the discretion of so., ~ in so.'s discretion; **f. werden** to be given time off

Frei|gewicht *nt* weight allowance; **F.grenze** *f* 1. free quota, tax-free amount, (tax) exemption limit; 2. ⊖ duty-free allowance; **F.-Grenz-Preis** *m* price free frontier; **F.gut** *nt* duty-free goods, bonded manifest, goods in free circulation; **F.gutveredelung** *f* processing of duty-free goods

Freihafen *m* free port, free (trade) zone

Freihafen|gebiet *nt* free port area; **F.lager** *nt* free port warehouse/store; **F.lagerung** *f* free port storage/warehousing; **F.niederlage** *f* sufferance wharf; **F.veredelungsverkehr** *m* free port processing trade

freihalten *v/t* to reserve, to keep clear/free; **jdn f.** to pay for so., to treat so. to sth.

Freihandel *m* 1. free/liberal trade; 2. *(Börse)* over-the-counter (OTC) trading; **F. auf Gegenseitigkeitsbasis** fair trade; **im F. verkauft** sold by private contract/treaty

Freihandels|abkommen *nt* free trade agreement; **F.gebiet** *nt* free trade zone/area; **F.gemeinschaft** *f* free trade association; **F.gleichgewicht** *nt* free trade equilibrium; **F.markt** *m* free trade market; **F.politik** *f* free trade policy, tariff reform; **F.politiker** *m* free trader; **F.preis** *m* free-market price; **F.vertrag** *m* free trade agreement; **F.zone** *f* free/foreign trade zone, free trade area; enterprise zone, foreign trading zone

freihändig *adj* 1. § by private contract/treaty, private(ly); 2. *(Börse)* over-the-counter (OTC), in the open market, free, unrestricted

Freihändler *m* free trader

Freihand|verfahren *nt* freehand method; **F.verkauf** *m* sale by private contract/treaty

Freiheit *f* liberty, freedom; **in F.** at liberty

Freiheit der Berufswahl freedom to take up any profession or trade; ~ **Lehre** freedom of the chair; **F. des Luftraums** freedom of the air; **F. der Meere** freedom of the (high) seas; ~ **(öffentlichen) Meinungsäußerung** freedom of speech; ~ **Person** personal freedom; **F. in der Preisgestaltung** pricing freedom; **F. de Presse** freedom of the press; **F. des Wettbewerbs** fre competition

sich Freiheit|en herausnehmen to take liberties; **jdr F. lassen** to give so. rope *(fig)*; **sich die F. nehmen** t take the liberty; **in F. setzen** to set free; **auf seine F verzichten** to surrender one's liberty

bürgerliche Freiheit civil liberty; **geistige F.** freedor of thought; **natürliche F.** natural liberty; **persönlich F.** personal liberty, freedom of the individual; **redak tionelle F.** editorial freedom; **staatsbürgerliche F.e** civil liberties; **unternehmerische F.** freedom of mana gement, commercial freedom; **wirtschaftliche F.** eco nomic freedom

freiheitlich *adj* liberal, free and constitutional

Freiheits|beraubung *f* § unlawful detention, false im prisonment/arrest; **F.beschränkung** *f* restriction o liberty, restraint (of liberty); **F.delikt** *nt* offence agains personal liberty; **F.entziehung/F.entzug** *f/m* deten tion, imprisonment, deprivaton of liberty; **F.kampf** *n* struggle for liberty

Freiheitsstrafe *f* § prison/jail/custodial sentence, im prisonment, deprivation of liberty; **F. zur Bewährun** suspended (prison) sentence; **F. mit unbestimmte Strafdauer** indeterminate sentence; **mit F. bedroh** imprisonable; **F. verbüßen** to serve a sentence, ~ pris on term; **jdn zur F. verurteilen** to send so. to prison; **z lebenslanger F. verurteilen** to sentence to life impris onment; **lebenslängliche F.** life sentence/imprison ment, imprisonment for life; **ersatzweise verhängte F** imprisonment for failure to pay a fine; **zeitige F.** priso sentence for a term of years, determinate sentence

Frei|jahr *nt* redemption-free year, year of grace; **F.jah re** repayment holiday, grace period; **F.karte** *f* 1. fre ticket/pass; 2. complimentary ticket; **F.kauf** *m (Gei sel)* ransom; **f.kaufen** *v/t* 1. to buy out; 2. *(Geisel)* t ransom; **F.konto** *nt* unblocked account; **F.kurs** *m* fre market rate; **F.kuvert** *nt* stamped envelope; **F.kux** *n* free share; **F.ladegleis** *nt* loading track provide free of charge; **F.ladekai** *m* ⚓ free wharf; **F.lager** *nt* 1 ⊖ bonded warehouse; 2. open-air storage; **F.lager fläche** *f* open-storage space; **F.lagerung** *f* open-ai storage

Freiland|- 1. free-range; 2. open-bed, outdoor; **F.eie** *pl* free-range eggs; **F.fläche** *f* open land; **F.gemüse** *n* outdoor vegetables; **F.hühner** *pl* free-range chickens **F.kultur** *f* outdoor cultivation; **F.vieh** *nt* free-rang cattle

freilassen *v/t* to release, to (set) free

Freilassung *f* release; **F. gegen Kaution** § bailment release on bail; ~ **verweigern** § to refuse bail; **beding te F.** conditional release; **endgültige F.** final discharge **F.sanordnung** *f* § prerogative writ; **F.sbeschluss** *n* release order

Frei|lauf *m* ✿ freewheel; **F.legen/F.legung** *nt/f* ex posure, uncovering, laying bare; **f.legen** *v/t* 1. to ex pose/uncover, to lay open/bare; 2. *(Fläche)* to open up to redevelop; **F.leitung** *f* ϟ overhead line/cable; **F.lei tungsmast** *m* ϟ pylon

reilicht|aufführung *f* 🎭 open-air performance; **F.aufnahme** *f* exterior/outdoor shoot; **F.bühne** *f* 🎭 open-air stage; **F.kino** *nt* open-air/drive-in cinema

reil|liste *f* ⊖ free list, list of tax-free goods; **F.los** *nt* free ticket; **F.luftanlage** *f* outdoor installation; **F.luftstand** *m (Messe)* open air stand; **F.machen** *nt* 1. clearance; 2. prepayment (of postage); **f.machen** *v/t* 1. ✉ to prepay/frank/stamp; 2. ⊖ to clear out; 3. *(Sitz)* to vacate

reimachung *f* ✉ prepayment of postage, stamping, franking; **F.sgebühr** *f* prepayment fee; **F.smaschine** *f* franking/mailing machine; **F.szwang** *m* compulsory prepayment

reil|makler *m* outside/unofficial broker; **F.marke** *f* ✉ postage stamp; **F.markenautomat** *m* stamp machine; **F.markenheft** *nt* book of stamps; **F.marktkurs** *m* free market rate; **F.marktpreis** *m* price in the open market

reil|menge *f* ⊖ duty-free/customs allowance; **f.mütig** *adj* frank, open, outspoken, candid, free-spoken; **F.periode** *f* → **Freijahre**; **F.platz** *m (Stipendium)* scholarship; **F.posten** *m (Bank)* item free of charge

reiraum *m* 1. scope, room for manoeuvre, (area of) freedom; 2. 🏛 clear/open space; **F.klausel** *f* 🏛 clear/open space clause; **F.sicherung** *f* preservation of open space(s)

reil|schaffend *adj* freelance, self-employed; **F.schaffende(r)** *f/m* freelance; **F.schärler** *m* ✗ partisan, guerrilla; **F.schicht** *f* extra/free/non-working shift, paid non-work shift; **f.setzen** *v/t (Arbeitskräfte)* to lay off, to make redundant, to displace; **F.setzung** *f (Arbeitskräfte)* redundancy, displacement of workers/labour; job shedding; **f.sprechen** *v/t* 1. § to acquit, to find not guilty, to clear/exonerate; 2. *(Lehrling)* to qualify/release; **F.sprechung** *f (Lehrling)* release

reispruch *m* § 1. acquittal, verdict of not guilty; 2. (order of) discharge, absolvitor *(lat.) [Scot.]*

reispruch von allen Anklagepunkten acquittal on all charges; **F. mangels Beweises** verdict of not proven; **F. aus Rechtsgründen** acquittal in law; **F. wegen erwiesener Unschuld** honourable acquittal; **~ Unzurechnungsfähigkeit** verdict of guilty but insane

reispruch beantragen/auf F. plädieren to plead not guilty; **auf F. erkennen** to acquit; **F. erwirken** to obtain an acquittal; **F. verkünden** to return a verdict of not guilty

edingter Freispruch conditonal discharge

reil|staat *m* free state; **F.stätte** *f* refuge, sanctuary

reistehen *v/i* to be vacant; **jdm f.** to remain free; **f.d** *adj* 1. vacant, unoccupied; 2. 🏛 detached, isolated, free-standing; **halb f.d** semi-detached

reistellen *v/t* 1. to release/dismiss; 2. to indemnify; **jdn f.** to exempt so., to release so. from his duties, to dispense so. (from); **jdm etw. f.** to leave sth. (up) to so., to give so. a choice

reistellung *f* 1. release, time off; 2. release from (employment) duties, exemption from normal duties, dispensation; 3. lay-off

reistellung von der Arbeit release from work; **zeitweilige ~ Arbeit** lay-off; **F. für Blockunterricht** block release; **F. eines Gemeinschuldners** discharge of a bankrupt; **F. von Haftung** indemnity against liability; **F. für Tagesunterricht** day release

befristete und bedingte Freistellung *(Konkurs)* suspended and conditional discharge; **tageweise F.** day release; **völlige F.** unconditional release

Freistellungs|anspruch *m* right of indemnity, claim to be held safeguarded; **F.antrag** *m* application for exemption; **F.bescheid** *m (Steuer)* notice of exemption, ~ non-liability for tax; **F.erklärung** *f* deed of release; **F.garantie** *f* indemnification guarantee; **F.klausel** *f* exemption clause; **F.verfahren** *nt* exemption proceedings; **F.verfügung** *f* release/exemption order; **F.verpflichtung** *f* indemnity obligation; **F.vertrag** *m* indemnification agreement; **F.zeit** *f* exemption period

frei|stempeln *v/t* ✉ to frank; **F.stempelung** *f* franking; **F.stempler** *m* franking machine, posting meter, mailer; **F.stück** *nt* free copy/sample; **F.stunde** *f (Schule)* free period; **F.teil** *nt* franchise; **F.tisch** *m* free meals; **F.tod** *m* suicide; **F.treppe** *f* (flight of) outdoor steps; **F.umschlag** *m* ✉ stamped addressed envelope (s.a.e.), self-addressed (SAE)/postage/prepaid envelope, postage/reply paid envelope; **F.verkauf** *m* sale by private contract/treaty, voluntary sale

Freiverkehr *m* 1. outside/unofficial/inofficial/open market; 2. dealing in the free market, inofficial/unofficial/free dealings, unlisted securities market (USM); 3. *(Börse)* kerb *[GB]*/curb *[US]*/over-the-counter (OTC)/off-board market, off-floor/unlisted trading; **im F.** 1. in the open market; 2. *(Börse)* over the counter, street-wise; **~ handeln** to trade over the counter; **~ verkaufen** to sell over the counter

geregelter Freiverkehr 1. regulated unofficial dealings; 2. *(Börse)* inofficial dealing, semi-official trading, regulated over-the-counter market; **im nachbörslichen F.** in the late kerb *[GB]*/curb *[US]*; **ungeregelter F.** *(Börse)* over-the-counter (OTC) trading, off-board trading, inter-broker market

Freiverkehrs|- unofficial; **F.bescheinigung** *f* ⊖ free circulation certificate; **F.börse** *f* 1. unofficial/inofficial/kerb *[GB]*/curb *[US]* market, kerb *[GB]*/curb *[US]* exchange; 2. Unlisted Securities Market (USM) *[US]*; **F.derivat** *nt* OTC (over-the-counter) derivative; **F.handel** *m* kerb *[GB]*/curb *[US]*/street/over-the-counter (OTC) market; **F.handelsstelle** *f* trading post; **F.händler** *m* street broker, dealer in unlisted/outside securities, over-the-counter (OTC) dealer; **F.kurs** *m* kerb *[GB]*/curb *[US]*/street/dealer/off-the-board/wholesale price, free market rate/price, price/rate on the free market, over-the-counter (OTC)/unofficial quotation; **F.makler** *m* kerb *[GB]*/curb *[US]*/unofficial/curbstone *[US]* broker, outside stockbroker; **F.markt** *m* unofficial/inofficial/kerb *[GB]*/curb *[US]*/over-the-counter (OTC) market, unlisted (securities) market; **F.notierung** *f* unquoted list *[GB]*, unlisted quotation *[US]*; **F.schein** *m* ⊖ free circulation certificate; **F.umsätze** *pl* outside transactions; **F.wert** *m* kerb *[GB]*/curb *[US]* stock, third market stock, outside/unlisted security

Frei|vermerk *m* ✉ frank, prepaid notice; **kleines F.wahlgeschäft** midget supermarket, superette *[US]*;

F.werden *nt* vacancy; ~ **von Krediten** release of credits; **f. werdend** *adj* falling vacant; **F.wild** *nt* fair game

freiwillig *adj* 1. voluntary, of one's own accord, ~ free will, unsolicited; 2. gratuitous, optional, non-obligatory; **sich f. melden** to volunteer; **F.e(r)** *f/m* volunteer; **F.enbeiträge zahlen** to contribute voluntarily; **F.keit** *f* voluntariness, optionality; **F.keitsprinzip** *nt* voluntarism, principle of voluntary action

Frei|zeichen *nt* 1. ✆ dialling/call tone; 2. non-registered trademark, unprotected mark; **f.zeichnen** *v/refl* to contract/opt out, to exempt o.s. from a liability

Freizeichnung *f* 1. opting/contracting out; 2. non-liability, exoneration; **F. für bestimmte Schadensursachen** excepted perils

Freizeichnungs|grenze *f* *(Vers.)* free average, franchise, percentage exemption; **F.klausel** *f* 1. *(Havarie)* average clause; 2. *(Garantie)* non-warranty/exemption clause, disclaimer (clause); 3. *(Abrechnung)* saving errors and omissions (SEAO/SEO); 4. *(Völkerrecht)* contracting-out/protective clause; 5. exoneration clause; 6. *(Vers.)* excepted perils clause, non-liability/without-engagement clause, exemption from liability clause

Freizeit *f* 1. leisure, spare/free time, time off; 2. playtime; **in der F.** in one's own time; **bezahlte F.** paid holiday, time off with pay; **unbezahlte F.** time off without pay

Freizeit|- recreational; **F.angebot** *nt* leisure-time facilities/amenities; **F.anlage** *f* leisure park/grounds, amenity; *pl* recreational amenities; **F.arbeit** *f* 1. spare-time job; 2. *(Schwarzarbeit)* moonlighting *(coll)*; **F.arrest** *m* [§] weekend arrest; **F.arrestanstalt** *f* attendance centre; **F.artikel** *m* leisure-time product, recreation-oriented product; **F.ausgleich** *m* time off in lieu; **F.auto** *nt* recreational vehicle (RV); **F.bekleidung** *f* → **F.kleidung**; **F.beschäftigung** *f* leisure-time pursuit, recreational activity; **F.einrichtung** *f* recreation(al)/leisure facility; **F.erzeugnisse** *pl* leisure(-time) products; **F.fahrzeug** *nt* 🚗 runabout; recreational vehicle (RV); **F.gebiet/F.gelände** *nt* recreation area; **F.gesellschaft** *f* leisure enterprise/company; **F.gestaltung** *f* leisure-time/recreational/spare time activities, organisation of leisure activities; **F.heim** *nt* recreation centre; **F.immobilie** *f* leisure property; **F.industrie** *f* leisure(-time) industry; **F.kleidung** *f* leisure/casual wear, casual clothes; **F.markt** *m* leisure (activity) market; **F.ökonomik** *f* leisure economics; **F.park** *m* amusement park; ~ **mit thematischem Schwerpunkt** theme park; **F.sektor** *m* leisure market; **F.wert** *m* 1. recreational value; 2. *(Börse)* entertainment share *[GB]*/stock *[US]*; **F.wirtschaft** *f* leisure industry; **F.zentrum** *nt* leisure/recreation centre; **F.zone** *f* recreation area

Freiziehen *nt* *(Land)* vacation (of land); **f.** *v/t* to vacate

Frei|zone *f* free zone; **f.zügig** *adj* 1. unrestricted, unimpeded; 2. *(Moral)* permissive, liberal; 3. generous; *adv* at large, free to move

Freizügigkeit *f* 1. permissiveness, liberality; 2. generosity; 3. freedom of trade; 4. freedom/right of movement, unrestricted mobility; 5. *(Arbeit)* free movement of labour; 6. *(Wohnsitz)* free choice of residence

Freizügigkeit der Arbeitnehmer free movement o workers/labour, industrial mobility; **F. des Devisen verkehrs** freedom of exchange movements; **F. de Hafenwahl** freedom to choose between ports; **F. in Handel** free/liberal trade; **F. des Kapitalverkehrs** fre movement of capital; **F. im Warenverkehr** free move ment of goods

berufliche Freizügigkeit occupational mobility; **ört liche und ~ F.** geographical and occupational mobili

fremd *adj* 1. foreign; 2. alien, strange, unfamiliar; 3. *(ex tern)* third-party, outside, external

Fremd|absatz *m* customer/external sales; **F.anteil** *m* minority/outside interests; 2. *(Produktion)* bought-i part; **F.anzeige** *f* third-party deposit notice; **F.arbeite** *pl* outside services; **F.arbeiter** *m* foreign/immigran expatriate worker; *pl* 1. hired/outside labour; 2. foreig labour; **f.artig** *adj* outlandish, strange, exotic; **F.au trag** *m* external order, outside contract; **F.aufwendun gen** *pl* extraneous/extraordinary expenses; **F.bauteil** outside component; **F.begünstigung** *f* [§] aiding an abetting another; **F.beleg** *m* external voucher; **f.be schafft/f.bezogen** *adj* bought-in, purchased; **F.be schaffung** *f* → **F.bezug**; **F.besitz** *m* outside ownershi possession held by third parties; **F.besitzer** *m* nomine holder, [§] bailee; **f.bestimmt** *adj* heteronomous; **F.be stimmung** *f* heteronomy; **F.beteiligung** *f* minority/out side interest(s); **F.bezug** *m* 1. outside purchasin purchase/supply/resourcing, external procuremen supply, ~ source of supply, purchases from outside sup pliers, bought-in components; 2. outsourcing; **F.depo** *nt* customer's securities deposit

Fremde(r) *f/m* 1. stranger; 2. alien, foreigner

Fremd|einwirkung *f* extraneous cause; **F.emission** security issue for third account

Fremden|bett *nt* tourist/hotel bed; **F.buch** *nt* visitors book, hotel register; **F.feind** *m* xenophobe; **f.feindlic** *adj* xenophobic, hostile to foreigners; **F.feindlich keit/F.hass** *f/m* xenophobia; **F.führer(in)** *m/f* touris guide; **F.heim** *nt* boarding/guest house; **F.industrie** tourist industry; **F.kuponsteuer** *f* non-residents' cou pon tax; **F.pass** *m* alien's passport; **F.pension** *f* board ing/guest house; **F.polizei** *f* aliens department/branch **F.recht** *nt* aliens law; **F.steuer** *f* visitors'/non-resi dents' tax

Fremdenverkehr *m* tourism, tourist business/trade traffic

Fremdenverkehrs|- tourist; **F.abgabe** *f* tourist/non residents'/non-residence tax; **F.amt** *nt* tourist office information *[GB]*; **F.ausgaben** *pl* tourist expendi ture(s); **F.behörde** *f* tourist board; **F.bilanz** *f* touris balance; **F.büro** *nt* tourist office/agency/bureau *[US]* **F.defizit** *nt* tourist deficit; **F.einnahmen** *pl* tourist re ceipts, receipts from tourism; **F.einrichtungen** *pl* tour ist facilities; **F.förderung** *f* promotion of tourism **F.führer(in)** *m/f* tourist guide; **F.gebiet** *nt* tourist area **F.gewerbe/F.industrie** *nt/f* tourist industry/trade tourism; **F.intensität** *f* tourist frequency; **F.investi tionen** *pl* tourist industry investment(s); **F.land** *nt* tour ist country; **F.lehre** *f* tourism; **F.leistungen** *pl* touris services; **F.marketing** *nt* tourist marketing; **F.ort** *m* tourist resort/centre/spot; **F.statistik** *f* tourist statistics; **F.steuer** *f* tourist tax; **F.verband** *m* tourist association; **F.verein/F.zentrale** *m/f* tourist agency, tourist authority; **F.werbung** *f* tourism/tourist advertising; **F.wirtschaft** *f* tourist trade/industry, hotel and catering trade; **F.zentrum** *nt* tourist resort/centre *[GB]*/center *[US]*, tourist spot

Fremdenzimmer *nt* guest room

Fremd|ertrag *m* extraneous/extraordinary income; **F.erzeugnis/F.fabrikat** *nt* outside/foreign product, foreign manufacture; **F.fabrikate** *pl* other equipment; **F.faktor** *m* external factor; **F.fertigung** *f* outside manufacture

fremdfinanzier|en *v/t* to borrow, to finance through borrowing, ~ from outside sources; **f.t** *adj* leveraged, externally financed, financed with borrowed funds

Fremdfinanzierung *f* borrowing, external/outside/loan/debt financing, outside finance, external funding

Fremdfinanzierungs|bedarf *m* external financing requirements; **F.grad/F.squote** *m/f* leverage, borrowing ratio; **F.kosten** *pl* cost of outside financing; **F.mittel** *nt* outside/borrowed funds

Fremd|geld *nt* borrowed money, borrowings, outside/borrowed third-party funds; **F.gerät** *nt* 🖳 external device; **F.geschäft** *nt* transaction for third account; **F.geschäftsführung** *f* outside management; **F.grundschuld** *f* land charge for third parties; **F.heit** *f* unfamiliarity; **F.herrschaft** *f* foreign rule; **F.hersteller** *m* outside manufacturer; **treuhänderisch gehaltene F.hypothek** party mortgage; **F.immobilien** *pl* outside real estate; **F.investition** *f* external investment, investment in other enterprises

Fremdkapital *nt* borrowed/outside/debt/loan/debenture/fixed-interest capital, external finance, outside/debt funds, creditors' equity, borrowed resources, borrowings, capital from outside sources, liabilities to outsiders, total liabilities; **mit hohem Anteil an F. und Vorzugsaktien** highly geared; **mit niedrigem ~ Vorzugsaktien** low-geared; **F. aufnehmen** to borrow, to raise third-party funds; **mit hohem F. ausgestattet sein** to be highly geared

bedingtes Fremdkapital contingent assets; **hohes F.** highly geared capital; **kurzfristiges F.** short-term/current liabilities (and provisions); **langfristiges F.** long-term/fixed liabilities (and provisions), long-term debts

Fremdkapitalanteil *m* capital gearing; **geringer F.** low gearing; **hoher F.** high gearing; **mit hohem F.** highly geared/leveraged

Fremdkapital|beschaffung *f* procurement of outside capital; **F.belastung** *f* gearing; **leichte F.beschaffung** ease of borrowing (capital); **F.beteiligung** *f* participation in outside capital; **F.geber** *m* lender, (outside) creditor; **F.kosten** *pl* cost(s) of outside/loan capital, ~ debt; **F.verzinsung** *f* interest on liabilities; **F.wirkung auf Eigenkapitalrentabilität** *f* income gearing; **F.zinsen** *pl* interest on borrowed capital

Fremd|konto *nt* third-party account; **F.kontrolle** *f* external control; **F.körper** *m* foreign body; alien element; **F.(leistungs)kosten** *pl* cost(s) of outside services; **F.kunde** *m* outside customer; **f.ländisch** *adj* exotic, alien, foreign; **F.leistungen** *pl* outside services, subcontracted supplies and services; **F.lieferung** *f* external delivery; **F.ling** *m* newcomer, stranger; **F.löhne** *pl* wages paid to outside labour; **F.material** *nt* purchased material

Fremdmittel *pl* loans, external/outside finance, borrowed/debt/external funds, borrowed money, borrowings; **F.aufnahme** *f* borrowing, debt/outside financing; **F.bedarf** *m* funding needs, borrowing requirements, external finance requirements; **F.beschaffung** *f* external funding

Fremd|nutzung *f* utilization by third parties; **F.reparatur(en)** *f/pl* repairs done by outside parties, cost(s) of repair work carried out by outside contractors; **F.schiff** *nt* third-party vessel; **F.speicher** *m* 🖳 external memory

Fremdsprache *f* foreign language; **erste F.** second language

Fremdsprachen|ausbildung *f* foreign-language training; **F.korrespondent(in)** *m/f* foreign-language correspondent; **F.sekretärin** *f* foreign-language/bilingual secretary; **F.unterricht** *m* (foreign-)language teaching/lessons/tuition; **F.zentrum** *nt* (foreign) language centre

fremd|sprachig *adj* foreign-language; **F.stoff** *m* foreign material/substance/matter; **F.strom** *m* purchased electricity; **F.strombezug** *m* electricity obtained from outside; **länderbezogenes F.teil** country-specific outside product; **F.umsatz** *m* sales to customers, external sales/turnover; **F.verantwortung** *f* third-party liability; **F.vergabe** *f* contracting(-)out, outsourcing; **f.vergeben** *v/t* to contract out, to outsource; **F.vergleich** *m* dealing at arm's-length rule; **F.vergleichspreis** *m* external reference price; **F.vermutung** *f* § non-property presumption; **F.verschulden** *nt* third-party responsibility; **F.versicherung** *f* third-party insurance; **F.versorgungswirtschaft** *f* outside resourcing

Fremdwährung *f* foreign currency (assets), foreign exchange; **F. anschaffen** to acquire a foreign currency

Fremdwährungs|anlagen *pl* foreign currency assets/investments; **F.anleihe** *f* foreign currency loan, foreign currency-denominated bond; **F.auftrag** *m* *(Bank)* foreign currency transfer; **F.betrag** *m* amount in foreign currency; **F.finanzierung** *f* foreign currency financing; **F.forderung** *f* foreign currency liability; **F.forderungen** foreign currency assets; **F.geldbrief** *m* foreign currency cash letter; **F.gewinn** *m* exchange gain; **F.gläubiger** *m* foreign currency creditor; **F.guthaben** *nt* foreign currency balance; **F.klausel** *f* foreign currency clause; **F.konto** *nt* foreign currency/exchange account; **F.kredit** *m* foreign currency credit/loan; **F.kreditaufnahme** *f* foreign currency borrowing; **F.kursbezeichnung** *f* foreign currency title; **F.passiva** *pl* foreign currency liabilities; **F.position** *f* foreign currency position/exposure; **F.risiko** *nt* foreign currency exposure/risk; **F.scheck** *m* foreign currency cheque *[GB]*/check *[US]*; **F.schuld** *f* foreign currency debt; **F.schuldner** *m* foreign currency debtor; **F.schuldver-**

schreibung *f* foreign currency bond; **F.titel** *m* foreign currency security; **F.umrechnung** *f* translation of foreign currencies; **F.urteil** *nt* judgment in foreign currency; **F.verbindlichkeiten** *pl* foreign currency liabilities/debt, external liabilities in foreign currencies; **F.verlust** *m* exchange loss; **F.verpflichtung** *f* foreign currency liability; **F.wechsel** *m* foreign (exchange/currency) bill

indossierter Fremd|wechsel bill discounted; **F.werte** *pl* foreign assets

frequentier|en *v/t* 1. to frequent; 2. *(Gaststätte)* to patronize; **F.ung** *f* frequenting

Frequenz *f* frequency

Frequenz|band *nt* frequency band; **F.bereich** *m* frequency range; **F.modulation** *f* frequency modulation; **F.reihe** *f* ▦ frequency series; **F.verschiebung** *f* frequency drift; **F.zählung** *f* customer count; **F.zunahme** *f* increased frequency

fressen *v/t* 1. *(Vieh)* to feed; 2. *(verbrauchen)* to eat up; **um sich f.** to fester

Fresspaket *nt* *(coll)* food parcel

Freude *f* joy, pleasure; **besondere F.** (real) treat; **F.nbotschaft** *f* glad tidings, good news

freuen *v/refl* to be pleased; **es freut mich** it gives me pleasure; **sich f. auf** to look forward to; **~ zu tun** to have pleasure in doing (sth.)

Freundeskreis *m* circle of friends; **seinen F. erweitern** to make new friends

freundlich *adj* 1. friendly, cheerful, cordial, sociable, gentle, pleasant, pleasing; 2. *(Börse)* bright, cheerful; **so f. sein** to be good enough; **F.keit** *f* friendliness, kindness, cordiality

Freundschaft *f* friendship, goodwill; **F. pflegen** to cultivate a friendship; **F. schließen** to make friends; **f.lich** *adj* amicable, friendly

Freundschafts|abkommen/F.pakt/F.vertrag *nt/m* treaty of friendship; **F.bezeugung** *f* display of friendship; **F.dienst** *m* good offices/turn; **F.preis** *m* special price (for a friend); **F.wechsel** *m* accommodation bill *[GB]*/note *[US]*

Frevel|(tat) *m/f* 1. sacrilege, outrage, atrocious crime; 2. social crime; **f.n** *v/i* to commit an outrage

Frieden *m* peace; **in F.** in peace; **F. am Arbeitsplatz** good industrial relations; **F. und Freiheit** peace and liberty; **F. um jeden Preis** peace at any price; **um des lieben F.s willen** for the sake of peace and quiet

Frieden bewahren to keep the peace; **F. erkaufen** to buy off trouble; **jdn in F. lassen** to leave so. in peace; **seinen F. machen** to make one's peace; **F. schließen/stiften** to make peace; **F. wiederherstellen** to restore peace

fauler Frieden hollow peace; **sozialer F.** social/industrial peace, peace in labour relations; **trügerischer F.** hollow peace

Friedens|absprache *f* peace accord; **F.angebot** *nt* (peace) overture, peace offering; **F.appell** *m* appeal for peace; **F.bedarf** *m* peacetime needs; **F.bedingungen** *pl* peace terms; **F.bewegung** *f* peace movement, **F.bruch** *m* breach/violation of (the) peace; **F.delegation** *f* peace delegation; **F.diktat** *nt* dictated peac **F.erklärung** *f* declaration of peace; **F.formel** *f* peac formula; **F.forschung** *f* peace studies; **F.gefährdung** threat to peace; **F.gericht** *nt* § magistrates' court; **F.initiative** *f* peace initiative; **F.konferenz** *f* peace confe ence; **f.mäßig** *adj* peacetime; **F.mission** *f* peace mi sion; **F.partei** *f* doves *(fig)*; **F.pflicht** *f* *(Streik)* obliga tion to keep the peace; **F.produktion** *f* peacetim production; **F.recht** *nt* international law of peace; **F.regelung** *f* peace settlement; **F.richter** *m* § justice of th peace, sheriff *[US]*; **F.richtergremium** *nt* § commi sion of the peace *[GB]*; **F.schluss** *m* conclusion of peace treaty; **F.stifter** *m* peacemaker; **f.stiftend** *a* peace-making; **F.verhandlungen** *pl* peace negotia tions/talks; **F.verrat** *m* betrayal of peace; **F.vertrag** peace treaty; **F.wirtschaft** *f* peacetime economy **F.zeit** *f* peacetime; **in F.zeiten** (in) peacetime

fried|fertig/f.lich *adj* peaceable, tame, peaceful

Friedhof *m* cemetery, graveyard; **F.sverwaltung** burial authority, cemetery board

seinen Friedrich-Wilhelm unter etw. setzen *(coll)* t sign on the dotted line, to put one's signature to sth.

frieren *v/ti* to freeze, to be cold

Friktionsvorschub *m* friction feed

frisch *adj* fresh; **f. gestrichen!** wet paint!; **nicht meh f.** stale; **f. halten** to keep fresh, to preserve

Frische *f* freshness; **geistige F.** mental alertness; **kö perliche F.** physical fitness; **F.datum** *nt* sell-by/bes before/eat-by date

Frisch|ei *nt* new-laid egg; **F.fleisch** *nt* fresh mea **F.gemüse** *nt* fresh vegetables

Frischhalte|beutel *m* airtight bag; **F.datum** *nt* sell by/best-before/eat-by date; **F.folie** *f* cling film **F.packung** *f* vacuum/airtight pack; **in F.packung** vac uum-packed

Frisch|luft *f* fresh/primary air; **F.obst** *nt* fresh-picke fruit; **F.sortiment** *nt* *(Lebensmittel)* range of fres food; **F.waren** *pl* fresh produce; **F.warenabteilung** fresh food/produce department; **F.wasser** *nt* fres water

Friseur *m* hairdresser; **F.laden** *m* barbershop, hair dresser's (shop)

Friseuse *f* hairdresser

Frisieren *nt* *(fig)* window-dressing, doctoring, manip ulation, fiddling; **f.** *v/t* 1. *(fig)* to window-dress/juggle doctor/fiddle/fake/cook/massage; 2. to hot/soup u

Frist *f* 1. deadline, date, (limited) period, (fixed) term time (limit), time allowed/span; 2. *(Aufschub)* respite grace period, (period of) grace, extension (of time); 3 *(Küdigung)* period of notice; 4. *(Zahlung)* last date fo payment; **innerhalb der F.** not later than; **nach eine F. von** pursuant to a period of

Frist zur Äußerung final date for reply; **F. für Bar zahlung** discount period; **F. zur Klageerhebung** tim for commencement of action; **~ Klageerwiderung** time for defence; **F. von x Tagen/Wochen** x days/week

die Frist beginnt time begins to run, the term com mences; **~ läuft (ab)** time runs (out)

Frist abkürzen to shorten a period; **F. berechnen** t

compute a period; **F. bewilligen** to grant a respite, ~ time; **F. einhalten** to meet the deadline, to observe the time limit/deadline, to keep to the term; **F. nicht einhalten** to exceed the deadline; **F. einräumen** to grant a respite; **F. erbitten** to ask for time; **F. festlegen/festsetzen** to fix a deadline/term/final date, to set a time limit; **F. gewähren** to grant a respite, ~ additional time; **angemessene F. gewähren** to allow a reasonable period; **F. hemmen** to suspend/stay the running of the period; **mit einer F. von 4 Wochen kündigen** to give four weeks' notice; **mit wöchentlicher F. kündigen** to give one week's notice; **F. setzen** to set a time limit/deadline, to lay down a time limit, to fix a deadline/period/term; **F. in Lauf setzen** to appoint time to run; **F. überschreiten** to exceed the deadline, ~ prescribed period, to fail to meet the deadline/target; **F. verkürzen** to abridge the period; **F. verlängern** to grant an extension, to extend (the time limit/term); **F. versäumen; F. verstreichen lassen** to fail to meet a deadline; **F. wahren** to comply with/observe a term, to observe a time limit; **F. zugestehen** to grant/accord a respite

abgelaufene Frist expired time/term; **angegebene F.** stated period; **innerhalb der angegebenen F.** within the specified term; **angemessene F.** reasonable time/period; **in angemessener F.; innerhalb einer angemessenen F.** within a reasonable period (of time); **äußerste F.** deadline; **eingeräumte F.** time granted; **innerhalb der festgesetzten F.** within the prescribed time; **gesetzliche F.** legal/statutory time limit, statutory period; **gewährte F.** time allowed; **kurze F.** short notice/date; **laufende F.** current period of time; **letzte F.** final respite; **präklusive F.** absolute deadline; **richterliche F.** time allowed by the court; **vereinbarte F.** stipulated term, time agreed upon, specified period; **nicht verlängerbare F.** non-renewable term; **vertragliche F.** time specified by a contract; **vorgeschriebene F.** qualifying period, limitation; **in der vorgeschriebenen F.** within the required time

Fristlablauf *m* deadline, expiration of period/term/time (limit), time limit, end/expiry of the term, lapse of time; **nach F.ablauf** after expiry of the stipulated period; **ohne F.angabe** *f* without a time limit; **F.aufschub** *m* extension (of time); **F.beginn** *m* 1. beginning/inception of a period; 2. § dies a quo *(lat.)*; **F.berechnung** *f* calculation of the time allowed; **F.bewilligung** *f* granting additional time; **F.einhaltung** *f* meeting the deadline; **F.einlage** *f* time deposit; **F.ende** *nt* time limit, deadline, end of term

Fristenlabstimmung *f* matching of maturities; **F.inkongruenz** *f* mismatch of maturities; **F.kategorie** *f* maturity category; **f.kongruent** *adj* with matching maturities, co-terminous; **F.kongruenz** *f* identity/matching/concordance of maturities; **F.raum** *m* maturity range; **F.risiko** *nt* risk of maturity gaps; **F.struktur** *f* maturity structure/mix; **F.transformation** *f* maturity transformation, borrowing short to lend long

Fristlerfüllung *f* meeting the deadline; **f.gebunden** *adj* to be performed in a given time; **f.gemäß/f.gerecht** *adj* punctual, in due course, when due, on time, on the due date, within the time limit/fixed, ~ (set) period, ~ period stipulated; **f.- und formgerecht** *adj* in due course and time; **F.gesuch** *nt* 1. petition for respite; 2. § dilatory plea; **F.hemmung** *f* suspension of time limit

Fristigkeit *f* term, time(-to-maturity) factor, (term/period of) maturity; **F.sstruktur** *f* maturity structure/mix, pattern of maturities

Fristlkalender *m* tickler; **f.los** *adj* without notice, at a minute's warning; **F.setzung** *f* fixing of a time limit, appointment of a date; **gerichtliche F.setzung** peremptory order of time; **F.tage** *pl* days of grace/respite; **F.überschreitung** *f* passing the deadline, failure to meet the deadline, ~ observe the time limit; **F.unterbrechung** *f* interruption of a term, ~ period of time; **F.verkürzung** *f* abridgment of time

Fristverlängerung *f* extension (of time), respite, prolongation (of a time limit), ~ of the agreed period; **F. beantragen** to claim an extension of time; **F. zugestehen** to grant a delay/respite

Fristlversäumnis *nt* default, failure to meet the deadline, ~ observe the time limit; **F.wahrung** *f* observance of the deadline

Fron(dienst) *f/m* villeinage *(obs.)*, socage *(obs.)*

Fronde *f* faction, conspiracy

frönen *v/i* to indulge (in)

Frongut *nt* § socage *(obs.)*

Front *f* 1. front, vanguard; 2. 🏛 face, frontage; **an der F.** *(fig.)* in the field; **F. machen gegen** to stand up against; **auf breiter F. niedriger notieren** to be broadly lower; **in der vordersten F. der Entwicklung stehen** to be at the leading edge (of); **gemeinsame F. verlassen** to break ranks; **auf breiter F.** on a broad front, across the board, broadly based

frontal *adj* frontal, head-on

Frontal|- head-on; **F.angriff** *m* head-on attack; **F.zusammenstoß** *m* head-on collision

Frontlansicht *f* 🏛 front view/elevation; **F.antrieb** *m* 🚗 front-wheel drive; **F.breite/F.länge** *f* 🏛 frontage; **F.ende** *nt* 💻 front end

Frontenwechsel *m* change of sides, turnabout

Frontlkämpfer *m* 1. combatant; 2. *(fig.)* field worker; **F.lader** *m* front loading truck, front-end loader; **f.lastig** *adj* nose-heavy; **F.linie** *f* front line; **F.staat** *m* front-line state; **F.stapler** *m* front loader; **F.wechsel** *m* about-turn

Frost *m* frost, chill; **F.aufbruch** *m* 🚗 frost damage; **f.beständig** *adj* frost-proof, frost-resistant; **f.frei** *adj* frost-free; **F.gefahr** *f* danger of frost

frostig *adj* chilly

Frostlnebel *m* freezing fog; **F.periode** *f* frost period, cold spell; **F.schaden** *m* frost damage; **F.schadenversicherung** *f* frost insurance; **F.schutz(mittel)** *m/nt* antifreeze; **f.sicher** *adj* frost-proof; **F.versicherung** *f* frost insurance; **F.warnung** *f* frost warning; **F.wetter** *nt* frosty weather

Frucht *f* fruit, crop; **Früchte** 1. fruit(s); 2. benefits, proceeds

Früchte seiner Arbeit products of one's labour; **F. auf dem Halm** 🚜 standing/growing crop, emblements; **F.**

der Jahreszeit products of the season; **F. und Nutzungen** fruits and profits

Früchte seiner Arbeit ernten to reap the rewards of one's labour; **jdm wie eine reife Frucht in den Schoß fallen** to drop into so.'s lap; **F. tragen** to bear fruit; **Frucht auf dem Halm verkaufen** to sell the crop standing

gezogene Früchte 1. harvested crops; 2. collected proceeds

fruchtbar *adj* 1. fertile; 2. prolific; 3. *(nutzbringend)* productive, fruitful; 4. rank; **f. machen** to fertilize

Fruchtbarkeit *f* fertility; **natürliche F.** natural fertility; **F.srente** *f* economic rent; **F.sziffer** *f* fertility rate, refined birth rate

Früchtepfandrecht *nt* lien on the fruits of the land

nichts fruchten *v/i* to be of no avail

Frucht|fleisch *nt* pulp; **F.folge** *f* crop/farming rotation, shift of crop, rotation cropping, rotation/alternation of crops; **F.genuss** *m* 1. § usufruct; 2. enjoyment of the fruits and benefits; **F.importhandel** *m* fruit import trade/business; **F.likör** *m* cordial; **F.logistik** *f* fruit logistics; **f.los** *adj* fruitless, vain, abortive, futile; **F.saft** *m* fruit juice, squash; **F.schiff** *nt* fruiter; **f.tragend** *adj* fruit-bearing; **F.wechsel** *m* → **F.folge**; **im ~ anbauen** to rotate crops; **F.wechselwirtschaft** *f* crop rotation system; **F.ziehung** *f* collecting the fruits and benefits

früh *adj* early, soon; **zu f.** untimely

Früh|aufsteher *m* early riser/bird *(coll)*; **F.bezugsrabatt** *m* dead season rebate, seasonal allowance; **F.diagnose** *f* early diagnosis; **F.dienst** *m* morning shift, early duty

Frühe *f* early hours

früher(e,er,es) *adj* prior, previous, past, former, earlier; **f. oder später** sooner or later

Früherkennung *f* early detection/diagnosis

frühestmöglich *adj* earliest possible

Früh|geburt *f* premature birth; **F.gemüse** *nt* 1. early vegetables; 2. primeurs *[frz.]*; **F.geschäft** *nt (Börse)* early trading; **F.indikator** *m* early pointer, early/forward indicator; **F.invalidität** *f* pre-retirement disablement, disablement before retiring age

Frühjahr *nt* spring; **F.sbelebung** *f* spring rise; **F.smesse** *f* spring fair; **F.smüdigkeit** *f* springtime lethargy; **F.sputz** *m* spring clean(ing)

Früh|kapitalismus *m* Manchester/early capitalism; **F.kartoffel** *f* new potato; **F.kultur** *f* propagated seedlings

Frühling *m* spring; **F.sbedarf** *m* spring goods; **F.szeit** *f* springtime

Früh|nebel *m* early mist; **F.obst** *nt* primeurs *[frz.]*; **F.pensionierung** *f* early/premature retirement; **F.post** *f* morning post, first mail; **F.rentner** *m* early retirer/retiree; **F.schicht** *f* early/morning/day shift; **F.stadium** *nt* early stage; **F.sterblichkeit** *f* neonatal mortality

Frühstück *nt* breakfast; **einfaches F.** continental breakfast; **warmes F.** cooked breakfast; **zweites F.** lunch(eon)

Frühstücks|beutel *m* tommy bag; **F.brot** *nt* sandwich; **F.kartell** *nt* gentlemen's agreement; **F.korb** *m* breakfast hamper; **F.kost aus Getreidebestandteilen** *f* breakfast cereals; **F.pause** *f* morning break, tea *[GB]*/coffee *[US]* break

Früh|symptom *nt* early pointer; **f. verrenten** *v/t* to send into/give early retirement; **F.verrentung** *f* early retirement (scheme); **F.vorstellung** *f* matinee; **F.warnsignal** *nt* early-warning signal; **F.warnsystem** *nt* early warning system; **f.zeitig** *adj* 1. early, timely, at an early stage; 2. premature; **F.zug** *m* morning/early train; **F.zustellung** *f* ✉ early-morning delivery

Frustration *f* frustration

frustrier|en *v/t* 1. to frustrate; 2. to upset

Fuchs *m* fox; **schlauer F.** old/sly fox

Fuder *nt* 1. cartload; 2. *(Wein)* tun; **f.weise** *adv* by the cartload

mit Fug und Recht *m* with good reason, by good right

Fuge *f* joint; **aus den F.n** out of joint; **~ geraten** to come apart at the seams

fügen *v/refl* to acquiesce/submit

fügsam *adj* acquiescent, pliant; **F.keit** *f* pliancy

Fügung *f* providence; **glückliche F.** stroke of luck; **durch eine ~ F.** as luck would have it

fühlbar *adj* 1. perceptible, noticeable, appreciable; 2. tactile

fühlen *v/ti/v/refl* to feel; **sich moralisch verpflichtet f.** to feel morally obliged; **sich nicht wohl f.** not to be oneself

Fühler *m* feeler, tentacle; **F. ausstrecken** to put out feelers

Fühlung *f* contact; **F. aufnehmen mit** to get in touch with, to contact; **enge F. mit jdm haben** to be in close contact with so.; **in F. stehen** to be in touch

Fühlung|nahme *f* contact, consultation, exploratory contacts/talks; **F.svorteil** *m* accommodation advantage, locational (proximity) advantage

Fuhr|amt *nt* cleansing department; **F.betrieb** *m* haulage business/operation

Fuhre *f* 1. cartload, truckload, wag(g)onload; 2. *(Taxi)* fare

Führen *nt* management, guidance, control; **unbefugte F. von Amtsbezeichnungen** unauthorized use of official titles; **F. eines Kraftfahrzeugs** operating/driving a motor vehicle; **verkehrsgefährdendes ~ Kraftfahrzeugs** dangerous driving; **unbefugtes ~ Titels** unauthorized bearing of a title

führen *v/t* 1. to lead/conduct/guide/direct/head; 2. *(Bücher)* to keep; 3. *(Waren)* to sell/stock/carry; 4. *(Betrieb)* to manage/transact/run; 5. *(Transportmittel)* to drive; 6. ✈ to fly; 7. *(Kran)* to operate; **etw. nicht f.** *(Waren)* to be out of stock, not to stock sth.; **f. durch** to show over; **f. zu** to lead to, to give rise to, to result in, to cause; **straff f.** to run a tight ship *(fig)*; **wahrscheinlich zu etw. f.** to be liable to do sth.

führend *adj* 1. leading, master, prominent; 2. market-leading, top-flight; 3. managerial, directorial, principal; **f. sein** to lead

Führer *m* 1. leader; 2. guide; 3. head, headman; 4. *(Buch)* manual, guide; **F. eines Fahrzeugs** 1. driver; 2. *(Kran)* operator, driver of a vehicle; 3. ✈ pilot; **F**

im Taschenbuchformat pocket guide; **amtlicher F.** official guide

Führer|eigenschaften *pl* leadership/executive abilities; **F.haus** *nt* 🚗 driver's cab(in); **F.kollektiv** *nt* collective leadership; **f.los** *adj* 1. leaderless; 2. ⚓ adrift; 3. 🚗 driverless; **F.persönlichkeit** *f* born leader; **F.prinzip** *nt* leadership principle; **F.schaft** *f* leadership

Führerschein *m* 1. driving permit/licence *[GB]*, driver's license *[US]*; 2. ✈ pilot's licence; **F. auf Zeit** provisional driving licence

Führerschein bekommen/erwerben to take out a driving licence; **auf den F. eintragen** *(Vergehen)* § to endorse a driving licence *[GB]*; **jds F. einziehen/entziehen** to disqualify so. from driving; **~ zeitweilig entziehen** to suspend a driving licence; **F. machen** to pass one's driving test

Führerschein|alter *nt* driving age; **F.ausgabestelle** *f* driver's license bureau *[US]*; **F.eintragung** *f (Vergehen)* § driving licence endorsement; **F.entzug** *m* driving ban, disqualification from driving, revocation/forfeiture of a driving licence *[GB]*, ~ driver's license *[US]*; **trotz ~ fahren** to drive while disqualified; **vorübergehender F.entzug** suspension of a driving licence; **F.inhaber(in)** *m/f* driving-licence holder, holder of a driving licence; **F.klasse** *f* class/category of driving licence; **F.pflicht** *f* statutory requirement to obtain a driving licence

Führerscheinprüfung *f* driving test; **F. bestehen** to pass a driving test; **F. nicht bestehen** to fail a driving test

Führer|sitz *m* driver's seat; **F.stand** *m* 1. 🚆 cab, controls, footplate; 2. *(Kran)* cabin

Fuhr|geld/F.lohn *nt/m* 1. 🚗 carriage, cartage, freight (frt.), truckage; 2. 🚆 wag(g)onage; **F.geschäft** *nt* haulage business/operation, carriage; **F.mann** *m* carter, carrier

Fuhrpark *m* vehicle/transport fleet, car/motor pool, (lorry) fleet, lorry park, fleet of lorries/trucks; **F.disponent(in)/F.leiter(in)** *m/f* fleet manager; **F.kosten** *pl* fleet operating cost(s); **F.leiter** *m* fleet manager; **F.management** *nt* fleet management

Führung *f* 1. management, administration; 2. leadership, command, direction; 3. lead, guidance, tutelage; 4. *(Besichtigung)* conducted/guided tour; 5. *(Verhalten)* conduct, behaviour; **in F.** in the lead; **unter der F. von** under the leadership of, headed by

Führung durch Aufgabendelegation management by delegation; **F. nach dem Ausnahmeprinzip** management by exception; **F. durch Beteiligung** participative management style; **F. eines landwirtschaftlichen Betriebs** farm management; **~ Beurteilungsgesprächs** appraisal interviewing; **F. der Bücher** bookkeeping, accounting; **F. durch Erfolgsmessung** management by results; **F. der Geschäfte** conduct of business; **F. von Geschäftsbüchern** keeping of records; **F. der Gesellschaft** 1. company management; 2. management of the business of the company; **F. durch Mitarbeitermotivation** management by motivation; **F. eines Namens** use of a name; **F. des Protokolls** keeping the minutes; **F. eines Prozesses** conduct of a trial/lawsuit; **~ Titels** use of a title; **F. des Urkundenbeweises** proof by documentary evidence; **F. eines Verfahrens** § conduct of a case/lawsuit; **F. von Verhandlungen** conduct of negotiations; **F. durch Zielvereinbarung/-vorgaben** management by objectives

Führung innehaben to be in charge; **F. übernehmen** to take charge, ~ the lead/head

autokratische Führung Caesar management *(fig)*; **einwandfreie/gute F.** good/irreproachable conduct; **finanzielle F.** financial management; **bei guter F.** subject to good behaviour; **mehrstufige F.** multiple management; **schlechte F.** 1. misconduct, misbehaviour; 2. mismanagement

Führungs|abteilung *f* operations department; **F.aktivität** *f* leadership role; **F.anspruch** *m* claims to leadership; **~ anmelden** to make a bid for the leadership; **~ herausstreichen** to exert one's authority; **F.anweisungen** *pl* management guidelines; **F.aufgaben** *pl* management duties/tasks, executive duties/functions; **auf eine F.aufgabe vorbereiten** to groom *[GB]*/coach *[US]*; **F.aufsicht** *f* supervision of conduct; **F.ausschuss** *m* management committee; **F.bank** *f (Konsortialkredit)* lead(ing) bank, leader of a consortium, lead manager; **F.befähigung** *f* managerial/management qualities; **F.befugnis** *f* managerial authority; **F.crew** *f* management team; **F.dual** *nt (Kohäsionsführung)* dual management

Führungsebene *f* 1. management/managerial level, level of management; 2. layer of management

mittlere Führungsebene middle(-level) management; **oberste F.** top management (level); **operative F.** front-line management; **untere F.** junior management; **unterste F.** first-line management; **zweite F.** second layer of management

Führungs|eigenschaft(en) *f/pl* leadership ability, executive talent, managerial quality, management skills/qualities; **F.elite** *f* managerial elite; **F.entscheidung** *f* management/executive/managerial decision; **F.equipe** *f* management team; **F.etage** *f* 1. boardroom; 2. managerial level, top management level; **F.fähigkeiten** *pl* management skills/capability; **F.funktion** *f* managerial function/duty, leadership role; **F.- und Teilnahmegebühr** *f (Konsortialkredit)* front-end fee; **F.gesellschaft** *f* 1. controlling/management company; 2. *(Emission)* leading underwriter; **F.gremium** *nt* management/managing board, executive council, management group, governing body; **F.größe** *f* controlling variable; **F.grundsatz** *m* management principle; **F.gruppe** *f* 1. executive/management team; 2. *(Emission)* lead management group; **F.hierarchie** *f* management hierarchy, line of command; **F.information** *f* management information; **F.instrument** *nt* management tool/instrument/device/technique, control tool; **F.klappe** *f* guide plate; **F.klausel** *f (Vers.)* lead management clause; **F.kollektiv** *nt* collective leadership; **F.konzeption** *f* management concept

Führungs|kraft *f* executive, manager, managerial employee; **F.kräfte** senior/managerial staff, executive personnel, executives, professional and managerial staff

Führungskraft im Außendienst field executive; **F. auf der mittleren Ebene** middle manager; **F. der untersten Ebene** first-line manager; **F. mit Hochschulabschluss** graduate manager; **F. im Marketing** marketing executive; **F. in der Produktion** shopfloor engineer; **Führungskräfte vor Ort** site management; **F. für den Verkauf** sales executive

Führungskraft zeigen to assert executive authority

akademisch ausgebildete Führungskraft graduate manager; **fachliche F.** functional manager; **mittlere F.** middle management executive; **obere F.** senior manager; ~ **Führungskräfte** senior management; **oberste F.** top executive; **oberste Führungskräfte** top management; **weibliche F.** female executive

Führungskräfte|nachwuchs *m* junior management; **F.potenzial** *nt* management resources

Führungs|kreis *m* group of managers; **F.krise** *f* management crisis; **F.kultur** *f* management culture; **F.kunst** *f* management expertise/skill; **F.lehre** *f* management science; **F.liste** *f* § police record(s); **F.loch** *nt* 🖳 guide hole; **f.los** *adj* leaderless; **F.mannschaft** *f* management team; ~ **verkleinern** to trim the management; **F.maßnahme** *f* management action; **F.methoden** *pl* management practices; **F.mittel** *pl* managerial instruments/resources, management tools; **F.modell** *nt* management model; **F.nachwuchs** *m* junior management, young executives; **F.nachwuchskraft** *f* management trainee; **F.organisation** *f* management (and control) structure; **F.personal** *nt* management/managerial/executive staff, managerial employees, executives; **F.persönlichkeit** *f* leader; **F.position/F.posten** *f/m* managerial/supervisory/management/senior/executive position, executive post; **in F.positionen aufsteigen** to advance into management; **F.problem** *nt* management problem; **F.profil zeigen** *nt* to give leadership; **F.provision** *f* 1. manager's commission; 2. *(Emission)* management fee; **F.qualifikation** *f* managerial qualification; **F.qualität(en)** *f/pl* leadership qualities, management/managerial skills, leadership/executive/managerial abilities; **F.rand** *m* 🖳 guide edge; **F.richtlinien** *pl* management guidelines; **F.rolle** *f* 1. role of a leader; 2. 🎭 leading part/role; **ökologische F.rolle** eco-leadership

Führungsschicht *f* ruling classes; **mittlere F.** middle management; **obere F.** senior management

Führungs|schiene *f* 🖳 guide rail; **f.schwach** *adj* weak; **F.schwäche** *f* indecisive leadership, lack of leadership, weakness in management; **F.schwelle** *f* management level; **F.situation** *f* directional situation; **F.spanne** *f* span of command/control; **F.spitze** *f* top management, leadership; **F.stab** *m* management staff; **F.stärke** *f* strong leadership

Führungsstil *m* 1. management/managerial/leadership style, style of management, pattern of leadership; 2. management attitudes

autoritärer Führungsstil abrasive/authoritarian management style, directive style of leadership; **formeller F.** formal management style; **kooperativer F.** coop-erative style of leadership; **liberalistischer F.** liber[a] style of leadership; **mitarbeiterfreundlicher F.** part[i]cipative management style; **teamorientierter F.** team focused leadership style

Führungs|struktur *f* management/managerial struc-ture, management and control structure; **F.system** *n* management system; **dezentralisiertes F.system** de-centralized management system; **F.team** *nt* manage-ment team; **F.technik/F.technologie** *f* managemen[t] technique; **F.theorie** *f* theory of management; **F.ver-antwortung** *f* management responsibility; **F.verhal-ten** *nt* 1. pattern of management; 2. leadership attitude; **F.wechsel** *m* change in leadership; **F.zeugnis** *nt* § cer-tificate of good conduct; **polizeiliches F.zeugnis** § po-lice clearance, excerpt from police records; **F.ziele** *p[l]* managerial objectives

Fuhr|unternehmen/F.unternehmer *nt/m* haulage com-pany/contractor/business/operation, haulier, carrier, trucker *[US]*, road contractor, freight operator; **F.werk** *nt* cart, waggon, vehicle; **F.wesen** *nt* cartage business

Füll|auftrag *m* stopgap order; **F.befehl** *m* 🖳 dumm[y] instruction

Fülle *f* 1. abundance, glut, plentifulness, plethora; 2. store, multiplicity; 3. affluence; 4. luxuriance; **F. von Aufträgen** spate of orders; **F. neuer Bücher** spate o[f] new books; **F. von Erfahrungen** wealth of experienc[e]

füllen *v/t* to fill/load

Füller *m* 1. fountain pen; 2. *(Anzeige)* stopgap adver-tisement

Füll|federhalter *m* fountain pen; **F.halterständer** *m* pen desk set; **F.horn** *nt* horn of plenty, cornucopia *(lat.)*

Füll|masse/F.material *f/nt* fillers, filling/cushionin[g] material, cushioning, padding, stuffing; **F.sel** *nt* filler, padding, packing; **F.ung** *f* filling, stuffing; **F.ziffer** [stop]gap digit

Fund *m* 1. discovery, find; 2. treasure trove, found object

Fundament *nt* 🏛 foundation(s), base, substructure, grounding, groundwork; **F. legen** to lay the founda-tions/groundwork

fundamental *adj* fundamental; **F.analyse** *f (Wertpa-piere)* fundamental/portfolio analysis; **F.ist(in)** *m/f* fundamentalist

Fundamentierung *f* grounding

Fund|amt/F.büro *nt* lost property office *[GB]*, lost and found department *[US]*; **F.diebstahl** *m* unlawful ap-propriation of sth. found; **F.gegenstand** *m* find, found object; **F.grube** *f* treasure trove, repository; ~ **an Wis-sen** mine of information

fundieren *v/t* to fund/consolidate, to lay the foundation; **neu f.** to refund

fundiert *adj* funded, consolidated; **gut f.** well-estab-lished, well-founded, sound; **vertragsrechtlich f.** based on treaty

Fundierung *f* 1. funding, consolidation; 2. 🏛 founda-tion, basis; **kapitalmäßige F.** funding, consolidation; **vertragsrechtliche F.** basis in the law of contract

Fundierungs|anleihe *f* consolidation/funding loan

F.ausgabe/F.emission *f* funding issue; **F.methode** *f* sinking fund method (of depreciation); **F.schuldverschreibung** *f* funding bond; **F.transaktion** *f* funding operation

fündig werden *adj* 1. to find; 2. *(Öl/Geld)* to strike, to make a strike

Fund|ort *m* spot, locality, place where sth. was found; **F.recht** *nt* rights of the finder of lost property; **F.sache** *f* lost property, found object; **F.stätte** *f* place where sth. was found; **F.stelle** *f* *(Text)* source reference, citation; **F.stellenverzeichnis** *nt* *(Text)* list of source references; **F.unterschlagung** *f* § larceny by finder

Fundus *m* fund, resources

Fünf|centstück/-münze *nt/f* nickel *[US]*, jitney *(coll)* *[US]*; **F.dollarstück** *nt* half eagle *[US]*; **f.fach** *adj* fivefold, (in) quintuplicate

Fünfjahres|- five-year, quinquennial; **F.plan** *m* five-year plan; **F.plansoll** *nt* five-year plan target; **F.zeitraum** *m* quinquennium, five-year period

fünf|jährig *adj* quinquennial; **F.pfundnote** *f* fiver *[GB]*; **F.tagewoche** *f* five-day week; **f.tägig** *adj* five-day

Fünfundzwanzigdollaraktie *f* quarter stock *[US]*

Fünfzigdollaraktie *f* half stock *[US]*

fungi|bel *adj* fungible, marketable, interchangeable, merchantable; **F.bilität** *f* fungibility, marketability, interchangeability

fungieren *v/i* 1. to function; 2. to act/serve/officiate

Fungilien *pl* fungible goods

Fungizid *nt* fungicide

Funk *m* wireless, radio; **mit F. ausgerüstet** *adj* radio-controlled

Funk|amateur *m* radio amateur/ham *(coll)*; **F.anlage** *f* radio/wireless installation; **F.ausrüstung** *f* wireless/radio equipment; **F.bake** *f* ⚓/✈ radio beacon; **F.bearbeitung** *f* radio adaptation; **F.bereich** *m* radio range; **F.bild** *nt* radiophotograph; **F.dienst** *m* radio communication service; **F.einrichtung** *f* wireless installation, radio equipment

funkeln *v/i* to scintillate/flash/sparkle

funkelnagelneu *adj* brand-new, in mint condition

Funk|empfang *m* radio reception; **F.empfänger** *m* radio receiver

funken *v/ti* 1. to radio/wireless; 2. to sparkle

Funk|entstört *adj* (spark-)suppressed; **F.entstörung** *f* suppression of interference

Funker *m* wireless/radio operator

Funk|erlaubnis *f* radio licence; **F.fernschreiber** *m* radio teleprinter; **F.fernsprecher** *m* radio telephone; **F.feuer** *nt* ⚓/✈ radio beacon; **F.feuerkennung** *f* radio beacon identification; **F.gerät** *nt* radio equipment, walkie-talkie; **F.haus** *nt* broadcasting station/centre; **F.kontakt** *m* radio contact; **F.leitstrahl** *m* radio beam; **F.meldung** *f* radio message; **F.netz** *nt* radio network; **F.notsignal** *nt* radio distress signal, Mayday; **F.offizier** *m* wireless/radio officer; **F.ortung** *f* radio location; **F.peilgerät** *nt* direction finder; **F.pirat** *m* radio pirate; **F.raum** *m* wireless room; **F.recht** *nt* 1. broadcasting right; 2. law regulating radiocommunications; **F.richtstrahl** *m* radio beam; **F.ruf** *m* radio call; **F.rufempfänger** *m* bleeper; **F.rufzeichen/F.signal** *nt* code/radio signal; **F.sprechanlage/-gerät** *f/nt* radio telephone; **tragbares F.sprechgerät** walkie-talkie *(coll)*; **F.spruch** *m* radio/wireless message, radio signal; **~ abfangen** to intercept a wireless message; **F.station** *f* wireless/radio station; **F.steuerung** *f* radio control; **F.stille** *f* radio/wireless silence; **F.störung** *f* radio jamming/interference; **F.strahl** *m* radio beam; **F.streife** *f* radio patrol; **F.streifenwagen** *m* radio patrol car; **F.taxi** *nt* radio taxi/cab; **F.technik** *f* radio engineering; **F.techniker** *m* radio engineer; **F.telefon** *nt* radio/cordless telephone, mobile (telephone); **F.telefonie** *f* radio/wireless telephony; **F.telegramm** *nt* radio telegram; **F.telegrafie** *f* radio telegraphy

Funktion *f* 1. function, capacity, part, (work) role; 2. duty, assignment, office, position; **in der F. von** in ... capacity; **F. der Innenrevision** *f* internal audit function

Funktion|en ausgliedern to split off enterprise functions; **F. ausüben** to play a part; **konsultative F. ausüben** to act in an advisory capacity; **F. erfüllen/haben** to perform a function, to play a part; **F. auf jdn übertragen** to devolve duties upon so.; **andere F. übernehmen** to move into some other function

abrechnende Funktion accounting function; **amtliche F.** official capacity/function; **beratende F.** consultative/advisory function, ~ capacity; **bereichsübergreifende F.** cross-departmental function; **direkte F.** line function; **eingebaute F.** preparatory function; **fehlerhafte F.** malfunction; **generische F.** generic function; **geschäftliche F.** business function; **hoheitsrechtliche F.** sovereign function; **lineare F.** straight-line function; **regulierende F.** regulatory role; **richterliche F.** judicial function; **verwaltende F.** administrative/custodial function; **verzögerte F.** lagged function; **vollziehende F.** operative function

funktional *adj* functional

Funktional|gliederung (der Ausgaben) *f* functional breakdown (of expenditures); **F.lehre** *f* functional specialty, business discipline; **F.raum** *m* functional/nodal region; **F.reform** *f* reform of administrative functions

Funktionär(in) *m/f* official, office bearer, functionary; **hoher F.** mandarin *(coll)*

funktionell *adj* functional

Funktionen|budget *nt* functional budget; **F.diagramm** *nt* functional diagram/chart

Funktionieren *nt* functioning, working(s), operation; **F. des internationalen Währungssystems** functioning of the international monetary system; **~ Wettbewerbs** functioning of competition; **F. der Wirtschaft** functioning of the economy; **fehlerhaftes F.** malfunction; **reibungsloses F.** proper/smooth functioning

funktionieren *v/i* to function/work/operate/perform/act

einwandfrei funktionieren to work properly; **gut/reibungslos f.** to run smoothly, to perform well; **nicht f.** to be inoperative, ~ out of order, to stop working; **richtig f.** to function/operate properly; **schlecht f.** to malfunction

funktionierend *adj* working, workable, running; **gut f.**

efficient; **gut f.e Sache** going concern; **schlecht f.** malfunctioning

Funktions|anweisung *f* function statement; **F.bereich** *m* function, area of activity, functional area; **f.bezogen** *adj* function-related; **F.darstellung** *f* function chart; **F.dauer** *f* term of office; **F.diagramm** *nt* action chart; **F.eignung** *f* ability to perform; **F.einheit** *f* functional unit; **F.erfindung** *f* functional invention

funktionsfähig *adj* workable, operational, efficient, serviceable, in running/working order; **nicht f.** unworkable; **voll f.** fully operational; **f. erhalten** to keep on a care and maintenance basis

Funktionsfähigkeit *f* working order, efficiency, workability, (functional) reliability

Funktions|gliederung *f* functional departmentation; **F.kosten** *pl* selling and general administrative expenses; **F.lehre** *f* catalactics; **F.manager** *m* functional manager; **F.mangel** *m* functional deficiency; **F.meister** *m* functional foreman; **F.meistersystem** *nt* functional management, foreman system; **F.nachfolge** *f* succession in governmental functions; **F.organisation** *f* function-oriented structure; **F.plan** *m* functional budget (plan), logical diagram; **F.prinzip** *nt* functional principle; **F.prüfung** *f* 1. operational/performance test, operation checkout; 2. acceptance test; **F.qualität** *f* functional quality; **F.rabatt** *m* trade/functional discount; **vertikale F.säule** vertical functions; **F.schema** *nt* functional diagram, function chart; **f.schwach** *adj* inefficient; **F.schwäche** *f* functional weakness; **F.störung** *f* malfunction; **F.taste** *f* (program) function key, program access key; **F.teilung** *f* division of functions; **F.träger** *m* officer, functional executive; **f.tüchtig** *adj* serviceable, operational, in working order; **F.tüchtigkeit** *f* serviceability; **vertragsgerechte F.tüchtigkeit** performance as stipulated; **f.übergreifend** *adj* multi-functional; **F.überschneidungen** *pl* instances of multiple functions; **F.übersicht** *f* function chart, functional diagram; **f.unfähig** *adj* inoperative, inefficient, unworkable; not in working order; **F.unfähigkeit** *f* unworkability, inefficiency, failure to function; **F.weise** *f* mode of operation; **F.zeichen** *nt* functional character; **F.zulage** *f* functional/special allowance

Funk|turm *m* radio tower; **F.übertragung** *f* radio transmission; **F.verbindung** *f* radio link/contact/communication; **F.verkehr** *m* radio traffic; **F.wagen** *m* radio car; **F.welle** *f* radio wave; **F.werbung** *f* radio advertising

für *prep* for, in exchange for, on behalf of, to the order of, in aid of, in the service of, for the use of, per

das Für und Wider the pros and cons; ~ **einer Sache erörtern** to discuss the merits of a case; ~ **erwägen/überlegen** to weigh the pros and cons

Furche *f* furrow, rut

Furcht *f* fear; **aus F. vor** for fear of; **f.bar** *adj* dreadful, terrible, parlous

fürchten *v/t* to fear

furcht|erregend *adj* awe-inspiring; **f.los** *adj* intrepid, fearless; **f.sam** *adj* timid

Furore *f* furore, sensation

Fürsorge *f* 1. social welfare, welfare (work/services relief, social/national/public assistance; 2. provisior care; **F. für die Armen** poor relief

der Fürsorge anheimfallen to be on public assistance **F. beziehen/erhalten; von der F. leben** to be on relie ~ national assistance, to live on social security; **der F zur Last fallen** to be a burden on the state; **in der F tätig sein** to do welfare work

ärztliche Fürsorge medical care/assistance; **elterlich F.** parental care; **geschlossene F.** institutional care; **öf fentliche F.** 1. public welfare/relief, social assistance 2. public welfare work; **soziale F.** social assistance, pub lic relief, welfare (work); **staatliche F.** 1. public/na tional assistance; 2. *(Sozialhilfe)* supplementary bene fit, income support; **väterliche F.** paternal care

Fürsorge|abteilung/F.amt/F.behörde *f/nt/f* social ser vices department, welfare centre/auttority, public relie ~ welfare office; **F.anspruch** *m* eligibility for publi welfare, right/entitlement to welfare benefits; **F.an stalt** *f* welfare institution, reformatory; **F.arbeit** *f* socia welfare work; **F.aufwand/F.ausgaben** *m/pl* socia welfare expenditure, welfare spending; **F.beamter F.beamtin** *m/f* social worker; **f.bedürftig** *adj* in nee of assistance; **f.berechtigt** *adj* eligible for relief; **F.be stimmungen** *pl* welfare provisions; **F.einrichtung** welfare institution/organisation; **F.einrichtunge** welfare/social facilities, social services; **F.empfän ger(in)** *m/f* welfare recipient; **F.erziehung** *f* correc tional education, residential care and custody; **F.erzie hungsverfahren** *nt* § care proceedings; **F.fonds/F. und Hilfskasse** *m/f* welfare/provident fund; **F.heim** *n* welfare home; **F.lasten** *pl* welfare/social expenditures **F.leistungen** *pl* welfare/social benefits; **F.pflicht** *f* 1 duty of care; 2. *(Arbeitgeber)* obligation to provide fo the welfare of employees; 3. *(Staat)* obligation to pro vide welfare services, ~ social care; ~ **des Arbeitge bers** employer's duty of care; **F.prinzip** *nt* welfar principle; **F.recht** *nt* social/welfare legislation, welfar law; **F.rente** *f* supplementary pension; **F.satz** *m* rate o social security (benefit); **F.stelle** *f* social services de partment, welfare department; **F.tätigkeit** *f* social/wel fare work, social care; **F.unterstützung** *f* public/social national assistance, social security benefit, outdoor re lief, public assistance benefits; **F.unterstützungs empfänger(in)** *m/f* welfare recipient; **F.verband F.verein** *m* charity, charitable association; **F.zögling** *n* ward (of a welfare service)

Für|sprache *f* plea, mediation, recommendation **F.sprecher(in)** *m/f* advocate, mediator

Fusion *f* 1. merger, amalgamation, consolidation, merg ing, link-up, tie-up; 2. fusion

Fusion von Aktiengesellschaften corporate merger consolidation; ~ **Banken** bank merger; **F. der Mutter mit der Tochtergesellschaft** downstairs merger; **F branchenfremder Unternehmen** conglomerate merger

Fusion herbeiführen to forge an amalgam; **branchen fremde F.** merger in different lines; **horizontale F** horizontal merger

Fusionier|en *v/ti* 1. to merge/amalgamate/consolidate/absorb; 2. ⚛ to fuse; **F.ung** *f* merger, amalgamation, consolidation

Fusions|abkommen *nt* merger arrangement; **F.angebot** *nt* merger bid/offer; **F.bedingungen** *pl* merger terms; **F.bilanz** *f* consolidated balance sheet, group/consolidated financial statement, balance sheet as per date of merger; **F.fieber** *nt* merger fever; **F.gespräche** *pl* merger talks; **F.gewinn** *m* consolidation profit; **F.kontrolle** *f* merger control/vetting; **vorbeugende F.kontrolle** pre-emptive merger control; **F.maßnahme** *f* merger; **F.partner** *m* merger partner; **F.plan** *m* projected merger; **F.richtlinie** *f* merger directive; **F.spekulant** *m* merger speculator; **F.steuer** *f* amalgamation tax; **F.strategie** *f* merger strategy; **F.überschuss** *m* negative goodwill, consolidation excess *[US]*; **F.verbot** *nt* prohibition of merger(s); **F.vereinbarung** *f* merger accord; **F.verhandlungen** *pl* merger talks; **F.vertrag** *m* consolidation/merger agreement, deed of amalgamation, agreement of consolidation; **F.vorhaben** *nt* merger project; **F.welle** *f* spate of mergers, merger/takeover wave

Fuß *m* 1. foot; 2. bottom, base; **F. einer Seite** bottom of a page; **zu F. erreichbar** within walking distance

auf die Füße fallen to land on one's feet; **(auf dem Markt) Fuß fassen** to gain a foothold/footing, to make inroads, to carve out a market niche, to enter a market; **auf dem Fuße folgen** to follow at once; **zu Fuß gehen** to walk; **einen ~ in der Tür haben** to have a toehold in the market; **wieder auf die F. kommen** *(fig) (Firma)* to rebound; **auf großem Fuß leben** to lord it, to live in style; **auf freiem ~ sein (gegen Kaution)** to be at large, ~ on parole; **auf freien ~ setzen** to release (from custody), to set free; **auf eigenen F.n stehen** to stand on one's own feet, to be independent; **mit jdm auf gutem Fuß stehen** to be on good terms with so.; **auf schwachen F.n stehen** 1. to be ill-founded; 2. to be on shaky ground, to have a weak basis, to lack a sound basis; **auf tönernen F.n stehen** to stand on feet of clay; **mit einem Fuß im Grabe stehen** to have one foot in the grave

auf freiem Fuß at liberty/large; **auf gesunden Füßen** *(fig)* on a sound footing; **kalte Füße** cold feet; **stehenden F.es** immediately; **auf vertrautem F.** hand in glove *(fig)*

Fuß|angel *f* snare, snag, drawback, trap; **F.antrieb** *m* pedal drive; **F.bekleidung** *f* footwear, footgear; **keinen F.breit weichen** *m* not to yield an inch; **F.bremse** *f* 🚗 foot/pedal brake

fußen auf *v/i* to rest on, to be based on

Fußgänger *m* pedestrian

Fußgänger|ampel *f* pedestrian traffic lights; **F.bereich/F.zone** *m/f* pedestrian precinct *[GB]*/mall *[US]*; **F.brücke** *f* footbridge; **F.tunnel/F.unterführung** *m/f* subway *[GB]*, underpass *[US]*; **F.übergang** *m* pedestrian/zebra *[GB]*/penguin crossing, crosswalk *[US]*; **F.verkehr** *m* pedestrian traffic

Fuß|hebel *m* pedal; **F.kranker** *m (Firma)* lame duck; **f.läufig** *adj (erreichbar)* within walking distance; **F.note** *f* footnote; **F.pflege** *f* ⚕ chiropody; **F.pfleger(in)** *m/f* chiropodist; **in jds F.stapfen treten** *pl* to step into so.'s shoes, to follow in so.'s steps; **F.steig** *m* pavement *[GB]*, sidewalk *[US]*; **rollender F.steig** travelator; **F.streife** *f (Polizei)* beat; **F.tritt** *m* kick; **F.volk** *nt* rank and file; **F.weg** *m* footpath, walkway, walking distance; **öffentlicher F.weg** public footpath

Futter *nt* 1. 🚜 feedstuff(s), (animal) feed(s), fodder, forage; 2. ✿ /*(Textil)* lining

Futter|behälter *m* 🚜 silo; **F.getreide** *nt* feedgrain(s), forage (cereal); **F.getreidevorrat** *m* feedgrain stocks; **F.handel** *m* feed trade; **F.haushalt** *m* fodder economics; **F.krippe** *f (coll)* gravy train *(coll)*; **F.mittel** *pl* feedstuffs, fodder; **F.mittelindustrie** *f* fodder industry; **F.mittelknappheit** *f* feed shortage

füttern *v/t* 1. 🚜 to feed; 2. *(Textil)* to line

Futter|pflanze *f* 🚜 fodder/forage plant; **F.stoff** *m (Textil)* serge, lining material

Fütterung *f* 🚜 feeding

Futurolo|ge *m* futurologist; **F.gie** *f* futurology; **f.gisch** *adj* futurological

Fuzzy-Technik *f* fuzzy technology

G

Gabe *f* 1. gift, donation, bestowal, bestowment; 2. *(Fähigkeit)* talent, gift; **G. der Beredsamkeit** gift of the gab *(coll)*; **milde G.** charitable gift, dole; **~ G.n** alms, charity, charitable contribution(s)

Gabel *f* 1. fork; 2. ☏ receiver rest; **G.frühstück** *nt* lunch(eon)

gabeln *v/refl (Straße)* to branch/bifurcate, to fork off

Gabelstapler *m* fork-lift truck

Gabelung *f* fork, bifurcation; **G.spunkt** *m* point of separation, split-off point

Gage *f* fee, pay

Gala *f* gala; **G.diner** *nt* formal dinner; **G.empfang** *m* formal reception

Galanterie *f* gallantry; **G.waren** *pl* fancy goods, fashion accessories

Galerie *f* gallery

Galgen *m* gallows, gibbet; **G.frist** *f* reprieve; **G.humor** *m* macabre sense of humour

Galionsfigur *f* figurehead

Galle/G.nblase *f* ⚕ gallbladder; **G.n-** bilious

Gallone *f* gallon; **britische G.** imperial gallon

Galopp *m* gallop; **g.ieren** *v/i* to gallop

Galvanisieren *nt* electroplating; **g.** *v/t* to electroplate, to galvanize

Galvano *nt* 🗍/✿ electro, electrotype, electroplate

Gammaverteilung *f* gamma distribution

gammeln *v/i* to vagabond, to loaf around

Gammler *m* vagabond, bum *(coll)*

Gang *m* 1. *(Fuß)* gait, pace; 2. 🖳 cycle; 3. 🚗 gear; 4. *(Bote)* errand; 5. *(Lager/Laden)* aisle; 6. *(Gericht)* course; 7. ⚒ reef; **im G.e** under way, afoot; **in G.** going

Gang an die Börse stock market flo(a)tation, public float, going public; **der übliche G. der Dinge** the normal run of things; **G. der Ereignisse** course of events; ~ **Geschäfte** course of business; **G. zwischen den Ladenregalen/-tischen** (shopping) aisle; **G. der Produktion** rate of production

gang und gäbe common(place), rife

den Gang beschleunigen to quicken the pace; **in G. bringen** to get going, ~ off the ground, to start; **G. einlegen** 🚗 to engage a gear; **Gänge erledigen** to run errands; **etw. in G. halten** to keep sth. going, ~ things ticking over; **in G. kommen** to get going/under way, ~ off the ground, to swing into motion, to come into operation; **gut ~ kommen** to get off the ground, ~ to a good start, to gather momentum; **G. schalten/wechseln** 🚗 to change gear; **im G. sein** to be in progress/train, ~ under way; **in vollem G.e sein** to be in full swing; **in G. setzen** to get going, to set/put in train, to launch/operate/institute, to put into action, to set in motion, to bring into operation

erster Gang 1. 🚗 first gear; 2. *(Menu)* first course; **im ersten G.** 🚗 in low gear; **im höchsten G.** 🚗 in top gear; **toter G.** ⚙ backlash, dead travel; **überdeckter G.** covered passage; **unterirdischer G.** underground passage; **in vollem G.e** in full spate/swing

Gangart *f* pace, gait

gangbar *adj* 1. viable, practicable, feasible, workable; 2. *(Ware)* sal(e)able, merchantable, marketable, vendible; 3. *(Münze)* current; **G.keit** *f* 1. viability, feasibility; 2. *(Ware)* sal(e)ability, marketability

Gängelband *nt* leading strings; **am G. führen** to have on the string, to spoon-feed

Gängellei *f* spoon-feeding; **g.n** *v/t* to spoon-feed

gängig *adj* 1. current, typical, standard, ordinary, usual, conventional, prevailing; 2. *(Ware)* popular, in demand, merchantable, sale(e)able, trafficable, vendible; **G.keit** *f (Ware)* sal(e)ability, marketability, merchantableness, vendibility

Ganglschalthebel *m* 🚗 gear lever; **G.schaltung** *f* gear change *[GB]*/shift *[US]*

Gangster *m* gangster; **G.tum** *nt* gangsterism

Gangzähler *m* 💻 cycle counter

goldene Gans golden goose

ganz *adj* whole, full, entire, complete, intact, total, all; **nicht g.** short of; **g. und gar** entirely, lock, stock and barrel *(coll)*; ~ **nicht** not a bit; **g. oder teilweise** (in) whole or in part, wholly or partly, all or part (of); **g. unter uns** strictly between us; **im G.en** in the gross; ~ **gesehen** on balance; **g. zu schweigen von** let alone

Ganzlaufnahme *f* full-length portrait; **G.auslagerung** *f* complete retrieveal, ~ stock picking; **G.charter** *f* chartering of a whole ship

das Ganze *nt* the lot *(coll)*; **im G.n betragen** to aggregate; **aufs G. gehen** to go the whole hog *(coll)*, to go all out; **zusammenhängendes G.s** coherent whole

Ganzlfabrikat *nt* finished product; **G.heit** *f* entirety; **g.jährig** *adj* all the year round, yearly, non-seasonal; **G.leder** *nt* full leather; **G.leinen** *nt* full cloth, pure linen

gänzlich *adj* total, entire, full, outright, unmitigated, utter

Ganzlmetallbauweise *f* all-metal construction; **g.seiti** *adj* full-page; **G.stahl** *m* all-steel; **G.stelle** *f (Werbung* whole space, entire billboard *[US]*; **g.tägig** *adj* full time, all-day

Ganztagsl- all-day; **G.arbeit/G.beschäftigung/G.stelle/G.tätigkeit** *f* full-time job/employment/occupation **G.schule** *f* all-day school

ganzzahlig *adj* π integer

Garage *f* garage; **in einer G. abstellen; in die G. stellen** 🚗 to garage; **angebaute G.** attached garage; **öffentliche G.** public garage *[US]*

Garagenlbesitzer *m* garage proprietor; **G.einfahrt** drive, driveway *[US]*; **G.miete** *f* garage rent; **G.wärte** *m* garage attendant

Gäranlage *f* fermentation plant

Garant *m* 1. guarantor, warranter, warrantor, surety; 2 *(Effektenemission)* underwriter; **G.enpflicht** *f* guarantor's obligation

Garantie *f* 1. guarantee, guaranty *[US]*, warranty, surety(ship), warrant; 2. undertaking, assurance, safeguard security; **als G. für** in security for; **an Stelle der alten G.** in substitution of the old guarantee; **mit/unter G** warranted; **ohne G.** unwarranted

Garantie einer Bank bank guarantee; **G. eines Bauunternehmers** construction bond; **G. zur Deckung von Risiken aus (Dienst)Leistungsexporten** *(Vers.)* service policy; ~ **politischen Risiken** political risks guarantee **G. des Direktabsatzes** *(Emission)* standby guarantee; **G der Herstellerfirma** manufacturer's guarantee/warranty, maintenance bond; **G. gegen Preisverfall** guarantee against price decline; **G. auf Schadloshaltung** indemnity bond; **G. der Unterbringung** *(Effektenemission)* underwriting of new issues; **G. für die eigene Verfügungs- und Vertretungsmacht** warranty of authority

1 Jahr Garantie warranted for 1 year, one-year guarantee

die Garantie läuft ab/erlischt the guarantee expires; **G annullieren/aufheben** to cancel a guarantee; **G. ausfüllen** to implement a guarantee; **G. ausstellen/erstellen** to issue a guarantee; **sich auf eine G. berufen** to invoke a guarantee; **G. ergänzen** to amend a guarantee; **G. ersetzen** to substitute a guarantee; **G. haben** to be guaranteed **G. leisten/übernehmen** to guarantee/warrant, to furnish guarantee, to give security, ~ a guarantee; **G. in Anspruch nehmen** to raise claims under a guarantee, to call a guarantee; **G. für jdn übernehmen** to vouch for so.; **G zurückziehen** to withdraw a guarantee

abgelaufene Garantie expired guarantee; **ausdrückliche G.** express warranty, **mit bedingungsloser G.** unconditionally guaranteed; **stillschweigend gewährte/stillschweigende G.** implied warranty; **institutionelle G.** institutional guarantee; **persönliche G** personal bond; **100-prozentige/absolut sichere G** iron-clad/cast-iron guarantee; **staatliche G.** government guarantee; **unbedingte G.** unconditional guarantee; **unbeschränkte G.** general guarantee; **vertragliche G.** contracted warranty/guarantee; **wechselseitige G.(n)** cross guarantee(s)

Garantie|abkommen *nt* covenant of warranty; **G.abteilung** *f (Emission)* underwriting/guarantee department; **G.aktie** *f* deposit stock *[US]*; **G.anspruch** *m* warranty claim, (right to) claim under a guarantee; ~ **durchsetzen** to make a guarantee stick *(coll)*; **G.arbeiten** *pl* warranty work; **G.aufwendungen** *pl* warranty cost(s); **G.ausschluss** *m* exclusion of warranty; **G.begünstigte(r)** *f/m* beneficiary under a guarantee; **G.bescheinigung** *f* certificate of guarantee; **G.bestimmungen** *pl* guarantee terms; **G.betrag** *m* amount guaranteed; **G.brief** *m* letter of guarantee, warranty (certificate); **G.deckungsbetrag** *m* guarantee cover amount; **G.-deckungskonto** *nt* guarantee security/cover account; **G.depot** *nt* collateral security/guarantee; **G.dividende** *f* guaranteed dividend; **G.effekt** *m* guarantee effect; **G.empfänger(in)** *m/f* warrantee; **G.entgelt** *nt* charge for a guarantee; ~ **für die Deckung von Ausfuhrrisiken** shipment premium *[US]*; **G.ergänzung** *f* guarantee amendment

Garantieerklärung *f* letter/bond of indemnity, warranty, guarantee/indemnity bond, certification; **durch G. gesichert** covered by bond; **schriftliche G.** letter of indemnity

Garantie|fähig *adj* eligible *[US]*; **G.fall** *m* guarantee-activating event; **im G.fall** in the event of default; **G.fonds** *m* guarantee fund; **G.frist** *f* guarantee/warranty period, period/term to guarantee; **G.geber(in)** *m/f* guarantor, warrantor, insurer; **G.gemeinschaft** *f* joint guarantors, guarantee association; **G.genossenschaft** *f* guarantee cooperative; **G.geschäft** *nt* guarantee transaction/business; **G.gesellschaft** *f* guarantee/surety *[US]* company; **G.gruppe** *f* underwriting group; **G.haftung** *f* liability under a guarantee; **G.hinterlegung** *f* guarantee deposit; **G.höchstbetrag** *m* policy limit; **G.höhe** *f* amount guaranteed; **G.inanspruchnahme** *f* service under a guarantee; **G.inhaber(in)** *m/f* warrantee; **G.kapital** *nt* capital resources, equity capital, capital plus reserves; **G.kette** *f* chain of guarantees; **internationale G.kette** ⊝ international chain of customs guarantees; **G.klausel** *f* warranty clause, clause of warranty; **G.konsortium** *nt* underwriting syndicate, underwriters; **G.konto** *nt* assigned account; **G.kosten** *pl* warranty cost(s); **G.leistung** *f* guarantee, guaranty *[US]*, surety(ship), undertaking of guarantee; **G.lohn** *m* guaranteed wage

Garantiemenge *f* guaranteed quantity; **G.nregelung** *f* quota system; **G.nschwelle** *f* quota limit

Garantie|mittel *pl* guarantee funds, equity capital; **G.nehmer** *m* guarantee (holder), warranty creditor, the insured, policyholder; **einer G.pflicht nachkommen** *f* to implement a guarantee; **G.preis** *m* guaranteed price; **G.promesse** *f* advance/preliminary commitment; **G.-provision** *f* underwriting/guarantee commission; **G.-quote** *f* guaranteed/insured percentage, ~ portion; **G.rahmen** *m* scope of (the) guarantee, guarantee ceiling

garantieren *v/ti* 1. to guarantee/warrant; 2. to underwrite; 3. to assure/ensure/insure/undertake/secure/maintain; 4. to safeguard *(fig)*; **für jdn g.** to vouch for so.

Garantiereparatur *f* warranty repair

garantiert *adj* warranted, guaranteed; **staatlich g.** state-guaranteed

Garantie|rücklage/G.rückstellung *f* contingency reserve, guarantee provision; **G.satz** *m* proprotion guaranteed; **G.schein** *m* guarantee (coupon), surety bond *[US]*, warranty certificate, certificate of guarantee, (del credere) bond; **kaufmännischer G.schein** maintenance bond *[US]*; **G.schreiben** *nt* letter of indemnity/guarantee, warranty, warrant letter; **G.schuldner(in)** *m/f* guarantor, drawer, endorser; **G.schwelle** *f* quota limit; **G.sicherheit/G.sicherstellung** *f* guarantee collateral; **G.sicherheitskonto** *nt* guarantee collateral account; **G.stempel** *m* warranty stamp; **G.summe** *f* amount guaranteed, recognizance; **einbehaltene G.summe** retention money; **G.syndikat** *nt* underwriting syndicate; **G.träger** *m* guarantor; **G.übernahme** *f* acceptance of a guarantee; **G.umfang** *m* scope/extent of warranty; **G.unkosten** *pl* warranty cost(s); **G.verband** *m* underwriting syndicate, guarantee association; **G.vereinbarung** *f* indemnity contract; **G.verletzung** *f* breach of warranty

Garantieverpflichtung *f* indemnity/surety bond, guarantee (commitment/obligation), quality warrant; **G. eingehen** to enter into a surety bond; **jdn aus einer G. entlassen** to release so. under a guarantee

Garantie|versicherung *f* guarantee/commercial/fidelity insurance, warranty policy; **G.versicherungsgesellschaft** *f* guarantee/surety *[US]* company; **G.versprechen** *nt* guarantee undertaking, warranty promise, (contract of) indemnity; ~ **für ungültig erklären** to rescind a guarantee

Garantievertrag *m* contract of indemnity/guarantee/warranty/suretyship, warranty, treaty of guarantee, guarantee agreement, specific guaranty *[US]*; **G.sverletzung** *f* breach of warranty; **G.szusatz** *m* endorsement

Garantie|vertreter *m* del credere agent *[GB]*; **G.verzicht** *m* renunciation of guarantee; **G.wechsel** *m* security bill, bill of security; **G.wert** *m* security value; **G.zeit** *f* guarantee/warranty/guaranteed period; **G.zusage** *f* guarantee (undertaking/authorization); ~ **erfüllen** to honour a guarantee

Garbe *f (Korn)* sheaf

Garderobe *f* 1. wardrobe; 2. cloakroom *[GB]*, checkroom *[US]*; **G.nabgabe** *f* cloakroom *[GB]*, checkroom *[US]*; **G.nmarke** *f* coat/hat check, cloakroom *[GB]*/checkroom ticket *[US]*

gären *v/i* to ferment

Garn *nt* yarn, thread

garnier|en *v/t* to garnish/trim/dress/decorate; **G.ung** *f* trimming(s), dressing, decoration

Garnitur *f* set

Garnspinnerei *f* spinning mill

Garten *m* garden, yard *[GB]*; **G. anlegen** to lay out a garden; **im G. arbeiten** to garden; **botanischer G.** botanic(al) garden

Garten|anlagen *pl* gardens, grounds; **G.amt** *nt* parks department; **G.arbeit** *f* gardening; **G.architekt** *m* landscape gardener

Gartenbau *m* (market) gardening, horticulture; **G.-** horticultural; **G.ausstellung** *f* horticultural show; **G.betrieb** *m* horticultural enterprise, market garden *[GB]*, truck farm *[US]*

Garten|erde *f* topsoil; **G.erzeugnisse** *pl* horticultural products; **G.fest** *nt* garden party; **G.geräte** *pl* gardening tools; **G.grundstück** *nt* garden plot; **G.haus** *nt* summer house; **G.lokal** *nt* beer/tea garden; **G.möbel** *pl* lawn furniture; **G.stadt** *f* garden city

Gärtner|(in) *m/f* gardener; **G.ei** *f* market garden *[GB]*, nursery, truck farm *[US]*; **g.isch** *adj* horticultural; **g.n** *v/i* to garden

Gärung *f* fermentation

Gas *nt* gas; **mit G. beleuchtet** gas-lit; ~ **betrieben** gas-operated; **G. abdrehen/abstellen** to turn off the gas, to cut off the gas supply; **G. abfackeln** to flare gas (off); **G. aufdrehen** to turn on the gas; **G. geben** 🚗 to accelerate, to step on the accelerator *[GB]*/gas *[US]*; **G. wegnehmen** to throttle down/back, to decelerate; **verkäufliches G.** sales gas

Gas|ableser *m* gasman; **G.anschluss** *m* gas main(s); **G.anstalt** *f* gasworks; **G.anzünder** *m* gas lighter; **G.austritt** *m* gas leakage; **G.badeofen** *m* geyser; **G.behälter** *m* gasometer, gasholder, gas tank; **g.beheizt** *adj* gas-heated; **G.beleuchtung** *f* gas lighting; **G.beton** *m* 🏛 aerated concrete; **G.brenner** *m* gas burner; **G.druck** *m* gas pressure; **G.erzeugung** *f* gas-making, gas production; **G.fabrik** *f* gasworks; **G.feuerung** *f* gas heating/firing; **G.flamme** *f* gas jet; **G.flasche** *f* gas cylinder; **g.förmig** *adj* gaseous; **G.geruch** *m* smell of gas; **G.hahn** *m* gas tap/cock; **G.hebel** *m* 🚗 accelerator, throttle lever; **G.heizung** *f* gas heating; **G.industrie** *f* gas industry; **G.installateur** *m* gas fitter; **G.installation** *f* gas fitting; **G.kammer** *f* gas chamber; **G.kraftwerk** *nt* gas-fired power station; **G.lager(stätte)** *nt/f* gas field; **G.lampe/G.licht** *f/nt* gaslight; **G.leitung** *f* gas main(s)/line/pipe; **G.mann** *m* gasman; **G.-maske** *f* gas mask; **G.motor** *m* gas(-operated) engine; **G.netz** *nt* gas supply system; **G.öl** *nt* gas oil

Gasometer *m* gasometer, gasholder

Gas|pedal *nt* 🚗 accelerator, gas pedal *[US]*; **G.pistole** *f* gas pistol; **G.produktion** *f* gas-making; **G.rechnung** *f* gas bill; **G.rohr** *nt* gas pipe

Gasse *f* 1. alley(way), lane, street; 2. *(Lager)* aisle

Gast *m* 1. guest, visitor; 2. *(Stammgast)* patron; **Gäste willkommen** open to non-members; ~ **haben** to entertain visitors; **bei jdm zu G. sein** to stay with so.; **ungebetener G.** intruder, gatecrasher; **zahlender G.** paying guest

Gastarbeiter *m* guest/foreign/immigrant/expatriate worker; *pl* foreign labour; **G.land** *nt* labour-importing country; **G.überweisung** *f* migrant's remittance; **G.-überweisungen** remittances of/by foreign workers

Gastarif *m* gas tariff

Gast|autor *m* guest writer; **G.dozent** *m* visiting professor; **G.dozentur** *f* visiting professorship

Gäste|bett *nt* spare bed; **G.buch** *nt* visitor's book, register

Gastechnik *f* gas engineering

Gäste|haus *nt* guest house; **G.ordnung** *f* hotel regulations; **G.rechnung** *f* (hotel) bill, guest check *[US]*; **G.zimmer** *nt (Hotel)* (guest) room; spare room

gast|frei/g.freundlich *adj* hospitable; **g.freundlich sein** to keep an open house

Gastfreundschaft *f* hospitality; **jds G. missbrauchen** to trespass on so.'s hospitality

gastgebend *adj (land)* host

Gastgeber *m* host; **G.in** *f* hostess; **G. sein** to host/entertain; **G.land** *nt* host country

Gast|geschenk *nt* present, gift; **G.gewerbe** *nt* catering trade

Gasthaus *nt* public house, tavern, inn; **in einem G. absteigen/einkehren** to put up/stop at an inn; ~ **verkehren** to frequent an inn

Gast|hof *m* tavern, inn; **G.hörer** *m* extramural student, auditor *[US]*

gastieren *v/i* 🎭 to star, to make a guest appearance

Gastland *nt* host country

gastlich *adj* hospitable; **G.keit** *f* hospitality

Gast|professor *m* visiting professor; **G.professur** *f* visiting professorship; **G.rolle** *f* 🎭 guest part

Gastritis *f* ⚕ gastritis

Gastronom *m* 1. caterer, restaurateur; 2. cordon-bleu cook; **G.ie** *f* catering (trade); **G.iegeschäft** *nt* sales in/to the catering industry; **g.isch** *adj* gastronomic

Gastspiel *nt* 🎭 starring performance, guest appearance

Gaststätte *f* public house, inn, tavern, restaurant; **brauereieigene/-gebundene G.** tied (public) house

Gaststätten|besitzer *m* innkeeper; **G.betrieb** *m* catering establishment; **G.essen** *nt* restaurant food; **G.gesetz** *nt* Licensing Act *[GB]*; **G.gewerbe** *nt* catering (trade/industry), restaurant business; **G.- und Beherbergungsgewerbe** hotel and catering trade; **G.inhaber** *m* caterer, landlord, publican; **G.lieferant** *m* catering supplier; **G.preise** *pl* restaurant prices; **G.verband** *m* licensed victuallers' association; **G.verbot** *nt* prohibition to enter licensed premises; **G.wesen** *nt* catering trade/industry

Gasturbine *f* gas turbine

Gast|vorlesung/G.vortrag *f/m* guest lecture; **G.vorstellung** *f* → **Gastspiel**

Gastwirt *m* 1. caterer, landlord; 2. publican, saloon keeper *[US]*; 3. restaurant owner/proprietor, ~ manager; **G.schaft** *f* public house, pub, inn, saloon *[US]*

Gastwirts|haftung *f* innkeeper's liability; **G.pfandrecht** *nt* innkeeper's lien; **G.versicherung** *f* innkeeper's insurance

Gas|uhr *f* gas meter; **G.verbrauch** *m* gas consumption; **G.verbund(netz)** *m/nt* gas grid; **G.vergiftung** *f* gas poisoning; **G.versorgung** *f* gas supply; **G.vorkommen** *nt* gas field/deposit; **G.werk** *nt* gasworks; **G.wirtschaft** *f* gas (supply) industry; **G.zähler** *m* gas meter, **G.zentralheizung** *f* gas central heating

Gatte *m* husband, spouse

Gatter *nt* lattice door; **G.matrix** *f* gate array

Gattin *f* wife, spouse

Gattung *f* 1. type, species, kind; 2. grade, class, series, category, division, description; **G. des Titels** type of claim

Gattungs|anspruch *m* generic claim; **G.begriff/G.bezeichnung/G.name** *m/f/m* 1. generic/specific term, ~ name; 2. *(Werbung)* household word; **G.kauf** *m* purchase by description, quantity contract, sale by description, ~ of unascertained goods; **G.merkmal** *nt* generic feature; **G.muster** *nt* pattern; **G.nummer** *f* type number; **G.sachen** *pl* fungible/generic/unascertained goods; **G.schuld** *f* undetermined/generic obligation, obligation in kind; **konkretisierte G.schuld** particular goods identified; **G.vermächtnis** *nt* § general legacy; **beschränktes G.vermächtnis** demonstrative legacy; **G.ware** *f* generic/unspecified goods, goods by description, fungibles, fungible commodities

Gaukelei; Gaukelspiel *f/nt* jugglery, juggling

Gaukler *m* juggler, mountebank

Gauner|(in) *m/f* crook, swindler, trickster, sharper, grafter; **G.ei** *f* racket, swindle, crookery, tricks

Gaußsche (Normal)Verteilung π Gaussian distribution

Gazette *f* gazette

geachtet *adj* reputable, respectable, valued; **g.ächtet** *adj* outlawed; **G.ächtete(r)** *f/m* outcast, outlaw; **G.bäck** *nt* biscuits, pastries; **frisch g.backen** *adj (Personal/coll)* freshly minted *(fig)*; **G.bälk** *nt* 🏛 timberwork, rafters; **G.bärde** *f* gesture; **g.bärden** *v/refl* to behave

Gebaren *nt* behaviour, conduct, practices, demeanour; **stabilitätsorientiertes G.** stabilizing budgeting

Gebärmutter *f* ⚕ cervix; **G.krebs** *m* cervical cancer

Gebäude *nt* 1. building, construction, premises; 2. fabric, structure; 3. place, set-up; **G. auf fremdem Grundstück** leasehold building

Gebäude abreißen to demolish/dismantle a building; **G. abschätzen** to assess/survey a building; **G. aufstocken** to add another stor(e)y; **G. errichten** to erect/construct a building; **in G. investieren** to invest in bricks and mortar *(coll)*; **G. schätzen** *(Steuer/Vers.)* to rate a building; **G. wiederherstellen** to restore a building; **G. maßstabgerecht zeichnen** to scale a building

baufälliges Gebäude dilapidated building; **vollständig eingerichtetes G.** developed building; **agrarwirtschaftlich genutztes G.** building for farming purposes; **gewerblich ~/gewerbliches G.** industrial/commercial/non-residential building; **wirtschaftlich ~ G.** building for trade/industry/farming; **standardisiertes gewerbliches G.** *(Industrieansiedlung)* advance factory; **landwirtschaftliches G.** farm/agricultural building; **leer stehendes G.** redundant/vacant building; **öffentliches G.** public building; **schlüsselfertiges G.** turnkey building; **städtisches G.** municipal building; **unter Denkmalschutz stehendes G.** listed building; **ungenutztes G.** redundant building

Gebäude|abnahme *f* final architect's certificate; **G.abnutzung** *f* depreciation of buildings; **G.abnutzungsfonds** *m* premises redemption fund; **G.abschätzer** *m* building surveyor; **G.abschreibung** *f* depreciation of buildings; **G.ausführung** *f* building construction; **G.ausgaben** *pl* building outlay; **G.bestand** *m (Wohngebäude)* housing stock; **G.besteuerung** *f* taxation of buildings; **G.buch** *nt* building account; **G.buchwert** *m* book value of building(s)/property; **G.einrichtungen und -ausstattung** *pl* building improvements; **G.erneuerung** *f* renewal of a building; **G.errichtung/G.erstellung** *f* construction/erection of a building; **G.erweiterung** *f* extension; **G.flügel** *m* wing, annex; **G.front** *f* 1. front of a building; 2. *(Aufriss)* front elevation; **G.haftung** *f* (house) owner's liability; **G.instandsetzung** *f* restoration of a building; **G.komplex** *m* group of buildings, building complex; **G.konto** *nt* building account; **G.miete** *f* rent (for the building); **G.modernisierung** *f* property redevelopment/refurbishment; **G.nutzfläche** *f* usable space; **G.pflege** *f* property care; **G.plan** *m* plan(s) of a house; floor plan; **G.planung** *f* architectural planning; **G.reinigung** *f* 1. commercial cleaning; 2. cleaning contractors; **G.renovierung** *f* renovation of buildings; **G.reparatur** *f* building repair; **G.sanierung** *f* restoration (of a building); **G.schaden** *m* structural/property damage; **G.schätzung** *f* assessment of a building; **G.steuer** *f* 1. property/house tax; 2. *(Kommunalsteuer)* rates *[GB]*; **G.unterhaltung** *f* building maintenance/upkeep; **G.versicherung** *f* building/property/house insurance; **industrielle G.versicherung** industrial property insurance; **G.verwaltung** *f* building/property management; **G.wert** *m* property value, value of the building

gebaut *adj* built; **leicht g.** flimsy; **unsolide g.** jerry-built *(coll)*

gebefreudig *adj* generous, open-handed; **G.keit** *f* generosity, open-handedness

Geben und Nehmen *nt* 1. give and take; 2. *(Prämiengeschäft)* put and call

geben *v/t* to give/bestow; **viel g. auf** to set great store by; **jdm zu wenig g.** to sell so. short

Geber *m* 1. donor; 2. seller; **G. und Nehmer** 1. givers and receivers; 2. *(Börse)* sellers and buyers; **G.impuls** *m* emitter pulse; **G.land** *nt* donor/selling country; **G.laune** *f* generous mood; **G.seite** *f* donor's side

gebessert *adj* improved, regenerate

(arg) gebeutelt werden *adj* to take a beating, to get/take a hammering

Gebiet *nt* 1. district, region, area, territory, country, province, zone; 2. *(Fach)* sector, field, branch, sphere, ground

Gebiet mit hoher Arbeitslosigkeit distressed area; **~ Baubeschränkungen** restricted district; **G. außerhalb von Großstädten** non-metropolitan area; **G. unter Treuhandverwaltung** trust territory; **auf dem G. des Zollwesens** in respect of customs; **G. mit hohen Zuwachsraten** high-growth area

Gebiet abriegeln to seal/cordon off an area; **G. abstecken** to delineate an area; **G. abtreten** to cede a territory; **G. ausweisen** to designate a site; **G. bearbeiten** *(Verkauf)* to cover an area; **in das G. von jdm eindringen** to encroach on so.'s territory; **sich auf einem G. spezialisieren** to specialize in one subject/area

abgetretenes Gebiet ceded territory; **abhängiges G.** dependent territory; **angrenzendes G.** adjoining area; **annektiertes G.** annexed territory; **assoziiertes G.** associated territory; **bebautes G.** built-up area; **besetztes G.** occupied territory; **dicht besiedeltes G.** densely populated area; **dünn ~ G.** sparsely/thinly populated area; **entlegenes G.** outlying area, peripheral region; **weniger entwickeltes G.** less developed region; **gemeindefreies G.** lands outside local authority jurisdiction; **ländliches G.** rural/country area; **neutrales G.** neutral territory; **staatenloses G.** § terra nullius *(lat.)* *[GB]*; **störanfälliges G.** trouble area/spot; **strukturschwaches G.** development/developing area; **an einer Zollunion teilnehmende G.e** constituent territories of a customs union; **übervölkertes G.** overcrowded/overspill area; **unbewohntes G.** uninhabited area; **unterentwickeltes G.** underdeveloped area; **unwirtliches G.** inhospitable area; **verwandte G.e** allied subjects; **auf wirtschaftlichem G.** in economic matters

gebieten *v/t* to command/order/require

Gebiets|abgrenzung *f* demarcation, zoning; **G.abkommen** *nt* demarcation agreement; **G.abtretung** *f* cession of territory; **G.änderung** *f* territorial change; **g.ansässig** *adj* resident; **G.ansässige(r)** *f/m* (local) resident; **G.anspruch** *m* territorial claim; **G.aufteilung/G.ausweisung** *f* zoning; **G.austausch** *m* exchange of territory; **G.bereinigung** *f* territorial adjustment; **G.beschränkung** *f* territorial/zoning restriction; **~ des Vertragshändlers** distributor confinement; **G.direktor** *m* area manager; **G.einheit** *f* sub-area; **G.entwicklungsplan** *m* regional development plan, zoning/subregional plan; **G.erschließung** *f* regional development; **G.erweiterung** *f* territorial expansion; **G.erwerb** *m* acquisition of territory; **G.forderung** *f* territorial claim

gebietsfremd *adj* non-resident; **G.e(r)** *f/m* non-resident (person); **G.enkontingent** *nt* non-resident quota

Gebiets|grundsatz *m* territorial principle; **G.hoheit** *f* territorial jurisdiction/sovereignty; **G.kartell** *nt* regional cartel, market pool, market-sharing agreement

Gebietskörperschaft *f* 1. governmental/political unit, unit of government, public body, corporation *[GB]*, (political) subdivision, territorial authority/division/entity; 2. local/regional authority, ~ corporation, area municipality, regional administrative body; **G.en** central, regional and local authorities; **kommunale G.** local authority; **nachgeordnete G.** subordinate unit of government, quasi-corporation, subnational government; **örtliche G.** local/municipal government, local division

Gebiets|leiter *m* area/regional manager; **G.markt** *m* area/regional market; **G.monopol** *nt* area/regional monopoly; **G.reform** *f* local government reform, territorial reorganisation of local government; **G.schutz** *m* *(Vertreter)* territory protection, area safeguard(ing); **G.stand** *m* state/size of territory; **G.übertragung** *f* transfer of territory; **G.veränderung** *f* territorial change; **G.vergrößerung** *f* territorial expansion; **G.verlust** *m* loss of territory; **G.vertreter** *m* area/regional representative

Gebilde *nt* 1. object; 2. shape; 3. entity, organisation; **parafiskalisches G.** auxiliary fiscal agent, intermediary fiscal power

gebildet *adj* (well-)educated, well-read, erudite, learned; **literarisch g.** literate, lettered

Ge|bimmel *nt* tinkle; **G.binde** *nt* 1. package; 2. cas barrel; 3. (flower) arrangement; 4. *(Getreide)* shea 5. *(Garn)* skein

Gebirge *nt* mountain range

Gebirgs|bahn *f* mountain railway; **G.bewohner** *m* moun tain dweller; **G.kette** *f* range of mountains; **G.rücke** *m* mountain ridge

geboren *adj* born; **außerehelich g.** illegitimate, bor out of wedlock; **ehelich g.** born in lawful wedlock; **le bend g.** born alive; **vorehelich g.** § ante-natus *(lat.)*

geborene *(Frau)* née

Geborenenziffer *f* birth rate; **allgemeine G.** total birth rat

ge|borgt *adj* borrowed; **g.borsten** *adj* split, burst

Gebot *nt* 1. bid, bidding, offer, tender; 2. order, com mand, precept, dictate; 3. *(Börse)* buyers; 4. require ment, necessity; **ohne G.e** *(Börse)* no offers; **G. de Stunde** the needs of the moment; **~ Vernunft** the dic tates of reason; **G. abgeben** to bid/tender/offer; **G. er höhen** to raise a bid; **ein G. missachten** to flout a bar **jdm zu G.e stehen** to be at so.'s disposal; **gegen ein G verstoßen** to break a rule

abgestimmtes Gebot agreed bid; **erstes G.** *(Auktion* opening bid; **festes G.** fixed/firm offer, firm bid; **ge ringstes G.** minimum bid; **höheres G.** higher bid, out bidding; **höchstes/letztes G.** closing/highest/last bic **oberstes G.** prime necessity; **staatliches G.** fiat *(lat.)*

geboten *adj* 1. required, necessary, imperative; 2. due appropriate, proper; 3. advisable; 4. *(Angebot)* bid

Gebots|schild/G.zeichen *nt* mandatory sign

gebrandmarkt *adj* marked, branded

Gebrauch *m* 1. use, usage; 2. employment, exercise handling, application; 3. custom; **außer G.** disused, ou of use, obsolete; **in G.** in use; **G. und Innehabung** us and occupancy; **rechtswidriger G. fremden Eigen tums** § conversion; **(nur) zum äußeren/äußerliche G.** for external use/application (only); **sparsam in G.** economical

außer Gebrauch kommen to fall into disuse/desuetude to go out of use; **in G. kommen** to come into use; **G machen von** to avail o.s. of, to make use of, to resort to to use; **nicht ~ von** to disapply; **in G. nehmen** to put in to use; **außer G. setzen** § to invalidate

bestimmungsgemäßer Gebrauch intended/contrac tual use, use as required; **für den eigenen/heimische G.** for private use, for home consumption; **falscher G** 1. misuse; 2. misapplication; **zum gefälligen G.** fo your convenience; **gewöhnlicher G.** ordinary use; **öf fentlicher G.** public use; **persönlicher G.** persona use; **zum persönlichen G.** for personal consumption **sparsamer G.** economical use; **täglicher G.** everyda use; **übermäßiger G.** excessive use, overuse; **unbe fugter G.** unauthorized use; **unsachgemäßer/un zulässiger G.** improper use; **widerrechtlicher G.** un lawful use

gebrauchen *v/t* to use/apply/employ; **zu g.** *adj* usable applicable; **nicht mehr g.** to disuse; **zu viel g.** to overus

gebräuchlich *adj* 1. usual, customary, common (prac tice); 2. in use; **allgemein g.** common, in common use **international g.** internationally recognized

Gebräuchlichkeit *f* 1. *(Wort)* currency; 2. conventionality

gebrauchs|abhängig *adj (Gebühr)* usage-based; **G.abnahme** *f* acceptance test, inspection and approval; **G.abnutzung** *f* wear and tear; **G.abschreibung** *f* physical depreciation; **G.abweichung** *f* use variance; **G.änderung** *f* change of use; **G.anleitung/G.anweisung** *f* 1. instructions for use; 2. directions (for use); 3. instruction book(let), flysheet, flying sheet; **G.anmaßung** *f* conversion to one's own use, illicit use; **G.artikel** *pl* goods in common use, articles of everyday use, basic consumer goods, commodities, requisites; **persönliche G.artikel** personal effects; **G.ausführung** *f* utility type; **G.definition** *f* contextual definition, definition in use; **G.diebstahl** *m* stealing for temporary use; **G.eignung/G.fähigkeit** *f* serviceableness, usability; **G.einheit** *f* service unit; **g.fähig** *adj* serviceable, in working order; **G.fahrzeug** *nt* commercial vehicle; **g.fertig** *adj* 1. ready for use, serviceable, ready-made, ready-to-use; 2. *(Lebensmittel)* instant; **G.gegenstand** *m* commodity, utensil, requisite, article of daily use; **persönliche G.gegenstände** personal effects; **G.glas** *nt* commercial glass, consumer glassware; **G.grafik** *f* commercial/industrial art; **G.grafiker** *m* commercial/industrial artist; **G.gut** *nt* commodity, consumer item

Gebrauchsgüter *pl* 1. consumer durables/goods, commodities, utility/hard goods, articles for/of daily use, durables, necessaries; 2. ✈ non-expendable supplies; **G. aus Plastik** commodity plastics; **einfache G.** utility goods; **elektrotechnische G.** electrical (domestic) applicances; **langlebige/technische G.** durable goods, consumer durables; **G.hersteller** *m* consumer goods manufacturer; **G.industrie** *f* consumer goods industry; **G.sektor/G.sparte** *m/f* durable goods sector, consumer durables sector

eingetragener Gebrauchs|inhaber registered proprietor; **G.keramik** *f* household pottery; **G.lizenz** *f* licence for use; **G.mittelentwendung** *f* petty theft of consumer goods; **G.möbel** *pl* utility furniture

Gebrauchsmuster *nt* 1. utility/design patent, copyright, utility model; 2. sample; **eingetragenes G.** registered design/pattern, utility pattern *[US]*

Gebrauchsmuster|anmeldung *f* application for utility models; **G.berühmung** *f* holding out as a utility-patented article; **G.gesetz** *nt* Designs Act *[GB]*, Protection of Inventions Act *[US]*; **G.hilfsanmeldung** *f* auxiliary utility model registration, application for an eventual utility model; **G.kartell** *nt* design-pooling agreement; **G.modell** *nt* model under a utility patent; **G.rolle** *f* register of designs, ~ utility models, ~ patents; **G.schrift** *f* specification of utility model; **G.schutz** *m* protection of utility patents, ~ patterns and designs; **G.stelle** *f* utility model department; **G.verletzung** *f* pattern infringement; **G.zertifikat** *nt* utility certificate

Gebrauchs|recht *nt* right of user; **G.überlassung** *f* loan/transfer for use; **g.unfähig** *adj* unusable, unserviceable; **G.vermögen** *nt* national wealth earmarked for consumption; **G.verschleiß** *m* ordinary wear and tear; **G.vorschrift** *f* directions/instructions for use; **G.wagen** *m* utility vehicle/car; **G.wert** *m* 1. value in use, utility/use/functional/service/user value; 2. second-hand/trade-in value; 3. practical use; **gegenwärtiger G.wert** current use value; **G.zertifikat** *nt* utility certificate; **G.zolltarif** *m* ⊝ working tariff; **normaler G.zweck** ordinary use

gebraucht *adj* used, second-hand; **nicht g.** unused, dormant

Gebraucht|gerät *nt* second-hand machinery; **G.immobilie** *f* second-hand property; **G.managervertrieb** *m* outplacement *[US]*; **G.maschinen** *pl* used/second-hand equipment; **G.wagen** *m* used/second-hand car; **G.wagenhändler** *m* used/second-hand car dealer; **G.waren** *pl* second-hand goods; **G.warengeschäft** *nt* second-hand shop; **G.warenmarkt** *m* second-hand market; **G.wohnungsmarkt** *m* market for second-hand homes

(körperliches) Gebrechen *nt* $ physical ailment/defect/infirmity

gebrechlich *adj* $ frail, infirm; **G.keit** *f* frailty, infirmity

ge|bremst *adj (Wachstum)* restrained; **g.brochen** *adj* fractional, broken

Gebrüder (Gebr.) *pl (Firma)* brothers (Bros.)

gebucht *adj* booked, reserved, posted

Gebühr *f* 1. charge, fee, commission, rate; 2. tax, duty; 3. 🚗 toll; 4. poundage; **G.en** dues, benefit taxes; **für eine G. von** at a charge of; **über G.** unduly, excessively

Gebühr für bevorzugte Abfertigung priority fee; **G.en und Abgaben** rates and taxes; **G. für Akteneinsicht** fee for the inspection of files/records; **~ die Aufrechterhaltung des Patents** renewal fee for a patent; **~ ein Auslandsgespräch** ✉ international call price; **G.en und Auslagen** fees and expenses/cost(s); **G. für die Ausstellungsfläche** space rate; **G. pro Einheit** unit fee; **G. bezahlt Empfänger** ✉ freepost; **G. für das Gespräch** ✆ call charge; **~ die Gewerbezulassung** occupation/privilege tax; **G.en aus Kreditgeschäften** fees on loans; **G. für ungenutzte Liefertage** despatch money; **~ ein Ortsgespräch** ✆ local call charge; **~ Überliege-/Überstandszeit** ⚓/🚂 demurrage; **G.en am Versandort** charges at origin; **G. pro Woche** weekly rate

Gebühr bezahlt ✉ post(age) paid (p.p.), prepaid (ppd.); **G.en zahlt Empfänger** ✆ reversed charge(s)

Gebühr berechnen 1. to charge a fee; 2. to assess a charge; **G. einziehen** to collect a fee; **G.en entrichten** to pay fees; **G. erheben** to charge/levy a fee, to make a charge; **G. erlassen** to remit a fee, to waive charges; **G. ermäßigen** to reduce a fee; **G. erstatten** to rebate/refund a fee; **G.en festsetzen** to fix fees; **G. niederschlagen** to abate a fee; **G. rückvergüten** to refund a fee

einmalige Gebühr non-recurrent/single-use charge; **ermäßigte G.** reduced rate; **zu ermäßigter G.** at (a) reduced rate; **fällige G.** charge/fee due; **feste G.** fixed charge; **fiskalische G.** revenue duty; **gegen eine geringe G.** for a small fee; **gesetzliche G.** legal fee; **monatliche G.** monthly rate; **patentamtliche G.** patent fee; **städtische G.en** rates; **tarifmäßige G.** official rate;

übliche G. usual charge; **zusätzliche G.** excess charge, surcharge

jdm gebühren *v/i* to be due to so.

Gebühren|abgrenzung *f* apportionment of fees; **G.abrechnung** *f* charging system; **G.anhebung** *f* increase in charges; **G.ansage** *f* ✆ advice duration and charge call; **G.anzeige(r)** *f/m* 1. ✆ charge/call-fee indicator, toll charge meter; 2. *(Taxi)* taximeter; **G.aufkommen** *nt* fee/brokerage income; **G.aufschlag** *m* surcharge, extra charge; **G.aufstellung** *f* table/account of charges; **G.aufteilung** *f* fee splitting; **G.befreiung** *f* remission of charges/fees; **G.belastung** *f* level of duties/charges, duty burden; **G.berechnung** *f* calculation of fees

gebührend *adj* appropriate, due

Gebühren|einheit *f* charge unit; **G.einnahmen** *pl* fee income, revenue recovery; **G.entrichtung** *f* payment of fees; **G.erhebung** *f* collection/charging of fees, tollage; **unstatthafte G.erhebung** extortion of fees; **G.erhöhung** *f* rate increase, increase in charges; **G.erlass** *m* remission/waiver of fees; **G.ermäßigung** *f* reduction of postage/fee, abatement in fees; **G.erstattung** *f* refund of charges/fees, return of a charge; **G.festsetzung** *f* rate-setting, assessment of a fee; **G.fonds** *m* fee fund; **G.forderung** *f* claim for professional charges; **g.frei** *adj* 1. free of charge (f.o.c.), without charges; 2. duty-free, tax-exempt, free of tax; 3. *(Straße)* toll(-)free *[US]*; 4. ✉ post-free; **G.freiheit** *f* 1. exemption from dues/charges; 2. *(Bank)* free banking; 3. ✉ exemption from postage; **G.herabsetzung** *f* reduction of fees; **G.hinterziehung** *f* evasion of (public) charges; **G.höhe** *f* level of charges; **G.liste** *f* list of tariffs, charges tariff; **G.marke** *f* (internal) revenue stamp; **G.nachlass** *m* reduction of fees, ~ public charges, exemption from dues, cancellation/remission of charges; **G.ordnung** *f* scale/schedule of (commission) charges, ~ fees, fee scale, tariff; **g.pflichtig** *adj* 1. chargeable, taxable; 2. subject to stamp duty, ~ a fee, liable to charges; 3. 🚗 (subject to a) toll; 4. ⊖ customable; **G.pflichtigkeit** *f* taxability; **G.politik** *f* charge/pricing policy; **G.rechnung** *f* 1. note of charges/fees; 2. *(Anwalt)* bill of cost(s)/charges; **G.rückerstattung** *f* return/refund of charges, ~ duties; **G.satz/G.staffel** *m/f* scale of fees/charges, tariff, rate of charges/postage; **zu niedrigen G.sätzen** at low rates; **G.schuldner** *m* debtor owing the fee; **G.senkung** *f* reduction of fees/charges; **G.struktur** *f* charging/rate/fee structure, structure of charges/rates; **G.tabelle/G.tarif** *f/m* schedule of fees/charges, tariff/scale of charges, scale of fees, table of charges/fees/cost(s), tariff, pricing schedule; **G.übernahme** *f* absorption of charges; **G.vereinbarung** *f* fee arrangement; **G.vergünstigungen** *pl* reduced charges; **G.verlust** *m* loss of fees; **G.verzeichnis** *nt* 1. table of charges/fees, list of charges, tariff, fee schedule; 2. *(Gericht)* cost book; **G.vorschuss** *m (Anwalt)* retainer, retaining fee; **G.wort** *nt* ✉ charge(able) word; **G.zähler** *m* telephone meter; **G.zahlung** *f* payment of fees; **G.zone** *f* tariff area; **G.zuschlag** *m* surcharge, excess charge, additional fee

gebührlich *adj* due, proper, appropriate

gebunden *adj* tied, bound, blocked, frozen, committed subject to; **g. sein an** to be pegged to; **kontraktlich g** articled; **nicht g.** 1. uncommitted; 2. *(Geldmittel)* disposable; **rechtlich g.** legally bound; **vertraglich g** (bound) by contract

Gebundenheit *f* loyalty

Geburt *f* 1. birth; 2. descent; **vor der G.** ⚕ antenatal; **G beurkunden/melden** to register a birth; **eheliche G** legitimate birth; **uneheliche G.** illegitimate birth; **vorzeitige G.** premature birth

Geburten|abnahme *f* fall in the birth rate; **G.beihilfe** *f* maternity benefit; **G.beschränkung/G.kontrolle** *f* **G.regelung** *f* birth control; **G.buch/G.register** *nt* register/table of births; **G.häufigkeit/G.rate** *f* birth rate, fertility; **G.jahrgang** *m* birth cohort; **G.registrierung** *f* birth registration; **G.rückgang** *m* fall in the birth rate, decline in the rate of births; **g.schwach** *adj* with few births, with a low birth rate; **g.stark** *adj* with a high birth rate; **G.statistik** *f* birth statistics; **G.überschuss** *m* excess of births over deaths, survival rate; **G.ziffer** *f* birth rate; **allgemeine G.ziffer (pro 1000 Personen)** crude birth rate; **G.zuwachs** *m* increase in the birth rate

gebürtig *adj* born, native (of)

Geburtlichkeit *f* natality, fertility

Geburts|anmeldung *f* notification of birth; **G.anzeige** *f* birth announcement; **G.beihilfe** *f* maternity grant/benefit, birth benefit; **G.datum** *nt* date/day of birth; **G.fehler** *m* congenital deformity/disability; **G.haus** *nt* birthplace; **G.helfer** *m* ⚕ obstetrician; **G.helferin** *f* ⚕ midwife; **G.hilfe** *f* ⚕ obstetrics, childbirth care; **G.jahr** *nt* year of birth; **G.land** *nt* country of birth, native country; **G.name** *m* 1. birth name, name at birth; 2. *(Ehefrau)* maiden name; **G.ort** *m* place of birth, birthplace, native place; **G.rate** *f* birth rate; **G.recht** *nt* birthright; **G.register** *nt* register of births; **G.schein/G.urkunde** *m/f* birth certificate, certificate of birth

Geburtstag *m* birthday, anniversary; **G.sfeier** *f* birthday party; **G.sgeschenk** birthday present/gift

Geburts|urkunde *f* birth certificate; **G.zuschuss** *m* maternity grant

Gedächtnis *nt* memory, mind; **aus dem G.** from memory; **ins G. eingeprägt** engraved on one's memory/mind

sein Gedächtnis auffrischen to refresh one's memory; **jds G. auffrischen/nachhelfen** to jog/prod so.'s memory; **im G. behalten** to bear in mind; **im G. haften bleiben** to ring in one's mind; **dem G. entfallen/entgleiten** to escape/slip one's memory; **in jds G. haften** to dwell in so.'s memory; **sich ins G. rufen** to call sth. back to mind, to recall

kurzes Gedächtnis bad memory; **schlechtes G.** poor memory

Gedächtnis|briefmarke *f* ✉ commemorative stamp; **G.fehler** *m* lapse of memory; **G.hilfe** *f* memory aid; **G.protokoll** *nt* memorandum, minutes from memory; **G.stätte** *f* memorial; **G.stütze** *f* memory aid; **G.test** *m* recall test

gedämpft *adj* muted, subdued, muffled, low-key, curbed

Gedanke *m* thought, idea, concept; **mir kommt der G.** it occurs to me

Gedanken austauschen to compare notes; **jdn auf einen G. bringen** to put an idea into so.'s head; **G. fortspinnen** to pursue a train of thought; **auf den G. kommen** to hit upon an idea; **jds G. lesen** to read so.'s mind; **sich G. machen über** to give thought to sth., to think about sth.; **mit dem G. spielen** to toy with an idea; **G. zur Debatte/Diskusion stellen** to float/moot an idea; **sich mit dem G. tragen; ~ umgehen** to have in mind, to entertain an idea, to contemplate doing; **G. verbreiten** to give an idea a good airing; **G. verwerfen** to discount an idea

schöpferischer Gedanke creative idea

Gedanken|armut *f* lack of thought/orginality; **G.austausch** *m* exchange of ideas/views; **G.blitz** *m* brainwave; **G.folge** *f* reasoming; **G.freiheit** *f* freedom of thought; **G.gang** *m* strand/strain/train of thought, reasoning; **G.gebäude** *nt* edifice/construct of ideas; **G.lesen** *nt* mind reading; **G.leser** *m* mind reader; **g.los** *adj* thoughtless; **G.losigkeit** *f* thoughtlessness, want of thought; **g.reich** *adj* full of ideas; **G.übertragung** *f* mental telepathy; **G.verbindung** *f* association of ideas; **G.vorbehalt** *m* mental reservation

gedanklich *adj* 1. mental; 2. conceptual

Gedärme *pl* ⚕ intestines

Gedeck *nt* 1. cover, plate; 2. cover charge

gedeckt *adj* 1. (held) covered, secured; 2. *(Wechsel)* protected; **nicht g.** 1. uncovered; 2. *(Wechsel)* unprotected; **voll g.** fully covered; **g. sein** 1. to be covered; 2. *(Konkurs)* to hold security

auf Gedeih und Verderb *m* for better or for worse, come what may

Gedeihen *nt* prosperity; **g.** *v/i* to prosper/thrive/flourish

gedeihlich *adj* prosperous, beneficial, productive, fruitful

Gedenk|- commemorative; **G.ausgabe** *f* commemorative issue

Gedenken *nt* remembrance; **g.** *v/i* 1. to propose; 2. to commemorate/remember

Gedenk|feier *f* commemorative ceremony; **G.marke** *f* ✉ commemorative stamp; **G.minute** *f* a minute's silence; **G.münze** *f* commemorative coin; **G.platte/G.tafel** *f* memorial/mural tablet, (commemorative) plaque; **G.rede** *f* memorial address; **G.stätte** *f* memorial; **G.stein** *m* memorial stone; **G.tag** *m* anniversary

gediegen *adj* solid, genuine, sound, high-quality; **G.heit** *f* solidity, soundness

Gedinge *nt* contract system, piecework; **im G. arbeiten** to work on a piece-rate basis; **G.arbeit** *f* 1. piecework; 2. ⚒ bargain work; **G.arbeiter** *m* piece worker; **G.lohn** *m* piece/job wage

gedrängt *adj* 1. crowded, packed; 2. concise, terse

gedruckt *adj* printed, in print; **gesperrt g.** spaced; **halbfett g.** secondary bold; **kursiv/schräg g.** (printed) in italics, italicized; **g. werden** to go to the press, to print

gedrückt *adj* 1. depressed, subdued; 2. *(Stimmung)* dull, flagging, sagging, gloomy; 3. *(Markt)* flat, lower, down; **g. sein wegen** *(Börse)* to be dogged by

Gedrücktheit *f* depression, depressed state

Geduld *f* patience, forbearance; **jds G. übermäßig beanspruchen; ~ auf die Probe stellen; ~ strapazieren** to tax so.'s patience; **~ erschöpfen** to exhaust so.'s patience; **seine G. verlieren** to lose one's patience

gedulden *v/refl* to be patient, to show patience; **g.ig** *adj* patient, forbearing, acquiescent; **G.sarbeit** *f* job calling for patience; **jdn auf eine G.sprobe stellen** to tax so.'s patience

ge|dungen *adj* mercenary, hired; **g.eicht** *adj* calibrated

geeignet *adj* 1. qualified, fit, right, proper, appropriate, adequate, ready; 2. suitable, capable, eligible, qualifying; 3. convenient, congenial, applicable; **fachlich g.** technically/professionally qualified; **g. sein für** to suit

breit gefächert *adj* manifold, (highly) diversified, wide-ranging

Gefahr *f* danger, risk, hazard, peril, threat, jeopardy; **außer G.** out of danger; **bei G.** in case of emergency

auf Gefahr des Absenders at consignor's risk; **G.en am Arbeitsplatz** occupational risks; **G. beim Eigentümer** owner's risk; **auf G. des Eigentümers** owner's risk (O.R.); **~ des Empfängers** at consignee's risk; **~ der Firma** company's risk (C.R.; C/R); **G. für Leib und Leben** danger/threat to life and limb, apparent danger; **G.en der See** perils of the sea; **auf G. des Spediteurs/Transportunternehmers** carrier's risk (C.R.); **G. des zufälligen Untergangs** ⚓ risk of accidental loss; **G. der zufälligen Verschlechterung** risk of deterioration; **auf G. des Versenders** at consignor's risk; **G. einer erneuten Verurteilung** double jeopardy; **G. im Verzug** imminent/apprehended danger, periculum in mora *(lat.)*

auf eigene Gefahr at one's peril/own risk, at owner's risk; **gegen alle G.en** against all risks (a.a.r.)

sich einer Gefahr aussetzen; sich in G. begeben to incur/run a risk, to expose o.s. to a danger; **in G. bringen** to jeopardize/endanger; **ernste G. darstellen** to pose a serious threat; **G. geht über** risk passes; **in G. geraten** to run into danger; **für die G. haften** to bear the risk; **G. heraufbeschwören** to raise the spectre of sth.; **G. laufen** to run a risk, to threaten; **~ zu tun** to be in danger of doing, to stand to do; **in tödlicher G. schweben** to be in mortal danger; **G. tragen** to bear the risk; **G. trägt** risk lies with

akute Gefahr imminent danger; **augenscheinliche G.** apparent danger; **außergewöhnliche G.** extraordinary risk; **äußerste G.** extreme danger; **besondere G.en** special risks; **dauernde G.** constant threat; **dringende/drohende G.** imminent danger; **echte G.** genuine risk; **erkennbare G.** perceivable risk; **erste G.** first/initial risk; **gedeckte G.en** covered risks and perils; **gegenwärtige G.** present/apparent danger; **gelbe G.** yellow peril; **gemeine G.** common danger; **gemeinsame G.** *(Vers.)* common peril; **gesundheitliche G.** health hazard; **latente G.** potential danger; **bei der leisesten G.** at the first hint of danger; **nahende/unmittelbare G.** imminent danger; **objektive G.** real danger; **unabwendbare G.en** unavoidable dangers; **versicherte G.** risk covered, peril insured against; **versicherungsfähi-**

ge G. insurable risk; **damit zusammenhängende G.en** risks involved

gefahrbringend *adj* dangerous, perilous, hazardous

gefährden *v/t* 1. to endanger/imperil; 2. to jeopardize/threaten/compromise/prejudice, to put at risk, ~ to danger, ~ in jeopardy, to throw into jeopardy; **sich selbst g.** to expose o.s. to danger

gefährd|end *adj* dangerous; **g.et** *adj* at risk, vulnerable, fraught with risks, endangered, imperilled; **G.ete(r)** *f/m* person in a dangerous position

Gefährdung *f* risk, danger, exposure, jeopardy, endangerment, imperilment

Gefährdung der Allgemeinheit public danger; **G. von Arbeitsplätzen** threat to jobs; **G. des Eigenkapitals** impairment of capital; **~ Luftverkehrs** endangering of air travel; **G. der öffentlichen Ordnung** endangering public peace and order; **vorsätzliche G. anderer Personen** wilful interference with the safety of others; **G. durch Selbsthilfe** [§] alternative danger; **G. der öffentlichen Sicherheit** endangering public safety; **~ Sittlichkeit** danger to public morals

aus Gefährdung haften to be strictly and absolutely liable; **zusätzliche G.** additional danger

Gefährdungs|delikt *nt* [§] strict liability tort; **G.haftung** *f* strict/absolute liability, liability regardless of fault

Gefahren|abwehr *f* accident prevention, averting dangers; **G.abwehrplan** *m* danger/hazard avoidance plan; **G.abwendung** *f* avoiding dangers; **G.abwendungspflicht** *f* duty to avoid dangers; **G.anzeige** *f (Vers.)* representation; **G.ausgleich** *m* equalization of risks; **G.bereich** *m* danger area; **G.beseitigung** *f* removal of dangerous objects; **G.einteilung** *f (Vers.)* classification of risks; **G.erhöhung** *f (Vers.)* increase of risk; **G.geld** *nt* danger money; **G.gemeinschaft** *f (Vers.)* identical risks, contributing interests; **G.herd** *m* trouble spot, danger area; **G.höhe** *f* degree of risk; **G.klasse** *f* danger class, risk category, class of risk, experience rating; **G.klausel** *f* risk/perils clause; **G.lage** *f* emergency, dangerous situation; **G.meldeanlage** *f* alarm system; **G.merkmale** *pl* particulars of risk; **G.moment** *m/nt* 1. moment of danger; 2. potential danger, element of danger; **G.prämie** *f* risk premium, extraordinary perils bonus; **G.punkt** *m* danger spot/point; **G.quelle** *f* safety hazard, source of danger; **G.rückstellung** *f* reserve for special risks; **G.schutz** *m* industrial protection; **G.signal** *nt* danger signal; **G.stelle** *f* danger/black spot; **G.übergang** *m* transfer of risk(s), passing of a risk; **G.übernahme** *f* assumption/acceptance of a risk; **gemeinschaftliche G.übernahme** pooling of risks; **G.umfang** *m* degree of risk; **G.vorsorge** *f* provision against risks; **G.zeichen** *nt* danger sign; **G.zone** *f* danger zone/area; **G.zulage** *f* danger pay/money/bonus, hazard bonus/pay, penalty rate

Gefahr|erhöhung *f* increase of risk, extended risk; **g.geneigt** *adj* accident-prone, hazardous

Gefahr|gut/G.güter *nt/pl* dangerous/hazardous goods, ~ materials, ~ substances

Gefahrgut|abwicklung *f* dangerous goods handling; **G.ausrüstung** *f* equipment for hazardous goods handling; **G.beauftragter** *m* dangerous goods officer/commisioner; **G.bericht** *m* report on hazardous goods; **G.blätter** *pl* dangerous/hazardous goods information; **G.container** *m* hazardous goods container; **G.einstufung** *f* classification of dangerous/hazardous goods; **G.erklärung** *f* dangerous goods declaration; **G.gebinde** *nt* dangerous goods container; **G.handbuch** *nt* dangerous goods manual; **G.kennzeichen/-zeichnung** *m/f* hazard warning panel; **G.klasse** *f* category of dangerous goods; **G.klassifizierung** *f* classification of dangerous goods; **G.lagerung** *f* storage of hazardous goods; **G.logistik** *f* dangerous goods logistics; **G.management** *nt* hazardous goods management; **G.recht** *nt* law pertaining to hazardous goods; **G.sicherung** *f* securing of hazardous goods; **G.transport** *m* transportation of dangerous freight/goods, ~ hazardous goods; **G.umschließung** *f* containment of dangerous/hazardous cargo, ~ freight; **G.unfall** *m* accident involving hazardous goods; **G.verordnung** *f* ordinance on hazardous substances; **G.verpackung** *f* packaging of hazardous goods; **G.vorschriften** *pl* regulations concerning hazardous goods, ~ for the transportation of hazardous goods, ~ on dangerous goods

gefährlich *adj* 1. dangerous, hazardous, harmful; 2. perilous, precarious, unsafe, hairy *(coll)*, nasty; **G.keit** *f* perilous/dangerous nature, dangerousness

gefahrlos *adj* safe, harmless; **G.igkeit** *f* safety

Gefahr|minderung *f* risk reduction/lowering; **G.müll** *m* hazardous waste; **G.stoff** *m* ☢ dangerous/toxic chemical

Gefährt *nt* vehicle, carriage, conveyance

Gefährte/Gefährtin *m/f* 1. companion; 2. attendant

Gefahr|tragung *f* risk taking, bearing of the risk; **G.übergang** *m* passing of risk(s); **G.übernahme** *f* acceptance of the risk; **gemeinschaftliche G.übernahme** pooling of risks; **G.verordnung** *f* dangerous/toxic chemicals ordinance; **g.voll** *adj* fraught with danger

Gefälle *nt* 1. incline, gradient, slope; 2. *(Unterschied)* difference, differential, gap, divergence; **G. zwischen Tarif- und Reallöhnen** wage gap; **regionales G.** regional differentials

Gefallen *m* favour, pleasure, kindness, relish; **jdn um einen G. bitten** to ask so. (for) a favour; **jdm einen G. erweisen/tun** to do so. a favour, to oblige so.; **jdm g.** 1. to appeal to so., to please/suit so.; 2. to like; **an etw. G. finden** to appeal (to so.), to take to sth.; **sich g. lassen** to put up with, to stand; **g. sein** *(Preise)* to be down

gefällig *adj* 1. pleasing, attractive; 2. helpful, obliging, accommodating; **g. sein** to accommodate/oblige

Gefälligkeit *f* 1. kindness; 2. favour, helpfulness, complaisance, accommodation; 3. [§] gratuitous service; **etw. als G. betrachten** to count sth. a favour; **um eine G. bitten** to ask a favour; **jdm eine G. erweisen** to do so. a favour/service; **G. erwidern** to return a favour, to reciprocate; **aus reiner G.** for accommodation only; **gewohnte G.** usual complaisance

Gefälligkeits|abrede *f* courtesy agreement; **G.adresse** *f* accommodation address; **G.akzept** *nt* accommodation acceptance/bill, non-value bill; **G.akzeptant** *m*

accommodation acceptor; **G.aussteller** *m* accommodation maker/party; **G.brief** *m* introductory letter; **G.darlehen** *nt* accommodation credit/loan; **G.deckung** *f (Vers.)* accommodation line; **G.fahrkarte/G.flugschein** *f/m* concession(ary) ticket; **G.flagge** *f* flag of convenience; **G.girant** *m* accommodation endorser; **G.handlung** *f* act of courtesy; **G.giro/G.indossament** *nt* accommodation/collateral endorsement; **G.konnossement** *nt* accommodation bill of lading (B/L); **G.papier** *nt* accommodation paper; **G.staat** *m* omnibenevolent state; **G.tratte** *f* accommodation draft; **G.verhältnis** *nt* courtesy relationship; **G.vertrag** *m* accommodation agreement/contract; **G.wechsel** *m* accommodation bill/draft/note, non-value/wind bill, kite; **G.zeichner** *m* accommodation party

Gefällstrecke *f* downhill section, incline

gefälscht *adj* 1. counterfeit, forged, fake *(coll)*, phon(e)y *(coll)*; 2. doctored, cooked

gefangen *adj* captive; **g. gehalten werden** to be held prisoner

Gefangene|(r) *f/m* prisoner, prison inmate, detainee, captive; **G. austauschen** to exchange prisoners; **G.n bewachen** to guard a prisoner; **~ einsperren** to lock up a prisoner; **~ freilassen** to release a prisoner; **entlaufener G.r** escapee; **politischer G.r** political prisoner

Gefangenen|anstalt *f* prison, jail; **G.arbeit** *f* convict/prison labour; **G.aufseher** *m* prison warder, gaoler; **G.aufstand** *m* prison riot; **G.ausbruch** *m* prison escape; **G.aussage** *f* prisoner's statement; **G.austausch** *m* exchange of prisoners; **G.befreiung** *f* freeing/rescue of prisoners; **G.flucht** *f* escape of prisoners; **G.fürsorge** *f* prison welfare; **G.lager** *nt* prison camp; **G.meuterei** *f* prison mutiny; **G.selbstbefreiung** *f* prisoner's self-liberation

gefangen|halten *v/t* to detain; **G.haltung** *f* imprisonment, detention, confinement; **G.nahme** *f* arrest, apprehension, capture, seizure, imprisonment; **g.nehmen** *v/t* to arrest/apprehend/capture; **G.schaft** *f* captivity, imprisonment, confinement; **g.setzen** *v/t* to imprison/detain

Gefängnis *nt* prison, gaol, jail, penitentiary *[US]*; **ins G. einweisen** to commit to prison; **aus dem G. entlassen** to release from prison/jail; **ins G. sperren/stecken/werfen** to put behind bars, to imprison; **in ein G. überführen** to convey to prison; **lebenslängliches G.** life imprisonment; **offenes G.** open prison; **städtisches G.** town jail

Gefängnis|abteilung *f* prison ward; **G.anstalt** *f* prison, penitentiary *[US]*; **G.aufseher** *m* prison warder *[GB]*/officer; **G.aufseherin** *f* prison wardress *[GB]*; **G.ausbruch** *m* prison break/escape, jailbreak; **G.direktor** *m* prison governor *[GB]*, warden *[US]*; **G.haft** *f* imprisonment; **~ für Missachtung des Gerichts** confinement to prison for contempt (of court); **G.hof** *m* prison yard; **G.insasse** *m* prison inmate; **G.ordnung** *f* prison regulations/rules; **G.platz** *m* prison place; **G.revolte** *f* prison riot/mutiny

Gefängnisstrafe *f* prison sentence/term, (sentence of) imprisonment, penal/jail sentence; **G. auf Bewährung** suspended prison sentence; **mit G. bedroht** imprisonable; **G. abbüßen/absitzen/verbüßen** to serve a prison sentence; **G. aussetzen** to suspend a prison sentence; **mit einer G. geahndet werden** to carry a prison sentence; **zu einer G. verurteilen** to sentence to a term of imprisonment; **hohe G.** stiff sentence

Gefängnis|verwaltung *f* prison administration; **G.wärter** *m* prison warder *[GB]*/officer, jailer, turnkey; **G.wärterin** *f* prison wardress; **G.zelle** *f* prison cell

gefärbt *adj* 1. dyed; 2. tinted

Gefäß *nt* 1. $ vessel; 2. receptacle, jar, container

gefasst *adj* 1. *(Edelstein)* mounted; 2. *(Vertrag)* worded; 3. *(psychologisch)* composed, calm; **sich auf etw. g. machen** to brace o.s. for sth.; **auf etw. g. sein können** *(coll)* to be in for it *(coll)*, to have another thing coming *(coll)*; **aufs Schlimmste g. sein** to be prepared for the worst

Gefecht *nt* ✈ combat, action; **außer G.** out of action; **~ setzen** to put out of action

Gefeilsche *nt* haggle, haggling

ge|feit (gegen) *adj* immune (to), proof; **g.festigt** *adj* assured, consolidated; **g.feuert** *adj* fired; **~ werden** *adj* to be fired/sacked, to get one's cards

auf vertrautem Gefilde *nt* on familiar ground

geflissentlich *adj* wilful, deliberate

Geflügel *nt* poultry; **G. züchten** to breed/raise poultry

Geflügel|ausstellung *f* poultry show; **G.farm** *f* poultry farm; **G.fleisch** *nt* white meat; **G.händler** *m* poulterer, poultryman; **G.klein** *nt* giblets; **G.wirtschaft** *f* poultry farming; **G.zucht** *f* poultry breeding/farming; **G.züchter** *m* poultry farmer

Gefolge *nt* following; **im G.** in the wake/aftermath of, following; **großes G.** large retinue

gefolgert *adj* § constructive

Gefolg|schaft *f* adherents, followers, following; **G.smann** *m* disciple, follower

gefördert *adj* sponsored; **öffentlich/staatlich g.** *adj* 1. state-subsidized, state-aided, supported by public authorities; 2. government-sponsored

gefragt *adj* in demand, sought-after; **g. sein** to find a ready market, to be in demand/request; **nicht g.** 1. at a discount; 2. unquestioned; **sehr g.** in great demand; **~ sein** to be much in demand

Gefrier|- (quick-)frozen; **G.anlage** *f* refrigeration plant; **G.apparat** *m* refrigeration unit, ice machine; **G.chirurgie** *f* $ cryosurgery

gefrieren *v/ti* to freeze

Gefrier|fach *nt* 1. freezer compartment; 2. locker *[US]*; **G.fleisch** *nt* frozen meat; **G.gemüse** *nt* frozen vegetables; **G.gut/G.kost** *nt/f* frozen/frosted food; **G.kombination** *f* refrigerator-freezer, fridge-freezer *(coll)*; **G.kühlschiff** *nt* cold-storage vessel; **G.ladung** *f* frozen cargo; **G.maschine** *f* freezer; **G.punkt** *m* freezing point; **G.raum** *m* cold-storage/deep-freeze room; **G.schrank/G.truhe** *m/f* (home) freezer (cabinet), deep freeze; **G.schutzmittel** *nt* 🚗 anti-freeze; **G.temperatur** *f* freezing temperature; **g.trocknen** *v/t* to freeze-dry; **G.trocknung** *f* freeze-drying; **G.verfahren** *nt* refrigeration process

gefroren *adj* frozen

Gefüge *nt* fabric, structure, framework, construction, set-up, pattern, system; **aus dem G. bringen** to dislocate

gefügig *adj* compliant, amenable; **G.keit** *f* compliance, tractability

Gefühl *nt* feeling(s); **G. ansprechen** to touch a string; **jds G. verletzen** to hurt so.'s feelings

edle Gefühl|e noble sentiments; **flaues G.** sinking feeling; **gekränkte G.e** wounded feelings; **gemischte G.e** mixed feelings; **unbehagliches G.** uneasy feeling; **unbestimmtes G.** 1. vague feeling; 2. *(Ahnung)* hunch; **ungutes G.** misgivings, forebodings, uncomfortable feeling

gefühllos *adj* insensitive, callous; **G.igkeit** *f* insensitivity, callousness

Gefühls|- emotional; **G.ausbruch** *m* emotional outburst; **g.beladen/g.betont/g.geladen** *adj* emotive; **g.mäßig** *adj* emotional; **G.duselei** *f* emotional slush *(coll)*; **G.regung** *f* emotion; **G.sache** *f* matter of instinct; **G.wert** *m* sentimental value

geführt *adj* managed; **gut g.** *adj (Geschäft)* well run; **rationell g.** efficiently managed; **straff g.** hands-on

prall ge|füllt *adj* crammed full; **g.füttert** *adj* lined, padded; **nicht g.füttert** unpadded

gegangen werden *(coll)* to be fired/sacked, ~ given the sack, ~ given one's cards, ~ given the order of the boot *(coll)*, to get one's marching orders

gegeben *adj* given, established, existing, definite, prevailing, ruling; **g.enfalls** *adv* if appropriate/applicable, if need be, if the occasion arises

Gegebenheit *f* condition, reality, (actual) fact; **örtliche G.en** local conditions; **wirtschaftliche G.en** economic realities

gegen *prep* 1. against; 2. in exchange for; 3. § versus; 4. *(zeitlich)* towards; **g. etw. sein** to be opposed to sth.

Gegen|- counter-, anti-; **G.abdruck** *m* counter proof; **G.abrede** *f* mutual understanding; **G.akkreditiv** *nt* countervailing/secondary/back-to-back credit; **geheime G.akte** § counterdeed; **G.aktion** *f* counteraction; **G.aliment** *nt (Vers.)* countercession; **G.angebot** *nt* counter offer, counterbid, rival bid/offer; **G.angriff** *m* counterattack; **~ starten** to counterattack; **G.anklage** *f* countercharge, counteraccusation; **G.anschaffung** *f* return remittance; **G.anspruch** *m* § counterclaim; **~ geltend machen** to counterclaim; **G.antrag** *m* 1. counterproposal, countermotion; 2. § counter application, cross petition; **~ stellen** § to cross-petition; **G.antwort** *f* reply; **G.anwalt** *m* opposing counsel; **G.anzeige** *f* ⚕ contraindication; **G.argument** *nt* counterargument; **G.argumente anführen** § to counterplead; **G.auftrag** *m* counter order; **g.ausgleichen** *v/t* to counterbalance; **G.auslese** *f (Vers.)* adverse selection, anti-selection; **G.aussage** *f* counterstatement, testimony to the contrary; **G.äußerung** *f* reply; **G.bedingung** *f* counterstipulation; **G.befehl** *m* counter order; **G.behauptung** *f* counterstatement, counterclaim; **G.beschuldigung** *f* countercharge, recrimination; **~ vorbringen** to recriminate; **G.bestätigung** *f* counterconfirmation; **G.bestrebung** *f* countertendency, counter-effort; **G.besuch** *m* return visit; **~ machen** to return a visit; **G.bewegung** *f* counter movement

Gegenbeweis *m* counterevidence, rebutting evidence, proof to the contrary; **G. antreten** to introduce rebutting evidence; **G. erbringen/führen** to furnish proof to the contrary, to rebut/traverse

Gegen|beziehung *f* reciprocal relationship; **G.bieter** *m* competitive bidder; **G.blockade** *f* counter-blockade; **G.buch** *nt* 1. *(Bank)* pass book; 2. *(Kunde)* tally; **g.buchen** *v/t* to make a counter entry; **G.buchhalter** *m* checking clerk; **G.buchung** *f* reverse/cross/contra/offsetting entry, counterentry, counterbalance, reversal; **als G.buchung** per contra; **G.bürge** *m* countersurety; **G.bürgschaft** *f* countersecurity, back/counter bond

Gegend *f* 1. region, area, part, country; 2. neighbourhood, district; **in der G. von** in the neighbourhood of; **G. mit hohem Freizeitwert** high-amenity area; **benachbarte G.** neighbourhood (area); **dünn besiedelte G.** sparsely/thinly populated area; **bessere G.** genteel neighbourhood; **dicht bevölkerte G.** densely populated area; **feine G.** fashionable neighbourhood; **üble G.** tough area

Gegen|darstellung *f* reply, counterstatement; **G.deckung** *f* 1. hedge; 2. counterremittance; **G.demonstration** *f* counterdemonstration

Gegendienst *m* return/reciprocal service; **zu G.en gern bereit** glad to reciprocate; **G. leisten** to reciprocate

Gegen|druck *m* counterpressure; **G.einander** *nt* conflict; **G.einrede/G.einspruch/G.einwand** *f/m* § counterplea; **G.eintrag** *m* reverse entry; **~ machen** to counter-enter; **G.entwurf** *m* alternative plan, counterdraft; **G.erklärung** *f* disclaimer, counterstatement; **G.fahrbahn** *f* 🚗 oncoming carriageway *[GB]*/highway *[US]*; **G.fehler** *m* compensating error; **G.forderung** *f* counter/cross claim, set-off, offset; **G.forderungen stellen** to counterclaim; **G.frage** *f* counterquestion; **G.garantie** *f* counterindemnity

Gegengebot *nt* counterbid, counteroffer; **G. unterbreiten** to counterbid; **erstes G.** bidding price

Gegengeschäft *nt* 1. offset(ting) transaction, trade-off, return business, buy-back/barter deal; 2. *(Börse)* hedge; 3. *(Vers.)* reciprocity business; 4. *(Bank)* contra business; **G.e** counterpurchasing, countertrade; **G. unterbringen** to hedge; **G.-Vereinbarung** *f* countertrade agreement

Gegen|gewicht *nt* counterweight, counterbalance, counterpoise, offset; **G.gift** *nt* ⚕ antidote; **G.gutachten** *nt* opposing/counter opinion, countervaluation; **G.kandidat(in)** *m/f* rival candidate; **ohne G.kandidat** unopposed; **G.kaperbrief** *m* ⚓ letter of countermart

Gegenklage *f* § countercharge, cross action/petition, reconvention, recrimination, countersuit; **G. erheben** to countersue/countercharge, to cross-sue, to counter an action; **G. vorbringen** to recriminate

Gegen|kläger(in) *m/f* § counterclaimer, cross-petitioner, bringer of a countercharge; **G.konto** *nt* contra-account, counter account; **G.kontrolle** *f* countercheck; **G.kraft** *f* countervailing force, corrective/adverse factor; **G.kredit** *m* reciprocal credit, parallel loan; **G.kündigung** *f* counternotice; **g.läufig** *adj* opposite, contrary

Gegenleistung *f* 1. consideration, return, reward, quid pro quo *(lat.)*; 2. service in return, reciprocal service, counter-performance; **als G.** in return/exchange, as per contra; **mangels G.** for want of consideration; **ohne G.** gratuitous, unrequited; **eine G. erbringen** to reciprocate; **als G. gewähren** to pay in return; **jdm eine G. schuldig sein** to owe so. a return; **als G. zahlen** to pay in return

angemessene Gegenleistung good consideration, fair compensation; **bewirkte G.** executed consideration; **ernst gemeinte G.** solid consideration; **fällige G.** consideration due; **fehlende G.** want/lack of consideration; **feste G.** fixed consideration; **formale G.** nominal consideration; **geldwerte G.** valuable/pecuniary consideration; **gesetzliche G.** onerous cause; **im Voraus gewährte G.** antecedent valuable consideration; **gleichwertige G.** adequate consideration; **gleichzeitige G.** concurrent consideration; **mangelnde G.** lack/absence of consideration; **vertragliche G.** valuable consideration; **zukünftige G.** executory consideration

gegenllesen *v/t* to compare/countercheck; **auf wenig G.liebe stoßen** *f* to meet with little enthusiasm, not to be welcome; **G.lizenz** *f* cross licence; **G.macht** *f* countervailing power

Gegenmaßnahme *f* countermeasure, counteractive/preventive measure, counter/retaliatory action, remedy, retaliation; **G.(n) ergreifen** to retaliate; **gesetzliche G.** counterlegislation; **handelspolitische G.** trade reprisal

Gegenlmittel *nt* ⚕ antidote, remedy; **G.offensive** *f* counteroffensive; **G.offerte** *f* counteroffer; **G.order** *f* counterorder; **G.partei** *f* 1. opposition, adversary; 2. § respondent, opposite/counter party, other side; **G.pol** *m* counterpole, *(fig)* antithesis; **G.posten** *m* contra item, contra (entry); **G.probe** *f* countercheck, cross-check; ~ **machen** to cross-check; **G.prüfung** *f* countercheck; **G.quittung** *f* receipt in return; **G.reaktion** *f (Politik)* backlash, counterreaction; **g.rechnen** *v/t* to offset, to set off

Gegenrechnung *f* counterclaim, tally, counterreckoning, bill in return; **als G.** as per contra; **G. saldiert** balanced in account; **in G. empfangen** received on account; **G. aufmachen** to make out a contra account; **durch G. ausgleichen** to counterbalance; **in G. bringen/stellen** to offset, to set off, to take as a set-off; **G.sbuch** *nt* customers' book

Gegenlrede *f* 1. contradiction; 2. § rejoinder; **G.regierung** *f* countergovernment; **G.revolution** *f* counterrevolution; **G.rimesse** *f* counterremittance; **G.saldo** *m* counterbalance

Gegensatz *m* opposite, contrast, variance; **im G. zu** unlike, counter/contrary to, at variance with, in contrast to; **im G. dazu** by contrast; **auf G. beruhend** adversarial; **im G. stehen** to stand in contrast; ~ **stehen zu** to be at odds with; **Gegensätze überbrücken** to reconcile differences; **krasser G.** stark contrast

gegensätzlich *adj* opposite, contrary, opposing, conflicting

Gegenschein *m* counterbond; **G.schlag** *m* counterblow, retaliation; **g.schreiben** *v/t* to countersign; **G.schreiber** *m* checking clerk; **G.schrift** *f* answer; **G.schriftsatz** *m* § countersubmission; **G.schuld** *f* counterobligation; **G.seite** *f* 1. opposite side/party, other side, contra; 2. *(Münze)* reverse/obverse side; **g.seitig** *adj* mutual, reciprocal

Gegenseitigkeit *f* mutuality, reciprocity; **auf G.** 1. on a reciprocal basis, on mutual terms; 2. *(Vers.)* providential; **nicht auf G.** non-reciprocal; **G. gewähren** to grant reciprocal terms

Gegenseitigkeitslabkommen *nt* reciprocity agreement, reciprocal (trade) agreement; **G.ausfuhr** *f* barter export; **G.bindung** *f* mutual engagement; **G.geschäft** *nt* barter business/transaction, reciprocal deal, two-way business; **G.gesellschaft** *f* mutual company; **G.klausel** *f* reciprocity clause/stipulation; **G.konto** *nt* mutual account; **G.prinzip** *nt* reciprocity/mutuality principle, bilateralism; **G.verein** *m* mutual benefit society; **G.vereinbarung** *f* reciprocal understanding, agreement of reciprocity; **G.verhältnis schaffen** *nt* to mutualize; **G.verpflichtung** *f* mutual promise/obligation; **G.versicherung** *f* mutual insurance company; **G.vertrag** *m* reciprocity treaty/agreement, reciprocal contract/treaty

Gegenlsicherheit *f* countersecurity, counterbond; ~ **leisten** to put up a counterbond; **G.siegel** *nt* counterseal; **G.spekulant** *m* marketmaker; **G.spekulation** *f* marketmaking; **G.spieler** *m* antagonist, opposite number; **G.spionage** *f* counter espionage/intelligence; **G.sprechanlage** *f* intercom(munication); **G.sprechtelegrafie** *f* duplex telegraphy

Gegenstand *m* subject, topic, article, item, (subject) matter, object

Gegenstand des Anlagevermögens fixed/capital asset; **Gegenstände des täglichen Bedarfs** necessaries, convenience goods; **G. des Berufungsverfahrens** § matter arising in an appeal; **G. und Grund des Ersuchens** § object of and reason for the request; **Gegenstände des persönlichen Gebrauchs** personal effects; **G. des Geschäftsverkehrs** business activity; **G. der Gesellschaft** object of the company; **G. öffentlichen Interesses** matter of public interest; **G. der Klage** § substance of the action; **G. des Patents** subject matter of a patent; ~ **Patentschutzes** subject of patent protection; **G. der Tagesordnung** item of the agenda; **G. des Umlaufvermögens** current assets; **G. der Unterhaltung** topic of conversation; **G. eines Unternehmens** object of a company; ~ **Vertrages** subject-matter of a contract

sich mit einem Gegenstand befassen to deal with a subject; **zum G. haben** to deal with

ausgenommener Gegenstand *(Vertrag)* exceptive clause; **vom Versicherungsschutz ausgeschlossene Gegenstände** memorandum articles; **ausgestellter G.** exhibit; **behandelter G.** subject matter; **besprochener/erörterter G.** subject/topic under discussion; **beweglicher G.** movable object; **als Waffe geeigneter G.** destructive thing; **in Zahlung gegebener G.** trade-in;

gekaufter G. buy, purchase; **gepfändeter G.** seized object; **immaterieller G.** incorporeal thing; **körperliche Gegenstände** corporeal goods/objects; **persönliche Gegenstände** personal effects; **pfändungsfreie Gegenstände** exemptions; **sicherungsübereigneter G.** equitable lien; **steuerpflichtiger G.** taxable object; **streitbefangener G.** object involved in the litigation; **verderbliche Gegenstände** perishables; **vererbliche Gegenstände** corporeal hereditaments; **verfallener G.** forfeit; **verlorene Gegenstände** lost property; **verpfändeter G.** pawn, pledge(d) object; **verpfändete Gegenstände** pledged chattels; **versicherbarer G.** insurable interest/property; **versicherter G.** risk, subject-matter/property insured, insured matter

gegenständlich *adj* objective, concrete

Gegenstands|bereich *m* area of study, field of attention; **g.los** *adj* irrelevant, unfounded, abortive, pointless, purposeless; **~ werden** *(Angebot)* to lapse

gegen|steuern *v/i* to take countermeasures; **G.steuerung** *f* counteraction; **konjunkturelle G.steuerung** countercyclical response; **G.stimme** *f* dissenting vote/voice, vote against, "no" vote, counteropinion, adverse vote; **ohne G.stimme** unanimously, unopposed, without dissent, with no dissent; **G.strömung** *f* cross current; **G.stromverfahren** *nt* mixed top-down/bottom-up planning; **G.stück** *nt* counterpart, complement, corollary; **~ sein zu** to correspond

Gegenteil *nt* contrary, opposite, reverse; **im G.** on the contrary; **das G. bewirkend** counterproductive; **G. beweisen** to prove the contrary, to disprove; **G. bewirken/erreichen** to be counterproductive/self-defeating; **ins G. umschlagen** to go into reverse, to turn turtle *(fig)*; **~ verkehren** to pervert, to throw into reverse; **sich ~ verkehren** to backfire; **genaues G.** the very opposite

gegenteilig *adj* opposite, contrary; **falls wir nichts G.es hören** unless we hear to the contrary; **wenn nichts G.es vereinbart ist** in the absence of a(ny) provision to the contrary, unless otherwise provided

Gegen|tendenz *f* countertendency; **G.treuhänder** *m* joint trustee, cotrustee

Gegenüber *nt* counterpart, opposite number; **g.** *prep* as against, opposite

gegenüber|liegen *v/i* to front; **g.liegend** *adj* opposite; **sich einer Sache g.sehen** *v/refl* to be faced with sth.; **g.stehen** *v/i* to face/front; *v/refl* to be confronted with; **g.stellen** *v/t* to confront/oppose/front, to balance against

Gegenüberstellung *f* 1. confrontation, opposition; 2. juxtaposition, comparison; 3. *(Polizei)* (identification) parade, police line-up; **zur G.** for purposes of confrontation

Gegen|unterschrift *f* countersignature; **G.verfügung** *f* counternotice; **G.verkauf** *m* countersale, sale in return; **G.verkehr** *m* 1. oncoming traffic; 2. *(Autobahn)* contraflow (system) *[GB]*; **G.verpflichtung** *f* mutual promise; **G.verschreibung** *f* counterbond; **g.versichern** *v/t* to counterinsure/countersecure; **G.versicherung** *f* counterinsurance, reciprocal insurance; **G.vertrag** *m* reciprocity contract, countertreaty; **G.vorbringen** *n* [§] replication, affirmative plea; **~ ohne Bestreitung des Klageanspruchs** [§] confession and avoidance; **G.vormund** *m* joint guardian; **G.vorschlag** *m* counterproposal, countersuggestion; **G.vorstellung** *f* remonstrance; **G.wahrscheinlichkeit** *f* inverse probability

Gegenwart *f* presence, present time; **in G. von** in the presence of, before

gegenwärtig *adj* current, present, existent; *adv* at this moment in time

Gegenwarts|barwert *m* present value/worth, current (cost) value, ~ purchase price; **g.bezogen** *adj* now relevant, based on present realities; **g.nah** *adj* up-to-date; **G.präferenz** *f* time preference

Gegenwartswert *m* current purchase price, existing use value, present value/worth; **G. zur Lebensversicherung** valuation; **G. einer zukünftigen Rente** present value of annuity; **versicherungsmathematischer G.** present actuarial value

Gegenwechsel *m* cross/counter bill

Gegenwert *m* consideration, equivalent, countervalue, proceeds, net avails *[US]*; **als G.** for value received

Gegenwert einer Anwartschaft *(Vers.)* present value of an expectancy; **G. in Geld** money equivalent; **~ Stammaktien** common stock equivalent; **G. für einen Wechsel** consideration for a bill of exchange; **~ in Tausch gegebenes Wirtschaftsgut** trade-in allowance

Gegenwert (einem Konto) gutschreiben to credit the proceeds, to place the proceeds to the credit (of an account); **G. überweisen** to remit the proceeds/return

entsprechender Gegenwert adequate consideration; **formaler G.** nominal consideration; **hinreichender G.** sufficient consideration; **monetärer G.** money equivalent, money's worth

Gegenwertfonds/G.mittel *m/pl* counterpart fund

Gegen|wind *m* headwind; **G.wirkung** *f* reaction, counteraction, opposite effect; **G.zeichen** *nt* countersign, countermark; **g.zeichnen** *v/t* 1. to countersign; 2. *(Wechsel)* to back (up); **G.zeichnende(r)/G.zeichner(in)** *f/m* countersigning party, countersigner; **G.zeichnung** *f* countersignature, countersigning; **G.zeuge** *m* counterwitness, witness for the other side; **G.zug** *m* countermove; **im ~ für** in return for

gegliedert *adj* structured, organised, segmented; **mehrfach g.** ▦ complex

Gegner *m* 1. opponent, adversary; 2. the other side, rival; 3. objector, 4. [§] opposing party/counsel; **G. des vereinten Europa** anti-integrationist; **~ Kommunismus** anti-Communist; **~ Gemeinsamen Marktes** anti-marketeer; **zum G. machen** to antagonize; **G. aus dem Feld schlagen** to knock an opponent out of the ring

gegnerisch *adj* adverse, opposing, opposite

Gegnerschaft *f* opposition, antagonism; **auf G. beruhend** *adj* adversarial

gegründet *adj* established, founded; **auf etw. g. sein** [§] to be premised on sth.

Gehalt *nt* salary, earnings, pay(ment), emoluments, stipend; *m* 1. *(Inhalt)* content(s); 2. *(Anteil)* level, percentage; 3. *(Metall)* grade; 4. substance, value

Gehalt und andere Bezüge salary and other emoluments; **G. plus Nebenleistungen** pay package, package pay; **Gehälter und Provisionen** salaries and commissions; **G. an Radioaktivität** level of radioactivity; **G. nach Vereinbarung** salary by agreement; **G. Verhandlungssache** salary negotiable; **G. und sonstige Zuwendungen** salary and benefits package

festes Gehalt beziehend salaried

Gehalt aufbessern to raise a salary; **jdm ein G. bezahlen** to salary so.; **G. beziehen** to draw/receive a salary; **~ in Höhe von** to command a salary of; **Gehälter einfrieren/sperren** to freeze salaries; **G. erhöhen** to raise/increase a salary; **G. festsetzen** to assign/fix a salary; **G. herabsetzen/kürzen** to cut a salary; **jdn auf halbes G. setzen** to put so. on half-pay; **jdn. mit vollem G. pensionieren** to retire so./be retired on full pay; **G. zahlen** to pay a salary

ansehnliches Gehalt handsome salary; **festes G.** fixed salary; **halbes G.** half-pay; **kümmerliches/mickriges G.** miserable/meagre salary; **tatsächliches G.** effective/take-home pay; **vereinbartes G.** agreed salary; **volles G.** full pay; **vorläufiges G.** preliminary salary; **zulässiger G.** allowable level

gehalten *adj* 1. obliged, required; 2. *(Börse)* steady, maintained, barely changed; **g. sein** to be required; **~, etw. zu tun** to be bound/required to do sth.

gehaltlos *adj* devoid of any content

Gehaltsabbau *m* salary cut, retrenchment of salaries

Gehaltsabrechnung *f* 1. payroll computation/accounting/list; 2. pay slip, salary statement, salary printout; **G.sblatt/G.skarte** *nt/f* salary statement; **G.szeitraum** *m* payroll period

Gehaltslabschluss *m* pay settlement; **G.abteilung** *f* payroll department; **G.abtretung** *f* assignment of salary; **G.abzug** *m* stoppage (of pay), deduction from salary, amount retained, pay(roll)/salary/check *[US]* deduction, retention; **G.änderung** *f* pay change; **G.angabe** *f (Anzeige)* stating salary; **G.angebot** *nt* salary offer, pay proposal; **G.angleichung** *f* salary adjustment; **G.anspruch** *m* salary claim/demand, pay claim; **G.ansprüche** *pl (Bewerbung)* salary required/requirements, desired salary; **G.anstieg/G.aufbesserung** *m/f* (salary) increase, additional pay, pay improvement, raise, improvement in pay; **G.aufwendungen** *pl* salary expense items; **G.ausgleich** *m* make-up pay, pay compensation, salary equalization; **~ für Nichteinhaltung der Kündigungsfrist** pay in lieu of notice; **G.auszahlung** *f* salary payment; **G.auszug** *m* pay slip; **G.bescheinigung** *f* salary declaration; **G.bestandteil** *m* pay element/component/item; **erfolgsabhängiger G.bestandteil** performance-related pay component; **G.bestimmung** *f (Metall)* assay; **G.bogen** *m* payroll; **G.buchhalter** *m* salary administrator/clerk; **G.buchhaltung** *f* personnel/payroll accounting; **G.differenz** *f* salary/pay differential; **G.einbuße** *f* salary reduction/cut, lost pay; **G.eingruppierung/G.einstufung** *f* salary classification/bracket; **G.einkünfte** *pl* salary income; **G.einzelkosten** *pl* direct salary cost(s); **G.empfänger(in)** *m/f* salaried employee/worker, salary earner, salaryman; *pl* salaried staff/personnel; **G.entwicklung** *f* salary development/progression; **~ in der Vergangenheit** salary history

Gehaltserhöhung *f* salary/pay increase, increase (in salary), pay award, rise, raise; **G. bei Beförderung** promotional increase; **G. bekommen** to get a rise; **altersbedingte G.** longevity/seniority pay; **automatische G.** salary increment; **kräftige G.** salary boost

Gehaltslfestsetzung *f* salary fixing; **G.forderung** *f* salary claim/demand, pay claim/demand; **G.fortzahlung** *f (bei Krankheit)* salary continuation, continued payment of salary; **G.gefälle** *nt* salary differential; **G.gefüge** *nt* salary structure; **G.grenze** *f* salary ceiling; **G.gruppe/G.klasse** *f* pay bracket, salary scale/bracket/grade/group; **G.kartei** *f* payroll file *[US]*; **G.konto** *nt* salary/payroll account, checking account *[US]*; **G.kredit** *m* personal loan; **G.kurve** *f* salary curve; **G.kürzung** *f* pay/salary cut, retrenchment of salary, cut/reduction in salary, pay reduction; **G.liste** *f* payroll (list), pay bill/docket/sheet, salary roll; **auf der ~ stehen** to be on the payroll; **G.merkmale** *pl* pay bracket charcteristics; **G.nachschlag** *m* additional/back/retroactive pay; **G.nachzahlung** *f* back-payment; **G.niveau** *nt* pay/salary level; **G.ordnung** *f* scale of salaries, salary scale; **G.pfändung** *f* attachment/garnishment of a salary, attachment of earnings, garnishment of salary claims; **G.pfändungsbeschluss** *m* § attachment of earnings order; **G.politik** *f* salary/compensation/pay policy; **G.rahmen** *m* salary structure; **G.rückstand/G.rückstände** *m/pl* accrued salaries, salary/pay arrears; **G.runde** *f* pay round; **G.satz** *m* salary rate/scale; **G.scheck** *m* pay cheque *[GB]*/check *[US]*, payroll card check *[US]*; **G.skala/G.staffelung** *f* salary scale, scale of salaries

Gehaltssteigerung *f* salary increase, (pay) rise; **automatische G.** automatic increment/advancement; **jährliche G.** annual (salary) increment; **leistungsbezogene G.** merit increase

Gehaltslstreifen *m* salary/pay slip; **G.struktur** *f* salary structure/standards, pay structure; **tiefgestaffelte G.struktur** multi-grade salary structure; **G.stufe** *f* salary bracket/level/grade; **G.summe** *f* payroll total *[US]*; **G.summenstatistik** *f* payroll statistics; **G.tabelle** *f* salary scale; **~ mit eingebauten Steigerungsstufen** incremental scale; **G.tarif** *m* salary/pay scale, ~ schedule; **G.tarifvertrag** *m* salary agreement; **G.überprüfung** *f* salary review; **G.überweisung** *f* salary remittance, payroll deposit, pay cheque *[GB]*/check *[US]*; **G.unterschied** *m* salary differential; **G.verbesserung** *f* salary increase; **G.vereinbarung** *f* salary agreement, pay settlement; **G.verrechnungskonto** *nt* payroll account; **G.verzeichnis** *nt* payroll; **G.vorauszahlung/G.vorschuss** *f/m* pay/salary advance, advance on/of salary, ~ pay/wage, earnings credit *[US]*; **G.vorstellung/G.wünsche** *f/pl (Stellenanzeige)* salary required/requirement, stating/desired salary; **G.zahltag** *m* pay day; **G.zahlung** *f* salary payment; **G.zahlungszeitraum** *m* salary period; **G.zettel** *m* pay slip; **G.zulage** *f* salary bonus, additional pay/salary, pay supplement;

G.zuschlag *m* extra/additional pay, pay supplement

gehandelt *adj (Börse)* traded, quoted *[GB]*, listed *[US]*, done; **international g.** international; **lebhaft g.** heavily traded; **g. werden zu** to change hands at; **zu billig g. werden** to be underpriced; **erstmals g. werden** *(Anleihe)* to begin life; **lebhaft g. werden** *(Aktien)* to be active; **g. und Brief** *(Börse)* dealt and offered

geharnischt *adj (Protest)* strident, sharp, strong, strongly worded

Gehäuse *nt* 1. cabinet, shell; 2. *(Uhr)* case; 3. *(Maschine)* enclosure, casing

gehbehindert *adj* disabled, unable to walk

geheftet *adj* ⎕ wire-stitched, stapled

Gehege *nt* enclosure; **jdm ins G. kommen** to poach on so.'s territory

geheim *adj* 1. secret, hidden, clandestine; 2. confidential, arcane, classified, unrevealed; 3. under wraps *(coll)*; **streng g.** top secret, strictly confidential

im Geheimen in secrecy/secret, behind one's back

Geheim|abkommen *nt* secret agreement; **G.agent(in)** *m/f* secret agent; **G.akten** *pl* confidential documents; **G.anschluss** *m* ✆ unlisted telephone; **G.bericht** *m* classified report; **G.bestimmung** *f* secret clause; **G.buch** *nt* private ledger; **G.buchführung** *f* undisclosed accounting; **G.bund** *m* secret society; **G.bündnis** *nt* secret alliance; **G.dienst** *m* secret/intelligence service; **G.fach** *nt* secret compartment/drawer; **G.fonds** *m* secret/surreptitious fund; **g. gehalten** *adj* undisclosed, undivulged; **g. halten** *v/t* to conceal, to hush up *(coll)*, to keep secret

Geheimhaltung *f* secrecy, concealment, security, observance of secrecy; **G. im öffentlichen Interesse** public-interest immunity; **G. von Erfindungen** secrecy of inventions; **der G. unterliegend** immune from disclosure; **jdn auf G. verpflichten** to bind/enjoin so. to secrecy; **höchste/strengste G.** utmost secrecy

Geheimhaltungs|bestimmungen *pl* security provisions; **G.pflicht** *f* obligation of secrecy, ~ to maintain secrecy; **G.schutz** *m* security; **G.stufe** *f* degree of security, security classification; **G.verpflichtung** *f* pledge of secrecy

Geheim|information *f* secret information; **G.klausel** *f* secret clause; **G.konto** *nt* private/secret account; **G.mittel** *nt* ⚕ patent medicine, nostrum *(lat.)*

Geheimnis *nt* secret, mystery

Geheimnis (be)wahren to keep/guard a secret; **jdn in ein G. einweihen** to let so. in on a secret; **G. enthüllen/preisgeben/verraten** to reveal/disclose a secret; **G. hüten** to keep a secret; **hinter ein G. kommen** to get to the bottom of a mystery; **kein G. machen aus** to make an open secret of; **offenes G. sein** to be public knowledge

sorgsam gehütetes Geheimnis carefully kept secret; **streng ~ G.** closely guarded secret; **offenes G.** open secret

Geheimnis|krämer *m* mystery-monger; **G.krämerei/G.tuerei** *f* secrecy, secretiveness, stealth; **g.tuerisch** *adj* secretive; **g.umwittert/g.umwoben** *adj* clouded/shrouded in mystery, ~ secrecy; **G.verletzung** *f* violation of secrecy, ~ a secret; **G.verrat** *m* betrayal/disclosure of secrets; **g.voll** *adj* mysterious

Geheim|nummer *f* 1. ✆ ex-directory *[GB]*/unlisted number *[US]*; 2. *(Bank)* personal code, personal identity number (PIN); **G.patent** *nt* secret patent; **G.polizei** *f* secret police; **G.projekt** *nt* hush project; **G.sache** *f* classified information, secret matter; **G.schloss** *nt* combination lock; **G.schrift** *f* cipher, code

Geheimschutz *m* classification; **unter G.** classified; **G. aufheben** to declassify information; **G.grad** *m* security category

Geheim|sitzung *f* secret session/meeting; **G.sprache** *f* code/secret language; **G.stellung** *f* imposition of secrecy; **G.tinte** *f* invisible ink; **G.verbindung** *f* secret society; **G.verfahren** *nt* § secret process/proceedings; **G.versammlung** *f* clandestine meeting; **G.vertrag** *m* secret treaty; **G.waffe** *f* secret weapon; **G.zahl** *f (Bargeldautomat)* personal identification number (PIN)

auf Geheiß von at the behest/bidding of; **auf jds G.** on so.'s say-so *(coll)*

ge|hemmt *adj* 1. constrained; 2. § estopped; 3. *(psychologisch)* inhibited

gehen *v/i* 1. to go/walk; 2. to leave/quit; 3. to fare; 4. *(Ware)* to move; **g. zu** to call at; **nach X gehen** ⚓ to be bound for X; **ins einzelne g.** to go into details; **glänzend/gut g.** to find a ready market, to sell/do well, to be booming; **g.d** *adj* going; **am besten g.d** best-selling; **gut g.d** flourishing, thriving

Geh|entfernung *f* walking distance; **G.gabelhubwagen** *m* ⚙ electric pedestrian pallet truck

Gehilfe/Gehilfin *m/f* 1. assistant, aid, help(er), underling, mate; 2. § accessory, aider and abettor; **G. und Anstifter** § aider and abettor

Gehirn *nt* brain; **G.blutung** *f* ⚕ brain/cerebral haemorrhage; **G.erschütterung** *f* concussion; **G.nerv** *m* cranial nerve; **G.schaden** *m* ⚕ brain damage; **G.wäsche** *f* brain washing

gehoben *adj* 1. sophisticated; 2. *(Stellung)* senior, high; 3. *(Ware)* up-market

Gehöft *nt* 🚜 farm unit, farmstead, homestead

Gehölz *nt* wood, grove

Gehör *nt* hearing; **G. schenken** to listen; **sich G. verschaffen** to gain a hearing; **rechtliches G.** full/fair hearing, (right to) due process of law, opportunity of being heard; **richterliches G.** right to be heard in court

gehören zu *v/i* 1. to belong to, to accompany, to go with, to be pegged to, ~ incidental to, to rank (among); 2. § to attach/(ap)pertain to; *v/refl* to be (the) proper (thing); **jdm g.** to be owned by; **jdm rechtmäßig g.** to belong to so. by right; **nicht zur Sache g.** to be beside the point

persönlich gehörend *adj* § *(Ehefrau)* paraphernal

Gehörfehler *m* hearing defect

gehörig *adj* suitable, proper; **g. zu** 1. belonging/germane to; 2. § appurtenant/incidental to; **nicht g. zu** extraneous to

Gehorsam *m* obedience, subordination; **G. schulden** to owe allegiance/obedience; **G. verweigern** to disobey; **G. verweigernd** contumacious; **blinder G.** unquestioning obedience; **unbedingter G.** absolute obedience;

vorauseilender G. pre-emptive obedience; **g.** *adj* obedient

ehorsams|pflicht *f* duty to obey, ~ comply with instructions; **G.verweigerung** *f* disobedience, insubordination, refusal to obey orders

ehörsinn *m* sense of hearing, auditory sense

ehl|steig/G.weg *m* pavement, sidewalk *[US]*, footpath, walkway *[US]*

ut gehütet *adj* *(Geheimnis)* well-kept

eier *m* vulture

eige *f* violin, fiddle; **erste G. spielen** *(fig)* to play first fiddle *(fig)*

eigerzähler *m* ⚛ geiger counter

eisel *f* hostage; **jdn als G. halten** to hold so. to ransom; **G.nahme** *f* taking/seizure of hostages, hostage taking; **G.nehmer** *m* hostage-taker

eißel *f* scourge; **g.n** *v/t* to castigate

eist *m* 1. ghost; 2. spirit, mind, intellect; **im G.e** mentally; **G. des Gesetzes** spirit of the law; **G. und Materie** mind and matter; **G. des Unternehmens** spirit of the enterprise; ~ **Vertrages** spirit of the treaty; **G. anregen** to provide food for thought *(fig)*; **seinen G. anstrengen** to use one's wits; ~ **aufgeben** *(fig)* to give up the ghost *(fig)*, to breathe one's last *(fig)*; **von allen guten G.ern verlassen** *(coll)* out of one's mind; **dienstbarer G.** willing hand; **kleiner G.** little/petty mind; **schöpferischer G.** creative mind

eistes|abwesend *adj* absent-minded; **G.abwesenheit** *f* absent-mindedness; **G.anstrengung** *f* mental effort; **G.arbeit** *f* mental work, brainwork; **G.arbeiter** *m* white-collar worker, brainworker; **G.blitz** *m* brainstorm, brainwave, flash of inspiration, stroke of genius; **G.gabe** *f* mental faculty, talent, intellectual gift; **G.gegenwart** *f* presence of mind, self-possession; **g.gegenwärtig** *adj* quick-witted, presence of mind

eistesgestört *adj* mentally deranged, insane, demented; **G.e(r)** *f/m* mental case; **G.heit** *f* mental disorder, insanity

eistes|größe *f* mastermind; **G.haltung** *f* attitude, habit/state of mind; **G.kraft** *f* mental capacity

eisteskrank *adj* mentally disordered/ill/deranged, of unsound mind, lunatic, non compos mentis *(lat.)*; **jdn für ~ erklären** to declare so. insane; **G.e(r)** *f/m* mental case, insane person, person of unsound mind; **entmündigte(r) G.e(r)** § certified mental case; **G.heit** *f* mental disorder/illness, insanity, disease of the mind; **unheilbare G.heit** incurable insanity

eistes|leben *nt* intellectual life; **G.produkt** *nt* brainchild; **G.richtung** *f* school of thought, turn of mind; **g.schwach** *adj* mentally handicapped/deficient, feeble-minded; **G.schwache(r)** *f/m* mental case, imbecile; **G.schwäche** *f* mental handicap/infirmity/defectiveness, weakness of mind; **G.störung** *f* mental disorder; **G.tätigkeit** *f* mental activity; **G.verfassung** *f* state of mind; **g.verwandt** *adj* congenial; **G.verwandtschaft** *f* congeniality; **G.verwirrung** *f* mental confusion

eisteswissenschaft *f* arts subjects; **G.en** (liberal) arts, humanities; **G.ler(in)** *m/f* scholar; **g.lich** *adj* scholarly

eisteszustand *m* state of mind, mental state/condition

geistig *adj* 1. mental; 2. intellectual; 3. spiritual

geistlich *adj* ecclesiastical, spiritual; **G.er** *m* clergyman, cleric; **G.keit** *f* clergy

geist|los *adj* soulless, stupid; **g.reich** *adj* witty, ingenious

Geiz *m* parsimony, stinginess, meanness; **g.en** *v/i* to be mean/miserly; **G.hals/G.kragen** *m* miser, niggard, money grubber, pinchfist, skinflint; **g.ig** *adj* tightfisted, miserly, stingy, mean, parsimonious

gekauft *adj* bought; **bar g.** bought for cash

gekennzeichnet *adj* 1. marked, labelled; 2. characterized; **farblich g.** colour-coded; **nicht g.** unmarked, unlabelled

gekleidet *adj* dressed; **tadellos g.** impeccably dressed

Ge|klimper/G.klingel *nt* jingle, tinkle; **g.knüpft an** *adj* attached to; **g.konnt** *adj* masterful; **g.koppelt** *adj* linked, tied, coupled; **g.kränkt** *adj* offended, hurt; **g.kreuzt** *adj (Scheck)* crossed; **G.kritzel** *nt* scribble, scrawl; **g.krümmt** *adj* crooked, curvilinear; **g.kündigt** *adj* 1. *(Anleihe)* called; 2. *(Personal)* under notice (to quit); ~ **werden** to get the sack; **g.künstelt** *adj* artificial, sophisticated, strained; **g.kürzt** *adj* 1. cut; 2. abbreviated, condensed, abridged

geladen *adj* 1. loaded; 2. § summoned; 3. ϟ charged; **vorher g.** pre-loaded; **G.e(r)** *f/m* § person summoned

gelagert *adj* stored; **ähnlich g.** similar; **nicht ausreichend g.** immature

Gelände *nt* site, ground, terrain, area, plot, land; **G. ausweisen** to zone/allocate land; **G. erschließen** to develop land, ~ a plot; **G. erwerben** to buy land; **G. gewinnen** *(fig)* to gain ground; **G. pachten** to rent land; **G. verlieren** *(fig)* to lose ground

angrenzendes Gelände adjoining property; **ansteigendes G.** rising ground; **bebautes G.** built-up area; **ebenes G.** level ground; **erschlossenes G.** developed land, improved site; **freies G.** open ground; **landwirtschaftlich genutztes G.** agricultural land; **schwieriges G.** difficult terrain; **sumpfiges G.** marshland, water lot; **unbebautes G.** idle land, open ground/space; **wellenförmiges G.** undulating land

Gelände|abschnitt *m* sector; **G.antrieb** *m* 🚗 four-wheel drive; **G.aufbereitung** *f* site preparation; **G.auffüllung** *f* landfill; **G.aufnahme** *f* survey(ing); **G.beschaffenheit** *f* nature of the ground; **G.erkundigung** *f* reconnaissance; **G.erschließung** *f* (land) development; **G.erschließungskosten** *pl* (site) development cost(s); **G.fahrzeug** *nt* 🚗 cross-country vehicle/car, off-road vehicle; **g.gängig** *adj* 🚗 cross-country

Geländer *nt* rail(ing), ban(n)ister

Gelände|verhältnisse *pl* ground conditions; **G.vermessung** *f* survey; **G.wagen** *m* → **Geländefahrzeug**

gelangen *v/i* to reach

gelassen *adj* calm, composed, collected, cool, easy-going, self-possessed, sober-minded; **G.heit** *f* calmness, composure, composedness, collectedness, poise, self-possession

gel|laufen sein *(coll) (Angelegenheit)* to be in the bag *(coll)*; **g.läufig** *adj* 1. current, common, prevalent; 2. fluent; **nicht g.läufig** strange

gelb *adj* *(Ampel)* amber; **G.fieber** *nt* ⚕ yellow fever; **G.sucht** *f* ⚕ jaundice

Geld *nt* 1. money; 2. *(Bargeld)* cash; 3. *(Hartgeld)* coins; 4. *(Wechselgeld)* change; 5. *(Börse)* buyers, wanted, bid, prices negotiated; **G.er** funds, capital, monies; **am G.** *(Börse)* at the money; **aus dem G.** *(Börse/Option)* out of the money; **für G.** against/for money; **im G.** *(Börse)* in the money; **ohne G.** out of funds, without means; **mit wenig G.** on a shouting *(fig)*

Geld auf Abruf call/day-to-day money, money at call; **G. und Brief** bid and asked; **~ Briefkurse** closing bid and asked prices; **G. ohne Edelmetalldeckung** credit money; **G. mit niedrigem Geldschöpfungsmultiplikator** low-powered money; **G. für Getränke** beer money; **G. und Gut** wealth and possessions; **G.er der öffentlichen Hand** public means/funds; **G. wie Heu** *(coll)* lots/wads of money *(coll)*; **G. auf Kündigung** money at notice; **G. für Überliegezeit** ⚓ demurrage; **G. und andere Werte** money and other valuables; **G. auf eine Woche** weekly fixtures; **G. mit Zwangskurs** legal tender, lawful money

Geld (G,g) bid price; **bezahlt G. (bG, bg)** *(Börse)* more buyers than sellers; **bezahlt und G. (bG, bg)** *(Börse)* buyers ahead/over; **was das G. anbetrifft** moneywise; **freigiebig mit seinem G.** lavish with one's money; **knapp an G.; verlegen um G.** short of money, cashstrapped; **bei Nichtgefallen G. zurück** moneyback guarantee; **in G. ausgedrückt** in money terms; **auf G. erpicht** out for money; **in G. schwimmend; mit G. wohl versehen** cash-rich, awash/flush with money; **auf G. wird nicht gesehen; G. spielt keine Rolle** money (is) no object

jdn mit Geld abfinden to buy so. off; **G. abheben** *(Konto)* to (with)draw money, to make a draft on one's account; **jdm G. abknöpfen** *(coll)* to squeeze money out of so.; **G.er abrufen** to call in funds; **~ abziehen** to withdraw funds; **G. abzweigen** to divert money; **jdn um G. angehen** to press/touch so. for money; **G. anlegen** to invest money, to make investments, to put/sink money (into sth.); **G. fest anlegen** to tie up money; **sein G. gut anlegen** to get good value for (one's) money; **G. rentabel anlegen** to invest money to good account; **G. verzinslich anlegen; G. für sich arbeiten lassen** to put out money at interest; **G. in Obligationen anlegen** to invest money in bonds; **G. aufbringen** to put up/raise money; **G. aufnehmen** to raise money/funds, to borrow/procure money; **G. auftreiben** to find/raise money; **G. aufwenden/ausgeben** 1. to spend money; 2. to invest; **G. freizügig ausgeben** to spend freely; **G. mit vollen Händen ausgeben** *(coll)* to be on a spending spree *(coll)*, to squander money like water *(coll)*; **mit seinem G. auskommen** to live within one's means, to make ends meet *(coll)*; **G. ausleihen** to lend/advance money, to put money out to loan; **jdm G. ausleihen** to accommodate so. financially; **G. gegen Sicherheit ausleihen** to lend money on security; **G. auf Zinsen ausleihen** to loan/lend money at interest; **G. ausstehen lassen** to have money owing; **G. bekommen** to receive money; **etw. für sein G. bekommen** to get one's money's worth *(coll)*, to get a good run f one's money *(coll)*; **G. bereitstellen** to allocate fund to put up/provide money; **G. für einen bestimmte Zweck bereitstellen** to earmark funds; **G. beschaffen/besorgen** to raise money/funds, to find/furnis procure money; **G. bewilligen** to grant money; **G. bewilligen** to appropriate funds; **G. binden** to tie mo ey up; **G. unter die Leute bringen** 1. *(coll)* to put mo ey into circulation; 2. to spend lavishly, to go on spending spree; **mit dem G. durchbrennen** *(coll)* make off with the money; **G. durchbringen** to was money; **G. vom Lohn einbehalten** to stop money o of wages; **G. einbringen/eintragen** to yield, to bring money; **G. einfordern** to demand payment; **G. einkassieren/einstecken** to pocket money; **G. einschießen** contribute money; **G. einsenden** to remit money; **m G. einspringen** to chip in; **G. eintreiben** to enforc payment, to recover a debt; **G. einzahlen** to pay in/deposit money; **G. einziehen** to call in money; **G. en nehmen** to (with)draw money; **G. aus der Ladenkasse entnehmen** to take money from the till; **G. erhalte** to receive money; **G. erheben** to raise money; **von jd G. erpressen** to extort money from so.; **G. fälschen** counterfeit money; **G. festlegen** to tie money up; **G freimachen** to unlock money; **ins G. gehen** to cost great deal, ~ a lot, ~ a pretty penny *(coll)*; to run in hundreds/thousands; **G. auf der Bank haben** to hav keep money in the bank; **G. in der Kasse haben** to hav cash in hand; **G. bei sich haben** to have money on on **G. en masse haben** to have tons of money *(coll)*; **G wie Mist haben** *(coll)* to have money to burn *(coll)*, piles of money *(coll)*; **kaum G. haben** to be hard u **nicht genügend G. haben** to be in want of money; **G wie Heu/in Hülle und Fülle/im Überfluss habe** *(coll)* to be rolling in money *(coll)*, ~ in the money, awash/flush with money *(coll)*; **G. in der Tasche haben** to have money under one's belt *(coll)*; **G. knap halten** to keep credit tight; **G. herausbekommen** to g change; **G. herausgeben** to give change; **G. aus jd herauslocken** to wheedle money out of so.; **G. herausrücken** to fork/shell out money *(coll)*; **G. herausschinden** to extract money; **G. herbeischaffen** to rais funds; **sein G. hergeben** to part with one's money; **hir term G. hersein** to be a money-grubber; **G. zu Schornstein hinausjagen; ~ Fenster hinauswerfe** *(fig)* to throw money down the drain *(fig)*, to wast one's money; **G. hineinstecken** to put/sink money ir to, to invest money in; **mit seinem G. hinkommen** t make ends meet; **G. hinterlegen** to deposit money; **G horten** to hoard money; **G. investieren** to inves spend/embark money; **etw. für teures G. kaufen** t pay a lot for sth.; **mit G. knausern** to stint (on) mone **an sein G. kommen** to get one's money; **zu G. kommen** to come into/by money, to strike a lead *(fig)*; **G kosten** to require money; **(schrecklich) viel G. koste** to cost an awful lot, ~ a fortune; **G. kündigen** to call i money; **ins G. laufen** to run into hundreds/thousand ...; **von seinem G. leben** to live on one's money; **G. au die hohe Kante legen; ~ Seite legen** to save money, t put money by for a rainy day *(fig)*, to salt money away *(fig)*; **G. leihen** 1. to lend/advance money; 2. to borrow money; **G. auf Waren leihen** to advance money on goods; **G. auf/gegen Zinsen leihen** to lend money at interest; **jdm das G. aus der Tasche locken** *(coll)* to fleece so. *(coll)*; **G. machen** to make money; **zu G. machen** to cash/realize/encash, to turn into cash, to sell up/off, to convert/turn into money; **G. billiger machen** to make credit easier; **G. locker machen** to stump up money, to shell/fork out *(coll)*, to cough up *(coll)*; **öffentliche G.er missbrauchen** to misappropriate public funds; **G. münzen/prägen** to coin money; **G. nachschießen** to pay an additional sum; **G. nehmen** to take bribes; **jdm G. pumpen** *(coll)* to lend so. money; **mit seinem G. rechnen** to budget carefully; **G. auf die Seite/beiseite schaffen** to put money by, to salt money away *(fig)*; **G. scheffeln** to be coining money *(fig)*; **G. schicken** 1. *(Brief)* to send money; 2. *(Überweisung)* to remit/transfer money; **G. aus dem Fenster schmeißen/werfen** *(fig)* to throw money down the drain *(fig)*; **mit G. um sich schmeißen** *(coll)* to throw money about; **G. schöpfen** to create money; **G. schulden** to owe money; **in G. schwimmen** to be flush/awash with money, ~ coining money, ~ rolling in money, to wallow in money; **sehr aufs G. sehen** to be keen on money; **hinter dem G. her sein** to be a money-grubber; **weder für G. noch für gute Worte käuflich sein** *(coll)* not to be had for love or money *(coll)*; **um G. nicht verlegen sein** to be flush/awash with money; **G. setzen auf** to stake money on; **auf seinem G. sitzen** not to part with one's money, to be tight-fisted; **G. locker sitzen haben** to be a free spender; **G. sparen** to save money; **G. spenden** to donate/nominate money, to subscribe; **G. in etw. stecken** to put/sink money into sth.; **G. in ein Unternehmen stecken** to invest (money) in a business; ~ **Vorhaben stecken** to sink money into a project; **G. stilllegen** to immobilize/neutralize money; **sein G. strecken** to make one's money spin out; **etw. des Geldes wegen tun** to do sth. for gain; **G. übermitteln/überweisen** to transfer/remit money; **jdm G. überschreiben/übertragen** to settle money on so.; **telegrafisch G. überweisen** to remit money by telegram; **in G. umsetzen** to turn into money; **G.(er) unterschlagen** to embezzle funds/money, to misappropriate funds; **G. verauslagen** to disburse money; **G. verdienen** to make/earn money; **sein G. ehrlich verdienen** to earn an honest penny *(coll)*; **viel G. verdienen** to do well; **G. verleihen** to put out/lend money; **G. auf Zinsen verleihen** to lend money at interest; **G. verlieren** to lose/bleed *(fig)* money; **jdm G. vermachen** to leave money to so.; **sich G. verschaffen** to raise funds; **viel G. verschlingen** to cost a fortune *(coll)*; **G. verschwenden** to squander money, to throw one's money around; **G. verteuern** to make money dearer; **G.er veruntreuen** to embezzle/misappropriate funds; **G. vorschießen/vorstrecken** to advance money; **G. waschen** *(coll)* to launder funds/money *(coll)*; **G. wechseln** to change money; **jdm G. in den Rachen werfen** to waste money on so.; **jdm das G. aus der Tasche ziehen** to get so. to part with his money; **G.er anderen Zwecken zuführen** to alienate funds; **G. zurückerstatten** to refund money, to pay back money; **G. für unvorhergesehene Ereignisse zurücklegen** to save for a rainy day *(fig)*; **G. ins Ursprungsland zurücktransferieren** to repatriate money; **G. zusammenkratzen/-scharren** to scrape money together, to scramble up money; **sein G. zurückverlangen** to ask for one's money back; **G.er zusammenlegen/-werfen** to pool funds/money; **G. zuschießen** to contribute money; **G. zuweisen** to appropriate money/funds; **G.er zweckbestimmen** to earmark funds

täglich abrufbares Geld call/day-to-day money, money at call; **angelegtes G.** investment; **fest ~ G.** tied-up/locked-up money; **nicht angelegte G.er** idle funds; **mit Kündigungsfrist angelegtes G.** time deposit; **sicher ~ G.** safely invested money; **anlagesuchende G.er** investment-seeking capital; **anvertrautes G.** trust fund(s); **aufgenommenes G.** 1. borrowings, debts, borrowed money; 2. *(Bank)* creditor's account; **an Kunden ausgeliehene G.er** advances against customers; **ausgezahltes G.** (cash) disbursement; **ausländisches G.** foreign money; **ausstehendes G.** outstanding money, money due; **ausstehende G.er** outstandings; **bares G.** cash, ready money; **gegen ~ G.** against/for cash; **bedingungsloses G.** money with no strings attached; **bereitliegendes G.** cash in hand; **billiges G.** cheap/easy money; **brachliegendes G.** idle/unemployed funds, idle money; **disponibles G.** funds available; **durchlaufende G.er** transitory funds, cash in transit; **eingegangene/eingehende/einlaufende G.er** cash receipts; **endogenes G.** inside money; **entwertetes G.** depreciated currency; **erspartes G.** savings, money put aside; **erübrigtes G.** spare money; **exogenes G.** monetary base, primary money; **fakultatives G.** non-legal-tender/facultative money; **jederzeit/täglich fällige G.er** money/deposits at call, call/demand money, sight/demand deposit(s), day-to-day money/loan, call loan; **kurzfristig ~ G.er** money at short notice; **falsches/gefälschtes G.** base/counterfeit money, base/false coin; **festes G.** time money/deposits; **feste G.er** blocked balances, longer-term funds; **fluktuierendes G.** hot money; **flüssiges G.** cash, current funds, cash/funds in hand, ready money; **fremde G.er** outside funds, borrowings, customers' deposits, trust money; **gehortetes G.** hoard of money, inactive money; **geliehenes G.** borrowed money; **gemünztes G.** coin; **gewaschenes G.** *(coll)* laundered money *(coll)*; **das große G.** big money; **gutes G.** regular money; **hartes G.** hard currency; **heißes G.** hot money; **hinausgeworfenes G.** waste of money, money down the drain; **bei Gericht hinterlegte G.er** dormant funds, funds in court; **beim Treuhänder ~ G.er** escrow funds; **inaktives G.** idle money; **knappes G.** dear/tight money; **konvertierbares G.** convertible money; **krankes G.** unsound money; **kursierendes G.** current money; **täglich kündbares G.** call/day-to-day money, demand deposits, money at call; **kurzfristiges G.** short-term funds/money, money at short notice/term, ~ call and short notice *[GB]*; **langfristiges G.** time deposit/money, money at long term, long-term funds/money; **mittelfristiges G.** money at medium term, medium-term money; **mündelsichere G.er** trust funds; **neutrales G.** neutral money; **öffentliche G.er** public money/funds/means/finance, budgetary funds; **aus öffentlichen G.ern** at public expense; **originäres G.** primary money; **schlechtes G.** bad money; **richtiges G.** good money; **ruhiges G.** steady money; **schwarzes G.** black money, under-the-table payment; **spekulatives G.** hot money; **stabiles G.** sound money; **stillgelegtes G.** 1. dormant funds; 2. tied-up money; **tägliches G.** 1. call/demand/daily money, demand loan; 2. *(Kredit)* day(-to-day) loan; **teures G.** dear/close money; **überschüssige(s) G.(er)** surplus funds, spare/surplus money, spare cash; **umlaufendes G.** money in circulation; **ungemünztes G.** heavy money; **vagabundierende(s) G.(er)** 1. floating/hot money; 2. floating/footloose/roving funds, erring capital, speculative flow of money; **leicht verdientes G.** easy money; **sauer/schwer ~ G.** hard-earned money/cash; **durch Schwarzarbeit ~ G.** black money; **vereinnahmtes und verausgabtes G.** money received and expended; **verfügbares G.** disposable money, cash in hand, money on hand, current funds; **frei ~ G.** ready money, money with no strings attached; **treuhänderisch verwaltete G.er** trust funds, trustee investments; **viel G.** lots of money; **weggeworfenes G.** waste of money; **wöchentliches G.** weekly fixtures; **zinslose G.er** inactive funds; **zweckgebundene G.er** earmarked funds

Geld|- financial, monetary, pecuniary; **G.abfindung** *f* cash settlement, monetary indemnity, pecuniary compensation; **G.abfluss** *m* outflow of cash, drain of money, money drain; **G.abgabe** *f (Kredit)* lendings, money lent; **G.abhebung** *f* withdrawal of funds; **G.abschöpfung** *f* absorption of money; **g.absorbierend** *adj* money-absorbing; **G.abwertung** *f* currency depreciation/devaluation; **G.adel** *m* money aristocracy; **G.aggregat** *nt* monetary aggregate; **g.ähnlich** *adj* quasi-monetary, quasi-money; **G.akkord** *m* money piece rate, monetary incentive wage; **G.akkreditiv** *nt* dos-à-dos accreditif *[frz.] [US]*; **G.anforderung** *f* demand for money; **G.angebot** *nt* 1. *(VWL)* offer of money; 2. money supply; **G.angelegenheiten** *pl* money/monetary matters, pecuniary/financial affairs; **G.anhäufung** *f* glut of money

Geldanlage *f* (capital) investment, placing of money, employment of funds; **Geld- und Kapitalanlage** financial investment; **G.n im Ausland** offshore funds, funds employed abroad; **~ von Gebietsfremden** non-resident investments; **~ der privaten Haushalte** private savings; **G. in der Industrie** corporate investment; **befristete G.n** time/term deposits; **kurzfristige G.** short-term investment; **rentable G.** profitable investment; **werbende G.** earning assets; **G.form** *f* form of investment; **G.nmarkt** *m* money market

Geld|anleger *m* investor; **G.annahme** *f* taking, receipt of money; **G.annahmezwang** *m* money constraint; **G.anspannung** *f* monetary strain; **G.anspruch** *m* money/monetary claim; **G.anweisung** *f* 1. remittance; 2. ✉ money order; **telegrafische G.anweisung** telegraphi remittance; **G.aristokratie** *f* plutocracy, money aris tocracy; **G.auflage** *f (Steuer)*/⊖ impost

Geldaufnahme *f* borrowing; **kurzfristige G.** short term borrowing; **G.bedarf der öffentlichen Hand** *n* public sector borrowing requirement (PSBR) *[GB]*

Geld|aufwand *m* expenditure; **mit großem G.aufwan** at great expense; **G.aufwertung** *f* currency apprecia tion/revaluation; **G.ausfuhr** *f* export of money; **G.aus gabe** *f* 1. disbursement; 2. spending, expenditure **G.(ausgabe)automat** *m* cash dispenser/machine/ter minal/point, automated teller (machine) (ATM), auto teller, cashpoint, service till, money access centre cash-card machine/service, cashomat *[US]*; **G.aus gänge** *pl* withdrawals, disbursements; **G.ausgleich** *n* 1. *(Banken)* clearing; 2. equalization of cash holdings **G.auslage** *f* outlay; **G.ausleiher** *m* moneylender **G.ausleihung** *f* moneylending; **G.ausweitung** *f* mone tary expansion, growth/increase in the money supply **G.automatenkarte** *f* cash card; **G.basis** *f* cash/mone tary/credit base; **G.bedarf** *m* cash/financial require ment(s), money supply, financial need(s); **G.beihil fe/G.beitrag** *f/m* financial assistance/contribution **G.belohnung** *f* pecuniary reward; **G.bereitstellung** appropriation of funds; **G.beschaffer** *m* fund raiser

Geldbeschaffung *f* borrowing, fund/money raising provision of funds, raising of money/funds, procurin of money, finding of means, cash procurement **G.skosten** *pl* cost of finance, ~ procuring money, mon ey cost(s); **G.smaßnahme** *f* money-raising scheme **G.sverkauf** *m* money-raising sale

(gesamter) Geldbestand *m* money/monetary stock, holdings

Geldbetrag *m* amount/sum of money; **G. beisteuern** t contribute a sum of money; **G. überweisen** to remit sum; **große Geldbeträge verwalten** to handle larg sums of money; **G. zeichnen** to subscribe capital; **fest liegende Geldbeträge** tied-up funds; **zusätzlich Geldbeträge** additional finance

Geldbewegungen zwischen Banken *pl* credit float

Geldbeutel *m* purse, moneybag, pocket; **für jeden G** for every pocket; **tief in den G. greifen** to dig deep in to one's pocket; **sich den G. füllen** to line one's purse **über ~ verfügen** to hold the purse strings *(coll)*

Geld|bewegung *f* flow/fluctuation of money; **G.bewil ligung** *f* appropriation/allocation of funds; **G.bewilli gungsantrag** *m* money bill; **G.bombe** *f* strongbox

Geldbörse *f* purse; **G. zücken** to dip into one's purse **dicke G.** fat purse

Geldbote *m* security guard

Geldbrief *m* ✉ insured letter *[GB]*, money *[US]*/cas letter; **Geld-Brief-Schlusskurs** *m* bid-ask close; **Geld Brief-Spanne** *f* price spread; **G.träger** *m* postma delivering money orders

Geld|bringer *m* money earner/spinner, cash generator **G.brocken** *m* chunk of money

Geldbuße *f* fine, penalty, administrative/regulatory monetary/non-criminal fine; **G. für falsches Parke** parking fine; **G. auferlegen/festsetzen/verhängen** t (impose a) fine, to inflict a penalty; **hohe G.** heavy fine

Geld|darlehen *nt* loan; **G.deckung** *f* cover, gold or foreign exchange cover; **G.depot** *nt* deposit; **G.dinge** *pl* money/financial matters; **G.disponent** *m* money/liquidity manager; **G.disponibilitäten** *pl* available liquid funds

Gelddisposition *f* cash/money management, money dealings, monetary arrangements, cash planning; **langfristige G.en** cash forecast; **G.sabteilung** *f* money dealings department; **G.smethode** *f* cash management technique

geld|durstig *adj* cash-hungry; **G.eingang** *m* cash receipts, money received, inflow of liquid funds; **G.einheit** *f* monetary unit, standard money; **G.einkommen** *nt* money income; **~ des Haushalts** consumer's money income; **G.einlage** *f* cash contribution, deposit, capital invested, holding; **G.einlagen entgegennehmen** to accept deposits; **G.einnahme** *f* cash receipt; **G.einnehmer** *m* collector; **G.einschuss** *m* cash injection, money paid in; **G.einsendung** *f* cash remittance; **G.einstandskosten** *pl* cost of money; **G.einwurf** *m (Automat)* slot; **bei G.einwurf** when inserting money; **G.einziehung/G.einzug** *f/m* collection of money/receivables; **~ durch die Post** postal collection; **G.empfang** *m* receipt of money; **G.empfänger(in)** *m/f* payee; **G.entschädigung** *f* monetary/pecuniary compensation; **G.entstehung** *f* origination of money

Geldentwertung *f* inflation, currency depreciation/erosion, depreciation of currency, fall in the value of money; **G.sindex** *m* inflation index; **G.srate** *f* rate of inflation/depreciation

Geldentzug *m* money drain, withdrawal of funds

Gelder *pl* → **Geld**

Geld|ersatz *m* token/substitute money; **G.ersparnis** *f* saving; **G.erwerb** *m* moneymaking, earning money

Geldeswert *m* money's worth

Geld|expansion *f* monetary expansion; **G.export** *m* export of capital, outflow of funds; **G.fach** *nt* till; **G.fachmann** *m* money expert; **G.faktor** *m* money factor; **G.fälscher** *m* counterfeiter; **G.fälschung** *f* counterfeiting; **G.flüssigkeit** *f* liquidity; **G.fluss** *m* financial flow; **G.flussrechnung** *f* cash flow statement; **G.flut** *f* glut/flood of money; **G.fonds** *m* money fund

Geldforderung *f* money/pecuniary/financial claim, money due, outstanding money/debt; **G. einklagen** to sue for a debt; **titulierte G.** enforceable money claim

Geld|frage *f* financial question, question of money; **G.fragen** money matters; **G.fülle** *f* glut/abundance of money; **G.funktion** *f* function of money; **G.geber** *m* 1. investor, financier, financial backer, provider of capital, funder; 2. lender (of capital), moneylender, sponsor; **automatischer G.geber; G.gebermaschine** *m/f* cash dispenser; **G.geschäft** *nt* financial operation/transaction, money transaction, ~ market business; **G.geschäfte** money dealings, financial affairs; **G.geschenk** *nt* gift of money; **G.gewerbe** *nt* money market business; **G.gewinn** *m* monetary gain, profit; **G.gier** *f* greed/thirst for money, pursuit of money; **g.gierig** *adj* money-grubbing, mercenary

Geldhahn *m (fig)* money tap *(fig)*; **G. zudrehen** to turn off the money tap; **öffentlicher G.** the public purse

Geldhamsterer *m* money hoarder

Geldhandel *m* 1. money broking/dealings/trade, stock brokerage; 2. money market; **G. der Bank** deposit dealings; **internationaler G.** international money trade; **G.sabteilung** *f* money trading department

Geld|händler *m* money jobber/dealer, moneylender; **G.heirat** *f* marriage of convenience, money match, mercenary marriage; **~ eingehen** to marry money; **G.herrschaft** *f* plutocracy; **G.hilfe** *f* pecuniary aid; **G.hort** *m* stash of money; **G.hortung** *f* hoarding of money; **G.illusion** *f* money illusion, veil of money; **G.inflation** *f* currency/monetary inflation; **G.institut** *nt* banking institution, financial institution/institute/house/bank

Geldkapital *nt* money/monetary capital; **G.bildung** *f* formation/creation of money capital; **G.erhaltung** *f* maintenance of money capital

Geld|karte *f* cashcard; **wiederaufladbare G.karte** smart card; **G.kasse** *f* 1. *(Laden)* till, cash register; 2. *(Safe)* strongbox; **G.kassette/G.kiste** *f* till, cash/money box, strongbox, money chest; **G.klemme** *f* financial straits/plight; **arge G.klemme** dire (financial) straits; **g.knapp** *adj* short of money, cash-strapped; **G.knappheit** *f* cash squeeze/shortage, financial squeeze/need, (money) squeeze, money scarcity/stringency/crunch, shortage/shortness/scarcity/lack/stringency/tightness of money; **zeitweilige G.knappheit** money pinch; **G.kosten** *pl* cost(s) of money; **G.kredit** *m* money loan, liquid/monetary credit; **G.kreislauf** *m* circulation of money, circular flow of money, money circuit; **G.krise** *f* monetary/financial crisis

Geldkurs *m* 1. bid (price/quotation), buying/buyer's/money rate, offered/demand price, banker's buying rate, market bid price; 2. *(Devisenmarkt)* demand rate; **Geld- und Briefkurse** 1. bid and ask quotations, two-way prices; 2. *(Schlusskurs)* closing bid and asked prices; **zum G. verkaufen** to hit the bid

Geld|lade *f* till; **G.lawine** *f* glut of money; **G.leihverkehr** *m* money loan business; **G.leistung** *f* 1. payment in cash, cash payment; 2. *(Vers.)* cash benefit; **g.lich** *adj* monetary, pecuniary, financial, in terms of money; **G.lohn** *m* money/cash wage; **G.macht** *f* financial power/muscle; **G.makler** *m* scrivener, money broker/jobber, stockbroker; **~ für Privatkredite** personal loan broker; **G.mangel** *m* shortage/scarcity/lack/shortness of money, money squeeze, impecuniosity, destitution; **G.mann** *m* financier

Geldmarkt *m* money/capital/cash market, source of funding; **im G.** in treasury operations; **G. für Großanleger** wholesale money market; **G. in Anspruch nehmen** to tap the money market

angespannter Geldmarkt tight money market; **flüssiger G.** easy money market; **gespaltener G.** two-tier money market; **lebhafter G.** active money market; **Londoner G.** Lombard Street; **schwankender G.** fluctuating/unstable money market

Geldmarkt|abhängigkeit *f* dependence on the money

market; **g.aktiv** *adj* lending; **G.anlage** *f* financial investment, money market investment; **G.anspannung** *f* monetary strain; **G.ausgleich** *m* money market equalization; **G.bericht** *m* money market report; **G.dispositionen** *pl* money market trading; **G.einlage** *f* certificate of deposit (C/D), money market deposit; **g.fähig** *adj* eligible (for the money market); **G.fonds** *m* money market fund; **G.geschäft** *nt* money market business/transaction; **indirekte G.intervention** backdoor intervention; **G.kredit** *m* money market loan; **G.kredite** money market lending/borrowing; **G.liquidität** *f* money market liquidity

Geldmarktpapier(e) *nt/pl* money market securities/paper, certificate of deposit (C/D), tap stock *[GB]*, monetary instrument, debt security; **erstklassiges G.** prime paper; **kurzfristiges G.** short-term paper

Geldmarkt|operationen *pl* money market transactions; **g.passiv** *adj* borrowing; **G.regulativ** *nt* money market regulator; **G.satz** *m* money market rate, market rate of interest; **G.sätze unter Banken** interbank money market rates; **G.steuerung** *f* money market control; **G.titel** *m* money market instrument; **G.verflüssigung** *f* easing of the money market; **G.verknappung** *f* money scarcity; **G.verschuldung** *f* money market indebtedness; **G.wechsel** *m* money market bill; **G.zins** *m* money market (interest) rate

Geldmenge *f* money supply/stock, stock/volume of money, monetary aggregate; **G. M1** basic money supply, narrowly defined money supply liquidity; **G. knapp halten** to keep a tight grip on the money supply; **G. regeln** to regulate the money supply; **elastische G.** elastic money supply

Geldmengen|aggregat *nt* money supply aggregate; **G.anpassung** *f* adjustment of the money supply; **G.ausweitung/G.expansion** *f* money supply expansion, monetary expansion/growth, growth of the money supply; **G.beschränkung** *f* monetary constraint; **G.entwicklung** *f* money supply trend; **G.größe** *f* money supply; **G.kontrolle** *f* money supply control; **fundamentaler G.maßstab** basic money supply measure; **G.-Preismechanismus** *m* money supply price mechanism; **G.regulierung/G.steuerung** *f* control/management of the money supply; **fundamentale G.steuerungsmaßnahme** basic money supply measure; **G.vermehrung** *f* increase of the money supply; **G.vorgabe** *f* quantitative money target, money supply (growth) target; **G.wachstum** *nt* monetary/money (supply) growth, growth/expansion of the money supply; **geplantes G.wachstum** money supply (growth) target; **G.ziel** *nt* money supply (growth) target, (quantitative) monetary target/aggregate; **G.zuwachs** *m* money supply growth, increase of money volume

Geldmittel *pl* (cash) resources, means, funds; **G. für politische Zwecke** political funds

Geldmittel anziehen to attract funds; **G. aufbringen/beschaffen** to raise funds, to furnish/procure money; **G. bereitstellen/bewilligen** to set aside/appropriate funds; **G. binden** to tie up funds; **G. entfremden** to alienate funds; **über die verfügbaren G. hinaus kaufen** to overtrade; **mit G.n versehen** to fund, to furnish/endow with funds; **G. zusammenlegen/-werfen** to pool funds/resources

fehlende Geldmittel lack of funds; **umlaufende G.** active money; **ungenutzte G.** idle funds; **vagabundierende G.** unplaced funds

Geldmittel|bedarf *m* monetary requirements; **G.bestand** *m* cash position; **G.bewegung** *f* flow of funds; **G.schöpfung** *f* creation of money/currency

Geld|münze *f* coin; **G.nachfrage** *f* demand for cash; **G.nähe** *f* degree of liquidity; **G.nehmer** *m* 1. borrower 2. *(Hypothek)* mortgagor; **G.neuordnung** *f* monetary/currency reform; **G.not** *f* financial need/difficulties, lack of funds/money; **in G.not** hard-pressed for money, cash-strapped; **G.nutzen** *m* utility of funds; **G.ordnung** *f* monetary order; **Geld- und Währungsordnung** monetary system; **G.pacht** *f* cash tenancy; **G.paket** *nt* money parcel; **G.papier** *nt* money instrument; **G.parität** *f* currency parity; **G.plan** *m* cash plan; **G.planung** *f* cash planning

Geldpolitik; Geld- und Kreditpolitik *f* monetary/money/financial policy; **G. lockern** to ease monetary policy; **G. verschärfen** to tighten monetary policy; **expansive G.** expansionary monetary policy; **flüssige G.** easy money policy; **kontraktive G.** tight money policy; **restriktive G.** monetary restraint, tight money policy

geld|politisch *adj* monetary; **G.posten** *m* sum of money; **G.prämie** *f* 1. bonus; 2. financial reward; **G.preis** *m* 1. cash price; 2. money/cash prize, prize money; **G.problem** *nt* pecuniary problem; **G.protz** *m (coll)* moneybags *(coll)*; **G.quelle** *f* money source, source of funding/income; **~ entdecken** to strike a lead, ~ it rich *(coll)*; **G.raffer** *m* money-grubber; **G.rechnung** *f* money account; **G.reform** *f* monetary/currency reform; **G.regulierung** *f* money market control; **G.reichtum** *m* glut of money; **G.rente** *f* annuity, money rent; **G.repartierung** *f (Börse)* scaling down of buying orders; **G.reserve** *f* money reserve, reserve fund; **G.rolle** *f* rouleau *[frz.]*, money parcel, roll of money/coins; **G.rückgabe** *f* refund, money back; **G.rückgabezusicherung** *f* money-back guarantee

Geldsache *f* money/financial matter; **in G.n genau sein** to be scrupulous in money matters; **~ nachlässig sein** to be remiss in money matters

Geld|sack *m* moneybag; **G.säckel** *nt (Staat)* coffers

Geldsammlung *f* (fund-raising) collection; **G. veranstalten** to pass the hat round *(coll)*; **spontane G.** whip-round

Geldsatz *m* *(Zins)* money/buying/interest rate; **Geldsätze unter Banken** interbank money market rates; **G. am offenen Markt** open rate; **Geldsätze heraufsetzen** to mark up call money, ~ the money rate; **billige Geldsätze** cheap/easy money

Geld|schaffung *f* money creation; **G.schatulle** *f* cash box; **G.schatz** *m* hoard of money; **G.schein** *m* bank note, bank bill, note, greenback *[US]*; **G.scheintasche** *f* notecase, billfold *[US]*; **G.schleier** *m* veil of money; **G.schneiderei** *f* extortion; **G.schnitt** *m* cut in the value of money

Geldschöpfung *f* cash generation, creation of money, money supply expansion, money/liquidity/deposit creation, credit expansion; **G. vornehmen** to create money; **hoheitliche G.** creation of money by sovereign act; **kreditäre G.** money creation through credit

Geldschöpfungs|gewinn *m* seign(i)orage; **G.koeffizient** *m* money-creation coefficient; **G.multiplikator** *m* deposit multiplier, money-creation multiplier; **G.saldo** *m* net money creation

Geldschrank *m* safe, strongbox, safe deposit; **G. knacken** to crack a safe; **G.fabrikant** *m* safemaker; **G.knacken/G.knackerei** *nt/f* safebreaking; **G.knacker** *m* safebreaker, safe cracker/buster/blower

Geld|schraube *f (fig)* monetary screw *(fig)*; **~ anziehen** to tighten the monetary screw; **G.schublade** *f* money drawer, till; **G.schuld** *f* money/financial debt; **G.schwemme** *f* glut of money; **G.schwierigkeit** *f* pecuniary/financial difficulty; **g.seitig** *adj* monetary, pecuniary, from the money angle; **G.sender** *m* remitter; **G.sendung** *f* (specie) remittance; **G.sendungen von Einwanderern** immigrant remittances; **G.sog** *m* money pull, drain of money; **G.sorgen** *pl* financial worries/embarrassment(s), money troubles

Geldsorte *f* money, denomination, (type of) currency; **G.n** notes and coins; **G.nzettel** *m* specie list

Geld|spende *f* cash donation, money gift; **G.spender** *m (Automat)* cash dispenser; **G.spritze** *f* cash injection, injection/infusion of money, pecuniary aid; **G.stabilität** *f* monetary stability; **G.stelle** *f* cashier's department, money desk; **G.steuerung** *f* money supply control; **G.stilllegung** *f* immobilization/sterilization of money, locking-up/tying-up of money

Geldstrafe *f* 1. fine; 2. (financial/pecuniary) penalty, mulct; **G. in unbegrenzter Höhe** unlimited fine; **G. für Missachtung des Gerichts** contempt fine; **an Stelle einer G.** in lieu of a fine; **mit G. bedroht** liable to be fined; **einer G. unterliegend** finable

Geldstrafe auferlegen; mit einer G. belegen to levy/impose a fine, to fine/mulct; **G. beitreiben** to recover a fine; **G. bezahlen** to pay a fine; **mit einer G. davonkommen** to get off with a fine; **G. erheben; auf eine G. erkennen; G. verhängen; zu einer G. verurteilen** to levy/impose a fine, to fine; **G. erlassen/niederschlagen** to remit a fine

hohe Geldstrafe heavy fine; **milde G.** light fine; **unbedeutende G.** nominal fine

Geldstrafen|katalog *m* scale of fines; **G.klausel** *f* penalty clause

Geldstrom *m* flow of funds, movement/flow of money, money flow; **G.analyse** *f* analysis of money flows, flow-of-funds analysis, money flow analysis

Geldstück *nt* coin; **beschädigtes G.** battered coin; **falsches G.** false/bad coin

Geld|substitut/G.surrogat *nt* near-money, substitute/representative/non-physical/token money; **g.süchtig** *adj* money-mad; **G.summe** *f* sum/amount of money, fund(s); **G.system** *nt* monetary system; **G.tasche** *f* moneybag, purse, wallet *[US]*; **G.taschenraub** *m* purse snatching; **G.tauschwirtschaft** *f* money economy; **G.taxkurs** *m (Börse)* buyers' estimated price; **G.termingeschäfte** *pl* financial futures (operations); **G.theoretiker** *m* money theorist, monetarist; **G.theorie; Geld- und Kredittheorie** *f* theory of money, monetary theory/economics; **G.titel** *m* asset; **G.transfer** *m* 1. money transfer, remittance; 2. *(Zuschuss)* cash grant; **G.transport** *m* money transport, cash carrying; **G.transportfahrzeug/-wagen** *nt/m* security van; **G.überfluss/-hang/-schuss** *m* monetary reserve, glut of money, excess money supply

Geldüberweisung *f* remittance, money transfer/transmission, credit transfer; **elektronische G.** electronic fund(s) transfer; **~ an der Ladenkasse** electronic funds transfer at the point of sale (eftpos); **telegrafische G.** telegraphic money order, cable transfer; **G.seinrichtungen** *pl* remittance services

Geldumlauf *m* 1. monetary/money/currency/note and coin circulation, circulation of money; 2. flux of money, money supply; **betrieblicher G.** cash flow; **G.geschwindigkeit** *f* velocity of money circulation; **G.vermögen** *nt* monetary working capital

Geld|umsatz *m* money turnover; **G.umstellung** *f* conversion; **G.umtausch** *m* currency exchange; **G.unterschlagung** *f* embezzlement, abstraction of money, peculation; **G.unterstützung** *f* financial assistance, money relief; **G.verdienen** *nt* moneymaking; **G.verdiener** *m* moneymaker; **G.verfassung** *f* currency system, monetary structure; **G.vergütung** *f* pecuniary reward; **G.verkehr** *m* money transfer/transactions/transmission, circulation of money, monetary movements; **G.verknappung** *f* money scarcity, monetary restraint, credit/financial squeeze, scarcity of money, contraction of the money supply; **G.verlegenheit** *f* (financial) embarrassment, financial difficulty, squeeze; **in ~ sein** to be in dire straits, ~ hard up/pushed for money, ~ short of money, ~ tight; **G.verleih** *m* moneylending; **G.verleiher** *m* moneylender, moneymonger; **wucherischer G.verleiher** loan shark; **G.verlust** *m* financial loss, loss of money; **G.vermächtnis** *nt* pecuniary legacy; **aus bestimmten Mitteln zu erfüllendes G.vermächtnis** [§] demonstrative legacy; **G.vermehrung** *f* increase in the money supply; **G.vermittler** *m* money broker/jobber; **Geld- und Kapitalvermittler** financial intermediary

Geldvermögen *nt* financial assets/property, monetary wealth/capital, cash assets; **einheitliches G.** blended funds; **neu gebildetes G.** newly formed monetary wealth; **G.sbestand** *m* total monetary wealth/assets, financial/cash assets; **G.sbildung** *f* monetary wealth formation, financial property accumulation, ~ investment, acquisition of financial assets, new capital formation; **G.swert** *m* monetary/cash asset

Geld|vernichtung *f* reduction of the money supply, destruction of money; **G.verpflichtung** *f* financial commitment; **G.verschlechterung** *f* depreciation, deterioration; **G.verschwender(in)** *m/f* spendthrift; **G.verschwendung** *f* waste of money; **G.versorgung** *f* money supply; **G.versorgungsaggregat** *nt* money supply aggregate; **G.verteilung** *f* distribution of money; **G.ver-**

teuerung *f* increase in the cost of money; **G.verwalter** *m* treasurer

Geldvolumen *nt* money supply, volume of money; **G. M1** basic money supply; **rechnerisches G.** statistical volume of money; **virulentes G.** active money supply

Geld|vorrat *m* money supply, exchequer; **G.vorschuss** *m* (cash) advance; **G.waage** *f* coin balance; **G.währung** *f* currency, monetary standard; **G.waschanlage** *f* money-laundering outfit; **G.wäsche** *f* laundering (of money); **G.wäscher** *m* launderer

Geldwechsel *m* 1. money changing; 2. bureau de change *[frz.]*; **G.automat** *m* change machine; **G.geschäft** *nt* currency exchange transactions, money exchange business

Geldwechsler *m* 1. money dealer/changer; 2. change machine

Geldwert *m* monetary/cash/capital/money value, value of money, money's worth, money asset; **g.** *adj* monetary, pecuniary; **G. beilegen** to monetize; **außenwirtschaftlicher/äußerer G.** external value of money, ~ the currency; **binnenwirtschaftlicher/innerer G.** domestic/internal value of money, ~ the currency

Geldwert|änderung *f* price level change; **G.beständigkeit** *f* monetary stability; **G.schwankung** *f* monetary fluctuation; **G.schwund** *m* monetary erosion, currency erosion/depreciation; **G.stabilität** *f* monetary/price/currency stability, stability of money; **G.theorie** *f* commodity theory of money; **G.verschlechterung** *f* decline in the value of money

Geld|wesen *nt* (banking and) finance, money/monetary matters, monetary system; **G.wirtschaft** *f* financial world, monetary economics, finance, money economy, pecuniary exchange; **Geld- und Kreditwirtschaft** money and finance; **g.wirtschaftlich** *adj* monetary; **G.wucher** *m* usury; **G.wucherer** *m* usurer; **G.zähler** *m* teller; **G.zahlung** *f* cash payment; **G.zeichen** *nt* monetary token, currency unit; **G.zentrum** *nt* money centre; **G.zins** *m* money interest, cash rate, interest on money; **G.zirkulation** *f* note and coin circulation, currency of money; **G.zufuhr/G.zufluss** *f/m* money supply, infusion/influx/inflow of money; **einseitiger G.zufluss** one-way money inflow; **G.zunahme/G.zuwachs** *f/m* monetary/money growth; **G.zuschuss** *m* money/cash allowance; **G.zuweisung/G.zuwendung** *f* cash allowance, appropriation of funds, allowance in money, gift of money

gelegen *adj* 1. situated, located; 2. *(günstig)* convenient, opportune; 3. § situate; **abseits g.** outlying, off the beaten track; **gut g.** well sited

Gelegenheit *f* 1. opportunity, chance, occasion, opening; 2. bargain; **bei G.** at your convenience; **G. für die Wiederausfuhr** re-export opportunity

Gelegenheit abwarten to bide one's time; **G. (aus)nutzen/ergreifen** to take/seize the opportunity, to avail o.s. of an opportunity; **eine G. bietet sich** an opportunity arises; **G. ungenutzt verstreichen lassen** to let an opportunity slip; **günstige G. sein** *(Kauf)* to be a bargain; **sich auf eine G. stürzen** to leap at sth.; **G.en suchen** to pursue opportunities; **G. verpassen/versäumen** to miss an opportunity; **G. wahrnehmen** to seize an opportunity; **auf eine passende G. warten** to wai one's opportunity, to bide one's time

besondere Gelegenheit *(Festakt)* state occasion; **beste G.** main chance; **einmalige G.** chance in a lifetime, unique opportunity; **bei erstbester G.** at the first opportunity; **bei erster G.** *(Brief)* at your earliest opportunity; **glänzende G.** splendid/golden opportunity; **hinreichende G.** ample opportunity; **bei nächster G.** at the earliest opportunity; **verpasste G.** lost opportunity

Gelegenheits|- casual; **G.agent** *m* occasional agent

Gelegenheitsarbeit *f* casual labour/work/job, jobbing (work), temporary employment, avocation; **G.en** odd jobs; **G. abbauen** to decasualize; **auf G. umstellen** to casualize; **G.en verrichten** to job, to do odd jobs

Gelegenheits|arbeiter *m* jobber, odd-job man, casual worker/labourer, occasional worker, casual, floater handyman, jack; *pl* casual labour; **G.auftrag** *m* odd job; **G.bekanntschaft** *f* chance acquaintance; **G.beschäftigung** *f* casual employment, odd job; **G.diebstahl** *m* casual/petty theft; **G.emittent** *m* occasional issuer; **G.frachtführer** *m* occasional carrier; **G.geschäft** *nt* bargain, occasional deal; **G.gesellschaft** *f* temporary/joint venture, special/particular/single-venture short-term partnership; **G.gewinn** *m* casual profit **G.kauf** *m* buy, bargain, job lot, chance bargain; **G.kunde** *f* casual/drop-in customer; **G.preis** *m* bargain price **G.spediteur** *m* occasional forwarder, special/private carrier; **G.stichprobe** *f* chunk sample/sampling **G.subunternehmer** *m* casual subcontractor; **G.täter/G.verbrecher** *m* infrequent offender; **G.verkauf** *m* casual sale; **G.verkehr** *m* ⊝ occasional services

gelegentlich *adj* occasional, odd, casual, incidental; *adv* on occasions, at times, from time to time, here and there

gelehr|ig *adj* 1. quick to learn, tractable; 2. scholarly **G.samkeit** *f* scholarliness, learning; **g.t** *adj* learned erudite; **G.ter** *m* 1. scholar, man of letters; 2. expert; 3 pundit *(coll)*; **G.tenwelt** *f* world of learning

Geleise *pl* → **Gleis**

Geleit *nt* escort; **jdm das letzte G. geben** to pay so. the last honours, ~ one's last respects; **freies/sicheres G** safe conduct; **G.boot** *nt* escort vessel, convoy ship **G.brief** *m* letter of safe conduct, safeguard

geleit|en *v/t* 1. to escort; 2. to accompany; **g.et** *adj* headed, directed, managed

Geleit|mannschaft *f* escort party; **G.schein** *m* pass **G.schiff** *nt* escort vessel/ship; **G.schutz** *m* escort **G.wort** *nt* preface, foreword; **G.zug** *m* ⚓ convoy; **im ~ fahren** to sail under convoy

Gelenk *nt* ⚕ joint; **G.bus** *m* 🚗 articulated bus, bendibus *(coll)*; **G.entzündung** *f* ⚕ arthritis; **G.fahrzeug** *nt* 🚗 articulated vehicle/lorry, artic *(coll)*

gelenkt *adj* *(Preise)* controlled; **staatlich g.** state-controlled

Gelenkzug *m* articulated train

gelernt *adj* trained, skilled

gelesen und genehmigt/geprüft *adj* read and approved

geliefert *adj* delivered, supplied; **zu knapp g.** ⚓ short landed, short-shipped; **verzollt g.** delivered custom cleared

geliehen *adj* borrowed, on loan
Gelingen *nt* success; **g.** *v/i* to succeed, to go off
geloben *v/ti* to vow/promise/pledge/swear; **feierlich g.** to swear solemnly
Gelöbnis *nt* vow, promise, declaration, pledge
gelocht *adj* perforated; **g.löscht** *adj (Ladung)* landed
gelten *v/i* 1. to apply, to be effective/applicable/valid/open/binding, ~ in force/effect, to hold true, to rule/stand/attach/prevail, to be deemed; 2. *(Vers.-schutz)* to be operative, to obtain; **bei jdm etw. g.** to weigh with so.; **g. lassen** to let (sth.) stand, to allow; **nicht g. lassen** to disallow; **nicht mehr g.** to cease to apply, to be no longer valid; **gleichzeitig g.** to apply concurrently; **entsprechend/sinngemäß g.** to apply mutatis mutandis *(lat.)*; **nicht g.** to disapply; **viel g. bei** to carry weight with
geltend *adj* valid, current, effective, in force, established, applicable; **g. machen** 1. § to claim/invoke/assert/exercise/contest; 2. *(Meinung)* to voice/argue/raise/advance, to put forward; 3. *(Pat.)* to interfere; 4. *(Konkurs)* to prove; **gerichtlich g. machen** to enforce, to assert by action of court
Geltendmachung *f* assertion, enforcement, raising of a claim, claiming, pursuit; **gerichtliche G. eines Anspruchs** legal action to enforce a claim; **G. von Ersatzansprüchen** assertion of claims for damages; **G. eines Rechts** assertion of a right; **G. des Zeugnisverweigerungsrechts** § plea of privilege; **gerichtliche ~ Schadens ausschließen** to preclude recovery by suit; **auf G. der (bereits eingetretenen) Verjährung verzichten** to waive the statute of limitation(s); **nachträgliche G.** subsequent assertion; **verspätete G.** delay in asserting
Geltung *f* 1. validity, force, effect, operation, recognition; 2. *(Ansehen)* authority, reputation; 3. *(Münze)* currency
Geltung behalten to remain valid, ~ in force; **zur G. bringen** to put forward, to assert, to put on the map *(fig)*, to bring to bear; **G. haben** to apply, to be valid/operative, ~ in force; **allgemeine G. haben** to have general application; **zur G. kommen** to become effective; **G. verschaffen** to enforce; *v/refl* to establish o.s.
Geltungs|bedürfnis/G.bedürftigkeit *nt/f* craving for prestige, self-assertion, status seeking; **g.bedürftig** *adj* status-seeking
Geltungsbereich *m* 1. coverage, area of validity, ~ covered by the agreement, range of applicability, ambit; 2. *(Banknote)* currency; 3. *(Gesetz)* purview, scope (of application); **in den G. eines Gesetzes fallen** to come within the purview of a law; **örtlicher G.** territory covered; **persönlicher G.** personal scope; **räumlicher G.** area of applicability, territorial application
Geltungsdauer *f* 1. (time of) validity, force, duration; 2. *(Pat.)* life; **gesicherte G. der Listen** assured life of schedules; **G. eines Patents** life of a patent; **während der G. des Vertrages** while the treaty is in force
Geltungs|frage *f* question of justification/validity; **G.gebiet** *nt* purview, territory of application, coverage; **G.konsum** *m* conspicuous/ostentatious consumption

Gelübde *nt* vow, solemn promise, pledge
gelungen *adj* successful
Gemahl *m* spouse, husband; **G.in** *f* spouse, wife
Gemarkung *f* 1. boundary; 2. area, local subdistrict
gemäß *prep* in compliance/conformance/accordance with, pursuant/subject to, conformable/according to, as per, in application/pursuance of, under; inline *[US]*
gemäßigt *adj* 1. moderate, middle-of-the-road; 2. *(Klima)* temperate; **G.e(r)** *f/m (Politik)* moderate
gemein *adj* 1. common, general, usual, ordinary, average; 2. shabby, vile
Gemein|bedarf/G.bedürfnisse *m/pl* collective/public wants, public requirements; **G.besitz** *m* public ownership, common property
Gemeinde *f* community, local government unit, borough, local authority, municipality, municipal body; *(Kirche)* parish *[GB]*; **hebeberechtigte G.** local authority entitled to charge municipal taxes and rates; **kreisangehörige G.** county borough, community forming part of a county
Gemeinde|- municipal
Gemeindeabgaben *pl* local/municipial rates, ~ taxes; **G.gesetz** *nt* municipal revenue act, General Rate Act *[GB]*; **G.pflichtige(r)** *f/m* ratepayer *[GB]*
Gemeinde|amt *nt* local government office; **G.angehöriger** *m* local resident; **G.angelegenheiten** *pl* local government matters; **G.anger** *m* common, village green; **G.angestellte(r)** *f/m* local government employee; **G.anleihe** *f* local government bond/stock, municipal loan; **G.anteil an der Einkommensteuer** *m* municipal share in income tax revenue(s); **G.arbeiter(in)** *m/f* local authority worker; **G.aufgaben** *pl* functions of local authorities; **G.aufsichtsbehörde** *f* local government supervisory authority; **G.bank** *f* municipal bank; **G.beamter/G.beamtin** *m/f* local government officer; **G.bedienstete(r)** *f/m* local government employee; **G.behörde** *f* local authority, municipal corporation/authority; **G.betrieb** *m* municipal enterprise; **G.bewohner(in)** *m/f* local resident; **G.bezirk** *m* local government district; **G.darlehen** *nt* communal loan; **G.direktor** *m* clerk, chief executive (officer); **g.eigen** *adj* municipal, local, local authority; **G.eigentum** *nt* municipal property/communal; **ins ~ überführen** to communalize; **G.einheit** *f* local unit; **G.einkommenssteuer** *f* local income tax; **G.einnahmen** *pl* local revenue; **G.etat** *m* local/municipal budget; **G.finanzausgleich** *m* financial equalization between local authorities; **G.finanzen/G.finanzierung** *pl/f* local/municipal finance, local government finance/financing; **G.fürsorge** *f* local welfare; **G.gebiet** *nt* local authority area; **G.grenze** *f* local boundary, corporate limit *[US]*; **G.grundstück** *nt* municipal property
Gemeindehaushalt *m* local budget, municipal/city budget; **G.e** local finances; **G.srecht** *nt* municipal budget law
Gemeinde|hoheit *f* (exclusive) local government jurisdiction; **G.kämmerer** *m* borough treasurer; **G.kasse** *f* borough fund/treasury; **G.kredit** *m* local government loan; **G.land** *nt* local authority land, common (land),

commonage; **G.lasten** *pl* municipal/local charges; **G.nutzungsrecht** *nt* right of use vested in a local authority; **G.obligation** *f* local government bond/stock; **G.ordnung** *f* local statute/bylaws, municipal charter *[US]*/regulations; **G.organ** *nt* local authority agency; **G.pflege** *f* parish welfare; **G.politik** *f* 1. local politics; 2. local government policy

Gemeinderat *m* 1. borough/municipal/town/district/local/village council; 2. parish council; **G.sbeschluss** *m* council resolution/decision; **G.smitglied** *nt* 1. (district/borough) councillor, member of the local council; 2. parish councillor; **G.ssitzung** *f* council meeting; **G.svorsitzende(r)** *f/m* chairman/chairwoman of the parish council; **G.swahl** *f* local (government) election(s), municipal/local election(s)

Gemeinde|recht *nt* local government law, municipal/local law; **G.reform** *f* local government reform; **G.saal** *m* parish/church hall; **G.satzung** *f* borough charter, municipal ordinance/charter, local bylaws *[GB]*; **G.schreiber** *m* parish clerk; **G.schulden** *pl* municipal debts; **G.schule** *f* council school; **G.schwester** *f* district nurse; **G.sekretär** *m* parish clerk; **G.spital** *nt [A]* local hospital; **G.statut** *nt* local statute, municipal ordinance

Gemeindesteuer *f* (local/municipal) rates, local/city/municipal tax, community charge *[GB]*, poll tax *[GB]*

Gemeindesteuer|amt *nt* rating authority, rate collection office, rates/rating office; **G.bescheid** *m* rates bill; **G.einnehmer** *m* rate collector; **G.ermäßigung** *f* rate rebate; **G.pflichtige(r)/G.zahler(in)** *f/m* ratepayer *[GB]*; **G.(hebe)satz** *m* municipal tax rate; **G.system** *nt* rating system, municipal tax structure; **G.veranlagung** *f* rating; rates assessment; **G.veranlagungsbeamter** *m* rating officer *[GB]*

Gemeinde|straße *f* local street/road; **G.umlage** *f* rates *[GB]*, local tax; **G.unterstützung** *f* parish relief; **G.verband** *m* association of municipalities, ~ local authorities, municipal association/corporation; **G.verfassung** *f* borough charter, municipal ordinance, local authority constitution; **G.vermögen** *nt* municipal property; **G.verordnung** *f* municipal ordinance, local authority regulation; **G.versammlung** *f* parish/town meeting; **G.vertretung** *f* 1. representation of a local authority, council; 2. parish council; **G.verwaltung** *f* local government/authority/administration, municipal government; **G.verwaltungsbeamter/-beamtin** *m/f* local government officer; **G.vorstand** *m* municipal executive board, aldermen; **G.vorsteher(in)** *m/f* 1. mayor, mayoress; 2. chairman/chairperson/chairwoman of the district council; **G.wahl** *f* local/municipal election(s); **G.wald** *m* common woodland; **G.weide/G.wiese** *f* common (pasture); **G.zentrum** *nt* community centre

gemeindlich *adj* communal, local, municipal

Gemein|eigentum *nt* public/common/collective/government ownership, common property, property of the people; **in ~ überführen** to nationalize, to take into/bring under public ownership; **G.gebrauch** *m* public/common use; **G.gefahr** *f* public/common danger, danger to life and limb; **g.gefährlich** *adj* dangerous to public safety, ~ the public, constituting a public danger; **G.gefährlichkeit** *f* public danger, danger to publi[c] safety; **G.gläubiger(in)** *m/f* general creditor, credito[r] at large; **G.gut** *nt* common/public property; **G.haftun[g]** *f* joint liability; **G.heit** *f* meanness, ignominy, dirt[y] trick; **G.interesse** *nt* the public interest

Gemeinkosten *pl* overhead(s), overhead cost(s)/expenses, indirect/fixed/general/apportionable/supplementary cost(s), general expense(s), oncost; **G. umlegen** to allocate general cost(s)

aktivierungspflichtige Gemeinkosten capitalized overhead(s), ~ indirect cost(s); **beeinflussbare G.** controllable overheads; **fixe G.** fixed overhead(s)/charges; **verrechnete normalisierte G.** normal applie[d] overhead(s); **primäre G.** primary overhead(s); **variable G.** variable overhead(s); **verrechnete G.** applie[d] overhead(s), absorbed burden/expense(s)/cost(s); overhead(s); **nicht ~ G.** unabsorbed overhead(s); **verschiedene G.** miscellaneous expense(s)

Gemeinkosten|abweichung *f* overhead variance; **G.ansatz** *m* assessment of overhead(s); **G.anstieg** *m* overhead growth; **G.anteil** *m* overhead proportion; **G.aufteilung** *f* allocation of overhead(s); **G.ausgleichsrücklage** *f* reserve for overhead(s); **G.bereich** *m* overhead(s) department; **G.budget** *nt* overhead budget; **G.ergebnis** *nt* balance between estimated and absorbed overhead(s); **g.intensiv** *adj* costly on overhead(s); **G.karte** *f* expense card; **G.leistungen** *pl* overhead-type services; **G.löhne** *pl* indirect labou[r] cost, overhead charges, unproductive wages; **G.material** *nt* indirect material, material chargeable to overhead(s); **G.plan** *m* overhead budget; **G.planung** [*f*] overhead budgeting; **G.satz** *m* overhead rate; **einheitlicher ~ auf Basis des Gesamtbetriebes** all-plant burden rate; **G.schlüssel** *m* overhead allocation base; **G.stelle** *f* overhead(s) department; **G.überdeckung** [*f*] overabsorption of overhead(s), burden overabsorbed, overapplied overheads; **G.überhang** *m* overabsorbe[d] burden; **G.umlage** *f* overhead cost allocation, ~ distribution, apportionment of indirect cost(s); **G.unterdeckung** *f* underabsorption of overheads, unabsorbe[d] burden, underapplied overhead(s), burden underabsorbe[d]

Gemeinkostenverrechnung *f* overhead distribution **G[.] auf den Kostenträger** *f* overhead absorption; **G.sbasi[s]** *f* overhead distribution base; **G.ssatz** *m* overhead rate[,] burden (absorption) rate

Gemeinkosten|wertanalyse *f* overhead-value analysis; **G.zettel** *m* overhead expense form

Gemeinkostenzuschlag *m* overhead surcharge, overhead/oncost/burden charge *[US]*, cost rate; **G. für eine Abteilung; ~ einen Bereich** departmental overhea[d] rate; **~ den Gesamtbetrieb** plant-wide overhead rate; **fester G.** standard costing rate; **G.satz** *m* overhead rat[e]

Gemein|last *f* common burden; **G.lastverfahren** *n[t]* burden-sharing procedure; **G.nutz** *m* general welfare[,] public/common good, common weal

gemeinnützig *adj* in the public interest, charitable, no[t] of commercial nature, providential *(Vers.)*, non-profit(-making/-earning), public, benevolent; **G.keit**

nutuality, usefulness in the public interest, public utility, non-profit-making character, benefit to the public; ~ **aufheben** to demutualize
emeinplatz *m* commonplace, truism, platitude
meinsam *adj* common, joint, combined, collective, cooperative, corporate, concerted, mutual; **g. mit** in collaboration/tandem with; **g. und einzeln** § jointly and severally; **G.keit** *f* 1. common feature; 2. common ground; ~ **der Ziele** communality of purpose
emeinschaft *f* community, association, partnership, commonwealth, group; **in G. mit** jointly
emeinschaft nach Bruchteilen § tenancy in common; **G. zur gesamten Hand** § community of property; **G. der Sechs** Community of the Six; ~ **Sieben** *(EFTA)* Community of the Seven; **G. unabhängiger Staaten (GUS)** Commonwealth of Independent States (CIS); **G. freier Völker** community of free nations/peoples; **G. in ihrer ursprünglichen Zusammensetzung** community as originally constituted
eheähnlicher Gemeinschaft leben § to cohabit; **eheliche G. wiederherstellen** to restitute conjugal rights
eähnliche Gemeinschaft § cohabitation; **eheliche G.** 1. matrimony, conjugal union; 2. § consortium; **erweiterte G.** *[EU]* enlarged Community; **häusliche G.** common/joint household; **internationale G.** international community; **kleine G.** microcosm
emeinschafter *m* associate, group member
meinschaftlich *adj* common, joint, collective, concerted, mutual, conjoint
emeinschafts|- joint, communal; **G.abgabe** *f [EU]* Community levy; **G.absatz** *m* joint selling; **G.aktion** *f* 1. joint action; 2. *[EU]* Community action; **G.angebot** *nt* syndicated bid; **G.anlage** *f* collectively owned facility; **G.anleihe** *f [EU]* Community loan; **G.anschluss** *m* ✆ party line; **G.antenne** *f* communal/party aerial *[GB]*, master/party antenna *[US]*; **G.arbeit** *f* joint/team effort, teamwork; **G.aufgabe** *f* common/joint/community task; **G.ausgaben** *pl [EU]* Community expenditure; **G.bahnhof** *m* joint railway station; **G.bank** *f* combination/consortium bank *[US]*; **G.behandlung** *f [EU]* (intra-)Community treatment; **G.beschaffung** *f* group buying; **G.beschluss** *m* joint resolution; **G.besitz** *m* joint estate/ownership; **G.bestimmungen** *pl [EU]* Community provisions; **G.beteiligung** *f* jointly owned company; **G.betrieb** *m* joint operation; **g.bewusst** *adj* community-conscious; **g.bezogen** *adj* communitarian; **G.bilanz** *f* consolidated balance sheet; **G.charakter von Waren** *m [EU]* Community nature of goods; **G.darlehen** *nt* communal loan; **G.depot** *nt* joint (security) deposit, alternate deposit; ~ **mit Einzelverfügungsberechtigung** alternate deposit; **G.dienst** *m* 1. community/joint service; 2. ⚓ jointly operated service; **G.durchschnitt** *m [EU]* Community average; **auf G.ebene** *f [EU]* at Community level; **G.eigentum** *nt* 1. collective property/ownership; 2. *(Grundstück)* tenancy in common; **G.einfuhr von Waren** *f [EU]* Community import of goods; **G.einkauf** *m* 1. joint purchasing, group/joint buying; 2. *(Einzelhändler)* voluntary chain; **G.einkäufer** *m* group buyer; **G.einrichtung** *f* joint/community institution, ~ facility; **G.emission** *f* joint issue; **G.entscheidung** *f [EU]* Community decision; **G.erfindung** *f* joint invention; **G.erzeuger** *m [EU]* 🚜 Community producer; **G.erzeugnis** *nt* 1. common product; 2. *[EU]* Community product; **G.etat** *m [EU]* Community budget; **g.feindlich** *adj* anti-social; **G.finanzierung** *f* group/joint financing, corporate financing facility; **G.firma** *f* joint venture company; **G.fonds** *m* joint stock, mutual fund; **G.forschung** *f* joint/co-operative research; **G.geist** *m* 1. team spirit; 2. community spirit; **G.genehmigung** *f [EU]* Community authorization; **G.geschäft** *nt* 1. joint/syndicate business; 2. business on joint account; **G.gewässer** *pl [EU]* Community waters; **G.gremium** *nt [EU]* Community organ; **G.gründung** *f* joint venture; **G.gut** *nt [EU]* Community good; **G.güter** *pl* collective goods; **G.hafen** *m [EU]* Community port; **G.haft** *f* group confinement; **G.haftung** *f* joint liability; **G.haushalt** *m* 1. common budget; 2. *[EU]* Community budget; **G.hilfe** *f* 1. mutual aid; 2. *[EU]* Community aid; **G.kasse** *f* common fund, kitty *(coll)*; **G.kauf** *m* group buying; **G.käufer** *m* group buyer; **G.klage** *f* § joint action; **G.kostenrahmen** *m* joint standard accounting system; **G.kontingent** *nt [EU]* Community quota; **G.konto** *nt* omnibus/joint/community account; **G.kraftwerk** *nt* jointly owned/operated power station; **G.kredit** *m* syndicate(d) loan/credit, joint and several credit; **G.küche** *f* canteen; **G.land** *nt [EU]* Community country; **G.marketing** *nt* umbrella marketing; **G.markt** *m [EU]* Community market; **G.mittel** *pl [EU]* Community resources/funds; **G.organ** *nt [EU]* Community institution; **G.patent** *nt* 1. joint patent, jointly owned patent; 2. *[EU]* Community patent; **G.patentübereinkommen** *nt [EU]* Community Patent Convention; **G.plafond** *m [EU]* Community ceiling; **G.police** *f* collective policy; **G.politik** *f [EU]* Community policy; **G.präferenz** *f [EU]* Community preference; **G.praxis** *f* ⚕ group/joint practice, health centre *[GB]*; **G.produktion** *f* 1. joint production; 2. *(Film)* co-production; **G.projekt** *nt* collaborative/joint venture, community/consortium project, collaboration scheme; **G.projektfinanzierung** *f* joint venture capital funding arrangements; **G.raum** *m* common room; **G.rechner** *m* multi-user computer; **G.recht** *nt [EU]* Community law; **abgeleitetes G.recht** secondary Community legislation; **G.regelungen** *pl* 1. common rules; 2. *[EU]* Community rules; **G.reise** *f* group excursion; **G.reisen** group travel; **G.rente** *f* group/joint annuity; **G.reserve** *f [EU]* Community reserve; **g.schädigend** *adj* anti-social; **G.scheck** *m* joint cheque *[GB]*/check *[US]*; **G.schuld** *f [EU]* Community debt; **G.schule** *f* interdenominational/non-denominational school; **G.sekretariat** *nt* typing/secretarial pool; **G.sendung** *f* simultaneous broadcast; **G.sinn** *m* public/community spirit; **G.sparen** *nt* joint/collective saving; **G.stand** *m (Messe)* joint booth/stand; **G.steuer** *f* 1. shared tax; 2. *[EU]* Community tax; **G.täter** *pl* § joint tortfeasors; **G.telefon** *nt* party line; **G.umlage** *f* community charge *[GB]*;

G.unternehmen *nt* joint venture/undertaking, cooperative venture; **G.unterricht** *m* group teaching/instruction; **G.ursprung** *m [EU]* Community origin; **G.verfahren** *nt [EU]* Community procedure; **G.verkauf** *m* consolidation/joint sale; **G.verordnung** *f [EU]* Community regulation; **G.verpflegung** *f* industrial catering; **G.versicherung** *f* joint/group insurance; **G.vertrag** *m* joint contract; **G.vertretung** *f* joint representation; **G.vertrieb** *m* cooperative/joint marketing; **G.vorhaben** *nt* 1. joint venture; 2. *[EU]* Community project; **G.vorschriften** *pl [EU]* Community rules; **G.währung** *f* 1. common currency; 2. *[EU]* Community currency; **G.waren** *pl [EU]* Community goods; **G.werbung** *f* 1. joint/collective/cooperative advertising; 2. corporate/institutional/association advertising; 3. joint advertisement; **G.werk** *nt* jointly owned/operated plant; **G.wohnung** *f* shared house/flat; **G.zentrum** *nt* community centre; **G.zoll** *m [EU]* Community tariff; **G.zollkontingent** *nt [EU]* Community tariff quota

Gemeinschuldner(in) *m/f* (adjudicated) bankrupt, common debtor; **G. entlasten** to discharge a bankrupt; **entlasteter/freigestellter G.** discharged debtor/bankrupt; **nicht ~ G.** undischarged bankrupt

Gemein|sinn *m* public spirit; **G.sprache** *f* standard language; **G.wert** *m* market value; **G.wesen** *nt* community, body politic, commonwealth

Gemeinwirtschaft *f* social/cooperation economy, non-profit-making sector; **g.lich** *adj* non-profit-making, cooperative, socio-economic; **G.sbank** *f* trade union bank

Gemeinwohl *nt* common good/weal, public interest/good/welfare, national interest, general welfare

Gemenge *nt* 1. crowd; 2. mixture, amalgam; 3. 🚜 mixed crop; 4. *(Geologie)* aggregate; **G.lage** *f* activity mix

gemessen *adj* measured; **g. an** in terms of, judging by

Gemisch *nt* mixture, cocktail; **buntes G.** motley assortment

gemischt *adj* 1. mixed, miscellaneous, composite, hybrid; 2. *(Schule)* coeducational; **G.fertigung** *f* mixed production

Gemischtwaren *pl* groceries, sundries, general merchandise; **G.geschäft/G.laden** *nt/m* grocery/general store, universal providers, variety shop/store; **G.handel** *m* scrambled merchandizing *[US]*; **G.händler** *m* grocer, general dealer

gemischtwirtschaftlich *adj* semi-private, mixed

gemittelt *adj* standardized

Gemunkel *nt* rumours, gossip

Gemüse *nt* 1. vegetables; 2. 🚜 vegetable crops

Gemüse|anbau *m* vegetable growing, market gardening *[GB]*, truck farming *[US]*; **G.anbaubetrieb/G.gärtnerei** *m/f* market garden *[GB]*, truck farm *[US]*; **G.anbauer/G.gärtner** *m* market gardener *[GB]*, truck farmer *[US]*; **G.art** *f* vegetable; **G.garten** *m* kitchen garden; **G.geschäft/G.laden** *nt/m* greengrocer's shop *[GB]*/store *[US]*, greengrocery; **G.händler** *m* greengrocer; **G.markt** *m* vegetable market; **G.pflanze** *f* vegetable; **G.sorten** *pl* vegetables

Gen *nt* ✿ gene

genannt *adj* 1. called, named; 2. § aforesaid; **nicht** unstated, undisclosed; **namentlich nicht g.** unname

genau *adj* 1. accurate, exact, precise; 2. specific, deta ed; 3. rigorous, strict, exacting, thorough; 4. close, pro er, faithful; *adv* with precision, squarely, strictly; **es nehmen** 1. to be a stickler for details *(coll)*; 2. *(Un gangsformen)* to stand upon niceties; **nicht so g. ne men** to cut corners *(fig)*; **es nicht g. nehmen** to take easy; **peinlich g. sein** to dot the i's and cross the t' **sehr g. sein** to be particular

genau|estens *adv* meticulously; **g. genommen** *a* strictly speaking

Genauigkeit *f* accuracy, exactness, precision, fidelit nicety; **für G. und Vollständigkeit bürgen** to warra accuracy and completeness; **G.sfestlegung** *f* accura rating; **G.sgrad** *m* degree of accuracy; **G.sprüfung** accuracy check

genehm *adj* convenient, suitable, acceptable; **wenn Ihnen g. ist** at your convenience; **jdm g. sein** to suit s

genehmigen *v/t* to approve/permit/grant/pass/authoriz assent/ratify/sanction/license, to give/grant permissio to clear, to rubber-stamp *(coll)*, to okay *(coll) [US* **amtlich g.** to license/authorize; **nicht g.** to disapprov to refuse approval

genehmigt *adj* 1. approved, authorized; 2. *(Kapitale höhung)* under option; **g. sein** to be through; **g. werd** to win approval; **allgemein g.** generally licensed; **ba polizeilich g.** officially approved by inspectors; **nic g.** unofficial, unapproved, unsanctioned

Genehmigung *f* 1. approval, permit, permission, agre ment, authorization, concession, clearance; 2. licenc ratification, licensing, licensure *[US]*; 3. sanction; *(Gericht)* leave; **mit G.** under licence; **~ von** under t authority of

Genehmigung durch die Aufsichtsbehörden regul tory approval; **G. zur Ausübung eines Berufes** pr fessional licence; **G. der Bilanz** adoption/approval the balance sheet; **G. des Gerichts** court approval; **m ~ Gerichts** by leave of court; **G. von Investitionspr jekten** capital appropriation, ~ spending authorizatio **G. des Jahresberichts** adoption of the annual report; **Protokolls** approval of the minutes

vorbehaltlich der Genehmigung subject to approva **~ ausdrücklicher G.** subject to express stipulation; **nachträglicher G.** subject to ratification

Genehmigung ablehnen to refuse an authorization; **G beantragen** to seek permission; **G. bekommen** to r ceive clearance; **der G. bedürfen** to be subject to rat fication, to require the approval; **G. einholen** to se approval, to take out a licence; **G. erhalten** to obta permission, ~ a permit; **G. erteilen** to grant permissio **um G. nachsuchen** to seek approval/authorization, apply for leave; **der G. unterliegen** to be subject to a proval; **G. verweigern** to refuse permission, to wit hold authorization; **zur G. vorlegen** to submit for a proval; **G. widerrufen** to revoke an authorization, withdraw a permit; **seine G. zurücknehmen/-ziehe** to revoke one's consent

ntliche Genehmigung official authorization/authority/approval; **mit amtlicher G.** by authority; **ausdrückliche G.** express permission; **baupolizeiliche G.** planning permission; **bedingte G.** conditional agreement; **befristete G.** temporary agreement; **behördliche G.** official authority/licence/permit; **besondere G.** special permission; **mit besonderer G.** by special permission; **devisenrechtliche G.** exchange authorization; **endgültige G.** final approval; **mit freundlicher G. (von)** by/with (kind) permission (of), by arrangement (with); **gebührenpflichtige G.** *(Gemeinde)* local taxation licence; **gerichtliche G.** court sanction, leave of court; **nachträgliche G.** ratification, sanction, subsequent approval; **rechtsaufsichtliche G.** approval by the supervisory authority; **staatliche G.** government permission/approval/clearance/authorization/permit; **stillschweigende G.** tacit approval, connivance; **vorbehaltliche G.** conditional approval; **vorherige G.** prior approval/authorization/consent; **widerrufliche G.** revocable licence; **zollamtliche G.** customs permission

enehmigungs|antrag *m* application for a permit/licence; **~ an übergeordnete Stelle** application for decision to the next higher authority; **g.bedürftig** *adj* subject to approval, requiring official approval; **G.befugnis** *f* authority to approve; **G.behörde** *f* approving authority, authorizing body; **G.bescheid** *m* notice of approval; **G.bescheinigung** *f* certificate of approval; **G.beschluss** *m (HV)* confirming vote; **G.erfordernisse** *pl* licensing requirements, requirement of official approval; **g.fähig** *adj* approvable; **g.frei** *adj* not subject to approval, exempt from licensing; **G.gebühr** *f* licence fee; **G.kompetenz** *f* authority to approve; **G.pflicht** *f* licensing requirement, requirement of official approval; **g.pflichtig** *adj* subject to approval/authorization, requiring official approval, ~ a licence, must be filed for approval; **G.praxis** *f* licensing practice(s); **G.schreiben** *nt* letter of approbation/approval; **G.stelle** *f* licensing authority/agency; **G.struktur** *f* decision-making structure; **G.urkunde** *f* instrument of approval, licence, permit; **G.verfahren** *nt* licensing/approval/ratification/authorization/licence procedure, licensure *[US]*; **G.vermerk** *m* stamp/signature of approval; **G.voraussetzungen/G.vorschriften** *pl* licensing requirements; **G.widerruf** *m* revocation of ratification

eneigt *adj* willing, inclined, prone, apt; **G.heit** *f* inclination

eneral *m* general

enerall- general, blanket; **G.abkommen** *nt* general agreement; **G.abrechnung** *f* full settlement of a claim; **G.abtretung** *f* (deed of) general assignment; **G.agent** *m* general/universal agent; **G.agentur** *f* exclusive/universal/general agency; **G.amnestie** *f* general amnesty/pardon; **G.anwalt** *m* 1. *[EU]* advocate general; 2. Lord Advocate *[GB]*, solicitor general; **G.auftrag** *m* standing order; **G.bereinigung** *f* general adjustment/cleanup; **G.bevollmächtigter** *m* 1. chief executive (officer) (CEO), company secretary, plenipotentiary, general/executive manager; 2. general representative, representative director, universal agent, person with complete signing authority, officer with general authority; **G.bilanz** *f* overall balance sheet; **G.bundesanwalt** *m [D]* chief federal prosecutor; **G.direktion** *f* head office, headquarters, management, executive board; **G.direktor** *m* managing director, director general, chief executive (officer) (CEO), general manager, president *[US]*; **stellvertretender G.direktor** executive vice president *[US]*; **G.gouverneur** *m* governor general; **G.handel** *m* general (commodity) trade; **G.handelshaus** *nt* general trade business; **G.index** *m* ▦ composite index number; **G.inspekteur** *m* ⚔ inspector general

generalisier|en *v/t* to generalize; **G.ung** *f* generalization

Generalist *m* generalist

Generall|klausel *f* omnibus/all-purpose/blanket clause, catch-all provision; **G.konsul** *m* consul general; **G.konsulat** *nt* consulate general; **G.konto** *nt* general account; **G.kosten** *pl* overheads, general expenses; **G.lizenz** *f* general licence; **G.lizenznehmer** *m* general licensee; **G.mobilmachung** *f* ⚔ general mobilization; **G.nenner** *m* common denominator; **G.police** *f* 1. comprehensive/general/floating/blanket/schedule/unlimited policy, open cover; 2. ⚓ open cargo policy; **G.postdirektor/-meister/-minister** *m* postmaster general *[GB]*; **G.prävention** *f* § general deterrence, principle of crime prevention; **G.probe** *f* 1. final rehearsal; 2. 🎭 dress rehearsal; **G.quittung** *f* receipt in full; **G.repräsentanz** *f* sole/exclusive agency; **G.rat** *m* general council; **G.rückversicherungsvertrag** *m* automatic reinsurance contract; **G.schlüssel** *m* master/pass key; **G.schuldverschreibung** *f* general bond; **G.sekretär** *m* general secretary, secretary general; **G.sekretariat** *nt* 1. general secretariat; 2. *[EU]* Secretariat General; **G.staatsanwalt** *m* chief public prosecutor, Director of Public Prosecution (DPP) *[GB]*, Attorney General *[US]*, Lord Advocate *[Scot.]*; **G.stab** *m* ⚔ general staff; **G.stabskarte** *f* ordnance survey map; **G.streik** *m* general/national strike; **G.tarif** *m* general/single-schedule/unilinear tariff; **G.tauschmittel** *nt* common medium of exchange; **g.überholen** *v/t* to recondition, to give (sth.) a general overhaul; **G.überholung** *f* 1. (radical/complete) overhaul; 2. reconditioning; **G.unkosten** *pl* overheads, fixed charges; **G.unternehmer(in)/G.unternehmung** *m/f* general/main/lead/prime/primary contractor; **G.vermächtnisnehmer(in)** *m/f* § general legatee

Generalversammlung *f* 1. general meeting/assembly; 2. shareholders' *[GB]*/stockholders' *[US]* meeting, annual general meeting (AGM); **G. der Vereinten Nationen** general assembly of the UN; **G. abhalten** to hold a general meeting; **G. einberufen** to summon/call a general meeting; **G. vertagen** to adjourn a general meeting; **außerordentliche G.** extraordinary general meeting (EGM); **gesetzliche G.** *f* statutory general meeting; **ordentliche G.** ordinary general meeting, statutory meeting; **G.sprotokoll** *nt* corporate minutes

Generall|versicherung *f* comprehensive/all-in insurance; **G.versicherungspolice** *f* comprehensive/blanket policy; **G.vertrag** *m* blanket contract; **G.vertreter** *m* general representative/agent, universal agent; **G.vertretung** *f* 1. general/exclusive/sole/head/chief/universal agency; 2. general power/authority; **G.vertrieb** *m* general sales agency; **G.vollmacht** *f* full/general/unlimited power of attorney, general proxy/power(s), universal agency; **jdn mit ~ ausstatten** to furnish so. with full power(s)

Generation *f* generation; **neue G.** new breed/generation; **spätere G.en** future generations; **G.enkonflikt** *m* generation gap

generell *adj* general, universal, blanket

generieren *v/t* to generate

Generika *pl* generic products/drugs

generös *adj* generous

genesen *v/i* ⚕ to recover/convalesce; **G.de(r)** *f/m* convalescent

Genesung *f* recovery, convalescence; **G.sheim** *nt* convalescent hospital/home; **G.sprogramm** *nt* recovery programme; **G.sprozess** *m* convalescence; **G.surlaub** *m* convalescent/sick leave

genetisch *adj* genetic; **g. verändert** genetically modified (GM)

genial *adj* ingenious, brilliant

Genie *nt* genius; **geborenes G.** natural genius

genieren *v/refl* to feel embarrassed

genieß|bar *adj* 1. edible, palatable; 2. *(Getränk)* drinkable; **g.en** *v/t* to enjoy; **G.er** *m* connoisseur *[frz.]*, gourmet *[frz.]*, epicure

Geniestreich *m* stroke of genius

Genmanipulation *f* genetic engineering

genormt *adj* standard(ized)

Genosse *m* 1. associate, partner; 2. *(Politik)* comrade; 3. member of a cooperative society; 4. *(Gewerkschaft)* brother

Genossenschaft *f* association, copartnership, society, cooperative (society/association), co-op; **G. des Einzelhandels** retail cooperative; **G. mit (un)beschränkter Nachschusspflicht** cooperative society with (un) limited guarantee; **eingetragene G.** registered cooperative society; **gewerbliche G.** industrial cooperative; **landwirtschaftliche G.** agricultural/farmers'/farm cooperative, cooperative agricultural corporation

Genossenschaft|ler *m* member of a cooperative; **g.lich** *adj* cooperative

Genossenschafts|- cooperative; **g.ähnlich** *adj* quasi-cooperative; **G.anteil** *m* share (in a cooperative society); **G.bank** *f* 1. cooperative bank, ~ banking association, thrift association *[US]*, mutual savings bank *[US]*, ~ credit union *[US]*, credit cooperative society; 2. joint-stock bank; **landwirtschaftliche G.bank** farm loan bank, agricultural credit society; **G.bauer** *m* cooperative farmer; **G.betrieb** *m* cooperative; **G.bewegung** *f* cooperative movement; **G.dividende** *f* cooperative society dividend; **G.gesetz** *nt* cooperative (association) act, Industrial and Provident Societies Act *[GB]*; **G.kapital** *nt* cooperative stock/capital; **G.kasse** *f* cooperative bank; **~ auf Gegenseitigkeit** cooperative mutual pension fund; **G.kredit** *m* cooperative credit; **G.laden** *m* cooperative store, co-op; **G.mitglied** *nt* member o cooperative society; **G.organ** *nt* body of a cooperati society; **G.organisation** *f* organisation of cooperati associations; **G.prüfung** *f* cooperative socie audit(ing), auditing of cooperatives; **G.recht** *nt* law cooperative societies; **G.register** *nt* (public) register cooperative societies, ~ cooperatives; **G.sektor** *m* c operatives; **G.sparkasse** *f* mutual savings bank *[US* **G.theorie** *f* theory of cooperative societies; **G.ve band** *m* association of cooperative societies, cooper tive union; **G.verkauf** *m* cooperative marketin **G.versammlung** *f* meeting of (the) members of a c operative society; **G.vertrag** *m* deed of association, a ticles of association of a cooperative society; **G.ve trieb** *m* cooperative marketing; **G.wesen** *nt* cooper tive movement/system, cooperation; **G.wissenschaf** cooperative science

Genossin *f* → **Genosse** *(Gewerkschaft)* sister

genötigt *adj* § under duress

Gen|technik/G.technologie *f* genetic engineering, bi engineering; **G.techniker** *m* genetic engineer; **g.tec nisch** *adj* genetical; **G.transfer** *m* genetic transfer

Gentlemen's Agreement *nt* gentlemen's agreement

genug *adj* enough, sufficient; **g. sein** to suffice, to round; **von etw. nicht g. haben** to be short of sth.

Genüge *nt* sufficiency; **einer Sache G. tun** to do justi to sth.

genügen *v/i* to suffice/serve, to be sufficient; **es genü zu sagen** suffice it to say; **g.d** *adj* sufficient, adequat ample

genügsam *adj* modest, undemanding; **G.keit** *f* modest frugality

Genugtuung *f* satisfaction, gratification; **G. leisten** make restitution/satisfaction; **sich G. verschaffen** get satisfaction

Genuskauf *m* sale by description, ~ of unascertain goods

Genuss *m* 1. enjoyment; 2. beneficial use; 3. consum tion; 4. indulgence; **G. eines Rechts** exercise of one right, enjoyment of a right; **in den G. kommen** to e joy/qualify; **in den verdienten G. kommen** to reap t benefit; **in den G. von Leistungen kommen** to recei benefits; **jdn im G. seiner Rechte stören** to disturb s in the lawful enjoyment of his rights; **übermäßiger** excessive consumption; **ungestörter G.** § quiet e joyment

Genussachen *pl* unascertained goods

Genuss|aktie *f* bonus/dividend share, jouissance *[fr* share/right; **G.berechtigte(r)** *f/m* beneficiary, hold of beneficiary rights

Genusschuld *f* generic obligation, unascertained deb

Genussmensch *m* pleasure lover, hedonist

Genussmittel *nt* stimulant; *pl* semi-luxuries, luxu foodstuffs/foods; **G.entwendung** *f* petty larceny consumables; **G.steuer** *f* duty on semi-luxuries, sinne tax *(coll)*

Genuss|recht *nt* 1. participating/profit-sharing rig profit participation right; 2. § right of enjoyme **g.reich** *adj* enjoyable

enussschein *m* profit-sharing/participating/participa-:ion certificate, certificate of beneficial interest, jouis-›ance *[frz.]* share/right; **G.scheininhaber(in)** *m/f* par-:icipating certificate holder; **G.scheinkapital** *nt* par-:icipatory capital

nusssüchtig *adj* pleasure-seeking

enusware *f* unascertained goods

werblich genutzt *adj* commercial, industrial; **gut g.** *'Zeit)* well-spent

öffnet *adj* open; **g. bleiben** to stay/remain open

eograf|(in) *m/f* geographer; **G.ie** *f* geography; **politi-›che G.ie** political geography; **g.isch** *adj* geographical

eolog|e/G.in *m/f* geologist; **G.ie** *f* geology

eomet|er *m* surveyor; **G.rie** *f* geometry; **g.risch** *adj*
geometric

|ordnet *adj* 1. assorted, orderly, well-ordered; 2. π nested; 3. *(Konto)* straight; **alphabetisch g.ordnet** in ılphabetical order; **g.pachtet** *adj* leasehold

epäck *nt* luggage *[GB]*, baggage *[US]*; **ohne G.** light-ıanded; **G. mit Übergewicht** excess/overweight lug-gage, ~ baggage; **G. abholen** to collect luggage/baggage; **G. aufgeben; G. zur Aufbewahrung geben** to register luggage, to check in baggage; **mit wenig G. reisen** to trav-el light; **G. zustellen** to deliver luggage/baggage; **aufge-gebenes G.** registered luggage, checked baggage; **beglei-tetes/mitgeführtes G.** accompanied luggage/baggage

epäck|abfertiger *m* luggage/baggage handler; **G.ab-fertigung(sstelle)** *f* 1. luggage/baggage handling, ~ processing; 2. luggage/parcel(s) office, luggage/bag-gage check-in; **G.abgabe** *f* luggage/baggage check-in; **G.abholung** *f* collection of luggage/baggage; **G.abla-ge** *f* luggage/baggage rack; **G.abschnitt** *m* baggage check; **G.adresse/G.anhänger** *f/m* luggage/baggage label; **G.annahme(stelle)** *f* luggage/baggage check-in; **G.aufbewahrung** *f* cloakroom *[GB]*, checkroom *[US]*, left-luggage office; **G.aufbewahrungsschein** *m* left-luggage ticket, luggage receipt, baggage check; **G.aufgabe** *f* registration of luggage, baggage check-in; **G.aufkleber** *m* luggage/baggage sticker; **G.ausgabe-bereich** *m* baggage delivery area; **G.ausgabestelle** *f* luggage/baggage reclaim; **G.band** *nt* luggage/baggage conveyor belt; **G.buch** *nt* parcels book; **G.empfangs-schein** *m* delivery check; **G.förderanlage** *f* luggage transport unit; **G.karren** *m* (porter's) luggage trolley, baggage cart; **G.kontrolle** *f* luggage/baggage check; **G.netz** *nt* luggage/baggage rack; **G.paketbuch** *nt* par-cels book; **G.raum** *m* luggage/baggage hold; **G.schal-ter** *m* luggage/baggage counter, ~ office; **G.schein** *m* (luggage) ticket, baggage check/tag; **G.schließfach** *nt* luggage/baggage locker; **G.selbstbedienung** *f* self-claim baggage system; **G.ständer** *m* luggage/baggage stand; **G.stück** *nt* piece of luggage, package; **G.träger** *m* (railway) porter, baggage man, luggage carrier; **G.trägergebühr** *f* port(er)age; **G.verkehr** *m* luggage traffic; **G.verlust** *m* loss of luggage/baggage; **G.versi-cherung** *f* luggage/baggage insurance; **G.wagen** *m* 1. luggage van/waggon *[GB]*, baggage van *[US]*, guard's van *[GB]*; 2. *(Handwagen)* luggage/baggage cart; **G.zettel** *m* luggage/baggage label

gepfändet *adj* seized, distrained, attached; **fruchtlos g.** § non satisfied, nulla bona *(lat.)*; **G.e(r)** *f/m* distrainee

ge|pfeffert *adj* *(Preise)* steep; **g.pflastert** *adj* paved

Gepflogenheit *f* usage, custom, convention, standard practice; **internationale G.en** international usage; **un-ternehmerische G.** businesss practice

geplant *adj* scheduled, planned, targeted; **wie g.** on schedule; **g. für** scheduled for; **g. sein** to be pro-grammed, ~ in the pipeline; **es ist g.** it is proposed

geprüft *adj* examined, tested, audited; **einzeln g.** indi-vidually examined

... und ein paar Gequetschte *(coll)* ... odd

gerade *adj* direct, straight, even; **g.aus** *adv* straight ahead; **g. biegen** *v/t* to straighten out, to smooth over; **g.heraus** *adv* forthright, outright; **dafür g. stehen** *v/i* to be answerable for sth., to face the music *(coll)*; **g.zu** *adv* downright

gerad|linig *adj* straight, linear, rectilinear; **g.zahlig** *adj* even-numbered

gerafft *adj* condensed, summarized, abbreviated, short-ened

Gerangel *nt* wrangle, tussle, skirmish

Gerät *nt* device, appliance, piece of equipment, imple-ment, tool, utensil, apparatus, set, gadget; **G.e** equip-ment, gear; **~ und Anlagen für den Umweltschutz** pollution-abatement equipment

elektrische Gerät|e electrical machinery/appliances; **fahrbares G.** non-handheld; **feinmechanisches G.** precision instrument; **landwirtschaftliche G.e** farm implements, farming utensils, dead stock; **optisches G.** optical instrument/good; **periphäre G.e** peripheral equipment; **tragbares G.** handheld; **wissenschaftliche G.e** scientific equipment

Geräte|anbieter *m* lessor of the equipment; **G.bau** *m* instrument engineering; **G.erneuerung** *f* equipment replacement; **G.ersatz** *m* equipment replacement; **G.fehler** *m* equipment failure; **G.haus/G.kammer** *nt/f* toolroom; **G.hersteller** *m* equipment producer/manu-facturer; **G.investitionen** *pl* capital expenditure on equipment; **G.kompatibilität** *f* equipment compatibil-ity; **G.konto** *nt* equipment account; **G.miete** *f* 1. plant hire; 2. equipment rental

geraten in *v/i* to get into, to incur

Geräte|park *m* equipment; **G.prüfung** *f* hardware check; **G.raum** *m* toolroom; **G.schuppen** *m* toolshed; **G.steuerung** *f* device control; **G.steuerzeichen** *nt* device control character; **G.vermietung** *f* equipment rental; **G.verwaltung** *f* device management; **G.wa-gen** *m* tool car

aufs Geratewohl *nt* hit and/or miss, at random, random sample

Gerätezuordnung *f* device allocation

Gerätschaften *pl* implements, equipment, plant, uten-sils, appurtenances

geräumig *adj* spacious, roomy, commodious

Geräusch *nt* noise, sound; **störendes G.** disturbing noise

geräusch|arm *adj* silent, quiet, noiseless; **G.bekämp-fung** *f* noise abatement, suppression of noise; **g.dämp-fend** *adj* sound-absorbing; **G.dämpfer** *m* silencer, muffler; **G.dämpfung** *f* sound damping; **G.komfort** *m* sound-proofing; **G.kulisse** *f* background noise, sound effects; **g.los** *adj* silent, noiseless, soundless; **G.losigkeit** *f* silence, quietness; **G.messer** *m* sound level meter/recorder; **G.messung** *f* noise measurement; **G.pegel/G.wert** *m* noise/sound level; **G.quelle** *f* source of noise; **g.undurchlässig** *adj* sound-proof

gerben *v/t* to tan

Gerber *m* tanner; **G.ei** *f* tannery

grob gerechnet *adj* at a rough estimate, roughly calculated

gerecht *adj* fair, just, impartial, equitable; **g. und angemessen** just and proper; **ganz g.** without fear or favour; **sozial g.** socially just

gerechterweise *adv* in all fairness

gerechtfertigt *adj* justifiable, justified, reasonable, warrantable; **g. sein wegen** to be supported by

Gerechtigkeit *f* justice, fairness, justness, impartiability, equity; **G. in der Sache selbst** [§] substantive/substantial justice; **sich der G. anheimgeben** to surrender o.s. to justice; **G. erfahren** to obtain justice; **G. walten/widerfahren lassen** to do justice; **ausgleichende G.** poetic/distributive justice; **materielle G.** [§] substantive justice; **natürliche G.** natural justice; **soziale G.** social justice

Gerechtigkeits|begriff *m* concept of justice; **G.empfinden/G.gefühl/G.sinn** *nt/nt/m* sense of justice

Gerechtsame *f* 1. franchise, privilege, prerogative; 2. ⚒ prospecting/mining right

Gerede *nt* talk, rumour, gossip; **jdn ins G. bringen** to spread rumours about so.; **ins G. kommen** to be talked about, to get o.s. talked about; **leeres/müßiges G.** hot air, idle talk; **scheinheiliges G.** cant *(coll)*

geregelt *adj* 1. regular; 2. *(Schaden)* liquidated; 3. settled, arranged, disposed of; **gütlich g.** settled amicably, disposed of by agreement; **vertraglich g.** contractually settled

Gericht *nt* 1. court (of law/justice), law court, tribunal; 2. bar, bench; 3. sheriff court *[Scot.]*; 4. *(Essen)* dish; **bei G.** in court; **durch das G.** by the court; **von G.s wegen** by order of the court; **vor G.** at law, on trial

summarisches Gericht von zwei oder mehr Friedensrichtern petty sessions *[GB]*; **G. für Grundstücksstreitigkeiten** land tribunal; **G. erster Instanz** court of first instance; trial court; **G. letzter Instanz** court of ultimate resort; **G. zweiter Instanz** appellate court; **G. der belegenen Sache** court where the controversial issue is settled; **G. für Wettbewerbsbeschränkungen** Restrictive Practices Court *[GB]*; **Oberstes ~ Zivilsachen** Court of Sessions *[Scot.]*

öffentlich vor Gericht in open court; **vom G. angeordnet** court-ordered; **bei G. anhängig** pending (before the court); **vor ein G. gehörig** cognizable

das Gericht hat entschieden the court held; **~ ist überzeugt, dass** the court is satisfied that; **~ kommt zu dem Ergebnis** the court is led to the conclusion

Gericht abhalten to sit, to hold court; **vor G. anfechten** to challenge in court; **G. anrufen** to take legal action, to go to court/law, to resort to courts of law, to bring before the court, to refer sth. to court, to have recourse to the law; **vor G. auftreten** to appear in cou **~ (als Zeuge) aussagen** to take the witness stand, give evidence/appear/testify in court; **G. befassen m** to make a court cognizant of; **vor G. bringen** to bri to trial, ~ before a court, ~ into court, to put on trial; **jd ~ bringen** to take so. to court, to institute legal procee ings against so.; **bei G. einreichen** to put in court; **(für unzuständig erklären** to put in a plea as to t jurisdiction; **vor G. erscheinen** to appear in court, ~ b fore the court; **nicht ~ erscheinen** to (make) defau **jdn auffordern, ~ zu erscheinen** to summon so. befo the court; **~ gehen** to go to law/court, to take legal a tion; **G. halten** to sit, to hold court; **~ über jdn** *(fig)* take so. to task (for); **vor G. klagen** to sue, to bring action (against); **~ kommen** to come to court, to appe before the court; **~ laden** to summon/cite, to garnish *[US]*; **~ geltend machen** to plead in court, to assert claim in court; **dem G. glaubhaft machen** to prove prima facie *(lat.)* evidence; **vor G. plädieren** to ple at the bar; **sich ~ rechtfertigen** to answer charges; **z G. sitzen** to judge, to sit in judgment; **vor G. stehen** to be on trial, to stand trial; 2. to be a party to legal pr ceedings, ~ up in court; **~ stellen** to bring to trial, to a raign, to put on trial; **bei G. Antrag auf Auflösu stellen** to petition the court for dissolution; **G. übe zeugen** to satisfy the court; **sich vor G. verantwort** to answer a charge, to stand trial; **Sache ~ verhande** to try a case; **~ verhandelt werden** to come to cou **jdn ~ verklagen** to sue so., to take so. to court; **Sache verteidigen** to plead a case; to answer a charge; **~ ve treten** to plead (in court); **sich selbst ~ vertreten** plead one's own case; to conduct one's own defenc **jdn ~ vertreten** to represent so. in court; **an ein and res G. verweisen** to refer to another court; **dem G. vo legen/vortragen** to submit to the court, to put befo the court; **bei G. mündlich vortragen** to address t court; **vor G. zitieren** to summon

angerufenes Gericht addressed court; **einzelstaat ches G.** *[EU]* court/tribunal of a member state; **erke nendes G.** trial/judging court; **erstinstanzliches (** court of first instance; **gleichgeordnetes G.** court equal authority; **heimisches G.** domestic court; **Hoh G.** *(Anrede)* Your Worship/Honour, My Lord *[GB* **höchstes G.** supreme court; **höheres G.** superior cou **innerstaatliches G.** *[EU]* domestic/national cou **letztinstanzliches G.** court of last/ultimate reso **nachgeordnetes G.** lower/subordinate/inferior cou **ordentliches G.** ordinary/law court; circuit court *[US* **staatliches G.** *[EU]* national court; **übergeordnet G.** superior/higher court, court of superior authorit **unteres/untergeordnetes G.** lower/subordinate/i ferior court; **unzuständiges G.** court lacking jurisdi tion, incompetent court; **zuständiges G.** competent/a propriate court, court of competent jurisdiction, ~ charge; **örtlich ~ G.** local venue; **in Zivilsachen ~ (** court with jurisdiction in civil proceedings; **zweiti stanzliches G.** court of appeal, appellate court

gerichtet auf *adj* bent on

gerichtlich *adj* judicial, jurisdictional, judicatory, leg juridical, at law; **g. und außergerichtlich** in and out of court, judicial and extrajudicial

richtsähnlich *adj* quasi-judicial

erichtsakte *f* record of trial/proceedings, case/judicial record; **G.n** court documents/records/rolls/files/papers; **zu den ~ einreichen** to file with the court

erichtslanordnung *f* court order; **G.archiv** *nt* court archives; **G.arzt** *m* court-appointed doctor; **G.assessor** *m* assistant judge, junior judicial officer; **G.auswahl** *f* forum shopping

erichtsbarkeit *f* 1. jurisdiction, cognizance; 2. judicature; **G. in Nachlasssachen** jurisdiction in probate matters; **~ Streitsachen** contentious jurisdiction; **G. des Wohnsitzstaates** domiciliary jurisdiction

erichtsbarkeit ausschließen to oust the jurisdiction of the courts; **G. ausüben** to exercise jurisdiction; **der G. unterliegen/unterstehen/unterstellt sein (von)** to be subject to the jurisdiction (of); **keiner G. unterworfen sein** to be exempt from jurisdiction

sländische Gerichtsbarkeit foreign jurisdiction; **ausschließliche G.** exclusive jurisdiction; **nicht ~ G.** concurrent jurisdiction; **erstinstanzliche G.** original jurisdiction; **freiwillige G.** voluntary jurisdiction, noncontentious jurisdiction/proceedings/litigation; **geistliche/kirchliche G.** ecclesiastical jurisdiction; **gleichrangige G.** coordinate jurisdiction; **inländische G.** domestic jurisdiction; **konkurrierende G.** concurrent jurisdiction; **obligatorische G.** compulsory/mandatory jurisdiction; **ordentliche G.** ordinary jurisdiction; **örtliche G.** local jurisdiction; **streitige/strittige G.** contentious jurisdiction; **übertragene G.** delegated jurisdiction; **zusätzliche G.** additional jurisdiction

erichtslbeamter *m* court official; **protokollführender G.beamter** court clerk, master *[US]*; **G.befehl** *m* 1. injunction; 2. court order, precept, writ of right; 3. *(Räumungsklage)* eviction order; **G.behörde** *f* court, legal authority; **G.bekanntmachungen** *pl* court notices; **G.berichtserstatter** *m* court correspondant

erichtsbeschluss *m* court ruling/order/decision, order of the court, decree of court; **G. aufheben** to set aside/quash a court ruling; **G. beantragen** to take (out) a writ; **G. erlassen** to issue a decree; **G. erwirken** to obtain a court ruling; **G. verkünden** to rule; **sich einem G. widersetzen** to refuse to comply with a court ruling; **formeller G.** formal decree of court; **vorläufiger G.** order nisi *(lat.)*

erichtslbesetzung *f* appointment of court judges; **G.bezirk** *m* judicial circuit/district; **G.bote** *m* usher *[GB]*, marshall *[US]*; **G.chemiker** *m* public analyst; **G.diener** *m* court official/attendant, usher *[GB]*, bailiff *[US]*, marshall *[US]*, tipstaff *(High Court) [GB]*, messenger, process server; **G.dolmetscher(in)** *m/f* court interpreter

erichtsentscheid(ung) *m/f* court/legal ruling, judicial/court decision; **G. von allgemeiner Bedeutung** judicial ruling of general application; **G. aufheben** to reverse a court decision; **G. erlangen** to secure a court decision; **vorläufiger G.** rule nisi *(lat.)*

richtslfähig *adj* actionable, judicable; **G.ferien** *pl* vacation of the courts, court vacation, recess, nonterm *[US]*, (judicial) vacations; **G.gebäude** *nt* court building, courthouse *[US]*; **G.gebühren** *pl* court/legal fees, law charges; **G.gutachten** *nt* opinion of the court; **G.herr** *m* magistrate, judge

Gerichtshof *m* 1. law/judicial court, tribunal, court of justice/session *[Scot.]*; 2. bar, court (of justice), bench, chancery court *(obs.)*; **G. der Europäischen Gemeinschaften** European Court of Justice; **G. zur Untersuchung von Todesfällen** coroner's court *[GB]*; **G. einsetzen** to appoint a tribunal; **Oberster G.** Lords of Appeal in Ordinary *[GB]*, Queen's Bench *[GB]*, Supreme Court *[US]*; **ständiger G.** permanent court of justice

Gerichtslhoheit *f* 1. jurisdiction; 2. judicial authority; **G.instanz** *f* (court) instance; **G.kanzlei** *f* court registry, record office; **G.kasse** *f* court cashier; **an die ~ zahlen** to pay to the court; **G.kaution** *f* bail; **G.kenntnis** *f* judicial notice/cognizance; **G.klausel** *f* jurisdictional clause; **G.konto** *nt* court account

Gerichtskosten *pl* court cost(s)/fees, law/legal charges; **G. auferlegen** to order to pay costs; **G.gesetz** *nt* court fees act; **G.marke** *f* court fee stamp; **G.tabelle** *f* table of costs

gerichtskundig *adj* known to the court

Gerichtsmedizin *f* medical jurisprudence, forensic medicine; **G.er** *m* court doctor; **g.isch** *adj* forensic, medico-legal

gerichtslnotorisch *adj* known to the court, of common knowledge; **G.ordnung** *f* court rules, rules of the court; **zuständiger G.ort** venue, place of court/trial, competent court of jurisdiction; **G.periode** *f* (law) term, session; **G.polizei** *f* court police, bailiff(s); **G.präsident** *m* presiding/chief judge; **G.praxis** *f* judicial custom; **G.protokoll** *nt* court minutes/record; **G.referendar(in)** *m/f* law/judicial trainee; **G.reporter(in)** *m/f* court correspondant; **G.saal** *m* court(room); **~ räumen lassen** to have the court cleared; **G.sache** *f* 1. judicial business; 2. case being tried; **G.sachverständige(r)** *f/m* court-appointed expert; **G.schranke** *f* bar; **G.schreiber** *m* court clerk; **G.schreiberei** *f* registry; **G.siegel** *nt* seal of the court; **G.sitz** *m* seat of a court

Gerichtssitzung *f* court sitting/hearing, session; **G. unter Ausschluss der Öffentlichkeit** court in chambers/camera *(lat.)*; **G. abhalten** to sit in court; **öffentliche G.** open court; **in öffentlicher G.** in open court

Gerichtslsprache *f* official language used in court; **G.sprengel** *m* court circuit

Gerichtsstand *m* 1. (legal) venue, (place of) jurisdiction, place of litigation; 2. address for service; 3. court of law, domicilium disputandi *(lat.)*; **G. des Erfüllungsortes** jurisdiction at the place of performance, forum contractu *(lat.)*; **~ Vermögens** venue established by the location of the asset; **~ Wohnsitzes** venue by reason of domicile; **G. bestimmen** to specify a venue; **G. vereinbaren** to stipulate a jurisdiction/venue

allgemeiner Gerichtsstand place of general jurisdiction; **ausschließlicher G.** exclusive jurisdiction/venue; **fliegender G.** circuit court *[GB]*, itinerant tribunal; **unzuständiger G.** improper venue; **vereinbarter G.** stipulated venue

Gerichtsstand|klausel/G.vereinbarung *f* venue/jurisdictional clause, stipulation as to the venue
Gerichts|system *nt* judiciary; **G.tafel** *f* court notice board; **G.tag** *m* court day; **G.tage** days for hearing; **G.tagung** *f* court session, assizes *(obs.)*; **G.tätigkeit** *f* judicial/court activity
Gerichtstermin *m* court sitting/hearing, term, day/date of hearing, date fixed for the trial; **G. aussetzen** to assign a day for a court hearing; **G. versäumen** to fail to appear, to default; **anstehender G.** assigned day of hearing
Gerichts|urkunde *f* official court document, judicial document, court record; **G.urteil** *nt* 1. court decree, judgment; 2. *(Strafprozess)* verdict, sentence of a court
Gerichtsverfahren *nt* 1. *(Strafprozess)* trial; 2. legal/judicial proceedings, court/legal procedure; **G. ohne Geschworene** petty sessions *[GB]*; **G. anstrengen gegen** to institute proceedings against; **G. einleiten** to initiate proceedings, to take action; **abgekürztes G.** summary proceedings; **ordentliches G.** 1. ordinary proceedings; 2. proper trial
Gerichts|verfassung *f* constitution of the courts, court system, (structure of the) judiciary; **G.verfassungsgesetz** *nt* Judicature Act *[GB]*; **G.verfügung** *f* 1. court order, writ; 2. injunction; 3. bench warrant; **~ missachten** to defy a court order; **G.verhandlung** *f* 1. court hearing; 2. *(Strafprozess)* trial; **bis zur ordentlichen G.verhandlung** pending full trial; **G.vollzieher** *m* bailiff, sheriff's officer *(High Court) [GB]*, sequestrator, marshall *[US]*; **gegenständlich beschränkter G.vollzieher** special executor; **G.vorsitzende(r)** *f/m* presiding judge; **G.wachtmeister** *m* tipstaff *(High Court) [GB]*; **G.wesen** *nt* judiciary, judicature, judicial system; **G.zeiten** *pl* days for hearing; **G.zuständigkeit** *f* jurisdiction, competence of the court; **G.zweig** *m* branch of the judiciary
gerieben *adj* *(coll)* astute
gering *adj* little, small, slight, slim, moderate, minor, petty, trivial, scant; **äußerst/verschwindend g.** minimal, negligible, miniscule; **g.er** *adj* inferior; **~ werden** to decrease
Geringachtung *f* contempt
geringfügig *adj* insignificant, trivial, little, minor, slight, negligible, trifling, marginal, paltry, petty; **g. über** a margin above; **g. unter** a margin below; **G.keit** *f* insignificance, pettiness, triviality
gering|halten *v/t* to minimize; **g. schätzen** *v/t* to neglect/disregard/disparage/scorn; **g.schätzig** *adj* derogatory, disparaging, contemptuous; **G.schätzung** *f* contempt, disregard, undervaluation, disfavour
geringst *adj* slightest, least; **g.möglich** *adj* least possible
Gering|verdiener *m* low-income earner; **g.verzinslich** *adj* low-interest; **g.wertig** *adj* low-grade, inferior, low-value, of minor value; **G.wertigkeit** *f* cheapness
gerinnen *v/i* *(Flüssigkeit)* to clot/curdle/coagulate
Gerippe *nt* skeleton
gerissen *adj* shrewd, smart, crafty, cunning, wily, cute; **g.er sein als** to outsmart; **G.heit** *f* shrewdness, cunning, smartness, sharpness

gern *adv* gladly, with good grace; **liebend g.** with t[he] greatest pleasure; **g. tun** to have pleasure in (doing st[h]
Gerste *f* barley
Geruch *m* smell, odour, scent; **durchdringende[r]/scharfer G.** pungent smell; **übler/unangenehmer G.** nauseating/offensive smell, stench; **G.sbelästigung** nauseating odour; **G.ssinn** *m* olfactory sense
Gerücht *nt* rumour; **wegen G.en über** on talk of; **G.[en] zufolge** rumour has it that; **G. ausstreuen** to spread rumour; **einem G. entgegentreten** to deny a rumou[r]; **G. im Keim ersticken** to squash a rumour; **G. lanci[e]ren/verbreiten; G. in die Welt setzen; ~ Umla[uf] bringen/setzen** to start/spread a rumour; **umlaufend[es] G.** circulating rumour; **unbegründetes G.** unfound[ed] rumour
Gerüchteküche *f* gossip factory, grapevine
Gerümpel *nt* junk, lumber, stuff
Gerüst *nt* 1. 🏛 scaffold(ing); 2. framework, skeleto[n], structure; 3. *(Gestell)* trestle; 4. *(Dach/Brücke)* trus[s]; **G. aufstellen** 🏛 to scaffold; **G.bau** *m* scaffoldin[g]; **G.bauer** *m* scaffolder
gerüstet *adj* prepared; **schlecht g.** ill-equipped
gelinde gesagt to put it mildly; **genauer g.** more stric[t]ly; **kurz g.** in brief, in a nutshell; **das G.e zurückneh[]men** to eat one's words *(coll)*
gesalzen *adj* *(fig) (Preis)* steep, stiff *(coll)*
gesamt *adj* 1. whole, total, entire, overall, gross, all-i[n], aggregate; 2. *(Haftung)* joint and several
Gesamt|- total, overall, general, aggregate, blank[et], joint and several; **G.abmessungen** *pl* overall dime[n]sions; **G.abrechnung** *f* receipt in full
Gesamtabsatz *m* total sales; **G.forschung** *f* all-marke[t]ing research; **G.plan** *m* overall marketing programm[e]
Gesamt|abschluss *m* overall result; **G.abschreibung** accrued/lump-sum depreciation; **G.abtretung** *f* [general assignment; **G.abweichung** *f* 1. overall/tot[al] variation; 2. *(Kosten)* gross variance; **G.aktie** *f* multi[ple] overall share certificate; **G.aktiva** *pl* total asset[s]; **G.analyse** *f* composite analysis; **volkswirtschaftlic[h]e G.analyse** macroeconomic analysis; **G.angebot** *nt* ag[]gregate/total supply; **G.anlage** *f* integrated plan[t]; **G.anleihewert** *m* omnium *(lat.)*; **G.annuität** *f* total an[]nuity; **G.anordnung** *f* general layout; **G.ansicht** *f* gen[]eral/overall view
Gesamtarbeits|losigkeit *f* unemployment total, overa[ll] unemployment; **G.vertrag** *m* collective agreemen[t]; **G.wert** *m* total work value
Gesamt|aufkommen *nt* total yield/revenue; **G.aufla[ge]** *f* 1. *(Zeitung)* total circulation; 2. *(Buch)* total editio[n]; **G.aufsichtsrat** *m* group supervisory board; **G.aufste[l]lung** *f* general statement; **G.auftrag** *m* *(Werbung)* block booking; **G.aufträge** orders in/on hand; **G.au[f]tragswert** *m* total order/contract value; **G.aufwan[d]**; **G.aufwendungen** *m/pl* total outlay/expenditur[e]; **G.ausbeute** *f* total yield; **G.ausfuhr** *f* total exports
Gesamtausgabe *f* *(Text)* complete works/edition, om[]nibus edition; **G.n** total/overall expenditure; **G.n d[er] Inländer für Güter und Leistungen** domestic expen[d]iture, absorption; **~ öffentlichen Hand** total public e[xpenditure]

penditure; **volkswirtschaftliche G.n** national expenditure

Gesamt|ausgabevolumen/G.auslagen *nt/pl* total spending/expenditures; **G.auslastung/G.ausnutzung** *f* *(Verkehrsmittel)* revenue-load factor; **G.ausleihungen** *pl* total lendings; **G.ausschuss** *m* joint council; **G.außenhandel** *m* aggregate foreign trade; **G.ausstattung** *f* overall get-up; **G.ausstoß** *m* aggregate/combined output; **G.ausweis** *m* overall statement/return; **G.bedarf** *m* aggregate/total demand, ~ requirements; **G.beförderer** *m* combined transport operator (CTO); **G.beförderung** *f* whole journey

Gesamtbelastung *f* total load/burden/encumbrance; **jährliche G.** *(Zinssatz)* annual(ized) percentage rate (APR); **steuerliche G.** total tax burden

Gesamt|belegschaft *f* total workforce, ~ labour force; **G.bereich** *m* all ... together; **G.bericht** *m* general/combined report; **G.beschäftigung** *f* total activity/employment; **G.besitz** *m* common possession, collective property; **G.bestand** *m* total stock on hand; **G.betrachtung** *f* comprehensive survey

Gesamtbetrag *m* aggregate (amount), (sum/grand) total, total/full amount; **im G. von** totalling; **G. der Ausgaben** total amount of expenditure; **~ Einkünfte/Einnahmen** aggregate income, adjusted gross income; **~ verfügbaren Güter und Dienstleistungen** total value of goods and services available; **~ Rechnung** invoice total/amount

Gesamtbetriebs|kalkulation *f* overall costing, whole firm costing; **G.rat** *m* higher-level works council, general/chief/central works council, shop stewards' committee *[GB]*; **G.wert** *m* going-concern value

Gesamt|bevölkerung *f* total population; **G.bewertung** *f* valuation of the enterprise as a whole, ~ as a going concern; **G.bezüge** *pl* remuneration package; **G.bilanz** *f* combined balance sheet, overall balance (sheet); **volkswirtschaftliche G.bilanz** national accounts; **G.bild** *nt* overall picture; **G.briefgrundschuld** *f* collective certified land charge; **G.brutto** *nt* raw total; **G.buchgrundschuld** *f* aggregate/total registered land charge; **G.buchhaltung** *f* unified accounting

Gesamtbudget *nt* master budget; **betriebliches G.** business budget; **flexibles G.** flexible (master) budget; **starres G.** static master budget

Gesamt|bürgen *pl* joint guarantors; **G.bürgschaft** *f* comprehensive guarantee, joint security/guarantee/surety(ship); **G.dauer** *f (Vers.)* total life; **G.debitorenstand** *m* total debts outstanding; **G.defizit** *nt* overall deficit; **G.dividende** *f* total dividend; **G.durchlaufzeit** *f* total processing time, total door-to-door time; **G.durchschnitt** *m* total average

Gesamteigen|handel *m* total cross-frontier traffic of goods; **G.kapital** *nt* total equity/proprietorship, shareholders' equity; **G.tum** *nt* 1. § joint ownership; 2. aggregate property

Gesamt|eindruck *m* overall picture, general impression/effect; **G.einfuhr** *f* total imports, imports total; **G.eingänge** *pl* 1. total receipts; 2. *(Vers.)* total new business

Gesamteinkommen *nt* gross earnings, total/aggregate income; **G. je Periode** effective pay rate; **G.sgröße** *f* measure of total income

Gesamt|einkünfte *pl* total earnings; **G.einlage** *f* total subscription; **G.einlagen** total deposits; **G.einnahme(n)** *f/pl* total/gross receipts; **G.eintrag** *m* compound entry; **G.einzahlungen** *pl* total deposits; **G.engagement** *nt* total commitment(s); **G.entwicklung** *f* overall development/trend; **G.erbbaurecht** *nt* joint hereditary building right; **G.erbe** *m* sole heir/legatee, universal heir; **G.erfolg** *m* overall result/performance; **G.ergebnis** *nt* total/overall result; **G.ergebnisrechnung** *f* combined profit and loss account, statement of income and accumulated earnings; **G.erhebung** *f* complete/universal census; **G.erlös** *m* total proceeds/revenue(s); **G.ersparnis** *f* total savings; **G.ertrag** *m* total yield/revenue/output; **G.erwartungsschaden** *m* total expected loss; **G.erwerbstätigenzahl** *f* total labour force; **G.etat** *m* budget total, overall/master budget; **G.fahrleistung** *f* total distance driven; **g.fällig** *adj* due as a whole; **G.fassungvermögen** *nt* total capacity

Gesamtfinanzierung *f* financing package, total financing, all-inclusive financial package; **G.saufwand/G.skosten** *m/pl* aggregate funding costs, total cost of financing

Gesamt|fläche *f* total area; **G.forderung** *f* total claim; **G.frachtsatz** *m* joint rate; **G.gebühr** *f* inclusive charge; **G.geldbestand** *m* monetary aggregate; **G.genehmigung** *f* block licence, joint permit; **G.geschäft** *nt* package deal; **G.geschäftsführung** *f* joint/general management, joint conduct of business; **G.gesellschaft** *f* integrated company; **G.gewicht** *nt* gross weight (gr.wt.), laden/total weight; **zulässiges G.gewicht** 1. 🚗 licensed weight; 2. permissible maximum weight; **G.gewinn** *m* total profit, profits total; **G.gläubiger(in)** *m/f* joint/general creditor; *pl* joint and several creditors, plurality of creditors; **monetäre G.größe** monetary aggregate; **volkswirtschaftliche G.größen** aggregates, broad/economy-wide totals; **G.grundschuld** *f* collective/comprehensive land charge; **G.gut** *nt (Ehevertrag)* common/joint property; **G.guthaben** *nt* credit total; **G.haftung** *f* joint (and several)/corporate/aggregate liability, joint responsibility

Gesamt|hand *f* *(Haftung)* joint title, collective/joint ownership; **G.händer** *pl* joint holders of property; **g.händerisch** *adj* joint, in common; **G.handgläubiger** *m* joint and several creditor; **G.handlungsvollmacht** *f* power to act jointly with others

Gesamthands|berechtigung *f* joint entitlement; **G.besitz/G.eigentum** *m/nt* joint property/ownership/tenancy, collectively owned property; **G.eigentümer(in)** *m/f* joint owner; **G.forderung** *f* collective/joint claim; **G.gemeinschaft** *f* community of joint owners; **G.gläubiger(in)** *m/f* collective/joint (and several) creditor, co-creditor of a joint claim; **G.gläubigerschaft** *f* collective creditors; **G.recht** *nt* undivided right; **G.schuld** *f* collective/joint debt; **G.schuldner(in)** *m/f* joint (and several) debtor; **G.verhältnis** *nt* joint-property relationship; **G.vermögen** *nt* joint ownership, ~ property assets; **G.verpflichtung** *f* joint obligation

Gesamthaushalt *m* master/overall budget; **G.seinkommen** *nt* aggregate consumer income

Gesamtheit *f* 1. whole, entirety, totality, aggregate, body, complex; 2. ▦ total population, universe; **G. der Maßnahmen** set of actions; **einheitliche/homogene G.** ▦ homogeneous population; **endliche G.** finite population; **unendliche G.** infinite population; **zu untersuchende G.** study population

Gesamt|hersteller *m* joint manufacturer; **G.herstellungskosten** *pl* total cost price; **G.hochschule** *f* polytechnic, comprehensive university; **G.höhe der Investitionen** *f* investment volume, volume of investments; **G.hypothek** *f* aggregate/collective/comprehensive/consolidated/blanket/general/floating mortgage; **G.import** *m* import total; **G.index** *m* overall index; **G.indikatorsystem** *nt* system of economic indicators; **G.interesse** *nt* general interest; **G.interessen** collective interests; **G.investitionen** *pl* total investment, ~ capital spending; **G.investitionsvolumen** *nt* total investment volume; **G.jahr** *nt* full year; **G.kapazität** *f* total/overall capacity

Gesamtkapital *nt* total capital/assets, joint capital, balance sheet total; **G.ausstattung** *f* total capitalization; **G.betrag** *m* aggregate principal amount; **G.ertragsquote** *f* all-capital earnings rate; **G.rentabilität** *f* return on total assets, ~ investment, percentage ~ capital employed; **G.umschlag** *m* total capital turnover

Gesamt|kassendefizit *nt* overall cash deficit; **G.katalog** *m* union catalogue; **G.kollegialität** *f (BWL)* incorporated accountability; **G.kollektion** *f* overall range; **G.komplex** *m* whole body; **G.konjunktur** *f* general economic trend, ~ level of economic activity; **G.kosten** *pl* all-in cost; **G.konsum(summe)** *m/f* aggregate consumer spending/expenditure; **G.konzept** *nt* overall concept; **G.konzeption** *f* overall conception; **G.konzern** *m* combined group

Gesamtkosten *pl* total outlay/cost(s), overall cost(s); **G. der Materialbeschaffung** (total cost of) acquisition; **volkswirtschaftliche ~ Produktion** social cost(s); **durchschnittliche G.** average total cost(s); **langfristige G.** long-run total cost(s); **G.funktion** *f* total cost function; **G.kurve** *f* total cost curve; **G.verfahren** *nt* total cost type of (short-term results) accounting; **~ der Gewinn- und Verlustrechnung** profit and loss account based on the cost(s) of production convention

Gesamt|kreditlinie *f* overall credit line; **G.kurswert** *m* total market value; **G.lage** *f* general situation; **wirtschaftliche G.lage** general economic situation; **G.länge** *f* overall length

offene Gesamtlast floating charge; **demografische G.quote** overall demographic dependency rate; **ökonomische G.quote** overall economic dependency rate

Gesamt|laufzeit *f* total life; **G.lebensdauer** *f (Lebensvers.)* joint lives; **G.lebenshaltungskosten** *pl* total cost(s) of living

Gesamtleistung *f* 1. overall performance, total output, ~ (operating) performance; 2. *(Bilanz)* total turnover and operating revenue, aggregate results; 3. total payments; **gemeinsame G.** joint overall performance; **wirtschaftliche G.** gross national product (GNP)

Gesamt|liquidität *f* overall liquidity, total liquid assets; **G.liquidation** *f* joint liquidation; **G.lohn** *m* total wage; **G.lohn- und Geldsumme** *f* aggregate remuneration; **G.marktanalyse** *f* census survey; **G.masse** *f* 1. *(Erbschaft)* general/total estate; 2. total assets; **statistische G.masse** statistical universe; **G.meldung** *f* combined statement; **G.menge** *f* total; **G.nachfolge** *f* universal succession; **G.nachfolger(in)** *m/f* universal successor

Gesamtnachfrage *f* aggregate/total/overall/composite/market demand; **monetäre G.** total monetary demand; **volkswirtschaftliche G.** aggregate (national) demand; **G.funktion** *f* aggregate demand function; **G.kurve** *f* market demand curve

Gesamt|nachlass *m* complete estate; **G.nennbetrag/-wert** *m* total/aggregate face value; **~ der ausgegebenen Aktien** capital issue; **G.nutzen** *m* total utility; **G.nutzungsdauer** *f (Maschine)* physical/total/useful life; **G.paketvereinbarung** *f* package deal; **G.pauschalierung** *f* total composition/compounding; **G.personalrat** *m* central works council; **G.plan** *m* 1. master plan/schedule, overall plan; 2. *(Unternehmen)* corporate plan

Gesamtplanung *f* overall planning, general layout; **betriebliche G.** overall corporate planning; **volkswirtschaftliche G.** national economic planning, planification; **G.sbewilligung** *f* outline planning consent

Gesamt|police *f* joint policy; **G.prämie** *f* total premium; **G.prämienaufkommen** *nt* total premium income, ~ earned; **G.preis** *m* (all-)inclusive/all-in/all-round/total price; **G.produkt** *nt* total product; **volkswirtschaftliches G.produkt** gross national product (GNP)

Gesamtproduktion *f* total production/output, overall output; **volkswirtschaftliche G.** national/total output; **G.swert** *m* total value of production

Gesamt|produktivität *f* aggregate/corporate productivity, total factor productivity; **geschätzte G.projektkosten; voraussehende G.projektion** projection of cost(s) to completion; **G.prokura** *f* joint power of representation, joint signature; **G.provision** *f (Börse)* in-and-out commission; **G.prüfung** *f* general examination; **G.qualifikation** *f* overall qualification; **G.quittung** *f* receipt in full

Gesamtrechnung *f* overall account, total budget; **bankstatistische/monetäre G.** overall monetary survey; **soziale G.** social accounting; **volkswirtschaftliche G.** national (product)/macroeconomic/overall/social accounting, overall/national accounts, national income accounts/accounting/statement

Gesamt|rechnungsbetrag *m* debit/invoice total; **G.rechtsnachfolge** *f* universal succession; **G.rechtsnachfolger(in)** *m/f* universal successor, sole successor in title; **G.regelung** *f* overall settlement; **G.rendite** *f* compound/overall yield, overall return; **G.rentabilität** *f* operating efficiency; **G.reservenbedarf** *m* overall reserve needs; **G.resultat** *nt* overall result; **G.risiko** *nt* overall risk; **G.risikenversicherung** *f* all-risk(s) insurance; **G.rücklage** *f* overall reserves; **G.rücktritt** *m* collective resignation; **G.saldo** *m* total balance, ~ net amount; **~ der Zahlungbilanz** overall net total

Gesamtschaden *m* total loss; ~ **(in Höhe) von** a loss totalling; **G.exzedentenrückversicherung** *f* aggregate excess of loss insurance, stop-loss (re)insurance; **G.sversicherung** *f* all-loss insurance

Gesamt|schätzung *f* overall estimate; **G.schau** *f* survey, synopsis; **G.schiffshypothek** *f* collective ship mortgage

Gesamtschuld *f* debit total, joint and several debt, joint obligation, collective liability

Gesamtschuldner(in) *m/f* joint (and several)/common debtor(s), co-debtor; *pl* plurality of debtors; **als G. haften** to be jointly and severally liable; **g.isch** *adj* jointly and severally liable/responsible, joint and several; **G.schaft** *f* joint and several liabilities, joint liability

Gesamtschuld|schein *m* joint promissory note; **G.verhältnis** *nt* joint indebtedness

Geamt|schule *f* comprehensive *[GB]*/composite *[CAN]* school; **G.schutz** *m* total protection; **G.sicherungshypothek** *f* collective cautionary mortgage; **G.sparleistung** *f* total savings; **G.sparverhalten** *nt* aggregate savings behaviour; **g.staatlich** *adj* national; **G.stärke** *f* total strength; **G.status** *m* consolidated statement; **G.steigerung** *f* overall increase

Gesamtsteuer|aufkommen *nt* total tax yield/revenue; **G.last** *f* total tax burden; **G.satz** *m* combined total rate

Gesamt|stilllegung *f* final discontinuance of a business in its entirety, ~ as a whole; **G.stimmenzahl** *f* total (number of) votes cast; **G.strafe** *f* compound/cumulative/concurrent sentence; **G.streik** *m (Betrieb/Branche)* total strike, all-out strike/stoppage; **G.stückzeit** *f* cycle time

Gesamtsumme *f* (sum/combined/grand) total, gross/entire/general sum, total amount; **G. der Abschreibungen** *(Bilanz)* aggregate depreciation; **G. aller Einkünfte** *(Steuer)* comprehensive tax base

Gesamt|tarifvertrag *m* collective agreement; **G.tilgungssumme** *f* principal; **G.tonnage** *f* overall tonnage, shipping; **G.transportvolumen** *nt* total traffic/volume carried; **G.überholung** *f* complete overhaul; **G.überschuss** *m* total/overall surplus; **G.übersicht** *f* general survey; **G.übertragung** *f* bulk transfer; **G.umfang** *m* total volume; **G.umfeld** *nt* macro-environment; **G.umlauf** *m* total central bank money; **G.umlaufvermögen** *nt* total current assets

Gesamtumsatz *m* total/aggregate sales, ~ turnover; **G.rabatt** *m* total/aggregate sales discount, deferred discount; **G.stufe** *f* total sales grade; **G.volumen aller Waren** *nt* all-commodity volume

Gesamt|unternehmen *nt* whole group/concern, entire group; **G.unternehmer** *m* general/prime contractor; **G.urkunde** *f* all-in/collective document (of title), global certificate; **G.verantwortung** *f* overall responsibility; **G.verband** *m* head/umbrella organisation, united/central association

Gesamtverbindlichkeit *f* joint (and several) obligation/liability; **G.en** overall debt burden/exposure; **G. eines einzelnen Schuldners** joint and several bond

Gesamt|verbrauch *m* overall/total consumption; **G.verbuchung** *f (Geschäftsfall)* covering entry; **G.verdienst** *m* total earnings; **G.vereinbarung** *f* collective agreement; **G.vergütung** *f* compensation package; **G.verkäufe** *pl* aggregate sales

Gesamtverkaufs|bild *nt* overall sales picture; **G.einnahmen** *pl* sales revenue; **G.wert** *m* aggregate sales value

Gesamt|verlust *m* overall/total loss; **tatsächlicher G.verlust** actual total loss; **G.vermächtnis** *nt* comprehensive/universal legacy; **G.vermächtnisnehmer(in)** *m/f* universal heir/legatee

Gesamtvermögen *nt* total estate/assets/capital, total net worth, entire property, aggregate assets; **haftendes G. der Gesellschaft** corporate equity; **G. der Unternehmung** capital employed; **steuerpflichtiges G.** aggregate taxable property; **volkswirtschaftliches G.** national capital equipment

Gesamt|verpflichtung *f* joint and several obligation/liability, total/gross liability; **G.versand** *m* collective dispatch; **G.verschuldung** *f* total indebtedness; **G.versicherung** *f* comprehensive/all-in/all-loss *[US]* insurance, all-risk(s) comprehensive insurance; **G.versicherungssumme** *f* global sum insured; **G.vertrag** *m* overall agreement; **G.vertretung** *f* 1. collective representation; 2. sole/exclusive agency; **G.verzinsung** *f* aggregate/total interest yield; **G.vollmacht** *f* collective power of attorney, comprehensive authority; **G.volumen** *nt* total value; **G.vorsatz** *m* § over-all intent; **G.vorstand** *m* general management; **G.wartezeit** *f (OR)* total waiting time

Gesamtwert *m* 1. aggregate/total value; 2. *(Unternehmen)* value of the enterprise as a whole, ~ as a going concern; **im G. von** totalling ... in value; **G. der Anleihe** omnium *[GB]*; ~ **Einfuhr** aggregate value of imports; **G. des Unternehmens** value of the enterprise as a whole, ~ as a going concern; **G. der Warenausfuhren und -einfuhren** total value of (merchandise) exports and imports

Gesamtwirkung *f* general/overall effect

Gesamtwirtschaft *f* national/overall/whole/general economy, macroeconomy, economy as a whole; **g.lich** *adj* macroeconomic, general, aggregate, total, national (economic), for the economy as a whole; **G.svolumen** *nt* total economic activity, gross national product (GNP/gnp)

Gesamtwohl *nt* common weal

Gesamtzahl *f* total (number); **G. der Arbeitslosen** jobless total; ~ **Erwerbstätigen** gainfully employed population; ~ **offenen Stellen** total job vacancies

Gesamt|zahlungsbilanz *f* overall balance of payments; **G.zeichnungsberechtigung** *f* joint signature; **G.zeit** *f* minutes total; **G.ziel** *nt* overall objective; **G.zinsspannenrechnung** *f* calculation of total interest margin; **G.zollbelastung** *f* total customs receipts/charges; **G.zuladung** *f* deadweight (loading) capacity; **G.zuladungsgewicht** *nt* deadweight tonnage; **G.zusammenhang** *m* general view; **G.zuteilung** *f* total tonnage to be assigned; **G.zuwendungen an Arbeitnehmer** *pl* total compensation *[US]*

Gesandte(r) *f/m* envoy, legate, ambassador

Gesandtschaft *f* mission, legation, embassy; **G.sgebäude** *nt* legation, embassy; **G.srecht** *nt* right to establish a legation

dünn gelsät *adj* thin on the ground; **g.sättigt** *adj* saturated; **g.schachtelt** *adj* 🖳 nested; **g.schädigt** *adj* aggrieved, injured, wronged

Geschädigte(r) *f/m* 1. [§] offended/injured/wronged party, aggrieved person/party; 2. the injured, injured person; 3. *(Vers.)* claimant; **mittelbar G.** indirect victim of damage

neu geschaffen *adj* newly-created, regenerate

Geschäft *nt* 1. *(Läden)* shop, store; 2. *(Gewerbe)* business, establishment, enterprise, concern; 3. *(Handel)* deal(ings), transaction, (business) operation, trade; 4. occasion, bargain; 5. calling; 6. duty, job; **durch das G.** in the way of business

Geschäft zur Abrechnung im übernächsten Liquidationstermin *(Börse)* newgo; **G.e mit Anleihepapieren** operations in securities; ~ **gleichzeitiger Auszahlung und Lieferung** *(Wertpapier)* cash bargain; **G. gegen bar** cash contract; **G. auf der Basis von Marktpreisen** arm's length transaction; **G.e in verschiedenen Effekten** spreading operations; **G. mit aufgeschobener Erfüllung** *(Börse)* settlement contract, account transaction; **G. im Freiverkehr** *(Börse)* open-market operation; **G. mit Gebührenaufteilung zwischen Käufer und Verkäufer** *(Börse)* each-way transaction; **G. auf Geben und Nehmen** *(Börse)* put and call; **G. mit Gegendeckung** *(Börse)* hedge; ~ **Haushaltsartikeln** household products business; **G.e mit jedermann** dealings with the public; **G. am offenen Markt** *(Börse)* open-market operation; **G. mit Privatkunden** consumer business; **G.e auf eigene Rechnung** proprietary trading; **G. ohne Rechnung** non-invoiced transaction, cash job *(coll)*; **G. für eigene und fremde Rechnung** business for one's own and for third-party account; **G. mit effektiven Stücken** *(Börse)* over-the-counter (OTC) trade

Geschäft ist G. business is business; **wie gehen die G.e?** how is business?; **gut fürs G.** good for trade; **Näheres im G.** *(Schild)* enquire within; **schlecht fürs G.** bad for trade

Geschäft absagen to call off a deal; **G.(e) abschließen** to close/strike/do/land/clinch *(coll)* a deal, to strike/make a bargain, to transact/write business, to sign a contract; **G. abwickeln** 1. to transact business, to carry out a transaction, to settle a business; 2. *(Liquidation)* to wind up/liquidate a business; **seine G.e abwickeln** to straighten one's affairs; **G. anbahnen** to prepare the ground for a deal, to pave the way for a deal; **G.e anbahnen/ankurbeln** to drum up business; **G. anfangen/aufmachen** to start (up) a business, to set up shop *(coll)*; **G. annullieren** to vitiate a transaction; **G. aufgeben** to close down, to go out of business, to shut up shop *(coll)*, to discontinue/give up a business, to retire from business; **G. auflösen** to wind up a business; **G.e aufnehmen** to start business; **G. ausdehnen auf** to branch out/diversify into; **G. ausführen auf Rechnung von** to act on behalf of; **aus dem G. ausscheiden** to retire from business; **aus einem G. aussteigen** to pull out of a business; **G. begründen** to establish o.s. to set up shop *(coll)*; **sein G. besorgen** to ply one's trade; **jdn an einem G. beteiligen** to make so. a partner; **G. betreiben** to conduct/run a business; **eigenes G. betreiben** to be one's own master; **im G. bleiben** to stay in business; **G. bremsen** to slow down sales; **G. zum erfolgreichen Abschluss/unter Dach und Fach bringen** to clinch/close/sew up/swing a deal *(coll)*, to bring a business to a successful conclusion; **G. zustande bringen** to land a deal, to secure a business; **jdn aus dem G. drängen** to squeeze so. out; **etw. ins G. einbringen** to bring sth. into the business; **sich in ein G. einkaufen** to buy into a business; **in ein G. einsteigen** to join a business; **G. erledigen** to handle a deal/transaction; **G. eröffnen/errichten/gründen** to open/establish/launch a business, to set up shop *(coll)*, ~ in business; **sein G. erweitern** to expand one's business; **G. fortführen** to continue a business; **G. führen** to carry on a trade, to conduct/operate/manage/run a business; **G. gemeinsam führen** to conduct a business jointly; **G. haben** to keep shop; **G. hochbringen** to put a business on its feet again; **ins G. kommen (mit)** to do business (with so.); **sich um seine G.e kümmern** to go about one's business; **sich um ein G. besonders kümmern** to nurse a business; **G. leiten** to manage a business; **G. liquidieren** to wind up a business; **G. machen** to (do a) deal, to transact/pick up business; **bessere G.e machen als** to out-trade; **faule G.e machen** to be on the fiddle *(coll)*; **gewagte G.e machen** to job/speculate/gamble; **glänzende G.e machen** to do a roaring trade to make a killing *(coll)*; **gutes G. machen** to strike it rich, to make a bargain, to do a good trade; **G. perfekt machen** to clinch/close a deal, to sew up a deal; **seinen G.en nachgehen** to ply one's trade, to pursue one's business, to go about one's business/occasions; **von G.en reden** to talk shop; **G. schließen** to close down, to shut up shop *(coll)*; **hinter seinen G.en her sein** to be a keen businessman; **ins G. stecken** *(Geld)* to invest in a business; **G. tätigen** to do business, ~ a deal, to transact/operate, to carry on (a) business, ~ out a transaction; **G. übernehmen** to take over a business; **bei einem G. verdienen** to make money on a deal; **jdn aus dem G. verdrängen** to squeeze/drive so. out of business; **G. vergrößern** to expand a business; **sein G. verkaufen** to sell out (one's business); **G. vermitteln** to broker/negotiate a deal; **sein G. verstehen** to know one's business, to be good at one's job; **G. vorantreiben** to push a business; **G. wegnehmen** to grab business; **die laufenden G.e weiterführen** to continue to deal with current business; **sich seinem G. widmen** to attend to one's business; **G. wiederaufnehmen/-eröffnen** to resume/reopen business; **von einem G. zurücktreten** to rescind a bargain; **G. zustandebringen** to negotiate/strike a deal, to conclude a contract

auf Treu und Glauben abgeschlossenes Geschäft bona-fide *(lat.)* transaction; **abgewickeltes G.** business traded; **anrüchiges G.** hole-and-corner/fishy business *(coll)*; **außergewöhnliches G.** off-beat deal; **bedin-**

gungsfeindliches G. absolute transaction; **betreffendes G.** business in question; **blühendes G.** flourishing/roaring trade; **debitorisches G.** lending, loan and overdraft business; **dickes G.** *(coll)* big deal; **dokumentäres G.** documentary business; **dringendes G.** pressing business, pressure of business; **dunkles G.** shady deal; **dunkle G.e** shady/under-the-counter dealings; **gut eingeführtes G.** well-established business; **einträgliches G.** profitable/remunerative business; **nicht ganz einwandfreie G.e** shady dealings; **festes G.** *(Börse)* fixed-date bargain; **fingiertes G.** bogus/sham transaction; **flaues G.** slow trading; **florierendes G.** flourishing/roaring trade; **gut fundiertes G.** sound business; **gebundenes G.** barter transaction/business; **glänzend gehendes G.** bonanza *(coll)*, gold mine *(coll)*; **gemeinsames G.** joint venture/business; **gewagtes G.** risky deal/business; **gewerbliches G.** commercial undertaking; **gewinnbringendes G.** paying/remunerative business; **glattes G.** *(Börse)* round-lot transaction; **gleichartige G.e** similar transactions; **das große G.** big business; **gutes G.** (good) bargain; **leidlich ~ G.** fair business; **gutgehendes G.** flourishing business, paying concern; **günstiges G.** bargain; **hochriskantes G.** high-risk business; **indifferentes G.** non-credit business; **das internationale G.** international operations; **laufende ~ G.e** current international transactions; **laufendes G.** current activities/operations/affairs/business, regular business, continuing operations; **lebhaftes G.** 1. *(Börse)* brisk/active trading; 2. broad market, brisk trade; **zu Grunde liegendes G.** underlying transaction; **lohnendes G.** profitable/remunerative business; **lukratives G.** lucrative business; **lustloses G.** slack/lacklustre business, subdued trading; **margenknappes G.** low-margin activities; **mattes G.** dull business; **miserables G.** bad business; **mobiles G.** mobile shop; **nachlassendes G.** falling custom; **nervöses G.** hectic/nervous trading; **operatives G.** operations, operating business; **reelles G.** fair/square deal; **reges G.** brisk business/trade; **rentables G.** paying/profitable business, paying concern; **richterliche G.e** matters handled by judges; **risikoreiches G.** high-risk business; **rückläufiges G.** declining business; **ruhiges/schwaches/schleppendes G.** slack business, dull/slack trade, quiet/slow/dull trading; **bei ruhigem/schleppendem/schwachem G.** *(Börse)* in thin trading; **rundes G.** *(Börse)* round-lot transaction; **schuldrechtliches G.** transaction under a contract, ~ imposing an obligation; **schwarze G.e** under-the-table dealings; **schwebende G.** pending transactions, unfilled orders; **sittenwidriges G.** § transaction contra bonos mores *(lat.)*, constructive fraud; **solides G.** sound business; **tagesaktuelles G.** day-to-day business, nuts and bolts operation(s) *(coll)*; **tägliches G.** daily business; **technisches G.** capital goods business; **unerlaubtes/verbotenes G.** illicit/illegal transaction; **unrentables G.** *(Projekt)* white elephant *(fig)*; **unsaubere G.e** sharp practices, underhand dealings; **vorangehende G.e** antecedent transactions; **vorteilhaftes G.** (real) bargain; **wechselseitige G.e** mutual dealings; **zähflüssiges G.** sluggish business (activity); **zinsabhängiges G.** interest-based business; **zinsunabhängiges G.** non-interest business; **zollfreies G.** duty-free shop; **zweifelhaftes G.** shady transaction/business; **zweifelhafte G.e** shady dealings

Geschäftemacher *m* profiteer, racketeer, crook, wheeler-dealer; **G.ei** *f* profiteering, racketeering, racket, jobbing, wheeling and dealing

geschäftig *adj* 1. busy, expeditious, active; 2. industrious, zealous; **übermäßig g.** overactive; **G.keit** *f* bustle, activity; industriousness; **rege G.keit** hustle and bustle

geschäftlich *adj* commercial, mercantile, on business, in the way of business, businesslike; **G.es besprechen** to talk business

Geschäfts|- commercial; **G.ablauf** *m* course of business

Geschäftsabschluss *m* 1. transaction, business/trade deal, (conclusion of a) bargain/deal; 2. contract entered into; 3. *(Bilanz)* report; **Geschäftsabschlüsse** 1. transactions, business volume; 2. *(Aufträge)* orders secured; **G. auf lange Sicht** long-term transaction; **kurz vor G. stehen** to be close to signing a deal; **G. tätigen** to do a deal; **G. vorlegen** to submit the annual accounts

Geschäfts|abschwächung *f* decline in business

Geschäftsabwicklung *f* conduct/handling of business, business processing; **elektronische G.** electronic transaction processing; **G.spflicht** *f* duty to perform the contract

Geschäfts|adresse/G.anschrift *f* business address; **G.akten** *pl* business records; **G.aktiva** *pl* assets; **G.anbahnung** *f* initiation of a transaction; **G.andrang** *m* pressure of business; **G.angelegenheiten** *pl* business affairs/matters; **G.anschluss** *m* ✆ business line; **G.anspannung** *f* pressure of business; **G.anteil** *m* share, interest, participation; **maßgeblicher G.anteil** controlling interest; **G.antwortsendung** *f* business reply; **G.anzeige** *f* advertisement; **G.anzug** *m* lounge suit; **G.art** *f* 1. line of business; 2. type of transaction; **G.aufgabe** *f* retirement from business, closing/close-down (of business), discontinuance/cessation of business; **jdn zur ~ zwingen** to force/put/drive so. out of business; **G.auflösung** *f* winding up, closing-down, rundown, dissolution of a business; **G.aufnahme** *f* commencement of trading; **G.aufsicht** *f* 1. *(Konkurs)* receivership; 2. *(Laden)* store superintendent; **G.auftrag** *m* commission, order; **G.auftrieb** *m* business prosperity; **G.ausdehnung** *f* expansion of business; **G.ausfallversicherung** *f* loss-of-trade insurance; **G.ausgaben** *pl* business expenses; **G.auslage(n)** *f/pl* window display; **G.ausrüstung** *f* store equipment; **G.aussichten** *pl* trading/business/commercial prospects, trading/business outlook; **G.ausstatter** *m* shopfitter; **G.ausstattung** *f* 1. shopfitting, office/business equipment; 2. *(Bilanz)* furniture and equipment, fixtures and fittings; **G.ausweitung** *f* business expansion, expansion of business; **G.auto** *nt* company car

Geschäftsbank *f* commercial/trading/credit/chartered *[CAN]* bank; **G.ensystem** *nt* commercial banking system; **G.finanzierung** *f* commercial bank financing

Geschäfts|basis *f* business base; **G.bauten** *pl* office/commercial buildings

Geschäftsbedingungen *pl* terms of trade, terms and conditions of business, trading conditions, rules and regulations; **allgemeine G.** general/standard terms and conditions, ~ (sales/business) conditions; **einheitliche G.** standard business terms

Geschäftslbeginn *m* 1. commencement of business; 2. opening hours; **G.begründung** *f* business start-up, establishment (of a business)

Geschäftsbelebung *f* trade revival, revival of business, recovery, upturn in business activity; **G. im Einzelhandel** revival of the retail trade; **kräftige G.** boom

Geschäftsbeleg *m* transaction record

Geschäftsbereich *m* 1. *(Organisation)* business (line/unit), department, division; 2. *(Aufgabe)* sphere of activity, area of operation/responsibility, operating area, sphere/scope of business, operational sector; 3. province, responsibilities; 4. *(Minister)* portfolio; **G.e** portfolio of businesses; **ohne G.** 1. *(Vorstandsmitglied)* non-executive; 2. *(Minister)* without portfolio; **G. mit Gewinnverantwortung** profit centre; **horizontaler G.** horizontal division; **klassischer G.** traditional market; **strategischer G.** strategic business area; **G.sgruppe** *f* operational group; **G.sleiter** *m* divisional manager

Geschäftsbericht *m* statement, company/business/management/annual/operating/financial/fiscal/corporate *[US]* report, (annual) report and accounts, directors' report, trading review; **G. einer Bank** bank return/statement; **G. des Vorsitzenden** chairman's report/statement; **jährlicher G.** annual report/return(s)

Geschäftslberuhigung *f* slowdown of business activity; **G.besitzer** *m* 1. shopkeeper, shop/store owner; 2. owner, proprietor

Geschäftsbesorgung *f* 1. agency; 2. business errand; 3. business activity conducted on instructions; **G.sauftrag** *m* order to effect a transaction; **G.svertrag** *m* agency agreement, mandate, contract for service (or work)

Geschäftslbesprechung *f* business conference/meeting; **G.besuch** *m* business call; **G.besucher** *m* commercial visitor; **G.bestimmungen** *pl* rules for the conduct of business; **G.beteiligung** *f* business interest/participation, share in a business

Geschäftsbetrieb *m* business (establishment), conduct of business, commercial pursuit, business activities; **G. aufnehmen/eröffnen** to commence business/trading; **G. (zeitweilig) einstellen** to halt/cease trading; **kaufmännischer G.** commercial (business) operation; **laufender G.** day-to-day business/operations; **wirtschaftlicher G.** planned economic activity; **G.skosten** *pl* operating costs/expenses

Geschäftslbevollmächtigte(r) *f/m* agent; **G.bewegungen** *pl* sales activities; **G.bewertung** *f* valuation (as a going concern), survey; **G.bezeichnung** *f* trade/firm/company name

Geschäftsbeziehung *f* business connection/relationship, trading relationship, commercial link; **G.en** business relations/connections, trading/commercial relations, trade ties; **~ anknüpfen/herstellen** to enter into/establish business relations; **mit jdm in ~ stehen** to have business/commercial relations with so.

Geschäftslbilanz *f* balance sheet/statement *[US]*; **G.bogen** *m* company stationery; **G.branche** *f* line of business; **G.brauch** *m* business usage/custom; **G.brief** *m* business/commercial letter; **G.buch** *nt* book of account, ledger

Geschäftsbücher *pl* (account/accounting/company) books, business/commercial records, ledgers, accounts; **G. einer AG** corporate books; **~ OHG** partnership books; **G. frisieren** to cook the books, to doctor the accounts; **G. prüfen** to audit the accounts

Geschäftslbuchführung/G.buchhaltung *f* financial/administrative accounting; **G.chancen** *pl* business prospects; **G.dispositionen** *pl* business measures/arrangements; **G.domizil** *nt* residence; **G.drang** *m* rush of business; **G.drucksache** *f* commercial item; **G.eigentümer(in)** *m/f* principal; **strategische G.einheit** strategic business unit; **G.einkommen** *nt* business income; **G.einlage** *f* 1. contribution to capital; 2. share (in a business); **G.einnahmen** *pl* business earnings, trading receipts, proceeds: **G.einrichtungen** *pl* office/shop *[GB]*/store *[US]* equipment; **feste G.einrichtung** fixed place of business; **G.einstellung** *f* closing-down, closure; **G.eintritt** *m* joining a firm; **G.empfehlung** *f* trade reference; **G.entwicklung** *f* development of business, business development; **G.entwicklungsplan** *m* business development plan; **g.erfahren** *adj* versed in (the) trade, smart; **G.erfahrung** *f* business/commercial experience, experience in (the) trade; **G.erfolg** *m* commercial/business success; **G.ergebnis** *nt* business/trading/operating result(s), trading performance; **G.erlaubnis** *f* business/trading licence; **G.eröffnung/G.errichtung** *f* establishment/opening of a business, shop/store opening, business start-up, setting up shop *(coll)*; **G.ertrag** *m* (business) proceeds; **G.erwartung** *f* commercial prospects; **G.erweiterung** *f* business expansion; **G.etat** *m* business budget; **G.expansion** *f* business expansion

geschäftsfähig *adj* legally capable, capable of contracting, ~ to act in law, responsible, competent (to contract); **beschränkt g.** (to have) limited competence, responsible to a limited extent, of restricted capacity to contract; **nicht g.** incompetent

Geschäftsfähige(r) *f/m* person with full capacity to contract; **nicht G.** person of legal incapacity, legally incapable person

Geschäftsfähigkeit *f* § contractual/business/disposing *[US]* capacity, legal capacity (to contract), ~ competence, capacity to act in law; **beschränkte G.** limited capacity (to contract), ~ disposing capacity; **mangelnde G.** (legal) incapacity; **partielle G.** partial capacity to contract; **unbeschränkte G.** full capacity to contract, ~ contractual capacity

Geschäftslfeld *nt* business area/segment, operating area; **G.fläche** *f* floor/trading space; **G.flaute** *f* trade depression, lull, sluggishness in the market/business slackness in business; **G.förderung** *f* business promotion; **uneinbringliche G.forderungen** bad debts, **G.frau** *f* businesswoman; **~ sein** to be in trade; **selbstständige G.frau** § feme sole trader/merchant.

G.freund *m* business friend/associate/acquaintance, correspondent; **g.führend** *adj* managerial, executive, acting, managing

Geschäftsführer *m* 1. (general) manager, director (of operations), (chief) executive, company officer/secretary, managing director/clerk, administrator; 2. *(Vers.; Investmentfonds)* plan manager; 3. store manager, runner *(coll) [US]*; **G.in** *f* manageress; **G. ohne Auftrag** *m* agent of necessity, ~ without mandate; **G. bestellen** to appoint a manager; **alleinvertretungsberechtigter G.** manager with sole power of representation; **kaufmännischer G.** commercial manager; **parlamentarischer G.** whip *[GB]*, parliamentary manager; **stellvertretender G.** deputy manager; **technischer G.** technical director

Geschäftsführer|honorar *nt* management fee; **G.kantine** *f* executive dining room; **mehrfache G.schaft** interlocking directorates; **G.tätigkeit** *f* managership

Geschäftsführung *f* 1. management, managing board; 2. management of the business of the company, conduct of business; **G. ohne Auftrag** *m* § agency of necessity, spontaneous agency without authority, management of affairs without mandate; **G. ausüben** to manage (the business); **mit der G. beauftragen** to entrust with the management; **~ beauftragt (m.d.G.b.)** in charge of administration; **sich an der G. beteiligen** to take part/participate in the management; **G. einsetzen** to appoint a management team; **fahrlässige G.** negligent management; **initiative G.** management with initiative; **kaufmännische G.** commercial management; **ordnungsgemäße G.** proper business practices; **schlechte G.** mismanagement

Geschäftsführungs|ausschuss *m* management/steering committee; **G.befugnis** *f* management authority, power to conduct the business; **G.genehmigung** *f* licence to trade, ~ do business; **G.kontrolle** *f* control of business done; **G.kosten** *pl* management cost(s); **G.- und allgemeine Verwaltungskosten** executive and general administrative expenses; **G.organ** *nt* executive body; **G.prüfung** *f* management audit; **G.vertrag** *m* director's service contract

Geschäftsgang *m* 1. business (activity/trend), course/run of business; 2. *(Bote)* errand, commission; **G. heben** to increase business; **flotter G.** brisk trade; **normaler G.** ordinary course of business; **schlechter G.** adverse trading conditions; **schleppender G.** slack business

Geschäftsgebaren *nt* business conduct/methods/dealings/policy, (trade) practices, conduct of business; **zuverlässig im G.** reliable in one's dealings; **anständiges G.** honest dealing; **betrügerisches G.** business fraud, fraudulent manipulation; **korrektes/reelles G.** square/plain dealing; **standeswidriges G.** unethical business practices; **unlauteres G.** unfair (trade) practices, dishonest business practices

Geschäfts|gebäude *nt* (business) premises; office building; **G.- und Fabrikgebäude** administrative and plant buildings; **G.gebiet** *nt* operational sector; **G.gebrauch** *m* business usage/practice(s)/custom(s), official use; **G.gefüge** *nt* structure of business; **G.gegend** *f* 1. commercial district; 2. business/shopping area, high street; **G.geheimnis** *nt* trade/commercial/business secret; **G.geist** *m* 1. business acumen; 2. commercial spirit; **G.gepflogenheit** *f* business norm, commercial custom; **g.gewandt** *adj* smart; **G.gewandtheit** *f* smartness, business skill; **G.gewinn** *m* (trading) profit, business/commercial profit; **G.gläubiger** *pl* trade creditors

Geschäftsgrundlage *f* base, contract/business basis, basis for a transaction; **die G. ist entfallen** the contract has become frustrated; **G. erweitern** to broaden one's (business) base

Geschäfts|grundsatz *m* commercial principle; **G.grundsätze** commercialism; **G.grundstück** *nt* commercial property, premises, business property; **G.gründung** *f* setting up business, business start-up, establishment/foundation/formation of a business, settlement; **G.guthaben** *nt* 1. credit balance; 2. business assets; **G.haus** *nt* 1. business establishment, commercial establishment/house/firm, trading firm; 2. office/commercial building, business premises, office block; **G.herr** *m* 1. proprietor; 2. master; 3. principal; **G.idee** *f* business idea; **G.image** *nt* store image/identity, corporate image; **G.informationen** *pl* financial information; **G.inhaber(in)** *m/f* 1. proprietor(ess) (of a business), principal, owner (of the firm); 2. partner; 3. shopkeeper, store owner; **G.interesse** *nt* commercial/business interest; **G.inventar** *nt* 1. business inventory; 2. *(Bilanz)* furniture and equipment

Geschäftsjahr *nt* financial/accounting/trading/business/fiscal year, fiscal, annual accounting period; **abgelaufenes G.** past/last business year; **aktivitäts-/saisonbezogenes G.** natural business year; **laufendes G.** current financial year

Geschäfts|jubiläum *nt* business anniversary; **G.kapital** *nt* working/trading/business capital, (capital) stock; **G.karte** *f* 1. business card; 2. showcard; **G.katalog** *m* trade list/catalog(ue); **G.kenntnisse** *pl* business experience; **G.kette** *f* retail chain; **G.klima** *nt* business climate, trading environment/climate/conditions; **G.klugheit** *f* business acumen; **G.kodex** *m* commercial code (of practice); **G.kontakte** *pl* business contacts; **G.konto** *nt* business/commercial/corporate/trading account; **G.korrespondenz** *f* commercial/business correspondence; **G.kosten** *pl* 1. cost(s); 2. overheads; 3. office expenses; **auf G.kosten** expenses paid, at company expense; **G.kredit** *m* commercial credit/loan, business loan; **G.kreis** *m* scope of operation(s) ; **in G.kreisen** in business/trade circles; **G.kunde/G.kundin** *m/f* 1. customer, client; 2. *(Bank)* retail client; **g.kundig** *adj* experienced, versed in (the) trade

Geschäftslage *f* 1. business situation/outlook/conditions/environment, trading conditions, state of business, market, affairs; 2. *(Standort)* store location; **G. des Einzelhandels** High Street trading scene; **erstklassige G.** good business location; **schlechte G.** adverse trading conditions

Geschäftsleben *nt* business (life); **im G.** in business;

aus dem G. ausscheiden; sich ~ zurückziehen to retire from business; **ins G. treten** to enter into business

geschäftsleitend *adj* managing, executive; **G.leiter** *m* manager; **G.leiterin** *f* manageress

Geschäftsleitung *f* 1. (executive/senior/company/corporate) management; 2. managerial staff, directorate; **G. einer Gesellschaft** officers of a corporation *[US]*, executive committee; **G. übernehmen** to take over the management; **oberste G.** top management, head office, headquarters

Geschäftsleute *pl* 1. businessmen, business people; 2. *(Einzelhandel)* tradespeople, tradesmen; **G.liste** *f [CH]* agenda; **G.lizenz** *f* business licence, licence to trade; **G.lokal** *nt* 1. (business) premises/office; 2. shop *[GB]*, store *[US]*; **~ mieten** to rent premises; **g.los** *adj* dull, slack, dead; **G.losigkeit** *f* dullness, slackness, deadness, stagnation; **g.lustig** *adj* enterprising, brisk, active

Geschäftsmann *m* businessman, trader; **G. sein** to be in business/trade/commerce; **gerissener G.** wheeler (-dealer); **gewiefter/kluger G.** shrewd businessman; **kleiner G.** small trader/businessman; **pfiffiger G.** smart businessman; **wohlhabender G.** nabob *(coll)*

geschäftsmäßig *adj* businesslike, commercial; **G.methoden** *pl* business practices/policy; **unlautere/unsaubere G.methoden** unfair/improper/sharp (commercial) practices; **G.miete** *f* shop *[GB]*/store *[US]* rent; **G.mitteilungen** *pl* trade publications, business information; **G.möglichkeit** *f* trade/business/commercial opportunity; **gute G.möglichkeiten** opening for business; **G.moral** *f* business ethics; **G.nachfolger(in)** *m/f* successor; **G.nachteil** *m* trading handicap; **G.name** *m* trade/firm name; **G.neugründung** *f* business start-up; **G.notiz** *f* call report; **G.nummer** *f* 1. *(Brief)* reference number; 2. trade number

Geschäftsordnung *f* rules of procedure, procedural rules, bylaws, bye-laws, standing order(s), rules and regulations; **zur G.** on a point of order; **G. erlassen** to establish rules of procedure; **zur G. sprechen** to speak on a point of order; **parlamentarische G.** parliamentary procedure; **G.santrag** *m* procedural motion; **G.sdebatte** *f* debate on a point of order; **g.smäßig** *adj* according to internal regulations

Geschäftsorganisation *f* business organisation; **G.papiere** *pl* commercial papers, business papers/records; **G.partner(in)** *m/f* (business) associate/partner, party to the transaction; **G.periode** *f* trading/fiscal period; **G.personal** *nt* personnel, staff; **G.perspektiven** *pl* trading/business outlook, ~ prospect(s); **G.plan** *m* operating/business plan; **G.planung** *f* budgeting

Geschäftspolitik *f* company/business/corporate/trading policy; **beabsichtigte G.** prospective business policy; **ertragsorientierte G.** profit-orient(at)ed business policy; **expansionsorientierte G.** policy of expansion

Geschäftspost *f* business mail; **G.praktiken** *pl* trade practices, business dealings; **wettbewerbsbeschränkende G.praktiken** restrictive (trade) practices; **G.praxis** *f* commercial practice; office routine; **übliche G.praxis** customary business practice(s); **G.prinzip** *nt* business principle; **G.prognose** *f* commercial prospects, business outlook, forecast(ing); **G.prozess** *m* business process; **G.prüfung** *f* audit(ing); **G.rahmen** *m* scope of business

Geschäftsraum *m* 1. (business) premises/office; 2. store site/space, sales space; **G.räume** (business/trade/company) premises; **außerhalb der G.räume** off trade premises; **in den G.räumen** on the premises; **G.räume der Bank** bank premises; **~ des Unternehmens** company premises; **~ anmieten** to rent premises

Geschäftsreferenz *f* trade reference; **G.reingewinn** *m* net trading profit

Geschäftsreise *f* business travel/trip; **G.n** business tourism; **auf G.** travelling on business; **~ sein** to be away on business; **G.nde(r)** *f/m* 1. commercial/business traveller; 2. travelling salesman; **G.verkehr** *m* business travel/tourism, corporate travel

Geschäftsrisiko *nt* commercial/mercantile/business risk; **G.routine** *f* routine, experience in trade; **G.rückgang** *m* 1. downturn/decline/drop in business, trade/business recession, (trading) slump, dip; 2. *(in einzelnen Wirtschaftszweigen)* rolling adjustment *[US]*; **saisonaler/saisonbedingter G.rückgang** seasonal downtown/slump; **G.sache** *f* business matter/affair; **normale G.sache** routine business; **G.sanierung** *f* financial reorganisation; **g.schädigend** *adj* damaging to the business, ~ reputation of the firm; **G.schädigung** *f* trade libel, discrediting the business of a trader, conduct injurious to the interests of the company; **~ durch Herabsetzung der Ware** § slander of goods; **G.schließung** *f* 1. closure, closing-down; 2. shutdown

Geschäftsschluss *m* 1. closing time; 2. close of business; **nach G.** after hours; **früher G.** early closing, half-day closing

Geschäftsschulden *pl* business liabilities/debts; **G.schwankungen** *pl* business fluctuations; **G.sinn** *m* business acumen/sense/instinct, instinct for business, commercial/financial acumen; **G.sitte** *f* business custom; **G.situation** *f* business situation, state of business, development of sales

Geschäftssitz *m* (place of) domicile, seat/place of business, registered office; **eingetragener G.** registered office; **steuerlicher G.** tax domicile

Geschäftssitzung *f* business conference; **G.sparte** *f* line/class of business, business branch/line/unit; **G.spesen** *pl* travelling expenses; **G.sprache** *f* official language, commercial language/parlance; **G.standort** *m* store location; **G.statistik** *f* business statistics

Geschäftsstelle *f* 1. branch (office), agency, bureau, field office, (business) office; 2. § registry; **eingetragene G.** registered office; **G.nleiter** *m* branch manager; **G.nnetz** *nt* branch network, network of branch offices

Geschäftsstil *m* business/commercial style; **G.stille** *f* **G.stockung** *f* stagnation, lull in business, slackness of business; **G.straße** *f* shopping/high *[GB]* street; **G.struktur** *f* business structure; **G.stunden** *pl* business/opening hours, hours of business/opening; **G.tag** *m* business day; **vorletzter G.tag (vor)** second business day (prior to); **G.tagebuch** *nt* daily transactions journal; **G.taktik** *f* business policy; **g.tätig** *adj* engaged in trade

Geschäftstätigkeit *f* business activity/operation, economic activity, operations (in), trading (activity); **G. aufnehmen** to commence trading, ~ business operations; **G. einstellen** to cease trading; **~ zeitweilig einstellen** to halt rading; **G. wiederaufnehmen** to resume trading/business

geringe Geschäftstätigkeit *(Börse)* quiet/thin trading; **hektische G.** hectic trading; **lustlose G.** sluggish business activity; **normale G.** normal activities; **rege G.** active trading; **stürmische G.** brisk dealing

Geschäftslteilhaber(in) *m/f* associate, partner; **stiller G.teilhaber** sleeping/dormant/silent partner; **G.träger** *m (Diplomat)* chargé d'affaires *[frz.]*; **G.treue** *f* store loyality; **g.tüchtig** *adj* business-minded, smart, businesslike; **G.tüchtigkeit** *f* salesmanship, smartness; **G.typ** *m* type/line of business; **G.übergabe** *f* handing over a business; **G.übergang/-nahme** *m/f* business takeover; **G.übersicht** *f* business report; **G.übertragung** *f* transfer of business; **g.üblich** *adj* customary, custom of trade; **G.übung** *f* trade practice(s); **G.umfang** *m* volume of business/trade, business volume; **G.umfeld** *nt* business/trading environment; **G.umkreis** *m* 1. trading environment; 2. trading radius; **G.umsatz** *m* turnover, sales; **G.umschlag** *m* commercial envelope; **g.unerfahren** *adj* with little business experience

geschäftsunfähig *adj* incapable of contracting, unable to contract, (legally) incompetent, incapacitated, legally incapable of acting in the law; **für g. erklären** to adjudge incompetent; **g. sein** to be incapacitated; **G.e(r)** *f/m* legally incapacitated/incompetent person

Geschäftsunfähigkeit *f* incapacity (to contract), contractual/legal incapacity, legal disability, (legal) incompetence; **G. wegen Geisteskrankheit/-schwäche** mental incapacity

Geschäftsunkosten *pl* operating cost(s), overheads, business expenses; **allgemeine G.** indirect expense, overheads; **variable G.** operating expenses

geschäftslunkundig *adj* inexperienced in business; **G.unterbrechung** *f* 1. disruption of business; 2. *(Börse)* interruption of trading/business; **G.unterbrechungsversicherung** *f* disruption of business insurance; **G.unterlagen** *pl* business records/documents

Geschäftsunternehmen *nt* commercial enterprise, business enterprise/venture/concern/corporation; **G. aufgeben** to shut down, ~ up shop *(coll)*, to close the books; **unsolides G.** wildcat

Geschäftslusancen *pl* business customs, trade usage; **G.verarbeitung** *f* business processing; **G.veräußerung** *f* sale of a business; **~ im Ganzen** sale of a business as a whole, ~ as a going concern; **G.verbindlichkeiten** *pl* commercial liabilities, business commitments

Geschäftsverbindung *f* 1. business connection/association/contact/relation; 2. *(Bank)* correspondence; **G.en** commercial relations, business ties/relations; **G. anbahnen/anknüpfen; in G. treten** to enter into business connections; **G. aufnehmen** to establish business relations; **mit jdm in G. stehen** to have dealings/business connections with so.

Geschäftslvereinbarung *f* deal, trading arrangement; **G.vereinigung** *f* trade association; **G.verfahren** *nt* trade practice, business policy; **G.verkauf** *m* sale of a business

Geschäftsverkehr *m* business (transactions/activities), dealing(s); **im gewöhnlichen G.** in the ordinary course of business; **grenzüberschreitender G.** *m* cross-border business; **G. einstellen** to cease operations; **im G. stehen mit** to do business with, to deal with; **G. wiederaufnehmen** to resume operations

Geschäftslverlagerung/G.verlegung *f* relocation/removal of business; **G.verlauf** *m* 1. business trend; 2. course of business; 3. trading experience; **im gewöhnlichen G.verlauf** in the ordinary/normal course of business; **G.verlust** *m* trading/business loss, loss of business; **G.vermögen** *nt* business assets, stock-in-trade, working capital; **G.verpflichtungen** *pl* business commitments, trade obligations; **G.verstand** *m* business acumen; **G.verteilung** *f* allocation of duties, assignment of business, division of responsibilities; **G.verteilungsplan** *m* organisation chart, schedule of responsibility; **G.viertel** *nt* shopping area/centre/precinct, high street *[GB]*, downtown *[US]*, commercial/business district, business quarter; **G.visum** *nt* business visa; **G.vollmacht** *f* commission; **G.volumen** *nt* volume of business/trade, trading volume, scale of business

Geschäftslvorfall/G.vorgang *m* (business/external) transaction, accountable event; **G.vorfälle bearbeiten** to process transactions; **G.vorfallprinzip** *nt* initial recording of assets and liabilities

Geschäftslvorhaben *nt* commercial project; **G.vorschlag** *m* commercial proposition; **G.vorstand** *m* management; **G.vorteil** *m* trading advantage; **G.wagen** *m* company/business/fleet car; **auf dem üblichen G.weg** *m* in the way of business; **G.welt** *f* the trade, business/commercial world, business community, world of business; **G.wert** *m* 1. business/transaction value; 2. value of a business (as a going concern); 3. § value of subject matter in issue; **immaterieller G.wert** goodwill; **G.zeichen** *nt* reference (number/mark), file number; **G.zeit(en)** *f/pl* office/business/shopping/trading hours, hours of business; **G.zeitraum** *m* trading period; **G.zentrum/G.zone** *nt/f* shopping centre/precinct, business centre/area, downtown district *[US]*; **G.zimmer** *nt* office; **G.zunahme/G.zuwachs** *f/m* growth of business; **G.zusammenschluss** *m* merger; **G.zweck** *m* object of a company, business purpose; **nur zu G.zwecken** strictly for business; **G.zweig** *m* 1. (branch/line/class of) business, business line, line of production, trade, arm, department, industry; 2. *(Konzern)* division

geschasst *adj* *(coll)* fired, sacked

geschätzt *adj* 1. valued; 2. established, estimated; 3. assumed; 4. *(angesehen)* esteemed; **grob g.** at a rough guess; **nicht g.** unrated

Geschehen/Geschehnis *nt* occurrence, happening,

event(s), incident; **betriebliches G.** in-house activities; **konjunkturelles G.** cyclical trend, development of business activity; **g.** *v/i* to occur/happen

ge|scheit *adj* brainy, bright, clever; **g.scheitert** *adj* 1. failed, wrecked; 2. *(Verhandlungen)* abortive

Geschenk *nt* 1. present, (free) gift; 2. *(Werbung)* give-away, hand-out; 3. *(Schenkung)* donation; **G. unter Lebenden** § gift inter vivos *(lat.)*; **G. zu Lebzeiten** lifetime gift; **G. von Todes wegen** § gift mortis causa *(lat.)*; **als G. verpacken** to gift-wrap

Geschenk|abonnement *nt* gift subscription; **G.abteilung** *f* gift department; **G.angebot** *nt* free offer; **G.artikel** *m* gift (item); *pl* giftware, fancy goods/articles; **G.artikelladen** *m* gift shop; **G.etui** *nt* presentation case; **G.gutschein** *m* gift coupon/token/voucher; **G.korb** *m* hamper; **G.packung** *f* 1. presentation pack; 2. gift wrapping; **G.paket** *nt* gift package; **G.papier** *nt* gift-wrapping; **in ~ verpackt** gift-wrapped; **G.scheck** *m* gift cheque *[GB]*/check *[US]*; **G.sendung** *f* gift parcel; **G.sparbuch** *nt* gift savings book; **G.versand** *m* gift-sending service; **g.weise** *adv* as a free gift

Geschichte *f* 1. story, tale; 2. history; **G. der ökonomischen Theorie** history of economic thought; **in die G. eingehen** to go down in history; **G. verbreiten** to bandy a story about; **erlogene G.** trumped-up story; **faule G.** fishy business; **glaubhafte G.** plausible story; **heikle G.** tricky business; **unangenehme G.** nasty business; **wahre G.** true story

geschichtlich *adj* historic(al)

Geschichtsschreibung *f* historiography

Geschick *nt* 1. skill, dexterity; 2. *(Schicksal)* fate, destiny; **technisches G.** technical skill; **unheimliches G.** uncanny knack; **unternehmerisches G.** entrepreneurial skill; **G.lichkeit** *f* 1. skill; 2. ingenuity; 3. craftsmanship, dexterity

geschickt *adj* skilled, skilful, handy, expert, clever, light-fingered; **g. sein** to turn one's hand to sth.

geschieden *adj* divorced; **g. werden** to obtain a divorce; **G.e(r)** *f/m* divorcee

Geschirr *nt* 1. cups and saucers, chinaware, crockery, flatware, dinner service; 2. *(Zugtier)* harness; **sich mächtig ins G. legen** *(fig)* to put one's shoulder to the wheel *(fig)*; **feuerfestes G.** ovenware; **G.schrank** *m* cupboard; **G.spüler/G.spülmaschine** *m/f* dishwasher

geschlagen *adj* beaten, defeated; **sich g. geben** to concede/admit defeat

Geschlecht *nt* sex; **G.erfolge** *f* genealogy; **G.erverteilung** *f* sex ratio; **g.lich** *adj* sexual

Geschlechts|- sex; **G.krankheit** *f* ⚕ venereal disease (VD); **g.neutral** *adj* gender-neutral; **g.spezifisch** *adj* sex-specific, gender-specific

ge|schliffen *adj* polished, refined; **g.schlossen** *adj* 1. closed, shut; 2. complete; 3. self-contained; *adv* in a body, as a whole

Geschmack *m* 1. taste; 2. relish, savour; **ohne G.** without savour

einer Sache keinen Geschmack abgewinnen können not to relish the prospect of sth.; **für jeden G. etw. bieten; jdm G. gerecht werden** to cater for all tastes; **jds G. entsprechen** to suit so.'s taste; **G. finden an** to come to like; **guten G. verletzen** to offend against good taste; **dem allgemeinen G. gerecht werden** to cater for popular taste

ausgefallener Geschmack extravagant taste; **fader G.** insipid taste; **individueller G.** personal taste; **raffinierter G.** sophisticated taste

geschmacklos *adj* 1. tasteless; 2. in bad taste, indelicate; **G.igkeit** *f* bad taste, lack of taste

Geschmacks|frage/G.sache *f* matter/question of taste; **G.muster** *nt* (registered) design, design patent, industrial/ornamental design; **geschütztes Geschmacks- oder Gebrauchsmuster** protected design; **G.musterschutz** *m* registered design protection; **G.veränderung/G.wandlung** *f* change of taste

geschmackvoll *adj* tasty; tasteful, elegant

geschmeidig *adj* supple, flexible, pliable, soft, malleable; **G.keit** *f* suppleness

ge|schmiert *adj* greased, lubricated; **G.schöpf** *nt* creature; **~ der Fantasie** figment of so.'s imagination; **G.schoss** *nt* 1. 🏛 storey *[GB]*, story *[US]*, floor, level; 2. ✈ projectile, missile; **G.schrei** *nt* shouting, hue and cry, clamour; **lautes ~ erheben** to raise a hue and cry; **g.schuldet** *adj* owing, due; **g.schult** *adj* trained; **G.schütz** *nt* gun, cannon

geschützt *adj* 1. protected, secure, immune; 2. sheltered; **gesetzlich g. (ges. gesch.)** trademarked, patented, registered, proprietary, protected by law; **nicht g.** *(Ware)* generic; **gesetzlich ~ g.** *(Warenzeichen)* unregistered; **nicht mehr g. sein** to have passed into the public domain; **patentrechtlich g.** protected by (letters) patent, patented; **urheber-/verlagsrechtlich g.** protected by copyright, copyrighted

Ge|schwader *nt* ✈ squadron; **G.schwafel** *nt* drivel, twaddle, waffle, claptrap, idle talk, eyewash; **g.schweige denn** let alone; **g.schweißt** *adj* welded, sealed

Geschwindigkeit *f* 1. speed, pace, velocity, rate; 2. rapidity, swiftness, quickness; 3. ⚓ headway; **mit einer G. von** at a speed of; **G. beibehalten** to maintain speed; **G. drosseln/herabsetzen/verlangsamen/vermindern** to reduce speed, to slow down; **G. erhöhen/steigern** to increase speed, to accelerate; **(zulässige) G. überschreiten** to exceed the speed limit

angemessene Geschwindigkeit reasonable and proper speed; **durchschnittliche G.** average speed; **mit höchster G.** at full speed; **mörderische/rasante G.** breakneck speed; **gestoppte G.** timed speed; **überhöhte G.** excessive speed, speeding; **zulässige G.** maximum/permissible speed

Geschwindigkeits|anzeiger *m* speedometer; **G.begrenzung/G.beschränkung/G.höchstgrenze** *f* speed limit; **G.bereich** *m* speed range; **G.kontrolle** *f* speed check/control; **G.messer** *m* speedometer; **G.regler** *m* speed control, 🚗 governor; **G.überschreitung** *f* exceeding the speed limit, speeding; **G.zunahme** *f* acceleration, velocity growth

Geschwister *pl* brothers and sisters

geschwollen *adj* 1. inflated; 2. swollen; 3. high-flown, bombastic

Geschworene|(r) *f/m* juror, member of the jury, juryman; **die G.n** the jury (panel); **G. belehren** to instruct the jury; **G.(r) sein** to sit/serve on the jury; **unvoreingenommene G.** impartial jury

Geschworenen|ablehnung *f* challenging jurors, ~ the jury, objection to the jury; **G.auslese** *f* jury vetting; **G.ausschuss** *m* jury; **G.bank** *f* jury box; **auf der ~ sitzen** to be/serve on the jury; **G.beeinflussung** *f* tampering with jurors; **G.bestechung** *f* jury fixing, bribing jurors, corruption of the jury

Geschworenengericht *nt* trial by jury, jury trial; **in das G. berufen** to empanel *[GB]*; **blockiertes G.** hung jury

Geschworenen|liste *f* jury list/panel, array of jurors; **~ zusammenstellen** to empanel a jury; **G.obmann** *m* foreman of the jury; **G.prozess** *m* trial by jury, jury trial; **G.spruch/G.urteil** *m/nt* finding/verdict of the jury, jury award/verdict; **G.tätigkeit** *f* jury service; **rechtsfehlerhaftes G.urteil** perverse verdict; **G.verzeichnis** *nt* jury panel; **G.vorladung** *f* venire *(lat.)* *[US]*

Geschwulst; Geschwür *f/nt* $ tumor, growth, ulcer

gesehen und genehmigt *adj* seen and approved; **insgesamt g.** on balance; **praktisch g.** to all intents and purposes

Geselle *m* journeyman, mate

sich zu jdm gesellen *v/refl* to join so.

Gesellen|brief *m* certificate of apprenticeship; **G.prüfung** *f* trade test; **G.stück** *nt* journeyman's piece; **G.zeit** *f* period as a journeyman

gesellig *adj* sociable; **G.keit** *f* company, social life, sociability; **G.keitsverein** *m* social club

Gesellschaft *f* 1. company, corporation *[US]*; 2. partnership, society, association; 3. reception, party, function; 4. community; 5. organisation, institute, outfit *(coll)*; 6. *(AG)* public limited company (PLC/plc) *[GB]*, joint-stock company, open corporation *[US]*; 7. *(GmbH)* private limited company (Ltd) *[GB]*, closed corporation *[US]*

Gesellschaft mit beschränktem Aktionärskreis close(ly-held) company *[GB]*/corporation *[US]*; **G. zur Aufbewahrung von Wertgegenständen** safe company *[US]*; **G. mit Aufsichtsrat** director-controlled company; **~ öffentlichem Auftrag** public-service company; **~ (Firmen)Sitz im Ausland** foreign-based/offshore company; **~ öffentlich-rechtlichen Befugnissen** quasi-public corporation; **~ niedriger Dividendenausschüttung** low-payout company; **~ Garantie** guarantee company; **G. auf Gegenseitigkeit** mutual organisation; **G. ohne Geschäftsbetrieb** inactive company; **G. mit geschlossenem Gesellschafterkreis** private company; **~ beschränkter Haftung (GmbH)** private limited company (Ltd) *[GB]*, closed corporation *[US]*, limited (liability) company *[GB]*, stock corporation *[US]*; **~ unbeschränkter Haftung** unlimited/joint-stock *[US]* company; **G. des Handelsrechts** commercial law association; **G. mit beschränkter Mitgliederzahl** close(d) company/corporation; **~ mehreren Mitgliedern** corporation aggregate; **~ Nachschusspflicht** assessment company; **~ beschränkter Nachschusspflicht** company limited by guarantee *[GB]*; **G. bürgerlichen Rechts (GbR)** 1. company under private law, unlimited partnership; 2. private partnership/company, civil-law company/partnership, civil corporation *[US]*, non-commercial/non-trading partnership; **G. des öffentlichen Rechts** statutory company/corporation; **G. ohne eigene Rechtspersönlichkeit** partnership, unincorporated organization *[US]*; **G. kraft Rechtsscheins** partnership by estoppel *[GB]*; **G. am Rande der Rentabilität** marginal company; **G. mit Sitz im Ausland** non-resident/offshore company; **~ mehreren Teilhabern** aggregate corporation; **G. im Überfluss** affluent society; **G. auf Widerruf** revocable partnership; **~ bestimmte Zeit** partnership entered into for a definite period, ~ fixed time; **~ unbestimmte Zeit** partnership entered into for an indefinite period, ~ undefined time; **G. mit widerrechtlichen Zwecken** illegal partnership

von der Gesellschaft ausgestoßen outside the pale

Gesellschaft zur Eintragung anmelden to register a company; **G. aufheben/auflösen** to wind up/dissolve a partnership, ~ company; **in eine neue G. ausgliedern/ausgründen** to hive/spin off; **aus der G. ausscheiden** to retire/withdraw from/leave the partnership; **G. beherrschen** to control a company; **einer G. beitreten; in eine G. eintreten** to join a company, to enter into a partnership; **G. handelsgerichtlich eintragen** to register *[GB]*/incorporate *[US]* a company; **G. entflechten** to dismember a company; **G. errichten/gründen** to establish/promote/float/launch/found a company, to set up/form a corporation/company/partnership; **G. liquidieren** to wind up/liquidate a company; **G. übernehmen** to take over a company

abhängige Gesellschaft subsidiary company/corporation, dependent company; **angegliederte G.** associated/affiliated company, ~ corporation; **schwer angeschlagene G.** ailing/battered company; **aufgelöste G.** wound-up company/corporation; **aufnehmende G.** absorbing/receiving company; **mit allen Rechten ausgestattete G.** complete corporation; **nicht auf das Betreiben eines Handelsgeschäfts ausgerichtete G.** non-trading company; **ausgewählte G.** select company; **ausländische G.** overseas/alien/foreign company; **ausschüttende G.** company making a distribution, dividend-paying company; **bargeldlose G.** cashless society; **beherrschende G.** controlling/master company; **beherrschte G.** controlled company; **beklagte G.** defendant company/corporation; **bergrechtliche G.** mining company; **berichtende G.** reporting company; **vorübergehend bestehende G.** collapsible corporation; **beteiligte G.** participating company; **Geldgeschäfte betreibende G.** finance company, moneyed corporation *[US]*; **aktive Geschäfte ~ G.** operating company; **bietende G.** bidding company; **börsennotierte G.** quoted *[GB]*/listed *[US]* company, publicly traded company; **nicht ~ G.** unquoted/unlisted company; **einbringende G.** vendor company; **einfache G.** civil partnership; **eingegliederte G.** integrated company; **(handelsgerichtlich) eingetragene G.** registered

[GB]/incorporated (Inc.) *[US]* company, ~ society; **nicht ~ G.** unregistered company/corporation; **emittierende G.** issuing company; **erloschene G.** defunct company; **faktische G.** de facto *(lat.)* company; **feine G.** polite society; **fusionierende G.** merger company; **fusionierte G.** merged company; **in einem Bundesstaat gegründete G.** domestic corporation *[US]*; **gelehrte G.** learned society; **gemeinnützige G.** nonprofit(-making) company/organisation, company/association not for profit; **gemischtwirtschaftliche G.** quasi-public company; **geschlossene G.** private party; **herrschende G.** controlling company/corporation, dominant company; **klassenlose G.** classless society; **für die Anlage in Frage kommende G.** target company; **konsolidierte G.** consolidated company/corporation; **kontrollierende G.** controlling/proprietary company; **konzessionierte G.** chartered company; **bundesstaatlich/in einem Bundesstaat ~ G.** domestic/admitted corporation *[US]*; **in einem Bundesstaat nicht ~ G.** foreign corporation *[US]*; **literarische G.** literary society; **nachgeschaltete G.** second-tier company; **nahestehende G.** associate(d)/affiliated company; **notleidende G.** 1. company in default; 2. ailing company; **öffentlich-rechtliche G.** public-law company/corporation; **pluralistische G.** pluralistic society; **privatrechtliche G.** private-law company; **privilegierte G.** chartered company *[GB]*; **rechtsfähige G.** corporation de jure *(lat.)*, corporate body, incorporated company/association/society; **nicht ~ G.** unincorporated company/society; **schuldende G.** debtor company/corporation; **staatliche G.** nationalized company *[GB]*, state corporation *[US]*; **ständische G.** corporatist society; **stille G.** dormant/silent/sleeping partnership, partnership in commendam *(lat.)*; **tätige G.** trading company; **im Ausland ~ G.** foreign business corporation; **nicht im Finanzwesen ~ G.** non-financial corporation; **übernehmende G.** acquiring/absorbing/transferee/acquisitive/recipient/purchasing company; **übernommene G.** acquired company; **übertragende G.** asset-transferring/transferor/predecessor company; **üble G.** bad company; **unnotierte G.** unquoted *[GB]*/unlisted *[US]* company; **der Beförderungspflicht unterliegende G.** public-service company; **der Zwangsbewirtschaftung ~ G.** regulated company; **veräußernde G.** vendor company/corporation; **verbundene G.** associated/affiliated company; **verpachtende G.** lessor company/corporation; **vorgeschobene G.** dummy company/corporation *[US]*, phoney company *[GB]* ; **verstaatlichte G.** nationalized company; **wissenschaftliche G.** 1. learned society; 2. scientific association; **wohltätige G.** charitable society; **zedierende G.** ceding company; **zugelassene G.** registered company, chartered corporation *[US]*; **zweigliedrige G.** two-man company; **zwischengeschaltete G.en** interposed companies

Gesellschafter(in) *m/f* 1. member (of a company), *(OHG/KG)* partner, co-partner, associate, proprietor, participator; 2. *(AG/GmbH)* shareholder *[GB]*, stockholder *[US]* ; **G. als Geschäftsführer** managing member; **G. einer Handelsgesellschaft** proprietor in a trading company; **~ Offenen Handelsgesellschaft** general partner; **G. kraft Rechtsscheins** partner by estoppel, ostensible partner; **G. abfinden** to buy out partners

ausgeschiedener Gesellschafter retired partner; **ausscheidender G.** withdrawing/retiring/outgoing partner; **vom Konkurs nicht betroffener G.** solvent partner; **später eingetretener G.** junior partner; **neu eintretender G.** incoming partner; **geschäftsführender G.** managing/acting/active partner; **haftender G.** risk-bearing partner; **beschränkt ~ G.** limited/special partner; **persönlich ~ G.** general/acting/unlimited/responsible/full/active partner, personally liable partner; **nicht persönlich ~ G.** subordinate partner *[GB]*, subpartner; **unbeschränkt ~ G.** general partner; **konzernfremder G.** minority shareholder; **nachschusspflichtiger G.** contributor; **scheinbarer/vorgeschobener G.** ostensible/nominal partner; **stiller G.** dormant/silent/sleeping/undisclosed/secret/latent partner, inactive member; **tätiger G.** active/working partner; **im Außenverhältnis ~ G.** acting/active partner; **nicht ~ G.** inactive partner

Gesellschafter|anteil *m* partner's interest/investment, partnership interest, share, member's holding; **G.aufnahme** *f* admission of a partner; **G.beschluss** *m* shareholders'/corporate decision, resolution adopted by the partners; **G.darlehen** *nt* 1. corporate/shareholder's/proprietor's/member's loan, loan made by a partner; 2. loan to participators; **G.einlage** *f* partner's investment/contribution; **G.entnahme** *f* withdrawal by a partner; **G.-Geschäftsführer** *m* managing partner; **G.haftung** *f* partners' liability; **G.kapital** *nt* partners' funds, partnership/proprietors' capital, proprietary equity; **G.konto** *nt* partnership account; **G.liste** *f (AG)* list of shareholders; **G.recht** *nt* equity right; **G.rechte** *pl* partners' rights; **G.verhältnis** *nt* partnership; **G.vermögen** *nt* proprietary equity; **G.versammlung** *f* member's/*(GmbH)* stockholders'/*(GmbH)* shareholders'/*(OHG/KG)* partners'/proprietors'/company/corporate/general meeting, meeting of partners/shareholders/stockholders; **G.vertrag** *m* articles/deed of partnership; **G.vertretung** *f* shareholders'/stockholders' representatives; **G.verzeichnis** *nt* partnership/shareholders'/stockholders' register, index of members

gesellschaftlich *adj* 1. social; 2. societal; 3. corporate

Gesellschafts|- corporate; **G.akten** *pl* company files; **G.anspruch** *m* partnership/corporate claim; **G.anteil** *m* partner's investment/interest/share, share *[GB]*, stock *[US]*, member's shareholding, business interest, corporate right; **G.anzug** *m* formal dress; **G.aufbau** *m* structure of society; **G.auflösung** *f* company liquidation, winding-up; **G.befugnisse** *pl (AG)* corporate powers; **G.beiträge** *pl* contributions of partners; **G.bericht** *m* company/corporation/corporate report; **G.beschluss** *m* corporate/partners'/shareholders'/stockholders' resolution; **G.besteuerung** *f* company taxation; **G.beteiligung** *f* share, interest; **G.bilanz** *f* 1. company/corporate balance sheet, ~ statement; 2. partnership balance sheet; **G.bild** *nt* view of society; **G.bücher** *pl* partnership/company books; **Eigenkapital ersetzendes G.darlehen** shareholders'/stockholders' loans substituting equity capital; **g.eigen** *adj* company-owned, particular, company's own; **G.eigentum** *nt* company/corporate/partnership property; **G.einlage** *f* contribution to capital; **G.fahrt** *f* group travel; **g.feindlich** *adj* antisocial, unsocial; **G.finanzen** *pl* company/corporate finances; **G.fonds** *m* joint stock; **G.form** *f* 1. corporate structure/form, legal form (of business organisation); 2. social system; **G.führung** *f* (corporate/company) management, corporate governance; **G.fusion** *f* (corporate) merger; **G.gebilde** *nt* form of company; **G.gewinn** *m* company profit, corporate earnings/profit; **G.gestaltung** *f* social organisation; **G.gläubiger(in)** *m/f* 1. partnership creditor; 2. corporate creditor; **G.gründer** *m* 1. founder; 2. *(AG)* floater; **G.gründung** *f* company foundation/formation, establishment of a company/partnership/corporation; **G.haftung** *f* corporate liability; **G.justiziar** *m* legal adviser

Gesellschaftskapital *nt* joint/capital stock, partnership/stock/share/joint/corporate capital, company equity, capital of a partnership; **ausgewiesenes G.** authorized capital; **unverwässertes G.** dry/undiluted capital; **verwässertes G.** watered/diluted stock

Gesellschafts|kasse *f* company's cash office, ~ (cash) funds; **G.klasse** *f* social class; **G.klatsch** *m* society gossip; **G.kleidung** *f* formal dress; **G.konkurs** *m* bankruptcy of legal entities and partnerships; **G.konto** *nt* partnership/company account; **G.konzession** *f* charter; **G.kritik** *f* social criticism; **G.lehre** *f* sociology; **G.leitung** *f* (corporate) management; **G.mantel** *m* corporate shell; **G.mittel** *pl* company/corporate funds, ~ resources; **G.name** *m* corporate/company name; **G.ordnung** *f* social system/order; **G.organ** *nt* company organ, organ of a company, agent of the corporation; **G.politik** *f* 1. social policy, sociopolitics; 2. company/corporate policy, ~ strategy; **g.politisch** *adj* socio-political; **G.prospekt** *m/nt* company prospectus; **G.protokoll** *nt* corporate minutes; **G.raum** *m (Hotel)* lounge, function room

Gesellschaftsrecht *nt* company/corporation law, law of association, ~ partnerships and corporations; **G.e** corporate/membership rights; **g.lich** *adj* company-law

Gesellschaftsreform *f* social reform; **gesteuerte G.** social engineering; **G.er** *m* social reformer

Gesellschafts|register *nt* register of companies (and partnerships) *[GB]*, company/stock register; **G.reingewinn** *m* company/corporate net profit; **G.reise** *f* package(d)/conducted tour, group excursion; **G.reisen** group travel; **G.satzung** *f* articles of association *[GB]*/incorporation *[US]*, corporate law; **G.schicht** *f* social bracket/stratum *(lat.)*/class; **G.schuld** *f* 1. corporate debt/liability; 2. *(OHG/KG)* partnership debt; **G.siegel** *nt* corporate seal; **G.sitz** *m* domicile, corporate/registered office; **G.spalte** *f* social/society column; **G.spiel** *nt* party/parlour game; **G.spitze** *f* 1. top management; 2. parent company; **G.statut(en)** *nt/pl* articles of association/corporation/incorporation; **G.steuer** *f* 1. corporation tax; 2. company (capitalization) tax; 3. *(Emission)* share issue duty, capital investment tax; **G.struktur** *f* 1. social structure/fabric/organisation; 2. company/corporate structure; **G.stufe** *f* social scale; **G.system** *nt* social system; **G.urkunde** *f* charter of incorporation; **G.verbindlichkeiten** *pl* company/corporate liabilities, ~ debt(s); **G.vergleich** *m* § composition proceedings; **G.verhältnis** *nt* partnership; **G.verlust** *m* company/corporate loss; **G.vermögen** *nt* 1. *(AG)* company/corporate assets, ~ property; 2. *(OHG/KG)* partnership assets/property, assets of a partnership; **G.verpflichtungen** *pl* company/corporate liabilities, partnership liabilities/obligations; **G.versammlung** *f* 1. company/corporation meeting; 2. partners' meeting; **G.vertrag** *m* 1. articles/deed of partnership, articles of association/incorporation/copartnership, contract of copartners; 2. *(vor Gründung)* memorandum of association; 3. company agreement; 4. social contract/compact; **G.wissenschaften** *pl* social sciences; **G.wissenschaftlich** *adj* sociological; **G.zimmer** *nt* drawing room, lounge; **G.zweck** *m* object(s) of the company, corporate objective(s)/purpose(s), purpose(s) of the partnership

Gesenkschmiede *f* ✐ drop forge

Gesetz *nt* 1. law, act, statute, Act of Parliament *[GB]*; 2. *(Entwurf)* bill; **(gegebene) G.e** legislation

auf Grund eines Gesetz|es under a law, by virtue of a law; **außerhalb des G.es** above/outside the law; **nach dem G.; nach G. und Recht** according to (the) law, under the law, in accordance with the law; **kraft G.es** 1. by act of law, by operation of law; 2. ipso jure *(lat.)*; **laut G.** under the law; **von G.es wegen** by law; **vor dem G.** before the law, at law

Gesetz der Absatzwege Say's Law; **G. von Angebot und Nachfrage** law of supply and demand; **G. über Arbeitnehmererfindungen** employee invention act; **G. zur Aufrechterhaltung von Ruhe und Ordnung** Public Order Act *[GB]*; **G. vom Ausgleich der Grenznutzen** equimarginal principle; **G. der Bedürfnissättigung** law of satiety; **G. des abnehmenden Bodenertrages; G. vom abnehmenden Ertragszuwachs** law of diminishing/non-proportional returns, ~ marginal productivity, ~ variable proportions; **G. gegen Diskriminierung bei der Einstellung** Fair Employment Practices Act *[US]*; **G. der seltenen Ereignisse** poison distribution; **G. in der Fassung vom ...** law as revised on ...; **~ geänderter Fassung** law as amended; **G. vom abnehmenden Grenznutzen** law of diminishing marginal utility, law of satiation; **G. der abnehmenden Grenzrate der Substitution** law of diminishing marginal rate of substitution; **G. vom Grenznutzenausgleich** law of equimarginal returns; **G. über unerlaubte Handlungen** § Torts Act *[GB]*; **G. der komparativen Kosten** law of comparative cost(s); **G.e mit rückwirkender Kraft** retrospective legislation; **G. der Massenproduktion** law of mass production; **G.e gegen wildes Müllabladen** anti-dumping legislation; **G. über öffentliche Ordnung** Public Order Act *[GB]*;

G. der fallenden Profitrate law of diminishing returns; **G. über die Reinhaltung der Luft** Clean Air Act *[GB]*; **G. gegen Scheckbetrug** bad check law *[US]*; **G. der wachsenden Staatsausgaben** law of rising expenditure; **G.e gegen Umweltverschmutzung** anti-pollution legislation; **G. der Unterschiedslosigkeit der Preise** law of indifference; **G. über Verjährung** statute of limitation(s); **G. zur Vermeidung von Arglist und Betrug** Statute of Frauds *[GB]*; **G.e und Verordnungen** laws and regulations, legal and regulatory environment; **G. über den Verkauf von Waren** Sale of Goods Act *[GB]*; **G. des komparativen Vorteils** law of comparative advantage; **G. über lauteren Wettbewerb; G. gegen unlauteren Wettbewerb** law against unfair competition, Fair Trading Act *[GB]*, Restrictive Practices Act *[US]*; **G. gegen Wettbewerbsbeschränkungen** anti-trust act, anti-cartel law, Restrictive Trade Practices Act *[GB]*; **G. über Wiederverkaufspreise** Resale Prices Act *[GB]*; **G. der großen Zahlen** law of large numbers, ~ averages; **G.e zur Zulassung der Preisbindung der zweiten Hand** fair trade laws *[US]*

im Sinne des Gesetz|es within the meaning of the law; **die G.e einhaltend** law-abiding; **dem G. entsprechend** in accordance with the law; **mit dem G. vereinbar** lawful

Gesetz abändern to amend a bill/law, to revise a law; **G. annehmen** to pass a bill; **G. anwenden** to apply/enforce the law; **G. aufheben** to repeal an act, to abrogate/repeal a law; **G. ausführen** to implement legislation; **G. auslegen** to construe a law; **G. beachten/befolgen** to comply with the law, to abide by the law; **G. beschließen** to pass/carry a bill; **G. beugen** to bend the law; **G. zur Anwendung bringen** to put the law into operation; **G. durchführen** to enforce/implement a law; **G. durchpeitschen** to push/railroad a bill through parliament; **G. einbringen** to table/introduce a bill, to introduce legislation; **G. einhalten** to abide by/observe the law; **G. ergehen lassen** to pass an act; **G. erlassen** to enact legislation, to enact/promulgate a law, to pass a bill, to legislate; **unter ein G. fallen** to come under a law, ~ within the scope of a law, to fall within the purview of a law; **das G. findet Anwendung** the law applies; **dem G. genügen** to comply with the law; **mit dem G. in Konflikt geraten** to run/fall foul of the law; **G. übertreten/verletzt haben; gegen das G. verstoßen haben** to be in breach of the law; **auf Grund eines G.es klagen** to sue under a law; **dem G. Folge leisten** to abide by the law; **G. novellieren** to amend a law; **G. in Kraft setzen** to put a law into force; **G. außer Kraft setzen** to rescind/invalidate a law; **durch G. regeln** to (be) subject to legislation; **G. überprüfen** to revise a law; **G. übertreten** to contravene/violate/breach a law, to offend against a law; **G. umgehen** to circumvent/elude a law, to evade the law; **G. umstoßen** to subvert a law; **dem G. unterliegen** to be amenable/subject to the law; **sich ~ unterwerfen** to conform to a law; **G. verabschieden** to pass an act, ~ a bill, to pass legislation; **G. verkünden** to promulgate a law; **G.verletzen; gegen ein G. verstoßen** to contravene/breach/infringe a law, to violate the provisions of a law; **G. verwässern** to water down a bill; **G. werden** to become law, to pass into law, to be enacted

allgemeines Gesetz law of a general nature, general statute; **aufhebendes G.** repealing act/statute; **ausgabenwirksames G.** spending bill; **befristetes G.** temporary statute; **bestehendes G.** existing law; **einschlägiges G.** relevant/applicable law; **formelles G.** formally enacted law; **geltendes G.** law in force, current law; **geschriebenes G.** statute law; **gültiges G.** valid/operative law; **~ , aber nicht angewandtes G.** dead letter; **ökonomisches G.** economic law, law of economics; **rückwirkendes G.** retroactive law; **strenges G.** strict law; **überholtes G.** obsolete law; **ungeschriebenes G.** unwritten law; **allgemein verbindliches G.** general/penal statute; **verbrauchsbeschränkendes G.** sumptuary law; **verfassungswidriges G.** unconstitutional law; **volkswirtschaftliche G.e** economic laws; **zwingendes G.** binding law, mandatory statute

Gesetz|- → **Gesetzes|-**; **G.abänderungsvorlage** *f* amendment (bill); **G.änderung** *f* amendment; **~ vornehmen** to amend a bill/an act; **G.annahme** *f* passage of a bill

Gesetzantrag *m* bill; **G. abändern** to amend a bill; **G. einbringen** to introduce a bill; **G. zunichte machen** to kill a bill

Gesetz|artikel *m* chapter; **G.aufhebung** *f* repeal/abrogation of a law, ~ statute, ~ an act; **G.auslegung** *f* interpretation of a law; **G.blatt** *nt* (law) gazette; **G.- und Verordnungsblatt** gazette of laws and ordinances; **G.buch** *nt* statute book, law code; **Bürgerliches G.buch (BGB)** *[BRD] (German)* civil code, code of civil law

Gesetzentwurf *m* bill, draft (statute/bill); **G. eines Abgeordneten** private member's bill *[GB]*

Gesetzentwurf ablehnen to throw out a bill; **G. annehmen** to pass a bill; **G. ausarbeiten** to draw up/draft a bill; **G. blockieren** to obstruct a bill; **G. zu Fall bringen** to kill a bill; **G. einbringen/einreichen/vorlegen** to introduce/table/present a bill, to bring in a bill; **G. verabschieden** to enact/pass a bill

noch nicht erledigter Gesetzentwurf remanet *(lat.)*

Gesetzes|- → **Gesetz|-**; **rechtsgestaltender G.akt** act of law; **G.analogie** *f* analoguous application of laws; **G.änderung** *f* amendment/alteration of a law, change of legislation; **G.anwendung** *f* application of a law; **G.auslegung** *f* interpretation of a law; **G.begriff** *m* legal term, statutory concept; **G.begründung** *f* preamble; **G.beschluss** *m* legislative act; **G.bestimmung** *f* statute, statutory provision, provision of the law; **G.brecher** *m* lawbreaker, wrongdoer; **G.bruch** *m* breach/infringement of the law; **G.erbe** *m* statutory heir; **G.fiktion** *f* legal fiction; **G.form** *f* statutory form; **G.formel** *f* legal formula, ~ form of words, enacting clause; **G.gleichheit** *f* isonomy; **G.grundlage** *f* legal basis; **G.hüter** *m* guardian of the law, law enforcement officer; **G.initiative** *f* 1. legislative initiative; 2. right to introduce a bill; **G.kodex** *m* legal code; **G.kollision** *f* conflict of laws; **G.kommentar** *m* legal commentary; **G.komplex** *m* series of laws; **G.konflikt** *m* conflict of laws; **G.konkurrenz** *f* concurrence/overlapping of laws

Gesetzeskraft *f* force of law, legal force, power of the law; **G. erhalten/erlangen** to become law, to go onto the statute book, to pass into law; **G. haben** to be law; **G. verleihen** to enact, to give legal force to

gesetzes|kundig *adj* versed in the law; **G.lücke** *f* gap/loophole in the law; **G.novelle** *f* amending law, amendment; **G.paragraf** *m* section of the law, paragraph; **G.recht** *nt* statute/statutory/written law; **G.reform** *f* legislative reform; **G.sammlung** *f* statute book *[GB]*, statutes at large *[US]*, code, compendium of laws; **G.sprache** *f* legal language/parlance, legalese; **G.text** *m* wording of a law; **G.titel** *m* title of the act; **g.treu** *adj* law-abiding; **G.treue** *f* obedience to the law; **G.übertreter** *m* wrongdoer, lawbreaker, offender; **G.übertretung** *f* breach/infringement of the law, offence, lawbreaking, contravention; malfeasance; **G.umgehung** *f* evasion of a law; **sich auf G.unkenntnis berufen** *f* to plead ignorance of the law; **G.verabschiedung** *f* enactment (of a law), passage of a bill; **G.verbot** *nt* statutory prohibition; **G.verkündung/G.veröffentlichung** *f* promulgation of a law; **G.verletzer** *m* offender, wrongdoer, lawbreaker; **G.verletzung** *f* infringement/breach/violation of the law; **allgemeine G.vermutung** general presumption of the law; **G.verordnung** *f* decree; **G.verstoß** *m* statutory offence; **G.vollzug** *m* law enforcement; **G.vorbehalt** *m* 1. legal reservation; 2. constitutional requirement of a specific enactment

Gesetzesvorlage *f* bill, draft; **G. auf dem Gebiet des Umweltschutzes** environmental bill; **G. abändern** to amend a bill; **G. einbringen** to introduce/table a bill; **G. verwerfen** to throw out/reject a bill; **G. zurückstellen** to shelve a bill; **gemischte G.** hybrid bill *[GB]*

Gesetzes|vorschrift *f* statute; **G.werk** *nt* legal code, corpus of laws

gesetz|gebend/g.geberisch *adj* legislative, lawgiving, lawmaking; **~ tätig sein** to legislate; **G.geber** *m* legislator, legislature, lawgiver, lawmaker *[US]*

Gesetzgebung *f* legislation, laws and regulations, lawgiving, lawmaking, legislature; **G. des Bundes** federal legislation; **~ und der Länder** federal and state legislation; **G. mit rückwirkender Kraft** retroactive legislation; **G. zum Schutz des Verbrauchers** consumer (protection) legislation; **G. auf dem Verordnungsweg** delegated/secondary legislation; **G. in Kraft setzen** to enact legislation

arbeitsrechtliche Gesetzgebung industrial/labo(u)r legislation; **ausschließliche G.** exclusive legislation; **delegierte G.** delegated legislation; **einzelstaatliche G.** state legislation; **gewerkschaftsfeindliche G.** anti-union legislation; **gewerkschaftsfreundliche G.** pro-union legislation; **inländische G.** domestic legislation; **konkurrierende G.** concurrent legislation; **rückwirkende G.** retroactive legislation

gesetzgebungs|ähnlich *adj* quasi-legislative; **G.akt** *m* legislative act, act of legislation/legislature; **G.befugnis/G.gewalt/G.hoheit/G.kompetenz** *f* legislative powers/authority/prerogative; **G.notstand** *m* emergency legislation; **G.organ** *nt* legislative organ; **G.paket** *nt* legislative package; **G.periode** *f* legislative period/term; **G.programm** *nt* legislative programme; **G.recht** *nt* legislative powers; **G.verfahren** *nt* legislative process/procedure, parliamentary passage; **G.weg** *m* channel of legislature; **G.werk** *nt* (body of) legislation; **G.zuständigkeit** *f* legislative competence

Gesetz|komplex *m* body of laws; **g.kräftig** *adj* on the statute book; **g.kundig** *adj* versed in law

gesetzlich *adj* 1. legal, statutory; 2. lawful, legitimate; 3. in/by law, by statute, by operation of law; **G.keit** *f* 1. legality; 2. lawfulness, legitimacy

gesetzlos *adj* lawless, illegal; **G.e(r)** *f/m* outlaw; **G.igkeit** *f* 1. anarchy, lawlessness, outlawry; 2. defiance of the law

gesetzmäßig *adj* legal, legitimate, lawful, in accordance with the law; **für g. erklaren; g. machen** to legitimize/legitimate; **G.keit** *f* legality, legitimacy, lawfulness, regularity; **~ der Buchführung** compliance with the law of accounting

gesetzt *adj* ▯ set; **g. den Fall** *conj* assuming; **gesperrt g.** spaced

gesetzwidrig *adj* illegal, unlawful, illicit, wrongful, malfeasant, lawless, contrary to the law; **G.keit** *f* illegality, unlawfulness, lawlessness

gesichert *adj* 1. safe, certain; 2. secured, assured, warranted; **g. sein** *(Gläubiger)* to hold security; **banküblich g.** backed by normal banking security; **dinglich g.** secured by property, secured in rem *(lat.)*; **gesetzlich g.** enshrined in law; **grundbuchlich g.** secured by land registry charge; **grundpfandrechtlich/hypothekarisch g.** secured by mortgage, mortgage-backed; **nicht g.** unsecured, unwarranted

Gesicht *nt* face, countenance; **das G. wahrend** face-saving; **etw. zu G. bekommen** to set eyes on sth.; **G. verlieren** to lose face; **G. wahren** to save face; **sein wahres G. zeigen** *(fig)* to come out into the open *(fig)*; **neues G.** new look

Gesichts|ausdruck *m* countenance; **G.feld** *nt* view, field of vision; **G.kreis** *m* horizon, purview

Gesichtspunkt *m* 1. viewpoint, point of view, consideration, standpoint, aspect, angle; 2. criterion, heading; **G. der Rentabilität** consideration of earning power; **neue G.e aufwerfen** to throw up new factors; **nach verschiedenen G.en gliedern** to classify under various headings; **kaufmännische G.e** commercial considerations/principles; **rechtlicher G.** legal point; **wesentliche G.e** major aspects, merits; **wettbewerbspolitische G.e** aspects of (market) competition policy

gesinnt *adj* minded, disposed; **freiheitlich g.** liberal-minded

Gesinnung *f* mind, character, thinking; **edle G.** noble sentiment(s); **politische G.** political conviction(s)

Gesinnungs|genosse/G.genossin *m/f* like-minded person, fellow traveller; **g.los** *adj* unprincipled; **G.strafrecht** *nt* penal law based on mental attitudes or political convictions; **G.täter(in)** *m/f* ideological criminal;

g.treu *adj* true to one's convictions; **G.wandel/ G.wechsel** *m* 1. change of mind/heart/attitude; 2. turnabout

ge|sondert *adj* separate; **g.sonnen** *adj* minded, disposed; **g.spalten** *adj* 1. split, two-tier, riven; 2. *(Kurse)* multiple; 3. ambivalent; 4. differentiated

Gespann *nt* team; **im G. mit** in tandem with

gespannt *adj* tense, strained; **G.heit** *f* tenseness

gespeichert *adj* stored; **g. halten** 🖳 to keep on-line

gesperrt *adj* 1. stopped, blocked; 2. *(Gelder)* frozen; 3. 🗍 spaced out

Gespött *nt* mockery, ridicule; **etw. zum G. machen** to make a mockery of sth.

Gespräch *nt* 1. conversation, talk, discussion, dialogue, parley, interview; 2. ✆ call; **G. unter vier Augen** face-to-face talk; **G. auf höchster Ebene** top-level talk; **G. mit Gebührenansage** ✆ advice duration and charge call; **G. am runden Tisch** round-table discussion; **G. mit Voranmeldung** ✆ personal call; **ins G. eingeflochten** interlocutory

Gespräch abmelden ✆ to cancel a call; **G. anmelden** to book a call; **G.e aufnehmen** to open talks; **G. durchstellen/vermitteln** to put a call through; **G. führen** to conduct a conversation, to have a discussion; **G.e führen** to hold talks; **G. umlegen** ✆ to transfer a call; **G.e wiederaufnehmen** to resume talks

abgehendes Gespräch ✆ outgoing call; **ankommendes G.** incoming call; **dienstliches G.** business call; **dringendes G.** priority call; **handvermitteltes G.** operator-connected call; **informative G.e** exploratory talks; **informelles G.** informal conversation, corridor discussion; **neue G.e** fresh talks; **vertrauliches G.** confidential talk; **zwangloses G.** informal conversation/ talk

gesprächig *adj* talkative, communicative, conversational

Gesprächs|- interlocutory; **G.abwicklung** *f* ✆ handling of calls; **G.anmeldung** *f* booking a call; **G.aufzeichnung** *f* record(ing) of the conversation; **G.belegzettel** *m (Hotel)* traffic sheet; **G.bereitschaft** *f* readiness to talk; **G.dauer** *f* length of call; **G.einheit** *f* unit; **G.führung** *f* 1. negotiation, channelling a talk; 2. *(Leitung)* presiding, chairmanship; **G.gebühr** *f* call charge/ fee; **G.gegenstand** *m* topic, subject; **G.kreis** *m* discussion group; **G.notiz** *f* notes, memo; **G.partner(in)** *m/f* interlocutor; **G.pause** *f* break in the talks; **G.stadium** *nt* talking stage; **G.stil** *m* conversational style; **G.stoff/ G.thema** *m/nt* subject, topic (for discussion), talking point; **für G.stoff sorgen** to provide a talking point; **G.teilnehmer(in)** *m/f* 1. participant; 2. *(Fernsehen)* panelist; **G.überwachung** *f* telephone tapping; **G.verbindung herstellen** *f* to establish a connection, to put a call through; ~ **trennen** to disconnect/break a call; **G.zähler** *m* telephone meter

gespreizt *adj* affected, pompous; **G.heit** *f* affectation, pomposity

ge|sprochen *adj* 1. spoken; 2. *(Kurs)* indicated; **g.sprungen** *adj (Material)* cracked

Gespür *nt* 1. feel(ing), sensitiveness; 2. flair; **gutes G. haben** to have a good nose (for)

gestaffelt *adj* 1. graduated, graded; 2. staggered, tiered; 3. *(Steuer)* progressive

Gestalt *f* shape, figure; aspect, guise; **G. annehmen/gewinnen** to take shape, to materialize; **feste/greifbare G. annehmen** to assume a definite shape, to materialize; **dunkle G.** obscure character

gestalten *v/t* 1. to create/shape/design/organise/style/ arrange/structure, to put into shape; 2. to lay out; *v/refl* to take shape, to develop into; **bunt g.** to variegate; **elegant/schnittig g.** to streamline; **neu g.** to reorganise/ reshape/restyle/revamp; **unterschiedlich g.** to vary/ variegate; **wirtschaftlich g.** to rationalize

gestalt|end/g.erisch *adj* 1. creative; 2. formal, structural; **G.er(in)** *m/f* designer, creative artist

Gestaltparameter *pl* parameters of shape

Gestaltung *f* 1. creation, design, layout, construction, shaping, shape; 2. arrangement, rendering, organisation; **G. des Arbeitsplatzes** layout of the workplace; **G. einer Politik** policymaking, working out a policy; **G. von Rechtsverhältnissen** arrangement of legal relationships; **G. des Risikoausgleichprozesses** portfolio balancing; **grafische G.** design; **wirtschaftliche G.** rationalization

gestaltungs|fähig *adj* flexible; **G.form** *f* form; **G.freiheit** *f* 1. freedom of scope; 2. organisational freedom; 3. freedom of legal arrangement; **G.gruppe** *f (Werbung)* creative team; **G.klage** *f* action for modification of rights, ~ a change of legal relationship; **G.konzept** *nt* planning/development concept; **G.kraft** *f* creative power; **G.merkmale** *pl* constitutive criteria; **G.missbrauch** *m (Vertrag)* abuse of a dispositive right; **G.möglichkeit** *f* development potential, scope for formative action; **G.prinzip** *nt* formal principle; **G.prozess** *m* design process; **G.recht** *nt* right to alter a legal relationship, dispositive right; **G.reichtum** *m* creative power, creativity; **G.skizze** *f* layout; **G.spielraum** *m* scope, discretion; **G.urteil** *nt* judgment affecting a legal relationship; **G.vorgabe** *f* development target; **G.wille** *m* formative intent

offen gestanden quite frankly, to be quite frank

geständig sein 1. to confess (to a crime); 2. *(Gericht)* § to plead guilty

Geständnis *nt* confession, admission; **auf Grund seines eigenen G.ses** on his own admission

Geständnis ablegen 1. to confess, to make a confession; 2. *(Gericht)* § to enter a plea of guilty; **freiwilliges G. ablegen** to volunteer a confession; **G. gegen Mitbeschuldigte ablegen** to give evidence against one's co-accused; **G. erpressen/erzwingen** to extort a confession; **G. verweigern** to refuse to confess; **G. widerrufen** to retract/withdraw a confession

erzwungenes Geständnis forced confession; **freiwilliges G.** voluntary confession; **gerichtliches G.** judicial confession; **umfassendes G.** full/comprehensive confession

gestatten *v/t* to permit/allow/consent/agree/grant; *v/refl* to have pleasure in; **nicht g.** to disallow

Gestattungsvertrag *m* licence/licensing agreement

gestaut *adj* ⚓ trimmed; **schlecht g.** out of trim

este *f* gesture; **G. des guten Willens** gesture of goodwill

ɜstehen *v/t* to admit/confess

estehungskosten *pl* prime/replacement/production/actual/producing cost(s); **G. plus Gewinnspanne** cost-plus; **zu G. ausweisen** to show at cost; **G.preis** *m* prime cost, cost/output price; **unter ~ verkaufen** to sell below/under cost price; **zu ~ verkaufen** to sell at cost price; **G.wert** *m* cost price, cost of production or acquisition

estein *nt* rock; **G. abbauen** to quarry; **vulkanisches G.** volcanic rock(s)

estell *nt* 1. (storage) rack; 2. shelf, scaffolding, trestle; 3. skeleton

ɜstellen *v/t* 1. to make available, to provide/furnish/present; 2. *(Person)* to assign

ɜstellt *adj* placed, made available; **auf sich allein/selbst g.** out on a limb *(fig)*; **~ sein** to have to fend for oneself, to be left to one's own devices/resources; **schlecht g.** in a bad way; **schlechter g.** worse off

estellung *f* 1. making available; 2. provision, presentation; 3. ⊖ customs presentation; **G. eines Akkreditivs** opening a (letter of) credit, ~ an L/C; **~ Bürgen** provision of bail; **G. von Güterwagen** providing goods wag(g)ons; **G. zusätzlicher Sicherheiten** replenishment of a loan; **G. der Waren** ⊖ presentation of the goods; **freie G.** *(Container)* free positioning

estellungs|befehl *m* draft *[US]*/induction/call-up order, calling up; **G.buch** *nt* presentation ledger; **G.kosten** *pl* original cost(s); **G.verzeichnis** *nt* declaration list

ɜ|stempelt *adj* stamped; **g.steuert** *adj* controlled; **numerisch g.steuert** ⚙ numerically controlled; **g.stiegen** *adj* increased; **~ sein** to be up

estik *f* gestures; **g.ulieren** *v/i* to gesticulate

e|stohlen *adj* stolen, purloined; **g.storben** *adj* deceased, departed; **g.stört** *adj* 1. out of order; 2. unbalanced; 3. disrupted

ɜstrandet *adj* stranded, shipwrecked, aground; **G.e(r)** *f/m* castaway

e|streut *adj* 1. diversified; 2. *(Straße)* gritted; **breit g.streut** 1. broadly diversified; 2. *(Aktienbesitz)* widespread; **g.strichelt** *adj (Linie)* dashed, broken; **g.strichen** *adj* 1. cancelled, deleted; 2. *(Kurs)* unquoted, quotation cancelled; **frisch g.strichen** *(Schild)* wet paint

estrig *adj* yesterday's

estrüpp *nt* 1. brushwood, undergrowth; 2. *(fig)* jungle

ɜ|stückelt in *adj* in denominations of; **g.stundet** *adj* deferred

estüt *nt* stud (farm)

estützt *adj* supported, propped up; **g. auf** having regard to

esuch *nt* request, petition, plea, application, appeal, suit; **G. um Stimmrechtsvollmacht** proxy solicitation; **gerichtliches G. zur Zeugenvernehmung** § letters rogatory

esuch ablehnen to overrule an application, to refuse/reject a petition, to refuse/deny a request; **G. aufsetzen** to draft a petition; **G. bearbeiten** to handle an application, to be in charge of a petition; **G. befürworten** to support a petition; **G. abfällig/abschlägig bescheiden** to turn down/refuse a request, to decline a petition; **G. bewilligen** to grant an application; **G. einreichen/einbringen** to (file a) petition, to submit a request, to present a petition; **G. beim Gericht einreichen** to enter a petition; **G. entgegennehmen** to receive a petition; **einem G. entsprechen/stattgeben; G. genehmigen** to grant a request/petition, to comply with/accede to a request

dringendes Gesuch urgent request; **schriftliches G.** petition in writing

Gesuchsteller *m* petitioner, applicant

gesucht *adj* 1. wanted, sought-after, in demand; 2. *(Börse)* active; **sehr g. sein** to be at a premium; **ab sofort g.** wanted immediately; **nicht g.** *(Börse)* without inquiry; **steckbrieflich g.** wanted by the police

Gesuchte(r) *f/m* wanted person

gesund *adj* 1. healthy, fit, well, sound; 2. good for one's health, wholesome, salutary; **wieder g. machen** to restore to health; **g. und munter** alive and kicking, hale and hearty; **~ wohlbehalten** safe and sound; **finanziell g.** financially sound; **geistig g.** sane

Gesundbeter *m* faith healer; **G.ei** *f* faith healing

gesunden *v/i* to recover, to regain one's health

Gesundheit *f* 1. health, fitness; 2. *(Geschäft)* soundness; 3. *(Wirtschaft)* strength, healthiness; **bei bester G.** in the best/pink of health, in rude health

auf jds Gesundheit anstoßen to propose so.'s health; **vor G. strotzen** to be in the pink of health, ~ in rude/exuberant health, ~ a picture of health; **mit seiner G. Schindluder treiben** to burn the candle at both ends *(fig)*; **jds. G. trinken** to drink so.'s health

eiserne Gesundheit iron constitution; **öffentliche G.** public health; **schlechte G.** ill health; **schwankende G.** precarious state of health; **zerrüttete G.** ruined health

gesundheitlich *adj* sanitary, health; **g. schlecht dran sein** to be in poor health, ~ a bad way *(coll)*

Gesundheits|amt *nt* board of health, local health authority, (public) health department; **G.- und Gewerbeaufsichtsamt** local health and safety executive office; **G.apostel** *m* health freak/crank

Gesundheitsattest *nt* 1. health/sanitary certificate; 2. ⚓ bill of health; **negatives G.** foul bill of health; **positives G.** clean bill of health

Gesundheits|beamter *m* health officer; **G.behörde** *f* (public) health authority/office, sanitary authority; **G.beschädigung** *f* personal injury; **G.bestimmungen** *pl* health regulations; **G.dienst** *m* medical service; **staatlicher G.dienst** state medicine, National Health Service (NHS) *[GB]*; **G.einrichtungen** *pl* health (care) facilities; **g.fördernd** *adj* healthy, good for one's health, salutary; **G.fürsorge** *f* health/medical care; **betriebliche G.fürsorge** employee health care; **g.gefährdend** *adj* harmful; **G.gefährdung** *f* health hazard/risk/problem; **aus G.gründen** *pl* due to ill health, for reasons of health; **g.halber** *adv* for reasons of health; **G.kontrolle** *f* sanitary control; **G.markt** *m* health care market; **G.minister** *m* Minister of Health *[GB]*; **G.ministerium** *nt* ministry of health, Department of Health and Social Security (DHSS) *[GB]*, ~ Education and Welfare *[US]*; **G.nachweis** *m* health certificate, evidence of health; **G.ökonom** *m* health econmist; **G.ökonomie/G.ökonomik** *f* health economics; **G.pass** *m* health certificate, bill of health; **einwandfreier/reiner G.pass** ⚓ clean bill of health

Gesundheitspflege *f* medical/health care, hygiene; **betriebliche G.** employee health care; **öffentliche G.** public health, Public Health Service *[US]*

Gesundheits|pfleger(in) *m/f* health visitor; **G.politik** *f* (public) health policy; **G.polizei** *f* sanitary police; **g.polizeilich** *adj* sanitary; **G.prüfung** *f* health assessment; **G.risiko** *nt* health hazard/risk; **G.schaden/G.schädigung** *m/f* injury to health, damage to one's health; **g.schädlich** *adj* unhealthy, harmful, insanitary; **G.schutz** *m* health protection, hygiene; **~ bei der Arbeit** occupational hygiene; **G.- und Sicherheitsbestimmungen** *pl* health and safety codes; **G.überwachung** *f* sanitary control; **G.verordnungen/G.vorschriften** *pl* health/sanitary regulations; **G.vorsorge** *f* preventive medicine

Gesundheitswesen *nt* health care; **betriebliches G.** industrial health (care); **öffentliches/staatliches G.** state medicine, public health (care)

gesundheits|widrig *adj* unhealthy, insanitary; **G.zeugnis** *nt* health/sanitary certificate, bill of health; **einwandfreies G.zeugnis** clean bill of health

Gesundheitszustand *m* physical condition, state of health; **einwandfreier G.** good/sound health; **schlechter G.** ill/poor health; **unstabiler G.** precarious state of health

Gesund|marktwert *m* *(Transportvers.)* sound market value; **G.schrumpfen/G.schrumpfung** *nt/f* slimming operation, streamlining, shake-out; **g.schrumpfen** *v/t* to trim down, to streamline; *v/refl* to slim; **g.stoßen** *v/refl (coll)* to make a packet *(coll)*

Gesundung *f* recovery, convalescence, reorganisation; **außenwirtschaftliche G.** foreign trade recovery; **finanzielle G.** financial reorganisation; **wirtschaftliche G.** economic recovery; **G.sprogramm** *nt* recovery program(me)

Gesundwert *m* sound value

ge|sunken *adj* sunk; **g.tan** *adj* done; **g.tarnt** *adj* camouflaged; **g.tätigt** *adj* done, effected; **g.teilt** *adj* split, divided; **g.tilgt** *adj* redeemed, paid; **g.tragen** *adj* second-hand, worn, used

Getränk *nt* drink, beverage; **alkoholfreies G.** soft drink; **alkoholische(s) G.(e)** alcoholic drink(s), spirits, fermented beverages; **berauschendes G.** intoxicating drink

Getränke|ausschank *m* bar; **G.automat** *m* drinks dispenser/machine; **G.besteuerung** *f* taxation of beverages; **G.dose** *f* beverage can; **G.grundstoff** *m* beverage-making material; **G.industrie** *f* beverage/drinks industry; **G.karte** *f* wine list; **G.kiosk** *m* drinks stand; **G.logistik** *f* drinks logistics; **G.markt** *m* drinks cash and carry; **G.stand** *m* refreshment stall; **G.steuer** *f* beverage tax, tax on alcohol/beverages, drink duty

Getreide *nt* corn, grain, cereal; **G. auf dem Halm** stan ing grain

Getreide|anbau *m* cereal-growing, grain farmin **G.art** *f* cereal (crop); **G.ausfuhrland** *nt* grain-expo ing country; **G.bau** *m* grain farming/growing, cultiv tion of cereals; **G.börse** *f* corn/grain exchange, gra pit; **G.einfuhr- und Vorratsstelle** *f* grain import ar storage agency; **G.ernte** *f* 1. *(Produkt)* cereal/gra crop; 2. grain harvest; **G.erzeugnis** *nt* cereal produc **G.handel** *m* grain trade; **G.händler** *m* grain deale corn factor *[GB]*, grain/corn merchant; **G.frucht** cereal, grain crop; **G.kredit** *m* credit on grain; **G.lag rung** *f* grain storage; **G.makler** *m* corn broke **G.markt** *m* corn/grain market; **G.mühle** *f* corn/gra mill; **G.pflanze** *f* cereal plant; **G.preis** *m* grain pric **G.produkt** *nt* cereal product; **G.-Schweine-Zyklus** corn-hog cycle; **G.silo** *nt* grain silo, elevator *[US* **G.speicher** *m* granary, garner, grain store, elevat *[US]*; **G.termingeschäfte** *pl* grain futures; **G.übe hang** *m (Erntejahr)* grain carryover; **G.umschlagste le** *f* grain terminal; **G.wechsel** *m* grain bill; **G.zoll** duty on imported grain

getrennt *adj* separate(d), distinct; **gerichtlich ang ordnetes/gestattetes G.leben** § judicial separatio **urkundlich vereinbartes G.leben** § separation und a written deed

getreu *adj* faithful, stalwart; **die G.en** the faithful

Getriebe *nt* 🚗 gear(box), transmission; **automat sches G.** automatic transmission/gearbox

ge|troffen *adj* hit; **G.tümmel** *nt* turmoil, fray; **sich ins stürzen** to join the fray; **g.übt** *adj* experienced; **G.vie** *nt* quartile; **G.wächs** *nt* 1. plant; 2. $ growth

jdm gewachsen sein to be a match for so.; **organisch** formed by natural growth; **einer Sache g.** up to th mark

Gewächshaus *nt* greenhouse, hothouse

gewagt *adj* risky, daring, hazardous

gewählt *adj* 1. elected; 2. *(Stil)* refined; **bewusst g.** pu posive; **glücklich g.** well-chosen

gewahr *adv* aware; **g. werden** to become aware; **nich g.** unaware

Gewähr *f* guarantee, guaranty, warranty; **mit/unter G** warranted, guaranteed; **ohne G.** 1. without guara tee/recourse, unwarranted, no guarantee, sans recou *[frz.]*, subject to correction; 2. without any responsibi ity, ~ engagement; **keine G. für Bruch** no guarante against breakage, no risk for breakage; **G. für zuges cherte Eigenschaften** warranty of fitness; **G. bieten** t ensure; **G. leisten/übernehmen** to guarantee/warran to accept a guarantee for; **G. für jds Zahlungsun fähigkeit übernehmen** to guarantee so.'s ability t pay; **keine G. übernehmen** to accept no responsibil ty; **stillschweigende/stillschweigend zugesicherte G** implied guarantee

gewährbar *adj* allowable

gewähren *v/t* to grant/allow/concede/accord/affor confer/provide/extend; **g. lassen** to connive/indulge

Gewährer *m* grantor

ewährlfrist *f* period of guarantee; **g.leisten** *v/t* 1. to warrant/guarantee; 2. to assure/maintain/ensure/insure/secure/safeguard; **G.leist(end)er** *m* guarantor, warrantor

ewährleistung *f* guarantee, warranty; **ohne G.** unwarranted

ewährleistung der Durchschnittsqualität warranty of merchantability; ~ **zugesicherten Eigenschaften** express warranty; **G.en aus Einzelrisiko** warranties direct; **G.en pauschal** warranties indirect; **G. für/wegen Rechtsmängel(n)** warranty of title, title warranty; **G. für Sachmängel** warranty of soundness, ~ merchantable quality; **zur G. der Sicherheit** to ensure safety; **G. des Verkäufers** seller's warranty

ewährleistung übernehmen to warrant, to provide warranty, to assume responsibility, to give a warranty

ısdrückliche/vertragliche Gewährleistung express warranty; **ausdrückliche oder stillschweigende G.** warranty express or implied; **gesetzliche G.** statutory/implied warranty; **stillschweigende G.** implied warranty; **technische G.** output warranty

ewährleistungslanspruch *m* warranty claim; **G.ausschluss** *m* caveat emptor *(lat.)*; **G.bedingungen** *pl* conditions for guarantees; **G.bestimmungen** *pl* warranty terms; **G.bruch** *m* breach of warranty; **G.fall** *m* warranty claim; **G.fehler** *m* redhibitory defect; **G.frist** *f* guarantee/warranty period, period of warranty; **G.garantie** *f* warranty, guarantee (against defective material and workmanship), performance bond, defects liability/maintenance/performance guarantee; **G.haftung** *f* liability for breach of warranty; **G.klage** *f* redhibitory action, action under a warranty; **G.klausel** *f* warranty clause; **G.kosten** *pl* cost of guarantee commitments; **G.mangel** *m* defect covered by a warranty; **G.pflicht** *f* guarantee, warranty, obligation under a warranty; ~ **des Verkäufers** seller's warranty; **G.recht** *nt* warranty laws/legislation, producer's liability; **G.risiko** *nt* risk entailed by warranty/guarantee; **G.verpflichtung** *f* guarantee granted, warranty; **G.versicherung** *f* product liability insurance; **G.vertrag** *m* warranty deed/contract, indemnity agreement; **G.wagnis** *nt* warranty risk

ewährmangel *m* redhibitory defect

ewahrsam *m* 1. § custody, detention; 2. *(Verwahrung)* safekeeping; 3. actual occupation, physical control; **in G.** in custody, under restraint; ~ **halten** to keep in custody; ~ **nehmen** to take into custody, to arrest; **in amtlichem G.** in official custody; **in polizeilichem G.** in police custody; **sicherer G.** 1. safekeeping; 2. safe custody; **in sicherem G.** in safe custody

ewahrsamslbruch *m* wilful breach of duty by official custodian, destruction of public records; **G.inhaber** *m* bailee, person having custody; **G.klausel** *f* bailee clause; **G.macht** *f* detaining power

ewährslmangel *m* defect under a warranty; **G.mann** *m* 1. source, informant, authority, referee, correspondent; 2. *(Bürge)* warranter, warrantor, surety, guarantor; **sicherer G.mann** reliable authority/source; **G.pflicht** *f* warranty; **G.schein** *m* del credere bond; **G.träger** *m* guarantor, guarantee authority; **G.trägerhaftung** *f* guarantor's liability; **G.zeichen** *nt* guarantee mark

Gewährung *f* grant, concession, allowance, permission

Gewährung von Ansprüchen acceptance of claims; **G. eines Antrags auf einstweilige Verfügung** § injunction relief; **G. einer Ausgleichszahlung** compensation award; **G. von Beihilfen** granting of aids, payment of allowances; ~ **Freibeträgen** granting of allowances; ~ **Geldleistungen** granting of cash benefits; **G. eines Kredits** granting of a credit; ~ **Lombardkredits** lending on collateral; **G. von Pauschalbeträgen** granting of allowances; ~ **Rabatten** discounting; **G. des Stimm-/Wahlrechts** enfranchisement; **G. eines Vorrechts** granting of a privilege; **G. preislicher Vorteile** price concession; **G. einer Zulage** granting of an allowance

Gewährlverband *m* *(Kommune)* guarantee authority; **G.vertrag** *m* contract of guaranty

Gewalt *f* 1. power, force; 2. violence, might; 3. authority; **durch G. oder Drohung** by violence or threats of injury; **mit G.** *(fig)* with a vengeance *(fig)*; **G. anwenden** to use force/violence, to resort to force; **etw. in der G. haben** to have a grip/hold on sth.; **in jds. G. liegen** to be in so.'s power; **G. verlieren** 🚗 to lose control; **der G. weichen** to yield to force

absolute Gewalt *(Politik)* absolute power; **ausführende/ausübende G.** executive/administrative power; **brutale G.** brute force; **elterliche G.** parental authority/power; **gesetzgebende G.** legislative power, legislature; **höchste G.** supreme authority, supremacy; **höhere G.** force majeure *[frz.]*, Act of God, fortuitous event, superior power, vis major *(lat.)*; **Höhere-G.-Klausel** *f* force-majeure clause; **konkurrierende G.en** concurrent powers; **konsularische G.** consular power; **körperliche G.** physical force; **nackte G.** open/brute force; **oberste G.** supreme power/authority; **öffentliche G.** official authority/power, public authority; **physische G.** physical force/violence; **rechtsprechende/richterliche G.** judicial power/authority, judiciary, judicature; **rohe G.** brute force; **tatsächliche G.** actual force; **väterliche G.** paternal authority; **verfassungsmäßige/-rechtliche G.** constitutional power/authority; **vollziehende G.** executive authority/power

Gewaltlakt *m* 1. act of violence; 2. *(fig)* tour de force *[frz.]*; **G.aktion** *f* violent action; **G.androhung** *f* threat of violence/force, mailed fist *(fig)*

Gewaltanwendung *f* 1. use of force; 2. § assault; **G. mit räuberischer Absicht** assault with intent to rob; **G. und Körperverletzung** assault and battery; **G. mit Körperverletzungsfolge** assault occasioning actual bodily harm; **unqualifizierte G.** common assault

Gewaltenteilung *f* division/separation of powers; **G.slehre** *f* trichotomy of governmental powers

gewaltlfrei *adj* non-violent; **G.haber** *m* ruler, governing power; **G.herrschaft** *f* despotism, tyranny, rule of force; **G.herrscher** *m* despot, tyrant

gewaltig *adj* 1. powerful, tremendous, formidable, massive; 2. swingeing, shattering, violent

gewaltllos *adj* non-violent; **G.losigkeit** *f* non-violence;

G.lösung *f* drastic solution; **G.maßnahme** *f* drastic measure; **g.sam** *adj* violent, forcible, by force; **G.-streich** *m* coup; **G.tat/G.tätigkeit** *f* (act of) violence, outrage; **g.tätig** *adj* violent; **G.verbrechen** *nt* act/crime of violence, violent/forcible crime; **G.verbrecher** *m* violent criminal; **G.verhältnis** *nt* relationship of subordination; **G.verzicht** *m* renunciation of force, non-aggression

gewandt *adj* dexterous, clever, skilled, adroit; **kaufmännisch g. sein** to have a head for business; **G.heit** *f* dexterity, skill, cleverness, adroitness

gewappnet *adj* prepared

etw. zu gewärtigen haben *v/t* to be in for sth. *(coll)*

Gewässer *nt/pl* waters, stretch of water; **eisfreies G.** open waters; **inländische G.** inland waters; **internationale G.** international waters; **neutrale G.** neutral waters; **offenes G.** open waters; **schiffbare G.** navigable waters; **stille G.** quiet waters

Gewässer|aufsicht *f* public waters control; **G.kunde** *f* hydrography; **G.reinhaltung** *f* water conservation; **G.reinigung** *f* purification of water; **G.schutz** *m* water pollution control, prevention of water pollution; **G.-verschmutzung/G.verseuchung/G.verunreinigung** *f* water pollution

Gewebe *nt* fabric, tissue, texture, textile, web, webbing; **G.transplantation** *f* $ tissue graft

gewellt *adj (Container)* corrugated

Gewerbe *nt* 1. trade, (branch of) industry, business, craft; 2. occupation, gainful economic activity

Gewerbe anmelden to apply for a trading licence, to register a trade; **G. ausüben/betreiben; einem G. nachgehen** to pursue/ply/follow a trade, to carry on a trade; **G. erlernen** to learn a trade; **aus etw. ein G. machen** to professionalize sth.; **einem verbotenen G. nachgehen** to ply an illegal trade

ambulantes Gewerbe itinerant trade, peddling; **anmeldungspflichtiges G.** business/trade subject to compulsory registration; **dienstleistendes G.** service industry/sector; **dunkles G.** shady trade; **grafisches G.** printing trade/industry; **Güter produzierendes G.** manufacturing industry; **handwerkliches G.** handicraft; **heimisches G.** local/domestic industry; **konzessioniertes G.** licensed trade; **metallverarbeitendes G.** metal-working industry; **öffentliches G.** public industry; **ortsansässiges G.** local craft; **privates G.** private industry; **produzierendes G.** manufacturing/producing industry; **nicht ~ G.** non-manufacturing industry; **rechtmäßiges G.** lawful trade; **schimpfliches G.** discreditable business; **schmutziges G.** dirty business; **selbstständiges G.** independent trade/business; **sittenwidriges G.** immoral trade; **störendes G.** polluting industry; **unterentlohntes G.** sweatshop industry; **verarbeitendes G.** manufacturing industry/sector, processing/intermediate industry; **verbotenes G.** illicit trade; **Verbrauchsgüter produzierendes G.** consumer goods industry; **verteilendes G.** distributive trade, distribution industry; **Waren produzierendes G.** goods-producing activity, goods production; **zünftiges G.** incorporated trade

Gewerbe|abfall *m* industrial waste; **G.amt** *nt* tradin[g] standards/supervision department; **G.anmeldung** registration of a trade, business registration; **G.ansiedlung** *f* location of companies; **G.antragsteller** *m* commercial applicant; **G.arbeit** *f* industrialism; **G.aufseher** *m* factory inspector *[GB]*, industrial executiv[e] *[US]*

Gewerbeaufsicht *f* shop and factory inspection, trade factory inspectorate, industrial control, inspector o[f] factories; **G.samt** *nt* factory (and shop) inspectorate trading standards authority/department, trade supervisory authority/office; **G.sbeamter** *m* factory inspecto[r] **G.swesen** *nt* factory inspectorate

Gewerbe|ausbildung *f* industrial training; **G.ausstellung** *f* industrial/trade fair, industrial exhibitio[n] **G.ausübung** *f* pursuit of a trade; **G.bank** *f* industrial commercial bank; **G.bau** *m* commercial and industri[al] building, industrial construction/building; **G.bauten** *pl* commercial premises/buildings; **G.befugnis/G.berechtigung** *f* trading licence, licence to trade, concession; **G.bescheinigung** *f* trade certificate; **G.bestandssicherung** *f* maintenance of the industrial base; **G.besteuerung** *f* business taxation; **G.betrieb** *m* business enterprise/establishment, commercial undertaking enterprise, trade, trading firm, industrial enterprise **G.einkünfte** *pl* operating revenu(es); **G.erlaubnis** trade/trading/business licence, concession *[US]*; **G.ertrag** *m* operating/trading profit, trade earnings; **G.ertragssteuer** *f* business tax, trade earnings tax; **G.erzeugnis** *nt* industrial product, manufacture; **G.finanzierung** *f* business finance; **G.fläche** *f* 1. floor space; 2. industrial land; **G.förderung** *f* industrial/trade promotion, advancement of crafts; **G.förderungsprogramm** *nt* business expansion scheme *[GB]*; **G.freiheit** *f* freedom of economic pursuit, ~ trade, economic freedom **G.gebiet** *nt* trading estate, industrial estate/park, enterprise zone, exclusive economic zone; **G.genehmigung** *f* trade/trading licence, concession *[US]*, certificate o[f] trading, trading certificate; **G.gericht** *nt* industrial court; **G.gesetzgebung** *f* trade/industrial legislation **G.grafik** *f* industrial art; **G.grundstück** *nt* industrial site/property, commercial property; **G.gruppe** *f* group of industries; **G.gruppenverzeichnis** *nt* industrial classification index; **G.hygiene** *f* industrial hygiene **G.immobilie** *f* commercial/industrial property; **G.inspektion** *f* factory and shop inspection; **G.inspektor** *m* factory inspector; **G.kapital** *nt* trading/industrial/employed/working capital; **G.kapitalsteuer** *f* capital business tax, trading capital tax; **G.konzession/G.lizenz** *f* trading/trade/business licence, concession *[US]* **~ erteilen** to grant permission to trade; **G.krankheit** occupational/industrial disease; **G.kredit** *m* trade business loan; **G.kunde** *f* technology; **G.- und Industrielärm** *m* industrial noise; **G.lehrer** *m* trade master technical instructor; **G.müll** *m* industrial waste/refuse commercial waste; **G.objekt** *nt* commercial property **G.ordnung** *f* factory act, trading regulations, industrial code, trade law; **G.park; G.- und Industriepark** *m* trading/industrial park, ~ estate, enterprise zone; **G.**

politik *f* trade policy; **G.polizei** *f* factory (and shop) inspectorate; **G.räume** *pl* premises; **G.recht** *nt* commercial/industrial law, trade and industry law; **g.rechtlich** *adj* pertaining to trade law; **G.schein** *m* trading certificate/licence, certificate of trading, business licence, itinerant trading licence, letters of business; **G.schule** *f* trade/industrial/vocational/technical school, industrial college; **G.schutzgesetz** *m* industrial safety act; **G.standort** *m* industrial location; **G.statistik** *f* industrial statistics

Gewerbesteuer *f* (local) business tax, trade tax, commercial/industrial rate(s)

Gewerbesteuer|aufkommen *nt* trade tax yield; **G.ausgleich** *m* trade/business tax equalization; **G.befreiung** *f* trade tax exemption; **G.bescheid** *m* trade tax assessment notice; **G.entlastung** *f* business/trade tax relief; **G.erklärung** *f* business/trade tax return; **G.ertrag** *m* revenue from trade tax; **G.hebesatz** *m* commercial rate, trade tax rate, ~ collection multiple; **G.messbetrag** *m* trade tax basic amount; **g.pflichtig** *adj* subject to trade tax; **G.rückstellung** *f* reserve for trade taxes; **G.zahlung** *f* business rate payment

Gewerbe|struktur *f* trading structure, mix of industries; **G.tarif** *m* ↯ industrial tariff, business rate; **g.tätig** *adj* commercial, industrial

Gewerbetätigkeit *f* industrial/commercial employment, ~ activity, industrialism; **G. anregen** to generate trade; **gemeindliche G.** municipal trading

Gewerbe|technik *f* industrial engineering; **g.treibend** *adj* trading, manufacturing

Gewerbetreibende|(r) *f/m* trader, (handi)craftsman, manufacturer, businessman, industrialist, businesswoman; **an G. verkaufen** to sell to the trade; **kleiner G.r** small trader

Gewerbe|unfallversicherung *f* industrial (accident) insurance; **G.verband** *m* trade association; **G.verbot** *nt* prohibition of trading; **G.verlust** *m* trading loss; **G.verzeichnis** *nt* trade directory; **G.vorschusskasse** *f* industrial provident society; **G.zeichen** *nt* brand, trademark

Gewerbezentrum *nt* commercial/industrial centre, industrial park; **Gewerbe- und Freizeitzentrum** commercial and leisure complex; ~ **Innovationszentrum** business and innovation centre

Gewerbe|zulassung *f* trading licence, concession; **G.zweck** *m* industrial use; **G.zweckklausel** *f* objects clause; **G.zweig** *m* (branch of) industry, trade, industrial sector; **miteinander konkurrierende G.zweige** competing industries

gewerblich *adj* commercial, industrial; **nicht g.** non-commercial

gewerbs|mäßig *adj* commercial, industrial, professional, by way of business or trade, for gain; **nicht g.mäßig** non-profit; **G.unzucht** *f* prostitution

Gewerke *nt* mining company; **G.nbuch** *nt* register of mining shareholders; **G.nkapital** *nt* capital of a mining company; **G.nregister** *nt* mining company register; **G.nversammlung** *f* general meeting of a mining company

Gewerkschaft *f* 1. (trade) union *[GB]*, labor union *[US]*, brotherhood *[US]*; 2. ⚒ mining company; **die G.en** (organized) labo(u)r; **G. für gewerbliche Arbeitnehmer** manual union; ~ **den öffentlichen Dienst** civil service union, public-sector union; **G. mit Mitgliedersperre** closed union; **G. der Seeleute** seafaring union; **keiner G. zugehörig** non-union; **aus der G. ausschließen** to withdraw the union card; **einer G. beitreten** to join a union

arbeitgeberfreundliche Gewerkschaft yellow union *(coll)*; **bergrechtliche G.** mining company; **europäische G.** European union; **gelbe G.** company/yellow/house union; **örtliche G.** local trade union branch; **US-kanadische G.** international union

Gewerkschaft(l)er(in) *m/f* 1. (trade) unionist, union member/man *[US]*; 2. *(Funktionär)* union official

gewerkschaftlich *adj* (trade) union

Gewerkschafts|abkommen *nt* union contract/agreement; **G.angehörige(r)** *f/m* (trade) unionist; **G.angestellte(r)** *f/m* union official; **G.ausschuss** *m* trade union committee; **G.ausweis** *m* union card; **G.bank** *f* trade union bank *[GB]*, labor bank *[US]*; **G.basis** *f* (trade) union rank and file; **G.beauftragte(r)** *f/m* union/walking delegate; **G.beitrag** *m* (trade) union dues/contribution; **G.beratungen** *pl* inter-union consultations; **G.bewegung** *f* (trade) union movement, ~ unionism, labor movement *[US]*

Gewerkschaftsbund *m* trade-union federation/confederation, national centre; **amerikanischer G.** American Federation of Labor (AFL); **britischer G.** Trades Union Congress (TUC); **örtlicher G.** trade council

gewerkschafts|eigen *adj* trade-union-owned; **g.feindlich** *adj* anti-union; **G.forderungen** *pl* union demands; **g.frei** *adj* non-unionized; **g.freundlich** *adj* pro-union; **G.führer** *m* trade union leader *[GB]*, labor leader *[US]*; **G.führung** *f* (trade) union leadership; **G.funktionär** *m* (trade) union official *[GB]*, union executive, labor union functionary *[US]*, walking delegate; **G.gefüge** *nt* trade union structure; **G.gegner** *m* anti-unionist, non-unionist; **G.gegnerschaft** *f* non-unionism; **G.gelder** *pl* union funds; **G.gesetz** *nt* trade union act, Trade Union and Labour Relations Act *[GB]*; **G.gesetzgebung** *f* trade union legislation; **G.gründung** *f* trade union formation; **betriebliche G.gruppe** ▯ chapel *[GB]*; **G.haus** *nt* union headquarters; **G.kartell** *nt* combination of unions; **G.kasse** *f* union fund(s); **G.kongress** *m* trade union conference/congress; **G.lager** *nt* trade union camp; **G.macht** *f* (trade) union power

Gewerkschaftsmitglied *nt* (trade) union member, trade unionist; **aktives G.** (trade) union activist; **einfaches G.** rank-and-file union member; **G.schaft** *f* union membership

Gewerkschafts|mittel *pl* (trade) union funds; **G.organ** *nt* union publication; **G.organisation** *f* trade union organisation *[GB]*, labor organization *[US]*; **G.politik** *f* (trade) union policy; **G.presse** *f* (trade) union press; **G.rechte** *pl* (trade) union rights; **G.reform** *f* trade union reform; **G.seite** *f* trade union bank/side *[GB]*, labor bank/side *[US]*; **G.sekretär** *m* trade union secretary;

G.solidarität *f* trade union solidarity; **G.sprecher** *m* (trade) union spokesman; **G.staat** *m* trade union state; **G.statut** *nt* trade union statute(s); **G.struktur** *f* trade union structure; **G.tätigkeit** *f* (trade) union activity; **G.unterhändler** *m* (trade) union negotiator

Gewerkschaftsverband *m* trade union federation; **Amerikanischer G.** American Federation of Labor (AFL); **Britischer G.** Trades Union Congress (TUC)

Gewerkschafts|vereinigung *f* (trade) union federation; **G.vermögen** *nt* trade union assets; **G.versammlung** *f* (trade) union meeting; **G.vertreter(in)** *m/f* (trade) union representative/delegate, walking delegate; *pl* the union side; **G.vertretung** *f* (trade) union delegation/representatives; **G.vorschriften** *pl* union regulations; **G.wesen** *nt* (trade) unionism; **G.zeitung** *f* (trade) union paper; **G.zentrale** *f* trade union headquarters; **G.zugehörigkeit** *f* union membership/affiliation

Gewicht *nt* 1. weight (wt.); 2. *(Belastung)* load; 3. *(Edelmetall)* troy weight; 4. *(Handelsgewicht)* avoirdupois *[frz.]*; 5. *(fig)* importance; **nach G.** by weight, on a weight basis; **von G.** material; **G.e und Gegengewichte** checks and balances; **G. in Karat** caratage; **G. der Ladung** shipping weight; **um G. bemüht** make-weight

einer Sache Gewicht beimessen to attach importance to sth., to set (great) store by sth.; **ins G. fallen** to matter, to carry weight, to be crucial, ~ of consequence; **G. haben bei jdm** to weigh with so.; **viel G. haben** *(fig)* to carry much clout *(fig)*; **wenig G. haben** not to count for much; **G. legen auf** to lay stress on; **von G. sein** to carry weight; **G. überschreiten** to exceed the weight (limit); **nach G. verkaufen** to sell by weight; **einer Sache G. verleihen** to add weight to sth.; **sein G. in die Waagschale werfen** *(fig)* to weigh in *(fig)*

ausgehendes Gewicht delivery weight; **ausgeladenes G.** ⚓ landed weight; **ausgeliefertes G.** delivered weight; **eingehendes G.** inward weight, weight delivered; **einverständlich festgelegtes G.** agreed weight; **frachtpflichtiges G.** chargeable weight; **garantiertes G.** weight guaranteed; **geeichtes G.** stamped weight; **genaues G.** true weight; **geringes G.** lightness; **geschätztes G.** estimated weight; **gesetzliches G.** standard weight; **zu hohes G.** overweight, overload; **zu knappes/leichtes G.** underweight, short weight; **lebendes G.** 1. live weight; 2. *(Vieh)* weight on the hoof; **reelles G.** full weight; **spezifisches G.** specific gravity/weight; **totes G.** dead load/weight; **unrichtiges G.** false weight; **volles G.** full weight; **zollpflichtiges G.** dutiable weight

gewicht|en *v/t* 1. to weight/weigh; 2. to evaluate; **neu g.en** to reweight; **g.et** *adj* weighted

gewichtig *adj* weighty, momentous, significant; influential; **g.er sein** to outweigh

Gewichts|abgang *m* loss of weight; **gewöhnlicher ~ und Schwund** trade loss; **G.abnahme** *f* loss of weight, decrease in weight; **G.abweichung** *f* weight tolerance; **G.analyse** *f* ⚗ gravimetric analysis; **G.angabe** *f* declaration/indication of weight; **G.aufschlag** *m* overweight; **G.ausfall** *m* underweight; **G.basis** *f* weight basis; **G.bescheinigung** *f* certificate of weight, weigh note/certificate; **G.beschränkung** *f* weight restriction; **G.bestätigung** *f* weight certificate; **G.einbuße** *f* loss of weight; **G.einheit** *f* standard/unit of weight; **G.ermittlung** *f* determination of weight; **G.fracht** *f* freight assessed by weight, weight rate, dead weight, freight on weight basis; **G.grenze** *f* weight limit; **G.klasse** weight category; **G.klasseneinteilung** *f* system of grading (by weight); **G.kontrolle** *f* weight control/check, check weighing; **G.kontrolleur** *m* check weigher; **G.liste** *f* weight list; **g.los** *adj* weightless; **G.mangel/G.manko** *m/nt* deficiency in weight, short weight; **G.maß** *nt* weight (wt.); **G.nota** *f* certificate of weight, weight note/certificate; **G.porto** *nt* postage by weight; **G.prüfung** *f* weight check, testing for weight; **G.schein** *m* bill of weight; **G.schwund** *m* loss of weight; **G.tabelle** *f* table of weights; **G.tarif** *m* weight based transport rate, weight rate, weight-related scale of freight rates; **G.toleranz** *f* weight tolerance; **G.tonne** *f* freight/deadweight ton, ton weight; **G.überschuss** *m* excess weight; **G.vergütung** *f* tret; **G.verlagerung/G.verschiebung** *f* 1. shifting of weight; 2. *(fig)* shift of emphasis; **G.verlust** *m* loss of weight, shortage; **G.verminderung** *f* diminution in weight; **G.verzollung** *f* duty based on weight; **G.wert** *m* value by weight; **G.zertifikat/G.zeugnis** *nt* certificate of weight, weight certificate; **G.zoll** *m* specific duty, duty levied on weight basis; **g.zollbar** *adj* chargeable by weight; **G.zugabe** *f* additional weight, make-weight; **G.zunahme** *f* increase in weight; **G.zuschlag** *m* 1. additional weight; 2. ✈ excess luggage *[GB]*/baggage *[US]* charge

Gewichtung *f* 1. weighting; 2. ▦ loading; 3. evaluation; **G. der Währungen** *[EU]* currency weighting

Gewichtungs|faktor *m* weighting coefficient; **G.fehler** *m* ▦ weight bias; **G.koeffizient** *m* weighting coefficient; **G.schema** *nt* weighting system; **G.ziffer** weighting figure

ge|wieft *adj* crafty, shrewd, smart, artful, cunning, slick, astute; **g.willkürt** *adj* § willed, established by intent; **g.willt** *adj* 1. § willed; 2. willing

Gewinde *nt* ⚙ thread; **linksgängiges G.** left-handed thread; **rechtsgängiges G.** right-handed thread

Gewinn *m* 1. *(Ertrag)* profit, yield, gain; 2. benefit; 3. *(Bezüge)* earnings, emolument(s); 4. *(Einnahmen)* proceeds, return, income, revenue, avails; 5. asset, advantage; 6. prize; 7. winnings, pickings; 8. produce; 9. fruit(s), fruition; 10. *(pej.)* lucre; **mit G.** at a profit, to advantage

Gewinn vor Abschreibungen und Wertberichtigungen gross trading profit; **einbehaltene G.e und Abschreibungen** retained cash flow; **G. vor Abzug der Steuern** pre-tax profit; **G. pro Aktie** earnings/income per share; **voll verwässerter G. je Aktie; G. je Aktie unter Berücksichtigung des bedienten Kapitals; ~ einschließlich aller Umtauschrechte** (fully) diluted earnings per share; **G. aus Anlageverkauf** profit on asset disposal; **~ Auflösung stiller Reserven** gain from the writing back of secret reserves; **G. auf der Basis von Wiederbeschaffungskosten** current cost profits replacement cost profit; **G. vor Berücksichtigung der Steuern** pre-tax profit; **G. aus Beteiligungen** investment profit; **~ Buchwerterhöhungen** appreciated surplus; **G. bei einer Erlebensfallversicherung** endowment profits; **G. aus dem laufenden/operativen Geschäft** profit from continuing operations, operating profit; **~ konzerninternen Geschäften** intercompany profit; **G. des Geschäftsjahres** profit for the financial year; **G. für das volle Geschäftsjahr** full year's earnings; **G. im ersten/zweiten Halbjahr** first/second half earnings; **G. aus Gewerbebetrieb** income/profits from business; **G. auf Istkostenbasis** current cost profit; **G. in der ersten/zweiten Jahreshälfte; G. im ~ Quartal** first-period/second-period earnings; **G. einer Kapitalgesellschaft** corporate income/profits; **G. des Konsolidierungskreises ohne Gewinnanteile Dritter** consolidated profits; **G. der Minderheitsaktionäre** profit due to minority shareholders; **G. aus Neubewertung** reappraisal surplus, surplus from revaluation; **G. in Prozent des investierten Kapitals** return on investment (ROI), ~ capital employed; **~ des Umsatzes** percentage return on sales; **G. als Prozentgröße** percentage profit; **G.e im ersten/zweiten/dritten/vierten Quartal** first/second/third/fourth-quarter earnings; **G. per Saldo** net gain; **G. nach Steuern** profits/earnings after tax(ation), net profit, post-tax income, net-of-tax return, after-tax earnings/profit; **G. vor Steuern** pretax profit/income, income before tax, profits/earnings before tax(ation); **~ Übernahme** pre-acquisition profit; **G.e im Ungleichgewicht** disequilibrium profits; **G. aus Veräußerungen** profit from disposals, sales profit; **G.e aus der Veräußerung von Vermögen** capital gains, gains from the alienation of property; **~ von Wertpapieren** profit on securities; **G. durch sofortige Verfügbarkeit der Ware** convenience yield; **G. und Verlust** 1. profit and loss, loss and gain; 2. *(Kurs)* rise and fall; **auf gemeinschaftlichen ~ Verlust** on joint profit and loss; **~ Verlust-Abgleich** *m* profit and loss comparison; **~ Verlustrechnung** *f* income statement; **G. aus Vermietung** letting profit; **G. nach Vortrag** profit balance; **G. aus Wertpapieranlagen** income from security holdings

keinen Gewinn anstrebend; nicht auf G. gerichtet non-profit(-making); **auf G. gerichtet** profit-making, commercial

Gewinn abführen to surrender a profit; **mit G. abschließen** to show a profit; **ohne G. oder Verlust abschließen** to break even; **G.e abschöpfen** to siphon off profits; **mit G. absetzen** to sell at a premium; **G. abwerfen** to yield/render/leave/generate a profit, to net, to run at a profit, to leave a margin; **G.e aktivieren** to capitalize profits; **mit G. arbeiten** to trade profitably, to trade/operate at a profit, to run a surplus, to be in the black; **wieder ~ arbeiten** to return to profits/profitability; **G.e auflaufen lassen** to chalk up earnings *(coll)*; **G. aufteilen** to split the profit; **G.e anteilmäßig aufteilen** to prorate profits; **G. aufweisen** to show/post a profit; **G.e aufzehren** to eat up profits; **G. ausschütten** to distribute a profit; **G. ausweisen** to return/post a profit, to present profits; **größeren G. ausweisen** to return higher earnings; **niedrigeren G. ausweisen** to return lower earnings; **G. beeinträchtigen** to eat into profits; **zum G. beitragen** to make a (positive) contribution to profits; **jdn am G. beteiligen** to give so. a share in the profit(s); **mit G. betreiben** to run at a profit; **G. (ein)bringen/ergeben** to pay, to be profitable, to yield a profit, to turn in profits; **G.e einbehalten** to retain profits; **G. einstecken/einstreichen** to pocket the profit; **G.e entnehmen** to withdraw profits; **~ nicht entnehmen** to plough back profits; **G. ermitteln/feststellen** to determine the profit; **G. erwirtschaften/erzielen/machen** to generate income/profits, to earn profits, to turn in (a) profit(s), to realize/produce/secure/make a profit, to operate at a profit, to pick up profits; **G.e hochschrauben** to kick up earnings *(coll)*; **G. kassieren** to pocket/ring up the profit; **G. zunichte machen** to obviate a gain; **G.e maximieren** to maximize returns; **G.e mitnehmen** to take profits; **G.e präsentieren** to roll out profits *(coll)*; **G.e realisieren** to realize/take/reap profits; **kleine G.e schnell realisieren** *(Börse)* to scalp *(coll)*; **G.e reinvestieren** to plough back profits; **G. schmälern** to eat into/erode profits; **G.e stärken** to beef up profits *(coll)*; **G. sein** 1. to be a useful acquisition; 2. *(Person)* to be an asset; **G.e steigern** to hoist profits, to lift earnings; **~ subventionieren** to subsidize profits; **G. teilen** to share/pool profits; **am G. teilhaben** to share/participate in the profits, to partake in profits; **G.e thesaurieren** to accumulate/reinvest profits; **~ transferieren** 1. to transfer profits; 2. *(ins Heimatland)* to repatriate profits; **~ überweisen** to forward profits; **mit G. verkaufen** to sell at a premium/profit; **G. verteilen** to share out profits; **G. verzeichnen** 1. to yield a profit; 2. *(Börse)* to make gains; **leichte G.e verzeichnen** *(Börse)* to make progress; **am G. zehren** to eat into/erode profits; **G. ziehen aus** to reap benefits from; **G.e zurechnen** to attribute profits

abgeführter Gewinn surrendered profit; **abgezweigter G.** profit set aside; **unverhofft anfallende G.e** windfall profits; **angefallener G.** accrued profit; **angemessener G.** fair profit/return; **angesammelte G.e** accumulated profits; **ansehnlicher G.** handsome profit; **ausgeschütteter G.** distributed profit; **nicht ~ G.** accumulated earnings/income/profit, retained earnings/profit, undistributed/ploughed-back/unappropriated/undivided profits, earnings retained (for use) in the business, profit retentions; **ausgewiesener G.** reported profits/earnings, stated earnings; **ausschüttbarer/ausschüttungsfähiger G.** distributable profit/earnings, earnings available for distribution, divisible surplus; **nicht ~ G.** restricted earnings; **außerordentlicher G.** extraordinary/windfall profit; **besteuerungsfähiger G.** taxable gain; **bereinigter/berichtigter G.** adjusted profit; **um Steuern bereinigter G.** net-of-tax return; **betriebsbezogener G.** operating profit; **bilanzieller G.** accounting income; **branchenüblicher G.** conventional profit; **bruchteiliger G.** *(Börse)* fractional gain; **buchmäßiger G.** book/accounting profit; **dicke G.e** *(coll)* rich pickings *(coll)*; **echter G.** actual profit; **einbehaltener**

G. retained/reinvested earnings, undistributed profit, net income/earnings retained (for use) in the business, (profit) retentions; **einmaliger G.** non-recurring/one-off *(coll)* profit; **entgangener G.** 1. lost profit, loss of expected return/profit; 2. § lucrum cessans *(lat.)*; **entnommener G.** distributed profit; **nicht entnommene G.e** (profit) retentions, retained income/earnings/profit, undistributed/ploughed-back profits, business savings; **erarbeiteter G.** earnings; **erheblicher G.** substantial profit; **erhoffter G.** anticipated profit; **in der Zwischenzeit erlangter G.** § *(Grundstück)* mesne profit; **erzielbarer G.** profitability; **erzielter G.** profit made; **eventueller G.** contingent profit; **fette G.e** *(coll)* rich pickings *(coll)*, wads of profits *(coll)*; **gewerblicher G.** trading/operating/business/industrial profit, business income; **glatter G.** clear profit; **unerwartet großer G.** windfall profit, bonanza *(coll)*; **imaginärer G.** paper/notional/anticipated/imaginary/assumed profit; **kalkulatorischer G.** imputed profit; **kapitalertragssteuerpflichtiger G.** chargeable gain; **kinetische G.e** windfall profits; **zur Ausschüttung kommender G.** distributable profit; **konsolidierter G.** consolidated earnings; **laufender G.** current earnings/yield; **neue G.e** fresh gains; **neutraler G.** non-operating profit; **ökonomischer G.** economic income; **ordentlicher G.** handsome profit; **pagatorischer G.** profit accrued from payments received; **periodenechter G.** profit for the period, related profit; **realisierter G.** earned income/revenue, realized gain/profits; **nicht ~ G.** paper profit, anticipated/unrealized gain; **noch nicht ~ G.** contingent profit; **rechnerischer G.** book/accounting/paper profit, paper gain; **reiner G.** net profit; **reinvestierter G.** reinvested earnings; **schöner/stattlicher G.** healthy/handsome profit; **stehengebliebene/-gelassene G.e** undistributed/retained profits; **steuerlicher/-pflichtiger G.** taxable income/gain/profit; **symbolischer G.** token profit(s); **tatsächliche G.e** realized gains; **technischer G.** 1. technical/book profit; 2. *(Vers.)* underwriting profit; **thesaurierte G.e** retained earnings/profit, (profit) retentions, net income/earnings retained (for use) in the business; **überschüssiger G.** surplus profit; **unausgeschütteter G.** undistributed profit; **unerlaubte G.e** illicit profits; **unerwarteter/ungeplanter G.** windfall (profit/gain), unexpected profit; **unlauterer G.** unfair/sordid gains; **unrealisierte G.e** paper profits; **unverteilter G.** undistributed/non-distributed profits, (profit) retentions, (available) earned surplus; **veranlagungspflichtiger/zu versteuernder G.** 1. *(Steuer)* chargeable gain; 2. taxable profit/gains; **verdienter G.** earned income; **(zur Ausschüttung) frei verfügbarer G.** free surplus, profit available for distribution; **versteckter G.** secret profit; **zu verteilender G.** distributable earnings/profit; **verteilter G.** appropriated surplus, distributed profit; **nicht ~ G.** undivided profits, unappropriated surplus; **verteilungsfähiger G.** attributable profit, net surplus available for distribution; **voraussichtlicher G.** anticipated profit; **vorgetragener G.** profit carried forward; **wesentliche G.e** material gains; **wucherischer G.** usurious profits; **zurückbehaltene G.e** retaine earnings/profits, (profit) retentions; **Aktionären zu stehender G.** profit attributable to shareholders; **Drit ten ~ G.** outside interest in the result; **konzernfremde Gesellschaftern ~ G.** minority interest in profits; **Min derheitsaktionären ~ G.** profit due to minority share holders; **nicht zweckgebundener G.** available earne surplus, availability surplus; **zwischenbetriebliche G.** intercompany profit

Gewinnabfall *m* drop/fall in profits, profit(s) slump

Gewinnabführung *f* 1. profit transfer; 2. *(aus dem Aus land)* repatriation of profits/income; **G.sabkom men/G.svertrag** *nt/m* profit transfer agreement, su render-of-profits agreement; **G.sgesellschaft** *f* profi transferring company; **G.ssteuer** *f* excess profits tax

Gewinn|abgabe *f* gains tax; **g.abhängig** *adj* profit-relatec **G.abnahme** *f* drop/fall in profits, profit(s) slump **G.abrechnungsgemeinschaft** *f* profit pool; **G.ab schöpfung** *f* siphoning off profits, skimming of exces profits; **G.absicht** *f* gainful intent, profit orientation; **i G.absicht** for gain/profit; **G.aktivierung** *f* capitaliza tion of profits; **G.analyse** *f* surplus analysis; **~ nac Marktsegmenten** segment profit analysis; **G.an sammlung** *f* accumulation of profits, surplus accumu lation; **G.anspruch** *m* entitlement to profits, profi claim; **G.ansprüche Dritter** minority interests; **G.an stieg** *m* earnings rise

Gewinnanteil *m* 1. (proportion of) profit, share (in th profits), dividend, bonus, royalty, cut *(coll)*, rake-of *(coll)*; 2. *(Vers.)* policy dividend; **G. der Dividende auf Stamm- und Vorzugsaktien** dividend paymer ratio; **G.e Dritter** outside interest(s) in the result; **G haben** to participate in the profits; **aufgeschobener G** deferred dividend; **ausgeschüttete G.e** distribute share of profits; **ausgezahlter G.** cash bonus; **rück ständiger G.** reversionary dividend; **vorweggenom mener G.** anticipated bonus

gewinnanteil|berechtigt *adj* entitled to (a share in profits; **G.berechtigung** *f* dividend claim; **G.schein** *n* dividend coupon/warrant, coupon, profit-sharing certifi cate; **G.scheinbogen** *m* dividend warrant, coupo sheet; **G.srechte** *pl* dividends; **G.staffel** *f (Vers.)* scal of profit commission

(inflationsbedingte) Gewinn|aufblähung *f* earning dilution; **G.aufschlag** *m* mark-up, profit charge **G.aufschlagskalkulation(sgrundlage)** *f* cost-plu pricing (basis); **G.aufschlüsselung** *f* profits breakdown **G.aufstellung** *f* earnings statement

Gewinnausfall *m* loss of earnings/profit; **G.versiche rung** *f* loss of profits insurance; **technische G.versi cherung** engineering loss of profits policy

Gewinnausgleich *m* cross-subsidization; **G. zwische Händlern** pass-over system; **G.ssystem** *nt* profit pass over

Gewinn|auslosung *f* prize draw; **G.ausschließungs vertrag** *m* non-profit/profit-exclusion agreement

Gewinnausschüttung *f* 1. income/profit(s)/dividen distribution, dividend payment/payout, distribution o profit(s)/earnings; 2. prize draw; **G. an Genossen**

schaftsmitglieder patronage dividend; **offene G.** disclosed profit distribution; **verdeckte G.** hidden/concealed/disguised profit distribution, constructive dividend; **G.stermin** *m* dividend/payout date

Gewinn|aussichten *pl* profit outlook/prospects; **G.ausweis** *m* earnings statement, reported earnings, profit showing, disclosure of earnings; **G.beeinträchtigung** *f* erosion of profits; **G.begrenzung** *f* profit margin limitation

Gewinnbeitrag *m* (profit/earnings) contribution, (positive) contribution to profits; **G. leisten** to make a (positive) contribution to profits; **guten G. leisten** to make a useful contribution to profits

Gewinn|berechnung *f* calculation of profits; **g.berechtigt** *adj* participating, ranking for dividend, entitled to a profit share; **nicht g.berechtigt** *adj (Vers.)* non-participating; **G.berechtigung** *f* entitlement to a dividend, participating rights; **G.berichtigung** *f* adjustment of profits; **G.beschränkung** *f* profit ceiling; **G.besteuerung** *f* taxation of profits, tax on earnings; **g.beteiligt** *adj* participating; **nicht g.beteiligt** non-participating

Gewinnbeteiligung *f* 1. profit sharing (scheme), share/participation in profits, percentage of profits, profit commission/participation, rake-off *(coll)*, gain sharing, percentage; 2. *(Lebensvers.)* stock premium, profit commission; **ohne G.** *(Vers.)* non-participation; **G. der Arbeiter/Arbeitnehmer** employee profit-sharing, industrial partnership, copartnership of labour; **G. auf Einkommensbasis** wage dividend; **G. für Mitarbeiter** staff profit-sharing system; **Gewinn- und Verlustbeteiligung** sharing of profit and loss

Gewinnbeteiligungs|fonds *m* profit-sharing fund; **G.geschäft** *nt* profit-sharing transaction; **G.modell/G.system** *nt* profit-sharing scheme; **G.rechte** *pl* participating rights; **G.zulage** *f* profit-sharing bonus

Gewinn|bezogen *adj* profit-related; **G.bezugsgrößen** *pl* profit data; **G.bilanz** *f* earnings statement; **g.bringend** *adj* profitable, paying, gainful, profit-yielding, profit-generating, revenue-earning, moneymaking, lucrative, remunerative, productive, advantageous; **G.bringer** *m* profit earner/maker, money spinner, revenue producer

Gewinnchance *f* fighting chance, chance of success/winning; **G.n** odds; **jdm eine G. geben** to give so. the edge; **geringe G.n** long odds; **mit guten G.n** *(Wette)* odds-on favourite; **hohe G.n** short odds

Gewinn|dezentralisierung *f* profit centre organisation; **G.druck** *m* profit squeeze; **G.druckinflation** *f* profit-push inflation; **G.einbehaltung** *f* retained earnings, income/profit retention, retention of earnings; **G.einbruch/G.einbuße** *m/f* earnings slump, dent in earnings, dip in profits, profit setback/shortfall; **~ hinnehmen** to cut margins; **G.einkommen** *nt* profit income; **G.einkommensbezieher** *m* profit income recipient

Gewinnen *v/ti* 1. to win; 2. to gain/acquire; 3. *(Kunden)* to attract; 4. ⚒ to mine/extract; 5. to produce/obtain; 6. *(Börse)* to push ahead; 7. *(Unterstützung/Mitglied)* to enlist; 8. *(verdienen)* to earn; **g., ohne eine Hand zu rühren; haushoch g.** to win hands down; **rein g.** to net

Gewinn|entgang *m* loss of earnings/profits; **G.entnahme** *f* withdrawal of profits; **G.entnahmen der Gesellschafter** partners' drawings; **G.entwicklung** *f* profits performance/trend, earnings performance

Gewinner(in) *m/f* 1. winner; 2. *(Börse)* advancer

Gewinn|ergebnis *nt* return, result; **G.erhaltung** *f* maintenance of profit levels

Gewinnermittlung *f* net income determination, determination of income/profits, calculation of profits, profit assessment; **G. durch Betriebsvermögensvergleich** accrual method; **~ Vermögensabgrenzung** accrual basis of accounting; **steuerliche G.** determination of taxable income; **G.sart** *f* method of determining taxable profit; **G.sbilanz** *f* profit and loss account, statement of income

Gewinn|erosion *f* erosion of profits, profit erosion; **G.ertrag** *m* proceeds; **G.erwartungen** *pl* profit expectations

Gewinnerzielung *f* realization of profits/gains; **marginale G.** marginal convenience yield; **G.sabsicht** *f* profit motive, profit-making goal, intent to realize a profit

Gewinn|explosion *f* profit explosion; **G.faktor** *m* profit earner

Gewinnfeststellung *f* (net) income determination, ascertainment/assessment/calculation of profits; **einheitliche G.** uniform determination of profits; **gesonderte G.** separate determination of profits

Gewinn|funktion *f* profit function; **G.gemeinschaft** *f* profit pool(ing), profit and loss pooling; **G.größe** *f* (profit) variable; **G.grundlage** *f* profit base; **G.herausgabeanspruch** *m* right to claim infringement of profits; **G.inflation** *f* profit-push/mark-up-pricing inflation; **G.kalkulation** *f* calculation of profits; **G.kennziffern** *pl* earnings ratios; **G.klasse** *f* prize category; **G.kompression** *f* profit sqeeze

Gewinnkonto *nt* profit/surplus account; **Gewinn- und Verlustkonto** profit and loss account, revenue account; **auf ~ buchen** to pass to profit and loss account

Gewinn|kontrolle *f* profit control; **G.kürzung** *f* curtailment of profits; **G.lage** *f* earnings/profit situation

Gewinnler *m* profiteer

Gewinn|liste *f* prize list, list of winners; **G.los** *nt* winning number/ticket; **G.manipulation** *f* earnings manipulation; **G.marge** *f* profit margin, margin of profit(s); **G.marke** *f* profit mark; **G.masse** *f* total profits, amount of profits; **G.matrix** *f (OR)* gain/payoff matrix; **G.-maximierung** *f* profit maximization; **g.mindernd** *adj* profit-reducing; **G.minimum** *nt* marginal profit(s)

Gewinnmitnahme *f* profit-taking, realization (of profits); **G. durch den Berufshandel** professional profit-taking; **G. bei Börsenbeginn** early profit-taking

Gewinn|möglichkeit *f* profit opportunity; **G.motiv** *nt* profit motive; **G.multiplikator** *m* price-earnings ratio (P/E), earnings multiplier; **G.nummer** *f* winning number/ticket; **G.obligation** *f* income/participating bond, debenture income bond

gewinnorientier|t *adj* profit-orient(at)ed, profit-motivated, profit-seeking, profit-minded; **nicht g.t** not of a commercial nature, on a non-profit-making basis; **G.ung** *f* profit orientation

Gewinnlperspektive für Unternehmen *f* corporate profits outlook; **G.plan** *m (Vers.)* bonus/dividend scheme, profit plan; **G.planung** *f* profit planning (and budgeting); **G.planziel** *nt* profit target; **G.plus** *nt* increased profit, profit increase; **G.poolung** *f* pooling of profits; **G.position beibehalten** *f* to stay profitable; **G.potenzial** *nt* profit potential, earning power

Gewinnprämie *f* (share) bonus; **aufgeschobene G.** deferred (share) bonus; **vorweggenommene G.** anticipated (share) bonus

Gewinnprinzip *nt* profitability principle

Gewinnprognose *f* profit outlook, profits/earnings forecast; **aktualisierte G.** updated profits forecast; **pessimistische G.** profit warning

Gewinnlprojektion *f* profit projection; **G.provision** *f* profit commission; **G.prozentsatz** *m* current yield; **G.punkt** *m* break-even point; **G.quote** *f* 1. odds; 2. profit ratio; **G.rate** *f* rate of profit, profit rate; **G.realisierung** *f* 1. realization of profit; 2. *(Börse)* profit-taking

Gewinnrechnung *f* profit/surplus *[US]* account

Gewinn- und Verlustrechnung *f* 1. profit and loss account/statement, income and earned surplus statement, income/earnings/operating statement, statement of earnings, earnings report, loss and gain account, income sheets; 2. *(gemeinnützige Unternehmen)* income and expenditure account; **G. ohne betriebsfremde und neutrale Aufwendungen und Erträge** operating performance income statement; **gemeinsame/konsolidierte G.** (group) consolidated profit and loss account, consolidated/group income statement; **vergleichende G.** comparative income statement *[US]*; **versicherungstechnische G.** actuarially valued profit and loss account; **zusammengesetzte G.** cumulative statement of profit and loss

Gewinnlrecht *nt* claim on profits; **g.reich** *adj* profitable, lucrative; **G.rendite** *f* earnings yield; **G.reserve** *f (Vers.)* bonus reserve, surplus; **G.rückgang** *m* deterioration of profits/the result, redcution of profits, drop/fall in profits, profit drop/setback/slump, profits downturn/contraction; **starker G.rückgang** profits slide; **G.rücklage** *f* retained income, unappropriated/retained earnings, earned surplus; **satzungsmäßige G.rücklagen** contractual appropriation; **G.rückschlag** *m* profit setback, earnings shortfall; **G.rückstellung** *f* unappropriated earnings, surplus reserve; **G.saldo** *m* profit balance; **Gewinn- und Verlustsammelkonto** *nt* profit and loss summary account; **G.satz** *m* rate of profit; **G.schätzung** *f* profit estimate; **G.-schein** *m* income note; **G.schmälerung** *f* erosion of profits, squeeze on (profit) margins, profit erosion/squeeze, profits dilution, dilution of earnings; **G.schrumpfung** *f* profit shrinkage, diminution of profits; **G.schuldverschreibung** *f* profit-sharing/participating loan stock, profit-sharing/income/adjustment *[US]* bond; **G.-schwäche durch Expansion überwinden** *f* to expand one's way out of a profits squeeze

Gewinnschwelle *f* break-even point, minimum of absolute/average total cost(s); **G. erreichen** to break even; **G. überschreiten** to turn the profit corner; **G.nanalyse/G.nrechnung** *f* break-even analysis; **G.n-diagramm** *nt* break-even chart/graph, profit graph

Gewinnsicherung *f* profit-taking

Gewinnspanne *f* (earnings/profit/operating) margin, margin of profit, return on sales, gross profit, mark-up, margin over cost(s); **G. im Bankgewerbe** banking margin; **G. der Emissionsbank** gross spread; **G. des Leasinggebers** lessor margin; **mit geringer G.** low profit; **G. drücken** to erode margins; **zu niedrige G. haben** to cut one's profit too fine; **G. schmälern** to squeeze/shave the profit margin, to eat/bite into profit margins; **schmale G.** narrow profit margin; **verkleinerte G.** slimmed profit margin

Gewinnlsparen *nt* premium bond saving; **G.spitze** profit margin; **g.steigernd** *adj* profit-enhancing, earnings-enhancing; **G.steigerung** *f* increased profits, profit increase/rise/growth; **erwartete G.steigerung** anticipated profit improvement; **G.stelle** *f* profit centre; **G.steuer** *f* tax on earnings/income, (corporate) profits tax *[GB]*; **G.steuerung** *f* profit management; **inflatorischer G.stoß** inflationary profit push; **G.strategie** profit strategy; **G.streben** *nt* pursuit of profit, greed for profit, profit motive; **aus G.streben** for pecuniary gain; **G.subventionierung** *f* subsidization of profits; **G.sucht** *f* acquisitiveness, profit-seeking; **g.süchtig** *adj* acquisitive; **G.teilung** *f* pooling of profits; **G.thesaurierung** *f* profit/income/earnings retention, retention of earnings, accumulation of profits, surplus accumulation; **G.these** *f* dividend-irrelevance proposition; **g.trächtig** *adj* profitable, profit-bearing, high(-profit) margin; **G.träger** *m* profit earner; **G.transfer** *m* remittance/repatriation of profits; **verdeckter grenzüberschreitender G.transfer** transfer pricing; **G.treiber** *m* profiteer; **G.überfluss** *m* surplus earnings; **Gewinn- und Verlustübernahmevertrag** *m* profit and loss assumption agreement

Gewinnüberschuss *m* surplus profit/earnings; **kapitalisierter G.** capitalized surplus; **G.konto** *nt* profit surplus account

Gewinnlübersicht *f* earnings/surplus statement; **G.übertragung** *f* translation of earnings

Gewinn-Umsatz-lDiagramm *nt* profit-volume chart; **G.Kennziffer** *f* profit-volume ratio; **G.Schaubild** *nt* profit-volume graph

Gewinnung *f* 1. ⚒ extraction, production; 2. *(Daten)* collection; **G. zur Mitarbeit** enlistment; **G. von Steinen und Erden** quarrying; **G. statistischen Urmaterials** collection of statistical material; **G.sanlage** *f* extracting plant; **G.sbetrieb** *m* mining operation; **G.sbetriebe** extractive industries; **G.skosten** *pl* resource cost(s); **G.smethode** *f* mining system

Gewinnlverbesserung *f* profit improvement/recovery; **G.verfall** *m* profits slide, erosion of profits; **G.vergleich** *m* earnings comparison; **G.vergleichsrechnung** *f* profit comparison method, accounting rate of return; **G.verhältnis** *nt* profit ratio; **G.verlagerung** *f* profit shifting; **G.verrechnung** *f* offset; **G.verschiebung** profit shift/switching; **G.verschleierung** *f* concealment of profits; **g.versprechend** *adj* profitable

Gewinnverteilung *f* distribution of profits, bonus distribution, repartition; **bankmäßige G.** appropriation of earnings; **G.sbeschluss** *m* resolution ordering the distribution of profits; **G.splan** *m* contribution plan

Gewinnverwendung *f* profit appropriation/distribution, appropriation of profits/earnings, ~ net income/earnings

Gewinnverwendungs|beschluss *m* resolution for the appropriation of profits; **G.beschränkung** *f* legal appropriations; **G.bilanz** *f* profit appropriation statement; **G.rechnung** *f* (earned) surplus statement; **G.rücklage** *f* profit utilization reserve; **G.vorschlag** *m* proposed appropriation of earnings, proposal for the appropriation of profits/earnings

Gewinn|verwirklichung *f* profit realization; **G.verzehr** *m* erosion of profits; **G.vorhersage** *f* profit forecast; **G.vorschau** *f* profit projection, earnings estimate; **G.vorsprung** *m* yield advantage

Gewinnvortrag *m* surplus/profit brought forward, earned surplus *[GB]*, undistributed net profit *[US]*, accumulated earnings/income/profit, undistributed profits, amount of profit brought forward; **G. bei Übernahme** acquired surplus; **G. aus dem Vorjahr** profit brought forward from the previous year, prior year's profit brought forward; **nicht ausschüttungfähiger G.** restricted retained earnings, ~ surplus; **G.srechnung** *f* statement of earned surplus

Gewinn|wachstum *nt* profit(s) growth; **G.warnung** *f* profit warning; **G.zahlen** *pl* 1. profit figures; 2. *(Lotterie)* winning numbers; **G.ziehung** *f* premium/prize draw; **G.ziel** *nt* profit target/objective; **G.zielkalkulation** *f* target return pricing; **G.ziffern** *pl* profit figures

Gewinnzone *f* 1. profit zone, net income area; 2. *(Diagramm)* profits wedge; **in der G.** in the black; **~ arbeiten** to be profitable, to operate profitably; **die G. erreichen** to break even/into the black, to get/go/move into the black; **nur mühsam ~ erreichen** to creep into profit; **allmählich in die G. kommen** to pigeon-toe into profits; **wieder in die G. kommen** to return to profits; **in der G. liegen/sein** to be in the black, to write black figures; **wieder ~ sein** to be back to profits; **in die G. zurückkehren** to return to profits/profitability, ~ the black

Gewinn|zurechnung *f* allocation of profits; **G.zunahme** *f* earnings/profits growth; **G.zuschlag** *m* (profit) mark-up; **Gewinn- und Sicherheitszuschlag** profit and contingencies

Gewinnzuwachs *m* profit(s) increase/growth/gain, earnings growth/gain, income gain; **G.rate** *f* profit acceleration, rate of profit growth; **G.steuer** *f* increment income tax

ge|wirkt *adj* wrought; **G.wirr** *nt* maze, tangle

gewiss *adj* certain, sure, confident

Gewissen *nt* conscience; **nach bestem G.** to the best of one's belief; **sein G. entlasten** to ease one's conscience; **jdm ins G. reden** to have a serious talk with so.; **reines G.** clear conscience; **mit ruhigem G./ ruhigen G.s** with a clear conscience; **schlechtes G.** guilty conscience; **soziales G.** social conscience

gewissenhaft *adj* conscientious, diligent, faithful, religious, painstaking; **übertrieben g.** overcareful; **G.igkeit** *f* conscientiousness

gewissenlos *adj* unscrupulous, unconscionable; **G.igkeit** *f* unscrupulousness, lack of principle

Gewissens|biss *m* remorse; **G.bisse** pangs/pricks of conscience; **G.entscheidung** *f* decision taken for reasons of conscience; **G.frage** *f* case of conscience; **G.freiheit** *f* liberty/freedom of conscience; **G.gründe** *pl* grounds of conscience; **G.klausel** *f* conscience clause; **G.konflikt/G.not/G.zwang** *m/f/m* moral conflict/dilemma; **G.pflicht** *f* moral duty

gewissermaßen *adv* 1. in a manner of speaking; 2. as it were

Gewissheit *f* certainty; **sich G. verschaffen** to make sure, to satisfy o.s.; **völlige G.** absolute certainty

Gewitter *nt* (thunder)storm; **G.front** *f* storm front; **G.neigung** *f* likelihood of thunderstorms; **G.- und Sturmschadenversicherung** *f* storm, tempest and hurricane insurance; **G.störung** *f* atmospherics; **G.sturm** *m* thunderstorm

ge|wittrig *adj* thundery; **g.witzt** *adj* shrewd; **g.wogen** *adj* weighted

gewöhnen an *v/refl* to get accustomed/used to, to become habituated to, to come to do

Gewohnheit *f* usage, custom, habit, practice; **aus G.** from/out of habit; **in seinen G.en** in one's ways; **zur G. werden** to become a habit; **örtliche G.** local practices

Gewohnheits|dieb *m* habitual thief; **g.mäßig** *adj* customary, routine, habitual, mechanical

Gewohnheitsrecht *nt* customary/common/unwritten law, (legal/valid) custom, customary right; **durch G. begründet** authorized by usage; **internationales/völkerrechtliches G.** customary international law, custom in international law; **kaufmännisches G.** commercial custom; **g.lich** *adj* conventional, customary; **G.ssatz** *m* customary rule of law

Gewohnheits|regel *f* convention; **G.sache** *f* matter of habit; **G.tier** *nt (coll)* creature of habit; **G.täter/G.verbrecher** *m* § persistent/habitual offender, habitual criminal; **G.trinker** *m* alcoholic

gewöhnlich *adj* 1. conventional, common, ordinary, plain, general; 2. habitual, pedestrian, bread-and-butter; **für g.** *adv* normally

gewohnt *adj* usual, familiar, habitual; **g. sein** to be accustomed; **nicht g. an** unaccustomed to

Gewöhnung *f* familiarization, habituation

Gewühl *nt* throng, crowd, mêlée *[frz.]*;

ge|wunden *adj* convoluted, tortuous; **wie g.wünscht** *adj* as requested/required; **g.würdigt werden** *adj* to win recognition

Gewürz *nt* spice, seasoning; **G.mischung** *f* mixed herbs; **G.pflanze** *f* spice plant, herb

vorab ge|zahlt *adj* prepaid (ppd), forehand paid; **g.zähmt** *adj* domesticated, tamed; **G.zänk** *nt* wrangling

gezeichnet *adj* 1. signed; 2. *(Wertpapier)* subscribed; **nicht g.** 1. unsigned; 2. unsubscribed; **voll g.** fully subscribed; **nicht voll g.; nicht in voller Höhe g.** undersubscribed

Gezeiten *pl* tide(s); **G.-** tidal; **G.hafen** *m* tidal harbour; **G.kraftwerk** *nt* tidal power station; **G.marke** *f* tidemark; **G.tafel** *f* tide table; **G.wechsel** *m* change of tide

gezielt *adj* 1. selective, well-targeted; 2. purposeful, deliberate

geziemen *v/refl* to behove/befit; **g.d** *adj* due, appropriate

ge|zimmert *adj* timbered; **g.zogen** *adj* drawn; **g.zwungen** *adj* constrained, forced, under constraint/duress; ~ **sein** to be obliged

Gier *f* greed, thirst, voracity; **g.en nach** *v/prep* to greed/pant for; **g.ig** *adj* greedy

Gießen *nt* ✐ casting; **g.** *v/ti* 1. to pour; 2. ✐ to cast/mould *[GB]*/mold *[US]*

Gießerei(betrieb) *f/m* ✐ foundry, casting/mo(u)lding shop; **G.arbeiter** *m* foundry worker; **G.industrie** *f* castings industry; **G.koks** *m* foundry coke; **G.roheisen** *nt* foundry iron; **G.technik** *f* foundry practice

Gießkannenprinzip *nt* indiscriminate handouts, broadcast principle

Gift *nt* poison; **G.gas** *nt* poison gas

giftig *adj* 1. poisonous; 2. ⚗ toxic, noxious; 3. venomous; **G.keit** *f* poisonousness; toxicity

Gift|müll *m* toxic waste; **G.stoff** *m* toxic material, contaminant, poisonous/toxic substance

Gigant *m* giant, mega company; **g.isch** *adj* gigantic; **G.omane** *m* megalomaniac; **G.omanie** *f* megalomania

Gilde *f* guild, corporation, company

Gipfel *m* peak, summit, height, climax, culmination, top; **G. erklimmen** to climb to the top; **G.beschluss** *m* summit agreement; **G.gespräche** *pl* summit talks; **G.konferenz** *f* summit (conference); **G.punkt** *m* 1. peak; 2. heyday; ~ **erreichen** to peak, to reach a climax

gipfeln *v/i* to culminate

Gipfel|teilnehmer *m* summiteer; **G.treffen** *nt* summit (meeting); **G.wert** *m* peak

Gips *m* 1. ⚕ plaster; 2. 🏛 gypsum; **G.er** *m* 🏛 plasterer; **G.verband** *m* ⚕ plaster (bandage)

Giralgeld *nt* 1. demand/primary/checking deposits, bank (deposit)/deposit/credit/checkbook/book money, money in account, deposit *[US]*/credit/cheque currency, checking deposits; 2. commercial bank book money; **G. der Kreditbanken** commercial bank book money; **sekundäres G.** derivative deposit, derived demand deposit; **G.kontraktion** *f* deposit contraction; **G.schöpfung** *f* deposit (money) creation/expansion; **multiple G.schöpfung** multiple bank deposit creation, multiple expansion of commercial bank money, ~ of credit/deposits; **G.vernichtung** *f* destruction of commercial bank deposits

Girant *m* endorser, indorser, backer; **G. aus Gefälligkeit** accommodation endorser; **G. ohne Verbindlichkeit** qualified endorser; **späterer G.** subsequent endorser; **G.enobligo** *nt* endorser's liability

Girat(ar) *m* endorsee, indorsee

girierbar *adj* negotiable, endorsable, indorsable; **nicht g.** non-negotiable

girieren *v/t* to endorse/indorse/back; **blanko g.** to endorse generally, ~ in blank; **voll g.** to endorse in full

Girierfähigkeit *f* capacity to endorse

giriert *adj* endorsed, indorsed; **blanko g.** endorsed/in-dorsed in blank; **nicht g.** unendorsed, unindorsed; **ord-nungsgemäß g.** duly endorsed/indorsed

Girierung *f* endorsement, indorsement, transfer by en-dorsement

Giro *nt* 1. *(Wechsel)* giro, transfer; 2. endorsement, in-dorsement, backing, indorsation, assignment; **ohne G.** unendorsed, unindorsed; **G. einer Bank** bank endorse-ment; **G. ohne Gewähr** endorsement without recourse; ~ **Verbindlichkeit** qualified endorsement, endorse-ment without recourse; **G. bestätigt** endorsement con-firmed; **G. fehlt** endorsement required; **G. ungena[u]** endorsement irregular; **mit G. versehen** endorsed, in-dorsed; **durch G. übertragen** to endorse, to transfer b[y] endorsement; **mit G. versehen** to endorse; **G. verwei-gern** to refuse endorsement, ~ to back a bill; **durch G. zurückgeben** to endorse back

absolutes Giro absolute endorsement; **ausgefülltes G.** special/direct endorsement; **bedingtes G.** condition[al] endorsement; **beschränktes G.** restrictive/qualifie[d] conditional endorsement; **fehlendes G.** lack of en-dorsement; **gewöhnliches G.** regular endorsement; **of-fenes G.** blank endorsement; **unbeschränktes G.** ab-solute endorsement; **ungenaues G.** irregular endorse-ment; **volles G.** direct endorsement

Giro|abschnitt *m* bank slip; **G.abteilung** *f* cheque/gir[o] department; **G.auftrag** *m* credit transfer order; **G.aus-gang** *m* outgoing giro transfer; **G.ausgleichsstelle** [*f*] clearing house; **G.bank** *f* clearing bank/house, depos-it/transfer bank, bank of circulation; **die große[n] G.banken** the big clearers; **G.buch** *nt* pass book; **G.ef-fekten** *pl* giro-transferable securities; **G.eingang** [*m*] incoming giro transfer; **G.einlagen** *pl* (giro) deposit[s], deposits on current accounts; **G.einrichtung** *f* curren[t] account banking facility; **G.fälschung** *f* forged en-dorsement; **G.geld** *nt* money in account, funds availa-ble for credit transfer; **G.geschäft** *nt* clearing, gir[o] business; **G.gläubiger(in)** *m/f* bill creditor, creditor b[y] endorsement; **G.guthaben** *nt* credit balance, giro ac-count balance; **G.kasse** *f* clearing house; **G.kommis-sion** *f* endorsement commission

Girokonto *nt* current/giro/drawing/transfer accoun[t], check(ing) account *[US]*; **G. mit Dispositionskredi[t]** overdraft account; **G. ohne Mindesteinlage** specia[l] checking account *[US]*; **persönliches G.** persona[l] checking account *[US]*; **verzinsliches G.** share dra[ft] account

Giro|kontor *nt* clearing house; **G.kredit** *m* deposit cur-rency; **G.kunde/G.kundin** *m/f* current account (custom-er); **G.netz** *nt* clearing(-house) system; **G.obligo** *[nt]* contingent liability of bills discounted; **G.provision** [*f*] credit transfer commission; **G.rechnung** *f* drawing ac-count

Girosammel|anteil *m* share in collective custody ac-count; **G.bank** *f* collective security deposit bank; **G.de-pot** *nt* omnibus deposit, collective account, safe custo-dy account, central collective deposit, ~ depositary o[f] securities; **G.kasse** *f* collective security deposit an[d] transfer centre; **G.verkehr** *m* collective-deposit secur[ities] ty transfer system; **G.verwahrung** *f* collective safe deposit, giro-transferable collective custody

irolscheck *m* clearing house cheque *[GB]*/check *[US]*; **G.schuldner(in)** *m/f* bill debtor, debtor by endorsement; **G.stelle** *f* giro centre; **G.stempel** *m* transfer stamp; **G.system** *nt* clearing/giro system; **G.übernahme** *f* assumption of endorsement commitment; **G.-überweisung** *f* bank/credit transfer; **G.verband** *m* clearing-house/giro association; **G.verbindlichkeiten** *pl* endorsement liabilities, contingent liabilities of bills discounted; ~ **schulden** to be contingently indebted; **G.verkehr** *m* giro transactions/system, clearing, giro transfer business; **G.wesen** *nt* giro transfer system; **G.zahlung** *f* bank transfer; **G.zentrale** *f* clearing house, central giro institution; **G.zettel** *m* bank slip, giro credit advice

itter *nt* 1. grid; 2. railing; **hinter G.n** behind bars; **G. von Leitkursen** parity grid

itterlauswahlverfahren *nt* ▦ lattice sampling; **G.behälter** *m* skeleton container; **G.boxpalette** *f* skeleton box pallet; **G.kiste** *f* crate; **G.plan** *m* ▦ lattice design/plan; **G.(stichproben)verfahren** *nt* grid sampling/method, configurational sampling; **G.versuchsplan** *m* lattice design

lacéhandschuhe *pl* kid gloves; **jdn mit G.n anfassen** to handle so. with kid/velvet gloves, to use the softly-softly approach

lamourlös *adj* glamourous; **G.papier** *nt (Börse)* star performer, glamour stock

lanz *m* 1. *(Gepränge)* splendour, glamour; 2. gloss, polish; 3. shine, lustre; 4. *(Erfolg)* glory; **den G. abbröckeln lassen** to take the shine off; **mit G. und Gloria durchfallen** *(coll)* to come a cropper *(coll)*; **sich im G. seines Ruhmes sonnen** to bask in one's fame; **etw. an G. verlieren** to lose some of the lustre

lanzl- glossy; **G.broschüre** *f* glossy brochure

länzen *v/i* to shine/glitter/sparkle; **g.d** *adj* splendid

lanzlidee *f* brilliant idea; **G.leder** *nt* patent leather; **G.leistung** *f* brilliant feat/achievement, brilliant/star performance; **g.los** *adj* 1. dull, lacklustre; 2. *(Papier)* mat; **G.nummer** *f* highlight, star performance; **G.papier** *nt* glossy paper; **auf ~ gedruckt** glossy; **G.punkt** *m* highlight; **G.rolle** *f* star part; **G.stück** *nt* 1. showpiece, (so.'s) pride and joy; 2. master stroke; **g.voll** *adj* glamourous; **G.zeit** *f* heyday

las *nt* 1. glass; 2. glassware, jar; **Vorsicht G.!** glass - handle with care; **feuersicheres G.** fireproof glass; **kugelsicheres G.** bullet-proof glass; **splitterfreies G.** shatter-proof glass

laslballon *m* 1. *(Flasche)* demijohn, carboy; 2. balloon flask; **G.bau** *m* glass structure; **G.bruchschaden** *m* glass breakage; **G.bruchversicherung** *f* glass breakage insurance, plate glass insurance; **G.container** *m* bottle bank

laser *m* glazier; **G.ei** *f* glazier's workshop

läsern *adj* glassy

lasfabrik *f* glassworks

lasfaser *f* glass/optical fibre; **G.fernmeldeverbindungen** *pl* optical fibre communications; **G.kabel** *nt* glass/optical fibre cable; **G.technik** *f* fibre optics, optical/glass fibre technology

Glashütte *f* glassworks

glasieren *v/t* to glaze

Glasliglu *nt* bottle bank; **G.industrie** *f* glass industry; **g.klar** *adj* clear-cut, crystal-clear, with crystal clarity; **G.schaden** *m* glass breakage; **G.scheibe** *f* pane; **G.-scherbe** *f* piece of broken glass

Glasur *f* glaze, enamel, varnish

Glaslversicherung *f* glass breakage insurance, plate glass insurance; **G.waren** *pl* glassware; **G.wolle** *f* glass wool, fibreglass

glatt *adj* 1. even, plain, level; 2. smooth; 3. *(Person)* slick, bland; 4. outright, clean; 5. *(Straße)* slippery; **g. gehen** to go well, ~ off without a hitch *(coll)*

glätten *v/t* to straighten/smooth/iron out

Glatteis *nt* (black) ice; **sich aufs G. begeben (haben)** *(fig)* to be treading on thin ice *(fig)*

glattstellen *v/t* *(Börse)* to offset/settle/clear/realize/square, to sell off; *v/refl* 1. *(Börse)* to liquidate/square one's positions; 2. *(Termin)* to close a position; 3. to liquidate a speculative position; 4. *(Baissier)* to cover; 5. *(Haussier)* to take profit

Glattstellung *f* *(Börse)* realization (sale), settlement, smoothing operation, profit-taking, liquidation of a speculative position, closing of open positions, position squaring/closing, evening up, covering, unloading, stop-loss selling, (general) liquidation (of position); **G. einer Baisseposition** short liquidation; ~ **Hausseposition; G. eines Haussiers** long liquidation, stale bull liquidation; **G. von Wertpapierpositionen bei starken Kursrückgängen** shake-out; **umfangreichen G.en unterworfen sein** to come in for heavy liquidation; **G. vornehmen** *(Terminmarkt)* to close a position; **G.sauftrag** *m* realization order; **G.sgeschäft** *nt* evening-up transaction; **G.skonto** *nt* liquidation account; **G.stransaktion** *f* closing transaction; **G.sverkauf** *m* sell-off, realization sale

Glättung *f* ironing out, smoothing (operation); **exponentielle G.** exponential smoothing; **G.sfaktor** *m* smoothing factor; **G.skonstante** *f* smoothing constant

glattwalzen *v/t* to steamroller

glattweg *adv* point-blank, outright, flatly

Glaube *m* belief, faith, credence, persuasion, creed; **sich auf seinen guten G.n berufen** to plead one's good faith; **in gutem G.n handeln** to act in good faith; **einer Sache G.n schenken** to lend credence to sth., to give credit to sth.; **einem Zeugen G.n schenken** to believe a witness

böser Glaube bad faith, mala fides *(lat.)*; **guter G.** good faith, bona fides *(lat.)*; **in gutem G.n** in good faith, bona fide *(lat.)*; **höchster guter G.** § utmost good faith; **öffentlicher G.** public faith; **schlechter G.** bad faith, mala fides *(lat.)*; **in schlechtem G.n** in bad faith, mala fide *(lat.)*

glauben *v/t* to believe/trust/feel/deem; **nicht g.** to disbelieve

Glaubenslbekenntnis *nt* creed; **G.freiheit** *f* religious freedom, freedom of belief; **G.gemeinschaft** *f* religious community

glaubhaft *adj* credible, believable, reliable; **g. machen** to establish a prima facie *(lat.)* case, to substantiate (by prima facie *(lat.)* evidence), to satisfy, to make out; **G.igkeit** *f* credibility, believability, acceptability

Glaubhaftmachung *f* substantiation (by prima facie *(lat.)* evidence); **G. von Ansprüchen** substantiation/authentication of claims; **nach erfolgter G.** upon proper showing

Gläubiger(in) *m/f* creditor, debtee, obligee, holder, demander, truster; *pl* accounts payable

Gläubiger als Aktiengesellschaft corporate creditor; **G. aus Kontokorrentgeschäften** trade creditor; **G. einer vor der Vermögensübertragung entstandenen Forderung** antecedent creditor; **G. nach durchgeführtem Konkursverfahren** executive creditor; **G. einer gewöhnlichen Konkursforderung** non-privileged/non-preferential creditor

Gläubiger abfinden to make an arrangement with the creditors, to settle with one's creditors; **sich mit seinen G.n akkordieren/arrangieren** to compound with one's creditors, to make a composition with one's creditors; **G. befriedigen** to satisfy/discharge a creditor, to pay a creditor off; **G. begünstigen** to prefer a creditor; **G. benachteiligen** to defeat one's creditors; **G. betrügen** to defraud creditors; **einem G. Sicherheit bieten** to secure a creditor; **sich seinen G.n entziehen** to evade one's creditors; **G. hinhalten** to put off/delay creditors; **von seinen G.n bedrängt sein** to be dunned by one's creditors; **G. sicherstellen** to secure a creditor; **sich mit seinen G.n vergleichen** to settle/compound with one's creditors; **G. vertrösten** to put off creditors

abgefundener Gläubiger paid-off creditor; **abgesonderter G.** preferential creditor, creditor entitled to preferential treatment; **ab-/aussonderungsberechtigter G.** secured creditor; **alle G.** general body of creditors; **gerichtlich anerkannter G.** execution/judgment creditor; **nicht befriedigter G.** unsatisfied creditor; **betreibender G.** prosecuting creditor; **Konkursverfahren ~ G.** petitioning creditor; **Vollstreckung ~ G.** executing creditor; **bevorrechtigter/-zugter G.** prior/secured/preferential/privileged/preferred creditor, creditor by priority; **nicht ~ G.** non-privileged/non-preferential/unsecured/general creditor; **diverse G.** sundry creditors; **drängender G.** insistent creditor; **einfacher G.** general creditor; **gerichtlich festgestellter G.** judgment creditor

gesicherter Gläubiger secured creditor; **doppelt ~ G.** double creditor; **erstklassig ~ G.** catholic creditor; **gleichrangig ~ /gleichrangiger G.** equal creditor, creditor ranking pari passu *(lat.)*; **hypothekarisch ~ G.** mortgagee, mortgage creditor

gewöhnlicher Gläubiger ordinary creditor; **nachrangiger G.; im Range nachstehender G.** deferred/subsequent/junior/secondary creditor; **öffentlicher G.** public creditor; **persönlicher G.** individual creditor; **privilegierter G.** privileged creditor, creditor by priority; **ranggleicher G.** equal creditor; **sichergestellter G.** secured creditor; **nicht ~ G.** unsecured creditor; **Konkursantrag stellender G.** petitioning credito **ungesicherter G.** unsecured creditor; **bereits vorhandener G.** antecedent creditor; **vorrangiger G.** seni creditor; **nicht vorzugsberechtigter G.** general cred tor; **zwangsvollstreckender G.** executing/attachir creditor; **zweifacher G.** double creditor

Gläubiger|anfechtung *f* creditor's avoidance of de tor's transactions; **G.anspruch** *m* creditor claim; **g richtlich festgestellter G.anteil** creditor bill; **G.a trag** *m* creditors' petition; **G.arbitrage** *f* creditor arb trage; **G.ausgleich** *m* arrangement with creditor **G.ausschuss/G.beirat** *m* creditors' committee, boa of creditors, committee of inspection/creditors; **G.au wechslung** *f* subrogation of a creditor; **G.bank** *f* cred tor bank; **G.befriedigung** *f* satisfaction of creditor **G.begünstigung** *f* undue/fraudulent preference (of creditor); **G.benachteiligung** *f* fraudulent trading, d lay of creditors; **G.beschränkung** *f* marshalling remedies; **G.bestechung** *f* bribery of creditors; **G.b vorzugung** *f* preference of a creditor, fraudule preference; **G.buch** *nt* creditors' ledger; **G.firma** commercial creditor; **G.forderung** *f* creditors' clai **G.gemeinschaft** *f* body of creditors

Gläubigerin *f* creditress

Gläubiger|interesse *nt* creditors' claim; **G.konkur vorrecht** *nt* (creditor's) preference; **G.konten** *pl* a counts with creditors; **G.kündigungsrecht** *nt* cred tor's/holder's right to call; **G.land** *nt* credit state/country, lending country; **G.limit** *nt* creditor lin it; **G.liste** *f* schedule of creditors; ~ a bankrupt's debt **G.masse** *f* (general) body of creditors; **G.mehrheit** plurality of creditors; **G.nation** *f* creditor nation, **G.p pier** *nt* fixed-interest security; **G.posten** *m* credit entr **G.quote** *f* creditor quota; **G.rang** *m* ranking of cred tors; **G.rangordnung feststellen** *f* to marshal cred tors; **G.recht** *nt* creditor's right/title/claim; **G.schäd gung** *f* prejudicial treatment of creditors

Gläubigerschutz *m* creditors' protection, protection creditors; **auf G. klagen** to file for protection of cred tors; **G.verband** *m* trade protection society

Gläubiger|staat *m* creditor state; **G.struktur** *f* credit structure; **G.vereinigung** *f* association of creditors

Gläubigervergleich *m* arrangement/compoundin with creditors, settlement with the creditors, scheme arrangement, composition in bankruptcy, reorganis tion; **G. beantragen** to file a petition for an arrang ment; **G. eingehen/schließen** to settle/compound wi one's creditors

Gläubiger|verlust(e) *m/pl* losses of creditors; **G.ve sammlung** *f* meeting of creditors, creditors' meeting; **einberufen** to call a meeting of creditors; **G.vertret** *m* creditors' representative; **G.verzeichnis** *nt* list/sche ule of creditors; **G.verzicht** *m* waiver of indebtednes **G.verzug** *m* obligee's delay, creditors' delay in accep ing performance; **G.vorrang/G.vorrecht** *m/nt* priori of creditors, creditor's privilege; **G.wechsel** *m* subr gation; **G.zentralbank** *f* creditor central bank

glaubwürdig *adj* credible, creditable, believable, trus worthy

Glaubwürdigkeit *f* credibility, credence, plausibility, veracity, credentials, trustworthiness; **G. des Angeklagten** truth and veracity of the accused; **~ Zeugen** credibility of (the) witness; **G. eines Zeugen erschüttern; ~ in Zweifel ziehen** to impinge the character of a witness, to impeach a witness, to shake a witness's credibility; **G. verleihen** to lend credence; **G.slücke** *f* creditibility gap

gleich *adj* 1. same, equal, identical, uniform, equitable; 2. even; *conj* π equals; **g. sein** to equal, to be on a par (with); **G.es mit Gleichem vergelten** to pay in kind, to give tit for tat *(coll)*; **~ vergleichen** to compare like with like

gleich|altrig *adj* of the same age; **g.artig** *adj* similar, of the same kind, analogous, congenial, homogeneous; **G.artigkeit** *f* similarity, equality in kind; **g.auf liegen** *adj* to level-peg, to be equal

gleichbedeutend *adj* synonymous, identical, equivalent, tantamount (to); **g. sein mit** to amount to

Gleichbehandlung *f* equal treatment/status, non-discrimination, equity, equality/parity of treatment; **steuerliche G.** equality of tax treatment, equal tax treatment; **G.sanspruch** *m* claim to equal treatment; **G.sgebot/G.sgrundsatz** *nt/m* equality principle, principle of equal treatment

gleichberechtigt *adj* equal(-ranking), equally entitled, having equal rights, on equal terms, on an equal footing; **g. sein (mit)** to rank equally, ~ pari passu (with)

Gleichberechtigung *f* equality (of rights), equal status/rights; **G. der Geschlechter** sex equality

gleichbleiben *v/i* to remain level; **g.d** *adj* 1. constant, steady, level, uniform, stationary, invariable, routine; 2. *(Bilanz/Abschreibung)* straight-line

gleichen *v/i* 1. to equal; 2. to resemble

gleichförmig *adj* 1. uniform; 2. similar; **G.keit** *f* 1. uniformity; 2. similarity

gleich|gelagert *adj* similar, parallel; **g.geordnet/g.gerichtet** *adj* coordinate, coequal, aligned; **g.geschaltet** *adj* coordinated; **g.gestellt** *adj* on an equal footing, on a par; **G.gestellte(r)** *f/m* peer; **g.gestreut** *adj* ▦ homoscedastic

Gleichgewicht *nt* equilibrium, balance

Gleichgewicht von Angebot und Nachfrage equilibrium of supply and demand; **G. am Gütermarkt** goods market equilibrium; **G. der Kräfte** balance of power(s); **G. bei Maximalgewinn** best-profit equilibrium; **G. der ökologischen Systeme** ecological equilibrium; **G. bei Unterbeschäftigung** underemployment equilibrium; **~ Vollbeschäftigung** full employment equilibrium

aus dem Gleichgewicht bringen/werfen to unbalance, to throw off balance; **ins G. bringen** to balance; **wirtschaftliches G. herstellen** to establish (economic) equilibrium; **aus dem G. kommen** to lose one's balance, to overbalance; **im G. sein** to be in equilibrium, ~ balanced; **G. stören** to unbalance; **G. verlieren** to lose (one's) balance; **G. wiederherstellen** to redress the balance, to restore (the) equilibrium; **wirtschaftliches G. wiederherstellen** to restore economic equilibrium

außenwirtschaftliches Gleichgewicht external equilibrium, balanced trade, balance in foreign trade; **binnenwirtschaftliches G.** 1. domestic economic equilibrium, internal balance; 2. *[EU]* internal economic equilibrium; **deflatorisches G.** equilibrium under deflationary conditions; **finanzielles G.** financial equilibrium, (properly) balanced financial position; **fortschreitendes G.** progressive equilibrium; **gesamtwirtschaftliches G.** overall economic equilibrium; **gestörtes G.** disequilibrium, imbalance; **güterwirtschaftliches G.** commodity equilibrium, overall equilibrium in real terms; **konjunkturelles G.** balanced economy; **kurzfristiges G.** short-run/shifting equilibrium; **langfristiges G.** long-period equilibrium; **marktwirtschaftliches G.** free-market equilibrium; **monetäres G.** monetary equilibrium; **multiples G.** non-unique equilibrium; **neutrales G.** metastable/neutral equilibrium; **ökologisches G.** ecological balance; **partielles G.** partial equilibrium; **soziales G.** social balance/stability; **stabiles G.** stable equilibrium; **~ inflatorisches G.** steady-state inflation; **totales G.** general equilibrium; **unbestimmtes G.** indeterminate equilibrium; **unstabiles G.** unstable equilibrium; **währungspolitisches G.** monetary balance; **wirtschaftliches G.** economic balance/equilibrium; **zollpolitisches G.** tariff equilibrium

gleichgewichtig *adj* balanced, even

Gleichgewichts|analyse *f* equilibrium analysis; **partielle G.analyse** partial equilibrium analysis; **G.bedingung** *f* equilibrium condition; **G.einkommen** *nt* equilibrium level of income; **G.größe** *f* equilibrium magnitude; **G.lohnsatz** *m* adjustment rate of wages; **G.menge** *f* equilibrium quantity; **G.modell** *nt* equilibrium model; **G.pfad** *m* equilibrium path; **G.position** *f* *(Handelsbilanz)* trade equilibrium; **G.preis** *m* equilibrium price; **G.spiel** *nt* equilibrium process; **G.störung** *f* disequilibrium; **G.theorie** *f* equilibrium theory; **G.wachstum** *nt* balanced growth; **G.wachstumsrate** *f* equilibrium growth rate; **G.wert** *m* equilibrium value; **G.zins** *m* equilibrium interest rate; **G.zustand** *m* equilibrium level, (state of) equilibrium

gleichgültig *adj* 1. indifferent, unconcerned, resigned, neglectful, regardless, unheeding, phlegmatic; 2. immaterial, unimportant; **g. ob** irrespective of, no matter what; **G.keit** *f* indifference, negligence, unconcern; **völlige G.keit** blithe indifference

Gleichheit *f* equality, parity, identity, equity, uniformity; **G. vor dem Gesetz** equality before the law, equal justice under the law, equality in law; **vertikale G.** vertical equity; **G.s(grund)satz** *m* principle of equality; **G.szeichen** *nt* π equals sign

Gleich|klang *m* unison, harmony; **g.kommen** *v/i* 1. to amount to, to be tantamount to; 2. to match/equal

Gleichlauf *m* synchronism, synchronization, consistency; **im G.** in step; **g.end** *adj* parallel, concurrent, coterminous; **G.prüfung** *f* synchronism check

gleich lautend *adj* identical, concurrent, of the same tenor; **g.machen** *v/t* to equalize/level; **G.macher** *m* egalitarian, leveller; **G.macherei** *f* egalitarianism, levelling down; **g.macherisch** *adj* egalitarian; **g.mäßig** *adj* 1. equal, even, uniform, consistent, evenly spread, even-handed; 2. *(Anteil)* equiproportional

Gleichmäßigkeit *f* uniformity; **G. der Besteuerung** uniformity and equality of taxation; **G.sklausel** *f* uniformity clause

Gleich|möglichkeit *f* equal probability; **G.mut** *m* equanimity; **g.mütig** *adj* serene, composed; **g.namig** *adj* of the same name

Gleichnis *nt* parable, simile

gleich|ordnen *v/t* to coordinate; **G.ordnung** *f* coordination; **G.ordnungskonzern** *m* coordinated/horizontal group, uniformly directed group; **G.rang** *m* equal rank, parity; **~ haben** 1. to rank equally; 2. *(Aktien)* to rank pari passu *(lat.)*

gleichrangig *adj* (equal-)ranking, pari passu *(lat.)*, of equal rank/status; **g. sein** to rank equally, ~ pari passu *(lat.)*; **~ mit** to rank with

Gleich|rangige(r) *f/m* peer; **g.schalten** *v/t* 1. to bring into line, to coordinate; 2. *(Maschine)* to phase; **G.schaltung** *f* coordination; **im G.schritt** *m* in step, in unison; **~ handeln** to act in unison; **g.setzen** *v/t* to equate, to treat as equivalent; **g.zusetzen mit** synomymous with; **G.setzung** *f* equalization; **G.spannung** *f* ⚡ direct current (DC) voltage; **G.stand** *m* same level, parity; **~ herstellen** to create parity; **g.stellen** *v/t* to bring into line, to equate/par, to put on a par, to treat as equal, to give parity of treatment, to accord the same treatment; **G.stellung** *f* emancipation, parity of treatment; **G.stellungsbeauftragte(r)** *f/m* equal rights representative; **G.strom** *m* ⚡ direct/continuous current (DC); **G.takt** *m* synchronous rhythm

Gleichung *f* π equation; **G. aufstellen** to form an equation; **kubische G.** cubic equation; **technologische G.** technical/technological equation; **G.srechnung** *f* equation evaluation

Gleichverteilung *f* uniform distribution; **G.shypothese** *f* equal chance hypothesis

gleichwertig *adj* equal, equivalent, adequate, of the same standard, on a par, tantamount (to); **g. sein** to countervail; **G.keit** *f* equal value, equivalence, equivalent information

gleichzeitig *adj* simultaneous, coincidental, concurrent, concomitant, collateral, on the same date, contemporaneous; **g. mit** concurrent with; **G.keit** *f* concurrence, simultaneity

gleichziehen *v/t* to draw level, to catch up, to fall in with, to match

Gleis *nt* 🚆 track, line, track; **ausgefahrene G.e** *(fig)* beaten track; **gewohntes G.** *(fig)* rut; **totes G.** dead track, siding

Gleis|anlage *f* rail facilities, track; **G.anlagen** track; **G.anschluss** *m* (rail) siding *[GB]*, sidetrack *[US]*; **G.arbeiten** *pl* track maintenance; **G.arbeiter** *m* tracklayer; **G.bau** *m* tracklaying; **G.bett** *nt* track bed, permanent way; **G.erneuerung** *f* track rehabilitation; **G.kette** *f* caterpillar track; **G.kettenfahrzeug** *nt* tracklaying vehicle; **G.körper** *m* permanent way, (railway) track; **G.lagergebühr** *f* track storage; **G.miete** *f* siding rent; **G.netz** *nt* rail network; **G.strang** *m* line, track; **G.unterhaltung** *f* track maintenance

Gleit|bahn *f* 1. glide path; 2. ⚓ slipway; **G.boot** *nt* hydrofoil

gleiten *v/i* 1. to glide/slide; 2. *(Arbeitszeit)* to be o flex(i)time; **g.d** *adj* sliding-scale, floating, moving flexible

Gleitklausel *f* 1. escalator/index/escalation/arrange ment clause, index clause system, escalator plan; 2 price fluctuation clause

Gleitkomma *nt* floating point/decimal; **G.darstellun** *f* floating-point representation; **G.konstante** *f* floating point constant; **G.operation** *f* floating point operation per second (FLOPS); **G.rechnung** *f* floating-poin computation; **G.zahl** *f* floating-point number

Gleit|lohntarif *m* sliding wage scale; **G.parität** *f* crawl ing peg; **G.preis** *m* sliding(-scale)/escalation price **G.preisklausel** *f* escalator clause; **G.punkt** *m* floatin point; **G.punktrechnung** *f* floating point computation **G.rolle** *f* caster; **G.zeit** *f* flex(i)time, flexible (working hours/schedule; **G.zeitbereich** *m* fringe time; **G.ziffe** *f* link relative; **G.zins** *m* flexible rate, variable interes (rate); **G.zoll** *m* escalator/sliding(-scale) tariff, sliding scale duty, differential charge

Glied *nt* 1. limb, member; 2. *(Kette)* link; **G. einer Be weiskette** link in a chain of evidence; **~ Datei** file mem ber; **G. der Kette** link in the chain; **fehlendes G.** mis sing link; **kleinstes G.** π least term

Glieder|drucker *m* train printer; **G.maßstab** *m* foldin rule

gliedern *v/t* to arrange/order/structure/classify/subdivide marshall/paragraph, to break down; **sich g. in** to fall divide into, to consist of; **neu g.** to restructure

Glieder|staat *m* *(Bund)* individual state, federal unit **G.taxe** *f (Vers.)* dismemberment schedule

Gliederung *f* arrangement, structure, classification, or ganisation, breakdown, (sub)division, layout, set-up

Gliederung in Abteilungen departmentalization, de partmentalism; **G. der Ausgaben** classification of ex penditures; **~ Fälligkeiten** spacing of maturities; **G. in Geschäftsbereiche/Sparten** divisionalization; **G nach Größe** breakdown by size; **G. des Jahresab schlusses** layout/classification of the annual accounts **G. der Jahresbilanz** layout/classification of the an nual balance sheet; **G. des Konzernabschlusses** lay out/classification of the consolidated financial state ments

berufliche Gliederung occupational classification breakdown by occupations; **bundesstaatliche G** federal subdivisions/structure; **regionale G.** regiona structure/pattern; **sektorale G.** industrial mix

Gliederungs|schema *nt* method of itemization; **G.vor schrift** *f* classification rule

Gliedstaat *m* member state

glitzernd *adj* flashy

global *adj* global, across the board, comprehensive, all in, overall, in aggregate terms

Global|abkommen *nt* general agreement; **G.abtretun** *f* blank/blanket assignment, automatically continuin blanket assignment; **G.abtretungsvertrag** *m* genera assignment; **G.aktie(nurkunde)** *f* all-share certificate stock/multiple certificate; **G.analyse** *f* overall analysis **G.angebot** *nt* package/comprehensive offer; **G.anlei**

he *f* blanket loan, high-denomination loan; **G.anstieg** *m* across-the-board rise; **G.anteilsschein** *m* multiple certificate; **G.aussage** *f* general statement; **G.belastung** *f* total burden; **G.berechnung** *f* aggregate calculation; **G.besteuerung** *f* overall taxation; **G.betrag** *m* inclusive/round sum; **G.bewilligung** *f* block vote/appropriation; **G.darlehen** *nt* blanket/lump-sum loan, loan en bloc *[frz.]*; **G.deckung** *f (Vers.)* comprehensive cover; **G.einsparung** *f* all-round cut; **G.finanzierung** *f* block financing; **G.garantie** *f* general guarantee; **G.geschäft** *nt* package deal

globalisieren *v/t* to globalize

Globalisierung *f* globalization; **G. des Beschaffungswesens** global sourcing; **G. der Märkte** globalization of markets; **wirtschaftliche G.** economic globalization

Global|hypothek *f* blanket mortgage; **G.kontingent** *nt* overall/global quota; **G.kredit** *m* block/blanket credit; **G.kürzung** *f* across-the-board/all-round cut; **G.namensaktie** *f* collective registered share; **G.planung** *f* master planning; **G.police** *f* blanket/comprehensive/all-risk(s) policy; **G.preis** *m* inclusive rate; **G.regelung** *f* lump-sum settlement; **G.saldo** *m* net total; **G.steuerung** *f* demand management, management of demand, overall control; **G.summe** *f* overall total; **G.tarif** *m* all-inclusive rate; **G.überschuss** *m* overall surplus; **~ anreichern** to shore up the overall surplus; **G.urkunde** *f* collective/all-in document (of title), global/multiple certificate; **~ für Inhaberschuldverschreibungen** global bearer bond; **G.urteil** *nt* all-embracing judgment; **G.verpflichtung** *f* blanket obligation; **G.versicherung** *f* comprehensive/blanket/all-in *[US]*/all-loss/all-risk(s) insurance; **G.wertberichtigung** *f* overall adjustment, lump-sum value adjustment; **G.zession** *f* blank/blanket assignment, automatically continuing blanket assignment, general assignment of all rights and claims; **G.zuschuss/G.zuweisung** *m/f* 1. block grant; 2. *(an Kommunen)* rate support grant *[GB]*

Globus *m* globe

Glocke *f* bell; **etw. an die große G. hängen** *(coll)* to shout sth. from the rooftops *(coll)*; **G.nboje** *f* ⚓ bell buoy; **G.nkurve** *f* π Gaussian/bell-shaped curve

Glossar *nt* glossary

Glosse *f* gloss, annotation, marginal note

glossieren *v/t* to gloss/comment

Glück *nt* 1. luck; 2. happiness, bliss; **auf gut G.** on the off-chance, on spec *(coll)*; **G. im Unglück** blessing in disguise

Glück haben to be fortunate, ~ in luck, to make a strike, to fall on one's feet; **kein G. haben** to draw a blank; **sein G. machen** 1. to make one's fortune; 2. *(Geld)* to make one's pile; **~ versuchen** to try one's luck; **auf gut G. versuchen** to have a go (at sth.); **sein G. im Spiel versuchen** to try one's luck at gambling, to have a flutter *(coll)*; **auf ~ vertrauen** to trust to chance; **jdm G. wünschen** to wish so. well

unerhörtes Glück sheer luck

glücken *v/i* to succeed

glück|lich *adj* 1. lucky, fortunate; 2. happy; **g.los** *adj* unlucky, luckless, unfortunate, hapless

Glücks|fall *m* piece/stroke of luck, fluke, strike; **unerwarteter G.fall** windfall, godsend; **G.güter** *pl* blessings; **G.jäger** *m* fortune hunter; **G.pfennig** *m* lucky penny; **G.pilz** *m (coll)* lucky dog *(coll)*; **G.rad** *nt* wheel of fortune; **G.ritter** *m* adventurer; **G.sache** *f* matter of luck; **G.sack** *m* grab bag

Glücksspiel *nt* gamble, game of chance, gambling; **G. machen** to have a flutter *(coll)*; **verbotenes G.** unlawful game/gambling; **G.automat** *m* fruit machine, one-armed bandit

Glücks|spieler *m* gambler; **G.stern** *m* lucky star; **G.strähne** *f* lucky streak, streak/run of luck; **G.tag** *m* red-letter day; **G.treffer** *m* lucky strike/hit, stroke of luck

Glückwunsch *m* congratulation; **Glückwünsche überbringen** to convey congratulations; **G.addresse** *f* message of congratulations; **G.karte** *f* greetings card; **G.schreiben** *nt* congratulatory letter; **G.telegramm** *nt* greetings telegramme

GmbH (Gesellschaft mit beschränkter Haftung) *f* private limited company (Ltd), limited liability company, cyfengedic *[walisisch]*; **GmbH & Co. KG** limited partnership with a limited liability company as general partner, S corporation *[US]*; **GmbH und Still** limited liability company with a dormant partner; **als ~ eintragen** to register as a limited company; **GmbH-Gesetz** *nt* limited liability companies act

Gnade *f* 1. clemency, grace, mercy; 2. pardon; **um G. bitten** to plead for mercy; **G. vor Recht ergehen lassen** to show clemency, to temper justice with mercy

Gnaden|akt *m* act of grace/mercy/clemency; **G.beweis** *m* 1. favour; 2. § act of pardon; **G.erlass/G.erweis** *m* act of grace, general pardon; **G.frist** *f* reprieve, period of grace, grace period, extra time (allowed); **~ gewähren** to reprieve; **G.gesuch** *nt* § petition for mercy/clemency, plea for pardon; **G.instanz** *f* § board of pardons, clemency board; **g.los** *adj* 1. relentless, merciless; 2. *(Konkurrenz)* cutthroat; **G.recht** *nt* § prerogative of mercy; **G.stoß** *m* coup de grâce *[frz.]*; **G.tage** *pl* days of grace; **G.tod** *m* mercy killing, euthanasia; **G.weg** *m* § official channels for clemency petitions; **auf dem G.weg** by way of grace

Gold *nt* gold; **aus G.** golden; **G. in Barren** ingot gold; **G. von geringem Feingehalt** base gold; **G. am Kassamarkt** spot gold; **mit G. aufwiegen** *(fig)* to pay a heavy price; **G. als Sicherheit gegen Inflation kaufen** to buy gold as a hedge against inflation

echtes Gold sterling gold; **gediegenes G.** solid gold; **18-karätiges G.** common gold; **legiertes G.** alloyed gold; **reines G.** pure gold; **schlechtes G.** base gold; **schwarzes G.** *(Kohle)* black gold; **ungemünztes G.** (gold) bullion

Gold|abbau *m* gold mining; **G.abfluss/G.abzug** *m* bullion/gold drain, outflow of gold, drain of bullion/gold; **G.ader** *f* vein of gold, gold vein; **~ entdecken** to strike gold; **G.agio** *nt* gold premium; **G.aktien** *pl* gold mines; **G.ankaufskurs/-preis** *m* gold buying price; **G.anleihe** *f* gold bond/loan; **G.arbitrage** *f* gold arbitrage, arbitrage in gold/bullion; **G.aufgeld** *nt* gold premium;

G.auflage *f* overlay of gold; **G.auktion** *f* gold auction; **G.ausfuhr** *f* gold export(s); **G.ausfuhrpunkt** *m* gold export point; **G.ausgleichsfonds** *m* gold settlement fund *[US]*; **G.automatismus** *m* automatic corrective of the gold movement; **G.barren** *m* 1. gold ingot, bullion/gold bar; 2. *(amtlich geprüft)* assay office bar; **falscher G.barren** gold-brick; **G.basis** *f* gold basis; **auf G.basis** on gold, gold-based; **G.bergwerk** *nt* gold mine

Goldbestand *m* gold holdings/reserve, holdings of gold; **Gold- und Devisenbestände/-reserven** gold and foreign exchange reserves; **~ Silberbestand** bullion reserve(s)

Gold|bewegungen *pl* gold flow/movements; **G.- und Devisenbilanz** *f* gold and foreign exchange balance; **G.bindung** *f* link with gold; **G.blech** *nt* gold foil; **G.block** *m* gold block; **G.börse** *f* bullion market/exchange

Golddeckung *f* gold backing/cover; **G.sklausel** *f* currency principle/doctrine; **G.sprinzip** *m* currency principle; **G.svorschriften** *pl* gold backing/cover requirements

Gold|devise *f* gold currency; **G.devisenstandard/-währung** *m/f* gold exchange standard; **G.dollar** *m* gold dollar; **G.doublé** *nt* rolled gold, gold-plated metal; **G.druck** *m* gold print/lettering; **G.einführpunkt** *m* gold (import) point; **G.einlage** *f (IWF)* gold contribution; **G.einzahlung** *f* gold subscription

golden *adj* gilt, golden

„Goldene Aktie" special share

Gold|euphorie *f* gold euphoria; **G.exportpunkt** *m* gold export point; **G.feld** *nt* gold field; **G.fieber** *nt* gold rush; **G.fonds** *m* gold fund; **G.fund** *m* gold strike; **g.gesichert** *adj* gold-backed, gold-guaranteed, secured/backed by gold; **G.gehalt** *m* gold content; **g.gerändert** *adj* gilt-edged; **G.gewicht** *nt* troy weight; **G.gewinnung** *f* gold mining; **G.gräber** *m* gold digger, (gold) prospector; **G.gräberei** *f* gold digging; **G.gräberstadt** *f* boom town; **G.grube** *f* gold mine, bonanza; **G.gulden** *m* gold florin; **G.handel** *m* gold trade, bullion dealing; **G.händler** *m* bullion dealer; **G.hort** *m* gold hoard; **G.importpunkt** *m* gold import point; **G.kernwährung** *f* gold bullion standard; **G.klausel** *f* gold clause; **G.klumpen** *m* nugget; **G.konvertibilität** *f* gold convertibility

Goldkurs *m* gold rate; **unbeständiger G.** gold's volatile course; **G.währung** *f* gold standard

Gold|legierung *f* gold alloy; **G.mark** *f* gold mark

Goldmarkt *m* gold/bullion market; **freier G.** free-tier gold market; **gespaltener G.** two-tier gold market; **Gold- und Silbermarkt** bullion market

Gold|medaille *f* gold medal; **G.mine** *f* gold mine; **G.minenaktien/-werte** *pl* gold mines

Gold|münze *f* gold coin; **20-Dollar-G.** double eagle *[US]*; **G.- und Silbermünzen** real money; **G.münzwährung** *f* gold coin standard

Gold|notierung/G.notiz *f* gold quote, price of gold; **G.obligation/G.pfandbrief** *f/m* gold bond; **G.panik** *f* gold panic; **G.parität** *f* gold parity; **G.pool** *m* gold pool; **G.prägung** *f* gold printing; **G.preis** *m* gold price; **gespaltener G.preis** two-tier gold system/price; **G.probe** *f* assay for gold; **G.produktion** *f* gold production

Goldpunkt *m* gold/bullion/specie point; **oberer G.** export (gold) point, gold export point; **unterer G.** gold import point; **g.orientiert** *adj* moving according to gold points

Gold|rausch *m* gold rush; **g.reich** *adj* rich in gold; **G.rente** *f* gold annuity

Goldreserve *f* gold reserve/holdings, holdings of gold, bullion reserve; **G.- und Dollareserven** gold and dollar reserves; **~ Währungsreserven** gold and foreign currency/exchange reserves

Gold|schatz *m* treasure of gold, hoard of gold; **G.schmied** *m* goldsmith, jeweller; **mit G.schnitt** *m* gilt-edged; **G.spekulation** *f* speculation in gold; **G.standard** *m* gold standard; **~ abschaffen/verlassen** to go off of the gold standard; **G.staub** *m* gold dust; **G.stück** *nt* gold piece/coin, goldfinch *[GB]*; **G.suche** *f* quest/prospecting for gold; **G.sucher** *m* (gold) prospector; **G.tranche** *f* gold tranche/quota; **G.tranchen-Ziehungsrechte** *pl* gold tranche rights; **G.übertragung** *f* gold transfer; **(reine) G.umlaufwährung** *f* gold specie standard, full gold standard; **G.vorkommen** *nt* gold deposit(s); **G.vorrat** *m* gold supply/stocks; **G.waage** *f* assay/bullion balance

Goldwährung *f* gold currency/standard, gold bullion standard; **G.- und Silberwährung** gold and silver currency/standard; **G. aufgeben** to abandon the gold standard; **zur G. zurückkehren** to return to the gold standard; **reine G.** gold specie standard; **G.ssystem** *nt* gold-based monetary system

Goldwert *m* value in gold; **(volle) G.garantie** *f* (outright) gold-value guarantee; **g.gesichert sein** *adj* to carry a gold-value guarantee; **G.klausel** *f* gold (value) clause; **G.sicherung** *f* maintenance of the gold value

Gold|zertifikat *nt* gold certificate; **G.zufluss** *m* gold influx

Golf *m* 1. gulf; 2. *(Sport)* golf

Gondel *f* 1. gondola; 2. gondola car

sich etw. gönnen *v/refl* to treat o.s. to sth., to indulge in sth.

Gönner|(in) *m/f* sponsor, patron, promoter, benefactor, supporter, well-wisher; **g.haft** *adj* patronizing; **G.schaft** *f* patronage

Goodwill *m* goodwill

Gösch *f* Red Ensign *[GB]*

Gouverneur *m* governor; **G. der Bank von England** Governor of the Bank of England; **G.srat** *m (IWF)* Board of Governors

Grab *nt* 1. grave; 2. tomb; **sein eigenes G. schaufeln** to dig one's own grave; **ins G. sinken** to sink into the grave; **etw. zu G.e tragen** *(fig)* to ring the death knell of sth. *(fig)*, to lay to rest

Graben *m* 1. ditch, trench; 2. rift, cleavage, divide; **Gräben ziehen** to ditch; **g.** *v/i* 1. to dig; 2. to excavate; 3. to delve; **G.krieg** *m* trench warfare/*(fig)* battle

Grab|mal *nt* tomb; **G.rede** *f* funeral oration; **G.schändung** *f* desecration of a grave; **G.stätte** *f* burying ground, burial plot; **G.stein** *m* tombstone, headstone; **G.stelle** *f* cemetery/burial plot

Grad *m* degree, grade, order, class, standard, point; **bis zu einem gewissen G.e** to a certain extent, in some measure

Grad der Anforderung degree of factor; **~ Arbeitslosigkeit** level of unemployment; **~ Behinderung/Invalidität** degree of disablement; **~ Fahrlässigkeit** degree of negligence; **G. des Folgeschadens** remoteness of damage; **G. der Kapazitätsauslastung** rate of capacity utilization; **~ erreichten Marktdurchdringung** achieved (market) penetration; **~ Neuheit** degree of novelty; **G. des Verschuldens** degree of fault; **G. der Verwandtschaft** degree of relationship

akademischen Grad besitzen to hold a degree; **sich um 180 G. drehen** to turn turtle *(fig)*; **in G.e einteilen** to scale; **akademischen G. erlangen** to graduate, to take one's degree; **jdm einen ~ verleihen** to confer a degree upon so.

akademischer Grad university/college degree; **ehrenhalber verliehener ~ G.** honorary degree

Gradeinteilung *f* scale, gradation, scale division

Gradient *m* gradient; **G.enverfahren** *nt* gradient method

gradier|en *v/t* 1. ✪ to calibrate; 2. to grade; **G.ung** *f* 1. calibration; 2. *(Ware)* grade; 3. grading

grad|linig *adj* straight-line, rectilinear; **G.messer** *m* indicator, criterion, yardstick, standard

graduell *adj* 1. gradual; 2. slight

graduier|en *v/t* ➔ **gradieren** to graduate; **g.t** *adj* graduated, qualified; **G.te(r)** *f/m* graduate; **G.ung** *f* graduation

Grad|unterschied *m* difference of degree; **g.zahlig** *adj* even-numbered

Graffiti *pl* graffiti

Grafik *f* 1. graphic arts; 2. chart, graph; **gewerbliche G.** industrial art; **schraffierte G.** hatched graph; **G.diagramm** *nt* graphic drawing

Grafiker(in) *m/f* graphic artist/designer, illustrator, printmaker

grafisch *adj* 1. diagrammatic, graphic; 2. printing

Grafit *m* ➔ **Graphit**

Grafologe *m* ➔ **Graphologe**

Grafschaft *f* county *[GB]*; **G. im Einzugsbereich von London** home county; **ländliche G.** shire county *[GB]*; **städtische G.** metropolitan county; **G.sanleihen** *pl* county stocks; **G.sgericht** *nt* county court; **G.srat** *m* county council; **G.sstadt** *f (Hauptort)* county town

Gramm *nt* gram(me)

Grammophon *nt* record player, grammophone; **G.nadel** *f* stylus; **G.platte** *f* record, dish

Gran *nt* grain

grandios *adj* grandiose

Granit *m* granite

Granu|lat *nt* granulate; **g.lieren** *v/t* to granulate

Graph *m* graph; **dualer G.** dual graph; **G.entheorie** *f* graph theory, theory of graphs

Graphit *nt* graphite; **G.stift** *m* lead/conductive pencil

Grapho|loge/G.login *m/f* graphologist; **G.logie** *f* graphology

Gras *nt* grass; **ins G. beißen** *(coll)* to kick the bucket *(coll)*, to bite the dust *(coll)*; **G. wachsen hören** *(fig)* to be highly perceptive, to hear the grass grow *(fig)*; **G. darüber wachsen lassen** *(fig)* to let bygones be bygones, to live sth. down, to let the dust settle (on sth.) *(fig)*

grasen *v/i* to graze

Gras|fläche/G.land *f/nt* grassland; **G.halm** *m* blade of grass; **G.land** *nt* grassland; **G.narbe** *f* turf

grassieren *v/i* to be rife/rampant; **g.d** *adj* widespread

grässlich *adj* dismal, hideous, abominable, ghastly

Grat *m* ridge, edge

Gratifikation *f* bonus, gratuity, ex gratia *(lat.)* payment, gratification, bonus/incentive payment, wage dividend; **G. in bar** cash bonus

gratis *adj* 1. free (of charge), (at) no charge, gratuitous, without payment, gratis, nil paid; 2. buckshee *(coll)*; **g. und franko** free of charge and postage paid

Gratisaktie *f* bonus share *[GB]*/stock *[US]*/issue, scrip/capital bonus, stock dividend, free/nil paid/capitalization share, plum *(coll)*; **ex/ohne G.n** ex bonus (shares), ex scrip issue; **G. mit Wahlrecht der Barabfindung** optional dividend; **G.n ausgeben/verteilen** to make a bonus share distribution; **G.nausgabe** *f* scrip issue

Gratis|angebot *nt* free offer; **G.anteil** *m* bonus unit/share; **G.beilage** *f* free supplement; **G.emission** *f* scrip issue; **G.exemplar** *nt* presentation/complimentary copy; **G.geschenk** *nt* free gift; **G.kupon** *m* incentive premium; **G.muster/G.probe** *nt/f* free sample; **G.obligation** *f* interest bond; **G.plakataushang** *m* free posting; **G.recht** *nt* bonus right; **G.zeitschrift** *f* free publication; **G.zeitung** *f* freesheet, freebie, giveaway; **G.zuteilung** *f (Aktie)* bonus distribution

Gratulant(in) *m/f* well-wisher

Gratulation *f* congratulation; **G.scour** *f* reception; **G.skarte** *f* congratulatory card; **G.sschreiben** *nt* congratulatory letter

gratulieren *v/i* to congratulate

Gratwanderung *f* *(fig)* tightrope walk(ing) *(fig)*

Grau|pappe *f* chipboard; **G.zone** *f* grey area

Graveur *m* engraver

gravieren *v/t* to engrave; **g.d** *adj* serious, grave, important, weighty, gross

Gravur *f* engraving

greifbar *adj* 1. tangible, concrete; 2. handy; **nicht g.**intangible

greifen *v/ti* 1. to grab/grip; 2. *(Maßnahme)* to bite, to produce results, to take effect; **g. zu** to have recourse to, to resort to; **um sich g.** to proliferate; **richtig g.** *(Maßnahme)* to operate properly; **schnell g.** to make rapid progress

Greifer *m* grab; **G.gut** *nt* grabbable cargo

Greifkran *m* grab crane

Gremium *nt* body, committee, group, panel, board; **in einem G. sein/sitzen** to be on the panel; **beratendes G.** advisory body; **fachliches G.** committee of experts, specialized body; **kollegiales G.** board

Grenz|- 1. marginal; 2. border, frontier; **G.abfertigung** *f* ⊖ frontier/border/customs clearance; **G.abferti-**

gungsgebühr *f* frontier clearance charge; **G.abgabe** *f* customs duty; **G.abkommen** *nt* frontier agreement; **G.abnehmer** *m (Anlage)* investor at the margin; **G.analyse** *f* marginal theory/analysis

Grenzanbieter *m* 1. marginal seller; 2. *(Anlage)* investor at the margin; **G. von Kapital** marginal lender; **landwirtschaftlicher G.** subsistence farm

Grenzarbeitnehmer *m* frontier zone worker

Grenzaufsicht *f* frontier surveillance; **G.sbeamter** *m* frontier surveillance officer; **G.sstelle** *f* frontier surveillance post

Grenzausgaben *pl* marginal outlay

Grenzausgleich *m* import/export compensation payment, border levy, frontier adjustments, monetary compensatory amounts; **steuerlicher G.** border adjustment for internal taxes; **G.sabgabe** *f* border tax (on imports); **G.ssteuer** *f* border tax adjustment; **G.szahlung** *f [EU]* monetary compensatory amount

Grenz|bahnhof *m* border/frontier station; **G.baum** *m* frontier barrier; **G.beamter** *m* border official; **G.bedarf** *m* marginal requirements; **G.begehung** *f* perambulation; **G.belastung** *f* marginal cost(s), critical load, charging increment; **~ der Einkommen** marginal charges on income; **G.bereich** *m* 1. boarder zone/area; 2. limits; 3. ▦ interface; **G.bereinigung** *f* frontier adjustment; **G.besteuerung** *f* marginal taxation, ~ propensity to tax; **G.betrieb** *m* marginal company/enterprise/producer, ~ unit of production, subsistence enterprise; **G.bezirk** *m* border/frontier district; **G.boden** *m* 🚜 marginal land

Grenze *f* 1. border, frontier; 2. *(Grundstück)* boundary; 3. borderline, limit, edge, margin, level, precinct, threshold, dividing line, bound; 4. 🚜 mete; **in G.n (halten)** (to keep) within limits; **innerhalb der G.n von** within the precincts of

Grenze der Arbeitsunlust/-unwilligkeit marginal disutility; **G.n der Besteuerung** limits of taxation; **G. wirtschaftlicher Kapitalbeschaffung** capital cutoff point; **G. zwischen Recht und Unrecht** dividing line between right and wrong; **~ Rechtssystemen** jurisdictional boundary; **G. der Rentabilität** breakeven point; **G.n des Wachstums** growth limits; **G. für Wertpapiergeschäft** trading limit

frei Grenze free border/frontier, franco frontier; **geliefert G.** delivered at frontier

Grenze abstecken/festlegen to demarcate; **G. begehen** to perambulate; **sich hart an der G. des Erlaubten bewegen** to sail close to the wind *(fig)*; **G.n einhalten** to observe limits; **angemessene G. einhalten** to observe equitable limits; **über die G. gehen; G. passieren/überschreiten** to cross the border; **in G.n halten** to keep within bounds; **sich ~ halten** to be limited; **sich in engen G.n halten** to be very limited; **G. setzen** *(fig)* to be a limiting factor; **G. sperren** to close a border; **an G.n stoßen** to come up against limiting factors; **G. verletzen** to violate the border/frontier; **G. ziehen** to demarcate

angemessene Grenzeln feasible limits; **äußerste G.** utmost limit; **dehnbare G.** flexible limit; **enge G.n** narrow limits; **gemeinsame G.** common boundary; **grün G.** land frontier/border; **nasse G.** wet border; **obere G** upper/superior limit, upper boundary; ceiling; **techni sche/technologische G.** technological/engineerin constraint, ~ limitation; **trockene G.** dry/land border **untere G.** lower/minimum/inferior limit, lower boundary; **in den vorgesehenen G.n** within the limits provided for

Grenzeinkommen *nt* marginal revenue; **G.sverlauf** *n* marginal revenue product curve

grenzen an *v/prep* 1. to border on, to adjoin; 2. *(fig)* to verge on

grenzenlos *adj* boundless, limitless

Grenzerlös *m* marginal revenue/profit; **G.funktion** marginal revenue function; **G.produkt** *nt* marginal revenue/value product

Grenzertrag *m* marginal returns/revenue yield; **G. des Kapitals** marginal yield on capital; **partieller G.** partial marginal return

Grenzertrags|boden/G.land *m/nt* marginal land **G.kurve** *f* marginal product curve

Grenz|erzeugnis *nt* marginal product; **G.fall** *m* borderline case, sensitive situation; **G.festsetzung** *f* demarcation; **G.feststellungsklage** *f* petition to establish the borderline; **G.finanzierung** *f* marginal financing **G.formalitäten** *pl* border formalities; **G.gänger** *m* cross-border/transfrontier commuter, frontier worker **G.gebiet** *nt* 1. border/frontier area; 2. marginal area **G.graben** *m* boundary ditch; **G.kapazität** *f* marginal capacity; **G.kapital** *nt* marginal capital; **G.käufer** *m* marginal buyer; **G.kommission** *f* boundary commission; **G.konflikt** *m* boundary dispute; **G.konsum** *m* marginal consumption; **G.konto** *nt* terminal account **G.kontrolle** *f* customs/border control; **G.kontrollstelle** *f* border control post, checkpoint

Grenzkosten *pl* marginal/differential/terminal/incremental/alternative cost(s); **G. für die letzte Produkteinheit** marginal unit cost(s); **additive G.** additive marginal cost(s); **konstante G.** constant relative cost(s); **~ G.- und Zusatzkosten** constant returns to scale; **langfristige G.** long-run marginal cost(s); **soziale G.** marginal social costs; **G.basis** *f* marginal/differential cost basis; **G.ergebnis** *nt* marginal income variable gross margin, economic profit, profit contribution; **G.kalkulation/G.rechnung** *f* marginal/direct costing; **G.preise** *pl* marginal prices costs

Grenz|kreditnehmer *m* marginal borrower; **G.kurs** *m* marginal rate; **G.land** *nt* border country; **G.landgebiet** *nt* border region; **G.last** *f* maximum load; **G.leerkosten** *pl* marginal idle capacity cost(s); **G.leid der Arbeit** *n* marginal disutility of labour

Grenzleistungsfähigkeit *f* marginal efficiency; **G. der Arbeit** marginal efficiency of labour; **G. des Kapitals** marginal efficiency of capital, ~ rate of return; **abnehmende ~ Kapitals** declining marginal efficiency of capital

Grenz|linie *f* boundary (line), borderline; **G.linien** 🚜 metes and bounds; **G.liquidität** *f* marginal liquidity **G.mauer** *f* party/boundary wall; **G.multiplikator** *m*

marginal multiplier; **G.nachfrage** *f* marginal demand; **G.nachfrager** *m* marginal buyer; **~ nach Kapital** marginal borrower; **g.nah** *adj* close to the border/frontier

Grenznutzen *m* marginal utility/profit/significance, final (degree of) utility; **G. der Arbeit** marginal utility of labour; **G. des Geldes** marginal utility of money; **abnehmender G.** decreasing/diminishing marginal utility; **zunehmender G.** increasing marginal utility; **G.analyse** *f* marginal utility analysis; **G.lehre/G.theorie** *f* marginal/final utility theory, theory of marginal utility; **G.schule** *f* marginal utility school

Grenz|opfer *nt* marginal disutility; **G.pfahl** *m* boundary post, landmark; **G.plankostenkalkulation/-rechnung** *f* direct/marginal/differential costing, marginal cost pricing, standard direct costing, activity/functional accounting, accounting by functions, variable cost accounting; **G.polizei** *f* border police; **G.posten** *m* 1. boarder guard; 2. frontier post; **G.prinzip** *nt* principle of marginality

Grenzprodukt *nt* marginal product/return, extra product; **G. der Arbeit** marginal product of labour; **monetäres G.** marginal revenue productivity; **physisches G.** marginal physical product

Grenzproduktion *f* incremental production

Grenzproduktivität *f* marginal productivity/productiveness; **G. der Arbeit** marginal productivity of labour; **G. des Geldes** marginal productivity of money; **G. der Investitionen** marginal productivity of investment; **G. des Kapitals** marginal productivity of capital; **monetäre G.** marginal revenue productivity; **physische G.** marginal physical productivity; **G.stheorie** *f* marginal productivity theory, ~ theory of distribution, theory of marginal productivity

Grenz|produzent *m* marginal firm/producer, ~ unit of production; **G.provinz** *f* border province; **G.rain** *m* boundary strip

Grenzrate der Substitution *f* marginal rate of substitution; **~ Transformation** marginal rate of transformation; **~ Zeitpräferenz** intertemporal marginal rate of substitution

Grenz|region *f* frontier region; **G.rentabilität** *f* marginal profitability; **G.scheidungsgericht** *nt* neighbourhood court meeting; **G.scheidungsklage** *f* petition to fix a boundary; **G.schein** *m* frontier pass; **G.schicht** *f* marginal increment; **G.schmuggel** *m* smuggling across a boundary; **G.schutz** *m* border guards; **G.sicherungsbetrag** *m* terminal subscription; **G.situation** *f* borderline/sensitive situation; **G.sparen** *nt* marginal saving; **G.spediteur** *m* ⊖ border/transit agent; **G.sperre** *f* 1. closed frontier; 2. frontier barrier; **G.stadt** *f* border/frontier town; **G.station** *f* border station; **G.stein** *m* landmark, boundary stone; **G.stelle** *f* border post; **G.stempel** *m* frontier stamp; **G.steuerbelastung/-last** *f* marginal tax burden; **G.steuersatz** *m* marginal rate of taxation, ~ (tax) rate; **G.streifen** *m* boundary strip; **G.streitigkeit** *f* border/frontier dispute; **G.stückkosten** *pl* marginal unit cost(s); **G.überbau** *m* encroachment

Grenzübergang *m* frontier/border crossing (point), point of entry; **G. sperren** to close a border crossing; **G.sort/G.sstelle** *m/f* checkpoint, transit point, border/frontier crossing point; **G.sschein** *m* ⊖ transit advice note; **G.swert** *m* ⊖ frontier-crossing value

grenz|überschreitend *adj* 1. cross-border, cross-frontier, transborder, frontier crossing, transfrontier, transboundary; 2. transnational, international; **G.übertritt** *m* crossing of the border; **G.überwachung** *f* border control; **G.umsatz** *m* marginal sales/revenue; **G.umsatzprodukt** *nt* marginal revenue/value product; **G.verbrauch** *m* marginal consumption; **G.verbraucher** *m* marginal consumer; **G.verkäufer** *m* marginal seller; **G.verkehr** *m* cross-border/cross-frontier traffic; **kleiner G.verkehr** local (trans-)frontier traffic; **G.verlauf** *m* 1. course of the border; 2. *(Grundstück)* boundary line; **G.verletzung** *f* violation of the border, border violation; **G.versicherung** *f* frontier insurance; **G.vertrag** *m* frontier treaty; **G.vorrang** *m* 💻 limit priority

Grenzwert *m* 1. critical/limit(ing)/marginal value; 2. *(Funktion)* limit; **oberer G.** upper limit; **unterer G.** lower limit; **G.analyse** *f* marginal analysis; **G.axiom** *nt* ▦ limit axiom; **G.problem** *nt* boundary value problem; **G.prüfung** *f* marginal check; **G.satz** *m* limit theorem

Grenz|zaun *m* party/boundary fence; **G.zeichen** *nt* landmark, boundary mark; **G.ziehung** *f* 1. demarcation, delimitation; 2. *(fig)* drawing a line

Grenzzoll *m* boundary customs; **G.abfertigung** *f* frontier customs clearance; **G.amt/G.stelle** *nt/f* frontier customs office, customs house, outgoing goods customs office

Grenz|zone *f* border/frontier zone; **G.zwischenfall** *m* border incident

Griff *m* 1. hold, grip, grasp; 2. handle; 3. knob; **G. ins Portemonnaie** dip into the purse; **etw. in den G. bekommen** to get/come to grips with sth., to get a grip on sth., ~ on top of sth., to contain sth.; **etw. im G. haben** to have sth. under control, ~ the knack of sth.; **glücklichen G. tun** to strike it rich; **tiefen G. in seinen Beutel tun** to dip deep into one's pocket

Griff|bereich *m* 🏭 working/picking area; **natürlicher/optimaler G.bereich** normal working/picking area; **g.bereit** *adj* handy, ready to hand

Griffel *m* slate pencil

griffig *adj* 1. effective; 2. *(Ausdruck)* useful

Griffzeit *f* *(REFA)* downtime

Grippe *f* ⚕ influenza, flu; **G.welle** *f* influenza epidemic

grob *adj* coarse, rough, rough-and-ready

Grob|auszeichnung *f* main classification; **G.blech** *nt* ✐ (heavy) plate; **G.einstellung** *f* rough adjustment; **g.flächig** *adj* covering a wide area; **G.heit** *f* rudeness, coarseness, roughness; **g.körnig** *adj* coarse-grained; **G.kostenschätzung** *f* rough cost estimate; **g.maschig** *adj* large-mesh; **G.planung** *f* aggregate/rough-cut planning, outline plan(ning); **g.schlächtig** *adj* coarse; unrefined; **G.schmied** *m* (black)smith, ironsmith; **G.schnitt** *m* *(Tabak)* coarse cut; **G.sortierung** *f* presort, rough sort

aus dem Gröbsten heraus sein to have turned the corner, to be out of the woods *(fig)*

Grob|straße *f* plate mill; **G.walzwerk** *nt* blooming mill

Groll *m* grudge, resentment, hard feeling; **G. hegen/nähren** to harbour a grudge

Gros (= 12 Dutzend) *nt* 1. gross; 2. bulk, majority; **en g.** wholesale, in bulk

Groschen *m (fig)* penny *[GB]*/cent *[US]*; **keine zwei G. wert** not worth a brass farthing

Groschen|automat *m* slot machine; **G.blatt** *nt* penny paper, tabloid *[GB]*; **G.grab** *nt (coll)* one-armed bandit *(coll)*; **G.heft** *nt* pulp magazine, penny dreadful *[GB]*, dime novel *[US]*

groß *adj* 1. big, large, major; 2. great; 3. tall; 4. siz(e)able, large-sized, wide; 5. long, lengthy; 6. ample, heavy, hefty; 7. keen; **gleich g. (wie)** commensurate (with); **ungeheuer g.** immense, enormous; **zu g.** disproportionate

im Großen in bulk, wholesale; **~ und Ganzen** by and large, on the whole, broadly defined

Groß|- large-scale; **G.abnahme** *f* bulk buying; **G.abnehmer** *m* 1. bulk/institutional/quantity/large/wholesale buyer, major user, large/bulk customer, bulk purchaser, heavy consumer; 2. large power user; **G.abnehmertarif** *m* bulk supply tariff; **G.abschluss** *m* major contract, big-ticket transaction; **G.aktionär** *m* controlling/major/principal shareholder *[GB]*, ~ stockholder *[US]*; **G.alarm** *m* red alert; **g. angelegt** *adj* of major/wide scope

Großanlage *f* 1. large(-scale)/entire plant; 2. mainframe (computer); **G.nbau** *m* 1. industrial complex construction, design and construction of industrial plants; 2. systems engineering; **G.ngeschäft** *nt* large-scale construction/unit business, large plant business; **G.nprojekt** *nt* large-scale plant project

Groß|anleger *m* big/major investor; **G.anzeige** *f* 1. display advertising; 2. full-page advertisement; 3. *(Zeitungsmitte)* centre-spread advertisement; **g.artig** *adj* admirable, splendid, grand, magnificent; **G.artigkeit** *f* magnificence; **G.aufnahme** *f (Film)* close-up; **G.auftrag** *m* 1. big/tall/(large) volume/substantial/bulk/large-scale order, major contract; 2. *(Börse)* big-ticket order; **G.bäckerei** *f* big/major bakery; **G.band** *nt* large volume

Großbank *f* big/large/major bank; **G.system** *nt* large-bank system; **G.wesen** *nt* group banking

Groß|bauer *m* big/large farmer; **G.bauprojekt** *nt* major building project; **G.baustelle** *f* large building/construction site; **G.behälter** *m* container; tank; **G.bestellung** *f* → **Großauftrag**; **G.betrieb** *m* 1. large enterprise/firm; 2. large-scale undertaking, major operation; 3. large/big farm, ~ estate; **G.betriebsprüfung** *f* tax investigation of large-scale enterprises; **G.brand** *m* major fire, conflagration; **G.brandbereich** *m* conflagration area; **in G.britannien gefertigt/hergestellt/produziert** British-made; **G.buchhändler** *m* wholesale bookseller; **G.buchstabe** *m* capital/block letter, upper case (letter), majuscule; **G.buchstaben** bold type; **G.bürgertum** *nt* upper middle class; **G.büroräume** *pl* office landscape; **G.chemie** *f* large-scale chemical industry; **G.computer** *m* main fram(e) (computer); **G.druckerei** *f* print room centre

Größe *f* 1. size, dimensions, bulk, volume, quantity; 2. measure, measurements, figure, parameter; 3. extent; **G. der Belegschaft** workforce size; **der G. nach ordnen/sortieren** to arrange according to size, to (grade by) size

autonome Größe autonomous variable; **desaggregierte G.** subaggregate; **entscheidungsrelevante G.** decision variable; **ex-ante G.** anticipation term; **gängige G.** stock size; **nicht ~ G.** odd size; **genormte G.** standard(ized) size; **gesamtwirtschaftliche G.** economic aggregate; **homograde G.** intensive magnitude; **induzierte G.** induced variable; **konstante G.** constant quantity; **lagergängige G.** stock size; **makroökonomische G.** economic aggregate; **marktgängige G.** commercial size; **mittlere G.** medium size; **von mittlerer G.** medium-sized, middle-sized; **monetäre G.** monetary aggregate; **in natürlicher G.** life-size; **unter normaler G.** undersized; **ökonomische G.** economic quantity; **physikalische G.** physical quantity; **überschaubare G.** manageable size; **übliche G.** standard size; **unbekannte G.** unknown quantity; *(Person)* dark horse *(fig)*; **veränderliche G.** variable; **wirtschaftlich vertretbare G.** viable size; **in voller G.** full-size, life size; **vorgeschriebene/vorschriftsmäßige G.** regulation size; **stets vorrätige G.** stock size; **währungspolitische G.** monetary variable

Großeinkauf *m* 1. bulk purchase; 2. bulk buying, volume purchasing; 3. *(Einkaufsbummel)* spending spree; **wöchentlicher G.** weekly shopping expedition

Groß|einkäufer *m* bulk buyer, wholesale purchaser; **G.einkaufsgenossenschaft** *f* cooperative wholesale society *[GB]*; **G.einkaufsgesellschaft** *f* wholesale purchasing company; **G.einlage** *f* large deposit; **G.einlagengeschäft** *nt* big-ticket deposit taking; **G.einsatz** *m* large-scale operation; **G.eltern** *pl* grandparents; **G.elternteil** *m* grandparent; **G.emission** *f* jumbo loan issue; **G.emittent** *m* major debt issuer

Größen|angaben *pl* measurements, dimensions; **G.beschränkungen** *pl* size restrictions; **G.degression** *f* economies of scale; **G.einteilung** *f* sizing; **G.gliederung** *f* classification by size; **G.klasse** *f* size (group); **G.klassengliederung/G.klassifizierung** *f* breakdown/classification by size; **G.nachteil** *m* diseconomies/inefficiencies of scale; **betriebsbedingte/interne G.nachteile** internal diseconomies of scale

Größenordnung *f* order, bracket, scale, (order of) magnitude, dimension; **in der G. von** in the order of; **wirtschaftliche G.** economy of scale; **g.smäßig** *adv* in terms of magnitude/size

Größen|satzmuster *nt* size set sample; **G.schichtung** *f* stratification by size; **G.schwelle** *f* threshold; **G.sortiermaschine** *f* sizer; **G.struktur** *f* size pattern; **G.unterschied** *m* difference in size; **G.verhältnis** *nt* 1. proportion, ratio; 2. scale; **G.verhältnisse** dimensions; **G.verteilung** *f* size distribution; **G.vorteile** *pl* economies of scale, scale economies/benefits; **betriebsinterne G.vorteile** internal economies of scale; **G.wahn**

m megalomania, delusions of grandeur; **g.wahnsinnig werden** *adj* to become/get too big for one's boots *(coll)*

größer *adj* major, superior; **g. werden** to expand/increase; **~ als** to outgrow

Großlerzeuger *m* major producer/manufacturer, large producer; **G.fabrikation** *f* mass production; **G.fahndung** *f* manhunt, dragnet; **G.familie** *f* extended/joint family; **G.feuer** *nt* conflagration, major/big fire; **G.feuerungsanlage** *f* industrial combustion plant, power plant firing system; **G.feuerungsanlagenverordnung** *f* regulations concerning coal-, gas- and oil-fired power plants; **G.filialist** *m* chain-store owner/operator; **G.finanz** *f* moneyed interest(s), high finance; **G.firmengeschäft** *nt (Bank)* wholesale banking, business with corporate customers; **g.flächig** *adj* large-scale, extensive; **G.flughafen** *m* major airport; **G.flugzeug** *nt* wide-bodied aircraft; **G.format** *nt (Briefumschlag)* commercial size; **g.formatig** *adj* large-size(d), large-format; **G.forschung** *f* large-scale research; **G.forschungseinrichtung** *f* major research facility; **G.frachtflugzeug** *nt* supercargo plane; **G.fusion** *f* jumbo/mega/package merger

Großgebinde *nt* bulk pack; **G. auflösen** to break bulk; **G. bestellen** to order in bulk; **G. kaufen** to buy in bulk

Großlgepäck *nt* registered luggage *[GB]*, checked baggage *[US]*; **G.geschäft** *nt* 1. big-ticket transaction; 2. *(Bank)* wholesale banking; **g.geschrieben** *adj (fig)* writ large *(fig)*; **G.grundbesitz** *m* large estate, large-scale land holding; **G.grundbesitzer** *m* great/big landowner; *pl* landed aristocracy

Großhandel *m* wholesale trade/trading/business, wholesaling, jobbing; **im G.** wholesale; **Groß- und Außenhandel** wholesale and foreign trade; **(im) ~ Einzelhandel** wholesale and retail, distributive trades; **G. betreiben** to wholesale; **im G. kaufen** to buy wholesale; **G. umgehen** to eliminate the wholesaler(s)/middleman; **im G. verkaufen** to (sell) wholesale

Großhandelsl- wholesale; **G.abgabepreis** *m* wholesale (output) price; **G.artikel/G.erzeugnisse** *pl* wholesale goods; **G.betrieb** *m* wholesale business/operation, wholesaler; **G.ebene** *f* wholesale stage; **G.einkauf** *m* bulk/quantity buying; **G.einkäufer** *m* wholesale buyer; **G.firma** *f* wholesale house/firm; **G.funktion** *f* wholesaling function; **G.geschäft** *nt* wholesale business; **~ betreiben** to wholesale; **G.gewerbe** *nt* wholesale trade; **G.haus** *nt* wholesale firm/warehouse; **G.index** *m* wholesale price index, index of wholesale prices; **G.kaufmann** *m* wholesaler, wholesale trader/dealer; **G.kette** *f* wholesale/cooperative chain; **freiwillige G.kette** voluntary chain of wholesalers; **G.kredit** *m* wholesale credit; **G.lager** *m* 1. (wholesaler's) warehouse; 2. wholesale stock; **G.markt** *m* wholesale market; **G.notierung** *f* wholesale quotation; **G.partie** *f* wholesale lot

Großhandelspreis *m* trade/wholesale price; **zum G. einkaufen** to buy wholesale; **G.index** *m* wholesale price index, index of wholesale prices

Großhandelslrabatt *m* quantity/trade/wholesale discount, trade allowance; **G.spanne** *f* wholesale margin; **G.stufe** *f* wholesale stage; **G.umsätze** *pl* wholesale trading; **G.unternehmen** *nt* 1. wholesale concern/firm; 2. *(Halbzeug)* supply house; **G.verband/G.vereinigung** *m/f* wholesale association; **G.verkauf** *m* wholesale market/trade; **G.verkäufer** *m* wholesaler; **G.verteiler** *m* wholesaler, wholesale distributor; **G.vertreter** *m* wholesale representative, (wholesale) distributing agent; **G.werte** *pl (Börse)* big-volume stocks; **G.zentrum** *nt* wholesale (trade) centre, trade mart

Großhändler *m* wholesaler, wholesale trader/dealer /merchant, warehouse keeper, warehouseman, (first-hand) distributor, stockholder

Großhändler mit eingeschränkter Funktion limited-function wholesaler; **G. für Industriebetriebe** industrial distributor *[US]*; **G. mit Kundendienst** service wholesaler; **~ eigenem Lager** full-function wholesaler; **G. auf eigene Rechnung** merchant wholesaler; **G. im Streckengeschäft** drop shipper *[US]*, drop-shipment wholesaler, desk jobber; **G. mit breitem Sortiment** general merchandiser

Aufträge sammelnder Großhändler drop shipper *[US]*, drop shipment wholesaler

Großlhandlung *f* wholesale business, warehouse; **G.havarie** *f* gross/general average; **G.hersteller** *m* large-scale producer/manufacturer; **G.herstellung** *f* large-scale production; **g.herzig** *adj* magnanimous; **G.hotel** *nt* large/first-class hotel; **G.industrie** *f* big industry; **g.industriell** *adj* large-scale industrial; **G.industrieller** *m* industrial magnate, industrialist, (business) tycoon; **G.inserat** *nt* big advert(isement); **G.investition** *f* major investment; **G.investor** *m* major investor

Grossist *m* wholesale trader/merchant/dealer, stockholder, wholesaler; **G. ohne eigenes Lager** drop shipper *[US]*, desk jobber; **G.enpreis** *m* wholesale price; **G.entarif** *m* trade/quantity rate

großjährig *adj* of age; **g. werden** to come of age; **G.e(r)** *f/m* major; **G.keit** *f* full age, majority, age of consent

Großlkapital *nt* high finance, big business; **G.kapitalist** *m* tycoon; **G.kaufmann** *m* wholesale merchant, wholesaler; **G.konzern** *m* major group, big concern, industrial heavyweight; **G.kraftwerk** *nt* large-scale generation unit, large power plant

Großkredit *m* jumbo loan/credit, massive/large-scale loan, big credit; **G.aufnahme** *f* wholesale funding; **G.geschäft** *nt* wholesale financing, large-scale lending; **G.nehmer** *m* big/large borrower

Großlküche *m* institutional catering (operation), catering establishment; **G.küchengeschäft** *nt* catering business, industrial catering; **G.kulturen** *pl* 🚜 main field crops

Großkunde *m* 1. big customer/consumer, major/key account; 2. ⚡ large power user; **G.nbetreuer** *m* large/key account manager; **G.neinlagen/G.ngelder** *pl* wholesale funds; **G.ngeschäft** *nt (Bank)* wholesale banking; **G.nrabatt** *m* channel discount; **G.ntarif** *m* bulk supply tariff

Großlkundgebung *f* mass rally; **G.lager** *nt* bulk storage; **G.lagerhaus** *nt* wholesale warehouse; **G.leben** *nt*

(Vers.) ordinary branch business; **G.lebensversicherung** *f* ordinary/straight life insurance *[US]*/assurance *[GB]*; **G.lieferant** *m* major/bulk supplier; **G.-London** Greater London; **G.macht** *f* great power; **G.markt** *m* wholesale/central market; **G.mut** *m* magnanimity; **g.mütig** *adj* magnanimous

grosso modo *[I]* by and large, broadly

Großlobjekt *nt* 1. large project; 2. large property; **G.oktav** *f* large octavo; **G.packung** *f* bulk/economy/family pack, family-size/giant package, economy/family/catering size; **G.packungen bestellen** to order in bulk; **G.produktion** *f* large-scale production; **G.produzent** *m* major producer/manufacturer; **G.projekt** *nt* large-scale/major project

Großraum *m* area, conurbation; **wirtschaftlicher G.** large-scale market; **G.büro** *nt* open(-plan) office; **G.flugzeug** *nt* wide-bodied aircraft

großräumig *adj* 1. extensive; 2. spacious

Großraumlspeicher *m* bulk storage; **G.tanker** *m* giant tanker; **G.transporter** *m* ⚓ bulk carrier; **G.wagen** *m* open(-plan) carriage; **G.waggon** *m* high-capacity wag(g)on; **G.wirtschaft** *f* extensive market

Großlrechenanlage/G.rechner *f/m* mainframe, mainframe/high-capacity computer; **G.reederei** *f* ⚓ major shipping company/line; **G.reinemachen** *nt* thorough/spring cleaning; **G.reparatur** *f* general overhaul, major repair(s); **G.risiko** *nt* jumbo risk; **G.rohr** *nt* large-diameter tube/pipe; **G.röster** *m* wholesale roaster; **G.schaden** *m (Vers.)* severe loss, major damage; **G.schifffahrtsweg** *m* major waterway; **G.schlächterei** *f* wholesale butchery, packing house *[US]*; **G.schuldner(in)** *m/f* heavy borrower; **G.serienanfertigung/-herstellung/-produktion** *f* large-scale production/manufacture, mass production; **G.siedlung** *f* large housing estate; **g.spurig** *adj* pompous, qrandiloquent, flashy

Großstadt *f* city, large town; **G.bevölkerung** *f* city population; **G.bezirk/G.distrikt** *m* urban borough, metropolitan district; **G.bildung** *f* urbanization

Großstädter(in) *m/f* city dweller

Großstadtlgebiet *nt* urban/metropolitan area; **G.gemeinde** *f* large city

großstädtisch *adj* big-city

Großstadtkomplex *m* standard metropolitan area

Großstücklager *nt* consolidation warehouse

größt *adj* utmost; **g.-** supreme

Großltat *f* great achievement; **g.technisch** *adj* large industrial, large-scale; **G.teil** *m* bulk, greater/large part

größtenteils *adv* mainly, largely

größtmöglich *adj* highest/greatest possible, maximum

Großtransport *m* heavy load

Größtrechner *m* ultra-large computer

großltuerisch *adj* ostentatious; **G.umschlagsanlage** *f* large-scale trans(s)hipment facility; **G.unternehmen** *nt* industrial giant/heavyweight, mega company, big corporation *[US]*, big enterprise/business/firm, large-scale undertaking/enterprise, major; **G.unternehmer** *m* tycoon *(coll)*; **G.vaterzyklus** *m* grandfather cycle; **G.veranstaltung** *f* big event, mass rally; **G.verbrauch** *m* big consumption; **G.verbraucher** *m* bulk consumer/user, large(-scale) user; **G.verbrauchermarkt** *m* cash and carry (market); **G.verbundnetz** *nt* large-scale integrated system; **G.verdiener** *m* big/high-income/big-income earner; **G.verfahren** *nt* large-scale process; **G.verpflegung** *f* industrial catering; **G.verpflegungseinrichtung** *f* catering base; **G.versuch** *m* large-scale test; **G.verteiler** *m* wholesale distributor; **G.vertrieb** *m* wholesale/bulk distribution; **G.vieh** *nt* cattle; **G.vorhaben** *nt* major project; **G.wetterlage** *f* 1. general weather situation; 2. *(Konjunktur)* overall economic situation; **G.wild** *nt* big game; **G.wirtschaftsraum** *m* extensive market; **G.wohnanlage** *f* large residential building; **G.zahlforschung** *f* large-number research; **G.zählung** *f* (major) census

großzügig *adj* generous, liberal, unstinting, lavish, open-handed, unsparing, munificient; **jdm gegenüber g. sein** to do well by so.; **G.keit** *f* generosity, open-handedness, munificence, largesse *[frz.]*

grotesk *adj* fantastic, grotesque, ludicrous, preposterous

Grube *f* mine, pit; **G.n** mining works; **in eine G. einfahren** to go down a mine; **im Tagebau betriebene G.** opencast *[GB]*/strip *[US]* mine; **produktionsreife G.** workable mine

Grubenlabbau *m* mining; **G.anlagen** *pl* mining works; **G.anteil** *m* royalty; **G.arbeiter** *m* miner, face/pit worker; **G.aufsicht** *f* inspection of mines; **G.ausbau** *m* 1. support of mine workings; 2. construction of roadways; **G.ausrüstung** *f* mining/pit equipment; **G.bewetterung** *f* mine ventilation; **G.brand** *m* mine fire; **G.distrikt** *m* mining area; **G.explosion** *f* colliery explosion; **G.feld** *nt* coal field; **G.gas** *nt* firedamp; **G.halde** *f* slag heap; **G.holz** *nt* mining timber; **G.industrie** *f* mining industry; **G.kohle** *f* pit coal; **G.preis** *m* pithead price; **G.revier** *nt* mining district; **G.riss** *m* plan of a mine; **G.schacht** *m* (pit) shaft; **G.schließung/G.stilllegung** *f* mine/pit closure; **G.sicherheit** *f* mine safety; **G.stempel** *m* pit prop; **G.sterben** *nt* (spate of) mine/pit closures; **G.unglück** *nt* mining disaster; **G.vermessung** *f* mine survey; **G.verschalung** *f* mine tubing; **G.vorstand** *m* mining board

grün *adj* *(fig)* green, inexperienced

Grünlanlage *f* park, green space/area; **G.brache** *f* waste open space; **G.brachenprogramm** *nt* open space rehabilitation scheme; **G.buch** *nt* green paper

Grund *m* 1. reason, cause, motive, subject; 2. ground, bottom, basis, foundation; 3. land, soil, real estate; **Gründe** rationale *[frz.]*; **auf G. von** on account of, due to, in response to, on the basis/grounds of, by virtue/reason of, pursuant to; **aus Gründen von** § on the plea of; **im G.e** to all intents and purposes, in the final/last analysis, ultimately; **ohne G.** for no reason at all, without reason; **von G. auf** radically

Grund zur Annahme reason to believe; **~ Aufregung** cause for alarm; **~ Beanstandung** cause for complaint; **~ Beschwerde** reason for complaint, gripe *(coll)*; **~ Besorgnis** cause for concern; **kein ~ Besorgnis** no need to worry; **aus Gründen der Billigkeit** for reasons of equity; **G. und Boden** real estate, realty, real assets, ~ estate property, landed property/estate, land, soil, grounds; **auf eigenem ~ Boden** on one's own property; **auf G. des Gesetzes** under the law; **aus Gründen der Höflichkeit** 1. for reasons of courtesy; 2. [§] on principles of comity; **im G.e seines Herzens** in his heart of hearts; **G. zur Klage** cause/reason for complaint; **~ Sorge** cause for concern; **aus Gründen der Staatsraison** for reasons of state; **Gründe eines Urteils** reasons for the decision

auf Grund gelaufen ⚓ aground, grounded; **im G.e genommen** virtually; **mit Gründen versehen** *(Entscheidung)* reasoned, stating the reasons

von Grund auf ändern to change fundamentally; **Gründe anführen** to state/adduce reasons; **zwingende ~ anführen** to clinch an argument; **G. angeben** to state a reason; **G. zum Klagen geben** to give reasons for complaint; **es gibt einen gewichtigen G.** there is a strong case (for); **~ keinen G.** there is no case (for); **einer Sache auf den G. gehen** to get to the bottom of sth.; **auf G. geraten/laufen** ⚓ to run aground, to strand/founder; **von G. auf neu gestalten** to revolutionize; **einer Sache auf den G. kommen** to get to the bottom of sth.; **G. legen für** to make for; **jdn in G. und Boden reden** to out-talk so.; **aus geschäftlichen Gründen verhindert sein** to be away on business; **mit Gründen versehen** to state the reasons, to substantiate; **G. vorbringen** to advance a reason; **in G. und Boden wirtschaften** to run down

arbeitstechnischer Grund functional reason; **berechtigter G.** legitimate reason; **bestimmender G.** decisive reason; **aus demselben G.e** by the same token; **dringender G.** cogent/compelling reason; **eigener G. (und Boden)** freehold property; **eigentlicher G.** root cause; **erhebliche Gründe** substantial grounds; **aus familiären Gründen** on compassionate grounds, owing to family circumstances; **aus finanziellen Gründen** for financial reasons; **aus formalen Gründen** as a matter of form; **gesetzlicher G.** lawful cause; **aus gesundheitlichen Gründen** for health reasons; **aus dem gleichen G.e** by this token, by the same token; **guter G.** good cause; **aus/mit gutem G.** with/for good reasons; **hinreichender G.** sufficient reason/cause, justifiable/probable cause, reasonable grounds; **ohne hinreichenden G.** without legitimate cause; **legitimer G.** legitimate reason; **nicht der leiseste G.** not the slightest reason; **aus mannigfaltigen Gründen** for a variety of reasons; **aus persönlichen Gründen** for reasons of one's own; **aus praktischen Gründen** for the sake of convenience; **aus rechtlichen Gründen** for legal reasons, on legal grounds; **ohne ~ G.** without lawful cause, ~ legal reason/justification; **aus sachlichen Gründen** for practical reasons; **steuerliche Gründe** tax reasons; **aus steuerlichen G.n** for tax reasons; **stichhaltiger G.** sound reason; **aus technischen Gründen** for practical reasons; **triftiger G.** valid/good reason; **ohne triftigen G.** without cause; **verfahrensrechtlicher G.** procedural ground; **aus verfahrensrechtlichen Gründen** on procedural grounds, for technical reasons; **aus verschiedenen Gründen** for a variety of reasons; **vertretbarer G.** justifiable reason; **wichtiger G.** 1. [§] cause; 2. compelling reason; **aus wichtigen Gründen** for serious reasons; **ohne zureichenden G.** without cause; **zwingende Gründe** compelling reasons

Grund|- basic, primary; **G.abgabe** *f* 1. ground rent; 2. land tax; **G.adresse** *f* 💻 base/reference address; **G.akten** *pl* title deeds, land register files; **G.aktivität** *f* basic activity; **G.annahme** *f* underlying assumption

Grundarbeit *f* 🏛 foundation work; **G.sbewertungspunkte** *pl* basic job factor points; **G.szeit** *f* basic work(ing) hours

Grund|aufbaubefehl *m* 💻 basic instruction; **G.ausbildung** *f* basic training; **berufliche G.ausbildung** basic vocational training; **G.ausfuhrerstattung** *f* basic export refund; **G.ausgleichsbetrag** *m* basic compensatory amount; **G.auslastung** *f* base loading; **strategische G.ausrichtung einer Unternehmung** corporate culture; **G.ausrüstung** *f* 💻 basic hardware; **G.aussage** *f (Anzeige)* creative copy; **G.ausstattung** *f* 1. basic facilities; 2. *(Haus)* basic/standard amenity; **G.bedarf/G.bedürfnisse** *m/pl* basic needs/requirements/wants; **G.bedeutung** *f* original/primary meaning; **G.bedingung** *f* prerequisite, fundamental (condition); **G.befehl** *m* 💻 basic instruction; **G.begriff** *m* principle, fundamental (idea), elementary term, fundamental/basic concept; **G.beitrag** *m* flat rate; **G.belastung** *f* land charge

Grundbesitz *m* 1. real estate (property), realty *[US]*, (land) holdings, real/immovable property, land and buildings, real assets, holdings; 2. property (in land), landed estate/property, landownership, ground, freehold, demesne; 3. natural capital, sasine *[Scot.]*; **ohne G.** landless; **G. in dauerndem/freiem Eigentum** freehold; **~ und unbeschränkten Eigentum** [§] seisin; **G. mit gebundener Erbfolge** [§] estate in tail

Grundbesitz belasten to encumber on estate; **G. besteuern** to tax property/land, to levy on land; **G. entschulden** to disencumber an estate; **G. erben** to succeed to an estate; **gemeinsamen G. geerbt haben** to hold an estate in parcenary; **~ haben** to have land by entireties; **G. parzellieren** to break up an estate; **G. übertragen** to demise; **G. in unveräußerliches Erblehen umwandeln** to entail; **G. veräußern** to convey; **G. vermachen** to devise/demise

ausgedehnter Grundbesitz vast estate; **belasteter G.** encumbered estate; **hypothekarisch ~ G.** mortgaged property; **eingetragener G.** registered land; **ererbter G.** ancestral estate; **freier G.** freehold (tenement); **gemeinsam geerbter G.** coparcenary; **gewerblich genutzter G.** commercial property; **industriell ~ G.** industrial property; **landwirtschaftlich ~ G.** agricultural property; **zu Wohnzwecken ~ G.** residential property; **gepachteter G.** leasehold property; **innerstädtischer G.** inner-city property; **institutioneller G.** institutional landownership; **öffentlicher G.** public/common land; **privater G.** private property; **staatlicher G.** crown *[GB]*/state *[US]* land(s); **städtischer G.** municipal property; **steuerpflichtiger G.** *(Kommunalsteuer)* rat(e)able property; **unveräußerlicher G.** entailed property; **beschränkt vererblicher G.** [§] fee tail

Grundbesitz|abgabe *f* real estate levy; **G.anlage** *f* property investment, real estate investment
grundbesitzend *adj* land-owning, landed
Grundbesitzer *m* landlord, landowner, landholder, estate owner, heritor, landed/heritable *[Scot.]* proprietor, possessory lord; **G.in** *f* heritrix; **abwesender/nicht ortsansässiger G.** absentee landlord; **freier G.** freeholder; **umlagepflichtiger G.** ratepayer *[GB]*; **G.tum** *nt* landownership
grundbesitz|los *adj* landless; **G.übertragung** *f* conveyance of land
Grund|bestand *m* basic stock, cycle/lead-time/turnover/working inventory; **G.bestandteil** *m* element, primary ingredient, base; **G.betrag** *m (Steuer)* basic allowance/amount, gross rental; **G.betriebssystem** *nt (OR)* basic operation system; **G.bilanz** *f* basic balance (of payments); **~ und Kapitalverkehr** official settlement balance; **berufliche G.bildung** basic vocational/job training
Grundbuch *nt* 1. land/mortgage/(real) estate *[US]*/proprietorship register, register of deeds *[US]*, deed book, land registry, map records, cadastre *[frz.]*, land charge register *[GB]*; 2. business diary, journal, daybook; **Grundbücher** books of original entry; **im G. eintragen** to place on the public register; **jdm ~ vorgehen** to have a prior mortgage claim
Grundbuch|- cadastral; **G. Abt. III** *[D]* charge register; **G.abteilung für Grunddienstbarkeiten** *f* register of charges; **G.amt** *nt* land/public registry, ~ registration office, record office *[GB]*, land (records) office *[US]*, registry of deeds *[US]*; **G.auszug** *m* abstract of title, land warrant/certificate *[GB]*, certificate of title *[US]*, excerpt/extract/abstract from the land register, landownership certificate; **G.beamter** *m* registrar of deeds/mortgages, recording officer *[US]*, recorder *[US]*; **G.berichtigung** *f* rectification of the land register; **G.bescheinigung** *f* land certificate; **G.blatt** *nt* real estate map *[US]*, land register folio; **G.einsicht** *f* inspection of the land register; **G.eintrag(ung)** *m/f* registration of land/title, recording of a title, real estate recording *[US]*, land/deed registration, entry in the land register; **G.gebühren** *pl* land registry fees; **G.haltung** *f* basic ledger accounting; **G.kosten** *pl* registry fees; **G.löschung** *f* cancellation of an entry in the land register; **G.ordnung** *f* recording act, Land Registration (Charges) Act *[GB]*; **G.papiere** *pl* real estate records; **G.pfandrecht** *nt* lien on property, mortgage; **G.recht** *nt* land registry law; **G.richter** *m* land registry judge
Grundbuchung *f* original/journal entry
Grundbuch|verfahren *nt* land registry proceedings; **G.vermerk** *m* land register notice; **G.zwang** *m* compulsory registration of title, recording of real estate
Grunddaten *pl* source data
Grunddienstbarkeit *f* rent(s) charge (service), easement (appurtenant), landed/real servitude *[US]*, servitude of land, registered charge; **dauernde G.** continuous easement; **subjektiv dingliche G.** easement appurtenant; **negative G.** negative easement; **öffentlich-rechtliche G.** public easement; **persönliche G.** rent service *[GB]*; **beschränkt ~ G.** restricted easement
Grundeigentum *nt* → **Grundbesitz** real estate/property/assets, freehold property, realty *[US]*, landed estate/property, property in land; **G. nach Bruchteilen** tenancy in common; **G. der toten Hand** landed property in mortmain; **G. und bewegliche Sachen** land and chattels; **G. besitzen** to hold land (in desmesne)
belastetes Grundeigentum mortgaged property; **freies G.** freehold property; **allgemein gültiges G.** legal estate; **nachlassfähiges G.** estate of inheritance; **unbelastetes G.** perfect ownership, fee simple; **unbeschränkt vererbliches G.** estate/property held in fee simple
Grundeigentümer *m* landowner, landlord, landed proprietor, landholder, real estate owner, tenant in fee simple; **G. als Eigenbesitzer** owner-occupier; **G. mit dauerndem/freiem Eigentum** freeholder
Grundeigentums|(übertragungs)recht *nt* conveyancing; **G.urkunde** *f* title deed(s)
Grund|einkommen *nt* basic income; **G.einstellung** *f* attitude towards economic management
gründen *v/t* 1. to establish/found/form/start/launch/organise/create/promote, to set up; 2. *(AG)* to float, to incorporate *[US]*; 3. 🏛 to ground; **g. auf** to be based on
Grundentgelt *nt* basic pay
Gründer *m* founder, promoter, incorporator, organiser, originator, institutor; **G. einer Gesellschaft/eines Unternehmens** 1. company founder/promoter; 2. incorporator of a stock company *[US]*; **G.aktien/G.anteile** *pl* founder's/promoter's shares *[GB]*, ~ stocks *[US]*; **G.anteilsschein** *m* founder's share/stock certificate; **G.bank** *f* parent bank; **G.bericht** *m* formation report; **G.boom** *m* company-promotion boom
Grunderfordernisse *pl* principal formation prerequisites
Gründer|familie *f* founder's/founding family; **G.gesellschaft** *f* proprietary company; **G.haftung** *f* founder's liability; **G.konsortium** *nt* promoting syndicate; **G.lohn** *m* founder's fee; **G.nachhaftung** *f* founder's subsequent liability; **G.rechte** *pl* founder's preference rights; **G.rechtsnachfolger** *m* founder's successor in title
Grundertragssteuer *f* farmer's tax *[GB]*
Gründer|vater *m* promoter, founder; **G.versammlung** *f* founders' meeting, meeting of incorporators *[US]*
Grunderwerb *m* purchase/acquisition of land, land purchase/acquisition
Grunderwerbs|bescheinigung *f* certificate of purchase; **G.steuer** *f* land/realty *[US]* transfer tax, tax on land aquisition; **G.steuerbefreiung** *f* exemption from land/realty transfer tax
Gründer|zahl *f* number of founders; **G.zeit** *f* period of promoterism; **G.zentrum** *nt* new business centre
Grund|erzeugnis *f* primary/basic product; **G.faktoren** *pl* primary factors; **g.falsch** *adj* utterly wrong; **G.farbe** *f* primary/basic/fundamental colour; **G.fehler** *m* basic/fundamental error; **G.fertigkeit(en)** *f/pl* basic skill(s); **G.fläche** *f* 1. floor space, surface; 2. 🚜 acreage; **G.form** *f* type; **G.formen der Betriebsorganisa-**

tion basic patterns of departmentation; **G.format** *nt* basic format; **G.freibetrag** *m (Steuer)* personal allowance/abatement, basic tax-free allowance; **G.freiheit** *f* basic liberty; **G.gebühr** *f* 1. ↯/*(Gas/Wasser)* standing/commodity charge; 2. basic/base charge, base/basic/flat rate, basic fee, subscription; 3. ✆ circuit/telephone rental; **G.gedanke** *m* keynote, basic idea, rationale *[frz.]*; **G.gehalt** *nt* straight salary, basic pay/salary; ~ **plus Nebenleistungen** salary/pay package; **G.gehaltssatz** *m* basic salary rate; **G.geräusch** *nt* ground/surface noise

Grundgesamtheit *f* ▦ (parent) population, universe; **endliche G.** finite population; **hypothekarische G.** hypothetical population; **unendliche G.** infinite population

Grundgeschäft *nt* 1. underlying transaction; 2. bread and butter lines/business, bottom lines, grass roots business; **G.serklärung** *f* statement of underlying transaction

Grundgesetz *nt (Verfassung)* constitution, bill of rights, basic/fundamental law; **im G. verankert** *[D]* enshrined in the basic law; **g.(es)widrig** *adj* unconstitutional

Grundhaltung *f* 1. underlying position; 2. basic market sentiment, prevailing tone, undertone; **G. beibehalten** to maintain the tone; **feste G.** underlying strength

Grund|- und Hilfsstoffhandel *m* wholesale trading in basic and auxiliary materials; **G.handelsgeschäft** *nt* basic commercial transaction; **G.handelsgewerbe** *nt* general commercial business

Grund|herr *m* possessory lord; **G.höchstbetrag** *m* maximum basic amount; **G.idee** *f* keynote/basic idea

Grundierung *f* grounding

Grund|industrie *f* basic industry; **G.interventionspreis** *m* basic intervention price; **G.investition** *f* basic capital project; **G.irrtum** *m* fundamental error; **G.-journal** *nt* general journal

Grundkapital *nt* capital stock, share/equity/basic/stated/original/registered/nominal capital, capitalization, stock, basic/capital fund; **G. erhöhen** to increase the share capital *[GB]*, ~ capital stock *[US]*; **G. aus Gesellschaftsmitteln erhöhen** to increase capital stock from company funds

ausgewiesenes Grundkapital capital stock disclosed/shown in the balance sheet; **autorisiertes G.** *(Satzung)* authorized capital stock; **eingebrachtes G.** contributed capital; **voll eingezahltes G.** fully paid capital stock; **nicht ~ G.** assessable capital stock; **genehmigtes/satzungsmäßiges G.** authorized capital stock; **verwässertes G.** diluted/watered capital; **geringst zulässiges G.** minimum capital

Grundkapital|dividende *f* dividend out of capital; **bedingte G.erhöhung** conditional capital stock increase

Grund|karte *f* master card; **G.kenntnisse** *pl* basic knowledge/skills, technical/working knowledge; **G.kontierung** *f* basic accounting; **G.kontingent** *nt* basic quota; **G.kontrakt** *m* basic contract; **G.kosten** *pl* basic/real cost(s)

Grundkredit *m* real estate credit, mortgage loan, credit on landed property, ~ real estate; **landwirtschaftlicher G.** credit on farm land/property; **G.anstalt/G.bank** *f* mortgage/land *[US]* bank; **öffentlich-rechtliche G.anstalt** public mortgage bank; **G.pfandbrief** *m* real estate bond

Grundkurs *m* basic course

Grundlage *f* basis, base, foundation, footing, background, keystone, substratum; **G.n** fundamental principles; **auf der G., dass** on the assumption that; **G. der Bewegungsbilanz** accrued expenditure basis; **auf der ~ Gegenseitigkeit** on the basis of reciprocity; **G.n des Handels** elements of commerce; **G. der Kapitalflussrechnung** accrued expenditure basis; **als G. dienen** to serve as a basis; **jeder G. entbehren** to be unfounded/without substance, ~ devoid of/without any foundation, to have no foundation; **einer Sache die G. entziehen** to pull the plug on sth., ~ the rug from under sth. *(fig)*; **G. schaffen (für)** to form/lay the basis (of), to lay the foundations; **institutionelle G.n schaffen** to provide the institutional framework; **auf eine G. stellen** to put on a basis/footing

gemeinsame Grundlage common ground; **auf einer gerechten G.** equitably; **gesetzliche G.** statutory basis; **auf gesetzlicher G.** on a statutory basis; **materielle G.** financial basis; **auf rechtlicher G.** on a legal basis, on legal authority; **auf sicherer G.** on a safe basis; **solide G.** solid/firm basis; **auf solider G.** on a firm basis; **auf unparteiischer G.** on a non-partisan basis; **versicherungsmathematische G.** actuarial basis; **vertragliche G.** contract(ual) basis; **vorläufige G.** pro-forma basis

Grundlagen|arbeit *f* groundwork; **G.bescheid** *m (Steuer)* basic assessment; **G.forschung** *f* basic/pure research; **G.investition** *f* investment in infrastructure

Grundlast *f* 1. ground rent; 2. ✐ constant load; 3. ↯ base load; **G.bereich** *m* ↯ base load range; **G.kapazität** *f* constant-load capacity; **G.versorgung** *f* ↯ base load supply

grund|legend *adj* 1. fundamental, basic, primary, standard, vital; 2. radical, sweeping, wholesale; **G.leistung** *f (Vers.)* standard/flat-rate benefit; **G.leistungssektor** *m* basic sector

gründlich *adj* 1. thorough, profound, effective; 2. searching; 3. intimate; *adv* in depth; **G.keit** *f* thoroughness, soundness

Grundlinie *f* base (line), underlying trend/tendency, basic pattern/theme/line; **G.n** *(Politik)* broad lines

Grundlohn *m* base/basic rate, basic/straight wage, base pay, wage floor; **G.satz** *m* base (pay) rate; **G.tarif** *m* basic wage rate

grund|los *adj* groundless, unjustified, unfounded, motiveless, without reason/cause, for no reason at all, unprovoked; **G.maß(e)** *nt/pl* basic dimensions; **G.-maßstab** *m (Physik)* unit; **G.mauer** *f* 🏛 foundation (wall); **G.menge** *f* ▦ universe; **G.metall** *nt* basic/primary metal; **G.miete der Lieferung** *f* basic term of lease from date of delivery; **G.mietvertrag** *m* finance lease; **G.mietzeit** *f (Leasing)* basic term; **G.nahrungsmittel** *pl* commodity/staple foods, basic foodstuffs; **G.norm** *f* basic standard; **G.nutzensortiment** *nt* goods for basic needs; **G.ordnung** *f* 1. constitutional system;

2. basic order; **freiheitliche und demokratische G.ordnung** free and democratic constitutional system; **G.pacht** *f* ground/land rent; **G.pächter** *m* landholder; **G.patent** *nt* master/basic patent

Grundpfand *nt* real security, real estate mortgage; **G.besteller** *m* mortgagor of real estate; **G.brief** *m* mortgage bond, official mortgage certificate; **G.darlehen** *nt* mortgage loan; **G.forderung** *f* mortgage claim; **G.gläubiger(in)** *m/f* mortgagor

Grundpfandrecht *nt* mortgage, encumbrance (on property), lien (up)on real estate/property, right in rem, *(lat.)*, real right; **mit einem G. belasten** to encumber with a mortgage; **G. löschen** to dismortgage; **erstrangiges G.** first mortgage; **gesetzliches G.** legal mortgage; **G.sbescheinigung** *f* charge certificate

Grundpfand|schuld *f* mortgage debt, debt secured by real estate; **G.verzeichnis** *nt* charges register

Grundpfeiler *m* pillar, main support, cornerstone *(fig)*; **G.pflichten** *pl* elementary duties; **G.plan** *m* 1. 🏛 ground plan, plot; 2. master plan; **in einen ~ aufnehmen** to plot; **G.prämie** *f* basic/key rate, basic premium; **G.preis** *m* basic/base/net price, standard rate, net cost(s), basic charge; **G.prinzip** *nt* first/fundamental/guiding principle; **wirtschaftliche G.prinzipien** economic fundamentals; **G.problem** *nt* basic problem; **G.produkt** *nt* 1. primary product; 2. bread-and-butter product; **G.produktion** *f* basic/primary production; **G.quote** *f* basic quota; **G.rate** *f* basic rate

Grundrecht *nt* fundamental right; **G.e** constitutional/basic/personal rights, civil rights/liberties, Bill of Rights *[GB]*; **G.seinschränkungen** *pl* legal restrictions of civil rights; **G.sgarantien** *pl* constitutional guarantees of civil rights; **G.skatalog** *m [D]* civil rights enshrined in the basic law, Bill of Rights *[GB/US/CAN]*

Grund|regel *f* first/basic rule; **G.rendite** *f* basic yield; **G.rente** *f* 1. ground rent, rent(s) charge; 2. basic pension; 3. *(Vers.)* primary benefit; **G.richtlinie** *f* basic directive; **G.richtpreis** *m* basic target price; **G.richtung** *f* general tendency; **soziale G.risiken** basic social risks; **G.riss** *m* 1. floor/ground plan, sketch, outline, plot; 2. compendium; **~ aufnehmen** to make/take a plan

Grundsatz *m* principle, rule, axiom, precept, criterion, policy, maxim; **Grundsätze** basic principles

Grundsätze ordnungsmäßiger Abschlussprüfung generally accepted auditing standards; **~ Berichterstattung bei Abschlussprüfungen** generally accepted reporting standards for the audit of financial statements; **Grundsatz der materiellen Bilanzkontinuität** consistency principle; **~ Billigkeit** maxim of equity; **G. ordnungmäßiger Buchführung** accounting policy, financial ~ standard, standard ~ practices, sound ~ principles/practices, generally accepted ~ principles (GAAP), international ~ standards (IAS); **~ Buchführung und Bilanzierung** principles of orderly accounting and balance sheet make-up, good/generally accepted accounting principles; **~ Durchführung von Abschlussprüfungen** generally accepted standards for the audit of financial statements; **Grundsatz der Einzelbewertung** rule of individual/unit valuation; **~ periodengerechten Erfolgsermittlung** *(Bilanz)* accrual principle; **~ Gegenseitigkeit** reciprocity (principle); **~ Gesamtbewertung** principle of appraising an economic unit as a whole; **~ steuerlichen Gleichbehandlung** principle of equal tax treatment; **~ Kostenrechnung** cost accounting standards; **Allgemeine G. der Kostenrechnung** general cost accounting principles/standards/rules; **einheitliche ~ Kostenrechnung** uniform cost accounting rules; **Grundsatz der steuerlichen Leistungsfähigkeit** ability-to-pay principle, faculty principle of taxation; **~ Maßgeblichkeit der Handelsbilanz für die Steuerbilanz** principle that tax accounting should be based on commercial accounting, ~ of predominance of financial accounting for tax accounting; **~ Nichtdiskriminierung** principle of nondiscrimination; **G. ordnungsgemäßer Prüfung** generally accepted auditing standards; **G. der Rechnungslegung** accounting/reporting policies; **G. und Richtlinien für das Rechnungswesen (der Unternehmung)** principles of accountancy, accounting principles and standards of companies; **Grundsatz der Spezialität** rule of speciality; **~ von Treu und Glauben** principle of (equity and) good faith; **~ eines abnehmenden Umfangs** principle of degressivity; **~ der Unmerklichkeit** principle of imperceptibly imposing tax burdens; **~ des selbstständigen Unternehmens** separate enterprise principle; **G. der Unternehmensführung** business/corporate/company policy; **G. des Verfahrens** procedural principles; **Grundsatz der Vorsicht** prudence concept; **~ der Wesentlichkeit** principle of materiality; **~ des freien Wettbewerbs** principle of free competition

nach diesen Grundsätzen on these lines; **es ist mein Grundsatz, dass** it is my policy to

seinen Grundsätzen treu bleiben; an ~ festhalten to live up/stick to one's principles; **dem Grundsatz huldigen** to embrace the principle

aktienrechtlicher Grundsatz principle of stock corporation law; **allgemeiner G.** general principle; **anerkannter G.** axiom; **allgemein ~ G.** generally accepted principle; **beherrschender G.** overriding principle; **billigkeitsrechtlicher G.** maxim of equity; **gemeinsame Grundsätze** common criteria; **kartellrechtlicher G.** antitrust principle; **kaufmännischer G.** commercial/business principle; **oberster G.** overriding/leading principle; **privatwirtschaftliche Grundsätze** principles of private enterprise; **sittliche Grundsätze** ethical principles, moral standards; **standesrechtliche Grundsätze** canons of professional ethics; **strenger G.** rigid principle; **tragender G.** basic principle

Grundsatz|abkommen *nt* basic/outline agreement; **G.abteilung** *f* policy department; **G.beschluss** *m* policy decision; **G.debatte** *f* debate on principles; **G.diskussion** *f* constitutional debate, discussion in principle; **G.entscheidung** *f* 1. policy/pivotal decision, decision of (general) principle; 2. § leading decision; **G.erklärung** *f* mission/policy statement, declaration of principle; **G.frage** *f* fundamental question, basic/key/

policy issue; **G.gesetzgebung** *f* framework legislation

;rundsätzlich *adj* basic, fundamental, cardinal, underlying, on principle

;rundsatz|papier/G.programm *nt* policy mission/statement, platform; **langfristige G.planung** long-range corporate planning; **G.rede/G.referat** *f/nt* keynote speech/address; **G.urteil** *nt* § test case, leading decision; **~ beantragen** to sue for damages at large; **G.vereinbarung/G.vertrag** *f/m* basic agreement, agreement in principle

;rundschulbildung *f* primary education

;rundschuld *f* encumbrance of real property, land/registered charge, non-recourse mortgage, (real estate) mortgage; **G. bestellen** to register a land charge; **erststellige G.** senior land charge

;rundschuld|bestellungsurkunde *f* mortgage deed, deed for the creation of a land charge; **G.brief** *m* land charge deed/certificate, certificate of acknowledgment/charge; **G.forderung** *f* land charge claim, claim secured by a land charge; **G.gläubiger** *m* holder of a land charge; **G.löschung** *f* resurrender/cancellation of a land charge

;rundschuld|ner *m* mortgagor, mortgager; **G.verschreibung** *f* mortgage bond

;rund|schule *f* primary/junior *[GB]*/elementary *[US]* school; **G.schüler** *m* primary school pupil

;rundschul|lehrer *m* primary school teacher; **G.pflicht** *f* obligation to attend primary school; **G.unterricht** *m* primary education

Grund|sicherheit *f* security of property; **G.sicherung** *f* 1. basic security; 2. basic level of protection; 3. minimum level of income; **G.spanne** *f* basic range

Grundstein *m* foundation stone; **G. zum Erfolg** basis of success; **G. legen für** to lay the foundation stone for, to create the basis for; **G.legung** *f* laying of the foundation stone

Grundstellung *f* 🖳 home position, system reset; **in G. bringen** to reset

Grundsteuer *f* land/property/real estate tax, tax on land, ~ real estate; **G.n** *(Kommune)* rates *[GB]*; **G. auf erschlossene und unerschlossene Grundstücke** general property tax; **gestaffelte G.** graded tax

Grundsteuer|befreiung *f* exemption from land tax, property tax exemption, derating (of local taxes) *[GB]*; **~ für gewerbliche Betriebe** industrial derating; **G.behörde** *f* rating authority *[GB]*; **G.bemessungsbetrag** *m* property tax base; **g.pflichtig** *adj* rat(e)able *[GB]*; **G.pflichtige(r)** *f/m* ratepayer *[GB]*; **G.satz** *m* 1. local/*[GB]*/realty *[US]* rate; 2. basic rate of tax; **G.tarif** *m* standard rate of tax; **G.veranlagung** *f* property tax assessment; **G.wert** *m* rat(e)able value *[GB]*

Grund|stichprobe *f* master sample; **G.stimmung** *f* *(Börse)* undertone, underlying mood/sentiment; **feste G.stimmung** firm undertone; **G.stock** *m* 1. basis, foundation; 2. original funds; **~ legen** to lay the foundations

Grundstoff *m* primary product, raw/basic material, stock; **G.e** staple/basic commodities, basic goods; **landwirtschaftliche G.e** basic foodstuffs

Grundstoff|- resource-based; **zwischenstaatliches G.abkommen** intergovernmental commodity agreement; **G.bereich** *m* basic industries; **G.chemie** *f* basic chemicals industry; **G.chemikalie** *f* commodity chemical; **G.güter** *pl* primary products, commodities; **G.gütergewerbe** *nt* basic/commodity industries; **G.industrie/G.sektor** *f/m* primary/extractive industry, basic (goods/materials) industry, natural resources industry; **G.- und Fertigungsindustrie** basic and manufacturing goods sector; **G.preis** *m* basic material price; **G.unternehmen** *nt* natural resource company; **G.wirtschaft** *f* basic goods sector, basic industries

Grund|strömung *f* 1. undercurrent; 2. groundswell *(fig)*; **G.struktur** *f* basic pattern

Grundstück *nt* 1. (plot of) land, lot; 2. *(bebaut)* property, realty, premises; 3. *(Bau)* site; **G.e** 1. real estate, realty *[US]*, permanent assets, things real; 2. *(Bilanz)* land

Grundstücke und Bauten/Gebäude *(Bilanz)* land and buildings, fixed property, realty *[US]*; **gemietete ~ Gebäude** leasehold land and buildings; **G. ohne Bauten** unimproved real property; **G. im Besitz von Kapitalsammelstellen** institutionally owned land; **G. für den Gemeinbedarf** land for public purposes; **G. mit allen Nebengebäuden** premises; **G. in lebenslänglicher Nutzung** estate for life; **G. und grundstücksgleiche Rechte** freehold and equivalent real estate rights; **~ Verbesserungen** *(Bilanz)* land and improvements

dinglich mit dem Grundstück verbunden joined in rem *(lat.)*, running with the land; **G., in das Zwangsvollstreckung betrieben wird** extended land

Grundstück abschätzen to value a plot; **G. abschreiben** to write down property; **G. abstecken** to stake off a plot; **G. auflassen** to convey land, to release a property; **G. ausmessen** to survey land; **G. (hypothekarisch) belasten** to mortgage land, to encumber a property, ~ an estate; **G. mit einer Hypothek belasten** to mortgage a property, to place a mortgage on a property; **G. widerrechtlich betreten** to trespass on property; **G. im Grundbuch eintragen** to register an estate; **G. entschulden; G. lastenfrei machen** to disencumber an estate; **G. erschließen** to develop land; **G. zur Bebauung freigeben** to grant planning permission for a plot of land; **G. in Pacht nehmen; G. pachten** to take land on lease, to lease (a plot of) land; **G. parzellieren** to parcel an estate; **G. realisieren** to bank an estate; **G. schätzen** to value a plot; **G. umschreiben** to alienate an estate; **G. steuerlich veranlagen** to rate an estate; **G. an die tote Hand veräußern** to alienate in mortmain, to amortize land; **G. verpachten** to let a plot/piece of land

abgeschlossenes/eingefriedetes Grundstück enclosure, enclosed land; **angrenzendes/benachbartes G.** adjoining/adjacent property, ~ land; **baureifes/erschlossenes G.** developed property/land, improved real estate/property, building estate; **bebaute G.e** built-up area, developed real estate; **(hypothekarisch) belastetes G.** mortgaged property, encumbered real estate, burdened estate; **brachliegendes G.** redundant land; **dienendes G.** servient land/tenement/estate; **eigengenutztes G.** owner-occupied land; **freies G.** 1. freehold property; 2. *(unverkauft)* vacant property; **gebundenes G.** settled property; **am Wasser gelegenes G.** waterfront property; **gemeindeeigenes G.** municipal/parish property; **gemeindefreies G.** area outside local authority jurisdiction; **gemischt genutztes G.** mixed property; **gewerblich ~ G.; gewerbliches G.** commercial/industrial property, industrial land/site/premises; **grundsteuerpflichtiges G.** rat(e)able property *[GB]*; **herrschendes G.** dominant tenement/estate; **lastenfreies G.** unencumbered estate; **im Sanierungsgebiet liegendes G.** slum property; **städtisches G.** municipal/urban property; **unbebautes G.** vacant site/plot, unimproved real property; **unbebaute G.e** *(Bilanz)* land without buildings; **~ und bebaute G.e** land and buildings, real estate *[US]*; **unbelastetes G.** unencumbered/clear estate; **ungenutztes G.** redundant land; **nicht frei vererbliches G.** entail; **verfügbares G.** available land; **verpachtetes G.** leased property; **zuwegloses G.** land-locked property

Grundstücks|abschätzung *f* real-estate appraisal; **G.abschreibung** *f* land/property depreciation; **G.abteilung** *f* estate department; **G.abtretung** *f* conveyance of real estate; **G.angebot** *nt* sites on offer; **G.anlage** *f* land/real estate investment; **G.art** *f* type of real estate; **G.auflassung** *f* conveyance of real estate; **G.belastung** *f* encumbrance, land charge; **G.beschaffung** *f* land acquisition, acquisition of land/property, ~ real estate; **G.besitz** *m* landed property; **G.besitzer** *m* landowner, landlord; **wirklicher G.besitzer** terretenant *[frz.]*; **G.bestand** *m* land bank; **G.bestandteil** *m* fixture, appurtenance; **G.beteiligungen** *pl* real estate holdings; **G.bewertung** *f* land/property valuation, real estate appraisal, survey; **~ für Kommunalsteuerzwecke** valuation for rating purposes; **G.büro** *nt* real estate office; **G.eigentum** *nt* 1. real estate/assets/property, landed estate/property/realty; 2. [§] fee simple

Grundstückseigentümer(in) *m/f* landowner, occupier, property owner; **G. zu Bruchteilen** tenant in common; **G. sein** to hold land; **absoluter/unbeschränkter G.** owner in fee simple

Grundstücks|einheitswert *m* rat(e)able value *[GB]*; **G.einkünfte** *pl* land revenue(s); **G.einrichtungen** *pl* improvements; **G.enteignung** *f* expropriation of land; **G.entwicklung/G.erschließung** *f* (land/property/site) development, improvement; **G.erschließer** *m* developer; **G.erschließungsgesellschaft** *f* development company/corporation/agency; **G.erschließungsplan** *m* land development plan; **G.erwerb** *m* land purchase, acquisition of real estate, purchase of real property, property acquisition; **G.fläche** *f* land area; **G.fonds** *m* real estate/property fund; **unrechtmäßig erworbene G.früchte** mesne profits; **G.genossenschaft** *f* land trust; **G.geschäft** *nt* property deal; **G.geschäfte** property undertakings, real estate transactions; **G.gesellschaft** *f* property/land *[US]*/proprietary/real estate company, property trust; **g.gleich** *adj* equivalent to real property; **G.haftung** *f* occupier's liability, real estate collateral; **G.hai** *m (coll)* property shark *(coll)*; **G.handel** *m* dealing in real estate; **G.hauptbuch** *nt* property ledger; **G.herausgabeklage** *f* droitural action; **G.hortung** *f* land hoarding; **G.hypothek** *f* real estate mortgage; **G.kauf** *m* land purchase/acquisition, acquisition of land, purchase of real estate; **G.käufer** *m* purchaser of land, grantee; **G.kaufvertrag** *m* real covenant land/real estate contract, contract for the sale of land, agreement of sale and purchase *[GB]*, warranty deed *[US]*, bargain and sale; **~ mit Ratenzahlungen** land instalment contract; **G.klage** *f* action founded on real estate rights; **G.konsortium** *nt* real estate syndicate; **G.konto** *nt* real estate/premises account; **G.kosten** *pl* cost(s) of land, site development cost(s); **G.kredit** *m* mortgage/real estate loan, land credit; **G.last** *f* charge on land, land charge, encumbrance; **G.makler** *m* estate/land agent, realtor *[US]*, real estate agent/broker/operator/dealer; **G.markt** *m* property/real estate market; **G.melioration** *f* land/property improvement; **G.miteigentümer(in)** *m/f* co-owner of real estate; **G.nachbar** *m* adjoining landowner, abutter; **G.nachlass** *m* estate of inheritance; **G.nießbrauch** *m* usufruct of land, equitable estate; **lebenslänglicher G.nießbrauch** estate for life; **G.nutzung** *f* land use; **G.obligation** *f* real estate bond; **G.pacht** *f* ground lease, lease of land; **G.pachtvermittlung** *f* lease brokerage; **G.papiere** *pl* title deeds, brief of title; **G.parzelle** *f* plot of land, lot *[US]*; **G.pfandbrief** *m* real estate bond; **G.pfandrecht** *nt* hypothecary right; **G.preis** *m* real estate/land/property price; **G.räumungsklage** *f* action for recovery of land

Grundstücksrecht *nt* 1. law of property, land law; 2. real statute, real estate interest, real property right, title to real estate; **anerkanntes G.** vested estate; **aufschiebend bedingtes G.** executory estate

Grundstücks|register *nt* land records; **G.rente** *f* ground rent, rent charge; **G.reserve** *f* land bank, reserve land; **G.sanierung** *f* site clearing; **G.schätzung** *f* land appraisal/valuation; **G.spekulant** *m* property speculator, land jobber/speculator; **G.spekulation** *f* speculation in real estate, land/property speculation, land jobbing; **G.spezialist** *m* property lawyer; **G.steuer** *f* tax on real estate, land/property tax; **G.teilung** *f* partition; **G.tribunal** *nt* Lands Tribunal *[GB]*; **G.übereignung** *f* conveyance of real estate, ~ property; **G.übereignungsvertrag** *m* deed of conveyance; **G.übergabe** *f* land transfer; **G.übernehmer(in)** *m/f* surrenderee

Grundstücksübertragung *f* conveyance of property, transfer of (title to) land; **G. gegen Stundung des Kaufpreises** living pledge; **G. in der Zwangsversteigerung** foreclosure conveyance; **treuhänderische G. zur Sicherung von Obligationen** trust deed; **G.surkunde** *f* warranty/quitclaim deed, full covenant deed

Grundstücks|umschreibung *f* transfer of title to land, alienation of an estate; **G.unterlagen/G.urkunde** *pl/f* title deeds/records; **G.veräußerung/G.verkauf** *f/m* property disposal, land sale, sale of real estate, real estate transfer; **G.verkäufe auf Abzahlungsbasis** instalment land sales; **G.verkäufer** *m* 1. vendor; 2. property dealer; **G.verkaufsvertrag** *m* estate contract, warranty deed *[US]*; **G.verkehr** *m* real estate transactions, property sales, transfer of real estate; **G.verletzung** *f* trespass, fee damage; **G.vermittler** *m* estate agent *[GB]*, realtor *[US]*; **G.vermittlung** *f* (real) estate agency; **G.verpfändung** *f* mortgaging of land; ~ **bis zur Schuldtilgung durch laufenden Ertrag** living pledge; **G.versicherung** *f* real property insurance; **G.vertrag** *m* deed of real estate, real covenant, warranty deed *[US]*; **G.verwalter** *m* estate/property manager; **G.verwaltung** *f* estate/property management; **G.verwertung** *f* land/property development; **G.verzeichnis** *nt* property list; **G.vorräte** *pl* land bank; **G.wert** *m* property/land/real estate value; ~ **nach Abschreibung** net real estate value; **G.zertifikat** *nt* property bond; **G.zubehör** *nt* dependency of an estate, accessory to realty fixtures and fittings

Grund|studium *nt* basic course; **G.stufe** *f* first stage, **G.tabelle** *f (Steuer)* basic tax table; **G.tarif** *m* 1. base/basic rate; 2. *(Personenbeförderung)* base/basic fare; **G.taxe** *f* basic rate; **G.tendenz** *f* underlying mood/tendency/tone/trend/level, tenor; **feste G.tendenz** underlying strength; **G.tenor** *m* underlying tone; **G.ton** *m (Börse)* undertone, prevailing tone/mood; **unsicherer G.ton** *(Börse)* uncertain note

Gründung *f* 1. foundation, establishment, formation, incorporation *[US]*, promotion; 2. *(AG)* flo(a)tation, setting-up, start-up, launch, organisation; **G. einer Gesellschaft** formation of a company; ~ **Tochtergesellschaft** foundation of a subsidiary

Gründungs|akt *m* act of establishment/foundation, constituent instrument; **G.aktie** *f* nominal share *[GB]*/stock *[US]*; **G.aufwand** *m* organisation/start-up cost(s), formation expense; **G.ausschuss** *m* founding/organisation committee; **G.beratung** *f* start-up counselling; **G.bericht** *m (AG)* formation/statutory report; **G.bescheinigung/G.bestätigung** *f* certificate of incorporation, franchise; **G.bilanz** *f* start-up balance, registration statement, formation report; **G.einlage** *f* original investment; **G.erlaubnis für öffentliches Versorgungsunternehmen** *f* certificate of public convenience and necessity; **G.fieber** *nt* company promotion boom; **G.finanzierung** *f* start-up financing; **G.fonds** *m* foundation fund; **G.formalitäten** *pl* formation formalities; **G.gebühr** *f* charter fee *[US]*; **G.geschäft** *nt* company promotion business; **G.gesellschaft** *f* parent company, proprietary company; **G.gesellschafter(in)** *m/f* subscriber; **G.gesetz** *nt* basic ordinance, foundation statute; **G.gewinn** *m* founder's profit; **G.jahr** *nt* year of formation, ~ the foundation; **G.kapital** *nt* initial/original/seed/nominal capital, nominal stock, (initial) capital stock, seed money; **G.konsortium** *nt* foundation syndicate; **G.kosten** *pl* promotion cost(s)/money, start-up cost(s)/expenditure, organisation expenses/cost(s), formation/set-up/development/preliminary cost(s), formation/floating/development/preliminary expenses; **G.mangel** *m* dearth of business start-ups; **G.mitglied** *nt* founder/charter member, incorporator *[US]*; **G.phase** *f (Firma)* formation period; **G.prämie** *f* start-up bonus; **G.protokoll** *nt* memorandum of association; **G.prüfer** *m* formation auditor; **G.prüfung** *f* foundation/formation audit; **G.schwindel** *m* fictitious company formation, ~ foundation of a company; **G.stadium** *nt* start-up period; **G.steuer** *f* organization tax *[US]*; **G.stock** *m (Vers.)* foundation fund; **G.tag** *m* date of formation; **G.urkunde** *f* 1. articles/memorandum of association, articles of incorporation/organization *[US]*, corporation/corporate/foundation charter *[US]*, certificate of incorporation *[US]*, incorporation certificate *[US]*, formation deed; 2. *(AG)* corporate articles; **G.versammlung** *f* founders'/constitutive/statutory/organization/inaugural meeting; **G.vertrag** *m* articles of association/agreement, memorandum of association; ~ **und Satzung** articles of incorporation and bylaws; **G.voraussetzungen** *pl* formation requirements; **G.vorgang** *m* incorporation procedure; **G.vorhaben** *nt* start-up project; **G.zeugnis** *nt* certificate of organization *[US]*

Grund|unterstützung *f* basic benefit; **G.ursache** *f* basic/root cause; **G.urteil** *nt* judgment on the basis of the cause of action; **G.verfassung** *f (Markt)* basic state/tone, underlying mood; **G.vergütung** *f* basic pay/compensation, base pay rate; **G.verkehr** *m* real estate transactions; **g.verkehrt** *adj* utterly wrong

Grundvermögen *nt* real estate, (real/landed) property, land; **G. und bewegliche Sachen** land and chattels; **gebundenes G.** entailed estate; **der Besteuerung unterliegendes G.** rat(e)able property *[GB]*; **testamentarisch zum Verkauf vorgesehenes G.** money land; **G.sabgabe/G.ssteuer** *f* land/property tax

Grund|verpackung *f* packaging; **g.verschieden** *adj* disparate; **G.vertrag** *m* principal/basic contract; **G.vollmacht** *f* primary powers; **G.voraussetzung** *f* fundamental, basic requirement, prerequisite

Grundwasser *nt* (under)ground water; **G.belastung** *f* pollution of underground water; **G.spiegel/G.stand** *m* water table, groundwater level

Grund|wehrdienst *m* active military service; **G.welle** *f* groundswell

Grundwert *m* 1. property/real estate value; 2. ▦ base; **G.abgabe** *f* land/property tax; **G.steigerung** *f* real estate appreciation

Grund|zahl *f* π cardinal/basic/base number, radix; **G.zeit** *f* basic/base time; **G.zeitraum** *m* base period; **G.zins** *m* base rate; **G.zug** *m* basic feature/trend; **G.züge** fundamentals

Grünbuch *nt* green paper *[GB]*

Grüne|(r) *f/m* environmentalist; **G.r Bericht** 🚜 green report; **G. Insel** Emerald Isle *[IRL]*; **G. Union** Green Pool

Grün|fläche *f* open space, park(land), green space/area; **G.futter** *nt* 🚜 green stuff/fodder; **G.gürtel** *m* green belt; **G.land** *nt* grassland; **G.(land)wirtschaft** *f* dairy farming, grassland farming/utilization; **G.span** *m* verdigris; **G.streifen** *m* grass verge; **G.zone/G.zug** *f/m* green belt

Gruppe *f* 1. group; 2. division, category, section, bracket; 3. class, team, party, panel; 4. series; 5. consortium; 6. gang; 7. denomination, clutch; 8. *(Lohn)* grade; 9. outfit *(coll)*; **G. von Banken** banking syndicate; **~ Dateigenerationen** generation data group; **G. ähnlicher Erzeugnisse** product family; **in G.n eingeteilt** classified; **G.n bilden** to form groups; **in ~ einteilen/einordnen** to group/classify; **in dieselbe G. einordnen** to bracket together; **abgespaltene G.** breakaway group; **in Schwierigkeiten befindliche G.** troubled group; **sozial benachteiligte G.** underprivileged class; **fachliche G.** (specialized) section; **offene G.** ▦ open-ended class

Gruppen|- collective; **G.abschluss** *m* group accounts; **G.abschreibung** *f* group depreciation, composite (life method of) depreciation

Gruppenakkord *m* group piecework/scheme; **G.karte** *f* gang job card; **G.lohn(satz)** *m* group piece(work) rate

Gruppen|arbeit *f* team/group work, team effort/working, working in teams; **G.aufnahme** *f* group photograph; **G.autonomie** *f* group autonomy; **G.ausbildung** *f* group training; **G.ausnahme** *f* group exemption; **G.bestellung/G.buchung** *f* block booking; **G.beteiligung** *f* aggregate holding; **G.beurteilung** *f (Personal)* group appraisal; **G.bewertung** *f* global/aggregate/group valuation, valuation applied to groups of items, group-of-assets valuation; **G.bewirtschaftung** *f* 🚜 group farming; **G.bildung** *f* grouping, formation of groups; **G.denken** *nt* group thinking; **G.diskussion** *f* group discussion; **G.dynamik** *f* group dynamics; **g.dynamisch** *adj* group-dynamic; **G.egoismus** *m* sectional self-interest; **G.einteilung** *f* classification, grouping; **G.ermäßigung** *f* group discount; **G.ersatz** *m* group replacement; **G.fahrschein/-karte** *m/f* party ticket; **G.faktor** *m* group factor; **G.fertigung** *f* mixed-type production, group manufacturing; **G.floating** *nt* block floating, joint float; **G.frachtrate/-tarif** *f/m* class/blanket rate; **G.freistellung** *f* group exemption; **G.gemeinkosten** *pl* indirect product group cost(s); **G.index** *m* group index; **G.interessen** *pl* sectional interests; **G.kapazität** *f* group capacity; **G.klage** *f* § class action (suit); **G.kosten** *pl* product group overhead(s); **G.lebensversicherung** *f* group (term) life assurance; **G.leistungslohn** *m* group scheme/wage; **G.leiter(in)** *m/f* team leader, group manager/manageress, section supervisor, head of organisational group, chief of section; **G.lohn** *m* gang rate, group payment; **G.marke** *f* 🖳 group mark; **G.norm** *f* group standard; **g.nützig** *adj* serving group interests; **G.police** *f* master policy; **G.prämie** *f* group bonus; **G.prämiensystem** *nt* group bonus system; **G.preisverfahren** *nt* product group pricing; **G.prüfung** *f* group test; **G.rechtsschutz** *m* group legal services; **G.reise** *f* group trip/travel; **G.rendite** *f* group yield; **G.rentenversicherung** *f* group annuity insurance; **G.rentenversicherungssystem** *nt* group annuity pension plan; **G.risikoversicherung für vorzeitige Todesfälle** *f* group life assurance *[GB]*/insurance *[US]*; **G.stabdiagramm** *nt* multiple bar chart; **g.spezifisch** *adj* group-based, group-specific; **G.tarif** *m* group(age)/blanket rate; **G.überschrift** *f* 🖳 group heading; **G.umsatz** *m* consolidated/group sales; **G.unterricht** *m* group tuition; **G.verkauf** *m* 🚗 fleet sale

Gruppenversicherung *f* 1. group/collective/wholesale/blanket insurance; 2. group policy; **G. mit Beitragsleistung der Versicherten** contributory group life assurance *[GB]*/insurance *[US]*; **G. ohne ~ Versicherten** non-contributory life assurance *[GB]*/insurance *[US]*; **G. auf den Todes- und Erlebensfall** group endowment policy; **G.sschein** *m* group insurance policy

Gruppen|verteiler *m* group distributor; **G.vertrag** *m* *(Vers.)* group insurance/policy; **G.wahl** *f* group election, chambered voting; **G.wechsel** *m* 🖳 control change, change of control; **G.wechselplan** *m* ▦ changeover design; **G.wertabschreibung** *f* composite depreciation, ~ life method, ~ rate of depreciation; **G.wettbewerb** *m* competition between groups; **G.ziel** *nt* unit objective, group goal

gruppier|en *v/t* to classify/group/class; **neu g.en** to regroup; **G.ung** *f* groupage, grouping, array

Grüße *pl* greetings; **G. zum Fest** seasonal greetings; **G. bestellen** to send regards; **herzliche G.** kind regards; **mit freundlichen G.n** yours sincerely, ~ faithfully, ~ (very) truly *[US]*

grüßen *v/t* to greet; **jdn g.** to pay so. one's respects; **~ lassen** to ask to be remembered to so.

Gruß|formel *f* 1. *(Briefanfang)* salutation, form of greeting; 2. *(Briefende)* complimentary close; **mit jdm auf G.fuß stehen** *m* to have a nodding acquaintance with so.

Gschaftlhuber *m* *(coll)* busybody *(coll)*

Guckloch *nt* spyhole

Guinea, Guinee *f* *[GB] (obs.)* guinea

Gulden *m* guilder, florin

Gülle *f* 🚜 slurry, semi-liquid manure; **G.teich** *m* lagoon

gültig *adj* 1. valid, effective, current; 2. operative, in force; **formell und materiell g.** valid in form and fact; **g. bleiben** to remain valid/in force, to stand good; **g. machen** to validate; **g. sein** to be valid/effective/open, ~ in order, to apply; **noch einen Monat g. sein** to have a month to run; **rückwirkend g. sein** to be retroactive

Gültigkeit *f* 1. validity, (legal) force, authenticity, availability; 2. *(Zeit)* term; 3. *(Münze)* currency; **G. eines Angebots/einer Offerte** duration of an offer; **während der G. des Angebots** during the continuance of the offer

Gültigkeit aufheben to invalidate; **G. besitzen/haben** to be/remain valid, to apply, to be open; **G. eines Testaments bestreiten** to contest/dispute a will; **G. beweisen** to establish the validity; **G. erlangen** to become effective/valid; **G. prüfen** to validate; **G. verlängern** to extend/prolong the validity; **G. verleihen** to authenticate; **G. verlieren** to expire

rückwirkende Gültigkeit retrospective effect; **volle G.** § *(Urteil)* full faith and credit

Gültigkeits|bedingung *f* precondition of legal validity; **G.bereich** *m* scope

Gültigkeitsdauer *f* validity (period), run/period of validity, life, term, duration, currency; **während der G.** during the life; **G. eines Akkreditivs** life of a letter of credit; **G. einer Garantie** term/validity of a guarantee

ültigkeits|erklärung *f* validation (certificate); **G.fehler** *m* validity error; **G.klausel** *f* testing clause; **G.prüfung** *f* validity check(ing); **G.vermerk** *m (Scheck)* certification; **~ durch Trockenprägung** dry embossed validaton; **G.vermutung** *f* presumption of validity; **G.voraussetzung** *f* prerequisites of validity

ummi *nt/m* rubber; **G.aktien** *pl* rubber shares *[GB]*/stocks *[US]*, rubbers; **G.band** *nt* rubber band

ummier|en *v/t* to gum; **G.stift** *m* glue dispenser; **g.t** *adj* gummed, adhesive; **G.ung** *f (Briefmarke)* gum

ummi|industrie *f* rubber industry; **G.linse** *f* zoom lens; **G.markt** *m* rubber market; **G.reifen** *m* rubber tyre *[GB]*/tire *[US]*; **G.ring** *m* rubber band; **G.schlauch** *m* rubber tube; **G.schrot** *m* rubber shot; **G.stempel** *m* rubber stamp, **G.stiefel** *pl* rubber boots, wellingtons, gumboots; **G.stift** *m* glue dispenser; **G.titel/G.werte** *pl (Börse)* rubbers, rubber shares *[GB]*/stocks *[US]*; **G.verarbeiter** *m* rubber manufacturer; **G.waren** *pl* rubber goods; **G.zelle** *f* padded cell

unst *f* 1. favour, goodwill; 2. *(Begünstigung)* patronage; **zu G.en von** in favour of, to the benefit of; **zu unseren/meinen G.en** in our/my favour, to the credit of our/my account; **zu G.en eines Dritten** to the benefit of a third party

u jds Gunst|en aussagen § to testify for so.; **sich ~ aussprechen** § *(Gericht)* to find for so.; **sich um jds G. bemühen; um jds G. buhlen** to curry favour with so., to court so.'s favour; **sich in jds G. einschleichen** to worm one's way into so.'s favour; **zu jds G.en einzahlen** to pay to so.'s credit; **G. entziehen** to disfavour; **zu jds G.en erkennen** § to find for so., ~ in favour of so.; **jdm eine G. erweisen** to do so. a favour; **G. gewähren** to grant a favour; **G. der Stunde nutzen** to make hay while the sun shines *(fig)*; **bei jdm in G. stehen; in jds G. stehen** to be in so.'s good graces/books; **jds G. verloren haben** to be in so.'s black books *(fig)*; **~ verscherzen** to lose/forfeit so.'s favour; **um ~ werben** to court/curry so.'s favour

unst|beweis/G.bezeugung *m/f* (mark of) favour; **mit G.beweisen/G.bezeugungen überschütten** to heap favours on (so.)

ünstig *adj* 1. favourable, advantageous, promising, opportune, convenient, fit; 2. fortunate, prosperous, propitious, auspicious; 3. *(Preise)* reasonable, good, concessional; 4. *(Kauf)* value for money; **preislich g.** cheap (at the price); **zeitlich g.** well-timed; **g. sein** to look good

ünstigkeitsprinzip *nt* advantage rule

ünstigst *adj* optimum; **g.enfalls** *adv* at best

ünstling *m* favourite; **G.swirtschaft** *f* favouritism

unstvertrag *m* third-party beneficiary contract

urt *m* harness, strap, belt; **G.anlegepflicht/G.zwang** *f/m* 🚗 compulsory use of seat belts; **G.band** *nt* webbing

ürtel *m* belt; **G. enger schnallen** to tighten one's/the belt, to cut back; **G.linie** *f* waistline; **unterhalb der G.linie** below the belt; **G.reifen** *m* 🚗 radial tyre *[GB]*/tire *[US]*; **G.rose** *f* $ shingles

urtförder|band/G.er *nt/m* belt conveyor

Guss *m* ✎ casting; **aus einem G.** all off one piece

Guss|eisen *nt* cast iron, gray metal; **G.eisenindustrie** *f* iron castings industry; **G.form** *f* mould, die, cast; **G.stahl** *m* cast steel; **G.stück/G.teil** *nt* casting

GUS-Staat (Gemeinschaft unabhängiger Staaten) *m* CIS state (Community of Independent States)

Gut *nt* 1. property, estate; 2. goods; 3. 🚜 farm(holding), farmstead, agricultural holding, manor farm, farm estate; 4. *(Anlage)* asset, item; **Güter** 1. goods, commodities, merchandise, products, wares, resources; 2. freight

Güter des Anlagevermögens fixed assets, ~ capital goods; **immaterielle ~ Anlagevermögens** intangible fixed assets; **~ gehobenen Bedarfs** semi-luxuries, (semi-)luxury goods; **~ täglichen Bedarfs** convenience/essential goods, essentials, necessaries, necessities; **G. und Dienstleistungen** goods and services; **eingebrachtes Gut der Ehefrau** marriage portion, paraphernalia *(obs.)*; **G. in enger Substitutionskonkurrenz** close goods; **G. unter Zollverschluss** ⊖ bonded goods

Güter befördern to haul/transport freight; **G. bergen** to recover goods; **G. konkretisieren** to appropriate goods; **G. lagern** to store goods; **G. löschen** to land/unload goods; **G. über Bord werfen** to jettison goods

abnutzbare Güter assets subject to depreciation; **angeschwemmtes Gut** driftage; **anvertrautes G.** trust, charge; **aufgeopferte Güter** *(Havarie)* sacrificed goods; **aufgestaute Güter** stowage; **unterwegs befindliche Güter** goods in transit; **bewegliche(s) G./Güter** movables, movable goods; **bewirtschaftete Güter** rationed goods; **dauerhafte Güter** durables, durable goods; **der Bedürfnisbefriedigung dienende Güter** convenience goods; **eingebrachtes G.** *(Ehe)* separate estate; **eingelagerte Güter** stored goods; **analog einzustufende Güter** *(Spedition)* analogous goods; **energiesparende Güter** energy efficiency goods; **ernährungswirtschaftliche Güter** food and fodders; **feuergefährliche Güter** combustibles; **freies G.** free good/resource, common property, resource; **garantiefähiges G.** eligible product *[US]*; **gebrauchsfertige Güter** convenience goods; **gefahrbringende Güter** hazardous goods; **genormte Güter** standardized goods; **gerettetes G.** salvage; **gestohlenes G.** stolen goods; **geworfene Güter** ⚓ jettisoned goods; **haltbare Güter** durable goods, durables; **heimgefallenes G.** § escheat, property escheated; **herrenloses G.** 1. unclaimed goods, ownerless property, waif; 2. § bona vacantia *(lat.)*; **heterogene Güter** heterogeneous goods; **hochwertiges G.** high-value item, high-grade/specialty good *[US]*; **technologisch ~ G.** high-technology item; **homogene Güter** homogeneous goods/products; **immaterielle Güter** intangible goods/property, non-economic goods; **irdische Güter** earthly possessions, worldly goods; **kollektive Güter** collective goods; **komplementäre Güter** joint/complementary goods, complements; **konkrete Güter** specific goods; **kontingentierte G.** rationed goods; **kriegswichtige Güter** strategic goods; **lagerfähige Güter** inventoriable goods; **landwirtschaftliche Güter** farm produce/ products; **langlebige Güter** durables; **lebensnotwendige/-wichtige Güter** essential goods, essentials; **nicht ~ Güter** non-essential goods, non-essentials; **liegende Güter** real estate; **materielle Güter** physical assets, tangible goods, material things; **meritorisches G.** merit/quasi-private good; **minderwertige Güter** inferior goods; **negatives G.** discommodity, bad, disgood; **neutrale Güter** neutral goods; **normales G.** normal good; **öffentliche Güter** public goods; **geborene ~ G.** social costs, merit goods; **spezifisch ~ Güter** nonrival goods; **ökonomische Güter** economic goods; **palettierte Güter** palletized goods; **private Güter** private goods; **quasi-öffentliche Güter** quasi-collective goods; **rollendes G.** wheeled cargo; **schwimmendes G.** ⚓ *(Vers.)* venture; **seetriftiges G.** flotsam; **sensible Güter** sensitive commodities/goods; **sperrige Güter** bulky goods; **substitutive Güter** substitutes; **technische Güter** technical goods; **unbewegliche Güter** immovables, things real; **unfertige Güter** in-process items; **unverladene Güter** short-shipped cargo; **unvermehrbare Güter** non-duplicable goods; **veränderliches G.** *(Vers.)* shifting property; **verbrauchsfertige Güter** convenience goods; **verderbliche Güter** perishable goods, perishables; **unter Deck verladene Güter** ⚓ under-deck cargo; **vermehrbare Güter** duplicable goods; **versichertes G.** interest; **verstaute Güter** ⚓ stowdown; **vertragsgemäße Güter** conforming goods; **vertretbare Güter** fungible goods; **wirtschaftliches G.** economic good, commodity; **zollpflichtige Güter** ⊖ dutiable goods

sehr gefährliche Güter, Verladung nur auf Deck ⚓ dangerous deck (d.d.)

gut *adj* good, sound; **g. und gern** *adv* easily; **g. gehen** *(Absatz)* to sell well; **es g. haben** to be well off, ~ well looked after; **sich g. machen** to shape up well; **g. sein für** *(Kredit)* to be good for; **g. daran tun** to do well (to do sth.)

Gutachten *nt* survey, expertise, (official) report, (expert) opinion, appraisal, evidence, certificate, advisory opinion; **G. des Anwalts** counsel's opinion; **G. der Minderheit** dissenting opinion

Gutachten abgeben to render an opinion; **G. einholen** to ask for an expertise, to obtain/take an opinion, to seek expert advice; **G. erstatten** to render/submit/furnish an opinion, ~ a report

ablehnendes Gutachten adverse opinion; **ärztliches G.** medical certificate; **erbbiologisches G.** expert opinion on hereditary factors; **fachmännisches G.** expert's report, expertise; **gerichtliches G.** opinion of the court; **gerichtsmedizinisches G.** opinion of a specialist in forensic medicine; **medizinisches G.** medical opinion; **psychiatrisches G.** psychiatric opinion; **technisches G.** technical opinion; **versicherungsmathematisches G.** actuarial report

gutachten *v/i* to act as an expert

Gutachter(in) *m/f* expert, appraiser, assessor, surveyor, consultant, valuer; **neutraler G.** independent expert; **G.ausschuss/G.gremium/G.kommission** *m/nt/f* advisory committee, panel/committee of experts; **G.bericht** *m* survey, report; **g.lich/gutachtlich** *adj* advisory, consultory, expert; **~ feststellen** to ascertain in an expert's report; **G.tätigkeit** *f* appraisal work, advisory services

gut|artig *adj* 1. benign; 2. harmless; **G.befund** *m* approval; **G.bereich** *m* ▦ acceptance region; **g. bestückt** *adj* well stocked; **g. bezahlt/g. dotiert** *adj* well-paid; **g.bringen** *v/t* to credit; **g.bürgerlich** *adj* 1. middle class; 2. *(Küche)* good plain

Gutdünken *nt* discretion; **nach G.** discretionary, at (so.'s) discretion; **~ des Gerichts** at the court's discretion, ~ discretion of the court; **~ handeln** to act as one sees fit, ~ at one's own discretion, to exercise personal discretion

Güte *f* 1. quality, grade, soundness; 2. *(Verhalten)* kindness, goodness; **G. der Anpassung** goodness of fit; **G. einer Schätzung** closeness in estimation; **handelsübliche G. und Beschaffenheit** good merchantable quality and condition; **in G. abmachen** to settle amicably; **G. garantieren** to guarantee the quality

durchschnittliche Güte standard quality; **von erster G.** first-rate; **handelsübliche G.** merchantable quality; **marktfähige G.** marketable quality; **minderwertige G.** inferior quality; **ungleiche G.** varying in quality

nichts Gutes im Schilde führen; ~ Sinne haben *(col.)* to be up to no good; **des Guten zuviel tun** to overdo things, to lay on; **G. verheißen/versprechen** to augur, bode well; **nichts G. vorhaben** to be up to no good; **sich zum Guten wenden** to take a turn for the better; **G. verheißend** auspicious

Güte|anforderung *f* standards of quality; **G.antrag** *m* petition for conciliation, request for conciliatory proceedings, petition for an amicable settlement; **G.aufpreis** *m* quality extra; **G.einteilung** *f* grading; **G.funktion** *f* ▦ power function; **g.gesichert** *adj* of guaranteed quality; **G.grad** *m* standard, grade, quality category; **G.kennzeichnung** *f* grade labelling

Güteklasse *f* grade, quality category, standard, class; **in G.n einstufen/einteilen** to grade/sort; **G.nbezeichnung** *f* grade labelling; **G.neinteilung** *f* grading; **G.nstruktur** *f* grading structure

Güte|marke *f* certification mark; **~ für Metallware** Sheffield mark *[GB]*; **G.merkmal** *nt* quality characteristic; **G.norm** *f* quality standard; **G.pass** *m* quality certificate; **G.prämie** *f* quality bonus; **G.prüfbescheinigung** *f* inspection and test certificate; **G.prüfdienst** *m* quality-testing service; **G.prüfer** *m* quality engineer

Güteprüfung *f* quality control/test, inspection test; **G. durch Lieferanten** vendor inspection; **amtliche G.** government inspection

Güter|abfertigung *f* dispatch(ing) (of goods); goods department, goods/forwarding/freight *[US]* office; **G.abwägung** *f* weighing one thing against the other; **G.- und Pflichtenabwägung** appreciation of values and obligations; **G.angebot** *nt* supply of goods; **komplementäres G.angebot** complementary supply; **G.annahme(stelle)** *f* receiving/freight office; **G.art** *f* type/kind of goods; **gleiche G.art** the same goods

G.aufkommen *nt* tonnage; **G.aufzug** *m* freight elevator/lift; **G.ausgabe** *f* freight delivery office, goods/freight office; **G.ausstoß** *m* output of goods; **G.austausch** *m* 1. exchange of goods; 2. trade, traffic; **G.bahnhof** *m* 🚂 freight/goods station, ~ yard *[US]*, goods depot *[GB]*; **G.bedarf** *m* demand for goods; **G.beförderung** *f* transportation/conveyance/shipment of goods; **~ zur See** carriage of goods by sea; **G.begleitschein** *m* bill of lading (B/L), freight bill, waybill *[US]*; **G.besichtiger** *m* surveyor, commodity inspector; **G.bewegung** *f* freight traffic/movement; **G.bezug** *m* purchase of goods; **G.bündel** *nt* batch of commodities, bill of goods; **G.depot** *nt* goods depot; **G.disposition** *f* commodity management; **G.einteilung** *f* classification of goods; **G.erzeugung** *f* production of goods; **G.expedition** *f* dispatch, forwarding, shipping; **G.export** *m* visible exports; **G.fahrzeug** *nt* commercial/goods vehicle

üterfernverkehr *m* long-haul/long-distance freight traffic, ~ freight transportation, ~ goods traffic, long-distance (road) haulage, trunking; **gewerblicher G.** commercial long-haul trucking; **G.sunternehmen** *nt* long-distance road haulage operator

üter|flugverkehr *m* air cargo; **G.flugzeug** *nt* cargo plane; **G.fluss** *m* flow of goods; **G.frachttarif** *m* 🚂 railroad freight rate; **G.freigabe** *f* freight release

ütergemeinschaft *f* § community of goods/property, goods in communion, joint marital property, ~ communal estate, ~ tenure, community property system; **allgemeine G.** universal partnership; **eheliche G.** communion of goods, community of property; **fortgesetzte G.** continued marital community of goods; **vertraglich vereinbarte G.** conventional community

üter|halle *f* 🚂 goods depot, freight shed; **G.hersteller** *m* manufacturer (of goods); **G.hof** *m* goods yard; **G.kasse** *f* goods freight payment office; **G.klassifikation** *f* classification of goods; **G.kombination** *f* combination of commodities, commodity combination; **G.kraftverkehr** *m* road transport/haulage, truck haulage, trucking, carriage of goods by road; **G.kreislauf** *m* circular flow of goods and services; **G.ladeplatz** *m* platform; **G.lagerung** *f* goods/freight storage; **G.lücke** *f* inflationary gap in the goods market, goods gap; **G.magazin** *nt* warehouse, store; **G.makler** *m* land agent; **G.markt** *m* commodity/product market; **G.-mengenkombination** *f* batch of commodities, quantity combination; **G.nachfrage** *f* demand for goods; **komplementäre G.nachfrage** complementary demand; **G.nahverkehr** *m* short-distance (road) haulage, short-haul traffic/transport, short-distance/short-haul freight traffic; **G.niederlage** *f* freight depot; **G.pflegschaft** *f* property curatorship; **G.preis** *m* output price

üterproduktion *f* production of goods; **rein angebotsorientierte G.** inside out; **nachfrageorientierte G.** outside in

üterproduzierend *adj* manufacturing

üterrecht *nt* 1. real law; 2. law of matrimonial property; **eheliches G.** matrimonial regime, law of matrimonial property; **gesetzliches G.** law/statute on matrimonial property rights; **immaterielles G.** incorporeal right; **vertragliches/-mäßiges G.** conventional property regime, marital property settlement, contractual regime

Güterrechts|register *nt* marriage property register, register of marriage settlements; **G.statut** *m* proper law applicable to matrimonial property; **G.vereinbarung** *f* matrimonial property agreement; **G.verhältnis** *nt* matrimonial property relation; **G.vertrag** *m* marriage settlement, matrimonial property agreement, settlement in trust

Güter|schnellzug *m* express goods train; **G.schuppen** *m* freight depot, goods shed; **G.sendung** *f* consignment; **~ ohne Frachtbegleitschein** overfreight; **G.spediteur** *m* freight forwarder; **G.speicher** *m* goods depot, warehouse; **G.spekulant** *m* land jobber

Güterstand *m* 1. § property regime; 2. system of marital property, matrimonial (property) regime; **ehelicher G.** matrimonial property regime, legal community; **gesetzlicher G.** statutory regime (of matrimonial property), legal community; **vereinbarter/vertraglicher G.** marriage settlement, contractual property system, agreed matrimonial regime

Güter|strom *m* goods flow, flow of goods and services; **gegenläufige G.- und Geldströme** bilateral flows; **G.tarif** *m* freight rate/tariff, goods tariff; **G.tausch** *m* barter; **G.tonnage** *f* freight tonnage

Gütertransport *m* movement of goods, freight transportation; **G. per Bahn** carriage of goods by rail; **G.leistung** *f* volume of goods carried; **G.markt** *m* freight market; **G.versicherung** *f* freight/cargo insurance, (goods in) transit insurance

Güter|trennung *f* 1. § separation (of estates/property), separate property; 2. § *(Eheleute)* (marital regime of) separation of goods ; **G.umlauf** *m* circulation of goods; **G.umschlag** *m* cargo/goods handling, goods turnover, handling of goods; **G.umschlagstelle/-zentrum** *f/nt* goods terminal, freight centre; **G.verkauf** *m* sale of goods

Güterverkehr *m* 1. freight/goods traffic, ~ transport, transportation/movement of goods; 2. merchandise/visible trade, visibles; **Güter- und Kapitalverkehr** goods and capital movement; **gewerblicher G.** commercial (goods) transport; **staatlicher G.** state transport; **werkseigener G.** company/private transport; **zwischenstädtischer G.** inter-city freight traffic; **inländischer ~ G.** domestic inter-city freight traffic

Güter|verkehrs-/G.verladungsanlagen *pl* freight handling facilities; **G.verkehrsknotenpunkt** *m* 🚂 freight hub, ~ handling facility; **G.verlader** *m* shipper; **G.verladung** *f* goods handling; **G.verlustversicherung** *f* common carrier's insurance; **G.versand** *m* 1. dispatch/shipping of goods; 2. goods/freight traffic; **G.versicherung** *f* freight/cargo insurance; **G.versorgung** *f* supply of goods; **G.verteilungskette** *f* chain of distribution; **G.verwendung** *f* use of goods; **inländische G.verwendung** domestic consumption of goods; **G.verzehr** *m* consumption of goods; **G.verzehrpro-**

zess *m* process of consumption; **G.volumen** *nt* volume of goods

Güterwagen *m* railway truck *[GB]*, freight car *[US]*, goods van/wag(g)on/truck; **frei G.** free on wag(g)on (f.o.w.), ~ truck (f.o.t.); **gedeckter/geschlossener G.** covered wag(g)on/truck, van, box car *[US]*/wag(g)on; **offener G.** open wag(g)on/truck, flat car *[US]*/truck, gondola car *[US]*; **G.stellung** *f* provision of goods wag(g)ons

Güter|wert *m* value of goods; **~ angeben** *m* to declare the value of (the) goods; **G.wirtschaft** *f* goods sector; **g.wirtschaftlich** *adj* non-monetary; **G.zug** *m* goods/freight train; **G.zustellung** *f* delivery of goods

Güte|schutz *m* quality protection; **G.sicherung/G.überwachung** *f* quality assurance/control; **G.siegel** *nt* stamp of quality, kite mark *[GB]*; **G.skala** *f* grading structure; **G.stelle** *f* conciliation court/office; **G.stempel** *m* compliance stamp; **G.steuerung** *f* process control; **G.verfahren** *nt* [§] conciliatory proceedings, conciliation; **G.verhandlung** *f* conciliation proceedings, conciliatory hearing; **G.versuch** *m* attempt to reach an amicable settlement; **G.vorschlag** *m* conciliatory proposal; **G.vorschrift** *f* quality specification/standard

Gütezeichen *nt* hallmark, mark of quality, guarantee/certification/quality mark, quality label, trademark; **G.gemeinschaft** *f* association for marks of quality; **G.liste** *f* register of quality labels

gut gehend *adj* 1. flourishing, thriving, prosperous; 2. fast-selling; **g. gemeint** *adj* well-intentioned, well-meaning; **(nicht) g.geschrieben** *adj* (un)credited; **G.gewicht** *nt* tare, tret

Gutglauben *m* [§] bona fides *(lat.)*, good faith; **höchster G.** [§] the utmost good faith, uberrimae fidei *(lat.)*; **G.serwerb** *m* bona-fide *(lat.)* acquisition, acquisition by innocent buyer without notice; **G.sschutz** *m* protection of bona-fide *(lat.)* purchaser

gutgläubig *adj* in good faith, bona fide *(lat.)*, without notice, innocent; **G.keit** *f* credulity, good faith; **jds ~ ausnützen** to take advantage of so.

Gutgrenze *f* acceptable quality level (AQL)

Guthaben *nt* 1. balance, credit (balance), deposit (money), money on account, holdings; 2. *(Bilanz)* accounts receivable, receivables *[US]*, credit side, funds, assets; **im G.** *(Bank)* to the good; **ohne G.** without/no funds

Guthaben im Ausland offshore assets; **G. auf der Bank** bank deposit(s); **G. Gebietsfremder** non-resident holdings; **G. der öffentlichen Hand** public deposits; **G. auf Inkassokonto** bills for collection; **~ Kontokorrentkonto** checking balance; **G. bei Kreditinstituten** *(Bilanz)* due from banks, cash at banks; **~ Korrespondenzbanken** correspondent balances; **G. mit Verfügungsbeschränkung** funds subject to withdrawal restrictions

kein Guthaben *(Scheck)* no effects/funds (N/F)

Guthaben aufweisen/ausweisen to show a balance (in so.'s favour); **G. blockieren** to freeze assets/funds; **G. freigeben** to unfreeze assets/funds, to release funds; **G. pfänden** to garnish/attach an account; **G. sperren** block/freeze an account

nicht abgehobene Guthaben unclaimed balances; **täglich abhebbares G.** call money/deposit; **antizipati G.** deferred credits; **ausreichendes G.** sufficient fund **nicht ~ G.** insufficient funds (I/F); **ausstehende G.** a counts receivable; **befristete G.** time balances/depo its; **blockierte G.** frozen/blocked assets; **brachliege des G.** idle balance; **eingefrorenes G.** frozen asset; **so fort einlösbare G.** liquid assets; **erworbenes** acquired credit balance; **täglich fälliges G.** demand d posit; **flüssige G.** liquid assets; **freies G.** available/fre balance; **gesperrtes G.** frozen assets, blocked ba ance/assets; **hinterlegtes (unverzinsliches) G.** *(Kr ditabsicherung)* compensating balance; **kompensat onsfähige G.** clearing items; **laufende G.** current a sets; **öffentliches G.** public deposits; **transitorische** deposits in transit; **umsatzloses G.** dormant balanc **verbleibendes G.** remaining (credit) balance; **frei/j derzeit verfügbares G.** call money/deposit, cash/fre assets, available funds; **verzinsliches G.** interest-ear ing/interest-bearing deposit; **zinsloses G.** free balanc **nicht zurückgefordertes G.** dormant balance

Guthaben|anreicherung *f* growth of balances; **G.b wegungen** *pl* changes in credit balances; **G.bildung** balance formation; **G.klausel** *f* sufficient funds prov so; **G.konto** *nt* deposit account/balance, credit(or) a count; **G.saldo** *m* credit balance, balance in one's f vour; profit balance

gutheiß|en *v/t* 1. to approve (of), to okay *(coll)*, to e dorse/authorize/ratify/sanction/condone/applau countenance; 2. to put one's name to sth.; 3. [§] homologate; **G.ung** *f* [§] homologation

gütig *adj* kind, generous, benign

gütlich *adj* amicable, friendly, out of court

gut|machen *v/t* to make good, to indemnify; **g.nac barlich** *adj* (good-)neighbourly; **g.sagen** *v/t* to stan bail/security, to warrant

Guts|besitzer *m* estate/landowner, landlord; *pl* the lan ed interests; **freier G.besitzer** freeholder; **G.betrieb** manor farm, farm estate

Gutschein *m* 1. voucher, coupon, token; 2. *(Einzah lung)* credit slip/note; 3. *(Einzelhandel)* premium cou pon, trading stamp; **G. zur Einlösung** redeemable co pon; **G. zu Geschenkzwecken** gift voucher; **mit eine G. ausgestattet sein** to carry a coupon; **auf den Inh ber lautender G.** bond payable to bearer; **steuerfrei G.** tax-exempt note; **G.einlösung** *f* coupon redemptio

Gut-Schlecht-Prüfung *f* good-defective inspectio test, sampling by attributes

gutschreiben *v/t* to credit/accredit, to pass to the credi **jdm g.** to pass/enter/place to so.'s credit; **zu wenig g.** undercredit

Gutschrift *f* credit, credit note/entry/advice/item/mem orandum, refund credit slip; **zur G.** for deposit only, f credit; **G.en und Lastschriften** credits and debits; **auf Konto des Zahlungsempfängers** account (o payee; **G. Eingang vorbehalten** entering short; **G. e teilen** to (pass to the) credit; **vorläufige G.** short entr

;utschrift|anzeige/G.aufgabe *f* credit advice/note/memorandum/slip, refund voucher, credit memo *[US]*, advice of credit; **G.aufgabe erteilen** to send a credit advice; **G.(en)beleg/G.zettel** *m* credit slip/voucher/memorandum, deposit ticket; **G.posten** *m* credit item

;uts|haus *nt* manor (house), farm house; **G.herr** *m* landlord, lord of the manor; **G.hof** *m* manor (farm), estate; **G.inspektor** *m* bailiff, estate manager

ut situiert *adj* well-off, well-to-do, wealthy; **g. sortiert** *adj* well-assorted

;utspächter *m* tenant farmer

,ut stehen für *v/i* to stand bail/security for, to answer/swear for

;uts|verwalter *m* farm/estate manager, farm bailiff, land agent *[GB]*, estate warden, steward, factor *[Scot.]*; **G.verwaltung** *f* 1. estate management; 2. stewardship

,ut verdienend *adj* high-income, earning a good salary; **G.ware** *f* non-defective goods; **g.willig** *adj* well-meaning, obliging; **G.zahl** *f* ▦ acceptance number

vieder gutzumachen retrievable

; & V-Konto; ~-Rechnung *nt/f* profit & loss account

;ymnasium *nt* grammar *[GB]*/high *[US]* school

;ymnasialabschlussprüfung *f* General Certificate of Education (G.C.E.) Advanced (A) Level *[GB]*

;ymnastik *f* gymnastics

I

Iaager Abkommen; H. Konvention *nt/f* Hague Convention; **H. Friedenskonferenz** *f* Hague Conference; **H. Landkriegsordnung** *f* Hague Warfare Convention; **H. Schiedsgericht(shof)** *nt/m* Hague Tribunal

Iaar *nt* hair; **an einem H. hängen** to hang by a thread; **an den H.en herbeiziehen** to drag by head and shoulders; **sich in die H.e kriegen** *(coll)* to (pick a) quarrel; **H.e lassen müssen** *(coll)* to suffer heavy losses, to have to fork up *(coll)*, ~ pay through the nose *(coll)*; **kein gutes H. an jdm lassen** *(coll)* to pick so. to pieces; **sich in den H.en liegen** *(coll)* to be at loggerhands

ıaar|genau *adj* precise; **h.ig** *adj (coll)* sticky; **h.scharf** *adj* by a cat's whiskers *(coll)*

Iaarspalter *m* hair splitter; **H.ei** *f* hair splitting; **~ treiben** to split hairs

ıaarsträubend *adj* outrageous, ludricous, hair-raising

Iab und Gut *nt* (goods and) chattels, (personal) belongings, wordly goods, possessions

Iabe *f* belongings, possessions, effects, property; **bewegliche H.** goods and chattels, movables; **persönliche H.** personal effects/belongings, chattels; **unbewegliche H.** chattels real, immovables

Iaben *nt* 1. credit, assets; 2. credit balance; 3. *(Bilanz)* creditors, credit items; **im H. buchen** to credit, to enter on the credit side

ıaben *v/t* 1. to have/possess; 2. to bear; **beides h.** to have it both ways; **etw. unter sich h.** to be in charge of sth.; **zu h. sein** to be on the market, ~ available, ~ had, ~ up for grabs *(coll)*

Haben|anzeige *f* credit advice; **H.bestände** *pl* assets; **H.buchung** *f* credit entry; **H.konto** *nt* credit account

Habenichts *m* have-not, lack-all

Haben|posten *m* credit item; **H.saldo** *m* credit (balance); **H.satz** *m* credit rate; **H.seite** *f* credit (side), creditor(s), credit account; **H.umsätze** *pl* credit activity; **H.zins** *m* credit interest/rate, deposit rate/earned/payable, interest on deposits, ~ credit balances

Habgier *f* greed, covetousness; **aus H. töten** to kill out of greed

habhaft werden *adj* to get hold of

Habilitationsschrift *f* professorial/postdoctoral thesis

Hab|seligkeiten *pl* belongings, possessions, effects; **H.sucht** *f* greed; **h.süchtig** *adj* greedy, acquisitive

Hacke *f* 🚜 hoe; **h.n** *v/t* 1. to chop/hack; 2. 🚜 to hoe

Hack|frucht/H.früchte *f/pl* root crop; **H.fruchtbau** *m* 🚜 cultivation of root and tuber crops; **H.ordnung** *f* peck(ing) order

Häcksel *m* 🚜 chaff

Hader *m* quarrel, strife, discontentment

Hafen *m* 1. harbour, port, docks, harborage; 2. haven *(fig)*; **H. und Umschlaganlagen** harbour and terminal; **H. mit Zolllager** bonded port; **frei H.** free docks, free shipping port

Hafen anlaufen to call at a port/harbour, to enter a port/harbour; **aus einem H. auslaufen** to clear a port; **in den H. (ein)laufen/einpassieren** to put into port/harbour, to enter/make port; **H. erreichen** to reach (a) port; **den schützenden H. erreichen** to reach shelter; **mit Mühe den H. erreichen** to limp into port; **H. schließen/sperren** to close a port; **H. verlassen** to leave port/harbour; **auf einen H. zuhalten** to make for a port

direkter Hafen direct port; **künstlicher H.** artificial harbour; **natürlicher H.** natural harbour; **sicherer H.** *(fig)* haven of refuge; **vereister H.** icebound port; **vorbestimmter H.** direct port; **zollfreier H.** free port

Hafen|abgaben *pl* harbour dues, port charges/duties; **H.amt** *nt* port authority, harbour board, dock commission; **H.anlagen** *pl* port facilities, docks; **H.anlegeplatz** *m* dock, berth; **H.arbeiter** *m* docker, longshoreman *[US]*, dock worker/hand, wharfman, stevedore; **H.arbeiterstreik** *m* dock/dockers' strike; **H.aufseher** *m* harbour master *[GB]*, port warden *[US]*; **H.aufsichtsamt** *nt* port authority; **H.ausbau** *m* port development; **H.ausrüstung** *f* port equipment; **H.bahn** *f* 🚆 harbour railway; **H.bahnhof** *m* 🚆 marine/harbour station; **H.beamter** *m* port official, boarding officer/clerk; **H.becken** *nt* harbour basin, dock; **H.behörde** *f* port authority/authorities, harbour board; **H.betrieb** *m* port operation; **H.brauch** *m* port custom, customs of port; **H.damm** *m* breakwater, mole, pier, jetty; **H.dienst** *m* 1. port service; 2. *(Gebühr)* harbour dues, port charges; **H.dienstleistung** *f* port service; **H.dockgelder** *pl* harbour dues, pierage; **H.einfahrt** *f* harbour/port entrance; **H.einnehmer** *m* port collector; **H.einrichtungen** *pl* port installations/facilities, harbour facilities; **H.fahrzeug** *nt* harbour craft; **H.feuer** *nt* dock/harbour lights(s); **H.formalitäten** *pl* port formalities/procedures; **H.gebiet** *nt* port area, dockland(s); **H.gebühren/H.geld** *pl/nt* port/dock charges, port dues (P.D.), harbour/dock dues, harbour tolls, berthage, anchorage (dues), pierage, dockage, wharfage, keelage; **H.- und Kaigebühren** dockage, docking cost(s); **H.gefahr** *f* port risk; **H.gericht** *nt* port court; **H.gesundheitsamt/-behörde** *nt/f* port sanitary authority; **H.kapitän/H.kommissar/H.meister** *m* harbour master/commissioner, dock master, port captain/warden *[US]*; **H.konnossement** *nt* port/ocean bill of lading (B/L); **H.kosten** *pl* port toll, harbour dues, pierage; **H.leistungen** *pl* port services; **H.meister** *m* harbour master; **H.meisteramt** *nt* port authority, harbour board; **H.ordnung** *f* harbour/port regulations; **H.platz** *m* port; **H.polizei** *f* waterguard, harbour/port/dock police; **H.risiko** *nt* port risk; **H.schlepper** *m* harbour tug; **H.schleuse** *f* harbour lock, dock gate; **H.spediteur** *m* port agent; **H.sperre** *f* embargo, blockade; **H.stadt** *f* port, seaport (town); **H.tarif** *m* port tariff; **H.umladestation** *f* port trans(s)hipment facilities; **H.umschlag** *m* port handling/traffic, cargo handling in port; **H.umschlageinrichtung** *f* port handling facility; **H.usancen** *pl* port customs, customs of port; **H.vertreter** *m* port agent; **H.verwaltung** *f* port authority, harbour board; **H.viertel** *nt* dockland(s), dock/port area; **H.wache** *f* harbour police; **H.zoll** *m* harbour dues; **H.zollamt** *nt* port customs office

Hafer *m* 🚜 oat(s), common oat

Haft *f* 1. custody, imprisonment, detention, confinement, arrest, restraint; 2. prison sentence, term of imprisonment; **in H.** in custody, behind bars, under arrest; **H. ohne Sprecherlaubnis** incommunicado *[E]* confinement

Haft anordnen to commit to prison; **vorübergehende H. anordnen** to remand in custody; **H. antreten** to begin serving one's sentence; **in H. (be)halten** to detain, to keep in custody; **aus der H. entlassen** to release from custody/prison, to set free; **in H. nehmen** to take into custody, to place under confinement/restraint; **~ sitzen** to be held in custody/prison

strenge Haft close confinement; **vorbeugende H.** preventive custody

Haft|- *(Klebstoff)* adhesive; **H.anordnung** *f* 1. arrest warrant/order, order for arrest; 2. *(Untersuchungshaft)* remand order; **verlängerte H.anordnung** detainer; **H.anstalt** *f* prison, jail, gaol, detention centre; **H.aufhebung** *f* release from custody; **H.aufschub** *m* postponement of a prison sentence; **H.aussetzung** *f* 1. (release on) parole; 2. suspended (prison) sentence

haftbar *adj* (legally) liable/responsible, accountable, answerable, chargeable

beschränkt haftbar having/with limited liability; **finanziell h.** liable; **gemeinsam h.** jointly liable; **gesamtschuldnerisch h.** jointly and severally liable; **nicht h.** unaccountable, unanswerable; **persönlich h.** personally liable/responsible; **strafrechtlich h.** criminally liable; **subsidiär h.** liable in the second degree; **unbeschränkt h.** absolutely liable; **unmittelbar h.** primarily liable; **voll h.** fully liable

jdn haftbar machen to hold so. liable/responsible; **gesamtschuldnerisch h. machen** to make jointly and severally liable; **sich h. machen** to render o.s. liable; **nicht h. gemacht werden** to escape liability

Haftbar|keit *f* liability, responsibility; **H.machung** holding liable

Haftbefehl *m* 1. § warrant of arrest, ~ for the arrest, arrest/bench warrant, detention order; 2. *(Pfändung)* writ/warrant of attachment; **H. für den Flüchtigen** escape warrant; **H. zur Vorführung des Beklagten** writ of capias *(lat.) [US]*; **H. ausfertigen/ausstellen/erlassen** to issue a warrant of arrest; **H. erwirken** to take out a warrant; **ohne H. festnehmen** to arrest without a warrant

Haft|beschwerde *f* complaint/appeal against an order of arrest, ~ against a warrant of arrest; **~ einlegen** to appeal against an order of arrest; **H.dauer** *f* term of imprisonment/detention; **H.einlage** *f* liability/liable capital; **H.einweisung** *f* mittimus *(lat.) [GB]*

haften *v/i* 1. to be liable/responsible, to hold o.s. liable, to answer for, to (stand) guarantee for; 2. *(Vers.)* to accept liability; 3. *(Klebstoff)* to stick; 4. *(Folie)* to cling; **... haftet dafür** it is the responsibility of ...

bedingt haften to be contingently liable; **beschränkt h.** to have limited liability; **gemeinsam/gesamtschuldnerisch/solidarisch h.** to be jointly and severally liable; **persönlich h.** to be personally liable; **selbstschuldnerisch h.** to be liable as principal debtor; **subsidiär h.** to be secondarily liable; **unbe-/uneingeschränkt h.** to have unlimited liability, to be fully liable; **unmittelbar h.** to be directly liable

haftend *adj* 1. liable, responsible; 2. *(Klebstoff)* adhesive; **persönlich h.** personally liable/responsible

Haftende(r) *f/m* liable person/party, obligor; **selbstschuldnerisch H.** directly suable debtor, primary debtor

Haftentlassung *f* release/discharge from custody, release from prison, discharge of a prisoner; **H. gegen Kaution** release on bail; **bedingte H.** parole

Haft|entschädigung *f* compensation for wrongful imprisonment; **H.etikett** *nt* adhesive label, sticker; **h.fähig** *adj* 1. § fit to undergo detention; 2. *(Klebstoff)* adhesive; **H.folie** *f* adhesive/cling foil; **H.fortdauer** remand in custody; **H.geld** *nt (Pfändung)* earnest money; **H.grund** *m* reason for (so.'s) arrest; **H.kapital** *nt* liability/liable/risk/equity capital; **nachrangiges H.kapital** junior risk/equity capital; **H.kaution** *f* bail (bond)

Häftling *m* prisoner, detainee, prison inmate, person under arrest; **auf Bewährung entlassener H.** probationer; **politischer H.** political prisoner

Haftnotiz *f* self-stick note

Haftpflicht *f* legal/public liability, third-party risk/indemnity, responsibility, accountability; **H. des Frachtführers** carrier's liability; **~Versicherten** insured's legal liability

Haftpflicht ablehnen *(Vers.)* to decline (the) liability

H. ausschließen to negate liability; **von einer H. befreien** to release/discharge from a liability; **in einer H. sein** to be insured against third-party risks; **sich gegen eine H. versichern** to insure against third-party risks

absolute Haftpflicht unlimited liability; **anteilmäßige H.** pro-rata liability; **beiderseitige H.** cross liability; **beschränkte H.** limited liability; **mit beschränkter H.** limited(-liability); **gesetzliche H.** statutory/public/legal liability, third-party indemnity; **mittelbare H.** secondary liability; **solidarische H.** joint and several liability; **unbeschränkte H.** unlimited liability; **unmittelbare H.** primary liability; **vertragliche H.** contractual liability; **wechselseitige H.** cross liability

Haftpflicht|anerkenntnis *f* liability bond; **H.anspruch** *m* liability claim; **H.anteil** *m* proportion of liability; **H.ausschluss** *m* non-liability; **H.beschränkung** *f* liability restriction; **H.deckung** *f* liability cover(age); **H.geschäft** *nt* liability business; **H.gesetz** *nt* public liability act; **H.höchstgrenze** *f* maximum liability

haftpflichtig *adj* liable, accountable, subject to public liability; **jdn h. machen** to hold so. liable; **sich h. machen** to render o.s. liable; **h. sein** to be liable; **mittelbar h.** secondarily liable; **unmittelbar h.** primarily liable; **H.e(r)** *f/m* liable party

Haftpflicht|mindestgrenze *f* minimum liability; **H.police** *f* third-party (risks) policy; **allgemeine H.police** general liability policy; **H.prozess** *m* [§] liability suit/case; **H.risiko** *nt* third-party risk; **H.schutz** *m* liability cover(age); **H.summe** *f (Genossenschaft)* uncalled liability; **H.umfang** *m* liability cover(age); **H.verband** *m* liability association; **H.versicherer** *m* third-party risk insurer, liability underwriter; **h.versichert** *adj* insured against third-party risks; **~ sein** to have personal/third-party liability insurance

Haftpflichtversicherung *f* 1. personal liability insurance, third-party (liability) insurance, (personal/public *[US]*/legal) liability insurance, indemnity insurance; 2. *(freie Berufe)* errors and omissions cover(age)

Haftpflichtversicherung für leitende Angestellte directors and officers liability insurance; **H. der freien Berufe** malpractice insurance, professional liability insurance; **H. bis zur Höhe der gesetzlichen Haftung** statutory liability insurance; **H. mit Kaskoversicherung** automobile personal liability and property damage insurance; **H. für ein unbekannt abgebliebenes Schiff** retroactive insurance; **H. gegen Veruntreuung** fidelity insurance; **H. mit Vollkaskoversicherung** fully comprehensive insurance

gesetzliche Haftpflichtversicherung statutory/legal/act liability insurance; **kombinierte Haftpflicht-, Insassen-, Unfall- und Gepäckversicherung** comprehensive policy *[GB]*; **öffentlich-rechtliche H.** public liability insurance; **private H.** third-party insurance

Allgemeine Haftpflichtversicherungs|bedingungen Standard Conditions of Third-Party Liability Insurance; **H.police** *f* third-party (risk) policy, liability policy

Haftpflichtzwangsversicherung *f* statutory liability insurance

Haftprüfung *f* review under writ of habeas corpus *(lat.) [GB]*, ~ of remand in custody; **H.sgericht/H.skammer** *nt/f* remand court; **H.stermin** *m* date of review of the remand order; **H.sverfahren** *nt* remand proceedings, habeas corpus *(lat.)* proceedings, review of remand cases; **im ~ vorgeführt werden** to appear on remand

Haft|psychose *f* prison psychosis; **H.raum** *m* prison cell; **H.reibung** *f* ✪ adhesive friction; **H.richter** *m* (committing) magistrate; **H.schale** *f* contact lens; **H.scheibe** *f* adhesive disc

Haftstrafe *f* prison/custodial/jail/penal sentence, imprisonment, prison term; **H. verhängen** to impose a term of imprisonment; **lebenslängliche H.** life sentence

Haftsumme *f* uncalled liability, amount guaranteed; **H.nkredit** *m* borrowing secured by uncalled liability; **H.nverpflichtung** *f* uncalled liabilities of members; **H.nzuschlag** *m (Eigenkapital)* addition in respect of members' uncalled liability

haftunfähig *adj* unfit to undergo detention, ~ be kept in prison

Haftung *f* 1. liability, accountability, responsibility, commitment, guarantee of warranty; 2. ✪ adhesion; **ohne H.** *(Wechsel)* sans recours *[frz.]*, without recourse

Haftung einer Aktiengesellschaft corporate liability; **H. des Arbeitgebers** employer's liability; **H. aus der Bestellung von Sicherheiten für fremde Verbindlichkeiten** liabilities arising out of collateral for third parties; **~ einer Bürgschaft** liability on a guarantee; **H. gegenüber Dritten** third-party liability; **H. für die Durchführung** responsibility for enforcement; **H. des Erfüllungsgehilfen** accountability of a vicarious agent; **H. für den Erfüllungsgehilfen** vicarious liability; **~ die Fahrlässigkeit des Erfüllungsgehilfen** sole actor doctrine; **H. des Frachtführers** carrier's liability; **H. für vertragsgemäßen Gebrauch** warranty of fitness for contractual use; **~ Geschäftsschulden** liability for business debts; **H. des Gesellschafters** member's/partner's liability; **H. aus Gewährleistung** warranty liability; **H. des Grundstückseigentümers** occupier's liability; **H. aus unerlaubter Handlung** tort(ious)/delictual liability, liability in tort; **H. des Herstellers** manufacturer's liability; **H. für Mängel** liability for defects; **H. gegenüber der Öffentlichkeit** public liability; **H. des Prüfers** auditor's liability; **H. für Schäden aus dem Mietgegenstand** impeachment of waste; **H. auf Schadenersatz** liability for damages; **H. des überlebenden Schuldners** survival of joint liability; **~ Spediteurs** carrier's liability; **~ Tierhalters** liability of the person who keeps an animal; **~ Verkäufers** seller's liability; **H. für den Verrichtungsgehilfen** vicarious liability (in tort); **H. ohne Verschulden** liability without cause, absolute/strict liability; **H. für fremdes Verschulden** vicarious liability; **~ Verschulden eines Dritten** legal responsibility for the fault of another; **H. aus dem Vertrag** contractual liability; **H. nach dem Verursacherprinzip** source responsibility; **H. des Wiederverkäufers** liability of the reseller

von der Haftung befreit discharged from liability

Haftung ablehnen to refuse (to accept) liability, to

decline responsibility, to deny liability; **von der H. ausnehmen** to exempt from liability; **aus der H. ausscheiden** to be released from liability; **H. ausschließen** to exclude/rule out liability; **sich einer H. aussetzen** to incur a liability; **von der H. befreien** to discharge from liability, to relieve of liability; **H. begründen** to create liability; **H. beschränken** to limit liability; **H. bestreiten** to deny liabiliity; **H. eingehen** to contract/incur a liability; **von der H. nicht entbunden sein** not to be discharged from liability; **jdn aus der H. entlassen** to absolve so. from a liability; **sich selbst ~ entlassen** to absolve o.s. from liability; **H. erweitern** to extend the scope of liability, to increase responsibility; **keine H. haben** to have no money at risk; **H. übernehmen** to accept/undertake liability, to underwrite, to assume/take the responsibility

anteilmäßige Haftung pro-rata liability; **außervertragliche H.** non-contract(ual) liability; **beschränkte H.** limited liability; **mit beschränkter H.** limited (Ltd); **deliktische H.** tortious/delicted/tort liability; **dingliche H.** liability in rem *(lat.)*; **direkte H.** primary liability; **doppelte H.** double liability; **finanzielle H.** financial responsibility; **formelle H**. formal liability; **gegenseitige H.** cross liability; **gemeinsame H.** joint liability; **gesamtschuldnerische H.** joint (and several) liability; **gesetzliche H.** statutory/legal liability, liability at law; **kumulative H.** cumulative liability; **nachrangige H.** subordinated liability; **obligatorische H.** contractual liability/obligation; **persönliche H.** personal/private/individual liability; **primäre H.** primary liability/obligation; **sekundäre H.** secondary liability/obligation; **selbstschuldnerische H.** primary liability; **solidarische H.** joint (and several) liability; **stellvertretende H.** vicarious liability; **strafrechtliche H.** criminal liability; **strenge H.** strict liability; **subsidiäre H.** secondary liability; **unbedingte H.** full liability; **unbeschränkte H.** unlimited/full/personal liability; **unmittelbare H.** primary liability; **verschuldungsunabhängige H.** strict liability in tort, liability without fault; **vertragliche H.** contractual liability/obligation, liability in contract; **volle H.** unlimited/full/personal liability; **wechselseitige H.** cross liability; **zivilrechtliche H.** liability under civil law, civil liability

Haftungs|anspruch *m* liability claim; **H.ansprüche Dritter** third-party liability claims; **H.anteil** *m* proportion of liability; **H.ausschließungsklausel** *f* disclaimer/non-liability clause

Haftungsausschluss *m* exclusion/exemption from liability, disclaimer of liability, non-liability, non-warranty, indemnity against liability; **H. für leicht verderbliche Waren** memorandum clause; **vertraglicher H.** contractual exclusion of liability; **H.erklärung** *f* disclaimer; **H.klausel** *f* disclaimer/non-liability clause

Haftungs|befreiung *f* exemption from liability; **H.begrenzung** *f* limit/limitation of liability; **H.bescheid** *m* 1. notice of liability; 2. *(Steuer)* payment order, commitment advice for tax arrears; **h.beschränkend** *adj* liability-limiting

Haftungsbeschränkung *f* limitation of liability, limited liability; **H. des Transportunternehmens** risk note; **H.sklausel** *f* liability exemption clause

Haftungs|bestimmungen *pl* liability provisions; **H.beteiligung** *f* retained/uninsured percentage (of loss); ~ **des Exporteurs** exporter's retention; ~ **des Garantienehmers** insured's retention; ~ **des Leasinggebers** lessor's retention; **H.betrag** *m* amount of liability; **H.dauer** *f* indemnity period, period of responsibility; **H.durchgriff** *m* 1. enforcement of liability; 2. piercing the corporate veil *[US]*; **H.einschränkung** *f* limitation of liability; **H.erklärung** *f* liability bond, warranty declaration, contract of suretyship; **H.erweiterung** extension of liability; **h.fähig** *adj* liable; **im H.fall** *m* in the event of default; **H.fonds** *m* guarantee/liability fund

Haftungsfreistellung *f* exemption from liability, indemnity, release from commitment/liability; **H.shöchstbetrag** *m* policy limit; **H.sklausel** *f* indemnity clause; **H.svertrag** *m* contract of indemnity

Haftungs|genossenschaft *f* guarantee cooperative; **H.grenze** *f* liability limit, limit of indemnity/liability; **H.grund** *m* liability basis, ground for liability; **H.grundsätze** *pl* principles of liability; **H.höchstbetrag** *m* aggregate limit of liability; **H.kapital** *nt* share capital, capital stock, liable equity capital; **H.klage** action based on liability, ~ to establish liability; **H.klausel** *f* liability clause; **H.kredit** *m* loan-entailing commitment; **H.masse** *f* 1. guarantee fund; 2. *(Vers.* liability cover(age); **H.minderung** *f* reduction of liability; **H.obligo** *nt* contingent liability on guarantees; **H.pflicht** *f* statutory/legal liability, contingent liability on guarantees; **H.prozess** *m* liability suit; **H.quote** *f* 1. proportion of liability; 2. *(Kapital)* commitment quota; **H.recht** *nt* law concerning liability; **H.risiko** *m* third-party risk, liability risk; **H.schaden** *m* liability loss; **H.schuldner(in)** *m/f* indemnitor, person held liable; **H.summe** *f* 1. amount guaranteed, maximum amount of liability; 2. *(Vers.)* liability cover(age); **H.träger(in)** *m/f* liable party; **H.übernahme** *f* assumption of liability; **H.übernahmevertrag** *m* assumption of liability agreement, hold-harmless agreement; **H.umfang** *m* 1. extent/scope of liability; 2. *(Vers.)* liability cover(age); **H.verbindlichkeiten/H.verhältnisse** *pl* contingent liabilities; **H.verbund** *m* joint liability scheme; **H.verhältnis** *nt* (state of) liability; **wechselseitiges H.verhältnis** cross liability; **H.verschärfung** *f* increase of liability limits, extension of liability; **H.vertrag** *m* liability contract; **H.verzicht** *m* waiver of liability; **H.verzichtsklausel** *f* liability waiver clause, waiver of exemption; **H.vorschriften** *pl* liability provisions; **H.zusage** *f* guarantee (undertaking); **H.zuschlag** *m* liability surcharge

haft|untauglich *adj* unfit to undergo detention, ~ be kept in prison; **H.urlaub** *m* 1. parole; 2. ticket-of-leave system; **H.verkürzung** *f* shortened sentence; **H.verlängerung** *f* remand; **H.vermögen** *nt (Klebstoff)* adhesive capacity, adhesiveness; **H.verschonung** *f* remission, exemption from imprisonment; **H.vollzug** *m* execution of a prison sentence; **H.zeit** *f* term of imprisonment/detention

agel *m* hail; **H.korn** *nt* hailstone

ageln *v/i* to hail

agel|schaden *m* hail damage; **H.schauer** *m* hailstorm; **H.schlag** *m* hail(storm); **H.versicherung** *f* hail insurance

äkchen *nt* tick, check *[US]*; **H. machen** to tick/check

aken *m* 1. hook; 2. *(fig)* snag, catch, hitch; 3. tick, check mark; **juristischer H.** *(fig)* legal snag

alb *adj* half; **etw. nur auf h.em Wege tun** to do sth. by halves

alb|- semi-; **h.amtlich** *adj* semi-official; **h.automatisch** *adj* semi-automatic; **H.band** *nt* half-volume; **h.bar** *adj* semi-cashless; **H.belegung/H.deckung** *f* *(Vers.)* half cover(age); **H.blut** *nt* half-breed, half-caste; **H.bruder** *m* half-brother; **H.dunkel** *nt* semi-darkness, twilight; **h.durchsichtig** *adj* semi-transparent; **H.edelstein** *m* semi-precious stone

albe-halbe *adv* *(coll)* fifty-fifty *(coll)*, half and half; **h. machen** to share equally, ~ and share alike, to go half-share/halves; **H.-H.-Vereinbarung/Versicherung** *f* *(Vers.)* halving agreement

alb|erzeugnis/H.fabrikat/H.fertigerzeugnis/H.fertigprodukt *nt* semi-finished/half-finished article, ~ product; **H.fabrikate/H.fertigwaren** 1. semi-manufactured goods, semi-finished products/goods, semi-manufactures, semi-fabricated/half-finished products, goods in progress, intermediate goods; 2. *(Bilanz)* work in progress/process; **h.fertig** *adj* semi-finished; **H.fertiggerichte** *pl* convenience food(s); **h.fett** *adj* 📖 secondary bold, light type; **in H.franz** *nt* 📖 half-bound; **h.freistehend** *adj* 🏛 semi-detached; **h.gebildet** *adj* semi-educated; **H.geschoss** *nt* 🏛 mezzanine floor; **H.grossist** *m* semi-wholesaler; **H.heit** *f* half measure

albier|en *v/t* to halve, to cut in half; **H.ung** *f* halving, cutting in half, reducing by half; **H.ungsmethode** *f* split-half method

alb|insel *f* peninsula; **H.invalide** *m* semi-invalid

albjahr *nt* half(-year); **im ersten H.** first-half; **nach dem ~ H.** at the halfway stage

albjahres|- mid-year, half-year, semi-annual; **H.abrechnung/H.abschluss/H.bericht** *f/m* 1. mid-year settlement, interim/first-half report, half-yearly/semi-annual accounts; 2. half-yearly report; **H.betriebsergebnis** *nt* first-half operating profit; **H.bilanz** *f* interim balance, semi-annual balance sheet, half-yearly figures; **H.dividende** *f* interim/mid-year dividend; **H.ergebnis(se)** *nt/pl* interim/half-term result(s), half-yearly figures, half-timer, six months' earnings; **H.geld** *nt* six months' loan/money; **H.gewinn** *m* six months' earnings; **H.kurs** *m* six-month course; **H.prämie** *f* semi-annual/half-yearly premium; **H.rate** *f* semi-annual instalment; **H.rechnung/H.ultimo** *f/m* mid-year settlement, six months' account; **im H.rhythmus** *m* semi-annually, half-yearly; **H.termin** *m* interim stage; **H.urlaub** *m* six months' leave; **H.zahlung** *f* semi-annual/half-yearly payment; **H.zeitschrift** *f* biannual; **H.zins** *m* six months' interest

alb|jährig/h.jährlich *adj* semi-annual, biannual, half-yearly, semi-yearly, six-month, every six months; **H.kreis** *m* semicircle, half circle; **H.kronenstück** *nt* half crown (= 12,5 pence) *(obs.) [GB]*; **H.kugel** *f* hemisphere; **h.kundenspezifisch** *adj* semi-custom; **h.laut** *adj* in a subdued voice, sotto voce *[I]*; **H.lederband** *m* half binding; **H.leinen** *nt* half-cloth: **H.leiter** *m* ⚡ semiconductor; **H.leitertechnik** *f* semiconductor technology; **H.mast/h.mast** *m/adj* halfmast; **auf H.mast** at halfmast; **h.militärisch** *adj* paramilitary; **h.monatlich** *adj* semi-monthly, fortnightly

Halbmonats|abrechnung *f* fortnightly settlement; **H.lohn** *m* fortnightly wage; **H.zahlung** *f* fortnightly payment

Halb|mond *m* crescent; **Roter H.mond** Red Crescent; **h.öffentlich** *adj* semi-public, semi-official; **H.pacht** *f* 1. share leasing/tenancy; 2. 🚜 share farming/cropping *[US]*, crop share, metayage; **H.pächter** *m* 🚜 share-farmer, sharecropper *[US]*, metayer, crop-share tenant; **H.pachtgut** *nt* farm held in share tenancy; **H.part** *m* half share, fifty-fifty *(coll)*; **H.pension** *f* half(-)board, partial board; **H.produkt** *nt* → **Halberzeugnis**; **h.saugfähig** *adj* semi-absorbent; **H.schwester** *f* half-sister; **h.staatlich** *adj* semi-private, semi-public, partly state-run/state-controlled; **h.stündlich** *adj* half-hourly; **h.tägig/h.tags** *adj* part-time

Halbtags|arbeit *f* part-time work, half-time/part-time job; **H.beschäftigte(r)/H.kraft** *f/m* part-time worker, part-timer, half-timer; **H.beschäftigung** *f* part-time job/employment/work, half-time job; **H.stelle** *f* part-time/half-time job

Halb|teil *nt* [§] moiety; **h.tot** *adj* half-dead; **H.wahrheit** *f* half-truth; **H.waise** *f* fatherless/motherless child; **H.waren** *pl* semi-finished goods/manufactures; **h.wegs** *adv* partly, reasonably, halfway; **H.welt** *f* demimonde *[frz.]*; **H.wert** *m* ▦ median; **H.wertzeit** *f* half-life; **h.wöchentlich** *adj* half-weekly, semi-weekly, twice weekly; **h.wüchsig** *adj* adolescent, teenage; **H.wüchsige(r)** *f/m* adolescent, teenager, youth

Halbzeit *f* half(-time); **zur H.** *(Bilanz)* at the interim stage; **H.bilanz** *f* result at the halfway stage; **H.stand** *m* half-time score

Halbzeug *nt* semi-manufactured/semi-finished goods, semi-manufactures, semi-products, semi-fabricated, semi-finished article/product, work in progress *[GB]*/process *[US]*; **H.-** semi-finished

Halde *f* 1. stockpile, dump, heap, bank; 2. *(Abraum)* slag heap; **auf H. legen** 1. to stockpile; 2. *(Pläne)* to shelve; **weiße H.** *(Textil)* unsold textiles; **H.nabbau** *m* reduction of stockpiles; **H.nbestand** *m* 1. ⛏ pithead stocks; 2. stock(s) on the dumps; **H.ngelände** *nt* dumping ground

Hälfte *f* 1. half; 2. [§] moiety; **eine H.** a half share; **zur H.** half; **H. des Weges** midway, halfway; **je zur H. bezahlen** to pay half each; **auf die H. herabsetzen; um die H. kürzen** to halve, to cut by half; **kostenmäßig zur H. beteiligt sein** to go half-share; **um die H. senken** to cut by half; **H. der Kosten übernehmen** to go halves with so.; **größere H.** lion's share

Halle *f* 1. hall; 2. lounge; 3. *(Hotel)* lobby; 4. 🏭 shop; 5. ✈ hangar; **H.nplan** *m* hall plan

auf dem Halm verkaufen *m* to sell the crop standing
Hals *m* neck; **H. über Kopf** head over heels
jdm den Hals abschneiden *(fig)* to cut so.'s throat; **etw. in den falschen H. bekommen** to get hold of the wrong end of the story; **etw. am H. haben** to be lumbered/-saddled with sth.; **sich etw. auf den H. laden** to saddle o.s. with sth.; ~ **vom H. schaffen** to get rid of sth., to get sth. off one's back; **bis zum H. in Arbeit stecken** to be up to the neck in work; ~ **in Schulden stecken** to be head over ears in debt
Halsabschneider *m* cutthroat, shark; **H.ei** *f* daylight robbery *(coll)*; **h.isch** *adj* throat-cutting, cutthroat, extortionate
hals|brecherisch *adj* breakneck, ruinous, risky; **H.entzündung/H.schmerzen** *f/pl* sore throat; **bis zur H.krause** *f (fig)* to the hilt *(fig)*; **H.-, Nasen- und Ohrenarzt (HNO)** *m* ear-nose-and-throat (ENT) specialist, otorhinolaryngologist
halsstarrig *adj* stubborn, obstinate, intractable; **H.keit** *f* obstinacy, stubbornness, insistence
Halt *m* 1. halt, stop; 2. prop, support, foothold, footing; **H. verlieren** to lose one's hold
haltbar *adj* 1. durable, (long-)lasting, hard-wearing; 2. stable, firm; 3. *(Klage)* sustainable; 4. non-perishable, long-life; 5. serviceable; 7. *(Argument)* tenable, maintainable: **h. bis** *(Lebensmittel)* best before; **beschränkt h.** (highly) perishable, semi-durable; **(sachlich) nicht h.** not tenable, untenable; **unbegrenzt h.** non-perishable; **h. machen** 1. *(Lebensmittel)* to cure; 2. to preserve; **h. sein** *(Lebensmittel)* to keep
Haltbarkeit *f* 1. durability, life, fastness, shelf life; 2. *(Lebensmittel)* keeping quality; **H.sdatum** *nt* eat-by/use-by/best-before/sell-by/pull date; **H.sgarantie** *f* 1. guarantee of durability; 2. *(Lebensmittel)* keeping quality
Halte|befehl *m* halt instruction; **H.bucht** *f* pull-in, pull-up; **H.griff** *m* grip, handle; **H.gurt** *m* safety belt; **H.klammer** *f* retaining clip; **H.linie** *f* stop line
zum Halten bringen *nt* to halt
halten *v/ti* 1. to hold/keep/maintain/last; 2. *(anhalten)* to stop/halt; 3. *(abonnieren)* to subscribe; 4. *(Wertpapiere)* to carry; *v/refl* 1. to hold one's own; 2. *(Kurs)* to remain firm, to hold (up); 3. *(Lebensmittel)* to keep; **h. für** to consider/deem/reckon; **es mit jdm h.** to side with so.; **sich an etw. h.** to abide by sth., to keep to sth.; ~ **jdn h.** § to have recourse against so.; **nichts von jdm/etw. h.** to hold no brief for so./sth.; **zu jdm h.** to be loyal to so.
für angemessen halten to deem fit and proper; **getrennt h.** to keep separate; **für günstig h.** to see fit; **sich gut h. (gegen)** to hold up well/steady, to stand up to; **jdn knapp h.** to keep so. short (of money), ~ on short commons *(coll)*; **nicht mehr lange h.** to be on one's last legs *(coll)*; **jdn auf dem Laufenden h.** to keep so. posted; **nicht h.** *(Wort)* to go back on; **sich schadlos h.** to have one's redress; **sich streng an etw. h.** to adhere strictly to sth.; **treuhänderisch h.** to hold in trust/escrow; **viel von etw. h.** to set great store by; **nicht ~ h.** to take a dim view of; **wenig von etw. h.** to take a dim view of sth., to set little store by sth.

Halte|periode *f* holding period; **H.platz/H.punkt** *m* 1. stopping place, stop; 2. halt *[GB]*, flagstop *[US*
H.prämie *f* maintenance bonus
Halter *m* 1. keeper, holder; 2. fastener; 3. *(Fahrzeug* owner, registered user; 4. *(Mechanik)* retainer; **H.haftung** *f* liability of the registered user of a vehicle
Halte|schild *nt* stop/halt sign; **H.seil** *nt* guide/stay rope; **H.signal** *nt* 1. danger signal; 2. stop sign; **H.stelle** *f* stop, stopping place; ~ **auf Verlangen** request sto
Halteverbot *nt* no stopping (sign); **eingeschränktes H.** no waiting (sign); **H.sbestimmungen** *pl* no waiting regulations; **H.szone** *f* no-waiting area
Haltezeichen *nt* halt/stop sign
Haltung *f* 1. attitude, stance, approach, frame of mind 2. stand, posture, poise, deportment; 3. *(Börse)* tone action
seine Haltung ändern to modify one's stance; **H. bewahren** to keep one's composure; **H. einnehmen** to adopt an attitude, to take a stand; **abwartende H. einnehmen** *(Börse)* to remain on the sidelines; **entschlossene H. einnehmen** to make a stand; **feste H. einnehmen** to take a firm stand; **optimistische H. einnehmen** to take an optimistic view; **harte H. verfolgen** to take hard line; **H. wiederfinden** to recover one's poise **feste H. zeigen** 1. *(Börse)* to put on a firm display; 2. to show a bold front
ablehnende Haltung critical attitude; **abwartende H.** wait-and-see attitude; **einheitliche H.** uniform attitude; **entschiedene/entschlossene/feste H.** 1. uncompromising attitude, resolute approach, firm stand/attitude, tough stance; 2. *(Börse)* selective strength; **gemeinsame H.** common attitude; **harte H.** tough line **laue H.** lukewarm attitude; **matte H.** *(Börse)* dullness flatness; **schwache H.** *(Börse)* despondent note; **starre H.** unbending attitude; **unkooperative H.** non-cooperative attitude; **unnachgiebige H.** unyielding attitude **verhärtete H.** hardening stance
Hammel *m* ram; **H.sprung** *m (Parlament)* division
Hammer *m* 1. hammer; 2. *(Auktion/Richter)* gave *[US]*; **H. und Sichel** hammer and sickle; **unter den H. bringen** to auction/flog *(coll)* (off), to bring under th hammer; ~ **kommen** to come under the hammer, to b auctioned off; **sich einen H. leisten** *(coll)* to make a rea howler
hämmern *v/i* to hammer/bang/pound
Hamsterer *m* hoarder
Hamster|fahrt *f* foraging trip; **H.kauf** *m* panic buying **H.käufe machen** to panic-buy
Hamstern *nt* hoarding; **h.** *v/t (coll)* to hoard
Hamsterware *f* hoarded/panic-bought goods
Hand *f* hand; **an H. von** based on; **mit der H.** manually; **unter der H.** privately, on the sly *(coll)*; **zur H.** a one's fingertips; **zu Händen von (z. H./z. Hd.)** attention, for the attention of, care of, c/o
alles aus einer Hand anbieten to offer a one-stop service, ~ one-stop shopping; **H. anlegen** to lend a (helping) hand, to play an active part; **letzte H. an etw. anlegen** to put the finishing touches to sth.; **jdm in die Hände arbeiten** to play into the hands of so.; **H. in H**

mit jdm arbeiten to work in close collaboration with so., ~ hand in glove with so.; **H. aufhalten** to go cap in hand *(coll)*, to ask for money, to beg; **unter der H. erfahren** to get to know on the quiet, to hear on the grapevine; **sich ~ erkundigen** to make unofficial inquiries; **jdm in die Hände fallen** to fall into so.'s clutches; **an die H. geben** to give an option; **fest ~ geben** to make a firm offer; **jdn freie H. geben** to give so. a blank cheque *(fig)*; **H. in H. gehen** to be accompanied by; **zur H. gehen** to lend a (helping) hand; **in andere Hände gelangen** to change hands; **in die falschen Hände geraten** to fall into the wrong hands; **jdn in der H. haben** to have so. in the palm of one's hand; **freie H. haben** to have free scope; **zwei linke Hände haben** *(coll)* to have two left hands; **zur H. haben** to have handy; **H. und Fuß haben** *(fig)* to hold water *(fig)*, to make sense; **H. im Spiel haben** to have a hand in it, ~ finger in the pie; **alle Hände voll zu tun haben** to be up to one's ears in work, to have one's work cut out; **H. auf der Tasche halten** to tighten/hold the purse strings; **aus erster H. kaufen** to buy (at) first hand; **aus zweiter H. kaufen** to buy second-hand; **mit leeren Händen kommen** to come empty-handed; **jdm freie H. lassen** to give so. a free hand; **sich ~ lassen** to keep one's options open; **von seiner Hände Arbeit leben** to live by one's work, ~ by the sweat of one's brow; **von der H. in den Mund leben** to live from hand to mouth; **letzte H. an etw. legen** to put the final/finishing touches to sth.; **H. ins Feuer legen** to swear to it; **Hände in den Schoß legen** to be idle, to twiddle one's thumbs; **H. ans Werk legen** to put one's hand to the plough; **auf der H. liegen** to be obvious; **in jds Händen liegen** to be up to so.; **mit der H. nacharbeiten** to hand-finish/retool *[US]*; **sich von seiner Hände Arbeit nähren** to earn one's living by the sweat of one's brow; **in die H. nehmen** to undertake; **mit eiserner H. regieren** to rule with a rod of iron; **sich die Hände reiben** to rub one's hands; **Hände ringen** to wring one's hands; **mit der H. schreiben** to write in long-hand: **jdm auf die Hände sehen** to watch so. closely, to keep an eye on so.; **einander in die Hände spielen** to play into one another's hands; **jdm ~ spielen** to play so.'s game; **~ spucken** to buckle down to work; **etw. mit der linken H. tun** to do sth. with one's eyes shut; **in andere/fremde Hände übergeben** to change hands; **(jdm) zu (ge)treuen Händen übergeben** 1. to entrust to so.'s care; 2. [§] to place in escrow; **zu ~ überlassen** to hand over on trust; **an die tote H. veräußern** to amortize, to alienate in mortmain; **unter der H. verkaufen** to sell by private treaty/contract, ~ privately; **in die H. versprechen** to promise solemnly; **von langer H. vorbereiten** to prepare carefully, to orchestrate; **seine Hände in Unschuld waschen** to wash one's hands of sth.; **sich mit Händen und Füßen gegen etw. wehren** to fight sth. tooth and nail; **von der H. weisen** to dismiss, to rule out; **unter den Händen zerinnen** to run through one's fingers

on Hand betrieben manually operated; **~ gefertigt** hand-made; **von langer H. vorbereitet** planned well in advance, orchestrated

aus erster Hand at first hand, first-hand; **in festen Händen** in firm hands; **freie H.** non-committal, free hand/run; **zur gesamten H.** (to be held) jointly, as joint property/owners; **zu getreuen Händen** in/on trust; **hohe H.** sovereign/public authority; **von hoher H.** by sovereign act; **mit leeren Händen** empty-handed; **mit leichter H.** effortlessly; **letzte H.** ultimate owner; **öffentliche H.** public sector/authority/funds, Treasury, the state; **aus privater H.** privately; **rechte H.** personal assistant, right-hand man; **mit reinen Händen** with clean hands; **tote H.** [§] dead hand, mortmain; **zu treuen Händen** in/on trust; **zur ungeteilten H.** jointly; **aus zweiter H.** at second hand, second-hand, used

Hand|- manual; **H.abzug** *m* [book] hand print; **H.akten** *pl* 1. reference files; 2. *(Anwalt)* brief; **H.apparat** *m* [phone] handset

Handarbeit *f* 1. manual labour/work, labour, handwork; 2. handicraft; 3. needlework; 4. work done by hand, article made by hand; **in H. herstellen** to produce/make by hand; **H.er** *m* manual labour/worker, blue-collar worker

Hand|aufheben *nt* *(Abstimmung)* show of hands; **H.ausgabe** *f* [book] pocket edition; **h.bedient/h.betrieben** *adj* hand-operated, manually operated; **H.bedienung** *f* manual operation/control; **H.bestand** *m* working stock; **H.betrieb** *m* manual operation; **H.bibliothek** *f* reference/open-access library; **H.blatt** *nt* flysheet; **H.bremse** *f* handbrake

Handbuch *nt* handbook, manual, reference book/manual, guide; **H. für Ausbildungsfragen** instruction manual; **~ Betriebsprüfer; ~ das Rechnungswesen** accounting manual; **~ die Geschäftsführung** management guide; **~ Verkäufer** sales manual

geschicktes Händchen magic touch

Hand|- und Spanndienste *pl* arriage and carriage *(obs.)*; **H.druck** *m* block print

Händedruck *m* handshake

Handeingabe *f* manual entry, keyboard input

Handel *m* 1. trade, commerce, distributive trade; 2. trading, traffic, dealing(s); 3. deal, bargain, commercial transaction; 4. traders, merchants, merchant class; **im H.** in/on the market; by way of trade

Handel mit eigenen Aktien traffic/dealing in own shares; **H. in Aktien der Universalversicherungsgesellschaften** composites trading *[US]*; **H. mit Aktien verbundener Unternehmen untereinander** incentive share dealing; **H. im Börsensaal** floor trading; **H. mit dem Ausland** foreign trade; **~ Bezugsrechten** rights dealing; **H. in Edelmetallen** bullion trade; **H. nach festgelegten Eigenschaften** dealing by graded description; **H. innerhalb des Einzelstaats** intrastate commerce *[US]*; **H. zwischen den Einzelstaaten** interstate commerce *[US]*; **H. mit Emissionszertifikaten** *(Umwelt)* emissions trading, trading in emissions; **H. ohne Erdöl(produkte)** non-oil trade; **H. mit aufgeschobener Erfüllung** *(Börse)* trading per account; **H. per Erscheinen** dealing on when-issued terms; **H. in Freiverkehrswerten** over-the-counter (OTC) trading in unlisted securities; **H. und Gewerbe** trade/commerce and industry; **H. an den Kapitalmärkten** floor capital markets trading; **H. per Termin** trading for future delivery; **H. mit Wertpapieren** securities trading, dealing in securities; **H. in festverzinslichen Wertpapieren** bond trading; **H. und Wirtschaft** trade/commerce and industry

im Handel erhältlich commercially available; **für den H. geeignet** trafficable, merchantable; **H. untereinander** reciprocal trade

Handel abschließen to strike/transact/contract a bargain; **H. aufgeben** to quit business; **H. aufkündigen** to break a bargain; **(vom) H. aussetzen** *(Börse)* to suspend (from) trading; **H. betreiben (mit)** to trade (with); **in den H. bringen** to put on the market; **H. einhalten** to stick to a bargain; **H. einstellen** 1. to cease trading; 2. *(zeitweise)* to suspend/halt trading; **H. eröffnen** to set up shop *(coll)*; **H. festmachen; H. perfekt machen** to conclude a bargain, to clinch a deal; **in den H. kommen** to come on the market, to be marketed; **H. rückgängig machen** to call off a bargain, to rescind a contract; **im H. sein** to be on the market, ~ available; **H. treiben (mit)** 1. to trade/traffic/deal (in), to carry on commerce (with), to do trade (with); 2. to buy and sell, to merchandise/market; **wilden H. treiben** to interlope; **über die eigenen Zahlungs-/Verkaufsmöglichkeiten hinaus H. treiben** to overtrade; **im H. umsetzen** to traffic; **H. wiederaufnehmen** *(Börse)* to resume trading/dealings; **H. wiederbeleben** to revive trade; **aus d. H. ziehen** to take off the market

ambulanter Handel itinerant trade, pedlary; **amtlicher H.** official trading/dealings; **zum amtlichen H. zugelassen** admitted to official trading; **außerbörslicher H.** over-the-counter/OTC business, unofficial/off-the-board/non-exchange trading; **außergemeinschaftlicher H.** *[EU]* extra-Community/external trade; **auswärtiger H.** foreign trade; **bargeldloser H.** cashless trade; **beschränkter H.** restricted trading; **bilateraler H.** bilateral/two-way trade; **binnenstaatlicher H.** internal/domestic trade; **blühender H.** 1. roaring/flourishing trade; 2. commercial prosperity; **darniederliegender H.** languishing trade; **ehrlicher H.** square deal, bona-fide *(lat.)* bargain; **erlaubter H.** lawful trade; **fortlaufender H.** *(Börse)* continuous trading/market; **freier H.** 1. free trade; 2. *(Börse)* unofficial trading; **im freien H.** 1. in the retail trade; 2. *(Börse)* in the open market, over the counter (OTC); **freizügiger H.** liberal trade; **geschützter H.** protected/sheltered trade; **grenzüberschreitender H.** cross-frontier/cross-border/international trade; **hektischer H.** *(Börse)* nervous trading; **inländischer H.** domestic/internal trade; **innerbetrieblicher H.** intra-company trade; **innerdeutscher H.** intra-German/inter-German trade; **innergemeinschaftlicher H.** *[EU]* internal trade; **inoffizieller H.** *(Börse)* unofficial trading; **internationaler H.** international trade; **intrasektoraler H.** intra-industry trade; **konzessionierter H.** licensed trade; **landesweiter H.** interstate commerce *[US]*; **lauterer H.** fair trading; **lebhafter H.** heavy trading, active trading/dealings, brisk trade; **lustloser H.** subdued/listless trading; **mittelständischer H.** small traders; **multilateraler H** multilateral trade; **nachbörslicher H.** trade after off cial hours; **privater H.** private trading; **rechtswidrige H.** illegal trade; **reeller H.** square deal; **schleppende H.** *(Börse)* trading difficulties, sluggish trading **schwunghafter H.** flourishing/roaring trade; **sichtba rer H.** visible trade; **später H.** *(Börse)* late trading **spekulativer H.** speculative trading; **staatlicher Han del** state trading; **stockender H.** stagnant trade; **über seeischer H.** overseas trade; **uneingeschränkter H** unhampered trade; **unerlaubter H.** illicit trade; **un sichtbarer H.** 1. invisible trade/transactions; 2. *(Diens leistungen)* invisibles; **variabler H.** 1. variable-pric dealing/trading; 2. *(Börse)* round-lot trading; **vielseiti ger H.** multilateral trade; **vorbörslicher H.** pre-tradin activity; **im vorbörslichen H.** in the pre-market; **wi der H.** illicit trade; **zwischenstaatlicher H.** interna tional trade

Händel suchen *pl* to pick a quarrel

handelbar *adj* marketable, tradable, sal(e)able, mer chantable, negotiable; **nicht h.** non-negotiable; **H.kei** *f* marketability, sal(e)ability, dealability, merchantabil ity, negotiability

Handeln *nt* 1. action; 2. trading; 3. *(Feilschen)* bargain ing, haggling; **H. auf eigene Gefahr** acting at one' own risk, assumption of risk; **H. im guten Glaube** bona-fide *(lat.)* operation; **zum H.n veranlassen** to in duce action

eigenmächtiges Handeln unauthorized act; **fahrlässi ges H.** acting negligently, active negligence; **grob oder vorsätzliches H.** gross negligence or intention misconduct; **freies H.** free wheeling; **gemeinsames/ schaftliches H.** joint/common/concerted action **konkludentes H.** action implying intention; **plan mäßiges/-volles H.** planned action; **schuldloses H.** in nocent action; **solidarisches H.** concerted action **staatliches H.** government activity; **unternehmeri sches H.** management action

handeln *v/i* 1. to act/operate; 2. to deal/trade/bargain traffic/market/merchandise, to buy and sell, to haggle negotiate; **h. mit** to deal in, to market/sell; **h. um** t haggle about/over; **es handelt sich um** it is about, concerns; **h. für den es angeht** to act for whom it ma concern

außerbörslich handeln to trade off the floor; **betrüge risch h.** to deceive; **bösgläubig h.** to act mala fid *(lat.)*; **einvernehmlich h.** to act in concert, to operat on a basis of consensus; **entschlossen h.** to act reso lutely; **fahrlässig h.** to act negligently/carelessly; **ge meinsam/-schaftlich h.** to act conjointly, ~ in concer to take joint action; **gutgläubig h.** to act in good faith ~ bona fide *(lat.)*; **~ und redlich h.** to act innocently **korporativ h.** to act as a body; **lebhaft h.** to trad briskly; **offen h.** to act above board; **offiziell h.** to act i an official capacity; **rasch h.** to move swiftly; **recht mäßig h.** to act lawfully; **rechtsgeschäftlich h.** t transact legal business; **rechtswidrig h.** to infringe th law; **schnell h.** to be quick off the mark, to take promp action; **sofort h.** to take immediate action; **überstürz**

h. to go off at half cock *(coll)*; **umsichtig h.** to act with caution, ~ cautiously; **unredlich h.** to play foul; **voreilig h.** to jump the gun *(fig)*; **vorsätzlich h.** to act deliberately, ~ wilfully and knowingly; **vorschriftsmäßig h.** to act correctly

ıit sich handeln lassen to be open to offers/persuasion

echtswidrig Handelnde(r) *f/m* § tortfeasor

Iandels|- commercial; **H.abkommen** *nt* commercial/trade agreement, trade deal/pact/protocol, commercial treaty; **H.- und Zahlungsabkommen** trade and payments agreement; **H.abordnung** *f* trade delegation; **H.abschlag** *m* trade margin; **H.abteilung** *f* commercial section; **H.adressbuch** *nt* trade/commercial directory; **H.agent(in)** *m/f* commercial agent, trade representative, commission merchant/agent/representative; **H.agentur** *f* commercial agency; **H.akademie** *f* commercial/business *[US]* college; **H.aktiva** *pl* assets held for dealing purposes; **H.aktivität** *f* trading activity; **H.akzept** *nt* trade/commercial acceptance; **H.amtsblatt** *nt* Commercial Gazette; **H.artikel** *m* commodity; *pl* merchandise, wares; **H.attaché** *m* commercial attaché, trade commissioner; **H.ausdruck** *m* commercial term; **H.auskunft** *f* credit inquiry/information, status report; **H.auskunftei** *f* (credit) inquiry agency, credit-reporting/commercial/mercantile agency; **H.ausschuss** *m* trade committee; **H.aussichten** *pl* trade prospects; **H.ausstellung** *f* trade exhibition; **H.austausch** *m* commercial exchange, trading partnership; **H.ausweitung** *f* expansion of trade; **H.bank** *f* merchant/mercantile/commercial bank, bank of commerce, acceptance house; **~ für öffentliche Anleihen** dealer bank *[US]*; **H.bedingungen** *pl* terms of trade/dealing, trade terms, trading conditions; **H.beilage** *f* commercial supplement; **H.berechtigung** *f* licence to trade, trading licence; **H.- und Dienstleistungsbereich** *m* trade and services sector; **H.bericht** *m* market report, commercial report/advice

Iandelsbeschränkung *f* restraint/restriction of trade, trade/trading restriction; **H.en auferlegen** to impose restrictions; **~ aufheben** to lift restrictions

Iandels|besprechungen *pl* commercial negotiations, trade talks; **H.bestände** *pl (Waren)* commercial stocks; **H.bestimmungen** *pl* trade/business regulations

Iandelsbetrieb *m* trading concern/firm, commercial company, business; **H.sführung** *f* business management; **H.slehre** *f* business administration

Iandels|bevollmächtigter *m* commercial agent, authorized signatory; **H.bewilligung** *f* licence to trade; **H.bezeichnung** *f* trade name, brand (name)

Iandelsbeziehungen *pl* trading/trade/commercial relations, trade ties, trading links; **H. aufnehmen** to enter into trade relations; **weltweite H.** world-wide trade relations

Iandelsbilanz *f* 1. balance of trade, visible balance, merchandise account/balance, trade balance/account, balance on merchandise trade; 2. *(Firma)* financial statement, commercial balance sheet; **Handels- und Dienstleistungsbilanz** balance of trade; **aktive/positive H.** active/favourable balance of trade, export/trade surplus; **defizitäre/negative/passive H.** adverse/unfavourable balance of trade, adverse trade balance, trade deficit

Handelsbilanz|defizit *nt* (balance of) trade deficit/shortfall, trade gap, current account deficit; **~ im Dienstleistungsverkehr** services deficit; **~ verringern** to close the trade gap; **H.gewinn** *m* balance of trade gain; **H.lage** *f* balance of trade position; **H.lücke** *f* trade gap; **H.überschuss** *m* balance of trade surplus, surplus on visibles, ~ visible trade, current account surplus

Handels|blatt *nt* trade journal, financial paper; **H.block** *m* trade bloc; **H.boss** *m* merchant prince; **H.boykott** *m* trade embargo; **H.brauch** *m* commercial custom/usage/practice, trade usage/custom/practice, usage of the market, custom of/in trade, merchantile custom/usage, business usage; **H.brief** *m* commercial/business letter; **H.buch** *nt* account book, ledger; **H.bücher** commercial records, ~ books of account; **H.bürgschaft** *f* guarantee in the nature of a commercial transaction; **H.büro** *nt* commercial establishment

handelschaffend *adj* trade-creating

Handels|dampfer *m* ⚓ trading vessel; **H.defizit** *nt* trade deficit/imbalance/shortfall; **H.delegation** *f* trade mission/delegation; **H.dokument** *nt* trade document/note/paper; **H.einheit** *f* 1. contract (unit); 2. *(Börse)* (regular) lot, trading unit, unit of trade/trading, marketable parcel; **standardisierte ~ einer Ware** lot; **h.einig werden** *adj* to come to terms, ~ an agreement, to strike a bargain, to clinch a deal; **H.einschränkungen** *pl* restraint of trade; **H.embargo** *nt* trade embargo; **H.englisch** *nt* business/commercial English; **H.erfordernisse** *pl* trading requirements; **H.ergebnis** *nt* trading result(s)/performance/profit; **H.erlaubnis** *f* licence to trade; **H.erleichterungen** *pl* trade concessions; **H.erschwernisse** *pl* trade friction; **H.erschwerung** *f* restraint of trade; **H.ertrag** *m* trading profit; **H.erzeugnis** *nt* trading item; **H.fach** *nt* line of business, branch/sector of industry; **h.fähig** *adj* negotiable, merchantable, marketable; **nicht h.fähig** non-negotiable, untradable; **H.faktura** *f* (commercial/trading) invoice; **H.filiale** *f* trading branch; **H.firma** *f* 1. mercantile house/establishment, commercial firm/business/undertaking, trade house; 2. firm name; **gelöschte H.firma** extinct firm; **H.fixkauf** *m* executory commercial contract; **H.flagge** *f* merchant/trading flag; **britische H.flagge** Red Ensign, the Duster *(coll)*; **H.flotte** *f* merchant (shipping) fleet, ~ navy; **H.förderung** *f* trade promotion; **staatliche H.förderung** government-supported trade promotion; **H.fragen** *pl* commercial matters; **H.frau** *f* female merchant, feme sole trader; **H.freiheit** *f* freedom of trade, free trade; **H.- und Gewerbefreiheit** freedom of trade and industry; **H.funktionen** *pl* functions of the distributive trade, trade functions; **H.fürst** *m* merchant prince; **H.gärtner** *m* market gardener *[GB]*, truck farmer *[US]*, nurseryman; **H.gärtnerei** *f* market garden(er) *[GB]*, truck farm(ing) *[US]*, trucking *[US]*; **faires H.gebaren** fair dealing; **H.gebiet** *nt* trading area; **H.gebrauch** *m* trade practice, mercantile custom; **H.gehilfe** *m* shop assistant; **H.geist** *m* mercantilism; **H.gemeinschaft** *f* trading community; **H.genossenschaft** *f* commercial/trading/traders' cooperative, trading company; **H.gepflogenheit** *f* commercial custom, trade practice, commercialism; **H.gericht** *nt* commercial court, tribunal of commerce *[US]*, companies court; **H.gerichtsbarkeit** *f* commercial jurisdiction

Handelsgeschäft *nt* 1. trading concern/firm/business, commercial establishment/business, mercantile house; 2. commercial/mercantile transaction; **H. betreiben** to trade; **beiderseitiges H.** bilateral mercantile transaction; **bestehendes H.** going concern; **einseitiges H.** one-sided commercial transaction, unilateral mercantile transaction; **zweiseitige H.e** bilateral/two-sided commercial transactions

Handelsgesellschaft *f* trading company/corporation/association, commercial partnership/corporation/company, trading/mercantile partnership, company of merchants; **offene H. auf Aktien** collateral joint-stock company; **H. auflösen** to wind up a trading company; **H. in eine GmbH umwandeln** to turn a partnership into a private limited company

eingetragene Handelsgesellschaft registered *[GB]*/incorporated *[US]* company; **konzerneigene H.** trading subsidiary; **konzessionierte H.** chartered company *[GB]*; **normale/Offene H. (OHG)** general/ordinary/unlimited/mercantile partnership, unlimited company; **privilegierte H.** regulated company; **staatliche H.** state trading company; **treuhänderische H.** voluntary association *[US]*

Handels|gesetz *nt* Trade Act *[US]*, commercial law; **H.gesetzbuch (HGB)** *nt* 1. § German commercial code; 2. commercial code, code of commercial law; **H.gespräche** *pl* trade talks; **H.gewerbe** *nt* 1. business, trade, commerce; 2. commercial enterprise; **H.gewicht** *nt* commercial weight; **volles H.gewicht** avoirdupois *[frz.]*; **H.gewinn** *m* trading/dealing profit; **unerwarteter H.gewinn** windfall profit; **H.gold** *nt* commodity gold; **H.größe** *f (Börse)* board lot; **H.gruppe** *f* retail group/association, trading group; **h.günstig** *adj* good for trade; **H.gut mittlerer Art und Güte** *nt* fair average quality (f.a.q.); **H.güter** goods, commodities, merchandise; **H.hafen** *m* trading port; **H.haus** *nt* trading company/firm, commercial house, (commercial) firm, mercantile establishment, trade house

Handelshemmnis *nt* trade barrier/restriction, barrier/impediment to trade; **administratives H.** administrative barrier to trade; **paratarifäres/nicht tarifäres/zollfremdes H.** non-tariff barrier; **tarifäres H.** tariff barrier (to trade); **technisches H.** technical barrier to trade

Handels|herr *m* merchant, principal; **H.hindernis** *nt* trade barrier, barrier to trade; **H.hochschule** *f* 1. commercial college/academy; 2. *(BWL)* business school; **H.- und Gewerbehof** *m* trading estate; **H.imperium** *nt* trading empire; **H.index** *m* trade index; **H.indifferenzkurve** *f* trade indifference curve; **H.inkassobüro/-stelle** *nt/f* commercial collection agency; **H.innung** *f* corporation of traders, guild; **H.institut** *nt* mercanti[l] institution; **H.interessen** *pl* trading/commercial inte[r]ests, trade interest; **H.kalender** *m* trading calenda[r]; **H.kammer** *f* Chamber of Commerce *[GB]*, Board c[of] Trade *[US]*; **H.kammerverband** *m* association c[of] chambers of commerce; **H.kapital** *nt* stock in trad[e]; **H.kauf** *m* commercial transaction/sale, trade purchas[e], mercantile sale; **H.kette** *f* trade/trading/marketin[g] chain; ~ **auf freiwilliger Basis; freiwillige H.kett[e]** voluntary/cooperative chain, chain of retail shops

Handelsklasse *f* grade; **H.nschema** *nt* scale of classif[i]cation; **gemeinschaftliches H.nschema** *[EU]* Com[]munity scale of classification

Handels|klausel *f* trade clause/term, commerce claus[e] *[US]*; **H.kniff** *m* trick of the trade; **H.kolonie** *f* trad[e] colony; **H.kommissionär** *m* commission merchan[t]; **H.kommunikation** *f* business communication; **H.kom[]panie** *f* trading company; **H.konferenz** *f* trade con[]ference; **H.konkurrenz** *f* commercial rivalry; **H.kon[]takte** *pl* commercial contacts; **H.konzern** *m* tradin[g] group/combine/conglomerate, merchandising grou[p]; **H.konzession** *f* trading licence, licence to trade; **H.korrespondent(in)** *m/f* commercial corresponden[t]; **H.korrespondenz** *f* commercial/business correspond[]ence; **H.kosten** *pl (Börse)* trading cost(s); **H.kredit** *m* commercial/trade credit; **H.kreditbrief** *m* commerci[al] letter of credit; **H.kreise** *pl* business/commercial/trad[e] circles; **H.krieg** *m* trade war; **H.krise** *f* commercial cri[]sis; **H.kunde/H.lehre** *f* commercial science; **H.kund[]schaft** *f* business/commercial customers; **H.kurs(us)** *m* commercial/business course; **H.lager** *nt* deale[r] stock(s); **H.lehrer** *m* commercial teacher; **H.lehrlin[g]** *m* commercial trainee/apprentice; **H.leute** *pl* trades[]people; **kleine H.leute** small traders; **H.liberalisie[]rung** *f* liberalization of trade: **H.lücke** *f* trade ga[p]; **H.luftfahrt** *f* commercial aviation; **H.macht** *f* 1. trad[]ing nation; 2. trading power; **H.magnat** *m* mercha[nt] prince; **H.makler** *m* trade/commercial/mercantile merchandise broker, agent, middleman; **H.mann** *m* merchant, trader; **H.marine** *f* merchant navy/marine, mercantile marine, merchant (shipping) fleet

Handelsmarke *f* (trade) brand/mark/name, privat[e] brand/label; **H. eines Großhändlers** dealer brand; **na[]menlose H.** no-name brand

handels|mäßig *adj* commercial, according to usance; **H.mauer** *f* trade barrier; **H.messe** *f* trade fair/show, commercial fair; **H.metropole** *f* commercial metro[]polis/centre; **H.minister** *m* minister of trade, Trad[e] Secretary *[GB]*, Secretary of Commerce *[US]*, Presi[]dent of the Board of Trade *(obs.) [GB]*; **H.ministeriu[m]** *nt* Department of Trade *[GB]*/Commerce *[US]*, Com[]merce Department *[US]*, Board of Trade *(obs.) [GB]*; **H.missbrauch** *m* trade abuse, infringement of trad[e] customs; **H.mission** *f* trade/commercial mission; **H.mittelpunkt** *m* commercial/trade centre; **H.mittle[r]** *m* trade intermediary, agent, middleman; **H.möglich[]keiten** *pl* trading possibilities; **H.monopol** *nt* trade commercial monopoly; **staatliches H.monopol** stat[e] trade monopoly; **H.münze** *f* current coin; **H.nachrich[t]**

ten *pl* financial/City *[GB]* news; **H.name** *m* 1. trade name, brand; 2. name of a firm; **H.nation** *f* trading nation; **H.niederlassung** *f* 1. trading post/establishment, branch, staple, trade agency; 2. place of business; **H.nutzen** *m* commercial advantage; **H.objekt** *nt* commodity, subject of trading, trading property, trade-off; **H.offensive** *f* trade offensive; **H.optimum** *nt* exchange optimum; **H.organ** *nt* trade body; **H.organisation** *f* 1. trade/business organisation, trading organisation/company; 2. marketing board *[GB]*

Handelspapier *nt* mercantile/commercial document, negotiable paper; **begeb-/übertragbares H.** negotiable instrument; **nicht ~ H.** non-negotiable instrument; **kurzfristiges H.** commercial paper

Handels|parität *f* commercial parity; **H.partner** *m* trading partner/party; **H.periode** *f (Börse)* account/dealing period; **H.platz** *m* market, marketing/trading centre

Handelspolitik *f* trade/commercial policy; **gemeinsame H.** *[EU]* common commercial policy; **weltoffene H.** open-door trade policy; **wettbewerbsbeschränkte H.** restrictive trade practices

handels|politisch *adj* commercial; **H.position** *f* commercial position; **H.posten** *m* trading post; **H.präferenz** *f* trade preference; **H.praktiken** *pl* trade practices, commercial customs

Handelspreis *m* market/trade price; **unter dem normalen H. verkaufen** to sell below dealer cost(s); **vertraglich vereinbarter H.** commercial contract price

Handels|prinz *m* merchant prince; **H.privileg** *nt* trade/trading privilege, right of staple; **H.produkt** *nt* trading item; **H.rabatt** *m* trade/functional discount; **H.raum** *m* trading floor; **H.rechnung** *f* commercial/trading invoice; **H.recht** *nt* § merchant/commercial/mercantile law, law merchant *[GB]*; **h.rechtlich** *adj* in commercial law; **H.referenz** *f* trade reference; **~ einholen** to take up a trade reference; **H.regelung** *f* system of trade

Handelsregister *nt* 1. register of companies, commercial/business register, business index; 2. Registrar of Companies *[GB]*; **ins H. eintragen** to register/incorporate *[US]*; **im H. löschen** to deregister/disincorporate *[US]*

Handelsregister|amt *nt* register office, Registrar of Companies *[GB]*; **H.auszug** *m* excerpt from the commercial register; **H.einsicht** *f* inspection of the commercial register; **H.eintragung** *f* certificate of registration/incorporation *[US]*, entry in the commercial register; **~ einer Gesellschaft** registration *[GB]*/ incorporation *[US]* of a company; **H.führer** *m* trade register index; **H.recht** *nt* company registration law

Handels|reise *f* trade mission; **H.reisender** *m* commercial traveller, sales representative, travelling salesman, rep *(coll)*; **H.restriktionen** *pl* trade restrictions, barriers to trade; **H.richter** *m* judge in a commercial court; **H.riese** *m* commercial giant; **H.rimesse** *f* commercial remittance/bill; **H.risiko** *nt* 1. business risk; 2. *(Börse)* trading risk; **H.saal** *m (Börse)* dealing room; **H.sache** *f* 1. commercial matter, mercantile affair; 2. § commercial case, trade dispute; **H.schiedsgerichtsbarkeit** *f* commercial arbitration

Handelsschiff *nt* merchant ship/vessel, trader, merchantman; **H.bau** *m* merchant shipbuilding; **H.er** *m* merchant seaman; **H.fahrt/H.sverkehr** *f/m* merchant/commercial shipping, merchant service

Handelsschranke *f* 1. trade barrier, barrier to trade; 2. *(Börse)* trading post; **H.n außer Zoll** non-tariff barriers; **~ abbauen** to dismantle/reduce trade barriers; **~ errichten** to erect trade barriers; **nicht tarifäre H.n** non-tariff trade barriers

Handels|schulbildung *f* commercial education; **H.schulden** *pl* trade/business debts; **H.schule** *f* 1. commercial/trade school, business college; 2. *(BWL)* business school; **Höhere H.schule** commercial/business college; **H.schüler** *m* student at a commercial school; **H.sitte** *f* custom of/in trade; **H.sorte** *f* merchantable quality

Handelsspanne *f* (trading) margin, profit/price/trade/operating/gross margin, mark-up (on the selling price), gross profit; **H. bei Raffinerieprodukten** refinery margin; **H.n bei chemischen Erzeugnissen** chemical margins; **H.n kürzen** to slash margins; **schrumpfende H.** contracting margin

Handels|spannungen *pl* strained trade relations; **H.sperre** *f* embargo; **H.spesen** *pl* dealing expenses; **H.sprache** *f* 1. commercial language/jargon; 2. business/commercial correspondence; **H.stadt** *f* trading city/centre; **H.stand** *m* traders, merchants, mercantile/merchant/commercial class; **H.statistik** *f* commercial/trade statistics, trade returns; **H.stelle** *f (Börse)* trading post; **H.steuer** *f* business tax; **H.straße** *f (obs.)* trade route/road; **H.streit/H.streitigkeit** *m/f* commercial/trade dispute; **H.ströme** *pl* pattern(s) of trade, trade flows; **H.struktur** *f* pattern of trade, trading pattern; **H.stufe** *f* marketing stage, trading/commercial level, stage of trade; **H.stützpunkt** *m* trading post; **H.tag** *m* trading day; **H.tätigkeit** *f* commercial activity; **H.teil** *m (Zeitung)* financial pages/columns; **H.- und Frachtterminkontrakte** *pl* freight index futures; **H.tochter** *f* dealing/trading subsidiary; **H.tonnage** *f* freight tonnage; **H.tratte** *f* trade acceptance; **H.überschuss** *m* trade/trading surplus; **h.üblich** *adj* commercial, customary/usual in (the) trade, prevailing, commercially available; **H.übung** *f* commercial practice; **H.umsatz** *m* 1. trade turnover; 2. sales to traders; **H.ungleichgewicht** *nt* trade imbalance; **h.ungünstig** *adj* bad for trade; **H.union** *f* commercial league; **H.unkosten** *pl* trade expenses

Handelsunternehmen *nt* trading/commercial/business enterprise, commercial undertaking/company/venture, merchandising organisation, trading firm; **öffentlich-rechtliches H.** public trading body; **staatliches H.** state trading enterprise

Handels|usancen *pl* trading practices, trade customs, commercial/business usage, customs of the trade; **H.verband/H.vereinigung** *m/f* trade/trading association, trade body; **H.verbindungen** *pl* business/trade connections, trading links; **normale H.verbindungen** regular channels of trade; **H.verbot** *nt* embargo; **H.vereinbarung** *f* trade agreement; **H.verflechtung** *f* trade links

Handelsverkehr *m* (trade and) commerce, trade (flows), traffic, trading; **H. sperren** to embargo; **ausgewogener H.** balanced trade; **innergemeinschaftlicher H.** *[EU]* intra-Community trade; **normaler H.** ordinary course of trade; **unsichtbarer H.** invisible trade

Handels|verkehrslinien *pl* trade routes; **h.verlagernd** *adj* trade-diverting, trade-deflecting; **H.verlagerung** *f* diversion/shifting of trade; **H.vermittler** *m* commercial agent; **H.vermögen** *nt* trade assets

Handelsvertrag *m* trade agreement, commercial contract/treaty; **H. abschließen** to sign a trade agreement; **gegenseitiger H.** reciprocal trade agreement; **präferenzieller H.** preferential trade agreement

Handelsvertreter *m* commercial agent/traveller/representative, sales/account representative, travelling salesman, (manufacturer's/mercantile/sales) agent, merchant, factor; **H. mit delcredere** del credere agent; **H. für bestimmte Waren** special agent; **selbstständiger H.** independent agent

Handels|vertretung *f* 1. commercial/sales/mercantile agency, trade mission; 2. *(Firma)* agency house; **H.vertretungsvertrag** *m* agency agreement; **H.verzeichnis** *nt* trade directory, business index; **h.verzerrend** *adj* trade-distorting, trade-diverting; **H.verzerrungen** *pl* distortions of trade, trade distortion; **H.volk** *nt* trading nation; **H.volumen** *nt* volume of trade, trade volume, turnover, sales; **gewichtet nach H.volumen** trade-weighted; **H.vorrat** *m* stock-in-trade; **H.vorrecht** *nt* trading privilege; **H.vorschriften** *pl* trade/business regulations, regulations of commerce; **H.-vorteil** *m* preference; **H.währung** *f* commercial/trading currency

Handelsware *f* merchandise, commodity, (marketable) goods, goods/merchandise for resale, ~ purchased; **H. mittlerer Art und Güte** fair average quality (f.a.q.); **H.nvorräte** *pl* stock-in-trade, merchandise inventory

Handelswechsel *m* trade acceptance/bill/paper, commercial bill/draft/paper/note, commodity/corporation bill; **erstklassiger H.wechsel** fine (trade) bill, prime trade bill; **H.weg** *m* channel of distribution/trade, trade route/road, distributive channel; **H.welt** *f* commercial community, the trade, world of commerce

Handelswert *m* 1. market/commercial value, current market value, market price; 2. *(Währung)* trade-weighted value; 3. *(Vers.)* common market value; **ohne H.** without commercial value; **gemeiner/üblicher H.** common/current market value

Handels|wesen *nt* trade matters/commerce; **H.wissenschaft** *f* commercial science/economics; **H.wörterbuch** *nt* business/commercial dictionary; **H.zeichen** *nt* trademark, brand; **H.zeiten** *pl* trading hours; **H.zentrale** *f* central trading agency; **H.zentrum** *nt* mart, trade/commercial centre, centre of commerce, staple; **H.ziffern** *pl* trade figures; **H.zoll** *m* trading tariff; **H.zone** *f* trading area/zone; **H.zweig** *m* line of business, branch of industry, sector

handeltreibend *adj* trading, commercial, mercantile; **H.er** *m* trader, dealer

Händewechsel *m* changing hands, switch

Hand|exemplar *nt* copy for private use; **H.fertigkeit** manual skill, dexterity, handicraft; **H.fesseln** *p* manacles; **h.fest** *adj* tangible, solid; **H.feuerwaffen** *p* small (fire)arms, hand guns; **H.funkgerät** *nt* walkie talkie; **h.gearbeitet/h.gefertigt** *adj* handmade, self made, handcrafted

Handgeld *nt* 1. advance, bargain money/penny, earnes money, handsel, golden hello *(fig)*; 2. *(Pächter)* ke money; 3. ⚓ prest money; **als H. geben** ⚓ to give i prest; **bei Nichtabschluss des Kaufvertrages zurück zahlbares H.** subject deposit

Hand|gelenk *nt* wrist; **aus dem ~ schütteln** *(fig)* to d off the cuff *(coll)*; **h.gemacht** *adj* → **h.gearbeitet**; **h.gemein werden** *adj* to come to blows; **H.gemenge** *n* scuffle, mêlée *[frz.]*

Handgepäck *nt* 1. hand luggage *[GB]*/baggage *[US]* carry-on-baggage; 2. ✈ cabin luggage; **H.aufbewahrung** *f* left luggage office, baggage room; **H.schließfach** *nt* luggage/baggage locker; **H.wagen** *m* luggag trolley, baggage truck

Hand|gerät *nt* hand-held (equipment); **h.geschöpft** *ad (Papier)* handmade; **h.geschrieben** *adj* handwritten, i his/her own writing; **h.gesteuert** *adj* hand-operated

handgreiflich *adj* 1. manifest; 2. violent; **h. werden** t come to blows, to get to grips, ~ tough; **H.keit** *f* violenc

Hand|griff *m* 1. handle, handgrip; 2. *(Fertigkeit)* knack **h.habbar** *adj* manageable; **H.habe** *f* pretext, ways means, lever; **gesetzliche H.habe** legal grounds

handhaben *v/t* 1. to handle; 2. to manage/operate/work process/treat/manipulate; 3. to conduct/administer/implement; **betrügerisch h.** to rig; **leicht zu h.** manageable, easy to manage; **sich ~ h. lassen** to handle easily **schlecht h.** to mishandle; **schwer zu h.** intractable unmanageable, difficult to manage; **ungeschickt h.** t mismanage

Handhabung *f* 1. handling; 2. management, operation working, processing, manipulation; 3. execution, ad ministration, implementation, treatment; **elastische H des Zollschutzes** flexible use of tariff protection; **bequeme H.** easy to handle/operate; **falsche H.** mis handling; **flexible H.** flexibility in handling; **liberalisierte H.** relaxed handling; **technische H.** practica handling

Handhabungs|automat *m* handling machine; **H.kosten** *pl* handling cost(s); **H.technik** *f* 1. managemen technique; 2. handling technique/technology

Handheben *nt* show of hands

Handicap *nt* handicap

Hand-in-Hand-Arbeiten *nt* cooperation

Hand|karren *m* handcart; **H.kasse** *f* petty cash, til money; **H.katalog** *m* ready-reference catalogue; **H.kau** *m* cash(-down) sale, lump purchase; **H.-Mund-Kau** hand-to-mouth buying; **H.koffer** *m* suitcase; **H.köfferchen** *nt* attaché case; **H.lager** *nt* stock of small parts **H.lampe** *f* torch; **H.langer** *m* 🏛 (builder's) labourer jobber, handyman, jack, underling; **H.langerdienste** *p* donkey/dirty work

Händler *m* 1. dealer, trader, tradesman, marketeer, dis tributor, seller, trafficker; 2. bargainer; 3. merchan merchante(e)r *[US]*; 4. ⚓ chandler; **H. für ungerade Beträge; ~ Kleinaufträge** *(Börse)* odd-lot dealer; **H. mit Direktabsatz an Industrie** industrial distributor; **H. im Freiverkehr** *(Börse)* broker dealer; **H. für Rentenwerte** bond house/trader

ambulanter Händler itinerant trader, peddler; **autorisierter H.** authorized/franchised dealer; **fliegender/ umherziehender H.** itinerant salesman, street seller/vendor, hawker, peddler, barrowman; **mittelständischer H.** small retailer/trader; **mobiler H.** motor trader; **spekulativer H.** *(Börse)* scalper *(coll)*; **unabhängiger H.** independent trader; **zugelassener H.** authorized/franchised dealer

Händler|akkreditiv *nt* merchant's letter of credit; **H.arbitrage** *f* dealer/trader arbitrage; **H.aufdruck** *m* dealer imprint; **H.bank** *f* merchant bank; **H.befragung** *f* dealer survey; **H.betrieb** *m* trading firm, sales agent; **H.buch** *nt (Börse)* dealer's order book; **in H.eigenschaft** *f* in the capacity as dealer; **H.firma** *f* distributor, distribution company; **H.geschäfte** *pl* dealer transactions; **H.gewinn** *m (Börse)* turn; **H.hilfen** *pl* dealer aids; **H.kette** *f* dealer chain; **H.kreise** *pl* the trade, dealer circles; **in H.kreisen** in the trade, in trade circles; **H.lager** *nt* dealer stocks; **H.marge** *f* trade discount; **H.marke** *f* private brand; **H.nachlass** *m* dealer's rebate; **H.netz** *nt* dealer network; **H.obligo** *nt* dealer's engagement; **H.organisation** *f* dealership network, dealer organisation; **H.pfandrecht** *nt* § merchant's lien; **H.preis** *m* trade price; **H.provision** *f* dealer('s) commission; **H.rabatt** *m* trade/distributor discount, dealer's rebate; **H.schulung** *f* retail training; **H.spanne** *f* dealer's margin; **H.verband/H.vereinigung** *m/f* retail/dealer association; **H.verdienstspanne** *f* dealer mark-up; **H.vereinbarung** *f* dealers' agreement; **H.werbung** *f* trade advertising; **H.zeitschrift** *f* trade paper; **H.zettel** *m (Börse)* slip

Hand|leser *m* 💻 code pen; **H.leuchte** *f* inspection lamp; **h.lich** *adj* manageable, handy; **H.locher** *m* manual perforator, key punch

Handlung *f* 1. § act, willed conduct; 2. action, deed, work; 3. *(Laden)* shop, store *[US]*; **H. oder Duldung** things suffered or done; **strafbare H. eines Ersttäters** first offence; **H. auf eigene Rechnung** separate trade; **H.en und Unterlassungen** acts and omissions/forbearances; **~ , die nicht mit dem Gesellschaftszweck in Einklang stehen** ultra vires *(lat.)* acts of the corporation

strafbare Handlung begehen to commit an offence; **unerlaubte H. begehen** to commit a tort; **strafbare H. darstellen** to constitute an offence; **aus unerlaubter H. klagen** to bring an action for tort; **an einer H. teilnehmen** to be privy to an act

angefochtene Handlung act concerned; **betrügerische H.** fraudulent act; **fahrlässige H.** act of negligence, negligent act; **feindselige H.** hostile act; **fortgesetzte H.** successive/continued act; **in fortgesetzter H.** continually acting; **gesetzwidrige H.** unlawful act, malfeasance; **grob fahrlässige H.** act of gross negligence; **hoheitliche H.** act of state; **juristische H.** legal/juristic act; **kluge H.** act of wisdom; **konkludente H.** action implying legal intent, estoppel; **kriegerische H.** act of war, warlike operation; **beabsichtigte negative H.** forbearance; **unbeabsichtigte ~ H.** omission; **offenkundige H.** overt act; **rechtswidrige H.** unlawful/illegal/wrongful act, wrong, malfeasance; **richterliche H.** judicial act; **schädigende H.** harmful/injurious act; **schuldhafte H.** culpable act

strafbare Handlung punishable/penal act, criminal/ punishable/legal/statutory offence, offence; **auslieferungsfähige ~ H.** extraditable offence; **fiskalische ~ H.** fiscal offence; **militärische ~ H.** military offence; **politische ~ H.** political offence

unerlaubte Handlung (actionable) tort, tortious/unlawful act, civil wrong; **~ H. des Stellvertreters** § agent's tort; **auf hoher See begangene ~ H.** maritime tort; **gemeinschaftlich begangene ~ H.** joint tort; **vorsätzliche ~ H.** intentional/wilful tort; **durch ~ H. verursacht** tortious

unfreundliche Handlung unfriendly act; **ungesetzliche H.** unlawful act; **unrechtmäßige H.** wrongful act; **unsittliche H.** immoral act; **den Kausalzusammenhang unterbrechende H.** intervening act; **unzulässige H.** improper action; **verheimlichte H.** concealed act; **verräterische H.** treasonable act; **vertragswidrige H.** malfeasance; **vorbereitende H.** preparatory act; **vorsätzliche H.** § wilful/voluntary act; **~ böswillige H.** § malicious act; **unerlaubte wirtschaftliche H.en** economic torts

Handlungs|agent *m* mercantile agent; **H.alternative** *f* alternative course of action, alternate/alternative action, policy/action alternative; **H.anweisung** *f* instruction; **H.-Autoritätsstruktur** *f* activity-authority structure; **H.beauftragte(r)** *f/m* agent; **H.bedarf** *m* need for action; **H.befugnis** *f* authority, proxy; **h.berechtigt** *adj* power to act; **H.bevollmächtigte(r)** *f/m* 1. authorized agent/signatory; 2. proxy; 3. *(Handel)* commercial agent; **als ~ zeichnen** to sign by/per procuration; **H.einheit** *f* 1. operating unit; 2. § actor; **H.ermessen** *nt* discretion (to act); **h.fähig** *adj* 1. capable, compentent; 2. authorized; **H.fähigkeit** *f* ability to act, capacity to act/contract

Handlungsfreiheit *f* freedom/liberty of action, free scope/rein, autonomy in the conduct of one's affairs; **völlige H.** full liberty to act; **weitgehende H.** ample scope

Handlungs|gehilfe *m* 1. shop assistant; 2. commercial/merchant clerk, clerical employee; 3. office clerk; **H.haftung** *f* liability for acts done, ~ a public disturbance; **H.instrument** *nt* tool of action; **H.kompetenz** *f* authority to act; **H.konto** *nt* book account; **H.konzept** *nt* plan of action; **H.kosten** *pl* general/operating expenses, merchandising cost(s); **H.lehre** *f* § doctrine of criminal responsibility; **finale H.lehre** doctrine of criminal liability for intended wrongs only; **H.lehrling** *m (obs.)* commercial apprentice; **H.pflicht** *f* duty to act; **H.programm** *nt* action programme, programme of action; **H.rahmen** *m* universe of actions; **H.reisende** *f* saleswoman; **H.reisender** *m* travelling salesman, commercial traveller/representative, sales representative, agent, drummer *(coll) [US]*, rep *(coll) [GB]*

Handlungsspielraum *m* scope, room for manoeuvre, latitude; **jdm H. lassen** to give so. scope; **finanzieller H.** financial scope; **wirtschaftpolitischer H.** economic scope

stabilisiertes Handlungs|system boundary maintaining action system; **H.theorie** *f* theory of action; **h.unfähig** *adj* incapable of acting, unable/incompetent to act; **H.unfähigkeit** *f* (mental) incapacity; **H.unkosten** *pl* overheads, general expenses; **entscheidungsbedingte H.verzögerung** decision lag; **planungsbedingte H.verzögerung** planning lag

Handlungsvollmacht *f* proxy, authority, power (of attorney), (power of)procuration, power of an agent, mercantile agency, commercial authority/power; **beschränkte H.** limited authority, ~ power of representation; **uneingeschränkte H.** full authority to act

Handlungsvollzug *m* action

Handlungsweise *f* 1. practice, conduct; 2. procedure, (line of) action, management; **diskriminierende H.** discriminatory action; **gesetzwidrige H.** malpractice; **unverantwortliche H.** reckless conduct

Hand|muster *nt* dummy; **H.recherche** *f* manual search; **H.regelung** *f* manual control; **H.reichungen** *pl* recommendations; **H.satz** *m* 🗍 hand composition; **H.schein** *m* promissory note, note of hand; **H.schellen** *pl* handcuffs, manacles; **H.schenkung** *f* manual/executed gift, donation by manual delivery; **H.schlag** *m* handshake; **keinen ~ tun** not to do a thing; **H.schreiben** *nt* handwritten letter

Handschrift *f* handwriting, hand, script; **schöne H. haben** to write a good hand; **ausgeschriebene/flüssige H.** running hand; **deutliche H.** clear hand, legible handwriting; **gewöhnliche H.** longhand; **kaufmännische H.** commercial hand; **saubere H.** neat handwriting

Handschriften|deuter *m* graphologist; **H.deutung** *f* graphology; **H.probe** *f* handwriting specimen; **H.vergleich** *m* comparison of handwriting specimens

hand|schriftlich *adj* handwritten, in writing; **H.setzer** *m* 🗍 hand compositor; **H.siegel** *nt* manual seal; **h.signiert** *adj* autographed, handsigned; **H.skizze** *f* rough sketch; **H.steuerung** *f* manual control; **im H.streich** *m* in no time; **H.strickgarn** *nt* handknitting yarn; **H.tasche** *f* handbag

Handtuch *nt* towel; **H. werfen** *(fig)* to throw in the sponge/towel *(fig)*; **H.automat** *m* towel dispenser/machine

im Hand|umdrehen *nt* in a trice; **H.verkauf** *m* 1. private/open sale; 2. *(Börse)* over-the-counter (OTC) sale; **h.verlesen** *adj* hand-picked; **H.vermittlung** *f* ✆ manual exchange; **H.voll** *f* handful, clutch; **H.waffe** *f* hand weapon; **H.wagen** *m* handcart; **h.warm** *adj* hand-hot; **H.webstuhl** *m* handloom

Handwerk *nt* trade, (handi)craft, job, industrial art, trade of an artisan; **H. ausüben/betreiben** to ply/pursue a trade, to exercise a handicraft; **H. beherrschen** to master a craft; **sein H. beherrschen** to know one's job; **H. erlernen** to learn a trade; **jdm das H. legen** to put a stop to so.'s (little) game; **jdm ins H. pfuschen** to poach on so.'s territory, to meddle; **sein H. verstehen** to know one's job, ~ the ropes *(coll)*; **dienstleistendes H.** service-rendering craft; **erlernbares H.** apprenticeable trade; **politisches H.** statecraft

Handwerker *m* craftsman, workman, serviceman *[US]*, handicraftsman, artisan, tradesperson; **H. im Hause haben** to have workmen in (the house); **gelernter H.** craftsman

Handwerker|gemeinschaft/H.innung/H.vereinigung/H.zunft *f* craft/trade guild, craft fraternity; **H.schule** *f* trade school; **H.schaft** *f* trade; **H.stand** *m* craftsmen class; **H.versicherung** *f* craftsmen's insurance; **H.zunft** *f* trade guild

handwerklich *adj* manual, technical

Handwerks|- mechanic; **H.arbeit** *f* handicraft; **solide H.arbeit** sound workmanship; **H.ausbildung** *f* artisan training, vocational training for a handicraft; **H.beruf** *m* skilled trade, craft; **H.betrieb** *m* handicraft business/enterprise, craftsman's business/establishment, craft shop; **H.brauch** *m* trade rule; **H.bursche** *m* journeyman, itinerant tradesman; **H.genossenschaft** *f* craftsmen's cooperative; **H.geräte** *pl* tools of the trade; **H.gilde/H.innung** *f* 1. (trade/craft) guild; 2. *(London)* livery company; **H.kammer** *f* chamber of handicrafts, trade corporation; **H.kammertag** *m* association of chambers of handicraft trades; **H.lehre** *f* craft apprenticeship; **H.lehrling** *m* craft apprentice; **H.meister** *m* master (craftsman/tradesman); **H.messe** *f* handicrafts fair; **H.ordnung** *f* (handi)crafts code; **H.organisation** *f* craft organisation; **H.rolle** *f* handicrafts register, register of craftsmen; **H.schule** *f* handicraft school; **H.tag** *m* trades congress; **H.zeug** *nt* 1. tools of (the) trade, hand tools, set of tools; 2. *(fig)* stock in trade; **H.zunft** *f* trade guild; **H.zweig** *m* craft, trade

Hand|wörterbuch *nt* concise dictionary

Handy *nt* ✆ mobile (phone), cellular phone

Hand|zeichen *nt* 1. show of hands; 2. 🚗 hand signal; 3. 🗍 hand; **durch ~ abstimmen** to vote by (a) show of hands; **H.zettel** *m* handbill, hand-out, flysheet, dodger *[US]*, throwaway

hanebüchen *adj* outrageous

Hanf *m* hemp

Hang *m* 1. propensity, inclination, tendency, disposition; 2. slope, hillside; **H. zu** addiction

Hangar *m* hangar

Hänge|ablage *f* suspended filing, suspension file; **H.bahn** *f* 1. suspension railway; 2. cableway; **H.brücke** *f* suspension bridge; **H.decke** *f* suspended ceiling; **H.matte** *f* hammock

hängen an *v/i* 1. to hinge on; 2. to cling to; **jdn h. lassen** to let so. down

Hänge|plakat *nt* hanger card; **H.position** *f (Börse)* gone-stale position

Hänger *m* 🚗 trailer

Hänge|register/H.registratur *nt/f* suspended pocket filing; **H.registraturschrank** *m* suspension filing cabinet

hängig *adj* pending, current

Hangtäter *m* habitual offender

Hansdampf in allen Gassen *m* jack of all trades *[GB]*, Johnny-on-the-spot *[US]*
hantieren *v/i* to be busy, to handle/tinker; **h. mit** to tamper with
Happen *m* bite, bit, mouthful, morsel; **H. essen** to have a snack; **fetter H.** good catch
Hardware *f* hardware
harmlos *adj* 1. harmless, inoffensive, innocuous; 2. *(Tier)* tame
Harmonie *f* harmony, unison; **prästabilisierte H.** prestabilized harmony
Harmonika|akte *f* concertina file; **H.falz** *f* concertina fold; **H.tür** *f* concertina door
harmonisch *adj* harmonious
harmonisieren *v/t* to harmonize/align, to bring into line, to coordinate
Harmonisierung *f* harmonization, alignment, standardization; **H. der Rechtsvorschriften** harmonization of legal stipulations
jdn in Harnisch bringen *m* to infuriate so.
Harpune *f* harpoon
hart *adj* 1. hard, firm; 2. severe, tough, stiff, rigorous, fierce, grim; 3. hard-nosed *(coll) [US]*; 4. *(Währung)* stable; **h. und fest** cast-iron
Härte *f* 1. hardness, firmness; 2. toughness, severity, rigidity, rigour; 3. hardship, grimness, harshness; 4. *(Währung)* stability; **H. lindern** to relieve hardship; **unbillige/unnötige/unzumutbare H.** undue/inequitable/unreasonable hardship
Härte|ausgleich *m* 1. hardship allowance/payment; 2. *(Entlassung)* severance pay; **H.beihilfe** *f* hardship grant; **H.fall** *m* hardship case, case of hardship; **H.fonds** *m* relief fund; **H.grad** *m* grade/degree of hardness; **H.klausel** *f* hardship clause
härten *v/t* to temper, to harden
Härte|ofen *m* tempering furnace; **H.paragraf** *m* paragraph dealing with cases of hardship; **H.posten** *m* hardship post
Härter *m* hardening agent
Härte|regelung *f* hardship payment, settlement for cases of hardship; **H.test** *m* hardness/endurance test; **H.zulage** *f* hardship allowance
Hartfaserplatte *f* hardboard *[GB]*, fiberboard *[US]*
Hartgeld *nt* 1. coined money, metallic currency, coinage, specie; 2. coin, hard cash/money, loose cash; **in H.** in coin; **nicht ~ einlösbar** non-specie
Hart|holz *nt* hardwood; **H.metall** *nt* hard metal
hartnäckig *adj* persistent, adamant, insistent, stubborn, obstinate, hard-core, tenacious, intractable; **h. bleiben** to square one's shoulders; **H.keit** *f* persistence, persistency, insistence, stubbornness, assertiveness, obstinacy, tenacity
Hart|packung *f* hard pack; **H.pappe** *f* cardboard
Härtung *f* 1. hardening, stiffening; 2. tempering
Hartwährung *f* hard currency; **H.sland** *nt* hard-currency country
Hart|waren *pl* hardware, hard goods; **H.weizen** *m* hard/durum wheat; **H.weizengries** *m* semolina; **H.-wurst** *f* dry sausage
Harz *nt* resin
Hasardeur *m* gambler
Hasardspiel *nt* gamble; **H.er** *m* gambler
alter Hase *(coll)* old hand/sweat *(coll)*; **warten, wie der H. läuft** *(coll)* to wait for the cat to jump *(coll)*, to see how the land lies *(coll)*, ~ which way the wind blows *(coll)*
Hash-Verfahren *nt* hash organisation
Hass *m* hate, hatred, odium *(lat.)*; **H.brief** *m* poison-pen letter; **h.en** *v/t* to hate/loathe; **h.erfüllt** *adj* venomous
hässlich *adj* ugly, forbidding, unsightly
Hast *f* hurry, haste; **unziemliche H.** indecent haste
hasten *v/i* to hurry/rush
hastig *adj* rash, hurried, hasty
hätscheln *v/t* to pamper/featherbed
Hauch *m* 1. suggestion; 2. whiff, touch, waft; **h.dünn** *adj* wafer-thin
hau|en *v/t* 1. to strike/hit; 2. to cut/break; **H.er** *m* faceworker
Häufchen *nt* *(fig)* handful, a small heap/pile
Haufen *m* 1. heap, pile, stack, load *(coll)*; 2. mound; 3. *(Menschen)* mob, crowd, gang; 4. cluster; **etw. über den H. werfen** to upset sth.; **H. Arbeit** stacks/loads of work; **H. Geld** pile of money; **~ kosten** to cost a (pretty) packet; **~ verdienen** to make a packet, to earn a pile (of money)
häufen *v/t/v/refl* 1. to pile up, to accumulate; 2. to occur on a large scale
häufig *adj* frequent, common, widespread, prevalent, rife
Häufigkeit *f* frequency, incidence; **absolute H.** absolute frequency; **proportionale H.** proportional frequency; **relative H.** relative frequency
Häufigkeits|dichte *f* frequency density; **H.funktion** *f* frequency function; **H.histogramm** *nt* frequency bar chart
Häufigkeitskurve *f* frequency curve; **anomale H.** abnormal curve; **kumulative H.** cumulative frequency curve
Häufigkeits|maß *nt* measure of frequency; **H.moment** *m* frequency moment; **H.punkt einer Menge** *m* point of condensation; **H.stufe** *f* quantile; **H.tabelle** *f* frequency chart/table; **H.theorie der Wahrscheinlichkeit** *f* frequency theory of probability
Häufigkeitsverteilung *f* frequency distribution; **kumulative H.** cumulative frequency distribution; **überlagerte/zusammengesetzte H.** compound frequency distribution
Häufigkeitswertverfahren *nt* *(REFA)* model method
Häufung *f* 1. accumulation; 2. cluster, bunching; **H. von Zeugenaussagen** cumulative evidence
Haupt *nt* head; **entblößten H.es** bareheaded
Haupt|- chief, main, major, principal, primary, key, master, peak; **H.abkommen** *nt* principal agreement; **H.ablage** *f* central filing department; **H.abnehmer** *m* principal customer, main purchaser; **H.abnehmerland** *nt* principal buyer country; **H.abrechnung** *f* general balance sheet; **H.absatzgebiet** *nt* principal marketing area, main market; **H.absatzmarkt** *m* prime/main/chief market; **H.abschlussbilanz** *f* annual balance

sheet; **H.abschlussübersicht** *f* general ledger trial balance; work sheet *[US]*; **H.abteilung** *f* central/principal department, ~ division; **H.abteilungsleiter** *m* central department manager; **H.agentur** *f* general agency; **H.aktionär** *m* principal/main/dominant shareholder *[GB]*, ~ stockholder *[US]*, ~ member, ~ holder of equity securities; **H.aktivität** *f (Unternehmen)* core/main business; **H.amt** *nt (Stadtverwaltung)* general administrative office, central/main office; **h.amtlich** *adj* full-time; **H.anbaugebiet** *nt* 🚜 main production area; **H.anbieter** *m* principal/main supplier; **H.angeklagte(r)** *f/m* main/principal defendant; **H.anklagepunkt** *m* main charge, ~ count of a charge; **H.anliegen** *nt* prime/primary concern; **H.anmeldung** *f (Pat.)* main/basic/parent application; **H.ansatzpunkt** *m* main point of departure, ~ starting point; **H.anschluss** *m* 1. ⚡ mains connection; 2. ✆ direct line, main extension; **H.anspannungstermin** *m* date of chief strain; **H.anspruch** *m* principal/main/first claim; **H.anteil** *m* bulk, lion's share, main/principal part; **H.antriebskraft** *f* main driving force; **H.anwendungsgebiet** *nt* main field of application; **H.anziehungspunkt** *m* centre of attraction; **H.apparat** *m* ✆ main station; **H.arbeit** *f* main part of work; **H.art** *f* principal category; **H.artikel** *m* major selling line, chief product, staple; **H.attraktion** *f* chief attraction, star turn; **H.aufgaben** *pl* priorities; **H.aufgabenbereich** *m* major job segment, main operational task; **H.auftragnehmer** *m* prime contractor; **H.auftritt** *m* 🎭 star turn; **H.augenmerk** *nt* particular attention, primary objective; **H.ausfall** *m* ▦ major failure; **H.ausfuhrgüter** *pl* chief exports; **H.ausschuss** *m* general purposes committee, central/ruling committee; **H.- und Finanzausschuss** ways and means committee; **H.bahnhof** *m* central/main station; **H.bedeutung** *f* primary meaning; **H.bedienungsplatz** *m* 🖳 main console; **H.bedürfnisse** *pl* core needs; **H.begehren** *nt* principal petition

Hauptbelastung *f* ⚡ peak load; **H.szeuge** *m* chief/main/principal prosecution witness; **H.szeit** *f* peak time

Hauptlbereich *m* prime/key area; **H.beruf** *m* regular/main/chief occupation; **h.beruflich** *adj* full-time, in/as a regular occupation; **H.beschäftigung** *f* chief/main occupation; **H.bestandteil** *m* main constituent, chief ingredient; **H.betrag** *m* total amount, principal; **H.betreuer** *m (Bank)* general account manager

Hauptbetrieb *m* 1. principal plant; 2. peak period; **H.sleiter** *m* general manager; **H.ssitz** *m* principle place of business

Hauptlbieter *m* base bidder; **H.bilanz** *f* general balance sheet; **H.börse** *f* high change

Hauptbuch *nt* 1. (general/impersonal) ledger, general journal, book of final/secondary entry; 2. *(Buchführung)* analysis book; **Hauptbücher** ledger records; **H. nur zur Einsicht durch Geschäftsführer** private ledger; **H. für vorläufige Eintragungen** suspense ledger; **H. abschließen** to balance the ledger; **in das H. eintragen** to enter/post into the ledger; **H. führen** to keep the ledger; **H. vollständig nachtragen** to post up the ledger; **H. saldieren** to balance the ledger

Hauptbuchlauszug *m* ledger abstract; **H.eintragung** *f* ledger posting; **H.führer/H.halter** *m* chief accountant ledger clerk/keeper, accountant general, general bookkeeper; **H.haltung** *f* general ledger accounting, central bookkeeping department, general accounting (department); **H.konto** *nt* main ledger account, general (ledger) account; **H.kontrolle** *f* ledger control; **H.posten** *m* ledger item; **H.probe** *f* general ledger test; **H.sammelkonto** *nt* control(ling) account; **H.spalte** *f* analysis column; **H.unterlagen** *pl* general records

Hauptlbürge *m* chief guarantor; **H.büro** *nt* head office headquarters; **H.datei** *f* master file; **H.deck** *nt* ⚓ main deck; **H.dimension** *f* key dimension; **H.eigenschaft** *f* primary quality; **H.eigentümer** *m* general owner; **H.eingang** *m* main entrance; **H.eingangstor** *nt* main gate; **H.einkäufer** *m* head/chief buyer; **H.einkommen** *nt* principal income; **H.einnahmequelle** *f* main source of income; **H.einschaltzeit** *f (Fernsehen)* prime (viewing) time; **H.einwand** *m* main/chief objection; **H.entlastungszeuge** *m* principal witness for the defence; **H.entschädigung** *f* basic compensation; **H.erbe/H.erbin** *m/f* principal heir(ess), first devisee, universal legatee; **H.ereignis** *nt* principal event; **H.erfordernisse** *pl* principal requisites; **H.erfindung** *f* main invention; **H.ergebnisbereich** *m* key result area; **H.ernährer** *m* (main) breadwinner; **H.ernte** *f* main crop; **H.erwerbsstelle** *f* 🚜 full-time farm; **H.erzeugnis** *nt* staple (product), main/chief product; **H.fach** *nt* major *[US]*/main/principal subject; **etw. als ~ studieren** to major in sth. *[US]*; **H.faktor** *m* key factor; **H.fehler** *m* major defect, principal/main fault; **H.fernsehzeit** *f* prime (viewing) time

Hauptfeststellung *f* *(Steuer)* principal assessment; **H.szeitpunkt** *m* principal assessment date; **H.szeitraum** *m* principal assessment period

Hauptlfiliale *f* main branch, (regional) head branch; **H.film** *m* feature film/picture; **H.forderung** *f (Schuld/Kredit)* principal, principal/chief claim, main demand; **H.frachtführer** *m* capital carrier; **H.frachtvertrag** *m* head charter; **H.frage** *f* main issue, key question; **H.gang/H.gericht** *m/nt* main course; **H.gebäude** *nt* main building; **H.gebiet** *nt* core area; **H.gedanke** *m* keynote, keystone, main idea; **H.gedingenehmer** *m* contractor; **H.genossenschaft** *f* central cooperative

Hauptgeschäft *nt* 1. head office, headquarters; 2. mainstream operation, mainstream/core/main business, bulk of one's business; 3. main branch, premier store

Hauptgeschäftslführer *m* general manager, director general, chief executive (officer) (CEO), chief operating officer, director of operations, executive chairman; **H.gegend** *f* central shopping district, main business area; **H.haus** *nt* premier store; **H.sitz** *m* head office, headquarters, domicile; **H.stelle** *f* headquarters, head/principal office, main branch; **H.straße** *f* high street, main (shopping) street; **H.zeit** *f* peak business hours, ~ hour, ~ shopping period

Hauptlgesellschaft *f* principal company; **H.gesellschafter(in)** *m/f* chief partner; **H.getreidesorte** *f (Ernährung)* staple grain; **H.gewinn** *m* 1. first prize; 2.

(Lotterie) jackpot; ~ **erzielen** to hit the jackpot *(coll)*; **H.gläubiger(in)** *m/f* chief/principal creditor, principal obligor; **H.gläubigerstaat** *m* chief creditor country; **H.gleis** *nt* main track; **H.grund** *m* main reason, root cause; **H.gruppenkontrolle** *f* intermediate control; **H.gruppenwechsel** *m* intermediate control change; **H.gutachter** *m* chief examiner; **H.hafen** *m* principal port; **H.hahn** *m* master valve, mains cock/tap

Haupthandels|- staple; **H.artikel** *pl* staple goods; **H.partner** *m* major trading partner; **H.ware** *f* staple (goods)

Haupt|händler *m* main dealer; **H.hindernis** *nt* chief obstacle, principal drawback; **H.index** *m* master index

Hauptindustrie *f* primary/major/key industry; **H.land** *nt* key industrial country; **H.zweig** *m* staple industry

Haupt|inhaber *m* 1. senior partner; 2. principal owner; **H.interesse** *nt* main/chief interest; **H.intervenient** *m* § principal intervener; **H.intervention** *f* § interpleader; **H.kabel** *nt* mains; **H.kapazität** *f* main capacity; **H.karte** *f* master card; **H.kartei** *f* master file; **H.kasse** *f* teller's department, chief cashier, ~ cash office; **H.kassierer(in)** *m/f* head teller, (chief) cashier; **H.katalog** *m* main catalog(ue); **H.kennzeichen** *nt* main feature, principal characteristic; **H.kläger(in)** *m/f* chief/principal plaintiff; **H.knotenpunkt** *m* main junction; **H.kommissionär** *m* chief executive agent; **H.-konkurrent** *m* chief/main/major competitor; **H.konsorte** *m* syndicate leader, lead manager

Hauptkonto *nt* main/ledger/general account; **H. mit Unterkonten** main account w(ith) subacc(ounts) permitted; **H. ohne Unterkonten** main account w(ith) subacc(ounts) forbidden

Haupt|kontor *nt* 1. headquarters; 2. main office; **H.kontrakt** *m* prime contract; **H.kontrollkonto** *nt* master control account; **H.körperschaftssteuer** *f* mainstream corporation tax; **H.kostenstelle** *f* production/main cost centre, direct cost centre/department, cost/manufacturing department; **H.kredit** *m* primary loan; **H.kunde** *m* 1. main customer; 2. *(Werbung)* key account; **H.lager** *nt* distribution warehouse, central store/stockroom; **H.lärmquelle** *f* main source of noise pollution; **H.last** *f* main load; ~ **tragen** to bear the brunt; **H.leidtragende(r)** *f/m* principal victim; **H.leistung** *f* primary obligation; **H.leitung** *f* mains, main/trunk line; **H.lieferant** *m* major/main/principal/primary supplier; **H.linie** *f* 1. trunk route; 2. main line; **H.luftfrachtbrief** *m* master air waybill (MAWB), house air waybill (HAWB); **H.mahlzeit** *f* chief/main meal; **H.mangel** *m* 1. chief/principal defect; 2. main deficiency; **H.markt** *m* primary/principal/central market; **H.maschine** *f* master machine; **H.masse** *f* 1. bulk; 2. *(Vermögen)* general estate; **H.merkmal** *nt* key/main feature; **H.mieter(in)** *m/f* master/main/head tenant, ~ lessee; **H.mietvertrag** *m* master lease; **H.mitarbeiter** *m* chief assistant; **H.motiv** *nt* 1. prime motive; 2. *(Werbung)* keynote idea; **H.motor des Wandels** *m* prime engine of change; **H.nachricht** *f (Zeitung)* lead, lead(ing) story; **H.nachteil** *m* key drawback; **H.nahrungsmittel** *nt* staple diet/food; **H.nenner** *m* common denominator; **H.-niederlassung** *f* head/main office, headquarters, principal place (of business); **H.nummer** *f* star turn; **H.nutznießer** *m* primary beneficiary; **H.organ** *nt* principal organ; **H.organisationseinheit** *f* main organisational unit; **H.packer** *m* head packer; **H.patent** *nt* main/principal/independent/original patent; **H.person** *f* key man/person, central figure; **H.pflicht** *f* primary/principal obligation; **H.plan** *m* 1. master plan; 2. *(Etat)* master budget; **H.platine** *f* mother board; **H.platz** *m* 1. main centre; 2. *(Banken)* banking centre; **H.police** *f* master/original policy; **H.position/H.posten** *f/m* main item; **H.postamt** *nt* head/general post office; **H.prämisse** *f* major premise; **H.problem** *nt* main/central issue; **H.produkt** *nt* staple/primary/leading/core/main (stream) product; **H.programm** *nt* 1. main(line) programme; 2. main routine; **H.prozess** *m* 1. § main case/trial; 2. major task; **H. prozessor** *m* main processor; **H.prüfer** *m* 1. senior accountant, chief examiner; 2. *(Pat.)* examiner in chief

Hauptpunkt *m* key point; **H.e** merits; **H. eines Vertrages** head of an agreement

Haupt|quartier *nt* headquarter(s), operations room; **H.quelle** *f* main/primary source; **H.quittung** *f* general receipt; **H.rechenschaftsbericht** *m* audit; **H.rechnung** *f* principal/general/grand/main/head account; **H.rechnungsführer** *m* accountant general; **H.redner** *m* keynote/principal speaker; **H.reeder** *m* principal owner; **H.register** *nt* 1. table of contents; 2. principal register; **H.reisezeit** *f* 1. tourist season; 2. peak travelling time; **H.reservewährungsland** *nt* principal reserve currency country; **H.revisor** *m* senior accountant; **H.richtung** *f* mainstream; **der ~ angehörend** mainstream; **H.rohr** *nt* main(s) pipe; **H.rolle** *f* leading part; **H.rücklage** *f* primary reserve

Hauptsache *f* 1. main issue/point, essence, gist, the head and front; 2. § substance of the case, case of action; **Haupt- und Nebensache** principal and cost(s); **sich zur H. einlassen** § to join issue; **in der H. entscheiden** to give judgment on the main issue, ~ on the merits; **H. für erledigt erklären** to declare that the cause of action has been disposed of; **zur H. verhandeln** to plead on the main issue, to deal with a case on its merits; **H.nverfahren** *nt* principal proceedings

Haupt|sachgebiet *nt* principal field; **h.sächlich** *adj* chief, main, primary, principal, major; *adv* for the main/most part; **H.saison** *f* high/busy/peak season; **H.satz** *m* 1. master record; 2. *(Grammatik)* main clause; **H.satzung** *f* general statute(s); **H.säule** *f* mainstay; **H.schalter** *m* 1. master switch; 2. line switch; **H.schifffahrtsweg** *m* major shipping lane; **H.schlagader** *f* aorta; **H.schlüssel** *m* master key, pass key *[US]*; **H.schriftleiter** *m* editor-in-chief; **H.schriftleitung** *f* editorial board; **H.schuld** *f* 1. principal (debt); 2. § principal fault; **H.schuldige(r)** *f/m* chief culprit, major offender, person chiefly to blame

Hauptschuldner|(in) *m/f* principal/primary debtor, primary obligor, mortgagor of principal; **H. ausklagen** to sue a principal debtor; **für den H. haften** to be liable for the debt of a principal

Hauptlschule *f* secondary modern school *[GB]*, junior high school *[US]*; **H.seite** *f (Zeitung)* feature page; **H.sekretär** *m* chief clerk; **wirtschaftlicher H.sektor** main economic sector; **H.sender** *m* main transmitter; **H.sendezeit** *f* 1. *(Fernsehen)* prime (viewing) time; 2. peak hour; **H.sicherheit** *f* primary security; **H.sicherung** *f* ϟ main(s) fuse; **H.sitz** *m* headquarters, head office, principal place of business; **mit ~ in** headquartered/based in; **H.sorge** *f* overriding/prime/main/primary concern; **H.sorgenkind** *nt* main problem child; **H.-sparte** *f* main/bottom line; **H.spediteur** *m* principal forwarding agent, issuing carrier

Hauptspeicher *m* 🖳 core/general/processor/main storage, main memory; **H.abschreibsperre** *f* storage protection key; **H.auszug** *m* dump

Hauptlspur *f* 🖳 prime track; **H.stadt** *f* capital (city), metropolis; **h.städtisch** *adj* metropolitan; **H.standort** *m* chief location, main centre; **H.stelle** *f* main office/branch

Hauptsteuerleinnehmer *m* receiver general of public revenue; **H.monat** *m* main tax month; **H.termin** *m* main tax payment date, big tax date

Hauptlstoßrichtung *f* main/general thrust; **H.straße** *f* 1. main *[US]*/major/trunk/high road; 2. *(Stadt)* high/main street; **H.strecke** *f* main/trunk line, key route; **H.streckennetz** *nt* trunk-line system; **H.streitpunkt** *m* main issue; **H.stromleitung** *f* ϟ mains; **H.struktur** *f* major structure; **H.stütze** *f* mainstay, main support; **H.summe** *f* principal (sum); **H.täter(in)** *m/f* § principal/chief offender, principal (in the first degree); **H.tätigkeit** *f* 1. core/main activity; 2. *(Beruf)* main occupation; **H.tätigkeitsgebiet** *nt* mainstream operations; **H.tatsache** *f* leading fact; **H.teil** *m* (main) body, bulk, mass, main/major part; **H.text** *m (Anzeige)* body; **H.thema** *nt* chief/key topic; **H.titel** *m* (capital) heading; **H.träger** *m* mainstay, chief factor/institution; **H.treffer** *m* top prize, jackpot; **H.tribüne** *f* grandstand; **H.triebfeder/-kraft** *f* mainspring, main driving force; **H.umsatzträger** *m* mainstay of sales, turnover base, bottom line, front-line product; **H.umschlagsplatz** *m* 1. main trade centre, staple place; 2. 🚂 primary point *[US]*; **H.unkosten** *pl* key cost(s); **H.unterhändler** *m* chief negotiator; **H.unternehmer** *m* main/general contractor; **H.urkunde** *f* principal instrument; **H.urlaubszeit** *f* peak holiday season; **H.ursache** *f* main/principal cause

Hauptveranlagung *f* basic/principal/general assessment; **H.szeitpunkt** *m* date of basic/principal assessment; **H.szeitraum** *m* basic assessment period

Hauptverantwortlichle(r) *f/m* person mainly responsible; **H.keit** *f* prime responsibility

Hauptverantwortung *f* main resonsibility; **H.sbereich** *m* key responsibility area

Hauptlverband *m* main association; **H.verbindlichkeit** *f* principal obligation, primary liability; **H.verbindung** *f* key link; **H.verdächtigte(r)** *f/m* prime suspect; **H.verdiener** *m* main/principal earner; **H.verdienst** *m* main income; **H.verfahren** *nt* § main trial/proceedings; **~ eröffnen** § to arraign; **H.verhandlung** *f* § trial process, main proceedings/hearing, trial of indictmen **zur ~ laden** to summon for trial

Hauptverkehr *m* 1. rush hour, peak(-hour) traffic; 2 main traffic, bulk of the traffic; **H.sader** *f* spine roac trunk/arterial route, artery; **H.sstraße** *f* 1. main/major/arterial/spine road; 2. main thoroughfare; **H.szeit** 1. peak-hour traffic, rush-hour, peak period; 2. *(Verkauf)* sales peak

Hauptlvermieter(in) *m/f* master lessor; **H.vermittlungsamt** *nt* central exchange office; **H.verpflichtete(r)** *f/m* (agent) principal

Hauptversammlung (HV) *f* (annual) general/company/stockholders' *[US]*/shareholders' *[GB]*/corporation meeting, annual meeting of shareholders/stockholders; **ordentliche H. der Aktionäre** annual general meeting (AGM) of shareholders/stockholders; **H. einberufen** to call a meeting of shareholders/stockholders; **außerordentliche H.** extraordinary general meeting (EGM), special (stockholders') meeting *[US]*; **ordentliche H.** ordinary general meeting, regular stockholders' meeting *[US]*; **satzungsmäßig vorgeschriebene H.** statutory (general) meeting; **H.sbeschluss** *m* shareholders'/stockholders' resolution, resolution in general meeting

Hauptlversicherer *m* primary insurer, ceding/direct writing company, reinsured underwriter; **H.versicherte(r)** *f/m* original insured; **H.versicherung** *f* 1. direct (writing) company; 2. principal insurance; **H.verteidiger** *m* counsel for the defence; **H.verteiler** *m* 🚗 main dealer; **H.vertrag** *m* main/original/primary contract **H.vertrauensmann der Schwerbeschädigten** *m* principal representative of the disabled; **H.vertreter** *m* general agent; **H.verwaltung** *f* head/executive/main office, (company/corporate) headquarters, central administration/management; **H.vorbringen** *nt* § chief allegation, main contention; **Haupt- und Hilfsvorbringen** § primary and secondary allegations; **H.vorstand** *m* executive/governing/main board, main executive committee; **H.wache** *f* police headquarters **H.wachstumsträger** *m* growth leader; **H.wandelstelle** *f (Anleihe)* principal conversion agent; **H.wasserleitung** *f* water main(s); **H.werk** *nt* 1. main/standard/principal work; 2. 🏭 main factory/works; **H.wohnort H.wohnsitz/H.wohnung** *m/f* § residence, principal residence/domicile, main place of residence; **H.zahlstelle** *f* principal paying agent

Hauptzahlung *f* chief/principal/main payment, central (clearing) payment; **H.smittel** *nt* chief means of payment; **H.stermin** *m* principal payment date

Hauptlzeit *f* 1. peak time; 2. 🏭 machine running time **vorgegebene H.zeit** standard running time; **H.zentrum** *nt* metropolis; **H.zeuge** *m* key/principal/material witness; **H.ziel** *nt* key objective/goal, priority; **H.zinstermin** *m* principal coupon date; **H.zollamt** *nt* main customs office, general customs house; **H.züge** *pl* outlines, main features; **H.zweck** *m* primary purpose, principal aim; **H.zweig** *m* main branch; **H.zweigstelle** principal branch office, main branch

Haus *nt* 1. house, building, premises; 2. home; 3. bank

4. ministry; 5. authority; 6. firm, company; **außer H.** not available; **im H.e** indoors; **zu H.e** 1. at home; 2. on the homefront; **nicht zu H.e** out; **H. und Zubehör** premises; **von H. zu H.** door(-)to(-)door; *(Vers.)* from warehouse to warehouse; **frei H.** delivered free, franco domicile, ~ buyer's store/warehouse, free buyer's store, F.O.B. store *[US]*, free delivered domicile, free of charge to address of buyer; **~ unverzollt** free at domicile not cleared through customs; ~ **verzollt** free at domicile after customs clearance

Haus abreißen to pull down/demolish a building; **H. bauen** to build a house; **H. beschlagnahmen** to requisition a house; **H. besetzen** to squat; **H. besichtigen** to look over a house; **sein H. bestellen** to put one's house in order; **H. beziehen** to move into a house; **H. in Ordnung bringen** to set one's house in order, to sort o.s. out; **in ein H. einbrechen** to break into a house; **in einem H. (frei) ein- und ausgehen** to have the run of a house; **H. einrichten** to furnish a house; **in ein H. einziehen** to move into a house; **außer H. essen** to dine/eat out; **gastfreies H. führen; offenes H. haben** to keep (an) open house; **volles H. haben** 🎭 to play to a capacity audience; **ins H. liefern** to deliver; **H. mieten** to rent a house; **H. räumen** to vacate a house; **ins H. stehen** to be on the way; **H. auf Abriss verkaufen** to sell a house for breakup value; **H. entgegen mündlicher Vereinbarung an Höherbietenden verkaufen** to gazump *(coll) [GB]*; **H. verwalten** to manage a house

achtbares Haus respectable firm; **allein/einzeln stehendes H.** single/detached house; **angesehenes H.** respectable firm; **angrenzendes H.** contiguous house; **bewohntes H.** occupied house; **eigengenutztes H.** owner-occupied home; **frei stehendes H.** detached building/house; **führendes H.** leading firm; **aus gutem H.** of a good family; **leer stehendes H.** vacant house; **möbliertes H.** furnished house; **offenes H.** detached building; **der Mieterschutzgesetzgebung unterliegendes H.** controlled house; **vermietetes H.** let accommodation; **volles H.** 🎭 full/capacity house, ~ audience; **wärmeisoliertes H.** energy-efficient house; **zahlungsfähiges H.** solvent firm

Haus|- domestic; **H.agentur** *f* house agency; **H.anbau** *m* extension; **H.angestellte** *f* domestic (worker), servant, maid, household employee; ~ **werden** to go into service; **H.anlage** *f* ✆ intercom, private circuit; **H.anschluss** *m* 1. *(Gas/Wasser)* mains connection; 2. ✆ private line; **H.arbeit** *f* housework, chore; ~ **erledigen** to chore; **H.arrest** *m* private confinement, house arrest; **H.arzt** *m* family doctor; **H.aufgabe(n)** *f/pl* homework; **seine ~ machen** *(fig)* to do one's sums *(fig)*; **h.backen** *adj* pedestrian; **H.bank** *f* principal/corporate/company's banker, house/borrower's bank; **H.bau** *m* house building; **H.bauten** housing operations; **H.bedarf** *m* household requirements; **H.besetzer(in)** *m/f* squatter; **H.besetzung** *f* squatting; **H.besitz** *m* home ownership; **H.besitzbrief** *m* title deed(s), house property certificate

Hausbesitzer(in) *m/f* 1. home owner; 2. *(Vermieter(in))* landlord, landlady; **Haus- und Grundstücksbesitzer** property owner; **freier H.** freeholder; **nicht ortsansässiger H.** absentee landlord; **H.abgaben** *pl* domestic rates

Haus|besorger *m [A]* janitor, caretaker, **H.bestand** *m* housing stock; **H.besuch** *m* 1. ⚕ domiciliary visit; 2. *(Arzt)* house call; **H.bewohner(in)** *m/f* resident, occupant, inhabitant; **H.beziehung** *f* relationship banking; **H.bibliothek** *f* private library; **H.boot** *nt* houseboat; **H.brand** *m* domestic/heating fuel; **H.briefkasten** *m* letter/mail *[US]* box; **H.bursche** *m* valet, bellboy *[US]*, bellhop *[US]*

Häuschen *nt* small house, cottage, maisonette; **aus dem H. geraten** *(coll)* to blow one's top *(coll)*

Haus|dame *f* housekeeper; **H.detektiv** *m* house/store detective; **H.diebstahl** *m* burglary, domestic theft; **H.diener** *m* valet, porter; **H.dienst** *m* domestic service; **H.druckerei** *f* own printing works; **H.durchsuchung** *f* house search, searching of a house/building; **h.eigen** *adj* company-owned, own; **H.eigentümer(in)** *m/f* landlord, landlady, home/house owner; **H.einrichtung** *f* furniture, furnishings; **H.einweihung** *f* house-warming party

hausen *v/i* to dwell/live

Häuser|bestand *m* housing stock; **H.block** *m* block of houses; **H.gruppe/H.komplex** *f/m* set of houses; **H.makler** *m* estate agent *[GB]*, realtor *[US]*, house agent, property developer

Haus|errichtung *f* house construction; **H.ertrag** *m* rents receivable; **H.erwerb** *m* house purchase; **H.erwerber** *m* house buyer; **H.finanzierung** *f* housing finance; **H.flagge** *f* company flag; **H.flur** *m* hall(way); **H.fracht** *f* cartage; **H.frau** *f* housewife, home-maker

Hausfriedensbruch *m* 1. [§] trespass; 2. burglary; 3. unlawful entry, infringement of domestic privacy; **H. in der Absicht, einen Diebstahl zu begehen** [§] burglary with intent to steal; **schwerer H.** [§] aggravated burglary

Haus|garten *m* back/kitchen garden; **H.gast** *m* guest, resident; **H.gebrauch** *m* domestic use; **H.gehilfin** *f* home help, domestic servant/help; **H.geld** *nt* outpatient's allowance, allowance for patient's dependants/dependents; **h.gemacht** *adj* 1. home-made; 2. *(negativ)* self-inflicted, of one's own making; **H.gemeinschaft** *f* household; **H.genosse/H.genossin** *m/f* fellow, tenant, inmate; **H.geräteindustrie** *f* domestic appliance industry

Haushalt *m* 1. household; 2. budget; 3. ⚕ metabolism; **H. für Betriebsmittel** operating budget; ~ **Materialbeschaffung** inventory and purchases budget; **H. mit Steuergeschenken** giveaway budget; **H. als Verbrauchseinheit** household consumer; **im H. vorgesehen** *adj* budgeted

Haushalt annehmen to pass the budget; **H. auflösen** to break up one's household; **H. aufstellen** to prepare the budget/estimates; **H. ausgleichen** to balance the budget; **H. belasten** to burden the budget; **H. beraten** to debate the budget; **H. beschneiden** to prune the budget; **jds H. besorgen** to keep house for so.; **H. in Ordnung bringen** to put one's house in order; **H. einbringen** to introduce/submit the budget; **H. einhalten** to keep to the budget; **in den H. einstellen** to include in the budget; **H. führen** to keep house; **H. genehmigen** to pass/approve the budget, to vote the (budget) estimates; **sich um den H. kümmern** to do the housework; **H. kürzen** to cut the budget; **im H. planen** to budget; **H. überschreiten/-ziehen** to exceed the budget; **H. umschichten** to revamp the budget; **H. verabschieden** to vote the estimates, to adopt a budget; **H. versehen** to look after a household; **H. vorlegen** to submit the budget; **H. zusammenstreichen** to slash the budget

allgemeiner Haushalt general budget; **ausgeglichener H.** balanced budget; **außerordentlicher H.** extraordinary budget; **defizitärer H.** adverse/unbalanced budget; **Ein-Personen-H.** single householder; **gemeinsamer H.** *(Steuer)* common household; **genehmigter H.** approved budget; **getrennter H.** separate establishment; **kommunaler H.** local authority budget; **konjunkturneutraler H.** cyclically balanced budget; **öffentlicher H.** governmental budget, budget of a public authority, public accounts; **öffentliche H.e** government, public authorities; **ordentlicher H.** ordinary budget; **privater H.** private household; **rollender H.** continuous budget; **städtischer H.** city/municipal budget; **mehrere Personen umfassender H.** composite household; **unausgeglichener H.** budgetary imbalance, unbalanced budget; **vorläufiger H.** tentative budget; **zentrale H.e** central and regional authorities

Haushalten *nt* budgeting; **h.** *v/i* to economize/budget/husband, to be economical

Haushälter|in *f* housekeeper; **h.isch** *adj* economical, frugal, thrifty

Haushalts|- 1. budgetary, budget; 2. domestic, household; **H.abfall** *m* domestic refuse/waste; **H.abnehmer** *m* ϟ domestic consumer; **H.abstriche** *pl* budget cuts; **H.abteilung** *f* 1. budget department; 2. *(Kaufhaus)* kitchenware department; **H.abweichung** *f* budget variance; **H.änderung** *f* budget change; **H.anforderung** *f* budget requirement; **~ wie im Vorjahr plus Zuschlag** adding-machine approach; **H.angehörige(r)** *f/m* member of the household; **H.ansatz** *m* budget estimate/appropriation/projection, planned expenditure, ~ budget figure, appropriation; **~ für Betriebsmittel** operating budget; **H.anspannung** *f* budget tightening; **H.arithmetik** *f* budget arithmetic; **H.artikel** *pl* household goods, domestic appliances; **H.aufstellung** *f* budgeting; **H.ausgaben** *pl* budget(ary) expenditure

Haushaltsausgleich *m* 1. budget equilibrium, budgetary balance; 2. budget balancing/equalization, compensatory budgeting; **H.sfonds** *m* budget equalization fund; **H.spflicht** *f* duty to balance the budget

Haushalts|ausschuss *m* budget/appropriation committee, budgetary policy committee, Committee of Ways and Means *[GB/US]*, ~ Supply *[GB]*; **H.ausweis** *m* budget statement; **H.bedarf** *m* household requirements, domestic needs; **H.bedürfnisse** *pl* budgetary needs; **H.befugnis** *f* budgetary powers; **H.beihilfe** *f* home help; **H.belastung** *f* 1. budgetary debit item; 2. burden on the budget; **H.beratung** *f* budget debate; **H.bericht** *m* budget report; **H.beschränkung** *f* budgetary restraint/restriction/constraint; **H.bestimmunge[n]** *pl* budget provisions; **H.besteuerung** *f* taxation o[f] households; **H.bewilligung** *f* budget appropriatio[n]; **H.branche** *f* household industry; **H.buch** *nt* 1. house[-]keeping book, household record(s); 2. budget manual; **H.buchführung** *f* budgetary accounting; **H.debatte** budget debate

Haushalts|defizit *nt* budget(ary) deficit, budget gap/short[-]fall, adverse budget; **H. monetär alimentieren** to mone[-]tize the budget deficit; **öffentliches H.** fiscal deficit

Haushalts|disziplin *f* financial/budget(ary) disciplin[e]; **H.druck** *m* budget squeeze; **H.durchführung** *f* budge[t] implementation; **H.einkommen** *nt* family/househol[d] income, income of individuals; **H.einnahmen** *pl* budg[-]et(ary) receipts, budget revenue(s); **H.einsparung** budget economy/saving; **H.entwurf** *m* budget draf[t] bill, proposed/draft budget; **H.experte/H.fachmann** *m* budget specialist; **H.fehlbetrag** *m* budget deficit/short[-]fall, budgetary estimate; **H.finanzierung** *f* budget fi[-]nance; **~ durch Schuldenaufnahme** deficit budgeting; **H.forschung** *f* household research; **H.fragen** *pl* budg[-]et(ary) matters/problems/questions; **H.freibetrag** *m* household allowance; **h.fremd** *adj* extra-budgetary

Haushaltsführung *f* 1. housekeeping; 2. financial man[-]agement; **doppelte H.** double housekeeping, mainten[-]ance of two households, running two homes; **gemein[-]same H.** joint household; **sparsame H.** good house[-]keeping

Haushalts|gebaren *nt* budget management, budgetar[y] behaviour, conduct of finances; **H.gegenstände** *pl* household effects/commodities; **H.geld** *nt* house[-]keeping allowance/money; **H.gelder** public monies

Haushaltsgerät|e *pl* domestic appliances/equipmen[t], household appliances/durables, white goods; **elektri[-]sches H.** (domestic) electrical appliance; **H.eherstel[-]ler** *m* household appliance manufacturer; **H.eindustri[e]** *f* (domestic) appliance industry

Haushalts|geschäft *nt* hardware shop; **H.gesetz** *nt* budget act, Finance Bill *[GB]*, Budget and Accountin[g] Act *[US]*; **H.gesetzentwurf** *m* appropriation bill; **H.gleichgewicht** *nt* budget equilibrium; **H.gleichung** budget equation; **H.größe** *f* family size; **H.grundsätz[e]** *pl* basic budgetary rules; **H.hilfe** *f* 1. domestic assist[-]ance/help/servant, home help; 2. budgetary suppor[t]; **H.impuls** *m* budget impulse; **H.investitionen** *pl* invest[-]ment in household appliances; **H.-Ist** *nt* budget results

Haushaltsjahr *nt* budgetary/financial/tax year, fisca[l] (year) *[US]*; **abgelaufenes/letztes H.** preceding finan[-]cial year; **laufendes H.** current (financial) year

Haushalts|kasse *f* household/family budget; **H.konso[-]lidierung** *f* budget consolidation; **H.konto** *nt* budget[-]ary account; **H.kontrolle** *f* budgetary control, audit; **H.kosten** *pl* 1. budgetary cost(s); 2. household ex[-]penses; **H.kürzung** *f* budget cut; **H.lage** *f* budget(ary) situation; **angespannte H.lage** tight budgetary posi[-]tion, ~ budget situation; **H.liste** *f* household censu[s] form; **H.loch/H.lücke** *nt/f* budget gap/deficit; **H.markt** *m* at-home market; **h.mäßig** *adj* budgetary; **H.messe** *f* household appliances trade fair

Haushaltsmittel *pl* budget(ary) funds/resources, appropriations, public monies; **H. anfordern** to apply for an appropriation; **H. nicht voll ausgeben** to underspend; **H. beantragen** to apply for an appropriation; **H. bewilligen** to grant/approve an appropriation; **(bereitgestellte) H. kürzen** to cut/reduce an appropriation; **H. zuteilen** to apportion/allocate budget funds; **bereitgestellte/bewilligte H.** (budget) appropriation(s)

Haushalts|müll *m* household/domestic refuse, residential/domestic waste; **H.nachfrage** *f* consumer demand; **H.nachtrag** *m* supplementary budget; **H.nettoeinkommen** *nt* net family income; **H.optimum** *nt* optimum commodity combination of a household; **H.ordnung** *f* financial regulations, budget statutes; **H.packung** *f* family pack/size; **H.panel** *nt* household panel; **H.periode** *f* budget(ary) period, fiscal *[US]*; **H.plafond** *m* budgetary ceiling

Haushaltsplan *m* budget, (budget) estimates

Haushaltsplan aufstellen/machen to draw up/draft/make/prepare a budget; **H. billigen** to pass the budget; **H. einbringen** to introduce the budget; **H. genehmigen** to vote the estimates; **im H. unterbringen/veranschlagen/vorsehen** to budget for; **H. verabschieden** to pass the budget; **H. vorlegen** to introduce/present/submit the budget

Haushalts|planberatung *f* budget debate; **H.planung** *f* budgetary accounting/planning

Haushaltspolitik *f* budget(ary)/fiscal policy, budgetary practices; **expansive H.** expansive fiscal policy, expansionary budget policy; **prozyklische H.** procyclical fiscal policy; **restriktive H.** tight budget policy

Haushalts|posten *m* budget(ary) item; **H.praxis** *f* budgetary practices; **H.prinzipien** *pl* budget principles; **H.-prüfung** *f* budget audit; **H.rahmen** *m* budgetary ceiling

Haushaltsrechnung *f* 1. budget account, receipt expenditure accounting; 2. housekeeping account; **H.-seinheit** *f [EU]* budget unit of account (U/A); **H.swesen** *nt* budgeting, budgetary accounting

Haushalts|recht *nt* budget(ary) law; **h.rechtlich** *adj* budgetary, pursuant to budgetary law; **H.rede** *f* budget message/speech; **H.referent** *m* budgetary officer *[US]*; **H.reform** *f* budgetary reform; **H.rest** *m* unexpended balance of budget appropriations; **H.restriktionen** *pl* budget constraints; **H.richtlinien** *pl* budget procedure; **H.satzung** *f* budget ordinance/bye-law; **H.schlusstermin** *m* budget deadline; **H.sicherung** *f* balancing the budget; **H.soll** *nt* budget estimates; **H.spezialist** *m* budget specialist; **H.spielraum** *m* budgetary scope; **H.stichprobe** *f* ▦ household sample; **H.streichung** *f* budget cut; **H.struktur** *f* budget structure; **H.strukturgesetz** *nt* budget structure act; **H.system** *nt* budgetary system; **H.tarif** *m* ϟ/*(Gas/Wasser)* domestic tariff; **h.technisch** *adj* budgetary; **H.theorie** *f* theory of demand, consumer theory; **H.titel** *m* budget(ary) item/title, budget heading; **H.überschreitung** *f* budget overrun, over budget, exceeding the budget; **H.überschuss** *m* budget surplus; **H.überwachung** *f* budget(ary) control; **H.überwachungsliste** *f* budget control sheet; **H.umschichtung** *f* revamping of the budget; **H.ungleichgewicht** *nt* budgetary imbalance; **H.unterschreitung** *f* budget underrun; **H.utensilien** *pl* household utensils; **H.verabschiedung** *f* passing of the budget; **H.verbrauch** *m* domestic consumption; **H.-verbraucher** *m* domestic consumer; **H.verfahren** *nt* budgetary procedure; **H.verordnung** *f* appropriation ordinance *[US]*; **H.versicherung** *f* household insurance; **H.versicherungsbereich** *m* domestic account; **H.volumen** *nt* size of the budget, budget total

Haushaltsvoranschlag *m* budget(ary) estimate(s)/proposal, public spending estimate, financial estimate, draft budget, estimate of appropriations; **H. bewilligen** to vote the appropriation(s)/estimates; **H. überschreiten** to exceed the estimate(s); **allgemeiner H.** general estimate(s); **zusätzlicher H.** supplementary estimate(s)

Haushalts|vorgriff *m* credit; **H.vorlage** *f* budget/finance *[GB]* bill; **H.vorschlag** *m* proposed budget; **H.vorschriften** *pl* budgetary provisions; **H.vorstand** *m* head of the household, householder; **H.waage** *f* kitchen scales; **H.waren** *pl* houseware, homeware, household articles/goods, hardware, consumer goods; **H.-warenmesse** *f* household appliances exhibition; **H.wesen** *nt* budgeting; **H.wirtschaft** *f* budgeting, budget management; **H.ziel** *nt* budget target; **H.zulage** *f* housekeeping allowance; **H.zuschuss** *m* budgetary aid; **H.zuweisung** *f* (budget) appropriation, amount provided by the budget; **H.zweck** *m* housekeeping purpose

Haushaltung *f* 1. housekeeping, household management; 2. ordinary consumer; 3. economy, economizing; **H.en** domestic consumers; **H.en der Arbeitnehmer** employees' family budgets

Haushaltungs|buch *nt* housekeeping book/account; **H.budget** *nt* household budget; **H.geld** *nt* housekeeping money; **H.kosten** *pl* household expenditure, housekeeping expenses; **H.schule** *f* domestic science college; **H.vorstand** *m* head of the household

Hausherr *m* 1. landlord; 2. master of the house, host; **H.in** *f* lady of the house, hostess

Hausieren *nt* hawking, peddling, pedlary, doorstep selling/trading, itinerant trading; **h.** *v/i* to hawk/peddle/huckster/solicit *[US]*

Hausierer *m* (itinerant) peddler/trader, pedlar, hawker, doorstep salesman, huckster, solicitor *[US]*

Hausier|handel *m* peddling, doorstep trading; **H.-schein** *m* hawker's/pedlar's licence

Haus|industrie *f* domestic/cottage industry; **H.inhaber(in)** *m/f* householder, home/house owner; **H.inspektor** *m* maintenance manager; **h.intern** *adj* company, in-house; **H.jurist** *m* corporate attorney/counsel, company lawyer, (in-)house counsel; **H.kauf** *m* house purchase/buying; **H.käufer** *m* home buyer; **H.-Konnossement** *nt* house bill of lading (B/L); **H.korrektur** *f* 🗍 printer's proof; **H.lehrer** *m* private tutor; **H.lehrerin** *f* governess

Häusler *m* cottager

häuslich *adj* domestic

Haus|mädchen *nt* maid; **nach H.macherart** *f* homemade; **H.macht** *f* power base; **H.mann** *m* stay-at-home/house husband, housemaker; **H.mannskost** *f* plain cooking/fare; **H.marke** *f* own/private/house/store brand; **H.markenartikel** *m* own-brand product; **H.meister** *m* caretaker, janitor *[US]*, custodian; **H.meisterdienste** *pl* attendances; **H.miete** *f* house rent; **H.mitteilung** *f* internal memo; **H.mittel** *nt* $ household remedy, home medicine

Hausmodernisierung *f* home improvement; **H.sbeihilfe/H.szuschuss** *f/m* home improvement grant *[GB]*; **H.skredit** *m* home improvement loan

Hauslmüll *m* residential/domestic waste, domestic/household refuse, domestic garbage *[US]*; **H.nummer** *f* street/house number; **H.objekt** *nt* property; **H.ordnung** *f* 1. house rules, community rules and regulations *[US]*, rules of the house; 2. *(Hotel)* hotel regulations; **H.partei** *f* inmate, tenant; **H.personal** *nt* (domestic) servants; **H.pflege** *f* domestic care; **H.post** *f* inter-office mail; **H.putz** *m* spring/house cleaning

Hausrat *m* household goods/effects, (house) contents; **H.sentschädigung** *f* household equipment compensation

Hausratversicherung *f* household and personal effects insurance, home/house/residence contents insurance, householder's comprehensive insurance, ~ policy/account, household contents policy; **H.sgeschäft gewinnbringend betreiben** *nt* to underwrite a profitable domestic account; **H.sprämie** *f* house contents premium/rate; **H.ssparte** *f* household(ers') account

Hauslrecht *nt* domiciliary right, right as master of the house; **von seinem ~ Gebrauch machen** to show so. the door; **H.reinigung** *f* house cleaning; **H.revision** *f* internal audit; **H.ruine** *f* shell (of a building); **H.-sammlung** *f* house-to-house/door-to-door collection; **H.schätzung** *f* valuation of a house; **H.schlüssel** *m* latchkey; **H.schwamm** *m* 🏛 dry rot

Hausse *f* 1. boom, (sharp) rise; 2. *(Börse)* jump in prices, bull run, bull(ish) market/movement; **in H.** bullish; **auf H. kaufen** to bull the market, to go for a rise; **à la H. liegen** to be all bulls; **auf eine H. spekulieren** to speculate/operate/buy for a rise, to go long of the market, to bull, to go a bull; **konjunkturbedingte H.** cyclical boom; **plötzliche H.** fireworks *(fig)*

Haussebedingungen *pl* boom conditions, bull market

Haussebewegung *f* bull movement; **abnehmende H.** subsiding boom; **künstliche H.** ballooning

Hausselbörse *f* bullish market; **H.engagement** *nt* bull account, long position; **H.geschäft** *nt* bull transaction; **H.- und Baissegeschäfte** longs and shorts; **H.gruppe** *f* bull pool; **H.kauf** *m* bull purchase/buying, buying long; **H.kräfte** *pl* the bulls; **H.kurs** *m* boom price; **H.markt** *m* bull(ish)/boom market; **H.nachricht** *f* bullish report; **H.neigung** *f* bullish/upward tendency, up-trend; **H.partei** *f* the bulls, bull ring/clique, long side; **H.periode** *f* bull run *(fig)*; **H.position** *f* bull account, long position; **~ hereingeben** to give on a bull; **H.situation** *f* bull market; **H.preis** *m* boom price; **H.spekulant** *m* bull, long, speculator for a rise; **H.spekulation** *f* bull(ish) speculation, ~ operation/buying, buying long, the bulls; **H.-Spread** *m (Option)* bull spread; **h.trächtig** *adj* bullish; **H.stimmung/H.tendenz** *f* bullish mood/tendency/tone, bullishness, upward tendency; **in H.stimmung sein** to be all bulls; **H.verkauf** *m* long sale

Haussier *m* bull (operator), boomer; **geschlagener H.** stale bull

haussieren *v/i* to soar/boom, to rise sharply, to rocket, to be all bulls; **h.d** *adj (Börse)* bullish, booming

Hauslsprechanlage *f* intercom(munication) system; **H.stand** *m* household; **~ gründen** to settle down, to form a household, to set up house; **H.suche** *f* house hunting; **H.suchung** *f* house search, search of premises; **H.suchungsbefehl** *m* search warrant; **H.tarif** *m* 1. *(Lohn)* company pay scale; 2. ϟ/*(Gas/Wasser)* domestic/household tariff; **H.tarifvertrag** *m* company pay agreement; **h.technisch** *adj* domestic, household; **H.telefon** *nt* house telephone, intercom; **H.tier** *nt* 1. domestic animal; 2. pet; **H.tiernahrung** *f* pet food; **H.trunk** *m (Brauerei)* free liquor allowance

Haustür *f* front door; **H.geschäft** *nt* door-to-door sale; **H.verkauf** *m* door-to-door/doorstep selling

Hauslüberweisung *f (Bank)* in-house transfer; **H.umbau** *m* house conversion; **H.verbot** *nt* order to stay away; **H.verkauf** *m* 1. house sale; 2. *(Hausierer)* doorstep selling, door-to-door selling/market; **H.vermietung** *f* house-letting; **H.versicherung** *f* home insurance; **H.vertreter** *m (Vers.)* home service (insurance) man; **H.verwalter** *m* 1. property manager; 2. caretaker; **H.verwaltung** *f* (property/house) management; **H.-wart** *m* caretaker; **H.wert** *m* value of a house; **H.wirt** *m* landlord; **H.wirtin** *f* landlady

Hauswirtschaft *f* house keeping; **H.skunde/H.slehre** *f* domestic science/economy, home economy/economics; **H.sschule** *f* domestic science college

Hauslwurfsendung *f* direct advertising/mail shot; **H.zeitschrift** *f* company magazine/newspaper, house organ; **H.zentrale** *f* switchboard, ✆ private branch exchange (PBX); **H.zins** *m* rent; **H.zinssteuer** *f* rent tax

Haus-zu-Hausl- door to door; **H.-zu-H.-Zustellung** *f* door/home delivery

Haut *f* 1. skin; 2. *(Tier)* hide; **Häute und Felle** hides and skins; **mit heiler H. davonkommen** to save one's skin/hide; **aus der H. fahren** to fly off the handle; **jdm unter die H. gehen** *(fig)* to get under so.'s skin *(fig)*; **seine H. retten** to save one's skin; **~ zu Markte tragen** to risk one's life, to stick one's neck out; **H.abschürfung** *f* $ graze; **H.arzt** *m* skin specialist, dermatologist; **H.ausschlag** *m* $ (skin) rash; **H.entzündung** *f* $ dermatitis

Hautevolée *f [frz.]* high society

Hautlspezialist *m* → **Hautarzt**; **H.verpflanzung** *f* $ skin graft(ing)

Havarie *f* ⚓/✈ accident, average, damage by sea; **H. nach Seebrauch** average accustomed

frei von Havarie free of average (FOA); **~ allgemeiner H.** free of all/general average (f.a.a./F.A.A.); **~ besonderer H.** free of particular average (f.p.a./F.P.A.); **nicht gegen H. versichert** free from average; **~ besondere H. versichert** free from particular average; **~ große und besondere H. versichert** free of all average

Havarie aufmachen to assess damages, to settle/adjust the average; **H. erleiden/machen** to make/suffer average; **H. ertragen** to bear average

allgemeine Havarie general average; **besondere/einfache/partikuläre H.** particular/petty/common/simple/partial average; **mit besonderer H.** with particular average (w.p.a.); **gemeinschaftliche H.** general average; **große H.** general/gross average (G/A); **kleine H.** petty/small average; **schwere H.** serious damage

Havarie|agent *m* average agent/adjuster/stater; **H.aufmachung/H.berechnung** *f* settlement/statement of average, average statement; **H.ausschluss** *m* free from all average; **H.bericht** *m* damage report; **H.beteiligte** *pl* shipowner and cargo owners; **H.bond** *m* general-average bond; **H.büro** *nt* claims agency; **H.dispacheur** *m* average adjuster; **H.einschuss** *m* average contribution, contribution to general average; **H.erklärung** *f* average statement, ship's protest; **H.experte** *m* average surveyor, loss assessor; **h.frei** *adj* free from average; **H.geld** *nt* average disbursement; **ausgelegte H.gelder** average disbursements/charges/expenses/money; **H.geldversicherung** *f* average disbursements insurance; **H.genossen** *pl* contributing interests

Havariegrosse *f* gross/general average; **H.-Beitrag** *m* general-average contribution/assessment; **H.-Einschuss** *m* general-average deposit/contribution; **H.-Ereignis** *nt* general-average act; **H.-Gemeinschaft** *f* joint general-average interests; **H.-Klausel** *f* general-average clause; **H.-Schaden** *m* general-average loss; **H.-Verpflichtungsschein** *m* general-average bond

Havarie|gutachten *nt* damage survey; **H.klausel** *f* average clause; **H.kommissar** *m* average/claims agent, appraiser, surveyor; ~ **mit Schadensregulierungsvollmacht** claims settling agent; **H.kosten aufmachen** *pl* to settle the average; **H.rechnung** *f* statement of average, average bill/account; **H.regelung** *f* average adjustment; **H.revers** *m* average bond

havariert *adj* (sea-)damaged

Havarie|sachverständiger *m* average adjuster, loss assessor; **H.schaden** *m* average loss; **H.schadensaufstellung** *f* statement of average; **H.(verpflichtungs)-schein** *m* average bond/balance/certificate; **H.verteilung** *f* average adjustment/distribution; **H.vertrag** *m* average agreement; **H.vertreter** *m* average adjuster/agent/stater; **H.waren** *pl* average/damaged goods; **H.zertifikat** *nt* certificate of average, survey report, damage certificate

Havarist *m* ⚓ ship in distress, wrecked/sea-damaged ship, ship under average

Hebamme *f* ⚕ midwife

Hebel|balken/H.baum *m* ⚓ camel, lever, lifter; **h.berechtigt** *adj* entitled to levy tax; **H.berechtigung** *f* entitlement to charge rates/taxes; **H.bock** *m* ⚙ jack; **H.bühne** *f* leading/raising platform, jacking equipment, (hydraulic) ramp; **H.gebühr** *f* collection rate; **H.gerät** *nt* lifting jack; **H.geschirr** *nt* lifting device/gear; **H.gewicht** *nt* working load; **H.kran** *m* lifting/hoisting crane

Hebel *m* 1. lever, arm, handle; 2. instrument *(fig)*; 3. *(Finanzwesen)* leverage; **H. ansetzen** to tackle, to set about sth.; **alle H. in Bewegung setzen** to do one's utmost, to leave no stone unturned *(fig)*; **am längeren H. sitzen** *(fig)* to have the whip hand *(fig)*; **finanzpolitischer H.** fiscal leverage; **H.effekt** *m* leverage (effect); **H.kraft** *f* leverage

Hebeliste *f* register of taxes, assessment roll, tax register

hebeln *v/t* to leverage

Hebelwirkung (der Finanzierungsstruktur) *f* leverage (effect), capital gearing; **finanzwirtschaftliche H.** financial leverage; **leistungswirtschaftliche H.** operating leverage

heben *v/t* to lift/raise, to bring up, to boast/improve; *v/refl* to rise

Hebe|recht *nt* taxing power(s), right to levy charges/taxes; **H.rolle** *f* assessment roll, tax register; **H.satz** *m* 1. *(Steuer)* collection/assessment rate, rate of tax; 2. ⚙ jacking equipment; **H.satzerhöhung** *f* increase of local tax rates; **H.schiff** *nt* ⚓ salvage vessel; **H.schraube** *f* jack screw; **H.stelle** *f* 1. receiver's office; 2. shed office; **H.vorrichtung** *f* lifting device, jack; **H.werk** *nt (Kanal)* lift; **H.winde** *f* hoisting winch, lifting jack; **H.zeug** *nt* lifting gear; **H.zug** *m* hoist

Hebung *f* 1. increase, rise, improvement; 2. lifting; **H. des Lebensstandards** increase in the standard of living

Heck *nt* 1. ⚓ stern; 2. rear

Heck|fenster *nt* 🚗 rear window; **H.flosse** *f* ✈ tail fin; **h.lastig** *adj* tail-heavy; **H.laterne** *f* ⚓ stern lantern; **H.leuchte/H.licht** *f/nt* 🚗 tail/rear light(s); **H.motor** *m* rear engine; **H.raddampfer** *m* ⚓ stern-wheeler; **H.rampe** *f* ⚓ stern port; **H.scheibe** *f* rear window; **H.tür** *f* 🚗 tailgate; **H.türmodell** *nt* 🚗 hatchback (model)

Hedgegeschäft *nt (Börse)* hedge transaction

Hedging *nt (Börse)* hedging

Heer *nt* army; **ein H. von** a host of; **H. der Arbeiter** rank and file of workers

Heeres|auftrag *m* army contract; **H.bedarf** *m* army requirements; **H.lieferant** *m* army contractor; **H.lieferung** *f* army supply; **H.waffenamt** *nt* ordnance department

Heft *nt* 1. *(Schule)* notebook, exercise book, booklet; 2. *(Zeitschrift)* number, issue; **H. in der Hand haben** *(fig)* to be in the saddle *(fig)*, to hold the reins *(fig)*; **jdm das H. aus der Hand nehmen** *(fig)* to unseat so., to seize power from so.

Heft|apparat *m* stapler, stapling machine; **H.chen** *nt* 1. pamphlet; 2. booklet

heften *v/t* to staple/tack/fasten

Hefter *m* (loose-leaf) file

Heftfaden *m* sewing/tacking thread

heftig *adj* 1. acute, vehement, fierce, violent; 2. severe, intense; **überraschend h.** with a vengeance *(coll)*; **H.keit** *f* intensity, vehemence

Heft|klammer *f* staple, (paper) clip; **H.klammern** bar of staples; **H.mappe** *f* file; **H.maschine** *f* stapler, stapling machine; **H.pflaster** *nt* ⚕ sticking plaster, adhesive tape *[US]*; **H.pistole** *f* gun stapler; **H.rand** *m* binding space; **H.schnur** *f* tacking thread, band string; **H.zwecke** *f* drawing-pin *[GB]*, thumb-tack *[US]*

Hegemonie *f* hegemony

hegen *v/t* 1. to nurse/foster/nurture; 2. *(Gefühle)* to cherish, to have (sth.) at one's heart; **h. und pflegen** to nurture

Hegezeit *f* *(Jagd)* closed season

Hegungsstaat *m* welfare state

keinen Hehl aus etw. machen; ~ daraus machen *m/nt* to make no secret of/bones about sth. *(coll)*

Hehler *m* receiver/handler/purveyor of stolen goods, accessory after the fact

Hehlerei *f* receiving/handling stolen goods, dishonest handling; **H. begehen** to receive stolen goods; **gewerbsmäßige H.** receiving (of stolen goods) for gain

Hehlerware *f* stolen goods

Heidenlangst haben *f* to have the jitters, to be scared stiff; **H.arbeit** *f* hell/devil of a job; **H.geld** *nt* pot of money; **~ kosten** to cost the earth, ~ a packet

heikel *adj* delicate, tricky, shaky, unsound

Heil *nt* welfare, well-being; **h.** *adj* undamaged, intact

Heil|- curative; **H.anstalt** *f* 1. nursing home, sanatorium *[GB]*, sanitarium *[US]*; 2. mental hospital, asylum; **H.bad** *nt* health resort, spa; **h.bar** *adj* curable; **H.behandlung** *f* cure, therapeutic treatment; **H.beruf** *m* healing/medical profession

heilen *v/t* to cure/heal/remedy; **h.d** *adj* medicinal, curative, healing

Heil|erfolg *m* success; **H.fürsorge** *f* medical care; **H.gymnastik** *f* physiotherapy; **H.kosten** *pl* medical expenses; **H.kraft** *f* healing property/power; **h.kräftig** *adj* medicinal; **H.kraut** *nt* medicinal herb; **H.kunde** *f* medicine, medical science; **H.kur** *f* curative treatment; **H.kurort** *m* health resort; **H.methode** *f* therapy; **H.mittel** *nt* 1. cure, remedy; 2. *(Allheilmittel)* panacea, cure-all; **H.mittelproduktion** *f* pharmaceutical(s) production; **H.pflanze** *f* medicinal plant; **H.praktiker(in)** *m/f* non-medical practitioner, homoeopath(ist); **H.quelle** *f* medicinal spring; **h.sam** *adj* 1. salutary, beneficial; 2. curative; **H.stätte** *f* sanatorium *[GB]*, sanitarium *[US]*

Heilung *f* cure, curing; **H. der Nichtigkeit** § curing nullity

Heil|verfahren *nt* cure, therapy; **H.wirkung** *f* curative effect; **zu H.zwecken** *pl* for medicinal puroses

Heim *nt* 1. home; 2. hostel; 3. *(Student)* hall of residence; **H. für Freizeitarrest** attendance centre; **~ unheilbar Kranke** hospice

Heimarbeit *f* 1. teleworking, work(ing) from home; 2. homework, outwork, home industry; **industrielle H.** cottage industry; **H.er(in)** *m/f* 1. 🖳 teleworker; 2. outworker, homeworker; **H.erlohn** *m* pin money; **H.splatz** *m* 🖳 home workstation

Heimat *f* homeland, native country; **nach der H. bestimmt** inward/homeward bound; **in Richtung H.** homeward; **in die H. zurückführen** to repatriate

Heimat|adresse/H.anschrift *f* home address; **H.boden** *m* native soil, home ground; **H.börse** *f* home stock exchange; **zum H.flughafen zurückkehren** *m* ✈ to home in; **H.hafen** *m* home port, port of registry; **H.land** *nt* native country, homeland; **ins ~ zurücküberweisen** *(Geld)* to repatriate; **h.lich** *adj* native; **h.los** *adj* stateless, homeless; **H.lose(r)** *f/m* displaced person (D.P.), homeless person; **H.losigkeit** *f* homelessness; **H.museum** *nt* local history museum; **H.ort** *m* 1. native place 2. ⚓ port of registration; **H.ortverlegung** *f* ⚓ transfer to foreign ports of registration; **H.recht** *nt* right of domicile, ~ to live in one's native country, lex patriae *(lat.)* **H.staat** *m* native country; **H.stadt** *f* native town **H.überweisung** *f* remittance to the home country **H.urlaub** *m* home leave; **H.vertriebene(r)** *f/m* refugee, expellee, displaced person (D.P.); **H.währung** local currency

Heim|aufsicht *f* institutional care; **H.betreuung** *f* residential care; **H.bewohner** *m/f* resident; **H.computer** *m* home computer; **H.erziehung** *f* upbringing in a home **H.fahrt** *f* 1. inward journey, return journey/voyage; 2 *(Steuer)* trip home; **auf der ~ (befindlich)** 1. homeward-bound, inward-bound, home-bound; 2. inbound

Heimfall *m* § devolvement, devolution, lapse, reversion, revocation; **H. durch Erbschaft** devolution, reversion; **H. an den Staat** escheat; **H.anspruch** *m* right of reversion, reversionary claim

heim|fallen *v/i* 1. to revert/lapse; 2. *(Staat)* to escheat **H.fallgut** *nt* bona vacantia *(lat.)*; **h.fällig** *adj* revertible

Heimfallrecht *nt* § escheatage, reversion, default of heirs, caduciary right; **mögliches H.** possibility of reverter; **unmittelbares H.** immediate reversion; **H.sfolge** *f* escheated succession

Heimfall|rente *f* revisionary annuity; **H.sklage** *f* writ of escheat; **H.sklausel** *f* reversion clause; **H.steuer** *f* reversion value duty *[GB]*

Heim|förderung *f* hostel assistance; **h.führen** *v/t* to bring home; **H.führung** *f* 1. bringing home; 2. *(Geld)* repatriation; **H.fürsorge** *f* residential care; **H.gang** *m* death; **H.gegangene(r)** *f/m* the departed; **h.gesucht** *adj* stricken; **H.industrie** *f* cottage/domestic industry **H.insasse** *m* resident, inmate

heimisch *adj* 1. home, domestic, local, regional; 2 indigenous, native; 3. *(Bank)* onshore, home-based **sich h. fühlen** to feel at home; **nicht h.** non-domestic

Heim|kehr *f* return, homecoming; **H.kehrer(in)** *m/f* returnee, repatriate; **H.leiter** *m* warden; **H.leiterin** *f* matron

heimlich *adj* secret, secretive, clandestine, covert, surreptitious, backdoor, through the back door, on the sly *(coll)*; **H.keit** *f* secrecy, stealth, secretiveness, surreptitiousness; **h.tuerisch** *adj* secretive

Heim|platz *m* place in a hostel; **H.rechner** *m* home computer; **H.reise** *f* 1. ⚓ inward/homeward voyage; 2 return journey/voyage/trip, way back; **auf der ~ (befindlich)** inward-bound, homeward-bound; **h.reisen** *v/i* to travel home; **H.schaffung** *f* repatriation; **H.schule** *f* boarding school; **H.stätte** *f* homecroft *[Scot.]* homestead *[US]*; **H.stättenbesitzer** *m* homecrofter *[Scot.]*; **h.suchen** *v/t* to ravage/afflict/plague/attack **H.suchung** *f* plague, disaster; **H.textilien** *pl* home furnishings/textiles, furnishing textiles, soft furnishings **H.textilienindustrie** *f* household textile industry **H.unterbringung** *f* institutionalization, committal commitment to an institution; **h.wärts** *adv* homeward; **H.weg** *m* way home

Heimwerker *m* do-it-yourself (DIY) man, handyman; **H.abteilung** *f* do-it-yourself/DIY department; **H.bedarf** *m* do-it-yourself (DIY) goods; **H.markt** *m* do-it-yourself/DIY shop, ~ market

Heimwirtschaft *f* 1. domestic system, cottage industry; 2. 🖳 teleworking, working from home

heimzahlen *v/t* to repay, *(fig)* to settle a score, to get one's own back

Heirat *f* marriage; **vor H.** antenuptial; **durch H. verbunden sein** to be related by marriage; **H. vermitteln** to make a match

heiraten *v/ti* to marry, to get married; **erneut/wieder h.** to remarry; **reich h.** to marry a fortune

Heiratslalter *nt* marriageable age; **H.antrag** *m* proposal, offer of marriage; ~ **machen** to propose; **H.anzeige** *f* wedding announcement; **H.beihilfe** *f* marriage grant; **H.erlaubnis** *f* marriage licence; **h.fähig** *adj* 1. marriageable; 2. *(Frau)* nubile; **H.fähigkeit** *f* marriageable age; **H.gut** *nt* dowry, (marriage) portion; **H.häufigkeit** *f* nuptiality (rate); **H.register** *nt* marriage register, register of marriages; **H.schwindler** *m* person making a fraudulent offer of marriage; **H.sparen** *nt* saving for marriage; **H.urkunde** *f* marriage certificate; **H.vermittler(in)** *m/f* matchmaker, marriage broker; **H.vermittlung** *f* 1. matrimonial agency, marriage brokage/agency/bureau; 2. matchmaking, arrangement/procurement of marriage; **H.versprechen** *nt* promise of marriage; **H.vertrag** *m* marriage settlement/agreement, articles of marriage; **H.ziffer** *f* nuptiality (rate); **H.zulage/H.zuschuss** *f/m* marriage allowance

heiß *adj* hot; **zu h. werden** ✿ to overheat

heißen *v/i* to be called; **das heißt** that is, (i.e.) id est *(lat.)*, namely

Heißlhunger *m* voracity; **h.hungrig** *adj* voracious; **H.luft** *f* hot air; **H.mangel** *f* rotary iron, steam-heated mangle; **H.wassergerät** *nt* geyser, fitted water heater; **H.wasserspeicher** *m* boiler

heiter *adj* cheerful, jovial, serene

Heizlanlage *f* heating plant/system; **H.apparat** *m* heater; **h.bar** *adj* heatable; **H.decke** *f* electric blanket

heizen *v/t* to heat

Heizer *m* fireman, stoker, boilerman

Heizlfaden *m* ϟ filament; **H.fläche** *f* heating surface; **H.gas** *nt* fuel gas; **H.gerät** *nt* heater; **H.kessel** *m* boiler; **H.kesselversicherung** *f* steam boiler insurance; **H.kissen** *nt* heating pad; **H.körper** *m* radiator

Heizkosten *pl* heating cost(s); **H.beihilfe** *f* heating allowance; **H.rechnung** *f* fuel bill

Heizlkraft *f* calorific/heating power; **H.kraftwerk** *nt* heating plant, ~ power station; **H.lüfter** *m* fanheater; **H.material** *nt* fuel; **H.ofen** *m* stove, heater; **elektrischer H.ofen** electric heater; **H.öl** *nt* heating/fuel oil, oil fuel; **H.ölsteuer** *f* heating oil duty, excise duty on heating oil; **H.periode** *f* heating period; **H.platte** *f* ϟ hot plate; **H.schlange** *f* heating coil; **H.strahler** *m* convector, electric heater

Heizung *f* heating; **H.sanlage** *f* heating system/plant; **H.skeller** *m* boiler room; **H.skosten** *pl* heating cost(s); **H.smonteur** *m* heating engineer; **H.technik** *f* heating engineering

Heizwert *m* calorific/thermal value

Hektar *m* hectare; **H.ertrag** *m* 🚜 hectare yield

Hektik *f* hectic rush/fever, flurry of activity

hektisch *adj* hectic, frantic

Hektograf *m* hectograph; **h.ieren** *v/t* to hectograph, to copy/manifold

Held *m* hero; **jdn zum H.en machen** to lionize so.; **H.in** *f* heroine

helfen *v/i* to help/aid/assist, to be of assistance

Helfer(in) *m/f* helper, assistant, standby, aid; **freiwillige(r) H.** voluntary worker; **H.shelfer** *m* § accomplice, accessory, (aider and) abettor/abetter

helle *adj* *(coll)* brainy *(coll)*

Heller *m* penny, farthing; **auf H. und Pfennig bezahlen** *(coll)* to pay scot and lot *(coll)*; **letzter H.** last penny

Helling *f* ⚓ slipway, stocks; **auf der H.** on the stocks

Hemd *nt* shirt; **jdn bis aufs H. ausziehen** *(coll)* to fleece so. *(coll)*; **H.enstoff** *m* shirting; **h.särmelig** *adj* 1. casual, pally; 2. down-to-earth

Hemisphäre *f* hemisphere

hemmen *v/t* to impede/hinder/hamper/restrain/block/check/stunt/inhibit; **h.d** *adj* obstructive; ~ **wirken** to act as a drag

Hemmnis *nt* drag, impediment, obstruction; **H. sein für** to be a drag on; **bürokratisches H.** *(Handel)* bureaucratic barrier, red tape; **gesetz-/rechtliches H.** legal block/impediment; **zollähnliches H.** quasi-tariff barrier; **zollfremdes H.** non-tariff barrier

Hemmschuh *m* 1. *(fig)* drag, impediment, inhibiting factor; 2. 🚂 brake shoe; **H. sein** to act as a drag

Hemmung *f* 1. restraint, inhibition, obstruction, curb; 2. scruple; **H. der Verjährung** *f* § suspension of the statute of limitations, stay of the period of limitation; **assoziative H.** association interference; **h.slos** *adj* ruthless, uninhibited

Henkelmann *m* *(coll)* canteen

herabldrücken *v/t* to depress; **h.gesetzt** *adj* reduced, at a reduced price; **H.gruppierung** *f* downgrading; **h.konvertieren** *v/t* to convert downwards; **h.lassen** *v/refl* to condescend; **h.lassend** *adj* patronizing, condescending; **H.lassung** *f* condescension; **h.mindern** *v/t* 1. to reduce; 2. to debase; **h.schleusen** *v/t* to lower, to bring down

herabsetzen *v/t* 1. to reduce/decrease/lower/cut/slash; 2. *(Wert)* to depress, to scale/mark/bring down; 3. to depreciate; 4. *(Ruf)* to detract/disparage/belittle; 5. *(Ausgaben)* to whittle away/down; **h.d** *adj* disparaging

Herabsetzung *f* 1. *(Preis)* reduction, cut, markdown, diminution, lowering, abatement; 2. curtailment; 3. *(Ruf)* detraction, disparagement, denigration; 4. *(Wert)* depreciation

Herabsetzung des Aktienkapitals reduction of the share capital; **H. der Altersgrenze** lowering/reduction of the retirement age; **H. des Diskontsatzes** lowering of the discount rate; **H. der Geldsätze** cheapening of money; **H. des (Grund)Kapitals** capital reduction; ~

Kaufpreises deduction from the price, reduction of the purchase price; **H. der Löhne** wage cut; **H. von Mitbewerbern** disparagement of competitors; **H. des Münzwertes** debasement; **~ Renten-/Ruhestandsalters** reduction of the pensionable/retirement age; **H. der Sollvorgaben** featherbedding *(coll)*; **~ Strafe** reduction of sentence; **~ Ware des Konkurrenten** § slander of goods

Herabsetzungsklausel *f* abatement clause

herab|steigen *v/i* to descend; **h.stufen** *v/t* to downgrade; **H.stufen; H.stufung** *nt/f* 1. downgrading; 2. *(Arbeitsplatz)* deskilling (of jobs); **h.würdigen** *v/t* to vulgarize/disparage; **H.würdigung** *f* disparagement

heran|bilden *v/t* to train; **H.bildung** *f* training; **h.führen** *v/t* to lead/introduce to

Herangehen *nt* approach; **h.** *v/i (Problem)* to approach/tackle; **unvorbereitet an etw. h.** to come to sth. cold; **H.sweise** *f* approach

sich an jdn heran|machen *v/refl* to approach so.; **jdn scharf h.nehmen** *v/t* to put so. through the mill *(coll)*; **h.rücken** *v/ti* to approach, to draw near; **h.schaffen** *v/t* to supply; **h.tragen** *v/t* to put forward, to submit; **H.treten** *nt* approach; **an jdn h.treten** *v/i* to approach so.

heranwachsen *v/i* to grow up; **h.d** *adj* adolescent; **H.de(r)** *f/m* adolescent

heranziehen *v/t* 1. to refer to, to consult, to call in/upon, to enlist (the services of), to bring in; 2. *(Steuer)* to subject to

Heranziehung *f* 1. consultation; 2. procurement; 3. *(Geld)* raising; 4. *(Arbeitskräfte)* recruitment; **H. zur Besteuerung** subjecting to tax; **H. allgemeiner Grundsätze** reference to general principles; **H.sbescheid** *m* final notice

herauf|arbeiten *v/refl* to work one's way up; **h.beschwören** *v/t* to conjure up, to evoke/precipitate/provoke; **h.schleusen** *v/t* to raise; **h.schrauben** *v/t* to increase; **h.setzen** *v/t* 1. to raise/increase, to scale up; 2. *(Preis)* to mark up, to up *(coll)*; **H.setzung** *f* 1. increase; 2. *(Preis)* mark-up

heraus|angeln *v/t* to fish/single out; **h.bekommen** *v/t* to find/figure out, to glean; **etw. aus jdm h.bekommen** to get sth. out of so.; **h.bilden** *v/refl* to evolve/develop; **h.bringen** *v/t* 1. to bring out; 2. *(Buch)* to publish; 3. *(Erzeugnis)* to put on the market; **h.drängen aus** *v/t* to squeeze/push out (of); **h.fallen** *v/i* to drop out, to escape; **h.finden** *v/t* to find out, to detect/identify; **h.fliegen** *v/i (coll) (Personal)* to be sacked/fired *(coll)*

Herausforderer|er *m* challenger, contender; **h.n** *v/t* 1. to challenge; 2. to provoke/defy; **h.nd** *adj* 1. challenging; 2. provocative; 3. defiant; **H.ung** *f* 1. challenge; 2. provocation; **sich einer ~ stellen** to meet a challenge, to face up to a challenge

Herausgabe *f* 1. return, handing back; 2. restoration; 3. § restitution, surrender; 4. *(Buch)* publication, publishing, editing; **H. gestohlener Gegenstände** restitution of stolen goods; **H. einer beweglichen Sache** specific restitution; **vorläufige H. gepfändeter Sachen an den Eigentümer** § replevin; **auf H. klagen** § to replevin, to bring an action of detinue; **H. verlangen** to claim possession; **H. verweigern** to refuse delivery

Herausgabe|anspruch *m* right to possession/recovery claim for restitution, revindication; **H.klage** *f* action fo possession, ~ to recover the possession, possessory action, action/writ of detinue, replevin; **~ wegen widerrechtlicher Besitzentziehung** action of replevin **H.pflicht** *f* obligation to surrender/restore possession **H.schuldner(in)** *m/f* party liable to surrender property **H.verweigerung** *f* refusal to surrender

herausgeben *v/t* 1. to return/surrender, to hand back, to part with; 2. *(Buch)* to publish/issue/edit; 3. *(Nachricht)* to release; *adj* edited; **neu h.** to reissue

Herausgeber *m* 1. editor; 2. *(Verleger)* publisher; 3. issuer; **als H. fungieren** to edit; **H.tätigkeit** *f* editorial work; **H.verzeichnis** *nt* credit page

herausgegeben *adj* edited

heraus|greifen *v/t* to single out; **h.halten (aus)** *v/t* to keep out of; *v/refl* to refrain from (doing), to steer clear of; **h.handeln** *v/t* to obtain by negotiation; **h.holen** *v/t* to take/get out, to extract; **das Letzte aus jdm h.holen** to squeeze so. dry *(coll)*; **h.kaufen** *v/t* to buy out; **h.kitzeln** *v/t (coll)* to eke/squeeze out; **h.klagen** *v/t* § to sue out; **H.kommen** *nt* outcome, result; **h.kommen** *v/i* 1. to come out, to appear, to be launched; 2. *(Börse)* to come onto the market; **jdn h.komplimentieren** *v/t* to bow so out; **h.kristallisieren** *v/refl* 1. to crystallize; 2. to turn out, to take shape, to emerge; **h.legen** *v/t* to lend/lay/put out, to grant; **h.locken** *v/t* to coax out; **h.nehmbar** *adj* removable; **h.nehmen** *v/t* to remove; **sich viel h.nehmen** to take liberties; **h.pressen** *v/t* to squeeze out **h.putzen** *v/t* to polish/dress up; **auf neu h.putzen** to revamp *(coll)*; **h.ragen** *v/i* to stand out, to tower above; **h.ragend** *adj* outstanding, pre-eminent; **sich aus etw. h.reden** *v/refl* to talk one's way out of sth.; **sich nicht ~ können** not to have a leg to stand on *(coll)*; **h.reißen** *v/t* to tear out; **h.rücken mit** *v/i* 1. to come out with; 2. *(Geld)* to cough up *(coll)*; **h.schälen** *v/refl* to become apparent; **h.schlagen** *v/t (Verhandlung)* to obtain by negotiation, to extract/achieve; **h.schmeißen** *v/t* to throw out; **h.schmuggeln** *v/t* to spirit out; **h.schneiden** *v/t* to cut out; **h.setzen** *v/t (Mieter)* to evict; **h.springen** *v/i* 1. to result; 2. ϟ/*(Sicherung)* to blow

herausstellen *v/t* 1. to point out; 2. to highlight/emphasize; *v/refl* to prove/emerge/transpire, to turn out (to be), to come to light; **sich als etw. h.** 1. to turn out; 2. to hold o.s. out (as sth.); **~ falsch h.** to prove wrong/incorrect, **~ richtig h.** to prove correct, to come true; **~ wahr h.** to hold/prove true; **besonders/groß h.** to feature/highlight; **deutlich h.** to throw into relief; **lobend h.** to write up

heraus|streichen *v/t* 1. to delete, to cross out; 2. to stress/underline/underscore *[US]*; **h.treten** *v/i* to protrude; **h.verlangen** *v/t* to reclaim/replevin; **H.verlangung des Eigentums aus der Konkursmasse** *f* reclaiming property from the bankrupt's estate; **h.winden** *v/refl* to wriggle out; **h.wirtschaften** *v/t* to make/extract/earn

Herausziehen *nt* extraction; **h.** *v/t* to extract/withdraw, **h.d** *adj* extractive

herb *adj* 1. dry; 2. *(Kritik)* harsh; 3. *(Verlust)* bitter

herbei|bemühen *v/refl* to bother to come; **h.führen** *v/t* to effect, to bring about, to induce/establish/cause; **H.führung einer Straftat** *f* initiation of a crime; **fahrlässige H.führung** negligent causation; **h.holen** *v/t* to send for; **h.reden** *v/t* to talk into existence; **h.schaffen** *v/t* 1. to procure/provide; 2. to bring

Herberge *f* hostel

Herbizid *nt* herbicide

Herbst *m* autumn, fall *[US]*; **H.belebung** *f* autumn upswing; **H.ferien** *pl* autumn holidays; **H.kollektion** *f* *(Textil)* autumn range; **H.messe** *f* autumn trade fair; **H.mode** *f* autumn fashion; **H.ultimo** *m* last day of the third quarter

Herd *m* 1. stove, cooker; 2. *(fig)* centre, focus, seat; **H.buch** *nt* herd book

Herde *f* herd, flock; **H.ninstinkt** *m* herd instinct

herein|bekommen *v/t* 1. *(Ware)* to get in; 2. *(Schulden)* to recover; **wieder h.bekommen** to recoup; **jdn h.bitten** *v/t* to ask so. in; **h.brechen** *v/i (Wetter)* to set in; **h.bringen** *v/t (Ernte)* to gather, to bring in; **H.fall** *m* letdown; **h.fallen auf** *v/i* to fall for; **h.geben** *v/t* to deposit; **H.geber** *m* depositor; **h.geleiten** *v/t* to usher in; **h.holen** *v/t* to secure/obtain/canvass; **wieder h.holen** to recoup; **h.kommen** *v/i* to come in; **h.legen** *v/t* 1. to trick/deceive/hoodwink; 2. to con, to pull a fast one (on so.) *(coll)*

Hereinnahme *f* taking-in; **H. von Aufträgen** orders intake; ~ **Wechseln** discounting of bills

herein|nehmen *v/t* 1. to take in; 2. *(Geld)* to take on deposit; 3. *(Lager)* to take into stock; 4. *(Wechsel)* to discount; 5. *(Aufträge)* to accept/book; **h.strömen** *v/i* to pour/flood in

Her|fahrt *f* inward/return journey, ~ voyage; **über jdn h.fallen** *v/i* to set upon so.; **H.fracht** *f* inward cargo/freight, freight home; **H.gabe** *f* delivery, surrender; **H.gang** *m* course of events; **h.gebracht** *adj* customary; **weit h.geholt** *adj* far-fetched

hergestellt *adj* made, produced, manufactured, prepared; **fabrik-/serienmäßig h.** manufactured, mass-produced; **maschinell h.** machine-made, machine-finished

Herkommen *nt* descent, origin, custom, usage; **h. von** *v/prep* to spring from

herkömmlich *adj* conventional, traditional, customary; **nicht h.** unconventional

Herkunft *f* 1. origin, source, sourcing, derivation, provenance, extraction; 2. descent, ancestry; **britischer H.** British-sourced; **soziale H.** social background

Herkunfts|angabe *f (Zitat)* credit line; **H.bezeichnung** *f* 1. certificate of origin; 2. origin labelling/marks, mark/designation of origin, information labelling; 3. *(Person)* § certificate of patriality; **H.bescheinigung/H.zeugnis** *f/nt* certificate of origin; **H.(kenn)zeichen** *nt* mark of origin; **H.land** *nt* country of origin/source, generator/source country; ~ **der Touristen** tourist-generating country; **H.nachweis** *m* proof of origin; **H.ort** *m* point/place of origin, place of departure; **H.- und Verwendungsrechnung** *f* statement of changes in financial position

hinter jdm her|laufen *v/i* to run after so.; **h.leiten** *v/t* to derive/trace/deduce, to infer (from); **H.leitung** *f* derivation

Hermes|bürgschaft/H.deckung/H.exportkreditgarantie *f [D]* export credit guarantee

Herr *m* gentleman, master, lord; **H. im Haus** master of the house, lord of the manor

wie ein Herr leben; den großen H.en spielen to lord it; **H. im Haus sein** to rule the roost *(coll)*; **H. der Lage sein** to have a situation under control, to be in control of a situation, to master a situation; **einer Lage H. werden** to master a situation; **einer Sache H. werden** to master sth., to bring sth. under control, to get on top of sth.

sein eigener/freier Herr one's own master; **möblierter H.** lodger *[GB]*, roomer *[US]*

Herreise *f* ⚓ homeward/inward voyage

Herren|abend/H.gesellschaft *m/f* stag party *[GB]*, bull session *[US]*; **H.artikelgeschäft/H.ausstatter/H.ausstattungsgeschäft** *nt/m/nt* (gentle)men's/gents' outfitter, haberdasher(y) *[US]*, clothier *[US]*, men's (clothing) shop, furnishing store *[US]*; **H.bekleidung** *f* menswear, haberdashery *[US]*; **H.haus** *nt* manor (house), mansion; **H.konfektion** *f* men's ready-to wear clothes; **H.leben** *nt* life of luxury; ~ **führen** to lord it; **h.los** *adj* vacant, derelict, unclaimed, ownerless, abandoned, unowned, unpossessed, in abeyance; **H.mode** *f* men's fashion; **H.modeartikel** *pl* menswear, haberdashery *[US]*; **H.schicht** *f* ruling class; **H.sitz** *m* manor, mansion; **H.zimmer** *nt* drawing/smoking room

herrichten *v/t* to arrange/prepare, to rig up; **alles h. für** to set the scene for

herrisch *adj* domineering, imperious, peremptory

Herrschaft *f* 1. rule, government, reign; 2. *(Macht)* regime, ruling, domination, dominance, grip, authority, power; **H. über die Meere** command of the seas; **H. des Pöbels** mob rule; ~ **Rechts** rule of law; **H. anstreben über** to bid for the control of; **H. ausüben** to wield power; **H. verlieren** to lose one's grip; **tatsächliche H.** 1. economic property; 2. physical control; **territoriale H.** territorial power; **vermögensrechtliche H.** control by right of ownership

herrschaftlich *adj* manorial, grand

Herrschafts|anspruch *m* claim to power; **H.ausübung** *f* exercise of domination, jurisdiction of the state; **H.bereich/H.gebiet** *m/nt* territory, dominion, sway; **H.gewalt** *f* jurisdiction, authority, power to rule, ~ of control; **H.recht** *nt* ownership right, domain, right of domination; **H.verhältnis zwischen Mutter und Tochter** *nt (Unternehmen)* affiliation

herrschen *v/i* 1. to rule/control/govern/dominate, to be at the helm; 2. *(Monarch)* to reign; **h. über** to domineer, to hold sway; **allein h.** to reign supreme; **h.d** *adj* 1. ruling, controlling; 2. prevailing, dominant, prevalent

Herrscher *m* ruler; sovereign, potentate, monarch; **H.geschlecht/H.haus** *nt* dynasty; **H.gewalt** *f* sovereign power

her|rühren/h.stammen (aus/von) *v/i* to originate in, to stem/derive/arise/emanate from

herstellbar *adj* producible; **maschinell h.** machinable

herstellen *v/t* 1. to produce/manufacture/make/fabricate, to turn out; 2. to establish; 3. to restore; **etw. nicht mehr h.** to take sth. out of production, to discontinue/cease production; **fabrik-/serienmäßig h.** to manufacture/mass-produce/serialize; **künstlich h.** to synthesize; **maschinell h.** to manufacture/machine

herstellend *adj* manufacturing, processing

Hersteller *m* manufacturer, producer, maker, builder, processor, fabricator; **H. von Fremdfabrikaten** other equipment manufacturer (OEM); **~ Massengütern** *pl* high-volume industry; **direkt beim H. kaufen** to buy off the shelf; **direkt absetzender H.** direct-selling manufacturer; **einheimischer H.** domestic manufacturer; **führender/maßgeblicher H.** leading/premier producer, ~ manufacturer

Hersteller|betrieb *m* manufacturing firm; **H.finanzierung** *f* financing of production; **H.firma** *f* manufacturer, manufacturing firm, producer; **H.garantie** *f* manufacturer's warranty; **H.gruppe** *f* manufacturing group; **H.haftung** *f* manufacturer's/producer's liability; **H.-land** *nt* producing country, country of manufacture; **H.marke** *f* manufacturer's brand; **H.preis** *m* factory price; **H.risiko** *nt* manufacturer's/producer's risk; **H.typenbezeichnung** *f* production certificate; **H.verband** *m* manufacturers' association; **H.verkaufsabteilung im Einzelhandel** *f* shop in the shop; **H.werbung** *f* producer advertising; **kundenorientierte H.werbung** pull strategy; **H.werk** *nt* factory, assembly plant; **H.zeichen** *nt* trademark; **H.zeugnis** *nt* manufacturer's certificate

Herstell|gemeinkosten *pl* manufacturing overheads; **variable H.gemeinkosten** variable manufacturing overheads; **H.konto** *nt* manufacturing/work-in-process account; **H.kosten** *pl* manufacturing/processing/product cost(s), cost prices, cost of production; **H.menge** *f* output

Herstellung *f* 1. production, manufacture, manufacturing, fabrication, making; 2. *(Verlag)* production department

Herstellung des Bauwerkes erection of the building, construction; **H. am laufenden Band** mass production; **H. von Eisen-, Blech- und Metallwaren** manufacture of ferrous metal goods; **~ Konfektionsware** apparel production; **~ Massengütern** quantity manufacturing; **~ Massenstahl** bulk steelmaking; **H. vor Ort** local manufacture, on-the-spot manufacture; **H. in kleinen Stückzahlen** small batch production; **H. eines Telefonanschlusses** connection of a telephone

Herstellung aufnehmen to start production, to put into production

fabrikmäßige Herstellung manufacture, mass production; **großtechnische H.** large-scale manufacture; **lizenzmäßige H.** manufacturing under licence; **maschinelle H.** manufacture; **serienmäßige H.** mass/serial production

Herstellungs|- manufacturing, processing; **H.abteilung** *f* manufacturing division/department; **H.arbeiten** *pl* production work; **H.aufwand** *m* 1. production/original cost(s); 2. *(Steuer)* construction expenditure; **H.berechnung** *f* costing; **H.beschränkungen** *pl* production restrictions; **H.betrieb** *m* manufacturing plant, manufacturing/industrial unit; **H.bilanz** *f* manufacturing statement; **H.dauer** *f* production time; **H.einrichtungen** *pl* production facilities; **H.fehler** *m* (manufacturing/manufacturer's) fault, manufacturing defect; **H.firma** *f* manufacturing company; **H.frist** *f* period of construction; **H.gang** *m* manufacturing process; **H.geheimnis** *nt* manufacturing/production secret; **H.gemeinkosten** *pl* manufacturing overhead(s); **H.gesellschaft** *f* manufacturing/fabrication company; **H.jahr** *nt* year of production; **H.klage** *f* action for specific performance

Herstellungskosten *pl* production/manufacturing/original/factory/actual/prime cost(s), (economic) cost(s), cost of production/goods; **zu H.** at cost; **H. für den größten Teil der Angebotsmenge** bulk-line cost(s); **ursprüngliche H.** historical cost(s)

Herstellungs|land *nt* country of manufacture, producer/manufacturing country; **H.leiter** *m* production manager; **H.lizenz** *f* manufacturing licence, licence to manufacture; **H.methode** *f* manufacturing process, method of production; **H.möglichkeiten** *pl* 1. conditions of production; 2. production facilities; **H.ort** *m* place of manufacture; **H.preis** *m* manufacturing/cost/output/out-turn price, cost of manufacture; **amerikanisches H.preisverfahren** American Selling Price System; **H.programm** *nt* manufacturing/production programme, production plan; **H.projekt** *nt* manufacturing project; **H.prozess** *m* production/manufacturing/productive process; **H.rechte** *pl* manufacturing rights; **H.risiko** *nt* risk of manufacture; **H.stätte** *f* production centre; **H.stufe** *f* manufacturing/production stage, stage of completion; **H.verbot** *nt* ban on production; **H.verfahren** *nt* production/manufacturing process, industrial know-how, production technique, method of manufacture; **H.vertrag** *m* manufacturing agreement; **H.vorgang** *m* manufacturing/production process, process (of production); **H.werk** *nt* manufacturing/production plant; **H.wert** *m* production/cost value, prime cost(s), cost of production; **zum H.wert** at cost; **mit einem ~ zu Buch stehen** to stand at cost (at); **H.zeit** *f* production time

herum|basteln *v/i* to tinker about; **h.drehen** *v/t* to turn around; **h.drücken** *v/refl* to shirk/dodge; **h.fahren** *v/i* to cruise, to travel about; **jdn h.führen** *v/t* to show so. round; **h.gehen lassen** *v/t* to circulate, to pass around; **H.hacken auf den Gewerkschaften** *nt* union bashing; **h.hantieren an** *v/i* to tamper with; **h.horchen** *v/i* to keep one's ears open; **h.kommandieren** *v/ti* to bully, boss around, ~ about; **h.kramen** *v/i* to rummage around; **jdn h.kriegen** *v/t* to win so. over; **frei h.laufen** *v/i (Verbrecher)* to be at large; **h.liegen** *v/i* to lie around; **H.lungerer** *m* layabout, loafer; **h.lungern** *v/i* to lounge/loaf about, to loiter, to hang around; **h.pfuschen** *v/i* to tinker; **h.plagen mit** *v/refl* to bother o.s. with; **H.probieren** *nt* trial and error; **h.probieren** *v/i* to try; **h.reichen** *v/t* 1. to hand/pass round; 2. *(Akten)* to shuttle about; **h.reisen** *v/i* to travel around; **h.reiten auf** *v/i* to keep on at, to harp on; **h.schlagen mit** *v/refl* to (fight a running) battle with; **h.schnüffeln/h.spionieren** *v/i* to poke/sneak/nose around, to ferret; **h.sprechen** *v/refl* to get about, to spread; **H.stehen** *nt* loitering; **h.stehen** *v/i* to stand/lounge about, to loiter; **h.stöbern/h.suchen** *v/i* to rummage/ferret, to forage around; **h.streichen** *v/i* to roam about; **h.streiten** *v/refl* to squabble; **h.tragen** *v/t* to carry about; **h.treiben** *v/refl* to hang/loaf around, to loiter; **H.treiber** *m* loiterer, loafer, tramp; **h.wursteln** *v/i* to mess about

erunter|drücken *v/t* to reduce, to cut back, to force/bring/scale/pull down; **h.fahren** *v/t (Produktion/Kosten)* to cut/reduce, to bring down; **H.gehen** *nt* decline; **h.gehen** *v/i* to go down, to decline/recede/sink; **h.gekommen** *adj* 1. run-down, deteriorated, at a low ebb; 2. *(Gebäude)* tumbledown, ramshackle; **h.gesetzt** *adj* marked down; **h.gewirtschaftet** *adj* run-down; **h.handeln** *v/t* to get a price reduced, to get/beat down, to knock off; **h.kommen** *v/i* to deteriorate, to come down (in the world), to sink low; **h.konvertieren** *v/t* to convert downwards; **h.laden** *v/t* 🖳 to download; **h.machen** *v/t* to slate/decry; **jdn h.putzen** *v/t (coll)* to give so. (plenty of) stick *(coll)*; **h.reden** *v/t* to talk down, to denigrate; **h.reißen** *v/t* to pull down; **h.schlucken** *v/t* to swallow, to gulp down; **h.schrauben** *v/t (Ansprüche)* to scale down, to lower; **h.setzen** *v/t* to reduce/lower, to mark down; **h.spielen** *v/t* to play down, to belittle/minimize/understate, to low-key/de-emphasize/soft-pedal, to make little (of sth.); **h.steigen** *v/i* to climb down; **H.stufen/H.stufung** *nt/f (Personal)* demotion, downgrading; **h.stufen** *v/t* to downgrade/demote; **h.wirtschaften** *v/t* to run down; **H.zeichnung** *f* markdown

ervor|bringen *v/t* to bring forth, to produce/generate/create/yield/spawn; **h.bringend** *adj* productive; **h.gehen** *v/i* to emerge/result, to arise (from); **h.gerufen durch** *adj* occasioned by; **h.heben** *v/t* to emphasize/stress/highlight/pinpoint; **besonders h.heben** to make a feature of; **H.hebung** *f* emphasis; **h.ragend** *adj* excellent, outstanding, superior, superb, brilliant, recognized, fine; **h.rufen** *v/t* to give rise to, to produce/generate/create/breed/arouse; **h.stechend** *adj* conspicuous, outstanding, striking; **h.stehen** *v/i* to protrude, to stand out; **h.treten** *v/i* to emerge, to come up (with sth.); **nicht h.treten** to keep in the background; **h.tun** *v/refl* to distinguish o.s.

erz *nt* 1. ⚕ heart; 2. core

übers Herz bringen to find it in one's heart, to find/have the heart (to do sth.); **sich ein H. fassen** to take heart; **etw. auf dem H.en haben** to have sth. on one's mind, ~ at heart; **seinem H.en Luft machen** to vent one's feelings; **aus seinem H.en keine Mördergrube machen** *(coll)* to make no bones about it; **sich etw. zu H.en nehmen** to take sth. to heart; **auf H. und Nieren prüfen** to check/examine thoroughly, to put to the acid test, to vet; **ein H. und eine Seele sein** to be bosom friends; **seinem H.en einem Stoß versetzen** to give o.s. a push, to find it in one's heart

uf Herz und Nieren geprüft *adj (fig)* tried and tested

von ganzem Herz|en wholeheartedly; **krankes H.** weak heart; **leichten H.ens** light-heartedly; **schweren H.ens** with great reluctance; **aus tiefstem H.en** from the bottom of one's heart

Herz|anfall *m* ⚕ heart attack; **H.beschwerde** *f* heart complaint; **H.chirurgie** *f* heart surgery

Herzens|wunsch *m* dearest wish

herz|erfrischend *adj* heartening; **H.fehler** *m* ⚕ heart/cardiac defect; **h.haft** *adj* hearty; **H.infarkt** *m* ⚕ heart attack, cardiac infarction; **H.klopfen** *nt* palpitation; **H.krankheit/H.leiden** *f/nt* heart condition/trouble

herzlich *adj* hearty, cordial; **h. gern** with the greatest of pleasure; **H.keit** *f* cordiality

Herz|-Lungen-Maschine *f* ⚕ heart-lung machine, life support machine; **H.mittel** *nt* cardiac drug; **H.muskel** *m* heart/cardiac muscle; **H.schlag** *m* heartbeat; **H.-schrittmacher** *m* (heart) pacemaker; **H.schwäche** *f* cardiac insufficiency; **h.stärkend** *adj* cardiotonic; **H.stillstand** *m* cardiac arrest; **H.stück** *nt* core; **H.tätigkeit** *f* heart/cardiac activity; **H.versagen** *nt* heart failure

heterogen *adj* heterogeneous

Hetze *f* 1. hurry, rush; 2. agitation, instigation, baiting; **h.n** *v/t* 1. to hurry/rush; 2. to instigate; **H.r** *m* agitator, rabble-rouser

Heu *nt* hay

Heuchel|ei *f* hypocrisy, cant; **h.n** *v/i* to feign/simulate

Heuchler|(in) *m/f* hypocrite; **h.isch** *adj* hypocritical

Heuen *nt* haymaking

Heuer *f* ⚓ hire, wages, (sailor's) pay; **H.abtretungsschein** *m* allotment note; **H.aufwendungen** *pl* manning cost(s); **H.baas** *m* shipping master; **H.büro** *nt* shipping office *[GB]*, seamen's employment office; **H.lohn** *m* → **Heuer**

heuern *v/t* to hire/engage; **h. und feuern** to hire and to fire

Heuernote *f* advance note

Heuernte *f* haymaking

Heuervertrag *m* shipping/ship's articles, articles of agreement, service contract

Heu|gabel *f* pitchfork; **H.haufen** *m* haystack, haycock, hayrick

Heul|boje/H.tonne *f* ⚓ whistling buoy

Heulen und Zähneklappern *nt* weeping, wailing and gnashing of teeth; **h.** *v/i* to cry/howl

Heuler *m* howler

Heu|macher *m* haymaker; **H.miete** *f* haystack, haycock, hayrick; **H.schnupfen** *m* ⚕ hay fever; **H.schober** *m* barn

heutig *adj* current, present-day

heutzutage *adv* in this day and age, these days, nowadays

Heuwender *m* haymaker

Hexadezimalsystem *nt* hexadecimal number system

Hexenschuss *m* ⚕ lumbago

HG (Handelsgesellschft) *f* trading company

HGB (Handelsgesetzbuch) *nt* German commercial code

Hieb *m* blow, stroke; **H.e bekommen** to get a thrashing; **H. parieren** to ward off a blow
hieb- und stichfest *adj* watertight, cast-iron, airtight; ~ **sein** to hold water
ab hier loco; **h. aufheben** lift here; **h. öffnen** open here
Hierarchie *f* hierarchy, command structure, chain of authority, grading; **betriebliche H.** corporate hierarchy; **innerbetriebliche H.** corporate ladder; **nachgeordnete H.** subordinate management level; **H.ebene/H.stufe** *f* 1. seniority of position; 2. level of authority, layer/level of hierarchy, hierarchy level
hierarchisch *adj* hierarchic(al)
hier|durch *adv* hereby, herewith, by this means; ~ **wird bestätigt** this is to certify; **bis h.her** heretofore; **h.in** *adv* herein; **h.mit** *adv* hereby, herewith; ~ **sei kundgetan** know all men; **h.nach** *adv* here(in)after; **h.von** *adv* hereof
hiesig *adj* local
Hilfe *f* help, aid, relief, assistance, support, backing, standby, cooperation; **mit H. von** through the agency of; **ohne H.** unaided, under one's own steam; **H. bei der Wohnraumbeschaffung** assistance with housing
Hilfe anfordern to summon help; **(jdn) um H. anrufen/bitten** to appeal (to so.) for help; **H. bringen** to help/aid; **jdm zu H. eilen/kommen** to come to so.'s rescue; **H. entziehen** to withdraw assistance; **um H. ersuchen** to request help; **H. gewähren/angedeihen lassen/leisten** to render/afford assistance, to assist/aid; **erste H. angedeihen lassen;** ~ **leisten** to give first aid; **gerichtliche H. in Anspruch nehmen** to seek redress in court; **zu H. rufen** to ask/call for help; **H. verdienen** to deserve help; **sich jds H. versichern** to enlist so.'s help; **H. verweigern** to refuse assistance
ärztliche Hilfe medical assistance; **erste H.** first aid; **finanzielle H.** financial assistance/aid, moneyed assistance; **fremde H.** outside/extraneous help; **ohne ~ H.** on one's own, single-handed; **gebundene H.** tied help; **gegenseitige H.** mutual aid; **gezielte H.** specific aid; **großzügige H.** unstinting help; **institutionelle H.** aid organised by an institution; **lebensnotwendige H.** life-giving aid; **materielle H.** pecuniary aid; **praktische H.** positive help; **projektgebundene H.** tied aid; **sachgerechte H.** proper aid; **staatliche H.** government/state aid, government/state/public assistance; **technische H.** technical aid/assistance
Hilfeleistung *f* assistance, rescue; **finanzielle H.** financial assistance; **gegenseitige H.** mutual assistance; **staatliche H.** government assistance/help; **technische H.en** technical aid; **unterlassene H.** failure to render assistance/aid
Hilfe|ruf *m* 1. plea/cry/appeal for help; 2. ⚓ distress signal; **H.signal** *nt* ⚓ distress signal
Hilfestellung *f* support; **H. geben/gewähren** to render assistance; **jdm H. geben** to give so. a leg-up *(coll)*; **finanzielle H.** financial assistance; **soziale H.** social assistance
hilflos *adj* helpness, adrift; **H.igkeit** *f* helplessness
hilfreich *adj* helpful, forthcoming, supportive; **wenig h.** uncooperative; **h. sein** to lend a helping hand

Hilfs|- auxiliary; **H.abteilung** *f* auxiliary/service department; **H.adresse** *f (Wechsel)* accommodation address; **H.akkreditiv** *nt* ancillary letter of credit; **H.aktion** *f* rescue/relief operation, mercy mission; **H.angebot** *nt* offer of help; **H.anlage** *f* ✪ emergency set; **H.anspruch** *m* § alternative claim; **H.antrag** *m* § precautionary motion; **H.arbeit** *f* unskilled/lowest-grade work
Hilfsarbeiter(in) *m/f* unskilled/ancillary/support worker, labourer, roustabout *[US]*; *pl* unskilled labour; **H.lohn** *m* labourer's wage; **H.tätigkeit** *f* labouring (job)
Hilfs|aufzeichnungen *pl* subsidiary records; **H.bauten** *pl* temporary work/structures
hilfsbedürftig *adj* indigent, needy, in need (of assistance); **H.e(r)** *f/m* needy person; **H.keit** *f* indigence, distress
hilfs|bereit *adj* cooperative; **H.bereitschaft** *f* accommodation; **H.beruf** *m* unskilled trade; **H.betrieb** *m* auxiliary plant; **H.bogen** *m* work sheet; **H.buch** *nt* subsidiary ledger; **H.bücher** subsidiary books of account; **H.buchhalter** *m* assistant bookkeeper, accounts clerk; **H.datei** *f* 🖳 help file; **H.dienst** *m* 1. help, assistance; 2. emergency/ancillary service; 3. emergency relief service; **H.einkäufer(in)** *m/f* assistant buyer; **H.einrichtungen** *pl* supporting facilities; **H.einwendung** *f* § substitute plea; **H.ersuchen** *nt* request for help; **H.fiskus** *m* auxiliary fiscal agent; **H.fonds** *m* rescue/relief/emergency/aid fund; **H.gebrauchsmuster** *nt* eventual utility model; **H.geld** *nt* subsidy; **H.gemeinschaft** *f* relief organisation; **H.geschäft** *nt* auxiliary transaction; **H.- und Nebengeschäfte im Kreditgewerbe** ancillary credit business; **H.geschworene(r)** *f/m* deputy juror; **H.gewerbe** *nt* auxiliary sector; **H.güter** *pl* relief supplies; **H.kasse** *f* provident/relief fund, friendly society; **H.konsortium** *nt* aid consortium; **H.konstruktion** *f* temporary measure; **H.konto** *nt* subsidiary/adjunct account; **H.kostenstelle** *f* indirect/service cost centre, non-productive department; **H.kraft** assistant, helper, temporary/unskilled worker, aid *[frz.]*; **H.kräfte** *pl* auxiliary personnel, back-up, backroom/supporting staff; ~ **gesucht** hands wanted; **H.kreditbrief** *m* ancillary letter of credit; **H.lager** *nt* standby inventory, contingency stocks; **H.leistung** *f* ⚓ marine assistance; **H.löhne** *pl* auxiliary labour, unproductive wages; **H.mannschaft** *f* rescue party; **H.maßnahmen** *pl* emergency measures, relief operations/action; **H.maß-/H.messzahl** *f* ▦ ancillary statistic; **H.material** *nt* non-productive material; **H.mitglied** *nt* assistant member
Hilfsmittel *nt/pl* aid, expedient, (material) resources, means, accessories, organ; **dazugehörige H.** associated resources; **optisches H.** visual aid; **technisches H.** mechanical aid; **alle verfügbaren H.** all available resources
Hilfs|motor *m* auxiliary engine; **H.organisation** *f* relief organisation; **H.personal** *nt* ancillary/supporting/auxiliary/back-up/backroom staff, help, helpers, ancillary workers; **H.polizist** *m* auxiliary policeman, deputy

sheriff *[US]*; **H.produkt** *nt* auxiliary product; **H.programm** *nt* 1. relief/aid programme; 2. 💻 auxiliary routine; **staatliches H.programm** public aid programme; **H.projekt** *nt* aid project; **H.prüfer** *m* assistant accountant/examiner/auditor

ilfsquelle *f* resource; **H.n erschließen** to tap resources; **neue ~ erschließen** to open up new resources; **~ in Anspruch nehmen** to draw on resources; **finanzielle H.** source of money, pecuniary/financial resources; **industrielle H.n** industrial resources; **natürliche H.n** natural resources; **ungenutzte H.n** untapped resources; **wirtschaftliche H.n** economic resources

ilfs|referent *m* assistant head of section; **H.richter** *m* assistant judge; **H.schöffe** *m* deputy juror; **H.schule** *f* special school; **H.schwester** *f* ⚕ assistant nurse; **H.signal** *nt* ⚓ distress signal; **H.speicher** *m* 💻 backing storage; **H.stelle** *f* aid centre; **H.stoffe** indirect/auxiliary materials, (factory) supplies; **H.- und Betriebsstoffe** *pl* materials and supplies, auxiliary material, (factory/manufacturing) supplies; **H.textanzeige** *f* 💻 help panel; **H.trupp** *m* 1. rescue party; 2. *(Schaden)* breakdown gang; **H.truppen** ✗ auxiliaries; **H.verein** *m* provident society; **~ auf Gegenseitigkeit** mutual aid society, provident society; **H.vorbringen** *nt* [§] precautionary alternative allegations; **h.weise** *adv* alternatively, by an alternative method, by way of precaution; **H.werk** *nt* welfare/relief/charitable organisation, charity; **H.wissenschaft** *f* subsidiary science; **H.zusage** *f* aid commitment

immel *m* 1. sky; 2. heaven; **um H.s willen** for heaven's sake; **in den H. heben** to praise to the skies; **H. und Hölle in Bewegung setzen** to move heaven and earth; **in den H. wachsen** *(Preise)* to soar; **unter freiem H.** open-air; **aus heiterem H.** out of the blue/sky; **offener H.** ✈ open skies

immels|reklame *f* aerial advertising; **H.richtung** *f* direction; **die vier H.richtungen** the four quarters of the globe; **H.schreiber** *m* skywriter; **H.schrift** *f* skywriting

mmelweit *adj* immense

in und Her *nt* wrangle, dithering; **ewiges ~ Her** chopping and changing, toing and froing *(coll)*; **h. und her** to and fro; **~ wieder** on and off, intermittent; **~ zurück** there and back

nab|schleusen *v/t* ⚓ to lock down; **h.steigen** *v/i* to descend, to climb down

narbeiten auf *v/i* to work for/towards

nauf|arbeiten *v/refl* to work one's way up; **h.gehen** *v/i* to go up; **H.schaukeln** *nt (Lohn)* leapfrogging, upcreep; **h.schleusen** *v/t* ⚓ to lock up; **h.schnellen** *v/i* *(Preis)* to soar, to shoot up; **h.schrauben/h.treiben** *v/t* *(Preis)* to force/send/push/level up; **h.setzen** *v/t (Preis)* to increase, to mark up, to lift/raise; **h.steigen** *v/i* to mount

naus|begleiten *v/t* to show/see out; **h.drängen** *v/t* to crowd/squeeze out; **h.gehen über** *v/i* to exceed/outrun, to go beyond; **h.gehend über** surplus to, over and above; **h.jagen** *v/t* to drive out; **jdn h.komplimentieren** *v/t* to bow so. out; to show so. the door

hinauslaufen auf *v/i* to amount to, to boil/narrow down to, to tend to, to result in; **auf dasselbe h.** to be tantamount to; **letzten Endes h. auf** to boil down to; **worauf es hinausläuft** what it boils down to; **es läuft darauf hinaus** the upshot is that

hinaus|legen *v/t* 1. *(Geld)* to put out; 2. *(Kredit)* to extend/grant; 3. *(Akkreditiv)* to open; **h.ragen über** *v/i* to tower above, to overreach; **sich auf etw. h.reden** *v/refl* to lay the blame on sth.; **h.schiebbar** *adj* delayable, deferrable, adjournable; **H.schieben der Fälligkeiten** *nt* postponement of maturity dates; **h.schieben** *v/t* to postpone/delay/defer/remit, to put off; **H.schiebung** *f* extension; **h.schicken** *v/t* to send out; **h.wachsen über** *v/i* to outgrow; **über sich selbst h.wachsen** *v/refl* to rise above o.s., to outgrow/overreach o.s.; **h.werfen** *v/t* 1. to throw/kick/chuck *(coll)* out; 2. *(Besitz)* to evict; 3. *(Stelle)* to fire/sack; **auf etw. h.wollen** *v/i* to drive at sth.; **hoch h.wollen** to aim high; **H.wurf** *m* instant dismissal, sack *(coll)*; **h.ziehen/h.zögern** *v/t* to delay/retard/stall/protract

hin|biegen *v/t* to arrange, to sort out; **irgendwie h.biegen** to manage somehow; **h.blättern** *v/t (coll)* to forth/shell out *(coll)*, to cough up *(coll)*

im Hinblick auf *m* in respect/view/terms of, in the light of, having regard to, with an eye to, preparatory to, for the purpose of

hinderlich *adj* obstructive, cumbersome; **h. sein** to be in the way, ~ a hindrance

hindern *v/t* 1. to hinder/hamper/obstruct/impede/block/restrain/preclude, to form an obstacle (to), to interfere (with); 2. *(abhalten)* to prevent/stop; **h. an** to forbid/preclude, to deter from; **jdn daran h., etw. zu tun** to prevent/bar so. from doing sth.

Hindernis *nt* hindrance, impediment, obstruction, hurdle, stumbling block, obstacle, handicap, holdback; **sich über alle H.se hinwegsetzen** to brush aside all obstacles; **H. nehmen** to overcome an obstacle; **alle H.se nehmen** to clear all the hurdles; **H.se beiseite räumen** to clear the way; **gesetzliches H.** (legal) impediment/bar/obstacle, statutory foreclosure; **steuerliches H.** fiscal drag

Hinderung *f* [§] estoppel; **H.sgrund** *m* 1. impediment, objection, obstacle; 2. [§] estoppel; **gesetzlicher H.sgrund** statutory bar

hin|deuten auf *v/i* to point to, to be suggestive/indicative of, to suggest/indicate; **h.durcharbeiten** *v/refl* to work one's way through

hinein|bringen *v/t* to introduce; **h.drängen** *v/i* to push/crowd in; **hastig h.drängen** to railroad into; **h.finden in** *v/refl* to get the hang of *(coll)*; **h.gehen** *v/i* 1. to enter; 2. to accommodate/hold; **h.geleiten** *v/t* to usher in; **h.geraten in** *v/i* to get into; **h.interpretieren; h.lesen in** *v/t* to read into (sth.); **h.pferchen** *v/t* to cram into; **h.pfuschen in** *v/i* to meddle in; **h.platzen** *v/i* to barge/burst in; **h.reden** *v/i* to chip in; **h.schieben** *v/t* to slip in; **h.schlittern in** *v/i* to drift/rush into; **h.spielen** *v/i* to come into the picture; **h.stecken** *v/t* 1. to slip in; 2. *(Geld/Arbeit)* to put in, to invest; **h.stopfen** *v/t* to cram into; **h.strömen** *v/i* to pour in(to); **h.trauen in** *v/refl* to venture into; **h.tun** *v/t* to pop in *(coll)*; **in jdn h.versetzen** *v/refl* to identify/empathize with so.; **h.wachsen in** *v/i* 1. to grow into; 2. to get the hang of *(coll)*; **h.wagen in** *v/refl* to venture into; **jdn h.ziehen (in)** *v/t* to involve so. (in); **h.zwängen** *v/t* to force in

hinfahren *v/i* 1. to go there, 🚗 to drive there, ⚓ to sail there; **h.- und herfahren** to commute/shuttle

Hinfahrkarte *f* one-way/outward ticket

Hinfahrt *f* 1. journey there, outward journey; 2. ⚓ outward voyage; **Hin- und Rückfahrt** there and back, outward and return journey/voyage, round trip

hinfällig *adj* 1. *(Klausel)* void, invalid, superseded, no longer applicable; 2. *(Person)* frail, feeble, decrepit, infirm; **h. machen** to invalidate/supersede; **h. werden** to become void, to obviate

hinfliegen *v/i* to fly there

Hinflug *m* outward flight; **Hin- und Rückflug** return/round-trip flight, outward and inward flight

Hinfracht *f* freight out, outward carriage/cargo/freight; **Hin- und Her-/Rückfracht** freight out and home, ~ back and forth, outward and inward freight

Hingabe *f* 1. devotion, dedication, zeal, application; 2. [§] surrender, giving up, abandon, delivery, sale; **H. von Darlehen** lending of credit; **H. erfüllungshalber; H. an Erfüllungs Statt** accord and satisfaction, delivery in full discharge; **durch H. eines Pfandstücks** by way of a pledge; **H. an Zahlungs Statt** transfer in lieu of payment

hingeben *v/t* to devote

Hinhaltemanöver *nt* delaying tactics

hinhalten *v/t* to put/stave off, to stall (off), to keep in suspense, to keep waiting; **h.d** *adj* dilatory, delaying

Hinhalte|politik *f* delaying/stalling policy; **H.taktik** *f* delaying/stalling tactics, delaying/dilatory policy

hinken *v/i* to limp

kräftig hin|langen *v/i* *(coll)* to overcharge; **h.länglich** *adj* sufficient, adequate, satisfactory

Hinnahme *f* acceptance; **stillschweigende H.** acquiescence, tacit acceptance

hinnehmen *v/t* to put up with, to tolerate/suffer/swallow/pocket; **ruhig/stillschweigend h.** to acquiesce/condone; **als selbstverständlich h.** to take for granted

hin|neigen zu *v/i* to incline to/toward; **H.neigung** *f* inclination; **h.- und herpendeln** *v/i* to shuttle (back and forth); **h.quälen** *v/refl* to drag on

hinreichen *v/i* to be enough, to suffice; **h.d** *adj* 1. sufficient, adequate, ample; 2. [§] good

Hinreise *f* journey there, outward voyage/journey/trip; **Hin- und Rückreise** round trip, journey there and back, outward and return journey

hin|reißend *adj* rousing, captivating; **h.richten** *v/t* to execute

Hinrichtung *f* execution; **H.sbefehl** *m* death warrant; **H.sstätte** *f* place of execution

hin|- und herrollen *v/i* to tumble and toss; **h.schaffen** *v/t* to carry, to get there; **H.scheiden** *nt* departure, decease, demise; **h.schicken** *v/t* to send; **h.schleppen** *v/refl* to drag on; **alles h.schmeißen** *v/t (coll)* to chuck (up) the whole thing *(coll)*; **h.schwinden** *v/i (Vorräte)* to dwindle; **bei näherem H.sehen** *nt* on closer inspection

Hinsicht *f* respect, view, consideration; **in dieser H.** in this respect, on this count/head, therein; **in finanzieller H.** in money/financial terms; **in gewisser H.** in a way; **in jeder H.** in all respects, on all measures, in every sense/way; **in materieller H.** in material respects, financially; **in personeller H.** as regards manpower; **in rechtlicher und tatsächlicher H.** [§] in fact and in law; **in sozialer H.** socially; **in vielerlei H.** on many counts

hinsichtlich *prep* concerning, with respect/reference, regard to, as to, regarding, in respect/terms of, for the purpose of

hinsteuern auf *v/i* to aim at

hintan|setzen/h.stellen *v/t* to disregard/neglect/ignore, postpone; **h.stehen** *v/i* to take second place; **unter H.stellung** *f* disregarding, regardless of

hintenherum *adv* in a roundabout way

hinter *prep* after, behind; **deutlich h.** way behind; **h. sich lassen** *v/t* to leave behind; **weit ~ lassen** to outdistance

Hinter|- rear; **H.achse** *f* 🚗 rear axle; **H.ansicht** *f* rear view; **H.bänke** *pl* back benches; **H.bänkler** *m* back bencher *[GB]*; **sich auf die H.beine stellen** *pl (coll)* to dig one's heels in *(coll)*

hinterblieben *adj* surviving; **H.e(r)** *f/m* (the) bereaved, survivor, surviving dependant/dependent

Hinterbliebenen|bezüge/H.rente *pl/f* survivor's/wa pension, surviving dependant's/dependent's pension ~ benefits, death benefit, survivorship annuity; **H.gel** *nt* suvivor's allowance; **H.rente der Unfallversiche rung** industrial death benefit; **H.versicherung** *f* survi vor's insurance; **H.versorgung** *f* provision for depend ants/dependents, death benefit

jdm etw. hinter|bringen *v/t* to pass sth. on to so., to mention sth. to so.; **H.bringer** *m* bearer, informant; **h.einander** *adv* 1. consecutively; 2. in a row, ... running; **H.eingang** *m* rear/tradesmen's entrance; **H.gedanke** *m* ulterior motive; **h.gehen** *v/t* to deceive/defraud/betray/hoodwink/double-cross; **H.gehung** *f* defraudation

Hintergrund *m* background, backdrop, backcloth, setting; **auf/vor dem H. (von)** against the background/backdrop, on the back of; **im H. bleiben** to stay on the sidelines; **wirtschaftlicher H.** commercial background; **H.daten** *pl* fundamentals

hintergründig *adj* enigmatic, inscrutable

Hintergrund|informationen *pl* background news/information; **H.nachrichten** *pl* background news; **H.programm** *nt* background programme; **H.speicher** *n* 💻 backing storage; **H.wissen** *nt* background knowledg

Hinterhalt *m* ambush, trap; **in den H. locken** to lure in to a trap

hinterhältig *adj* insidious, underhand, treacherous

hinterherhinken *v/i* to lag/trail behind

Hinter|hof *m* back yard; **H.land** *nt* hinterland, inland area, back country, outback *[AUS]*

hinterlassen *v/t* 1. to leave behind; 2. *(Testament)* to bequeath; 3. *(Grundbesitz)* to devise; **H.schaft** *f* 1. es ate, inheritance, heritage; 2. bequest, legacy; 3. devise, left property

interlassung *f* devisal; **ohne H. eines Testaments** § intestate; **~ sterben** to die intestate; **unter H. eines Testaments** § testate; **~ sterben** to die testate; **h.sfähig** *adj* bequeathable

nterlegen *v/t* 1. to deposit/lodge; 2. to bank; 3. *(Dokument)* to surrender; 4. § to bail; **etw. h. bei** to place sth. with; **gerichtlich h.** to pay into court, to deposit in court

interlleger *m* (bank) depositor, bailor, bondsman; **nicht h.legt** *adj* undeposited

interlegung *f* 1. lodgment, deposit(ation); 2. § bailment, collateral; 3. *(Dokument)* surrender; 4. *(Waren)* consignment, consignation, warehousing, safekeeping; **gegen H. von** on depositing of; **H. in bar** cash deposit; **H. von Eingangsabgaben** deposit of import duties; **H. bei Gericht** lodgment; **H. der Niederschrift** *(Kaufvertrag)* § deposit of title deeds; **~ Ratifikationsurkunden** deposit of the instruments of ratification; **H. einer Sicherheit** lodging of a security; **gegen ~ einer Kaution freilassen** to release on bail

richtliche Hinterlegung 1. lodgment; 2. *(Kaution)* bail; **öffentliche H.** custody of the law; **unfreiwillige H.** § involuntary bailment; **vertraglich vereinbarte H.** conventional deposit; **vorläufige H.** § delivery in escrow

interlegungslabteilung *f* *(Bank)* escrow department; **H.befugnis** *f* authority to deposit; **H.beleg** *m* depository certificate; **H.bescheid** *m* notice of deposit; **H.bescheinigung** *f* certificate of deposit (C/D), depository receipt; **amerikanische H.bescheinigung** American depository receipt (ADR); **H.betrag** *m* 1. money deposited; 2. *(Aktienzeichnung)* application money; 3. *(Börse)* margin; **H.buch** *nt* deposit register; **H.erklärung** *f* trust declaration; **h.fähig** *adj* eligible to serve as collateral; **H.gebühr** *f* deposit fee; **H.geld** *nt* trust money; **H.gericht** *nt* depository court; **H.konto** *nt* escrow account; **H.nachweis** *m* letter of charge *[GB]*; **H.ort** *m* place of lodgment; **H.quittung** *f* depository certificate; **H.recht** *nt* law as to depositing in court; **H.schein** *m* deposit(ory) receipt, deposit warrant, certificate of deposit (C/D), American Depository Receipt (ADR); **H.stelle** *f* depository (bank), custodian, lodging/depositing agent; **amtliche/öffentliche H.stelle** official depository, public trustee office *[GB]*, bailee at law, legal custodian; **H.summe** *f* 1. money/amount deposited; 2. *(Termingeschäft)* margin; **H.urkunde** *f* letter/memorandum of deposit, certificate of deposit (C/D), deposit(ory) receipt; **~ amerikanischer Banken (für europäische und japanische Aktien)** American Depository Receipt (ADR); **H.verfügung** *f* § lodgment order, order accepting a deposit in court; **H.vertrag** *m* contract of deposit, escrow/deposit agreement, (contract of) bailment; **H.zeit** *f* § term/period of bailment; **während der H.zeit** while on deposit

interllieger(in) *m/f* owner of rear property; **H.list** *f* deceit, treachery, craftiness, insidiousness; **h.listig** *adj* crafty, cunning, deceitful, treacherous, insidious, backdoor; **H.mann** *m* 1. ringleader, strawman, wire puller; 2. backer; 3. *(Wechsel)* subsequent endorser; **h.rücks** *adv* behind one's back; **H.sassengut** *nt* tenure in villeinage *(obs.)*; **H.schiff** *nt* ⚓ stern; **H.seite** *f* rear; **H.sinn** *m* deeper meaning; **ins H.treffen geraten** *nt* to fall behind; **h.treiben** *v/t* to thwart/foil/block; **H.treibung** *f* counteraction, prevention, blocking; **H.treppe** *f* backstairs

Hintertür *f* back door; **durch die H.** through the back door; **H.chen** *nt (fig)* loophole, back door; **~ verschließen** to plug a loophole; **steuerliches H.chen** tax loophole

hinterlziehen *v/t* 1. to defraud; 2. *(Steuer)* to evade; 3. to embezzle; **H.ziehung** *f* 1. defraudation; 2. *(Steuer)* evasion; 3. embezzlement; **H.zimmer** *nt* back room

hinüber *adv* *(coll)* past recovery; **h.wechseln** *v/i* to change sides

Hinweg *m* way there; **Hin- und Rückweg** round trip

hinweglkommen über *v/i* to get over (sth.), to live (sth.) down; **h.sehen (über)** *v/i* to overlook/ignore, to turn a blind eye, to let sth. pass; **h.setzen über** *v/refl* to override/disregard/flout/ignore/overrule/overpass; **sich brutal ~ über** to ride roughshod over; **h.täuschen (über)** *v/t* to mislead/deceive (about)

Hinweis *m* 1. tip, piece of advice, hint, suggestion; 2. *(Anzeichen)* indication, clue, evidence, point, pointer, lead, intimation; 3. *(Verweis)* reference, guide; **H. geben** to (drop a) hint; **einem H. nachgehen** to follow up a clue; **gesetzlicher H.** statutory reference; **gezielter H.** tip-off; **herabsetzender H.** disparaging reference; **sachlicher H.** useful information; **versteckter H.** allusion; **wertvoller H.** valid point; **H.bekanntmachung** *f* indicative announcement

hinweisen *v/ti* to point out/to, to indicate/pinpoint, to advise, to refer to; **nachdrücklich h.** to emphasize; **h.d** *adj* indicative

Hinweislpreis *m* *[EU]* indicated price; **H.schild/H.-tafel/H.zeichen** *nt/f/nt* 1. label, sign; 2. 🚗 signpost

hinwendlen *v/refl* to turn to(wards); **H.ung** *f* turning; **~ zum Besseren** turn for the better

hinwirken auf *v/i* to work towards, to promote

Hinz und Kunz *(coll)* every Tom, Dick and Harry *(coll)*; **von H. nach/zu Kunz** from pillar to post

hinlzahlen *v/t* to count out; **h.ziehen** *v/t* to delay/protract/retard; **sich (lange) h.ziehen** to drag on; **h.zielen auf** *v/i* to aim at; **h.zögern** *v/t* to put off, to delay

hinzulfügen *v/t* 1. to add (on), to include, to chip in, to superimpose; 2. *(Brief)* to enclose; **H.fügung** *f* addition; **h.gefügt** *adj* additional, accessory; **H.kommen** *nt* accrual; **h.kommen** *v/i* 1. to be added; 2. to join; **h.kommend** *adj* additional, further, accessory; **h.rechnen/h.setzen/h.zählen** *v/t* to add/include; **H.rechnung** *f* addition, inclusion; **H.wahl** *f* cooption; **h.wählen** *v/t* to coopt; **h.ziehen** *v/t* to call in, to consult, to employ

Hinzuziehung *f* consultation, enlistment; **H. von Sachverständigen** employment of experts; **H.sklausel** *f* consultation clause

Hiobsbotschaft *f* bad news/tidings

Hirn *nt* brain(s); **H.gespinst** *nt* fantasy; **H.hautentzündung** *f* ⚕ meningitis

Hirse *f* sorghum, millet
Hirte *m* shepherd
hissen *v/t (Flagge)* to hoist
Histogramm *nt* ▦ histogram, (frequence) bar chart, block/column diagram
Historiker(in) *m/f* historian
historisch *adj* historic(al), all-time, record
Hitze *f* heat; **in der H. des Gefechts** *(fig)* in the heat of the moment; **h.beständig** *adj* heat-proof, heat-resistant, refractory; **H.periode** *f* hot spell; **H.verlust** *m* loss of heat; **H.welle** *f* heat wave
hitzig *adj* 1. hot(-tempered); 2. *(Debatte)* heated, passionate
Hitz|kopf *m* hothead; **H.schlag** *m* ⚕ heat stroke
Hobby *nt* hobby
Hobel *m* 1. plane; 2. ⛏ plough; **H.bank** *f* joiner's bench; **H.späne** *pl* wood shavings
Hoch *nt* *(Wetter)* high-pressure area, anti-cyclone
hoch *adj* 1. high, tall; 2. *(Preis)* stiff; **extrem h.** 1. *(Preis)* swingeing; 2. *(Steuer)* punitive; **schwindelnd h.** *(Preis)* sky-high; **unangemessen h.** excessive; **unerwartet h.** *(Gewinn)* windfall; **zu h.** excessive, exorbitant;**wenn es h. kommt** at the utmost/outside; **zu h. für jdn sein** *(fig)* to be above so.
Hochachtung *f* 1. esteem, respect; 2. tribute; **bei aller H.** with all due respect; **mit vorzüglicher H.; h.svoll** yours faithfully, yours truly *[US]*, your obedient servant *(obs.)*; **H. abnötigen** to command respect; **jdm mit H. begegnen** to show so. great respect to; **jdm H. bezeugen** to pay tribute to so.
Hoch|adel *m* aristocracy, peerage; **h.aktuell** *adj* up-to-the-minute, highly topical; **h.arbeiten** *v/refl* to work one's way up; **h. auflösend** *adj* 🖳 high-resolution; **H.bahn** *f* 🚆 elevated/overhead railway
Hochbau *m* construction/structural engineering, building construction; **Hoch- und Tiefbau** structural and civil engineering; **gewerblicher H.** industrial construction; **öffentlicher H.** public construction; **H.amt** *nt* building surveyor's office; **H.ingenieur** *m* structural engineer; **Hoch- und Tiefbauingenieur** civil engineer; **H.unternehmen** *nt* building contractor, construction company
hoch beanspruchbar *adj* highly stress-resistant; **h. begabt** *adj* highly gifted; **h. beladen** *adj* heavily laden, with a high load; **h. belastet** *adj* 1. *(Umwelt)* highly polluted; 2. *(Steuer)* heavily taxed; 3. highly indebted; **h. besteuert** *adj* heavily taxed; **h.betagt** *adj* advanced in years; **H.betrieb** *m* 1. rush, peak period; 2. high season; **~ haben** to be very busy, ~ humming with activity, ~ at ist busiest; **h. bewertet** *adj* high-priced; **h. bezahlt/dotiert** *adj* highly paid, high-earning; **künstlich h.bringen** *v/t* to spoon-feed *(coll)*; **H.burg** *f* stronghold, repository; **H.decker** *m* ✈ high-wing aircraft; **h.dienen** *v/refl* to work one's way up; **h. dotiert** *adj* 1. highly paid/remunerated; 2. *(Arbeit)* highly remunerative
Hochdruck *m* 1. high pressure; 2. ⎙ letterpress, surface/relief printing; **unter/mit H. arbeiten** to work at high pressure, ~ full stretch; **H.ausläufer** *m* ridge of high pressure; **H.gebiet** *nt (Wetter)* high-pressure area, anti-cyclone; **H.reifen** *m* 🚗 high-pressure tyr *[GB]*/tire *[US]*
Hoch|ebene *f* plateau *[frz.]*; **h.empfindlich** *adj* highl sensitive; **h. entwickelt** *adj* highly developed, sophist cated, finely honed; **h.erfreut** *adj* delighted; **h.ertrag reich** *adj* high-yield; **h.explosiv** *adj* 1. highly expl sive; 2. disruptive; **h.fahren** *v/t (Produktion)* to ge up; *v/i (aufbrausen)* to flare up; **h.fahrend** *adj* high handed, overbearing, arrogant; **h.fein** *adj* choice, hig quality, superfine, posh *(coll)*; **H.finanz** *f* (world o high finance, big business; **h.fliegend** *adj* high-flow ambitious, grand, lofty; **in H.form sein** *f* to be in t shape/foom, ~ at one's best; **H.format** *nt* 1. vertical fo mat; 2. *(Inserat)* high size; **H.frequenz** *f* high/rad frequency; **H.frequenztechnik** *f* high-frequency e gineering; **H.garage** *f* multi-storey car park; **h. geach tet** *adj* of high repute, highly respected; **H.gebirge** high mountain region; **h.gehen** *v/i* 1. *(Preise)* to soa skyrocket; 2. *(Bombe)* to explode; **H.genuss** *m* re treat; **H.geschwindigkeits-** high-speed; **H.geschwi digkeitszug** *m* 🚆 high-speed train; **h.gespannt** *adj* highly strung; 2. great, extreme; **h.gesteckt** *adj (Zie* high-flown; **h. gestellt** *adj* high-ranking, top-rankin of high rank, important, exalted; **h.gestochen** *adj* ove bearing, pretentious; **h.gewachsen** *adj* tall; **H.ge wichtsrate** *f (Fracht)* heavy freight rate
Hochglanz *m* gloss, polish; **auf H. bringen** to polis **H.abzug** *m* glossy print; **H.broschüre** *f* glossy br chure; **H.papier** *nt* high-gloss paper
hoch|gradig *adj* high-grade, of high degree; **h.halte** *v/t* to uphold, to keep/hold up
Hochhaus *nt* high-rise/multi-storey building, tow block; **H.wohnung** *f* high-rise flat
hoch|heben *v/t* to lift up, to raise; **h.herzig** *adj* generou high-minded; **H.herzigkeit** *f* high-mindedness; **h. in dustrialisiert** *adj* highly industrialized; **h.intellektue** *adj* high-powered; **h.intelligent** *adj* sophisticated, bri liant; **h.jubeln** *v/t* to hype (up), to talk/whoop (sth.) u to build up excessively; **h.kant** *adj* upright; **H.kapita lismus** *m* flourishing capitalism; **h. karätig** *adj* hig calibre, high-grade, top-flight, top-class, high-powe ed; **h.klettern/h.kommen** *v/i* to climb/rise, to not up; **H.kommissar** *m* High Commissioner; **H.kommis sion** *f [EU]* High Commission
Hochkonjunktur *f* (corporate cyclical) boom, flouris ing/booming economy, (peak/business) prosperit buoyancy, high economic activity; **H. im Bauwese** building boom; **H. haben** to boom; **H.phase** *f* boo phase
hoch|konzentriert *adj* highly concentrated; **H.koste situation** *f* high-cost situation; **H.kultur** *f* civilizatio **H.land** *nt* highlands, upland
Hochleistung *f* high performance; **H.s-** heavy-dut high-efficiency, high-performance, high-powere **h.sfähig** *adj* high-powered, high-performance; **H.s** *nt* heavy-duty oil; **H.ssorte** *f* 🚜 high-yield crop/varie
hoch|liquide *adj* flush, awash/flush with money, cas rich; **H.lohn-** high-wage; **H.lohnindustrie** *f* hig wage industry; **H.lohnland** *nt* high-wage countr

h.modern *adj* ultra-modern, state-of-the-art, bang up-to-date, up-to-the-minute; **H.mut** *m* arrogance, pride; **h.mütig** *adj* arrogant, overbearing; with a high hand; **h.näsig** *adj* stuck-up *(coll)*; **jdn h.nehmen** *v/t (coll)* to pull so.'s legs *(coll)*; **h.notpeinlich** *adj* (highly) embarrassing

Hochofen *m* ✐ blast furnace; **H.anlage** *f* blast-furnace plant; **H.koks** *m* furnace coke; **H.schlacke** *f* iron dross

hochlpäppeln *v/t* to spoon-feed *(coll)*; **H.parterre** *nt* raised ground floor, first floor *[US]*; **H.preispolitik zur Schaffung eines Preissenkungspotenzials** *f* skimming price strategy; **H.preisstrategie** *f* skimming pricing; **H.prozenter** *m* high-coupon bond; **h.prozentig** *adj* 1. high-percentage; 2. *(Getränk)* high-proof; **h. qualifiziert** *adj* highly qualified, high-calibre; **h.ragen** *v/i* to tower; **h.rangig** *adj* of high rank; **wieder h.rappeln** *v/refl* to get back on one's feet, to pick up; **H.raum-/H.regallager** *nt* high-rise/high-bay warehouse, high-rack store, high-bay storage facility, ~ racking store (HBRS); **h.rechnen** *v/t* to extrapolate, to blow up, to project/forecast; **H.rechnung** *f* extrapolation, projection, estimate, estimation; **H.rechnungsfaktor** *m* inflation/raising factor; **H.regalstapellager** *nt* high-bay racking stacker store (HBSS); **H.regalsteuerung** *f* racking control system; **h. rentierlich** *adj* highly profitable, high-return, high-earning, high-yield(ing), high-performance; **h.riskant** *adj* high-risk; **H.ruf** *m* cheer; **H.saison** *f* high/peak season; **h.schätzen** *v/t* to value/esteem/prize; **H.schätzung** *f* esteem, high regard; **h.schaukeln** *v/t* to escalate; **h.schieben/ h.schleusen/h.schrauben** *v/t* to push up, to boost; **h.schnellen** *v/i* to soar/sky-rocket; **h.schreiben** *v/t* to write up; **H.schreibung** *f* write-up

Hochschullabgänger(in)/H.absolvent(in) *m/f* 1. (university) graduate; 2. *(Einstellung)* graduate recruit; **H.abschluss** *m* university qualification, (academic/ university) degree; **mit H.abschluss** graduate calibre; **H.anstellung** *f* university appointment; **H.(aus)bildung** *f* university/college education, university training

Hochschule *f* university, college, academy, establishment of higher education; **landwirtschaftliche H.** agricultural college; **pädagogische H.** teacher training college *[GB]*, teachers' college *[US]*; **technische H.** college of technology, technical university; **tierärztliche H.** veterinary college; **staatlich unterstützte H.** land grant university *[US]*

Hochschullforschung *f* academic research; **H.lehrer** *m* university professor/teacher, (college) lecturer; **H.qualifikation** *f* university qualification, degree; **H.recht** *nt* law of academic institutions, university legislation; **H.reife** *f* university entrance level/qualification, General Certificate of Education - Advanced (A) Level *[GB]*; **H.studium** *nt* academic course; **H.wesen** *nt* higher/tertiary education; **H.zugang** *m* university entrance/admission

Hochlschutzzollpolitik *f* high protectionism; **h.-schwanger** *adj* advanced in pregnancy; **H.schwung** *m* upswing

Hochsee *f* ocean, deep/open sea, high seas

Hochseel- ocean(-going), sea-going; **H.containerhafen** *m* deep-sea container port; **H.fischerei/H.fischfang** *f/m* deep-sea/deep-water fishing, offshore fisheries; **H.flotte** *f* ocean-going/deep-sea/deep-water fleet; **H.schiff** *nt* sea-going/ocean(-going) vessel; **H.schifffahrt** *f* ocean shipping; **H.schiffsmakler** *m* ocean freight broker; **H.schlepper** *m* ocean-going tug; **h.tauglich/h.tüchtig** *adj* ocean-going

Hochsicherheitsl- high-security

Hochsommer *m* midsummer

Hochspannung *f* ϟ high tension/voltage; **H.sleitung** *f* high-tension cable; **H.smast** *m* pylon, high-tension/ transmission tower; **H.stechnik** *f* high-voltage engineering

hochspielen *v/t* to play/blow up, to overplay

höchst *adj* highest, uppermost, utmost, top-level; **aufs h.e** to the highest degree

Höchstl- peak, supreme, maximum; **H.abschreibung** *f* write-off ceiling; **H.alter** *nt* maximum age; **H.angebot** *nt* highest offer/tender/bid; **H.anspannung** *f* highest stress

Hochlstapelei *f* imposture, confidence trick, swindling; **h.stapeln** *v/i* to practise fraud; **H.stapler** *m* impostor, swindler, con man, confidence trickster

Höchstlarbeitszeit *f* maximum working time; **H.beanspruchung** *f* highest stress, maximum load; **H.bedarf** *m* peak demand; **H.beitrag** *m* maximum contribution; **H.belastung** *f* ϟ peak load; **H.belastungsgrenze** *f* *(Steuer)* psychological breaking-point; **H.besitz** *m* maximum holding; **H.bestand** *m* maximum holding/ inventory; **h.besteuert** *adj* subjected to the highest tax rate

Höchstbetrag *m* ceiling (price), (maximum) amount/ sum, limit, threshold amount; **bis zum H. von** up to the aggregate amount of; **H. eines Akzeptanzkredits** acceptance line; **H. der Leistungen** maximum benefit; **steuerlicher H.** maximum deductible amount; **H.sbürgschaft** *f* limited guarantee, suretyship up to a maximum amount; **H.shypothek** *f* maximum-sum/running-account mortgage *[GB]*, floating charge, closed mortgage; **H.shypothekklausel** *f* open-mortgage clause

Höchstlbewertung *f* top/maximum rating; **H.bietende(r)** *f/m* highest bidder; **H.darlehen** *nt* maximum advance; **H.dauer** *f* maximum duration, ~ time limit; **H.dividende** *f* maximum dividend; **H.dose/H.dosis** *f* maximum dose

hochlstehend *adj* 1. high-ranking, distinguished, important; 2. *(Börse)* high-priced; **h.steigen** *v/i* to rise (high), to ascend

Höchstleinkommen *nt* maximum income, income ceiling; **H.einstellungsalter** *nt* maximum hiring age *[US]*

höchstens *adv* at the utmost/outside, not exceeding

Höchstlentschädigung *f* maximum compensation, limit of compensation; **H.ertrag** *m* maximum yield

Hochsteuerland *nt* high-tax country

im Höchstlfall *m* → **höchstens; H.fangquote** *f* quota ceiling; **H.festlegungsdauer** *f* maximum locking-up period; **H.förderung** *f* ceiling for subsidies; **H.freibe-**

trag *m* maximum allowance; **H.gebot** *nt* highest bid/tender, closing bid; **H.gebühr** *f* fee ceiling; **H.gehalt** *nt* maximum salary; *m* maximum content

Höchstgeschwindigkeit *f* top/maximum speed, speed limit; **mit H.** at top speed; **H. überschreiten** to exceed the speed limit; **zulässige H.** maximum speed; **H.sgrenze** *f* speed limit

Höchstgewicht *nt* maximum weight

Höchstgrenze *f* 1. ceiling, top, upper limit; 2. *(Geld)* cash limit, maximum level/limit; **H.n** ⊠ size limits; **H. für (Geld)Abhebungen** withdrawal limit; **~ ungedeckte Notenausgabe** fiduciary limit; **H. des Selbstbehalts** net line; **H. der Versicherungspflicht** maximum liability

Höchsthaftung *f* maximum warranty/liability; **H.sbetrag** *m* capacity; **H.ssumme** *f* maximum liability limit/cover, limit

in Hochstimmung *f* in high spirits

Höchst|kapazität *f* maximum capacity; **H.kontingent** *nt* quota ceiling, maximum quota; **H.kredit** *m* credit line/limit, line of credit

Höchstkurs *m* 1. maximum rate, all-time high, highest/maximum/peak/top price, (record) high, high quotation/rate; 2. *(Devisen)* upper exchange limit; **H. verbuchen** to reach a high; **zum H. verkaufen** to sell at best

Höchst|ladegewicht *nt* maximum load; **H.lademarke** *f* ⚓ plimsoll line; **H.last** *f* peak load, maximum permissible load, capacity; **H.lastzeit** *f* ϟ peak period/time; **H.laufzeit** *f* maximum maturity/term; **~ des Kredits** maximum duration of credit; **H.leistung** *f* 1. peak/maximum rating, ~ output; 2. *(Vers.)* maximum benefit; **H.lohn** *m* wage ceiling, maximum/top wage, top rate; **H.marke** *f* highest level, peak; **H.maß** *nt* maximum, ceiling; **~ an** highest possible degree of; **H.menge** *f* maximum quantity; **H.mengenpolitik** *f* quota policy; **H.miete** *f* rent ceiling; **h.möglich** *adj* (the) highest possible; **H.niveau** *nt* top/record level; **H.pacht** *f* rent ceiling; **h.persönlich** *adv* in person, in the flesh *(coll)*

Höchstpreis *m* maximum/peak/highest/top/premium/record/ceiling price, price ceiling; **zum H. verkaufen** to sell at best; **H.grenze** *f* price ceiling

Höchst|punkt *m* peak; **~ erreichen** to peak; **H.quote** *f* maximum quota

Hochstraße *f* elevated road, flyover *[GB]*, overpass *[US]*

Höchst|rente *f* maximum pension; **H.reservesatz** *m* maximum reserve ratio; **h.richterlich** *adj* by the supreme court *[US]*; **H.satz** *m* top/maximum/record/peak/ceiling rate, maximum

Höchstschaden *m* maximum loss; **wahrscheinlicher H.** probable maximum loss; **H.smöglichkeit** *f* maximum possible loss

Höchst|schallpegel *m* maximum noise level; **H.schuld** *f* debt limit, maximum debt; **H.schwankung** *f* maximum price range; **H.soll** *nt* 1. maximum target; 2. maximum debit balance; **H.spanne** *f* maximum margin

Höchststand *m* highest level, peak, top (level), (all-time/record) high; **H. der Produktion** production peak; **H. erreichen** to (hit a) peak; **absoluter/historischer H.** all-time/record high, ~ peak

Höchststeuer *f* tax barrier, supertax; **H.satz** *m* margina tax rate

Höchst|stimmrecht *nt* maximum voting right, votin restriction; **H.strafe** *f* 1. maximum sentence; 2. *(Geld strafe)* maximum fine; **H.summe** *f* 1. maximum limi 2. fixed insurance cover(age); **H.tarif** *m* maximur rate; **H.temperatur** *f* maximum temperature; **H.ver günstigung** *f* maximum benefit; **H.verkaufspreis** *r* maximum selling price; **H.versicherungssumme** maximum sum insured; **h.wahrscheinlich** *adv* in a probability, most likely

Höchstwert *m* maximum value; **H. erreichen** to peak **H.prinzip** *nt* maximum-value method

Höchst|zahl *f* maximum/record number; **H.ziffer** maximum figure

gesetzlicher Höchstzins legal rate; **gesetzlich zulässi ger H.** maximum contract rate of interest; **H.satz** *n* top/record interest rate

Höchst|zoll *m* maximum tariff; **~ bei der Einfuhr** maximum import duty; **H.zuladung** *f* maximum payload, useful load; **h.zulässig** *adj* maximum permissible **H.zuschlag** *m* maximum supplement; **H.zuwachs(ra te)** *m/f* maximum rate of increase

hoch|tariflich *adj* high-rated; **h.technisiert** *adj* highl mechanized, sophisticated

Hochtechnologie *f* high technology (high-tech), ad vanced/state-of-the-art technology; **H.bereich** *m* high tech sector; **H.branche/H.industrie** *f* high-tech/sun rise *[US]* industry

Hoch|temperaturreaktor *m* ⚛ high-temperature re actor; **h.tönend** *adj* high-sounding

auf Hochtouren *pl* in full swing, at full capacity; **~ ar beiten** to work flat out; **~ laufen** to go at full blast, to be at full stretch, to be humming (with activity)

hoch|trabend *adj* high-sounding, high-flown, lofty **H.transportband** *nt* overhead conveyor; **h.treiben** *v/* 1. to push/boost/force/send up; 2. *(Preis)* to bid/driv up; **h.verdient** *adj* well-deserved; **h.veredelt** *adj* high ly refined/processed; **H.verrat** *m* high treason, sedi tion; **H.verräter** *m* traitor; **h.verräterisch** *adj* treason able, seditious; **H.verratsprozess** *m* state trial; **h.ver schuldet** *adj* debt-laden, debt-crippled, debt-ridden **h.verzinslich** *adj* high-interest(-yielding), high yield(ing), high-coupon; **H.wald** *m* 1. timber forest; 2 upland forest

Hochwasser *nt* 1. *(Fluß)* flood(s); 2. *(See)* high water tide; 3. incoming/rising tide; **H.katastrophe** *f* flood disaster; **H.marke/H.pegel/H.zeichen** *f/m/nt* high water/tide mark; **H.risiko** *nt* flood risk; **H.schaden** *n* flood damage; **H.schutz** *m* flood control; **H.stand** *n* high-water level; **H.versicherung** *f* flood insurance

hochwertig *adj* 1. special-grade, high-grade, high value, high-cost, of great value, prime, up-market; 2 *(Lebensmittel)* highly nutritions; **qualitativ h.** high quality; **technologisch h.** hi(gh)-tech

hoch|wichtig *adj* vital; **H.wild** *nt* big game; **h.winden** *v/t* ⚙ to hoist; **H.zahl** *f* exponent

Hochzeit *f* wedding, marriage; **auf zwei H.en tanzen** *(coll)* 1. to have the cake and eat it *(coll)*; 2. to have a foot in both camps *(fig)*; **goldene H.** golden wedding; **silberne H.** silver wedding; **standesamtliche H.** civil wedding

Hochzeits|datum *nt* marriage date; **H.empfang** *m* wedding reception; **H.gast** *m* wedding guest; **H.geschenk** *nt* wedding present; **H.reise** *f* honeymoon (trip); **~ machen** to honeymoon; **H.tag** *m* 1. wedding day; 2. wedding anniversary; **H.versicherung** *f* wedding insurance

hochziehen *v/t* ✪ to hoist, to pull up

Hochzins|niveau *nt* high level of interest rates; **H.periode/H.phase** *f* period of high interest (rates); **H.politik** *f* dear-money policy, high interest rate policy, policy of high interest (rates); **H.währung** *f* high-yield currency

Hochzoll|land *nt* high-tariff country; **H.politik** *f* protectionist policy

Höcker *m* hump

Hof *m* 1. court(yard), yard; 2. 🚜 farm(yard), agricultural/farm holding, farmstead; **frei H.** free (at) farmyard; **H. bewirtschaften** to farm land; **verpachteter H.** leased farm

Hof|amt *nt* court appointment; **H.beamter** *m* court official; **H.dame** *f* lady-in-waiting; **H.einheit** *f* farm unit

Höferecht *nt* law of entailed succession of agricultural estates

hoffen *v/i* to hope/trust

Hoffnung *f* hope, expectation

zu Hoffnung|en berechtigen to augur/bode/promise well; **zu den besten ~ berechtigen** to show promise; **alle H. fahren lassen** to abandon all hope; **H.(en) hegen** to nurture hopes; **sich einer H. hingeben** to cherish a hope; **H.en machen** to hold out hopes; **~ zunichte machen** to dash hopes; **H. auf etw. setzen** to pin hopes on sth.; **H. wecken** to generate hope; **sich in falschen H.en wiegen** to nurture false hopes; **jds H.en zerstören; ~ zunichte machen** to dash so.'s hopes

berechtigte Hoffnung legitimate hope; **nicht die geringste H.** not a grain of hope; **leise/schwache H.** slim/slender/faint hope; **vergebliche H.** forlorn hope

Hoffnungskauf *m* speculative purchase

hoffnungslos *adj* hopeless, beyond all hope, without resource; **H.igkeit** *f* hopelessness, desperation

Hoffnungs|schimmer *m* ray/flicker/gleam/glimmer of hope; **h.voll** *adj* encouraging, hopeful; **H.wert** *m* speculative share *[GB]*/stock *[US]*

Hofgut *nt* 🚜 domain

höflich *adj* courteous, polite; **h.erweise** *adv* in civility

Höflichkeit *f* courtesy, politeness, civility; **aus H.** as a courtesy; **H.en austauschen** to exchange courtesies

Höflichkeits|besuch *m* courtesy/duty call; **~ abstatten/machen** to pay a courtesy call; **H.bezeugung** *f* compliment; **H.floskeln** *pl* forms of civility, polite formalities; **H.formen** *pl* etiquette *[frz.]*, proprieties, decorum; **~ wahren** to observe the proprieties; **H.formel** *f (Brief)* complimentary close; **H.formeln** polite formalities

Hoflieferant *m* court purveyor; **königlicher H.** warrant holder *[GB]*; **H.endiplom** *nt* royal warrant *[GB]*

Hof|marschall *m* Lord Chamberlain *[GB]*; **H.meister** *m* yard supervisor; **H.nachrichten** *pl* court circular; **H.staat** *m* court (retinue); **H.statt** *f* farmstead; **H.wirtschaft** *f* farming

Höhe *f* 1. height, level; 2. ✈ altitude; 3. degree, extent, amount; 4. *(Hypothek)* size; **auf der H.** up to scratch *(coll)*, abreast (of); **bis zur H. von** up to, not exceeding, up to a maximum of; **in H. von** 1. to the extent of; 2. to the tune of *(coll)*

Höhe des Auftragsbestandes size of the order book; **H. der Beschäftigung** level of employment; **~ Besteuerung** level of taxation; **durchschnittliche H. des Diskontkredits** line of discount; **H. der Einfuhren** import bill; **~ Einlage** amount of investment; **H. des Fixkurses** fixing level; **H. der Gefängnisstrafe** prison term, term of imprisonment; **H. des Kapitals** amount of capital; **~ Kontingents** quota limit; **~ Kredits** credit line; **H. der Preise** price level; **H. des Schadens** amount of the damage; **~ (zugesprochenen) Schadenersatzes** quantum of damages; **~ Streitwerts** amount in controversy, ~ of the assessed value of the litigation, jurisdictional amount; **H.n und Tiefen (des Lebens)** ups and downs (of life)

sich nicht ganz auf der Höhe fühlen ⚕ to be off colour; **in die H. gehen** 1. *(Preis)* to go up, to rise/increase/advance, to move/shoot up; 2. *(steil)* to soar/rocket; **~ klettern** to scale up; **~ schießen/schnellen** to (sky)rocket, to shoot up, to soar/boom/jump/zoom; **auf der H. sein** to be in top shape; **auf gleicher H. sein** to level-peg; **in die H. treiben** 1. to push/send/force/drive up; 2. *(Geldumlauf)* to inflate; 3. *(Preise)* to scale up, to balloon; 4. *(Kurse)* to peak

astronomische Höhe scyscraping/astronomic level; **in begrenzter H.** limited; **beherrschende H.** commanding height(s); **auf gleicher H.** on the same level, on a level; **auf halber H.** halfway; **lichte H.** clearance, headroom, interior height; **übliche H.** *(Löhne)* going rate; **in voller H.** in full; **vorgeschriebene H.** prescribed level; **wettbewerbsfähige H.** competitive level

Hohe Behörde *f* High Authority *[EU]*; **H.s Gericht** *(Anrede)* Your Lordship *[GB]*, Your Honor *[US]*; **H.r Kommissar** *m* High Commissioner; **H. Kommission** *f [EU]* High Commission

Hoheit *f* sovereignty, supreme authority/power; **h.lich** *adj* sovereign, national, royal

Hoheits|- sovereign; **staatlicher H.akt** sovereign act, act of state; **H.befugnis** *f* sovereign power/authority; **H.betrieb** *m* public utility company, ~ service enterprise; **H.bereich** *m* domestic jurisdiction, national territory; **H.gebiet** *nt* 1. sovereign/national territory; 2. [§] dominion, territory under national jurisdiction; **überseeische H.gebiete** overseas territories; **H.gewalt** *f* (territorial) sovereignty, sovereign power(s), national jurisdiction; **H.gewässer** *pl* territorial/home/national waters, marine belt; **H.grenze** *f* state border, territorial frontier; **H.handlung** *f* sovereign act, act of state; **H.recht** *nt* sovereign right/power(s), dominion, rights and attributes of sovereignty, territorial right; **einzelnes H.recht** servitude; **H.tätigkeit** *f* state activity; **H.träger** *m* public authority, organ of sovereign power; **H.verletzung** *f* violation of sovereign rights;

H.verwaltung *f* public administration/authority; **H.zeichen** *nt* (national) emblem; **H.zone** *f* sovereign base area; **erweiterte H.zone** *(Seerecht)* contiguous zone
(geistiger) Höhen|flug *m* flight of imagination; **H.flugzeug** *nt* high-altitude aircraft; **H.karte** *f* relief map; **H.linie** *f* contour line; **H.linienkarte** *f* contour map; **H.messer** *m* altimeter; **H.rücken** *m* ridge; **H.ruder** *nt* ✈ elevator; **H.schreiber** *m* altigraph; **H.sonne** *f* sunray lamp; **h.verstellbar** *adj* (height-)adjustable
Höhepunkt *m* 1. peak, (point of) culmination, high point; 2. zenith, pinnacle, heyday, climax, apex; 3. *(Veranstaltung)* highlight, high spot; 4. *(Kurve)* vertex; **H. erreichen** 1. to culminate/peak; 2. *(Krise)* to come to a head; **neuen H. erreichen** to hit a new high; **H. überschreiten** to pass the peak, to peak out
höher *adj* 1. higher, superior; 2. *(Börse)* ahead; **beträchtlich/deutlich h. (als)** way above, well up (on); **nicht h. als** not exceeding; **h. liegen/sein (als)** to be up on, to be ahead (of)
Höherbewertung *f* *(Bilanz)* write-up, writing up, uprating, upvaluation, increased valuation, top-up, upward revaluation; **H. von Anlagegütern** appreciation of fixed assets; **H. der Lagervorräte** appreciation of stocks; ~ **Währung** currency appreciation
trotz vorhergehender Zusage an Höher|bietenden verkaufen *m* *(Immobilie)* to gazump *(coll)* *[GB]*; **H.-einstufung** *f* upgrading, uprating; **H.entwicklung** *f* refinement; **H.gebot** *nt* higher bid; **h.gruppieren** *v/t* to upgrade; **H.gruppierung** *f* upgrading, promotion, promotional change of classification; **h.prozentig** *adj* at a higher percentage rate; **H.qualifizierung** *f* upgrading of skills; **h.stehend** *adj* higher-ranking, superior, senior; ~ **als** paramount (to); **h.stufen** *v/t* to promote/upgrade; **H.stufung** *f* upgrading, promotion; **H.versicherung** *f* increased/supplementary insurance; **H.versicherungsbeitrag** *m* premium for increased insurance; **h.verzinslich** *adj* higher-yielding, higher-yield, higher-coupon; **h.wertig** *adj* higher-value(d)
hohl *adj* hollow
Höhle *f* 1. cave, cavern, hollow; 2. *(Versteck)* den; **H. des Löwen** lion's den; **H.nbewohner** *m* troglodyte; **H.nforscher** *m* potholer, speleologist; **H.nwohnung** *f* cave dwelling
Hohl|gewerbe *nt* hospitality industry; **H.glas** *nt* container/hollow glas; **H.glasindustrie** *f* container glass industry; **H.heit** *f* vanity, emptiness; **H.körper** *m (Glas)* hollow-glass(ware); **H.maß** *nt* measure of capacity; **H.raum** *m* hollow (space); **H.spiegel** *m* concave mirror
Höker *m* hawker, huckster, street trader, pedler; **h.n** *v/t* to hawk/peddle
Holding *f* holding (company), non-operating/controlling company; **reine H.** pure holding company; **tätige H.** operating holding company; **übergeordnete H.** major holding company; **H.bankwesen** *nt* group banking *[US]*; **H.bilanz** *f* holding company's balance sheet; **H.gesellschaft** *f* holding/proprietary company, non-operating company
Holgeld *nt* borrowed funds
holistisch *adj* holistic

Hollerith|karte *f* punched card; **H.maschine** *f* Holleri machine
holografisch *adj* holographic
holper|n *v/i* to jolt/bump; **h.ig** *adj* bumpy
Hol|schuld *f* debt to be collected from the debtor at h residence, rent lying in prender; **H.system** *nt* pick-u system
Holz *f* 1. wood; 2. *(Nutzholz)* timber, lumber *[US]*; **au H.** wooden; **aus demselben H. geschnitzt** *(fig)* cast i the same mould *(fig)*; **H. fällen** to fell trees, to cut tim ber; **H. auf dem Stamm kaufen** to buy timber on th stump, ~ standing; **H. stapeln** to stack wood; **abgela gertes H.** (well-)seasoned timber; **abgestorbenes I** dead wood; **grünes H.** unseasoned timber
Holz|abfall *m* waste wood; **H.abhieb** *m* wood cutting **H.anteil** *m* § estovers; **H.arbeiter** *m* 1. woodcutte lumberjack *[US]*; 2. woodworker; **H.art** *f* type c wood; **H.aufarbeitung** *f* logging; **H.auktion** *f* woo timber auction; **H.auskleidung** *f* wood panelling wainscoting; **H.bau** *m* 🏛 timber-frame construction
Holzbearbeitung *f* woodworking, timber processing **H.sindustrie** *f* woodworking and pressing industr **H.smaschine** *f* woodworking machine
Holz|bestand *m* amount/stock of timber, lumbe stock/supply; **H.bohle** *f* deal; **H.börse** *f* timber exchang **H.brücke** *f* wooden bridge; **H.bündel** *nt* faggot
Holzeinschlag *m* 1. logging, tree felling; 2. felling rat rate of felling; **übermäßiger H.** overlogging; **H.sso** *nt* timber-felling target
Holzentnahme *f* timber removal; **H.gerechtigkeit** *f* § (common of) estovers
hölzern *adj* wooden
Holz|ernte *f* forest cropping, logging operation, tim ber/tree harvesting; **H.erzeugung** *f* timber productior **H.fällen/H.fällerei** *nt/f* logging, tree-felling, woo cutting; **H.fäller** *m* woodcutter, lumberman *[US]*, lum berjack *[US]*; **H.faserplatte** *f* fibreboard *[GB]*, fibe board *[US]*; **H.fass** *nt* wooden barrel; **H.feuerung** combustion of wood; **h.frei** *adj* wood-free; **H.floß** *n* raft; **H.fußboden** *m* wooden floor; **H.hammer** *m* mal let; **H.hammermethode** *f* sledgehammer methoc blunt instrument approach; **H.handel** *m* timber/lumbe trade; **H.händler** *m* timber merchant, lumberma *[US]*; **H.industrie** *f* timber(-based)/lumber *[US]* wood-based industry; **H.kiste** *f* wooden chest; **H.kohle** *f* charcoal; **H.konstruktion** *f* timber constructior **H.lager** *nt* timber/lumber yard; **H.lieferant** *m* timbe contractor; **H.maserung** *f* grain; **H.möbel** *pl* woode furniture; **H.nutzungsrecht** *nt* § (common of estovers; **H.papier** *nt* wood paper; **H.schlag** *m* felling lumbering; **H.schlitten** *m* wooden skid; **H.schnitzer** *r* wood carver; **H.schnitzerei** *f* wood carving, wood craft; **H.schuh** *m* clog; **H.sorte** *f* timber grade; **H.spanplatte** *f* chipboard; **H.stoß** *m* woodpile, pile of wood **H.(ver)täfelung** *f* wood panelling; **H.transport** *m* tim ber transport, logging; **H.transportschiff** *nt* lumbe carrier
Holzung *f* felling (of trees), lumbering *[US]*
Holz|unterlage *f* *(Maschine)* skid; **H. verarbeitend** *ac*

wood-processing, wood-using, wood-working; **H.verarbeitung** *f* wood processing; **H.verarbeitungsindustrie** *f* woodworking industry; **H.veredelungsprodukt** *nt* wood-processing product; **H.verkleidung** *f* wood panelling, wainscot; **H.verschlag** *m* crate; **H.vorrat** *m* timber stocks; **H.waren** *pl* wooden goods; **H.wechsel** *m* timber bill; **auf dem H.weg** *m (coll)* on the wrong track, mistaken; **H.wirtschaft** *f* timber(-based) *[GB]*/lumber *[US]* industry; **H.wolle** *f* wood wool, excelsior *[US]*; **H.wurm** *m* woodworm

omel-banking *nt* home banking; **H.page** *f* 💻 home page; **~ einrichten** to create a home page

omo oeconomicus *m (lat.)* economic man

omolgen *adj* homogeneous; **H.genität** *f* homogeneity; **H.logation** *f* homologation; **h.logieren** *v/t* to homologate

onig *adj* honey; **jdn H. um den Bart schmieren** *(coll)* to butter so. up *(coll)*, to soft-soap so. *(coll)*; **h.süß** *adj* honeyed

onorant *m (Wechsel)* payer of honour, acceptor for honour

onorar *nt* 1. (professional) fee, remuneration, terms, honorarium *(lat.)*; 2. *(Autor)* royalties; **H. einstreichen** to pocket a fee; **H. liquidieren** to charge a fee; **ärztliches H.** medical fee; **erfolgs-/leistungsabhängiges H.** 1. payment by results; 2. *(Anwalt)* contingent fee *[US]*; **festes H.** § general retainer; **vorläufiges H.** § retainer

onorarlabrechnung *f* 1. statement of account; 2. *(Autor)* royalties account; **H.abrede** *f* fee arrangement; **H.aufstellung** *f (Autor)* royalty statement; **H.aufwand für die Wirtschaftsprüfer** *m (Bilanz)* remuneration for the auditors; **H.berechnung** *f* calculation of fees, fee computation; **H.festsetzung** *f* bill of cost(s) *[GB]*, fee setting; **H.feststellungsurkunde** *f* remuneration certificate; **H.forderung** *f* fee payable; **h.frei** *adj* free of charge; **H.gefüge** *nt* fee structure; **H.gestaltung** *f* assessment of fees; **H.klausel** *f (Treuhänder)* charging clause; **H.konsul** *m* honorary consul; **H.konsulat** *nt* honorary consulate; **H.rechnung** *f* bill of cost(s) *[GB]*/fees; **H.teilung** *f* fee splitting; **H.umsatz** *m* volume of (professional) fees, fee income; **H.vertrag** *m* 1. fee contract; 2. § special retainer; **H.vorschuss** *m* 1. § retainer, retaining fee; 2. *(Autor)* advance of royalties

onoratioren *pl* dignitaries, bigwigs *(coll)*

onorierlen *v/t* 1. to honour; 2. *(Wechsel)* to protect/remunerate/pay; 3. *(Börse)* to reflect; 4. *(anerkennen)* to reward; **nicht h.en** to dishonour; **h.t** *adj* paid, stipendiary

onorierung *f* 1. remuneration; 2. *(Wechsel)* honouring, protection

opfen *m* 🚜 hop; **H. ernten** to pick hops; **H.anbau** *m* hop growing; **H.pflücker** *m* hop picker

örbar *adj* audible; **H.keit** *f* audibility

ören *v/t* 1. to hear/listen; 2. to understand/learn; **auf jdn h.** to pay attention to so.; **sich h. lassen** to sound all right; **überall h.** to hear it from all quarters

örensagen *nt* hearsay; **vom bloßen H.** by mere report

örer(in) *m/f* 1. listener; 2. ✆ receiver, handset; 3. student; **H. abheben/abnehmen** ✆ to pick up the receiver/phone, to lift the receiver; **H. auflegen** to put down the receiver/phone; **H.brief** *m* listener's letter; **H.kreis** *m* audience

Hörlfehler *m* ⚕ auditory/hearing defect; **H.folge** *f* radio serial; **H.funk** *m* sound broadcasting; **H.gerät** *nt* ⚕ hearing aid; **H.werbung** *f* radio advertising

hörig *adj* compliant; **jdn h. sein** to do so.'s bidding; **H.keit** *f* compliance

Horizont *m* 1. horizon; 2. outlook; **seinen H. ausweiten/erweitern** to broaden one's mind; **über jds H. gehen; ~ übersteigen** to be beyond so.; **enger H.** parochial view

horizontal *adj* horizontal; **H.ablage/H.registratur** *f* horizontal file(s); **H.konzern** *m* horizontal group/trust; **H.verflechtung** *f* horizontal/lateral combination

Hörprobe *f* 1. 🎭 audition; 2. ⚕ hearing test

horrend *adj* shocking, exorbitant, horrendous

Hörlsaal *m* lecture theatre/hall; **H.spiel** *nt* radio play

Hort *m* 1. hoard, treasure; 2. stronghold

Horten *nt* hoarding, stockpiling; **H. von Arbeitskräften** labour hoarding; **h.** *v/t* to hoard/stockpile/treasure, to stash away, to pile up

Hortung *f* hoarding, stockpiling; **H.skauf** *m* hoarding purchase

Hörlverlust *m* loss of hearing; **H.weite** *f* hearing distance; **H.zeichen** *nt* ✆ buzzing

Hospiz *nt* hospice

Hostess *f* hostess

Hotel *nt* hotel; **H. für Geschäftsreisende** commercial hotel; **H. der Spitzenklasse** luxury hotel; **H. garni** residential hotel; **in einem H. absteigen** to put up at a hotel; **sich in einem H. anmelden** to check in at a hotel; **H. bewirtschaften** to run a hotel; **zentral gelegenes H.** downtown hotel *[US]*; **schwimmendes H.** flotel

Hotellanbau *m* hotel annex; **H.angestellte** *pl* hotel staff; **H.anzeiger** *m* hotel directory; **H.aufbewahrung** *f* hotel safe deposit; **H.aufnahmevertrag** *m* hotel accommodation contract; **H.besitzer** *m* hotelier, hotel keeper; **H.betrieb** *m* hotel operation; **H.detektiv** *m* hotel detective; **H.dieb** *m* hotel thief; **H.diele** *f* lounge; **H.diener** *m* hotel porter, bellboy, bellman *[US]*; **H.direktion** *f* hotel management; **H.direktor** *m* hotel manager

Hotelfach *nt* 1. hotel management; 2. catering (trade); **H.ausstellung** *f* special show of the catering trade; **H.frau** *f* hotel manageress; **H.mann** *m* hotel manager; **H.schule** *f* college of hotel management, catering college

Hotellführer *m* hotel guide; **H.gewerbe** *nt* hotel business/trade/industry; **Hotel- und Gaststättengewerbe** (hotel and) catering trade, hotels and restaurants; **H.halle** *f* (hotel) lobby

Hotelier *m* hotelier

Hotelkette *f* hotel chain

Hotellerie *f* hotel industry/business

Hotellmeldezettel ausfüllen *m* to register at a hotel; **H.nachweis** *m* hotel register; **H.ordnung** *f* hotel regulations; **H.page** *m* callboy, bellhop *[US]*; **H.personal** *nt* hotel staff; **H.porter** *m* commissionaire *[GB]*;

H.portier *m* hotel porter; **H.quartier** *nt* hotel accommodation; **H.rechnung** *f* hotel account/bill; **H.register** *nt* hotel register; **H.reservierung** *f* hotel booking; **H.schiff** *nt* flotel; **H.spesen** *pl* hotel expenses; **H.unterkunft** *f* hotel accommodation; **H.verzeichnis** *nt* hotel guide; **H.zimmer** *nt* hotel room; **jdm ein ~ reservieren lassen** to book so. into a hotel; **H.verzeichnis** *nt* hotel register

Hub|brücke *f* lift bridge; **H.gerät** *nt* lifting equipment; **H.geschirr** *nt* lifting gear; **H.leistung** *f* power per unit of displacement; **H.raum** *m* 🚗 cubic/cylinder capacity, engine size

hübsch *adj* 1. pretty; 2. nifty *(coll) [US]*

Hubschrauber *m* helicopter; **H.landeplatz** *m* heliport, helipad, helidrome; **H.pilot** *m* helicopter pilot

Hub|stapler *m* fork-lift truck; **H.vorrichtung** *f* lifting/hoisting device; **H.wagen** *m* fork-lift truck, stacker; **H.zeug** *nt* hoisting unit

Huckepackverkehr *m* 🚆 piggyback service, trailer on flat car (TOFC) *[US]*, rail transport of trailers, rail-trailer shipment

Huf *m* hoof; **H.eisen** *nt* horseshoe; **H.schmied** *m* blacksmith

Hüft|e *f* ⚕ hip; **H.gelenk** *nt* ⚕ hip joint

Hügel *m* hill, mound; **kleiner H.** hillock; **h.ig** *adj* hilly

Huhn *nt* chicken, hen; **Hühner in Intensivhaltung** factory chickens, battery hens

Hühner|auge *nt* ⚕ corn; **H.brühe** *f* chicken broth; **H.futter** *nt* chicken feed; **H.haltung** *f* chicken farming; **H.hof** *m* poultry yard, chicken run; **H.pest** *f* fowl pest

Huld *f* favour

huldig|en *v/i* to pay homage; **H.ung** *f* homage

Hülle *f* 1. cover, covering, wrapping; 2. shell, wallet; 3. *(Schallplatte)* sleeve; 4. ⚓ hull; **in H. und Fülle** in abundance, (a)plenty, galore *[Scot.]*; **durchsichtige H.** transparent cover; **leibliche/sterbliche H.** mortal remains/frame; **wertlose H.** husk

hüllen *v/t* to wrap

Hülse *f* shell; **H.nfrüchte** *pl* pulse, legumes *[frz.]*

human *adj* 1. humane; 2. human

humanisieren *v/t* to humanize

Humanisierung *f* humanization; **H. der Arbeit** humanization of work; **~ Arbeitsplätze** job enrichment, humanization of jobs

humanitär *adj* humanitarian

Humanität *f* humanity

Human|kapital/H.vermögen *nt* human assets/resources/capital; **H.kapitalinvestitionen** *pl* investment into human resources; **H.kapitalrechnung** *f* human resources accounting; **H.medizin** *f* (human) medicine; **H.ökologie** *f* human ecology; **H.relationen** *pl* human relations; **H.ressourcen** *pl* human resources

Humus *m* humus

Hund *m* 1. dog; 2. hound; **das ist ein dicker H.** *(coll)* that's a clanger

jdn auf den Hund bringen *(fig)* to reduce so. to beggary; **vor die H.e gehen; auf den H. kommen** *(fig)* 1. to go to the dogs, to go west; 2. to go to the wall *(coll)*; **schlafende H.e nicht wecken** *(fig)* to let sleeping dogs lie *(fig)*; **vor die H.e werfen** to throw to the dogs; **a mer H.** poor fellow, underdog; **fauler H.** *(coll)* laz dog, lazybones; **gerissener H.** *(coll)* dodger; **scharf H.** *(fig)* real slave-driver

Hunde|abteil *nt* 🚆 dog box; **H.arbeit** *f* drudger; **H.ausstellung** *f* dog show; **H.besitzer(in)** *m/f* dc owner; **H.fänger** *m* dog-catcher; **H.führer** *m (Polize* dog handler; **H.halteerlaubnis** *f* dog licence; **H.halt** *m* dog owner; **H.marke** *f* dog tag; **H.pension** *f* dc kennels

vom Hundert per cent; **in die H.e gehen** to run in three figures, ~ the hundreds

Hundert|dollaraktie *f* full stock *[US]*; **h.fach** *adj* hu dredfold; **h.fünfzigprozentig** *adj (coll)* dyed-in-th wool *(coll)*; **H.jahrfeier** *f* centenary *[GB]*, centenni *[US]*; **h.jährig** *adj* centenary; **h.prozentig** *adj* 1. or hundred per cent; 2. *(coll)* downright *(coll)*; 3. *(Beteil gung)* wholly owned; **H.satz** *m* percentage; **H.ste stelle** *f* percentile

Hunde|steuer *f* dog licence/tax, ~ licence fee; **H.zuc** *f* dog breeding; **H.züchter(in)** *m/f* dog breede **H.zwinger** *m* dog kennel

Hündin *f* bitch

hündisch *adj* servile, cringing, sycophantic

Hunger *m* hunger, famine; **an H./H.s sterben** to starv to death, to die of hunger; **H.gebiet** *nt* famine stricken) area; **H.kur** *f* starvation diet; **H.leiden** starvation; **H.lohn** *m* pittance, starvation wage; **fü einen ~ arbeiten** to sweat

hungern *v/i* to be/feel hungry, to starve; **h. nach** crave for

Hungersnot *f* famine; **von H. geplagt/heimgesucht** fa mine-stricken

Hunger|streik *m* hunger strike; **H.tod** *m* (death fron starvation; **am H.tuch nagen** *nt* to be on the breadlin ~ poverty-stricken

hungrig *adj* hungry

Hürde *f* hurdle, obstacle; **H. nehmen** to clear a hurdl **alle H.n mühelos nehmen** to take everything in one' stride; **H. überwinden** to clear/take a hurdle; **jurist sche H.** legal barrier; **kartellrechtliche H.** antitru hurdle

Husten *m* ⚕ cough; **h.** *v/i* to cough; **H.reiz** *m* irritatio of the throat

Hut *m* hat; *f* custody, protection; **der H. ging ihm hoc** he blew his top; **unter einen H. bringen** *(fig)* 1. to rec oncile/accommodate, to cater for; 2. *(Termine)* to fit i **H. herumgehen lassen** to pass the hat round; **auf de H. sein** to watch out, to be on one's guard; **sich etw. a den H. stecken** *(coll)* to keep sth.; **alter H.** *(coll)* ol hat, chestnut; **H.ablage** *f* hat rack

hüten *v/t* 1. to guard/protect; 2. *(Vieh)* to graze; **sich vo etw. h.** to beware of sth.

Hüter *m* keeper, guardian; **H. des Gesetzes** guardia arm of the law, law enforcement officer, policeman; **H der Ordnung** custodian of the law

Hut|geschäft/H.laden *nt/m* hat shop, hatmaker's shop **H.macher** *m* hatter; **das geht mir über die H.schnur** *(fig)* that puts the lid on it *(fig)*

Hütte *f* 1. hut, cabin, lodge, shack, shed; 2. ✐ smelting plant, smelter; 3. *(Gießerei)* foundry

Hütten|arbeiter *m* ironworker, steelworker; **H.bewohner** *m* cottager; **H.erzeugung** *f* smelter production; **H.fachmann** *m* metallurgist; **H.industrie** *f* iron and steel industry; **H.ingenieur** *m* metallurgist, metallurgical engineer; **H.kapazität** *f* smelting/refining capacity; **H.kombinat** *nt* integrated metallurgical unit, steel complex; **H.kunde** *f* metallurgy; **H.produktion** *f* smelter production; **H.techniker** *m* metallurgical engineer; **H.werk** *nt* smelter(s), steel/smelting plant, mill, iron and steel works; **kombiniertes H.werk** combined iron and steel plant; **H.werkskomplex** *m* integrated metallurgical unit

Hybrid *m* hybrid; **H.rechner** *m* analog-digital/hybrid computer

Hydrant *m* hydrant, fire plug

Hydrau|lik *f* hydraulics, hydraulic system; **h.lisch** *adj* hydraulic

Hydro|biologie *f* hydrobiology; **h.grafisch** *adj* hydrographic; **H.sphäre** *f* hydrosphere

Hygiene *f* hygiene, sanitation; **H.-** sanitary; **H.bereich/H.zone** *m/f* hygiene zone; **H.faktoren** *pl* 1. hygiene factors; 2. job context factors

hygienisch *adj* hygienic, sanitary

Hyperbel *f* π hyperbola

Hyper|inflation *f* hyperinflation, runaway inflation; **h.korrekt** *adj* meticulous; **h.modern** *adj* trendy, state-of-the-art, ultra-modern, new-fangled; **H.trophie** *f* excessive expansion

Hypno|se *f* hypnosis; **h.tisch** *adj* hypnotic; **h.tisieren** *v/t* to hypnotize

Hypothek *f* (real-estate) mortgage, mortgage loan/advance, encumbrance, charge

Hypothek zu mörderischen Bedingungen cutthroat mortgage; **H. ohne Einkommensnachweis** self-certified mortgage; **~ Erhöhungsmöglichkeit** closed mortgage; **H. zur Erschließung von Bauland** development mortgage; **H. auf landwirtschaftlich genutztem Grundbesitz** farm mortgage; **H.en und Grundschulden** *(Bilanz)* mortgages payable; **H. auf unbeweglichem Grundstück** mortgage on real estate; **~ Kapitalversicherungsbasis; H. mit Risikolebensversicherung** endowment mortgage; **H. auf Rentenversicherungsbasis** annuity mortgage; **H. zur Sicherung von Inhaberschuldverschreibungen** adjustment mortgage; **H. mit aufgeschobener Tilgung** deferred payment mortgage; **~ direkter Tilgung** direct reduction mortgage; **H. ohne Tilgung** interest-only mortgage; **H. mit Tilgungsstreckung** low-start mortgage; **~ Tilgungszwang** repayment mortgage; **~ Zinsanpassung; ~ variablem Zinssatz** adjustable-rate mortgage; **~ aufgeschobener Zinszahlung** deferred interest mortgage

mit Hypotheken belastbar mortgageable; **~ belastet** mortgaged, encumbered, burdened with mortgages; **durch H. gesichert** mortgage-backed; **frei von H.en** unmortgaged, unencumbered

Hypothek ablösen/abzahlen/amortisieren to pay off/redeem/satisfy a mortgage, to dismortgage; **H. aufnehmen** to raise/issue/assume *[US]* a mortgage, to (take out/up a) mortgage; **auf H. ausleihen** to lend on mortgage; **mit einer H. belasten** to (encumber with a) mortgage, to encumber; **erneut/neu ~ belasten** to remortgage; **H. bestellen** to mortgage, to create/register/deliver a mortgage; **nachrangige H. bestellen** to submortgage; **H. bewilligen** to grant a mortgage; **H. (ins Grundbuch) eintragen (lassen)** to register/record a mortgage; **H. für verfallen erklären; H. kündigen** to call in/foreclose a mortgage; **auf H. leihen** to lend/borrow on mortgage; **H. löschen** to satisfy/cancel/release/discharge a mortgage; **H. im Grundbuch löschen lassen** to enter satisfaction; **H. tilgen/zurückzahlen** to repay/redeem/satisfy/extinguish a mortgage, to pay off a mortgage; **H. übernehmen** to assume a mortgage; **H. überschreiben** to mortgage; **H. umschichten/umschulden** to remortgage; **H.en vereinigen** to pool mortgages; **aus einer H. zwangsvollstrecken** to foreclose on a mortgage; **H.en zusammenfassen** to tack mortgages

abgelöste Hypothek paid-off mortgage; **sicherungsweise abgetretene H.** blanket bond; **aufgewertete H.** revalorized mortgage; **für mehrere Gläubiger bestellte H.** contributory mortgage; **bevorrechtigte H.** first *[GB]*/senior *[US]* mortgage; **drittrangige H.** third mortgage; **eingelöste H.** closed mortgage; **eingetragene H.** registered *[GB]*/recorded *[US]* mortgage; **erste/erstrangige/erststellige H.** first/legal *[GB]*/senior *[US]*/principal mortgage; **formgerechte H.** technical mortgage; **gelöschte H.** discharged mortgage; **gesetzliche H.** legal/statutory mortgage; **gewöhnliche H.** common-law mortgage; **gewerbliche H.** industrial mortgage; **landwirtschaftliche H.** farm mortgage; **langfristige H.** permanent financing; **nachfolgende H.** subsequent mortgage; **nachrangige/-stellige H.** junior/second/subsequent mortgage, subordinated loan, submortgage; **notleidende H.** defaulted mortgage; **offene H.** open-end mortgage; **rechtsgültige H.** legal/statutory mortgage; **stillliegende/-schweigende H.** tacit mortgage; **tilgungsfreie H.** interest-only mortgage; **unablösliche/unkündbare H.** irredeemable mortgage; **variable H.** variable mortgage; **verbilligte H.** discounted/option mortgage; **verfallene H.** defaulted mortgage; **im Rang vorgehende/vorrangige H.** prior/senior mortgage; **mehreren Gläubigern zustehende H.** participating mortgage; **zweite/zweitrangige/-stellige H.** second/secondary/junior mortgage

Hypothekar *m* mortgagee; **H.anlagen** *pl* mortgage lendings; **H.darlehen** *nt* mortgage loan; **H.finanzierung** *f* mortgage finance/financing; **H.gläubiger(in)** *m/f* mortgage creditor; **H.institut** *nt* mortgage bank

hypothekarisch *adj* hypothecary, by (way of) mortgage, as a mortgage

Hypothekarisierung *f* hypothecation

Hypothekar|kredit *m* mortgage loan/credit, real estate loan; **H.pfandbrief/H.schuldverschreibung** *m/f* mortgage bond; **H.satz/H.zins** *m* mortgage loan rate; **H.schuld** *f* debt on mortgage; **H.verschuldung** *f* mortgage borrowing; **H.versicherung** *f* mortgage guarantee insurance

Hypothekenlablösung *f* (mortgage) redemption; **H.ablösungsrecht** *nt* equity of redemption; **H.abschlüsse** *pl* mortgage sales; **H.abteilung** *f* mortgage department; **H.abtretung** *f* mortgage assignment, assignment of mortgage; **H.aktienbank** *f* joint-stock mortgage bank; **H.anlagenkonto** *nt* mortgage buying; **H.anleihe** *f* mortgage loan; **H.anstalt** *f* mortgage bank; **H.antrag** *m* application for a mortgage/loan; **H.aufnahme** *f* taking out a mortgage; **H.aufwertung** *f* mortgage revalorization

Hypothekenausfall *m* mortgage loss; **H.versicherer** *m* mortgage indemnity insurer; **H.versicherung** *f* mortgage indemnity insurance

Hypothekenlausleihung *f* mortgage lending; **H.ausleihungen** mortgage lending portfolio; **H.auszahlung** *f* mortgage advance, amount paid out to borrower of a mortgage

Hypothekenbank *f* mortgage/land bank, mortgage/home lender; **H.geschäft** *nt* mortgage banking; **H.gesetz** *nt* mortgage banks act

Hypothekenlbedarf *m* demand for mortgages; **H.belastung** *f* encumbrance (by mortgage); **H.beleihung** *f* borrowing on mortgages; **H.bereitstellung** *f* mortgage service; **H.besitzer(in)** *m/f* mortgagee; **H.bestand** *m* mortgage balance(s)/assets/book; **H.bestellung** *f* creation/granting/execution of a mortgage, mortgage contract; **H.bestellungsurkunde** *f* mortgage/security deed; **H.bewilligung** *f* grant of a mortgage; **H.bewilligungsurkunde** *f* indenture of mortgage; **H.brief** *m* mortgage deed/certificate, letter of hypothecation, real estate mortgage note, hypothecation letter; **H.buch** *nt* mortgage(s) register; **H.büro** *nt* mortgage loan office; **H.damnum** *nt* mortgage discount

Hypothekendarlehen *nt* mortgage loan, loan mortgage; **H. geben** to lend against real estate; **erststelliges H.** first mortgage loan; **landwirtschaftliches H.** farm mortgage

Hypothekenldisagio *nt* mortgage discount; **H.eigentümer(in)** *m/f* mortgagee; **H.eintragung** *f* mortgage registration, registration of mortgages; **h.fähig** *adj* mortgageable; **H.finanzierung** *f* mortgage finance/financing; **H.fonds** *m* mortgage fund

Hypothekenforderung *f* mortgage claim/debt; **H.en** *(Bilanz)* mortgages receivable; **H. abtreten** to assign a mortgage

Hypothekenlformular *nt* mortgage form; **h.frei** *adj* unmortgaged, unencumbered, free of mortgages, clear; **H.garantie** *f* mortgage guarantee; **H.geld** *nt* mortgage loan money; **H.geldgeber** *m* mortgage lender; **H.geschäft** *nt* mortgage business/banking, mortgage/property lending; **H.gesellschaft** *f* mortgage company; **H.gesuch** *nt* mortgage loan application; **H.gewährung gegen Abtretung einer Versicherung für den Erlebensfall** *f* mortgage endowment scheme; **H.gewinnabgabe** *f* mortgage profit levy, levy on mortgage profits, ~ currency reform gains from mortgages

Hypothekengläubiger(in) *m/f* mortgage creditor/holder, mortgagee, chargee, encumbrancer, loanholder, creditor on mortgage; **erster H.** legal mortgage creditor; **im Rang vorgehender H.** prior mortgage cred tor; **H.interessenversicherung** *f* mortgagee intere insurance

Hypothekenlinhaber(in) *m/f* mortgage creditor; **H.i stitut** *nt* mortgage bank; **H.instrument** *nt* mortgag bond; **H.klage** *f* [§] foreclosure action; **H.klausel** mortgage clause; **H.knappheit** *f* shortage of mor gages; **H.konto** *nt* mortgage account

Hypothekenkredit *m* mortgage loan/credit, home loa real estate loan; **H. auf Schiffsladung** respondent *(lat.)*; **H.geschäft** *nt* mortgage lending (business **H.versicherung** *f* mortgage loan insurance

Hypothekenlkündigung *f* notice of redemption; **H.lau zeit** *f* mortgage period, term of a mortgage; **H.lebensve sicherung** *f* mortgage protection policy; **H.löschung** satisfaction of a mortgage, release of mortgage; **H.mal ler** *m* mortgage broker; **H.markt** *m* mortgage marke **H.nachfrage** *f* mortgage demand; **H.nehmer(in)** *m* mortgagor, mortgager, borrower on mortgage

Hypothekenpfandbrief *m* 1. mortgage deed, real esta mortgage note; 2.(guaranteed) mortgage bond, mor gage debenture stock, mortgage-backed security; **I mit 30-jähriger Laufzeit** 30-year fixed mortgag bond; **H.inhaber(in)** *m/f* mortgage bondholder

Hypothekenpfandlgläubiger(in) *m/f* encumbrance mortgagee; **H.recht** *nt* mortgage lien; **H.schuldner** mortgager, mortgagor

Hypothekenlrang *m* rank of mortgages; **H.rangord nung** *f* ranking of mortgages; **H.recht** *nt* law of mor gages; **H.register** *nt* mortgage register, register c mortgages/charges, Land Charges Register *[GB* **H.rente** *f* home income plan; **H.rückzahlung** *f* mor gage capital repayment; **H.schein** *m* mortgage certif cate/deed

Hypothekenschuld *f* mortgage/hypothekary debt, del on a mortgage, ~ secured by mortgage; **H.en** *(Bilan* mortgages payable; **H.ner(in)** *m/f* mortgagor, mor gager, hypothecator, mortgage debtor, reverser; **H.ve schreibung** *f* (collateral) mortgage bond/debenture

Hypothekenlstelle *f* mortgage rank; **H.stock** *m* mor gage loan portfolio; **H.summe** *f* mortgage capita **H.tilgung** *f* mortgage redemption/repayment, satisfac tion of mortgage; **H.tilgungsversicherung** *f* mortgag redemption life assurance *[GB]*/insurance *[US]*, mor gage protection policy; **H.übernahme** *f* acceptance/as sumption of a mortgage, mortgage assumption; **H.ur kunde** *f* mortgage deed/instrument; **H.valuta** *f* mor gage money, ~ loan money/proceeds; **H.vereinigung** tacking of mortgages; **H.verkehr** *m* mortgage busi ness; **H.vermittler** *m* mortgage broker; **H.vermitt lungsgebühr** *f* mortgage broker's fee; **H.versiche rung** *f* mortgage protection policy, house purchas scheme, mortgage indemnity insurance; **H.verteilun** *f* loan apportionment; **H.vertrag** *m* mortgage contrac **H.verzeichnis** *nt* mortgage register; **H.verzinsung** rate of interest on a mortgage; **H.vormerkung** *f* mort gage caution; **H.wert** *m* value of a mortgage; **rück ständige H.zahlungen** mortgage arrears; **H.zertifika** *nt* (collateral) mortgage bond

Hypothekenzinslen *pl* mortgage interest, interest rates for mortgages; **variable H.en** variable mortgage rates; **H.satz** *m* mortgage (interest) rate; **H.zahlung** *f* mortgage interest payment

Hypothekenlzusage *f* mortgage commitment, promise/assurance of a mortgage loan, promised mortgage loan; **~ für 30 Tage fest** mortgage commitment for delivery in 30 days; **H.zuteilung** *f* mortgage commitment; **H.zwangsvollstreckung** *f* foreclosure; **H.zwischenkredit** *m* interim mortgage loan

hypothekisierlbar *adj* mortgageable; **h.en** *v/t* to mortgage/hypothecate/bond

Hypothese *f* hypothesis; **H. der Betriebsfortführung** *(Bilanz)* going concern principle; **H. von der Kapitalmarkteffizienz** efficient market hypothesis; **H. aufstellen** to hypothesize, to put forward a hypothesis; **zusammengesetzte H.** composite hypothesis; **H.nprüfung** *f* test of hypothesis; **H.nwahrscheinlichkeit** *f* probability of hypotheses

hypothetisch *adj* hypothetical

Hysterie *f* hysteria, scare

hysterisch *adj* hysterical

ichlbezogen *adj* self-centred, egocentric; **I.sucht** *f* ego(t)ism, selfishness

Ideal *nt* ideal; **i.** *adj* ideal; **im I.fall** *m* under ideal circumstances; **I.forderung** *f* ideal requirement

idealisieren *v/t* to idealize

Idealismus *m* idealism

Idealistl(in) *m/f* idealist; **i.isch** *adj* idealistic

Ideallkonkurrenz *f* § nominal coincidence of offences, concurrence of offences; **I.kostenvorgaben** *pl* currently attainable standards; **I.standardkosten** *pl* ideal standard cost(s), theoretical/perfection standard cost(s); **I.verein** *m* voluntary/non-profit association, non-trading society, members' club; **I.vorstellung** *f* ideal; **I.wechsel** *m* accommodation bill; **I.zustand** *m* ideal state of affairs

Idee *f* 1. thought, idea; 2. conception, notion, brainchild; 3. *(Nuance)* shade, trace

Idee aufgreifen to seize on an idea; **I. ausnutzen; aus einer I. Kapital schlagen** to cash in on an idea; **I. mit Beschlag belegen** to preempt an idea; **I. fallen lassen** to relinquish an idea; **an einer I. festhalten** to cherish an idea; **fixe I. haben** to have sth. on one's brain; **nicht die geringste I. haben** not to have the faintest idea; **auf eine I. kommen/verfallen** to hit upon an idea; **sich eine I. zu Eigen machen** to espouse an idea; **von einer I. besessen sein** to be obsessed with an idea; **mit einer I. spielen** to toy with an idea; **voller I.n stecken** to bubble with ideas; **I. ventilieren** to air an idea; **I. verbreiten** to bandy an idea about; **I.n verbreiten** to disseminate ideas

fixe Idee obsession, craze, bee in one's bonnet *(coll)*; **kluge I.** brainwave; **nachträgliche I.** afterthought; **tragende I.** basic idea; **unausgegorene I.** half-baked idea

ideell *adj* notional, non-material, intangible

Ideenlanreger/I.gestalter/I.spezialist *m* *(Werbung)* ideas man *[GB]*, visualizer *[US]*; **i.arm** *adj* lacking in ideas, unimaginative, meagre; **I.armut** *f* poverty/lack of ideas; **I.austausch** *m* exchange of ideas; **I.findung/I.sitzung** *f* brainstorming *(coll)*; **I.gut** *nt* ideas, intellectual goods; **I.konflikt** *m* conflict of ideas; **i.los** *adj* uninspired; **i.reich** *adj* prolific, imaginative, full of ideas; **I.reichtum** *m* inventiveness; **I.skizze** *f* layout, artist's impression

Identifikation *f* identification; **I.smethode** *f* method of identification; **I.stest** *m* identification test

identifizierlbar *adj* identifiable; **i.en** *v/t* to identify

Identifizierung *f* identification; **I.szeichen** *nt* identification tag

identisch *adj* identical

Identität *f* identity; **I. bestätigen** to identify; **I. feststellen** to establish the identity, to identify; **jds I. nachweisen** to prove/establish so.'s identity; **seine I. verheimlichen** to conceal one's identity

Identitätslausweis *m* identity card; **I.beweismittel** *nt* § identification evidence; **I.feststellung** *f* identification; **I.gleichung** *f* identity; **I.glied** *nt* ▦ identity unit; **I.irrtum** *m* (case of) mistaken identity, error in personam *(lat.)*; **I.karte** *f* identity card; **I.marke** *f* identity disk/tag; **I.nachweis** *m* proof/certificate of identity; **I.prinzip** *nt* principle of identity; **I.täuschung** *f* imposture, impersonation; **I.zeichen** *nt* identification mark

Ideologle/I.in *m/f* ideologist; **I.ie** *f* ideology

Idiom *nt* idiom; **i.atisch** *adj* idiomatic

Idiosynkrasie *f* idiosyncrasy

idiotlensicher *adj* foolproof; **I.ie** *f* idiocy, folly

Idol *nt* idol

ignorieren *v/t* to ignore/disregard, to turn a blind eye to

bei Ihnen *pron* at your end

IHK (Industrie- und Handelskammer) *f* chamber of commerce and industry

Ihrerseits *adv* on your part

Illationsgründung *f* formation with non-cash contributions

illegal *adj* illegal, unlawful, illicit; **I.ität** *f* illegality, unlawfulness

illegitim *adj* illegitimate, improper; **I.ität** *f* illegitimacy

illiquide *adj* illiquid, non-liquid, insolvent, short of cash, cash-starved; **i. werden** to become insolvent, to run out of money

illiquidisierlen *v/t* to make illiquid; **I.ung** *f* increasing illiquidity

Illiquidität *f* illiquidity, insolvency, cash starvation/shortage

illoyal *adj* disloyal; **I.ität** *f* disloyality

Illuminlation *f* illumination; **i.ieren** *v/t* to illuminate

Illusion *f* 1. illusion, wishful thinking; 2. make-believe; 3. pie in the sky *(fig)*; **keine I.en haben** to be under no illusion; **sich einer I. hingeben; sich I.en machen; einer I. nachhängen** to be under/to cherish an illusion, to delude o.s., to labour under the misapprehension (that), to live in a fool's paradise, to engage in the fiction (that)

illusorisch *adj* illusory

Illustration *f* illustration, picture; **I.en** illustrated matter; **farbige I.** colour illustration; **I.sskizze** *f* thumbnail sketch; **I.swert** *m* illustrative value

Illustrator *m* illustrator

illustrier|en *v/t* 1. to illustrate/highlight; 2. to personify; **i.t** *adj* illustrated, pictorial; **reich i.t** richly illustrated

Illustrierte *f* picture paper, (colour) magazine

Image *nt* image; **I. pflegen** to cultivate an image; **angeschlagenes/ramponiertes I.** battered image; **i.bewusst** *adj* image-conscious; **I.bildung** *f* image building; **I.pflege** *f* image polishing/building; **I.test** *m* image test; **I.verlust** *m* loss of image, damage to one's image; **I.werbung** *f* goodwill advertising, image promotion; ~ **betreiben** to promote one's image

imaginär *adj* imaginary, notional

Imaginationswert *m* notional value

Imbiss *m* 1. snack, refreshment; 2. *(Mittag)* lunch(eon); **I. einnehmen** 1. to have a snack; 2. *(Mittag)* to lunch(eon); **I.halle/I.stube** *f* 1. snack bar; 2. takeaway; **I.stand** *m* hot-dog stall

Imitation *f* 1. imitation, copy; 2. me-too product *(coll)*; 3. *(Fälschung)* forgery, fake, counterfeit; **I.en** counterfeit(ed) goods; **I.sleder** *nt* patent leather; **I.sschmuck** *m* imitation jewellery *[GB]*/jewelry *[US]*; **I.swaffe** *f* imitation firearm

Imitator(in) *m/f* imitator

imitier|en *v/t* 1. to imitate/copy; 2. *(fälschen)* to fake; **i.end** *adj* imitative; **i.t** *adj* counterfeit(ed), copied

Imker *m* beekeeper, apiarist; **I.ei** *f* beekeeping, apiculture

Immaterial|güter *pl* 1. intangibles, intangible assets/property, immaterial assets; 2. § incorporeal chattels; **I.güterrecht** *nt* § industrial property law, law of incorporeal things; **I.(güter)rechte** incorporeal chattels/rights, § choses *[frz.]* in action; **I.schaden** *m* nominal/non-physical damage

immateriell *adj* 1. immaterial, intangible, insubstantial, incorporeal; 2. *(Güter)* non-economic

Immatriku|lation/I.lierung *f* matriculation, enrol(l)ment, registration; **i.lieren** *v/t/v/refl* to matriculate/enrol(l)/register

immer *adv* invariably; **i. flott** ⚓ always afloat; **i. während** *adj* perpetual, perennial; **i. wieder** again/time and again, continually

Immi|grant(in) *m/f* immigrant; **I.gration** *f* immigration; **i.grieren** *v/i* to immigrate

Immission *f* intromission, pollution input, industrial pollution; **I.en** noxious substances/fumes

Immissions|auflagen *pl* pollution standards; **I.minderung** *f* pollutant input reduction, reduction of pollution; **I.richtwert** *m* pollution control standard; **I.schaden** *m* pollution damage; **I.schutz** *m* pollution control/protection, protection against noxious substances; **I.schutzauflage** *f* pollution control requirement; **I.wert** *m* input pollution value

immobil *adj* 1. immobile; 2. *(Besitz)* real, immovable

Immobiliar|arrest *m* § attachment of real estate; **I.erbe/I.erbin** *m/f* heir(ess) to real property, inheritor/inheritrix of real estate; **I.investmentfonds** *m* real estate investment trust; **I.klage** *f* § real action, action concerning real estate; **I.kredit** *m* real estate credit, land (mortgage) credit, credit on mortgage; **I.kreditbank/I.institut** *f/nt* land/mortgage bank; **I.nachlass** *m* real estate assets; **I.pfandrecht** *nt* mortgage: ~ **der Steuerbehörde** tax lien; **I.pfändung** *f* seizure of real estate; **I.sicherheit** *f* real security; **I.vermögen** *nt* real estate, (real) property, assets; **I.versicherung** *f* real property insurance, residence/building insurance; **I.vollstreckung** *f* execution upon real estate

Immobilie(n) *f/pl* real estate/property/assets, realty *[US]*, landed property/estate, immovable property, immovables; **jdn aus einer I. entfernen** to evict/oust so.; **I. erwerben** to acquire property; **in I.n investieren** to invest in bricks and mortar *(coll)*; **zur Versteigerung anstehende I.** auction property; **erstklassige I.** prime property; **gewerbliche I.n** commercial real estate; **leerstehende I.** vacant property

Immobilien|abteilung *f* property department; **I.aktie** real estate share/equity, property share *[GB]*/stock *[US]*; **I.anlage** *f* real estate investment, investment in property, property asset/investment; **I.anlagegesellschaft** *f* real estate trust, ~ investment fund, property investment company; **I.besitz** *m* real estate holdings; **I.bestand** *m* property portfolio/stock; **I.beteiligungsgesellschaft** *f* syndicating company, real estate fund; **I.boom** *m* property boom; **I.branche** *f* real estate industry; **I.büro** *nt* estate *[GB]*/land *[US]* agency, real estate agency/office; **I.entwickler** *m* property developer; **I.erwerb** *m* real estate investment, property acquisition, purchase of property/real estate; **I.fachmann** *m* property expert; **I.finanzierung** *f* property finance, construction/real estate financing; **gewerbliche I.finanzierung** commercial construction financing; **I.firma** *f* real estate company, estate agency *[GB]*

Immobilienfonds *m* property fund/trust, real estate (investment) fund; **geschlossener I.** closed-end real estate fund; **offener I.** open-end(ed) real estate fund; **I.anteil** *m* property fund unit, real estate investment trust share

Immobilien|geschäft *nt* real estate business/investment, property deal/undertaking; **I.geschäfte machen** to deal in real estate; **I.gesellschaft** *f* real estate firm, property company; **I.handel** *m* real estate dealing, dealing in real estate; **I.händler** *m* real estate broker/developer, estate agent *[GB]*, realtor *[US]*; **I.hausse** *f* property boom; **I.investition** *f* property/real estate investment; **I.kauf** *m* purchase of property/real estate; **I.konto** *nt* property account; **I.kredit** *m* real estate, home loan, property lending; **I.kredite** *(Bank)* property loan book; **I.-Leasing** *nt* property/real estate leasing; **I.makler** *m* estate agent *[GB]*, realtor *[US]*, real estate broker/agent/operator/dealer; **I.maklerkette** estate agency network; **I.markt** *m* property market, mart, real estate market; **I.objekt** *nt* property, realty *[US]*; **I.preise** *pl* property/real estate prices; **I.recht** *nt* real estate/property law; **I.rendite** *pl* property yield

I.risiko *nt* property risk; **I.schuld** *f* property debt; **I.-Service-Center** *nt* real estate service center; **I.spekulant** *m* property speculator, land jobber; **I.spekulation** *f* property speculation, speculation in real estate; **I.teil** *m (Zeitung)* real estate columns; **I.titel** *m* property share *[GB]*/stock *[US]*; **I.tochter** *f* estate agency subsidiary; **I.treuhandvermögen** *nt* real estate trust asset; **I.trust** *m* property investment trust; **I.unternehmen** *nt* property company, real estate developer/operator; **I.veräußerung/I.verkauf** *f/m* property disposal, sale of real estate; **I.vermögen** *nt* property assets; **I.versicherung** *f* real estate/property/residence insurance; **I.verwalter** *m* property manager; **I.verwaltung** *f* property management; **I.wert** *m* property share *[GB]*/stock *[US]*; **I.zertifikat** *nt* real estate fund certificate, property bond/unit

immobilisier|en *v/t* to immobilize; **I.ung** *f* immobilization

Immobilität *f* immobility

immun *adj* immune; **i.isieren** *v/t* to immunize

Immunität *f* immunity, privilege; **I.en und Vorrechte** immunities and privileges; **mit I. ausgestattet** vested with immunity; **I. aufheben** to waive immunity; **I. genießen** to enjoy immunity, to be immune; **I. gewähren** to grant immunity

absolute Immunität absolute immunity; **bedingte I.** conditional immunity; **gesetzlich ~ I.** statutory immunity; **diplomatische I.** diplomatic privilege/immunity; **eingeschränkte I.** qualified privilege; **gericht-/recht-/richterliche I.** jurisdictional/judicial immunity; **parlamentarische I.** parliamentary immunity/privilege; **persönliche I.** privilege from arrest; **strafrechtliche I.** immunity from prosecution; **zivilrechtliche I.** immunity from suit

Immunitäts|aufhebung *f* *(Parlament)* suspension of privilege; **I.gesetz** *nt* immunity act; **I.klausel** *f* immunity/exemption clause; **I.recht** *nt* immunity law; **I.schutz genießen** *m* to be privileged; **I.verletzung** *f* breach of privilege

Imparitätsprinzip *nt* *(Bilanz)* inequality principle, principle of unequal treatment of losses and income

Imperial|ismus *m* imperialism; **I.ist** *m* imperialist; **i.istisch** *adj* imperialist(ic)

Imperium *nt* empire

Impf|anstalt *f* $ vaccination farm; **I.arzt** *m* vaccinator, inoculator

impfen *v/t* to inoculate/vaccinate

Impf|gesetz *nt* vaccination statutes; **I.ling** *m* vaccinee; **I.pass** *m* vaccination card; **I.pflicht** *f* compulsory/obligatory vaccination, ~ inoculation; **I.schaden** *m* vaccine damage; **I.schein** *m* vaccination/inoculation certificate; **I.stoff** *m* vaccine, serum

Impfung *f* vaccination, inoculation

Impf|zeugnis *nt* vaccination certificate; **I.zwang** *m* compulsory vaccination

Implant|ation *f* $ implantation; **i.ieren** *v/t* to implant

implementier|en *v/t* to implement; **I.ung** *f* implementation

Im|plikation *f* implication; **i.plizieren** *v/t* to imply/entail; **i.pliziert** *adj* implicit; *adv* by implication; **I.ponderabilien** *pl* imponderables, imponderabilia *(lat.)*

imponieren *v/i* to impress; **jdm nicht i.** to cut no ice with so. *(coll)*; **i.d** *adj* impressive

Import *m* ➔ **Einfuhr** 1. import(s); 2. importation; **I.e** imports, negative exports; **~ unter Zollvormerkschein** bonded imports; **I. beschränken** ro restrict imports; **I.(e) drosseln** to cut imports; **I.e kontingentieren** to fix import quotas; **I. liberalisieren** to decontrol imports

billige Import|e cut-price imports; **direkter I.** direct importing; **kontingentierte I.e** import quotas; **nicht ~ I.e** non-quota imports; **kreditierte I.e** imports on credit; **sichtbare I.e** visible imports; **symbolische I.e** token imports; **unsichtbare I.e** invisible imports; **zollfreie I.e** duty-free imports

Import|abgabe *f* import levy/surcharge; **I.abhängigkeit** *f* import dependency; **I.abschöpfung** *f* import levy; **I.abteilung** *f* import department; **I.agent** *m* import agent; **I.akkreditiv** *nt* import letter of credit; **I.anreiz** *m* import incentive; **I.anstieg** *m* rise/jump in imports; **I.anteil** *m* import penetration; **I.antrag** *m* import application, application for an import permit; **I.artikel** *pl* imports, imported goods; **I.aufnahmefähigkeit** *f* import capacity; **I.aufschlag** *m* import mark-up

Importausgleich *m* import price adjustment, ~ equalization; **I.sabgabe/I.sbetrag** *f/m* import equalization levy; **I.sgesetz** *nt* law on import price adjustments

Import|ausweitung *f* increase of imports; **I.bedarf** *m* import requirements; **I.begrenzung** *f* import restriction; **I.beihilfe** *f* import subsidy; **I.bescheinigung** *f* 1. import certificate; 2. clearance inwards; **I.beschränkungen** *pl* import restrictions/cuts, restrictions/curbs on imports; **I.bestimmungen** *pl* import regulations; **I.bewilligung** *f* import permit/licence; **I.bewirtschaftung** *f* import restrictions/control; **I.deckungsquote** *f* import cover ratio; **I.deklaration/I.erklärung** *f* import declaration, entry inwards, bill of entry *[GB]*; **I.depot** *nt* import deposit; **I.drosselung** *f* curb on imports; **I.druck** *m* pressure of imports; **I.einschränkung** *f* import restriction; **I.elastizität** *f* import elasticity; **I.embargo** *nt* import ban, embargo on imports; **I.ersatz** *m* import substitution; **I.erstfinanzierung** *f* initial import financing

Importeur *m* importer, import merchant; **freier I.** outside importer; **wilder I.** rogue importer; **I.bank** *f* importer's bank

Import|finanzierung *f* import financing; **I.- und Export-Finanzierung** foreign trade finance/financing; **I.firma** *f* importer, importing firm/house, firm of importers; **I.flut** *f* flood of imports; **I.förderung** *f* import promotion; **I.freigabe** *f* decontrol of imports; **I.garantie** *f* import guarantee; **I.genehmigung** *f* import licence/permit; **I.geschäft** *nt* 1. import business; 2. import transaction; 3. import trade; **I.gesellschaft** *f* importing company, firm of importers; **I.großhändler** *m* wholesale importer, first-hand distributor; **I.güter** *pl* imports, imported goods/materials; **I.hafen** *m* port of entry; **I.handel** *m* import trade; **I.-Export-Handelsbe-**

trieb *m* import-export trading company; **I.handelsfirma** *f* firm of importers; **I.händler** *m* importer, import merchant; **I.haus** *nt* importing house/company; **I.hemmnis/I.hindernis** *nt* import barrier, import(s) bar; **I.hinterlegungssumme** *f* import deposit

importier|bar *adj* importable; **i.en** *v/t* to import; **i.end** *adj* importing; **i.t** *adj* imported

Import|industrie *f* importing industry; **i.intensiv** *adj* import-intensive, heavily importing; **I.kartell** *nt* import cartel; **I.kaufmann** *m* import merchant; **I.kommissionär** *m* import commission agent; **I.konkurrenz** *f* import competition; **I.konnossement** *nt* inward bill of lading

Importkontingent *nt* import quota; **einseitig festgesetztes I.** unilateral quota; **I.ierung** *f* imposition of import quotas

Import|kontrolle *f* import controls; **I.kredit** *m* import credit; **I.kreditbrief** *m* import letter of credit/L/C; **I.lager** *nt* stock of imported goods; **I.land** *nt* importing country; **I.liberalisierung** *f* import decontrol; **I.lizenz** *f* import licence/permit; **I.monopol** *nt* import monopoly; **I.müdigkeit** *f* reluctance to import; **I.nachfrage** *f* import demand; **I.neigung** *f* propensity to import; **I.niederlassung** *f* import branch office; **I.politik** *f* import policy; **I.preis** *m* import price

Importquote *f* import quota/ratio, ~ penetration ceiling; **I. (im Verhältnis zum BSP)** import/GNP ratio; **durchschnittliche I.** average propensity to import; **marginale I.** marginal propensity to import

Import|rechnung *f* import bill, total imports; **I.restriktion** *f* import restriction; **I.rückgang** *m* decline in imports; **I.schonfrist** *f* temporary import ban; **I.schub** *m* spate/surge of imports; **I.schutz** *m* protection against imports; **I.schutzzoll** *m* protective tariff (on imports); **I.sog** *m* import demand/pull; **I.sonderzoll** *m* import surcharge; **I.sperre** *f* import ban, embargo on imports; **I.steigerung** *f* rising imports; **I.steuer** *f* 1. import duty *[GB]*, ~ (excise) tax *[US]*; 2. tax on imports; **I.stopp** *m* ban on imports; **~ verfügen** to place a ban on imports; **I.stoß** *m* spate/spurt of imports; **I.strom** *m* flow of imports; **I.struktur** *f* import mix, composition of imports; **I.subvention** *f* import subsidy; **I.substitution** *f* import substitution; **I.tätigkeit** *f* importing; **I.überhang/I.überschuss** *m* import surplus; **I.unternehmen** *nt* importing house, firm of importers; **I.verbilligung** *f* reduction of import prices; **I.verbot** *nt* prohibition of imports, import ban/prohibition, ban on imports; **I.verfahren** *nt* import procedure; **I.verlagerung** *f* switch of imports; **I.volumen** *nt* volume of imports, import bill; **I.wachstum** *nt* increase in imports; **I.ware** *f* imports, articles of import, imported merchandise; **~ zwecks Zollfestsetzung klassifizieren** to impost imports *[US]*; **I.welle** *f* tide of imports; **I.wert** *m* import value; **I.wirtschaft** *f* import trade; **I.zahlen** *pl* import figures; **I.zertifikat** *nt* import certificate, certificate of importation; **I.zoll** *m* import tariff/duty/levy; **I.zwischenhändler** *m* merchant shipper

imposant *adj* impressive, grand

imprägnier|en *v/t* to impregnate/waterproof; **i.t** *adj* (water)proofed; **I.ung** *f* impregnation, waterproofing

impraktikabl|el *adj* impracticable; **I.ilität** *f* impracticability

Impresario *m* ♣ impresario

Impressum *nt* ▯ impressum, (printer's) imprint

Imprimatur *f* 1. ▯ licence to print; 2. good for printing

Improvis|ation *f* improvization; **i.ieren** *v/t* to improvize, to play it by ear *(coll)*; **i.iert** *adj* impromptu *[frz.]*, makeshift

Impuls *m* impulse, stimulus, fillip, influence, impetus, incentive; **I.e für Gewerbe/Handel geben** to generate trade; **unter einem I. handeln** to act on impulse, ~ the spur of the moment; **expansiver I.** expansionary impact; **inflatorischer I.** inflatory pressure/stimulus, bout of inflation; **neuer I.** fresh impetus

Impuls|abfallzeit *f* ▭ decay time; **I.folge** *f* ▭ pulse train; **I.geber** *m* ▭ digit emitter; **I.gegenstand/I.gut** *m/nt* impulse item

impulsiv *adj* impulsive, on impulse; **I.kauf** *m* impulse buy/purchase

Impuls|käufe *pl* impulse/impulsive buying; **I.kaufgegenstände** *pl* impulse goods/items; **I.programm** *nt* incentive programme; **I.zähler** *m* pulse counter

imstande *adj* able, capable; **nicht i.** incapable; **i. sein zu** to be able to; **zu allem i. sein** to stop at nothing *(coll)*

in absentia *adv* *(lat.)* § in absentia

inaktiv *adj* 1. inactive, idle; 2. *(Mitglied)* non-active; **i.ieren** *v/t* to retire/deactivate; **I.ierung** *f* withdrawal, retirement, sterilization

In|angriffnahme *f* start, commencement; **I.ansatzbringen von Sterbefällen** *nt (Pensionsfonds)* discounting for mortality

Inanspruchnahme *f* 1. *(Nutzung)* use, utilization, employment; 2. *(Beanspruchung)* call/claim on sth., demand, take-up, drawing (on), availment, recourse (to); 3. *(Gebäude)* occupancy

Inanspruchnahme eines Akkreditivs drawing on a letter of credit, ~ an L/C; **entgeltliche I. oder Leistung von Diensten** purchase or sale of services; **I. einer Erfindung** claiming an invention; **~ Garantie** service under a guarantee, implementation of a guarantee; **I. des Geldmarktes** borrowing in the money market; **starke ~ Geldmarktes** pressure on the money market; **~ Gerichts** resort to litigation, ~ the court; **I. aus Gewährleistungen** availment of guarantees; **I. des Kapitalmarktes** recourse to the capital market, tapping the capital market; **I. eines Kredits** recourse to a credit; **I. der Kreditmärkte** market borrowing; **I. von Leistungen** *(Vers.)* claiming of benefits; **~ Mitbürgen** benefit of division; **I. der Mittel** drain on the resources; **I. öffentlicher Mittel** recourse to public money, ~ the public purse; **starke I. des Personals** heavy demands on the staff; **I. der Priorität** claiming priority; **I. von Raum** occupancy of space; **übermäßige I. der Ressourcen** over-use of resources; **I. der Rücklagen** call on reserves; **I. öffentlicher Verkehrsmittel** ridership (figures) *[US]*

gerichtliche Inanspruchnahme resort to litigation/the court(s); **staatliche I.** government use; **I.begrenzung** *f* limitations of use

Inaugenscheinnahme *f* inspection; **I. durch das Gericht** judicial survey, taking a judicial view

Inbegriff *m* perfect example, embodiment, essence, incarnation, byword; **mit I. aller Spesen** all charges included

Inbegriffen *adj* inclusive (of), including, included; **alles i.** inclusive terms, all-in; **stillschweigend i.** implied

Inbesitznahme *f* (taking) possession, occupation, appropriation, taking; **I. von Zeugen** open entry; **erneute I.** repossession; **tatsächliche I.** actual entry; **unerlaubte/unrechtmäßige I.** unlawful entry; **I.recht** *nt* right of entry/possession

In|betrachtziehung *f* taking into consideration; **I.betriebnahme/-setzung** *f* 1. activation; 2. commissioning, opening, start, putting/taking into operation, putting/coming on stream; **I.betriebnahmezeit** *f* commissioning time; **I.brandsetzen** *nt* arson, setting on fire

Incentivereise *f* incentive trip

Incoterms *pl* International Commercial Terms

Indeckungnahme *f* *(Vers.)* covering

Indemnität *f* exemption from criminal responsibility, indemnity; **I.sbeschluss** *m* act of indemnity; **I.sbrief** *m* letter of indemnity

Indent|geschäft *nt* indent; **I.kaufmann** *m* indent merchant/house; **I.kunde** *m* resident buyer; **I.vertrag** *m* indent contract

Index *m* 1. index; 2. 🖥 subscript

Index der Aktienkurse share index, stock price index *[US]*, Financial Times (Stock Exchange) Index (F.T.S.E.) *[GB]*, Dow Jones Index *[US]*; **~ Arbeitsproduktivität** index of labour productivity; **I. des Auftragseingangs** index of orders booked; **I. der Einzelhandelspreise** retail price index; **~ Erzeugerpreise** index of manufacturing prices; **~ Erzeugerpreise industrieller Produkte** index of industrial producer prices; **~ Großhandelspreise** wholesale price index; **I. des gesamten Handelsgewinns** index of total gains from trade; **I. gleichlaufender Indikatoren** index of coincident indicators; **I. der Lebenshaltungskosten** cost of living index; **~ industriellen Nettoproduktion** index of industrial net output; **~ industriellen Produktion** industrial production index, index of industrial production; **~ Rentenwerte** fixed-securities index; **I. des Verbandes der Versicherungsmathematiker** *(Börse)* actuaries index; **I. der Verbraucherpreise** consumer price index (CPI); **I. des Verbraucherverhaltens** index of consumer sentiment

an den Index anbinden to index

bereinigter Index adjusted index; **nach Handelsvolumen gewichteter I.** trade-weighted index; **gewogener I.** weighted index; **hochgestellter I.** upper index; **kombinierter I.** aggregate index; **saisonbedingter/-bereinigter I.** seasonally adjusted index; **unbewerteter I.** unweighted index; **verketteter I.** chain index; **zusammengesetzter I.** composite index number, chain index

Index|- index(ed), index-linked, index-based; **I.abweichung** *f* deviation from the index; **I.anleihe** *f* index-linked/index loan; **I.ausdruck** *m* 🖥 subscript expression; **I.automatik** *f* automatic cost of living increases; **i.bezogen** *adj* index-related, index-linked; **I.bindung** *f* indexation, indexing, index-linking; **~ der Einkommenssteuer** income tax indexation *[AUS]*; **I.börse** *f* index-prone stock market; **I.datei** *f* index file; **I.denken** *nt* thinking in terms of index performance; **I.entwicklung** *f* index performance; **I.familie** *f* typical average family, standard family household; **I.fehler** *m* index error; **I.fonds** *m* tracker fund; **I.-Future** *m* index future; **I.garantie** *f* index-linked guarantee; **i.gebunden/i.gekoppelt** *adj* index(ed), index-linked, index-based; **I.geschäft** *nt* index trade; **I.gewicht** *nt* index weight; **I.gewinn** *m* index gain/rise; **I.haushalt** *m* index household

indexier|en *v/t* to index, to link to an index; **i.t** *adj* index(ed), (index-)linked, index-based

Indexierung *f* indexation, indexing, index-linking; **I. des Außenwerts** trade weighting; **I.svertrag** *m* indexation agreement

Index|klausel *f* escalator/index/cost-of-living clause; **vertragliche I.klausel** contractual indexing clause; **I.koppelung** *f* index-linking; **I.leiste** *f* 🖥 subscript; **I.liste** *f* index register; **I.listenwert** *m* 🖥 subscript value; **I.lohn** *m* index-linked/indexed wage; **I.option** *f* index option; **I.-Optionen-Kauf** *m* index option purchase; **I.-Optionen-Verkauf** *m* index option sale; **I.preis** *m* index-linked price; **I.punkt** *m* cycle point, index marker; **I.register** *nt* 🖥 indexing feature, index register; **I.reihe** *f* index; **I.rente** *f* earnings-related/indexed/index-linked pension; **I.schema** *nt* index make-up; **I.stabilität** *f* index stability; **I.stufe** *f* index level; **I.system** *nt* indexation system; **I.theorie** *f* index theory; **I.verknüpfung** *f* indexation, index-linking; **I.versicherung** *f* floating policy, index-linked insurance; **I.währung** *f* index-based currency, multiple standard, commodity money; **I.wort** *nt* index word; **I.zahl/I.ziffer** *f* index number/figure, ratio

Indienststellung *f* commissioning, putting into service

indifferent *adj* indifferent, neutral

Indifferenz *f* indifference; **I.bereich** *m* zone of indifference; **I.ebene** *f* indifference surface; **I.funktion** *f* indifference function; **I.gesetz** *nt* law of indifference

Indifferenzkurve *f* iso-utility/indifference curve; **gesellschaft-/volkswirtschaftliche I.** community indifference curve; **I.nanalyse** *f* indifference analysis; **I.nsystem** *nt* indifference map

Indifferenz|ort *m* locus *(lat.)* of indifference; **I.punkt** *m* indifference quality, point of control

Indikator *m* indicator; **geldpolitischer I.** monetary policy indicator; **gesellschaftliche/soziale I.en** social indicators; **maßgeblicher/primärer I.** key indicator; **nachhinkender I.** lagging indicator; **volkswirtschaftliche I.en** economic indicators/pointers, social indicators; **vorauseilender I.** leader, leading indicator; **wirtschaftlicher I.** economic indicator

Indikatoren|analyse *f* item analysis; **I.stabilität** *f* formula flexibility

in|direkt *adj* indirect, collateral, second-hand; **i.diskret** *adj* indiscreet

Indiskretion *f* indiscretion, leak; **I. begehen** to commit an indiscretion, to leak (sth.)

in|diskutabel *adj* out of the question; **i.disponibel** *adj* not available; **i.disponiert** *adj* indisposed, not well

Individual|anspruch *m* personal/private claim; **I.be-**

dürfnis *nt* individual need; **I.besteuerung** *f* personal taxation; **I.daten** *pl* personal data; **I.einkommen** *nt* individual income; **I.entscheidung** *f* decision of the individual transactor; **I.güter** *pl* individual/private goods; **I.haftung** *f* individual/several liability

Individuallisierung *f* individualization; **I.ist(in)** *m/f* individualist; **I.ität** *f* individuality

Individuallkonto *nt* sole account; **I.lohn** *m* individual wage; **I.marke** *f* single brand; **I.panel** *nt* individual panel; **I.rechte** *pl* personal rights; **I.schutz** *m* personal protection; **I.software** *f* custom software; **I.sparen** *nt* private/individual saving, saving by individuals; **I.verkehr** *m* private transport; **I.versicherung** *f* 1. personal/private/individual insurance; 2. *(Lebensvers.)* single-life assurance *[GB]*/insurance *[US]*; **I.vertrag** *m* private contract, contract between individuals

in|dividuell *adj* individual, personal, private, customized, tailor-made; **I.dividuum** *nt* individual

Indiz *nt* 1. indication, pointer, indicator, sign; 2. § accessory fact, act/piece of circumstantial evidence

Indizien *pl* § circumstantial evidence; **I.beweis** *m* circumstantial/indirect/inferential/presumptive evidence; **I.prozess** *m* presumptive case

indizierlen *v/t* to index; $ to indicate; **i.t** *adj* subscripted; **I.ung** *f* indexing

indossabel *adj* endorsable, indorsable, negotiable

Indossament *nt* endorsement, indorsement, backing, indorsation

Indossament aus Gefälligkeit accommodation endorsement; **I. mit Girovermerk** restrictive endorsement; **I. ohne Obligo/Rückkehr** qualified endorsement, endorsement without recourse; **I. nicht in Ordnung** irregular endorsement; **I. nach Protest** endorsement under protest; **I. ohne Verbindlichkeit** endorsement without recourse; **I. mit Weitergabeverbot** restrictive endorsement

Indossament fehlt endorsement required; **durch I. übertragbar** endorsable, negotiable; **mit I. versehen** endorsed

durch Indossament begeben to endorse; **~ übertragen** to endorse, to negotiate/transfer by endorsement; **I. verbürgen** to guarantee an endorsement; **mit einem I. versehen** to endorse

in der Form abweichendes Indossament irregular endorsement; **bedingtes/beschränktes/eingeschränktes I.** conditional/qualified endorsement; **einschränkendes I.** restrictive endorsement; **fiduziarisches I.** fiduciary endorsement; **gefälschtes I.** forged endorsement; **regelwidriges I.** irregular endorsement; **teilweises I.** partial endorsement; **unbefugtes I.** unauthorized endorsement; **unbeschränktes I.** absolute endorsement; **volles I.** special endorsement; **vollständiges I.** full endorsement

Indossamentlhaftung *f* endorser's liability; **I.schuldner** *m* debtor by endorsement

Indossamentslkette *f* chain of endorsements; **I.verbindlichkeit** *f* endorsement liability, liability for endorsement, commitments arising from endorsements; **I.vollmacht** *f* power of endorsement

Indossant *m* endorser, indorser, transferor, backer; **nachfolgender I.** subsequent endorser; **vorgehender I.** previous endorser

Indossat(ar) *m* endorsee, indorsee, transferee

indossierbar *adj* endorsable, indorsable, negotiable; **I.keit** *f* negotiability

indossieren *v/t* 1. to endorse/indorse; 2. *(fremde Wechsel)* to back; **blanko i.** to endorse in blank

Indossierer *m* 1. endorser; 2. *(fremder Wechsel)* backer

indossierfähig *adj* endorsable, indorsable, negotiable

indossiert *adj* endorsed, indorsed; **blanko i.** endorsed in blank, blank endorsed; **nicht i.** unendorsed, unindorsed

Indossierung *f* endorsement, indorsement, indorsation; **wahlweise I.** selective endorsing

in dubio pro reo *(lat.)* § giving the accused the benefit of the doubt

induktiv *adj* inductive

Industrial Engineering *nt* management engineering

industrialisierlen *v/t* to industrialize; **i.t** *adj* industrialized; **hoch i.t** highly industrialized

Industrialisierung *f* industrialization; **I.sanleihe** *f* industrial development bond *[US]*

Industrialismus *m* industrialism

Industrie *f* industry

Industrie mit Anpassungsschwierigkeiten maladaptive industry; **I. zur Gewinnung von Naturprodukten** extractive/primary industry; **I. in der Gründungsphase; ~ den Kinderschuhen** nascent/infant industry; **I. mit linearem Produktionskostenverlauf** constant-cost industry; **I. in Staatsbesitz** state-owned industry; **I. der Steine und Erden** quarrying industry; **I. im Zollfreigebiet** in-bond industry

auf Industrie ausgerichtet industrially minded, industry-orient(at)ed

Industrie beherrschen to control an industry; **I. beleben** to revive an industry; **I. fördern** to promote an industry; **I. gängeln** to nanny an industry; **I. gesundschrumpfen lassen** to make industry lean; **in der I. tätig sein** to work in industry; **I. verlagern** to relocate (an) industry; **I. verstaatlichen** to nationalize an industry

vom Stahl abhängige Industrie steel-related industry; **absterbende I.** decaying/declining/sunset *[US]*/sundown *[US]* industry; **arbeitsintensive I.** labour-intensive industry; **neue aufstrebende I.** sunrise industry *[US]*; **bearbeitende I.** manufacturing industry; **blühende I.** flourishing industry; **bodenintensive I.** space-intensive industry; **chemische I.** chemical industry; **eingesessene I.** established industry; **einheimische I.** home/domestic industry; **eisenschaffende I.** iron and steel(-producing) industry, iron industry; **eisenverarbeitende I.** iron-working industry; **elektronische I.** electronics industry; **elektrotechnische I.** electrical industry, ~ equipment/engineering industry; **sich über das ganze Land erstreckende I.** nationwide industry; **exportintensive I.** export-orient(at)ed industry; **feinmechanische I.** precision engineering industry, precision/light engineering; **führende I.** leading industry; **gewerbliche I.** manufacturing industry; **grafische I.**

graphical industry; **heimische I.** indigenous/domestic/local industry; **Holz verarbeitende I.** wood-working/wood-processing/forest-dependant industry; **junge I.** infant/nascent/fledgling industry; **kapitalintensive I.** capital-intensive industry; **keramische I.** ceramics/pottery industry; **klassische I.** smokestack *[GB]*/sunset *[US]*/sundown *[US]* industry; **kundenorientierte I.** customer industry; **Kunststoff erzeugende I.** plastics-producing industry; ~ **verarbeitende I.** plastics-processing industry; **lebenswichtige I.** vital industry; **Leder verarbeitende I.** leather-processing industry; **lohnintensive I.** labour-intensive industry; **Metall verarbeitende I.** metal-processing/metal-working industry; **mittelständische I.** small-scale industry; **mittlere I.** medium-sized industry; **moderne I.** sunrise/high-tech industry *[US]*; **nachgelagerte I.** downstream/support industry; **neue I.** new/incoming industry; **nicht standortgebundene I.** footloose industry; **niedergehende I.** decaying/declining/sundown *[US]*/sunset *[US]* industry; **optische I.** optical/optics industry; **örtliche/ortsansässige I.** local/regional industry; **Papier verarbeitende I.** paper-processing/paper-converting industry; **petrochemische I.** petrochemical industry; **pharmazeutische I.** pharmaceutical/drugs industry; **primäre I.** primary industry; **Rohstoff gewinnende I.** extractive industry; **saisonbedingte I.** seasonal industry; **schrumpfende I.** decaying/declining industry; **schutzzollbedürftige I.** infant industry; **staatliche I.** state/public-sector industry; **Stahl verarbeitende I.** steel-using industry; **umweltzerstörende I.** environmentally destructive industry; **veraltete I.** smokestack *[GB]*/sunset *[US]*/sundown *[US]* industry; **verarbeitende I.** manufacturing/processing/finishing industry; **verfahrenstechnische I.** process engineering; **verstaatlichte I.** nationalized/state industry; **verwandte I.en** allied industries; **vorgelagerte I.** upstream industry; **wachstumsschwache I.** stagnant industry; **weiterverarbeitende I.** downstream/processing/manufacturing/secondary industry

Industrie|abbau *m* deindustrialization; **I.abbruch** *m* dismantling of an industry; **I.abfälle** *pl* industrial refuse/waste; **organischer I.abfall** organic industrial waste; **I.abgabepreis** *m* industrial selling price; **I.abgas** *nt* industrial waste gas; **I.abnehmer** *m* industrial customer; **I.absatz** *m* industrial sales; **I.abwasser** *nt* industrial effluent, ~ waste water

Industrieaktie *f* industral equity; **I.n** industrial shares *[GB]*/stocks *[US]*, industrials; **führende I.** industrial leader

Industrie|akzept *nt* industrial acceptance/bill; **I.alkohol** *m* industrial alcohol

Industrieanlage *f* industrial plant/unit/works; **I.n** industrial plant and equipment, ~ facilities/equipment; **I.nbau** *m* industrial equipment industry, ~ plant construction; **I.nvermietung** *f* plant hire/leasing

Industrie|anleihe *f* corporate/industrial bond, industrial loan; **I.ansiedlung** *f* 1. industrial development; 2. *(Gewerbegebiet)* industrial/trading estate, enterprise zone; 3. establishment of industries, location of industry; **regionale I.ansiedlungspolitik** regional (industrial) development policy

Industriearbeit *f* industrialism; **I.er(in)** *m/f* industrial/production/factory worker, manufacturing company worker; **I.erlöhne** *pl* industrial wages; **I.splatz** *m* blue-collar/-manufacturing job, job in industry

Industrie|areal *nt* industrial land/estate/site; **I.artikel** *pl* manufactures, manufactured goods; **I.ausfuhr** *f* industrial exports; **I.ausrüstung** *f* industrial equipment; **I.ausstellung** *f* industrial fair/exhibition; **I.ausstoß** *m* industrial output; **I.ausweitung** *f* industrial expansion; **I.bahn** *f* 🚂 industrial railway; **I.ballungsgebiet** *nt* area of industrial concentration; **I.bank** *f* industrial bank; **I.baron** *m* industrial magnate; **I.basis** *f* manufacturing/industrial base; **I.bau** *m* industrial construction, commercial building; **I.bauten** industrial buildings; **I.belieferer** *m* industrial distributor *[US]*; **I.berater** *m* industrial consultant, consulting engineer; **I.beratung** *f* industrial consulting; **I.beratungsstelle** *f* industry consultancy centre; **I.bericht** *m* industrial report; **I.besatz** *m* 1. industrial density; 2. industrial job ratio, manning level; **I.beschäftigte(r)** *f/m* industrial employee/worker; **I.beteiligung** *f* industrial holding/participation/equities/shareholding

Industriebetrieb *m* 1. manufacturing plant/facility/undertaking, industrial unit/plant/facility; 2. indutrial company/enterprise/firm/concern/undertaking/establishment; **staatseigener I.** government industrial enterprise; **I.slehre** *f* industrial economics/science/organisation, engineering economics, business administration

Industrie|bezirk *m* industrial district/area; **I.börse** *f* industrial/commodity exchange; **I.boss** *m (coll)* industry chief; **I.brache** *f* industrial wasteland, derelict ~ land, unused ~ premises; **I.demontage** *f* industrial dismantling, dismantling of industries; **I.diamant** *m* industrial diamond; **I.dichte** *f* industrial density; **I.dunst** *m* smog; **I.durchschnitt** *m* industrial average; **I.einspeisung** *f* ⚡ industrial input; **I.elektronik** *f* industrial electronics; **I.emission** *f* 1. *(Aktien)* industrial issue; 2. *(Verunreinigung)* industrial pollution/release; **I.entwicklung** *f* industrial development; **I.- und Gewerbeentwicklung** industrial and commercial development; **I.erfahrung** *f* industrial experience; **I.erzeugerpreise** *pl* industrial producer prices; **I.erzeugnis(se)** *nt/pl* industrial product(s), manufactures, industrial/manufactured goods; **I.erzeugung** *f* industrial output; **I.fachmesse** *f* industrial exhibition; **I.fahrzeug** *nt* industrial vehicle; **I.-Feuerversicherung** *f* commercial/industrial fire insurance, industrial fire policy; **I.finanzierung** *f* industrial financing; **I.finanzierungsgesellschaft** *f* industrial finance company; **I.firma** *f* industrial firm/company; **I.firmen** *(Aktien)* industrials; **I.fläche** *f* industrial land; **brachliegende I.fläche** industrial wasteland, derelict ~ land

Industrieförderung *f* industrial development, promotion of industry; **I.sgesellschaft** *f* industrial development company/corporation; **I.sprogramm** *nt* business expansion scheme

Industrie|form *f* industrial design; **I.forschung** *f* industrial research; **I.führer** *m* captain of industry, business leader; **I.gas** *nt* industrial gas; **I.gebäude** *nt* industrial building

Industriegebiet *nt* industrial area/region, enterprise zone; **Industrie- und Gewerbegebiet** industrial/trading estate; **altes I. der USA** rustbelt

Industrie|gegend *f* industrial area; **I.gelände** *nt* industrial site/area, trading/industrial estate; **~ auf der grünen Wiese** greenfield site; **I.geldmarkt** *m* industrial clearing; **I.gesellschaft** *f* industrial society; **I.gesetzgebung** *f* factory/industrial legislation; **I.getreide** *nt* coarse grain; **I.gewerkschaft** *f* industrial/trade union; **I.gift** *nt* industrial pollutant; **I.gigant** *m* industrial giant; **I.gleis** *nt* 🚃 industrial siding *[GB]*/sidetrack *[US]*; **I.grundstoff** *m* raw/base material for industry; **I.grundstück** *nt* industrial/factory site, industrial property; **~ auf der grünen Wiese** greenfield site; **I.gruppe** *f* industrial group(ing); **I.gürtel** *m* manufacturing *[US]*/industrial belt

Industriegüter *pl* industrial goods, heavy equipment, manufactures; **I.ausrüster** *m* heavy equipment maker; **I.marketing** *nt* industrial marketing; **I.preise** *pl* industrial (goods) prices; **I.werbung** *f* industrial (goods) advertising

Industrie|hygiene *f* industrial hygiene; **I.hypothek** *f* mortgage on industrial sites; **I.immission** *f* industrial releases; **I.imperium** *nt* industrial empire; **I.index** *m* industrial index; **I.ingenieur** *m* industrial engineer; **I.investition(en)** *f/pl* industrial investment; **I.- und Handelskammer (IHK)** *f* Chamber of Industry and Commerce, United States Chamber of Commerce *[US]*; **I.kapazität** *f* industrial capacity; **I.kapital** *nt* industrial capital; **I.kapitän** *m* captain of industry, industrialist; **I.kartell** *nt* industrial cartel; **I.kassamarkt** *m* spot market for industrial shares; **I.kauffrau/-mann** *f/m* industrial/sales/purchase clerk, industrial manager; **I.keramik** *f* engineering/industrial ceramics; **I.koeffizient** *m* industrial ratio; **I.komplex/I.konglomerat** *m/nt* industrial complex/compound/conglomerate; **I.konjunktur** *f* industrial boom, business activity in industry; **I.konsortium** *nt* industrial consortium; **I.kontenrahmen** *m* industrial accounting system; **I.konzentration** *f* industrial concentration; **I.konzern** *m* industrial group/conglomerate/concern/corporation/combination

Industriekredit *m* industrial credit/loan, corporate loan; **I.e** loans to industry, corporate borrowings; **I.bank** *f* industrial (credit) bank, ~ finance company; **I.genossenschaft** *f* industrial credit cooperative; **I.geschäft** *nt* corporate loan business

Industrie|kreise *pl* industrial circles; **I.kunde** *f* industrial customer/client/user; **I.kundschaft** *f* industrial customers; **I.land** *nt* industrial/industrialized country; **junges I.land** newly industrialized country (NIC); **I.landschaft** *f* industrial landscape; **I.lieferant** *m* industrial supplier; **I.lieferungen** *pl* industrial supplies

industriell *adj* industrial; **nicht i.** non-industrial

Industrieller *m* industrialist, industrial, manufacturer, producer; **führender I.** captain of industry, business/industrial leader, leading industry figure

Industrie|macht *f* industrial power; **I.magnat** *m* tycoon, captain of industry; **I.markt** *m* industrial market; **I.mäzenatentum** *nt* business sponsorship; **I.meister** *m* (factory) foreman; **I.messe** *f* industrial/industries fair; **I.minister** *m* Industry Secretary *[GB]*; **I.ministerium** *nt* Industry Department *[GB]*, Department of Industry *[GB]*; **I.monopol** *nt* industrial monopoly; **I.müll** *m* industrial refuse/waste, trade refuse; **I.nachfrage** *f* industrial demand, demand from industry; **I.nation** *f* industrial nation; **I.norm** *f* industrial/industry standard; **I.normung** *f* industrial standardization; **I.obligation** *f* industrial bond/debenture, corporate/corporation bond *[US]*; **projektgebundene I.obligation** industrial revenue bond *[US]*; **I.ödland** *nt* industrial wasteland, derelict ~ land; **I.papiere** *pl (Börse)* industrials, industrial shares *[GB]*/stocks *[US]*/securities; **I.park; Industrie- und Gewerbepark** *m* industrial park/estate, business park, trading estate, enterprise zone; **I.pension** *f* industrial pension; **I.plan** *m* industrial plan; **I.planung** *f* industrial planning; **I.politik** *f* industrial policy; **I.potenzial** *nt* industrial potential; **I.preise** *pl* industrial prices; **I.produkt(e)** *nt/pl* industrial product(s), manufactures; **I.produktion** *f* industrial output/production, manufacturing/industry/factory output; **I.projekt** *nt* industrial project; **I.region** *f* industrial area; **I.reinigung** *f* industrial cleaning; **I.reservoir** *nt* industrial base; **I.roboter** *m* industrial robot; **~ der zweiten Generation** intelligent industrial robot; **I.rohstoff** *m* industrial raw material; **I.sabotage** *f* industrial sabotage; **I.schuldner(in)** *m/f* industrial debtor

Industrieschuld|scheine *pl* commercial papers; **I.verschreibung** *f* 1. industrial (revenue) bond, corporation/corporate bond *[US]*, corporate loan *[US]*, ~ debt issue *[US]*; 2. *(mit Absicherung durch Wertpapiere anderer Unternehmen)* collateral trust bond

Industrie|schutzbeauftragter *m* industrial safety officer; **i.schwach** *adj* having little industry, industrially underdeveloped; **I.schwerpunkt** *m* area of industrial concentration; **I.sektor** *m* industrial sector; **I.siedlung** *f* industrial estate; **I.sparte** *f* line of business, (sector of) industry, industrial sector; **i.spezifisch** *adj* specific feature of an industry, industry-specific; **I.spion** *m* industrial spy; **I.spionage** *f* industrial espionage/spying; **I.staat** *m* industrial state/nation, industrial(ized) country; **zum ~ machen** to industrialize; **I.stadt** *f* industrial/manufacturing city, ~ town; **I.standort** *m* location of industry, industrial location, centre for industry, ~ industrial production; **I.statistik** *f* industrial statistics; **I.steuer** *f* industrial rate; **I.struktur** *f* industrial structure, structure of industry; **I.subvention** *f* industrial subsidy; **I.syndikat** *nt* industrial trust; **I.- und Handelstag** *m* association of chambers of commerce and industry; **I.tarif** *m* industrial tariff/rate; **I.tätigkeit** *f* industrial activity/work; **i.üblich** *adj* industrially used, common (practice) in industry; **I.umsatz** *m* industrial turnover/sales; **I.unternehmen** *nt* industrial enterprise, firm/company/concern/establishment/undertaking; **I.verband** *m* industrial association; **britischer I.verband** Confederation of British Industry (CBI); **I.ver**

bindung *f* industrial affiliation/link; **I.verlagerung** *f* industrial relocation, relocation of industry; **I.vermögen** *nt* industrial wealth; **I.versicherung** *f* industrial insurance; **I.versicherungssparte/-zweig** *f/m* industrial branch; **I.vertreter** *m* representative of industry, industry official/representative; **I.vertriebskosten** *pl* manufacturer's cost price; **I.viertel** *nt* manufacturing district/ quarter; **I.waren** *pl* manufactures, manufactured/industrial goods; **I.werbemittel** *nt* medium for industrial advertising; **I.werbung** *f* industrial advertising; **I.werk** *nt* manufacturing/production plant; **I.werkstoff** *m* industrial material; **I.werte** *pl (Börse)* industrials, industrial equities/shares *[GB]*/stocks *[US]*/securities; **führender I.wert** *(Börse)* industrial leader/major; **I.wirtschaft** *f* industrial economy/system; **I.zeitalter** *nt* industrial age, age of industry; **I.zentrum** *nt* industrial/manufacturing centre; **I.zone** *f* trading/industrial estate, enterprise zone

Industriezweig *m* (branch/sector of) industry, manufacturing branch/sector, industrial sector/division; **geschützter I.** ⊖ protected/sheltered industry; **kleiner I.** minor industry; **miteinander konkurrierende I.e** competing industries; **nachgelagerter I.** downstream industry; **verwandter I.** related industry; **vorgelagerter I.** upstream industry

ineffektiv *adj* ineffective; **I.ität** *f* ineffectiveness

ineffizien|t *adj* inefficient; **I.z** *f* inefficiency

ineinander greifen *v/i* 1. to interlock/interlink; 2. to overlap; **eng i. greifend** *adj* interdependent; **genau i. passen** *v/i* to dovetail (into), to fit together; **i. schieben** *v/t/v/refl* to telescope

inelast|isch *adj* inelastic; **I.izität** *f* inelasticity

inempfangnahme *f* receipt

Infektion *f* $ infection, contagion; **I.sabteilung** *f* isolation ward; **I.sgefahr** *f* danger of infection; **I.sherd** *m* focus/centre of infection; **I.skrankenhaus** *nt* isolation hospital; **I.skrankheit** *f* infectious/contagious disease; **I.szeit** *f* infection period

Inferenz *f* inference; **I.statistik** *f* inferential statistics

Infilt|ration *f* infiltration; **i.rieren** *v/t* to infiltrate

infizier|en *v/t* $ to infect/contaminate; **sich ~ mit** to contract, to be infected; **I.ung** *f* contraction, contamination

Infinitesimalrechnung *f* π calculus

in flagranti *adv (lat.)* red-handed, in the very act, flagrante delicto *(lat.)*

Inflation *f* inflation

Inflation durch Erhöhung der Gewinnspanne markup inflation; **I. der Gewinne** profit inflation; **~ Großhandelspreise** wholesale price inflation; **I. bei gleichzeitiger Hochkonjunktur** boomflation; **I. im Jahresvergleich** year-on-year inflation; **I. bei Rezession** slumpflation; **~ Stagnation** stagflation; **I. der Verbraucherpreise** consumer price inflation

Inflation abbremsen to slow down inflation; **I. anheizen/antreiben** to boost/fuel/stoke inflation, to rev up inflation *(coll)*; **I. bekämpfen** to combat/fight/counter inflation; **I. in den Griff bekommen; I. unter Kontrolle bekommen/bringen** to check inflation, to get inflation under control; **I. bremsen/dämpfen/drosseln** to curb/restrain/dampen inflation; **I. eindämmen** to curb/contain inflation; **der I. den Nährboden entziehen** to squeeze inflation; **~ Einhalt gebieten** to halt inflation; **stärker als die I. steigen** to rise ahead of inflation; **I. verstärken** to add another twist to the inflationary spiral; **I. zügeln** to curb inflation

absolute Inflation absolute/true inflation; **allgemeine I.** widespread/general inflation; **durch Lohnsteigerungen angeheizte/bedingte I.** wage-fuelled/wage-push inflation; **wieder aufflackernde I.** recurrent inflation; **aufgestaute I.** pent-up inflation; **durch Nachfrageüberhang ausgelöste I.** demand-pull inflation; **durch Nachfrageverschiebung ~ I.** demand-shift inflation; **durch Produktionskostensteigerungen ~ I.** cost-push inflation; **durch Kostensteigerung bedingte I.** runaway inflation; **sich beschleunigende I.** accelerating inflation; **echte I.** true inflation; **einkommensanspruchsbedinge I.** income-claim inflation; **einkommensbedingte I.** inflation due to disproportionate income rises; **galoppierende I.** galloping/runaway/hyper/snowballing/headlong/raging/cantering inflation, hyperinflation; **außer Kontrolle geratene I.** cost-push inflation; **gesteuerte I.** controlled inflation; **gestoppte I.** suppressed/repressed inflation; **graduelle I.** deferred inflation; **hausgemachte I.** home-made/ home-grown/internal inflation; **importierte I.** imported inflation; **konfliktinduzierte I.** struggle-for-income inflation; **kostenbedingte/-induzierte I.** cost-push/cost-induced inflation; **lohninduzierte I.** wage(-led)/wage-push inflation; **marktmachtbedingte I.** market power inflation; **nachfragebedingte/-induzierte I.** demand/demand-pull/demand-induced inflation, excess demand inflation; **offene I.** undisguised inflation; **preisgestoppte I.** price-frozen inflation; **relative I.** relative inflation; **säkulare I.** secular inflation; **schleichende I.** creeping/latent/persistent inflation; **sektorale I.** sectoral inflation; **steigende I.** rising/accelerating inflation; **steuerbedingte I.** tax-push inflation; **strukturelle I.** structural inflation; **trabende I.** galloping/runaway/headlong/raging/snowballing inflation; **übermäßige I.** hyperinflation; **ungezügelte I.** wild/uncontrolled/rip-roaring inflation; **unsichtbare/verdeckte/versteckte I.** concealed/masked/suppressed/ camouflaged/hidden inflation; **tief verwurzelte I.** embedded inflation; **weltweite I.** world-wide inflation; **wohl dosierte I.** carefully dosed inflation; **zügellose I.** rampant/headlong/runaway/raging/snowballing/galloping inflation; **zurückgestaute I.** pent-up/suppressed/repressed inflation; **zweistellige I.** double-digit inflation

inflationär; inflationistisch *adj* inflationary, inflationist; **nicht i.** non-inflationary, inflation-free

inflationlieren *v/i* to inflate, to pursue a policy of inflation; **I.ismus** *m* inflationism; **I.ist** *m* inflationist

Inflations|- inflationary, inflationist; **I.abbau** *m* deflation; **i.anfällig** *adj* inflation-prone; **I.anfälligkeit** *f* proneness to inflation; **I.angst** *f* inflationary fears, fear of inflation; **I.anhänger** *m* inflationist; **verstärkter I.auftrieb** inflationary rise, rise in the rate of inflation;

I.ausgleich *m* compensation for inflation, inflation relief; **I.auslöser** *m* inflation trigger; **i.bedingt** *adj* inflation-induced, inflation-driven; **I.befürchtung** *f* inflationary fears; **I.bekämpfung** *f* fight against inflation, inflation-fighting, containment of inflation; **I.bekämpfungsprogramm** *nt* anti-inflation programme; **i.bereinigt** *adj* inflation-adjusted, adjusted for inflation, after inflation; **I.beschleunigung** *f* acceleration of inflation; **I.besorgnis** *f* inflationary fears, fear of inflation; **i.bewusst** *adj* inflation-conscious; **auf die I.bremse treten** *f* to curb inflation; **I.damm** *m* hedge against inflation; **I.dämpfung/I.drosselung/I.eindämmung** *f* curbing (of) inflation; **I.drohung** *f* inflationary threat; **I.druck** *m* inflation pressure, inflationary pressure/strain/force/squeeze, pressure of inflation; **i.empfindlich** *adj* inflation-sensitive; **I.entschädigung** *f* compensation for inflation; **I.entwicklung** *f* course of inflation; **I.erscheinung** *f* symptom of inflation, inflationary symptom; **I.erwartung** *f* inflationary expectation; **I.faktor** *m* inflationary factor; **i.feindlich** *adj* anti-inflationary; **I.fieber** *nt* inflationary fever; **i.fördernd** *adj* speeding up inflation; **i.frei** *adj* non-inflationary; **I.gefahr** *f* risk of inflation, inflation peril/danger; **I.gefälle** *nt* inflation differential, differences in inflation rates; **internationales I.gefälle** international inflation differential; **I.geleitzug** *m* inflation league; **i.geschüttelt** *adj* inflation-torn; **I.gespenst** *nt* spectre of inflation; **I.gewinn** *m* inflation gain, inflationary profit; **I.gipfel** *m* peak of inflation; **i.hemmend** *adj* disinflationary; **I.herd** *m* centre of inflation; **I.höhepunkt** *m* inflation peak; **I.hysterie** *f* inflation hysteria; **I.index** *m* inflation index; **I.klima** *nt* inflationary climate/environment; **I.konjunktur** *f* inflation(ary) boom; **I.kräfte** *pl* inflationary forces; **I.krise** *f* inflationary crisis; **I.lücke** *f* inflationary gap; **I.marge** *f* inflationary margin; **I.mentalität** *f* inflationary/inflation mentality; **I.moment** *nt* inflationary factor; **I.neigung** *f* inflationary/inflationist trend, inflationary propensity/tendency; **i.neutral** *adj* non-inflationary; **I.niveau** *nt* level of inflation; **I.politik** *f* inflation(ary) policy, policy of inflation; **I.potenzial** *nt* inflation potential; **I.prozess** *m* inflationary process/trend, process of inflation

Inflationsrate *f* rate/level of inflation, inflation rate, inflationary margin; **einstellige I.** single-figure inflation; **zweistellige I.** double-digit inflation

Inflations|rückgang *m* drop in the rate of inflation; **I.schraube/I.spirale** *f* inflationary spiral, wage-price spiral, spiralling inflation; **I.schub** *m* burst of inflation, inflationary bout/push; **I.schutz/I.sicherung** *m/f* hedge against inflation; **i.sicher** *adj* inflation-proof(ed); **I.stoß** *m* upsurge in inflation; **I.tempo** *nt* rate/pace of inflation; **I.tendenz** *f* inflationary tendency/trend, inflationist trend; **I.theorie** *f* theory of inflation; **I.unterschied** *m* inflation differential; **I.ursachen** *pl* roots of inflation; **I.ventil** *nt* inflation valve; **I.verlangsamung** *f* deceleration of inflation; **I.verlust** *m* loss through inflation; **I.vorwegnahme der Preisgestaltung** *f* anticipatory pricing; **I.währung** *f* inflated currency; **I.welle** *f* wave of inflation; **I.wert** *m* inflated value; **I.wirkungen** *pl* effects of inflation; **I.zahlen** *pl* inflation figures **I.zeichen** *nt* inflationary symptom, symptom of inflation; **I.zeit** *f* inflationary period; **in I.zeiten** in inflationary times; **I.ziel** *nt* inflation target; **I.zuschlag** *m* inflation surcharge

inflatorisch *adj* inflationary, inflated, inflationist; **nich i.** uninflated

inflexi|bel *adj* inflexible; **I.bilität** inflexibility

Info(blatt) *nt* factsheet

infolge von *prep* owing/due to, as a result of, in consequence of, consequent on; **i.dessen** *conj* as a result consequently

Infomappe *f* briefing pack

Informant(in) *m/f* 1. informant; 2. *(Polizei)* informer

Informatik *f* computer science, informatics, information science/technology (IT); **angewandte I.** applie informatics, ~ computer science

Informatiker *m* computer/information scientist

Information *f* 1. information; 2. *(Ort)* information desk **I.en** intelligence, data; **zu Ihrer I.** for your reference **I.(en) aus erster Hand** first-hand information; **I.e über betriebsinterne Vorgänge** insider information

Informationen austauschen to exchange/swap information; **I. vertraulich behandeln** to treat informatio confidentially; **I. beschaffen** to secure information; **I eingeben/einfüttern** to input information; **I. einhole** to gather information; **I. entlocken/herausholen** t elicit/extract information; **I. einspeisen** to feed in information; **I. erhalten** to obtain information; **I. durchsickern lassen** to leak information; **I. zukommen lassen** to convey information; **I. löschen** to cancel information; **sich bei der Information melden** to repo to the information/reception desk; **I. nachprüfen** t check up (on) information; **I. preisgeben** to divulge information; **I. sammeln** to collect/gather information; **I übermitteln** to transmit information; **I. verarbeiten** t process information; **I. verbreiten** to circulate/disseminate information; **sich I. verschaffen** to gather information; **I. vorenthalten/zurückhalten** to withhold/suppress information; **I. zusammentragen** t collate information

aktuelle Information|en up-to-date information; **ausführliche I.en** detailed information; **buchmäßige I.e** accounting information; **detaillierte I.** in-depth information; **gespeicherte I.** recording; **unter Geheimschutz gestellte I.** classified information; **kursbeeinflussende I.** price-sensitive information; **laufende I** continued information; **unzureichende I.** inadequat information; **veränderliche I.** volatile informatio **vertrauliche I.en** confidential/insider informatio **vollkommene I.** complete information; **zuverlässig I.** authentic information

Informations|abfrage/I.abruf *f/m* information retrieval; **I.abrufsystem** *nt* information retrieval syste **I.absprache** *f* price-reporting agreement; **I.abteilung** *(Kredit)* credit department; **I.amt** *nt* information office; **I.anbieter** *m* information provider; **I.angebot** *n* available information; **I.anordnung** *f* informatio format; **I.austausch** *m* exchange of information, info mation swap/sharing, communication; **I.bank** *f* data/information bank; **I.bedarf/I.bedürfnisse** *m/pl* information needs; **I.bereitstellung** *f* provision of information; **I.bericht** *m (Parlament)* green paper *[GB]*; **I.beschaffung** *f* information search/gathering; **I.besprechung** *f* briefing (conference), provision of information; **I.besuch** *m* fact-finding visit, informative visit; **I.bewertung** *f* evaluation of information; **I.blatt/I.brief** *nt/m* newsletter, newssheet, factsheet, information sheet; **I.broschüre** *f* factsheet; **I.büro** *nt* information office/bureau; **I.darstellung** *f* data presentation; **I.defizit** *nt* lack of information, information gap; **I.dichte** *f* 🖳 packing density; **I.dienst** *m* information/data service, trade information: ~ **für Laufkundschaft** walk-in information service; **I.durchsatz** *m* 🖳 information throughput; **I.eingabe** *f* 🖳 data input; **I.erschließung** *f* 🖳 information retrieval

Informationsfluss *m* flow of information, information flow, communications; **einseitiger I.** one-way communication; **wechselseitiger I.** either-way communication

Informations|flut *f* flow of information; **I.freiheit** *f* freedom of information

Informationsgehalt *m* information content; **ohne I.** uninformative; **mittlerer I.** ▦ entropy

Informations|gesellschaft *f* communications/information society; **I.gespräch** *nt* consultations; **i.gestützt** *adj* information-based; **I.gewinnung** *f* information gathering; **I.gewinnungssystem** *nt* 🖳 information retrieval system; **I.grundlage** *f* information base; **i.halber** *adv* for information purposes; **I.kanal** *m* channel of information; **I.kartell** *nt* price-reporting cartel, open price system; **I.kosten** *pl* cost of collecting/gathering information; **I.lieferant** *m* information provider; **I.lücke** *f* information/communication gap; **I.mappe** *f* briefing pack

Informationsmaterial *nt* (descriptive) literature, information material; ~ **des Herstellers** vendor literature; **I. zurückhalten** to withhold information; **gesperrtes I.** classified information; **kostenloses I.** free literature

Informations|mittel *nt/pl* information medium/media; **I.nachfrage** *f* demand for information; **I.netz** *nt* network of information; **I.pflicht** *f* disclosure duty, statutory requirement to furnish information, duty to inform; **I.planung** *f* information systems planning; **I.politik** *f (Unternehmen)* information management; **I.prozess** *m* information process

Informationsquelle *f* source of information; **interne I.** internal source of information; **reichhaltige I.** mine of information; **sichere I.** reliable source

Informations|recht *nt* right to obtain information, ~ be given information, information right; **I.regulator** *m* 🖳 gatekeeper; **I.reise** *f* fact-finding tour; **I.rückfluss** *m* feedback; **I.sammlung** *f* intelligence activity; **I.sitzung** *f* briefing; **I.speicherung** *f* 🖳 data storage; **I.splitter** *m* titbits of information; **I.stand** *m* 1. information desk; 2. level of information; **I.stelle** *f* information office/bureau

Informationssystem *nt* information system; **I.e** information technology; **automatisiertes/computer-/rechnergestütztes I.** computerized/computer-aided/computer-based information system; **betriebliches I.** management reporting system

Informations|tafel *f* notice *[GB]*/bulletin *[US]* board; **I.tätigkeit** *f* intelligence work; **I.technik/I.technologie** *f* information technology (IT); **I.theorie** *f* information theory, theory of communication; **I.träger** *m* 1. 🖳 data set; 2. information carrier/medium; **I.übergabe/I.übermittlung/I.übertragung** *f* information transfer/transmission, transmission of information; **I.überschuss** *m* information overload; **I.verarbeitung** *f* data/information processing; **fortgeschrittene I.verarbeitung** advanced data processing; **I.verfahren** *nt* information procedure; **I.versorgung** *f* provision of information, information supply system/network; **I.volumen** *nt* information volume; **I.vorsprung haben** *m* to be better informed; **I.weg** *m* channel of information; **I.weitergabe** *f* dissemination of information, information disclosure; **I.werbung** *f* informative advertising; **I.wert** *m* information value; **I.wiedergewinnung** *f* 🖳 information retrieval; **I.wissenschaft** *f* computer/information science, informatics; **I.zentrale** *f* information centre; **I.zugriff** *m* information access

informat|iv; i.orisch *adj* informative, informational; **I.ivität** *f* informativity

informell *adj* informal

informieren *v/t* to inform/advise/notify/brief/instruct/post/communicate; *v/refl* to make inquiries, to find out, to secure information; **telegrafisch i.** to telegraph/cable/wire

informiert *adj* informed, in the picture, posted; **falsch i.** misinformed; **gut i.** well-informed; **nicht i.** ignorant

Info|-Stand *m* information stand; **I.tainment** *nt* infotainment; **I.-Telefon** *nt* hot-line

in Frage stellen *v/t* to challenge, to (call into) question; **I.stellung** *f* challenge

infrarot *adj* infrared

Infrastruktur *f* 1. infrastructure, infrastructural facilities; 2. sub-structure, social/public overhead capital; **bauliche I.** physical infrastructure; **wirtschaftsnahe I.** industry-orient(at)ed infrastructure

Infrastruktur|- infrastructural; **I.ausstattung/I.einrichtungen** *f/pl* infrastructure, infrastructural/infrastructure facilities; **i.ell** *adj* infrastructural; **I.investitionen** *pl* investments in/to improve the infrastructure; **wirtschaftliche und soziale I.investitionen** investments in economic and social infrastructure sectors; **I.kosten** *pl* social cost(s); **I.kredit** *m* infrastructure-financing loan; **I.maßnahme** *f* measure to improve the infrastructure; **I.politik** *f* infrastructure policy; **I.voraussetzung** *f* infrastructure/infrastructural requirements

Infusion *f* infusion

Ingang|setzen/I.setzung *nt/f* launch(ing), start-up, actuation, putting into operation; **I.setzungskosten** *pl* start-up cost(s), pre-operating and start-up expenditure

Ingenieur *m* engineer; **ausführender I.** *m* project engineer; **bauleitender I.** resident(ial) engineer; **beratender I.** consulting engineer; **leitender I.** senior/chief engineer

Ingenieur|arbeit *f* engineering; **computergestützte I.arbeit** computer-aided engineering; **I.bau** *m* construction engineering; **I.beruf** *m* engineering profession; **I.büro** *nt* engineering consultants/consultancy; **I.honorar** *nt* engineering fee; **I.keramik** *f* engineering/industrial ceramics; **I.leistungen** *pl* engineering work; **I.nachwuchs** *m* young/newly-qualified engineers; **I.schule** *f* engineering college, academy of engineering; **I.stunde** *f* engineering manhour; **I.- und Tiefbau** *m* civil engineering; **I.wesen/I.wissenschaft** *nt/f* engineering

Inhaber(in) *m/f* 1. owner, proprietor; 2. *(Besitz)* occupant, occupier, possessor; 3. *(Dokument)* holder, bearer

Inhaber eines Abzahlungsgeschäftes tallyman *(coll)*; **I. von Aktien(zertifikaten)** shareholder *[GB]*, stockholder *[US]*; **I. der Aktienmehrheit** majority shareholder *[GB]*/stockholder *[US]*; **I. eines Bankkontos** holder of a bank account, account holder; ~ **Berechtigungsscheins** permit holder; ~ **Besserungsscheins** income bondholder; ~ **akademischen Grades** graduate; **I. einer Grunddienstbarkeit** rent charger; **I. von Namensaktien** registered shareholder *[GB]*, stockholder of record *[US]*; ~ **Noten** holder of notes; **I. eines Passes** passport holder; ~ **Patents** patentee; ~ **Rückbehaltungsrechts** lienor, lien creditor; **I. einer Schankerlaubnis** licensee; **I. eines Schuldscheins** noteholder; **I. einer Schuldverschreibung** bondholder, debenture holder; **I. von Schürfrechten** mineral right holder; ~ **Stammaktien** ordinary shareholder *[GB]*/stockholder *[US]*; **I. eines Urheberrechts** copyright holder; **I. einer Vollmacht** holder of a power of attorney; **I. von Vorzugsaktien** preferred stockholder; ~ **wandelbaren Vorzugsaktien** convertible stockholder; ~ **Wandelschuldverschreibungen** holder of convertible stock; **I. eines Warenzeichens** trademark owner; **I. einer Wechselgutschrift** holder for value (of a bill); **I. eines Zurückbehaltungsrechts** lienor, lien creditor; ~ **Zwischenscheins** scrip holder

auf den Inhaber lautend made out to bearer, in bearer form; **zahlbar an den I.** payable to bearer

auf den Inhaber ausstellen to make out to bearer; ~ **lauten** to be made out to bearer, ~ payable to bearer; **I. wechseln** to change hands

alleiniger Inhaber sole owner; **eingetragener I.** registered holder; **faktischer I.** actual owner; **gutgläubiger I.** bona-fide *(lat.)* holder, holder in good faith, ~ due course; **legitimer/rechtmäßiger I.** lawful owner/holder; true holder, holder in due course; **nachfolgender I.** subsequent holder; **neue I.** under new management; **schlechtgläubiger I.** mala-fide *(lat.)* holder; **tätiger I.** active proprietor

Inhaber|aktie *f* bearer share *[GB]*/stock *[US]*, share warrant to bearer; **I.aktienurkunde/-zertifikat** *nt* share warrant to bearer *[GB]*, stock certificate to bearer *[US]*; **I.anleihe** *f* bearer loan; **I.bezugsrechtsschein** *m* bearer warrant; **I.depositen-/I.depotschein** *m* bearer depository receipt; **I.effekten** *pl* bearer securities; **I.emission** *f* bearer issue; **I.grundschuld** *f* bearer land charge; **I.grundschuldbrief** *m* bearer land charge certificate; **I.hypothek** *f* bearer-type mortgage

Inhaberin *f* proprietress

Inhaber|indossament *nt* bearer endorsement, endorsement made out to bearer; **I.klausel** *f* bearer clause; **I.konnossement** *nt* bearer bill of lading, bill of lading to bearer; **I.- oder Orderkonnossement** negotiable bill of lading; **I.kreditbrief** *m* open letter of credit, ~ L/C; **I.lagerschein** *m* negotiable warehouse receipt, warehouse warrant to bearer, warehousing warrant made out to bearer; **I.obligation** *f* 1. bearer bond, bond to bearer/debenture; 2. *(ohne Giro)* clean bond *[US]*; 3. *(mit Zinsschein)* coupon bond *[US]*

Inhaberpapier *nt* instrument (payable) to bearer, bearer security/paper/instrument, commercial paper; **begebbares I.** negotiable instrument; **erstklassiges I.** floater; **hinkendes/qualifiziertes I.** restricted bearer instrument

Inhaber|police *f* bearer policy; **I.recht** *nt* bearer right; **I.schaft** *f* ownership, possessorship; **I.scheck** *m* bearer/open cheque *[GB]*, ~ check *[US]*, cheque/check to bearer; **I.schiffspfandbrief** *m* bearer ship mortgage bond; **I.schuldbrief** *m* bearer mortgage note; **I.schuldverschreibung** *f* bearer bond/debenture, debenture/bond to bearer, clean bond; ~ **mit Zinsschein** coupon bond; **I.stammaktie** *f* bearer share *[GB]*/stock *[US]*; **I.wechsel** *m* bill (payable) to bearer; **I.wertpapiere** *pl* bearer securities, deed stock; **I.zertifikat** *nt* bearer certificate, depositary receipt; **I.zinsschein** *m* interest coupon payable to bearer; **I.zwischenschein** *m* scrip payable to bearer

inhaftier|en *v/t* to detain/arrest/imprison/incarcerate, to take into custody, to put in jail; **I.te(r)** *f/m* detainee, detained person

Inhaftierung *f* detention, arrest, imprisonment, confinement, detainment; **I.svollmacht** *f* power of committal *[GB]*

Inhalt *m* 1. content(s), volume, capacity; 2. *(Dokument)* purport; 3. *(Schrift/Urteil)* tenor; **des I.s** to the effect, purporting; **desselben I.s** to the same effect; **I. eines Briefes** contents of a letter; ~ **Dreiecks** π area of a triangle; ~ **Schiedsspruchs** terms of an award; **nach dem I. des Urteils** in accordance with the terms of the judgment; **I. eines Zylinders** π volume of a cylinder, cubic capacity (of a cylinder); **I. unbekannt** contents unknown; **mit I. füllen** to put meat on the skeleton *(fig)*; **zum I. haben** to purport, to be to the effect; **I. kurz zusammenfassen** to docket; **redaktioneller I.** editorial content; **wesentlicher I.** 1. essence; 2. *(Text)* tenor, main provisions

inhaltlich *adj* content-wise, as regards content

Inhalts|analyse *f* content analysis; **I.angabe** *f* 1. summary, statement/summary of contents; 2. ⊖ declaration of contents; **I.anzeige/I.aufstellung** *f* table of contents; **i.arm** *adj* of little substance; **I.berechnung/I.bestimmung** *f* calculation/determination of contents, ~ volume; **i.gleich** *adj* of equal area/volume; **I.kontrolle von Allgemeinen Geschäftsbedingungen** *f* fair and reasonable test, terms control; **i.los** *adj* 1. empty; 2. devoid of content, lacking in content; **i.reich** *adj* comprehensive; **I.theorie** *f* content theory; **I.übersicht** *f* 1.

table of contents; 2. synopsis; **I.vermerk** *m* docket; **mit ~ versehen** to docket; **I.verzeichnis** *nt* (table/statement of) contents, index, directory; **mit ~ versehen** to index; **I.wert** *m* ⊖ declared value

in|härent *adj* inherent; **i.homogen** *adj* heterogeneous

Initiale *f* initial; **mit I.n versehen** to initial

Initial|investition *f (VWL)* pump-priming expenditure; **I.preiselastizität** *f* impact price elasticity; **I.werbung** *f* pioneering advertising; **I.zünder** *m* primer, trigger; **I.zündung** *f* pump priming *(fig)*, initial impulse; **~ geben** to spark off, to initiate, to prime the pump *(fig)*

initiativ *adj* enterprising, self-starting; **i. wirken** to take the initiative, to start sth.; **I.antrag** *m* 1. notice of motion; 2. *(Parlament)* bill introduced by ...; **I.bewerbung** *f* unsolicited application

Initiative *f* initiative, drive, enterprise, request; **auf I. von** at the instance of; **I. bei Finanzgesetzen; I. zur Finanzgesetzgebung** financial initiative; **I. besitzen** to be enterprising; **I. ergreifen** to seize/take the initiative; **aus eigener I. handeln** to act on one's own bat *(coll)*; **persönliche I.** private initiative; **unternehmerische I.** business initiative

Initiativrecht *nt* initiative

Initiator *m* initiator

initiier|en *v/t* to initiate; **I.ung** *f (Verhandlung)* initiation

In|jektion *f* injection, shot in the arm; **i.jizieren** *v/t* to inject

inkassieren *v/t* to collect/encash

Inkasso *nt* collection (procedure), encashment, collecting, cashing; **Inkassi** collections; **zum I.** for collection (only); **I. von Außenständen** recovery of outstanding debts; **I. durch Boten** collection from the customer, ~ by hand *[US]*; **I. von Lieferantenschulden** trade debt collection; **I. zu Pari; I. zum Pariwert** par collection; **I. von Ratenzahlungen** instalment collection; **~ Schecks** cheque *[GB]*/check *[US]* collection, ~ encashment

Inkasso besorgen to cash; **Bank mit dem I. betrauen** to entrust a bank with the collection; **einer Bank Dokumente zum I. übergeben** to hand documents to a bank for collection; **zum I. übernehmen** to receive for collection; **~ vorlegen** to present for collection, ~ for payment in cash; **I. eines Wechsels vornehmen** to encash a bill

direktes Inkasso direct collection; **einfaches I.** clean collection; **mittelbares I.** agency collection; **spesenfreie Inkassi** free items

Inkasso|abschnitt *m* collection item; **I.abteilung** *f* collection/collecting department; **I.abtretung** *f* assignment of accounts receivable, ~ accounts for collection; **I.agent** *m* collection/collecting agent; **I.akzept** *nt* acceptance for collection; **I.anweisung** *f* collection instruction; **I.anzeige** *f* advice of collection; **I.auftrag** *m* collection order, letter of instruction/transmittal, bill of lodgment; **~ für Dividendenzahlungen** dividend mandate; **I.aufwand** *m* collection expenses; **I.auskunft** *f* tracer information *[US]*; **I.aviso** *nt* collection advice; **I.bank** *f* collecting/collection bank(er); **I.basis** *f* collection base; **I.beamter/I.bearbeiter** *m* collection clerk, collector; **I.beauftragter** *m* collecting agent, debt collector; **I.befugnis** *f* power to collect; **i.berechtigt/i.bevollmächtigt** *adj* authorized to collect; **I.bericht** *m* tracer; **I.bestand** *m* items on hand for collection; **I.betrag** *m* amount for collection; **I.beträge** proceeds of collection; **I.bevollmächtigte(r)** *f/m* collection agent; **I.bote** *m (Bank)* walk clerk *[GB]*; **I.brief** *m* collection letter; **I.büro** *nt* (debt) collection/collecting agency, debt recovery agency; **I.dienst** *m* collection service; **I.einzugsauftrag** *m* collection order; **I.erlös** *m* collection proceeds; **I.ermächtigung** *f* collection authority, letter of delegation; **i.fähig** *adj* collectible; **I.forderungen** *pl (Bilanz)* uncollected items; **I.formular** *nt* collection form; **I.gebühren** *pl* collection fee/charges, collecting charges; **I.gegenwert** *m* collection proceeds; **I.gemeinschaft** *f* debt-collection association; **I.geschäft** *nt* collection business/transaction, debt recovery service, collecting business; **I.gesellschaft/I.institut** *f/nt* collection agency; **I.giro/I.indossament** *nt* restrictive endorsement, endorsement for collection; **I.kommis** *m* collection clerk; **I.kommission** *f* collection commission; **I.konto** *nt* collection account; **I.kosten** *pl* collection expenses; **I.mandat** *nt* collection order; **I.mandatar** *m* collecting agent; **I.papier** *nt* collection item; **I.papiere** items in transit, ~ sent for collection, papers for collection; **I.politik** *f* collection policy; **I.posten** *m* collection item; **I.provision** *f* collection commission; **I.reisende(r)** *f/m* collector, collection agent; **I.risiko** *nt* del credere/collection risk; **I.scheck** *m* collection cheque *[GB]*/check *[US]*; **I.schein** *m* collecting note; **I.schreiben** *nt* collection letter; **I.spesen** *pl* collection cost(s)/expenses/charges/fee/commission, encashment/collecting/collection charges; **I.stelle** *f* collecting/collection agency; **~ für den Einzug von Forderungen aus Warenlieferungen** commercial collection agency; **I.system** *nt* collection system/basis; **I.tarif** *m* collecting rates, collection rate; **I.tratte** *f* collection/agency draft; **I.unternehmen** *nt* collection agency, debt-collecting agency/firm; **I.vereinbarungen** *pl* collection arrangements; **I.verfahren** *nt* collection system; **I.vertreter** *m* collecting agent; **I.vollmacht** *f* collecting power, letter of delegation, collection authorization/authority; **~ des Vertreters** agent's authority to collect payments; **I.wechsel** *m* collection draft, short bill, bill for collection; **im I.weg** *m* for cash against documents; **I.wesen** *nt* collection; **I.zession** *f* assignment of accounts receivable for collection

Inkaufnahme *f* acceptance, acquiescence

inklusiv|e *prep* inclusive of, including (incl.), cum *(lat.)*; **I.preis** *m* inclusive rate

inkognito *adj* incognito; **I.adoption** *f* anonymous adoption

inkompatibl|el *adj* incompatible; **I.ilität** *f* incompatibility

inkompeten|t *adj* incompetent; **I.z** *f* incompetence, incompetency

inkongruent *adj (Finanzierung)* mismatched

Inkongruenz *f* incongruity, inconsistency; **I. der Fälligkeitstermine/Laufzeiten** maturities mismatch

inkonsequen|t *adj* inconsistent; **I.z** *f* inconsistency, mismatch

inkonvertib|el *adj* inconvertible; **I.ilität** *f* inconvertibility

Inkorpor|ation *f* incorporation; **i.iern** *v/t* to incorporate; **i.iert** *adj* corporate, incorporated

inkorrekt *adj* incorrect, improper; **I.heit** *f* 1. incorrectness, inaccuracy; 2. *(Form)* impropriety

Inkraftbleiben *nt* remaining in force

Inkraftsetzung *f* validation, enactment, coming into force, activation, putting into operation; **erneute I.** revalidation; **vorläufige I.** provisional introduction

Inkrafttreten *nt* coming into effect/force, taking effect, entry into force/effect; **bei/mit I.** (up)on entry into force; **I. eines Vertrages** effective date of an agreement, ~ a contract

inkremental *adj* incremental; **I.rechner** *m* 🖳 incremental computer

inkriminier|en *v/t* to charge/incriminate; **I.ung** *f* incrimination

Inkubation *f* incubation; **I.szeit** *f* incubation period

inkulant *adj* unaccommodating, petty, unobliging

Inland *nt* inland, home country; **im I.** at home, within the country; **~ und Ausland** at home and abroad; **für das I. bestimmt** for domestic/home consumption; **im I. erzeugt/hergestellt** home-produced, domestic

Inländer *m* 1. native, national, (permanent) resident; 2. *(Steuer)* domestic resident; **I.ausgaben für Güter und Dienstleistungen** *pl* domestic expenditures; **I.behandlung** *f* national/resident treatment; **I.konvertibilität/I.konvertierbarkeit** *f* convertibility for national residents, national/resident/internal convertibility

inländisch *adj* 1. inland, domestic, home, national, native, resident; 2. inward; 3. home-made; 4. home-based

Inlands|- internal, domestic, home, resident; **I.abgabe** *f* internal duty; **I.absatz** *m* domestic sales; **I.aktivitäten** *pl* domestic operations; **I.anleihe** *f* domestic/home loan, internal loan/bond; **I.anmeldung** *f (Pat.)* application in the home country; **I.auftrag** *m* home/domestic order; **I.auftragseingang** *m* domestic order intake; **I.ausgaben für Güter und Leistungen** *pl* absorption; **I.bedarf/I.bedürfnisse** *m/pl* domestic demand/requirements, home demand; **i.bedingt** *adj* domestically induced; **I.belieferung** *f* supplying the home market; **I.besitz/I.bestand** *m* domestic/residents' holding; **I.bestellung** *f* domestic/home order; **(verstärkt) auf I.bezug umstellen** *m* to indigenize; **I.beteiligung** *f* domestic trade investment; **I.brief** *m* ✉ inland letter; **I.bruttosozialprodukt** *nt* gross domestic product (GDP/gdp); **I.dienst** *m* inland service; **I.effekt** *m* effect within the country; **I.einkommen/I.einkünfte** *nt/pl* domestic income; **I.einlage** *f* resident's deposit; **I.emission** *f (Anleihe)* domestic/internal/national issue

Inlandserzeug|er *m* domestic producer/manufacturer; **I.nis** *nt* home-produced article; **I.nisse** domestic manufactures; **I.ung** *f* domestic output, production within the country

Inlands|flug *m* domestic/internal flight; **I.fracht** *f* domestic freight; **I.geschäft** *nt* domestic operations/business, home sales, inland transaction(s); **I.gespräch** *nt* ✆ inland call; **I.hafen** *m* domestic port; **I.handel** *m* home trade, domestic trade/commerce; **I.investitionen** *pl* domestic investments; **I.kapital** *nt* domestic capital; **I.kapitalmittel** *pl* domestic capital resources; **I.kartell** *nt* domestic cartel; **I.konjunktur** *f* internal/domestic boom, domestic economic activity; **I.konto** *nt* internal account; **I.konzept** *nt* domestic concept; **I.konzern** *m* domestic group; **I.korrespondent** *m* home correspondent; **I.kredit** *m* domestic/inland credit; **I.kunde** *m* domestic customer; **I.lieferung** *f* domestic delivery; **I.markt** *m* 1. home/domestic/national market; 2. *[EU]* internal market; **I.monopol** *nt* domestic monopoly, sheltered trade *[GB]*; **I.nachfrage** *f* domestic/home/internal demand; **I.netz** *nt* ✈ domestic network; **I.obligation** *f* domestic bond; **I.paket** *nt* ✉ inland parcel; **I.patent** *nt* domestic/home patent; **I.porto** *nt* ✉ inland postage/rate, domestic postage (rate)

Inlandspost *f* inland/domestic mail; **I.anweisung** *f* inland money order; **I.gebühren** *pl* inland/domestic postage rates

Inlands|preis *m* domestic price; **I.produkt** *nt* 1. domestic product; 2. 🚜 inland produce; **I.produkte** home-made goods; **I.produktion** *f* domestic production; **(verstärkt) auf ~ umstellen** to indigenize; **I.reisekreditbrief** *m* domestic traveller's letter of credit; **I.rezession** *f* domestic recession; **I.schuld** *f* domestic debt; **I.schuldverschreibung** *f* internal bond; **I.spediteur/I.spedition** *m/f* domestic carrier, country shipper; **I.strecke** *f* ✈ domestic route; **I.tarif** *m* domestic/inland rate; **I.telegramm** *nt* inland telegram; **I.umsätze** *pl* home/domestic sales; **I.unternehmen** *nt* domestic company; **I.verbindlichkeiten** *pl* domestic liabilities, liabilities to residents; **I.verbrauch** *m* domestic/home consumption; **I.verbraucher** *m* domestic consumer; **I.verfügbarkeit** *f (Waren)* domestic supply; **I.verkauf** *m* domestic/home sales; **I.verkehr** *m* 1. domestic traffic; 2. *(Handel)* home trade; **I.vermögen** *nt (Steuer)* domestic property; **I.versorgung** *f* domestic supplies; **I.vertreter** *m* resident agent, home factor; **I.währung** *f* internal/local/national currency; **I.ware** *f* home-produced product(s); **I.wechsel** *m* domestic/inland/home/domicile/home-trade bill (of exchange)

Inlandswert *m* 1. domestic value; 2. *(Börse)* domestic share; **I.e** home/domestic securities, **I. einer Ware** current domestic value

inlands|wirksam *adj* domestically effective; **I.zahlung** *f* inland payment

inliegend *adj* enclosed, within

in natura *(lat.)* in kind/specie

Innehab|en *nt* occupancy, tenure, possession; **i.en** *v/t* to hold/possess/occupy; **wieder i.en** *(Posten)* to reoccupy; **I.ung** *f* tenure

Innehalten *nt* pause; **i.** *v/i* to pause

innen *adv* inside

Innen|- 1. interior, indoor; 2. intra-firm; **I.abmessungen** *pl* interior dimensions; **I.ansicht** *f* interior view; **I.arbeiten** *pl* work on the interior; **I.architekt** *m* interior designer/decorator; **I.architektur** *f* interior decoration/design; **I.aufnahme** *f* indoor photograph; **I.auf-**

trag *m* factory/internal/job/construction/special/production order; **I.auftragsabrechnung** *f* internal order accounting; **I.ausbau** *m* 🏛 interior finishing work, ~ installation; **I.auskleidung** *f (Container)* inlets; **I.ausstatter** *m* interior decorator; **I.ausstattung** *f* 1. interior decoration; 2. 🚗 interior appointments; **I.becken** *nt* ⚓ inner harbour; **I.beleuchtung** *f* interior lighting; **I.bordmotor** *m* ⚓ inboard engine; **I.dekorateur** *m* interior decorator; **I.dekoration** *f* interior decoration

Innendienst *m* office work/duty, indoor duties; **I. haben** to be on office duty; **I.mitarbeiter** *m* office worker

Innen|durchmesser *m* internal/inner diameter; **I.einrichtung** *f* interior furnishings; **I.finanzier** *m* inside creditor

Innenfinanzierung *f* self-financing, internal financing; **I.smittel** *pl* internally generated funds, internal financing resources; **I.squote/I.srate** *f* internal/self-generated financing ratio; **I.süberschuss** *m* internal financing surplus

Innen|futter *nt* lining; **I.geld** *nt* inside money; **I.gesellschaft** *f* internal partnership, undisclosed association; **I.hafen** *m* ⚓ inner port; **I.hof** *m* 1. inner courtyard; 2. *(historische Gebäude)* quadrangle; **I.konsolidierung** *f* consolidation within the group; **I.ladung** *f* ⚓ inboard cargo; **I.lager** *nt* internal warehouse; **I.leben** *nt* inner life; **I.lieferung** *f* inter-company delivery; **I.maße** *pl* inside/interior dimensions; **I.mauer** *f* inner wall; **I.minister** *m* minister of the interior, interior minister, Home Secretary *[GB]*, Secretary of the Interior *[US]*; **I.ministerium** *nt* ministry of the interior, interior ministry, Home Office *[GB]*, Department of the Interior *[US]*; **I.plakat** *nt (im öffentlichen Verkehrsmittel)* car card; **I.politik** *f* home/national/internal affairs, domestic policy; **i.politisch** *adj* domestic; **I.rand** *m* 📖 inner margin; **I.raum** *m* interior; **I.revision** *f* internal/administrative/operational audit(ing); **I.revisor** *m* internal/staff auditor, audit controller; **I.seite** *f* inside page; **I.spiegel** *m* 🚗 inside mirror; **in der I.spur** *f (Sport)* in pole position; **I.stadt** *f* (inner) city, city/town centre, downtown *[US]*; **in der I.stadt** city-centre, downtown; **I.stehende(r)** *f/m* insider; **I.temperatur** *f* indoor temperature; **I.transport** *m* internal handling; **I.tür** *f* inside door; **I.umsatz** *m* inter-company turnover/sales, intra-firm trade, inter-group/intra-group sales, internal deliveries; **I.umsatzerlöse** *pl* internal sales revenue, proceeds from inter-company sales; **I.verhältnis** *nt* internal relationship/arrangements, relation inter se *(lat.)*; **I.verwaltung** *f* internal administration; **I.wirtschaft** *f* domestic economy; **i.wirtschaftlich** *adj* domestic

inner|- *adj* internal, interior, domestic, intrinsic; **i.betrieblich** *adj* internal, in-house, in-plant, in-company, inter-office, intra-company, intra-firm, intra-plant; **i.deutsch** *adj* intra-German, inter-German, within the German states, internal German

Innere *nt* interior, inside; **I.s** domestic affairs

Innereien *pl* innards, entrails, offal

inner|europäisch *adj* intra-European; **i.gemeinschaftlich** *adj [EU]* intra-Community, internal

innerhalb *prep* within, inside; **i. von ... nach** within ... of

inner|konzernlich *adj* internal, intra-group; **i.lich** *adj* internal, intrinsic, inward, real; **i.parteilich** *adj* internal; **i.periodisch** *adj* in an accounting period; **i.sektoral** *adj* intra-sectoral

innerst *adj* innermost; **bis ins I.e** to the core

inner|staatlich *adj* national, domestic, intra-state; **i.städtisch** *adj* inner-city, city-centre, municipal; **i.wirtschaftlich** *adj* domestic

innewohnend *adj* inherent (in), intrinsic

innig *adj* close, intimate

Innovation *f* innovation

Innovations|aufwendungen *pl* innovation expenditure; **i.bewusst** *adj* receptive to innovation; **I.diffusion** *f* diffusion of innovations; **I.fähigkeit** *f* innovation capability, innovative ability; **I.finanzierung** *f* financing/funding of innovation; **I.förderung** *f* promotion of innovation; **I.forschung** *f* innovation research; **i.freudig** *adj* innovative; **I.geschwindigkeit** *f* rate of innovation; **I.gewinn** *m* return on innovations; **I.grad/I.quote** *m/f* innovation ratio; **I.hemmnis** *nt* barrier to innovation; **I.investition** *f* innovative investment; **I.kraft** *f* innovative power; **i.orientiert** *adj* innovation-orient(at)ed; **I.potenzial** *nt* innovation capabilities/potential; **I.produkt** *nt* innovative product; **I.prozess** *m* innovative process; **I.risiko** *nt* innovation risk; **I.schub** *m* surge of innovations; **I.spektrum** *nt* innovation diffusion; **I.streuung** *f* diffusion of innovations; **I.struktur** *f* innovative structure; **I.zentrum; I.- und Transferzentrum** *nt* technology centre, science park

innovativ *adj* innovative, pioneering

Innovator *m* innovator, change agent

passiv Innovierender *m* client

Innung *f* (craft) guild, corporation; **I.sbrief** *m* charter of incorporation; **I.shaus** *nt* guildhall, trade hall; **I.skrankenkasse** *f* (craft) guild health insurance; **I.smitglied** *nt* guild member; **I.sschiedsgericht** *nt* (craft) guild arbitration court; **I.ssozialismus** *m* guild socialism; **I.swesen** *nt* guild system

in|offiziell *adj* 1. unofficial, inofficial, non-official; 2. off the record; **i.opportun** *adj* ill-advised; **I.pfandnahme** *f* accepting a pledge

Input *m* input; **I.koeffizient** *m* production coefficient

Input-Output|-Analyse *f* input-output analysis, inter-industry analysis/economics; **I.-Koeffizient** *m* input-output coefficient; **I.-Matrix** *f* interlacing balance

Inquisition *f* inquisition, official inquiry; **I.sprozess** *m* court proceedings based on ex officio *(lat.)* investigations

Inrechnungstellung *f* invoicing

Insasse/Insassin *m/f* 1. occupant, dweller; 2. *(Fahrzeug)* passenger; 3. *(Gefängnis)* inmate; **I.nhaftpflicht** *f* personal injury protection; **I.nunfallschutz** *m* personal accident cover; **I.nunfallversicherung** *f* personal accident cover, passenger accident insurance

Inschrift *f* inscription, legend

Insekt *nt* insect; **I.enbekämpfungsmittel; I.izid** *nt* insecticide; **I.enplage** *f* insect pest

Insel *f* island; **I.betrieb** *m* 💻 off-line operation; **I.bewohner** *m* islander; **I.gruppe** *f* archipelago; **I.klima** *nt*

insular climate; **I.lage** *f* insularity, isolated location; **I.lösung** *f* partial solution; **I.staat** *m* island state

Inserat *nt* advertisement, ad(vert), insert(ion); **I. abdrucken** to insert an advertisement; **I. aufgeben** to insert/place an advertisement; **I. aufnehmen/bringen** to insert/run an advertisement; **sich auf ein I. hin melden** to answer an advertisement; **durch I. suchen** to advertise for; **ganzseitiges I.** full-page advertisement

Inseratlannahme *f* advertisement office; **I.aufgeber** *m* advertiser; **I.enbüro** *nt* advertising agency; **I.kosten** *pl* advertising cost(s); **I.teil** *m* advertisement columns

Inserent *m* advertiser

inserieren *v/ti* to advert(ise), to insert/place an advertisement

Insertion *f* insertion, advertising; **I.sauftrag** *m* space order; **I.sgebühren/I.skosten** *pl* advertising cost(s); **I.svertrag** *m* advertising contract; **I.szuschuss** *m* insertion allowance

inslgeheim *adv* secret, surreptitious; **i.gesamt** *adv* altogether, overall, all in all, as a whole, taken/added together, in the aggregate, all told

Insichlgeschäft *nt* self-dealing, self-contracting, acting as principal and agent, ~ agent and patient; **~ abschließen** to deal on one's own account; **I.prozess** *m* action by a party against itself

Insider *m* insider; **I.geschäfte** *pl* insider dealings; **I.handel** *m* insider trading; **I.information/I.kenntnis/I.wissen** *f/nt* inside(r) information; **I.regeln** *pl* insider rules

insistieren (auf) *v/prep* to insist (on)

insofern als *conj* insofar/inasmuch as, to the extent that

Insolvent *m* defaulter; **i.** *adj* insolvent, non-solvent, unable to pay, bankrupt; **I.enfonds** *m* insolvency fund; **I.enliste** *f* black book/list

Insolvenz *f* insolvency, non-solvency, inability to pay, default, bankruptcy, business failure

insolvenzlanfällig *adj* insolvency-prone; **I.erklärung** *f* declaration of insolvency, debtor's declaration; **I.-fonds** *m* insolvency (guarantee) fund; **I.liste** *f* black list; **I.niveau** *nt* level of insolvency; **I.quote/I.rate** *f* insolvency rate; **I.recht** *nt* insolvency law; **I.rekord** *m* record of bankruptcies, record bankruptcy figure; **I.risiko** *nt* risk of insolvency, insolvency risk; **I.schutz** *m* insolvency protection; **I.(ver)sicherung** *f* insolvency insurance; **I.statistik** *f* insolvency statistics; **I.verluste** *pl* winding-up losses; **I.welle** *f* wave/spate of bankruptcies, ~ business failures; **I.wesen** *nt* business failures, insolvencies

insoweit als *adv* insofar/inasmuch as, to the extent that

Inspektion *f* 1. inspection, examination, survey, supervision; 2. 🚗 service; **I. durchführen** 🚗 to service; **I. haben** to have the auditors in

Inspektionslbericht *m* survey report; **I.fahrt/I.reise** *f* tour of inspection; **I.gang** *m* visiting round; **I.hafen** *m* port of inspection; **I.recht** *nt* right of inspection, visitorial right; **I.zertifikat** *nt* certificate of inspection

Inspektorl(in) *m/f* inspector, supervisor, superintendent; **I. der Gesundheitsbehörde** sanitary inspector

Inspirlation *f* inspiration; **i.ieren** *v/t* to inspire

Inspilzient *m* inspector, surveyor; **i.zieren** *v/t* to inspect/survey

instabil *adj* unstable; **I.ität** *f* instability; **konjunkturelle I.ität** cyclical instability

Installateur *m* plumber, fitter

Installation *f* plumbing, fitting, installation

Installationslanlagen *pl* plumbing; **I.arbeiten** *pl* plumbing and wiring; **I.artikel** *m* builder's fittings, house fittings; **I.gewerbe/I.handwerk** *nt* plumbers and housefitters; **I.kosten** *pl* installation cost(s); **I.technik** *f* domestic engineering

installierlen *v/t* to install/fit, to set up; *v/refl* to establish o.s.; **elektrisch i.t** *adj* wired

Instandlbesetzung *f* squatting in a dilapidated tenement under pretext of refurbishment; **i. halten** *v/t* to maintain (in good order and condition), to service, to keep in order

Instandhaltung *f* 1. maintenance, upkeep; 2. *(Gerät)* servicing; **I. und Reparaturen** maintenance and repairs; **laufende I.** current maintenance; **unterlassene I.** deferred maintenance; **vorbeugende I.** preventive/planned maintenance

Instandhaltungslabteilung *f* maintenance department; **I.arbeiten** *pl* maintenance work; **~ durchführen** to service; **I.auftrag** *m* maintenance contract, order for maintenance work, repair order; **I.aufwand** *m* maintenance cost(s); **I.bedarf** *m* maintenance requirements; **I.intervall** *nt* maintenance interval; **I.konto** *nt* maintenance expense account; **I.kosten** *pl* 1. maintenance cost(s), cost(s) of upkeep; 2. *(Haus)* occupancy expense(s); **I.kostenpauschale** *f* lump-sum provision for repairs; **I.personal** *nt* maintenance staff; **I.rücklage** *f* provision for deferred repairs; **I.umlage** *f* maintenance assessment; **I.vertrag** *m* maintenance contract; **I.vorschriften** *pl* maintenance instructions

inständig *adj* urgent, earnest

instand setzen *v/t* 1. to repair/service/overhaul; 2. 🏛 to restore/rehabilitate; **wieder i. setzen** ✿ to refit/recondition; **I.setzer** *m* repairer

Instandsetzung *f* repair, reconditioning, overhaul, restoration

Instandsetzungslabteilung *f* maintenance department; **I.arbeiten** *pl* repairs, repair work; **I.auftrag** *m* repair order; **i.bedürftig** *adj* in need of repair; **I.darlehen** *nt* *(Haus)* property/home improvement loan; **I.dauer** *f* active repair time; **I.dienst** *m* repair service; **I.konto** *nt* maintenance expense account; **I.kosten** *pl* cost(s) of repairs, expenditure for repairs; **I.programm** *nt* repair programme; **I.rücklage** *f* maintenance reserve; **I.zeit** *f* repair time; **I.zuschuss** *m* 🏛 improvement grant

Instantkaffee *m* instant coffee

Instanz *f* 1. authority, institution; 2. instance, level of authority, organisational unit, unit of supervision; 3. § court, arbiter; 4. *(BWL)* decision-making unit, management unit; **I.en** organisational lines; **höhere I. anrufen** to appeal to a higher court; **alle I.en durchlaufen** to pass through all instances; **durch ~ prozessieren** to fight (sth.) through the courts; **I.en überspringen** to leapfrog, to bypass official channels; **an die erste I.**

zurückverweisen § to remand to the court of first instance

beaufsichtigende Instanz supervisory authority; **betriebliche I.en** organisational lines; **erste I.** § trial court, (court of) first instance, nisi prius *(lat.)* *[US]*; **in erster I.** 1. in the first instance; 2. § at first instance; **höchste I.** 1. last instance; 2. court of last resort; **höhere/obere/übergeordnete I.** 1. § appellate/higher/superior court, court above, higher instance; 2. superior authority, higher echelon; **letzte I.** (court of) last instance/resort; **in letzter I.** 1. in the last instance; 2. in the last resort; **tragende I.** funding body; **untere/untergeordnete I.** 1. lower instance; 2. § lower court; **zuständige I.** proper authority; **zweite I.** § appellate court, court of appeal

Instanzen|aufbau *m* pyramid of authority; **I.weg** *m* 1. normal/official/prescribed channels; 2. § stages of appeal; **~ einhalten** to go through (the proper) channels; **I.zug** *m* 1. decision-making channels, hierarchy of organisational units, pyramid of authority; 2. § stages of appeal, structure of the judiciary

Instinkt *m* instinct; **seinem I. folgen** to follow one's nose *(coll)*; **niedrige I.e** base instincts

instinktiv *adj* instinctive

Institut *nt* institute, establishment, institution; **I. für Absatzfinanzierung** discount house; **bankähnliches I.** near-bank; **demoskopisches I.** opinion research institute

Institution *f* 1. institution, agency, entity; 2. system, arrangement; **I. der Kapitalvermittlung** capital-transmitting agency; **~ Zukunftsforschung** look-out institution; **gemeinnützige I.** non-profit-making institution; **öffentliche I.** public institution/entity/service; **staatliche I.** governmental institution; **tragende I.** supporting agency/authority, funding body; **vollziehende I.** executive authority

institutional|isieren *v/t* to institutionalize; **I.isierung** *f* institutionalization; **I.ismus** *m* institutionalism, institutional economics; **I.ist(in)** *m/f* institutionalist

institutionell *adj* institutional

Institutionen|lehre *f* theory of business structures; **I.these** *f* entity theory

Institutions|- institutional

Instituts|garantie *f* guarantee of the institute itself; **I.gruppe** *f* banking group; **I.verband** *m* association of institutions

instruieren *v/t* 1. to instruct/prime/direct; 2. § to brief

Instruktion *f* 1. instruction; 2. § briefing, brief; **gemäß Ihren I.en** pursuant to your instructions; **I.en einholen** to ask for instructions; **I.sanweisung** *f* 💻 instruction statement; **I.saufbau** *m* instruction format; **I.sausführungsphase** *f* instruction execution; **I.sbuch** *nt* manual; **I.sphase** *f* instruction cycle

instruktiv *adj* instructive, informative

Instrument *nt* 1. instrument; 2. means, document, device

Instrument der Exportfinanzierung export-financing instrument; **~ Führung** control/management tool; **~ Geldpolitik** *(VWL)* money management instrument; **I.e und Geräte** tools and implements; **I. der Konjunkturpolitik** economic policy instrument; **~ Leistungsmessung** performance evaluation tool; **~ Wirtschaftspolitik** economic policy instrument

absatzpolitisches Instrument selling tool; **betriebswirtschaftliches I.** administrative vehicle; **konjunkturpolitisches I.** economic policy instrument; **kreditpolitisches I.** credit policy instrument; **optisches I.** optical instrument; **ordnungs-/prozesspolitische I.e** regulatory powers; **wirtschaftspolitisches I.** economic policy instrument

instrumentalisieren *v/t* to exploit

Instrumentarium *nt* (set of) instruments, tools, tool kit, equipment

finanzpolitisches Instrumentarium treasury instruments; **geldpolitisches I.** tools of monetary policy; **konjunkturpolitisches I.** economic policy tools; **kreditpolitisches I.** instruments of credit policy/control, credit policy instruments; **personalpolitisches I.** instruments of personnel policy; **unternehmenspolitisches I.** management tools; **währungspolitisches I.** instruments of monetary policy; **wirtschaftliches/wirtschaftspolitisches I.** economic policy mix/instruments, instruments of economic policy

instrumentell *adj* operative

Instrumenten|bau *m* 1. apparatus/instrument engineering; 2. *(Musik)* instrument making; **I.beleuchtung** *f* instrument lighting; **I.brett/I.tafel** *nt/f* 1. (instrument) panel; 2. 🚗 dashboard; **I.flug** *m* ✈ instrument flying/flight; **I.landung** *f* ✈ instrument landing; **I.variable** *f* decision/instrument variable, policy instruments/variables

Instrumentierung *f* instrumentation, orchestration

inszenier|en *v/t* 1. 🎭 to stage(-manage); 2. *(fig)* to orchestrate; **I.ung** *f* 1. 🎭 staging, production, enactment; 2. *(fig)* orchestration

intakt *adj* intact, sound

integral *adj* integral; **I.franchise** *f* franchise, freedom from average; **I.rechnung** *f* π integral calculus

Integration *f* integration; **I. in den Erwerbsprozess** return to work; **~ nachgelagerte Produktionsstufen** forward integration; **~ in vorgelagerte Produktionsstufen** backward integration; **horizontale I.** horizontal integration/merger/expansion; **vertikale I.** vertical/upward integration, vertical expansion

Integrations|dynamik *f* forces of integration; **i.feindlich** *adj* opposed to integration; **i.freundlich** *adj* favouring integration; **I.gebäude** *nt* integrating economic structure; **I.kraft** *f* unifying force; **I.modell** *nt* integration model; **I.periode** *f* integration period; **I.prozess** *m* integration process

integrier|en *v/t* to integrate/incorporate/absorb; **i.t** *adj* 1. integral, inbuilt; 2. integrated; **I.ung** *f* integration, absorption

Integrität *f* integrity, probity; **körperliche I.** physical integrity (of the person); **territoriale I.** territorial inviolability

Intellekt *m* intellect; **i.uell** *adj* intellectual, highbrow; **I.uelle(r)** *f/m* intellectual, highbrow

intelligent *adj* 1. intelligent; 2. *(Produkt)* sophisticated

Intelligenz *f* intelligence, brains; **künstliche I.** artificial intelligence (AI); **I.bestie** *f* intellectual heavyweight, whiz(z) kid *(coll)*; **I.quotient** *m* intelligence quotient (IQ); **I.test** *m* intelligence test, mental ability test

Intenldant *m* director, general manager; **I.danz** *f* directorship

Intensität *f* intensity, strength, force, vigour, effectiveness; **I. des Außenhandels** importance of foreign trade; **I. der Belebung** strength of the recovery; **~ Nachfrage** extent of demand; **I. des Wachstums** pace of growth; **I.sabnahme** *f* inferiority gradient; **I.sabweichung** *f* efficiency variance, machine effectiveness variation; **I.sgrad** *m* degree of utilization; **I.snachteil** *m* operating inferiority

intensiv *adj* intensive, intense, strong, vigorous, powerful

Intensivlberatung *f* intensive counselling/consulting; **I.bewirtschaftung** *f* intensive farming; **I.haltung** *f* *(Tiere)* battery/factory farming

intensivieren *v/t* to step up, to intensify/strengthen/stimulate; *v/refl* to increase, to become stronger

Intensivierung *f* intensification, strengthening, stimulation, increase, growth; **I. des Konjunkturaufschwungs** strengthening of the cyclical upswing; **I. der Nachfrage** increase of demand; **zunehmende I.** quickening growth

Intensivlinterview *nt* depth/qualitative interview; **I.kultur** *f* intensive farming, ~ cultivation of land; **I.kurs** *m* crash course; **I.station** *f* intensive care unit; **I.werbung** *f* intensive coverage, heavy drum-beating

Interaktion *f* interaction; **I.shäufigkeit** *f* frequency of interaction; **I.stheorie** *f* theory of interaction

interlaktiv *adj* interactive; **I.amerikanische Entwicklungsbank** Inter-American Development Bank

Interbankaktiva *pl* interbank assets

Interbankenleinlagen *pl* interbank deposits; **I.geldmarkt** *m* wholesale/interbank money market; **I.geldsatz** *m* wholesale/interbank money rate

Interbanklgeschäft *nt* interbank trade/business/operation; **i.mäßig** *adv* interbank, between banks; **I.rate** *f* interbank rate; **I.verflechtung** *f* interbank relations; **I.verflechtungen** claims and liabilities

Interlbranchenkonkurrenz *f* interindustry competition; **I.dependenz** *f* interdependence; **i.disziplinär** *adj* interdisciplinary

interessant *adj* 1. interesting, of interest, worthwhile, useful; 2. remunerative, profitable, lucrative; 3. promising; **nichts I.es** nothing to write home about *(coll)*

Interesse *nt* 1. interest, attention, concern; 2. *(Anteil)* stake; **im I. von** in the interest of, for the sake of, for the protection of the interests of; **I. der Allgemeinheit** the common good; **im ~ Allgemeinheit** in the public interest; **I. am Besitz von etw.** possessory interest of sth.; **unseren I.en abträglich** detrimental to our interests

jds Interesseln beeinträchtigen to impair so.'s interests; **großem I. begegnen** to be in keen demand; **I. bekunden** to show/express interest; **I.n berühren** to affect interests; **jds ~ dienen** to further/serve so.'s interests; **seine ~ rücksichtslos durchsetzen** to drive a hard bargain; **I. erregen/erwecken** to attract/generate/arouse interest; **jds. I.n fördern** to further so.'s interests; **I. haben** to take an interest, to care; **seine I.n im Auge haben** to be alive to one's interests; **persönliches I. haben** to have an axe to grind *(fig)*; **nur im eigenen I. handeln** to look after one's own interests, ~ number one *(coll)*; **im öffentlichen I. handeln** to act for the common good; **in jds. I. liegen** to be in so.'s interest; **jds I.n schaden/schädigen** to be prejudicial to so.'s interests, to harm the interests of so.; **I. verdienen** to merit attention; **I. verlieren** to lose interest, to go off (sth.); **I.n wahren** to safeguard/protect interests; **jds. ~ wahrnehmen** to uphold/safeguard/represent/guard so.'s interests, to attend to so.'s interests; **jds I. wecken** to arouse/attract so.'s interest

allgemeines Interesse general/common interest; **ausschlaggebendes I.** overriding interest; **berechtigtes I.** legitimate/vital/justified interest; **berufliches I.** professional interest; **beteiligte I.n** interest at issue; **eigenes I.** private interest; **entgegenstehende I.n** conflicting interests; **erhöhtes I.** heightened interest; **fehlendes I.** lack of interest; **finanzielles I.** financial/pecuniary interest; **gegensätzliche I.n** conflicting interests; **gegenseitiges I.** mutual interest; **gemeinsame I.n** mutual interests; **von gemeinsamem I.** of common interest/concern; **von geringem I.** of little importance; **gesamtwirtschaftliches I.** interest of the whole economy; **geschäftliches I.** commercial interest; **hinreichendes I.** sufficient interest; **kaufmännische I.n** commercial/mercantile interests; **kollidierende I.n** conflicting/clashing interests; **konkurrierende I.n** conflicting/competing interests; **lebenswichtiges I.** vital interest; **lebhaftes I.** keen interest; **außerhalb des Berufs liegende I.n** outside interests; **materielle I.n** financial interests; **mittelbares I.** proximate interest; **nachlassendes I.** flagging interest; **negatives I.** *(Vertrag)* position as if the contract had not been entered into, pre-contractual position; **öffentliches I.** public/collective interest; **im öffentlichen I.** in the public interest, for the public benefit; **~ liegend** conducive to the public good; **gegen das öffentliche I. verstoßend** contrary to the public interest; **positives I.** positive interest; **rechtliches I.** legal/lawful interest; **rechtmäßiges I.** legitimate interest; **reges I.** lively interest; **schutzfähiges/-würdiges I.** legitimate interest; **spekulatives I.** speculative attention; **starkes I.** keen interest; **überseeische I.n** overseas interests; **unmittelbares I.** direct interest, ultimate goal; **untergeordnetes I.** subordinate/minor interest; **aus unternehmerischem I.** on the grounds of business advantage; **ureigenes I.** vested interest; **versicherbares/versicherungsfähiges I.** insurable/assurable interest; **versichertes I.** insured interest; **verstärktes I.** heightened interest; **vorrangiges I.** overriding interest; **wesentliches I.** vital interest; **widerstreitende I.n** conflicting interests; **wirtschaftliche I.n** commercial/economic interests; **wohlverstandenes I.** true interests; **im wohlverstandenen I.** in the best interest; **zwingendes I.** compelling interest

interesselos *adj* uninterested, disinterested; **I.igkeit** *f* lack of interest, indifference

Interessen|abstimmung *f* agreement of interests; **I.abwägung** *f* weighing of interests; **I.anmeldung/I.bekundung** *f* declaration/expression of interest; **I.ausgleich** *m* reconciliation/coordination/balance of interests, settlement of differences of interest; **I.bereich/I.feld/I.gebiet** *m/nt* sphere of interest/influence, field of interest; **I.deckung** *f (Vers.)* risk cover(age); **I.egoismus** *m* group interests; **I.gegensatz** *m* clash/conflict of interests; **I.gemeinschaft** *f* community of interests, pressure group, syndicate, pool, combination, combine, joint venture; **I.gruppe** *f* lobby, pressure/interest group; **I.jurisprudenz** *f* jurisprudence of interests; **I.käufe** *pl (Börse)* support/special-purpose buying, buying by special interests; **I.kollision/I.konflikt** *f/m* clash/conflict of interests; **i.monistisch** *adj (Unternehmung)* single-constituency, sole-interest orient(at)ed; **i.pluralistisch** *adj (Unternehmung)* multi-constituency; **I.politik** *f* pressure/interest group policy; **I.sphäre** *f* sphere of interest/influence

Interessent|(in) *m/f* 1. prospective client/customer/buyer, potential buyer, prospect, interested person/party; 2. holder of an interest (in a property); **keine I.en** *(Kauf)* no bidders

interessenten|gebunden *adj* tied to interests; **I.gruppe** *f* pressure/interest group; **I.hinweise von Kunden** *pl* referral leads; **I.kreis** *m* market; **I.liste** *f* list of applicants; **I.meinung** *f* biased opinion; **I.papier** *nt* vested interest stock

Interessen|test *m (Personal)* interest inventory; **I.verband** *m* association, trade body, pool, lobby, pressure/interest group; **I.vereinigung** *f* pooling of interests; **I.verflechtung** *f* interlocking interests; **I.vertreter** *m* lobbyist; **I.vertretung** *f* lobby, representation of interests, trade association; **I.wahrnehmung/I.wahrung** *f* safeguarding/protection of interests

interessieren *v/ti* to interest; **sich für etw. i.** to take an interest in sth.

interessiert *adj* interested, concerned, responsive; **äußerst i.** keenly interested; **bei weitem nicht so i.** not nearly as interested; **i. sein an** 1. to be interested in; 2. to have a stake in; **sich an etw. i. zeigen** to nibble at sth. *(coll)*

Interessierte(r) *f/m* interested person

Inter|europäisch *adj* intra-European; **I.face** *nt* 💻 interface; **i.fraktionell** *adj* interparty

interimistisch *adj* provisional, temporary

Interims|abkommen *nt* temporary agreement; **I.aktie** *f* interim share *[GB]*/stock *[US]*; **I.anleiheschein** *m* scrip; **I.ausschuss** *m* interim committee; **I.bestimmungen** *pl* transition rules; **I.bilanz** *f* interim balance (sheet); **I.buchung** *f* suspense entry; **I.depotkonto** *nt* interim security deposit account; **I.dividende** *f* interim dividend, dividend on account; **I.ergebnis** *nt* interim/half-time result(s); **I.kabinett** *nt* interim cabinet; **I.konto** *nt* transitory/suspense account; **I.quittung** *f* interim receipt, receipt of interim, provisional receipt; **I.regierung** *f* caretaker/pro0visional/interim government

Interimsschein *m* interim receipt/certificate, scrip (certificate) *[GB]*, receipt of interim, temporary debenture, provisional bond/certificate *[GB]*; **I. für Inhaberschuldverschreibung** bond certificate; **auf den Namen lautender I.** registered scrip; **I.inhaber** *m* scrip holder

Interims|wechsel *m* bill at interim, interim bill; **I.zeit** *f* interim period; **I.zettel** *m* counter check; **I.zollschein** *m* ⊖ sight entry

Inter|kalarzinsen *pl* intercalary interest; **i.konfessionell** *adj* interdenominational; **i.kontinental** *adj* intercontinental; **I.mezzo** *nt* intermezzo; **i.ministeriell** *adj* interministerial, interdepartmental

intern *adj* internal, private, in-house, domestic; **I.a** *pl* inside information

Internalisierung sozialer Kosten *f* allocation of social cost(s)

Internat *nt* boarding school

international *adj* international

Internationale absatzwirtschaftliche Vereinigung International Marketing Association (IMA); **I. Anwaltsvereinigung** International Bar Association; **I. Arbeitervereinigung** International Working Men's Association; **I. Arbeitgeberorganisation** International Organisation of Employers (IOE); **I. Arbeitsorganisation** International Labour Organisation (ILO); **I. Atomenergiekommission** International Atomic Energy Agency (IAEA); **I.s Ausstellungsamt** International Exhibitions Office; **I. Bank für Wiederaufbau und Entwicklung** International Bank for Reconstruction and Development (IBRD); **~ wirtschaftliche Zusammenarbeit (IBWZ)** International Bank for Economic Cooperation (IBEC); **I. Berufssystematik** International Standard Classification of Occupations; **I. Binnenschifffahrtsunion** International Inland Shipping Union; **I.r Bund Christlicher Gewerkschaften** International Federation of Christian Trade Unions; **~ freier Gewerkschaften** International Confederation of Free Trade Unions; **I. Energie-Agentur** International Energy Agency (IEA); **I. Entwicklungsorganisation** International Development Association (IDA); **I.r Fernmeldeverein** International Telecommunications Union (I.T.U.); **I. Finanzierungsgesellschaft** International Finance Corporation (IFC); **I.r Gewerkschaftsverband** International Cooperative Alliance; **I.r Gerichtshof** International Court of Justice; **I. Gewerkschaftsvereinigung** International Federation of Trade Unions; **I. Handelskammer (IHK)** International Chamber of Commerce (ICC); **I. Handelsorganisation** International Trade Organisation (ITO); **I.r Hotelverband** International Hotel Association; **I.s Institut der Sparkassen** International Savings Banks Institute; **~ für die Vereinheitlichung des Privatrechts** International Institute for the Unification of Private Law; **I.r Jugendherbergsverband** International Youth Hostel Federation; **I.s Kaffeeabkommen** International Coffee Agreement (ICA); **I.r Luftverkehrsverband** International Air Transport Association (IATA); **I. zivile Luftfahrtorganisation** International Civil Aviation

Organisation (ICAO); **I.r Normenausschuss**; **I. Normenorganisation** International Standards/Standardization Organisation (ISO); **I. Organisation der Arbeitgeber** International Organisation of Employers; **I. kriminalpolizeiliche Organisation** International Police Organisation (Interpol); **I.s Patentinstitut** International Patent Institute; **I.s Postabkommen** International Postal Convention; **I. Recherchenbehörde** *(Pat.)* International Searching Authority; **I.r Reederverein** International Shipping Federation; **i. Regeln für handelsübliche Vertragsformeln** international commercial terms (incoterms); **I.s Rohstoffabkommen** International Commodity Agreement; **I.s Rotes Kreuz** International Red Cross; **I. Schifffahrtskammer** International Chamber of Shipping; **I.s Signalbuch** International Code of Signals; **I. Suchtstoff-Kontrollamt** International Narcotics Control Board; **I. Standardklassifikation der Berufe** International Standard Classification of Occupations (ISCO); **I. Standardorganisation** International Standards/Standardization Organisation (ISO); **I. Systematik der Wirtschaftszweige** *(UN)* International Standard Classification of all Economic Activities; **I.s Tierseuchenamt** International Office of Epizootics; **I.r Transportversicherungsverband** International Union of Marine Insurers; **I. Übereinkünfte über den Eisenbahnfrachtverkehr** International Agreement on Railway Freight Traffic; **I.r Verband für Berufsberatung** International Association for Vocational Guidance; **~ den Schutz des gewerblichen Eigentums** International Union for the Protection of Industrial Property; **~ die Veröffentlichung der Zolltarife** International Union for the Publication of Customs Tariffs; **I. Vereinigung zum Schutz gewerblichen Eigentums** International Association for the Protection of Industrial Property; **~ der Seeversicherer** International Union of Marine Insurers; **I.r Währungsfonds (IWF)** International Monetary Fund (IMF); **I. Warengruppeneinteilung; I.s Warenzeichenverzeichnis für den Außenhandel** Standard International Trade Classification (SITC); **I.r Weizenrat** International Wheat Council; **I. Wiederaufbaubank** International Bank for Reconstruction and Development; **I. Wirtschaftskonferenz** International Trade Conference; **I. Wirtschaftszweigsystematik** International Standard Industrial Classification of all Economic Activities; **I.s Zentrum zur Beilegung von Investitionsstreitigkeiten** International Centre for the Settlement of Investment Disputes; **I.r Zinnrat** International Tin Council; **I. Zivilluftfahrtorganisation** International Civil Aviation Organisation (ICAO); **I.r Zuckerrat** International Sugar Council

internationalisier|en *v/t* to internationalize; **I.ung** *f* internationalization

Internatsschüler(in) *m/f* boarder

Internet *nt* internet; **im I. surfen** to surf on the internet; **I.anbieter** *m* internet provider; **I.broker** *m* internet broker; **I.handel** *m* trading via the internet; **I.knoten** *m* point of presence (POP); **I.zugang** *m* access to the internet

internier|en *v/t* § to intern/detain/imprison; **I.te(r)** *f/m* internee, detainee, prisoner

Internierung *f* internment, detention, imprisonment; **I.sbefehl** *m* internment order; **I.shaft** *f* detention; **I.slager** *nt* internment camp

Internist *m* ⚕ internal specialist, internist

Internspeicher *m* 🖳 internal memory

interparlamentarisch *adj* interparliamentary; **I.e Union** Interparliamentary Union

Interpell|ant *m* § interpellant, interpellator; **I.ation** interpellation; **I.ationsrecht** *nt* right of interpellation; **i.ieren** *v/i* to interpellate

Interpol|ation *f* interpolation; **i.ieren** *v/i* to interpolate

Interpret(in) *m/f* 1. interpreter; 2. *(Musik)* artist

Interpretation *f* interpretation, construction, reading; **ausdehnende I.** extensive interpretation; **einschränkende I.** restrictive interpretation; **falsche I.** misinterpretation; **richterliche I.** judicial interpretation; **I.sklausel** *f* interpretation clause; **I.sspielraum** *m* room for interpretation

interpretier|en *v/t* to interpret/construe, to make sth. of; **I.programm** *nt* 🖳 interpretative program; **I.regnum** *nt* interregnum; **i.sektoral** *adj* intersectoral; **i.temporal** *adj* intertemporal

Intervall *nt* 1. interval, bracket; 2. ▦ class interval; **in I.en** on and off; **I. für die Konstanz fixer Kosten** relevant range; **I.schätzung** interval estimation

intervalutarisch *adj* inter-currency, between different currencies

Inter|venient *m* intervening party, intervenor, intervener; **i.venieren** *v/i* 1. to intervene/intercede/mediate, to step in; 2. to interfere

Intervention *f* 1. intervention, intercession; 2. interference; **I. im Blockfloating** multiple currency intervention; **I. auf dem/am Devisenmarkt** currency market intervention, exchange intervention; **I. am freien Markt** intervention in the open market; **I. der Zentralbank** central bank intervention; **I.en auf den Spitzenausgleich beschränken** to confine intervention to smoothing operations

abgestimmte Intervention *(Devisenmarkt)* joint intervention; **bewaffnete I.** armed intervention; **intermarginale I.** intra-marginal intervention; **kursglättende I.** intervention to smooth price fluctuations; **kurssichernde I.** rate/price support intervention; **staatliche I.** government intervention, state interference

Interventionis|mus *m* 1. interventionism, policy of intervention; 2. state interference/control; **i.tisch** *adj* interventionist, hands-on; **nicht i.tisch** non-interventionist, hands-off

Interventions|akzept/I.annahme *nt/f* acceptance supra upon protest, ~ for honour; **I.anspruch** *m* adverse claim; **I.auftrag** *m (Bank)* supporting order; **I.ausgaben** *pl [EU]* intervention expenditure; **I.bestände** *pl* 1. *(Geldmarkt)* intervention holdings; 2. *[EU]* intervention stocks; **I.fonds** *m* equalization account *[GB]*; **i.frei** *adj* non-interventionist; **I.grenze** *f* 1. *(Börse)* stop limit; 2. *(EWS)* divergence threshold, intervention limit; **I.hilfe** *f (Devisenmarkt)* support buying; **I.käufe** *pl* support/intervention buying; **I.klage** *f* [§] action of replevin, interpleader, action of third-party opposition; **I.konsortium** *nt* supporting syndicate; **I.kosten** *pl [EU]* intervention expenditure; **I.kurs** *m (IW)* intervention price/rate, support price; **I.lager** *nt* intervention stocks; **I.masse** *f (Geldmarkt)* intervention holdings; **I.mechanismus** *m* intervention/regulatory mechanism; **I.mittel** *pl* intervention appropriations; **I.politik** *f* intervention(ist) policy; **I.preis** *m* intervention price; **abgeleiteter I.preis** derived intervention price

Interventionspunkt *m* intervention point, support/peg point; **I.e** *(Zentralbank)* bank's upper and lower limits, dealing/support limits, intervention points; **bilaterale I.e** bilateral exchange limits; **oberer I.** upper intervention/support point, buying point ceiling; **unterer I.** bottom/floor support point, lower intervention point, selling point

Interventions|recht *nt* right of intervention; **I.regeln** *pl* intervention rules; **I.regelung** *f* intervention system; **I.stelle** *f [EU]* intervention agency/board/authorities; **I.verfahren** *nt* [§] interpleader proceedings; **I.währung** *f* intervention currency; **I.zahlung** *f* payment for honour, ~ supra protest

Interview *nt* interview; **freies I.** unstructured interview; **offenes I.** depth/qualitative interview; **weiches I.** permissive interview; **zentriertes I.** focused interview

interview|en *v/t* to interview; **I.er** *m* 1. interviewer; 2. ⊞ observer; **I.te(r)** *f/m* interviewee, respondent

Interzession *f* intercession

Interzonen|- *[D]* interzonal; **I.grenze** *f* interzonal boundary; **I.handel** *m* interzonal trade; **I.handelsabkommen** *nt* interzonal trade agreement; **I.verkehr** *m* 1. interzonal transactions; 2. interzonal traffic

Intestat *nt* intestacy; **I.erbe/I.erbin** *m/f* lawful heir, heir at law *[US]*, ~ by intestate succession; **I.erbfolge** *f* intestate succession, intestacy distribution; **I.erblasser** *m* intestate; **I.nachlass** *m* intestate estate

intim *adj* intimate; **I.ität** *f* intimacy; **I.späre** *f* privacy; **jds ~ verletzen** to trespass/intrude upon so.'s privacy

intole|rant *adj* intolerant; **I.ranz** *f* intolerance

Intra|blockhandel *m* intra-bloc trade; **I.handel** *m* internal/intra-EC trade; **I.net** *nt (unternehmenseigen)* intranet; **i.sektoral** *adj* intra-industry

Intrigant(in) *m/f* schemer, intriguer, plotter, trafficker

Intrig|e *f* intrigue, plot, frame-up; **I.en** intrigues, machinations; **i.ieren** *v/i* to intrigue/scheme/plot

Intuit|ion *f* intuition; **i.iv** *adj* intuitive

Inumlaufsetzen *nt* 1. putting into circulation, flo(a)tation; 2. *(Falschgeld)* passing, uttering

invalid *adj* invalid, disabled

Invalide *m* invalid, disabled person; **zum I.n machen** to disable/invalid

Invaliden|freibetrag *m* invalidity allowance; **I.fürsorge** *f* disablement relief; **I.geld** *nt* invalidity allowance; **I.kraftfahrzeug** *nt* invalid car; **I.rente** *f* disability/invalidity pension, disablement benefit/annuity/pension; **I.rentenempfänger(in); I.rentner(in)** *m/f* recipient of a disability pension; **I.unterstützung** *f* disability benefit/allowance; **I.versicherung** *f* disability/disablement insurance; **I.versicherungsleistung** *f* disability benefit

invalidieren *v/t* to make invalid

Invalidität *f* invalidity, disability, disablement, incapacity; **dauernde I.** permanent disability/disablement; **partielle I.** partial disability; **vollständige I.** total/complete disability, ~ disablement; **vorübergehende I.** temporary disability; **vorzeitige I.** premature disability

Invaliditäts|anspruch *m* disablement claim; **I.beihilfe** *f* invalidity benefit; **I.fall** *m* disability case; **I.fonds** *m* disability fund; **I.grad** *m* degree of disablement; **I.klausel** *f* disability clause; **I.rente** *f* 1. disability pension/benefit, invalid pension; 2. *(vorzeitige Invalidität)* breakdown pension; **I.unterstützung** *f* disability benefit; **I.versicherung** *f* disability/disablement insurance, disability fund

Invasion *f* invasion

Inventar *nt* 1. stock on/in hand, inventory; 2. *(Bilanz)* fixtures, plant, listing of assets and liabilities, furnishings and fixtures; 3. *(Einrichtung)* fittings; 4. *(Geräte)* equipment; 5. *(Büro)* office furniture and equipment; 6. *(Fabrik)* implements and machinery; 7. 🚜 stock; **I. zum Anschaffungspreis** inventory at cost; **I. aufnehmen/aufstellen** to take stock, to prepare an inventory; **schon zum I. gehören** to be a permanent fixture; **in einem I. verzeichnen** to inventory

anfängliches Inventar initial inventory; **tatsächlich aufgenommenes I.** physical inventory; **buchmäßiges I.** book inventory; **festes/unbewegliches I.** fixtures; **lebendes I.** 🚜 livestock; **totes I.** 🚜 farm equipment and machinery, dead stock

Inventar|abbau *m* inventory reduction; **I.abschreibung** *f* inventory writedown; **I.aufnahme/I.aufstellung** *f* 1. stocktaking; 2. inventory sheet; **I.bestände** *pl* inventory levels; **I.bewertung** *f* inventory valuation; **I.buch** *nt* stock ledger; **I.buchhaltung** *f* stock ledger accounting; **I.fehlbetrag** *m* inventory shortage; **I.frist** *f* inventory period; **I.gegenstand** *m* inventory item; **I.herabsetzung** *f* inventory reduction

inventarisier|bar *adj* inventoriable; **i.en** *v/t* to take stock, to (take) inventory, to draw up an inventory; **I.ung** *f* stocktaking

Inventar|karte *f* stock card; **I.konto** *nt* inventory account; **I.kontrolle** *f* inventory check; **I.kredit** *m* inventory loan; **I.liste** *f* inventory; **i.mäßig** *adj* inventorial; **I.nummer** *f* inventory number; **I.posten** *m* inventory item; **I.preis** *m* inventory price; **I.prüfung** *f* inventory audit; **I.prüfungsbescheinigung** *f* inventory certificate; **I.stück** *nt* fixture, inventory item; **I.verlust** *m* inventory loss; **I.versicherung mit der Auflage von Veränderungsmeldungen** *f* reporting insurance; **I.verzeichnis** *nt* 1. inventory (sheet), stock register; 2. *(Konkurs)* statement of affairs; **I.wert** *m* 1. inventory/book value; 2. *(Investmentfonds)* net asset value; **~ je Fondsanteil** per share asset value

Inventur stocktaking, inventory; **I. machen** to take stock, to draw up an inventory; **effektive/körperliche I.** physical inventory/stocktaking/count; **(fort)laufende/permanente I.** perpetual/permanent/book/continuous/running inventory, continuous stocktaking, rotating inventory count; **landwirtschaftliche I.** farm stock

Inventur|abstimmliste *f* inventory reconciliation list; **I.aufnahme** *f* stocktaking; **I.aufnahmeliste** *f* inventory sheet; **laufende I.aufzeichnungen** perpetual inventory record; **I.ausverkauf** *m* pre-inventory sale; **I.bewertung** *f* inventory valuation; **I.bilanz** *f* inventory balance; **I.buch** *nt* inventory register; **I.differenz** *f* inventory discrepancies; **I.liste** *f* inventory; **I.prüfung** *f* inventory audit; **I.richtlinien** *pl* inventory/stocktaking rules; **I.stichtag** *m* inventory date; **I.verkauf** *m* clearance/inventory sale; **I.verzeichnis** *nt* inventory record; **I.vorbereitungsliste** *f* physical inventory list; **I.zettel** *m* inventory tag

Inverkehrbringen *nt* issue, putting into circulation, sale, marketing, spreading; **I. von Falschgeld** uttering counterfeit money

invers *adj* inverse, opposite

Inverzugsetzung *f* service of default, giving notice of default, demanding overdue payment, request for overdue performance

investieren *v/t* to invest, to make/effect investments, to sink/put money into sth.; **antizyklisch i.** to expand into the recession; **erneut i.** to re-invest, to plough back; **unzureichend in etw. i.** to starve sth. of investment; **vorteilhaft i.** to make a good investment, to invest advantageously; **zinstragend i.** to put money out at interest

Investierung *f* investment

Investigationsrecht *nt* right of investigation

Investition *f* 1. investment, capital spending/expenditure/outlay; 2. *(Anlage)* capital project/asset; 3. seedcorn *(fig)*; **I.en** capital/investment expenditure, business/capital spending

Investitionen im Ausland foreign investment(s), investment(s) abroad, ~ in foreign countries; **inländische ~ Ausland** residents' investments abroad; **I. auf dem Bausektor** construction spending; **I. in Betriebsstätten** plant investment; **~ Computer** computer investment; **I. im Dienstleistungssektor** service investments; **I. zur Erhöhung der Produktivität** investment in depth, intensive investment; **I. in Fertigungsbetriebe im Ausland** foreign manufacturing investment; **I. im Filialbereich** branch investments; **I. zur regionalen Förderung** investments of regional interest; **I. für den Fremdenverkehr** tourist industry investment(s); **I. der öffentlichen Hand** public/government capital expenditures; **I. im Immobilienbereich** real estate investments; **~ Inland** domestic investment(s); **I. in der Landwirtschaft** investment in agriculture; **~ Maschinen und Anlagen** plant and machinery investment; **~ Menschen** human (resources) investment; **I. der Privatwirtschaft** private sector investment; **I. im Produktionsbereich** manufacturing investment; **~ nachgelagerten Produktionsbereich** downstream investment(s); **~ vorgelagerten Produktionsbereich** upstream investment(s); **I. der Regierung** government capital expenditure, capital expenditure of the administration; **I. mit fester Rendite** fixed-yield investment(s); **I. in Ressourcen** resources investment(s); **I. zur Schaffung von Arbeitsplätzen** job-creating investment(s); **I. ohne Schaffung von Vermögenswerten** impair investment(s); **I.en in Sozialeinrichtunge** community investment; **I. der öffentlichen Unternehmen** public sector investment(s), investment(s) b public enterprises; **~ Unternehmer** investment by enterprises; **I. in Wertpapiere** portfolio investment(s); **I. der gewerblichen Wirtschaft** business investmen spending; **I. auf nachgelagerte Wirtschaftsstufe(n** downstream investment(s); **~ vorgelagerte Wirtschaftsstufe(n)** upstream investment(s); **I. im Wohnungsbau** investment(s) in residential building, housing/residential investment(s)

Investitionen ankurbeln to encourage investment(s); **I. bremsen** to check investment; **I. durchführen** to effect/make investments; **I. erhöhen** to step up investment(s); **I. finanzieren** to finance investment(s); **I. fördern** to promote investment(s); **I. genehmigen** to authorize investment(s); **I. kürzen** to cut/curtail/slash investment(s); **I. vornehmen** to invest, to effect/make investment(s); **notwendige I. nicht vornehmen** to starve of investment(s); **I. zurückstellen** to defer investments

ausländische Investition|en non-residents'/foreigners investments; **bauliche I.en** investment in buildings; **begonnene I.en** projects begun; **betriebliche I** plant/business investment; **dauernde I.** continuous injection of capital; **direkte I.en** direct investment(s); **durchgeführte I.en** investment effected; **festverzinsliche I.** fixed-interest investment; **gemeinsame I.e** collective investments; **genehmigte I.** authorized investment; **geplante I.** intended/planned investment proposed investment expenditure; **geschäftliche I.e** trade investments; **gewerbliche I.en** industrial/business investment(s); **gewinnbringende I.** profitable payable investment; **gute I.** sound investment; **immaterielle I.** intangible investment; **indirekte I.en** indirect/equity/portfolio investments; **industrielle I.** industrial investment; **induzierte I.** induced investment **Know-how I.en** investment in know-how; **kollektiv I.en** collective investments; **kurzfristige I.** short-term investment; **langfristige I.** long-term investment; **laufende I.en** current investments; **lohnende I.** remunerative/profitable investment; **mittelfristige I.** medium term investment; **maschinelle I.** capital expenditure o machinery; **mündelsichere I.** gilt-edged *[GB]*/high grade *[US]* investment; **nicht materielle I.** intangible investment; **nicht produktive I.en** non-productive/unproductive investments; **öffentliche I.en** public-secto investment(s), government capital expenditure; **private I.** private investment; **unmittelbar produktive I.** directly productive investment

Pro-Kopf-Investitionen *pl* per-capita investment; **erforderliche P.** required per-capita investment; **faktische P.** actual per-capita investment

realisierte Investition investment effected; **sichere I** sound investment; **soziale I.** social investment; **staatliche I.** government investment; **steuerbegünstigte I** tax shelter *[US]*; **strukturelle I.** structural investment

übermäßige I. excessive investment, overinvestment; **unterlassene I.** investment neglect; **verlagerte I.en** humped investment; **verzinsliche I.** fixed-interest(-bearing) investment; **vorteilhafte I.** profitable investment

Investitionslabbau *m* disinvestment; **I.abgabe** *f* investment tax; **I.abschreibung** *f* investment allowance; **I.absprache** *f* planning agreement; **I.abwicklung** *f* investment management; **I.anleihe** *f* investment loan; **i.anregend** *adj* stimulating investment; **I.anreiz** *m* investment incentive/boost, incentive to invest; **I.anteil** *m (Haushalt)* capital budget, investment share of the budget; **I.antrag** *m* investment proposal, capital spending requisition; **I.aufgabe** *f* investment project; **I.aufschwung** *m* investment upturn

Investitionslaufwand/I.aufwendungen *m/pl* capital expenditure/spending/outlay, investment cost(s)/spending/expenditure; **I. der Privatwirtschaft** investment spending by private enterprises; **gesamte(r) I.** total cost of investments

Investitionslausgaben *pl* capital expenditure/outlay/spending/investment, investment spending/expenditure, ~ business spending, fixed capital formation; **genehmigte I.ausgaben** capital commitment; **I.ausschuss** *m* investment committee; **I.aussichten** *pl* investment prospects, prospects as regards capital investment; **I.bank** *f* investment bank; **I.bedarf** *m* investment needs/requirements, capital expenditure requirements; **i.bedingt** *adj* investment-led; **I.bedingungen** *pl* investment climate; **I.beihilfe** *f* investment grant/assistance, capital investment grant; **I.belebung** *f* investment upturn, pickup in capital spending; **I.bereitschaft** *f* readiness/propensity to invest, investment confidence; **I.beschränkung** *f* restriction on investments; **I.bestand** *m* investment total; **I.betrag** *m* amount invested, investment sum, amount of investment; **I.bilanz** *f* capital flow statement, statement of sources and application of funds; **I.boom** *m* investment boom, boom in capital spending; **I.bremse** *f* curb on investments; **I.budget** *nt* capital (expenditure) budget; **I.chance** *f* investment opportunity/possibility/prospect; **I.chancen** prospects for capital investment; **I.darlehen** *nt* investment loan, capital development loan; **I.defizit** *nt* underinvestment; **I.dienstleistungen** *pl* investment/industrial services; **I.drosselung** *f* investment cutback; **I.effekt** *m* effect of investment; **I.einnahmen** *pl* investment receipts; **I.empfänger** *m* investee; **I.entscheidung/I.entschluss** *f/m* investment decision, capital expenditure/spending decision; **I.erfahrung** *f* investment experience; **I.erhebung** *f* investment survey; **I.etat** *m* capital expenditure budget; **I.fähigkeit** *f* ability to invest; **I.falle** *f* investment/cash *[US]* trap; **I.finanzierung** *f* (capital) investment financing, financing of capital projects/investment(s); **I.flut** *f* surge of investments; **I.fonds** *m* investment fund

Investitionsförderung *f* investment promotion, promotion/encouragement of investment, stimulation of investment activity; **I.sabkommen/I.svertrag** *nt/m* investment promotion agreement; **I.smaßnahme** *f* investment promotion measure

Investitionslfreibetrag *m* investment allowance; **I.freigabe** *f* release of investment funds; **i.freudig** *adj* ready to invest; **I.freudigkeit** *f* propensity/inclination to invest; **i.freundlich** *adj* investor-orient(at)ed, investor-focused; **I.funktion** *f* investment function; **verzögerte I.funktion** lagged investment function; **I.genehmigung** *f* (capital) appropriation, capital spending authorization; **I.geschäft** *nt* investment banking; **I.grad** *m* rate of investment

Investitionsgüter *pl* capital/industrial/producer goods, investment goods/materials, (capital) equipment; **verbrauchsnahe I.** consumer-type capital/investment goods

Investitionsgüterlaufwand *m* capital goods outlay; **I.bereich** *m* capital goods sector; **I.fertigwaren** *pl* finished capital goods; **I.gewerbe** *nt* capital goods industry; **I.gruppe** *f* group of capital goods producers; **I.hersteller** *m* capital goods manufacturer; **I.index** *m* capital goods index; **I.industrie** *f* capital goods industry; **I.konjunktur** *f* boom in the capital goods industry; **I.lastigkeit** *f* preponderance of capital goods; **I.leasing** *nt* equipment leasing; **I.lieferant** *m* capital goods supplier; **I.marketing** *nt* industrial marketing; **I.markt** *m* industrial market, capital goods market; **I.messe** *f* capital goods fair; **I.nachfrage** *f* demand for capital goods; **I.produktion** *f* production of capital goods; **I.produzent** *m* capital goods manufacturer; **I.rohstoff** *m* raw material for capital goods; **I.sektor/I.zweig** *m* capital goods industry/sector; **I.werbung** *f* industrial advertising

Investitionslhaushalt *m* capital (expenditure) budget, investment budget; **i.hemmend** *adj* investment disincentive; **I.hemmnis** *nt* investment disincentive, barrier to investment

Investitionshilfe *f* investment aid/assistance; **I.abgabe** *f* capital levy, investment grant/assistance levy, ~ surcharge; **I.gesetz** *nt* investment assistance act; **I.wertpapier** *nt* investment assistance security

Investitionslhindernis *nt* investment impediment; **I.höhe** *f* level of investment(s); **I.impuls** *m* incentive to invest; **i.induziert** *adj* investment-led, investment-driven; **I.intensität** *f* capital expenditure ratio, ~ expenditure per ...; **I.kalkül** *nt* investment analysis; **I.kalkulation** *f* investment costing; **I.kapital** *nt* capital investment, investment capital, funds for capital purposes; **I.kette** *f* stream of investment; **I.klima** *nt* investment climate, climate for investment; **gutes I.klima** attractive climate for investment; **I.koeffizient** *m* investment coefficient; **I.konjunktur** *f* investment boom/activity, upward trend in capital investment; **I.konto** *nt* investment account; **I.kontrolle** *f* planning agreement, investment/capital control; **I.kosten** *pl* capital (outlay) cost(s), up-front/investment cost(s)

Investitionskredit *m* investment credit/loan, development credit, loan to finance a capital project; **gewerblicher I.** commercial investment credit; **zinsbegünstigter I.** capital development loan at subsidized rates;

I.geschäft *nt* capital development lending; **I.versicherung** *f* investment credit insurance

Investitions|kriterium *nt* investment criterion; **I.kürzung** *f* investment cut, capital spending cut; **I.leistungen** *pl* capital spending volume, investments (effected), investment performance; **I.lenkung** *f* planning agreement, channelling of investments, direction of capital investment; **I.lücke** *f* investment deficit/gap; **I.lust** *f* propensity to invest; **private I.lust** private industry's propensity to invest; **I.maßnahme** *f* investment; **I.mittel** *pl* investment resources, funds for capital investments, capital expenditure; **bereitgestellte I.mittel** capital appropriation, funds available for capital spending; **I.möglichkeiten** *pl* investment opportunities/outlets; **I.möglichkeitskurve** *f* investment opportunity line; **I.müdigkeit** *f* reluctance to invest; **I.multiplikator** *m* investment multiplier; **I.nachfrage** *f* investment demand, demand for capital goods; **I.nachholbedarf** *m* pent-up investment demand; **I.neigung** *f* propensity to invest; **I.niveau** *nt* investment level; **I.objekt** *nt* capital (expenditure) project, investment project; **i.orientiert** *adj* investment-orient(at)ed, investment-geared; **I.paket** *nt* investment package; **I.periode** *f* investment gestation/fruition period; **I.plan** *m* investment plan/scheme, capital expenditure plan, ~ (development) budget

Investitionsplanung *f* (capital) investment planning, capital expenditure planning, ~ projects/budgeting; **I.- und Finanzierungsplanung** capital budgeting; **zentrale I.** central investment planning

Investitionspolitik *f* investment policy, capital spending policy; **defensive I.** defensive investment policy

Investitions|prämie *f* *(Steuer)* investment premium, ~ tax credit; **I.prognose** *f* investment forecast; **I.programm** *nt* capital (spending) programme/scheme/ budget, ~ development programme, ~ expenditure/investment, investment scheme; **~ der gewerblichen Wirtschaft** industry capital spending programme; **I.projekt** *nt* investment project, capital expenditure plan/project

Investitionsquote *f* investment ratio/quota, rate of investment, ~ capital expenditure, ~ fixed capital formation, investment income ratio; **jährliche I.** annual rate of capital expenditure; **marginale I.** marginal propensity to invest

Investitions|rate *f* rate of investment, ratio of gross investments to GNP, investment ratio; **gesamtwirtschaftliche I.rate** overall rate of investment; **I.rechnung** *f* capital expenditure account/budget, ~ budgeting, investment appraisal, pre-investment analysis, estimate of investment profitability; **I.rechnungsverfahren** *nt* capital budgeting technique; **i.reif** *adj* ready for use in capital projects; **I.rendite** *f* investment yield, (rate of) return on investment (ROI); **I.richtlinien** *pl* investment rules/guidelines; **I.risiko** *nt* investment/business risk, capital spending risk; **I.rückgang** *m* decline of/in investment, drop in investment, ~ capital spending; **I.rücklage** *f* capital investment reserves; **I.ruine** *f* white elephant *(fig)*; **I.schema** *nt* pattern of investment; **I.schub** *m* investment drive/surge; **I.schutz** *m* investment protection; **I.schwerpunkt** *m* investment priority, priority in capital investment, main emphasis of capital investment; **I.schwund** *m* drop in investments; **I.sektor** *m* capital goods sector/industries; **I.sparkurve** *f* investment saving curve; **I.spritze** *f* shot in the arm *(fig)*; **I.sprung** *m* jump in capital spending; **I.stau** *m* backlog/pile-up of investment projects; **I.steuer** *f* investment tax, tax on enterprises' capital outlays; **I.steuerfreibetrag/-gutschrift** *m/f* investment tax credit; **I.stoß** *m* burst of investment, investment surge, injection of capital spending; **I.streuung** *f* diversification; **I.strom** *m* flow of investment(s), investment flow; **I.struktur** *f* pattern of investment; **I.summe** *f* capital expenditure (total), total investment, investment total

Investitionstätigkeit *f* investment (activity/activities), capital spending; **I. der Unternehmen** corporate investment; **I. bremsen** to curb investment; **I. verringern** to cut back on investment

binnenwirtschaftliche Investitionstätigkeit domestic investments, ~ investment activities; **zu geringe I.** underinvestment; **gewerbliche I.** industrial investment; **nachlassende I.** falling investment, decline of/in investment; **rege I.** brisk investment activity, high capital spending; **staatliche I.** public investment; **übermäßige I.** overinvestment

Investitions|tempo *nt* rate/pace of investment; **nachlassendes I.tempo** slowdown in investment; **I.tendenz** *f* investment trend; **I.träger** *m* investor; **I.überhang** *m* investment backlog/surplus, overinvestment; **I.übersicht** *f* investment survey; **I.unlust** *f* reluctance to invest; **I.verbot** *nt* investment ban; **I.verflechtung** *f* cross investment; **I.vergünstigung** *f* investment allowance; **I.verhalten** *nt* investment behaviour; **I.verlagerung** *f* rescheduling of investment; **I.verlust** *m* investment loss; **I.volumen** *nt* volume of investments, investment volume; **I.vorgang** *m* investment operation/process; **I.vorhaben** *nt* capital (expenditure) project, investment project/plan/scheme; **~ auf dem Kerngebiet** capital investment in the core business; **I.wachstum** *nt* investment growth, growth of investments; **I.wert** *m* investment value; **i.willig** *adj* wishing to invest; **I.zeitraum** *m* period of investment; **I.ziel** *nt* investment goal/target/purpose; **I.zulage** *f* investment premium/grant/allowance/bonus; **I.zurückhaltung** *f* reluctance to invest; **I.zusage** *f* investment commitment; **I.zuschuss** *m* investment grant/subsidy; **I.zuwachs** *m* increase in investment; **I.zweck** *m* investment purpose; **I.zyklus** *m* investment cycle

investiv *adj* investment, investable

Investiv|lohn *m* participation/capital wage; **I.lohnsystem** *nt* wage investment scheme; **I.teil** *m* investable part

Investment *nt* investment; **I.analyse** *f* investment analysis; **I.anlage** *f* investment in unit trusts; **I.anleger** *m* investor

Investmentanteil *m* (investment trust) unit, mutual fund share, collateral trust certificate; **I.e ohne Provi**

sionsaufschlag erwerben to buy certificates on a no-load basis; **I.seigner** *m* unitholder

Investment|bank *f* investment bank/company; **I.besitzer** *m* unitholder

Investmentfonds *m* 1. investment trust/fund, trust fund, mutual fund/trust *[US]*; 2. plan; **I. mit unbeschränkter Anlagepolitik** general management trust; **~ unbeschränkter Anteilsemission** open(-end) fund; **~ Direktverkauf** no-load fund; **~ begrenzter Emissionshöhe** closed(-end) fund; **~ Gebührenabrechnung beim Verkauf** load fund; **~ Leihkapital** leverage fund; **~ auswechselbarem Portefeuille** managed/flexible fund; **~ begrenzt auswechselbarem Portefeuille** semi-fixed fund; **~ Sitz in einer Steueroase** offshore fund

gebührenfreier Investmentfonds no-load fund; **an den Aktienindex gekoppelter I.** index fund; **geschlossener I.** closed(-end) fund, ~ investment fund; **konzessionierter I.** authorized unit trust; **offener I.** open-end(ed investment) fund, mutual fund, open-end(ed) trust; **thesaurierender I.** cumulative fund; **versicherungseigener I.** in-house fund; **im Ausland vertriebener I.** offshore fund

Investment|(fonds)anteil *m* trust unit; **I.gedanke** *m* unit trust concept; **I.geschäft** *nt* investment fund business, operations of investment companies

Investmentgesellschaft *f* investment trust/company/fund, unit trust

Investmentgesellschaft mit konstantem Anlagekapital closed(-end) investment trust; **~ unbegrenztem Anlagekapital** open-end(ed) investment trust; **~ offener Anlagepolitik** management investment company; **~ offenem Anlageportefeuille** unit trust; **~ Auslandssitz** offshore fund; **~ festgelegtem Effektenbestand** fixed investment trust; **~ beschränkter Emissionshöhe** closed-end investment company; **~ unbeschränkter Emissionshöhe** open(-ended) investment company/fund; **~ offenem Portefeuille** mutual fund; **~ gesetzlicher Risikoverteilung** diversified company

geschlossene Investmentgesellschaft closed(-end) investment fund; **offene I.** open-end(ed) investment company

Investment|gesetz *nt* investment company act; **I.kauf** *m* purchase of units; **I.käufer** *m* unit *[GB]*/certificate *[US]* buyer; **I.papier** *nt* investment fund certificate; **I.planung** *f* investment planning; **I.rente** *f* investment pension; **I.sparen** *nt* investment saving; **I.sparplan** *m* investment saving plan/scheme; **I.trust** *m* unit/investment trust; **~ in einer Steueroase** offshore fund; **I.vertriebsgesellschaft** *f* unit trust sales company; **I.zertifikat** *nt* investment/unit/collateral *[US]* trust certificate, unit certificate

Investor *m* 1. investor; 2. *(Fonds)* planholder; **gebietsfremder I.** non-resident investor; **gewerblicher I.** business investor; **institutioneller I.** institutional investor

in|wärts *adv* inwards; **i.wendig** *adj* internal

Inzahlung|geben *nt* giving in payment; **I.nahme** *f* trade-in, acceptance as part payment

Inzidentfeststellungsverfahren *nt* § interpleader

Inzidenz *f* incidence; **I. des Steueranstoßes** impact incidence; **formale I.** formal incidence

inzwischen *adv* meanwhile, interim, (in the) meantime

ipso jure *(lat.)* ipso jure, by operation/act of law

irdisch *adj* terrestrial, mundane

irgendwie *adv* after a fashion, somehow or other

irrational *adj* irrational

Irre(r) *f/m* idiot, insane person

irre *adj* insane, demented; **jdn in die I. führen** to lead so. astray

irreführen *v/t* to mislead/misguide/delude; **i.d** *adj* misleading, confusing, deceptive, fallacious

Irreführung *f* deception, misguidance, delusion; **I. der Öffentlichkeit** misleading the public; **~ Post** mail fraud

irre|geführt *adj* misguided, misled; **i.gehen** to go astray; **i.geleitet** *adj* misguided

irregul|är *adj* irregular; **I.arität** *f* irregularity

irreleit|en *v/t* to lead astray, to misguide; **I.ung** *f* ✉ misdirection

irrele|vant *adj* irrelevant, beside the point; **I.vanz** *f* irrelevance

irremachen *v/t* to confuse/nonplus

Irren ist menschlich *nt* to err is human; **i.** *v/refl* to err, to be at fault, ~ mistaken; **sich gewaltig i.** to be wide off the mark

Irren|anstalt/I.haus/I.heilanstalt *f/nt/f* lunatic/insane *[US]* asylum, mental hospital *[GB]*

ir|reparabel *adj* irreparable, beyond repair, beyond/past remedy; **i.reversibel** *adj* irreversible, non-reversible

irrig *adj* erroneous, mistaken, fallacious, misconceived, incorrect

irritieren *v/t* to irritate/annoy/confuse

Irrläufer *m* 1. ✉ misdirected mail; 2. stray

Irrsinn *m* madness, insanity, lunacy; **reiner I.** sheer madness; **i.ig** *adj* mad, insane; **I.iger** *m* madman, lunatic

Irrtum *m* 1. error, mistake, fallacy, lapse, pitfall; 2. misapprehension, misconception, delusion; 3. § error of judgment; **im I.** in the wrong

Irrtum im Beweggrund mistake as to formation of intention; **I. über eine wesentliche Eigenschaft** mistake on the subject matter, ~ as to an important quality; **~ die Person** mistaken identity, error in personam *(lat.)*; **~ die Strafbarkeit** mistake as to the punishability of an act; **~ eine Tatsache** factual error, mistake of fact; **~ den Vertragsgegenstand** mistake as to the subject matter of the contract

Irrtümer vorbehalten errors excepted; **I. und Auslassungen vorbehalten** errors and omissions excepted (E.&O.E.)

Irrtum aufklären to put (sth.) right, ~ to rights; **sich im I. befinden** to labour under a misapprehension, to be in wrong/mistaken/error; **I. berichtigen/korrigieren** to rectify an error

beachtlicher Irrtum operative mistake, substantial mistake/error; **beiderseitiger I.** § mutual mistake; **einseitiger I.** unilateral mistake; **entschuldbarer I.** excusable mistake, venial offence; **fataler I.** fatal error; **gemeinsamer I.** § *(Vertrag)* common mistake; **grober**

I. bad mistake; **rechtlicher I.** mistake in law; **rechtserheblicher I.** legally relevant mistake; **sachlicher I.** factual error, mistake of fact; **tödlicher I.** fatal error; **allgemein/weit verbreiteter I.** common mistake, popular fallacy; **verhängnisvoller I.** fatal mistake
irrtümlich *adj* erroneous, mistaken, by mistake; **i.erweise** *adv* wrongly, in error
Irrtums|anfechtung *f* recission for innocent misrepresentation, avoidance on account of mistake; **I.anzeige** *f* communication of an error; **I.erregung** *f* deception; **I.klausel/I.vorbehalt** *f/m* clause reserving errors; **I.wahrscheinlichkeit** *f* 1. error probability; 2. ▦ level of significance
Irrweg *m* wrong track; **auf I.en** errant; **auf I.e geraten** to go astray
Ischias *m* ⚕ sciatica
isoelastisch *adj* isoelastic
Isogewinn|gerade *f* iso-revenue line; **I.kurve** *f* iso-revenue/iso-profit curve
Isokosten *pl* iso-cost; **I.gerade** *f* iso-cost line; **I.kurve** *f* iso-cost/iso-outlay curve; **I.linie** *f* iso-cost line, outlay contour
Isolation *f* 1. isolation; 2. 🏛 insulation; 3. *(Haft)* solitary confinement; **I.ismus** *m* isolationism; **I.ist** *m* isolationist; **i.istisch** *adj* isolationist; **I.sfolter** *f* isolation torture; **I.shaft** *f* solitary confinement
Isolier|band *nt* ⚡ insulating tape; **I.behälter** *m* insulated container, flask; **I.box** *f* cooler box
isolieren *v/t* 1. to isolate; 2. ⚡/🏛 to insulate; 3. ⚙ to lag
Isolier|er *m* ⚙ lagger; **I.flasche** *f* flask; **I.haft** *f* § solitary confinement; **I.material** *nt* insulating material; **I.station** *f* ⚕ isolation ward; **I.stoff** *m* 🏛 insulation material
isoliert *adj* separate
Isolier|ung *f* 1. isolation; 2. 🏛 insulation, weatherproofing, damp-proof course; 3. ⚙ lagging; **i.verglasen** *v/t* 🏛 to double-glaze; **I.verglasung** *f* double-glazing; **I.zelle** *f* § solitary confinement (cell)
Iso|linie *f* contour line; **i.metrisch** *adj* isometric; **I.produktkurve** *f* product contour; **I.quante** *f* equal-product/iso-product curve, isoquant; **I.quant-Ebene** *f* isoquant line
Ist|- actual, effective; **I.aufkommen** *nt* real yield; **I.aufnahme** *f* inventory; **I.ausbringung** *f* actual output; **I.ausgaben** *pl* actual expenditure/outlay; **I.ausstoß** *m* real output; **I.bestand** *m* actual stock on hand, real amount, actual balance/amount; **I.besteuerung** *f* taxation of actual value; **I.betrag** *m* real/actual amount; **I.bilanz** *f* actual balance (sheet); **I.einnahmen** *pl* actual proceeds/receipts; **I.gemeinkosten** *pl* actual overhead(s); **I.gemeinkostenzuschlagssatz** *m* actual overhead rate; **I.-Istvergleich** *m* comparison of actual performances
Istkosten *pl* effective/actual/outlay cost(s); **I. der Gegenwart; I. zu Tagespreisen** current (outlay) cost(s); **I. der Vergangenheit** historic(al) cost(s); **I.kurve** *f* outlay contour; **I.rechnung** *f* actual costing, ~ cost system, current cost accounting
Ist|leistung *f* actual performance/output/outturn/attainment; **I.portfolio** *nt* actual portfolio; **I.prämie** *f* premium paid; **I.reserve** *f* actual maintained reserve, de fac to *(lat.)* reserve; **I.spanne** *f* ratio of gross margin t sales; **I.stärke** *f* actual strength; **I.stunden** *pl* actua manhours; **I.system der Rechnungslegung** *nt* cash ac counting; **I.wert** *m* actual/instantaneous value; **I.zahl** actual figure; **I.zeit** *f* actual/effective/clock time, tim taken
Iterations|test *m* ▦ iteration test; **stationärer I.zyklu** stationary cycle
iterativ *adj* iterative

J

mit Ja antworten to answer in the affirmative
Jagd *f* hunt(ing); chase; **J. auf Führungspersona** headhunt(ing); **J. nach Geld** pursuit of money; **~ den Glück** pursuit of happiness; **~ Reichtum** scramble fo wealth; **~ Sonderangeboten** bargain hunting; **auf die ~ Sonderangeboten gehen** to go (a-)hunting; **J. machen auf** 1. to hunt down; 2. to gun for sth. *(fig.)*
Jagd|aufseher *m* gamekeeper, game warden; **J.ausflug** *m* hunting expedition; **J.berechtigung/J.erlaubnis** shooting licence *[GB]*, hunting permit *[US]*; **J.beute** kill(ing), bag; **J.dieb** *m* poacher; **J.frevel** *m* poaching **J.frevler** *m* poacher; **J.gebiet** *nt* hunt; **J.gehege** *nt* game preserve; **J.gelände** *nt* hunting ground; **J.gesellschaft** *f* hunting party, shoot; **J.gesetze** *pl* game laws; **J.gewehr** *nt* shotgun; **J.hütte** *f* (hunting) lodge; **J.pächter** *m* game tenant; **J.recht** *nt* 1. game law; 2. hunting right **J.- und Fischereirechte** hunting and fishing rights **J.revier** *nt* hunting ground, chase; **J.schein** *m* shooting licence *[GB]*, hunting permit *[US]*; **J.strecke** kill(ing), bag; **J.steuer** *f* hunting tax; **J.vergehen** *n* game trespass; **J.wild** *nt* (wild) game; **J.wilderei** poaching; **J.zeit** *f* open/hunting/shooting season
jagen *v/t* to hunt/chase
Jäger *m* hunter; **J.ei** *f* hunt(ing)
Jahr *nt* year; **ohne J.** no date; **per/pro J.** per annum *(lat.)*; **J. für J.** year after year; **von J. zu J.** from year to year, year by year; **J.e zwischen den Kriegen** inter-war years; **J. des Nullwachstums** no-growth year; **seit J. und Tag** for many years; **J. der Veranlagung** year of assessment; **J. des Versicherungsbeginns** year of issue
zweimal im Jahr twice yearly; **das ganze J. hindurch** all the year round; **das J./J.e hindurch dauernd** perennial, **auf J.e hinaus** for years to come; **auf das J. umgerechnet** annualized, at an annual rate; **J.e im Voraus** years ahead; **zahlbar nach einem J.** payable after one year
die besten Jahr|e hinter sich haben to be past one's prime, to have seen better days; **viele ~ halten** to last for years; **in die ~ kommen** to be getting on in years; **aufs J. umrechnen** to annualize; **einmal in hundert J.en vorkommen** *(coll)* to happen once in a blue moon *(fig)*; **auf J.e zurückgeworfen werden** to be set back for years

bgelaufenes Jahr past year; **in den besten J.en** in the prime of life; **bewegte J.e** turbulent years; **bürgerliches J.** legal/civil/common year; **dazwischenliegende J.e** intervening years; **entscheidende J.e** formative years; **ganzes J.** full year; **jedes halbe J.** half-yearly; **nach langen J.en** after many years; **laufendes J.** current year; **in den letzten J.en** in recent years; **schweres J.** testing year; **steuerpflichtiges J.** taxable/fiscal year; **schwarzes J.** black year; **tilgungsfreie J.e** redemption-free period/years, years free of redemption, grace period on repayments; **vergangenes J.** last year; **vorangegangenes J.** previous year; **vorvergangenes J.** last but one year; **zins- und tilgungsfreie J.e** holiday on interest and capital repayments; **ganze zwei J.e** a full two years

ahrbuch *nt* yearbook, annual; **statistisches J.** annual abstract of statistics, statistical abstract

ıhrelang *adv* for years (on end)

s jährt sich it is (a ...) year(s) ago

ahres|- annual, year-on-year, yearly; **J.abgrenzung** *f* year-end deferrals; **aktive J.abgrenzung** accrued income; **J.abonnement** *nt* annual subscription; **J.abrechnung** *f* 1. annual settlement/account, yearly settlement; 2. *(Konto)* year-end statement; **J.absatz** *m* annual sales/turnover

ahresabschluss *m* (annual/year-end) financial statement, year-end statement of account, ~ closing, financial report, annual statement/accounts/report, ~ balance sheet; **J. zum ...** statement of account for the year ended ...; **J. mit Vergleichszahlen** comparative financial statements

ahresabschluss aufstellen/machen to draw/make up the (annual) accounts, to prepare the annual financial statements; **J. feststellen** to establish/approve the annual financial statements, ~ the year-end statement, to make a balance, to become final, to legally ascertain the financial statement as being final; **J. umbasieren** to restate a financial statement retroactively; **J. vorlegen** to present the balance sheet, to submit the annual accounts

estgestellter Jahresabschluss certified financial statement; **ordnungsgemäß ~ J.** properly approved financial statement; **frisierter J.** doctored accounts *(coll)*; **geprüfter J.** audited accounts, certified financial statements; **konsolidierter J.** consolidated annual accounts, ~ financial statement; **veröffentlichter J.** published accounts

ahresabschluss|analyse *f* financial statement analysis; **J.bilanz** *f* annual balance sheet; **J.buchungen** *pl* year-end closing entries, closing entries at the end of the fiscal year; **körperliche J.inventur** annual physical inventory; **J.prüfung** *f* 1. annual audit; 2. year-end examination; **indizierte J.rechnung** price-level adjusted accounts; **J.veröffentlichung** *f* publication of the annual report and accounts; **J.zahlung** *f* end-of-year payment

ahres|abschreibung *f* annual depreciation/allowance, depreciation per period, ~ for the period, periodical depreciation charge; **J.absetzungsbetrag** *m* annual rate of depreciation; **J.abstand** *m* year-to-year difference; **J.anfang** *m* beginning of the year; **von ~ bis dato** year-to-date; **J.anleihe** *f* annuity; **J.ansatz** *m* year's budget appropriation

Jahresarbeits|entgelt/J.verdienst *nt/m* annual earnings/wage, income for the year; **J.lohn** *m* annual wage; **J.verdienstgrenze** *f* taxable wage base; **J.zeit** *f* annual working hours; **J.zeitverkürzung** *f* reduction of annual working hours

Jahres|aufkommen *nt* yield per annum *(lat.)*, annual revenue; **J.aufstellung** *f* annual return(s); **J.ausgleich** *m (Steuer)* year-end adjustment; **steuerlichen ~ durchführen** to file one's annual tax return(s); **J.ausschüttung** *f* year's/annual dividend; **J.ausstoß** *m* yearly output; **J.ausweis/J.auszug** *m* annual return/statement, ~ financial statement; **auf J.basis umrechnen** *f* to annualize; **~ umgerechnet** at an annual rate, annualized; **J.bedarf** *m* annual requirements; **J.beginn** *m* beginning of the year; **von ~ bis heute** this year to date; **J.beitrag** *m* annual/yearly subscription, annual membership fee; **J.belastung** *f* annual charge/burden; **J.bericht** *m* annual return/report, yearly report; **erwartete J.beschäftigung** expected annual capacity; **J.betrag** *m* annual/yearly amount; **J.bezüge** *pl* annual/yearly earnings; **J.bilanz** *f* annual balance (sheet); annual review: **~ genehmigen** to approve the balance sheet; **J.bonus** *m* annual quantity discount; **J.bruttolohn** *m* gross annual earnings; **J.budget** *nt* annual budget; **J.coupontermin** *m* ➔ **Jahreskupon**; **J.depotsatz** *m* discount rate per annum *(lat.)*; **J.dividende** *f* annual/year's dividend; **J.drittel** *nt* four-month period; **J.durchsatz** *m* annual throughput

Jahresdurchschnitt *m* annual/yearly average; **im J.** on an annual average; **J. berechnen** to annualize

Jahres|einkommen/J.einkünfte *nt/pl* annual earnings/income, yearly income, annuity; **J.einnahme** *f* annual receipts/revenue; **J.endbeanspruchung** *f* end-of-year strain; **J.endbestand** *m* year-end stocks/position; **J.ende** *nt* year-end, end of the year; **am/zum J.ende** year-end; **J.erfolg** *m* annual profit, profit for the year; **J.erfolgsrechnung** *f* annual profit and loss account; **J.ergebnis** *nt* year-end results, year's result; **wichtigste J.ergebnisse des Unternehmens** corporate highlights; **J.erhebung** *f* annual survey; **J.ertrag** *m* yearly/year's earnings, yearly output; **J.etat** *m* annual budget; **J.fahrkarte** *f* annual season ticket; **J.fehlbetrag** *m* 1. annual deficit; 2. *(Bilanz)* net loss, loss for the (financial) year; **J.förderung** *f* annual output; **J.freibetrag** *m* 1. annual allowance; 2. *(Steuer)* annual exempt amount

Jahresfrist *f* one-year period, period of one year; **binnen J.** within a year; **in J.** in twelve months' time; **innerhalb J.** in the space of a year

Jahres|garantie *f* 12-month guarantee; **J.gebühr** *f* annual/renewal fee, annual charge, annuity; **J.gehalt** *nt* annual salary; **J.geld** *nt (Bank)* twelve months' money, one-year money; **J.gesamtbetrag** *m* annual total; **J.gewinn** *m* annual profits/earnings, year's profit, profit for the year; **kumulativer J.gewinn** cumulative annual net cash savings; **J.gratifikation** *f* annual bonus

1. Jahreshälfte *f* opening half; **2. J.** closing half; **in der ersten/zweiten J.** in the first/second half; **zur J.** (at) mid-way

Jahres|hauptversammlung *f* annual general meeting (of shareholders *[GB]*/stockholders *[US]*) (AGM), annual meeting; **J.höchstkurs** *m* annual peak, yearly high; **J.höchststand** *m* year's/all-year high, annual peak; **J.honorar** *nt* annual fee; **J.inventur** *f* annual stocktaking/inventory, year-end inventory; **J.kapazität** *f* annual capacity; **J.karte** *f* annual ticket; **J.konferenz** *f* annual conference; **J.kontingent** *nt* annual quota; **zollfreies J.kontingent** annual duty-free quota; **J.konto** *nt* yearly account; **J.kupon** *m* yearly coupon; **mit einem ~ ausstatten** *(Anleihe)* to issue with a yearly coupon; **J.kupontermin** *m* annual interest date; **höchster J.kurs** year's high; **niedrigster J.kurs** year's low

Jahreslohn *m* annual wage; **garantierter J.** guaranteed annual wage (GAW); **J.runde** *f* annual wage round; **J.steuerausgleich** *m* annual wages tax adjustment, end-of-year income tax equalization

Jahres|messwert *m* annual index; **J.miete** *f* annual rent; **J.mitte** *f* mid-year, middle of the year; **zur J.mitte** at the halfway stage, at half-term, at mid-point; **J.mittel** *nt* annual average, average for the year; **zum ~ umrechnen** to annualize; **J.pacht** *f* ground annual; **J.police** *f* annual policy; **J.prämie** *f* 1. annual premium; 2. *(Personal)* annual bonus; **J.produktion** *f* yearly/annual output, annual production; **J.prüfung** *f* annual audit; **J.rate** *f* annual/yearly rate, ~ instalment; **auf J.raten umrechnen** to annualize; **J.rechnung** *f* annual account(s), ~ financial statement; **J.reingewinn** *m* net profit for the year, annual net income/profit; **J.rendite** *f* annual return, yield for the year; **J.rente** *f* annuity; **J.revision** *f* annual audit

Jahresrhythmus *m* annual recurring trend; **im J.** yearly; **J. im Wirtschaftsablauf** yearly economic cycle

Jahresrohmiete *f* gross annual rental

Jahressatz *m* annual(ized) rate; **kumulativer J.** compound annual rate

Jahresschluss *m* year-end; **zum J.** by the year-end; **J.dividende** *f* final/year-end *[US]* dividend; **J.rechnung** *f* annual accounts; **J.verkauf** *m* end-of-year/stocktaking sale

Jahres|schrift *f* annual brochure; **J.sonderzahlung** *f* annual bonus; **J.spareinlage** *f* twelve months' savings deposit; **J.steigerung** *f* year-to-year growth; **J.steuer** *f* tax assessed on a fiscal year basis; **J.tag** *m* anniversary; **J.tagung** *f* annual conference/meeting/convention *[US]*; **J.tiefstkurs/-stand** *m* year's/yearly low; **J.titel** *m* yearling bond; **J.tonnen (jato)** *f/pl* tons per annum (tpa), ~ year; **J.turnus** *m* annual rotation; **J.überschadenrückversicherung** *f* stop-loss (re)insurance, aggregate excess of loss insurance

Jahresüberschuss *m* 1. annual surplus, ~ net profit, year's profit; 2. *(Bilanz)* net income, profit for the financial year; **J. bzw. -fehlbetrag** *m (Bilanz)* bottom line; **~ nach Steuern** net income after tax; **~ vor Steuern** net income before tax; **ausgewiesener J.** year's net earnings shown, ~ published earnings

Jahres|übersicht *f* annual review; **J.ultimo** *m* year-end end of year; **J.ultimoabschluss** *m* year-end settlemen

Jahresumsatz *m* annual turnover/sales; **J.erlöse** *p* gross annual receipts; **J.prämie** *f* annual sales premiu

Jahres|urlaub *m* annual leave/holidays/vacation; **bezahlter J.urlaub** annual vacation with pay; **J.verbrauch** *m* annual consumption; **J.verdienst** *m* annual earnings/wage; **J.vergleich** *m* year-to-year comparison; **im J.vergleich** on a year-to-year basis/comparison

Jahresverlauf *m* course of the year; **im J.** in the course of the year; **im weiteren J.** for the rest of the year

Jahres|verlust *m* annual loss; **J.versammlung** *f* annual meeting; **J.versicherung** *f* annual policy; **J.vertrag** *m* annual/one-year contract; **J.verzeichnis** *nt* annual list; **J.viertel** *nt* quarter; **J.voranschlag** *m* annual estimate(s); **J.wachstum** *nt* annual growth; **J.wagen** *m* one-year-old car; **J.wechsel/J.wende** *m/f* turn of the year; **J.wert von Nutzungen** *m* annual value of benefits; **J.wirtschaftsbericht** *m* annual economic report; **J.zahlung** *f* annuity

Jahreszeit *f* season; **der J. angemessen** seasonable; **nicht ~ entsprechend** unseasonable; **ruhige/stille J.** dull/dead season; **j.lich** *adj* seasonal; **J.raum** *m* twelve month period

Jahreszins *m* 1. annual interest, annuity; 2. *(Obligation)* coupon yield; **effektiver J.** effective annual interest; **J.satz** *m* annual rate of interest, ~ percentage rate (APR), annual/annualized rate; **kumulativer J.satz** compound annual rate (of interest); **J.schein** *m* yearly (interest) coupon

Jahres|zuschuss *m* annual grant; **J.zuwachs** *m* annual increase/increment; **J.zuwachsrate** *f* annual growth rate

Jahrgang *m* 1. ▦ age cohert/group; 2. *(Schule)* class; 3. *(Wein)* vintage; **geburtenstarke Jahrgänge** population bulge; **geburtenschwacher J.** year of few births

Jahrhundert *nt* century

jahrhundertealt *adj* centuries-old

Jahrhundert|feier *f* centenary *[GB]*, centennial *[US]*; **J.wende** *f* turn of the century

jährlich *adj* per annum *(lat.)*, yearly, annual

Jährling *m* yearling

Jahr|markt *m* fair; **~ der Eitelkeiten** Vanity Fair; **J.tausend** *nt* millennium; **J.tausendwende** *f* millennium; **J.tonnen (jato)** *pl* tons per year; **J.zehnt** *nt* decade

billiger Jakob *(coll)* cheap-jack *(coll)*

Jalousie *f* venetian blinds

Jammer *m* lamentation, misery

jämmerlich *adj* miserable, wretched

Jammern *nt* lamentation, moaning and groaning; **j.** *v* to lament/wail

jammerschade *adj* great pity

Jargon *m* jargon

Ja|sager *m* yes-man; **J.stimme** *f* 1. affirmative vote; 2. *(Parlament)* aye *[GB]*, yea *[US]*

Jauche *f* 🚜 (liquid) manure; **J.grube** *f* cesspool, cesspit; **J.wagen** *m* 🚜 manure cart

Jawort *nt* consent

e *adv* each, apiece; **je nach** depending on; **je nachdem** as the case may be

edenfalls *adv* in any case, at all events

eder für sich *pron* every man for himself; **J.mannein-fuhr** *f* small import; **j.zeit** *adv* 1. at a moment's notice; 2. at all (reasonable) times

edwede(r,s) *pron* any

eep *m* 🚗 jeep

ennymaschine *f* spinning jenny

et *m* ✈ jet

etzig *adj* current, present

eweilig *adj* relative, respective, current, prevailing; **j.s** *adv* each (time)

obber *m* jobber

och *nt* yoke

oghurt *m* yogh(o)urt

oint Venture *nt* ➔ **Gemeinschaftsunternehmen**; ~ **mit Mehrheitsbeteiligung** majority joint venture; ~ **mit Minderheitsbeteiligung** minority joint venture

ongleur *m* juggler

onglieren *nt* juggling; **j.** *v/t* to juggle

ota *nt* iota; **kein J. abweichen** not to swerve an iota

jour *[frz.]* updated

ournaille *f* *(pej.)* gutter press

ournal *nt* 1. journal, day book, register; 2. business diary; **in das J. eintragen** to enter into the day book, to journalize; **J. führen** to journalize; **J.beleg** *m* journal voucher; **J.buchung** *f* journal entry; **J.daten** *pl* log data; **J.drucker** *m* journal printer; **J.eintragung** *f* journalization

ournalismus *m* journalism

ournalist|(in) *m/f* journalist; **als freier J. schreiben** to freelance; **freier J.** freelance journalist; **J.enjargon** *m* journalese; **j.isch** *adj* journalistic

ovial *adj* jovial

ubel *m* jubilation, rejoicing; **alle J.jahre** *(coll)* once in a blue moon *(coll)*; **einmal ~ vorkommen** to happen once in a blue moon

ubeln *v/i* to cheer/rejoice

ubiläum *nt* anniversary, jubilee; **J. begehen** to celebrate an anniversary; **25-jähriges J.** silver jubilee

ubiläums|angebot *nt* celebration offer; **J.bonus/J.gabe** *m/f* anniversary bonus; **J.feier** *f* anniversary celebration; **J.geschenk** *nt* anniversary present; **J.heft/ J.nummer** *nt/f* anniversary issue; **J.jahr** *nt* jubilee/anniversary year; **J.veranstaltung** *f* anniversary celebration

udikatorisch *adj* § judicial, legal

udikatur *f* § judicature, case law *[GB]*, practice of the courts

udizieren *v/t* § to adjudicate, to dispense/administer justice, to rule

ugend *f* 1. juveniles, youth; 2. young people; **J.alter** *nt* adolescence; **J.amt** *nt* youth welfare office/department; **J.arbeit** *f* youth work

ugendarbeits|losigkeit *f* youth/teenage unemployment; **J.schutz** *m* youth employment protection; **J.schutzgesetz** *nt* Young Persons Employment Act *[GB]*

Jugend|arrest *m* youth custody, detention; **J.bewahr-anstalt** *f* remand centre; **J.bewegung** *f* youth movement; **J.delikt** *nt* juvenile crime; **J.fürsorge** *f* child/juvenile welfare (service); **J.fürsorgeanordnung** *f* § care order; **j.gefährdend** *adj* morally harmful for adolescents; **J.gefängnis** *nt* remand home, borstal *[GB]*

Jugendgericht *nt* juvenile court; **J.sbarkeit** *f* jurisdiction over juveniles; **J.sgesetz** *nt* juvenile court act; **J.shilfe** *f* juvenile court assistance; **J.sverfahren** *nt* juvenile court proceedings, procedure in juvenile courts; **J.sverhandlung** *f* trial in a juvenile court

Jugend|gruppe *f* youth group; **J.haft** *f* § youth custody; **J.heim/J.herberge** *nt/f* youth hostel; **J.helfer** *m* youth worker; **J.hilfe** *f* juvenile welfare (service); **J.kammer** *f* juvenile division of a criminal court; **J.kriminalität** *f* juvenile delinquency

jugendlich *adj* youthful, adolescent; **J.e(r)** *f/m* 1. youngster, young person; 2. adolescent, youth, juvenile

Jugend|pflege *f* youth/child welfare, youth activities; **J.pfleger(in)** *m/f* youth/child welfare officer, youth officer; **J.richter** *m* juvenile court judge; **J.sache** *f* juvenile court case; **J.schöffe** *m* juror in a juvenile case; **J.schöffengericht** *nt* juvenile court with lay assessors; **J.schutz** *m* child welfare, protection of children and young persons; **J.schutzgesetz** *nt* Children and Young Persons Act *[GB]*; **J.staatsanwalt** *m* public prosecutor in a juvenile court; **J.strafanstalt** *f* prison for juvenile offenders, young persons prison, attendance centre *[GB]*, borstal *[GB]*, young people's detention centre *[GB]*; **J.strafe** *f* prison sentence for juveniles

Jugendstraf|kammer *f* trial court in juvenile cases, juvenile division of a criminal court; **J.sache** *f* juvenile court case; **J.tat** *f* juvenile crime; **J.verfahren** *nt* juvenile court proceedings; **J.vollzug** *m* execution of juvenile court sentences

Jugend|sünde *f* peccadillo *(coll) [E]*; **J.verband** *m* youth organisation; **J.verfehlung** *f* juvenile offence; **J.versammlung** *f* youth assembly; **gewerkschaftliche(r) J.vertreter(in)** trade union representative of young workers; **J.vertretung** *f* youth representation; **betriebliche J.vertretung** youth representation at plant level; **J.wohlfahrt** *f* child welfare, young persons' welfare; **J.zentrum** *nt* youth centre

Jumbo *m* jumbo; **J.anleihe** *f* jumbo loan; **J.ehe/J.zusammenschluss** *f/m (Fusion)* giant/mega merger; **J.jet** *m* jumbo jet

Jung|akademiker *m* postgraduate; **J.arbeiter** *m* young worker; **J.bauer** *m* young farmer

Junge *m* boy, lad; **fixer J.** bright lad; **schwerer J.** *(coll)* hard case, professional criminal, thug

Jünger *m* disciple, follower

jüngere(r,s) *adj* junior

Jungfern|- maiden; **J.fahrt** *f* 1. ⚓ maiden voyage; 2. inaugural run; **J.flug** *m* ✈ maiden/inaugural flight; **J.rede** *f* maiden speech

Jung|frau *f* virgin; **j.fräulich** *adj* virginal; **J.geselle** *m* bachelor, single man; **J.gesellin** *f* single woman; **J.landwirt** *m* young farmer; **aufstrebender J.mana-**

ger/J.unternehmer yuppy (young upwardly mobile professional); **J.schein** *m* new-issue covering certificate; **J.schwein** *nt* 🚜 weaner; **J.unternehmer** *m* young businessman, budding/young entrepeneur; **J.verkäufer** *m* trainee salesman

junior *adj* junior; **J.chef** *m* deputy manager; **J.partner** *m* junior partner

Junktim *nt* package (deal), link, mutual condition; **J.-Klausel** *f* package deal clause, reciprocal clause, joint performance clause

Junta *f* *(Politik)* junta

Jura *pl* law, jurispridence; **J. studieren** to read/study law, to study for the bar; **J.student(in)** *m/f* law student; **J.studium** *nt* study of law

de jure *(lat.)* by right

Juris|diktion *f* jurisdiction; **J.prudenz** *f* jurisprudence

Jurist|(in) *m/f* 1. lawyer, legal practitioner, attorney, jurist, solicitor; 2. *[EU]* jurisconsult; **J. sein** to be in the law; **beisitzender J.** *(Amtsgericht)* justices' clerk *[GB]*

Juristen|ausbildung *f* legal training; **J.beruf/J.stand** *m* legal profession; **J.jargon** *m* legalese, legal vernacular; **J.laufbahn** *f* legal career; **J.sprache** *f* legal terminology/language, legalese; **J.tag** *m* law congress; **J.vereinigung** *f* law association, Law Society *[GB]*

Juristerei *f* law, legal business

juristisch *adj* legal, judicial, juristic, juridical

Juror(in) *m/f* 1. juror, member of the jury; 2. adjudicator

Jury *f* jury, panel of judges/experts

justier|en *v/t* ⚙ to adjust/correct/align; **J.ung** *f* adjustment, correction, alignment

justitiabel *adj* actionable, litigable, capable of being adjudicated

Justitiabilität *f* actionability, litigability, capacity of being adjudicated

Justitiar *m* corporate attorney/counsel/barrister, in-house counsel, (permanent) legal adviser, (in-)company lawyer

Justitium *nt* suspension of the administration of justice in courts

Justiz *f* justice, judicature, judiciary, the courts; **der J. überstellen** to commit for trial; **käufliche J.** corrupt justice

Justiz|angestellte(r) *f/m* law clerk, court employee; **J.apparat** *m* judicial machinery; **J.assistent** *m* court assistant; **J.beamter** *m* law officer, court official; **J.behörde** *f* judicial/legal authority; **J.beitreibungsordnung** *f* court-fee collection ordinance; **J.freiheit** *f* freedom from the jurisdiction of the courts; **J.gebühr** *f* court fee; **J.gewährungsanspruch** *m* right to have justice administered; **J.gewalt/J.hoheit** *f* judicial power/authority/sovereignty

justiziabel *adj* justiciable, actionable

Justiz|inspektor *m* clerk of the court; **J.irrtum** *nt* judicial error, miscarriage of justice, error/lapse of justice; **J.minister** *m* minister of justice, Lord Chancellor *[GB]*, Attorney General *[US]*; **Stellvertretender J.minister** Solicitor General *[US]*; **J.ministerium** *nt* ministry of justice, Lord Chancellor's Department *[GB]*, Department of Justice *[US]*; **J.mord** *m* judicial/court-sanctioned murder; **J.pflege** *f* administratio of justice; **J.rat** *m* Queen's Counsel (QC) *[GB]*; **J.re form** *f* legal reform; **J.verbrechen** *nt* judicial crime **J.versehen** *nt* inadvertent mistake on the part of th court; **J.verfassungsgesetz** *nt* Judicature Act *[GB* **J.verwaltung** *f* administration of justice; judicial de partment, Law Officers' Department *[GB]*; **J.verwal tungsakt** *m* administrative judicial act; **J.verweige rung** *f* denial of justice

Justizvollzug *m* penal/penitentiary system; **J.sanstal (JVA)** *f* penal establishment/institution, jail, prison; **of fene J.sanstalt** attendance centre *[GB]*; **J.sbeamter J.swachtmeister** *m* corrections official *[US]*, priso officer, court attendent, bailiff *[US]*, *(High Court* tipstaff *[GB]*; **J.sdienst** *m* prison service; **J.swesen** *n* administration of justice; judiciary

Jute *f* jute; **J.sack** *m* jute bag

Juwel *nt* jewel, gem; **J.en** jewellery *[GB]*, jewelr *[US]*; **j.enbesetzt** *adj* studded with jewels

Juwelier *m* jeweller *[GB]*, jeweler *[US]*; **J.geschäft** *n* jeweller ('s shop) *[GB]*, jewelry store *[US]*

Juxtabuch *nt* voucher book

K

Kabel *nt* 1. cable, lead, wire; 2. ⚡ flex; **per K.** by cable **K. verlegen** to lay a cable; **mehradriges K.** multi-cor cable; **unterirdisches K.** underground cable

Kabel|adresse/K.anschrift *f* cable address; **K.angebo** *nt* cable(d) offer; **K.anschluss** *m* cable connection **K.antwort** *f* cable reply; **K.anweisung** *f* cable money order; **K.auftrag** *m* cable order; **K.auszahlung** cable/telegraphic transfer; **K.auszahlungssatz** *m* cabl rate; **K.bericht** *m* cabled report; **K.depesche** *f* cable **K.fernsehen** *nt* cable television; **K.kasten** *m* ⚡ junction box; **K.kurs** *m* cable rate, telegraphic transfer rate

kabeln *v/ti* to cable

Kabel|nachricht *f* cable message; **K.netz** *nt* cable network; **K.notierung/K.preis** *f/m* cable(d) quotation **K.satz** *m* cable rate; **K.schacht** *m* manhole; **K.spesen** *pl* cable expenses; **K.(tele)gramm** *nt* cablegram **K.text** *m* cable text; **K.überweisung** *f* cable (C.T.), telegraphic transfer; **K.verbindung** *f* cable connection; **auf dem K.wege** *m* by cable

Kabine *f* cabin, booth, cubicle

Kabinen|gepäck *nt* cabin/hand luggage *[GB]*, ~ baggage *[US]*; **K.klasse** *f* cabin class; **K.koffer** *m* cabin trunk; **K.passagier** *m* cabin passenger; **K.personal** *n* cabin crew/staff; **K.reservierung** *f* cabin reservation **K.steward** *m* cabin steward/boy

Kabinett *nt* cabinet; **K. bilden** to form a cabinet; **K. umbilden** to reshuffle the cabinet

Kabinetts|amt *nt* cabinet office; **K.ausschuss** *m* government committee; **K.beschluss** *m* cabinet decision; **K.entwurf** *m* cabinet bill; **K.mitglied** *nt* cabinet minister; **K.order** *f* cabinet decree, order in counci

[GB]; **K.regierung** *f* cabinet rule; **K.sitzung** *f* cabinet meeting; **K.stück** *nt (coll)* shrewd move; **K.umbildung** *f* cabinet reshuffle

Kabotage *f* ⚓/§ cabotage

Kabriolet *nt* 🚗 cabriolet, convertible, roadster

Kachel *f* tile; **k.n** *v/t* to tile

Kadaver *m* carcass, dead body; **K.gehorsam** *m* blind obedience

Kader *m* cadre, specialists; **K.schule** *f* specialist training

Kadi *m (coll)* judge; **zum K. gehen** to go to court, to take legal action; **jdn vor den K. schleppen** to haul so. before the judge

Kadmium *nt* cadmium

kaduzieren *v/t* to declare forfeited, to forfeit

Kaduzierung *f* forfeiture, cancellation; **K. von Aktien** forfeiture of shares *[GB]*/stocks *[US]*

Kaffee *m* coffee; **gemahlener K.** ground coffee

Kaffee|anbau *m* coffee growing; **K.automat** *m* coffee vending machine; **K.bohne** *f* coffee bean; **K.börse** *f* coffee exchange; **K.branche** *f* coffee trade; **K.ersatz** *m* coffee substitute; **K.filter** *m* coffee filter; **K.handel** *m* coffee trade; **K.haus** *nt* coffee bar/house; **K.jahr** *nt* coffee year; **K.kanne** *f* coffee pot; **K.maschine** *f* coffee machine, percolator; **K.mühle** *f* coffee grinder; **K.pause** *f* coffee/afternoon break; **K.service** *nt* coffee set; **K.steuer** *f* excise duty on coffee; **K.strauch** *m* coffee tree; **K.terminbörse** *f* forward coffee exchange, trading in coffee futures

kahl *adj* bleak, bald, naked, stark

kahl pfänden → **pfänden**

kahl schlagen → **schlagen**

Kahlpfändung *f* attachment and sale of all assets

Kahlschlag *m* 1. clean sweep *(fig)*, overkill *(coll)*; 2. 🏛 demolition; 3. clearing, deforestation; **K.sanierung** *f* radical (urban) redevelopment

Kahn *m* 1. boat; 2. barge; **K.fahrt** *f* boat trip; **K.führer** *m* bargee

Kai *m* dock, quay, pier, wharf, waterfront; **ab K.** ex quay/wharf/dock; **frei K.** free on quay (f.o.q.); **längsseits K.** alongside quay; **frei Längsseite K. (des Abgangshafens)** free alongside quay (f.a.q.); **ab K. unverzollt** ex quay duty on buyer's account, duty unpaid; **~ verzollt** ex quay duty on seller's account, duty paid; **am K. festmachen** to dock/berth; **~ löschen** to discharge at the quay

Kai|ablieferungsschein *m* dock/wharfinger's *[GB]* receipt; **K.anlagen** *pl* 1. waterfront facilities; 2. quayside, wharf(ing), quayage, wharfage; **werkseigene K.anlage** factory wharf; **K.anlieferung** *f* delivery at quay; **K.annahme-/K.empfangsschein** *m* dock/wharfinger's receipt, ~ note; **K.anschlussgleis** *nt* dock siding; **K.arbeiter** *m* stevedore, wharfman, longshoreman *[US]*; **K.aufseher** *m* wharfinger; **K.betrieb** *m* quay operation; **K.gebühr(en)/K.geld** *f/pl/nt* dockage, wharfage, quayage, pierage, wharf/dock/berth charges, dock/quay dues, berthage; **K.konnossement** *nt* wharf bill of lading; **K.kran** *m* quayside crane; **K.lagergeld** *nt* quay rent; **K.lagerschein** *m* dock/wharfinger's warrant (DW); **K.länge** *f* length of quay; **K.mauer** *f* quay wall; **K.meister** *m* wharfinger, wharf master; **K.quittung** *f* dock receipt, wharfinger's certificate *[GB]*; **K.schein** *m* dock warrant; **K.tarif** *m* quay tariff; **K.umschlag** *m* quay handling/tran(s)shipment; **K.umschlaggebühr** *f* quay handling charges; **K.versicherung** *f* quay insurance

Kajüte *f* ⚓ cabin; **K.nbett** *nt* berth

Kakao *m* cocoa; **K.abkommen** *nt* cocoa accord; **K.-bohne** *f* cocoa bean; **K.strauch** *m* cocoa palm

Kalamität *f* calamity

Kalb|fleisch *nt* veal; **K.sleder** *nt* calfskin

Kalender *m* calendar, diary; **ewiger K.** perpetual calendar

Kalender|abweichung *f* calendar variation; **k.bereinigt** *adj* adjusted for variations in the number of working days; **K.block** *m* calendar block; **K.einflüsse** *pl* working day variations; **K.jahr** *nt* calendar year; **zusammenhängende K.jahre** calendar years in succession; **K.monat** *m* calendar month; **K.quartal** *nt* calendar quarter; **K.-Spread** *m (Option)* calendar spread; **K.tag** *m* calendar day; **laufende K.tage** § running days; **K.zeitanalyse** *f* clock time analysis

Kali *nt* potash, potassium

Kaliber *nt* calibre, bore, size, ga(u)ge; **vom gleichen K.** *(fig)* tarred with the same brush *(fig)*

Kalibergwerk *nt* potash/potassium mine

kalibrieren *v/t* to calibrate

Kali|dünger *m* potash fertilizer; **K.kartell** *nt* potash cartel; **K.werke** *pl* potash operations

Kalium *nt* potassium

Kalk *m* 1. lime; 2. calcium; **gelöschter K.** hydrated lime; **K.anstrich** *m* 🏛 whitewash; **K.grube** *f* lime pit; **K.mangel** *m* $ calcium deficiency; **K.ofen** *m* lime kiln; **K.stein** *m* limestone; **K.steinbruch** *m* limestone quarry

Kalkül *nt* 1. calculation, analysis, consideration, estimate; 2. π calculus; **betriebswirtschaftliches K.** managerial calculation

Kalkulation *f* calculation, cost accounting/estimate, costing (system); **K. für eine Dienstleistung** service costing; **K. zu Marktpreisen** current-cost accounting; **in die K. einbeziehen** to take into account; **K. vornehmen** to make a calculation

knappe/scharfe Kalkulation 1. keen pricing; 2. close calculation; **kombinierte K.** multiple costing; **pauschale K.** blanket costing; **progressive K.** progressive cost estimate; **übliche K.** standard calculation; **vorsichtige K.** conservative estimate

Kalkulations|abschlag *m* markdown; **K.abteilung** *f* cost (accounting) department, costing/estimating department; **K.aufschlag** *m* mark-up, (trade) margin, profit margin; **K.basis** *f* basis for calculation, computation basis; **K.bogen** *m* spread sheet; **K.buch** *nt* cost book; **K.büro** *nt* cost accounting department; **K.daten** *pl* costing data; **K.faktor** *m* cost accounting factor; **K.fehler** *m* miscalculation; **K.grundlage** *f* calculation/computational basis; **K.karte** *f* product cost card; **K.kartell** *nt* cost estimating cartel; **K.leitfaden** *m* cost accounting guide; **K.methode** *f* cost accounting method, pricing system; **K.norm** *f* cost(ing) standard; **K.preis** *m* calculated price; **K.prüfung** *f* budgetary service; **K.quote** *f* mark-up percentage; **K.schema** *nt* cost estimate sheet, model costing account; **K.spanne** *f* pricing margin; **K.stichtag** *m* costing reference date; **K.stundensatz** *m* calculated hourly rate; **K.system** *nt* cost accounting system, pricing system; **K.tabelle** *f* pricing schedule, spreadsheet; **K.unterlagen** *pl* cost accounting records, costing data; **K.verfahren** *nt* costing procedure/technique, pricing practice; **K.zeitraum** *m* cost accounting period; **K.zinsfuß/-satz** *m* 1. conventional rate of interest, stipulated/prevailing interest rate, required rate of return, cut-off rate, minimum acceptable rate, adequate target rate; 2. discount rate; ~ **öffentlicher Unternehmen** test discount rate *[GB]*; **K.zuschlag** *m* mark-up, costing rate

Kalkulator *m* costing clerk, controller, cost accountant/estimator

kalkulatorisch *adj* 1. imputed, calculative, calculatory, calculable, implicit, fictitious; 2. arithmetical

kalkulierbar *adj* calculable

kalkulieren *v/ti* 1. to cost/estimate/reckon; 2. to calculate/compute; 3. to figure *[US]*; **falsch k.** to miscalculate; **genauestens/knapp/scharf k.** 1. to cut it fine, to calculate closely; 2. to run a (pretty) tight ship *(fig)*

knapp/scharf kalkuliert *adj* keen, keenly priced, low-margin, with a low margin

Kalkwerke *pl* lime works

Kalorie *f* calory, calorie; **k.narm** *adj* low-calorie; **K.ngehalt** *m* calorie content; **k.nreduziert** *adj* low-calorie, reduced-calorie; **K.nwert** *m* calorific value

kalt *adj* 1. cold; 2. freezing; **k.blütig** *adj* in cold blood

Kälte *f* cold, chill; **durchdringende/schneidende K.** piercing/biting cold

Kälte|anlage *f* refrigeration plant; **k.beständig** *adj* cold-proof, non-freezing, cold-resistant; **K.einbruch** *m* sudden cold, cold snap; **k.empfindlich** *adj* sensitive to cold; **K.erzeugung** *f* refrigeration; **K.grad** *m* degree of frost; **K.industrie** *f* refrigeration industry; **K.ingenieur** *m* refrigeration engineer; **K.maschine** *f* refrigerator, ice machine; **K.periode/K.welle** *f* cold spell/wave; **K.technik** *f* refrigeration engineering/technology; **K.tod** *m* hypothermia

Kalt|front *f* cold front; **k. gewalzt** *adj* cold-rolled; **k. lächelnd** *adj* unscrupulous; **K.lagerung** *f* cold storage; **K.miete** *f* rent exclusive of/excluding heating; **k.schnäuzig** *adj (coll)* cheeky; **K.start** *m* cold start; **jdn k. stellen** *v/t (fig)* to sidetrack so. *(fig)*; **K.walzwerk** *nt* cold(-rolling) mill; **K.wetterzuschlag/-zuschuss** *m* cold weather allowance

Kamel *nt* camel; **K.karawane** *f* camel train

Kameralis|mus; K.tik *m/f* cameralism; **k.tisch** *adj* cameralistic

Kamin *m* chimney, flue; **in den K. schreiben** *(coll)* to write off (as a total loss)

Kamm *m* comb; **über einen K. scheren** *(fig)* to lump together, to tar with the same brush *(fig)*

Kammer *f* 1. chamber, closet, room; 2. § chamber, bench, court division/panel, tribunal; 3. professional association; 4. chamber of commerce; **K. für Handelssachen/Wirtschaftsstrafsachen** § commercial cour court of trade; ~ **Wirtschaftsvergehen** court for business offences; **erste K.** *(Politik)* first chamber, lowe house; **zweite K.** second chamber, upper house; **K.arbeit** *f* activities of the chamber of commerce; **K.bezir** *m* chamber of commerce district

Kämmerei *f* treasurer's/budget office, finance depar ment

Kämmerer *m* treasurer, financial/finance office chamberlain

Kammer|gericht *nt* court of appeal; **K.jäger** *m* pes controller, vermin destroyer, exterminating servic *[US]*; **K.organisation** *f* organisation of the chamber of commerce; **K.vorsitzende(r)** *f/m* § presiding judg

Kammgarn *nt* worsted; **K.industrie** *f* worsted industry **K.spinnerei** *f* worsted (spinning) mill; **K.stoff** *m* wor sted (cloth)

Kampagne *f* 1. campaign, drive, push; 2. crop sea son; **K. starten** to launch/mount a campaign; **K.be trieb** *m* crop season enterprise; **K.gesellschaft** *f* cro season employees; **K.kredit** *m* crop financing loan

Kampf *m* 1. fight, struggle; 2. combat, battle, actio

Kampf ums Dasein struggle for existence; **K. bis zu Entscheidung** fight to the finish; **K. um die Erhaltun der Umwelt** environmental battle; **K. gegen die Infla tion** battle against inflation, counter-inflationary fight **K. auf Leben und Tod** life-and-death struggle; **K. un die Macht** struggle for power; **K. bis aufs Messer** *(fig* fight to the finish, ~ with the gloves off *(fig)*; **K. mi drei Parteien** three-cornered contest; **K. ums Überle ben** struggle/fight for survival

jdm/etw. den Kampf ansagen to declare war o so./sth.; **zum K. antreten** to rally for battle; **K. (wie der) aufnehmen; in den K. eingreifen** to join/renev battle; **hoffnungslosen K. führen** to fight a losing bat tle; **K. gegen Windmühlen führen** to tilt at windmills **sich einen erbarmungslosen K. liefern** to fight wit the gloves off *(fig)*; **sich zum K. rüsten** to prepare fo battle

harter/schwerer Kampf uphill struggle; **ständiger K** running battle

Kampf|abbruch *m* ceasefire; **K.abstimmung** *f* crucia vote, divisive voting; **K.aktion** *f* militant action; **K.an sage** *f* challenge, declaration of war; **K.auftrag** *m* mis sion; **K.bahn** *f (Sport)* arena; **k.bereit** *adj* ready t fight; **K.bereitschaft** *f* willingness to take industria action

kämpfen *v/i* to fight/struggle; **k. mit/um** to conten with/for, to grapple with

kämpferisch *adj* belligerent, aggressive

kampferprobt *adj* embattled, battle-hardened, battle tried

kampfeslustig *adj* warlike

Kampf|flugzeug *nt* fighter plane; **K.fonds** *m (Gewerk schaft)* strike fund; **K.geist** *m* fighting spirit; **K.grupp** *f* task force; **K.handlung** *f* action, combat; **K.kraft ha ben** *f* to have punch; **k.los** *adj* without a struggle/fight **k.lustig** *adj* eager for the fray; **(gewerkschaftliche**

K.maßnahmen *pl* industrial action; **einschneidende K.maßnahmen** damaging industrial action; **K.mittel** *nt* weapon; **K.offerte** *f* aggressively priced offer; **K.parität** *f* parity of weapons; **K.platz** *m* arena; **K.preis** *m* cutthroat price; **K.richter** *m* umpire; **in K.stellung gehen** *f* to square off *[US]*; **K.strategie** *f* strategy of economic warfare; **K.ziel** *nt* strike aim; **K.zoll** *m* ⊝ retaliatory duty/tariff

Kanal *m* 1. canal; 2. channel; 3. conduit; 4. *(Abwasser)* sewer; 5. *(Bewässerung)* ditch; **dunkle Kanäle** dubious channels; **interne Kanäle** *(Information)* grapevine *(coll)*

Kanal|abgabe *f* canal toll; **K.arbeiter** *m* sewage/sewerage worker; **K.bau** *m* canal construction; **K.dampfer** *m* cross-Channel steamer *[GB]*; **K.deckel** *m* manhole cover, drain inspection cover; **K.fähre** *f* 1. canal ferry; 2. (cross-)Channel ferry *[GB]*; **K.fracht** *f* canal freight; **K.gebühren** *pl* canal dues/toll; **K.gesellschaft** *f* canal company; **K.hafen** *m* canal/Channel port

Kanalisation *f* 1. sanitation; 2. *(Fluß)* canalization; **K.snetz/K.ssystem** *f/nt* 1. sewers, sewerage (system), sewage system; 2. mains, drainage; **städtische K.** urban sanitation

kanalisier|en *v/t* 1. to canalize; 2. to channel *(fig)*; 3. to funnel/drain; **K.ung** *f* 1. drainage, sewerage; 2. canalization

Kanal|netz *nt* 1. canal system; 2. sewage system; **K.schacht** *m* manhole; **K.schiff** *nt* canal barge; **K.schifffahrt** *f* canal navigation; **K.schleuse** *f* canal lock; **K.strecke** *f* ⚓ cross-Channel route *[GB]*; **K.tunnel** *m* Channel Tunnel *[GB]*, Chunnel *(coll) [GB]*; **K.verkehr** *m* 1. canal traffic; 2. cross-Channel traffic *[GB]*; **K.zone** *f* canal zone

in jds Kandare *f* under so.'s thumb; **an der K. haben** to keep so. in check; **jdn fest ~ haben** to keep a tight rein on so.; **an die K. nehmen** to put a curb on so., to keep a tight rein on so.

Kandidat(in) *m/f* 1. (prospective) candidate, contender, nominee, appointee; 2. *(Bewerber)* applicant; **K. für den Vorstandsvorsitz** chief-executive candidate

Kandidaten ablehnen to turn down/refuse a candidate; **~ aufstellen/nominieren** to nominate a candidate; **als K. auftreten** to stand; **K.en sieben** to screen candidates; **~ unterstützen** to back/endorse a candidate; **~ vorschlagen** to propose/nominate a candidate

sorgfältig ausgesuchter Kandidat hand-picked candidate; **aussichtsreicher K.** frontrunner; **wenig bekannter/unbekannter K.** dark horse *(fig)*; **geeigneter K.** eligible candidate; **wahrscheinlicher K.** prospective candidate

Kandidaten|aufstellung *f* nomination of candidates; **K.liste** *f* list of candidates, ticket *[US]*

Kandidatur *f* candidature *[GB]*, candidacy *[US]*; **K. annehmen** to accept the candidacy/nomination; **jds K. unterstützen** to canvass for so.; **K. zurücknehmen/-ziehen** to stand down, to withdraw one's candidacy, **~** from the race

kandidieren *v/t* to stand/run (as a candidate)

Kaninchen *nt* rabbit; **K.zucht** *f* rabbit keeping/breeding

Kanister *m* can, container

Kannbestimmung *f* discretionary clause/provision

Kanniballe *m* cannibal; **K.ismus** *m* cannibalism

Kann|kaufmann *m* optionally registrable trader, businessman with optional registration; **K.leistung** *f* 1. voluntary contribution; 2. *(Vers.)* discretionary benefit; **K.vorschrift** *f* discretion(ary) clause, permissive/discretionary provision

Kanon *m* canon

Kanone *f* gun, cannon; **mit K.n auf Spatzen schießen** *(fig)* to take a sledgehammer to crack a nut *(fig)*; **unter aller K.** *(coll)* abominable, lousy; **K.enschussregel** *f* § cannon-shot rule

Kanon|iker *m* canonist; **k.isch** *adj* canonical; **K.ist** *m* canonist, canon lawyer

Kante *f* 1. edge; 2. brink; 3. branch; **auf die hohe K. legen** *(fig)* to put aside for a rainy day *(fig)*, to put by/away, to salt away; **parallel geschaltete K.n** *(OR)* branches in parallel; **in Serie geschaltete K.n** *(OR)* branches in series; **parallele K.n** *(OR)* parallel edges; **scharfe K.** sharp edge

Kanten|fluss *m* arc flow; **K.lineal** *nt* triangular scale; **K.progression** *f* chain progression; **geschlossener K.zug** *(OR)* circuit; **geschlossene K.zugprogression** circuit progression

Kantholz *nt* squared timber, batten

Kantine *f* 1. canteen; 2. staff restaurant, catering establishment; **K. betreiben** to run a canteen; **K.nbelieferung** *f* industrial catering; **K.neinrichtungen** *pl* canteen facilities; **K.nlieferant** *m* industrial caterer; **K.npächter** *m* canteen contractor; **K.nverpflegung** *f* industrial catering; **K.nwirt** *m* canteen keeper

Kanton *m* *[CH]* canton; **k.al** *adj* cantonal; **K.alhaushalt** *m* cantonal budget

unsicherer Kantonist 1. *(coll)* bad/shifty customer; 2. unreliable person

Kanzel *f* 1. pulpit; 2. ✈ cockpit

Kanzlei *f* 1. chancellery, (law) office, record office, chancery; 2. *(Anwalt)* chambers; 3. professional premises

Kanzlei|abteilung *f* secretarial department; **K.beamter** *m* office clerk; **K.bogen** *m* foolscap; **K.bote/K.diener** *m* (office) messenger; **K.deutsch** *nt* officialese; **K.gericht** *nt* chancery court *[GB]*; **K.kraft** *f* solicitor's clerk; **k.mäßig** *adj* clerical; **K.papier** *nt* foolscap paper; **K.personal** *nt* office staff; **K.schrift** *f* engrossing hand, court hand, secretary type; **K.sprache/K.stil** *f/m* officialese; **K.vorsteher** *m* chief/head/senior clerk

Kanzler *m* 1. chancellor; 2. § registrar; **K.amt** *nt* chancellery

Kanzlist *m* clerk

Kaolin *nt/m* china clay, kaolin

Kap *nt* cape

Kapazität *f* 1. capacity; 2. *(Fachmann)* expert, authority; **K. eines Betriebs** plant capacity; **~ Marktes** market potential, absorptive capacity

Kapazität abbauen to cut capacity, to close production facilities; **mit voller K. arbeiten; K. voll ausfahren/ausnützen** to run/work/operate at full capacity/stretch, to work to capacity, ~ flat out *(coll)*; **K. einschränken/reduzieren** to cut back/curtail capacity; **K. erhöhen/erweitern** to raise/expand capacity, to extend operations; **K. stilllegen** 🏭 to close/shut capacity, to close production facilities, ~ down plant facilities

nicht ausgelastete Kapazität underutilized resources; **brachliegende/freie K.** idle/spare/unused/surplus capacity, underutilized resources; **erreichbare K.** attainable capacity; **frei werdende K.** capacity becoming idle; **genutzte K.** utilized capacity; **maximale K.** maximum/ideal capacity; **optimale/praktisch realisierbare K.** ideal/optimal/practical (plant) capacity; **technische K.** 🏭 manufacturing capacity; **technologische K.** technological capability; **überschüssige K.** surplus/spare/excess capacity; **unausgelastete/un(aus)genutzte K.** idle/unused/unutilized/surplus capacity, capacity reserve, margin of spare capacity; **verfügbare K.** available capacity; **mit voller K.** at full stretch; **wirtschaftliche K.** economic capacity

Kapazitäts|- capacity; **K.abbau** *m* reduction of capacity, capacity reduction/cutback; **K.abgleich** *m* capacity balancing; **K.abweichung** *f* capacity variance; **K.angleichung/K.anpassung** *f* adjustment of capacity, capacity adjustment/cutback; **K.ausbau** *m* expansion of capacity

Kapazitätsauslastung/-ausnutzung *f* plant/capacity utilization, capacity use, use/employment of capacity, operating level/rate, level of activity, load factor, plant loading, margin of unutilized resources; **bei äußerster K.** with capacity strechted to the limits; **maximale K.** peak operating rate; **optimale K.** preferred operating rate; **K.sgrad** *m* capacity ratio, (capacity/plant) utilization rate, operating rate, rate of capacity utilization

Kapazitätsausweitung *f* capacity increase/expansion/extension

Kapazitätsbedarf *m* capacity requirement(s), amount of work; **K. ausgleichen** to level capacity requirements; **K.sermittlung** *f* resource allocation

Kapazitäts|belastungsplanung *f* capacity utilization planning, planning of machine operating rates; **K.belegung** *f* machine loading; **K.bereinigung** *f* downward adjustment of capacity; **K.beschneidung/K.einschränkung** *f* capacity cut, reduction of capacity; **K.beschränkungen** *pl* capacity constraints/limitations; **K.defizit** *nt* capacity deficit; **K.effekt** *m* capacity-increasing/capacity-decreasing effect; **K.engpass** *m* bottleneck, capacity constraint/restraint/bottleneck; **K.erweiterung** *f* capacity increase, addition to capacity, increase in capacity, expansion of plant facilities, ~ capital stock; **K.erweiterungseffekt** *m* capacity-increasing effect; **K.faktor** *m* capacity/load factor

Kapazitätsgrenze *f* capacity limit/barrier, limit of plant capacity; **nahe an der K. arbeiten** to operate near full capacity; **an K. stoßen** to run up against capacity limits

Kapazitäts|harmonisierung *f* capacity harmonization; **K.kosten** *pl* capacity/fixed/time/supporting cost(s); **K.lenkung** *f* capacity management/control; **K.linie** *f* capacity frontier/line, transformation curve; **K.lücke** *f* capacity gap; **K.mangel** *m* capacity shortage; **K.matrix** *f* capacity matrix; **K.minderung** *f* capacit cut/decrease; **K.nutzungsgrad** *m* load factor; **K.obergrenzen** *pl* marginal facilities; **K.optimum** *nt* ideal optimal capacity; **k.orientiert** *adj* capacity-orient(at)ed; **K.planung** *f* capacity planning; **K.problem** *nt* capacity problem; **K.querschnitt** *m* capacity cross-section; **K.reduzierung** *f* capacity cut(back); **K.reserve** reserve/spare/idle/unused capacity; **K.schranken** *p* availabilities; **K.stilllegung** *f* capacity closure; **K.terminierung** *f* capacity scheduling; **K.überhang/K.überschuss** *m* surplus/excess/unused/spare capacity capacity surplus; **branchenweiter K.überhang** industry overcapacity; **K.verlust** *m* loss of capacities; **K.verminderung/K.verringerung** *f* capacity cut/decrease/cutback; **K.vorhaltung** *f* keeping (production capacity available; **K.vorsorge** *f* capacity planning looking ahead

kapazitiv *adj* capacitive

Kaperbrief *m* ⚓ letter of marque/mart

Kaperei *f* ⚓ privateering

kapern *v/t* 1. to privateer; 2. to seize/capture; 3. ✈ to hi(gh)jack/skyjack

Kaperschiff *nt* privateer, corsair

kapieren *v/t* *(coll)* to grasp/understand, to get the message, to latch onto sth.; **schnell k.** to be quick on the uptake *(coll)*; **schwer k.** to be slow to catch on

Kapital *nt* capital (stock/sum), principal, fund(s) means, assets, stock; **K.ien** funds, assets

Kapital einer Aktiengesellschaft share *[GB]*/corporate *[US]* capital; **K. und Eigentum eines Trust; K eines Fonds** corpus *[US]*; **K. der Gesellschaft** *(Personengesellschaft)* partnership capital; **K. eines Investmentfonds** certificate capital; **K. einer Investmentgesellschaft** corpus *[US]*; **K. und Rücklagen** capital and retained earnings; **~ Spesen** principal and charges; **~ Zinsen** principal and interest; **~ aufgelaufene Zinsen** principal with interest accrued

nur dem Kapital nach eintragungsfähig; nur bezüglich des K.s registrierfähig registrable as to principal only

Kapital abschöpfen to absorb capital; **K. abschreiben** to write off/down capital; **K. abziehen** to alienate capital; **K. angreifen** to tap capital; **K. anlegen** to invest capital; **K. fest anlegen** to tie up capital; **K. anlocken/anziehen** to attract capital; **K. ansammeln** to accumulate capital; **gesamtes K. aufbrauchen** to draw out all the principal; **K. aufbringen** to raise/subscribe capital to put up capital, to fund; **K. aufnehmen** to raise capital, to take up new capital; **K. aufstocken** to increase the share capital *[GB]*, ~ capital stock *[US]*, to raise additional funds; **K. aufwenden** to spend capital; **K. aufzehren** to eat up capital, to deplete the capital base, to erode assets; **K. wieder ausführen** to repatriate capital; **mit K. ausstatten** to capitalize, to furnish/endow with capital; **K. mit (einer) Dividende(n) bedienen** to pay a dividend, to service capital with dividends; **K. bereitstellen (für)** to provide capital (for); **K. berichtigen** to adjust capital; **K. beschaffen** to procure capital to raise funds/capital, to finance; **neues K. über die Börse beschaffen** to go to market for capital; **K. bilden** to accumulate capital; **K. binden** to tie/lock up capital; **K. in Umlauf bringen** to float capital; **K. einbringen** to contribute capital; **K. einfordern** to call in funds; **K. einlegen** to contribute capital; **K. einschießen** to inject capital; **K. einsetzen** to employ capital; **K. einzahlen** to pay in capital; **K. einziehen** to call in capital; **K. entnehmen** to withdraw capital; **K. erhöhen** to increase capital: **K. festlegen/immobilisieren** to tie/lock up capital; **K. flüssig machen** to realize/liquidate assets, to liberate capital; **K. freisetzen** to free capital; **K. herabsetzen** to decrease the share capital *[GB]*, ~ capital stock *[US]* to write down capital; **K. hineinstecken** to invest capital; **K. kündigen** to call in capital; **K. liquidieren** to realize assets; **K. nachschießen** to infuse/inject fresh capital; **K. aus etw. schlagen** to capitalize on sth., to exploit, to cash in on sth., ~ on the act *(coll)*; **K. umschichten** to regroup capital; **in K. umwandeln** to capitalize, to convert into capital; **K. unterbringen** to invest capital; **K. verringern** to reduce capital; **K. verwässern** to dilute capital, to water stocks *[US]*; **K. zeichnen** to subscribe capital; **K. zuführen** to inject (fresh) capital; **K. aus dem Ausland zurückführen** to repatriate capital; **K. zurückziehen** to withdraw capital

amortisiertes Kapital redeemed capital; **nicht angelegtes K.** idle capital/money; **Anlage suchendes K.** investment-seeking capital; **anonymes K.** non-personal capital; **arbeitendes K.** active/employed/invested capital, capital owned; **nicht ~ K.** inactive funds; **aufgebrachtes K.** raised capital; **aufgenommenes K.** borrowed capital; **aufgerufenes K.** called-up capital; **noch nicht ~ K.** uncalled capital; **aufrufbares K.** callable capital; **ausgegebenes K.** issued capital/stock; **ausgewiesenes K.** declared capital, book equity; **ausreichendes K.** capital adequacy; **ausstehendes K.** unpaid capital; **autorisiertes K.** authorized/registered capital; **bedingtes K.** contingent/conditional/potential capital, authorized but unissued capital; **begebenes K.** issued capital/stock; **beitragendes K.** *(Vers.)* contributory value; **betriebsbedingtes K.** capital employed, (necessary) operating capital; **betriebsnotwendiges K.** working capital; **bevorrechtigtes K.** preferred capital stock; **bewilligtes K.** authorized capital; **blockiertes K.** frozen capital; **brachliegendes K.** idle/dormant/unemployed/unused/dead/loose capital, idle funds, dead capital stock, dormant/barren/dead money; **deklariertes K.** declared capital; **dividendenberechtigtes K.** dividend-carrying capital; **eigentliches K.** physical capital; **einbezahltes K.** paid-up capital; **teilweise ~ K.** partly paid-up capital; **eingebrachtes K.** contributed capital, capital brought in; **eingefordertes K.** called-up capital; **eingefrorenes K.** frozen capital, lock-up; **eingeschossenes K.** injected capital, contribution to capital; **eingesetztes K.** employed capital, capital employed; **eingetragenes K.** registered capital; **eingezahltes K.** paid-up capital, (called-up) capital, capital paid-in; **(noch) nicht ~ K.** unpaid/reserve/uncalled capital; **voll ~ K.** fully paid-up capital; **engagiertes K.** tied-up/locked-up capital; **ertragloses K.** dead assets; **fälliges K.** mature capital; **fehlgeleitetes K.** misappropriated capital; **festgelegtes/festliegendes K.** tied-up/locked-up capital, frozen capital/assets; **festgesetztes K.** declared capital; **fluktuierendes K.** floating funds, hot money; **flüssiges K.** floating/active/circulating capital; **freies K.** idle money, uncalled capital, available funds; **fremdes K.** outside/borrowed capital; **gebundenes K.** fixed/tied-up/locked-up capital; **geistiges K.** immaterial capital, intangible assets; **genehmigtes K.** authorized capital (stock), approved capital; **zur Verfügung gestelltes K.** capital contribution; **gewinnberechtigtes K.** capital ranking for dividend, ~ carrying dividend rights; **gezeichnetes K.** subscribed/subscriber/issued capital, capital subscribed; **haftendes K.** equity/risk/guarantee/authorized capital, limited liability capital, liable funds; **herabgesetztes K.** reduced capital; **hereingenommenes/investiertes K.** 1. invested capital, amount invested, (amount of) capital employed; 2. *(Unternehmen)* capital expenditure; **konstantes K.** constant capital; **kündbares K.** withdrawable capital; **langfristiges K.** long-term capital (employed); **menschliches K.** human capital/resources; **neues K.** fresh capital; **neu geschaffenes K.** newly created capital; **nominelles K.** nominal capital; **nutzloses K.** dead capital; **privates K.** private capital; **produktives K.** productive/employed capital; **reales K.** tangible assets; **nicht realisierbares K.** fixed capital; **registriertes K.** registered capital; **reichliche Kapitalien** ample means; **satzungsmäßiges K.** statutory capital; **vagabundierendes schwarzes K.** hot money; **stehendes K.** fixed assets/capital; **stimmberechtigtes K.** voting capital; **tatsächliches K.** physical capital; **totes/unbeschäftigtes/ungenutztes K.** idle/dead/dormant capital, idle/inactive funds, idle money, dead capital stock, barren/dead/dormant money; **überschüssiges K.** redundant capital; **umlaufendes K.** circulating/ready capital; **unkündbares K.** irredeemable capital; **unproduktives K.** dead capital; **ursprüngliches K.** natural capital; **variables K.** variable capital; **verantwortliches K.** equity/risk-bearing capital; **verfügbares K.** disposable capital, available capital/funds; **vermindertes K.** impaired capital; **verwässertes K.** diluted capital, watered stock *[US]*; **verzinsliches K.** interest-bearing capital; **gesetzlich vorgeschriebenes K.** legal capital; **werbendes K.** reproductive/working capital; **zinsfreies K.** free capital; **zinstragendes K.** interest-bearing capital; **zurückgezahltes K.** redeemed capital; **zweckgebundenes K.** specific capital

Kapitalabfindung *f* lump-sum compensation, cash settlement/compensation, financial indemnity

Kapitalabfluss *m* (cash/capital) drain, outflow of capital, cash/capital outflow, drain of money; **K. ins Ausland** foreign drain; **K.überwachung** *f* 1. flow-of-funds statement, statement of changes in financial position; 2. effluent control

Kapital|abgabe *f* capital levy/tax, wealth tax; **K.ablösung** *f* capital redemption; **K.abschlussrechnung** *f*

cash-flow statement; **K.abschöpfung** *f* depletion of capital; **K.abschreibung** *f* capital depreciation/write-off, depreciation of capital; **K.abtragung** *f* repayment of capital; **K.abwanderung/K.abzug** *f/m* capital/foreign drain, exodus/outflow/alienation of capital; **K.abwehrmaßnahmen** *pl* control of inflows; **K.abzahlungsbetrag** *m (Darlehen)* (repayment) instalment; **K.adäquanz** *f* capital adequancy; **K.akkumulation** *f* capital accumulation; **K.allokation** *f* capital allocation; **K.angebot** *nt* capital supply, available capital, availability of capital; **K.anhäufung** *f* accumulation of capital

Kapitalanlage *f* (capital/financial/stock) investment, capital spending, investment/employment of capital (funds), asset allocation; **K.n** capital assets; **als K.** for investment purposes

Kapitalanlage im Ausland offshore investment *[GB]*; **K. von Gebietsfremden** non-resident capital investments; **K. mit festem Mischungsverhältnis von Aktien und Festverzinslichen** formula investing; ~ **fester Rendite** fixed-yield investment; **K. von Tilgungsfondsmitteln** sinking fund investment; **K. in immateriellen Werten** intangible investment; ~ **Wertpapieren** portfolio investment

zur Kapitalanlage geeignet suitable for investment

nicht ablösbare Kapitalanlage non-commutable interest; **attraktive K.** attractive investment; **ausgesuchte/erstklassige K.** prime/choice/gilt-edged/high-grade investment; **außerbetriebliche K.** outside investment; **feste K.** fixed investment; **Gewinn bringende K.** earning asset, paying investment; **inflationssichere K.** inflation-proof investment; **institutionelle K.** institutional investment; **kurzfristige K.** short-term/short-dated/temporary investment (of funds); **langfristige K.** long-term/capital/fixed/permanent investment; **lohnende K.** profitable investment; **mittelfristige K.** medium-term investment; **mündelsichere K.** gilt-edged *[GB]*/trustee *[US]*/eligible/legal investment; **narrensichere K.** widows and orphans investment; **private K.** private investment; **reservewertige K.n** assets operating as reserves; **sichere K.** gilt-edged/secure/safe investment; **solide K.** sound investment; **steuersparende K.** tax-efficient investment; **ungünstige K.** poor investment; **unproduktive K.** dead assets; **verzinsliche/Zinsen bringende K.** interest-bearing/interest-earning investment; **vorübergehende K.** temporary investment; **vorteilhafte K.** good investment

Kapitalanlage|betrag *m* amount invested; **K.betrug** *m* investment fraud; **K.fonds** *m* unit trust fund; **K.garantie** *f* capital investment guarantee

Kapitalanlagegesellschaft *f* investment trust (company), unit trust *[GB]*, mutual fund *[US]*, investment fund/corporation, (capital) investment company, fund management company; **K. mit konstantem Anlagekapital** closed-end investment trust; ~ **Anlageverwaltung** management trust; ~ **festgelegtem Effektenbestand** fixed (investment) trust; ~ **auswechselbarem Portefeuille** flexible unit trust *[GB]*, flexible trust *[US]*; ~ **Verwaltung im Ausland** offshore trust fund *[GB]*; **abhängige K.** investment affiliate

Kapitalanlage|gesetz *nt* capital investment act; **K.güter** *pl* capital assets; ~ **mit beschränkter Lebensdauer** limited life assets; **K.konto** *nt* capital asset account

Kapitalanlagen|abschreibung *f* capital allowance *[GB]*; **K.berater** *m* investment adviser, security analyst *[US]*; **K.beratung** *f* investment advice, security analysis *[US]*; **K.bewertung** *f* appreciation of assets, security analysis *[US]*

Kapitalanlage|plan *m* investment plan; **K.stelle** *f* commercial investor; **K.vermögen** *nt* capital assets; **K.verwaltung** *f* management trust; **K.volumen** *nt* total investments, amount of capital employed; **K.zertifikat** *nt* unit trust certificate

Kapitalanleger *m* investor; *pl* security-buying public; **K. in Grundstücken** real estate investor; **K. bei einer Privatplatzierung** private placement investor; **gebietsfremder K.** non-resident investor; **K.schutzverband** *m* investors' protection society

Kapital|anpassungsintervall *nt* capital-adjustment period; **K.anreicherung** *f* asset accumulation

Kapitalansammlung *f* (capital) accumulation, capital formation, amassing of capital; **K.splan** *m* accumulation schedule; **K.sschein** *m* accumulation unit; **K.svertrag** *m* capital accumulation agreement

Kapitalanspruch *m* capital claim

Kapitalanteil *m* 1. capital share/interest, stock/equity share, share of capital, amount of stock; 2. *(Bilanz)* capital; 3. *(Leibrente)* capital element; **festverzinslicher K. am Gesamtkapital** capital gearing; **K.e kaufen** to purchase interest; **ausschlaggebender K.** controlling interest; **K.sschein** *m* share *[GB]*/stock *[US]* certificate

kapital|arm *adj* capital-starved; **K.aufbau** *m* capital structure; **K.aufbringer** *m* investor, provider of capital; **K.aufbringung** *f* raising of capital, putting-up capital; **K.aufkommen** *nt* capital supply; **K.aufnahme** *f* raising of capital, borrowing, procurement of equity; **vorsorgliche K.aufnahme** precautionary procurement of capital; **K. aufnehmend** *adj* capital-raising; **K.aufnehmende(r)** *f/m* borrower; **K.aufrechnungsdifferenz** *f* difference of equity on consolidation; **K.aufsplitterung** *f* capital split; **K.aufstellung** *f* capital account; **K.aufstockung** *f* increase of capital, ~ in share capital, ~ in capital stock *[US]*, capital appreciation/increase, cash injection

Kapitalaufwand *m* capital outlay/expenditure/spending/cost; **über Unkosten abzubuchender K.** revenue charges; **aktivierungspflichtiger K.** charges to capital, capital charges; **erster K.** initial capital outlay; **volkswirtschaftlicher K.** national capital spending/expenditure; **K.sberechnung** *f* capital expenditure evaluation; **K.svergütung** *f* capital cost recovery; **K.svorschau** *f* capital expenditure budget

Kapital|aufwendung(en) *f/pl* capital spending/expenditure/disbursements; **K.aufzehrung** *f* depletion of capital, capital consumption; **K.ausfallrisiko** *nt* loan loss risk; **K.ausfuhr** *f* capital export, export of capital; **K.ausfuhrland** *nt* capital-exporting country; **K.ausgabe/K.auslage** *f* capital outlay; **K.ausgleich** *m* equalization of capital supply; **K.ausrüstung** *f* → **Kapitalausstattung**; **K.ausschüttung** *f* capital distribution

Kapitalausstattung *f* capital equipment/endowment/backing/resources/funding, capitalization, (financial) gearing; **K. mit hohem Fremdkapitalanteil** highly geared capital; **K. vornehmen** to capitalize; **angemessene K.** capital adequacy; **in Aussicht genommene K.** proposed capital; **knappe K.** low gearing; **ungenügende/unzureichende K.** undercapitalization; **K.sanspruch** *m* claim for provision of capital;

Kapital|ausweitung *f* capital expansion/widening; **K.auszahlung** *f* capital distribution

Kapitalbasis *f* capital/equity base; **K. stärken** to reinforce the capital base; **K. wiederherstellen** to rebuild the capital base

Kapitalbeanspruchung *f* capital requirements

Kapitalbedarf *m* capital/financial requirements, capital need(s)/demand, funding requirement/needs, demand for capital; **K. der öffentlichen Hand** public sector borrowing requirement (PSBR); **K.s(be)rechnung/K.sermittlung** *f* capital budgeting, ~ demand/requirement calculation; **K.sfunktion** *f* capital demand function; **K.splan** *m* incoming and outgoing payments plan; **K.szahlen** *pl* capital requirement figures

Kapital|bedürfnisse *pl* capital requirements; **k.bedürftig** *adj* needing capital, cash-needy; **K.beihilfe** *f* capital assistance/grant; **K.beitrag** *m* contribution (to capital), subscription; **K.belastungen** *pl* capital charges, charges to capital

Kapitalbereitstellung *f* capital appropriation, provision of capital/funds, supply of capital; **K.sgemeinschaft** *f* money pool; **K.skonto** *nt* capital appropriation account; **K.skosten** *pl* commitment charges, cost of providing capital; **K.sprovision** *f* commitment commission

Kapitalberichtigung *f* capital adjustment, adjustment of capital, readjustment of capital stock; **K.saktie** *f* scrip issue *[GB]*, stock dividend *[US]*, bonus share *[GB]*/stock *[US]*; **K.skonto** *nt* capital adjustment account

Kapitalbeschaffung *f* raising of capital/money/funds, fund raising, procurement of money, capital procurement/generation, provision of funds/capital, finding of means; **K. durch Aktienausgabe** equity financing; **K.skosten** *pl* capital procurement cost(s), cost of funds; **K.smaßnahme** *f* cash-raising/fund-raising exercise; **K.sstelle** *f* capital procurement agency

Kapital|besitz *m* capital holding; **K.besitzer** *m* capital owner; **K.bestand** *m* capital stock, total capital; **ungleichgewichtige K.bestandsvergrößerung** imbalance of investments; **K.bestimmungen** *pl* capital regulations

Kapitalbeteiligung *f* interest, stake in the equity capital, financial participation, capital participation/interest/venture/commitment, equity participation/interest/investment/sharing/stake; **K.en** financial investments, interests in equity shares; **K. der Arbeitnehmer** employee capital sharing; **gegenseitige K. (von zwei Unternehmen)** crossholding, cross shareholding; **wechselseitige K.** equity swapping; **K.sdividende** *f* capital dividend; **K.sgesellschaft** *f* (equity) investment/captive company, capital investment company

Kapitalbetrag *m* capital (sum), amount of capital, principal amount; **ausstehender K.** principal amount outstanding; **pauschaler K.** lump sum of capital

Kapitalbewegung *f* capital movement/transaction, motion/movement of capital; **internationale K.en** international capital movements; **kurzfristige K.en** short-term capital movements; **langfristige K.en** long-term capital movements; **K.srechnung** *f* flow-of-funds statement

Kapital|bewertung *f* capital valuation/rating; **K.bewertungsziffer** *f* capital rating figure; **K.bewilligung** *f* allocation/appropriation of funds

Kapitalbilanz *f* (balance on) capital account, balance of capital movements/transactions; **aktive K.** net capital imports; **kurzfristige K.** short-term capital account; **langfristige K.** long-term capital account; **K.saldo** *m* net movement on capital account

kapitalbildend *adj* capital-forming

Kapitalbildung *f* capital accumulation/formation, accumulation/creation of capital; **innere K.** domestic capital formation; **K.splan** *m* accumulation schedule

Kapitalbindung *f* 1. capital tie-up/lock-up, tying-up/locking-up of capital; 2. capital links; **K. in Debitoren** investment in accounts receivable, capital tied up in accounts receivable; **K.sdauer/K.sfrist** *f* duration of capital lock-up/tie-up

Kapital|bonus *m* capital bonus *[GB]*, stock dividend *[US]*; **K.budget** *nt* capital budget; **K.decke** *f* capital base/cover/position/resources, equity base; **dünne/zu kurze K.decke** inadequate capital base, low gearing

Kapitaldeckung *f* capital cover/coverage/recovery, covering of capital liabilities; **K.sfonds** *m (Lebensvers.)* unearned premium reserve; **K.splan** *m* capital coverage plan; **K.sstock** *m* 1. capital cover fund; 2. *(Bausparkasse)* guarantee stock; 3. *(Lebensvers.)* unearned premium reserve; **K.sverfahren** *nt* 1. funding principle; 2. *(Vers.)* level premium system

Kapital|dienst *m* loan/debt servicing, debt service, cost of servicing loans, service of capital; **K.dienstfaktor** *m* capital recovery factor; **K.dirigierung** *f* cash management; **K.disposition** *f* provision of capital; **K.dividende** *f* capital dividend; **K.eigner** *m* equity owner, shareholder *[GB]*, stockholder *[US]*; **K.einbehaltung** *f* capital retention; **K.einbringung** *f* capital contribution/input; **K.einbuße** *f* capital loss

Kapitaleinfuhr *f* capital imports, imports of capital; **kurzfristige K.** short-term capital imports; **K.land** *nt* capital-importing country

Kapital|einkommen/K.einkünfte *nt/pl* capital income/gain, unearned/investment income, investment revenue; **befreite K.einkünfte** franked investment income; **K.einlage** *f* share, contribution of capital, capital invested/contribution, brought-in capital, proprietor's capital holding; **K.einleger** *m* investor, depositor, contributor of capital

Kapitaleinsatz *m* capital input/invested/investment/

appropriation/utilization/employed; **K. pro Beschäftigtem** capital-labour ratio; **K. wiedereinbringen** to recover capital; **ursprünglicher K.** original investment

Kapital|einschuss *m* capital injection/contribution; **K.einzahlung** *f* contribution to capital, put-in/brought-in capital; **aufgeschobene K.einzahlung** deferred capital; **K.einziehung** *f* retirement of stock; **K.embargo** *nt* ban on capital exports; **K.emission** *f* capital issue; **K.emissionskosten** *pl* underwriting cost(s); **ausländisches K.engagement** foreign capital investment; **K.engpass** *m* financial squeeze; **K.entblößung** *f* capital depletion, depletion of capital; **K.entnahme** *f* withdrawal of capital; **K.entschädigung** *f* capital compensation/indemnification

Kapitalentwertung *f* capital depreciation; **K.skonto** *nt* capital depreciation account; **K.srücklage** *f* provision for depreciation of investments

Kapitalerhaltung *f* capital conservation/maintenance, maintenance of capital, preservation of corporate assets; **nominale/nominelle K.** maintenance of nominal capital, financial capital maintenance; **reale K.** maintenance of real/equity capital, preservation of capital in real terms; **substanzielle K.** maintenance of equity

Kapitalerhöhung *f* increase in (the share) capital, ~ capital stock *[US]*, capital increase/maintenance, fund-raising exercise, cash call; **K. gegen Bareinlage** capital increase against cash contribution; **K. aus Gesellschaftsmitteln** capital increase out of company resources, ~ from company funds, ~ retained earnings, scrip issue; **~ offenen Rücklagen** capitalization of reserves; **K. genehmigen** to approve an increase in capital; **an der K. teilnehmen** to subscribe new shares; **K. vornehmen** to increase capital; **bedingte K.** conditional increase of capital; **K.sangebot** *nt* equity offer; **K.skosten** *pl* capitalization expenditure

Kapital|erlös *m* profit on investment; **K.ersatz** *m* capital replacement

Kapitalertrag *m* cash/capital yield, return on capital, investment yield/income/earnings, capital gain/income/interest, profit derived from capital, income from investments; **Kapitalerträge nach Steuerabzug** franked investment income *[GB]*; **~ vor Steuerabzug** non-franked income *[GB]*; **körperschaftssteuerfreie Kapitalerträge** franked investment income *[GB]*; **der Körperschaftssteuer unterliegende Kapitalerträge** unfranked investment income *[GB]*; **bereinigter vorläufiger K.** adjusted anticipated capital interest

Kapitalertrags|bilanz *f* (balance on) net investment income; **K.steuer** *f* capital gains/revenue/returns tax (CGT), investment income tax, (capital) yield tax, withholding/stockholders' tax *[US]*, tax on capital income; **~ erheben** to withhold capital gains tax; **K.steuerpauschale** *f* lump-sum capital yield tax; **K.steuersatz** *m* withholding rate; **K.wert** *m* capitalized value

Kapital|erweiterung *f* capital widening; **K.etat** *m* capital budget; **K.export** *m* capital export/outflow, export of capital; **K.exportland** *nt* capital-exporting country; **K.fälligkeit** *f* capital maturity; **K.fehlbetrag** *m* stock shortage; **K.fehlleitung** *f* misdirection/misallocation of capital, misdirected investment; **K.festlegung** *f* tying-up/locking-up/immobilization of capital; **K.flucht** *f* flight/exodus of capital, capital exodus/flight; **K.fluktuation** *f* capital/money flow

Kapitalfluss *m* cash/capital/funds flow, flow of funds; **privater und öffentlicher K.** *(Entwicklungshilfe)* composite flow; **K.rechnung** *f* statement of sources and application of funds, ~ changes in financial position, summary of financial statements, cash flow, (flow-of-)funds statement, flow-of-funds/money-flow analysis, fund(s)-flow analysis/statement, sources and application of funds statement

Kapital|fonds *m* capital fund/pool; **steuerfreier K.fonds** qualifying unit trust; **K.forderung** *f* capital/money claim, capital due; **K.forderungen** equity claims; **K.freibetrag** *m* capital allowance; **K.freisetzung** *f* release of capital; **K.geber** *m* financier, investor, lender/provider of capital, moneylender, capital-giver, stockholder, liquidity participant; **letztinstanzlicher K.geber** lender of last resort; **K.gebiet** *nt* capital sector; **K.gefälle** *nt* capital differential

Kapitalgesellschaft *f* 1. (joint-)stock company *[GB]*; 2. *(GmbH)* (private) limited company; 3. *(AG)* public limited company (plc), (stock) corporation *[US]*, incorporated company; **K. mit unbegrenztem Anlagekapital** open-end(ed) investment trust; **~ offener Anlagepolitik** management trust; **K. auflösen** to dissolve a corporation; **allgemeine K.** publicly held company, **personenbezogene K.** close(d) company; **unbeschränkt steuerpflichtige K.** resident corporation

Kapitalgewinn *m* return on capital, capital gain/yield/profit, profit derived from capital; **steuerpflichtiger K.** revenue reserve *[GB]*, chargeable capital gain, **nicht ~ K.** capital reserve; **K.abgabe** *f* capital gains tax (CGT)/levy; **K.konto** *nt* capital gains account

Kapitalgewinnsteuer *f* capital gains tax (CGT); **K.freibetrag** *m* capital gains tax exemption; **k.pflichtig** *adj* liable to capital gains tax

Kapitalgüter *pl* capital goods/assets, investment/instrumental goods; **K. für mehrere Zwecke** free capital goods; **K.bereich** *m* capital goods sector; **K.industrie** *f* capital goods industry; **K.investition** *f* capital (goods) investment

Kapital|guthaben *nt* balance on capital account; **K.haltung** *f* cash management; **K.hebelwirkung** *f* capital leverage

Kapitalherabsetzung *f* capital reduction/write-down, reduction of the share *[GB]*/corporate *[US]* capital, ~ capital stock; **K. vornehmen** to write down the capital; **ordentliche K.** ordinary reduction of capital stock; **vereinfachte K.** simplified capital reduction, ~ reduction of capital stock

Kapitalherkunft *f* sources of funds

Kapitalhilfe *f* capital aid, financial aid/assistance; **K. ohne Auflagen** capital aid with no strings attached; **K.darlehen** *nt* capital aid loan

Kapital|höhe *f* amount of capital; **K.hunger** *m* capital requirement(s); **K.import** *m* capital import/inflow, import of capital; **K.importland** *nt* capital-importing country; **K.intensität** *f* capital/financial gearing, capitalization, ratio of employed capital to turnover, capital intensity, capital-labour ratio; **hohe K.intensität** high capitalization; **k.intensiv** *adj* 1. capital-intensive, resource-intensive; 2. heavily/highly capitalized; **K.intensivierung** *f* broadening of the financial basis, increase of capital employed; **K.interesse** *nt* financial interest; **maßgebendes K.interesse** controlling/majority interest; **K.investition** *f* capital/equity investment, investment spending

kapitalisierbar *adj* fundable, realizable, capitalizable

kapitalisieren *v/t* to capitalize/fund, to convert into capital; **wieder k.** to recapitalize

kapitalisiert *adj* capitalized, funded; **nicht genügend k.** undercapitalized

Kapitalisierung *f* capitalization, funding, realization; **K. der Ertragsfähigkeit** capitalization of earning power

Kapitalisierungs|anleihe *f* funding loan; **K.aufwand** *m* capitalization expenditure; **K.basis** *f* basis for capital value calculation; **K.faktor** *m* capitalization factor; **K.formel** *f* capitalized value standard, earning capacity standard; **K.marktwert** *m* market capitalization value; **K.satz** *m* capitalization rate; **K.zinsfuß** *m* capitalization yield

Kapitalismus *m* capitalism

Kapitalist|(in) *m/f* capitalist, financier; **K.en** moneyed interests; **k.isch** *adj* capitalist(ic)

Kapital|klemme/K.knappheit *f* dearth of capital, capital shortage/scarcity, tight liquidity situation, shortage of capital; **k.knapp** *adj* short of capital, cash-strapped, low-geared

Kapitalkoeffizient *m* capital output-ratio/coefficient, ratio of fixed asset formation to output; **fester/fixer K.** constant/fixed capital-output ratio; **makroökonomischer K.** gross incremental capital-output ratio; **marginaler K.** incremental capital-output ratio; **mittlerer K.** average capital-output ratio

Kapitalkonsolidierung *f* consolidation of capital/funds/investment, actual value method

Kapitalkonto *nt* capital/stock/equity/proprietorship/ownership/proprietary/share account; **auf K. übernehmen** to charge to capital account; **konstantes K.** constant capital account; **negatives K.** negative capital/proprietary account

Kapital|kontrolle *f* capital accounting, capital/stock control *[US]*; **K.konvertibilität** *f* capital-account convertibility; **K.konzentration** *f* concentration of capital

Kapitalkosten *pl* 1. cost of capital, cash cost(s), capital charges/cost(s)/expenditure; 2. *(Emission)* underwriting cost(s); 3. *(Kredit)* cost(s) of borrowed funds; **K. pro Einheit/Stück** capital charge per unit; **K. je Leistungseinheit** capital cost compound; **durchschnittliche K.** average cost of capital; **gewichtete K.** weighted cost of capital; **marginale K.** marginal cost of capital

Kapital|kraft *f* financial standing/strength, strength of financial resources; **k.kräftig** *adj* financially sound, cash-rich, well funded/capitalized, liquid, substantial; **~ sein** to have ample means; **K.krise** *f* stringency in the money market; **K.lebensversicherung/-vertrag** *f/m* *(Vers.)* endowment insurance/policy, capital-sum life policy; **K.leistungen** *pl (Zahlungsbilanz)* capital flows; **private K.leistungen** private flows; **K.lenkung** *f* investment/capital control, capital direction; **K.lücke** *f* capital gap; **K.macht** *f* financial strength/muscle *(coll)*; **K.mangel** *m* lack/dearth/want/scarcity of capital, ~ funds

Kapitalmarkt *m* capital/money market, wholesale money market, forward market for loans; **K. in Europa** Eurobond market; **K. anzapfen/beanspruchen; K. in Anspruch nehmen** to tap the capital market, to draw on the capital market, to have recourse to the capital market; **K. pfleglich behandeln; K. pflegen** to nurse the capital market; **K. lähmen** to restrict the capital market

freier Kapitalmarkt open (money) market; **gehemmter K.** restricted capital market; **organisierter K.** regular capital market; **privater K.** private placement market; **überbeanspruchter K.** overtapped market; **unnotierter K.** unlisted securities market

Kapitalmarkt|anlage *f* capital market investment; **K.ausschuss** *m* 1. money/capital market committee; 2. *(Emission)* capital market issue committee; **zentraler K.ausschuss** central capital market committee; **K.beanspruchung** *f* recourse to the capital market; **K.dirigismus** *m* capital market regimentation; **K.dispositionen** *pl* employment of funds in the capital market; **K.effizienz** *f* capital market efficiency; **K.emission** *f* capital market issue; **k.fähig** *adj* eligible/ready for the capital market, ~ money market; **K.finanzierung** *f* direct placement financing; **K.forschung** *f* capital market research; **K.gesellschaft** *f* 1. publicly quoted company *[GB]*, ~ listed corporation *[US]*; 2. capital markets subsidiary; **K.institut** *nt* banking institution operating in the capital market; **K.intervention** *f* intervention in the capital market; **K.klima** *nt* capital market conditions; **K.konjunktur** *f* boom in the equity market; **K.lenkungsausschuss** *m* capital issue committee; **K.mittel** *pl* capital market funds; **K.papiere** *pl* stocks and shares, equities, capital market paper(s); **kurzfristiges K.papier** short exchange; **K.pflege** *f* capital market support, nursing the capital market; **K.politik** *f* capital market policy; **staatliche K.politik** governmental capital market policy; **K.publikum** *nt* investing public; **K.rendite** *f* yield in the capital market; **k.reif** *adj* ready for the capital market; **K.sätze** *pl* capital market rates; **K.statistik** *f* capital market statistics; **K.steuerung** *f* capital market control; **K.theorie** *f* capital market theory; **K.titel** *m* capital market security; **k.unabhängig** *adj* outside the capital market; **K.verflechtung** *f* linkage between capital markets; **K.verhältnisse** *pl* capital market conditions; **K.verzinsung** *f* rate of interest in the capital market; **K.zins(en)** *m/pl* price of money, capital market (interest) rate, rate of interest in the capital market

Kapitalmehrheit *f* controlling interest, majority of shares, equity majority; **K. übernehmen** to acquire a controlling interest

Kapitalmittel *pl* funds (raised in the market), financial means/resources; **K. vorsichtig einsetzen** to husband capital; **nicht ausgegebene K.** unspent appropriations; **unzulängliche K.** inadequate resources; **K.beschaffung** *f* procurement of funds, fund raising

Kapitallnachfrage *f* demand for capital; **K.nachfrager am Markt** *m* capital-seeking investor, capital seeker; **K.nachweis** *m* capital-evidencing certificate; **K.nehmer(in)** *m/f* borrower, capital/fund raiser; **K.nettoertrag** *m* net capital gain; **K.nettorendite** *f* net (real) return on capital; **K.neubildung** *f* new capital formation; **K.not** *f* scarcity/dearth of capital

Kapitalnutzung *f* capital utilization; **K.sentschädigung** *f* service charge for the use of money; **K.sertrag** *m* return on capital employed; **K.skosten** *pl* capital user cost(s)

kapitallorientiert *adj* capital-orient(at)ed; **K.polster** *nt* capital cushion; **K.prämie** *f* capital bonus *[GB]*, stock dividend *[US]*; **K.produktivität** *f* capital/investment productivity, output capital ratio; **durchschnittliche K.produktivität** average investment productivity; **K.prognose** *f* capital forecasting; **K.quelle** *f* source of capital/funds; **K.rationierung** *f* capital rationing; **K.rechnung** *f* capital account; **K.recht** *nt* right to capital, capital entitlement; **k.reich** *adj* capital-rich, cash-rich; **K.reingewinn** *m* net capital gain(s); **K.rendite** *f* return on capital (employed), investment return/yield, return on investment (ROI)/equity (ROE), ~ funds employed; **investive K.rendite** investment yield; **K.rentabilität** *f* return on investment (ROI), ~ capital employed, earning power of capital employed; **K.rente** *f* capital rent, capitalized annuity, pension from capital yield; **K.reserve** *f* investment/capital reserve, reserve fund, revenue reserve/surplus; **K.restriktionen** *pl* capital constraints

Kapitalrückfluss *m* return on capital, cash return, capital recovery/recapture, reflux of capital, payback; **K.dauer** *f* cash return period, payback period; **K.methode** *f* payback analysis; **K.rate** *f* capital recapture rate

Kapitalrücklführung *f* repatriation of capital; **K.gewinnung** *f* capital recovery; **K.lage** *f* share premium account; **K.zahlung** *f* repayment/return of principal, capital redemption; **K.zahlungsvertrag** *m* capital redemption contract

Kapitalsammelbecken *nt* capital reservoir

Kapitalsammelstelle *f* 1. deposit-taking agency/institution, capital-raising/money-raising/fund-raising body, capital-collecting agency, deposit taker; 2. institutional buyer/investor, institution; **konzessionierte K.** licensed deposit-taking institution; **staatliche K.** government depository

Kapitallsanierung *f* financial restructuring/reconstruction; **K.schmälerung** *f* capital impairment; **K.schnitt** *m* capital write-down, reduction of (the share) capital; **~ vornehmen** to write down/off capital; **K.schöpfung** *f* creation of capital; **K.schrumpfung** *f* dwindling assets; **K.schuld** *f* principal, capital indebtedness; **K.schutz** *m* protection of capital, investor's protection; **K.schutzabkommen** *nt* capital protection agreement; **k.schwach** *adj* cash-strapped, lacking capital, with little capital; **K.schwund** *m* depletion, dwindling assets; **K.sicherheit** *f* capital security; **K.sicherung** *f* securing the capital base; **K.sog** *m* capital pull; **K.spritze** *f* cash injection, injection of capital; **k.stark** *adj* cash-rich, financially sound; **K.stärke** *f* financial strength, clout *(coll)*; **K.stau** *m* capital pile-up; **K.steuer** *f* capital levy/duty, capital(-stock) tax; **K.steuerung** *f* investment control(s)

Kapitalstock *m* capital fund/stock, stock of capital; **institutioneller K.** institutional ownership; **K.anpassung** *f* capital stock adjustment

Kapitallstrom *m* capital flow; **K.ströme** funds flow; **konzerninterne K.ströme** intergroup capital flows

Kapitalstruktur *f* capital/financial structure, leverage, financing mix, capitalization; **gesunde K.** sound capital structure; **optimale K.** optimum capital structure, ~ financing mix; **vertikale K.** vertical capital structure; **K.kennziffer** *f* leverage ratio; **K.plan** *m* capital development plan; **K.risiko** *nt* leverage risk, financial leverage

Kapitallstückkosten *pl* unit production costs; **K.subskription** *f* subscription of capital; **K.substanz** *f* real capital; **K.subvention** *f* capital subsidy; **K.summe** *f* principal; **K.tilgung** *f* capital redemption, redemption of the principal; **K.titel** *m* capital market security; **K.träger** *m* capital provider/holder; **K.transaktion** *f* capital transaction

Kapitaltransferl(ierung) *m/f* capital transfer; **K.steuer** *f* capital transfer tax; **K.verbot** *nt* prohibition of capital transfers

Kapitalltransit *m* capital transit; **K.überlassungsfrist** *f* lending period; **K.überschuss** *m* capital surplus

Kapitalübertragung *f* capital transfer; **unentgeltliche K.en** unilateral transfers; **K.smittel** *nt (Geld)* standard of deferred payment

Kapitallüberweisung *f* capital transfer/remittance; **K.überweisungsverkehr** *m* fund transfer business, capital transactions; **K.umdisposition** *f* reinvestment, rearrangement of investments; **K.umgruppierung** *f* regrouping of capital; **K.umlauf** *m* circulation of capital; **K.umlenkung** *f* redirection of capital; **K.umsatz** *m* capital turnover; **K.umschichtung** *f* switching/shifting of capital, capital restructuring; **K.umschlag** *m* capital sales/turnover, investment/net worth turnover, turnover of assets, ~ average total cost(s); **K.umschlagsplatz** *m* financial centre, capital transmission centre; **K.umsetzung** *f* distribution of capital; **K.umstellung/K.umstrukturierung** *f* capital reorganisation/reconstruction; **K.unterdeckung** *f* undercapitalization, capital shortage; **K.veränderung** *f* changes in (the) capital structure; **K.verbindlichkeit** *f* capital liability; **K.verbindungen** *pl* capital connections; **K.verbrauch** *m* capital expenditure; **K.verbrechen** *nt* § capital offence/crime, serious crime, felony; **K.verflechtung** *f* capital interlocking, financial interrelation, cross-shareholding, crossholding, interlocking shareholding, ~ of capital; **wechselseitige K.verflechtung** two-way traffic in capital; **K.verhältnis** *nt* capital ratio, capitalization

Kapitalverkehr *m* capital movements/transactions, flow/movement of capital; **freier/freizügiger K.** free movement/flow of capital; **grenzüberschreitender/ internationaler K.** international/cross-frontier capital movements; **kurzfristiger K.** short-term capital movements/transactions; **langfristiger K.** long-term capital movements/transactions; **privater K.** private capital flows

Kapitalverkehrs|ausschuss *m* capital transactions committee; **K.bilanz** *f* capital account, balance of capital movements, ~ (of payments) on capital account; **K.kontrolle** *f* capital controls, control of capital movements; **K.lockerung** *f* liberalization of the movement of capital; **K.steuer** *f* capital transfer tax *[GB]*, ~ transaction tax, trade capital tax, stamp duty

Kapital|verlagerung *f* shift of capital, ~ in funds; **K.verlust** *m* 1. *(Anlage)* principal loss; 2. capital loss, loss of capital; **K.verlustkonto** *nt* capital loss account; **K.vermehrung** *f* increase of capital; **K.verminderung** *f* capital reduction; **K.vermittler** *m* capital jobbing firm; **K.vermögen** *nt* capital assets/property, net/financial assets; **K.vermögenssteuer** *f* capital tax/levy, wealth tax; **K.vernichtung** *f* destruction of capital; **K.verpfändung** *f* charge on capital; **K.verpflichtungen** *pl* capital commitments; **K.verschachtelung** *f* capital interlinking/interlocking; **K.verschleiß** *m* capital (asset) consumption, capital depreciation; **K.verschuldung** *f* capital liability; **K.versicherung** *f* endowment insurance, lump/capital sum insurance; **K.versicherungspolice** *f* endowment assurance *[GB]*/insurance *[US]*; **K.versicherungsvertrag** *m* endowment insurance policy; **K.versorgung** *f* capital supply; **K.verteilung** *f (Anlagen zu Kapital)* current ratio; **K.vertiefung** *f* capital deepening; **K.vertreter** *m* shareholders' *[GB]*/stockholders' *[US]* representative(s), ~ side; **K.verwaltung** *f* fund management/administration; **K.verwaltungsgesellschaft** *f* investment company/ fund; **K.verwässerung** *f* dilution of capital/equity, watering of stock, capital dilution, stock watering; **K.verwendung** *f* capital appropriation, use/employment of capital, ~ funds, application of funds; **anderweitige K.verwendung** displacement of funds; **K.verwertung** *f* capital investment; **K.verzehr** *m* capital depreciation/consumption, depletion, dwindling assets

Kapitalverzinsung *f* return/interest on capital (employed), return on funds employed, rate of return, capital earnings rate, investment return/revenue/yield, risk-adjusted return on capital (RAROC); **angestrebte K.** target rate of return; **gute K.** fair return on investment; **schnelle K.** fast return on investment; **K.srechnung** *f* calculation of capital yield

Kapital|volumen *nt* total capital; **K.wachstum** *nt* capital growth; **K.wanderung** *f* migration/flow of capital

Kapitalwert *m* 1. capital(ized) value, capital asset; 2. present/principal value; 3. *(Vers.)* cash value; **K. berechnen** to capitalize

Kapitalwert|erhöhung *f* capital/stock appreciation; **K.methode** *f* (net) present value method, capital value method, capitalized equivalent; **K.rate** *f* profitability index; **K.tabelle** *f (Vers.)* cash value table; **K.theorie** *f* present-value theory; **K.verlust** *m* stock depreciation; **K.zuwachs** *m* capital appreciation, ~ increment value

Kapitalzahlung *f* commutation, capital payment; **K.- oder Rentenzahlung** insurance option; **durch K. abfinden** to commute

Kapitalzeichnung *f* subscription (of capital)

Kapitalzins *m* interest on capital, rate of return on investment, long-term interest rate, simple interest; **K.niveau** *nt* rate of interest on capital; **K.politik** *f* interest rate policy; **K.wende** *f* change of capital market rates

Kapital|zufluss *m* influx/inflow of capital, capital inflow, cash flow, flow of funds; **zinsinduzierte K.zuflüsse** capital inflow induced by interest differentials; **K.zufuhr/K.zuführung** *f* capital/cash injection, injection of capital, ~ (fresh) funds, accrual of capital; **K.zurückzahlung** *f* repayment of principal, principal repayment; **K.zusammenlegung** *f* 1. *(Fusion)* capital consolidation, (capital) merger; 2. capital reduction, reduction of capital stock, ~ share capital; **K.zusammensetzung** *f* capital structure; **K.zuschuss** *m* capital grant/contribution; **K.zustrom** *m* inflow/influx of capital

Kapitalzuwachs *m* capital growth/gain(s), appreciation of principal, accretion; **K. aus Höherbewertung** revaluation reserve/surplus; **~ sonstigen Quellen** capital surplus; **~ Schenkungen** donated surplus; **K.steuer** *f* capital gains tax

Kapitalzwangsversicherung *f* compulsory capital sum insurance

Kapitän *m* ⚓ captain, master, shipmaster, skipper; **K. auf großer Fahrt** master mariner; **K. der Landstraße** *(coll)* 🚗 trucker, long-distance lorry driver; **K.sheuer** *f* ⚓ master's wages; **K.skajüte** *f* captain's cabin; **K.skopie** *f (Konnossement)* master's copy; **K.spatent** *nt* master's certificate; **~ für große Fahrt** foreign trade certificate

Kapitel *nt* chapter, section; **K. abschließen** to close a chapter; **K.überschrift** *f* heading, section header

Kapitulation *f* capitulation, surrender; **bedingungslose K.** unconditional surrender; **K.sbedingungen** *pl* surrender terms; **K.surkunde** *f* instrument of surrender

kapitulieren *v/i* to surrender/capitulate

Kappe *f* cap; **auf Ihre K.** *(coll)* on your head be it *(coll)*; **etw. auf seine K. nehmen** *(coll)* to take the blame for sth., to pick up the bill/tab *(coll)* for sth., to shoulder sth.

kappen *v/t* 1. to cut/prune/axe; 2. *(Bäume)* to lop off

Kapriole *f* caper, prank

Kapsel *f* capsule; **in K.n füllen** to capsulize

kaputt *adj* *(coll)* out of order, done, clapped out *(coll)*; **k.gehen** *v/i* 1. to break down, to get broken, to pack up *(coll)*; 2. *(Bankrott)* to go bust *(coll)*; **k.kriegen** *v/t* to break; **k.machen** *v/t* to smash up, to wreck/bust; **k.schlagen** *v/t* to smash to pieces

Karambo|lage *f* 🚗 crash, collision, smash-up; **k.lieren** *v/i* to crash/collide

Karat *nt* carat, karat

Karawane *f* caravan

Karbid *nt* ⚗ carbide

Kardinal *m* cardinal; **K.-** cardinal, pivotal; **K.tugend** *f* cardinal virtue; **K.zahl** *f* π cardinal number

Kardio|gramm *nt* ⚕ cardiogram; **K.logie** *f* cardiology

Karenz *f* 1. waiting/qualifying period; 2. *(Wettbewerb)* restraint of trade; **K.entschädigung** *f* waiting allowance; **K.frist** *f* waiting period, period of non-availability; **K.klausel** *f (Wettbewerb)* restraint clause; **K.tag(e)** *m/pl* benefitless/unpaid day, days of a qualifying period; **K.urlaub** *m* leave without pay; **K.vereinbarung** *f* restraint agreement; **K.zeit** *f* 1. *(Anleihe)* redemption-free period; 2. cooling/waiting period; 3. *(Vers.)* qualifying/waiting period; 4. *(Emission)* close season

karg; kärglich *adj* 1. scanty, meagre; 2. 🚜 barren

Kargo *m* cargo; **K.versicherung** *f* cargo insurance

Karibische Freihandelsorganisation Caribbean Free Trade Association (CARIFTA); **K. Gemeinschaft** Caribbean Community (CARICOM)

kariert *adj* check(er)ed

Karies *f* ⚕ caries

karitativ *adj* charitable

Karkasse *f* 🚗 *(Reifen)* casing

Karomuster *nt* checked *[GB]*/checkered *[US]* pattern

Karosserie *f* 🚗 (car) body, body shell, bodywork; **K.arbeit** *f* coachwork; **K.bau** *m* coachbuilding; **K.bauer** *m* coachbuilder; **K.schaden** *m* damage to the bodywork; **K.schlosser** *m* panel-beater; **K.werk** *nt* body plant/shop

Karre *f* barrow, cart

Karree *nt* square; **offenes K.** hollow square

Karren *m* 1. cart; 2. *(Straßenhändler)* barrow; **K. in den Dreck fahren** *(coll)* to make a mess of sth.; **K. aus dem Dreck ziehen** *(coll)* to clear up the mess, to straighten/iron things out

karren *v/t* to cart

Karrenladung *f* cartload

Karriere *f* career (path); **K. einschlagen** to enter/embark upon a career; **K. machen** to make one's career, ~ a career for os., to get ahead; **K. planen** to plan one's career; **steile K.** rapid career

Karriere|aussichten/K.chancen *pl* career prospects, prospects for personal growth *[US]*; **k.bewusst** *adj* career-minded; **K.frau** *f* career woman/girl; **K.hoffnungen** *pl* career aspirations; **K.knick** *m* dent in the career, career break; **K.leiter** *f* career path, ladder of success, job ladder; **K.macher** *m* careerist, climber; **K.planung** *f* career management/planning; **K.sprung** *m* jump/leap in the career; **K.weg** *m* career path

Karrieris|mus *m* careerism; **K.t** *m* climber

Karte *f* 1. card; 2. *(Geografie)* map; 3. *(Restaurant)* menu; 4. ⚓ chart; **auf K.n** on/with coupons

Karte abstempeln 1. *(Arbeitsbeginn)* to clock in; 2. *(Arbeitsende)* to clock out; **K. anbringen** to card; **K. anfertigen** to map out; **K.n aufdecken** *(fig)* to come out into the open, to show one's hand; **auf einer K. befestigen** to card; **nach der K. essen** to eat à la carte *[frz.]*; **schlechte K.n haben** to have a bad hand; **auf K.n kaufen** to buy on/with coupons; **~ registrieren** to card; **alles auf eine K. setzen** *(fig)* to put all one's eggs in one basket *(fig)*, to go nap *(coll)*; **auf die falsche K. setzen** *(fig)* to back the wrong horse *(fig)*; **mit offenen K.n spielen** to put one's cards on the table; **K.n zurücklegen** to reserve tickets

ausgestellte Karte card in issue; **amtliche topografische K.** Ordnance Survey map *[GB]*; **einfache K.** 🚆 single ticket; **grüne K.** *(Vers.)* green card

Kartei *f* (card) index, (index) file, card catalog(ue)/file; **K. anlegen** to make a card index, to card-index; **K. führen** to keep files

Kartei|auswahl *f* file sampling; **K.buchführung** *f* card accounting; **K.karte** *f* record/index/ledger card; **K.kasten** *m* filing box; **K.leiche** *f* non-active member; **K.schrank** *m* filing/card-index cabinet; **K.system** *nt* card index system; **K.trog** *m* card index tray; **K.zettel** *m* index slip; **K.zuführung** *f* 💻 file feed

Kartell *nt* 1. cartel, pool, trust, combine, combination, industrial monopoly; 2. alliance

sich einem Kartell anschließen; einem K. beitreten to join a cartel; **K. auflösen** to break up a cartel; **K.e bekämpfen** to combat cartels; **K. bilden** to pool; **K.(e) entflechten** to decartelize; **K. sprengen** to break up a cartel; **zu einem K. vereinigen/zusammenfassen** to cartelize

horizontales Kartell horizontal combine; **internationales K.** international cartel; **vertikales K.** vertical combine

Kartell|abkommen *nt* monoploy agreement, restrictive trading agreement *[GB]*, pooling agreement in restraint of trade *[US]*; **K.abmachung/K.absprache** *f* cartel/restrictive/monopoly agreement; **k.ähnlich** *adj* cartel-type, cartel-like; **K.abteilung** *f* cartel office, antitrust division *[US]*; **K.amt** *nt* cartel office, Office of Fair Trading *[GB]*, Antitrust Division *[US]*, Monopolies and Mergers Commission *[GB]*, (Federal) Trade Commission *[US]*, competition authorities, monopolies/antitrust commission; **K.amtsverfahren** *nt* monopoly charge, antitrust suit *[US]*; **K.anteile** *pl* cartel interests; **K.anwalt** *m* antitrust lawyer *[US]*; **K.aufsicht** *f* cartel-supervising authority, supervision of cartels; **K.ausschuss** *m* Antitrust Division *[US]*, antitrust committee; **K.behörde** *f* → **Kartellamt**; **K.beirat** *m* cartel advisory committee; **K.beschluss** *m* cartel decision; **K.bestimmungen** *pl* cartel regulations/provisions, antitrust provisions *[US]*; **K.beteiligung** *f* cartel participation; **K.beziehung** *f* cartel relationship; **K.bildung** *f* cartelization, formation of a cartel; **K.entflechtung** *f* decartelization; **k.feindlich** *adj* antitrust; **K.freiheit** *f* freedom of establishing cartels; **K.gericht** *nt* cartel court, Restrictive Practices Court *[GB]*; **K.gesetz** *nt* antitrust law, Restrictive Trade Practices Act *[GB]* Sherman Act *[US]*; **K.gesetzgebung** *f* antitrust legislation/laws, trade practices legislation, anti-cartel legislation; **K.hürde** *f* antitrust hurdle; **K.hüter** *m* cartel watchdog

kartellisieren *v/t* to pool/cartelize

kartellier|t *adj* pooled, cartelized; **K.ung** *f* cartelization, formation of a cartel

Kartell|jurist *m* antitrust lawyer; **K.klage** *f* antitrust suit *[US]*/action, monopoly charge *[GB]*; **K.kündigung** *f*

cartel relinquishment; **K.maßnahmen** *pl* restrictive trade practices; **K.mitglied** *nt* member of a cartel; **K.novelle** *f* amendment of antitrust legislation; **K.organisation** *f* trading combine; **K.politik** *f* antitrust/cartel policy; **K.quote** *f* pool quota; **K.recht** *nt* antitrust *[US]*/cartel/trust law, law on cartels; ~ **der EU** Common Market antitrust law; **k.rechtlich** *adj* antitrust; **K.register** *nt* register of cartels; **K.senat** *m* 1. § cartel division;2. *(für Wettbewerb)* Restrictive Practices Court *[GB]*; **K.verbot** *nt* prohibition of cartels, cartel ban; **K.vereinbarung** *f* cartel agreement, restrictive trade agreement; **K.vereinigung** *f* trading combine; **K.verfahren** *nt* § monopoly charge, antitrust suit *[US]*; **K.verkauf** *m* pool selling; **K.verordnung** *f* cartel ordinance/decree; **K.vertrag** *m* cartel/pooling agreement; **K.vertreter** *m* cartel representative; **K.vertrieb** *m* pool selling; **K.vorschriften** *pl* cartel regulations, antitrust provisions *[US]*; **K.wächter** *m* cartel watchdog; **K.wesen** *nt* cartelism; **K.zwang** *m* cartel pressure, enforcement of the cartel agreement

Kartenlabfühler/K.abtaster *m* card reader; **K.ablage** *f* (card) stacker, card receiver/ejection; **K.anstoß** *m* card jam; **K.art** *f* card code; **K.aufnahme** *f* mapping; **K.bahn** *f* card feed/line/bed; **K.behälter** *m* map case; **K.blatt** *nt* map sheet; **K.brief** *m* ✉ lettercard; **K.code** *m* card code; **K.datei** *f* card file; **K.diagramm** *nt* box diagram; **K.doppler** *m* reproducer, reproducing punch; **K.durchlauf** *m* pass; **K.eingabe** *f* card input; **K.eingabefach** *nt* card hopper; **K.entwurfsblatt** *nt* card layout form; **K.feld** *nt* card field; **K.format** *nt* card format; **K.führung** *f* card bed; **K.gang** *m* card cycle; **K.geschäft** *nt (Bank)* card business; **K.gitter** *nt* map grid; **K.inhaber(in)** *m/f* card holder; **K.kredit** *m* card credit; **K.kunde** *f* cartography; **K.lader** *m* card loader; **K.lehre** *f* card ga(u)ge; **K.lesefehler** *m* card read error; **K.lesen** *nt* map reading; **K.lesegerät/K.leser** *nt/m* card reader, ~ read punch; **K.locher** *m* card punch, data recorder; **K.lochprogramm** *nt* data recording program; **K.magazin** *nt* feed/card hopper; **K.maßstab** *m* map scale; **K.mischer** *m* collator, interpolator; **k.pflichtig** *adj* rationed, couponed; **K.projektion** *f* map projection; **K.prüfprogramm** *nt* verifying programme; **K.reiter** *m* tab, file signal; **K.salat** *m (coll)* card jam; **K.spalte** *f* card column; **K.ständer** *m* card rack; **K.stanzer** *m* card punch; **K.stapel** *m* pack of cards; **K.steuer** *f* tax on playing cards; **K.tasche** *f* map case; **K.telefon** *nt* cardphone; **K.transport** *m* card feed; **K.verkauf** *m* ticket sale, booking/ticket office; **K.vorderkante** *f* leading edge; **K.vorderseite** *f* card face; **K.vorverkauf(stelle)** *m/f* advance booking office; **K.vorschub** *m* card feed; **K.wender** *m* card reverter; **K.zähler** *m* card counter; **K.zeichnen** *nt* mapping; **K.zeichner** *m* cartographer; **K.zeile** *f* card row; **K.zimmer** *nt* chart room; **K.zuführung** *f* card feed; **K.zuführungssperre** *f* card interlock

Kartoffel *f* potato; **K.n ernten** to lift potatoes; **K.ernte** *f* potato lifting; **K.erntezeit** *f* lifting time; **K.fäule** *f* potato blight; **K.käfer** *m* Colorado beetle; **K.miete** *f* 🚜 potato clamp

Kartogramm *nt* cartogram

Kartograf *m* cartographer; **K.ie** *f* mapping, cartography; **k.isch** *adj* cartographical

Karton *m* 1. carton, cardboard box; 2. cardboard, board, paperboard, pasteboard; **in K.s verpacken** to box

Kartonage *f* cardboard (packaging), cartonboard; **K.nfabrik** *f* board mill; **K.nfabrikant** *m* boxmaker

Kartonleinlagen *pl* cardboard fillers; **K.papier** *nt* cardboard; **K.pappe** *f* boxboard

Kartothek *f* index file, card index/catalog(ue)/file; **K.schrank** *m* filing cabinet

Karussell *nt* 1. roundabout, merry-go-round; 2. carousel; **K.geschäft** *nt* roundabout transaction

kaschieren *v/t* 1. to hide/conceal; 2. *(Papier)* to laminate

Käse *m* 1. cheese; 2. *(coll)* guff

Kaserne *f* barracks; **K.narrest** *m* confinement to barracks

Kasino *nt* 1. casino; 2. *(Firma)* executive dining room; 3. 🪖 officers' mess

Kaskade *f* cascade; **K.nbesteuerung** *f* pyramiding (form of taxation); **K.nfinanzierung** *f* pyramid financing; **K.nnetzwerk** *nt* cascaded network; **K.nsteuer** *f* cascade tax, repetitive sales tax

Kasko *m* ⚓ hull; **K. und Maschinen** hull and machines; **K.interesse** *nt* hull interest; **K.police** *f* 1. 🚗 comprehensive insurance policy; 2. ⚓ hull policy; **K.schutz** *m* collision coverage, (provision of) comprehensive cover(age); **K.taxe** *f* ⚓ hull valuation; **K.versicherer** *m* ⚓ hull underwriter; **K.versicherung** *f* 1. ⚓ hull/collision insurance, insurance on hull and apparatus; 2. 🚗 (fully) comprehensive insurance/policy, automotive and liability insurance; **K.versicherungspolice** *f* 🚗 comprehensive insurance policy

Kassa *f* cash; **gegen K.** for cash; **per K.** in cash; **K. gegen Dokumente** documents against payment (D/P), cash against documents (c.d./c.a.d.)

Kassalabzug *m* cash discount; **K.anweisung** *f* cash order; **K.buch** *nt* cash book; **K.devisen** *pl* spot (foreign) exchange; **K.diskont** *m* cash discount; **K.dollar** *m* spot dollar; **K.fluss** *m* cash flow; **K.frist** *f* discount period; **K.gegenbuch** *nt* counter cashbook; **K.geschäft** *nt* 1. cash bargain/operation/transaction/purchase/sale/trade, spot operation/deal, dealing/bargain for cash; 2. *(Devisen)* spot exchange transaction; **K.geschäfte** cash dealings/transactions/market, spot/outright trading, dealings/trading for cash, spot dealings/transactions/market; **K.händler** *m* spot currency trader; **K.kauf** *m* cash purchase/buying, buying outright, outright buying; **K.käufer** *m* cash buyer; **K.konto** *nt* cash(ier's) account

Kassakurs *m* 1. spot price/quotation/rate/value, cash market price; 2. *(Währung)* spot (exchange) rate; 3. *(Börse)* cash rate/price/quotation, daily quotation; **über K.** over spot; **unter K.** under spot; **zum K.** at the market

Kassallieferung *f* spot delivery; **K.makler** *m* 1. *(Devisen)* spot broker; 2. *(Börse)* official broker

Kassamarkt *m* cash/spot/actual/physical market; **am K. verkaufen** to sell spot; **K.einfluss auf Kurse für Terminware** *m* commercial difference system

Kassa|metall *nt* cash metal; **K.mittelkurs** *m* spot mid-rate; **K.notierung** *f* 1. cash quotation; 2. *(Devisen)* spot quotation; **K.operation** *f (Devisen)* spot operation; **K.papiere** *pl* spot market securities, securities traded for cash; **K.position** *f (Börse)* cash position; **K.posten** *m* cash item/entry; **K.preis** *m* cash/spot price; **K.regulierung** *f* cash payment/settlement; **K.schaden** *m* cash claim; **K.konto** *nt* cash discount

Kassation *f* § rescission, quashing, reversal, cassation, annulment; **K.sgericht(shof)** *nt/m* court of appeal/error/cassation, court of last resort

Kassa|umsatz *m* spot sales; **K.verkauf** *m* cash sale/transaction; **K.ware** *f* cash/spot commodity; **K.werte** *pl (Börse)* spot securities

Kasse *f* 1. cash (on hand); 2. kitty *(coll)*; 3. *(Handel)* till, cash desk/point/register, checkout, pay station, point-of-sale (POS), ~ terminal; 4. *(Bank)* teller's/cashier's department; 5. *(Behörde)* collection office; 6. *(Firma)* cash department/office, exchequer; 7. ticket office/window, box office; **an der K.** at the cashier's/desk, over the counter; **(gut) bei K.** in funds, well-heeled, flush/awash with money; **per K.** (for) cash, spot

staatliche Kasse für Altersversicherung state pension fund; **K. mit festem Bestand** imprest cash fund; **K. gegen Dokumente** cash against documents (c.d./c.a.d.), documents against cash, ~ against/upon payment (D/P)

gegen Kasse gekauft bought for cash; **knapp/schlecht bei K.** cash-strapped, hard-pressed for money, hard up, money-starved, short of cash/money/funds, pushed for money, tight, financially strapped; **nicht bei K.** out of funds; **netto K.** 1. net cash; 2. *(Börse)* for money; ~ **ohne Abzug** net; ~ **innerhalb von drei Wochen** net cash within three weeks; ~ **im Voraus** net cash in advance; ~ **zahlbar** net cash; **sofort netto K.** prompt net cash

Kasse abstimmen to tally the cash, to prove cash; **volle K.n bringen** to be a box-office success; **mit der K. durchbrennen** to make off with the cash; **K. führen** to keep the cash; **K.n füllen** to fill the coffers *(coll)*; **jdn knapp bei K. halten** to keep so. short of money; **per K. kaufen** to buy for (spot) cash, ~ spot; ~ **gegen sofortige Lieferung kaufen** to buy outright; **die K.n klingeln** the money is rolling in, the tills are ringing; **zur K. bei ... liegen** *(Börse)* to be quoted at a spot rate of ...; **K. machen** to tally/cash up; *(coll)* to sell (out); **gemeinsame K. machen** to pool one's funds; **getrennte K. machen** to go Dutch *(coll)*; **K. pfänden** to seize the till; **(gut) bei K. sein** to be in cash/funds/pocket; **nicht gut ~ sein** to be low on funds; **knapp ~ sein** to be short of money, ~ out of pocket, ~ pinched for money, ~ squeezed for cash, ~ tight, ~ in dire straits; **nicht ~ sein** to be out of cash/funds/pocket; **K. stürzen** to check the cash, to cash up; **gegen K. überlassen** to sell for cash; **sich an der K. vergreifen** to tamper with the funds; **per K. verkaufen** to sell spot; **K. verwalten** to hold the purse strings *(fig)*; **an der K. zahlen** to pay the cashier

gemeinsame Kasse pool, kitty *(coll)*; **kleine K.** petty cash (fund), kitty *(coll)*, float, imprest fund; **öffentliche K.** public purse; **schwarze K.** kitty *(coll)*; **sofortige K.** cash down, spot cash/check; **gegen ~ K.** for prompt/ready cash; **soziale K.n** social welfare funds; **staatliche K.** public treasury; **tägliche K.** counter cash; **überschüssige K.** excessive cash holdings

Kassen|abgang *m* outflow of cash; **K.abhebung** *f* cash withdrawal; **K.abrechnung** *f* cash proof; **K.abschluss** *m* cash statement/result, balancing/closing of accounts, teller's proof, cashing up; ~ **machen** to cash up; **K.abstimmung** *f* cash reconciliation; **K.abteilung** *f* cashier's/paying department, money office; **K.anspannung** *f* cash drain; **K.anweisung** *f* cash note, disbursement voucher *[GB]*/instruction, bank bill *[US]*, cash payment order; **K.arzt** *m* health service doctor, panel doctor; **K.aufnahme** *f* cash audit; **K.aufsichtsbeamter** *m* chief cashier; **K.ausfall** *m* cash deficit; **K.ausgaben** *pl* cash expenditure; **K.ausgabebeleg** *m* cash record, sales check *[US]*; **K.ausgänge** *pl* cash disbursements/payments; **K.ausgangsbuch** *nt* cash disbursement journal, ~ payment journal/book; **K.ausstattung** *f* cash float; **K.ausweis** *m* cash statement; **K.auszahlung** *f* cash disbursement; **K.automat** *m* cash dispenser/point; **K.beamter** *m* teller, cashier; **K.bedarf** *m* cash reserve requirement; **K.beitrag** *m* 1. social security contribution; 2. *(Leistung)* benefit; **K.beleg** *m* cash record/voucher, sales check *[US]*, note of purchase; **K.bericht** *m* balance sheet, cash report/statement, treasurer's/financial report; **täglicher K.bericht** daily cash report

Kassenbestand *m* 1. cash (balance), cash in/on hand, till money, balance on/in hand, cash assets/holding(s), money in cash/hand, amount in cash, cash in vault; 2. *(Portokasse)* petty cash; **K. und Bankguthaben** *(Bilanz)* cash assets; ~ **Guthaben bei Kreditinstituten** cash and due from banks; **K.sdifferenz** *f* over and short account; **K.snachweis** *m* record of cash totals

Kassen|bilanz *f* cash balance; ~ **ziehen** to balance the cash; **K.block** *m* cash pad; **K.bon** *m* receipt, cash memo, sales slip, note of purchase; **K.bote** *m* collecting clerk, cash boy, (bank) messenger

Kassenbuch *nt* cash journal/book, till/day/cashier's book; **K.eintragung** *f* cash entry; **K.halter** *m* cash accountant; **K.haltung** *f* cash accounting; **K.konto** *nt* cashbook account

Kassen|buchung *f* cash entry; **K.budget** *nt* cash budget; **bereinigtes K.budget** consolidated cash budget; **K.büro** *nt* 1. cashier's/cash office; 2. cash department; **K.darlehen** *nt* cash/money loan; **K.defizit** *nt* cash deficit/short *[US]*, shortage of cash, short in cash; **K.diebstahl** *m* embezzlement of funds; **K.differenz** *f* cash over or short; **K.diener** *m* bank messenger; **K.disponent** *m* cashier, teller; **K.disposition** *f* cash arrangement/management, money management; **K.dispositionsmethode** *f* cash management technique; **realer K.effekt** real balance effect; **K.eingang/K.einnahmen** *m/pl* cash receipts, (cash) takings; **K.eingangsbuch** *nt* cash receipts/received journal; **K.einnehmer(in)** *m/f* cashier, collector; **K.eintrag** *m* cash entry, **K.entnahme** *f* cash drawing/withdrawals; **K.entwicklung** *f* cash movement, movement in cash position;

K.erfolg *m* box-office success/hit; **K.fehlbestand/K.fehlbetrag** *m* 1. cash short *[US]*/deficit, short in cash, shortage of cash; 2. *(Laden)* till shortage; **K.finanzierung** *f* financing of cash requirements; **K.führer** *m* treasurer, cashier; **K.führung/K.gebarung** *f* cash management/transactions/accounting, treasurership; **K.fülle** *f* cash glut; **K.gehilfe** *m* assistant cashier; **K.geld** *nt* till money; **K.geschäft** *nt* cash transaction; **K.gewinn** *m* cash earnings; **K.guthaben** *nt* cash in hand, cash assets/balance; **K.halle** *f* cash office, banking hall; **K.halter** *m* cash holder, cashier

Kassenhaltung *f* cash management/balance, moneyholding(s), till money; **reale K.** real cash balance

Kassenhaltungs|effekt *m* cash balance effect; **K.gleichung** *f* cash balance equation; **K.plan** *m* estimate of cash requirements; **K.politik** *f* cash management policy; **K.präferenz** *f* cash-holding preference; **K.theorie** *f* cash balances theory; **K.vorschriften** *pl* cash-holding regulations

Kassen|hilfe *f* cash assistance; **K.journal** *nt* cash book; **K.kladde** *f* cash diary; **K.konto** *nt* cash/cashier's account; **K.kontrolle** *f* cash audit

Kassenkredit *m* cash advance/credit/lending/loan, financial credit, money loan, ways and means advance; **K.e** short-term lending; **K.spielraum** *m* margin for cash lending; **K.zusage** *f* cash credit undertaking, advance facilities

Kassen|lage *f* cash (flow) position; **solide K.lage** healthy cash position; **K.leistung** *f (Vers.)* (medical) benefits; **K.liquidität** *f* cash liquidity; **K.liquiditätskoeffizient** *m* cash liquidity ratio; **K.magnet** *m* crowd puller, box-office hit; **K.manko** *nt* cash shortfall/deficit, short in cash, cash short *[US]*; **K.markt** *m (Börse)* spot market; **k.mäßig** *adj* cash, in cash terms; **K.memorial** *nt* cash book; **K.mittel** *pl* cash resources, resources of cash

Kassenobligation *f* cash bond, deposit certificate, medium-term bond; **kurzfristige K.** short-term note; **langfristige K.** capital note

Kassen|patient *m* health service patient *[GB]*, Medicare patient *[US]*; **K.pfändung** *f* levying upon the cash funds; **K.posten** *m* cash item; **K.prüfer** *m* cash auditor; **K.prüfung** *f* cash audit, spot check; ~ **durchführen** to audit the cash; **K.quittung** *f* cash/cashier's receipt; **K.rabatt** *m* cash discount; **K.raub** *m* bank raid, bank/payroll robbery; **K.raum** *m* cash office, counter hall; **K.rechnung** *f* statement of cash in hand; **K.rekord** *m* record takings; **K.reserve** *f* 1. cash resources/reserve; 2. *(Bank)* real reserve; **K.revision** *f* 1. cash audit; 2. *(Bank)* teller's proof; **K.revisor** *m* cash auditor; **K.rolle** *f* tally roll; **K.saal** *m* banking hall; **K.saldo** *m* cash balance; **K.satzung** *f* fund rules; **K.schalter** *m* (pay) desk, teller's counter, cashier's desk; box office; **K.scheck** *m* bank cheque *[GB]*, counter check *[US]*, cashable/open cheque; **K.schein** *m* 1. cash order; 2. deposit certificate; 3. *(Schatzanweisung)* treasury bill/note; **unsichere K.scheine** wildcat currency; **K.schlager** *m* 1. money-spinner, money maker, big seller; 2. box-office success; **K.schrank** *m* safe, money vault; **K.sicherung** *f* cash safeguard(ing); **K.skonto** *m/nt* cash discount; **K.stand** *m* cash balance/position; **K.status** *m* cash status; **K.stempel** *m* teller's stamp; **K.strazze** *f* cash-book, till book; **K.strippe** *f* cash register roll; **K.stunden** *pl* banking/business hours, hours of business; **K.sturz** *m (coll)* cash audit, financial review, cashing up; ~ **machen** to cash/tally up, to check one's finances; **K.system** *nt* checkout facility; **K.terminal** *nt* csah/point-of-sale (POS) terminal; **automatisches K.terminal (AKT)** automated cashflow teller; **K.tisch** *m* cash desk; **K.transaktion** *f* cash transaction; **K.überschuss** *m* cash surplus/over, surplus cash; **K.umsatz** *m* cash sales/turnover; **K.verein** *m* securities-clearing bank/institution, clearing house association, depositary; **K.verkehr** *m* cash transactions/movements; **K.verlust** *m* cash deficit; **K.vermögen** *nt* cash funds/assets; **zulässiges K.vermögen** permissible endowment of a fund; **K.verwalter** *m* treasurer, cashier; **K.verwaltung** *f* cash management/department; **K.voranschlag** *m* cash budget; **K.- und Bankvoranschlag** cash forecast; **K.vorschuss** *m* cash advance, float, imprest; **K.vorschusssystem** *nt* float/imprest system; **K.vorsteher** *m* chief cashier; **K.wart** *m* treasurer; **ehrenamtlicher K.wart** honorary treasurer; **K.wesen** *nt* cash management; **K.zettel** *m* sales slip, note of purchase, check; **K.zufluss** *m* cash flow; **K.zugang** *m* cash receipt

Kassette *f* 1. strongbox; 2. cartridge, cassette; 3. *(Bücher)* slipcase; **auswechselbare K.** removable cartridge; **fest montierte K.** fixed cartridge; **K.nband** *nt* 1. *(Schreibmaschine)* cartridge ribbon; 2. *(Ton/Film)* cassette tape; **K.ngerät** *nt (Ton/Film)* cassette recorder

Kassieren *nt* cashing; **k.** *v/t* 1. to cash/collect/encash, to take in; 2. § to reverse/quash, to set aside; 3. *(verdienen)* to pocket, to make money *(coll)*; 4. *(Profit)* to mop up; 5. to confiscate, to take away; **in bar k.** to encash

Kassierer *m* 1. cashier, teller, cash/counter clerk, collector; 2. *(Verein)* treasurer; **beim K.** at the cashier's; **K. für Auszahlungen** paying teller; ~ **Einzahlungen** receiving teller; ~ **Ein- und Auszahlungen** unit teller; ~ **Postüberweisungen** mail teller; **erster K.** chief cashier; **zweiter K.** assistant cashier

Kassiererin *f* till girl

Kästchen ankreuzen to check *[US]*/tick *[GB]* a box

Kaste *f* caste

Kasten *m* 1. box, case, crate; 2. section, compartment; **K. für Verbesserungsvorschläge** suggestions box; **K.diagramm** *nt* box diagram

kastrier|en *v/t* to castrate; **K.ung** *f* castration

Kasuistik *f* case law, casuistics

Kasus knacktus *m (coll)* sticking point

Katallaktik *f* catallactics

Katalog *m* catalogue *[GB]*, catalog *[US]*; **K. für Einkäufer** buyer's guide; **in den K. aufnehmen** to list in the catalog(ue); **K. aufstellen** to catalog(ue); **K. durchblättern** to leaf through a catalog(ue); **K. zusammenstellen** to compile a catalog(ue); **bebildeter K.** illustrated catalog(ue); **nach Sachgebieten geordneter K.** classified catalog(ue); **systematischer K.**

subject catalog(ue); **K.aufnahme** *f* catalog(ue) entry; **K.geschäft** *nt* mail order business

katalogisierlen *v/t* to catalog(ue)/list; **K.ung** *f* cataloguing

Kataloglnummer *f* index number; **K.preis** *m* catalog(ue)/list price; **K.schauraum** *m* catalog(ue) showroom; **K.warenhaus** *nt* catalog(ue) discount store; **K.wesen** *nt* cataloguing, indexing, listing

Katalysator *m* 1. catalyst; 2. 🚗 catalytic converter; **K.auto** *nt* converter car

Katapult *nt* catapult

Katarrh *m* ⚕ catarrh

Kataster *m/nt* 1. survey, cadastre, cadaster; 2. valuation; 3. land register, (real) estate register, cadastral land survey

Katasterlamt *nt* land registry, ~ survey office, ~ registration office, cadastral office; **K.aufnahme** *f* cadastral survey; **K.auszug** *m* cadastral extract/abstract, excerpt from a cadastral map; **K.beamter** *m* land surveyor; **K.bewertung** *f* cadastral valuation; **K.buch** *nt* lot book, cadastral survey; **K.karte** *f* cadastral map; **k.mäßig** *adj* cadastral; **K.nummer** *f* cadastral number; **K.plan** *m* (cadastral/survey) map, cadastral land survey; **K.wert** *m* land value

katastrophal *adj* catastrophic, disastrous, calamitous

Katastrophe *f* catastrophe, disaster, calamity, debacle *[frz.]*; **nationale K.** public disaster

Katastrophenlabwehr *f* disaster prevention; **K.alarm** *m* emergency alert; **K.ausrüstung** *f* emergency equipment; **K.deckung** *f (Vers.)* calamity cover(age); **K.dienst** *m* emergency service, disaster unit; **K.fall** *m* unforeseen calamity; **K.fonds** *m* disaster fund; **K.gebiet** *nt* disaster area; **k.gefährdet** *adj* disaster-prone; **k.geschädigt** *adj* disaster-stricken; **K.hilfe** *f* disaster/calamity relief; **K.reserve/K.rücklage** *f* emergency/catastrophe reserve; **K.risiko** *nt* catastrophe hazard, fundamental risk; **K.rückversicherung** *f* catastrophe reinsurance; **K.schutz** *m* 1. disaster control; 2. disaster prevention; **K.verlust** *m* catastrophe loss; **K.verschleiß** *m* destruction; **K.versicherung** *f* catastrophal hazard insurance; **K.wagnis** *nt* catastrophal hazard

Kategorie *f* category, bracket, group, class, heading, denomination

kategorisch *adj* categorical, absolute, peremptory

kategorisierlen *v/t* to categorize; **K.ung** *f* categorization

Katerstimmung *f (fig)* hangover, depression

Kathedersozialismus *m* theoretical/armchair socialism

Kathodenstrahlröhre *f* cathode ray tube

Kattun *m* calico, cotton; **bedruckter K.** cotton print

katzbuckeln *v/i* 1. to cringe; 2. *(coll)* to kowtow

Katze *f* cat; **alles für die Katz** *(coll)* a waste of time; **K. im Sack kaufen** *(coll)* to strike a blind bargain, to buy a pig in a poke *(coll)*; **K. aus dem Sack lassen** *(coll)* to let the cat out of the bag *(coll)*; **wie die K. um den heißen Brei schleichen** *(coll)* to beat about the bush *(coll)*

Katzenlauge *nt* 1. reflector; 2. *(Fahrbahn)* cat's eye, reflector stud; **K.jammer** *m* hangover, aftermath

Kauderwelsch *nt* gibberish, double-Dutch

Kauf *m* 1. *(Gegenstand)* purchase, buy; 2. *(Tätigkeit)* buying, purchasing, offtake; 3. sale, sales contract/agreement, contract of sale; 4. *(Kunde)* patronage; **Käufe** buying; **durch K.** by purchase

Kauf auf Abruf call purchase, open contract; **~ Abzahlung** instalment buying, hire purchase *[GB]*, purchase on deferred terms *[US]*; **K. gegen Akzept** purchase for/against acceptance; **Käufe institutioneller Anleger** commercial buying; **~ zu Anlagezwecken** investment buying/purchase; **K. zur Ansicht** purchase on approval, purchase subject to approval/inspection; **~ späteren Auslieferung** forward purchase; **K. unter Ausschluss jeglicher Gewährleistungsansprüche** sale with all faults; **K. auf Baisse; K. à la Baisse** bear *[GB]*/short *[US]* purchase; **K. in Bausch und Bogen** purchase in bulk, bulk purchase/sale, sale by the bulk, ~ per aversionem *(lat.)*; **K. nach Beschreibung** sale by description; **K. auf Besicht** sale on inspection, ~ as seen; **K. über Bildschirm** teleshopping; **K. für einen Dritten** fiduciary coemption; **K. mit Eigentumsübergang** executed sale; **K. unter Eigentumsvorbehalt** conditional sale (agreement); **massive Käufe im Eröffnungsgeschäft** *(Börse)* dawn raid; **K. zum Eröffnungskurs** buying on opening; **K. aus zweiter Hand** second-hand purchase, purchase at second hand; **K. auf Hausse; K. à la Hausse** bull purchase, bulling, buying for a rise; **K. von Investmentfondsanteilen** purchase of units; **K. gegen Kasse** cash purchase; **K. einer Kaufoption** call writing; **K. auf Kredit** purchase on account, credit purchase; **~ Kreditbasis** credit sale; **K. zu verschiedenen Kursen** averaging; **K. auf Lieferung** forward purchase; **K. zur sofortigen Lieferung** *(Wertpapier)* cash buying; **K. nach Muster** sale to sample/pattern; **K. durch Privatkunden** consumer purchase; **K. auf/nach Probe** purchase on approval, sale to/by sample, sale on approval/trial, approval sale; **K. auf Raten** 1. purchase on the instalment *[GB]*/deferred payment system; 2. instalment purchase, buying on time; **~ eigene Rechnung** purchase for own account; **~ feste Rechnung** firm purchase, purchase on account; **~ fremde Rechnung** purchase on third account; **K. mit Rückgaberecht** sale and/or return, memorandum buying; **K. einer Rückprämie** *(Börse)* taking for the put; **K. eines Schecks** purchase of a cheque *[GB]*/check *[US]*; **K. zum Schlusskurs** *(Börse)* buying on close; **K. auf Teilzahlung** hire purchase *[GB]*, deferred payment purchase *[US]*, instalment buying; **K. nach Test** sale by test; **K. mit Umtauschrecht** sale or exchange, ~ with exchange privilege; **K. und Verkauf** buying and selling; **Käufe und Verkäufe** *(Börse)* bids and offers; **K. und späterer Verkauf** *(Börse)* in and out; **~ Verkauf innerhalb von sechs Monaten** *(Börse)* short-swing purchase; **~ Verkauf von Währungen** purchase and sale of currencies; **K. einer Verkaufsoption** *(Börse)* put writing; **K. mit Vorbehalt** conditional purchase; **K. nach Warenbeschreibung** sale by description; **K. eines Wechsels** purchase of a bill; **K. von Wertpapieren zur sofortigen Lieferung** cash buying; **K. durch Wiederver**

käufer trade purchase; K. auf Zeit forward purchase; ~ Ziel purchase on term

Kauf wie besehen sale on inspection, ~ as seen; K., wie es steht und liegt sale with all faults; K. bricht nicht Miete sale subject to existing tenancies

Kauf abschließen to effect/complete a purchase, to make a bargain, to conclude a (contract of) sale; zum K. anbieten to offer for sale; zu vereinzelten Käufen anregen *(Börse)* to induce some buying; jdn zum K. drängen to urge so. to buy; durch K. erwerben to acquire by purchase; K. rückgängig machen; vom K. zurücktreten to repudiate/rescind/cancel a sale, ~ a purchase; in K. nehmen *(fig)* to accept, to put up with; K. tätigen to effect/make/complete a purchase

bedingter Kauf conditional purchase; billiger K. bargain; fester K. outright purchase; fingierter K. sham purchase; freier K. voluntary sale; frühe Käufe *(Börse)* early buying; geringfügige Käufe *(Börse)* small buying; günstiger/guter K. good buy, bargain; lebhafte Käufe *(Börse)* active buyers; schlechter K. bad buy; spekulativer K. speculative purchase; spekulative Käufe *(Börse)* speculative operations/buying/purchases; spontaner K. impulse purchase; starke Käufe *(Börse)* heavy buying; vereinzelte/vorsichtige Käufe *(Börse)* selective buying; vorteilhafter K. (real) bargain

Kauflabneigung sales resistance; K.abrechnung *f* *(Börse)* bought note; K.abschluss *m* 1. sale, purchase; 2. *(Börse)* buying order; ~ durch Handschlag hand sale; K.absicht *f* buying intention, intention to buy; K.absichtserklärung *f* letter of intent; bis zum K.akt *m (Dienstleistungen)* pre-sales; nach dem K.akt *(Dienstleistungen)* after-sales; K.andrang *m* pressure to buy

Kaufangebot *nt* bid, offer to buy; K. unterbreiten to mount a bid; provisorisches K. *(Börse)* indicated interest

Kauflanlass *m* buying motive; K.anreiz *m* inducement/incentive to buy, sales appeal; K.antrag *m* bid; K.anwärter *m* prospective buyer, prospect; K.anwartschaft *f* option; K.anwartschaftsvertrag *m* provisional sales contract, contract for the purchase of an expectancy; K.anzeige *f* want ad; K.appell *m* sales appeal

Kaufauftrag *m* purchase/buying/purchasing order, contract for puchase, order to purchase, indent; K. zu unterschiedlichen Kursen scale order; K. zum Marktpreis market order; Kauf- und Verkaufsauftrag für das gleiche Wertpapier matched order; K. mit Preisbegrenzung stop order; K. billigst *(Börse)* buy order at market; kleiner K. small-lot buy offer; limitierter K. stop-loss order

Kauflausweis *m* certificate of purchase; k.bar *adj* purchasable; K.bedingung *f* purchase terms; k.beeinflussend *adj* influencing the purchase decision; K.belebung *f* increase of buying; K.bereitschaft *f* 1. consumer acceptance, willingness to buy; 2. *(Börse)* tendency to buy; K.bestimmungen *pl* purchase terms; K.betrag *m* purchase price; K.bewilligung *f* docket; K.bindung *f* procurement tying; K.brief *m* 1. contract of purchase/sale, deed/bill of sale, ~ emption, deed of purchase; 2. *(Grundstück)* title deed; K.chartervertrag *m* ⚓ purchase-sum charter; K.datum *nt* purchase date; K.eigenheim *nt* freehold property; K.empfehlung *f* "buy" recommendation

Kaufen *nt* buying; gezieltes K. selective buying; plötzliches und unmotiviertes K.; spontanes K. impulse buying

kaufen *v/t* 1. to buy/purchase/shop/procure; 2. *(bestechen)* to corrupt/bribe; etw. k. (wollen) to be in the market for sth.; k. und verkaufen to merchandise

gegen bar kaufen to buy for cash, ~ ready money; bestens k. to buy at best, ~ irrespective of the price; billig k. to buy cheap, to make a bargain; billigstens k. to buy at the lowest price; fertig k. to buy ready-made; fest k. to buy firm; im Ganzen k.; en gros k. to buy wholesale, ~ in bulk; gutgläubig k. to buy in good faith; über pari k. to buy at a premium; qualitätsbewusst k. to go (in) for quality; spontan k. to buy on impulse; spottbillig k. to buy for a song *(coll)*; stark k. *(Börse)* to load; unbesehen k. to buy unseen, to buy a pig in a poke *(coll)*; zu viel k. to overbuy; zu wenig k. to underbuy

kaufen gehen to go shopping; zu k. sein to be on sale

Kauflentgelt *nt* purchase consideration; k.entscheidend *adj* decisive

Kaufentscheidung *f* buying/purchase/purchasing decision; habitualisierte K. routinized buying decision; Kauf- oder Lease-Entscheidung lease-or-buy decision

Kaufentschluss *m* buying decision, decision to buy; K.analyse *f (Werbung)* activation research

Käufer *m* shopper, buyer, customer, purchaser, purchasing party/officer, taker, vendee *[US]*, bargainee, demander, market man, adopter; ohne K. no buyers

Käufer im Ausland buyers overseas; K. auf gut Glauben bona-fide *(lat.)* purchaser; K. aus zweiter Hand second-hand buyer, sub-purchaser; K. einer Kaufoption *(Börse)* call writer; K. eines Nochgeschäfts *(Börse)* giver for a call of more; K. einer Rückprämie *(Börse)* taker for a put; ~ Stellage *(Börse)* taker for a put and call; K. in Übersee buyers/indentor overseas; K. einer Verkaufsoption *(Börse)* put writer; ~ Vorprämie *(Börse)* giver for a call

der Käufer trägt die Gefahr goods are at buyer's risk

Käufer anlocken to attract buyers; als K. auftreten to be in the market (for sth.); K. finden to meet with a ready market; K. suchen to seek purchasers

bösgläubiger Käufer mala-fide *(lat.)* buyer; einmaliger K. one-time buyer; schnell entschlossener K. ready buyer; gutgläubiger K. bona-fide *(lat.)* purchaser, innocent purchaser without notice; lebhafte K. *(Börse)* active buyers; mittelbarer K. sub-purchaser; möglicher/potenzieller K. prospect, prospective/would-be buyer; preisempfindlicher K. price-sensitive buyer; leicht zu überredender K. barefoot pilgrim *(coll)*; überseeischer K. overseas/non-resident buyer, indentor; umsichtiger K. discriminating buyer; voraus-

sichtlicher/zukünftiger K. prospect, prospective/would-be buyer; **zahlungsfähiger K.** moneyed buyer

Käuferlabruf *m* *(Börse)* buyer's call; **K.andrang/K.ansturm** *m* rush of customers, buying wave; **K.forschung** *f* (psychological) buyer research; **K.gewohnheiten** *pl* buying habits; **K.gruppe** *f* buyer category/group, market grouping; **K.interesse** *nt* buying attention/interest; **K.kontakt** *m* exposure to buyers; **K.kredit** *m* buyer's credit; **K.kreis** *m* category of buyers, customer groups, range of customers; **K.land** *nt* buyer/importing/buying country; **K.mangel** *m (Börse)* lack of buying orders; **K.markt** *m* buyer's market; **K.monopol** *nt* buyer's monopoly; **K.pflichten** *pl* buyer's duties; **K.psyche** *f* buyer's feelings; **K.ring** *m (Auktion)* sale ring; **K.risiko** *nt* buyer's risk; **K.schaft** *f* shopping public; **K.schicht** *f* category of buyers, buyers'/customer group; **K.souveränität** *f* consumer sovereignty; **K.staat** *m* purchasing country; **K.streik** *m* buyers' strike; **K.strukturanalyse** *f* category analysis; **K.verhalten** *nt* buying habits, sales pattern, buyer behaviour; **K.widerstand** *m* consumer resistance; **K.zielgruppe** *f* market target; **K.zurückhaltung** *f* flagging sales

kauflfähig *adj* purchasable; **K.fahrer** *m* ⚓ merchant ship, merchantman

Kauffahrteil(flotte) *f* merchant/mercantile marine, merchant fleet/navy; **K.schiff** *nt* merchantman, merchant ship, trading vessel; **K.schifffahrt** *f* commercial navigation

Kauflformalitäten *pl* purchase formalities; **K.formular** *nt* purchase form; **K.frau** *f* business woman, female merchant, feme sole trader; **K.gegenstand** *m* subject matter of a sale, (object of) purchase

Kaufgeld *nt* purchase money; **K.forderung** *f* claim for purchase money; **K.stundung** *f* respite on payment of purchase money

Kauflgelegenheit *f* opportunity to buy; **K.geschäft** *nt* sale, purchase/sale transaction; **K.- und Verkaufsgeschäft** *(Börse)* round turn; **wirkliches K.geschäft** real sale; **K.gesetz** *nt* Sale of Goods Act *[GB]*; **K.gesuch** *nt* bid; **K.gewohnheiten** *pl* buying/consumer/shopping habits

Kaufhaus *nt* department store, emporium *(obs.)*; **K.aktien/K.titel/K.werte; Kaufhäuser** *pl (Börse)* stores; **K.detektiv** *m* store detective; **K.filialsystem** *nt* multiple-store system; **K.gruppe/K.konzern** *f/m* (department/retail) stores group; **K.kreditkarte** *f* charge card

Kauflhemmung *f* consumer resistance; **K.herr** *m* City merchant *[GB]*, merchant prince *(obs.)*

Kaufinteresse *nt* buying interest; **aufflackerndes K.** burgeoning buying interest; **mangelndes K.** lack of demand; **nachlassendes K.** flagging demand

Kauflinteressent *m* potential buyer, prospect, prospective customer/client/buyer, would-be purchaser/buyer; **keine K.interessenten** no bidders; **K.kontingent** *nt* purchase quota; **K.kontrakt** *m* bill of sale, sales contract; **K.kosten** *pl* cost(s) of acquisition

Kaufkraft *f* purchasing/buying/spending power, value of money, buying income; **K. abschöpfen** to skim (off)/siphon off/absorb purchasing power; **K. abziehen** to draw custom away; **K. stärken** to increase spending power; **an K. verlieren** to depreciate; **an der K. zehren** to reduce/erode purchasing power; **effektive reale K.** real purchasing power; **überschüssige K** surplus purchasing power; **frei verfügbare K.** discretionary purchasing power

Kaufkraftlabschöpfung *f* absorption of/skimming of purchasing power; **K.aufblähung** *f* increase of purchasing power; **K.effekt** *m* effect on purchasing power **K.entzug** *m* drain on purchasing power; **K.erhöhung** increase of purchasing power; **K.forschung** *f* purchasing power research; **K.gewinn** *m* increase in purchasing power

kaufkräftig *adj* able to buy, having purchasing/spending power, with money (to spend)

Kaufkraftlindex/K.kennziffer *m/f* purchasing power index; **K.kennzahl** *f* purchasing power index; **K.lenkung** *f* 1. control of purchasing power; 2. control of consumer-spending; **K.minderung** *f* reduction/loss of purchasing power; **K.parität** *f* purchasing power capacity/parity (ppp); **K.schöpfung** *f* creation of purchasing power; **K.schmälerung** *f* pay erosion **K.schwund** *m* dwindling purchasing power, drop in purchasing power, erosion of purchasing power **K.stabilität** *f* stability of purchasing power; **K.steigerung** *f* increase in purchasing power; **K.theorie** purchasing power theory; **K.überhang** *m* surplus/excess(ive) purchasing power, excess of purchasing power, excess money supply; **K.vergleich** *m* comparison of purchasing power; **K.verlust** *m* loss of/decline in purchasing power; **K.verteilung** *f* spatial pattern of purchasing power; **K.vorteil** *m* advantage in terms of purchasing power; **K.währung** *f* index-linked currency; **K.zuwachs** *m* increase in purchasing power

Kauflkredit *m* consumer/purchase credit, purchase-financing loan; **K.kurs** *m* buying rate/price, bid price **K.laden** *m* shop *[GB]*, store *[US]*; **in K.laune sein** *f* to be on a spending spree; **K.leute** *pl* merchants, dealers traders, businessmen

käuflich *adj* 1. for sale, buyable; 2. by purchase; 3. *(bestechlich)* corrupt(ible), bribable, venal; **K.keit** *f* corruptibility, bribability, venability

Kauflust *f* propensity/inclination/disposition to buy **erneute K.** fresh demand; **K.ige(r)** *f/m* shopper

Kaufmann *m* 1. merchant, trader, dealer, merchante(e) *[US]*; 2. businessman, salesman, trained clerk; 3 grocer; **sich als K. niederlassen** to set up shop; **K. sein** to be in business; **gerissener/gewiefter K.** shrewd businessman, smart dealer; **kleiner K.** petty trader; **ordentlicher K.** responsible businessman; **technischer K.** sales engineer; **umsichtiger K.** prudent businessman

kaufmännisch *adj* commercial, business, mercantile **nicht k. tätig** non-trading

Kaufmannslberuf *m* commercial occupation; **K.brauch** *m* commercial custom; **K.eigenschaft** *f* merchant status, business qualification; **K.gehilfe/K.gehilfin** *m* shop/sales assistant, clerk *[US]*; **K.gehilfenbrief** *m* commercial training certificate; **K.gilde**

corporation of traders, merchant guild; **K.gericht** *nt* commercial court of arbitration; **K.gut** *nt* merchandise; **K.innung** *f* merchant guild; **K.kreise** *f* commercial circles

Kaufmannschaft *f* business community

Kaufmanns|stand *m* commercial profession; **K.wissenschaft** *f* commercial science

Kauf|miete *f* hire purchase; **K.motiv** *nt* buying motive; **K.neigung** *f* inclination to buy, deal proneness; **K.note** *f* sales/bought note; **K.objekt** *nt* 1. proposition; 2. *(Immobilie)* freehold property; **günstiges K.objekt** bargain; **K.offerte** *f* offer to buy, bid

Kaufoption *f* 1. buy/purchase/buyer's option, option to buy/purchase; 2. *(Börse)* (call) option; **K. ausüben** to take up an option; **K.sabkommen** *nt* preliminary purchase agreement; **K.svereinbarung** *f* preliminary purchase agreement

Kauf|order *f* buying/purchase order; **K.orgie** *f* spending spree, splurge *(coll)*; **K.ort** *m* point of sale (POS)/purchase; **K.ortinterview** *nt* point-of-sale/purchase interview

Kaufpreis *m* purchase price/money/consideration, buying price, consideration for sale; **K. vor Abschluss des Kaufvertrages erhöhen** *(Immobilie)* to gazump (so.) *(coll)*; **K. erstatten** to refund the purchase price; **K. mindern** to reduce the purchasing price

Kaufpreis|erhöhung vor Abschluss des Kaufvertrages *f* *(Immobilie)* gazumping *(coll)*; **K.erstattung** *f* restitution/refund of the purchase price; **K.forderung** *f* purchase-money claim; **K.genehmigung** *f* approval of the purchase price; **K.herabsetzung/K.minderung** *f* reduction in price, abatement of purchase money; **K.hypothek** *f* purchase-money mortgage; **K.nachlass** *m* purchase money allowance; **gewinnabhängige K.nachzahlung** *(Unternehmenskauf)* earnout; **K.rückerstattung/-vergütung** *f* refund of the purchase price; **K.schuld** *f* purchase money obligation; **K.zahlungen zurückhalten** *pl* to retain the purchase price

Kauf|prozess *m* buying process; **K.rausch** *m* consumer binge, spending spree; **K.recht** *nt* 1. sales law, law on sales; 2. right of purchase, purchase option/right; **K.reflektant** *m* prospective/potential buyer, prospect; **K.sache** *f* object of sale, bought object; **K.scheck** *m* check; **K.steuer** *f* purchase tax; **K.stimmung** *f* buying mood; **K.summe** *f* purchase money/price/sum; **gewerbliche K.tätigkeit** trade buying; **K.tendenzen** *pl* buying trends; **K.umfeld** *nt* context of purchase; **K.unlust** *f* consumer/sales resistance, sales apathy; **K.urkunde** *f* purchase/title deed; **K.verbund** *m* combined purchase; **K.vereinbarung** *f* sales/purchase agreement; **K.verhalten** *nt* buying/consumer'/buyer behaviour, purchasing pattern; **K.verhandlungen** *pl* sales negotiations; **K.verkaufsoption** *f* put and call option, double option, straddle; **K.verkaufsprinzip** *nt* buying and selling countries principle; **K.verpflichtung** *f* obligation to buy, purchase commitment/obligation, purchasing obligation

Kaufvertrag *m* contract of sale/purchase, bill/deed of sale, contract to sell, purchasing/sales agreement, sales contract; **aus dem K.** ex contract; **K. mit Auflassung** contract of sale of land including conveyance; **K. ohne Eigentumsvorbehalt** absolute sale; **K. unter Eigentumsvorbehalt** conditional sales contract; **K. mit Leistung Zug um Zug** cash sale; **K. über bewegliche Sachen** contract for (the) sale of goods; **K. abschließen** to conclude a contract of sale; **K. durchführen** to execute a bill of sale; **vom K. zurücktreten** to rescind the contract of sale, to cancel the sale; **noch zu erfüllender K.** executory sale; **erfüllter K.** executed sale

Kaufvertrags|recht *nt* sales law, law of sales, law on the sale of goods; **K.vordruck** *m* purchase agreement form

Kauf|vorvertrag *m* preliminary contract of sale; **K.welle** *f* spate/flurry/surge of buying, buying surge; **K.wert** *m* market/money/purchase value, purchase price; **K.widerstand** *m* buyer's resistance; **k.willig** *adj* inclined to buy; **k.würdig** *adj* worth buying; **K.wut** *f* buying craze; **K.zettel** *m* contract note; **K.zurückhaltung** *f* consumer resistance; **K.zusage** *f* declaration/letter of intent

Kaufzwang *m* obligation to buy; **ohne K.** under no obligation to buy; **kein K.** no obligation

kausal *adj* causal, causative

Kausal|- causal; **K.analyse** *f* causal analysis; **K.faktor** *m* causal/causative factor; **statistische K.forschung** statistical inference; **K.geschäft** *nt* valuable consideration; **K.gesetz** *nt* law of causation/causality; **K.haftung** *f* liability for the consequences, ~ based on causation

Kausalität *f* causality, causation; **lineare K.** multiple causation; **K.sfrage** *f* question of cause and effect; **K.sgesetz** *nt* law of cause and effect, ~ causality; **K.sprinzip** *nt* cause-effect principle, principle of causality/causation

Kausalkette *f* chain of cause and effect, ~ causation, causal chain; **K. der Beziehungen** causal ordering; **umgekehrte K.** reverse causation; **am nächsten in der K.** § proximate

Kausalproblem *nt* chicken-and-egg problem *(fig)*

Kausalzusammenhang *m* causality, chain of causation, causal connection/chain; **unmittelbarer K.** proximate connection; **unterbrochener K.** broken sequence; **nicht ~ K.** unbroken sequence

Kautele *f* safeguard, proviso

Kaution *f* 1. security, guarantee, (surety/safety) bond, security/safety/guarantee deposit, caution money; 2. § bail, bailment; 3. *(Miete)* deposit; 4. *(Vollstreckung)* replevin bond; **gegen K.** on bail; **ohne K.** on one's own recognizance

Kaution des Bauunternehmers construction bond; **K. zur Freigabe beschlagnahmter Waren** delivery bond; **K. für die Gerichtskosten** (security) for cost(s); **K. des Konkursverwalters** receiver's bond; **~ Lagerinhabers** warehouse bond; **~ Mieters** security deposit by the tenant; **~ Nachlassverwalters** administrator's bond; **K. im Pfändungsverfahren** replevin bond; **K. des Staatstreuhänders** public bond; **~ Testamentsvollstreckers** executor's bond; **K. gegen Veruntreu-**

ung fidelity bond; **K. für Zollspeicherbenutzung** ⊖ bonded warehouse bond

Kaution anbieten to offer surety; **K. (bereit)stellen** to provide/stand security, ~ bail; **gegen K. freibekommen** to bail (so.) out; **~ aus der Haft entlassen/freilassen** to release/free on bail; **K. hinterlegen/leisten** to (put up/give) bail, to stand bail/security, to enter recognizance; **K. schießen (lassen)** to jump bail; **gegen K. auf freiem Fuß sein** to be out on bail; **~ auf freien Fuß setzen** to remand on bail *[GB]*; **K. stellen** to give/stand/provide/furnish/lodge/deposit security, to (put up/grant) bail, to enter a caution, ~ into a (fidelity) bond; **für jdn K. stellen** to stand bail for so.; **jdn weiterhin unter K. stellen** to remand so. on bail; **K. übernehmen** to go/stand bail; **seine K. verlieren** *(Kandidatur)* to lose one's deposit; **K. verwirken** to forfeit bail, ~ a bond; **K. zulassen** to grant bail

von der Polizei angeordnete Kaution police bail; **hinterlegte K.** caution money; **überhöhte K.** excessive bail

Kaution|sangebot *nt* offer of bail; **K.auflagen erfüllen** *pl* to answer bail; **K.bestellung** *f* bailment; **K.bestimmung** *f* bail provision; **K.depot** *nt* guarantee deposit; **K.effekten** *pl* deposited/guaranteed securities; **K.erklärung** *f* surety bond; **k.fähig** *adj* bailable, admissible to bail, eligible to stand bail, mainpernable; **K.gesellschaft** *f* guarantor corporation; **K.(ge)stellung** *f* provision of bail/security, bailment; **K.gewährung** *f* admission to bail; **K.hinterlegung** *f* guarantee deposit, caution money; **K.hypothek** *f* cautionary mortgage; **K.kredit** *m* collateral loan; **K.leistung** *f* bailment, provision of bail; **K.management** *nt* guarantee commitment; **K.nachschuss** *m* supplementary bond; **K.nehmer(in)** *m/f* guarantor; **k.pflichtig** *adj* liable to stand security; **K.regress** *m* recourse of guarantee; **K.risiko** *nt* fidelity guarantee risk; **K.satz** *m* rate of security; **K.sicherheit** *f* bail surety; **(hinterlegte) K.summe** *f* bail, deposit, caution money, surety, (amount of) security, recognizance, bond money; **K.urkunde** *f* surety bond; **K.verfall** *m* bail jumping; **K.verpflichtung** *f* fiduciary/surety bond, bail commitment; **ohne K.verpflichtung** non-bailable

Kautionsversicherung *f* surety/fidelity/guarantee *[GB]* insurance; **K.sgeschäft** *nt* surety business; **K.sgesellschaft** *f* guarantee company/association, surety *[US]*/bonding company; **K.spolice** *f* fidelity bond

Kautions|versprechen *nt* § recognizance; **K.vertrag** *m* surety bond; **K.wechsel** *m* security bill

Kautschuk *m* (natural) rubber; **K.börse** *f* rubber exchange; **K.milch** *f* latex; **K.plantage** *f* rubber plantation

Kavalier *m* gentleman; **k.mäßig** *adj* chivalrous; **K.sdelikt** *nt* peccadillo *[E]*, trivial offence

Kegel *m* cone

Kehle *f* ⚕ throat, gorge

Kehlkopf *m* ⚕ larynx; **K.entzündung** *f* laryngitis; **K.krebs** *m* cancer of the throat

Kehraus *m* clean sweep

Kehre *f* turn, bend

kehren *v/t* to sweep; **sich nicht um etw. k.** to take no notice of sth.

Kehricht *m* refuse, dirt, detritus *(lat.)*

Kehr|maschine *f* road sweeper, sweeping machine; **K.schleife** *f* hairpin bend; **K.seite** *f* 1. *(Münze)* reverse (side) *[GB]*; 2. drawback, downside *[US]*; **~ der Medaille** 1. reverse side of the coin; 2. the flip side *(fig)*

kehrt|machen *v/i* to turn tail, to double back; **schleunigst k.machen** to beat a hasty retreat; **K.wende/K.wendung** *f* U-turn, about-turn, about-face, reversal, turnabout, turnaround; **~ machen/vollziehen** to make a U-turn, to turn turtle *(fig)*

Kehr|vertrag *m* indenture; **K.wert** *m* inverse value

Keil *m* 1. wedge, check; 2. *(Grafik)* pointer, arrow; **K. treiben** to drive a wedge; **k.förmig** *adj* wedge-shaped; **K.riemen** *m* ✿ fan belt

Keim *m* 1. ⚕ germ; 2. ❀ bud; **im K. ersticken** to nip in the bud, to forestall

Keimen *nt* germination; **k.** *v/i* to germinate/sprout

keim|frei *adj* sterilized, germ-free; **K.zelle** *f* germ cell, nucleus

keines|falls; k.wegs *adv* in no case/way, on no account

Keller *m* 1. cellar; 2. *(Bank)* vault; **K.geschoss** *nt* 🏛 (sub-) basement; **K.meister** *m* vintner, cellarman, winemaster; **K.miete** *f* cellarage; **K.speicher** *m* push-down store; **K.wechsel** *m* kite, wind/fictitious bill, dud, windmill, accommodation bill/note; **K.wohnung** *f* basement flat

Kellner *m* waiter; **K.in** *f* waitress; **K.lehrling** *m* busboy

Kenn|begriff *m* 💻 key; **K.buchstabe** *m* code/identification letter

kennen *v/t* to know, to be acquainted/familiar with; **etw nicht k.** to be ignorant of sth.; **etw. genauestens/gründlich/in- und auswendig k.** to know the ins and outs of sth., to have sth. at one's fingertips, to have a thorough knowledge of sth.

Kennen|lernen der Arbeitswelt *nt* work sampling; **k.lernen** *v/t* to meet/experience, to become acquainted with; **K.müssen** *nt* § constructive notice, imputed knowledge

Kenner(in) *m/f* authority, expert, connoisseur *[frz.]*

Kenn|karte *f* identity/identification card; **K.linie** *f* characteristic (curve); **K.lochung** *f* identifying punching; **K.marke** *f* identification badge/disc/disk; **~ des Empfängers** consignee's mark; **K.melodie** *f* signature tune; **K.nummer** *f* 1. index/reference/code/identification number; 2. *(Bibliothek)* class number; 3. *(Bank)* account number; 4. label number; **persönliche K.nummer** personal identification number (PIN); **K.quote** *f* statistical ratio; **K.satz** *m* identifying label; **K.schild** *nt* label

kenntlich *adj* identifiable, recognizable, discernible, distinguishable; **k. machen** to identify/mark/label/denote; **K.machung** *f* identification, labelling

Kenntnis *f* knowledge, acquaintance, notice, information, cognizance; **K.se** knowledge, attainments; **K. des Gerichts** judicial knowledge/notice/cognizance; **in voller K. der Tatumstände** with full knowledge of the factual circumstances gliche Kenntnis abstreiten to deny any knowledge; jdm zur K. bringen to bring to so.'s notice/attention, to notify so.; sich jds K. entziehen to be beyond so.'s knowledge; K. von etw. erhalten to learn/hear about sth.; K. erlangen to come to so.'s knowledge; K. geben to notify/inform; zur K. gelangen to come to the attention; K. haben von 1. to be aware of; 2. § to have cognizance of; einige K.se in einer Sprache haben to have a working knowledge of a language; gute ~ etw. haben to be well versed in sth.; zur K. nehmen 1. to take note, to note/notice; 2. § to take cognizance; nicht ~ nehmen to turn a blind eye to; in K. setzen to notify/inform/advise/appraise; sich K. verschaffen to inform o.s.

esondere Kenntnis|se special skills; dürftige/geringe K.se scanty knowledge; aus eigener K. from first-hand knowledge; einige K.se *(Fremdsprache)* working knowledge; erworbene K.se acquirement(s); genaue K. full knowledge; gewerbliche K.se industrial information/knowledge; gründliche K.se in-depth knowledge; mit mangelnden K.sen in unfamiliar with; oberflächliche K. smattering, slight knowledge; praktische K.se practical/working knowledge; produktionstechnische K.se production know-how; technische K.se technical knowledge/information, know-how; umfassende K.se comprehensive/extensive knowledge; unmittelbare K. first-hand knowledge; unterstellte K. imputed knowledge; gesetzlich vermutete K. § constructive notice; vertrauliche K.se confidential knowledge; verwertbare K.se working knowledge; wissenschaftliche K.se scientific information; zurechenbare K. constructive/imputed knowledge, constructive notice

enntnis|gabe *f* notification, publication, transmittal; K.nahme *f* notice, cognizance; zur gefälligen K.nahme for your kind attention, with compliments; k.reich *adj* knowledgeable; K.stand auf dem Gebiet der Ökologie *m* state of the ecological art

ennung *f* 1. identification (character), header; 2. ⌨ answer-back code; K. des Fernschreibpartners answer-back; K.sgeber *m* answer-back

ennwort *nt* code word, password, watchword, key; K.-Dateischutz *m* password protection; K.methode *f* keying (of advertisements)

ennzahl *f* 1. code/identification/reference number, parameter; 2. *(BWL)* ratio, index; absatzwirtschaftliche K. marketing ratio; betriebswirtschaftliche K.en management ratios, return on investment (ROI); finanzwirtschaftliche K.en accounting/financial ratios; K.enanalyse *f* ratio analysis; K.enhierarchie *f* ratio pyramid

ennzeichen *nt* 1. distinctive feature, characteristic; 2. logo, brand, hallmark, emblem; 3. mark, sign, lable, tag; 4. 🚗 registration number; 5. ✈ markings; *pl* remarks; amt-/polizeiliches K. 🚗 (vehicle) registration number, number/licence plate; besondere K. distinctive/special features, peculiarities; irreführendes K. 1. deceptive/misleading mark; 2. *(Kartell)* deceptive remarks; nationales K. 🚗 nationality plate; K.missbrauch *m* 🚗 abuse of registration/licence plates; K.schutz *m* protection of official identification marks

kennzeich|nen *v/t* 1. to mark/brand/label; 2. *(Weg)* to signpost; k.nend *adj* distinctive, characteristic, typical; K.ner *m* qualifier

Kennzeichnung *f* marking, branding, labelling, identification; ausführliche K. descriptive labelling; farbliche K. colour coding; K.sbestimmungen/K.svorschriften *pl* labelling provisions/regulations/requirements/rules, marking requirements; K.spflicht *f* responsibility for labelling; duty to mark

Kennziffer *f* 1. index/reference number (Ref. No.), code (number), key, characteristic, indicator; 2. *(BWL)* ratio; mit K.(n) versehen to code/key; betriebswirtschaftliche K. managerial ratio; primäre K. elementary ratio; sekundäre K. advanced/supporting ratio; K.anzeige *f* blind advertisement; K.methode *f* keying (of advertisements)

Kennziffernanalyse *f* ratio analysis

Kennzifferwerbung *f* keyed advertising

kentern *v/i* ⚓ to capsize

Keramik *f* ceramics, pottery; K.industrie *f* ceramics/pottery industry

Kerb|e *f* nick, notch; etw. auf dem K.holz haben *nt (coll)* to have a (criminal) record; k.schlagfest *adj* impact-resistant

Kern *m* 1. core, nucleus, heart; 2. *(Hauptsache)* gist, essence; im K. in essence; K. der Angelegenheit heart of the matter; harter ~ Arbeitslosigkeit hard-core unemployment; ~ Auseinandersetzung heart of the dispute; ~ Erfindung pith and marrow of the invention; im innersten K. getroffen stung to the quick; im K. verdorben rotten to the core; K. einer Sache sein to be at the heart of sth.; ~ treffen to go to the root of sth.; zum K. einer Sache vordringen to get to the heart/bottom of the matter; harter K. hard core

Kern|- core, key, nuclear; K.arbeitszeit *f* core hours/time; K.begriff *m* core concept; K.belegschaft *f* core workforce, key personnel/staff; K.bereich *m* core activity/business/operation; K.brennstoff *m* nuclear fuel; K.energie *f* nuclear energy/power; K.energierisiko *nt* risk of nuclear energy; K.familie *f* ▦ nuclear/core family; K.forscher *m* nuclear scientist/researcher

Kernforschung *f* nuclear research; K.sanlage/K.sstelle/K.szentrum *f/nt* nuclear research centre; gemeinsame K.sstelle *[EU]* Joint Nuclear Research Centre

Kern|frage *f* central issue/question, point; K.funktion *f* key/basic function; K.fusion *f* nuclear fusion; K.gebiet *nt* 1. nuclear/principal field; 2. core area; K.gedanke *m* central idea; K.geschäft *nt* core activity/business, mainstream operation, bottom line, staple diet *[US]*; nicht zum ~ gehörende Tätigkeit non-core activity; K.gesellschaft *f* central/parent company; K.haushalt *m* regular budget; K.industrie *f* nuclear industry; K.kapital *nt* core capital; K.kapitalquote *f* core capital ratio

Kernkraft *f* nuclear power; K.kapazität *f* nuclear capacity; K.reaktor *m* nuclear/power reactor; K.werk (KKW) *nt* nuclear power station/plant, nuclear generating station

Kern|land *nt* heartland; **K.obst** *nt* malaceous fruit, pome; **K.physik** *f* nuclear physics; **K.posten** *m* essential item; **K.problem** *nt* crucial issue, key/central problem; ~ **der Inflation** *(VWL)* core inflation; **K.punkt** *m* heart, main issue, gist, key/central point; **K.reaktor** *m* nuclear reactor; **K.seife** *f* washing/curd soap; **K.spaltung** *f* nuclear fission

Kernspeicher *m* 🖳 core/memory storage; **K.matrix** *f* core matrix; **K.platz** *m* core memory location; **K.wort** *nt* core memory word

Kern|stadt *f* nucleus town; **K.stoffe** *pl* nuclear materials; **K.strahlung** *f* nuclear/atomic radiation; **K.stück** *nt* cornerstone, centrepiece, central part; **K.technik** *f* nuclear engineering; **K.teilung** *f* nuclear fission; **K.verschmelzung** *f* nuclear fusion; **K.waffe** *f* nuclear weapon; **K.zeit** *f* core period/time/hours; **K.zelle** *f* nucleus; **industrielle K.zone** core industrial region

Kerosin *nt* ✈ kerosene

Kessel *m* 1. ⚙ boiler; 2. kettle; 3. tank

Kessel|anlage *f* boiler plant; **K.bau** *m* boilermaking; **K.bauer/K.macher** *m* boilermaker; **K.druck** *m* boiler pressure; **K.flicker** *m* tinker; **K.haus** *nt* boiler plant; **K.kohle** *f* steam coal; **K.schmied** *m* boilermaker; **K.treiben** *nt* witchhunt; **K.- und Maschinenversicherung** *f* boiler and machinery insurance; **K.wagen** *m* 🚂 tank/cistern wag(g)on, tank car, tanker

Kette *f* 1. chain, string; 2. succession; 3. *(Handel)* chain, voluntary group; **K. von Belegen** chain of documentation; **freiwillige K.** voluntary chain/association; **gerichtete K.** *(OR)* directed chain

ketten *v/t* to chain/concatenate

Ketten|abschluss *m* *(Börse)* chain transaction; **K.antrieb** *m* ⚙ chain drive; **K.banksystem/-wesen** *nt* chain banking; **K.brief** *m* chain letter; **K.daten** *pl* string data; **K.drucker** *m* 🖳 chain printer; **K.fahrzeug** *nt* 🚗 tracked/track-laying vehicle; **K.geschäft/K.laden(unternehmen)** *nt/m/nt* multiple store/shop, chain store; **K.glied** *nt* link; **K.handel** *m* chain trade; **K.index** *m* ▦ chain relative; **K.raucher** *m* chain smoker; **K.reaktion** *f* chain reaction; **K.restaurant** *nt* chain restaurant; **K.säge** *f* chain saw; **K.unfall** *m* (multiple) pile-up; **K.unternehmen** *nt* chain, multiple; **K.verpflichtung** *f* chain commitment; **K.wirken** *nt* warp knitting; **K.ziffern** *pl* ▦ chain relatives

Kettwirken *nt* warp knitting

Keuchhusten *m* ⚕ whooping cough

keynesian|isch *adj* keynesian; **K.ismus** *m* Keynesianism

kfm → **kaufmännisch**

Kfz → **Kraftfahrzeug**; **K.-Finanzierung** *f* new vehicle financing; **K.-Haftpflichtversicherung** *f* third-party motor/automobile insurance; **K.-Kennzeichen** *nt* registration number, number/licence plate; **K.-Mechaniker** *m* motor/garage mechanic; **K.-Neuzulassung** *f* new vehicle registration; **K.-Papiere** *pl* registration papers; **K.-Reparaturwerkstatt** *f* vehicle repair workshop; **K.-Steuer** *f* motor tax; **K.-Versicherung** *f* motor/automobile insurance; **K.-Zulassung** *f* vehicle licensing; **K.-Zulassungsstelle** *f* vehicle licensing centre

KG (Kommanditgesellschaft) *f* limited partnershi[p] **KGaA (Kommanditgesellschaft auf Aktien)** par[t]nership partly limited by shares, limited partnershi[p] with share capital

Kiefer *m* ⚕ jaw; *f* 🌿 pine; **K.chirurg** *m* ⚕ orthodontis[t]; **K.chirurgie** *f* oral surgery; **K.höhlenentzündung** *f* sinusitis; **K.nholz** *nt* pine(wood); **K.nschonung** *f* pinery; **K.orthopäde** *m* ⚕ orthodontist; **K.orthopädi[e]** *f* orthodontics

Kiel *m* ⚓ keel; **auf K.** on the stocks; ~ **legen** to lay dow[n] (a ship); **K.geld** *nt* keelage; **frühzeitige K.legung bie[ten]** *f* to offer early berths; **K.linie** *f* line ahead; **K.was[ser]** *nt* wake, wash; **im ~ von** in the wake of

Kies *m* gravel, pebbles; **K.füllung** *f (Straße)* meta[l]; **K.grube** *f* gravel pit; **K.weg** *m* gravel path; **K.werke** *p[l]* gravel plant

Kiesel *m* pebble; **K.säure** *f* ⚗ silicic acid; **K.strand** *m* pebble/shingle beach

Kilo|byte *nt* 🖳 kilobyte; **K.gramm** *nt* kilo(gram/gramm[e])

Kilometer *m* kilometre; **K.anzeiger** *m* mileage indica[tor]; **K.fresser** *m (coll)* road monster *(coll)*; **K.geld** *nt* mileage (allowance/expenses); **K.gelderstattung** mileage allowance; **K.leistung** *f* 1. output in km; 2. *(Garn)* yardage; **K.messer** *m* 🚗 mileage ga(u)ge, milometer, clock; **K.pauschale** *f* flat mileage rate, mileage allowance; **K.preis/K.satz** *m* mileage, kilometre/mileage rate; **K.stand** *m* mileage, mileometer reading; **K.stein** *m* milestone; **K.tarif** *m* mileage rate; **K.zahl** *f* mileage; **K.zähler** *m* mileage recorder, mileometer, odometer *[US]*

Kilowattstunde *f* ⚡ kilowatt hour, unit of electricity *[GB]*

Kind *nt* 1. child; 2. § infant; **K.er** § issue; **voreheliche K.er der Ehegatten** antenati *(lat.)*

Kind adoptieren/annehmen to adopt a child; **K. anerkennen** to own a child; **K. nicht anerkennen** to disown a child; **K. bekommen/erwarten** to be expecting; **K. zur Welt bringen** to give birth to a child; **K. in Pflege haben** to foster a child; ~ **nehmen** § to take a chil[d] into care; **K. beim Namen nennen** *(coll)* to call a spad[e] a spade *(coll)*; **wir werden das K. schon schaukel[n]** *(coll)* we'll manage somehow, we'll wangle it some[how]; **K. verleugnen** to disown a child; **K. versorgen** [to] look after a child; **K. zusprechen** *(Scheidung)* to gra[nt] custody of a child; **K.er zugesprochen bekommen** [to] be awarded custody of the children

angenommenes Kind adopted child; **behindertes K.** handicapped child; **eheliches K.** legitimate child; **fü[r] ehelich erklärtes K.** legitimized child; **geistiges K.** *(fig)* brainchild *(fig)*; **gemeinschaftliches K.** joi[nt] child; **kränkelndes K.** sickly child; **durch nach[]folgende Eheschließung legitimiertes K.** chil[d] legitimated by subsequent marriage; **minderjährige[s] K.** minor; **neugeborenes K.** new-born child; **nicht[] uneheliches K.** illegitimate child, child born out [of] wedlock; **obdachloses K.** waif; **schwieriges K.** prob[]lem child; **ungeborenes K.** unborn child; **unterhalt[s]berechtigtes K.** child entitled to maintenance, depen[d]ent child; **unversorgtes K.** dependent child; **verwah[r]loste K.er** waifs and strays

Kindbett *nt* ⚕ confinement

Kinder|abteilung *f* 1. children's department; 2. *(Krankenhaus)* children's ward; **K.arbeit** *f* child labour; **K.arzt/K.ärztin** *m/f* ⚕ paediatrician; **k.arm** *adj (Familie)* small; **K.aufzucht** *f* child-rearing; **K.aussagen** *pl* [§] children's depositions; **K.aussetzung** *f* desertion of children; **K.beaufsichtigung** *f* child-minding; **K.beihilfe** *f* child benefit, child/family allowance; **K.bekleidung** *f* children's clothes/wear; **K.betreuung** *f* child care; **K.betreuungskosten** *pl* child care costs; **K.ehe** *f* child marriage; **K.ermäßigung** *f* reduced rate for children, reduction for children; **K.erziehung** *f* child-rearing, bringing up children; **k.feindlich** *adj* hostile to children, without regard to children; **K.fräulein** *nt* governess, nanny; **K.freibetrag** *m* 1. child relief/allowance, children's allowance; 2. *(Steuer)* child care credit, allowance for dependants/dependents; **k.freundlich** *adj* child-orient(at)ed, child-friendly; **K.garten** *m* nursery school, kindergarten; **K.gärtnerin** *f* nursery-school teacher; **K.geld** *nt* family allowance, child benefit/allowance, family income supplement; **K.heilkunde** *f* ⚕ paediatrics; **K.heim** *nt* children's home; **K.hilfswerk der Vereinten Nationen** *nt* United Nations Children's Fund; **K.hort** *m* day nursery, crèche *[frz.]*; **K.jahre** *pl* infancy, childhood; **K.klinik** *f* ⚕ children's/paediatric clinic; **K.krankenhaus** *nt* ⚕ children's hospital; **K.krankheiten** *pl (fig)* teething troubles/problems *(fig)*; **K.krippe** *f* day nursery/crèche *[frz.]*; **K.lähmung** *f* ⚕ polio(myelitis); **K.lebensversicherung** *f* children's endowment assurance *[GB]*/insurance *[US]*; **aufgeschobene K.lebensversicherung** child's deferred assurance *[GB]*/insurance *[US]*; **k.leicht** *adj* dead easy, as easy as pie; **k.leichte Sache** child's play; **k.los** *adj* 1. childless; 2. [§] without issue; **K.mädchen** *nt* nanny; **K.mode** *f* children's fashion; **k.reich** *adj (Familie)* large

in den Kinderschuhen *(fig)* in its infancy; **den K. entwachsen** emerged from childhood; **in ~ steckend** infant

Kinder|schutz *m* protection of children; **K.schwester** *f* child nurse; **k.sicher** *adj* childproof; **K.sitz** *m* 🚗 child's *[US]*/children's *[GB]* (safety) seat; **K.spiel** *nt (fig)* child's play, pushover, walkover; **K.spielplatz** *m* (children's) playground; **K.station** *f (Krankenhaus)* children's ward; **K.sterblichkeit** *f* infant mortality; **K.sterblichkeitsrate** *f* infant mortality rate; **K.tagesstätte** *f* day nursery, day care centre, crèche *[frz.]*; **K.unterhaltszahlung** *f* children's maintenance payment; **K.verwahrung** *f* child-minding; **K.zahl** *f* number of children; **K.zimmer** *nt* nursery; **K.zulage/K.zuschuss** *f/m* child benefit/allowance, family allowance, allowance for children

Kindes|alter *nt* 1. infancy, childhood; 2. [§] minority; **K.annahme** *f* adoption; **K.aussetzung** *f* abandoning a child; **K.entführer** *m* kidnapper; **K.entführung** *f* kidnapping, abduction of a child, child-snatching; **K.-kinder** *pl* grandchildren; **K.misshandlung** *f* child battering/abuse, cruelty to children; **physische K.misshandlung** child battering; **K.mord/K.tötung** *m/f* [§] infanticide, murder of a child; **K.mutter** *f* mother of an illegitimate child; **K.pflicht** *f* filial duty; **K.unterschiebung** *f* substitution of child; **K.vater** *m* father of an illegitimate child; **K.vermögen** *nt* children's property; **K.wohl** *nt* wellbeing of the child, child's welfare

Kindheit *f* childhood

Kindsbraut *f* child bride

Kindschaftssachen *pl* [§] parent and child cases

Kinkerlitzchen *pl* knickknacks, gadgetry, trivialities; **ohne K.** no frills

Kino *nt* cinema, motion picture *[US]*, picture house; **K.besucher(in)** *m/f* cinemagoer, movie goer; **K.reklame** *f* cinema/movie advertising *[US]*; **K.vorstellung** *f* cinema/movie performance; **K.werbung** *f* cinema/movie advertising

Kiosk *m* kiosk

Kippanlage *f* tipping unit

Kippe *f (Müllhalde)* dump, tip, refuse tip/dump; **auf der K.** *(fig)* touch and go; **~ stehen** to be in the balance

Kippeinrichtung *f* tipping/tilting device

kippen *v/ti* 1. to tilt/flip/tip; 2. *(coll) (z.B. Vorstand)* to unseat; 3. *(Kurse)* to plummet; 4. to overturn

Kipper *m* 1. 🚗 dump truck, tipper; 2. 🚃 tipper wag(g)on

Kipp|hebel *m* rocking lever; **K.laster** *m* 🚗 tip-up lorry/truck; **K.lore** *f* 🚃 tipper wag(g)on; **K.ring** *m* tilt; **K.schalter** *m* ⚡ rocker/flip/toggle switch; **K.vorrichtung** *f* tipping device

Kirche *f* church; **K. im Dorf lassen** *(fig)* to draw the line somewhere

Kirchen|behörde *f* church/ecclesiastical authority; **K.besuch** *m* church attendance; **K.buch** *nt* parish/church register; **K.diebstahl** *m* theft from a church; **K.eigentum/K.gut/K.vermögen** *nt* church property; **K.gemeinde** *f* parish, congregation; **K.gericht** *nt* ecclesiastical court; **K.ländereien** *pl* church lands; **K.rat** *m* consistory; **K.recht** *nt* canon/ecclesiastical law; **K.register** *nt* church register; **K.schändung** *f* profanation/defilement/sacrilege of a church; **K.staat** *m* Vatican/Pontifical/Papal State; **K.steuer** *f* church rate/tax; **K.vorstand** *m* church council; **K.zugehörigkeit** *f* church membership

Kirch|hof *m* churchyard; **k.lich** *adj* ecclesiastical; **K.spiel** *nt* parish, township *[Scot.]*

Kirchturmspolitik *f* parish pump policy/politics, parochial politics

Kirmes *f* fair; **K.platz** *m* fairground

Kiste *f* box, case, *(aus Latten)* crate, chest, cabinet; **K. aufbrechen** to prize open a box/crate/chest; **K. auskleiden** to line a case; **in K.n verpacken** to box/crate; **wasserdicht ausgekleidete K.** watertight lined case; **gebrauchte K.** second-hand/used case; **kleine K.** box; **stabile K.** sturdy/strong case; **starke K.** strong/sturdy case

Kisten|maß *nt* boxed volume; **K.öffner** *m* nail wrench; **K.verschlag** *m* crating; **k.weise** *adv* by the case/box

Kitsch *m* junk, trash; **k.ig** *adj* trashy, cheap

Kittchen *nt (coll)* cooler *(coll)*, clink *(coll)*; **im K. sitzen** to be in the clink

Kittel *m* overalls
kitten *v/i* *(fig)* to cement, to patch up
kitzelig *adj* *(Angelegenheit)* tricky, delicate
Klacks *m* *(coll)* trivial matter, peanuts *(coll)*, chickenfeed *(coll)*
Kladde *f* notebook, blotter, journal, (memorandum/waste/day) book
Kladderadatsch *m* mess, muddle, shambles
klaffen *v/i* to yawn/gape
Klafter *m* 1. fathom; 2. *(Holz)* cord; **K.holz** *nt* cordwood
klagbar *adj* § actionable, suable, enforceable, recoverable by law; **nicht k.** non-actionable, unenforceable; **K.keit** *f* enforceability, suability, actionability, admissibility for legal action
Klage *f* 1. complaint, grievance, plaint; 2. § (law) suit, litigation, (legal) action/proceedings, case, statement of claim; 3. *(Scheidung)* petition; **auf K. von** § at the suit of; **K. auf etw.** action for sth.; **im Wege der K.** by litigation
Klage wegen Abspenstigmachen des Ehegatten § enticement action; **K. einer Aktiengesellschaft** corporate action; **K. auf Anerkennung einer Forderung** declaratory action; **~ der Vaterschaft** paternity suit; **K. auf Aufhebung der Ehe** suit of nullity of marriage; **~ eines Patents** action for forfeiture of a patent; **~ des Vertrages** petition for rescission of contract, action for cancellation of contract, revocatory action; **K. auf abgesonderte Befriedigung** *(Konkurs)* creditor's bill; **K. aus ungerechtfertigter Bereicherung** trover, action to remedy unjustified enrichment, ~ for the restitution of unjust enrichment; **K. auf Berichtigung des Zivilstandes** action for rectification of civil status; **K. aus Besitz** possessory action; **K. auf Besitzeinräumung** action for possession; **K. wegen Besitzstörung** action for trespass; **K. des Drittbegünstigten** action by a third-party beneficiary; **K.n Dritter** proceedings by third parties; **K. in Ehesachen** matrimonial action; **K. aus Eigentum** action based on ownership; **K. auf Eigentumsverschaffung** action to gain title, ~ transfer ownership; **~ Einleitung/Eröffnung des Zwangsvollstreckungsverfahrens** foreclosure action; **~ Erlass einer einstweiligen Verfügung** injunction suit; **~ Feststellung des Bestehens eines Rechts** declaratory action; **~ Feststellung der Unwirksamkeit einer Kündigung** action for wrongful dismissal; **~ Freigabe gegen Sicherheitsleistung** replevin action; **K. aus Geschäftsführung ohne Auftrag** action on the grounds of negotiorum gestio *(lat.)*; **K. wegen Gewährleistungsbruchs** action for breach of warranty, redhibitory action *[US]*; **K. aus unerlaubter Handlung** action in tort, ~ ex delicto *(lat.)*; **K. auf Herausgabe (von Eigentum)** revindication action, action of detinue, replevin; **~ eines rechtswidrig angeeigneten Gegenstandes** action of/in trover; **~ eines Grundstücks** action in expropriation of real estate; **~ des Witwenteils** writ of dower; **K. wegen Kürzung des Pflichtteils** action in abatement; **K. auf Naturalrestitution** action for specific performance; **~ Nichtigkeitserklärung** nullity suit; **~ Nutzungsentschädigung** action for use and occupation; **~ Räumung** eviction suit, action of ejectment; **~ Rechnungslegung** action of account, ~ for accounting; **~ Rückgabe gepfändeter Sachen** action of replevin, redemption action; **~ Rückzahlung eines Darlehens** action of debt; **~ Schadenersatz** action for damages; **~ Schadenersatz wegen Fahrlässigkeit** negligence claim; **~ Scheidung** petition for divorce; **~ Unterhalt** maintenance suit; **~ Unterlassen der Störung** action to restrain interference with possession; **~ Unterlassung** prohibitory action, injunction suit; **K. im ordentlichen Verfahren** action in ordinary proceedings; **K. aus dem Vertrag** action (based) on contract; **~ schuldrechtlichem Vertrag** action ex contractu *(lat.)*; **K. auf Vertragsannullierung** nullity suit, relief in chancery *(obs.) [GB]*; **~ Vertragserfüllung** action for contractual/specific performance, ~ to claim specific performance of a contract; **K. wegen Vertragsverletzung** action for breach of contract; **K. auf Wandlung** action for cancellation of a contract, redhibitory action *[US]*; **~ Wiedereinräumung des Besitzes** action of replevin; **~ Wiederherstellung der ehelichen Gemeinschaft** suit for restitution of conjugal rights/community; **~ Zahlung** action for a money claim/payment; **~ Zahlung des Kaufpreises** action for payment
Klage, dass Vertragserfüllung durch von keiner Seite vorhergesehene Umstände unmöglich geworden ist frustration claim; **K. ist nicht gegeben** no action will lie; **die K. ist unzulässig** the action will not lie; **~ zulässig** the action is admissible; **durch K. zu erlangen** recoverable
Klage abändern to amend a claim; **vom Gegenstand der K. abweichen** to depart; **K. abweisen** to dismiss/quash a claim, ~ a suit, ~ an action, ~ a case; **mit seiner K. abgewiesen werden** to lose one's case; **K. kostenpflichtig abweisen** to dismiss an action with cost(s); **K. anerkennen** to admit a claim; **K. anfechten** to contest an action; **K. anstrengen** to institute legal proceedings, to file/bring an action; **K. ausschließen** to bar a suit; **K. begründen** 1. to substantiate a claim; 2. to found an action, to state one's claim; **sich bei einer K. beteiligen** to be party to a writ/suit; **K. nicht weiter betreiben** to drop an action; **mit einer K. drohen** to threaten to take legal proceedings/action; **sich auf die K. einlassen** to defend a case/an action; **K. einreichen/erheben; K. anhängig machen** to file/lodge a suit, to sue (for), to enter/file/bring an action, to institute legal proceedings, to submit to a court; **K. für unzulässig erklären** to dismiss a case *[GB]*, to rule out a case *[US]*; **~ zulässig erklären** to allow legal proceedings; **K. fallen lassen** to withdraw/drop an action; **K. führen** 1. to complain; 2. § to institute proceedings; **keinen Grund zur K. haben** to have no cause for complaint; **einer K. stattgeben** to sustain an action, to find for the plaintiff; **K. stützen auf** to base an action upon; **K. substanziieren** to substantiate an action; **K. unterlassen** to refrain from litigation, ~ from taking action, legal steps; **K.n miteinander verbinden** to consolidate actions; **K. verwerfen** to dismiss a case; **auf ein**

K. verzichten to waive the right to institute proceedings; **K. vorbereiten** to frame an action; **K. vorbringen** to prefer a charge; **mit einer K. gegen jdn vorgehen** to bring an action against so.; **K. vortragen** to state one's case; **K. nicht zulassen** to nonsuit *[US]*; **K. zurücknehmen** to withdraw/drop/relinquish an action; **K. zurückweisen** to dismiss a suit; **K.n zusammenfassen** to consolidate actions; **K. zustellen** to serve a writ

anhängige Klage pending action/issue; **begründete K.** well-founded action; **deliktische K.** tort action; **dingliche K.** action in rem *(lat.)*, real action; **gerichtliche K.** action in law; **getrennte K.n** several actions; **hypothekarische K.** foreclosure suit; **negatorische K.** injunction proceedings, action for an injunction; **obligatorische K.** personal action; **öffentliche K.** criminal charge; **ordentliche K.** ordinary action; **petitorische K.** petitory action; **possessorische K.** possessory action; **schikanöse K.** vexatious proceedings; **schuldrechtliche K.** personal action, action ex contractu *(lat.)*; **~ und dingliche K.** mixed action; **selbstständige K.** separate action; **unwahre K.** sham/false plea; **unzulässige K.** inadmissible action, action that does not lie; **verwaltungsrechtliche K.** administrative court action; **zivilrechtliche K.** civil action; **im Wege der zivilrechtlichen K.** by civil action, in the civil courts; **überall zulässige K.** transitory action

Klageabweisung *f* dismissal of an action, judgment against the plaintiff; **K. durch Versäumnisurteil** judgment by default; **K. mit Zustimmung der Parteien** dismissal by consent; **K.santrag** *m* plea in bar, motion to dismiss the action

Klage|(ab)änderung amendment of action/pleadings; **~ durch neuen Sachvortrag** new cause of action; **K.androhung** *f* threat of legal proceedings; **K.ankündigung** *f* notice of action; **K.anspruch** *m* claim; **K.anstrengung** *f* bringing/instituting an action

Klageantrag *m* → **Klagebegehren** 1. application for substantive relief, plaintiff's application for relief; 2. motion for judgment, motion in court; 3. § *(Scheidung)* prayer of a petition; **K. ändern** *(Scheidung)* to amend the prayer of the petition; **dem K. stattgeben** to find for the plaintiff

Klage|antwort *f* → **K.beantwortung**; **K.ausschlussfrist** *f* limitation of action; **K.beantwortung** *f* defence answer, defendant's plea, cross bill; **K.befugnis** *f* right of action; **K.begehren** *nt* 1. plaintiff's claim, relief sought; 2. *(Scheidung)* prayer of petition(er), ~ for relief; **dem ~ entsprechen/stattgeben** to find for the plaintiff (as claimed), to permit relief; **K.begründung** *f* substantiation of a claim, statement of claim; **K.behauptung** *f* allegation of fact; **K.beilage** *f* amendment(s) (to a statement of claim); **K.benachrichtigung** *f* notice of action; **k.berechtigt** *adj* entitled to sue, ~ to the claim; **K.berechtigung** *f* right to sue, entitlement to the claim; **K.einlassung** *f* appearance; **K.einreichung** *f* filing of an action; **K.ergänzung** *f* supplemental complaint; **K.erhebung** *f* 1. § preferment of charges; 2. institution of legal proceedings, filing/commencement of action, suit, institution of/entering/bringing an action; 3. *(Kartell)* notice of reference; **K.erweiterung** *f* extension of the plaintiff's claim

Klageerwiderung *f* statement of defence, answer, defendant's plea; **K. einreichen** to respond; **unschlüssige K.** irrelevant answer

Klage|erzeugungsverfahren *nt* enforcement of public prosecution proceedings; **k.fähig** *adj* suable; **K.frist** *f* period for filing a suit, ~ instituting proceedings, limitation period; **k.führend** *adj* suing; **K.gegenstand** *m* substance of action, subject matter of an action

Klagegrund *m* 1. cause of an action, count *[US]*, grievance; 2. grouch *(coll)*; **K. leugnen** to plead a demurrer; **berechtigter K.** clear/good title

Klagehäufung *f* joinder of actions; **objektive K.** joinder of causes of action; **subjektive K.** joinder of parties; **unzulässige K.** improper cumulation of actions

Klage|leugnung *f* general demurrer, peremptory challenge; **K.mauer** *f* Wailing Wall; **K.mitteilung** *f* notice of action

klagen *v/i* 1. to complain; 2. § to take legal action, to sue (so.)/proceed (against so.), to institute legal proceedings, to institute/bring an action, to go to court; **k. und verklagt werden** to sue and be sued

Klagenschema *nt* types of action

Klage|partei *f* § plainbiff; **K.punkt** *m* count, allegation

Kläger|(in) *m/f* 1. § claimant, plaintiff, suitor; 2. *(Strafrecht)* prosecuting party; 3. *(Scheidung)* petitioner; 4. complainant, pursuer *[Scot.]*; **K. gegen unberechtigte Pfändung** replevisor; **K. in Prozessstandschaft** nominal plaintiff; **als K. auftreten** to appear as plaintiff; **zugunsten des K.s entscheiden** to find for the plaintiff; **K. vertreten** to appear for the plaintiff; **aktiv legitimierter K.** proper plaintiff; **durch einen Rechtsanwalt vertretener K.** plaintiff suing through a solicitor

Klage|recht *nt* right to sue, ~ of action, ~ to bring a suit; **verwirktes K.recht** nonclaim; **K.rubrum** *nt* title of an action; **K.rücknahme** *f* withdrawal of an action, voluntary nonsuit, nolle prosequi *(lat.)*, discontinuance of proceedings; **K.sache** *f* action at law, lawsuit, litigation

Klageschrift *f* 1. writ, statement of claim; 2. exhibit, application; 3. plaint; **K. anfertigen** to frame a writ; **K. zustellen** to serve a writ; **spezifizierte K.** particulars

Klage|verbindung *f* joinder of actions; **unzulässige K.verbindung** misjoinder of actions; **K.verjährung** *f* limitation of action; **K.verwirkung** *f* laches in bringing suit; **K.verzicht** *m* plaintiff's waiver; **vereinbarter K.verzicht** pactum de non petendo *(lat.)*; **K.voraussetzungen** *pl* prerequisites for taking legal action

Klageweg *m* litigation, legal proceedings; **auf dem K.** by taking legal proceedings/action, by litigation, by way of action; **K. beschreiten** to take legal action, to go to law, to resort to litigation, to institute legal proceedings, to proceed

Klage|zurücknahme *f* withdrawal of an action; **K.zurückweisung** *f* nonsuit, dismissal of an action; **K.zustellung** *f* service of the action/writ

kläglich *adj* feeble, pitiable, dismal, puny

klaglos *adj* 1. trouble-free; 2. § non-actionable; **K.stellung** *f* depriving of a cause of action

Klammer *f* 1. bracket, parenthesis; 2. *(Büro)* clip; 3. staple; **in K.n** in brackets; **K. auf** left parenthesis; **K. zu** right parenthesis; **in K.n (ein)setzen** to insert in brackets, to bracket; **eckige K.** square bracket; **runde K.** round/curved bracket

Klammer|affe/K.hefter/K.heftmaschine *m/m/f* *(Büro)* stapler

klammern *v/t* to fasten/staple; **sich an etw. k.** to cling to sth.

Klammernstab *m* (bar of) staples

Klammer|satz *m* bracketed sentence; **K.zahl** *f* bracketed figure

klammheimlich *adj* furtive, stealthy, on the quiet, clandestine

Klang *m* sound, tone, ring; **K.probe** *f* sound test; **K.treue** *f* high fidelity; **k.voll** *adj (Name)* fine-sounding, high-sounding

klapp|bar *adj* folding, collapsible; **K.deckel** *m* flip top, hinged lid

Klappe *f* 1. lid, flap; 2. *(LKW)* tailgate, back

klappen *v/i* 1. to go according to plan, to go off well; 2. to flip; **nicht k.** to fall through

Klappen|schrank *m* switchboard; **K.text** *m* 1. clip sheet; 2. 📖 blurb

Klapp|fahrrad *nt* collapsible/folding bicycle; **K.fenster** *nt* transom window; **K.messer** *nt* flick knife

klapprig *adj* ramshackle

Klapp|ring *m* tilt ring; **K.schachtel** *f* flip pack; **K.sitz** *m* folding seat; **K.stuhl** *m* folding chair/stool; **K.tisch** *m* collapsible/folding table; **K.verdeck** *nt* 🚗 convertible top

klar *adj* 1. clear, plain, obvious, evident; 2. *(Gedanke)* lucid; 3. precise, definite, explicit, straightforward, unmistakable; 4. *(Ausdruck)* articulate; **k. und deutlich** in explicit terms; **irgendwie k. kommen** to manage somehow; **k. sein** to be obvious; **völlig k. sein** to stand to reason

sich im Klaren sein to realize, to be aware (of sth.); **sich nicht ~ sein** to be in two minds

Klär|anlage *f* sewage plant/works/farm, sewage/sewerage treatment plant; **K.anlagenbau** *m* sewage treatment plant construction; **K.behälter** *m* septic tank

klären *v/t* 1. to clarify/settle, to clear up; 2. 💧 to treat

Klärgrube *f* cesspit, cesspool

Klarheit *f* clarity, lucidity

klarieren *v/t* ⊖ to clear

Klarierung *f* ⊖ clearance; **K.sbrief** *m* clearing bill; **K.sgelder** *pl* clearance; **K.sschein** *m* bill of clearance, clearance certificate

nicht klar|kommen *v/i* to get into a muddle; **K.lack** *m* clear varnish; **k.legen** *v/t* to explain; **k. machen** *v/t* to spell out, to explain, to make clear, to drive home; **jdm etw. k. machen** to put/set so. straight about sth., to bring sth. home to so.

Klärschlamm *m* (sewage) sludge; **K.verbrennung** *f* sewage sludge incineration; **K.verbrennungsanlage** *f* sewage sludge incineration plant; **K.verwertung** *f* sludge recycling

Klarschreiber *m* printer

Klarschrift|kartenleser und Stanzer *m* 💻 optical read er card punch; **K.leser** *m* (optical) character reade (OCR), alphameric optical reader; **K.sortierleser** *n* optical reader sorter

klar sehen *v/i* to realize

Klarsicht|folie *f* transparent film/foil; **K.hülle** *f* trans parent file/folder; **K.mittel** *nt* 🚗 screenwash (addi tive); **K.packung** *f* transparent/blister/see(-)throug pack

klar|stellen *v/t* to clarify, to make clear, to straighte out; **K.stellung** *f* clarification

Klärteich *m* sewage lagoon, clearing basin

Klartext *m* uncoded/clear text; **im K.** in clear; **K.be legleser** *m* optical character reader (OCR)

Klärung *f* 1. clarification; 2. purification; **K. offene Fragen** clarification of open points; **außergerichtli che K.** out-of-court settlement; **gerichtliche K.** cou settlement

Klasse *f* 1. (social) class, rank; 2. order, category, group bracket; 3. *(Güter)* grade; 4. *(Schule)* form, grade; **K der Grundbesitzer** landed class; **in K.n eingetei** classified

anwendungsbezogene Klasse *(Pat.)* utility-orient(at) ed/art-orient(at)ed/application-orient(at)ed class; **an wendungsfreie K.** *(Pat.)* non-application-orient(at) ed/non-utility-orient(at)ed class; **arbeitende K.** work ing class; **besitzende K.(n)** property-owning class(es) **besitzlose K.** propertyless class

erster Klasse first class; **~ fahren/reisen** to go/trave first class; **Erster-Klasse-Abteil** *nt* 🚆 first-class com partment; **~-Fahrkarte** *f* first-class ticket; **~-Wagen** *n* 🚆 first-class carriage

herrschende Klasse ruling class; **höchste K.** *(Lloyd's* A 1; **obere K.n** upper classes; **(einseitig) offene K** open-ended class; **untere K.** lower class; **zweite K** second class

Klasse|anzahl *f* ⊞ number of classes; **K.gläubiger(in** *m/f* classified creditor

Klassen|arbeit *f* class test; **K.besetzung** *f* ⊞ number o variates in a class; **k.bewusst** *adj* class-conscious **K.bewusstsein** *nt* class consciousness/feeling; **K.bil dung** *f* grouping into classes; **K.breite** *f* class interva **K.dünkel** *m* pride of rank; **K.einteilung** *f* classifica tion, rating, grading; **K.feind** *m* class enemy; **K.ge bühr** *f* class fee; **K.gegensatz** *m* class antagonism, so cial difference; **K.geist** *m* 1. team spirit; 2. class spiri **K.gesellschaft** *f* class society; **K.gesichtspunkte** *p* considerations of class; **K.grenze** *f* ⊞ class boundary **K.größe** *f* class size; **K.häufigkeit** *f* call/class frequen cy; **K.interesse** *nt* class interest; **K.intervall** *nt* 1. clas interval; 2. ⊞ call; **K.justiz** *f* class justice; **K.kamera** *m* classmate; **K.kampf** *m* class warfare/struggle/con flict; **K.lehrer** *m* form master; **k.los** *adj* classless **K.lotterie** *f* class lottery; **K.mitte/K.mittelpunkt** *f/n* 1. class mark, mid-value; 2. ⊞ class midpoint; **K.mus ter** *nt* standard grade/quality; **K.punkt** *m* ⊞ class mark **K.raum** *m* classroom; **K.register** *nt* ⚓ classificatio register; **K.schranke** *f* class barrier; **K.symbol** *nt* ⊞

class symbol; **K.unterricht** *m* classroom teaching/instruction; **K.unterschied** *m* class distinction/difference; **K.verzeichnis** *nt* class index; **K.vorrecht** *nt* class privilege; **K.vorurteil** *nt* class prejudice/bias; **K.wahlrecht** *nt* class system of franchise; **K.ziel erreichen** *nt* to reach the required standard; **K.zimmer** *nt* classrom; **K.zugehörigkeit** *f* class membership

Klassifikation *f* classification; **internationale K.** *(Pat.)* international patent classification; **K.sattest** *nt* classification certificate; **K.sinstitut** *nt* classification society; **K.sschema** *nt* classification scheme

klassifizierbar *adj* classifiable; **nicht k.** non-descript

klassifizieren *v/t* to classify/group/categorize/rank/rate/grade/label/class; **schwer zu k.** non-descript

klassifiziert *adj* classified; **nicht k.** innominate

Klassifizierung *f* classification, grading, rating, ranking, breakdown; **K. zollpflichtiger Güter** ⊖ attribute method; **K.sgesellschaft** *f* classification society; **K.smesszahl** *f* ▦ classification statistic; **K.ssystem** *nt* grading stucture

Klassiker *m* standard author

klassisch *adj* classic(al), traditional, typical, first-class

Klatsch *m* gossip; **K. verbreiten** to gossip; **k.en** *v/i* 1. to applaud; 2. to gossip

Klatsch|kolumnist *m* gossip writer; **K.maul** *nt* scandalmonger, *(coll)* gossipmonger; **K.spalte** *f* gossip column

Klauen *nt* *(coll)* pilfering; **k.** *v/t* *(coll)* to pilfer/steal/pinch *(coll)*/filch *(coll)*/nick *(coll)*

Klauerei *f* petty thievery

Klausel *f* clause, stipulation, proviso, provision, condition

Klausel für behaltene Ankunft safe arrival clause; **K. über die sofortige Fälligkeit** acceleration clause; **K. für die Festsetzung neuer Preise** repricing provision; **K. ohne Franchise** irrespective-of-percentage clause; **K. hinsichtlich des Gerichtsstands** jurisdictional/venue clause; **K. über die Haftung für versteckte Mängel** latent-defect clause; **K. frei von besonderer Havarie** free-of-particular average clause; **~ großer Havarie** general average clause; **K. über Kollisionen bei beiderseitigem Verschulden** both-to-blame collision clause; **~ anteilmäßige Leistungspflicht** prorata distribution clause; **~ Schadenabwendung und -minderung** sue and labour clause; **K. hinsichtlich der Schiedsgerichtsbarkeit** arbitration clause; **K. für Seeschadensversicherung** institute-cargo clause; **K. über den Selbstbehalt** co-insurance clause; **K. für den freien Verkehr** free circulation provision; **K. über beiderseitiges Verschulden** both-to-blame collision clause; **~ rückwirkenden Versicherungsschutz** lost or not lost clause; **K. eines Vertrages** contract clause

Klausel anfechten to dispute a clause; **K. aufnehmen/einfügen/einsetzen** to insert a clause; **K. auslegen** to construe a clause

aufhebende Klausel *(Testament)* derogatory clause; **bedingte K.** conditional clause; **eingefügte K.** inserted clause; **einschränkende K.** restrictive clause; **entgegenstehende K.** stipulation to the contrary; **Anstoß erregende K.** offending clause; **grün gedruckte K.; grüne K.** *(Akkreditiv)* green clause; **rot gedruckte K.; rote K.** *(Akkreditiv)* red clause; **handelsübliche K.** customary clause; **salvatorische K.** escape/safeguarding clause; **unumgehbare K.** ironclad/cast-iron clause; **nicht vereinbarte K.n** inconsistent provisions; **vertragsauflösende K.** resolutory condition; **zentrale K.** paramount clause; **zwingende K.** mandatory clause/provision

Klausur *f* seclusion; test; **K.tagung** *f* closed-door meeting

Klebe|- adhesive; **K.apparat** *m* gummed tape sealer; **K.band** *nt* adhesive/cellophane/Scotch ™/gummed/sticky *(coll)* tape, cellotape ™; **K.fähigkeit** *f* adhesion; **K.folie** *f* cling foil, adhesive film; **K.heftung** *f* adhesive binding; **K.kraft** *f* adhesion; **K.marke** *f* adhesive stamp; **K.mittel** *nt* glue, adhesive

kleben *v/t* to glue/stick/cling; **k. an** to cling to sth.; **k.d** *adj* adhesive; **nicht k.d** non-stick

Klebe|streifen *m* gummed strip/tape; **K.zettel** *m* sticker, adhesive/gummed label

klebrig *adj* gluey, sticky

Klebstoff *m* adhesive, glue, gum, jointing compound

Klebung *f* bond(ing)

kleckerweise *adv* in dribs and drabs

Klecks *m* stain, mark, blot; **k.en** *v/i* to blot

Klee *m* clover, trefoil; **K.blatt** *nt* clover leaf

Kleid *nt* dress, garment, apparel, attire

kleiden *v/t* to dress/clothe

Kleider *pl* clothes, clothing, garments; **K. von der Stange** store/off-the-peg clothes

Kleider|ablage *f* 1. cloakroom; 2. coat *[GB]*/garment *[US]* rack; **K.bestand** *m* wardrobe; **K.bügel** *m* coat hanger; **K.fabrikant(in)** *m/f* clothing manufacturer; **K.geld** *nt* clothing allowance; **K.gutschein** *m* clothing coupon; **K.geschäft** *nt* clothing shop *[GB]*/store *[US]*; **K.haken** *m* clothes hook; **K.kabine** *f* fitting room; **K.kammer** *f* 1. wardrobe; 2. clothing store; **K.karte** *f* clothing ration card, ~ coupon; **K.ordnung** *f* dress regulations; **K.puppe** *f* dummy; **K.sack** *m* ✈ kit bag; **K.schrank** *m* wardrobe; **K.ständer** *m* clothes tree/rack; **K.stoff** *m* dress material; **K.zulage** *f* clothing allowance

Kleidung *f* clothing, clothes, garments, apparel, attire, wear, outfit; **fertige K.** off-the-peg/ready-made clothes; **hochmodische K.** high-fashion clothing; **nachlässige K.** sloppy dress; **saloppe K.** casual dress; **K.sbeihilfe** *f* clothing grant; **K.sstück** *nt* garment, article of clothing; **gebrauchtes K.sstück** reach-me-down *(coll)*, hand-me-down *(coll)*

klein *adj* 1. small, little; 2. petty; minor; **sehr/verschwindend k.** tiny, minute, minuscule; **zu k.** disproportionate

Klein|abnehmer *m* 1. private consumer; 2. ϟ domestic consumer; **K.aktie** *f* baby/small share, penny share *[GB]*/stock *[US]*; **K.aktionär** *m* small shareholder *[GB]*/stockholder *[US]*; **den Kurs bestimmender K.aktionär** investor at the margin; **K.anleger** *m* small investor, retail buyer/investor; **unerfahrener K.anleger** little man *(coll)*; **K.anzeige** *f* classified advertisement/ad, small/want ad; **K.anzeigenwerbung** *f* classified advertising

Kleinarbeit *f* spadework, detailed work, nitty-gritty (business) *(coll)*; **sich um die K. kümmern** to take care of the details; **mühevolle K.** painstaking labour

Klein|ausfuhr *f* small export(s); **K.bahn** *f* light railway *[GB]*/railroad *[US]*, narrow-gange railway; **K.bauer** *m* smallholder, small/little/peasant farmer, crofter *[Scot.]*, cotter *(obs.)*; **K.bauernhof** *m* small/subsistance farm, croft *[Scot.]*; **K.bauerntum** *nt* crofting; **K.behälter** *m* small container; **K.behälterverkehr** *m* unit container traffic; **landwirtschaftlicher K.besitz** small farm, smallholding; **K.betrieb** *m* 1. 🚜 small farm, smallholding; 2. small firm/business/unit; 3. *(Modellbetrieb)* nursery unit; **K.- und Mittelbetriebe** small businesses; **K.bildkamera** *f* 35 mm camera; **K.bürger** *m* petty bourgeois *[frz.]*; **K.bürgertum** *nt* lower middle class; **K.bus** *m* minibus; **K.computer** *m* micro-computer (MC), mini(-frame) computer; **K.darlehen** *nt* small/personal loan; **K.darlehensgeschäft** *nt* small-loan business; **K.diebstahl** *m* petty theft *[GB]*/larceny *[US]*, pilferage; **K.differenz** *f* sales ledger adjustment; **K.druck** *m* 📄 small type; **K.einfuhr** *f* small import(s), minor import(ation); **K.eisenindustrie** *f* small iron industry

kleiner minor; **k. werden** to decrease/descend, to become smaller

Klein|fahrzeugversicherung *f* ⚓ small craft insurance; **K.familie** *f* nuclear family; **k.flächig** *adj* on a small surface, in a small area; **K.format** *nt* 1. small format, note size; 2. *(Zeitung)* tabloid; **K.funkgerät** *nt* walkie-talkie; **K.garten** *m* allotment; **K.gärtner** *m* allotment holder; **K.gedrucktes** *nt* small/fine print; **K.geld** *nt* (small) change, loose change/cash, small coins, fractional money; **das nötige K.geld** the wherewithal/needful/necessary; **K.geschäft** *nt* 1. *(Bank)* retail banking; 2. small-scale business; **k.gestückelt** *adj* 1. fractional; 2. *(Geld)* in small denominations

Kleingewerbe *nt* small-craft industry, small-scale trade; **K.treibender** *m* small businessman, small-scale trader; **die K.treibenden** small trade(rs)

Klein|gruppenforschung *f* small group research; **K.gutverkehr** *m* less than car load (LCL), parcels service, sundry business

Kleinhandel *m* retail (trade/business); **K.sgeschäft** *nt* retail outlet/shop *[GB]*/store *[US]*; **K.spreis** *m* retail price; **K.srabatt** *m* retail discount

Kleinhändler *m* retailer, shopkeeper

Kleinholz *nt* matchwood, firewood, kindling; **in K. verwandeln** to smash to pieces

Kleinigkeit *f* 1. trifle, trivial matter, bagatelle, iota; 2. *(Beschwerde)* niggle; **K.en** small fry *(coll)*; **sich mit ~ abgeben** to be a stickler for details, to piddle *(coll)*; **K. essen** to have a snack; **für eine K. kaufen** to buy for a song *(fig)*; **K. kosten** *(coll)* to cost a pretty penny *(coll)*; **sich in K.en verlieren** to get bogged down in details; **allerlei K.en** odds and ends; **bloße/lächerliche K.** mere trifle; **keine K.** no small matter; **unerledigte K.en** loose ends; **K.skrämer** *m* stickler, pettifogger, pedant

Klein|industrie *f* light/small/small-scale industry; **K.kaliber** *nt* small bore; **k.kariert** *adj (fig)* narrow-minded; **K.kaufleute** *pl* small traders; **K.kind** *nt* infant; **K.konjunktur** *f* boomlet; **K.konto** *nt* small account; **K.kraftrad** *nt* moped; **K.kram** *m* bits and pieces, odds and ends, odd jobs; **bürokratischer K.kram** red tape; **K.krankenhaus** *nt* cottage hospital

Kleinkredit *m* small/personal loan, consumer/small-scale credit, micro-credit; **gewerblicher K.** small business loan; **persönlicher K.** cash loan, small/personal loan; **K.geschäft** *nt* small loan business; **K.kunde** *m* small borrowing customer

Klein|krieg *m* guerilla war(fare); **k.kriegen** *v/t* to cut (so.) down to size, to break; **K.küche** *f* kitchenette; **K.kundeneinlage** *f (Bank)* retail deposit; **K.kundengeschäft** *nt* retail banking; **K.landbesitz** *m* smallholding; **K.landbesitzer/-wirt** *m* smallholder, small/petty farmer; **K.laster/K.lastwagen** *m* 🚗 pick-up (truck), mini truck, motor van; **k.laut** *adj* subdued

Kleinlebensversicherung *f* 1. industrial (life) insurance *[US]*/assurance *[GB]*; 2. industrial business; **K.sgesellschaft** *f* industrial life company; **K.spolice** *f* industrial life policy

kleinlich *adj* petty, narrow-minded, fussy, mean, pettyfogging, cheeseparing, nit-picking *(coll)*, pernickety *(coll)*; **K.keit** *f* petty-mindedness, narrow-mindedness, meanness

Klein|lieferwagen *m* small van, pick-up, vanette; **K.material** *nt* sundries, sundry materials/supplies; **K.obligation** *f* baby bond *[US]*; **K.od** *nt* jewel, gem; **K.oktav** *f* 📄 crown octavo; **K.omnibus** *m* minibus; **K.orderkauftätigkeit** *f (Börse)* small-lot buying; **K.pacht(anwesen)** *f/nt* croft *[Scot.]*; **K.pächter** *m* crofter *[Scot.]*; **K.pachtsystem** *nt* crofting *[Scot.]*; **K.packung** *f* small pack; **K.preisgeschäft** *nt* penny shop *[GB]*, dime/low-price store *[US]*; **K.rechner** *m* small computer; **K.rentner** *m* small fundholder; **K.schaden** *m* minor loss/damage; **K.sendung** *f* small consignment; **K.serie** *f* small batch, job lot; **K.serienfertigung/-produktion** *f* small batch/job lot/jobbing production; **K.siedler** *m* 🚜 smallholder; **K.siedlung(sgebiet)** *f/nt* 1. 🚜 smallholding; 2. small housing estate; **K.sparer** *m* small saver

kleinst *adj* minimal, ultra-small

Klein|staat *m* small state; **K.stadt** *f* small/country town

Kleinst|betrag *m* trifle, ultra-small amount, small sum; **K.betrieb** *m* ultra-small firm; **K.bewegung** *f* elemental movement; **K.einkommen** *nt* very low income; **K.format** *nt* miniature size; **K.kind** *nt* baby; **K.rechner** *m* minicomputer

Kleinstück *nt* *(Wertpapier)* low-denomination security

Kleinst|unternehmen *nt* ultra-small firm **K.wagen** *m* subcompact; **K.wohnung** *f* one-room apartment, flatlet

Klein|teile *pl* *(Rechnung)* petties; **K.transporter** *m* pick-up; **K.unternehmen** *nt* small business/enterprise; **K.- und Mittelunternehmen** small and medium-sized businesses; **K.unternehmer** *m* small businessman/trader; **K.verbraucher** *m* 1. small consumer; 2. ϟ domestic user; **K.verbrauchskunde** *m* small customer; **K.verdiener** *m* low-income earner

Kleinverkauf *m* 1. retail sale; 2. *(Börse)* small-lot selling; **im K. absetzen** to (sell at) retail; **K.spreis** *m* retail price

Klein|verkehrsflugzeug *nt* mini-airliner; **K.vieh** *nt* small cattle; ~ **macht auch Mist** *(prov.)* many a mickle makes a muckle *(prov.)*, every little helps; **K.wagen** *m* minicar, small/sub(-)compact *[US]* car; **K.wohnung** *f* 1. small apartment, flatlet, den *[US]*; 2. maisonette *[frz.]*; **K.zeug** *nt* sundries, oddments, odds and ends

Kleister *m* paste; **k.n** *v/t* to paste

Klemmbrett *nt* clipboard

Klemme *f* 1. *(Schwierigkeit)* dilemma, squeeze, strait(s), nonplus, tight spot, jam; 2. *(Klammer)* clip; 3. ϟ terminal; **in der K.** in a tight spot; **in eine K. geraten** to get into a scrape/mess; **jdm aus der K. helfen** to get/let so. off the hook, to bail so. out; **in der K. sein/sitzen** to be in a tight spot, ~ cleft stick

klemmen *v/i* *(Schloss)* to jam; **sich hinter jdn k.** *(coll)* to get onto so.

Klemm|mappe *f* spring folder/binder; **K.rücken** *m* springback; **K.vorrichtung** *f* clamp

Klempner *m* plumber; **K.arbeit** *f* plumbing; **K.ei/K.handwerk** *f/nt* plumbing; **K.waren** *pl* tinware; **K.werkstatt** *f* plumber's shop

Kleptoman|e/K.in *m/f* kleptomaniac; **K.ie** *f* kleptomania; **k.isch** *adj* kleptomaniac

Klerus *m* clergy

klettern *v/i* *(Preis)* to climb/rise

klicken *v/i* to snap/click

Klient|(in) *m/f* client, patron; **K.en betreuen** to serve a client

Klientel; Klientschaft *f* 1. patronage, clients, clientele, cliency; 2. goodwill, custom

Klima *nt* 1. climate; 2. environment, conditions, atmosphere; 3. *(Börse)* tone, sentiment, mood; **K. am Aktienmarkt** tone of the market; **K. einer Hochkonjunktur** boom conditions

gemäßigtes Klima temperate climate; **hektisches K.** *(Markt)* feverish state; **inflatorisches K.** inflationary environment; **konjunkturelles K.** economic climate/activity; **kreditpolitisches K.** credit climate; **mildes K.** temperate/mild climate; **rauhes K.** harsh climate; **soziales K.** labour/industrial relations, industrial climate; **unternehmensfeindliches K.** anti-business environment; **unternehmensfreundliches K.** pro-business environment; **wirtschaftliches K.** economic climate/activity

Klimaänderung *f* climate change

Klimaanlage *f* air conditioning (unit); **mit K.** air-conditioned; **mit einer K. ausstatten** to air-condition

Klima|forscher(in) *m/f* climatologist; **K.gerät** *nt* air conditioner; **K.kammer** *f* climatic chamber; **K.katastrophe** *f* climatic disaster

Klimakterium *nt* 1. change of life; 2. ⚕ menopause

Klima|kunde *f* climatology; **K.schwankung** *f* climate variation; **K.technik** *f* air-condition engineering; **K.therapie** *f* climatotherapy

klimatisch *adj* climatic

klimatisier|en *v/t* to air-condition; **(voll) k.t** *adj* 1. (fully) air-conditioned; 2. ✈ (fully) pressurized; **K.ung** *f* air conditioning

Klima|umschwung/K.wandel/K.wechsel *m* 1. change of climate, climate change; 2. *(Börse)* change of mood/tone; **K.veränderung** *f* climatic change; **K.verschlechterung** *f (Börse)* deterioration of the market; **K.wissenschaft** *f* climate science, climatology; **K.zone** *f* climatic zone

Klimbim *m* 1. *(coll)* rubbish, junk; 2. fuss

Klimpern *nt* jingle; **k.** *v/i* to jingle/clink/jangle

klingeln *v/i* to ring

klingen *v/i* to sound; **verdächtig k.** to sound fishy *(coll)*; **wahr k.** to have the ring of truth about it

Klinik *f* clinic, hospital; **ambulante K.** outpatient clinic; **psychatrische K.** psychiatric hospital

klinisch *adj* clinical

Klinke *f* door handle, pawl; **jdm die K. in die Hand drücken** *(fig)* to show so. the door; **K.n putzen** *(coll)* to go (out) knocking on doors, ~ from door to door, to hawk/canvass, to solicit business; **K.nputzen** *nt (coll)* canvassing; **K.nputzer** *m (coll)* canvasser, hawker, door-to-door salesman

Klinker *m* 🏛 facing brick

klipp und klar *adv* clear-cut, point-blank

Klippe *f* 1. cliff, rock; 2. *(fig)* hurdle, obstacle, snag; **auf eine K. auflaufen** ⚓ to run on a rock; **an einer K. scheitern** *(fig)* to founder on a rock *(fig)*; **alle K.n überwinden** *(fig)* to clear all hurdles *(fig)*; **K. umschiffen** *(fig)* to turn the corner

klippenreich *adj* rocky

Klischee *nt* ▯ (printing) block, cliché, photoengraving; **K. herstellen** ▯ to plate

Klischee|abzug *m* ▯ engraved plate; **K.anstalt** *f* engraving establishment; **K.anzeige** *f* advertising block; **k.haft** *adj* stereotyped; **K.hersteller** *m* blockmaker; **K.herstellung** *f* engraving; **K.montage** *f* composition; **K.platte** *f* engraving plate; **K.vorlage** *f* copy

Klischieren *nt* ▯ photoengraving; **k.** *v/t* to plate

Kloake *f* 1. *(Grube)* sewer, cesspool, cesspit; 2. drain, sink; **K.nrohr** *nt* drainage pipe; **K.nwasser** *nt* (raw) sewage

klobig *adj* cumbersome

Klopfen *nt* knock; **k.** *v/i* to knock/rap

klopffest *adj* 🚗 anti-knock; **K.zeichen** *nt* knock

Kloster *nt* 1. monastery; 2. *(Frauen)* nunnery, convent

klösterlich *adj* monastic

Klotz *m* block, log; **K. am Bein** *(fig)* millstone round one's neck *(fig)*, drag

klotzen(, nicht kleckern) *v/i* to do things in a big way, to think big

klotzig *adj* cumbersome, huge, massive

Klub *m* club; **K.jacke** *f* blazer; **K.mitglied** *nt* club member; **K.sparen** *nt* club saving; **K.zimmer** *nt* clubroom

Kluft *f* 1. gap, rift, gulf, divide, cleavage; 2. *(Kleidung)* clothes, gear; **K. schließen** to close the gap; **K. überbrücken** to bridge the gap; **K. verbreitern/vertiefen** to widen the gap; **K. verringern** to narrow the gap; **sich vergrößernde K.** widening gap/gulf

klug *adj* wise, intelligent, prudent, astute, well-advised, clever; **genau so k. wie vorher sein** to be none the wiser; **aus etw. nicht k. werden** not to know what to make of sth.
Klugheit *f* prudence, wisdom, intelligence, policy
Klumpen *m* lump, cluster; **K.auswahl** *f* ▦ cluster sampling; **K.effekt** *m* ▦ cluster effect; **K.stichprobe** *f* ▦ cluster sample; **K.stichprobenverfahren** *nt* ▦ cluster/nested sampling
Klüngel *m* *(coll)* clique, set
knack|en *v/t* 1. to crack; 2. to break into, to burgle; **K.punkt** *m* crunch; **K.s** *m* crack
Knall *m* bang, explosion, fulmination; **großer K.** big bang
knallen *v/i* to bang
Knall|gas *nt* ⚗ oxyhydrogen; **k.hart** *adj* 1. brutal, tough, as hard as nails; 2. *(Konkurrenz)* cutthroat; ~ **sein** to be a hard man/woman
knapp *adj* 1. *(Vorräte)* scarce, in short supply, low; 2. *(Geld)* short of funds, tight; 3. *(Abstand/Mehrheit)* narrow, by a narrow margin, just under; 4. *(Äußerung)* brief, curt, crisp, terse, concise, succinct, stringent, summary; **k. sein** to be short of, ~ in short supply; **k. werden** to run out/low, to narrow
Knappe *m* ⚒ miner, collier
knapp halten *v/t* to keep (so.) short
Knappheit *f* 1. scarcity, shortage, shortfall, shortness, tightness; 2. crunch; 3. *(Äußerung)* brevity, conciseness, stringency; **K. an Arbeitskräften/Personal** labour/manpower shortage; ~ **Lebensmitteln** food shortage; **weltweite K.** worldwide shortage; **K.serscheinung** *f* scarcity; **K.sgewinne** *pl* scarcity-induced profits; **K.skurs** *m* scarcity price
Knappschaft *f* 1. miners' guild; 2. ⚒ miners' social insurance (scheme); **K.sbeitrag** *m* contribution to miners' insurance; **K.skasse** *f* miners' provident fund; **K.srente** *f* miner's pension; **K.sverband** *m* miners' association/union; **K.sversicherung** *f* miners' social insurance (scheme)
Knast *m* *(coll)* clink *(coll)* *[GB]*, cooler *(coll)* *(US]*; **K.bruder** *m (coll)* jailbird *(coll)*
Knauser *m* niggard, pinchfist, skinflint, *(coll)* miser; **K.ei** *f* stingness, meanness, parsimony, cheeseparing
knauserig *adj* stingy, mean, parsimonious, ungenerous, tightfisted, pinchpenny, skimpy, cheeseparing, niggardly, penny-pinching; **K.keit** *f* meanness, niggardliness
knausern *v/i* to stint/scrimp, to be mean/stingy
Knautschzone *f* 🚗 crumple zone
Knebelung *f* repression; **K.svertrag** *m* tying/adhesion/oppressive contract, oppressive agreement
Knebel|vereinbarung *f* tying clause; **K.vertrag** *m* → **Knebelungsvertrag**
Knecht *m* farmhand, farm labourer; **k.en** *v/t* to enslave/oppress; **k.isch** *adj* servile, menial; **K.schaft** *f* slavery, bondage, servitude
kneifen *v/t* to pinch; *v/i* to turn tail, to back/chicken out, to hedge
Kneip|e *f* pub, tavern, saloon *[US]*; **K.enwirt/K.ier** *m* publican *[GB]*, landlord *[GB]*, saloon-keeper *[US]*, **K.tour** *f (coll)* pub crawl *[GB]*, toot *[US]*
Knete *f* *(coll)* lolly *(coll)* *[GB]*, dough *(coll)* *[US]*
kneten *v/t* to knead
Knick *m* ⚙ nip, fold, crease, kink; **k.en** *v/t* to fold/crease to double up
Knicker *m* *(coll)* → **Knauser**; **K.ei** *f (coll)* → **Knauserei**; **k.ig** *adj* → **knauserig**
Knie *nt* knee; **etw. übers K. brechen** *(fig)* to rush sth. **K.fall** *m* prostration; **K.gelenk** *nt* ⚕ knee joint; **k.hoch** *adj* knee-deep; **K.raum** *m* 🚗/✈ legroom; **K.scheibe** *f* ⚕ kneecap; **K.stück** *nt* ⚙ elbow; **k.tief** *adj* knee-deep
Kniff *m* 1. trick, crease, fold; 2. dodge, ⚙ knack; **alle K.e kennen** to know the tricks of the trade; **k.lig** *adj* tricky, intricate, fiddly
knipsen *v/t* 1. *(Foto)* to photograph; 2. *(Fahrkarte)* to punch/clip
knitter|arm/k.fest/k.frei *adj* crease-resistant, crease-proof
knittern *v/ti* to crease; **nicht k.d** *adj* non-creaseable
knobeln *v/i* *(fig)* to puzzle (over sth.)
Knöchel *m* ⚕ *(Fuß)* ankle, *(Finger)* knuckle
Knochen *m* bone; **K.arbeit** *f* hard graft; **K.bruch** *m* ⚕ fracture; **K.mark** *nt* ⚕ bone marrow; **K.markentzündung** *f* ⚕ osteomyelitis; **K.mehl** *nt* 🚜 bone meal; **K.mühle** *f (coll)* boneshaker *(coll)*; **K.schwund** *m* ⚕ bone atrophy
Knöllchen *nt* *(coll)* 🚗 parking ticket
Knollenfrüchte *pl* root crop
Knopf *m* 1. knob; 2. button; **auf den K. drücken** to press/push the button; **per K.druck** *m* at the touch of a button; **K.loch** *nt* buttonhole
Knorpel *m* ⚕ cartilage
Knospe *f* ✿ bud; **k.n** *v/i* 1. to bud; 2. *(fig)* to burgeon
Knoten *m* 1. knot; 2. *(OR)* node; 3. ⚕ lump; **gordischer K.** Gordian knot; **K.-** nodal; **K.ereignis** *nt (OR)* node event; **K.punkt** *m* 1. 🚗/🚆 junction, intersection; 2. *(OR)* nodal point; **K.punktbahnhof** *m* junction
Know-how *nt* know-how
knüllen *v/ti* to crumple
Knüller *m* 1. (smash) hit; 2. *(Presse)* scoop; **K.preis** *m* sensational price
knüpfen *v/t* to knot/tie; **k. an** *(Bedingung)* to make subject to
Knüppel *m* 1. cudgel, club; 2. *(Polizei)* truncheon; 3. ✏ billet; 4. ✈ control stick; **K. schwingen** to brandish a club; **K. zwischen die Beine werfen** *(fig)* 1. to throw a spanner in the works *(fig)*; 2. to put a spoke in so.'s wheel *(fig)*; **K.damm** *m* log road; **K.holz** *nt* logs; **K.schaltung** *f* 🚗 floor-mounted gear change
koagulieren *v/i* ⚗/⚕ to coagulate/clot
koalieren *v/i* to enter into/form a coalition
Koalition *f* coalition; **K. eingehen** to enter into a coalition; **große K.** grand coalition
Koalitions|absprache *f* coalition agreement; **K.freiheit/K.recht** *f/nt* 1. freedom of coalition, right of combination, ~ free association; 2. § right/freedom of association; **K.gespräche** *pl* coalition talks; **K.partner** *m* 1. coalition partner; 2. party involved in business

operations; **K.regierung** *f* coalition government; **K.verbot** *nt* combination act *[GB]*, prohibition of association; **K.zwang** *m* compliance with a coalition agreement

Koch *m* cook, chef *[frz.]*; **K.apfel** *m* cooking apple, cooker; **K.buch** *nt* cookery book *[GB]*, cookbook *[US]*

Kochen *nt* cooking; **k.** *v/i* 1. to cook; 2. to boil

koch|fertig *adj* ready-to-cook; **k.fest** *adj* boil-proof; **K.fleisch** *nt* stewing/braising meat; **K.gelegenheit** *f* cooking facility; **K.gerät** *nt* cooker

Köchin *f* cook

Koch|kunst *f* cookery; **K.kunstschau** *f* cookery fair; **K.kurs(us)** *m* cookery course; **K.nische** *f* kitchenette; **K.platte/K.stelle** *f* 1. ϟ hot plate; 2. *(Gas)* burner; 3. *(Herd)* cooker; **K.rezept** *nt* cooking recipe; **K.salz** *nt* ⚗ sodium chloride

Kode *m* → **Code** code; **K. entschlüsseln** to decipher a code; **K.adresse** *f* code address; **K.brief** *m* code letter; **K.buch** *nt* code book; **K.nachricht** *f* code message

Köder *m* bait, lure, decoy, stool pigeon

ködern *v/t* to bait/lure/tempt; **sich k. lassen** to take the bait, to rise to the bait

Kode|schlüssel *m* key (to a code); **K.wort** *nt* code word

Kodex *m* code; **K. von Verhaltensregeln** code of conduct

kodieren *v/t* to encipher/encode/encrypt

Kodier|gerät/K.maschine *nt/f* coder, document inscriber; **K.zeile** *f* code/coded/coding line, line of code

Kodifikation; Kodifizierung *f* codification

kodifizier|en *v/t* to code/codify; **k.t werden** *adj* to become enshrined (in the law)

Kodizill *nt* § codicil

Koeduka|tion *f* coeducation; **k.tiv** *adj* coeducational

Koeffizient *m* coefficient, ratio, index; **K. des Wachstums** rate of growth; **negativer K.** minus coefficient

Koexist|enz *f* coexistence; **k.ieren** *v/i* to coexist

Koffein *nt* caffeine; **k.frei** *adj* decaffeinated

Koffer *m* (suit)case; **K. packen** to pack a case

Koffer|anhänger *m* luggage *[GB]*/baggage *[US]* label, ~ tag; **K.behälter** *m* box container; **K.kuli** *m* luggage/baggage trolley; **K.radio** *nt* portable radio; **K.raum** *m* 1. luggage compartment; 2. 🚗 boot *[GB]*, trunk *[US]*; **K.raumgeschäfte** *pl* under-the-table dealings; **K.-raumverkauf** *m* car boot sale; **K.schreibmaschine** *f* portable typewriter; **K.träger** *m* porter

Ko-Finanzierung *f* joint financing; **K.sprogramm** *nt* co-financing programme

Kohabitationspflicht *f* § duty to cohabit; **K. verletzen** to desert

Kohäsion *f* cohesion; **K.sführung** *f* dual management

Kohl *m* 🚜 cabbage, cale

Kohle *f* 1. ⚒ coal; 2. *(coll)* dough, *(coll)* cash; **K. abbauen/fördern** to mine coal; **K. bunkern** ⚓ to bunker coal; **K. hauen** to cut coal; **K. auf Halde schütten** to dump coal; **auf glühenden/heißen K.n sitzen** *(fig)* to be on tenterhooks *(fig)*

Kohle|bergbau *m* coal mining (industry); **K.farbband** *nt* carbon ribbon; **K.filter** *m* charcoal filter; **K.flüssigkeitsgemisch** *nt* coal slurry; **K.förderung** *f* coal mining; **K.hydrat** *nt* ⚗ carbohydrate; **K.hydrierung** *f* hydrogenation of coal; **K.industrie** *f* coal industry; **K.kraftwerk** *nt* ϟ coal-fired (power) station; **K.lagerstätte** *f* coal deposits

Kohlen|abbau *m* coal mining; **K.abbaugerechtigkeit** *f* coal royalty; **K.abgabe** *f* coal levy; **K.ausfuhr** *f* coal exports; **K.basis** *f* coal basis; **k.beheizt** *adj* coal-fired; **K.bergbau** *m* coal mining; **K.bergwerk** *nt* coal mine, pit, colliery; **K.bilanz** *f* coal position (statement); **K.bunker** *m* coal bunker; **K.chemie** *f* coal-based chemical industry; **K.dampfer** *m* ⚓ collier, coal freighter; **K.deputat** *nt* coal allowance; **K.dioxyd** *nt* ⚗ carbon dioxide; **K.feld** *nt* coalfield, coal district; **K.einsatz** *m* coal utilization/input; **K.feuer** *nt (im Freien)* brazier; **K.feuerung** *f* coal firing; **K.flöz** *nt* coal seam; **K.förderung** *f* coal output; **K.gas** *nt* coal gas; **K.grube** *f* coal pit, colliery; **K.hafen** *m* coaling port; **K.halde** *f* coal stockpile/stocks, pithead stocks; **K.händler** *m* coal merchant/factor; **K.heizung** *f* coal heating; **K.industrie** *f* coal industry; **K.knappheit** *f* coal shortage; **K.krise** *f* coal crisis; **K.lager** *nt* coal depot; **K.lieferant** *m* coal supplier; **K.monoxyd** *nt* ⚗ carbon monoxide; **K.produktion** *f* coal output; **K.revier** *nt* coalfield, (coal-)mining district; **K.säure** *f* ⚗ carbonic acid; **k.säurehaltig** *adj (Getränk)* carbonated; **K.schiff** *nt* collier; **K.schuppen** *m* coal shed; **K.station** *f* coaling station; **K.staub** *m* coal dust; **K.staublunge** *f* ⚕ anthracosis

Kohlenstoff *m* ⚗ carbon; **K.datierung** *f* (radio-)carbon dating; **K.verbindung** *f* carbon compound

Kohlen|überhang *m* coal glut; **K.verbrauch** *m* coal consumption; **K.verfeuerung** *f* coal-burning; **K.vorkommen** *nt* coal deposit(s); **K.vorrat** *m* coal reserves/stocks; **K.wagen** *m* 🚗 coal lorry; **K.waggon** *m* 🚃 coal wag(g)on *[GB]*, ~ truck *[US]*; **K.wasserstoff** *m* ⚗ hydrocarbon; **K.wertstoff** *m* coal chemical; **K.wertstoffindustrie** *f* coal chemicals industry; **K.-zeche** *f* coal mine, colliery; **K.zug** *m* coal train

Kohle|papier *nt* carbon (paper); **K.pfennig** *m [D]* fossil fuel levy *[GB]*, coal levy; **K.politik** *f* coal policy; **K.revier** *nt* (coal-)mining area; **K.runde** *f [D]* coal negotiation; **K.tablette** *f* ⚕ charcoal tablet; **K.umwandlung** *f* coal conversion/liquefaction; **K.verbundwirtschaft** *f* coal-based integrated system

Kohleveredelung *f* coal processing/conversion; **K.sanlage** *f* coal processing/conversion plant; **K.stechnik** *f* coal processing/conversion technology

Kohle|verflüssigung *f* coal liquefaction; **K.vergasung** *f* coal gasification; **K.verstromung** *f* coal-based electricity/power generation; **K.vorkommen** *nt* coal deposits; **K.vorrangpolitik** *f* coal priority policy; **K.zeichnung** *f* charcoal drawing

Kohorte *f* ▦ age cohort

Koinzidenz *f* coincidence

Koje *f* ⚓ berth, cabin, bunk

Kokerei *f* coking plant; **K.gas** *nt* coking gas

Koks *m* coke; **K.feuer** *nt (im Freien)* brazier; **K.feuerung** *f* coke firing; **K.kohle** *f* coking coal; **K.kohlenbeihilfe** *f* coking coal equalization grant

Kolben *m* 1. piston; 2. ⚗ retort; **K.motor** *m* piston/reciprocating engine

Kolchos(e) *m/f [UdSSR]* collective farm

kollabieren *v/i* to collapse

Kollabo|rateur *m* collaborator; **k.ieren** *v/i* to collaborate

Kollaps *m* collapse, breakdown

Kollation *f* collation; **k.ieren** *v/t* 1. to collate; 2. *(Kosten)* to reconcile; **K.ierung** *f* 1. collation; 2. *(Kosten)* reconcilement

Kolleg *nt* 1. college; 2. course of lectures

Kollege *m* 1. colleague, fellow (worker/employee), *(Arbeiter)* workmate; 2. *(Partner)* associate; 3. *(in anderer Institution)* counterpart; 4. *(Gewerkschaft)* brother; **K. am Arbeitsplatz** workmate

Kolleg|geld *nt* tuition fee; **K.heft** *nt* notebook

kollegial *adj* cooperative, helpful, loyal, collegial; **K.behörde** *f* board; **K.führung** *f* collegiate management; **K.gericht** *nt* panel of judges

Kollegialität *f* cooperativeness, collegiality

Kollegial|prinzip *nt* principle of collective responsibility, board-majority/collegial principle; **K.system** *nt* board/collegial sytem

Kollegin *f* 1. female colleague; 2. *(Gewerkschaft)* sister

Kollegium *nt* board, panel

Kollegmappe *f* document case

Kollekte *f* collection, offering

Kollektion *f* range (of goods), collection, line, set, assortment

Kollektiv *nt* 1. community, collective body; 2. ▦ (parent) population, universe; **k.** *adj* collective, joint

Kollektiv|abkommen *nt* collective agreement; **K.abschreibung** *f* lump-sum depreciation; **K.anzeige** *f* composite advertisement; **K.arbeit** *f* team effort; **K.arbeitsvertrag** *m* collective labour agreement; **K.bedürfnisse** *pl* social/public wants; **K.beleidigung** *f* § collective defamation; **K.besitz** *m* 1. collective ownership; 2. 🚜 collective tenure; **K.delikt** *nt* collective crime; **K.eigentum** *nt* collective/public ownership, ~ property, property of the people; **K.entscheidung** *f* collective decision; **K.frachtbrief** *m* blanket waybill; **K.geldstrafe** *f* combined fine; **K.gut** *nt* collective property; **K.güter** *pl* collective/public goods; **K.haftung** *f* joint/collective liability; **K.handlungsvollmacht** *f* joint power of attorney

kollektivier|en *v/t* to collectivize; **K.ung** *f* collectivization

Kollektivismus *m* collectivism

Kollektiv|klausel *f* joint clause; **K.lebensversicherung** *f* group life assurance *[GB]*/insurance *[US]*; ~ **für Darlehensnehmer ungedeckter Kredite** group insurance; **K.marke** *f* collective mark; **K.monopol** *nt* collective monopoly; **K.police** *f* collective policy; **K.prokura** *f* joint power of attorney, ~ commercial power of representation, ~ signature; **K.schau** *f* collective show, joint exhibition; **K.schuld** *f* collective guilt; **K.sparen** *nt* group/collective saving; **K.strafe** *f* collective punishment; **K.unfallversicherung** *f* collective accident insurance; **K.verantwortung** *f* joint responsibility; **K.vereinbarung** *f* collective agreement; **K.verhandlungen** *pl* collective bargaining/negotiations; **K.verpflichtung** *f* joint bond; **K.versicherung** *f* blanket/group/collective insurance; **K.versicherungspolice** *f* collective insurance policy; **K.vertrag** *m* collective agreement/contract; **K.vertretung** *f* collective representation; **K.vollmacht** *f* joint power of attorney; **K.werbung** *f* group/collective advertising; **K.wirtschaft** *f* collective economy; **K.zeichen** *nt* collective trademark; **K.zeichnung** *f* joint signature

Kollektor *m* ⚡ collector

Kolli *pl* packages

kollidieren *v/i* to collide/clash/interfere, to come into collision (with); **k.d** *f* § concurrent

Kolliliste *f* packing specification

Kollinearität *f* ▦ collinearity

Kollision *f* 1. crash, collision; 2. *(Streit)* clash, conflict; 3. § concurrence; 4. *(Pat.)* interference

Kollisions|klausel *f* collision/running-down clause (R.D.C.); ~ **für beiderseitiges Verschulden** both-to-blame collision clause; **K.kurs** *m* collision course; **auf ~ gehen** to be heading for trouble; **K.normen** *pl* conflicting rules, choice of law rules; **K.patent** *nt* interfering patent; **K.risiko** *nt* collision risk; **K.schaden** *m* collision damage; **K.urkunde** *f* preliminary act; **K.versicherung** *f* collision insurance

Kollispezifikation *f* packing specification

Kollo *nt* package (pkg); **jedes K. eigene Taxe** *(Vers.)* each package/item separately insured

Kollusion *f* collusion; **K.sprozess** *m* § agreed case

kolonial *adj* colonial

Kolonial|- colonial; **K.anleihe** *f* colonial bond; **K.bank** *f* colonial bank; **K.handel** *m* colonial trade; **K.herrschaft** *f* colonial rule

Kolonial|ismus *m* colonialism; **k.istisch** *adj* colonialist

Kolonial|macht *f* colonial power; **K.minister** *m* Secretary of State for the Colonies *[GB]*; **K.ministerium** *nt* Colonial Department *[GB]*; **K.papiere** *pl* colonial securities; **K.politik** *f* colonial policy; **K.produkte** *pl* 🚜 colonial produce; **K.regierung** *f* colonial government; **K.reich** *nt* colonial empire; **K.verwaltung** *f* colonial administration; **K.waren** *pl* 1. colonial produce/goods; 2. groceries; **K.warengeschäft** *nt* grocery shop *[GB]*/store *[US]*; **K.werte** *pl (Börse)* colonials, colonial securities

Kolonie *f* colony; **K.anleihe** *f* colonial bond

Kolonisation *f* colonization

kolonisier|en *v/t* to colonize; **K.ung** *f* colonization

Kolonist *m* settler, colonial

Kolonne *f* 1. column; 2. 🏛 gang; 3. 🚗 convoy

Kolonnen|addition *f* footing; **K.arbeit** *f* gang work; **K.bogen** *m* columnar sheet; **K.führer** *m* gang leader, ganger; **K.steller** *m (Schreibmaschine)* tabulator; **K.system** *nt* labour-only/gang system; **K.verkehr** *m* 🚗 tailback; **K.werbung** *f* group canvassing

kolorier|en *v/t* to colour; **k.t** *adj* coloured

Kolorit *m* colour

Koloss *m* colossus, giant; **k.al** *adj* colossal, mammoth

Kolportage *f* spreading of rumours, cheap sensationalism

Kolporteur *m* newsmonger
kolportieren *v/t* to spread (a rumour)
Kolumne *f* column
Kolumnen|breite *f* column width; **K.liste** *f* running head; **K.maß** *nt* printer's ga(u)ge; **K.schreiber** *m* syndicated columnist; **K.titel** *m* headline
Kombi *m* 🚗 estate car *[GB]*, station wagon *[US]*; **K.datensatz** *m* combi data record; **K.information** *f* combi information
Kombinat *nt* *[DDR]* compound/integrated plant, combine
Kombination *f* combination; **K. politischer Mittel** policy mix
Kombinations|akten- und Büroschrank *m* storage filing cabinet; **K.frachtbrief** *m* combined transport bill; **K.güterverkehr** *m* combined transport freight traffic; **K.patent** *nt* combination patent; **K.schloss** *nt* combination lock; **K.tarif** *m* combined rate; **K.werbung** *f* tie-in advertising
kombinieren *v/t* to combine/integrate, to group together
Kombi|schiff *nt* combination carrier; **K.verkehr** *m* 1. 🚆 piggyback service; 2. intermodal traffic/transport, multimodal transport; **K.wagen** *m* 🚗 estate car *[GB]*, station wagon *[US]*; **K.zange** *f* combination pliers
Kombüse *f* ⚓ galley
Komfort *m* 1. convenience, comfort, luxury; 2. *(Gerät)* extras; **mit allem K.** all modern conveniences, all mod cons *(coll)*; **k.abel** *adj* 1. comfortable, luxurious; 2. *(Gerätebedienung)* convenient; **K.wohnung** *f* luxury flat
komisch *adj* 1. comic, humorous; 2. peculiar
Komitee *nt* committee, board
Komma *nt* 1. comma; 2. π (decimal) point; **K.einstellung** *f* point setting
Kommand|ant *m* commander, captain; **K.eur** *m* commander; **k.ieren** *v/t* to command/order
Kommandit|aktionär *m* limited liability shareholder, shareholder in a commercial partnership limited by shares, partner with limited participation by shares; **K.anteil** *m* limited partner's share, ~ partnership interest; **K.beteiligung** *f* participation in a limited partnership
Kommandite *f* partly owned subsidiary
Kommandit|einlage *f* limited partner's holding share, ~ partnership capital contribution; **K.gesellschaft (KG)** *f* limited partnership; **~ auf Aktien (KGaA)** scrip company *[US]*, partnership partly limited by shares, limited partnership with share capital, company limited by shares but having one or more general partners
Kommanditist|(in) *m/f* limited/special partner, shareholder; **K.enanteil** *m* limited partnership interest/share; **K.enhaftung** *f* limited partner's liability; **k.isch** *adj* carrying limited liability
Kommandit|kapital *nt* limited liability capital, partner's/special capital; **K.vertrag** *m* articles of association
Kommando *nt* 1. command, order; 2. squad; **K. führen** to be in command; **K.brücke** *f* ⚓ bridge; **K.unternehmen** *nt* ✈ raid; **K.werk** *nt* control unit; **K.wirtschaft** *f* command/controlled economy; **zentrale K.wirtschaft** centralized command economy; **K.zentrale** *f* command centre
Komma|stelle *f* π decimal point/place, point position; **K.unterdrückung** *f* 💻 comma suppression
Kommen *nt* coming, arrival; **freies K. und Gehen** free issue and entry
kommen *v/i* to come; **k. aus/von** to originate in, to arise from; **k. zu** to reach; **k. lassen** to send for; **höchstpersönlich k.** to come in person; **später k.** to follow; **nicht von ungefähr k.** to come as no surprise; **vorwärts k.** *(fig)* to make headway; **zugute k.** to benefit
kommensura|bel *adj* commensurable; **K.bilität** *f* commensurability
Kommentar *m* 1. comment; 2. *(Text)* commentary; **K. zum Gesetz** legal commentary; **K. abgeben** to (make a) comment; **K. ablehnen** to decline to comment; **K.frage** *f* open-ended question
Kommentator(in) *m/f* 1. commentator; 2. *(Text)* annotator
kommentier|en *v/t* to comment; **K.ung** *f* annotation; **der ~ bedürfen** to beg comment
kommerzialisier|en *v/t* to commercialize; **K.ung** *f* commercialization
kommerziell *adj* commercial; **nicht k.** non-commercial, non-profit-making
Kommilitone/Kommilitonin *m/f* fellow student
Kommis *m* clerk, employee, shopman
Kommiss *m* *(coll)* army
Kommissar(in) *m/f* 1. commissioner; 2. *(Politik)* commissar
Kommissariat *m* 1. commissariat; 2. commissionar's department
kommissarisch *adj* provisional, temporary; **k. verwaltet werden** to be in commission
Kommission *f* 1. commission, committee; 2. *(Auftrag)* commission, production order, consignment; **in K.** on consignment, on sale or return; **K. für Arbeitsbeziehungen** Commission on Industrial Relations (CIR) *[GB]*; **K. der Europäischen Gemeinschaften** Commission of the European Communities; **K. für Internationalen Handel** International Trade Commission *[US]*
Kommission bilden/einsetzen to set up/form a committee; **in K. geben** to consign; **~ (über)nehmen** *(Ware)* to take on consignment, ~ on a commission basis; **~ senden** *(Juwelen)* to send on a memorandum basis; **~ verkaufen** to sell on a commission/consignment basis
beratende Kommission advisory body; **gemeinschaftliche/gemischte K.** joint commission/committee; **paritätische K.** joint committee; **ständige K.** standing/permanent committee
Kommissionär *m* 1. commission agent/merchant *[US]*, factor; 2. *(Verkauf)* consignee, (mercantile) agent; **K.spfandrecht** *nt* factor's lien
Kommissionieren *nt* order picking, storage and retrieval; **k.** *v/t* 1. to order; 2. to make out a production order; 3. to pick
Kommissionier|fläche *f* order picking area; **K.lager** *nt* commission stocks

Kommissionierung *f* 1. consignment sale; 2. stock/order picking; **dynamische K.** dynamic order picking; **K.ssystem** *nt* ordering sytem

Kommissions|agent *m* commission agent, desk jobber; **K.artikel** *pl* goods in consignment, ~ on commission; **K.auftrag** *m* consignment

Kommissionsbasis *f* consignment basis; **auf K.** on consignment, on a sale or return basis; **~ verkaufen** to factor

zu Kommissions|bedingungen *pl* on consignment terms; **K.belastung** *f* commission levy; **K.bericht** *m* committee report; **K.bezug** *m* purchase on commission

Kommissionsbuch *nt* commission/order book; **K.handel** *m* wholesale bookselling; **K.händler** *m* wholesale bookseller

Kommissions|dienststelle *f* *[EU]* Commission office; **K.einkauf** *m* purchase on commission; **K.firma** *f* commission house; **K.gebühr** *f* factorage; **K.geschäft/ K.handel** *nt/m* factorage, commission business/trade/ dealing/agency, agency business; **K.gut** *nt* goods on commission/consignment, consignment; **K.haus** *nt* commission merchant(s); **K.kauf** *m* purchase on commission; **K.konto** *nt* consignment account; **K.lager** *nt* commission/consignment stocks; **K.lagerei** *f* commission agency, custodian warehouse *[US]*; **K.lagerverwaltung** *f* consignment stock management; **K.makler** *m* commission broker; **K.mitglied** *nt* committee member; **K.nota** *f* broker's/commitment note, memorandum *[US]*; **K.nummer** *f* order number; **k.pflichtig** *adj* subject to commission; **K.provision** *f* factorage, consignment commission; **K.rechnung** *f* consignment invoice; **K.reisender** *m* commercial traveller; **K.rimesse** *f* remittance on third account; **K.satz** *m* commission; **K.schein** *m* consignment note, memorandum *[US]*; **K.sendung** *f* consignment; **K.tratte** *f* bill of exchange drawn for third-party account; **K.verkauf** *m* sale on commission/consignment, consignment/memorandum *[US]* sale; **~ mit Selbsteintritt** bailment sale; **K.vertrag** *m* consignment contract/agreement; **K.vertreter** *m* commission agent; **K.ware(n)** *f/pl* (goods in) consignment, goods on commission, ~ sale or return, consigned/memorandum *[US]* goods; **angekündigte K.ware** billed order; **k.weise** *adv* on consignment/ commission, on an agency basis

Kommittent *m* principal, consignor

Kommode *f* chest of drawers

Kommunal|- municipal; **k.** *adj* municipal, local, communal

Kommunalabgaben *pl* (municipal/local) rates *[GB]*, local taxes, municipal charges; **K. erheben** to levy rates; **K.gesetz** *nt* municipal revenue law; **K.satz** *m* rate poundage

kommunal|abgabepflichtig *adj* rat(e)able; **K.angelegenheiten** *pl* local government matters; **K.angestellte(r)** *f/m* local authority employee, ~ government officer *[GB]*; **K.anleihe** *f* local government bond/stock, municipal bond/loan/securities, communal bond, corporation loan/stock, local authority loan; **K.arbeiter(in)** *m/f* municipal worker; **K.aufgaben** *pl* functions of local authorities; **K.aufsicht** *f* state supervision of local authorities; **K.ausschuss** *m* municipal committee; **K.bank** *f* municipal bank; **K.beamter/ K.beamtin** *m/f* local government officer *[GB]*, municipal officer *[US]* ; **K.bediensteter** *m* local government employee; **K.behörde** *f* local *[GB]*/municipal *[US]* authority, local council, ~ government authority, municipality; **K.betrieb** *m* local corporation, ~ government enterprise, municipal enterprise/undertaking; **K.bezirk** *m* local/municipal district; **K.bürgschaft** *f* local government guarantee; **K.darlehen** *nt* local authority loan *[GB]*, municipal loan *[US]*; **K.eigentum** *nt* municipal ownership; **K.einnahmen** *pl* local revenue; **K.einrichtung** *f* municipal facility; **K.emission** *f* municipal issue; **K.etat** *m* local *[GB]*/municipal *[US]* budget; **K.geschäft** *nt* 1. *(Bank)* lending to local authorities; 2. local government transactions; **K.gesetz** *nt* local government statute; **K.haushalt** *m* local *[GB]*/municipal *[US]* budget

kommunalisier|en *v/t* to municipalize, to put under local government control; **K.ung** *f* municipalization

Kommunal|kredit *m* municipal loan; **K.leistung** *f* local/municipal service; **K.obligation** *f* local government stock/bond (issue), corporation loan/stock, assessment/municipal/county bond, local authority bond/loan; **K.parlament** *nt* borough/city council; **K.politik** *f* 1. local policy; 2. local government policy; **K.recht** *nt* local (government)/municipal law; **K.reform** *f* local government reform; **K.schatzanweisung** *f* municipal treasury bond; **K.schuldschein/-verschreibung** *m/f* local government bond *[GB]*, municipal bond/warrant *[US]*/security, corporation loan/ stock, local authority loan

Kommunalsteuer *f* community charge, city/council/local/poll *[GB]*/municipal *[US]* tax; **K.n** rates *[GB]*; **K. für Wohneigentum** domestic rate *[GB]*; **Kommunal- und Staatssteuern** rates and taxes; **den K.n unterliegend** rat(e)able; **K.amt** *nt* rating office *[GB]*; **K.aufkommen** *nt* local revenue; **K.beihilfe** *f* rate aid/relief *[GB]*; **K.bescheid** *m* rate bill; **K.ermäßigung** *f* rate rebate *[GB]*; **~ für Privathaushalte** domestic rate relief *[GB]*; **K.pflicht** *f* rat(e)ability *[GB]*; **k.pflichtig** *adj* rat(e)able *[GB]*; **K.pflichtige(r)/K.zahler(in)** *f/m* ratepayer *[GB]*; **K.system** *nt* rating system, municipal rate structure; **K.veranlagung** *f* rates assessment

Kommunal|verband *m* 1. local government association *[GB]*, municipal corporation/association *[US]*; 2. association of local authorities, ~ municipalities; **k.verbürgt** *adj* guaranteed by a local authority; **K.verfassung** *f* local constitution; **K.vermögen** *nt* municipal/county funds; **K.verordnung** *f* local ordinance; **K.verschuldung** *f* local debt; **K.verwaltung** *f* local *[GB]*/municipal *[US]* government, ~ administration; **K.wahl** *f* local (government) *[GB]*/municipal *[US]* election; **K.zuweisung** *f* rate support grant *[GB]*

Kommune *f* 1. municipality, local government unit/ body, municipal/public-sector body; 2. commune

Kommunikation *f* communication; **elektronische K.** electronic communication; **zwischenmenschliche K.** communication on an interpersonal level

Kommunikations|branche *f* communications industry; **K.einheit** *f* communication unit; **K.fähigkeit** *f* interpersonal skills, communicative competence; **K.forschung** *f* communications research; **K.kanalbetreiber** *m* telecommunications carrier; **K.medium** *nt* communications medium; **K.mittel** *pl* means of communication; **K.netz** *nt* communications network; **K.rechner** *m* 🖳 front-end processor; **K.satellit** *m* communication satellite; **K.steuerungsschicht** *f* session layer; **K.störung** *f* breakdown in communications; **K.struktur** *f* lines of communication; **K.system** *nt* communications system; **betriebliches K.system** organisational communications system; **K.technik/K.technologie** *f* communication(s) technology; **K.theorie** *f* information theory, theory of communication

Kommunikationsweg *m* communication channel; **informaler K.** informal communication channel; **innerbetriebliche K.e** internal lines of communication; **vertikaler K.** vertical communication channel

Kommunikationswissenschaften *pl* communications studies

Kommuniqué *nt* communiqué *[frz.]*, bulletin

Kommunismus *m* communism

Kommunist|(in) *m/f* communist, red; **k.isch** *adj* communist, red

Kompagnon *m* (co-)partner

kompakt *adj* compact, solid; **K.anlage** *f* compact unit; **K.auto** *nt* 🚗 compact (car) *[US]*; **K.bauweise** *f* compact design

Kompaniegeschäft *nt* joint venture

Komparativreklame *f* comparative advertising

Komparse *m* *(Film)* extra

Kompass *m* compass

kompatibl|el *adj* compatible; **K.ilität** *f* compatibility

Kompendium *nt* handbook, manual, summary

Kompensation *f* offset, set-off, compensation, trade-off, quid pro quo *(lat.)*; **als K. für** to compensate for

Kompensations|abkommen *nt* barter/compensation/offsetting agreement; **K.auftrag** *m* cross/compensation order; **k.fähig** *adj* offsettable; **K.fonds** *m* compensation fund; **K.geschäft** *nt* 1. barter deal/transaction, buy-back deal, trade-off, offset/reciprocal transaction, counter trade; 2. *(Börse)* cross trade/dealing, switch, exchange transaction; **K.güter** *pl* compensation goods; **K.handel** *m* compensation trading; **K.kasse** *f* clearing house; **K.kauf** *m* cross-purchase agreement; **K.klausel** *f (Feuervers.)* schedule form; **K.konto** *nt* clearing account; **K.kredit** *m* compensating credit; **K.kriterium** *nt* compensation principle, trade-off criterion; **K.kurs** *m* settlement/making-up price, rate of settlement/compensation; **K.order** *m* cross order; **K.privileg** *nt* offset privilege; **K.regelung** *f* compensatory adjustment; **K.steuer** *f* offset tax; **K.verkehr** *m* barter trade; **K.ware** *f* buy-back goods; **K.zahlung** *f* payment under a buy-back deal; **K.zoll** *m* ⊖ countervailing duty

kompensatorisch *adj* compensatory

kompensier|en *v/t* to compensate for/offset, to set off, to make good, to counteract/counterbalance/countervail/clear; **K.ung** *f* compensation, offset, set-off

kompetent *adj* 1. competent, capable, efficient, professional; 2. responsible, authoritative; 3. authorized

Kompetenz *f* 1. competence, capacity; 2. authority, responsibility, jurisdiction; **außerhalb der K.** outside one's remit; **K.en der Unternehmensleitung** managerial rights; **K. delegieren** to delegate authority/responsibility; **seine K. überschreiten** to exceed one's authority; **ausschließliche K.** plenary power(s)

Kompetenz|abgrenzung *f* delimitation/definition/delineation of powers, jurisdictional limits; **K.artikel** *m (Satzung)* objects clause; **K.bereich** *m* jurisdiction, province, scope, sphere/field of responsibility, area of authority/competence, cognizance; **K.delegation** *f* delegation of authority/responsibility/powers; **K.erteilung** *f* conferring powers; **K.gerangel** *nt* bickering over responsibilities; **K.konflikt** *m* concurrence of jurisdiction, jurisdictional conflict; **K.streit(igkeit)** *m/f* 1. demarcation dispute *[GB]*, conflicting lines of authority; 2. § jurisdictional conflict, concurrence of jurisdiction; **K.stufe** *f* 1. level of authority; 2. § sphere of jurisdiction; **K.system** *nt* form of organisation structure; **K.überschneidung** *f* confusion over lines of authority, multiple command; **k.überschreitend** *adj* outside one's remit; **K.überschreitung** *f* exceeding one's competence, acting ultra vires *[lat.]*, excess of authority; **K.verteilung/K.zuweisung** *f* allocation of rights and duties, lines of authority, allocation of competence; **K.volumen** *nt* tasks and responsibilities; **K.wirrwarr** *m* confusion about areas of responsibility

kompilier|en *v/t* to compile; **K.er** *m* compiler; **K.ungsanlage** *f* 🖳 source computer

Komplementär *m* (full/general/unlimited/ordinary/fully liable) partner, partner with unlimited liability; **k.** *adj* complementary

Komplementär|anteil *m* general partner's interest; **K.bedarf** *m* joint demand; **K.einlagen** *pl* (general partner's) contribution, holding of the general partner; **K.gut** *nt* complement; **K.güter** joint/complementary/secondary goods, complements; **K.investitionen** *pl* complementary investments

Komplementarität *f* complementarity; **K. der Produktion** complementarity of production

komplett *adj* complete; **k.ieren** *v/t* 1. to complete/complement; 2. to raise to the full number

Komplett|ladung *f* complete/full/car load; **K.lösung** *f* ✿ complete layout; **K.lösungen anbieten** to offer one-stop shopping

Komplex *m* 1. complex, body, group, matter; 2. problem; 3. 🏭 plant; **k.** *adj* complex, intricate; **K.ität** *f* complexity, sophistication

Kompliment *nt* compliment; **jdm ein K. machen** to pay so. a compliment, to compliment so.

Komplize|e/K.in *m/f* § accomplice, accessory, confederate; **K.enschaft** *f* complicity

komplizieren *v/t* to complicate/bedevil

kompliziert *adj* complex, complicated, difficult, intricate, involved, sophisticated, tricky, knotty; **K.heit** *f* complexity, intricacy, sophistication

Komplott *nt* plot, conspiracy; **K. schmieden** to plot/ conspire; **K. vereiteln** to foil a plot

Komponente *f* 1. constituent, component; 2. *(fig)* building block; **evolutionäre K.** trend component; **güterwirtschaftliche K.** component in real terms; **oszillatorische K.** oscillation component

freie Komponent|enwahl *(Kaution)* free flow system; **K.maschine** *f* hook-up machine

kompon|ieren *v/t* to compose; **K.ist** *m* composer

Kompositgesellschaft *f* *(Vers.)* general insurance company

Komposition *f* 1. ▯ layout; 2. *(Mus.)* composition

Komposit|versicherer/K.versicherung *m/f* composite insurance company, ~ company/office, multiple-line underwriter/insurance

Kompost *m* ▯ compost; **K.erde** *f* compost

kompostier|en *v/t* to compost; **K.ung** *f* ▯ compostation; **K.ungsanlage** *f* ▯ compostation plant

Kompress|e *f* ▯ compress; **K.ion** *f* compression; **K.or** *m* compressor

komprimier|en *v/t* 1. to compress/telescope; 2. to condense; **K.ung** *f* compression, narrowing

Kompromiss *m* 1. compromise, composition, agreement; 2. half-measure; **K. auf halbem Wege** halfway house; **zu keinem K. bereit** uncompromising; **K. schließen** to compromise/compound; **fauler K.** patched-up compromise, sellout

Kompromiss|akte *f* arbitration bond; **K.bereitschaft** *f* readiness to (reach a) compromise; **K.formel** *f* compromise formula; **K.freudigkeit** *f* willingness to compromise; **k.los** *adj* intransigent, uncompromising; **K.losigkeit** *f* intransigence, intransigency; **K.lösung** *f* compromise solution; **K.vorschlag** *m* compromise proposal

kompromittieren *v/t* to compromise

Kondensat *nt* 1. condensate; 2. *(fig)* distillation, condensation; **K.ion** *f* condensation; **K.or** *m* 1. condenser; 2. ▯ capacitator

nicht kondensier|bar *adj* non-condensable; **k.en** *v/t* to condense, *(fig)* to distil; *v/i* to boil down *(fig)*; **K.ung** *f* condensation, boildown

Kondensmilch *f* condensed milk

Kondition *f* condition; **K.en** conditions, terms (and conditions), ~ of business; **~ für den Aktientausch** share exchange terms; **~ der Anleihe** loan terms; **~ erfüllen** to comply with conditions; **~ festsetzen** to stipulate terms; **die ~ verschlechtern sich** *(Zins)* terms are deteriorating; **attraktive K.en** attractive terms; **zu besseren K.en** on enhanced terms; **günstige K.en** reasonale terms

Konditionen|anpassung *f* adjustment of terms; **K.gefüge** *nt* structure of rates/charges; **K.gestaltung** *f* arrangement of terms; **K.kartell** *nt* conditions cartel; **K.klarheit** *f* clarity about terms and conditions; **K.politik** *f* terms policy; **K.vereinbarung** *f* ageement on sales conditions; **K.verbesserung** *f* improvement of terms, ~ interest rates

konditionieren *v/t* to condition

Konditions|anpassung *f* *(Hypothek)* adjustment of the terms; **K.kauf** *m* qualified sale; **K.training** *nt* fitness training; **K.vereinbarung** *f* agreement on conditions

Konditor *m* pastry cook, confectioner

Konditorei *f* confectioner's (shop *[GB]*/store *[US]*), confectionery; **K.waren** *pl* confectionery

Kondolenz *f* condolence; **K.schreiben** *nt* letter of condolence

kondolieren *v/i* to condole

Kondominium *nt* condominium

Konfekt *nt* confectionery

Konfektion *f* ready-to-wear clothes, off-the-peg clothing, ready-made clothing/clothes

Konfektionär *m* clothing manufacturer, ready-made clothier

konfektionier|en *v/t* *(Kleidung)* to make; **k.t** *adj* off the peg

Konfektions|- ready-to-wear, off-the-peg, ready-made; **K.abteilung** *f* ready-made department; **K.anzug** *m* ready-made/off-the-peg suit; **K.artikel** *pl* ready-made clothing; **K.geschäft** *nt* clothes shop/store; **K.größe** *f* standard/clothes size; **K.industrie** *f* garment industry, apparel industry/manufacturers *[US]*; **K.kleidung/ K.ware** *f* ready-made/store clothes

Konferenz *f* conference, meeting, session, get-together *(coll)*; **K. der Gewerkschaftsräte** trade council conference *[GB]*; **~ Ortsverbandsdelegierten** conference of branch delegates; **~ Vereinten Nationen für Handel und Entwicklung** United Nations Conference on Trade and Development (UNCTAD)

Konferenz abhalten to hold a conference; **K. einberufen** to convene/convoke/summon/call a conference; **K. leiten** to preside over/chair a conference; **an einer K. teilnehmen** to attend a conference

mehrtägige Konferenz residential conference

Konferenz|ablauf *m* conference proceedings; **K.anzug** *m* morning dress/suit; **K.bedingungen** *pl* ⚓ conference terms (c.t.); **K.bericht** *m* conference report; **K.beschluss** *m* conference decision; **K.dolmetscher(in)** *m/f* conference interpreter; **K.fracht/K.rate** *f* ⚓ conference rate; **K.gespräch** *nt* conference call, collective telephone call; **K.linie** *f* ⚓ conference line; **K.mitglied/K.partner/K.teilnehmer** *m* conference member, conferee, participant; **K.raum** *m* conference room; **K.reederei** *f* ⚓ conference line; **K.reise** *f* conference trip/tour; **K.reiseverkehr** *m* conference travel; **K.saal** *m* conference chamber/hall; **K.schaltung** *f* 1. ✆ conference circuit; 2. *(Radio/Fernsehen)* link-up, hook-up; **K.tisch** *m* conference table; **K.zentrum** *nt* conference centre; **K.zimmer** *nt* 1. conference room; 2. *(Hotel)* commercial room

konferieren *v/i* to confer/discuss, to hold a conference/ discussion

Konfession *f* denomination, persuasion; **k.ell** *adj* denominational, sectarian

Konfessions|schule *f* denominational school; **K.zugehörigkeit** *f* denomination

Konfetti *nt* confetti; **K.parade** *f* ticker tape parade *[US]*

Konfidenz *f* ▦ confidence, significance; **K.bereich** *m* confidence belt/region; **K.grenze** *f* confidence limit;

K.koeffizient *m* confidence coefficient; **K.niveau** *nt* confidence level; **K.verfahren** *nt* confidence process

Konfigur|ation *f* configuration; **k.ieren** *v/t* 🖳 to configure

Konfiskation *f* seizure, confiscation, sequestration, distraint, condemnation; **K.sverfahren** *nt* condemnation proceedings; **K.sverfügung** *f* confiscation/sequestration order

konfiskatorisch *adj* confiscatory

konfiszier|bar *adj* forfeitable; **k.en** *v/t* to confiscate/seize/forfeit/sequester; **k.t** *adj* confiscated, seized; **K.ung** *f* confiscation, seizure, sequestration, forfeiture, condemnation

Konfitüre *f* jam, preserve

Konflikt *m* conflict, clash, dispute, collision; **K. beilegen** to settle a dispute; **in K. geraten mit** to clash with, to fall/run foul of; **K. lösen** to resolve a dispute; **sachlich-intellektueller K.** cognitive-intellectual conflict; **kriegerischer K.** armed conflict

Konflikt|- adversarial; **K.beziehung** *f* adversarial relationship; **K.fall** *m* conflict; **im K.fall** in case of conflict; **K.herd** *m* centre of conflict; **K.kommission** *f* grievance committee; **K.kompetenz** *f* competence for jurisdictional conflicts; **auf K.kurs gehen** *m* to embark on a collision course; **K.kurve** *f* conflict curve; **K.lösung** *f* conflict resolution; **K.modell** *nt* conflict model; **K.parteien** *pl* parties to the dispute; **K.situation** *f* conflict situation; **K.stoff** *m* cause for conflict; **sozialer K.stoff** cause for social conflict; **K.strategie** *f* conflict strategy, policy of confrontation; **K.verhalten** *nt* conflict behaviour

Konfödera|tion *f* confederation, confederacy; **k.tiv** *adj* confederative

konform *adj* in keeping/agreement with, conforming to; **nicht k. mit** out of line with; **k. gehen mit** 1. to be in agreement with; 2. to fall into line

Konformist|(in) *m/f* conformist; **k.isch** *adj* conformist

Konformitätsbescheinigung *f* certificate of conformity

Konfrontation *f* confrontation; **K. mit Dritten** collision of persons; **direkte K.** head-on collision; **K.skurs** *m* collision course; **auf ~ gehen** to embark on a collision course

konfrontier|en *v/t* to confront; **mit etw. k.t sein/werden** to face/encounter sth.; **K.ung** *f* confrontation

konfus *adj* confused, muddled; **ganz k.** all at sea *(fig)*

Konfusion *f* 1. confusion; 2. § merger; **K. von Grundstückslasten und -rechten** merger of charges on property

Konglomerat *nt* 1. conglomerate, conglomeration; 2. *(Siedlung)* agglomeration

Kongress *m* congress, conference, convention

Kongress|abgeordnete(r)/K.mitglied *f/m/nt* congressman *[US]*, congresswoman *[US]*, Member of Congress *[US]*; **K.abstimmung** *f* congressional vote *[US]*; **K.ausschuss** *m* congressional committee *[US]*; **K.besucher(in)** *m/f* convention visitor; **K.halle** *f* congress hall; **K.stadt** *f* convention city; **K.teilnehmer(in)** *m/f* participant; **K.zentrum** *nt* conference/convention centre

kongruent *adj* 1. π congruent; 2. concordant

Kongruenz *f* 1. π congruence; 2. concordance; **K. der Deckung** correctness of cover(age)

König *m* king; **K.in** *f* queen; **k.lich** *adj* royal; **K.reich** *nt* kingdom, realm; **K.smacher** *m* kingmaker

konjektural *adj* conjectural, expected

Konjunktur *f* 1. economic/business/trade cycle, market conditions, economic situation/conditions/development/activity, business outlook, overall business activity; 2. *(Hochkonjunktur)* boom, buoyancy, prosperity

Konjunktur abkühlen to cool off an economy; **in der K. absahnen** to pile into a boom; **K. anheizen** to kindle/boost the boom; **K. ankurbeln/anregen/beleben** to stimulate the economy, to reflate, to prime the pump *(fig)*; **K. beeinflussen** to affect the economy; **K. beleben** to revitalize/boost the economy; **K. wieder in Gang bringen** to redeem the economy; **K. aus dem Gleichgewicht bringen** to derail the economy; **K. in Schwung bringen** *(fig)* to give the econmy a shot in the arm *(fig)*; **K. dämpfen** to deflate, to curb the economy; **K. stützen** to prop up/underpin the economy; **K. überhitzen** to overheat the economy; **K. zügeln** to curb the boom

abklingende Konjunktur faltering boom; **sich abschwächende K.** weakening economy; **anhaltende K.** continuing/continuous boom; **anziehende K.** increasing economic activity, upward economic trend; **inflationär bedingte K.** inflation(ary) boom; **flaue K.** sluggish economic conditions; **florierende K.** boom, burgeoning economy; **inflationistische K.** inflation(ary) boom; **kreditinduzierte K.** credit boom; **nachlassende/rückläufige K.** cyclical downturn/slump, decline in economic activity, declining/slackening economic activity, downward economic trend; **scheinbare K.** specious boom; **schwache K.** weak economy, low activity; **überhitzte K.** excess boom, overheated economy; **überschäumende K.** runaway boom; **vorübergehende K.** boomlet

Konjunktur|abflachung *f* slowdown in economic activity; **k.abhängig** *adj* cyclical, depending on economic factors; **K.abhängigkeit** *f* cyclicality; **K.abkühlung/K.abschwächung/K.abschwung** *f/m* (cyclical) downswing, cyclical decline/downturn/contraction/showdown, economic downswing/slowdown/downturn/decline, contraction/slowing down/slackening (of economic activity), decline in economic activity, slowdown of the economy, recession; **K.ablauf** *m* trade cycle; **K.abschreibung** *f* business-stimulant depreciation; **k.abschwächend** *adj* depressant; **K.absicherung** *f* safeguarding the economy; **K.analyse** *f* analysis of cyclical/economic trends; **K.analytiker** *m* business analyst; **K.änderung** *f* change in the economic trend; **k.anfällig** *adj* sensitive to cyclical changes/influences; **K.anfälligkeit** *f* sensitivity to cyclical changes/influences; **K.ankurbelung** *f* reflation, pump-priming *(fig)*; **K.ankurbelungsprogramm** *nt* stimulus programme; **K.anpassung** *f* cyclical adjustment; **asynchrone sektorale K.anpassung** rolling readjustment; **K.anregung/K.anreiz** *f/m* economic stimulus, stimulation of economic activity; **K.anstieg/K.aufschwung/K.auftrieb** *m* (cyclical) upswing, boom, upturn, uplift, upswing in economic activity, rising trend of the market, business upswing/expansion, cyclical upsurge, economic recovery/upturn/upswing, (economic) revival, expansion of economic activity; **K.anstoß** *m* stimulus to the economy; **K.auftriebe und -rückgänge** *pl* cyclical ups and downs; **K.aufwind** *m* cyclical upturn; **K.ausgleich** *m* cyclical adjustment; **K.ausgleichsrücklage** *f* business cycle reserve, (statutory) anti-cyclical reserve, counter-cyclical fund; **K.ausschuss** *m* cyclical policy committee, economic situation committee; **K.aussichten** *pl* economic outlooks/prospects, business prospects; **K.ausweitung** *f* business expansion; **K.baisse** *f* cyclical depression; **K.barometer** *nt* economic indicator, business barometer, trend pointer; **k.bedingt** *adj* cyclical, cyclically induced, affected by the trend of economic activity, due to the economic situation, ~ economic factors; **K.bedingungen** *pl* economic environment; **K.befragung** *f* anticipation survey; **k.belebend** *adj* reflationary, boosting the economy; **K.belebung** *f* upswing in/increasing economic activity, cyclical revival/upswing, business/economic recovery, ~ revival, growth in economic activity, increase in business activity, reflation, pick-up (of economic activity); **K.beobachter** *m* economic pundit, trend observer, (economic) forecaster; **K.beobachtung** *f* trade cycle analysis; **K.berater** *m* forecaster, economic adviser; **K.bericht** *m* market report; **K.beruhigung** *f* easing of cyclical strains, ~ economic activity, steadying of business activity; **K.bewegung** *f* cyclical movement, market fluctuation/swing; **k.bewusst** *adj* cycle-conscious

Konjunkturbild *nt* economic situation, business picture, cyclical trend; **K. in hellen Farben malen** to paint a rosy picture of the cyclical trend; **helleres K. zeichnen** to be more optimistic about the economy

Konjunktur|bremse *f* economic brakes, expansion curb; **K.bremsung/K.dämpfung** *f* curbing the boom; decline in cyclical activity; **k.dämpfend** *adj* countercyclical; **K.daten** *pl* cyclical indicators, economic data; **K.debatte** *f* economic policy debate; **K.diagnose** *f* cyclical trend analysis, market analysis, business forecasting; **K.drosselung** *f* curbing economic activity; **K.dynamik** *f* cyclical forces, business cycle dynamics; **K.einbruch** *m* drop in economic activity, slump, economic dip, steep downturn; **K.einfluss** *m* cyclical influence; **abwärtsgerichtete K.einflüsse** downbeat influences

konjunkturell *adj* cyclical, economic; **k. bedingt** due to the economic situation

konjunktur|empfindlich *adj* cyclically sensitive; **K.empfindlichkeit** *f* cyclical sensitivity; **K.entspannung** *f* easing of the cyclical strains; **K.entwicklung** *f* cyclical/business trend, economic movement/trend/growth, course of the cycle; **inflationistische K.entwicklung** inflationary situation; **K.erholung** *f* economic recovery/pickup, cyclical recovery; **K.erwartungen** *pl* economic/business outlook, expected future trend of/in the market; **K.euphorie** *f* economic euphoria; **K.experte** *m* economic forecaster; **K.faktor** *m* cyclical factor; **K.festigung** *f* stabilizing/firming of the economy; **K.flaute** *f* (economic) recession, lull in economic activity, sluggish state of the economy, flat economy, slack, dull spell; **k.fördernd** *adj* reflationary, stimulatory, pump-priming *(fig)*

Konjunkturförderung *f* stimulation of economic activity, cyclical stimulation, pump-priming *(fig)*; **K.smaßnahme** *f* reflationary measure; **K.sprogramm** *nt* reflationary programme

Konjunktur|forscher *m* 1. business cycle analyst, economic forecaster/prognosticator; 2. market research specialist; **K.forschung** *f* business cycle/conditions research, economic/industrial research; **K.forschungsinstitut** *nt* business/economic research institute, forecasting institute, business cycle institute; **K.frühling** *m* *(fig)* cyclical upswing, increasing economic activity, improved economic climate; **K.geschehen** *nt* economic activity; **K.geschichte** *f* history of business cycles; **K.gewinn** *m* market/cyclical/boom profit, competitive gain; **K.gipfel** *m* peak; **K.hilfeprogramm** *nt* pump-priming *(fig)* programme; **K.himmel** *m (fig)* state of the economy, economic conditions/horizon, overall ~ situation; **K.hoch** *nt* booming economy, high point in the cycle; **K.hoffnungen** *pl* economic hopes; **K.horizont** *m* business outlook, economic horizon; **K.impuls** *m* stimulus to economic activity; **K.index** *m* index of general business activity, cyclical index

Konjunkturindikator *m* economic/business/cyclical indicator, business cycle indicator, economic pointer; **nachlaufender K.** lagger; **synchroner K.** coincident indicator; **vorlaufender K.** leading indicator, leader; **wichtiger K.** leading indicator

konjunktur|induziert *adj* cyclically induced; **K.institut** *nt* economic research institute; **K.jahr** *nt* boom year; **K.kartell** *nt* business cycle cartel; **K.klima** *nt* cyclical situation/climate, business climate, economic activity/conditions/climate; **K.krise** *f* economic/cyclical crisis; **K.kurve** *f* cyclical trend; **K.lage** *f* cyclical situation/climate, state of the market/economy, business outlook, economic activity/situation/condition, market conditions, business cycle situation; **K.lenkung** *f* economic management; **K.lokomotive** *f (fig)* economic motor/locomotive; **K.maßnahme** *f* economic policy measure; **K.modell** *nt* cyclical model, specimen of an economic trend, model of the business cycle; **K.motor** *m* impellant of economic activity, economic motor; **~ auf Touren bringen** to prime the pump *(fig)*; **K.mulde** *f* cyclical low; **K.nervosität** *f* nervousness about the economic outlook; **k.neutral** *adj* cyclically neutral, neutral as regards the effect on the economic trend; **~ sein** to have no effect on the economy, ~ economic trend; **K.niveau** *nt* level of economic activity; **K.optimismus** *m* business confidence, optimism with regard to the (probable) economic trend; **K.periode** *f* trade cycle period, (market) swing; prosperity phase; **K.pessimismus** *m* pessimism about the economic prospects; **K.phase** *f* phase of a cycle, trade/business cycle

Konjunkturpolitik *f* economic/(anti)cyclical/countercyclical policy, business/trade cycle policy; **restriktive K. betreiben** to deflate; **aktive K.** dynamic cyclical policy, anticyclical measures; **antizyklische K.** anticyclical policy; **monetäre K.** monetary business cycle policy

konjunktur|politisch *adj* cyclical, economic; **K.prognose** *f* economic forecast(ing)/predictions, business outlook/forecasting; **kurzfristige K.prognose** short-term economic forecast; **K.prognostiker** *m* economic forecaster; **K.programm** *nt* anti-recession package, reflationary/anticyclical programme, economic recovery programme; **K.prophet** *m* forecaster, prognosticator; **K.rat** *m* economic policy council; **k.reagibel** *adj* fluctuation-sensitive, sensitive to cyclical fluctuations, responsive to cyclical trends; **K.regulativ** *nt* economic regulator; **k.rhythmisch** *adj* cyclical; **K.rhythmus** *m* trade/business cycle; **K.ritter** *m* opportunist

Konjunkturrückgang *m* 1. slump, recession, cyclical decline, downtrend, downswing, downturn, depression, business recession, decline in activity, economic slowdown/decline; 2. *(in einzelnen Wirtschaftszweigen)* rolling adjustment; **K. bei anhaltender Inflation** slumpflation; **vom K. betroffen** recession-hit

Konjunktur|rückschlag *m* recession, cyclical decline, slump, economic setback; **K.sachverständiger** *m* economic expert/pundit *(coll)*; **K.schatten** *m* economic drawback; **im K.schatten** in the doldrums, in a dull state; **K.schema** *nt* cyclical pattern; **K.schwäche** *f* cyclical decline, weakness of economic activity; **K.-schwankung** *f* market fluctuation, cyclical swing/movement/fluctuation, economic/business fluctuation; **K.schwankungen** cyclical ups and downs; **K.sensibilität** *f* sensitivity to economic conditions; **k.sicher** *adj* recession-proof; **K.signal** *nt* cyclical pointer; **K.spritze** *f* stimulatory package, shot in the arm *(fig)*, injection of public funds to support the economy, pump-priming *(fig.)*; **K.stabilisator** *m* fiscal/economic stabilizer; **automatischer K.stabilisator** built-in flexibility/stabilizer; **K.stabilisierung** *f* stabilization of the economy; **K.stabilität** *f* economic stability; **K.statistik** *f* economic statistics; **K.steuerung** *f* 1. (macro-)economic management; 2. *(Feinsteuerung)* fine tuning; **K.stimulans** *nt* economic activity stimulant; **K.stockung** *f* cyclical halt; **K.sturz** *m* economic dip/slump, slump; **K.stütze** *f* support for the economy; **k.stützend** *adj* safeguarding the economy; **K.tal** *nt* → **Konjunkturtief** (cyclical) trough; **K.tempo** *nt* pace of business activity; **K.tendenz** *f* cyclical trend; **rezessive K.tendenz** recessive cyclical trend; **K.test** *m* economic survey, (economic) trend check, business opinion poll; **K.theoretiker** *m* business cycle theorist; **K.theorie** *f* trade/business cycle theory, theory of the business cycle; **exogene K.theorie** exogenous business cycle theory, external theory of business cycles; **K.therapie** *f* anticyclical treatment

Konjunkturtief *nt* cyclical depression, recessive dip, low point in the cycle, trough (of economic depression), economic low, bottom; **aus dem K. herausführen** to bring out of the recession; **K.stand** *m* crash

Konjunktur|tiefststand *m* bottom; **k.tragend** *adj* activity-supporting; **K.trend** *m* cyclical trend; **K.überblick** *m* economic survey; **K.überhitzung** *f* overheating of the boom/economy, cyclical overstrain; **K.umbruch/K.umschwung** *m* change in the cyclical/economic trend, cyclical change, break in the economic trend, turnaround in economic activity; **K.umfrage** *f* trend survey; **k.unabhängig** *adj* independent of economic trends; **K.unsicherheit** *f* economic uncertainty; **allgemeine K.unsicherheit** general business uncertainty; **K.untersuchung** *f* trend analysis; **K.veränderung** *f* cyclical change; **K.verlangsamung** *f* economic slowdown; **K.verlauf** *m* (course/development of the) business/trade cycle, cyclical movement/fluctuation(s)/trend/development, economic trend/development, run of business, course of economic activity; **K.verschlechterung** *f* cyclical deterioration; **k.verstärkend** *adj* increasing the upward trend, ~ upswing, boosting the economy; **K.vorhersage/K.vorschau** *f* economic forecasting; **K.wachstum** *nt* expansion of economic activity, ~ the economy; **K.wechsel** *m* cyclical change; **K.wellen** *pl* cyclical fluctuations; **K.wende** *f* cyclical swing, economic turnabout, turnaround of economic activity; **k.wirksam sein** *adj* to play a key role in the recovery of economic activty, to affect the economy; **K.ziffern** *pl* economic indices; **K.zügelung** *f* curbing the boom; **K.zusammenbruch** *m* slump, economic collapse; **K.zuschlag** *m* counter-cyclical surcharge; **K.zyklus** *m* trade/business/economic/production cycle, boom and bust cycle, boom-slump cycle; **rückläufiger K.zyklus** down cycle

Kon|klave *nt* conclave; **k.kludent** *adj* implied, conclusive; **K.klusion** *f* conclusion; **K.kordanzkoeffizient** *m* coefficient of agreement; **K.kordat** *nt* concordat

konkret *adj* 1. concrete, definite, tangible, actual; 2. positive, explicit, solid, firm

konkretisieren *v/t* 1. to make definite, to put into concrete form/terms; 2. *(Güter)* to appropriate/identify

Konkretisierung *f* *(Ware)* appropriation (to a contract), putting into specific terms, ascertainment; **K. der Gattungsschuld** appropriation of unascertained goods

Konkubinat *nt* concubinage; **im K. leben** to cohabit

Konkurrent *m* competitor, contender, rival; **K.en ausschalten** to eliminate a competitor; **~ unterbieten** to undercut a competitor; **preisdrückender K.** cut-price competitor; **wichtiger K.** chief competitor

Konkurrenz *f* 1. *(Wettkampf)* competition, rivalry; 2. opposition; 3. conflict; 4. *(Markt)* competitor(s), rival (firm/business); 5. § concurrence; **die K.** our competitors, the other shop *(coll)*; **außer K.** not competing; **K. von Verpflichtungen** conflict of obligations

Konkurrenz abhängen to outdistance competitors; **sich gegen die K. abschirmen** to protect o.s. against competition; **zur K. abwandern** to take one's custom elsewhere, to switch to a competitor, ~ a rival firm; **K. anschwärzen** to disparage a competitor; **es mit der K. aufnehmen** to take on one's competitors; **als K. auftreten** to enter the market; **K. ausschalten** to eliminate a competitor, to eliminate/check competition; **K. be-**

sänftigen to mollify competitors; **der K. Einhalt gebieten** to check a competitor; ~ **die Spitze bieten** to meet/face competition, to defy all competition; **jdm K. machen** to compete with so., to be in competition with so.; **K. aus dem Feld schlagen** to outdistance rivals; **sich gegen die K. schützen** to protect o.s. against competition; **außer K. sein** to have no competition; **der K. gewachsen sein** to meet/withstand competition, to face up to/cope with competition; **in K. stehen** to compete, to be in competition; ~ **treten mit** to enter into competition with; **K. unterbieten** to undercut/undersell the competitors; **K. verdrängen** 1. to wipe out competitors, to cut out rivals; 2. to eliminate/check competition; **der K. zuvorkommen** to forestall competitors

atomistische Konkurrenz atomistic/perfect competition; **ausländische K.** foreign competition/competitors; **etablierte K.** established competitors; **freie K.** free competition; **gewinnlose K.** non-profit competition; **halsabschneiderische/mörderische K.** cutthroat competition; **hartnäckige K.** stiff competition; **heimische K.** domestic rivals/competitors; **heterogene K.** heterogeneous competition; **homogene K.** pure competition; **inländische K.** domestic competitors/rivals; **lebhafte K.** brisk/stiff/fierce/severe competition; **monopolistische K.** monopolistic competition; **polypolistische K.** pure/atomistic competition; **ruinöse K.** cutthroat/ruinous/destructive competition; **scharfe K.** keen/stiff/fierce competition; **unlautere K.** unfair competition; **unvollständige K.** imperfect/artificial competition; **vertikale K.** vertical competition; **vollkommene/vollständige K.** perfect/pure competition; **zirkulare K.** circular competition; **zyklische K.** cyclical competition

Konkurrenz|anbieter *m* competing supplier; **K.angebot** *nt* 1. rival offer/bid, competing/competitive offer; 2. *(VWL)* competitive/rival supply; **K.angst** *f* fear of competition; **K.artikel** *m* competitive brand/article/product, competing product; *pl* rival goods; **K.aufwertung** *f* competitive appreciation; **K.ausschluss** *m* competition clause; **K.ausschreibung** *f* invitation to tender; **K.beschränkung** *f* restraint/restriction of trade; **K.betrieb** *m* competitor, rival plant/firm, competitive firm/enterprise; **K.beziehung** *f* competitive relation; **K.druck** *m* competitive pressure; **K.erzeugnis/K.fabrikat** *nt* rival/competing product, ~ brand; **K.erzeugnisse** competitive goods; **k.fähig** *adj* competitive, able to compete; **K.fähigkeit** *f* competitiveness, competitivity, ability to compete, competitive capacity/power/strength/position/status/ability; **internationale K.fähigkeit** international competitiveness; **K.firma** *f* competitor, rival company; **K.geist** *m* competitive spirit; **K.geschäft** *nt* rival business/firm; **K.gesellschaft** *f* rival company; **K.güter** *pl* competitive goods/products/articles/brands; **K.industrie** *f* competing industry

Konkurrenzkampf *m* competition, business struggle; **K. auf Leben und Tod** cutthroat competition; **im K. bestehen** to survive in a competitive climate; **erbarmungsloser K.** rat race *(fig)*; **erbitterter/mörderischer/scharfer K.** keen/cutthroat competition

Konkurrenz|klausel *f* clause/stipulation/covenant in restraint of trade, no-competition/restraining/restrictive clause, ancillary covenant against competition, sole/exclusive right(s) clause; **K.lage** *f* competitive position; **K.land** *nt* competitor/competing country; **k.los** *adj* unrivalled, unchallenged, without competition; ~ **sein** to defy all competition; **K.marke** *f* rival brand; **K.modell** *nt* competitive model; **K.neid** *m* professional jealousy; **K.offerte** *f* competing offer; **K.preis** *m* competitive price; **K.produkt** *nt* competing/rival good; **gleichartiges K.produkt** me-too product *(coll)*; **K.punkt** *m (Spedition)* competition point; **K.reaktion** *f* competitive reaction, response of rival firms; **K.schutz** *m* protection from competition; **K.situation** *f* competitive situation; **K.spiel** *nt* competitive game; **k.stark** *adj* highly competitive; **K.tarif** *m* competitive rate; **K.unterbietung** *f* undercutting; **K.unternehmen** *nt* rival company/firm/business, competitor; **K.verbot** *nt* restraint of trade, prohibition to compete; **K.vereinbarung** *f* restrictive covenant; **K.vergleich** *m* comparison of competitors; **K.verhalten** *nt* competitive behaviour; **K.verhältnisse** *pl* competition, competitive situation; **K.verzerrung** *f* distortion of competition; **K.ware** *f* competing goods/merchandise; **K.werbung** *f* competitive advertising; **K.wirtschaft** *f* competitive economy

konkurrieren *v/i* to compete/rival, to enter into competition; **k.d** *adj* 1. competitive, competing, rival; 2. § concurrent; **nicht k.d** non-competing

Konkurs *m* bankruptcy, insolvency, collapse, (business/commercial) failure, compulsory winding up; **in K. (befindlich)** in/under receivership, bankrupt, insolvent, bust *(coll)*; **K. auf Antrag des Konkursschuldners** voluntary bankruptcy; **K. mit Inanspruchnahme des Bürgen** open insolvency

Konkurs abwenden to stave off bankruptcy, to avoid bankruptcy proceedings; **K. abwickeln** to liquidate/administer a bankrupt's estate; **K. anmelden/beantragen** to file a petition in bankruptcy, ~ bankruptcy proceedings, to file/present one's bankruptcy, ~ own petition, to declare o.s. bankrupt, to file for bankruptcy, to apply for commencement of bankruptcy proceedings; **K. aufheben** to terminate bankruptcy proceedings; **K. einstellen** to terminate/suspend bankruptcy proceedings; **jdm den K. erklären** to declare so. bankrupt; **K. eröffnen** to institute bankruptcy proceedings; **in K. gehen/geraten; K. machen** to become bankrupt/insolvent, to go bankrupt/bust *(coll)*/into bankruptcy, to fail/break/crash *(coll)*, to go into receivership, ~ to the wall *(fig)*; **in den K./zum K. treiben** to bankrupt; **über jdn K. verhängen** to adjudicate so. bankrupt; **K. vermeiden** to stave off bankruptcy; **K. verschleppen** to obstruct bankruptcy; **auf den K. zusteuern** to head for bankruptcy; **jdn zum K. zwingen** to force so. into bankruptcy

betrügerischer Konkurs fraudulent bankruptcy; **freiwilliger K.** voluntary bankruptcy; **durch Gläubigerantrag herbeigeführter K.** involuntary bankruptcy; **leichtsinniger K.** wilful bankruptcy; **unfreiwilliger/**

zwangsweiser K. involuntary bankruptcy; **unverschuldeter K.** simple bankruptcy

Konkurs|ablauf *m* [§] bankruptcy proceedings; **K.abwendung** *f* avoidance of bankruptcy; **K.abwickler** *m* liquidator; **K.abwicklung** *f* liquidation/administration of a bankrupt's estate; **K.abwicklungsbilanz** *f* statutory statement of affairs *[GB]*, schedule of a bankrupt's debts *[US]*; **K.amt** *nt* bankruptcy office; **K.androhung** *f* bankruptcy notice; **~ mit Zahlungsaufforderung** judgment summons *[GB]*; **K.anfechtung** *f* rescission of bankruptcy; **K.anmeldung** *f* declaration of bankruptcy, bankruptcy notice; **~ vornehmen** to file a petition in bankruptcy; **K.anspruch** *m* claim upon a bankrupt

Konkursantrag *m* bankruptcy/insolvency petition, petition in bankruptcy; **K. stellen** to file a petition in bankruptcy, ~ an insolvency petition; **von den Gläubigern gestellter K.** creditors' petition; **selbst ~ K.** voluntary petition; **K.spflicht** *f* obligation to file for bankruptcy, ~ a petition for bankruptcy proceedings; **K.steller(in)** *m/f* petitioner for bankruptcy

Konkurs|anzeige *f* bankruptcy notice; **K.aufhebung** *f* discharge in bankruptcy, ~ of a bankrupt; **K.aufhebungsbescheid** *m* discharge order, bankrupt's certificate; **K.ausfallgeld** *nt* redundancy benefit(s); **K.beendigung** *f* closing of bankruptcy proceedings; **K.begehren** *nt* bankruptcy petition; **K.beschlag** *m* bankruptcy inhibition; **K.beschluss** *m* receiving order; **gerichtlichen ~ fassen** to make a receiving order; **K.bestimmungen** *pl* bankruptcy rules; **K.beteiligte(r)** *f/m* party in interest; **K.betrüger** *m* asset stripper *(coll)*; **K.bevollmächtigte(r)** *f/m* syndic; **K.bilanz** *f* (statutory/debtor's) statement of affairs *[GB]*, statement of bankrupt's assets and liabilities, realization and liquidation statement; **K.delikt** *nt* bankruptcy offence, fraudulent alienation; **~ begehen** to commit a bankruptcy offence; **K.dividende** *f* dividend in bankruptcy, quota, percentage of recovery; **K.einstellung** *f* closing/suspension of bankruptcy proceedings; **K.einstellungsbeschluss** *m* discharge order

Konkurserklärung *f* 1. declaration of bankruptcy/insolvency; 2. *(Gericht)* adjudication in bankruptcy, ~ of insolvency, bankruptcy notice; **jdm eine K. zustellen** to serve so. a bankruptcy notice; **K.sbeschluss** *m* adjudication order

Konkurseröffnung *f* commencement of bankruptcy proceedings, receiving order *[GB]*, adjudication in bankruptcy; **K. beantragen** to file a petition (in bankruptcy); **K. verfügen** to make the receiving order

Konkurseröffnungsantrag *m* petition in bankruptcy; **K. des Gläubigers** creditor's petition; **~ Schuldners** debtor's petition; **K. stellen** to file a petition in bankruptcy

Konkurseröffnungsbeschluss *m* administration/receiving order (in bankruptcy), adjudication order, order of adjudication, decree in bankruptcy; **K. gegen Gesamtschuldner** joint fiat *(lat.)*; **K. zustellen** to serve a bankruptcy notice; **vorläufiger K.** winding-up order

Konkurseröffnungs|termin *m* date of adjudication; **K.verfahren** *nt* administration procedure, bankruptcy proceedings; **K.verfügung** *f* receiving order

konkurs|fähig *adj* capable of going bankrupt; **K.fall** *m* bankruptcy case; **im K.fall** in the event of bankruptcy

Konkursforderung *f* claim in bankruptcy, (debt provable in a) bankruptcy claim, claim against a bankrupt estate, provable claim; **K. anerkennen** to allow a bankruptcy claim; **K. anmelden** to file a bankruptcy claim, to prove a claim in bankruptcy, to lodge a proof (of debt), to prove a debt; **bevorrechtigte K.** preferential/priority debt; **nicht ~ K.** unsecured debt; **nachrangige K.** deferred debt

Konkurs|gegenstände *pl* bankrupt's assets; **K.gericht** *nt* bankruptcy court, court in bankruptcy

Konkursgläubiger|(in) *f/m* creditor in bankruptcy, bankruptcy creditor; *pl* parties in interest; **bevorrechtigter K.** preferred creditor; **einfacher K.** general/unsecured creditor; **eingetragener K.** scheduled creditor; **gesicherter K.** secured creditor; **nachrangiger K.** deferred creditor

Konkurs|grund *m* act of bankruptcy/insolvency, reason for the bankruptcy; **~ setzen** to commit an act of bankruptcy; **K.handlung** *f* bankruptcy offence, act of bankruptcy/insolvency; **K.klage** *f* petition in insolvency; **K.kosten** *pl* bankruptcy cost(s), cost(s) involved in bankruptcy

Konkursmasse *f* debtor's/bankruptcy/bankrupt's assets, bankrupt's/insolvent/insolvency estate, property of the bankrupt, distributable property; **K. ausschütten/liquidieren** to liquidate/divide a bankrupt's estate, to wind up bankruptcy assets; **K. verteilen** to marshal the assets; **aus der K. zahlen** to pay out of the (trust) estate

Konkursmasse|verwalter *m* creditor in trust; **K.verwertung** *f* realization of a bankrupt's estate; **K.verzeichnis** *nt* statement of affairs, inventory of property

Konkurs|ordnung *f* statute of bankruptcy, bankruptcy code/statute, Bankruptcy Act *[GB]*, National Bankruptcy Act *[US]*; **K.pfleger** *m* trustee in bankruptcy, ~ a bankrupt's estate; **K.quote** *f* dividend in bankruptcy, ~ on winding up, ~ of a bankrupt's estate, failure rate, dividend share, percentage of recovery; **K.recht** *nt* bankruptcy/insolvent law; **k.reif** *adj* insolvent; **K.richter** *m* judge/registrar/referee in bankruptcy, bankruptcy judge *[GB]*; **K.richtlinien** *pl* bankruptcy rules; **K.risiko** *nt* bankruptcy risk; **K.sache** *f* [§] bankruptcy case; **K.schulden** *pl* bankrupt's debts

Konkursschuldner|(in) *f/m* debtor in bankruptcy, bankrupt, insolvent debtor; **K. entlasten** to discharge a bankrupt; **betrügerischer K.** fraudulent bankrupt; **entlasteter K.** discharged bankrupt; **nicht ~ K.** uncertified bankrupt; **fahrlässiger K.** negligent bankrupt; **nicht freigestellter K.** uncertified/undischarged bankrupt; **freiwilliger K.** voluntary bankrupt; **rehabilitierter K.** certified/discharged bankrupt; **K.verzeichnis** *nt* list of adjudicated bankrupts

Konkurs|status *m* (debtor's) statement of affairs *[GB]*, schedule *[US]*, statement of a bankrupt's assets and liabilities; **K.straftat** *f* bankruptcy offence; **K.tabelle** *f*

statutory statement of affairs *[GB]*, schedule of a bankrupt's debts *[US]*, list of creditors' claims; **K.verbindlichkeiten** *pl* petition debt; **K.verbrechen** *nt* fraudulent bankruptcy; ~ **begehen** to commit an act of bankruptcy; **k.verdächtig** *adj* likely to fail, ~ go bankrupt

Konkursverfahren *nt* [§] bankruptcy proceedings/examination/action; **K. aufheben** to discharge a bankrupt; **K. einleiten** to institute bankruptcy proceedings; **K. einstellen** to stop bankruptcy proceedings; **K. mangels Masse einstellen/nicht eröffnen** to dismiss a petition in bankruptcy for insufficiency of assets; **K. eröffnen** to open bankruptcy proceedings; **normales K.** ordinary bankruptcy

Konkurs|vergehen *nt* [§] bankruptcy offence, act of bankruptcy; ~ **begehen** to commit a bankruptcy offence; **K.vergleich** *m* composition (in bankruptcy); **K.vergleichsverfahren** *nt* composition proceedings; **K.verhängung** *f* adjudication in bankruptcy; **K.verkauf** *m* realization/sale of a bankrupt's assets; **K.verlust** *m* loss due to bankruptcy; **K.vermögen** *nt* bankrupt's property/estate; **K.versicherungsgesellschaft** *f* indemnity company

Konkursverwalter *m* receiver, trustee/receiver/manager/assignee/liquidator in bankruptcy, bankruptcy commissioner, administrator/trustee (in a bankrupt's estate); **K. bestellen** to call in/appoint a receiver; **dem K. übertragen** to put into the hands of the receiver; **(öffentlich/gerichtlich) bestellter K.** [§] official receiver/assignee, trustee, court-appointed administrator; **endgültiger K.** trustee in bankruptcy; **vorläufiger K.** [§] official receiver; **zeitweiliger K.** [§] interim receiver

Konkursverwaltung *f* receivership *[GB]*, trusteeship in bankruptcy *[US]*, administration of a bankrupt's estate; **vor Beginn der K.** prior to receivership; **von der K. übernommen werden** to go into receivership

Konkurs|vorrecht *nt* preferential/priority rights in bankruptcy proceedings, preference in bankruptcy; **K.vorschriften** *pl* bankruptcy rules; **K.welle** *f* wave of bankruptcies

Können *nt* ability, skill, faculty, mastery; **fachliches/fachmännisches K.** technical competence, know-how, workmanship, *(Pat.)* usual knowledge of a man skilled in the art; **handwerkliches K.** craftsmanship; **technisches K.** know-how; **überragendes K.** prowess; **unternehmerisches K.** entrepreneurial ability

Könner(in) *m/f* expert, authority

Konnossement *nt* (ocean) bill of lading (B/L), affreightment; **K. ohne Einschränkung/Vorbehalt** clean bill of lading; **K. gegen Kasse** cash against bill of lading; **K. mit Kopien** set of bills; ~ **dem Vermerk "Fracht bezahlt"** bill of lading marked "freight prepaid"; ~ **einschränkendem Vermerk** foul/unclean bill of lading; **vollständiger Satz K.e** full set of bills of lading; **K. ausstellen** to make out a bill of lading

auf den Inhaber ausgestelltes Konnossement bill of lading to bearer; **auf den Namen ~ K.** straight bill of lading *[US]*; **an Order ~ K.** order bill of lading; **auf den Haager Regeln basierendes K.** Hague rules bill of lading; **beglaubigtes K.** certified bill of lading; **durchgehendes K.** through bill of lading; **echtes/reines K.** clean bill of lading; **eingeschränktes/einschränkendes/fehlerhaftes/unreines K.** foul/claused dirty/unclean bill of lading; **volles K.** full bill of lading

Konnossementanteilschein *m* delivery order (D/O)

Konnossements|datum *nt* date of bill of lading; **K.garantie/K.revers** *f/m* letter of indemnity; **K.klausel** bill of lading clause; **K.kopie** *f* memorandum copy of a bill of lading; ~ **für den Kapitän** Master's copy (of a B/L); **K.ladung** *f* goods shipped on one bill of lading **K.teilschein** *m* delivery order (D/O), ~ note, shipping certificate; **K.vertrag** *m* bill of lading contract

Konsekutiv-Reisecharter *f* consecutive voyage charte

Konsens *m* 1. consensus; 2. consent, assent; **auf K. bedacht/beruhend** consensual; **gesellschaftlicher K** social consensus; **mündlicher K.** oral agreement **k.pflichtig** *adj* subject to approval

konsequent *adj* consistent

Konsequenz *f* 1. implication, consequence; 2. consistency; **K.en auf sich nehmen; ~ tragen** to bear the consequences, to face the music *(coll)*; ~ **ziehen** to take the consequences; **negative K.** penalty; **wettbewerbsrechtliche K.en** competitive consequences

konserva|tiv *adj* 1. conservative, Tory *[GB]*; 2. old line; **K.tive(r)** *f/m* conservative, Tory *[GB]*; **K.ti(vi)smus** *m* conservatism; **K.tor** *m* curator

Konserven *pl* preserved/tinned *[GB]*/canned *[US* food, preserves, canned goods; **K.büchse/K.dose** *f* tin *[GB]*, can *[US]*; **K.fabrik** *f* tinning/canning factory packing house/plant; **K.fabrikation** *f* tinning *[GB]* canning *[US]*; **K.firma** *f* canning company; **K.fleisch** *nt* tinned/canned meat; **K.glas** *nt* preserving jar **K.händler** *m* drysalter; **K.industrie** *f* tinning/canning industry; **K.obst** *nt* preserved fruits; **K.öffner** *m* tin/can opener

konservier|bar *adj* preservable; **k.en** *v/i* 1. to preserve conserve/pack; 2. ⚗ to process; **k.t** *adj* preserved, tinned *[GB]*, canned *[US]*

Konservierung *f* preservation, conservation, packing **K. der Fischbestände** fisheries conservation; **K.smittel** *nt* ⚗ preservative; **K.sstrategie** *f* conservation efforts; **K.stechnik** *f* means/technique of preservation

Kon|signant *m* consignor, consigner; **K.signatar** *m* consignee

Konsignation *f* consignment; **in K.** on consignment **jdm ~ geben** *(Ware)* to consign to so.; ~ **nehmen** to take on consignment; ~ **verkaufen** to sell on a consignment basis

Konsignations|buch *nt* order book; **K.depot** *nt* consignment stocks, goods held on consignment; **K.faktura** *f* pro-forma invoice; **K.geschäft** *nt* consignment sale trade/transaction, memorandum sale *[US]*; **K.güter** *pl* goods in consignment, ~ on commission; **K.handel** *m* consignment marketing/selling; **K.konto** *nt* commission/consignment account

Konsignationslager *nt* consignment stocks/store, consignor's inventory, custodian warehouse; **K. unterhalten** to carry stocks; **K.haftungsrahmen** *m* consignment limit

Konsignations|rechnung *f* consignment invoice; **K.-sendung** *f* consignment; **K.verkauf** *m* consignment/memorandum *[US]* sale; **K.vertrag** *m* contract of consignment; **K.ware** *f* consigned/consignment/memorandum goods, consignment stock(s)/merchandise, goods on consignment; **K.wechsel** *m* value bill; **k.weise** *adv* on a commission basis

Konsigator *m* consigner, consignor

konsignieren *v/t* to consign, to ship goods on consignment

Konsistenz *f* consistency, consistence; **K.koeffizient** *m* coefficient of consistence; **K.modell** *nt* fixed-target policy model

Konsole *f* console, frame, panel

konsolidieren *v/t* to consolidate/fund/bind; *v/refl (Kurse)* to be in a general bottoming area; **neu k.** to refund

konsolidiert *adj* consolidated, funded; **nicht k.** unfunded, deconsolidated, unconsolidated

Konsolidierung *f* consolidation, funding, refunding; **K. von Bankkrediten** funding of bank advances; **K. der Finanzen** financial consolidation; **~ öffentlichen Haushalte** consolidation of public households; **K. eines Kredits** consolidation of a credit; **K. von Schulden** debt consolidation; **K. schwebender Schulden** funding of floating debts; **außenwirtschaftliche K.** external consolidation; **binnenwirtschaftliche K.** domestic consolidation; **finanzielle K.** financial restructuring

Konsolidierungs|anleihe *f* funded/funding loan; **K.ausgleichsposten** *m* consolidation excess, excess arising on consolidation, equalizing item on consolidation; **K.bedarf** *m* need for consolidation; **K.bemühungen** *pl* consolidation efforts; **K.bogen** *m* consolidating financial statement; **K.buchung** *f* consolidating entry; **K.erfolg** *m* success in consolidation; **K.früchte** *pl* benefits of the consolidation policy; **K.gewinn** *m* consolidation surplus; **K.grundsätze** *pl* consolidation policy; **K.kredit** *m* consolidation/funding/consolidated loan; **K.kreis** *m* basis/scope of consolidation, consolidated companies/group, consolidation scope; **K.kurs** *m* stabilization policy; **K.maßnahmen** *pl* consolidation measures; **K.methode** *f* consolidation method; **k.pflichtig** *adj* liable to consolidation; **K.phase** *f* period of consolidation, consolidation phase; **in der ~ stecken** *(Börse)* to be in a correction phase; **K.politik** *f* consolidation policy; **K.prozess** *m* consolidation process; **K.rücklage** *f* consolidation reserve; **K.schuldverschreibung** *f* funding bond; **K.stufe** *f* level of consolidation; **K.vorschriften** *pl* consolidation rules

Konsolprozessor *m* 🖳 console processor

Konsols *pl* consols *[GB]*, consolidated annuities

Konsorte *m* associate, (consortium/syndicate) member, underwriter

konsortial syndicated, consortial

Konsortial|- syndicate; **K.abteilung** *f* syndicate department; **K.angebot** *nt* syndicate offering; **K.anleihe** *f* syndicate loan; **K.anteil** *m* syndicate quota/share, underwriting share; **K.bank** *f* consortium/participating bank, syndicate member bank, member bank of a consortium; **(feder)führende K.bank** leading bank, lead/syndicate manager; **K.(bank)geschäft** *nt* investment banking; **K.beteiligung** *f* share/participation in a syndicate, underwriting/syndicate participation; **K.beteiligungen** syndicate holdings/interests; **K.bildung** *f* syndication; **K.bindung** *f* syndicate commitment; **K.führer(in)** *m/f* 1. principal/(co-)lead/syndicate manager, syndicate/consortium leader, leader of a consortium, managing/principal underwriter, managing member; 2. *(Bank)* lead(ing) bank, leading/prime/originating house, sponsor; **~ sein** to lead-manage

Konsortialführung *f* lead/syndicate management; **K. haben** to lead-manage; **K.sprovision** *f* manager's commission

Konsortial|gebühr *f* management charge/fee; **K.geldbeträge** *pl* joint account money; **K.geschäft** *nt* 1. business on joint account, syndicate business/operation(s); 2. *(Vers.)* underwriting syndicate/business; 3. *(Bank)* syndicate/consortium banking, syndicated lending; **K.hilfe** *f* consortium aid

konsortialiter *adv* as a syndicate

Konsortialkonto *nt* joint/syndicate account

Konsortialkredit *m* syndicate(d) loan/credit/facility, collective/consortium/participating/participation loan, joint credit; **K. mit variablem Zinssatz** floating-rate syndicated loan; **K.geber** *pl* joint creditors; **K.geschäft** *nt* syndicate(d) lending(s); **K.linie** *f* syndicate credit line; **K.nehmer** *pl* joint borrowers

Konsortial|kurs *m* syndicate price; **K.marge** *f* underwriter's commission, issuing bank's commission; **K.mitglied** *nt* syndicate/underwriting/consortium member, co-manager; **(feder)führendes K.mitglied** 1. leader (of a consortium), leading company; 2. *(Bank)* lead(ing) bank; 3. *(Vers.)* lead(ing) office; **K.nutzen/K.provision** *m/f* underwriting commission, spread, participation fee; **K.plafond** *m* syndicate line; **K.quote** *f* syndicate quota, underwriting/issuing/member's share; **K.rechnung** *f* syndicate accounting; **K.sitzung** *f* syndicate meeting; **K.spanne** *f* overriding commission, spread; **K.spesen** *pl* underwriting fee; **K.system** *nt* syndicate system; **K.verbindlichkeiten** *pl* syndicated loans; **K.vermögen** *nt* syndicate assets; **K.verpflichtung** *f* underwriting commitment; **K.vertrag** *m* syndicate/underwriting agreement; **K.vorbehalt** *m* underwriter's reservation

Konsortium *nt* consortium (of companies), (underwriting) syndicate, partnership, management group, underwriters; **Konsortien** consortia; **K. anführen** to head a consortium; **einem K. angehören** to co-manage; **K. bilden** to (form a) syndicate

Konspir|ation *f* conspiracy, plot; **K.ator** *m* conspirator, plotter; **k.ieren** *v/i* to conspire/plot

konstant *adj* constant, steady, uniform; **k. bleiben** to hold up; **k. halten** to stabilize

Konstante *f* constant, parameter, constancy, steadiness

Konstanttaste *f* constant key

Konstanz *f* constancy; **K. des Geldwertes** stability of money; **K. der Lohnquote** constancy of labour's share; **relative ~ Lohnquoten** constancy of relative shares

konstatieren *v/t* 1. to state/establish/find; 2. to notice/ observe

Konstellation *f* constellation, combination of circumstances, state of affairs; **K. der Kräfte** pattern of forces; **konjunkturelle K.** economic situation; **unternehmensinterne K.** internal configuration

konsterniert *adj* taken aback; **völlig k.** wholly at a loss

konstituierlen *v/t* 1. to constitute/form, to set up; 2. to be constituted; **k.end** *adj* constituent, constitutive; **k.t** *adj* constituted

Konstitution *f* 1. constitution; 2. condition; **k.ell** *adj* constitutional; **K.stherapie** *f* constitutional therapy

konstitutiv *adj* constitutive

Konstruieren *nt* design, construction, engineering, arrangement, pattern; **rechnerge-/rechnerunterstütztes K.** computer-aided design (CAD); **k.** *v/t* 1. to design/construct/devise/engineer; 2. *(geistig)* to construe

konstruiert (zu) *adj* designed (to)

Konstrukt *nt* construct; **K.eur** *m* designer, design(ing) engineer, constructor

Konstruktion *f* design, construction, structure, architecture, pattern; **computer-/EDV-/rechnergestützte K.** computer-aided design (CAD)

Konstruktionsl- constructional, design; **K.abteilung** *f* design department; **K.änderung** *f* engineering change; **k.bedingt** *adj* structural; **K.büro** *nt* consultancy/drawing office *[GB]*, drafting room *[US]*, technical bureau, engineering department; **K.element** *nt* design feature; **K.fehler** *m* 1. design fault, faulty design; 2. structural defect, defect of construction, fault in construction; **K.firma** *f* engineering firm; **K.form** *f* structural shape; **K.gemeinkosten** *pl* indirect design cost(s); **K.kosten** *pl* engineering charges, construction cost(s); **K.lehre** *f* industrial design; **K.merkmal** *nt* design feature; **K.plan** *m* design drawing; **K.prinzipien** *pl* design philosophy; **K.stand** *m* engineering level; **K.stelle** *f* design department; **K.stückliste** *f* engineering bill of materials; **K.technik** *f* design engineering; **k.technisch** *adj* structural, constructional; **K.teil** *nt* structural component; **K.unterlagen** *pl* designs, design data; **K.verfahren** *nt* method of construction; **K.zeichner** *m* draughtsman *[GB]*, draftsman *[US]*; **K.zeichnung** *f* working drawing

konstruktiv *adj* constructive

Konsul *m* consul

Konsularl- → **Konsulats-** consular; **K.abkommen** *nt* consular treaty; **K.abteilung** *f* consular section; **K.agent** *nt* consular agent; **K.beamter** *m* consular official; **K.behörde** *f* consular authority; **K.bezirk** *m* consular district; **K.dienst** *m* consular service; **K.einrichtungen** *pl* consular facilities; **K.faktura/K.rechnung** *f* consular invoice (C.I.); **K.gebühren** *pl* consular fees; **K.gericht** *nt* consular court; **K.gerichtsbarkeit** *f* consular jurisdiction; **K.gut** *nt* consular goods; **k.isch** *adj* consular; **K.korps** *nt* consular corps; **K.papiere** *pl* consular documents; **K.recht** *nt* consular right; **K.schutz** *m* consular protection; **K.status** *m* consular status; **K.vertrag** *m* consular convention/treaty; **K.vertreter** *m* consular representative/agent

Konsulat *nt* consulate

Konsulatsl- → **Konsular-** consular; **K.abteilung** *f* consular department; **K.beamter** *m* consular official; **K.bescheinigung** *f* consular certificate; **K.bezirk** *m* consular district; **K.dienst** *m* consular service; **K.faktur(a)/K.rechnung** *f* consular invoice (C.I.); **K.gebühr** *f* consular fee; **K.gebühren** consulage; **K.gericht** *nt* consular court; **K.papiere** *pl* consular documents; **K.sichtvermerk** *m* consular visa; **K.siegel** *n* consular seal; **K.vertrag** *m* consular treaty; **K.vorschriften** *pl* consular regulations

Konsultation *f* consultation; **K.seinrichtungen** *pl* consultative machinery; **K.sgebühr** *f* consultation fee; **K.spflicht** *f* statutory consultation; **K.srecht** *nt* right to consultation; **K.sverfahren** *nt* consultation procedure/machinery

konsultativ *adj* consultative

konsultieren *v/t* to consult/see/enquire, to seek advice, to have recourse to

Konsum *m* 1. consumption; 2. *(Laden)* co-op, cooperative store; **K. von Prestigeobjekten** conspicuous consumption

auffälliger Konsum conspicuous consumption; **autonomer K.** autonomous consumption; **gemeinsamer K.** non-rivalry in consumption; **gesamtwirtschaftlicher K.** aggregate consumption; **inländischer K.** domestic/home consumption; **monetärer K.** money consumption, consumption in monetary terms; **privater K.** private consumption; **staatlicher K.** public sector consumption

konsumlabhängig *adj* consumption-related, dependent on consumption; **K.artikel** *m* consumer item; *pl* consumer goods; **K.aufwand/K.ausgaben** *m/pl* consumer spending, consumption expenditure; **K.ausweitung** increased consumption; **K.bedarf** *m* consumer needs; **an der Grenze liegende K.bereitschaft** marginal propensity to consume; **K.beschränkung** *f* limitation of consumption; **k.bewusst** *adj* consumer-orient(at)ed; **k.bezogen** *adj* consumption-geared; **K.boom** *m* boom in consumer goods, consumer boom; **K.dämpfung** **K.drosselung** *f* curb(s) on consumption; **K.darlehen** *nt* consumer loan; **K.dienstleistung** *f* consumer service; **K.dynamik** *f* consumption dynamics; **K.ebene** consumption surface; **K.einheit** *f* spending unit; **K.einschränkung** *f* curb(s) on consumption; **K.elektronik** consumer electronics

Konsument *m* consumer, user; **K. ohne Marken-/Ladentreue** trend switcher

Konsumenten *pl* consuming public; **K.analyse** *f* consumer analysis; **K.bedarf/K.bedürfnisse** *m/pl* consumer needs; **K.befragung** *f* consumer research; **K.befriedigung** *f* consumer satisfaction; **K.bewusstsein** *nt* consumer awareness; **K.einkommen** *nt* consumer income; **K.forschung** *f* consumer research; **k.freundlich** *adj* consumer-orient(at)ed; **K.geld** *nt* consumers' money; **K.gesellschaft** *f* consumer society; **K.geschäft** *nt* *(Bank)* consumer lending; **K.gewohnheiten** *pl* consumer habits; **kontinuierliche K.gewohnheiten** habit persistence; **K.gruppe** *f* consumer group; **K.haltung**

passive attitude; **K.handel** *m* consumer buying/retailing; **K.haushalt** *m* consumer household; **K.irreführung** *f* misleading of consumers; **K.käufe** *pl* consumer sales; **K.kaufkraft** *f* consumer purchasing power; **K.kaufverhalten** *nt* consumer buying habits

Konsumentenkredit *m* consumer credit/loan, retail/consumption credit, customer's loan; **gewerblicher K.** trade consumer credit; **K.geschäft** *nt* consumer credits

Konsumentenlnachfrage *f* consumer demand; **K.preis** *m* consumer price; **K.preisindex** *m* consumer price index; **K.rente** *f* consumer's/buyer's surplus; **K.risiko** *nt* consumer's risk

Konsumentenlschaft *f* consumers; **K.souveränität** *f* consumer sovereignty; **K.verband** *m* consumer association; **K.verhalten** *nt* consumer behaviour/habits; **K.verschuldung** *f* consumers' indebtedness; **K.werbung** *f* direct/consumer advertising

Konsumentscheidung *f* decision to consume

Konsumerismus *m* consumerism

Konsumlfertigware *f* finished consumer goods; **K.finanzierung** *f* consumer finance/credit, instalment sales financing; **K.finanzierungswechsel** *m* consumption-financing bill; **K.forschung** *f* consumer research; **K.freiheit** *f* freedom of consumption, consumer's freedom of disposal; **K.freude/K.freudigkeit** *f* propensity to consume; **k.freudig** *adj* free-spending; **marginale K.freudigkeit** marginal propensity to consume

Konsumfunktion *f* consumption function; **kurzfristige K.** short-term consumption function; **verzögerte K.** lagged consumption function

Konsumlgenossenschaft *f* cooperative retail society, Co-operative Society (Co-op), cooperative (association/society), industrial and provident society; **K.geschäft** *nt (Laden)* co-op store; **K.gesellschaft** *f* consumer society; **K.gewohnheit** *f* consumer habit, consumption pattern, habit of consumption

Konsumgut *nt* consumer product/item/good, final product; **Konsumgüter** consumer/consumption goods, goods for consumption, ~ of the first order; **~ des täglichen Bedarfs** convenience goods *[US]*; **schädliche ~ und Dienste** illth

dauerhafte Konsumgüter consumer durables, durable consumer goods; **gewerbliche K.** industrially produced consumer goods; **hochwertige K.** shopping goods *[US]*; **kurzlebige K.** consumer disposables, non-durables, perishable (consumer) goods; **langlebige K.** consumer durables, consumers' capital, durable consumer goods; **teures Konsumgut** big-ticket item *[US]*

Konsumgüterlbereich/K.branche/K.gewerbe/K.industrie *m/f/nt/f* consumer goods sector/industry; **K.hersteller** *m* consumer goods manufacturer; **K.konjunktur** *f* consumer boom; **K.markt** *m* consumer (goods) market; **K.messe** *f* consumer goods trade fair; **K.nachfrage** *f* demand for consumer goods, consumption demand; **K.produktion** *f* consumer goods output; **K.sektor** *m* consumer goods sector

konsumhungrig *adj* consumption-orient(at)ed, consumerist

konsumierlbar *adj* for consumption, consumable; **k.en** *v/t* to consume

Konsumismus *m* consumerism

Konsumlklima *nt* consumer sentiment, buyer confidence; **K.konjunktur** *f* consumer/consumption boom; **K.kraft** *f* consumptive power, consumption capacity

Konsumkredit *m* consumer credit; **K.e** point-of-sale finance; **K.genossenschaft** *f* consumer credit cooperative; **K.geschäft** *nt* consumer credits; **K.karte** *f* consumer credit card

geplante Konsumlkurve planned consumption curve; **K.laden** *m* cooperative store; **K.linie** *f* consumption line; **K.marke** *f* popular brand; **K.nachfrage** *f* consumer demand; **k.nah/k.orientiert** *adj* consumer-serving, consumer-orient(at)ed, market-orient(at)ed, close to the consumer, near-consumer; **K.neigung** *f* propensity to consume; **K.niveau** *nt* level of consumption; **K.orientierung** *f* consumer orientation; **K.papier** *nt* low-grade paper; **K.plan** *m* consumption plan

Konsumquote *f* consumption (income) ratio, propensity to consume; **durchschnittliche K.** average propensity to consume; **marginale K.** marginal propensity to consume; **sinkende K.** declining consumption ratio

Konsumlrausch *m* consumer binge; **K.reife** *f* maturity; **K.sättigung** *f* saturation of consumption; **im K.schatten** *m* not benefiting from the consumer boom; **K.sektor** *m* consumer goods sector; **K.spritze** *f* spurt of demand; **K.stau** *m* pent-up consumption; **K.steigerung** *f* growth in consumption; **K.steuer** *f* 1. excise tax, tax on consumption; 2. *[US]* sales-use tax; **K.stoß** *m* sharp rise in consumption; **K.tabelle** *f* consumption schedule; **K.terror** *m* pressure of a materialistic society; **K.theorie** *f* theory of consumption

konsumtiv *adj* consumption; **K.darlehen/K.kredit** *nt/m* consumer credit/loan; **K.teil** *m* wages part/portion spent on consumption

Konsumltrend *m* consumption trend; **K.verein** *m* cooperative (retail) society, consumers' cooperative/association/society; **K.verhalten** *nt* consumer habits, consumption pattern; **K.verzicht** *m* deferred demand, non-consumption; **freie K.wahl** free consumer's choice, freedom of choice by consumers; **K.waren** *pl* consumer goods; **K.welle** *f* flood of demand, spate of consumption, spending spree; **K.werbung** *f* consumer (product) advertising; **K.werte** *pl (Börse)* consumer shares *[GB]*/stocks *[US]*, commercials; **K.wirtschaft** *f* consumption sector; **K.zeit** *f* time for consumption; **K.ziffern** *pl* consumption figures; **K.zwang** *m* compulsion to buy

Kontakt *m* 1. contact, liaison; 2. ϟ (contact) point; **K.e** working relationship; **~ auf höchster Ebene; ~ Spitzenebene** top-level contacts; **K. aufnehmen/herstellen; in K. treten** to get in touch, to (establish) contact; **in K. bleiben; K. halten/pflegen** to keep in touch, to liaise; **K. haben** to be in touch; **mit jdm in engem K. stehen** to rub shoulders with so. *(fig)*; **K. verlieren** to lose touch; **enger K.** close contact; **geschäftlicher K.** business contact; **persönlicher K.** face-to-face contact

Kontakt|adresse *f* contact/accommodation address; **K.anbahnung/K.aufnahme** *f* establishing contacts; contacting; **K.ausschuss** *m* contact committee; **K.bildschirm** *m* contact-sensitive screen; **K.büro** *nt* liaison office; **K.er(in)** *m/f* 1. contact (man); 2. *(Werbung)* account executive/supervisor; 3. *(Telefonverkauf)* agent; **k.fähig/k.freudig** *adj* sociable, personable, outgoing; **K.fähigkeit** *f* interpersonal skills; **K.freudigkeit** *f* sociability; **K.gruppenleiter** *m (Werbung)* contact group accounter, group head; **k.ieren** *v/t* to contact; **K.kosten** *pl* calling cost(s); **K.linse/K.schale** *f* contact lens; **K.mann/K.person** *m/f* contact (man); **als ~ fungieren** to liaise; **K.nahme** *f* contacting; **K.pflege** *f* public/human relatives; **K.sperre** *f* § incommunicado *[E]*/solitary confinement; **K.stelle** *f* liaison office, contact point; **K.streifen** *m (Foto)* contact print; **K.studium** *nt* refresher course; **K.umfrage** *f* contactual survey; **K.verhalten** *nt* customer approach

Kontamin|ation; K.ierung *f* contamination; **k.ieren** *v/t* to contaminate/pollute

Konten|abbuchung *f* direct debit transfer; **K.abgleichung** *f* balancing of accounts; **K.abrechnung** *f* settlement of accounts; **K.abschluss** *m* balancing/closing of accounts, balance of account(s), annual accounting statement; **K.abstimmung** *f* reconciliation/squaring of accounts; adjustment; **monatliche K.abstimmung** monthly reconciliation; **K.abweichung** *f* discrepancy between accounts; **K.anruf** *m* entry formula; **K.art** *f* type of account; **K.aufgliederung** *f* breakdown/dissection of accounts, account classification; **K.auflösung** *f* fanout into other accounts; **K.aufteilung** *f* accounts specification; **K.ausgleich** *m* balancing/squaring of accounts; **interner K.ausgleich** internal cost-equalizing process; **K.bearbeiter(in)** *m/f* accounts supervisor; **K.bewegung** *f* account move, movement/activity of accounts; **K.bezeichnung** *f* title/name of account, account title/designation; **K.blatt** *nt* account sheet/form, accounting form; **K.buch** *nt* accounts opened and closed book; **K.dotierung** *f* allocation of accounts; **K.einteilung** *f* classification of accounts; **K.eröffnungsantrag** *m* account opening form; **K.fälschung** *f* falsification/manipulation of accounts; **K.folge** *f* account sequence; **K.form** *f (Bilanz)* account form; **K.freigabe** *f* release of a blocked account; **K.führer(in)** *m/f* account manager/officer, keeper of an account, ledger clerk

Kontenführung *f* accounting, accountancy, account keeping; **K.sgebühr** *f* account maintenance/keeping charge; **K.skosten** *pl* activity cost(s)

Konten|geschäft *nt* accounts business; **K.glattstellung** *f* clearing of an account, squaring/adjustment of accounts; **K.gliederung** *f* account classification; **K.-gruppe** *f* account group; **K.guthaben** *nt* account deposits; **K.inhaber(in)** *m/f* account holder; **K.kalkulation** *f* account costing; **K.karte** *f* account card; **K.klasse** *f* class of accounts; **K.kontrolle** *f* account control; **K.liste** *f* account list; **k.los** *adj* ledgerless, open-item; **K.pflege** *f* account cleanup; **K.plan** *m* chart/classification/card/register of accounts, accounts code; **K.rahmen** *m* schedule/scheme/chart of accounts, standar form of account, account system, standard/basic/systematic chart of accounts, (uniform) system of accounts; **K.regulierung** *f* squaring of accounts; **K.saldierung** *f* combination of accounts; **K.saldo** *m* accoun balance; **der Höhe nach feststehender K.saldo** liquidated account; **K.schiebung** *f* wangling of accounts account manipulation; **K.schließung** *f* account close **K.spalte** *f* account column; **K.sparen** *nt* account/passbook saving, saving by account; **K.sperrung** *f* blocking of accounts; **K.stammsatz** *m* account master record; **K.stand** *m* state/balance of an account, accountin position; **K.standserhöhung** *f* increase of balance **K.system** *nt* system of accounts; **K.übereinstimmun** *f* tally; **K.übertrag** *m* transfer in account; **K.überziehung** *f* overdraft banking, (bank) overdraft; **K.umschreibung** *f* transfer between accounts; **K.unstimmigkeit** *f* discrepancy between (two) accounts; **K.untersuchung** *f* account analysis; **treuhänderisch K.verwaltung** fiduciary accounting; **K.verzeichnis** accounts opened and closed book *[US]*; **K.zettel** *m* car go list; **K.zusammenlegung** *f* pooling of accounts

Konterbande *f* ⊖ contraband (goods), prohibited articles; **absolute K.** absolute contraband; **bedingte/relative K.** conditional contraband

Konter|effekt *m* 1. backwash effect; 2. *(Politik)* backlash **k.karieren** *v/t* to counteract; **K.marke** *f* counter mark

Kontermin|e *pl* *(Börse)* bear speculation; **k.ieren** *v/ (Börse)* to speculate on a fall

kontern *v/i* 1. to counter/retaliate/parry; 2. *(Antwort)* t retort

Konter|revolution *f* counter-revolution; **K.schlag** *n* retaliation; **K.ware** *f* ⊖ contraband; **K.zettel** *m* counte check

Kontext *m* context

Kontiarbeiter *m* all-shift worker

kontieren *v/t* to classify, to allocate to an account

Kontierung von Belegen *nt* account distribution, designation of accounts, allocation to an account; **K.sbogen** *m* accounting stationery/sheet; **K.sfehler** *m* erro in coding; **K.snachweis** *m* coding voucher

Kontiguität *f* § contiguity; **K.szone** *f* contiguous zon

Kontinent *m* continent; **schwarzer K.** black Africa

kontinental *adj* continental; **K.europa** *nt* mainland continental Europe, the Continent; **K.sockel** *m* continental shelf; **K.sperre** *f* Continental System

Kontingent *nt* 1. quota, share, allocation; 2. contingent; **in Frage kommendes K.** applicable quota; **K. aufstocken** to increase quotas; **~ aufteilen** to allocat quotas; **K. bewilligen** to grant a quota; **K. erschöpfe** to use up/exhaust a quota; **K. festsetzen** to fix/establis a quota; **K. kürzen** to cut a quota; **K. überziehen** to exceed a quota

Kontingent|beschränkungen *pl* quota restrictions **k.frei** *adj* non-quota, quota-free

kontingentier|en *v/t* to fix a quota, to allocate/ration quota, to impose quantitative limitations, to limit b quota; **k.t** *adj* (subject to) quota, rationed; **nicht k.** non-quota ontingentierung *f* quota system/fixing/setting/restrictions, rationing, allocation, imposition/fixing of quotas, limitation; **K.sbescheinigung** *f* quota certificate; **K.skartell** *nt* quota allocation cartel; **K.ssatz** *m* quota; **K.ssystem** *nt* quota system; **K.svertrag** *m* quota agreement

ontingentmäßig *adv* by quota

ontingents|abrechnung *f* quota accounting; **K.anteil** *m* quota share; **K.antrag** *m* quota application; **K.aufstockung** *f* quota increase; **K.aufteilung** *f* quota allocation; **K.beschränkung** *f* quota restriction

ontingentschein *m* quota certificate

ontingents|erhöhung *f* quota increase; **K.festsetzung** *f* fixing of quotas; **K.geschäft** *nt* quota transaction; **K.kürzung** *f* quota cut; **K.rabatt** *m* quota rebate; **K.träger** *m* quota agent; **K.zollsatz** *m* ⊖ quota duty; **K.zuweisung** *f* quota allocation

ontingentvereinbarung *f* quota agreement

ontingenz *f* contingency; **mittlere quadratische K.** mean-square contingency; **K.koeffizient** *m* coefficient of contingency; **K.tafel** *f* contingency table; **K.theorie** *f* contingency theory

ontinuierlich *adj* uninterrupted, ongoing, steady, continued

ontinuität *f* continuity; **K.stheorie** *f* § continuity theory

ontischicht *f* *(coll)* one-shift/single-shift operation, continuous shift

onto *nt* account (A/C, a/c), balance; **Konten** accounts; **à K.** on account, a vista *[I]*

onto für Abschreibungsrücklagen depreciation reserve account; **K. "Anlagen im Bau"** capital construction-in-progress acount; **K. der Anlagewerte** fixed-asset account; **K. des Ausstellers** drawer's account; **~ Baissespekulanten** short account; **K. für Beteiligungen** investment account; **K. ohne Bewegung** inactive account; **K. für/pro Diverse** sundries account, collective expense account, overs and shorts; **K. zugunsten Dritter** tertiary account; **K. für staatliche Gelder** public account; **K. mit Guthabensaldo** credit account; **Konten zwecks späterer Gutschrift** deferred accounts; **~ von Kapitalsammelstellen** institutional accounts; **K. ohne Kreditlimit** unlimited account; **K. in Offener-Posten-Form** open-item account; **Konten von Organgesellschaften** intercompany accounts; **K. zur Periodenabgrenzung von Löhnen und Gehältern** accrued payroll account; **K. Privatentnahmen** drawing account; **K. in laufender Rechnung** current/open/running account; **K. für Sonderziehungen** *(IWF)* Special Drawing Account; **K. in T-Form** T-account; **K. mit laufenden Umsätzen** active account; **K. zur vorläufigen Verbuchung unklarer Posten** over and short account; **K. "Verschiedenes"** sundries account; **K. überfälliger Wechsel** bills overdue account; **K. für laufende Zahlungen** budget account; **K. unter Zwangsverwaltung** sequestered account

kein Konto" "N/A" (no account); **K. abgeschlossen** account closed; **nicht auf Konten verteilt** undistributed

vom Konto abheben to draw on an account, to withdraw; **Konten ablesen** to call over accounts; **~ abrechnen** to square/settle/liquidate accounts; **K. abschließen** to clear/balance/settle an account, to close and rule an account, to rule off an account; **Konten abstimmen** to adjust/reconcile/agree accounts; **K. alimentieren** to place an account in funds; **K. anerkennen** to credit an account; **K. anlegen** to open an account; **K. aufgliedern** to break down an account; **Konten aufgliedern** to itemize accounts; **~ nach ihrer Fälligkeit aufgliedern** to age accounts; **K. aufheben/auflösen** to close an account; **K. aufstellen** to make up an account; **K. auftauen** to unfreeze an account; **K. ausgleichen** to settle/balance/square/discharge an account, to make up the account; **Konten ausgleichen** to make accounts square; **K. begleichen** to clear/settle an account; **K. belasten mit (etw.)** to charge/debit (sth. to) an account, to pass to the debit of an account, to charge an account with; **K. bereinigen** to clear/settle/adjust/square an account; **K. beschriften** to classify an account; **K. blockieren** to block/freeze an account; **Konten in Ordnung bringen** to adjust/square accounts; **~ wieder in Ordnung bringen** to readjust accounts; **~ auf den neuesten Stand bringen** to post accounts, to bring accounts up to date; **K. debitieren** to debit an account; **K. dotieren** to place an account in funds; **Konten durchgehen** to go through (the) accounts; **K. einrichten/eröffnen** to open/set an account; **auf ein K. einzahlen** to pay into an account; **K. entlasten** to discharge/approve an account; **K. erkennen** to credit an account; **K. (zu jds Gunsten) eröffnen** to open an account (in so.'s favour); **Konten freigeben** to release accounts; **~ frisieren** to cook/wangle/juggle accounts; **K. führen** to conduct/keep an account; **K. bei einer Bank führen** to have an account with a bank, to bank with; **K. glattstellen** to settle/square/adjust an account; **einem K. gutschreiben; K. kreditieren** to credit an account with; **dem K. Zinsen gutschreiben** to add interest to the account; **K. haben bei** to hold/have/maintain an account with, to bank with; **K. kündigen** to call up an account; **K. löschen** to close an account; **Konten manipulieren** to doctor/cook accounts; **K. pfänden** to garnish/attach an account; **K. prüfen** to examine/audit/verify an account; **K. regulieren** to place an account in funds; **K. saldieren** to balance an account; **faules K. sanieren** to nurse an account; **K. schließen** to close an account; **aufs K. setzen** to carry to account; **K. sperren** to block/freeze an account; **K. stilllegen** to flag an account; **Konten überprüfen** to audit accounts; **auf ein anderes K. überschreiben/-tragen** to transfer to another account; **Konten überwachen** to audit accounts; **K. überziehen** to overdraw an account; **K. unterhalten** to keep/have an account; **auf dem K. verbuchen** to apply to/enter into an account; **K. verwalten** to manage an account; **Konten zusammenlegen** to pool accounts

abgerechnetes Konto settled account; **abgeschlossenes K.** closed account; **abgesichertes K.** secured account; **abgetretenes K.** assigned account; **allgemeines K.** general account; **anonymes K.** nominee account;

ausgeglichenes K. balanced/closed account; **ausländisches K.** external account; **belastetes K.** debit(ed)/charged account; **beschlagnahmtes K.** attached/sequestered account; **bewegtes K.** active account; **blockiertes K.** blocked/frozen/attached account; **debitorisches K.** debit/overdraft account; **debitorische Konten** accounts receivabe; **doppeltes K.** duplicate account; **eingefrorenes K.** frozen/blocked account; **erkanntes K.** account credited; **fiktives/fingiertes K.** fictitious/pro-forma account; **fiskalische Konten** public accounts; **gebundenes K.** time deposit; **nicht genügend/ungenügend gedecktes K.** overextended account; **sorgfältig geführtes K.** straight account; **kreditorisch ~ K.; kreditorisches K.** non-borrowing/credit(or) account; **gemeinsames K.** joint account; **gemischtes K.** mixed account; **gesperrtes K.** blocked/frozen account; **interne Konten** intercompany accounts; **kreditorische Konten** accounts payable; **laufendes K.** current *[GB]*/personal/checking *[US]*/cheque *[GB]*/open/drawing/running/charge account; **laufende Konten** current accounts *[GB]*, demand deposits *[US]*; **laufendes K. mit Zinsertrag** negotiable order of withdrawal (NOW) account, interest-bearing current account; **lebendes K.** personal account; **offenes K. → laufendes K.**; **offen stehendes K.** unsettled account; **persönliches K.** private/personal account; **provisorisches K.** interim/suspense account; **revolvierendes K.** revolving account; **reziproke Konten** suspense accounts; **ruhendes/totes/umsatzloses/unbewegtes K.** 1. dormant/inoperative/dead/broken/nominal/inactive account; 2. *(Depot)* securities ledger; **sachliches K.** impersonal account; **transitorisches K.** suspense account; **überzogenes K.** overdrawn account; **umsatzreiches/-starkes Konto** working/active account; **ungedecktes K.** unsecured account; **unverzinsliches K.** non-interest-bearing account; **verzinsliches/zinstragendes K.** interest-bearing account; **vorläufiges K.** suspense/provisional account; **zedierte Konten** assigned accounts; **zweckbestimmtes K.** earmarked account; **zweifelhafte Konten** doubtful accounts

Konto|abhebung *f* withdrawal; **K.abrechnung/K.abschluss** *f/m* (bank) reconciliation statement, closing statement, closing/balancing of an account; **K.abstimmung** *f* account reconciliation; **K.abtretung** *f* assignment of (an) account; **K.änderung** *f* change of account; **K.anerkennung** *f* approval of an acount; **K.auflösung** *f* closing/closure of an account; **K.auftrag** *m* account order/mandate; **K.ausgleich** *m* balance, balancing, squaring

Kontoauszug *m* statement/abstract/extract of account, bank statement, account current, pass sheet/bill; **halbjährlicher K.** semi-annual account; **K.drucker** *m* account statement printer

Konto|bearbeitungsgebühr *f* service charge; **K.belastung** *f* (bank) debit; **K.bereinigung/K.berichtigung** *f* adjustment of an account; **K.besitzer** *m* account holder; **K.bestand** *m* balance; **K.bestätigung** *f* verification statement *[GB]*, reconcilement blank *[US]*; **K.bewegung** *f* transaction, account transaction/movemen **K.bezeichnung** *f* account title/heading

Kontoblatt *nt* account form, ~ ledger sheet; **von eine K. auf das nächste übertragen** to carry forward; **k.lo** *adj* ledgerless

Konto|buch *nt* account ledger, account/bank/pass/de posit book, book of accounts, register; **K.drehung** balance reversal; **K.einlage** *f* account deposit; **K.ein richtung** *f* setting up an account; **K.einzahlung** *f* pay ment into an account; **K.eröffnung** *f* opening an ac count, account opening; **K.eröffnungsantrag** *m* appl cation for an account; **K.fälschung** *f* cooking of a account; **K.form** *f* account/horizontal form; **K.freiga be** *f* release of a blocked account; **k.führend** *adj* ac count-keeping; **K.führer(in)** *m/f* account manage executive/supervisor, poster

Kontoführung *f* 1. account keeping/management; accountancy; **K.sgebühr** *f* account management charg commission on current accounts, bank/activity/se vice/maintenance charge, account (maintenance) fe ledger fee; **K.sstelle** *f* account-holding branch

Konto|gebühr *f* account fee; **K.gegenbuch** *nt* tall passbook; **K.glattstellung** *f* clearing/adjustment of a account; **K.guthaben** *nt* credit balance, account depos its/balance; **K.gutschrift(sanzeige)** *f* credit advic note/memo(randum) *[US]*; **K.information** *f* accour information; **K.inhaber(in)** *m/f* account holder, depos itor, accountee, holder of a bank account; **K.kalkula tion** *f* account costing; **K.karte** *f* account card

Kontokorrent *nt* 1. current/open account, account cu rent; 2. accounts receivable ledger

Kontokorrent|auszug *m* statement of account, accou current; **K.bedingungen** *pl* open account terms; **K.be stätigung** *f* verification form *[GB]*, accounts state *[US]*; **K.buch** *nt* (current) account ledger, accounts re ceivable ledger, money lent and lodged book; **~ eine Bank** bank ledger; **K.einlagen** *pl* current/demand de posits, call money *[GB]*; **K.einrichtung** *f* current ac count banking facility; **K.forderungen** *pl* current ac count receivables, debts founded on open accoun **K.form** *f* balance forward form; **K.geschäft** *nt* curre account banking/transaction, overdraft busines **K.gläubiger(in)** *m/f* trade creditor; **K.grenze** *f* ove draft limit

Kontokorrentguthaben *nt* balance on current accoun current account balance, cash at call; **K. aus Gu schrift von Krediten** secondary assets; **~ Kredit** add tional cover

Kontokorrent|konto *nt* current/open/drawing checking *[US]*/cash/book/transfer/demand/operatin running/continuing account, demand deposit; **K.kre dit** *m* overdraft (facility/advance on current account current account advance/credit, sight/cash/chequ credit, credit in current account, loan on overdraf **K.kunde** *m* current account customer; **K.schuld** *f* ove draft; **K.schuldner(in)** *m/f* trade debtor, debtor o overdraft; **K.umsatz** *m* current account movemen **K.verbindlichkeit** *f* liability on current account, cu rent account liability; **K.verbindlichkeiten/K.ver**

pflichtungen deposit liabilities; **K.verhältnis** *nt* mutual accounts; **K.verkehr** *m* current account transactions; **K.vertrag** *m* open account agreement; **K.vorbehalt** *m* current account reservation; **K.zinsen** *pl* interest on current account, current account rates

ontolkosten *pl* bank charges; **K.name** *m* account title; **K.nummer** *f* account number; **K.pfändung** *f* arrestment, garnishment of an account

ontor *nt* 1. office, counting house; 2. branch office

ontoregulierung *f* settlement/adjustment of an account

ontorflagge *f* ⚓ burgee

ontorist(in) *m/f* (office) clerk

ontolsachbearbeiter(in) *m/f* account officer; **K.saldo** *m* (account) balance; **K.schließung** *f* account close; **K.sperre anordnen** *f* to block an account; **K.spesen** *pl* account-carrying charges; **K.stand** *m* balance (of account), bank/account balance, state of an account; **K.tagesauszug** *m* daily statement (of account); **K.übertrag** *m* account/internal transfer; **K.überzieher** *m* overdrawer

ontoüberziehung *f* overdrawing of an account, (current account) overdraft, overchecking *[US]*; **kurzfristige K.** temporary overdraft; **technische K.** technical overdraft; **K.sprovision** *f* overdraft commission

ontolumbuchung *f* transfer to another account; **K.umsatz** *m* account turnover; **K.unterlagen** *pl* account files; **K.verbindung** *f* accounting connection; **K.vollmacht** *f* drawing authorization, account mandate; **K.vortrag** *m* balance carried forward; **K.zahlung** *f* payment on account

ontra *prep* § versus

ontrabuch *nt* tally, account book

ontradiktorisch *adj* contradictory, contentious, adversarial

ontrahent(in) *m/f* 1. § contracting party, party to a contract, contractant, contractor, covenantor, stipulator; 2. adversary

ontrahieren *v/t* to contract/agree, to enter into/conclude an agreement; **mit sich selbst k.** to act as principal and agent, to contract with o.s.

ontrahierung *f* contraction, contracting; **K.sfreiheit** *f* liberty to contract, ~ enter into a contract; **K.smix** *m* contract mix; **K.spolitik** *f* contract mix, contracting policy; **K.szwang** *m* obligation to contract, ~ accept contracts, contractual obligation

ontraindikation *f* ⚕ contraindication

ontrakt *m* contract, covenant, indenture, agreement; **laut K.** as per contract; **durch K. verpflichtet** indented

ontraktlarbeit *f* ⚒ bargain work; **K.bindung** *f* contractual obligation, commitment to a contract; **K.bruch** *m* breach of contract; **k.brüchig** *adj* in breach of contract; **K.einkommen** *nt* contractual income, income paid under contract; **K.erfüllung** *f* execution of a contract; **K.forschung** *f* contract research; **K.frachten** *pl* contract rates; **k.gebunden** *adj* bound by contract, contractual; **K.gerade** *f* contract line

ontraktionseffekt *m* contractionary effect

ontraktiv *adj* contractionary, restrictive

Kontraktlkurve *f* contract curve; **k.lich** *adj* contractual, stipulated; **K.lieferung** *f* contract delivery; **K.menge** *f* contract size; **K.monat** *m (Option)* contract month; **K.norm** *f (Option)* contract standard

Kontraktor *m* contracting party

Kontraktlpreis *m* *(Option)* contract price; **K.rate** *f (Fracht)* contract rate; **K.wert** *m* contract(ual) value

Kontraposition *f* contra item

konträr *adj* contrary; **K.bewegung** *f* contrary movement

Kontrast *m* contrast; **K.armut** *f* flatness; **K.farbe** *f* contrasting colour

kontrastieren *v/i* to contrast

Kontrastlprogramm *nt* alternative programme; **K.verhältnis** *nt* 🖳 print-contrast ratio

Kontribution *f* contribution

Kontrolllabschnitt *m* counterfoil, stub, control section, slip, check; **K.abteilung** *f* auditing department; **K.apparat** *m* checking device; **K.ausschuss** *m* audit/supervisory board; **K.beamter** *m* 1. inspector, controller, enforcement/inspecting officer; 2. frontier guard; 3. customs officer; **K.befragung** *f* audit survey; **K.befugnis** *f* supervisory power(s); **K.behörde** *f* regulatory agency/authority/body, supervisory board; **~ für Forsten, Häfen und Schifffahrt** conservancy; **K.beleg** *m* 1. voucher, counterfoil; 2. 🖳 control document; **K.besuch** *m* surveillance visit, callback; **K.blatt** *nt* counterfoil, stub; **K.buch** *nt* 1. *(Bank)* passbook *[GB]*, deposit book *[US]*; 2. *(Arbeit)* time sheet, control book; 3. 🚗 log book; **persönliches K.buch** 1. 🚗 truck driver's logger; 2. individual control book; **K.budget** *nt* accounting-control budget

Kontrolle *f* 1. control; 2. supervision, examination, inspection, checking (operations), verification, audit, surveillance; 3. ⚕ check(-up); 4. mastery; **außer K.** out of control/hand, runaway; **unter K.** under control, in hand

Kontrolle des Arbeitsablaufs operational audit; **K. von Einnahmen und Ausgaben** monitoring of receipts and expenditure(s); **warenmäßige K. des Exports** verification of exported goods; **K. des Geldumlaufs** monetary control; **K. der Kostenabweichung** variance analysis; **K. von Lebensmitteln** inspection of foodstuffs; **K. der Rechnungslegung** accounting control; **~ Waren** inspection of the goods; **K.n des Zahlungsverkehrs** exchange controls; **K. der Zentralbankgeldmenge** monetary base control

Kontrolle anstreben über to bid for the control of; **K. aufheben** to decontrol/deregulate, to lift controls; **K. ausüben** to exercise control; **unter K. bekommen/bringen** to get under control, to come to grips with, to crack down on, to contain, to rein in; **K. durchführen** to carry out/make checks; **jdm die K. entreißen** to wrest control (away) from so.; **sich der K. entziehen** to evade control, to be elusive; **außer K. geraten** to get out of control/hand/line, to come adrift; **alles/Situation unter K. haben** to be on top of the situation, to keep a tight grip on sth., to have everything (well) under control; **unter K. halten** *(Person)* to keep in check, ~ a check upon, ~ tabs on, to contain, to hold/keep down, to keep the lid on, to hold at bay; **außer K. sein** to be out of control; **an der K. eines Unternehmens beteiligt sein** to participate in the control of an enterprise; **einer direkten K. unterstellen** to release into direct control of so.; **K. verlieren** 1. to lose control; 2. to go to pieces; **K.n verschärfen** to increase control(s)/step up

ärztliche Kontrolle medical supervision; **administrative/amtliche/behördliche K.** official supervision, regimentation, administrative control; **überraschend durchgeführte K.** snap check; **ergebnisorientierte K.** management by results; **fiskalische K.** government control; **gerichtliche K.** judicial restraint; **gesetzliche K.** statutory control; **gesundheitsrechtliche K.** health control; **innerbetriebliche/interne K.** internal control/check; **laufende K.** regular inspection/check(-up), monitoring; **parlamentarische K.** parliamentary control; **schärfere K.** clampdown (on); **staatliche K.** government control; **unter staatlicher K.** state-controlled; **stichprobenweise K.** spot check; **umfassende K.** comprehensive control; **verfahrensorientierte K.** process-orient(at)ed supervision; **verstärkte K.n** tighter controls

Kontrollleinrichtungen *pl* monitoring facilities; **K.-leuchte** *f* ⚙ warning light

Kontrolleur(in) *m/f* controller, inspector, inspection officer, supervisor, checker, tally clerk

Kontrolllexemplar *nt* control copy; **K.feld** *nt* control field; **K.fluss** *m* 🖳 control flow

Kontrollfunktion *f* 1. regulatory role; 2. controlling function, management control; 3. supervisory powers; **K. ausüben** to hold a watching brief

Kontrolllgang *m* 1. *(Polizei)* beat, round; 2. visit of inspection; **K.gerät** *nt* checking device; **K.gerichtsbarkeit** *f* supervisory jurisdiction; **K.gesellschaft** *f* controlling/holding company; **K.grenze** *f* control limit; **obere K.grenze** ▦ upper control limit; **K.gruppe** *f* control group

kontrollierbar *adj* 1. controllable, checkable; 2. containable

kontrollieren *v/t* 1. to check/control/inspect/examine/monitor/verify, to check up; 2. to supervise; 3. to audit; **jdn k.** to stand over so., to keep tabs on so.; **laufend k.** to monitor

Kontrolllinformationen *pl* checking information; **K.instanz** *f* supervisory authority/body, unit of supervision; **K.instrument** *nt* instrument of control; **K.interview** *nt* check interview, callback; **K.karte** *f (Arbeit)* control/schedule chart, time card; **K.kasse** *f* cash register; **K.kauf** *m* test purchase; **K.kommission** *f* control commission; **K.konto** *nt* check/control(ling) account; **K.lampe** *f* ⚙ warning light, pilot lamp; **K.leiter** *m* controller; **K.liste** *f* check list, tally sheet; **K.marke** *f* inspection stamp, acknowledgment slip

Kontrollmaßnahme *f* control measure; **K.n** arrangements for inspection, policing measures; **innerbetriebliche K.n** internal control procedures

Kontrolllmechanismus *m* monitoring device; **K.-mehrheit** *f* controlling majority; **K.meldung** *f* return for control purposes; **K.mitteilung** *f (Steuer)* trac note; **K.muster** *nt* check/control/counter/referen sample; **K.nummer** *f* reference/code number; **K.o gan** *nt* 1. regulatory agency/body/authority/organis tion, controlling/watchdog/monitoring body; 2. audi ing agency, oversight committee; **K.pflicht** *f* supe visory resonsibility; **k.pflichtig** *adj* subject to contr **K.programm** *nt* 🖳 executive/supervisory routin **K.prüfung** *f* test, check; **K.punkt** *m* 1. checkpoint; ▦ point of control; **K.rechnung** *f* checking accoun **K.recht** *nt* 1. right of control/verification; 2. *(Büche* audit privilege; **K.register** *nt* counter account; **K rhythmus** *m* control sequence; **K.schein** *m* chec counterfoil; **K.schirm** *m (Fernsehen)* monitor

Kontrollspanne *f* control margin, span of control/ma agement/responsibility/command; **große K.** broa span of control; **kleine K.** narrow span of control

Kontrolllstelle *f* 1. checkpoint, control office/point; audit board, auditors; **K.stempel** *m* check mark, i spection stamp; **K.steuer** *f* controlling tax; **K.stic probe** *f* reference sample; **K.streifen** *m* control tap **K.summe** *f* control total, check sum

Kontrollsystem *nt* control/monitoring system; **K. fü die Einfuhr** system of import controls; **internes I** (system of) internal audits

Kontrolltafel *f* ⚙ instrument panel; **K.tätigkeit** supervisory work; **K.turm** *m* ✈ control tower; **K.uh** time clock/detector; ~ **stechen** to clock in/out; **K.uh system** *nt* clocking system; **K.unterschrift** *f* count signature; **K.untersuchung** *f* check(up), inspectio **K.verfahren** *nt* inspection procedure; **K.vermerk** check mark, control note; **K.verzeichnis** *nt* counter a count; **K.vorrichtung** *f* checking device; **K.wesen** control system; **K.wort** *nt* 🖳 check word; **K.zeichen** countermark, tally; **K.zeitstudie** *f* check time; **K.zett** *m* counterfoil; **K.ziffer** *f* key number, check digit

kontrovers *adj* controversial; **nicht k.** non-controve sial; **K.e** *f* controversy, dispute, contest, divide, confli

Kontumaziallurteil *nt* [§] default judgment, judgme rendered in the absence of the defendant; **K.verfahre** *nt* proceedings by default, ~ in the absence of tl defendant

Kontur *f* 1. outline, contour; 2. skyline; **K.(en) gewi nen** to take shape; **K.karte** *f* contour map; **K.schrif** open type, outline

(jdm) konvenieren *v/i* to suit (so.)

Konvention *f* convention, treaty, agreement; **K.en** cu toms; **einer K. beitreten** to accede to a conventio **sich über alle K.en hinwegsetzen** to be a law unto o.s **kaufmännische K.** commercial practice

Konventionallstrafbestimmung *f* liquidated damag clause; **K.strafe** *f* penalty (for non-fulfilment), conve tional fine, liquidated damages, contract(ual)/conve tional penalty, penalty/fine for breach of contrac **K.zinsen** *pl* stipulated interest; **K.zolltarif** *m* ⊖ co tractual/conventional tariff

konventionell *adj* conventional, orthodox

Konventionssatz *m* rate fixed by convention

Konvergenz *f* convergence; **K.hypothese** *f* theory

convergence; **K.kriterium** *nt [EU]* convergence criterion; **K.satz** *m* convergence theorem

Konversation *f* conversation; **belanglose K.** small talk; **K.slexikon** *nt* encyclop(a)edia

Konversion *f* conversion; **K. einer Anleihe** bond/loan conversion; **prozessuale K.** *(Währung)* compulsory judicial conversion

Konversions|abkommen *nt* convertibility agreement; **K.angebot** *nt* conversion offer; **K.anleihe** *f* conversion issue/loan; **K.ausgabe** *f* conversion issue; **K.bestimmungen** *pl* conversion provisions; **K.betrag** *m* conversion amount; **K.guthaben** *nt* conversion balance; **K.kasse** *f* clearing house, conversion office; **K.klausel** *f* convertibility clause; **K.konto** *nt* conversion account; **K.kurs** *m* conversion price; **K.möglichkeit** *f* possibility of conversion; **K.prämie** *f* conversion premium; **K.quote/K.satz** *f/m* conversion/exchange rate; **K.recht** *nt* conversion privilege; **K.schuldverschreibung** *f* convertible/conversion bond; **K.tabelle** *f* conversion table

konvertibel *adj* convertible; **nicht k.** non-convertible

Konvertibilität *f* convertibility; **K. in primäre Reserveaktiva** reserve-asset convertibility; **äußere K.** external convertibility; **beschränkte K.** partial convertibility; **innere K.** internal convertibility; **kommerzielle K.** current account convertibility; **volle K.** full/unrestricted convertibility; **K.sland** *nt* convertible-currency country

konvertierbar *adj* convertible, translatable; **beschränkt k.** with limited convertibility; **frei k.** freely convertible; **nicht k.** non-convertible, unconvertible; **voll k.** fully convertible

Konvertierbarkeit *f* convertibility; **K. im Rahmen der Leistungsbilanz** current account convertiblity; **beschränkte K.** restricted/limited convertibility; **freie/unbeschränkte/uneingeschränkte/volle K.** free/full convertibility

konvertier|en *v/t* to convert/translate; **K.ung** *f* conversion, translation

Konvertierungs|angebot *nt* conversion offer; **K.anleihe** *f* conversion loan; **K.bedingungen** *pl* conditions of conversion; **K.risiko** *nt* (exchange) transfer risk

Konvoi *m* ⚓ convoy; **im K.** in convoy

konzedieren *v/t* to concede/grant

Konzentrat *nt* concentrate; **K.futter** *nt* 🚜 feed concentrate

Konzentration *f* 1. concentration; 2. bunching, integration; **regionale/örtliche K. von Industrien** localization of industry; **K. in nachgelagerte Produktionsstufen** backward integration; ~ **vorgelagerte Produktionsstufen** forward integration; **horizontale K.** horizontal integration/merger; **vertikale K.** vertical/upward integration; **wirtschaftliche K.** economic/industrial concentration

Konzentrations|analyse *f* concentration analysis; **K.bewegung/K.entwicklung** *f* concentration movement; **K.förderung** *f* promotion of concentration; **K.genehmigung** *f* merger clearance *[US]*; **K.grad** *m* level of concentration, concentration level; **k.hemmend** *adj* adverse to concentration; **K.index** *m* index of concentration; **K.kurve** *f* concentration curve; **K.maß** *nt* concentration ratio, measure of concentration; **K.maßnahme** *f* measure to concentrate; **K.minderung** *f* divestiture; **K.parameter** *m* parameter of concentration; **K.prozess** *m* process of concentration/integration; **K.statistik** *f* merger statistics; **K.theorie** *f* theory of concentration; **K.vermögen** *nt* power of concentration; **K.vorgang** *m* industrial merger, process of concentration

konzentrieren *v/t* to concentrate/integrate; *v/refl* to concentrate; **(sich) k. auf** 1. to concentrate/focus/centre on; 2. to funnel into; **etw. k. in** to centre sth. in

konzentriert *adj* concentrated; **k. sein** to be centred in

Konzept *nt* 1. concept, plan; 2. conception, view, idea; 3. rough copy/draft, (first) draft; **K. einer Einheitsgewerkschaft** class unionism; **K. der einheitlichen Leitung** unity of direction; **K. einer Rede** draft of a speech; **jdn aus dem K. bringen** to put so. off his/her stride; ~ **kommen** to lose the thread; **jdm nicht ins K. passen** not to suit so.'s book; **ohne K. sprechen** to speak off the cuff; **jdm das K. verderben** to thwart so.'s plans; **klares K.** clear line

Konzept|buch *nt* sketchbook; **K.halter** *m (Schreibmaschine)* copyholder

Konzeption *f* 1. conception, concept, drafting; 2. idea; **K. und Entwicklung** design and development; **allgemeine K.** general conception

konzeptions|los *adj* amorphous, without a clear line/policy; **K.prüfung** *f* conception test; **K.test** *m* conception test

Konzept|papier *nt* scribbling/rough paper; **K.planung** *f* conceptual design

konzeptualisieren *v/t* to conceptualize

Konzern *m* group (of affiliated companies), (vertical) combine, trust *[US]*, concern, combination, corporation, consolidated enterprise/group, affiliated group

einschichtiger Konzern single-tier/horizontal group; **faktischer K.** de facto *(lat.)* group; **grenzüberschreitender K.** transnational group; **inter-/multinationaler K.** multinational (corporation/group); **mehrschichtiger/vertikaler K.** vertical group; **mehrstufiger K.** multi-level group

Konzernabsatz *m* group sales

Konzernabschluss *m* group/consolidated financial statement, ~ accounts, consolidated statement of account, group's annual accounts; **K.prüfer** *m* group auditor; **K.prüfung** *f* audit of the consolidated financial statements

Konzern|abteilung *f* division; **K.aktien/K.anteile** *pl* consolidated/conglomerate shares *[GB]*, ~ stocks *[US]*; **K.angebot** *nt* conglomerate bid; **leitender K.angestellter** group executive; **K.art** *f* type of group; **K.aufsichtsrat** *m* group supervisory board; **K.auftragseingang** *m* group order intake/bookings/books; **K.ausgleich** *m* intercompany squaring; **K.außenumsatz** *m* group external sales/turnover; **K.ausweis** *m* group statement; **K.bereich** *m* (group) division; **K.bereichsleiter** *m* divisional manager; **K.be-**

richtswesen *nt* group reporting; **in K.besitz** *m* held by the group; **K.beteiligungen** *pl* 1. group holdings, affiliated interests; 2. securities of affiliates

Konzernbetrieb *m* 1. group/affiliated company; 2. firm, plant; **K.sergebnis** *nt* group/full operating profit; **K.sprüfung** *f (Steuer)* group tax audit; **K.srat** *m* group/corporate works council, group company council, works council at group level

Konzernbeziehungen *pl* intercompany relations

Konzernbilanz *f* consolidated balance sheet, consolidated/group accounts, ~ balance/results, ~ financial statement, group statement of condition, combined financial statement; **konsolidierte K.** group consolidated balance sheet; **K.gewinn** *m* consolidated net earnings; **K.summe** *f* group balance sheet total

Konzern|bildung *f* consolidation, merger; **K.buchgewinn** *m* intercompany/consolidated profit; **K.buchhalter** *m* group accountant; **K.buchhaltung/-führung** *f* group accounting/accounts; **K.chef** *m* group chairman, ~ chief executive; **K.darlehen** *nt* intergroup loan; **K.dienste** *pl* group services; **K.eigenmittel** *pl* group funds; **K.einkauf** *m* syndicate buying; **K.einnahmen** *pl* consolidated returns; **K.entflechtung** *f* deconcentration, decartelization; **K.entwicklung** *f* corporate development; **K.erfolgs-/K.ertragsrechnung** *f* consolidated income statement; **K.ergebnis** *nt* group result/performance, consolidated profit/loss; **K.firma** *f* affiliated company, affiliate; **K.forderungen** *pl* intergroup receivables; **k.frei** *adj* independent; **k.fremd** *adj* outside; **K.fremde(r)** *f/m* outsider (to the group); **K.fremdumsatz** *m* consolidated customer sales; **K.führungskreis** *m* group executive committee; **K.fusion** *f* group merger; **K.geschäfte** *pl* group activities, intra-group transactions; **K.geschäftsbericht** *m* consolidated (annual) report/returns, group annual report; **K.geschäftsvorfälle** *pl* intercompany transactions; **K.gesellschaft** *f* affiliated/group/subsidiary/associate/allied/constituent/group-related company, subsidiary, affiliate, affiliated corporation, offshoot

Konzerngewinn *m* consolidated/group profit, group net income; **K.e** intercompany profits; **K. vor Steuern** group pretax profits; **K.- und Verlustrechnung** *f* consolidated profit and loss statement/account

Konzern|gruppe *f* consolidated group; **K.guthaben** *nt* group assets; **K.handel** *m* group trading; **K.holding** *f* group-holding company; **K.innenumsätze** *pl* intergroup sales; **k.intern** *adj* intergroup, intra-group, within the group, intercorporate, intercompany; **K.investitionen** *pl* group capital investment; **K.jurist** *m* corporate lawyer; **K.kapitalflussrechnung** *f* group cash flow statement; **K.kasse** *f* group funds/coffers; **K.konto** *nt* consolidated/group account; **K.kredit** *m* intercompany loan; **K.kultur** *f* group culture; **K.lagebericht** *m* group/consolidated annual report; **K.leitung** *f* group management; **K.lieferung** *f* intra-group delivery; **K.plan** *m* corporate plan; **K.probebilanz** *f* consolidating financial statement; **K.prüfung** *f* group tax audit; **K.prüfungsbericht** *m* consolidated audit report

Konzernrechnung *f* consolidated accounts; **K.slegung** *f* group accounting; **K.swesen** *nt* corporate/group ac counting

Konzern|recht *nt* law relating to groups (of compa nies), business combination law; **K.rentabilität** group profitability; **K.rücklagen** *pl* consolidated re serves, ~ earnings surplus; **K.schulden** *pl* intercom pany debts; **K.sparte** *f* (group) division; **K.spitze** *f* group management; 2. parent/holding company; **K.st** *m* group culture; **K.strategie** *f* corporate/group stra egy; **K.syndikus** *m* corporate lawyer; **K.tätigkeit** group activity; **K.teil** *m* part of a group; **K.tochter** subsidiary (of a group), group subsidiary; **K.über schuss** *m* consolidated surplus; **K.umsatz** *m* 1. consoli dated/group sales, group deliveries; 2. internal deliv eries/sales; **K.umschichtung** *f* regrouping; **K.unter nehmen** *nt* affiliated/group/constituent/allied/associa company, affiliate; **K.unternehmensrat** *m* 1. grou company council; 2. group works council; **K.verbind lichkeiten** *pl* 1. intercompany/intra-group liabilities; 2 group indebtedness/liabilities; **K.verbund** *m* group (c companies), ~ set-up, combined group; **k.verbunde** *adj* dependent; **K.vereinbarung** *f* group agreemen **K.verfassung** *f* group constitution; **K.verflechtung** group integration, interlocking relationships; **K.ver hältnis** *nt* group relationship; **K.verlust** *m* group/con solidated loss; **K.vermögen** *nt* group assets

Konzernverrechnung *f* intercompany/transfer pricing **K.spreis** *m* intercompany/transfer price; **K.sverkeh** *m* intra-group settlements/transfers/transactions

Konzern|verwaltung *f* group management/headqua ters; **K.vertriebsgesellschaft** *f* marketing intermedi ary; **K.vorbehalt** *m* multiple reservation, extende reservation of ownership; **K.vorstand** *m* group/execu tive/main board; **K.weltbilanz** *f* world consolidate accounts; **K.zentrale** *f* group headquarters; **K.zins** *i* intra-group interest; **K.zugehörigkeit** *f* affiliation to group

Konzert *nt* concert; **K.agentur** *f* concert (artists') agen cy; **K.auftrag** *m* stagging order, inflated buying orde

konzertiert *adj (fig)* concerted *(fig)*, orchestrated *(fig)*

Konzertierungs|ausschuss *m* conciliation committee **K.verfahren** *nt* conciliation procedure

Konzert|kasse *f* box office; **K.zeichner** *m* stag *[GB]*, fre rider *[US]*; *pl* concert party; **K.zeichnung** *f* stagging

Konzession *f* 1. concession; 2. licence, charter, franchise patent, commercial privilege; **ohne K.** unlicensed non-licensed; **K. für später** executory licence; **K. zu Gründung einer Gesellschaft** corporation licence

Konzession ändern *(Bank)* to amend a charter; **K. be antragen** to apply for a licence; **sich eine K. beschaf fen** to take out a licence; **K. besitzen/haben** to hold licence; **K. bewilligen/erteilen/vergeben/verleihe** to grant/award a licence, ~ concession; **K. einholen sich eine K. verschaffen** to take out a licence; **K. ent ziehen/zurücknehmen** 1. to withdraw/revoke a licence 2. to dis(en)franchise; **K.en machen** to make concession

bankgewerbliche Konzession banking concession charter; **erloschene K.** expired licence; **noch nicht ge nehmigte K.** *(Bank)* open charter; **öffentlich-rechtl**

che K. concession under public law; **übertragene K.** holdover; **vorläufige K.** interim licence

Konzessionär *m* franchisee, licensee, licence holder, grantee, concessionnaire; **an K. abgeben** to sub-lease

Konzessionier|en *v/t* to license/franchise/charter, to grant a licence/concession; **k.t** *adj* licensed, franchised, certified, chartered; **nicht k.t** unlicensed; **voll k.t** fully licensed; **K.ung** *f* licensing, franchising, granting a concession

Konzessions|abgabe *f* 1. licence tax/duty/fee; 2. permit fee *[US]*; **K.antrag** *m* licence application; **K.aussteller** *m* licenser, licensor, franchiser, franchisor; **K.behörde** *f* licensing authority; **k.bereit** *adj* willing to make concessions; **K.bereitschaft** *f* willingness to make concessions; **K.bestimmungen** *pl* licensing regulations; **K.einnahmen** *pl* royalties; **K.entzug** *m* 1. revocation/withdrawal of a licence; 2. disenfrachisement; **K.erneuerung** *f* renewal of a licence; **K.erteiler/K.geber** *m* licenser, licensor, franchiser, franchisor; **K.erteilung** *f* licensing, franchising, issue of a licence; **K.gebiet** *nt* area covered by licence/franchise; **K.gebühr** *f* permit fee *[US]*; **K.gebühren** licence royalties/fee(s); **K.gewährung** *f* licensing, franchising; **K.inhaber(in)** *m/f* licensee, franchisee, holder of a licence, licence/franchise holder, concessionnaire; **K.klausel** *f* ⊖ escape clause; **K.nehmer(in)** *m/f* licensee, franchisee: **K.pflicht** *f* obligation to grant a licence/franchise; **k.pflichtig** *adj* subject to a licence/franchise; **K.rechte** *pl* concessionary rights; **K.steuer** *f* licence/franchise/privilege tax; **K.träger** *m* licensee, franchisee, franchise holder; **K.verfahren** *nt* licensing/franchising procedure; **K.vergabe/K.verleihung** *f* licensing, licence award, franchising, certification, issue of a licence; **K.vereinbarung/K.vertrag** *f/m* licence/franchise agreement; **K.vergeber** *m* → **K.erteiler**; **im K.wege** *m* concessionary

Konzil *nt* council

konziliant *adj* conciliatory

konzipieren *v/t* to draw up, to draft/conceive/design

Kooperation *f* cooperation, collaboration; **angemeldete K.** *(Kartell)* registered cooperation; **antagonistische K.** antagonistic cooperation; **zwischenbetriebliche K.** interplant cooperation

Kooperations|bereitschaft *f* willingness to cooperate; **k.feindlich** *adj* opposed to cooperation; **K.fibel** *f* cooperation guide; **K.kartell** *nt* cooperation cartel; **K.partner(in)** *m/f* collaborator; **K.vereinbarung/K.vertrag** *f/m* cooperation agreement; **K.vorhaben** *nt* joint venture; **k.willig** *adj* ready to cooperate, cooperative

kooperativ *adj* cooperative

kooperieren *v/i* to cooperate, to work together

Koop|tationsrecht *nt* right of co-option; **k.tieren** *v/t* to co-opt; **K.tierung; K.tion** *f* co-option

Koordinate *f* π coordinate; **K.nachse** *f* π coordinate axis; **K.nebene** *f* coordinate plane; **K.nnetz** *nt* grid, coordinate frame; **K.nsystem** *nt* π coordinate system

Koordination *f* coordination; **K.saufgabe/K.sfunktion** *f* coordinating function; **K.skonzern** *m* coordinated group of affiliated companies

Koordinator *m* 1. coordinator; 2. general contractor; **K. der Produktionsplanung** production scheduler

koordinieren *v/t* 1. to coordinate/pool; 2. *(Pläne)* to dovetail

Koordinierung *f* coordination; **K.sausschuss** *m* coordinating committee; **K.sstelle** *f* coordinating office, oversight committee

Kopf *m* 1. head; 2. *(Verstand)* brains; **auf dem K.** upside down; **aus dem K.** from memory; **nach Köpfen; pro K.** per capita/head; **über jds K. hinweg** over so.'s head; **K. oder Adler** *(Münze)* heads or tails; **K. eines Briefes** letterhead; **von K. bis Fuß** from top to bottom; **K. an K.** neck and neck; **K. einer Rechnung** billhead; **wie vor den K. geschlagen** dumbfounded

jdm den Kopf abreißen *(fig)* to bite so.'s head off *(fig)*; **kühlen K. bewahren** to keep (one's) cool, ~ a cool head; **seinen K. durchsetzen** to carry one's point; **einem durch den K. gehen** to cross one's mind; **um K. und Kragen gehen** to be a matter of life and death; **seinen K. voll haben** to have a lot on one's mind; **K. hinhalten** to take the blame, to carry the can *(fig)*; **~ müssen** to be left holding the baby *(fig)*; **über jds K. hinweggehen** to go over so.'s head; **jdn den K. kosten** to cost (so.'s) head/job; **mit dem K. nicken** to nod (one's head); **K. und Kragen riskieren** to risk one's neck; **sich etw. aus dem K. schlagen** to put sth. out of one's head, to dismiss sth. from one's thoughts; **sich etw. in den K. setzen** to get an idea into one's head; **K. in den Sand stecken** to bury one's head in the sand; **bis über den K. in Schulden stecken** to be head over heels in debts; **etw. auf den K. stellen** to turn sth. on its head; **(jdn) vor den K. stoßen** 1. to antagonize so.; 2. to offend/snub/alienate; **K. hoch tragen** to be proud of o.s.; **K. verlieren** to lose one's head; **nicht den K. verlieren** to keep one's head/cool; **jdm über den K. wachsen** 1. to get beyond one's control; 2. *(Arbeit)* to be getting too much for so.; **seinen K. aus der Schlinge ziehen** to wriggle out of sth., to have a lucky escape; **jdm den K. zurechtrücken** to bring so. to his senses

heller Kopf whiz(z) kid *(coll)*; **klarer K.** lucid mind; **kluger K.** brains; **kühler K.** cool head

sich ein Kopf-an-Kopf-Rennen liefern *nt* to run a neck-and-neck race

Kopf|arbeit *f* mental/intellectual work, brainwork; **K.arbeiter** *m* 1. white-collar worker; 2. brain worker; **K.bahnhof** *m* 🚆 terminus *[GB]*, terminal *[US]*; **K.betrag** *m* amount per head, per-capita quota; **K.bogen** *m* letterhead; **K.eintrag** *m* headword; **K.ende** *nt* top end; **K.etikett** *nt* leader label; **K.filiale** *f* main/head branch; **K.gebühr** *f* capitation fee; **K.geld** *nt* head/poll money, allowance per person; **K.geldjäger** *m* bounty hunter; **K.grippe** *f* ⚕ encephalitis; **K.höhe** *f* headroom; **K.hörer** *m* headphone, earphone; **K.jagd** *f* headhunt(ing); **K.jäger** *m (fig)* headhunter, executive search consultant; **K.karte** *f* leader card; **k.lastig** *adj* top-heavy; **K.lastigkeit** *f* top-heaviness; **K.leiste** *f* head; **k.los** *adj* 1. headless, precipitate; 2. in a panic; **K.nicken** *nt* nod; **K.prämie/K.preis** *m* reward; **K.quote** *f* per capita amount; **K.rechnen** *nt* mental arithmetic; **k.rechnen** *v/i* to do mental arithmatic

kopfscheu *adj* confused; **k. machen** to confuse/intimidate; **k. werden** to become confused

Kopf|schmerzen *pl* ⚕ headache; **K.schütteln** *nt* shake of the head; **K.seite** *f (Münze)* heads, obverse; **K.stärke** *f* numerical strength; **K.steuer** *f* poll/head/capitation tax; **K.stück** *nt* head piece; **K.stütze** *f* 🚗 head-rest, head restraint; **k.über** *adv* head first, headlong; **K.überschrift** *f* account title; **K.verletzung/K.wunde** *f* ⚕ head injury; **K.zahl** *f* number of persons; **K.zählung** *f* head count; **K.zeile** *f* top line, header; **K.zerbrechen** *nt (fig)* headache; **(jdm) ~ bereiten** to give so./be a headache

Kopie *f* 1. (carbon) copy, photocopy, duplicate, double, transcript(ion), facsimile; 2. replica, duplication, counterpart, imitation; **K. anfertigen** to copy; **K. beglaubigen** to certify a copy; **K. beifügen** to attach a copy; **beglaubigte K.** certified copy; **notariell ~ K.** notarized copy

Kopiendrucker *m* hard copy terminal

Kopier|anstalt *f* printing shop/lab; **K.anweisung** *f* 💻 copy statement; **K.apparat/K.automat/K. gerät/K.maschine** *m/m/nt/f* (photo)copier, copying/xerox ™ machine; **K.einheit** *f* display copier

kopieren *v/t* to copy/duplicate/reproduce/imitate

Kopierer *m* copier

kopier|fähig *adj* copyable; **K.gerät/K.maschine** *f* → **Kopierapparat**; **K.papier** *nt* printing/photocopy paper; **K.presse** *f* 📄 letterpress; **K.rahmen** *m* printing frame; **K.schutz** *m* 💻 copy protection; **mit K.schutz** copy-protected; **K.stift** *m* indelible/copying pencil; **K.tinte** *f* indelible/copying ink; **K.verfahren** *nt* printing/photocopying process

Kopiewechsel ziehen *pl* to draw bills in sets

Kopilot *m* ✈ co-pilot

Kopist *m* copier, copying clerk, initator

Koppel *f* 🚜 pasture, enclosure, paddock; **K.geschäft** *nt* barter business/deal, tie-in deal

koppeln *v/t* to join/connect/couple; **k. an** to link/tie to

Koppelungs|effekt *m* linkage effect; **K.wirkung** *f* linkage effect

Kopplung *f* 1. linkage; 2. ⚡ coupling; **K.sbindung** *f* tie-in engagement; **K.sgeschäft** *nt* barter business/deal, linked transaction, package deal, tie-in sale/deal *[US]*, tying arrangement *[GB]*; **K.sklausel** *f* tying *[GB]*/tie-in *[US]* clause; **K.sverkauf** *m* tie-in sale; **K.svertrag** *m* tying *[GB]*/tie-in *[US]* contract

Ko|produktion *f* coproduction; **K.produzent** *m* coproducer

Korb *m* 1. basket, cradle, pannier; 2. *(fig.)* selection; **K. bekommen** *(fig)* to meet with a refusal; **jdm einen K. geben** *(fig)* to jilt so., to turn so. down; **sich einen K. holen** *(fig)* to be turned down

Korb|arbeit *f* basketwork, wickerwork; **K.flasche** *f* carboy, demijohn; **K.macher** *m* basket weaver; **K.möbel** *pl* wicker furniture; **K.sessel** *m* wicker chair; **K.-währung** *f* basket currency; **K.waren** *pl* basketry, basketwork, wickerwork

Kordel *f* string, twine, cord

Kordon *m* cordon

Korken *m* cork; **K.geld** *nt* corkage; **K.zieher** *m* cor[k]screw

Korn *nt* 🚜 corn, grain, cereal; **K. mahlen** to mill; **jd[n] aufs K. nehmen** *(fig)* to seek so. out; **K.anbau** *m* 🚜 cereal farming; **K.brennerei** *f* grain distillery

Körnchen *nt* grain, granule, ounce; **K. Wahrheit** grai[n] of truth

körnen *nt* to granulate

Korn|kammer/K.speicher *f/m* 🚜 granary

Körnung *f* 1. granularity; 2. grain size

Körper *m* 1. body; 2. corpus *(lat.)*

Körper|bau *m* physique *[frz.]*, build; **k.behindert** *a[dj]* disabled, physically handicapped, invalid; **K.behinderte(r)** *f/m* disabled person, invalid; **K.behinderten-pauschale** *f* lump-sum tax allowance for handicappe[d] persons; **K.behinderung** *f* physical defect; **K.berechnung** *f* π solid geometry, cubature; **K.beschädigte(r)** *f/m* physically disabled person; **K.beschädigung** physical disability; **lebenslängliche K.beschädigun[g]** permanent injury; **K.diagramm** *nt* three-dimension[al] diagram; **K.ertüchtigung** *f* physical training (P.T.); **K.fülle** *f* corpulence; **K.gewicht** *nt* weight; **K.größe** height; **K.haltung** *f* posture, bearing; **K.kraft** *f* physi[c]al strength

körper|lich *adj* bodily, physical, corporeal, materia[l]; **k.los** *adj* § incorporeal

Körper|pflege *f* personal hygiene; **K.pflegemittel** toiletries, personal products; **K.schaden** *m* bodil[y] physical injury

Körperschaft *f* 1. corporation, corporate body/entit[y], body (corporate), authority, corpus *(lat.)*, incorpora[-]tion, union; 2. § legal entity; **K. kraft Gesetzes** [...] statutory corporation *[GB]*; **K. der öffentlichen Han[d]** public corporation; **K. mit Hoheitsrechten** sovereig[n] body; **K. des Privatrechts** private corporation, corpo[-]ration under private law; **~ öffentlichen Rechts** publi[c] body, public(-law) corporation, statutory company body/corporation, corporation under public law; **K. i[m] Rechtssinn** de jure *(lat.)* corporation

nicht als Körperschaft eingetragen unincorporate[d], incorporate

ausschüttende Körperschaft distributing corpora[te] body; **beratende K.** deliberative body; **aus mehrere[n] Gesellschaften bestehende K.** aggregate corporatio[n]; **bundesunmittelbare K.** federal corporation; **freiwi[l]lige K.** voluntary body/corporation; **staatlich gefö[r]derte K.** publicly sponsored agency; **gemeinnützige wirtschaftliche K.** non-profit/benevolent corporatio[n], non-profit-making body; **gesetzgebende K.** legislati[ve] body; **gesetzliche K.** legal entity; **kommunale K.** loc[al] authority/entity, local/municipal corporation; **öffentli[-]che/öffentlich-rechtliche K.** public corporation/au[-]thority/body, corporation under public law, corpora[te] body/agency; **parlamentarische K.** legislative bod[y]; **politische K.** political entity; **privatrechtliche K.** pri[-]vate corporation; **juristisch selbstständige K.** corpo[-]rate body; **steuerpflichtige K.** corporate taxpayer; **u[n]beschränkt ~ K.** resident corporate body

körperschaftlich *adj* corporate

Körperschafts|- corporate; **K.besteuerung** *f* corporate taxation, taxation of corporations; **K.eigentum** *nt* corporate property; **K.recht** *nt* corporation law; **K.status erhalten** *m* to be incorporated

Körperschaftssteuer *f* corporation tax *[GB]*, corporate/company (income) tax *[US]*, tax on corporations; **K. auf einbehaltene Gewinne** mainstream corporation tax *[GB]*; **K. anrechnen** to impute corporation tax; **K. erheben** to charge corporation tax; **von der K. befreit sein** to be exempt from corporation tax; **zur K. veranlagen** to assess for corporation tax; **vorausgezahlte K.** advance corporation tax; **vorweggenommene K.** anticipated corporation tax

Körperschaftssteuer|abschlusszahlung *f* mainstream tax payment; **K.anrechnung** *f* imputation of corporation tax; **K.anteil** *m* business tax ratio; **K.befreiung** *f* exemption from corporation tax; **K.berechnung** *f* corporation tax computation; **K.erklärung** *f* corporation tax return; **K.erleichterung** *f* income tax credit *[US]*; **k.pflichtig** *adj* liable to corporation tax; **K.pflichtigkeit** *f* liability to corporation tax; **K.richtlinien** *pl* corporation tax regulations; **K.satz** *m* corporation tax rate; **normaler K.satz** mainstream corporation tax; **K.-schuld** *f* corporation tax liability; **K.vergünstigung** *f* corporate tax privilege *[GB]*; **K.vorauszahlung** *f* advance corporation tax; **überschüssige K.vorauszahlung** surplus advance corporation tax; **K.zuschuss** *m* corporation tax relief grant

Körpersprache *f* body language

Körperverletzung *f* 1. bodily injury; 2. physical/personal injury, battery, (criminal) assault; 3. [§] (actual) bodily harm; **K. mit Todesfolge** manslaughter, fatal assault; **K. mittels eines gefährlichen Werkzeugs** grievous bodily harm effected by means of an offensive weapon

fahrlässige Körperverletzung physical harm through neglect, ~ injury resulting from negligence; **gefährliche K.** grievous bodily harm; **gewaltsame K.** criminal assault and battery; **leichte K.** actual bodily harm; **schwere K.** grievous bodily harm, mayhem *[US]*; **vorsätzliche ~ K.** wounding with intent; **versuchte K.** attempted assault; **vorsätzliche K.** assault with intent to cause bodily harm

Korporation *f* corporation; **K.srecht** *nt* law on corporate bodies; **K.ssiegel** *nt* common seal; **K.surkunde** *f* certificate of incorporation; ~ **einer Bank** bank charter

korporativ *adj* corporate, joint and several

diplomatisches Korps corps diplomatique *[frz]*, diplomatic corps; **konsularisches K.** consular corps; **K.-geist** *m* team spirit

korrekt *adj* correct, right, respectable, punctilious, by the book, above-board; **K.heit** *f* correctness, propriety, accuracy

Korrektionsfaktor *m* correction factor

Korrektiv *nt* corrective (element); **K.posten** *m* → **Korrekturposten**

Korrektor(in) *m/f* 1. marker; 2. proofreader

Korrektur *f* 1. correction, adjustment, revision, rectification, corrective action; 2. *(Preis)* upward/downward revision; 3. *(Börse)* markdown, markup; 4. patch; 5. proof-reading, proof correction; **K. nach oben** upward revision, scaling up; ~ **unten** downward revision, scaling down; **K. einer Buchung** rectification of an entry; **K. endlicher Grundgesamtheiten** π finite sampling correction; **K. überhöhter Preise** disappreciation; **K. des gestörten Zahlungsbilanzgleichgewichts** correction of a balance-of-payments disequilibrium; **K. lesen** to proofread, to correct proofs, ~ the press; **druckfertige/letzte K.** press proof

Korrektur|abzug/K.fahne *m/f* galley (proof); **erster K.abzug** first proof; **k.bedürftig** *adj* requiring corrective action; **K.bedürftigkeit** *f* requiring corrective action; **K.bogen** *m* proof sheet; **K.faktor** *m* corrective element; **zeitlicher K.faktor** time comparability factor; **K.flüssigkeit/K.lack** *f/m* correction fluid; **K.karte** *f* patch card; **K.lesen** *nt* proofreading; **K.leser** *m* proofreader, copy reader; **K.maßnahme** *f* corrective action; **K.posten** *m* correcting entry, offsetting/adjusting item; *pl* errors and omissions; **K.speicher** *m* correction memory; **K.taste** *f* error reset key, correction key; **K.zeichen** *nt* correction mark

Korrelat *nt* correlative

Korrelation *f* correlation

lineare Korrelation linear correlation; **nicht ~ K.** curvilinear correlation; **multiple K.** multiple correlation; **negative K.** inverse correlation; **positive K.** direct correlation; **schiefe K.** skew correlation; **sinnlose K.** nonsense correlation; **vorgetäuschte K.** spurious correlation

Korrelations|analyse *f* correlational analysis; **K.bild/K.diagramm** *nt* scatter/correlation diagram; **K.fläche** *f* correlation surface; **K.index** *m* correlation index; **K.koeffizient** *m* coefficient of correlation; **multipler K.koeffizient** coefficient of multiple correlation; **K.maße** *pl* measures of correlation; **K.matrix** *f* correlation matrix; **K.parameter** *m* correlation parameter; **K.quotient** *m* correlation ratio; **K.schwächung** *f* attenuation; **K.tabelle** *f* correlation table; **K.tafel** *f* bivariate table

korrelieren *v/t* to correlate

Korrelogramm *nt* correlogram

Korrespondent|(in) *m/f* correspondent; **ständiger K.** resident correspondent; **K.ennetz** *nt* network of correspondents

Korrespondenz *f* correspondence, letters; **K. ablegen** to file letters; **K. erledigen** to handle the correspondence; **in K. stehen; K. unterhalten** to correspond; **in K. treten** to enter into correspondence; **geschäftliche/kaufmännische K.** commercial correspondence

Korrespondenz|anwalt *m* lawyer acting as an agent; **K.bank** *f* 1. correspondent/reporting bank; 2. *(Konnossement)* advising bank; **K.büro** *nt* press agency; **K.karte** *f* correspondence card; **K.kurs** *m* correspondence course; **K.partner(in)** *m/f* correspondent; **K.prinzip** *nt* correspondence principle; **K.reeder** *m* ship's husband, manager-owner (of a ship); **K.schrift** *f* letter quality; **gewöhnliche K.schrift** small hand; **K.spediteur** *m* connecting carrier, correspondent forwarder; **K.unternehmen** *nt* correspondent firm; **K.verkauf** *m* selling by mail; **K.versicherung** *f* home-foreign insurance

korrespondieren *v/i* to correspond, to be in correspondence

Korridor *m* 1. corridor, passage, aisle; 2. *(fig)* band

korrigierbar *adj* rectifiable

korrigieren *v/t* 1. to correct/rectify/adjust/remedy, to straighten out; 2. 🖳 to patch; **nach oben k.** 1. to revise/adjust upwards, to upgrade, to mark up; 2. *(Gehalt)* to top up; **nach unten k.** to revise/adjust down(wards), to downgrade, to mark down

korrodieren *v/i* to corrode; **k.d** *adj* corrosive

Korrosion *f* corrosion; **k.sbeständig** *adj* corrosion-resistant; **k.sfrei** *adj* non-corroding; **K.sschutz** *m* protection against corrosion

korrumpier|bar *adj* corruptible; **k.en** *v/t* to corrupt, to lead astray

korrupt *adj* corrupt, depraved, rotten; **durch und durch k.** rotten to the core

Korruption *f* corruption, bribery, jobbery, graft *[US]*; **K.sanklage** *f* charge of corruption; **K.sskandal** *m* bribery scandal; **K.ssumpf** *m* hotbed of corruption; **K.sunwesen** *nt* bribery and corruption; **k.sverdächtig** *adj* suspected of corrupt practices

Koryphäe *f* 1. genius, luminary *(coll)*; 2. leading light *(fig)*

Kosinus *m* π cosine

Kosmetik *f* 1. cosmetics; 2. toiletries; **K.artikel** *pl* cosmetics; **K.erin** *f* beautician, cosmetician; **K.institut** *nt* beauty parlour

kosmetisch *adj* cosmetic

Kosmopolit *m* cosmopolitan; **k.isch** *adj* cosmopolitan

Kosmos *m* cosmos

Kost *f* 1. food, fare, diet; 2. *(Börse)* carryover; **K. und Logis** board and lodging, B&B; **in K. geben** 1. to board out; 2. *(Börse)* to carry over, to postpone/defer payment; **~ nehmen** *(Börse)* to take in; **auf schmale K. setzen** to put on a low diet, ~ on short rations/commons *(coll)*; **einfache K.** simple diet, plain fare; **fettarme K.** low-fat diet; **geistige K.** intellectual fare; **karge/knappe/schmale K.** slender diet, meagre fare; **vegetarische K.** vegetarian diet

kostbar *adj* 1. valuable, luxurious; 2. precious; **K.keit** *f* 1. treasure, rarity; 2. precious object; **K.keiten** valuables

Kosten *pl* cost(s), expenses, expenditure(s), charges, price, tab *[US]*, outlay; **auf K. von** at the expense of; **auf Ihre K.** at your expense; **ohne K.** 1. without expense, at no expense; 2. *(Wechsel)* no protest, protest waived

Kosten der Abschreibung depreciation charges; **K. nach Abschreibung** amortized cost(s); **K. vor Abzug des Bardiskonts** billed cost(s); **K. der Aktienemission** capital/preliminary expenses, expense of issuing shares; **auf ~ Allgemeinheit** at public expense; **K. des Anlagevermögens** asset cost(s); **K. vor Anlaufen der Fertigung** starting-load cost(s); **K. der Auftragsabwicklung** order-filling cost(s); **~ Auftragsbeschaffung** order-getting cost(s); **K. und Auslagen** cost(s and expenses; **K. für Ausstattung** cost(s) of fixed assets; **K. der Bergung** ⚓ salvage cost(s); **K. bei voller Betriebsausnutzung** capacity cost(s); **K. der Betriebsbereitschaft** standby/capacity cost(s), cost(s) of readiness; **~ Betriebsführung** operating cost(s); **~ Betriebsschließung** closure cost(s); **K. zum Buchwert** amortized cost(s); **K. pro Einheit** unit cost(s); **K. vor Einstellung** pre-employment cost(s); **K. der Eisenbahnfahrt** rail(way) fare; **~ Entlassung von Arbeitnehmern/Entlassungsmaßnahmen** redundancy charge/cost(s); **immaterielle K. und Erträge** non-pecuniary cost(s) and benefits; **K. der verkauften Erzeugnisse** cost(s) of sales, ~ goods sold; **~ Fehlbohrung** abortive exploration expenditure; **auf ~ Firma** at company expense; **K. und eventuelle Frachtannahme** charges forward (ch. fwd.); **~ Gebühren** cost(s) and fee(s); **K. pro Gebühreneinheit** ✉ call price; **auf K. und Gefahr von** on account and risk of; **~ des Käufers** at seller's risk and expense; **K. der Geldbeschaffung** cost(s) of money; **~ Geschäftsaufgabe** closure cost(s); **K. plus zulässiger Gewinn** cost-plus; **K. für Haushaltsführung** household expenses; **~ Infrastrukturerschließung** local cost(s); **K. ungenutzter Kapazität** idle capacity cost(s); **K. der Kapitalausstattung** maintenance cost(s); **~ Kapitalbeschaffung** cost(s) of capital procurement; **~ Kinderbetreuung** child care costs; **K. des Konkursverfahrens** bankruptcy cost(s); **K. für Kontenüberziehung** overdraft cost(s); **~ Kuppelprodukte** joint-product cost(s); **K. der Kuppelproduktion** common/joint/related cost(s); **~ Lagerhaltung** warehouse/storage cost(s), (inventory) carrying charges/cost(s), cost(s) of carrying; **~ Lebensführung/-haltung** cost(s) of living; **~ Leichterung** lighterage charges; **~ fehlenden Lieferbereitschaft** out-of-stock cost(s); **~ Maschinenausrüstung** tooling cost(s); **K. als bewerteter Mengenverzehr** object cost(s); **K. der Nacharbeit** cost(s) of rework; **K. für die Neuentwicklung** original development cost(s); **K. der Nichtverfügbarkeit** outage cost(s); **K. zu indexierten historischen Preisen oder Wiederbeschaffungspreisen** current cost(s); **K. der verbundenen Produktion** common cost(s); **~ Produktionsbereitschaft** cost(s) of production; **K. des Rechtsstreits**; **K. der Rechtsverfolgung** law cost(s), cost(s) of litigation; **auf K. der Reederei** at ship's expense; **K. für Rohstoffe** raw material cost(s); **K. pro Schadensfall** claims cost(s); **K. des Schuldendienstes** 1. debt service cost(s)/bill; 2. *(Anleihe)* service cost(s); **auf ~ Staates/Steuerzahlers** at public expense, at the taxpayer's expense; **K. (bewertet) zu Tagespreisen** current cost(s); **K. der Umrüstung** changeover cost(s); **K. des Umweltschutzes** anti-pollutive/environmental cost(s); **~ Verfahrens** § court costs; **K. der Verpackung** packaging cost(s); **(einschließlich) K., Versicherung und Fracht** cost, insurance, freight (cif, c.i.f.); **K., Versicherung, Fracht, Käuferprovision, Bankzinsen** cost, insurance, freight, commission, interest (cif ci; c.i.f.c.i.); **~ Kommission** cost(s), insurance, freight commission (c.i.f.&c.); ~ **plus Kriegsrisiko** cost, insurance, freight plus war risk (cifw); ~ **und Wechselkursveränderungen** cost, insurance, freight and exchange (c.i.f.& e.); ~ **Zinsen** cost, insurance, freight, interest (c.i.f.&i.); **K. der Weiterbildung** educational expenses; **K. für die Weiterentwicklung** cost(s) of further development; **K. der Werbemaßnahmen** advertising and public relations cost(s); ~ **Wiederbeschaffung** replacement cost(s); **K. im Zwischenverfahren** [§] interlocutory cost(s)

Kosten bis dahin final manufacturing cost(s); **abzüglich aller K.** clear of all expenses/cost(s); ~ **(der) K.** less expenses, charges deducted; **ausschließlich (der) K.** exclusive of cost(s); **einschließlich (der) K.** including cost(s), inclusive of cost(s); ~ **K., Versicherung und Fracht** cost, insurance, freight (cif, c.i.f.); **frei von K.** free of charge (f.o.c.); ~ **aller K.** free of all charges; **zuzüglich der K.** cost(s) to be added

Kosten und Fracht bezahlt cost and freight; **K., Versicherung und Fracht bezahlt** cost, insurance, freight (cif, c.i.f.); **alle K. eingeschlossen** including all charges; **mit großen/hohen K. verbunden** at great expense/cost(s); **K. vorausbezahlt** charges prepaid (ch. ppd.)

Kosten spielen keine Rolle money's no object *(coll)*

Kosten abbauen to trim cost(s); **K. systematisch abbauen** to chip away at cost(s); **K. absetzen** to deduct cost(s); **K. aufbringen** to defray/pay cost(s); **jdm K. aufbürden/aufhalsen** to saddle/burden/land so. with the cost(s), ~ the expenses, to pile cost(s) on so.; **K. der Staatskasse aufbürden** to award cost(s) against the state; **jdm die K. (eines Verfahrens) auferlegen** to award cost(s) (against so.), to impose cost(s); **K. auffangen** to absorb cost(s); **K. aufgliedern** to itemize cost(s); **für die K. aufkommen** to defray/meet (the) expenses, to pay, to bear cost(s); **K. aufschlüsseln** to break down/itemize cost(s); **K. aufteilen** to allocate cost(s); **K. untereinander aufteilen** to share the cost(s); **K. aufwenden/bestreiten** to defray cost(s)/expenses, to cover expenses; **K. auslegen** to pay; **K. begleichen** to meet cost(s); **K. in den Griff bekommen** to control cost(s); **jdn mit (den) K. belasten** to saddle so. with cost(s); **K. berechnen** to calculate cost(s); **sich an den K. beteiligen** to contribute towards the cost(s), to bear part of the cost(s), to chip in *(coll)*; **K. bewerten** to cost; **K. dämpfen/eindämmen** to contain cost(s); **K. decken** to break even, to cover expenses, to defray/meet/cover cost(s); **K. einbringen** to recover costs, to earn one's keep; **K. eingehen** to incur cost(s); **K. einschränken** to cut cost(s); **K. einsparen** to reduce cost(s); **K. ermitteln** to ascertain/determine/calculate cost(s); **K. ersetzen/erstatten** to refund expenses/cost(s), to reimburse cost(s); **K. festsetzen** to determine cost(s); **K. gehen zu Lasten von** cost(s) to be borne by; **K. nach Fälligkeit gliedern** to age accounts; **K. niedrig halten** to keep/hold cost(s) down; **K. kalkulieren** to price, to cost-account, to build up cost(s); **auf seine K. kommen** to get one's money's worth *(coll)*; **K. machen** to be an expense; **K. niederschlagen** to waive/cancel charges; **K. reduzieren** to lower cost(s); **keine K. scheuen** to spare no expense; **mit K. verbunden sein** to entail cost(s); **mit großen ~ sein** to involve much expense; **mit zusätzlichen ~ sein** to involve extra cost(s); **zu den K. verurteilt sein** [§] to be ordered to pay the cost(s); **K. senken** to trim/cut/reduce/slash cost(s) , to make cost efficiencies, to bring cost(s) into line, to bring/drive down cost(s); **K. sparen** to save cost(s)/expenses; **keine K. sparen** to spare no expense; **sich in große K. stürzen** to go to great expense; **sich die K. teilen** to share/split the cost(s), to go halves/Dutch *(coll)*; **K. tragen/übernehmen** to bear/cover/underwrite/stand the cost(s), to meet the expenses, to foot the bill, to defray expenditure, to pick up the tab, to pay/shoulder cost(s); **alle K. tragen** to bear all cost(s); **K. treiben** to inflate cost(s); **K. verursachen** to cost money; **K. überwälzen** to pass (on) cost(s); **K. indirekt überwälzen** to cross-subsidize; **K. umlegen** to allocate/apportion cost(s); **K. veranschlagen** to estimate cost(s); **K. vergüten** to reimburse expenses; **K. (direkt) auf die Abteilung verrechnen** to charge cost(s) (directly) to the department; **K. verringern** to reduce cost(s); **K. verteilen** to allocate/spread cost(s); **jdm große K. verursachen** to put so. to great expense; **jdn zu den K. verurteilen** [§] to award the cost(s) against so.; **K. weitergeben** to pass cost(s) on; **zu den K. des Verfahrens verurteilt werden** [§] to be ordered to pay cost(s); **K. zurückerstatten** to refund cost(s)

abnehmende Kosten decreasing cost(s); **abschreibbare K.** depreciable cost(s); **abschreibungsfähige K.** service cost(s); **abzugsfähige K.** deductible charges; **abzurechnende K.** off cost(s); **aktivierte K.** capitalized cost(s); **aktivierungspflichtige K.** capital expenditure; **allgemeine K.** overhead cost(s), overheads, administrative expense(s); **alternative K.** alternative/opportunity cost(s)

anfallende Kosten incidental cost(s); **nicht in bar a. K.** non-cash cost(s); **gemeinsam a. K.** common expense

angefallene Kosten cost(s) incurred; **anteilmäßige K.** proportional cost(s); **aufgelaufene K.** accrued cost(s)/charges; **ausgabengleiche K.** cash outlay cost(s); **außerplanmäßige K.** non-budget cost(s); **außergerichtliche K.** out-of-court expenses; **beeinflussbare K.** controllable cost(s); **nicht ~ K.** non-controllable cost(s); **bereitschaftsabhängige/beschäftigungsunabhängige K.** standby cost(s), non-controllable cost(s); **beitreibbare K.** recoverable cost(s); **bestellfixe K.** fixed-order cost(s); **bewegliche K.** variable cost(s); **als Aufwand bewertete K.** expired cost(s)/expense; **degressive K.** degressive cost(s); **direkte K.** direct expenses/cost(s); **durchlaufende K.** transit cost(s); **fortgeschriebene durchschnittliche K.** average cost(s); **effektive K.** real/explicit cost(s); **auf eigene K.** at one's own expense; **einmalige K.** non-recurring cost(s)/expenses; **eintreibbare K.** recoverable cost(s); **entscheidungsrelevante/-wirksame K.** decision-making/relevant cost(s)

entstandene Kosten incurred expenses, accrued cost(s); **durch Liquiditätsengpass e. K.** short cost(s); **nachträglich e. K.** subsequent charges

entstehende Kosten accruing cost(s); **kurzfristig ~ K.** short-run cost(s); **erdrückende K.** crippling cost(s); **nicht erfasste K.** imputed cost(s); **erfolgswirksame K.** expired cost(s)/expense, revenue expenditure; **nicht ~ K.** unexpired cost(s); **unter/mit erheblichen K.** at a cost; **erstattungsfähige K.** § party and party cost(s); **externe K.** social cost(s), discommodities; **fällige K.** outstanding cost(s); **feste K.** direct expenses/cost(s); **noch nicht festgesetzte K.** § untaxed cost(s); **festsetzbare K.** § taxable cost(s); **feststehende/fixe K.** overheads, fixed cost(s)/charges, volume/standby/committed/non-variable/constant cost(s); **durchschnittliche ~ K.** average fixed cost(s); **fortgeführte K.** depreciated book value; **fortlaufende K.** overheads, on-going costs; **geplante K.** programmed/predetermined cost(s); **gesamtwirtschaftliche/gesellschaftliche K.** social cost(s); **geschätzte K.** estimated cost(s); **gesetzliche K.** legal cost(s); **in Rechnung gestellte K.** billed cost(s); **gleichbleibende K.** constant cost(s); **halbfixe K.** semi-fixed cost(s); **über ... hinausgehende K.** cost(s) in excess of ...; **historische K.** historic(al) cost(s); **~ auf Tageswert umgerechnet** adjusted historic (al) cost(s); **immateriaelle K.** non-pecuniary costs; **indirekte K.** indirect cost(s)/expenses, overhead cost(s), burden, oncost; **intervallfixe K.** step-variable/stepped cost(s), fixed cost(s) rising in steps; **kalkulatorische K.** imputed/implicit cost(s), imputation, expenses for costing purposes; **kleine K.** petty charges/expenses; **komparative K.** comparative cost(s); **kompensatorische K.** offsetting/compensatory cost(s); **komplexe K.** compound/composite cost(s); **konstante K.** constant cost(s), fixed total cost(s), ~ average production cost(s); **kontrollierbare K.** controllable cost(s); **laufende K.** 1. current/running expenses, running/fixed/recurring cost(s); 2. 🚗 running costs; **leistungsabhängige K.** variable expenses, direct/variable/output-related cost(s); **an der Grenze der Wirtschaftlichkeit liegende K.** marginal cost(s); **mittelbare K.** indirect cost(s); **monetäre K.** money cost(s) (of factor input); **nachkalkulierte K.** post-mortem cost(s); **nachträgliche K.** after cost(s); **mit niedrigen K.** low-cost; **objektive K.** objective cost(s); **pagatorische K.** cash-outlay cost(s); **pauschalierte K.** bunched cost(s); **periodenbezogene K.** expired cost(s), expense; **primäre K.** aboriginal cost(s); **progressive K.** progressive cost(s); **proportionale K.** proportional cost(s); **relative K.** relative/comparative cost(s); **relevante K.** relevant/incremental/marginal/alternative cost(s), current outlay cost(s); **nicht ~ K.** sunk cost(s); **rückläufige K.** decreasing cost(s); **sämtliche K.** full cost(s); **semivariable K.** semi-variable cost(s); **sonstige K.** sundries; **soziale K.** social/welfare cost(s), discommodities; **sprungfixe K.** step-fixed cost(s); **sprungvariable K.** step-variable cost(s); **an der Rentabilitätsgrenze stehende K.** marginal cost(s); **steigende K.** rising cost(s); **rasant/sprunghaft/stark (an)steigende K.** soaring/zooming cost(s); **spiralartig ~ K.** spiralling cost(s); **stellvertretende K.** *(Havarie)* substituted cost(s); **tatsächliche K.** real/actual/perceived cost(s); **teilbewegliche K.** semi variable cost(s); **teilfixe K.** semi-fixed cost(s); **teilvariable K.** borderline/semi-finished cost(s); **übermäßige K.** excessive cost(s); **auf Kapitalkonto übernommene K.** capitalized cost(s): **überproportionale K** progressively rising variable cost(s); **nicht überwälzbare K.** irrecoverable cost(s); **auf den Tageswert umgerechnete K.** adjusted cost(s); **unverhältnismäßige K.** unreasonable expense; **untragbare K.** prohibitiv cost(s); **variable/veränderliche K.** variable cost(s) charges/expenses, direct/(output-)related cost(s) avoidable contractual cost(s); **gesamte ~ K.** total variable cost(s); **verbundene K.** related/composite cost(s) **verrechnete K.** allocated/applied cost(s); **verschiedene K.** sundry cost(s)/expenses; **volkswirtschaftliche K.** social/external cost(s); **vorausgeschätzte K.** formula cost(s); **voraussichtliche K.** prospective cost(s) **vorkalkulierte K.** target/estimated/predetermine cost(s); **vorprozessuale K.** cost(s) incurred before th action; **wechselnde K.** variable cost(s); **wirkliche K** actual/real cost(s); **zeitabhängige K.** time cost(s) **(rechtlich) zulässige K.** legitimate cost(s)

zurechenbare Kosten apportionable/separable cost(s) **direkt z. K.** directly apportionable cost(s), specific traceable cost(s); **global z. K.** indirect cost(s); **nicht z K.** specific cost(s)

nicht unmittelbar zurechnungsfähige Kosten unallocated cost(s); **zusätzliche K.** additional cost(s)/charges extras; **aus zentralen Fonds zuzuerkennende K** cost(s) to be awarded out of central funds

kosten *v/t* 1. to cost; 2. to sample/try/taste; **jdm etw. k** to set so. back; **egal was es kostet** 1. irrespective o price, money's no object *(coll)*; 2. blow the expens *(coll)*; **es kostet nichts** there is no charge

Kosten|abbau *m* cost cutting/reduction; **K.abrechnung** *f* cost sheet; **laufende K.abrechnung** demand deposit accounting; **K.abschreibung** *f* cost recovery **K.abteilung** *f* cost centre; **K.abwälzung** *f* passing o of cost(s); **K.abweichung** *f* cost variance; **verteilte K.abweichungen** redistributed cost(s); **K.absenkung** *f* cost cutting; **K.abzug** *m* deduction of cost(s); **K.analyse** *f* cost/account analysis, analysis of expenses **K.analytiker** *m* cost analyst; **K.änderungen** *pl* change in cost(s); **K.anerkenntnis** *f* allowance of cost(s) **K.anfall** *m* cost accrual; **K.angaben** *pl* cost data; **K.angleichung/K.anpassung** *f* cost adjustment

Kosten|ansatz/K.anschlag *m* cost estimate/account rate, tender, estimate (of expenditures), quotation; **ungefährer K.** rough estimate; **vorsichtiger K.** conservative (cost) estimate

Kostenanstieg *m* increase/rise in cost(s), cost push, expense rise; **K. bekämpfen** to combat rising cost(s); **K bremsen** to contain costs

Kostenanteil *m* share of the cost(s); **abgeschriebene K.** expired cost(s)

Kostenart *f* cost category/element, type of cost(s); **abgeleitete K.** derived cost item; **gemischte K.e** mixed/composite/secondary cost types; **kalkulatorische K.** implicit cost category; **natürliche/primäre K**

primary cost type; **zusammengesetzte K.en** compound cost types; **K.enkonto** *nt* cost account; **K.enrechnung** *f* cost classification, cost-type accounting; **K.enverteilung** *f* cost-type accounting

Kosten|aufbau *m* cost structure/pattern; **K.aufgliederung/K.auflösung** *f* breakdown of cost(s), cost breakdown/split-up; **mathematische K.auflösung** high-low points method; **K.aufhebung** *f* no cost(s); **K.aufschlagsmethode** *f* cost-plus method; **K.aufstellung** *f* statement of charges/cost(s); **K.aufteilung** *f* cost allocation/distribution, allocation of cost(s); **K.aufteilungsverfahren** *nt* absorption costing; **K.auftrieb** *m* rise in cost(s), cost increases; **~ abfangen** to absorb cost increases

Kostenaufwand *m* expenditure, outlay, expense(s) (incurred); **mit einem K. von** at a cost of; **K. zu Marktpreisen** current cost(s); **K. berechnen** to cost; **K. kapitalisieren** to capitalize cost(s); **augenblicklicher K.** current cost(s); **für Abschreibungen zugelassener K.** qualifying expenditure

kostenaufwendig *adj* costly

Kostenausgleich *m* 1. cost equalization; 2. *(Börse)* cost averaging; **K.sbetrag** *m* cost-equalizing amount; **K.smechanismus** *m* cost-equalization arrangement

Kosten|auslagen *pl* outlay; **K.ausweitung** *f* cost increase; **k.bedingt** *adj* cost-induced; **K.bedingungen** *pl* cost situation; **K.befreiung** *f* exemption from cost(s); **K.begleichung** *f* defrayal; **K.begrenzung** *f* cost limit; **spezifischer K.beitrag** marginal income per scarce factor; **K.beitreibung** *f* collection of charges; **K.belastung** *f* cost burden; **K.beleg** *m* cost record

Kostenberechnung *f* costing, calculation of expenses, computation of cost(s); **K. vornehmen** to cost a project; **K.smethode** *f* cost method

Kosten|bereinigung *f* clearing up of accounts; **K.bericht** *m* charge report; **K.berichtigungskonto** *nt* cost ledger; **K.bescheid** *m* 1. [§] allocatur *(lat.)* *(High Court)* *[GB]*; 2. taxation of cost(s) *[GB]*, taxed bill of cost(s) *[US]*; **K.bescheinigung** *f* [§] allocatur *(lat.)* *(High Court)* *[GB]*; **K.beschluss** *m* [§] order to pay cost(s); **K.beschränkung** *f* cost constraint/containment; **K.bestandteile** *pl* cost elements/components; **K.bestimmung** *f* cost finding; **K.bestimmungfaktor** *m* cost determinant; **K.beteiligung** *f* cost sharing, shared cost(s), assumption of a share of cost(s); **K.betrag** *m* amount of expenses; **K.bewegung** *f* fluctuation of cost(s); **K.bewertung** *f* costing; **~ von Vorräten** inventory costing; **k.bewusst** *adj* cost-conscious; **K.bewusstsein** *nt* cost consciousness/awareness; **K.bezugsgröße** *f* 1. cost objective; 2. reference figure; **K.- und Terminbilanz** *f* cost of work report; **K.bild** *nt* cost picture/situation; **K.bindung** *f* cost controls; **K.blatt/K.bogen** *nt/m* cost (summary) sheet; **K.block** *m* pool of cost(s)

Kostenbuch *nt* cost book/ledger; **K.halter** *m* cost accountant; **K.haltung** *f* costing department

Kosten|budget *nt* cost budget; **K.charakter** *m* cost nature; **K.controller** *m* cost controller; **K.dämmung/K.dämpfung** *f* cost-cutting exercise, cost cutting/containment, curbing/trimming cost(s), curbing cost expansion; **k.dämpfend** *adj* cost-saving, cost-cutting, curbing costs; **k.deckend** *adj* marginal, covering cost(s), breaking even

Kostendeckung *f* cost recovery/coverage, full recovery (of costs), covering of (the) expenses, meeting of cost(s); **K. erzielen** to recover cost(s); **volle K.** full cost recovery; **K.sbeitrag** *m* contribution margin, marginal income; **K.sgrad** *m* cost recovery ratio, level of cost-effectiveness; **K.sgrenze** *f* break-even point; **K.sprinzip** *nt* principle of cost coverage, contribution margin principle; **K.spunkt** *m* break-even point; **beschleunigtes K.sverfahren** accelerated cost recovery system

Kostendegression *f* cost decrease, fall in cost(s), declining cost(s), law of decreasing cost(s), decreasing trend of cost(s), decline of marginal unit cost(s); **K. durch optimale Betriebsvergrößerung** economies of scale; **K. infolge Rationalisierung** cost degression due to increased productivity; **interne K.** internal economies of scale; **K.seffekte** *pl* economies of scale, scale effects

Kosten|denken *nt* cost consciousness, thinking in terms of cost(s); **K.diagramm** *nt* break-even chart; **K.druck** *m* cost(-push) pressure, upward pressure of cost(s); **K.druckinflation** *f* cost-push inflation; **K.effekt** *m* cost effect, effect on cost(s); **k.effektiv** *adj* cost-effective; **K.effizienz** *f* ✪ engineering/cost efficiency; **K.eindämmung** *f* cost cutting; **K.einflussgröße** *f* cost determinant/factor, factor affecting cost(s); **K.einheit** *f* cost unit, unit cost(s), unit of outlay; **K.einschätzung** *f* cost estimate

Kosteneinsparung *f* cost saving/efficiency, saving, economy; **K.en** cost savings/cutting, reduction/saving of expenses, economies of costs, cuts; **K. durch sofortiges Entladen am Bestimmungsort** dispatch earning; **K.en vornehmen** to pare down expenses; **K.seffekte** *pl* cost reduction/savings, economies of scale

Kosten|eintreibung *f* collection of charges; **K.elastizität** *f* elasticity of cost(s); **K.element** *nt* cost element/factor/component; **K.entlastung** *f* easing of the cost burden, cost reduction; **K.entscheidung** *f* [§] order to pay cost(s); **~ vorbehalten** cost(s) reserved; **K.entwicklung** *f* cost trend; **gegenläufige K.entwicklung** adverse cost trend; **K.erfassung** *f* cost finding/recording/ascertainment/accumulation, costing ; **K.erhebung** *f* levy of cost(s); **K.erhöhung** *f* cost increase, increase in cost(s); **~ auffangen** to absorb a cost increase; **K.erlass** *m* [§] exemption from cost(s), waiver of fees

Kosten-Erlös|-Relation *f* cost-sale-price ratio, relationship between cost(s) and selling prices; **K.-E.-Schere** *f* cost-earnings scissors; **K.-E.-Situation** *f* cost-earnings situation; **K.-E.-Verhältnis** *nt* cost-sale-price ratio, relationship between cost(s) and selling prices

Kosten|ermittlung *f* costing, cost accounting/finding; **versicherungsmathematische K.ermittlung** actuarial cost method/valuation; **K.ersatz** *m* cost refund; **K.ersparnis** *f* cost saving, saving of cost(s); **K.erstattung** *f* cost refund, refund of cost(s), reimbursement of cost(s)/expenses; **K.erstattungsanspruch** *m* claim to reimbursement of cost(s) and expenses; **K.ertrag** *m* yield on cost; **K.-Ertragsverhältnis** *nt* cost-income ratio; **K.eskalation** *f* cost escalation, escalating cost(s); **K.explosion** *f* cost explosion, runaway cost(s); **K.fachmann** *m* cost analyst; **K.faktor** *m* cost factor/element, factor in cost(s); **k.fällig** *adj* § ordered to pay cost(s)

Kostenfestsetzung *f* 1. determination/assessment of cost(s), cost fixing; 2. § taxation of cost(s) *[GB]*, taxed bill of cost(s) *[US]*; **K.sbeschluss** *m* § allocatur *(lat.)* (of costs) *(High Court) [GB]*, taxation of cost(s) *[GB]*, taxed bill of cost(s) *[US]*

Kosten|feststellung *f* determination of cost(s), cost finding; **K.fluss** *m* cost flow; **K.flussnachweis** *m* cost flow statement; **K.flut** *f* wave of cost increases; **~ eindämmen** to stem the tide of increasing cost(s); **K.folgen** *pl* consequential cost(s); **~ haben** to carry/entail cost(s); **K.forderungen** *pl* cost(s) receivable *[US]*; **K.frage** *f* cost issue, question of cost(s); **k.frei** *adj* free of charge, cost-free, expenses covered; **K.freiheit** *f* exemption from charges

Kostenfunktion *f* cost function; **konkave K.** concave cost function; **konvexe K.** convex cost function

Kosten|gefälle *nt* cost differential(s); **K.gefüge** *nt* cost structure; **K.gegenkonto** *nt* cost control account; **K.gesetz** *nt* court cost(s) act; **K.gestaltung** *f* cost structure; **K.gleichung** *f* cost equation; **K.gliederung** *f* breakdown of cost(s); **aus K.gründen** *pl* for reasons of cost; **K.grundlage** *f* cost basis; **k.günstig** *adj* low-cost, cost-effective, economical; **k.günstiger** lower-cost; **K.gut** *nt* factor of production; **K.güterpreis** *m* input price; **K.haftung** *f* liability for cost(s); **K.hauptbuch** *nt* cost ledger; **K.hinterlegung** *f* § security for cost(s); **K.höhe** *f* level of cost(s); **K.index** *m* cost index, standard cost system; **K.inflation** *f* cost-push/cost-induced/spontaneous inflation; **k.intensiv** *adj* cost-intensive, high-cost, entailing high costs; **K.journal** *nt* cost journal; **K.kalkulation** *f* costing, calculation/computation of cost(s); **K.kategorie** *f* cost category, type of cost; **K.kennzahl** *f* cost ratio; **K.klemme** *f* cost difficulty; **K.klima** *nt* cost situation; **K.koeffizient** *m* cost coefficient; **K.konto** *nt* cost account, account of charges; **K.kontrolle** *f* cost/expense control, cost management; **EDV-gestützte K.kontrolle** computer-aided cost control; **K.kurve** *f* cost curve/line

Kostenlage *f* cost situation; **K.- und Erfolgslage** cost-earnings situation; **angespannte K.** difficult cost situation

Kosten|last *f* cost burden; **K.lawine** *f* avalanche of cost(s); **K.legung** *f* cost allocation; **K.-Leistungsverhältnis** *nt* cost-performance ratio; **K.lenkung** *f* cost control; **K.liquidation** *f (Anwalt)* bill of cost(s); **k.los** *adj* free of charge, (of) no charge, without charge, cost-free, gratuitous, gratis, buckshee *(coll)*; **K.management** *nt* cost management; **strenges K.management** firm control of costs; **K.matrix** *f* cost matrix; **K.mehrbelastung** *f* cost-induced additional charge; **K.methode** *f* cost approach; **K.miete** *f* economic/cost(-covering) rent; **manipulierte K.miete** adjusted economic rent, commercial rent; **K.minderung** *f* cost reduction; **K.minimierung** *f* cost minimization; **K.minimum** *nt* cost minimum; **K.mitteilung** *f* charge report; **K.modell** *nt* cost model/concept; **K.nachnahme** *f* charges to be collected; **K.nachweis** *m* cost documentation; **K.nachzahlung** *f* subsequent payment of cost(s); **k.nah** *adj* close to cost(s); **k.neutral** *adj* self-financing, not affecting cost(s); **K.niederschlagung** *f* cancellation of charges; **K.niveau** *nt* cost level

Kosten-Nutzen|- cost-benefit; **K.-N.-Analyse** *f* cost-benefit analysis/assessment/evaluation; **K.-N.-Kennziffer/K.-N.-Verhältnis** *f/nt* cost-benefit ratio; **K.-N.-Rechnung** *f* cost-benefit accounting; **K.-N.-Vergleich** *m* cost-benefit equation

Kosten|optimum *nt* cost optimum; **K.ordnung** *f* 1. schedule of fees *[US]*; 2. § regulations on ex parte *(lat.)* cost(s); **k.orientiert** *adj* cost-orient(at)ed; **K.orientierung** *f* cost orientation; **K.paket** *nt* cost package; **K.pauschale** *f* lump sum; **k.pflichtig** *f* § with cost(s), liable to pay costs; **K.plan** *m* cost budget/plan; **K.planung** *f* cost planning, expense budgeting, costing; **einstufige K.planung** formula method; **K.planziel** *nt* cost target; **K.platz** *m* cost centre/point, workplace

Kostenpreis *m* cost price, prime cost(s); **zum K.** at cost; **K.-P.-Schere** *f* cost and price scissors, cost-price scissors; **K.-P.-Spirale** *f* cost-price spiral

Kosten|prinzip *nt* full recovery principle; **K.problem** *nt* cost problem; **K.prognose** *f* cost prediction; **K.progression** *f* cost rise, diseconomies of scale, increase in unit cost(s); **K.punkt** *m* 1. cost factor/item; 2. cost issue/question; 3. *(Transport)* point to which the seller pays all cost(s); **optimaler K.punkt** locus *(lat.)* of minimum cost per unit; **K.rahmen überschreiten** *m* to overstep the budget; **k.reagibel** *adj* cost-sensitive; **K.realisierung nach Arbeitsfortschritt** *f* percentage of completion method; **K.rechner** *m* cost accountant/clerk

Kostenrechnung *f* 1. cost accounting/accountancy/system, costing; 2. statement/account/note of charges, bill of cost(s); **K. für auftragsweise Fertigung** job cost system; **K. nach Verantwortungsbereichen** responsibility accounting; **K. anerkennen** to allow cost(s); **entscheidungsorientierte/funktionale K.** functional control accounting, accounting by functions; **laufende K.** managerial cost accounting

Kosten- und Ertragsrechnung cost and revenue accounting; **~ Leistungsrechnung** cost accounting and results accounts, transaction and cost account(ing); **innerbetriebliche ~ Leistungsrechnung** internal transaction and cost account(ing)

Kostenrechnungs|art *f* cost method; **K.blatt** *nt* job order cost sheet; **K.methode** *f* cost method; **K.system** *nt* costing/accounting system; **K.verfahren** *nt* costing system, cost method; **monistisches K.verfahren** tie-in cost system; **K.zeitraum** *m* cost accounting period

Kosten|recht *nt* § law concerning law cost(s); **K.reduzierung** *f* cost cutting (exercise), cost reduction; **K.regulierung** *f* settlement of cost(s); **K.remanenz** *f* cost lag; **K.rentabilität** *f* cost effectiveness; **K.- und Produktionsmittelrevision** *f* cost and resource updating worksheet; **K.revisor** *m* 1. controller, comptroller; 2. § taxing master; **K.rückstand** *m* residual cost(s); **K.sache** *f* § cases involving taxation of cost(s)

Kostensammel|blatt/K.bogen *nt/m* job cost sheet, cost summary sheet; **K.karte** *f* cost card; **K.konten** *pl* collective cost accounts

Kosten|satz *m* 1. rate, tariff; 2. expense ratio; 3. cost unit rate; **K.schätzung** *f* cost estimate/estimation; **K.schere** *f* cost gap; **K.schlüssel** *m* cost allocation base, cost formula; **K.schub auffangen** *m* to absorb a wave of cost increases; **K.schuldner(in)** *m/f* party liable for cost(s); **K.seite** *f* cost side/aspect; **von der K.seite** from the cost angle; **k.senkend** *adj* cost-cutting

Kostensenkung *f* cost cutting/reduction/trimming; **K. durch hohe Stückzahlen** economies of scale; **K.smaßnahme** *f* cost-cutting exercise/measure; **K.spolitik** *f* cost reduction policy; **K.sprogramm** *nt* cost cutting programme

Kosten|sicherheit *f* indemnity for cost(s); **K.situation** *f* cost situation; **K.sockel** *m* cost base; **k.sparend** *adj* cost-saving, cost-reducing, economical, (at) low cost; **K.spezifizierung** *f* breakdown of expenses; **K.spielraum** *m* cost latitude; **K.spirale** *f* cost spiral; **K.sprung** *m* jump in cost(s); **K.stand** *m* cost level; **K.statistik** *f* cost statistics; **k.steigernd** *adj* pushing up costs; **K.steigerung** *f* cost rise/push/increase, rising cost(s), price rise, increase/upswing in cost(s); **K.steigerungen auffangen** to absorb increases in cost

Kostenstelle *f* 1. cost/production/work/expense/burden centre, cost area; 2. cost unit/item/point, unit of activity; **allgemeine K.** general cost centre, ~ burden department, service department; **sekundäre K.** indirect cost centre

Kostenstellen|ausgleich(sverfahren) *m/nt* cost centre squaring; **K.blatt** *nt* cost comparison/summary sheet; **K.gemeinkosten** *pl* cost centre overhead(s), departmental overhead(s)/burden; **K.gemeinkostenzuschlag** *m* cost centre rate; **K.gliederung** *f* functional expense classification, departmentalization, cost centre structure; **K.gruppe** *f* cost centre group; **K.konto** *nt* cost centre account, departmental expense account; **K.kosten** *pl* production centre cost(s); **K.lagebericht** *m* operating unit status report; **K.plan** *m* chart of functional accounts; **K.rechnung** *f* cost centre accounting, departmental costing/accounting; **K.überdeckung** *f* cost centre surplus; **K.umlage** *f* cost centre charge transfer; **K.umlageverfahren** *nt* stepladder method; **K.unterdeckung** *f* cost centre deficit; **K.vergleich** *m* cost centre comparison; **K.verrechnung** *f* cost centre charge transfer; **gegenseitige K.verrechnungen** mutual cost centre charge transfers

Kosten|steuer *f* tax chargeable as expense; **K.streuung** *f* spreading of cost(s); **K.struktur** *f* cost structure/base, composition of cost(s); **industrielle K.struktur** cost structure in industry; **K.substitution** *f* substitution of cost(s); **K.tabelle** *f* cost chart/schedule; **K.teil** *m* cost component; **K.teilung** *f* cost sharing; **K.tendenz** *f* cost trend; **K.theorie** *f* cost theory; **K.titel** *m* § title of cost(s), cost taxation order; **k.trächtig** *adj* costly, entailing high cost(s)

Kostenträger *m* cost unit/centre/object, product/costing unit, service, unit of output; **K.erfolgsrechnung** *f* cost-unit statement of income, commodity income statement; **K.gruppe** *f* cost unit group; **K.rechnung** *f* cost unit accounting, job order cost system, product/unit-of-output costing; **K.stückrechnung** *f* unit-of-output costing; **K.zeitrechnung** *f* cost unit period accounting

kosten|treibend *adj* pushing up cost(s); **K.überdeckung** *f* cost overabsorption, overabsorbed cost, overabsorption (of costs), surplus; **K.übergang** *m* transfer of cost(s); **K.überhöhung** *f* excessive cost(s); **K.überlegung** *f* cost consideration; **K.übernahme** *f* assumption of cost(s), cost absorption; **~ durch die Kasse** assumption of cost(s) by the insurance (scheme); **anteilige K.übernahme** pro-ratra sharing in the costs; **K.überprüfer** *m* comptroller, controller; **K.überschlag** *m* rough estimate; **K.überschreitung** *f* cost overrun/overshoot; **K.übersicht** *f* cost survey; **K.-überwachung** *f* cost control; **K.überwälzung** *f* passing on the cost(s); **indirekte K.überwälzung** cross-subsidization; **K.umlage/K.umlegung** *f* apportionment of cost(s), cost allocation/appropriation/distribution; **anteilige K.umlage** apportionment; **K.unterdeckung** *f* (cost) deficit, under-recovery/underabsorption (of costs); **K.unterlagen** *pl* cost data; **K.urteil** *nt* § judgment for cost(s); **k.verantwortlich** *adj* cost-conscious; **K.verantwortung** *f* cost consciousness

Kostenvergleich *m* comparison of cost(s); **K.smiete** *f* cost/economic rent; **K.srechnung** *f* comparative cost method, cost comparison

Kosten|verhalten *nt* cost behaviour; **K.verlauf** *m* cost trend, cost behaviour pattern; **K.verminderung** *f* reduction of cost(s); **K.verrechnung** *f* cost allocation/appropriation/distribution/apportionment/clearing, allocation of cost(s), expense distribution; **K.verringerung** *f* cost reduction

Kostenverteilung *f* cost distribution/allocation, apportionment of cost(s); **K.sbogen** *m* cost allocation sheet; **K.sschlüssel** *m* cost apportioning formula

Kosten|verteuerung *f* cost overrun/increase; **K.verursacher** *m* cost factor; **K.verzeichnis** *nt* bill of cost(s), statement of charges; **K.volumen** *nt* total cost(s)

Kostenvoranschlag *m* 1. (cost) estimate, quotation, quote; 2. bid; 3. 🏛 bill of quantities; **K. anfertigen/aufstellen/machen** to estimate, to make an estimate of the costs; **K. hoch ansetzen** to pitch the estimate high; **in einen K. aufnehmen** to budget/allow for; **K. überschreiten** to exceed an estimate; **fester K.** firm estimate

Kosten|vorgabe *f* cost objective; **starre K.vorgaben** basic cost standards; **K.vorlauf** *m* cost anticipation; **K.vorschau** *f* budget, cost-outlook report; **K.vorschuss** *m* advance (on costs), expenses advanced; **K.vorsprung** *m* cost advantage; **K.vorstellungen** *pl* estimate(s); **K.vorteil** *m* cost advantage/benefit; **absoluter K.vorteil** absolute advantage; **K.wert** *m* cost value; **K.wertberichtigung** *f* cost absorption

kostenwirksam *adj* cost-effective; **K.keit** *f* cost effectiveness; **K.keitsanalyse** *f* cost effectiveness analysis

Kosten|wirkung *f* cost effect; **K.ziel** *nt* cost objective; **K.zugang** *m* cost addition; **K.zunahme** *f* increase in cost(s), increasing/rising cost(s); **K.zuordnung/K.zurechnung** *f* cost distribution/allocation; ~ **auf Kostenträger** cost absorption; **K.zusammenstellung** *f* cost sheet; **K.zuschlag** *m* surcharge, oncost *[GB]*, excess/extra charge; **K.zuschuss** *m* grant towards cost(s)

Kost|gänger(in) *m/f* boarder, lodger; **K.geber** *m (Börse)* giver on *[GB]*; **K.geld** *nt* 1. allowance, board; 2. *(Börse)* contango rate *[GB]*; **K.geschäft** *nt (Börse)* contango *[GB]*, take-in transaction

köstlich *adj* delicious

Kost|nehmer *m (Börse)* receiver; **K.probe** *f* 1. sample; 2. sampling

kostspielig *adj* costly, expensive, pric(e)y, high-priced; **k. sein** to run into money, to command a high price; **K.keit** *f* costliness, wastefulness

Kostüm *nt* 1. costume; 2. fancy dress; **k.ieren** *v/t/v/refl* to dress up; **K.probe** *f* 🎭 dress rehearsal; **K.verleih** *m* dress hire, costumer *[US]*, (theatrical) costume agency *[GB]*

Kostwechsel *m* bill on deposit

Kotangens *m* π cotangent

Kotau *m* kowtow; **K. machen** to kowtow

Kotflügel *m* 🚗 mudguard, wing, fender *[US]*

kotier|en *v/t (Börse)* to quote *[GB]*/list *[US]*; **K.ung** *f* quotation, listing

Kovarianz *f* ▦ covariance; **K. der Grundgesamtheit** parent covariance; **K.analyse** *f* covariance analysis; **K.matrix** *f* covariance matrix

Krach *m* 1. crash, noise; 2. *(Ärger)* row, furore, uproar, bust-up; 3. *(Zwist)* ruction; **K. machen** to make a noise; **K. schlagen** to kick up a fuss

Krackanlage *f* ⚗ cracking plant

Kraft *f* power, strength, force, energy, vigour, muscle; **außer K.** not in force; **in K.** in force, (legally) effective, valid; ~ **seit** 1. effective as from; 2. *(Gesetz)* operative from; **noch in K.** unexpired; **normative K. des Faktischen** § consuetude; **Kräfte des Marktes** market forces

außer Kraft gesetzt suspended; **zeitweilig ~ K. (gesetzt)** temporarily suspended; **automatisch in K. tretend** self-operating; **mit aller K.** with might and main *(coll)*; **mit allen meinen Kräften** to the utmost of my abilities, with all my might; **volle K. voraus** ⚓ full speed/steam ahead; ~ **zurück** ⚓ full speed/steam astern

alle Kräfte anspannen to summon up all one's energy; **sich nach besten K.n bemühen** to do one's best; **in Kraft bleiben** to remain in force, ~ effective; **auf unbestimmte Zeit ~ bleiben** to remain in effect indefinitely; **K. gemeinsam einsetzen** to pool one's forces; **sich aus eigener Kraft emporarbeiten** to work one's way up; **Kraft haben** § to be in force; **mit seinen K.n haushalten** to husband one's strength; **wieder zu K.n kommen** $ to recover/rally; **mit voller Kraft laufen** to run at (full) capacity; **die brachliegenden K. nutzen** *(Wirtschaft)* to take up the slack; **seine Kraft voll nutzen** to use one's muscle *(fig)*; **neue/wieder Kraft schöpfen** to rally, to recover (one's strength); **außer Kraft sein** § not to be in force; **gut bei K.n sein** to be fit; **in Kraft sein** § to be in force/operation, ~ effective, to rule/operate; **am Ende seiner Kraft sein** to be at the end of one's tether *(fig)*; **außer Kraft setzen** 1. § to set aside, to invalidate/cancel/override/abrogate/rescind/annul/overrule; 2. *(Gesetz)* to repeal; **vorübergehend ~ setzen** to suspend; **in Kraft setzen** § to put into effect, to bring/put into operation/effect/force, to introduce/activate; **erneut ~ setzen** to revalidate; **vor Kraft strotzen** to burst with energy; **außer Kraft treten** § to expire/lapse, to become void/inoperative/ineffective, to cease to have effect; **zeitweilig ~ treten** to fall into abeyance; **in Kraft treten** § to go/come into effect, to take effect, to enter/come into force, to become effective/operative, to come into operation; **rückwirkend ~ treten** to become retroactive; **wieder ~ treten** to be revived; ~ **treten lassen** to make effective/operative; **jds K. übersteigen** to be too much for so.; **seine K. vergeuden/verzetteln** to waste one's energy; **all seine Kraft zusammennehmen** to muster up all one's strength

ausgleichende Kraft counterbalance, countervailing force; **bindende K.** § binding authority/force; **mit bindender K.** binding; **aus eigener K.** by one's own efforts, on one's own resources, under one's own steam *(fig)*; **freie Kräfte** available manpower; **halbe K.** ⚓ half speed; **inflationistische Kräfte** inflationary pressure/strains/forces/impact/squeeze; **mit letzter K.** with a final effort; **normative K.** § legal validity; **rückwirkende K.** retroactive force/effect, retroaction; **mit rückwirkender K.** retroactively; **mit ~ K. vom ... an** with retroactive effect/force from; **schöpferische K.** creative power; **sittliche K.** moral strength; **treibende K.** driving force, propellant; **ungelernte Kräfte** unskilled labour; **vereinte Kräfte** combined efforts; **mit voller K.** with might and main *(coll)*; **wirtschaftliche Kräfte** economic forces; **zusätzliche K./Kräfte** extra help

kraft *prep* on the strength of, by virtue/operation of

Kraft|akt *m* supreme effort; **finanzieller K.akt** financial exertion; **K.anlage** *f* ϟ power station/plant; **K.anschluss** *m* ϟ power supply connection; **K.anstrengung** *f* effort, exertion; **K.antrieb** *m* power drive; **K.aufwand** *m* energy, strain; **K.bedarf** *m* ϟ power requirements; **K.droschke** *f* taxi, cab

Kräfte|bedarf/K.nachfrage *m/f* personnel/labour manpower requirements; **K.bild** *nt* pattern of forces; **K.mangel** *m* manpower/labour shortage

Krafterzeugung *f* generation of power

Kräfte|parallelogramm *nt* parallelogram of forces; **K.potenzial** *nt* potential force; **K.spiel** *nt* power play, dynamics; **K.verhältnis** *nt* balance of power

Kraftfahr|abteilung *f* 🚗 transport unit, car pool; **K.dienst** *m* motor transport service; **K.er** *m* 🚗 driver, motorist; **K.wesen** *nt* automobilism

Kraftfahrzeug *nt* → **Auto(mobil)** motor car/vehicle, automobile; **K. anmelden** to register a motor vehicle; **K. fahren/führen/steuern** 1. to drive a car; 2. to operate a motor vehicle

Kraftfahrzeug|abgas *nt* car exhaust; **K.abnahme**

vehicle test, Ministry of Transport (M.O.T.) test *[GB]*; **K.abnahmestelle** *f* vehicle testing station; **K.anhänger** *m* trailer; **K.anmeldung** *f* motor vehicle registration; **K.ausstellung** *f* motor show; **K.bau** *m* 1. automobile engineering; 2. car manufacture/manufacturing; **K.beförderung** *f* automobile transportation; **K.besitzer(in)** *m/f* car owner; **K.bestand** *m* car ownership; **K.branche** *f* automobile trade/industry; **K.brief** *m* motor/vehicle registration certificate, ~ document, title to car; **K.diebstahl** *m* car theft; **K.einfuhr** *f* car imports; **K.fahndung** *f* tracing of stolen vehicles; **K.führer(in)** *m/f* 1. vehicle driver; 2. operator of a motor vehicle; **K.geschäft** *nt* car operations; **K.gewerbe** *nt* car trade

Kraftfahrzeughaftpflicht *f* motor vehicle third-party liability; **K.schaden** *m* motor claim; **K.versicherung** *f* motor third-party liability insurance, automobile liability insurance, public liability motor insurance

Kraftfahrzeug|haftung *f* motor vehicle third-party liability; **K.halter(in)** *m/f* car/vehicle owner, registered owner/user (of a motor vehicle); **K.haltung** *f* car/vehicle ownership; **K.handel** *m* motor/car trade; **K.händler** *m* motor car dealer/trader; **K.hersteller** *m* motor/vehicle manufacturer; **K.industrie** *f* car/motor (vehicle)/automobile/automotive industry, car/automobile/vehicle manufacturers; **K.ingenieur** *m* automobile engineer; **K.insassenversicherung** *f* motor vehicle passenger insurance; **K.kennzeichen** *nt* numberplate *[GB]*, license plate *[US]*, vehicle registration number; **K.markt** *m* car market; **K.mechaniker** *m* car/motor mechanic; **K.motor** *m* (motor vehicle) engine; **K.papiere** *pl* (motor) vehicle documents; **K.park** *m* vehicle fleet, car pool; **K.pauschalsteuer** *f* flat-rate motor vehicle excise duty; **K.police** *f* vehicle/motor insurance policy; **K.produktion** *f* car/vehicle production; **K.reparaturwerkstatt** *f* garage, vehicle repair workshop; **K.sammelversicherung** *f* fleet insurance; **K.schadensabteilung** *f* motor claims department; **K.schein** *m* motor vehicle registration certificate *[US]*, car licence, car registration book; **K.-schlosser** *m* car/automobile/motor mechanic; **K.sparte** *f (Vers.)* motor underwriting/insurance; **K.steuer** *f* licence duty, car/road tax, motor vehicle excise duty *[GB]*, tax on cars, vehicle licence tax; **K.technik** *f* automobile engineering; **K.unfall** *m* car/motor accident; **K.unterhaltung** *f* vehicle maintenance; **K.unterhaltungskosten** *pl* vehicle maintenance cost(s); **K.verkehr** *m* motor traffic/transport; **gewerbsmäßiger K.-verkehr** commercial motor transport; **K.vermietung** *f* car hire/rental; **K.versicherer** *m* motor insurer

Kraftfahrzeugversicherung *f* 1. motor (vehicle/car) insurance, automobile insurance; 2. motor underwriting; **K.sgeschäft** *nt* motor underwriting; **K.sgesellschaft** *f* automobile/motor insurance company; **K.spolice** *f* vehicle/motor insurance policy; **K.sprämie** *f* motor insurance premium; **K.ssparte** *f* motor account; **K.starif** *m* motor insurance tariff/rate

Kraftfahrzeug|werkstatt *f* automobile/vehicle repair shop *[US]*, garage *[GB]*; **K.zubehör** *nt* automobile accessories; **K.zulassung** *f* motor vehicle licence/licensing, car/vehicle registration, registration of cars; **K.zulassungsschein** *m* road licence; **K.zulieferungsindustrie** *f* (automobile/automotive) component industry; **K.zuschuss** *m* car allowance

kraftgetrieben *adj* power-operated

kräftig *adj* strong, vigorous, sturdy, hefty; **k.en** *v/refl (Kurs)* to improve/recover/rally/recuperate

Kräftigung *f* rally, strengthening; **K.smittel** *nt* ⚕ tonic, restorative

kraftlos *adj* 1. powerless, weak, feeble, insubstantial, ineffectual; 2. § invalid, null and void; **für k. erklären** 1. to invalidate, to declare null and void; 2. *(Wechsel)* to cancel; **k. werden** to cease to have effect

Kraftloserklärung *f* 1. § annulment, invalidation, declaration of invalidity; 2. *(Wechsel)* cancellation

Kraftlosigkeit *f* 1. feebleness, weakness; 2. ⚕ asthenia

Kraft|meier *m* *(coll)* strong-arm man; **K.meierei** *f* strong-arm tactics, boastfulness; **K.messer** *m* ✿ dynamometer; **K.papier** *nt* kraft/craft paper; **K.probe** *f* trial of strength, test; **entscheidende K.probe** showdown; **K.quelle** *f* power source, source of energy; **K.rad** *nt* motorcycle, motorbike; **K.sinn** *m* kinetic sense

Kraftstoff *m* fuel, petrol *[GB]*, gas(oline) *[US]*; **bleiarmer K.** low-lead fuel; **bleifreier/unverbleiter K.; nicht verbleiter K.** unleaded/lead-free fuel; **verbleiter K.** leaded fuel

Kraftstoff|anzeiger *m* fuel ga(u)ge; **K.behälter** *m* fuel tank; **K.händler** *m* petrol retailer; **K.lager** *nt* fuel depot; **K.preis** *m* fuel price; **K.steuer** *f* road fuel duty *[GB]*; **K.verbrauch** *m* fuel consumption; **K.vorräte** *pl* fuel reserves; **K.zuteilung** *f* fuel allocation, petrol ration *[GB]*, gasoline allowance *[US]*

Kraft|strom *m* ↯ power (current); **k.strotzend** *adj* vigorous, bursting with health; **K.überschuss** *m* reserve power; **K.übertragung** *f* power transmission

Kraftverkehr *m* motor traffic, road transport/haulage; **K.sunternehmen** *nt* road haulage enterprise *[GB]*, trucking company *[US]*; **K.sversicherung** *f* motor insurance

kraftvoll *adj* vigorous, powerful

Kraftwagen *m* car, automobile, motor vehicle; **K.kosten** *pl* automobile expenses; **K.unternehmen** *nt* road haulier *[GB]*, trucking company *[US]*; **gewerblicher K.verkehr** road haulage industry

Kraft-Wärme-Kopplung *f* ↯ (industrial) cogeneration, combined power and heat application, power-heat linkup

Kraftwerk *nt* (electricity-)generating station/plant, power station/plant, powerhouse; **kalorisches K.** caloric power station; **K.sbau** *m* power-plant building/construction; **K.sindustrie** *f* power station industry; **K.skohle** *f* steam coal; **K.sleistung** *f* power plant capacity; **K.sverbund** *m* electricity pool

Kralle *f* 1. claw; 2. 🚗 (wheel) clamp

Kram *m* odds and ends, junk; **den ganzen K. hinhauen/hinschmeißen** *(coll)* to chuck up the whole thing, ~ it all; **jdm in den K. passen** *(coll)* to be up one's street *(coll)*; **jdm nicht ~ passen** *(coll)* not to suit so.'s books *(coll)*; **unnützer K.** trash

kramen *v/i* to rummage

Krämer *m* 1. (small) shopkeeper; 2. grocer; 3. chandler; **K.geist** *m* miserliness; **K.laden** *m* grocer's shop *[GB]*, grocery store *[US]*; **K.nation/K.volk** *f/nt* nation of shopkeepers *[GB]*

Kramladen *m* 1. variety shop/store, swagshop; 2. *(Trödel)* junk shop

Krampe *f* staple

Krampf *m* ⚕ cramp, convulsion; **k.adrig** *adj* varicose; **k.haft** *adj* desperate, frantic

Kran *m* crane, derrick; **K. mit Dreharm** jib crane; **fahrbarer K.** travelling crane

Kran|ausleger *m* crane jib; **K.führer** *m* crane driver, derrick/crane operator; **K.gebühren/K.geld** *pl/nt* cranage, crane dues

krängl|en *v/t* ⚓ to list/heel/tilt; **K.ung** *f* ⚓ list, heel

krank *adj* 1. ill, sick, diseased; 2. unsound; 3. *(Wirtschaft)* ailing; 4. *(Unternehmen)* troubled; **k. melden** to sick-list; *v/refl* to report sick, to call in sick; **k. schreiben** to sick-list; **k. gemeldet/geschrieben sein** to be on sick leave, ~ the sick list; **sich k. stellen** to malinger, to feign/sham illness; **k. werden** to fall ill, to be taken ill, to take sick *[US]*; **geistig k.** mentally ill; **hoffnungslos/unheilbar k.** incurably/terminably ill

kränkeln *v/i* to be ailing; **k.d** *adj* ailing, sickly, valetudinarian

kranken an *v/i* to suffer from, to be afflicted with

kränken *v/t* to hurt/offend/insult/injure

Kranken|abteilung *f* infirmary; **K.akte** *f* patient's file; **K.anstalt** *f* hospital, clinic, infirmary; **zugelassene K.anstalt** licensed hospital; **K.attest** *nt* certificate of illness, sick note; **K.ausfallquote** *f* sickness rate; **K.behandlung** *f* medical treatment; **K.beihilfe** *f* sickness allowance/benefit; **K.bericht** *m* sick report; **K.bestand** *m* sickness rate; **K.besuch** *m* doctor's visit, sick call; **K.bett** *nt* sick bed; **K.bezüge** *pl* sick pay; **K.blatt** *nt* case record

krankend *adj* ailing

kränkend *adj* insulting, wounding

Kranken|diät *f* special diet; **K.fürsorge** *f* medical care

Krankengeld *nt* (statutory) sick pay, sick(ness)/sick leave benefit, temporary disability benefit; **K. beziehen** to draw sickness benefit; **K. beantragen** to claim sickness benefit; **gesetzliches K.** statutory sick pay

Krankengeld|leistung *f* sickness benefit payment; **K.tagessatz** *m* daily allowance during sickness; **K.versicherung** *f* temporary disability insurance; **K.zahlung einstellen** *f* to discontinue/stop sickness benefit payments; **K.zuschuss** *m* sickness supplement

Kranken|geschichte *f* medical/case history; **K.gymnast(in)** *m/f* physiotherapist; **K.gymnastik** *f* physiotherapy

Krankenhaus *nt* hospital, clinic, infirmary; **in ein K. aufnehmen/einliefern/einweisen** to hospitalize; **jdn aus dem K. entlassen** to discharge from hospital; **allgmeines K.** general hospital; **öffentliches K.** public hospital; **städtisches K.** municipal hospital

Krankenhaus|abteilung für ambulante Patienten *f* outpatient department; **K.arzt** *m* hospital doctor; **K.ärzte** medical/hospital staff; **K.aufenthalt** *m* confinement, hospital stay, hospitalization; **K.aufnahme** *f* hospitalization; **K.bau** *m* hospital building

Krankenhausbehandlung *f* hospital treatment; **ambulante K.** outpatient hospital treatment; **stationäre K.** inpatient hospital treatment

Krankenhaus|beihilfe *f* hospital benefit; **K.besuch** *m* hospital visit; **K.bett** *nt* hospital bed; **~ für Privatpatienten** pay bed *[GB]*; **K.einfahrt** *f* hospital entrance; **K.einlieferung/K.einweisung** *f* hospitalization; **K.entlassung** *f* hospital discharge; **K.facharzt** *m* hospital consultant; **K.kosten** *pl* hospital cost(s)/charges/-expense, hospital accommodation cost(s); **K.kostenversicherung** *f* hospitalization insurance; **K.leistungen** *pl* hospital services

Krankenhauspflege *f* hospital care; **K.kosten** *pl* hospital charges; **K.r** *m* hospital nurse; **K.satz** *m* hospital per diem *(lat.)* charge

Krankenhaus|rechnung *f* 1. hospital bill, bill for hospital treatment; 2. *(Versicherung)* provider account; **K.schwester** *f* hospital nurse; **K.tagegeld** *nt* daily benefit during hospitalization; **K.tagegeldversicherung** *f* daily benefits insurance; **K.unterbringung** *f* hospitalization; **K.versicherung** *f* hospitalization insurance; **K.versorgung** *f* hospital provision; **K.vertrag** *m* hospitalization contract *[US]*; **K.verwaltung** *f* hospital management; **K.zuschuss** *m* hospital benefit; **K.zuschussversicherung** *f* hospital benefit insurance

Krankenhilfe *f* sickness benefit

Krankenkasse *f* health/medical insurance (scheme/fund), sick insurance/fund; **gesetzliche K.** statutory health insurance (scheme); **kaufmännische K.** clerks' health insurance (scheme); **landwirtschaftliche K.** farmers' health insurance (scheme); **örtliche K.** local health insurance (scheme); **private K.** private medical insurance, ~ patients plan (p.p.p.), provident association *[GB]*; **staatliche K.** National Health Service (NHS) *[GB]*

Krankenkassen|arzt *m* panel doctor; **K.beitrag** *m* medical/health insurance contribution; **~ des Arbeitgebers** employer's health insurance contribution; **K.-gebühr** *f* health service charge; **K.leistung** *f* health service benefit *[GB]*

Kranken|kost *f* sick diet; **K.kosten** *pl* health cost(s); **K.lager** *nt* sick bed; **K.liste** *f* sick list; **K.pflege** *f* health/nursing care, nursing

Krankenpfleger|(in) *m* medical orderly, (male/sick) nurse, hospital porter; **staatlich geprüfte(r) K.(in)** care attendant, professional/state-registered *[GB]* nurse

Kranken|pflichtversicherung *f* statutory health insurance; **K.revier** *nt* ⚓ sick bay; **K.saal** *m* hospital ward; **K.schein** *m* medical insurance record card, health service voucher/cheque *[GB]*/check *[US]*

Krankenschwester *f* (sick) nurse; **staatlich geprüfte K.** state-registered nurse *[GB]*; **durch Agentur vermittelte K.** agency nurse

Kranken|stand *m* sickness figures; **K.station** *f* sick bay; **K.statistik** *f* morbidity table; **K.stube** *f* sickroom; **K.stuhl** *m* wheelchair, invalid chair; **K.tagegeld** *nt*

daily sickness benefit; **K.tagegeldversicherung** *f* daily benefits insurance; **K.trage** *f* stretcher; **K.transport(dienst)** *m* ambulance service; **K.unterstützung** *f* sickness benefit; **K.unterstützungsverein** *m* sick club; **K.urlaub** *m* sick leave; **bezahlter K.urlaub** paid sick leave; **k.versichert** *adj* medically insured

Krankenversicherung *f* medical/health/sick/sickness insurance; **gesetzliche K.** statutory/compulsory health insurance (scheme/fund); **vom Arbeitgeber getragene K.** health maintenance organization (HMO) *[US]*; **private K.** private medical insurance, ~ patients plan (p.p.p.), non-governmental health insurance; **soziale K.** social health insurance; **staatliche K.** governmental health insurance, Medicare *[US]*

Krankenversicherungs|beitrag *m* health service contribution; **K.bezüge** *pl* sickness benefit; **K.leistung** *f* medical payment, sickness benefit; **K.police** *f* sickness indemnity policy; **K.schein** *m* medical card; **K.schutz** *m* sickness cover(age); **K.träger** *m* health/medical insurance

Kranken|versorgung *f* medical services, care of the sick; **K.wagen** *m* ambulance; **K.wärter** *m* medical orderly; **K.zimmer** *nt* sickroom; **K.zulage** *f* sickness benefit; **K.zusatzversicherung** *f* supplementary sickness insurance; **K.zustandsmeldung** *f* sick report

Krankfeiern *nt* 1. malingering; 2. absenteeism; **k.** *v/i* to be on sick leave, ~ off sick; to malinger

krank|geschrieben sein to be on a sick leave; **k.haft** *adj* morbid, pathological, chronic

Krankheit *f* 1. illness, ill-health; 2. sickness; 3. disease; **wegen K. beurlaubt** on sick leave

Krankheit einschleppen to introduce a disease; **wegen K. fehlen** to be off sick; **sich mit einer K. infizieren** to contract a disease; **K.en kurieren** to cure ills; **K. simulieren/vorschützen/vortäuschen** to feign/fake an illness, to pretend to be ill, to malinger; **infolge einer K. sterben** to die of an illness; **K. überstehen** to survive an illness; **K. übertragen** to transmit a disease; **sich eine K. zuziehen** to contract a disease

angeborene Krankheit hereditary disease; **ansteckende K.** contagious/infectious disease; **berufsbedingte K.** occupational disease; **bösartige K.** virulent disease; **englische K.** English disease; **ernsthafte K.** major illness; **heimtückische K.** insidious disease; **lange K.** protracted illness; **meldepflichtige K.** notifiable/prescribed disease; **schleichende K.** lingering disease; **schwere K.** severe illness; **tödliche K.** mortal disease; **übertragbare K.** infectious/contagious disease; **unheilbare K.** terminal illness; **wiederkehrende K.** recurring disease

krankheits|anfällig *adj* sickness-prone; **K.beginn** *m* onset (of a sickness); **K.bericht** *m* medical report; **K.bild** *nt* syndrome; **K.erreger/K.keim** *m* germ, pathogen(e); **K.fall** *m* case; **im K.fall** in the event of sickness; **k.halber; aus K.gründen** *adv;pl* for reasons of sickness/ill health; **K.häufigkeitsziffer** *f* sick rate, illness frequency rate; **K.herd** *m* seat of an infection; **K.kosten** *pl* sickness cost(s); **K.kostenversicherung** *f* comprehensive health insurance; **K.nebenkosten** *pl* related cost(s) (of illness); **K.schadenspolice** *f* sickness indemnity policy; **K.schutz** *m* sickness cover; **K.tag** *m* day of sickness; **K.überträger** *m* carrier; **K.urlaub** *m* sick leave; **K.verhütung** *f* prevention of (a) disease; **K.verlauf** *m* case history, course of a disease; **K.zeichen** *nt* symptom; **K.ziffer** *f* sick rate; **K.zuschuss** *m (Vers.)* sickness benefit

kränklich *adj* sickly, ailing

Krank|melder *m* sick caller; **K.meldung** *f* notification of illness/sickness; **K.spielen** *nt* malingering

Kränkung *f* insult, offence, affront

Krankwert *m* damaged value

Kranz *m* wreath; **K.arterie** *f* $ coronary artery; **K.geld** *nt* 1. breach-of-promise award; 2. compensation for lost chastity upon breach of promise; **K.spende** *f* floral tribute; ~ **verbeten** no flowers, please

krass *adj* flagrant, blatant, rank, stark

Krätze *f* $ scabies

kratz|en *v/t* to scratch/scrape; **K.er** *m* scratch; **K.wunde** *f* $ scratch

Kraut *nt* herb; **wie K. und Rüben** *(coll)* higgledy-piggledy *(coll)*

Kräuter|- herbal

Krawall *m* 1. riot, ruction; 2. brawl; **K.macher** *m* hooligan

Kreation *f* creation

kreativ *adj* creative; **K.ität** *f* creativeness, creativity

Krebs *m* $ cancer; **k.erregend** *adj* cancerogenic; **k.erzeugend** *adj* carcinogenic; **K.forschung** *f* cancer research; **K.geschwür/K.geschwulst** *nt/f (fig)* cancer; **k.krank** *adj* suffering from cancer; **K.vorsorge** *f* cancer check-up

Kredit *m* 1. credit, loan, advance, accommodation, advancement, overdraft; 2. *(fig)* standing, repute; **auf K.** on credit/trust *[US]*/tick *(coll)*; **gegen K.** on account; **ohne K.** uncredited

Kredit mit Ablöseautomatik droplock credit agreement; **K. zur Absatzförderung** marketing credit; **K. für Arbitragegeschäfte** arbitrage borrowing; **K. mit niedriger Anfangsbelastung** low-start loan; **K. zu günstigen Bedingungen** soft loan, cheap-money credit; ~ **besonders günstigen Bedingungen** bargain-basement loan; **K. gegen Bürgschaft** loan against surety; **K. mit fester Fälligkeit/Kündigung** loan with fixed repayment date; **K.e der Geldinstitute** bank lendings; **K. mit Höchstzinssatz** cap loan; **K. in begrenzter Höhe** limited credit (line); ~ **unbegrenzter Höhe** unlimited credit (line); **K. der Kreditinstitute** bank lending; **K. gegen Lagerschein** credit against warehouse receipt; **K. für Landaufschließung** land settlement loan; **K. mit fester Laufzeit** time loan; ~ **langer Laufzeit** fixed-term loan; **K. in laufender Rechnung** open-account credit, revolving/budget charge account, credit in current account; **K. gegen Sicherheit** credit against security/collateral *[US]*; **K. zu Sonderkonditionen** bargain-basement loan; **K. mit Tilgungsaufschub** bullet credit/issue; ~ **progressiven Tilgungsraten** ballooning credit; **K.e an junge Unternehmen** nursery finance; **K. gegen Verpfändung der**

Schiffsfracht respondentia loan; **K. mit variabler Verzinsung** variable interest loan, floating/adjustable rate loan; **K. auf eingelagerte Waren** storage credit; **K. mit Warenbindung** tied loan; **K. gegen Wechselbürgschaft** accommodation endorsement loan; ~ **Wertpapierlombard** lending on security, collateral loan *[US]*; **K.e an die gewerbliche Wirtschaft** business loans; **K. mit gleichbleibendem Zins** straight loan; **ungesicherter ~ variablem Zins** floating-rate unsecured loan; ~ **Zinsanpassung** floating- rate/variable-interest loan; **K. zu verbilligtem Zinssatz** subsidized credit, soft loan, credit at reduced interest rates

auf Kredit gekauft bought on credit

Kredit abdecken/abtragen to repay/clear a credit; **K. abwickeln** to process/liquidate a loan, to complete loan arrangements; **K. annullieren** to cancel a credit; **K. aufbrauchen** to use up a credit; **K. aufnehmen** to take (out)/raise/arrange/contract a credit, ~ a loan, to borrow, to take on borrowship; **täglich kündbare K.e aufnehmen** to borrow at call; **kurzfristigen K. aufnehmen** to borrow short; **langfristigen K. aufnehmen** to borrow long; **K. aufstocken** to increase a credit; **K. auftauen** to unfreeze a credit; **K. aushandeln** to negotiate a credit, to arrange a loan; **K. ausreichen** to extend a credit; **K. ausschöpfen** to exhaust a loan, to use up a credit; **K. auszahlen** to disburse a loan; **sich einen ~ lassen** to draw a loan; **K. beantragen** to ask/apply for a loan; **K. bearbeiten** to process a loan application, to handle/manage a credit; **K. bereitstellen** to arrange a loan; **K. beschaffen** to procure an advance; **K. besichern** to collateralize/secure a loan; **auf K. bestellen** to order on credit/tick *(coll)*; **K. bewilligen** to grant a credit, to extend/allow credit, to approve/grant a loan; **K. bezahlen** to clear a credit; **K. einrichten** to establish a credit; **K. einschränken** to restrict a credit; **über einen K. entscheiden** to take a loan decision; **K. entziehen** to withdraw a loan; **K. erhalten** to obtain a credit; **auf K. erhalten** to receive on credit/tick *(coll)*/trust *[US]*; **K. erhöhen** to increase a credit line; **K. für notleidend erklären** to declare a loan overdue; **K. erneuern** to renew a loan; **K. eröffnen** to open/establish/lodge a credit; **K. erschleichen** to obtain a credit by fraud; **um einen K. ersuchen** to apply for a credit; **K. finanzieren** to fund a loan; **K. geben** to grant a credit; **auf K. geben** to credit; **K. genehmigen** to agree/approve a loan; **K. genießen** to enjoy credit

Kredit gewähren to loan, to grant/allow/extend/advance a credit, to grant/allow/accord a loan; **jdm einen K. g.** to accommodate so.; **zu viel K. g.** to overcredit; **gegen Sicherheit K. g.** to lend on security, to loan on collateral

auf Kredit kaufen/nehmen to buy/take on credit (terms), to buy on time/trust *[US]*/tick *(coll)*; **K. kündigen** to call/draw in a loan, to revoke/withdraw a credit; **K. kürzen** to curtail/shorten a credit; **K. nachfragen/nachsuchen** to ask/apply for a credit; **K. in Anspruch nehmen** to utilize/take a credit, to avail o.s. of a credit; **K. in voller Höhe ~ nehmen** to use up a credit; **Teil eines K.s ~ nehmen** to draw on a credit; **K. prolongieren** to renew a credit, to extend the term of a credit/debt; **K. schöpfen** to create credit; **K. sichern** to provide security for a loan; **K. sperren** to block/freeze a credit, to cut off credit; **im K. stehen** to be in credit, ~ on the credit side; **K. streichen** to cancel a credit; **K. tilgen** to repay/amortize a credit; **K. übertragen** to transfer a credit; **K. überziehen** to overdraw/exceed a credit; **K.e vergeben** to deal in/grant credits; **auf K. verkaufen** to sell on credit; **K. verlängern** to renew/extend a credit, ~ loan; **K.e verknappen** to tighten credits; **K. vermitteln** to arrange a loan; **sich K. verschaffen** to obtain/secure credit; **K. verteuern** to make credit dearer; **K. zurückzahlen** to repay/amortize/redeem a credit; **K. zurückziehen** to call in a loan, to revoke/withdraw a credit

abgesicherter Kredit collateral/secured loan, ~ credit; **durch Sparbuch ~ K.** passbook loan; **sich selbst abwickelnder K.** self-liquidating credit; **neu aufgenommener K.** fresh credit; **aufgeschobener K.** deferred credit; **wieder auflebender K.** revolving credit; **auftragsgebundener K.** tied loan; **ausgelegte K.e** loans extended; **vollständig ausgezahlter K.** fully paid-out loan; **Bank-an-Bank-K.** interbank loan/credit; **~-K.e** interbank lending; **beanspruchter K.** used credit; **nicht ~ K.** unused credit; **befristeter K.** time loan; **befristete K.e** time/term lendings; **begrenzter K.** limited credit; **besicherter K.** covered/secured loan; **bestätigter K.** confirmed credit; **billiger K.** cheap credit; **durchlaufender K.** 1. loan in transit, transmitted loan, passed-on/flow-through credit; 2. *(Bilanz)* transitory credit; **eingefrorener K.** frozen credit/loan; **eingeräumter K.** credit line/limit, line of credit, blanket/open credit; **sich automatisch erneuernder K.** revolving credit; **erschöpfter K.** exhausted credit, credit abated; **erstrangiger K.** first-rate credit; **fällig werdender K.** maturing loan; **bei Sicht fälliger K.** sight credit; **täglich/sofort ~ K.** demand/call loan, demand credit, (day-to-)day loan; **gebündelte K.e** loan package; **gebundener K.** tied/direct loan, ~ credit; **nicht ~ K.** untied/unconditional credit; **gedeckter K.** collateral *[US]*/guaranteed/secured credit, secured loan; **genehmigter K.** authorized credit; **in Anspruch genommener K.** credit in use; **~ genommene K.e** *(Bilanz)* borrowings; **nicht ~ genommene K.e** undrawn facilities; **geschäftlicher K.** commercial loan

gesicherter Kredit secured credit/loan, collateral credit *[US]*; **dinglich g. K.** loan secured by a pledge; **hypothekarisch g. K.** credit on mortgage; **durch Abtretung von Forderungen g. K.** credit guaranteed by assignments of debts; **durch Warenlager g. K.** field warehousing loan

gesperrter Kredit frozen credit; **gestaffelter K.** deferred credit; **konsortialiter gewährter K.** syndicated credit; **gewerblicher K.** commercial/industrial loan, loan to trade and industry; **hypothekarischer K.** real estate loan, mortgage advance; **kaufmännischer/kommerzieller K.** commercial loan; **knapper K.** tight loan; **konsolidierte K.e** funded debt; **kumulativer K.** cumulative credit; **kündbarer K.** credit on call; **nicht**

~ **K.** non-recourse credit/loan; **täglich kündbare K.e** call money; **kurzfristiger K.** short(-term) credit/loan, transaction loan; **kurzfristige K.e** term lending/borrowing, overnight funds; **landwirtschaftlicher K.** agricultural/rural/farm credit; **längerfristiger K.** medium-term loan; **langfristiger K.** long-term credit/debt/indebtedness, funded debt, long credit; **kurzfristig finanzierter ~ K.** roll-over credit; **laufender K.** standing credit; **mittelfristiger K.** medium-term/intermediate/intermediary credit, term loan; **nachrangiger K.** subordinated loan; **neuer K.** fresh credit; **nicht staatlicher K.** non-institutionalized credit; **notleidender K.** delinquent/bad/non-performing/non-accrual *[US]* loan; **offener K.** open/blank credit, current account credit, open account terms, unsecured loan, loan on overdraft, advance on current account, overdraft facility on current account; **öffentlicher K.** public loan/credit, civil loan *[US]*; **persönlicher K.** personal loan/lending; **prolongierter K.** extended credit; **revolvierender K.** revolving/continuous/roll-over credit; **risikobehafteter K.** marginal loan; **risikoreicher K.** flake *(coll)*; **rückzahlbarer K.** repayable credit; **pauschal ~ K.** non-instalment credit; **sicherer K.** sound commercial credit; **staatsverbürgter K.** government-backed credit; **technischer K.** swing; **übertragbarer K.** assignable credit; **überzogener K.** overdraft, overdrawn credit; **unbefristeter/unbeschränkter K.** unlimited/perpetual credit; **ungedeckter/ungesicherter K.** uncovered/unsecured/open credit, dud loan; **unkündbarer K.** irrevocable credit, non-recourse credit/loan; **unsicherer K.** unsafe loan, shaky/unsound credit; **unverzinslicher K.** no-interest loan; **verbilligter K.** subsidized/low-interest credit, soft loan; **verlängerter K.** extended credit; **niedrig verzinslicher K.; weicher K.** soft loan; **weitergeleiteter K.** transmitted loan; **wertpapiergesicherter K.** credit on securities; **widerruflicher K.** revocable credit; **zinsgebundener K.** fixed-rate loan; **zinsloser K.** no-interest loan, flat credit; **zinsverbilligter K.** (interest-)subsidized/low-interest/soft/below-market loan *[US]*, low-interest credit; **verbindlich zugesagter K.** standby loan; **zweckgebundener K.** tied loan; **zweiseitiger K.** bilateral loan

Kreditlabbau *m* loan repayment; **K.abkommen** *nt* credit/loan agreement; **K.abschreibung** *f* credit charge-off; **K.absicherung** *f* credit security arrangement; **K.abteilung** *f* credit/loan department; **K.abwicklung** *f* loan management/processing; **K.administration** *f* credit administration; **K.akte** *f* credit folder/file, borrower's file; **K.aktion** *f* lending scheme; **K.aktivität** *f* lending activity; **K.akzept** *nt* financial acceptance; **K.angebot** *nt* 1. credit offer; 2. availability of credit/loans, credit supply; **K.ansatz** *m (Haushalt)* borrowing estimate; **K.anspannung** *f* credit strain, tight credit situation

Kreditanstalt *f* loan bank, credit bank/institution/association; **K. für Wiederaufbau** *[D]* reconstruction loan corporation; **öffentlich-rechtliche K.** public credit institution

Kreditanteil *m* credit portion

Kreditantrag *m* credit/loan application, application/request for a loan, ~ credit; **K.sformular** *nt* credit (application) form; **K.steller(in)** *m/f* credit/loan applicant

Kreditlanzeige *f* loan notification, advice of credit granted; **K.apparat** *m* 1. credit facilities/system/channels, credit delivery system; 2. the banks, banking system; **öffentlich-rechtlicher K.apparat** public credit institutions; **K.art** *f* loan/credit category, form/type of credit; **K.aufblähung** *f* credit inflation; **K.auflagen** *pl* credit terms, loan mandate

Kreditaufnahme *f* borrowing, credit uptake/intake, raising a loan, loan underwriting

Kreditaufnahme durch Abtretung von Kreditoren borrowing on accounts receivable; **K. für laufende Ausgaben** deadweight debt; **K. des Auslands** foreign borrowing; **K. im Ausland** overseas/offshore borrowing, borrowing abroad; **K. durch Debitorenabtretung** borrowing on accounts receivable; **K. im Inland** domestic borrowing; **K. am offenen Markt** open-market/commercial borrowing; **K. der öffentlichen Hand; K. des Staates** government borrowing, public sector borrowing; **K. der Privatkundschaft** private borrowing; ~ **Unternehmen** corporate/company borrowing; ~ **Wirtschaft** commercial/corporate borrowing; ~ **gewerblichen Wirtschaft** company/corporate borrowing

befristete Kreditaufnahme temporary borrowing; **nicht genehmigte K.** unauthorized borrowing; **gewerbliche K.** industrial and business borrowing, company/corporate borrowing; **heimische K.** domestic borrowing; **kurzfristige K.** short-term borrowing; **langfristige K.** long-term borrowing; **öffentliche K.** public-sector/government borrowing; **private K.** private borrowing; **satzungwidrige K.** ultra-vires *(lat.)* borrowing; **staatliche K.** government borrowing

Kreditaufnahmelbefugnis *f* borrowing power; **K.-grenze** *f* borrowing limit; **K.möglichkeiten** *pl* credit/borrowing facilities; **K.vollmacht** *f* borrowing authority

Kreditlaufsicht *f* credit control(s); **K.auftrag** *m* credit order, credit-extending instruction; **K.aufwand** *m* credit cost(s); **K.ausdehnung** *f* credit expansion

Kreditausfall *m* credit/loan loss, loan default; **K.quote** *f* loss rate, (loan) loss ratio; **K.rücklage/K.rückstellung** *f* credit loss reserve, loan loss provision; **K.versicherung** *f* credit loss insurance

Kreditauskunft *f* status inquiry/report, credit inquiry/information/report, reference; **K. einholen** to make a credit reference; **gegenseitige K.** credit interchange; **K.bericht** *m* agency report

Kreditauskunftei *f* credit-inquiry/credit-reference/mercantile *[US]*/credit-reporting/status agency, credit bureau, business information company; **K.bericht** *m* agency report

Kreditauskunftslanfrage *f* credit inquiry; **K.organisation** *f* credit service organisation; **K.stelle** *f* credit interchange bureau

Kreditlauslese *f* selectivity in lending, credit selection; **K.ausnutzung** *f* credit utilization, drawing on a credit line; **K.ausschuss** *m* credit/loan committee; **zentraler K.ausschuss** central credit committee; **K.ausweitung** *f* credit expansion, expansion of credit, growth of lending; **inländische K.ausweitung** domestic credit expansion; **K.auszahlung** *f* credit disbursement, loan payout; **K.automatismus** *m* automatic credit; **K.bank** *f* credit/loan bank, credit union *[US]*, commercial credit company; **landwirtschaftliche K.bank** land bank; **K.basis** *f* credit base; **auf ~ kaufen** *(Wertpapiere)* to buy on margin; **K.beanspruchung** *f* borrowing, recourse to credit; **K.bearbeiter** *m* loan officer *[GB]*, credit man *[US]*

Kreditbearbeitung *f* credit/loan processing, credit management, processing of a credit application; **K.sgebühr** *f* loan fee; **K.sprovision** *f* loan-processing charge

Kreditbedarf *m* borrowing requirement/demand/needs; **K. der öffentlichen Hand** public sector borrowing requirement (PSBR), government deficit funding needs; **geschätzter ~ Hand** public borrowing estimates; **K. der Kommunen** local government borrowing requirement; **~ Privatkundschaft** private sector credit demand; **kurzfristiger K.** short-term borrowing requirement; **öffentlicher K.** public sector borrowing requirement (PSBR); **staatlicher K.** government borrowing requirement

Kredit|bedarfsplan *m* credit requirements plan; **K.bedingungen** *pl* credit/lending/debt terms, credit/loan conditions, conditions for loans, deferred payment terms, conditions/terms of credit; **großzügige K.bedingungen** easy credit terms; **K.bedürfnis** *nt* credit requirements; **K.begrenzung** *f* credit line/limitation/restriction, cash limit; **K.berater** *m* loan officer *[GB]*, credit man *[US]*; **K.bereich** *m* area of lending activity

kreditbereit *adj* ready to lend, ~ grant a credit; **K.schaft** *f* readiness to grant a credit, ~ lend; **passive K.schaft** readiness to borrow

Kreditbereitstellung *f* 1. credit allocation; 2. standby loan; 3. new loan origination, opening of a credit, extension of a loan, credit granting; **K.sgebühr** *f* (loan) arrangement/procurement fee, new loan origination fee; **K.skosten** *pl* commitment charges

Kreditbeschaffung *f* procurement of a loan, ~ credit facilities, borrowing; **K.skosten** *pl* cost(s) of borrowing; **K.sprovision** *f* credit procurement fee; **voraussichtliche K.sprovision** advance fee

Kredit|beschluss *m* credit order; **K.beschränkung** *f* credit squeeze/limitation/restriction, limit on credit, lending control/restriction; **K.beschränkungsbestimmungen** *pl* margin rules; **K.besicherung** *f* collateralization of a loan, safeguarding of a credit; **K.besicherungsgarantie** *f* guarantee to secure a loan; **K.bestätigung** *f* confirmed credit; **K.bestand** *m* loan portfolio, outstanding loans; **K.bestimmungen** *pl* loan terms, terms of a loan; **K.betrag** *m* 1. credit sum; 2. *(Höchstbetrag)* line of credit, credit line; **nicht abgerufene/ausgezahlte K.beträge** unspent credit balance; **K.betrug** *m* credit fraud/robbery, obtaining credit under false pretences; **K.beurteilung** *f* credit rating; **K.bewegung** *f* credit movement; **K.bewertungsagentur** *f* credit agency

Kreditbewilligung *f* credit allocation/authorization/commitment/granting, approval of the loan; **nicht automatische K.** non-automatic appropriations; **K.sausschuss** *m* credit-granting committee

Kredit|beziehung *f* debtor-creditor relation(ship); **K.bilanz** *f* statement of credit position; **K.blatt** *nt* valuation sheet; **K.bremse** *f* credit squeeze/restraint(s)/curb, credit/monetary brake; **~ ziehen** to clamp down on credits

Kreditbrief *m* letter/bill of credit, L/C, banker's credit, delegation; **K. an eine bestimmte Bank** direct letter of credit; **K., dessen Gültigkeit sofort nach der Finanzierung der Waren erlischt** straight letter of credit; **K., bei dem die dagegen gezogenen Wechsel bei Sicht fällig sind** sight letter of credit; **K. ausstellen** to open/issue/emit a letter of credit

bestätigter Kreditbrief confirmed letter of credit; **dokumentarischer K.** documentary letter of credit; **an eine bestimmte Bank gerichteter K.** direct letter of credit; **nicht dokumentar gesicherter K.** clean credit (c/c); **unwiderruflicher K.** irrevocable letter of credit, ~ documentary credit; **widerruflicher K.** revocable letter of credit, ~ documentary credit

Kreditbrief|ausstellung *f* issue/emission of a letter of credit (L/C); **K.eröffnung** *f* opening (of) a letter of credit; **K.inhaber** *m* holder/beneficiary of a letter of credit

Kredit|buchung *f* credit entry; **K.bürge** *m* guarantor of credit

Kreditbürgschaft *f* loan/credit guarantee; **fortlaufende K.** continuing guarantee, continuous security; **staatliche K.** state loan guarantee

Kredit|büro *nt* credit/loan department; **K.dauer** *f* length/duration of credit, collection period; **K.deckungsklausel** *f* security clause; **K.dirigismus** *m* credit regimentation/control; **K.disagio** *nt* debt/loan discount; **K.drosselung/K.einengung** *f* credit restriction/squeeze; **K.eckzins** *m* 1. minimum lending rate (M.L.R.) *[GB]*; 2. prime rate *[US]*; **K.-Einlagen-Relation** *f* loan-deposit ratio; **K.einräumung** *f* granting of credit; **K.einrichtungen** *pl* credit facilities; **K.einsatz** *m* credit injection/input; **K.einschätzung** *f* credit rating; **K.einschränkung** *f* credit restriction/squeeze; **K.empfänger** *m* credit user/receiver, beneficiary, debtor; **K.engagement** *nt* credit/lending commitment, loan exposure; **K.entscheidung** *f* credit decision; **K.entwicklung** *f* borrowing/lending trend; **K.entziehung** *f* withdrawal of credit; **K.erhöhung** *f* credit expansion; **~ aus Kontoüberziehung** forced loan; **K.erkundung** *f* credit investigation; **K.erleichterung** *f* credit relaxation, easing of credit (terms); **K.erleichterungen einführen** to make credit easier; **K.ermächtigung** *f* borrowing/credit authorization; **K.eröffnung** *f* opening a credit; **K.eröffnungsvertrag** *m* credit agreement; **K.ersuchen** *nt* loan application

Kreditexpansion *f* credit expansion, growth of lending; **gewerbliche K.** commercial credit expansion; **inländische K.** domestic credit expansion

Kreditfachmann *m* credit expert

kreditfähig *adj* 1. creditworthy, good, sound, solvent; 2. creditable, trustworthy; **K.keit** *f* 1. creditworthiness, credit standing/rating, soundness, borrowing power/capacity, financial standing; 2. creditability; **geschätzte K.keit** credit rating

Kredit|faktor *m* credit element; **K.fall** *m* loan granted; **K.fälligkeit** *f* due date of a credit, date of payment of a credit; **K.fazilität** *f* loan/credit/overdraft/borrowing facility, line of credit, credit accommodation; **K.finanzierung** *f* credit finance/financing, loan finance, commercial/loan funding, borrowing; **K.finanzierungsquote** *f* borrowing ratio; **K.forderungen** *pl* loan claims; **K.form** *f* form of credit; **K.formular** *nt* credit form; **K.forschungsinstitut** *nt* credit research institute

Kreditgarantie *f* credit guarantee; **staatliche K.** state loan guarantee; **K.gemeinschaft** *f* credit guarantee association/trust, credit union

Kreditgebaren *nt* lending policy, handling of loan business

Kreditgeber *m* lender, (credit) grantor, supplier of credit, loan creditor, liquidity participant, lending body, truster; **forderungsberechtigter K.** lender holding a claim; **letztbereiter K.** marginal lender

Kredit|gebühr *f* loan-processing fee, loan charges, credit service charge; **K.gebung** *f* granting a loan; **K.gefüge** *nt* credit structure; **K.geld** *nt* bank/credit/fiduciary money; **K.genehmigung** *f* credit approval/authorization

Kreditgenossenschaft *f* (cooperative) credit union *[US]*, mutual loan society *[GB]*, credit cooperative, loan/credit association, joint stock bank, cooperative saving organization *[US]*; **gewerbliche K.** 1. industrial finance/loan company; 2. cooperative bank, industrial credit cooperative; **ländliche/landwirtschaftliche K.** agricultural credit cooperative/association/corporation, production credit association *[US]*, mutual agricultural credit fund

Kredit|geschäft *nt* credit business/operation/transaction, loan function/transactions/operations, lending business; **passive K.geschäfte** borrowing transactions; **K.gesellschaft** *f* credit society; **K.gesuch** *nt* loan/credit application; ~ **einreichen** to apply for credit

Kreditgewährung *f* credit allocation/availability/accommodation, lending, granting/extension of credit, loan extension/operation(s); **K. an den Wohnungsbau** lending to house-builders; **K. intensivieren** to increase lending; **K. verweigern** to refuse credit; **K.sfähigkeit** *f* lending power, ability to lend; **K.spraxis** *f* lending

Kredit|gewerbe *nt* banking (industry/business/trade), moneylending, the banks; **K.gewinnabgabe** *f* debts profit levy; **K.grenze** *f* 1. credit line/ceiling/limit, borrowing level, lending limit, limit of credit; 2. *(Verrechnungsabkommen)* swing; **K.grundsätze** *pl* credit principles; **K.hahn** *m* credit tap; ~ **zudrehen** to cut off credit; **K.hai** *m (coll)* loan shark *(coll)*; **K.hergabe** *f* granting a credit, lending; **K.hilfe** *f* credit/financial assistance, ~ aid; **staatliche K.hilfe** government credit aid; **K.-höchstgrenze** *f* credit line/limit/ceiling; **K.höhe** *f* credit level; **k.hungrig** *adj* credit-hungry

kreditier|en *v/t* 1. *(Konto)* to credit; 2. to grant credit; **K.ung** *f* 1. crediting; 2. granting a credit

Kredit|import *m* importing on credit; **K.inanspruchnahme** *f* recourse to credit, borrowing; **K.inflation** *f* inflation of credit, credit inflation; **K.information** *f* credit information; **K.inkasso** *nt* credit collection

Kreditinstitut *nt* bank, financial/credit/lending/banking institution, finance company/house, financial house, credit bank *[GB]*, moneyed corporation *[US]*, lending/credit agency; **K. mit Sonderaufgaben** bank with special functions; **filialloses K.** unit bank; **genossenschaftliches K.** cooperative bank; **landwirtschaftliches K.** agricultural bank; **öffentlich-rechtliches K.** public(-law) bank, credit institution incorporated under public law; **auf Lombardgeschäfte spezialisiertes K.** collateral credit bank; **zwischengesellschaftliches K.** intermediary banking institution

Kredit|instrument *nt* credit/financial instrument, means of borrowing; **K.interessent** *m* would-be borrower; **K.jahr** *nt* credit year; **K.kapazität** *f* credit/lending capacity; **K.kapital** *nt* borrowed capital

Kreditkarte *f* 1. credit/bank(er's) card, cash guarantee card; 2. *(Handel)* store/charge card; **K. innehaben** to carry a credit card; **gestohlene/verlorene K.** hot card; **hauseigene K.** store credit card; **K.nbesitzer(in)/K.ninhaber(in)** *m/f* credit card holder; **K.ngebühr** *f* credit card charge; **K.ngeschäft** *nt* credit card business; **K.norganisation** *f* credit card company

Kreditkasse *f* credit bank; **K.nschein** *m* bill of credit

Kreditkauf *m* 1. credit purchase/sale/buying, deferred payment system *[US]*, hire purchase *[GB]*, instalment credit business, purchase on account/credit; 2. *(Waren/Effekten)* trading on margin; **K.kunde** *m* borrower, charge (account) customer; **K.vertrag** *m* credit sale agreement

Kredit|kette *f* credit chain; **K.klemme/K.knappheit** *f* credit squeeze/shortage/crunch/stringency, non-availability of credit, tight credit; **K.kompetenz** *f* bank credit proxy *[US]*; **K.konditionen** *pl* borrowing/credit terms, credit conditions; **K.konsortium** *nt* loan/financial syndicate, credit consortium; ~ **zusammenbringen** to syndicate a loan; **K.kontingentierung** *f* rationing/restriction of loans; **K.konto** *nt* credit/loan account; **K.kontrolle** *f* credit control(s)

Kreditkosten *pl* borrowing cost(s), credit/loan charges, charges on credits, cost(s) of borrowing, ~ a loan/credit; **K.finanzierung** *f* financing of borrowing cost(s); **K.zuschuss** *m* credit subsidy

Kredit|krise *f* financial/credit crisis; **K.kunde** *m* borrower, borrowing/charge/credit/account customer, credit risk; **K.kündigung** *f* 1. withdrawal notice; 2. withdrawal of a loan; **K.kundschaft** *f* borrowing customers; **private K.kundschaft** private borrowers; **K.lage** *f* financial situation; **K.lasten** *pl* loan charges, credit cost(s); **K.laufzeit** *f* credit period, life of a loan, credit/loan maturity, duration of credit; **K.leihe** *f* loan on credit; **K.lenkung** *f* credit management, selective credit control, regulation of credit; **K.limit** *nt* borrowing/acceptance limit

Kreditlinie *f* borrowing limit, line of credit, credit/bank/lending line, credit outstanding, (loan) facility, lending ceiling; **K. einräumen/eröffnen** to open a credit line; **K.n festlegen** to tie down lines of credit; **K. überschreiten** to exceed the credit line; **gegenseitige K.** *(Handel)* swing; **offene/unausgenutzte K.** unused credit line, unspent credit balance, open account

Kredit|liste *f* *(Banken)* black list; **K.lockerung** *f* easing of credits; **K.lücke** *f* credit gap; **K.makler** *m* credit/money broker, loan agent; **K.mangel** *m* credit shortage, non-availability of credit; **K.marge** *f* 1. credit margin/line; 2. swing

Kreditmarkt *m* financial/credit market, money and capital market; **K.mittel** *pl* credit/market resources, funds raised in the market, ~ obtained by borrowing; **K.schulden** *pl* credit market debt/indebtedness; **K.verschuldung** *f* market indebtedness

Kredit|maßstäbe *pl* credit standards/barometrics; **K.missbrauch** *m* credit abuse, abuse of credit

Kreditmittel *pl* loan funds/finance, credit resources, borrowed funds; **etatisierte K.** budgeted borrowings/loans; **objektgebundene K.** tied loan(s); **staatliche K.** state loan(s)

Kreditmöglichkeiten *pl* borrowing/credit facilities, line(s) of credit

Kreditnachfrage *f* credit/borrowing/loan/lending demand, demand for credit; **K. der Privatkundschaft** private sector credit demand; **~ Unternehmen; ~ gewerblichen Wirtschaft**; **gewerbliche K.** business (sector) credit demand; **kurzfristige K.** short-term loan demand; **öffentliche K.** public-sector borrowing demand; **private K.** private(-sector)/personal credit demand, private demand for credit; **K.funktion** *f* credit demand function

Kredit|nachsuchender *m* credit applicant; **K.nachweis** *m* credit reporting; **K.nahme** *f* borrowing; **K.nebenkosten** *pl* accessory borrowing charges

Kreditnehmer *m* 1. borrower; 2. beneficiary, debtor, grantee, credit receiver/user; **K. der Industrie; gewerblicher K.** industrial borrower; **institutioneller K.** institutional/non-personal borrower; **kommerzieller K.** commercial borrower; **privater K.** private borrower; **überschuldeter K.** overstretched borrower; **K.kreis** *m* borrowers

kredit|neutral *adj* not affecting credit; **K.norm** *f* credit standard; **K.not** *f* credit shortage; **K.obergrenze** *f* credit line/limit; **K.obligo** *nt* 1. loan commitments; 2. *(Kreditnehmer)* total borrowing(s); **K.operation** *f* credit operation, lending scheme

Kreditor *m* 1. creditor, obligee, debtee; 2. *(Bank)* depositor; **K.en** creditors, bills/accounts payable (for supplies and services), payables, passive debts, deposits and borrowed funds; **~ und Debitoren** assets and liabilities, accounts payable and accounts receivable *[US]*; **~ aus Hypotheken** mortgage dues; **~ in laufender Rechnung** current account creditors, account current creditors; **~ aus Schuldverschreibungen** bonds payable; **~ aus Wechseln** bills payable; **diverse K.en** sundry creditors (account); **fiktive K.en** fictitious liabilities; **verschiedene K.en** sundry creditors

Kreditoren|abteilung *f* deposit banking division/department; **K.buch** *nt* creditors'/purchase ledger; **K.buchhalter(in)** *m/f* accounts payable clerk, purchase/bought ledger clerk, ~ voucher clerk; **K.buchhaltung** *f* accounts payable department; **K.buchung** *f* accounts payable entry; **K.finanzierung** *f* accounts payable financing; **K.journal** *nt* purchase register, invoice journal; **K.konto** *nt* creditor account; **K.schwund** *m* drop in deposits; **K.verzeichnis** *nt* list of creditors, schedule of accounts payable *[US]*

Kreditorganisation *f* credit organisation

kreditorisch *adj* on the credit side, as a creditor; **k. werden** to go into credit

Kredit|paket *nt* credit package; **K.papier** *nt* credit instrument; **K.papiere des Bundes** federal instruments; **K.plafond** *m* 1. *(Bank)* loan portfolio; 2. *(Betrieb)* borrowing/cash-advance limit, credit line/ceiling/limit, loan ceiling, guideline limitation on credit, line of credit; **K.plafondierung** *f* credit limitation; **K.plan** *m* credit budget, borrowing and lending plan

Kreditpolitik *f* 1. credit policy; 2. borrowing policy; 3. lending policy; **expansive K.** easy money policy; **restriktive K.** tight/restrictive credit policy, credit control(s)

Kredit|portefeuille *nt* credit portfolio, total lendings; **K.position** *f* credit position; **K.posten** *m* credit item/entry, creditor; **K.potenzial** *nt* lending/borrowing power, credit potential, loanable resources, borrowing/lending capacity; **~ eines Unternehmens** credit position; **K.preis** *m* lending rate; **K.preisverhältnis** *nt* loan-price ratio; **K.programm** *nt* lending programme, range of credit facilities; **K.prolongation** *f* renewal of a credit/loan, extension of a credit; **K.protokoll** *nt* credit report; **K.provision** *f* credit fee/commission, procuration/commitment fee; **K.prozess** *m* credit process; **K.prüfer** *m* credit auditor; **K.prüfung** *f* credit investigation/audit/checking, loan appraisal, means test; **K.prüfungsdienst** *m* credit-checking service; **K.pyramide** *f* pyramid of credit; **K.quellen** *pl* credit resources

Kreditrahmen *m* line of credit, credit line/facility/limit/ceiling, loan facility, bank/comitted line, framework of credit; **offener/unausgeschöpfter K.** unused portion; **K.kontingent** *nt* general credit line

Kredit|rationierung *f* loan rationing; **k.reagibel** *adj* sensitive to credit conditions; **K.register** *nt* credit ledger; **K.registratur** *f* credit files; **K.regulierung** *f* regulation of credit, credit control; **K.rendite** *f (Bank)* lending margin; **K.reserve** *f* credit reserve

Kreditrestriktion|(en) *f/pl* credit restriction/squeeze/curb/restraint(s)/limitation, deflation of credit; **K.spolitik** *f* tight credit policy

Kreditricht|linien *pl* credit rules/standards/guidelines, lending guidelines; **K.satz** *m* guiding ratio for lending

Kreditrisiko *nt* credit/counterparty risk, risk exposure; **K. berechnen** to appraise a credit risk; **K. übernehmen** to assume the credit risk; **K.äquivalent** *nt* credit risk equivalent; **K.management** *nt* credit risk management; **K.versicherung** *f* credit risk insurance, credit factoring

Kredit|rückfluss *m* return flow, amortization of a loan, loan repayment; **K.rückführung** *f* recovery of a loan, reduction of lending; **K.rückzahlung** *f* loan repayment; **K.sachbearbeiter(in)** *m/f* credit/loan officer *[GB]*, credit man *[US]*, loan teller; **K.sachverständige(r)** *f/m* credit expert; **K.saldo** *m* credit/loan balance; **durchschnittlicher K.saldo** deposit line *[GB]*; **K.satz** *m* funds rate *[US]*; **K.schädigung** *f* discredit; **K.schalter** *m* loan window; **K.scheck** *m* credit card; **K.scheckverfahren** *nt* cheque *[GB]*/check *[US]* trading; **K.-schöpfung** *f* creation of credit, credit creation/formation/expansion, expansion of the money supply; **K.schöpfungsmultiplikator** *m* credit (expansion) multiplier, deposit multiplier; **K.schraube** *f* credit restrictions/squeeze/screw; ~ **anziehen** to tighten up credit restrictions; **K.schrumpfung** *f* credit contraction, contraction of credits

Kreditschutz *m* credit/trade protection; **K.organisation/K.vereinigung** *f* trade protection society

Kredit|schwindel *m* credit fraud; **K.seite** *f* 1. creditor(s); 2. credit side; **auf der K.seite** to the good; **K.sektor** *m* banks, credit institutions; **K.selektion** *f* credit selection

Kreditsicherheit *f* security (against advances), collateral *[US]*; **auswechselbare K.** floating security; **persönlich gestellte K.** direct security

Kredit|sicherstellung *f* safeguarding of credits; **K.sicherung** *f* (collateral) security, collateralization (of a loan); **K.situation** *f* credit situation, state of credit; **K.sonderkonto** *nt* special loan account; **K.spanne** *f* credit margin; **K.sperre** *f* credit/loan embargo, ~ freeze, loan ban, stoppage of credit; **K.spielraum** *m* 1. line of credit, borrowing limit/facilities, credit margin, lending potential/capacity, authorized credit, undrawn/unused commitment, margin for lending; 2. company facility; **K.spitzenbetrag** *m* residual amount of a credit; **K.spritze** *f* credit injection; **K.staffelung** *f* staggering of credit; **K.stand** *m* credit outstanding; **K.statistik** *f* lending statistics; **K.status** *m* credit standing, statement of credit position, net position on lendings; **K.stopp** *m* credit freeze; **K.streuung** *f* loan diversification; **K.strom** *m* credit flow; **intersektorale K.ströme** intra-sectoral credit flows; **K.stundung** *f* loan moratorium; **K.suchender/K.sucher** *m* credit/loan applicant, loan seeker, applicant for credit; **K.summe** *f* amount credited, sum borrowed, principal, credit sum, appropriation, loan amount; **K.system** *nt* credit system; **K.teilrisiko** *nt* partial credit risk; **K.tilgung** *f* loan repayment; **K.tranche** *f* credit tranche, loan portion; **K.übereinkommen** *nt* credit/loan agreement; **K.überschreitung** *f* overdraft, overstepping of appropriation; **K.überspannung** *f* overexpansion of credit, credit inflation; **K.überwachung** *f* credit control; **K.überziehung** *f* overdraft; **K.umfang** *m* size of a credit; **K.umschuldung** *f* rescheduling of a loan; **K.unkosten** *pl* borrowing cost(s); **K.unterlage** *f* credit instrument, security for loan/credit; **K.unterlagen** *pl* credit files/information; **K.unternehmen** *nt* credit institution; **k.unwürdig** *adj* unworthy of credit; **K.urteil** *nt* credit rating; **K.valuta** *f* loan money, proceeds of a loan; **K.valutierung** *f* credit payment; **K.verbilligung** *f* easier credit terms; **K.verbindlichkeiten** *pl* borrowings

Kreditverein *m* loan society, credit union *[US]*; **gemeinnütziger K.** remedial loan society; **gewerblicher K.** industrial loan society

Kreditvereinbarung *f* borrowing/credit/funding agreement, credit/borrowing arrangement, loan covenant; **Allgemeine K.en** *(IWF)* General Agreements to Borrow (GAB)

Kredit|vereinigung *f* loan society, credit union *[US]*; **K.verflechtung** *f* interlocking credit, credit links

Kreditvergabe *f* credit allocation, lending, loan extension; **K. ohne Rückgriffsmöglichkeit auf den Schuldner** lending without recourse; **unmittelbare K.** straight lending; **K.entscheidung** *f* loan decision; **K.politik** *f* lending policy; **K.potenzial** *nt* lending resources

Kredit|vergünstigungen *pl* credit concessions; **K.verhalten** *nt* credit history; **K.verhältnis** *nt* creditor-debtor relationship; **K.verhandlungen** *pl* credit negotiations; **K.verkauf** *m* credit/charge sale, sale on credit; **K.verkehr** *m* 1. lending; 2. borrowing; 3. credit transactions/business; **internationaler K.verkehr** international lending; **K.verknappung** *f* credit squeeze/tightening/restriction/contraction/crunch, restriction of credit

Kreditverlängerung *f* extension of credit, credit renewal; **K. gewähren** to extend a credit; **K.sgebühr** *f* extension fee

Kredit|verlust *m* loan loss; **K.verlustrisiko** *nt* loan loss risk; **K.vermittler** *m* credit/loan broker; **K.vermittlungsbüro** *nt* credit agency/bureau; **K.verpflichtung** *f* credit commitment, lending obligation, obligation to grant credit; **K.versicherer** *m* credit insurer/underwriter, bonding company

Kreditversicherung *f* credit/loan insurance, payment default policy; **Kredit- und Kautionsversicherung** credit and suretyship (class of) insurance; **K.sgesellschaft** *f* credit insurance company

Kreditversorgung *f* credit supply; **reichliche K.** credit ease; **K.swege** *pl* credit delivery systems

Kreditverteuerung *f* increase in credit cost(s)

Kreditvertrag *m* credit/loan agreement, loan contract/covenant; **Kreditverträge** borrowing and lending contracts; **K. mit gleichbleibenden Sicherheiten** continuing agreement; **K. abschließen** to conclude a loan agreement

Kredit|verwaltung *f* credit management; **K.verweigerung** *f* refusal of credit; **K.verwendung** *f* credit management, utilization of loan funds; **K.vollmacht** *f* lending authority

Kreditvolumen *nt* credit volume/outstanding, volume of loans granted, loan portofolio/book *(fig)*, total credit extended, total lendings/borrowings; **geplantes K.** lending target; **gesamtes K.** total credit, credit package; **kommerzielles K.** total credits to non-banks; **ungesichertes K.** volume of unsecured credit, total unsecured credit outstanding

Kreditlvordruck *m* credit form; **K.vorschuss gegen dingliche Sicherheit** *m* green-clause credit; **K.wechsel** *m* credit bill; **auf dem K.wege** *m* by way of credit; **sich im ~ beschaffen** to borrow

Kreditwesen *nt* credit system/sector, banking, finance, lending busines; **genossenschaftliches K.** cooperative banking; **K.gesetz** *nt* banking act, Banking and Financial Dealings Act *[GB]*

Kreditlwirtschaft *f* 1. banking (industry), banks; 2. credit management; **K.wucher** *m* usurious lending, usury (in matters of credit); **K.wunsch** *m* request for credit; **k.würdig** *adj* creditworthy, solvent, reliable, sound, creditable

Kreditwürdigkeit *f* 1. creditworthiness, credit standing/status/rating/score/scoring/record, credit, borrowing power; 2. credit, reliability, creditability; **K. überprüfen** to test the credit standing; **volle K.** impeccable credit standing; **K.sanalyse** *f* credit investigation; **K.sliste** *f* credit rating list; **K.sprüfung** *f* credit (standing) investigation, credit review; **K.s- und Verwendungsprüfung** means and purpose test

Kreditlzeichen *nt* credit symbol; **K.zielüberschreitung** *f* exceeding the credit line

Kreditzins *m* lending/interest rate, price of the credit, interest due; **K.en** interest on credits/borrowings/loans, debit/loan interest, lending margin; **K. für erstklassige Kunden** prime (lending) rate; **K.satz** *m* loan/borrowing rate, funds rate *[US]*

Kreditlzügel *pl* credit restriction(s); **K.zusage** *f* 1. standby credit; 2. loan/advance/lending commitment, credit/loan undertaking, promise of a credit, banking/loan covenant, credit approval; 3. credit facility, committed banking facility; **vorsorgliche K.zusage** assurance of standby credit; **K.zuwachs** *m* growth of credit

Kredo *nt* → **Credo**

Kreide *f* chalk; **in der K. stehen** *(coll)* to be in the red *(coll)*; **K.stift** *m* chalk

kreieren *v/t* to create, to concoct *(coll)*

Kreis *m* 1. circle; 2. round; 3. category, class, sector, group, range; 4. *(Gebietskörperschaft)* district, county *[US]*; 5. § circuit; **aus allen K.en der Bevölkerung** from all walks of life; **K. von Firmen** group of companies; **K.e der Wirtschaft** business circles/quarters; **im K. herumlaufen** to go round in circles; **weite K.e ziehen** to have repercussions

in außerbetrieblichen Kreislen in outside quarters; **begüterte K.e** propertied classes; **einflussreiche K.e** influential circles; **eingeweihte K.e** well-informed circles, insiders; **geselliger K.** social gathering; **in gewissen K.en** in some quarters; **konsolidierter K.** consolidated companies; **maßgebende/-gebliche K.e** influential circles; **unterrichtete K.e** informed circles; **gut ~ K.e** well-placed sources

Kreislabschnitt *m* segment; **K.angehörigkeit** *f* integration in a county/district; **K.arzt** *m* medical officer; **K.ausschnitt** *m* sector; **K.ausschuss** *m* district committee; **K.behörde** *f* county office, district authority; **K.diagramm** *nt* pie/circle/circular chart, wheel diagram; **K.direktor** *m* deputy county council clerk

Kreisellkompass *m* gyroscope; **K.streik** *m* rolling/rotating strike

kreisen *v/i* 1. to circle/rotate/gyrate; 2. to revolve; 3. to circuit; **k.d** *adj* revolving

kreislförmig *adj* circular; **k.frei** *adj (Stadt)* autonomous; **K.gericht** *nt* district/county court; **K.handwerkerschaft** *f* district craftsmen's guild; **K.hauptstadt** *f* county seat/town; **K.haus** *nt* county hall; **K.hoheit** *f* autonomous status of a district/county; **K.krankenhaus** *nt* district hospital; **K.kolbenmotor** *m* ✿ rotary (piston) engine

Kreislauf *m* 1. cycle; 2. circuit; 3. circular flow; 4. ⚕ circulation; **K. der Wirtschaft** trade cycle; **stationärer K.** stationary circular flow

kreislauflbedingt *adj* circulation-induced; **K.gleichgewicht** *nt* cyclical equilibrium; **K.größe** *f* circulation parameter; **K.material** *nt* recycled auxiliary material; **K.mittel** *nt* ⚕ cardiac stimulant; **K.modell/K.schema** *nt* circular flow scheme; **K.störung** *f* ⚕ circulatory disorder; **K.theorie** *f* circular flow theory

Kreislordnung *f* county constitution; **K.organ** *nt* administrative organ of a district/county authority; **K.säge** *f* circular saw; **K.sparkasse** *f* district savings bank

Kreißsaal *m* ⚕ delivery room

Kreislstadt *f* county town/seat, district town; **K.system** *nt* closed-loop system; **K.tag** *m* county/district council, district assembly; **K.tagsabgeordnete(r)/-mitglied** *f/m/nt* district/county councillor; **K.umlage** *f* county/district rate; **K.verband** *m* district/county association; **K.verkehr** *m* 🚗 roundabout, rotary *[US]*, traffic circle *[US]*; **K.verwaltung** *f* district/county council; **K.wehrersatzamt** *nt* district draft board

Krematorium *nt* crematorium

Kreuz *nt* cross; **Rotes K.** Red Cross

Kreuzlband *nt* cover, wrapper; **K.elastizität des Angebots** *f* cross elasticity of supply; **~ der Nachfrage** cross elasticity of demand

kreuzen *v/t* 1. to cross; 2. ⚓ to cruise; *v/refl* 1. to cross; 2. *(Linien)* to intersect

Kreuzer *m* ⚓ cruiser

Kreuzfahrt *f* ⚓ (pleasure) cruise; **K.geschäft** *nt* cruise business; **K.schiff** *nt* cruise liner

Kreuzlfeuer *nt* 🔫 cross fire; **ins ~ der Kritik geraten** to come in for criticism; **K.kurs/K.parität** *m/f* cross rate

Kreuzpreiselastizität *f* cross price elasticity; **K. des Angebots** cross elasticity of supply; **K. der Nachfrage** cross elasticity of demand

Kreuzlprodukt *nt* cross product; **K.schifffahrt** *f* cruising, cruise ship business; **K.tabulierung** *f* cross tabulation

Kreuzung *f* 1. (road) crossing, crossroads, intersection; 2. *(Scheck)* crossing; 3. *(Biologie)* cross; **K. nur zur Verrechnung** non-negotiable crossing; **höhengleiche K.** 🚗/🚆 level crossing; **K.spunkt** *m* junction, interchange station

Kreuzlverhör *nt* § cross-examination; **ins ~ nehmen** to cross-examine/cross-question; **K.verweis** *m* cross reference; **K.wechselkurs** *m* cross rate (of exchange); **K.zug** *m* crusade

Krida *f [A]* faked bankruptcy, bankruptcy fraud/offence; **K.tar** *[A]* fraudulent bankrupt

kriechen *v/i* to creep/crawl

Kriecher *m* creeper, crawler; **k.isch** *adj* servile

Kriech|spur *f* 🚗 crawler lane; **K.strom** *m* ⚡ leakage current

Krieg *m* war; **im K. befindlich** at war; **während des K.es** during wartime; **K. entfesseln** to unleash a war; **(jdm) den K. erklären** to declare war (upon so.); **K. führen** to wage/make war, to be at war; **K. gegen ein Land führen** to make war on a country; **zum K. rüsten** to prepare for war; **in den K. ziehen** to go to war; **vom K. verwüstet** war-torn; **kalter K.** cold war

Krieger *m* warrior; **K.denkmal** *nt* war memorial; **k.isch** *adj* belligerent, bellicose, warlike, martial

Kriegerwitwe *f* war widow; **K.npension/K.nrente** *f* war widow's pension

krieg|führend *adj* belligerent; **nicht k.führend** non-belligerent; **K.führung** *f* warfare

Kriegs|abgabe *f* war levy; **K.abweichungsklausel** *f (Vers.)* war deviation clause; **k.ähnlich** *adj* warlike; **K.anleihe** *f* war bond/loan; **K.anstrengung** *f* war effort; **K.arsenal** *nt* war arsenal; **K.ausbruch** *m* outbreak of war; **K.ausführung** *f* war grade; **K.ausgaben** *pl* wartime expenditures; **K.ausrüstung** *f* war equipment; **K.ausschlussklausel** *f* ⚓ *(Vers.)* free of capture and seizure clause; **K.auswirkungen** *pl* effects/aftermath of the war; **K.bedarf** *m* war material; **k.bedingt** *adj* due to the war; **K.beginn** *m* commencement of war; **k.bereit** *adj* prepared for war; **K.bereitschaft** *f* readiness for war; **K.bericht** *m* war report; **K.berichterstatter** *m* war correspondent; **k.beschädigt** *adj* war-disabled; **K.beschädigter** *m* war-disabled person; **K.beschädigung** *f* war disablement; **K.besteuerung** *f* wartime taxation; **K.bestimmungen** *pl* wartime regulations; **K.betrieb** *m* 🏭 war plant; **K.beute** *f* spoils of war; **K.bewirtschaftung** *f* wartime controls; **K.blinde** *pl* the war-blind; **K.brauch** *m* custom and usages of war; **auf K.dauer** *f* for the duration of the war

Kriegsdienst *m* military service; **K.verweigerer** *m* conscientious objector; **K.verweigerung** *f* conscientious objection

Kriegs|drohung *f* threat of war; **K.einwirkungen** *pl* effects/aftermath of the war; **K.entschädigung** *f* reparation; **K.erklärung** *f* declaration of war; **K.eröffnung** *f* opening of hostilities; **K.erscheinung** *f* wartime phenomenon; **im K.fall** *m* in the event of war; **K.finanzierung** *f* war financing; **K.folgen** *pl* aftermath/results of the war, effects of war

Kriegsfolge|last *f* war-induced burden; **K.rente** *f* war pension; **K.schäden** *pl* war(-induced) damage

Kriegsführung *f* warfare, conduct of war; **chemische K.** chemical warfare; **ökologische K.** ecological warfare

auf Kriegs|fuß *m (fig)* on a war footing *(fig)*; **mit jdm ~ stehen** to be at daggers drawn with so. *(fig)*, ~ at war/loggerheads with so. *(fig)*; **K.gebiet** *nt* war zone; **K.gefahr** *f* war risk, hazards/threat of war; **K.gefahrenklausel** *f* war-risk(s) clause; **K.gefangener** *m* prisoner of war (PoW); **K.gefangenenlager** *nt* prisoner of war camp; **K.gefangenenstatus** *m* prisoner of war status; **K.gerät** *nt* war material; **K.gericht** *nt* court martial, military tribunal; **vor ein ~ bringen/stellen** to try by martial law, to court-martial; **K.geschehen** *nt* war events; **K.geschrei** *nt* war cry; **K.gesetzgebung** *f* war legislation; **K.gewinn** *m* war profit; **K.gewinnler** *m (pej.)* war profiteer; **K.gewohnheitsrecht** *nt* custom and usages of war; **K.gräberfürsorge** *f* war graves commission; **K.hafen** *m* naval port; **K.handlung** *f* act of war; **K.handwerk** *nt* trade of war; **K.heimkehrer** *m* repatriate; **K.herr** *nt* warlord; **K.hetzer** *m* warmonger; **K.industrie** *f* wartime industry; **K.invalide** *m* disabled ex-serviceman; **K.kamerad** *m* brother-in-arms; **K.kasse** *f* war chest; **K.klausel** *f* war risk(s) clause; **K.konjunktur** *f* war boom; **K.kosten** *pl* cost(s) of the war; **K.lasten** *pl* war burden(s); **K.lieferungen** *pl* war supplies; **K.list** *f* ploy, stratagem; **K.marine** *f* navy; **K.maschinerie** *f* war machine; **k.mäßig** *adj* warlike; **K.material** *nt* 1. war material, implements of war; 2. military stores; **K.minister** *m* minister of defence, defence secretary; **K.ministerium** *nt* War Office *[GB]*, War Department *[US]*; **k.müde** *adj* war-worn, war-weary; **K.müdigkeit** *f* war-weariness; **K.nachwirkungen** *pl* aftermath of the war; **K.notrecht** *nt* wartime emergency law(s)

Kriegsopfer *nt* war victim; **K.rente** *f* war pension; **K.versorgung** *f* war victims welfare service

Kriegs|pfad *m* warpath; **K.prise** *f* prize of war; **K.produktion** *f* wartime production; **K.propaganda** *f* war propaganda; **K.psychose** *f* war scare; **K.recht** *nt* martial law; **~ verhängen** to impose martial law; **K.rente** *f* war pension; **K.rentenempfänger** *m* war disablement pensioner

Kriegsrisiko *nt* war risk(s), perils/hazards of war; **Kriegs- und Minenrisiko** war and mine risks; **K.klausel** *f* war risks clause; **K.police** *f* war risks policy; **K.schutz** *m* war risks cover; **K.versicherung** *f* war risks insurance

Kriegs|rücklage/-stellung *f* war (risks claims) reserve; **K.schäden** *pl* war damage; **K.schadensvergütung** *f* war indemnity; **K.schatz** *m* war chest; **K.schauplatz** *m* theatre of war; **K.schiff** *nt* warship, man of war *(obs.)*; **K.schuld** *f* war guilt; **K.schulden** war debts; **K.-schuldverschreibung** *f* war bond; **K.spiel** *nt* war game; **K.steuer** *f* war tax; **K.straftat** *f* war crime; **K.-straftäter** *m* war criminal; **k.tauglich** *adj* fit for active service; **K.teilnehmer** *m* combatant; **K.treiber** *m* warmonger; **K.verbrechen** *nt* war crime; **K.verbrecher** *m* war criminal; **K.verhütung** *f* prevention of war; **K.verletzung** *f* war(time) injury; **K.verlust** *m* war loss/casualty; **K.verräter** *m* war traitor

kriegsversehrt *adj* disabled in war; **K.enrente** *f* war/wounds pension; **K.er** *m* disabled serviceman/(war) veteran *[US]*/person

Kriegs|versicherung *f* war risk(s) insurance; **K.versicherungsgemeinschaft** *f* war risks pool; **K.verteuerung** *f* wartime price increase; **k.verwendungsfähig** *adj* fit for active/military service; **K.vorbereitung** *f* preparation for war; **K.vorräte** *pl* war stocks; **K.waise**

f war orphan; **K.wirtschaft** *f* wartime economy; **K.zeit** *f* wartime; **k.zerstört** *adj* war-torn; **K.ziel** *nt* war aim; **K.zone** *f* war zone; **K.zustand** *m* state of war, war footing

Kriminal|abteilung *f* criminal investigation department (C.I.D.); **K.beamter** *m* police detective, C.I.D. officer *[GB]*; **K.inspektor** *m* detective police inspector

kriminalisieren *v/t* to criminalize

Kriminalistik *f* criminology

Kriminalität *f* 1. criminality, delinquency; 2. crime rate; **K. bekämpfen** to combat crime; **K.sziffer** *f* crime figure(s)

Kriminal|pädagogik *f* penology; **K.polizei** *f* detective police; **K.prozess** *m* trial; **K.richter** *m* recorder; **K.statistik** *f* crime figures, criminal statistics; **K.strafe** *f* penalty for a criminal offence, punishment; **K.strafkunde** *f* penology; **k.technisch** *adj* forensic; **K.wissenschaft** *f* criminology

kriminell *adj* 1. delinquent, criminal; 2. malfeasant; **K.e(r)** *f/m* criminal, delinquent

Kriminolog|ie *f* criminology; **k.isch** *adj* criminological

Krimskrams *m* *(coll)* odds and ends, knickknack(s), paraphernalia

Krippe *f* 1. crib; 2. *(Kinder)* crèche *[frz]*

Krise *f* 1. crisis, emergency; 2. *(Konjunktur)* slump; 3. *(Wende)* turning point; **sich in einer K. befinden; K. durch-/überstehen** to weather a crisis; **zur K. kommen** to come to a head; **andauernde K.** continuing crisis; **handfeste K.** severe crisis; **schwebende K.** latent crisis; **schwere K.** severe crisis; **wirtschaftliche K.** economic crisis, depression

kriseln *v/i* to be in difficulties; **zu k. anfangen** to get difficult

Krisen|- troubled; **k.anfällig** *adj* crisis-prone; **K.anfälligkeit** *f* proneness to crisis; **K.bestände** *pl* emergency stocks; **k.bewusst** *adj* crisis-conscious; **K.branche** *f* crisis-ridden industry; **k.fest** *adj* stable, crisis-proof, panic-proof; **K.festigkeit** *f* ability to withstand crises; **K.fonds** *m* emergency fund; **K.gebiet** *nt* crisis area, hot spot; **K.gemeinschaft** *f* anti-crisis association; **k.geschüttelt** *adj (Unternehmen)* troubled; **K.frachtzuschlag** *m* crisis freight supplement, emergency freight surcharge; **k.geschüttelt** *adj* crisis-ridden, crisis-hit; **K.gesetzgebung** *f* emergency legislation; **k.haft** *adj* crisis-like; **K.herd** *m* trouble spot, flash point; **K.kartell** *nt* crisis cartel; **K.kontrolle/K.management** *f/nt* crisis management; **K.lage** *f* crunch *(coll)*; **K.manager** *m* crisis manager, troubleshooter; **K.maßnahme** *f* emergency measure; **K.plan** *m* contingency/emergency plan; **K.politik** *f* (policy of) brinkmanship; **K.punkt** *m* crisis/flash point; **K.region** *f* crisis/blighted area, troubled region; **k.sicher** *adj* crisis-proof; **K.situation** *f* crisis situation; **K.sitzung** *f* emergency meeting; **K.stab** *m* emergency staff, action committee, crisis management group; **K.stadium** *nt* crisis stage; **K.-steuerung** *f* crisis management; **K.stimmung** *f* mood/sense of crisis; **k.unempfindlich** *adj* crisis-proof, insensitive to crises; **K.verfassung der Märkte** *f* market crisis; **K.vorräte** *pl* emergency stocks/stockpiles; **K.zeit(en)** *f/pl* times of crisis; **K.zentrum** *nt* crisi centre, trouble spot, flash point

Krisis *f* crisis, juncture

Kristall *nt* crystal; **k.isieren** *v/refl* to crystallize; **k.kla** *adj* crystal clear; **K.waren** *pl* crystalware

Kriterium *nt* criterion, yardstick, feature; **Kriterie** criteria; **K. der Effizienz/Minimalstreuung** ▦ ef ficiency criterion; **~ Nichtausschließbarkeit** principl of non-exclusion; **Kriterien erfüllen** to meet criteria to pass muster *(fig)*; **entscheidungsrelevante Kriteri en** choice criteria

Kritik *f* 1. criticism, comment; 2. *(Rezension)* review reviewal; **über jede K. erhaben** above/beyond criti cism; **unter aller Kritik** *(coll)* hopeless; **sich der K aussetzen** to lay o.s. open to criticism; **gute K.en be kommen** to have a good press; **K. hinnehmen müsse** to come in for criticism, to get plenty of stick *(fig)*; **sic der allgemeinen K. stellen** to face the music *(coll)*; **K üben** to criticize; **heftige K.** strident criticism; **sachli che K.** fair comment; **scharfe K.** severe/scathing criti cism, stricture(s)

kritikempfindlich *adj* sensitive to criticism

Kritiker(in) *m/f* critic

kritiklos *adj* indiscriminate

kritisch *adj* critical, tight, crucial, make or break; **allz k.** overcritical

kritisieren *v/t* to criticize, to speak (out) against; **hef tig/scharf k.** to castigate/lambast; **jdn unfair k.** to pic on so.

kritteln *v/i* to find fault

Kritzelei *f* scrawl(ing), scrible

kritzeln *v/t/v/i* to scrawl/scribble/squiggle

Kronanwalt *m* King's/Queen's counsel *[GB]*; **Erste K.** Attorney General *[GB]*; **Zweiter K.** Solicitor Gen eral *[GB]*; **zum K. berufen werden** to take silk *[GB]* **K.schaft** *f* Law Officers of the Crown *[GB]*

Krondomäne *f* demesne of the crown, crown propert

Krone *f* 1. crown; 2. *(Währung)* kroner, krona; **der Ganzen die K. aufsetzen** *(coll)* to beat/cap/crown/to it all

krönen *v/t* to crown

Kronen|korken *m* crown cork; **K.mutter** *f* ✿ castle nu

Kron|gericht *nt* crown court *[GB]*; **K.gut** *nt* crow estate/land(s); **K.juwelen** *pl* crown jewels; **K.kolonie** crown colony; **K.land** *nt* crown land(s); **K.leuchter** chandelier; **K.rat** *m* Privy Council *[GB]*

Krönung *f* coronation; **K. einer Laufbahn** culminatio of a career

Kronzeuge *m* key/chief/principal witness, King's Queen's *[GB]*/state's *[US]* evidence; **als K. auftrete** to turn King's/Queen's/state's evidence

Krösus *m* Croesus

Krume *f* 1. crumb; 2. 🚜 soil

krumm *adj* 1. crooked, bent; 2. *(Betrag/Zahl)* odd, bro ken; **etw. k. nehmen** to take sth. amiss; **k.es Ding; k. Sache** 1. funny/crooked business; 2. bad job

krümm|en *v/t* to bend; **K.er** *m* ✿ elbow; **K.ung** *f* 1. tur bend; 2. π/$ curvature

Krüppel *m* cripple; **zum K. machen** to cripple

rypton *nt* krypton
rystogramm *nt* crystogramme
übel *m* bucket, tub; **K.wagen** *m* jeep; **k.weise** *adv* by the bucket
ubik cubic; **K.fuß** *m* cu. ft (cubic foot/feet); **K.wurzel** *f* π cube/cubic root
üche *f* 1. kitchen; 2. ⚓/✈ galley; **frisch aus der K.** freshly made; **gute K. führen** to keep a good table; **(gut)bürgerliche K.** plain cooking
uchen *m* 1. cake; 2. pie *(fig)*
üchen|abfall *m* kitchen refuse/scraps; **K.benutzung** *f* use of the kitchen; **K.garten** *m* kitchen garden; **K.gerät** *nt* kitchen appliance/utensil; **K.geschirr** *nt* kitchenware; **K.herd** *m* cooker, kitchen stove; **K.hilfe** *f* kitchen help; **K.maschine** *f* (food) mixer *[GB]*/blender *[US]*; **K.personal** *nt* kitchen staff; **K.tisch** *m* kitchen table; **K.verwaltung** *f* catering department; **K.waage** *f* kitchen scales; **K.wagen** *m* mobile kitchen
uckuck *m* cuckoo; **K. ankleben** *(fig)* to affix the bailiff's seal; **K.sei** *nt (fig)* cuckoo in the nest *(fig)*
uddelmuddel *nt* *(coll)* snarl-up, muddle, mess, confusion, hotchpotch
ufe *f* *(Verpackung)* skid
üfer *m* 1. *(Böttcher)* cooper; 2. cellarman; **K.meister** *m* winemaster
ugel *f* 1. π sphere; 2. globe; 3. ball; 4. bullet; **K. ins Rollen bringen** *(fig)* to start the ball rolling *(fig)*; **eine ruhige K. schieben** *(fig)* to have a cushy job
ügelchen *nt* pellet
ugel|fest/k.sicher *adj* bullet-proof; **K.gelenk** *nt* ⚙/$ ball-and-socket joint; **K.kopf** *m (Schreibmaschine)* golf ball; **K.kopfdrucker** *m* selective ball printer; **K.kopfmaschine** *f* golf-ball typewriter; **K.lager** *nt* ⚙ ball bearing; **K.lagerindustrie** *f* ball-bearing industry; **K.schreiber** *m* ballpoint pen, biro; **K.schreibkopf** *m* printing element
uh *f* cow; **heilige K.** sacred cow; **K.dorf** *nt (coll)* one-horse/hick *[US]* town; **K.handel** *m (fig)* horse-trading *(fig)*, trade-off; **auf keine K.haut gehen** *f (coll)* to be beyond belief; **K.hirte** *m* cowherd
ühl *adj* cool, chilly; **k. und sachlich** businesslike
ühl|anlage *f* 1. refrigeration/cold-storage plant; 2. cold store; **K.container** *m* reefer (container)
ühle *f* coolness, chilliness
ühlen *v/t* 1. to cool; 2. to refrigerate/chill
ühler *m* radiator; **K.figur** *f* (radiator) mascot; **K.haube** *f* bonnet *[GB]*, hood *[US]*
ühl|fach *nt* freezing/ice compartment; **K.fleisch** *nt* frozen meat; **K.gut** *nt* chilled/reefer cargo, chilled product(s); **K.güterversicherung** *f* cold-storage insurance
ühlhaus *nt* cold-storage depot, refrigerated warehouse, cold store; **im K. lagern** to cold-store; **K.lagerung** *f* cold storage
ühl|kette *f* refrigerated chain, cool chain (system); **K.- und Gefrierkombination** *f* fridge-freezer (unit); **K.kreislauf** *m* cooling circuit; **K.ladung** *f* refrigerated cargo; **K.lagerung** *f* cold storage; **K.maschine** *f* refrigerator; **K.mittel** *nt* coolant, cooling agent, refrigerant; **K.raum** *m* cold room, refrigerator, refrigerating chamber; **K.raumladung** *f* refrigerated cargo; **K.raumlagerung** *f* cold storage; **K.schiff** *nt* refrigerated carrier/vessel, refrigerator vessel; **K.schlange** *f* refrigerating coil; **K.schrank** *m* refrigerator, fridge, icebox *[US]*; **K.tank** *m* cooling tank; **K.technik** *f* means/technology of refrigeration; **K.theke** *f* refrigerated display cabinet; **K.transport und Lagerung** *m* chilled distribution; **K.transportwagen** *m* cold-storage lorry; **K.truhe** *f* freezer, deep freeze, chiller/freezer cabinet; **K.turm** *m* cooling tower/stack
Kühlung *f* refrigeration, cooling
Kühl|verfahren *nt* refrigerating process; **K.vitrine** *f* refrigerated counter/cabinet; **K.wagen/K.waggon** *m* 1. refrigerated carrier; 2. refrigerated truck *[GB]*, refrigerator car *[US]*/wag(g)on; **K.wasser** *nt* cooling water; **K.werk** *nt* refrigerating/refrigeration plant
kühn *adj* bold, audacious; **K.heit** *f* boldness, audacity
Kuhstall *m* cowshed
kulant *adj* obliging, accommodating, generous, fair
Kulanz *f* fairness; **K.-** ex gratia *(lat.)*; **K.entschädigung/K.regelung** *f* ex gratia *(lat.)* payment, liberal settlement, arrangement on generous terms, act of generosity; **K.gewährung** *f* accommodating arrangement; **auf dem K.weg** *m* ex gratia *(lat.)*, by an acommodating arrangement
Kuli *m* 1. coolie; 2. ball(point) pen
Kulierwirken *nt* weft knitting
Kulisse *f* 1. setting; 2. *(Börse)* unofficial market, independent operators; **in der K.** on the sidelines; **hinter den K.n** *(fig)* behind the scenes; **~ agieren/wirken** to pull the strings, to mastermind (sth.); **in den K.n warten** to wait in the wings; **K.nmakler** *m* unofficial/street broker
Kulmination *f* culmination; **K.spunkt** *m* climax, apex, point of culmination
kulminieren *v/i* to culminate
Kult *m* cult, worship
Kultivator *m* cultivator
kultivierbar *adj* arable, tillable, cultivable; **K.keit** *f* cultivability
kultivier|en *v/t* 1. to cultivate; 2. to till/farm/reclaim; 3. to exploit; **k.t** *adj* sophisticated, refined; **K.theit** *f* sophistication, refinement
Kultivierung *f* 1. cultivation, tillage; 2. refining; 3. *(Landgewinnung)* reclamation; **k.sfähig** *adj* cultivable; arable; **K.grenze** *f* margin of cultivation; **K.methode** *f* method of cultivation
Kultstätte *f* place of worship
Kultur *f* 1. culture, civilization; 2. cultivation, plantation; **K.en eines Waldes** woodland nurseries; **abendländische K.** western civilization
Kultur|abkommen *nt* cultural convention/agreement; **K.ausgaben** *pl* expenditure for cultural purposes; **K.bau** *m* land improvement; **K.boden** *m* arable/cultivated land
kulturell *adj* cultural
Kultur|epoche *f* period of civilization; **k.fähig** *adj* arable, tillable, reclaimable; **K.film** *m* documentary (film); **K.fläche** *f* cultivated area; **K.gefälle** *nt* cul-

ture lag; **K.geschichte** *f* history of civilization; **nationales K.gut** national heritage/treasures; **K.land** *nt* 🚜 arable/cultivated land; **K.landschaft** *f* historic region; cultural landscape; **K.leben** *nt* cultural life; **K.leistung** *f* cultural achievement; **k.los** *adj* uncivilized; **K.pflanze** *f* 🚜 cultivated plant; **K.schande** *f* crime against civilization; **K.schock** *m* cultural shock; **K.stufe** *f* stage of civilization; **K.volk** *nt* civilized nation; **K.zentrum** *nt* arts centre

Kultus|behörde *f* education authority; **K.gemeinde** *f* congregation, religious community; **K.hoheit** *f* educational autonomy; **K.minister** *m* minister of education; **K.ministerium** *nt* ministry of education; **K.verwaltung** *f* education department

Kummer *m* sorrow, grief, distress, worry, pain; **zu meinem großen K.** much to my regret; **jdm K. bereiten** to grieve so.; **sich K. ersparen** to save o.s. (a lot of) trouble; **K.kasten** *m (Presse)* agony column

kümmerlich *adj* wretched, pitiable, miserable, niggardly

kümmern um *v/refl* to attend/see to, to tend/mind, to look after, to take care of; **sich nicht um etw. k.** to take no notice of sth.

Kümmernisse *pl* worries

Kumpel *m* 1. ⚒ collier, miner; 2. pal, mate, buddy, chum; **k.haft** *adj* chummy

Kumulation *f* (ac)cumulation; **K.sprinzip** *nt* [§] cumulative (system of) penalties; **K.ssteuer** *f* cumulative tax; **K.s- und Unterhaltsvereinbarung** *f* [§] accumulation and maintenance settlement; **K.welle** *f* increasing wave; **K.werte** *pl* cumulative figures; **K.wirkung** *f* cumulative effect

kumulativ *adj* cumulative; **nicht k.** non-cumulative

kumulieren *v/t* to (ac)cumulate

Kumulierung *f* (ac)cumulation, combined effect; **K.ssystem** *nt (Wahl)* cumulative voting; **K.verbot** *nt* [§] rule against accumulations

kündbar *adj* 1. *(Anleihe)* redeemable; 2. callable, subject to call, cancellable; 3. *(Vertrag)* terminable, subject to notice; 4. *(Hypothek)* foreclosable; **beiderseitig k.** subject to notice on either side; **jederzeit k.** (terminable) at call, at/with a moment's notice; **kurzfristig k.** terminable at short notice; **täglich k.** subject to call; **nicht vorzeitig k.** not subject to call, non-callable

Kündbarkeit *f* terminability, annullability, redeemability; **mit gegenseitiger K.** subject to notice on either side

Kunde *m* 1. *(Waren)* customer; 2. *(Dienstleistung)* client; 3. shopper, demander, taker; 4. *(Werbung)* account; 5. *(Börse)* market operator; 6. *(Gaststätte)* patron; **K.n** shopping public, custom; **K., der anschreiben lässt** charge customer; **K. mit höchster Bonität** blue-chip customer; **K. aus der Industrie** industrial client; **K. in laufender Rechnung** *(Bank)* checking account depositor

vom Kunden gestellt customer-provided; **auf den K. zugeschnitten** customized, bespoke, tailor-made

Kunden abfangen/abwerben to alienate/divert customers, to draw/entice customers away; **K. abfertigen** to process customers; **K. anlocken** to draw customers; **K. gezielt ansprechen** to target customers; **K. anziehen** to attract custom; **K. bedienen** to serve a custome[r]; **K. befriedigen** to please a customer; **K. besuchen** t[o] call on a client; **K. betreuen** *(Außendienst)* to work th[e] field; **K. bewirten** to entertain customers; **auf den K. eingehen** to play into the customer's hands; **K. gewinnen** to attract customers; **jdn als K. gewinnen** 1. to g[ain] so.'s custom; 2. *(Werbung)* to win so.'s account; **a[n] einen K. herantreten** to approach a customer; **K. abspenstig machen** to draw customers away; **K. schleppen** to tout *(coll)*; **Kunde sein bei** to patronize; **K. verlieren** to lose customers; **K. werben** to canvass customers, to tout for business *(coll)*; **woanders Kund[e] werden** to take one's custom elsewhere

anspruchsvoller Kunde demanding customer; **auswärtiger K.** overseas/foreign buyer; out-of-town customer; **barzahlender K.** cash customer; **bevorzugte[r] K.** preferential client/customer; **ernsthafter K.** genuine customer; **fauler K.** phon(e)y customer; **fester K[.]** regular customer; **gelegentlicher K.** occasional customer; **geriebener K.** *(coll)* cool customer *(coll)*; **gewerblicher K.** trade buyer, corporate/business customer, corporate client; **häufiger/regelmäßiger K[.]** regular customer, heavy user; **inländischer K.** [1.] domestic customer; 2. *(Werbung)* national accoun[t]; **kaufkräftiger K.** customer with money to spen[d]; **langjähriger K.** standing customer; **möglicher/potenzieller/prospektiver K.** potential/prospective customer, ~ client, would-be buyer, prospect; **ortsansässiger K.** local customer/account; **säumiger K.** slow/delinquent customer; **seltener/unregelmäßiger K.** ligh[t] user; **treuer K.** faithful customer; **leicht zu überredender K.** soft touch *(coll)*; **übler K.** *(coll)* nasty customer *(coll)*, bad egg *(coll)*; **unangenehmer K.** awkward customer; **unsicherer K.** bad customer, dead bea[t] *[US]*; **unzulässiger K.** unreliable/shifty customer; **gu[t] verdienender K.** high-income customer; **vermögender K.** *(Bank)* high-balance customer; **verschiedene K.n** *(Bank)* sundry debtors; **voraussichtlicher K[.]** prospective buyer, prospect; **wichtiger K.** key customer; **nicht zahlender K.** defaulting customer; **zahlungsfähiger K.** solvent client; **zögernder K.** reluctant customer

Kunden|abrechnung *f* customer accounting; **K.abteilung** *f* customer department; **K.abwerbung** *f* enticement of customers, poaching customers; **K.akzept** [*nt*] trade acceptance; **K.akzepte** *(Bilanz)* customers' liabilities on acceptance; **K.analyse** *f* customer analysis; **K.anforderungen** *pl* customer-stated requirements; **K.anfrage** *f* customer enquiry

nach Kundenangaben anfertigen/herstellen/(um)gestalten *pl* to customize/tailor-make/custom-build; **hergestellt** customized, tailor-made, custom-built

Kunden|ansturm *m* run of customers; **~ auf die Kass[e]** bank run; **K.anzahlungen** *pl* customers' deposits/prepayments, advance payments; **K.arbeit** *f* custom wor[k]; **K.art** *f* customer identity

Kundenauftrag *m* customer's order; **K.sfertigung** [*f*] make-to-order/job-order production, custom manufac[ture]

turing, production to order; **K.sverwaltung** *f* customer order servicing

Kundenlausfälle *pl* losses from bad debts; **K.auskunftsbuch** *nt* opinion list *[GB]*; **K.ausrichtung** *f* customization; **K.außenstände** *pl (Bilanz)* trade accounts receivable, customer receivables; **K.bankkunde** *m* non-bank customer; **K.bedürfnis** *nt* customer's need; **K.beeinflussung** *f* suggestion selling *[US]*; **K.belieferung einstellen** *f* to stop an account; **K.berater(in)/K.betreuer(in)** *m/f* 1. customer adviser/engineer, account executive/manager; 2. *(Bank)* client advisor, personal banker; **K.beratung** *f* 1. consumer advice/counselling, customer counselling; 2. customer advisory sevice; **K.beschwerde** *f* customer's complaint; **K.bestand** *m* customer base; **K.besuch** *nt* calling on customers, customer/prospect call; **K.betreuer(in)** *m/f* account manager; *pl* point-of-contact staff; **K.betreuung** *f* 1. after-sales/customer/client service, customer care; 2. *(Bank)* relationship management, client coverage; **K.bewirtung** *f* entertainment of clients/customers; **k.bewusst** *adj* customer-conscious; **K.beziehung** *f* customer relationship; **K.beziehungen** customer relations; **K.bindung** *f* customer relations/loyality; **K.bonus** *m* sales discount

Kundenbuch *nt* customer's ledger; **K.führung/K.haltung** *f* accounts receivable department, customer accounting, customers' accounts; **K.halter** *m* accounts receivable accountant/clerk

Kundenldarlehen *nt* loan to customers; **K.debitoren** *pl* customer receivables, advances to customers; **K.depot** *nt* safe custody *[GB]*/custodianship *[US]* account, customer's security deposit; **K.depotabteilung** *f* customers' security department

Kundendienst *m* 1. after-sales/post-sales/customer/client/technical service, service (to customers), servicing; 2. field staff; 3. customer care system, service department; **K. an Ort und Stelle** on-the-spot service; **im K. betreuen** to service; **kurzfristiger K.** store credit *[US]*; **technischer K.** customer engineering; **umfassender K.** comprehensive service

Kundendienstlabteilung *f* service department; **K.auskunftei** *f* retail credit bureau; **K.bank** *f* finance company/house, consumer credit agency, instalment house *[US]*; **K.gesellschaft** *f* service company; **K.ingenieur** *m* maintenance engineer; **K.lager** *nt* after-sales service/store; **technische K.leistungen** after-installation service; **K.mechaniker/K.mitarbeiter/K.techniker** *m* serviceman, service/customer engineer; **K.netz** *nt* servicing network; **K.organisation** *f* service organisation; **K.stelle/K.stützpunkt** *f/m* service depot/centre, after-sales service station; **K.vertrag** *m* servicing contract; **K.werkstatt** *f* service station

Kundenldiskont *m* sales discount; **K.dispositionen** *pl* customers' instructions/orders; **K.effekten** *pl* customers' investments; **k.eigen** *adj* customer-owned; **K.einlagen** *pl* customer(s)/primary deposits,money on deposit; **täglich fällige K.einlagen** customers' sight deposits; **K.einstufung** *f (Werbung)* account classification; **K.einzahlungen** *pl (Bank)* retail inflow; **K.empfehlung** *f* customer recommendation; **K.entnahmen** *pl* customers' drawings; **K.erfordernisse** *pl* customer requirements; **K.etat** *m* (advertising) account; **K.fang** *m* canvassing, customer snatching, touting; **auf ~ sein** to tout; **K.fänger** *m* tout, drummer; **K.finanzierung** *f* customer financing; **K.finanzierungsbank** *f* finance company; **K.firma** *f* client company; **K.forderungen** *pl* customer receivables, accounts receivable; **abgetretene K.forderungen** pledged accounts receivable; **k.freundlich** *adj* customer-friendly; **K.geld(er)** *nt/pl* customers' money/deposits; **k.gerecht** *adj* customized; **K.geschäft** *nt* 1. consumer sales, transactions for third account, business with customers; 2. *(Bank)* client business; **K.geschmack** *m* consumer taste(s); **K.gruppe** *f* group of customers; **K.guthaben** *nt* 1. customer's balance; 2. consumer deposit; **K.information** *f* customer information; **K.informationsdienst** *m* customer relations; **K.interesse** *nt* customer interest; **K.kalkulation** *f* customer costing; **K.karte** *f* 1. customer/charge/store/loyalty card; 2. *(Bank)* bank/debit *[US]* card; **K.kartei** *f* customer list/file, client list, list of customers, central file; **K.karteikarte** *f* customer's card; **K.kenndaten** *pl* customer characteristics; **K.kontakt** *m* client contact; **K.kontakter(in)** *m/f* account manager/manageress, field worker

Kundenkonto *nt* trade/charge/budget account; **K.konten** accounts with customers; **K. mit vereinbarter Dispositionsfreiheit für den Makler** discretionary account

Kundenkredit *m* 1. consumer/retail/consumption credit, customer's loan; 2. *(Bank)* lending to non-bank customers; 3. *(Einzelhandel)* billpayers' loan *[US]*; **K.anstalt/K.bank** *f* commercial/consumer/sales/instalment finance company; **K.geschäft** *nt* 1. retail credit transaction; 2. retail credit business; **K.karte** *f* charge/store card; **K.konto** *nt* charge/budget account; **K.linie** *f* customer's limit; **K.markt** *m* retail credit market; **K.nachfrage** *f* customer demand for credit; **K.volumen** *nt* lendings to customers

Kundenkreis *m* clientele, customers; **K. ansprechen** to approach customers; **neuen K. erschließen** to develop new customers; **avisierter K.** targeted range of customers; **fester K.** established clientele, regular customers

Kundenlleitkarte *f* customer master card; **K.liste** *f* client list, customers' register; **K.nachfrage** *f* customer demand; **k.nah** *adj* close to customers, customer-facing, customer-orient(at)ed, in close contact with customers; **K.nähe** *f* proximity to customers; **K.nummer** *f* customer/account number; **k.orientiert** *adj* customer-orient(at)ed, customer-facing, customer-focused, client-driven; **K.orientierung** *f* customer orientation/focus; **K.papier** *nt* customer's bill; **K.-portefeuille** *nt* client's portfolio; **K.potenzial** *nt* potential/prospective customers; **K.preis** *m* customer price; **K.produktion** *f* custom manufacturing, make-to-order specification, production to customer's specifications; **K.profil** *nt* customer profile; **K.quittung** *f* customer's receipt; **K.rabatt** *m* sales discount; **K.-registrierung** *f* listing; **K.reklamation** *f* customer's complaint; **K.reservoir** *nt* source population; **endliches K.reservoir** finite source population; **K.retouren** *pl* customer returns; **K.retourenbuch** *nt* returns inwards journal; **K.sachbearbeiter** *m* account executive; **K.schalter** *m* front counter; **K.scheck** *m* customer's cheque *[GB]*/check *[US]*; **K.schulung** *f* customer training; **K.schutz** *m* customer protection, protection of patronage; **oberes K.segment** high net worth clients; **K.segmentierung** *f* customer segmentation; **K.service** *m* customer service; **K.sichteinlagen** *pl* customer's sight/demand deposits; **K.skonto** *m/nt* discount allowed; **K.skonti** discounts granted/allowed, cash discounts paid; **k.spezifisch** *adj* customized, tailored, made-to-order, tailor-made; **K.stamm** *m* regular customers, customer base, established clientele; **K.strom** *m* flow of customers; **K.struktur** *f* customer profile, client spread; **erstklassige K.struktur** blue-chip customer base; **K.suche** *f* search for customers, locating customers; **K.terminal** *m* customer terminal; **K.termineinlagen** *pl* customers' term/time deposits; **K.test** *m* consumer survey; **K.tresor** *m* customers' safe deposit vault; **K.treue** *f* customer/consumer/store loyalty; **K.umsatz** *m* customer sales; **K.verbindlichkeiten** *pl* customer liabilities; **K.verbindung** *f* client relationship; **K.verfügbarkeit** *f* customer availability; **K.verhalten** *nt* consumer behaviour; **K.verkäufe** *pl* consumer sales; **K.verkehr** *m* customer traffic, business with customers; **K.verlust** *m* loss of custom; **K.verzeichnis** *nt* client list; **K.wartezeit** *f* customer waiting time; **K.wechsel** *m* trade bill, customer's acceptance, ~ bill/note, bill on customers; *pl (Bilanz)* bills receivable, trade notes receivable; **K.werbeabteilung** *f* business department; **K.werber** *m* canvasser, runner *[US]*

Kundenwerbung *f* canvass(ing), (direct) solicitation, solicitation of customers; **telefonische K.** telephone solicitation; **ungezielte K.** cold canvassing

Kunden|widerstand *m* consumer resistance; **K.-wunsch** *m* customer's demand/wish(es); **K.zufriedenheit** *f* customer satisfaction; **K.zufriedenheitsbarometer** *nt* customer satisfaction barometer; **K.zugänge** *pl* new customers; **K.zuwachs** *m* customer growth

Kund|gabe *f* announcement, proclamation; **k.geben** *v/t* to notify/announce/proclaim/declare; **K.gebung** *f* rally, manifest, manifestation, declaration; **hiermit wird allen k.getan** § know all men by these presents *[GB]*

kundig (in) *adj* conversant (with), knowledgeable

kündigen *v/ti* 1. *(Vertrag)* to give notice (of termination), to terminate/cancel/rescind/renounce; 2. *(Kredit)* to call/withdraw; 3. *(Personal)* to dismiss, to lay off; 4. *(Hypothek)* to foreclose; **jdm k.** to serve notice on so., to give so. notice, to sack so. *(coll)*; **zum nächsten Ersten k.** to give a month's notice; **jdm fristgemäß k.** to give due notice; **fristgerecht k.** to observe the period/term of notice; **fristlos k.** to terminate without notice; **jdm ~ k.** to dismiss so. on the spot, ~ without notice; **mit Monatsfrist k.** to give one month's notice; **ordentlich/ordnungsgemäß/rechtzeitig/termingerecht k.** to give due notice (of termination); **schriftlich k.** to give notice in writing, ~ written notice, to serve notice (on so.)

Kündigung *f* 1. notice (of termination/cancellation), quit *[US]*; 2. *(Vertrag)* cancellation; 3. *(Geld)* call withdrawal notice; 4. *(Personal)* dismissal, (redundancy) notice; 5. *(Wohnung)* notice (to quit); 6. *(Hypothek)* foreclosure

Kündigung einer Anleihe redemption of a loan; **vom Arbeitgeber erzwungene K. durch Arbeitnehmer** § constructive dismissal; **K. des Arbeitsverhältnisses** notice of termination of employment; **~ durch den Arbeitnehmer** notice of resignation; **K. von Einlagen** notice of withdrawal of funds; **K. aus wichtigem Grund** termination for an important reason; **K. eines Guthabens** notice of withdrawal; **K. einer Hypothek** foreclosure; **K. des Miet-/Pachtverhältnisses** notice to quit; **K. zum Quartalsende** quarter notice; **K. zur Rückzahlung** notice of withdrawal; **K. von Staatsverträgen** denunciation of treaties; **K. des Vermieters/Verpächters** notice to quit; **K. eines Versicherungsvertrages** cancellation of a policy; **~ Vertrages** cancellation/termination of a contract, notice to terminate a contract; **K. von Wertpapieren** notice of redemption; **K. der Wohnung** notice to quit

durch Kündigung auflösen *(Arbeitsverhältnis)* to terminate on notice; **K. aussprechen** to give (so.) notice; **K. einreichen** to hand in/give notice; **K. zurücknehmen** to withdraw one's notice; **K. zustellen** to serve notice (on so.)

angemessene Kündigung reasonable notice; **arbeitgeberseitige K.** employer's notice; **außerordentliche K.** 1. extraordinary/premature/instant dismissal; 2. notice to quit for cause; **einseitige K.** arbitrary notice; **fristgemäße/-gerechte K.** due notice; **bei fristgerechter K.** on due notice; **fristlose K.** termination without notice, instant dismissal; **gesetzliche K.** 1. statutory notice; 2. *(Wohnung)* legal notice to quit; **grundlose K.** discharge without cause, unfair dismissal; **halbjährliche K.** six months' notice; **auf jederzeitige K.** at a minute's warning; **kurzfristige K.** short notice; **monatliche K.** a month's notice; **mit monatlicher K.** subject to a/one month's notice; **ordentliche K.** statutory notice (of termination), termination subject to period of notice; **ordnungsgemäße K.** due (and proper) notice, lawful notice; **rechtzeitige K.** due/legal notice (of termination); **reguläre K.** ordinary notice (of dismissal); **schriftliche K.** written notice, notice in writing; **auf tägliche K.** at call; **termingerechte K.** due notice; **(sozial) ungerechtfertigte K.** unfair dismissal, socially unwarranted dismissal; **gesetzlich unterstellte/vermutete K.** § constructive dismissal; **vierteljährliche K.** three months' notice; **vorherige K.** previous notice; **vorschriftsmäßige K.** proper/due notice; **vorzeitige K.** premature dismissal/termination/notice; **willkürliche K.** arbitrary notice/dismissal; **wöchentliche K.** seven days' notice; **ordnungsgemäß zugestellte K.** due and proper notice

Kündigungs|abfindung/K.entschädigung *f* severance pay/benefit/payment, redundancy payment *[GB]*

compensation for loss of employment, separation allowance, dismissal wage; **K.aufgeld** *nt* call premium, prepayment/termination fee; **K.bedingungen** *pl* terms of termination; **K.benachrichtigung** *f* 1. notice of withdrawal/cancellation; 2. *(Mietverhältnis)* notice to quit; **K.bestimmungen** *pl* 1. cancellation clause; 2. *(Mietvertrag)* tenure provisions; **K.brief** *m* written notice; **K.erklärung** *f* declaration of notice

ündigungsfrist *f* 1. period/term/length of notice, (dismissal) notice period, legal notice; 2. *(Bank)* withdrawal period/notice; **ohne K.** without notice; **K. für beide Seiten** notice on either side; **K. einhalten** to observe a term of notice

ngemessene Kündigungsfrist reasonable notice; **mit dreimonatiger K.** subject to three months' notice; **gesetzliche K.** 1. statutory (period of) notice; 2. *(Bank)* statutory withdrawal period; **monatliche K.** one month's notice; **vereinbarte K.** agreed notice; **wöchentliche K.** one week's/seven days' notice

ündigungs|geld *nt* *(Bank)* fixed/notice/time deposit, deposit subject to an agreed term of notice, deposit/money at notice; **K.grund** *m* 1. reason for the termination, ~ giving notice; 2. *(Arbeitsverhältnis)* reason/grounds for (the) dismissal; **K.grundschuld** *f* land charge not repayable until called; **K.hypothek** *f* mortgage loan repayable after having been duly called; **K.jahr** *nt* notice-giving year; **K.klausel** *f* 1. cancellation/termination clause; 2. *(Geld)* call-in provision; **K.konto** *nt* account subject to notice; **K.mitteilung/K.nachricht** *f* 1. dismissal/redundancy notice; 2. *(Vertrag)* notice of cancellation, cancellation note; 3. *(Mietverhältnis)* notice to quit; 4. *(Geld)* notice of withdrawal; **kurze K.mitteilung** cancellation note

ündigungsrecht *nt* 1. right of notice/cancellation/termination; 2. *(Vertrag)* cancellation privilege, right to cancel; 3. *(Aktien)* call right, right to call for redemption/repayment; **außerordentliches K.** extraordinary right of notice/termination/cancellation; **vorzeitiges K.** right to call a loan prior to maturity

ündigungs|reif *adj* callable; **K.schreiben** *nt* 1. written notice, notice in writing, ~ of termination; 2. *(Geld)* withdrawal notice, notice of withrawal; 3. *(Arbeitsverhältnis)* letter of dismissal, dismissal/redundancy notice

ündigungsschutz *m* 1. protection against unwarranted termination; 2. *(Mietverhältnis)* security of tenure; 3. *(Arbeitsverhältnis)* protection against (wrongful) dismissal; **K.bestimmungen** *pl* unfair dismissal rules/provisions; **K.gesetz** *nt* Unfair Dismissal Act *[GB]*, dismissal protection act; **K.klage** *f* [§] complaint of unfair/unsocial dismissal, dismissal protection suit; **K.recht** *nt* dismissal protection; **K.vorschriften** *pl* 1. notice provisions; 2. *(Arbeitsverhältnis)* dismissal protection regulations

ündigungs|spareinlagen *pl* savings deposits at notice; **K.sperre/K.sperrfrist** *f* non-calling period, period during which notice is barred, notice of withdrawal period; **K.termin** *m* 1. term of notice, termination date, last day for giving notice; 2. *(Geld)* call(-in) date; **K.verbot** *nt* restriction/ban on giving notice; **K.zeitpunkt** *m* date of giving notice

Kundin *f* woman customer, demander

kundmachen *v/t* to announce, to make known

Kundmachung *f* announcement; **öffentliche K.** public announcement/notice

Kundschaft *f* custom, patronage, clientele, customers, goodwill, connections

Kundschaft anziehen to attract custom; **K. aufbauen; sich K. erwerben** to develop a clientele, to build up custom, to work up a connection; **K. bedienen** to serve customers; **K. abspenstig machen** to entice customers away; **zu seiner K. rechnen** to number among one's customers; **K. übernehmen** to acquire the goodwill; **K. verlieren** to lose custom; **K. vertreiben** 1. to alienate customers; 2. *(Preis)* to price o.s. out of the market

feste Kundschaft regular customers; **gewerbliche K.** business customers

Kundschafter *m* 1. scout; 2. spy

Kundschafts|beziehungen *pl* customer relations; **K.einlagen** *pl* customers' deposits; **k.nah** *adj* close to customers, customer-orient(at)ed

kundtun *v/t* to announce/manifest

Kungel|lei *f* fiddle, fiddling; **k.n** *v/i* to fiddle

Kunst *f* art; **K. des Verkaufens** salesmanship; **mit seiner K. am Ende sein** *(coll)* to be at one's wits' end, ~ the end of one's tether; **angewandte K.** applied art; **ärztliche K.** medical skill; **bildende/schöne Künste** the fine arts; **freie Künste** liberal arts; **hohe K.** arcane art

Kunst|- *(Kunststoff)* synthetic, composite, composition; **K.akademie** *f* academy of arts, college of art, art school; **K.ausstellung** *f* art exhibition; **K.bauten** *pl* man-made structures; **K.diebstahl** *m* art theft; **K.druckpapier** *nt* art paper; **K.dünger** *m* 🚜 (artificial/chemical) fertilizer; **K.erzieher(in)** *m/f* art teacher

Kunstfaser *f* synthetic/man-made fibre *[GB]*, ~ fiber *[US]*, Dracon ™ *[US]*; **K. auf Polyesterbasis** tricel; **K.karton** *m* fibreboard/fiberboard (box)

Kunst|fehler *m* professional malpractice/negligence; **ärztlicher K.fehler** medical malpractice; **K.fertigkeit** *f* skill, dexterity, craftsmanship; **K.flug** *m* aerobatics; **K.förderung** *f* promotion of arts; **K.freund** *m* art lover; **K.galerie** *f* art gallery; **K.gegenstand** *m* work of art, object d'art

Kunstgewerbe *nt* 1. applied art; 2. arts and crafts, craft; **K.geschäft** *nt* arts and crafts shop; **K.laden** *m* craft shop; **K.schule** *f* handicrafts school, arts and crafts school; **K.treibende(r)** *f/m* industrial/commercial artist

Kunstgewerb|ler *m* handicraftsman, artisan; **k.lich** *adj* handcrafted

Kunstgriff *m* device, trick; **allerlei K.e anwenden** to use all sorts of tricks *(coll)*; **alle ~ kennen** to know all the tricks of the trade *(coll)*

Kunst|gummi *nt* synthetic rubber; **K.handel** *m* art trade; **K.händler(in)** *m/f* art dealer; **K.handlung** *f* art shop; **K.handwerk** *nt* arts and crafts, handicraft(s);

K.harz *nt* synthetic resin **K.harzhersteller** *m* synthetic resin manufacturer; **K.hochschule** *f* academy of arts; **K.kenner(in)** *m/f* art connoisseur *[frz]*; **K.kritiker(in)** *m/f* art critic; **K.leder** *nt* leatherette, patent/imitation/composition leather; **K.lehrer(in)** *m/f* art teacher

Künstlerl(in) *m/f* artist, performer; **berufsmäßiger K.** public entertainer; **k.isch** *adj* artistic; **K.name** *m* stage/pen name; **K.werkstatt** *f* studio; **K.zeichen** *nt* artist's mark

künstlich *adj* 1. artificial, synthetic; 2. false, man-made; 3. over-elaborate

Kunstllicht *nt* artificial light; **K.liebhaber(in)** *m/f* art lover; **k.los** *adj* simple, unsophisticated; **K.maler(in)** *m/f* painter; **K.markt** *m* art market; **K.sachverständige(r)** *f/m* art expert; **K.sammler(in)** *m/f* art collector; **K.sammlung** *f* art collection; **K.schatz** *m* art treasure; **K.schmiedearbeit** *f* wrought ironwork; **K.schule** *f* art school; **K.seide** *f* artificial silk, rayon

Kunststoff *m* synthetic(s), plastic(s), composition/man-made material; **K.e** plastics, synthetics; **K.-** plastic, synthetic; **k.beschichtet** *adj* synthetic-coated; **K.hülle** *f* plastic wrapper; **K.industrie** *f* plastics industry; **K.sack** *m* plastic bag; **k.verarbeitend** *adj* plastics-processing; **K.verarbeitung** *f* plastics processing

Kunststück *nt* trick, feat, sleight of hand, stunt; **verschiedene K.e können** to know a trick or two *(coll)*; **K. vollbringen** to achieve a feat; **K. zeigen** to perform a trick

Kunstlstudent *m* art student; **K.tischler** *m* cabinet maker; **K.tischlerarbeit** *f* cabinet work; **K.tischlerei** *f* cabinet making; **K.urheberrecht** *nt* artistic copyright; **k.voll** *adj* ingenious; **K.werk** *nt* work of art

kunterbunt *adj* multi-coloured, variegated; **k. durcheinander** higgledy-piggledy *(coll)*

Kupfer *nt* copper; **in K. stechen** to engrave in copper

Kupferlaktien *pl* coppers; **K.bergbau** *m* copper mining; **K.druck** *m* copperplate printing; **K.geld/K.münzen** *nt/pl* copper coins, coppers *(coll)*; **k.haltig** *adj* ⚒ cupriferous; **K.hütte** *f* copper smelter; **K.legierung** *f* copper alloy; **K.-Nickellegierung** *f* cupro-nickel (alloy); **K.rohranlage/-leitung** *f* copper piping; **K.-schmied** *m* coppersmith; **K.stecher** *m* engraver, etcher; **K.stich** *m* copper engraving, etching; **K.tiefdruck** *m* copperplate printing; **K.vitriol** *nt* ⚗ copper sulphate; **K.werte** *pl (Börse)* coppers

Kupon *m* → **Coupon** (dividend/interest) coupon, counterfoil, warrant, tally; **ex/ohne K.** ex coupon; **mit/samt K.** cum coupon; **K.s (ab)schneiden/abtrennen** to detach/clip coupons; **K.s einreichen** to present coupons

abgetrennter Kupon detached coupon; **ausstehender K.** outstanding coupon; **nicht eingelöster K.** outstanding coupon; **nicht fälliger K.** unmatured coupon; **laufender K.** maturing/current coupon; **Not leidender K.** overdue coupon; **unbezahlbarer K.** outstanding coupon

Kuponlabteilung *f* coupon collection department; **K.besitzer/K.inhaber** *m* coupon holder; **K.bogen** *m* coupon sheet; **K.einlösung** *f* collection of coupons, coupon service; **K.hinterlegung** *f* lodgment of cou pons; **K.kasse** *f* coupon-paying department; **K.kassie rer** *m* coupon teller; **K.konto** *nt* coupon book; **K.kur** *m* price of matured coupons; **K.police** *f* insurance cou pon/ticket; **K.scheck** *m* coupon cheque *[GB]*/chec *[US]*; **K.schneider** *m* coupon clipper; **K.steuer** *f* cou pon/(dividend-)withholding/shareholders' *[GB]* stockholders' *[US]* tax; **K.termin** *m* coupon date

Kuppel *f* 🏛 dome, cupola

Kuppelei *f* [§] procuration, procurement; **K. treiben** procure

Kuppelkalkulation *f* joint-product costing

kuppeln *v/ti* 1. to join; 2. 🚗 to press the clutch

Kuppellprodukt *nt* joint/complementary produc **K.produktion** *f* joint/linked production

Kuppelungsgeschäft *nt* tie-in sale

Kupplung *f* 1. 🚗 clutch; 2. *(Anhänger)* coupling; **K. betätigen** to disengage/press the clutch

Kur *f* ⚕ cure, course, treatment; **K. verschreiben** to pre scribe a cure

Kür *f* voluntary

Kuranlagen *pl* resort facilities

kurant *adj* current, sal(e)able; **K.geld** *nt* current money legal tender (currency); **K.münze** *f* full-bodied coin **K.münzen** specie

Kuratel *f* 1. guardianship, tutelage; 2. trusteeship

Kurator *m* 1. curator, administrator, trustee; 2. *(Vormund)* guardian

Kuratorium *nt* 1. board of trustees/governors/curators 2. trusteeship

Kuraufenthalt *m* stay at a health resort

Kurbel *f* crank (handle), winder; **K.welle** *f* 🚗 crank shaft

kuren *v/i* ⚕ to take a cure, ~ the waters

küren *v/t* to elect/choose

Kurlgast *m* patient at a health resort, visitor; **K.haus** spa, pump room *[GB]*, assembly rooms; **K.heim** convalescent home

Kurier *m* courier, despatch rider, (special) messenger **diplomatischer K.** diplomatic courier; **K.dienst** courier service

kurieren *v/t* ⚕ to cure/heal/medicate

kurios *adj* odd, queer, strange; **K.itäten** *pl* curios

Kurort *m* health resort, spa

Kurs *m* 1. quotation, (market) price, (going) rate; 2. *(Währung)* conversion/exchange rate, rate of exchange 3. *(Kursus)* course, school; 4. *(Richtung)* direction, orientation, policy; 5. ⚓ course, tack; **auf K.** on course **außer K.** out of circulation; **ohne K.** unquoted; **unter K.** below the official/current rate, ~ price; **zum K. von** at the rate/exchange of

Kurs der telegrafischen Auszahlung telegraphic transfer rate; **K. im Freiverkehr** dealer/inside price **K. der Nachbörse** price after hours; **K. unter Nennwert** price below par; **K. bei Optionsausübung** exercise price; **K. für Sichtpapiere** sight rate; **~ Termingeschäfte** forward/futures rate; **~ festverzinsliche Wertpapier** bond price

Kursle abgeschwächt *(Börse)* market off; **K. gestr**

chen *(Börse)* non-quoted, no quotation/dealings; **genau auf K.** dead on course; **hoch im K.** at a premium; **die K.e sind ins Bodenlose gefallen** the bottom has fallen out of the market

om Kurs abbringen to knock off course; **~ abkommen** to be blown off course; **K. abstecken** to plot/chart the course; **K. ändern** to alter/change course, to change tack; **K. angeben** to quote the price; **K. zu hoch ansetzen** to overprice; **K. aussetzen** to suspend a quotation; **K. beeinflussen** to affect a price; **K. unzulässig beeinflussen** to rig the market; **K. belegen** to take a course; **K. bestimmen** to fix a price; **K. besuchen** to attend a class; **auf K. bringen** to set on course; **K. zum Einsturz bringen** to send prices into a nosedive; **K.e drücken** 1. to depress prices/the market, to bear the market/stocks, to bang *(fig)*, to bring prices down; **~ durch Leerverkäufe drücken** to hammer the market; **K. einhalten** 1. to stay the course; 2. to stay on course; **neuen K. einschlagen** to adopt a new policy; **K. erhöhen** to appreciate; **K. erzielen** to realize/reach a price; **K. festsetzen** to fix/determine the price; **K. freigeben** to float; **K. haben auf ⚓** to head/make for, to be heading for; **auf K. halten** to steady; **K.e künstlich hoch halten** to peg the market; **K. herabdrücken** to force down the price; **K. herabsetzen** to mark down/lower the price; **K. heraufsetzen** to mark up the price, to advance the price/rate; **auf K. liegen** to be on course/target; **K.e manipulieren** to rig prices; **zum höheren K. nachkaufen** to average up; **bei rückläufigen K.en nachkaufen** to average down; **K. nehmen auf ⚓** to head/make for; **K. notieren** to quote a price; **K.e pflegen** *(Börse)* to peg the market; **den K. (nach oben) pflegen** to nurse the rate; **auf K. sein** to be on course/target; **außer K. setzen** *(Geld)* to withdraw (from circulation), to put out of use, to demonetize, to call in; **wieder in K. setzen** to remonetize; **K. sichern** to hedge a rate; **im K. sinken** to depreciate; **K.e stabilisieren** to steady prices; **im K. stehen** to be quoted *[GB]*/listed *[US]*; **hoch ~ stehen** to be at/command a premium; **über K. stehen** to be at a premium, ~ quoted above par; **im K. steigen** to appreciate/improve; **K.e steigern** to boom the market; **K. steuern** to steer a course; **einen harten K. steuern** *(fig)* to take a hard line; **K. stützen** to support a price; **an einem K. teilnehmen** to attend a course; **K.(e) hoch/in die Höhe treiben** to force/push up the rate, ~ price, to bull/rig/boom the market, to force/boost/bump *(coll)* up the prices, to send prices soaring; **K. verfolgen** to pursue a course; **bei steigenden K.en verkaufen** to sell into the strength of the market; **K. wechseln** to alter/change course, to change tack; **K.e zurücknehmen** to reduce/mark down prices

bröckelnde Kurs|e easing prices; **abgeschwächte K.e** sagging market; **agrarpolitischer K.** farming policy; **amtlicher K.** official quotation, government-fixed/official price; **stark ansteigender K.** sky-rocketing price; **anziehende K.e** rising market; **außerbörslicher K.** unofficial quotation, off-the-board price, street/kerb *[GB]*/curb *[US]* (market) price; **äußerster K.** ceiling price; **durchschnittlicher K.** middle market quotation; **doppelter K.** two-way rate; **ermäßigter K.** reduced price; **erster K.** *(Börse)* opening price, initial quotation; **fallender K.** falling rate/price; **fallende K.e** declining prices; **feste K.e** steady market; **fester K.** firm/steady/hard price; **amtlich festgesetzter K.** government-fixed price; **fixer K.** *(Währung)* pegged rate; **fortlaufender K.** currently adjusted rate; **früherer K.** previous price; **gedrückter K.** depressed/weak price; **gebotener K.** bid price; **gegenwärtiger K.** going rate; **gehaltener K.e** steady market; **künstlich gehaltener/gestützter K.** pegged price; **geldpolitischer K.** monetary policy; **genannter K.** nominal price; **gesetzlicher K.** legal/legally fixed rate; **gespaltener K.** split price; **gespannter K.** *(Devisen)* close quotation; **gesprochener K.** nominal price; **gestrichener K.** quotation cancelled, no price fixed; **gestützter K.** supported price; **grüner K.** *(Devisen)* green exchange rate *[EU]*; **günstiger K.** favourable rate/price, attractive price; **harter K.** *(fig)* tough policy; **haussierende K.e** soaring prices; **herabgesetzter K.** reduced price; **historische K.e** historic(al) exchange rates; **höchster K.** top/maximum price; **hoher K.** high price; **kreditpolitischer K.** monetary policy; **laufender K.** current rate/price; **zum laufenden K.** at the current price; **letzter K.** closing/market price; **mittlerer K.** middle price/rate, parity rate; **nachbörslicher K.** street/after hours price, price quoted after official hours, kerb *[GB]*/curb *[US]* (market) price; **nachgebender/-lassender K.** sagging price, easing rate/price, receding price/rate/quotation; **nachgebende/-lassende K.e** declining/slackening/sagging market, declining prices; **nachträglicher K.** after price; **niedrigster K.** bottom price; **notierter K.** quoted/listed price; **letzter ~ K.** *(Börse)* last transacted price; **offizieller K.** official quotation/rate, central rate; **repräsentativer K.** representative conversion rate; **rückläufiger/sinkender K.** falling rate/price, sagging/easing price; **rückläufige/sinkende K.e** declining/slackening market; **schwankender K.** fluctuating rate/price/quotation, floating rate; **schwankende K.e** volatile market; **spekulativer K.** speculative price; **stabiler K.** steady market, stable price; **stabile K.e** steady market; **stagnierende K.e** stagnant market; **steigende K.e** *(Börse)* rising prices, bull market; **überhöhter K.** inflated/excessively high price; **überhöhte K.e** top-heavy market; **unbewegliche K.** sticky prices; **variabler K.** variable rate/price, wide quotation; **vorbörslicher K.** pre-market price; **vorheriger K.** previous price; **weichender K.** easing/receding rate, ~ price

Kurs|abbröckelung *f* slight drop in price; **K.abfall** *m* price decline; **K.abschlag** *m* discount, markdown, backwardation, deport; **K.abschwächung** *f* fall, softening/easing of prices, weak market; **K.abschwung** *m* price decline, down-turn (in prices); **K.absicherer** *m* hedger; **K.absicherung(sgeschäft)** *f/nt* hedge, hedging (transaction); **K.abweichung** *f* ⚓ deviation from course; **K.anbieter** *m (Börse)* quote vendor; **K.änderung** *f* 1. ⚓ change of course/tack; 2. policy/price change; 3. *(Währung)* change of rates; **K.änderungen** *(Devisen)* exchange fluctuations

Kursangabe *f* quotation; **K. vorbehaltlich Bestäti-**

gung subject market; **unbestätigte K.** indicated market

Kurs|angleichung *f* adjustment of rates; **K.anhebung** *f* price markup

Kursanstieg *m* rise in/of prices, increase/improvement in stock prices, upturn (in prices/quotations), appreciation of prices, upward price movement, rising market, price increase/rise/advance/run-up, strength of the market; **K. auf breiter Front** across-the-board price rise, widely spread rise; **K.e überwogen** *(Börse)* advances led declines; **leichter K.** modest recovery, moderate rise; **rascher/scharfer/starker K.** bulge, sharp rise, jump in prices

Kurs|anzeiger *m* *(Börse)* stock price indicator; **K.anzeigetafel** *f* exchange/quote board; **K.aufbesserung** *f* improvement in prices

Kursaufschlag *m* 1. (price) mark-up, price increase; 2. *(Devisen)* contango; 3. *(Termingeschäft)* premium; **K. für Prolongation** *(Wechsel)* delayed acceptance penalty; **gegen K. verschicken** to contango

Kurs|aufschwung/K.auftrieb *m* upturn in quotations/prices, market upturn, price increases, up-trend; **K.aufzeichnungen** *pl (Börse)* markings

Kurs|ausschlag *m* price movement/fluctuation; **K.ausschläge** price variations/volatility; **~ nach beiden Seiten** irregular movement of prices/quotations; **heftige/starke K.ausschläge** erratic price movements, wild fluctuations, hectic movement of prices/quotations

Kurs|aussetzung *f* suspension of a quotation; **~ aufheben** *(Börse)* to lift a suspension; **K.avance** *f* price rise/gain; **K.baisse** *f* decline (in prices), bear run; **K.band** *nt (EWS)* rate band; **K.barometer** *nt* price barometer; **K.basis finden** *f (Börse)* to establish a trading level; **K.beeinflussung** *f* juggling, (price) manipulation; **K.befestigung** *f* strengthening/hardening/firming of prices; **K.begrenzung** *f* price limit; **K.berechnung** *f* price calculation; **K.bereich** *m* range of prices; **K.bericht** *m* 1. *(Börse)* stock market report; 2. *(Devisen)* exchange list; **offizieller K.bericht** stock exchange list; **K.besserung** *f* price advance; **K.beständigkeit** *f* price stability; **K.bestimmung** *f (Börse)* pricing; **K.betrug** *m* share *[GB]*/stock *[US]* pushing; **K.beweglichkeit** *f* volatility

Kursbewegung *f* *(Börse)* price/share *[GB]*/stock *[US]* movement; **allgemeine K.** the market; **hektische K.** hectic price movement, ~ movement in prices/quotations; **uneinheitliche K.** irregular movement of prices/quotations

Kursbildung *f* price determination/movement, formation of rates; **in die K. eingreifen** *(Börse)* to manipulate prices/quotations; **gleich gerichtete K.** parallel pricing

Kurs|bindung *f* price pegging, pegging of exchange rates; **K.blatt** *nt* stock exchange list, note of exchange, stock market report; **Amtliches K.blatt** official quotations list, (The Stock Exchange) Daily Official List *[GB]*; **K.buch** *nt* 🚂 railway guide/timetable; **K.chance** *f* upside potential; **K.chancen bieten** to offer the prospect of price advances

Kürschner *m* furrier; **K.ei** *f* furrier's trade

Kurs|daten *pl* *(Börse)* technicals; **K.depesche** *f* ex change telegram; **K.depression** *f* stock market slum **K.deroute** *f* price collapse; **K.diagramm** *nt* (pric chart; **K.differenz** *f* 1. price difference/gap; 2. exchang difference, difference (in the rate) of exchange; **K druck** *m* downward pressure on prices, pressure prices, raid; **k.drückend(er Faktor)** *adj* depressan **K.einbruch** *m* crash, price collapse, slump/break prices, collapse of prices, sudden/sharp fall in price fall, heavy drop in prices; **starker K.einbruch** stoc market slump; **K.einbuße** *f* 1. (exchange) loss, loss o exchange; 2. price loss; **k.empfindlich** *adj* price-sens tive, rate-sensitive; **K.entgelt** *nt* specie

Kursentwicklung *f* 1. *(Börse)* stock/market trend, pe formance of shares, price movement/trend/performanc movement of prices, market direction; 2. *(Devisen* trend of exchanges, rate developments; **K. verfolgen** shadow (a share); **baisseartige K.** bearish price tren **durchschnittliche K.** market average; **hausseartig K.** bullish price trend; **uneinheitliche K.** mixed/irregu lar price trend; **ungünstige K.** unfavourable moveme of prices; **zufallsbedingte K.** random walk

Kurs|erhöhung *f* rising prices, (stock) market uptur recovery/rally, price recovery; **K.erholung** *f* (pric rally, recovery of prices; **technische K.erholung** tec nical rally; **K.ertragsmultiplikator** *m* price-earning (p/e) multiplier; **K.ertragsverhältnis** *nt* price-ear ings (p/e) ratio; **K.erwartung** *f* price anticipations/ex pection; **K.explosion** *f* price jump; **k.fähig** *adj* *(Geld)* current; 2. *(Währung)* quotable *[GB]*, listab *[US]*; **K.fall** *m* price decline; **K.fantasie** *f* price expe tations; **K.favorit** *m (Börse)* stock exchange favourit **K.festigung** *f* firming/hardening of the market; **K.fest setzer** *m* market maker; **K.festsetzung/K.feststellun** *f* quotation, fixing, price determination, rate fixin *[US]*, mark *[GB]*; **amtliche K.feststellung** *(Devise* official fixing; **K.feststellungsausschuss** *m* fixin committee; **K.fixierung durch die Zentralbank** *f* o ficial pegging; **K.freigabe** *f* (free) floating; **K.garant** *f* exchange rate guarantee; **K.gebühr** *f* registratio course fee; **K.gefälle** *nt* price differential; exchang rate differential; **K.gefüge** *nt* price/rate structure, ~ pa tern; **k.gepflegt** *adj* supported; **K.geschäft** *nt* tradin on rates; **~ ohne Verlust abschließen** to average ou **K.geschehen** *nt* movement of prices; **k.gesichert** *a* (rate-)hedged, covered; **K.gestaltung** *f* 1. price tren 2. course design

Kursgewinn *m* 1. (price) gain; 2. *(Börse)* market profi advancement; 3. *(Devisen)* exchange gain/profit, i crease in the value; 4. capital gain; **K. des Effekter händlers** jobber's turn *[GB]*; **K.e auf breiter Fro** across-the-board gains; **~ erzielen** *(Aktie)* to perfor well, to earn one's turn; **~ mitnehmen/realisieren** benefit by the exchange, to lock in the profit; **~ sicher** to consolidate gains; **K. verzeichnen** to advance; **ei zelne/vereinzelte K.e** scattered rises; **realisierter** realized capital gains

Kurs|gewinner *m* winner; **K.gewinnverhältn (KGV)** *nt* price-earnings (p/e) ratio, earnings mult ple/ratio; **K.glättung** *f* smoothing (operations); **k.glättend** *adj* smoothing; **K.grafik** *f* stock chart; **K.handel** *m* trading on rates; **K.hausse** *f* price rally, bull run; **K.höhe** *f* price level

kursieren *v/i* to circulate, to go round, to be in circulation; **k. lassen** to circulate; **k.d** *adj* current, in circulation

Kurslindex *m* (share *[GB]*/stock *[US]*) price index; **K.information** *f* price information; ~ **abrufen** to call up price information; **K.intervention** *f* price/rate intervention

kursiv *adj* italic, cursive; **K.druck** *m* italic type; **K.schrift** *f* italics, cursive

Kurslklausel *f* *(Devisen)* exchange/currency clause; **K.kommission** *f* quotation committee; **K.konsolidierung** *f* stabilization of prices

Kurskorrektur *f* 1. *(Börse)* price adjustment/change; 2. *(Devisen)* parity change, rate adjustment; **K. nach oben** upward adjustment; **K. nach unten** downward adjustment

Kurslleiter *m* course tutor; **K.limit** *nt* trading/price limit; **K.liste** *f (Devisen)* bill of course of exchange; **K.makler** *m* 1. market maker, stockbroker; 2. exchange broker; 3. specialist *[US]*, downstairs member *[US]*; **amtlicher K.makler** official broker; **K.manipulation** *f* market manipulation/rigging, price fraud; **K.marge** *f* rate margin; **K.marktzins** *m* money rate; **K.material** *nt* course/back-up material; **K.meldung** *f* quotation; **K.münzen** *pl* specie

Kursniveau *nt* price/stock level, market, level of prices, ~ the market; **durchschnittliches K.** average price level; **gegenwärtiges K.** existing prices

Kursnotierung *f* 1. *(Börse)* (price/market) quotation, quoted price(s); 2. *(Devisen)* exchange quotation; **K. ohne Zinsen** flat quotation; **K. aussetzen** to suspend a quotation/share *[GB]*/stock *[US]*; **amtliche K.** official quotation/price; **erste K.** first board; **uneinheitliche K.** split quotation; **verbindliche K.** firm quotation

Kurslnotiz *f* share/quoted price, (price) quotation; **doppelte K.notiz** two-way price; **K.parität** *f* exchange parity

Kurspflege *f* support buying, market support, pegging, price support/management/adjustment, price-regulating operations; **intensive K.** active price support; **K.operation** *f* price support operation; **K.verkauf** *m* market regulation sale

Kurslreagibilität *f* price sensitivity; **K.rechner** *m* course-line computer; **K.rechnung** *f* bond valuation; **K.regulierung** *f* price/rate regulation, price support; **K.relationen** *pl* parities, exchange rate relations; **K.rendite** *f* earnings/dividend yield, yield on price; **K.reserve** *f* undervaluation, price reserve; **K.risiko** *nt* 1. (foreign-)exchange risk; 2. downside/market/price risk; **sich gegen das ~ schützen** to protect o.s. against the exchange risk, to hedge

Kursrückgang *m* fall/drop in prices, price decline/drop, decline in/of prices, downward price movement, sagging/receding/falling prices; **K. auf breiter Front** across-the-board decline; **K. erfahren** to crumble; **allgemeiner K.** retreat; **technisch bedingter K.** disappreciation; **geringfügiger K.** shading; **markttechnische Kursrückgänge** technical decline; **plötzlicher K.** down reversal

Kurslrücklage *f* investment reserve; **K.rücknahme** *f* price markdown; **K.rückschlag** *m* price drop, slump (in quotations); **K.rutsch** *m* sharp fall in prices, bear slide, nosedive of prices; **K.schnitt** *m* unfair profit; arbitrage profit, price fraud; **K.schwäche** *f* weakness

Kursschwankung *f* price fluctuation/range/variation/volatility; **K.en** 1. *(Devisen)* fluctuations in the exchange rate, exchange rate volatility; 2. *(Börse)* (market) volatility, stock exchange fluctuations, fluctuations in (share/stock) prices, ups and downs (of the market), variations in market price, trading range; **von der Börsenaufsicht festgelegte maximale K. pro Börsentag** limit up/down

kurssenkend *adj* *(Börse)* price-reducing

Kurssicherung *f* forward cover/guarantee, price support, rate hedging, hedging (transaction), hedge, forward rate fixing; **K. am Devisenterminmarkt** forward (exchange) cover; **wechselseitige K.** cross hedging; **K.sabschlüsse** *pl* commercial covering; **K.sfazilitäten** *pl* exchange-cover facilities; **K.sgeschäft** *nt* 1. hedging transaction/opertaion, price support operation; 2. *(Außenhandel)* commercial covering, forward rate fixing; **K.sklausel** *f* hedge clause; **K.skosten** *pl* cost(s) of forward exchange cover

Kurslspanne *f* 1. exchange difference, price margin, trading range; 2. *(Börse)* turn, spread; **K.spekulant** *m* premium hunter, market manipulator; **K.spielraum** *m* rate margin; **K.sprung** *m* price jump, spurt; **K.sprünge** rocketing prices; **K.stabilisierung** *f* price stabilization; **K.stabilisierungsmaßnahmen** *pl* official support; **K.stabilität** *f* 1. price stability, steadiness/stability of prices; 2. *(Devisen)* exchange stability

Kursstand *m* 1. price level; 2. *(Devisen)* exchange rate; **beim gegenwärtigen K.** at present prices; **abgeschlossener K.** resistance point *[US]*; **stabilisierter K.** level pegging

kurssteigernd *adj* *(Börse)* price-increasing

Kurssteigerung *f* 1. price advance/appreciation, upturn, upward movement, rise (in prices); 2. *(Devisen)* appreciation; 3. *(Börse)* advance, increase in share/stock prices; **auf K.en wartend** long; **K. erfahren** to experience an advance; **hektische K.** sharp price rise; **K.schance/K.spotenzial** *f/nt* upside potential

Kurslstreichung *f* non-quotation; **K.struktur** *f* rate/price structure; **K.sturz** *m (Börse)* nosedive/collapse of (share/stock) prices, deep plunge of prices, share price collapse, slump/sharp fall in prices, ~ quotations, plunge, fall; ~ **auffangen** to cushion the fall; **k.stützend** *adj* price-supporting, support

Kursstützung *f* 1. price support (action), pegging, peg, supporting the market, market support, price stabilization; 2. *(Devisen)* supporting the exchange rate; **K. vornehmen** to peg the market; **K.saktion/K.smaßnahme** *f* share support scheme/measure(s); **K.sfaktor** *m* stabilizing factor; **K.skäufe** *pl* (price) support buying

Kurs|tabelle/K.tafel *f* 1. *(Börse)* quotations board/record, stock market table, price list; 2. *(Devisen)* exchange table, table of exchange rates, ~ exchanges, marking board; **K.tag** *m* settling day; **K.taxe** *f* estimated value; **K.teilnahme** *f* course attendance; **K.teilnehmer(in)** *m/f* member (of the course), enrollee, trainee; **K.telegramm** *nt* telegraphic quotation; **K.tendenz** *f* market/price trend; **K.treiber** *m* market maker/rigger; **K.treiberei** *f* market rigging, price pushing, kiting of stocks; **K.übermittlungsanlage** *f* ticker; **K.übertreibung** *f* exaggerated price; **K.umschwung** *m* sudden change, break in the market; **K.unterschied** *m* 1. price differential/difference, difference in rates; 2. *(Devisen)* margin

Kursus *m* → **Kurs** course; **sich zu einem K. anmelden; K. belegen** to sign up/enrol for a course; **an einem K. teilnehmen** to attend a course

Kurs|veränderung *f* 1. ⚓ change of course/tack; 2. price change; 3. *(Schlusskurse)* net change; **uneinheitliche K.veränderung** *(Börse)* mixed change; **K.verbesserung** *f* advance of prices/rates; ~ **verbuchen** to secure an advance; **K.verfall** *m* stocks drawdown, collapse of (share/stock) prices, price collapse, deep plunge of prices; **zu einem rapiden ~ kommen** to send price into a nosedive; **durch K.vergleich feststellen** *m* to arbitrate; **K.- und Ertragsverhältnis (KEV)** *nt* price-earnings (p/e) ratio, earnings ratio/multiple; **K.verlierer** *m* loser

Kursverlust *m* 1. price loss, depreciation; 2. *(Devisen)* exchange loss, loss on exchange, ~ the foreign exchange market; **realisierter K.** capital loss; **K.reserve** *f* investment reserve fund; **K.rücklage** *f* investment reserve; **K.versicherung** *f* exchange loss insurance, insurance against loss by redemption

Kurs|verschiebung *f* shift in prices; **K.versetzung** *f* ⚓ drift; **K.verwässerung** *f* watering of prices; **K.verzeichnis** *nt* prospectus; **K.vielfaches** *nt* price multiple; **K.wagen** *m* 🚆 through carriage/coach *[GB]*/car *[US]*; **K.wechsel** *m* 1. ⚓ change of course/tack/direction; 2. policy change, turnabout; **hundertprozentiger K.-wechsel** U-turn

Kurswert *m* 1. *(Börse)* market price/value, stock (market) value, counter/quoted value; 2. *(Barwert)* cash/money value; 3. *(Devisen)* exchange value; **zum niedrigeren K. kaufen** to average down; **zu verschiedenen K.en** on a scale; **veränderlicher K.** fluctuating market value

Kurswert|abschreibung *f* writing down to market value; **K.berechnung** *f* rate calculation; **K.berichtigung von Wertpapierbeständen** *f* write-down of securities portfolio; **K.gewinn** *m* gains from increased prices; **K.steigerung** *f* price appreciation

Kurs|zettel *m* 1. price list; 2. *(Börse)* share/stock/quotations list, stock exchange list, daily official list, list of quotations, stock market report; 3. *(Devisen)* exchange list, note of exchange, exchange rate quotation; **amtlicher K.zettel** official list; **K.ziel** *nt* upside target; **K.zusammenbruch** *m* price collapse; **K.zuschlag** *m* contango/continuation rate, carrying-over rate

Kurtage *f* brokerage, contango

Kurtaxe *f* tourist/visitors' tax

völkerrechtliche Kurtoisie comity of nations, interna tional comity

Kurve *f* 1. curve, bend; 2. ▦ graph; 3. trend

Kurve konstanter Ausgaben constant outlay curve; **K der monetären Nachfrage** outlay curve; **K. gleiche Produktion** product indifference curve; ~ **Trenn schärfe** ▦ curve of equidetectability; **K. der Vertei lungsfunktion** distribution curve; **K. gleicher Wahr scheinlichkeit** ▦ equiprobability curve

Kurve grafisch darstellen ▦ to plot a curve; **um ein K. fahren** 🚗 to round a corner; **die K. raus-/wegha ben** *(coll)* to have the hang/knack of sth. *(coll)*; **K. neh men** 🚗 to negotiate a corner; **K. schneiden** 🚗 to cu the corner

ebene Kurve plane curve; **fallende K.** sloping curve **geknickte K.** kinky curve; **logistische K.** logistica curve; **scharfe K.** 🚗 sharp bend; **überhöhte K.** 🚗 banked curve

Kurven|abschnitt *m* reach of a curve; **K.anpassung** curve/trend fitting; **K.blatt/K.darstellung/K.dia gramm** *nt/f/nt* graph; **K.knick** *m* kink in a curve; **K.le ser** *m* curve follower; **K.lineal** *nt* curve template, pli ancy rule; **k.reich** *adj* twisty, winding; **K.schar** *f* fami ly/array of curves; **K.schreiber/K.zeichner** *m* (curve) plotter; **K.verfolger** *m* curve tracer; **K.verlau** *m* run of the curve; **K.zug** *m* curvature, plotted curve

kurz *adj* 1. short; 2. brief; 3. concise; 4. curt, cursory; **k vor** on the edge of; **k. und bündig; ~ gut** in short, to pu it in a nutshell; ~ **knapp** short and to the point; **über k oder lang** sooner or later; **k. und schmerzlos** quick an easy

binnen/in kurzem *adv* shortly, before long; **seit k.** late ly; **vor k.** a short while ago; **erst vor k.** in the recent pas

kurz abtun to dismiss out of hand; ~ **zu sehen bekom men** to get a peep; **sich k. fassen** to be brief; **Fassen Si sich k.** be brief; **jdn k. halten** to put so. on short com mons/rations; **zu k. kommen** to get less than one's fai share; **um es k. zu sagen** the long and the short of it, t put it in a nutshell

Kurz|abschreibung *f* accelerated allowance; **K.an schrift** *f* cable address; **K.arbeit** *f* short-time, ~ work(ing shortened hours; ~ **einführen** to put (employees) o short time; **k.arbeiten** *v/i* to be/go on short time, t work short hours

Kurzarbeiter(in) *m/f* short-time/part-time worke short-timer; **K. sein** to be on short time; **K.geld** *n* short-time benefit/allowance/money, ~ working com pensation, temporary employment subsidy; **lohnab hängiges K.geld** earnings-related supplement *[GB]* **K.zuschuss** *m* temporary employment subsidy *[GB]*

Kurz|arbeitsbestimmungen *pl* short-time provisions **K.arrest** *m* short-term detention; **K.ausbildung** *f* shor training course; **K.ausgabe** *f* abridged edition; **K.be richt** *m* summary, abridged report, brief; **K.beschrei bung** *f* brief description; **K.bezeichnung** *f* abbrevia tion; **K.biografie** *f* short biography, profile; **K.brief** *n* memo; **K.darstellung** *f* abstract

ürze *f* 1. brevity; 2. *(Zeit)* shortness; **der K. halber** for brevity's sake; **in aller K.** in a nutshell, very briefly; **in K. anstehend** forthcoming; ~ **erscheinen** to be published shortly; **in der K. liegt die Würze** *(prov.)* brevity is the soul of wit *(prov.)*

ürzel *nt* abbreviation, acronym

ürzen *v/t* 1. to cut/curtail/reduce/diminish/prune/trim/truncate, to rein in (on sth.), to lop (off); 2. π to reduce; 3. *(Text)* to abridge/shorten; **drastisch/radikal/stark k.** to curtail drastically, to slash/chop, to wield the axe *(fig)*; **quotal k.** to reduce proportionately

ürzer treten to slow down, to proceed with more caution; **den K.en ziehen** *(fig)* to come off second best, ~ (a poor) second, to lose out (on sth.)

ürzerfristig *adv* at shorter term

urzfällig *adj* due within a short period

urzfassung *f* abstract, summary, abridged version; **K. eines Patents** title of a patent; **K. der Patentschrift** abridgement of specification; **K. eines Urteils** § head note; ~ **Vertrags** short-form agreement

urzfristig *adj* short-term, short-range, short-dated, short-run; *adv* at short notice, at a moment's notice, in the short run/term, on a near-term basis; **k. sein** to be short notice; **K.keit** *f* short date

urzfrist|indikator *m* shorter leading indicator; **K.plan** *m* short-term plan

urz|gefasst *adj* brief, concise; **K.indossament** *nt* blank endorsement; **K.kredit** *m* short-term credit/loan

urzläufer *m* *(Anleihe)* short, short(-term/-dated) bond, short-dated issue/stock; **Kurz- und Langläufer** the longs and shorts; **bei den K.n** at the short end of the market; **hochverzinsliche K.** high-coupon shorts; **K.rendite** *f* yield on shorts

urzlebig *adj* 1. short-lived, short-life; 2. non-durable, perishable; 3. transient; **k. sein** to be a flash in the pan *(coll)*; **K.keit** *f* perishability

ürzlich *adv* recent

urz|meldung *f* (news) flash; **K.monografie** *f* brief monograph; **K.nachrichten** *pl* news bulletin/headlines, news in brief; **K.parker** *m* short-term parker; **K.periodenanalyse** *f* short-period analysis; **K.police** *f* short-term policy; **K.prospekt** *m* offering circular; **K.protokoll** *nt* summary record; **k.schließen** *v/t* ϟ to short-circuit; *v/refl* to get into contract (with)

urzschluss *m* ϟ short circuit(ing), short; **K.handlung** *f* mental blackout, rash action; **K.reaktion** *f* snap reaction, panic measure

urzschrift *f* shorthand, stenography; **in K. aufnehmen** to take down in shorthand; **K. schreiben** to write shorthand; **K.zeichen** *nt* shorthand expression

urz|sichtig *adj* short-sighted; **K.sichtigkeit** *f* 1. short-sightedness; 2. short-termism; **K.speicher** *m* 🖳 short-term memory/storage

urzstrecken|- short-haul, short-range; **K.flugzeug** *nt* short-haul/short-range jet, ~ airliner, ~ aircraft; **K.fracht** *f* short haul; **K.verkehr** *m* short-distance traffic

urz|streik *m* quickie strike *(coll)*; **k. treten** *v/i* 1. to back-pedal *(fig)*; 2. to ease up

ürzung *f* 1. cut(back), curtailment, reduction, retrenchment, diminution; 2. *(Kleid)* shortening; 3. *(Text)* abridgement

Kürzung des Gehalts salary cut; **K. der Haushaltsausgaben** budget trimming; **K. von Investitionsvorhaben** capital spending cut; **(regierungsamtlich verordnete) K. der Kommunalabgaben** rate capping *[GB]*; **pauschale ~ beantragten Mittelerhöhung** meat-axe reduction *(fig)*; ~ **Sozialausgaben/-leistungen** welfare cuts, cuts in social benefits; ~ **Staatsausgaben** government spending cuts; **K. eines Vermächtnisses** abatement of a legacy

Kürzungen verfügen to ordain cuts; **K. im Haushalt vornehmen** to slash the budget

drastische/einschneidende Kürzung|(en) swingeing cut(back)s, savage cuts, axe *(coll)*; **globale/lineare/pauschale K.** across-the-board reduction/cut, overall reduction

Kürzungs|betrag *m* amount of reduction, cut; **k.fähig** *adj* reducible; **K.ziel** *nt* cutback target

Kurz|urlaub *m* short(-break) holiday; **K.urlauber(in)** *m/f* person on short leave; **K.vermietung** *f* operate leasing; **K.versicherung** *f* term/temporary assurance; **K.vertrag** *m (Vers.)* short-term policy

Kurzwaren *pl* haberdashery *[GB]*, notions *[US]*, sundries, narrow goods; **K.geschäft/K.handlung** *nt/f* haberdasher's shop, haberdashery; **K.händler** *m* haberdasher

Kurz|weil *f* diversion, entertainment; **k.weilig** *adj* entertaining; **K.welle** *f* short wave; **K.zeichen** *nt* symbol, abbreviation

Kurzzeit|arbeit *f* short-time working; **k.ig** *adv* short-run, short-term; **K.indikator** *m* shorter leading indicator; **K.versuch** *m* accelerated test

kuschen *v/i* to crouch, to knuckle under

mit Kusshand loswerden *f* *(fig)* to get rid of easily

Küste *f* coast, seaboard *[US]*, shore, coastal area, coastline; **an der K.** *(Gewässer)* inshore; ~ **gelegen** coastal; ~ **stationiert** shore-based; **längs der K.** alongshore; **von der K. ab; vor der K. gelegen; der K. vorgelagert** offshore

Küsten|- seaside, coastal, inshore; **K.bezirk** *m* coastal district; **K.dampfer/K.fahrer/K.fahrzeug** *m/m/nt* coaster; **k.einwärts** *adv* inshore; **K.fahrt** *f* coasting (trade), coastwise shipping/trade; **K.fischerei** *f* inshore/coastal fishing, inshore fisheries; **K.fracht** *f* coasting cargo; **K.frachtfahrt** *f* coasting trade; **K.gebiet** *nt* coastal area; **K.gewässer** *pl* coastal/inshore/territorial waters, marine belt; **K.handel** *m* coasting/home/coastal trade, coastwise shipping/trade; **K.land** *nt* seaside; **K.linie** *f* shoreline, coastline; **K.lotse** *m* coast pilot; **K.meer** *nt* territorial sea/waters; **k.nah** *adj* offshore, inshore; **in K.nähe** *f* inshore; **K.nebel** *m* sea fog; **K.patrouille/K.streife** *f* shore patrol; **K.provinz** *f* maritime province; **K.region** *f* maritime region; **K.schiff** *nt* 1. coaster, coasting vessel; 2. inshore boat; **K.schifffahrt** *f* coasting, coastal shipping/traffic; **K.schiffer** *m* skipper; **K.staat** *m* littoral state; **K.verkehr** *m* coastal traffic; **K.wache** *f* coast guard

Kustos *m* custodian

Kutter *m* ⚓ cutter
Kuvert *nt* 1. envelope; 2. *(Gedeck)* cover
kuvertier|en *v/t* to envelope; **K.maschine** *f* enveloping machine
Kuvertierungs|dienst *m* envelope stuffing service; **K.maschine** *f* envelope stuffing machine
Kux(e) *m/pl* mining share(s) *[GB]*/stock(s) *[US]*; **K.inhaber** *m* mining shareholder *[GB]*/stockholder *[US]*; **K.schein** *m* mining share/stock certificate
Kybernetik *f* cybernetics, cybernation
kybernetisch *adj* cybernetic

L

labil *adj* unstable, delicate
Labor *nt* laboratory; **L.ant(in)** *m/f* laboratory worker/assistant; **L.atorium** *nt* laboratory; **L.ausstattung** *f* laboratory equipment; **L.befund** *m* laboratory findings; **L.probe** *f* laboratory sample; **L.untersuchung/ L.versuch** *f/m* laboratory test; **L.werte** *pl* laboratory results
Labyrinth *nt* labyrinth, maze, intricate web; **l.artig** *adj* labyrinthine
gut lachen haben *(bei gesicherten Finanzverhältnissen)* to be laughing all the way to the bank *(coll)*
Lack *m* varnish, paint(-work), lacquer; **der L. ist ab** *(fig)* the glitter has gone *(fig)*; **L.farbe** *f* gloss paint
Lackier|anlage/L.erei/L.werkstatt *f* paintshop
lackier|en *v/t* to paint/varnish; **l.t** *adj* finished; **L.ung** *f* paintwork
Lack|leder *nt* patent leather; **L.mustest** *m* ⚗ acid/litmus test; **L.schuhe** *pl* patent leather shoes
Lade|adresse *f* 🖳 load point/address; **L.anlage(n)** *f/pl* 1. loading facilities; 2. ⚓ wharfing (facilities), wharfage; **L.anweisung** *f* 🖳 load instruction; **L.balken** *m* skid; **L.baum** *m* derrick; **L.befehl** *m* 🖳 load instruction; **L.beginn** *m* commencing to load; **L.begleitschein** *m* shipping note *[GB]*; **l.bereit** *adj* ready for loading; **L.bereitschaft** *f* readiness to load; ~ **zugesichert** guaranteed for cargo; **L.bestimmungen** *pl* loading regulations; **L.block** *m* cargo block; **L.breite** *f* internal width; **L.brief** *m* bill of lading (B/L); **L.brücke** *f* loading bridge; **L.buch** *nt* cargo book; **L.bühne** *f* loading dock/platform/ramp; **L.deck** *nt* cargo deck; **L.dock** *nt* loading dock; **L.einheit** *f* unit load, load unit; ~ **auf Kufen** skidded unit; **L.einrichtungen** *pl* loading facilities; **L.erlaubnis** *f* loading permit; **l.fähig** *adj* 🖳 loadable; **L.fähigkeit** *f* (cargo) capacity, carrying/load(ing)/payload capacity, cargo/deadweight tonnage; **L.faktor** *m* load factor; **l.fertig** *adj* ready for loading; **L.fläche** *f* loading/floor space, loading area/surface; **L.freigabe** *f* ⊖ jerque note; **L.frist** *f* loading time/period/days; **L.funktion** *f* 🖳 loading function; **L.gebühren/L.geld** *pl/nt* 1. loading charges, stowage; 2. ⚓ bunker charges; **L.gerät** *nt* 1. loading equipment; 2. ϟ battery charger; **L.gerüst** *nt* cargo stage; **L.geschäft** *nt* loading and unloading, loading business/operation; **L.geschirr** *nt* loading gear/tackle; 2. ⚓ deck gear; **L.gestell** *nt* loading platform; **L.gewicht** *nt* (pay)load, shipping weight, carrying capacity; **L.gut** *nt* cargo, freight, load; **L.gutverzeichnis** *nt* ⚓/✈ (cargo) manifest, freight list; **L.hafen** *m* port of lading, shipping/loading port; **L.hilfsmittel** *nt* loading equipment; **L.höhe** *f* loading height; **L.kai** *m* loading quay, cargo dock; **L.kapazität** *f* carrying/cargo capacity; **L.klappe** *f* tailboard, tailgate *[US]*; **L.kosten** *pl* loading/handling charges; **L.kran** loading crane; **L.länge** *f* length of loading platform; **L.linie/L.marke** *f* ⚓ waterline, plimsoll/load line; **L.liste** *f* ⚓ freight/loading list, manifest, cargo bill, packing list; **L.luke** *f* cargo/loading hatch; **L.makler** loading broker; **L.maß** *nt* loading ga(u)ge; **L.maßüberschreitung** *f* being out of ga(u)ge; **L.meister** chief loader, loading supervisor; **L.menge** *f* load; **L.modul/L.modus** *nt/m* 🖳 load module
Laden *m* 1. (retail) shop *[GB]*/store *[US]*; 2. *(Betrieb)* outfit *(coll)*; *nt* lading, loading
Laden mit (Fremd)Bedienung counter-service/over-the-counter shop, ~ store; **L. und Löschen** loading and unloading; **L. mit eingeschränktem Sortiment** limited assortment store
Laden aufmachen/eröffnen to set up shop; **L. dichtmachen** *(coll)* to shut up shop; **L. führen** to keep shop; **der L. läuft (gut)** *(coll)* business is good; **den ganzen L. satt haben** to be fed up with the lot; **L. schmeißen** *(coll)* to run the show; **im L. verkaufen** to sell over the counter; **L. zumachen** to shut up shop; **L. zuschließen** to put up the shutters
fahrender Laden mobile/travelling shop; **offener L.** open shop; **Tante Emma-L.** corner shop *[GB]*, or neighborhood store *[US]*, pop and mom store *[US]*
laden *v/t* 1. to load/ship/bunker/stevedore/lade; 2. § to cite/summon, to serve a summons; 3. ϟ to charge
etw. auf sich laden *(fig)* to saddle o.s. with sth. *(fig)*; **gerichtlich l.** § to issue a summons; **ordnungsgemäß l.** § duly to summon to appear, to order an appearance; **zu viel l.** to overload; **jdn l. lassen** § to take out a summons against so.
Laden|angestellter *m* shop assistant *[GB]*/clerk, salesman *[US]*; **L.anordnung** *f* store layout; **L.arbeiter** shop/store worker; **L.aufseher/L.aufsicht** *m/f* shopwalker *[GB]*, floorwalker *[US]*; **L.auslage** *f* store display; **L.ausrüstung** *f* store fixtures, shop fittings; **L.ausstatter** *m* shopfitter; **L.ausstattung** *f* shop fittings; **L.bau** *m* shop fitting; **L.besitzer** *m* shopkeeper, storekeeper, shopowner, tradesman; ~ **sein** to keep shop, to storekeep *[US]*; **L.bestände** *pl* stocks; **L.besuch** *m* shopping expedition; **L.buch** *nt* shopbook; **L.detektiv** *m* store detective; **L.dieb** *m* shoplifter, shop thief; **L.diebstahl** *m* shoplifting; ~ **begehen** to shoplift; **L.einbruch** *m* shopbreaking; **L.einrichtung(en)** *f/pl* shop *[GB]*/store fittings, store fixtures *[US]*; **L.einzelhandel** *m* retail trade/selling; **L.erweiterung** *f* store/shop extension; **L.fläche** *f* (shop) floor space; store space/site; **L.front** *f* shop/store front; **L.gehilfe** *m* shop assistant, shopman; **L.geschäft** *nt* shop, (retail) store/outlet

~ **betreiben** to keep a shop/store; **L.handel** *m* retail trade *[GB]*, store business *[US]*; **L.hüter** *m* unsal(e)able article, bad seller, shop-worn article, shelfwarmer, sticker, sleeper *[US]*, non-moving/slow-moving (inventory) item, non-seller, counter clogger *(coll)*; *pl* cats and dogs; **L.inhaber** *m* shopkeeper, store owner; **L.junge** *m* shop boy; **L.kasse** *f* till, cash register/desk/ till, checkout; **elektronische L.kasse** electronic point of sale (EPOS); **L.kette** *f* chain of shops/stores, retail(ing) chain; **L.lokal(e)** *nt/pl* (shopping/shop) premises; **L.mädchen** *nt* sales girl, shopgirl; **L.miete** *f* shop rent/rental; **L.netz** *nt* store network/portfolio; **L.öffnungszeiten** *pl* (shop) opening hours, shop hours

Ladenpreis *m* 1. retail price; 2. *(Buch)* publication price; **empfohlener L.** 1. recommended retail price; 2. *(Buch)* cover price; **L.schutz** *m* retail price maintenance (RPM) *[GB]*, fair-trade pricing *[US]*, protection of the published price

Laden|produktivität *f* in-store productivity; **L.regal** *nt* shelf; **L.schild** *nt* shop/store sign

Ladenschluss *m* closing time; **nach L.** after hours; **früher L.** half-day/early closing; **L.gesetz** *nt* shop closing act, Shop Hours Act *[GB]*; **L.zeiten** *pl* shop closing hours

Laden|straße *f* shopping street/mall *[US]*/parade, mall *[US]*; **L.theke** *f* counter

Ladentisch *m* counter, desk, shop board; **unter dem L.** under the counter; ~ **handeln** to deal illicitly; **über dem L. verkaufen** to sell over/across the counter

Laden|verkauf *m* retail sale/selling; **L.verkäufer(in)** *m/f* shop assistant *[GB]*, salesman *[US]*, sales lady/girl; **L.verkaufspreis** *m* retail (selling) price, shelf value; **L.werbung** *f* in-store advertising; **L.zeiten** *pl* opening hours; **sonntägliche L.zeiten** Sunday opening

Lade|offizier *m* ⚓ supercargo; **L.palette** *f* loading pallet; **L.papiere** *pl* shipping documents; **L.pforte** *f* cargo port; **L.plan** *m* storage plan; **L.platz** *m* loading bay/ berth/wharf; **L.programmant** *m* 🖳 program loader; **L.punkt** *m* load point

Lader *m* 1. packer, loader; 2. 🖳 load program

Lade|rampe *f* loading ramp/platform; **L.raum** *m* 1. storage/loading space, (cargo) hold; 2. *(Volumen)* tonnage, cubic capacity, cubage; 3. cargo plan; 4. *(LKW)* load compartment; **nutzbarer L.raum** payload space; **L.risiko** *nt* loading risk; **L.rost** *m* pallet

Ladeschein *m* 1. shipping/consignment/receiving note, carrier's/carriage receipt, certificate of shipment; 2. ⚓ bill of lading (B/L); **L. von Kraftverkehrsunternehmungen** trucking companies' bill of lading; **nicht übertragbarer L.** straight bill of lading

Lade|schluss *m* closing for cargo, period for shipment; ~ **haben** to close for cargo; **L.spesen** *pl* loading charges; **L.stelle** *f* loading point/berth; **L.straße** *m* delivery road(way); **(aufeinanderfolgende) L.tage** *pl* running days; **L.tätigkeit** *f* handling, loading and unloading; **L.tiefgang** *m* ⚓ load draught *[GB]*/draft *[US]*; **L.tonnage/L.verdrängung** *f* ⚓ load displacement; **L.vermögen** *nt* cargo/deadweight/loading capacity; **L.verzeichnis** *nt* 1. freight list; 2. ⚓ manifest; **L.volumen** *nt* loading capacity; **L.vorrichtung** *f* loading gear/tackle; **L.wasserlinie** *f* ⚓ load line; **L.zeit** *f* loading time; **gebührenfreie L.zeit** free time; **L.zettel** *m* receiving note, post bill *[GB]*/note *[US]*

Ladung *f* 1. *(Fracht)* cargo, load, freight (frt.); 2. *(Sendung)* shipment, consignment; 4. *(Gebühr)* portage; 3. *(Partie)* batch; 5. *(Einladen)* lading, stowdown; 6. burden; 7. § (writ of) summons, citation, writ/service of process, service of a writ; **ohne L.** empty, clear

Ladung zur Hauptverhandlung § originating summons; **L. unter Strafandrohung** subpoena; **L. zum Termin** notice of trial, summons to appear at the hearing; **L. durch öffentliche Zustellung** publication, summons by publication

keine Ladung mehr annehmen to close for cargo; **L. bergen** to save/salvage the cargo; **L. brechen** to break bulk; **L. einnehmen** to take in cargo; **gerichtliche L. erhalten** to be served with a summons; **L. ergehen lassen** to issue a summons; **einer L. Folge leisten** to answer a summons; **L. löschen** to discharge a cargo, to unload; **L. (über)nehmen** to be loading, to take up cargo, to lade; **L. verfügen** § to issue a summons; **L. über Bord werfen** to jettison (a) cargo; **ohne L. zurückkehren** to return light/empty; **L. zusammenstellen** to assort a cargo; **L. optimal zusammenstellen** to unitize a cargo; **jdm eine L. zustellen** § to serve so. a summons, ~ a summons upon so.

abgehende Ladung outward freight/cargo; **nicht befestigte L.** insecure load; **zu weit beförderte L.** overcarriage; **bewegliche L.** loose cargo; **nicht deklarierte L.** undeclared cargo; **durchgehende L.** through shipment; **fahrende L.** revenue freight; **feuergefährliche L.** inflammable cargo; **flüssige/nasse L.** liquid cargo; **förmliche L.** § summons; **geschlossene L.** complete load; **über Bord geworfene L.** jetsam; **zu große L.** overburden; **kostendeckende L.** break-even load; **lose L.** 1. bulk consignment; 2. shifting cargo; **mitgeführte L.** within cargo, cargo carried; **öffentliche L.** § service by publication, edital citation *[Scot.]*; **rollende L.** wheeled cargo **satzungsgemäße L.** due notice; **schriftliche L.** § letters citatory; **schwimmende L.** floating cargo; **sperrige L.** bulk cargo; **trockene L.** dry cargo/goods; **vom Schiff nicht übernommene L.** short-shipped cargo; **verderbliche L.** perishable cargo; **volle L.** full load; **wertvolle L.** valuable cargo; **zahlende L.** revenue freight

Ladungs|anfall *m* loading; **L.angebot** *nt* cargo offered; **L.arbeiten** *pl* loading operations; **L.aufkommen** *nt* 1. tonnage loaded, quantity of loads; 2. load potential; **L.aufseher** *m* ⚓ supercargo; **L.aufteilung** *f* cargo sharing; **L.beamter** *m* § process-server, summoner; **L.begutachter** *m* tallyman; **L.beteiligte** *pl* cargo owners; **L.buch** *nt* § cause book; **L.buchung** *f* booking of cargo; **L.eigentümer** *m* cargo owner, owner of the shipment; **L.einheit** *f* manifestation; **L.empfänger** *m* consignee, receiver; **L.fähigkeit** *f* carrying capacity; **L.frist** *f* § notice of appearance; **qualifizierte L.frist** *(HV)* special notice; **L.gewicht** *nt* tonnage, load; **L.gut** *nt* cargo; **L.hafen** *m* port of loading; **L.kontrolleur** *m* tally clerk, tallyman; **L.kosten** *pl* lading/shipping charges; **L.manifest** *nt* ⚓ manifest; **L.manko** *nt* short tonnage; **L.markt** *m* cargo market; **L.mindestgewicht** *nt* minimum weight of cargo; **L.papier** *nt* cargo document; **L.partie** *f* 🚃 car/wag(g)on load; **L.pfandrecht** *nt* cargo lien; **L.police** *f* cargo policy; **L.prüfer** *m* cargo/tally clerk; **L.schaden** *m (Transport)* damage in transit; ~ **durch Seewurf** damage to cargo by jettison; **L.schreiben** *nt* § summons, letters citatory, citation; **L.sicherung** *f* load securing; **L.tonne** *f* ⚓ manifest ton; **L.träger** *m* load carrier; **L.tüchtigkeit** *f* fitness for storage; **L.überschuss** *m* surplus tonnage; **L.verkehr** *m* cargo traffic; **kombinierter L.verkehr (KLV)** intermodal transport/traffic, combined rail/road transport service; **L.verlust** *m* loss of cargo

Ladungsverzeichnis *nt* freight list, carrier's manifest, waybill; **L. anmelden** to manifest; **im L. aufführen** to manifest

Ladungs|volumen *nt* cubage; **L.zustellung** *f* § service of a writ of summons, *(HV)* service of notice

geometrischer Lag geometric lag; **rationaler L.** rational lag

Lage *f* 1. *(Zustand)* situation, state, condition(s), lie, case; 2. *(örtlich)* position, site, location; 3. *(Organisation)* set-up, tier; 4. status; 5. *(Umstand)* circumstance, showing, juncture; 6. *(Schicht)* layer; **nicht in der L.** unable

Lage auf dem Arbeitsmarkt employment situation, position for employment; **L. der Dinge** state of affairs; **nach ~ Dinge** in/under the circumstances, as things/matters stand; **je nach L. des Falles** as the case may be; **L. des Geschäfts** store ambiance; ~ **Grundstücks** site; ~ **Marktes** state of the market

Lage ausgeben *(Wirtshaus)* to stand a round; **L. wieder ausgleichen** to rectify the situation; **sich in vergleichbarer L. befinden** to be comparably placed; **L. besprechen** to discuss the situation; **L. bestimmen** to locate; **nach L. der Akten entscheiden** to decide on the strength of the records; **L. erkunden** to see how the land lies *(coll)*; **etw. nach L. der Dinge entscheiden** to decide sth. on its merits; **mit einer L. fertigwerden** to meet a situation; **in eine missliche L. geraten** to get into a tricky situation; ~ **peinliche L. geraten** to be caught in a tight spot; ~ **schwierige L. geraten sein** to be caught on the horns of a dilemma; ~ **missliche L. kommen** to get into a (bad) fix; **L. peilen** *(coll)* to size up a situation, to see how the land lies *(coll)*; **L. prüfen** to investigate the position; **in der L. sein** to be in a position, ~ capable; **in bedrängter L. sein** to be hard up; **in derselben L. sein** to be in the same boat *(fig)*; **der L. nicht gewachsen sein** not to be equal to the occasion; **in der glücklichen L. sein** to be fortunate enough; **L. spendieren/stiften** to stand a round; **schlechte L. (zu) spüren (bekommen)** to feel the pinch; **in einer schwierigen L. stecken** to be on the horns of a dilemma; **L. verschärfen/verschlechtern** to aggravate the situation; **in die L. versetzen** to enable; **sich in jds. L. versetzen** to imagine o.s. in so.'s position; **sich einer L. gewachsen zeigen** to rise to the occasion

allgemeine Lage general situation; **außenwirtschaftliche L.** foreign trade situation, external position/situation; **bedrängte L.** plight; **beste L.** *(Grundstück)* prime site; **bevorzugte/erstklassige L.** prime area; **binnenwirtschaftliche L.** situation of the domestic economy; **exponierte L.** exposed position; **fatale L.** predicament; **finanzielle L.** financial situation/state/position/standing/condition; **meine ~ L.** my worldly circumstances *(coll)*; **gefährliche L.** tight spot *(coll)*; **gegenwärtige L.** present state of affairs, current situation; **gesamtwirtschaftliche L.** state of the economy, economic situation; **geschäftliche L.** status; **gespannte L.** tense situation/atmosphere; **in der gleichen L.** in the same boat *(fig)*; **weniger gute L.** secondary site; **heikle L.** trouble, predicament; **hoffnungslose L.** (hopeless) plight; **isolierte L.** insularity; **konjunkturelle L.** state of the economy, economic situation; **kritische L.** critical position; **missliche L.** 1. plight, predicament, jam; 2. precarious situation; **örtliche L.** local situation; **peinliche L.** embarrassing situation; **politische L.** political situation; **rechtliche L.** legal position; **in einer schlimmen L.** in a bad way; **schwierige L.** difficulty, predicament, awkward situation, exigency, exigence; **soziale L.** social situation/development; **strategische L.** strategic position; **unangenehme L.** awkward situation, predicament; **verzweifelte L.** desperate situation; **in verzweifelter L.** with one's back to the wall *(fig)*; **verzwickte L.** awkward position; **weltwirtschaftliche L.** world economic situation; **wirtschaftliche L.** 1. economic situation/circumstances, state of the economy; 2. financial situation

Lage|bericht *m* status/situation/management/annual report, report on the situation, fact-finding survey; **L.besprechung** *f* briefing, discussion of the current situation; **L.beurteilung/L.bewertung** *f* 1. assessment of the situation; 2. *(Standort)* locational evaluation; **L.beziehung** *f* relation of place; **L.finanzamt** *nt* local tax office; **L.messzahl** *f* ▦ measure of central tendency/location/position; **L.miete** *f* accommodation/situation rent

lagenweise *adj* in layers

Lage|parameter *m* parameter position; **L.plan** *m* site/layout/ground plan, plan of site, survey, location

Lager *nt* 1. *(Gebäude)* warehouse, storehouse, storage plant, depot, repository; 2. *(Raum)* storeroom, stockroom, stock keeping unit (SKU); 3. *(Vorrat)* stock, store, stockpile, inventory (held in storage), holding; 4. *(Mineralien)* bed, deposit; 5. ✿ bearing; 6. *(Politik)* camp

ab Lager ex/from stock, ex warehouse/store; **auf L.** in store/stock/storage; **nicht ~ L.** out of stock

von Lager zu Lager warehouse to warehouse; **L. für Waren aller Art** general merchandising warehouse; **L. gegen Zoll- bzw. Steuersicherung** bonded warehouse

frei Lager free warehouse; **auf L. geblieben** left on hand

Lager abbauen to run down/reduce/liquidate stocks, ~ inventories, to destock; **L. abstoßen** to sell out; **L. angreifen** to draw on stocks; **L. anlegen** to lay in stock; **L. (wieder) auffüllen/aufstocken** to stock up, to restock refill/replenish/rebuild/replace (the) stocks, ~ inventories, to load up the pipelines *(coll)*; **auf L. bringen** to warehouse; **in ein L. bringen** to place/deposit in a warehouse; **dem L. entnehmen** to take out of stocks, to draw from stock; **auf L. gehen** to go into stock; **~ haben** to stock, to have in/on stock, to keep in store, to carry in stock, to have on the shelf; **nicht mehr ~ haben** to be out of stock; **zu viel ~ haben** to be overstocked; **~ halten** to stock, to have in store, to keep; **zu großes L. halten** to overstock; **L. klein halten** to keep stocks trim; **ab/vom L. liefern** to supply/deliver from stock, ~ ex warehouse; **auf L. nehmen** to warehouse, to stock/store up, to take into/to lay in stock, to pass into store, to receive in store, to put into storage; **aus dem L. nehmen** to withdraw from stocks/a warehouse; **auf L. produzieren** to manufacture for stock/warehouse; **L. räumen** to sell out, to destock/unstock, to deplete inventories, to clear/offload stocks, to move stock; **auf L. sein** to be in stock, ~ on hand; **L. umschlagen** to turn (over) stock; **zu kleines L. unterhalten** to understock; **L. vervollständigen** to replenish stocks; **ins andere L. wechseln** 1. to change sides; 2. *(politisch)* to swap allegiances; 3. *(Unterhaus)* to cross the floor

dezentrales Lager decentralized inventory; **erschöpftes L.** depleted stocks; **firmeneigenes L.** private warehouse; **beweglich geführtes L.** buffer stocks; **geheimes L.** cache; **zu großes/überhöhtes L.** overstock, inflated stocks; **reichhaltiges/reich sortiertes L.** well-assorted stock(s); **temperaturgeführtes L.** temperature-controlled warehouse; **umlaufende L.** transportation inventories; **unvollständiges L.** incomplete stock(s); **zentrales L.** central stores/warehouse

Lager|abbau *m* stock reduction, destocking, reduction/rundown/running down of stocks, disinvestment/fall in stock, inventory liquidation/reduction/cutting/decline/rundown, liquidation of inventories; **~ des Handels** trade destocking

Lagerabgang *m* issue from store; **jährlicher L.** annual usage; **L.srate** *f* usage rate, rate of usage

Lager|abnahme *f* decrease in inventory; **L.abrechnung** *f* inventory account(ing); **L.anfertigung** *f* production for stock; **L.anforderung** *f* stores/inventory requisition; **L.anlieferungen** *pl* store supplies; **L.anmeldung** *f* entry into stock records; **L.anordnung** *f* layout of storage area; **L.anteil** *m* ratio of inventory levels to total assets; **L.arbeiter** *m* storeman, warehouse worker/hand, warehouseman; **L.artikel** *m* article in stock; **L.aufbau** *m* stockbuilding, build-up of stocks, inventory accumulation; **L.auffüllung** *f* stock/inventory replenishment, restocking, stock accumulation, stockbuilding, rebuilding/build-up/replenishment/building up of stocks, inventory build-up/accumulation; **L.auflösung** *f* liquidation of stocks, liquidation inventories; **L.aufnahme** *f* stocktaking *[GB]*, inventory taking *[US]*, physical inventory; **L.aufseher** *m* storekeeper, warehouse keeper, stockroom supervisor, warehouseman; **L.aufstellung** *f* inventory sheet; **L.aufstockung** *f* stockpiling, additions to stocks, inventory increase, building up/replenishment of stocks; **L.auftrag** *m* stocking-up/stock order; **L.aufwand** *m* outlay for inventories; **mengenmäßige L.aufzeichnungen** stockroom quantity records; **L.ausgang** *m* withdrawals from stock, inventory decrease, stocks issued; **L.auslastung** *f* utilization of storage capacity; **L.auslieferung** *f* delivery ex warehouse, ~ from stock; **L.ausstattung** *f* storage facilities; **L.bedarf** *m* stock requirements; **L.befundbuch** *nt* inventory book; **L.behälter** *m* storage container/bin; **L.behandlung** *f* handling of goods in storage; **L.bereinigung** *f* stock adjustment; **L.besichtigung** *f* entry to the store

Lagerbestand *m* stock (on/in hand), inventory (level/holdings), goods in stock/on hand, store, stockholdings, holding level, stockpile, back lot *[US]*; **Lagerbestände** current stocks, (warehouse) stocks, inventories, supplies

Lagerbestand und bestellte Ware available balance; **Lagerbestände des Einzelhandels** retail inventories; **~ im Fertigungsbetrieb** manufacturing inventory; **L. bei/vor Nachbestellung** reordering level

Lagerbestand abbauen to destock; **L. auffüllen** to replenish stocks; **L. aufnehmen** to take stock, to compile an inventory; **auf Lagerbeständen sitzen** to be saddled with stocks; **L. umschlagen** to turn (over) stock; **Lagerbestände nehmen zu** stocks accumulate; **auf ~ zurückgreifen** to draw on stocks

geringe Lagerbestände low stock levels, run-down stocks, lean in inventories; **buchmäßiger Lagerbestand** accounted inventory/stock; **kritischer L.** (re-) order point, reordering quantity; **mittlerer L.** average inventory on hand; **niedrige Lagerbestände** run-down stocks; **optimaler L.** optimum size of inventory; **unverkäufliche Lagerbestände** unsal(e)able stocks; **frei verfügbare Lagerbestände** available material; **wertmäßiger L.** inventory value

Lagerbestands|auffüllung *f* restocking; **L.aufnahme** *f* stocktaking; **L.aufstellung/L.bericht** *f/m* inventory/stock status report; **L.bewegung** *f* stock flow; **L.bewegungen** *pl* stock movements; **L.bewertung** *f* inventory valuation; **L.bilanz** *f* balance of stock; **L.fortschreibung** *f* updating of inventory; **L.führung** *f* 1. inventory monitoring/control/accounting; 2. storage management; **L.karte** *f* stock record card; **L.kartei** *f* inventory/stock index; **L.kontrolle** *f* stock control; **L.liste** *f* inventory (status report); **L.meldung** *f* stock information; **L.menge** *f* stock quantity; **L.prüfung** *f* inventory verification; **L.umschlag** *m* turnover of inventory/stock; **L.veränderung** *f* stock change; **L.vergleich** *m* comparison of inventory movements; **L.verzeichnis** *nt* inventory (status report); **L.wert** *m* inventory value

Lager|bestellung *f* store order; **L.betrieb** *m* storage operation, warehousing (business); **L.bevorratungsauftrag** *m* stock replenishment order; **L.bewegungen** *pl* inventory movements, stock changes

Lagerbewertung *f* inventory valuation; **L. zu Einkaufspreisen** base-stock method; **höhere L.** stock appreciation; **niedrigere L.** stock depreciation

Lager|bezugsschein *m* stores requisition (sheet); **L.-bilanz** *f* inventory balance

Lagerbildung *f* stockpiling, stockbuilding; **fertigungsorientierte L.** intermediate inventory; **ungewollte L.** involuntary inventory buildup

Lager|buch *nt* stock/warehouse book, stock/stores ledger; **L.buchführung** *f* store/inventory accounting, stockroom record system; **L.buchhalter** *m* stock record clerk; **L.buchhaltung** *f* stock/store(s)/inventory accounting department, stockroom/inventory records, stock record system; **maschinelle L.buchhaltung** mechanical store records; **L.daten** *pl* inventory data; **L.dauer** *f* stock holding/storage period, duration of storage; **L.defizit** *nt* inventory shortage; **L.disponibilität** *f* stock availability; **L.disposition(en)** *f* inventory management, stockbuilding activities, stockpiling behaviour, stock ordering; **L.druck** *m* excessive stock/inventory levels; **L.durchsatz** *m* warehousing throughput

Lagerei *f* warehousing; **L.betrieb** *m* warehousing company

Lager|eingang *m* inventory growth; **L.einheit** *f* stock/storage unit; **L.einrichtungen** *pl* warehousing facilities; **L.empfangsbescheinigung/-schein** *f/m* warehouse receipt

Lagerente (des Bodens) *f* location value/rent, rent due to favourable location

Lager|entnahme *f* issue, withdrawal; **L.ergänzung/ L.erneuerung** *f* stock replenishment, stockbuilding, restocking; **L.fach** *nt* storage bin; **L.fachkarte** *f* bin card; **l.fähig** *adj* storable, non-perishable; **L.fähigkeit** *f* 1. *(Kapazität)* storage area/capacity; 2. storability, shelf life; **L.fertigung** *f* production for stock; **L.finanzierung** *f* inventory financing, inventory/stocking finance; **L.fläche** *f* storage area/space, floor space; **freie L.fläche** open-air storage; **L.fluss** *m* inventory flow; **L.freisetzung** *f* stockshedding; **L.frist** *f* days of inventories; **L.führung** *f* warehouse management; **L.funktion** *f* inventory function; **L.gebäude** *nt* storehouse, storage building, warehouse; **L.gebühren** *pl* storage (charges), warehouse charges; **L.geld** *nt* storage (charges/ fee), warehouse rent/charges, demurrage; **l.geldfrei** *adj* rent-free; **L.geschäft** *nt* warehousing (business), procurement for stockbuilding purposes; **L.gewinn** *m* inventory profit; **L.größe** *f* inventory level/size; **L.gut** *nt* goods in stock, goods fit for storage; **L.hafen** *m* warehousing port; **L.halle** *f* warehouse, storage shed/ building, entrepôt *[frz.]*, storehouse; **L.hallenkonnossement** *nt* custody bill of lading

Lagerhalter *m* warehouseman, warehouse keeper, stockkeeper, stockholder, stock clerk, storer; **L.konnossement** *nt* custody bill of lading; **L.pfandrecht** *nt* warehouseman's lien

Lagerhaltung *f* 1. warehousing, stockkeeping, storekeeping, holding of stocks, storage (facilities/operation); 2. stock/inventory management; **L. mit konstanten Beständen** constant-cycle system of inventory control; ~ **gleichbleibenden Bestellintervallen** constant cycle system, periodic ordering; **L. nach ABC-Klassifikation** split-inventory method; **L. und Versand** physical handling; **innerbetriebliche L.** on-site stockkeeping; **öffentliche L.** public stocks/storage

Lagerhaltungs|analyse *f* inventory analysis; **L.dienst** *m* storage service; **L.geschäft** *nt* warehousing; **L.konnossement** *nt* custody bill of lading; **L.kontrolle** *f* inventory control; **L.kosten** *pl* inventory (carrying)/storage/warehousing/stocking/holding costs; **L.modell** *nt* inventory model; **L.pfandrecht** *nt* warehouseman' lien; **L.planung** *f* inventory planning/scheduling; **L.politik** *f* store/stock management, inventory/stocking policy; **L.rezession** *f* inventory recession; **L.schwankungen** *pl* inventory fluctuations; **L.strategie** *f* inventory/stocking strategy; **L.system** *nt* inventory control system; **L.theorie** *f* inventory theory; **L.zyklus** *m* inventory cycle

Lagerhauptbuch *nt* stores ledger

Lagerhaus *nt* warehouse, storehouse, depositary, freight house *[US]*; **ab L.** ex warehouse; **L. für zollpflichtige Güter** bonded *[GB]*/licensed *[US]* warehouse, *(Hafen)* ~ wharf; **L. unter Zollverschluss mit angeschlossener Produktionsstätte** bonded manufacturing warehouse; **öffentliches L.** public warehouse

Lagerhaus|arbeiter(in) *m/f* warehouse operative; **L.bescheinigung** *f* warehouse receipt (W/R); **L.bestände** *pl* (warehouse) inventories; **L.gesellschaft** *f* warehouse/warehousing company, stockholder; **L.umsatz** *m* stock/inventory turnover; **L.verwalter** *m* warrant clerk

Lager|herstellung *f* production for stock; **L.hof** *m* storage yard; **L.hüter** *m* inactive inventory item; **L.investition(en)** *f/pl* inventory investment/changes, investment in inventories, change in business inventories, net changes in inventory

Lagerist *m* warehouseman, stockkeeper, storekeeper, storeholder, storer, store/stock/warehouse clerk, stockman *[US]*

Lager|journal *nt* inventory journal; **L.kapazität** *f* storage capacity; **L.karte** *f* stock control/ledger/record card, stores/bin card, perpetual inventory card

Lagerkartei *f* inventory record, stores/stock file; **L.hilfskraft** *f* stock record clerk; **L.karte** *f* stock control/record card

Lager|kennzahl/-ziffer *f* inventory turnover ratio; **L.knappheit** *f* stock/inventory shortage; **L.kontingent** *nt* quota stocks; **L.konto** *nt* warehouse/inventory (asset) account; **L.kontrolle** *f* inventory/stock control

Lagerkosten *pl* 1. inventory (carrying)/storage cost(s), warehouse charges, cost in inventory; 2. cellarage; 3. *(Optionshandel)* carrying charge; **L.abgabe** *f* levy on storage; **L.satz** *m* inventory cost rate, ~ unit cost(s)

Lager|leistungen *pl* make-to-stock output; **L.leitsystem** *nt* warehouse control system; **L.liste** *f* stock register; **L.logistik** *f* warehouse logistics; **l.los** *adj* stockless; **L.material** *nt* stock on hand; **L.miete** *f* storage (rental fee) ; **L.möglichkeiten** *pl* storage facilities; **L.model** *nt* procurement inventory model

lagern *v/t* 1. to stock/store/warehouse/stockpile; 2. to lodge/park/deposit/dump, to lay in; **kühl l.** to cold-store; **trocken l.** keep dry

Lager|niveau *nt* inventory level; **L.ort** *m* storage place, stock location; **L.ortkarte** *f* bin tag; **L.partie** *f* stock lot; **L.personal** *nt* inventory clerks; **L.pfandschein** *m* warrant for goods, warehouse keeper's receipt/certificate, warehouse warrant (w/w)/receipt *[US]*, dock warrant (D/W); **L.plan** *m* 1. stores location plan; 2. inventory budget; **L.planung** *f* inventory/materials requirement planning

Lagerplatz *m* 1. depot, storage place/facility, yard, entrepôt *[frz.]*; 2. ⚓ wharf; 3. dump; 4. location; **L.karte** *f* location/bin card; **L.kartei** *f* location card index; **L.vergabe/L.verteilung** *f* storage place allocation; **L.verwaltung** *f* bin management

Lager|politik *f* storage/inventory policy; **L.position** *f* stock situation; **L.produktion** *f* production for stock; **L.prüfung** *f* inventory control; **L.rabatt** *m* stock rebate; **L.raum** *m* 1. storage capacity/facility/space, warehouse space; 2. storage/stock/store room, storage area; **L.räumung** *f* (inventory/stock) clearance, clear-out of unsold stocks; **L.rechnung** *f* store account; **L.restbestand** *m* leftover stock; **L.risiko** *nt* storage risk; **L.sachbearbeiter** *m* inventory clerk; **L.schaden** *m* 1. inventory damage; 2. ✿ defective bearing(s)

Lagerschein *m* warehouse warrant (w/w)/receipt/bond/certificate, negotiable warehouse receipt, dock warrant; **L. für sicherungsübereignete Waren** warehouse receipt; **nicht begebbarer L.** non-negotiable warehouse receipt; **L.inhaber** *m* warehouse receipt holder

Lager|schrumpfung *f* dwindling (of) stocks; **L.schuppen** *m* storage shed; **L.schwund** *m* storage loss; **L.-speicher** *m* storage warehouse; **L.spesen** *pl* storage (charges); **L.statistik** *f* inventory statistics; **L.stätte** *f* ⚒ deposit, bed; **abbauwürdige L.stätte** productive bed; **L.stelle** *f (Depot)* safekeeping address, place of safekeeping; **L.steuerung** *f* inventory control; **L.technik** *f* storage technology; **L.überschuss** *m* surplus stocks; **L.überwachung** *f* inventory monitoring/control, stock monitoring/chasing; **L.umfang** *m* stock level(s)

Lagerumschlag *m* stockturn, stock/(rate of) inventory/merchandise turnover, inventory-sales ratio; **L.sgeschwindigkeit** *f* rate of stockturn; **L.shäufigkeit** *f* stockturn; **L.squote** *f* inventory turnover ratio; **L.srate** *f* inventory/stock turnover rate; **L.szeit** *f* merchandise turnover period

Lagerung *f* warehousing, storage, storing, keeping in stock, housing, reposition; **während der L.** while storing; **L. unter Zollverschluss** storage under bond

Lagerungs|fähigkeit *f* storage capacity; **L.gebühren** *pl* warehousing charges; **L.geschäft** *nt* warehousing; **L.kosten** *pl* storage costs; **L.probleme** *pl* storage problems

Lager|veralterung *f* obsolescence of stocks; **L.verkauf** *m* ex-stock sales; **L.verkehr** *m* inventory transactions; **L.verlust** *m* inventory/stock loss; **L.versicherung** *f* storage/warehouse insurance; **L.versorgungsauftrag** *m* stock replenishment order; **L.vertrag** *m* storage/warehousing contract; **L.verwalter** *m* warehouseman, storekeeper, warehouse keeper/manager, stock/store(s)/inventory/stockroom clerk, storeholder, stockman; **L.verwaltung** *f* warehouse/inventory/stores management; **L.verweildauer** *f* storage period; **L.verzeichnis** *nt* stocks, stock list; **L.vorrat** *m* 1. stock, supply, warehouse inventories; 2. stock investment; **L.vorrichtungen** *pl* storage facilities; **L.waren** *pl* storage/stock goods; **L.wert** *m* inventory/stock value; **L.wesen** *nt* warehousing, storing; **L.wirtschaft** *f* 1. inventory/storage management, stock/inventory control, administration of inventory; 2. material requirement planning; **L.zeit** *f* storage period, storing time; **L.zeitraum** *m* period of stockholding; **L.zettel** *m* bin card; **L.zins** *m* implicit interest charges for inventory period

Lagerzugang *m* incoming inventory/stock, warehouse receipt; **L.zugänge** additions to/increase in stocks, incoming stocks; **sukzessiver L.** non-instantaneous receipt; **L.sliste** *f* stock receipts register

Lager|zyklus *m* stock(ing) cycle, inventory (investment) cycle; **L.- und Auftragszyklus** stock and order cycle

Lageskizze *f* sketch map

Lagune *f* lagoon

lahm *adj* lame, tame; **l.en** *v/i* to be lame

lähmen *v/t* to paralyze/hamstring/cripple

lahm gelegt *adj* crippled; **l. legen** *v/t* to paralyze/cripple/tie up/check/immobilize/obstruct, to bring to a halt/standstill; **L.legung** *f* paralyzation, tie-up, immobilization

Lähmung *f* paralyzation, paralysis, crippling; **doppelseitige L.** ⚕ paraplagia

Laie *m* layman

Laien|- amateur, lay; **l.haft** *adj* lay, dilettante *[frz.]*; **L.richter** *m* lay judge/justice, non-professional judge, *(Amtsgericht)* lay magistrate

Laisser-faire *nt* laisser-faire, laissez-faire

lakonisch *adj* laconic, succinct

lamentieren *v/i* to lament/moan

Lamm|fell *nt* lambskin; **L.fleischordnung** *f [EU]* lamb meat regime

lancieren *v/t* to launch/float

Land *nt* 1. land, country, *[D]* federal state; 2. territory, plot, lot, holding

an Land onshore, ashore; **auf dem L.** in the country; **außer L.es** abroad; **im L.** at home; **nach dem L.** onshore; **zu L.e** by land, overland

Land des letzten ständigen Aufenthalts country of last residence; **L. im Besitz der öffentlichen Hand** publicly owned land; **L. mit Doppelwährung** bimetallic nation; ~ **Fühlungsvorteil** accommodation land; ~ **niedrigem Importanteil** low absorber; **L. und Leute** a country and its people; **Länder des Gemeinsamen Marktes** Common Market countries; ~ **ohne Verrechnungsabkommen** non-clearing countries; **L. für Wohnbebauung** land for residential development, housing land; **L. des steuerlichen Wohnsitzes** country of fiscal domicile

aus aller Herren Länder from all over the world; **im Land erzeugt** 🚜 home-grown; **an L. stationiert** land-based; **das L. berührend und betreffend** § touching and concerning the land; **das ganze L. umfassend** nationwide; **vom L. umschlossen** landlocked

Land abstecken to peg out a plot of land; **L. ansteuern**

⚓ to make for the shore; **L. auflassen** to release a property; **L. bebauen** 🚜 to work the land; **sich an L. begeben** ⚓ to disembark; **L. bereisen** to tour a country; **L. besitzen** to own land, to have property (interest) in land; **L. bewirtschaften** to farm land; **an L. bringen** ⚓ to land, to bring ashore; **L. erwerben** to acquire land; **L. freigeben/-ziehen** to release land; **an L. gehen** ⚓ to disembark, to go ashore; **außer L.es gehen** to go abroad; **ins L. gehen** *(Jahre)* to pass; **L. gewinnen** to reclaim land; **L. zu Eigen haben** § to hold land in fee simple; **L. brach liegen lassen** to allow land to lie fallow; **auf dem L. leben** to live in the country; **L. urbar machen** to cultivate land; **L. unter den Pflug nehmen** to bring land under tillage; **L. parzellieren** to parcel land out; **durch ein L. reisen** to tour a country; **zu L.e reisen** to travel by land; **an L. schwemmen** to wash ashore; **außer L.es sein** to be abroad; **L. sichten** ⚓ to make land; **aus einem L. stammen** to originate in a country; **L. veräußern** to dispose of land; **L. vermessen** to survey land; **des L.es verweisen** 1. to exile; 2. to deport; **jdn aus dem L. weisen** to expel so. (from the country); **auf dem L. wohnen** to live/dwell in the country; **etw. an L. ziehen** *(coll)* to get hold of sth., to land sth.; **L. zuweisen** to assign land

abgetretenes Land ceded territory; **anbaufähiges L.** arable land; **angebautes L.** farmland; **antragstellendes L.** applicant country; **(nicht) assoziiertes L.** (non-) associated country; **ausrichtendes L.** host country; **baureifes L.** developed/developable land, land ready for building; **bebautes L.** 1. 🚜 farmland; 2. built-up land; **bestelltes L.** cultivated land; **brachliegendes L.** fallow (land); **nicht devisenbewirtschaftetes L.** free-currency country; **drittes L.** third country; **eigengenutztes L.** *(Feudalbesitz)* demesne land; **weniger entwickeltes L.** less developed country (LDC); **am wenigsten ~ L.** least developed country (LLDC); **erschließbares L.** developable land; **zu erschließendes L.** development land/property; **erschlossenes L.** serviced land; **auf dem flachen L.** in the depth of the country; **freigezogenes L.** land made redundant; **fremdes L.** foreign country; **aus dem ganzen L.** from all over the country; **im ganzen L.** nationwide, throughout/all over the country; **höher gelegenes L.** upland; **markt-/verkehrsgünstig ~ L.** accommodation land; **landwirtschaftlich genutztes L.** agricultural land; **milchwirtschaftlich ~ L.** dairy farmland; **auf Lebenszeit gepachtetes L.** life-tenure land; **hochverschuldetes L.** heavily indebted country; **kreditnehmendes L.** borrowing country; **lehensfreies L.** *(Feudalbesitz)* allodium *[lat.]*; **an der Rentabilitätsgrenze liegendes L.** marginal land; **melioriertes L.** improved land; **präferenzbegünstigtes L.** ⊖ beneficiary country, country enjoying preferential treatment; **rückständiges L.** backward country; **trockengelegtes L.** drained land; **unbebautes/unkultiviertes L.** 1. bare/unimproved land, wasteland; 2. wastrel; **unerschlossenes L.** green field (site); **ungepflügtes L.** virgin soil; **unterentwickeltes L.** developing/underdeveloped country; **verpachtetes L.** leased land; **währungsschwaches L.** soft-currency country, monetarily weak country; **währungsstarkes L.** strong-currency country; **zahlungsschwaches L.** deficit country

Land|abfindung *f* land damages; **L.abgabe** *f* surrender of land; **L.adel** *m* (landed) gentry; **L.ankauf** *m* land purchase; **L.arbeit** *f* agricultural labo(u)r/work

Landarbeiter *m* 1. agricultural worker/labo(u)rer, farm worker/labo(u)rer, farmhand; 2. cottager; **L. auf Naturallohnbasis** tasker, sharecropper *[US]*; **L.kotten/ L.unterkunft** *m/f* tied cottage; **L.lohn** *m* agricultural wage; **L.wohnung** *f* farm labo(u)rer's cottage *[GB]*

Land|arzt *m* country doctor; **l.auf, l.ab** *adv* all over the country, up and down the country/land; **spekulativer L.aufkauf** land-grabbing; ~ **L.aufkäufer** land-grabber; **L.aufnahme** *f* land survey, Ordnance Survey *[GB]*; **l.aus, l.ein** *adv* far and wide; **L.bank** *f* agricultural/country bank

Landbau *m* agriculture, farming, husbandry; **L.schule** *f* agricultural college; **leichtverkäufliches L.produkt** cash crop

Landbeschaffung *f* acquisition/purchase of land

Landbesitz *m* real estate, realty *[US]*, land holding, landed property, holdings; **ohne L.** landless; **gemeinsamer L.** multiple tenure

Land|besitzer *m* landowner, landed proprietor; *pl* the landed interests; **L.besitzrecht** *nt* tenure; **L.bevölkerung** *f* rural population; **L.bewilligung** *f* land grant; **L.bewirtschaftung** *f* farming, tillage; **L.bewohner** *m* country dweller, countryman; **L.bezirk** *m* rural district; **L.brücke** *f* land bridge, isthmus

Lande|bahn *f* ✈ runway; **L.brücke** *f* ⚓ pier, jetty; **L.erlaubnis** *f* landing permit/right; **L.gebühren** *pl* landing fee/charge; **L.genehmigung** *f* permission to land

Land|eier *pl* free-range eggs; **L.eigentümer** *m* landowner, landed proprietor; **L.einfriedung** *f* enclosure; **l.einwärts** *adv* 1. ⚓ landward; 2. inland

Lande|karte *f* 1. landing ticket; 2. ⚓ disembarkation card; **L.kosten** *pl* landing charges; **L.kreuz** *nt* ✈ air tee

Landen *nt* landing; **l.** *v/i* 1. ⚓ to land/disembark; 2. ✈ to land, to touch down

Land|enge *f* isthmus, neck of land; **L.enteignung** *f* land expropriation

Lande|piste *f* ✈ landing strip; **L.platz** *m* 1. landing ground/field/place, air strip; 2. ⚓ berth, quay, pier

bilaterales Länder|abkommen negotiated bilateral quota; **L.anleihe** *f* state bond (issue)

Landerecht *nt* ✈ landing rights

Ländereien *pl* lands, landed property; **L. aufteilen** to make purparty

Länder|finanzausgleich *m* *[D]* fiscal equalization among the states; **L.finanzverwaltung** *f* state taxation authorities; **L.gruppe** *f* group of countries; **handelspolitische L.gruppen** country groupings for trade purposes; **L.komplex** *m* group of countries; **L.kontingent** *nt* national/negotiated quota, quota accorded to a country; **L.pavillon** *m (Ausstellung)* national pavilion; **L.-quoten** *pl* country-by-country quotas; **L.referent(in)** *m/f* country manager; **L.risiko** *nt* country risk; **L.risikobewertung** *f* country-risk assessment

Landerschließung *f* land development; **L.ssteuer** *f* land development tax

Länder|statistik *f* statistics by countries/states; **L.studie** *f* country-by-country study; **l.übergreifend** *adj* cross-border; **L.vergleich** *m* cross-national survey; **l.weise** *adj* per-country

Landerwerb *m* land purchase/acquisition

Landes|- home; **L.abgaben** *pl* internal taxes; **L.amt** *nt* state office; ~ **für Besoldung und Versorgung** state office for pay and pensions; **L.arbeitsamt** *nt* federal labour office; **L.arbeitsgericht** *nt* regional/appellate labour court, appellate industrial tribunal, industrial tribunal at state level; **geschäftsführender L.ausschuss** national executive committee/council; **L.bank** *f* national/state/regional bank, Land bank; **L.bedarf** *m* home consumption

Landesbehörde *f* state authority; **mittlere L.** middle-level Land authority; **obere L.** higher Land authority; **oberste L.** supreme Land authority; **untere L.** lower-level Land authority

Landes|brauch *m* national/regional custom; **L.bürgschaft** *f* Land guarantee, guarantee furnished by a state

Landeschein *m* ✈ landing certificate

Landes|durchschnitt *m* 1. national average; 2. average for the federal state; **auf L.ebene** *f* at national/state level; **l.eigen** *adj* state-owned; **L.entwicklungsplan** *m* regional development plan; **L.erzeugnis** *nt* native product; **L.erzeugnisse** 1. 🚜 home produce; 2. domestic manufactures, products of a country; **L.etat/L.haushalt** *m* state/land budget; **L.farben** *pl* national colours; **L.flagge** *f* national flag; **L.förderung/L.hilfe** *f* state aid; **L.fürst** *m* 1. prince; 2. *(ironisch)* princeling; **L.gesetz** *nt* state law; **L.gewerbeamt** *nt* state/regional office of trading; **L.grenze** *f* 1. state boundary; 2. national frontier; **L.hauptmann** *m [A]* head of the provincial government; **L.hauptstadt** *f* capital; **L.herr** *m* sovereign; **L.hoheit** *f* sovereignty; **L.innere** *nt* hinterland; **ins L.innere** inland; **L.interesse** *nt* national interest; **L.justizverwaltung** *f* state administration of justice; **L.kartellamt** *nt* state cartel office; **L.kasse** *f* state cash office; **L.kind** *nt* native; **L.krankenhaus** *nt* psychiatric hospital; **L.kreditausschuss** *m* land credit committee, loans committee of a state; **L.kriminalamt** *nt* state criminal investigation department; **L.minister** *m* state minister; **L.personal** *nt* local staff, locally recruited staff; **L.personalausschuss** *m* state civil service representative council; **L.planung** *f* regional/country planning, town and country planning; **L.planungsamt** *nt* regional planning authority; **L.produkt** *nt* 🚜 home produce, domestic/native product; **L.produkte** 🚜 inland produce, domestics; **L.rechnungshof** *m* state board of audit; **L.recht** *nt* law of the country/land, state legislation/law; **L.regierung** *f* state government; **L.sozialgericht** *nt* appellate court for social security matters, state social court, regional social insurance appeals tribunal; **L.sprache** *f* national language; **L.steuer** *f* state tax; inland duty/revenue

Landesteg *m* ⚓ pier, jetty, landing stage

Landes|teil *m* region; **l.üblich** *adj* customary, current, prevailing; **L.valuta** *f* currency of a country; **L.verfassung** *f* state constitution; **L.vermessung** *f* land survey; **L.vermessungsamt** *nt* state surveyor's office, Ordnance Survey *[GB]*; **L.verordnung** *f* state ordinance; **L.verrat** *m* high treason; **L.versicherungsanstalt** *f* state social insurance office; **L.verteidigung** *f* national defence; **L.verwaltung** *f* state administration; **L.verwaltungsgericht** *nt* state administrative court/tribunal; **L.verweis/L.verweisung** *m/f* ban, exile; **L.währung** *f* national/domestic/home/local currency, legal/lawful/local tender of a country, money of account, coin of the realm; **L.wappen** *nt* national coat of arms; **l.weit** *adj* 1. state-wide, country-wide, across the country; 2. nationwide, national

Landesystem *nt* ✈ landing system

Landes|zentralbank *f* clearing bank/house, (regional) central bank, central (state) bank; **L.zugehörigkeit** *f* nationality

Lande|verbot *nt* ✈ refusal of permission to land; **(festgelegte) L.zeit** *f* landing slot

Land|fahrer *m* vagrant, traveller; **L.flucht** *f* rural exodus/depopulation, drift to the city, migration; **L.fracht** *f* land carriage, carriage/conveyance by land, land-borne freight; **l.fremd** *adj* alien; **L.friedensbruch** *m* breach of (the) peace; ~ **begehen** to breach the peace; **L.gang** *m* ⚓ shore leave; **L.gemeinde** *f* rural community; **L.gericht** *nt* district/regional court; **l.gestützt** *adj* land-based; **L.gewinnung** *f* land reclamation, reclamation work; **L.grenze** *f* land frontier; **L.gut** *nt* estate, manor, holding, domain; **L.handel** *m* 1. land-borne trade; 2. itinerant/rural trade; **L.handelsbetrieb** *m* sale of farm products; **L.haus** *nt* country house; **L.karte** *f* map; **L.kauf** *m* land purchase; **L.kreis** *m* rural/administrative district, county; **l.läufig** *adj* general, widespread, popular; **L.leben** *nt* country life; **L.leute** *pl* country folk

ländlich *adj* rural, rustic, agricultural

Land|luft *f* country air; **L.macht** *f* continental power; **L.mann** *m* farmer, tiller

Landmaschine *f* farm/agricultural machine; **L.n** farm/agricultural machinery; **L.nbranche** *f* farm equipment industry; **L.nhandel** *m* agricultural machinery trade; **L.nindustrie** *f* farm supply industry

Land|messer *m* (land) surveyor; **L.nutzung** *f* land use, utilization/use of land; **L.nutzungsrecht** *nt* authorized land use

Landpacht *f* tenure of land, lease, land tenancy; **L.gesetz** *nt* farm tenancies act; **L.vertrag** *m* farm lease; **L.zinsen** *pl* lease interest

Land|parzelle *f* plot of land; **L.plage** *f* public nuisance; **L.polizei** *f* country police/constabulary; **L.rat** *m* district administrator, chief executive of a country, county president; **L.ratsamt** *nt* district administrator's office; **L.ratte** *f (coll)* landlubber *(coll)*; **L.reaktivierung** *f* land recycling; **(gemeines) L.recht** *nt* Common Law *[GB]*; law of the country/land; **L.reform** *f* land reform; **L.regen** *m* warm summer rain, steady rain; **L.rücken** *m* ridge

Landschaft *f* 1. countryside; 2. landscape, scenery; **in**

die konjunkturelle L. passen to be in line with the economic situation; **L. verschandeln** to be a blot on the landscape

landschaftlich *adj* scenic; **l. gestalten** to landscape

Landschafts|architekt *m* landscape architect; **L.bild** *nt* landscape; **L.entwicklung/L.gestaltung** *f* landscaping; **L.erhaltung** *f* rural preservation; **L.- und Gartenbau** *m* horticulture; **L.gestalter/L.gärtner** *m* landscape gardener; **L.pflege** *f* rural conservation; **L.plan** *m* landscape plan; **L.planung** *f* landscape planning; **L.schutz** *m* landscape protection, rural preservation; **L.schutzamt** *nt* Countryside Commission *[GB]*; **L.schützer** *m* conservationist; **L.schutzgebiet** *nt* nature reserve, conservation area, environmentally sensitive area, Area of Outstanding Natural Beauty *[GB]*; **L.schutzverordnung** *f* landscape protection ordinance; **L.verband** *m* regional assembly/authority

Land|schenkung *f* land grant; **l.seitig** *adj* on shore; **L.sitz** *m* country residence, estate, grange; **größerer L.sitz** country seat

Lands|leute *pl* compatriots; **L.mann** *m* compatriot, countryman

Land|spitze *f* headland; **L.stadt** *f* country town; **L.straße** *f* 1. highway, country road; 2. B road *[GB]*; **offene L.straße** open road; **L.streicher** *m* vagrant, tramp; **L.streicherei/L.streichertum** *f/nt* vagrancy; **L.streifen** *m* strip/tract of land; **L.streitkräfte** *pl* army; **L.strich** *m* region, area; **L.stück** *nt* tract of land; **L.tag** *m* diet, state assembly; **L.tausch** *m* land swap/exchange; **L.technik** *f* agricultural/rural engineering

Landtransport *m* land carriage/transport(ation), surface transport, conveyance by land; **L.risiko** *nt* land risk; **L.versicherung** *f* insurance of goods in transit by land

landumschlossen *adj* land-locked

Landung *f* landing, disembarkation; **weiche L.** smooth landing

Landungs|bake *f* approach beacon; **L.brücke** *f* landing stage, pier; **L.gebühr** *f* landing charges; **L.hafen** *m* port of call; **L.kosten** *pl* landing charges; **L.offizier** *m* beach master; **L.rolle** *f* ⚓ landing bill; **L.steg** *m* landing stage; **abgebrochener L.versuch** ✈ aborted landing; **L.zoll** *m* ⚓ dock charges/dues, dockage, quayage, wharfage

Land|urlaub *m* ⚓ shore leave; **L.verbindung** *f* land link; **L.verkauf** *m* disposal/sale of land; **L.verkehr** *m* 1. land transport; 2. inland traffic; **L.vermesser** *m* (land) surveyor; **L.vermessung** *f* ordnance survey, land surveying; **L.verödung** *f* land dereliction; **L.volk** *nt* country folk/people; **L.vorsprung** *m* headland; **L.warenhandel** *m* 1. itinerant trade; 2. trade in agricultural goods; **l.wärtig/l.wärts** *adj* landward, onshore, inland

Landweg *m* 1. (over)land route; 2. country lane; **auf dem L.** overland, by land; **~ befördern** to transport by land

Land|wehr *f* militia, territorial army; **L.wind** *m* offshore/seaward wind; **L.wirt** *m* farmer, husbandryman

Landwirtschaft *f* agriculture, farming, husbandry, agricultural industry, agribusiness *[US]*; **L.- und Forstwirtschaft** agriculture and forestry; **L. betreiben** to farm

landwirtschaftlich *adj* agricultural, farming, agrarian, agronomical; **l.- und forstwirtschaftlich** agricultural and silvicultural

Landwirtschafts|- agricultural; **L.ausschuss** *m* agricultural committee, Agriculture Select Committee *[GB]*; **L.ausstellung** *f* agricultural fair/show; **L.bank** *f* agricultural *[GB]*/land *[US]* bank; **L.berater** *m* agricultural adviser; **L.brief** *m* agricultural mortgage bond; **L.jahr** *nt* farm year; **L.kammer** *f* chamber of agriculture; **L.kommissar** *m [EU]* Farm Commissioner; **L.-kredit** *m* farm loan/credit, agricultural loan; **L.lehre** *f* agricultural science; **L.messe** *f* agricultural fair/show; **L.minister** *m* Minister *[GB]*/Secretary *[US]* of Agriculture, *[EU]* farm minister; **L.ministerium** *nt* ministry/department of agriculture; **L.nachrichten** *pl* agricultural news; **L.politik** *f* agricultural/agrarian/farm(ing) policy; **~ der Gemeinschaft** *[EU]* common agricultural policy (CAP); **L.schau** *f* agricultural fair/show; **L.schule** *f* agricultural college; **L.verband** *m* agrarian association

Landzunge *f* neck of land, promontory; **L.zuwachs** *m* § accretion of territory; **(staatliche) L.zuweisung** *f* land grant *[US]*, grant of land; **L.zuweisungsschein** *m* land scrip/warrant *[US]*

über kurz oder lang sooner or later; **l. und breit** at length; **übermäßig l.** lengthy; **so l.e bis** until such time as; **zu l.e** over the limit

lang|atmig *adj* lengthy, long-winded, long-drawn(-out); **l.dauernd** *adj* prolonged, secular

Länge *f* 1. length; 2. *(geografisch)* longitude; **L. der Gefängnisstrafe** prison term; **L. über alles** length overall; **~ Puffer** 🚆 length over buffers; **in die L. ziehen** to protract, to spin out; **sich ~ ziehen** to drag on; **in der ganzen L.** full-length; **in voller L.** at full length

langen *v/i* to suffice, to be enough

Längen|grad *m* (degree of) longitude; **L.maß** *nt* unit of length, long measure; **L.zuschlag** *m* long length additional

länger als beyond; **l.fristig** *adj* long(er)-term, permanent

Lang|finger *m* *(coll)* pilferer, pincher, pickpocket; **l.fingrig** *adj* light-fingered; **L.format** *nt* oblong size

Langfrist|- long-term

langfristig *adj* long, long-term, long-dated, long-range, long-run; *adv* in the long run/term; **l. gesehen** in the long run/term

Langfrist|indikator *m* longer leading indicator; **L.plan** *m* long-range/long-term plan; **L.planung** *f* (long-term/long-range) corporate planning

Lang|holzwagen *m* 🚗 timber truck *[GB]*, 🚆 lumber car *[US]*; **l.jährig** *adj* long-standing, multi-year

Langläufer *m* *(Anleihe)* long-dated gilt/stock, long-term bond, long(s); *pl* long-dated securities/maturities, long maturities; **hoch verzinslicher L.** high-coupon long

langlebig *adj* 1. long-life, long-lived; 2. durable; **L.keit** *f* (long) durability

länglich *adj* long, elongated

Längs *prep* alongside; **L.abweichung** *f* longitudinal aberration; **L.achse** *f* longitudinal axis

langsam *adj* slow(-going), laggard, sluggish, torpid; **l.er** *adv* at a slower rate; ~ **werden** to slow down; **planmäßiges L.arbeiten; L.streik** *m* stop-go/go-slow strike

Längsaufriss *m* longitudinal view

Langschrift *f* longhand; **in L.** handwritten; ~ **übertragen** to transcribe

Längs|format *nt* oblong size; **L.richtung** *f* longitudinal direction; **L.schnitt** *m* longitudinal section; **L.schnitttafel** *f* ▦ cohort table

Längsseit|e *f* ⚓ broadside; **ab L. Schiff** from alongside ship/vessel; **frei ~ Schiff** free alongside ship/steamer (f.a.s.); **L.-Konnossement** *nt* alongside bill of lading (B/L); **l.s** *adv* alongside; **L.slieferung** *f* delivery alongside the vessel/ship

Langstrecke *f* long distance, long range, long haul; **L.nflug** *m* long-distance flight; **L.nflugzeug** *nt* long-range plane, long-haul/long-range aircraft; **L.ntransport** *m* long-haul transport

Längsträger *m* *(Container)* longitudinal beam

Lang|vermietung *f* finance leasing; **L.welle** *f* long wave; **L.wellensender** *m* long-wave transmitter; **l.wierig** *adj* lengthy, long-winded, prolonged, protracted, tedious, chronic

Langzeit|- long-range, long-term; **L.arbeitslose(r)** *f/m* long-term unemployed; **L.arbeitslosigkeit** *f* long-term unemployment; **L.gutachten** *nt* long-term forecast; **l.ig** *adj* long-run; **L.indikator** *m* longer leading indicator; **L.kultur** *f* 🚜 perennial crop; **L.parkplatz** *m* long-stay car park; **L.perspektive** *f* long view; **L.planung** *f* long-term/long-range planning; **L.politik** *f* long-term policy; **L.prognose** *f* long-range forecast; **L.programm** *nt* long-term programme; **L.projekt** *nt* long-term project; **L.studie** *f* long-term/long-range study; **L.urlaub** *m* extended holiday; **L.untersuchung** *f* long-term study; **L.vermietung** *f* finance leasing; **L.versuch** *m* long-time test; **L.wachstum** *nt* secular growth; **L.wirkung** *f* long-term effect

lapidar *adj* succinct, offhand

Lappalie *f* trifle

jdm durch die Lappen gehen *pl* *(coll)* to slip through so.'s fingers

Lapsus *m* lapse, blunder

Lärm *m* noise, din, clamour; **L.bekämpfung/L.dämmung** *f* noise abatement; **L.belästigung** *f* noise pollution/nuisance; **L.belastung** *f* noise pollution (level); **L.einwirkung** *f* noise level; **L.intensität** *f* noise level; **L.minderung** *f* noise abatement; **L.pegel** *m* noise level; **L.quelle** *f* source/origin of noise; **L.schlucker** *m* noise absorber

Lärmschutz *m* noise/sound protection, noise abatement, sound-deadening; **L.bereich** *m* noise abatement zone; **L.einrichtung** *f* noise baffle; **L.maßnahme** *f* noise prevention/abatement measure; **L.wall** *m* noise protection embankment; **L.wand** *f* noise barrier

Lärm|schwelle *f* noise level; **L.skala** *f* phonometer scale; **L.tabelle** *f* phonometer scale; **L.verminderung** *f* noise abatement; **L.zulage** *f* disturbance allowance

lasch *adj* lax, lackadaisical; **L.heit** *f* laxity, sluggishness

Laser *m* laser; **L.drucker** *m* laser printer; **L.erkennung** *f* laser identification

Lash-Verfahren *nt* lighter aboard ship (lash) method

lasier|en *v/t* to glaze; **L.farbe** *f* transparent colour

Last *f* 1. load, burden, weight (wt.), pressure; 2. *(Belastung)* charge, onus, encumbrance; 3. *(Arbeit)* chore; **L. der Beweisführung** onus of proof; **L. des Beweismaterials** weight of evidence

frei von Lasten *(Land)* free from encumbrances, unencumbered; **zu L. von** 1. chargeable/charged to, to the account/debit of; 2. to the detriment of; ~ **des Empfängers** on receiver's account; ~ **des Käufers** to be paid by the buyer

Last abschütteln to throw off a burden; **L. aufbürden** to burden; **von einer L. befreien** to free of a burden; **sich seiner L. entledigen** to get sth. off one's neck; **jdm zur L. fallen** to be a burden on so.; **zu jds L.en gehen** to be borne by so.; **zur L. legen** to blame/impute; **jdm etw. ~ legen** to lay sth. at so.'s door, to hold sth. against so.; **L. auf sich nehmen** to shoulder a burden; **L. für jdn sein** to be a burden on so.; **von einer L. bedrückt sein** to be weighed down by a burden; **zu jds L.en verbuchen** to debit so.; **L. verteilen** to spread the burden; **unter der L. zusammenbrechen** to break down under the weight

dauernde Last|en standing charges, permanent burden; **öffentliche L.en** public charges; **schwere L.** heavy load/burden; **soziale L.en** social charges, welfare costs; **steuerliche L.** tax burden; **tote L.** dead load, tare

Last|anhänger *m* (utility *[US]*) trailer; **L.auto** *nt* lorry *[GB]*, truck *[US]*; **L.bereich** *m* ϟ load period

lasten auf *v/i* to weigh on

Lasten|aufzug *m* service elevator/lift, freight elevator, hoist; **L.ausgleich** *m [D]* equalization of burdens, burden sharing, fair sharing of burdens

Lastenausgleichs|abgabe *f* war damage compensation levy, equalization of burdens levy; **L.amt** *nt* equalization office; **L.bank** *f* equalization of burdens bank; **L.fonds** *m* equalization of burdens fund; **L.gesetz** *nt* equalization of burdens act; **L.vermögensabgabe** *f* equalization of burdens property levy

Lasten|beihilfe *f* hardship allowance; **L.flugzeug** *nt* cargo plane; **l.frei** *adj* free of charges/mortgages, ~ from encumbrances, unencumbered; **L.heft** *nt* ⚙ performance specifications/standard, standard condition and contract, tender/design specifications; ~ **der Dienstleistung** service brief; **L.segler** *m* 1. ⚓ cargo-carrying sailing ship; 2. ✈ cargo glider; **L.übergang** *m* transfer of liabilities; **L.verteilung** *f* burden sharing; **gerechte L.verteilung** fair sharing of burdens; **L.zuschuss** *m* hardship allowance

Laster *m* lorry *[GB]*, truck *[US]*

läster|n *v/ti* to backbite; **L.ung** *f* slander

Last|fahrt *f* laden journey; **L.fahrzeug** *nt* load-carrying/goods vehicle; **L.fuhrwerk** *nt* horse-drawn cart, horse and cart; **L.gewicht** *nt* loading weight; **L.grenze** *f* maximum load

lästig *adj* 1. annoying, inconvenient, burdensome, cumbersome, onerous; 2. interfering

Lastkahn *m* lighter, barge

Lastkraftwagen (LKW) *m* ➔ **LKW** (motor) lorry/truck, heavy goods vehicle (HGV); **leichter L.** light van *[GB]*, pick-up (truck) *[US]*; **schwerer L.** heavy truck; **L.anhänger** *m* trailer

Last|lauf *m* loaded journey; **L.-Minute-Flug** *m* availability flight; **L.pferd** *nt* packhorse; **L.schiff** *nt* freighter, barge; **L.schiffer** *m* bargee

Lastschrift *f* debit (entry), bank/direct debit; **L.en und Gutschriften** debit and credit entries, debits and credits, debitors and creditors

Lastschrift|anzeige *f* 1. debit note/advice/memorandum; 2. advice of debit, charge slip; **L.auftrag** *m* debiting instruction, direct debit instruction/mandate; ~ **kündigen** to cancel a direct debiting instruction; **L.avis** *nt* debit advice; **L.beleg** *m* debit voucher/slip; **L.einzug** *m* debit transfer order collection; **L.einzugsverkehr** *m* collection by direct debit transfer; **L.formular** *nt* direct debit form; **L.karte** *f* debit card; **L.posten** *m* debit item; **L.verfahren** *nt* direct debiting, direct debit system, automatic transfer service; **L.verkehr** *m* direct debiting (transactions); **L.zettel** *m* debit/charge slip

Last|spiel *nt* operating cycle; **L.tier** *nt* beast of burden, pack animal; **L.träger** *m* porter, carrier; **L.verbund** *m* 💻 load link; **L.verteilung** *f* distribution of tax burden

Lastwagen *m* lorry *[GB]*, van, truck *[US]*; **L. mit Anhänger** truck and trailer; ~ **Kippvorrichtung** dump truck, truck with dump body; **frei L.** free on truck (f.o.t.); **mit L. befördern** to truck; **L. fahren** to (drive a) truck

leichter Lastwagen light van/truck, light commercial vehicle, pick-up (truck) *[US]*; **mittelschwerer L.** light/medium-sized truck; **schwerer L.** heavy truck, ~ goods vehicle (HGV) *[GB]*

Lastwagen|anhänger *m* trailer; **L.beförderung** *f* road haulage *[GB]*, truckage *[US]*; **L.depot** *nt* lorry/trucking depot; **L.fahrer** *m* lorry/truck driver, trucker, teamster *[US]*, truckman *[US]*; **L.flotte** *f* lorry/truck fleet; **L.gewerbe/L.industrie** *nt/f* haulage/trucking industry, road haulage/trucking; **L.kolonne** *f* convoy of lorries/trucks; **L.ladung** *f* lorry-load, truckload; **L.miete** *f* truck rental; **L.park** *m* lorry/truck fleet; **L.spedition** *f* road haulage, trucking; **L.spediteur** *m* road carrier/haulier; **L.transport** *m* road haulage, trucking; **L.transportunternehmen** *nt* road haulier, ~ haulage company, truck carrier; **L.verleih/L.vermietung** *m/f* truck rental

Last-Zeit-Funktion *f* history of loading

Lastzug *m* 1. tractor-trailer unit; 2. *(Sattelschlepper)* articulated lorry, coupled vehicle; **übergroßer L.** juggernaut *(coll)*

Lasur *f* varnish, glaze

latent *adj* latent, potential

Latenzinformationen *pl* latent information

Latte *f* lath, batten

Latten|gerüst *nt* lathwork; **L.holz** *nt* lath wood; **L.kiste** *f* crate; **in L.kisten verpacken** to crate; **L.rost** *m* lath/floor grid; **L.verschlag** *m* lattice work, crate; **L.zaun** *m* lattice work, paling, picket fence *[US]*

lau *adj* 1. mild, gentle; 2. dull, slack, sluggish

Laub *nt* leaves, foliage, leafage; **L.baum** *m* deciduous tree

Laube *f* summer house; **L.nkolonie** *f* allotment gardens

Laub|holz *nt* deciduous wood; **L.wald** *m* deciduous wood/forest

lauern *v/i* to lie in wait, to lurk; **l.d** *adj* lurking

Lauf *m* run, course; **im L.e von** in the course of

Lauf der Dinge/Ereignisse turn/course/run of events; **L. einer Frist** running of a term/period; **L. der Gerechtigkeit** course of justice; **im ~ Jahre** in the course of years, over the years; ~ **Welt** way of the world; **im ~ Zeit** in the course of time

Lauf der Gerechtigkeit aufhalten to interfere with the course of justice; **dem ~ Ereignisse folgen** to have one's ears to the ground *(fig)*; **freien L. lassen** to give free rein to; **den Dingen ihren L. lassen** to let things/matters take their course; **seinen L. nehmen** to run its course

Laufbahn *f* career (path), line of advancement; **L. für Hochschulabsolventen** graduate career; **L. einschlagen** to enter/embark upon a career

akademische Laufbahn academic career; **berufliche L.** professional career, career path/route; **diplomatische L.** diplomatic career; **einfache L.** *(Beamter)* subclerical service class; **firmeninterne L.** in-house career system; **gehobene L.** *(Beamter)* executive service class; **höhere L.** *(Beamter)* administrative service class; **juristische L.** legal career; **mittlere L.** *(Beamter)* clerical service class

Laufbahn|aussichten *f* career prospects; **L.bestimmungen** *pl* career regulation(s); **L.bestrebungen** *pl* career aspirations; **L.bewerber(in)** *m/f* civil service applicant; **L.entwicklung** *f* career progression/development; **L.gruppe** *f* service branch, civil service group; **L.planung** *f* career planning, in-house career path planning; **L.recht** *nt* civil service career regulations; **L.vorschriften** *pl* career regulations

Lauf|brett/L.brücke *nt/f* gangway; **L.bursche** *m* errand/office/page boy, runner

laufen *v/i* 1. to run; 2. to perform

von ... an laufen to run from; **gegenwärtig l.** *(Verhandlung)* to be under way; **wie geplant l.** to go according to plan; **wie geschmiert l.** to run smoothly, to be going great guns *(coll)*, to go like clockwork/a train *(fig)*; **gut l.** to perform/sell well; **ganz ordentlich l.** *(Geschäft)* to be ticking over nicely *(coll)*; **reibungslos l.** to run smoothly, to go like clockwork *(fig)*; **schief l.** to go wrong; **zufriedenstellend l.** to perform satisfactorily; **alles l. lassen** to drop everything; **das L. lernen** *(Preis)* to be on the increase

laufend *adj* current, running, day-to-day; **schnell l.** high-speed; **auf dem L.en** up-to-date, abreast (of); ~ **bleiben/sein** to keep o.s. informed, to keep/be abreast of, to keep track of sth., ~ current on sth., to have one's ears to the ground *(coll)*; **jdn ~ halten** to keep so. posted/informed; **nicht mehr ~ sein** to lose touch, to be out of touch

Läufer *m* messenger, errand boy, runner

Lauf|feuer *nt* wildfire; **L.gang** *m* footwalk; **L.junge** *m* office/errand boy, runner; **L.karte** *f* 1. batch/operation card, work label, job ticket; 2. manufacturing tag; 3. route card/slip; **L.kran** *m* (overhead) travelling crane; **L.kunde** *m* chance/street/casual/off-the-street customer; **L.kundschaft** *f* irregular/occasional/street customers; **L.nummer** *f* serial number; **L.pass bekommen** *m* *(coll)* to get the sack *(coll)*; **jdm den ~ geben** to give so. the sack; **L.planke** *f* gangway; **L.schiene** *f* runner; **L.schreiben** *nt* tracer; **L.status** *m* 🖳 running state; **L.steg** *m* catwalk; **L.werk** *nt* ✿ drive

Laufzeit *f* 1. duration, life (span); 2. *(Anleihe/Kredit)* (time to) maturity, term (of maturity/validity), (maturity/validity) period, life (of a loan), lifetime; 3. *(Wechsel)* tenor, currency; 4. *(Vertrag)* period of validity; 5. ✉ transmission time; 6. ✿ (machine) running time, operational life; 7. transit time; 8. 🖳 run/propagation time; **während der L.** during the term

Laufzeit eines Akkreditivs life of a letter of credit; **L. einer Anleihe/eines Darlehens** life/term/period of a loan, repayment period; **L. der Hypothek** mortgage term, period of the mortgage; **mit einer L. von x Jahren** with x years to maturity; **L. eines Kredits** term of a credit, credit period; **~ Miet-/Pachtvertrages** duration of a lease; **~ Patents** term/life of a patent; **L. der Police/Versicherung** duration/life of the policy, policy period; **L. des Tarifvertrages** duration of the collective agreement; **~ Vertrages** contract period, currency/duration of the contract; **L. der Verzinsung** number of terms; **L. eines Wechsels** tenor/currency/ trem of a bill (of exchange)

30 Jahre Laufzeit 30-year term; **mit einer L. von ... Monaten** of ... months maturity

Laufzeiten (nicht) aufeinander abstimmen to (mis)match maturities; **L. eines Vertrages erneuern** to prolong/ renew a contract

durchschnittliche Laufzeit average life (span), ~ due date; **feste L.** fixed (period) to maturity; **kongruente L.** concordant maturities; **mit kurzer L.** short-dated; **mit langer L.** long-dated; **mittlere L.** mean duration; **restliche L.** remaining life; **ursprüngliche L.** original maturity, initial term; **vereinbarte L.** *(Darlehen)* agreed life; **vertragliche L.** contract/contractual period; **für die volle L.** for the full term

Laufzeit(en)|bereich *m* maturity, life; **kurzer L.bereich** shorts; **L.gliederung** *f* maturity structure; **L.jahr** *nt* year of life/issue; **L.kategorie** *f* maturity range; **l.konform** *adj* of conformable/identical maturity; **l.kongruent** *adj* of concordant maturity, with identical/matching maturities; **L.kongruenz** *f* identity of maturities, matching maturities; **L.messung** *f* ✉ transmission time control; **L.risiko** *nt* maturity risk; **L.struktur** *f (Anleihen)* maturity distribution/pattern, term structure; **L.verkürzung** *f (Anleihe)* reduction of maturities; **L.verlängerung** *f* stretchout

Lauf|zeitspeicher *m* 🖳 delay line memory; **L.zettel** *m* docket, batch card, tracer, route/routing slip, work label, chit *(coll)*

Lauge *f* ⚗ lye

laut *prep* (as) per, according to; *adj* loud, noisy

lauten *v/i* to read/run

Läuten *nt* ✆ ringing tone; **l.** *v/i* to ring

lautend auf *adj* 1. made out/payable/issued to; 2. denominated in

lauter *adj* fair, honest, sincere, candid, honourable; **l. stellen** to turn up; **L.keit** *f* integrity, sincerity; **~ im Wettbewerb** fair competition

Läute|ton *m* ✆ ringing tone; **L.werk** *nt* alarm

Lautsprecher *m* (loud)speaker, loud hailer, amplifier; **L.anlage** *f* public address system, tannoy; **L.wagen** *m* loudspeaker van, sound truck

lautstark *adj* 1. noisy; 2. vocal, vociferous, voluble

Lautstärke *f* sound level; **L. regeln/regulieren** to adjust/control the volume; **L.regelung** *f* volume control

lauwarm *adj* lukewarm, tepid

lavieren *v/i* to shift/manoeure, to steer a zig-zag course; **L. am Abgrund** *nt* brinkmanship

Lawine *f* avalanche; **l.nartig** *adj* like an avalanche

lax *adj* lax

Layout *nt* layout; **L.er/L.gestalter** *m* layout man, layouter

Lazarett *nt* 1. military hospital; 2. ⚓ sick bay; **L.schiff** *nt* hospital ship

Leasing *nt* leasing; **L. zur Absatzförderung** sales aid lease; **L. der Fahrzeugflotte/des Wagenparks** fleet leasing

eigenmittelfinanziertes Leasing funded lease; **fremdfinanziertes L.** leveraged lease; **grenzüberschreitendes L.** cross-border lease; **mittel- und langfristiges L.** financial leasing

Leasing|anlage *f* leasing equipment; **L.branche** *f* leasing industry; **l.fähig** *adj* leasable; **L.finanzierung** *f* leasing finance; **L.geber** *m* lessor; **L.gegenstand/ L.objekt** *m/nt* object of lease, leasing asset; **L.geschäft** *nt* leasing business/transaction/operation; **L.gesellschaft** *f* leasing company; **L.gewerbe** *nt* leasing industry; **L.nehmer** *m* lessee; **L.rate** *f* leasing rate, lease payment; **L.vertrag** *m* lease, leasing agreement; **~ mit kurzer Laufzeit** short lease

Leben *nt* 1. life, existence; 2. *(Unterhalt)* living, livelihood; 3. *(Lebhaftigkeit)* liveliness; **am L.** alive

Leben in der Familie family life; **L. auf dem Lande** country life; **L. in freier Natur** outdoor life; **L. auf Spesen** expense account living; **L. in der Stadt** city life

neues Leben anfangen/beginnen 1. to turn over a new leaf *(fig)*; 2. to take a new lease of life; **am L. bleiben** to survive, to stay alive; **L. in die Bude bringen** *(coll)* to put life into an enterprise, to liven things up; **mit dem L. davonkommen** to survive, to save one's skin; **sein L. einsetzen** to risk one's life; **mit neuem L. erfüllen** to revitalize, to breathe new life into sth.; **am L. erhalten** to keep afloat *(fig)*; **zu neuem L. erwecken** to revive; **(armseliges/kärgliches/kümmerliches/notdürftiges) L. fristen** to eke out a (scanty) living; **ruhiges L. führen** to lead a secluded life; **solides L. führen** to lead a steady life; **sorgenfreies L. führen** to live in comfort; **um L. und Tod gehen** to be a matter of life and death;

gerade genug zum L. haben; ~ zum L. reichen to make both ends meet; **zähes L. haben** to die hard; **jdm das L. schwer machen** to give so. a rough time; **sich das L. nehmen** to take one's life, to commit suicide; **das nackte L. retten** to escape with life and limb; **L. riskieren** to risk one's life; **ins L. rufen** to bring about, to set up, to call into existence; **aus dem L. scheiden** to decease; **jdm das L. schenken** to spare so.'s life; **sich durchs L. schlagen** to struggle (through life), to make a living (somehow or other); **sein L. aufs Spiel setzen** to risk one's life; **sein L. versichern** to insure one's life; **~ verwirken** to forfeit one's life; **im L. vorwärts kommen** to make one's way; **zum L. erweckt werden** to come to life; **ins L. zurückrufen** to bring back to life; **sich vom öffentlichen L. zurückziehen** to retire from public life, ~ into obscurity

beschauliches Leben contemplative life; **bewegtes L.** colourful life; **bürgerliches L.** civil life; **eheliches L.** married life; **kulturelles L.** cultural life; **müheloses L.** life of ease; **öffentliches L.** public affairs/life; **politisches L.** politics; **soziales L.** social life/activity; **süßes L.** life of luxury; **im täglichen L.** in everyday life; **verbundene L.** *(Vers.)* joint lives; **versichertes L.** assured *[GB]*/insured *[US]* life; **voller L.** full of life/beans *(coll)*; **wirtschaftliches L** economic activity

leben *v/ti* 1. to live/exist, to be alive; 2. *(schlecht)* to subsist

von etw. leben to live on sth., to make a living out of sth.; **getrennt l.** to live apart, to be separated; **herrlich/lustig und in Freuden l.** to live on the fat of the land; **auf anderer Leute Kosten l.** to live at other people's expense, to sponge on others *(coll)*, to scrounge *(coll)*; **sorgenfrei l.** to live in clover *(coll)*; **verschwenderisch l.** to lord it; **zurückgezogen l.** to live in seclusion; **l. und l. lassen** live and let live; **solange sie beide l.** *(Lebensvers.)* during their joint lives

lebend *adj* 1. alive; 2. *(Tiere)* on the hoof; **getrennt l.** *(Steuer)* living separate and apart; **dauernd ~ l.** permanently separated; **nicht ~ l.** living together

Lebend|geborene *pl* live births; **L.geburt** *f* live birth; **L.gewicht** *nt* 1. live weight; 2. *(Vieh)* weight on the hoof

lebendig *adj* 1. alive; 2. lively; **l. werden** to liven up; **L.keit** *f* liveliness

Lebens|abend *m* declining years; **L.ablauf** *m* course of life, life cycle; **L.abriss** *m* curriculum vitae (CV) *(lat.)*; **L.abschnitt** *m* period of life; **L.ader** *f* 1. *(Verkehr)* lifeline, main route; 2. $ jugular vein; **L.akte** *f (Maschine)* log book

Lebensalter *nt* age; **mittleres L.** mid-life; **im mittleren L.** middle-aged

Lebens|ansprüche *pl* wants/essentials of life; **L.arbeitszeit** *f* (total) working life; **L.arbeitszeitverkürzung** *f* shortening of one's working life; **L.art** *f* way of life, lifestyle; **vornehme L.art** gracious living; **L.aufgabe** *f* functions/mission in life, life's work; **es sich zur ~ machen** to dedicate one's life to sth.; **L.aussichten** *pl* life expectancy; **L.bedarf/L.bedürfnisse** *m/pl* necessities/necessaries of life; **L.bedingungen** *pl* living conditions; **l.bedrohend** *adj* lethal, life-threatening; **l.-bejahend** *adj* positive; **L.berechtigung** *f* right to exist

Lebensdauer *f* 1. life, length/duration of life, life span/expectancy; 2. ✪ service/operating/physical/useful life, age; **auf L.** for life; **L. eines Investitionsprojekts** project life; **L. nach der Pensionierung** retirement span

begrenzte Lebensdauer limited life; **durchschnittliche L.** *(Lebensvers.)* standard life; **lange L.** longevity, long lifetime/durability; **mittlere L.** average/mean life; **mutmaßliche L.** life expectancy, probable life; **normale L.** average life span; **optimale L.** optimum life; **unterdurchschnittliche L.** substandard life; **vermutete L.** expectation of life; **voraussichtliche/wahrscheinliche L.** probable life, life expectancy; **wirtschaftliche L.** useful life

Lebens|dauertest *m* ✪ life test; **L.durchschnittsleistung** *f* average lifetime yield; **l.echt** *adj* realistic, lifelike, true to life; **L.einkommen** *nt* lifetime income; **L.einstellung** *f* attitude to life; **bejahende L.einstellung** positive attitude *[US]*; **bis ans L.ende** *nt* until death; **L.energie** *f* life blood; **L.erfahrung** *f* practical experience; **l.erhaltend** *adj* $ life-support; **L.erhaltung** *f* preservation of life, life conservation; **L.erinnerungen** *pl* memoirs

Lebenserwartung *f* life, life expectancy/expectation/span, length/expectation of life

abgekürzte Lebenserwartung reduced life expectancy; **durchschnittliche/mittlere L.** average life span/expectancy, ~ span of men's lives, complete expectation of life; **unterdurchschnittliche L.** *(Vers.)* bad life

lebensfähig *adj* viable; **nicht l.** *adj* unviable; **L.keit** *f* viability

Lebens|fallversicherung *f* endowment assurance *[GB]*/insurance; **l.feindlich** *adj* hostile; **L.formen** *pl* forms of life; **L.frage** *f* vital question, matter of life and death; **l.fremd** *adj* starry-eyed; **L.freude** *f* joy of life; **voller L.freude** full of beans *(coll)*; **L.frist** *f* lease of life; **l.froh** *adj* merry

Lebens|führung *f* conduct, life-style; **aufwendige L.** sumptuous living; **einfache L.** plain living; **mäßige L.** temperance

Lebens|gefahr *f* mortal/lethal danger; **in L.gefahr** on the danger list; **l.gefährdend** *adj* perilous, lethal; **l.gefährlich** *adj* lethal, highly dangerous

Lebens|gefährte *m* 1. life companion, common-law husband/spouse; 2. § cohabitee; **L.gefährtin** *f* common-law wife/spouse, cohabitee; **L.gemeinschaft** *f* partnership, long-term relationship; **L.geschichte** *f* biography; **l.getreu** *adj* true to life, lifelike; **L.gewohnheit** *f* way of life; **L.glück** *nt* personal happiness; **l.groß** *adj* life-size(d); **L.größe** *f* life size; **L.grundlage** *f* livelihood, necessities of life

Lebenshaltung *f* cost/standard of living; **angemessene L.** fair standard of living; **aufwendige L.** extravagant living; **L.sgleitklausel** *f* cost-of-living escalator clause; **L.sindex** *m* cost-of-living index, consumer price index

Lebenshaltungskosten *pl* cost of living, living costs/expenses; **L.angleichung/L.ausgleich** *f/m* cost-of-living adjustment; **L.freibetrag** *m* subsistance allowance *[US]*; **L.index** *m* cost-of-living index, consumer price index; **L.steigerung** *f* cost-of-living increment; **L.zuschlag** *m* cost-of-living bonus/allowance

Lebenshaltungs|preisindex *m* cost-of-living index, consumer price index; **L.zuschuss** *m* cost-of-living allowance

Lebens|inhalt *m* 1. whole life; 2. purpose in life; **L.interesse** *nt* vital interest; **L.jahr** *nt* year of (one's) life; **L.kenner** *m* man of the world; **l.klug** *adj* wise; **L.kraft** *f* vitality; **voller L.kraft** full of life; **L.künstler** *m* expert/master in the art of living

Lebenslage *f* situation, condition of life; **materielle L.** material condition of life, economic well-being; **jeder L. gewachsen** equal to every situation

lebens|lang *adj* lifelong; **l.länglich** *adj* [§] (for) life; **L.längliche(r)** *f/m* [§] lifer *(coll)*

Lebenslauf *m* curriculum vitae (CV) *(lat.)*, personal data sheet (PDS), résumé *[frz.]*, personal history/profile, career; **ausführlicher L.** career monograph; **tabellarischer L.** personal data sheet, résumé *[frz.]*

Lebens|leistung *f* lifetime yield; **L.licht** *nt* vital spark; **voller L.lust** *f* full of beans *(coll)*; **l.lustig** *adj* fond of life; **L.minimum** *nt* subsistence level, breadline

Lebensmittel *pl* food(s), groceries, foodstuffs, food products/supplies, victuals, provisions, edibles

sich mit Lebensmitteln eindecken to victual; **L. hamstern** to hoard food; **L. konservieren** to preserve food; **L. liefern** to purvey, to cater for; **L. rationieren** to ration food; **mit L.n versehen/versorgen** to provision/victual, to supply with provisions; **L. verteilen** to dispense food; **L. zuteilen** to ration food

höherwertige Lebensmittel *(Fertig- und Halbfertiggerichte)* added-value foods; **konzentrierte L.** condensed food; **tiefgekühlte L.** frozen food; **genetisch veränderte L.** genetically manipulated/modified (GM) food

Lebensmittel|abteilung *f* food section/department; **L.aktien** *pl* food shares *[GB]*/stocks *[US]*, foods; **L.amt/L.behörde** *nt/f* Food Office *[GB]*, Food and Drug Administration (FDA) *[US]*; **L.anreicherung** *f* food enrichment; **L.ausfuhr(en)** *f/pl* food exports; **L.auszeichnung** *f* food labelling; **L.behälter** *m* food container; **L.betrieb** *m* food plant; **L.bevorratung** *f* stockpiling of foodstuffs; **L.bewirtschaftung** *f* food rationing; **L.branche** *f* food industry; **L.chemie** *f* food chemistry; **L.chemiker** *m* food analyst; **L.einfuhren** *pl* food imports

Lebensmitteleinzel|handel *m* food/grocery retailing (industry); **L.handelsgeschäft** *nt* retail grocery store; **L.händler** *m* grocer, food retailer

Lebensmittel|exporte *pl* food exports; **L.fabrikant** *m* food manufacturer; **L.fälschung** *f* food adulteration**;** **L.filialist** *m* multiple grocer, ~ food retailer, food multiple; **L.geschäft** *nt* food/grocery store, grocery outlet, grocer's shop; **L.gesetz** *nt* Food and Drug Act *[GB]*, National Food Bill *[US]*; **L.- und Bedarfsgegenständegesetz** act on foodstuffs and goods in daily use; **L.großhandel** *m* wholesale provision business, food trade; **L.großhändler** *m* wholesale grocer; **L.gutschein** *m* food stamp; **L.handel** *m* food/grocery trade; **L.händler** *m* grocer, provision dealer/merchant, victualler; **L.hersteller** *m* food manufacturer; **L.herstellung** *f* food manufacturing; **L.hilfe** *f* food aid, ~ allowance; **L.hygiene** *f* food hygiene; **L.importe** *pl* food imports; **L.industrie** *f* food(-processing) industry/sector, foodstuffs industry; **L.inspekteur** *m* food inspector; **L.karte** *f* (food) ration card/book/ticket; **L.kartenabschnitt** *m* food coupon; **L.kennzeichnung** *f* food labelling; **L.kette** *f* food (store) chain, multiple food retailer; **L.knappheit** *f* food shortage; **L.konserven** *pl* tinned *[GB]*/canned *[US]* food, preserves; **L.konservierung** *f* food preservation; **L.kontrolle** *f* food control/inspection; **L.kontrolleur** *m* food inspector/controller; **L.laden** *m* food shop *[GB]*/store *[US]*, grocery outlet; **kleiner L.laden** bantam/convenience store; **L.lager** *nt* food stocks, supply depot; **L.lagerung** *f* food storage; **L.lieferant** *m* food supplier, purveyor, victualler, caterer; **L.logistik** *f* food logistics; **L.mangel** *m* food shortage; **L.marke(nabschnitt)** *f/m* food coupon/stamp; **L.markenheft** *nt* ration book; **L.paket** *nt* food parcel; **L.preis** *m* grocery price; **L.preisindex** *m* grocery price index; **L.rationierung** *f* food rationing; **L.recht** *nt* law relating to food processing and distribution; **L.rohstoff** *m* soft commodity; **L.selbstbedienungsgeschäft** *nt* supermarket; **L.sektor** *m* food sector; **L.spende** *f* food donation; **L.überschuss** *m* food surplus; **L.überwachung** *f* food control/inspection; **L.verarbeitung** *f* food processing; **L.vergiftung** *f* food poisoning; **L.verkehr** *m* food trade; **L.verpackung** *f* food packaging; **L.versorgung/L.vorrat** *f/m* food supply; **L.vertrieb** *m* food distribution; **L.-vorräte** food stocks; **L.vorrat anlegen** to lay in a food supply; **L.werte** *pl (Börse)* food shares *[GB]*/stocks *[US]*, foods; **L.zusatz** *m* food additive; **L.zuteilung** *f* food allowance; **L.zwangswirtschaft** *f* food rationing

lebens|müde *adj* tired of living; **L.mut** *m* interest in life; **l.nah** *adj* realistic, true to life, drawn from life; **L.nerv** *m (fig)* lifeblood *(fig)*; **l.notwendig** *adj* vital, essential, indispensable; **L.notwendigkeit** *f* vital necessity, essential; **L.prinzip** *nt* principle of life; **L.qualität** *f* quality of life; **L.raum** *m* 1. living space; 2. ⚘ habitat; **L.recht** *nt* right to exist; **L.rente** *f* life/perpetual annuity; **L.retter** *m* life-saver, lifeguard; **L.rettung** *f* lifesaving; **L.risiko** *nt* life contingency; **L.spanne** *f* life span; **L.standard** *m* living standard, standard of living; **höherer L.standard** increased standard of living; **L.stellung** *f* (life) tenure, permanent situation, job for life; **L.stil** *m* life style

Lebensunterhalt *m* living, livelihood, subsistence, *(coll)* bread (and butter), keep

sich für seinen Lebensunterhalt abrackern to scrape for one's living; **dem Boden seinen L. abringen** to wrest a living from the soil; **für seinen L. arbeiten** to work for one's living; **seinen L. bestreiten** to earn one's living; **für jds L. sorgen** to provide for so.; **seinen L. verdienen (mit)** to earn/gain one's living, to make a living (out of); **~ selbst verdienen** to support o.s.; **nackten L. verdienen** to earn a bare living

notwendiger Lebensunterhalt subsistence level

Lebens|verhältnisse *pl* living conditions; **einheitliche L.verhältnisse** identical social and economic conditions; **L.vermutung** *f* presumption of life; **L.versicherer** *m* life insurer/underwriter/office, assurance company; **l.versichern** *v/refl* to assure *[GB]*/insure *[US]* o.s.; **L.versicherter** *m* life assured/insured

Lebensversicherung *f* 1. life assurance *[GB]*/insurance*[US]* (policy), life contract/policy; 2. life office/insurer

Lebensversicherung mit Anlage in Investmentzertifikaten unit-linked life assurance; **L. für Arbeitnehmer** industrial assurance; **L. mit festem Auszahlungstermin**; **L. auf den Erlebensfall** endowment assurance/insurance; **L. gegen Einmalprämie** single premium insurance; **L. auf Gegenseitigkeit** mutual life assurance/insurance; **L. mit Gewinnbeteiligung** life assurance/insurance with profits *[GB]*, participating/with-profits life insurance *[US]*; **L. ohne Gewinnbeteiligung** non-participating life assurance/insurance, without profits assurance/insurance; **L. zur Hypothekenrückzahlung** mortgage redemption assurance/insurance; **L. über verbundene Leben** more than one life assurance/insurance; **L. mit abgekürzter Prämienzahlung** limited payment life assurance/insurance/policy; ~ **gestaffelten Prämienzahlungen** graded premium policy; **L. ohne Rückkaufswert** term life assurance/insurance; **L. auf den Todesfall** whole life assurance *[GB]*, ordinary life insurance *[US]*; ~ **Todes- und Erlebensfall** endowment assurance/insurance; **L. ohne ärztliche Untersuchung** non-medical assurance/insurance

Lebensversicherung abschließen to take out a life policy, to buy life insurance; **L. in eine Rentenversicherung umwandeln** to convert a life contract into an annuity contract

abgekürzte Lebensversicherung term assurance, ordinary endowment insurance, deferred annuity insurance; **aufgeschobene L.** deferred life assurance; **befreiende L.** exempt/freeing life insurance; **dynamische L.** dynamic life policy; **erneuerungsfähige L.** renewable term insurance; **fondsgebundene L.** equity-linked/variable (life) insurance; **gegenseitige L.** mutual life assurance/insurance; **gemischte L.** endowment assurance/insurance, combined endowment and whole life assurance; **beitragslos gestellte L.** extended life assurance/insurance; **globale L.** wholesale life assurance/insurance; **kombinierte L.** combined endowment and whole life assurance/insurance; **prämienfreie L.** paid-up life assurance/insurance; **verbundene/wechselseitige L.** joint life policy/assurance/insurance

Lebensversicherungs|abschlüsse machen *pl* to write life assurance/insurance; **L.abteilung** *f* life branch; **L.büro** *nt* life office; **L.freibetrag** *m (Steuer)* life assurance/insurance relief; **L.geschäft** *nt* life business; **L.gesellschaft** *f* (life) assurance/insurance company, life insurer/office/company; ~ **auf Gegenseitigkeit** mutual life assurance/insurance company; **L.gewerbe** *nt* life assurance/insurance industry

Lebensversicherungspolice *f* life (assurance/insurance) policy, endowment policy; **an einen Grundstückswert geknüpfte L.** property bond; **gewinnbeteiligte L.** with-profits life policy; **umwandelbare L.** convertible term policy

Lebensversicherungs|prämie *f* life (assurance/insurance) premium; **L.schutz** *m* life cover(age); **L.sparen** *nt* life assurance *[GB]*/insurance *[US]* savings scheme; **L.sparplan** *m* life assurance savings scheme; **L.summe** *f* reversion; ~ **bei Unfalltod** double indemnity; **L.unternehmen** *nt* (life) assurance/insurance company; **L.verein auf Gegenseitigkeit** *m* mutual life assurance/insurance company; **L.vertrag** *m* life (assurance/insurance) contract; ~ **abschließen** to buy a life assurance/insurance

Lebens|wandel *m* way of life, line of conduct; **L.weg** *m* course of life

Lebensweise *f* mode of life; **amerikanische L.** American way of life; **geordnete L.** regular habits; **schlichte L.** plain living

Lebens|werk *nt* life('s) work; **l.wichtig** *adj* vital, essential; **nicht l.wichtig** non-essential; **L.zeichen** *nt* sign of life

Lebenszeit *f* lifetime; **auf L.** 1. permanent, for life, life, perpetual; 2. *(Stelle)* tenable for life, lifetime; ~ **angestellt** employed for life; ~ **anstellen/ernennen** to appoint for life; **durchschnittliche L.** average life span

Lebenszeit|anstellung/L.beschäftigung *f* lifetime employment; **L.beamter/L.beamtin** *m/f* civil servant appointed for life; **L.planung** *f* lifetime planning; **L.stelle** *f* job for life

Lebens|ziel *nt* goal in life; **L.zweck** *m* purpose in life; **L.zyklus** *m* life cycle; **L.zykluskosten** *pl (Produkt)* life cycle costs

Leber *f* liver; **sich etw. von der L. reden** *(coll)* to get sth. off one's chest; **L.entzündung** *f* $ hepatitis; **L.leiden** *nt* $ liver disorder/trouble *(coll)*

Lebewesen *nt* living thing; **kleinstes L.** micro-organism

lebhaft *adj* 1. busy, active, lively, brisk, buoyant; 2. mercurial; **l. und fest** *(Börse)* active and strong; **L.keit** *f* 1. vividness; 2. briskness, buoyancy

leblos *adj* 1. lifeless; 2. *(Börse)* dull, listless; **L.igkeit** *f* dullness

Leck *nt* leak(age); **l.** *adj* leaky; **l. schlagen/werden** to spring a leak

Leckage *f* leakage, ullage, seepage; **frei von L.** free from leakage; **L. und Bruch** leakage and breakage; **L.abzug** *m* leakage allowance; **L.klausel** *f* leakage clause; **L.verlust** *m* loss by leakage

Lecken *nt* leakage, ullage; **l.** *v/i (undicht)* to leak, ⚓ to make water; *v/t* to lick

Leck|schaden *m* leakage; **l.sicher** *adj* leak-proof

Leder *nt* leather, hide; **in L. gebunden** leather-bound; **echtes L.** real leather

Leder|arbeit *f* leatherwork; **L.art** *f* skin, hide; **L.arten** *pl* leathers; **L.industrie** *f* leather industry

ledern *adj* leather(y)

Leder|polster *nt* leather upholstry; **L.verarbeitung** *f* leather dressing/processing; **L.waren** *pl* leatherware, leather goods; **L.warenmesse** *f* leather goods fair

ledig *adj* single, unmarried, § sole; **l. bleiben** to remain single, ~ a bachelor/spinster; **l. sein** to be single; **aller Dinge l. sein** to be free of all things; **L.e** *f* spinster, unmarried woman; **L.r** *m* bachelor

Lee *f* ⚓ lee (side); **in L.** ⚓ under the wind

leer *adj* 1. empty, hollow; 2. *(Stelle)* vacant, unfilled; 3. unladen; 4. *(Formular)* blank, void; 5. exhausted; 6. *(Wohnung)* untenanted; **l. lassen** *(Schriftstück)* to leave blank

Leer|abgabe *f* *(Börse)* bearish sale *[GB]*, short selling *[US]*; **L.aktie** *f* unpaid share, share not fully paid up; **L.anweisung** *f* 🖳 continue/exit statement; **L.befehl** *m* 🖳 dummy instruction; **L.beleg** *m* 🖳 blank document; **L.bestellung** *f* fictitious order(ing); **L.druck** *m* 🖳 idling cycle

Leere *f* emptiness, vacuum, vacuity, void(ness); **ins L. laufen** to come to nothing, not to achieve the objective

leeren *v/t* 1. to empty/deplete, to clear out; 2. *(Flüssigkeit)* to drain

Leer|fahrt *f* empty run, ballast passage; **l. fischen** *v/t* to exhaust fish stocks; **L.flug** *m* empty flight, flying empty; **L.formel** *f* empty phrase/box, insignificant term; **L.fracht** *f* dead freight, deadweight charter, ⚓ dead heading; **L.gewicht** *nt* deadweight (dwt), empty/unladen weight, tare (weight); **L.gut** *nt* empties; **L.karte** *f* 🖳 blank/dummy card; **L.kassette** *f* blank tape; **L.kauf** *m* fiction/fictitious purchase, uncovered sale; **L.kosten** *pl* idle-capacity/waste/escapable cost(s); **L.kostenprozentsatz** *m* idle-capacity cost(s) percentage

Leerlauf *m* 1. running idle, empty running, wastage of energy; 2. *(Firma)* inefficiency, organisational slack; 3. *(fig)* dead work; 4. ⚙ power off; 5. 🚗 neutral; **im L. fahren** 1. 🚗 to coast along; 2. *(Maschine)* to run idle; ~ **(rund) laufen** to tick over

leer laufen *v/i* to idle; **l. l.d** *adj* idle, idling

Leerlauf|gang *m* 1. idling cycle; 2. 🚗 neutral (gear); **L.variable** *f* slack variable; **L.verlust** *m* no-load loss; **L.zeit** *f* 1. idle time/period; 2. *(Produktionsumstellung)* set-up time

Leer|material *nt* empties; **L.meldung** *f* nil advice/report; **L.packung** *f* sham/empty/dummy/display package; **L.position** *f* 1. *(Börse)* bear/short position; 2. blank item; **L.posten** *m* empty heading; **L.rabatt** *m* *(Kanalgebühr)* empty-ship discount; **L.seite** *f* blank page; **L.spalte** *f* blank column/space; **L.spule** *f* empty reel; **L.stand** *m (Büros etc.)* vacant space, empty stand; **L.standsrate** *f (Immobilie)* vacancy rate/level; **l. stehend** *adj* unlet, empty, vacant, tenantless, unoccupied, unemployed; **L.stelle** *f* 1. *(Schreibmaschine)* space; 2. *(Haus)* vacancy; 3. 🖳 blank character; **L.stellenzeichen** *nt* space; **L.tabelle** *f* dummy table; **L.taste** *f* space key/bar; **L.tiefgang** *m* ⚓ light draught *[GB]*/draft *[US]*; **L.tonne** *f* ⚓ deadweight tonne; **L.tonnage** *f* ⚓ deadweight tonnage; **L.übertragung** *f* 1. blank transfer; 2. *(Firma)* transfer of firm name

Leerung *f* 1. emptying; 2. clearance; 3. *(Briefkasten)* collection; **L.szeit** *f (Briefkasten)* collection time

Leer|verkauf *m* *(Börse)* bear(ish)/short/uncovered sale, shortselling, selling short; **L.verkäufe** shortselling; ~ **als Baissemanöver** bear raiding; **L.verkauf abschließen/tätigen** to sell short; **L.verkäufer** *m* bear seller, shortseller; **L.verkaufsposition** *f* bear/short position

Leer|wechsel *m* finance bill; **L.wohnung** *f* vacant flat; **L.wohnungsbestand** *m* vacancy level(s); **L.zeichen** *nt* space character, blank; **L.zeile** *f* space; **L.zeit** *f* idle/wasted time; **l. ziehen** *v/t* to vacate; **L.zimmer** *nt* 1. vacant room; 2. unfurnished room

Lee|seite *f* ⚓ lee side; **l.wärts** *adj* ⚓ leeward

legal *adj* legal, lawful, rightful, by legal means, above board; **L.definition** *f* legal/statutory definition; **L.gewicht** *nt* legal weight

legalisieren *v/t* to legalize/authenticate/validate

Legalisierung *f* legalization, authentication, validation; **L. einer Konsulatsfaktura** legalization of a consular invoice; **L.sklausel** *f* attestation clause

legalistisch *adj* legalistic

Legalität *f* legality, lawfulness; **außerhalb der L.** unlawful, outside the law; **L.sprinzip** *nt* principle of mandatory prosecution

Legalzession *f* § subrogation, assignment by operation of the law

Legasthen|ie *f* dyslexia; **L.iker(in)** *m/f* dyslexic; **l.isch** *adj* dyslexic

Legat *nt* 1. legacy, bequest, legate; 2. *(Grundeigentum)* devise *[GB]*, taker *[US]*; **L. aussetzen** to admeasure a legacy; **L. einbehalten** to subtract a legacy; **L. (ver)kürzen** to abate a legacy; **bedingtes L.** conditional bequest; **treuhänderisch verwaltetes L.** trust legacy

Legatar *m* legatee, *(Grundeigentum)* devisee

Legation *f* legation, embassy

Legats|aussetzung *f* admeasurement of a legacy; **l.berechtigt** *adj* beneficially entitled; **L.entziehung** *f* ademption, revocation of a legacy; **L.verfall** *m* lapsing of a legacy; **L.verkürzung** *f* abatement

Lege|batterie *f* 🚜 hen battery; **L.henne** *f* layer, laying hen

legen *v/t* to lay; *v/refl* 1. *(Fieber)* to drop; 2. *(Schmerz)* to ease; 3. *(Staub)* to settle

legendär *adj* legendary

Legende *f* 1. legend; 2. *(Bild)* caption, inscription; 3. *(Zeichenerklärung)* key

leger *adj* casual, informal

Legeverfahren *nt* handsorting method

legieren *v/t* to alloy

Legierung *f* 1. alloy, composition metal; 2. alloying; **hochwertige L.** super alloy; **L.smetall** *nt* composition metal

Legion *f* legion

Legis|lation *f* legislation; **l.lativ** *adj* legislative; **L.lative** *f* legislative, legislature

Legislatur *f* legislature; **L.periode** *f* legislative period, term, life (of a parliament), parliament

legitim *adj* legitimate

Legitimation *f* 1. legitimation, identification, proof of identity; 2. lawful title/entitlement, evidence of authority

Legitimations|aktionär *m* proxyholder; **L.karte** *f* 1. identification card; 2. special sales licence; **L.papier** *nt*

identification paper, title-evidencing instrument; **L.schein** *m* 1. (distribution/hawker's) licence; 2. receipt to bearer; **L.übertragung** *f* proxy statement, transfer of right to vote; **L.urkunde** *f* document of title; **L.zeichen** *nt* token; **L.zwang** *m* obligation to prove identity

legitimier|en *v/t* 1. to legitimize/legitimate, to establish the legal title, to make lawful; 2. to authorize/empourer; *v/refl* to prove one's identity, to show one's papers; **l.t** *adj* authorized, empowered; **aktiv l.t** entitled to sue; **passiv l.t** liable to be sued, capable of being sued; **L.ung** *f* legitimation

Legitimität *f* legitimacy

Lehen *nt* 1. fief; 2. feud, feudal tenure; **L.srecht** *nt* feudal law

Lehm *m* clay, loam, mud; **L.grube** *f* clay pit; **L.hütte** *f* mud hut; **L.ziegel** *m* clay brick

Lehns|besitz *m* feudal tenure; **L.gut** *nt* copyhold (estate), feud; **L.gutpächter** *m* copyholder; **L.herr** *m* feudal lord; **L.leistung** *f* socage; **L.zins** *m* feu-duty

Lehrabschluss|prüfung *f* trade test; **L.zeugnis** *nt* apprenticeship certificate, certificate of apprenticeship

Lehramt *nt* 1. teaching position/post; 2. teaching profession; **L.sanwärter** *m* trainee teacher; **L.sprüfung** *f* teacher's examination; **L.sprüfungszeugnis** *nt* teacher's diploma

Lehr|- apprenticeable; **L.anstalt** *f* educational institution/establishment, academy; **höhere L.anstalt** secondary *[GB]*/high *[US]* school; **L.auftrag** *m* teaching appointment; **L.beauftragter** *m* lecturer; **L.befähigung** *f* teaching qualification, teacher certificate; **L.beruf** *m* 1. teaching profession; 2. apprenticeable occupation, skilled trade; **L.betrieb** *m* 1. training shop; 2. teaching; 3. *(Hochschule)* lectures; **L.brief** *m* apprenticeship certificate, indenture

Lehrbuch *nt* 1. school book, reader, textbook; 2. training manual; **L.bücher** educational books; **L. für Anfänger** primer; **vorgeschriebene L.bücher** prescribed textbooks; **L.sektor** *m* educational publishing/field

Lehrbursche *m* (male) apprentice

Lehre *f* 1. *(Ausbildung)* apprenticeship, traineeship; 2. *(Doktrin)* doctrine; 3. *(Unterweisung)* lesson, teaching; 4. *(Wissenschaft)* science; **in der L.** articled

Lehre von der Agrarverfassung land economics; **~ Eigentumsvermutung** doctrine of reputed ownership; **L. von Leistung und Gegenleistung** doctrine of consideration; **L. vom hypothetischen Parteiwillen** § doctrine of hypothetical intentions; **~ mutmaßlichen Parteiwillen** doctrine of implied intentions; **~ Prozessführungsrecht** standing to sue doctrine; **L. von der Teilnichtigkeit** doctrine of severance; **~ Überschreitung der Satzungsbefugnisse** doctrine of ultra vires *(lat.)*; **~ Umwandlung von Grundvermögen; ~ Verjährung** doctrine of conversion; **~ Vertragsgrundlage** doctrine of frustration of adventure

von Lehre und Rechtssprechung entwickelt developed in and out of court; **das wird dir eine L. sein** *(coll)* that'll teach you a lesson *(coll)*

seine Lehre absolvieren/durchmachen to serve one's time/apprenticeship; **in die L. gehen bei** to be articled/apprenticed to, to be indentured/indented with; **seine L. beendet haben** to be through one's apprenticeship/training; **zu jdm in die L. kommen** to be apprenticed to so.; **L. machen** to be apprenticed, to serve an apprenticeship, to train; **in der L. sein** to be articled/apprenticed, to serve one's time/apprenticeship

gewerbliche Lehre industrial apprenticeship/training, craft apprenticeship; **herrschende L.** prevailing opinion/doctrine; **kaufmännische L.** commercial training/apprenticeship; **obligatorische L.** compulsory apprenticeship/training

lehren *v/t* to teach/train/instruct/lecture

Lehrer *m* teacher, instructor, tutor, (school)master, preceptor, lecturer

Lehrer|ausbildung *f* teacher training; **L.beruf** *m* teaching profession; **L.bildungsanstalt** *f* teacher training college *[GB]*, teacher's college *[US]*

Lehrerin *f* schoolmistress

Lehrer|kollegium *nt* teaching staff; **L.mangel** *m* shortage of teachers; **L.-Schüler-Verhältnis** *nt* teacher-pupil ratio; **L.seminar** *nt* teacher's college/institute, teacher-training college; **L.stelle** *f* teaching position/post; **L.streik** *m* teachers strike; **L.zimmer** *nt* staff room

Lehr|fach *nt* teaching subject/profession; **L.film** *m* educational film

Lehrgang *m* course, school; **sich für einen L. anmelden** to sign up/enrol for a course; **an einem L. teilnehmen** to attend a course; **außerbetrieblicher L.** out-of-company course; **kaufmännischer L.** commercial course

Lehrgangs|gebühr *f* course fee; **L.gestaltung** *f* course content, curriculum; **L.leiter** *m* training supervisor, chief instructor; **L.teilnahme** *f* course attendance, attendance figures/level; **L.teilnehmer(in)** *m/f* member of a course, trainee; **L.veranstalter** *m* course organiser

Lehr|gegenstand *m* subject; **L.geld** *nt* premium, apprentice fee, apprenticeship pay; **~ zahlen** to learn to one's cost, to learn it the hard way, to pay dearly (for sth.); **L.herr** *m* master, apprentice's employer; **L.inhalt** *m* course content; **L.institut** *nt* teaching/training institution; **L.jahr** *nt* year as an apprentice; **L.jahre** 1. apprenticeship; 2. *(Anwalt)* pupilage; **L.junge** *m* (male) apprentice; **L.kanzel** *f [A]* chair; **L.körper** *m* teaching staff, faculty; **L.kraft** *f* teacher; **L.kräfte** teaching staff; **L.krankenhaus** *nt* teaching hospital

Lehrling *m* apprentice, trainee, improver

Lehrling abtreten to turn over an apprentice; **L. annehmen/einstellen** to take on an apprentice; **als L. dienen** to serve one's articles/apprenticeship; **sich als L. verdingen** to apprentice o.s.; **als L. verpflichten** to indent

gewerblicher Lehrling industrial/craft/technician apprentice, ~ trainee; **kaufmännischer L.** commercial trainee/apprentice; **vertraglich verpflichteter L.** bound apprentice; **nicht beim Lehrherrn wohnender L.** outdoor apprentice *(obs.)*

Lehrlings|ausbilder *m* apprentice teacher; **L.ausbildung** *f* apprentice training (scheme), apprenticeship training; **L.beruf** *m* apprenticeable occupation; **L.lohn** *m* apprentice wage; **L.rolle** *f* register of apprentices; **L.stand** *m* apprenticeship; **L.vergütung** *f* apprenticeship/apprentice's pay; **L.verhältnis** *nt* apprenticeship; **im ~ stehen** to be apprenticed/articled/indent(ur)ed; **L.vertrag** *m* apprenticeship contract, indenture (of apprenticeship); **~ abschließen** to bind an apprentice; **L.werkstatt** *f* training shop, vestibule school *[US]*; **L.wesen** *nt* apprentice system; **L.zeit** *f* apprenticeship period; **L.zeugnis** *nt* apprenticeship certificate

Lehr|mädchen *nt* female/girl apprentice; **L.meinung** *f* doctrine, school of thought/thinking; **wirtschaftliche L.meinung** economic doctrine, school of economic thought; **L.meister** *m* instructor, master; **L.methode** *f* teaching method; **L.mittel** *pl* teaching aids/materials; **L.modell** *nt* mock-up; **L.personal** *nt* teaching staff; **L.plan/L.programm** *m/nt* curriculum, syllabus; **l.reich** *adj* instructive, educational; **L.satz** *m* theorem, proposition; **L.schau** *f* instructive exhibition; **L.stelle** *f* apprenticeship/traineeship/trainee place; **L.stellenangebot** *nt* available apprenticeships/traineeships, vacancies for apprentices/trainees; **L.stoff** *m* subject, syllabus; **L.stuhl** *m* (professorial) chair, professorship; **L.stuhlinhaber** *m* holder of a chair, full professor; **L.stunde** *f* lesson; **L.tätigkeit** *f* teaching (activity); **L.verhältnis** *nt* apprenticeship; **L.verpflichtung** *f* teaching duties/commitment; **L.vertrag** *m* indenture (deed), apprenticeship contract, contract/articles of apprenticeship, contract as a trainee; **durch ~ binden** to indent(ure); **L.werk** *nt* textbook; **L.werkstatt/-stätte** *f* trainee/training workshop, training centre, apprentices' training shop, shop-training department, vestibule school *[US]*

Lehrzeit *f* (period of) apprenticeship, training period; **seine L. absolvieren/durchmachen** to serve one's apprenticeship/time; **~ beendet haben** to be through one's apprenticeship

Lehr|zeugnis *nt* certificate of apprenticeship; **L.ziel** *nt* instructional/teaching goal

Leib *m* 1. $ body; 2. corpus *(lat.)*

Leib und Leben life and limb; **mit L. und Seele** wholeheartedly, with heart and soul; **~ dabei sein** to put one's heart and soul into sth.; **sich jdn vom L.e halten** to keep so. at bay; **jdm auf den L. rücken** to close in on so.; **einem Problem zu L.e rücken** to tackle a problem; **etw. am eigenen L. verspüren** to experience sth. personally

leibeigen *adj* in bondage; **L.e(r)** *f/m* serf, villein; **L.schaft** *f* serfdom, villeinage

Leibeserbe *m* § heir bodily, bodily heir, issue; **ohne L.n sterben** to die without issue; **L.nrisiko** *nt* issue risk

Leibes|erziehung *f* physical education (P.E.)/training; **L.frucht** *f* $ embryo, foetus *(lat.)*; **L.übungen** *pl* physical exercises, gymnastics; **L.untersuchung/L.visitation** *f* body/bodily/strip search

Leib|gedinge *nt* widow's dower; **L.gericht** *nt* favourite dish; **l.lich** *adj* bodily, physical; **L.pacht** *f* life tenancy

Leibrente *f* life/contingent/perpetual annuity, annuity for life, life interest; **L. ohne Zahlung im Todesfall** non-apportionable annuity; **L. aussetzen** to settle a life annuity; **abgekürzte L.** temporary annuity; **aufgeschobene L.** deferred annuity; **L.nempfänger** *m* (life) annuitant

Leibrentenversicherung *f* (life) annuity insurance; **kollektive L.** group annuity insurance; **L.spolice** *f* annuity policy; **L.svertrag** *m* annuity insurance contract

Leib|rentenvertrag *m* contract of annuity; **L.rentenzusicherung** *f* guaranteed annuity; **L.rentner** *m* life annuitant; **L.schmerzen** *pl* $ stomach-ache; **L.wache/L.wächter** *f/m* bodyguard; **L.wäsche** *f* underwear

Leiche *f* dead body, corpse; **L. im Keller** *(fig)* skeleton in the cupboard *(fig)*; **nur über meine L.** only over my dead body; **über L.n gehen** *(coll)* to stick at nothing; **L. öffnen** to perform a postmortem

Leichen|ausgrabung *f* exhumation; **L.begräbnis** *nt* funeral, burial, obsequies; **L.beschauer** *m* coroner, crowner *[Scot.]*; **L.bestatter** *m* undertaker, funeral director, mortician *[US]*; **L.fledderei** *f* body stripping, plundering the dead, stealing from a dead body; **L.halle** *f* funeral parlour, mortuary, morgue; **L.öffnung** *f* autopsy, postmortem; **L.raub** *m* body snatching; **L.räuber** *m* body snatcher; **L.rede** *f* funeral oration; **L.schänder** *m* desecrator (of dead bodies); **L.schändung** *f* 1. desecration (of dead bodies), abuse of the dead; 2. necrophilia

Leichenschau *f* postmortem, inquest; **L. abhalten** to hold an inquest; **L.haus** *nt* morgue, mortuary; **L.schein** *m* postmortem certificate

Leichen|schmaus *m* funeral meal; **L.starre** *f* rigor mortis *(lat.)*; **L.träger** *m* (pall) bearer; **L.tuch** *nt* pall, shroud; **L.verbrennung** *f* cremation; **L.wagen** *m* hearse; **L.zug** *m* funeral procession

Leichnam *m* dead body, corpse

leicht *adj* 1. light(weight); 2. easy, effortless; 3. slight, gentle, mild; 4. low-priced; **zu l.** underweight; **jdm l. fallen** to come easily to so.; **es l. haben** to find it easy; **~ nehmen** to take it easy

Leicht|bau/L.bauweise *m/f* lightweight construction; **L.beton** *m* 🏛 lightweight concrete; **L.brief** *m* ✉ air letter, aerogram(me)

Leichter *m* ⚓ lighter, barge, pra(a)m; **frei in L.** free into barge (f.i.b.); **auf L. umladen** to lighter, discharge into lighters

geringfügig leichter *(Börse)* a fraction easier; **l. bei zurückhaltenden Aktivitäten** easier with operators sidelined

Leichter|führer *m* ⚓ barge operator, bargee *[GB]*; **L.gebühr/L.geld** *f/nt* lighterage; **L.gefahr** *f* lighter risk; **L.(usw.)klausel** *f* lighter clause, craft etc./craft & c. clause; **L.lohn/L.miete** *m/f* lighterage, lighter hire; **L.-Mutterschiff** *nt* Baco-line

Leichtern *nt* lighterage, lightering; **l.** *v/t* to lighter

Leichter|schiff *nt* lighter; **L.schiffer** *m* lighterman; **L.trägerschiff** *nt* barge carrier

Leichterung *f* lighterage; **L.skosten** *pl* lighterage charges

leichtfertig *adj* negligent, reckless, thoughtless, frivolous, improvident; **L.keit** *f* negligence, recklessness, thoughtlessness; **bewusst in Kauf genommene L.keit** § constructive wilfulness

Leicht|flugzeug *nt* light plane; **L.fuß** *m (coll)* happy-go-lucky person; **l.füßig** *adj* lightfooted, footloose; **L.gewicht** *nt* lightweight; **l.gläubig** *adj* credulous, gullible; **L.gläubigkeit** *f* credulity, gullibility; **L.gut** *nt* light goods; **L.heit** *f* lightness

Leichtigkeit *f* ease; **jdn mit L. schlagen** to beat so. hands down

Leicht|industrie *f* light industry/manufacturing; **l.industriell** *adj* light industry/industrial; **L.karton (behälter)** *m* carton; **L.last** *f* light load; **L.lastwagen** *m* pick-up (truck); **L.lohn** *m* low/bottom wage; **L.lohngruppe** *f* bottom/low-wage group, ~ bracket; **L.maschinenbau** *m* light engineering; **L.matrose** *m* ordinary seaman

Leichtmetall *nt* light metal; **L.bau** *m* light metal construction; **L.baufirma** *f* light engineering company; **L.industrie** *f* light metals industry

Leichtöl *nt* light oil

Leichtsinn *m* carelessness, improvidence, recklessness; **sträflicher L.** § criminal negligence; **l.ig** *adj* careless, improvident, reckless, heedless, incautious

leichtverderblich *adj* perishable; **L.keit** *f* perishability

Leichtverpackung *f* light-weight packaging

Leid *nt* pain, suffering, grief; **etw. l. sein** to be fed up with sth. *(coll)*; **es tut mir l.** I'm sorry

Leiden *nt* illness, suffering, ailment, complaint; **jds. L. ein Ende bereiten** to put an end to so.'s misery

altes Leiden *(Vers.)* previous illness; **körperliches L.** physical ailment; **nervöses L.** nervous complaint; **seelisches L.** mental disease/illness

leiden an *v/ti* to suffer from; **jdn. nicht l. können** not to be able to stand so.; **l.d** *adj* suffering, ailing

Leidenschaft *f* passion; **frei von jeder L.** dispassionate; **L.en entfachen/entflammen/schüren** to kindle/fan the flames, to add fuel to the flames *(fig)*; **einer L. frönen** to indulge in a passion

leidenschaft|lich *adj* passionate, impulsive, tempestuous; **l.slos** *adj* dispassionate

Leidens|gefährte/L.gefährtin/L.genosse/L.genossin *m/f* fellow sufferer; **L.geschichte** *f* 1. tale of woe; 2. $ medical history; **L.weg** *m (fig)* rough passage *(fig)*

leider *adv* unfortunately

leid|geprüft *adj* sorely tried; **l.lich** *adj* tolerable, not too bad; **L.tragende(r)** *f/m* victim; **zu meinem L.wesen** *nt* much to my regret/disappointment/cost/chagrin

Leih|amt/L.anstalt *nt/f* pawnshop, pawnbroker's shop; **auf das L.amt tragen** to (put in) pawn; **L.arbeit** *f* 1. contract/temporary work, temping *(coll)*, casual labour; 2. temporary transfer of workers, loan employment; **L.arbeiter(in)/L.arbeitnehmer(in)** *m/f* agency/contract/casual/loan worker, temp *(coll)*, contract employee, employee on temporary loan

Leiharbeits|firma *f* loan-employment/temporary-employment agency; **L.kräfte** *pl* agency/contract/temporary/casual labour, ~ personnel, loaned employees; **L.verhältnis** *nt* loan/temporary employment

Leih|bibliothek/L.bücherei *f* lending *[GB]*/rental *[US]*/circulating library; **L.devisen** *pl* short-term currency borrowings; **L.devisengeschäft** *nt* foreign currency loan business

Leihe *f* loan; **zur L.** on loan; **in (die) L. geben** to pawn (sth.); **in L. nehmen** to take in pawn

Leihen *nt* 1. lending; 2. borrowing

leihen *v/t* 1. to lend/loan/advance; 2. *(von jdm)* to borrow, to (take on) hire; *v/refl* to borrow

Leihemballagen *pl* loan containers

Leiher *m* 1. lender; 2. borrower

Leih|frist *f* 1. lending period; 2. time of borrowing; **L.gabe** *f* loan; **als L.gabe** as a/on loan; **L.gebühr** *f* 1. lending fee; 2. rental/hire charges, ~ costs; **L.gelder** *pl* borrowed capital, loans, loan money; **L.geschäft** *nt* lending (business), loan business

Leihhaus *nt* pawnshop, pawnbroker's shop; **etw. aus dem L. auslösen** to redeem a pawn; **ins L. tragen** to put into pawn; **L.schein** *m* pawn ticket

Leih|kapital *nt* borrowed/outside/loan capital, loanable funds; **~ mit Kündigungsfrist** term *[GB]*/time *[US]* deposits; **L.kräfte** *pl* temporary/contract/casual labour; **L.kredit** *m* lender credit; **L.lieferung** *f* loan consignment; **L.pacht** *f* lend-lease; **in ~ überlassen** to lend-lease; **L.personal** *nt* temporary staff, contract personnel, casual labour; **L.satz** *m* interest rate; **L.schein** *m* pawn ticket; **L.titel** *pl* borrowed securities; **auswärtiger L.verkehr** inter-library loan; **L.vertrag** *m* loan contract, loan for use, § bailment

Leihwagen *m* rented/hired car; **L.dienst** *m* car hire service; **L.firma** *f* car rental/hire company; **L.geschäft** *nt* car rental/hire (business)

leih|weise *adj* on loan; **L.zins** *m* loan interest (rate)

Leim *m* glue; **auf den L. gehen** *(fig)* to be taken in, to rise to the bait *(fig)*; **aus dem L. gehen** *(coll)* to fall apart, to come apart at the seams; **flüssiger L.** mucilage *[US]*

leimen *v/t* to glue; **jdn. l.** *(fig)* to take so. in

Leine *f* 1. line; 2. cord, string; **an der kurzen L. führen** to keep a tight rein; **jdn ~ halten** to keep so. on a short rein; **jdn an der langen L. laufen lassen** to give so. his head, ~ free rein, to allow so. ample scope; **jdn an die kurze L. legen** to get so. under control, to tighten the reins

Leinen *nt* linen, canvas; **in L. gebunden** clothbound

Leinen|einband *m* hard cover; **L.händler** *m* linen draper; **L.papier** *nt* cloth-mounted paper; **L.umschlag** *m* close-lined envelope

Leineweber *m* linen weaver; **L.ei** *f* linen mill

Lein|pfad *m* towpath; **L.saat/L.samen** *f/m* linseed; **L.wand** *f* screen; **L.warenhandel** *m* linen trade

Leisetreter *m* *(coll)* pussyfoot *(coll)*; **L.ei** *f* pussyfooting; **l.isch** *adj* pussyfooting, mealy-mouthed

Leiste *f* 1. lath, bar, border, batten; 2. renewal coupon; 3. *(Scheck)* stub; 4. report group

Leisten *m* *(Schuhmacher)* last; **alles über einen L. schlagen** *(fig)* to measure everything with the same yardstick

leisten *v/t* 1. to perform/do/effect/achieve/accomplish; 2. *(Dienst)* to render; **(es) sich l. (können)** to afford, to

treat o.s. to sth., to indulge in sth.; **mehr als gefordert l.** to overperform; **nicht genug/zu wenig l.** to underperform; **sich etw. schlecht l. können** to ill afford sth.
Leistenbruch *m* ⚕ hernia, rupture
Leistende(r) *f/m* person providing a service
Leistengegend *f* ⚕ groin
Leistung *f* 1. performance, efficiency, showing, proficiency; 2. *(Ergebnis)* result, achievement, effort, merit, attainment, feat; 3. *(Produktion)* output, production, throughput; 4. ✪ energy, power, operation; 5. *(Maschine)* rating; 6. service; 7. standard; 8. payment (payt.); 9. *(Vers.)* benefit, claims payment; 10. *(Entschädigung)* indemnity, consideration
Leistung des Arbeiters *(REFA)* operator performance; ~ **Arbeitnehmers** employee performance; **L. am Arbeitsplatz** job performance; **L. pro Arbeitsstunde** output per manhour; **L.en auf der Baustelle** site services; **L. durch Dritte** performance by a third party; **L. an Erfülligungs statt** payment in lieu of performance, performance in full discharge of an obligation, ~ payment of debt; **L. von Fall zu Fall** ad-hoc *(lat.)* payment(s); **L. und Gegenleistung** performance and counter-performance; **L. in Geld** pecuniary consideration; **L. des vertraglich Geschilderten** specific performance; **L.en im Krankheitsfall** sickness benefits *[GB]*/allowance *[US]*, sick-leave benefits; **L. gegen L.** quid pro quo *(lat.)*; **L.en in Naturalien** payments in kind; **L. einer Nichtschuld** payment of a non-existent debt; **L.en der Sozialversicherung** social security benefits *[GB]*, public assistance benefits *[US]*; ~ **aus der Sterbeversicherung** death benefits; **L. über Tarif** over-award payment; **L. der Technik** feat of engineering; ~ **Unternehmensführung** managerial performance; ~ **Volkswirtschaft** national product; **L.en eines Werklieferungsvertrages** work and labour; **L. an Zahlungs statt** performance in lieu of payment, dation (in payment); **L. Zug um Zug** contemporaneous/step-by-step performance, performance subject to counter-performance
Leistung, die sich sehen lassen kann no mean feat
Leistung|en abzahlen to pay for services rendered; ~ **abrechnen** to invoice sales/services; ~ **anbieten/andienen** to proffer services, to tender performance; **mit voller L. arbeiten** to work/run at full capacity; **L.en ausbezahlen** *(Vers.)* to pay benefits; **jds L. bewerten** to rate so.'s performance; **L. bewirken** to make a settlement; **nach L. bezahlen** to pay by results; **L.en erbringen** 1. to render/perform services; 2. to pay benefits; 3. to deliver the goods *(coll)*; **gute L. erbringen** to put up a good show *(coll)*; **L.en genehmigen** *(Vers.)* to allow benefits; ~ **gewähren** *(Vers.)* to grant benefits; ~ **honorieren** to pay for services rendered; ~ **kürzen** to cut back benefits; ~ **umsetzen** to sell goods and services; **L. verbessern** to improve performance; **L. verweigern** to refuse performance; **L.en zubilligen** *(Vers.)* to allow benefits
abgegebene Leistung output; **abgerechnete L.en** invoiced sales; **nicht ~ L.en** uninvoiced sales; **abrechnungsreife L.en** accountable cost(s) of unbilled contracts; **ärztliche L.en** medical services/benefits; **bedeutende L.** no mean feat/achievement; **bedingte L.** conditional obligation; **beitragsfreie L.** non-contributory benefit; **berufliche L.** job performance; **freiwillige betriebliche L.en** fringe benefits; **zusätzliche ~ L.en** supplements; **durchschnittliche L.** par performance; **eigene L.en** capital outflow, own work, goods and services for own account; **empfangene L.** input; **entgeltliche L.** valuable consideration; **erbrachte L.en** services rendered; **erfinderische L.** invention; **erwartete L.** expected attainment/performance; **externe L.en** external performance; **fachliche L.** professional achievement; **freiwillige L.** 1. *(Vers.)* ex-gratia/non-compulsory/voluntary payment; 2. fringe benefit; **an Unternehmenszugehörigkeit gebundene L.en** lock-in benefits; **garantiefähige L.en** eligible services *[US]*; **geplante L.** budgeted performance; **gegenseitige L.** reciprocal duty; **vertraglich geschuldete L.** contract debt, contractual obligation; **gewerbliche L.en** commercial services; **glänzende L.** brilliant feat; **gute L.en** a good record; **hervorragende L.** outstanding achievement; **innerbetriebliche L.** own work, internal service, auxiliary plant services, non-market plant output; **interne L.en** internal services/performance; **klägliche L.** poor performance; **konkrete L.** practical achievement; **konzerninterne L.en** inter-group services; **laufende L.en** current benefits; **marktfähige L.** marketable product/service; **mäßige L.** mediocre performance; **maximale L.** *(Maschine)* maximum output; **optimale L.** optimum performance; **schriftstellerische L.** literary achievement; **schulische L.** school performance; **schwache L.** under-achievement, poor effort; **sonstige L.en** other performances; **soziale L.en** welfare benefits, social security benefits; **spätere L.** *(Vers.)* deferred benefit; **staatliche L.** state benefit; **unentgeltliche ~ L.** government grant; **steuerbare L.** taxable performance; **technische L.** feat of engineering; **teilbare L.** divisible performance; **überdurchschnittliche L.** above-par performance; **überragende L.** outstanding achievement; **übertarifliche L.en** voluntary payments/increments, payments above the wage scale; **umgesetzte L.en** goods and services sold; **unbare L.** consideration other than cash; **unentgeltliche L.** gratuitous service/performance, unilateral/unrequited transfer; **unmögliche L.** impossible consideration, impossibility of performance; **unsichtbare L.en** invisible services, invisibles; **unternehmerische L.** entrepreneurial achievement; **unwirksame L.en** non-effective benefits; **verbundene L.en** joint products; **vereinbarte/vertragliche L.** contracted/contractual service, ~ obligation; **vermögenswirksame L.** capital-forming/asset-accumulating payment, capital accumulation benefit; **nicht verrechnete L.en** uninvoiced sales; **wiederkehrende L.en** recurrent payments/benefits; **wirtschaftliche L.** industrial/economic performance; **zusätzliche L.en** fringe benefits
Leistungs|abfall *m* 1. drop in performance/productivity; 2. ⚡ power drop; **L.abgabe** *f* 1. output; 2. ⚡ power output; 3. distribution of goods and services; **l.abhängig**

adj performance-related, output-related; **L.abkommen** *nt* performance agreement; **L.abrechnung** *f* calculation of benefits; **L.abrechnungsbogen** *m* cost and output statement; **L.abschreibung** *f* variable charge method of depreciation; **L.abstimmung** *f* balancing of work, work balancing; **L.abteilung** *f* customer service department; **L.abweichung** *f* 1. *(Arbeit)* efficiency variance; 2. *(Maschine)* machine effectiveness variance, capacity/physical variance; **L.analyse** *f* efficiency rating; **L.anbieter** *m* supplier of services; **L.anforderungen** *pl* performance qualifications, standards of performance; **L.angaben** *pl* 1. performance data, specifications; 2. ✪ power rating; **L.angebot** *nt* 1. offer (to perform), tender; 2. *(Vers.)* benefits tendered; **L.anreiz** *m* (productivity/performance/production) incentive, inducement; **L.anreizsystem** *nt* incentive system

Leistungsanspruch *m* benefit entitlement, right to benefit/recovery, entitlement to benefits; **L. ausschließen** to disqualify from benefits; **L. haben** to be entitled to benefits

Leistungs|anteil *m* share of work/benefit/profit, part payment; **L.anwärter** *m* claimant, potential/qualifying beneficiary; **L.art** *f (Vers.)* type of benefit; **L.auftrag erteilen** *m* to commission; **L.ausfall** *m* loss of productivity; **L.ausgabe** *f (Vers.)* claims payment; **L.ausgleich** *m (Vers.)* compensation for services rendered; **~ zwischen den Generationen** intergeneration equity; **L.ausschluss** *m (Vers.)* exclusion of benefits; **L.austausch** *m* exchange of performance, ~ goods and services; **L.bedarf** *m* ϟ power demand/requirements; **l.bedingt** *adj* performance-linked, performance-tied

Leistungsbemessung *f* performance rating/appraisal; **L.sgrenze** *f (Rente)* benefit threshold; **L.ssystem** *nt* performance appraisal/measurement system

leistungs|berechtigt *adj* eligible for benefit; **L.berechtigte(r)** *f/m* beneficiary; **L.berechtigung** *f* eligibility for benefit; **L.bereich** *m* 1. *(Vers.)* benefit range; 2. *(Maschine)* capacity range; **L.bereitschaft** *f* motivation, readiness/willingness to achieve sth., willingness to work, readiness to operate; **L.bericht** *m* performance report; **L.bescheid** *m* § requisition order; **L.beschreibung** *f* performance specification/description; **L.beteiligung** *f* performance-sharing agreement

Leistungs|beurteilung/L.bewertung *f* (employee) performance rating, efficiency/merit *[US]*/personnel/employee rating, performance assessment/appraisal/evaluation, job evaluation, appraisal by results; **L. nach Einzelfaktoren** factor rating; **ergebnisbezogene L.** appraisal by results; **L.ssystem** *nt* performance appraisal system/plan, merit rating system *[US]*

leistungs|bezogen *adj* performance-related, performance-linked, efficiency-related, output-related; **L.bezug** *m* performance focus

Leistungsbilanz *f* 1. current account (balance), balance of visible and invisible items, balance (of payments) on current account/transactions, balance on/of goods and services (and remittances), external current account; 2. performance record

aktive/positive Leistungsbilanz current account surplus, surplus on current account; **negative/passive L.** current account deficit, deficit on current account, negative balance on services, service deficit

Leistungsbilanz|ausgleich *m* current account equilibrium, equilibrium on current account; **L.defizit** *nt* current account deficit, deficit on current/external account; **L.multiplikator** *m* balance of payments multiplier; **L.saldo** *m* current account balance, balance on current account; **L.überschuss** *m* current account (balance) surplus, surplus on goods and services, (balance of payments) surplus on current account

Leistungs|bonus *m* incentive pay, talent money; **L.budget** *nt* performance budget; **L.bündel** *nt* service package; **L.daten** *pl* performance figures; **L.dauer** benefit/indemnity *[US]* period, period of benefit; **L.defizit** *nt* performance deficit; **L.diagramm** *nt* performance chart, indicator diagram; **L.druck** *m* pressure to perform/do well; **L.dschungel** *m (Vers.)* benefits maze; **L.effekt** *m* effective/useful output; **L.einheit** *f* performance/service unit, unit of output, unit power; **L.einkommen** *nt* factor/productive income; **L.einsatz** *m* work input; **L.einschränkung** *f (Vers.)* benefit cuts; **L.einstufung** *f* job evaluation, performance/merit *[US]* rating; **L.empfänger** *m* beneficiary, benefit recipient, recipient of services/benefits; **L.entgelt** *nt* consideration/compensation (for services rendered), price performance pay scheme, quid pro quo *(lat.)*; **L.entgelte der öffentlichen Hand** non-transfer expenditures; **L.entlohnung** *f* payment by results, incentive wage (system), merit pay; **L.entzug** *m* withdrawal of benefits/services; **L.erbringer** *m* contractor, supplier, service provider, provider/renderer of a service; **L.erbringungsperiode** *f* performance period; **L.erfolgssatz** *m* contribution per unit of limiting factor; **L.erfüllung** performance

Leistungsergebnis *nt* operating result, work results; **messbares L.** measurable performance; **L.grad** *m* operating performance level, operator performance; **~ einer Abteilung** departmental performance level

Leistungs|ermittlung *f* performance evaluation, merit rating *[US]*; **L.erstattung** *f* reimbursement; **L.ersteller** *m* service provider/renderer; **L.erstellung** *f* 1. production/output of goods, provision/rendering/production of services, performance, creation of goods and services; 2. *(Vers.)* claim settlement; **kostengünstige L.erstellung** cost-efficient performance/production; **L.erwartungen** *pl* performance expectations; **l.fähig** *adj* 1. efficient, productive; 2. able, capable; 3. ✪ powerful; 4. competitive; 5. solvent, able to pay

Leistungsfähigkeit *f* 1. efficiency, productivity, productive/production capacity, operative capability; 2. achievement potential, capacity for work, working power, ability; 3. competitiveness; 4. ability to pay; **L. der Anwendungsentwicklung** application development productivity; **seine L. unter Beweis stellen** to prove one's potential

behauptete Leistungsfähigkeit *(Unterhalt)* allegation of faculties; **berufliche L.** occupational efficiency; **betriebliche L.** productive/operating efficiency, produc tion/plant capacity; **finanzielle L.** financial capacity/strength/power, solvency, ability to pay; **industrielle L.** industrial efficiency; **körperliche L.** physical fitness/capacity; **steuerliche L.** taxable/tax-paying capacity; **wirtschaftliche L.** business capacity, economic performance/efficiency

Leistungsfähigkeits|faktor *m* productivity factor; **L.profil** *nt* job-efficiency profile

Leistungs|faktoren *pl* productive factors/resources, resources; **L.fall** *m (Vers.)* benefit case; **L.fonds** *m* performance fund; **l.fördernd** *adj* conducive to efficiency; **L.freude** *f* willingness to work; **L.frist** *f* time for performance; **L.garantie** *f* 1. performance guarantee/warranty/bond *[US]*, contract/supply bond, guarantee against defective material and workmanship, guarantee deposit, bank/cash bond; 2. services policy, maintenance bond/guarantee; **L.geber** *m* service provider, provider of a service; **L.gemeinschaft** *f* operating association; **l.gerecht** *adj* fair, adequate, based on efficiency, by results; **L.gerechtigkeit** *f* equal pay for equal work; **L.gesellschaft** *f* meritocracy, achievement-orient(at)ed society; **L.gewicht** *nt* power-(to-) weight ratio; **L.gewinn** *m* operating profit

Leistungsgrad *m* performance/efficiency level, operating ratio, performance efficiency, rate of working; **L. der Abteilung** departmental performance

beobachteter Leistungsgrad observed rating; **zu enge L.e** flat ratings; **uneinheitliche L.e** inconsistent ratings; **zu weite L.e** steep ratings

Leistungsgrad|abweichung *f* off-standard performance; **L.schätzung** *f* performance (level) rating; **L.-standard** *m* standard performance; **L.unterschätzung** *f* loose rating

Leistungs|grenze *f* 1. marginal productivity, output maximum, limit of performance; 2. upper limit; **L.-größe** *f* measure of performance; **L.grundsatz** *m* achievement principle; **L.gruppe** *f* service-rendering group; **betriebliche L.gruppe** cost centre; **l.hemmend** *adj* disincentive; **L.hemmnis** *nt* disincentive; **gesamtwirtschaftliche L.herstellung** national product; **L.hindernis bei Vertragserfüllung** *nt* frustration of contract; **L.höhe** *f* 1. performance/efficiency level; 2. *(Vers.)* benefit rates; **L.honorar** *nt* success/performance fee, payment by result; **L.index** *m* performance index; **L.katalog** *m (Vers.)* range of benefits; **L.klage** *f* § action for (damages or) specific performance, ~ satisfaction, ~ affirmatory relief, proceedings for recovery; **L.koeffizient** *m* output coefficient; **L.konglomerat** *nt* mixed bag of services; **L.konto** *nt* sales account; **L.kontrolle** *f* 1. productivity check, efficiency survey; 2. assessment; **L.kontrollschaubild** *nt* daily chart; **L.kraft** *f* efficiency, capacity, power (to perform); **wirtschaftliche L.kraft** economic capacity; **L.kurve** *f* performance graph/curve, productivity/work curve; **L.kürzung** *f (Vers.)* benefit cut

Leistungslohn *m* incentive wage/pay(ment), merit pay(ment), pay(ment) by results, efficiency wage *[US]*, performance-related/performance-linked pay; **progressiver L.** accelerating incentive pay, accelerated/steepening incentive; **L.abkommen** *nt* incentive pay agreement; **L.ausgleich** *m* lien bonus

Leistungslöhner *m* incentive wage earner

Leistungslohn|satz *m* incentive rate; **L.system** *nt* incentive wage system, efficiency bonus plan *[US]*

Leistungs|maßstab *m* standard of performance, performance indicator/standard/objective; **L.maximum** *nt* maximum output; **L.merkmal** *nt* performance factor; **L.messung** *f* 1. performance appraisal/measurement; 2. assessment of productivity; 3. 🖳 timing; **L.messungssystem** *nt* performance appraisal system; **L.minimum** *nt* minimum output; **L.motiv** *nt* achievement motive; **L.motivation** *f* achievement/performance motivation; **L.nachweis** *m* 1. performance record, proof of performance; 2. *(Ausschreibung)* pre-qualification; **L.niveau** *nt* performance standard/level; **L.norm** *f* performance/efficiency standard; **L.note** *f* performance rating; **l.orientiert** *adj* efficiency-orient(at)ed, performance-minded, performance-orient(at)ed, performance-geared, output-minded, output-geared; **L.ort** *m* place of performance; **L.paket** *nt* 1. social security package, package deal; 2. *(Reise etc.)* service package

Leistungspflicht *f* 1. obligation; 2. *(Vers.)* liability, benefit obligation; 3. obligation/duty to perform; 4. ϟ/*(Gas/Wasser)* public service obligation (PSO); **öffentliche L.** public service obligation (PSO); **stillschweigend vereinbarte L.en** implied obligations

leistungs|pflichtig *adj* contributory, liable to perform/pay; **L.pflichtige(r)** *f/m* contributor, person liable to perform; **L.potenzial** *nt* 1. performance potential, capability; 2. production capacity

Leistungsprämie *f* productivity/incentive/output/performance/production bonus, performance-related bonus scheme, efficiency/acceleration premium, incentive compensation; **L. der Belegschaft** staff productivity bonus; **progressive L.** accelerating premium; **L.nsystem/L.nwesen** *nt* incentive bonus scheme, efficiency bonus plan

Leistungs|preis *m* price per unit; **L.prinzip** *nt* output/efficiency/merit *[US]* principle; **L.programm** *nt* range of services; **L.prüfung** *f* 1. performance test; 2. *(Mensch)* achievement test; **L.qualität** *f* performance standard; **L.quotient** *m* achievement quotient; **L.rechnung** *f* output/performance/results accounting; **L.reihe** *f* sales-purchases results; **L.rente** *f* real-value pension; **L.reserve** *f* reserve capacity; **L.restriktion** *f* restricted performance; **L.satz** *m (Vers.)* benefit rate; **L.schau** *f* trade fair/exhibition, competitive exhibition; **landwirtschaftliche L.schau** agricultural show; **L.scheck** *m* voucher; **L.schild** *nt (Maschine)* rating plate; **L.schuldner(in)** *m/f* § obligor, person obliged to render a performance; **L.schutzrecht** *nt* ancillary copyright; **l.schwach** *adj* inefficient; **L.schwankungen** *pl* performance fluctuations; **L.seite** *f* transactions side; **L.sektor** *m* current account; **L.skala** *f* performance range; **L.soll** *nt* 1. projected performance level; 2. *(Produktion)* production target; **L.spektrum** *nt* ability range; **L.spitze** *f* production peak; **L.stand** *m* efficiency/performance level, level of productivity, quality; **L.standard** *m* performance standard, quality of service; **laufende L.- und Kostenstandards** current work standards; **l.stark** *adj* 1. highly competitive; 2. ⚙ efficient, powerful, high-powered, highly productive; **L.statistik** *f* performance statistics; **l.steigernd** *adj* increasing the efficiency, productivity-increasing; **L.steigerung** *f* improved performance, performance improvement, increased efficiency/output; **betriebliche L.steigerung** improved plant productivity, increase in output; **L.störung** *f* 1. default (in performance), defective performance; 2. § frustration, impairment of performance; **L.streben** *nt* effort; **L.strom** *m* transaction flow, flow of goods and services; **L.struktur** *f* *(Vers.)* benefit structure; **L.stufe** *f* level of performance; **L.system** *nt* merit system; **L.tabelle** *f* 1. performance table; 2. *(Vers.)* scale of benefits; **L.test** *m* achievement/performance/proficiency test; **L.toleranz** *f* performance tolerance; **L.träger** *m* high performer/contributor, achiever, (top) performer; **L.überprüfung** *f* performance review; **L.überschuss** *m* current account surplus, transaction surplus; **L.übersicht** *f* statement of performance, operational statement; **L.umfang** *m* 1. volume/scope of services, service level; 2. *(Vers.)* benefits paid, range of benefits; **L.umsatz** *m* business done; **L.urteil** *nt* 1. performance/merit *[US]* rating; 2. § judgment granting affirmative relief; **L.verbesserung** *f* 1. improved performance; 2. *(Vers.)* benefit increase; **L.verbot an Drittschuldner** *nt* garnishee/third-party order; **L.verbund** *m* service package; **L.vergleich** *m* competition, test; **L.vergütung** *f* bonus, talent money; **L.verhalten** *nt* performance; **L.verkehr** *m (Geld)* transactions; **L.verlauf** *m* rate of achievement; **L.verlust** *m* ↯ power drop; **L.vermittlung** *f* circuit switching; **L.vermögen** *nt* power, capacity, potential, ability to perform, performance, capability; **L.verpflichtung** *f (Vers.)* obligation to pay; **L.verrechnung** *f* billing of services; **L.verrechnungen** *pl* charges; **innerbetriebliche L.verrechnungen** intraplant cost allocation; **L.versprechen** *nt* performance bond, promise to perform; **gegenseitiges L.versprechen** *(Vertrag)* executory consideration; **L.vertrag** *m* performance contract; **L.verweigerung** *f* refusal of performance; **L.verweigerungsrecht** *nt* right to refuse/withhold performance, recoupment; **L.verzeichnis** *nt* specification (and schedule of prices), bill of quantities, detailed estimate; **L.verzögerung** *f* delay in performance; **L.verzug** *m* failure to meet an obligation, default, delay in performance; **L.volumen** *nt* 1. volume of production/services, total services/output; 2. *(Vers.)* volume of benefits; **L.voraussetzungen** *pl (Vers.)* eligibility for benefits, entitlement requirements; **L.vorgabe** *f* 1. performance standard; 2. *(Produktion)* bogey; **L.vorhaltung** *f* activated reserve; **L.vorschrift** *f* *(Vers.)* benefit regulation; **L.vorsprung** *m* lead in performance/efficiency; **L.wettbewerb** *m* efficiency contest, efficiency-orient(at)ed competition, competition in efficiency; **L.wettkampf** *m* competition; **L.wille** *m* motivation, willingness to achieve sth., will to work, ~ produce sth.; **L.zahlen/L.ziffern** *pl* output figures **L.zeit** *f* time of performance; **L.zeitraum** *m (Vers.* benefit period; **L.zentrum** *nt (Sport)* training centre **L.ziel** *nt* performance objective, production target standard of performance; **L.zulage** *f* incentive/productivity/performance-related/rate/increase bonus, meri award/bonus, performance allowance/bonus/increment, production/efficiency increase; **übertarifliche L.zulage** merit increase, excess merit bonus; **L.zuschlag** *m* incentive/efficiency bonus; **L.zuwachs** *m* efficiency gain

Leitartikel *m* leader, leading article, editorial; **kurzer L.** leaderette *[GB]*; **L.seite** *f* editorial page; **L.verfasser** *m* editorial/leader writer, editorialist

Leit|artikler *m* leader writer; **L.befehl** *m* routing directive; **L.begriff** *m* key concept; **L.bild** *nt* model, guiding principle; **L.bilderstellung** *f* image building; **L.börse** leading stock exchange; **L.code** *m* flag; **L.devise** *f* key currency; **L.emission** *f* signpost issue

leiten *v/t* 1. to lead/guide/conduct; 2. *(Betrieb)* to manage/run/direct/head/supervise, to be in charge of; 3 *(Ware)* to route; 4. *(Sitzung)* to chair; **sich l. lassen von** to be guided by

leitend *adj* 1. managing, executive, managerial, in charge, senior, principal, governing, ruling, master, directorial; 2. ↯ conductive

Leitentscheidung *f* § landmark ruling/decision

Leiter *m* 1. manager, head, principal, director, leader superintendent; 2. *(Unternehmen)* master; 3. *(Schule* headmaster; 4. ↯ conductor; *f* ladder

Leiter der Abteilung head of department/division, departmental manager/head; ~ **Öffentlichkeitsarbeit** communications manager; ~ **Rechnungswesen; L. der Buchhaltung** head of the accounting/bookkeeping department, chief accountant, controller, comptroller **L. der Bank** bank manager; ~ **Beschaffungsabteilung; L. des Beschaffungswesens** procurement manager, buyer; **L. der Betriebsabteilung** foreman; ~ **Buchungsabteilung** booking manager; ~ **Datenverarbeitung** data processing manager; ~ **Delegation** head of the delegation; ~ **Einkaufsabteilung** purchasing manager, chief buyer; ~ **Einkaufs- und Verkaufsabteilung** merchandise manager; **L. zum Erfolg** *(fig)* ladder to success; **L. der Expedition** dispatch manager; **L. des Exports; L. der Exportabteilung** export manager; **L. der Feuerabteilung** *(Vers.)* fire manager; ~ **Filiale** branch manager; ~ **Finanzabteilung; L. des Finanzwesens** finance/financial director *[GB]*, treasurer *[US]*, director of finance, financial manager/controller **L. der obersten Finanzbehörde** Commissioner of Inland Revenue *[US]*; ~ **Forschungsabteilung** research manager; **L. einer Gruppe von Betrieben;** ~ **Hauptabteilung** general manager; **L. der Immatrikulationsstelle** admissions officer; ~ **Inkassoabteilung** collection manager; ~ **Instandhaltungsabteilung** maintenance manager; ~ **Kartellbehörde** head of the cartel office, Director General of Fair Trading *[GB]*; ~ **Kontaktgruppe** group head; ~ **Kreditabteilung** credit/loan manager; ~ **Kundendienstabteilung** customer service manager; ~ **Lebensversicherungsabteilung** life manager; ~ **Lieferantenbuchhaltung** accounts payable accountant; ~ **Marketingabteilung** marketing executive; ~ **Materialprüfstelle** material(s) control supervisor; ~ **Materialverwaltung** materials manager; ~ **Montageabteilung** assembly manager; ~ **Niederlassung** branch manager; ~ **Öffentlichkeitsarbeit** public relations officer (PRO), communications manager; ~ **internationalen Öffentlichkeitsarbeit** international communications manager; ~ **Personalabteilung; L. des Personalwesens** personnel/staff/human resources manager, personnel administrator/chief, employee relations director, director of personnel, ~ human resources *[US]*; **L. der Pressestelle** press officer; ~ **Produktionsplanung und -kontrolle** dispatcher; ~ **Rechnungsstelle** accounts manager; **L. des Rechnungswesens** chief accountant, comptroller *[US]*; **L. der Rechtsabteilung** general counsel; ~ **Revisionsabteilung** audit controller; **L. einer Schule** headmaster, principal *[US]*; **L. des Seemannsamtes** shipping commissioner *[US]*/master *[GB]*; ~ **Seeversicherungsgeschäfts** marine manager; ~ **Sozialamts** director of social services *[GB]*; **L. der Stabsabteilung** director; ~ **Transportabteilung; L. des Transportwesens** transport manager, head of the transport department; **L. der Unfall(versicherungs)abteilung** accident manager; **L. des Verkaufs; L. der Verkaufsabteilung** sales manager/director, director of sales, head of the sales department; **L. der Verkaufsförderung** sales promotion manager; ~ **Versandabteilung** shipping manager/clerk, dispatch manager; ~ **Vermögensverwaltung** chief investment manager; **L. des Vertriebs; L. der Vertriebsabteilung** 1. sales manager; 2. marketing director; **L. der Vorkalkulation** chief estimator; ~ **Werbeabteilung** advertising manager, sales promotion manager , publicity director, head of the advertising department; ~ **Zollbehörde** Commissioner of Customs *[US]*

Leiter sein von to be in charge of

ausziehbare Leiter ✪ extension ladder; **funktionaler L.** functional manager; **geschäftsführender L.** manager in charge; **kaufmännischer L.** 1. commercial manager, sales director; 2. *(Warenhaus)* merchandise manager; **künstlerischer L.** art director; **stellvertretender L.** assistant/deputy manager, deputy director, subhead; **technischer L.** director of engineering, technical manager/director; **verantwortlicher L.** acting manager

Leiterin *f* 1. manageress, head; 2. *(Schule)* headmistress

Leiter|sprosse *f* rung; **L.wagen** *m* handcart

Leiterzeugnis *nt* pilot product

Leitfaden *m* 1. *(Buch)* guide, handbook, manual; 2. basic pattern, central idea, guiding principle; **L. für die Befragung** interview outline/guide; ~ **Einkäufer** buyers' guide; ~ **das Personal** welcome booklet; ~ **das Rechnungswesen** accounting manual

Leit|fähig *adj* ϟ conductive; **L.fähigkeit** *f* conductivity; **L.fall** *m* § leading case; **L.feuer** *nt* beacon, leading light; **L.frequenz** *f* radio-directing frequency; **L.funkstelle** *f* network control station; **L.gedanke** *m* governing principle, basic/central idea, motif; **L.gerade** *f* π directrix; **L.hammel** *m (pej.)* bellwether; **L.idee** *f* guiding principle; **L.karte** *f* guide/master card; **L.kartensortiment** *nt* 🖳 group sorting

Leitkurs *m* *(Währung)* central (exchange) rate, pilot rate; **bilateraler L.** *(EWS)* cross rate; **L.änderung** *f* change in base/prime/bank rates; **L.gitter** *nt* parity grid; **L.raster** *nt* grid of central rates

Leit|linie *f* guideline, directive; **L.maxime/L.prinzip** *f/nt* guiding principle; **L.motiv** *nt* basic pattern/theme; **L.motto** *nt* principal theme; **L.planke** *f* crash barrier; **L.preis** *m* leading/guide price; **L.produkt** *nt* main product; **L.projekt** *nt* pilot project; **L.rechner** *m* master computer; **L.satz** *m* (governing) principle; **L.sätze** terms of reference; ~ **für die Preisermittlung auf Grund der Selbstkosten** cost-plus pricing formulae; **L.spruch** *m* motto; **L.station** *f* control/central/area station; **L.stelle** *f* 1. head office, regional headquarters; 2. ✈ operations room; **L.strahl** *m* (guide) beam; **L.studie** *f* pilot/exploratory/preliminary study; **L.technik** *f* instrumentation (technology)

Leitung *f* 1. management, administration, direction, leadership, supervision, superintendence, guidance, control, auspices, lead, running, conduct; 2. governing body; 3. ✪ conduit, (pipe)line, duct; 4. *(Logistik)* routing; 5. ✆ line; **unter L. von** under the direction/aegis of

Leitung der Abteilung Absatzförderung marketing manager; ~ **Behörde** executive management; ~ **Forschungsabteilung** research management; ~ **Geschäfte** conduct of affairs; ~ **Geschäftsbereiche** operational management; **L. der Gesellschaft; L. des Unternehmens** company/corporate management; **L. innerhalb der Linie** line management

in der Leitung bleiben ✆ to hold the line; **L. (inne)haben** to be in control; **neue L. haben** to be under new management; **unter die L. eines Konkursverwalters kommen** to go into receivership; **L. übernehmen** to take over/charge, to assume control

besetzte Leitung ✆ engaged *[GB]*/busy *[US]* line; **einheitliche L.** uniform/central/unified management, unity of direction; **fachkundige/-männische L.** professional management; **freie L.** ✆ vacant line; **gemeinsame L.** 1. joint management; 2. ✆ party line; **unter neuer L.** under new management/ownership; **oberirdische L.** ϟ overhead line; **oberste L.** 1. headquarters, top management; 2. headship; **redaktionelle L.** editorial management; **staatliche L.** government control; **stromführende L.** ϟ live wire; **tote L.** ✆ dead line; **umsichtige L.** prudent management

Leitungs|anlagen *pl* ϟ transmission facilities; **L.ausfall** *m* ϟ mains failure, outage *[US]*; **zusätzlicher L.anschluss** 🖳 additional line feature; **L.ausschuss** *m* executive committee; **L.beauftragte(r)** *f/m* executive; **L.befugnis** *f* power of direction, decision-making powers; **L.belastung** *f* ϟ power load; **L.belegung** *f* ✆ line occupancy; **L.bruch** *m (Wasser)* burst; **L.bündel** *nt* 🖳 line group; **L.draht** *m* lead, wire

Leitungsebene *f* management level, level/layer of

management; **mittlere L.** middle management; **obere L.** senior management, upper echelon of management; **oberste L.** top management; **untere L.** lower management; **unterste L.** first-line management

Leitungs|erweiterung *f* 💻 line expansion; **L.funktion** *f* executive function; **L.gebundenheit** *f* ⚡ power-line dependence; **L.geschwindigkeit** *f* line speed; **L.gremium** *nt* directorate; **L.hahn** *m (Wasser)* water tap, faucet *[US]*; **oberste L.instanz** top management; **L.kanal** *m* conduit, channel; **L.kosten** *pl* managerial costs; **L.macht** *f* power to direct; **L.mast** *m* ⚡ pylon

Leitungsnetz *nt* 1. (supply) network; 2. ⚡ (transmission) grid, transmission system; 3. *(Gas/Wasser)* supply system; **an das L. anschließen** ⚡/*(Gas/Wasser)* to connect to the mains; **sternförmiges L.** radial transmission service

Leitungs|organ *nt* managing body, directing/management organ, management board; **L.organisation** *f* chain of command, board structure; **L.plan** *m* ⚡ wiring (diagram); **L.recht** *nt* right to instal services; **L.rohr** *nt* conduit, feedpipe; **L.schnur** *f* ⚡ (line) cord, flex

Leitungsspanne *f* chain of command, span of control/management/responsibility; **große L.** broad span of control; **kleine L.** narrow span of control

Leitungs|stelle *f* supervisory position; **L.steuerung** *f* line control; **L.störung** *f* line fault; **L.struktur** *f* management/managerial structure, line of command, lines of authority

Leitungssystem *nt* 1. (management) chain of command (system), chain of authority, directional system, form of organisational structure; 2. ⚙ duct; **einstufiges L.** single-tier board structure; **zweistufiges L.** two-tier board structure

Leitungs|verbund *m* 1. ⚡ grid; 2. *(Gas/Wasser)* mains system; **L.verlust** *m* mains loss

Leitungswasser *nt* tap/mains water; **über L. verfügen** to have water on tap; **L.versicherung** *f* (pipe) water damage insurance

Leitungs|weg *m* *(Transport)* route; **L.wissenschaft** *f* management science

Leit|variable *f* leading variable; **L.vermerk** *m* route/routing instruction; **L.währung** *f* key/leading/reserve/vehicle currency; **L.währungsland** *nt* key currency country, centre country; **L.weg** *m* route, routing; **L.wegangaben** *pl* forwarding instructions; **L.werk** *nt* 1. control unit; 2. ✈ tailplane; **L.wort** *nt* motto; **L.zahl** *f* 1. code/index number; 2. ✉ post(al) *[GB]*/zip *[US]* code; **L.zeichen** *nt* 1. mark; 2. beacon; **L.zentrale** *f* control room

Leitzins *m* (bank) base rate *[GB]*, prime rate *[US]*, basic interest rate, key (interest) rate, prime lending rate; **L.anhebung/L.erhöhung** *f* increase in base/prime/bank rates, raising of the bank rate; **L.satz** *m* base/prime/key rate; **L.senkung** *f* prime rate reduction, reduction in the base rate

Lektion *f* lesson; **jdm eine L. erteilen** to teach so. a lesson

Lektor *m* 1. lecturer, tutor; 2. *(Verlag)* copy editor, publisher's reader; **L.at** *nt* editorial office; **L.enstelle** *f* lecturership, tutorship

Lektüre *f* 1. reading (matter); 2. perusal; **grundlegende L.** basic reading; **passende L.** suitable reading matter; **L.liste** *f* reading list

lenkbar *adj* 1. manageable, governable, ductile; 2. ✈ dirigible

lenken *v/t* 1. to guide/control/manage; 2. to direct/head; 3. to determine/regulate; 4. to channel; 5. to steer

Lenker *m* controller

Lenk|preis *m* transfer price; **L.rad** *nt* 🚗 steering wheel; **l.sam** *adj* tractable; **L.samkeit** *f* tractability

Lenkung *f* 1. control, direction; 2. 🚗 steering; **L. des Außenhandels** export control(s); **~ Handels** guidance of trade; **fiskalische/staatliche L.** government control; **innerbetriebliche L.** internal control; **pretiale L.** transfer pricing

Lenkungs|ausschuss *m* steering/ruling committee, governing body; **L.funktion** *f* steering function/capacity; **L.maßnahmen** *pl* regulatory/control measures; **L.modell** *nt* control model; **L.organ** *nt* regulatory body, controlling organ/authority; **L.rechnung** *f* calculation for controlling purposes; **L.stelle** *f* planning office

Lenk|verhalten *nt* 🚗 steering; **L.zeit** *f* driving period; **ununterbrochene L.zeit** continuous driving period

lenz|len *v/t* ⚓ to pump out; **L.pumpe** *f* bilge pump

leoninisch *adj* § leonine

Leporello|-Endlospapier *nt* fanfold stationery; **L.falzung** *f* concertina folding

Lepra *f* ⚕ leprosy; **L.kranke(r)** *f/m* leper; **l.krank; leprös** *adj* leprous

lern|bar *adj* learnable; **L.begierde** *f* eagerness to learn; **l.begierig** *adj* eager to learn; **l.behindert** *adj* educationally handicapped; **L.bereitschaft** *f* readiness to learn; **L.beruf** *m* apprenticeable trade

Lernen *nt* learning, study; **computerunterstütztes L.** computer-aided learning; **programmiertes L.** programmed learning

lernen *v/ti* to learn/study; **auswendig l.** to learn by heart, to memorize; **mechanisch l.** to learn by rote

Lernende(r) *f/m* learner

lern|fähig *adj* teachable; **L.fähigkeit** *f* teachability, learning ability; **L.funktion** *f* learning function; **L.hilfe** *f* educational aid; **L.jahre** *pl* years spent learning; **L.kurve** *f* learning curve; **L.mittel** *nt* teaching aid; **L.programm** *nt* curriculum, syllabus; **L.prozess** *m* learning process; **L.ziel** *nt* objective, learning goal

Lesart *f* version, reading, interpretation; **abweichende L.** different reading; **falsche L.** misconstruction

lesbar *adj* readable, legible; **leicht l.** easy to read; **maschinell l.** machine-readable

Lese *f* 1. 🚜 harvest; 2. vintage; 3. picking

Lese|alter *nt* reading age; **L.anweisung** *f* 💻 read statement; **L.automat** *m* reading machine; **L.befehl** *m* 💻 read instruction; **L.einheit** *f* 💻 reading unit; **L.einrichtung** *f* 💻 read feature; **L.- und Schreibfähigkeit** literacy; **L.fehler** *m* 💻 read error; **L.funktion** *f* 💻 scan feature; **L.gerät** *nt* 1. reading machine, reader; 2. 💻 scanner; **L.geschwindigkeit** *f* read rate; **L.gewohnheiten** *pl* reading habits; **L.impuls** *m* read impulse; **L.kop**

m 🖳 read head; **L.kopfabdeckplatte** *f* head platform; **L.liste** *f* reading list, prescribed books; **L.locher** *m* card read punch; **L.maschine** *f* reading machine

esen *nt* reading; **des L.s und Schreibens kundig** literate; **löschendes/zerstörendes L.** 🖳 destructive reading/readout; **zerstörungsfreies L.** non-destructive reading

esen *v/ti* to read; **falsch l.** to misread; **flüchtig l.** to skim; **flüssig l.** to read fluently; **sich gut l. lassen** to read well

esenswert *adj* readable, worth reading

eselpistole *f* 🖳 code/data pen, scanner; **L.probe** *f* specimen passage; **L.programm** *nt* 🖳 input program; **L.prüfung** *f* 🖳 read check; **L.publikum** *nt* reading public; **L.pult** *nt* reading desk, lectern

eser *m* reader

eserlanalyse *f* readership analysis/survey, audience analysis; **L.ausweis** *m* library ticket; **L.brief** *m* letter to the editor; **L.briefspalte** *f* letters page, correspondence column; **L.forschung** *f* reader research; **L.gemeinde** *f* reading public; **L.kreis** *m* readership; **l.lich** *adj* legible, readable; **L.lichkeit** *f* legibility; **L.schaft** *f* readership, audience; **L.schaftsanalyse** *f* readership analysis/survey; **L.stamm** *m* (stock of) regular readers; **L.zuschrift** *f* letter to the editor

eselsaal *m* reading room; **L.schreibkopf** *m* 🖳 combined head; **L.- und Schreibtest** *m* literacy test; **L.signal** *nt* 🖳 read-back signal; **L.speicher** *m* 🖳 read only memory (ROM); **flüchtiger L.speicher** erasable programmable read only memory; **L.station** *f* 🖳 reading station; **L.stift** *m* 🖳 code/data pen; **L.stoff** *m* reading (matter); **L.übung** *f* reading practice; **L.zeichen** *nt* bookmark, marker; **L.zimmer** *nt* reading room; **L.zirkel** *m* book club, magazine subscription service

esung *f* *(Parlament)* reading; **L. eines Gesetzentwurfs** reading of a bill; **erste L.** *(Parlament)* first reading; **in dritter L. verabschiedet** passed after the third reading

ethargie *f* lethargy; **sich aus der L. lösen** *f (Markt)* to wake up to sth.; **in L. verfallen** to become lethargic

etztle(r,s) *adj* last, final, ultimate, hindmost; **zu guter L.** to cap/crown it all; **bis ins L.e** down to the last detail, to the nail; **das L.e auf dem Gebiet von ...** the last word in ..., ✿ state of the art; **sein L.es (her)geben** to give one's all, to do one's utmost; **bis zum L.en gehen** to do one's utmost; **bis ins L.e kennen** to know like the back of one's hand *(coll)*

etztlangebot *nt* highest bid; **L.begünstigte(r)** *f/m* ultimate beneficiary; **L.bietende(r)** *f/m* last and highest bidder; **l.endlich** *adj* eventual; **l.erwähnt/l.genannt** *adj* latter, last-mentioned; **l.instanzlich** *adj* final, § in/of the last instance; **l.jährig** *adj* last year's; **L.käufer** *m* final purchaser, ultimate buyer; **L.kreditnehmer** *m* final borrower; **l.lich** *adv* in the end, at the end of the day *(fig)*; **l.mals** *adv* for the last time; **l.möglich** *adj* last possible; **L.verbrauch** *m* ultimate consumption, end use; **L.verbraucher** *m* retail/ultimate/final consumer, end-consumer, end/ultimate user; **L.verbraucherpreis** *m* retail price; **L.verteiler** *m* retailer; **L.verwender** *m* ultimate user; **l.willig** *adj* testamentary

Leuchtl- luminous; **L.anlage** *f* 1. illuminations; 2. lighting; **L.bake** *f* light beacon; **L.boje** *f* light buoy; **L.buchstabe** *m* illuminated letter; **L.draht** *m* ϟ filament; **L.druck** *m* fluorescent ink printing

Leuchte *f* 1. torch, lantern; 2. *(coll)* luminary

Leuchten *nt* glow; **l.** *v/i* 1. to shine; 2. to glow; **l.d** *adj* shining, luminous

Leuchtlfarbe *f* fluorescent/luminous paint, ~ colour; **L.feuer** *nt* (light) beacon, harbour light(s); **L.feuerabgaben/-gebühren** *pl* light dues; **L.gas** *nt* lighting/town gas; **L.körper** *pl* illuminations; **L.kraft** *f* brightness; **L.kugel** *f* flare; **L.marke** *f* 🖳 cursor; **L.mittelsteuer** *f* tax on electric bulbs and fluorescent fittings; **L.patrone** *f* flare; **L.pistole** *f* flare pistol; **L.reklame** *f* neon sign (advertising); **L.röhre** *f* fluorescent tube, vacuum discharge tube *[US]*; **L.röhrenversicherung** *f* insurance of fluorescent fittings; **L.schirm** *m* illuminated indicator, fluorescent screen; **L.schreiber** *m* electric newscaster; **L.schrift** *f* luminous writing, illuminated newsband; **L.signal** *nt* flare; **L.stift** *m* highlighter

Leuchtstoff *m* luminescent substance; **L.lampe** *f* fluorescent lamp; **L.röhre** *f* fluorescent tube, vacuum discharge tube

Leuchtlturm *m* ⚓ lighthouse; **L.turmwärter** *m* lighthouse keeper; **L.werbemittel** *pl* neon lights; **L.werbung** *f* neon/illuminated advertising; **L.wert** *m* illuminating value; **L.zeiger** *m (Uhr)* luminous hand; **L.zifferblatt** *nt* luminous dial

Leugnen *nt* 1. denial, disavowal; 2. § traverse; **L. einer Forderung** impugnment of a claim; **hartnäckiges L.** persistent denial; **l.** *v/t* 1. to deny/disclaim/disavow/disown/gainsay; 2. § to traverse; **es lässt sich nicht l.** there's no gainsaying

Leugnung *f* denial

Leukämie *f* ⚕ leukemia

Leumund *m* reputation, record, repute; **in bösen L. bringen** to bring into disrepute; **allgemeiner L.** general credit; **einwandfreier/guter L.** good repute; **schlechter/übler L.** ill repute

Leumundslbeweis/L.nachweis *m* character evidence; **L.zeuge** *m* character witness, referee for one's character; **L.zeugnis** *nt* character reference, certificate of good behaviour

Leute *pl* 1. people, folk; 2. *(Arbeiter)* hands; **L. von Rang und Namen** distinguished people; **L. aus der Praxis** practitioners in the field

Leute brauchen to be short of hands; **unter die L. bringen** to canvass, to put about; **L. einstellen** to take on hands; **unter die L. kommen** to become publicly known, to get around; **sich ~ mischen** to mix/mingle with the crowds; **die richtigen L. schmieren** *(coll)* to grease the right palms *(coll)*

einfache Leute common people, simple folk; **feine/vornehme L.** leisured classes, high society, gentlefolk; **junge L.** young people, youth; **kleine L.** *(coll)* ordinary people; **alle möglichen L.** every Tom, Dick and Harry *(coll)*; **ordentliche L.** honest people; **reiche L.** moneyed people; **schlichte L.** plain folks *(coll)*; **stockfremde L.** complete strangers

Leuteschinder *m* grinder, slave-driver
leutselig *adj* amiable, affable
Leverage *f* leverage; **negativer L.-Effekt** negative leverage; **L.-Kennziffer** *f* debt-ratio
jdm die Leviten lesen *pl* *(coll)* to tell so. off, to haul so. over the coals, to read the riot act, to give so. a dressing down *(coll)*
Lexikograf *m* lexicographer
Lexikon *nt* dictionary, lexicon, encyclopedia; **L. zu Hilfe nehmen** to consult a dictionary; **wandelndes L.** *(fig)* mine of information *(fig)*
liberal *adj* liberal, open-minded; **L.e(r)** *f/m* liberal
liberalisier|en *v/t* to liberalize/free/decontrol/deregulate; **l.t** *adj* liberalized, decontrolled, deregulated, derestricted
Liberalisierung *f* liberalization, deregulation, decontrol; **L. des Handels** liberalization of trade; **L. der Zölle** tariff liberalization
Liberalisierungs|kodex *m* liberalization code; **L.liste** *f* liberalization/free list, list of liberalized goods; **L.maßnahmen** *pl* measures of liberalization; **L.satz** *m* rate/degree of liberalization; **L.stand** *m* degree of liberalization
Liberalismus *m* liberalism; **wirtschaftlicher L.** laisser-faire *[frz.]*, laissez-faire *[frz.]*, Manchester school
liberalistisch *adj* liberalist(ic)
Liberalität *f* 1. liberality, generosity; 2. *(Sitten)* permissiveness
Licht *nt* light(ing), illumination; **L. und Schatten** light and shade, **im L. der Öffentlichkeit** in the limelight
ans Licht bringen *(fig)* to bring to light; **L. in eine Angelegenheit bringen** to throw light upon an affair; **grünes L. erhalten** *(fig)* to receive/be given the go-ahead, to receive clearance; **in einem grellen L. erscheinen lassen** to highlight; **in neuem L. erscheinen** to appear in a new light; **jdn hinters L. führen** *(coll)* to hoodwink so., to pull the wool over so.'s eyes *(coll)*; **grünes L. geben** *(fig)* to clear, to give the go-ahead/thumbs up/green light/nod, ~ clearance; **ans L. kommen** to come to light; **etw. ins rechte L. rücken** to put sth. in its true light; **L. scheuen** to shun the light (of day); **in einem anderen L. sehen** to see in a different light; **sich ins rechte L. setzten** to put o.s. in a good light; **etw. in günstiges L. stellen** to place sth. in a good light; **sein L. unter den Scheffel stellen** *(fig)* to hide one's light under a bushel *(fig)*; **L. auf etw. werfen** to throw light upon sth., to highlight; **schlechtes L. werfen auf** to reflect badly on; **sich im wahren L. zeigen** to show one's true colours *(fig)*
abgeblendetes Licht 🚗 dipped headlights; **diffuses L.** diffuse light; **elektrisches L.** electric light; **gedämpftes L.** soft light; **gelbes L.** *(Verkehrsampel)* amber (light); **grelles L.** glare; **grünes L.** 1. green light; 2. go-ahead, clearance; **künstliches L.** artificial light; **offenes L.** naked light
licht *adj* 1. light, bright; 2. lucid; 3. *(Schrift)* open; 4. *(Wald)* sparse
Licht|anlage *f* lighting (installation/system); **l.arm** *adj* poorly lit; **L.band** *nt* luminous strip; **l.beständig** *adj* light-proof, light-resistant

Lichtbild *nt* 1. photograph; 2. *(Dia)* slide, transparency **L.ervortrag** *m* slide lecture; **L.werfer** *m* projector **L.werk** *nt* photographic work
Licht|blende *f* diaphragm; **L.blick** *m (fig)* bright spot silver lining, ray of hope, beacon of joy; **L.blitz** *m* flash **L.bogen** *m* arc (of light); **l.brechend** *adj* refractive **L.brechung** *f* refraction of light
Lichtdruck *m* 🖨 phototype, heliotype, photographi printing; **L.platte** *f* phototype; **L.presse** *f* collotyp press; **L.verfahren** *nt* collotype
lichtdurchlässig *adj* transparent, translucent
Lichte *f* (internal) width
licht|echt *adj* (light)fast, non-fading; **garantiert l.ech** guaranteed fast colour; **L.einfall** *m* incidence of ligh **L.einwirkung** *f* action of light; **l.elektrisch** *adj* photo electric; **l.empfindlich** *adj* photo-sensitive; **L.emp findlichkeit** *f* photo-sensitivity
Lichten *nt* thinning; **l.** *v/t* to thin (out); *v/refl* 1. *(Bestän de)* to go down, to dwindle; 2. *(Himmel)* to clear
Lichter|glanz *m* illumination, blaze of lights; **l.loh** *ad* ablaze, blazing
Licht|faser *f* optical fibre; **L.filter** *m* light filter; **L.flu** *f* dazzle of light; **L.geschwindigkeit** *f* velocity of ligh **L.griffel** *m* 🖥 light pen; **L.hof** *m* 🏛 air well; **L.hupe** 🚗 headlight flasher; **L.installation** *f* light fixture **L.jahr** *nt* light year; **L.kegel** *m* cone of light; **L.knop** *m* button; **L.leitung** *f* lighting wire; **l.los** *adj* dark **L.maschine** *f* 1. 🚗 dynamo, alternator; 2. generator **L.mast** *m* lamp post; **L.meer** *nt* sea of lights; **L.messe** *m* light meter
Lichtpaus|e *f* (blue)print; ~ **machen** to blueprin **L.gerät** *nt* contact printer, ~ printing machine; **L.pa pier** *nt* printing paper
Licht|punkt *m* 1. point of light; 2. 🖥 cursor; **L.punkt abtastung** *f* 🖥 flying spot scan; **L.quante** *f* photon **L.quelle** *f* source of light; **L.recht** *nt* right of ligh **L.reklame** *f* neon (light) advertising, *(auf Haus dächern)* skysign, electric signs, spectaculars *[US]* **L.rufanlage** *f* luminous calling system; **L.satz** *m* photoset, photosetting; **L.schacht** *m* air shaft; **L.schal ter** *m* light switch; **L.schein** *m* gleam of light; **l.sche** *adj* 1. averse to light; 2. *(Charakter)* shady; **L.schim mer** *m* gleam of light; **L.schleuse** *f* light trap; **L. schranke** *f* photo-electric/light barrier; **L.schwelle** light threshold; **L.setzmaschine** *f* 🖨 photosetting ma chine; **L.signal** *nt* light signal; **l.spendend** *adj* illumi nating; **L.spielhaus** *nt* cinema, picture house; **L. sprechgerät** *nt* heliograph; **l.stark** *adj* 1. *(Optik)* intense 2. *(Fotografie)* fast; **L.stärke** *f* luminous intensity **L.stift** *m* 🖥 light pen; **L.strahl** *m* beam/ray of ligh **L.strahler** *m* floodlight projector; **L.strom** *m* 1. ligh flux; 2. stream of light; 3. ϟ domestic current; **l.un durchlässig** *adj* light-proof, opaque; **l.unempfindlic** *adj* insensitive to light
Lichtung *f* 🌳 clearing, glade
Licht|verhältnisse *pl* light(ing) conditions; **L.welle** light wave; **L.wellenleiter(kabel)** *m/nt* optical fibr (cable); **L.werbung** *f* neon advertising, spectacular *[US]*; **L.wert** *m* exposure value

ebäugeln *v/i* to ogle; **mit etw. l.** to toy/flirt with an idea

ebens|wert *adj* charming, lovable, endearing; **l.würdig** *adj* amiable, kind, gentle, courteous; **L.würdigkeit** *f* charm, amiability, kindness

iebes|- love; **L.dienst** *m* favour, good turn; **verlorene/vergebene L.müh(e)** vain endeavour, wasted effort

ebgewinnen *v/t* to become fond of

iebhaber *m* 1. lover; 2. *(Sammler)* collector; **L.ei** *f* hobby; **L.objekt/L.stück** *nt* collector's item; **L.preis** *m* fancy price; **~ zahlen** to pay over the odds; **L.wert** *m* sentimental value

iebling *m* darling, favourite; **L.s-** favourite, pet; **L.sprojekt** *nt* pet project; **bei seinem L.sthema sein** *nt* to be on one's hobby horse

eb|los *adj* loveless, cold, unkind; **L.reiz** *m* charm

ederlich *adj* slovenly, slipshod; **L.keit** *f* slovenliness, sloppiness

ieferabkommen *nt* supply contract; **L.angebot** *nt* offer to supply, supplier's offer, tender of delivery; **L.annahme** *f* taking delivery, acceptance; **L.anschrift** *f* delivery address; **ausländischer L.anteil** foreign content; **einheimischer L.anteil** domestic content

ieferant *m* 1. supplier, supplying company, seller, contractor, vendor *[US]*; 2. tradesman, deliveryman, deliverer, provider; 3. trade creditor; 4. *(Lebensmittel)* purveyor, victualler; **L. von Fertiggerichten** industrial caterer; **~ Schiffsbedarf** ship chandler; **L. sein** to supply; **abhängiger L.** captive contractor; **zugelassener L.** approved supplier

ieferanten|angebot *nt* supplier's offer; **L.audit** *nt* supplier audit; **L.auswahl** *f* supplier/vendor selection; **L.beurteilung** *f* supplier evaluation, vendor appraisal; **L.buch** *nt* accounts payable ledger; **L.buchhalter** *m* accounts payable accountant; **L.buchhaltung** *f* accounts payable accounting; **L.eingang** *m* tradesmen's entrance; **L.erklärung** *f* supplier's declaration; **L.gläubiger(in)** *m/f* trade creditor; **L.kartei** *f* vendor card file; **L.konto** *nt* supplier's account

ieferantenkredit *m* trade/supplier's/mercantile credit, supplier loan; **L.geber** *m* trade creditor; **L.klausel** *f* open account terms; **L.konto** *nt* supplier's account

ieferanten|land *nt* supplier country; **L.liste** *f* list of suppliers; **L.nachweis** *m* list of suppliers; **L.nummer** *f* vendor number; **L.preis** *m* supplier's price; **L.rechnung** *f* supplier's invoice; **offene L.rechnungen** trade accounts receivable *[US]*; **L.retourenbuch** *nt* returns outwards journal; **L.risiko** *nt* supplier's/producer's risk; **L.schulden** *pl* trade debts/payables/creditors, debts to suppliers; **beigetriebene L.schulden** *(Bilanz)* trade debts recovered; **L.skonto** *m/nt* trade discount; **L.skonti** (cash) discounts received; **L.tür** *f* tradesmen's entrance; **L.verbindlichkeiten** *pl (Bilanz)* trade creditors, ~ accounts receivable; **L.verpflichtung** *f* liability to supplier; **L.vorlaufzeit** *f* lead-time from supplier; **L.wechsel** *m* trade acceptance, supplier's bill; **L.ziehung** *f* bill drawn by supplier

iefer|anweisung *f* delivery instructions, instructions for delivery; **L.anzeige** *f* advice of delivery, advice/delivery note; **L.auftrag** *m* delivery/purchase order (D/O); **~ erteilen** to place an order, to award a contract; **L.ausfall** *m* 1. non-delivery, non-performance; 2. delivery shortfall, supply failure; **L.auszug** *m* delivery statement, shipment note; **L.bank** *f (Börse)* delivery bank; **L.beschränkung** *f* supply restriction

lieferbar *adj* 1. available, in stock, deliverable, ready for delivery; 2. *(Börse)* good delivery

begrenzt/beschränkt lieferbar in limited/short supply; **in allen Größen l.** available in all sizes; **gut l.** *(Börse)* good delivery; **kurzfristig l.** available for prompt delivery; **schnell l.** for ready delivery; **sofort l.** 1. prompt(ly), for immediate delivery; 2. *(Börse)* spot; **jederzeit unbegrenzt l.** *(Börse)* on tap; **nur l., solange der Vorrat reicht** available while stocks last

Lieferbarkeit *f* 1. availability; 2. *(Börse)* good delivery; **L.sbescheinigung** *f (Börse)* good delivery certificate, validation certificate; **L.sgrad** *m* level of customer service

Liefer|bedingungen *pl* 1. delivery terms, terms of delivery, terms and conditions of sale, sales conditions; 2. *(Versand)* terms of shipment; **allgemeine L.** general terms and conditions of delivery; **technische L.** engineering specifications

Liefer|begünstigung *f* concession to supplier; **L.beleg** *m* delivery slip; **l.bereit** *adj* ready for delivery/shipment; **L.bereitschaft** *f* readiness to deliver, inventory availability; **L.bereitschaftsgrad** *m* degree of readiness for delivery, service degree; **L.bewilligung** *f* docket *[GB]*; **L.bindung** *f* contract tie-up; **L.buch** *nt* delivery book; **L.datum** *nt* delivery date; **L.dienst** *m* delivery service; **L.einstellung** *f* cessation of delivery; **L.engpass** *m* supply bottleneck/shortage

Lieferer *m* supplier, deliverer, contractor, seller, vendor; **L.skonto** *m/nt* discount earned

lieferfähig *adj* available, fit for acceptance; **L.keit** *f* 1. ability to supply; 2. deliverability, delivery/supply capacity; 3. *(Börse)* stock availability; **sofortige L.keit** ex-stock availability; **über die ~ hinaus verkaufen** to oversell

Liefer|fahrer *m* delivery driver; **L.firma** *f* supplier, contractor, supplying firm/enterprise/company; **L.forderungen** *pl* accounts receivable; **L.- und Leistungsforderungen** trade receivables/debtors; **L.frequenz** *f* frequency of deliveries/drops

Lieferfrist *f* term/time of/for delivery, delivery period/date/deadline; **verlängerte L.en** extended delivery terms; **wachsende/länger werdende L.en** lengthening delivery periods; **L.überschreitung** *f* 1. failure to keep the delivery date, delay in delivery; 2. *(Transport)* exceeding the transit time

Liefer|garantie *f* delivery/supply guarantee, performance guarantee/bid *[US]*/bond; **L.gebühr** *f* delivery charge, charge for delivery; **l.gebunden** *adj* linked with delivery; **L.gegenstand** *m* delivery item; **L.gemeinschaft** *f* marketing cooperative, supply syndicate, supplying consortium; **L.genehmigung** *f* delivery licence; **L.geschäft** *nt* 1. delivery/supply transaction; 2. *(Börse)* futures/straight business, future trading; **technisches L.geschäft** trade-supplying business; **L.-**

gewicht *nt* delivery weight; **L.hafen** *m* port of delivery; **L.kapazität** *f* supply capacity; **L.kartei** *f* term file; **L.kaution** *f* supply guarantee, delivery bond

Lieferklausel *f* delivery clause; **L.n** commercial terms, Incoterms, trade/shipping terms; **angemessene L.n** fair and reasonable commercial terms; **internationale L.n** international commercial terms (Incoterms)

Lieferlkonsortium *nt* suppliers'/supply syndicate, supplying consortium; **L.kontingent** *nt* supply quota; **L.konto** *nt* trading account; **L.kontrakt** *m* contract to supply; **~ machen für** to tender and contract for the supply of; **L.kosten** *pl* delivery costs/expenses/charges, cost of/charges for delivery; **L.kredit** *m* supplier's credit; **L.land** *nt* supplier/supplying country, country of delivery; **L.menge** *f* quantity delivered/supplied, lot, batch; **L.möglichkeit** *f* 1. delivery facilities; 2. delivery prospects; **L.monat** *m* delivery month

liefern *v/t* 1. to supply/deliver; 2. to furnish/provide/allot; 3. *(Lebensmittel)* to purvey; **bedingt l.** to supply on sale or return; **falsch l.** to misdeliver; **frei Haus l.** to deliver free; **neu l.** to replace; **pünktlich l.** to deliver on time

Lieferlort *m* place/point of delivery, delivery place; **geliefert Grenze benannter L.ort** delivered at frontier named place of delivery; **L.periode** *f (Option)* delivery cycle; **L.pflicht** *f* delivery obligation, obligation to deliver; **L.plan** *m* delivery/time schedule; **L.posten** *m* delivery/supply item, lot; **L.preis** *m* supply/delivery/contract price; **L.problem** *nt* supply problem; **L.programm** *nt* delivery programme, range of goods, line; **L.pünktlichkeit** *f* punctual delivery; **L.quelle** *f* source of supply; **L.quote** *f* delivery/supply quota; **L.rhythmus** *m* delivery frequency; **L.rückstand** *m* delayed delivery, order backlog, back order

Lieferschein *m* 1. delivery note/ticket/sheet/docket; 2. *(Anweisung)* delivery order (D/O), bill of delivery/sale, shipping ticket *[US]*; 3. receiving slip; **frei gegen L.** free on delivery; **durch Giro übertragbarer L.** tracer

Lieferlschwierigkeiten *pl* supply difficulties, difficulties in delivery, delivery delay; **L.service** *m* delivery service; **L.soll** *nt* delivery quota; **L.sperre** *f* embargo, refusal to deal *[US]*/sell; **L.spesen** *pl* delivery charges; **L.stelle** *f* agency; **L.stopp** *m* cut-off; **L.störung** *f* delivery disruption; **L.tag** *m* 1. delivery date/day, day of delivery; 2. *(Börse)* settlement day

Liefertermin *m* 1. date/day/time of delivery, delivery date/period, target date; 2. *(Börse)* settlement day; **L. einhalten** to meet a delivery date; **angegebener L.** specified date of delivery

Lieferumfang *m* scope of supplies

Lieferung *f* 1. supply; 2. *(Auslieferung)* delivery; 3. *(Partie)* consignment, shipment (shpt.); 4. *(Börse)* allotment; 5. *(Lebensmittel)* purveyance; 6. *(Gas/Wasser/Strom)* service delivery; 7. *(Zeitschrift)* part, number; **auf/bei L.** on delivery; **bis zur L.** pending delivery

Lieferung auf Abruf delivery on/at call; **~ Abzahlungsbasis** supply on a deferred-payment basis; **L. von Aktien** delivery of shares *[GB]*/stocks *[US]*; **L. und Aufstellung** supply/delivery and erection; **L.en des Auslandes** imports; **~ ins Ausland** exports; **L. gege[n] bar/Barzahlung** cash *[GB]*/collect *[US]* on deliver[y] (C.O.D., c.o.d.), payment on delivery; **L. frei Baustel[l]le** delivered free (on) site; **L. nach Bestelleingan[g]** ready delivery; **L. frei Bestimmungsort** free deliver[y]; **~ an Bord** free on board (f.o.b.); **~ Haus** delivery fre[e] domicile, store-door delivery; **L. von Haus zu Hau[s]** door-to-door delivery; **L.en und sonstige Leistunge[n]** deliveries and other performances; **L. innerhalb 2 Mo[naten]** delivery within two months; **L. gegen Nachnah[me]** payment against delivery, cash basis delivery; **L. i[n] Raten** delivery in instalments; **L. frei längsseits Schi[ff]** free alongside ship (f.a.s.); **L. effektiver Stücke** de[livery] of actual securities; **L. am Tag des Abschluss[es]** *(Börse)* cash delivery; **L. 7 Tage nach Abschluss** *(Bör[se])* delayed delivery *[US]*; **L. am folgenden Tag** nex[t] day delivery; **~ gleichen Tag** same-day delivery; **L. per Termin** future delivery; **L. über Vertriebssyste[m]** franchising; **L. nur an Wiederverkäufer** supplying t[o] the trade only; **L. ab Werk** delivery ex works, ~ at ou[r] works; **L. und Zahlung am Abschlusstag** cash de[livery]; **~ am nächsten Tag** one-day delivery

zahlbar bei Lieferung cash *[GB]*/collect *[US]* on delivery (C.O.D., c.o.d.), payable on delivery

Lieferung ab-/an-/entgegennehmen to take/accep[t] delivery; **L. anbieten** to tender delivery; **L. beschleu[nigen]** to speed up/expedite delivery; **L. bewirken** t[o] effect delivery; **bei L. bezahlen** to pay on delivery, collect on delivery *[US]*; **L. durchführen/vornehme[n]** to effect/execute delivery; **L. einstellen** to cease de[livery]; **in L.en erscheinen** to appear in numbers; **auf L. kaufen** *(Börse)* to buy forward; **gegen sofortige L. kaufen** *(Börse)* to buy spot *[GB]*/outright *[US]*; **au[f] spätere L. kaufen** to buy ahead; **L.en kürzen** t[o] cut/slash supplies; **L.en sperren** to stop supplies; **au[f] zukünftige L. verkaufen** to sell forward; **L. verwei[gern]** to refuse to deliver; **L.en zurückhalten** to with[hold] supplies

aufgeschobene Lieferung deferred delivery; **bestim[m]mungsgemäße L.** *(Börse)* good delivery; **bevorzugt[e] L.** priority delivery; **fehler-/mangelhafte L.** de[ficient]/defective delivery; **frachtfreie L.** freight-fre[e]/carriage-paid delivery; **freie L.** free delivery, deliver[y] free of charge; **innerbetriebliche L.** internal deliver[y]; **(konzern)interne L.en** intra-group/intercompany de[liveries], inter-supplies; **kostenlose L.** delivery free [of] charge; **künftige L.** future delivery; **kurzfristige L.** delivery at short notice; **neue L.** new shipment, fres[h] supplies; **prompte L.** speedy/prompt/spot deliver[y]; **pünktliche L.** punctual/on-time delivery; **rechtzeitig[e] L.** good delivery; **rückständige L.** delivery in arrear[s], overdue delivery; **schnelle L.** speedy delivery; **sofort[i]ge L.** immediate/spot/prompt delivery; **zur sofortige[n] L.** 1. for immediate shipment/delivery; 2. *(Börse)* de[livery] for prompt; **spätere L.** *(Börse)* forward deliver[y]; **steuerfreie L.en** tax-free turnovers; **umgehende L.** immediate delivery; **unentgeltliche L.** delivery free [of] charge; **unverzügliche L.** prompt delivery; **unvol[l]ständige L.** short delivery; **verrechnete L.** deliver[y] charged on account; **verspätete L.** late/delayed delivery; **vertragliche L.en** contract supplies; **vorzeitige L.** premature delivery; **zollfreie L.** duty-free delivery; **zurückgewiesene L.** rejected lot

Lieferungs|anforderung *f* requisition; **L.angebot** *nt* tender, bid *[US]*; ~ **machen** to tender/bid; **L.annahme** *f* taking delivery; **L.anweisung** *f* delivery order; **L.anzeige** *f* 1. shipping advice; 2. *(Börse)* delivery ticket; **L.aufschub** *m* deferred delivery; **L.auftrag** *m* purchase order; **L.bedingungen** *pl* terms/conditions of delivery, delivery terms; **L.- und Zahlungsbedingungen** terms of payment and delivery; **L.buch** *nt* delivery book; **L.datum** *nt* date of delivery; **L.fehler** *m* defect in delivery; **L.frist** *f* term of delivery; **L.garantie** *f* delivery guarantee, performance bond; **L.- oder Erfüllungsgarantie** guarantee against defective material and workmanship; **L.genehmigung** *f* delivery permit; **L.geschäft** *nt (Börse)* futures (trading), transaction for forward delivery; **L.kosten** *pl* delivery costs/charges; **L.kurs** *m (Börse)* delivery price; **L.markt** *m (Börse)* futures market; **L.ort** *m* place of delivery; **L.pflicht** *f* obligation to deliver; **L.preis** *m* delivery price; **L.schein** *m* delivery note; **L.sperre** *f (Börse)* non-delivery (period), blocking period; **L.tag/L.termin** *m* 1. day of delivery; 2. *(Börse)* account day; **L.verkauf** *m (Börse)* futures trading; **konzerninterner L. und Leistungsverkehr** intergroup/intra-group shipments, ~ supplies; **L.verpflichtung** *f* obligation to supply, delivery obligation; **L.vertrag** *m* 1. delivery contract, supply agreement; 2. *(Börse)* futures contract; **L.verzögerung** *f* delayed delivery; **L.verzug** *m* delay in delivery, default (of delivery), delayed delivery; **L.wert** *m* value delivered

Liefer|unterbrechung *f* interruption in supply, supply interruption; **L.- und Leistungsverbindlichkeiten** *pl* trade payables/creditors; **L.verbund** *m* joint delivery; **L.verhalten** *nt* delivery performance; **L.verpflichtung** *f* supply/sales commitment, duty to deliver; **L.vertrag** *m* 1. supply contract/agreement, contract of delivery, ~ to supply/deliver, bill of sale; 2. *(Börse)* forward contract; **unbefristeter L.vertrag** open-end contract; **L.verzögerung** *f* supply/delivery delay; **L.verzug** *m* delay in delivery, failure to deliver, default (of delivery); **L.vorschriften** *pl* forwarding/delivery/shipping instructions; **L.wagen** *m* (delivery) van, truck *[US]*; **L.wagenladung** *f* vanload, truckload; **L.weg(e)** *m/pl* delivery/supply channels, channel of distribution; **L.werk** *nt* supply plant, supplier's works; **L.wert** *m* delivery value, value of the goods delivered; **L.wertangabe** *f* declaration for interest in delivery, declaration of delivery value, declared value for carriage

Lieferzeit *f* delivery time/period, transit/lead time, time/term of delivery; **L. einhalten** to deliver on time, to meet the delivery deadline, to deliver within the specified time; **L. überschreiten** to overrun the delivery time; **effektive L.** (actual) delivery time; **L.-punkt** *m* delivery date

Liefer|zettel *m* delivery note/slip; **L.zurückhaltung** *f* reluctance to deliver/supply; **L.zusage** *f* delivery promise/undertaking; **L.zustand** *m* condition of goods delivered

Liege|geld/L.gebühr *nt/f* ⚓ quayage, quay dues, demurrage

liegen *v/i* 1. to lie, to be located/situated; 2. *(Preis/Kurs)* to rule; **mir liegt daran** I care for it/sth.; ~ **es nicht** it doesn't suit me; **an jdm l.** 1. to be because of so.; 2. to be up to so.; **an mir soll es nicht l.** I won't stand in the way; it won't be my fault; **l. bei** to rest with; **gleichauf l.** to level-peg, to be level; **richtig l.** *(fig)* to be on track *(fig)*

liegen bleiben *v/i* 1. to wait, to be neglected, ~ left behind; 2. not to sell, to be left unsold; **l.d** *adj* 1. horizontal; 2. reclining; 3. latent, inherent, dormant; **l. lassen** *v/t* to leave (behind)

Liegenschaft(en) *f/pl* real/landed estate, ~ property, realty *[US]*, real assets, immovables, possessions, real estate property; **L.en und bewegliche Sachen** land and chattles; **freie L.en** charter land; **fremde L.en** *(Bilanz)* third-party land; **L.enfonds** *m* real estate fund

Liegenschafts|- property; **L.agentur** *f* real estate agency; **L.amt** *nt* real estate office, land office; **L.buch** *nt* real properties register; **L.erschließungsgesellschaft** *f* (property) developer; **L.gewinne** *pl* property gains; **L.kauf** *m* purchase of real estate; **L.konto** *nt* real estate account, property account; **L.nießbrauch** *m* life estate; **L.recht** *nt* law of real property, property law; **L.steuer** *f* property tax; **L.übertragung** *f* conveyance; **L.verkauf** *m* property sale(s); **L.vertrag** *m* contract for the sale of land, real contract *[US]*; **L.verwalter** *m* estate agent, factor *[Scot.]*; **L.verzeichnis** *nt* property record

Liegeplatz *m* 1. ⚓ berth, moorage; 2. *(Schlafwagen)* berth

Liegeplatz für den Exportverkehr ⚓ export berth; ~ **Hochsee-Containerschiffe** ocean container ship berth; ~ **Hochseeschiffe** deep-water berth; ~ **kranlose Verladung** roll-on/roll-off berth

Liege|platzgebühr *f* mooring dues; **L.sitz** *m* 1. 🚗 reclining seat; 2. 🚆/✈ sleeperette; **L.stuhl** *m* deck chair; **L.tage** *pl* ⚓ lay/ship's days; **L.wagen** *m* 🚆 couchette car; **L.zeit** *f* ⚓ idle period, lay time/days, docking/turnaround time

doppelte Lifo|-Bewertung *(Vorratsbewertung)* double extension method; **L.-Methode** *f* lifo/LIFO, last in first out; ~ **auf Dollarbasis** dollar value method

Lift *m* lift *[GB]*, elevator *[US]*

Liga *f* 1. league; 2. league table

liier|en *v/refl* to merge/unite; **eng l.t** *adj* closely connected

Liliputsteuer *f* trifling tax

Limit *nt* 1. (price) limit, ceiling, margin; 2. *(Einzelhandel)* allocation

Limit einhalten to keep within a limit; **L. ermäßigen** to lower/reduce a limit; **L. erreichen** to reach a limit; **L. (fest)setzen** to fix a limit; **L. überschreiten** to go beyond the limit, to exceed/overshoot the limit; **L. vorschreiben** to limit

dehnbares Limit elastic/flexible limit; **oberes L.** upper/maximum limit; **unteres L.** lower/minimum limit

Limit|auftrag *m* *(Börse)* limit(ed) (price) order, stop/resting order; **~ bis auf Widerruf** open order; **L.buch** *nt* (order) limit book

limitier|en *v/t* to limit, to put a ceiling on; **l.t** *adj* limited, restricted; **nicht l.t** unlimited, unrestricted; **L.ung** *f* limitation

limitional *adj* fixed; **L.ität** *f (BWL)* fixed proportion, ~ technological relationship

Limit|kurs *m* limit price/ceiling/rate; **L.preis** *m* price ceiling, ceiling price/rate

Limousine *f* limousine, saloon *[GB]*, sedan *[US]*

lindern *v/t* to case/relieve/alleviate/mitigate/assuage; **l.d** *adj* emollient

Linderung *f* relief, alleviation, mitigation, abatement; **L.smittel** *nt* ⚕ palliative

linear *adj* 1. linear, across-the-board; 2. *(Abschreibung)* on a straight line basis; *adv* across the board; **L.planung** *f* linear programming

Liniatur *f* lines

Linie *f* line, course, direction; **auf gleicher L. liegend** meeting of minds, on the same lines

mittlere Linie einschlagen to follow/steer a middle course; **an der L. festhalten** to adhere to a policy; **sich an die L. halten** to toe the line, **harte L. verfolgen** to take a hard line

absteigende Linie descending line; **aufsteigende L.** ascending line; **auf breiter L.** across the board, on a wide front; **direkte L.** direct line; **in erster L.** in the first instance, primarily, first and foremost, for the main/most part; **auf der ganzen L.** all along (the line); **in gerader L.** as the crow flies; **gestrichelte L.** broken line; **halbfette L.** medium rule; **harte L.** hard/tough line; **kreditpolitische L.** credit policy; **mittlere L.** average trend; **neue L.** new look; **offene L.** *(Bank)* unutilized credit line, unused portion; **punktierte L.** dotted line; **senkrechte L.** vertical line; **in zweiter L.** secondary

Linien|abschluss *m* *(Werbung)* package; **L.agent** *m* shipping line agent; **L.bus** *m* regular/scheduled *[US]* bus; **L.carrier/L.dampfer** *m* liner; **L.diagramm** *nt* line graph/diagram/drawing; **L.dienst** *m* 1. scheduled operations/service, regular service; 2. *(LKW)* regular haulage service; 3. ⚓ liner service; **L.fahrt** *f* liner transport/traffic; **L.fertigung** *f* line production

Linienflug *m* scheduled service/flight; **L.dienst** *m* regular air service; **L.gesellschaft** *f* scheduled (air) carrier; **L.tarif** *m* regular air fare, fare for a scheduled flight; **L.zeug** *nt* airliner

linienförmig *adj* filamental

Linienfrachter *m* cargo liner; **L. für große Fahrt** deep-sea cargo liner; **konventioneller L.** general cargo liner

Linien|frachtbrief *m* liner waybill; **L.frachtrate** *f* liner rate; **L.führung** *f* routing; **L.funktion** *f* line function; **L.instanz** *f* line section; **L.kasten** *m* ▯ rule case; **L.konferenz** *f* ⚓ liner conference; **L.konnossement** *nt* shipping line bill of lading (B/L); **L.konnossementsbedingungen** *pl* shipping line bill of lading conditions/terms; **L.kräfte** *pl (Personal)* the line; **L.manager** *m* line manager; **L.maschine** *f* ✈ scheduled flight; **L.muster** *nt* lines pattern; **L.organisation** *f* line/scalar organisation; **L.- und Stabsorganisation** line-and-staff organisation; **L.papier** *nt* ruled paper; **L.passagierverkehr** *m* scheduled passenger traffic; **L.raten** *p*[illegible] ⚓ liner (freight) rates; **L.reederei** *f* ⚓ scheduled carrier, liner company; **L.schaubild** *nt* line chart; **L.schif**[illegible] *nt* liner; **L.schifffahrt** *f* liner trade/traffic, shipping line service; **L.schifffahrtsbestimmungen** *pl* liner terms **L.sortiment** *nt* front; **L.stelle** *f (Personal)* line position; **L.stichprobenverfahren** *nt* ▦ line sampling **L.tätigkeit** *f* line activity; **l.treu** *adj* loyal to the party (line); **L.umrandung** *f* ▯ line border, ruled frame **L.verkehr** *m* 1. regular/scheduled service, ~ traffic; 2 ⚓ liner traffic/service; **L.vorgesetzter** *m* line manage[illegible]

linier|en *v/t* to line/rule; **l.t** *adj* lined; **L.ung** *f* ruling

links *adj* left(-hand); **sich l. halten** to keep (to the) left **etw. l. liegen lassen** to turn a blind eye, to ignore

Links|anwalt *m* pettifogger; **l.bündig** *adj* ▯ flush left left-justified, left-aligned; **L.extremismus** *m* left-wing extremism; **L.extremist** *m* left-wing extremist; **L.fahrgebot** *nt* law of the road *[GB]*; **L.händer(in)** *m*[illegible] left-handed person; **l.händig** *adj* left-handed; **l.herum** *adv* anti-clockwise; **L.partei** *f* left-wing party; **L.presse** *f* left-wing press; **l.radikal** *adj* extreme left-wing **L.radikaler** *m* left-wing extremist; **L.ruck** *m* swing to the left; **l. stehend** *adj* left-wing; **L.schwenkung** *f* lef[illegible] turn; **L.steuerung** *f* 🚗 left-hand drive/steering; **L.unterzeichner** *m* signatory to the left; **L.verkehr** *m* left hand driving, driving on the left; **L.verschiebung** *f* leftward shift(ing)

Lino|leum *nt* lino(leum); **L.type** *f* linotype

Linse *f* 1. *(Optik)* lens; 2. 🌿 lentil; **L.ngericht** *nt* 1. lenti[illegible] dish; 2. *(Bibel)* mess of pottage

etw. über die Lippen bringen *pl* to bring o.s. to say sth. **L.bekenntnis** *nt* lip service; **~ ablegen** to pay lip ser[illegible]vice (to sth.)

liquid(e) *adj* solvent, liquid, fluid *[US]*, awash/flus[illegible] with money, afloat, in funds, flush with cash, cash-rich cash flow positive *(coll)*; **l. sein** to be in funds; **höchs**[illegible] **l.** highly liquid; **nicht l.** insolvent

Liquidation *f* 1. *(Auflösung)* liquidation, winding-up, dis[illegible]solution; 2. realization; 3. *(Begleichung)* clearance, clear[illegible]ing, settlement; 4. *(Investmentanteil)* redemption; 5 *(Rechnung)* account; 6. *(Honorar)* fee, bill (of fees), not[illegible] of fees; **in L.** in liquidation, in the process of winding-u[illegible]

Liquidation einer Bank suspension of a bank; **L. a**[illegible] **der Börse** stock exchange settlement *[GB]*; **L. durc**[illegible] **Gerichtsbeschluss** winding-up by court order; **L. ei**[illegible]**ner Gesellschaft** winding-up of a company; **~ durch**[illegible]**führen** to wind up a company

in Liquidation treten to wind up, to go into liquidatio[illegible] **~ zeichnen** to sign in liquidation

ärztliche Liquidation *(Vers.)* provider account; **auße**[illegible]**gerichtliche/gütliche L.** liquidation by arrangemen[illegible] **freiwillige L.** voluntary bankruptcy/liquidation, win[illegible]ing-up by agreement/members; **laufende L.** curre[illegible] realization; **offizielle L.** formal liquidation; **stille L**[illegible] voluntary liquidation

Liquidations|-AG *f* company in liquidation; **L.anor**[illegible]**nung** *f* dissolution order; **L.ansprüche** *pl* liquidati[illegible]

rights; **L.anteil** *m* (liquidating) dividend; **L.anteilschein** *m* liquidation certificate; **L.antrag** *m* petition for winding-up; **L.ausverkauf** *m* clearance sale; **L.bedingungen** *pl (Börse)* settlement terms; **L.beschluss** *m* winding-up resolution; **gerichtlicher L.beschluss** winding-up order; **L.bestimmungen** *pl* winding-up provisions; **L.bilanz** *f* liquidation balance sheet, winding-up accounts, realization account, statement of affairs; **L.büro** *nt (Börse)* clearing house, time bargain settlement office; **L.datum** *nt (Börse)* settlement day; **L.erklärung bei Gesellschaftsauflösung** *f* declaration of solvency; **L.erlös** *m* winding-up/realization proceeds, proceeds of the liquidation, liquidation value, **L.erlösanteil** *m* liquidating dividend; **L.forderung** *f* claim in winding-up; **L.gesellschaft** *f* company in liquidation; **L.gewinn** *m* 1. winding-up profit; 2. realization profit; **L.grund** *m* ground(s) for winding-up; **L.guthaben** *nt* clearing balance; **L.kasse** *f (Börse)* clearing house; **L.konkurs** *m* winding-up bankruptcy; **L.konto** *nt* realization/settlement account; **L.kosten** *pl* winding-up/liquidation costs; **L.kurs** *m (Börse)* settling rate, settlement/making-up price; **L.masse** *f* liquidation trust, total assets; **L.plan** *m* liquidation plan, scheme of arrangement; **L.preis** *m* 1. realization price; 2. *(Börse)* settling price; **L.quote/L.rate** *f* liquidating dividend

iquidationstag/L.termin *m* *(Börse)* account/settlement/pay/settling day; **zum nächten L.** for the account *[GB]*; **zweiter L.** making-up day

iquidations|überschuss *m* realization profit/surplus; **L.verein** *m (Börse)* settlement association; **L.verfahren** *nt* winding-up proceedings; **L.vergleich** *m* court settlement, winding-up by creditors; **L.verkauf** *m* clearance/winding-up sale; **L.verlust** *m* liquidation loss; realizationloss; **L.wert** *m* 1. net asset value, realizable/realization value, sum total of liquidation proceeds; 2. *(Zwangsauflösung)* break-up/liquidation/liquidating/exit value; **L.zeitraum** *m* account (period), liquidation period

iquidator *m* receiver, liquidator; **L. bestellen** to call in/appoint a receiver; **gerichtlich bestellter L.** official receiver/liquidator

quidierbar *adj* realizable, payable

quidieren *v/t* 1. to liquidate/dissolve, to wind up, to put into liquidation; 2. to realize, to sell off, to convert into cash; 3. $ to charge; 4. *(Investmentanteil)* to redeem; 5. *(Termingeschäft)* to settle; **in bar l.** to settle in cash; **freiwillig l.** to wind up voluntarily; **zwangsweise l.** to wind up compulsorily

ch selbst liquidierend *adj* self-liquidating

quidiert *adj* wound up; **l. werden** to end up in the hands of the receiver

iquidierung *f* 1. liquidation, realization; 2. dissolution, winding-up; 3. *(Termingeschäft)* settlement; **spekulative L.** speculative selling

quidisier|en *v/t* to increase liquidity; **L.ungswelle** *f* upsurge of liquidity

iquidität *f* liquidity, (financial) solvency, liquid resources/assets/funds, ability to pay

Liquidität einer AG corporate liquidity; **~ Bank** bank liquidity; **L. ersten Grades** cash/liquid ratio, quick current ratio, acid test ratio, absolute liquidity ratio, unrestricted cash; **L. zweiten Grades** ratio of financial/current assets to current liabilities, (net) quick ratio; **L. dritten Grades** current ratio; **L. erster Linie** primary liquidity; **L. eines Unternehmens** corporate liquidity

Liquidität absaugen/abschöpfen to drain liquidity (from the market), to soak/mop up liquidity; **bei den Banken L. abschöpfen** to drain liquidity out of the banking system; **L. anreichern** to increase liquidity; **L. beschränken** to tighten liquidity; **ausreichende L. unterhalten** to maintain a liquid position; **L. verknappen** to cut liquidity

eingeengte/mangelnde Liquidität liquidity shortage/bottleneck, illiquidity, lack of liquidity; **primäre internationale L.** central bank currency reserves; **uneingeschränkte L.** *(IWF)* unconditional liquidity; **bedingt verfügbare L.** conditional liquidity; **bedingungslos ~ L.** unconditional liquidity

Liquiditäts|abdeckung *f* cash flow coverage; **L.abfluss** *m* outflow of cash/liquidity; **L.abnahme** *f* falling liquidity; **l.abschöpfend** *adj* liquidity-reducing, liquidity-absorbing; **L.abschöpfung** *f* drain/absorption/reduction/soaking up/skimming off of liquidity; **~ vornehmen** to absorb liquidity; **L.absprache** *f* liquidity arrangement; **L.angebot** *nt* cash supply; **L.anlagen** *pl* liquid assets; **L.anreicherung** *f* increasing liquidity; **L.anspannung** *f* 1. pressure/strain on liquidity; 2. monetary/cash strain; **L.anstieg** *m* liquidity build-up; **L.anteil** *m (Bank)* bank cash ratio; **L.ausgleich** *m* 1. liquidity equalization; 2. *(Konzern)* liquidity pooling; **L.aushilfe** *f* liquidity aid, borrowing, lending; **L.ausstattung** *f* liquid funds available, allocation of funds; **erste L.ausstattung** initial liquidity allocation; **L.ausweitung** *f* expansion of liquidity, monetary expansion; **L.bedarf** *m* liquidity needs/requirements, cash demand/requirements/needs; **l.bedingt** *adj* due to liquidity, liquidity-induced; **L.bedürfnis** *nt* liquidity requirements; **L.beengung** *f* strain on liquidity, cash/liquidity squeeze, liquidity constriction; **L.belastung** *f* drain/strain on liquidity; **L.bereitstellung** *f* supply of liquidity; **L.beschaffung** *f* cash procurement; **L.beschaffungsmaßnahme** *f* step/measure to procure liquidity, procurement of liquidity; **L.beschränkung** *f* money squeeze; **L.bestand** *m* cash stock; **L.bestimmungen** *pl* solvency rules; **~ verschärfen** to clamp down on liquidity; **L.bilanz** *f* net liquidity balance, financial statement; **l.bindend** *adj* sterilizing; **L.bindung** *f* liquidity freezing/tying; **L.budget** *nt* cash budget; **L.charakter** *m* liquid character; **L.darlehen** *nt* loan; **L.decke** *f* extent of liquidity, sufficient liquidity; **L.defizit** *nt* liquidity shortage/shortfall; **L.disponent** *m* liquidity manager; **L.dispositionen** *pl* liquidity arrangements/management; **L.druck** *m* 1. pressure on liquidity; 2. *(Bank)* cash squeeze; **L.effekt** *m* availability effect; **L.einbuße** *f* cash loss; **l.empfindlich** *adj* liquidity-sensitive; **L.enge** *f* cash/liquidity shortage; **L.engpass** *m* cash flow problem, cash/liquidity shortage, tight liquidity situation, liquidity squeeze/bottleneck, money constraint; **L.entzug** *m* liquidity loss/drain, reduction/absorption of liquidity; **L.erfordernisse** *pl* liquidity requirements; **übliche L.erfordernisse** commercial standards of solvency; **L.erhaltung** *f* maintenance of liquidity; **L.falle** *f (Keynes)* liquidity trap; **L.fluss** *m* inflow of liquidity; **L.fülle** *f* ample cash; **L.garantie** *f* liquidity guarantee; **L.gebaren** *nt* liquidity management/maintenance; **L.gefälle** *nt* liquidity differential; **L.grad** *m* 1. solvency level, liquidity/current/acid-test ratio; 2. *(Bank)* cash ratio; **kurzfristiger L.grad** measure of short-term solvency; **L.grundlage** *f* liquidity basis; **L.grundsätze** *pl* liquidity rules; **L.guthaben** *nt (Bank)* liquid assets; **L.haltung** *f* cash management; **vorsichtige L.haltung** prudent standard of liquidity; **L.hemmung** *f* clampdown/drag on liquidity; **L.hilfe** *f* cash assistance, liquidity injection/bridge; **l.hungrig** *adj* cash-needy; **l.induziert** *adj* liquidity-induced; **L.kennzahl/-ziffer** *f* current/liquidity ratio, liquid asset ratio; **L.klemme** *f* liquidity squeeze, cash bind/squeeze; **L.knappheit** *f* liquidity shortage, lack of cash; **L.koeffizient** *m* working capital ratio, liquidity ratio; **L.kontrolle** *f* liquidity control; **L.kredit** *m* liquid loan, loan for the maintenance of liquidity; **L.krise** *f* cash flow crisis, financial/liquidity crisis; **L.lage** *f* cash/liquidity position, cash flow condition; **angespannte L.lage** cash flow problem; **L.mangel** *m* cash shortage, squeeze; **L.marge** *f* solvency margin; **L.maßnahmen** *pl* liquidity measures; **L.mechanismus** *m* liquidity mechanism; **L.meldung bei Geschäftsauflösung** *f* declaration of solvency; **L.menge** *f* solvency margin, volume of liquidity; **l.mindernd** *adj* liquidity-reducing; **L.nachfrage** *f* demand for cash balances; **L.neigung** *f* liquidity preference, propensity to liquidity; **l.neutral** *adj* not affecting liquidity; **L.niveau** *nt* liquidity level; **L.papier** *nt* liquidity paper; **L.planung** *f* liquidity planning, cash planning/forecasting/budgeting; **L.politik** *f* 1. liquidity management/policy; 2. cheap money policy; **l.politisch** *adj* affecting liquidity; **L.polster** *nt* liquidity reserve; **L.position** *f* liquidity position, cash flow position; **L.präferenz** *f* liquidity preference; **L.prämie** *f* liquidity premium; **L.problem** *nt* cash (flow) problem; **L.prognose** *f* cash forecast; **L.prüfung** *f* 1. acid/solvency test; 2. liquidity audit; **L.qualität** *f* liquidity quality; **L.quote** *f* liquid asset ratio, liquidity ratio; **volkswirtschaftliche L.quote** liquidity ratio of the economy; **L.rahmen** *m* liquidity ceiling; **L.rechnung** *f* cash flow statement

Liquiditätsreserve *f* cash/monetary/liquid/liquidity reserve, excess liquidity, reserve of liquid assets, eligible reserve assets; **L.n auffüllen** to reconstitute liquidity; **freie L.n** free liquid reserves; **L.guthaben** *nt* liquidity reserve balance; **L.haltung** *f* liquidity reserve management

Liquiditäts|rhythmus *m* recurring liquidity trend; **L.richtlinien** *pl* liquidity rules; **L.risiko** *nt* liquidity risk, risk to liquidity; **L.rückgang** *m* reduced liquidity; **L.rückhalt** *m* standby liquidity reserve; **L.saldo** *m* liquidity balance; **L.sammelbecken** *nt* liquidity reser voir; **L.satz** *m* reserve ratio; **L.schatzwechsel** *m* liq uidity-absorbing Treasury Bill *[GB]*; **l.schonend** *ac* cash-efficient; **L.schöpfung** *f* creation of liquidity, liq uidity creation; **L.schraube anziehen** *f* to tighten liq uidity rules; ~ **lockern** to relax liquidity rules; **L. schrumpfung** *f* contraction of liquidity; **L.schwierig keiten** *pl* cash flow problem(s), cash pressure, financi crunch; **L.sicherung** *f* liquidity safeguarding; **L.span ne/L.spielraum** *f/m* liquidity/solvency margin; **l.spen dend** *adj* liquidity-generating; **L.spritze** *f* cash injec tion; **L.status** *m* 1. cash(-time)/liquidity position, (sta of) liquidity; 2. statement of sources and application c funds; **täglicher L.status** daily cash statement; **L.sta** *m* build-up of liquidity; **L.steigerung** *f* increased liabi ity; **L.steuerung** *f* liquidity management; **L.stoß** *m* ir flow of funds, cash injection; **L.streben** *nt* liquidit preference; **L.stützen** *pl* liquidity support measures **L.theorie** *f* liquidity preference theory; **L.über brückung** *f* bridging operation; **L.überfluss/-hang schuss** *m* cash/liquidity surplus, excess liquidity, su plus funds, working capital; **zweckgebundener L.übe schuss** reserve fund; **L.übersicht** *f* cash statemen **L.umlagerung/L.umschichtung** *f* change in liquidit transfer of liquidity, liquidity switch, shift of liquid as sets; **l.unwirksam** *adj* not affecting liquidity, nor cash; **L.verbesserung** *f* liquidity improvement; **L.ve hältnis** *nt* liquidity/current ratio, acid-test ratio; **L.ve kauf** *m* liquidity-raising sale; **L.verknappung** *f* cas shortage, shortage of liquidity; **L.verlauf/L.verso gung** *m/f* cash flow; **L.verlust** *m* cash loss; **L.verzich** *m* sacrifice of liquidity; **L.volumen** *nt* volume of lic uidity; **L.voranschlag** *m* cash forecast; **L.vorliebe** liquidity preference; **L.vorrat** *m* cash reserve; **L.vo schriften** *pl* liquidity requirements; **L.vorsorge** maintenance of liquidity; **L.vorteil** *m* cash advantag **l.wirksam** *adj* affecting liquidity; **L.ziel** *nt* liquidit target; **L.zug** *m* liquidity flow; **L.zugang** *m* liquidi afflux, inflow of liquidity; **L.zunahme** *f* increased li uidity

List *f* ruse, ploy, stratagem, subterfuge, cunning, cra sleight; **mit L. und Tücke** by cunning and decei **durch L. erreichen** to wangle

Liste *f* 1. list, table, index, schedule, file, tally, registe 2. report, inventory; 3. slate *(fig)*; 4. *(Steuer)* roll; *(Personen)* panel, roster; 6. *(Kandidaten)* ticket *[US* **auf der L.** listed, on the list; **oben ~ L.** at the head of th list

Liste der zu behandelnden Angelegenheiten [docket; ~ **zur engeren Wahl Anstehenden** shortlist; **der börsengängigen Effekten** official list; ~ **zo pflichtigen Güter** dutiable list; ~ **Handelssache** commercial list; ~ **kreditfähigen Kunden** credit list; **gelöschten Ladungsmengen** statement of outturn; **für gute Lieferung** *(Edelmetallhandel)* good delive list *[GB]*; **L. der Passagiere** *f* passenger list; ~ **offene Posten** statement of open items; **L. offener Poste nach Alter** aged trial balance; **L. übernommener R siken** *(Vers.)* risks list; **L. der im Freiverkehr geha**

delten Schuldverschreibungen yellow list; ~ **Verbindlichkeiten** schedule of liabilities; ~ **Wahlberechtigten** electoral roll/register; **L. zollfreier Waren** free list; **L. der angebotenen Wertpapiere der öffentlichen Hand** blue list; ~ **börsenfähigen Wertpapiere** the list; **amtliche L. mündelsicherer Wertpapiere** legal list; **L. der Zeichnungsberechtigten** list of signatories

iste anführen/eröffnen to head a list; **L. anlegen/aufstellen** to draw up a list; **in eine L. aufnehmen** to list, to add to a list; **L. durchgehen** to run down the list; **in eine L. eintragen** to list; **L. führen** to keep a list; **auf die schwarze L. kommen** to be blacklisted; **L. schließen** to close the books; **auf die schwarze L. setzen** to blacklist, to black; **auf der L. stehen** to be on the books, to figure in the list; **oben ~ stehen** to head the list; **von der L. streichen** to strike off the list; **L. zusammenstellen** to compile a list

mtliche Liste official register; **schwarze L.** black list/book, blackball list; **verknüpfte L.** chained list

istenǀbearbeitung *f* list processing; **L.bild** *nt* printer layout, list structure; **L.datei** *f* report file; **in L.form anordnen** *f* to tabulate; **L.grundpreis** *m* basic list price; **L.name** *m* report name; **L.preis** *m* list/catalogue/posted/sticker price; ~ **zahlen** to pay (the) list (price); **L.programm** *nt* report program; **L.schluss** *m* closing of subscription; **L.schreiben/L.schreibung** *nt/f* listing, printout; **L.verarbeitung** *f* list processing; **L.wahl** *f* proportional representation; **L.wort** *nt* report item

istprogramm *nt* report program/writer

iter *m* litre

iteral *nt* literal

terarisch *adj* literary

iteratur *f* literature; **einschlägige L.** pertinent literature; **L.angabe** *f* bibliographical reference; **L.verzeichnis** *nt* bibliography

iterleistung *f* output per litre

itfaßsäule *f* billboard, poster/advertising pillar

ithograflie *f* lithograph(y); **l.ieren** *v/t* to lithograph; **l.isch** *adj* lithographic

ive-Sendung *f* live broadcast

ivrée *f* livery

izenz *f* licence, franchise, permit, royalty; **ohne L.** unlicensed; **L. für Alkoholverkauf** liquor licence, *(außerhalb des Ladens)* off-licence

izenz anbieten to offer (to grant) a licence; **in L. bauen** to build under licence; **L. beantragen** to apply for a licence; **L. besitzen** to hold a licence; **sich eine L. beschaffen** to take out a licence; **sich um eine L. bewerben** to challenge for a franchise; **L. entziehen** to cancel/revoke/withdraw a licence; **L. erneuern** to renew a licence; **L. erteilen/gewähren/vergeben** to grant/issue/award a licence, to grant a concession; **L. erwerben** to take out a licence; **in L. fertigen/herstellen** to manufacture under licence; **L. zeitweilig außer Kraft setzen** to suspend a licence; **L. verlängern** to renew a licence; **L. zurückziehen** to revoke a licence

usschließliche Lizenz exclusive licence; **nicht ~ L.** non-exclusive licence; **teilweise ~ L.** partially exclusive licence; **einfache L.** non-exclusive licence; **erloschene L.** expired licence; **gegenseitige L.en** cross licences; **gesetzliche L.** legal/statutory licence; **stillschweigend gewährte L.** implied licence; **pauschale L.** block licence; **unbeschränkte L.** non-restricted licence; **vertragliche L.** contractual licence

Lizenzǀabgabe *f* licence fee, royalty; **frei von L.abgaben** free of royalties; **L.abkommen** *nt* licensing/licence agreement; ~ **auf Gegenseitigkeit** cross-licensing agreement; **L.abrechnung** *f* royalty statement; **L.anteil** *m* royalty interest; **L.antrag** *m* application for a licence; **L.antragsteller** *m* applicant for a licence; **L.auflagen** *pl* licensing restrictions; **L.ausgabe** *f* licensed edition; **L.austausch** *m* cross licensing, cross-licence; **L.austauschvertrag** *m* cross-licensing agreement; **L.bau** *m* licensed construction; **L.bedingungen/L.bestimmungen** *pl* terms of a licence; **L.berater** *m* franchise consultant *[US]*; **L.beschränkungen** *pl* licensing restrictions; **L.bewilligung/L.einräumung** *f* licensing; **L.bilanz** *f* net royalties, net royalty income; **L.dauer** *f* term/duration/period of the licence; **L.einkünfte/L.einnahmen** *pl* royalties (received), licence income/proceeds, licensing/royalty income, income from royalties; **L.entzug** *m* revocation of licence, cancellation/withdrawal of a licence; **L.erneuerung** *f* licence renewal; **L.erteilung** *f* 1. licencing, licensure *(US)*; 2. grant/issuance of a licence, franchising; **L.erträge** *pl* licence income/proceeds; **l.fähig** *adj* licensable; **L.fertigung** *f* production/manufacture/manufacturing under licence, licensed manufacture/production; **l.frei** *adj* free of royalties, requiring no licence; **L.geber** *m* licensor, licenser, grantor of a licence, franchiser, franchising company; **L.gebiet** *nt* area covered by the licence; **L.gebühr** *f* licence fee/tax, royalty, inventor's royalties; **L.gegenstand** *m* object protected/covered by the licence; **L.gewährung** *f* licensing, granting of a licence; **gegenseitige L.gewährung** cross-licensing; **L.halter** *m* licence/titular holder

lizenzierǀen *v/t* to license; **l.t** *adj* licensed, concessionary; **L.ung** *f* licensing

Lizenzǀimportland *nt* licence-importing country; **L.inhaber** *m* licence/franchise holder, licensee; **L.makler** *m* franchise broker *[US]*; **L.nahme** *f* taking (out) a licence; **L.nehmer** *m* licensee, franchisee, licence/franchise holder, grantee; **L.partner** *m* licensing associate; **l.pflichtig** *adj* subject to licensing; **L.politik** *f* licensing policy; **L.produktion** *f* manufacture/manufacturing under licence; **L.rechte** *pl* rights of licence (under a patent); **L.registrierung** *f* franchise registration; **L.rücknahme** *f* revocation of a licence; **L.sucher** *m* party seeking licence; **L.träger** *m* licensee; **L.verbund** *m* licences network; **L.vereinbarung** *f* licensing arrangement, licence agreement/contract; **L.verfahren** *nt* licence proceedings/procedure; **L.vergabe** *f* licensing, certification, granting of a licence, licence award, franchising; **L.vergabegesellschaft** *f* franchise company; **L.vergeber** *m* licenser, franchiser; **L.verlängerung** *f* licence renewal; **L.vertrag** *m* licence/licensing contract, licence/licensing/know-how agreement; **L.-vertreter** *m* franchise agent; **L.verwertung** *f* exploitation of a licence; **L.vorschriften** *pl* licensing provisions; **L.widerruf/L.zurücknahme** *f* cancellation of a licence; **L.zahlung** *f* royalty payment

LKW *m* → **Lastkraftwagen** lorry *[GB]*, truck *[US]*; **frei L.** free on truck (f.o.t.); **leichter L.** light commercial vehicle; **mit/per L.** 1. by lorry/truck; 2. by motor freight *[US]*; **mittelschwerer L.** medium-weight lorry; **schwerer L.** heavy goods vehicle (HGV)

LKW|-Anhänger *m* (truck) trailer; **L.-Fahrer** *m* truck/lorry driver, trucker, teamster, truckman *[US]*; **L.-Fahrverbot** *nt* driving ban for lorries; **L.-Fracht** *f* truck freight; **L.-Produktion** *f* truck production; **L.-Teilladung** *f* less than truckload; **L.-Transport** *m* trucking; **L.-(Transport)Unternehmen** *nt* trucking company, haulage contractor *[GB]*, road haulier; **L.-Unternehmer** *m* haulier, trucker *[US]*; **L.-Werbung** *f* truck advertising

Lob *nt* praise, commendation, accolade; **L. spenden/zollen** to praise; **mageres L.** scant praise; **uneingeschränktes L.** unstinted praise, full marks *(coll)*

Lobby *f* pressure group, lobby; **L.ist** *m* lobbyist

loben *v/t* to praise/commend/laud; **l.d** *adj* commendatory, laudatory

lobenswert; löblich *adj* laudable, commendable, praiseworthy, worthy, creditable, meritorious

Loch *nt* 1. hole, leak, opening, gap; 2. ⚕ *(Zahn)* (dental) cavity; **L. im Etat/Haushalt** budget gap

Loch aufreißen, um ein anderes zu stopfen to rob Peter to pay Paul *(coll)*; **L. machen** to puncture; **aus dem letzten L. pfeifen** *(fig)* to be on one's uppers *(fig)*, ~ last legs *(fig)*; **L. stanzen** to punch a hole; **L. stopfen** to stop/fill a gap, to plug a (loop)hole/gap

Loch|aggregat *nt* 🖳 punching unit; **L.band** *nt* carriage tape; **L.bandabtaster** *m* paper tape reader; **L.beleg** *m* punch form; **L.bereich** *m* punch area

lochen *v/t* to punch/perforate

Locher *m* 1. (hole) puncher, perforator, key/paper/letter punch; 2. *(Person)* key punch operator; **L. mit Tastatur** *m* key punch

Loch|fehler *m* 🖳 punch error; **L.feld** *nt* field; **L.feldsteuerung** *f* field selection; **L.fraß** *m* ✿ corrosion

Lochkarte *f* 🖳 punch(ed) card, unit record; **L. ablochen** to keypunch

Lochkarten|abtaster *m* card reader unit; **L.beschrifter** *m* printing punch; **L.code** *m* card code; **L.eingabe** *f* card input; **L.feld** *nt* card field; **L.gerät** *nt* card equipment; **l.gesteuert** *adj* card-controlled; **L.leser** *m* card reader; **L.magazin** *nt* card magazine/hopper; **L.maschine** *f* punched-card machine, Hollerith-machine, unit record machine; **L.mischer** *m* collator, interpolator; **L.prüfung** *f* card verifying; **L.schlüssel** *m* card code; **L.stapel** *m* deck of cards; **L.stau** *m* card jam; **L.verfahren** *nt* punched card procedure; **L.vorschub/L.zuführung** *m/f* card feed

Loch|maschine *f* punching machine; **L.prüfer** *m* verifier; **L.schrift** *f* punch code; **L.schriftübersetzer** *m* (alphabetic) interpreter; **L.spalte** *f* card column; **l.-stanzen** *v/t* to punch; **L.station** *f* punch station; **L.stelle** *f* punch position; **L.stempel** *m* punch

Lochstreifen *m* 1. punch/perforated tape, (paper) tape; 2. *(Börsentelegraf)* ticker tape

Lochstreifen|abfühler/L.abtaster *m* paper tape reader; **L.betrieb** *m* tape relay; **L.code** *m* paper tape code; **L.drucker** *m* 🖳 perforator; **L.einheit** *f* paper tape unit; **L.formular** *nt* edge punch document; **L.gerät** *nt* paper tape unit; **l.gesteuert** *adj* tape-controlled; **L.karte** *f* edge punch card, tape card; **L.kode** *m* tape code; **L.leser** *m* paper tape reader; **L.locher/L.stanzer** *m* tape perforator, (paper) tape punch; **L.vorschub** *m* tape feed/transport

Lochtaste *f* data key

Lochung *f* 1. perforation; 2. punching

Loch|verstärker *m* paper reinforcement; **L.vorlage** *f* coding sheet; **L.zahlprüfung** *f* 🖳 hole count check; **L.zange** *f* perforator, cancellors, unipunch; **L.zeile** *f* card row

Lockartikel *m* (loss) leader, leader/leading article, bait, lure; **L.werbung** *f* bait advertising

Locke *f* 1. curl; 2. *(OR)* self loop

locken *v/t* 1. to lure/tempt/entice/allure; 2. *(Haar)* to curl; **l.d** *adj* tempting

locker *adj* 1. loose, slack; 2. lax, relaxed; **nicht l. lassen** to insist, not to relent, not to give in, to stick to one's guns *(coll)*; **l. werden** to work loose

lockern *v/t* to relax/loosen/ease; *v/refl* to work loose

Lockerung *f* relaxation, easing, relieving

Lockerung der Beschränkungen derestriction, deregulation; **~ Geldpolitik** monetary relaxation, easing/relaxation of monetary policy; **~ restriktiven Geldpolitik** let-up in monetary restraint; **~ Hochzinspolitik** slackening of current high interest rates; **~ Preiskontrollen** relaxation of price controls

geldpolitische Lockerung monetary relaxation

Lockerungsmaßnahmen *pl* measures of relaxation derestrictive measures

Lock|mittel *nt* bait, lure, decoy, temptation; **L.preis** *m* loss-leader/charm price; **L.spitzel** *m* § agent provocateur *[frz.]*

Lockung *f* enticement, temtation

Lockvogel *m* 1. bait, lure; 2. leading article, (loss) leader; 3. decoy, stool pigeon, button *(coll)*, call bird; **L.angebot** *nt* bait, loss leader, catch sale; **L.artikel** *m* price leader; **L.werbung** *f* loss leader (sales) promotion, ~ selling, bait and switch advertising, advertising by enticement

loco 1. local, spot; 2. for delivery

lodern *v/i* to blaze, to be ablaze; **l.d** *adj* blazing, ablaze

Löffel voll *m* spoonful; **jdn über den L. balbieren** *(coll)* to take so. for a ride *(coll)*; **mit dem L. füttern** to spoon-feed

Logarith|mentafel *f* logarithmic table(s); **l.misch** *adj* logarithmic; **L.mus** *m* logarithm

Logbuch *nt* 1. logbook, journal; 2. ⚓ deck log; **in das L. eintragen** to log

Loge *f* 1. lodge; 2. 🎭 box

logier|en *v/ti* to lodge/accommodate/stay; **L.haus** *nt* lodging/rooming *[US]* house

Logik *f* logic, rationale; **L.baustein** *m* 🖳 logical unit

Logis *nt* lodgings, rooms

logisch *adj* logical

Logistik *f* logistics; **betriebswirtschaftliche L.** industrial logistics; **innerbetriebliche L.** international logistics; **umweltbewusste/-orientierte L.** environmentally oriented logistics approach

Logistik|branche *f* logistics industry; **L.dienstleister** *m* logistics service provider, provider of logistic services, logistics services company; **L.dienstleistungen** *pl* logistics services; **L.fachkraft** *f* logistic specialist; **L.kette** *f* supply chain; **L.kosten** *pl* logistics costs; **L.strategie** *f* logistics strategy; **L.system** *nt* logistics system; **L.unternehmen** *nt* logistics operator/company; **L.zentrale** *f* central support operation; **L.zentrum (LZ)** *nt* logistics centre

logistisch *adj* logistic

Logo *nt* logo

Logo|päde/L.pädin *m/f* speech therapist; **L.pädie** *f* speech therapy

Logtafel *f* log slate

Lohn *m* wage(s), pay, salary, remuneration, payment, compensation, income, earnings, reward; **zum L. für** in return for

Löhne während der Abwesenheit wages paid during absence from work; **Lohn für tatsächlich erbrachte Arbeit** operational pay; **~ Ausfallstunden** wages for hours not worked; **Lohn und Brot** *(coll)* livelihood; **L. und Gehälter** salaries and wages, wages and salaries; **Lohn plus Nebenkosten** package pay; **~ für Tätigkeit am Arbeitsplatz** face-to-face pay; **L. des Werkstattbüros** shop-office wages

vom Lohn abziehen to deduct from the wage, to withhold from wages; **Löhne angleichen** to adjust wages; **~ aufbessern** to improve wages; **seinen wohlverdienten L. bekommen** to get one's desert/due; **jdn um L. und Brot bringen** to deprive so. of his livelihood; **~ seinen L. bringen** to trick so. out of his wages; **Löhne drosseln** to curb wages; **L. einbehalten** to stop wages; **als L. erhalten** to earn; **Löhne erhöhen** to raise wages; **mehr L. fordern/verlangen** to claim higher wages; **jdm L. und Brot geben** to keep so. in one's pay; **L. herabsetzen/kürzen** to cut wages; **L. pfänden** to garnishee wages, to attach wages by garnishment; **jdn auf halben L. setzen** to put so. on half-pay; **bei jdm in L. und Brot stehen** to be in so.'s employ; **L. in Waren zahlen** to truck

angemessener Lohn fair wage; **von der Gewerkschaft ausgehandelter L.** union wage; **auskömmlicher/ausreichender L.** living wage; **ausstehender L.** back pay; **das Existenzminimum gerade deckender L.** subsistence wage; **durchschnittlicher L.** average wage; **effektiver L.** take-home pay; **fälliger L.** wages due; **fertigungsbezogener L.** production-related wage; **gebührender L.** due reward, due; **geltender L.** prevailing wage; **gerechter L.** just wage; **sozialethisch ~ L.** decent subsistence; **gleicher L.** equal pay; **~ für gleiche Arbeit** equal pay for like/equal work; **gleitender/indexierter L.** sliding/indexed/index-lined wage; **hoher L.** high wage; **leistungsbezogener L.** performance-related pay, pay according to performance; **natürlicher L.** natural wage; **nominaler L.** money wage; **ortsüblicher L.** local wage, community wage rate; **rückständiger L.** back pay, wage arrears; **tariflicher L.** standard wage; **überhöhter L.** inflated wage; **übertariflicher L.** out-of-line rate; **üblicher L.** going rate/wage; **wöchentlicher L.** weekly pay/wage

Lohn|abbau *m* wage cut/reduction, pay cut, cutting of wages, reduction of earnings; **l.abhängig** *adj* earnings-related, wage-related; **L.abhängige(r)** *f/m* worker; **L.abkommen** *nt* wage settlement, wages/pay agreement; **~ mehrerer Gesellschaften mit einer Gewerkschaft** joint agreement; **L.abrechner** *m* payroll clerk

Lohnabrechnung *f* 1. pay slip, earnings statement; 2. payroll/wage(s) accounting, wage calculation/compensation; 3. payroll accounts department; **L.en** payroll records; **L.- und Gehaltsabrechnung** payroll accounting; **L.skarte** *f* wage sheet, wages statement; **L.szeitraum** *m* payroll period

Lohn|abschlag *m* payment on account; **L.abschlagszahlung** *f* wage advance (payment); **L.abschluss** *m* wage settlement/agreement, pay deal/settlement; **maßvoller L.abschluss** moderate pay settlement; **L.abteilung** *f* payroll department; **L.abtretung** *f* wage assignment; **L.abweichung** *f* payroll variance

Lohn|abzug *m* 1. payroll/pay (check) deductions, deduction, dockage, docking, stoppage; 2. *(Gewerkschaftsabzüge)* checkoff *[US]*; **gesetzliche L.abzüge** statutory deductions, compulsory wage deduction; **variable L.abzüge** variable deductions; **L.abzugsverfahren** *nt* wage/payroll deduction

Lohn|änderung *f* pay change; **L.angebot** *nt* pay/wage offer, pay proposal; **gebündeltes L.angebot** pay package; **L.-Angebotskurve** *f* wage supply curve; **L.angelegenheiten** *pl* wage matters; **L.angleichung** *f* wage adjustment; **L.anhebung** *f* wage increase; **L.anpassung** *f* adjustment of wages; **gleitende L.anpassung** automatic wage adjustment; **L.anreiz** *m* wage incentive; **L.ansatz** *m* wage rate; **L.anspruch** *m* wage claim/entitlement; **L.ansprüche reduzieren** to price o.s. into a job; **L.anstieg** *m* wage rise/growth; **allgemeiner/globaler L.anstieg** across-the-board wage rise; **L.anteil** *m* wage portion, wages, labour/wage content; **ruhegehaltsfähiger L.anteil** pensionable pay; **L.arbeit** *f* wage work; **eintönige L.arbeit** hack work; **L.arbeiter** *m* wage earner, hired hand; **L.aufbesserung** *f* wage increase, additional pay, pay improvement, rise, raise; **tarifliche L.aufbesserung** wage settlement; **L.auftrag** *m* subcontract, job *[US]*/commission order, farming-out contract; **im ~ vergeben** to subcontract, to farm out (work); **L.auftrieb** *m* wage drift

Lohnaufwand *m* wage/labour costs; **L. plus Material und Unternehmerverdienst** cost-plus; **L.sprinzip** *nt* cost-plus principle

Lohn|aufwendungen *pl* wage/labour/manning costs; **L.- und Gehaltsaufwendungen** wage(s) bill; **~ Gehaltsaufzeichnungen** *pl* payroll records; **L.auseinan-**

dersetzung *f* pay/wage dispute, pay confrontation; **L.ausfall** *m* lost pay, loss of earnings/wages/pay; **L.ausfallentschädigung** *f* dead-time compensation; **L.ausgaben** *pl* wage costs

Lohnausgleich *m* 1. make-up pay, pay compensation, compensatory wage adjustment; 2. difference between wage and social security benefits; **voller L.** full pay, no loss of pay; **bei vollem L.** without loss of pay, without decrease in pay, with full pay; **L.skasse** *f* wage equalization fund; **L.sstelle** *f* wage stabilization board *[US]*

Lohn|ausschuss *m* pay board, Wage Council *[GB]*; **L.auszahler** *m* pay clerk; **L.auszahlung** *f* payment of wages, payroll disbursements *[US]*; **l.bedingt** *adj* earnings-related, wage-related, wage-conditioned; **L.bedingungen** *pl* wage conditions; **L.begrenzung** *f* wage control; **L.begrenzungsabkommen** *nt* wage-control agreement; **L.beihilfe** *f* employment subsidy; **L.belastung** *f* 1. pressure on wages; 2. wage burden; **L.beleg** *m* wage/pay slip, statement of wages; **L.berechnung** *f* payroll computation, wage determination; **L.bescheinigung** *f* wage slip; **L.beschlagnahme** *f* attachment of wages; **L.beschränkung** *f* pay limit/limitation; **L.bestandteil** *m* pay element/component/item; **L.bestätigung** *f* wage statement; **L.betrieb** *m* sub-contractor; **L.bewegung** *f* wage trend; **L.bezieher** *m* wage earner; **l.bezogen** *adj* wage-related, earnings-related, income-related; **L.bildungsprozess** *m* wage development/fixing; **L.bindung** *f* wage indexation; **L.bremse** *f* wage curb

Lohnbuch *nt* wages book; **L.führung** *f* payroll accounting; **L.halter** *m* payroll/wages/pay clerk, salary administrator, timekeeper, timetaker

Lohnbuchhaltung *f* payroll/wage/personnel accounting, payroll department, wages office, timekeeping; **L.- und Gehaltsbuchhaltung** personnel accounting; **L.sunterlagen** *pl* payroll records

Lohn|büro *nt* pay/payroll/wages office, payroll (accounts) department; **L.differenz** *f* (wage) differential; **L.diskriminierung** *f* wage discrimination; **L.disziplin** *f* wage restraint; **L.drift** *f* wage/earnings drift, ~ gap; **positive L.drift** upward wage/earnings drift; **L.druck** *m* wage pressure; **L.druckinflation** *f* wage-push inflation; **L.drückerei** *f* rate cutting; **L.dumping** *nt* low-wage dumping; **L.eckdaten** *pl* wage guidelines; **L.einbehaltung** *f* deferred pay; **L.einbuße** *f* lost pay, loss of pay; **L.eingruppierung/L.einstufung** *f* wage classification; **L.einheit** *f* wage unit; **L.einkommen/L.-einnahme** *nt/f* earned/wage income; **L.einkünfte** *pl* earned/wage/salary income, pay; **L.einschränkung** *f* wage curb; **L.einsparungen** *pl* savings in labour costs; **L.einzelkosten** *pl* direct labour; **L.- und Gehaltseinzelkosten** direct wages and salaries; **L.empfänger** *m* wage(s) earner/recipient, payroller *[US]*, wage worker; *pl* wage-earning staff; **L. und Gehaltsempfänger** wage and salary earners

lohnen *v/t* to reward; *v/refl* to pay, to be worthwhile

löhnen *v/t* 1. to pay, to cough up *(coll)*; 2. to stump up money, to pomp up *[US] (coll)*

lohnend *adj* paying, remunerative, profitable, rewarding, worthwhile, payable, worth one's while; **nicht l.** unremunerative, unproductive

lohnenswert *adj* worthwhile

Lohn|entwicklung *f* wage(s) trend/behaviour/development; **L.erhebung** *f* (collection of) wage statistics

Lohnerhöhung *f* wage increase/rise, pay rise/increase award, rise/raise in wages, (wage) raise, increase of wages wage hike; **versteckte L. durch Höherstufung** grade creep; **L. aushandeln** to bargain for a wage increase; **L. bekommen** to get a rise; **L. fordern** to call for a pay rise

allgemeine Lohnerhöhung across-the-board wage increase; **ausgleichende L.** catch-up/equalization increase; **indexgebundene L.** threshold payment; **inflationsbedingte L.** inflation-triggered pay rise; **kalte L.** non-contractual wage increase; **lineare L.** across-the-board pay rise; **nachziehende L.** catch-up wage increase, equalizing pay increase; **rückwirkende L.** retroactive wage increase

Lohnerhöhungs|spielraum *m* margin available for wage increases; **L.welle** *f* spate of wage increases

Lohnersatz *m* wage compensation; **L.anspruch** *m* wage compensation entitlement; **L.leistung** *f* wage compensation payment

Lohn|etat *m* wages bill *[GB]*, payroll *[US]*; **L.- und Gehaltsetat** labour budget; **L.explosion** *f* wage take-off, explosion; **L.fabrikation** *f* farmed-out manufacturing; **L.faktor** *m* wage factor; **L.fertigung** *f* wage-band/contract production, contract manufacturing; **L.fertigungsvertrag** *m* job contract; **L.festsetzung** *f* wage fixing; **L.festsetzungsverfahren** *nt* wage-fixing procedure; **L.findung** *f* wage determination, wage-fixing; **L.findungsverfahren** *nt* wage-fixing system; **L.fonds** *m* wage fund; **L.fondstheorie** *f* wage(s) fund theory

Lohnforderung *f* wage claim/demand/requirement, pay claim/demand, demand for higher wages; **L. stellen** to demand a (higher) wage, to lodge a claim; **mäßige L.en** wage restraint; **~ stellen** to show wage restraint

Lohn|form *f* type of wage, wage/payments system; **L.formel** *f* wage formula; **L.fortzahlung (im Krankheitsfall)** *f* continued payment of wages, wage continuation, sick pay (scheme), statutory sick pay, continued pay/wage payments; **L.fortzahlungsanspruch** *m* entitlement to continued wage payment; **L.fragen** *pl* wage matters; **L.friedenspakt** *m* wage peace agreement; **L.front** *f* wage front; **L.fuhrgeschäft** *nt* carrier's business; **L.garantie** *f* wage guarantee

Lohngefälle *nt* pay/wage differential, earnings gap, differentials; **L. wiederherstellen** to restore differentials; **betriebliches L.** interplant differential

Lohn|gefüge *nt* wage structure; **l.gekoppelt** *adj* wage-related, earnings-related; **L.gelder** *pl* wage payments; **einbehaltene L.gelder** withheld wages, holdback pay *[US]*; **L.gemeinkosten** *pl* payroll overhead; **L.gerangel** *nt* wage scramble; **L.gerechtigkeit** *f* wage fairness; **ehernes/eisernes L.gesetz** *nt (Lasalle)* iron/brazen law of wages; **L.gleichheit** *f* pay parity, parity of pay, equality of wages, equal pay for equal work; **L.gleichheitsgesetz** *nt* Equal Pay Act *[GB]*; **L.gleitklausel** *f* cost-of-living escalator clause

Lohngruppe *f* wage/pay bracket, wage group, (job) grade; **L.nmerkmale** *pl* pay bracket characteristics; **L.nverfahren** *nt* job classification method, job-grade system

Lohn|gutachter *m* wage assessor; **L.guthaben** *nt* unclaimed wages; **L.herabsetzung** *f* pay cut; **L.höhe** *f* wage level; **L.index** *m* wage(s) index; **L.indexbindung/L.indexierung** *f* wage indexation; **L.indexierungsklausel** *f* cost-of-living escalator clause; **l.induziert** *adj* wage-induced; **L.inflation** *f* wage (cost) inflation, wage-led/wage-push inflation; **L.instanz** *f* wage tribunal; **L.intensität** *f* proportion of wage costs, payload ratio; **l.intensiv** *adj* wage-intensive, manpower-intensive, labour-intensive, high-wage; **L.journal** *nt* payroll register; **L.kampf** *m* wage/industrial dispute, wage fight; **L.kapital** *nt* wage capital; **L.-Kapitalintensität** *f* ratio of total wage bill to capital; **L.karte** *f* time/payroll card; **L.kartei** *f* payroll file *[US]*; **L.kasse** *f* wage fund; **L.klasse** *f* wage bracket/group, grade; **L.klassifizierung** *f* wage classification; **gleitende L.klausel** escalator clause; **L.kode** *m* pay code; **L.-kommission** *f* wage board; **L.konflikt** *m* wage/pay/industrial dispute, wage conflict; **L.konjunktur** *f* wage boom; **L.konto** *nt* wages/payroll *[US]*/checking *[US]* account; **L.- und Gehaltskonten** wage and salary accounts; **L.kontrolle** *f* pay controls; **L.- und Preiskontrollen** wage-price controls; **L.konzession** *f* wage concession

Lohnkosten *pl* wage/labour/payroll costs, wages/pay bill, total salaries bill, payload *[US]*, cost of labour, labour rates/charges/input; **L. je Ausbringungs-/Produktionseinheit** labour cost per unit of output, unit labour cost; **L.- und Gehaltskosten** labour costs; **L. pro Monat** monthly wage bill; **unmittelbare L.** direct labour costs, ~ wages

Lohnkosten|anteil *m* labour charge/content, payload *[US]*; **l.bedingt** *adj* wage-cost-related, wage-induced; **L.belastung** *f* labour charge; **L.druck** *m* wage pressure, labour cost pressure, pressure on labour costs; **L.einsparung** *f* wage savings; **L.entwicklung** *f* wage cost development; **L.explosion** *f* wage explosion; **L.faktor** *m* wage factor; **L.index** *m* wage index; **l.induziert** *adj* wage-induced; **L.inflation** *f* wage-cost inflation; **l.intensiv** *adj* wage-intensive; **L.kalkulation** *f* job pricing; **L.niveau** *nt* labour/wage cost level; **L.senkung** *f* reduction of labour costs; **L.steigerung** *f* increase in labour costs; **L.theorie** *f* subsistence theory of wages; **L.verteilung** *f* allocation/distribution of labour costs; **L.vorsprung/L.vorteil** *m* wage/labour cost advantage; **L.zuschuss** *m* labour cost subsidy

Lohn|kurve *f* wage curve; **L.kürzung** *f* wage/pay cut, reduction in/of wages, docking; **freiwillige L.kürzung** giveback *[US]*; **L.leitlinie** *f* pay/wage/compensation guideline, wage norm, compensation guidelines, industry labour guidelines; **L.liste** *f* payroll (sheet/register), pay bill/sheet/docket; **auf der ~ stehen** to be on the payroll; **L.lohnspirale** *f* wage-wage spiral, (wage) leapfrogging; **L.markt** *m* wage market; **L.maschine** *f* contract machine *[US]*; **L.mehrkosten** *pl* additional wage costs; **L.minimum** *nt* subsistence wage; **L.nachschlag** *m* supplementary pay rise; **L.nachzahlung** *f* retroactive/back pay; **L.nebenkosten** *pl* ancillary pay, ancillary/incidental/additional wage/non-wage costs, indirect labour costs, wage incidentals, payroll fringe costs, fringe benefits, associated employer outlay; **L.nebenkostenrechnung** *f* incidental wage cost accounting; **L.nebenleistungen** *pl* fringe benefits, ancillary pay; **L.niveau** *nt* pay/wage level; **L.niveauunterschied** *m* wage differential; **L.parität** *f* wage/pay parity; **L.pause** *f* wage/pay pause, ~ freeze; **staatlich verordnete L.pause** pay(ment) pause; **L.periode** *f* pay(roll) period

Lohnpfändung *f* wage garnishment, garnishment of a wage, attachment of wages/earnings; **L.sbeschluss** *m* [§] wage garnishment order, attachment of earnings order; **L.stabelle** *f* permissible wage garnishment scale

Lohnplafond *m* pay ceiling

Lohnpolitik *f* wage/pay/incomes/payroll policy; **L.- und Einkommenspolitik** incomes policy; **~ Gehaltspolitik** compensation policy; **~ Preispolitik** prices and incomes policy; **beschäftigungsorientierte L.** employment-orient(at)ed wage(s) policy

lohn|politisch *adj* wage-; **L.posten** *m* 1. labour item; 2. *(Bilanz)* wages; **L.prämie** *f* wage dividend/bonus; **L.-Preisgefüge** *nt* wage-price structure; **L.-Preisspirale** *f* wage-price spiral, inflation(ary) spiral; **L.-Preisstruktur** *f* wage-price structure; **L.problem** *nt* wage problem; **L.produktion** *f* farmed-out manufacturing; **L.-prüfungsstelle** *f* wage board, pay review body *[GB]*

Lohnquote *f* wage ratio/share, labour share of income, ~ total output; **funktionelle L.** functional share; **gesamtwirtschaftliche L.** overall wage ratio; **konstante L.** constant wage share

Lohn|rahmentarif *m* skeleton wage agreement, outline wage scale; **L.raub** wages snatch; **L.rechnung** *f* payroll sheet; **L.regelung** *f* wage settlement; **L.reglementierung** *f* wage control; **L.restriktion** *f* pay curb; **L.richtlinie** *f* wage guideline; **L.richtung** *f* wage drift; **L.rückstand** *m* back pay; **L.rückstände** wage/pay arrears, accrued wages

Lohnrunde *f* pay/wage round, round of wage increases/claims; **L. einläuten** to kick off a wage round; **laufende L.** ongoing wage round

Lohnsatz *m* wage rate, rate of wages/pay

frei ausgehandelter/festgesetzter Lohnsatz random rate; **gängiger/herrschender/üblicher L.** going rate; **geltender L.** prevailing (wage) rate; **mittlerer L.** average wage rate; **nomineller L.** money wage rate; **steigender L.** escalating/ascending wage rate; **tariflicher L.** standard wage rate

Lohnsatz|abweichung *f* rate variance; **L.mischungsabweichung** *f* mixture subvariance for labour; **L.vorgabe** *f* labour rate standard

Lohn|scheck *m* pay/wages check *[US]*/cheque *[GB]*; **L.schein** *m* 1. time card; 2. pay slip; 3. *(Akkord)* piecework slip; **L.schiedsgerichtsbarkeit** *f* wage arbitration; **L.schiedsspruch** *m* wage award; **L.schlichtung** *f* wage arbitration; **L.schlüssel** *m* pay code/criterion;

L.schreiberei *f* hack writing; **L.schrittmacher** *m* wage pacesetter; **L.senkung** *f* wage cut, cut in pay

Lohnskala *f* pay/wage scale, earnings/pay/wages league, earnings table, scale of wages; **bewegliche L.** sliding wage scale; **gleitende L.** sliding wage scale, escalator scale

Lohn|spanne *f* wage range/spread; **L.spirale** *f* wage(s) spiral; **L.staffelung** *f* wage classification; **L.stand** *m* wage level; **L.statistik** *f* wage statistics; **L.steigerung** *f* wages increase/rise, pay rise; **automatische L.steigerung** automatic advancement

Lohnsteuer *f* wage/payroll/withholding/employment tax, income tax (on wages and salaries); **einbehaltene L.** wages tax withheld

Lohnsteuer|abführung *f* PAYE (pay-as-you-earn) *[GB]*, withholding income tax *[US]*; **L.abzug** *m* withholding income tax, payas-you-earn/PAYE deduction, wage tax withholding; **L.abzugsverfahren** *nt* PAYE/pay-as-you-go system; **L.anmeldung** *f* wage debt return; **L.ausgleich** *m* (annual) wage/income tax adjustment; **L.außenprüfung** *f* external wage tax audit; **L.bemessung** *f* income tax assessment, assessment of wage tax(es); **L.berechnungstabelle** *f* income tax table; **L.bescheinigung** *f* withholding statement *[US]*, certificate of wage tax deduction; **L.durchführungsverordnung** *f* wage tax ordinance; **L.einbehaltung(sverfahren)** *f/nt* withholding income tax *[US]*, PAYE (pay-as-you-earn) system *[GB]*; **L.ermäßigung** *f* direct taxation relief; **l.frei** *adj* exempt from income tax; **L.freibetrag** *m* income tax allowance *[GB]*, employee's withholding exemption *[US]*; **L.jahresausgleich** *m* annual wages/income tax assessment, ~ adjustment, end-of-year income tax equalization; **~ durchführen** to file one's annual tax return; **L.karte** *f* (wage) tax/deduction card; **L.pflicht** *f* wage/income tax liability; **l.pflichtig** *adj* liable for wage/income tax; **L.prüfung** *f* external wage tax audit; **L.quote** *f* wage tax ratio; **L.richtlinien** *pl* wage tax directives; **L.rückvergütung** *f* wage/income tax refund; **L.satz** *m* withholding rate; **L.tabelle** *f* income tax table, wage tax withholding table; **L.zahler** *m* income tax-payer

Lohn|stillhalteabkommen *nt* wage freeze agreement

Lohnstopp *m* wage/pay freeze, wage stop/restraint, wages standstill; **L.- und Preisstopp** wage(s) and price(s) freeze; **L. durchführen/verfügen** to freeze wages

Lohn|streifen *m* wage slip, pay slip/check *[US]*; **L.streit** *m* wage conflict; **L.streitigkeit** *f* pay/wage dispute, labour conflict/dispute, pay grievance; **L.struktur** *f* wage/pay/payment structure, pay pattern; **L.stückkosten** *pl* unit labour/wage costs; **L.stufe** *f* wage bracket/level/grade; **L.stunde** *f* hour's paid work

Lohnsumme *f* payroll (total) *[US]*, pay/wage bill, aggregate wages, total wages and salaries; **L.- und Gehaltssumme** payroll; **betriebliche L.** establishment payroll; **L.naufstellung** *f* statement of wages; **L.nstatistik** *f* payroll statistics; **L.nsteuer** *f* payroll tax, selective employment tax, tax on total wages paid

Lohn|system *nt* payments system, wage plan, workers' compensation system; **L.tabelle** *f* wage table/scale, table/scale of wages, pay scale

Lohntarif *m* wage rate/scale, pay scale/schedule, scale of wages; **L.- und Gehaltstarif** pay rate; **~ aushandeln** to negotiate a collective pay agreement; **~ festsetzen** to draw up a collective pay scale; **~ vereinbaren** to agree on a collective pay agreement

anzuwendender Lohn|- und Gehaltstarif relevant collective pay scale/agreement; **gleitender L.tarif** sliding wage scale; **gültiger L.- und Gehaltstarif** agreed/collective pay rates (in force)

Lohn- und Gehaltstarif|abkommen *nt* (collective) wage/pay agreement, collective agreement, trade (collective) labour agreement, labour/collective contract; **L.abschluss** *m* (conclusion of a) collective pay agreement; **L.änderung** *f* amendment/modification of a collective pay agreement, realignment of collective pay scales

Lohntarif|erhöhung *f* increase of/in agreed pay rates; **L.festsetzung** *f* determination/fixing of (agreed) pay rates; **L.forderung** *f* wage claim; **L.vertrag** *m* pay/wage agreement

Lohn|tendenz *f* wage drift; **L.theorie** *f* wage theory, economics of wages; **L.tüte** *f* pay/wage(s) packet, pay envelope; **L.überweisung** *f* transfer of wages, pay cheque *[GB]*/check *[US]*, payroll deposit

Löhnung *f* payment (of wages); **L.stag** *m* pay day, payoff *(coll)*

Lohn|ungleichheit *f* wage inequality; **L.unternehmen/L.unternehmer** *nt/m* private contractor; **L.unterschied** *m* pay/wage differential, differentials; **L.unterschiede** relativities; **L.- und Gehaltsverbesserungen** *pl* financial advances; **~ Gehaltsverbindlichkeiten** *pl* wages and salaries accrued

Lohnveredelung *f* job/contract/commission processing, processing under job contract; **aktive L.** processing of goods for foreign account; **passive L.** processing abroad for domestic account

Lohnveredelungs|betrieb *m* contract processing business; **L.geschäft/L.verkehr** *nt/m* commission processing (transaction); **aktiver L.verkehr** temporary importation for processing

Lohn|veredler *m* commission finisher; **L.vereinbarung** *f* wage agreement; **L.verfahren** *nt* contract processing, processing carried out under contract; **L.vergleich** *m* wage comparison; **L.verhältnis** *nt* paid employment; **L.verhältnisse** wage conditions

Lohnverhandlung(en) *f* wage/pay negotiation(s), ~ bargaining ~ talks; **L. auf Betriebsebene** plant-by-plant bargaining; **L.- und Tarifverhandlungen** labour/pay/wage negotiations; **freie L.** collective wage bargaining

Lohnverrechner *m* wages clerk

Lohnverrechnungs|blatt *nt* time analysis sheet; **L.büro** *nt* payroll department; **L.konto** *nt* payroll transitory account

Lohn|verzicht *m* give-back *[US]*; **L.vollkosten** *pl* total labour costs; **L.vorauszahlung/L.vorschuss** *f/m* advance pay/wage, pay advance, advance against wages, wage loan; **L.- und Gehaltsvorschüsse** wage and salary advances; **L.vorsprung** *m* wage differential; **L.-wachstum** *nt* wage growth; **L.welle** *f* spate of wage increases, rising tide of wages; **L.zahltag** *m* payday

Lohnzahlung *f* wage payment, payoff *(coll)*; **L.szeitraum** *m* pay/payroll *[US]* period

Lohn|zettel *m* pay/wage slip, wage docket; **L.zugeständnis** *nt* wage concession; **L.zulage** *f* wage/pay supplement, bonus, additional/premium pay; **L.zurückhaltung** *f* wage restraint; **L.zusatzkosten** *pl* additional wage costs

Lohnzuschlag *m* pay supplement, extra pay; **erfolgsabhängiger L.** performance-related pay; **L.svereinbarung** *f* catch-up settlement

Lohn|zuschuss *m* wage advance; **L.zuwachs** *m* wage gain

Lokal *nt* 1. *(Geschäft)* premises; 2. public house, pub, bar, saloon *[US]*, restaurant; **außerhalb des L.s** off the premises; **im L.** on the premises; **L. mit Schankerlaubnis** licenced house/premises; **L. räumen** to vacate the premises

lokal *adj* local

Lokal|anzeiger *m* local advertiser; **L.augenschein** *m* § judicial survey view; **L.ausgabe** *f* local edition; **L.bank** *f* local bank; **L.bedarf** *m* local requirement(s); **L.behörde** *f* local authority; **L.blatt** *nt* local paper; **L.datenregister** *nt* home register; **L.handel** *m* residential trade

Lokalisation *f* 1. location; 2. localization; **L.sparameter** *m* central tendency

lokalisier|en *v/t* to locate/localize; **L.ung** *f* localization

Lokalität *f* locality, premises

Lokal|kolorit *nt* local colour; **L.konnossement** *nt* local/short distance bill of lading; **L.markt** *m* 1. *(Börse)* spot market; 2. local stocks; **L.miete** *f* shop/office rent; **L.nachrichten** *pl* local news; **L.papier** *nt (Börse)* security only traded on a regional exchange; **L.patriotismus** *m* parochial/sectional/local pride; **L.politik** *f* local (government) politics; **L.presse** *f* local press; **L.rechner** *m* local computer; **L.redakteur** *m* local reporter/editor, city editor *[US]*; **L.redaktion** *f* local newsroom, city desk *[US]*; **L.reporter** *m* local reporter, legman; **L.seite** *f* local page; **L.spalte** *f* local column; **L.tarif** *m* local rate; **L.teil** *m* local news; **L.termin** *m* § judicial survey; **L.umschreibung** *f* interbank clearing; **L.währung** *f* local currency; **L.wert** *m (Börse)* local stock/security; **L.zeitung** *f* local paper

loko *adv* loco, (on the) spot; **l. und auf Termin** spot and forward

Loko|geschäft *nt* spot business/transaction/deal; **L.geschäfte** cash dealings; **L.handel** *m* spot trading; **L.-kauf** *m* spot/local purchase; **L.kurs** *m* spot price; **L.markt** *m* spot market

Lokomotiv|e *f* engine, locomotive; **L.führer** *m* train/engine driver, engineer *[US]*, footplateman; **L.personal** *nt* footplatemen; **L.schuppen** *m* motive power depot *[US]*, engine shed

Loko|notiz/L.preis *f/m* spot/loco price, spot rate; **L.waren** *pl* spot goods, spots

Lombard *m* lending on securities, collateral loan business *[US]*

Lombard|anleihe *f* collateral loan; **L.bank** *f* loan bank; **L.bestände** *pl* collateral holdings/deposits *[US]*; **L.darlehen** *nt* collateral loan/credit, credit/loan on securities, loan upon collateral security; **L.debitoren** *pl* collateral loan debtors, carry-over loans; **L.deckung** *f* collateral security; **L.depot** *nt* collateral (security) deposit; **L.effekten** *pl* securities serving as collateral, pledged securities; **L.entnahme** *f* drawing on an advance facility; **l.fähig** *adj* acceptable (as collateral), eligible (to serve) as collateral (against central bank loans); **L.fähigkeit** *f* acceptability/eligibility as collateral; **L.fazilität** *f* advance facility; **L.fenster** *nt* lombard window/facility; **L.forderung** *f* collateral claim; **L.forderungen** advances against security, lombard loans

Lombardgeschäft *nt* (collateral) loan business, lending on securities; **L.- und Diskontgeschäft** loans and discounts; **L. mit Buchforderungen als Sicherheit** discounting

lombardieren *v/t* 1. to collaterate/hypothecate, to pledge securities; 2. to advance/lend on security of, to accept collateral for a loan; 3. to pawn

Lombardierung *f* 1. hypothecation *[US]*, granting of loans against security; 2. borrowing against securities; pawning; **L.swert** *m* collateral value

Lombardinanspruchnahme *f* raising a loan against security

Lombardkredit *m* (securities) collateral loan/credit, lombard/discount loan, advance/credit against securities, loan upon collateral security; **L.e** 1. central bank advances against securities; 2. *(Bank von England)* discounts and advances; **L. aufnehmen** to borrow on collateral; **abgesicherten L. gewähren** to lend on collateral, to collaterate

Lombard|linien *pl* ceilings on collateral credit; **L.-pfand** *nt* collateral security, security for advance; **L.satz** *m* bank rate for collateral loans, lombard/repo rate, minimum lending rate (MLR) *[GB]*, rate for advances on security; **L.schein** *m* qualifying agreement *[GB]*, hypothecation certificate *[US]*; **L.schuld** *f* collateral debt; **L.sicherheit** *f* collateral security; **L.spielraum** *m* scope for lombard borrowing; ~ raising the lombard rate; **L.verkehr** *m* collateral loan business; **L.vertrag** *m* collateral loan agreement, trust indenture *[US]*; **L.verschuldung** *f* collateral debts; **L.verzeichnis** *nt* lombard/eligible securities list; **L.vorschuss** *m* secured/collateral advance; **L.wechsel** *m* collateral(ized) bill; **L.wert** *m* collateral/loan value, hypothecary/hypothecation value *[US]*; **L.zins** *m* bank rate for loans (on bonds), lombard rate; **L.zinssatz** *m* (lombard) lending rate

Lomé-Abkommen *nt* Lomé Agreement

Londoner City/Finanzkreise/-welt/-zentrum *f/pl/f/nt* the Square Mile, the City; **L. Finanzterminbörse/-markt** *m* London International Financial Futures Exchange (LIFFE); **L. Girozentrale** *f* The London Bankers' Clearing House; **L. Interbankzinssatz** *m*

London Interbank Offered Rate (Libor); **L. Schuldenabkommen** *nt* London Debt Agreement

sich auf seinen Lorbeeren ausruhen *pl (fig)* to rest on one's laurels *(fig)*

Lord|kanzler *m* Lord Chancellor *[GB]*; **L.oberrichter** *m* Lord Chief Justice *[GB]*; **L.richter (am Berufungsgericht)** *m* Lord Justice *[GB]*; **L.siegelbewahrer** *m* Lord Privy Seal *[GB]*

Lore *f* 1. lorry; 2. 🚃 truck

Lorenz-Kurve *f* concentration curve

Loro|forderung *f* claim on loro account; **L.geschäft** *nt* customer business; **L.guthaben** *nt* loro balance; **L.konto** *nt* loro account; **L.verbindlichkeit** *f* loro liability

Los *nt* 1. lot, lottery ticket/bond, raffle ticket; 2. (production) batch; 3. *(Schicksal)* fate

Los|e aufrufen/ausrufen to call out the lots; **durch L. bestimmen/wählen** to choose by lot; ~ **entscheiden** to draw lots; **jds L. teilen** to share so.'s lot; **das große L. ziehen** to pick a winner, to hit the jackpot; **durch L. zuteilen** to allot

durch Los bestimmt determined by lot; **großes L.** first prize, jackpot

los *adj* loose; **etw. l. sein** to be rid/shot *(coll)* of sth.; ~ **werden** to get shot of sth.

Losanleihe *f* lottery bond/loan, premium *[GB]*/prize bond

lösbar *adj* 1. removable, severable, detachable; 2. ⚗ soluble

Lösch|anlagen *pl* ⚓ wharfing/wharfage (facilities); **L.arbeiten** *pl* ⚓ unloading; **l.bar** *adj* 1. *(Feuer)* extinguishable; 2. 🖳 deletable, erasable; **L.befehl** *m* 🖳 reset instruction; **l.bereit** *adj* ⚓ ready to discharge; **L.bereitschaft** *f* readiness to discharge; **L.bescheinigung** *f* landing certificate; **L.blatt** *nt* blotting paper; **L.block** *m* blotting pad; **L.datum** *nt* 🖳 purge date

Löschen *nt* 1. deletion, clearance; 2. *(Hypothek)* satisfaction; 3. *(Ladung)* unloading, discharge; 4. ⚓ *(Gebühr)* wharfage; 5. *(Patent/Schuld)* cancellation; 6. *(Tonband)* erasure; 7. *(Feuer)* extinction; **freies L.** free discharge (f.d.)

löschen *v/t* 1. to delete/extinguish; 2. *(Ladung)* to unload/discharge/lighten/land/unship; 3. to return/put back to zero; 4. *(Schuld)* to strike off; 5. to liquidate/redeem, to wipe off; 6. 🖳 to rekey; 7. *(Börse)* to cancel/delete/destroy, to discontinue the quotation; **teilweise l.** ⚓ to lighten

Löschende *nt* completion of discharging; **zu erwartendes L.** expected to complete discharging

Löscher *m* 1. ⚓ unloader, discharger; 2. *(Feuer)* (fire) extinguisher; 3. *(Tinte)* blotter

Lösch|erlaubnis *f* discharging/landing permit, landing order; **L.fahrzeug** *nt* fire engine/truck, fire-fighting vehicle; **L.gebühren** *pl* wharf/landing charges; **L.geld** *nt* wharfage, dockage, dock charges/dues, unloading charges, quayage; **L.gerät** *nt (Feuer)* extinguisher; **L.hafen** *m* port of discharge/delivery, discharge port; **L.kalk** *m* hydrated/slaked lime; **L.kommando** *nt* ⚓ unloading party; **L.kosten** *pl* wharfage, landing rates, unloading charges, discharging expenses; **L.leistung** *f* discharging rate; **L.papier** *nt* blotting paper; **L.platz** *m* 1. place of discharge, wharf, port of delivery; 2. unloading berth; **L.risiko** *nt* unloading risk; **L.schein** *m* landing certificate; **L.tage** *pl* lay(ing) days; **L.taste** *f* 🖳 delete/erasure/cancel key; **L.- und Korrekturtaste** 🖳 clear entry key

Löschung *f* 1. deletion, extinguishment; 2. *(Waren)* discharge, unloading; 3. *(Grundbuch)* cancellation, satisfaction; 4. *(Feuer)* extinction; 5. 🖳 erasure

Löschung einer Belastung registration of satisfaction; **L. von Amts wegen** ex officio *(lat.)* cancellation of an entry; **L. einer Buchschuld** extinguishment of a book account; ~ **Dienstbarkeit** release of an easement; **L. eines Eintrags/einer Eintragung** cancellation of an entry; **L. einer Grundstücksbelastung** discharge of an encumbrance; **L. im Handelsregister** deregistration; **L. einer Hypothek** satisfaction/extinction of a mortgage; **L. eines Kontos** closure of an account; **L. durch Leichter** ⚓ lighterage; **L. eines Warenzeichens** cancellation of a trademark

franko Löschung ⚓ landed terms

Löschung beantragen to apply for cancellation; **L. einer Hypothek im Grundbuch eintragen lassen** to enter satisfaction *[GB]*

gerichtliche Löschung cancellation of an entry by court order

Löschungs|anrecht *nt* cancellation privilege; **L.antrag** *m* 1. *(Grundbuch)* memorandum of satisfaction; 2. *(Pat.)* application for revocation; **L.bescheinigung** *f* ⚓ landing certificate; **L.bestätigung** *f* release; **L.bewilligung** *f* 1. *(Grundbuch)* satisfaction/release *[US]* of a mortgage, consent to cancellation; 2. memorandum of satisfaction; **L.buch** *nt* ⚓ landing book; **L.gebühren/L.kosten** *pl* ⚓ unloading/landing charges; **L.geld** *nt* ⚓ wharfage; **L.hafen** *m* port of discharge/delivery; **L.klage** *f (Grundbuch)* petition to cancel; **grundbuchrechtliche L.klage** petition to cancel a land register entry; **L.ort/L.platz** *m* ⚓ unloading berth; **L.schein** *m* landing certificate; **L.tage** *pl* ⚓ lay(ing) days; **L.verfahren** *nt (Warenzeichen)* cancellation proceedings *[US]*; **L.vermerk** *m* 1. cancellation note; 2. *(Grundbuch)* entry of satisfaction; **L.vormerkung** *f (Grundbuch)* note to ensure future cancellation

Lösch|wasserschaden *m* extinction water damage; **L.zeit** *f* 1. ⚓ lay days; 2. unloading time; **L.zug** *m* fire-fighting unit, fire brigade (unit)

lose *adj* loose, unpacked, in bulk; **l. oder verpackt** loose or in packages

Loseblatt|- loose-leaf; **L.ablage** *f* loose-leaf filing system; **L.ausgabe** *f* loose-leaf edition; **L.buch** *nt* loose-leaf (note)book; **L.buchführung** *f* loose-leaf accounting; **L.form** *f* loose-leaf form/format; **L.hauptbuch** *nt* loose-leaf ledger; **L.konto** *nt* loose-leaf account; **L.-sammlung** *f* loose-leaf edition; **L.system** *nt* loose-leaf system

Lösegeld *nt* ransom (money)

Lösegeld erpressen to exact (a) ransom; **gegen L. erpressen** to hold to ransom; ~ **freikaufen; durch Zah-**

lung von L. freibekommen to ransom; **L. verlangen** to demand a ransom

Lösegeld|forderung *f* ransom demand; **L.verpflichtung** *f* ransom bill/bond

losen *v/ti* to cast/draw lots

Lösen einer Fahrkarte *nt* purchase of a ticket

lösen *v/t* 1. to loosen/untie/detach/remove/sever/unstick; 2. to solve; 3. *(Börse)* to close (a position), to liquidate (a commitment); *v/refl* to work loose; **sich l. von** to disengage from; **sich nicht l. lassen** to defy solution

Losentscheid lot; **durch L.** by lot

losfahren *v/i* to drive/set off, to depart/start

losgehen *v/i* *(Bombe)* to explode/detonate; **nach hinten l.** to backfire; **schnurstracks auf jdn/etw. l.** to make a beeline for so./sth.

losgelöst *adj* isolated, separate, detached

Losgewinner *m* prize winner

Losgröße *f* batch size, lot (size); **minimale L.** minimum manufacturing quantity; **nicht handelsübliche L.** broken lot; **optimale L.** economic batch/lot size, optimum lot size, standard run quantity

Losgrößen|bestimmung *f* lot-size calculation; **L.modell** *nt* economic lot size model

Los|kauf *m* 1. redemption; 2. ransom; **l.kaufen** *v/t* 1. to redeem; 2. to ransom; **l.kommen von** *v/i* to escape from; **l.lassen** *v/ti* to let loose

löslich *adj* 1. soluble; 2. *(Pulver)* instant

Los|lösung *f* separation; **l.machen** *v/t* 1. to detach/untie/unstick; 2. ⚓ to cast off; **L.nummer** *f* 1. ticket number; 2. lot/batch number; **l.reißen** *v/t* to rip/tear off; **l.sagen** *v/refl* to dissociate o.s.; **L.sagung** *f* dissociation, renunciation, disavowal; **l.schlagen** *v/t* 1. *(verkaufen)* to flog (off), to make a market of sth.; 2. to strike; **l.schrauben** *v/t* to unscrew; **l.sprechen** *v/t* 1. to clear (so.); 2. *(Lehrling)* to release; **l.steuern auf** *v/i* to head for; **l.trennen** *v/t* to detach; **L.trommel** *f* lottery drum; **L.umfang** *m* lot/batch size

Losung *f* 1. password, watchword, motto, slogan; 2. *(Geld)* takings, daily cash receipts

Lösung *f* 1. solution, key, settlement; 2. termination, cancellation; 3. resolution; **L. des Arbeitsverhältnisses** termination of employment; **L. eines Problems** solution/answer to a problem

angepeilte/avisierte Lösung envisaged solution/settlement; **ausgehandelte L.** negotiated settlement; **brauchbare L.** workable solution; **dauerhafte L.** durable solution; **einfache L.** pat solution *(coll)*; **halbe L.** partial solution; **kurzfristige/rasche/schnelle L.** quick fix *(coll)*; **optimale L.** best solution; **privatwirtschaftliche L.** private-enterprise solution; **technisch-pragmatische L.** technological fix; **zulässige L.** feasible solution

Lösungs|ansatz *m* approach to solving a problem; **L.mittel** *nt* ⚗ solvent, detergent, dispersant; **L.vorschlag** *m* proposal on how to solve the problem

Losungswort *nt* password, watchword

Los|verkäufer *m* raffle ticket seller; **l.weise** *adj* lot by lot; **l.werden** *v/t* to get rid of, to offload, to dispose of, to part with; **L.ziehung** *f* lottery draw

Lot *nt* plumb; **aus dem L.** out of plumb; **wieder ins L. bringen** to set things right, to patch up; **im L. sein** *(fig)* to be on an even keel; **wieder ~ sein** to be back to normal again

loten *v/t* ⚓ to fathom

lotrecht *adj* vertical, plumb, perpendicular

Lotse *m* ⚓ pilot

Lotsen *nt* pilotage; **l.** *v/t* to pilot/guide

Lotsen|amt *nt* pilot office, Trinity House *[GB]*; **L.boot** *nt* pilot boat; **L.büro** *nt* pilot's office; **L.dienst** *m* pilot service; **L.freiheit** *f* free pilotage; **L.gebühr/L.geld** *f/nt* pilotage (dues); **L.kunde** *f* pilotage; **L.patent** *nt* pilot's certificate; **L.rufflagge** *f* pilot flag; **L.schein** *m* pilot's licence; **L.wesen** *nt* pilotage; **L.zwang** *m* compulsory pilotage

Lotterie *f* lottery, prize draw, raffle

Lotterie|aktie *f* premium bond; **L.anleihe** *f* lottery bond/loan, premium bond; **L.annahmestelle** *f* lottery office; **L.auswahl/L.stichprobe** *f* ▦ lottery sampling/sample; **L.einnehmer** *m* lottery collector; **L.gewinn** *m* prize; **L.spiel** *nt* lottery gambling; **L.steuer** *f* lottery tax

Lotto *nt* lotto, number(s) game, pools, policy *[US]*; **L.annahmestelle** *f* policy shop *[US]*; **L.schein** *m* lotto coupon

Löwe *m* lion; **L.nanteil** *m* lion's share

loyal *adj* loyal

Loyalität *f* loyalty, allegiance; **L.seid** *m* oath of allegiance

Lücke *f* 1. gap, space; 2. *(fig)* void; 3. *(Bedürfnis)* want, need; 4. *(Formular)* blank; 5. *(Kasse)* deficiency, deficit; 6. hiatus; **L. in der Gesamtnachfrage** aggregate deficiency in demand, general deficit in demand; **L. im Gesetz** loophole/shortcoming in the law

Lücke ausfüllen *(Formular)* to fill in/out the blank; **L. füllen** to fill/stop the gap; **L. schließen** to bridge/close/plug the gap

deflatorische Lücke deflationary gap; **inflatorische L.** inflationary gap; **klaffende L.** yawning gap; **technologische L.** technological gap

Lücken|büßer/L.füller *m* stopgap, makeshift; **l.haft** *adj* incomplete, fragmentary, patchy; **l.los** *adj* 1. complete, gapless; 2. *(Beweis)* airtight; **L.test** *m* completion test

Luft *f* air; **in der L.** 1. ✈ airborne; 2. in mid-air, in-flight; **aus der L. gegriffen** unfounded, unsubstantiated

sich in Luft auflösen to vanish into thin air, to evaporate (in a flurry); **in die L. fliegen** to explode; **in der L. hängen** to be (up) in the air; **L. herauslassen (aus)** to deflate, to let/take the steam out (of) *(fig)*, to knock the stuffing out (of) *(fig)*; **in der L. liegen** *(Gerücht)* to be in the air; **seinen Gefühlen L. machen** to vent one's feelings; **seinem Herzen L. machen** *(coll)* to blow/let off steam *(coll)*; **L. reinigen** *(fig)* to clear the air; **an die L. setzen** to fire/sack, to chuck out, to give so. the chuck; **per L. transportieren** to transport by air; **L. verpesten** to pollute the air; **etw. in der L. zerreißen** *(fig)* to tear sth. to pieces; **L. zuführen** to aerate

dicke Luft *(coll)* tense atmosphere; **dünne L.** rarified air; **frische L.** fresh air; **saubere L.** clean air; **schlechte L.** foul air; **verbrauchte L.** stale air; **verpestete L.** polluted air

Luft|abzug *m* air vent; **L.angriff** *m* ✈ air raid; **L.ansicht** *f* aerial view; **L.aufklärung** *f* ✈ aerial reconnaissance; **L.aufnahme** *f* aerial photo; **L.aufsicht** *f* air traffic control; **L.ballon** *m* balloon; **L.beförderung** *f* carriage/transport by air, air carriage/transport; **L.belastung** *f* atmosperic pollution; **L.beutel** *m* courier pouch

Luftbild *nt* air/aerial photo(graph), aerial view; **L.auswertung** *f* analysis of aerial photos; **L.karte** *f* aerial map

Luft|blase *f* air bubble; **L.brücke** *f* air bridge/lift; **L.charter** *f* air charter; **L.chartergeschäft** *nt* air charter business; **l.dicht** *adj* airtight, airproof; ~ **verschlossen** hermetically sealed, vacuum-sealed; **L.dichte** *f* atmospheric density; **L.drehkreuz** *nt* hub airport; **L.druck** *m* air pressure

Luftdruck|bremse *f* 🚗/🚂 air brake; **L.messer** *m* 1. barometer; 2. ⚙ air pressure ga(u)ge; **L.schreiber** *m* barograph; **L.verminderung** *f* decompression; **L.welle** *f* blast

luft|durchlässig *adj* pervious to air; **L.düse** *f* air nozzle; **L.eilgut** *nt* air express (cargo) *[US]*

lüften *v/ti* to air

Luftentfernung *f* as the crow flies

Lüfter *m* fan, ventilator

Luftexpress|fracht *f* air express; **L.tarif** *m* air express rate

Luftfahrt *f* aviation, air navigation; **L.- und Raumfahrt** aeronautics; ~ **Raumfahrtindustrie** *f* aerospace industry, aero-industry; **zivile L.** civil aviation

Luftfahrt|behörde *f* Civil Aviation Authority (CAA) *[GB]*, Federal Aviation Authority (FAA) *[US]*; **L.bundesamt** *nt* Federal Aviation Authority (FAA) *[US]*; **L.elektronik** *f* avionics; **L.gesellschaft** *f* airline (company); **L.industrie** *f* aviation/airline industry, air transport industry; **L.minister** *m* aviation minister; **L.ministerium** *nt* Air Ministry *[GB]*, Federal Aviation Agency *[US]*; **L.recht** *nt* aviation law: **L.schau** *f* 1. air show; 2. *(Vorführung)* aerial display; **L.unternehmer** *m* airline operator; **L.versicherung** *f* aviation insurance; **L.wesen** *nt* aviation

Luftfahrzeug *nt* aircraft; **L.- und Raumfahrzeugbau** *m* aerospace industry; **L.hypothek** *f* aircraft mortgage (loan); **L.register** *nt* aircraft register

Luft|feuchtigkeit *f* humidity, air moisture; **L.filter** *m* air filter; **L.flotte** *f* air fleet

Luftfracht *f* 1. airfreight, air cargo; 2. air carriage; **per L.** by air; **als/per L. transportiert werden können** to be transportable by air; ~ **L. versenden** to send by air, to airfreight

Luftfracht|agent *m* air broker; **L.beförderung** *f* airfreight transportaton; **L.begleitschein** *m* air consignment note *[GB]*; **L.brief** *m* airway/airfreight bill, airbill *[US]*, air consignment note; **L.büro** *nt* air cargo office; **L.dienst** *m* airfreight service

Luftfrachter *m* airfreighter

Luftfracht|führer *m* air carrier, airfreight forwarder; **L.gebühr** *f* airway bill fee; **L.geschäft** *nt* air carg[o] business, airfreight forwarding; **L.gesellschaft** *f* ai[r] (cargo) carrier; **L.kosten** *pl* airfreight charges; **L.raum** *m* airfreight space; **L.sammelgutspediteur** *m* consoli[dator]; **L.sendung** *f* air (cargo) shipment; **L.spediteur** *m* air cargo carrier; **L.spedition** *f* airfreight forwarding; **L.tarif** *m* air cargo rate; **L.umschlag** *m* air carg[o] handling; **L.unternehmen** *nt* airfreighter; **L.verkehr** *m* airfreight service; **L.versicherung** *f* air cargo insur[ance]; **L.vertrag** *m* air charter party; **L.zentrum** *nt* car[go] terminal

Luft|gebiet *nt* airspace; **l.gekühlt** *adj* air-cooled; **L.geschäft** *nt* fictitious deal; **l.getrocknet** *adj* 1. air-dried 2. *(Holz)* seasoned; **L.haftpflichtversicherung** aircraft liability insurance; **L.handelsverkehr** *m* ai[r] commerce; **L.heizung** *f* hot-air heating; **L.herrschaft** air supremacy; **L.hoheit** *f* air sovereignty; **L.hülle** *(Erde)* atmosphere

luftig *adj* airy

Luft|kammer *f* air chamber; **L.kampf** *m* ✈ aerial com[bat]; **L.kanal** *m* flue, air duct; **L.kaskoversicherung** aircraft hull insurance, hull coverage; **L.kissen** *nt* ai[r] cushion; **L.kissenboot/-fahrzeug** *nt* ⚓ hovercraft; **L.klappe** *f* 1. ventilation flap; 2. ✈ air flap; 3. 🚗 choke; **L.koffer** *m* lightweight suitcase; **L.korridor** *m* air cor[ridor]; **l.krank** *adj* airsick; **L.krankheit** *f* airsickness; **L.kreuz/L.kreuzung** *nt/f* 1. ✈ hub (airport); 2. centr[e] of air routes; **L.krieg** *m* air war; **L.kühlung** *f* air cool[ing]; **L.kurier** *m* air courier; **L.kurierdienst** *m* air cour[ier] service; **L.kurort** *m* health resort; **L.lande-** air[borne]; **l.leer** *adj* vacuous; **L.linie** *f* airline; **in der L.linie** as the crow flies; **L.loch** *nt* 1. ✈ air pocket; 2. ai[r] duct; **L.macht** *f* air power; **L.mangel** *m* lack of air; **kalte L.massen** mass of cold air; **L.matratze** *f* air bed; **L.meile** *f* air mile; **L.menge** *f* quantity of air; **L.paketpost** *f* air parcel post; **L.pendeldienst** *m* air shuttle; **L.pirat** *m* skyjacker, hi-jacker; **L.piraterie** *f* skyjacking, hi-jacking

Luftpost *f* air mail, airmail *[US]*; **mit/per L.** by/via ai[r] mail; **nicht ~ L.** by surface mail; **per L. Eilboten** by ex[press] air mail; **mit/per L. versenden** to airmail, to sen[d] air mail

Luftpost|aufkleber *m* air mail label/stamp/sticker; **L.ausgabe** *f* air mail edition; **L.beförderung** *f* carriag[e] of air mail; **L.brief** *m* air (mail) letter; **L.dienst** *m* ai[r] mail service; **L.drucksache** *f* air mail printed matter; **L.einlieferungsschein** *m* air mail receipt; **L.empfangsbescheinigung** *f* air consignment note; **L.gebühr** *f* air mail rate; **L.kuvert** *nt* air mail envelope; **L.leichtbrief** *m* aerogramme *[GB]*, air letter *[US]*; **L.netz** *nt* ai[r] mail network; **L.paket** *nt* air mail parcel; **L.paketdienst** *m* air mail parcel service; **L.porto/L.tarif** *nt/m* air mail rate; **L.sendung** *f* air mail consignment; **L.überweisung** *f* air mail transfer; **L.umschlag** *m* ai[r] mail envelope; **L.verkehr** *m* air mail service; **L.zuschlag** *m* air fee/surcharge; **L.zustellung** *f* deliver[y] by air

Luftraum *m* airspace; **L.überwachung** *f* air traffic con[trol]; **L.verletzung** *f* violation of airspace

Luft|recht *nt* air law; **L.reifen** *m* pneumatic tyre *[GB]*/tire *[US]*; **L.reinhalteplan** *m* clean air plan; **L.reinhaltung** *f* air pollution control/abatement, prevention of air pollution; **L.reiniger** *m* air purifier; **L.reinigung** *f* air cleanning/purification; **L.reinigungsanlage** *f* air conditioning plant

Luftreise *f* journey by air, air tour; **L.veranstalter** *m* air tour operator; **L.verkehr** *m* air tourism/travel

Luft|reklame *f* skywriting; **L.rettungsdienst** *m* air rescue service; **L.röhre** *f* ⚕ windpipe, trachea; **L.sack** *m* wind sock; **L.schacht** *m* ⚒ ventilating/ventilation shaft; **L.schadstoff** *m* air pollutant; **L.schicht** *f* atmospheric layer, layer of air; **L.schiff** *nt* airship, dirigible; **kleines L.schiff** blimp; **L.schifffahrt** *f* aeronautics, aerial navigation; **L.schlange** *f* streamer; **L.schlauch** *m* 1. air tube; 2. 🚗 inner tube; **L.schleuse** *f* air lock; **L.schlitz** *m* air duct; **L.schloss** *nt (fig)* daydream, pie in the sky *(fig)*; **L.schneise** *f* air corridor; **L.schraube** *f* ✈ air screw, propeller

Luftschutz *m* air-raid protection, civil defence; **L.-alarm** *m* air-raid alarm; **L.bunker/L.keller** *m* air-raid shelter

Luft|sicherheitsbehörde *f* Civil Aviation Authority *[GB]*, Civil Aeronautics Board *[US]*; **L.sicherung** *f* air cover; **L.spediteur** *m* air carrier; **L.sperrgebiet** *nt* prohibited air space; **L.straße/L.strecke** *f* air route, airway; **L.strom** *m* air flow; **L.strömung** *f* air current; **l.tauglich** *adj* airworthy; **L.tauglichkeit** *f* airworthiness; **L.tauglichkeitszeugnis** *nt* certificate of airworthiness; **L.taxi** *nt* air taxi; **L.temperatur** *f* air temperature

Lufttransport *m* air transport(ation)/carriage, carriage/transport/movement by air

Lufttransport|bescheinigung *f* air receipt; **L.frachtbrief** *m* air transportation waybill; **L.gesellschaft** *f* airline/air carrier; **L.gewerbe** *nt* air cargo industry; **L.spediteur** *m* air carrier; **L.unternehmen** *nt* air transport company; **L.versicherung** *f* air transport insurance

lufttrock|en *adj* air-seasoned, air-dry; **L.nung** *f* natural drying

lufttüchtig *adj* airworthy; **L.keit** *f* airworthiness; **L.keitszeugnis** *nt* certificate of airworthiness

Luft|überlegenheit *f* ✈ air supremacy; **L.überwachung** *f* air traffic control; **L.unfallversicherung** *f* air travel insurance, aviation personnel accident insurance

Lüftung *f* ventilation, airing; **L. eines Geheimnisses** disclosure of a secret; **L.sklappe** *f* ventilation flap; **L.sschacht** *m* ⚒ ventilation shaft

Luft|veränderung *f* change of air; **L.verbindung** *f* air link/connection; **L.verdrängung** *f* air displacement; **l.verdünnt** *adj* rarified

Luftverkehr *m* air transport(ation)/travel/traffic; **planmäßiger L.** *m* scheduled air service

Luftverkehrs|abkommen *nt* air transport agreement; **L.anlagen** *pl* aviation facilities; **L.aufkommen** *nt* air traffic volume; **L.bestimmungen** *pl* air traffic regulations; **L.dienst** *m* air service; **L.fracht** *f* airfreight; **L.genehmigung** *f* civil aviation permit, air carrier's licence; **L.gesellschaft** *f* airline, air carrier, ~ transport company, airways; **nationale L.gesellschaft** flag carrier; **L.gesetz** *nt* civil aviation act; **L.knotenpunkt** *m* gateway/hut airport; **L.kontrolle** *f* air traffic control; **L.landeplatz** *m* airfield; **L.linie** *f* airline, airway; **L.markt** *m* air market; **L.netz** *nt* airline network, network of air routes; **L.ordnung** *f* rules of the air; **L.straße** *f* air lane; **L.strecke** *f* air route; **L.tarif** *m* airline rate(s); **L.unternehmen** *nt* airline, air transportation company; **L.verbindung** *f* air connection/link; **L.vorschriften** *pl* air traffic regulations; **L.weg** *m* air route; **L.wesen** *nt* aviation

Luft|vermessung *f* aerial survey; **L.verpestung/L.verseuchung/L.verschmutzung/L.verunreinigung** *f* air pollution; **L.versicherung** *f* air-risk/aviation insurance; **L.versorgung** *f* supply by air; **L.verteidigung** *f* air defence; **L.vorwärmung** *f* air pre-heating; **L.waffe** *f* air force

Luftweg *m* air route; **auf dem L.** by air; **~ befördern** to transport by air; **~ transportiert werden** to go by air

Luft|werbung *f* skywriting; **L.widerstand** *m* air resistance; **L.wirbel** *m* turbulence; **L.ziegel** *m* air brick; **L.zirkulation** *f* air circulation; **L.zufuhr** *f* air supply; **L.zuführung** *f* aeration; **L.zug** *m* draught; **frischer L.zug** whiff of fresh air

Lug und Trug *m* lies and deception

Lüge *f* lie, fabrication; **jdn der L. bezichtigen** to call so. a liar; **jdn L.n strafen** to give so. the lie, to belie/confound so.; **lauter L.n** pack of lies

dreiste Lüge barefaced lie; **glatte L.** downright/outright lie; **plumpe L.** blatant lie; **unverschämte L.** brazen/blatant lie

lügen *v/i* to lie, to tell a lie; **wie gedruckt l.** to lie like a book

Lügen|bold *m* inveterate liar; **L.detektor** *m* lie detector; **L.geschichte** *f* cock and bull story *(coll)*; **L.gespinst/L.gewebe** *nt* pack/tissue of lies; **L.märchen** *nt* tall story; **L.netz spinnen** *nt* to spin a web of lies

Lügner *m* liar; **notorischer L.** arrant liar

Luke *f* ⚓ hatch, cargo post; **L.n dichtmachen** to batten down the hatches

lukrativ *adj* lucrative, paying, profitable, remunerative, high-margin; **das ist l.** there is money in it

lukullisch *adj* mouth-watering, sumptuous

Lump *m* scoundrel, rogue, rascal, blackguard

Lumpen *pl* rags; **sich nicht l. lassen** *(coll)* to splash out, to do things in style

Lumpen|gesindel/L.pack *nt* *(coll)* hoi polloi, riffraff; **L.handel** *m* rag trade; **L.händler** *m* rag-and-bone man; **L.proletariat** *nt* lumpen proletariat; **L.sack** *m* ragbag; **L.sammler** *m* rag-and-bone man, junkman; **L.wolf** *m* shredder

lumpig *adj* shabby, tattered

Lunge *f* ⚕ lungs; **L.nflügel** *m* ⚕ lung; **L.nentzündung** *f* pneumonia; **l.nkrank** *adj* tubercular; **L.nkrebs** *m* lung cancer

lungern *v/i* to lounge/loaf about

Lunte *f* fuse; **L. legen** to light the fuse; **L. riechen** *(coll)* to smell a rat *(coll)*, to get wind of sth. *(coll)*

Lupe *f* magnifying/reading glass; **unter die L. nehmen**

(fig) to scrutinize; **mit der L. nach etw. suchen** to look for sth. with a magnifying glass; **unter die L. genommen werden** to come under scrutiny
lupenrein *adj* flawless, impeccable
Lust *f* 1. inclination, desire; 2. *(Verlangen)* craving; **L.barkeit** *f* entertainment
lustig *adj* merry, funny, jolly, jocular; **sich über jdn l. machen** to poke fun at so.
lustlos *adj* *(Markt)* dull, sluggish, slack, flat, inactive, stagnant, lacklustre, quiet, stale, listless; **l. schließen** *(Börse)* to close on a dull note; **l. sein** *(Börse)* to trade slowly, to lack incentive, to stagnate
Lustlosigkeit *f* 1. sluggishness, stagnation, stagnancy; 2. *(Börse)* low activity, flatness, dullness, listlessness, lethargic mood
Luv|- ⚓ weather side; **l.en** *v/i* ⚓ to luff (up); **L.seite** *f* ⚓ windward/weather side
Luxation *f* ⚕ dislocation
luxuriös *adj* luxurious, extravagant, lush
Luxus *m* luxury, extravagance, indulgence; **im L. schwelgen** to wallow in luxury
Luxus|- de luxe, luxurious; **L.artikel/L.güter** *pl* luxuries, luxury/prestige goods; **L.ausführung** *f* de luxe model; **L.dampfer** *m* luxury cruise ship; **L.fahrzeug** *nt* luxury vehicle; **L.güterindustrie** *f* luxury goods industry; **L.hotel** *nt* de luxe hotel; **L.jacht** *f* pleasure yacht; **L.kabine** *f* ⚓ stateroom; **L.leben** *nt* high life; **L.modell** *nt* de luxe model; **L.papier** *nt* fancy paper; **L.steuer** *f* luxury tax; **L.ware** *f* prestige goods; **L.wohnung** *f* luxury flat; **L.zug** *m* 🚂 luxury train
Lymphe *f* ⚕ lymph
lynch|en *v/t* to lynch; **L.justiz** *f* lynch/mob law
Lyzeum *nt* girls' secondary/grammar/high *[US]* school

M

Maat *m* (ship's) mate, ordinary seaman
Machart *f* style
machbar *adj* feasible, manageable, practicable, viable; **M.keit** *f* feasibility; **M.keitsstudie** *f* feasibility/viability study
machen *v/t* 1. to do/make/produce/manufacture; 2. *(Angebot)* to hold out
aus allem etw. machen to turn everything to account; **sich m. an** to go about; **sich nichts m. aus etw.** to make light of sth.; **um es kurz zu m.** to cut a long story short *(coll)*; **auf neu m.** to do up; **sich wenig aus etw. m.** to make light of sth.; **es ebenso m. wie** to pitch in with
Machenschaft *f* practice, manipulation, intrigue, scheming; **M.en** machinations, wheelings and dealings; **betrügerische M.en** fraudulent/deceptive practices; **dunkle/unlautere M.en** sharp practices
Macher *m* 1. maker, mover, achiever, man of action; 2. fixer *(coll)*; **M.lohn** *m* manufacturing price, labour charge
Macht *f* 1. power, force; 2. dominance, control, hold, leverage; 3. arm, muscle
an der Macht *(Politik)* in office/power; **aus eigener M.** on one's own resposibility; **außerhalb unserer M.** outside our control; **mit M.** forcibly; **mit aller M.** with might and main; **ohne M.** toothless *(fig)*
Macht der Gewohnheit force of habit; **M. durch Legitimation** legitimate power; **~ Persönlichkeitswirkung** referent power; **M. der Verwaltung** administrative power; **M. durch Wissen und Fähigkeiten** expert power; **~ Zwang** coercive power
Macht ausüben to wield power; **etw. in seine M. bekommen** to get a hold on sth.; **an der M. bleiben** to remain in power; **M. ergreifen** to seize power; **nach der M. greifen** to make a bid for power; **M. über jdn haben** to have a hold upon so.; **an die M. kommen** to come (in)to power; **in jds M. liegen** to lie with so., to be up to so.; **M. an sich reißen** to seize power; **an der M. sein** to be in power; **nicht in jds M. stehen** not to be in so.'s power; **M. übernehmen** to come into power, to take effective control; **M. übertragen** to delegate power
auswärtige Macht foreign power; **feindliche M.** hostile power; **kriegführende M.** belligerent power; **unbeschränkte M.** absolute power; **wirtschaftliche M.** economic power
Macht|ablösung *f* change of power; **M.anhäufung** *f* concentration of power; **M.anmaßung** *f* usurpation of power, usurped power; **M.anspruch** *m* claim to power; **M.ausübung** *f* exercise of power
Machtbefugnis *f* authority, power, province; **aus eigener M.** on one's own authority; **seine M.se überschreiten** to exceed one's powers
Macht|bereich *m* 1. sphere of influence/control; 2. § jurisdiction; **m.besessen** *adj* power-hungry; **M.beteiligung** *f* power sharing; **m.bewusst** *adj* power-conscious; **M.demonstration/M.entfaltung** *f* show of force/power, display of power; **M.ergreifung** *f* seizure of power; **M.fülle** *f* power; **M.gruppe** *f* pressure group; **M.haber** *m* ruler; *pl* the powers that be; **m.haberisch** *adj* imperious, high-handed
mächtig *adj* 1. powerful, potent; 2. rigorous, swingeing, forceful
Macht|kampf *m* power struggle, struggle for power, trial of strength; **interner M.kampf** infighting; **M.konzentration** *f* concentration of power; **m.los** *adj* powerless, helpless, toothless *(fig)*; **M.missbrauch** *m* abuse of power; **M.politik** *f* power politics; **M.position** *f* stronghold *(fig)*; **M.probe** *f* trial of strength; **M.spruch** *m* peremptory order; **M.stellung** *f* powerful position; **M.streben** *nt* striving for power, will to power; **M.theorie** *f* theory of (economic) power; **M.übergang** *m* transfer of power; **M.übernahme** *f* takeover, assumption/seizure of power; **M.überschreitung** *f* exceeding one's authority, ultra vires *[lat.]* action *[GB]*; **M.verschiebung** *f* shift of power; **M.verteilung** *f* distribution of power; **M.vollkommenheit** *f* power, authority; **richterliche M.vollkommenheit** discretionary power; **M.wechsel** *m* change of government; **M.wort sprechen** *nt* to lay down the law, to put one's foot down; **M.zentrum** *nt* centre of power; **M.zusammenballung** *f* concentration of power

Mädchen für alles *nt* 1. maid of all work, utility man *(coll)*, girl Friday; 2. song and dance person *[US]*; **M.handel** *m* white-slave trade, white slavery; **M.name** *m* maiden name; **M.pensionat** *nt* 1. girls' boarding school; 2. finishing school

Made *f* maggot; **wie die M. im Speck sitzen** *(coll)* to be as snug as a bug in a rug *(coll)*, to be in clover *(coll)*, to live in luxury

madig machen *adj* *(coll)* to run so./sth. down, to disparage so's reputation

Magazin *nt* 1. *(Lager)* warehouse, depot, store(house), depository, repository; 2. *(Zeitschrift)* magazine

Magazin|arbeiter *m* warehouseman; **M.buchhaltung** *f* inventory accounting; **M.genossenschaft** *f* warehousing cooperative; **M.verwalter** *m* warehouse manager/keeper, warehouseman, storekeeper; **M.verwaltung** *f* storekeeping

Magen *m* stomach, tummy *(coll)*; **nüchterner M.** empty stomach; **M.beschwerde** *f* stomach complaint; **M.schleimhautentzündung** *f* ⚕ gastritis; **M.schmerzen** *pl* stomachache; **M.verstimmung** *f* stomach upset

mager *adj* 1. thin, slim; 2. lean, meagre, low-fat; 3. *(Ergebnis)* poor, scant

Mager|kohle *f* lean coal; **M.milch** *f* skimmed/low-fat milk; **M.(gemisch)motor** *m* 🚗 lean-burn engine; **M.sucht** *f* ⚕ anorexia

magisch *adj* magic(al)

Magister *m* 1. *(Geisteswissenschaften)* Master of Arts (M.A.); 2. *(Naturwissenschaften)* Master of Science (M.Sc.)

Magistrale *f* trunk road

Magistrat *m* municipal corporation/authorities; **M.sbeamter** *m* local government officer; **M.sbeschluss** *m* municipal decree; **M.smitglied** *nt* councillor; **M.swahl** *f* local election

Magnat *m* magnate, tycoon, baron

Magnet *m* magnet

Magnetband *nt* 💻 magnetic tape; **M.archiv** *nt* magnetic tape library; **M.aufzeichnung** *f* tape recording; **M.bibliothek** *f* magnetic tape library; **M.datei** *f* magnetic tape file; **M.gerät** *nt* magnetic tape unit; tape recorder; **M.kassette** *f* tape cartridge/cassette; **M.sortierprogramm** *nt* tape sort; **M.speicher** *m* magnetic tape storage

Magnet|bildband *m* videotape; **M.blasen** *pl* magnetic bubbles; **M.feld** *nt* magnetic field

magnetisch *adj* magnetic

Magnetismus *m* magnetism

Magnetkarte *f* 💻 magnetic card; **M.ncomputer** *m* magnetic ledger-card computer; **M.nspeichderdatei** *f* magnetic card file

Magnet|kompass *m* magnetic compass; **M.kontencomputer** *m* magnetic ledger-card computer, ~ strip account card computer; **M.kopf** *m* 💻 magnetic/read/write head; **M.locher** *m* 💻 card punch; **M.ografie** *f* magnetography; **M.platte/M.scheibe** *f* magnetic disk/disc; **flexible M.platte/M.scheibe** floppy disk/disc; **M.plattenspeicher** *m* magnetic disk/disc storage; **M.plattensteuereinheit** *f* disk controller

Magnetschrift *f* magnetic character, ~ ink font; **M.beleg** *m* magnetic ink document; **M.drucker** *m* magnetic character printer; **M.leser** *m* magnetic character reader; **M.sortierer** *m* reader sorter

Magnetofon *nt* magnetophone

Magnet|speicher *m* 💻 magnetic storage/memory/store; **M.spur** *f* magnetic track; **M.streifen** *m* 💻 data cell, magnetic strip; **M.streifenkarte** *f* magnetic stripe card; **M.tinte** *f* magnetic ink; **M.ton** *m* magnetic sound; **M.tonband** *nt* magnetic tape; **M.trommel** *f* magnetic drum

Mahagoni *nt* mahogany

Mäh|binder *m* 🚜 mow-binder, reaper-binder, binder and reaper; **M.drescher** *m* (combine) harvester, combine

mähen *v/t* to mow

Mahlen *nt* milling; **m.** *v/t* to grind

Mahlzeit *f* meal; **knappe M.** meagre fare; **kräftige M.** substantial meal; **solide/volle M.** square meal; **unentgeltliche M.** free meal; **warme M.** hot meal

Mähmaschine *f* 🚜 mower, reaper, reaping-machine

Mahn|bescheid *m* 1. reminder; 2. § summary judgment, ~ notice to pay, default summons *[GB]*; **M.brief** *m* reminder, dunning/collection *[US]* letter; **M.briefreihe/-serie** *f* collection sequence/series

mahnen *v/t* to remind/dun/urge, to send a reminder, to apply for/request payment

Mahn|gebühr *f* dunning charge, collection/reminder fee, arrears letter fee; **M.kosten** *pl* 1. collection expenses; 2. *(Zahlung)* rebilling costs; **M.schreiben** *nt* reminder, arrears notice, dunning/collection *[US]* letter, request for payment, prompt note; **M.sperre** *f* arrears letter exclusion

Mahnung *f* 1. reminder, dunning/delinquency notice, dunning letter, request/demand for payment, application (for payment), prompt note; 2. *(Vers.prämie)* renewal notice; 3. warning

dringende Mahnung urgent request; **erste M.** first reminder; **formelle M.** actual notice; **gerichtliche M.** summons; **letzte M.** final reminder, pre-collection letter; **schriftliche M.** requisition, notice in writing

Mahn|verfahren *nt* collection procedure/summary/proceedings, default summons *[GB]*, delinquency procedure, enforcement proceedings; **im Wege des M.verfahrens** by judgment note; **M.wesen** *nt* collection, dunning (activity), remindering; **M.zettel** *m* reminder, prompt note

Mais *m* maize, corn *[US]*

Majestät *f* majesty; **m.isch** *adj* majestic

Majestäts|beleidigung *f* lese-majesty; **M.verbrechen** *nt* high treason

Majorat *nt* § entail, entailed estate; **M. im Mannesstamm** estate tail male; **M. errichten/stiften** to found an entail; **M.serbe** *m* tail special; **M.sgut** *nt* entail, entailed estate

majorenn *adj* of age; **m. werden** to come of age

majorisier|en *v/t* to dominate/outvote; **M.ung** *f* *(Börse)* stagging

Majorität *f* → **Mehrheit** majority; **M. besitzen** to be in the majority

Majoritäts|- ➔ **Mehrheits|-**
Makel *m* 1. stain, blemish, flaw; 2. slur; **m.los** *adj* flawless, spotless, pristine, impeccable, immaculate, clear, untarnished, without blemish, ~ a spot; **M.losigkeit** *f* impeccability, spotlessness
makeln *v/i* to act as a broker, to broker/job
Makler *m* 1. *(Börse)* broker, stockbroker, jobber; 2. trader, dealer; 3. agent, middleman, factor, negotiator; 4. real estate agent/broker; *pl* the market
Makler für Anlagepapiere investment broker; **M. in Auslandswechseln** foreign broker; **M. im Befrachtungsgeschäft** chartering broker; **~ Edelmetallhandel** bullion broker; **M. für Festverzinsliche** bond broker; **M. auf Großmärkten** general-line broker; **M. für Kundenaufträge** customer's broker; **~ eigene Rechnung** *(Produktenbörse)* pit trader; **~ Vermietungen** letting agent
als Makler fungieren to act as a broker
vom Versicherungsgeber abhängiger Makler captive broker; **amtlicher M.** government broker; **auf eigene Rechnung arbeitender M.** floor broker; **freier M.** floor trader, outside/non-member/street/inofficial/unofficial broker; **selbstständiger M.** associate broker; **vereidigter M.** sworn broker; **versicherungsnehmerverbundener M.** captive broker; **amtlich zugelassener M.** certified/official/inside broker; **nicht (zur offiziellen Börse) ~ M.** non-member/outside broker
Makler|angebot *nt* *(Vers.)* original slip; **M.buch** *nt* broker's journal, *(Börse)* order record book; **M.büro** *nt* 1. broker's office; 2. real estate agency; **M.courtage** *f* 1. broker's commission, brokerage, broker rate; 2. *(Börse)* floor commission; **M.darlehen** *nt* broker's/day *[US]*/clearance loan; **kurzfristiges M.darlehen** street loan
Maklerei *f* jobbery
Makler|firma *f* 1. commission/brokerage house; 2. *(Börse)* stockbroking/broking firm, brokerage firm/concern/partnership; **unreelle M.firma** bucket shop *(coll)*; **M.forderung** *f* brokerage, broker's commission; **M.gebühr** *f* broker's charges/commission/fee, brokerage (fee), dealing costs; **M.gehilfe** *m* broker's clerk; **M.geschäft** *nt* jobbing, broking, brokerage (business/operation); **M.gesetz** *nt* law of agency; **M.gewerbe** *nt* brokerage; **M.kammer** *f* brokers' association; **M.kredit** *m* broker's loan; **M.liquidation** *f* broker's account; **M.lohn** *m* brokerage; **M.ordnung** *f* brokers' code of conduct; **M.provision** *f* brokerage, broker's commission/fee, broking/overriding commission, commercial rate; **M.schranke** *f* broker's counter/bar; **M.stand** *m* pit, pitch; **M.syndikat** *nt* board of brokers; **M.tätigkeit** *f* brokerage; **M.usancen** *pl* brokerage practices; **M.vertrag** *m* brokerage/listing contract; **~ ohne Alleinverkaufsrecht** open listing
Makro *nt* 🖳 macro; **m.dynamisch** *adj* macro-dynamic; **M.größe** *f* economic aggregate, macro-magnitude; **M.ökonomie** *f* macro-economics, aggregate economics, economics of aggregates; **m.ökonomisch** *adj* macro-economic; **M.standort** *m* macro-location; **M.theorie** *f* macro-economic/aggregative theory
Makulatur *f* 🕮 waste paper, spoilage; **M. werden** *(fig)* to become obsolete/irrelevant; **M.note** *f* spoiled note
Mal *nt* mark, sign; **ein letztes M.** one more time; **zum ersten und zum letzten M.** once and for all; **ein für alle M. erledigen** to settle a matter once and for all
Malaise *f* uneasiness, unease, malaise *(frz.)*
malochen *v/i* *(coll)* to slave away, to graft
Mal|rabatt *m* repeat (advertising) rebate; **M.stift** *m* crayon
Malus(prämie) *m/f* *(Vers.)* extra/supplementary (high-risk) premium
Mammon *m* mammon; **dem M. huldigen** *(fig)* to worship the golden calf *(fig)*; **schnöder M.** filthy lucre
Mammut|fusion *f* giant/mega merger, juggernaut marriage/merger *(fig)*; **M.gesellschaft** *f* mammoth company; **M.investitionen** *pl* huge investments; **M.konzern** *m* industrial heavyweight; **M.projekt** *nt* large-scale project; **M.unternehmen** *nt* giant enterprise
Management *nt* management; **operatives M.** competitive management
Management|ausbildung *f* management training/education; **M.berater** *m* management consultant; **M.beratung** *f* management consulting; **M.bezüge** *pl* management rewards; **M.-buy-out** *nt* management buy-out (MBO); **M.defizit** *nt* lack of leadership; **M.eigenschaften** *pl* managerial qualities, executive ability; **M.funktion** *f* managerial function; **M.informationssystem** *nt* management information system (MIS); **M.karussel** *nt* ➔ **Managerkarussel** *nt*; **M.konzept** *nt* mangement/managerial concept; **M.nachwuchs** *m* young executives, junior management; **M.provision** *f* *(Anleihe)* management fee; **M.prozess** *m* management process; **M.schwelle** *f* management threshold; **M.technik** *f* management technique; **M.trainee** *m* trainee manager; **M.unternehmen** *nt* management company
managen *v/t* to manage/operate/run
Manager *m* manager
Manager|gehalt *nt* managerial salary; **M.karussell** *nt* management roundabout/turntable; **M.krankheit** *f* stress disease, executivitis *(coll)*; **M.kurs** *m* management course; **M.revolution** *f* managerial revolution; **M.stellung** *f* managerial position; **M.tum** *nt* managership
Manchesterschule *f* Manchester school
Mandant *m* client, principal
Mandanten|adresse *f* client's business name and address; **M.bezeichnung** *f* client name; **M.gelder** *pl* clients' money; **M.gruppe** *f* client group; **M.liste** *f* client list; **M.nummer** *f* client number; **M.stamm** *m* clientele, clients
Mandantschaft *f* § clients
Mandat *nt* 1. mandate; 2. *(Vollmacht)* authority, proxy; 3. § warrant of attorney, brief, retention; 4. *(Parlament)* seat
Mandat ausüben to act on behalf of a client; **von einem M. entbinden** to disengage a lawyer; **M. gewinnen** *(Parlament)* to win a seat; **M. niederlegen/zur Verfügung stellen** *(Parlament)* to resign one's seat, ~ from office; **M. prüfen** to verify the credentials; **unter ein M. stellen** to mandate

Mandatar *m* proxy, mandatary, agent; **M.geschäft** *nt* mandatory business; **M.macht** *f* mandatory power; **M.staat** *m* mandatory state

Mandatgeschäft *nt* commission business, transaction on a commission basis

Mandats|auftrag *m* mandate, contract of bailment; **M.formular** *nt* mandate form; **M.gebiet** *nt* mandate, mandatory territory; **M.herr** *m* mandator; **M.macht** *f* mandatory power; **M.niederlegung** *f* [§] withdrawal of counsel; **M.träger** *m* elected representative; **M.verlust** *m* [§] loss of a client; **M.verteilung** *f (Parlament)* distribution of seats

Mangan *nt* manganese; **M.knolle** *f* manganese nodule

Mangel *m* 1. *(Knappheit)* deficiency, scarcity, shortage, shortfall; 2. ✿ (physical) defect, fault, flaw; 3. need, want, lack, shortcoming, default; 4. *(Entbehrung)* privation, deprivation, dearth, famine; 5. [§] deficiency in title; **aus M. an** for want/lack of

Mangel an Anlagealternativen lack of alternative investments; ~ **Anschlussaufträgen** lack of follow-through buying; ~ **Arbeitskräften** labour/manpower shortage, shortage of staff/labour/manpower, understaffing; ~ **Arbeitsplätzen** job shortage, lack of jobs; ~ **Beweisen** lack of evidence/proof; **aus ~ Beweisen** for/due to lack of proof; ~ **Beweiskraft** 1. inconclusiveness; 2. [§] lack of probative force; ~ **Engagement** lack of commitment; **M. des Erfüllungsgeschäftes** lack of delivery; **M. an Flexibilität** inelasticity; ~ **Geld** lack of funds; ~ **Glaubwürdigkeit** credibility gap; ~ **Hypotheken** mortgage famine; **M. in der Infrastruktur** infrastructural deficiency; **M. an Kapital** lack of capital; ~ **Neuemissionen** dearth of new issues; ~ **Publizität** underexposure; **M. im Recht** 1. defect of title; 2. lack of legal basis; **M. an Schiffsraum** scarcity of tonnage; ~ **Urteilskraft** defect of judgment; **M. der Vertretungsbefugnisse/Vollmacht** absence/lack of authority, insufficiency of the power of attorney; **M. an der Ware** defect in the goods; ~ **Wohnraum** housing shortage

mit allen Mängeln und sonstigen Fehlern with all faults and imperfections; **M. behoben** *(Vermerk)* defects rectified

Mängel beanstanden to find fault with sth.; **Mangel beheben/beseitigen** to remedy a defect/deficiency, to correct/remove a defect; **jdn durch die M. drehen** *(coll)* to put so. through the mill *(coll)*; **M. feststellen** to discover a defect; **zu einem M. führen** to put in short supply; **für einen M. haften** to warrant/be liable for a defect; **M. geltend machen** to raise a warranty claim; **M. rügen** to notify a defect; **M. spüren** to feel the pinch

anfängliche Mängel teething troubles; **baulicher Mangel** structural defect; **behebbarer M.** remediable defect, deficiency which may be corrected; **zur Wandelung berechtigender M.** redhibitory defect; **äußerlich erkennbarer M.** apparent defect; **festgestellter M.** ascertained defect; **formeller und offensichtlicher M.** formal and obvious/patent defect; **geheimer/heimlicher M.** hidden/latent/concealed defect; **innerer M.** intrinsic defect; **innewohnender M.** inherent defect; **kleiner M.** minor defect; **kritischer M.** acute shortage; **materieller M.** substantive defect; **offenbarer/offener/offensichtlicher M.** patent/overt/obvious/apparent defect; **schwerer M.** serious defect; **technischer M.** technical deficiency/defect; **verborgener/versteckter M.** hidden/latent defect, inherent vice; **arglistig verschwiegener M.** intentionally concealed defect

Mängel|analyse *f* deficiency analysis; **M.anspruch** *m* warranty claim, claim arising from a defect; **M.anzeige** *f* notice of defects, letter of complaint; **M.ausschluss** *m* caveat emptor *(lat.)*; **m.behaftet** *adj* with failures; **M.bericht** *m* list of faults/defects

Mangelberuf *m* scarce job, understaffed profession

Mängel|beseitigung *f* remedy of defects; **M.einrede** *f* defence based on warranty of defects, plea that goods are defective

Mangel|erscheinung *f* shortage, deficiency symptom; **M.folgeschaden** *m* consequential damage, ~ harm caused by a defect; **m.frei** *adj* free from/of defects, perfect, flawless

Mängelfrist *f* notification period for defects; **M.garantie** *f* warranty; **M.gewähr** *f* express warranty; **ohne M.gewähr** with all faults

mangelhaft *adj* 1. defective, faulty, imperfect, inadequate; 2. *(Zeugnis)* poor; **M.igkeit** *f* defectiveness, faultiness, imperfection, poorness

Mängelhaftung *f* liability for faults/defects, seller's/express warranty, warranty of fitness; **der M. unterliegen** to be liable for defects; **stillschweigende M.** implied warranty

Mängel|heilung *f* remedying of a defect; **M.klage** *f* [§] impeachment of waste; **M.klausel** *f* warranty clause

Mangel|krankheit *f* deficiency disease; **M.lage** *f* (serious) shortage

Mängelliste *f* list of defects/faults

mangeln *v/t* to lack/fail; **m.d** *adj* lacking, wanting

Mängelrüge *f* (letter of) complaint, complaint/claim letter, notice of defect (in quality); **M. geltend machen** to make/lodge a complaint, to notify a defect; **M.frist** *f* period allowed for filing a notice of defect

mangels *prep* failing, for want/lack of, in the absence of, in default of, unless ... otherwise

Mangel|schaden *m* deficiency loss; **M.stück** *nt* defective item/security

Mangelware(n) *f* scarce goods/commodities, defective goods, (goods) in short supply; **M. sein** to be in short supply, ~ scarce, not to grow on trees *(fig)*; **M.npreis** *m* scarcity price

Manifest *nt* 1. *(Programm)* manifesto; 2. ⚓ manifest, shipping bill; **kommerzielles M.** ⚓ commercial manifest; **m.ieren** *v/t* to manifest/demonstrate

Manilakarton *m* Manila paper

Manipulation *f* 1. manipulation, fiddle, rigging; 2. handling of goods; **durch M. beeinflusst** *(Börse)* technical; **betrügerische M.en** fraudulent manipulations

Manipulations|bestand *m* working fund; **M.fonds** *m* general/working fund; **M.gebühr** *f* handling charge; **M.lager** *nt* working stock; **M.reserve** *f* working reserve

manipulier|bar *adj* manageable, tractable; **m.en** *v/t* to manipulate/rig/fiddle/juggle/adjust/manage; **geschickt m.en** to handle skilfully; **m.end** *adj* manipulatory; **M.er** *m* manipulator; **m.t** *adj (Preis)* technical, managed

Manipulierung *f* 1. manipulation; 2. *(Ware)* handling; **M. der Kurse** rigging the market; **~ Währung** currency management; **zeitliche M.** manipulative timing

Manko *nt* 1. shortage, deficit, short, deficiency; 2. shortcoming; 3. *(Kasse)* shortage in money accounts, cash short; 4. *(Gewicht)* underweight, short weight; 5. *(Fass)* ullage; **M. haben** 1. to be short; 2. to make a loss; **M. sein** to be a drawback

Manko|berechnung *f* deficiency assessment; **M.geld** *nt* cash indemnity, risk money, cashier's allowance for shortages; **M.lieferung** *f* deficient delivery

Mann für alles *m* handyman; **mit M. und Maus** *m* ⚓ with all hands; **M. der Mitte** *(Politik)* moderate; **der falsche M. am falschen Platz** a square peg in a round hole *(fig)*; **der richtige M. am richtigen Platz** the right man in the right place; **M. der Praxis** practical man; **M. mit Unternehmungsgeist** man of enterprise; **M. von Welt** man of the world

an den Mann bringen to sell, to get rid of, to put across; **starken M. markieren** to throw one's weight about; **gemachter M. sein** to have arrived; **seinen M. stehen** to stand one's ground, to hold one's own; **mit M. und Maus untergehen** ⚓ to be lost with all hands; **wie M. und Frau zusammenleben** to live as man and wife, to cohabit

begüterter/vermögender Mann man of property; **der einfache/kleine M.** the man in the street; **neutraler M.** neutral man; **weiser M.** pundit *(coll)*

Mannequin *nt* 1. mannequin, fashion model; 2. *[frz.]* model

Männer|arbeit *f* a man's work; **M.station** *f* ⚕ male ward; **M.wahlrecht** *nt* male suffrage

mannigfach *adj* manifold

mannigfaltig *adj* 1. varied, miscellaneous, sundry, multiple; 2. *(Farben)* variegated; **M.keit** *f* variety, diversity, plurality

Mann|jahr *nt* man-year of work; **M.loch** *nt* 1. manhole; 2. 🏛 inspection chamber; **M.monat** *m* man month

Mannschaft *f* 1. team, gang, squad; 2. ⚓ company, crew, ratings; **mit der gesamten M. untergehen** ⚓ to be lost with all hands; **eingespielte M.** experienced team; **sorgfältig zusammengestellte M.** hand-picked team

Mannschafts|dienstgrad *m* ✈ private; **M.führer** *m* team leader; **M.geist** *m* team spirit; **M.mitglied** *nt* team/crew member; **M.quartier/M.raum** *nt/m* crew's quarters; **M.stand** *m* ✈ ranks; **M.transporter/M.wagen** *m* ✈ personnel carrier; **M.unterkunft** *f* quarters

Mannstunde *f* manhour

Manometer *nt* ⚙ pressure gauge

Manöver *nt* manoeuvre, device, trick; **durch geschickte M. überlisten** to outmanoeuvre; **zweifelhafte M.** sharp practices; **M.kritik** *f (fig)* post-mortem, inquest

manövrieren *v/t* to manoeuvre/handle

manövrier|fähig *adj* manoeuvrable; **M.fähigkeit** *f* manoeuvrability, flexibility; **M.fonds/M.masse** *m/f* working fund; **M.raum** *m* scope/room for manoeuvre, freedom of manoeuvre; **m.unfähig** *adj* disabled

Mantel *m* 1. overcoat; 2. cover (offered); 3. *(Firma)* corporate/bare shell, mantle; 4. *(Wertpapier)* certificate; **unter dem M. der Dunkelheit** under the cloak of darkness

Mantel|abtretung *f* general/blanket assignment; **M.garantie** *f* blanket/frame guarantee; **M.gesellschaft** *f* (bare-)shell/bubble company; **M.gesetz** *nt* omnibus bill/act; **M.gründung** *f* formation of a bare-shell company; **M.kauf** *m* purchase of a corporate shell; **M.note** *f* 1. identical note; 2. *(Feuervers.)* covering note; **M.police** *f* comprehensive/global policy

Manteltarif|abkommen *nt* industry-wide collective agreement, skeleton agreement, collective tariff agreement; **M.bestimmungen** *pl* collective agreement; **M.vertrag** *m* industry-wide/skeleton (wage)/basic/framework agreement (on conditions of employment); **M.vertragsverhandlungen** *pl* industry-wide bargaining

Mantel|tresor *m* bond and share certificate vault; **M.vertrag** *m* industry-wide/skeleton/framework agreement, master contract/agreement; **M.zession** *f* general/blanket assignment

Mantisse *f* π mantissa, coefficient

Manual *nt* manual, handbook

manuell *adj* manual, by hand

Manufaktur *f* 1. manufacture; 2. factory; **M.waren** *pl* manufactured goods

Manuskript *nt* 1. 📄 manuscript, copy; 2. 🎬 script; 3. *(Vortrag)* lecture notes; **ohne M.** off the cuff

Manuskript absetzen to cast off a manuscript; **M. wortwörtlich absetzen** to follow copy; **M. berechnen** to cast up copy; **ohne M. sprechen** to speak off the cuff

abgesetztes Manuskript dead copy; **druckfertiges/leserliches M.** fair copy; **schlechtes M.** bad copy; **unleserliches M.** blind copy; **unübersichtliches M.** dirty copy

Manuskript|ablehnung *f* rejection slip; **M.bearbeitung** *f* copy styling; **M.halter** *m* clipboard, copyholder; **M.papier** *nt* copy paper; **M.umfang(sberechnung)** *m/f* calibration; **M.vorbereitung** *f* copy preparation

Mappe *f* folder, file, portfolio, briefcase

Marathon *nt* marathon; **M.läufer** *m (fig) (Börse)* security with an extremely long life; **M.sitzung** *f* marathon session

Marge *f* margin, spread *[US]*

Margen|druck *m* 1. *(Zins)* pressure on margins; 2. squeeze on profit margins; **M.politik** *f (Zins)* margin policy; **M.tarif** *m* margin tariff, margin(al) rate; **M.verfall** *m* collapse of margins

marginal *adj* marginal; **M.analyse** *f* marginal analysis/theory

Marginalien *pl* marginal notes, side headings

Marginal|kosten *pl* marginal costs; **M.kostenpreis** *m* marginal cost price; **M.steuersatz** *m* marginal tax rate

Marginkauf *m* margin buying

Marine *f* navy, marine; **in die M. eintreten** to join the navy

Marine|- naval; **M.akademie** *f* naval academy/college; **M.amt** *nt* Admiralty *[GB]*, Navy Department *[US]*; **M.attaché** *m* naval attaché; **M.flugzeug** *nt* seaplane, naval aircraft; **M.haushalt** *m* navy estimates; **M.offizier** *m* naval officer; **M.recht** *nt* naval law; **M.stützpunkt** *m* naval base; **M.technik** *f* marine/naval technology; **M.werft** *f* naval/navy *[US]* yard

Marionette *f* marionette, string puppet, puppet (on a string), straw man; **M.nfigur** *f (fig)* stalking horse *(fig)*; **M.nregierung** *f* puppet government; **M.ntheater** *nt* puppet show

maritim *adj* maritime

Mark *f (Währung)* mark, deutschmark; *nt* $ marrow; **bis aufs M.** to the marrow; **(faul) bis ins M.** (rotten) to the core *(fig)*; **mit jeder M.; mit M. und Pfennig rechnen** to count/watch every penny, to stretch one's money; **bis ins M. getroffen sein** to be touched to the quick

markant *adj* striking, distinctive, clear-cut

Marke *f* 1. *(Produkt)* brand, label, trademark, make, proprietary name, blend; 2. *(Zeichen)* mark, marker; 3. disc, tag, token, tally; 4. *(Bezugsschein)* coupon; 5. *(Wertmarke)* stamp; 6. *(Essen)* voucher; **auf M.n** rationed

Marke|n abgeben to spend/surrender coupons; **M. aufkleben** to affix a stamp; **auf M.n bekommen** to get on coupons; **M. einlösen** to cash a coupon; **M. entwerten** to cancel a stamp; **M. führen** to stock a brand

aufgedruckte Marke embossed stamp; **aufgeklebte M.** affixed stamp; **aufklebbare M.** adhesive stamp; **ausländische M.** foreign make/brand; **besondere M.** special brand; **bevorzugte M.** favourite brand; **eigene M.** own label; **eingedruckte M.** impressed stamp; **gut eingeführte M.** popular brand/make; **eingetragene/geschützte M.** registered trademark; **führende M.** flagship brand; **hauseigene M.** in-house brand; **kleine M.** minor brand; **regionale M.** regional brand; **weiße M.** no-name/white product

Marken|- proprietary (brand); **M.abkommen** *nt* trademark convention; **M.akzeptanz** *f* brand acceptance; **M.album** *nt* stamp album; **M.analyse** *f* brand trend survey; **M.anmeldung** *f* (filing a) trademark registration, registration of a trademark

Markenartikel *m* (name) brand, branded article/good(s)/commodity/product, proprietary article/good, trademarked article/commodity, patent article, standard make; **dominierender M.** leading brand

Markenartikel|hersteller *m* manufacturer of branded articles/goods, ~ proprietary goods, producer of branded articles/goods, ~ proprietary goods; **M.industrie** *f* proprietary brands industry; **M.preis** *m* brand price; **M.reisende(r)** *f/m* brand representative; **M.werbung** *f* brand advertising

Markenartikler *m* → **Markenartikelhersteller**

Marken|ausstattung *f (Ware)* branding, labelling; **M.barometer** *nt* brand barometer; **M.benzin** *nt* proprietary-brand petrol; **M.betreuer** *m* brand/product manager; **M.bevorzugung** *f* brand (name) loyalty, brand preference; **M.bewusstsein** *nt* brand recognition/preference; **M.bezeichnung** *f* brand name, trademark, proprietary description; **M.bild** *nt (Ware)* brand image/family; **M.bindung** *f* exclusive distribution; **M.einführung** *f* launching of a brand; **M.eintragung** *f* trademark registration; **gleiche ~ mehrerer Anmelder** concurrent registration; **M.erfolg** *m* brand success, success of a brand; **M.erzeugnis** *nt* branded merchandise/product/article, proprietary article; ~ **von hoher Qualität** premium brand; **M.etikett** *nt* brand label; **M.fabrikat(e)** *nt/pl* proprietary brand, branded goods; **M.familie** *f* brand family; **M.firma** *f* established firm, firm with a well-known name; **M.franchise** *f* brand franchise; **m.frei** *adj* 1. *(Produkt)* no-name, unbranded, non-branded; 2. *(Rationierung)* off ration; **M.führer** *m* brand leader; **M.führerschaft** *f* brand leadership; **M.gemeinschaft** *f* brand association; **M.heft** *nt* book of stamps; **M.hersteller** *m* manufacturer of proprietary goods; **M.identität** *f* brand identity/identification; **M.image** *nt* brand image; **M.index** *m* brand trend survey, ~ barometer; **M.kennzeichnung** *f* branding; **M.lieferant** *m* supplier of branded goods; **m.los** *adj* unbranded, generic; **M.nahrungsmittel** *pl* patent/proprietary *[US]* foods; **M.name** *m* brand/trade(mark)/proprietary name; **M.neueinführung** *f* launching of a brand; **m.pflichtig** *adj* rationed; **M.piraterie** *f* trademark/brand (name) piracy; **M.politik** *f* brand policy; **M.präferenz** *f* brand preference; **M.preis** *m* brand price; **M.produkt** *nt* branded product; **M.profil** *nt* brand personality/image/offer/integrity; **M.recht** *nt* trademark law/right, proprietary right, title to a trademark; **M.register** *nt* trademarks register; **M.registrierung** *f* trademark registration; **M.sammler** *m* ✉ stamp collector, philatelist; **M.sammlung** *f* stamp collection; **M.schutz** *m* trademark protection, protection of proprietary rights, ~ trademarks; **M.schutzrecht** *nt* proprietary right; **m.spezifisch** *adj* brand-specific, intrabrand; **M.treue** *f* brand (name) loyalty, ~ insistence; **M.vergleich** *m* brand comparison; **M.wahl** *f* brand selection; **M.wahrnehmung** *f* brand identification; **M.ware** *f* branded/proprietary goods; **M.werbung** *f* brand advertising; **M.wert** *m* brand value; **M.wettbewerb** *m* brand competition; **M.wiedererkennung** *f* brand recognition; **M.zeichen** *nt* brand label, badge

Marketender|(in) *m/f* ✈ sutler; **M.ei** *f* sutlery; **M.ware** *f* army store

Marketing *nt* marketing; **aggressives M.** hell-for-leather marketing

Marketing|abteilung *f* marketing department/division; **M.berater** *m* marketing consultant; **M.dienstleistung** *f* marketing service; **M.etat** *nt* marketing budget; **M.fachmann** *m* marketing specialist/man; **M.gemeinschaft** *f* voluntary chain; **M.informationssystem** *nt* marketing information system (MIS); **M.instrumentarium** *nt* marketing tools/mix; **M.kartell** *nt* marketing cartel; **M.konzept/M.konzeption** *nt/f* marketing concept; **M.literatur** *f* marketing literature; **M.leiter(in)/M.manager(in)** *m/f* marketing director/manager, head of marketing, ~ the marketing department; **M.logistik** *f* marketing logistics; **M.methoden** *pl* marketing techniques; **M.referent/M.spezialst** *m* marketing expert/specialist; **M.umfeld** *nt* marketing environment;

M.ziel *nt* marketing goal/objective
Market-Maker *m* marketmaker
Markierboje *f* ⚓ marker/marking buoy
markieren *v/t* 1. to mark/label/brand/tag, to designate; 2. to flag/signal
Markier|flagge *f* marker/guide flag; **M.gerät** *nt* marker; **M.impuls** *m* marker/mark impulse
Makierstift *m* marking pencil, highlighter, marker pen, brightliner *[US]*; **mit dem M. markieren** to brightline
markiert *adj* marked; **farblich m.** colour-coded; **nicht m.** unmarked, unlabelled
Markierung *f* 1. labelling, marking; 2. mark(s), flag; **farbliche M.** colour coding; **schräge M.** slanted mark
Markierungs|beleg *m* 🖳 mark sheet, mark read form; **M.lesen** *nt* mark reading, optical bar-code reading; **M.lesestation** *f* mark reading station; **M.lochkarte** *f* mark sense card; **M.pflock** *m* peg; **M.stelle** *f* response position; **M.strich** *m* mark; **M.verfahren** *nt* labelling method; **M.vorschriften** *pl* marking requirements, labelling instructions; **M.zeichen** *nt* shipping marks
Markise *f* awning
Markscheid|e *f* ⚒ boundary; **M.ekunst** *f* mine surveying; **M.er** *m* mine/underground surveyer; **M.ung** *f* mine survey(ing)
Markstein *m* landmark
Markt *m* 1. market, mart; 2. outlet; 3. marketplace, trade centre; 4. fair; 5. *(Börse)* exchange, market, section; **am M.** in the marketplace; **auf dem M.** 1. in season; 2. in/at the market; 3. in the marketplace; **gerade nicht ~ M.** out of season
Markt eines monopolistischen Anbieters captive market; **M. für Anlagewerte** investment market; **M. der Auslandswerte** foreign market; **M. für Bezugsrechte** rights market; **~ Büroraum** office market; **~ Dollaranleihen** dollar bond market; **~ Eigenhändler** principals' market; **~ Einlagenzertifikate** certificate of deposit market; **~ Eisenbahnwerte** railway market; **~ Ersatzbeschaffungen** replacement market; **~ Euro-Anleihen** Euro loan market; **~ Festverzinsliche** bond market; **~ normale Festverzinsliche** straight market; **M. im Freiverkehr und am Schalter** over-the-counter market (OTC); **M. für Großanleger** wholesale market; **~ öffentliche Güter** political market; **~ nachrangige Hypotheken** second(ary) mortgages market; **~ gewerbliche Immobilien** commercial real estate market; **~ Impulswaren** impulse market; **~ Industrieanleihen** corporate bond market; **~ Industriewerte** industrial market; **~ Kolonialwerte** *(Börse)* colonial market; **~ hochwertige Konsumgüter** class market; **~ Kupferwerte** copper market; **M. mit stabiler Kursentwicklung** firm market; **M. für Kurzläufer** short end of the market; **~ Langläufer** long end of the market; **~ Massenprodukte** mass market; **~ kurzfristige Mittel und Geldmarktpapiere** institutional market; **~ junge Moden** young fashion market; **M. eines Monopolanbieters** captive market; **M. für Montanwerte** mining market; **~ Nebenwerte** *(Börse)* small cap market; **~ Neuemissionen** primary market; **M. mit amtlicher Notierung** official market; **M. zweiter Ordnung** secondary market; **M. für Pfandbriefwerte** bond market; **M. mit stabilen Preisen/stabiler Preisentwicklung** firm market; **~ starken Schwankungen** jumpy market; **M. für Spareinlagen** savings market; **~ Tagesgeld** call(-money) market, overnight/money market; **M. im Telefonverkehr und am Schalter** over-the-counter market; **M. für Termingeschäfte** futures market, market for future deliveries; **~ Überschussreserven der Geschäftsbanken** federal funds market *[US]*; **~ Verbrauchsgüter** consumer goods market; **~ deutsche Werte** German market; **~ unnotierte Werte** unlisted securities market (USM); **~ verschiedene Werte** miscellaneous market; **~ international gehandelte Wertpapiere** international market
Markt abgeschwächt market off *[US]*; **vom M. bestimmt** market-driven, market-focused
Markt abhalten to hold a market; **M. vertikal abschirmen** to screen the market off vertically; **M. abschöpfen** to skim the market; **M. abschotten** to brick up the market; **M. abtasten** to sound/explore the market; **M. anzapfen** to tap the market; **M. aufgeben** to quit the market; **M. aufkaufen** *(Spekulation)* to corner the market; **M. aufspalten** to apportion the market; **M. aufteilen** to divide up/partition a market; **M. ausplündern** to milk the market; **aus dem M. ausscheiden** to drop out of the market; **sich vom M. ausschließen** to price o.s. out of the market; **M. bedienen** to supply a market; **sich auf einen M. begeben** to move into a market; **M. beeinflussen** to rig/manipulate the market; **sich auf dem M. weiter behaupten** to keep one's hold on the market; **M. beherrschen** to dominate/hold/lead the market; **M. total beherrschen** to have a stranglehold on the market; **M. unter Kontrolle bekommen** to corner the market; **M. beleben** to stimulate the market; **M. beliefern** to supply the market; **M. beobachten** to watch a market; **M. beruhigen** to calm the market; **M. beschicken** to supply a market, to send goods to a market; **am M. beschaffen** to buy in/on the market; **M. beurteilen** to gauge the market; **sich in einem M. bewegen** to address a market; **auf den M. bringen** to launch, to put/place/introduce on the market, to market; **versuchsweise ~ bringen** to test-market; **aus dem M. drängen** to put out of business, to oust from the market; **auf den M. drücken** to depress the market; **M. durch anhaltende Verkäufe drücken** to bang the market; **sich am M. durchsetzen** to establish o.s. in the market; **in einen M. eindringen** to penetrate a market, to make inroads into a market; **~ einzudringen versuchen** to attack a market; **M. entlasten** to relieve the market; **M. erkunden** to study the market; **M. erobern** to capture/conquer a market; **neuen M. erobern/eröffnen** to open up a new market; **am M. erproben** to test-market; **M. erschließen** to tap a market, to open (up) a market; **aus dem M. fallen** to fall out; **geordneten M. in Gang halten** to make a market; **nehmen, was der M. hergibt** to charge what the market will bear; **im M. kaufen** *(Börse)* to purchase in the open market; **auf den M. kommen** to come on the market, to enter the market, to be introduced; **~ mit etw.** to come up with sth.; **M.**

kontrollieren to command the market; **M. leerfegen** to sweep the market; **Vorstoß auf einen M. machen** to venture/enter into a market, to have a go at a market; **M. manipulieren** to rig the market; **M. monopolisieren** to monopolize/engross the market; **aus dem M. nehmen** 1. to take off the market; 2. *(Börse)* to soak up; **M. in Anspruch nehmen** *(Geldmarkt)* to tap the market; **M. pflegen** to nurse/cultivate/peg the market; **M. sättigen** to saturate/glut the market; **M. schaffen (für)** to create a market/an outlet (for); **M. segmentieren** to segment a market; **als erster am M. sein** to be first to the window *(fig)*; **am M. vertreten sein** to be in the market, to have a toehold in the market; **auf dem M. sein** to operate in the market; **auf den M. zugeschnitten sein** to suit the market; **M. sondieren** to sound the market; **M. stützen** to shore up/rescue the market; **auf/in einem M. tätig sein** to address a market; **M. überhäufen/-schwemmen** to glut/saturate/flood/swamp the market; **am M. unterbringen** 1. to sell in the market; 2. *(Emission)* to place in the market; **vom M. verdrängen/vertreiben** to oust from the market, to force/crowd out of the market; **M. verfolgen** to watch the market; **auf dem M. verkaufen** to market; **am offenen M. verkaufen** to sell in the open market; **M. versorgen** to supply the market; **(eilig) auf den M. werfen** to push onto the market, to unload; **wieder ~ werfen** to throw back into the market; **aus dem M. ziehen** to take off the market; **M. zurückerobern** to reconquer a market; **sich aus dem M. zurückziehen** to withdraw from the market, to pull out of a market

im Freien abgehaltener Markt open-air market; **abgeschwächter M.** sagging market; **amtlicher M.** official market/tier; **aufnahmebereiter/-fähiger M.** ready/broad market; **nicht mehr ~ M.** overbought market; **ausgeglichener M.** balanced market; **ausgereifter M.** mature market; **ausgetrockneter M.** *(Börse)* empty market; **ausländischer M.** foreign market; **außerbörslicher M.** unofficial/non-exchange/over-the-counter market, off-market system; **begrenzter M.** *(Börse)* narrow/thin/tight market; **eng ~ M.** restricted market; **dicht besetzter M.** highly competitive market; **dritter M.** *(Börse)* third market, over-the-counter (OTC) market; **dynamischer M.** expansive market; **einheimischer M.** domestic market; **einheitlicher M.** uniform market; **enger M.** *(Börse)* narrow/tight market, (market) short of stock; **expandierender M.** buoyant/burgeoning market; **fallender M.** declining market; **fester M.** firm/steady/strong market; **flauer M.** slack/sluggish/dull/stale/dead market; **freier M.** 1. free/open market; 2. *(Börse)* unofficial/over-the-counter market, off-board trading; **freundlicher M.** cheerful/buoyant market; **gedrückter M.** depressed/heavy/bear(ish) market; **sehr ~ M.** demoralized market; **im engen Rahmen gehaltener M.** pegged market; **Gemeinsamer M.** Common Market *[EU]*; **geordneter/geregelter M.** regular/orderly market; **gesättigter M.** saturated/mature market, saturated demand; **geschlossener M.** closed market; **gestützter M.** pegged market; **gewerblicher M.** industrial market; **grauer M.** gray/grey market; **günstiger M.** promising market; **haussierender M.** bull(ish) market; **heimischer/inländischer M.** home/domestic/national market; **homogener M.** homogeneous market; **inländischer M.** home market; **konkreter M.** present market; **lebhafter M.** buoyant/brisk/active/cheerful market; **leerer/leergefegter M.** oversold/empty market, market short of stock; **lustloser M.** dull/flat/sick *[US]*/sluggish/slack/dead/lifeless market; **manipulierter M.** rigged market; **möglicher M.** potential market; **monetärer M.** financial market; **monopolisierter M.** captive market; **nachgebender M.** sagging market; **offener M.** open/free/competitive market, § market overt *[GB]*; **öffentlicher M.** public market, *(Börse)* official market; **offizieller M.** official market; **organisierter M.** regular market, market overt; **polypolistischer M.** polypolistic market; **potenzieller M.** potential market; **reifer M.** mature market; **relevanter M.** relevant market; **repräsentativer M.** representative market; **rückläufiger M.** receding market; **ruhiger M.** calm market; **schrumpfender M.** declining/shrinking market; **schwacher M.** weak/thin market; **schwankender M.** sensitive market; **stark ~ M.** volatile/jumpy market; **schwarzer M.** black market; **schwieriger M.** tough market; **stagnierender M.** stagnant market; **steigender M.** rising market; **oligopolistisch strukturierter M.** oligopolistic market; **tatsächlicher M.** physical/present market; **überbeanspruchter M.** overtapped market; **überbesetzter M.** overcrowded market; **überdachter M.** covered market; **übersättigter M.** glutted market; **überseeischer M.** overseas market; **umfangreicher M.** broad market; **umgekehrter M.** inverted market; **(heiß) umkämpfter M.** (highly) competitive market; **umsatzloser/-schwacher M.** flat/inactive market; **unbeständiger M.** volatile market; **uneinheitlicher M.** sick market *[US]*; **unerschlossener M.** untapped market; **ungeregelter M.** disorderly market; **ungesättigter M.** unsaturated market; **unnotierter M.** kerb *[GB]*/curb *[US]* market; **untergeordneter M.** secondary market; **unvollkommener M.** imperfect market; **variabler M.** variable-price market; **verbrauchsnaher M.** consumer-orient(at)ed market; **verkaufsgünstiger M.** seller's market; **vielversprechender M.** promising market; **vollkommener M.** perfect/ideal market; **dynamisch wachsender M.** dynamically growing market(place); **wettbewerbsfähiger M.** competitive market; **wettbewerbsintensiver M.** highly competitive market(place)/field; **widerstandsfähiger M.** resistant market; **zersplitterter M.** fragmented market

Markt|abdeckung *f* coverage; **M.abgaben** *pl* market dues; **M.abgrenzungsabkommen** *nt* impenetration agreement; **M.abrede/M.absprache** *f* marketing arrangement; **M.absatz** *m* sales; **M.abschnitt** *m* segment of the market; **M.abschottung** *f* sealing-off the market; **M.abschwächung** *f* weakening of the market; **M.absprache** *f* marketing agreement; **M.abstand** *m* market differential; **M.akzeptanz** *f* market acceptance, acceptance in the marketplace; **M.analyse** *f* market review/survey/analysis/inquiry, commercial survey;

M.analytiker *m* market analyst; **M.angebot** *nt* market supply/offering; **M.angebotskurve** *f* market supply curve; **M.anlaufverlust** *m* initial loss; **M.anpassung** *f* market adjustment; **M.anpassungszeit** *f (Börse)* time lag; **M.anspannung** *f* tightness/tightening of the market

Marktanteil *m* market share/coverage, (market/sales) penetration, share in/of the market

Marktanteil erobern to conquer a share of the market, to make inroads into a market, to grab a chunk of the market *(coll)*; **M. gewinnen** to carve out a slice of a market; **M.e gewinnen** to make inroads; **unbedeutenden M. haben** to have a toehold in the market; **M. halten** to maintain the market share; **M.en nachjagen** to chase market shares; **seinen M. wiedergewinnen** to retrieve one's market share; **M. zurückerobern** to win back a market share

beträchtlicher Marktanteil appreciable segment of the market; **inländischer M.** domestic market share; **maßgebender M.** qualifying market share

Markt|anteilsverlust *m* loss of market share; **M.anweisung** *f (Börse)* market order; **M.aufbau** *m* market structure; **M.aufkommen** *nt* market volume

Marktaufnahme *f* market acceptance; **M.fähigkeit** *f* market capacity; **M.test** *m* acceptance test

Markt|aufseher *m* clerk of the market; **M.aufsicht** *f* market supervision; **M.aufsichtsbehörde** *f* market watchdog; **M.aufspaltung/M.aufsplitterung** *f* market segmentation

Marktaufteilung *f* market sharing/segmentation, sharing/division of markets, allocation of market territories; **M.sabkommen/M.sabrede/M.svereinbarung** *nt/f* market sharing agreement; **M.skartell** *nt* market sharing cartel

Markt|auftritt *m* market approach; **M.ausgleich** *m (Börse)* evening out the market; **M.ausgleichslager** *nt* buffer stock(s); **M.ausrufer** *m* market crier; **M.ausschöpfungsgrad** *m* market exhaustion level(s); **M.-aussichten** *pl* market prospects/outlook

Marktaustritt *m* market exit; **M.schancen/M.sschranken** *pl* barriers to exit; **M.sschwelle** *f* market exit threshold; **M.swechselkurs** *m* exit exchange rate

Markt|ausweitung *f* market growth/expansion; **M.automatik** *f* automatic market adjustment; **M.bank** *f* market bank; **m.bar** *adj* marketable; **M.barometer** *nt* market indicator/pointer; **M.beanspruchung** *f* recourse to the market; **M.bedarf** *m* market demand; **M.bedeutung** *f* market significance; **m.bedingt** *adj* market-induced; **M.bedingungen** *pl* trading/market conditions; **M.bedürfnis** *nt* market needs; **M.befestigung** *f* consolidation of a market; **M.befrager** *m* field investigator; **m.beherrschend** *adj* dominant, monopolistic, controlling the market, market-dominating; **M.beherrschung** *f* market domination/dominance, monopoly situation; **M.belastung** *f* strain/pressure/impact on the market, market drag; **M.belebung** *f* trade revival, rebound; **M.belieferung** *f* supplying the market; **M.beobachter** *m* market analyst/observer, security analyst; **M.beobachtung** *f* market survey/investigation/inquiry, ~ intelligence service

Marktbereich *m* 1. (section of the) market; 2. *(Börse)* section; **oberer M.** up market; **unterer M.** down market

Markt|bereinigung *f* market adjustment, competitive shakeout; **M.bereinigungsprozess** *m* market shakeout; **M.bericht** *m* 1. market report/review/letter, review of the market; 2. stock market report; **M.beruhigung** *f* reduction of market activities; **M.beschickung** *f* supplies reaching the market; **m.bestimmend** *adj* determining the market; **M.bestimmungskraft** *f* market determinant; **M.besuch** *m* market; **M.besucher** *m* market man; **M.beteiligter** *m* market partner, participant in the market; **M.beunruhigung** *f* flutter; **M.beurteilung** *f* market analysis; **~ vornehmen** to gauge the market; **M.bewegungen** *pl* fluctuations, market trends; **M.bewertung** *f* market assessment; **m.bewusst** *adj* market-conscious; **m.bezogen** *adj* market-related; **M.bilanz** *f* net market position; **M.bude** *f* market stall; **M.chancen** *pl* sales/market prospects, marketing/sales/market opportunities; **M.daten** *pl* market facts/data; **M.differenzierung** *f* market differentiation; **M.disziplin** *f* market discipline; **M.diversifizierung** *f* market diversification; **M.druck** *m* pressure of the marketplace; **M.-durchdringung** *f* market/sales penetration, penetration of the market, exposure, spread; **weitreichende M.durchdringung** blanket market penetration; **M.-einbruch** *m* inroad(s) into the market; **M.einbuße** *f* loss of market share, market loss; **M.einfluss** *m* influence on the market, market force

Markteinführung *f* introduction on the market, launch; **selektive M.** product placement; **versuchsweise M.** test-marketing; **M.sphase** *f* launch phase

Markt|eingangsstudie *f* initial market survey; **M.eingriff** *m* intervention in the market; **M.einschätzung** *f* market assessment

Markteintritt *m* market entry; **M.schancen/M.sschranken** *pl* barriers to entry; **versunkene M.skosten** (sunk) market entry costs; **M.sstrategie** *f* market entry strategy; **M.sstudie** *f* market entry study

Markt|elastizität *f* market elasticity/flexibility; **m.-empfindlich** *adj* market-sensitive; **m.eng** *adj (Börse)* having a narrow market, short of stock; **M.engagement** *nt* exposure in a market; **M.enge** *f* 1. narrow market, tightness/narrowness of the market; 2. *(Börse)* stock shortage, shortage of shares; **M.entspannung** *f* easing of the market; **M.entwicklung** *f* business development, market development/trend/performance

Markterfordernis *nt* market requirement/needs; **M.se** market(ing) requirements; **den M.sen entsprechen** to match the market needs

Markt|ergebnis *nt* market performance; **M.erhebung** *f* market survey; **M.erholung** *f* (market) rally, market upturn/recovery, recovery of the market; **M.erkundung** *f* market research/analysis/exploration, sounding out the market, probing the market; **M.eroberungsstrategie** *f* strategy for conquering the market; **M.erprobung** *f* test-marketing; **M.erschließung** *f* opening of a market, tapping a new market, market development/making; **M.erschließungsmaßnahme** *f* market development measure, measure to open up a market

M.erschöpfung *f* depletion of the market; **M.erwartungen** *pl* market anticipations; **M.erweiterung** *f* market extension; **M.erweiterungsfusion** *f* market extension merger

narktfähig *adj* marketable, merchantable, sal(e)able, negotiable, current; **nicht m.** unmarketable, non-marketable, unmerchantable, unsal(e)able; **M.keit** *f* marketability, sal(e)ability

Iarktlfaktor *m* market factor; **M.festigkeit** *f* firmness of the market, market strength; **M.finanzierung** *f* outside/external financing; **M.flecken** *m* market town; **M.form** *f* form/type of market, market form; **M.formenlehre** *f* theory of market structure/forms; **M.forscher** *m* market researcher

Iarktforschung *f* market research, marketing (research); **M. für ein Erzeugnis** product research; **~ Industriegüter** industrial market research; **M. vor Ort** field survey; **gemeinsame M.** syndicated market research; **primäre M.** field research

Iarktforschungslabteilung *f* market research department; **M.analyse** *f* market research analysis; **M.daten** *pl* market research data; **M.institut** *nt* market research institute/agency

narktlfremd *adj* unmarket-like; **M.führer** *m* 1. market leader/guide/bellwether, top seller; 2. leading security; **M.führerschaft** *f* market leadership; **M.fülle** *f* glut in the market

narktgängig *adj* 1. marketable, merchantable, staple, trafficable; 2. *(Preise)* current; **nicht m.** unmarketable; **überall m.** fungible; **M.keit** *f* marketability, merchantability

Iarktlgebiet *nt* sales territory, marketing area, territorial market; **M.gebühren** *pl* market dues; **M.gefälle** *nt* market differential, run of the market; **M.gefüge** *nt* market structure, pattern of the market; **M.gegebenheiten** *pl* trading conditions, market forces; **M.geld** *nt* stallage *[GB]*, toll; **M.geltung** *f* position in the market, market standing; **m.gemäß/m.gerecht** *adj* 1. in line with market conditions/requirements, conforming to the market, tailored to suit the needs of the market; 2. *(Preis)* competitive, fair; **nicht m.gerecht** *(Preis)* uncompetitive; **M.gerechtigkeit** *f* staple right; **M.gerücht** *nt* market rumour; **M.geschehen** *nt* market activities/process/happenings; **M.gesetz** *nt* law of the market, market rules; **M.gesetzlichkeit** *f* laws of the market; **M.gespür** *nt* sensitiveness to market trends; **M.gesundung** *f* market recovery; **M.gewinn** *m* market yield; **M.gleichgewicht** *nt* market equilibrium; **M.-größe** *f* market size; **~ einer Branche** trade/branch potential; **M.halle** *f* market hall, (covered) market; **M.händler** *m* market trader; **M.inanspruchnahme** *f* recourse to the market; **M.index** *m* benchmark; **M.indizien** *pl* market indicators; **M.information** *f* market information; **M.initiative** *f* market initiative; **M.instrument** *nt* marketing tool; **M.instrumentarium** *nt* marketing machinery; **M.intervention** *f* market intervention, backdoor operation; **M.jahr** *nt* market year; **M.kapitalisierung** *f* market capitalization; **M.karren** *m* market cart; **M.kenner** *m* market expert/specialist; **M.kenntnis** *f* market knowledge; **M.klima** *nt* market conditions/tone; **M.konfiguration** *f* current conditions of a market

marktkonform *adj* in line with the market, conforming to market trends, market-conforming; **sich nicht m. verhalten** to buck the market *(coll)*; **M.ität** *f* market conformity

Marktlkonstellation *f* market conditions, state of the market; **M.kontrollausschuss** *m* market supervisory body; **M.kontrolle** *f* market supervision; **~ durch zwei Unternehmen** duopoly; **M.konzentration** *f* concentration of the market; **M.kräfte** *pl* market forces; **M.krise** *f* market crisis; **M.kurs** *m* market price/quotation, (exchange) rate; **M.lage** *f* market (situation/conditions), trading background, state of the market; **(dynamischer) M.lagengewinn** *m* windfall profits/gains; **M.leistung** *f* market performance, marketed output; **M.lohn** *m* market-determined wage, going rate

Marktlücke *f* market gap/niche/need/hole, untapped market; **M. schließen** to bridge a gap in the market; **in eine M. stoßen** to fill a gap in the market; **sich eine M. suchen** to carve a niche in a market; **M.nanalyse** *f* gap analysis

Marktlmacher *m* *(Börse)* marketmaker; **M.macht** *f* market/discretionary power; **gegenseitige M.macht** countervailing power; **m.mächtig** *adj* with a strong market position; **m.mäßig** *adj* 1. in line with market conditions, marketable; 2. by market processes; **M.mechanismus** *m* market/price mechanism, market machinery; **M.miete** *f* current rent; **M.mittel** *pl* market resources/funds; **M.modell** *nt* market pattern; **M.möglichkeiten ausschöpfen** *pl* to exhaust the market potential; **M.monopol** *nt* market monopoly; **M.nachfrage** *f* market demand; **M.nachfragekurve** *f* market demand curve; **M.nachrichten** *pl (Börse)* trading/market news; **m.nah** *adj* close to the market, near-market; **M.nähe** *f* market proximity, proximity to a distribution centre; **M.neuling** *m* new/market entrant

Marktnische *f* market niche, niche (in the) market; **M. für Spezialanbieter** specialist niche; **M. erobern** to carve out a market niche

Marktlniveau *nt* market level; **M.notierung** *f* market quotation; **M.öffnung** *f* opening the market, market liberalization

Marktordnung *f* 1. *[EU]* regime; 2. market regulations/regime/organisation, marketing regulations, organized marketing system; **landwirtschaftliche M.** farming market regime

Marktordnungslabkommen *nt* orderly market agreement; **M.amt** *nt* regulation office; **M.gesetz** *nt* market-regulating law; **M.güter** *pl* regulated goods; **M.preis** *m* *[EU]* (common) support price; **M.stelle** *f* market-regulating agency; **m.technisch** *adj* relating to market regulations; **M.waren** *pl [EU]* market products

Marktlorganisation *f* marketing organisation; **gemeinsame M.organisation** common organisation of the market; **m.orientiert** *adj* market-orient(at)ed, market-driven, market-focused; **M.orientierung** *f* market orientation/focus; **M.ort** *m* market town; **M.papier** *nt*

marketable security/paper; **M.partner** *m* market partner/member; *pl* buyers and sellers; **M.perspektiven** *pl* market prospects; **M.pflege** *f* 1. market cultivation/support, cultivation of the market; 2. *(Börse)* market intervention; **M.pflegekäufe** *pl* market support buying; **M.phase** *f* market phase; **M.planung** *f* market planning; **M.platz** *m* market place/location; **M.politik** *f* market policy; **m.politisch** *adj* by market means, by means of market policy; **M.portefeuille** *nt* market portfolio

Marktposition *f* trading/market position, position in the market, share of the market; **M. ausbauen/stärken** to strengthen one's hold on the market; **M. zurückerobern** to regain a market position; **sichere M.** firm footing, foothold in the market

Markt|potenzial *nt* market/sales potential; **~ genau kennen** to know the market; **M.präsenz** *f* exposure in a market, market presence, presence in the market

Marktpreis *m* going/current/market/ruling/actual price, market/going rate, rate of the day, today's/day's rate, market (value); **zum M.** at market, at the market (price); **M.e bestimmen** *(durch Warten)* to wait out the market

angemessener Marktpreis fair market value; **freier M.** open-market price; **gängiger M.** going (market) price; **gegenwärtiger M.** ruling price; **üblicher M.** ordinary market price

Markt|preisbildung *f* formation of market prices; **M.produktion** *f* market production; **M.profil** *nt* market profile; **M.prognose** *f* market forecast; **M.psychologie** *f* marketing psychology; **m.reagibel** *adj* sensitive to market forces/influences; **M.reaktion** *f* market response; **M.recht** *nt* 1. law of staple; 2. right to hold a market; **M.regelung** *f* market regulation/regime; **m.regulierend** *adj* market-regulating; **M.regulierung** *f* market regulation (arrangements), market regime; **m.reif** *adj* marketable, ready for the market, fully developed; **M.reife** *f* marketability, market maturity, market-readiness; **M.reifegestaltung** *f* product planning; **M.rendite** *f* market yield

Marktrichtpreis *m* (market) target price; **M.satz** *m* *(Zins)* key interest rate, prime rate; **M.wert** *m* market standard

Markt|risiko *nt* marketing risk; **gegen M.risiken schützen** to render immune from market risk; **M.sachverständiger** *m* marketing expert; **M.sanierung** *f* market recovery; **M.sättigung** *f* market saturation, saturation of the market; **M.satz** *m* market rate; **M.schreier** *m* market crier, cheap Jack, barker; **m.schreierisch** *adj* blatant; **M.schwäche** *f* market weakness/softness; **M.schwankungen** *pl* market fluctuations/swings; **M.schwemme** *f* glut; **M.schwierigkeiten** *pl* difficulties on/in the market

Marktsegment *nt* market segment/sector, segment/section of the market

sich in ein höheres Marktssegment begeben to trade up; **~ niedrigeres M. begeben** to trade down; **sich ins obere M. begeben** to move upmarket; **~ untere M. begeben** to move downmarket

mittleres Marktsegment mid-marker sector downsee[illegible] *[US]*; **im mittleren M.** mid-market; **oberes M.** upmarket (sector), upscale, top end of the market, high en[illegible] *[US]*; **im oberen M.** high-end *[US]*; **unteres M.** down market (sector), bottom end of the market, low en[illegible] *[US]*; **im unteren M.** low-end *[US]*

Markt|segmentierung *f* market segmentation; **M.situation** *f* market situation, state of the market, tradin[illegible] background; **ungünstige M.situation** competitive disadvantage, unfavourable ~ situation; **M.spaltung** [illegible] splitting the market, division into sub-markets, disruption of the market; **M.spannung** *f* market pressure/tension; **M.städtchen** *nt* market town; **M.stand** *m* marke[illegible] stall; **M.standgebühren** *pl* market dues, stallage **m.stark** *adj* strong, powerful, potent; **M.statistik** [illegible] market statistics

Marktstellung *f* trading/market/competitive positio[illegible] position in the market; **seine M. ausbauen/festigen** t[illegible] strengthen one's position; **beherrschende M.** dominant market position; **überragende M.** strong/eminent/overriding market position

Markt|steuer *f* purchase tax; **M.steuerung** *f* control o[illegible] the market

Marktstimmung *f* sentiment, mood; **allgemeine M.** [illegible] *(Börse)* general mood of the market; **gedrückte M** market dullness

Markt|stockung *f* stagnation in the market; **m.stören[illegible]** *adj* disturbing the market; **M.störung** *f* market disturbance, disturbance(s) in the market; **M.stratege** *m* market strategist; **M.strategie** *f* market strategy; **M.struktur** *f* market structure/pattern/set-up; **M.studie** *f* market analysis/study/survey, marketing study; **M.sturz** *[illegible]* slump in trade; **M.stützung** *f* market/price support supporting the market, rescue of the market, *(Devisenmarkt)* the peg; **M.stützungsmaßnahmen** *pl* marke[illegible] support operations; **M.tag** *m* market day; **M.tarif** *[illegible]* market rate/scale; **M.techniker** *m (Börse)* marke[illegible] operator; **m.technisch** *adj* market; **M.teilnehmer** *m* 1 marketer, market member/man/participant/user, participant in the market; 2. *(Börse)* operator; 3. *(Lloyd's)* member of the market; **M.tendenz** *f* 1. market tren[illegible] tendency; 2. *(Börse)* trend of the market, ~ the exchanges; **M.test** *m* acceptance test, product placeme[illegible] test, market testing, pretest; **begrenzter M.test** consumer acceptance test; **M.transparenz** *f* market transparency, transparency/perfect knowledge of the market; **M.trend** *m* tendencies of the market; **M.übersättigung** *f* market saturation; **M.übersicht** *f* 1. marke[illegible] survey; 2. view of the market; **M.überwachung** *f* market scrutiny/supervision; **m.üblich** *adj* usual (in th[illegible] market), normal, prevailing; **M.umfang** *m* market vo[illegible]ume/size, volume of the market; **M.umfeld** *nt* marke[illegible] (conditions); **M.umschwung** *m* turn in the marke[illegible] turnabout of the market; **M.unbeständigkeit** *f* unstead[illegible]ness of the market; **M.ungleichgewicht** *nt* imbalan[illegible] of the market; **M.untersuchung** *f* market research/analysis/inquiry/audit, field study; **M.veränderung** *f* shi[illegible] in the market, market shift; **M.veränderungen** change[illegible] in the market place; **M.verband** *m* marketing associa[illegible] tion; **M.verbesserung** *f* market improvement; **M.verbot** *nt* trading prohibition; **M.verbund** *m* trading association; **M.vereinbarung** *f* marketing agreement; **M.vereinigung** *f* marketing association/organisation; **M.verfall** *m* collapse of the market, market collapse

Marktverfassung *f* 1. state/health of the market, business climate; 2. *(Börse)* mood, market conditions; **allgemeine M.** general mood of the market; **feste M.** firm market, strength of the market; **schlechte M.** weakness in the market; **schwache M.** weak market

Marktlverflechtung *f* integration of markets; **M.verhalten** *nt* market behaviour/performance/conduct

Marktverhältnis *nt* market ratio; **M.se** trading conditions, (prevailing) market conditions, market situation, markets

flüssige Marktverhältnisse easy market conditions; **geordnete M.** orderly market conditions; **schwierige M.** adverse market conditions; **unübersichtliche M.** volatile market

Marktlverkäufe *pl* sales; **M.verkehr** *m* market; **M.verschiebung** *f* shift in the market, shifting of markets; **M.verschlechterung** *f* deterioration of the market; **M.versorgung** *f* market supply, marketing; **M.versteifung** *f* stiffening of the market; **M.vertretung** *f* marketing agency; **m.verzerrend** *adj* market-distorting; **M.verzerrung** *f* market distortion; **M.volumen** *nt* market volume/size, size of the market; **M.voraussagen/M.vorschau** *pl/f* market forecast; **M.vorgänge** *pl* market events; **M.vorteil** *m* trading advantage; **M.ware** *f* market wares; **M.warenertrag** *m* cash crop yield; **M.wende** *f* turnabout of the market, break in the market

Marktwert *m* 1. (fair/current/actual) market value, current/commercial/existing-use/marketable value, market price; 2. *(Börse)* exchange value; **zum M. bewerten** *(Option)* to mark to market; **auf den M. herauf-/herunterschreiben** to adjust to market value

angemessener Marktwert fair market value; **führender M.** *(Börse)* market leader; **gegenwärtiger M.** current market value; **gemeiner M.** fair and reasonable market value; **variabler M.** fluctuating market value

Marktlwesen *nt* marketing; **M.widerstand** *m* market resistance; **m.widrig** *adj* out of line with the market, in disregard of market conditions, unrealistic, contrary to free market principles; **M.wirklichkeit** *f* market realities

Marktwirtschaft *f* market economy, flexible price economy; **freie M.** free enterprise (economy/system), free market (economy), competitive economy/business; **interventionistische M.** economics of control; **soziale M.** social (free) market economy, socially orient(at)ed free market economy

Marktwirtschaftler *m* partisan of a free market economy

marktwirtschaftlich *adj* free-market, free-enterprise; **nicht m.** *adj* non-market directed

marktwirtschaftslkonform *adj* consistent with the free market economy; **M.land** *nt* market economy; **M.-theorie** *f* market economics

Marktlzerrüttung *f* market disruption/collapse/distortion, dislocation of markets; **M.zersplitterung** *f* market fragmentation; **M.zettel** *m* list of market quotations; **M.ziel** *nt* market target

Marktzins *m* current interest, market rate of interest, going/pure rate, prevailing interest rate, loan rate of interest; **M.risiko** *nt* market interest rate risk; **flexible M.sätze** floating market rates

Marktzugang *m* entry into the market, access to a market, market access; **freier M.** freedom of entry; **unbeschränkter M.** free-trade access

Marktlzulassung *f* admittance to the market; **M.zustand** *m* market condition

Marktzutritt *m* entry (into the market), market access; **freier M.** free entry into a market; **M.sverbot** *nt* market access ban

Marktzwänge *pl* market compulsions/constraints

Marmor *m* marble

marode *adj* 1. ailing, moribund; 2. *(Börse)* troubled

Marschbefehl *m* 1. marching orders; 2. ⚓ sailing orders

Marschroute *f* strategy, policy; **M. festlegen** *f (fig)* to decide how to set about sth.; **M. wählen** to adopt a policy

Marschlverpflegung *f* ration(s); **M.ziel** *nt* objective

Marschall-Plan *m* Marshall Plan

Marxismus *m* marxism

Marxist *m* marxist, red; **m.isch** *adj* marxist

Masche *f* 1. mesh, stitch; 2. racket *(coll)*; 3. *(Kunststück)* stunt

Masche heraushaben to have the knack/hang of it; **durch die M.n schlüpfen** to slip through the net; **~ des Gesetzes schlüpfen** to find a loophole in the law; **es mit der sanften M. versuchen** to try the softly-softly approach

neue Masche new trick

Maschenldraht *m* wire mesh/netting; **M.industrie** *f* knitwear industry; **M.oberbekleidung** *f* knitwear; **M.stoff/M.ware** *m/f* knitted fabric; **M.unterbekleidung** *f* knitted underwear; **M.werk** *nt* network

Maschine *f* 1. engine; 2. machine, apparatus, implement, piece of equipment; **M.n** machinery, equipment

Maschinen und Anlagen plant and equipment/machinery; **~ maschinelle Anlagen; ~ Ausrüstung** machinery/machines and equipment; **~ Ausrüstung für den Bergbau** mining equipment; **~ Einrichtungen** plant and equipment; **M. für die Materialbeförderung** material(s) handling equipment

mit der Maschine geschrieben typewritten, typed

Maschine abstellen to stop a machine; **M. aufstellen** to install a machine; **M. bedienen** to operate a machine; **M. einrichten** to tool up a machine; **M. ersetzen** to replace a machine; **mit der M. herstellen** to machine; **M. konstruieren** to design a machine; **M. in Betrieb nehmen** to put a machine into operation; **mit der M. schreiben** to type(write); **M.n warten** to maintain/service machines

arbeitssparende Maschine labour-saving machine; **elektrische M.n** electrical machinery; **landwirtschaftliche M.n** farm/agricultural machinery, farm equipment; **überschüssige M.n** surplus machinery

maschinell *adj* mechanical

Maschinen|abnutzung *f* machine wear; **M.abzug** *m* machine proof; **M.anlage** *f* (mechanical) machinery, power plant; **M.anlagenkonto** *nt* machinery account; **M.arbeit** *f* machine work; **M.arbeiter(in)** *m/f* (machine) operator, operative; **M.aufstellung** *f* installation of machinery; **M.ausfall** *m* breakdown of machinery, machinery breakdown, (machine) failure; **M.ausfallzeit** *f* (machine) idle time, down time; **M.auslastung** *f* machine utilization/loading

Maschinenausrüstung *f* 1. tooling; 2. hardware; **M.- und Betriebsausrüstung** *(Bilanz)* machinery and equipment; **erforderliche M.** machine requirements

Maschinenbau *m* 1. (mechanical) engineering; 2. machine building; 3. *(Industrie)* engineering industry; **Maschinen- und Anlagenbau** machine and plant engineering; **M.aktien** *pl* engineerings, engineering shares *[GB]*/stocks *[US]*/issues; **M.bereich** *m* engineering division; **M.beteiligung** *f* engineering subsidiary/affiliate

Maschinenbauer *m* mechanical engineer

Maschinenbau|erzeugnis *nt* engineering product; **M.firma** *f* engineering company; **M.industrie** *f* engineering industry; **M.ingenieur** *m* mechanical engineer; **M.konzern** *m* engineering group; **M.produkt** *nt* engineering product(ion); **M.sektor** *m* engineering division/industry; **M.titel/M.werte** *pl (Börse)* engineerings, engineering shares *[GB]*/stocks *[US]*/issues; **M.tochter** *f* engineering subsidiary; **M.unternehmen/M.unternehmung** *nt/f* engineering company/firm; **M.wesen** *nt* mechanical engineering

Maschinen|bearbeitung *f* machining; **M.bediener** *m* operator, operative; **M.befehl** *m* instruction, machine (instruction) code; **M.belastung** *f* machine load(ing)

Maschinenbelegung *f* machine utilization/loading (and scheduling), job shop sequencing; **M.splan** *m* job shop schedule, machine load record; **M.splanung** *f* machine load planning; **M.sübersicht** *f* loading board

Maschinenbetrieb *m* mechanical operation; **auf M. umstellen** to mechanize; **M.sversicherung** *f* machinery breakdown insurance, engineering insurance

Maschinen|brachzeit *f* down time; **M.buchführung/-haltung** *f* mechanized/machine/mechanical bookkeeping, machine accounting; **elektronische M.buchführung** electronic bookkeeping; **M.buchhalter** *m* bookkeeping machine operator; **M.buchungssatz** *m* machine burden unit; **M.defekt** *m* 1. machinery breakdown, mechanical fault; 2. engine trouble; **M.durchlauf** *m* (machine) run; **M.einrichter** *m* toolsetter; **M.erneuerung** *f* machine renewal/replacement, retooling; **M.erneuerungskonto** *nt* equipment account, machine replacement/renewal account; **M.erzeugnisse** *pl* machine products; **M.fabrik** *f* engineering works; **M.fehler** *m* 1. machine error; 2. hardware malfunction; **M.führer** *m* machine operator; **M.garantieversicherung** *f* machine guarantee insurance; **m.geschrieben** *adj* typewritten, typed; **M.gewehr** *nt* machine gun; **M.gruppe** *f* set of machines, production unit; **M.haftpflichtversicherung** *f* machinery insurance; **M.halle** *f* machine shop; **M.haus** *nt* engine/power house; **M.hauswärter** *m* engineman; **M.hersteller** *m* machin builder; **M.industrie** *f* engineering industry; **M.inge nieur** *m* mechanical engineer; **M.jahrgang** *m* vintage **M.kapitalbelastung** *f* charges on capital tied in ma chinery; **M.korrektur** *f* pressproof; **M.kosten** *p* cost of plant and machinery; **M.kostensatz** *m* machin burden unit, ~ overhead rate; **M.kraft** *f* mechanica power; **M.kunde** *f* mechanical engineering; **M.kurz schrift** *f* typed shorthand; **M.lauf** *m* (machine) run **M.laufzeit** *f* machine/running time; **M.lehre** *f* practica mechanics; **M.leistung** *f* engine rating/capacity/out put; **m.lesbar** *adj* machine-readable; **M.lesbarkeit** machine readability; **M.lieferant** *m* supplier of ma chinery; **m.mäßig** *adj* mechanical; **M.messe** *f* machin ery fair; **M.miete/M.pacht** *f* plant/machine hire, ~ rent al; **m.nah** *adj* machine-orient(at)ed; **M.nummer** machine serial number; **maximale M.nutzungszei** machine maximum time; **M.öl** *nt* 1. engine/lubricatin oil; 2. ⚓ bunker fuel; **M.operation** *f* machine/comput er operation; **m.orientiert** *adj* computer-orient(at) ed; **M.park** *m* machinery, equipment; **M.pistole** *f* sub machine gun; **M.produktivität** *f* machine efficiency **M.programm** *nt* object/machine program; **M.raur** *m* ⚓ engine room; **M.recherche** *f* search by machine **M.ring** *m* farm machinery cooperative, machiner syndicate; **M.saal** *m* 1. engine room; 2. machine shop **M.satz** *m* machine composition; **M.schaden** *m* 1 breakdown (of machinery); 2. engine trouble **M.schlosser** *m* (engine) fitter, machinist; **M.schreibe** *nt* typewriting; **m.schreiben** *v/ti* to type; **M.schrei ber(in)** *m/f* typist

Maschinenschrift *f* typewriting, typescript; **in M.** type written; **m.lich** *adj* typewritten; **M.satz** *m* typescript

Maschinen|setzer *m* machine compositor; **M.spra che** *f* computer/machine language; **M.steuer** *f* tax o plant and equipment; **M.stillstandszeit** *f* machin down time; **M.störung** *f* 1. machine failure/malfunc tion/fault; 2. hardware failure

Maschinenstunde *f* machine hour; **M.nrechnung** *f* ma chine-hour accounting; **M.nsatz** *m* machine-hour rate machine cost rate per hour

Maschinen|stürmer *m* machine wrecker, luddite *[GB* **M.teil** *nt* machine part; **M.titel/M.werte** *pl (Börse)* en gineering shares *[GB]*/stocks *[US]*/issues, engineering **M.überwachungszeit** *f* attention time; **M.umrüster** toolsetter; **m.unabhängig** *adj* machine-independen **M.vermietung** *f* plant hire; **M.verschleiß** *m* tool wea **M.versicherung** *f* machine/machinery/engineering ir surance; **M.wärter** *m* machine attendant; **M.wartung** maintenance service; **M.wechsel** *m* retooling; **M.werk statt** *f* machine shop; **M.wort** *nt* computer/machine wo

Maschinenzeit *f* machine/computer time; **beeinfluss bare M.** controlled machine time; **nutzbare M.** availa ble (machine) time

Maschinen|zeitalter *nt* machine age; **M.zyklus** *m* ma chine cycle

Maschinerie *f* machinery, mechanism

Maschinist *m* machine/engine operator, machine minc er, machinist

Iasern *pl* ⚕ measles

Iaske *f* 1. mask, guise; 2. 🖳 picture; **M.nbildner(in)** *m/f* make-up artist; **M.nprogrammierung** *f* 🖳 factory read only memory

Iaß *nt* 1. measure, measurement; 2. extent, degree; 3. *(Größe)* size; 4. *(Eichmaß)* gauge *[GB]*, gage *[US]*; **M.e** measurements, dimensions

ıit Maß within limits; **mit den M.en** measuring; **nach M.** 1. tailor-made, bespoke; 2. to order; 3. on a cubic measurement basis; **ohne M.en** without measure; **über alle M.en** beyond all measure

Iaße und Gewichte weights and measures; **Maß der Glättungsfähigkeit** ▦ error-reducing power

ach Maß gefertigt tailor-made, made to measure, bestoke, customized; **das M. ist voll** enough is enough

ber das übliche Maß hinausgehen to go beyond the usual limits; **nach M. kaufen** to buy to measure; **weder M. noch Ziel kennen** to know no bounds; **mit zweierlei M. messen** to apply/use double standards; **M. nehmen** to measure, to take (the) measurements; **nach M. verkaufen** to sell by measure

kzeptables/annehmbares Maß acceptable level; **in begrenztem M.e** on a limited scale; **gerütteltes M.** good measure; **in gleichem M.e wie** in line with; **in hohem M.e** largely, substantially, extensively; **gesetzlich zulässiges M.** statutory limit; **in zunehmendem M.e** increasingly

Iassage *f* massage; **M.salon** *m* massage parlour

Iaß|- bespoke; **M.anfertigung** *f* tailored production; **M.angaben** *pl* measurements; **M.anzug** *m* made-to-measure *[GB]*/made-to-order *[US]*/tailored suit; **M.-arbeit** *f* precision/custom work; **M.band** *nt* measuring tape; **M.bestimmung** *f* measurement

Iasse *f* 1. mass(es), mob, crowd; 2. bulk, quantity, lump; 3. plethora; 4. *(Konkurs)* (insolvent) assets, (bankrupt) estate; 5. *(Substanz)* matter; 6. *(Nachlass)* principal; **M.n** shoal; **in M.n** 1. wholesale, in large quantities; 2. *(Menschen)* in droves; **mangels M.** *(Konkurs)* return unsatisfied, no funds

Iasse der Arbeiter rank and file of workers; **~ Bevölkerung; M. des Volkes** bulk/mass of the population; **M. Geld** lots of money; **M. der Gläubiger** general creditors

ıangels Masse einstellen *(Konkurs)* to stop proceedings for lack of funds; **M. Geld haben** to have money to burn; **in M.n herstellen/produzieren** to mass-produce, to churn out; **in der M. untergehen** to be lost in the crowd; **aus der M. zahlen** *(Konkurs)* to pay out of the assets

reite/große Masse the rank and file, the general public; **einheitliche/homogene M.** ▦ homogeneous population; **hypothetische M.** ▦ hypothetical population; **kritische M.** critical mass; **reale M.** real population; **statistische M.** ▦ (parent) population, universe

Iasse|ansprüche/M.forderung *pl/f* *(Konkurs)* unsecured claim, claim against a bankrupt's estate; **M.bestand** *m* bankrupt estate, insolvent assets; **M.gläubiger** *m* ordinary/unsecured/non-privileged/general creditor, creditor of a bankrupt's estate

Maß|einheit *f* (unit of) measure, unit of measurement, standard, scale, module; **ohne M.einteilung** *f (Papier)* non-scale

Masse|kabel *nt* ⚡ earth/ground cable; **M.konto** *nt* trust fund; **M.kosten** *pl (Konkurs)* receivership expenses, cost of bankruptcy

Massen|- mass, bulk; **M.abnehmer** *m* bulk buyer; **M.absatz** *m* bulk/heavy sales, bulk selling; **M.andrang/M.ansturm** *m* rush, stampede, onslaught, crush; **M.ankauf** *m* bulk buying; **M.anreiz** *m* mass appeal; **M.ansprache** *f* mass approach; **M.arbeit** *f* heavy work, big task; **M.arbeitslosigkeit** *f* mass/large-scale/wholesale/general unemployment; **M.artikel** *m* mass-produced/bulk article, article made in bulk, commodity item; **M.auffahrunfall** *m* 🚗 pile-up; **M.auflage** *f (Zeitung)* mass circulation; **M.auftrag** *m* bulk order; **M.auslage** *f* mass display; **M.ausschreitungen** *pl* mob violence; **M.aussperrung** *f* general lockout; **M.ausstoß** *m* volume output; **M.auto** *nt* volume car; **M.bedarf** *m* requirements of the mass market; **M.bedarfsgüter** *pl* basic consumer goods; **M.beförderung** *f* 1. bulk transport; 2. *(Personen)* mass transit *[US]*; **M.beförderungsmittel** *nt* means of mass transportation; **M.berechnung** *f* 🏛 quantity survey(ing); **M.bewegung** *f* mass movement; **M.blatt** *nt* mass circulation newspaper; **M.blätter** popular press; **M.drucksache** *f* ✉ bulk printed matter; **M.einheit** *f* mass unit; **M.einkauf** *m* bulk buying/purchase; **M.einkäufer** *m* quantity buyer; **M.einkommen** *nt* mass/total income; **M.entlassung(en)** *f/pl* mass redundancies/dismissal/layoff, collective dismissal/redundancy, wholesale redundancies; **M.ermittlung** *f* ✉ quantity surveying; **M.erscheinung** *f* crowd phenomenon; **M.erzeugnis** *nt* mass product; **M.erzeugung/M.fabrikation/M.fertigung** *f* volume/quantity/mass/bulk production

parallele Massenfertigung parallel mass production; **starre M.** inflexible mass production; **wechselnde M.** alternative mass production

Massen|flucht *f* exodus; **M.frachtgut** *nt* bulk cargo; **M.geschäft** *nt* 1. *(Bank)* retail banking (market); 2. bulk/mass business, bottom lines; 3. ⚓ bulk shipping; **M.gesellschaft** *f* mass society

Massengut *nt* bulk cargo/commodity; **Massengüter** bulk cargo/articles/goods, mass-produced goods; **flüssiges M.** bulk liquid; **einseitig streunendes M.** listing bulk cargo

Massengüter|transport/M.verkehr *m* bulk (goods) transport

Massengut|fahrt *f* ⚓ bulk transport/shipment; **M.-frachter** *m* bulk carrier, bulker; **M.ladung** *f* bulk cargo; **M.schiff** *nt* (super) bulk carrier, bulk freighter; **M.transport** *m* bulk transport; **M.transporteur** *m* bulk carrier/forwarder; **M.umschlag** *m* bulk cargo handling

massen|haft *adj* wholesale, in bulk; **M.hersteller** *m* mass/volume producer; **M.herstellung** *f* mass/quantity production, large-scale manufacture; **M.instinkt** *m* herd instinct; **M.kalkulation** *f* division costing; **M.karambolage** *f* 🚗 multiple pile-up/crash; **M.käufe** *pl* bulk purchases; **M.kaufkraft** *f* mass purchasing power; **M.kommunikation** *f* mass communication; **M.kommunikationsmittel** *pl* mass communication media; **M.konsum** *m* general/mass consumption; **M.konsumgüter** *pl* mass consumption goods; **M.-kundgebung** *f* mass meeting, rally; **M.kündigung** *f* wholesale/mass dismissal; **M.lieferung** *f* bulk delivery/consignment; **M.markt** *m* mass market; **M.medien** *pl* mass (communication) media; **M.mord** *m* mass murder; **M.nahrungsmittel** *pl* bulk foodstuffs; **M.panik** *f* crowd panic; **M.phänomen** *nt* mass phenomenon; **M.presse** *f* popular press; **M.produkt** *nt* mass (market) product, article made in bulk, mass-produced article; **M.produktion** *f* mass/volume/bulk/quantity/large-scale production, volume output, production in bulk; **M.produktionsvorteile** *pl* economies of scale; **M.produzent** *m* volume producer; **M.psychologie** *f* crowd psychology; **M.reklame** *f* mass advertising; **M.sendung** *f* bulk posting/consignment; **M.spareffekt** *m* mass-saving effect; **M.speicher** *m* 🖳 mass storage; **M.stahl** *m* bulk/tonnage/basic steel; **M.stahlproduktion** *f* bulk steelmaking; **M.steuer** *f* mass tax; **M.stückgut** *nt* break bulk cargo, bulk piece goods; **M.tourismus** *m* mass tourism; **M.tierhaltung** *f* 🚜 battery farming; **M.transport** *m* bulk transport; **M.verbrauch** *m* general consumption; **M.verbraucher** *m* bulk consumer; **M.verbrauchsgüter** *pl* mass consumer goods; **M.verbrechen** *nt* mass crime; **M.verhaftungen** *pl* mass arrests; **M.verhalten** *nt* crowd behaviour; **M.verkauf** *m* 1. bulk sale, wholesale trade, mass selling; 2. *(Börse)* large-scale selling; **M.verkehr** *m* bulk transport; **M.verkehrsmittel** *nt* 1. public transport, mass transportation facility; 2. bulk traffic facility; **M.versammlung** *f* mass meeting, rally; **M.vertrieb** *m* mass selling; **M.verzeichnis** *nt* schedule of quantities; **M.wahn** *m* mass hysteria; **M.ware** *f* mass-produced article(s), staple goods, commodity items; **M.warenprobe** *f* bulk sample; **m.weise** *adj* wholesale, in shoals; **M.werbung** *f* mass/large-scale advertising; **M.-wirkung** *f* mass effect; **M.zahlung** *f* bulk payment; **M.zahlungsverkehr** *m* large-scale cheque payment system; **M.zuspruch** *m* mass response

Masse|schuld *f* *(Konkurs)* bankrupt's liabilities, unsecured debts, debt of the estate; **M.verteilung** *f* liquidating distribution; **M.verwalter** *m* receiver, liquidator, trustee in bankruptcy, ~ a bankrupt's estate, syndic, administrator of a bankrupt's estate; **M.verwaltung** *f* administration of a bankrupt's estate; **M.verzeichnis** *nt* statement of affairs, inventory of property

Maßfracht *f* freighting on measurement

Maßgabe *f* measure, proviso; **mit der M.** subject to the proviso; **nach M. von** subject to, in terms of, under (the conditions of), in accordance with, within the limits/framework of, § pursuant to; **~ der folgenden Bestimmungen** subject as hereinafter set out; **~ des Vertrags** under this contract

maßgearbeitet *adj* made-to-measure, bespoke

maßgebend *adj* 1. standard, prevailing; 2. relevant, material; 3. influential, authoritative, decisive; 4. *(Person)* competent; **m. sein** to prevail/govern

maßgeblich *adj* 1. authoritative, relevant, representative, responsible; 2. decisive, substantial, significant; 3. appropriate; **m. sein** *(Text)* to prevail/govern

Maßgeblichkeit *f* controlling importance, authoritativeness; **M. der wirtschaftlichen Wirkung gegenüber der rechtlichen Form** *(Bilanz)* substance over form; **M.sprinzip** *nt (Bilanz)* paramount principle, principle of equality of treatment in the tax and commercial balance sheet, principle that tax accounting should be based on commercial accounting

maß|gefertigt *adj* custom-made, custom-fitted, made-to-measure; **m.gerecht** *adj* true to size; **m.geschneidert** *adj* made-to-measure *[GB]*, made-to-order *[US]*, custom-tailored, tailor-made, tailored to, bespoke, customized

Maß|größe *f* unit of measurement, quantity; **~ der Produktion** *f* measure of production; **M.güter** *pl* measurement goods; **M.halteappell** *m* moral suasion, ear barking *(coll)*

Maßhalten *nt* 1. moderation, selfrestraint; 2. *(Alkohol)* temperance; **M. bei Tarifabschlüssen** pay restraint; **m.** *v/i* to keep within bounds, to show self-restraint, to practice moderation

massier|en *v/t* to massage; *v/refl* to accumulate/amass, to pile up, to occur on a large scale; **m.t** *adj* 1. mass, large-scale, heavy; 2. en masse *[frz.]*

Massierung *f* concentration, spate, accumulation, bunching; **zeitliche M.** bunching

massig *adj* bulky, massive, solid

mäßig *adj* moderate, temperate, modest; **m.en** *v/t* to moderate/temper/curb, to tone down; **M.keit** *f* 1. moderation, restraint; 2. mediocrity; **M.ung** *f* moderation, let-up

massiv *adj* 1. massive, solid; 2. heavy, drastic; 3. strong, forceful; **M.gold** *nt* solid gold

Maß|kleidung *f* tailor-made/customized/made-to-measure/made-to-order clothes; **M.kosten** *pl* basic standard cost; **M.krug** *m* beer mug

maßlos *adj* immoderate, exorbitant, excessive, boundless; **M.igkeit** *f* exorbitance

Maßnahme *f* 1. measure, step, move; 2. provision, arrangement, disposition

Maßnahmen zur Absatzsteigerung promotional measures; **~ Änderung der relativen Preise** switching policy; **~ Ausgabendämpfung** expenditure-dampening policies; **~ Beschränkung der Gewerkschaftsmacht** deunionization programme; **~ Diversifizierung** diversification moves; **M. gegen Dumping** anti-dumping action; **staatliche M. zur Durchsetzung bestimmter Qualitäts- und Leistungsnormen** governmental measures imposed to ensure standards of quality and efficiency; **M.n zur Empfängnisverhütung** contraceptive methods; **~ Energieeinsparung** energy conservation measures; **M.n zum Erhalt von Arbeitsplätzen** job conservation measures; **inländische M. zur Festsetzung von Höchstpreisen** internal maximum price controls; **~ beruflichen Förderung** vocational assistance measures; **~ Fortbildung und Umschulung** furthe[illegible] education and retraining schemes; ~ **Geburtenkontrolle** contraceptive measures/methods; ~ **Kapitalaufnahme** capital-raising operation; ~ **Konjunkturbelebung/-förderung** reflationary measures, economic package; ~ **Kostensenkung** cost-cutting exercise; ~ **Kreditverknappung** credit-tightening measures; ~ **Kurspflege/-stützung** stabilization transaction; ~ **Rezessionsbekämpfung** anti-recession package; **M. der Unternehmensleitung** administrative action; **M. zur Warenbewirtschaftung** rationing arrangements; **M. gleicher Wirkung** measures having equivalent effect; **M. im Zahlungsverkehr** exchange action

Maßnahmen ändern to amend measures; **M. aufheben** to abolish measures; **M. durchführen** to carry through actions, to operate a scheme; **M. einleiten** to initiate actions, to put measures in hand; **M. einstellen** to suspend action; **M. ergreifen** to take action/measures, to introduce measures, to move; **gerichtliche M. ergreifen** to take legal measures; **reaktionäre M. ergreifen** to put the clock back *(fig)*; **zu M. Zuflucht nehmen** to resort to measures/steps; **M. treffen** 1. to take steps/measures/action, to make arragements; 2. *(Parlament)* to enact measures; **erforderliche M. treffen** to take the necessary steps

abgestimmte Maßnahme concerted action; **arbeitsmarktpolitische M.** measure affecting the labour market; **außerordentliche M.** emergency measure; **äußerste M.** extreme measure; **behördliche M.** administrative measure; **dirigistische M.** dirigist(ic) measure; **drakonische M.** draconian measure; **drastische M.** radical/strong measure, decisive action; **eingreifende M.** drastic measure; **einschneidende M.** radical/decisive action, sweeping/incisive measure; **einstweilige M.** interim measure; **feindliche M.** hostile act; **flankierende M.n** accompanying/associated/supporting measure; **gebührenpolitische M.en** charge policy; **geeignete M.** appropriate step; **geldpolitische M.** monetary measure; **gemeinsame M.(n)** concerted action; **gerichtliche M.** court action; **gesetzliche M.** legislative measure; **handelspolitische M.n** trade measures; **hoheitliche M.** act of state; **indirekte M.n** indirect means of action; **kartellrechtliche M.** measure taken under cartel law; **konjunkturdämpfende M.** anticyclical/deflationary measure; **konjunkturfördernde M.** procyclical measure; **konjunkturpolitische M.** economic policy measure, cyclical measure; **kontraktive M.n** restrictive measures; **kostendämpfende/-senkende M.** cost-saving/cost-cutting measure, cost-cutting move, action on cost, cost cutting; **kostensparende M.n** cost-reducing improvements, cost-saving measure; **kreditpolitische M.n** credit policies; **kurzfristige M.** short-term measure; **marktkonforme M.** cyclical measure; **öffentliche M.** public action; **öffentlichkeitswirksame M.** public relations exercise; **polizeiliche M.** police action; **radikale M.n** drastic measures; **restriktive M.n** restraint measures; **rigorose M.(n)** clampdown; **sanitäre M.n** hygienic measures; **staatliche M.n** government action, governmental measures; **steuerliche/-politische M.** fiscal measure; **strenge/strikte M.n** drastic measures; **übereilte M.** rash step; **verkaufsfördernde M.** promotional measure; **Prestigeverlust vermeidende M.** face-saver; **vermögensbildende M.n** wealth-creating measures/action; **vertrauensbildende M.** confidence-building measure; **verwaltungstechnische M.n** administrative measures/action; **veterinärrechtliche M.n** veterinary measures; **sofort vollziehbare M.** immediate executory measure; **vorbereitende M.n** preliminaries, preliminary measures; **vorbeugende M.** protective/preventive measure, preventive action; **vorläufige M.** stop-gap/interim/provisional measure; **vorsorgliche M.** provision, precautionary measure; **vorübergehende M.** temporary measure; **wettbewerbsbeschränkende M.n** restrictive practices; **wirkungsvolle M.n** effective measures; **wirtschaftspolitische M.** instrument of economic policy, economic policy measure

Maßnahmenbündel *nt* package/set/mix of measures; **M. der Geld- und Steuerpolitik** fiscal monetary mix; **M. zur Sanierung** restructuring package

Maßnahmen|katalog/M.paket *m/nt* package/set of measures

Maßrechnung *f* measurement account

Maßregel *f* measure, rule; **M.n zur Besserung und Sicherung** measures for the prevention of crime and the reformation of offenders; **Freiheit beschränkende M.** § detention order

maßregeln *v/t* to discipline/reprimand/rebuke

Maßregelung *f* disciplinary measure, reprimand, rebuke; **M.sklausel** *f* stipulation prohibiting company penalties after strikes

Maßschneider *m* bespoke *[GB]*/custom *[US]* tailor; **M.ei** *f* bespoke/custom tailoring

Maßstab *m* 1. criterion, standard; 2. rule, measure, scale; 3. yardstick, measuring rod, benchmark; **im M. 1:10 gezeichnet** drawn to a scale of 1:10; **nach ... Maßstäben** by ... standards

Maßstab abgeben to set the standard; **M. anlegen** to apply a standard; **als M. dienen** to serve as a rule; **zum M. nehmen** to take as a criterion

anerkannter Maßstab established standard; **bescheidener M.** nickel-and-dime standard *(coll) [US]*; **in großem M.** in a big way, on a large scale, large-scale; **nach heutigen Maßstäben** by present-day standards; **in kleinem M.** (on a) small scale, small-scale; **linearer M.** linear scale; **natürlicher M.** plain scale; **strenge Maßstäbe** exacting standard; **vergrößerter M.** enlarged scale; **verkleinerter M.** reduced scale; **wichtiger M.** key measure; **zweierlei M.** double standards

maßstabs|gerecht *adj* to scale; **M.skizze** *f* scale rule

Maß|system *nt* system of measurements; **M.verhältnisse** *pl* dimensions, proportions; **m.voll** *adj* moderate, modest, restrained, within limits, middle-of-the-road

Maßzahl *f* physical unit, statistical parameter; **M. für den mittleren Bargeldabfluss** coefficent of average cash drain; **dimensionslose M.** ▦ absolute measure; **statistische M.** statistic, estimate; **beste ~ M.** optimistic statistic; **unwirksame ~ M.** inefficient statistic

Mast *m* mast, pole; *f* 🚜 feeding

mästen *v/t* to feed, to fatten (up)
Masterkarton *m* master carton
Mastlschwein *nt* porker; **M.korb** *m* crow's nest; **M.vieh** *nt* fatstock, feeder/beef cattle
Mater *f* matrix
Material *nt* 1. material, substance, stock; 2. data; 3. *(Börse)* securities, offerings; **M. und Arbeitslöhne** material and labour; **M. mit langen Beschaffungszeiten** long lead-time materials
Material beistellen to provide/supply materials; **sich mit M. eindecken** *(Börse)* to go long of the market; **M. einsetzen** to utilize material; **M. gemeinsam einsetzen** to pool material; **M. sammeln** to gather information/evidence; ~ **über jdn** to keep tabs on so.; **M. sichten** to sift material
auftragsgebundenes Material mortgaged/obligated/apportioned/allocated/allotted/assigned material, reserved materials; **in Verarbeitung befindliches M.** work/stocks in progress; **belastendes M.** § incriminating evidence/material; **beleidigendes M.** § defamatory matter; **bestelltes M.** material on order; **bewährtes M.** reliable material; **brennbares M.** combustible material; **eingehendes M.** incoming material; **entlastendes M.** § exonerating evidence/material; **erstklassiges M.** *(Börse)* first-category paper; **fehlerhaftes M.** defective material; **herauskommendes M.** *(Börse)* new issues; **kriegswichtiges M.** strategic goods; **minderwertiges M.** inferior material; **rollendes M.** rolling stock; **schwimmendes M.** *(Börse)* floating supply; **spaltbares M.** fissile material; **statistisches M.** statistical material/data; **urkundliches M.** § documentary evidence; **verarbeitetes M.** worked material; **veraltetes M.** obsolete material; **verwendetes M.** materials consumed; **zweckgebundenes M.** earmarked material
Materiallabfall *m* waste, scrap, spoilage; **M.abgaben** *pl (Börse)* selling, unloading; **M.abgang** *m* withdrawal of material; **M.abrechnung** *f* material(s) accounting; **M.anforderung** *f* (stores) material(s) requisition, (purchase) requisition, requisitioning of materials, stores issue order; **M.anforderungsschein** *m* parts requisition (slip), assembly order, stores material requisition slip, ~ issue order, purchase requisition form; **M.angaben** *pl* materials specifications; **M.angebot** *nt (Börse)* securities on offer, market offering; **vermehrtes M.angebot** *(Börse)* revived offerings; **M.anlieferung** *f* supply of material
Materialannahme *f* materials receiving; **M.schein** *m* receiving slip; **M.stelle** *f* point of receipt
Materiallanschaffung *f* procurement of materials; **M.art** *f* matter; **M.aufwand** *m* 1. cost of materials, material costs; 2. material(s) input/used; **unmittelbarer M.aufwand** direct materials cost(s); **M.aufzeichnungen** *pl* material records; **M.ausbeute** *f* material yield; **M.ausgabe** *f* issue (of stores and equipment), materials issue (counter), issuance (of material); **M.ausgabeschein** *m* stock issue note/slip/form; **M.ausgeber** *m* 1. (stock) issuing clerk; 2. storekeeper; **M.ausgang** *m* materials issue; **M.ausgleich** *m* balancing of materials; **M.austausch** *m* substitution of materials; **M.auszug** *r* bill of quantities, material(s) takeoff; **M.bearbeitung** materials handling
Materialbedarf *m* materials required/requirements
Materialbedarfslermittlung *f* (material) requirement planning; **M.planung** *f* materials budgeting, (materi als) requirement planning (MRP); **M.rechnung** *f* as sessment of materials requirement; **M.steuerung** *f* ma terials requirement control/management; **M.vorher sage** *f* forecasting of material requirements
Materiallbegleitkarte *f* (shop) traveller; **M.behand lung** *f* materials handling; **M.beistellung/M.bereit stellung** *f* provision/supply of material(s), materia provision/reservation; **M.beleg(e)** *m/pl* voucher, mate rials records; **M.bereich** *m* materials managemen area; **M.beschaffenheit** *f* quality of materials
Materialbeschaffung *f* purchase/procurement of mate rials, materials purchasing; **langfristige M.** broad load **M.splan** *m* (materials) purchase budget
Materialbestand *m* stock of materials, materials o hand; **M.skarte** *f* inventory/bin card; **M.skonto** *nt* ma terial account, direct goods account; **M.srechnung** materials status evaluation
Materiallbestimmungskarte *f* order bill of materials **M.bewegung** *f* material(s) movement; **M.bezüge** *p* materials purchases; **M.bilanz** *f* materials input-outpu statement; **M.börse** *f* materials exchange; **M.buch führung/-haltung** *f* materials/store(s) accounting **M.budget** *nt* materials budget; **M.disposition** *f* inven tory planning, direct materials budget; **M.durchfluss/ satz** *m* materials throughput, throughput of material **umständlicher M.durchfluss** jackassing *(coll)*
Materialeingang *m* receiving materials, inventory ad ditions; **Materialeingänge** incoming material; **M.s kontrolle** *f* material delivery verification
Materialleinheit *f* unit of material; **M.einkauf** *m* mate rials purchasing, purchase of materials; **M.einkäufe** *m* materials buyer; **M.einsatz** *m* 1. input, material usage; 2. spending on materials; **M.einsparung** *f* mate rials saving, economizing on materials; **M.ein stand(skosten)** *m/pl* cost of materials; **M.einzelkoste** *pl* (cost of) direct material; **M.empfangsbescheini gung** *f* materials received note; **M.entnahme** *f* with drawal of material, material/stock requisition; **M. entnahmeschein** *m* materials requisition slip, stoc requisition note, stores requisition form, materials req uisitioning sheet, materials order; **M.ermüdung** *f* ma terial fatigue; **M.ersparnis** *f* saving of material; **M.feh ler** *m* defective/faulty material, material defect, defec in material; **frei von M.- und Arbeitsfehlern** free fron defects in material and workmanship; **M.- und Her stellungsfehler** faulty material and workmanship **M.festigkeit** *f* tensile strength; **M.flut** *f* material flow
Materialfluss *m* materials flow, flow of material(s)
Materialflusslanalyse *f* analysis of materials flow **M.gestaltung** *f* materials flow layout; **M.kontrolle** materials flow control; **M.kosten** *pl* cost of material flow; **M.optimierung** *f* optimization of the material flow system; **M.planung** *f* materials flow planning

M.system *nt* materials flow system; **M.technik** *f* materials flow methods

Material|forschung *f* materials research; **M.fülle** *f* *(Börse)* large offering of stock

Materialgemeinkosten *pl* material overheads, materials handling overheads, indirect material; **M.satz/ M.zuschlag** *m* materials overheads rate, material cost burden rate

Materialien *pl* 1. materials; 2. data, source documents; **angeforderte M.** materials requisitioned; **verbrauchte M.** materials used for products supplied

materialintensiv *adj* material-intensive, resource-intensive

Materialismus *m* materialism; **dialektischer M.** dialectical materialism; **historischer M.** historical materialism

Materialist *m* materialist; **m.isch** *adj* materialist(ic), bread and butter *(coll)*; **~ eingestellt** *adj* bread-and-butter minded

Material|karte *f* stock ledger card, perpetual inventory card; **M.käufe** *pl* materials purchasing; **M.knappheit** *f* 1. scarcity/shortage of materials; 2. *(Börse)* stock shortages; **M.konto** *nt* direct goods account; **M.kontrolle** *f* materials/quality control, material testing

Materialkosten *pl* cost of materials/supplies, material costs; **M.anteil** *m* share of material cost(s); **M.druck** *m* materials cost pressure; **M.ermittlung** *f* material costing; **M.plan** *m* material budget, materials used budget; **M.stelle** *f* materials cost centre

Material|kreislauf *m* materials cycle; **M.lager** *nt* stores, stocks, store of materials and supplies; **M.lagerung** *f* storage of materials and supplies; **M.lieferant** *m* supplier of materials; **M.lieferung** *f* supply of materials; **M.liste** *f* bill of materials, materials list; **M.mangel** *m* 1. shortage/scarcity of material(s); 2. *(Börse)* empty market, shortage of securities on offer, ~ offerings; **M.mehraufwand** *m* additional material input; **M.-mengenabweichung** *f* materials quantity variance; **M.mischung** *f* materials mix; **M.müdigkeit** *f* material fatigue; **M.nachweis** *m* materials accounting; **M.nachweisverfahren** *nt* materials accounting system; **M.-planung** *f* materials planning

Materialpreis|(e) *m/pl* materials prices, cost(s) of material(s); **M.abweichung** *f* materials price variance; **M.steigerung** *f* materials price increase

Material|probe *f* 1. materials test; 2. *(Muster)* sample; **M.prüfstelle** *f* materials inspection department, ~ testing office

Materialprüfung *f* material(s) testing/review, inspection of incoming material; **M.samt** *nt* materials testing office; **M.skosten** *pl* expense of materials inspection

Material|qualität *f* quality of materials; **M.rechnung** *f* 1. materials accounting/calculation; 2. materials account; **M.sammelstelle** *f (Abfall)* salvage dump; **M.schaden** *m* defective material, defect in the material; **M.schein** *m* bill of materials; **M.schlacht** *f* war of attrition; **M.schlüssel** *m* material code; **M.schwierigkeiten** *pl* difficulty over materials; **M.schwund** *m* wastage; **M.stapel** *m* stockpile; **M.stelle** *f* 1. stores department; 2. materials cost centre; **M.steuerung** *f* materials control; **M.strom** *m* flow/current of material; **M.substitution** *f* substitution of materials; **M.transport** *m* materials handling/movement; **innerbetrieblicher M.transport** inplant materials handling; **M.-übertragungsschein** *m* materials transfer note; **M.verarbeitung** *f* processing of material

Materialverbrauch *m* consumption of materials, material consumption/usage; **M.sabweichung** *f* materials quantity variance/usage; **M.sstatistik** *f* materials issue analysis sheet, ~ abstract

Material|veredelung *f* improvement of materials; **M.verfügbarkeit** *f* availability of materials; **M.verfügbarkeitskontrolle** *f* availability of materials control; **M.verkauf** *m* sale of materials; **M.verknappung** *f* shortage of materials; **M.verlust** *m* loss of material(s), wastage; **M.versorgung** *f* supply of materials; **M.verteuerung** *f* increased cost of materials; **M.verwalter** *m* storekeeper; **M.verwaltung** *f* 1. materials/inventory management, materials administration; 2. stores department; **M.verwertung** *f* utilization of materials; **M.verzeichnis** *nt* list of materials; **M.vorrat** *m* material supplies, stores; **M.wert** *m* value of raw materials and supplies, intrinsic value; **M.wirtschaft** *f* 1. materials management/handling, provisioning, inventory management, materials and logistics management; 2. *(Steuerung)* materials control (system); **interne M.wirtschaft** materials control; **M.zugänge** *pl* inventory additions, quantities received; **M.zuschlag** *m* materials allowance, materials overhead rate

Materie *f* matter; subject matter; **sich in einer M. (gut) auskennen** to know the ins and outs of a matter, ~ the ropes *(coll)*; **organische M.** organic matter; **tote M.** dead matter

materiell *adj* 1. material, physical, tangible; 2. § corporeal, materialistic, substantive, of substance; 3. in fact/practice; **m. gesehen** in material respects; **m.-rechtlich** *adj* substantive, upon its merits

matern *v/t* to mould

Matern|dienst *m* matrix service; **M.klischee** *nt* pattern plate; **M.pappe** *f* matrix board

Mathematik *f* mathematics; **angewandte M.** applied mathematics; **reine M.** abstract mathematics

Mathematiker *m* mathematician; **M. für Anlagenrechnung** *(Vers.)* actuary

mathematisch *adj* 1. mathematical; 2. *(Vers.)* actuarial

Matinee *f* matinee

Matrikel *f* register, registry books; **in die M. eintragen** to enrol/register

matrikulieren *v/t* to matriculate

Matrix *f* matrix, array

Matrix|bilanz *f* articulation statement; **M.drucker** *m* wire/dot printer; **M.management/M.organisation** *nt/f* matrix organisation; **M.speicher** *m* matrix memory, coordinate store; **M.spiel** *nt (OR)* rectangular game; **M.struktur** *f* matrix structure

Matrize *f* matrix, stencil, mat, mould, die; **auf M. schreiben** to stencil; **mit M. vervielfältigt** stencil-duplicated

Matrizen|abzug *m* stencil; **M.karte** *f* (punched) master card; **M.karton** *m* mat board; **M.papier** *nt* stencil paper; **M.rechnung** *f* matrix calculus; **M.schreiben** *nt* stencil cutting; **M.vervielfältiger** *m* stencil duplicator; **M.zeile** *f* matrix row

Matrose *m* sailor, seaman, mariner, shipman, rating; **M. der Handelsmarine** merchant seaman; **gewöhnlicher M.** deck hand; **M.nheuer** *f* seaman's wages; **M.nkneipe** *f* sailor's pub

matt *adj* 1. dull; 2. mat, faint; 3. languid, weary, feeble; 4. *(Börse)* flat, depressed, lacklustre, slack; **m. werden** *(Metall)* to tarnish

Matt|heit *f* dullness, flatness; **M.druck** *m* mat impression

Mattigkeit *f* exhaustion, weakness

Matt|kopie *f* mat print; **M.scheibe** *f* frosted window pane; **m. setzen** *v/t* to stymie

Mauer *f* wall; **feuerfeste M.** fireproof wall; **M.anschlag** *m* hoarding

mauern *v/i* 1. to lay bricks; 2. *(fig)* to play for time

Mauer|öffnung *f* aperture; **M.schwamm** *m* dry rot; **M.werk** *nt* masonry, brickwork, shell

Maul|esel *m* mule; **M.- und Klauenseuche** *f* 🚜 foot/hoof and mouth disease

Maurer *m* mason, bricklayer; **M.handwerk** *nt* bricklaying; **M.meister** *m* master bricklayer/mason

Mauschel|ei *f* 1. wheeling and dealing, wangling; 2. cheating, fiddle; **m.n** *v/i* 1. to wangle; 2. to cheat

Mäuse *pl* *(coll)* lolly *(coll)*, dough *(coll)*

maus|en *v/t* *(coll)* to pilfer/filch/pinch/nick *(coll)*; **M.erei** *f* *(coll)* pilferage

mausern *v/refl* to change for the better

Maut *f* toll, road charge/toll; **M.brücke** *f* toll bridge; **M.gebühr** *f* toll (rate/charge); **M.recht** *nt* tollage; **M.-schranke** *f* toll bar/gate; **M.stelle** *f* tollgate; **M.straße** *f* toll/turnpike *[US]* road

maximal *adj* maximum, not exceeding

Maximal|belastung *f* ϟ peak load; **M.bestand** *m* maximum inventory level; ~ **an Vorräten** maximum inventory; **M.betrag** *m* maximum sum, (upper) limit; **M.eindeckung** *f* maximum inventory level; **M.forderung** *f* maximum demand; **M.geschwindigkeit** *f* 1. top speed; 2. speed limit; **M.gewicht** *nt* maximum load/weight; **M.hypothek** *f* maximum-sum mortgage

maximalisieren *v/t* to maximize, to increase to the maximum

Maximal|kapazität *f* maximum (plant) capacity; **theoretische M.kapazität** theoretical capacity; **M.leistung** *f* maximum output; **M.preis** *m* ceiling price, price ceiling; **M.tabelle** *f (Vers.)* table of retentions; **M.zins** *m* interest rate ceiling; **M.zoll** *m* maximum (revenue) tariff

Maxime *f* dictum *(lat.)*

maximier|en *v/t* to maximize; **M.ung** *f* maximization

Maximum *nt* 1. maximum, ceiling; 2. *(Vers.)* line, retention; **M.prinzip** *nt* maximum principle

Mäzen *m* patron, sponsor; **M.atentum** *nt* patronage, sponsorship

Mechanik *f* mechanics; **M. des Verfahrens** procedural machinery; **angewandte M.** applied mechanics

Mechaniker *m* mechanic, fitter

mechanisch *adj* mechanical, automatic; **rein m.** by rot

mechanisieren *v/t* to mechanize

Mechanisierung *f* mechanization; ~ **der Landwirtschaft** farm mechanization

Mechanismus *m* mechanism, machinery, mechanics; **M. des Gemeinsamen Marktes** machinery of th Common Market; **defekter M.** faulty mechanism; **komplizierter M.** wheels within wheels *(fig)*

Medaille *f* medal

Media|abteilung *f* media department; **M.auswahl** *f* media selection; **M.berater(in)** *m/f* media adviser; **M.disponent(in)** *m/f* space buyer; **M.fachmann** *m* media specialist; **M.forschung** *f* media research; **M.leiter(in)** *m/f* media manager

Medianwert *m* ▦ median

Mediaplan *m* media plan; **M.er** *m* media (mix) planner; **M.ung** *f* media planning

Medien *pl* media; **M. der Außenwerbung** *pl* outdoor media; **m.gerecht** *adj* suited to the media

medien|gerecht *adj* media-focused; **M.gigant** *m* media giant; **M.konzern** *m* (multi-)media group; **M.landschaft** *f* media environment; **M.politik** *f* media policy; **M.rabatt** *m* media discount; **M.referent** *m* press officer; **M.reichweite** *f* media reach; **M.verbund** *m* multi-media system, media grid; **M.werbung** *f* media advertising; **M.zar** *m* media tycoon; **M.zentrum** *nt* media centre

Medikament *nt* drug, medicine, medicament; **M.** medication; **M. verordnen/verschreiben** to prescribe a drug; **gesetzlich/patentrechtlich geschütztes M.** proprietary pharmaceutical/drug; **rezeptfreies M.** over-the-counter drug; **rezept-/verschreibungspflichtiges M.** prescribed/prescription drug, prescription pharmacentical/medicine; **nicht ~ M.** non-prescriptive drug; **M.enmissbrauch** *m* drug abuse; **M.enschrank** *m* medicine cabinet

Medio *m* mid-month, middle of the month; **per M.** for settlement by the middle of the month

Medio|abrechnung/M.arrangement *f/nt* fortnightly settlement, mid-month account; **M.ausweis** *m* mid-monthly settlement; **M.fälligkeiten** *pl* fortnightly settlements; **M.geld/M.gelder** *nt/pl* fortnightly loans; **M.geschäft** *nt* business for mid-month settlement; **M.liquidation** *f* fortnightly settlement; **M.prolongation** *f* fortnightly continuation; **M.wechsel** *m* fortnightly bill

Medium *nt* medium, means, vehicle; **M. für Auslandsinvestitionen** offshore investment vehicle; **provisionspflichtiges M.** commissionable medium

Medizin *f* 1. medicine, drug, medicament; 2. medical science; **M. eingeben** to administer a medicine; **seine M. nehmen** to take one's medicine; **gerichtliche M.** forensic medicine, medical jurisprudence; **patentrechtlich geschützte M.** patent medicine; **rezept-/verschreibungspflichtige M.** ethical drug; **nicht ~ M.** proprietary drug

Medizin|alassistent *m* houseman *[GB]*, intern *[US]*; **M.er** *m* medical man; **m.isch** *adj* medical; **M.mann** *m*

medicine man; **M.rechnung** *f* pharmaceutical bill; **M.-student** *m* medical student

Meer *nt* sea; **die M.e** the high seas; **dem M. abgewinnen** *(Land)* to reclaim; **M.e befahren** to ply the seas; **übers M. fahren** to cross the ocean; **freies M.** open sea; **offenes M.** the high seas; **M.enge** *f* straits, narrows; **M.engenabkommen** *nt* Straits Convention, Convention of Montreux

Meeres|- marine; **M.arm** *m* sea inlet; **M.bergbau** *m* deep-sea/seabed mining; **M.biologe** *m* marine biologist; **M.biologie** *f* marine biology

Meeresboden *m* seabed, ocean bed; **M.bergbau** *m* mining of the seabed; **M.schätze** *pl* marine mineral resources, mineral resources of the seabed

Meeres|früchte *pl* seafood; **M.grund** *m* seabed; **M.-höhe** *f* sea level; **M.karte** *f* ocean chart; **M.klima** *nt* ocean climate; **M.küste** *f* sea coast, seaside; **M.nutzung** *f* use of the seas; **M.raum** *m* ocean space; **M.spiegel** *m* sea level; **über/unter dem M.spiegel** above/below sea level; **M.strömung** *f* ocean current; **M.technik** *f* ocean technology; **M.tiefe** *f* ocean depth; **M.untergrund** *m* subsoil of the seabed; **essbare M.tiere** seafood; **M.verschmutzung** *f* marine/ocean pollution, sea (water) pollution

Meerwasser *nt* sea water; **M.verschmutzung** *f* marine pollution

Megal|omanie *f* megalomania; **M.fon** *nt* megaphone, loudhailer; **M.tonne** *f* megaton

Mehr *nt* surplus, excess, increase

mehr *adv* additional, multi; **m. als** exceeding, in excess of, above, upwards of; **deutlich m. als** well up on

Mehr|abschreibung *f* additional depreciation (allowance); **M.adresssystem** *nt* 🖳 multi-address system; **M.anfall** *m* (supply) increase; **M.ankäufe** *pl* additional purchases; **M.anspruch** *m* additional claim

Mehrarbeit *f* extra/additional work, overtime, overwork, extra time; **M.sstunde** *f* overtime hour; **M.svergütung** *f* overtime pay; **M.szeit** *f* overtime; **M.szuschlag** *m* overtime pay/supplement, bonus for extra work

Mehr|aufkommen *nt* additional accrual, surplus revenue; **M.aufwand** *m* additional expenditure/outlay, excess of expenditure

Mehraufwendung *f* additional expenditure/outlay, excess of expenditure; **M.en für doppelte Haushaltsführung** additional expenses of maintaining two households; **~ Verpflegung** additional expenses for board

Mehrausgabe *f* 1. additional expenditure, extra expense; 2. *(Aktien, Banknoten)* overissue; **M.n** additional/supplementary/surplus/net expenditure, excess (of) expenditure, overspending, overexpenditure, excess of expenditure over receipts; **M.nbeschluss** *m* additional expenditure order/vote

mehr|bändig *adj* in several volumes, multi-volume; **M.bedarf** *m* additional requirements, increased demand, increase in demand

Mehrbelastung *f* additional/supplementary charge, surcharge, overcharge, excess load, additional burden; **kostenbedingte M.** cost-induced additional charge; **steuerliche M.** balancing charge

Mehr|benutzer- multi-user; **M.benutzersystem** *nt* 🖳 multi-user system; **M.beschäftigung** *f* higher level of employment; **M.betrag** *m* surplus, excess, overage, additional amount; **M.bewertung** *f* excess valuation; **M.bietende(r)** *f/m* outbidder; **M.dateienverarbeitung** *f* multiple processing; **m.deutig** *adj* ambiguous, equivocal

Mehrdeutigkeit *f* ambiguity, equivocality; **offenkundige M.** patent ambiguity; **versteckte M.** latent ambiguity

mehr|dimensional *adj* ▦ multi-variate; **M.dividende** *f* additional dividend; **M.ehe** *f* plural marriage

Mehreinkommen *nt* increased income, surplus revenue; **M.steuer** *f* (income) surtax; **M.zuwachssteuer** *f* increment income tax

Mehreinnahme *f* additional receipts/revenue, increase of receipts; **M.n** additional receipts, excess of receipts over expenditures, net (surplus) receipts/takings

mehren *v/refl* 1. to increase/multiply; 2. to further

mehrere *pron* several, various, sundry

Mehrerlös *m* surplus/additional proceeds, excess sales revenue; **M.abführung** *f* surrender of additional proceeds; **M.abschöpfung** *f* elimination of additional revenues; **M.berechnung** *f* calculation of additional proceeds

Mehrertrag *m* surplus (income), increment, additional/net receipt, additional yield

mehrfach *adj* multiple, manifold; **M.-** multiple

Mehrfach|adressierung *f* multi-addressing, multiple address message; **M.anmeldung** *f* multiple filing; **M.arbitrage** *f* compound arbitration, indirect arbitrage; **M.bebauung** *f* 🚜 multiple cropping; **M.belastung** *f (Steuer)* multiple taxation; **M.beleg** *m* multi-part form; **M.belegung** *f (Hotel)* multiple occupancy; **~ des Eigenkapitals** multiple use of liable capital; **M.beschäftigung** *f* multiple employment; **M.besteuerung** *f* multiple/recurrent taxation; **M.betrieb** *m* 🖳 multi-job operation; **M.bezieher** *m* recipient of several kinds of benefit; **M.buchhaltung** *f* multiple posting; **M.dividende** *f* cumulative dividend; **M.einteilung** *f* manifold classification; **M.fahrschein/-karte** *m/f* multi-journey ticket; **M.fertigung/M.herstellung** *f* multiple process production; **M.klassifikation** *f* multiple classification; **M.konten** *pl* multiple accounts; **M.kopie** *f* multiple copy; **M.lizenz** *f* multiple licence; **M.nutzung** *f* multiple use; **M.packung** *f* multi-pack; **M.programmierung** *f* multi-programming; **M.regression** *f* ▦ multiple regression; **M.satz** *m* multi-part form; **M.steckdose** *f* ⚡ multiple socket; **M.stecker** *m* ⚡ multiple plug; **M.-stichprobennahme** *f* multiple sampling; **M.stimmrecht** *nt* cumulative/plural vote; **M.täter** *m* § repeat(ed)/multiple offender, offender with previous convictions, recidivist; **M.verschuldung** *f* indebtedness to several creditors; **M.versicherung** *f* multiple insurance; **selbstständiger M.vertreter** independent agent; **M.vertretungssystem** *nt* agency system *[US]*; **M.zoll** *m* multiple tariff; **M.zugriff** *m* 🖳 multi-access; **~ auf Daten** file sharing

Mehr|familienhaus *nt* block of flats *[GB]*, apartment house *[US]*, multi-family home, ~ dwelling unit; **M.farbendruck** *m* multi-colour/process printing; **M.farbenklischee** *nt* process plate; **m.farbig** *adj* multi-colour; **M.felderwirtschaft** *f* (multi-)crop rotation; **M.firmenvertreter** *m* multiple-firm agent; **M.forderung** *f* increased/higher demand; **M.förderung** *f* extra/surplus output; **M.fracht** *f* additional freight; surcharge; **M.funktionsbelegleser** *m* optical reader; **M.gebot** *nt* higher bid, overbid, outbidding; **M.gepäck** *nt* excess luggage *[GB]*/baggage *[US]*; **m.geschossig** *adj* multi-storey; **M.gewicht** *nt* excess baggage, excess/surplus weight, overweight, excess of weight; **M.gewinn** *m* excess/surplus profit; **M.gewinnsteuer** *f* windfall/excess profits tax; **m.gipflig** *adj* multi-modal; **M.gipfligkeit** *f* multi-modality; **m.gliedrig** *adj* multi-tiered

Mehrheit *f* majority, plurality *[US]*

Mehrheit der Erben plurality of heirs; **M. von Forderungen** several co-existing obligations; **M. nach Kapital** majority of shares; **M. von Schuldnern und Gläubigern** plurality of debtors and creditors; ~ **Tätern** co-principals, several persons participating in one crime

mit Mehrheit beschlossen carried by a majority of votes; **die M. ist dafür** *(Parlament)* the ayes have it *[GB]*

mit großer Mehrheit annehmen to accept overwhelmingly; **M. aufbringen** to secure a majority; **M. zustande bringen** to drum up a majority; **mit M. beschließen** to decide by a majority of votes cast; ~ **bestimmen** to lay down by a majority of votes; **M. erreichen** to obtain a majority; **M. erwerben** to win control; **M. haben** to be in the majority; **mit M. verabschieden** to pass by a majority; **über eine M. verfügen** to command a majority, to have the majority on one's side

absolute Mehrheit 1. overall/absolute majority; 2. working control; **anteilmäßige M.** proportionate majority; **arbeitsfähige M.** working majority; **beschlussfähige M.** quorum; **einfache M.** simple majority; **erdrückende M.** crushing/overwhelming majority; **erforderliche M.** required/requisite majority; **große M.** large majority; **hauchdünne M.** tiny/flimsy majority; **kapitalmäßige M.** majority in amounts; **knappe M.** narrow/bare majority; **mit knapper M.** by a small majority; **parlamentarische M.** majority in parliament; **qualifizierte M.** qualified majority; **relative M.** relative majority; **schweigende M.** silent majority; **sichere M.** comfortable majority; **überwältigende M.** crushing/overwhelming majority; **überwiegende M.** overwhelming majority; **verfassungsändernde M.** majority sufficient to modify the constitution; **zahlenmäßige M.** numerical majority

mehrheitlich *adj* by a majority

Mehrheits|abstimmung *f* majority vote; **M.aktionär** *m* controlling/majority shareholder, ~ stockholder; **M.ansicht** *f* majority opinion; **M.anteil** *m* majority interest/stake; **M.bericht** *m* majority report

Mehrheitsbeschluss *m* majority decision/vote, resolution adopted by the majority of votes; **einfacher M. aller Besitzer nachgewiesener Forderungen** ordinary resolution; **qualifizierter M.** extraordinary resolution; ~ **aller Stimmberechtigten** special resolution

Mehrheits|besitz *m* majority holding/ownership; **i. M.besitz** majority-owned; **M.besitzer** *m* controlling shareholder; **M.beteiligung** *f* majority holding/stake, shareholdings/participation, ~ of interest(s)/stock, controlling interest/stake, majority-owned subsidiary; **M.einfluss** *m* bandwaggon effect; **M.entscheidung** majority decision; ~ **der Geschworenen** § majority verdict; **M.erfordernis** *nt* percentage requirement; **M.gesellschafter** *m* majority shareholder/partner; **M.grundsatz/M.herrschaft/M.prinzip/M.system** *m/f/nt* majority rule; **M.paket** *nt* controlling majority/stake; **M.verhältnisse** *pl* ratio of representation; **M.vertretung** *f* majority representation; **M.wahlrecht/-system** *nt* first-past-the post system, winner-takes-all system

Mehrjahres|planung *f* multi-year budget(ing); **M.programm** *nt* multi-year programme; **M.vergleich** *m* multi-year comparison, long-term record

mehr|jährig *adj* multi-year, pluri-annual, lasting covering several years; **M.kanalmodell/-system** multi-channel communication system, multi-station model

Mehrkosten *pl* extra cost/charges, additional costs charges/expenditure, overruns; **die sich hierbei ergebenden M.** additional costs thereby incurred; **M.wagnis** *nt* risk of unanticipated extra cost

Mehr|leistung *f* 1. additional payment/benefit; 2. extra output, increased performance/output; **M.leistungszulage** *f* production bonus; **M.lieferung** *f* additional/increased delivery; **M.lingsgeburt** *f* multiple birth; **M.liniensystem** *nt* multi-line system, functional management/organisation; **m.malig** *adj* repeated; **M.maschinenbedienung** *f* multi-machine service operation; **M.menge** *f* surplus/excess quantity; **M.parteien-** multi-party; **M.parteiensystem** *nt* multi-party system; **M.perioden-** multi-period; **M.periodenanalyse** *f* multi-period analysis; **m.periodig** *adj* multi-period; **M.personenhaushalt** *m* two-or-more-member household

Mehrphasen|- multi-phase, multi-stage; **M.auswahl** multi-phase sampling; **M.lagerhaltung** *f* multi-echelon inventory; **M.steuer** *f* multi-stage tax; **M.umsatzsteuer** *f* multi-stage sales tax, ~ turnover tax, transaction tax

mehrphasig *adj* multi-phase, multi-stage

Mehrplatz|- multi-user; **m.fähig** *adj* supporting multi-user operation; **M.rechner** *m* multi-user system; **M.textsystem** *nt* multi-user text system

Mehr|porto *nt* surcharge, additional postage; **M.preis** *m* surcharge, higher price; **M.produktbetrieb** *m* multi-product operation; **M.produktfertigung** *f* multi-product manufacturing; **M.produktion** *f* increased output; **M.produktunternehmen** *nt* multi-product firm, multiple product firm; **M.programmbetrieb** multi-programming; **M.prozent** *nt* additional percen age point; **M.prozessorsystem** *nt* multi-processor system; **M.punktverbindung** *f* multi-point connection; **M.rechnersystem** *nt* multi-processor/multi-computer system; **M.schicht(en)betrieb** *m* multiple-shift operation/system; **M.schichtkosten** *pl* multiple-shift cost; **m.schichtig** *adj* multi-level; **m.seitig** *adj* multi-lateral; **M.seitigkeit** *f* multi-lateralism; **M.spaltenjournal** *nt* multi-column journal; **M.spartengeschäft** *nt* multi-line business/insurance; **M.spartenunternehmen** *nt* multi-division group; **m.sprachig** *adj* multi-lingual, polyglot; **M.sprachigkeit** *f* multi-lingualism; **m.spurig** *adj* 1. multi-track; 2. multi-lane; **M.staatenzugehörigkeit** *f* plural nationality, intercitizenship; **M.staatler** *m* multiple national; **M.stellenarbeit** *f* multiple machine work; **m.stellig** *adj* multi-digit; **M.stimmenwahl** *f* plural vote; **M.stimmenwahlrecht** *nt* multiple voting

Iehrstimmrecht *nt* plural vote, multiple voting rights; **M.saktie** *f* multiple share *[GB]*/stock *[US]*, multiple-voting share, multiple vote share; **M.saktien** management stock

ıehr|stöckig *adj* multi-stor(e)y; **M.stückpackung** *f* multi-pack

Iehrstufen|- multi-stage; **M.befragung** *f* multi-stage interview; **M.plan** *m* multi-stage plan

ıehr|stufig *adj* multi-stage, multi-tier; **m.tägig** *adj* lasting several days; **m.teilig** *adj* multiple, multi-part, in several parts; **M.themenbefragung** *f* omnibus/multiple survey; **M.überweisung** *f* excess remittance; **M.umsatz** *m* surplus turnover

Iehrung *f* increase, augmentation

etrügerische Mehr|veräußerung § stellionate; **M.-verbrauch** *m* additional consumption; **realer M.verbrauch** additional consumption in real terms; **M.versicherung** *f* multiple insurance; **M.völkerstaat** *m* multinational state

Iehrweg|- returnable, refillable, rensable; **M.flasche** returnable/refillable bottle; **M.packung** *f* multi-way packing; **M.quote** *f* two-way quota; **M.system** *nt* return system; **M.verpackung** *f* reusable/two-way package, reusable packaging

Iehrwert *m* added/increment value, value added, surplus (value); **M. durch Marketing** value added by marketing; **negativer M.** negative value added; **M.besteuerung** *f* value-added taxation; **M.beteiligung** *f* majority interest; **M.dienst** *m* value-added service

ıehrwertig *adj* multi-valued; **M.keit** *f* polyvalence

Iehrwertsteuer *f* value-added tax (VAT); **ohne M.** zero-rated; **einschließlich M.** including value-added tax; **M. des Unternehmens** output tax; **zur M. zu veranlagen** ratable; **M. ausweisen** to indicate value-added tax; **M. erhöhen** to put up value-added tax

Iehrwertsteuer|amt *nt* Customs and Excise VAT Office *[GB]*; **M.befreiung** *f* zero-rating, exemption from value-added tax; **M.erhöhung** *f* increase of value-added tax; **M.erstattung** *f* value-added tax rebate; **M.erträge** *pl* value-added tax receipts; **m.frei** *adj* zero-rated, value-added tax-exempt; **M.gesamtbelastung** *f* total amount of value-added tax; **M.nummer** *f* value-added tax registration number; **m.pflichtig** *adj* liable to value-added tax; **M.rückvergütung** *f* value-added tax rebate; **M.überschuss** *m* unabsorbed balance of value-added tax; **M.veranlagung** *f* value-added tax assessment; **M.vorbelastung** *f* prior value-added tax charges

Mehrwert|theorie *f* surplus theory, theory of greater value; **M.versicherung** *f* increased value insurance

mehr|wöchig *adj* (lasting) several weeks; **M.zahl** *f* majority, plural, bulk; **in der ~ sein** to be in the majority; **M.zeilenformat** *nt* multi-line format

Mehrzweck *m* general purpose

Mehrzweck|- multi-purpose, general-purpose; **M.bau** *m* multiple-unit building; **M.fahrzeug** *nt* multi-purpose vehicle; **M.feld** *nt* multi-purpose field; **M.maschine** *f* multi-purpose machine; **M.programm** *nt* flexible-purpose programme; **M.register** *nt* general register; **M.transporter/M.transportschiff** *m/nt* ⚓ combination carrier; **M.waggon** *m* general-purpose wag(g)on, combination car *[US]*; **M.stichprobe** *f* all-purpose sample

meid|en *v/t* to avoid/shun, to be shy of sth.; **jdn m.en** to steer clear of so. *(coll)*; **bei M.ung einer Strafe** *f* on penalty of

Meierei *f* dairy farm

Meile *f* mile; **gesetzliche M.** statutory mile; **nautische M.** nautical mile

Meilen|stein *m* milestone, landmark; **M.steinbericht** *m* milestone report; **M.tarif** *m* mileage rate; **m.weit** *adj* miles away; **~ vor** streets ahead of; **M.zahl** *f* mileage; **200-M.-Zone** *f* 200-mile zone

Meineid *m* § perjury, false oath; **jdn zum M. anstiften/verleiten** to suborn so. to commit perjury; **M. leisten** to perjure; **M. schwören** to commit perjury, to perjure o.s., to swear falsely; **m.ig** *adj* perjured; **M.ige(r)** *f/m* perjurer

meinen *v/t* to think/believe/hold/consider/mean/reckon/deem; **es ernst m.** to be serious; **es gut mit jdm m.** to wish so. well

Meinung *f* 1. opinion, view of/on, mind, (way of) thinking, argument, sentiment, estimation, voice, verdict; 2. school of thought; **nach meiner M.** in my opinion, to my way of thinking, to my mind

Meinung der Arbeiter shop-floor opinion; **M. eines/von Außenstehenden** outside opinion; **M. der Belegschaft** shop-floor opinion; **M. des Gerichts** judicial opinion; **M. der Schriftleitung** editorial view

seine Meinung ändern to change one's mind, to have a change of heart; **~ äußern** to give one's judgment; **M.en austauschen** to exchange views; **seine M. für sich behalten** to keep one's own counsel; **jds M. beipflichten** to endorse so.'s opinion; **auf seiner M. bestehen; bei ~ bleiben** to stick to one's guns *(coll)*, to maintain one's opinion; **sich eine M. bilden** to form an opinion; **seine M. durchsetzen** to force one's point, to assert o.s.; **M. einholen** to obtain an opinion; **an seiner M. festhalten** to stick to one's views/guns *(coll)*; **M.en formulieren** to formulate views; **seine M. zum Besten geben** to offer one's opinion for what it is worth; **hohe M. von jdm haben** to think highly of so.; **keine vor-**

gefasste M. haben to keep an open mind; **mit seiner M. nicht hinter dem Berg halten** *(coll)* to speak one's mind, to make no bones about sth.; **seine M. kund tun** to declare o.s.; **sich eine M. zu Eigen machen** to espouse a view; **seine M. revidieren** to change one's mind; **jdm gründlich/kräftig die M. sagen** *(coll)* to give so. a piece of one's mind; **offen seine M. sagen** to speak one's mind; **zwischen zwei M.en schwanken** to be in two minds; **anderer M. sein (als); abweichende M. vertreten** to dissent (from), to be at variance with (so.), to take issue with (so.); **mit jdm einer M. sein** to be at one with so.; **geteilter/unterschiedlicher/verschiedener M. sein** to differ, to be divided; **gleicher M. sein** to be of one and the same mind; **zu seiner M. stehen** to have the courage of one's convictions; **jds M. teilen** to share so.'s view; **abweichende M. verfechten** to dissent; **M. vertreten** to advance a view; **M. vorbringen** to advance an opinion; **mit seiner M. zurückhalten** to reserve one's judgment

abweichende Meinung dissent, dissenting opinion/view, [§] dissentient opinion; **allgemeine M.** received opinion; **ausgeprägte M.** strong feeling; **begründete M.** reasoned view; **einhellige M.** unanimity, unanimous opinion, consensus view, ~ of opinion; **gegenteilige M.** contrary opinion; **herrschende M.** prevailing/dominant opinion; **irrige M.** misconception; **kompetente/maßgebliche M.** authoritative opinion; **landläufige M.** current thinking, conventional wisdom, received opinion; **entgegen landläufiger M.** contrary to received opinion; **öffentliche M.** public/lay opinion, verdict of the public; **~ vor Ort** local opinion; **persönliche M.** private opinion; **übereinstimmende M.** consensus view, ~ of opinion; **weit verbreitete M.** widely held opinion; **vorgefasste M.** bias, preconception, preconceived opinion; **vorherrschende M.** prevailing view

Meinungs|änderung *f* shift of opinion; **M.äußerung** *f* statement of (an) opinion; **freie M.äußerung** freedom of opinion; **~ unterdrücken** to gag; **M.austausch** *m* exchange of views; **M.befrager** *m* pollster; **M.befragung** *f* opinion poll/survey; **~ durchführen** to conduct an opinion poll/survey; **M.bewertung** *f* opinion rating; **M.bild** *nt* 1. image; 2. opinion, pattern/representative set of opinions; **m.bildend** *adj* opinion-forming, articulate; **M.bildner** *m* opinion former/leader; **M.bildung** *f* shaping of opinion; **M.erhebung** *f* opinion survey; **M.forscher** *m* pollster; **M.forschung** *f* public opinion research, opinion poll/research, canvassing; **M.forschungsinstitut** *nt* opinion research institute, polling institute; **M.freiheit** *f* freedom of opinion/speech/expression, free expression of opinion; **M.führer** *m* opinion leader; **M.gegenstand** *m* subject of opinion; **M.käufe** *pl* speculative buying/purchases; **aggressive ~ des Berufshandels** aggressive trade buying; **M.klima** *nt* climate of opinion; **m.los** *adj* without an opinion; **M.lose(r)** *f/m* don't-know; **M.macher** *m* opinion leader; **M.monopol** *nt* monopoly of opinion; **(öffentliche) M.pflege** *f* public relations; **M.skala** *f* opinion scale; **M.streit** *m* controversy, clash of opinions; **M.test** *m* opinion test

Meinungsumfrage *f* (public) opinion poll, sampling o[f] public opinion; **M. in der Wirtschaft** business opinio[n] survey; **M. durchführen/veranstalten** to carry ou[t] conduct a survey, to conduct an opinion poll

Meinungs|umschwung *m* reversal/shift of opinio[n]; **M.verkäufe** *pl* speculative selling/sales

Meinungsverschiedenheit *f* difference (of opinio[n]/ views), dispute, disagreement, discord, controvers[y]; **M.en ausgleichen** to accommodate views; **M. (güt[]lich) beilegen** to settle a dispute/difference (amicably[)]; **sich aus dem Vertrag ergebende M.en** disputes aris[]ing out of a contract

Meinungswandel *m* shift/swing of opinion, change o[f] heart

meistbegünstigt *adj* most-favoured

Meistbegünstigung *f* preference, most-favoured-na[]tion treatment; **beschränkte/relative M.** condition[al] most-favoured-nation treatment

Meistbegünstigungs|gewährung *f* granting of mos[t-]favoured-nation treatment; **M.klausel** *f* most-favou[r]ed-nation clause; **(un)bedingte M.klausel** (un)cond[i]tional most-favoured-nation clause; **(un)beschränkt[e] M.klausel** (un)restricted most-favoured-nation claus[e]; **M.prinzip** *nt* most-favoured-nation principle; **M.reg[el]** *f* chief supplier rule; **M.regelung** *f* preferential arrang[e]ment; **M.satz** *m* most-favoured-nation rate; **M.ste[l]lung** *f* most-favoured-nation status; **M.tarif/M.zoll** *[m]* preferential/most-favoured-nation tariff

meistbietend *adj* highest bidding, bidding most; **M.e[r]** *m* highest bidder; **für den M.en zu verkaufen sein t[o]** be up for grabs *(coll)*

Meister *m* 1. master (craftsman), supervisor, (sho[p]) foreman, works clerk, walking boss; 2. ✿ master craft[s]man/tradesman; 3. *(Sport)* champion; **seinen M. fi[n]den** to meet one's match; **alter M.** *(Kunst)* old maste[r]

Meister|- master, foreman; **M.brief** *m* craftsman's pr[o]ficiency certificate, foreman's certificate; **M.gehilfe** *[m]* assistent shop foreman; **m.haft** *adj* master(ly), maste[r]ful; **M.leistung** *f* masterstroke, masterpiece, (brillian[t]) feat, masterly performance

meistern *v/t* to master, to cope with

Meister|prüfung *f* foreman's qualifying examinatio[n]; **M.schaft** *f* 1. prowess; 2. *(Sport)* championshi[p]; **M.stück** *nt* 1. masterpiece, masterwork; 2. maste[r] stroke, feat; **M.zug** *m* master-stroke; **M.zuschlag** *[m]* master supplement

Meist|gebot *nt* highest bid, best offer; **m.gefragt** *a[dj]* most popular; **m.gekauft/m.verkauft** *adj* best-sellin[g], top-selling, biggest-selling, largest selling

Melde|amt/M.behörde *nt/f* registry office, registratio[n] department/office; **M.bescheinigung** *f* proof of leg[al] residence; **M.bestand** *m* reordering quantity, (re)ord[er] point, protective inventory; **gleitender M.bestan[d]** floating reorder point; **M.bestimmungen** *pl* registr[a]tion requirements; **M.bogen/M.formular** *m/nt* regi[s]tration form; **M.freigrenze** *f* reporting exemption li[m]it; **M.frist** *f* registration period; **M.gesetz** *nt* registr[a]tion act; **M.kartei** *f* register; **M.liste** *f* entry/registratio[n] list; **M.menge** *f* → **M.bestand**

melden *v/t* to report/notify/notice/announce/inform/herald; *v/refl* to come forward, to put up one's hand; **sich (bei jdm) m.** to come forward, to contact (so), to report (to so.); **sich arbeitslos m.** to sign on at the labour exchange; **sich freiwillig m.** to volunteer; **sich polizeilich m.** to register with the police; **rechtzeitig m.** to advise in due course

Meldepflicht *f* 1. compulsory registration; 2. obligation to notify, duty to report/register; 3. *(Steuer)* disclosure requirement; **M. bei Arbeitsunfähigkeit** duty to report one's disability for work; **M. für Ausländer** formalities for the registration of aliens; **obligatorische M.** mandatory registration

melde|pflichtig *adj* 1. notifiable, reportable, disclosable; 2. subject to reporting/disclosure requirements, required to (render) report, ~ render returns; 3. subject to registration, obliged to register; **M.pflichtige(r)** *f/m* registrant; **M.schein** *m* registration form; **M.schluss** *m* closing date, deadline (for applications); **M.stelle** *f* registration office, report centre; **M.stichtag/M.termin** *m* reporting/return date; **M.vorschriften** *pl* 1. registration/notification requirements; 2. reporting regulations; **M.wesen** *nt* reporting; **M.zettel** *m* registration form, certificate of registration

Meldung *f* 1. report, notice, message, declaration, return; 2. notification, (letter of) announcement; 3. *(Benachrichtigung)* advice; **M. der Angebotspreise** *(Ausschreibung)* bid filing; **M.en für die Schifffahrt** shipping intelligence

Meldung erhalten to receive information; **M. erstatten** to report; **M. bei seinem Vorgesetzten erstatten** to notify one's superiors; **M. überbringen** to carry a message; **M. veröffentlichen** to publish a report

amtliche Meldung official report; **dringende M.** priority/urgent message; **jährliche M.** *(Geschäft)* annual return; **letzte M.en** stop-press; **nach den letzten M.en** according to the latest information; **polizeiliche M.** police report; **schlagzeilenartige M.** headline; **übereinstimmende M.** concurrent report; **unbestätigte M.** unconfirmed report; **verschlüsselte M.** coded message

Meldungseingang *m* receipt of return

Melioration *f* 🚜 land improvement, amelioration

Meliorations|arbeiten *pl* amelioration work(s); **M.darlehen** *nt* improvement loan; **M.gebiet** *nt* improvement area; **M.gewinn** *m (Land)* general benefit; **M.kredit** *m* (land/property) improvement loan; **M.obligation/M.schuldverschreibung** *f* development bond; **M.wertzuwachs** *m* improvement benefit; **M.zuschuss** *m* improvement grant

meliorieren *v/t* to improve/meliorate

melk|en *v/t* to milk; **M.er** *m* milker, dairyman, cowman; **M.maschine** *f* milking machine, mechanical milker; **M.strategie** *f (Marketing)* harvesting

Memorandum *nt* memorandum, memo

Memorial *nt* journal, daybook

Menge *f* 1. quantity, amount, volume, portion; 2. mass, batch, bulk; 3. *(Anzahl)* multitude, lot, deal, plenty; 4. *(Vorrat)* store, pile, resources; 5. assemblage; **der M. nach** by volume; **eine M. von** scores of, a host of, a whole bunch of; **jede M. von** bags of *(coll)*; **M. der Beweisvariablen** basics; **in ungenügender M. verladen** short-shipped; **in M.n vorhanden** in abundant supply; rife

in Menge|n erzeugen/herstellen to massproduce; **zu große ~ kaufen** to overbuy; **in großen ~ kaufen** to buy in bulk; **in sehr kleinen ~ kaufen** *(Aktien)* to buy in odd lots; **in zu großen ~ verkaufen** to oversell

begrenzte Menge limited quantity; **bestellte M.** quantity ordered; **fehlende M.** missing amount; **gebrochene M.** odd lot; **gelieferte M.** quantity supplied/shipped; **zu viel ~ M.** surplus; **gleiche M.** equivalent; **in großen M.n** in bulk/quantity/quantities, in large numbers; **handelsübliche M.** commercial quantity; **weniger als ~ M.** odd lot; **kleine M.** modicum, trace; **in kleinen M.n** in small numbers/quantities; **kritische M.** 1. critical output; 2. threshold dose; **lieferbare M.n** quantities available; **nachweisbare M.n** ascertainable quantities; **reichliche M.** good measure; **runde M.** round lot; **überschüssige M.** overrun; **ungerade M.** odd lot; **unrichtige M.** wrong quantity; **vertraglich vereinbarte M.** contract quantity; **verfügbare M.** available quantity; **verschiedene M.n** varying volumes; **verschüttete M.** spillage; **zollfreie M.** allowance, duty-free amount; **zugewiesene M.** assigned resources; **zustehende M.** entitlement

mengen *v/t* to mix/blend

Mengen|abnahme *f* bulk purchasing, quantity/bulk buying; **M.abnehmer** *m* bulk buyer; **M.absatz** *m* volume/quantity sale(s), volume of sales, sales volume, quantity sale; **M.abschlag** *m* quantity discount; **M.abschreibung** *f* unit-of-production method, production method of depreciation, service output method; **M.abweichung** *f* quantity/usage/efficiency variance; **M.-analyse** *f* quantitative analysis; **M.angabe** *f* quantity (specification); **M.anpasser** *m* quantity adjuster, price taker; **M.anpassermarkt** *m* price taker market; **M.anpassung** *f* quantity adjustment; **M.anteil** *m* quantitative share; **M.auftrag** *m* volume order; **M.ausbringung** *f* quantity output; **M.ausgleichserfordernis** *nt* demand for the quantity balance; **M.ausweitung** *f* volume increase, increase in output volume; **M.begrenzung/M.beschränkung/M.bestimmung** *f* quota, quantitative restriction; **M.bezeichnung** *f* quantity description; **M.bonus** *m* volume discount; **M.budget** *nt* physical budget; **M.diskont** *m* volume discount; **M.durchsatz** *m* quantity throughput; **M.effekt** *m* quantity effect; **M.einheit** *f* unit of quantity; **M.einkauf** *m* bulk buying; **M.erlös/M.ertrag** *m* quantity proceeds; **M.erzeugung** *f* volume production; **M.feststellung** *f* determination of quantity, quantity determination; **M.fixierung** *f* quantity fixing; **M.gerüst** *nt* quantity/physical structure; **~ der Kosten** quantity structure/standard of costs; **M.geschäft** *nt* 1. bulk/mass/volume business, bottom lines; 2. *(Bank)* retail banking; **M.grenze** *f* ceiling, quota, quantitative limit; **M.index** *m* quantum/quantitative/quantity index; **~ mit fester Basis** ▦ fixed-base index; **M.kombination** *f* commodity combination, bundle of goods, combination of commodities/goods; **M.konjunktur** *f* quantity/volume boom, booming output, effective demand boom, quantitative market tendencies; **M.kontingent** *nt* volume quota; **M.kontrolle** *f* quantitative control; **buchmäßige M.kontrolle** unit control; **M.-kostenrechnung** *f* marginal costing; **M.kurs** *m (Devisen)* direct exchange; **M.lehre** *f* set theory; **M.leistung** *f* production capacity; **M.leistungsprämie** *f* quantity bonus; **M.lieferung** *f* bulk supply; **M.liste** *f* bill of quantities; **m.mäßig** *adj/adv* in quantitative/volume terms, quantitative, in terms of volume; **M.messziffer** *f* quantity relative; **M.nachfrage** *f* volume demand; **M.nachlass** *m* volume discount; **M.notierung** *f (Wechselkurs)* fixed exchange, indirect quotation; **M.planung** *f* volume planning; **M.preis** *m* bulk/multiple price; **M.-Preis-Kombination** *f* market clearing; **M.produkt** *nt* cross product set; **M.produktion** *f* volume/quantity production; **M.prüfung** *f* verification of quantity; **M.rabatt** *m* quantity/volume/bulk discount, volume/quantity rebate, large quantity discount; **M.rechnung** *f* volume accounting; **M.regulierung** *f* quantity control; **M.relationen** *pl* output ratio; **M.risiko** *nt* volume/quantitative risk; **M.satz** *m* ▯ area composition; **M.spesen** *pl* volume-related expenses; **M.staffel** *f* sliding/quantity scale; **M.standard** *m* volume standard; **M.steigerung** *f* volume growth; **M.steuer** *f* specific/quantitative tax; **M.tarif** *m* specific tariff, quantity rate, bulk supply rate; **M.tender** *m* volume tender; **M.toleranz** *f* quantity variance; **M.übersicht** *f* schedule of quantities; **M.umsatz** *m* volume/bulk sales, sales (in terms of) volume; **m.unabhängig** *adj* non-volume; **M.verhältnis** *nt* quantitative ratio; **M.verlust** *m* loss of volume, volume loss; **M.-vorgabe** *f* quantity standard; **M.vorschriften** *pl* quantitative regulations; **inländische M.vorschriften** internal quantitative regulations; **M.wachstum** *nt* volume growth, volume sale, gain/rise in volume (terms); **M.ziffer** *f* ▦ quantity relative; **M.zoll** *m* specific duty/tariff; **M.zuwachs** *m* volume gain/increase, gain/rise in volume

Mensch|en aus allen Schichten *pl* people from all walks of life; **für ~ ungenießbar** unfit for human consumption; **mit ~ umgehen können** to know how to handle people; **vernünftiger M.** § reasonable man

Menschen|alter *nt* lifetime, generation; **m.arm** *adj* sparsely/thinly populated; **M.freund** *m* philanthropist, humanitarian; **m.freundlich** *adj* 1. humane; 2. philanthrophic, humanitarian; **M.führung** *f* 1. personnel/human resources management, leadership; 2. *(Unternehmen)* human relations *[US]*; **seit M.gedenken** *nt* in living memory, since/from time immemorial; **m.gerecht** *adj* suitable for human beings; **M.geschlecht** *nt* mankind, humankind; **von M.hand (geschaffen)** *f* man-made; **M.handel** *m* slave trade, trade in human beings; **M.jagd** *f* manhunt; **M.kenntnis** *f* judgment of character; **M.kraft** *f* human power; **M.leben** *nt* 1. (human) life; 2. lifetime; **~ fordern** to claim lives; **m.leer** *adj* sparsely/thinly populated; **M.menge** *f* throng, crowd; **m.möglich** *adj* humanly possible; **alles M.mögliche tun** to leave no stone unturned *(coll)*; **M.raub** *m* kidnapping, abduction; **M.räuber** *m* kidnapper

Menschenrecht *nt* human right

Menschenrechts|beschwerde *f* appeal to the Human Rights Commission; **M.bewegung** *f* human rights movement; **M.kommission** *f* Human Rights Commission; **M.konvention** *f* Human Rights Convention; **M.verletzung** *f* violation of human rights

Menschen|reservoir *nt* manpower reserve; **M.schinder** *m* slave-driver; **M.schinderei** *f* slave driving; **m.unwürdig** *adj* inhuman; **M.verächter** *m* cynic; **gesunder M.verstand** common sense; **M.würde** *f* dignity of man, human dignity; **M.zeitalter** *nt* generation

Menschheit *f* mankind, humanity

menschlich *adj* 1. human; 2. humane; **M.keit** *f* humanity; **aus Gründen der M.keit** on humanitarian grounds

Mentalität *f* mentality

Mentalreservation *f* mental reservation

Menü *nt* 1. menu, bill of fare; 2. 🖳 menu; **M.anzeige** *f* menu display; **M.führung** *f* menu-driven operation; **m.gesteuert** *adj* 🖳 menu-driven; **M.system** *nt* 🖳 menu system; **M.zeile** *f* menu line

Merchandizing *nt* merchandizing *[US]*

Meriten *pl* merits

Merito|kratie *f* meritocracy; **m.risch** *adj* merit

merkantil *adj* mercantile; **M.ismus** *m* mercantilism

Merkantilist *m* mercantilist; **m.isch** *adj* mercantilistic

Merkantil|lehre *f* mercantile doctrine; **M.system** *nt* mercantile system; **M.theorie** *f* mercantile theory

Merk|blatt *nt* leaflet, notice; **M.buch** *nt* (scribbling) diary

merken *v/t* to notice/realize, to become aware of; *v/refl* to remember; **sich nicht m. lassen** not to show

merklich *adj* noticeable, marked, distinct, perceptible, significant, appreciable, sensible

Merkmal *nt* feature, characteristic, mark, criterion, note, attribute, property; **M. der Erfindung** element of the invention; **~ Leistungsbeurteilung** merit factor

äußere Merkmal|e trappings; **besonderes M.** special feature, peculiarity; **charakteristisches M.** mark; **entscheidendes M.** crucial feature; **erfindungswesentliches M.** essential element/feature of the invention; **hervorstechendes M.** striking/salient feature; **heterogrades/quantitatives M.** ▦ quantitative characteristic, variable; **homogrades/qualitatives M.** ▦ qualitative characteristic, attribute; **juristisches M.** legal criterion; **kennzeichnendes M.** essential property; **technisches M.** technical feature; **typisches M.** typical feature; **unterscheidungsfähiges M.** criterion; **wesentliches M.** attribute; **zufälliges M.** non-essential property

Merkmals|batterie *f* ▦ item battery; **M.folge** *f* sequence of properties; **M.klasse** *f* category, property class; **M.träger** *m* statistical unit; **M.vergleich** *m* factor comparison; **M.wahrscheinlichkeit** *f* a-priori probability

Merk|posten *m (Bilanz)* reminder/monitory/memorandum/pro memoria *(lat.)* item; **nur als ~ bestehen** to be shown only as a record; **M.wort** *nt* direction word; **M.zeichen** *nt* distinctive/identification mark

Merkur *m* ⛢ mercury
Messband *nt* tape measure
messbar *adj* quantifiable, measurable; **nicht m.** unquantifiable; **M.keit** *f* measurability; ~ **mit demselben Maß** commensurability
Messlbereich *m* (measuring) range; **M.betrag** *m (Steuer)* rate, basic amount; **M.brief** *m* bill of admeasurement, bill/certificate of tonnage
Messe *f* 1. (trade) fair, exhibition, show; 2. *(Kasino)* mess; **auf der M.** at the fair; **M. im Freigelände** outdoor fair
Messe abhalten to hold a fair; **sich zur M. anmelden** to apply for space; **M. aufziehen** to organise a fair; **M. beschicken** to participate in a fair, to send goods to a fair for display; **M. besuchen** to attend/visit a fair; **sich an einer M. beteiligen** to participate in a fair; **M. eröffnen** to open a fair; **M. veranstalten** to hold/organise a fair, to stage an exhibition
gut beschickte Messe fair offering a large variety of exhibits; **landwirtschaftliche M.** agricultural show; **technische M.** engineering/machinery fair
Messelaktivitäten *pl* trade fair activities; **M.amt/M.behörde** *nt/f* fair authorities/office; **M.angebot** *nt* fair exhibits; **M.ausweis** *m* fair pass; **M.beginn** *m* fair opening; **M.beschicker** *m* exhibitor; **M.besuch** *m* fair attendance; **M.besucher** *m* fairgoer, visitor (of a fair); **M.beteiligung** *f* 1. participation in a fair; 2. total number of exhibitors; **M.büro** *nt* fair office; **M.einrichtungen** *pl* fair facilities; **M.ergebnis** *nt* trade fair result(s); **M.gast** *m* fair visitor; **M.gebäude** *nt* exhibition hall; **M.gelände** *nt* (trade) fair/exhibition site, exhibition grounds; **M.geschäft** *nt* trade fair transactions/results, ordering levels; **M.gesellschaft** *f* exhibition/fair corporation; **M.gut** *nt* exhibits; **M.halle** *f* exhibition hall, fair pavillion; **M.kalender** *m* schedule of trade fairs; **M.katalog** *m* fair catalogue/calendar, official catalogue of a fair; **M.kaufvertrag** *m* trade fair contract; **M.klima** *nt* trade fair atmosphere; **M.kontingent** *nt* trade fair quota; **M.kontrakt** *m* trade fair contract; **M.konzession** *f* licence to exhibit; **M.kosten** *pl* trade fair costs; **M.leitung** *f* fair authority, (trade) fair management; **M.modell** *nt* exhibition model
messen *v/t* to measure/ga(u)ge/quantify, to take measurements; **sich m. mit** to pit o.s. against; **sich mit jdm/etw. m. können** to be on a par with so./sth.
Messelneuheit *f* trade fair first; **M.ordnung** *f* exhibition regulations; **M.organisator(in)** *m/f* fair organiser; **M.planung** *f* trade fair planning; **M.platz** *m* exhibition centre, trade fair site; **M.programm** *nt* 1. schedule of trade fairs; 2. list of events; **M.rabatt** *m* trade fair discount; **M.restaurant** *nt* (trade) fair restaurant;
Messergebnis *nt* reading
Messelschluss *m* close of the fair; **M.stadt** *f* fair town; **M.stand** *m* exhibition stand/booth; **M.technik** *f* fair facilities; **M.teilnahme** *f* trade fair participation, participation in a fair; **M.teilnehmer** *m* exhibitor, participant (in a fair); **M.veranstalter** *m* organiser (of a fair); **Internationaler M.verband** Union of International Fairs; **M.- und Ausstellungsversicherung** *f* fair and exhibition insurance; **M.verzeichnis** *nt* trade fair register/directory; **M.wechsel** *m* trade fair bill; **M.wesen** *nt* trade fair activities; **M.zentrum** *nt* exhibition centre
Messlfähnchen *nt* surveyor's pole; **M.fehler** *m* error of measurement; **M.fühler** *m* sensor; **M.- und Warengeld** *nt* metage; **M.gerät** *nt* ga(u)ge, measuring instrument/apparatus; **M.- und Regelgeräte** measuring and controlling devices; **M.glied** *nt* ✿ measuring means; **geschäftliche M.größe** business measure
Messing *nt* brass; **M.beschlag** *m* brass mounting; **M.schild** *nt* brass plate
Messlinstrument *nt* ga(u)ge, measuring instrument/apparatus; **kardinales M.konzept** cardinal utility approach; **M.latte** *f* measuring rod; **M.lehre** *f* ga(u)ge; **M.ort** *m* measuring point/means; **M.preis** *m* unit price; **M.punkt** *m* measuring point; **M.schnur** *f* tape measure, measuring tape; **M.stab** *m* 🚗 dipstick; **M.station** *f* measuring station; **M.stelle** *f* measuring point; **M.tabelle** *f* measurement scale; **M.technik** *f* measurement technology; **M.- und Regeltechnik** instrumentation technology, measurement and flow control engineering, instrument engineering, measuring and control enineering; ~ **Regeltechniker** *m* instrumentation engineer; **M.tisch** *m* plan table; **M.tischblatt** *nt* 1. survey map; 2. Ordnance Survey map *[GB]*
Messung *f* 1. measurement, quantification; 2. reading; **M.en vornehmen** to measure; **M.skosten** *pl* basic standard cost
Messlvorrichtung *f* ga(u)ge, measuring apparatus; **M.warte** *f* survey/monitoring station; **M.wert** *m* 1. 💻 process variable; 2. datum (*pl* data)
Messzahl *f* 1. datum (*pl* data), ratio, index; 2. *(Steuer)* basic rate; 3. measurement; **M. mit fester Basis** fixed-base relative; ~ **wechselnder Basis** chain relative; **ineffiziente M.** inefficient statistic
Messziffer *f* index, measure, relative
Metalgeschäft *nt* joint venture/business, deal on joint account, fifty-fifty business; **M.konto** *nt* joint account; **M.kredit** *m* credit/loan on a joint account
Metall *nt* metal; **M.e versetzen** to alloy; **edles M.** precious metal; **unedles M.** base/ignoble metal
Metalll- metallic; **M.abfall** *m* scrap metal; **M.analyse** *f* assay; **M.arbeit** *f* metal work; **M.arbeiter** *m* metal worker; **M.arbeitergewerkschaft** *f* metal workers' union; **M.band** *nt* metal tape; **M.barren** *m* metal bar; **M.bearbeitung** metal working/processing; **M.bearbeitungsmaschinen** *pl* metal-working machinery; **M.beistellung** *f* provision of metal; **M.beschichtung** *f* metal plating; **m.beschlagen** *adj* metal-plated; **M.bestand** *m (Notenbank)* bullion reserve; **M.börse** *f* metal exchange; **M.branche** *f* metal industry/trade; **M.-deckung** *f* metallic cover
metallen *adj* metallic
Metalllermüdung *f* ✿ metal fatigue; **M.erzeuger** *m* metal(s) producer; **M.erzeugung** *f* metal production; **M.erzvorkommen** *nt* non-ferrous ore deposit; **M.gehalt** *m* metal content; **M.geld** *nt* metallic currency, coins, specie; ~ **und Barren** coin and bullion; **M.gitter** *nt* wire fence; **M.handel** *m* metal trading/trade; **M.-**

hütte *f* metal works, smelter; **M.hüttentechnik** *f* metallurgy; **M.industrie** *f* (non-ferrous) metal industry

metallisch *adj* metallic

Metallismus *m* metallism, commodity theory of money

Metall|klischee *nt* metal block; **M.marke** *f* metal token; **M.müdigkeit** *f* metal fatigue; **M.notierung/M.preis** *f/m* metal price; **M.probe/M.prüfung** *f* assay; **M.schicht** *f* metal plating; **M.schild** *nt* metal sign; **M.trommel** *f* metal drum; **M.überzug** *m* metallic cover

Metallur|gie *f* metallurgy; **m.gisch** *adj* metallurgic

metall|verarbeitend *adj* metal-processing, metal-using; **M.verarbeiter** *m* metal processor/manufacturer, metal-working enterprise; **M.verarbeitung** *f* metal processing; **M.verformung** *f* metal forming; **M.vorrat** *m (Notenbank)* bullion reserve; **M.währung** *f* metallic currency/standard

Metallwaren *pl* hardware, metal goods/manufactures; **M.händler** *m* ironmonger *[GB]*, hardwareman *[US]*; **M.handlung** *f* ironmonger's shop, hardware store; **M.industrie** *f* ironmongery, hardware industry

Metallwert *m (Münze)* assay value

Metarechnung *f* fifty-fifty account

Meteorolog|e *m* meteorologist, weatherman, forecaster; **M.ie** *f* meteorology; **m.isch** *adj* meteorological

Meter *m* metre *[GB]*, meter *[US]*; **laufender M.** running metre/meter; **M.maß** *nt* rule; **M.tonne** *f* metric ton; **M.ware** *f* piece/yard(age) goods; **m.weise** *adj* by the metre

Methan *nt* methane; **M.gas** *nt* methane gas, fire damp

Methode *f* method, mode, system, approach, policy, course, technique; **M., ein Problem anzugehen** approach to a problem

Methode der anteilmäßigen Aufteilung ⊖ proportional method; **~ größten Dichte** maximum likelihood method, method of maximum likelihood; **M. zur Feststellung der Werbewirkung** order-of-merit rating; **M. der Haushaltsaufstellung** budgetary technique; **dynamische ~ Investitionsrechnung** discounted cash flow method; **~ Kostenrealisierung bei Vertrags- oder Arbeitsende** completed contract method of accounting; **~ gleitenden Mittelwerte** moving average method; **~ kleinsten Quadrate** method of least squares, least-squares method; **~ Zahlungsbereitschaft** willingness-to-pay method; **M. des ersten Zollflughafens** first customs airport method

andere Methode anwenden to try another course; **nach einer M. arbeiten** to work on a system; **richtige M. verwenden** to use the right approach

analytische Methode analytical method; **anwendbare M.** practicable method; **bewährte M.** proven method; **buchungstechnische M.** accounting method; **dynamische M.** time-adjusted method, discounted cash flow method; **einheitliche M.** consistent method; **finanzmathematische M.** timed-adjusted method; **hinterhältige M.** underhand method; **hoch entwickelte M.** sophisticated method; **korrupte M.n** venal practices; **lineare M.** *(Abschreibung)* linear method; **obskure M.** dubious method; **quantitative M.** quantitative method; **statische M.** static technique; **statistische M.** statistical technique; **unsaubere M.** unfair method; **veraltete M.** obsolete method

Methodenbank *f* method bank

Methodenlehre *f* methodology; **ökonometrische M.** econometrics; **statistische M.** (theory of) statistics

Methoden|streit *m* clash over economic methods; **M.zeitmessung** *f* methods-time measurement

methodisch *adj* methodical

Methyl|alkohol *m* methylated spirits; **m.ieren** *v/t* to methylate

Metier *nt* trade, profession; **im gleichen M.** in the same trade

Metist *m* party to a joint transaction, half-sharing partner

metrisch *adj* metric

Metropole *f* metropolis

Metzger *m* butcher, meatman *[US]*, slaughterer; **M.ei/M.laden** *f/m* butcher's shop, meat store *[US]*

Mezzanin *nt* mezzanine

mickrig *adj* meagre, measly

mies *adj* wretched, miserable, nasty; **etw m. machen** to run sth. down; **M.macher** *m* defeatist, detractor, wet blanket

Miet|ablösung *f* commutation of rent, compensation to outgoing tenant, key money; **M.ablösungswert** *m* tenant right; **M.abteilung** *f* rental department; **M.abtretung** *f* assignment of lease/rent; **M.änderung** *f* change of rent; **M.anhebung** *f* rent increase; **M.anlagen** *pl* rental equipment; **M.anlagengeschäft** *nt* rental/leasing business, leasing activities; **M.anpassung** *f* rent review; **M.anspruch** *m* leasehold claim; **M.anstieg** *m* rental growth; **M.anteil** *m* rent charge; **M.anzahlung** *f* key money, rent advance; **M.aufhebung** *f* forfeiture of tenancy; **M.aufhebungsklage** *f* petition for termination of tenancy; **M.aufkommen** *nt* rental income, rent yield; **M.aufkündigung** *f* notice to quit; **M.aufwand** *m* rent expenditure, rental expense

Mietausfall *m* 1. loss of rent, rent deficiency; 2. loss of use; **M.police** *f* rental value policy; **M.ausfallrisiko** *nt* risk of rent loss; **M.versicherung** *f* rent and rental value insurance

Miet|auto *nt* rented/hire car; **m.bar** *adj* 1. rentable, for hire; 2. tenantable; **M.bedingungen** *pl* 1. *(Gegenstand)* terms of hire; 2. *(Wohnung)* terms of tenancy, letting conditions; **M.beendigung** *f* termination of tenancy; **M.beginn** *m* inception of the lease; **M.beihilfe** *f* rent allowance/subsidy/relief *[GB]*; **M.belastung** *f* rent charge; **M.beschränkung** *f* rent restrictions; **M.besitz** *m* leasehold, tenement, possession as a tenant, tenancy; **M.betrag** *m* amount of rent, rental; **M.bindung** *f* rent restriction; **mit M.bindung** rent-controlled; **M.bringschuld** *f* rent lying in render *[GB]*; **M.buch** *nt* rent book; **M.büro** *nt* point of hire; **M.dauer** *f* term of tenancy, let, rental period, letting time

Miete *f* 1. lease, rent, hire (charge), rental; 2. rick, clamp; **zur M.** on lease

Miete und Pacht tenancy; **M. mit Kaufoption** lease with purchase option; **~ Steigerungsklausel** progressive rent

Miete abwerfen to yield rent; **M. schuldig bleiben** to be in arrears with one's rent; **M. einziehen** to collect rent; **M. entrichten** to pay rent; **M. erbringen** to yield rent; **M. erhöhen/heraufsetzen** to put up/increase the rent; **hohe M. erzielen** to command a high rent; **M. festsetzen** to fix a rent; **M.n freigeben** to decontrol rents; **zur M. geben** to let, to hire out; **M. herabsetzen** to abate/lower the rent; **M. kassieren** to collect rent; **M. kündigen** to give notice to quit; **M. schulden** to owe rent; **mit der M. im Rückstand sein** to be in arrears with one's rent; **M. stunden** to grant a rent respite; **zu hohe M. verlangen** to overrent; **M. vorauszahlen** to prepay rent, to pay rent in advance; **zur M. wohnen** to live in rented accommodation, to lodge, to be a tenant; **M. zahlen** to pay rent

angemessene Miete fair rent; **aufgelaufene M.** accrued rent; **wirtschaftlich berechtigte M.** commercial rent; **bewirtschaftete M.** controlled rent *[GB]*; **fällige M.** rent due, delinquent rent *[US]*; **gerichtlich festgesetzte M.** judicial rent; **freie M.** uncontrolled *[GB]*/open-market rent; **gebundene M.** controlled rent; **sehr geringe M.** nominal rent; **geschuldete M.** rent due; **gesetzliche M.** legal rent; **kalte M.** rent exclusive/rent without heating; **kontrollierte M.** controlled/registered rent; **nominelle M.** token/peppercorn *[GB]* rent; **ortsübliche M.** current/local rent; **pauschale M.** flat rent; **rechnerische M.** imputed rent; **rückständige M.** rent arrears, back rent; **symbolische M.** token rent; **überhöhte/ungesetzliche M.** rack rent; **vertraglich vereinbarte M.** contractual rent; **vereinnahmte M.n** rental income; **verkehrsübliche M.** open-market rent; **vorausgezahlte M.** prepaid rent; **warme M.** rent inclusive of heating

Mietleigentum *nt* rental property; **M.einigungsamt** *nt* rent tribunal; **M.einkommen/M.einkünfte** *nt/pl* rent(al) income, revenue from rents; **M.- und Pachteinkünfte** rents and land profits

Mieteinnahme(n) *f/pl* rental income, rent received/receipts, rents receivable, revenue from rents, income from lettings; **M.- und Pachteinnahmen** rentals; **M.-übersicht** *f* rent schedule

Mietleinnehmer/M.einzieher *m* rent collector; **M.einrichtung** *f* leasing equipment; **M.einzug** *m* rent collection

mieten *v/t* 1. to rent/hire/lease, to take on lease, ~ a lease on sth.; 2. *(Verkehrsmittel)* to charter; **zu m.** for hire, rentable; **unmöbliert m.** to rent unfurnished

Mietenlmarkt *m* rental market; **M.stopp** *m* rent control/freeze

Mietentschädigung *f* rent allowance

Mietenüberwachung *f* rent control

Mieterl(in) *m/f* 1. tenant, rent payer, lessee, renter, lodger; 2. leaseholder; 3. *(Verkehrsmittel)* charter party, charterer; 4. *(Autoverleih)* renter, hirer, rental customer; **M. und Vermieter** *m* landlord and tenant; **M. im Besitz der Mietsache** tenant in possession; **vom M. zu bezahlen** payable by the tenant

Mieter aufnehmen to take in lodgers; **M. exmittieren/hinauswerfen/verdrängen** to evict a tenant; **einem M. kündigen** to give a tenant notice (to quit); ~ **die Kündigung zustellen** to serve notice upon a tenant

alleiniger Mieter sole tenant; **ausziehender M.** outgoing tenant; **einziehender/neuer M.** incoming/ingoing tenant; **exmittierter/hinausgesetzter M.** evicted tenant; **gewerblicher M.** commercial/industrial tenant; **jederzeit kündbarer M.** tenant at will

Mieterlaufbaudarlehen *nt* tenant's building loan; **M.belästigung** *f* § harassment of residential occupiers of premises, disturbance of a tenant; **M.bund** *m* tenants' association; **M.darlehen** *nt* tenant's loan; **M.einbauten** *pl* fixtures; **gewerbliche M.einbauten** trade fixtures; **M.haftpflicht** *f* tenant's liability; **M.haftpflichtversicherung** *f* tenant's liability insurance; **M.haftung** *f* tenant's liability/risk

mietlerhöhend *adj* rent-increasing; **M.erhöhung** *f* rent increase/review

Mieterlkaution *f* rent deposit; **M.leistungen** *pl* tenant's improvements; **M.liste** *f* tenant list

Mietermäßigung *f* remission of rent

Mieterlpflicht *f* tenant's duty; **M.rechte** *pl* tenant's rights; **M.schaft** *f* 1. tenantry; 2. tenants; **M.schiedsgericht** *nt* rent tribunal

Mieterschutz *m* rent control, tenant protection, security of tenure, legal protection of tenants; **dem M. unterliegen** to be subject to rent control; **M.gesetz** *nt* Landlord and Tenant Act *[GB]*, Rent Restriction Act *[US]*; **M.vereinigung** *f* tenants' association

Mietlerstattung *f* rent rebate; **M.ertrag** *m* rental income/yield, rent returns, rents receivable; **M.erträge** revenue from rents; **M.- und Pachterträgnisse** *pl* rents and profits from land; **M.ertragstabelle** *f* rent schedule; **M.ertragswert** *m* rental value

Mieterlvereinigung *f* tenants' association; **M.verpflichtung** *f* tenant's obligation; **M.verzug** *m* tenant's default; **M.zuschuss** *m* tenant's contribution

Mietlfahrzeug *nt* rented vehicle; **M.festschreibung** *f* 1. rent freeze; 2. *(staatlich)* rent control; **M.festsetzung** *f* fixing of rents; **M.finanzierung** *f* equipment hire financing; **M.fläche** *f* rented (floor) space; **M.forderung** *f* rent demand; **M.forderungen** rents receivable; **M.formular** *nt* rental form; **m.frei** *adj* rent-free; **M.freigabe** *f* decontrol of rents; **M.fuhrwerk** *nt* hired carriage; **M.garantie** *f* rent guarantee; **M.gebäude** *nt* leasehold building; **M.gebühr** *f* rent, hiring charge, rental charge/fee; **M.gegenstand** *m* leased/rented property, rental; **M.geld** *nt* rent money, provision of rent; **M.geldentschädigung** *f* loss of rent compensation; **M.geschäft** *nt* rental; **M.gesetz** *nt* Rent Act *[GB]*; **M.gesetze** landlord and tenant laws; **M.grundlage** *f* rental basis; **M.grundstück** *nt* 1. leasehold (plot), rented property; 2. rent-producing property; **M.haus** *nt* → **M.shaus**; **M.herabsetzung** *f* rent cut; **M.herr** *m* landlord; **M.höchstpreis** *m* rent ceiling; **M.höhe** *f* rent/rental level; **M.holschuld** *f* rent lying in prender *[GB]*; **M.inkasso** *nt* rent collection, collection of rents; **M.interessent** *m* prospective tenant; **M.jahr** *nt* tenancy year

Mietkauf *m* 1. hire purchase *[GB]*; 2. sale on hire

purchase terms, leasing; **M.beschränkungen** *pl* hire-purchase controls

Mietkäufer *m* hire-purchase customer/buyer

Mietkauf|finanzierung *f* finance lease; **M.gesetz** *nt* Hire Purchase Act *[GB]*; **M.modell** *nt* hire-purchase plan

Miet|kaution *f* key money *[GB]*; **M.konto** *nt* rent account; **M.kontrakt** *m* lease, tenure; **M.kontrolle** *f* rent control; **M.kosten** *pl* rental cost, rentals, rental fee; **M.kostenbelastung** *f* rent charge(s), rental, rent(s); **M.kostenzuschuss** *m* rent allowance; **M.kündigung** *f* notice to quit; **M.kürzung** *f* rent cut; **M.kutsche** *f* hackney cab *[GB]*; **M.laufzeit** *f* 1. term of tenancy; 2. term of the lease; **M.leitung** *f* leased line, tie-line; **M.leitungsnetz** *nt* leased-line network; **M.ling** *m* hireling, mercenary; **M.maschinen** *pl* rental equipment; **M.nachlass** *m* rent rebate, remission of rent; **M.nebenkosten** *pl* ancillary costs, service charge(s), incidental rental expenses; **M.niveau** *nt* rental level; **M.objekt** *nt* leased/rented property, property to let, hired article; **M.ort** *m (Autoverleih)* rental location; **M.pachtfläche** *f* rented space; **M.partei** *f* (co-)tenant; **M.pfändung** *f* distraint/distress for non-payment of rent; **m.pflichtig** *adj* subject to rent

Mietpreis *m* rent(al) price, rent, rental charge, hire; **monatlicher M.** monthly rent; **M.bindung** *f* rent control *[GB]*; **M.erhöhung** *f* rent increase; **M.freigabe** *f* decontrol of rents; **M.kontrolle** *f* rent control

Miet|rate *f* rent instalment; **M.räume** *pl* rented premises; **M.rechnung** *f* rent account

Mietrecht *nt* tenancy law, law of tenancy; **M.- und Pachtrecht** law of landlord and tenant; ~ **Pachtrechte** leaseholds, landlord and tenant laws; **M.sreform** *f* leasehold reform

Miet|richtsatz *m* reference rent; **M.rückstand/-stände** *m/pl* rent arrears *[GB]*, delinquent rent *[US]*, accrued rent(s); **wegen M.rückständen pfänden** to distrain for rent arrears; **M.rückzahlung** *f* rent rebate; **M.sache** *f* leased property; **M.satz** *m* rent rate, rental; ~ **für Büroraum** *m* office rate; **M.schuld(en)** *f/pl* rent due/arrears; **M.schuldner** *m* defaulting tenant; **M.senkung** *f* rent cut, abatement of rent

Miets|haus *nt* block of flats, apartment building/house, tenement (building), mansions *[GB]*; **M. mit möblierten Zimmern/Wohnungen** rooming house *[US]*; **M.-kaserne** *f* tenement (building), block of flats

Miet|speicher *m* lease store/warehouse; **M.spiegel** *m* representative list of rents, rent levels, rental table; **M.steigerung** *f* rent increase; **M.stopp** *m* rent freeze, freeze on rents; **M.streitigkeit** *f* tenancy dispute; **M.subvention** *f* subsidized rent; **M.summe** *f* rental; **M.überwachung** *f* rent control; **M.verbindlichkeiten** *pl* rental commitments; **M.verbotsklausel** *f* no-letting clause; **M.vereinbarung** *f* tenancy agreement

Mietverhältnis *nt* 1. tenancy, lease; 2. relation of landlord and tenant; **M. mit verringertem Mieterschutz** restricted tenancy; **M. zur geschäftlichen oder gewerblichen Nutzung** business tenancy

Mietverhältnis abschließen to enter into a lease; **M. aufheben** to terminate/rescind a lease; **M. verlängern** to extend a lease

abgesichertes Mietverhältnis secure tenancy; **befristetes M.** fixed-term/shorthold tenancy; **vertraglich geregeltes M.** contracted tenancy; **geschütztes M.** assured/full-protection tenancy; **gewerbliches M.** commercial/industrial tenancy; **jederzeit kündbares M.** tenancy at will; **monatlich ~ M.** monthly tenancy; **kurzfristiges M.** shorthold tenancy; **von Jahr zu Jahr laufendes M.** tenancy from year to year; **sicheres M.** secure tenancy; **unbefristetes M.** assured tenancy; **dem Mieterschutz unterliegendes M.** statutory/protected tenancy *[GB]*; **vertraglich vereinbartes M.** contracted tenancy; **sich monatlich verlängerndes M.** month-to-month tenancy; **sich turnusmäßig ~ M.** periodic tenancy; **stillschweigend verlängertes M.** tenancy at sufferance

Mietverlängerung *f* renewal of tenancy, lease renewal; **stillschweigende M.** tacit extension of tenancy; **M.soption** *f (Leasing)* lease renewal option

Mietverlust *m* rental loss, loss of rent; **M.versicherung** *f* rental value insurance, use and occupancy insurance

Mietvertrag *m* 1. tenancy agreement/contract, (lease)hold deed, (contract of) lease, contract of tenancy; 2. rental/leasing/hiring agreement, contract of hire, hire agreement/contract; 3. ⚓ charter party

Mietvertrag mit Instandhaltungs- und Versicherungsklausel repairing and insuring lease; ~ **kurzer Laufzeit** short lease; ~ **Umsatzanteil** percentage lease, ~ **festem Zins** fixed lease; ~ **gleichbleibendem Zins** flat/straight lease

Mietvertrag abschließen to sign a lease; **M. kündigen** to terminate a lease; **M. verlängern** to prolong a lease

mündlich abgeschlossener Mietvertrag parol lease; **jederzeit kündbarer M.** tenancy at sufferance; **kurzfristiger M.** short(-term) lease; **langfristiger M.** long(-term) lease; **mittelfristiger M.** contract hire; **schriftlicher M.** written lease; **unbefristeter M.** general tenancy

Mietvertrags|bestimmungen *pl* terms of a lease; **M.dauer** *f* life of a lease

Miet|vorauszahlung/M.vorschuss *f/m* rent advance, prepayment of rent, key money

Mietwagen *m* hired/rented car; **selbst gefahrener M.** self-drive car; **M.firma** *f* car rental/hire company; **M.geschäft** *nt* car rental/hire business; **M.kosten** *pl* costs of hiring a car; **M.verleih/M.vertretung** *m/f* car rental/hire agency

mietweise *adj* on hire/lease

Mietwert *m* rental/letting value, imputed rent; **M. eines Jahres** annual rental; **M. der eigengenutzten Wohnung** imputed rent; **M. feststellen** to ascertain the rental value; **jährlicher M.** annual value; **steuerlicher M.** assessed rental value; **M.versicherung** *f* rent insurance

Mietwohngrundstück *nt* leasehold/rented property

Mietwohnung *f* rented flat *[GB]*, rental apartment *[US]*, lodgings, tenement; **M.en** rented housing; **M.sbau** *m* building of apartment houses, ~ dwellings to be let for rent

Mietlwucher *m* rack renting, usurious/exorbitant rent; **M.wucherer** *m* rack renter; **M.zahlung** *f* payment of rent, rental payment; **M.zeit** *f* let, term of lease, lease period, tenancy, duration of rent

Mietzins *m* rental tariff, rent(al); **wirtschaftlich berechtigter M.** commercial rent; **M.forderung** *f* rent demand; **m.pflichtig** *adj* subject to rent; **M.stopp** *m* rent freeze

Mietzuschuss *m* rent allowance/rebate/subsidy/supplement, allowance for rent, housing allowance/benefit

mifrifi *f* → **mittelfristige Finanzplanung**

Mikrolbaustein *m* 💻 chip; **M.befehl** *m* microinstruction; **M.bewegungsanalyse** *f* micromotion analysis; **M.brief** *m* ✉ aerogram(me), airgraph; **M.chip** *m* microchip; **M.computer** *m* microcomputer; **M.druck** *m* microprint; **M.elektronik** *f* microelectronics; **M.fiche** *m* microfiche; **M.film** *m* microfilm; **M.filmrecherche** *f* microform searching

Mikrofon *nt* 1. microphone; 2. ✆ transmitter; **verstecktes M. anbringen** to plant a microphone; **M.gabel** *f* microphone rest; **M.hörer** *m* handset; **M.sprechtaste** *f* microphone key; **M.verstärker** *m* microphone amplifier

Mikrolfotografie *f* microphotography; **m.fotografisch** *adj* microphotographic; **M.karte** *f* microfiche, microcard; **M.kopie** *f* microcopy, microprint; **m.kopieren** *v/t* to microcopy; **M.kopiergerät** *nt* microcopying apparatus; **M.kosmos** *m* microcosm; **M.meter** *m* micrometer; **M.ökonomie** *f* microeconomics; **m.ökonomisch** *adj* microeconomic; **M.organismus** *m* microorganism; **M.programmspeicher** *m* microprogram storage; **M.prozessor** *m* microprocessor, microchip; **M.rechner** *m* microcomputer; **M.schaltkreis** *m* microcircuit; **M.sekunde** *f* microsecond

Mikroskop *nt* microscope; **M.ie** *f* microscopy

Mikroltheorie *f* microeconomics; **m.verfilmen** *v/t* to microfilm; **M.welle** *f* microwave; **M.zensus** *m* micro/sample census

Milchlbauer/M.erzeuger *m* dairyman, dairy farmer; **M.ertrag** *m* milk yield; **m.erzeugend** *adj* milk-producing; **M.erzeugnis** *nt* dairy/milk product; **M.erzeugung** *f* milk/dairy production; **M.geschäft/M.handlung/M.laden** *nt/f/m* dairy; **M.glas** *nt* frosted glass; **M.kuh** *f* dairy/milk cow; **M.mädchenrechnung** *f* naive fallacy; **M.mann** *m* dairyman, milkman; **M.marktordnung** *f [EU]* milk market regime; **M.produkt(e)** *nt/pl* dairy/milk product(s), dairy produce; **M.produktion** *f* milk/dairy production; **M.produzent** *m* dairy farmer; **M.pulver** *nt* milk powder, powered milk; **M.quote** *f* milk quota; **M.rente** *f [EU]* milk pension; **M.sammelstelle** *f* dairy; **M.schokolade** *f* milk/dairy chocolate; **M.see** *m [EU]* milk lake; **M.stützungspreis** *m* dairy support price; **m.verarbeitend** *adj* milk-processing, dairy; **M.verarbeitung/M.verwertung** *f* milk processing; **M.verbrauch** *m* milk consumption; **M.vieh** *nt* dairy cattle; **M.viehhaltung** *f* dairy farming; **M.wagen** *m* milk cart/float *[GB]*; **M.wirtschaft** *f* dairy farming/husbandry, dairying

mild *adj* mild, benign, lenient; **M.e** *f* leniency, clemency; ~ **walten lassen** to show clemency

mildern *v/t* 1. to soften/ease/cushion/mitigate/alleviate/moderate, to water down; 2. *(Äußerung)* to understate; **m.d** *adj* mitigating, extenuating, corrective

Milderung *f* mitigation, alleviation, abatement; **auf M. plädieren** to plead for mitigation; **M.sgründe** *pl* mitigating/extenuating circumstances, grounds for clemency

mildtätig *adj* charitable; **M.keit** *f* charity, benevolence

Milieu *nt* milieu, background, social environment, walk of life; **ländliches M.** rural environment

Milieul- environmental; **M.forschung** *f* environmental research; **m.gestört** *adj* maladjusted; **M.störung** *f* maladjustment

militant *adj* militant, warlike

Militanz *f* militancy, militance *[US]*; **M. der Basis** shop floor militancy

Militär *nt* military, army, armed forces; **m.ähnlich** *adj* paramilitary; **M.akademie** *f* military academy; **M.angehörige** *f* service woman; *pl* military personnel; **M.angehöriger** *m* serviceman; **M.attaché** *m* military attaché; **M.bedarf** *m* military stores; **M.behörden** *pl* military authorities

Militärdienst *m* military service/duty, national service; **M.pflicht** *f* compulsory military service, conscription; **M.stellen** *pl* military authorities; **m.tauglich** *adj* fit for military service; **M.zeit** *f* military service

Militärldiktatur *f* military dictatorship; **M.gebiet** *nt* military zone; **M.gericht** *nt* court martial, military tribunal/court/commission; **M.gerichtsbarkeit** *f* military jurisdiction; **M.haushalt** *m* military budget; **M.hilfe** *f* military aid; **m.isch** *adj* military

Militarismus *m* militarism

Militärlpolizei *f* military police; **M.strafgesetzbuch** *nt* military code; **M.vergehen** *nt* offence against military law

Miliz *f* militia, National Guard *[US]*

Milliardär *m* billionaire

Milliarde *f* thousand million, billion (bn) *[US]*, milliard *[GB*; **M.nsumme** *f* billions, thousands of millions

Millimeter *m* millimetre; **M.papier** *nt* graph/plotting paper

Million *f* million (m); **eine M. Dollar** megabuck *(coll)*; **M. Barrel/Tag** million barrels per day (mbd); **nach M.en zählen** to run into millions

Millionär(in) *m/f* millionaire(ss)

Millionenlheer der Arbeitslosen *nt* millions of unemployed; **M.kredit** *m* multi-million credit, credit of ... million; **m.schwer** *adj* worth a million

Millionstel *nt* micro-

Milz *f* ⚕ spleen

minder *adj* inferior, less

Minderlabsatz *m* shortfall in sales; **M.anfertigung** *f* underrun; **M.aufkommen** *nt* revenue shortfall; **M.ausgabe** *f* 1. underissue; 2. underspending; **M.ausgaben** expenditure shortfall, underspending; **M.auslieferung** *f* short delivery; **M.bedarf** *m* reduced demand; **M.bedingungen** *pl* lower terms; **m.begabt** *adj* less talented/gifted; **m.begütert/m.bemittelt** *adj* less well-off, of moderate means; **die M.begüterten/M.bemittelten** *pl* the less well-off, people in lower income brackets; **M.bestand** *m* deficit; **M.betrag** *m* 1. shortfall, shortage, deficit; 2. short amount; **M.bewertung** *f* undervaluation, depreciation; **M.einnahme** *f* revenue shortfall, deficiency/decrease in receipts, deficit; **M.erlös/M.ertrag** *m* revenue/profit shortfall, loss, smaller returns, deficit, shortfall; **M.gebot** *nt* underbid; **M.gewicht** *nt* short(age) weight, underweight

Minderheit *f* minority; **in der M. sein** to be in the minority, ~ outnumbered; **qualifizierte M.** right-conferring minority

Minderheiten|gruppe *f* minority group; **M.rechte** *pl* rights of minorities; **M.schutz** *m* minority safeguards, protection of minorities

Minderheits|aktionär *m* minority shareholder/holder; **M.ansicht** *f* minority view; **M.anteil** *m* minority interest/stake; **M.bericht** *m* minority report; **M.beteiligung** *f* minority interest/holding/stake/participation, minor stake; **M.gesellschafter** *m* minority shareholder/partner; **M.interesseen** *pl* minority interests; **M.paket** *nt* minority holding; **M.rechte** *pl* minority rights; **M.regierung** *f* minority government; **M.votum** *nt* dissenting vote/opinion

minderjährig *adj* under(-)age, minor, nonaged *[US]*; **M.e(r)** *f/m* minor, infant; **M.enstellung** *f* infancy status; **M.keit** *f* minority, infancy, pupilage, nonage *[US]*, tutelage

Minder|kaufleute *pl* small merchants/traders; **M.kaufmann** *m* small merchant/trader/tradesman, non-registrable merchant; **M.konditionen** *pl* lower terms, concession on terms, favourable loan terms; **M.leistung** *f* production shortfall, reduced output, loss of efficiency; **M.lieferung** *f* short delivery/shipment; **M.mengenzuschlag** *m* markup for small-volume purchases

mindern *v/t* 1. to lessen/reduce/diminish/extenuate; 2. *(Rechte)* to erode; 3. *(Wert)* to depreciate; *v/refl* to abate, to be eroded/reduced

Minder|preis *m* reduced/lower price; **m.qualifiziert** *adj* less qualified; **M.sparen** *nt* saving shortfall; **M.-umsatz** *m* reduced turnover

Minderung *f* 1. diminution, abatement, reduction; 2. deduction (from the price), reduction of the purchase price; 3. extenuation, deterioration, recoupment, shortening; 4. *(Rechte)* erosion; 5. *(Wert)* depreciation

Minderung der Einnahmen reduction in revenue; **~ Erwerbsfähigkeit** reduction/impairment of earning capacity; **M. des Kaufpreises** reduced purchase price, redhibition *[US]*; **auf ~ klagen** to take redhibitory action *[US]*; **M. der Treibhausgasemissionen** greenhouse gas emission cut; **M. des Wertes** diminution in value, depreciation

Minderungsklage *f* redhibitory action, action for the reduction of the purchase price

Minderwert *m* depreciation, undervalue; **merkantiler M.** reduced market value, loss in value upon resale

minderwertig *adj* inferior, poor, sub-standard, low(er)-grade, third-rate, low-quality, rubbishy *(coll)*, shoddy *(coll)*; **M.keit** *f* inferiority, poorness; **M.keitsgefühl** *nt* inferiority complex

mindest *adj* least, slightest

Mindest|- minimum, minimal

Mindestabnahme *f* minimum purchasing quantity, ~ quantity bought; **M.menge** *f* minimum commercial quantity; **M.verpflichtung** *f* minimum consumption purchase requirements, ~ purchase commitment

Mindest|abschlussbetrag *m (Börse)* minimum dealing quota; **M.akkordsatz** *m* minimum price rate; **M.alter** *nt* minimum age; **gesetzliches M.alter** lawful age; **M.anforderung** *f* minimum requirement; **gesetzliche M.anforderung** statutory minimum standard; **M.angebot** *nt* lowest bid/offer/tender, knock(ed)-down bid; **M.angebotspreis** *m* minimum offer price; **M.anlage** *f* minimum investment; **M.anspruch** *m* minimum claim; **M.ansparleistung/M.ansparung** *f* minimum deposit/saving; **M.anzahl** *f* minimum number; **M.anzahlung** *f* minimum deposit; **M.arbeitsbedingungen** *pl* minimum employment standards; **M.arbeitszeit** *f* minimum/basic working hours; **M.auflage** *f* 🕮 minimum circulation/edition; **M.ausfuhrabschöpfung** *f* minimum export levy; **M.ausleihesatz** *m* minimum lending rate (MLR) *[GB]*, prime rate *[US]*; **M.ausstattung** *f* initial allocation; **M.bargebot** *nt* minimum cash offer; **M.bedarf** *m* minimum demand/requirements; **M.beitrag** *m* 1. minimum contribution; 2. *(Prämie)* minimum premium; **M.besitz** *m* minimum holding

Mindestbestand *m* 1. minimum holding; 2. *(Vorrat)* minimum inventory (level), reserve/minimum stock, inventory reserve, ~ safety stock, safety level/stock; **M für Nachbestellungen** minimum re-order level; **M.sgröße** *f* minimum stock; **M.spolitik** *f* stock relief provision

Mindest|bestellung *f* minimum order; **M.besteuerung** *f* minimum taxation; **M.betrag** *m* minimum (amount, charge); **M.bewertung** *f* minimum valuation; **M.bezug** *m* minimum purchase; **M.bietender** *m* lowest bidder; **M.bietungskurs** *m (Anleiheausschreibung)* minimum tender price, ~ bidding; **M.breite** *f* minimum width; **M.courtagesatz** *m* minimum commission rate; **M.deckung** *f* minimum margin requirements, ~ level of margin; **M.deckungssumme** *f* minimum amount insured; **M.dienstzeit** *f* minimum years/period of service; **M.diskontsatz** *m* minimum lending rate (MLR) *[GB]*, prime rate *[US]*; **M.diskontspesen** *pl* minimum discounting charges; **M.dividende** *f* guaranteed dividend; **M.eindeckung** *f* → **M.bestand**; **M.einfuhrpreis** *m [EU]* minimum import price; **M.einheitskosten** *pl* unit cost standard; **M.einheitssatz** *m* minimum standard rate

Mindesteinkommen *nt* minimum income; **steuerliches M.** threshold income; **M.ssteuersatz** *m* income tax standard rate

Mindesteinlage *f* minimum deposit/contribution, reserve requirement; **satzungsmäßige M.** statutory minimum contribution; **M.nsoll** *nt* required minimum deposit

Mindest|einschleusungspreis *m [EU]* minimum officially maintained price; **M.einschuss** *m* minimum margin requirement, ~ trading margin, ~ initial deposit

M.einzahlung(sbetrag) *f/m (Börse)* margin requirements

mindestens *adv* at least, no less than, at the lowest estimate

Mindest|erfordernis *nt* minimum requirement; **M.ertrag** *m* minimum yield; **M.erzeugerpreis** *m* minimum producer price; **M.fordernder** *m* lowest bidder/tenderer; **M.forderung** *f* minimum claim; **M.fracht** *f* minimum freight, ~ bill of lading charge, paper rate; **M.frachtsatz** *m* minimum freight rate; **M.freibetrag** *m* minimum allowance, ~ standard deduction; **M.gebot** *nt* lowest/minimum/knock(ed)-down bid, reserve price; **M.gebühr** *f* minimum charge/fee; **M.gehalt** *nt* minimum salary/pay; **M.geschwindigkeit** *f* minimum speed; **M.gewicht** *nt* minimum weight; **M.gewinn** *m* minimum yield; **M.gewinnspanne** *f* minimum margin, bottom-line profit margin; **M.gliederung der Gewinn- und Verlustrechnung** *f* minimum income-statement content; **M.grenze** *f* 1. minimum limit; 2. *(Haftpflicht)* minimum liability; **M.größe** *f* minimum size; **M.grundkapital** *nt* minimum equity/capital; **M.guthaben** *nt* minimum balance; **M.haltbarkeit** *f* 1. *(Auszeichnung)* best before, eat by, sell by; 2. minimum life; **M.haltbarkeitsdatum** *nt* best-before/eat-by/sell-by date; **M.inventar** *f* minimum inventory; **M.kapazität** *f* minimum capacity, ~ operating rate

Mindestkapital *nt* minimum capital; **M.ausstattung** *f* minimum capital; **geforderte M.verzinsung** supply price of capital

Mindest|kosten *pl* marginal cost; **M.kreditsatz für erste Adressen** *m* prime (interest) rate *[US]*; **(gesetzliche) M.kündigungsfrist** *f* (statutory) minimum period of notice; **M.kurs** *m* floor price; **M.lagerbestand** *m* minimum stock; **M.laufzeit** *f* minimum maturity; **M.-leistung** *f* minimum output/capacity; **M.liquidität** *f* minimum liquidity (ratio)

Mindestlohn *m* minimum wage/pay, starting/subsistence wage, wage floor, fundamental (wage) rate

betrieblicher Mindestlohn minimum plant rate; **garantierter M.** 1. guaranteed minimum wage, minimum entitlement; 2. *(Akkord)* pieceworkers' guarantee, fall-back pay; **staatlich ~ M.** statutory mimimum wage; **gesetzlicher M.** statutory minimum wage, ~ guarantee pay, legal mimimum; **tariflicher M.** agreed minimum wage

Mindestlohn|gesetz *nt* Fair Labor Standards Act *[US]*; **M.satz** *m* minimum wage rate

Mindest|losgröße *f* minimum manufacturing quantity; **M.maß** *nt* minimum (size)

Mindestmenge *f* minimum quantity, contractual unit, unit of trading; **M.naufpreis** *m* low quantity extra; **M.npolitik** *f* minimum quantity policy

Mindest|mietzeit *f* minimum rental period; **M.nennbetrag** *m (Aktie)* minimum par value; ~ **des Grundkapitals** *m* legal capital; **M.pacht** *f* dead rent

Mindestprämie *f* minimum rate; **M. zur Fortsetzung der Versicherung** natural division; **M. für eine Risikogruppe** class rate

Mindestpreis *m* 1. minimum/reference/floor/reserve/reservation/lowest/fall-back price, price floor; 2. *(Auktion)* knock(ed)-down price; **garantierter M.** *[EU]* intervention price; **gebundener M.** maintained minimum resale price

Mindestpreis|festsetzung *f* minimum price fixing; **M.-mechanismus** *m* trigger price mechanism *[US]*; **M.politik** *f* minimum price policy; **M.schwankung** *f* minimum price variation/fluctuation; **M.system** *nt (Stahl)* trigger price system *[US]*; **M.veränderung** *f (Option)* tick

Mindest|produktion *f* minimum output; **M.produktionspreis** *m* opportunity costs; **M.provisionssatz** *m* minimum commission rate; **M.prozentsatz** *m* minimum percentage; **M.prüfstoff** *m (Pat.)* minimum documentation; **M.publizitätspflicht** *f* disclosure minimum; **M.qualität** *f* minimum acceptable quality; **M.-quote** *f* minimum ratio; **M.rendite** *f* minimum/lowest yield, required rate of return, cut-off rate; **erwartete M.rendite** hurdle rate of return; **M.rentenalter** *nt* minimum retiring/pensionable age

Mindestreserve(n) *f* statutory/minimum/required/non-distributable reserve(s), (legal) reserve ratio, minimum reserve requirements, special deposits, minimum cash reserve, safety fund; **verzinsliche M.n der Banken** bankers' special deposits; **M.n unterhalten** to maintain legal reserves; **gebundene M.n** immobilized liquidity; **vorgeschiebene M.** mandatory money base requirement

Mindestreserve|anforderungen *pl* minimum reserve requirements, ~ reserves; **M.anweisung** *f* minimum reserve order; **M.bestimmungen/M.erfordernisse** *pl* reserve balance requirements, special deposit requirements; **M.dispositionen** *pl* minimum reserve management; **M.einlagen** *pl* minimum reserve deposits; **M.erhöhung** *f* increase in minimum reserves; **m.frei** *adj* exempt from minimum reserve obligation; **M.freigabe** *f* release of minimum reserves; **M.guthaben** *nt* minimum reserve deposits/balances; **M.haltung** *f* retained minimum reserves; **M.nbelastung** *f* minimum reserve burden; **m.pflichtig** *adj* reserve-carrying; **M.politik** *f* minimum reserve policy; **M.position** *f* minimum reserves; **M.prüfung** *f* minimum reserve audit; **M.satz** *m* minimum/required (legal) reserve ratio, reserve assets ratio, special deposits rate *[GB]*, minimum reserve requirement, special depots; **vorgeschriebener M.satz** mandatory money base requirement; **M.senkung** *f* cut in minimum deposits, lowering of the minimum reserve ratio; **M.soll** *nt* special deposit *[GB]*, safety fund *[US]*, required minimum reserve, minimum reserve requirements; **M.verpflichtung** *f* (minimum) reserve requirement; **M.vorschriften** *pl* reserve requirements

Mindest|rücklage *f* minimum (cash) reserves; **M.saldo** *m* minimum balance; **M.satz** *m* minimum rate/ratio/percentage, obligatory minimum; **M.sätze der Londoner Clearingbanken** clearing bank base rates; **M.schluss** *m* 1. *(Aktienpaket)* round amount *[GB]*/lot *[US]*; 2. *(Börse)* minimum bargain/lot; **M.stammkapital** *nt* minimum capital; **M.steuersatz** *m* minimum taxation rate; **M.strafe** *f* minimum fine/penalty;

M.stückelung *f* minimum denomination; **M.stundenlohn** *m* minimum time rate; **M.tarif** *m* minimum rate; **M.teilnehmerzahl** *f* quorum; **M.tilgung** *f* minimum repayment/redemption; **M.umsatz** *m* minimum turnover/sales; **M.umtausch** *m* minimum obligatory exchange; **M.unterstützungssatz** *m* minimum benefit; **gesetzlicher M.urlaub** statutory minimum holiday (entitlement); **M.verdienst** *m* minimum pay; **M.verhältnis** *nt* minimum ratio; **M.verkaufspreis** *m* 1. minimum resale/selling price, fixed resale price; 2. *(Auktion)* reserve price; **M.versicherung** *f* minimum insurance; **M.versicherungszeit** *f* minimum period of coverage; **M.versorgung** *f* minimum supply

Mindestverzinsung *f* minimum rate of return, ~ acceptable rate, cut-off rate; **angestrebte M.** required rate of return; **erstrebte M.** minimum rate of return

Mindest|voraussetzung *f* minimum requirement; **M.vorrat** *m* minimum supply; **M.wert** *m* minimum value; **M.werterhöhung** *f* marginal increment; **M.zahl** *f* 1. minimum number/figure; 2. *(Abstimmung)* quorum; **M.zeichnung(sbetrag/-skapital/-ssumme)** *f/m/nt/f (Wertpapier)* minimum subscription; **M.zeit** *f* minimum time; **garantierte M.zinshöhe** guaranteed floor; **M.zinssatz** *m* minimum lending rate (MLR) *[GB]*, prime rate *[US]*, base lending rate; **M.zoll** *m* minimum tariff, peril point

Mine *f* 1. mine; 2. *(Stift)* lead, refill; **M.nwerte** *pl* mining shares

Mineral *nt* mineral

Minerall- mineral; **M.bad** *nt* mineral springs, spa; **M.brennstoff** *m* mineral fuel; **M.brunnen** *m* mineral spring; **M.dünger** *m* inorganic fertilizer; **M.gewinnungsrecht** *nt* mining/mineral right

Mineralien *pl* minerals; **M.steuer** *f* severance tax, mineral rights duty *[GB]*

mineralisch *adj* mineral

Minerallager *pl* mineral deposits/fields; **M.stätte** *f* mineral deposit, prospect

Mineralog|e *m* mineralogist; **M.ie** *f* mineralogy

Mineralöl *nt* petroleum, mineral oil; **M.erzeugnis** *nt* petrochemical (product); **M.gesellschaft** *f* oil/petroleum company; **M.industrie** *f* mineral oil industry, oil/petrochemical industry; **M.produkt** *nt* petrochemical, petroleum product; **M.quelle** *f* oil well/spring; **M.raffinerie** *f* oil refinery; **M.steuer** *f* petroleum/gasoline *[US]* tax, mineral oil tax, tax on hydrocarbon fuels; **M.technik** *f* mineral oil technology; **M.verarbeitung** *f* oil/petroleum processing; **M.vorkommen** *nt* petroleum deposit

Minerall|quelle *f* mineral spring; **M.vorkommen** *nt* mineral deposit; **M.wasser** *nt* mineral water

Miniatur *f* miniature; **M.ausgabe** *f* miniature/scaled-down version; **M.isierung** *f* miniaturization; **M.modell** *nt* liliputian model

Mini|boom/M.konjunktur *m/f* boomlet

minimal *adj* minimum, minimal, fractional, negligible

Minimal|betrag *m* minimum (amount); **M.bodenbearbeitung** *f* 🚜 minimum tillage; **M.dauer** *f* minimum/crash duration; **M.forderung** *f* minimum demand; **M.fracht** *f* minimum freight (rate), ~ bill of lading charge; **absolute M.frist** crash time; **M.kosten** *pl* minimum cost; **M.kostenkombination** *f* minimum/least cost combination; **M.pacht** *f* 🏠 dead rent *[GB]*; **M.preis** *m* minimal price; **M.programm** *nt* basic program(me); **M.schätzung** *f* minimum variance estimate; **auf M.stufe laufen** *f (Maschine)* to tick over; **M.verzinsung** *f* minimum investment rate; **M.wert** *m* minimum value; **M.zoll** *m* minimum tariff

Minimax|- minimax

minimier|en *v/t* to minimize, to reduce to a minimum; **M.ung** *f* minimization

Minimum *nt* minimum; **auf ein M. beschneiden** to pare sth. down to the bone *(fig)*; **~ bringen** to minimize; **~ zurückführen** to reduce to a minimum; **gesetzliches M.** statutory minimum; **M.preis** *m* minimum price, price floor; **M.sektor** *m* bottleneck segment

Mini|rechner *m* mini computer; **M.rezession** *f* mini recession, near-recession

Minister *m* minister, secretary

Minister für auswärtige Angelegenheiten minister of foreign affairs, Foreign Secretary *[GB]*, Secretary of State *[US]*; **~ Arbeit** Employment Secretary *[GB]*, Secretary of State for Employment *[US]*; **~ Erziehung** Education Secretary *[GB]*; **~ Finanzen** minister of finance, finance minister, Chancellor of the Exchequer *[GB]*, Treasury Secretary *[US]*; **M. ohne Geschäftsbereich** minister without portfolio; **M. für Gesundheit und Sozialversicherung** Minister of Health and Social Security *[GB]*; **M. des Inneren** Home Secretary *[GB]*, Secretary of State for Home Affairs *[US]*; **M. für Justiz** Lord Chancellor *[GB]*, Attorney General *[US]*; **~ Landwirtschaft, Fischerei und Ernährung** Minister of Agriculture, Fisheries and Food (MAFF) *[GB]*; **~ den Mittelstand** small firms minister *[GB]*; **~ Technologie** Minister of Technology *[GB]*; **~ Wohnungsbau und kommunale Selbstverwaltung** Minister of Housing and Local Government *[GB]*; **~ Wohnungswesen** minister of housing

Minister|- ministerial; **M.amt** *nt* portfolio, ministry, ministerial post/office, secretaryship; **M.anklage** *f* impeachment of a minister; **M.ausschuss** *m* ministerial committee; **auf M.ebene** *f* at ministerial level

Ministerial|abteilung *f* government department; **M.beamter** *m* civil servant, department/ministerial official; **höherer M.beamter** senior civil servant, ~ department official; **M.bürokratie** *f* Civil Service; **M.direktor** *m* head of department; **M.dirigent** *m* assistant head of department; **M.erlass** *m* departmental/ministerial order; **M.politik** *f* departmental policy

ministeriell *adj* ministerial, departmental

mehrere Ministerien betreffend cutting across departmental boundaries, cross-departmental

Ministerium *nt* ministry, (government) department, board

Ministerium für auswärtige Angelegenheiten ministry of foreign affairs, Foreign Office *[GB]*, State Department *[US]*; **~ Arbeit** ministry of labour/employment, Department of Employment *[GB]*, Labor Department *[US]*; ~ **öffentliche Bauten und Arbeiten** Ministry of Public Building and Works *[GB]*; ~ **Energieversorgung** Department of Energy *[GB]*; **M. der Finanzen** ministry of finance, Treasury *[GB]*; **M. für Gesundheit, Erziehung und Wohlfahrt** Department of Health, Education and Welfare *[US]*; ~ **Gesundheit und soziale Sicherheit** Department of Health and Social Security (DHSS) *[GB]*; ~ **Handel und Industrie** Department of Trade and Industry (DTI) *[GB]*; **M. des Inneren** ministry of the interior, Home Office *[GB]*, Department of the Interior *[US]*; ~ **Landwirtschaft, Fischerei und Ernährung** Ministry of Agriculture, Fisheries and Food (MAFF) *[GB]*; ~ **Technologie** Ministry of Technology *[GB]*; ~ **Umweltschutz** Department of the Environment *[GB]*; ~ **Wohnungsbau und kommunale Selbstverwaltung** Ministry of Housing and Local Government *[GB]*

zuständiges Ministerium competent ministry

Ministeriumsetat *m* department budget

Minister|konferenz *f* conference of ministers, ministerial conference; **M.posten** *m* ministry, ministerial post; **M.präsident** *m* prime minister; **M.rat** *m [EU]* Council of Ministers; **M.ratssitzung** *f* Council meeting; **M.ressort** *nt* portfolio; **M.sessel** *m* ministerial post; **M.treffen** *nt* ministerial meeting

ministrabel *adj* capable of running a ministry

grüne Minna Black Maria *[GB]*, paddy waggon *[US]*

Minorität *f* minority; **M.saktionär** *m* minority shareholder; **M.sbeteiligung** *f* minority interest; **M.srechte** *pl* minority rights

Minus *nt* minus, deficit, deficiency, loss, shortage, bad; **im M.** in deficit, in the red *(fig)*; ~ **sein** to be in thered; **ins M.** to the bad

mit einem Minus abschließen to close with/make/show a deficit; **ins M. absinken** to dip/get/go/move into the red; ~ **geraten** to run into the red; **im M. sein** to run (up) a deficit, to write red figures; ~ **stecken** to be in the red

minus *adv* minus, less; **m. 10 Grad** 10 degrees below zero

Minus|ankündigung *f* sharp markdown, minus tick; **M.bestand** *m* stock shortage; **M.betrag** *m* deficiency; **M.betriebsvermögen** *nt* negative value of business assets; **M.korrektur** *f* downward revision/adjustment, markdown; **M.position** *f (Börse)* oversold position, shortage of cover; **M.punkt** *m* point against, drawback, black mark; ~ **sein** to count against; **M.rate** *f* negative rate; **M.saldo** *m* negative balance; **M.seite** *f* debit side, downside; **M.wachstum** *nt* negative growth; **M.zeichen** *nt* 1. minus/negative sign; 2. *(Börse)* markdown; **M.zins** *m* negative interest

Minute *f* minute; **auf die M. genau** dead on time; **in letzter M.** at the last minute, last-ditch, last-minute; **eine M. Zeit übrig** a minute to spare; **M.nfaktor** *m (Lohn)* minute rate

minutiös/minuziös *adj* meticulous, detailed

Misch|- mixed, composite, hybrid; **M.arbeitsplatz** *m* mixed work station; **M.bauweise** *f* composite construction; **M.betrieb** *m* mixed enterprise; **M.depot** *nt* general deposit; **M.durchlauf** *m* 🖳 merge run; **M.ehe** *f* mixed marriage, intermarriage; **M.eigentum** *nt* mixed property

mischen *v/t* 1. to mix/blend/merge; 2. 🖳 to collate

Mischer *m* 🖳 collator

Misch|finanzierung *f* mixed/joint financing; **M.folge** *f* 🖳 collating sequence; **M.förderung** *f* mixed assistance; **M.form** *f* hybrid; **M.futter** *nt* 🚜 compound feed; **M.gebiet** *nt* mixed area; **M.geldsystem** *nt* mixed money system; **M.gerät** *nt* mixer; **M.güter** *pl* mixed goods; **M.heirat** *f* mixed marriage, intermarriage; **M.kalkulation** *f* combined costing; **M.konten** *pl* mixed accounts; **M.konzern** *m* conglomerate, mixed group, diversified conglomerate/industrial group, multi-industry company, multi-market firm; **M.kosten** *pl* mixed cost; **M.kredit** *m* mixed credit; **M.kultur** *f* 🚜 mixed cropping/cultivation; **M.kunststoff** *m* mixed synthetics; **M.kurs** *m* composite/mixed/average price; **M.landwirtschaft** *f* mixed farming; **M.ling** *m* half-breed, half-caste; **M.masch** *m* hotchpotch, medley, hash; **M.preis** *m* composite/mixed price; **M.problem** *nt* product mix problem; **M.programm** *nt* 🖳 collate/merge program; **M.pult** *nt* mixer; **M.satz** *m* composite rate; **M.sortieren** *nt* merge sorting; **M.strategie** *f (Marketing)* marketing mix; **M.subvention** *f* mixed subsidy; **M.tarif** *m* ⊖ compound duty; **M.tatbestand** *m* [§] hybrid provision; **M.tatbestände** mixed sets of facts, mixed statutory elements

Mischung *f* 1. mix(ing), blend(ing); 2. mixture, compound, amalgam; 3. combination, cocktail; **kreuzweise M.** cross-mixture; **M.sabweichung** *f* mix variance

Misch|verfahren *nt* mixing process; **M.währung** *f* mixed currency; **M.wald** *m* mixed forest; **M.wirtschaft** *f* mixed economy; **M.zins** *m* composite interest rate; **M.zinssatz** *m* composite/blended *[US]* rate of interest; **M.zoll** *m* compound/mixed duty, ~ tariff; **gleitender M.zoll** compound compensatory duty

Mise *f (Lebensvers.)* single premium

miserabel *adj* wretched, miserable, rotten

Misere *f* 1. plight, predicament; 2. penury, trouble; 3. distress, misery, hardship; **finanzielle M.** financial hardship; **wirtschaftliche M.** economic plight

missachten *v/t* 1. to disregard/ignore/defy/flout; 2. to neglect

Missachtung *f* disregard, neglect, contempt, disrespect; **unter M. von** in defiance of; **M. des Gerichts** contempt of court; **in M. aller Konventionen** in contempt of all rules and regulations; **M. einer gerichtlichen Verfügung** breach of a court order; **der M. anheimfallen** to fall by the wayside *(fig)*

Miss|behagen *nt* discomfort, uneasiness; **M.bildung** *f* deformity, malformation, freak; **m.billigen** *v/t* to object to, to disapprove/depracate/disfavour/condemn/disallow; **m.billigend** *adj* 1. disapproving; 2. disapprobatory, disapprobative; **M.billigung** *f* disapproval, disapprobation, disfavour

Missbrauch *m* abuse, misuse, improper/unauthorized use

Missbrauch im Amt malfeasance in office; **M. der Amtsgewalt** misuse of authority, abuse of office, official oppression *[US]*; **M. von Ausweispapieren** improper use of identity papers; **M. des richterlichen Ermessens** abuse of the judicial power of discretion; **M. der Ermessensfreiheit** misuse of discretionary powers, abuse of discretion; **M. öffentlicher Gelder** misuse/misapplication of public funds; **M. von Haushaltsmitteln** misappropriation of budget funds; **M. vertraulicher Kenntnisse** misuse of confidential information; **M. von Marktmacht** abuse of market power; **M. verfahrensrechtlicher Möglichkeiten** abuse of process in court; **M. eines Monopols; M. der Monopolstellung** abuse of monopoly, monopoly abuse; **M. eines Patents** abuse of a patent; **M. des Vertrauens** abuse of confidence; **M. eines Vertrauensverhältnisses** abuse of a fiduciary relationship; **M. der Vollstreckungsmöglichkeiten** abuse of distress

Missbrauch abstellen to remedy an abuse; **schwerer Missbräuche beschuldigt sein** to be accused of serious irregularities; **M. eindämmen** to curb abuse

grober Missbrauch crying/gross abuse; **skandalöser M.** glaring abuse

missbrauchen *v/t* to abuse/misuse, to make improper use; **in sittenwidriger Weise m.** to take undue advantage

missbräuchlich *adj* 1. improper, abusive; 2. incorrect

Missbrauchs|aufsicht *f* supervision of anti-competitive conduct, control of abusive practices, supervision to prevent abuse, ~ preclude abuses; **M.möglichkeit** *f* scope for abuse; **M.prinzip** *nt* principle of abuse, test of reasonableness approach; **M.regelung** *f* regulation to prevent misuse; **M.verfahren** *nt (Kartellamt)* abuse proceedings

missdeut|en *v/t* to misinterpret/misread/misconstrue; **M.ung** *f* misinterpretation, misconstruction

missen *v/t* to miss

Misserfolg *m* failure, non-success, flop *(coll)*, fiasco, cropper *(coll)*; **mit einem M. enden** to result in failure; **M. haben** to fail, to come a cropper *(coll)*; **M. sein** to flop *(coll)*; **totaler M.** complete failure; **M.squote** *f* failure/flop *(coll)* rate

Missernte *f* poor/disaster harvest, crop failure, failure of crops

Misse|tat *f* misdeed, crime, misdemeanour, wrongdoing, wrongful act; ~ **begehen** to commit a crime; **M.täter** *m* delinquent, wrongdoer, culprit

Missfallen *nt* displeasure, disapproval, disfavour, dislike; **jds M. erregen** to incur so.'s displeasure, to fall foul of so.; **m.** *v/i* to dissatisfy/displease

missfällig *adj* disparaging, disapproving

Miss|geburt *f* 1. deformed person/animal; 2. *(fig)* failure; **M.geschick** *nt* misfortune, mishap, ill (fortune); **M.gestalt** *f* deformity; **m.gestaltet** *adj* deformed; **m.gestimmt** *adj* gloomy, depressed; **m.glücken** *v/t* to fail; **M.griff** *m* mistake, blunder; ~ **tun** to blunder; **M.gunst** *f* envy, jealousy, disfavour; **m.günstig** *adj* envious, jealous; **m.handeln** *v/t* to maltreat/mistreat/ill-treat

Misshandlung *f* abuse, ill-treatment, cruelty, maltreatment, mistreatment; **M. von Abhängigen** maltreatment of children and defenceless persons; **sexuelle M.** sexual abuse

Missheirat *f* mésalliance *[frz.]*, misalliance; **M.helligkeit** *f* discord, dissonance, misunderstanding, friction unpleasantness

Mission *f* 1. mission, delegation; 2. *(Diplomatie)* legation; **M.sangehörige** *pl* mission staff; **M.schef** *m* 1 head of a legation; 2. leader of a delegation

Missklang *m* discord, dissonance

Misskredit *m* disrepute, discredit; **in M. bringen** to discredit; ~ **geraten** to fall into disrepute; ~ **stehen** to be in disrepute

miss|leiten *v/t* to misdirect; **m.lich** *adj* awkward, embarrassing; **M.lichkeit** *f* awkwardness; **m.liebig** *adj* unpopular, disagreeable

Misslingen *nt* failure; **m.** *v/i* to fail/flop *(coll)*/miscarry/misfire; **völlig m.** to be a complete failure

miss|lungen *adj* abortive; **M.management** *nt* mismanagement; **m.raten** *v/i* to fail/flop *(coll)*, to come a cropper *(coll)*, to go wrong

Missstand *m* grievance, nuisance; malaise *[frz.]*; **M.stände** ills; **einem M. abhelfen; M. abstellen** to remedy a grievance, to take corrective action; **M. beseitigen** to abate a nuisance; **sozialer M.** social grievance

Miss|stimmigkeit *f* tiff *(coll)*; **M.stimmung** *f* ill feeling, discord, dissonance

Misstrauen *nt* suspicion, distrust, mistrust; **etw. mit M. betrachten** to look at sth. askance; **m.** *v/i* to mistrust/distrust

Misstrauens|antrag *m* 1. motion of censure, censure motion; 2. motion of no confidence; ~ **stellen** to propose a vote of no confidence; **M.votum** *nt* vote of no confidence; non-placet

misstrauisch *adj* suspicious, distrustful

Miss|vergnügen *nt* displeasure, annoyance, discontent; **sich jds ~ zuziehen** to incur so.'s displeasure; **m.vergnügt** *adj* malcontent, discontented, displeased, cross; **M.vergnügte(r)** *f/m* malcontent; **M.verhalten** *nt* misconduct; **M.verhältnis** *nt* imbalance, disproportion, disparity, incongruity; ~ **zwischen Angebot und Nachfrage** disproportion of supply and demand; **m.verstanden** *adj* misconceived; **m.verständlich** *adj* misleading, ambiguous

Missverständnis *nt* 1. misunderstanding, misapprehension; 2. disagreement; **um jedes M. auszuschließen** in order to preclude any misunderstanding; **sich in einem M. befinden** to labour under a misapprehension; **M. beseitigen** to clear up a misunderstanding

missverstehen *v/t* to misunderstand/mistake/misapprehend, to miss the point; **etw. völlig m.** to get hold of the wrong end of the stick *(coll)*; **sich gegenseitig m.** to be at cross purposes

Misswirtschaft *f* mismanagement, maladministration, jobbery; **M. mit öffentlichen Geldern** misappropriation of public funds; **finanzielle M.** financial mismanagement

misswirtschaften *v/i* to mismanage

Mist *m* 1. 🚜 manure, dung; 2. *(fig)* rubbish; **auf eige-**

nem M. gewachsen *(coll)* off one's own head, thought up by oneself; **M. bauen/produzieren** *(coll)* to make a mess of things; **M. kaufen** *(coll)* to buy trash; **M. loswerden** *(coll)* to get rid of rubbish; **M. verzapfen** *(coll)* to talk nonsense; **M.beet** *nt* hotbed; **M.gabel** *f* pitchfork; **M.haufen** *m* dunghill; **M.karren** *m* dung cart

mit *prep* with, cum

Mit|- co-; **M.aktionär** *m* joint holder; **M.aktionäre** joint shareholders *[GB]*/stockholders *[US]*; **M.angeklagte(r)** *f/m* co-defendant, co-accused, joint defendant; **M.anmelder** *m (Pat.)* joint applicant, co-applicant; **M.antragsteller** *m* co-applicant; **M.anwalt** *m* associate counsel

Mitarbeit *f* cooperation, assistance, collaboration; **jds M.** so.'s services; **M. verweigernd** non-cooperative; **zur M. gewinnen** to enlist so.'s services

mitarbeiten *v/i* to cooperate/collaborate/assist

Mitarbeiter(in) *m/f* 1. staff member, employee, staffer *(coll)*; 2. associate, aide, cooperator; 3. colleague, fellow worker, co-worker; 4. *(Zeitung)* contributor; 5. subordinate; *pl* (back-up) staff, personnel, workforce, payroll

Mitarbeiter im Angestelltenverhältnis salaried employee(s); ~ **Außendienst** field worker; *pl* field staff; **M. einer Bank** bank clerk; **M. der Geschäftsleitung** managerial assistant; **M. im Innendienst** indoor staff; **M. der Kreditabteilung** credit manager; **M. im Nebengewerbe** side-partner

Mitarbeiter abwerben to poach staff; **M. einstellen** to hire employees, to take on new workers; **M. sein bei** to be on the staff of

befristet abgeordneter/abgestellter Mitarbeiter temporarily posted worker, secondee; **ausländischer M.** foreign employee/worker, expatriate; **begünstigter M.** blue-eyed boy *(coll)*; **freiberuflicher/freier M.** freelance contributor, *(Zeitung)* free-lance (journalist) **gewerblicher M.** wage-earning employee; **hauptamtlicher M.** full-time staff member; **jüngere M.** junior staff; **langjähriger M.** employee of many years' standing; **leitende M.** executive staff; **nebenberuflicher M.** part-time staff member; **neuer M.** new recruit/arrival; **qualifizierte M.** qualified staff; **im Ausland tätiger M.** foreign service employee; **unterstellter M.** subordinate; **wissenschaftlicher M.** research associate

Mitarbeiter|abbau *m* staff/employee cutback, cutback of the workforce; **M.abwerbung** *f* 1. labour piracy; 2. headhunting; **M.analyse** *f* manpower analysis; **M.angelegenheit** *f* personnel/staff matter; **M.befähigung** *f* (employee) empowerment; **M.befragung** *f* employee survey; **M.beschaffung** *f* recruitment; **M.besprechung** *f* staff meeting; **M.bestand** *m* staff, payroll; **M.beteiligung** *f* 1. employee involvement; 2. employee profit-sharing scheme, ~ equity participation (scheme); **M.beurteilung** *f* staff/employee appraisal, ~ assessment, (staff) performance appraisal, personnel rating; **M.darlehen** *nt* employee/staff loan; **M.einweisung** *f* induction training; **M.förderung** *f* personnel development (programme); **M.frage** *f* staff/personnel matter; **M.führung** *f* personnel management, leadership; **M.gewinnbeteiligung** *f* staff profit sharing scheme; **M.kapital** *nt* employee capital; **M.kapitalbeteiligung** *f* employee capital-sharing, ~ participation in the capital; **M.leistungsbeurteilung** *f* employee performance review; **M.orientierung** *f* employee-orient(at)ed style of leadership; **M.parkplatz/-plätze** *m/pl* staff parking; **M.produktivität** *f* employee productivity; **M.schulung** *f* staff/employee training, employee development programme; **M.stab** *m* staff, group/crew of collaborators; **M.stamm** *m* (regular) staff; **M.verantwortung stärken** *f* to empower; **M.versammlung** *f* staff/employee meeting; **M.vertrag** *m* contract of employment, ~ personal service; **M.vertretung** *f* staff representation; **M.verzeichnis** *nt (Buch)* credit page

Mit|aussteller *m (Wechsel)* co-drawer, fellow drawer; **M.autor(in)** *m/f* co-author; **M.autor(en)schaft** *f* joint authorship; **M.beauftragter** *m* joint mandatory; **m.bedeuten** *v/t* to connote; **m.begründen** *v/t* to co-found; **M.begründer** *m* co-founder, joint founder; **M.begünstigte(r)** *f/m* co-beneficiary; **M.beklagte(r)** *f/m* 1. co-defendant; 2. *(Scheidung)* co-respondent; **m.bekommen** *v/t* 1. to understand; 2. *(Ware/Leistung)* to benefit; **zufällig m.bekommen** to overhear; **m.belasten** *v/t* § to implicate; **M.belastung** *f (Grundstück)* concomitant charge; **m.benutzen** *v/t* to use jointly, to share; **M.benutzer** *m* joint/concurrent user, co-user; **M.benutzung** *f* joint use; **M.benutzungsrecht** *nt* right of joint use, common right; **M.berechtigte(r)** *f/m* co-beneficiary; **M.besitz** *m* 1. joint possession/ownership/tenancy/property, condominium *[US]*; 2. *(Erbe)* parceny; **M.besitzer(in)** *m/f* joint owner/holder/proprietor/tenant, (co-)partner; **m.bestimmen** *v/i* to co-manage, to decide together, to share in determining, to participate

Mitbestimmung (der Arbeitnehmer) *f* (worker/employee) participation, co-determination, co-management, employee/worker involvement, worker say, industrial democracy

Mitbestimmung am Arbeitsplatz shop-floor/worker participation; **M. im Aufsichtsrat** board-level worker representation; ~ **Betrieb** co-determination at plant level, employee participation; **M. auf Unternehmensebene** co-determination at company/enterprise level

betriebliche Mitbestimmung joint management, employee participation, co-determination at plant level; **paritätische M.** parity co-determination

Mitbestimmungs|ergänzungsgesetz *nt* co-determination amendment act; **M.gesetz** *nt* co-determination act, worker participation law; **M.gremium/M.kollegium** *nt* co-determination committee, decision-making body with participating employee representatives; **M.modell** *nt* co-determination/participation model; **M.recht** *nt* right of co-determination, co-determination right, decision-making powers, right to a say in management

mitbeteilig|en *v/refl* to participate in, to take part in; **m.t an** *adj* 1. *(Verbrechen)* privy to; 2. participating in; **M.te(r)** *f/m* 1. § accomplice; 2. interested party, (co-) participant; **M.ung** *f* copartnership, (co-)participation; **M.ungssystem** *nt* copartnership

mit|betroffen *adj* affected, conjunct; **M.bevollmäch-**

tigte(r) *f/m* joint attorney; **M.bewerber(in)** *m/f* competitor, rival, co-applicant, contender; **unbekannter M.bewerber** dark horse *(fig)*; **m.bewohnen** *v/t* to cohabit; **M.bewohner** *m* cohabitant, co-inhabitant, occupant; **m.bezahlen** *v/t* to pay a/one's share; **m.bieten** *v/i* to (counter-)bid; **M.bieter** *m* counterbidder; **m.bringen** *v/t* to bring along; **M.bringsel** *nt* souvenir, small present; **M.bürge** *m* joint guarantor/surety, co-guarantor, co-maker, co-surety; **M.bürger(in)** *m/f* fellow citizen; **M.bürgschaft** *f* joint security/surety/guarantee, collateral (bail), co-surety; **M.direktor** *m* fellow director

Miteigentum *nt* 1. joint ownership/property/tenancy, co-ownership; 2. *(Wohnung)* condominium *[US]*, part ownership, estate in common, common ownership/ property; 3. *(Erbschaft und bewegliches Gut)* co-parcenary; **M. nach Bruchteilen** § ownership in common; **M. zur gesamten Hand** joint estate; **quotenmäßiges M.** proportionate co-ownership

Miteigentümer(in) *m/f* 1. joint owner, co-owner, part-owner, co-proprietor, joint tenant, holder of an interest (in property); 2. *(ererbter Grundbesitz)* (co-)parcener; **M. nach Bruchteilen** severalty owner, fractional co-owner; **M. zur gesamten Hand** co-parcener; **M.gemeinschaft** *f* association of co-owners; **M.schaft** *f* co-ownership

Mit|eigentumsanteil *m* co-ownership share; **M.einander** *nt* joint/common effort; co-existence; **m.einander** *adv* with each other; **m.einbegriffen** *adj* included; **m.einkalkulieren** *v/t* to include, to bear in mind

Miterb|e *m* 1. joint heir, co-heir, co-inheritor, party to an estate; 2. *(Grundstück)* (co-)parcener; **m.en** *v/t* to inherit (con)jointly; **M.in** *f* co-inheritress, co-inheritrix; **M.schaft** *f* 1. joint heritage, co-heritage; 2. *(Grundstück)* co-parcen(er)y

Mit|erfinder *m* fellow inventor; **M.erfindung** *f* joint inventorship; **m.erleben** *v/t* to experience; **M.erwerber(in)** *m/f* joint purchaser; **M.fahrer(in)** *m/f* 🚗 (fellow) passenger, occupant (of a car); **M.fahrgelegenheit** *f* 🚗 lift; **m.finanzieren** *v/t* to co-finance, to finance jointly; **M.finanzierung** *f* joint finance, co-financing; **m.fühlend** *adj* sympathetic, caring, compassionate; **m.führen** *v/t* to co-manage; **m.führend** *adj* co-managing, acting as co-manager; **M.führung** *f* co-management; **unter ~ von** *(Konsortium)* co-managed by; **M.gebrauch** *m* joint use; **m.gefangen, m.gehangen** in for a penny, in for a pound; **M.gefangene(r)** *f/m* fellow prisoner; **M.gefühl** *nt* compassion, sympathy, pity; **m.gehen** *v/i* to accompany; **~ lassen** *(coll)* to pinch/nick *(coll)*; **m.genommen** *adj* run-down; **M.geschäftsführer** *m* co-manager; **M.gesellschafter** *m* fellow partner, co-proprietor; **M.gestaltung** *f* (employee) involvement

Mitgift *f* dowry, (marriage) portion, dot, dotal property; **nicht zur M. gehörend** extradotal; **M. aussetzen** to dower; **M.jäger** *m* dowry/fortune hunter; **M.versicherung** *f* marriage portion insurance

Mitgläubiger(in) *m/f* joint/fellow creditor, co-creditor

Mitglied *nt* 1. member, insider; 2. *(Gesellschaft)* fellow; **M.er** membership

Mitglied kraft Amtes ex officio *(lat.)* member, member as of right; **(zugelassenes) M. im Abrechnungsverfahren** clearing member; **M. des Aufsichtsrates** board member, non-executive (director); **~ Ausschusses** committee member; **~ Ausschusses sein** to be on the committee/board/panel; **~ Direktoriums** member of the directorate; **~ Distriktrates** district councillor; **~ Emissionskonsortiums** underwriter (U/W); **~ Fahrpersonals** ⚓ crew member: **M. der Gemeindeversammlung** (borough/parish) councillor; **~ Gesellschaft der Betriebsrechner** Associate of the Council of Management Accountants (A.C.M.A.) *[GB]*; **~ Gesellschaft der Wirtschaftsprüfer** Associate of the Council of Chartered Accountants (A.C.C.A.) *[GB]*; **M. des Konsortiums** consortium member, co-manager; **~ Konsumvereins** cooperator; **~ Konzernvorstands/-aufsichtsrats** group board member, main board director, group director; **M. auf Lebenszeit** life member; **M. des Oberhauses** peer *[GB]*; **M. einer Partei** party member; **~ Selbstschutzorganisation** vigilante; **M. des Stadtrates** town councillor, *(City of London)* common councilman; **M. des Unterhauses** Member of Parliament (MP) *[GB]*, ~ the House of Commons *[GB]*; **M. der Unternehmensleitung** executive, officer; **M. eines Vereins** club member; **(nicht geschäftsführendes) M. des Verwaltungsrates** (non-executive/non-managing) director; **~ Vorstandes** executive member/director

Mitglied angliedern to affiliate; **M. aufnehmen** to admit a member, to affiliate; **als M. ausscheiden** to withdraw from membership; **M. ausschließen** to expel a member; **M. vorübergehend ausschließen** to suspend a member; **M. werden** to join

aktives Mitglied working member; **angeschlossenes/ assoziiertes M.** associate (member); **ausscheidendes M.** retiring member; **auswärtiges M.** country/associate member; **beitragszahlendes M.** dues payer; **beratendes M.** advising member; **ehrenamtliches M.** honorary member; **eingeschriebenes/eingetragenes M.** registered/enrolled/card-carrying member; **förderndes M.** sponsoring member; **freigestelltes M.** non-working member; **früheres M.** ex-member; **geschäftsführendes M.** managing member; **hinzugewähltes M.** co-opted member; **konstituierendes M.** constituent member; **korrespondierendes M.** correspondent member; **langjähriges M.** old-timer; **neues M.** entrant; **ordentliches M.** full member; **passives M.** associate/inactive/external/non-working member; **passive M.er** external membership; **ständiges M.** permanent member; **stellvertretendes M.** deputy/substitute/alternate member; **stimmberechtigtes M.** voting member; **vollberechtigtes M.** full/fully-fledged *(coll)* member; **zahlendes M.** contributing/paying member; **zahlende M.er** paid-up/paid-in membership

Mitglieder|bestand *m* (total) membership, number of members; **M.buch** *nt* register; **M.kartei** *f* membership list; **M.liste** *f* membership roll, list of members; **von der ~ streichen** to strike off the roll; **M.schwund** *m* declining membership; **gleiches M.stimmrecht** unit voting; **M.versammlung** *f* members'/general meeting; **M.vertretung** *f* members' representative board; **M.verzeichnis** *nt* membership list; **M.werbeaktion/M.werbung** *f* membership drive

Mitglieds|anteil *m* membership interest; **M.antrag** *m* membership application; **M.aufnahme** *f* affiliation; **M.ausschluss** *m* expulsion of a member; **vorübergehender M.ausschluss** suspension of a member; **M.ausweis** *m* 1. membership card; 2. *(Gewerkschaft)* union card; **M.bank** *f* member bank; **M.beitrag** *m* membership dues/subscription/fee, affiliation fee, member's subscription; **M.beiträge** (membership) dues, contributions; **gewerkschaftliche M.beiträge** union dues; **gewerkschaftliches M.buch** trade union card

Mitgliedschaft *f* membership, affiliation; **jdn von der M. ausschließen** to expel so.; **seine M. erneuern** to renew one's membership; **M. erwerben** to become a member, to join; **assoziierte/außerordentliche M.** associate membership; **freie M.** free membership; **lebenslängliche M.** life membership

Mitgliedschafts|antrag *m* membership application; **M.bedingungen** *pl* membership terms; **m.fähig** *adj* eligible for membership; **M.rechte** *pl* membership rights; **M.zwang** *m (Gewerkschaft)* closed shop (provisions)

Mitglieds|firma *f* member firm; **M.gemeinde/M.kommune** *f* constituent authority; **M.gewerkschaft** *f* affiliated union; **M.karte** *f* (membership/member's) card; **M.klasse** *f (Vers.)* occupational class; **M.land** *nt* member country; **M.nummer** *f* membership number; **M.pflichten** *pl* obligations of membership; **M.regierung** *f* member government; **(ursprünglicher) M.staat** *m* (original) member state, member country; **M.unternehmen** *nt* member

mit|haften *v/i* to be jointly liable; **M.haftende(r)** *f/m* co-signer; **M.häftling** *m* fellow prisoner; **M.haftung** *f* joint/secondary liability, liability as co-guarantor; **M.haftungsschuld** *f* secondary liability; **m.halten** *v/i* to keep pace/up, to compete; to keep abreast of; **m.helfen** *v/i* to assist, to lend a helping hand; **M.herausgeber** *m* associate/joint editor, co-editor; **M.hilfe** *f* 1. assistance, aid, (active) support; 2. § instrumentality; **m.hören** *v/ti* 1. to listen in, to eavesdrop/monitor; 2. *(zufällig)* to overhear; **M.inhaber** *m* 1. *(Firma)* partner, joint holder/proprietor, co-partner, sharer; 2. joint owner, co-owner, co-proprietor; 3. *(Lizenz)* joint licencee; 6. *(Pat.)* joint patentee; **M.kläger(in)** *m/f* joint plaintiff, co-plaintiff; **m.konsolidieren** *v/t* to include in consolidation; **M.konsorte** *m* fellow underwriter/contractor, ~ syndicate member, co-underwriter; **M.konsortialführer(in)** *m/f* joint leadmanager; **m.laufen** *v/i* to climb on/aboard the bandwaggon; **m.laufend** *adj* 🖳 online; **M.läufer** *m* fellow traveller, camp follower; **M.läufereffekt** *m* bandwaggon/demonstration effect

Mitleid *nt* compassion, pity, mercy; **M. erregend** *adj* pitiful; **aus reinem M.** out of sheer compassion; **M. verdienen** to deserve sympathy; **in M.enschaft gezogen** *f* adversely affected; **~ ziehen** to damage, to affect adversely; **m.ig** *adj* compassionate; **m.slos** *adj* pitiless

Mit|leiter *m* joint manager; **M.leitung** *f* joint leadership; **m.liefern** *v/t* to deliver at the same time; **m.machen** *v/ti* to take part, to play an active part, to join/fall in, to be a party to, to play ball *(fig)*, to conform; **~ bei** to come in on sth., to go along with; **M.mensch** *m* fellow human being, ~ creature; **m.mischen** *v/i (coll)* to get in on the act *(fig)*, to be involved, to have a finger in the pie *(fig)*

Mitnahme *f* profit-taking; **M. kleinster Gewinne** *(Börse)* scalping; **M.effekt** *m* bandwaggon effect; **M.geschäft** *nt* take-home trade; **M.markt** *m* cash and carry; **M.preis** *m* cash and carry price; **M.möbel** *pl* flatpack furniture; **M.prinzip** *nt* something-for-nothing principle; **M.ware** *f* take-withs

zum Mitnehmen *(Speise)* takeaway; **m.** *v/t* 1. to take profits, to cash in on; 2. to take along; 3. *(stehlen)* to walk off with; **jdn m.** 🚗 to give so. a lift

Mit|pacht *f* joint tenancy; **M.pächter** *m* joint tenant, co-lessee; **m.rechnen** *v/t* to count (in); **nicht m.rechnen** to discount; **m.reden** *v/i* to have a say in sth.; **M.reeder** *m* ⚓ joint owner, co-owner; **M.reederei** *f* ⚓ joint ownership; **M.reisende(r)** *f/m* fellow passenger/traveller, travelling companion; **m.reißen** *v/t (Publikum)* to carry away; **m.schicken** *v/t* to enclose; **m.schneiden** *v/t* to tape/record; **m.schreiben** *v/ti* to take down (in writing), to take notes

Mitschuld *f* 1. share of the blame/resonsibility; 2. § complicity, joint guilt, contributory negligence; **m.ig** *adj* 1. partly responsible, ~ to blame; 2. § accessory, privy; **M.iger** *m* accessory, accomplice; **M.ner** *m* joint/fellow debtor, co-debtor

mitspielen *v/ti* to take part, to participate, to come into the picture *(fig)*; **jdm böse m.** to play a dirty trick on so.; **m. müssen** to have to go along with

Mitspieler(in) *m/f* participant, punter

Mitsprache *f* say (in the matter), co-determination; **M.recht** *nt* 1. right of co-determination/participation/representation/co-decision, say in the matter; 2. consultation right; **~ der Belegschaft** worker say; **~ haben bei etw.** to have a voice in sth.

mit|sprechen *v/i* to join in, to have a say; **m.stenografieren** *v/t* to take down in shorthand; **m.stimmen für** *v/i* to vote/act on behalf of; **M.streiter** *m* comrade-at-arms

Mittagessen *nt* lunch(eon); **M.sgutschein** *m* luncheon voucher (LV), meal ticket *[US]*

mittags *adv* at lunchtime; **m. geschlossen** *adj* closed for lunch

Mittags|ausgabe *f (Zeitung)* noon edition; **M.freiverkehr** *m (Börse)* afternoon curb *[US]*/kerb *[GB]* market; **M.mahlzeit** *f* lunch(eon); **M.pause** *f* lunch break/hour, midday break; **M.schicht** *f* second/back/late shift; **M.verabredung** *f* luncheon meeting; **M.zeit** *f* lunch time/hour

Mittäter *m* § accomplice, accessory, joint offender/tortfeasor/perpetrator, principal in the second degree, co-principal; **selbstständiger M.** concurrent tortfeasor; **M.schaft** *f* complicity, joint commission of crime, participation in a crime, aiding and abetting, perpetration as co-principal(s)

Mitte *f* middle, centre, midst, mean; **in der M.** halfway, midway, in the middle; ~ **des Schiffes** amidships; **M. der Straße** middle of the road; ~ **Woche** mid-week; **aus ihrer M.** from among their members/number; ~ **M. ernennen** to designate from among their members; **in die M. treffen** to hit the bull's eye *(fig)*; **goldene M.** golden mean

Mitte-Links centre-left; **M.-Rechts** centre-right

mitteilen *v/t* to inform/announce/report/notify/advise/disclose/communicate/divulge/intimate, to break the news; **hierdurch teilen wir Ihnen mit** this is to inform you; **fernschriftlich m.** to telex; **formgerecht m.** to give due notice; **schriftlich m.** to send written notification, to inform by writing; **jdm vertraulich m.** to inform so. confidentially

mitteilsam *adj* communicative, forthcoming

Mitteilung *f* 1. message, report, news, announcement, notification, notice, advice, communication, statement; 2. *(intern)* note, memorandum, memo *(coll)*; 3. bulletin; 4. disclosure of information, missive, transmittal; **M.en** intelligence, information

Mitteilung über Aktienzuteilung allotment letter; ~ **aufgehobene Belastungen** notice of satisfaction; ~ **Eigeninteressen** disclosure of interests; ~ **die Einberufung zur Hauptversammlung** special notice; ~ **mögliche Interessenkollisionen** general notice; **M. an die Öffentlichkeit** public announcement, communiqué; **M. der Rechtsmittelzulassung** notice of allowance; **M. über Unzustellbarkeit** § return of nihil; ~ **den Verkündungstermin** § notice of judgment; ~ **Warenauslieferung** *(Optionshandel)* delivery notice; ~ **nicht erfolgte Zahlung** advice of non-payment; **widerrufliche ~ die Zuteilung** *(Aktie)* renounceable letter of allocation

Mitteilung anschlagen to put up a notice; **M. vertraulich behandeln** to treat a communication as confidential; **M. entgegennehmen** to take a message; **M. hinterlassen** to leave a message; **M. machen** 1. to communicate; 2. to give notice; **jdm von etw. M. machen** to advise so. of sth.

amtliche/dienstliche Mitteilung official communication/announcement/statement; **ausdrückliche M.** express notice; **durch besondere M.** by special notice; **erforderliche M.** due notice; **ergänzende M.** additional information; **fernmündliche M.** telephone message; **innerbetriebliche M.** interdepartmental/interoffice memo; **mündliche M.** verbal message/notification, oral communication; **öffentliche M.** public announcement; **private M.** private message; **sachdienliche M.en** pertinent information; **schriftliche M.** written advice, missive; **telefonische M.** telephone message; **telegrafische M.** telegraphic message; **dem Aussagerecht unterliegende M.** § privileged communication; **verschlüsselte M.** coded message; **vertrauliche M.** confidential/privileged communication; **vorherige M.** prior notice, advance information/notification; **ohne ~ M.** without prior notice

Mitteilungs|blatt *nt* bulletin, newssheet, newsletter, gazette; **amtliches M.blatt** official gazette; **M.dienst** *m* information service; **M.feld** *nt* communication section; **m.freudig** *adj* communicative, forthcoming, informative, ready to provide information; **erforderliche M.frist** due notice; **M.patent** *nt* communicated patent; **M.pflicht(en)** *f/pl* duty of disclosure, obligation to notify, disclosure requirement(s); **m.pflichtig** *adj* disclosable, subject to disclosure requirements; **M.-übermittlungssystem** *nt* message handling system; **M.verzicht** *m* waiver of notice

Mittel *nt* 1. means, aid; 2. way, method, medium, ploy; 3. *(Gegenmittel, Hilfsmittel)* remedy, instrument, resource; 4. *(Durchschnitt)* average, mean; 5. *(Vorrichtung)* device, appliance, engine; *pl* 1. *(Geld)* means, funds, capital, resources, the wherewithal *(coll)*; 2. *(Haushalt)* appropriations; **im M.** on the/an average; **ohne M.** destitute, penniless

Mittel zur Aufrechterhaltung des Kaufinteresses attention holder; **M. für die Devisenintervention** operating medium; **M. der Einflussnahme** control device; **M. zur Entschärfung sozialer Konflikte** social mollifier; **M. der Flügelwerte** ▦ class midpoint; ~ **Gemeinschaft** *[EU]* Community funds; ~ **Grundgesamtheit** ▦ parent mean; **M. aus Innenfinanzierung** internally generated funds; ~ **der Kapitalerhöhung** rights issue proceeds, proceeds from a rights issue; **M. zur Produktivitätssteigerung** productivity improvement tool; **M. für die Regionalförderung** regional aid; **M. einer Stiftung** endowment funds; **M. zum Zweck** means to an end

mit allen Mitteln by hook or by crook *(coll)*; **mit M.n ausgestattet** *(Geld)* in funds; **aller M. beraubt** utterly destitute; **aus eigenen M.n** out of one's own pocket; **das richtige M. zur rechten Zeit** horses for courses

Mittel abschöpfen to siphon off funds; **M. abzweigen** to divert funds; **M. anlegen** to invest (funds); **M. anwenden** to take steps, to use methods; **M. aufbringen** to raise funds; **mit M.n ausstatten** to fund/resource, to endow with capital; **zu reichhaltig ~ ausstatten** to overfund; **M. bereitstellen** to allocate/commit/provide funds, to provide capital, to finance/source; **M. beschaffen** to raise funds/cash, to procure funds; **M. bewilligen** to appropriate/allot funds, to authorize/grant/allot appropriations; **M. binden/festlegen** to tie/lock up funds, to commit appropriations; **liquide M. binden** to tie up liquid monies; **M. darstellen** to constitute a means; **M. durchleiten** to forward funds; **M. erschöpfen** to exhaust resources; **M. und Wege finden; ~ ausfindig machen** to find ways and means; **M. freigeben/-setzen** to release funds; **zu ... M.n greifen** to resort to ... means; **M. kürzen** to slash funds; **kein M. unversucht lassen** to leave no stone unturned *(fig)*; **sich ins M. legen** to intervene/intercede; **M. mobilisieren** to mobilize funds; **seine M. überschreiten** to exceed one's means; **M. übertragen** *(Haushalt)* to transfer appropriations; **aus öffentlichen M.n unterhalten** to maintain at public expense; **M. unterschlagen** to embezzle/misappropriate funds; **aus öffentlichen M.n unterstützen** to subsidize; **über M. verfügen** to have (the) means; **mit M.n versehen** to provide with funds, to put in funds; **M. vorschießen** to advance funds; **M. weitergeben** to relend funds; **M. anderen Zwecken zuführen; M. zweckentfremden** to alienate funds; **M. zuweisen** to allocate funds/resources, to allot/earmark funds

angelegte Mittel invested capital; **anlagebereite M.** idle funds (seeking investment), ~ balances; **anlagefähige/-suchende M.** funds available for investment, investment-seeking capital; **anregendes M.** stimulant; **antiharmonisches M.** unharmonic mean; **arithmetrisches M.** arithmetic mean, average; **aufgebrachte M.** funds raised; **durch Anleihen ~ M.** funds obtained by borrowing; **aufgenommene M.** borrowings, borrowed funds; **ausgeliehene M.** lendings, funds lent; **ausreichende M.** sufficient means; **nicht ~ M.** insufficient means; **begrenzte M.** limited resources; **benötigte M.** necessary funds; **nicht ~ Mittel** the balances; **bereitgestellte M.** appropriations, appropriated funds; **im Haushaltsplan ~ M.** budget appropriations; **bereitstehende M.** available funds; **bescheidene M.** limited means; **beschränkte M.** limited resources; **betriebsfremde M.** outside capital; **bewährtes M.** proven remedy; **bewilligte M.** (authorized) appropriations, appropriated/allocated funds, commitments entered into; **vom Parlament ~ M.** budgetary appropriations; **billige M.** easy money; **brachliegende M.** idle funds, dead capital; **disponible M. institutioneller Anleger** institutional money; **durchgreifendes M.** effective means; **durchlaufende M.** transitory items, transmitted funds; **eigene/eigen-/selbst erwirtschaftete M.** own resources/funds, company-generated/self-generated/internally generated funds; **eingebrachte M.** capital invested; **empfängnisverhütendes M.** contraceptive; **erforderliche M.** necessary funds; **erststellige M.** money lent on first mortgage; **festliegende M.** frozen capital, tied-up funds; **finanzielle M.** financial resources, funds; **fiskalische M.** public monies; fiscal instruments; **flüssige M.** liquid reserves/assets/funds/resources, cash/circulating/current/fluid/floating assets, ready money, current receivables/funds, available/revolving funds, spare capital, cash/funds in hand, cash (resources), cash and equivalent; **fortschreitendes M.** ▦ progressive mean; **fremde M.** borrowings, outside/borrowed funds; **gebundene M.** earmarked funds, committed resources; **geeignetes M.** expedient, appropriate step; **geometrisches M.** geometric mean; **gewichtiges/gewogenes M.** ▦ weighted average; **gleitendes M.** ▦ moving average; **greifbare M.** available funds; **haftende M.** guarantee funds; **harmonisches M.** ▦ harmonic mean; **hinreichende M.** sufficient means; **investierte M.** capital invested; **knappe M.** scarce means/resources; **kurzfristige M.** short-term funds/money; **langfristige M.** long-term funds/money; **mit legalen M.n** by lawful means; **letztes M.** last resort; **als ~ M.** as a last resort; **linderndes M.** palliative

liquide Mittel cash (and cash items), liquid/cash/quick *[US]* assets, available/liquid funds; **~ ersten Grades** unrestricted cash; **~ im Ausland anlegen** to invest liquid assets abroad

liquiditätspolitische Mittel methods affecting liquidity; **monetäre M.** cash and equivalent; **nützliches M.** useful instrument

öffentliche Mittel public funds/means; **mit öffentlichen M.n gefördert** publicly sponsored; **aus ~ unterstützen** to subsidize

ordnungspolitisches Mittel instrument of regulatory policy; **personelle M.** human resources; **pilztötendes M.** ♁ fungicide; **provisorisches M.** ▦ assumed mean; **prozesspolitische M.** § instruments of procedural policy; **quadratisches M.** ▦ quadratic mean; **reichliche M.** ample funds/means; **schmerzlinderndes/-stillendes M.** palliative, painkiller, pain remedy/reliever; **spärliche M.** scarce resources; **staatliche M.** government funds, state cash; **stärkendes M.** tonic, pick-me-up *(coll)*; **alle zu Gebote stehenden M.** all available means; **überschüssige M.** surplus funds; **automatisch übertragene M.** appropriations carried forward; **umfangreiche M.** ample means; **unlautere M.** improper means; **unverwendete M.** unallotted appropriations; **unzureichende M.** insufficient funds; **vagabundierende M.** hot money; **verfassungsmäßige M.** constitutional means

verfügbare Mittel ready/available cash, available means/funds, liquid funds; **frei ~ M.** loose funds; **~ des Präsidenten** fiscal dividend *[US]*

verkaufsförderndes Mittel promotional aid; **nicht verteilte/zugewiesene M.** unappropriated funds; **vorgesehene M.** earmarked funds; **vorhandene M.** means available; **wirtschaftliche M.** economic resources; **zugesagte M.** promised funds, commitments entered into; **zugewiesene M.** *(Haushalt)* appropriations; **zusätzliche M.** fresh finance; **zweckentfremdete M.** diverted/misused funds; **zweckgebundene M.** earmarked funds

Mittel|- medium, median; **M.abfluss** *m* money outflow, outflow of funds; **M.abstand** *m* equidistance; **M.anforderung** *f* request for appropriations; **M.ansammlung** *f* accumulation of funds; **endgültige M.ansätze** final appropriations; **ursprüngliche M.ansätze** initial appropriations; **M.aufbringung** *f* 1. fund raising, raising of funds, funding, borrowing, mobilization of resources; 2. total funds raised; **M.aufkommen** *nt* inflow/accrual/accumulation of funds, revenue yield; **~ und -verwendung** sources and uses of funds

Mittelaufnahme *f* borrowing, fund raising; **M. der öffentlichen Hand** public sector borrowing; **nachrangige M.** subordinated borrowing

Mittel|aufstockung *f* increase of funds; **M.ausstattung** *f* financial resources; **m.bar** *adj* indirect; **M.bau** *m* middle tier; **M.beanspruchung** *f* drawings *[IWF]*; **M.behörde** *f* authority at medium level; **M.bereich** *m* medium range; **M.bereitstellung** *f* allocation/provision of funds, commitment; **M.beschaffung** *f* fund raising, borrowing, procurement of funds; **M.betrieb** *m* 1. medium-sized business/firm/enterprise; 2. 🚜 medium(-sized) farm; **M.bewilligung** *f* appropriation/allocation of funds; **M.bewirtschaftung** *f* fund/financial management; **M.bindung** *f* tying up/commitment of funds; **M.destillat** *nt* middle distillate; **M.ding** *nt* cross; **M.einsatz** *m* use/employment of funds, resource input; **wirtschaftlicher M.einsatz** economical use/employment of funds; **M.entzug** *m* withdrawal of funds; **kreislaufmäßiger M.entzug** withdrawal of funds from circulation; **M.europa** Central Europe; **m.fein** *adj* medium(-grade), middling; **M.feld** *nt* middle range; **M.festlegung** *f* immobilization of funds; **M.freigabe/-setzung** *f* release of funds; **m.fristig** *adj* (over the) medium-term, medium-run, medium-range, intermediate(-range); *adv* in the medium term; **M.fristplan** *m* medium-term plan; **M.fristplanung** *f* medium-range planning; **m.groß** *adj* medium-sized; mid-sized *[US]*; **M.größe** *f* medium size; **M.herkunft** *f* source of funds; **~ und -verwendung** sources and application of funds; **M.inanspruchnahme** *f* drawings *[IWF]*; **M.klasse** *f* middle/medium class; **M.klassewagen** *m* mid-range car; **m.klassig** *adj* second-rate; **M.kontrolle** *f* control of funds; **M.konzentration** *f* concentration of funds

Mittelkurs *m* market average, mean course/rate, average quotation, mid-rate, middle price/rate/market price; **M.e der Industriewerte** industrial averages; **M. halten/steuern** *(fig)* to stick/keep to the middle of the road *(fig)*; **amtlicher M.** official middle market price

Mittel|kürzung *f* funding cutback; **M.last** *f* middle load; **M.linie** *f* centre *[GB]*/center *[US]* line, median line; **m.los** *adj* 1. destitute, penniless, moneyless, resourceless, without resources/means, impecunious; 2. out of funds, cash-strapped, cash-stripped, unprovided; **M.losigkeit** *f* destitution, poverty, lack of funds, impecuniosity; **M.maß** *nt* 1. average/medium size; 2. mediocrity; **m.mäßig** *adj* mediocre, inferior, indifferent, medium, middling; **M.mäßigkeit** *f* mediocrity, indifference

Mittelmeer *nt* Mediterranean (Sea); **M.erzeugnisse/M.produkte** *pl* Mediterranean products; **M.raum** *m* Mediterranean (region)

Mittel|nachfrage *f* financial/funds demand; **M.nachweis** *m* means test; **M.planung** *f* planning of funding requirements; **M.preis** *m* medium price

Mittelpunkt *m* 1. centre, focus, focal point; 2. π median point; **M. der Lebensinteressen** centre of vital interest; **im ~ Öffentlichkeit** in the limelight; **in den M. rücken** to centre/focus, to take centre stage; **~ stellen** to put into the centre of attention; **verkehrsgeografischer M.** central geographical location, hub

Mittel|qualität *f* medium quality; **M.rechnung** *f* origin and use of capital resources; **M.rückfluss** *m* 1. return flow of funds; 2. *(Investmentfonds)* outflow; **M.rückkaufswert** *m (Vers.)* mean reserve

mittels *prep* by means of

Mittelschicht *f* middle class/layer; **gehobene M.** upper middle class; **untere M.** lower middle class

Mittel|smann/M.sperson *m/f* intermediary, middleman, (inter)agent, go-between; **~ im Inland** *m* domestically located intermediary; **M.sorte** *f* average/medium/middling quality, seconds

Mittel|stand *m* 1. middle class; 2. *(Firmen)* small businesses/firms, small and medium-sized businesses, small business community; **m.ständisch** *adj* 1. middle class; 2. *(Firma)* small and medium-sized; **M.ständle** *m* small trader/businessman

Mittelstands|beratung *f* small firms' counselling ser vice, counselling of small (and medium-sized) busi nesses; **M.betrieb** *m* small business; **M.förderung** promotion of small (and medium-sized) businesses small business assistance, measures to promote smal businesses; **m.feindlich** *adj* anti-small business **m.freundlich** *adj* pro-small business, favouring smal businesses; **M.hilfe** *f* small traders' aid; **M.kartell** *n* small firms' cartel; **M.kredit** *m* small business loan loan to small (and medium-sized) businesses; **M.poli tik** *f* small firms/businesses policy; **M.programm** *n* small-firm assistance programme; **M.rat** *m* Smalle Firms Council *[GB]*; **M.unternehmen** *nt* small/medi um-sized business, ~ company

Mittel|stellung *f* intermediate position; **M.stau** *m* log jam/pile-up of resources; **M.strecken-** medium-range **M.streckenflugzeug** *nt* medium-range/medium-hau aircraft; **M.streifen** *m (Autobahn)* central reservatio *[GB]*, median (strip) *[US]*; **M.streuung** *f* diversifica tion; **M.stück/M.teil** *nt* centrepiece *[GB]*, counter piece *[US]*, middle; **M.überhang** *m* surplus funds/re sources; **M.überlassung** *f* lending; **M.übertragunge** *pl* carrying forward of appropriations; **~ von Kapite zu Kapitel** transfer of appropriations between chap ters; **M.umschichtung** *f* funds transfer; **M.valuta** mean value date; **M.verfügbarkeit** *f* resource availabil ity; **M.verteilung** *f* allocation of funds, resource allo cation; **M.verwendung** *f* allocation of resources use/application/employment of funds, resource utiliza tion; **missbräuchliche M.verwendung** misappropria tion of funds; **M.weg** *m* 1. middle course, golden mean 2. via media *(lat.)*; **M.welle** *f* medium wave

Mittelwert *m* average, mean value, (standard) averag value, median (figure); **M.e bilden aus** to averag over; **M. errechnen** to average

arithmetischer Mittelwert arithmetic mean; **fort schreitender M.** progressive average; **gewogener M** weighted mean/average; **gleitender M.** moving aver age; **größter/kleinster M.** extreme mean; **harmoni scher M.** harmonic average/mean; **provisorischer M** assumed/working mean; **ungewogener M.** simpl average

Mittel|wertsatz *m* mean value theorem; **M.zentrum** *n* intermediate centre; **M.zufluss** *m* inflow of funds **M.zuführung** *f* injection of new funds; **M.zuweisun** *f* appropriation of funds, budgetary appropriation, fi nancial/resource(s) allocation; **sparsame M.zuwei sung** economy

Mittesatz *m (Option)* mid-point rate

Mittestamentsvollstrecker *m* co-executor, joint ex ecutor

Mittler *m* mediator, intermediary, middleman, go-be tween; **M. zwischen aktiv und passiv Innovierende** change catalyst; **als M. auftreten** to act as intermediar

mittler(e,s) *adj* 1. middle, average, central, mean median; 2. medium(-sized); 3. *[US]* mid-sized

Mittler|amt *nt* mediatorship, mediatory position; **M.-rolle** *f* role of mediator; **M.tätigkeit** *f* intermediary activity; **M.vergütung** *f* agency commission

Mittreuhänder *m* co-trustee

mittschiffs *adj* midship, amidship(s)

mit|tragen *v/t* *(Entscheidung)* to endorse/back, to lend one's support; **M.unternehmensanteil** *m* partnership share

Mitunternehmer *m* (co-)partner, co-contractor; **M.anteil** *m* partnership share; **M.schaft** *f* (co-)partnership

mitunter|schreiben/m.zeichnen *v/t* to countersign; **M.schrift/M.zeichnung** *f* countersignature, countersign; **M.zeichner/M.zeichnender** *m* joint signatory, co-signatory, co-maker, co-signer

Mit|urheberrecht *nt* joint copyright; **M.ursache** *f* contributory/contributing factor, concurrent/additional cause; **m.verantwortlich** *adj* jointly responsible; **~ sein** to have a share of the responsibility; **M.verantwortung** *f* joint responsibility, share of the responsibility; **M.verantwortungsabgabe** *f [EU]* co-responsibility levy; **m.verdienen** *v/i* to work as well; **M.verfasser** *m* co-author; **M.verkäufer** *m* joint seller; **M.verklagen** *nt* § joinder of party defendant, adding as a defendant; **M.verklagte(r)** *f/m* co-respondent, joint respondent; **M.vermächtnisnehmer(in)** *m/f* joint legatee; **M.verpflichtete(r)** *f/m* co-obligor; **M.verschulden** *nt* contributory/comparative negligence, contributory fault/default

Mitversicherer|er *m* co-insurer; **m.n** *v/t* 1. to co-insure; 2. to include in the insurance; **m.t** *adj* also insured; **M.te(r)** *f/m* additional insured; **M.ung** *f* co-insurance, accompanying insurance

Mit|verteidiger *m* § co-defence, additional defence counsel; **M.verursachung** *f* contributory causation

Mitvormund *m* joint guardian; **gerichtlich ernannter M.** concurator; **M.schaft** *f* joint guardianship

Mitwettbewerber *m* competitor

mitwirken *v/i* to take part, to participate/cooperate/contribute, to be involved (in); **heimlich m.** to collude; **m.d** *adj* contributory, instrumental; **M.de(r)** *f/m* contributor, participant

Mitwirkung *f* participation, cooperation, collaboration, involvement, assistance; **unter M. von** in collaboration with, with the assistance of

notwendige Mitwirkung bei der Auswechslung des Begünstigten *(Vers.)* substantial compliance rule; **M. des Betriebsrats** participation of the works council; **M. bei einem Konsortium** co-management; **M. an einer Patentverletzung** contributory infringement

ohne gerichtliche Mitwirkung without requiring the consent of the court

Mitwirkungs|pflicht *f* *(Steuer)* duty to cooperate; **M.recht** *nt* participatory right, right of participation; **M.- und Beschwerderecht des Arbeitnehmers** employee's rights of codetermination and complaint

Mitwissen *nt* privity; **m.d** *adj* privy

Mitwisser *m* 1. confidant; 2. § accessary; **M. sein** to be in the know; **M.schaft** *f* 1. privity (of knowledge), knowledge of another's crime; 2. collusion

mit|zählen *v/i* to count; **nicht m.zählen** to be irrelevant; **M.zeichnung** *f* 1. countersignature; 2. *(Vers.)* joint underwriting; **M.zessionär** *m* co-assignee; **m.ziehen** *v/i* to go along with, to pull one's weight *(fig)*

Möbel *pl* furniture; **M. lagern** to store furniture; **eingebaute M.** fitted furniture; **zerlegbare M.** knockdown furniture

Möbel|ausstellung *f* furniture fair/exhibition; **M.fabrik** *f* furniture factory; **M.fabrikant/M.hersteller** *m* furniture manufacturer; **M.garnitur** *f* set of furniture; **M.geschäft/M.laden** *nt/m* furniture shop *[GB]*/store *[US]*; **M.händler** *m* house furnisher; **M.industrie** *f* furniture industry; **M.lager** *nt* furniture warehouse/depot/depository; **M.messe** *f* furniture fair; **M.packer** *m* (re)mover, removal man; **M.spediteur** *m* removal *[GB]*/house *[US]* contractor, mover; **M.spedition** *f* removal firm; **M.stück** *nt* piece of furniture; **M.tischler** *m* cabinet maker; **M.tischlerei** *f* cabinet making; **M.transport** *m* furniture transport; **M.verkehr** *m* furniture traffic; **M.wagen** *m* furniture/(removal) van, pantechnicon

mobil *adj* mobile, active

Mobil|funk *m* mobile communication/cellular/radio; **M.funknetz** *nt* cellular network, mobile radio telecommunications network; **M.telefon** *nt* cellular phone, mobile (handset)

Mobiliar *nt* 1. furniture, furnishings; 2. § chattels; 3. movables, movable property; **M. und Zubehör** furniture and fixtures

Mobiliar|eigentum *nt* personal effects/property; **m.gesichert** *adj (Konkursgläubiger)* secured by personal property or securities; **M.hypothek** *f* chattel mortgage; **M.klage** *f* action in replevin/for movables; **M.kredit** *m* loan on movables, ~ personal property, chattel loan; **M.pfand** *nt* chattel pledge; **M.pfandrecht** *nt* pledge, lien on movable chattels; **M.pfändung** *f* seizure of movables, chattel mortgage; **M.schuldverschreibung** *f* bill of sale; **M.sicherheit** *f* chattel mortgage, personal security; **M.vermögen** *nt* personal property/estate, movables, movable goods/estate, § personality; **M.-verpfändung** *f* chattel mortgage; **M.versicherung** *f* furniture insurance; **M.verwalter** *m (Konkurs)* administrator of a bankrupt's movable property; **M.vollstreckung** *f* seizure and sale of movable property; **M.zwangsvollstreckung** *f* execution levied by seizure, levy of execution (on movable goods)

Mobilien *pl* 1. movables, effects, personal/movable property; 2. § chattels (personal); **M.konto** *nt* equipment account; **M.leasing** *nt* movables leasing

mobilisier|bar *adj* mobilizable; **m.en** *v/t* 1. to mobilize; 2. *(flüssigmachen)* to realize, to make liquid; **erneut m.en** to remobilize

Mobilisierung *f* 1. mobilization; 2. realization; **M. der Ausgleichsforderung** mobilization of the equalization claim; **M. stiller Reserven** liquidation of secret/hidden reserves

Mobilisierungs|kontingent *nt* mobilization quota; **M.papiere/M.titel** *pl* mobilization paper/instruments; **M.wechsel** *m* finance bill *[US]*; **M.zusage** *f* assurance of rediscount

Mobilität *f* mobility; **M. der Arbeitskräfte** labour/manpower mobility, mobility of labour

berufliche Mobilität job/occupational mobility, mobility of labour; **fachliche M.** occupational mobility; **geografische M.** geographical mobility; **horizontale M.** horizontal mobility; **innerbetriebliche M.** intra-plant mobility; **räumliche M.** geographical/spatial mobility; **regionale M.** geographical mobility; **soziale M.** social mobility; **vertikale M.** vertical/upward mobility; **wirtschaftliche M.** industrial mobility; **zwischenbetriebliche M.** inter-plant mobility

Mobilitäts|bereitschaft *f* (occupational) mobility; **M.hilfe/M.zuschuss** *f/m* mobility allowance; **M.prämie** *f* mobility bonus

Mobil|kran *m* mobile crane; **m.machen** *v/t* to mobilize; **M.machung** *f* mobilization; **M.telefon** *nt* portable phone

möblier|en *v/t* to furnish; **neu m.en** to refurnish; **m.t** *adj* furnished; **M.ung** *f* furnishing

Möchtegern|- would-be

Modalität *f* 1. modality; 2. procedure; 3. *(Vorbehalt)* proviso; 4. [§] arrangement; **M.en** terms

Modalwert *m* mode

Mode *f* 1. fashion, style, wear; 2. mode; 3. order of the day; **M.n** fashionwear, apparel; **in M.** fashionable, in vogue/use, in general wear, flavour of the month *(coll)*; **aus der M. gekommen** outmoded, old-fashioned

Mode beeinflussen to set fashion trends; **M. bestimmen** to set the trend/fashion; **sich nach der letzten M. kleiden** to dress after the latest fashion; **aus der M. kommen** to go out of fashion; **in M. kommen** to become fashionable; **wieder ~ kommen** to come back; **M. kreieren** to create a fashion; **sich nach der M. richten** to follow the fashion; **in M. sein** to be all the rage; **nach der M. verfertigen** to fashion; **M. werden** to come into fashion

allerneuste Mode the latest fashion; **gegenwärtige M.** current fashion; **große M.** craze; **herrschende M.** prevailing fashion; **neuste M.** the latest style

Mode|änderung *f* fashion change; **M.artikel** *m* style item; *pl* fashion goods/wear/accessories, fashionable articles, fancy articles/goods; **M.ausstellung** *f* fashion show, exhibition of fashions; **M.beilage** *f* fashion supplement; **M.berater(in)** *m/f* fashion adviser; **m.bewusst** *adj* fashion-conscious; **M.blatt** *nt* fashion magazine; **M.entwicklung** *f* fashion trend; **M.geschäft/M.händler** *nt/m* fashion shop, outfitter; **M.haus** *nt* fashion house; **M.heft/M.journal** *nt* fashion journal/magazine; **M.hersteller** *m* fashion producer; **M.industrie** *f* fashion industry; **M.krankheit** *f* fashionable complaint

Modell *nt* 1. model, pattern, type; 2. design; 3. simulation; 4. version, variety; 5. mannequin; **M. zur Beschreibung der Beziehung zwischen Aktienrisiko und -ertrag** capital asset pricing model; **M. mit Lagerhaltung** model with stocks; **M. entwickeln** to develop a model; **M. stehen** *(Kunst)* to pose

auslaufendes Modell end-of-range model; **billiges M.** economy model; **dynamisches M.** dynamic model; **einheitliches M.** standard pattern; **erstes M.** prototype; **nicht formales M.** naive model; **gemischtes M** mixed model; **geschütztes M.** registered design; **konzeptionelles M.** conceptual model; **makroökonomisches M.** macroeconomic/aggregative model; **maßstabgerechtes/-sgetreues M.** scale model; **ökonomisches M.** economic model; **periodisiertes M.** perio model; **probabilistisches M.** probability model; **statisches M.** static model; **verkleinertes M.** scale model

Modell|abkommen *nt* model agreement; **M.abteilung/M.bau** *f/m* pattern shop; **M.analyse** *f* mode analysis; **M.aufbau** *m* model construction; **M.bauer** *m* model maker; **M.beispiel** *nt* textbook example; **M.betrieb** *m* nursery factory; **finanzwirtschaftliche M.bildung** financial modelling; **M.einführung** *f* introduction of a new model; **M.fall** *m* specimen/basket/mode case; **M.firma** *f* model company; **M.former** *m* pattern maker; **M.funktion** *f* likelihood function; **konzentrierte M.funktion** concentrated likelihood function; **m.gerecht** *adj* conforming to pattern; **m.haft** *ad* model, prototype; **M.haus** *nt* show/model house

modellier|en *v/t* to model/mould *[GB]*/mold *[US]*; **M.ung** *f* modelling

Modell|jahr *nt* year of manufacture; **M.klasse** *f* class o models; **M.lösung** *f* model solution; **M.macher** *m* pattern maker; **M.palette** *f* range; **M.planung** *f* modelling; **M.politik** *f* models policy; **M.puppe** *f (Schaufenster)* dummy; **M.rechnung** *f* pilot/model calculation; **M.reihe** *f* (model) range, range of cars; **M.schlosser/M.schreiner** *m* pattern maker; **M.schreinerei** pattern shop; **M.schutz** *m* protection of registered designs; **M.skizze** *f* artist's impression; **M.struktur** model structure; **M.studie** *f* pilot study; **M.theorie** theory of models; **M.versuch** *m* pilot scheme, experiment; **M.vertrag** *m* standard contract; **M.wechsel** *m* model change/launch; **M.werkstatt** *f* pattern shop; **M.wohnung** *f* show flat; **M.zeichner** *m* pattern designer; **M.zeichnung** *f* pattern drawing

Modem *nt* modem

Mode|messe *f* fashion fair; **M.schau** *f* fashion/mannequin parade

Moderat|ion *f* presentation; **M.or(in)** *m/f* presenter

moderieren *v/t* to moderate

modern *adj* 1. fashionable, in fashion, new-fashioned 2. up-to-date, modern, go-ahead; 3. state-of-the-art

modernisieren *v/t* 1. to modernize/update/streamline to bring up-to-date; 2. to refit/refurbish/revamp/rehabilitate; 3. *(Anlagen)* to upgrade

Modernisierung *f* 1. modernization, facelift, modernising streamlining; 2. update *[US]*, updating, rehabilitation; 3 *(Anlagen)* upgrading; 4. upgrading of standards

Modernisierungs|auftrag *m* refurbishment order **M.beihilfe** *f* improvement grant, modernization aid **M.darlehen/M.kredit** *nt/m* improvement loan modernization credit; **M.investitionen** *pl* modernization/refurbishment investment; **M.maßnahme** *f* refurbishment, modernization measure; **M.programm M.vorhaben** *nt* modernization program(me); **M.zuschuss** *m* home improvement grant

Modernität *f* modernity
modernst *adj*; **am m.en** *adv* latest
Mode|schau *f* fashion parade/show; **M.schmuck** *m* costume jewellery; **M.schöpfer(in)** *m/f* fashion designer, stylist; **letzter M.schrei** latest craze; **M.stoff** *m* fashion fabric; **wirtschaftspolitische M.strömung** economic policy fashion; **M.torheit** *f* craze, rage, fad; **M.waren** *pl* fashion goods; **M.welle** *f* fad *(coll)*; **M.welt** *f* fashion scene; **M.woche** *f* fashion week; **M.wort** *nt* buzz word; **M.zeichner** *m* fashion designer, styler; **M.zeitschrift** *f* fashion journal
Modifikation *f* modification
modifizier|en *v/t* to modify/qualify; **M.faktor** *m* modifier; **M.ung** *f* modification, qualification
modisch *adj* 1. fashionable; 2. in general wear; 3. newfashioned
Modistin *f* milliner
Modul *nt* module
modular *adj* modular; **m.isieren** *v/t* to modularize; **M.isierung** *f* modularization; **M.system** *nt* modular system
modulartig *adj* modular
Modulation *f* modulation
Modul|bauweise *f* modular construction/design; **M.-bibliothek** *f* relocatable library; **m.ieren** *v/t* to modulate; **M.werbung** *f* modular advertising
Modus *m* mode
Mogel|ei *f* cheating, wangle; **m.n** *v/i* to cheat/swindle; **M.packung** *f* deceptive package/packing, dummy package
Mogler *m* cheater
möglich *adj* possible, feasible, potential, within one's reach; **sobald wie m.** 1. *(Brief)* at your earliest convenience; 2. as soon as possible (asap); **so weit wie m.** as far as possible
Möglichkeit *f* 1. possibility, opportunity, feasibility; 2. eventuality, contingency, chance, occasion; 3. opening, facility; **M.en** 1. scope; 2. means; **nach M.** as far as possible
Möglichkeit vorzeitiger Ablösung right of redemption; **M. der Kontoüberziehung** overdraft facility; **~ Kostenersparnis durch Produktionsausweitung** economies of scale potential; **~ Nichtteilnahme** opting out; **M. zur Risikokapitalbeteiligung** venture opportunity; **mit der M. der Verlängerung** subject to renewal; **M. für die Wiederausfuhr** re-export opportunity
seinen Möglichkeiten entsprechend according to one's means; **für alle M. gerüstet** ready for all eventualities
Möglichkeit ausschließen to rule out a possibility; **M.en voll ausschöpfen** to exhaust every possibility, to leave no stone unturned *(coll)*; **alle ~ einkalkulieren** to allow for all eventualities/possibilities; **~ erkunden** to explore possibilities; **~ eröffnen** to afford the possibilities of; **neue ~ eröffnen** to open up new vistas/prospects; **im Bereich der M. liegen** to be within the realms of possibility; **im Rahmen der finanziellen M.en liegen** to be within one's means, ~ affordable; **von einer M. Gebrauch machen** to avail o.s. of a right; **M. optimal nutzen** to make the most of an opportunity; **sich alle M.en offen halten** to leave one's options open; **außerhalb von jds ~ sein** not to be within so.'s powers; **finanzielle ~ übersteigen** to be beyond one's means; **M. wahrnehmen** to avail o.s. of an opportunity
berufliche Möglichkeit|en job/occupational opportunities, career prospects; **beste M.** main chance; **entfernte M.** remote possibility; **finanzielle M.en** financial limits; **geschäftliche M.en** business opportunities; **mangelnde M.** lack/want of opportunity; **neue M.en** new prospects; **unbegrenzte M.en** boundless possibilities, endless opportunities; **ungeahnte M.en** undreamed-of possibilities; **unternehmerische M.en** entrepreneurial scope; **vertane M.** wasted opportunity; **wirtschaftliche M.en** economic potential/resources
möglichst *adv* preferably, utmost; **m. bald** at your earliest convenience; **sein M.es tun** to do one's utmost
Mole *f* breakwater, jetty, mole, pier; **M.kül** *nt* molecule; **m.kular** *adj* molecular
Molkerei *f* dairy (farm), creamery; **M.betrieb** *m* dairy; **M.butter** *f* dairy butter; **M.erzeugnis(se)/M.produkt(e)** *nt/pl* dairy produce/product(s), milk product(s); **M.genossenschaft** *f* dairy cooperative; **M.sparte** *f* dairying division; **M.wesen** *nt* dairying, dairy husbandry; **M.wirtschaft** *f* dairy farming
Mollton *m* *(fig)* pessimistic tone
Moloch *m* 🚘 juggernaut
Moment *m/nt* 1. moment, instant; 2. factor, element; **M. einer Stichprobenverteilung** ▦ sampling moment; **auf den richtigen M. warten** to bide one's time; **entscheidender M.** crucial moment; **lichter M.** lucid interval; **retardierendes M.** delaying factor
momentan *adj* current; *adv* at present; **M.verzinsung** *f* continuing convertible interest
Moment|aufnahme *f* snapshot; **M.enmethode** *f* ▦ method of moments
Monat *m* month; **im M.** per month; **M.(e) nach Datum** month(s) after date (m/d); **einen ~ Eingang/Erhalt** within a month of receipt; **~ Sicht** month(s) after sight (m/s); **~ Zahlung** month(s) after payment
alle zwei Monat|e bimonthly; **zweimal im M.** twice a month; **jeden M.** monthly; **drei M.e dato** at three months' notice; **~ hintereinander** 1. for three months running; 2. for the third month running; **dieses M.s** instant (inst.)
laufender Monat current month; **letzter M./des letzten M.s** ult(imo); **nächster M.** next month, proximo; **sparintensiver M.** month of great saving; **voriger M.** last month, ult(imo)
monatlich *adj* monthly; *adv* each month, by the month
Monats|abgrenzung *f* month-end equalization; **M.abonnement** *nt* 1. *(Fahrkarte)* monthly ticket; 2. monthly subscription; **M.abrechnung** *f* monthly account/settlement; **M.abschluss** *m* monthly statement/settlement/summary; **flexibler M.abschluss** flexible monthly statement; **M.abschnitt** *m* (period of a) month; **M.abstimmung** *f (Konto)* monthly reconciliation; **M.angaben** *pl* monthly figures; **M.aufstel-**

lung/M.ausweis *f/m* monthly return/statement; **M.bedarf** *m* monthly requirement(s), one month's supply; **M.beitrag** *m* monthly contribution; **M.belastung** *f* monthly outgoings/charge/burden; **M.bericht** *m* monthly report/review/statement; **~ der Zentralbank** *m* banking figures *[GB]*; **M.bilanz** *f* monthly balance (sheet); **M.drittel** *nt* third of a month, 10 days of ..., decade; **M.durchschnitt** *m* monthly average; **M.einkommen** *nt* monthly income/pay; **M.endstand** *m* end-of-month figures/position; **M.ergebnis** *nt* monthly result; **M.ertrag** *m* monthly earning(s); **M.fahrkarte** *f* monthly ticket; **M.frist** *f* one month's period; **binnen M.frist** within a month; **M.gehalt** *nt* monthly salary; **M.geld** *nt* 1. monthly loan(s), time loan, one-month's money; 2. *(Vers.)* monthly benefit; **M.kompensation** *f* monthly settlement; **M.konto** *nt* monthly account; **M.lohn** *m* monthly wage; **M.miete** *f* monthly rent; **M.mitte** *f* middle of the month; **M.mittel** *nt* monthly average/mean; **M.prämie** *f* monthly premium; **M.produktion** *f* monthly production; **M.rate** *f* monthly instalment/payment; **zu gleichen M.raten** in equal monthly instalments; **M.rechnung** *f* monthly account; **M.rhythmus** *m* recurring monthly trend; **M.satz** *m* monthly rate; **M.schlusszahlung** *f* monthly settlement; **M.schrift** *f* monthly journal/periodical/publication; **M.status/M.übersicht** *m/f* monthly return; **M.summe** *f* monthly sum; **M.ultimo** *m* 1. month-end, last day of the month; 2. end-of-month settlement; **M.umsatz** *m* monthly turnover; **M.vergleich** *m* monthly comparison; **M.vorrat** *m* a month's supply; **M.wechsel** *m* 1. *(Studium)* monthly allowance; 2. one month's bill; **M.wende** *f* turn of the month; **M.zahlung** *f* monthly payment/instalment; **M.zuwachs** *m* monthly allowance

Mondpreis *m* fictitious price

monetär *adj* monetary

Monetaris|mus *m* monetarism; **M.t** *m* monetarist

Monetärkredit *m* monetary credit

Moneten *pl* *(coll)* lolly *(coll)*, brass *(coll)*, dough *(coll)* *[US]*; **die notwendigen M.** the wherewithal *(coll)*

monetisier|en *v/t* to monetize, to turn into money; **M.ung der Staatsschuld** *f* monetization of debt

monieren *v/t* to find fault with, to take exception to, to complain about, to give a reminder

Monitor *m* monitor

Monitum *nt* reminder, query

Mono|funktionssystem *nt* *(Börse)* single capacity system *[GB]*; **M.gramm** *nt* initial; **M.grafie** *f* monograph; **m.industriell** *adj* single-industry; **M.kultur** *f* monoculture, one-crop agriculture/system, single-crop system; **M.metallismus** *m* monometallism, single standard

Monopol *nt* monopoly; **M. der Notenausgabe** monopoly of bank note issue; **M. besitzen** to hold a monopoly; **M. erringen/an sich reißen** to monopolize; **M. verleihen** to grant a monopoly

homogenes Monopol pure monopoly; **staatliches M.** government monopoly; **totales M.** perfect monopoly; **vollständiges M.** absolute/outright monopoly

Monopol|abgabe *f* monopoly tax; **M.abkommen/M.absprache** *nt/f* monopoly agreement; **m.ähnlich** *adj* quasi-/semi-monopolistic, near-monopoly; **M.amt** *nt* monopoly office; **m.artig** *adj* monopolistic; **M.artikel/M.erzeugnis** *m/nt* proprietary article; **M.behörde** *f* monopoly authority; **M.bereich** *m* monopoly industry; **M.besitzer** *m* monopoly holder; **M.bildung** *f* monopolization; **m.feindlich** *adj* anti-monopolistic; **M.gesellschaft** *f* monopoly company; **M.gesetzgebung** *f* monopoly legislation; **M.gewinne** *pl* monopoly profits; **M.herr** *m* monopolist; **M.inhaber** *m* monopoly holder

monopolisier|en *v/t* to monopolize; **M.ung** *f* monopolization

Monopolist *m* monopolist; **m.isch** *adj* monopolistic

Monopolkapital *nt* monopoly capital; **M.ismus** *m* monopoly capitalism; **m.istisch** *adj* monopolistic

Monopol|kommission *f* Monopolies Commission *[GB]*; **M.macht** *f* monopoly market/power; **M.missbrauch** *m* abuse/improper use of monopoly; **M.preis** *m* monopoly price; **M.recht** *nt* monopoly privilege; **M.rente** *f* monopoly rent; **M.situation** *f* monopoly situation; **M.stellung** *f* monopoly power, monopoly (position); **~ halten** to hold the monopoly; **M.steuer** *f* excise (duty); **M.unternehmen** *nt* monopoly enterprise, monopolistic firm; **M.vereinbarung** *f* monopoly agreement; **M.verwaltung** *f* monopoly administration; **staatliche M.verwaltung** government monopoly; **M.wirtschaft** *f* monopolism

Monoproduktenwirtschaft *f* one-product economy

Monopson *nt* monopsony

Mono|struktur *f* monostructure; **wirtschaftliche M.struktur** economic monostructure; **m.ton** *adj* tedious, monotonous, drab; **M.tonie** *f* monotony; **M.type** *f* monotype

blauen Montag machen *(coll)* to keep Saint Monday *(coll)*

Montage *f* assembly (work), fitting, setting-up, mounting, installation, erection; **M. im Ausland** offshore assembly; **M. vor Ort** localized assembly, field installation; **M.abteilung** *f* assembly department

Montagearbeit *f* assembly work; **M.en** field-assembly operations; **M.er** *m* assembly (line) worker, assembly man; **M.splatz** *m* screwdriver job

Montage|band *nt* assembly line, conveyor belt; **nicht ausgetaktetes M.band** unbalanced line; **M.bau** *m* prefabrication; **M.bauweise** *f* prefabricated construction; **M.bereich** *m* assembly area; **M.betrieb** *m* assembly plant/shop, screwdriver operation; **M.dauer** *f* erection time; **M.fabrik** *f* assembly plant; **m.fertig** *adj* ready for assembly; **M.fehler** *m* assembly fault; **M.firma/M.gesellschaft** *f* assembler, assembling firm; **M.gehälter** *pl* installation salaries; **M.gerüst** *nt* assembling jig; **M.gruppe** *f* assembly unit; **M.halle** *f* assembling/erecting/assembly shop; **M.kapazität** *f* assembly capacity; **M.kolonne** *f* construction/erection crew, ~ gang, ~ team; **M.kosten** *pl* assembly/erection costs, installation/fitters'/labour charges; **M.kran** *m* erecting crane, derrick; **M.leistungen** *pl* assembly work; **M.**

leiter *m* chief erector; **M.löhne** *pl* installation wages; **M.plan** *m* assembly schedule; **M.rahmen** *m* mounting frame; **M.roboter** *m* assembly robot; **M.tätigkeit** *f* assembly operation; **M.technik** *f* assembly technique; **M.transport** *m* assembly transport; **M.versicherung** *f* installation insurance; **M.werk** *nt* assembly plant; **M.werkstatt** *f* assembly/fitting shop; **M.zeichen** *nt* assembly mark; **M.zeichnung** *f* assembly blueprint/drawing; **M.zeit** *f* assembly/setting-up/erection time

Montan|aktie(n) *f/pl* mining share(s) *[GB]*/stock(s) *[US]*, steels, mines, coal, iron and steel shares, mining and steel shares; **M.anleihe** *f* ECSC loan; **M.bereich** *m* coal, iron and steel industries; **M.gemeinschaft** *f* (European) Coal, Iron and Steel Community (ECSC); **M.gesellschaft** *f* coal, iron and steel company; **M.industrie** *f* coal (, iron) and steel industries, mining industry; **M.konzern** *m* steel group; **M.mitbestimmung** *f* 1. co-determination in the coal, iron and steel industries; 2. parity representation, parity board-level participation; **M.mitbestimmungsgesetz** *nt* co-determination act for the coal, iron and steel industries; **M.papiere** → **M.aktien**; **M.produkte** *pl* coal, iron and steel products; **M.sektor** *m* coal, iron and steel industries; **M.umlage** *f* ECSC perequation levy; **M.union** *f* (European) Coal and Steel Community (ECSC); **M.unternehmen** *nt* mining concern; **M.vertrag** *m* ECSC treaty; **M.werte** → **M.aktien**

Monteur *m* 1. assembler, fitter, mechanic; 2. assembly operator; **M.anzug** *m* overalls, dungarees; **M.station** *f* service station

Montieren *nt* fixing, mounting; **m.** *v/t* to assemble/fit/erect/install/mount, to set up

montier|t *adj* mounted; **M.ung** *f* assembly, fitting, erection

Moos *nt* *(coll)* lolly *(coll)*, brass *(coll)*, dough *(coll)* *[US]*

mopsen *v/t* *(coll)* to pinch *(coll)*/nick *(coll)*

Moral *f* 1. moral(s), ethics, moral standards; 2. morale; **M. untergraben** to demoralize; **lasche M.** lax morals; **M.apostel** *m* moralist; **M.auffassung** *f* moral code; **m.isch** *adj* moral; **M.ist(in)** *m/f* moralist; **M.kodex** *m* ethical/moral code; **M.philosophie** *f* moral philosophy

Moratorium *nt* moratorium, letter of respite/protection, standstill (agreement), delay/prolongation/respite of payment; **M.srisiko** *nt* standstill risk; **M.surkunde** *f* letter of respite/protection

Mord *m* murder, homicide *[US]*

mörderisch *adj* 1. murderous; 2. *(Preis, Wettbewerb)* cutthroat

Morgen *m* *(Flächenmaß)* (Dutch) acre

Morgen|ausgabe *f* early morning edition; **M.blatt** *nt* morning paper; **M.gabe** *f* morning gift; **M.land** *nt* orient; **m.ländisch** *adj* oriental; **M.post** *f* morning post/mail; **M.schicht** *f* early/morning shift; **frühe M.stunden** small hours; **M.zeitung** *f* morning paper

morsch *adj* decayed, rotten

Morse|alphabet *nt* morse code; **M.apparat** *m* morse telegraph; **M.lampe** *f* morse lamp

morsen *v/i* to morse

Morse|schlüssel *m* morse key; **M.schreiber/M.telegraf** *m* morse telegraph; **M.taste** *f* tapper

Mortalität *f* mortality rate; **M.stafel** *f (Lebensvers.)* decrement rate

Motel *nt* motel, motor inn/lodge *[GB]*

Motiv *nt* 1. motive; 2. *(Thema)* motif; **M.analyse** *f* motivation survey

Motivation *f* (self-)motivation; **M. der Führungskräfte** executive motivation; **M.s-** motivational, incentive

Motivator *m* motivator, job content factor

Motivforschung *f* motivational/motivation research

motivier|en *v/t* to motivate/galvanize; **M.ung** *f* motivation **M.ungsstudie** *f* motivation study

Motiv|irrtum *m* mistake as to the nature of the subject matter, mistake/error in the inducement *[US]*, error in motivation

Motor *m* 1. ϟ motor; 2. 🚗 engine; 3. driving force

Motor abschalten/abstellen 1. to switch off the motor; 2. to stop the engine; **M. anlassen** to start the engine; **M. drosseln** to throttle an engine; **M. überholen** to overhaul an engine/a motor

Motor|abnutzung *f* engine/motor wear; **mit M.antrieb** *m* power-operated, motor-driven; **M.ausfall** *m* engine failure; **M.barkasse** *f* ⚓ motor launch; **M.boot** *nt* motor boat; **M.defekt** *m* engine trouble

Motoren|bau *m* engine construction; **M.fabrik** *f* engine plant; **M.öl** *nt* engine oil; **M.schlosser** *m* motor mechanic, engine fitter; **M.werk** *nt* engine plant; **M.werte** *pl (Aktien)* motors, motor shares *[GB]*/stocks *[US]*

motorgetrieben *adj* engine-powered, power-driven

motorisier|en *v/t* to mechanize/motorize; **m.t** *adj* 1. mechanized; 2. mobile; **M.ung** *f* 1. mechanization; 2. motorization, increasing car ownership

Motor|leistung *f* engine capacity, motor output; **M.nennleistung** *f* rated engine capacity; **M.nummer** *f* engine/motor number; **M.panne** *f* engine breakdown

Motorrad *nt* motorcycle; **M.brille** *f* goggles; **M.fahrer** *m* motorcyclist

Motor|raum *m* engine compartment; **M.roller** *m* (motor) scooter; **M.säge** *f* motor saw; **M.schaden** *m* engine trouble; **M.schiff (M.S.)** *nt* motor ship/vessel (M.V.); **M.schlitten** *m* snowmobile; **M.segler** *m* power glider; **M.störung** *f* engine breakdown

Motto *nt* motto, slogan

M.T.A. (medizinischtechnische(r) Assistent(in)) *f/m* medical laboratory assistant

MTN Wertpapier-Ziehungen *pl* MTN (medium term notes)-drawings

müde *adj* 1. *(Börse)* dull, listless; 2. tired, weary

Müdigkeit *f* tiredness, weariness, fatigue

Mühe *f* trouble, effort, pains, difficulty; **der M. wert** worthwhile, worth one's while; **mit großer M.** with great difficulty

Mühe aufwenden; sich M. geben to take pains, to be at pains; **jdn der M. entheben** to save so. the trouble; **sich alle M. geben** to endeavour to do one's best, to leave no stone unturned *(fig)*; **sich große/redliche M. geben** to take great pains; **sich übergroße M. geben** to bend over backwards; **sich viel M. geben** to go to great lengths;

sich die M. machen to trouble/bother, to go to/to take the trouble; **jdm viel M. machen** to put so. to a lot of trouble; **keine M. scheuen** to make every effort, to spare no effort/pains; **weder M. noch Kosten scheuen** to spare neither effort nor expense; **der M. wert sein** to be worth the trouble; **sich die M. sparen** to save o.s. the trouble; **sich der M. unterziehen** to bother

unendliche Mühe no end of trouble; **vergebliche/verlorene M.** wasted effort, waste of effort, lost labour

mühe|los *adj* 1. effortless, without difficulty; 2. hands down; **m.voll** *adj* difficult, hard; **M.waltung** *f* trouble, pain, effort(s)

Mühle *f* mill; **M.n der Gerechtigkeit** wheels of justice

Mühlen|arbeiter *m* mill hand; **M.besitzer** *m* mill owner; **M.futterprodukte** *pl* millfeeds; **M.industrie** *f* milling industry

Müh|sal *f* hardship, toil, drudgery; **m.sam** *adj* hard, arduous, laborious, wearisome, burdensome, strenuous; **m.selig** *adj* laborious, arduous, fiddly; **M.seligkeit** *f* laboriousness

Mulde *f* trough

Müll *m* refuse, waste, trash *[US]*, garbage *[US]*, rubbish; **M. abladen** to tip refuse

gewerblicher Müll industrial waste; **kompostierter M.** composted waste/garbage; **radioaktiver M.** radioactive waste

Müll|abfuhr *f* 1. refuse/waste/rubbish/garbage *[US]* collection, garbage removal *[US]*, trash hauling *[US]*; 2. refuse disposal service, garbage collectors *[US]*, sanitation service *[US]*; **M.abladeplatz** *m* rubbish tip, (trash *[US]*) dump; **M.arbeiter** *pl* refuse collectors *[GB]*, garbage disposal unit *[US]*; **M.aufbereitung** *f* recycling of refuse, waste recycling/treatment/processing; **M.beseitigung** *f* refuse/waste disposal; **M.beseitigungsanlage** *f* refuse/waste disposal unit; **M.container** *m* rubbish skip, trash dumpster *[US]*; **M.deponie** *f* rubbish dump/tip, refuse/waste disposal site, civic amenity site; **M.eimer** *m* refuse/rubbish bin *[GB]*, trash can *[US]*, dustbin *[GB]*; **M.entleerung** *f* refuse collection; **M.entsorgung** waste management

Müller *m* miller

Müll|fahrer *m* dust(bin)man *[GB]*, garbage man *[US]*; **M.fahrzeug** *nt* dustcart *[GB]*, dumping/garbage truck *[US]*; **M.grube** *f* refuse pit; **M.halde/M.kippe** *f* (refuse/rubbish) dump, ~ tip, dumping ground, waste dip, refuse disposal site; **M.kasten** *m* dust box *[GB]*, garbage can *[US]*; **wilde M.kippe** clandestine refuse tip/dump; **M.kunde** *f* garbology; **M.platz** *m* refuse tip; **transportable M.presse** portacrush; **M.schacht/M.schlucker** *m* dust/garbage/trash chute, (waste/garbage) disposal unit, waste disposer; **M.tonne** *f* dustbin, trash/garbage can, refuse bin, trash dumpster *[US]*

Müllverbrennung *f* refuse/waste incineration; **M.sanlage** *f* refuse/garbage incineration plant, incinerating plant; **M.sofen** *m* incinerator, destructor

Müll|verfüllung *f* waste relocation; **M.vernichtungsanlage** *f* refuse destructor; **M.verwertung** *f* recycling, waste reclamation (scheme), refuse utilization; **M.verwertungsanlage** *f* (solid) waste disposal resource recovery plant; **M.wagen** *m* dustcart *[GB]*, garbage truck *[US]*, rubbish cart; **M.werker** *m* dust(bin)man, garbage man, sanitation engineer *[US]*

Multi *m* *(coll)* multinational/transnational company, multinational (corporation); **m.-** multi-; **M.devisenstandard** *m* multiple foreign exchange currency; **M.faserabkommen** *nt* Multifibre Agreement (MFA); **m.funktional** *adj* multi-functional; **M.funktionstastatur** *f* multi-functional keyboard; **M.kausalität** *f* multiple causality

multilateral *adj* multilateral; **M.ismus/M.ität** *m/f* multilateralism

Multi|mediakonzern *m* multi-media group; **m.medial** *adj* multi-media; **M.millionär** *m* multimillionaire; **m.modal** *adj* intermodal; **M.momentaufnahme/-verfahren** *f/nt* 1. ratio delay method/study; 2. (rated) activity sampling, work sampling, observation ratio method, snap-reading method; **m.national** *adj* multinational, transnational; **M.-Packung** *f* multi-pack

Multiplikation *f* multiplication; **M.sanweisung** *f* multiply statement; **M.seffekt** *m* multiplier effect

Multiplikator *m* multiplicator, multiplier; **zusammengesetzter M.** compound multiplier; **M.effekt/M.wirkung** *m/f* multiplier effect

multiplizieren *v/t* to multiply

Multiprogrammierung *f* multi-programming

Mund *m* mouth; **in aller Leute M.** on everybody's lips

sich alles vom Mund|e absparen to pinch and scrape; **von M. zu M. gehen** to pass from mouth to mouth; **von der Hand in den M. leben** to live from hand to mouth; **den M. voll nehmen** to talk big, to boast/brag; **sich ~ fuselig reden** to talk nineteen to the dozen *(coll)*, to talk one's head off *(coll)*; **in aller M.e sein** to be the talk of the town

aus berufenem Munde from an authoritative source

Mund|art *f* vernacular, dialect; **M.diebstahl** *m* pilferage petty theft

Mündel *nt* § ward, charge; **M. unter Amtsvormundschaft** ward of court, ~ in chancery; **jds M. sein** to be in ward to so.; **M.gelder** *pl* trust fund(s)/estate/money estate trust; **m.sicher** *adj* gilt-edged *[GB]*, eligible *[US]*; **M.sicherheit** *f* trustee (security) status *[GB]*, eligibility *[US]*; **M.stand** *m* pupilage; **M.verhältnis** *n* ward, guardianship; **M.vermögen** *nt* trust fund

mündig *adj* of age, adult, major; **für m. erklären** to declare of age; **m. werden** to come of age, to reach majority; **M.e(r)** *f/m* adult, major

Mündigkeit *f* majority; **M.salter** *nt* age of consent; **M.serklärung** *f* declaration of majority, declaring a person to be of age

mündlich *adj* 1. oral, verbal, by word of mouth, viva voce *(lat.)*; 2. § parol

Mündlichkeit *f* orality; **M.sgrundsatz/M.sprinzip** *m* principle of oral proceedings/presentation

Mund|propaganda *f* word-of-mouth propaganda/advertising; **M.raub** *m* petty theft/larceny, pilferage; **m.tot machen** *adj* to silence/muzzle/gag

Mündung *f* mouth, outfall; **M.sfluss/M.sgebiet** *m/n* estuary

Mundwerbung *f* word-of-mouth advertising
Munition *f* munitions, ammunition; **scharfe M.** live munitions/ammunition; **M.sfabrik** *f* ordnance factory *[GB]*, ammunition factory
munkeln *v/ti* to rumour; **man m.t** rumour has it
munter *adj* 1. brisk, lively, blithe; 2. *(Börse)* cheerful; **m. bleiben** to stay awake
Münz|- coin-operated; **M.amt/M.anstalt** *nt/f* mint, assay office; **M.automat** *m* slot machine; **m.bar** *adj* coinable; **m.betrieben** *adj* coin-operated; **M.bild** *nt* coin design; **M.delikt** *nt* coinage offence
Münze *f* 1. coin; 2. *(Hartgeld)* specie, money; 3. *(Münzamt)* mint; **M.n** 1. coinage, mintage; 2. (small) change; **M. mit gesetzlich vorgeschriebenem Feingehalt** standard coin
sich in klingender Münze auszahlen to pay off (very handsomely); **M.n fälschen** to counterfeit coins; **mit gleicher M. heimzahlen** *(fig)* to respond in kind; **für bare M. nehmen** to take at face value, ~ for gospel truth, ~ literally; **zu M.n prägen** to monetize; **M.n schlagen** to mint coins; **M. in den Schlitz stecken** to insert a coin in the slot; **in klingende M. umsetzen** to make money out of it; **in klingender M. zahlen** to pay cash; **M. aus dem Verkehr ziehen** to withdraw a coin
abgenutzte Münze defaced coin; **falsche M.** base coin; **gangbare/gängige M.** current/common coin; **gefälschte M.** counterfeit (coin); **klingende M.** real money; **in klingender M.** in (hard) cash, in specie; **schlechte M.** base coinage; **unterwertige M.** minor coin; **vollwertige M.** full-bodied coin
Münz|einheit *f* denomination, monetary unit; **M.einnahmen** *pl* seigniorage; **M.einwurf** *m* (coin) slot
münzen *v/t* to mint/coin, to strike coins
Münzen|- → **Münz-**
Münzer *m* coiner
Münz|fälscher *m* counterfeiter; **M.fälschung** *f* counterfeiting of coins; **M.fernsehen** *nt* pay television/tv; **M.fernsprecher** *m* public phone box *[GB]*, pay phone/station *[US]*, callbox, coin box *[US]*; **M.fuß** *m* monetary/coinage standard, standard of coin, legal parity; ~ **festsetzen** to monetize; **M.gebühr** *f* assay cost, brassage, seigniorage; **M.gehalt** *m* standard of alloy; **M.geld** *nt* coins, loose cash, hard money, specie; **M.gerechtigkeit** *f* 1. monetary sovereignty; 2. prerogative of coinage; **M.gesetz** *nt* coinage law; **M.gewicht** *nt* coin weight; **M.gewinn** *m* seigniorage, brassage, profit from coinage; **M.gold** *nt* gold specie; **M.- und Barrengold** gold coin and bullion; **M.gutschrift** *f* credit on account of coinage; **M.handel** *m* dealing in coins; **M.hoheit** *f* right of coinage, monetary sovereignty, coinage prerogative; **M.konvention** *f* monetary convention; **M.kunde** *f* numismatics; **M.metall** *nt* coinage metal; **M.metallprüfanstalt** *f* assay office; **M.monopol** *nt* coinage monopoly, monopoly of issuing money; **M.pari** *nt* mint par of exchange; **M.parität** *f* mint parity/par/rate (of exchange); **M.platz** *m* mint; **M.prägung** *f* minting, monetization; **M.preis** *m* mint price; **M.prüfer** *m* assayer; **M.recht/M.regal** *nt* → **Münzhoheit**; **M.rohling** *m* blank, flan; **M.sammler** *m* coin collector; **M.sammlung** *f* coin/numismatic collection; **M.silber** *nt* bullion, standard silver; **M.sorten** *pl* kinds of coin, species; **M.standard** *m* standard; **M.stätte** *f* mint; **M.stempel** *m* mint mark; **M.system** *nt* coinage; **M.tankstelle** *f* coin-operated filling *[GB]*/gas(oline) *[US]* station; **M.telefon** *nt* → **Münzfernsprecher**; **M.umlauf/M.verkehr** *m* coin circulation, coins in circulation; **M.vergehen** *nt* coinage offence; **M.verringerung/M.verschlechterung** *f* debasement (of coin/coinage); **M.verschleiß** *m* abrasion; **M.währung** *f* standard; **M.wäscherei** *f* coin-operated laundry; **M.wechsler** *m* change machine; **M.wert** *m* assay value; **M.wesen** *nt* coinage; **M.zähler** *m* slot/coin-operated meter; **M.zeichen** *nt* mint mark
mürbe *adj* 1. *(Stoff)* tender; 2. *(Gebäck)* crisp; **m. machen** to break; **jdn m. machen** to soften so. up
Murks *m* *(coll)* bungle, botch, hash; **M. machen** to botch sth., to make a hash of things
museal *adj* antiquarian
Museum *nt* museum; **M. der Schönen Künste** art museum; **M.sverwalter** *m* curator
Musikalienhandlung *f* music shop
Musik|aufnahme *f* music recording; **M.dampfer** *m* pleasure boat
Musiker(in) *m/f* musician
Muskel *m* muscle; **seine M.n spielen lassen** to flex one's muscles
Muss *nt* must; **M.bestimmung** *f* mandatory provision
Muße *f* leisure; **M.zeit** *f* leisure time
müßig *adj* idle
Müßig|gang *m* idleness; **M.gänger** *m* idler, loafer, lounger
Muss|kaufmann *m* business by legal definition, automatically constituted trader; **M.vorschrift** *f* mandatory provision
Muster *nt* 1. *(Design)* pattern; 2. *(Probe)* sample, specimen; 3. design, model, type, example; **nach M.** as per sample; **nach dem M.** on the model; **M. ohne Handelswert** sample without commercial value; ~ **Wert** sample of no value
dem Muster entsprechend up/true to sample; **nicht ~ entsprechend** not to sample; **mit ~ übereinstimmend** true to sample; **schlechter als das M.** inferior to sample
nach einem Muster arbeiten to work from a pattern; **nach M. bestellen** to order from sample; **als M. dienen** to serve as a model; **dem M. entsprechen** to correspond to/match the sample; **nach ~ formen/gestalten** to model on sth.; **als M. hinstellen** to hold up as an example; **nach M. kaufen** to buy according to sample; **in der Qualität unter dem M. liegen** to be below sample; **M. nehmen** to take samples; **mit dem M. übereinstimmen** to match the sample; **nach M. verkaufen** to sell by sample; **M. ziehen** to sample, to draw/take samples
auf Bestellung angefertigtes Muster custom design; **ausgezeichnetes M.** priced pattern; **beigefügtes M.** enclosed sample; **eingetragenes M.** registered design; **einheitliches M.** standard pattern; **festgelegtes/-stehendes M.** set pattern; **kostenloses M.** free sample; **kunstvolles M.** elaborate design; **regelmäßiges M.**

geometrical pattern; **ungeschütztes M.** open pattern; **unverkäufliches M.** *(Text)* not for resale; **vorgeschriebenes M.** set pattern

Muster|abkommen *nt* model agreement; **M.abnahme** *f* type approval (test); **M.anklage wegen Diebstahls** *f* specimen theft charge; **M.angebot** *nt* sample offer; **M.anmeldung** *f* registration of a design; **M.arbeitsvertrag** *m* model employment contract; **M.auftrag** *m* trial order; **M.auswahl** *f* range of patterns; **M.beispiel** *nt* object lesson, perfect/typical example, paradigm; **M.betrieb** *m* model plant/factory, pilot company/plant; **landwirtschaftlicher M.betrieb** model/pilot farm; **M.beutel** *m* mailing bag; **M.bilanz** *f* standard balance sheet; **M.brief** *m* 1. model/specimen letter; 2. 🖳 stock letter; **M.buch** *nt* pattern/sample book, book of samples; **M.einrichtung** *f* model set-up; **M.eintragung** *f* sample entry; **M.entnahme** *f* sampling; **M.exemplar** *nt* sample, pattern; **M.fall** *m* test case, precedent; **M.farm/ M.gut/M.hof** *f/nt/m* model farm; **M.formblatt** *nt* model form; **M.formular** *nt* specimen form; **m.gemäß** *adj* according to sample; **m.getreu** *adj* true to sample; **M.größe** *f* sample size; **m.gültig/m.haft** *adj* exemplary, model; **M.haus** *nt* show/model house; **M.heft** *nt* pattern book; **M.inhaber** *m* proprietor of a design; **M.karte** *f* pattern/sample/show card; **M.klage** *f* [§] test case, class action *[US]*; **M.klammer** *f* paper fastener, mailing clasp; **M.koffer** *m* sample bag; **M.kollektion** *f* 1. assortment/collection/stock of samples, ~ patterns; 2. sampling; **M.lager** *nt* sample room, showroom, display of samples; **M.leistung** *f* model performance; **M.los** *nt* ▦ pilot lot; **M.messe** *f* trade/samples fair; **M.mietvertrag** *m* specimen rental agreement

mustern *v/t* 1. to examine/scrutinize/survey, to look over; 2. *(Stoff)* to pattern

Muster|packung *f* sample/display pack; **M.patent** *nt* design patent; **M.police** *f* policy specimen; **M.prozess** *m* 1. [§] test case/action, model suit; 2. representative proceedings; **M.prüfung** *f* sampling inspection; **M.rabatt** *m* ⊖ sample discount/rebate; **M.rolle** *f* 1. sample roll; 2. ⚓ list of the crew; 3. register of industrial designs; **M.sammlung** *f* collection of samples, sampling; **M.satzung** *f* draft articles, model articles of association, specimen bye-laws; **M.schutz** *m* design copyright, copyright in designs, protection of industrial/registered designs, ~ patterns and designs; **M.sendung** *f* sample consignment, selection of samples; **M.stück** *nt* sample, specimen; **M.studie** *f* pilot study; **M.text** *m* standard text

Musterung *f* 1. examination, scrutiny; 2. selection; 3. patterning; **M.skommission** *f* draft board; **M.smesse** *f* (trade) fair

Muster|unterschrift *f* specimen signature; **M.vertrag** *m* specimen/standard contract, model agreement; **M.verkaufsbrief** *m* specimen sales letter; **M.vordruck** *m* specimen form; **M.vorlage** *f* submission of samples; **M.vorschriften** *pl* standard regulations; **M.wohnung** *f* show flat; **M.zeichner** *m* designer, draughtsman *[GB]*, draftsman *[US]*; **M.zeichnung** *f* pattern design; **M.zieher** *m* sampler; **M.ziehung** *f* sampling

Mut *m* courage, prowess, boldness, pluck

seinen ganzen Mut aufbringen to pluck up one' courage; **nicht den M. aufbringen** not to find it i one's heart; **M. fassen** to take heart, to summon/tak courage; **M. haben** to have the heart; **M. machen** to en courage; **neuen M. schöpfen** to take heart/courage; **M verlieren** to lose heart; **M. zeigen** to put a bold front on i

muten *v/ti* ⚒ to apply for a mining concession

mutig *adj* courageous, bold

mut|los *adj* discouraged, dispirited; **m.maßen** *v/t* t surmise/presume/conjecture

mutmaßlich *adj* 1. presumed, presumptive, probable suspected; 2. [§] constructive, putative, conjectural **M.keit** *f* ▦ likelihood

Mutmaßung *f* supposition, conjecture, assumption **M.en anstellen** to guess

Mutter *f* 1. mother (company), parent (company); 2. ⚙ nut; **M. und Tochter** parent and offspring, ~ subsidi ary, mother and daughter company; **berufstätige M** working mother; **ledige M.** unmarried mother; **wer dende M.** expectant mother; **M.bank** *f* parent bank

Mütter|beihilfe *f* maternity grant *[GB]*; **M.beratungs dienst** *m* maternity welfare service; **M.beratungsstel le** *f* maternity centre, child welfare clinic

Mutter|boden *m* topsoil, natural earth; **M.gesell schaft/M.haus** *f/nt* parent/controlling/mother/maste company, parent corporation *[US]*; **M.land** *nt* mother metropolitan country; **im M.leib** *m* [§] en ventre sa mèr *[frz.]*

mütterlich *adj* maternal, motherly

Mutter|mord *m* matricide; **M.pause** *f* ⎘ reproducible cop

Mutterschaft *f* maternity, motherhood; **M.sbeihilfe** *f* 1 maternity allowance *[GB]*; 2. *(einmalige)* maternit grant *[GB]*; **M.sgeld** *nt* pregnancy allowance, materni ty allowance/benefit; **M.shilfe** *f* maternity aid

Mutterschaftsschutz *m* maternity rights; **M.frist** *f* ma ternity period; **M.gesetz** *nt* maternity protection act

Mutterschafts|urlaub *m* maternity/pregnancy/parenta leave; **M.versicherung** *f* maternity insurance; **M.zu schuss** *m* maternity grant *[GB]*

Mutter|schutz *m* maternity protection; **M.sprache** mother tongue, native language/tongue; **M.tag** *n* Mothering Sunday *[GB]*, Mother's Day *[US]*; **M.um satz** *m* parent company's turnover

Mutung *f* 1. ⚒ claim; 2. concession; 3. prospect; **regel rechte M.** clear title

Mutungs|anspruch *m* mining claim; **M.inhaber** *n* claim holder; **M.intervall** *nt* ▦ confidence range; **M. recht** *nt* mining claim

mutwillig *adj* wanton, wilful, mischievious; **M.keit** wantonness, mischief

N

Nabel *m* navel; **N.schau** *f (coll)* navel-watching

nach *prep* following, according to, after, as per, in the wake of; **n. und n.** step-by-step, little by little, progressively

Nach|abstimmung *f* subsequent vote; **n.addieren** *v/t* to refoot, to check the addition; **N.addition** *f* refooting

nachahmen *v/t* 1. to copy/imitate/emulate; 2. to counterfeit/falsify/forge/fake *(coll)*; **n.d** *adj* imitative

Nachahmer *m* imitator, copycat *(coll)*; **N.effekt** *m* bandwaggon effect; **N.präparat** *nt* generic drug; **N.produkt** *nt* me-too product

Nachahmung *f* 1. imitation, copy; 2.counterfeit, forgery, sham, fake *(coll)*; **N.en** imitation goods; **rechtswidrige N.** unlawful/illegal imitation; **sklavische N.** colo(u)rable imitation, design piracy; **unlautere N.** improper/unfair imitation

nachaktivier|en *v/t* to postcapitalize, to revalue fixed assets; **N.ung** *f* postcapitalization, revaluation of fixed assets

Nachanalyse *f* re-indexing

Nachanmeld|er *m* *(Pat.)* subsequent applicant; **N.ung** *f* 1. *(Pat.)* subsequent application; 2. supplementary registration/application, late/subsequent notification; 3. ⊖ further declaration

Nacharbeit *f* 1. finishing, rework, follow-up (work/procedure), extra work, 2. hours worked to make up for ...; **N.en der ausgefallenen Arbeitszeit** *nt* making up for lost time; **n.en** *v/t* 1. to finish/rework, to make up for; 2. to copy/reproduce; **N.skosten** *pl* cost of rework; **N.ung** *f* finishing; **N.ungsauftrag** *m* rework order

Nachauftrag *m* follow-up order; **N.(s)nehmer** *m* subcontractor

Nachbar *m* neighbour; **mit den N.n Schritt halten** to keep up with the Joneses *(coll)*; **nächster/unmittelbarer N.** next-door neighbour

Nachbar|- adjacent; **N.disziplin** *f* neighbouring discipline; **N.fach** *nt* neighbouring discipline; **N.gefahr** *f* *(Vers.)* surrounding risk, exposure hazard; **N.grundstück** *nt* adjacent site/land/property, adjoining property; **N.haus** *nt* adjoining house; **N.land** *nt* neighbouring country; **n.lich** *adj* neighbourly, adjacent, adjoining; **N.recht** *nt* neighbour law; **N.ressort** *nt* sister department

Nachbarschaft *f* 1. neighbourhood; 2. vicinity, proximity; **gefahrerhöhende N.** *(Vers.)* surrounding risk, exposure hazard; **in unmittelbarer N.** next door, in close proximity

Nachbarschafts|aktivitäten *pl* community activities; **N.effekt** *m* neighbourhood effect; **N.gewinn** *m* *(Grundstück)* general benefit; **N.hilfe** *f* neighbourly help; **N.laden** *m* neighbourhood/local shop, convenience store *[US]*; **N.verkehr** *m* local traffic

Nachbar|staat *m* adjacent/neighbouring state; **N.stadt** *f* neighbouring town

Nachbau *m* 1. copy, duplicate; 2. reproduction, reconstruction, construction under licence; **unerlaubter N.** unlawful imitation, unlicensed reproduction; **n.en** *v/t* 1. to copy/imitate; 2. to manufacture under licence

nachbearbeit|en *v/t* to finish/rework; **N.ung** *f* finish(ing), reworking

nachbehand|eln *v/t* to give further treatment; **N.lung** *f* follow-up treatment/care, after-care

nach|bekommen *v/t* to obtain later; **n.belasten/n.berechnen** *v/t* to make an additional charge; **N.belastung/N.berechnung** *f* supplementary/additional charge, subsequent debit; **N.benutzungsmöglichkeit durch andere Sachverständige** *f* *(Pat.)* possibility of use thereafter for other persons skilled in the trade, subsequent use by experts versed in the art; **n.bereiten** *v/t* to assess/evalaute afterwards; **N.besitzer** *m* subsequent owner; **n.bessern** *v/t* to mend/repair/rework, to remedy a defect, to improve subsequently

Nachbesserung *f* rework, remedying the defect, rectification, remedy, subsequent improvement/service

Nachbesserungs|arbeit *f* rework; **N.auftrag** *m* spoiled-work order; **N.frist** *f* period for remedying defects, cure period; **N.kosten** *pl* rework cost; **N.pflicht** *f* obligation to repair, ~ remedy defects; **N.recht** *nt* contractor's right to be given the opportunity to remedy defects

Nachbesprechung *f* debriefing, post-mortem; **N. abhalten** to debrief, to hold a post-mortem

nachbestellen *v/t* to reorder, to put in a repeat order

Nachbestellung *f* repeat/supplementary/replenishment/follow-up/subsequent order, reorder; **N.en** reordering; **kurzfristige N.** urgent follow-up order

Nach|besteuerung *f* supplementary taxation; **N.besuch** *m* callback, follow-up call; **N.betreuung** *f* aftercare

nachbewillig|en *v/t* to grant additionally; **N.ung** *f* supplementary allowance/grant/appropriation, additional allowance

nachbezahlen *v/t* to pay extra, to make an additional payment

Nachbezug *m* additional supply; **N.saktien** *pl* deferred shares/stocks; **N.srecht** *nt* right to cumulative dividend, ~ to prior year dividends

nachbild|en *v/t* 1. to copy/imitate/reproduce; 2. *(fälschen)* to counterfeit/fake; **genau n.en** to facsimile; **N.ung** *f* 1. reproduction, replica, copy, simulation; 2. *(Fälschung)* fake, forgery; **genaue N.ung** facsimile

Nachbörse *f* kerb *[GB]*/curb *[US]* (market), street/inofficial market, market after official hours, after-hours dealings/trading; **an der N. verkaufen** to sell on the kerb/curb, ~ in the street *[US]*; **N.n-** after-hours; **N.nhandel** *m* trade after the official close

nachbörslich *adj* kerb, curb, after-hours, (noted) after (official) hours, in the street

Nachbrief *m* follow-up letter

nachbuch|en *v/t* to post up, to make a subsequent entry; **N.ung** *f* subsequent/supplementary/completing entry

Nachbürg|e *m* 1. collateral/additional guarantor, counterbail, second bail, secondary guarantee; 2. *(Wechsel)* subsequent endorser; **N.schaft** *f* collateral/additional guarantee, ~ surety, counter-surety, surety for a surety

Nachcodierung *f* postinscription

nachdatier|en *v/t* to postdate; **N.ung** *f* postdating

Nach|deckungspflicht *f* obligation to provide further cover; **N.deklaration/N.deklarierung** *f* postentry, subsequent declaration

Nachdenken *nt* reflection; **angestrengtes N.** hard thinking; **erneutes N.** rethink; **n.** *v/i* to consider/reflect/deliberate; **n. über** to ponder

nach|denklich *adj* pensive, contemplative; **n.drängen** *v/i* to press/push
Nachdruck *m* 1. emphasis, insistence, urgency; 2. reprint, reproduction; **mit N.** emphatically, forcefully; **N. nur mit Quellenangabe gestattet** reprint must mention source; **N. verboten** copyright reserved; **N. auch auszugsweise verboten** not to be reproduced in part or in whole; **(etw.) mit N. betreiben/vorwärts treiben** to press ahead (with sth.), to push; **N. legen auf** to stress, to make a point of; **unberechtigter/unerlaubter N.** pirate(d) edition, unauthorized reprint
nachdrucken *v/t* 1. to reprint/reproduce; 2. to forge/falsify; **unerlaubt n.** to pirate
Nachdruckerlaubnis *f* permission to reprint
nachdrücklich *adj* insistent, forceful
Nachdruckrecht *nt* copyright
nachehelich *adj* postnuptial; **n.eifern** *v/i* to emulate; **N.eiferung** *f* emulation; **N.eile** *f* 1. *(Handelsrecht)* right to stoppage; 2. ⚓ hot pursuit; **n.einander** *adv* successively, in succession/turn; **N.emission** *f* follow-up issue; **n.entrichten** *v/t* to make retrospective payments; **N.entrichtung** *f* retrospective payment; **N.entwicklung** *f* redevelopment
Nacherbe *m* reversionary/second heir, remainderman; **N.neinsetzung** *f* executory devise; **N.nrecht** *nt* remainder, expectant interest of a reversionary heir
Nacherbfolge *f* reversionary succession
Nacherbschaft *f* estate in expectancy, expectant estate; **N.srecht** *nt* reversionary interest; **N.swert** *m* reversion value
Nach|erhebung *f* 1. subsequent assessment/levy; 2. ⊖ post-clearance collection; **N.ernte** *f* aftercrop; **N.erwerber** *m* subsequent buyer; **N.fahre** *m* descendant; **N.fakturierung** *f* post-delivery invoicing
Nachfass|- follow-up; **N.aktion** *f* follow-up procedure; **N.besuch** *m* callback, follow-up call; **N.brief** *m* follow-up letter
nachfassen *v/i* to follow up; **N. bei Nichtbeantwortung** *nt* follow-up of non-respondents; **n.d** *adj (Werbung)* follow-up
Nachfass|interview *nt* callback, follow-up interview; **N.schreiben** *nt* follow-up letter; **N.werbung** *f* follow-up advertising
Nachfeststellung *f* subsequent/additional assessment; **N.szeitpunkt** *m* time of subsequent assessment
nachfinanzier|en *v/t* to find additional finace; **N.ung** *f* supplementary/further financing, supplementary financial assistance
Nachfolge *f* 1. succession, descent; 2. follow-up; **N. im Erbschaftswege** hereditary succession; **N. in gerader Linie** lineal succession; **jds N. antreten** to succeed so.; **N. regeln** to establish the right of succession; **direkte N.** lineal descent; **rechtmäßige N.** legitimate descent
Nachfolge|bank *f* successor bank; **N.firma/N.gesellschaft** *f* successor company; **N.geschäft** *nt* spinoff; **N.haftung** *f* secondary liability; **N.investition** *f* follow-up investment; **N.konferenz** *f* follow-up conference
nachfolgen *v/i* 1. to succeed; 2. to follow suit; **n.d** *adj* subsequent(ly), hereinafter, following, incoming; **~ ge nannt** hereinafter referred to
Nachfolge|ordnung *f* entail; **N.organisation** *f* succes sor organisation; **N.planung** *f* succession planning **N.programm** *nt* follow-up programme
Nachfolger(in) *m/f* successor; **N. auf dem Chefsess** successor; **N. werden** to succeed/supersede; **auf de N. übergehen** to devolve upon the successor
Nachfolge|recht *nt* right of succession; **N.regelung** succession process; **N.staat** *m* successor state; **N.ver pflichtungserklärung** *f (Spediteur)* adoption notice
nachforder|n *v/t* to claim subsequently, to demand claim in addition, to call for more, to make a furthe claim, to demand additional compensation; **N.ung** *f* 1. subsequent/supplementary claim, additional/furthe demand; 2. extra charge; 3. *(Option)* margin call **N.ungsbescheid** *m* additional assessment notice, ad vice about additional charge(s)
nachforschen *v/t* to investigate
Nachforschung *f* investigation, inquiry, inquiry; **N.e der Sonderprüfer** investigation by special examiners **~ anstellen** to make inquiries, to hunt up (information) **sich den ~ entziehen** to keep out of reach of the in vestigations, to evade investigations; **N.sanweisung** *(Bank)* tracing order
Nachfrage *f* 1. demand, need, market, request; 2. fol low-up, call, enquiry; 3. investigation; **auf N.** on en quiry; **mangels N.** owing to lack of demand; **ohne N.** not in demand
Nachfrage nach Arbeitskräften demand for labour; **N. in einzelnen Bereichen** sectoral demand; **N. nach Frachtkapazität/-raum** demand for freight space; **N. der öffentlichen Hand** public-sector demand; **N. sei tens der Industrie** industrial demand; **N. übersteig die Liefermöglichkeiten** demand exceeds (the abilit to) supply; **N. auf engem Markt** demand in a marke short of stock; **N. nach Produktionsfaktoren** facto demand; **~ Schiffsraum** demand for freight space/ton nage; **~ Verkehrsdienstleistungen** demand for publi transport services; **~ Wohnraum** housing demand
Nachfrage abwürgen/dämpfen to choke (off) de mand; **N. anheizen/ankurbeln** to fuel/stimulate de mand; **neue N. auslösen** to reignite demand; **N. befrie digen** to meet/accommodate demand; **N. beleben** to stimulate/revive/revitalize demand; **die N. belebt sich nur langsam** demand is slow to pick up; **~ bestimm den Preis** demand determines the price; **N. bewälti gen/decken** to accommodate/meet demand; **N. brem sen** to curb demand; **N. drosseln** to rein back demand **(künstliche) N. erzeugen** to create/make a market; **ge ringe N. finden** to be in little demand; **N. schaffen** to create demand; **N. steigern** to increase demand; **N stützen** to bolster/beef up demand; **N. übersteigen** to outstrip/exceed demand; **N. zügeln** to rein back de mand
abgeleitete Nachfrage derivate/derived demand; **abge schwächte N.** weaker demand; **abnehmende/sich ab schwächende N.** decreasing/waning/weakening de mand; **anhaltende N.** persistent/steady demand; **stark**

ansteigende N. surging demand; **aufgeschobene N.** deferred demand; **aufgestaute N.** pent-up/catch-up demand; **sich ausweitende N.** broadening demand; **autonome N.** final bill of goods; **nicht ~ N.** derived demand; **jahreszeitlich bedingte N.** seasonal demand; **beständige N.** steady demand; **dringende N.** pressing demand; **effektive N.** effective/monetary demand; **elastische N.** elastic demand; **fehlende N.** lack of demand; **gedrückte N.** depressed demand; **geringe N.** weak demand; **gesamtwirtschaftliche N.** aggregate/overall/total demand; **gleichbleibende N.** steady demand; **große N.** run; **heftige N.** scramble; **hektische N.** keen demand; **industrielle N.** industrial demand; **inländische/innere/interne N.** domestic/home-market demand; **kaufkräftige N.** effective demand, demand backed by purchasing power; **komplementäre N.** joint demand; **konstante N.** steady demand; **laufende N.** current demand; **lebhafte N.** brisk/active/strong/boom in demand; **äußerst ~ N.** rush; **lustlose N.** sluggish demand; **mangelnde N.** lack of demand; **massierte N.** pent-up demand; **mengenmäßige N.** physical/quantity demand, demand in physical terms; volume of demand; **monetäre N.** monetary/effective demand; **nachlassende N.** downturn in demand, falling/flagging/slackening demand; **öffentliche N.** official/public demand; **potenzielle N.** potential demand; **private N.** private demand; **rege N.** rush of orders; **rückläufige N.** flagging demand; **saisonale/saisonbedingte N.** seasonal demand; **schleppende N.** slack/sluggish/poor demand; **schwache N.** slack/weak demand; **schwankende N.** fluctuating demand; **sinkende N.** waning/declining demand; **spärliche N.** slack demand; **spekulative N.** speculative demand; **staatliche N.** official/state/government demand; **stagnierende N.** static demand; **ständige N.** steady demand; **starke N.** brisk/strong/keen demand; **starre N.** inelastic demand; **steigende N.** growing/increasing demand; **stetige N.** steady demand; **stürmische N.** brisk/keen/huge demand, run (on), rush; **tatsächliche/wirksame N.** effective demand; **träge N.** sluggish demand; **unelastische N.** inelastic demand; **unerschöpfliche N.** insatiable demand; **vehemente N.** strong demand; **verbundene N.** joint demand; **verdeckte N.** latent demand; **verminderte N.** reduced demand; **verstärkte N.** increased demand; **wachsende N.** increasing demand; **zurückhaltende N.** slack demand; **zusammengefasste N.** coordinated demand; **zusammengesetzte N.** composite demand

Nachfrage|abnahme *f* reduced demand; **N.abschwächung** *f* downturn/drop/weakening/fall-back in demand, reduction of demand; **N.aggregat** *nt* demand aggregate; **N.aktion** *f* extension/expansion of demand; **N.analyse** *f* demand analysis; **N.änderung** *f* change in demand; **N.ankurbelung** *f* boosting demand; **N.anstieg** *m* upturn in demand; **N.ausfall** *m* demand shortfall, declining demand; **N.ausweitung** *f* demand expansion, growth of demand, follow-up; **N.ballung** *f* accumulated demand; **n.bedingt** *adj* demand-induced, due to demand; **N.belebung** *f* revival/growth of demand, pick-up/increase/upturn/acceleration/recovery in demand; **N.beruhigung** *f* slow-down in demand, slackening of demand; **N.beschränkung** *f* demand restraint; **N.beweglichkeit** *f* flexibility of demand; **n.bezogen** *adj* demand-orient(at)ed, demand-related; **N.boom** *m* surge of demand, boom in demand; **N.dämpfung** *f* choking of demand; **N.deckung** *f* satisfaction of demand; **N.dichte** *f* demand density; **N.druck** *m* pressure of demand; **N.dynamik** *f* demand pull, force of demand; **N.effekt** *m* demand effect, impact on demand; **N.einbruch** *m* slump/fall in demand; **N.elastizität** *f* demand elasticity, (price) elasticity of demand; **N.empfindlichkeit** *f* sensitivity of demand; **N.entfaltung** *f* growth of demand; **N.entwicklung** *f* demand trend/growth, trend of demand; **inflatorische N.entwicklung** inflationary development of demand; **n.erhöhend** *adj* demand-boosting; **N.erholung** *f* demand regeneration; **N.ermächtigung** *f* [§] inquirendo *(lat.)*; **N.expansion** *f* expansion of demand; **N.faktor** *m* demand factor

Nachfragefunktion *f* demand function; **einzelwirtschaftliche/individuelle N.** individual demand function; **monetäre N.** monetary demand function

Nachfrage|gesetz *nt* law of demand; **n.gerecht** *adj* in line with demand; **N.gleichung** *f* demand equation; **N.größe** *f* demand parameter; **N.gruppe** *f* group of (prospective) customers; **N.impuls** *m* stimulation of demand; **n.induziert** *adj* demand-led, consumer-led; **N.inflation** *f* demand-(pull)/demand-induced/buyer's/bottleneck inflation, demand shift inflation, excess demand inflation; **gemischte N.-Kosten-Inflation** mixed demand cost inflation; **N.intensität** *f* strength of demand; **N.interessen** *pl* demand; **N.komponente** *f* element in demand; **N.konzentration** *f* concentration of demand; **N.kredit** *m* supplementary credit; **N.kurs** *m* bid price

Nachfragekurve *f* demand curve; **N. ohne Alternative** all-or-nothing demand curve; **N. mit konstanter Elastizität** isoelastic demand curve; **N. des Haushalts** individual demand curve

anomale Nachfragekurve backward bending demand curve; **fallende N.** downward sloping demand curve; **geknickte N.** corner/kinked demand curve; **gekrümmte N.** curvilinear demand curve; **individuelle N.** individual demand curve; **lineare N.** straight-line demand curve

Nachfrage|lenkung *f* demand management, management of demand; **N.lücke** *f* hiatus in demand, deflationary gap; **N.macht** *f* buyer concentration, monopsonistic power, purchasing muscle; **N.markt** *m* buyer's market; **N.menge** *f* required quantity, quantity demanded; **N.monopol** *nt* buyer's monopoly, monopsony; **N.monopolist** *m* monopoly buyer, monopsonist

nachfragen *v/i* 1. to demand; 2. to inquire/query, to make inquiries

Nachfrage|niveau *nt* demand level; **N.oligopol** *nt* demand oligopoly; **n.orientiert** *adj* demand-orient(at)ed, demand-side; **N.orientierung** *f* gearing to demand; **N.potenzial** *nt* potential demand; **N.prognose** *f* demand forecast; **N.programm** *nt* measures to influence/increase demand

Nachfrager *m* consumer, demander, taker

Nachfrage|rate *f* demand rate; **N.regulierung** *f* demand management, steering of demand; **N.rückgang** *m* flagging demand, slump/downturn/decline/fall(-back)/drop in demand, reduction/contraction of demand, demand compression; **N.rückstau** *m* pent-up demand; **breite N.schichten** large groups of consumers; **N.schöpfung** *f* demand creation; **N.schrumpfung** *f* contraction in demand; **N.schub** *m* demand push, spate of demand, surge in demand; **n.schwach** *adj* weak; **N.schwäche** *f* weakness in demand; **N.schwankungen** *pl* fluctuations in demand; **N.seite** *f* demand side; **auf der N.seite** *(Börse)* on the bid front; **N.situation** *f* demand situation/conditions; **N.sog** *m* demand pull, pressing demand; **N.soginflation** *f* demand-pull inflation; **N.spielraum** *m* scope of demand; **N.spitze** *f* peak demand; **N.stau** *m* pent-up demand, demand backlog, backlog of demand; **n.steigernd** *adj* demand-boosting; **N.steigerung** *f* increase in demand; **N.steuerung** *f* demand management, management of demand; **gesamtwirtschaftliche N.steuerung** management of aggregate demand; **N.stimulierung** *f* demand stimulation; **N.stoß** *m* surge/flood/spate of demand; **N.struktur** *f* demand pattern/structure, pattern/structure of demand; **N.stützung** *f* beefing up of demand; **N.tabelle** *f* demand schedule; **N.tendenz** *f* demand trend; **N.theorie** *f* demand theory, theory of demand; **N.überhang** *m* excess/surplus demand, excess in demand, inflationary gap; **N.überhitzung** *f* overheating of demand; **N.überschuss** *m* excess/surplus demand; **N.umschichtung** *f* demand switching/shifting; **N.verbund** *m* complementary/joint demand; **N.verfall** *m* substantial drop in demand; **N.verhalten** *nt* demand behaviour; **N.verlagerung/N.verschiebung** *f* demand shift, shift in demand; **N.verteilung** *f* demand distribution; **N.volumen** *nt* volume/level of demand; **N.wachstum** *nt* expansionary demand; **N.wandel** *m* change in demand; **N.weckung** *f* consumptionism; **N.welle** *f* spate/flood/wave of demand; **n.wirksam** *adj* demand-affecting, affecting demand; **N.wirkung** *f* demand effect; **N.wünsche** *pl* customers' wishes; **N.zuwachs** *m* demand growth

Nachfrist *f* 1. final deadline, extra time allowed, extension of time, ~ the original term; 2. period/days of grace, grace period, (additional) respite; 3. [§] additional period of time; **N. gewähren** [§] to extend the original term, to grant grace; **N. setzen** 1. to fix a final deadline, to give/grant an extension; 2. to grant a respite; **angemessene N.** adequate additional time, reasonable extension of time

nachfüll|bar *adj* refillable; **N.blätter** *pl* refill(s); **n.en** *v/t* to fill/top up, to replenish; **N.mine/N.patrone** *f* refill (cartridge); **N.pack(ung)** *m/f* refill pack

Nachgang *m* addition, supplement; **im N. zu** further to, referring to; **N.shypothek** *f* junior/puisne mortgage

Nachgeben *nt* 1. yielding, climbdown; 2. *(Preis)* easing, decline; **N. der Kurse/Preise** decline in prices, easing of prices, price slippage; **jdn zum N. zwingen** to push so. to the wall

nachgeben *v/i* 1. to give in/way, to back down; 2. to re lent; 3. *(Kurs/Preise)* to drop/fall/decline/weaken/eas sag/flag/dip/soften/slip/shade/founder, to edge/g down; 4. to yield/succumb/submit; 5. *(Druck)* to bo to; 6. ⚙ to cave in; **nicht n. wollen** to die hard; **leicht** to drift back; **stillschweigend n.** to acquiesce; **n.d** *a* 1. sagging, flagging, weakening, crumbling, slippin yielding, 2. indulgent

Nach|gebigkeit *f* indulgence; **n.geboren** *adj* [§] puisn **N.gebot** *nt* later bid

Nachgebühr *f* 1. surcharge, excess/additional charge; additional/extra postage, postage due; **mit einer N. b legen; N. erheben** to surcharge; **N.enmarke** *f* postag due stamp; **n.enpflichtig** *adj* subject to surcharge

nachgedruckt *adj* reprinted

nachgehen *v/i* 1. *(Uhr)* to be slow; 2. *(Beruf)* to practis 3. *(Geschäft)* to go about; **einer Sache n.** to loo into/investigate a matter

nach|gelagert *adj* *(Produktion)* downstream; **n.gelasen** *adj* posthumous; **n.gemacht** *adj* 1. reproduce imitated, copied; 2. forged, counterfeit(ed), fake; **n.geordnet** *adj* 1. subordinate; 2. down the line; 3. puisn **n.gesandt** *adj* forwarded; **N.geschäft** *nt* 1. follow-u deal/transaction; 2. *(Börse)* call/put of more (transaction); **n.geschaltet** *adj* downstream, subsequent; **n.gewiesen** *adj* proven, demonstrated, shown; **n.giebig** *a* 1. yielding, flexible, pliable; 2. *(Kurse)* soft; 3. compl ant, accommodating, acquiescent, permissive; **N.giebigkeit** *f* compliance, flexibility; **N.girant** *m* subsequent endorser; **N.giro** *nt* subsequent endorsemen **N.gründung** *f* 1. post-formation acquisition; 2. reformation; **N.gründungsbericht** *m* post-formation/refc mation report; **N.haftung** *f* secondary liability; **N.haken** *nt* additional probing; **n.haken** *v/i* *(coll)* to prob **n.halten** *v/t* to keep track of sth.

nachhaltig *adj* 1. strong, forceful, marked, lastin durable, persistent, sustained; 2. *(Umwelt)* sustainab

Nachhaltigkeit *f* 1. sustained activity/yield; 2. sustainability; **N.sprinzip** *nt* 1. sustained-yield principle; sustainability principle

Nach|haltsbetrieb *m* sustained-yield managemen **N.hauseweg** *m* way home; **n.helfen** *v/i* to lend a hel ing hand; **n.her** *adv* subsequently, ex post; **N.hieb** *m* secondary felling, relogging *[US]*

Nachhilfe *f* 1. assistance; 2. *(Schule)* cramming, priva coaching/tuition; **N.lehrer** *m* tutor; **N.stunden** *pl* pr vate lessons; **N.unterricht** *m* private tuition/lessons

im Nachhinein *adv* ex post, in retrospect, subsequent with (the benefit of) hindsight

Nachhinken *nt* time-lag; **n.** *v/i* to lag behind

Nachhol|angebot *nt* backlog of offers; **N.arbeit** *f* catc up work; **n.bar** *adj* rectifiable; **N.bedarf** *m* backlo pent-up/backlog/suppressed demand, backlog of d mand, accumulated need/demand; **N.effekt/N.wi kung** *m/f* recapture effect

Nachholen *nt* rectification; **n.** *v/t* 1. to catch up (wi sth.); 2. to rectify; 3. to make up for

Nachhol|(ungs)frist *f* period allowed for making go an omission; **N.gut** *nt* ⊖ reimported goods; **N**

konjunktur *f* backlog boom; **N.tarifabschluss** *m* catch-up settlement

achlhut *f* rearguard; **N.hutgefecht** *nt* rearguard action; **N.impfung** *f* revaccination; **N.indossament** *nt* subsequent/post endorsement; **N.indossant** *m* subsequent endorser; **n.industriell** *adj* post-industrial; **N.industrialisierung** *f* post-industrialization; **n.industriell** *adj* post-industrial; **n.jagen** *v/i* to chase (after); **n.justieren** *v/t* to readjust; **N.kalkulation** *f* historic costing, calculation of historical cost, statistical cost accounting; **n.kalkulieren** *v/t* to calculate the historical costs; **N.kauf** *m* repeat/further purchase; ~ **zu höheren Kursen** *(Börse)* averaging up; ~ **zu niedrigeren Kursen** averaging down; **n.kaufen** *v/t* to buy later; **N.klang** *m* reverberation, resonance, repercussion

achkomme *m* descendant; **N.n** issue, offspring, descendants, progeny; **ohne N.n** without issue; **N.n hinterlassen** to die leaving issue; **ohne ~ sterben** to die without issue

irekter Nachkomme lineal descendant; **eheliche N.n** legitimate issue; **erbberechtigte N.n** issue in tail; **männliche N.n** male issue; **sonstige N.n** [§] other issue of my body

achkommen *v/i* to meet/fulfill, to comply/conform with, to follow (on)

achkommenschaft *f* descendants, issue, progeny; **alleinige N.** unigeniture; **erbberechtigte N.** issue in tail; **männliche N.** male issue

achlkömmling *m* 1. late arrival, latecomer; 2. descendant; **N.konjunktur** *f* business cycle overhang; **N.kontrolle** *f* recheck(ing), check; **n.kontrollieren** *v/t* to check (over); **N.kosten** *pl* subsequent costs, cost of rework

achkriegsl- post-war; **N.belastung** *f* post-war burden; **N.höchststand/N.rekord** *m* post-war peak/high; **N.zeit** *f* post-war period

achlkur *f* post-cure rest period; **N.laden** *nt (Batterie)* recharge; **n.laden** *v/t* 1. to recharge; 2. to reload; **N.lagerung von Produktionsgütern** *f* forward integration

achlass *m* 1. estate, bequest, inheritance, left property, deceased's/descendant's *[US]* estate, assets, heritage, [§] probate, succession; 2. *(Preis)* discount, deduction, reduction, allowance, rebate; 3. *(Steuer)* abatement, relief, remission; 4. *(Strafe)* remission; 5. *(Münzen)* tolerance; **Nachlässe** discounts and price reductions; **aus meinem N.** out of my estate; **ohne N.** without abatement

einer Nachlass nach Auszahlung der Legate net estate; **N. bei Barzahlung** cash discount; **N. für Großabnehmer** channel discount; **N. zum Listenpreis** off list; **N. bei Mengenabnahme** quantity discount; ~ **Veranlagung zur Erbschaftssteuer** succession relief; **N. ohne letzwillige Verfügung** intestate estate; **N. vom Verkaufspreis** sales allowance; **N. für vorfristige Zahlung** anticipation discount *[US]*; **N. nach Zahlung aller Verbindlichkeiten** residuary estate

achlass abwickeln/auseinandersetzen/liquidieren/ordnen/regulieren to wind up/settle an estate; **N. aufteilen** to distribute an estate; **N. bewilligen** to grant a discount; **der N. fällt an die gesetzlichen Erben** property goes by intestacy; ~ **geht über auf** the estate devolves upon; **N. gewähren** to allow/grant a discount, to make an allowance, to give relief, to rebate, to knock off; **N. teilen** to portion the estate; **N. verteilen** to settle/divide an estate; **N. verwalten** to administrate a deceased's estate

zur Verteilung bestimmter Nachlass blended fund; **beweglicher N.** personal assets/estate; **erbenloser N.** estate without any heirs, vacant succession; **nicht in Anspruch genommene Nachlässe** discounts lost, lost/missed discounts; **gesamter N.** real and personal assets; **getrennter N.** several inheritance; **herrenloser N.** vacant estate; **liquider N.** solvent estate; **reiner N.** net assets, clear residue; **restlicher N.** residuary estate; **steuerpflichtiger N.** taxable estate; **überschuldeter N.** insolvent estate; **unbeweglicher N.** real property; **zur Schuldendeckung unzureichender N.** insufficient assets; **treuhänderisch verwalteter N.** trust estate

Nachlassl- probate; **N.abhandlung** *f* probate proceedings; **N.abwicklung** *f* settlement of an estate, probate proceedings; **N.aneignung** *f* intromission; **N.angelegenheiten** *pl* probate matters, administrative business; **N.anspruch** *m* claim upon an estate, ~ arising out of an estate, ordinary claim *[US]*; **N.aufnahme** *f* inventories; **N.aufteilung nach Stämmen** *f* [§] distribution per stirpes; **N.auktion** *f* auction of the estate assets, succession sale; **N.auseinandersetzung** *f* partition of a succession, distribution and partition; **N.begünstigte(r)** *f/m* residuary beneficiary; **N.berechtigte(r)** *f/m* beneficiary under a will; **N.beschränkung** *f* benefit of inventory; **N.besitz** *m* estate; **ungeteilter N.besitz** parcenary; **N.besteuerung** *f* taxation of estates; **N.bewertung** *f* probate valuation; **N.einsetzung** *f* power of appointment

Nachlassen *nt* decrease, slowdown, lessening, relaxation, diminution, abatement, dwindling, let-up, subsidence, fall-off, tail-off, slippage; **N. der wirtschaftlichen Aktivität;** ~ **Konjunktur** contraction of the economy, economic downturn, slowdown/decline in economic activity, unwinding; ~ **Geschäfte** slackening of business

nachlassen *v/ti* 1. *(Preis)* to fall/drop, to go down; 2. to take/knock off, to reduce; 3. to ease/weaken/sag/slacken/relax; 4. *(Nachfrage)* to fall away/off, to drop off, to flag/abate/subside/fade/falter/wane/lessen/moderate, to tail off, to let up; 5. *(Schuld)* to scale down; 6. to wear off, to die down

Nachlasslfeststellung *f* probate of an estate; **N.forderung** *f* 1. claim against an estate; 2. debt due to the estate, claim by the estate; **N.gegenstand** *m* asset; **N.gericht** *nt* probate court/division *[GB]*, surrogate's *[US]*/prerogative court, court of probate, prerogative court; **N.gläubiger(in)** *m/f* creditor of an estate; **N.grundstück** *nt* inherited real estate; **N.gut** *nt* heritable estate; **N.haftung** *f* liability of the estate assets

nachlässig *adj* 1. negligent, neglectful, careless, remiss; 2. *(Arbeit)* slipshod *(coll)*

Nachlässigkeit *f* negligence, neglect, carelessness,

slackness; **N. in der Ausführung** [§] misfeasance; **N. bei der Geltendmachung von Pflichten** [§] lying by, laches; **N. des Unternehmers** contractor's negligence; **berufliche N.** [§] professional negligence; **grobe N.** gross negligence; **schadenersatzpflichtige N.** actionable negligence; **N.shaftung ohne Schuldnachweis** *f* negligence per se *(lat.)*; **N.sklausel** *f* negligence clause

Nachlassklage *f* testamentary suit

Nachlasskonkurs *m* bankruptcy of an estate, ~ the estate of a deceased debtor, administration of an insolvent estate; **N.eröffnung** *f* decree of insolvency; **N.verfahren** *nt* bankruptcy proceedings of a deceased

Nachlass|kosten *pl* testamentary costs; **N.liquidierung** *f* winding up of an estate; **N.masse** *f* principal, estate assets; **frei verfügbare N.masse** assets at hand; **N.ordnung** *f* probate code, statute of distributions *[US]*; **N.pacht** *f* reversionary lease; **N.papiere** *pl* estate security; **N.pfändung** *f* attachment of a hereditary estate, adjudication *[Scot.]*; **N.pfleger** *m* executor, administrator of an estate, curator, estate/provisional administrator; **N.pflegschaft** *f* administration of an estate; **N.recht** *nt* probate law; **N.register** *nt* probate registry; **N.regulierung** *f* settlement of an estate; **N.rest** *m* residue; **N.richter** *m* prerogative officer *[GB]*, probate (court) judge *[US]*, surrogate *[US]*; **N.sache** *f* probate matter, matter of the estate; **N.schulden** *pl* debt of the (deceased's) estate, ancestral debts, deceased's debt; **N.schuldner(in)** *m/f* debtor of the estate; **N.staffel** *f* sliding scale; **N.steuer** *f* estate/death/succession *[US]* duty, estate/inheritance tax; **N.- und Erbschaftssteuern** taxes on estates and inheritances; **N.stiftung** *f* testamentary trust; **N.treuhänder** *m* settlement trustee; **N.übernahme** *f* assumption of succession; **N.unterlagen** *pl (Bank)* probate book; **N.unterschlagung** *f* expilation; **N.verbindlichkeit(en)** *f/pl* heritable obligation, liabilities arising from inheritance, ~ of an estate debt of a deceased's estate; **N.verfahren** *nt* probate proceedings; **N.vergleich** *m* voluntary partition; **N.vermögen** *nt* estate (property), deceased person's estate; **N.versteigerung** *f* auction of the estate assets, succession sale; **N.verteilung** *f* distribution of the estate; **N.veruntreuung** *f* subtraction of legacies

Nachlassverwalter *m* 1. executor, trustee of an estate, (estate) administrator; 2. [§] personal representative; **als N. tätig sein** to administrate an estate; **N.amt ausschlagen** *nt* to renounce a probate; **N.in** *f* administratrix; **N.kaution** *f* probate bond; **N.zeugnis** *nt* letters testamentary, ~ of administration

Nachlassverwaltung *f* administration (of an estate/inheritance), estate administration; **N. von Bagatellsachen** summary administration; **N. anordnen; in N. geben** to commit into administration; **N. ausschlagen** to renounce probate

Nachlass|verzeichnis *nt* (estate) inventory; **N.wert** *m* value of an estate

Nachlauf *m* onward carriage, off-carriage, oncarriage, subsequent transport; **n.en** *v/i* to run after; **N.kosten** *pl* follow-up costs

nach|legen *v/ti* to replenish; **N.leistung** *f* subsequent performance; **N.lese** *f* 1. gleaning; 2. second harves[t]; **n.lesen** *v/t* to glean; **n.liefern** *v/t* 1. to supplement, [t]o deliver later, to make a further delivery; 2. *(Börse)* [to] put more

Nachlieferung *f* 1. additional supply, subsequent/additional delivery, ~ shipment; 2. replacement; **kostenlos[e]**/**unentgeltliche N.** replacement free of charge; **N.sg[e]schäft** *nt (Börse)* put of more

nach|lösen *v/i* to pay extra, ~ the additional fare; **N.lös[e]gebühr** *f* excess fare; **N.löseschalter** *m* excess fa[re] window; **n.machen** *v/t* 1. to imitate/copy; 2. [to] forge/counterfeit/fake/falsify; **N.mann** *m* subseque[nt] endorser/holder; **N.markt** *m* downstream market; **N[ach]meldung** *f* 1. *(Tagung)* late entrant/applicant; 2. la[te] entry/application; **N.messegeschäft** *nt* post-fair bus[i]ness; **N.mieter** *m* subsequent/new tenant; **N.mietrec[ht]** *nt* option to renew tenancy

Nachmittag *m* afternoon; **freier N.** afternoon off; ha[lf] holiday; **geschäftsfreier N.** early closing day

nachmittags *adv* in the aftrenoon, post meridie[m] (p.m.); **n. geschlossen** half-day closing

Nachmittags|börse *f* afternoon kerb *[GB]*/curb *[US]*; **N.ring** *m (Börse)* afternoon ring; **N.schluss der Ge[]schäfte** *m* early closing day; **N.telefonhandel** *m (Bö[r]se)* after hours telephone trade, inter-office dealings

Nach|monat *m* subsequent/overlap month; **N.muste[]rungsgeschäft** *nt (Mode)* post-fair business

Nachnahme *f* cash on delivery (COD/c.o.d.), collect o[n] delivery *[US]*; **gegen/per N.** cash on delivery (COD/c.o.d.), collect on delivery *[US]*, charges forward (c[h.] fwd.); **unter N. der Kosten** costs charged forward; [...] **Spesen** charges forward (ch. fwd); **mit N. belaste[t]** charged with the amount to be collected on delivery

durch Nachnahme erheben to collect on delivery, [to] charge forward; **per N. schicken/senden** to sen[d] (goods) cash on delivery/COD

Nachnahme|begleitschein *m* cash-on-delivery form; **N.betrag** *m* trade charge, amount to be collecte[d]; **N.brief** *m* COD letter, trade-charge letter *[GB]*; **N.ge[]bühr** *f* collection fee, COD charge, collect-on-deliver[y] fee *[US]*; **N.karte** *f* reimbursement card; **N.kosten** *[pl]* COD expenses; **N.paket** *nt* c.o.d./cash parcel, collec[t]-on-delivery package; **N.postanweisung** *f* trade-charg[e] money order *[GB]*; **N.sendung** *f* COD parcel/consig[n]ment; **N.spesen** *pl* cash-on-delivery *[GB]*/collect-o[n]-delivery *[US]* charges

Nach|name *m* surname, family name; **n.nehmen** *v/t* [to] charge forward, to collect on delivery; **N.nennung** [*f*] post entry; **N.order** *f* follow-up/repeat/replenishme[nt] order; **N.ordertermin** *m* deadline for repeat/replenis[h]ment orders; **N.pächter** *m* subsequent/next tenan[t]; **N.patent** *nt* subsequent/post-dated patent; **n.pfände[n]** *v/t* to levy again; **N.pfändung** *f* renewed levy of exec[u]tion, second distress; **N.porto** *nt* extra/additional/e[x]cess postage, surcharge; **mit ~ belegen** to surcharg[e]; **n.prägen** *v/t* to recoin; **N.prägung** *f* recoinage; **N.pr[ä]mie** *f* extra premium

nachprüf|bar *adj* verifiable; **n.en** *v/t* 1. to verify, [to] check (up); 2. to review/reconsider/revise/reexamin[e]

3. *(Buchprüfung)* to reaudit; **gerichtlich n.en** to review judicially; **N.er** *m* controller

Nachprüfung *f* 1. verification, check(ing); 2. review, revisal; 3. tally; 4. reexamination; **N. auf dem Verwaltungsweg** administrative review; **N. vorbehalten** subject to inspection; **gerichtliche N.** judicial review; **öffentliche N.** public inquiry

Nachprüfungs|befugnis *f* power to check; **n.pflichtig sein** *adj* to be subject to review; **N.recht** *nt* right of review; **N.verfahren** *nt* auditing procedure

nachrangig *adj* inferior, junior, of lower rank/priority, subordinated, of lesser importance; **N.keit** *f* lower rank/priority, lesser importance

Nachrangkapital *nt* subordinated capital

nachrech|nen *v/t* to check/recalculate; **N.nung** *f* check, recalculation, verification, revaluation

üble Nach|rede § slander, libel, calumny, defamation, defamatory remark; ~ **verbreiten** to slander/calumniate; **n.reichen** *v/t* to hand in later, to file subsequently

Nachricht *f* 1. (piece of) news, news item; 2. message, communication, intelligence, information, notice, note; 3. report; *pl* news; **N.en aus der Finanzwelt** financial news; ~ **erster Hand** first-hand information

bis zum Erhalt einer neuen Nachricht until further notice; **mangels gegenteiliger N.** unless countermanded; **ohne vorherige N.** without prior notice

Nachricht|en aufbereiten to edit news; **N. ausrichten** to take a message; **jdm die N. (schonend) beibringen** to break the news (gently) to so.; **N. bekommen/erhalten** to hear from, to receive notice; **N.en beschaffen** to collect information; **günstige N. erhalten von** to hear favourably from; **von etw. N. geben** to give notice of sth.; **N. hinterlassen** to leave word/a message; **N.en senden** to broadcast news; **N. überbringen** to deliver a message; **N. verbreiten** to circulate a report; **N.en verbreiten** to spread news; ~ **veröffentlichen** to publish news; **N. zurücklassen** to leave a message

eilige Nachricht urgent message; **eingehende N.** incoming message; **falsche N.** false news; **gekritzelte N.** scrawl; **letzte N.en** latest news; **marktbeeinflussende N.** market-moving news item; **rechtzeitige N.** due notice; **schlechte N.(en)** bad news; **telefonische N.** telephone message; **telegrafierte N.** cable message; **telegrafische N.** telegraphic message/intelligence/dispatch; **traurige N.** sad news; **unbestätigte N.** unofficial news; **verschlüsselte N.** code message

Nachrichten|abteilung *f* intelligence department; **N.agentur** *f* news/press agency; **N.aufbau** *m* message format; **N.austausch** *m* exchange of information, telecommunication; **N.berücksichtigung/N.einschätzung** *f (Börse)* discounting of news; **N.beschaffung** *f* collection of information; **N.büro** *nt* press bureau; **N.dienst** *m* 1. news agency/service, intelligence bureau, grapevine *(coll)*; 2. intelligence/communications service; **N.fluss** *m* flow of information; **N.magazin** *nt* news magazine; **N.medium** *nt* news medium; **N.meldung** *f* news item; **N.netz** *nt* communication(s) network/system; **N.offizier** *m* intelligence officer; **N.organe** *pl* information/news media; **N.quelle** *f* information source; **N.redaktion** *f* newsroom; **N.redakteur** *m* news editor; **N.satellit** *m* (tele)communication(s)/intelligence satellite; **N.schutz** *m* legal protection of confidential information; **N.sendung** *f* newscast; **N.sperre** *f* news blackout/ban/embargo; **N.sprecher(in)** *m/f* newsreader, newscaster; **N.studio** *nt* newsroom; **N.-system** *nt* communications system/service; **N.technik** *f* telecommunication(s); **optische N.technik** optical telecommunications; **N.übermittlung** *f* communication(s); **amtliche N.übermittlung** official communications; **N.übertragung** *f* telecommunication(s), communication, transmission of news; **N.verarbeitung** *f* message processing; **N.verbindung** *f* (line of) communication; **N.verteilung** *f* message switching; **N.wesen** *nt* communications; **N.zensur** *f* censorship of the news; **N.zentrale** *f* information centre, newsroom

nachrichtlich *adj* for information, memorandum item; **n. an** copy to

Nachrücken einer Hypothek *nt* advancement of ranking due to repayment of prior mortgage; **n.** *v/i* to move up, to succeed

Nach|ruf *m* obituary; **N.ruhm** *m* posthumous fame; **n.rüsten** 1. to upgrade/modernize; 2. ✿ to retrofit; **N.rüstung** *f* 1. upgrade, upgrading; 2. retrofitting; **N.saison** *f* after-season, late/off season; **N.satz** *m* 1. trailer, postscript; 2. codicil; **N.schaden** *m* consequential damage; **n.schalten** *v/t* to put in behind; **N.schätzung** *f* subsequent assessment; **N.schau** *f* 1. follow-up inspection; 2. ⚓ boarding and search; **n.schauen** *v/t* to check; **n.schicken** *v/t* to forward, to send on; **n.schieben** *v/t* 1. to supplement; 2. to provide afterwards, to adduce subsequently; **n.schießen** *v/t* to make an additional payment, to add/contribute/remargin

Nachschlag *m* second helping/portion

Nachschlage|bibliothek *f* reference library; **N.buch** *nt* reference book, handbook; **N.information** *f* reference information

nachschlagen *v/t* *(Buch)* to consult, to look up

Nach|schlagewerk *nt* reference work/book, handbook; **n.schleppen** *v/t* to trail; **N.schleppwirkung** *f* fiscal drag; **N.schlüssel** *m* 1. duplicate/master key, key copy; 2. *(Dietrich)* picklock; **N.schlüsseleinbrecher** *m* burglar using a duplicate key; **n.schmeißen** *v/t (coll)* to throw after; **N.schrift** *f* postscript (PS); **zusätzliche N.schrift** postpostscript (PPS)

Nachschub *m* supply, fresh supplies; **ohne N.** unsupplied

Nachschub|basis *f* supply base; **N.bedarf** *m* supply requirements; **N.güter** *pl* supplies; **N.lager** *nt* general depot; **N.problem** *nt* logistical problem; **N.wege** *pl* supply lines/routes; **N.wesen** *nt* logistics

Nachschuss *m* 1. additional/supplementary payment, ~ contribution; 2. *(Börse)* further/margin call, payment of call, additional cover, remargining *[US]*; 3. contribution; **N. leisten** to pay/put up a margin

Nachschuss|aufforderung *f* call for additional cover, margin call *[US]*, stock assessment *[US]*, fresh dividend, levy; **N.forderung** *f* margin maintenance call; **n.frei** *adj* non-assessable; **N.frist** *f* time allowed for

additional payment; **N.haftung** *f (Börse)* stockholders' liability
nachschüssig *adj* *(Zinsen)* deferred, in arrears
Nachschuss|klausel *f* *(Vers.)* safety clause; **N.leistung** *f* 1. additional contribution; 2. margin payment
Nachschusspflicht *f* 1. liability to contribute; 2. *(Börse)* liability to further call, obligation to pay further capital, call for additional cover; 3. *(Vers.)* reserve liability *[GB]*; **N. in doppelter Höhe** double liability
beschränkte Nachschusspflicht limited guarantee, ~ liability to make additional contributions; **mit beschränkter N.** *(Gesellschaft)* limited by guarantee; **unbeschränkte N.** unlimited guarantee, ~ liability to make additional contributions
nachschusspflichtig *adj* *(Konkurs)* contributory, assessable, liable to make/effect further contributions; **nicht n.** non-assessable
Nachschuss|pflichtiger *m* contributory; **N.prämie** *f* additional premium; **N.summe** *f* appoint; **erster N.termin** first call date; **N.verbindlichkeit** *f* margin liability/debt; **N.verpflichtung** *f* stock assessment
Nachschusszahlung *f* 1. further margin, fresh payment; 2. *(Börse)* additional cover, remargining *[US]*, stock assessment; **N. fordern** to call for additional cover; **N. leisten** to pay/put up a margin
Nachsehen *nt* inspection, examination; **N. haben** *(fig)* to go empty-handed, to pick up the bill *(coll)*; **n.** *v/t* 1. to check/inspect, to look (up); 2. to condone; **n. in** to refer to, to consult
Nachsende|adresse/N.anschrift *f* forwarding address, temporary mailing address; **N.antrag** *m* rerouting request; **N.anweisung** *f* forwarding instructions; **N.auftrag** *m* redirection order, rerouting request; **N.gebühr** *f* forwarding charge
nachsenden *v/t* to (re)forward/redirect/reroute, to send on; **bitte n.** please forward; **nicht n.!** to await arrival
Nachsendung *f* forwarding, redirection, rerouting
Nachsicht *f* indulgence, forbearance, leniency; **jdn um N. bitten** to ask so.'s indulgence; **N. gewähren** to allow an extension of time; **N. haben mit** 1. to make allowances for; 2. to bear with so.
Nachsicht|akkreditiv *nt* documentary acceptance credit, term credit; **N.brief** *m* letter of respite
nachsichtig *adj* indulgent, lenient, forbearing, patient; **zu n.** overindulgent; **n. sein** to indulge
Nachsicht|sfrist *f* period of grace; **N.stage** *pl* days of grace; **N.tratte** *f* after-time/usance draft; **N.wechsel** *m* after-sight/period/term/time bill, bill after sight, term/time draft
Nach|sorge *f* ⚕ aftercare; **N.spann** *m* credits
Nachspiel *nt* sequel, aftermath; **das wird ein N. haben** that won't be without consequences; **gerichtliches N.** legal consequences, judicial sequel, sequel in court
nach|spionieren *v/i* to spy (on so.); **n.spüren** *v/i* to trace/trail
nächst *adj* proximate, next; **n. größer/kleiner** next in size
nächstberechtigt *adj* § next entitled, next in order of entitlement; **n. sein** to have the first title
nächste|(r,s) *pron* 1. *(Folge)* next; 2. *(Nähe)* nearest; **fürs N.e** in the short run
nachstehen *v/i* to take second place, to be inferior, second
nachstehend *adj* following, subjoined; *adv* below, hereinafter, thereinafter, hereunder; **im N.en** below, as follows, in the following; **n. angeführt** given below
nachstell|bar *adj* adjustable; **n.en** *v/t* to adjust; **N.er** *m* giver of an option; **n.ig** *adj* junior; **N.ung** *f* ✪ adjustment; **N.zeit** *f* reset time
Nächstenliebe *f* charity
Nachsteuer *f* additional/supplementary tax, extra duty; **N.-** after-tax, post-tax; **N.gewinn** *m* after-tax profit, profit after tax(ation); **N.rendite** *f* after-tax return, yield, yield after tax
nächst|höher *adj* next higher/senior; **n.liegend** *adj* most likely/apppropriate, obvious, nearest
Nachstoßen *nt* follow-up; **n.** *v/i* to follow up
Nachsuchen *nt* request, petition; **n.** *v/i* to request/petition, to apply for; **überall n.** to hunt high and low *(coll)*
Nacht *f* night(time); **über N.; die N. über** overnight; **die ganze N. geöffnet** open all night
nachtanken *v/i* to refuel
Nacht|anlieferung *f* through-the-night delivery; **N.anschluss** *m* ✆ night number; **N.arbeit** *f* night work; **N.arbeiter** *m* night man; **N.arbeitsverbot** *nt* prohibition of night work; **N.arbeitszuschlag** *m* nightwork premium; **N.asyl** *nt* night shelter
Nachtat *f* § post-act, subsequent act/offence; **straflose N.** subsequent act not subject to separate punishment
Nacht|aufnahme *f* night exposure; **N.ausgabe** *f* final edition, late night final
nachtaxier|en *v/t* to reassess; **N.ung** *f* reassessment
Nacht|börse *f* evening trade; **N.dienst** *m* night duty/service
Nachteil *m* 1. disadvantage, drawback, downside, handicap, harm, shortcoming, damage, disservice; 2. § injury; 3. *(Schaden)* prejudice, detriment, damage; **im N.** at a disadvantage; **ohne N. für** without prejudice for/to; **von N.** derogative; **zum N. von** to the detriment of, **zum eigenen N.** at one's peril; **N. erleiden** to be prejudiced; **zum N. gereichen; von N. sein für** to be detrimental to, ~ to the disadvantage of
betriebswirtschaftlicher Nachteil operational disadvantage; **externe N.e** external diseconomies; **finanzieller N.** pecuniary disadvantage/loss, financial prejudice; **interne N.e** internal diseconomies; **steuerlicher N.** fiscal disadvantage; **wesentlicher N.** material detriment; **wirtschaftlicher N.** pecuniary disadvantage, economic drawback
nachteilig *adj* detrimental, disadvantageous, prejudicial (to), adverse, derogative, harmful, injurious; **nicht n.** uninjurious; **nichts N.es** nothing unfavourable
Nach|teilsverbot *nt* prohibition of adverse discrimination, exclusion of prejudice; **N.test** *m* additional test
Nacht|flug *m* night flight; **N.flugverbot** *nt* ban on night flights; **N.gebühr** *f* night rate
nächtig|en *v/i* to stay overnight, to spend the night; **N.ung** *f* overnight stay

Nacht|lager *nt* night's lodging; **N.leerung** *f* ✉ late collection

nächtlich *adj* nightly, nocturnal

Nacht|portier *m* night porter; **N.post** *f* night mail; **N.postzug** *m* night mail (train); **N.quartier** *nt* night's lodging

Nachtrag *m* 1. supplement(ation), addendum, addition; 2. *(Brief)* postscript (PS); 3. *(Testament)* codicil; 4. *(Vers.)* endorsement, rider; **N. im Versicherungsschein** completion of a policy

nachtragen *v/t* to add, to enter up, to book omitted items; **jdm etw. n.** to nurse/harbour a grudge against so.; **n.d** *adj* vindictive

nachträglich *adj* 1. supplementary, additional; 2. subsequent, later

Nachtrags|anklage *f* supplementary/amended charge; **N.bericht** *m* supplementary report; **N.bewilligung** *f* supplementary/deficiency appropriation; **N.buchung** *f* subsequent/supplementary entry; **N.etat/N.haushalt** *m* supplementary budget/estimates, deficiency supply bill, mini-budget, Autumn Statement *[GB]*; **N.gesetz** *nt* amendment, novel; **N.klage** *f* § supplemental complaint; **N.kredit** *m* supplementary/further/additional credit, supplementary expenditure appropriation; **N.liste** *f* adjustment register; **N.police** *f* endorsement, supplementary/additional policy; **N.prüfung** *f (Bilanz)* supplementary audit; **N.testament** *nt* codicil; **N.urkunde** *f* supplemental deed; **N.verfügung** *f* amending instructions; **N.zahlung** *f* payment of arrears

Nachtransport *m* → **Nachlauf** on-carriage

Nacht|ruf *m* 1. night call; 2. night number; **N.ruhe** *f* night's rest

nachts *adv* at/by night, nights

Nacht|safe *m* night safe/depository; **N.schalter** *m* 1. might-desk; 2. *(Bank)* cash dispenser, night counter

Nachtschicht *f* night/third/graveyard *(coll)* shift, night duty; **N.stunden** *pl* night shift hours; **N.vergütung** *f* night shift bonus

Nacht|schlaf *m* night's sleep; **N.schriftleiter** *m* night editor; **N.sitzung** *f* all-night sitting; **N.sprung** *m* 🚗/🚂 next morning delivery, overnight delivery/transport

Nachtstrom *m* off-peak electricity; **N.speicher** *m* night storage heater; **N.tarif** *m* off-peak tariff, night rate

Nacht|tarif *m* 1. night fare; 2. ⚡ off-peak rate/tariff, night rate; 3. night-time call charge; **N.tresor** *m* night safe/depository; **N.vorstellung** *f* late-night show; **N.-wache** *f* night watch; **N.wächter** *m* night watchman; **N.zeit** *f* night-time; **N.zug** *m* night train/mail/sleeper; **N.zuschlag** *m* 1. overnight charge; 2. night-work/night-time supplement; **N.zustellgebühr** *f* late-delivery fee

Nach|ultimobewegung *f* post end of month/year movement; **N.unternehmer** *m* sub-contractor, subordinate contractor; **N.untersuchung** *f* further examination, check up; **N.veranlagung** *f* additional/subsequent assessment; **N.verfahren** *nt* ancillary/subsequent proceedings; **N.vermächtnis** *nt* residuary (bequest), reversionary legacy; **N.vermächtnisnehmer** *m* residuary/reversionary legatee; **N.verpfändungsklausel** *f* after-acquired clause; **n.versichern** *v/t* to reinsure, to insure for a larger amount; **N.versicherung** *f* 1. supplementary/subsequent/additional insurance; 2. payment of retrospective contributions; ~ **gegen zusätzliche Risiken** additional extended coverage; **N.versteuerung** *f* subsequent taxation, payment of tax arrears; **N.verwiegung** *f* reweighing, check weighing; **n.verzollen** *v/t* to pay additional duties, to pass a post entry; **N.verzollung** *f* post entry, payment of additional duties; ~ **durchführen** to pass a post entry; **n.vollziehen** *v/t* to understand/comprehend; **n.wachsen** *v/i* to grow again; **n. wachsend** *adj (Rohstoff)* renewable, regenerative; **N.wahl** *f* by-election *[GB]*, special election *[US]*; **N.wehen** *pl* aftermath

Nachweis *m* 1. record, evidence, proof; 2. *(Papiere)* documentation, certification; 3. submission of proof; **mangels N.es** failing proof, if proof is failing; **zum N. von** in proof of

Nachweis des Ablebens proof of death; **N. über den Abschluss einer Versicherung** certificate of insurance (c/i); **N. der Anspruchsberechtigung** pronunciation/proof of entitlement; ~ **Ausfuhr** proof of exportation; ~ **Bedürftigkeit** proof of need; ~ **Befähigung** certificate of qualification, proof of competence/competency; **N. ordnungsgemäßer Buchführung** accounting evidence; **N. der Echtheit** proof of authenticity; **N. behaupteter Eigenschaften** *(Werbung)* advertising substantiation; **N. des Eigentumsrechts** proof of title; **N. der Eignung** proof of competency; ~ **Empfangsberechtigung** proof of authority to accept; **N. einer Forderung** proof of a claim/debt; **N. des Gegenteils** proof to the contrary; **bis zum ~ Gegenteils** unless there is proof to the contrary, subject to evidence to the contrary; **N. der Identität** proof of identity; **zum ~ Lieferung** in proof of delivery; ~ **Nettobohrkosten** statement of exploration results; ~ **Prüfungsdurchführung** *(Bilanz)* documentation of audit work; **N. über den Reingewinn** (consolidated) earnings statement *[US]*; **N. des eingetretenen Schadens** proof of loss; **N. der Ursprungseigenschaft** *[EU]* proof of originating status; ~ **Versicherungsfähigkeit** proof of insurability; ~ **Vertretungsbefugnis** proof of authority; ~ **Vorlegung** proof of presentation; ~ **Zahlungsunfähigkeit** proof of inability to pay; **N. gezahlter Zinsen** statement of interest paid; **N. der Zustellung** proof of service

Nachweis erbringen to furnish/bear/produce evidence, to evidence/establish, to furnish proof, to satisfy so. of sth.; **N. einer Forderung erbringen** to prove/substantiate a claim; **N. führen/liefern/vorlegen** to prove, to furnish proof/evidence, to produce evidence; **N. ausreichender Kaution führen** to justify bail

belegmäßiger Nachweis audit trail; **buchmäßiger N.** book evidence of a transaction; **lückenlose N.e** complete evidence, airtight case; **urkundlicher N.** documentation

nachweisbar *adj* provable, verifiable, demonstrable, ascertainable, traceable, capable of demonstration

nachweisen *v/t* to prove/establish/substantiate/demonstrate/show, to produce evidence; **einwandfrei n.** to establish beyond a doubt; **urkundlich n.** to furnish documentary evidence

Nachweiser *m* index, pointer

nachweis|lich *adj* proven; *adv* (to be) on record as (saying), demonstrably; **N.makler** *m* 1. business transfer agent; 2. *(Effekten)* half-commission man; **N.pflicht** *f* accountability; **n.pflichtig** *adj* accountable

Nachweisung *f* documentary proof

Nach|welt *f* posterity; **der ~ überliefern** to hand down to posterity; **n.werfen** *v/t* to throw after; **N.wiegen** *nt* check weighing; **n.wiegen** *v/t* to reweigh; **n.wirken** *v/i* to have repercussions; **N.wirkung** *f* after-effect, repercussions, backwash; **N.wort** *nt* postscript; **N.wucher** *m* § profiting from usurious acts of another

Nachwuchs *m* 1. offspring; 2. new generation, young blood; **wissenschaftlicher N.** young/up-and-coming academics, new generation of academics

Nachwuchs|ausbilder *m* training manager; **N.ausbildung** *f* executive training, training of juniors; **N.förderung** *f* executive training; **N.(führungs)kraft** *f* junior executive/manager, management trainee, trainee manager; **N.kräfte** junior staff/management; **N.lehrgang** *m* trainee course; **N.mangel** *m* shortage of junior staff/executives; **N.mann** *m* junior manager; **N.position** *f* junior position; **N.problem** *nt* recruitment problem; **N.seminar** *nt* trainee class; **N.sorgen** *pl* recruitment problems; **N.stelle** *f* junior position; **N.unternehmer** *m* young entrepreneur; **N.verhältnis** *nt* trainee ratio

nachzahlbar *adj* 1. additionally/subsequently payable; 2. *(Dividende)* cumulative, deferred

nachzahlen *v/t* 1. to pay extra/additionally/retrospectively, to make an additional/a supplementary payment; 2. *(Börse)* to remargin *[US]*

nachzählen *v/t* to recount, to count again, to check up

Nachzahlung *f* 1. supplementary/additional payment; 2. *(Lohn)* payment of arrears, back pay(ment); **N. auf Aktien** payment of call on shares

Nachzählung *f* recount

Nachzahlungs|anspruch *m* *(Dividende)* claim to additional payment; **N.betrag** *m* back payment; **N.aufforderung** *f* *(Aktien)* call for margin; **vollstreckbarer N.beschluss** *(Liquidation)* balance order; **N.pflicht/N.verpflichtung** *f* liability of a contributory payment; **n.pflichtig** *adj* additionally payable, contributory; **N.veranlagung** *f* additional assessment *[US]*; **ohne N.verpflichtung** *(Aktie)* non-cumulative

nach|zeichnen *v/t* 1. to trace; 2. to copy; **N.zeichnung** *f* *(Aktien)* subsequent subscription; **N.zensur** *f* post-publication censorship; **n.ziehen** *v/i* to follow suit, to conform; *v/t* *(Linien)* to trace; **N.zoll** *m* additional duty; **N.zollpreis** *m* post-tariff price; **N.zügler** *m* laggard, straggler, latecomer

Nachzugs|aktie *f* deferred (ordinary) share *[GB]*/stock *[US]*; **N.aufforderung** *f* call; **n.berechtigt** *adj* cumulative; **N.dividende** *f* deferred dividend

Nadel *f* 1. needle; 2. 🖳 pin, stylus

Nadel|- 🌲 coniferous; **N.arbeit** *f* needlework; **N.baum** *m* conifer; **N.drucker** *m* 🖳 pin/wire/dot-matrix printer; **N.geld** *nt* pin money; **N.holz** *nt* softwood; **N.holzbaum** *m* coniferous tree; **N.öhr** *nt* *(fig)* bottleneck; **N.stich** *m* pinprick; **N.streifenanzug** *m* pin-striped suit; **N.wald** *m* coniferous forest/wood

Nagel *m* nail; **auf den Nägeln brennen** *(coll)* to be hard-pressed; **etw. an den N. hängen** *(coll)* to give sth. up; **Nägel mit Köpfen machen** *(coll)* to make a good job of sth.; **sich etw. unter den N. reißen** *(coll)* to pinch sth., to walk off with sth.; **N. auf den Kopf treffen** to hit the nail on the head

nagel|neu *adj* brand new; **N.probe** *f* *(fig)* acid/litmus test

Nah|aufnahme *f* close-up; **N.bereich** *m* 1. close range; 2. local zone

nahe (gelegen) *adj/adv* near, close, nearby; **ganz n.** near at hand; **n. daran** on the verge of

Nähe *f* proximity, vicinity, closeness, nearness; **in der N.** nearby; **aus nächster/in allernächster N.** at close quarters; **in der N. liegen** to be nearby; **in greifbare N. rücken** to come within reach; **räumliche N.** geographical proximity

nahe gelegen *adj* near(by); **n. kommen** *v/i* to approach, to come close to; **n. legen** *v/t* to suggest/recommend, to make/render desirable; **n. liegen** *v/i* to suggest itself; **n. liegend** *adj* obvious

Näheres *nt* (further) details, full particulars

Naherholungs|einrichtungen *pl* local recreation facilities; **N.gebiet** *nt* local recreation area

Näherin *f* seamstress, needlewoman

näher kommen *v/t* to approximate, to come closer

nähern *v/t* π to approximate; *v/refl* to approach; **sich einander n.** to converge

näher treten *v/i* to enter into, to engage in

Näherung *f* approximation; **N.sfehler** *m* approximation error; **N.srechnung** *f* approximate calculation/computation; **N.svariable** *f* proxy variable; **N.sverfahren** *nt* approximation method; **N.swert** *m* approximative/approximated value

nahe stehend *adj* 1. close to; 2. *(Gesellschaft)* affiliated, associate; **N.zubargeld** *nt* quasi-cash

Nah|fischerei *f* local/inshore fishing; **N.gespräch** *nt* ✆ local call

Nahost Middle/Near East

Nährboden *m* 1. hotbed *(fig)*, breeding ground; 2. 🚜 fertile soil, seedbed

nähren *v/t* to feed/nourish/sustain

Nährgehalt *m* nutritional content(s)

nahrhaft *adj* nutritious, nourishing, nutrient

Nähr|kraft *f* nutritional value; **N.mittel** *nt* nutrient, nutriment; **N.präparat** *nt* nutritional preparation

Nährstoff *m* nutrient, nutritive material; **n.arm** *adj* poor in nutritive materials; **N.einheit** *f* nutrition unit

Nahrung *f* food, diet, nourishment, nutriment; **N. zu sich nehmen** to eat, to take nourishment; **leichte N.** light diet

Nahrungs|aufnahme *f* intake of food, ingestion (of food); **N.bedarf** *m* nutritional requirement(s); **N.defizitland** *nt* food deficit country; **N.hygiene** *f* food hygiene; **N.kette** *f* food chain; **N.mangel** *m* food shortage

Nahrungsmittel *nt/pl* 1. food(s), foodstuffs, food supplies/products, provisions, nutritional products; 2. edibles, comestibles, comestible goods; **Nahrungs- und Genussmittel** food, beverages and tobacco; **N. haltbar machen** to preserve foodstuffs/food; **N. verfälschen** to adulterate food/foodstuffs

feste Nahrungsmittel dry provisions; **saisonale/saisonbedingte N.** seasonal foods; **tiefgekühlte N.** frozen food; **verarbeitete N.** processed food

Nahrungsmittel|aktien *pl* foods; **N.ausgaben** *pl* spending on food; **N.- und Genussmittelausstellung** *f* exhibition of the food(-processing) industry; **N.bedarf** *m* food requirements/needs; **N.bereich** *m* nutrition business; **N.betrieb** *m* food plant; **N.branche** *f* food industry/sector; **N.chemie** *f* food chemistry; **N.chemiker** *m* food analyst/chemist; **N.- und Genussmittelgewerbe/-industrie** *nt/f* food, beverages/drink and tobacco industry, food-processing industry, food and allied industries; **N.grundstoff** *m* basic foodstuff; **N.gutschein** *m* food stamp; **N.handel** *m* food trade; **N.herstellung** *f* food processing; **N.hilfe** *f* food aid; **N.industrie** *f* food(-processing) industry, provision/foodstuffs industry; **N.kette** *f* food chain; **N.knappheit** *f* food shortage; **N.kürzung** *f* food cut; **N.preis** *m* food/grocery price; **N.ration** *f* food ration; **N.rohstoff** *m* basic foodstuff, food raw material, raw material used in the production of foodstuffs; **N.sektor** *m* food sector/industry; **N.überschuss** *m* food surplus; **N.verbrauch** *m* food consumption, consumption of foodstuffs; **N.vergiftung** *f* food poisoning; **N.versorgung** *f* food supply; **N.vorräte** *pl* food supplies; **N.werte** *pl (Börse)* foods; **N.zubereitung** *f* food preparation; **N.zuschuss** *m* food subsidy/allowance; **N.zuteilung** *f* food allowance

Nahrungs|pflanze *f* food plant; **N.quelle** *f* food source; **N.suche** *f* search/quest for food

Nährwert *m* nutritional/food value

Naht *f* 1. seam; 2. *(Schweißen)* weld; **aus allen Nähten platzen** 1. to burst at the seams; 2. to come apart at the seams *(fig)*

Nahtarif *m* local tariff

naht|los *adj* seamless; **N.stelle** *f* 1. 🖳 interface; 2. link; 3. dividing line

Nahtransport *m* short haul (transport)

Nahverkehr *m* local service/traffic/transport, short haul (transport); **öffentlicher N.** local (public) transport, mass transit *[US]*; **städtischer N.** urban transport

Nahverkehrs|amt *nt* ✆ toll exchange *[GB]*; **N.bezirk/N.gebiet** *m/nt* commuter belt/area; **N.einrichtungen** *pl* local transport facilities; **N.linie** *f* commuter line; **N.mittel** *nt* means of local transport; **N.netz** *nt* local transport system/network; **N.verbindungen** *pl* local transport; **N.zone** *f* short-haul zone; **N.zug** *m* local train

Nah|verlagerung *f* intra-area relocation; **N.ziel** *nt* immediate/short-term objective

Name *m* 1. name, title, identifier; 2. denomination, brand; 3. reputation; **auf den N.n von** in/to the name of; **im N.n von** on behalf of; **dem N.n nach** nominal(ly), by name; **nur ~ nach** nominal(ly), in name only; **ohne N.n** anonymous(ly); **unter dem N.n von** by the name of

Name des Antragstellers name of the maker; **im N.n des Gesetzes** in the name of the law; **N. des Inhabers** name of the bearer; **im eigenen N.n und auf eigene Rechnung** in one's own name and one's own account; **im N.n des Volkes** § in the name of the people

auf den Namen lautend 1. registered; 2. inscribed; 3. *(Wechsel)* payable to order; **nicht ~ lautend** unregistered; **nur auf einen N. lautend** *(Stimmzettel)* uninominal

Namen abhaken to tick off names; **im eigenen N. abschließen** to contract in one's own name; **N. annehmen** to assume a name; **mit N. anreden** to address by name; **N. aufrufen** to call the roll; **seinen N. ausschreiben** to write one's name in full; **auf den N. von ... ausstellen** to write out in/to the name of; **N. beflecken/besudeln** to stain one's/so.'s reputation; **ohne N. erscheinen** *(Buch)* to appear anonymously; **unter einem N. firmieren** to trade under a name; **N. führen** to bear a name; **N. geben** to name; **auf jds N. gehen** *(Rechnung)* to be charged to so.'s account; **guten N. haben** to have a good reputation; **im eigenen N. handeln** to act on one's own account/behalf; **in fremdem N. handeln** to act as agent, ~ on behalf of another; **seinen N. hergeben** to lend one's name; **im eigenen N. klagen** to sue in one's own name; **unter dem N. laufen** to go by the name of; **auf den N. lauten** to be made out/titled in the name of; **sich einen N. machen** to make a name for o.s., to win a reputation, ~ fame for o.s., to establish one's reputation (as); **seinem N. (keine) Ehre machen** (not) to justify one's reputation; **N. notieren** to take down a name; **jds N. und Adresse notieren** to take down so.'s name and address; **unter dem N. bekannt sein** to go by the name of; **es dem N. schuldig sein** to owe it to one's reputation; **nur im eigenen N. sprechen** to speak only for o.s.; **N. streichen** to strike off a name; **mit seinem vollen N. unterschreiben** to sign in full; **N. verlesen** to call the roll, to roll-call

angenommener Name 1. assumed name; 2. alias; **voll ausgeschriebener N.** name written in full; **überall bekannter N.** household name; **handelsgerichtlich eingetragener N.** registered *[GB]*/corporate *[US]* name; **falscher/fremder N.** fictitious/assumed name, pseudonym; **in fremdem N.** as agent(s) only; **unter ~ N.** incognito; **geläufiger N.** household name; **gesetzlich geschützter N.** proprietary name; **gesetzlicher N.** legal name; **irrtümlicher N.** misnomer; **richtiger N.** true/real name; **unbescholtener N.** unblemished/untarnished reputation; **vollständiger N.** full name

Namen|geber *m (Telex)* answerback; **N.liste** *f* 🖳 identifier list; **n.los** *adj* anonymous, nameless, no-name; **N.lose(r)** *f/m* unknown person

namens *prep* on behalf of

Namensaktie *f* registered share *[GB]*/stock *[US]*, inscribed stock *[GB]*; **N.n** inscriptions *[GB]*; **N. mit Übertragungsvermerk** assigned stock *[US]*; **gebundene/vinkulierte N.** restricted registered share, registered share with restricted/limited transferability

Namens|aktionär *m* registered shareholder *[GB]*, stockholder of record *[US]*; **N.änderung** *f* change of name; **N.angabe** *f* statement of name; **unrichtige**

N.angabe misnomer; **N.anteil** *m* registered share; **N.aufruf** *m* roll call, call by name; **N.bezeichnung** *f* denomination; **N.buch** *nt* register of names; **N.ehe** *f* nominal marriage; **N.firma** *f* personal firm name; **nicht begebbarer N.frachtbrief** straight bill of lading; **N.gebung** *f* 1. choice of name, naming; 2. *(Wissenschaft)* nomenclature; **N.gedächtnis** *nt* memory for names; **N.indossament** *nt* special endorsement; **N.irrtum** *m* misnomer; **N.konnossement** *nt* straight/non-negotiable bill of lading (B/L), bill of lading to a named person; **N.lagerschein** *m* registered/non-negotiable warehouse receipt, warehousing warrant made out to name; **N.liste** *f* list of names, roll; **~ verlesen** to call the roll; **N.missbrauch** *m* misuse of a name; **N.obligation** *f* registered bond *[US]*/debenture; **N.papier** *nt* registered certificate/security/share *[GB]*/stock *[US]*, non-negotiable note, transferable instrument; **~ mit Zinsschein** registered coupon bond; **N.pfandbrief** *m* registered mortgage bond; **N.police** *f* named/registered policy; **N.recht** *nt* right to (the use of) a name; **N.register** *nt* register/list of names; **N.scheck** *m* registered/non-negotiable cheque *[GB]*, ~ check *[US]*; **N.schiffspfandbrief** *m* registered debenture *[GB]*/bond *[US]*; **N.schild** *nt* name plate, signboard, tab; **N.schildchen** *nt* name tag; **N.schriftzug** *m* logotype; **N.schuldverschreibung** *f* registered debenture *[GB]*/bond *[US]*; **N.schutz** *m* legal protection of names; **N.stammaktie** *f* registered share *[GB]*/stock *[US]*; **N.stempel** *m* facsimile stamp; **N.test** *m (Werbung)* name test; **N.unterschrift** *f* signature; **laut N.unterschriften** witness our hands; **N.verlesung** *f* roll call; **N.verwechslung** *f* confusion of names; **N.verzeichnis** *nt* 1. list of names, index (of names); 2. *(Aktionäre)* shareholders' register *[GB]*, stock book *[US]*; **N.vetter** *m* namesake; **N.wechsel** *m* change of name; **N.zeichen** *nt* initials; **N.zeichnung** *f* signature; **N.zertifikat** *nt* registered certificate; **N.zug** *m* signature

Namentitel *m* registered security

namentlich *adj/adv* by name, nominal(ly)

namhaft *adj* 1. well-known, renowned, famous, notable, prominent, reputable, considerable; 2. *(Geldbetrag)* substantial; **n. machen** to name, to identify; **N.machung** *f* naming, identification, designation; **~ der Revisionsgründe** *f* specification of errors

nämlich *adj* 1. namely; 2. viz. (videlicet *(lat.)*)

Nämlichkeit *f* ⊖ identity; **N. des Versicherungsgegenstandes** identity of the subject matter; **N. feststellen** to determine the identity

Nämlichkeits|bescheinigung *f* certificate of identification/identity; **N.mittel** *nt* means of identification; **N.nachweis** *m* submission of proof of identity; **N.prüfung** *f* verification of identity; **N.schein** *m* certificate of identity, ⊖ transire *(lat.)*, trans(s)hipment bond; **N.sicherung** *f* proof of identity proceedings; **N.zeichen** *nt* ⊖ identification mark; **N.zeugnis** *nt* identity certificate

Nansenpass *m* Nansen passport (for stateless persons)

Narbe *f* scar; **N.n hinterlassen** to leave scars

Narkose *f* ⚕ anaesthetic

Narkotika *pl* narcotics, drugs; **N. verabreichen** to administer drugs

Nasciturus *m* *(lat.)* § unborn child, child en ventre sa mère *[frz.]*

Nase *f* nose; **auf die N. fallen** *f* to fall (flat) on one's face, to come a cropper *(coll)*; **N. für etw. haben** to have a nose for sth.; **seine N. in allem haben** to have a finger in every pie *(fig)*; **N. vorn haben** to have the edge, to be one or two steps ahead

Nasenlänge *f* *(Rennen)* short head; **um eine N. voraus sein** to be one or two steps ahead

nass *adj* wet, humid

Nassauer *m* *(coll)* freeloader, cadger, sponger, scrounger; **n.n** *v/t* to cadge/sponge/scrounge

Nässe *f* wetness, moisture; **überfrorene N.** black ice

Nass|fäule *f* 🏛 wet rot; **n.forsch** *adj* brazen, brash; **N.gewicht** *nt* weight in wet condition; **N.verfahren** *nt* wet process

Nation *f* nation, country; **befreundete N.** friendly nation

national *adj* national

National|anleihe *f* national loan; **N.archiv** *nt* Public Records Office *[GB]*; **N.bank** *f* national bank; **N.bankwesen** *nt* national banking system; **N.bibliothek** *f* national library, Library of Congress *[US]*; **N.budget** *nt* 1. national budget; 2. *(Planung)* forecast of national accounts, national income statement; **N.eigentum** *nt* national property; **N.einkommen** *nt* national income; **N.flagge** *f* national flag; **N.hymne** *f* national anthem

nationalisier|en *v/t* to nationalize; **N.ung** *f* nationalization

Nationalismus *m* nationalism

Nationalist *m* nationalist; **n.isch** *adj* nationalist(ic)

Nationalität *f* nationality; **N.enkennzeichen** *nt* 🚗 nationality plate; **N.enprinzip** *nt* nationality principle

National|konvent *m* national convention; **N.ökonom** *m* (political) economist; **N.ökonomie** *f* economics, political/national economy; **N.park** *m* national park; **N.produkt** *nt* national product; **N.rat** *m* national council/assembly; **N.regierung** *f* national government; **N.schuld** *f* national/public debt; **N.staat** *m* national/nation state; **N.stiftung** *f* National Trust *[GB]*; **N.vermögen** *nt* national property; **N.versammlung** *f* national assembly

Natur *f* nature; **nach der N.** from life; **ihrer N. nach** in nature; **begründet in der N. von** arising through the nature of; **in der freien N. leben** to live an outdoor life; **~ N. der Dinge liegen** to be in the nature of things; **~ menschlichen N. liegen** to be human nature

eiserne Natur iron constitution; **fachlicher N.** of a professional nature; **freie N.** open countryside; **menschliche N.** human nature

in natura *(lat.)* in kind

Natural|abgabe *f* tax/levy in kind; **N.ausgleich** *m* settlement/compensation in kind; **N.bezüge** *pl* payment in kind; **N.darlehen** *nt* credit in kind; **N.dividende** *f* property dividend; **N.einkommen/N.einkünfte** *nt/pl* income paid in kind; **N.entschädigung** *f* compensation paid in kind; **N.erfüllung** *f* performance/allowance in kind, specific performance; **N.ersatz** *m* replacement/recovery in kind; **N.erträge** *pl* earnings in kind; **in**

N.form *f* in kind; **N.geld** *nt* commodity standard/money; **N.herstellung** *f* restitution in kind, specific performance

Naturalien *pl* kind, foodstuffs, natural produce, victuals; **in N. (zahlen)** (to pay) in kind

Naturalisation *f* naturalization; **N.serklärung** *f* declaration of intention *[US]*; **N.surkunde** *f* certificate of naturalization

naturalisierlen *v/t* to naturalize; **N.ung** *f* naturalization

Naturallkredit *m* credit in kind; **N.leistung** *f* payment in kind, specific performance; **N.lohn** *m* payment/wage in kind, store pay *[US]*; **N.nießbrauch** *m* perfect usufruct; **N.obligation** *f* imperfect obligation; **N.pacht** *f* 1. sharecropping system *[US]*; 2. stated rental; **N.pächter** *m* sharecropper *[US]*; **N.pachtvertrag** *m* metayer contract; **N.rabatt** *m* rebate in kind; **N.rente** *f* food rent; **N.restitution** *f* § restitution in kind, compensation for damages in kind; **N.tausch** *m* barter; **N.tauschwirtschaft** *f* barter economy; **N.tilgung** *f* redemption in kind; **N.vergütung** *f* payment in kind, store pay *[US]*; **N.wesen** *nt* metayer system *[GB]*; **N.-wirtschaft** *f* barter/non-monetary/natural/moneyless economy; **N.zins** *m* interest in kind, dry rent

Naturlanlage *f* temperament; **n.bedingt** *adj* natural

Naturell *nt* temper(ament)

Naturldünger *m* manure; **N.ereignis** *nt* Act of God, natural occurrence/event/phenomenon; **N.erscheinung** *f* natural phenonenon; **N.erzeugnis** *nt* natural produce; **N.faser** *f* natural fibre; **N.forscher** *m* naturalist, natural scientist; **N.gabe** *f* natural talent; **n.gegeben** *adj* natural; **N.geschichte** *f* natural history; **N.gesetz** *nt* natural law, law of nature; **N.gewalten** *pl* the elements; **N.gummi** *nt* natural rubber; **N.güter** *pl* original goods; **N.haushalt** *m* ecosystem; **N.katastrophe** *f* natural disaster; **N.kautschuck** *m* natural rubber; **N.kostladen** *m* health (food) shop, natural food store *[US]*; **N.landschaft** *f* 1. virgin country; 2. natural landscape

natürlich *adj* natural

Naturlprodukte *pl* natural produce; **N.recht** *nt* natural law/right; **N.reservat** *nt* nature reserve; **N.schätze** *pl* natural resources; ~ **vergeuden** to squander natural resources; **N.schützer** *m* conservationist

Naturschutz *m* conservation, nature conservancy; **unter N. stehen** to be listed, ~ legally protected; **N.gebiet/N.park** *nt/m* nature reserve, conservation area

Naturlstein *m* natural stone; **N.talent** *nt* natural talent

Naturwissenschaft *f* science, natural/physical sciences; **N.ler(in)** *m/f* naturalscientist; **n.lich** *adj* scientific

Naturzustand *m* natural state

Nautik *f* 1. navigation; 2. nautical science; **N.er** *m* navigator

nautisch *adj* nautical

Navicert *nt* navigation certificate

Navigation *f* navigation

Navigationslfehler *m* navigational error; **N.hilfe** *f* navigational aid; **N.karte** *f* navigational chart; **N.kunde** *f* navigation; **N.offizier** *m* navigating officer; **N.raum** *m* chart room; **N.schule** *f* nautical school; **n.tüchtig** *adj* navigable; **n.unfähig/n.untüchtig** *adj* unmanoeuvrable

Navilgator *m* navigator; **n.gieren** *v/t* to navigate

NC-Maschine *f* numerically-controlled machine

Nebel *m* fog, mist; **durch N. festgehalten; wegen N. geschlossen** fogbound; **dichter N.** thick fog; **feiner N.** 1. mist; 2. *(Dunst)* haze

Nebellbank *f* bank of fog; **N.bildung** *f* formation of fog; **N.boje** *f* fog buoy; **N.decke** *f* blanket of fog; **N.dichte** *f* density of fog; **n.haft** *adj* 1. foggy, hazy; 2. vague; **N.horn** *nt* foghorn; **N.lampe/N.leuchte** *f* foglight; **N.regen** *m* drizzle; **N.scheinwerfer** *m* foglight; **N.schlussleuchte** *f* rear fog light; **N.signal** *nt* fog signal; **N.signalhorn** *nt* foghorn; **N.streifen** *m* streak of fog; **N.wand** *f* curtain of mist; **N.warnung** *f* fog alarm; **N.wetter** *nt* foggy weather

neben *prep* 1. in addition to; 2. alongside

Nebenl- ancillary to; **N.abgaben** *pl* accessory taxes; **jährliche N.abgaben** reprises; **N.abkommen** *nt* subsidiary agreement

Nebenabrede *f* subsidiary/collateral/additional/side/supplementary/ancillary agreement, additional stipulations, sub-agreement, (informal) understanding; **mündliche N.** parol evidence; **wettbewerbsbeschränkende N.** ancillary restraint

Nebenlabsicht *f* secondary motive/object(ive); **N.absprache** *f* collateral agreement; **N.adresse** *f* alternative address; **N.aktivitäten** *pl* peripheral activities; **N.amt** *nt* additional function, secondary office, part-time job; **n.amtlich** *adj* extra-official, secondary, part-time, additional, as a secondary occupation; **N.anlage(n)** *f/pl* 1. support facilities; 2. subsidiary plant; **N.anschluss** *m* 1. (telephone) extension, party line; 2. siding *[GB]*, sidetrack *[US]*; **N.anschlussgleis** *nt* private siding *[GB]*/sidetrack *[US]*; **N.anspruch** *m* secondary/accessory/independent claim; **N.antrag** *m* § ancillary relief; **N.apparat** *m* extension; **N.arbeit** *f* spare-time work, side/extra job; **N.artikel** *m* sideline; **N.ausgaben** *pl* extras, incidentals, incidental expenses, contingencies; **unvorhergesehene N.ausgaben** contingencies; **N.ausgang** *m* side exit; **N.ausschuss** *m* sub-committee; **N.bahn** *f* branch line; **N.bedeutung** *f* 1. connotation; 2. *(Warenzeichen)* secondary meaning

Nebenbedingung *f* 1. collateral condition, side constraint; 2. auxiliary account; **N.en** constraints; **unter N.en** constrained

Nebenbefugnisse *pl* *(Vertreter)* mediate powers

nebenbei *adv* 1. on the side; 2. at the same time; 3. in addition; **n. bemerkt** incidentally; **n. gesagt** by the way

Nebenlbeklagte(r) *f/m* § co-defendant; **N.bemerkung** *f* aside; **N.berechtigter** *m* secondary entitled party

Nebenlberuf/N.beschäftigung *m* → **Nebentätigkeit** sideline (employment), secondary occupation, spare-time/extra/second job, avocation, ancillary activity; ~ **ausüben** to work part-time, *(Schwarzarbeit)* to moonlight *(coll)*; **N.berufler** *m (Schwarzarbeit)* moonlighter *(coll)*; **n.beruflich** *adj* part-time, in/as a secondary occupation, avocational

Nebenlbestimmung *f* collateral clause, incidental provision, rider; **N.betrieb** *m* 1. sideline, subsidiary (company/enterprise/establishment), auxiliary enterprise/

branch; 2. branch office; 3. subsidiary factory; **N.beweis** *m* § collateral proof, secondary evidence; **N.bezüge** *pl* fringe benefits, perquisites, perks *(coll)*; **N.börse** *f* curb *[US]*/kerb *[GB]* exchange, secondary market

Nebenbuch *nt* subsidiary/separate book, supporting ledger; **N.haltung** *f* subsidiary/auxiliary accounting (department), contributory accounting unit; **N.konto** *nt* secondary account

Neben|buchung *f* entry into subsidiary accounts; **N.budget** *nt* subsidiary budget; **N.buhler** *m* rival; **N.bürge** *m* co-guarantor, co-surety, additional bail, collateral surety; **N.bürgschaft** *f* co-surety, secondary surety, collateral guarantee/security; **N.effekt** *m* side-effect, spin-off, by-product

Nebeneinander *nt* co-existence; **n.** *adv* abreast; **n. bestehend** *adj* concurrent; **n. liegend** *adj* adjoining; **N.stellung** *f* juxtaposition

Neben|eingang *m* side entrance; **N.einkommen** *nt* supplementary income; **N.einkünfte/N.einnahmen** *pl* additional/extra/casual income, incidental receipts, perquisites, casual earnings, income from sources other than employment, pickings, kickback *(coll)*, perk(s) *(coll)*; **N.erlös** *m* additional earnings/income; **N.ertrag** *m* revenue from disposal of waste, spoilage and scrap; **betriebliche N.erträge** other operating income

Nebenerwerb *m* sideline, spare-time job, secondary occupation

Nebenerwerbs|bauer/N.landwirt *m* part-time farme, smallholderr; **N.betrieb** *m* 1. 🚜 secondary occupation/part-time farm, smallholding; 2. additional business; **landwirtschaftlicher N.betrieb** part-time farm; **N.stelle** *f* 1. 🚜 part-time farm; 2. part-time job; **N.tätigkeit** *f* subsidiary gainful activity

Neben|erzeugnis *nt* by-product, co-product, spin-off product; **N.fach** *nt* minor/subsidiary subject; minor *[US]*; **N.fehler** *m* minor defect; **N.fiskus** *m* auxiliary fiscal agent, accessory government institution; **N.fluss** *m* tributary; **N.folge** *f* incidental consequence; **N.forderung** *f* accessory claim; **N.frage** *f* minor question/issue; **N.gebäude** *nt* 1. annex, satellite building; 2. 🚜 outbuilding, outhouse; **N.gebühr** *f* extra charge, additional/supplementary fee; **N.geschäft** *nt* sundry/sideline business, sideline, ancillary business/trade; **N.gesellschaft** *f* subsidiary company; **N.gewässer** *pl* dependent seas; **N.gewerbe** *nt* ancillary trade; **N.gewinn** *m* extra gain; **N.gleis** *nt* 🚂 siding *[GB]*, sidetrack *[US]*; **N.haus** *nt* adjacent house; **n.hergehend** *adj* additional, extra; **N.interesse** *nt* private interest; **N.intervenient** *m* § intervener, intervenor, interpleader; **N.intervention** *f* § intervention, interpleader; **N.interventionsverfahren** *nt* interpleader proceedings; **N.kapazität** *f* side-product capacity; **N.karte** *f* inset; **N.kasse** *f* petty cash (fund); **N.klage** *f* ancillary suit, incidental/derivative action, accessory prosecution; **N.kläger(in)** *m/f* joint plaintiff, co-petitioner, additional private prosecutor, intervening party; **N.klausel** *f* negative pledge clause; **N.konto** *nt* subsidiary account

Nebenkosten *pl* 1. incidental/related/initial/attendant costs, 2. service and maintenance costs, extras, incidentals, ancillary/incidental/additional expenses, accessory charges, contingencies; 3. *(Güterverkehr)* secondary line; **N.abrechnung** *f* statement of additional expenses; **N.pauschale** *f* lump-sum incidental expenses; **N.stelle** *f* departmental cost centre, indirect/non-productive centre

Neben|kriegsschauplatz *m* secondary theatre of war; **N.lasten** *pl* additional charges

Nebenleistung *f* 1. (performance of an) additional service, peripheral/support service; 2. *(Lohn)* additional payment/compensation, fringe benefit, perquisite, perk *(coll)*; **N. in Geldform** cash allowance; **~ Sachform** allowance in kind; **N.spflicht** *f* subsidiary obligation

Neben|linie *f* 🚂 branch line; **N.markt** *m* secondary/ancillary/fringe/parallel market, sub-market; **N.maschine** *f* detail machine; **N.metall** *nt (Börse)* secondary metal; **N.parameter** *m* incidental parameter; **N.partei** *f* § joint suitor; **N.patent** *nt* collateral/subordinated patent; **N.pflicht** *f* accessory obligation, secondary/fiduciary duty; **N.plan** *m* alternative plan; **N.platz** *m* secondary centre; **N.postamt** *nt* sub-post office; **N.produkt** *nt* by-product, subsidiary/residual product, spin-off (product); **N.programm** *nt* 💻 secondary/side programme; **N.prozess** *m* § ancillary suit; **N.raum** *m* adjoining room; **N.recht** *nt* accessory/subsidiary right; **N.sache** *f* minor matter, accessory; **n.sächlich** *adj* secondary, negligible, immaterial, accessory, irrelevant, non-essential, peripheral; **N.sächlichkeit** *f* irrelevance (-cy), triviality, incidental; **N.saison-** low-season; **N.satz** *m* accessory clause, addendum *(lat.)*; **N.schaden** *m* collateral damage; **N.schuldner** *m* co-debtor; **N.sicherheit** *f* collateral security; **N.sicherheitsfonds** *m* collateral fund; **N.spesen** *pl* incidentals; **N.sprechen** *nt* ✆ cross talk

nebenstehend *adj/adv* attached; **n. erwähnt** named in the margin; **wie n.** as by margin

Nebenstelle *f* 1. branch (office), sub-branch; 2. ✆ extension; **N.nanlage** *f* ✆ private (automatic) branch exchange (PABX/pabx) *[GB]*; **automatische N.nanlage** automatic branch exchange

Neben|steuer *f* minor tax; **N.strafe** *f* subsidiary sentence, supplementary penalty; **N.strafrecht** *nt* law of supplementary penalties; **N.straße** *f* minor road, side street; **N.strecke** *f* 1. 🚂 branch line; 2. 🚗 relief route; **N.tat** *f* § accessory/incidental offence; **N.täter** *m* independent perpetrator; **N.tätigkeit** *f* → **Nebenberuf/N.beschäftigung**; **~ gegen Vergütung; bezahlte N.tätigkeit** paid part-time employment; **N.treppe** *f* service stairs; **N.umstand** *m* incident(al); **N.unternehmer** *m* subcontractor; **N.urkunde** *f* supporting document; **N.ursache** *f* secondary cause; **N.verbraucher** *m* secondary consumer; **N.verdienst** *m* additional/extra/secondary/supplementary income, perk(s) *(coll)*; **N.vereinbarung** *f* (collateral) covenant, supplementary stipulation; **obligatorische N.vereinbarung** restrictive covenant *[US]*; **N.verfahren** *nt* § ancillary/collateral/interlocutory proceedings; **N.vergünstigungen/N.vergütung** *pl/f* fringe benefits; **N.verpflichtung** *f* accessory obligation; **schuldrechtliche N.verpflichtung** covenant in gross; **N.versicherung** *f* collateral/additional insurance; **N.versprechen** *nt* accompanying promise; **N.vertrag** *m* accessory/collateral/subsidiary contract, subcontract; ~ **abschließen** to subcontract; **N.vormund** *m* joint/second guardian, co-guardian; **N.vormundschaft** *f* joint guardianship; **N.vorstellung** *f* side show; **N.weg** *m* side street; **N.wert** *m (Börse)* secondary issue/counter, minor/second-line stock, second-liner, small cap; **N.wirkung** *f* secondary/incidental effect, side-effect, spillover; **N.zeit** *f* 1. auxiliary process time, (machine) ancillary time; 2. *(REFA)* downtime; **N.zentrum** *nt* district/neighbourhood/secondary centre; **N.zimmer** *nt* adjoining room; **N.zweck** *m* secondary object(ive); **N.zweig** *m* sideline, offshoot; **N.zweigstelle** *f* sub-branch

Negation *f* negation

Negativ *nt (Foto)* negative; **n.** *adj* negative, adverse, unfavourable, poor, downward

Negativ|attest *nt* clearance certificate; **N.ätzung** *f* negative plate; **N.beweis** *m* negative evidence; **N.erklärung** *f* negative declaration; **N.klausel** *f* negative declaration, ~ pledge clause; **N.kommission** *f (Zins)* negative interest; **N.liste** *f* 1. *(Handel)* list of non-liberalized goods; 2. ⊖ dutiable goods list; 3. denials list *[US]*; **N.rendite** *f* negative yield; **N.saldo** *m* negative balance; **N.test** *m* negative clearance; **N.verpflichtung** *f* 1. negative covenant; 2. *(Bank)* covenant against encumbrances; **N.wachstum** *nt* negative growth; **N.zins** *m* negative/penal interest

negatorisch *adj* negating, denying, prohibiting

Negierung *f* negation, denial, negative

Negoziationskredit *m* drawing authorization

negoziierbar *adj* negotiable; **nicht n.** non-negotiable; **N.keit** *f* negotiability

negoziieren *v/t* to negotiate

Negoziierung *f* negotiation; **N. einer Sichttratte** sight negotiation; ~ **Nachsichttratte** usance negotiation

Negoziierungs|akkreditiv *nt* negotiation/merchant's credit; **N.anzeige** *f* advice of negotiation; **N.auftrag** *m* order to negotiate; **N.ermächtigung** *f* authority to negotiate; **N.kredit** *m* negotiation/general credit; **N.stelle** *f* negotiating agent/agency

nehmen *v/t* 1. to take; 2. *(kaufen)* to buy; *v/refl* to help o.s.; **auf sich n.** 1. to assume/incur; 2. *(Verantwortung)* to take on, to shoulder; **etw. buchstäblich n.** to take sth. literally; **es nicht so genau n.** to cut corners *(fig)*; **Dinge n., wie sie sind** to take things in one's stride

Nehmer *m* 1. taker, buyer; 2. *(Empfänger)* payee; 3. *(Kurszettel)* money, bid; **N.land** *nt* recipient country

Neid *m* envy, jealousy; **jdn vor N. erblassen lassen** to make so. green with envy; **n.erfüllt** *adj* envious, full of envy; **n.isch** *adj* envious, jealous; **n.los** *adj* ungrudging

Neige *f* decline, slope; **zur N. gehen** *(Vorräte)* to run out of (supplies), to run low/short (of); **auf der N. stehen** to be in the balance

neigen *v/ti* 1. to tend/incline; 2. to bend/tilt/lean; **n. zu** to tend to do, to be prone/inclined/given to (sth.); **fast dazu n.** to have a mind to do *(coll)*

Neigung *f* 1. tendency, propensity, inclination, like, habit; 2. ⚓ list, tilt, slant; 3. *(Vorliebe)* preference, liking, penchant; 4. *(Straße)* gradient; 5. *(Abhang)* slope; **N. zur Inflation** propensity to inflation; ~ **Kassenhaltung** money-holding propensity; **N. zum Kauf** inclination to buy; **N. zur Monopolbildung** propensity to monopolize; **seiner N. frönen** to indulge one's taste(s); **N. haben** to be inclined; **N.swinkel** *m* inclination

Neinstimme *f* no-vote, nay *[US]*

Nekrolog *m* obituary

NE-Metall *nt* non-ferrous metal; **NE-Metallerzeugung** *f* non-ferrous metal production

Nennbetrag *m* par/stated value, nominal/face amount; **N. des Grundkapitals** stated capital; **N.saktie** *f* par-value share; **n.slos** *adj (Aktie)* non-par(-value)

nennen *v/t* 1. *(mit Namen)* to name/designate; 2. to call/term/style

nennenswert *adj* 1. notable, noticeable, significant, considerable; 2. appreciable

Nenner *m* π denominator, bottom; **auf einen N. bringen** *(Meinungen)* to reduce to a common denominator; **gemeinsamer N.** common denominator; **kleinster ~ N.** lowest common denominator

Nenn|kapazität *f* nominal capacity; **N.kapital** *nt* nominal/subscribed capital; **N.last** *f* rated load; **N.leistung** *f* 1. *(Maschine)* rated/nominal capacity; 2. ✪ power rating, nominal capacity; **N.maß** *nt* ▦ basic size

Nennung *f* designation, nomination, naming

Nennwert *m* 1. denomination, par/(at) face/nominal/fixed value, nominal price, par, face/principal amount; 2. *(Münze)* denominational value; **ohne N.** no-par; **über dem N.** above par, at a premium; **unter dem N.** below par, at a discount; **zum N.** at par; ~ **rückzahlbar** redeemable at par

zum Nennwert kündigen to call at par; **über N. notieren** to quote above par; **zum N. notieren** to quote at par; **über N. verkaufen** to sell at a premium; **unter N. verkaufen** to sell at a discount

gleitender Nennwert increased value

Nennwert|aktie *f* par-value share *[GB]*, par(-value) stock *[US]*, nominal-value share; **betrügerische N.erhöhung** raise; **n.los** *adj* non-par, no-par; **N.parität** *f* nominal parity

Neo|liberalismus *m* neo-liberalism, New Manchester School; **N.logismus** *m* neologism; **N.merkantilismus** *m* neo-mercantilism; **n.merkantilistisch** *adj* neo-mercantilist

Neon|beleuchtung; N.licht *f/nt* neon lighting/sign/light, strip lighting, fluorescent light(ing); **N.reklame** *f* neon sign/lights; **N.röhre** *f* neon/fluorescent tube

Nepotismus *m* nepotism

Nepp *m (coll)* clip, gyp *[US]*, rip-off; **n.en** *v/t* to fleece/clip/diddle/gyp *[US]*; **N.lokal** *nt* clip-joint

Nerv *m* nerve

Nerven|arzt *m* neurologist; **N.beruhigungsmittel** *nt* sedative, tranquillizer; **N.heilanstalt** *f* mental/psychiatric hospital; **N.kostüm** *nt* nervous system; **N.krieg** *m* war of nerves; **N.schaden** *m* mental injury; **N.schock** *m* mental shock; **N.schwäche** *f* nervous debility; **N.-**

zerrüttung/N.zusammenbruch *f/m* mental/nervous breakdown; **N.zusammenbruch haben** to crack up *(coll)*

nervös *adj* nervous, irritable, restive; **n. werden** to panic; **N.ität** *f* 1. nervousness; 2. tension

netto 1. net, clear; 2. *(Preis)* net of costs, after tax; 3. *(Gewicht)* neat; **rein n.** without any deduction

Netto|- net; **N.aktiva** *pl* net assets; **N.-Bruttoeinkommen** *nt* net-gross income; **N.abgaben** *pl* net tax; **N.absatz** *m* net sales; **N.absatzwert** *m* net sales value; **N.abzug** *m* net deduction/reduction

Nettoanlage|einkommen/N.einkünfte *nt/pl* net investment income; **N.investition(en)** *f/pl* net investment in fixed assets, net capital formation; **N.vermögen** *nt* net fixed assets; **N.wert** *m* net asset value

Netto|anteil *m* net equity/worth *[US]*; **~ der Aktionäre** shareholders' equity; **N.arbeitslohn** *m* net wage; **N.aufgabe** *f* net statement; **N.auftragseingang** *m* net sales; **N.aufwand** *m* net expenditure; **~ zur Befriedigung von Regressforderungen** *(Vers.)* expenses net of recoveries; **N.aufwendung** *f* net payment; **N.ausgabe** *f* net expenditure

Nettoauslands|forderungen *pl* net external assets; **N.investitionen** *pl* net foreign investment; **N.position** *f* net external position; **N.vermögen** *nt* net foreign investment; **N.verschuldung** *f* net external indebtedness

Netto|ausschüttung *f* net payout/distribution; **N.austauschverhältnis** *nt* net barter terms of trade; **N.ausweis** *m (Bank)* net statement/return; **N.bedarfsermittlung** *f* net demand calculation, determination of demand net, assessment of net materials requirements; **N.beitrag** *m* net contribution; **N.beitragszahler** *m* net contributor; **N.belastung** *f (Zins/Steuer)* net burden/charge; **N.bestände** *pl* net holdings/position; **N.betrag** *m* net/clear amount

Nettobetrieb *m* net accounting enterprise

Nettobetriebs|ergebnis/N.erfolg/N.gewinn *nt/m* net operating profit/income/result, net trading profit; **N.betriebsgewinne nach Steuerabzug** net operating earnings after tax(es); **~ vor Steuerabzug** net operating earnings before tax(es); **N.kapital** *nt* net working capital; **N.verlust** *m* net operating/trading loss

Netto|bewertung *f* net valuation; **N.bezüge** *pl* net emoluments/salary; **N.bezugskosten** *pl* net cost of purchase

Nettobilanz *f* net balance; **N. der unsichtbaren Leistungen** invisible net balance; **N.summe** *f* net balance sheet total; **N.wert** *m* net asset value

Nettobuchwert *m* (net) book value

Nettodevisen|abfluss *m* net currency outflow; **N.ankauf** *m* net purchase of exchange; **N.aufwendungen** *pl* net foreign exchange expenditure; **N.position** *f* net reserve position; **N.verbindlichkeiten** *pl* net foreign exchange liabilities; **N.zufluss/N.zugang** *m* net currency inflow, net inflow of foreign exchange

Netto|diensteinkommen *nt* net remuneration; **N.dividende** *f* net dividend/payout; **N.eingänge** *pl* net receipts; **N.einkaufspreis** *m* net purchase price, cost price; **N.einkaufswert** *m* net purchases; **N.einkommen** *nt* net income/earnings/receipts, disposable/residual income, take-home pay/income, earnings net of tax; **verfügbares N.einkommen** disposable earnings; **N.einkünfte** *pl* net receipts/earnings; **N.einnahmen** *pl* net receipts/proceeds; **N.einzahler** *m* net contributor; **N.einzahlungen** *pl* net contributions, monetary net inflows; **N.empfänger** *m* net recipient; **N.erfolgsrechnung** *f* netted income statement; **N.ergebnis** *nt* net result/earnings; **N.erhöhung** *f* net increase; **N.erlös** *m* net proceeds/yield/revenue/avails; **N.ersparnis** *f* net savings

Nettoertrag *m* 1. net income/proceeds/yield/profit/earnings, net-of-tax return; 2. *(Grundstück)* net rental; **N. aus Wertpapieren** net security gain; **N.sbeteiligung** *f* net profit-sharing payment

Netto|etatisierung *f* net budgeting (principle); **N.export** *m* net exports; **N.fakturenwert** *m* net invoice value; **N.finanzierungsbedarf** *m* net funding requirement

Nettoforderung|en *pl* net external assets; **N.sposition** *f (Geldmarkt)* net asset position; **N.ssaldo** *m* net asset

Netto|fracht *f* net freight; **N.gehalt** *nt* net salary, take-home pay, disposable earnings, pay cheque; **N.geldanlagen** *pl* net assets/investments, net cash balances; **N.gesamtvermögen** *nt* capital employed; **N.geschäft** *nt* net price transaction; **N.gewicht** *nt* net weight (nt.wt.)

Nettogewinn *m* net profit/gain/proceeds/earnings/income, clear profit/gain, pure profit; **N. je Aktie** net earnings per share; **N. nach/vor Steuern** net profit after/before tax(es), ~ taxation; **N. nach Steuern/Versteuerung** net trading surplus; **N.spanne** *f* net (profit) margin; **N.zuschlag** *m* net profit markup

Netto|gläubigerposition *f* net creditor position; **N.grenzprodukt** *nt* marginal net product; **N.guthaben** *nt* net credit balance, net holdings; **N.inlandsinvestitionen ohne Staat** *pl* net private domestic investment; **N.inlandsprodukt** *nt* net domestic/national product (ndp); **~ zu Faktorpreisen** net domestic product at factor coat; **N.inventarwert** *m (Fonds)* net asset value; **N.investition** *f* net investment, net capital expenditure, net asset formation; **N.investitionsquote** *f* net investment ratio; **N.jahresertragswert** *m* clear annual value

Nettokapital *nt* net capital; **N.abfluss** *m* net outflow of funds/capital; **N.anlage** *f* net (financial) investment; **N.bildung** *f* net capital formation; **N.produktivität** *f* net capital productivity; **N.leistungen** *pl* net flows; **N.vermögen** *nt* net capital stock; **N.zustrom** *m* net inflow of capital

Netto|kassenposition *f* net cash position; **N.klausel** *f* net clause; **N.konditionen** *pl* net terms; **N.kosten** *pl* net costs; **N.kostensatz** *m* net cost unit rate; **N.kreditaufnahme** *f* net borrowing, net credit intake; **N.kreditsaldo** *m* net credit balance; **N.kreditvergabe** *f* net lending(s); **N.kurs** *m* net price, tel quel rate; **N.leistung** *f* net flow; **N.leistungen** net contributions; **N.liquidität** *f* net liquid assets; **N.liquiditätszufluss** *m* net liquidity inflow; **N.lohn** *m* net wage, take-home pay, disposable earnings, pay cheque; **N.marge** *f* net margin; **N.methode** *f* method of net presentation; **N.miete** *f* net rental; **N.mittelzufluss** *m* net accruals; **N.mittelzuweisung** *f* available balance; **N.neugeschäft** *nt (Vers.)* net increase; **N.neuverschuldung** *f* net new borrowing; **N.pacht** *f* net rental; **N.pachtpreis** *m* net rental price; **N.position** *f (Option)* net position; **N.prämie** *f* net/pure premium; **N.preis** *m* 1. net/cash/netback price, net cost; 2. ⊖ short price *[US]*; **N.prinzip** *nt* net presentation principle

Nettoproduktion *f* net production/output; **N.sindex** *m* net production index; **N.swert** *m* net output (value); ~ **des Handels** *m* net production value of trade

erreichbarer Netto|produktivitätsvektor attainable point in commodity space; **N.provision** *f* net commission; **N.quote** *f* net (output) ratio; **N.rate** *f* net rate; **N.raumgehalt** *m* ⚓ net (registered) tonnage; **N.raumzahl** *f* net ton measurement; **N.realinvestition** *f* net real investment; **N.realisationswert** *m* net realizable value; **N.rechnung** *f* netted income statement; **N.rechnungswert** *m* net invoice price

Nettoregister|tonnage *f* ⚓ net (registered) tonnage; **N.-tonne** *f* net register ton; **N.tonnengehalt** *m* net tonnage

Netto|rendite *f* net yield; **N.rente** *f* 1. *(Miete)* net rental yield; 2. *(Kapital)* net annual return; **N.reproduktionsziffer** *f* net reproduction rate; **N.reserve** *f* net reserve; **N.resultat** *nt* net result/earnings; **N.saldo** *m* net balance; **N.satz** *m* net/face rate; **N.schadensquote** *f* net loss ratio; **N.schöpfung** *f* net value added; **N.schuldenstand** *m* net debt position; **N.schuldnerposition** *f* net debtor position

Nettosozialprodukt *nt* net national product; **N. zu Faktorpreisen** net domestic product (at factor cost), national income; **reales N.** real net national product

Netto|sparzins *m* net interest rate on savings; **N.steueraufkommen** *nt* net tax receipts/revenue; **N.steuerschuld** *f* net tax liability; **N.stornoprämie** *f* net cancellation charge; **N.tara** *f* net tare; **N.tonnage** *f* net tonnage; **N.überschuss** *m* net surplus/balance/rest; **N.überschussposition** *f* net creditor position; **N.umlaufvermögen** *nt* working capital, net current assets

Nettoumsatz *m* net sales/returns/turnover; **N.erlöse** *pl* net sales/turnover; **N.rendite** *f* net earnings as percentage of sales; **N.steuer** *f* net turnover tax

Netto|verbindlichkeiten *pl* net liabilities/debts; **kurzfristige N.verbindlichkeiten** net current liabilities; **N.verdienst** *m* net earnings/income, take-home pay; **N.verkaufserlös** *m* net sales, net profit on sales; **N.verkaufspreis** *m* net sales price; **N.verkaufswert** *m* net realizable value; **N.verlust** *m* net/clear loss; **N.vermögen** *nt* net assets/worth *[US]*; **N.vermögenswert** *m* net asset value; **N.verschuldung** *f* net indebtedness, net (national) debt; **verringerter N.verschuldungsgrad** improved net gearing; **N.versteuerung** *f* net payment of tax; **N.verzinsung** *f* net interest return; **N.volkseinkommen** *nt* net national income; **N.währungsreserven** *pl* net official monetary assets; **N.warenwert** *m* net value of merchandise

Nettowert *m* net value/worth *[US]*, book/clear value; **N.schöpfung** *f* net value added; **N.zuwachs** *m* net appreciation

Netto|wohlfahrtsverluste *pl* (factor) excess burden, deadweight losses; **N.zahl der Neugründungen** *f* net business formation

Nettozins|(en) *m/pl* net/pure interest; **N.aufwand** *m* interest paid net; **N.belastung** *f* net interest burden; **N.differenz** *f* covered interest rate differential; **N.klausel** *f* net interest clause; **N.satz** *m* net interest rate; **N.spanne** *f* net interest margin

Netto|zoll *m* long duty; **N.zugang an liquiden Mitteln** *m* cash flow

Netz *nt* 1. network, net, system, web; 2. ϟ mains

Netz mit Kapazitätsangaben capacitated network; **N. gegenseitiger Kreditrichtlinien** swap network; **N. von Produktionsstätten** production network; **N. der Verkehrswege und Fernmeldeverbindungen** communications network

ans Netz angeschlossen ϟ grid-connected

mit dem Netz fangen to net; **ans N. gehen** ϟ to go into operation, ~ on stream; **jdn ins N. locken** to lure so. into a trap

dienstintegrierendes digitales Netz integrated services digital network (ISDN); **firmeninternes N.** corporate network; **internes N.** in-house network; **lokales N.** local network; **soziales N.** welfare net/system; **stationäres N.** stationary network; **weltumspannendes N.** global network

Netz|anschluss *m* ϟ mains connection, power supply; **n.artig** *adj* netlike, reticular; **N.aufbau** *m* network structure/layout/combination; **N.ausfall** *m* ϟ power cut *[GB]*, (power) outage *[US]*; **N.belastung** *f* ϟ power load; **N.betreiber** *m* network operator, carrier; **N.betriebssystem** *nt* 🖳 network operating system; **N.einspeisung** *f* ϟ mains input, feeding into the system; **N.entwurf** *m* map projection; **N.flusstheorie** *f* network flow theory; **N.frequenz** *f* ϟ mains frequency; **N.garn** *nt* netting yarn; **N.gerät** *nt* ϟ mains-operated unit; **N.gewebe** *nt* gauze; **N.haut** *f* retina; **N.hautentzündung** *f* ⚕ retinitis; **N.karte** *f* 🚆 rover/roundabout ticket; **N.karteninhaber** *m* commuter; **N.konfiguration** *f* 🖳 multipoint line; **N.leitung** *f* ϟ mains, main line

Netzplan *m* network, critical path (diagram); **N. mit Entscheidungsereignissen/-knoten** *(OR)* generalized network, decision box network; **N.analyse** *f* network analysis; **N.technik** *f* network technique/planning, network management system, critical path method; **N.techniker** *m* 🖳 network manager

Netz|spannung *f* ϟ mains voltage; **N.stecker** *m* mains plug; **N.tafel** *f* nomogram; **N.teil** *nt* ϟ mains unit; **N.verlust** *m* mains loss

Netzwerk *nt* network (flow), web; **geschlossenes N.** closed network; **logistisches N.** supply network; **N.diagramm** *nt* network diagram, chart; **N.ingenieur** *m* network engineer; **N.management** *nt* network management; **N.modell** *nt* network data model; **N.schnittstelle** *f* 🖳 interface; **N.theorie** *f* network theory; **N.-topologie** *f* network topology

neu *adj* 1. new, original, novel, first-hand, emerging; 2. *(Regierung)* incoming; **fast/wie n.** as good as new, in mint condition; **ganz n.** brandnew; **n. für alt** new for old; **nichts N.es** business as usual *(coll)*

Neu|abschätzung *f* reappraisal; **N.abschluss** *m* new order/transaction/business; **N.abschlüsse** new order bookings; ~ **tätigen** to garner new business; **N.addition** *f* refooting; **N.akquisition** *f* canvassing of new orders/customers; **N.anfertigung** *f* 1. production from scratch; 2. newly-made article; **N.ankömmling** *m* newcomer, new/fresh arrival; **N.anlage** *f* new investment, reinvestment

Neuanschaffung *f* new acquisition, accession; **N.en** renewals; **N.skosten** *pl* replacement costs, renewals

Neu|ansiedlung *f* 1. new settlement; 2. new location; **N.ansiedlungspotenzial** *nt* potential for new locations; **n.artig** *adj* novel, new-style; **N.artigkeit** *f* novelty; **N.aufbau** *m* reconstruction, reorganisation; **N.auflage** *f* 1. new edition, reprint, reissue, republication; 2. repeat performance *(coll)*; **N.aufschluss** *m* new development; **N.auftrag** *m* new/repeat order; **N.ausfertigung** *f* fresh copy; **N.ausgabe** *f* new edition, reprint, reissue; **N.ausleihungen** *pl* new lendings, new loan commitments; **N.ausrichtung** *f* 1. new orientation; 2. reorientation; **N.ausrüstung** *f* 1. re-equipment; 2. retooling; **N.ausstattung** *f* refurbishment, re-equipment, refit; **N.auszeichnung** *f (Waren)* repricing

Neubau *m* new building/construction/development; **N.ten** building starts, new buildings; **N. von Büroraum** office development

Neubau|abschnitt *m* new-built line; **N.beginn** *m* housing start; **N.finanzierung** *f* finance for new buildings, financing/funding of new buildings; **N.gebiet** *nt* 1. new district, development area; 2. new housing estate, new development; **N.preis** *m* price newly built; **N.projekte** *pl* development pipeline; **N.siedlung** *f* new housing estate; **N.strecke** *f* newly-built line/road; **N.tätigkeit** *f* new construction activity; **N.viertel** *nt* new district; **N.volumen** *nt* 1. volume of new(ly-built) ships; 2. newly-built houses; **N.vorhaben** *nt* development project; **N.wohnung** *f* new(ly-built) flat

neu bearbeitet *adj* revised; **N.bearbeitung** *f* 1. *(Buch)* revised edition; 2. revision; **N.begebung** *f (Anleihe)* new issue; **N.beginn** *m* fresh start, new departure; **N.belebung** *f* revival; **N.berechnung** *f* revaluation, recalculation, updating; ~ **der Kosten** recosting; **N.bereinigung** *f* realignment; **N.beschaffungsbedarf** *m* replacement requirement; **N.besetzung** *f* replacement; **regelmäßige N.besetzung** normal replacement; **N.bestellung** *f* re-order, repeat order; **N.beurteilung** *f* reappraisal

Neubewertung *f* 1. revaluation; 2. reappraisal, reassessment, re-evaluation; 3. rerating; **N. des Anlagevermögens** revaluation of assets; ~ **Grundbesitzes** property revaluation; **N. der Vorräte; N. des Vorratsvermögens** revaluation of stocks, inventory revaluation; **N. vornehmen** to revalorize; **N.sgewinn** *m* revaluation surplus, stock profits; **N.sreserve/N.srücklage** *f* (special) revaluation reserve, capital reserve on revaluation

Neu|bewilligung *f* new/fresh appropriation, additional grant; ~ **von Krediten** new loans granted; **N.bildung** *f* reorganisation; **N.darstellung** *f* restatement; **N.druck** *m* reprint; **N.einführung** *f* (new product) launch; **N.einlage** *f* fresh capital; **N.einrichtung** *f* 1. new institution; 2. refurnishing; **N.einstellung** *f* 1. fresh recruitment/recruit, new appointment; 2. readjustment; **N.einstellungen** fresh engagements/employments, taking on new labour; **N.einstufung/N.einteilung** *f* reclassification; **N.eintragung** *f* new registration, fresh entry (in a register)

Neuemission *f* new/fresh issue, primary offering/distribution; **in N.en spekulieren** to stag; **zum Verkauf angebotene N.** new offering; **spekulative N.** hot issue

Neuemissions|geschäft *nt* new issue business; **N.markt** *m* new issue market; **N.welle** *f* wave of new issues, ~ fresh offerings

Neu|engagement *nt* 1. new recruitment; 2. *(Börse)* renewed/new buying; 3. new loan commitments; **N.entwicklung** *f* new development, redevelopment, innovation, new venture activity; **N.entwicklungsplan** *m* redevelopment scheme

Neuerer *m* innovator

neuerlich *adj* recent

neuernd *adj* innovative

Neu|eröffnung *f* re-opening; **N.errichtung** *f* new establishment; **N.erscheinung** *f* new publication/book

Neuerung *f* innovation, reform; **N.en einführen** to innovate; **mit technischen ~ versehen** to modernize; **kosmetische N.** facelift *(coll)*; **technische N.** technical/technological innovation; **N.sanstöße geben** *pl* to be innovative; **n.ssüchtig** *adj* innovative, reform-mad

Neuerwerbung *f* recent acquisition

etw. Neues anfangen to embark on a new venture; **sich ~ einfallen lassen** to come up with sth. new; ~ **unternehmen** to break fresh ground *(fig)*

neuest *adj* latest; **das N.e** state-of-the-art

Neufassung *f* new/amended version, revision, revised text/form

Neufestsetzung *f* reassessment, realignment, rerating, new fixing; **N. der Fahrpreise** revision of fares; ~ **Miete** rent review; **jährliche ~ Mieten** annual rent review; ~ **Steuer** reassessment of tax; ~ **Währungsparitäten** parity realignment; ~ **Wechselkurse** realignment of exchange rates

Neu|finanzierung *f* refinancing, recapitalization; **n. gedruckt** *adj* reprinted

Neugeschäft *nt* 1. new business; 2. *(Vers.)* underwriting result; **rückläufiges N.** decline in new business; **schwaches N.** weak new business

neu geschöpft *adj (Hoffnung)* new-found; **n. gestalten** *v/t* 1. to redesign; 2. to reorganise; **N.gestaltung** *f* 1. reorganisation, restyling, reshaping, recasting; 2. redesigning, new layout; ~ **der Produktionsstruktur** restructuring of production; **N.gewinnung** *f (Land)* reclamation; **N.gier(de)** *f* curiosity, inquisitiveness

neugierig *adj* curious, inquisitive; **n. machen** to intrigue

Neu|gläubiger *m* assignee; **N.gliederung** *f* reorganisation, rearrangement, restructuring

Neugründung *f* 1. newly established business, new business/establishment/foundation, (new) business start-up/set-up, formation of a new company, start-up company; 2. reestablishment; **N. einer AG/GmbH** new incorporation

Neugruppierung *f* regrouping, rearrangement

Neuheit *f* novelty, innovation, speciality; **N.en** novelties, up-to-date merchandise; **die letzten N.en** the latest cry; **N.en präsentieren** to present novelties; **mangelnde N. (des Erfindungsgegenstandes)** lack/want of novelty

Neuheits|beweis *m (Pat.)* proof of novelty; **N.mangel** *m* lack/want of novelty; **N.prüfung** *f* novelty search, examination for novelty; **N.recherche** *f* novelty search; **N.rest** *m* inventive difference; **n.schädlich** *adj* anticipatory, prejudicial/detrimental to novelty; **N.schädlichkeit** *f* bar to novelty; **N.schonfrist** *f* grace period *[US]*

Neuigkeit *f* 1. novelty; 2. news; **N.swert** *m* news value; **~ verlieren** to wear off

Neuinvestition *f* new/additional investment, investment in new plant and equipment, reinvestment; **N.- und Ersatzinvestitionen der Unternehmen** non-residential fixed investment; **N.en der gewerblichen Wirtschaft** business outlay for new plant and equipment

Neu|jahr *nt* New Year; **N.jahrsstag** *m* New Year's Day; **N.kalkulation** *f* recosting; **~ vornehmen** to revise one's estimates; **N.kapitalisierung** *f* recapitalization; **N.konstruktion** *f* new design; **N.kreditaufnahme** *f* new borrowings; **N.kreditgeschäft** *nt* new lendings

Neuland *nt* 1. new ground/territory, virgin soil; 2. area of novelty; **N. betreten/erschließen** *(fig)* to break new ground *(fig)*; **N. gewinnen** to reclaim land; **N.gewinnung** *f* land reclamation, reclamation of land

Neu|landwirt *m* new farmer; **N.lieferung** *f* replacement; **N.ling** *m* 1. newcomer, new entrant; 2. novice, beginner; 3. recruit; **~ auf dem Arbeitsmarkt** new entrant into the employment market; **N.mieter** *m* incoming tenant; **N.mitglied** *nt* new member/entrant; **n.modisch** *adj* new-fangled *(coll)*

Neunzig-Tage-Titel *m* treasury bill *[US]*

Neuordnung *f* 1. reorganisation, restructuring, rearrangement; 2. reform, reshaping, readjustment, 3. reconstruction; 4. *(Währungen)* revaluation

Neuordnung der Finanzen financial restructuring; **~ Gehaltsstruktur** pay restructuring; **N. des Geldwesens** monetary/currency reform; **N. der Kapitalverhältnisse** capital reorganisation/restructuring; **~ Lohn-/Tarifstruktur** pay restructuring; **~ Währungsparitäten; N. des Währungssystems** currency/monetary realignment; **N. der Wechselkurse** realignment of exchange rates, ~ currencies, monetary realignment

kommunale Neuordnung local government reorganisation/reform

Neu|ordnungsplan *m* rationalization plan; **N.organisation** *f* reorganisation; **N.orientierung** *f* reorientation, realignment, new departure; **strategische N.orientierung** strategic repositioning; **N.planung** *f* redevelopment scheme; **N.platzierung** *f* new issue/placement; **N.prägung** *f* new coinage

Neural|gie *f* $ neuralgia; **n.gisch** *adj* neuralgic, sensitive

Neu|regelung *f* 1. reorganisation, rearrangement, revised arrangement, readjustment, revision; 2. reform, innovation; **n.reich** *adj* new(-)rich, newly rich; **N.reiche(r)** *f/m* nouveau-riche *[frz.]*, upstart; **N.rose** *f* $ neurosis; **N.satz** *m* 🗍 re-set; **N.schaffung** *f* new creation, regeneration; **N.schätzung** *f* reappraisal; **N.schätzwert** *m* reappraisal value; **N.schuld** *f* new debt; **N.silber** *nt* German silver, white metal; **N.strukturierung** *f* restructuring

neutral *adj* 1. *(Staat)* neutral, non-aligned; 2. non-committal, non-committed, uncommitted, middle-of-the-road; **währungspolitisch n.** neutral in monetary effect; **n. bleiben; sich n. verhalten** to sit on the fence *(fig)*

Neutrale(r) *f/m* neutral, non-committed (person)

neutralisier|en *v/t* 1. to neutralize/offset; 2. *(Gelder)* to sterilize; **N.ung** *f* neutralization, counteraction, sterilization

Neutralität *f* 1. neutrality, neutral status, non-alignment; 2. indifference; **N. der Besteuerung** neutrality of taxation; **N. des Geldes** neutrality of money; **N. verletzen** to infringe/violate neutrality; **bewaffnete N.** armed neutrality; **ewige/ständige N.** permanent neutrality; **strikte N.** strict neutrality

Neutralitäts|abkommen *nt* neutrality agreement; **N.-bruch/N.verletzung** *m/f* violation/breach of neutrality

Neu|veranlagung *f* reassessment; **N.verhandlung** *f* 1. renegotiation; 2. § re-trial; **N.vermählte** *pl* newly weds; **N.vermessung** *f* new survey; **N.vermietung** *f* grant of a new lease; **N.verpackung** *f* repacking; **N.verplanung** *f* replanning; **N.verschuldung** *f* new borrowing(s)/debt, new-debt issue, fresh borrowings; **geplante N.verschuldung** borrowing target; **gleitende N.versicherung** *(Feuervers.)* reinstatement insurance; **N.verteilung** *f* reallocation, redistribution, reapportionment, reappointment; **N.verurteilung** *f* reconviction; **N.vortrag** *m* carry forward

Neuwagen *m* new car; **N.geschäft** *nt* new-car sales; **N.markt** *m* new-car market

Neuwahl *f* reelection; **N.en ansetzen/ausschreiben** to call an election, to go to the country

Neuwert *m* original/reinstatement/face value, value when new, ~ before use; **n.ig** *adj* new; *adv* as (good as) new; **N.schaden** *m* damage equivalent to the value of a newly bought article; **N.versicherung** *f* (insurance) reinstatement policy, new-for-old insurance, replacement value insurance; **gleitende N.versicherung** floating policy, reinstatement value insurance

Neu|wortschöpfung *f* neologism; **n.zeitlich** *adj* up-to-date

Neuzugang *m* 1. new entry; 2. new entrant (firm), new business; 3. new accrual; **N. an Arbeitskräften** increase in the labour force, new staff members; **N.sziffer** *f* attack rate

Neu|zulassung *f* 1. relicensing; 2. new (car) registration; **N.zusage** *f* new commitment; **N.zusammenschluss** *m* reamalgamation; **N.zuteilung** *f* reallocation, redistribution

Nexus *m* linkage

Nicht|abgabe *f* non-delivery, failure to deliver; **N.abfallrecycling** *nt* non-waste recycling; **N.abkommensland** *nt* non-agreement country; **N.ablieferung** *f* non-delivery; **N.abnahme** *f* non-acceptance, refusal to accept, failure to take delivery; **N.abrechnungsteilnehmer** *m* non-clearer *[GB]*; **schuldhafte N.abwendung einer bekannten Gefahr** concurrent contributory negligence; **N.abschluss** *m* non-completion; **N.abzugsfähigkeit** *f* non-deductibility; **N.achtung** *f* disregard, non-compliance, non-observance; **~ des Gerichts** § contempt of court; **N.aktionär** *m* non-shareholder *[GB]*, non-stockholder *[US]*; **N.akzeptanz** *f* non-acceptability; **N.akzeptierung** *f* non-acceptance; **n.amtlich** *adj* unofficial, inofficial, non-official, non-governmental; **N.anerkennung** *f* 1. non-recognition, disavowal, disallowance, disaffirmance; 2. *(Schuld/Vertrag)* repudiation; **N.angabe** *f* failure to disclose, non-disclosure; **N.angriff** *m* non-aggression; **N.angriffspakt** *m* non-aggression pact; **N.anliegerstaat** *m (Fluss)* non-riparian state; **N.annahme** *f* non-acceptance, refusal of acceptance; **N.ansässigensteuer** *f* non-residence/non-resident tax; **N.ansässige(r)** *f/m* non-resident; **N.ansässigkeit** *f* non-residence; **N.antritt einer Erbschaft** *m* laches of entry; **N.anwendbarkeit** *f* non-applicability; **N.anwendung** *f* 1. non-application; 2. *(Gesetz)* suspension, dispensation, disapplication; **N.anwesenheit** *f* absence, non-attendance; **fortgesetzte N.anwesenheit** absenteeism; **N.anzeige** *f* 1. § negative misprision; 2. *(Vers.)* non-disclosure; 3. non-notice, non-notification, failure to inform; 4. failure to report to the police; **N.arbeitnehmer** *m* non-employee; **N.arbeitseinkommen** *nt* non-wage income; **N.ausfolgung** *f* non-delivery; **~ von Rechnungsbüchern** *(Konkurs)* failure to deliver up the books; **N.ausfuhr** *f* non-exportation; **n. ausführbar** *adj* non-executable; **N.ausführung** *f* non-performance, non-execution; **N.aushändigung/N.auslieferung** *f* non-delivery; **N.ausnutzung** *f* 1. failure to utilize; 2. underutilization; **~ der Kapazität** underutilization of capacity; **n. ausschließlich** *adj (Lizenz)* provisionally protected; **N.ausschöpfung** *f (Haushalt)* underrun; **N.außenberuf** *m* indoor occupation; **N.ausübung** *f* non-usage, non-exercise; **N.ausübungsklausel** *f* no-action clause; **n.automatisch** *adj* non-automatic

Nichtbanken *pl* non-banks, non-bank customers; **N.bereich/N.sektor** *m* non-banks, non-banking sector; **N.gelder** *pl* non-bank funds; **N.geldmarkt** *m* intercompany money market; **N.kundschaft** *f* non-bank customers

Nichtbeachtung *f* non-observance, non-compliance; **N. einer richterlichen Auflage** non-compliance with a court order; **N. von Vorschriften** breach of regulations

Nicht|beantwortung *f* failure to reply, non-response; **N.beendigung** *f* non-completion; **N.befolgung** *f* non-observance, non-compliance, neglect; **~ einer richterlichen Anordnung** § constructive contempt; **N.beitritt** *m* § *(Gericht)* non-joinder; **N.beiwohnung** *f* § *(Ehe)* non-access; **N.benachrichtigung** *f* non-notification; **N.benutzung** *f* non-usage, non-utilization; **N.benutzungsklausel** *f (Immobilie)* vacancy clause; **n. berechtigt** *adj* ineligible; unauthorized; **N.berechtigte(r)** *f/m* non-entitled party; **N.berechtigtsein** *nt* ineligibility; **N.berücksichtigung** *f* disregard, non-consideration

Nichtberufs|krankheit *f* non-occupational sickness; **N.risiko** *nt* non-occupational hazard; **n. berufstätig** *adj* non-employed; **N.unfall** *m* non-occupational accident

nicht beschäftigt *adj* non-employed; **N.besicherungsklausel** *f* negative pledge; **N.bestätigung** *f* 1. disaffirmance; 2. *(Vertrag)* repudiation; **N.bestehen** *nt* 1. non-existence; 2. *(Prüfung)* fail; **N.bestellung** *f* ✉ non-delivery; **N.besteuerung** *f* non-taxation; **N.bestreiten** *nt* non-denial, non-contesting; **N.beteiligung** *f* non-participation; **N.bezahlung** *f* 1. non-payment, failure to pay; 2. dishonouring; **n. börsennotiert** *adj* unquoted, unlisted; **n. deckungspflichtig** *adj* not requiring cover; **n. diskriminierend** *adj* non-discriminatory; **N.diskriminierung** *f* non-discrimination; **N.durchführung** *f* non-execution; **N.durchsetzbarkeit** *f* non-enforceability; **N.edelmetall** *nt* base metal

Nichtehe *f* void/non-existing marriage; **nicht ehelich** *adj* illegitimate; **N.liche(r)** *f/m* illegitimate person; **N.lichkeit** *f* illegitimacy

nicht eidlich *adj* unsworn, not under oath; **N.eigentümer** *m* non-proprietor; **N.eignung** *f* non-qualification; **N.eingreifen** *nt* non-intervention

Nichteinhaltung *f* non-compliance, non-observance, default; **N. der Lieferfrist** non-compliance with the term of delivery; **~ Spielregeln** foul play; **N. des Vertrages** non-compliance

Nicht|einigung *f* failure to agree; **N.einklagbarkeit** *f* non-enforceability; **N.einlassung** *f* non-appearance; **N.einlösbarkeit** *f* non-convertibility; **N.einlösung** *f* 1. non-payment; 2. non-redemption; 3. *(Wechsel)* dishonouring; **~ eines Schecks** dishonouring (of a) cheque; **N.einmischung** *f* non-interference, non-intervention; **N.einmischungsspolitik** *f* non-intervention policy; **N.einräumung** *f* 1. failure to grant; 2. non-delivery; **N.eintragung** *f* non-registration; **N.eintreffen** *nt* 1. *(Brief)* non-arrival; 2. *(Ereignis)* non-occurrence; **bei ~ keine Kaufverpflichtung** no arrival, no sale; **N.eintritt** *m (Bedingung)* failure, non-occurrence of a contingency; **N.einwilligung** *f* non-compliance; **N.eisen-** non-ferrous; **N.eisenmetall** *nt* non-ferrous metal; **N.engagement** *nt* non-involvement; **N.ereignis** *nt* non-event

Nichterfüllung *f* 1. non-payment, default; 2. non-performance, non-compliance, non-observance, non-fulfil(l)ment, non-delivery, failure of performance, ~ to perform

Nichterfüllung der Bedingungen failure to fulfil(l) conditions; **N. eines Kaufvertrages** non-performance of a (contract of) sale; **N. des Plans** non-fulfil(l)ment of production targets; **N. der Unterhaltspflicht** non-support; **N. eines Vertrages** breach of (a) contract, non-performance of contract; **N. von Vertragsverpflichtungen** non-fulfil(l)ment of contractual obligations

wegen Nichterfüllung eines Vertrages klagen to sue for breach of contract; **teilweise N.** incomplete performance

nicht erhältlich *adj* non-available; **N.erhebung** *f* exemption, remission; **N.erledigung** *f* ⊖ non-discharge; **N.erneuerung** *f* non-renewal; **N.eröffnung des Konkursverfahrens mangels Masse** *f* open insolvency; **N.erscheinen** *nt* 1. *(Dienst)* non-attendance, non-appearance, failure to appear, default of appearance; 2. absence, non-arrival; 3. § default, *(vorsätzlich)* contempt of court; 4. non-publication; **(häufiges) ~ am Arbeitsplatz** absenteeism; **N.erschienene(r)** *f/m* 1. non-attendant; 2. § defaulter; **N.erschöpfung eines innerstaatlichen Rechtsweges** *f* non-exhaustion of domestic remedies; **N.erwartungstreue** *f* bias; **N.erwerbsperson/-tätige(r)** *f/m* person not gainfully employed, ~ outside the labour force; **N.existenz** *f* non-existence; **N.facharbeiter** *m* unskilled worker; **N.-fachmann** *m* non-specialist, non-expert, layman, amateur; **N.fahrer** *m* non-driver; **N.fertigstellung** *f* non-completion, failure to complete; **N.frachter** *m* non-carrying vessel; **N.gebrauch** *m* disuse, non-usage, non-utilization; ~ **eines Rechts** non-use; **bei N.gefallen Geld zurück** *nt* money back (if not satisfied), money-back guarantee, satisfaction or money back; **N.genehmigung** *f* refusal; **n. gschäftsfähig** *adj* legally incompetent; **n. gewerblich** *adj* non-commercial; **N.gewerkschaftler** *m* non-unionist; **N.haftung** *f* non-liability; **N.hereinnahme von Geldern** *f* abstinence from taking in funds; **N.honorierung** *f* failure to honour; **N.hotelgäste willkommen** *pl* open for non-residents; **N.identifizierbarkeit** *f* incomplete identification

nichtig *adj* void, null, null and void, absolutely void, nugatory; **von Anfang an n.** void ab initio *(lat.)*, ~ from the beginning; **teilweise n.** void in part, ~ pro tanto *(lat.)*; **n. gegenüber Dritten** void as against any third person; **für n. erklären** to void/invalidate/nullify/rescind/annul, to declare void; **als n. gelten** to be deemed void; **n. machen** to nullify

Nichtigerklärung *f* nullification, declaration of nullity, annulment, invalidation, revocation

Nichtigkeit *f* 1. voidness, invalidity; 2. § (absolute) nullity; **N.en** trifles; **bei Gefahr der N.** on pain of being declared void; **N. einer Gesellschaft** nullity of a company; **bedingte N.** voidability; **heilbare N.** curable nullity; **relative N.** relative nullity, contestability; **teilweise N.** partial nullity

Nichtigkeits|- annulling; **N.abteilung** *f* revocation division; **N.antrag** *m* 1. *(Ehe)* nullity appeal; 2. *(Pat.)* application for revocation *[GB]*; **N.bescheinigung** *f* certificate of forfeiture; **N.beschwerde** *f* § nullity appeal, writ in error; **N.einrede** *f* § plea of nullity, ~ in abatement (of nullity); **N.erklärung** *f* 1. annulment, nullification, defeasance; 2. § avoidance; 3. *(Ehe)* decree of nullity; 4. *(Urteil)* reversion of sentence; **N.grund** *m* 1. ground/reason for nullity, ground for voidness; 2. *(Pat.)* ground for revocation; **N.klage** *f* 1. proceedings/plea for annulment, revocatory/revocation action, action for cancellation; 2. *(Ehe)* nullity suit; **N.klausel** *f* annulling/nullity/cancellation clause; **N.prozess** *m* nullity suit, proceedings for annulment; **N.senat** *m* nullity board; **N.urteil** *nt* decree/declaration of nullity, ruling on nullity; **N.verfahren** *nt* 1. nullity proceedings/suit, invalidation suit; 2. revocation of a patent by court

Nicht|kämpfer/N.kombattant *m* non-combatant; **N.-kapitalgesellschaft** *f* non-corporate enterprise; **N.-kauffrau/N.kaufmann** *f/m* non-trader; **N.kenntnis** *f* ignorance, absence of notice, lack of knowledge; **schuldhafte N.kenntnis** constructive notice; **N.kommerzialität** *f* non-profit-making character; **n.kommerziell** *adj* non-profit-making, non-commercial; **n. konvertierbar** *adj* inconvertible, non-convertible; **N.konvertierbarkeit** *f* inconvertibility, non-convertibility; **n. kriegführend** *adj* non-belligerent; **N.leistung** *f* non-performance, failure to perform; **bei N.leistung** on default; **N.lieferung** *f* non-delivery; **n. linear** *adj* non-linear; **N.linienflug** *m* non-scheduled flight; **n. löschend** *adj* non-destructive; **N.massengut** *nt* non-bulk good

Nichtmitglied *nt* non-member, outsider; **N.schaft** *f* non-membership; **N.sland** *nt* non-member country; **N.sregierung** *f* non-member government; **N.sstaat** *m* non-member state

nicht monetär *adj* non-monetary; **N.monopolsektor** *m* non-monopoly sector; **N.negativitätsbedingung** *f* non-negativity condition; **N.notwendigkeitsgut** *nt* non-essential good, luxury; **N.nutzung** *f* disuse, non-utilization; **n. obligatorisch** *adj* non-compulsory; **N.offenbarung** *f* non-disclosure, failure to disclose; **n. öffentlich** *adj* 1. private, closed, behind ~ doors; 2. § in camera *(lat.)*; **n. organisiert** *adj* non-organized, non-union(ized); **N.pfändbarkeit** *f* immunity from attachment; **N.ratenkredit** *m* non-instalment loan

Nichtraucher *m* non-smoker; **N.abteil** *nt* non-smoking compartment; **N.zone** *f* non-smoking area

nicht recyclingfähig *adj* non-recyclable; **N.regierungsorganisation** *f* non-government organisation (NGO); **N.rückwirkung** *f* non-retroactivity

Nichts *nt* nothing, blank, nil; **sich in N. auflösen** to vanish into thin air *(fig)*; **dem N. gegenüberstehen** to be faced with ruin

nichts *pron* nil, nothing; **n. als** mere; **n. von Bedeutung** nothing to speak of, ~ write home about *(coll)*; **fast n.** next to nothing; **n. für ungut** no offence (meant); **für n. und wieder n.** for no reason at all; **n. dagegen haben** to have no objection

Nicht|schuld *f* non-existing debt; **N.schuldigerklärung** *f* § plea of not guilty; **n.sdestoweniger** *adv* nonetheless; **N.sesshafte(r)** *f/m* vagrant, non-resident, person of no fixed abode; **N.sesshaftigkeit** *f* vagrancy; **N.selbstständige(r)** *f/m* employed earner

nicht staatlich *adj* non-governmental; **n. steuerpflichtig** *adj* non-taxable; **N.steuerpflichtiger/-zahler** *m* non-taxpayer; **n. stimmberechtigt** *adj* non-voting, disenfranchised; **N.straftat** *f* non-punishable act; **n.streitig** *adj* non-contentious

Nichts|tuer *m* idler, loafer; **N.tun** *nt* idleness, inactivity; **bezahltes N.tun** featherbedding *[US]*

nicht tarifär *adj* non-tariff; **N.teilnahme** *f* non-attendance

Nichtteilnehmer *m* non-participant; **N.regierung** *f* non-participating government; **N.staat** *m* non-particpating state

Nicht|übereinstimmung *f* 1. discrepancy, variance, mismatch; 2. dissent, disagreement, differences; **N.übergabe** *f* non-delivery; **N.übertragbarkeit** *f* non-transferability, non-negotiability; **N.übertragbarkeitsvermerk** *m* non-negotiability notice; **N.unternehmen** *nt* non-enterprise; **N.unternehmer** *m* non-firm, non-entrepreneur

Nichtunterzeichner *m* non-signatory; **N.partei** *f* non-signatory party; **N.regierung** *f* non-signatory government; **N.staat** *m* non-signatory state

Nichtursprungsware *f* non-originating product

Nichtveranlagungs|bescheid *m* non-assessment declaration; **N.bescheinigung** *f* non-assessment note; **n. pflichtig** *adj* non-assessable

Nicht|verantwortliche(r) *f/m* non-responsible party; **N.verantwortlichkeit** *f* unaccountability; **n. verarbeitend** *adj* non-manufacturing; **N.veräußerung** *f* non-alienation; **N.verbrauchsgüter** *pl* ✈ non-expendable supplies; **N.vereidigung** *f* § non-administration of an oath; **N.verfall der betrieblichen Altersversorgung; ~ des Betriebsrentenanspruchs** *m* instant/early vesting; **N.verfügbarkeit** *f* unavailability; **N.verlängerung** *f* non-renewal; **N.vermögensschaden** *m* non-pecuniary damage; **~ durch Verlust eines Familienangehörigen** bereavement damages *[GB]*; **N.versicherung** *f* non-insurance; **N.verwendung** *f* non-use; **N.verwirkung** *f* non-forfeiture; **N.vollstreckbarkeit** *f* non-enforceability; **N.vollziehung** *f* non-performance; **N.vorbestrafte(r)** *f/m* person without a criminal record; **N.vorhandensein** *nt* non-existence, absence; **n. wählbar** *adj* non-eligible; **N.-wählbarkeit** *f* ineligibility; **N.wähler** *m* non-voter; **N.weitergabevertrag** *m* non-proliferation treaty; **N.weiterkönnen** *nt* nonplus; **N.wissen** *nt* ignorance; **sich mit ~ entschuldigen** to plead ignorance; **n. wissend** *adj* ignorant, having no knowledge of sth.; **N.wohngebäude** *nt* non-residential building

Nichtzahlung *f* non-payment, default of payment, failure to pay; **bei N.** upon default, in default of payment; **N. der Jahresgebühr** non-payment of annuity

Nicht|zugestehen/N.zulassung *nt/f* non-admission; **N.zulassungsbeschwerde** *f* appeal against denial of leave to appeal; **N.zurechenbarkeit eines Schadens** *f* § remoteness of damage; **N.zustellung** *f* non-delivery; **N.zustandekommen** *nt* non-completion; **~ eines Geschäfts** collapse of a deal; **N.zuständigkeit** *f* incompetence(-cy); **~ des Gerichts** forum non conveniens *(lat.)*; **N.zutreffendes streichen** delete as appropriate/applicable

Nickel *nt* nickel

Nicken *nt* nod; **n.** *v/i* to nod; **beifällig/zustimmend n.** to nod (one's) approval

nieder *adj* low, base, minor

nieder|drücken *v/t* to depress, to weigh down; **N.frequenz** *f* low frequency

Niedergang *m* decline, fall, demise, downswing; **N. aufhalten** to arrest the decline; **wirtschaftlicher N.** economic decline, recession; **N.sphase** *f* abandonment phase

nieder|gelassen *adj* *(Arzt/Anwalt)* in private practice; **n.gelegt** *adj* on record; **n.halten** *v/t* to hold down; **n.kämpfen** *v/t* to subdue/overcome; **n.kommen** *v/i* to be confined; **N.kunft** *f* childbirth, confinement

Niederlage *f* 1. defeat, failure; 2. warehouse, depot, store, depository; **N. beibringen** to defeat; **N.gebühren** *pl* storage charges, warehouse rent

niederlassen *v/refl* 1. to set up (shop), to establish o.s.; 2. to settle (down); 3. *(Unternehmen)* to locate; **sich dauernd n.** to settle for good; **sich geschäftlich n.** to set up in business; **sich häuslich n.** to settle down

Niederlassung *f* 1. establishment, branch (office/plant), representative office, subsidiary, place/seat of business; 2. *(Wohnsitz)* domicile; **N. im Ausland** foreign branch

eingetragene Niederlassung registered office; **freie N.** freedom of establishment; **geschäftliche/gewerbliche N.** business/commercial establishment; **örtliche N.** local office; **überseeische N.** overseas branch

Niederlassungs|bereich *m* branch area; **N.beschränkung** *f* restriction on the freedom of establishment; **N.bestimmungen** *pl* establishment provisions; **N.bewilligung** *f* 1. permission to settle, ~ to establish a business; 2. *[CH]* residence permit; **N.freiheit** *f* freedom of establishment/settlement, right of establishment, ~ to settle; **N.leiter** *m* branch manager; **N.netz** *nt* branch network, network of branches; **N.recht** *nt* 1. right of establishment/settlement; 2. right of domicile/staple, right to establish a business/practice; 3. law of establishment; **N.vertrag** *m* treaty governing settlement and residence; **N.voraussetzungen** *pl* residence requirements

niederlegen *v/t* 1. § to lay/set down, to stipulate, to set out/forth; 2. *(Amt)* to resign; 3. to deposit; **schriftlich n.** to put/set (down) in writing, to record, to put in black and white, to reduce to writing

Niederlegung *f* *(Amt)* resignation; **N. der Arbeit** strike, walkout; **N. des Mandats** withdrawal from employment, resignation

Niederreißen *nt* demolition; **n.** *v/t* to pull down, to demolish

Niederschlag *m* 1. precipitation, rain(fall); 2. effect, repercussion, reflection; **seinen N. finden** to result in, to be reflected, to find expression in

niederschlagen *v/t* 1. § to quash/dismiss; 2. to stamp out, to suppress; 3. *(Forderung)* to waive

Niederschlags|dichte *f* density of precipitation; **N.-menge** *f* rainfall

Niederschlagung *f* 1. § quashing, dismissal; 2. suppression; 3. *(Steuer)* temporary waiver; **N. einer Anklage** § quashing of an indictment

niederschmettern *v/t* to dash to the ground; **n.d** *adj* crushing, shattering, staggering, devastating

niederschreiben *v/t* to put (down) in writing, to take/write down, to transcribe

Niederschrift *f* minutes, transcript, record, copy; **N. des Vertrages** memorandum of agreement; **N. anfertigen** to take (the) minutes; **in einer beurkundeten N.** in authenticated records; **gerichtliche N.** court record, act of court; **vereinbarte N.** agreed minutes; **wortgetreue N.** verbatim report

Niederlschutzgebiet *nt* low-tariff area; **N.spannung** *f* ϟ low tension/voltage; **n.stimmen** *v/t* to vote down, to outvote/countervote

Niederstwert *m (Bilanz)* cost or market (value) whichever is lower; **N.kurs** *m* lower value rate; **N.prinzip** *nt (Bilanz)* minimum/lowest value principle, lower-of-cost-or-market principle, cost or market whichever-is-lower method, principle of the lower of cost or market cost

begrenztes Niederstwertprinzip lower-of-cost-or-market rule as an upper ceiling; **fixierendes N.** lower-of-cost-or-market rule as fixed value; **gemildertes N.** modified lower-of-cost-or-market principle; **strenges N.** strict lower-of-cost-or-market principle

Niederung *f* lowland

Niederlwald *m* brushwood, copse, coppice; **n.werfen** *v/t* 1. to overthrow; 2. *(Aufruhr)* to quell/suppress; **N.werfung** *f* suppression

niedrig *adj* 1. low, moderate, common, menial; 2. *(Qualität)* inferior; **n. im Preis** low-price(d); **zu n. angeben** to understate; **n. halten** to keep/hold down; **um etw. zu n. liegen** to fall short by sth.

niedriger *adj* 1. lower, down; 2. inferior; 3. *(Kurse)* easier; **n. werden** *(Preis)* to sink; **beträchtlich/deutlich n.** well down, way below; **geringfügig n.** marginally lower

Niedriglohnlgebiet *nt* cheap labour area; **N.land** *nt* low-wage/low-pay country; **N.wirtschaft** *f* low labour cost economy

Niedriglmietengegend *f* low-rent district; **n. notierend** *adj (Kurse)* low-priced

Niedrigpreis *m* budget/low/bargain price; **N.-** cut-price; **N.artikel** *pl* bargain goods; **N.einfuhr** *f* dumping; **N.geschäft** *nt* cut-price/low-price store; **N.strategie** *f* penetration pricing; **N.verkauf** *m* unloading; **N.waren** *pl* low-price/bargain goods

niedrig rentierlich *adj* low-yield; **N.steuerland** *nt* low-tax country

Niedrigstlkurs *m* 1. all-time low, bottom price; 2. *(EWS)* lower exchange limit; **N.preis** *m* rock-bottom price

Niedriglverdiener *m* low(-income) earner, low-paid employee; **n. verzinslich** *adj* low-interest, low-coupon; **N.wasser** *nt* low tide/water; **N.wassermarke** *f* low-water mark; **N.zinsphase** *f* low-interest phase; **N.zinspolitik** *f* cheap/easy-money policy, policy of low interest (rates); **N.zollpolitik** *f* low-tariff policy

Niemandsland *nt* no-man's land, § terra nullius *(lat.)*

künstliche Niere $ kidney machine

Nießbrauch *m* beneficial property/use/interest/right, (right of) usufruct, usufructuary right/enjoyment, life estate

Nießbrauch für den überlebenden Ehegatten life interest to survivor, usufruct for life to the surviving spouse; **N. an einem Grundstück** beneficial interest in land, usufruct of landed property; **N. des angelegten Kapitals** usufruct of investment; **N. auf Lebenszeit** life rent; **N. von verbrauchbaren Sachen** imperfect usufruct; **N. an einem Vermögen** beneficial property/estate; **N. der Witwe** common law dower, widow's tierce *[Scot.]*

mit einem Nießbrauch belasten to burden (property) with a right of usufruct; **N. bestellen** to create a life estate; **N. haben** to (hold in) usufruct; **lebenslänglichen N. haben** to own a life estate; **N. an einem Haus haben** to hold a life tenancy of a house

lebenslänglicher Nießbrauch life interest/tenancy; **potenzieller N.** contingent use; **uneingeschränkter N.** perfect usufruct

nießbrauchlähnlich *adj* quasi-usufruct; **N.belastung** *f* limited owner's charge *[GB]*; **N.berechtigte(r)** *f/m* beneficial owner/occupant, usufructuary; **N.besitzer** *m* tenant for life; **N.bestellung** *f* grant of usufruct, declaration of uses

Nießbraucher *m* beneficiary (under a right of usufruct), beneficial owner, user, life tenant, usufructuary; **lebenslänglicher N.** lifeholder, tenant for life, life tenant/renter

Nießbrauchlgrundstück *nt* plot/parcel of usufruct; **N.gut** *nt* settled estate; **N.nutzer** *m* → **Nießbraucher**

Nießbrauchrecht *nt* beneficial interest/ownership/enjoyment, usufructuary right, right of usufruct; **N. der Witwe** common-law dower, dowry, jointure

auflösend bedingtes Nießbrauchrecht qualified estate; **zeitlich ~ N.** resulting use; **gesetzliches N.** legal usufruct; **gestaffeltes N.** shifting use; **lebenslängliches N.** life tenancy/tenure, particular estate; **zukünftiges N.** dead use

Nießbrauchvermächtnis *nt* usufructuary legacy

Niete *f* 1. *(coll)* flop, dud, lame duck; 2. *(Produkt)* lemon *(fig)*; 3. *(Person)* rabbit *(fig)*; 4. ✿ rivet; **N. ziehen** 1. to draw a blank; 2. *(Personal)* to pick a rabbit *(fig)*

Nimbus *m* reputation, aura

St. Nimmerleinstag *m* doomsday, never

Nippsachen *pl* knickknacks, trinkets

Nirostastahl *m* stainless steel

Nische *f* 1. niche; 2. 🏛 alcove, recess; **sich eine N. bauen/schaffen** to carve a niche for o.s.; **N.nauto** *nt* niche car; **N.nmarkt** *m* niche market

Niveau *nt* level, standard

Niveau anheben to raise standards; **sich auf einem niedrigeren N. einpendeln** *(Konjunktur)* to bottom out; **auf höherem N. eröffnen** *(Kurs)* to open higher; **auf niedrigerem N. eröffnen** *(Kurs)* to re-open on a lower note; **N. haben** to be of high standard; **N. halten** to maintain standards; **etw. auf dem gegenwärtigen N. halten** to hold sth. flat at its present levels; **auf ein höheres N. heben** to level up; **~ tieferes N. herabdrücken** to level down; **N. heraufsetzen** to raise standards; **auf niedrigem N. schließen** *(Börse)* to end the day at the lows; **sich auf hohem N. stabilisieren** to reach a plateau; **~ niedrigem N. stabilisieren** to bottom out; **N. verbessern** to up standards; **auf gleichem N. verharren** to remain level; **auf niedrigem N. verharren** to remain on a low level; **N. wahren** to maintain standards

akzeptables/annehmbares Niveau acceptable level; **hohes N.** high level; **von hohem N.** of high standing; **auf niedrigem N.** at a low ebb

Niveau|abfall *m* lapse in standards; **N.änderung des Produktionsprozesses** *f* change in the level of activity; **N.elastizität** *f* scale elasticity; **N.elastizitäten** returns to scale

Niveaugrenzerträge *pl* returns to scale; **abnehmende N.** diminishing returns to scale; **zunehmende N.** increasing returns to scale

Niveaugrenz|produkt *nt* marginal returns to scale; **N.produktivität** *f* returns to scale

Niveau|unterschied *m* difference in altitude; **N.verlust** *m* lapse in standards; **N.verschiebungseffekt** *m* displacement effect

nivellieren *v/t* to level, to even up/out, to erode

Nivellierung *f* levelling, erosion of differentials; **N. der Einkommen** income equalization; **N.skauf** *m* equalizing purchase; **N.smethode** *f* levelling system; **N.szeichen** *nt (Messlatte)* benchmark

nobel *adj* noble, generous; **sich n. zeigen** to show generosity; **N.-** plush; **N.aktie/N.gesellschaft** *f* blue chip

Nobelpreis *m* Nobel Prize; **N.träger** *m* Nobel Prize winner

noch dazu to boot; **n. nie dagewesen** unprecedented

Nochgeschäft *nt* *(Börse)* call/put of more, option to double, repeat option business; **N. nach Wahl des Käufers** call-of-more option; **~ Verkäufers** *(Börse)* put-of-more option

nochmalig *adj* renewed

Nomade *m* nomad; **n.nhaft** *adj* vagrant

Nomenklatur *f* (customs) nomenclature; **N.ausschuss** *m [EU]* Nomenclature Committee

nominal *adj* nominal, at par/face (value)

Nominal|beteiligung *f* nominal interest; **N.betrag** *m* par/face value, nominal sum/amount, face amount; **zum N.betrag** at par; **N.einkommen** *nt* nominal income/wages; **~ des Haushalts** consumer's money income; **N.ertrag** *m* → **N.verzinsung**; **N.faktor** *m* money factor; **N.gewicht** *nt* standard weight; **handlungsfähige N.größe** *(Börse)* board lot; **N.güter** *pl* nominal goods/commodities

Nominalkapital *nt* nominal/authorized/registered/subscribed capital; **N.verzinsung** *f* return on nominal capital; **N.volumen** *nt* notional volume

Nominal|kurs *m* nominal price; **N.lohn** *m* nominal/money wage; **N.preis** *m* nominal price; **N.rendite** *f* nominal return/yield; **N.satz** *m* nominal rate; **N.verzinsung** *f* nominal yield/return, nominal coupon rate; **~ von Obligationen** bond rate; **N.wert** *m* par/face/nominal/stated value, face/nominal par; **zum ~ anbieten** to price at par; **N.zins** *m* nominal rate (of interest), ~ interest (rate), coupon rate; **N.zinsfuß/-satz** *m* nominal interest, ~ rate of interest; **N.zoll** *m* nominal tariff

nominell *adj* nominal, in money terms; titular

nominier|en *v/t* to nominate/appoint/designate; **N.te(r)** *f/m* nominee; **N.ung** *f* nomination, appointment, designation

Nomogramm *nt* alignment chart

Nonkonform|ismus *m* non-conformism; **N.ist** *m* nonconformist

non plus ultra *(lat.)* second to none; **N.** *nt* the last word, ultimate

Non|stop *nt* non-stop; **N.stopflug** *m* non-stop flight; **N.valeurs** *pl (Börse)* depreciated stock

nordisch *adj* Nordic

Nord|kontinent *m* *(Europa)* North Continent; **N.see** *f* North Sea; **N.-Süd-Dialog** *m* North-South dialogue; **N.-Süd-Gefälle** *nt* north-south divide

Norm *f* 1. norm, standard; 2. specification, rule, code; 3. standard practice/specification, standard of performance; **amerikanische N.en für Transport und Werkstoffe** American standards of transport and materials (ASTM); **N.en und Typen** norms and types; **unter der (gültigen) N.** sub-standard; **nicht der (allgemeinen) N. entsprechend** non-standard

auf eine Norm bringen to standardize; **der N. entsprechen** to comply with standards; **N. erfüllen** to fulfil(l) a quota, to meet the standards; **als N. gelten** to serve as a rule; **N.en setzen** to standardize; **~ vorgeben** to set the benchmark/standards

anerkannte Norm|en established standards; **arbeitsrechtliche N.en** labour standards; **fakultative N.** voluntary standard; **formaljuristische N.** formal legal rule, technical rule of law; **gesetzliche N.en** legal standards; **maßgebliche N.** applicable principle; **materiell-rechtliche N.** substantive standards; **sachenrechtliche N.en** rules of substance; **schuldrechtliche N.** rule under the law of obligations (or contract); **technische N.** engineering standard; **völkerrechtliche N.en** international standards; **zwingende N.en** mandatory rules, obligatory provisions

Normabweichung *f* anomaly

normal *adj* normal, common, ordinary, usual; **nicht n.** non-normal

Normal|- standard, mainstream; **N.abhebung** *f* ordinary withdrawal; **N.abschreibung** *f* ordinary depreciation; **N.abweichung** *f* standard deviation

Normalarbeits|entgelt *nt* standard wage; **N.stunden** *pl* regular hours; **N.tag** *m* normal/standard working day; **N.zeit** *f* standard working time, normal work-time

Normal|ausführung *f* standard version/design; **N.ausführungszeit** *f* standard performance time; **N.ausgabe** *f* 🕮 standard edition; **N.auslastung** *f* standard utilization, normal activity; **N.ausrüstung/N.ausstattung** *f* standard equipment; **N.bedingungen** *pl* standard specifications; **N.benzin** *nt* regular petrol/gasoline *[US]*; **N.beschäftigung** *f* normal level of capacity utilization, normal activity/volume, standard activity/capacity; **N.bestand** *m (Waren)* basic inventory; **N.bezug** *m* 1. regular supply; 2. *(Zeitung)* regular subscription; **N.brief** *m* standard letter; **N.eichmaß** *nt* standard ga(u)ge; **N.einheit** *f* 1. standard unit; 2. *(Börse)* regular lot; **N.einkommen** *nt* average income

normalerweise *adv* ordinarily, in the ordinary way

Normal|erzeugung *f* normal output; **N.fall** *m* normal case, rule; **N.flughöhe** *f* cruising altitude; **N.format** *nt* standard size; **N.fracht** *f* ordinary cargo; **N.gebühr** *f* standard fee; **N.gewicht** *nt* standard weight; **N.gewinn** *m* normal profit

Normalgröße *f* standard/regulation/stock size; **über N.** oversize(d); **unter N.** undersize(d)

Normalisation *f* → **Normalisierung** *f*

normalisieren *v/t* 1. to normalize/standardize/regularize/rehabilitate; 2. *v/refl* to return to normal/normality

Normalisierung *f* normalization, return to normality, rehabilitation; **N.sprozess** *m* process of normalization; **N.stendenz/N.szeichen** *f/pl* signs of a return to normal

Normalität *f* normality

Normal|kalkulation *f* standard calculation; **N.kapazität** *f* normal capacity; **N.kondition** *f* standard/normal condition; **N.konditionen** standard terms and conditions; **N.konnossement** *nt* uniform bill of lading/B/L; **N.kontenplan** *m* standard scheme of accounts

Normalkosten *pl* normal/standard costs; **N. pro Einheit** standard unit costs; **flexible N.** normal standard cost; **N.plan** *m* standard cost budgeting; **N.rechnung** *f* normal/standard costing, normal cost system; ~ **auf Vollkostenbasis** normal absorption costing; **N.satz** *m* normal cost rate

Normal|kredit *m* commercial credit; **N.kurs** *m* standard rate; **N.laufzeit** *f* original term; **N.leistung** *f* standard/normal output, normal/target performance; **N.lohn** *m* standard/regular/fair wage; **N.maß** *nt* standard size/ga(u)ge; **N.null (NN)** *nt* mean sea level; **N.papier** *nt* standard paper; **N.police** *f* standard policy; **N.post** *f* surface mail; **N.preis** *m* normal/regular price, fair market price; **statischer N.profit** entrepreneurial income; **N.rechnung** *f* standard invoice; **N.rendite** *f* regular yield, normal return; **N.satz** *m* standard rate; **N.schaden** *m* normal loss; **N.schrift** *f* standard type; **N.spur** *f* standard ga(u)ge; **N.stand** *m* normal (level); **unter N.stärke** *f (Alkohol)* underproof; **N.steuer(satz)** *f/m* standard rate of taxation, normal tax, regular rate; **N.streuung** *f* normal dispersion; **N.stunden** *pl* regular hours; **N.stundentarif** *m* standard time rate; **N.tarif** *m* 1. standard rate(s), general tariff, 2. ✈ scheduled air fare; **N.typ** *m* standard model; **N.uhr** *f* master clock; **N.verbrauch** *m* average/normal consumption; **N.verbraucher** *m* average consumer; **für den N.verbraucher** *(geistige Erzeugnisse)* middle-brow; **N.verdiener** *m* average earner; **N.verdienst** *m* average/straight-time earnings; **durchschnittlicher N.verdienst** standard/normal average earnings, average regular/straight-time earnings; **N.verlauf** *m* normal course; **N.verschuldung** *f* normal level of indebtedness; **N.verteiler/N.verteilung** *m/f* normal distribution; **N.verzinsung** *f* normal return/yield, average return; **N.weingeist** *m* proof spirit; **N.wert** *m* standard value, normal quantity; **N.zeit** *f* 1. standard/basic/base time; 2. Greenwich Mean Time (GMT); **N.zoll** *m* general tariff; **N.zuschlag** *m* normal percentage rate; **N.zustand** *m* normal condition, normality; **N.zuteilung** *f* basic rations

normativ *adj* normative, standard-setting; **N.bedingungen** *pl* standard conditions; **N.bestimmung** *f* normative/standard provision, standard regulation

Norm|begriff *m* normative concept; **N.blatt** *nt* standard sheet

normen *v/t* to standardize/normalize

Normen|ausschuss *m* standards/standardization committee, norm-setting body; **N.festsetzung** *f* standardization; **N.findung** *f* norm ascertainment; **britisches N.institut; britische N.kontrollstelle** British Standards Institution (BSI); **N.kartell** *nt* standardization cartel; **N.- und Typenkartell** agreement on standards and types, standardization cartel; **N.klarheit** *f* clarity of legal rules; **N.kollision** *f* § conflict of laws

Normenkontroll|e *f* § review of legal norms, judicial review (of the constitutionality of laws), test of constitutionality; **N.klage** *f* voidance petition; **N.verfahren** *nt* judicial review proceedings *[US]*

Normen|prüfung *f* judicial review of a legal norm; **N.verband** *m* standards association; **N.vertrag** *m* standard contract; **N.vordruck** *m* standard printed form; **N.vorschrift** *f* standard specification; **N.wert** *m* standard value; **n.widrig** *adj* non-standard

normier|en *v/t* to standardize/normalize, to lay down as a rule; **N.ung** *f* standardization; **N.ungsfaktor** *m* scaling factor

Norm|kontingent *nt* standard quota; **N.kosten** *pl* ideal standard cost; **N.rediskontkontingent** *nt* standard rediscount quota; **N.satz** *m* standard rate; **abgeleitete N.setzung** delegated legislation; **N.teil** *nt* standard part/unit

Normung *f* standardization; **N.sinstitut** *nt* standards institute; **N.swürdigkeit** *f* aptitude for standardization

norm|unterschreitend *adj* substandard; **N.verbrauch** *m* average consumption; **N.vertrag** *m* standard contract; **N.vordruck** *m* standard form; **N.vorschrift** *f* standard specification; **N.wert** *m* standard (value)

nostrifizier|en *(ausländischer akakdemischer Grad)* to nostrificate; **N.ung** *f* nostrification

Nostro|bestand *m* own holding; **N.effekten** *pl* nostro/own securities; **N.geschäft** *nt* own account business; **N.guthaben** *nt* nostro balance/account, our account, due from banks, credit balance with other banks; ~ **bei in- und ausländischen Banken** balance with home and foreign bankers; **N.konto** *nt* nostro account; **N.verbindlichkeiten/N.verpflichtungen** *pl* nostro liabilities; **N.zeichnung** *f* subscription for own account

Not *f* 1. need, necessity; 2. *(Armut)* poverty, neediness, misery, destitution, want, privation, strait(s); 3. famine; 4. *(Härtefall)* hardship; 5. *(Dringlichkeit)* urgency, exigency, plight; 6. *(Gefahr)* emergency, danger, distress; **aus N.** out of/from necessity; **in N. (geraten)** hard-pressed; **ohne N.** without real cause; **N. und Elend** poverty and misery; ~ **Gefahr** ⚓ distress and danger; **der N. gehorchend** out of necessity

mit knapper Not davonkommen to have a narrow escape; **in N. einlaufen** ⚓ to put in in distress; **der N. gehorchen** to bow to the inevitable; **in N. geraten** to fall (up)on hard times, to be reduced to poverty; **aus der N.**

helfen to help out; **N. leiden lassen** *(Wechsel)* to keep in suspense, to dishonour a bill; **bittere N. leiden** to undergo severe privation; **N. lindern** to relieve distress; **in N. sein** to be in distress; **in großer N. sein** to be hard up; **für Zeiten der N. zurücklegen** to put by for a rainy day *(fig)*

äußerste Not utter destitution; **bittere/dringende N.** dire need; **drückende N.** pressing need; **große N.** dire distress; **in größter N.** in sore distress; **soziale N.** social hardship; **wirtschaftliche N.** economic distress

Nota *f* 1. invoice, bill, account; 2. note, mark, memorandum; 3. grade; **laut N.** as per note

Not|- standby, makeshift; **N.abgabe** *f* emergency levy; **N.abwurf** *m* ⚓ jettison; **N.adressat** *m* emergency address, referee in case of need; **N.adresse** *f* emergency address, referee/address in case of need; **N.aggregat** *nt* standby unit/equipment/set; **N.akzept** *nt* collateral acceptance, acceptance in case of need; **N.anlage** *f* ✪ back-up; **N.anzeige** *f (Wechsel)* notice of dishonour

Notar *m* notary (public), commissioner for oaths; **vor einem N.** notarial; **N. für Eigentumsübertragungen** conveyancer, attesting notary; **amtierender N.** officiating notary; **beurkundender N.** recording/officiating notary

Notaranderkonto *nt* notary's/solicitor's/escrow/notarial trust account

Notarbeiten *pl* emergency work

Notariat *nt* notary's office, notariate

Notariats|akt *m* notarial act/deed; **N.bescheinigung** *f* notarial certificate; **N.büro/N.kanzlei** *nt/f* notary's office; **N.gebühren** *pl* 1. notary's fees, notarial fees/charges; 2. *(Wechselprotest)* notarial ticket; ~ **für die Auflassung** conveyancing fees/charges; **N.gehilfe/N.gehilfin** *m/f* notary's clerk; **N.handlung** *f* notarial act; **N.kosten** *pl* notarial charges; **N.recht** *nt* law on notaries, law relating to notarial functions; **N.siegel** *nt* notarial seal; **N.urkunde/N.vertrag** *f/m* 1. notarial deed; 2. *(Grundstück)* bargain and sale; **N.vertreter** *m* deputy notary

notariell *adj* notarial, by a notary public

Notarkammer *f* chamber of notaries, professional association of notaries

Not|arztwagen *m* emergency ambulance, clinicar; **N.aufnahme** *f* emergency admission, casualty (unit); **N.ausgang** *m* emergency/fire exit, fire escape; **N.ausrüstung** *f* emergency kit, first-aid kit/bag; **N.ausstieg** *m* emergency hatch; **N.auswurf** *m* ⚓ jettison; **N.bedarf** *m* emergency requirements, necessaries; **N.behelf** *m* makeshift, stop-gap, (temporary) expedient; **N.beleuchtung** *f* emergency lighting; **N.bestellung** *f (Amt)* emergency appointment; **N.betrieb** *m* emergency operation; **N.betrug** *m* petty fraud due to need; **N.bremse** *f* emergency brake; ~ **ziehen** *(fig)* to take emergency measures; **N.brücke** *f* emergency bridge; **N.diebstahl** *m* petty theft due to need, pilferage; **N.dienst** *m* emergency/skeleton/breakdown service; ~ **haben** to be on call; **n.dürftig** *adj* 1. makeshift, temporary; 2. scanty

Note *f* 1. note, memorandum; 2. ring, aspect, tone, *(besondere)* touch; 3. *(Schule)* mark, grade; **N.n im Abgangszeugnis** school-leaving qualifications; ~ **der amerikanischen Nationalbanken** bank currency; ~ **im Umlauf** bank circulation

Noteln austauschen to exchange notes; ~ **decken** to back notes; ~ **außer Kurs setzen** to withdraw bank notes from circulation; **N. überreichen** to deliver a note; **in N.n zahlen** to pay in notes; **N. zurückweisen** to reject a note

diplomatische Note memorandum; **falsche/gefälschte N.** counterfeit/falsified/false/forged note; **ungültig gewordene N.n** notes having ceased to be legal tender; **menschliche N.** human touch; **persönliche N.** personal touch; **als Falschgeld verdächtigte N.n** notes suspected of being false money; **verfälschte N.** falsified note; **verlorene N.** lost note

Nöte des Alltags *pl* small worries of life

Notebook *nt* notebook (computer)

Noteinsatzgruppe *f* emergency squad

Notenausgabe *f* issue of (bank) notes, (bank) note issue; **N. ohne Deckung** fiduciary issue; **ungedeckte N.** fiduciary issue; **ungedeckte N.grenze** fiduciary limit; **N.privileg** *nt* privilege of note-issue, note-issuing privilege; **N.stelle** *f* issue department

Notenbank *f* note-issuing/issue/central/note bank, bank of issue/circulation

ungedeckte Notenbank|ausgabe fiduciary issue; **N.ausweis** *m* bank return *[GB]*/statement *[US]*; **N.behörde** *f* central bank authority; **N.chef/N.gouverneur/N.präsident** *m* central bank governor, Governor of the Bank of England *[GB]*, President of the Federal Reserve Board *[US]*, ~ Central Bank *[US]*; **N.einfluss** *m* central bank influence; **n.fähig** *adj* eligible for rediscount with the central bank; **N.geld** *nt* central bank money; **N.guthaben** *nt* central bank balances

Notenbankier *m* central banker

Notenbank|kredit *m* central bank loan; **N.leitung** *f* central bank management; **N.maßnahme** *f* measure taken by the central bank; **N.politik** *f* central bank policy; **N.präsident** *m* → **N.chef**; **N.privileg** *nt* privilege of note issue; **N.satzung** *f* central bank statutes; **N.wesen** *nt* central banking; **N.zinsen** *pl* central bank interest (rates)

Noten|bild *nt* design; **N.deckung** *f* backing of notes, note cover; **N.druck** *m* printing of notes; **N.druckerei** *f* note press; **N.durchschnitt** *f (Schule)* average result/grade; **N.einlösung** *f* conversion of bank notes; **N.einlösungspflicht** *f* obligation to redeem bank notes; **N.emission** *f* bank note issue, issue of bank notes; **N.kontingent** *nt* note issue (limit); **N.nummer** *f* serial number; **N.presse** *f* note/money press; **N.privileg** *nt* note-issuing privilege, right to issue bank notes; **N.recht** *nt* note-issuing right; **N.reserve** *f* statutory reserve of bank notes; **N.rückfluss** *m* reflux of bank notes; **N.steuer** *f* bank note tax; **N.stückelung** *f* denomination of bank notes

Notentwendung *f* pilfering due to need, petty larceny out of need

Noten|umlauf *m* circulation of bank notes, notes i

circulation, bank/active circulation; **ungedeckter N.-umlauf** fiduciary currency/circulation; **N.wechsel** *m (Diplomatie)* exchange of notes

Not|erbe *m* lawful heir; **N.etat** *m* 1. emergency budget; 2. contingency/deficiency *[US]* fund

Notfall *m* emergency, contingency, (case of) urgency; **im N.** in case of emergency/need/necessity, in an emergency, if need be, at a pinch

einem Notfall abhelfen to deal with an emergency; **sich für einen N. eindecken; für einen N. vorsehen/Vorsorge treffen** to provide for an emergency; **für Notfälle sparen/vorsorgen** to put away/save for a rainy day *(fig)*

äußerster Notfall extreme emergency

Notfall|behandlung *f* ⚕ acute care; **N.dienst** *m* emergency service; **N.plan** *m* contingency plan; **N.reserve** *f* contingency reserve

notfalls *adv* in case of emergency, in an emergency, in the last resort

Not|feuer *nt* ⚓ distress light(s); **N.flagge** *f* ⚓ distress flag; **N.fonds** *m* contingency/distress fund; **N.frist** *f* strict (statutory) time limit, peremptory term *[US]*; **n.gedrungen** *adv* out of/as a necessity, perforce, enforcedly; **N.geld** *nt* token money, emergency currency/money; **N.gemeinschaft** *f* emergency organisation; **N.gerät** *nt* standby set; **N.gesetz** *nt* emergency law; **N.gesetzgebung** *f* emergency legislation; **N.groschen** *m* rainy day savings, spare money, money put aside for a rainy day, nest egg *(fig)*; ~ **zurücklegen** to put by for/provide against a rainy day; **N.hafen** *m* port of distress/refuge, harbour of refuge; **N.heirat** *f* shotgun wedding *(fig)*; **N.helfer** *m* rescuer; **N.hilfe** *f* 1. first aid; 2. § defence of another from imminent attack

notierbar *adj* quotable *[GB]*, listable *[US]*

notieren *v/t* 1. to note/record/book, to take/note down, to chalk (up), to make a memorandum; 2. *(Preis)* to rule; 3. *(Börse)* to quote *[GB]*/list *[US]*; **sich etw. n.** to make a note of sth., to keep a personal record of sth.

amtlich notieren to quote *[GB]*/list *[US]* (officially); **fest n.** *(Börse)* to remain stable/firm; **per Saldo fester n.** to close firmer on balance; **flüchtig n.** to jot down; **hoch n.** to rule high; **höher n.** 1. to mark up; 2. to be traded higher, ~ marked up; **leichter n.** to ease; **niedrig n.** to be low-priced; **niedriger n.** to underquote, to mark down; **auf breiter Front ~ n.** to be broadly lower; ~ **als am Vortag n.** to close below yesterday's finish; **nicht mehr n.** *(Börse)* to delist; **pari n.** to quote at par; **schwächer n.** to drift lower; **tiefer n.** to mark down; **unverändert n.** to remain unchanged; **zum Schluss leicht verändert n.** to finish narrowly mixed

fester notierend *(Börse)* firmer, up; **leichter n.** lower, down

notiert 1. noted; 2. *(Börse)* quoted *[GB]*, listed *[US]*, ruling; **ohne Zinsen n.** quoted flat; **amtlich n.** officially quoted/listed, quoted/listed at the stock exchange; **fortlaufend n.** bunched; **nicht n.** unquoted, unlisted; **niedrig n.** low-priced

notiert werden (mit) to be listed/quoted (at); **zeitweilig nicht n. werden** to be suspended; **offiziell n. werden** to be quoted/listed (at the stock exchange); **variabel n. werden** to be quoted consecutively

Notierung *f* *(Börse)* (price) quotation *[GB]*, listing *[US]*, price, quote, course; **ohne N.** unquoted, unlisted

Notierung an der Börse official price/quotation; ~ **mehreren Börsen** general/multiple listing; **N. im Freiverkehr** over-the-counter (OTC)/unofficial quotation; **N. für Industriewerte** industrial share prices; **N. im Telefonhandel** off-board quotation

Notierung wieder aufnehmen to lift a suspension; **N. aussetzen** to suspend dealings in shares, ~ a share/quotation, to halt shares/stocks; **N. beantragen** to seek a listing; **N. einstellen** to delist; **zur N. kommen** to be quoted/listed; ~ **zulassen** to admit for quotation at the stock exchange; ~ **zugelassen werden** to obtain a listing

amtliche Notierung official quotation/listing; **erste N.** first call, opening price; **fortlaufende N.** consecutive quotation/listing, continuous/variable-price quotation; **letzte N.** closing/last price, previous quotation; **nachbörsliche N.** after-market quotation; **offizielle N.** official quotation/listing; **telegrafische N.** tape quotation; **uneinheitliche N.** split quotation; **variable N.** consecutive/floating/fluctuating quotation, variable price; **zweite N.** second call

Notierungs|ausschuss *m* listing *[US]*/quotations *[GB]* committee; **N.bewilligung** *f* quotation permit; **amtlicher N.dienst** national daily quotation service; **N.methode** *f* quotation technique

Notifikation *f* 1. notification; 2. *(Wechsel)* notice of dishonour; **N.spflicht** *f* obligation to disclose/notify; **N.surkunde** *f* instrument of notification

notifizier|en *v/t* to notify; **N.ung** *f* notification

nötig *adj* necessary, required, needed; **wenn n.** on occasion; **n. brauchen** to be in dire need of; **es für n. erachten** to deem it necessary; **n. haben** to require; **dringend n. haben** to be in need of, to need badly

das Nötige *nt* *(Geld)* the wherewithal; **alles N. veranlassen** to take the appropriate/necessary steps, ~ measures; to make all necessary arrangements

nötigen *v/t* 1. to force/constrain/compel/oblige/coerce, to put under duress; 2. *(Zeugen)* to intimidate; **jdn n.** to breathe down so.'s neck *(coll)*

nötigenfalls if necessary, if need be, if the need arises, in case of need

Nötigung *f* coercion, duress, constraint, undue pressure, (unlawful) compulsion

Nötigung im Amt unlawful compulsion by a public official, oppression; **N. von Beamten** coercion of officials; **N. durch Drohung** duress under a threat; **N. der Ehefrau** marital coercion; **N. von Gesetzgebungsorganen** use of force and threats against legislative bodies; ~ **Parlamentsmitgliedern** intimidation of MPs; **N. zur Unzucht** § sexual coercion

Nötigungseinwand *m* § plea of duress

Notiz *f* 1. note, minute; 2. memo(randum); 3. notice; 4. *(Börse)* quotation, price, course; 5. *(Zeitung)* news item; **ohne N.** no quotation; **N. ohne Umsätze** nominal quotation

seine Notiz|en durchsehen to go over one's notes; ~ **heranziehen** to consult one's notes; **sich N.en machen** to take notes, to jot down; **N. nehmen von** 1. to take notice/note of; 2. § to take cognizance of; **keine N. nehmen** to ignore; **N.en vergleichen** to compare notes

amtliche Notiz 1. official notice; 2. *(Börse)* nominal price; **kurze N.** memo; **stenografische N.en** shorthand notes

Notiz|block *m* (memo/scribbling/note/scratch) pad, copy block, scribbling paper; **N.buch/N.heft** *nt* notebook, memorandum/pocket book; **N.kalender** *m* diary; **N.papier/N.zettel** *nt/m* scribbling *[GB]*/scratch *[US]* paper

Not|kauf *m* distress purchase; **N.klausel** *f* escape/emergency clause

Notlage *f* 1. crisis, emergency (situation); 2. distress, hardship, plight, need, exigence/-cy; **dringende N.** emergency; **finanzielle N.** financial plight/emergency; **kommerzielle N.** commercial distress; **wirtschaftliche N.** hardship, (economic) distress/plight

Not|lager *nt* shakedown; **n.landen** *v/i* ✈ to make an emergency landing; **N.landeplatz** *m* ✈ emergency landing strip; **N.landung** *f* ✈ emergency/forced landing

notleidend *adj* 1. suffering, distressed, destitute, hard-pressed, poor, needy, necessitous; 2. *(Kredit)* non-performing, defaulting, overdue, in default; 3. *(Wechsel)* dishonoured; 4. *(Sendung)* unclaimed; **n. werden** to go into default; **N.e(r)** *f/m* distressed person

Not|löschung *f* emergency discharge; **N.lösung** *f* stop-gap, makeshift; **N.lüge** *f* white lie, fib *(coll)*

Notmaßnahmen *pl* 1. emergency measures/program(me), makeshift; 2. *(Wirtschaft)* austerity measures/program(me); **N. ergreifen** to take emergency actions

Not|mast *m* ⚓ jury mast; **N.operation** *f* emergency operation; **N.opfer** *nt* emergency levy

notorisch *adj* notorious, known

Not|pfennig *m* nest egg *(fig)*; ~ **zurücklegen** to put sth. by for a rainy day *(fig)*; **N.plan** *m* contingency plan; **N.programm** *nt* austerity program(me)/measures; **N.quartier** *nt* shelter; **N.rakete** *f* ⚓ distress rocket; **N.ration** *f* emergency ration; **N.rücklage** *f* contingency fund

Notruf *m* emergency/distress/hurry call; **N.nummer** *f* ✆ emergency number; **N.säule** *f* emergency telephone/call box; **N.welle** *f* distress call wavelength

not|schlachten *v/t* to put down; **N.schlachtung** *f* distress slaughtering; **N.schrei** *m* cry for help; **N.sender** *m* emergency transmitter; **N.signal** *nt* ⚓/✈ distress/danger signal; ~ **setzen** ⚓ to fly a distress signal; **N.situation** *f* emergency

Notstand *m* 1. (state of) emergency, crisis; 2. § flagrant necessity, privilege/excuse of necessity; **N. ausrufen/erklären** to declare/proclaim a state of emergency; **im N. handeln** to act under duress

nationaler Notstand national emergency; **öffentlicher N.** public emergency; **plötzlicher N.** emergency; **strafrechtlicher N.** 1. flagrant necessity; 2. plea of necessity (in criminal law); **übergesetzlicher N.** extra-statutory necessity; **wirtschaftlicher N.** economic distress; **ziviler N.** civil emergency

Notstands|abgabe *f* emergency levy; **N.anleihe** *f* relief loan; **N.arbeit** *f* relief work; **N.arbeiter(in)** *m/f* relie[f] worker; **N.beihilfe** *f* emergency relief; **N.bestimmungen** *pl* emergency provisions; **N.darlehen** *nt* emergency loan; **N.dienst** *m* emergency relief service; **N.einfuhrzölle** *pl* emergency import duties; **N.einsatz** *m* emergency action; **N.ermächtigung** *nt* emergency powers; **N.fonds** *m* emergency fund; **N.gebiet** *nt* 1. distress/special/deprived area, depressed region; 2. *(Katastrophe)* disaster area; **N.gesetz** *nt* emergency (powers) act; **N.gesetze/N.gesetzgebung** *pl/f* emergency laws/legislation; **N.hilfe** *f* emergency aid; **N.kartell** *nt* emergency cartel; **N.kommission** *f* emergency board; **N.kredit** *m* relief loan

Notstandsmaßnahme *f* 1. emergency measure/action, makeshift; 2. austerity measure; **N.n ergreifen** to take emergency steps; ~ **verhängen** to impose emergency measures

Notstands|paket *nt* emergency package; **N.plan** *m* contingency plan; **N.planung** *f* emergency planning; **N.programm** *nt* relief programme; **N.verordnung** *f* emergency decree

Not|stock *m* emergency fund; **N.strom** *m* ↯ emergency current; **N.stufe** *f* distress phase; **N.trauung** *f* emergency marriage; **N.treppe** *f* fire escape; **N.unterhalt** *m* *(Scheidung)* compassionate allowance; **N.unterkunft** *f* emergency accommodation; **N.veräußerung/N.verkauf** *f/m* 1. emergency/distress/forced/panic sale, distress selling/marketing, bailout; 2. distress slaughtering *(fig)*; **N.verkaufsware** *f* distress merchandise; **N.verordnung** *f* emergency decree/regulation, provisional order; **N.verordnungsbefugnisse** *pl* emergency powers; **N.verpflegung** *f* emergency rations; **N.vollmacht** *f* power(s) of last resort; **N.vorrat** *m* emergency/contingency stocks; **N.währung** *f* emergency currency; **n.wassern** *v/i* ✈ to ditch

Notwehr *f* (privilege of) self-defence; **in N. töten** to commit homicide in self-defence; **N.einwand** *m* § plea of necessity; **N.exzess** *m* excessive self-defence; **N.lage** *f* situation justifying self-defence

notwendig *adj* necessary, essential, inevitable; **es für n. erachten** to deem it necessary; **n. machen** to necessitate; **nicht n.** unnecessary; **unbedingt n.** indispensable; **das N.e** *nt* the necessaries

notwendigerweise *adv* of necessity, as a necessity

Notwendigkeit *f* necessity, need, must; **N.en** essentials; **N. vorschützen** to plead necessity

absolute Notwendigkeit a must; **binnenwirtschaftliche N.en** domestic requirements; **dringende N.** urgent/dire necessity, pressing/dire need; **sittliche N.** moral necessity; **zwingende N.** stringent necessity

Notwendigkeitsgüter *pl* necessities, essentials, essential goods

das Notwendigste (zum Leben) *nt* the bare necessities (of life)

Not|wurf *m* ⚓ jettison; **N.zeichen** *nt* distress signal

Notzeit *f* rainy day *(fig)*; **in N.en** in times of need; **für eine N. vorsorgen** to provide for a rainy day

Novation *f* novation, merger of contract, substitution of debt; **N.svertrag** *m* substituted contract

Novelle *f* *(Gesetz)* amendment, amending statute, supplementary law

novellierlen *v/t* to amend; **N.ung** *f* amendment

Novität *f* novelty, specialty; **N.enhändler** *m* specialty dealer

Novize *m* novice, freshman

Novum *nt* novelty, new feature

Nuancle *f* shade, trace, nuance; **n.ieren** *v/t* to shade/nuance

nüchtern *adj* 1. plain; 2. sober; 3. level-headed, down-to-earth, matter-of-fact, business-like, no-nonsense, bread-and-butter; **N.heit** *f* 1. ratinality; 2. sobriety

nuklear *adj* nuclear; **N.anlagen** *pl* nuclear facilities; **N.technik** *f* nuclear engineering

Null *f* nil, zero, nought; **unter N.** sub-zero; **bei N. anfangen** to start from scratch; **mit plus-minus N. abschließen** to average out, to break even; **auf N. sinken** to sink to rock-bottom

null *adj* nil, zero; **gleich n.** next to nothing; **n. und nichtig** nul(l) and void; **für ~ erklären** to nullify/defeat/annul; **~ machen** § to render nul(l) and void; **auf n. stellen** to return/put back to zero

Nulllachse *f* π coordinate axis; **N.basis** *f* zero base; **~-Budgetierung** *f* zero-based budgeting; **N.bestandspolitik** *f* stockless buying, systems contracting; **N.bewertung** *f* zero-rating; **N.bogen** *m* specimen bond/coupon sheet; **N.ebene** *f (Flut)* harmonic plane; **N.eichung** *f* rectification; **N.einstellung** *f* initial adjustment; **N.einsteuerung** *f* 💻 zero insert; **N.enunterdrückung** *f* zero suppression; **N.fehlerprogramm** *nt* ▦ zero defects; **N.hypothese** *f* null/chance hypothesis; **N.kontrolle** *f* zero check; **N.korrelation** *f* ▦ zero order correlation; **N.kuponanleihe/-emission** *f* non-interest-bearing discount bond, zero(-coupon) bond, zero-coupon issue; **N.last** *f* zero load; **N.linie** *f* zero line; **~ erreichen** to break even; **N.lösung** *f* zero option; **N.nummer** *f* 📄 prelaunch issue; **N.operation** *f* 💻 no/dummy operation; **N.posten** *m (Bilanz)* zero item; **N.probe** *f* zero proof; **N.prüfung** *f* zero test

Nullpunkt *m* 1. zero; 2. freezing point; **N. des Grenzertrages** intensive margin; **wieder am N.** *(fig)* back to square one; **vom N. anfangen** to start from scratch; **auf den N. fallen** to reach rock-bottom; **absoluter N.** absolute zero; **künstlicher/willkürlicher N.** arbitrary origin; **N.abweichung** *f (Messtechnik)*/▦ null drift; **N.verschiebung** *f* zero shift

Nulllsaldo *m* zero balance; **N.satz** *m* zero rate; **~ festsetzen** to zero-rate; **N.serie** *f* pilot lot/production/series; **N.stellung** *f* neutral/zero position; **N.stunde** *f* zero hour; **N.summenspiel** *nt* zero-sum game

Nulltarif *m* free fare, nil rate/tariff; **zum N.** free of charge; **~ anbieten** to offer free of charge

Nullltarifierung *f* zero-rating; **N.wachstum** *nt* zero/nil growth, nil increase; **N.wert** *m* zero value; **N.zoll** *m* nil duty; **N.zone** *f* zero bracket amount; **N.zustand** *m* zero condition, nought state; **N.zuwachs** *m* nil increase

numerisch *adj* numerical

Numerus Clausus (N.C.) *m* restricted entry, numerus clausus

Nummer *f* 1. number; 2. code number; 3. size; 4. *(Zeitschrift)* issue; **N. eines Teilnehmers** ✆ call number; **N. des Versicherungsscheins** policy number; **~ abgetretenen Wagnisses** *(Rückvers.)* cessation number; **~ statistischen Warenverzeichnisses** statistical code number

Nummer besetzt ✆ line engaged *[GB]*/busy *[US]*; **nach N.n geordnet** in numerical order

auf Nummer sicher gehen *(coll)* to play safe, to be on the safe side, to hedge one's bets; **eine N. besser sein** *(coll)* to be a cut above so. *(coll)*; **N. vergeben** to allocate/assign a number

alte Nummer *(Zeitschrift)* back number/copy/issue; **nicht mehr benutzte N.** dead/inactive number; **gezogene N.** *(Los)* drawing number; **laufende N.** serial number; **rote N.** 🚗 dealer's licence plate; **vereinzelte N.n** *(Zeitschrift)* odd numbers

nummerierlen *v/t* to number, to assign a number to; **fortlaufend n.** to number consecutively; **vorher n.t** *adj* pre-numbered

Nummerierung *f* numbering; **(fort)laufende N.** consecutive numbering; **N.sstempel** *m* numbering stamp

Nummernlablage *f* numerical filing; **N.anzeige** *f* ✆ call indicator disk; **N.aufgabe** *f* numerical note; **N.folge** *f* numerical order; **N.konto** *nt* nominal/number account, numbered (bank) account; **fortlaufende N.kontrolle** consecutive number control device; **N.plan** *m* code; **N.prüfung** *f* 1. self-checking number; 2. *(Scheck)* cheque *[GB]*/check *[US]* number verification; **N.scheibe** *f* ✆ dial; **N.schild** *nt* 🚗 number *[GB]*/license *[US]* plate; **N.schlüssel** *m* (numerical) code; **N.serie** *f* set of numbers; **N.speicher** *m* ✆ memory; **N.stempel** *m* numbering stamp; **N.sucher** *m* 💻 number detector; **N.zeichen** *nt* numerical mark

Nurlfrachtdienst *m* all-cargo service; **N.hausfrau** *f* mere/full-time housewife; **N.lesespeicher** *m* 💻 read only memory (ROM); **N.-Linie-Prinzip** *nt* line-only principle; **programmierbarer N.schreib- und Lesespeicher** *m* programmable read only memory; **N.verbraucher** *m* mere consumer

Nutzlanteil *m* profit share; **N.anwendung** *f* (practical) application

nutzbar *adj* 1. useful, profitable, usable; 2. *(Boden)* fertile, productive; 3. *(Energie)* harnessable; 4. *(Bodenschätze)* exploitable; **n. machen** 1. to utilize, to turn to good account; 2. to harness; 3. to exploit; **gewerblich n.** susceptible of industrial application; **gewerbliche/kommerzielle N.keit** commercial application(s)/merits; **N.machung** *f* 1. utilization, use, development; 2. *(Land)* reclamation; 3. *(Bodenschätze)* exploitation; **~ brachliegender Industrieflächen** *f* utilization of industrial wasteland

Nutzlberechnung *f* profit assessment; **n.bringend** *adj* useful, profitable, advantageous, beneficial; **N.daten** *pl* user data

zu nichts nütze of no use

Nutzeffekt *m* efficiency, practical effect, effectiveness

Nutzen *m* 1. use; 2. *(Nützlichkeit)* usefulness; 3. *(Vorteil)* benefit, gain, advantage, utility, interest, convenience, value; 4. *(Gewinn)* profit, return, fruit(s), avails, satisfaction, winnings, spin-off, emolument; 5. § beneficial enjoyment; **ohne N.** useless; **zum N. von** for the benefit of; **N. einer Erfindung** utility of an invention; **N. aus der Formveränderung** form utility

Nutzen abwerfen to yield a return, to show a profit; **N. bringen** to benefit/favour; **N. haben** to be of value; **nur geringen N. haben** to get little out of it; **von N. sein** to be useful; **N. ziehen aus** to benefit/profit from, to cash in/capitalize on, to reap benefits from, to derive/get a benefit from, to derive an advantage from

abnehmender Nutzen diminishing return(s); **allgemeiner N.** public interest; **im allgemeinen N.** in the public interest; **erfassbarer betrieblicher N.** measurable benefit to the enterprise; **zum eigenen N.** for one's own ends; **erzielbarer N.** potential benefit; **geldwerter N.** pecuniary advantage; **gemeinsamer N.** mutual advantage; **von geringem N.** of little use; **gesamtwirtschaftlicher N.** economic usefulness/benefit, social benefits/utility; **gesellschaftlicher N.** social utility; **größt-/höchstmöglicher N.** maximum benefit; **indirekter N.** indirect benefit; **individueller N.** subjective satisfaction/utility; **kardinaler N.** cardinal utility; **mittelbarer N.** incidental benefit; **negativer N.** disutility, negative utility; **ordinaler N.** ordinal utility; **persönlicher N.** subjective utility; **volkswirtschaftlicher N.** social benefits

nutzen *v/t* to use, to make use of, to utilize/harness; *v/i* to benefit, to be useful/helpful, ~ of use/advantage; **gewinnbringend n.** to turn to good account; **voll n.** to exploit fully

nützen *v/t* to be of help, to do good, to serve; **wenig n.** to be of little use

Nutzen|austauschverhältnis *nt* utility terms of trade; **N.einheit** *f* util; **N.entgang** *m* disutility, negative utility; **N.funktion** *f* utility function; **N.gebirge** *nt* utility surface; **N.-Kosten-Analyse** *f* benefit-cost analysis; **N.-Kosten-Kennziffer** *f* benefit-cost ratio

Nutzenmaß *nt* utility measure, measure of utility; **kardinales N.** cardinal utility measure; **ordinales N.** ordinal utility measure; **N.stab** *m* → **Nutzenmaß**

Nutzen|matrix *f* payoff matrix; **N.maximierung** *f* benefit/utility/satisfaction maximization, maximization of efficiency; **N.maximum** *nt* maximum utility; **N.niveau** *nt* level of utility/satisfaction, satisfaction level; **N.prinzip** *nt* benefit principle, benefits recorded principle; **N.spanne** *f* profit margin; **N.theorie** *f* utility theory; **kardinale N.theorie** theory of cardinal utility; **(interpersoneller) N.vergleich** *m* (interpersonal) comparison of utility; **N.zweigfunktion** *f* branch utility function

Nutzer *m* user; **gewerblicher N.** commercial/industrial user; **n.freundlich/n.gerecht** *adj* user-friendly; **N.-freundlichkeit** *f* user-friendliness

Nutz|fahrt *f* loaded run; **N.fahrzeug** *nt* commercial (road)/trade vehicle, goods vehicle, utility car; **N.fahrzeugindustrie** *f* commercial vehicle industry; **N.faktor** *m* utility factor; **N.feuer** *nt (Vers.)* friendly fire

Nutzfläche *f* useful area, usable (floor) space; **gewerbliche N.** industrial floor space; **landwirtschaftliche N.** agricultural/arable land, farmland, area under cultivation; **aufgegebene ~ N.** abandoned farmland

Nutz|garten *m* kitchen garden; **N.grenze** *f* break-even point; **N.holz** *nt* (commercial) timber, lumber *[US]*; **N.ladefähigkeit** *f* payload; **N.ladefaktor** *m* weight/revenue load factor

Nutzlast *f* payload, carrying capacity, net/effective load; **höhere N.** payload increase; **maximale N.** 🚗 load-bearing capacity

Nutzleistung *f* ⚙ effective output/capacity, duty, efficiency

nützlich *adj* 1. useful, helpful, of use; 2. beneficial, valuable, profitable; **sich n. betätigen/machen** to make o.s. useful; **sich als n. erweisen** to come in/prove useful; **n. sein** to be of value; **n. verwenden** to turn to good advantage

Nützlichkeit *f* 1. usefulness, instrumentality; 2. utility, value; **N.serwägungen** *pl* reasons of expediency; **N.sprinzip** *nt* utilitarian principle; **N.ssystem** *nt* utilitarianism; **N.swert** *m* utility

nutzlos *adj* useless, of no avail, vain, futile, valueless; **N.igkeit** *f* futility, ineffectiveness, unprofitablenesss, ineffectualness

Nutznießer *m* user, beneficiary (owner), beneficial owner, usufructuary; **N. einer Stiftung** trust beneficiary; **N. auf Zeit** termer; **lebenslänglicher N.** life tenant/beneficiary

nutznießerisch *adj* beneficial, usufructuary

Nutznießung *f* 1. beneficial interest/use/right, (right of) usufruct, use; 2. § servitude; **N. zur gesamten Hand** undivided interest; **N. haben** to hold in usufruct; **gemeinschaftliche N.** joint use; **lebenslängliche N.** life interest/tenancy; **N.srecht** *nt* beneficial/usufructuary right, right of usufruct, beneficial enjoyment

Nutz|pfandrecht *nt* antichresis; **N.pflanze** *f* useful plant; **N.schwelle** *f* break-even point; **N.signal** *nt* 🖳 information signal; **N.tragfähigkeit** *f* ⚓ freight tonnage

Nutzung *f* 1. *(Gebrauch)* use, utilization, employment; 2. enjoyment, profits, emolument(s), take-up; 3. exploitation

intensive Nutzung der Arbeitskraft stretch-out *[US]*; **N. und Besitz** use and occupation; **N. des Eigenbesitzers** beneficial use; **N. für Freizeitzwecke** leisure use; **immerwährende N.en oder Leistungen** perpetual payments or other benefits; **N. der Meere** use of the seas; **optimale ~ Produktionsfaktoren** optimum allocation of resources; **N. für Wohnzwecke** residential use

Nutzung haben to use and enjoy; **der N. übergeben/zuführen** to put into service, to use; **N.en ziehen** to draw the profits (and enjoy the benefits); **einer neuen N. zuführen** to find a new application

alleinige Nutzung sole/entire/exclusive use; **bestrittene N.** adverse use; **dauerhafte N.** permanent use; **eigene N.** own use and benefit; **friedliche N.** peaceful utilization; **gemeinsame N.** joint use and benefit; **gewerbliche/industrielle N.** commercial/industrial use ~ application, commercial utilization; **gezielte N.**

selective application; **landwirtschaftliche N.** agricultural use; **lebenslängliche N.** life interest, use and benefit for life; **ungenügende N.** underutilization; **ungestörte N.** quiet enjoyment; **wirtschaftliche N.** commercial/economic use

Nutzungs|änderung *f* change of use/user; **N.angebot** *nt* services offered; **N.anschlag** *m* profit estimate; **N.aufgabe** *f* desuetude; **N.ausfall** *m* loss of use; **N.ausfallversicherung** *f* use and occupancy insurance; **N.befugnis** *f* right of beneficial use, usufructuary right; **N.begünstigte(r)** *f/m* § cestui que use *[altfrz.]*; **N.berechtigte(r)** *f/m* beneficiary; **N.beschränkung** *f* restrictive covenant

Nutzungsdauer *f* useful/economic/operating/working/service life, life; **voraussichtliche N. eines Wirtschaftsguts** expected useful life

abschreibungsfähige Nutzungsdauer depreciable asset life; **(durchschnittliche) betriebsgewöhnliche N.** average (useful) life, (ordinary) useful life, useful life expectancy, asset depreciation range; **bisherige N.** age; **durchschnittliche N.** average life, equivalent mean investment period; **erwartete N.** expected service/useful life, life expectancy; **gesetzlich festgelegte N.** legal life; **steuerlich festgesetzte N.** deemed tax life; **geschätzte N.** life expectancy, expected life, estimated useful life, guideline service life; **gewöhnliche N.** expected life; **erwartete mittlere N.** anticipated average life; **optimale N.** optimum economic life; **tatsächliche N.** actual life, ~ service life of assets; **technische N.** *(Maschine)* physical life; **voraussichtliche N.** service life; **wirtschaftliche N.** economic life, operating life expectancy

Nutzungs|einschränkung *f* restriction of use; **N.entgang** *m* loss of use; **N.entgelt/N.entschädigung** *nt/f* 1. compensation for use, rental; 2. *(Grundstück)* ground rent; **N.ertrag** *m* yield, revenue; **N.frequenz** *f* rate of usage; **N.gebühr** *f* user fee, royalty; **N.genossenschaft** *f* user cooperative; **N.geschwindigkeit** *f* ⚓ economical speed; **N.grad** *m* degree of utility/utilization/productiveness/efficiency; **wahrscheinlicher N.grad** *(Maschine)* internal availability; **N.güter** *pl* 1. durable goods, consumer durables; 2. assets subject to depreciation; **N.hauptzeit** *f* controlled machine time; **N.jahre** *pl* years of useful life; **N.kosten** *pl (Haus)* occupancy expense; **N.lizenz** *f* licence; **N.mischung** *f* mixed use; **N.möglichkeit** *f* (possible) use, application; **N.pfand(recht)** *nt* antichresis; **N.plan** *m* 🌳 long-term cutting plan; **N.potenzial** *nt* potential operating life, possible application(s), service capacity

Nutzungsrecht *nt* 1. usufruct, beneficial/usufructuary right, right of use (and enjoyment), interest, privilege; 2. § servitude; 3. right of exploitation; **N. an fremdem Grundstück** § profit à prendre *[frz.]*; **individuelles ~ Grundstück** § several profit; **N. auf Lebenszeit** life interest

alleiniges Nutzungsrecht exclusive use; **bedingtes N.** collateral limitation; **aufschiebend ~ N.** executory use; **ausschließliches N.** exclusive right of exploitation; **beschränktes N.** qualified covenant; **auf Lebensdauer ~ N.** life interest; **gemeinsames N.** commonage; **auflösend bedingtes lebenslängliches N.** determinable life interest; **nachrangiges N.** secondary use; **unbeschränktes N.** positive covenant; **vertragliches N.** contractual right of property; **nicht mehr vorhandenes N.** expired utility

Nutzungs|satz *m* cutting rate; **N.schaden** *m* loss of use/user, damage through loss/depreciation of use; **N.schwerpunkt** *m* chief application, main field of application; **N.struktur** *f* application pattern, pattern of use; **N.überlassung** *f* surrender of the use and benefit; **N.überlassungsvertrag** *m* agreement on the surrender of the use and benefit of sth.; **N.unwert** *m* expired utility; **N.vergütung** *f* compensation for the exploitation rights, working interest

Nutzungsverhältnis *nt* owner and user relationship; **zeitlich begrenztes N.** periodic tenancy; **gesetzliches N. (nach Ablauf der Mietzeit)** statutory tenancy

Nutzungs|vermächtnis *nt* legacy of usufruct; **N.vertrag** *m* 1. use and occupation contract, permission for use contract, contract for the transfer of use and enjoyment; 2. *(Verlag)* rights contract; **N.vorrat** *m* bundle of services; **N.wert** *m* value in use, rental value, amount of revenue; **N.wertbesteuerung** *f* taxation of beneficial use; **N.zeit** *f (Maschine)* machine time

Nutz|vieh *nt* domestic cattle; **N.wald** *m* standing timber, timber forest

Nutzwert *m* value in use, utility value; **N. von Aufwendungen/Kosten** cost-effectiveness; **an N. verlieren** to depreciate; **N.analyse** *f* benefit/utility/value analysis, (cost) effectiveness analysis

Nylon TM *nt* nylon

O

Oase *f* oasis; **O.nland** *nt* tax haven

Obdach *nt* shelter, dwelling; **O. gewähren** to give/provide shelter

obdachlos *adj* homeless, houseless, shelterless, unhoused, without shelter; **vorsätzlich o.** § intentionally homeless; **O.e(r)** *f/m* homeless person, tramp

Obdachlosen|asyl *nt* night shelter, common lodging house, hostel/shelter for the homeless; **O.behörde** *f* department for homeless persons; **O.einweisung** *f* admission to a hostel for the homeless; **O.fürsorge** *f* homeless relief; **O.heim** *nt* shelter for the homeless

Obdachlosigkeit *f* homelessness

Obduktion *f* autopsy, (Coroner's *[GB]*) inquest, postmortem (examination); **O. vornehmen** to conduct an autopsy, to perform a postmortem (examination); **O.sbefund** *m* postmortem findings

obduzieren *v/t* to hold an inquest, to conduct an autopsy

oben *adv* 1. above, hereinabove, hereinbefore; 2. *(Haus)* upstairs; **weiter o.** thereinbefore; **von o. herab** high-handed, from on high; **~ nach unten** top-down; **nach o.** upward; **wie o. (angegeben)** as stated above; **o. stehen** to be paramount

oben|drein *adv* in addition, over and above, to boot, into the bargain; **o. erwähnt/genannt** *adj* afore-mentioned, aforesaid, aforenamed, above-mentioned, abovenamed, (referred to) above; **o. gesagt** *adj* above-said

ober *adj* superior, senior, upper

Ober|amtmann *m* chief inspector; **O.amtsrichter** *m* chief magistrate/judge; **O.anspruch** *m* overriding claim; **O.aufseher** *m* superintendent; overseer; **O.aufsicht** *f* superintendence, supervising control; **~ führen** to be in charge, to supervise; **O.bau** *m* 1. superstructure, upper tier; 2. 🚂 permanent way; 3. *(Straße)* surface; **O.bauleiter** *m* site manager; **O.befehl** *m* supreme command; **O.befehlshaber** *m* commander-in-chief; **O.begriff** *m* 1. generic/umbrella term; 2. *(Pat.)* characterizing clause/portion; **O.bekleidung** *f* outerwear; **O.bergamt** *nt* mining authority; **O.buchhalter** *m* chief/senior accountant; **O.bundesanwalt** *m* chief public attorney; **O.bürgermeister** *m* Lord Mayor/Provost *[Scot.]*; **O.bürgermeisterin** *f* (Lady) Mayoress; **O.-deck** *nt* upper deck; **O.eigentum** *nt* 1. § dominium directum *(lat.)*; 2. remainder; **O.eigentümer** *m* § superior owner

Oberfinanz|bezirk *m* regional revenue district; **O.direktion** *f* regional revenue office, inland revenue headquarters; **O.kasse** *f* regional revenue receiving office; **O.präsident** *m* chief regional finance officer

Oberfläche *f* surface; **nur an der O. ritzen** to scratch the surface

oberflächen|aktiv *adj* ⚗ surfactant; **O.behandlung** *f* surface treatment; **O.beschaffenheit** *f* finish; **O.beschichtung** *f* surface covering/coating; **O.gestaltung** *f* finish; **O.schaden** *m* surface damage; **O.struktur** *f* surface structure; **O.temperatur** *f* surface temeprature; **O.veredlung** *f* surface finishing; **O.wasser** *nt* surface water; **O.wasserkanal** *m* surface water sewer

oberflächlich *adj* superficial, cursory, perfunctory; **O.keit** *f* superficiality

Ober|förster *m* head forester; **o.gärig** *adj* ✿ top-fermented; **O.gericht** *nt* superior/higher court; **O.-gerichtsvollzieher** *m* high/senior bailiff *[GB]*; **O.geschoss** *nt* upper/top floor; **O.gesellschaft** *f (im Konzern)* holding/controlling/parent/leading/principal/dominant/umbrella company; **O.gewerkschaft** *f* parent union; **O.grenze** *f* upper limit, (target) ceiling, cut-off point, cap; **~ festlegen für etw.** to cap sth.; **O.gutachten** *nt* decisive expert opinion; **o.halb** *prep* above; **O.hand** *f* upper/whip hand: **~ gewinnen** to prevail, to get the upper hand, to come out on top; **O.haupt** *nt* head, chief

Oberhaus *nt* upper house/chamber, House of Lords *[GB]*, Senate *[US]*; **O.mitglied** *nt* Peer (of the Realm) *[GB]*

Ober|herrschaft *f* supremacy, dominion, overlordship; **O.hoheit** *f* 1. supremacy; 2. suzerainty; **staatliche O.hoheit** eminent domain; **O.ingenieur** *m* chief engineer; **O.inspektor** *m* inspector general, senior inspector; **o.irdisch** *adj* above ground; **O.klasse** *f* upper class; **O.kommando** *nt* high/supreme command; **O.kommissar** *m* high commissioner; **O.kreisdirektor** *m* district chief administrative officer; **O.land** *nt* upland; **O.landesgericht** *nt* appellate court, intermediate court of appeal, higher regional court; **O.lauf** *m (Fluss)* headwaters; **O.leder** *nt (Schuh)* upper(s); **O.lehrer** *m* assistant master; **O.leitung** *f* 1. supervision, direction; 2. 🚂 overhead wire(s), ⚡ overhead cable; **O.leitungsbus** *m* trolley bus; **O.lotse** *m* chief pilot; **O.meister** *m* general foreman; **O.mietverhältnis** *nt* concurrent lease; **O.postdirektion** *f* regional head post office, regional postal directorate; **O.prüfer** *m (Pat.)* chief examiner; **O.rechnungshof/-kammer** *m/f* audit board; **O.revisor** *m* senior/chief accountant; **O.richter** *m* chief justice *[GB]*; **O.schicht** *f* 1. upper class; 2. upper crust, top layer; **O.schiedsrichter** *m* umpire; **O.schule** *f* secondary *[GB]*/high *[US]* school; **O.schulrat** *m* inspector *[GB]*/superintendent *[US]* of schools; **O.schwester** *f* head/charge nurse, matron; **O.seite** *f* top; **O.sekretär** *m* chief clerk

oberst *adj* top-most, top-level, paramount, supreme

Ober|staatsanwalt *m* senior public prosecutor, Director of Public Prosecution (DPP) *[GB]*, Attorney General *[US]*, Solicitor General *[Scot.]*; **O.stadtdirektor** *m* chief executive officer/official (CEO); ~ municipal director, town clerk *[GB]*, city manager *[US]*; **O.steiger** *m* mine foreman; **O.steuereinnehmer** *m* receiver general; **O.steuermann** *m* first mate; **O.stock** *nt* upper storey; **O.studiendirektor** *m* head(master) *[GB]*, principal *[US]*; **O.studiendirektorin** *f* head mistress; **O.stufe** *f* higher grade; **O.teil** *nt* top; **O.verwaltungsgericht** *nt* higher administrative court, administrative appeals tribunal; **O.werkmeister** *m* shop superintendent; **O.zahlmeister** *m* 1. ⚓ chief purser; 2. Paymaster General *[GB]*; **O.zentrum** *nt* 1. regional centre; 2. higher order centre; **O.ziel** *nt* top/paramount objective; **O.zollaufseher** *m* landing surveyor *[GB]*

Ob|frau *f* spokeswoman, representative; **o.gleich** *conj* albeit

Obhut *f* custody, care; **in der O. von** looked after by; **in sicherer O.** in good care

jds. Obhut anvertrauen to commit to so.'s trust/care; **sich in ~ begeben** to put o.s. under so.'s care; **etw. in O. nehmen** to take charge of sth.; **in jds O. sein** to be in so.'s charge; **~ übergeben** to commit to the charge of so.

Obhuts|pflicht *f* duty of care, ~ to exercise proper care; **O.verhältnis** *nt* custodial relationship

obig *adj* above, aforegoing

Objekt *nt* 1. object, thing, item, facility; 2. subject matter, target; 3. *(Immobilie)* property, building; 4. asset; 5. transaction, business

abschreibungsfähiges Objekt item to be written off; **begehrenswertes O.** prize catch *(coll)*; **beleihungsfähiges O.** property suitable as security (for loans), mortgageable/eligible property; **beliehenes O.** mortgaged property; **bestimmtes O.** particular object; **bezugsfertiges O.** vacant possession; **gemischt genutztes O.** mixed-use/multiple-use property, multi-use building; **gewerblich ~ O.** commercial property

Objekt|analyse *f* task-orient(at)ed analysis; **O.anfrage** *f* property inquiry; **detaillierte O.beschreibung** par ticulars of sale; **O.besteuerung** *f* property taxation; **O.bewertung** *f* property valuation; **o.bezogen/o.gebunden** *adj* 1. project-tied, project-linked, linked to a particular property; 2. earmarked, purpose-tied; **O.bindung** *f* binding to a property, security-specific character; **O.entwicklung** *f* property development; **O.finanzierung** *f* project finance/financing; **O.gliederung** *f* task structuring

objektiv *adj* 1. objective, impartial, unbiased, disinterested, detached; 2. real, actual; **o.ieren** *v/t* to treat objectively, to objectify/substantiate/externalize; **O.ität** *f* objectivity, impartiality, disinterestedness

Objekt|kredit *m* property loan, loan against specific security; **O.nutzer** *m* property user; **O.prinzip** *nt* product departmentalization; **O.rendite** *f* property yield; **O.schutz** *m* property protection; **O.sprache** *f* object language; **O.steuer** *f* property/non-personal tax, tax levied on a property; **O.verwaltung** *f* property management

jdm obliegen *v/t* to be incumbent on so., ~ so.'s function; **o.d** *adj* incumbent (on/upon)

Obliegenheit *f* duty, responsibility, function, incumbency, (incidental) obligation; **dienstliche O.en** duties; **O.serfindung** *f* obligatory invention; **O.sverletzung** *f* 1. neglect of duty, breach of obligation; 2. § non-observance of an incidental obligation

Obligation *f* 1. (lien) bond, debenture (bond), credit instrument/security; 2. § obligation; **O.en** (debenture) stocks, fixed-interest certificates

Obligation|en einer Aktiengesellschaft corporation bonds; **O. mit Dividendenberechtigung** dividend bond; **~ Gewinnbeteiligung** participating/profit-sharing bond, income debenture; **O.en der öffentlichen Hand** gilt-edged stocks *[GB]*, public bonds *[US]*; **~ eines Immobilienfonds** real-estate bonds; **O. ohne Konversions- oder Bezugsrecht und mit gestaffelter Rückzahlung** straight bond; **O. mit abgetrennten Kupons** ragged bond; **~ kurzer/langer Laufzeit** short-term/long-term bond; **~ variabler Rendite** variable-yield bond; **~ dinglicher Sicherheit** equipment trust certificate *[US]*; **~ kleiner Stückelung** small/baby bond; **~ Tilgungsplan** sinking fund bond; **O. eines öffentlichen Versorgungsbetriebs** public utility bond; **O. mit aufgeschobener/steigender Verzinsung** deferred bond; **~ Vorzugsrecht** preference/preferred/senior bond; **~ gestaffeltem Zinssatz** graduated interest bond; **~ schwankendem Zinssatz** variable-interest/floating-rate bond; **~ Zinsschein** coupon bond

Obligationen abrufen to call bonds; **O. aufrufen/kündigen** to call in bonds; **O. ausgeben** to issue bonds; **O. auslosen** to draw bonds; **O. einlösen/tilgen** to redeem/meet bonds; **O. eintragen** to register bonds; **O. fertigen** to execute bonds; **O. zur Vernichtung überantworten** to surrender bonds for cancellation; **O. unterbringen** to place bonds; **O. veräußern** to dispose of bonds/stocks

aufgerufene Obligation called bond; **~ und für ungültig erklärte O.** obsolete bond; **auserlesene O.** designated bond; **von mehreren Gesellschaftern ausgegebene O.** joint and several bond; **ausgeloste O.** drawn bond; **mit Dividendenberechtigung ausgestattete O.** dividend bond *[US]*; **auslosbare O.** redeemable bond, bond callable by lot; **ausstehende/begebene O.** outstanding obligation/bond; **am Sanierungsverfahren nicht beteiligte O.** non-assented bond; **bevorrechtigte O.** preferred bond; **nicht einklagbare O.** § unenforceable obligation; **endgültige O.** terminal/definitive bond; **erstrangige O.** first debenture; **fällige O.en** *(Bilanz)* bonds payable; **noch nicht ~ O.en** outstanding securities; **festverzinsliche O.** fixed-interest/active bond; **neu fundierte O.** redemption bond

dinglich gesicherte Obligation debenture secured by a charge; **erstrangig ~ O.** first-lien bond; **durch Effektenlombard ~ O.** collateral trust bond; **grundpfandmäßig/hypothekarisch ~ O.** mortgage debenture/bond, secured bond, collateral mortgage bond, debenture stock; **hypothekarisch nicht ~ O.** simple debenture/bond; **nachrangig ~ O.** junior bond; **durch nachrangige Hypothek ~ O.** junior-lien bond; **pfandrechtlich ~ O.** collateral trust bond/note; **durch Vorrangshypothek ~ O.** prior-lien bond/debenture, underlying bond

getilgte Obligation cancelled bond; **gewinnberechtigte O.** profit-sharing bond/debenture; **treuhänderisch hinterlegte O.** escrow bond; **indexierte O.** index-linked/indexed bond; **klein gestückelte O.** baby/savings *[US]* bond; **kommunale O.** local government stock/bond; **konvertierbare O.** convertible bond; **(jederzeit) kündbare O.** redeemable/callable/optional *[US]* bond; **kurz-/langfristige O.** short/long(-term) bond; **auf den Inhaber lautende O.** bearer bond; **~ Namen lautende O.** registered bond; **mündelsichere O.en** gilt-edged stocks *[GB]*, legal bonds *[US]*; **notleidende O.en** defaulted bonds, overdue stock *[GB]*; **pfandgesicherte O.** secured bond; **fest platzierte O.** digested bond *[US]*; **prolongierte O.** continued bond; **rückkaufbare O.** redeemable debenture; **serienweise rückzahlbare O.** instalment bond; **tilgbare O.** redeemable bond; **nicht ~ O.** irredeemable bond; **uneingelöste O.** unpaid bond; **ungesicherte O.** unsecured/plain bond; **ungetilgte O.en** outstanding securities; **ungültige O.** disabled bond *[GB]*; **unkündbare O.** irredeemable bond; **fest untergebrachte O.** digested bond; **unverzinsliche O.** non-interest-bearing bond; **frei verfügbare O.** free bond; **durch Wechsel verstärkte O.** endorsed bond; **vorläufige O.** bond in temporary form; **nur bei Gewinnertrag zahlbare O.** adjustment bond; **zinstragende O.** interest-bearing bond; **zurückgenommene O.** redeemed bond; **zweitrangige O.** second debenture

Obligationär *m* bondholder, debenture holder; **schuldscheinberechtigter O.** debenture creditor; **O.svertreter** *m* bond trustee

Obligationen|agio *nt* bond premium; **O.anleihe** *f* debenture loan; **O.ausgabe** *f* bond issue; **O.besitz** *m* bond holdings; **O.besitzer** *m* bondholder, bearer of a bond; **O.buch** *nt* bond register; **O.disagio** *nt* bond discount; **O.erlös** *m* debenture capital; **O.fonds** *m* bond fund; **O.handel** *m* bond trading; **O.inhaber** *m* bondholder, debenture holder; **O.kupon** *m* interest coupon; **O.kurs** *m* bond price; **O.markt** *m* bond market; **O.portefeuille** *nt* bond holdings/portfolio; **O.recht** *nt* law of obligations/contracts; **O.ring** *m* bond market; **O.-schuldner** *m* bond debtor, obligor *[US]*; **O.tilgung** *f* redemption of bonds

Obligations|agio *nt* bond discount; **O.anleihe** *f* debenture/bond loan; **O.ausgabe** *f* bond issue; **O.besitz** *m* bond holdings; **O.besitzer** *m* bondholder, bearer of bond; **O.disagio** *nt* bond discount; **O.fonds** *m* bond fund; **O.gläubiger/O.inhaber** *m* bondholder, debenture holder, bond creditor, obligee; **O.kapital** *nt* debenture capital; **O.markt** *m* bond market; **O.schuld** *f* bond debt; **O.schuldner** *m* bond debtor, obligor, obligator *[US]*; **O.tilgung** *f* bond redemption; **O.tilgungsfonds** *m* bond sinking/redemption fund; **O.zinsen** *pl* bond interest, interest on bonds; **O.zinsschein** *m* bond coupon

obligatorisch *adj* compulsory, obligatory, mandatory, binding

Obligo *nt* liability, commitment, engagement, obligation, financial obligation to pay, guarantee; **im O.** *(Vers.)* on risk; **ohne O.** without prejudice/engagement/obligation/recourse, ~ any liability, sans recours *[frz.]*; **unter dem O. früherer Zusagen** committed by earlier promises

Obligo|buch *nt* acceptance ledger/register, discount ledger, commitment record book/ledger; **O.buchführung** *f* liability accounting; **O.kartei** *f* commitment card index; **O.liste** *f* list of commitments; **O.übernahme** *f* assumption of commitment/liability; **O.verzeichnis** *nt* acceptance ledger

Obmann *m* 1. *(Schiedsgericht)* chairman, umpire; 2. *(Betrieb)* shop steward; 3. *(Geschworene)* foreman; 4. *(Sprecher)* spokesman, representative

Obrigkeit *f* public authority, government, magistracy, powers that be; **hohe O.** the powers that be; **o.lich** *adj* governmental, magisterial, authoritarian; *adv* by high authority; **o.lich** *adj* authoritarian; **O.sdenken** *nt* excessive deference (to public officials), servility; **o.s-gläubig** *adj* subservient to the powers that be; **O.sstaat** *m* authoritarian state; **o.sstaatlich** *adj* authoritarian

observieren *v/t* to observe/shadow, to place under surveillance

obsiegen *v/i* to prevail/succeed, to carry/win the day

obskur *adj* obscure, suspicious, doubtful

obsolet *adj* obsolete

mangelnde Obsorge für die Erhaltung permissive waste

Obst *nt* fruit; **eingemachtes O.** preserved fruit

Obst|anbau *m* fruit farming, tree crop production; **O.anbaubetrieb** *m* fruit ranch; **O.bau** *m* fruit growing, orcharding; **O.bauer** *m* fruit farmer

Obstbaum *m* fruit tree; **tragender O.** fruiter; **O.schule** *f* fruit tree nursery

Obst|ernte *f* tree crop (production), fruit crop; **O.farm** *f* fruit farm/ranch *[US]*; **O.garten** *m* orchard; **O.glas** *nt* fruit jar; **O.- und Gemüsegeschäft** *nt* greengrocer's shop; **O.handel** *m* fruit trade; **O.händler** *m* fruiterer; **O.- und Gemüsehändler** *m* 1. greengrocer; 2. *(mit Verkaufskarren)* costermonger; **~ Gemüsehandlung** *f* greengrocer's shop, greengrocery; **O.importhandel** *m* fruit import business/trade; **O.konserve** *f* tinned *[GB]*/canned *[US]* fruit; **O.pflücker** *m* fruit picker; **O.plantage** *f* fruit farm/ranch *[US]*

Obstruktion *f* obstruction; **O. betreiben** to obstruct, to practice obstruction; **O.spolitik** *f* obstructionism; **O.spolitiker** *m* obstructionist

obstruktiv *adj* obstructive

Obst|saft *m* fruit juice; **O.schwemme** *f* fruit glut; **O.-stand** *m* fruit stall; **O.verkäufer** *m* fruit vendor; **O.verwertung** *f* fruit processing; **O.wagen** *m* fruit van; **O.waggon** *m* fruit truck *[GB]*/car *[US]*; **O.züchter** *m* fruit grower, orchardist

Obulus *m* contribution, mite

Obus *m* trolley bus

obwalten *v/i* to prevail

Ochse *m* ox, bullock, steer

Öde *f* wasteland; **ö.** *adj* 1. bleak, desolate, barren, waste; 2. deserted, abandoned; 3. monotonous, drab

Oder|depot *nt* joint securities account; **O.konto** *nt* joint account

Ödland *nt* wasteland; **Ö.aufforstung** *f* reafforestation of wasteland

Ofen *m* 1. *(Heizofen)* stove; 2. *(Backofen)* oven; 3. furnace; 4. *(Trocknung)* kiln; **O. beschicken** *(Schmelzofen)* to charge a furnace; **O.schlacke** *f (groß)* clinker, *(klein)* slag; **o.getrocknet** *adj* kiln-dried

offen *adj* 1. open; 2. frank, forthright, plain-spoken, candid, without restraint; 3. *(Stelle)* unfilled, free, vacant; 4. *(Brief)* unsealed; 5. *(Information)* disclosed, published, declared; 6. *(Aufgabe)* unfinished; 7. *(Ergebnis)* uncertain, open-end(ed); 8. *(Handeln)* above-board; 9. *(Ware)* loose; **o. und ehrlich** fair and square; **o. oder stillschweigend** overtly or tacitly; **noch o.** *(Stelle)* still vacant; **sperrangelweit o.** wide open; **o. sein** *(Angelegenheit)* to be up in the air

Offen|e Handelsgesellschaft (OHG) *f* → **Handelsgesellschaft** unlimited company; **o.e-Posten-Buchführung/Buchhaltung** *f* open-item/ledgerless accounting; **o.e Postenform** open-item form

offenbar *adj* apparent, obvious, evident, plain, manifest

offenbaren *v/t* to reveal/disclose/divulge/manifest/display, to make full disclosure

Offenbarung *f* revelation, disclosure; **O. einer Erfindung** disclosure of an invention; **unbefugte O. fremder Geheimnisse** disclosing the secrets of another without authority; **eidliche O.** disclosure on oath; **unschädliche O.** nonprejudicial disclosure

Offenbarungseid *m* oath of disclosure/manifestation *[US]*, poor debtor's oath, affidavit of means; **O. leisten** to swear an oath of disclosure/manifestation, to file for bankruptcy; **O.verfahren** *nt* supplementary proceedings

Offenbarungs|erklärung des Vollstreckungsschuldners *f* equitable garnishment; **O.pflicht** *f* duty to disclose, ~ of disclosure, disclosure duty, positive duty of candour; **~ in Sonderfällen** special facts duty; **O.-**

termin *m* date for administering an affidavit of disclosure; **O.verfahren** *nt* supplementary proceedings

ffen halten *v/t* to leave open

ffenheit *f* openness, frankness, candour, plain speaking, straightforwardness; **in aller O.** in all sincerity

ffenherzig *adj* candid, frank, openhearted; **O.keit** *f* candour, frankness

ffenkundig *adj* 1. evident, apparent, obvious, manifest, clear; 2. self-explanatory; 3. flagrant, conspicuous, palpable, patent; **O.keit** *f* 1. obviousness; 2. notoriety, notoriousness; ~ **feststellen** § to take judicial notice of sth.

ffen lassen *v/t* 1. to leave open; 2. to keep in abeyance; **o. legen** *v/t* to disclose/reveal/divulge, to come out in the open

ffenlegung *f* 1. disclosure, publication; 2. discovery

ffenlegung der Aktienbeteiligung disclosure of the share stake; **O. des Auftraggebers** declaration of principal; **O. von Beteiligungen** declaration of interests; **O. einer Erfindung** disclosure of an invention; **O. der Patentakten** disclosure of patent documents; **O. des Schuldnervermögens** § discovery of debtor's property

ffenlegung erzwingen to enforce disclosure; **fehlende/mangelnde O.** non-disclosure, failure to disclose

ffenlegungs|bestimmungen *pl* disclosure provisions, rules of disclosure; **O.pflicht** *f* disclosure duty/requirement, duty to disclose, ~ ascertain solvency of borrower; **O.schrift** *f (Pat.)* publication of an unexamined application; **O.schwelle** *f* disclosure threshold; **O.vorschriften** *pl* disclosure requirements/rules

ffenmarkt *m* open market

ffenmarkt|ausschuss *m* open-market committee; ~ **der US-Zentralbank** Federal Open Market Committee; **o.fähig** *adj* open-market, eligible for ~ operations; **O.geschäft** *nt* open-market transaction/deal/operation, outright transaction; **O.kauf** *m* purchase in the open market; **O.kredit** *m* open-market loan; **O.papier** *nt* open-market paper

ffenmarktpolitik *f* open-market policy; **expansive O.** expansionary open-market policy; **kontraktive O.** contracting/restrictive open-market policy

ffenmarkttitel *m* open-market paper

fenmütig *adj* no-holds-barred

fensichtlich *adj* apparent, evident, obvious, clear, blatant, manifest, self-evident, plain; **O.keitsprüfung** *f* examination for obvious deficiencies

fensiv *adj* 1. aggressive, offensive; 2. pro-active

ffensive *f* offensive, push; **in die O. gehen** to take the offensive

m offen stehen *v/i* to be open to so.; **noch o. stehen** *(Rechnung)* to be owing/outstanding, to remain unpaid/unsettled; **o. stehend** *adj* outstanding, unpaid, unsettled, open account; **noch o. stehend** owing

fentlich *adj* (in) public; **nicht ö.** 1. private, exclusive, intra muros *(lat.)*; 2. § in camera *(lat.)*; 3. *(Sitzung)* behind closed doors; **ö. sein** *(Handelsregister)* to be available for inspection; **ö.-rechtlich** *adj* public, under public law

Öffentlichkeit *f* 1. the public (at large), the general public, the country; 2. publicity, publicness, public character; 3. availability for public inspection; 4. lay opinion; **in der Ö.** in public; **in aller Ö.** openly; **Ö. bei der Gerichtsverhandlung; Ö. des Verfahrens** publicity of trial/proceedings; **nicht für die Ö. (bestimmt)** off the record

Öffentlichkeit zur Zeichnung auffordern to invite the public to subscribe; **Ö. ausschließen** § to close the court, to sit in camera *(lat.)*, to exclude the general public; **an die Ö. bringen** to air/reveal/publicize, to bring to light; **in die Ö. dringen; an die Ö. kommen** to become publicly known, to reach the public, to leak; **der Ö. zur Last fallen** to be a burden on the public purse; **in der Ö. Anklang finden** to catch the public's imagination; **Ö. hinter sich haben** to enjoy public support; **Ö. hintergehen** to deceive the public; **sich in der Ö. sehen lassen** to appear in public; **Ö. meiden/scheuen** to shun publicity/the public; **der Ö. bekannt sein** to be common knowledge; **an die Ö. treten** to come forward, to appear in public; **Ö. wiederherstellen** § to restore publicity, to readmit the public to the courtroom, to resume the trial in public

Öffentlichkeitsarbeit *f* P.R., public relations work, publicity; **Stück Ö.** public relations exercise; **Ö. vor der Produkteinführung** pre-launch publicity; **internationale Ö.** international communications

Öffentlichkeits|grundsatz *m* § principle of public trial; **ö.wirksam** *adj* effective

Offerent *m* offeror

offerieren *v/t* to offer/tender/bid *[US]*; **fest o.** to make/submit a firm offer

Offerte *f* offer, quotation, *(Ausschreibung)* (letter of) tender, bid; **O. abgeben/machen/unterbreiten** to make/submit an offer, to tender (for), to bid *[US]*; **O. widerrufen** to revoke an offer

freibleibende/unverbindliche Offerte open *[GB]*/flat *[US]* offer; **gültige O.** valid offer; **verbindliche O.** firm/binding offer

Offert|enbeurteilung *f* bids evaluation; **O.enskizze** *f* sketch sent with offer; **O.legung** *f* bidding, tendering; **O.steller** *m* bidder, tenderer; **O.unterlagen** *pl* tender documents

Offizial|delikt *nt* § offence requiring public prosecution; **O.klage** *f* public prosecution; **O.verteidiger** *m* (court-)assigned counsel, public defender *[GB]*; ~ **bestellen** to assign a counsel

offizi|ell *adj* official, formal; **o.iös** *adj* semi-official

offline *adj* off-line

Öffnung *f* 1. opening; 2. hole, mouth, aperture; **Ö. von Angeboten** opening of tenders; **Ö. einer Kreuzung** *(Scheck)* opening of a crossing; **Ö.szeit(en)** *f/pl* opening time/hours, business hours, hours of business; ~ **der Bank** bank hours

Offsetdruck *m* offset (printing)

o.g. → **oben genannt**

OHG → **Offene Handelsgesellschaft**

ohne *prep* without, ex, devoid of, § destitute of; **o.gleichen** *adj* unique, unprecedented, unparalleled, without a peer; **O.-Rechnung-Geschäft** *nt* non-invoiced transaction

Ohn|macht *f* 1. powerless, helplessness; 2. unconsciousness, faint, swoon; **o.mächtig** *adj* 1. powerless, helpless; 2. unconscious; **O.sanfall** *m* fainting fit

Ohr *nt* ear; **ein offenes O. für Vorschläge haben** to be open to suggestions; **verschlossene O.en finden** to fall on deaf ears; **viel um die O.en haben** to have a lot on one's hands; **(jdn) übers O. hauen** *(coll)* to dupe/diddle/shortchange so., to take so. for a ride, to pull a fast one on so.; **bis über die O.en in Arbeit stecken** to be up to the eyes in work

Ohrenzeuge *m* auricular/ear witness

Okkasion *f* bargain

Okkupation *f* occupation; **O.sgebiet** *nt* occupied territory

okkupieren *v/t* to occupy

Öko|arbeitsgruppe *f* eco-study group; **Ö.audit** *nt* eco-audit, ecological audit; **Ö.bauer** *m* ecologically-minded farmer; **Ö.bericht** *m* eco-report; **Ö.bilanz** *f* ecological balance, eco-report, life cycle analysis (LCA); **Ö.bilanzierung** *f* ecological assessment; **Ö.katastrophe** *f* eco-catastrophe; **Ö.klima** *nt* eco-climate; **Ö.kultur** *f* eco-culture

Ökologe/Ö.in *m/f* ecologist, ecological expert; **Ö.ie** *f* ecology; **ö.isch** *adj* ecological, environmental

Öko|management *nt* eco-management; **Ö.marketing** *nt* eco-marketing

Ökonom *m* economist

Ökonome|trie *f* econometrics, mathematical economics; **Ö.triker** *m* econometrician; **ö.trisch** *adj* econometric

Ökonomie *f* economy, economics, thrift(iness); **politische Ö.** political economy, radical economics; **positive Ö.** positive economics

ökonomisch *adj* 1. economic; 2. *(sparsam)* economical, thrifty; **rein ö. betrachtet** in purely economic terms

Ökonomisierung *f* efficient employment

Öko|papier *nt* recycled paper; **Ö.sphäre** *f* ecosphere; **Ö.siegel** *nt* eco-label; **ö.sozial** *adj* eco-social; **Ö.steuer** *f* eco-tax

Ökosystem *nt* ecosystem; **ö.bezogen** *adj* ecosystemic

Ökotrophologe/Ö.in *m/f* dietician, dietitian; **Ö.ie** *f* dietetics, nutritional science

Oktan *nt* octane; **O.zahl** *f* octane number/rating

Oktavformat *nt* 📖 octavo

oktroyieren *v/t* to enforce, to thrust upon, to impose

Öl *nt* oil; **mit Ö. befeuert** oil-fired

nach Öl bohren to prospect for oil; **Ö. fördern** to extract oil; **mit Ö. schmieren** to oil; **auf Ö. stoßen** to strike oil

ätherische Öl|e volatile oils; **leichtes Ö.** light/gas oil; **pflanzliches Ö.** vegetable oil; **schweres Ö.** heavy oil

Öl|aktien *pl* oil shares *[GB]*/stocks *[US]*, oils; **Ö.anzug** *m* oilskin; **auf Ö.basis** *f* oil-based; **ö.befeuert** *adj* oil-fired; **Ö.bohrtechnologie** *f* oil exploration technology; **Ö.brenner** *m* oil burner; **ö.dicht** *adj* oil-tight; **Ö.dollar** *m* petrodollar; **Ö.druckbremse** *f* hydraulic brake; **Ö.einfuhren** *pl* oil imports, imports of crude oil; **Ö.embargo** *nt* oil embargo

ölen *v/t* to oil/lubricate

Öl|export *m* oil export; **Ö.exportland** *nt* oil-exportin country; **Ö.fass** *nt* oil drum, barrel; **Ö.fazilität** *f* oil fa cility; **Ö.feld** *nt* oil field; **in Küstennähe gelegene Ö.feld** offshore oil field; **Ö.feuerung** *f* oil firing **Ö.fläche** *f (auf dem Wasser)* (oil) slick; **Ö.förder land/-staat** *nt/m* oil-producing country; **Ö.förderun** *f* oil output/extraction/production; **Ö.fund** *m* oi find/strike; **ö.fündig werden** *adj* to strike oil; **Ö.gelde** *pl* oil funds, petrodollars; **Ö.gesellschaft** *f* oil com pany; **Ö.gewinnung** *f* oil production; **Ö.hafen** *m* o terminal; **ö.haltig** *adj* oil-bearing; **Ö.händler** *m* o merchant, oilman; **Ö.heizofen** *m* oil heater; **Ö.heizun** *f* oil(-fired) heating

ölig *adj* greasy, oily

Oligarch *m* oligarch; **O.ie** *f* oligarchy; **o.isch** *adj* oligar chic

Oligopol *nt* oligopoly, complex monopoly situatior **heterogenes O.** heterogeneous oligopoly; **homogene O.** pure oligopoly; **kooperatives O.** cooperative oligo poly; **unvollständiges O.** parallel pricing

Oligopolist *m* oligopolist; **o.isch** *adj* oligopolistic

Oligopoltheorie *f* theory of oligopoly

Oligopson *nt* oligopson

Ölimport *m* oil imports; **ö.ierend** *adj* oil-importin **Ö.land** *nt* oil-importing country

Öl|industrie *f* oil industry; **Ö.insel** *f* oil platform; **Ö.in teressen** *pl* oil interests; **Ö.kanne** *f* oil can; **Ö.kleidun** *f* oilskin; **Ö.konzern** *m* oil group; **Ö.konzession** *f* o concession; **Ö.krise** *f* oil crisis/shock; **Ö.kuchen** *m* o cake; **Ö.lache** *f* oil spill/slick; **Ö.lagerstätte** *f* oil de posit; **in der Ausbeutung befindliche Ö.lagerstät** operative oil field; **Ö.leitung** *f* (oil) pipeline; **Ö.liefe rung** *f* oil supply; **Ö.mühle** *f* oil mill; **Ö.mühlenin dustrie** *f* oil mill industry; **Ö.ofen** *m* oil stove/heate **Ö.papier** *nt* oil paper; **wasserdichtes Ö.papier** oile waterproof paper; **Ö.peilstab** *m* 🚗 (oil) dipstic **Ö.pest** *f* oil pollution; **Ö.pflanze** *f* oil plant/crop

Ölpreis *m* oil price; **Ö.explosion** *f* oil price explosio **Ö.schock** *m* oil price schock; **Ö.schub** *m* surge/jump i oil prices

Öl|produktion *f* oil production/extraction/outpu **ö.produzierend** *adj* oil-producing; **Ö.quelle** *f* oil wel **~ entdecken** to strike oil; **Ö.raffinerie** *f* oil refiner **ö.reich** *adj* oil-rich; **Ö.saat** *f* oil seed; **Ö.sände** *pl* o sands; **Ö.scheich** *m* oil sheik; **Ö.schiefer** *m* oil shal **Ö.schlick** *m* oil slick; **Ö.schwemme** *f* oil glut; **Ö.spu** *f* oil slick, patch of oil; **Ö.stand** *m* 🚗 oil level; **Ö.such** *f* oil exploration, prospecting for oil; **Ö.sucher** *m* c prospector; **Ö.tank** *m* oil tank; **Ö.tanker** *m* 🚗/⚓ c tanker, ⚓ crude carrier; **Ö.teppich** *m* oil slick; **Ö.te minmarkt** *m* oil futures market; **Ö.umschlagsstelle** oil terminal; **ö.undurchlässig** *adj* oil-proof; **Ö.unfa** *m* accidental oil spill; **Ö.verarbeitung** *f* petrochemic processing; **Ö.verbrauch** *m* oil consumption; **Ö.ve braucher** *m* oil consumer; **Ö.verschmutzung** *f* oil po lution; **Ö.verseuchung** *f* oil spill; **Ö.vorkommen** *nt* c deposit/field/reservoir; **wenig ergiebiges Ö.vorkom men** marginal oil field; **Ö.währung** *f* petrocurrenc

Ö.wechsel *m* 🚗 oil change; **Ö.werte** *pl (Börse)* oils, oil shares *[GB]*/issues/stocks *[US]*
)mbudsmann *m* ombudsman
)men *nt* omen, sign, portent; **böses O.** writing on the wall
minös *adj* ominous
)mnibus *m* (omni)bus, (motor) coach; **einstöckiger O.** singledecker; **zweistöckiger O.** doubledecker
)mnibus|bahnhof *m* bus/coach station; **O.befragung** *f* omnibus survey; **O.depot** *nt* bus depot; **O.fahrplan** *m* bus timetable/schedule; **O.fahrt** *f* bus ride, coach tour; **O.gesellschaft** *f* bus company; **O.park** *m* bus/coach fleet; **O.strecke** *f* bus route; **O.unternehmen** *nt* bus company; **O.versicherung** *f* all-risk insurance
nerieren *v/t* to (impose a) charge
)nkel *m* uncle; **O.ehe** *f* compassionate marriage, cohabitation of elderly couple
nline *adj* 💻 online; **o. arbeiten** to work online; **O.-Banking** *nt* online banking; **O.-Buchhändler** *m* online bookseller/bookshop; **O.-Dienst** *m* online service; **O.-Katalog** *m* online catalogue; **O.-Zahlungssystem** *nt* online payments system
)perandenteil *nt* 💻 operand part
)perateur *m* 1. 💻 operator; 2. ⚕ surgeon
)peration *f* 1. operation; 2. job; **sich einer O. unterziehen** to undergo/have an operation; **größere O.** major operation; **kosmetische O.** facelift; **offenmarktpolitische O.en** open-market transactions; **vollständige O.** complete operation
perational *adj* operational; **O.ität** *f* operationality
)perations|- operational; **O.basis** *f* operation centre, base of operations; **O.charakteristik** *f* ▦ operating/performance characteristic; **O.einheit** *f* operating centre; **O.feld** *nt* business area; **O.folge** *f* sequence of operations; **O.geschwindigkeit** *f* computing speed; **O.kosten** *pl* ⚕ surgical expense, surgery costs; **O.plan** *m* operational plan; **O.planung** *f* operations planning; **O. Research** *nt* operational analysis/research, operations research (OR); **O.schwester** *f* ⚕ theatre nurse; **O.saal (OP)** *m* operating theatre; **O.steuerung** *f* 💻 operation control; **O.teil** *nt* operation part; **O.zeit** *f* operation time; **O.ziel** *nt* operational objective, objective (point)
perativ *adj* operative, strategic
)perator *m* 💻 operator
perieren *v/ti* to operate; **jdn o.** to operate on so.
)pfer *nt* 1. *(Mensch)* victim, casualty; 2. *(Gabe)* sacrifice, offering; 3. prey; **O. eines Verbrechens** crime victim; **schwere O. abfordern** *(Katastrophe)* to take a heavy toll; **O. bringen** to make a sacrifice; **zum O. fallen** to fall victim/prey to; **keine O. scheuen** to spare no sacrifice
)pferentschädigungsgesetz *nt* crime victims compensation statute
pfern *v/t* to sacrifice
)pponent *m* opponent, adversary, objector, opposer
pponieren *v/i* to oppose; **o.d** *adj* opposing
pportun *adj* opportune, convenient; **O.ismus** *m* opportunism
)pportunist *m* opportunist, temporizer; **o.isch** *adj* opportunist(ic)

Opportunität *f* expediency, appropriateness; **O.seinkommen** *nt* transfer earnings
Opportunitätskosten *pl* opportunity costs, alternative(-use)/economic cost; **O. des Anlage- und Umlaufvermögens** cost of possession; **O. pro Einheit der Engpassbelastung** marginal profit opportunity by machine-hour
Opportunitätsprinzip *nt* § principle of discretionary prosecution
Opposition *f* 1. opposition; 2. *(Scheck)* stopping; **mit O. belegen** *(Scheck)* to stop; **außerparlamentarische O.** extra-parliamentary opposition
oppositionell *adj* oppositional
Oppositions|bank *f* opposition benches; **O.führer** *m* leader of the opposition; **O.liste** *f (Schecks)* stopping list
Optant *m* option taker, optant, party exercising an option
optieren *v/i* to opt/elect/select, to go in for, to make a choice; **o. gegen** to opt out of/against
Optik *f* 1. optics; 2. appearance, showing; **um der O. willen** for the sake of appearances; **falsche O.** *(fig)* false impression
Optiker(in) *m/f* optician
optimal *adj* optimum, optimal, best possible; **O.beschäftigung** *f* optimum level of activity
Optimalisierung *f* optimalization
Optimalität *f* optimality; **O.sprinzip** *nt* optimality principle; **O.stest** *m* optimality test
Optimal|kapazität *f* optimum plant capacity; **O.leistung** *f* optimum capacity; **O.planung** *f* operations research (OR); **O.programmierung** *f* optimum programming; **O.standardkosten** *pl* theoretical/ideal standard cost; **O.zoll** *m* optimum tariff
optimieren *v/t* to optimize
Optimierung *f* optimization; **O. von Betriebsabläufen** streamlining of operations; **lineare O.** linear optimization
Optimierungs|aufgabe *f* problem of how to achieve the best possible results; **O.kunde** *f* operations research (OR); **O.rechnung** *f (Produktion)* adaptive control, optimization calculation
Optimismus *m* optimism; **vorsichtigen O. aufrechterhalten** *(Börse)* to sustain sentiment; **O. verbreiten** to spread optimism; **gedämpfter/vorsichtiger O.** guarded optimism; **leichtfertiger O.** facile optimism
Optimist *m* optimist; **o.isch** *adj* optimistic, bullish, sanguine, upbeat; **zu o.isch** over-optimistic
Optimum *nt* optimum; **beschaffungswirtschaftliches O.** ideal/optimal purchasing; **materialwirtschaftliches O.** ideal/optimal materials handling
Option *f* 1. option, right of choice; 2. § right of preemption, ~ first refusal; 3. option contract; 4. *(Wertpapier)* subscription
Option zur Festlegung der Anzahlung von Lebensversicherungsraten settlement option; **O. auf (höheren) Eigenkapitalanteil** *(Firmenaufkauf)* equity kicker *(coll)*; **O. für eine Vertragsverlängerung** *f* covenant to renew
Option abschließen to strike a contract, to take an op-

tion; **O. aufgeben/streichen** to cancel an option; **O. ausüben/wahrnehmen; von einer O. Gebrauch machen** to exercise/take up an option; **O. vor Fälligkeit ausüben** to close a call option before expiry; **O. einräumen** to grant an option; **O. erwerben** to take out an option; **O. in einen Festauftrag umwandeln** to convert an option into a firm contract; **O. verfallen lassen** to let an option slide, to abandon a contract

gemeinsam ausgeübte Option joint option; **bedingte O.** qualified option; **gehandelte/handelbare O.** traded option

Options|anleihe *f* option(al) bond, warrant issue, convertible debenture stock, bond with warrant, bond issue with share warrants; **mittelfristige O.anleihe** convertible note; **O.aufgabe** *f* abandonment; **O.ausübung** *f* exercise/exercising of an option; **O.bedingungen** *pl* option terms, conditions of warrants; **O.berechtigter** *m* option holder, grantee of an option, optionee; **O.börse** *f* options exchange; **O.darlehen** *nt* option(al) loan; **O.dauer** *f* option period; **O.einlage** *f* option deposit; **O.empfänger** *m* grantee of an option, optionee; **O.erklärung** *f* grant of an option; **O.fixierung** *f* fixing of an option; **O.frist** *f* option/subscription period; **O.geber/O.gewährer** *m* grantor/giver of an option, optioner; **O.gebühr/O.geld** *f/nt* option fee; **O.genussschein** *m* participatory certificate with warrant; **O.geschäft** *nt* option deal(ings)/trading/contract/business, puts; **gekoppelte O.geschäfte mit verschiedenen Verfallsdaten** calendar spreading; **O.handel** *m* options trading, option dealings, trading in options; **O.händler** *m* options dealer/trader; **O.käufer/O.nehmer** *m* taker of an option, optionee; **O.klausel** *f* option(al) clause, first refusal clause; **O.kombination** *f* option combination; **O.kontrakt** *m* option deal/contract; **O.-/Terminkontraktkombination** *f* options-futures combination; **O.liste** *f* option list; **O.markt** *m* options market; **gekaufte O.position** long option position; **verkaufte O.position** short option position; **O.prämie** *f* option premium; **O.preis** *m* 1. exercise/option price; 2. subscription price

Optionsrecht *nt* 1. option (right), right of option; 2. § preemptive right; 3. *(Bezugsrecht)* subscription right, right to subscribe, stock purchase right; **mit O.** cum rights; **ohne O.** ex rights; **O.e zum Effektenkauf** calls; **O. ausüben** to exercise/take up an option; **O. nicht ausüben** to abandon an option; **auf das O. verzichten** to opt out; **ausstehendes O.** outstanding option right

Optionsschein *m* (purchase/option/equity/call/subscription) warrant, share option; **O. für den Bezug von Aktien** stock purchase warrant; **O. zu Genussrechten** warrant attaching to participatory rights; **auf den Namen lautender O.** registered subscription warrant *[US]*; **gedeckter O.** covered warrant; **O.inhaber** *m* purchase warrant holder

Options|schluss *m* option contract; **O.schuldverschreibung** *f* option bond *[GB]*, convertible debenture stock; **O.sekundärmarkt** *m* traded options market; **O.verkäufer** *m* writer; **O.vertrag** *m* option agreement; **O.vorzugsrechte** *pl* particulars of options; **O.zahlung** *f* option payment; **O.zeit** *f* option period

optisch *adj* 1. optical; 2. apparent

Optoelektronik *f* optoelectronics

opulent *adj* opulent, lavish

Orange *f* orange; **O.nsaft** *m* orange juice; **O.nkonzentrat** *nt* orange squash

Orden *m* 1. medal, decoration; 2. *(Gruppe)* order; **O. und Ehrenzeichen** medals and decorations; **jdn einen O. verleihen** to confer an order on so.; **O.sband** *nt* ribbon; **o.sgeschmückt** *adj* bemedalled

ordentlich *adj* 1. proper, decent, orderly; 2. tidy shipshape; 3. straight, full, substantial, ordinary

Order *f* commission, order

an die Order von to the order of; **nicht an O.** not to order, non-negotiable; **an unsere eigene O.** to our own order; **an fremde O.** to order of a third party; **auf O. von** by order of; **~ und Rechnung von** by order and on account of; **bis auf gegenteilige O.** unless countermanded; **~ weitere O.** pending further orders; **gemäß Ihrer O.** in compliance with your order; **laut O.** as ordered

zahlbar an Order payable to order; **an O. ausgestellt** made out to order; **~ lautend** made out/payable to order

Order annullieren to cancel/rescind an order; **O. ausführen** to execute an order; **O. ausschreiben** to indent; **O. erteilen** to (place an) order; **an O. lauten** to be made out to order; **an jds O. zahlen** to pay to so.'s order

begrenzte Order limited order; **feste O.** firm order; **fingierte O.** fictitious order; **freibleibende O.** conditional order; **nur für einen Tag gültige O.** day order; **bis auf Widerruf ~ O.** open order; **laufende/ständige O.** standing order; **limitierte O.** limited/stop order; **unbefristete O.** open order

Order|aufkommen *nt* level of orders; **O.buch** *nt* order book, blotter; **O.formular** *nt* order form; **O.frachtbrief** *m* order bill of lading (B/L); **O.hafen** *m* port of call; **O.klausel** *f (Wechsel)* order clause; **negative O.klausel** restrictive endorsement, negative order clause, not to order clause; **O.konnossement/O.ladeschein** *nt/m* order bill of lading, bill of lading/B/L to order, shipping note made out to order; **O.lagerschein** *m* warehousing/warehouse warrant (made out to order) negotiable warehouse receipt, dock warrant; **O.liste** order book; **O.mangel** *m* lack of orders

ordern *v/t* to order

Order|papier *nt* order instrument/bill/paper, negotiable/assignable instrument, instrument (made out/payable) to order; **O.- und Inhaberpapiere** negotiable instruments

geborenes/gesetzliches Orderpapier original order paper, instrument to order unless otherwise stated; **gekorenes/gewillkürtes O.** order paper by transaction act of the party; **kaufmännisches O.** commercial negotiable instrument; **unechtes O.** quasi-negotiable instrument

Order|police *f* policy to order; **O.scheck** *m* order cheque, cheque to order; **O.schuldverschreibung** *f* order/negotiable bond; **O.tätigkeit** *f* ordering (activity); **abbröckelnde O.tätigkeit** slackening in orders; **O.tratte** *f* promissory note (PN) made out to order; **O.vermer**

m order clause; **O.volumen** *nt* volume of orders, total buying orders; **O.wechsel** *m* order bill (of exchange), bill order; **O.zettel** *m* order slip

)rdinalzahl *f* ordinal number

›rdinär *adj* 1. ordinary; 2. common, vulgar

)rdinarilat *nt* (full) professorship, professorial chair; **O.us** *m* full professor

)rdinate *f* π ordinate; **O.nachse** *f* axis of ordinates

›rdnen *v/t* 1. to order/sort/grade; 2. to organise/arrange/realign/sequence/marshal, to put in the right order, to set in order; 3. to regulate

ılphabetisch ordnen to arrange alphabetically; **größenmäßig o.** to arrange according to size, to size; **neu o.** to rearrange/restructure/reclassify/rejig; **systematisch o.** to codify; **tabellarisch o.** to tabulate

›rdnend *adj* regulatory, regulative

)rdner *m* 1. (standing) file, folder; 2. *(Person)* steward, marshal

)rdnung *f* 1. order, system, regime, organisation, set-up; 2. regulations, rules; 3. discipline, tidiness; **in O.** in (working) order, straight; **förmlich in O.** formally in order; **nicht in O.** 1. out of order, not in order, amiss; 2. in bad order; **der O. halber** as a matter of form; **in schönster O.** as right as rain *(coll)*

nnere Ordnung des Aufsichtsrats internal structure of the supervisory board; **O. des Eigentums** system of ownership; **staatliche ~ Kreditwesens** banking regulations; **O. der Sicherheiten** *(Konkurs)* marshalling of securities

)rdnung aufrechterhalten to maintain order; **in O. bringen** 1. to put right/to rights/straight, to straighten out, to righten/right/remedy/fix; 2. to put on a healthy footing; **wieder ~ bringen** to readjust; **O. halten** to keep order; **in O. halten** to keep in order; **in bester O. hinterlassen** to leave in perfect order; **in O. kommen** to come right; **zur O. (auf)rufen** to call to order; **in O. sein** to be on the square; **nicht ~ sein** to be amiss/wrong; **O. schaffen** to tidy up; **öffentliche O. stören; gegen die ~ verstoßen** to break the peace; **gegen die ~ oder die guten Sitten verstoßen** to be contrary to public policy; **(öffentliche) O. wiederherstellen** to restore (public) order

bundesstaatliche Ordnung federal structure/system; **marktwirtschaftliche O.** free enterprise/market system; **musterhafte O.** perfect order; **natürliche O.** natural order; **öffentliche O.** public order, law and order; **sinnvolle O.** sensible arrangement; **soziale O.** social system/order; **verfassungsmäßige O.** constitutional system/order; **wirtschaftliche O.** economic system; **zufällige O.** randomization

Ordnungslamt *nt* municipal standards office, Trading Standards Department *[GB]*; **O.begriff** *m* classification key/criterion; **O.behörden** *pl* 1. regulatory authorities/bodies; 2. police authorities; **O.bestimmung** *f* regulative provision; **O.finanzen** *pl* regulative finance; **O.frist** *f* period allowed for regulative action; **O.funktion** *f* regulative function, regulatory role; **O.geld** *nt* administrative/disciplinary fine

ordnungsgemäß *adj* 1. proper, regular, orderly, correct, in accordance with the rules; 2. duly, in due form, in a regular manner; **nicht o.** incomplete

Ordnungslgemäßheit *f* regularity, propriety, correctness; **O.gewalt** *f* police authorities; **O.haft** *f* arrest for disobedience to court orders; **o.halber** *adv* as a matter of form; **O.hüter** *m* policeman, law enforcement officer, guardian of the law/place, ~ public order; **O.instanz** *f* regulative authority; **o.liebend** *adj* tidy(-minded); **O.macht** *f* regulative power/authority

Ordnungsmäßigkeit *f* regularity; **O. der Buchführung** reliability of the accounting records; **O. des Gründungshergangs** conformity of the foundation/company formation with the regulations, ~ the law

Ordnungslmaßnahme *f* regulatory measure, measure to maintain public order; **O.modell** *nt* economic framework; **O.muster** *nt* general pattern; **O.norm** *f* regulative standard; **O.nummer** *f* reference number; **O.politik** *f* regulative/regulatory policy; **marktwirtschaftliche O.politik** regulative policy in a free market economy; **O.politiker** *m* proponent of regulatory policies; **o.politisch** *adj* regulative, regulatory, relating to regulative policy; **O.polizei** *f* constabulary; **O.prinzip** *nt* regulating principle; **O.recht** *nt* regulatory/regulative law, administrative rules, law of administrative penalties

Ordnungsruf *m* call to order, *(Parl.)* naming a member *[GB]*; **O. erhalten** to be called to order; **O. erteilen** to call to order

Ordnungslsteuer *f* regulative tax, non-revenue regulatory tax; **O.strafe** *f* fine, administrative fine/penalty, penalty for contempt of court, ~ infringement of regulations; **O.strafverfahren** *nt* administrative penalty proceedings; **O.system** *nt* system of classification; **O.theorie** *f* theory of economic systems; **O.vorschriften** *pl* administrative regulations

orndungswidrig *adj* irregular, contrary to regulations, unlawful, illegal, disorderly; **O.keit** *f* (regulatory) offence, irregularity, administrative violation/offence, breach of an administrative rule, infringement of the law, misdemeanour; **O.keitsgesetz** *nt* regulatory offence act

Ordnungszahl *f* ordinal number

Ordonnanz *f* orderly

Organ *nt* 1. organ; 2. *(Unternehmen)* management/executive body; 3. authority, institution, agency; 4. body, medium, instrumentality; 5. *(Publikation)* organ, publication

Organ mit richterlichen Aufgaben judicial body; **O.e der Europäischen Gemeinschaften** Institutions of the European Communities; **~ einer Gesellschaft** organs of a company, corporate/high managerial agents; **O. der Rechtspflege** judicial organ, organ of the administration of justice; **~ Werbung** advertising medium

durch Organe handeln *(Gesellschaft)* to act through primary agents

amtliches Organ official organ/gazette; **ausführendes O.** executive body/organ, agent; **beratendes O.** advisory body; **beschließendes/beschlussfassendes O.** decision-making body; **freiwilliges O.** voluntary body;

geschäftsführendes O. executive/managing body; **gesetzgeberisches O.** legislative body, legislature; **höchstes O.** supreme body; **internationales O.** international body; **lebenswichtiges O.** vital organ; **leitendes O.** governing/managing body; **offizielles O.** official gazette; **staatliches O.** state organ/agency; **ständiges O.** permanent body; **vollziehendes O.** executive body; **zentrales O.** central (executive) body, ~ institution; **paritätisch zusammengesetztes O.** body with equal representation; **zuständiges O.** appropriate organ

Organ|abrechnung *f* consolidated accounts; **O.aufbau** *m* organic structure, organisation; **O.ausgleich** *m* intercompany elimination; **O.bereich** *m* group; **O.ertrag** *m* income from affiliates/subsidiaries; **O.firma** *f* associate company; **O.forderungen** *pl* intercompany claims; **O.gemeinschaft** *f* group of integrated companies; **O.gesellschaft** *f* subsidiary company *[GB]*/corporation *[US]*, integrated/dependent enterprise, subordinated/organ *[US]* company; **O.gewinn** *m* intercompany profit; **O.haftung** *f* vicarious liability, responsibility for executive organs

Organigramm *nt* organisation(al) chart/diagram, organigram

Organisation *f* 1. organisation, body; 2. set-up, organisational layout; 3. activity

Organisation für Afrikanische Einheit Organisation of African Unity (OAU); **O. amerikanischer Staaten** Organisation of American States (OAS); **O. ölexportierender Länder** Organisation of Petroleum Exporting Countries (OPEC); **O. für Europäische Wirtschaftliche Zusammenarbeit** Organisation for European Economic Cooperation (OEEC); **O. ohne Erwerbscharakter** non-profit organisation; **O. und Information (OI)** management information system (MIS); **O. mit großer Leitungsspanne** shallow/flat organisation; **~ kleiner Leitungsspanne** deep/narrow organisation; **O. des Produktprogramms** productive organisation; **O. eines Unternehmens** business organisation; **O. der Vereinten Nationen für industrielle Entwicklung** United Nations Industrial Development Organisation (UNIDO); **O. (der Vereinten Nationen) für Ernährung und Landwirtschaft** (United Nations) Food and Agriculture Organisation (FAO); **O. der Vereinten Nationen für Erziehung, Wissenschaft und Kultur** United Nations Educational, Scientific and Cultural Organisation (UNESCO); **O. des Wandels** change management; **O. für wirtschaftliche Zusammenarbeit und Entwicklung** Organisation for Economic Cooperation and Development (OECD); **~ die Zusammenarbeit auf dem Gebiet des Außenhandels** Organisation for Trade Cooperation

aufgeblähte Organisation bloated organisation; **divisionale O.** divisional organisation; **europäische O.en** European bodies; **funktionale O.** functional organisation; **gemeinnützige O.** non-profit-(making) organisation; **gestraffte O.** streamlined organisation; **gewerkschaftliche O.** unionization; **halbstaatliche O.** Quango (quasi-autonomous non-governmental organisation) *[GB]*, quasi-governmental agency; **internationale ~ O.** International Non-Government Organisation (INGO) *[GB]*; **indexsequenzielle O.** indexed organisation; **informale O.** informal organisation; **innerbetriebliche O.** internal organisation; **mehrdimensionale O.** multi-dimensional organisation; **projekttypische O.** project-type organisation; **schlagkräftige starke O.** powerful organisation; **skalare O.** scalar organisation; **staatliche O.** governmental organisation, government agency/organisation; **nicht ~ O.** non-governmental organisation (NGO); **zwischenstaatliche O.** inter-governmental body

Organisations|- organisational; **O.abteilung** *f* administration and coordination department; **O.akt** *m* act of establishments/foundation; **O.analyse** *f* organisational analysis; **O.änderung** *f* organisational change; **O.apparat** *m* administrative machinery; **O.aufbau** *m* organisational structure; **O.ausschuss** *m* steering committee; **O.beratung** *f* management consulting, organisational consultation; **O.ebene** *f* organisation level; **O.einheit** unit of organisation, organisational unit; **O.entwicklung** *f* organisational development; **O.fähigkeit** *f* organisational skill

Organisationsform *f* organisational form, form of organisation; **flexible O. ohne Hierarchie** adhocracy; **gemeinsame O.** form of common organisation; **teamorientierte O.** team-orient(at)ed organisational form, team organisation/structure

Organisations|forschung *f* organisational research, organisation analysis; **O.gemeinschaft** *f* 1. *(Vers.)* bureau company; 2. joint organisation; **O.gesetz** *nt* law governing organisation; **O.gestalter** *m* organisational designer, organiser; **O.gestaltung** *f* organisational design; **O.gewalt** *f* organisational power, authority to create government bodies

Organisationsgrad *m* *(Gewerkschaft)* (level of) unionization, degree of organisation/unionization, union density/participation; **mangelnder O.** lack of unionization

über Organisations|grenzen hinweg zusammenarbeiten *pl* to work across organisations; **O.handbuch** *nt* organisation(al) manual; **O.interesse** *nt* group interest; **O.klausel** *f* *(Gewerkschaft)* closed shop clause; **O.klima** *nt* organisation climate; **O.komitee** *nt* organising committee; **O.kosten** *pl* preliminary costs, start-up expense; **O.kultur** *f* corporate culture; **O.kybernetik** *f* organisational cybernetics; **O.lehre** *f* organisation theory, theory of organisation; **betriebswirtschaftliche O.lehre** business organisation theory; **O.leiter** *m* organisation officer; **O.methoden** *pl* methods of organising, organisational methodology; **O.mitglied** *nt* member of an organisation; **O.mittel** *nt* organisational means; **O.möbel** *pl* organisational furniture, filing cabinets; **O.modell** *nt* organisation model; **allgemeine O.ordnung** general rules of organisation; **O.plan** *m* organisation(al) chart, table of organisation, organigram; **O.planung** *f* organisational planning; **o.politisch** *adj* organisational; **O.prinzipien** *pl* principles of organisation; **O.problem** *nt* management problem; **O.programmierer** *m* 🖳 application programmer

O.prüfung *f* organisational audit, audit of organisational structure; **O.- und Geschaftsführungsprüfung** management audit; **O.psychologie** *f* organisational psychology; **O.recht** *nt* § right to form associations, law concerning organisations; **O.regeln** *pl* rules of organisation; **O.schaubild** *nt* organisation chart; **O.schema** *nt* organisational structure, organisation chart; **O.soziologie** *f* organisational sociology; **O.statut** *nt* 1. organising statute; 2. *(AG)* company statutes; **O.stelle** *f* unit of organisation, ultimate ~ responsibility; **O.struktur** *f* organisational design/structure/set-up/layout, reporting structure; **funktionale O.struktur** functional organisation structure; **O.talent** *nt* organisational skill, talent for organisation; **O.techniken** *pl* techniques of organising; **O.theorie** *f* organisation theory; **O.verbrechen** *pl* crime committed by an organisation; **O.verbund** *m* organisational linkage; **O.wesen** *nt* organisation; **O.ziele** *pl* organisational goals/objectives

Organisator *m* organiser, promoter; **o.isch** *adj* organisational

organisch *adj* organic, natural, sound

organisierbar *adj* organisable

organisieren *v/t* 1. to organise/arrange/mount, to lay on; 2. *(stehlen)* to commandeer/acquire; **gesellschaftlich o.** to incorporate; **gewerkschaftlich o.** to unionize

(gewerkschaftlich) organisiert *adj* unionized, organised; **nicht o.** non-unionized, unorganised, non-union-attached

Organisierung *f* *(Gewerkschaft)* unionization

Organismus *m* organism, system

Organ|klage *f* § intra-company legal action, action of one public body against another; **O.konto** *nt* intercompany account; **O.kredit** *m* intra-entity loan; **O.kreis** *m* group, scope of consolidation; **O.mitglied** *nt* officer

Organogramm *nt* → **Organigramm** organogram

Organschaft *f* affiliation, interlocking relationship, group basis, pooling of interests

Organschafts|abrechnung *f* accounting settlement between integrated companies; **o.ähnlich** *adj* quasi-integration; **O.ertrag** *m* income from subsidiaries; **O.verhältnis** *nt* single-entity relationship; **O.verrechnung** *f* settlement between integrated companies, intergroup elimination; **O.vertrag** *m* intergroup agreement, agreement between interlocking companies

Organ|tochter *f* subsidiary; **O.träger** *m* parent company, dominant enterprise; **O.verhältnis** *nt* group relationship; **O.verlust** *m* intercompany loss, subsidiary's loss assumed by parent company; **O.vertrag** *m* group-constituting contract, agreement between interlocking companies; **O.wille** *m* corporate intent

Orient *m* orient; **o.alisch** *adj* oriental

orientier|en *v/ti* to orient(ate)/direct/guide/influence; *v/refl* to orient(ate) o.s., to get one's bearings; **falsch o.t** *adj* misguided

Orientierung *f* 1. orientation, guidance, bearing; 2. information; **zur O. von** for so.'s guidance; **zu Ihrer O.** for your information; **O. geben** to provide information, to give a lead; **O. verlieren** to lose one's bearings; **fiskalische O.** fiscal/financial orientation

Orientierungs|daten *pl* indicators, (wage-price) guidelines; **O.größe** *f* guideline (datum); **O.hilfe** *f* guideline, some indication, information; **O.preis** *m* reference/target/indicator/guide/marker/benchmark price; **O.punkt** *m* point of reference, checkpoint; **O.rahmen/O.richtlinien** *m/pl* guidelines; **O.system** *nt* reference system; **O.wert** *m* benchmark; **O.zeitraum** *m* reference period

Original *nt* original, master/top copy; **im O.** in the original; **o.** *adj* 1. original; 2. ▦ unadjusted; 3. true

Original|abfüllung *f* 1. *(Wein)* estate-bottled, chateau-bottled; 2. *(Bier)* brewery-bottled; **O.ausfertigung(en)** *f* 1. original document; 2. § concurrent writs; **zweite O.ausfertigung** duplicate original; **O.ausgabe** *f* first edition; **O.beleg** *m* original document; **O.daten** *pl* raw data; **O.dividende** *f* unadjusted dividend; **O.dokument** *nt* original/source document; **O.einschuss** *m* *(Option)* initial margin; **O.faktura** *f* original invoice; **O.fassung** *f* original version; **O.fracht** *f* original freight; **O.klischee** *nt* ▯ master block; **O.konnossement** *nt* original copy of the, ~ bill of lading (B/L); **O.maß** *nt* standard measure; **O.packung** *f* original wrapping; **in O.packung** factory-packed; **O.police** *f* original policy; **O.quittung** *f* original receipt; **O.rechnung** *f* original invoice; **O.tara** *f* original tare; **O.testament** *nt* original will; **O.text** *m* original text; **O.übertragung** *f* *(Radio/Fernsehen)* live broadcast; **O.unterschrift** *f* time/original signature; **o.verpackt** *adj* factory-packed; **O.verpackung** *f* original packing/wrapping; **O.wechsel** *m* first bill of exchange/B/L, original bill *[US]*

originär *adj* primary, original; **nicht o.** § derivative; **O.einlagen** *pl* non-bank customers' deposits

originell *adj* original

Orkan *m* gale, hurricane, tornado; **o.artig** *adj* gale-force; **O.stärke** *f* gale force

Ornament *nt* ornament

Ort *m* place, spot, site

am Ort in place, locally, in the same locality; **am angegebenen O. (a.a.O.)** loco citato *(lat.)* (l.c.); **am O. ansässig** local; ~ **wohnend** resident; **an O. und Stelle** (on the) spot, on the premises, locally, one-stop *[US]*, in situ *(lat.)*; **an Ihrem O.** at your end; **vor O.** 1. on the spot, outside, locally; 2. ⛏ at the coal face, drift

Ort mit Asylrecht § privileged place; **O. des gewöhnlichen Aufenthalts** customary place of abode; **O. der Ausstellung** *(Wertpapier)* place of issue; **O. und Tag der Ausstellung** place and date of issue/issuance; **O. der Eintragung** place of incorporation; ~ **(Geschäfts) Leitung** place of management; ~ **tatsächlichen Geschäftsleitung** § place of effective management; ~ **Leistung** place of performance; ~ **Lieferung** place of delivery; ~ **Niederlassung** 1. domicile, place of establishment; 2. § actual situs; **O. des Verbrechens** scene of the crime; ~ **Vertragsabschlusses** place of contract; **O. und Zeit** place and time

geliefert verzollt benannter Ort im Einfuhrland delivered named place of destination in country of importation duty paid

Ort und Zeit angeben to state time and place; **vor O. ausprobieren** to test in the field; **an O. und Stelle bleiben** to stay put; ~ **erledigen** to do right away; **im ganzen O. bekannt sein** to be known all over the town *(coll)*; **an einem neutralen O. zusammenkommen** to meet on neutral ground

abgelegener Ort remote spot; **höheren O.es** in higher quarters, from above; **öffentlicher O.** public place; **sicherer O.** safe spot/place, § place of safety; **an einem sicheren O.** in a safe place; **ungefährdeter O.** place of safety

orten *v/t* to locate

orthodox *adj* orthodox

örtlich *adj* local; geographical; **Ö.keit** *f* place, locality

Ortslabrechnung *f* local clearing; **O.amt** *nt* ✆ local exchange; **O.angabe** *f* address, name of the town; **o.ansässig** *adj* resident, local; **O.ansässige(r)** *f/m* (local) resident/inhabitant; **O.anschluss** *m* ✆ local connection; **o.anwesend** *adj* in residence; **O.behörde** *f* local authority; **o.bekannt** *adj* well-known locally; **O.bereich** *m* ✆ local (calling) area; **O.beschreibung** *f* topography; **O.besichtigung** *f* local inspection; **O.bestimmung(en)** *f/pl* 1. local bye-law(s)/bylaw(s); 2. *(Peilung)* bearing; **o.beweglich** *adj* mobile, portable; **O.bewohner** *m* inhabitant; **O.bezeichnung** *f* geographical name; **O.brief** *m* local/drop letter

Ortschaft *f* place; **geschlossene O.** built-up/urban area

Ortslclearing *nt* interbank clearing; **O.durchfahrt** *f* thoroughfare, main road for through traffic; **o.fest** *adj* stationary, rigid; **o.fremd** *adj* non-resident, local; **O.gebiet** *nt* built-up area; **O.gebrauch** *m* local custom/usage, local trade rules; **O.gebühr** *f* local rate/postage; **o.gebunden** *adj* local, stationary; **O.gemeinde** *f* community; **O.gericht** *nt* local court; **O.gespräch** *nt* local call; **O.gesprächsgebühr** *f* local call fee; **O.gruppe** *f (Gewerkschaft)* (local/union) branch, local *[US]*; **O.kabel** *nt* local line; **O.kennzahl/-zeichen** *f/nt* ✆ area code, subscriber trunk dialling (STD) code; **O.kern** *m* centre, built-up area; **O.kraft** *f* local employee; **O.kräfte** local staff, locally recruited staff; **O.krankenkasse** *f* local health insurance (office/system), local branch of national health insurance; **o.kundig** *adj* having local knowledge; **O.mitte** *f* centre; **O.nähe** *f* local proximity; **O.name** *m* place name; **O.netz** *nt* 1. ✆ local area (network), ~ calling area, ~ system; 2. ϟ local grid; **O.netzkennzahl** *f* ✆ dialling code; **O.planungsbehörde** *f* local planning authority; **O.planungsgebiet** *nt* local planning area; **O.polizei** *f* local police; **O.rand** *m* city limits, outskirts; **O.recht** *nt* local/parish law, lex situs *(lat.)*; **O.satzung/O.statut** *f/nt* local by(e)-laws/statutes; **O.schild** *nt* place name sign; **O.schlüssel** *m* geographic code; **O.sendung** *f* ✉ local mail; **O.sinn** *m* sense of direction; **O.spediteur** *m* local carrier/shipper; **O.steuern** *pl* rates; **O.tarif** *m* local rate/tariff; **o.teilgebunden** *adj* tied (to a city district); **O.teilnehmer** *m* ✆ local subscriber; **O.telegramm** *nt* local telegram; **O.termin** *m* § hearing at the site, court inspection on the spot, judicial survey; **o.üblich** *adj* local, locally usual, customary in the locality, in accordance with local practices, in conformity with local customs; **O.umbenennung** *f* change of place name; **O.umgehung** *f* by-pass; **O.veränderung** *f* change of place; **O.verband** *m* (local) branch, local committee; **O.verein** *m* local association; **O.verkehr** *m* local traffic/transport; **O.- und Nahverkehr** local and short-haul traffic; **O.vermittlung** *f* ✆ local exchange; **O.vertreter** *m* local representative, resident agent; **O.verwaltung** *f* local administration; **O.verweis** *m* § order of removal; **O.verzeichnis** *nt* local directory; **O.vorstand** *m* local board; **O.wechsel** *m* change of place; **O.zeit** *f* local time; **O.zeitung** *f* local paper; **O.zulage/O.zuschlag** *f/m* residential/weighted allowance, local (cost-of-living) allowance, local bonus, (local) weighting; **O.zustellung** *f* local delivery

Ortung *f* location; **O.sbake** *f* ⚓ beacon; **O.sgerät** *nt* position finder

Öse *f* eyelet

Ostblock *m* Eastern Bloc

Osten *m* East; **Ferner O.** Far East; **Mittlerer O.** Middle East; **Naher O.** Middle/Near East

ostentativ *adj* pointed, demonstrative, ostentatious

Osteopath *m* osteopath

Ostlexport *m* exports to Eastern Europe; **O.geschäft** *nt* Eastern European business, eastern trade; **O.import** *m* imports from Eastern Europe; **O.kredit** *m* lending to Eastern European countries

östlich *adj* 1. eastern; 2. *(Wind)* easterly

Ostlschaden *m* § losses suffered in East German territories; **O.see** *f* Baltic (Sea); **O.seefahrt** *f* Baltic trade; **O.staaten** *pl* Eastern European countries; **o.wärts** *adj* eastbound; **O.-West-Gegensatz** *m* East-West confrontation; **O.-West-Handel** *m* East-West trade

Oszillograf *m* oscillograph

OTCl-Derivat *nt* OTC derivative; **O.-Zinsderivat** *nt* OTC interest rate derivative

Otto-Normalverbraucher *m* *(coll)* average consumer/punter *(coll)*, Joe Public *(coll)*; 3. Joe Sixpack *[US]*, Mr. Average *(coll)*

Outsiderfrachten *pl* outsider rates

outsourcelen *v/t* to outsource; **O.ing** *nt* outsourcing

Ovation *f* ovation; **im Stehen dargebrachte O.** standing ovation

Overheadprojektor *m* OHP (overhead projector)

Oxhoft *nt* hogshed

Oxidation/Oxydation/Oxidierung/Oxydierung *f* oxidation, oxydation; **oxidieren/oxydieren** *v/i* to oxidize

Ozean *m* ocean; **O.dampfer** *m* ocean-going steamer, ocean liner; **o.isch** *adj* oceanic; **O.reise** *f* ocean voyage; **O.station** *f* ocean station

Ozon *nt* ozone; **O.abbau** *m* ozone depletion; **O.belastung** *f* ozone pollution; **o.freundlich** *adj* ozone-benign; **O.gehalt** *m* ozone concentration; **O.hülle** *f* ozone layer; **O.konzentration** *f* ozone concentration; **O.loch** *nt* ozone hole/gap, hole in the ozone layer; **o.schädigend/o.schädlich** *adj* ozone-depleting; **O.schicht** *f* ozone layer; **O.schild** *m* ozone shield; **O.wert** *m* ozone level; **O.zerstörer** *m* ozone destroyer

P

P; p (Papier) *(Börse)* many sellers

Paar *nt* couple, pair; **ein p.** a couple of; **p.en** *v/t* to combine/pair; **p.ig** *adj* matched, in pairs; **P.ung** *f* 1. pairing; 2. crossing; **P.vergleich** *m* paired comparison; **p.weise** *adj* paired; *adv* in pairs, two by two

Pacht *f* 1. lease, tenancy, leasehold; 2. *(Betrag)* (ground/land/farm) rent; 3. farm tenancy/lease; **in P.** leasehold

Pacht eines Bergwerkrechts mining lease; **P. mit Erhaltungspflicht** tenant-repairing lease; **P. ohne Erhaltungsverpflichtung** landlord-repairing lease; **P. eines Gewerbebetriebes** trade lease, lease of trade; **~ Hofes** farm tenancy; **P. auf Lebenszeit** life tenancy; **P. und Rückverpachtung** demise and redemise; **P. auf Zeit** term lease

Pacht aufheben to cancel a lease; **P. eingehen; in P. nehmen** to (take on) lease; **P. erneuern** to renew a lease; **in P. geben** to farm out; **~ haben** to hold under a lease, to have on lease(hold); **P. kündigen** to give notice to quit

gleichzeitig abgeschlossene Pacht concurrent lease; **vertraglich ausbedungene P.** contract rent; **fünfzigjährig festgelegte P.** fair rent; **gemeinsame P.** joint tenancy; **jederzeit kündbare P.** tenancy at will; **landwirtschaftliche P.** farm lease; **unkündbare P.** perpetual lease; **mit Meliorationsauflagen verbundene P.** improvement lease; **auf 28 Jahre vergebene P.** homestead lease *[US]*; **von Jahr zu Jahr verlängerte P.** estate from year to year; **wucherische P.** rack rent; **in Naturalien zahlbare P.** share tenancy

Pacht|abkommen *nt* lease arrangement; **P.ablauf** *m* expiration of lease; **P.ablösung** *f* leasehold enfranchisement; **P.abteilung** *f* lease department; **P.abtretung** *f* assignment of lease; **P.anschlag** *m* estimate of lease; **P.anspruch** *m* leasehold interest; **P.aufkommen** *nt* rent yield; **P.ausfallversicherung** *f* leasehold insurance; **p.bar** *adj* rentable, tenantable; **P.bauer** *m* tenant farmer; **P.bedingungen** *pl* terms of a lease; **P.-beendigung** *f* termination of a lease; **P.beginn** *m* commencement of a lease

Pachtbesitz *m* lease(hold), leasehold property, tenement, tenure by lease; **P. einräumen** to grant a lease; **jederzeit kündbarer P.** tenure at will; **nachgeordneter P.** base estate

Pachtbesitzer *m* tenant, leaseholder, tenant by the manner; **unmittelbarer P.** sitting tenant

Pacht|betrag *m* (leasing) rental; **P.betrieb** *m* 1. leasing out; 2. tenant farm; **P.brief** *m* lease; **P.dauer** *f* tenancy, leasehold tenure, life/term of lease; **P.einkommen/P.einkünfte** *nt/pl* rent income; **P.einnahmen** *pl* rent receipts (of a lease), rents received

pachten *v/t* 1. to lease/rent/hire, to take on lease, ~ at rent; 2. to take a lease (on sth.)

Pächter *m* 1. tenant, leaseholder, lessee, rent payer, renter, occupier; 2. tenant farmer, sharecropper *[US]*; **P. einer Domäne** tenant of a demesne; **P. auf Geldbasis** cash tenant *[US]*; **~ Lebenszeit** life tenant, tenant for life; **P. und Verpächter** lessor and lessee; **P. abmeiern** to turn out a tenant

alleinberechtigter Pächter tenant in severalty; **gewerblicher P.** commercial tenant; **jederzeit kündbarer P.** tenant at will; **landwirtschaftlicher P.** agricultural tenant; **neuer P.** incoming tenant; **zur Barzahlung verpflichteter P.** cash tenant *[US]*; **in Naturalien zahlender P.** share tenant, sharecropper *[US]*

Pächter|anspruch *m* tenant right; **P.inventarpfandrecht** *nt* lien on tenant's working assets

Pacht|erlass *m* remission of rent; **P.erneuerung** *f* relocation

Pächterpfandrecht *nt* statutory lien of lessee

Pachtertrag *m* rent return/roll, rental yield/income, rentals, net rent

zulässige Pächterverfügungen innocent conveyances *[GB]*

Pacht|fläche *f* leased area; **P.forderungen** *pl* rents receivable; **p.frei** *adj* rent-free; **P.gebäude** *nt* leasehold building; **P.gebiet** *nt* leasehold area/territory, leased territory; **P.gebühr** *f* rent, rental (charge); **P.gegenstand** *m* leased object; **P.geld** *nt* rent (money), rental; **P.gesellschaft** *f* leasing company *[GB]*/corporation *[US]*; leased company *[US]*; **P.- und Leihgesetz** *nt* Lend-Lease Act *[US]*; **P.gewährung** *f* grant of a lease; **P.grund** *m* leasehold property; **P.grundstück** *nt* leasehold/leased property, lease(hold), allotment *[GB]*; **P.gut** *nt* 1. leasehold estate, leased property, holding; 2. tenanted farm, smallholding; **P.güter** tenemental lands; **kleines P.gut** croft *[Scot.]*; **P.häusler** *m* cottager; **P.herr** *m* lessor, landlord; **P.hof** *m* tenant/tenanted farm, smallholding; **P.höhe** *f* rent level; **P.inhaber** *m* tenant; **P.jahr** *nt* tenancy year; **P.kommissionär** *m* lease broker; **P.kosten** *pl* rentals paid; **P.kündigung** *f* notice to quit

Pachtland *nt* leasehold/leased land, land on lease, take, manor *[US]*; **billiges P.** low-rented land; **teures P.** high-rented land; **P.befreiung** *f* enfranchisement of leaseholds *[GB]*

Pacht|makler *m* lease broker, leasemonger; **P.minderung** *f* reduction of rent; **P.nachlass** *m* remission of rent; **P.objekt** *nt* leased object, object of lease; **P.preis** *m* rent, rental, rental/rent price; **P.rate** *f* rent instalment

Pachtrecht *nt* law of lease/tenantry, leasehold interest/right, tenant's/lessee's rights; **P. übertragen** to surrender/assign a lease; **allgemeines P.** ordinary tenancy; **auflösend bedingtes P.** reversionary lease

Pacht|rückstände *pl* rent arrears; **P.satz** *m* rental, tenancy, interest of a tenant, rent rate; **P.schutz** *m* security (of) tenure, agricultural tenant's protection, farm rent control; **P.summe** *f* rent, rental; **P.system** *nt* tenancy system; **P.termin** *m* rent day; **P.überwachung** *f* rent control

Pachtung *f* 1. tenancy, holding, take; 2. leasing; **P. in**

einer Hand entire tenancy; **P. auf Lebensdauer** tenancy for life
gemeinsame Pachtung cotenancy; **gemeinschaftliche P.** tenancy in common; **nach Willkür kündbare P.** tenancy at will; **landwirtschaftliche P.** farm lease; **mit Meliorationsaufgaben verbundene P.** improvement lease
Pacht|urkunde *f* (covenant/instrument of) lease; **P.vereinbarung** *f* lease agreement; **P.verfallsklausel** *f* forfeiture of a lease, irritant clause *[Scot.]*
Pachtverhältnis *nt* 1. lease, tenancy, tenure; 2. tenurial relationship, relationship of landlord and tenant; **ohne P.** leaseless
zeitlich begrenztes/fixiertes Pachtverhältnis periodic tenancy; **jederzeit kündbares/widerrufliches P.** tenancy at will/sufferance; **vertragliches P.** privity of tenure; **nach Ablauf der Pacht jederzeit kündbar weiterlaufendes P.** tenancy at sufferance
Pachtverlängerung *f* lease renewal, renewal of a tenancy/lease; **stillschweigende P.** tacit mortgage, relocation
Pachtvertrag *m* 1. (contract/indenture of) lease, leasehold/lease deed, covenant of tenancy, lease/leasing/tenancy agreement, tenancy/lease contract; 2. *[Scot.]* tack
Pachtvertrag mit Instandhaltungsklausel repairing lease; **P. für gewerblich genutzte Räume** commercial lease; **P. mit festem Zins** fixed lease; **~ gleichbleibendem Zins** flat/straight lease
Pachtvertrag aufsetzen to draw up a lease; **P. verlängern** to renew a lease
noch nicht abgelaufener Pachtvertrag unexpired lease; **mündlich abgeschlossener P.** parol lease; **bedingter P.** conditional lease; **langfristiger P.** long lease; **unbefristeter P.** general tenancy; **unkündbarer P.** irrevertible lease
Pachtvertrags|erneuerung *f* relocation; **P.taxe** *f* leasehold appraisal
Pachtwert *m* rental value; **jährlicher P.** annual value; **P.versicherung** *f* rent insurance
Pachtzahlung *f* lease payment; **P.zeit** *f* (term of) lease
Pachtzins *m* (leasehold/ground/farm/quit) rent, rental (tariff); **fester P.** dead rent; **nomineller/symbolischer P.** peppercorn rent *[GB]*; **P.nachlass** *m* abatement of rent
Pachtzubehör *nt* tenant's fixtures
Pack *nt* pack, stack, pile; **P. Aufträge** bunch of orders; **P. Wolle** pack of wool; **P. von Zeitungen** stack of newspapers; **P.abteilung** *f* packaging department
Package-Vertrag *m* package contract
Pack|anlage/P.betrieb *m* packing plant; **P.arbeiten** *f* packing
Päckchen *nt* (small) packet/parcel, package; **P. packen** to make up a parcel; **P.gebühr** *f* ✉ small packet rate *[GB]*; **P.post** *f* halfpenny *[GB]*/parcel post
Packeis *nt* pack ice; **im P. festsitzen** to be icebound
Packen *m* 1. pack(age), bundle; 2. pile, stack; *nt (Verpacken)* pack(ag)ing; **P. Arbeit** load of work; **P. Briefe** bundle of letters; **P. Bücher** pile of books

packen *v/t* 1. to pack, to make up; 2. *(Ladung)* to stow; 3. *(Container)* to stuff; 4. *(gierig)* to grab/seize
Packer *m* 1. packer, stower, wrapper; 2. *(Umzug)* removal *[GB]*/moving *[US]* man; **P.ei** *f* packing department; **P.lohn** *m* 1. package, packing charge; 2. packer's wage
Pack|esel *m* 1. mule; 2. *(fig)* slave, drudge; **P.größe** *f* packaging size; **P.haus** *nt* warehouse, store; **P.hof** *m* store; **P.karton** *m* packing case; **P.kiste** *f* packing box/case; **P.lage** *f (Straße)* bottoming, road metal; **P.leinwand** *f* packcloth, packing sheet; **P.liste** *f* packing list; **P.maschine** *f* packing/wrapping machine, packer; **P.material** *nt* packing (material), wrapping, wrappage, dunnage; **P.meister** *m* head packer; **P.mittel** *nt* packing material; **P.papier** *nt* packing/wrapping/parcel paper; **festes P.papier** kraft/manila paper; **P.presse** *f* packing press, baler; **P.raum** *m* packing/wrapping room; **P.sattel** *m* pack saddle; **P.schnur** *f* twine, cord; **P.stoff** *m* packing material; **P.stück** *nt* package, parcel; **P.tier** *nt* pack animal; **P.tisch** *m* packing/wrapping table; **P.tuch** *nt* packcloth
Packung *f* 1. package, packet, parcel, packaging; 2. *(Zigaretten)* pack(et); 3. make-up; **durchsichtige P.** blister pack; **große P.** bulk pack; **metrische P.** metric pack; **verlorene P.** non-returnable packing; **wiederverwendbare P.** re-usable package
Packungs|beilage *f* 1. package insert *[US]*; 2. ⚕ instructions for use; **P.bild** *nt* brand label; **P.gestalter** *m* displayer; **P.gestaltung** *f* packaging; **P.spezialist** *m* cardboard engineer
Pack|wagen *m* 🚂 luggage van *[GB]*, baggage car *[US]*; **p.weise** *adv* in packages; **P.zettel** *m* packing slip/ticket, docket, shipping slip; **P.zwirn** *m* packing twine
pacta sunt servanda *(lat.)* § agreements must be observed
pagatorisch *adj* payments-related, cash-based
Page *m* bellboy, bellman, page
paginier|en *v/t* to number pages, to page; **P.maschnine** *f* numbering/paging machine
Paket *nt* 1. parcel, packet, package, pack; 2. *(Aktien)* lot, block (of shares), holding; **als P.** ✉ by parcel post
Paket von weniger als 100 Aktien fractional lot; **P. üblicher Art und Größe** ✉ standard parcel; **P. mit Eilzustellung** ✉ express parcel; **P. von Maßnahmen zur Konjunkturbelebung** stimulatory package; **~ Notmaßnahmen** emergency package; **~ Sparmaßnahmen** package of austerity measures; **~ Werbemaßnahmen** promotional package
Paket aufgeben to send/dispatch a parcel; **P. aufmachen** to unwrap/undo a parcel; **P. auf eine Schachtel/bis zur Sperrminorität aufrunden** *(Aktien)* to increase a stake to a qualifying minority; **P. packen** to make up a parcel; **P. verschnüren** to tie up/string a parcel; **P. zustellen** to deliver a parcel
eingeschriebenes Paket registered parcel; **gewöhnliches P.** uninsured parcel; **maßgeschneidertes P.** tailored package
Paket|abholstelle *f* parcel pick-up station; **P.abholung** *f* parcel pick-up; **P.abschlag** *m (Aktien)* share block

discount; **P.adresse** *f* label, facing slip *[US]*; **P.aktionär** *m* substantial shareholder; **P.angebot** *nt* 1. *(Kapitalanlage)* block offer; 2. bundle bidding; **P.annahme und -ausgabe** *f* parcel(s) office; **P.annahmestelle** *f* express office; **P.aufgabe** *f* ✉ parcel-post window; **P.aufklebeadresse** *f* parcel sticker, stick-on address label, facing slip *[US]*; **P.ausgabe** *f* ✉ parcel(s) delivery; **P.auslieferung** *f* package delivery; **P.beförderung** *f* transport of parcels, package shipment *[US]*; **P.bildung** *f (Aktien)* large-lot/block formation, stake-building; **P.boot** *nt* ⚓ packet, mail steamer; **P.buch** *nt* parcels book; **P.dienst** *m* 🚂/✉ parcels service/division; **P.eingangszettel** *m* parcel bill; **P.emission** *f (Aktien)* block issue/emission; **P.empfangsschein** *m* parcel receipt; **P.gebühr(ensatz)** *f/m* (postal) parcel tariff; **P.größe** *f* package size; **P.handel** *m* 1. *(Aktien)* block trading/transaction/trade, trading in blocks, large-lot dealing; 2. *(Pat.)* package licensing; **P.händler** *m* block/large-lot trader

paketieren *v/t* to package

Paket|inhaber *m* stakeholder; **P.karte** *f* dispatch note, parcel form, ~ dispatch slip; **P.kauf** *m (Börse)* block transaction; **P.lizenz** *f* package licence; **P.logistik** *f* parcels logistics; **P.lösung** *f* package solution; **P.papier** *nt* parcel paper; **P.police** *f* package policy; **P.porto** *nt* parcel postage

Paketpost *f* 1. parcel post; 2. Parcelforce ™ *[GB]*; **mit P.** by parcel post; **P.amt** *nt* parcel office; **P.dienst** *m* parcel service; **P.gebühr** *f* parcel post rate; **P.schalter** *m* parcel post window; **P.zustellung** *f* parcel delivery

Paket|schalter *m* parcels window/counter; **P.sendung** *f* parcel, package; **P.umschlagstelle** *f* parcel(s) rerouting centre; **P.verkauf** *m (Aktien)* block trading/transaction, large-lot sale; **P.verkaufsgewinn** *m* gain on share block disposal; **P.vermittlung** *f* ✆ packet switching; **P.versand** *m* parcel post shipment; **P.versicherung** *f* parcel post insurance; **P.wagen** *m* 🚂 parcels van *[GB]*, express car *[US]*; **P.zettel** *m* label; **P.zuschlag** *m (Aktien)* share block premium, extra price on block of shares, large-lot price supplement

Paketzustell|dienst *m* parcel(s) delivery service; **P.er** *m* parcel(s) delivery company/man; **P.gebühr** *f* portage; **P.ung** *f* ✉ parcels distribution, parcel(s) delivery

Pakt *m* pact, agreement, (deed of) covenant; **P. zur gegenseitigen Hilfeleistung** § mutual assistance pact; **P. (ab)schließen** to conclude a pact, to covenant; **p.ieren** *v/i* to sign a pact

Palette *f* 1. pallet; 2. range; **auf P. packen** to palletize; **hauseigene P.** captive pallet

Paletten|beförderung *f* pallet handling; **P.einheit** *f* pallet unit; **P.erfassung** *f* pallet registration; **P.fördergerät** *nt* pallet handling equipment; **P.größe** *f* pallet size; **P.hubwagen** *m* pallet truck; **P.industrie** *f* pallet industry; **P.ladung** *f* pallet load/store; **P.lager** *nt* pallet rack; **P.platz** *m* pallet station; **P.rabatt** *m* pallet allowance; **P.regalgasse** *f* pallet aisle; **P.regallager** *nt* pallet shelf storage; **P.stapel** *m* pallet rack; **P.tausch** *m* pallet exchange; **P.verwaltung** *f* pallet management; **P.ware** *f* palletized goods

palettier|en *v/t* to palletize; **P.ung** *f* palletization

Panel *nt* panel; **P.effekt** *m* panel effect; **P.erhebung** *f* panel interview; **P.sterblichkeit** *f* panel mortality

Panik *f* panic, scare; **von P. erfasst/ergriffen** panic-stricken; **in P. geraten** to panic; **P.kauf/P.käufe** *m/pl* panic buying; **P.macher** *m* scaremonger; **P.macherei** *f* scare tactics; **P.verkäufe** *pl* panic selling/sales

panisch *adj* panicky, panic-stricken

Panne *f* breakdown, failure, fiasco, slip; **P. haben** to break down; **kleine P.** slight mishap

Pannen|dienst/P.hilfe *m/f* 🚗 breakdown (and recovery) service; **p.sicher** *adj* breakdown-proof; **P.spur** *f (Autobahn)* hard shoulder; **P.versicherung** *f* breakdown insurance

Panorama *nt* panorama; **P.wagen** *m* 🚂 observation car

pansch|en *v/t* *(Wein)* to doctor/adulterate; **P.erei** *f (Wein)* doctoring

Panzer *m* armour (plating); **P.gewölbe** *nt* strongroom, vault; **P.glas** *nt* bullet-proof glass; **P.karton** *m* shielded cardboard carton; **P.knacker** *m* safe-breaker, safe-cracker; **P.schrank** *m* safe, strongbox; **im ~ verwahren** to keep under lock and key

Papier *nt* 1. paper; 2. document, bill; **P.e** 1. securities, instruments; 2. identity papers; **auf dem P.** on paper; **aus P.** paper

Papier mit schwankendem Ertrag variable-yield security; **begebbares P. einer Gesellschaft** corporate paper; **P. mit Maßeinteilung** scaled paper; **P. ohne Maßeinteilung** non-scale paper; **P. mit Trauerrand** black-edged paper; **~ Wasserzeichen** water-marked paper

Papier ist geduldig *(prov.)* paper won't blush, you can say what you like on paper; **mit falschen P.en gedeckt** masked

Papier|e aufrufen/einziehen to call in securities; **~ auslosen** to draw securities by lot; **P. begeben** to deliver an instrument; **P.e bekommen** to get one's marching orders *(coll)*; **zu P. bringen** to commit to paper, to write down; **in P. einschlagen** to wrap (up) in paper; **P. einspannen** *(Schreibmaschine)* to insert a sheet of paper; **P. linieren** to line paper; **mit P.en versehen** to furnish with documents; **seine P.e vorzeigen** to show one's papers

ausgeloste Papier|e drawn securities; **vom Konsulat ausgestelltes P.** consular document; **bankfähiges P.** bankable/bank paper; **begebbares P.** negotiable note; **beschichtetes P.** coated/laminated paper; **bezahlt P. (bP, bp)** *(Börse)* more sellers than buyers; **börsengängiges P.** quoted *[GB]*/listed *[US]* security; **diskontfähiges P.** discountable bill, paper eligible for discount; **nicht einlösbares P.** holdover *[US]*; **erstklassiges P.** *(Börse)* blue chip; **festes, braunes P.** kraft (paper); **festverzinsliches P.** fixed-interest security/stock; **fundierte P.e** consolidated stocks; **fünfprozentige P.e** fives; **international gehandelte P.e** interbourse/international securities, internationals; **rege gehandeltes P.** active stock; **schlecht gehendes P.** *(Börse)* dull performer; **gekörntes P.** 🗋 grained paper; **geldwertes P.** item of monetary value; **geleimtes P.** 🗋

sized paper; **geripptes/gestreiftes P.** *(Banknote)* laid paper; **gestrichenes P.** 1. coated paper; 2. *(Börse)* unquoted stock; **glattes P.** glazed/smooth paper; **gummiertes P.** gummed paper; **handelsfähiges P.** negotiable instrument, corporation paper *[US]*; **hochwertiges P.** *(Börse)* high-grade security; **holzfreies P.** woodfree paper; **indossables P.** negotiable instrument; **inkassofähiges P.** commercial paper; **kariertes P.** checked/squared paper; **konsolidiertes P.** consolidated stock; **kurzfristige P.e** *(Börse)* short-dated stocks; **langfristige P.e** long-dated stocks; **auf den Inhaber lautendes P.** instrument payable to bearer; **~ Namen lautendes P.** registered stock; **leeres/unbedrucktes Blatt P.** blank sheet of paper; **lieferbares P.** good trade paper; **liniertes P.** ruled paper; **marktfähiges P.** marketable security; **mattes/mattiertes P.** mat paper; **mehrlagiges P.** multi-part paper; **mündelsicheres P.** gilt-edged security *[GB]*, trust stock *[US]*, widow and orphan stock, trustee security; **notleidendes P.** document in default; **prolongiertes P.** lockup *[GB]*; **rediskont- und lombardfähiges P.** acceptable/eligible *[US]* paper; **hoch rentierliches P.** high yielder; **sachenrechtliches P.** security evidencing property rights; **satiniertes P.** glazed paper; **saugfähiges P.** absorbent paper; **schlechte P.e** *(Börse)* dubious stocks; **schweres P.** *(Börse)* heavy-priced security; **selbstdurchschreibendes P.** self-duplicating paper; **sichere P.e** gilt-edged *[GB]*/trustee *[US]* stocks; **spekulatives P.** speculative security; **totes P.** inactive security; **übertragbares P.** negotiable/assignable instrument; **umsetzbares P.** convertible paper; **unausgefülltes/unbeschriebenes P.** blank paper; **ungeleimtes P.** unsized paper; **leer verkaufte P.e** shorts; **verkehrsfähiges P.** negotiable instrument; **verpfändetes P.** pledged security; **wasserdichtes P.** waxed paper; **zedierte P.e** assigned stocks; **zentralbankfähiges P.** approved *[GB]*/eligible *[US]* security

Papier|abfälle *pl* waste paper; **P.auflage** *f* paper table; **P.beschwerer** *m* paperweight; **P.bogen** *m* sheet of paper; **P.brei** *m* (paper) pulp; **P.bremse** *f* paper brake; **P.container** *m* paper bank; **P.einband** *m* paper cover; **P.einlage** *f* paper insert; **P.einzug** *m* paper feed; **P.- und Pappeerzeugung** *f* manufacture of paper and cardboard; **P.fabrik** *f* paper mill; **P.- und Kartonfabrik** paper and packaging firm; **P.fabrikant** *m* papermaker; **P.fabrikation** *f* paper making; **P.falzmaschine** *f* paper-folding machine; **P.fetzen** *m* scrap of paper; **P.flut** *f* mounds of paper; **P.format** *nt* paper size; **P.führung** *f* paper carrier; **p.gebunden** *adj* paper-based

Papiergeld *nt* paper/token/representative/folding/soft money, paper/fractional currency; **P. ohne Deckung** fiat money; **P. mit (Edel)Metalldeckung** representative money; **entwertetes P.** rag money *[US]*

Papiergeld|ausgabe *f* issue of paper money; **P.ausweitung** *f* paper money expansion; **P.umlauf** *m* notes in circulation, paper currency; **P.währung** *f* paper currency, fiduciary standard

Papier|geschäft/P.handlung *nt/f* stationery shop *[GB]*/store *[US]*, stationer's; **P.gewinn** *m* paper prof it/surplus/gain; **P.gold** *nt (IWF)* paper gold; **P.halter** *m* paper bail; **P.handel** *m* paper trade; **P.händler** *m* stationer; **P.hersteller** *m* paper manufacturer/maker; **P.herstellung** *f* paper making; **P.industrie** *f* paper industry; **P.klammer** *f* paper clip; **P.korb** *m* waste paper basket/bin; **P.korbpost** *f* junk mail; **P.kram** *m* paperwork, bumf *(coll)*; **P.krieg** *m* red tape; **~ abwickeln/erledigen** to handle the documentation; **p.los** *adj* paperless; **P.maché** *nt* paper maché; **P.macher** *m* papermaker; **P.maschine** *f* paper machine; **P.masse** *f* (paper) pulp; **P.maß** *nt* paper measure; **P.messer** *nt* paper knife/cutter; **P.mühle** *f* paper mill; **P.öffner** *m* paper knife; **P.recycling** *nt* (waste) paper recycling; **P.sack** *m* paper bag; **P.schere** *f* paper scissors; **P.schneidemaschine/P.schneider** *f/m* paper cutter, ~ cutting machine; **P.schnitzel** *pl* scraps of paper; **P.serviette** *f* paper napkin; **P.standard** *m (Geld)* fiat standard; **P.streifen** *m* 1. tape; 2. *(Telegrafie)* ticker tape; **P.tapete** wallpaper; **P.taschentuch** *nt* paper tissue/handkerchief; **P.tiger** *m (fig)* paper tiger *(fig)*; **P.transport/P.vorschub** *m* paper feed; **P.trennmaschine** *f* paper burster; **P.tüte** *f* paper bag; **P.valuta** *f* paper currency/basis; **P. verarbeitend** *adj* paper-processing; **P.verarbeiter** *m* paper converter/processor; **P.verarbeitung** *f* paper converting/processing; **P.verlust** *m* paper loss; **P.währung** *f* paper currency/standard/basis, fiat standard; **P.waren** *pl* stationery; **P.warengeschäft** *nt* stationer's, stationery shop *[GB]*/store *[US]*; **P.wert** *m* 1. book value; 2. paper asset/security; **P.wolf** *m* shredder; **P.wolle** *f* shredded paper; **P.zeichen** *nt* watermark; **P.zoll** *m* paper duty; **P.zuführung** *f* paper feed

Papp|becher *m* paper cup; **P.deckel** *m* paper board

Pappe *f* *(Karton)* (box)board, cardboard, paperboard, pasteboard; **starke P.** millboard

kein Pappenstiel *m* *(coll)* no trifling matter; **keinen P. wert** *(coll)* not worth a bean *(coll)*; **für einen P. kaufen** *(coll)* to buy on the cheap; **~ verkaufen** *(coll)* to sell for a song *(coll)*

Papp|karton *m* cardboard/paper box, carton; **P.maché** *nt* paper mâché; **P.rolle** *f* mail tube; **P.schachtel** *f* cardboard box

Parabel *f* parable; **p.förmig** *adj* parabolic

Parabol|antenne *f* dish receiver, dish *(coll)*; **~ zum Empfang von Satellitenfernsehen** satellite dish; **p.isch** *adj* parabolic

Parade|beispiel *nt* object lesson, perfect/prime example; **P.fall** *m* textbook/striking case; **P.pferd/P.stück** *nt (coll)* showpiece, flagship *(fig)*; **P.werte** *pl (Bilanz)* window-dressing figures

paradox *adj* paradoxical; **P.on** *nt* paradox

Paraffinpapier *nt* wax paper

para|fiskalisch *adj* quasi-governmental; **P.fiskus** *m* auxiliary fiscal agent, intermediary fiscal power

Paragraf *m* paragraph, article, clause, section; **in P.en einteilen** to paragraph; **unter einen P.en fallen** to be covered by a clause, to fall within a section

Paragrafen|gestrüpp *nt* meshes of the law, tangled mass of regulations; **P.reiter** *m* pettifogger, legalist stickler; **P.reiterei** *f* red-tapism, pettifogging, officialism; **P.überschrift** *f* paragraph header; **P.werk** *nt* rules and regulations; **P.zeichen** *nt* § section/paragraph mark

parallel *adj* parallel, concurrent; **p. zu** in line with; **p. schalten** ⚡ to parallel

Parallel|anleihe *f* parallel loan; **P.anmeldung** *f (Pat.)* copending application; **P.arbeit** *f* concurrent operation; **P.betrieb** *m* parallel operation; **P.buchung** *f* parallel posting; **P.devisenmarkt** *m* parallel (currency) market

Parallele *f* parallel; **P. ziehen** to draw a parallel

Parallel|erzeugnis *nt* spin-off product; **P.fall** *m* parallel case; **P.fertigung** *f* parallel production; **P.fonds** *m* sister fund; **p. geschaltet** *adj* ⚡ parallel; **P.gesetzgebung** *f* parallel/concurrent legislation; **P.handel** *m* parallel trading

Parallelität *f* parallelism

Parallel|kredit *m* syndicate/parallel credit; **P.lauf** *m* 💻 parallel operation/run; **P.markt** *m* parallel market; **P.periode** *f* corresponding period; **P.politik** *f* procyclical fiscal policy; **P.rechner** *m* parallel computer; **P.schaltung** *f* 1. ⚡ parallel connection, multiple; 2. *(Politik)* keeping in line; **P.stichprobe** *f* duplicate sample; **P.übertragung** *f* parallel transfer; **P.übertragungsbuchung** *f* parallel posting; **P.veranstaltung** *f* overflow meeting; **P.verarbeitung** *f* parallel processing; **bewusstes P.verhalten** conscious parallelism; **P.verkehr** *m* 💻 computing traffic; **P.versuch** *m* ▦ replication; **P.währung** *f* parallel currency/standard; **P.wertung** *f* comparative valuation; **P.wirtschaft** *f* hidden/underground/irregular economy; **P.zugriff** *m* parallel access

paralysieren *v/t* to paralyze/cripple

Parameter *m* 1. parameter; 2. ▦ argument; **P. der Grundgesamtheit** ▦ population parameter; **~ Streuung** parameter of dispersion; **lästiger P.** nuisance parameter; **statistischer P.** statistical parameter

parameter|frei *adj* non-parametric; **p.gesteuert** *adj* π parameter-controlled; **P.gleichung** *f* parametric equation; **P.raum** *m* ▦ parameter space; **P.schätzung** *f* ▦ estimation of parameters

para|metrieren *v/t* to parametrize; **p.metrisch** *adj* parametric; **p.militärisch** *adj* paramilitary; **p.monetär** *adj* non-financial, non-monetary

Paraph|e *f* initial(s); **p.ieren** *v/t* to initial, to append one's initials; **P.ierung** *f* initialling (of a treaty)

Paraphras|e *f* paraphrase; **p.ieren** *v/t* to paraphrase

Parasit *m* parasite, sponger, leech

parat *adj* ready, prepared, at one's fingertips

paratarifär *adj* para-tariff, non-tariff

Parcelschein *m* parcel receipt

Parentelenerbfolge *f* § parentelic succession

Parenthese *f* parenthesis

Parfümerie *f* cosmetics shop

Pari *nt (Börse)* par (value); **al/zu p.** at par, at face value; **über P.** at a premium, above par; **unter P.** at a discount, below par

über Pari notieren/stehen to quote above par, to be at a premium, ~ quoted above par; **P. stehen** to be at par/parity, to stand at par/parity; **unter P. stehen** to be quoted below par; **~ verkaufen** to sell at a discount from face value

Pari|ausgabe/P.emission *f* par issue, issue at par; **P.bezugsrecht** *nt* par-rights issue; **P.einlösung** *f* redemption at par

parieren *v/ti* to obey, to toe the line

Pari|grenze *f* parity; **P.kurs** *m* parity price, par (price/rate), (commercial) par of exchange, par exchange rate; **P.platz** *m* par point *[US]*; **P.rückzahlung** *f* redemption at par; **P.satz** *m* par exchange rate

Pariser Club *m* Paris Club, Group of Ten; **P. Verbandsübereinkunft zum Schutz des gewerblichen Eigentums** Paris Convention for the Protection of Industrial Property

Parität *f* 1. parity, equality; 2. par value; 3. foreign exchange rate; **P. der Kaufkraft** purchasing power parity

feste Parität fixed parity; **künstlich gehaltene P.** pegged exchange rate; **gerade P.** even parity; **gleitende P.** crawling peg; **indirekte P.** cross rate; **Londoner P.** London equivalent; **rechnerische P.** calculated parity; **veränderliche P.** adjustable peg

Paritäten|änderung *f* parity change; **P.gitter/P.raster** *nt* parity grid, grid of parities; **P.tafel** *f* parity table

paritätisch *adj* on an equal footing, at par

Paritäts|änderung *f* parity change; **mittelfristig garantierter P.anstieg** crawling peg; **P.fehler** *m* 💻 parity error; **P.freigabe** *f (Wechselkurs)* floating; **P.gefüge** *nt* parity structure; **P.klausel** *f* parity clause; **P.kontrolle** *f* exchange control; **P.marge** *f* parity margin; **P.neufestsetzung** *f* change in par value; **P.neuordnung** *f* currency realignment; **P.preis** *m* parity price; **P.preissystem** *nt* parity price system; **P.prinzip** *nt* parity/equality principle; **P.prüfung** *f* parity check; **P.punkt** *m* parity/basing point; **P.rechte** *pl* parity rights; **P.system** *nt* parity system, par value system; **P.tabelle** *f* parity table; **P.veränderung** *f* parity change; **P.verhältnis** *nt* parity; **~ beibehalten** to remain at par; **P.wechsel** *m* bill at par; **P.wert** *m* par value; **P.ziffer** *f* parity digit

Pari|wechsel *m* bill at par; **P.wert** *m* par/nominal/face value, parity, nominal par; **über dem ~ stehen** to be at a premium

Park|(anlage) *m/f* park, pleasure ground; **p.artig** *adj* park-like; **P.beschränkungen** *pl* 🚗 parking restrictions; **P.bestimmungen** *pl* 🚗 parking regulations; **P.bucht** *f* 🚗 parking bay, layby; **P.deck** *nt* parking level

Parken *nt* parking; **P. auf eigene Gefahr** parking at owner's risk; **P. nur für Kunden** patrons only; **P. in der Tiefgarage** underground parking

parken *v/ti* 1. to park; 2. to invest temporarily; **p.d** *adj* 🚗 stationary

Parkett *nt* 1. parquet; 2. *(Börse)* (trading) floor, official market; 3. 🎭 stalls; **auf dem P.** *(Börse)* on the floor; **P.broker** *m (Börse)* floor broker; **P.handel** *m* floor trading; **P.händler** *m* floor trader; **P.platz** *m* 🎭 seat in the stalls

Parklfläche *f* parking facilities/area; **P.gebühr** *f* parking fee; **P.(hoch)haus** *nt* multi-storey car park, public garage *[US]*; **P.kino** *nt* drive-in cinema; **P.kontrolleur** *m* traffic warden *[GB]*; **P.kralle** *f* wheel clamp; **P.landschaft** *f* parkland; P.**licht** *nt* parking light(s); **P.lücke** *f* gap, space

Parkmöglichkeit(en) *f/pl* parking facilities; **kostenlose P.** free parking; **unterirdische P.** underground parking

Parkplatz *m* 1. car park, parking lot *[US]*/place/area/bay; 2. temporary investment; **öffentlicher P.** public car park; **P.wächter** *m* car park attendant

Parklproblem *nt* parking problem; **P.raum** *m* parking area/space; **P.scheibe** *f* parking disk; **P.scheibensystem** *nt* disk parking; **P.sünder** *m* parking offender; **P.uhr** *f* (parking) meter *[GB]*, parkometer *[US]*; **P.verbot** *nt* 1. parking ban; 2. no parking; **P.verbotsschild** *nt* no parking sign; **P.vergehen** *nt* parking offence/violation; **P.vorschriften** *pl* parking regulations; **P.wächter** *m* 1. park keeper; 2. 🚗 car park attendant; **P.zeit** *f* parking time; **P.zettel** *m* parking ticket; **P.zone** *f* parking area

Parlament *nt* parliament, diet; **P. ohne eindeutige Mehrheitsverhältnisse** hung parliament *[GB]*; **dem P. verantwortlich** accountable to parliament

Parlament auflösen to dissolve (the) parliament; **P. einberufen** to summon parliament, to convene/convoke a parliament; **P. eröffnen** to open parliament; **für das P. kandidieren** to stand for parliament; **ins P. kommen** to get into parliament; **P. vertagen** to prorogue parliament; **ins P. wählen** to elect, to return to the House of Commons *[GB]*, ~ to Parliament *[GB]*

Parlamentarlier *m* legislator, parliamentarian, member of parliament (MP), Congressman *[US]*; **p.isch** *adj* parliamentary; **P.ismus** *m* parliamentary system, parliamentarism

Parlamentslabgeordneter *m* member of parliament (MP) *[GB]*, Congressman *[US]*; **P.akte** *f* Act of Parliament, statute; **P.anklage** *f* § impeachment *[US]*; **P.auflösung** *f* dissolution of parliament; **P.ausschuss** *m* parliamentary/congressional *[US]* committee; **P.bannmeile** *f* parliamentary precincts; **P.beschluss** *m* parliamentary act, resolution adopted by parliament, Act of Parliament *[GB]*; **P.debatte** *f* parliamentary/congressional *[US]* debate; **P.eröffnung** *f* opening of parliament; **P.ferien** *f* parliamentary/congressional *[US]* recess; **in die ~ gehen** to rise for the recess; **P.fraktion** *f* parliamentary group/party; **P.frieden** *m* inviolacy of parliament; **P.gebäude** *nt* parliamentary builing, Palace of Westminster *[GB]*, Houses of Parliament *[GB]*, Capitol *[US]*, Statehouse *[US]*; **P.immunität** *f* parliamentary privilege/immunity; **P.mandat** *nt* parliamentary mandate; **P.mehrheit** *f* parliamentary majority; **P.mitglied** *nt* member of parliament (MP), Congressman *[US]*; **P.nötigung** *f* obstruction of members, ~ parliamentary proceedings; **P.präsident** *m* speaker; **P.privileg** *nt* parliamentary privilege; **P.sitz** *m* seat in parliament, congressional seat *[US]*; **P.sitzung** *f* sitting; **P.verurteilung** *f* § bill of attainder; **P.vorlage** *f* bill; **P.wahl** *f* parliamentary/general election; **P.wahlkreis** *m* constituency

Parole *f* 1. ✈ password, watchword; 2. injunction, slogan, catch phrase; **die P.** *(coll)* the name of the game *(coll)*

jdm Paroli bieten *nt* to stand up to so., to check so.

Partei *f* 1. party, faction; 2. part; 3. partnership; 4. § party, litigant; **P. im Armenrecht** assisted/legally aided person, pauper; **P. eines Rechtsstreits/in einem Zivilprozess** § party in a lawsuit, party to a dispute/lawsuit, litigant, litigator

keiner Partei angehörend non-partisan; **die P.en sind bestrebt** § the parties are desirous; **mit dem beide P.en einverstanden sind** agreeable to both; **von einer P. kommend** § ex parte *(lat.)*; **streitig gegen eine P.** in adversum *(lat.)*

einer Partei angehören to belong to a party, to be a party member; **sich ~ anschließen; ~ beitreten** to join a party; **aus der P. ausschließen/ausstoßen** to expel from the party; **~ austreten** to leave the party; **P.en belehren** § to caution the parties; **P. bilden** to form a party; **P. ergreifen/nehmen** to take sides, to side with; **~ für** to side with, to take the part of; **~ gegen** to side against; **nicht P. ergreifen**; **es mit keiner P. halten** to be neutral, to sit on the fence *(fig)*; **den P.en Gelegenheit zur Stellungnahme geben** to hear the parties; **quer durch die P.en gehen** to cut across party lines; **P. gründen** to found a party; **P. nehmen** to take sides, to side with; **P. sein bei** 1. to be a party to; 2. to be prejudiced/biased; **P. spalten** to split a party; **P. verbieten** to proscribe/ban a party; **P. verlassen** to leave a party; **P.en vernehmen** § to hear the parties; **P.en vorladen** § to summon the parties; **P. wählen** to vote for a party

abgewiesene Partei § unsuccessful plaintiff, non-suited party; **abwesende P.** defaulting party; **antragstellende P.** applicant, petitioning party, claimant, mover; **arme P.** § pauper; **an der Macht befindliche P.** ruling party, party in power; **im Verzug ~ P.** defaulting party, party in default, defaulter; **beklagte P.** defendant, party sued/defendant; **benachteiligte/beschwerte P.** aggrieved/injured party; **berechtigte P.** entitled party; **beschwerdeführende P.** appellant, appealing party; **beteiligte P.** party involved, ~ in interest; **nicht ~ P.** third party; **am Verfahren ~ P.** party to the proceedings; **betreibende P.** prosecuting party; **betroffene P.** party affected; **bürgerliche P.** middle-class party; **erschienene P.** party present, appearing party; **nicht ~ P.** defaulting party; **gegnerische P.** opponent; **geladene P.** summoned party; **geschädigte P.** aggrieved/injured party; **geschäftsfähige P.** competent party; **interessierte P.** interested party; **klagende/klägerische P.** plaintiff, claimant; **kontraktbrüchige P.** defaulting party; **kostenpflichtige P.** party liable for costs; **aktiv legitimierte P.** real/entitled party; **mitteilende P.** notifying party; **obsiegende P.** successful/prevailing party, ~ litigant; **politische P.** political party; **prozessführende P.** litigant, party to an action; **regierende P.** ruling party, party in power; **säumige P.** defaulting party, defaulter, party in default; **schuldige P.** guilty/offending party; **streitende P.** litigant, contestant, party to a dispute; **~ P.en** contending parties; **unterlegene P.**

unsuccessful/defeated party; **verfassungswidrige P.** unconstitutional party; **verpflichtete P.** party to the contract; **vertraglich ~ P.** party liable under a contract, contractually obligated party; **vertragsbrüchige P.** party in breach, defaulting/non-observant party; **vertragsschließende P.** § contracting party/vehicle; **vertragstreue P.** non-defaulting/observant party; **wirkliche P.** party in interest *[US]*; **zum Armenrecht zugelassene P.** pauper, poor person

Partei|abrede *f* stipulation, understanding between the parties; **P.anhänger** *m* partisan; **P.antrag** *m* § ex parte *(lat.)* application; **P.apparat** *m* party/political machine(ry); **P.ausschluss** *m* expulsion from the party; **P.austritt** *m* resignation from a party; **P.basis** *f* rank and file (membership), grass roots *(fig)*; **P.behauptung** *f* § allegation; **P.beitrag** *m* party dues; **P.beitritt** *m* joining a party; **P.beschluss** *m* party vote; **sich an die P.beschlüsse halten** to toe the line; **P.buch** *nt* membership card; **P.buchwirtschaft** *f* nepotism, spoils system *[US]*; **P.chef** *m* party leader; **P.eid** *m* 1. § oath in litem *[lat]*, suppletory oath; 2. *(Schiedsgericht)* decisive oath; **P.einvernahme** *f* § interrogation/examination of a party

Parteien|anklage *f* § partisan charge; **P.privileg** *nt* party privilege, privilege of political parties; **P.vereinbarung** *f* contractual stipulation, agreement by the parties; **P.vertreter** *m* § representative

parteifähig *adj* § suable, capable of being a party in a lawsuit; **P.keit** *f* § suability, capacity to be a party in a lawsuit, ~ to sue and be sued; **passive P.keit** passive title, suability

Partei|flügel *m* party wing; **P.freund** *m* fellow party member; **P.führer** *m* party leader; **P.führung** *f* party leadership/executive; **P.funktionär** *m* party official/agent; **P.gänger** *m* partisan, sectarian; **P.geist** *m* party spirit, factionalism; **P.genosse/P.genossin** *m/f* (party) comrade, fellow party member; **P.geschäftsführer** *m* party manager, managing director of a party; **P.gesinnung** *f* party spirit; **P.gezänk** *nt* party quarrel; **über P.grenzen hinweg** *pl* across party lines; **P.gruppe/P.gruppierung** *f* faction; **P.handlung** *f* act of party; **P.herrschaft** *f* party rule; **P.ideologe** *m* policy-maker; guru *(coll)*; **p.intern** *adj* within the party; **p.isch** *adj* partial, partisan, biased; **~ sein** to be prejudiced; **P.kasse** *f* party funds; **p.lich** *adj* partisan, biased; **P.lichkeit** *f* partiality, bias; **P.linie** *f* party line; **sich an die ~ halten** to toe the line; **P.liste** *f* party list, ticket *[US]*; **p.los** *adj* independent; **P.lose(r)** *f/m* independent, neutral; **P.mann** *m* party man, partisan; **P.mitglied** *nt* party member; **P.mitgliedschaft** *f* party membership; **P.nahme** *f* partisanship, espousal; **P.organ** *nt* party organ; **P.organisation** *f* party machine(ry)/organisation; **P.politik** *f* party politics; **p.politisch** *adj* party-political; **P.programm** *nt* (party) program(me)/platform/manifesto, ticket *[US]*; **offizielles P.programm** party line; **P.spaltung** *f* party split; **P.spende** *f* donation to a political party, political contribution; **P.system** *nt* party system; **P.tag** *m* party conference/convention *[US]*; **p.übergreifend** *adj* cross-party; **P.umlage** *f (Gewerkschaften)* political levy *[GB]*; **P.verbot** *nt* ban/prohibition/proscription of a party; **P.vergleich** *m* § equitable arrangement; **P.vernehmung** *f* § interrogation/examination of a party; **P.verrat** *m* § *(Anwalt)* prevarication, double-crossing of a client by a lawyer; **~ begehen** § to prevaricate; **P.versammlung** *f* party meeting; **P.volk** *nt* (party) rank and file

Parteivorbringen *nt* § judicial declaration; **mutwilliges P.** sham pleading; **zusätzliches P.** supplemental pleading

Partei|vorsitzende(r) *f/m* party chairwoman/chairman; **P.vorstand** *m* party executive; **P.vortrag** *m* § pleadings; **P.wille** *m* § intention of the parties; **mutmaßlicher P.wille** implied terms; **P.zeitung** *f* party paper; **P.zentrale** *f* party headquarters; **P.zugehörigkeit** *f* party membership

Parten|inhaber *m* ⚓ part-owner/co-owner of a ship; **P.reeder** *m* ⚓ joint owner, co-owner; **P.reederei** *f* ⚓ shipowning partnership, part/joint ownership

Parterre *nt* ground *[GB]*/first *[US]* floor; **P.geschoss** *nt* basement; **P.wohnung** *f* ground-floor flat *[GB]*, first-floor apartment *[US]*

Partial|abschöpfungszahlung *f* partial skimming-off payment; **P.analyse** *f* partial analysis; **dynamische P.analyse** partial dynamics; **P.interesse** *nt* sectional interest; **P.modell** *nt* partial model; **P.planungsrechnung** *f* sectoral/departmental budgeting; **P.schaden/P.verlust** *m* partial average/loss

partiarisch *adj* *(Darlehen)* with-profit participation

Partie *f* 1. lot, batch, consignment; 2. part, section, line; 3. *(Aktien)* parcel, block; 4. *(Heirat)* match; **in P.n** in lots; **~ aufteilen** to lot out; **P.n von etw. kaufen** to buy as a job lot; **mit von der P. sein** to join in, to be in on sth., ~ one of the party; **P. verlieren** to lose a game; **ungerade P.** odd lot; **zweitklassige P.** *(Ware)* cheap line

Partie|artikel *m* *(Buch)* remainder; **als ~ verkaufen** to remainder; **P.ergänzung** *f (Buchhandel)* batch/lot completion; **P.fertigung** *f* production in lots; **P.fracht** *f* 1. part(ial) consignment/shipment, less-than-carload lot, part cargo/-load, mixed/general cargo; 2. 🚆 part wag(g)onload/truckload; **P.größe** *f* batch size; **P.handel** *m* spot business; **P.kauf** *m* sale by lot

partiell *adj* partial, sectional, here and there, localized

Partie|muster *nt* stock-lot sample; **p.nweise** *adj* in lots; **P.preis** *m* 1. wholesale price; 2. *(Buchhandel)* special terms; **P.produktion** *f* production in lots; **P.prüfung** *f* batch testing; **P.streuung** *f* batch variation; **P.stück** *nt* *(Buchhandel)* lot item; **P.verkauf** *m* partial sale

Partieware *f* job lot; **P.ngeschäft/P.nhandel** *nt/m* job lot trade; **P.nhändler** *m* jobber, middleman

Partikel *m* particulate; **P.emission** *f* 1. particulate issue; 2. 🏭 emission of particles

Partikularhavarie *f* particular average (p.a.)

Partikular|ismus *m* ⚓ particularism, sectionalism; **p.istisch** *adj* sectionalist

Partikulier *m* 1. ⚓ barge owner; 2. motorized barge; **P.schifffahrt** *f* private inland waterway shipping, ~ shipping trade

Partizipation *f* participation

Partizipations|geschäft *nt* joint undertaking/transaction/business, enterprise on/for joint account, business on joint account, syndicate business; **P.grad** *m* degree of employee participation; **P.konto** *nt* joint/co-participant's account; **P.planung** *f* participatory planning; **P.rechnung** *f* joint account; **P.schein** *m* participating receipt

partizipieren *v/i* to participate, to take part, to have an interest/a share

Partner|(in) *m/f* (co-)partner, associate, joint proprietor; **... und Partner** § and others; **P. vor Ort** local partner; **als P. aufnehmen** to admit as partner, to take (as) a partner; **jds P. sein** to partner so.; **ebenbürtiger P.** equal partner; **einheimischer P.** local partner; **geschäftsführender P.** acting partner

Partner|bank *f* associate bank; **P.gesellschaft** *f* partnership enterprise; **P.land** *nt* member/associated country

Partnerschaft *f* 1. partnership, association; 2. membership; **P. mit dem Kunden** customer partnership; **betriebliche P.** industrial (co-)partnership; **soziale P.** management and labour; **p.lich** *adj* on a partnership basis; **totale P.sideologie** full membership ideology; **P.sunternehmen** *nt* partnership enterprise, co-partnership company; **P.svertrag** *m* partnership contract/agreement

Partner|staat *m* partner country; **P.stadt** *f* twin(ned) town, sister city *[US]*; **P.vermittlung** *f (Personen)* dating service; **P.währung** *f* partner currency

Party *f* party; **P.service** *m* party catering service

Parvenu *m* upstart

Parzelle *f* plot, lot, parcel (of land), allotment; **P. abstecken** to mark out a plot of land; **in P.n aufteilen** to parcel (out), to lot out *[US]*

parzellieren *v/t* to parcel (out), to lot out *[US]*

Parzellierung *f* parcellation, subdivision *[US]*, parcelling (out); **P.sgesellschaft** *f* freehold land society; **P.swesen** *nt* smallholding system

Pass *m* 1. passport; 2. pass

Pass ändern to amend a passport; **P. ausstellen** to issue a passport; **P. beantragen** to apply for a passport; **P. erneuern/verlängern** to renew a passport; **seinen P. vorzeigen** to show one's passport

abgelaufener Pass expired passport; **gültiger P.** valid passport; **provisorischer P.** (temporary) visitor's passport

passabel *adj* tolerable, acceptable

Pass|abfertigung *f* passport control; **P.abteilung** *f* passport department

Passage *f* 1. passage (way); 2. arcade; **P.gebühr** *f* (toll) rate

Passagier *m* passenger; **P. auf der Warteliste** standby passenger

Passagier|e absetzen to put/set down passengers, ⚓ to disembark passengers; ~ **aufnehmen** to pick up passengers, ⚓ to embark passengers; ~ **befördern** to carry passengers; ~ **einschiffen** to embark passengers; **als blinder P. mitreisen** to stowaway

blinder Passagier stowaway, deadhead *[US]*; **unentgeltlich fahrender P.** non-fare-paying passenger; **zahlender P.** revenue passenger

Passagier|abfertigung *f* passenger handling; **P.aufkommen** *nt* passenger volume/carryings/traffic/figures, volume of passengers, carryings; **P.beförderung/P.dienst** *f/m* passenger service; **P.dampfer** *m* passenger steamer, ocean liner; **P.einschiffung** *f* embarkation; **P.flugverkehr** *m* civil aviation; **P.flugzeug** *nt* airliner, passenger plane/aircraft; **P.geld** *nt* fare; **P.gepäck/P.gut** *nt* luggage *[GB]*, baggage *[US]*; **P.kabine** *f* passenger cabin; **P.kilometer** *m* passenger mile; **P.klasse** *f* class; **P.ladefaktor** *m* passenger load factor; **P.liste** *f* muster roll, passenger manifest/list, list of passengers, manifest, waybill (W.B.); **P.maschine** *f* airliner, passenger plane; **P.makler** *m* runner; **P.raum** *m* cabin; **P.schiff** *nt* passenger liner; **P.schifffahrt** *f* passenger shipping; **P.umschlag** *m* passenger handling; **P.verkehr** *m* passenger traffic; **P.verkehrsdichte** *f* passenger density

Passänderung *f* amendment of a passport

Passant *m* passer-by; **P.enhotel** *nt* transit *[GB]*/transient *[US]* hotel; **P.enverkehr** *m* pedestrian traffic

Passantrag *m* passport application

Passat(wind) *m* trade wind

Pass|beamter *m* passport official; **P.behörde** *f* passport office; **P.besitzer(in)** *m/f* passport holder; **P.bestimmungen** *pl* passport regulations/provisions; **P.bild** *nt* passport photo; **P.büro** *nt* passport office

passé *adj (Auktion)* no bid

passen *v/i* 1. to fit (the bill), to suit; 2. to make no bid; **wenn es Ihnen passt** at your convenience; **p. zu** to match, to go with; **besser p.** to be a closer match; **zueinander p.** to interface with, to match

passend *adj* suitable, appropriate, matching, matched, proper, applicable; **genau p.** spot on *(coll)*; **schlecht p.** ill-matched, ill-adapted; **p. zu** germane to; **etw. p. machen** to make sth. fit, to tailor sth.; **p. sein** to fit the bill

Passepartout *m* passe-partout, master/pass *[US]* key

Pass|erneuerung *f* passport renewal; **P.fälschung** *f* passport forgery; **P.form** *f* fitting; **P.foto** *nt* passport photograph; **P.freiheit** *f* passports not required; **P.gebühr** *f* passport fee

passierbar *adj* 1. passable; 2. trafficable, ⚓ navigable; **P.keit** *f* trafficability, ⚓ navigability

passieren *v/t* 1. to pass; 2. *(Hindernis)* to negotiate; *v/i* to happen/occur; **glatt p.** to sail through *(fig)*

Passier|gewicht *nt (Münzen)* tolerance; **P.schein** *m* pass (check), (entry) permit; **P.zettel** *m* 1. permit; 2. ⊝ docket *[GB]*

Passinhaber *m* passport holder

passiv *adj* 1. passive, inactive; 2. *(Bilanz)* adverse, unfavourable; **chronisch p.** deficit-ridden

Passiva *pl* liabilities, accounts payable, debts; **als P. behandeln** to carry as liabilities

antizipative Passiva deferred expenses, accrued payables/expense/liabilities/income; **kurzfristige P.** current liabilities; **transitorische P.** accounts received in advance, deferred assets/credits/income/revenue/liabilities, suspense liabilities; **verzinsliche P.** interest-bearing liabilities

Passiv|bereich *m* deficit area; **P.bilanz** *f* adverse/unfavourable balance; **P.bestand** *m* liabilities; **P.differenz** *f* minus difference; **P.finanzierung** *f* liabilities-side financing; **P.gelder** *pl* borrowings, borrowed funds; **kurzfristige P.gelder** short-term liabilities; **P.geschäft** *nt* 1. *(Bank)* borrowing transaction; 2. deposit, borrowing and bond-sale business, deposit business/function; 3. transaction creating a liability, liabilities-side business; **P.handel** *m* import trade/commerce, passive trade; **P.hypothek** *f* mortgage debt

passivieren *v/t* to carry/show as liabilities

Passivierung *f* capitalization, carrying as liabilities, moving into/heading for a deficit; **P. der Handelsbilanz** appearance of a deficit on trade; **~ Kapitalbilanz** deterioration of the balance on capital account; **P. im Warenaußenhandel** adverse trade balance

Passivierungs|gebot *nt* mandatory inclusion as a liability; **P.pflicht** *f* obligation to disclose/carry as liabilities; **P.recht** *nt* right to carry as liabilities; **P.verbot** *nt* prohibited inclusion as a liability; **P.wahlrecht** *nt* optional inclusion as a liability

passivisch *adj* on the liabilities side

Passivität *f* inaction, passivity

Passiv|konto *nt* liability account; **P.kredit** *m* borrowing; **P.legitimation** *f* capacity/liability to be sued, answerability as the proper party; **P.masse** *f* liabilities, accounts payable; **P.obligationen** *pl* passive bonds; **P.periode** *f* deficit period; **P.position** *f* liabilities

Passivposten *m* debit/liability item, debit entry; **P. der Rechnungsabgrenzung** deferred income/credits; **~ Zahlungsbilanz** debit item of the balance of payments

Passivprozess *m* § defendant's lawsuit, litigation as a defendant

Passivsaldo *m* debit/adverse balance, net liabilities, deficit; **P. im Außenhandel; P. in der Handelsbilanz** (balance of) trade deficit, adverse trade balance; **P. im Waren- und Dienstleistungsverkehr** deficit on trade and services; **P. der Zahlungsbilanz** balance of payments deficit

Passiv|schulden *pl* accounts/debts payable; **P.seite** *f* *(Bilanz)* debit/liabilities side; **auf der ~ führen** to carry as a liability; **P.struktur** *f* liabilities structure; **P.tausch** *m* accounting exchange on the liabilities side

Passivum *nt* liability, deficit

Passiv|wechsel *pl* bills payable; **P.wert** *m* debtor's figure; **P.zins** *m* 1. interest due/payable; 2. interest on deposits, ~ credit balances, credit interest, deposit rate

Pass|kontrolle *f* passport control; **P.stelle** *f* passport office; **P.straße** *f* pass

Passungsfamilie *f* set of fittings

Passus *m* passage

Pass|vergehen *nt* passport offence, offence against the passport regulations; **P.verlängerung** *f* renewal of a passport; **P.vermerk** *m* visa; **P.vorlage** *f* submission of passport; **P.wort** *nt* 🖳 password; **P.zwang** *m* passport requirement

pasteurisieren *v/t* to pasteurize

Pate *m* godfather; **P. stehen** 1. to sponsor/patronize; 2. *(Kind)* to be godfather; **P.nschaft** *f* sponsorship, patronage; **P.nstadt** *f* twin(ned) town

Patent *nt* 1. (letters) patent; 2. ⚓ warrant; **P. in Aussicht; P. angemeldet** patent pending, ~ applied for; **das P. betrifft** the patent covers; **durch P. geschützt** patented

Patent abtreten to assign a patent; **P. anfechten** to challenge/contest a patent; **(zum) P. anmelden** to apply for/register/take out a patent, to file an application for a patent, ~ a patent application; **P. aufgeben** to surrender a patent; **P. aufrechterhalten** to maintain a patent; **P. ausnutzen/ausüben/auswerten** to work/use/exploit a patent; **P. ausstellen** to issue a patent; **P. beantragen** to apply for a patent; **P. berichtigen** to amend a patent; **P. besitzen** to hold a patent; **P. bewerten** to appraise a patent; **P. eintragen** to register a patent; **P. erhalten** to be granted a patent; **P. für nichtig erklären** to nullify a patent; **P. erteilen** to grant/issue/obtain a patent; **P. erwerben** 1. to acquire a patent; 2. ⚓ to qualify; **zum P. führen** to mature into a patent; **P. verfallen lassen** to abandon/drop a patent, to permit a patent to lapse/expire; **P. löschen** to cancel a patent; **P. nehmen** to take out a patent; **P. nutzen/verwerten** to work/use/exploit a patent; **P. übertragen** to assign a patent; **P. umgehen** to circumvent a patent; **P. verlängern** to renew a patent, to extend the term of a patent; **P. verletzen** to infringe a patent; **P. versagen/verweigern** to refuse a patent; **auf ein P. verzichten** to abandon a patent; **P. zurücknehmen** to revoke a patent

abgelaufenes Patent expired/lapsed patent; **noch nicht ~ P.** unexpired patent; **durch Verschulden des Vorgängers ~ P.** lapsed patent; **abhängiges P.** dependent patent; **älteres P.** prior patent; **angefochtenes P.** contested patent; **angemeldetes P.** patent(s) pending, filed patent; **bahnbrechendes P.** pioneer patent; **nebeneinander bestehende P.e** coexistent patents; **einheitliche P.e** unitary patents; **einwandfreies P.** clean patent; **endgültiges P.** complete patent; **entgegengehaltenes P.** cited/reference patent; **erloschenes P.** expired/extinct/lapsed patent; **erteiltes P.** patent granted, issued patent; **europäisches P.** European patent; **früheres P.** prior patent; **gemeinsames P.** joint patent; **gültiges P.** valid/active patent, patent in force; **jüngeres P.** subsequent patent; **kollidierendes P.** interfering patent; **laufendes P.** patent(s) pending; **parallel ~ P.** collateral patent; **mangelhaftes P.** defective patent; **nationales P.** national patent; **pharmazeutisches P.** pharmaceutical patent; **rechtsgültiges P.** valid patent; **selbstständiges P.** independent patent; **streitgegenständliches P.** § litigious patent; **strittiges P.** conflicting patent; **umfassendes P.** blanket *[US]*/complete/broad patent; **ungeprüftes P.** patent without examination, unexamined patent; **verfallenes P.** expired/lapsed patent

Patent|abänderung *f* variance; **scheinbare ~ zu Umgehungszwecken** colourable alteration; **P.abgabe** *f* royalty; **P.ablauf** *m* expiration of patent; **P.abteilung** *f* patent(s) department/division; **P.abtretung** *f* patent assignment

Patentamt *nt* 1. patent office; 2. Controller/Commissioner *[US]* of Patents; 3. *(Warenzeichen)* Designs and Trademarks *[GB]*, Registrar of Trademarks *[GB]*; **beim**

P. niederlegen to lodge/file with the patent office; **Europäisches P.** European Patent Office; **Internationales P.** International Patent Office (The Hague); **P.sbeglaubigung** *f* docket

Patent|änderung *f* variance; **P.anfechter** *m* patent challenger; **P.angelegenheit** *f* patent matter; **P.anmelder** *m* (patent) applicant, claimant

Patentanmeldung *f* (patent) application, filing, application for letters/a patent; **P. mit dreimonatiger Einspruchsfrist** caveat *(lat.) [US]*; **P. bearbeiten** to process a patent application; **P. zurückweisen** to refuse a patent application; **gleichzeitig anhängige P.** interfering application for a patent, co-pending patent application; **gemeinsame P.** common patent application; **schwebende P.** patent(s) pending; **P.sgebühr** *f* filing fee

Patentanspruch *m* § patent claim/right, claim for the granting of a patent; **abhängiger P.** dependent (patent) claim; **unabhängiger P.** independent (patent) claim

Patentantrag *m* patent application; **~ einreichen** to file a patent application

Patentanwalt *m* patent lawyer/attorney *[US]*/agent, chartered patent agent *[GB]*; **P.sbüro/P.sfirma/P.skanzlei** *nt/f* patent law firm; **P.sschaft** *f* patent bar; **P.skammer** *f* Chartered Institute of Patent Agents *[GB]*

Patent|aufhebung *f* cancellation/revocation/vitiation of a patent; **P.austausch** *m* cross licensing, exchange of patents, patent(s) exchange; **P.austauschabkommen/-vertrag** *nt/m* patent pooling/exchange agreement, cross licence agreement; **P.ausübung/P.auswertung** *f* patent exploitation; **P.beanspruchungsklage** *f* patent protection suit; **P.beantragung** *f* application for a patent; **P.beendigung** *f* revocation of a patent, cesser *[frz.]*; **P.begehren** *nt* patent claim; **p.begründend** *adj* substantiating a patent; **missbräuchliche P.benutzung** abuse of patent; **P.berichterstatter** *m* patent investigator; **P.berichtigung** *f* disclaimer, patent amendment; **P.berühmung** *f* patent advertising/marking, marking and notification of patent rights

Patentbeschreibung *f* patent specification/description; **eigentliche P.** body; **endgültige P.** complete specification; **vorläufige P.** provisional specification

Patent|besitz *m* patent property/holding; **P.besitzer** *m* patent holder; **P.bewerber** *m* applicant for a patent; **P.- und Lizenzbilanz** *f* patent and licences account; **P.blatt** *nt* Patent Office Journal; **Europäisches P.blatt** European Patent Bulletin; **P.brief** *m* letters patent; **P.bruch** *m* infringement of a patent; **P.büro** *nt* patent law firm; **P.dauer** *f* life/term/duration of a patent; **P.diebstahl** *m* piracy of a patent; **P.einspruch** *m* patent appeal, interference, caveat *(lat.)*, opposition to a patent; **P.einspruchsverfahren** *nt* interference proceedings, public use proceedings *[US]*; **P.einwand** *m* anticipation; **P.einziehung/P.entziehung** *f* revocation of a patent; **P.entschädigungsamt** *nt* Patent Compensation Board *[US]*; **P.erneuerung** *f* renewal of a patent; **P.erneuerungsgebühr** *f* patent annuity; **P.erschleichung** *f* § surreptitious obtainment of a patent; **P.erteilung** *f* issue of a patent, patent grant, grant of patent; **P.erteilungsgebühr** *f* → **Patentgebühr**; **P.erträgnisse** *pl* royalties; **P.erwerb** *m* purchase of a patent; **p.fähig** *adj* patentable

Patentfähigkeit *f* patentability; **mangelnde P.** lack of patentability; **P.serfordernis** *nt* patentability requirement

Patent|familie *f* patent family; **P.geber/P.gewährer** *m* patentor; **P.gebühr** *f* 1. filing/patent fee; 2. patent annuity/royalty, renewal fee, inventor's royalty, royalty charge/fee; **P.gegenstand** *m* patented article/item; **P.gemeinschaft** *f* patent pool; **P.gericht** *nt* patent court, Patent Appeal Tribunal *[GB]*; **P.gerichtsverfahren** *nt* patent court proceedings; **p.geschützt** *adj* patented, protected by patent; **P.gesetz** *nt* patents act/law; **P.gesetzgebung** *f* patent legislation/laws; **P.gesuch** *nt* patent application; **gegenseitige P.gewährung** cross licensing; **P.hindernis** *nt* bar to patentability; **P.holdinggesellschaft** *f* patent pool

patentier|bar *adj* patentable; **P.barkeit** *f* patentability; **p.en** *v/t* to patent, to grant a patent; **(etw.) p.en lassen** to patent (sth.), to take out/obtain a patent (on sth.); **p.t** *adj* patented; **nicht p.t** unpatented; **P.ung** *f* patenting, issue/granting of a patent, issuing a patent

Patent|index *m* index of patents; **P.ingenieur** *m* patent engineer; **P.inhaber** *m* patent holder, patentee, owner/proprietor/grantee of a patent, registrant; **Internationales P.institut** International Patent Institute; **P.jahr** *nt* patent year; **P.jahresgebühr** *f* patent annuity, renewal fee; **P.kartell** *nt* patent pooling agreement; **P.kategorie/P.klasse** *f* patent class/category; **P.klage** *f* patent proceedings/suit/action; **P.klassenverzeichnis** *nt* class index of patents; **Internationale P.klassifikation** International Patent Classification; **P.kommission** *f* patent commission; **P.kosten** *pl* patent charges, royalties; **P.laufzeit** *f* term of a patent

Patentlizenz *f* patent licence; **P.abgabe** *f* royalty; **P.vertrag** *m* patent licensing agreement

Patent|löschung *f* forfeiture/revocation/cancellation of a patent; **P.löschungsklage** *f* action of forfeiture of a patent; **P.lösung** *f* ready-made/magic solution, panacea, shortcut, quick-fix; **P.makler** *m* patent broker; **P.missbrauch** *m* abuse of patent privilege, patent misuse; **P.mitinhaber** *m* joint patentee; **P.monopol** *nt* patent monopoly; **P.nichtigkeitsklage/-verfahren** *f/nt* proceedings for nullification of a patent, nullity suit; **P.nummer** *f* patent number; **P.pool** *m* patent holding; **P.prozess** *m* patent (infringement) suit; **P.prüfer** *m* patent examiner/investigator; **P.prüfung** *f* patent examination

Patentrecht *nt* patent law/right; **P. angemeldet** patent(s) pending; **P. verletzen** to infringe a patent; **materielles P.** substantive patent law; **P.sabtretung** *f* patent assignment; **P.sspezialist** *m* patent agent

Patent|register/P.rolle *nt/f* patent register/roll(s) *[GB]*, register of patents *[US]*; **P.rezept** *nt* nostrum, patent recipe, panacea, pat solution *(coll)*, quick fix *(coll)*; **P.sachen** *pl* patent matters/cases

Patentschrift *f* 1. (letters) patent; 2. (printed) patent specification; **endgültige/vollständige P.** complete specification; **europäische P.** specification of the European patent; **vorläufige P.** provisional patent specification

Patentschutz *m* protection by (letters) patent, patent protection; **P. aufheben** to revoke a patent; **nicht mehr dem P. unterliegend** off-patent; **einstweiliger P.** preliminary patent right, interim patent protection; **P.frist** *f* term of a patent

Patent|spezialist *m* patent agent/engineer; **P.streit** *m* § patent litigation; **P.streitsache** *f* § patent case/litigation; **P.sucher** *m* applicant (for a patent); **P.träger** *m* patent holder, patentee; **P.übertragung** *f* assignment of a patent; **P.umfang** *m* scope of a patent; **P.umgehung** *f* colourable alteration; **P.unteranspruch** *m* subclaim of a patent; **P.urkunde** *f* letters patent, patent document; **P.verbesserung** *f* improvement of a patent; **P.vereinbarung** *f* patent convention; **P.verfahren** *nt* patenting proceedings; **P.vergabe** *f* patent licensing; **P.vergütung** *f* royalty; **P.- und Lizenzverkehr** *m* patent and licence trade; **P.verlängerung** *f* extension of patent; **P.verlängerungsantrag** *m* patent extension application; **P.verleiher** *m* patentor; **P.verletzer** *m* infringer of a patent; **vermeintlicher P.verletzer** assumed infringer

Patentverletzung *f* infringement/violation of a patent, patent infringement; **mittelbare P.** contributory infringement; **P.sklage** *f* infringement suit, suit against/action for infringement of a patent; **P.sprozess/P.sverfahren** *nt* patent infringement proceedings, action for infringement of a patent

Patent|verpfändung *f* charge on a patent; **P.versagung** *f* refusal of a patent; **P.verschluss** *m* swing stopper; **P.vertrag** *m* patent agreement; **P.vertreter** *m* patent agent; **P.verwaltungsabteilung** *f* patent administration department; **P.verwaltungsvertrag** *m* patent exploitation agreement; **P.verweigerung** *f* refusal to issue a patent

Patentverwertung *f* exploitation of a patent, patent exploitation; **P.sgesellschaft** *f* patent broking company; **P.svertrag** *m* patent exploitation agreement

Patent|verzeichnis *nt* register of patents; **P.verzicht** *m* abandonment of a patent; **P.vorgänger** *m* prior patentee; **P.vorschriften** *pl* patent regulations; **P.vorwegnahme** *f* anticipatory reference; **P.wesen** *nt* patent system, patenting; **P.zeichnung** *f* patent drawing; **P.zusammenfassung** *f* consolidation of patents

Paternoster *m* paternoster

Patient|(in) *m/f* patient; **P.(en) entlassen** to discharge a patient; **~ verlegen** to move a patient; **ambulanter P.** outpatient; **ambulant behandelter P.** day case; **stationär ~ P.** inpatient

Patrimonialmeer *nt* patrimonial sea

patriot|isch *adj* patriotic; **P.ismus** *m* patriotism

Patron *m* patron

Patronat *nt* patronage, sponsorship

Patronats|bank *f* sponsoring/supporting/parent bank; **P.brief** *m* sponsoring letter, letter of sponsorship; **P.erklärung** *f* letter of responsibility/comfort/awareness/support, declaration of backing, comfort letter, *(Konzern)* parent guarantee; **P.firma** *f* sponsor; **P.institut** *nt* sponsoring/supporting institution; **P.prinzip** *nt* sponsorship principle; **P.sendung** *f (Radio/TV)* sponsored programme

Patrone *f* cartridge

Patrouill|e *f* patrol; **p.ieren** *v/i* to patrol

Patsche *f* 1. mud, (quag)mire; 2. *(fig)* fix, tight spot; **in der P.** *(coll)* in the soup *(coll)*; **jdm aus der P. helfen** *(coll)* to bail so. out; **sich ~ ziehen** *(coll)* to save one's bacon *(coll)*

Patt *nt* stalemate; **P.situation** *f* deadlock, stalemate (situation)

pauschal *adj* 1. estimated, rough; 2. wholesale, across the board, blanket (rate), flat(-rate), overhead; 3. all-inclusive, all-in

Pauschal|- across-the-board, blanket, flat-rate, (all-)inclusive, all-in; **P.abdeckung** *f* all-inclusive cover; **P.abfindung/P.abgeltung** *f* 1. flat-rate/lump-sum compensation, ~ settlement; 2. *(Unterhalt)* alimony in gross; **P.abgabe** *f* lump-sum levy; **P.abgaben** lump-sum expenditures; **P.abschlag** *m* bulk-rate discount; **P.abschluss** *m* bulk bargain; **P.abschreibung** *f* lump allowance, composite-life method of depreciation, wholesale writing-down, overall/group/lump-sum depreciation; **P.absetzung/P.abzug** *f/m* flat-rate deduction; **P.angebot** *nt* all-inclusive/comprehensive offer, package deal/offer; **P.beihilfe** *f* flat-rate aid/allowance; **P.beitrag** *m* flat-rate/lump-sum contribution; **P.besteuerung** *f* flat-rate taxation; **P.betrag** *m* lump/round sum, standard amount; **steuerfreier P.betrag** flat exemption *[US]*; **P.bewertung** *f (Abschreibung)* group valuation; **P.bezahlung** *f* lump(-sum) payment; **P.bezug** *m* bulk buying; **P.bezugspreis** *m* bulk order price; **P.bürgschaft** *f* flat-rate guarantee; **P.deckung** *f* all-inclusive cover, comprehensive/blanket coverage; **P.delkredere** *nt* overall provisions for contingent losses

Pauschale *f* 1. lump/inclusive sum, flat charge, flat rate (payment), standard allowance, all-inclusive price; 2. estimated amount

Pauschal|einkommenssteuersatz *m* flat rate of income tax; **P.entgelt** *nt* lump-sum payment; **P.entschädigung** *f* lump-sum settlement/compensation; **P.erhöhung** *f* flat-rate increase; **P.ertrag** *m* flat yield; **P.ferienreise** *f* package holiday; **P.flugreise** *f* charter flight; **P.fracht** *f* lump(-sum)/flat-rate freight; **P.freibetrag** *m (Steuer)* basic abatement, standard deduction *[GB]*, flat exemption *[US]*; **P.garantie** *f* 1. overall guarantee; 2. *(Vers.)* comprehensive policy; 3. multiple buyer policy; **P.gebühr** *f* blanket charge, flat fee/charge, flat-rate (service) charge, lump-sum allowance; **P.gehalt** *nt* flat salary; **P.genehmigung** *f* block permit, licence for a global amount; **P.haftpflichtversicherung** *f* umbrella liability insurance; **P.honorar** *nt* retainer, flat fee

pauschalier|en *v/t* 1. to compound, to settle in bulk; 2. *(Steuer)* to commute/compound; **p.t** *adj* lump-sum, in a lump

Pauschalierung *f* 1. composition, commutation, rough estimation; 2. flat-rate taxation, taxation at a flat rate; **P.sgrundsatz** *m* flat-rate scheme/principle

Pauschal|kauf *m* bulk/wholesale/basket purchase; **P.kredit** *m* all-in/inclusive credit; **P.leistung** *f* 1. *(Vers.)* flat-rate benefit; 2. lump-sum consideration; **P.lizenz** *f (Pat.)* block licence; **P.lohn** *m* flat-rate wage, flat rate of pay; **P.miete** *f* flat-rate rent; **P.police** *f* 1. *(Vers.)* package/open/all-in/floating/declaration/unvalued *[US]* policy; 2. *(Feuervers.)* blanket policy; ~ **gegen alle Schäden** comprehensive policy; **P.prämie** *f* flat-rate/all-inclusive premium; **P.preis** *m* 1. *(Einheits-)* lump sum, flat rate; 2. *(Inklusiv-)* all-round/all-in/all-inclusive/unit/overhead/lump-sum price, inclusive terms; **P.regulierung** *f* lump-sum settlement

Pauschalreise *f* package tour/holiday, inclusive/all-in/all-expense tour; **P.nde(r)** *f/m* package tourist; **P.veranstalter** *m* package tour operator

Pauschal|rückstellungen *pl* provisions for contingencies; **P.sachversicherung** *f* block policy; **P.satz** *m* flat/all-in rate, global tariff; **P.steuer** *f* lump-sum/estimated tax; **P.summe** *f* lump/inclusive sum; **P.tarif** *m* flat/inclusive/all-in rate; **P.tour** *f* package tour; **P.urlaub** *m* package holiday; **P.urlauber(in)** *m/f* package holidaymaker; **P.urteil** *nt* sweeping generalization/judgment; **P.vereinbarung** *f* package deal; **P.vergabe** *f* package contracting; **P.vergütung** *f* lump-sum payment/remuneration, fixed allowance; **P.vermächtnis** *nt* indefinite legacy; **P.versicherung** *f* floating policy, comprehensive/blanket/block/package/global/all-in insurance; **P.versicherungspolice** *f* floating/all-risks/comprehensive policy, blanket cover insurance; **P.vertrag** *m* blanket agreement, lump-sum contract; **P.vorsorge** *f* lump-sum provision

Pauschalwert *m* lump-sum/flat value; **P.abschreibung** *f* composite depreciation; **P.berichtigung** *f* general bad debt provision, overall adjustment/provision, global value adjustment, lump-sum reserve; **~ für Forderungen** flat-rate provision for trade receivables, general provision for doubtful debts, lump-sum valuation adjustment on receivables, general allowance for doubtful accounts, overall provision for possible loss on receivables

Pauschal|zahlung *f* lump-sum/composition payment; **P.zuteilung/P.zuweisung/P.zuwendung** *f* general/block grant, lump-sum allocation/appropriation

Pausch|besteuerung *f* flat-rate taxation, blanket taxation/assessment; **P.betrag** *m* 1. lump/flat sum, lump-sum payment; 2. *(Steuer)* standard/fixed deduction, blanket allowance; **P.festsetzung** *f* blanket assessment; **P.gebühr** *f* lump-sum fee; **P.quantum** *nt* average quantity; **P.satz** *m* flat/composite/lump-sum rate; **P.vergütung** *f* flat-rate compensation

Pause *f* 1. break, rest, halt; 2. interval, intermission; 3. time out, let-up, pause; 4. close season; 5. *(Atem)* breather; 6. *(Ruhe)* rest (period), off-duty period; 7. *(Kopie)* blueprint; **ohne P.** without respite; **P. im Erwerbsleben** career break; **P. zum Tanken** fuel stop; **P. einlegen/machen** to take a break, to (have a) rest

große Pause long interval; **kleine P.** short break; **schöpferische P.** pause for thought; **wohlverdiente P.** well-earned (have a) rest

Pauseanweisung *f* pause statement

pausen *v/t* to blueprint/trace; **P.abzug** *m* blueprint; **p.los** *adj* non-stop; **P.regelung** *f* agreement on/regulation governing rest periods; **P.zone** *f* refreshment area

pausfähig *adj* reproducible

pausieren *v/i* to rest, to stop for a break

Pauspapier *nt* tracing/carbon paper

Pavillon *m* pavilion

Pazifik *m* Pacific (Ocean)

Pech *nt* 1. pitch; 2. hard/ill luck, mishap, misfortune; **vom P. verfolgt werden** to have a run of bad luck, to be dogged by misfortune; **P.strähne** *f* run/streak of bad luck, run of misfortune; **P.vogel** *m* unlucky fellow

Pedant *m* pedant, stickler; **P.erie** *f* pedantry

pedantisch *adj* pedantic, punctilious, pettifogging, cheeseparing; **p. sein** to niggle; **übertrieben p.** niggling

Pegel *m* ga(u)ge; **P.stand** *m* tide/water mark, water level

Peil|anlage/P.antenne *f* direction finder; **P.bake** *f* radio beacon

peilen *v/t* to take a bearing

Peil|funk *m* directional radio; **P.funkgerät** *nt* direction finder; **P.kompass** *m* bearing compass; **P.linie** *f* 1. bearing (line); 2. *(Radar)* cursor; **P.richtung** *f* bearing direction; **P.rufzeichen** *nt* code signal; **P.sender** *m* radio beacon, directional finder; **P.stab** *m* dipstick; **P.strahl** *m* radio beacon

Peilung *f* bearing, fix(ing), direction finding; **optische P.** visual direction finding

Peilzeichen *nt* code signal

peinlich *adj* embarrassing, awkward, distressing, painful; **p. genau** to the letter; **jdn p. berühren** to embarrass so.; **p. berührt** embarrassed; **etw. p. genau tun** to be painstaking in one's efforts; **P.keit** *f* embarrassment, awkwardness

pekuniär *adj* pecuniary, monetary, financial, moneyed

Pelletieranlage *f* pelletizing plant/facility

Pelz *m* skin, fur; **p.gefüttert** *adj* fur-lined; **P.jäger** *m* skin-hunter; **P.geschäft** *nt* fur shop *[GB]*/store *[US]*; **P.handel** *m* fur trade; **P.händler** *m* furrier; **P.waren/P.werk** *pl/nt* furs

Pendant *nt* *[frz.]* opposite number, counterpart, concomitant

Pendel *nt* pendulum; **das P. schlägt um** the pendulum swings to the other side

Pendel|arbeiter *m* commuting worker; **P.betrieb/P.dienst** *m* shuttle service; **P.bus** *m* shuttle; **P.flugzeug** *nt* (air) shuttle; **P.mappe** *f* float file

pendeln *v/i* 1. to commute/shuttle/ply; 2. to swing/hover/oscillate; **p. um** to hover around

Pendel|schlag *m* alternating movement; **P.tür** *f* swing door; **P.verkehr** *m* 1. shuttle service; 2. (local) commuter travel

Pendler *m* commuter, daily breader *(coll)*; **P.aufkommen** *nt* commuter volume/figures; **P.strom** *m* flow of commuters; **P.verkehr** *m* commuter traffic; **P.zug** *m* commuter/shuttle train

penetrant *adj* 1. *(aufdringlich)* importunate; 2. *(Geruch)* pungent

Penetrationspreispolitik *f* penetration pricing, ~ price strategy

penibel *adj* meticulous, painstaking

Pension *f* 1. (old age) pension, superannuation, retirement benefit, retirement/retired pay; 2. guesthouse, boarding/lodging/rooming *[US]* house; **in P.** 1. retired; 2. *(Wertpapiere)* pledged; **P. auf Lebenszeit** life pension

Pension aberkennen to dock a pension; **P. aussetzen/bewilligen** to grant/settle a pension; **zu einer P. berechtigen** to carry a pension; **P. betreiben** to keep a boarding house; **P. beziehen** to draw a pension; **P. erhalten** to be awarded a pension; **in P. geben** *(Gelder)* to park; **~ gehen** to retire (from business/on a pension), to step down, to go into retirement; **vorzeitig ~ gehen** to retire early; **P. gewähren** to grant a pension; **zu seiner P. hinzuverdienen** to supplement one's pension; **von einer P. leben** to live on a pension; **in P. nehmen** to take as a boarder; **~ sein** to be retired

auskömmliche Pension satisfactory pension; **beitragsfreie P.** non-contributory pension; **beitragspflichtige P.** contributory pension; **vom Betrieb gewährte P.** company pension; **gestaffelte P.** graduated pension; **lebenslängliche P.** life pension; **vorzeitige/vorgezogene P.** early retirement pension

Pensionär *m* 1. pensioner, retired employee/person, retiree; 2. boarder; 3. paying guest

Pensionat *nt* boarding school *[GB]*

pensionieren *v/t* to pension off, to superannuate/retire; **p. lassen** *v/refl* to retire (on a pension), to go into retirement; **sich vorzeitig p. lassen** to retire early, to take early retirement

pensioniert *adj* retired, superannuated; **P.e(r)** *f/m* pensioner

Pensionierung *f* retirement, superannuation; **P. wegen Arbeitsunfähigkeit** disability retirement; **P. mit vollem Ruhegehalt** retirement on a full pension; **P. auf eigenen Wunsch** optional retirement; **um seine P. einkommen** to apply to be retired on a pension; **kurz vor der P. stehen** to be due for retirement

progressive Pensionierung gradual retirement; **vorzeitige P.** early/voluntary/premature retirement; **zwangsweise P.** compulsory retirement

Pensionierungsalter *nt* retiring/retirement/pensionable age; **P. erreichen** to reach retirement age

Pensions|absprache *f* agreement to repurchase; **P.alter** *nt* retirement/retiring/pension(able) age; **obligatorisches P.alter** compulsory retiring age; **P.anpassung** *f* pension adjustment; **P.anspruch** *m* pension claim/entitlement/right, pensionable right; **P.anwartschaft(srechte)** *f/pl* accrued pension rights, pension expectancy, vested right to future pension payments

pensionsberechtigt *adj* pensionable, entitled to/eligible for a pension, eligible for a pension/retirement; **p. sein** to qualify for a pension, to be entitled to/eligible for a pension; **nicht p.** non-pensionable, ineligible for a pension

Pensions|berechtigung *f* retirement eligibility, entitlement to a pension; **ohne P.berechtigung** non-pensionable; **P.betrag** *m* superannuation, retirement allowance; **P.bezüge** *pl* retirement benefits/emoluments; **P.dienstalter** *nt* pensionable age; **P.dynamik** *f* pension adjustability; **P.einkommen** *nt* retirement income; **P.empfänger** *m* pensioner; **P.erfüllungskasse** *f* pension-plan trust fund; **P.ergänzungsversicherung** *f* supplementary retirement insurance; **p.fähig** *adj* pensionable; **P.festsetzungsbehörde** *f* pension board; **P.fonds** *m* pension/superannuation/retirement/provident fund; **P.gast** *m* 1. boarder; 2. paying guest; **P.geber** *m* borrower, pledgee; **P.geschäft** *nt* repurchase deal, repo/overnight transaction, ~ business, pledging against a loan, sale and repurchase agreement, bed and breakfasting, ~ breakfast deal; **P.grenze** *f* age of retirement, pensionable/retirement age; **~ erreichen** to reach retirement age

Pensionkasse *f* pension/superannuation/retirement fund; **betriebliche P.** occupational/employer's/company pension scheme; **P.nbestände** *pl* pension portfolio

Pensions|konto *nt* pension account; **P.lasten** *pl* pension costs/charge; **P.leistung** *f* retirement benefit; **P.liste** *f* retired list; **P.nehmer** *m* lender, creditor, recipient of bills/securities; **P.offerte** *f* tender for credit against securities; **P.ordnung** *f* pension scheme

Pensionsplan *m* pension scheme/plan, retirement plan; **beitragsfreier P.** non-contributory pension scheme; **beitragspflichtiger P.** contributory pension scheme

Pensions|preis *m* (full/half) board; **P.regelung** *f* superannuation scheme, pension arrangements; **p.reif** *adj* due for retirement; **P.rente** *f* retirement benefit; **P.rücklagenfonds** *m* pension plan trust fund; **P.rückstellung** *f* pension reserve/provision/accrual, reserve/provision for pensions; **P.rückstellungen** *pl* provisions for pension fund liabilities, ~ the pension fund, superannuation provisions; **P.satz** *m* pension rate; **P.sicherung** *f* superannuation security; **P.sicherungsverein** *m* pension guarantee association; **P.system** *nt* pension plan/scheme; **P.umlage** *f* pension charge; **P.unterstützung** *f* retirement benefit; **P.verbindlichkeiten** *pl* pension liabilities; **P.vereinbarung** *f* pension settlement; **P.verpflichtungen** *pl (Bilanz)* pensions, pension obligations, ~ and retirement plans; **P.versicherungsverein** *m* pension guarantee association; **P.wechsel** *m* bill on deposit, ~ in pension; **P.wirt** *m* landlord; **P.wirtin** *f* landlady; **P.zahlung** *f* retired pay; **P.zusage** *f* pension commitment; **P.zuschuss** *m* retirement allowance, service apportionment; **P.zusicherungsschein** *m* pension warrant; **P.zuwendung** *f* retirement benefit/pension, pension

Pensum *nt* 1. workload, stint, quota; 2. § case load

Pentium *nt* 1. 💻 pentium chip; 2. pentium computer

peremptorisch *adj* peremptory

perfekt *adj* 1. perfect, accomplished; 2. *(Vertrag)* settled, complete, watertight; **p. machen** to clinch *(coll)*

Perfektion *f* perfection; **absolute P.** perfection itself

perfektionier|en *v/t* to perfect; **weitere P.ung** over-engineering

Perfektionis|mus *m* perfectionism; **p.tisch** *adj* perfectionist

perfid *adj* perfidious, treacherous, insidious

perforierlen *v/t* to perforate; **p.t** *adj* perforated, dotted; **nicht p.t** unperforated

Pergament *nt* parchment; **P.papier** *nt* vellum/greaseproof paper, vegetable parchment

Periode *f* 1. period, accounting cycle; 2. *(Wetter)* spell; **P. erhöhter Gefahr** *(Vers.)* apprehensive period; **sonnige P.** sunny spell/period

Periodenlabgrenzung(en) *f/pl* deferred items, allocation of revenues and expenses to applicable accounting period; **P.analyse** *f* period analysis; **P.beginn** *m* start of the period; **P.beitrag** *m (Bilanz)* contribution for the year/period; **p.bezogen** *adj* relating to the accounting period; **P.bilanz** *f* periodic statement; **p.echt** *adj* relating to the period; **P.ende** *nt* end of period; **P.erfolg** *m* income of/for a period, balance by accounting period; **P.erfolgsausweis/P.erfolgsrechnung/P.gewinnrechnung** *m/f* statement of income *[US]*, income statement for a given period; **P.ertrag** *m* current income; **p.fremd** *adj* not relating to the period, unrelated (to accounting period); **p.gerecht** *adj* on an accrual basis; **P.gewinn** *m* accounting profit, profit for the (given) period, ~ in a stated period; **p.gleich** *adj* of/for the same period; **P.inventur** *f* cyclical inventory count; **P.kapazität** *f* capacity per time period; **P.kosten** *pl* period/time cost, period charge/expenses; **P.leistung** *f* period output; **P.rechnung** *f* accruals/periodic accounting, periodic statement, accounting by definite period; **P.reingewinn** *m* net profit for the accounting period, surplus net profit *[US]*; **P.start** *m* start of period; **P.vergleich** *m* period-to-period/periodical comparison; **P.verrechnung von Aufwand** *f* cost absorption

periodisch *adj* periodic, recurrent; *adv* at intervals

periodisierlt *adj* period; **P.ung** *f* 1. periodic profit measurement on an accrual basis; 2. *(Werbung)* flighting

peripher *adj* peripheral, fringe

Peripherie *f* periphery, fringe, outskirts, perimeter, circumference; **P.gerät** *nt* 🖳 peripheral (device)

Perle *f* pearl, *(unecht)* bead; **P.nimitation** *f* imitation pearl; **P.nschnur** *f* (string of) beads

Perllfischer *m* pearl diver/fisher; **P.mutt** *nt* mother-of-pearl; **P.schrift** *f* 🗋 pearl

permanent *adj* permanent, constant

perplex *adj* bewildered, baffled, flabbergasted, dumbfounded

Persenning *f* tarpaulin

Persilschein *m (fig)* bill of clean health *(fig)*; **jdm einen P. ausstellen** *(coll)* to whitewash so. *(coll)*

Person *f* 1. person; 2. *(Vertrag)* party; **P.** in person, personally; **pro P.** per capita/head, apiece, each

Personl(en) ohne Bankkonto the unbanked; **P. mit Doppelmitgliedschaft** linking pin; **~ mittlerem Einkommen** middle-income earner; **~ niedrigem Einkommen** low-income earner; **~ Informationsfiltereigenschaft** gatekeeper; **juristische P. des öffentlichen Rechts** body corporate, legal entity/person under public law; **~ des privaten Rechts** legal person under private law; **~ aus einer Vereinigung mehrerer natürlicher Personen** § corporation aggregate; **P.en mit Überwachungs- und Leitungsfunktionen** administrative personnel; **P. ohne festen Wohnsitz** person of no fixed address

Person, die eine Erklärung abgibt ⊖ declarant; **P., die sich der Missachtung des Gerichts schuldig macht** § contemnor/contemner; **von P. bekannt** of known identity; **an der P. haftend** in the gross; **für meine P.** for my part

an eine Person indossieren to endorse specially; **sich in der P. irren** to mistake so.'s identity; **zur P. vernehmen** to take down particulars

abhängige Person dependant; **ansässige P.** resident; **im Vertragsstaat ~ P.** resident of a contracting state; **anweisungsbefugte P.** authorizing officer; **bedachte P.** beneficiary, legatee, person remembered in a will; **in Haft befindliche P.** detainee, prisoner; **befragte P.** interviewee; **berechtigte/bevollmächtigte P.** authorized person/agent; **beteiligte P.** party concerned; **betriebsfremde P.** outsider; **betroffene P.** affected person; **dritte P.** third party; **erfundene/fiktive P.** fictitious person; **freiberufliche P.** self-employed person; **volljährige und geschäftsfähige P.** person of full age and capacity; **verständig und umsichtig handelnde P.** reasonable and prudent person; **hoch gestellte P.** high-ranking person, v.i.p. (very important person); **jugendliche P.** youth, adolescent; **juristische P.** § corporate body/entity, body corporate, legal entity/personality, legal/juridical/juristic/artificial person, person in law, separate legal unit, corporation; **aus mehreren P.en bestehende ~ P.** § aggregate corporation; **natürliche P.** natural/physical person, individual; **schwierige P.** tough nut *(coll)*, pain in the neck *(coll)*; **hauptberuflich tätige P.** full-timer; **überspannte P.** highflier, highflyer; **unbedeutende P.** small fry *(coll)*, nonentity; **unbefugte P.** unauthorized person; **unerwünschte P.** 1. *(Diplomatie)* persona non grata *(lat.)*; 2. *(Ausländer)* undesired alien; **verantwortliche P.** responsible person, person in charge; **verschwägerte P.** in-law; **vorgeschobene P.** figurehead

persona grata *f (Diplomatie)* persona grata *(lat.)*; **p. ingrata; p. non grata** persona non grata *(lat.)*, unwelcome person

Personal *nt* 1. personnel, employees, staff (resources), manpower, workforce, labo(u)r, payroll, human resources; 2. crew; 3. servants; **knapp an P.** short of staff

Personal im Außendienst field staff; **P. in Führungs-/Leitungsfunktionen** managerial personnel; **P. vom Innendienst** inside staff; **P. der Stadtverwaltung** town hall staff

Personal abbauen to shed/trim jobs, to shed employees, to reduce personnel, to reduce/trim the labour force, to cut manpower, to slim/pare/retrench the workforce; **mit P. ausstatten** to staff; **P. beurteilen** to appraise staff; **P. einstellen** to employ/enrol workers, to hire employees, to recruit manpower/staff/workers, to take on new workers; **P. entlassen** to dismiss workers; **zum P. gehören** to be one of/on the staff; **zu viel P. haben** to be overstaffed/overmanned; **zu wenig P. haben** to be understaffed/short-staffed/short-handed; **gut mit**

P. ausgestattet sein to be well-staffed; **P. verringern** to reduce the labour force

fest angestelltes Personal permanent staff/labour/personnel; **ärztliches P.** medical/hospital staff; **ausgebildetes/gelerntes/geschultes P.** skilled/qualified personnel, trained staff; **außertarifliches P.** staff on above-scale pay; **einheimisches P** local staff; **fliegendes P.** flight/air crew, flight personnel; **hoch motiviertes P.** highly-geared staff; **kaufmännisches P.** office/clerical staff; **leitendes P.** executive staff, supervisory management; **ständiges P.** permanent/regular staff; **an Land tätiges P.** ⚓ shore staff; **technisches P.** technical staff, engineering personnel/staff; **überschüssiges P.** surplus manpower; **überzähliges P.** redundant labour; **verfügbares/vorhandenes P.** manning level; **zu viel P.** overmanning, overstaffing

Personalabbau *m* 1. staff/manpower/personnel cuts, redundancies, manpower/staff(ing)/personnel/headcount *[US]* reduction, reduction of the workforce, personnel cutdown, labour/staff rundown, ~ shedding, demanning, slimming of the workforce, (employee) cutback, rightsizing, downsizing, retrenchment (of employees), shakeout; 2. *(durch Fluktuation)* attrition; 3. *(neue Mitarbeiter zuerst)* backtracking; **P. durch natürlichen Abgang** (reduction of the workforce through) natural wastage; **natürlicher P.** natural wastage

Personal|abgang *m* labour wastage, attrition of the workforce, manpower loss; **P.abgangsrate** *f* wastage rate; **P.abteilung** *f* staff/personnel department, ~ division, human resources department, staff operations, employee relations department; **P.abwerbung** *f* head hunting *(fig)*; **P.akte** *f* personnel file/records/dossier, staff file(s), employee records, case history; **P.anforderung** *f* personnel requirement; **P.angaben** *pl* personal data; **P.angelegenheit** *f* personnel/staff matter; **P.anweisung** *f* manpower assignment; **P.anwerber** *m* recruiter; **P.anzeige** *f* employment ad; **P.arbeit** *f* human resources/personnel management; **P.aufstockung** *f* increase of the labour force, recruitment drive; **P.aufwand** *m* staff/labour/payroll/employment costs, manpower bill, cost of wages and salaries, staff ex–penditure; **P.- und Sachaufwand** staff and material expenses; **P.aufwendungen** *pl* 1. labour cost, personnel/staff expenses; 2. *(Bilanz)* salaries and wages; **P.ausbildung** *f* staff/manpower training; **P.ausgaben** *pl* personnel costs, manpower bill, staff/personnel expenditure, expenditure on personnel; **P.- und Sachausgaben des Staates** non-transfer expenditures; **P.ausschuss** *m* staff committee; **P.ausstattung** *f* staffing/manning (level); **P.ausstattungsplanung** *f* planning of personnel strength; **P.auswahl** *f* employee/staff/personnel selection, pre-employment screening; **P.ausweis** *m* (ID) identity/identification (ID) card, public identification card *[US]*; **P.ausweitung** *f* increase of the labour force; **P.barkredit** *m* personal cash advance

Personalbedarf *m* manpower/human resourcing needs, staff/personnel/staffing/manpower requirement(s)

Personalbedarfs|deckung *f* meeting the manpower requirements; **P.ermittlung** *f* ascertainment of staff requirements; **P.planung** *f* manpower/human resources planning, planning of personnel requirements, forecasting of manpower requirements; **P.prognose** *f* staffing requirements forecast, human resources forecast

Personal|berater *m* 1. personnel consultant, executive search consultant; 2. career adviser; **P.bereich** *m* personnel administration/function, human resources function; **P.bericht** *m* staff/personnel report, *(Bilanz)* social report; **P.berichtswesen** *nt* personnel reporting

Personalbeschaffung *f* (personnel/staff) recruitment, recruiting, human resourcing; **P.skosten** *pl* recruitment costs; **P.splanung** *f* planning of personnel recruiting; **P.spolitik** *f* recruiting policy, human resourcing policy/strategy

Personalbesetzung *f* staffing

Personalbestand *m* workforce (size), manpower inventory, labour force, staff/manpower level(s), payroll, staff number; **P. lichten** to slim/downsize the workforce; **P.skontrolle** *f* personnel inventory; **P.splanung** *f* staff planning

Personal|beurteilung *f* employee/performance appraisal, efficiency report, employee/merit rating; **P.bewegung** *f* staff changes; **P.bogen** *m* (personal) data sheet, personal record; **P.buchhaltung** *f* personnel accounting; **P.budget** *nt* personnel budget; **P.büro** *nt* personnel office/department; **P.chef** *m* ➔ **Personalleiter**; **P.computer** *m* personal computer (PC); **P.daten** *pl* personnel data; **P.decke** *f* staffing level; **dünne P.decke** tight personnel situation; **P.diebstahl** *m* internal leakage; **P.direktor** *m* ➔ **Personalleiter**

Personaleinsatz *m* labour/staff employment, labour input, deployment of labour, staff assignment, personnel placement; **rationeller P.** economical staffing; **P.plan** *m* 1. staff deployment schedule; 2. roster; **P.planung** *f* 1. personnel placement planning, planning of staff employment, ~ labour input, deployment scheduling; 2. *(Dienstplan)* rostering

Personal|einsparungen *pl* staff cuts/reduction(s), labour/staff savings, personnel cutdown/reduction(s); **P.einstellung** *f* (personnel) recruitment, hiring; **P.einwerbung** *f* recruitment advertising; **P.engpass** *m* manpower/labour/staff shortage; **P.entscheidungen** *pl* staff decisions

Personalentwicklung *f* personnel/staff/human resources development, development of personnel; **P.splanung** *f* planning of personnel development; **P.ssystem** *nt* system of management development

Personal|etat *m* staff/manpower budget; **P.fehlbestand** *m* manpower/staff shortage, personnel deficiency; **P.fehlzeitenmeldung** *f* absenteeism report; **P.fluktuation** *f* staff/labour/personnel/employee turnover, turnover of personnel, personnel mobility; **P.förderungspolitik** *f* staff promotion/development policy; **P.fortbildung** *f* personnel training/development, in-service/staff training; **P.fragebogen** *m* application form, personal history form; **P.freisetzung** *f* redundancy, layoff; **P.führung** *f* personnel/human resources management, man-management; **P.führungsinstrument**

nt personnel/human resources management tool; **P.-fürsorge** *f* staff welfare; **P.fürsorgeeinrichtung** *f* staff pension scheme, ~ provident fund; **P.gemeinkosten** *pl* personnel overheads; **P.haft** *f* 1. personal arrest; 2. detention; **P.haushalt** *m* staff budget; **P.hoheit** *f* power to appoint and dismiss staff

Personalien *pl* personal data, particulars; **P. feststellen** to establish a person's identity

Personal|image *nt* personnel image; **P.informations-system** *nt* personnel/staff/human resources information system, EDP personnel system; **P.intensität** *f* labour-intensity; **p.intensiv** *adj* manpower-intensive, labour-intensive; **P.kantine** *f* staff canteen; **P.kartei** *f* staff file(s), personnel index; **P.kauf** *m* staff purchasing; **P.knappheit** *f* manpower shortage, shortage of labour, undermanning; **P.konto** *pl* personal account; **P.kontrolle** *f* personnel audit; **P.konzession** *f* personal licence

Personalkosten *pl* personnel/labour/payroll/manpower/staff(ing)/man(ning) costs, personnel overheads/expenditure, expenditure on personnel, salaries and wages; **P. pro Kopf** capitation items; **allgemeine P.** indirect labour (costs); **anteilige P.** pro-rata labour costs

Personalkosten|anteil *m* pro-rata labour costs; **P.druck** *m* labour cost pressure; **P.feststellungsbogen** *m* staff cost record sheet; **P.mehraufwand** *m* additional labour cost, ~ staff expenditure; **P.steigerung** *f* increase in employment costs; **P.zuschuss** *m* 1. *(Steuer)* jobs credit; 2. employment subsidy

Personalkredit *m* personal loan/credit, simple credit, unsecured loan/credit; **laufender P.** revolving/continuous/account credit; **ungesicherter P.** fiduciary loan; **P.abteilung** *f* personal loan department; **P.geschäft** *nt* personal loan business

Personal|kürzung *f* → **Personalabbau**; **P.leistungs-faktor** *m* factor of personnel output; **P.leiter** *m* personnel/staff/employment/human resources manager, employee relations manager/director, personnel director, director/head of personnel, director of human resources; **P.leitung** *f* staff/personnel/human resources management; **P.lücke** *f* manpower deficit; **P.manager** *m* → **Personalleiter**; **P.mangel** *m* staff/manpower/labour shortage, shortage of personnel, undermanning; **~ haben; an ~ leiden** to be understaffed/undermanned; **P.mittel** *pl* human resources; **P.nebenkosten** *pl* 1. fringe costs, incidental/ancillary wage costs; 2. fringe benefits; **negativer P.nettobedarf** number of layoffs; **P.-nummer** *f* employee (pay) number; **P.organisation** *f* staff/work organisation, job design, task allocation/assignment; **P.papiere** *pl* papers; **P.parkplatz** *m* staff car park, ~ parking area

Personalplan *m* manpower/labour budget; **P.er** *m* manpower planner; **P.ung** *f* personnel/manpower planning, manpower budgeting, human resources plan(ning), personnel management, forecasting of manpower requirements; **betriebliche P.ung** company manpower planning

Personal|politik *f* personnel/employment/manpower policy, staff management policy; **P.problem** *nt* staff/manpower problem; **P.probleme** labour problems/troubles; **P.produktivität** *f* productivity of labour; **P.qualität** *f* quality of personnel; **P.rabatt** *m* 1. employee/staff discount; 2. *(Einzelhandel)* in-store discount; **P.rabattkauf** *m* staff purchasing facilities; **P.rat** *m* personnel council, staff (representative) council; **P.reduktion/P.reduzierung** *f* → **Personalabbau**; **P.referent** *m* staff manager/officer, personnel officer; **P.reserve** *f* payroll reserve; **P.ressourcen** *pl* human resources; **P.restaurant** *nt* works/staff canteen, staff restaurant; **P.sachbearbeiter(in)** *m/f* personnel officer/administrator; **P.schulung** *f* staff/employee training; **P.sektor** *m* personnel administration/function, human resources function; **P.sollbestand** *m* budgeted manpower; **P.stamm** *m* core workforce, cadre of personnel; **P.stand/P.stärke** *m/f* payroll, employee roll, manning/staffing level, number of persons employed, total labour force; **P.statistik** *f* manpower statistics; **P.statut** *nt* staff regulations, personnel statute; **P.steuern** *pl* personal taxes; **P.struktur** *f* staffing pattern; **P.tabelle** *f* staff chart; **P.überhang** *m* surplus labour, overmanning (level); **P.umbesetzung** *f* staff transfer, manpower dislocation

Personalunion *f* *(Führungsfunktion in verschiedenen Unternehmen)* interlocking directorate(s); **in P. geführt** run by the same management; **~ mit** at the same time as ... and ...

Personal|unterlagen *pl* personnel/staff records; **P.veränderungen** *pl* staff changes; **P.verband** *m* staff association; **P.verminderung** *f* → **Personalabbau**; **P.vermögensrechnung** *f* human resources accounting; **P.versammlung** *f* shop-floor/staff/works/employee meeting, personnel assembly; **P.versetzung** *f* staff transfer, personnel movement; **P.versicherung** *f* staff insurance; **P.vertreter** *m* staff representative

Personalvertretung *f* employee/staff representation, staff council, personnel representative body; **P.sgesetz** *nt* staff/personnel representation act; **P.swesen** *nt* staff/personnel representation

Personal|verwaltung *f* personnel/staff/manpower management, staff administration; **P.vorschüsse** *pl* advances to personnel; **P.verzeichnis** *nt* staff register; **P.wechsel** *m* personnel/labour turnover; **P.werbung** *f* recruiting; **P.wesen** *nt* personnel management/department/division, human resources/people management; **P.wirtschaft** *f* personnel management/administration, human resources management; **P.zugang** *m* additions to the workforce; **P.zusatzkosten** *pl* additional labour costs; **P.zuwachs** *m* manpower gain

personell *adj* 1. personal; 2. personnel, staff, manpower

Personen|anhänger *m* passenger trailer *[US]*; **P.aufzug** *m* lift, elevator *[US]*; **P.bahnhof** *m* passenger station

Personenbeförderung *f* passenger transport(ation)/movement, carriage/transportation/conveyance of passengers; **P. gegen Entgelt vornehmen** to carry passengers for a consideration

Personenbeförderungs|entgelt *nt* (passenger) fare; **P.gesetz** *nt* passenger conveyance act; **P.tarif** *m* passenger tariff, (passenger) fare; **P.vertrag** *m* passenger contract

Personen- und Sachbeschädigung *f* injury to life and property; **P.beschreibung** *f* personal description, particulars, description of a wanted person; **p.bezogen** *adj* personal; **P.depot** *nt* customer's security deposit; **P.depotbuch** *nt* customers' security deposits ledger; **P.fahrpreis** *m* (passenger) fare; **P.fahrzeug** *nt* 🚗 passenger vehicle; **P.fernverkehr** *m* long-distance passenger traffic; **P.feststellung** *f* identification; **P.firma** *f* 1. partnership; 2. one-man company/firm; **P.garantieversicherung** *f* fidelity/surety *[US]*/suretyship insurance, fidelity bond/guarantee; **p.gebunden** *adj* personal, of a personal character; **P.gedächtnis** *nt* memory for faces; **P.gemeinschaft** *f* association; **P.gesamtheit** *f* corporate body, collection; **~ mit eigener Rechtspersönlichkeit** aggregate corporation *[US]*

Personengesellschaft *f* (ordinary/non-trading/professional) partnership, private (limited)/unincorporated company, (unincorporated) firm; **P. mit unbeschränkter Haftung der Mitglieder** unlimited partnership, S corporation *[US]*; **allgemeine P.** general partnership

personen|gleich *adj* identical; **P.gleichheit** *f* identity (of personality); **P.gruppe** *f* category of persons; **repräsentative P.gruppe** ▦ sample; **P.handelsgesellschaft** *f* (commercial) partnership; **P.hehlerei** *f* shielding/protection of a criminal, concealing a person after a crime; **P.kautionsversicherung** *f* fidelity guarantee/insurance, (personal) fidelity bond; **P.kilometer** *pl* passenger mil(e)age; **P.konto** *nt (Buchhaltung)* personal account; **P.kraftwagen (PKW)** *m* passenger car, automobile

Personenkreis *m* category of persons, group of people; **befragter P.** panel; **begünstigter P.** qualifying beneficiaries; **am Kaufprozess beteiligter P.** buying centre; **erbberechtigter P.** testamentary class; **erfasster P.** coverage; **geschlossener P.** panel; **nicht repräsentativer P.** ▦ chunk

Personen|kult *m* personality cult; **P.linienverkehr** *m* regular passenger service(s); **P.mehrheit** *f* aggregate corporation; **P.nahverkehr** *m* short-distance passenger traffic, local passenger transport; **öffentlicher P.nahverkehr (ÖPNV)** public (passenger) transport; **P.name** *m* personal name; **P.recht** *nt* law concerning persons; **P.rechte** personal rights; **P.risiko** *nt* personal risk; **P.rufanlage** *f* paging system; **P.rufgerät** *nt* paging device, pager, bleeper; **P.schaden** *m* physical injury, personal damage/injury, injury/damage to a person, casualties; **P.schäden** *(Vers.)* personal damage; **P.schifffahrt** *f* passenger shipping; **P.schlüssel** *m* staff criterion; **P.schutz** *m* protection of persons; **P.sorge** *f* care and custody; **P.sorgerecht** *nt* custody of the children, right of custody and care of a child

Personenstand *m* civil/personal/marital/family/legal status

Personenstands|änderung *f* change of civil status; **P.beamter** *m* registrar *[GB]*; **P.bücher/P.register** *pl/nt* register of births, deaths and marriages *[GB]*, register of vital statistics *[US]*, personal register; **P.fälschung** *f* fraudulent alteration of civil status; **P.gesetz** *nt* civil status act; **P.klage** *f* action concerning civil status; **P.recht** *nt* law of civil status; **P.urkunde** *f* personal (registration) certificate

Personen|steuer *f* personal tax *[US]*; **P.tarif** *m* passenger tariff/fare; **P.transport** *m* passenger transport; **P.überprüfung** *f* review of personal records; **P.unternehmung** *f* 1. partnership; 2. one-man company; **P.vereinigung** *f* association, society, body of persons

Personenverkehr *m* passenger transport/traffic, transportation of passengers; **freier P.** freedom of movement for persons; **öffentlicher P.** public (passenger) transport, mass transit *[US]*; **P.sdienst** *m* passenger service

Personenversicherung *f* personal insurance; **P.spolice** *f* personal injury policy; **P.szweig** *m* insurance of persons, personal insurance line

Personen|verwechslung *f* mistaken identity; **P.verzeichnis** *nt* 1. register of persons; 2. 🎭 dramatis personae *(lat.)*; **P.waage** *f* (pair of) scales; **P.wagen** *m* 1. 🚗 passenger car, automobile; 2. 🚃 carriage, day car/coach *[US]*; **P.zug** *m* passenger/local/slow train

personifizier|en *v/t* to embody/personify/personalize; **P.ung** *f* personification

persönlich *adj* personal, private, individual, intimate; **p. werden** to make personal remarks

Persönlichkeit *f* personality, character, person(age); **P. des öffentlichen Lebens** public figure

bedeutende Persönlichkeit notability; **führende P.** key figure, captain; **gespaltene P.** split personality; **maßgebende P.** leading figure; **prominente P.** outstanding personality

Persönlichkeits|analyse *f* personal analysis; **P.beurteilung** *f* personality appraisal; **P.entfaltung** *f* personality development; **freie P.entfaltung** pursuit of happiness *[US]*; **P.rechte** *pl* rights of personality, personal rights; **P.schutz** *m* legal protection of personality; **P.stärke** *f* personal momentum; **P.struktur** *f* personality structure; **P.verletzung** *f* § violation of personal rights; **P.wahl** *f* direct election

Perspektive *f* 1. perspective, point of view; 2. prospect; **P.n für die Investitionstätigkeit** investment prospects; **zeitliche P.** time frame

persuasiv *adj* persuasive

Perversion; Pervertierung *f* perversion

Perzentil *nt* percentile

Pessimismus *m* pessimism, gloom and doom *(coll)*

Pessimist *m* pessimist, prophet of doom, doomsayer; **p.isch** *adj* 1. pessimistic, gloomy; 2. *(Börse)* bearish

Pestizid *nt* pesticide

Petent *m* petitioner, supplicant

den schwarzen Peter haben 1. *(fig)* to be (left) holding the baby *(fig)*; 2. to carry the can *(coll)*; **~ weitergeben** *(fig)* to pass the buck *(fig)*; **jdm ~ zuschieben** *(fig)* to lay the blame at so.'s door *(fig)*

PET-Flasche *f* PET bottle

Petition *f* petition; **P.sausschuss** *m* petitions committee; **P.srecht** *nt* right of petition

Petitum *nt* request, requirement, demand
Petro|chemie *f* 1. petrochemistry; 2. petrochemical industry; **p.chemisch** *adj* petrochemical; **P.dollar** *m* petrodollar
Petroleum *nt* 1. paraffin; 2. petroleum; 3. kerosene *[US]*
Petrowährung *f* petrocurrency
etw. in petto haben *[I] (coll)* to have a card up one's sleeve *(coll)*
Pfad *m* path, track; **ausgetretener P.** beaten track; **kritischer P.** critical path; **P.finder** *m* 1. scout; 2. pathfinder
Pfahl *m* post, pole, stake, prop
Pfand *nt* 1. pawn, pledge, collateral, pledged item, security; 2. deposit; 3. *(Pfandrecht)* lien; **als P.** in pawn, as a pledge
Pfand auslösen to redeem a pawn/pledge; **als P. behalten** to hold in pawn; **~ besitzen** to hold in pledge; **~ bestellen** to pledge, to give in pawn; **~ dienen** to serve as collateral; **P. einlösen** to redeem a pawn/pledge, to take out of pawn/pledge; **als P. einsetzen/geben/hinterlegen** to pawn/pledge, to put to pledge; **P. für verfallen/verwirkt erklären** to foreclose on a pledge; **als P. halten** to hold in pledge; **~ lassen** to pledge; **gegen P. leihen** to lend on collateral; **P. nehmen** to take in pawn/pledge; **zum P. setzen** to pawn; **als P. unterhalten** to hold in pledge; **~ verlieren** to forfeit; **P. verwerten** to realize a pledge
uneingelöstes Pfand unredeemed pledge; **verfallenes/verwirktes P.** forfeit, forfeited pledge
Pfand|abstand *m* return unsatisfied; **P.abstandsbescheinigung** *f* certificate of nulla bona *(lat.)*; **P.anleihe** *f* pledge loan; **P.auslösung** *f* redemption of a pledge, § replevin; **P.auslösungsrecht** *nt* equity of redemption; **P.bank** *f* pawn bank/office
pfändbar *adj* 1. seizable, attachable, leviable, distrainable, subject to execution, non-exempt; 2. *(Grundstück)* mortgageable; **nicht p.** non-seizable, non-attachable; **P.keit** *f* attachability
Pfand|benachrichtigung *f* notice of lien; **P.besitzer** *m* pawnee, pledgee, holder of a pledge; **P.besteller** *m* pawner, pawnor, pledgor, pledging party; **P.bestellung** *f* 1. pawning, pledging, creation of a lien; 2. *(Hypothek)* mortgaging
Pfandbrief *m* bond, debenture (bond), mortgage bond/(deed), hypothecation bond, letters of hypothecation; **P. einziehen** to redeem a bond; **P.e unterbringen** to place bonds; **~ zeichnen** to subscribe bonds
freier Pfandbrief unearmarked mortgage bond; **erstrangig gesicherter P.** senior lien bond; **hypothekarisch ~ P.** (first) mortgage bond; **hypothekarisch nicht ~ P.** simple debenture; **landwirtschaftlicher P.** farm loan bond
Pfandbrief|abteilung *f* bond trading department; **P.-agio** *nt* bond discount/premium; **P.anleihe** *f* mortgage loan, mortgage bond issue; **P.anstalt** *f* mortgage bank; **P.ausgabe** *f* bond issue; **P.auslösung** *f* redemption of bonds; **P.ausstattung** *f* mortgage bond terms; **P.besitz** *m* bondholdings; **P.besitzer** *m* bondholder, debenture holder; **P.bestand** *m* bond portfolio; **P.darlehen** *nt* mortgage loan; **P.disagio** *nt* bond discount; **P.emission** *f* bond issue; **~ vornehmen** to float/launch a bond issue **P.fonds** *m* bond fund; **P.gläubiger(in)/P.inhaber(in)** *m/f* bondholder, debenture holder, bond creditor **P.handel** *m* bond trading; **P.hypothek** *f* mortgage as collateral for mortgage bonds; **P.institut** *nt* land (mortgage) bank, bond house/bank; **P.markt** *m* bond market; **P.privileg** *nt* mortgage bond issue privilege **P.schuldner(in)** *m/f* bond debtor; **P.sparer** *m* mortgage-bond saver; **P.umlauf** *m* bonds outstanding; **P.vollmacht** *f* bonding authority *[US]*
Pfand|bruch *m* pound breach, breach of pound/arrestment; **P.darlehen** *nt* collateral loan; **P.depot** *nt* pledged securities deposit; **P.effekten** *pl* pledged securities **P.einlösung** *f* redemption of a pledge
pfänden *v/t* 1. *(Sachen)* to seize/distrain(upon)/levy, to levy a distress on, to take in execution; 2. *(Forderung)* to impound/attach/garnish, to put a writ on; **bei jdm p. lassen** to levy execution against so.; **drittschuldnerisch p.** to garnish; **kahl p.** to levy on the entire property, take away all leviable goods by execution
Pfänder *m* distrainer
Pfand|flasche *f* returnable/deposit(-refund) bottle; **P.forderung** *f* hypothecary claim; **p.frei** *adj* pledge-free; **p.- und lastenfrei** free of lien and charge; **P.freigabe** *f* voluntary redemption, release from pledge/lien; **P.geber** *m* pawner, pawnor, pledgor, pledger; **P.gebühr** *f* pawn money; **P.gegenstand** *m* pawn, pledge, pawned/pledged object, pledged property/item/article; **P.geld** *nt* money deposited as security; **P.geschäft** *nt* pawnshop, pawnbroker's shop; **P.gläubiger(in)/P.halter(in)** *m/f* 1. pawnee, pledgee, pledge holder, holder of a pledge; 2. mortgagee, lien holder/creditor, lienor, mortgagor, depositary, garnisher, § bailee, encumbrancer; **P.gut** *nt* pledge, pledged property; **P.haft** *f* lien, charge
Pfandhaus *nt* pawnshop, pawnbroker's shop, popshop *(coll)*; **im P.** up the spout *(coll)*; **ins P. tragen** to pawn; **P.besitzer** *m* pawnbroker
Pfand|hinterlegung *f* 1. deposit; 2. delivery of a pawn; **P.indossament** *nt* pledge endorsement; **P.indossatar** *m* pledgee, endorsee; **P.inhaber(in)** *m/f* → **Pfandgläubiger**; **P.kehr** *f* disregard of security arrangements, unlawful recovery of pledged goods; **P.klage** *f* § action of replevin; **P.klausel** *f* mortgage/lien clause; **P.kredit** *m* loan secured by a pledge; **P.leihanstalt/P.leihe/P.leihgeschäft** *f/nt* 1. pawnshop, pawnbrokery, municipal pawn office, ~ office; 2. pawnbroking; **P.leiher** *m* pawnbroker; **P.missbrauch** *m* abuse of distress, fraudulent use of a pawn; **P.nahme** *f* pawntaking; **P.nehmer(in)** *m/f* → **Pfandgläubiger**; **P.objekt** *nt* pledge, lien, pledged property/article
Pfandrecht *nt* (right of) lien, pledge, mortgage, charge
Pfandrecht auf verschiedene Aktiva floating charge; **P. des Anwalts** solicitor's lien; **P. der Bank** bank/banker's lien; **P. am Fahrnisvermögen** chattel lien; **rechtsgeschäftlich bestelltes P. in gesetzlicher Form** § statutory charge; **P. des Frachtsführers** carrier's lien; **~ Gastwirts** innkeeper's lien; **P. an einem bestimmten Gegenstand/einer bestimmten Sache**

specific/special/particular lien; ~ **Grundstück** mortgage; **P. am Konsignationslager** factor's lien; **P. an einer bestimmten Sache** [§] particular/special lien; ~ **beweglichen Sachen** chattel mortgage; **P. des Stellvertreters** agent's lien; **P. auf Grund eines rechtskräftigen Titels** consummate lien; ~ **nicht rechtskräftigen Titels** inchoate lien; **P. des Vermieters** lessor's/landlord's lien; **P. am gesamten Vermögen** general mortgage

Pfandrecht aufheben to vacate a lien; **P. ausüben** to exercise a lien; **sich aus einem P. befriedigen** to distrain upon a debtor, to obtain satisfaction from a lien; **P. begründen/bestellen** to create/constitute a lien; **P. an einer Sache geltend machen** to lay a lien on sth.; **P. verwerten** to enforce a lien; **auf ein P. verzichten** to waive a lien

älteres/bevorrechtigtes Pfandrecht prior lien; **bevorzugtes P.** senior lien; **besitzloses P.** non-possessory/ equitable lien; **eingetragenes P.** lien of record; **erstrangiges/-stelliges P.** first lien; **gesetzliches P.** statutory lien, lien by operation of law; **gleichrangiges P.** concurrent lien; **gleitendes P.** floating charge; **jüngeres P.** junior lien; **nachrangiges/-stehendes P.** junior/second lien; **nächstrangiges P.** subsequent mortgage; **rechtsgeschäftliches P.** conventional lien, pledge; **gesetzlich vermutetes P.** implied lien; **rangmäßig vorgehendes P.** senior lien; **vorrangiges P.** paramount/prior lien

Pfandrecht|bestellung *f* creation of a lien; **p.lich** *adj* hypothecary; **P.sausschluss** *m* non-lien

Pfand|rückgabe *f* restoration of goods in distraint; **P.sache** *f* pledge, pawn, pawned object; **P.schein** *m* pawn ticket/receipt, certificate of pledge, collateral certificate, duplicate; **P.schuld** *f* mortgage debt; ~ **kündigen** to call in/foreclose (on) a mortgage; **P.schuldner** *m* pledger, pledgor, lienee, mortgager, mortgagor, arrestee; **P.sicherheit** *f* lien, collateral security; **P.siegel** *nt* sheriff's seal, bailiff's stamp; **P.stück** *nt* pawn, pledge

Pfändung *f* seizure, attachment, arrest(ment), distraint, (levy of) distress/execution, pawnage; **im Wege der P.** by way of execution

Pfändung eines Drittschuldners garnishment; **P. einer Forderung** garnishment, attachment of a claim; **P. der Ernte** seizure of a crop; ~ **Früchte auf dem Halm** seizure of unharvested crops (by way of execution); **P. von (Sozial)Leistungen** attachment of benefits; **P. des Lohnes** attachment/garnishment of a wage; **P. wegen Mietrückstand** distress for rent (arrears); **P. von Sachen** attachment of property; **P. beweglicher Sachen** seizure of movables; **P. gegen Sicherheitsleistung** attachment against security; **P. eines Staatsschuldners** extent in chief; **P. im Zuge des Vorverfahrens** [§] pre-trial attachment

Pfändung aufheben to lift a seizure, to replevin; **P. ausbringen** to distrain; **P. betreiben** to levy a distraint; **P. durchführen** to arrest a debt; **P. vornehmen** to levy a distraint, to distrain

erneute Pfändung fresh execution; **fruchtlose P.** nulla bona *(lat.)*, unproductive levy of execution; **wiederholte P.** reattachment

Pfändungs|anordnung *f* order of attachment, writ of elegit *(lat.)*; **P.anspruch** *m* right to distrain; **P.anzeige** *f* notice of lien; **P.auftrag** *m* distress warrant, warrant/writ of attachment, warrant of arrest/distress, [§] fieri facias *(lat.)*; **P.beamter** *m* executioner; **P.befehl** *m* distress warrant; ~ **erlassen** *m* to issue a writ; **P.berechtigter** *m* lien claimant; **P.bericht** *m* return of writs; **P.bescheid** *m* attachment order; **jdm einen ~ zukommen lassen** to garnish

Pfändungsbeschluss *m* [§] writ/order of attachment, attachment/garnishee/distraint order, distress warrant; **P.- und Überweisungsbeschluss** attachment of earnings order, order of attachment and transfer of garnished claim, garnishee order; **P. erlassen** to levy an attachment order; **P. zustellen** to serve a writ of attachment, to give/serve a notice of distraint

Pfändungs|erlös *m* proceeds of a distress; **p.sfrei** *adj* unattachable; **P.freibetrag/-grenze** *m/f* exemption from seizure, limit of ~ execution; **P.gebühr** *f* (sheriff's) poundage; **P.gläubiger** *m* distrainer, judgment/attaching creditor, garnisher; **P.klage** *f* attachment proceedings; **P.kosten** *pl* execution costs; **P.liste** *f* executive docket; **P.pfandrecht** *nt* execution lien, lien by attachment; **P.protokoll** *nt* sheriff's return; **P.recht** *nt* right to attach, distress; **P.schuldner** *m* distrainee; **P.schutz** *m* exemption from seizure/attachment, protection against attachment; **P.verfahren** *nt* attachment proceedings; **P.verfügung** *f* writ of attachment, distress warrant, garnishee order; **P.- und Überweisungsverfügung** garnishment order; **P.versuch erfolglos** *m* nulla bona *(lat.)*, no goods

Pfand|untergang *m* extinguishment of a lien; **P.unterschlagung** *f* conversion of a pledge to own use; **P.urkunde** *f* mortgage deed, letter of hypothecation/lien

Pfandverfall *m* forfeiture of a bond; **endgültiger P. nach einer Ausschlussfrist** notice of foreclosure; **P.sankündigung** *f* notice of foreclosure; **P.sverfahren** *nt* [§] foreclosure proceedings

Pfand|verfügung *f* distress warrant, garnishee order; **P.verkauf** *m* distress sale/selling, sale of pledged security; **P.verleiher** *m* pawnbroker, pawnee, pledgee; **P.verschleppung** *f* removal of pledged property

Pfandverschreibung *f* bill of sale, mortgage deed, letter of hypothecation; **verfallene P.** foreclosed mortgage; **P.surkunde** *f* chattel mortgage

Pfand|verstrickung *f* attachment under a lien; ~ **lösen** to grant a replevin; **P.vertrag** *m* deed/act of pledge, contract of lien, mortgage deed, pledge agreement; **P.verwahrung** *f* pledge custody, impoundage, sequestration; **P.verwertung** *f* enforcement of a lien, realization of pledged property/distrained goods/a pledge; **P.verwirkung** *f* forfeiture of bond; **p.weise** *adj* by way of pledge, as collateral; **P.zins** *m* chattel interest

Pfeil *m* arrow; **P. eines Graphen** *m* branch, edge

Pfeiler *m* pillar

Pfeil|schema *nt* arrow diagram; **P.taste** *f* [▭] arrow key

Pfennig *m* penny; **P.e** chickenfeed *(coll)*; **ohne einen P.** penniless; **keinen P. wert** worthless

bis auf den letzten Pfennig bezahlen to pay the lot; **mit**

dem P. rechnen to have to watch/count every penny, to think of one's pennies; **jeden P. zusammenkratzen** to scrimp and scrape

Pfennig|beträge *pl* 1. amounts in pence; 2. chickenfeed *(coll)*; **P.fuchser** *m* pinchpenny, penny-pincher; **P.fuchserei** *f* cheeseparing; **P.waren** *pl* trinkets

Pferch *m* pen

Pferd *nt* horse; **P. beim Schwanz aufzäumen** *(fig)* to put the cart before the horse *(fig)*; **auf ein P. setzen/wetten** to back a horse; **alles ~ setzen** to put one's bets on one horse; **aufs falsche/richtige P. setzen** *(fig)* to back the wrong/right horse *(fig)*; **trojanisches P.** *(fig)* Trojan horse *(fig)*

Pferde|droschke *f* cab; **P.fuhrwerk** *nt* horse-drawn cart; **P.fuß** *m (fig)* snag, fly in the ointment *(fig)*; **P.händler** *m* horse dealer; **P.stärke** *f* horsepower; **P.zucht** *f* horse breeding/husbandry; **P.züchter** *m* horse breeder

pfiffig *adj* slick, smart

Pflanze *f* plant; **p.n** *v/t* to plant

Pflanzen|bau *m* cultivation; **P.beschau** *f* ⊖ plant inspection; **P.fett** *nt* vegetable fat/butter; **P.gift** *nt* herbicide; **P.heilkunde** *f* $ phytotherapy; **P.öl** *nt* vegetable oil; **P.patent** *nt* plant patent; **P.schädling** *m* pest

Pflanzenschutz *m* plant/crop protection; **P.mittel** *nt* pesticide, plant protectant; **p.rechtlich** *adj* phytopathological

Pflanzen|welt *f* vegetation; **P.zucht** *f* plant cultivation; **P.züchter** *m* nurseryman

pflanzlich *adj* vegetable

Pflanzung *f* 1. plantation; 2. planting; **ab P.** ex plantation

Pflaster *nt* 1. $ plaster; 2. pavement; 3. *(fig)* palliative; **teures P.** *(coll)* (pretty) expensive place; **P.maler** *m* pavement artist; **P.stein** *m* paver, paving stone; **P.straße** *f* paved road

Pflegbarkeit *f* maintainability

Pflege *f* 1. care, nursing, fostering, attention; 2. cultivation; **P. und Wartung** upkeep and maintenance; **in P. geben** to give in charge; **~ haben** to be in charge of; **in jds P. überlassen** to leave to so.'s care; **sorgfältige P.** careful nursing

pflege|arm *adj* easy-care, minicare, maintenance-free; **p.bedürftig** *adj* in need of care; **dauernd p.bedürftig** in permanent need of care; **P.bedürftigkeit** *f* requiring care; **P.befohlene(r)** *f/m* 1. charge; 2. *(Mündel)* ward; **P.beihilfe** *f* care allowance/grant; **P.beruf** *m* nursing/caring profession; **P.bruder** *m* foster brother; **P.dienst** *m* nursing; **P.eltern** *pl* foster parents; **P.fall** *m* person in need of care; **P.familie** *f* foster family; **P.geld** *nt* nursing/attendance/guardian's allowance; **P.heim** *nt* nursing/convalescent care home; **~ für unheilbar Kranke** hospice; **P.hilfe** *f* nursing help; **P.hinweis** *m (Textilien)* care label; **P.kasse** *f* care insurance; **P.kind** *nt* foster child; **P.kindschaftsverhältnis** *nt* fosterage; **P.kosten** *pl* nursing fees/expenses; **P.kostenversicherung** *f* private nursing insurance; **p.leicht** *adj* → **pflegearm**; **P.mittel** *nt* preservative, cosmetic; **P.mutter** *f* foster mother

pflegen *v/t* 1. to nurse, to care for; 2. to foster; 3. to tend; 4. to service/maintain, to keep up; **jdn gesund p.** to nurse so. back to health

Pflegepersonal *nt* nursing staff, care attendants

Pfleger|(in) *m/f* 1. $ care attendant/assistant, nurse; 2. *(Gericht)* guardian; 3. *(Vermögen)* (custodian) trustee, keeper; **P. bestellen** to appoint a guardian

Pflege|satz *m* nursing rate, operating cost rate, hospital and nursing charges; **P.sohn** *m* foster son; **P.stelle** *f* foster home; **P.tochter** *f* foster daughter; **P.vater** *m* foster father; **P.versicherung** *f* health care insurance, (long-term) care (LTC) insurance; **P.zulage** *f* nursing allowance; **P.zuschuss** *m* care allowance

pfleglich *adj* careful, cautious

Pflegling *m* ward, custodee

Pflegschaft *f* guardianship, custodial care, tutelage, curatorship, assigneeship; **P. mit besonderen Pflichten** special trust *[US]*; **P.smasse** *f* estate under curatorship

Pflicht *f* duty, obligation, liability, job, office

Pflicht zur Abrechnung duty to render account; **~ Amtsverschwiegenheit** duty to secrecy; **~ Bildung außerordentlicher Rücklagen** extra reserve requirement; **P. zum Handeln** positive duty; **P. zur Hilfeleistung** duty to assist; **P.en des Käufers** obligations of buyer; **~ und Rechte** rights and duties/obligations; **P. und Schuldigkeit** bounden duty; **P. eines Treuhänders** fiduciary duty

die sich aus dem Amt ergebenden Pflichten obligations arising from one's official duties

jdm eine Pflicht auferlegen to enjoin so. to do sth.; **P. eingehen** to enter into a commitment; **jdn von einer P. entbinden** to discharge so. of a duty; **sich seiner P. entledigen** to discharge one's duties; **~ entziehen** to evade a duty; **sich nie seinen P.en entziehen** never to flinch from one's duties; **seine P. erfüllen** to do/fulfil(l) one's duty; **P.en erfüllen** to perform duties; **seine ~ getreulich erfüllen** to be faithful in discharging one's duties; **etw. für seine P. und Schuldigkeit halten** to consider sth. one's bounden duty; **jdm etw. zur P. machen** to charge so. with sth.; **seinen P.en nachkommen** to discharge one's duties, to meet one's obligations; **~ nachlässig nachkommen** to be remiss in one's duties; **jdn in die P. nehmen** to remind so. of his duty; **P. sein** to be compulsory; **seine P. tun** to do one's duty; **P. verletzen** to fail in one's duty, to breach one's duty; **seine P.en vernachlässigen** to be remiss in discharging one's duties, to fail/be slack in one's duties; **~ versehen** to attend to one's duties

ausdrückliche Pflicht express obligation; **eheliche P.** conjugal/marital duty, matrimonial obligation; **gesetzliche P.** legal duty/statutory, ~ obligation; **lästige P.** onerous obligation; **moralische P.** moral duty; **jdm obliegende P.** duty incumbent on so.; **dem Verkäufer ~ P.** obligation incumbent upon the seller; **schwere P.en** onerous duties; **selbstverständliche P.** plain duty; **staatsbürgerliche P.** civic duty; **stillschweigende P.** implied duty; **mit Grundeigentum verbundene P.** burden of a covenant; **vertragliche P.** contractual duty

Pflicht|- mandatory, statutory; **P.ablieferung** *f* compulsory delivery; **P.aktie** *f* qualifying/qualification share; **P.anspruch der Witwe** *m* election dower; **P.aufgaben** *pl* absolute obligations; **p.ausgerüstet** *adj* compulsorily fitted; **P.ausübung** *f* performance of a duty; **bei der P.ausübung** in the performance of one's duties; **P.beitrag** *m* compulsory/statutory contribution; **P.bekanntmachung** *f* obligatory announcement; **P.besuch** *m* duty call; **P.bevorratung** *f* compulsory stocks; **p.bewusst** *adj* dutiful, mindful of one's duty; **P.bewusstsein** *nt* sense of duty

Pflichtblatt *nt* 1. official gazette/journal; 2. official journal for obligatory announcements; **P. an den Börsenplätzen** official gazette, obligatory publication medium; **P. der Wertpapierbörse** stock exchange official journal, ~ obligatory publication medium, proper journal for obligatory announcements

Pflicht|eifer *m* devotion to duty, zeal; **p.eifrig** *adj* dutiful; **P.eindruck** *m* imprint; **P.einlage** *f* compulsory capital contribution, ~ deposit, obligatory investment; **P.einschuss** *m* margin

Pflichten|erfüllung *f* discharge of duty, fulfilment/performance of one's duty; **P.heft** *nt* duties record book; **P.kodex** *m* code of conduct/obligations; **P.kollision** *f* conflicting duties, clash of responsibilities

Pflichtenkreis *m* duties, responsibilities; **P. festlegen** to define duties; **häuslicher P.** domestic duties

Pflicht|erbteil *nt* lawful share/half; **P.erfüllung** *f* discharge/performance of duty, exercise; **P.ergebenheit** *f* devotion to duty; **P.exemplar** *nt (Bibliothek)* presentation copy; **P.fach** *nt* compulsory subject; **P.gefühl** *nt* sense of duty

pflichtgemäß *adj* due, mandatory, dutiful; *adv* in accordance with one's duty; **nicht p.** optional

pflicht|getreu *adj* dutiful; **P.grenze** *f* compulsory/statutory limit(s); **P.haftpflichtversicherung** *f* compulsory third-party liability insurance

pflichtig *adj* due, bound, under an obligation; **P.enzahl** *f* number of persons liable

Pflicht|interventionssystem *nt* *[EU]* compulsory intervention system; **P.kartell** *nt* compulsory syndicate; **P.kompensation** *f* obligatory offsetting; **P.krankenkasse** *f* statutory health insurance (scheme); **P.lager** *nt* compulsory stock; **P.leistung** *f* discharge of a duty; **P.leistungen** *(Vers.)* obligatory benefits, standard insurance benefits; **P.lektüre** *f* compulsory reading, prescribed book(s); **p.mäßig** *adj* in accordance with duty; **P.mitglied** *nt* compulsory member; **P.mitgliedschaft** *f* compulsory membership; **P.mitteilung** *f* obligatory announcement, ~ stock exchange notice; **P.prüfung** *f* statutory/mandatory audit, audit required by law; **P.recht** *nt* forced heirship *[US]*

Pflichtreserve/Pflichtrücklage *f* required/legal/lawful *[US]*/minimum reserve, legal/statutory reserve(s); **P.n** cash-reserve requirements; **P. der Geschäftsbanken** minimum reserve asset ratio; **P.satz** *m* statutory reserve ratio

Pflicht|schulalter *nt* compulsory school age; **P.sparbeitrag** *m* obligatory savings instalment

Pflichtteil *m* legal portion/share, hereditary/statutory/compulsory portion, statutory share/legacy, forced share; **P. der Witwe** widow's portion, wife's part, election dower

Pflichtteils|anspruch *m* claim to legal portion, entitlement to a compulsory portion, forced heirship *[US]*; **P.berechtigte(r)** *f/m* person entitled to a compulsory portion, forced heir *[US]*; **P.entziehung** *f* disinheritance, deprivation of the right to compulsory portion; **P.ergänzungsanspruch** *m* right to augmentation of compulsory portion; **P.recht** *nt* right to a compulsory portion

pflicht|treu *adj* faithful; **P.treue** *f* loyalty, devotion to duty, faith, fidelity; **P.übung** *f* compulsory exercise; **sich einer ~ unterziehen** to go through the motions *(coll)*; **P.umlage** *f* obligatory levy; **P.untersuchung** *f* compulsory (medical) examination; **P.vereinbarung** *f* covenant to give a portion; **p.vergessen** *adj* remiss, neglectful, negligent of one's duty, derelict in duty, delinquent; **P.vergessenheit** *f* neglect/dereliction of duty, delinquency, defection; **P.verletzung** *f* 1. neglect/breach of duty, breach of obligations; 2. *(Amt)* malfeasance; **grobe P.verletzung** gross breach of duty; **P.versäumnis** *nt* dereliction/default/lapse/neglect of duty, failure to meet an obligation; **P.versicherer** *m* statutory insurance (scheme); **p.versichert** *adj* obligatorily/compulsory insured; **P.versicherte(r)** *f/m* employed contributor, obligatorily insured person

Pflichtversicherung *f* 1. statutory (social security) insurance (scheme), compulsory insurance; 2. *(Rente)* compulsory pension scheme; **P.sbeitrag** *m* Federal Insurance Contribution (FIC) *[US]*; **P.sgrenze** *f* income ceiling for statutory insurance

Pflicht|verteidiger *m* official defence counsel, legal adviser, assigned counsel *[GB]*, public defender *[US]*; **P.verteidigung** *f* court-assigned defence; **P.vorräte** *pl* compulsory buffer stocks; **p.widrig** *adj* contrary to duty, undutiful; **P.widrigkeit** *f* violation/breach of duty

pflück|en *v/t* to pick/pluck; **P.er(in)** *m/f* picker; **P.maschine** *f* picking machine

Pflug *m* plough *[GB]*, plow *[US]*; **unter den P. nehmen** to put to the plough

pflügen *v/t* to plough/plow

Pflugtier *nt* beast of the plough/plow

Pforte *f* gate, door, entrance

Pförtner *m* porter, janitor; **P.loge/P.haus** *f/nt* (porter's) lodge

Pfosten *m* stake

Pfründe *f* 1. benefice, prebend; 2. sinecure; **fette P.** fat living; **P.ninhaber** *m* incumbent; **P.nverleihungsrecht** *nt* patronage

Pfund *nt* 1. pound; 2. pound sterling *[GB]*, quid *(coll)*; **mit seinen P. wuchern** *(fig)* to make the most of one's talents/opportunities

Pfund|abwertung *f* devaluation of the pound; **P.anleihe** *f* sterling loan; **P.aufwertung** *f* revaluation of the pound; **P.betrag** *m* amount in pounds, poundage; **P.block** *m* sterling bloc/area; **P.geld** *nt* (postal order) poundage; **P.guthaben** *nt* sterling deposit; **p.ig** *adj* nifty *[US] (coll)*; **P.konto** *nt* sterling account; **P.krise** *f* sterling crisis; **P.note** *f* pound note

Pfusch(arbeit) *m/f* 1. poor/shoddy workmanship, bad job; 2. *(coll)* bad/shoddy/slipshod/sloppy work, botch-up

Pfuscher *m* 1. botcher, tinker; 2. ⚕ quack

Phänomen *nt* phenomenon; **p.al** *adj* phenomenal

Phantasie *f* → **Fantasie**

Phantom *nt* phantom; **P.bild** *nt (Polizei)* identikit; **P.exporte** *pl* ghost exports; **P.fracht** *f* phantom freight; **P.preis** *m* phantom price

Pharma|- pharmaceutical; **P.aktien** *pl (Börse)* 1. drugs, pharmaceuticals; 2. pharmaceutical phantoms *(coll)*; **P.export** *m* pharmaceutical exports; **P.hersteller** *m* drug/pharmaceutical company, drug company; **P.industrie** *f* pharmaceutical/drugs industry, drug companies; **P.produkte** *pl* pharmaceuticals, drugs; **P.referent** *m* medical/pharmaceutical sales representative, pharmaceutical consultant; **P.titel/P.werte** *pl (Börse)* → **P.aktien**; **P.unternehmen** *nt* pharmaceutical/drug company

Pharmazeut *m* druggist, pharmacist; **p.isch** *adj* pharmaceutical

Pharmazie *f* pharmacy, pharmaceutics

Phase *f* phase, stage; **in dieser P.** at this stage; **P. der Stärke** bout of strength; **in P.n einteilen** to phase; **aus einer rezessiven P. heraustreten** to snap out of depression *(coll)*; **in eine P. treten** to enter a phase; **entscheidende P.** decisive stage; **kritische P.** critical stage

Phasen|abweichung *f* phase deviation; **P.angleichung** *f* phase adjustment; **verzweigte P.folge** *f* branched phase sequence; **p.gleich** *adj* in phase; **P.länge** *f* length/amplitude of phase; **P.laufzeit** *f* phase delay; **P.schreiber** *m* phase recorder; **P.umkehr** *f* phase reversal; **P.umsatzsteuer** *f* all-stage turnover tax; **P.unterschied** *m* phase difference, time lag; **P.verschiebung** *f* phase shift, time lag, leads and lags; **p.verschoben** *adj* out of phase, delayed; **P.verzerrung** *f* phase distortion

Philanthrop *m* philanthropist, humanitarian; **p.isch** *adj* philanthropic, humanitarian

Philister *m* philistine; **p.haft** *adj* philistine

Phlegma *nt* phlegm; **p.tisch** *adj* phlegmatic

Phon *nt* phon, decibel; **P.grenze** *f* noise limit

Phono|branche *f* hifi industry

Phosphat *nt* phosphate

Photo *nt* → **Foto**

Phrase *f* phrase; **hochtönende P.** high-sounding phrase; **jdn mit hohlen P.n abfertigen** to fob so. off with empty talk; **P.ndrescher** *m* phrasemonger

Physiokrat *m* physiocrat; **p.isch** *adj* physiocratic; **P.ismus** *m* physiocracy

Physiothera|peut(in) *m/f* ⚕ physiotherapist; **P.pie** *f* physiotherapy

physisch *adj* 1. physical, 2. § corporeal

PIBOR (Zinssatz unter Pariser Banken) *m* Paris interbank offered rate

picobello *adj* *(coll)* impeccabble, immaculate, tip-top, in apple pie order *(coll)*

piek|fein *adj* *(coll)* prestigious, spruce; **p. sauber** spick and span

Piepen *pl* *(coll) (Geld)* brass *(coll)*, dough *(coll) [US]*, lolly *(coll)*

Piepsen *nt* *(Signal)* blip, pip; **p.** *v/i* to pleep

Piepser *m* bleeper

Pier *nt* wharf, dock, pier, jetty

Pigment *nt* pigment; **P.papier** *nt* carbon paper

von der Pike auf *f* *(coll)* from scratch; **~ lernen** to learn from the bottom up

Pikkolo *m* *[I]* page, busboy *[US]*

Piktogramm *nt* pictogram, icon

Pille *f* pill; **bittere P. schlucken** to swallow the bitter pill; **P. versüßen** to sugar the pill; **P.ndreher** *m (coll)* pharmacist, chemist, druggist *[US]*; **P.nknick** *m* drop in the birth rate

Pilot *m* pilot; **zweiter P.** copilot; **P.abschluss** *m* pacesetting wage agreement/settlement; **P.anlage** *f* pilot plant; **P.befragung** *f* ▦ pilot/throwaway interview

Piloten|kanzel *f* cockpit, flight-deck; **P.prüfung machen** *f* to get one's wings; **P.schein** *m* pilot's licence

Pilot|fertigung *f* bench-scale production, pilot plant production; **P.interview** *nt* ▦ pilot/throwaway interview; **P.programm/P.projekt** *nt* pilot scheme/project; **P.seminar** *nt* pioneer conference; **P.studie** *f* pilot study; **P.unternehmen** *nt* pilot company/enterprise; **P.versuch** *m* pilot project

Pilz *m* 1. mushroom; 2. *(Schimmel)* fungus; **wie P.e aus dem Boden schießen** to mushroom; **P.-** fungal; **P.lampe** *f* mushroom desk lamp; **P.vernichtungsmittel** *nt* fungicide

pingelig *adj* fussy, pernickety, niggling, fastidious, nitpicking; **äußerst p. sein** to be a stickler for details; **nicht so p. sein** *(Umgangsformen)* not to stand on niceties

Pinkepinke *f* *(coll)* brass*(coll)*, dough *(coll)*, lolly *(coll)*

Pionier *f* pioneer

Pionier|arbeit *f* spadework; **~ leisten** to pioneer; **P.erfindung** *f* pioneer invention; **P.geist** *m* pioneering/innovative spirit; **P.gewinn** *m* pioneer/innovational profit; **P.land** *nt* innovative country; **P.leistung** *f* pioniering achievement; **~ vollbringen** to pioneer; **P.produkt** *nt* pioneer product; **P.unternehmen** *nt* innovative business; **P.unternehmer** *m* innovative entrepreneur

Pipeline *f* pipeline; **P.verarbeitung** *f* 💻 pipelining

Pirat *m* pirate; **P.nware** *f* pirated goods

Piraterie *f* piracy

Piste *f* 1. ✈ runway, landing strip/track; 2. *(Skisport)* ski run

plack|en *v/refl* to slave/toil; **P.erei** *f* toil, drudgery, drudge, slavery, (hard) slog

plädieren *v/i* to plead/argue, to address the court; **falsch p.** to misplead

Plädoyer *nt* 1. submission, plea, (oral) pleading, 2. § parol, argument of counsel, address by counsel, ~ to the jury, summation *[US]*; **P. des Staatsanwalts** prosecution counsel's speech; **sein P. als Verteidiger halten** to address the court for the defence; **erneutes P.** repleader

Plafond *m* 1. ceiling, limit, cap; 2. *(Kredit)* borrowing limit: **P.aufstockung** *f* rallonge

plafondier|en *v/t* to set a limit, to cap; **P.ung** *f* ceiling control, limiting, capping

plafonieren *v/t* to level off

Plage *f* plague, pest; **p.n** *v/t* to trouble/plague/afflict/pester/torment; *v/refl* to slave/slog away

Plagiat *nt* plagiarism, piracy; **P. begehen** to plagiarize, to commit plagiarism , to lift

Plagiator *m* plagiarist, plagiarizer, copier

plagiieren *v/t* to plagiarize/pirate

Plakat *nt* poster, (posting) bill, placard: **P. ankleben** to poster, to stick a bill (on sth.); **P.ankleber** *m* billposter, billsticker, placarder *[US]*; **P.entwurf** *m* poster design

Plakateur *m* billposter, billsticker, placarder *[US]*

Plakatfläche *f* hoarding *[GB]*

plakatierlen *v/t* to post/bill/placard; **P.ung** *f* billposting, billsticking

Plakatlkleber *m* billposter, billsticker, placarder *[US]*; **P.maler** *m* sign painter; **P.säule** *f* advertising pillar; **P.schrift** *f* poster type; **P.standort** *m* poster site; **P.tafel** *f* billboard, poster panel; **P.träger** *m* sandwich man; **P.wand** *f* (advertising) hoarding *[GB]*, billboard; **P.werbung** *f* poster/outdoor/billboard advertising; **P.zeichner** *m* poster artist

Plakette *f* badge, medal

Plan *m* 1. plan, project, scheme, intention, program(me); 2. proposal, proposition, projection; 3. schedule, timetable; 4. *(Haushalt)* budget, estimates; 5. ✿ blueprint, design, pattern, plan of arrangement; 6. map, (town) plan; 7. 🏛 ground plan; **(genau) im P. (sein)** (to be) on target, dead on course, spot on *(coll)*; **P. für die Neuordnung** restructuring plan;~ **unmittelbare Zukunft** short-range plan

Plan abändern to modify a plan; **P. aufreißen** 🏛 to lay out a plan; **P. aufschieben** to shelve/suspend a plan; **P. ausarbeiten** to draw up a plan; **P. ausführen** to implement/carry out a project; **P. aushecken** to concoct a plan; **P. bekannt geben** to unveil a blueprint; **P. beschleunigen** to step up a scheme; **P. billigen** to endorse a plan; **P. durchführen** to implement/operate a scheme; **jds Pläne durchkreuzen** to thwart so.'s plans, to discomfit so.; **P. einreichen** to submit/lodge a plan; **P. entwerfen** to draw up a plan; **P. ersinnen** to devise a scheme; **P. fallen lassen** to abandon a scheme; **P. ad acta legen** to scrap a plan; **im P. liegen** to be on course/target; **auf den P. rufen** to bring to the scene; **Pläne schmieden** to make plans; **P. zeitweilig außer Kraft setzen** to suspend a plan; **P. skizzieren** to outline a plan; **auf den P. treten** to move in, to enter the scene/ring; **mit etw. ~ treten** to come up with sth.; **P. umstoßen** to upset a plan; **P. unterstützen** to promote a scheme; **(jds.) P. vereiteln** to thwart a plan, to cook so's goose; **P. vorlegen** to table a plan; **alle Pläne über den Haufen werfen** to upset the apple cart *(fig)*; **sich einen P. zurechtlegen** to work out a plan; **hinter einem P. zurückbleiben** to be/fall behind schedule; **P. einstweilig zurückstellen** to shelve a plan

einheitlicher Plan coherent plan; **fester P.** fixed schedule; **feste Pläne** definite plans; **langfristiger P.** long-term/long-range plan; **mittelfristiger P.** medium-term plan; **operativer P.** operational plan; **rechtsverbindlicher P.** legally binding plan; **übergeordneter P.** master plan; **genau überlegter P.** elaborate scheme; **umfassender P.** comprehensive scheme; **unüberlegter/verrückter P.** hare-brained *(coll)*/ill-conceived scheme; **verwässerter P.** diluted scheme; **vorläufiger P.** tentative plan

plan *adj* plane

Planlabschnitt *m* budget period; **P.abweichung** *f* 1. budget variance; 2. planning deviation; **P.ansatz** *m* budget estimate, appropriation, target; **P.auflage** *f* 1. obligation, planning requirement; 2. target; **progressive P.aufstellung** bottom-up system; **retrograde P.aufstellung** top-down system; **P.beschäftigung** *f* activity base; **P.bilanz** *f* budgeted balance sheet; **P.budget** *nt* forecast budget; **P.daten** *pl* anticipations data; **P.defizit** *nt* estimated deficit; **P.dividende** *f* target dividend; **P.durchführung** *f* implementation of a plan

Plane *f* 1. tarpaulin; canvas; 2. *(Schutzdach)* awning

computergestütztes Planen computer-aided planning

planen *v/t* 1. to plan/make plans/intend/project/scheme/devise; 2. to target/schedule/chart; 3. to budget/estimate; 4. to blueprint/design; 5. 🏛 to plot *[US]*; **gemeinsam p.** to concert; **heimlich p.** to plot; **im Voraus p.** to map out

Planenverdeck *nt* covering

Planer *m* planner; **P. einer Politik** policymaker

Planlerfüllung *f* achievement of quotas; **P.festsetzung** *f* → **Planfeststellung**

Planfeststellung *f* 🏛 planning inquiry/permission; **P.santrag** *m* planning application; **P.sbeschluss** *m* official approval of a plan, zoning approval; **P.sverfahren** *nt* public works planning procedure, zoning, plan/project approval procedure

planlgerecht *adj* on schedule, according to plan; **P.größe** *f* planned magnitude

planierlen *v/t* to level/bulldoze; **P.maschine** *f* road grader; **P.raupe** *f* bulldozer; **P.ung** *f* levelling

Planimetrie *f* planimetry, plane geometry

Plan-Istl-Abweichung *f* out-of-line situation; **P.-Vergleich** *m* target-performance comparison

Planlkalkulation *f* target calculation, budget costing; **P.kapazität** *f* budgeted capacity; **P.karte** *f* ⚓ plan chart

Plänkelei *f* skirmish

Planlkommission *f* planning commission; **P.kontrolle** *f* budget control

Plankosten *pl* budget(ed)/target/scheduled/predicted/programmed/specification cost, (current) standard cost; **flexible P.** flexible standard

Plankostenrechnung *f* budget/cost accounting, standard costing; **flexible P.** flexible budget(ing); **starre P.** fixed budget; **P.sbogen** *m* budget cost estimate sheet

Planleistung *f* performance target, planned performance; **P.srechnung** *f* budgeted results accounting

planlos *adj* random, planless, unplanned, haphazard, purposeless, unsystematic, desultory

planmäßig *adj* 1. as planned, according to plan; 2. scheduled, on schedule, according to schedule; 3. systematic, normal, orderly, regular; 4. *(Haushalt)* in line with the budget; **P.keit** *f* orderliness, regularity

Plan|nutzenkennziffer *f* contribution per unit of limiting factor, marginal income per scarce factor; **P.nutzungsziffer** *f* speed factor

plano *adj* 🗍 unfolded; **P.bogen** *m* 🗍 broadsheet, broadside

Plan|pause *f* ✿/🏛 blueprint; **P.periode** *f* budgeted/planning period; **P.quadrat** *nt* grid, quarter section; **P.quadratangabe** *f* grid reference; **P.rechnung** *f* budgeting, (budget) estimates; **P.revision** *f* budget adjustment, replanning, (plan) revision; **P.skizze** *f* sketch; **P.soll** *nt* target (set by planners), plan/output target; **P.spiel** *nt* simulation/management game, simulation; **~ für alle Unternehmensbereiche** general management game; **P.stärke** *f* required strength; **P.stelle** *f* vacancy, established post; **P.studie** *f* planning study; **P.summe** *f* target total

Plantage *f* plantation; **ab P.** ex plantation; **P.nbesitzer** *m* planter; **P.nwirtschaft** *f* plantation system

Plan|tiefe *f* level of detail; **P.übererfüllung** *f* over-fulfilment of production targets; **P.überholung** *f* budget review; **P.überwachung** *f* budget control; **P.umsatz** *m* sales projections

Planung *f* 1. planning; 2. budgeting; 3. calculation, plan, layout

Planung von Absatzförderungsmaßnahmen action planning; **P. des Arbeitskräfteeinsatzes** employment planning; **P. der Berufslaufbahn** career planning; **P. optimaler Kassenhaltung** cash projection; **P. für die Verladung** load planning; **P. vorbeugender Wartung** evaluated maintenance planning; **P. des Werbeetats** advertising budgeting

in der Planung sein to be on the drawing board, ~ at the planning stage

betriebliche Planung operational/corporate/company planning; **dezentrale P.** decentralized planning; **finanzwirtschaftliche P.** fiscal planning; **flexible P.** contingency planning; **hierarchische P.** hierarchical planning; **improvisierende P.** intuitive anticipatory planning; **indikative P.** indicative planning; **integrierte P.** integrated planning; **kurzfristige P.** 1. short-range/short-term planning; 2. short-termism *(coll)*; **langfristige P.** long-range/long-term planning; **laufende P.** current planning; **operative P.** operational/operative planning, operational policy; **progessive P.** bottom-up planning; **rektrograde P.** top-down planning; **rollende P.** perpetual/continuous budget, ~ planning; **sektorale P.** sector planning; **städtebauliche P.** town planning; **strategische P.** strategic planning; **stufenweise P.** level-by-level planning; **überlappende P.** rolling budget; **unternehmerische P.** corporate planning; **volkswirtschaftliche P.** (national) economic planning; **vorausschauende P.** foresighted planning

Planungs|ablauf *m* planning procedure; **P.abschnitt** *m* budget period; **P.abteilung/P.amt** *f/nt* 1. planning/policy-making department; 2. forecasting department; **betriebswirtschaftliche P.abteilung** operational research unit; **P.abweichung** *f* planning variance; **P.ansatz** *m* 1. budget estimates; 2. planning approach, approach to planning; **P.aufgabe** *f* planning function; **P.ausschuss** *m* policy-making/planning committee; **P.beamter** *m* planning official; **P.bedarf** *m* need fo planning; **P.behörde** *f* planning/strategic authority planning agency; **P.- und Entwicklungsbehörde** development planning authority; **P.büro** *nt* planning department/authority; **P.bürokratie** *f* planning authorities; **P.chef** *m (Unternehmen)* controller; **P.daten** *p* anticipations data; **P.denken** *nt* forward thinking **P.determinante** *f* planning factor; **P.einheit** *f* planning unit; **P.entscheidung** *f* planning decision; **P.fachmann** *m* planner; **P.forschung** *f* operations research (OR); **P.gebiet** *nt* planning/development area; **P.gewinnsteuer** *f* betterment levy; **P.gruppe** *f* planning group; **P.hoheit** *f* planning competence/jurisdiction **P.horizont** *m* planning horizon; **P.ingenieur** *m* production engineer; **P.instanz** *f* planning authority/board **P.instrument** *nt* planning (support) tool/instrument **P.kapazität** *f* planning capacity; **P.kette** *f* planning sequence; **P.klarheit** *f* clarity of planning; **P.kontrolle** *f* planning control; **P.konzept** *nt* planning concept **P.kosten** *pl* planning costs; **P.modell** *nt* planning model; **P.periode** *f* planning period; **P.phase** *f* planning stage, pre-contractual phase; **P.prämisse** *f* planning premise; **P.prozess** *m* planning process; **P.rahmen** *m* framework of a plan; **P.rat** *m* planning commission **P.rechnung** *f* budgetary accounting, (business) planning, budgeting performance measurement; **lineare P.rechnung** 💻 linear programming

Planungsrecht *nt* planning law, law concerning town (and country) planning; **p.lich** *adj* relating to legal provisions concerning town (and country) planning; **P.sprechung** *f* planning jurisdiction

Planungs|risiko *nt* planning risk; **P.ruine** *f* planning blight, white elephant *(fig)*; **P.sachverständiger** *m* planning consultant; **P.sicherheit** *f* planning predictability/stability/reliability, certainty of planning; **P.stab** *m* planning board, think tank *(fig)*; **P.stadium** *nt* planning stage; **P.stelle** *f* planning board/authority; **P.studie** *f* feasibility study; **P.system** *nt* planning system/methods, budgeting system/methods; **konsensorientiertes P.system** consensus system of planning; **P.tafel** *f* planning board; **P.technologie** *f* planning technology; **P.theorie** *f* planning theory; **P.variable** *f* budgeting variable; **P.vereinbarung** *f* planning agreement; **P.verfahren** *nt* planning procedure; **P.vorgabe** *f* planning premise; **P.vorgang** *m* planning process; **P.vorlauf** *m* planning period, provisional planning; **P.wert** *m* budgeted/targeted value; **P.wertzuwachs** *m* planning gain; **betriebliches P.wesen** corporate/company planning; **P.widerstand** *m* anti-planning bias; **P.zahl** *f* target (figure), planned figure; **P.zeit** *f* management time; **P.zeitraum** *m* 1. planning horizon, planning/plan period, operational time; 2. budget span; **P.ziel** *nt* (planned) target

plan|voll *adj* methodical, planned; **P.wagen** *m* covered waggon

Planwirtschaft *f* planned/(state-)controlled/command/managed economy, state control, governmental planning; **P.ler** *m* advocate of a planned economy; **P.lichkeitsgrad** *m* tightness

Plan|zahl *f* target (figure), planned/projected figure, targeted goal; **P.zeichnen** *nt* ▭ plotting; **P.zeichner** *m* ▭ plotter; **P.ziel** *nt* (plan/set/planning) target, targeted objective; **unter dem ~ bleiben** to remain below plan/target

Plasmabildschirm *m* ▭ plasma display

plastisch *adj* 1. plastic; 2. vivid, graphic, clear

Plastik *nt* plastic(s); **P.-** plastic; **P.ausweis** *m* plastic identification badge; **P.beutel** *m* plastic/carrier bag; **P.folie** *f* polythene/plastic sheet; **P.geld** *nt (Kreditkarte)* plastic money; **mit ~ zahlen** to pay with plastic; **P.hülle** *f* polypocket; **P.karte** *f* plastic card; **P.kredit** *m (Kreditkarte)* plastic credit; **P.tüte** *f* plastic bag

Platin *nt* platinum

Plättchen *nt* disc, disk

Platte *f* 1. plate, disc, disk; 2. *(Boden)* flag, slab; 3. *(Speise)* dish; 4. *(Musik)* record

Platten|abzug *m* ▯ stereotyped proof; **P.archiv** *nt* record archive; **P.automat** *m* jukebox; **P.belag** *m* flagging; **P.datei** *f* ▭ disc/disk file; **P.druck** *m (Textilien)* plate printing; **P.firma** *f* label; **P.fußboden** *m* tile(d) floor; **P.hülle** *f* sleeve; **P.kassette** *f* disc/disk cartridge; **P.laufwerk** *nt* ▭ disc/disk drive; **P.organisation** *f* ▭ disc/disk file organisation; **P.speicher** *m* ▭ disc/disk file, ~ storage; **P.spieler** *m* record player; **P.ständer** *m* record rack; **P.teller** *m* turntable; **P.vertrag** *m* recording contract

Platt|form *f* platform, basis; **P.formwagen** *m* 🚃 flatcar *[US]*; **P.fuß** *m* $ flat foot

Platz *m* 1. place; 2. spot, point, position, location; 3. centre, market; 4. room, space; 5. yard; **am P.e** in the market; **P. in der Economy-Klasse** ✈ economy seat; **~ den Regalen** shelf room; **fehl am P.e** out of place, misplaced; **bis auf den letzten P. gefüllt** filled/crowded to capacity

Platz anweisen to locate/install; **P. ausfüllen** to fill a position; **P. belegen** to reserve space, ~ a seat; **P. bieten (für)** to accommodate, to hold, to offer space; **P. einnehmen** to tie up space; **seinen P. wieder einnehmen** to resume one's seat; **viel P. einnehmen** to take up a great deal of space; **P. festlegen** to locate/situate; **P. greifen** to gain ground; **P. haben für** to accommodate; **wenig P. haben** to be cramped for space; **P. lassen** to leave room/space (for); **an den falschen P. legen** to misplace; **P. machen für** to give way to; **P. in Anspruch nehmen** to tie up space; **viel ~ nehmen** to take up a great deal of space; **P. reservieren (lassen)** to reserve/book space; **nicht am P. sein** to be out of place; **P. sparen** to save space; **am falschen P. sparen** to economize in the wrong place; **an den rechten P. stellen** to position; **seinen P. überlassen** to give up one's seat; **P. vorausbestellen** to book a seat

beschränkter Platz confined space; **erster P.** top spot *(coll)*; **freier P.** concourse; **leerer P.** vacant seat; **öffentlicher P.** public place; **reservierter P.** reserved seat; **unbesetzter P.** vacancy; **viel P.** lots of room/space

Platz|abschluss *m* spot contract; **P.agent** *m* local agent; **P.akzept** *nt* local acceptance; **P.analyse** *f* analysis of local conditions; **P.angebot** *nt* 1. spot offer; 2. accommodation; **P.anweiser** *m* usher; **P.anweiserin** *f* usherette; **P.arbeiter** *m* yardman; **P.bank** *f* local bank; **P.bedarf** *m* space requirements; **P.bedingung(en)** *f* 1. local terms; 2. ⚓ berth terms; **P.belegung/P.bestellung** *f* reservation (of a seat), seat reservation; **P.bericht** *m* local report

platzen *v/i* 1. to burst; 2. *(Scheck/Wechsel)* to bounce, to be returned unpaid; 3. *(Geschäft)* to fall through

Platz|geschäft *nt* spot business/contract, local trade; **P.halter** *m* interim officeholder; **P.handel** *m* local trade, spot business

platzierbar *adj* sal(e)able, placeable, negotiable

platzieren (bei) *v/t* 1. to position; 2. *(Emission)* to place (with), to sell; 3. *(Wechsel)* to negotiate; **sich gut p. wollen** to jockey for position; **reibungslos p.** *(Wertpapiere)* to place smoothly

gut platziert *adj* well placed

Platzierung *f* 1. *(Anleihe)* placement, placing; 2. *(Anzeige)* position, insertion

Platzierung einer Anleihe negotiation/placement of a loan; **P. außerhalb der Börse** secondary offering; **P. einer Emission** placement of an issue; **P. durch Konsortium** syndication; **P. außerhalb des Publikumsverkehrs** tap issue *[GB]*; **P. ohne Risikoübernahme durch Konsortium** best-efforts underwriting; **P. im Sekundärmarkt** *(Wertpapiere)* secondary placement

öffentliche Platzierung public placing/placement, (market) flo(a)tation; **private P.** *(Anleihe)* private placement/offering

Platzierungs|aufschlag *m* *(Anzeige)* position charge; **P.erfolg** *m* successful placement; **P.fähigkeit** *f* placing power; **P.geschäft** *nt* investment banking, security-placing business, underwriting and distribution; **P.gesellschaft** *f* placing agent; **P.konsortium** *nt* security-placing syndicate, underwriters, selling group; **P.kosten** *pl (Produkt)* field costs; **P.kraft** *f* placing potential; **P.kurs** *m* placing price; **P.memorandum** *nt* placing memorandum; **P.preis** *m* issue/placing price; **P.provision** *f* selling commission; **P.vertrag** *m* placing agreement; **~ mit Lieferfrist** *(Anleihe)* delayed delivery agreement/contract; **P.volumen** *nt* placing/placement volume

Platzkarte *f* reservation, place card; **P.kartengebühr** *f* reservation fee; **P.kauf** *m* spot purchase; **P.kenntnis** *f* local knowledge; **P.kilometer** *m* seat mileage; **P.konzert** *nt* open-air concert

Platzkosten *pl* work centre cost, costs of a cost point; **P.rechnung** *f* work centre costing; **P.satz** *m* work centre rate, machine burden unit

Platz|kredit *m* local credit; **P.kurs** *m* spot rate, ~ market price; **P.makler** *m* spot broker; **P.mangel** *m* shortage/lack of space, storage problems; **~ haben** to be cramped for space; **P.meister** *m* yard supervisor/boss; **P.miete** *f* space rental; **P.ordner** *m* steward; **P.protest** *m* protest for absence; **P.regen** *m* downpour; **P.reservierung** *f* seat reservation, reservation of seats; **P.-scheck** *m* local cheque *[GB]*, town check *[US]*; **P.schutzklausel** *f* local protection clause; **p.sparend** *adj* space-saving; **P.spediteur** *m* switching carrier;

P.spesen *pl* local expenses/charges; **P.übertragung/-weisung** *f* spot/local transfer; **P.usancen** *pl* local customs/practices; **P.veränderung** *f (Vers.)* removal; **P.verkauf** *m* spot sale; **P.verlust** *m* local charges; **P.vertreter** *m* local agent; **P.wechsel** *m* local bill/draft, walks bill; **P.zahl** *f* number of seats

plausibel *adj* plausible; **jdm etw. p. machen** to make so. understand sth.

Plausibilität *f* plausibility; **P.skontrolle/P.sprüfung** *f* validity/reasonableness check

Plazet *nt (lat.)* approval; **mit jds P.** on so's say-so

plazieren → **platzieren**

Plazierung → **Platzierung**

plebejisch *adj* plebeian

Plebiszit *nt* plebiscite, referendum

Pleite *f (coll)* 1. bankruptcy, collapse, (business) failure, smash(-up), flop *(coll)*, bust; 2. non-event; **P. gehen** to go bust, to end up in the hands of the receiver, to fold; **P. machen** to go bankrupt/bust *(coll)*/to the wall *(coll)*, to collapse/crash, to fall by the wayside; **p.** *adj (coll)* 1. *(Firma)* bankrupt, bust *(coll)*; 2. *(Person)* broke *(coll)*, on the rocks *(fig)*, skint *(coll)*; **p. sein** *(coll) (Person)* to be broke *(coll)*, ~ out of pocket

Pleite|geier *m (fig)* 1. vulture *(fig)*; 2. *(Bankrotteur)* bankrupt; **P.nfonds** *m* emergency/contingency fund; **P.nrekord** *m* record number of bankruptcies; **P.welle** *f* wave/spate of bankruptcies

Plenar|- plenary; **P.sitzung** *f* full session, plenary (session/sitting); **P.versammlung** *f* plenary meeting

Plenum *nt* plenary assembly, plenary/full session; **P.sdiskussion** *f* floor discussion

Plombe *f* (lead/metal) seal; **P. anbringen** to affix a seal; **P. entfernen** to take off the seal

plombier|en *v/t* to seal, to affix a seal; **p.t** *adj* sealed

Plünder|ei *f* plunderage, looting; **P.er** *m* looter, pillager, plunderer, marauder; **p.n** *v/t* to loot/pillage/plunder/raid/foray/ransack/maraud; **P.ung** *f* looting, pillage, plundering, pilferage

Pluralis|mus *m* pluralism; **p.tisch** *adj* pluralistic

Plus *nt* 1. π plus; 2. increase, rise, gain; 3. profit, surplus; 4. *(Vorteil)* advantage, asset, plus; *conj* plus; **im P.** in the black, in credit; ~ **sein** to write black figures

Plus|ankündigung *f (Börse)* published gain, share price mark-up; **P.korrektur** *f* mark-up, upward(s) revision/adjustment; **P.punkt** *m* plus, (extra) point, *(fig)* advantage; **P.punkte sammeln** to score; **P.saldo** *m* surplus; **P.seite** *f* upside; **P.zeichen** *nt* plus sign

Plutokrat *m* plutocrat; **P.ie** *f* plutocracy; **p.isch** *adj* plutocratic

Pöbel *m* mob, riffraff, rabble, hoi polloi; **vom P. attackiert werden** to be mobbed by the crowd; **p.haft** *adj* vulgar, plebeian; **P.haftigkeit** *f* vulgarity; **P.herrschaft** *f* mob rule

Pocken *pl* ⚕ smallpox; **P.epidemie** *f* smallpox epidemic; **P.impfung** *f* smallpox vaccination

Podest *nt* pedestal

Podium *nt* 1. platform, rostrum; 2. *(Diskussion)* panel; **P.sdiskussion/P.sgespräch** *f/nt* panel/round-table discussion; **P.smitglied** *nt* panelist

Pointe *f* 1. point; 2. *(Werbung)* punchline

pointiert *adj* pointed

Pokal *m* 1. goblet, tankard; 2. *(Sport)* cup

Poker *m* poker; **P.gesicht** *nt* poker face, deadpan expression

hart pokern *v/i* to haggle

Pol *m* 1. pole; 2. ϟ terminal; **magnetischer P.** magnetic pole

polar *adj* polar; **P.eis** *nt* polar ice

Polarität *f* polarity; **P.enprofil** *nt* standardized item listing; **P.sprofil** *nt* semantic differential

Polemik *f* polemics; **P.er** *m* polemicist

polemisch *adj* controversial

Police *f* (insurance) policy, certificate of insurance

Police mit Einmalprämie single-premium policy; ~ **Gewinnbeteiligung** participating/with-profits policy; **P. ohne Gewinnbeteiligung** non-participating policy; **P. mit versicherbarem Interesse** interest policy; **P. ohne versicherbares Interesse** wager policy; ~ **Nachschusspflicht** non-assessable policy; **P. mit Namensnennung** *(Seevers.)* named policy; ~ **gleitendem Nennwert** new-for-old policy; ~ **beschränktem Risiko** limited policy; **P. auf eine bestimmte Summe** value policy; **P. über eine Überlebensversicherung** joint-life policy; **P. mit Wertangabe** valued policy; **P. ohne Wertangabe** 1. open/unvalued policy; 2. *(Seevers.)* declared policy; ~ **Zurückweisungsrecht** indisputable policy

laut beiliegender Police as per policy enclosed

Police abtreten to surrender a policy; **P. ausfertigen/ausstellen** to issue/close out a policy; **P. beleihen** to lend/borrow on a policy; **P. einlösen** to cash a policy; **P. ergänzen** to amend a policy; **P. erneuern** to renew a policy; **aus einer P. Ansprüche geltend machen** to claim on a policy; **P. übertragen** to assign a policy; **P. zurückkaufen** to redeem a policy

abgelaufene Police expired policy; **auf den Namen ausgestellte P.** registered policy; **Selbstbehalt ausschließende P.** fixed-amount policy; **zeitlich befristete P.** time policy; **beitragsfreie P.** free/paid-up (insurance) policy; **benannte P.** named policy; **durchschnittliche P.** standard policy; **voll eingezahlte P.** paid-up policy; **gegliederte P.** scheduled policy; **gewinnberechtigte P.** participating policy; **unwiderruflich gewordene P.** incontestable policy; **kombinierte P.** mixed policy; **langfristige P.n** long-tail lines; **laufende P.** floating policy, open slip/cover; **nachschussfreie P.** non-assessable policy; **nachschusspflichtige P.** assessable policy; **offene P.** open/unvalued/unlimited/floating/general/declared/declaration policy, open cover, floater; **pauschale P.** compound policy; **prämienfreie P.** free policy; **prolongierte P.** extended-term policy; **taxierte P.** valued policy; **untaxierte P.** unvalued/open policy; **verfallene P.** lapsed policy; **vordatierte P.** predated policy

Policen|abtretung *f* assignment of a policy; **P.ausfertigung** *f* issuing of a policy; **P.ausstellungsbüro** *nt* policy-signing office; **P.beleihung** *f* policy borrowing/loan; **P.besitzer(in)/P.inhaber(in)** *m/f* policyholder; **P.buch** *nt* policy book; **P.darlehen** *nt* policy/premium loan; **P.dauer** *f* life of a policy; **P.erneuerung** *f* policy renewal; **P.formular** *nt* blank policy, proposal form; **P.gebühr** *f* entrance fee; **P.laufzeit** *f* life of a policy; **P.nachtrag** *m* rider, policy endorsement; **P.nummer** *f* policy number; **P.register** *nt* policy book; **P.rückkaufswert** *m* surrender value (of a policy); **P.verfall** *m* lapse of a policy; **P.vermerk** *m* policy endorsement; **P.vordruck** *m* policy form

Polier *m* 🏛 (site/construction) foreman, overseer

polieren *v/t* to polish, to touch up

Poliermittel *nt* 1. polish; 2. abrasive (product)

Poliklinik *f* ⚕ outpatient department, dispensary *[US]*

polipolistisch *adj* polypolistic, atomistic

Politesse *f* traffic warden *[GB]*

Politik *f* policy, politics, policy regime

Politik des Abwartens wait-and-see policy; **~ Ankurbelns und Bremsens** stop-go policy; **~ Gebens und Nehmens** give-and-take policy; **~ billigen/leichten Geldes** easy/cheap/loose money policy, easy credit policy; **~ knappen/teuren Geldes** tight/dear money policy; **P. zur Investitionsförderung** investment support policy; **P. der Krediterleichterung** easy credit policy; **~ Kreditverknappung** credit freeze policy; **~ Mitte** middle-of-the-road policy; **~ Nichteinmischung** non-interventionist policy; **P. am Rande des Abgrunds** brinkmanship; **P. der kleinen Schritte** step-by-step approach; **P. auf kurze Sicht** short-term policy, short-termism; **P. der offenen Tür** open-door policy; **P. für den Umweltschutz** environmental policy; **P. des Vor und Zurück** stop-go policy; **~ strukturellen Wandels und der strukturellen Anpassung** structural change and adaptation policy; **P. der Wirtschaftsdämpfung** contractionary policy; **P. des gütlichen Zuredens** moral suasion

Politik betreiben to pursue a policy; **konjunkturfördernde P. betreiben** to steer on/keep a stimulatory tack *(fig)*; **P. ergreifen** to adopt a policy; **über P. reden/sprechen** to talk politics; **P. verfolgen** to pursue a policy; **P. wählen** to adopt a policy

abgestimmte Politik concerted policies; **abwartende P.** wait-and-see policy; **antikolonialistische P.** anti-colonialist policy; **auswärtige P.** foreign policy; **einheitliche P.** coordinated policy; **gemeinsame P.** common policy; **große P.** high politics; **industriefeindliche P.** anti-industrial policy; **industriefreundliche P.** pro-industrial policy; **langfristige P.** long-term policy; **nachfrageorientierte P.** *(VWL)* demand-side policy; **am Marktgeschehen vorbei orientierte P.** market-ignoring policy; **protektionistische P.** protectionist policy; **restriktive P.** (policy of) restraint, tight policy; **risikoreiche P.** brinkmanship; **vernünftige P.** sound policy; **vorausschauende P.** farsighted policy; **zweigleisige P.** twofold policy

Politikberatung *f* advisory service for politicians

Politiker(in) *m/f* politician; **käuflicher P.** corrupt/venal politician

Politikum *nt* political issue

Politikwissenschaft *f* political scientist; **P.ler(in)** *m/f* political scientist

politisch *adj* political

Politökonomie *f* political economy

Politologe/P.in *m/f* political scientist; **P.ie** *f* political science

politisieren *v/i* to talk politics; to politicize

Politur *f* 1. polish; 2. varnish

Polizei *f* police (force)/service/station

sich bei der Polizei anmelden to register with the police; **bei der P. anzeigen** to report to the police; **P. einsetzen** to police; **jdm die P. auf den Hals hetzen** to get the law on to so.; **P. holen** to call the police; **sich bei der P. melden** to report to the police, to register with the police; **sich der P. stellen** to give o.s. up to the police, to surrender to the police; **der P. überantworten** to surrender to the police; **jdn ~ übergeben** to turn so. in; **P. von etw. unterrichten** to notify the police of sth.; **von der P. aufgegriffen werden** to be picked up by the police

Polizeiabzeichen *nt* police badge; **P.akte** *f* police file; **P.aktion** *f* police operation/raid; **P.anordnung** *f* police order; **P.apparat** *m* police force; **P.archiv** *nt* police records/archives; **P.aufgaben** *pl* police functions; **P.aufgebot** *nt* police detachment; **P.aufsicht** *f* police surveillance; **P.auto** *nt* police car; **P.beamter** *m* police officer, law-enforcement officer; **P.beamtin** *f* policewoman; **P.befugnisse** *pl* police powers; **P.behörde** *f* police authority; **P.bericht** *m* police report; **P.chef** *m* police chief; **P.dezernat** *nt* police department; **P.dienst** *m* police service; **P.direktor** *m* police commissioner *[GB]*, marshall *[US]*; **P.einheit** *f* police unit; **P.einsatz** *m* police operation/raid; **regulärer P.einsatz** policing; **P.eskorte** *f* police escort; **P.funk** *m* police radio; **P.gericht** *nt* police court, summary court of jurisdiction; **P.gewahrsam** *m* police custody/detention; **in P.gewahrsam** in the custody of the police, in police custody; **P.gewalt** *f* police power(s); **P.hund** *m* police dog; **P.inspektor** *m* police inspector; **P.kommissar** *m* police inspector/commissioner

polizeilich *adj* police

Polizeimelder *m* police alarm; **P.organisationsgesetz** *nt* police organisation act; **P.präsident** *m* chief constable *[GB]*, chief of police *[US]*; **P.präsidium** *nt* police headquarters; **P.razzia** *f* police raid; **P.recht** *nt* police law; **P.register** *nt* police records; **P.revier** *nt* police station/precinct, station house *[US]*; **P.richter** *m* police magistrate, recorder *[US]*; **P.schutz** *m* police protection; **P.spitzel** *m* police informer/spy; **P.staat** *m* police state; **P.station** *f* police station; **P.streife** *f* police patrol/picket; **P.stunde** *f* curfew, closing time; **P.verfügung** *f* police order; **P.verordnung** *f* police bylaw(s); **P.verwaltungsgesetz** *nt* police administration act; **P.wache** *f* police station

Polizist *m* policeman, patrolman *[US]*, police officer, law enforcement officer, copper *(coll) [GB]*, cop *(coll)*; **P. in Zivil** plain-clothes policeman, detective; **P.in** *f* policewoman

Polster *nt* 1. upholstery; 2. bolster, cushion, pad; **finanzielles P.** financial cushion, nest-egg *(fig)*; **P.material** *nt* padding

polsterln *v/t* to pad/cushion; **P.ung** *f* padding, cushioning

Polylgamie *f* polygamy, plural marriage; **p.glott** *adj* polyglot; **P.graf** *m* lie detector; **P.pol** *nt* polypoly; **p.polistisch** atomistic, polypolistic; **P.technikum** *nt* polytechnic(al) institute

Pomp *m* pomp, splendour

Pönalle *nt [A]* penalty payment; **p.isieren** *v/t* to penalize

von Pontius nach Pilatus (laufen) *(coll)* (to run) from pillar to post *(coll)*

Ponton *m* 1. pontoon; 2. jetty

Pool *m* pool, combine, cartel, combination; **P.bildung/P.ing** *f/nt* pooling; **P.konsortium** *nt* pool syndicate/management group; **P.vertrag** *m* pooling agreement

populär *adj* popular; **p. machen** to popularize

Popularität *f* popularity

Popularklage *f* § collective/relator action, taxpayer's suit

Population *f* population

Portal *nt* porch; **P.fahrzeugkran** *m* straddle truck; **P.kran** *m* gantry crane; **P.stapler** *m* straddle carrier

Portefeuille *nt* → **Portfolio** portfolio, holding; **P. eigener Aktien** reacquired capital stock; **P. mit minimaler Varianz** minimum variance portfolio; **P. verwalten** to manage a portfolio

auf Wertsteigerung angelegtes Portefeuille aggressive portfolio; **effizientes P.** efficient portfolio; **gemischtes P.** diversified portfolio; **hoch rentierliches P.** high-yield portfolio; **verzweigtes P.** balanced portfolio

Portefeuillelaufgliederung *f* portfolio breakdown; **P.aufstellung** *f* portfolio description; **P.berater** *m* investment analyst; **P.bestände** *pl* investments, portfolio holdings; **P.bewertung** *f* portfolio valuation; **P.effekten** *pl* portfolio securities; **P.eintritt** *m* taking over the portfolio; **P.geschäft** *nt* portfolio deal/transaction; **P.investition** *f* portfolio investment, investment securities; **P.mischung** *f* portfolio mix; **P.prämie** *f* portfolio premium; **P.prämienreserve** *f* portfolio premium reserve; **P.rückgang** *m* withdrawal of portfolio; **P.strukturierung** *f* asset allocation; **P.theorie** *f* portfolio theory

Portefeuilleumschichtung *f* 1. switching operation, portfolio switching; 2. *(Obligation)* coupon switching; **P. bei starken Kursschwankungen** anomaly switching; **P. aus Steuergründen; steuerbedingte P.** tax switching

Portefeuillelverwaltung *f* portfolio management; **P.-wechsel** *m* portfolio bill; **P.wert** *m* portfolio value; **P.werte** *(Investmentfonds)* underlying securities

Portemonnaie *nt* purse; **P. haben** *(fig)* to hold the purse strings *(fig)*

Portfolio *nt* → **Portefeuille; P.analyse** *f* portfolio analysis; **P.aufteilung/P.optimierung** *f (Fonds)* unitization; **P.gewichtung** *f* portfolio weighting; **P.gleichgewicht** *nt* portfolio equilibrium/balance; **P.kapital** *nt* funds in portfolio investments; **P.käufe** *pl* portfolio investments; **P.manager(in)** *m/f* portfolio/investment manager; **P.management** *nt* portfolio managemen[t]; **P.theorie** *f* theory of portfolio selection; **P.umschichtung** *f* mix change; **P.verkehr** *m* portfolio transfers

Portier *m (Hotel)* commissionaire *[GB]*, porter, doorkeeper; **P.kosten** *pl (Haus)* porterage; **P.loge** *f* porter's lodge

Portion *f* 1. portion, dose, helping, dollop *(coll)*; 2. allowance; **große P.** chunk; **zweite P.** *(Restaurant)* second helping; **p.sweise** *adj* in portions

Porto *nt* postage (rate), postal rate; **P. und Verpackung** postage and packing; **einschließlich P.** postage included; **kein P.** no postage payable; **zuzüglich P.** postage extra; **P. bezahlt** prepaid (ppd.), postage paid; **P. im Voraus bezahlt** postage prepaid; **P. zahlen** to pay postage; **P. zurückerstatten** to refund postage; **einfache P.** ordinary postage; **fälliges P.** postage payable

Portolauslagen *pl* postage incurred/expenses, postal expenses; **~ zurückerstatten** to refund postage; **P.buch** *nt* post/stamp book; **P.einnahmen** *pl* postage revenues; **p.frei** *adj* post(age) paid/free, prepaid; **~ machen** to frank; **P.freiheit** *f* exemption from postage; **P.freiheitsprivileg** *nt* franking privilege *[US]*; **P.gebühren** *pl* postal rates/charges, mailing rates; **P.hinterziehung** *f* defrauding postage, non-payment of postage; **P.kasse** *f* petty cash, imprest fund; **P.kassenbuch** *nt* stamp book; **P.kosten** *pl* postage bill/rate; **P.nachnahme** *f* carriage forward; **p.pflichtig** *adj* subject/liable to postage; **P.rechnung** *f* postal expense, postage expenses/bill/account; **P.rückvergütung** postage refund; **P.satz** *m* rate of postage, postal tariff; **P.spesen** *pl* postage (expenses); **P.tarif** *m* postal tariff/rate; **P.vergünstigung** *f* mail privilege *[US]*; **P.zuschlag** *m* extra/additional postage

Porträt *nt* portrait; **P. auf einer Banknote** denominational portrait *[US]*

Porzellan *nt* china, porcelain; **P.aktien/P.titel/P.werte** *pl (Börse)* china(ware) stocks; **P.erde** *f* china clay; **P.geschäft** *nt* china shop; **P.manufaktur** *f* 1. porcelain/china factory; 2. porcelain/china production; **P.waren** *pl* chinaware; **P.warenhandlung** *f* china shop

Position *f* 1. position, situation; 2. post, job; 3. entry, item, heading; 4. lie, station; 5. *(Rang)* standing; 6. *(Börse)* open position; **P. der Baissepartei** short position; **~ Haussepartei** long position; **P. des Zolltarif[s]** heading in the customs tariff

von seiner Position abrücken to back/climb down; **P.en aufbauen** *(Börse)* to be on the market, to go long of the market, to open a position; **nach P.en aufgliedern** to itemize; **P. auflösen** *(Börse)* to liquidate one's commitments, to close a position; **seine P. ausbauen** to strengthen one's position; **P. bekleiden** to hold a position; **seine P. bestimmen** ⚓ to take one's bearings; **P. beziehen** to take a stand; **rückwärtige P. beziehen** to retrench; **zurückhaltende P. einnehmen** to take a cautious view; **P. glattstellen** to square a position; **seine P. zur Bereicherung missbrauchen** to abuse one's position to line one's pockets; **P. schwächen** to undermine a position; **in einer guten P. sein** to be well placed

ausgleichende Position *(Option)* offsetting position

außenwirtschaftliche P. external position; **außerordentliche P.en** *(Bilanz)* extraordinary items; **ausstehende P.en** *(Prüfung)* awaits; **berufliche P.** professional position; **freie P.** vacancy; **gesonderte P.** separate item; **in guter P.** well-placed; **höhere P.** seniority, senior post; **konkurrenzfähige P.** competitive position; **kostenvergütete P.** pay item; **leitende P.** executive/managerial position; **offene P.** 1. open item; 2. *(Stelle)* vacancy; **ungedeckte P.** *(Börse)* open interest; ~ **P.en** open interest/commitments

ositionierung *f* 🖳/*(Werbung)* positioning; **P.smerkmal** *nt* criterion for product positioning; **P.szeit** *f* 🖳 seektime

ositions|anforderungen *f* job requirements; **P.anzeige** *f* 🖳 screen cursor; **P.anzeiger** *m* 🖳 (text) cursor; **P.auflösung** *f* liquidation of commitments; **P.bereinigung** *f* position-squaring; **P.bestimmung** *f* location; **P.eindeckung** *f (Börse)* covering; **P.finder** *m* 🖳 repositioning key; **P.inhaber** *m* incumbent; **P.licht** *nt* ⚓ navigation light(s); **P.papier** *nt* position paper, policy document; **P.verlust** *m* loss of position; **P.wechsel** *m* shift of position(s)

ositiv *adj* positive, beneficial, favourable, salutary; **P.ismus** *m* positivism; **P.liste** *f* positive/specific list; **P.um** *nt* asset, favourable aspect

ositur *f* pose, attitude

osse *f* farce

ost *f* 1. post, mail; 2. post (office), Post Office *[GB]*; 3. postal service/administration; **mit der/per P.** by/per post, by mail

ost abfertigen/absenden to dispatch mail; **P. aufgeben** to post/mail; **P. aufmachen** to open letters; **P. austragen** to deliver mail; **P. befördern** to carry mail; **mit der P. befördern** to mail; **P. bekommen** to receive mail; **mit der P. bestellen** to order by mail; **auf die P. geben** to post/mail; **P. heimlich öffnen** to tamper with mail; **mit der P. (ver)schicken/versenden** to mail/post, to send by mail/post; **P. zustellen** to deliver letters/mail

b-/ausgehende Post outgoing mail; **eingehende P.** incoming/inward mail; **elektronische P.** electronic mail, e-mail; **durch Freistempler freigemachte P.** metered mail *[US]*; **mit getrennter P.** separately, under separate cover, by separate post/mail; **gewöhnliche P.** surface/ordinary mail; **mit gewöhnlicher P.** by surface mail; **mit gleicher P.** by the same post/mail; **mit umgehender P.** by return of mail/post

ost|- postal; **P.abfertigung** *f* dispatch of mail; **P.abholer** *m* caller for mail; **P.abholung** *f* collection of letters/mail; **P.abkommen** *nt* postal agreement; **P.ablage** *f* postal rack, filing of letters; **P.ablieferungsschein** *m* certificate of posting; **P.abonnement** *nt* postal subscription; **P.abschnitt** *m* postal receipt; **P.abteilung** *f* mailing department; **P.adressbuch** *nt* post office directory; **P.adresse** *f* postal address; **P.agentur** *f* postal agency

ostalisch *adj* postal

ostamt *nt* post office, mail station *[US]*; **frei P.** free post office (FPO); **p.lich** *adj* postal; **P.svorsteher** *m* postmaster

Post|angestellte(r) *f/m* postal clerk; **P.anleihe** *f* postal loan; **P.anschrift** *f* postal/mailing address; **P.anstalt** *f* post office; **P.antwortschein** *m* international reply coupon

Postanweisung *f* 1. (postal) money order (M.O.), remittance by post; 2. *(für kleine Beträge)* postal order (P.O.)/note *[US]*/remittance; **internationale P.** international money order; **telegrafische P.** telegraphic money order

Post|arbeiter(in) *m/f* postal worker; **P.aufgabe** *f* posting, mailing; **P.aufgabedatum** *nt* posting/mailing date; **P.auftrag** *m* mail order, postal collection order; **P.ausgang** *m* outgoing mail; **P.ausgangskorb** *m* outtray; **P.auto** *nt* mail/post-office van; **P.barscheck** *m* postal order *[GB]*, uncrossed postal cheque; **P.beamter/P.beamtin** *m/f* post office/postal clerk; **P.bearbeitung** handling of mail, mail processing; **P.bearbeitungsmaschine** *f* mailing machine; **P.bedienstete(r)** *f/m* postal/post-office employee, post office clerk; **P.begleitschein** *m* dispatch note; **P.benutzer** *m* post office user; **P.bestimmungen** *pl* post office regulations; **P.betrug** *m* mail fraud; **P.beutel** *m* post/mail bag; **P.bezirk** *m* postal district; **P.bezug** *m* postal subscription; **P.boot** *nt* mail boat; **P.bote** *m* postman, mailman *[US]*; **P.botin** *f* mail carrier *[US]*

Pöstchenjäger *m (pej.)* office hunter; **P.ei** *f* rat race

Post|dampfer *m* mail steamer; **P.diebstahl** *m* mail theft; **P.dienst** *m* postal/mail service; **P.eingang** *m* incoming mail, letters received; **P.eingangskorb** *m* intray; **P.einlieferung** *f* mailing; **P.einlieferungsschein** *m* post office/postal receipt, certificate of posting

Posten *m* 1. *(Stelle)* position, job, situation, post; 2. *(Buchführung)* item, entry; 3. batch, lot, quantity, line; 4. article, commodity; 5. *(Wertpapiere)* parcel; **auf dem P.** alert

Posten auf der Aktivseite asset; **P. des Bestandsverzeichnisses** inventory item; **P. unter dem Bilanzstrich** below-the-line closure provision; **P. im Hauptbuch** ledger item; ~ **ordentlichen Haushalt** above-the-line item; **P. der Rechnungsabgrenzung** accruals and deferrals, deferred charges; **P. des Umlaufvermögens** current asset item

Posten abhaken/abstreichen to tick off an item; **P. aktivieren** to charge an account with an item; **P. aufführen/aufgliedern** to itemize; **P. aufgeben** to resign a post; **P. gegenseitig aufrechnen** to balance one item against another; **P. austragen** to cancel an item; **P. belasten** to debit an item; **auf seinem P. bleiben** to remain at one's post; **P. buchen/eintragen** to post an item; **P. ins Hauptbuch eintragen** to enter an item into the ledger; **nach P. gliedern** to itemize/specify; **P. gutschreiben** to credit an item; **an seinem P. kleben** to stick to one's position; **P. kreditieren** to credit an item; **P. löschen** to cancel an item; **P. nachtragen** to book omitted items; **P. notieren** to book an item; **P. passivieren** to credit an account with an item; **auf dem P. sein** to be on the job/one's toes; **P. spezifizieren** to itemize/specify; **auf verlorenem P. stehen** to fight a losing battle; **P. stornieren/streichen/tilgen** to cancel/

delete an item; **P. übertragen** to carry over/forward an item; **P. verbuchen** to pass an entry to an account; **P. im Hauptbuch verbuchen** to enter an item into the ledger; **P. auf einem Konto verbuchen** to pass an item to an account; **P. vortragen** to carry forward an item; **von seinem P. zurücktreten** to resign one's position

abzugsfähiger Posten *(Steuer)* deduction; **antizipative P.** accruals, accrued expenses; **ausgetragene P.** retired items; **außergewöhnlicher P.** 1. extraordinary item; 2. *(Bilanz)* exceptionals; **ausstehender P.** receivable item; **begünstigter P.** preference item; **bequemer P.** cushy job *(coll)*; **debitorischer P.** debit/receivable item; **der Rechnungslegung dienende P.** deferred charges; **durchlaufender P.** transitory/transit item, item in transit, self-balancing item; **eingetragener P.** recorded item; **einmaliger P.** non-recurring item; **entstandene, noch nicht fällige P.** accruing items; **gebührenfreier P.** free item; **kalkulatorischer P.** imputed item; **in kleinen P.** in small lots, in parcels; **kostenneutraler P.** item not affecting costs; **kostenpflichtiger P.** pay item; **kreditorischer P.** credit item; **leitender P.** executive position; **lukrativer P.** plum/gravy job *(coll)*; **offener P.** outstanding/open/unpaid item; **periodenechter P.** *(Bilanz)* above-the-line item; **ruhiger P.** cushy job *(coll)*; **spesenfreier P.** clear item; **offen stehender P.** suspense entry; **transitorischer P.** deferred charge/asset/item; **transitorische P.** 1. *(Aktivseite)* deferred expenses; 2. *(Passivseite)* deferred income; **sich überschneidende P.** overlapping interests; **unbesetzter P.** vacancy; **verantwortungsvoller P.** position of trust; **verschiedene P.** *(Bilanz)* miscellaneous items, sundries; **vorgetragener P.** amount carried forward; **vorläufiger P.** suspense item

Posten|aufgliederung *f* itemization, specification; **P.eingang** *m* list entry; **P.gebühr** *f* entry fee, item charge, charge per item, commission on entries; **P.jäger** *m* office seeker; **P.kalkulation** *f* item costing; **P.karte** *f* detail card; **P.kette** *f (Polizei)* cordon; **P.leiste** *f* 🖳 detail report group; **P.methode** *f* item-by-item method; **P.schreibung** *f* 🖳 detail printing, normal card listing; **P.statistik** *f* item statistics

Postentwertungsstempel *m* postmark

Posten|umdrucker *m* facsimile posting machine; **P.wechsel** *m* change of items; **p.weise** *adj* in lots; **P.zeile** *f* detail line; **offene P.zusammenstellung** trial balance

Post|fach *nt* Post Office Box (P.O. Box); **P.fachnummer** *f* PO box number; **p.fertig** *adj* ready for posting, ~ the post

post festum *adv (lat.)* subsequently

Postflugzeug *nt* mail plane

postfrei *adj* postage paid, prepaid; **p. machen** to frank; **P.stempler** *m* franking machine

Post|gebäude *nt* post office building; **P.gebühr(en)** *f* postage (rate), mailing rate(s) *[US]*, postal charges/rates, charge for postal services; **P.gebührensatz** *m* postal tariff/rate, mail tariff, scale of mail charges; **P.geheimnis** *nt* postal secrecy/confidentiality, secrecy of mail; ~ **verletzen** to infringe the secrecy of the post/mail *[US]*; **P.gewerkschaft** *f* postal trade/workers' union

Postgiro *nt* postal giro transfer; **P.amt** *nt* National Gir Office *[GB]*; **P.konto** *nt* National Giro account *[GB]*

Post|gut *nt* mail/postal matter; **P.halter** *m* postmaster **P.handbuch** *nt* post office guide; **P.horn** *nt* post horn **p.hum** *adj* posthumous

postieren *v/t* to post/position/station

Post|karte *f* postcard, postal/mailing card; **~ mit Rückantwort** reply postcard; **P.kasse** *f* postal cash office **P.kasten** *m* letter/mail *[US]* box, postbox; **P.korbspie** *nt (Fallstudie)* in-basket exercise; **P.kosten** *pl* posta expense; **P.kunde** *m* post office user; **p.lagernd** *adj* t be called for, poste restante *[frz.]*, general deliver *[US]*

Postlauf *m* mail routing, course of mail; **P.akkrediti** *nt* correspondence/mail credit; **P.kredit** *m* mail credi *[US]*; **P.zeit** *f* time between mailing and delivery, turn round time

Postleitzahl (PLZ) *f* post(al)/zip *[US]* code; **P.verzeichnis** *nt* postal/zip code register

Postler *m* post office employee/worker

Post|liste *f* mailing list; **P.meister** *m* postmaster; **P.minister** *m* Postmaster General *[US]*; **P.ministerium** *n* Post Office Department *[US]*; **P.monopol** *nt* posta monopoly/principle *[US]*; **P.nachnahme** *f* cash *[GB]* collect *[US]* on delivery (C.O.D.), postal cash orde **P.nachsendung** *f* mail rerouting; **P.nebenstelle** *f* sub post office *[GB]*, postal station

postnumerando *adv* later; **P.-Rente** *f* ordinary annuit

Post|optimalitätsanalyse *f* post-optimality analysis **P.ordnung** *f* postal regulations; **P.ort** *m* post town

Postpaket *nt* postal packet *[GB]*/package *[US]*/parce **als P. schicken** to send by parcel post; **P.dienst** *m* parcel service

Post|privileg *nt* postal principle *[US]*; **P.quittung** *f* pos office receipt, certificate of posting; **P.raub** *m* mai robbery; **P.reklame** *f* postal advertising; **P.route** *f* mai route; **P.sache** *f* postal matter, matter sent postage paid **P.sack** *m* postbag, mail bag, mailpouch, mailsack **P.schaffner** *m* postal clerk; **P.schalter** *m* post offic counter

Postscheck *m* postal cheque, Post Office cheque, National Giro transfer form *[GB]*; **durch P. bezahlen** t pay by giro

Postscheck|amt *nt* postal cheque office, National Gir Office *[GB]*; **P.auszahlung** *f* postal cheque outpayment; **P.dauerauftrag** *m* giro standing order; **P.diens** *m* postal giro transfer system, ~ cheque system, National Giro Service *[GB]*; **P.einrichtungen** *pl* giro services; **P.gesetz** *nt* postal cheque act; **P.guthaben** *n* balance on postal cheque account, giro balance *[GB]* check account balance *[US]*; **P.karte** *f* Giro Card *[GB]* **P.konto** *nt* postal cheque account, giro account, pos office account; **P.system** *nt* giro; **P.teilnehmer(in)** *m* postal cheque account holder; **P.überweisung** *f* (post giro transfer *[GB]*, postal transfer; **P.verkehr** *n* (postal) giro *[GB]*, giro transfer system

Post|schein *m* post office receipt; **P.schiff** *nt* ma boat/steamer, post boat, packet; **P.schließfach** *nt* post office box (P.O. Box); **P.sendung(en)** *f/pl* post, mail, postal consignment, goods sent by post; **P.skriptum (PS)** *nt* postscript; **P.sortierer** *m* postal sorter

Postspar|buch *nt* 1. post office savings book; 2. *(Bilanz)* postal savings; **P.dienst** *m* postal savings scheme; **P.einlagen** *pl* post office savings deposits, postal savings *[US]*; **P.guthaben** *nt* postal savings deposit

Postsparkasse *f* postal savings bank, Post Office Savings Bank *[GB]*

Postsparkassen|dienst *m* postal savings bank service; **P.guthaben** *nt* postal savings deposit; **P.konto** *nt* postal savings account; **P.ordnung** *f* postal savings bank code; **P.schuldverschreibung** *f* postal savings bond *[US]*; **P.vermögen** *nt* postal savings bank fund(s)

Postspar|konto *nt* post office savings account *[GB]*, postal savings account *[US]*; **P.schein** *m* savings certificate

Post|sperre *f* suppression of mail; **P.spesen** *pl* postage; **P.stelle** *f* 1. mailroom; 2. sub post office; **P.stempel** *m* postmark, date stamp; **P.straße** *f* post road; **P.streik** *m* postal strike; **P.streuung** *f* direct mail advertising; **P.tarif** *m* postage rate, postal tariff; **P.tasche** *f* mailbag; **P.tonnenkilometer** *pl* mail-ton mileage; **P.übersendung** *f* transmission by mail

Postüberweisung *f* postal remittance, Girobank *[GB]*/ mail *[US]* transfer; **elektronische P.** electronic mail transfer; **P.sauftrag** *m* Girobank/mail transfer order

Postulat *nt* demand, stipulation, claim, postulate, requirement, precondition

postulationsfähig *adj* § right in court, having the right of audience; **P.keit** *f* audience, capacity to conduct a case in court, locus standi *(lat.)*

postulieren *v/t* to postulate/stipulate/demand/require/ premise

Post|union *f* Postal Union; **P.verbindung** *f* postal communication; **P.verkehr** *m* postal services/traffic, mail services; **elektronischer P.verkehr** electronic mail, e-mail

Postversand *m* 1. postal dispatch; 2. mail order

Postversand|auftrag *m* mail order; **P.bescheinigung/P.dokument** *f/nt* certificate of posting; **p.fähig** *adj* mailable; **P.firma** *f* mail-order house; **P.geschäft** *nt* mail-order business/selling; **P.katalog** *m* mail-order catalogue; **P.rolle** *f* mail(ing) tube; **P.unternehmen** *nt* mail-order house; **P.verkauf** *m* mail-order selling; **P.werbung** *f* direct mail advertising

Post|verteilung *f* distribution of mail, routing of incoming mail; **P.vertrieb** *m* mail-order selling; **P.vorschriften** *pl* postal regulations; **P.wagen** *m* 1. postal van, post office car; 2. 🚂 mail van/car/coach *[GB]*; **P.weg** *m* postal/mail way; **auf dem P.wege** through the post; **p.wendend** *adj* by return (of post/mail); **P.-werbesendung** *f* direct mail; **P.werbung** *f* 1. direct mail advertising; 2. postal advertising

Postwert|sendung *f* insured item; **P.versicherung** *f* registered mail insurance; **P.zeichen** *nt* (postage) stamp

Post|wesen *nt* postal system; **P.wurfsendung** *f* direct mail (advertising/publicity/shot), mail shot, bulk mail; **P.zahlschein** *m* postal order *[GB]*/note *[US]*; **P.zahlungsverkehr** *m* postal payment system, ~ money transfer system; **P.zensur** *f* postal censorship; **P.zollordnung** *f* post office customs regulations; **P.zug** *m* mail train; **P.zuschlag** *m* postal surcharge; **P.zustellbereich/-bezirk** *m* (postal) delivery district/zone; **P.zustellung** *f* postal/mail delivery; **P.zustellungsurkunde** *f* certificate of delivery, registrered post certificate; **P.zwang** *m* postal principle *[US]*

potent *adj* powerful, strong

Potenz *f* π power

Potenzial *nt* potential, capacity, capability; **P. der Belegschaft** staff capabilities

akquisitorisches Potenzial management resources, acquisition potential; **betriebliches P.** operational capability; **mobiles industrielles P.** floating industrial capacity; **inflatorisches P.** inflation potential; **menschliches P.** human resources; **unternehmerisches P.** operational capabilities

Potenzial|ausschöpfungsgrad *m* degree of potential utilization; **P.faktor** *m* potential factor of production, usage factor; **P.gestaltung** *f* organisation of industrial capacity, planning of economic potentials; **p.orientiert** *adj* potential-orient(at)ed; **P.orientierung** *f* potential orientation

potenziell *adj* potential, prospective

potenzier|en *v/t* 1. π to exponentiate, to raise to the power of; 2. to reinforce; **P.ung** *f* π exponentiation

Potenzreihe *f* π power series

Potestativbedingung *f* § potestative condition

Pottasche *f* ⚗ potash

PR *pl* PR, public relations; **P.-Berater(in)** *m/f* PR consultant

Präambel *f* 1. preamble; 2. *(Police)* recital clause; **falsche P.** misrecital

Pracht *f* splendour, magnificence, luxury, sumptuousness; **P.entfaltung** *f* pomp and circumstance; **P.-exemplar** *nt* fine/prime specimen

prächtig *adj* splendid, magnificent, fine, sumptuous

Pracht|stück *nt* gem, showpiece; **p.voll** *adj* magnificent

prädeterminiert *adj* predetermined; **p. sein für** to be destined for

Prädikat *nt* distinction; **P.sexamen** *nt* honour's degree

präferenziell *adj* preferential

Präferenz *f* preference, preferential treatment; **P.en genießen** ⊝ to be accorded preferential tariffs; **additive P.en** additive preferences/utilities; **allgemeine P.** general preference; **sozial bedingte P.** social preference; **bekundete/faktische/offenbarte P.** revealed preference; **trennbare P.en** separable preferences

Präferenz|abkommen *nt* preferential agreement; **P.abmachung** *f* preferential arrangement; **P.anspruch** *m* preferential claim; **P.bedingungen** *pl* preferential terms; **p.begünstigt** *adj* preferential, eligible for/enjoying preferential treatment; **P.behandlung** *f* preferential treatment; **p.berechtigt** *adj* preferential, eligible for preferential treatment; **P.bereich** *m* zone of preference; **P.bestimmung** *f* preference clause; **P.-einfuhr** *f* preferential import; **P.gebiet** *nt* preferential

area; **P.handel** *m* preferential trade; **P.höchstspanne** *f* maximum margin of preference
präferenziell *adj* preferential
Präferenz|marge *f* margin of preference; **P.nachweis** *m* ⊖ proof of preference; **P.ordnung** *f* scale/order of preference, hierarchy of needs; **P.ordnungen der Konsumenten** consumer taste patterns; **P.raum** *m* preference area; **P.regelung** *f* preferential arrangement; **mengenmäßige P.regelung** preferential quantitative arrangement; **P.satz** *m* preferential rate; **P.seefrachten** *pl* preferential rates; **P.skala** *f* preferential scale; **P.spanne** *f* margin of preference, preference margin; **P.stellung** *f* preferential position; **P.system** *nt* preference system; **allgemeines P.system** Generalized System of Preferences *[US]*; **P.verkehr** *m* preferential trade; **P.zoll** *m* preferential duty/tariff; **P.zollsatz** *m* preferential (tariff) rate
prägbar *adj* coinable
Präge|anstalt *f* mint; **P.druck** *m* relief printing; **P.form** *f* coining die; **P.gebühr** *f* mintage, brassage; **P.gewinn** *m* seigniorage; **P.kontingent** *nt* minting quota; **P.lohn** *m* mintage
Prägen *nt* coinage, minting, stamping; **p.** *v/t* 1. *(Münzen)* to mint/coin, to strike (coins); 2. *(Wert)* to coin/stamp
Präge|presse *f* minting press; **freies unbegrenztes P.recht** free coinage; **P.stempel** *m* embossed stamp, punch, die; **P.stock** *m* die
Pragma|tiker *m* pragmatist; **p.tisch** *adj* pragmatic, down-to-earth; **P.tismus** *m* pragmatism
prägnant *adj* concise, succinct, incisive, trenchant
Prägnanz *f* conciseness, succinctness
Prägung *f* 1. minting, stamping; 2. character, type
prahlen *v/i* to boast/brag, to show off
Prahler *m* braggart, boaster; **P.ei** *f* boasting, boastfulness, ostentation; **p.isch** *adj* boastful
Prahm *m* ⚓ lighter, praam
Präjudiz *nt* § precedent, prejudice; **ohne P.** without precedent; **P.ienrecht** *nt* case law, law based on precedents; **p.ieren** *v/t* to set a precedent, to establish a legal precedent, to prejustice/prejudice/predetermine
präkludieren *v/t* § to foreclose/bar/preclude
Präklusion *f* § foreclosure, preclusion, bar, extinction of the exercise of a right, estoppage; **P.swirkung** *f* preclusive effect
Präklusivfrist *f* § deadline, time limit
Praktik *f* practice, policy, method, procedure; **P. unlauteren Wettbewerbs** unfair competitive practices
dirigistische Praktiken controls; **diskriminierende P.** discriminatory practices; **ein-/wettbewerbsbeschränkende P.** restrictive practices; **irreführende P.** deceptive practices; **missbräuchliche P.** abusive practices in competition; **verabredete P.** concerted practices
praktika|bel *adj* feasible, viable, practicable; **P.bilität** *f* feasibility, viability, practicability
Praktikant(in) *m/f* 1. trainee, student trainee/apprentice/employee, improver; 2. intern *[US]*; **P.enstelle** *f* trainee position, training post; **P.entätigkeit/P.enzeit** *f* 1. traineeship, clerkship; 2. $ internship
Praktiker *m* practitioner, practical person, field worker

Praktikum *nt* 1. (industrial/student) placement, practical; 2. work experience/shadowing (scheme); 3. training period, practical training, in-plant apprenticeship clerkship; 4. $ internship; **P.splatz** *m* internship **P.szeit** *f* internship phase
praktisch *adj* 1. practical, handy, convenient, businesslike, hands-on; 2. practicable; *adv (gesehen/genommen)* virtually, to all intents and purposes, for all practical purposes, in effect
praktizierbar *adj* workable, operable, viable; **nicht p** inoperable, unworkable
praktizieren *v/t* 1. to practice; 2. to put into practice; 3 to operate; **freiberuflich p.** to freelance
Prälegat *nt* § preferential legacy
Präliminar|- preliminary; **P.ien** *pl* preliminaries prelims, preliminary articles
Prämie *f* 1. *(Vers.)* premium; 2. bonus, consideration rate; 3. *(Preis)* award, reward, prize, giveaway, bounty 4. *(Börse)* option money; **mit P.** at a premium; **ohne P** ex bonus
Prämie für langjährige Betriebszugehörigkeit longevity pay; **~ regelmäßige Anwesenheit und Pünktlichkeit** well pay; **~ regelmäßige Einhaltung der Dienstzeit** regular attendance bonus; **~ unfallfreies Fahren** no-claim(s) bonus; **~ langjährige Firmenzugehörigkeit** loyalty bonus; **~ Pauschalpolice** blanket rate; **P. frei von Unfallkosten** net premium; **P. für Verbesserungsvorschlag** suggestion bonus; **~ Wiederausfuhr** ⊖ drawback
Prämie abwerfen to yield a premium; **P. ausschreiben** to write a premium; **P. aussetzen** to offer a reward; **P berechnen** to charge a premium; **P.n voll einzahlen** to pay up a policy; **P. erhöhen** to raise the premium, to up the rates; **P. erklären** *(Börse)* to declare an option; **P festsetzen** to write/fix/assess the premium; **mit P.n fördern** to bonus; **P. vereinbaren** to arrange a premium; **auf P.n verkaufen** to sell at option; **P. zurückerstatten** to refund a premium
anteilige Prämie prorata rate; **erste P.** opening premium; **fällige P.** premium due; **noch nicht ~ P.** deferred premium; **feste P.** fixed premium; **nach eigenem Ermessen festgesetzte P.** *(Feuervers.)* judgment rate **fiktive P.** fictitious premium; **gleichbleibende P.** level premium; **gleitende P.** sliding(-scale) premium; **kostendeckende P.** net premium; **laufende P.** regular premium; **leistungsabhängige P.** efficiency bonus **natürliche P.** natural premium; **niedrige P.** short premium; **pauschale P.** flat premium; **progressive P.** sliding(-scale) premium; **rückständige P.** premium in arrears; **rückvergütete P.** return premium; **steigende P** increasing premium; **unverbrauchte/unverdiente, nicht verbrauchte P.** unearned premium; **verbrauchte/verdiente P.** earned premium; **vorläufige P.** provisional rate/premium; **zusätzliche P.** additional premium
Prämien|abrechnung *f* premium statement; **P.abschlag** *m* premium rebate; **P.angleichung** *f* premium adjustment; **P.anhebung** *f* premium increase, increase of premiums; **P.anleihe** *f* premium/prize/lottery bond lottery loan; **P.anpassung** *f* premium increase/adjust-

ment; ~ **an das konkrete Risiko** individual rating; **verdienter P.anteil** pro-rata premium; **P.aufgabe** *f* abandonment of option money; **P.aufkommen** *nt* premium sales/income, premiums received; ~ **aus der Sachversicherung** non-life premium income; **P.aufschlag** *m* loading; **P.aufwendungen** *pl* premium costs; **P.auslosung** *f* premium draw(ing); **P.außenstände** *pl* outstanding premiums; **P.basis** *f* basis price; **P.befreiung** *f* waiver of premium; ~ **bei Tod oder Invalidität** payer benefit; **p.begünstigt** *adj* premium-carrying; **P.berechnung** *f* calculation of a premium; **P.berechnungsstelle** *f* rating office; **p.berechtigt** *adj* eligible for a premium; **P.bereich** *m* premium band; **P.beteiligung** *f* *(Lebensvers.)* special settlement dividend; **fällige P.beteiligung** maturity dividend; **P.betrag** *m* (amount of) premium; **P.bildung** *f* rate setting; **P.brief** *m* option contract; **P.büro** *nt* rating office; **P.depot** *nt (Vers.)* premium deposit, unearned reserve; **P.differenzierung** *f* modification rating; **P.diskriminierung** *f* rate discrimination; **P.einkommen/P.einnahmen** *nt/pl* premium income; **überschüssige P.einnahmen** surplus premiums; **P.einziehung** *f* collection of premiums, premium collection; **P.entlohnung** *f* bonus wage system; **P.entrichtung** *f* premium payment; **P.erhöhung** *f* premium increase

Prämienerklärung *f* *(Börse)* declaration of options; **P.skurs** *m* declaration day price; **P.stag** *m* contango *[GB]*/option *[US]*/declaration/make-up/making-up *[GB]* day

Prämienerstattung *f* (no-claims) premium refund

Prämienfestsetzung *f* rating, rate setting/marking; **P. nach Schadenshäufigkeit** retrospective rating; ~ **Schadensverlauf** schedule/merit/experience rating; ~ **individuellem Schadensverlauf** manual rating

Prämien|fonds *m* bonus fund, premium trust fund; **p.frei** *adj* free of premium; **P.geber** *m (Börse)* giver of option money; **P.geld** *nt* 1. bonus money; 2. *(Börse)* option money

Prämiengeschäft *nt* 1. *(Börse)* option(al) business/deal, option put and call, optional/premium bargain, indemnity, privilege; 2. bonus transaction; 3. option dealing; **P.e** optional dealings, dealing in options; **P. auf Abnahme** call; **P. eingehen** to call an option; **P.e machen** to deal in options; **nicht ausgeübtes P.** unexercised option

Prämien|gewährung *f* bonus issue; **P.handel** *m (Börse)* option trading; **P.händler** *m (Börse)* option dealer; **P.höhe** *f* premium level, amount of premium; **P.kalkulation** *f* calculation of a premium; **P.kauf** *m (Börse)* option purchase, purchase at option; **P.käufer** *m (Börse)* option buyer, giver of an option; **P.konto** *nt* bonus account; **P.krieg** *m* premium rate war; **P.kurs** *m (Börse)* option price/rate; **unerwartete P.kürzung** windfall reduction of premiums; **P.leistung** *f* premium payment

Prämienlohn *m* bonus/incentive wage, time rate plus premium wage, premium bonus; **P.form** *f* incentive plan; **P.system** *nt* piece rate system, premium (bonus) system, bonus scheme, pay incentive scheme

Prämien|los *nt* premium bond; **P.lotterie** *f* interest lottery; **P.makler** *m* put and call broker, privilege broker *[US]*; **P.markt** *m (Börse)* options market; **P.mehreinnahme** *f* additional premium income; **P.nachlass** *m* premium discount; ~ **bei Schadensfreiheit** no-claim(s) discount; **P.nehmer** *m* taker of option money; **P.obligation/P.pfandbrief** *f/m* premium bond/loan, loan on premium; **P.politik** *f* premium policy; **P.portefeuille** *nt* premium portfolio; **P.rabatt** *m* premium discount/rebate; **P.rate** *f* premium instalment; **P.rechnung** *f* premium note, renewal notice; **P.recht ausüben** *nt (Börse)* to exercise an option; **P.regelung** bonus scheme; **P.regulierung** *f* rate adjustment

Prämienreserve *f* premium/actuarial/mathematical/bonus reserve, reserve fund; **P. zum Jahresende** terminal reserve; **P.fonds** *m* premium reserve fund

Prämien|rückerstattung/-gewähr/-vergütung *f* refund/return of premium, premium refund; **P.rückstände** *pl* outstanding premiums; **P.satz** *m* 1. premium/option *[GB]* rate, rate of consideration *[US]*/premium; 2. *(Lebensvers.)* life rate; ~ **ermitteln** to assess the premium; **P.sätze festlegen** to make the rates; **p.schädlich** *adj* affecting the premium; **P.schatzanweisung** *f* premium treasury bond *[US]*; **P.schein/P.schuldverschreibung** *m/f* premium bond; **P.schwindel** *m* premium dodge

Prämien|sparen *nt* contractual*[GB]*/premium-aided saving, bonus-aided savings (scheme); **P.sparer** *m* premium saver

Prämienspar|förderung *f* premium savings promotion; **P.gelder** *pl* premium(-aided) savings; **P.konto** *nt* premium savings account; **P.vertrag** *m* bonus savings contract, premium-aided savings scheme

Prämien|spekulant *m* *(Börse)* options operator; **P.staffelung** *f* grading of premiums; **P.stornierung/P.storno** *f/nt* cancellation of premium; **P.stücklohn** *m* piece (rate) incentive system; **P.stundung** *f* deferment of premium payment; **P.summe** *f* premium; **P.system** *nt* 1. differential piece rate system; 2. bonus scheme/plan; ~ **mit degressiver Produktionsprämie** gain sharing; **P.tabelle** *f (Vers.)* rate schedule; **P.tableau** *nt* scale of premiums; **P.tarif** *m (Vers.)* tariff rate, scale of premiums, premium scale, insurance tariff; **P.überhang** *m* unearned premium reserve; **P.überschüsse** *pl (Lebensvers.)* net premium income; **P.übertrag** *m (Vers.)* unearned premium; **p.unschädlich** *adj* not affecting the premium, not impairing the right to a premium; **P.verdienst** *m* bonus earnings, premium pay; **P.verdienstliste** *f* earnings sheet; **P.vergleich** *m* premium comparison; **P.vergütung** *f* bonus repayment; **P.verkauf** *m (Börse)* options sale; **P.verkäufer** *m (Börse)* taker of an option; **P.versicherung** *f* proprietary insurance; **P.verzicht** *m* waiver of premium; **P.verzug** *m* arrears in the payment of premiums; **P.volumen** *nt (Vers.)* total premium income, business; **P.vorauszahlung** *f* advance premium; **P.wert** *m (Börse)* option stock; **P.zahler** *m* giver of the rate; **P.zahlung** *f* premium payment; **P.zuschlag** *m* additional premium

prämieren *v/t* to award a prize, to give an award, to place a premium on

Prämisse *f* premise; **sekundäre P.** minor premise

pränumerando *adv* in advance; **P.rente** *f* annuity due; **P.zahlung** *f* prepayment

Präparat *nt* (medical) preparation; **handelsübliches P.** commercial preparation

präparier|en *v/t* to prepare/treat; *v/refl* to prepare o.s.; **sich gut p.en** to do one's homework *(coll)*; **p.t** *adj* dressed

Präqualifikation *f* *(Ausschreibung)* pre-qualification

Prärogativ *nt* prerogative; **P.recht der Krone** *nt* royal prerogative *[GB]*

Präsent *nt* 1. present, gift; 2. promotional gift

präsentabel *adj* presentable; **nicht p.** unpresentable

Präsentant *m* 1. *(Scheck)* bearer; 2. *(Wechsel)* presenter

Präsentation *f* 1. sight, presentation; 2. *(Verpackung)* packaging; **bei P.** at sight; **P.sfrist** *f* presentation period; **P.srecht** *nt* right of proposal

präsentieren *v/t* 1. to package; 2. *(zur Zahlung)* to present

Präsentierteller *m* salver

Präsenz *f* 1. presence; 2. numbers present; **P. feststellen** to establish the number of those present

Präsenz|bibliothek *f* reference library; **P.börse** *f* exchange with face to face trading; **P.feststellung** *f* roll call, establishing the number of those present; **P.handel** *m* floor trading; **P.indikator** *m* coincident (indicator); **P.liste** *f* attendance list; **P.probe** *f (Güter)* pantry check; **P.quote** *f* attendance level; **P.zahl** *f* attendance figure(s), numbers attending; **P.zeit** *f* hours of attendance

Präsident|(in) *m/f* president, chairman, chairwoman, chairperson, chief executive officer (CEO); **P. der Landeszentralbank** president of the land/state central bank; **P. des Rechnungshofes** Comptroller and Auditor General *[US]*; **~ Zentralbankrats** President of the Central Bank Council

amtierender Präsident acting president; **designierter P.** president designate/elect *[US]*; **ehrenamtlicher P.** honorary president; **gewählter P.** president elect *[US]*; **stellvertretender P.** vice president

Präsidenten|amt *nt* presidency, chairmanship; **P.anklage** *f* impeachment (proceedings) *[US]*; **P.stuhl** *m* presidential chair

Präsidentschaft *f* presidency, chairmanship, office of president; **für das P.samt kandidieren** *nt* to run for president; **P.skandidat** *m* presidential candidate

Präsidial|amt *nt* office of president; **P.ausschuss** *m* general/presidential committee; **P.erlass** *m* presidential decree; **P.mitglied** *nt* board member; **P.sitzung** *f* board meeting

präsidieren *v/t* to chair, to be in the chair, to preside over, to occupy the chair

Präsidium *nt* board, chair(manship), presidency, officers; **P. übernehmen** to take the chair

präsumptiv *adj* presumptive

Prätendent *m* [§] pretender, claimant; **P.enstreit** *m* interpleader issue

präventiv *adj* preventive; **P.medizin** *f* preventive medicine

Praxis *f* 1. practice; 2. ⚕ surgery; 3. office; 4. usage, custom; **in der P.** in practice, hands-on, for all practical purposes; **P. der Gerichte** court practice; **P. des Rechnungswesens** accounting practice; **in der P. ausprobieren** to test in the field, to field-test

ärztliche Praxis medical practice; **beste fachliche P** best practice; **freiberufliche P.** freelance practice **handelsübliche P.** commercial practice

praxis|bezogen *adj* practical, hands-on; **P.bezug** *n* practical application/relevance; **P.erfahrung** *f* practical experience; **P.ferne** *f* remoteness in actual practice, impracticability; **p.fremd** *adj* unpractical, academic; **p.gerecht** *adj* realistic, appropriate; **p.nah** *ad* practical; **P.nähe** *f* practicality; **p.orientiert** *adj* practice-orient(at)ed; **P.räume** *pl* 1. ⚕ consulting rooms doctor's office *[US]*; 2. *(Anwalt)* chambers; **P.schock** *m* reality shock

Präzedenz *f* [§] precedence; **P.entscheidung** *f* lega precedent

Präzedenzfall *m* (judicial) precedent, test case, leadin case/decision; **P. mit Verbindlichkeitscharakter** [§ binding precedent *[GB]*; **P. ohne Verbindlichkeitscharakter** persuasive precedent *[GB]*; **P. der Vergangenheit** past precedent; **P. abgeben/bilden** to constitute a precedent; **P. anführen** to cite a precedent; **P schaffen** to create/set a precedent; **bindender P.** binding precedent; **nicht ~ P.** persuasive precedent

Präzedenz|recht *nt* case law; **P.urteil** *nt* judgmen establishing new law

präzis|e *adj* precise, concise, lucid; **p.ieren** *v/t* to specify, to define more closely

Präzision *f* precision, conciseness; **mit technischer P hergestellt** precision-made

Präzisions|arbeit *f* precision work; **P.faktor** *m* scal modifier; **P.instrument** *nt* precision instrument **P.maß** *nt* ▦ modulus of precision; **P.mechanik** **P.technik** *f* (high-)precision engineering; **P.werkzeu** *nt* precision tool

Präziswechsel *m* dated bill

PR-Berater(in) *m/f* PR consultant

Preis *m* 1. price (tag), rate, charge, cost, quotation; 2 terms, figure; 3. *(Terminhandel)* forward quotation; 4 value, valuation, worth; 5. prize, award; 6. *(Belohnung* reward; **unter P.** below cost; **zum P.e von** at a rate of

Preis einschließlich Abladen am Bestimmungsort; P bei Anlieferung; P. frei Bestimmungshafen lande price; **P.e ohne Abzug** terms strictly cash; **P. fü Ackerboden/-land** farmland price; **P. bei Barzahlun** cash price; **P. der Basisperiode** base-period price; **P per/pro Einheit** unit price; **P. ab Erzeuger/Fabri** factory price, ex works/ex-factory/ex-mill price; **P. mi Gleitklausel** escalation price; **P. frei Grenze** free-at frontier price; **P. unverzollt frei Grenze** price at entr excluding customs; **P. zweiter Hand** second-han price; **P. frei Haus** delivered-in/door-to-door price price free to the door; **P. ab Hof** ex-farm price; **P.e fü Industrieerzeugnisse** prices of industrial goods industrial prices; **P. einschließlich aller Kosten** rend *[frz.]* price; **P. incl. sämtlicher Kosten bis zum Schif** f.a.s. price (free-alongside-steamer/ship price); **P ohne Kosten der Zollgutlagerung** in-bond price; **P**

ab Lager ex-warehouse price; **P. frei Längsseite Schiff** price free alongside ship (f.a.s.); **P. einschließlich Lieferkosten** delivered price; **P. für künftige Lieferung** forward price; ~ **letzte Lieferung** terminal price *[GB]*; **P. bei sofortiger Lieferung** spot/ex-warehouse price; **P. einschließlich Mehrwertsteuer** price inclusive of V.A.T.; **P. ab Plantage** ex-plantation price; **P. einschließlich Porto und Verpackung** price inclusive of postage and packaging; **P. bei Ratenzahlung** hire-purchase price *[GB]*, deferred payment price *[US]*; **P. ab Schacht** ⚒ pithead price; ~ **Speicher** ex-warehouse price; **P. pro Stück** unit price; **P. in der Touristenklasse** ✈ economy fare; **P. Verhandlungssache** price negotiable, price a matter for negotiation; **P. für Vermögenswerte** asset price; **P. ohne Verpackung** price excluding packaging; **P. ab Versandbahnhof** ex station price; **P. nach Verzollung** post-tariff price; **P. für unverzollte Ware im Zolllager** in-bond price; **P. auf dem Weltmarkt** world-market price; **P. ab Werk** ex works/factory/mill price, price ex factory/mill/works, factory gate (output) price; ⚒ pithead price; ~ **Zeche** ⚒ pithead price

hoch im Preis high-priced; **niedrig im P.** low-priced; **um jeden P.** at all cost; **um keinen P.** not at any price, on no account; ~ **der Welt** under no circumstances; **zum halben P.** for half the price, at half price; **zu jedem P.** at any price; **zu einem Viertel des P.es** for quarter of the price; **im P. (nicht) enthalten** (not) included in the price; **P. freibleibend** subject price, price subject to change (without notice), ~ without engagement; **P. geprüft** price approved; **im P. herabgesetzt** cut-price; **P. unverzollt** price exclusive of duty; **P. verzollt** price inclusive of duty; **die P.e sind unverbindlich** prices are subject to change without notice

Preis absprechen to fix/settle/negotiate a price; **P. abverlangen** to charge a price; **auf die P.e abwälzen** to pass on to prices; **vom P. abziehen** to deduct from the price, to knock off the price *(coll)*; **zu einem höheren P. anbieten** to price higher; **unter P. anbieten** to underprice; **P. angeben/anzeigen** to quote (a price), to state/note a price; **P.e angleichen/anpassen** to adjust/align prices; ~ **anheben** to raise/put up/lift prices; **P. ansetzen** to quote (a price), to price, to make a price; **P. aufrechterhalten** to maintain a price; **P. aushandeln** to negotiate a price; **P. ausschreiben** to offer a prize; **P. aussetzen für etw.** to put a premium on sth., to offer a prize; **mit einem P. auszeichnen** 1. to price out, to mark with a price, to pre-price; 2. to award a prize; ~ **falschen P. auszeichnen** to misprice; ~ **höheren P. auszeichnen** to mark up; **P. beeinflussen** to affect a price; **P. benennen** to name a price; **P. berechnen** to cost, to charge a price; **P. berichtigen** to adjust a price; **P. bestimmen** to fix/make a price; **P.e binden** to maintain (retail) prices; ~ **zum Einsturz bringen** to send prices into a nosedive; ~ **diktieren** to dictate prices; ~ **drücken** to bring/force prices down, to depress prices; **auf die** ~ **drücken** to raid; **P. durchsetzen** to make a price stick; **P.e einfrieren** to freeze prices; **sich auf einen P. einigen** to arrive at a price; **im P. einschließen** to include in the price; **in den P. eintreten** to conform to the price; **P. empfehlen** to recommend a price; **P. erfragen** to ask for the price, ~ a quotation; **P. erhalten** to be awarded a prize; **besseren P. erhalten** to fetch a higher price; **P. erhöhen** to raise a price, to mark/put up a price; **sich nach dem P. erkundigen** to ask for the price; **P. ermäßigen** to lower/decrease a price, to mark down a price, to rebate; **P.e stark ermäßigen** to slash prices; **vollen P. erstatten** to refund the full price; **P. erzielen** to fetch/reach/realize a price; **guten P. erzielen** to secure a good price; **im P. fallen** to depreciate, to sag in price; **um den P. feilschen** to haggle over the price; **P. festlegen** to price-fix; **P. festsetzen** to fix/set/make/determine the price, to price; **neue P.e festsetzen** to reprice; **P. fordern** to charge a price; **nach dem P. fragen** to ask for the price; **P.e freigeben** to decontrol prices; **P. genehmigen** to approve a price; **P. gewinnen** to win a prize/an award; **alle P.e gewinnen** to sweep the board *(coll)*; **P.e halten** to peg/hold/maintain prices; **bestehende** ~ **halten** to maintain existing prices; ~ **niedrig halten** to hold prices down; **P. herabsetzen** to mark down, to lower/decrease/cut (down)/slash a price, to cheapen; **P.e herauf-/hoch schrauben** to rig/jack up prices; **P. heraufsetzen** to raise/lift/advance a price, to mark up a price; **P. herausholen** to extract a price; **P.e herunterbringen/-drücken** to depress (the) prices; **P. herunterhandeln** to get a price reduced, to bargain; **P.e hochhalten** to keep prices high; ~ **hoch treiben** to boost/puff prices; **P. kalkulieren** to cost, to calculate a price; **P.e kappen** to slash prices; **unter P. kaufen** to buy below price, to underbuy; **P.e explodieren lassen** to send prices soaring; **zu einem P. losschlagen** *(coll)* to flog off at a price *(coll)*; **P.e manipulieren** to rig the price; **P. mindern** to reduce a price; **vom P. nachlassen** to deduct from the price; **P. nennen** to give/quote/name a price; **P. notieren** to quote a price; **P. realisieren** to obtain a price; **P. reduzieren** to reduce a price, to take the price back; **P.e regulieren** to control prices; **P. schätzen** to price; **nicht auf den P. sehen** not to consider the price; **P. senken** to cut/reduce/decrease/lower/trim the price, to mark down the price, to take the price back; **P. drastisch senken** to slash a price; **im P. sinken** to diminish in price; **P.e stabilisieren** to steady prices; **hoch im P. stehen** to command a high price; **im P. steigen** to appreciate; **P.e steigern** to boom the market; **P. stiften** to offer a prize; **P.e stoppen** to freeze prices; ~ **stützen** to peg/support prices; **um keinen P. tauschen wollen** not to like to be in so.'s shoes *(coll)*; **P.e in die Höhe treiben** 1. to send prices soaring, to force up/bump up/boost prices, to boom the market; 2. *(Auktion)* to bid up, to raise the bidding; **bei den P.en überreizen** to overcharge; **P.e überschreiten** to exceed prices; **auf die** ~ **überwälzen** to pass on to prices; ~ **unterbieten** to undercut prices; **P. vereinbaren** to agree upon a price, to negotiate/settle a price; **P. vergeben/verleihen** to award a prize; **über den P. verhandeln** to negotiate a price; **unter P. verkaufen** to undersell/slaughter; **zu einem P. verkaufen** to sell at a price; **P. verlangen** to demand a price; **zu hohen P. verlangen** to overprice; **höhere P.e verlangen** to charge higher prices; **mit einem P. versehen** to price; **P. zuerkennen** to award a prize; **P. zurücknehmen** to mark down, to take the price back, to roll back the price

administrierter Preis administered/managed price; **allerniedrigster P.** rock-bottom price; **amtlicher Preis** government-fixed/official price; **angegebener P.** quoted price, price/rate quoted; **abzüglich 10% der angegebenen P.e** 10% off stated prices; **anbieterbestimmter P.** inflexible price; **angemessener P.** fair/reasonable price; **mit angemessenem P.** reasonably priced; **angestrebter P.** target price, price target; **angewandte P.e** prices charged; **annehmbarer P.** fair/reasonable price; **scharf anziehender P.** soaring price; **ausgesetzter P.** offered prize; **ausgezeichneter P.** sticker price; **äußerster P.** (rock-)bottom/ceiling/lowest/supply/knock-down price; **berechneter P.** invoiced price, price charged; **bestehender P.** existing price; **beweglicher P.** flexible price; **davonlaufender P.** sky-rocketing price; **durchschnittlicher P.** average price; **echter P.** commercial/full economic price; **eingefrorener P.** frozen price; **einheitlicher P.** standard price; **empfohlener P.** recommended/suggested price; **emporschnellender P.** soaring/sky-rocketing price; **ermäßigter P.** reduced price; **erschwinglicher P.** affordable/popular price; **höchster erzielbarer P.** skim-the-cream price; **erzielte P.e** prices realized; **exorbitanter P.** exorbitant price; **exotischer P.** fancy price; **fakturierter P.** invoiced price; **fallende P.e** declining/sagging prices; **fester P.** fixed/steady price; **amtlich festgesetzter P.** administered/government-fixed/oficial price; **freibleibender P.** subject price; **früherer P.** previous price; **galoppierender P.** sky-rocketing/spiralling price; **gängiger P.** going/prevailing/sal(e)able price, going rate; **garantierter P.** guaranteed price; **gebotener P.** bid/offer price; **gebrochener P.** odd price; **gebundener P.** administered/controlled/regulated price; **gedrückter P.** weak price; **geforderter P.** asking/asked price; *(Börse)* asked; **gegenwärtiger P.** prevailing/current/actual price; **künstlich gehaltener P.** pegged price; **geltender P.** ruling/current price; **gemeinsamer P.** common price; **genehmigter P.** approved price; **genormter P.** standardized price; **gepfefferter P.** *(coll)* steep price; **gesalzener P.** *(coll)* stiff price; **gespaltener P.** split price; **gestaffelter P.** graduated price; **in Rechnung gestellter P.** invoiced price; **gesteuerter P.** controlled price; **gestoppter P.** stop price; **gestützter P.** supported/pegged price; **gewöhnlicher P.** customary price; **gleitender P.** sliding(-scale) price; **gültiger P.** current/existing price; **günstiger P.** attractive/bargain/favourable price; **zu einem (besonders) günstigen P.** at a bargain price, premium-priced; **halber P.** half price; **zum halben P.** at half price, half-price; **handelsüblicher P.** market price, going rate; **herabgesetzter P.** reduced/cut(-rate) price; **zum herabgesetzten P.** at a reduced price/rate, cut-price; **herrschender P.** ruling price; **höchster P.** ceiling/maximum price; **hoher P.** stiff/high/long price; **zu einem hohen Preis** at a price, high-price; **unverhältnismäßig hoher P.** exorbitant price; **horrender P.** staggering price; **inflationärer P.** inflated price; **inländischer P.** domestic price; **institutioneller P.** institutional price; **zu/in jeweiligen P.en** at current/ruling prices, in money terms; **äußerst kalkulierter P.** rock-bottom price; **scharf ~ P.** close/keen price; **konkurrenzfähiger P.** keen/competitive price; **konkurrenzloser P.** unmatched price; **konstanter P.** constant/base-period price; **zu konstanten P.en** 1. in real terms; 2. at constant prices; **kontrollierter P.** controlled/regulated price; **kostendeckender P.** cost(-covering) price, price covering the cost of production; **nicht ~ P.** subsidized/supported price; **kostenechter P.** price in accordance with costs; **krimineller P.** cutthroat price; **laufender P.** current/market/ruling price; **lohnender P.** remunerative price; **marktgerechter P.** fair (market) price; **marktdeterminierter P.** flexible price; **marktüblicher P.** going rate; **mäßiger P.** reasonable/moderate price; **zu einem mäßigen P.** medium-priced; **maßloser P.** exorbitant price; **missbräuchlicher P.** excessively high price; **mittlerer P.** average price; **mörderischer P.** cutthroat price; **nachbörslicher P.** street price; **nachgebende/-lassende P.e** sagging/easing/declining/receding prices; **negativer P.** negative price; **niedriger P.** low price; **zu einem niedrigen P.** low-price(d), at a cheap rate; **niedrigster P.** (rock-)bottom/lowest/supply price; **nomineller P.** nominal price; **notierter P.** quoted *[GB]*/listed *[US]* price; **obiger P.** above price; **nach oben offener P.** open-ended price; **optimaler P.** optimum/highest possible price; **optischer P.** charm price; **ortsüblicher P.** local price; **reduzierter P.** cut/reduced price; **reeller P.** fair price; **rückgängige/-läufige P.e** easing/falling prices; **ruinöser P.** cutthroat price; **saftiger P.** *(coll)* stiff/steep price; **saisonaler/saisonbedingter P.** seasonal price; **schwankender P.** fluctuating/varying price; **sinkender P.** falling/sagging price; **stabiler P.** stable/steady/stationary/sticky price; **starrer P.** pegged price; **steigender P.** rising price; **rapide/steil/sprunghaft ~ P.** soaring/spiralling price; **subventionierter P.** support(ed)/subsidized price; **nicht ~ P.** full economic price; **tatsächlicher P.** real price; **überhöhter P.** exorbitant/inflated/excessively high/excessive price; **üblicher P.** normal/customary price; **unangemessener P.** unfair price; **unelastischer P.** rigid price; **ungebundener P.** free price; **unterschiedliche P.e** *(Angebot und Nachfrage)* wide prices; **unerschwinglicher P.** prohibitive price; **unüberbotener P.** record price; **unverbindlicher P.** subject price; **unverschämter P.** exorbitant/outrageous price; **verbindlicher P.** operative/firm price; **vereinbarter P.** agreed/stipulated price, price agreed upon; **vertraglich ~ P.** contract price; **vernünftiger P.** reasonable price; **vernünftige P.e** reasonable terms; **volkstümlicher P.** popular price; **voller P.** full price; **vorgelagerte P.e** prices charged at earlier stages; **vorgeschriebener P.** statutory sales price, administered/controlled price; **vorheriger P.** previous price; **vorteilhafter P.** attractive price; **wett-**

bewerbsfähiger/-gesteuerter P. keen/competitive price; **zu wettbewerbsfähigen P.en** competitively priced, at competitive prices; **wirtschaftlicher P.** economic price; **wucherischer P.** usurious price; **ziviler P.** *(coll)* reasonable/decent price

Preis|abbau *m* price cut/reduction, abatement, reduction of prices; **P.abfall** *m* decline in prices; **p.abhängig** *adj* price-related; **P.abkommen/P.abrede** *nt/f* price(-fixing) agreement; **P.abrufverfahren** *nt* price look-up procedure

Preis-Absatz|-Funktion *f* price-response function; **angenommene P.-Funktion** expected price-sales function; **P.kurve** *f* price-demand curve

Preis|abschlag *m* discount, price cut, (price) markdown; **~ bei Barzahlung** cash discount, reduction for cash; **P.abschöpfung** *f [EU]* price adjustment levy; **P.abschwächung** *f* easing of prices; **P.absicherung** *f* hedge, hedging; **P.absicherungsgeschäft** *nt* hedging (operation)

Preisabsprache *f* price(-fixing) agreement, price rigging/collusion, common pricing; **P. bei der Abgabe von Angeboten** collusive tendering; **heimliche P.** collusion, collusive pricing

Preis|abstand *m* disparity in prices, price differential; **P.abweichung** *f* price/value variance, price divergence; **staatliche P.administrierung** government price controls; **P.aggressivität** *f* aggressive pricing

Preisänderung *f* price change, repricing; **P.en vorbehalten** prices (are) subject to change without notice; **P.sklausel** *f* repricing clause; **P.srücklage** *f* value adjustments reserve, reserve for price increases

Preis|anfällig *adj* price-sensitive; **P.anfrage** *f* request for a quotation, inquiry for prices

Preisangabe *f* (price) quotation, quote, price, pricing; **mit P. versehen** 1. priced; 2. to price; **P.pflicht** *f* obligation to mark goods with prices

Preisangebot *nt* quotation, quote, quoted price, price quoted, ask; **P. machen/unterbreiten** to submit a quotation, to quote a price; **unverbindliches P.** prices without commitment/engagement; **verbindliches P.** firm quotation; **wettbewerbsfähiges P.** competitive quotation

Preis|angleichung *f* price adjustment, realignment (of prices); **P.angleichungsklausel** *f* price adjustment clause; **P.anhebung** *f* price increase/mark-up; **P.annäherung** *f* price alignment

Preisanpassung *f* price adjustment, realignment (of prices); **automatische P.** price escalator; **P.sklausel** *f* escalator/adjustment clause

Preisansatz *m* quotation

Preisanstieg *m* price increase, increase/improvement/rise in prices, appreciation of prices, hike *[US]*, price hike/rise/advance/run-up, upward price movement, rising price tendency; **dem P. zuvorkommen** to beat rising prices; **plötzlicher P.** upsurge in prices; **scharfer P.** steep price rise; **sprunghafter P.** jump in prices, steep increase in prices

Preis|äquivalent *nt* price equivalent; **P.arbitrage** *f* arbitrage of price; **P.aufblähung** *f* price inflation; **P.-aufgliederung** *f* price itemization; **P.aufkleber** *m* price sticker; **P.aufschlag** *m* surcharge, (price) markup, mark-on, extra charge/price, supplementary cost, supplement, price premium; **durchschnittlicher P.aufschlag** average price increase, ~ mark-up; **P.aufschwung** *m* upsurge in prices, rally; **P.aufsicht** *f* supervision of prices, price control(s); **P.aufsichtsbehörde** *f* price adjustment board *[US]*

Preisauftrieb *m* rise/upsurge in prices, upward price movement, price increase(s), rising price tendencies, upward trend of prices, ~ pressure on prices; **beschleunigter P.** acceleration in prices; **hausgemachter P.** home-made price increase; **kostenbedingter P.** cost-induced upsurge in prices; **P.sfaktor** *m* price-raising factor; **P.stendenz** *f* upward price movement/tendency

Preisausgleich *m* price equalization; **automatischer P.** price escalator; **P.sbeihilfe** *f* price equalization aid; **P.smaßnahme** *f* price adjustment measure; **P.ssystem** *nt (Öl)* entitlements program *[US]*

Preis|aushang *m* table of prices; **P.ausschläge** *pl* price volatility/fluctuations; **P.ausschreiben** *nt* (prize) competition; **P.austausch zwischen Konkurrenten** *m* open pricing; **P.auswahl** *f* selective pricing; **P.auswirkungen** *pl* price effects

Preisauszeichnung *f* 1. pricing, price-marking, labelling; 2. price tag; **doppelte P.** double pricing; **P.spflicht** *f* obligation to mark goods with prices

Preis|band *nt* spread of prices; **P.barometer** *nt* price barometer; **P.basis** *f* basis of quotation; **p.bedingt** *adj* price-induced, due to prices; **P.bedingungen** *pl* price conditions; **P.begrenzung** *f* price limit; **P.behauptung** *f* price maintenance, maintenance of prices; **P.behörde** *f* price adjustment board *[US]*; **P.- und Lohnbehörde** Prices and Incomes Board *[GB]*; **P.bemessung** *f* price formation; **P.beobachtungsstelle** *f* price control board; **P.berechnung** *f* price calculation, costing, computation of costs; **P.berechnungsgrundlage/-methode** *f* pricing method; **p.bereinigt** *adj* in real terms, price-adjusted, adjusted for price(s); **P.bericht** *m* market report; **P.berichtigung** *f* revision of prices; **P.beruhigung** *f* price stabilization, steadying of prices; **P.beschränkung** *f* price restriction; **P.besserung** *f* improvement in prices; **P.beständigkeit** *f* price stability; **P.bestandteil** *m* price element/component; **p.bestimmend** *adj* pricing

Preisbestimmung *f* pricing, price determination; **P.en** price terms; **von der Kapitalverzinsung ausgehende P.** return-on-capital pricing; **pauschalierte P.** flat pricing; **P.sgrund** *m* price determinant; **P.sposition** *f (Konzern)* discretionary market power

Preis|bewegung *f* price move(ment)/tendency; **P.bewertung** *f* pricing; **P.bewirtschaftung** *f* price controls; **p.bewusst** *adj* price-conscious, price-sensitive, aware of prices; **sich ~ verhalten** to shop around; **P.bewusstsein** *nt* price consciousness/awareness; **p.bezogen** *adj* in terms of prices, price-linked

Preisbildung *f* pricing, price formation/determination/fixing, formation of prices; **P. auf Durchschnittskostenbasis** average cost pricing; **P. auf Grund der Nettoprämie** *(Vers.)* pure premium method

freie Preisbildung uncontrolled price formation, free adjustment/determination of prices; **gebundene P.** price fixing; **gleichgerichtete P.** parallel pricing; **kostenorientierte P.** cost-based pricing; **pauschalierte P.** flat pricing

Preisbildungs|faktor *m* price determinant; **P.mechanismus** *m* price formation mechanism; **P.modell für Geld- und Vermögensanlagen** *nt* capital asset pricing model (CAPM); **freier P.spielraum** permissive pricing condition; **P.system** *nt* pricing system

Preisbindung *f* price-fixing (agreement), retail/resale price maintenance (RPM), price controls/pegging; **P. des Buchhandels** Net Book Agreement (NBA) *[GB]*; **P. der zweiten Hand** retail/resale price maintenance (RPM), quality stabilization

horizontale Preisbindung collective resale price maintenance; **unberechtigte P.** unreasonable restraint of trade; **vertikale P.** vertical price fixing; **zwangswirtschaftliche P.** price control

Preisbindungs|sabkommen/P.absprache *nt/f* retail price maintenance agreement, fair trade agreement *[US]*; **P.klausel** *f* tying clause; **P.vereinbarung des Buchhandels** *f* Net Book Agreement (NBA) *[GB]*

Preis|brecher *m* 1. price cutter; 2. price-cutting article, all-time bargain; **die P.dämme brechen** *pl* prices go haywire *(coll)*; **p.dämpfend** *adj* price-curbing; **P.dämpfung** *f* curbing of price increases; **P.deckelung** *f* 1. cap on prices; 2. capping of prices; **P.deflator** *m* price deflator; **P.depression** *f* sag; **P.differenz** *f* price difference/gap

Preisdifferenzierung *f* price differentiation, selective pricing; **P. nach Kundengruppen** class pricing; **P. zwischen nationalen Märkten** compensatory dumping; **deglomerative P.** dual pricing; **monopolistische P.** price discrimination; **vollkommene P.** perfect price discrimination; **zeitliche P.** skimming

Preis|differenzkonto *nt* price variance account; **P.differenzrücklage** *f* reserve for price increases; **P.diktat** *nt* imposed price(s); **P.diskrepanz** *f* disparity in prices; **P.diskriminierung** *f* discriminatory pricing, price/rate discrimination; **P.disposition** *f* pricing; **P.disziplin** *f* self-imposed price restraint; **P.-Dividendenrate** *f* price-dividend ratio; **P.druck** *m* 1. (downward) pressure on prices, market depression, depression of the market, raid, pricing pressure; 2. *(Bank)* pressure on fees and commissions; **P.drücker** *m* price cutter; **P.drückerei** *f* price cutting; **P.dumping** *nt* price dumping; **P.durchschnitt** *m* average price(s); **P.einbruch** *m* slump, slide, price collapse, sharp fall in prices; **P.einbuße** *f* price cut/fall; **P.einflüsse** *pl* price factors; **p.elastisch** *adj* price-sensitive; **P.elastizität** *f* price elasticity

Preisempfehlung *f* recommended/suggested price, price recommendation; **P. aussprechen** to recommend a price; **unverbindliche P.** recommended/suggested price, (non-binding) price recommendation

preisempfindlich *adj* price-sensitive

preisen *v/t* to praise/extol/hail/vaunt

Preisentwicklung *f* price trend/movement, trend/development/movement of prices; **rückläufige P.** downward price movement; **ungünstige P.** unfavourable movement/trend of prices

Preis|entzerrung *f* straightening out of prices; **P.erhebung** *f* survey of prices

Preiserhöhung *f* increase in prices, mark-up, price rise/hike *[US]*/advance; **P.en durchsetzen** to impose higher prices, to put across price increases; ~ **unterbinden** to keep a lid on prices *(fig)*; ~ **weiterwälzen** to pass on price increases; **geplante P.** scheduled price rise/increase; **globale P.** general/accross-the-board price increase; **zurückgestaute P.en** bottled-up/pent-up price increases; **P.sspielraum** *m* scope for price increases, money-goods gap

Preis|erholung *f* price recovery, recuperation of prices; **P.ermäßigung** *f* price cut, reduction in prices; **allgemeine P.ermäßigung** all-round reduction; **P.ermittlung** *f* pricing, price determination; ~ **auf Grund angestrebter Kapitalverzinsung** target pricing; **P.erwartung** *f* asking price; **P.erwartungen** price anticipations; **P.etikett** *nt* price tag; **P.explosion** *f* price explosion/jump, explosive increase in prices; **P.fächer** *m* price range; **P.faktor** *m* price factor, price-earnings ratio (P/E); **P.feld** *nt* price field; **P.festlegung** *f* price fixing

Preisfestsetzung *f* price fixing, pricing, determination of prices; **P. mit Berücksichtigung der Inflation** hedge pricing; ~ **angemessener Rendite; P. unter Berücksichtigung einer Rendite** rate of return pricing; **sich durch P. aus dem Markt katapultieren/nehmen** to price o.s. out of the market; **administrierte P.** business-controlled pricing

Preis|feststellung *f* pricing; **P.fixierer** *m* price maker; **P.fixierung** *f* price fixing/setting; **P.flexibilität** *f* price flexibility; **P.fluktuation** *f* price fluctuation; **P.forderung** *f* price asked, asking price; **ursprüngliche P.forderung** asking price; **P.frage** *f* prize question, sixty-four thousand dollar question *(coll) [US]*; **P.freigabe** *f* price decontrol; **P.front** *f* price front; **P.führer** *m* price leader/maker/setter; **P.führerschaft** *f* price leadership; **P.funktion** *f* price function

Preisgabe *f* 1. abandonment, surrender, relinquishment; 2. *(Information)* disclosure; **vorzeitige P. von Einzelheiten** premature disclosure of details; ~ **Informationen** disclosure of information; ~ **Staatsgeheimnissen** disclosure of official secrets, treason; **P.recht** *nt* right to abandon

Preis|garantie *f* price guarantee; **P.gebaren** *nt* pricing practices; **p.geben** *v/t* 1. to abandon/relinguish, to give up; 2. *(Informationen)* to disclose/divulge; 3. to expose; **P.gebiet** *nt* price area; **P.gebot** *nt* price offered, bid price, bidding; **p.gebunden** *adj* frozen, price-controlled, price-maintained, fixed-price; **P.gefälle** *nt* price differential; **P.gefüge** *nt* price structure/pattern; **p.gekrönt** *adj* prize-winning; **P.gericht** *nt* jury

Preisgestaltung *f* pricing, price formation; **P. unter Berücksichtigung der Inflationsentwicklung** inflation premium pricing; **höhere P. durch Importbezug** transfer pricing; **etw. durch überhöhte P. um seine Marktchancen bringen;** ~ **wettbewerbsunfähig**

machen to price sth. out (of the market); **aggressive P.** predatory pricing; **diskriminierende P.** differential pricing; **gleichgerichtete P.** parallel pricing; **P.sspielraum** *m* scope for pricing

Preis|gestellung *f* price setting; **P.-Gewinn-Rate** *f* price-earnings ratio (P/E); **P.gleitklausel** *f* (price) escalator clause, escalation clause, price adjustment/redetermination clause, sliding price clause

Preisgrenze *f* price limit/barrier; **P. für den Wertpapierhandel** limit order; **P. überschreiten** to exceed the price limit; **obere/oberste P.** price ceiling; **untere P.** minimum price

Preis|grundlage *f* price basis; **P.gruppe** *f* price category; **p.günstig** *adj* low-price, reasonably/competitively priced, affordable, cheap at the price, well-priced, budget-priced; **~ sein** to be good value, ~ a bargain buy, ~ value for money; **P.harmonisierung** *f* price convergence; **P.herabschleusung/-setzung** *f* price cut/reduction, markdown; **P.höhe** *f* price level; **P.hoheit** *f* freedom of price fixing

Preisindex *m* price index; **P. für die Lebenshaltung** cost-of-living index; **P. des Sozialprodukts** national product price index

Preis|inelastizität des Angebots *f* fixed supply; **P.inflation** *f* price inflation

Preisinformations|absprache *f* price reporting agreement, information/open-price agreement; **P.system** *nt* open-price system; **P.vereinbarung über Mitteilung nach der Veränderung** *f* post-notification agreement; **~ vor der Veränderung** pre-notification agreement

Preis|interesse *nt* interest shown in prices; **P.kalkulation** *f* pricing, price calculation, costing system, cost base pricing; **P.kampf** *m* price war; **P.kartell** *nt* price cartel/ring, price(-fixing)/competition-restricting agreement; **P.kategorie** *f* price category; **in der mittleren P.kategorie** mid-price

Preisklasse *f* price range/category/bracket, range of prices; **in der gehobenen P.** upmarket, upscale; **in der mittleren P.** med(ium)-price, medium-range; **untere P.** downmarket

Preis|klausel *f* price clause; **P.klima** *nt* price conditions/atmosphere; **P.knüller** *m* sensational price; **P.kommission** *f* price commission; **P.konjunktur** *f* price(-led) boom; **P.-Konsumkurve** *f* price-consumption curve; **P.kontinuität** *f* price continuity; **P.kontrolle** *f* 1. price control; 2. oligopoly; **~ aufheben** to decontrol prices; **P.konvention** *f* price agreement; **P.korrektur** *f* revision of prices, price adjustment; **~ nach oben** upward(s) revision; **P.-Kosten-Erwartungen** *pl* price-cost expectations; **~-Schere** *f* price-cost gap; **P.kreuzelastizität** *f* cross-price elasticity; **P.krieg** *m* price(-cutting) war; **P.kritik** *f* price criticism; **P.kurve** *f* price curve; **P.kürzung** *f* price cut; **P.lage** *f* price range, range of prices; **in mittlerer P.lage** medium-priced; **P.lawine** *f* snowballing prices; **P.-Leistungsverhältnis** *nt* cost effectiveness; **P.lenkung** *f* regulation of prices, price control(s); **p.lich** *adj* with regard to price, in price; **P.limit** *nt* price limit

Preisliste *f* price list/catalog(ue)/bulletin, prices current, list/schedule of prices, tariff, scale of charges, shop bill; **P. für Gebrauchtwagen** Glass's Guide *[GB]*; **P. berichtigen** to revise a price list

Preis|-Lohn-Gefüge *nt* price and wage structure; **P.lücke** *f* price gap; **P.marge** *f* spread; **P.marke** *f* price tag; **P.maßstäbe** *pl* price-performance standards; **P.mechanismus** *m* pricing/price mechanism; **P.meldestelle** *f* price registration office, central agency, open-price association; **P.meldeverband/-verfahren** *m/nt* open-price system; **P.messzahl/-ziffer** *f* price index/relative; **P.minderung** *f* price cut, reduction in prices; **P.minderungsklage** *f* action for a price reduction; **P.minimum** *nt* minimum price; **P.moratorium** *nt* price moratorium; **P.-Nachfragefunktion** *f* price-demand function

Preisnachlass *m* discount, rebate, markdown, price reduction/deduction/discount/concession/cut, (re)allowance, abatement, rake-off; **Preisnachlässe** *(vom Lieferanten)* purchase allowances; **mit einem P.** at a reduced price; **P. wegen Übernahme der Werbung durch den Händler** advertising allowance; **5% P. bei Barzahlung** 5% off for cash sales; **P. gewähren** to grant a reduction, to knock off

außergewöhnlicher Preisnachlass abnormal discount; **nachträglich gewährter P.** price allowance; **unterschiedliche Preisnachlässe** differential discounts; **versteckter P.** hidden discount

Preis|nachlasssystem *nt* system of discounts; **p.neutral** *adj* not affecting prices

Preisniveau *nt* level/standard of prices, price level(s); **allgemeines P.** general level of prices; **erhöhtes/hohes P.** price plateau; **stabiles P.** stable price level, ~ level of prices; **P.stabilität** *f* stability of prices

Preis|notierung *f* 1. (price) quotation; 2. *(Wechselkurs)* direct quotation; **P.obergrenze** *f* price ceiling, upper price limit, highest price; **P.ordnung** *f* price code

Preispolitik *f* price policy/strategy, pricing (policy); **P.- und Konditionenpolitik** price and sales conditions policy; **~ Rabattpolitik** pricing; **aggressive P.** predatory pricing; **auf Marktdurchdringung (aus)gerichtete P.** penetration pricing/price strategy

preis|politisch *adj* price; **P.polster** *nt* price cushion; **P.problem** *nt* price issue; **P.prüfung** *f* price control/auditing; **P.quotierung** *f* price quotation; **P.rahmen** *m* price range; **p.reagibel** *adj* price-sensitive; **P.reduktion/P.reduzierung** *f* price markdown/reduction/cut; **P.regelung** *f* regulation of prices, price system; **P.regulativ** *nt* price regulator; **P.regulierung** *f* price adjustment *[US]*; **P.reihe** *f* price index; **P.relation** *f* price ratio; **P.relationen im Außenhandel** terms of trade: **P.renner** *m* bargain (buy); **P.richter(in)** *m/f* judge, umpire, juror, adjudicator; **P.richtlinien** *pl* price guidelines; **P.risiko** *nt* price risk; **P.rückgang** *m* downward price movement, drop/fall/decrease/dip in prices, decline in/of prices, receding/sagging price, price drop/fall, falling prices; **P.rücknahme** *f* cutback in prices; **P.rückschlag** *m* drop/fall in price; **P.rückvergütung** *f* (price) refund, refunding of price; **P.ruhe** *f* price stability; **P.runde** *f [EU]* round of price increases/

cuts, price fixing; **P.rutsch** *m* slide (in prices); **P.schere** *f* price gap; **P.schild** *nt* price tag/label; **ohne P.schild** unpriced; **P.schlager** *m* bargain (buy); **P.schleuderei** *f* price slashing, reckless price cutting; **P.schleuse** *f* price-level regulator; **P.schraube** *f* upward price pressure; **P.schub** *m* price surge/push, sharp price rise; **~ auffangen** to absorb a wave of price increases; **P.-schutz** *m* price protection; **P.schwäche** *f* weak prices; **P.-schwankung(en)** *f/pl* price fluctuation/swing/volatility, fluctuations in price; **konjunkturelle P.schwankungen** cyclical price swings; **P.senkung** *f* price cut(ting)/reduction/markdown, markdown, reduction in price, roll-back; **versteckte P.senkung** covered price cut; **p.sensibel** *adj* price-sensitive; **P.setzungsspielraum** *m* price-fixing scope, scope for price fixing; **P.sicherung** *f* hedging, hedge; **P.sicherungsgeschäft** *nt* hedging transaction/operation; **P.signal** *nt* price signal; **P.situation** *f* price situation; **P.skala** *f* price range, range of prices; **P.spanne** *f* price range/margin/differential/gap/spread, differential price; **P.spannenverordnung** *f* price margin ordinance; **P.spiegel** *m* price level, standard of prices; **P.spielraum** *m* scope for price increases, price range; **P.spirale** *f* price(s) spiral; **P.sprung** *m* price jump; **P.sprünge** rocketing prices; **p.stabil** *adj* stable in price; **P.stabilisierung** *f* stabilization of prices, price stabilization; **P.stabilität** *f* price(-level) stability, stable prices, stability/steadiness of prices; **P.staffel** *f* (graduated) price range; **P.staffelung** *f* graduation of prices; **P.stagnation** *f* stagnation of prices

Preisstand *m* price level; **durchschnittlicher P.** average price level; **auf dem heutigen P.** at present/today's prices

Preis|starrheit *f* price rigidity; **~ nach unten** downward inflexibility of prices; **P.statistik** *f* price statistics; **p.steigernd** *adj* price-raising

Preissteigerung *f* advance, appreciation, rising prices, price increase/rise/advance, amelioration; **inflatorische P.en** inflationary bidding up of prices

Preissteigerungs|rate *f* rate of price increases, price inflation; **rückläufige P.rate** slowing-down rate of price increases; **P.rücklage** *f* (contingent) reserve for price increases, renewal fund, price level change provision; **P.tendenz** *f* upward price tendency

Preisstellung *f* quotation (of prices), pricing, price; **P. frei Haus** delivered pricing, freight allowed pricing; **einheitliche ~ Haus** uniform delivered pricing; **innerbetriebliche P.** internal pricing; **P.sverzeichnis** *nt* record of quotations

Preis|stopp *m* price freeze/stop/control; **P.strategie** *f* pricing strategy; **~ mit Inflationskomponente** anticipatory pricing

Preisstruktur *f* price structure/pattern; **einheitliche P.** unified price structure; **nachgeordnete P.** dependent price structure

Preis|sturz *m* 1. sharp/sudden fall in prices, slump/dip (in prices), collapse/nosedive of prices; 2. *(Börse)* double bottom; **p.stützend** *adj* price-supporting; **P.stützung** *f* price support/maintenance, subsidy, pegging/support of prices, supporting the market, peg(ging); **P.stützungsmaßnahmen** *pl* price support measures; **P.subvention** *f* price subsidy; **P.tabelle** *f* price list, table of prices/charges/fares; **P.tafel** *f* price list; **P.tendenz** *f* price/market trend, trend of prices; **stetige P.tendenz** steady market trend, steady trend in prices; **P.theorie** *f* price theory/analysis, theory of prices; **statistische P.theorie** equilibrium theory; **P.träger** *m* prize winner; **p.treibend** *adj* inflationary; **P.treiber** *m* 1. booster; 2. *(Börse)* bull; **P.treiberei** *f* price rigging, forcing up of prices, profiteering; **P.-überhöhung** *f* excessive pricing

Preis|überprüfung/-wachung *f* price control(s)/surveillance/monitoring; **~ aufheben** to decontrol prices; **amtliche P.** official price surveillance

Preisüberschreitung *f* exceeding the price level

Preisüberwälzung(sprozess) *f/m* passing on of prices, ~ price increases; **P.sspielraum** *m* scope for passing on price increases

Preis|umschwung *m* reversal in prices; **p.unabhängig** *adj* irrespective of price; **P.unbeständigkeit** *f* price volatility; **p.unelastisch/p.unempfindlich** *adj* price-inelastic, price-insensitive; **p.unterbietend** *adj* undercutting, underbidding; **P.unterbieter** *m* price cutter; **P.unterbietung** *f* price cutting, underselling, undercutting; **~ unter Kostenniveau** dumping; **P.untergrenze** *f* bottom price, price floor, lower price limit; **bis an die ~ gehen** to cut prices to the bone *(fig)*; **P.unterschied** *m* price difference/differential, difference in price, differential price; **sich den ~ teilen** to split the difference; **P.unterschreitung** *f* undercutting the price level; **P.verabredung** *f* price-fixing agreement; **P.veränderung** *f* change in price; **P.verbesserung** *f* price rise; **P.-Verdienst-Relation** *f* price-earnings ratio (P/E); **P.-vereinbarung** *f* price-fixing/pricing arrangement

Preisverfall *m* deterioration/slide/decline/fall in prices, collapse/crumbling/cave-in/deep plunge of prices, markdown, price decline/collapse/contusion; **P. am Immobilienmarkt** property slump; **zu einem rapiden P. führen** to send prices into a nosedive *(fig)*; **währungsbedingter P.** currency-induced collapse of prices

Preis|vergehen *nt* offence against price regulations; **P.vergleich** *m* price/cost comparison; **P.vergleiche anstellen/machen** to shop around; **P.verhalten** *nt* price behaviour; **P.verhältnisse** *pl* 1. prices; 2. price relationships; **P.verleihung** *f* (presentation of the) award; **innerbetriebliche P.verrechnung** cross charging (of prices); **P.verstoß** *m* § infringement of price regulations; **P.verzeichnis** *nt* price list/catalog(ue)/current/bulletin, list of prices; **P.verzerrung** *f* price distortion; **P.vielfache** *nt* price multiple; **P.vorbehalt** *m* price reserve, reservation of price; **P.vorbehaltsklausel** *f* price reservation clause; **P.vorschlag** *m* suggested/asking price; **P.vorschriften** *pl* price regulations; **P.vorsprung** *m* price lead; **P.vorstellung** *f* suggested price; **P.vorteil** *m* price advantage, pricing edge; **P.waffe** *f* price weapon; **P.welle** *f* wave of rising prices, ~ price increases, upsurge in prices, general price rise; **P.wende** *f* price turnabout/turn(a)round

preiswert *adj* inexpensive, cheap (at the price), good value, low-cost, low-budget, moderately/reasonably priced, reasonable in price, value for money; **p. sein** to be good value, ~ value for money; **außerordentlich p. sein** to be exceptional/splendid value; **p.er** lower-priced; **das P.este auf dem Markt** the best value on the market

Preis|wettbewerb *m* price/pricing competition; **P.wucher** *m* profiteering, outrageous overcharging; **p.würdig** *adj* reasonably priced; **P.würdigkeit** *f* price competitiveness, cheapness; **P.zettel** *m* price ticket/tag; **P.ziffern** *pl* price figures; **P.zugeständnis** *nt* price concession; **P.zurückhaltung** *f* price moderation; **P.zusammenbruch** *m* price collapse; **internationaler P.zusammenhang** international price system; **P.zuschlag** *m* supplement

prekär *adj* precarious, delicate, shaky, unsound, insecure; **p. sein** to be touch and go *(coll)*

prell|en *v/t* to trick/fleece/bilk; **P.erei** *f* take-in, swindle, fraud

Premiere *f* 1. premiere; 2. first performance

Premierminister *m* Prime Minister, Premier; **sich als P. zur Wiederwahl stellen** to go to the country *[GB]*; **stellvertretender P.** First Secretary of State *[GB]*

nach vorn preschen *v/i* to surge ahead

Presse *f* 1. press; 2. ✿ crusher; **in der P.** printing; **eben/frisch aus der P.** fresh from the press(es)

für die Presse freigeben to release; **in die P. gehen** to go to press; **gute P. haben** to have a good press; **frisch aus der P. kommen** to roll off the press; **P. mundtot machen** to gag/muzzle the press; **der P. mitteilen** to release to the press; ~ **zuspielen** to leak to the press

schlechte Presse adverse publicity, bad press; **überregionale P.** national press

Presse|abteilung *f* press department; **P.agent** *m* press agent; **P.agentur** *f* press/news agency; **P.amt** *nt* press/information/public relations office, government information office, Central Office of Information *[GB]*; **P.- und Informationsamt der EU** Office for Official Publications of the European Communities; **P.archiv** *nt* press archives; **P. artikel** *m* newspaper article; **P.ausschnitt** *m* newspaper clipping/cutting; **P.ausweis** *m* press card

Pressebericht *m* press/newspaper report, press release, write-up; **P.erstatter** *m* press correspondent; **P.erstattung** *f* press coverage

Presse|büro *nt* press bureau/office; **P.chef** *m* public relations officer; **P.delikt** *nt* offence by press publication; **P.dienst** *m* news agency; **P.empfang** *m* press reception; **P.enthüllung** *f* newspaper disclosure; **P.erklärung** *f* statement to the press, press statement/release; **P.erzeugnis** *nt* publication; **P.fehde** *f* paper war(fare); **P.feldzug** *m* press campaign; **P.foto** *nt* press photo(graph); **P.fotograf** *m* press photographer; **P.freigabe** *f* press release; **P.freiheit** *f* freedom/liberty of the press; **P.galerie** *f* press gallery; **P.gesetz** *nt* press act; **P.information** *f* press briefing; **P.kabine** *f* press box; **P.kampagne** *f* press campaign; **P.kommentar** *m* press commentary; **P.konferenz** *f* press/news conference, media briefing; **P.konzern** *m* newspaper-publishing group; **P.krieg** *m* paper war(fare); **P.kritik** *f (positiv)* write-up; **P.mappe** *f* press kit; **P.meldung** *f* news item, press report; **P.mitteilung** *f* press release/communiqué *[frz.]*/announcement, media briefing

pressen *v/t* to press/squeeze/stuff

Presse|nachricht *f* news item; **neueste P.nachricht** stop-press news; **P.notiz** *f* news item, newspaper announcement; **P.rat** *m* Press Council *[GB]*; **P.referent(in)/P.sprecher(in)** *m/f* public relations officer, press officer; **P.rummel** *m* press hubbub; **P.schau** *f* press review; **P.stelle** *f* press/information office, public relations office; **P.stimmen** *pl* press comments; **P.syndikat** *nt* news syndicate; **P.tribüne** *f* press box/gallery; **P.unternehmen** *nt* newspaper publishing company; **P.verband** *m* press association; **P.verlautbarung** *f* press release; **P.vertreter** *m* representative of the press, press agent; **P.vorschau** *f* press preview; **P.werbung** *f* newspaper/press advertising; **P.wesen** *nt* journalism, press; **P.zar** *m* press lord/baron, newspaper tycoon, publishing magnate; **P.zeichner** *m* cartoonist; **P.zensur** *f* press censorship

Pressluft *f* compressed air; **P.bohrer** *m* pneumatic drill; **P.hammer** *m* pneumatic hammer

Press|pappe *f* glazed cardboard; **P.span** *m* chipboard, pressboard; **P.spanplatte** *f* beaverboard *[US]*; **P.werk** *nt* 1. ✿ squeezer; 2. shingling rolls

Prestige *nt* *[frz.]* prestige, reputation

Prestige|artikel *m* prestige item; **p.beladen/p.trächtig** *adj* prestigious; **P.erfolg** *m* prestige-raising success; **P.gewinn** *m* gain in prestige; **P.unternehmen** *nt* blue-chip/prestigious company; **P.verlust** *m* loss of prestige/face; ~ **vermeidend** *adj* face-saving; **P.werbung** *f* image/institutional/prestige advertising; **P.wert** *m* prestige value; **P.wirtschaft** *f* prestige economy

pretial *adj* price-related

Prima *m (Wechsel)* first of exchange; **p.** *adj* 1. first-rate, high-grade, top-quality, tip-top, top-notch; 2. *(Schiffsklassifizierung)* A-1 (first class) *[US]*; **p. vista** *[I]* at (first) sight

Prima|bankakzept *nt* fine bank bill; **P.diskonten** *pl* prime acceptances; **p.diskontfähig** *adj* qualifying as prime acceptance; **P.facie-** prima facie *(lat.)*

Primage *f* primage

primal *adj* primal

Prima|note *f* journal, daybook; **P.papiere** *pl* first-rate money market paper

primär *adj* primary, principal; **P.anweisung** *f* source statement

Primarate *f* prime (lending) rate *[US]*

Primaraufwand *m* primary input

Primär|ausdruck *m* primary; **P.bedarf** *m* primary requirements; **P.bereich** *m* primary sector; **P.chemikalie** *f* primary chemical; **P.daten** *pl* primary data; **P.effekt** *m* primary effect; **P.einkommen** *nt* primary income; **P.einkommensverteilung** *f* primary income distribution; **P.einkünfte** *pl (VWL)* primary earnings; **P.einlagen** *pl* primary deposits

Primärenergie *f* primary (source of) energy; **P.einsatz** *m* primary energy input; **P.missbrauch** *m* waste/abuse of primary energy; **P.träger** *m* source of primary energy, primary fuel

Primär|erhebung *f* field research, primary data collection; **P.farbe** *f* primary/fundamental colour; **P.forschung** *f* field/first-hand research; **P.geld** *nt* primary money, monetary base; **P.geschäft** *nt* new issue business; **P.indikator** *m* key indicator; **P.leistung** *f* primary service; **P.liquidität** *f* primary liquidity; **P.liquiditätsreservepflicht** *f* primary reserve requirements; **P.markt** *m* new issue/primary market; **P.material** *nt* ▦ source data; **P.metall** *nt* primary metal; **P.metallindustrie** *f* primary metals industry; **P.produkt** *nt* primary product; **P.programm** *nt* source program; **P.reserven** *pl* primary reserves; **P.rohstoff** *m* primary raw material; **P.schlüssel** *m* primary key; **P.sektor** *m* primary sector; **P.sprache** *f* 🖳 source language; **P.station** *f* primary station; **P.statistik** *f* primary statistics; **P.verteilung** *f* primary income distribution; **P.wechsel** *m* primary/original *[US]* bill; **P.ziel** *nt* primary objective

Primat *nt* primacy, priority

Prima|ware *f* first-rate product(s); **P.wechsel** *m* First of Exchange, primary bill

Primgeld *nt* primage, hat money

primitiv *adj* primitive, coarse, crude

Primus *m* top of the form, top pupil

Primzahl *f* π prime (number)

Printmedium *nt* print medium

Prinzip *nt* principle, precept; **aus P.** on principle, as a matter of principle; **im P.** in principle

Prinzip des periodenechten Aufwands- und Erfolgsausweises current operating income principle; **P. der freien Beweiswürdigung** principle of free appreciation of evidence; **~ Bilanzkontinuität** consistency concept; **~ reduzierten Durchschnittskosten** cost averaging effect; **~ Einheit der Auftragserteilung** principle of unity of command, unity of command principle; **~ Kopplung von Werbeaufwand und Gewinnbetrag** advertising-to-sales principle; **~ Periodenabgrenzung** accrual basis of accounting; **P.ien der Rechnungslegung** accounting policies/principles; **P. der formellen und materiellen Stetigkeit** *(Bilanz)* consistency principle; **~ Wesentlichkeit** *(Bilanz)* (principle of) materiality

auf Prinzip|ien herumreiten to be a stickler for one's principles; **nach dem P. der Industrieverbände aufgegliedert sein** to be organised by industry, ~ on the principle of industrial associations; **P. überstrapazieren** to press a principle hard

fundamentales Prinzip basic principle; **herrschendes/maßgebliches P.** overriding principle; **ökonomisches P.** economic principle; **strenges P.** rigid principle

Prinzipal *m* principal, master

prinzipiell *adj* on/in principle

Prinzipien|frage *f* matter of principle; **p.treu** *adj* principled

Priorisierung *f* prioritization

Priorität *f* priority (bond), preference; **P.en** 1. first debentures; 2. preference shares, preferred stock *[US]*; **~ zweiten Ranges** second debentures, deferred stock; **P. der wirtschaftlichen Relevanz vor Formvorschriften** *(Bilanz)* substance over form

Prioritäten ändern to reorder priorities; **P. beanspruchen** to claim priority; **P. beimessen/einräumen** to give priority to, to prioritize *[US]*; **P.en festlegen** to assign priorities; **P. genießen** to enjoy priority; **P. haben** to have priority; **die richtigen P.en setzen** to get one's priorities right

beanspruchte Priorität priority claimed; **höchste P.** top priority; **relative P.** non-preemptive priority

Prioritäts|aktie *f* preferred share *[GB]*/stock *[US]*, priority share; **P.anleihe** *f* preference bond; **P.anspruch** *m* priority claim; **p.begründend** *adj* giving rise to a right of priority; **P.beleg** *m (Pat.)* priority document; **P.datum** *nt* priority date; **P.dividende** *f* preferred dividend; **P.erklärung** *f (Pat.)* declaration of priority; **P.frist** *f (Pat.)* priority period; **P.gläubiger** *m* prior/preferred creditor; **P.hypothek** *f* first mortgage; **P.intervall** *nt (Pat.)* priority period; **P.obligation** *f* priority/preference/preferred/active bond, first debenture; **P.ordnung** *f* ranking; **P.recht** *nt (Pat.)* priority claim/right, right of priority, preference; **~ geltend machen** *(Pat.)* to interfere; **P.regel** *f* priority rule; **P.streit/P.streitverfahren** *m/nt (Pat.recht)* interference (proceedings); **P.stufe** *f* priority/precedence rating; **P.tag/P.termin** *m* priority date, date of priority; **P.übertragung** *f* transfer of priority rights; **P.unterlagen** *pl (Pat.)* priority documents; **P.verfahren** *nt* interference proceedings; **P.wert** *m* → **P.aktie**

Prise *f* ⚓ prize, capture; **gute P.** lawful prize

Prisen|anteil *m* prize money; **P.geld(er)** *nt/pl* prize money; **P.gericht** *nt* prize court; **P.gut** *nt* prize goods; **P.kommando** *nt* prize crew; **P.nehmer** *m* captor; **P.offizier** *m* prize master; **P.recht** *nt* prize law

Pritsche *f* 1. bunk; 2. 🚗 platform; **P.nwagen** *m* 🚂 platform/flat car, flatback/🚗 panel *[US]*/platform truck

privat *adj* private, personal, confidential; *(Vers.)* non-governmental

Privat|abhebungen *pl* personal drawings/withdrawals; **P.abkommen/P.abmachung** *nt/f* private agreement; **P.abnehmer** *m* ⚡/*(Gas/Wasser)* domestic customer/user; **P.abnehmertarif** *m* domestic rate; **P.absatz** *m (Wertpapiere)* direct sale; **P.adresse** *f* home/private address; **P.angelegenheit** *f* private affair, personal matter; **P.anleger** *m* private/individual/small investor; **P.anmelder** *m* individual inventor/applicant, single applicant; **P.anschluss** *m* ✆ private/domestic/residential line, domestic customer, home (tele)phone; **P.anschlussgleis** *nt* 🚂 private siding; **P.anschrift** *f* private/home address; **p.ärztlich** *adj* private medical; **P.audienz** *f* private audience; **P.ausgaben** *pl* personal expenditure; **P.auskunft** *f* private information; **P.bahn** *f* private railway *[GB]*/railroad *[US]*; **P.bank** *f* private(-sector)/incorporated *[US]*/individual bank; **P.bankhaus/P.bankier** *nt/m* private/individual banker; **P.bedarf** *m* personal needs; **P.benutzung** *f* private use;

P.besitz *m* private property/tenure, individual tenure; **in P.besitz** privately owned; **P.betrieb** *m* private enterprise/establishment; **P.bett** *nt (Krankenhaus)* pay bed; **P.bilanz** *f* non-statutory balance sheet; **P.börse** *f* private exchange; **P.buchhaltung** *f* personal accounting; **P.darlehen** *nt* personal loan; **P.depositen** *pl* other deposits; **P.detektiv** *m* private detective/eye/investigator, inquiry agent, sleuth

Privatdiskont *m* market discount *[GB]*, prime rate *[US]*; **p.fähig** *adj* eligible/qualifying for the prime acceptance market; **P.markt** *m* prime acceptance market; **P.satz** *m* prime bank acceptance rate, market discount, prime rate

Privatdozent *m* reader

Private *pl* private sector, individuals

Privateigentum *nt* private property/ownership/belongings, personal effects/property; **P. an den Produktionsmitteln** private ownership of the means of production; **P.- und Gemeinschaftseigentum** separate and common ownership

Privat|eigentümer *m* private proprietor/owner; **P.einkommen/P.einkünfte** *nt/pl* private income; **P.einlage** *f (OHG)* proprietor's inpayment, private asset contribution; **P.einleger** *m* personal depositor; **P.entnahme(n)** *f/pl* 1. proprietor's withdrawal, drawing; 2. private/personal withdrawals, ~ drawings; **P.erziehung** *f* private education; **P.fehde** *f* private war; **P.fernsehen** *nt* commercial television; **P.firma** *f* private company; **P.funk** *m* commercial broadcasting; **P.gebrauch** *m* private use; **P.geschäft** *nt (Bank)* retail banking/operation; **P.gesellschaft** *f* private company *[GB]*, closed corporation *[US]*; **P.gesetzentwurf** *m* private (member's) bill; **P.gespräch** *nt* ☎ private call; **P.gläubiger(in)** *m/f* private creditor; **P.gleisanschluss** *m* 🚂 private siding; **P.grundstück** *nt* private property; **P.güterwagen** *m* 🚂 private freight car, privately owned wag(g)on; **P.guthaben** *nt* private deposit(s); **P.haftpflichtversicherung** *f* personal liability insurance; **in P.hand** *f* privately owned; **P.handel** *m* private trade; **P.haus** *nt* private dwelling; **P.haushalt** *m* private household; **P.honorar** *nt* ⚕ fee for private patient treatment

Privatier *m* man of independent/private means, wealthholder

privatim *adv* privately

Privat|industrie *f* private(-sector) industry; **P.information** *f* confidential information; **P.initiative** *f* private initiative; **P.interesse** *nt* private interest; **P.interessen verfolgen** to take care of number one *(coll)*, to have an axe to grind *(coll)*; **P.investitionen** *pl* private-sector investment

privatisier|en *v/t* to (re)privatize/denationalize, to transfer to private ownership; **P.ung** *f* (re)privatization, denationalization, return to private enterprise, reversion to private ownership

Privat|jet für Manager *m* executive jet; **P.kapital** *nt* private capital; **P.kasse** *f (Monarch)* Privy Purse *[GB]*; kitty *(coll)*; **P.klage** *f* § civil action, private suit/prosecution; **P.kläger** *m* plaintiff, private prosecutor/litigant; **P.klagesache** *f* private prosecution case; **P.klinik** *f* 1. private clinic; 2. nursing home; **P.konto** *nt* 1. private/personal account; 2. *(Unternehmen)* drawing account; **P.kontor** *nt* private office; **P.korrespondenz** *f* private correspondence; **P.krankenhaus** *nt* private hospital; **P.krankenkasse** *f* private health insurance (scheme), provident association *[GB]*; **P.kredit** *m* personal credit/loan; **P.krieg** *m* private war

Privatkunde *m* 1. personal/private/individual/retail/residential customer, private individual; 2. ⚡/*(Gas/Wasser)* domestic customer/user; 3. *(Bank)* personal borrower; **P.n** personal sector; **P.nbetreuung** *f* servicing of individual customers, individual/private customer service; **P.ngeschäft** *nt* consumer/private clients business, retail banking market, branch business, retail branch/banking/operation

Privat|kundschaft *f* 1. personal customers, private/personal sector; 2. personal banking market; **P.leben** *nt* private life, privacy; **P.lehrer** *m* (private) tutor; **P.leitung** *f* private line; **P.leitungsanschluss** *m* 🖳 line adapter; **P.liquidation** *f* billings for private patient(s') treatment; **P.makler** *m (Börse)* unofficial broker; **P.mann** *m* private individual/citizen; **P.meinung** *f* personal opinion; **P.mittel** *pl* private means; **P.nachfrage** *f* private demand; **P.nutzungsanteil** *m* ratio of usage for private purposes; **P.patient** *m* private/paying patient; **P.pension** *f* (private) boarding house, bed & breakfast (B&B), family hotel; **P.person** *f* (private) individual/citizen; **P.pfändung** *f* levy of execution by private creditor; **P.platzierung** *f* private placement; **P.platzierungsgeschäft** *nt* private placement business; **P.praxis** *f* private practice; **P.publikum** *nt* 1. general public; 2. private investors; **P.quartier** *nt* private dwelling; **P.raum** *m* private room

Privatrecht *nt* civil/private law; **internationales P.** private international law, law of conflicts; **interzonales P.** interzonal conflicts of law rules; **p.lich** *adj* civil, under civil/private law; **P.snorm** *f* rule of private law; **P.sweg** *m* recourse to civil courts

Privat|rente *f* private income, personal pension; **P.sache** *f* private matter; **P.schatulle** *f* Privy Purse *[GB]*; **p.schriftlich** *adj* holographic; **P.schuld** *f* private debt; **P.schulden** personal liabilities/debts; **P.schule** *f* private/public *[GB]*/independent school; **staatlich bezuschusste P.schule** direct grant school *[GB]*; **P.-sekretär** *m* private/confidential secretary; **P.sektor** *m* private sector; **P.sender** *m* private (radio/television) station; **P.sphäre** *f* privacy; **P.station** *f (Krankenhaus)* private ward; **P.stiftung** *f* § private trust; **P.straße** *f* accommodation/private road; **P.stunden** *pl* private lessons; **P.telefon** *nt* ☎ home/private telephone; **P.testament** *nt* private/holographic will; **P.unternehmen** *nt* private enterprise/establishment/corporation; **P.unternehmer** *m* entrepreneur, industrialist, private contractor; **P.unterricht** *m* private lessons/tuition; **P.urkunde** *f* private document/instrument; **P.verbrauch** *m* private/personal consumption; **P.verbraucher** *m* domestic user/consumer; **P.verkauf** *m* private sale

Privatvermögen *nt* private property/assets/means,

personal assets/wealth, individual/separate property; **P. des Gemeinschuldners** personal assets; ~ **Gesellschafters** individual assets; **in das P. pfänden** to attach private assets

Privat|versicherer *m* private insurer/underwriter; **P.-versicherung** *f* commercial/private insurance *[GB]*; **P.vertrag** *m* § private contract/treaty; **P.wagen** *m* private car; **P.wald** *m* private forest; **P.weg** *m* private road/footpath; **P.wirtschaft** *f* private sector/industry/economy, (private) enterprise, business community; **p.-wirtschaftlich** *adj* private-sector; **P.wohnung** *f* 1. private flat/apartment/dwelling; 2. personal residence *[US]*; **P.zimmer** *nt* private room; **P.zwecke** *pl* private purposes

Privileg *nt* 1. privilege, prerogative; 2. *(Bank)* charter, special right; **althergebrachtes P.** vested right; **königliches P.** royal prerogative; **steuerliches P.** tax privilege; **P.ienmissbrauch** *m* breach of privilege

privilegier|en *v/t* to (accord a) privilege; **P.te(r)** *f/m* grantee, privileged person; **P.ung** *f* granting of a privilege/privileges

pro *prep* per

Proband(in) *m/f* interviewee, participant, respondent

probat *adj* proven, effective

Probe *f* 1. *(Stück)* sample, specimen, test-piece; 2. *(Versuch)* test, trial, try-out, check, verification, sampling; 3. *(Wein)* tasting; 4. rehearsal; **auf/zur P.** on approval/trial, by way of trial, to try out; **P. aufs Exempel** practical test; **P. auf Feinheit** *(Edelmetall)* assay; **der P. entsprechend** true to sample

Probe bestehen to pass/stand the test; **P. nicht bestehen** to fail the test; **auf P. einstellen** to engage on probation, ~ for a probationary period; ~ **eingestellt sein** to be on probation/trial; **P. (ent)nehmen** to take/draw a sample, to sample; **der P. entsprechen** to be up/true to sample; **auf P. kaufen** to buy on trial; **P. aufs Exempel machen** to put sth. to the test; **auf die P. stellen** to put to the test/proof; **auf eine harte P. stellen** to strain; **einer P. unterziehen** to put to trial

gerichtete Probe geometric sample

Probe|- tentative; **P.abschluss** *m (Bilanz)* trial balance (sheet); **P.abstimmung** *f* straw vote; **P.abzug** *m* proof (impression); **P.alarm** *m (Feuerwehr)* fire drill; **P.angebot** *nt* trial offer; **P.anlage** *f* pilot plant; **P.anstellung/P.arbeitsverhältnis** *f/nt* employment on probation, probationary employment; **P.arbeitsvertrag** *m* probationary employment contract; **P.auftrag** *m* trial order; **P.befragung** *f* test interview, straw poll, pilot interview/survey; **P.belastung** *f* testing/proof load; **P.bestellung** *f* trial order; **P.betrieb** *m* 1. trial/test operation, trial run, pilot plant scale production; 2. pilot enterprise; **P.bilanz** *f* trial balance, tentative/preliminary/pro-forma *(lat.)* balance sheet

Probebohrung *f* appraisal well, appraisal/exploration drilling, trial boring, test, wild cat; **P. machen** to drill an appraisal well; **P. niederbringen** to test-drill

Probe|entnahme *f* sampling, taking samples; **P.erhebung** *f* pilot survey/study, exploratory survey; **P.exemplar** *nt* specimen (copy); **P. fahren** *v/t* to test-drive; **P.fahrt** *f* 1. test drive, road test, trial run; 2. acceptance trials; ~ **unternehmen** to test-drive; **P.fal** *m* test case; **P.feueralarm** *m* fire drill; **P.flug** *m* tes flight; **p.gemäß** *adj* true/up to sample; **p.halber** *adv* fo a test; **P.interview** *nt* pre-test interview; **P.jahr** *nt* probation(ary) year; **P.karte** *f* sample card; **P.kauf** *m* 1 purchase on approval; 2. store test; **P.last** *f* testing load **P.lauf** *m* test/trial/practice/dummy run, test, acceptance/pre-launch trial, run-up; **P.lieferung** *f* trial shipment/delivery; **P.muster** *nt* (reference) pattern

proben *v/i* to rehearse

Proben|nahme *f* sampling; **P.sendung** *f* sample pack **P.teilung** *f* sample division

Probenummer *f* trial/specimen number, trial/specime copy

Probenverkleinerung *f* sample reduction

Probe|packung *f* 1. trial/test package; 2. sample pack **P.partie** *f* pilot lot; **P.prozess** *m* § test case; **P.salden bilanz** *f* closing trial balance; **P.schuss** *m (fig)* sightin shot *(fig)*; **P.seite** *f* specimen page; **P.sendung** *f* tria consignment/delivery, test shipment; **P.stück** *nt* (assay) sample, specimen; **P.untersuchung** *f* pilot study **P.verkauf** *m* sale on approval, ~ by sample; **P.verschiffung** *f* trial/test shipment; **P.vertrag** *m* tentativ agreement; **P.verzollung** *f* trial shipment; **p.weise** *adv* on approval/trial, on a trial basis

Probezeit *f* probation(ary)/trial/qualifying period, probationary time; **für eine P. einstellen** to engage on probation

Probieren *nt* testing; **zum P.** on trial/approval; **durch systematisches P.** by trial and error; **p.** *v/t* to test/sample/try/taste

Probierer *m* sampler, taster

Probier|gewicht *nt (Edelmetall)* assay ton; **P.method** *f* empirical method; **P.waage** *f (Edelmetall)* assay balance

Problem *nt* problem, issue, question, difficulty, knot snag *(coll)*, stumbling block, challenge

Problem der Branche industry problem: **P. mehrfacher Entscheidung** multi-decision problem; **P. ohne Nebenbedingungen** unconstrained problem; **P. der optimalen Sortenschaltung** batch sequencing problem; **P. mit der Stellenbesetzung** staffing problem

Problem anfassen/angehen/ansprechen to tackle/approach/address a problem, to address an issue; **P. aufwerfen/darstellen** to pose a problem; **P.e ausräumen** to clear up problems; **sich mit dem P. befassen**; **P. behandeln** to deal with the issue, to address an issue; **P in den Griff bekommen; mit einem P. fertigwerden** to come/get to grips/grapple with a problem, to get a grip on a problem; **sich eines P.s bewusst werden** to become alive to a problem; **mit dem P. allein dastehen** to be left holding the baby; **einem P. aus dem Wege gehen** to duck an issue, ~ a problem; ~ **nicht aus dem Wege gehen**; **sich mit ~ herumschlagen** to wrestle/grapple with a problem; **P. identifizieren** to isolate/identify a problem; **mit einem P. konfrontiert sein** to face/experience a problem, to be confronted with a problem; **P. lösen** to resolve/crack *(coll)* a problem; **P.**

meistern to master a problem; **mit einem P. ringen** to wrestle with a problem; **jdn vor ein P. stellen** to confront so. with a problem; **sich einem P. stellen** to face up to sth./a problem; **P. umgehen** to duck an issue/a problem; **P. vergrößern** to compound a problem; **P. verwischen** to fudge a problem; **sich einem P. widmen/zuwenden** to address (o.s. to) a problem

alltägliches Problem bread-and-butter issue; **anstehendes P.** issue at hand; **dringendes P.** acute problem; **eigentliches P.** real issue; **finanzielles P.** financial problem; **finanztechnisches P.** financial/fiscal problem; **heikles P.** thorny problem; **juristisches P.** legal problem; **personelles P.** staffing problem; **prozessuales P.** functional issue; **schwieriges P.** thorny problem, hard nut to crack *(coll)*; **technisches P.** technical hitch; **ungelöstes P.** unresolved problem; **schier unlösbares P.** intractable problem; **untergeordnetes P.** minor problem; **vertracktes P.** vexed issue, knotty problem; **vielschichtiges P.** complex problem; **vorrangiges P.** overriding problem; **damit zusammenhängendes P.** related issue

Problemansatz *m* approach to a problem

Problemaltik *f* problem(s), problematic nature, doubts, difficulty, hazards; **p.tisch** *adj* problematic, doubtful, questionable

Problemlauflistung *f* listing of problems; **p.beladen** *adj* problem-plagued; **P.bereich** *m* problem(atic)/issue area, sticky area *(coll)*; **P.beschreibung** *f* problem definition/description/identification; **P.bewusstsein** *nt* appreciation of the difficulties; **p.bezogen** *adj* problem-orient(at)ed; **P.branche** *f* problem industry/sector; **P.darstellung** *f* problem definition/description; **P.erkennung** *f* problem identification; **P.index** *m* discomfort index; **P.kind** *nt (Produkt)* problem child; **P.komplex/P.kreis** *m* complex/set/family of problems; **P.kredit** *m* problem loan; **p.los** *adj* trouble-free; *adv* without difficulty; **P.löser** *m* problem solver

Problemlösung *f* solution of/to a problem, problem-solving; **individuelle P.** customized solution; **P.sbedarf** *m* need for problem solutions; **P.sprozess** *m* problem-solving process; **P.steil** *m* problem solving part

problemlorientiert *adj* problem-orient(at)ed; **P.region** *f* troubled/problem region; **P.stellung** *f* problem, way of looking at a problem; **p.trächtig** *adj* problem-plagued

Procedere *nt (lat.)* procedure

pro domo *(lat.)* for oneself

Produkt *nt* 1. product, commodity, production; 2. 🚜 produce, crop; **P.e** 1. wares; 2. 🚜 produce

Produkt mit hohem Absatz high-volume product; **P. in der Einführungsphase** wild cat *[US]*, question mark *[US]*; **P. mit hohem relativen Marktanteil und geringem Marktwachstum** cash cow *[US]*; **~ hohem Marktwachstum** star *[US]*; **~ niedrigem relativen Marktanteil und hohem Marktwachstum** wild cat *[US]*; **~ niedrigem Marktwachstum** dog *[US]*; **~ niedrigen Umsätzen** low-volume product; **~ hoher Wertschöpfung** high-value-added product

Produkt auf den Markt bringen to market a product; **~ einführen/werfen** to launch a product; **P. eliminieren** to abandon a product; **für ein P. die Trommel rühren; ~ werben** to push a product; **auf andere P.e umstellen** 🚜 to switch to other crops; **P. vermarkten** to market a product; **P. vertreiben** to distribute a product

absatzstarkes Produkt high-volume item; **ausländisches P.** foreign make; **chemisches P.** chemical; **fehlerhaftes P.** defective product; **fertiges P.** finished product; **forstwirtschaftliches P.** forestry product; **gut gehendes P.** well-running item; **gesamtwirtschaftliches P.** national product; **gewerbliches P.** manufactured/industrial/commercial product, manufactured article; *pl* manufactures; **halbfertiges P.** semi-finished product; **heimisches P.** domestic/national/local product; **hochwertiges P.** upmarket product; **höherwertiges P.** superior product; **inneres P.** scalar product; **landwirtschaftliches P.** (agricultural/farm) produce, agriproduct *[US]*; **markenfreies/namenloses P.** no-name product; **marktfähiges P.** marketable/sal(e)able product; **minderwertiges P.** inferior product; **nachzuarbeitendes P.** defective product; **pflanzliches P.** vegetable product; **pharmazeutisches P.** pharmaceutical; **gesetzlich geschütztes ~ P.** proprietary drug; **verschreibungspflichtiges ~ P.** ethical drug; **recycelbares/recyclefähiges P.** recyclable (product); **reifes P.** mature product; **tierisches P.** animal/livestock product; **umweltschädliches P.** polluting/environment-damaging product; **umweltverträgliches P.** ecologically harmless product; **verbundene P.e** joint/complementary products; **verwandtes P.** allied/related product; **wichtigstes P.** staple

Produktlakzeptanz *f* product acceptance; **P.analyse** *f* product analysis; **P.anforderung** *f* product requirement; **differenzierte P.anforderungen** demand for sophisticated products; **P.angebot** *nt* range of products, product assortment; **P.art** *f* type of product; **P.aufbereitung** *f* product recovery; **P.auswahl** *f* product selection; **P.berater** *m* product counseller; **P.bereich** *m* product field/area/category; **P.bereinigung** *f* streamlining of the product range; **P.beschaffenheit** *f* product quality; **P.beschreibung** *f* product specification; **p.bezogen** *adj* product-related, product-based; **P.breite** *f* product range; **P.bündelrechnung** *f* batch costing; **P.design** *nt* product design; **P.differenzierung** *f* 1. product differentiation; 2. 🚗 badge engineering; **P.diversifikation** *f* product diversification; **P.eigenschaft** *f* product feature/attribute; **P.einführung** *f* product launch/introduction; **P.einheit** *f* unit of output/production, production unit, unit labour costs; **letzte P.einheit** marginal unit; **P.elimination** *f* product elimination

Produkten *pl* commodities

Produktenlbörse *f* 1. commodity exchange/market; 2. 🚜 produce exchange; **P.diversifizierung** *f* branching out into new product fields; **P.einführung** *f* product launch; **P.entwicklung** *f* product development; **P.haftpflichtversicherung** *f* product liability insurance; **P.haftung** *f* product liability; **P.handel** *m* 🚜 produce trade/business; **P.händler** *m* 🚜 produce merchant;

P.kartell *nt* producer cartel; **P.makler** *m* merchandise/produce broker; **für eigene Rechnung arbeitender/selbstständiger P.makler** pit trader; **P.markt** *m* commodity/produce market

Produktentstehung *f* product development

Produktentwicklung *f* product development/design; **P.skosten** *pl* product development costs; **P.szeit** *f* product development time

Produktlentwurf *m* 1. product design; 2. computer-aided engineering (CAE); **P.erfordernis** *nt* product need; **P.ergänzung/P.erweiterung** *f* diversification; **P.erneuerung** *f* product innovation; **P.familie** *f* product family; **P.fehler** *m* product defect, non-conformity in a product; **P.feld** *nt* product field/group; **P.feldplanung** *f* product field planning; **P.fluss** *m* product flow; **P.franchising** *nt* product franchising; **P.freigabe** *f* product release; **P.führer** *m* product leader; **P.führung** *f* product leadership; **P.funktion** *f* product function; **P.garantie** *f* product warranty; **P.gebiet** *nt* product area; **P.gemeinkosten** *pl* product overhead(s); **P.gestalter** *m* product designer; **P.gestaltung** *f* product design/styling; **P.gewicht** *nt* product weight

Produktgruppe *f* product line/group; **ertragsstarke P.** cash cow; **P.nleiter/P.nmanager** *m* product line/group manager; **P.numsatzstufe** *f* sales grade of a product class; **P.nwerbung** *f* institutional advertising

Produktlhaftpflicht/P.haftung *f* product liability; **P.haftpflichtversicherung** *f* product liability insurance; **P.idee** *f* idea for a product; **P.identität** *f* product personality; **P.identifizierung** *f* product identification; **P.image** *nt* product image; **P.information** *f* product information; **P.innovation** *f* product innovation

Produktion *f* 1. production, output, turnout; 2. manufacture, make, making, manufacturing activity/operation; 3. *(Abteilung)* production department/division; **in der P.** *(Personal)* on the shop-floor

Produktion am laufenden Band assembly-line production; **P. auf Bestellung** make-to-order production; **P. an der Kostengrenze** marginal production; **P. vor Ort** on-the-spot manufacture

nicht an der Produktion beteiligt non-productive

Produktion ankurbeln to start up production; **in der P. arbeiten** to work on the assembly line; **P. aufnehmen** to go into/start production, to come on stream; **volle P. aufnehmen** to move into full production; **P. aufrechterhalten** to keep production going; **P. ausweiten** to expand output, to step up production; **P. beeinträchtigen** to hit production; **P. drosseln/einschränken** to cut (down)/curb production; **P. einstellen** to stop/discontinue/cease production; **P. erhöhen** to increase production/output, to speed/step up production; **in die P. gehen** to go into production; **P. lähmen** *(Streik)* to hold up/cripple/paralyze production, to bring production to a standstill/halt; **aus der P. nehmen** to discontinue a line, to take out of production, ~ off stream; **P. steigern** to increase/step up output, ~ production; **P. stilllegen/stoppen** to halt production, to cease to manufacture; **P. umstellen/verlagern** to switch (over) production; **P. ins Ausland/nach Übersee verlagern** to move production overseas; **P. verringern** to reduce production; **in der nach-/vorgelagerten P. tätig werden** to develop downstream/upstream (activities); **P. wiederaufnehmen** to resume production

abfallfreie Produktion waste-free/wasteless production; **abflauende P.** flagging production; **analytische P.** analytical production; **auftragsorientierte P.** production to specification; **computerunterstützte P.** computer-aided manufacturing (CAM); **diskontinuierliche P.** discontinuous production; **divergierende P.** divergent production; **durchlaufende P.** continuous production; **einheimische P.** domestic production, local manufacture/production; **einstufige P.** one-stage production; **genormte P.** standardized production; **gelenkte P.** controlled production; **gesamtwirtschaftliche P.** overall/aggregate output; **gewerbliche P.** industrial production; **gleichmäßige P.** settled production; **großbetriebliche P.** large-scale production; **handwerkliche P.** manual/artisan production; **industrielle P.** industrial output/production; **inländische P.** domestic/national *[EU]* production; **jährliche P.** annual production; **kapazitätsausschöpfende P.** capacity output; **konkurrierende P.** competing production; **konsumbezogene P.** production tailored to consumption; **kontinuierliche P.** continuous production; **konvergierende P.** convergent production; **kostengünstige P.** cost-efficient production; **landwirtschaftliche P.** agricultural production; **laufende P.** current production; **literarische P.** literary output; **marktorientierte P.** market-orient(at)ed production; **maschinelle P.** industrial/machine production; **mittelbare P.** indirect production; **mehrstufige P.** multi-stage production; **monatliche P.** monthly production; **nachlassende P.** flagging production; **rückläufige P.** declining/falling production; **saisonale/saisonbedingte P.** seasonal production; **schlanke P.** lean production; **schrumpfende P.** contracting production; **serienmäßige P.** volume production; **synthetische P.** synthetic production; **tägliche P.** daily output; **überschüssige P.** surplus production; **verbundene P.** joint production; **volkswirtschaftliche P.** (gross) national product; **volle P.** full production; **zersplitterte P.** disunited producers

Produktionslabfall *m* production slump, decline in production; **P.abgabe** *f [EU]* production levy; **P.abkommen** *nt* production agreement; **P.ablauf** *m* production sequence/process/run/flow; **P.ablaufplanung** *f* production sequencing; **P.abnahme** *f* production slump, decline in production/output; **P.abteilung** *f* production/manufacturing department, ~ division, operating department; **P.aktivität** *f* output; **P.änderungskosten** *pl* production changeover cost; **P.anforderung** *f* 1. production requisition; 2. manufacturing requirement; **P.anlage** *f* manufacturing facility, process plant, production facilities/plant/unit, structure; **P.anlagen** productive facilities/assets, production equipment; **P.anlauf** *m* production start-up, start-up of production; **P.anpassung** *f* adap(ta)tion of production; **P.anpassungsmaßnahme** *f* production adaptation measure; **P.anstieg** *m* rise in output; **rasanter P.anstieg** production upsurge; **P.anstrengung** *f* production effort; **P.anteil** *m* production share; **(ein)heimischer P.anteil** local production/content; **P.apparat** *m* production machinery, productive organisation; **P.arbeiter(in)** *m/f* shopfloor worker; **P.auffächerung** *f* diversification of production; **P.aufgabe** *f (Stilllegung)* closure; **P.aufnahme** *f* production start-up; **P.auftrag** *m* production order/release; **P.auftragsplanung** *f* overall (production) planning; **P.aufwand** *m* production cost(s); **P.ausdehnung** *f* expansion of production, increased output; **P.ausfall** *m* loss of output/production, production shortfall/loss, lost production; **P.auslastung/P.ausnutzung** *f* utilization of production capacity; **P.aussschuss** *m* production committee; **gemeinsamer P.ausschuss** joint production committee; **P.ausstattung** *f* production equipment; **P.ausstoß** *m* manufacturing output; ~ **erhöhen** to step up production; **P.ausweitung** *f* expansion/diversification of production, increased output; **P.barometer** *nt* manufacturing barometer; **P.basis** *f* manufacturing base; **P.bedingungen** *pl* manufacturing conditions; **P.beginn** *m* production start-up, going into production, coming on stream; **P.begrenzung** *f* manufacturing restriction(s); **P.behinderung** *f* disruption of production; **P.bereich** *m* 1. production area; 2. manufacturing division, branch of production; **P.bericht** *m* production statement; **P.beschränkung** *f* production ceiling/cut/restraint/limitation, manufacturing restriction(s), output limitation/constraint; **freiwillige P.beschränkung** *[EU]* voluntary limitation of production; **P.beteiligung** *f* 1. production sharing; 2. producing affiliate; **P.betrieb** *m* manufacturing plant/unit/facility/enterprise/business/establishment, industrial unit, producing firm; **P.bilanz** *f* output statement; **werksbezogene P.bilanz** plant output statement; **P.breite** *f* 1. range of production; 2. product diversification; **P.budget** *nt* operational budget; **P.datenverarbeitung** *f* production data processing; **P.datum** *nt* production date; **P.dauer** *f* production period, duration of production; **P.dienstleistung** *f* production service; **P.differenzierung** *f* diversification of production; **P.disposition** *f* production budget/arrangements; **P.drosselung** *f* production curb/cut (back), cutback in output; **P.durchschnitt** *m* production average; **P.einbruch** *m* sharp fall in production, production setback; **P.einbuße** *f* loss of output/production; **P.einheit** *f* manufacturing/work/production unit, production run, unit of output; **P.einrichtungen** *pl* production facilities; **P.einsatzkosten** *pl* input costs; **P.einschränkung** *f* production cut(back)/curb, reduction in output, curtailing of production; **P.einstellung** *f* closure, termination/abandonment/discontinuation/cessation of production, production stop; **P.einzelplanung** *f* production scheduling; **P.elastizität** *f* output elasticity/flexibility, elasticity of production; **partielle P.elastizität** partial elasticity of production; **P.engpass** *m* production bottleneck; **P.entwicklung** *f* manufacturing trend, trend in production; **P.erfahrung** *f* manufacturing know-how; **P.ergebnis** *nt* production (returns), output; ~ **je Beschäftigtenstunde** output per man-hour; **P.erhebung** *f* production survey/census; **P.erhöhung** *f* increase in production, speed-up; **P.erlaubnis** *f* licence to manufacture; **P.erlös** *m* production proceeds; **P.ertrag** *m* manufacturing yield, production returns, production by value; **P.erwartungen** *pl* estimated output/production; **P.etat** *m* production/operational budget; **P.fächer** *m* range of production; **P.fähigkeit** *f* productive capacity, capacity (of production)

Produktionsfaktor *m* factor of production, production factor, productive agent/factor; **P.en** (productive) resources, inputs; ~ **mit konstantem Einsatzverhältnis** fixed inputs; ~ **variablem Einsatzverhältnis** variable inputs; **P. Arbeit** labour; **P. Boden** land; **P. Kapital** capital

abgeleiteter/derivativer Produktionsfaktor derived factor of production; **dispositiver P.** optional production factor; **dritter P.** residual factor; **alternativ einsetzbarer P.** non-specific factor; **elementarer P.** basic/elementary production factor; **originäre P.en** natural resources

Produktionsfaktor|qualität *f* input quality; **P.system** *nt* input system; **P.wanderungen** *pl* factor movements

Produktions|fehler *m* manufacturing defect; **P.filiale** *f* production subsidiary; **P.fläche** *f* factory space, production area; **P.fluss** *m* production flow; **p.fördernd** *adj* production-promoting; **P.fortschrittskontrolle** *f* production progress control

Produktionsfunktion *f* production function; **gesamtwirtschaftliche P.** aggregate production function; **surrogate P.** as-if production function

Produktions|gang *m* production process; **P.gebiet** *nt* production area; **P.gebirge** *nt* (physical) production surface; **P.gefüge** *nt* production structure; **P.geheimnis** *nt* production secret; **P.gemeinkosten** *pl* production overheads; **P.gemein-/P.genossenschaft** *f* producers' cooperative, cooperative productive society; **P.genehmigung** *f* production permit; **landwirtschaftliche P.genossenschaft** *[DDR]* collective farm, agricultural production/producers' cooperative; **p.gerecht** *adj* production-geared, output-adapted; **P.geschwindigkeit** *f* production rate; **P.gesellschaft** *f* manufacturing company; **P.gewinn** *m* manufacturing profit; **P.glättung** *f* production smoothing; **P.gleichung** *f* production equation; **P.gliederung** *f* manufacturing structure; **obere P.grenze** output ceiling; **P.grundlage** *f* productive base; **P.grundlagen** means of production; **P.gruppe** *f* production group; **P.gruppen zusammenlegen** to trim back product lines; **P.güte** *f* quality of production; **P.güter** *pl* capital/industrial/production goods, (intermediate) producer goods; **P.gütergewerbe/-industrie** *nt/f* capital/producer goods industry, capital equipment industry, instrumental industries; **P.hilfe** *f* production support; **P.höchstgrenze** *f* production ceiling, maximum production capacity; **P.höchststand** *m* production peak; **P.höhe** *f* level of production; **(industrieller) P.index** *m* production index, index of industrial production; **P.kalkulation** *f* output costing; **P.kapazität** *f* production/manufacturing/productive/

output capacity, capacity of production, producing power, production facilities; ~ **verlagern** to relocate production facilities; **P.kapital** *nt* productive/production capital, productive capacity; **homogenes P.kapital** malleable capital; **P.kartell** *nt* production/quota cartel, output restriction agreement, producers' cartel/association; **P.kennziffer** *f* production index; **P.kette** *f* manufacturing chain; **P.koeffizient** *m* production/technical coefficient; **konstanter P.koeffizient** fixed coefficient of production; **P.konferenz** *f* production planning conference; **P.kontingent** *nt* output/production quota; **P.konto** *nt* production account/statement, product account; **P.kontrolle** *f* production control, production/output monitoring; **P.konzession** *f* licence to manufacture; **P.koordinator** *m* production scheduler

Produktionskosten *pl* production/manufacturing/process cost(s), cost(s) of production/manufacture, output price/cost; **einmalige P.** sunk costs(s); **volkswirtschaftliche P.** aggregate production cost(s); **P.aufstellung** *f* production cost sheet; **P.kontrolle** *f* manufacturing cost control; **P.theorie** *f* theory of production cost, cost-of-production theory

Produktions|kraft *f* productive capacity; **P.kräfte** factors of production; **P.kredit** *m* production loan; **P.kreislauf** *m* production cycle; **P.kurve** *f* production curve; **P.kürzung** *f* production cutback, cut in output; **P.land** *nt* manufacturing/producing country; **P.laufzeit** *f* production run

Produktionsleistung *f* 1. output, production/productive performance; 2. production/productive capacity, production rate, productivity, producing power, manufacturing efficiency; **P. je Arbeitsstunde** man-hour output; **P. der Maschinenbauindustrie** engineering output; **inländische P.** domestic product(ion); **volkswirtschaftliche P.** national product, the economy's total production

Produktions|leiter *m* production/manufacturing manager, manufacturing superintendent *[US]*; **P.leitsystem** *nt* production management system; **P.leitung** *f* production/manufacturing management; **P.lenkung** *f* production control; **wirksame P.lenkung** effective regulation of production; **P.lizenz** *f* licence to manufacture, production licence; **P.logistik** *f* logistics of production, production logistics; **P.löhne** *pl* manufacturing wages; **P.maschinen** *pl* manufacturing machinery; **p.mäßig** *adj* production; *adv* in terms of production; **P.material** *nt* direct material; **P.meldung** *f* output statement

Produktionsmenge *f* (volume of) output, output volume, production run; **optimale P.** profit maximization output; **P.neinheit** *f* physical unit of output

Produktions|methode *f* production method, way of production, method of manufacture; **P.minderung** *f* reduction of output; **P.minimum** *nt* minimum output; **P.minus** *nt* decline in output

Produktionsmittel *pl* means of production, capital, capital/producer goods, (production) equipment/resources; **dauerhafte P.** producer durables

Produktionsmittel|abweichung *f* plant mix variance; **P.bestand** *m* available productive equipment; **P.industrie** *f* capital/producer goods industry; **P.kombination** *f* production mix

Produktions|modell *nt* production model; **P.möglichkeiten** *pl* production facilities/resources, potential production; **P.möglichkeitskurve** *f* (product) transformation curve, production frontier; **P.monopol** *nt* monopoly of production; **P.nachweis** *m* production record; **P.neuordnung** *f* reorganisation of production; **P.niveau** *nt* level of output/production/activity, production level, scale of operations; **P.norm** *f* production standard; **P.optimum** *nt* production optimum, optimum production/output; **P.ort** *m* place of production/manufacture; **P.palette** *f* range of products/production; **P.pause** *f* (temporary) shutdown, production break; **P.phase** *f* stage of production; **P.plan** *m* production plan, output/production schedule, ~ budget; **P.planung** *f* production planning, output projection/budgeting, plant/production scheduling; **technische P.planung und -steuerung** production engineering; **P.politik** *f* production policy

Produktionspotenzial *nt* output/productive/production potential, productive capacity; **P. ausbauen** to improve one's production potential; **gesamtwirtschaftliches P.** overall production potential

Produktions|prämie *f* production/output bonus; **P.preis** *m* cost of production, outturn price

Produktionsprogramm *nt* 1. production/manufacturing programme; 2. production plan/chart/schedule/range; **P. abrunden** to round off one's production programme; **P. auffächern** to diversify production; **P. bereinigen** to streamline the production programme; **P. erweitern** to broaden the range of production; **reichhaltiges P.** diversified production, product diversification; **P.ierer** *m* production scheduler *[US]*; **P.planung** *f* production programming

Produktionsprojekt *nt* production scheme

Produktionsprozess *m* manufacturing/production process; **P. mit wenigen Stufen** short-run production process; **P.planung** *f* production process engineering

Produktionspyramide *f* product tree/pyramid

Produktionsquote *f* output/production quota; **P.nregelung** *f* scheme of manufacturing quotas, production quota system, production sharing; **P.nsystem** *nt* production quota system; **P.nvereinbarung** *f* production-sharing deal

produktions|reif *adj* ready for production; **P.reife** *f* production stage, finished product stage; **P.rekord** *m* production record; **P.reserve** *f* capacity reserve(s), idle capacity; **P.risiko** *nt* production risk

Produktionsrückgang *m* decline/drop in production, decrease/(short)fall of production, production slump, fall/contraction in output, contraction of manufacturing; **saisonaler/saisonbedingter P.** seasonal production slump; **starker P.** slump in production

Produktions|rückstände *pl* 1. production arrears; 2. production residues; **P.schwäche** *f* flat output; **P.schwankungen** *pl* production fluctuations; **P.schwelle**

f shutdown point, minimum of average variable/total cost(s); **P.schwierigkeiten** *pl* production problems; **P.sektor** *m* manufacturing sector; **P.senkung** *f* production cut, run-down of production; **P.serie** *f* production series; **P.skala** *f* production range, range of products; **P.soll** *nt* (industrial) production target; **P.sparte** *f* line/area of production; **P.spielraum** *m* scope for production, production leeway; **ungenutzter P.spielraum** margin of underutilized capital; **P.spitze** *f* production peak, output record; **P.stadium** *nt* production stage; **P.stand** *m* level of production; **P.standort** *m* plant location, place of production, production centre/site, productive base, manufacturing plant/location/site; **P.statistik** *f* census of production

Produktionsstätte *f* manufacturing plant/base/unit/operation/facility, production plant/facility, fabrication plant, shop floor; **P. im Ausland** foreign manufacturing base; **P. von Drittländern** traffic factory; **P. für junge Unternehmen** nursery factory; **P. etablieren/gründen** to set up production; **nachgelagerte P.** downstream plant; **vorgelagerte P.** upstream plant

Produktions|steigerung *f* increase in production, production growth; **~ ohne Lohnmehrkosten** stretch-out; **P.steuer** *f* output/production/severance *[US]* tax, business licence tax *[US]*, gross receipts tax *[US]*

Produktionssteuerung *f* production control/planning, operations management; **nachfrageorientierte P.** efficient consumer response; **P.ssystem** *nt* production control system

Produktions|stilllegung *f* closure; **vorübergehende P.stilllegung** production shutdown; **P.stillstand** *m* production downtime; **P.stockung** *f* stoppage, halt/cessation of production; **P.stopp** *m* production stop/shutdown, halt of production; **P.störung** *f* disruption; **P.straße** *f* production/assembly line; **P.streuung** *f* diversification of production; **P.struktur** *f* production pattern, pattern of production, resource allocation, manufacturing characteristics; **P.strukturrisiko** *nt* operating leverage

Produktions|stufe *f* stage/lecel of production, production stage; **P.stützpunkt** *m* (manufacturing) plant; **p.synchron** *adj* just-in-time (jit); **P.system** *nt* production system; **starres P.- und Lagerhaltungssystem** fixed plan; **P.tag** *m* production day; **P.tätigkeit** *f* manufacturing activity; **P.technik** *f* production engineering/method/process/technology; **p.technisch** *adj* relating to production engineering; **P.technologie** *f* production technology; **P.tempo** *nt* production rate/speed; **~ drosseln** to slow the production rate; **P.termin** *m* production date; **P.theorie** *f* production theory, theory of production; **P.tiefe** *f* production depth, vertical range of production; **P.typ** *m* pattern/type of production; **P.überhang** *m* excess (of) production; **P.überschneidung** *f* production overlap; **P.überschuss** *m* production surplus; **P.übersicht** *f* production return; **P.überwachung** *f* production monitoring; **P.umfang** *m* volume/scale of production, volume of output, output volume; **P.umsatz** *m* sale of own products; **kapitalkostenabhängige P.umschichtung** reswitching; **P.umstellung** *f* reorganisation/conversion of production, change in production, production switch/changeover; **P.unterbrechung** *f* disruption of production, production discontinuity; **P.unternehmen** *nt* manufacturing company/concern; **P.verbot** *nt* prohibition to manufacture, production ban; **P.verbund** *m* joint/interrelated production, production link; **P.verfahren** *nt* production method/process, way/process/technique of production, method of manufacture, industrial knowhow; **diskontinuierliches P.verfahren** discrete production process

Produktionsverlagerung *f* 1. shift of production; 2. relocation/redeployment of production; 3. shift in production levels; **P. ins Ausland** sourcing overseas; **P. in Niedriglohnländer** offshore sourcing; **~ die Stadtrandlagen/Vorstädte** suburbanization of production

Produktions|verlangsamung *f* production slowdown; **P.verlauf** *m* production run; **P.verlust** *m* loss of production; **P.vermögen** *nt* productive property/capacity; **P.vertrag** *m* production contract, manufacturing agreement; **P.verzögerung** *f* production delay; **P.volumen** *nt* volume/scale of production, output volume, volume/total output; **P.vorbereitung(en)** *f/pl* production/operations scheduling, operations/process planning, layout; **P.vorgang** *m* production process; **P.vorhaben** *nt* production project; **P.vorlauf** *m* pre-production run; **P.vorplanung** *f* advance production planning; **P.vorschriften** *pl* manufacturing regulations/directions; **P.vorsprung** *m* edge in manufacturing; **P.wachstum** *nt* production growth/increase; **P.wechselkosten** *pl* production changeover cost; **P.weise** *f* method of production; **P.wert** *m* value of production, gross output, output/production value; **P.wirtschaft** *f* 1. manufacturing industry/sector, producer goods sector, producing industries; 2. production economics; **P.woche** *f* production week; **P.zahlen** *pl* output figures/data, production figure(s)/runs; **P.zeit** *f* production time/period; **P.zensus** *m* census of production; **P.zentrum** *nt* manufacturing centre *[GB]*/center *[US]*; **P.ziel** *nt* production/output target; **~ erreichen** to meet the production target; **P.ziffern** *pl* output figures; **freie P.zone** special economic zone; **P.zunahme/P.zuwachs** *f/m* output/production growth, increase in production/output; **P.-zuschuss** *m* production grant; **P.zweig** *m* 1. (producing) industry; 2. line of production, product line; 3. *(Firma)* manufacturing branch; **P.zyklus** *m* production cycle

produktiv *adj* 1. productive, prolific; 2. 🚜 fertile

Produktiv|bereich *m* productive sector of the economy; **P.faktor** *m* factor of production; **P.genossenschaft** *f* producer cooperative; **P.güter** *pl* producer/productive goods; **P.investition(en)** *f/pl* productive investment

Produktivität *f* 1. productivity, (productive/technological/production/physical) efficiency; 2. 🚜 fertility

Produktivität des Dienstleistungsbereichs service productivity; **P. der Investitionen** productivity of capital stock; **marginale ~ Investitionen** marginal productivity of investment; **~ Maschinenarbeit** machine efficiency

Produktivität erhöhen/steigern to increase/improve productivity

betriebliche Produktivität plant productivity; **gesamt-/volkswirtschaftliche P.** overall/national/economic productivity; **landwirtschaftliche P.** agricultural productivity; **mangelnde P.** inefficiency; **relative P.** relative productive efficiency

Produktivitäts|abkommen/P.absprache *nt/f* productivity deal; **P.abnahme** *f* diminishing productivity; **P.anreiz** *m* productivity incentive; **P.anstieg** *m* productivity increase; **P.beteiligung** *f* productivity sharing (payment); **P.bindung** *f (Lohn)* linking to productivity; **P.bremse** *f* curb on productivity; **P.effekt** *m* impact on productivity; **P.engpass** *m* productivity constraint; **P.entwicklung** *f* productivity trend(s); **P.faktor** *m* productivity factor; **P.fortschritt** *m* productivity gain/advance, growth of productivity, improvement/increase in productivity; **P.gefälle** *nt* productivity differential/gap, difference between levels of productivity; **~ zu Entwicklungsländern** backwash effect; **P.gewinn** *m* gain in efficiency; **P.grenze** *f* marginal productivity; **P.index** *m* productivity index; **P.intensität** *f* level of productivity, productivity level; **P.kennzahl** *f* productivity ratio; **P.klausel** *f* productivity clause; **P.niveau** *nt* level of productivity; **P.norm** *f* productivity norm; **p.orientiert** *adj* productivity-orient(at)ed; **P.prämie** *f* productivity bonus; **P.rat** *m* productivity council; **P.rate** *f* rate of productivity; **P.rente** *f* productivity-linked pension; **P.reserve** *f* productivity reserve; **P.rückgang** *m* productivity slowdown, decline in productivity; **P.rückstand** *m* productivity lag; **P.spanne** *f* margin of productivity; **P.spitze** *f* productivity peak; **P.steigerung** *f* increase in productivity, productivity increase/improvement, gain in efficiency/employment, increased efficiency; **P.theorie** *f* marginal productivity theory; **P.verbesserung** *f* productivity improvement; **P.vereinbarung** *f* productivity deal/agreement; **P.verlust** *m* loss of productivity; **P.vorsprung/P.vorteil** *m* edge/advantage in productivity, lead in efficiency, productive edge; **P.wachstum** *nt* productivity growth/increase; **P.wert** *m* productivity value; **P.ziel** *nt* productivity goal/target; **P.ziffern** *pl* productivity figures; **P.zulage** *f* productivity payment; **P.zunahme/P.zuwachs** *f/m* productivity increase/gain/advance, increase/gain in productivity, growth of productivity, gain in efficiency; **P.zuschlag** *m* productivity payment; **P.zuwachsrate** *f* rate of productivity growth

Produktivkapital *nt* productive/employed capital; **P.beteiligung** *f* holding in productive capital; **P.bildung** *f* formation of productive capital

Produktiv|kräfte *pl* (productive) resources, productive forces, forces of production; **reale P.kräfte** real resources; **P.kredit** *m* 1. production credit, production-financing loan; 2. 🚜 produce advance; **P.vermögen** *nt* productive capital/assets/property/wealth

Produkt|kaufmann/P.kauffrau *m/f* product manager; **P.kenntnisse** *pl* product knowledge; **P.kennzeichnung** *f* product coding; **P.kennziffer** *f* product code; **P.konzeption** *f* product conception; **P.koppelung** *f* product link; **P.kosten** *pl* product cost(s)

Produktleben/P.sdauer/P.sphase *nt/f* product/shelf life; **P.szyklus** *m* product life cycle

Produkt|leiter/P.manager *m* product/brand manager; **P.linie** *f* product line; **P.linien zusammenlegen** to trim back product lines; **P.management** *nt* product management; **P.marketing** *nt* product marketing; **P.markt** *m* product market; **P.-Markt-Beziehungen** *pl* product-market relations; **P.matrix** *f* product matrix; **P.menge** *f* output; **P.merkmal** *nt* product feature; **P.modell** *nt* pre-production model; **P.modifikation** *f* product modification; **P.moment** *m* ▦ product/multi-variate moment; **P.muster** *nt* product sample, sampled product; **P.name** *m* product/brand name; **P.neueinführung** *f* introduction of a new product, product (re-) launch

Produktor *m* input, factor of production

produkt|orientiert *adj* product-driven; **P.palette** *f* range/spread of products, product range/portfolio/spectrum; **breite P.palette** diversified product range; **P.pflege** *f* product management; **P.piraterie** *f* product piracy; **P.planung** *f* product planning; **P.politik** *f* product policy; **P.positionierung** *f* product positioning; **P.präsentation** *f* product presentation; **P.profil** *nt* product personality/profile; **P.programm** *nt* product range, production programme; **~ erneuern** to update the product range; **P.prüfung** *f* product testing; **P.qualität** *f* product quality; **P.reihe** *f* product line/range; **P.rückholung** *f* product recall; **P.sortiment** *nt* product line, portfolio of products; **P.sparte** *f* product division; **P.spezialisierung** *f* product specialization; **P.spezifika** *pl* product technicalities; **p.spezifisch** *adj* product-specific; **P.stammbaum** *m* product tree; **P.strategie** *f* product strategy; **P.streuung** *f* product mix; **P.struktur** *f* product structure/mix; **P.substitution** *f* product substitution; **P.system** *nt* product system; **P.test** *m* product test; **P.transformationsrate** *f* rate of product transformation; **P.typ** *m* type of product; **P.überwachung** *f* product management; **P.variante** *f* product alternative; **P.variation** *f* product modification/variation; **P.veränderung** *f* (product) relaunch; **P.verantwortlicher** *m* product manager; **P.verarbeitung** *f* 1. processing of products; 2. product finish; **P.verbesserung** *f* product improvement/enhancement; **P.vereinfachung** *f* product simplification; **P.vermarktung** *f* product marketing; **P.verteilung** *f* 1. *(bedarfsunabhängig)* push-distribution; 2. *(nach Bedarf)* pull-distribution; **P.verwendungserklärung** *f* certificate of product use; **P.verwertung** *f* product valorization process; **P.vielfalt** *f* product variety/diversity, broad product line; **P.wechsel** *m* product change

Produktwerbung *f* product/competitive advertising, product publicity; **allgemeine P.** generic advertising; **übertriebene P.** product puffery

Produkt|wert *m* product value; **P.wiederbelebung** *f* (product) revival; **P.ziel** *nt* product goal; **P.zulassung** *f* product approval; **zeitoptimierte P.zulassung** time-optimized product approval; **P.zusammensetzung** *f*

product mix; **P.zuverlässigkeit** *f* product reliability; **P.zyklus** *m* product/life cycle

Produzent *m* producer, manufacturer, operator; **mit hohen Kosten arbeitender P.** high-cost producer/manufacturer; **mit niedrigen ~ P.** low-cost producer/manufacturer; **inländischer P.** domestic producer

Produzenten|geld *nt* producers' money; **P.haftpflicht/P.haftung** *f* product/producer's/manufacturers' liability; **P.handel** *m* direct distribution; **P.haushalt** *m* producer household; **P.kartell** *nt* producers'/manufacturers' cartel; **P.preis** *m* producer(-fixed) price

Produzentenrente *f* producer's surplus; **P.- und Konsumentenrente** social surplus; **industrielle P.** quasi rent

Produzenten|risiko *nt* producer's risk; **P.verband** *m* producers'/manufacturers' association; **P.werbung** *f* dealer aid advertising

produzieren *v/t* to produce/manufacture, to turn out; **auftragsbezogen p.** to make to order; **billig p.** to make on the cheap; **kostengünstig p.** to produce at low cost; **etw. nicht mehr p.** to take sth. out of production; **zu wenig p.** to underproduce

produzierend *adj* productive, manufacturing

profan *adj* profane, secular; **P.bau** *m* profane building; **P.ierung** *f* desecration

Profession *f* vocation, trade, profession

professionalisier|en *v/t* to professionalize; **P.ung** *f* professionalization

Professionalität *f* professionalism

professionell *adj* professional, in a professional way

Professor(in) *m/f* professor; **außerordentlicher P.** associate professor; **emeritierter P.** emeritus (professor); **ordentlicher P.** full professor; **p.enhaft** *adj* professorial

Professur *f* professorship

Profi *m* *(coll)* professional, pro; **p.haft** *adj (coll)* professional

Profil *nt* 1. profile, outline, contour, shape; 2. *(Ware)* personality; 3. *(Reifen)* tread; **im P.** side-face; **lichtes P.** 🚂 loading ga(u)ge

profilier|en *v/refl* to make one's mark, ~ a name for o.s., to distinguish o.s.; **sich in der Firma p. wollen** to play the company game *(coll)*; **P.ung** *f* differentiation

Profil|neurose *f* image neurosis; **P.stahl** *m* ✐ structured steel

Profit *m* → **Gewinn** 1. profit, gain, advantage; 2. *(pej.)* lucre; **P. bringen** to be profitable; **P. erzielen** to make a profit; **P. schlucken** to mop up *(coll)*; **riesiger P.** melon *(coll) [US]*

profitabel *adj* profitable, renumerative

profit|arm *adj* low-profit; **p.bringend** *adj* profitable; **P.center** *nt* profit centre; **P.denken** *nt* profit orientation; **P.geier** *m (coll)* profiteer, percentage worker; **P.gier** *f* greed for profit, greed/love of gain; **p.gierig** *adj* money-grubbing, profit-greedy

profitieren *v/i* to profit/gain/benefit, to cash in on, to capitalize from; **ordentlich p. bei** to do well out of; **steuerlich p.** to benefit tax-wise

Profit|jäger/P.macher *m* profiteer; **P.macherei** *f* profiteering; **P.maximierung** *f* profit maximization; **P.rate** *f* rate of profit, profit rate; **P.streben** *nt* profit seeking

pro forma *adv* pro forma *(lat.)*, as a matter of form

Proforma|- token, pro forma; **P.bezüge** *pl* nominal income; **P.bilanz** *f* pro-forma balance sheet; **P.erklärung** *f* § pro-forma statement; **P.faktur** *f* pro-forma invoice; **P.geschäftsergebnisse** *pl* pro-forma financial results; **P.indossant** *m* straw name; **P.rechnung** *f* pro-forma invoice (p/i); **P.verkauf** *m* fictitious sale; **P.vorgesetzte(r)** *f/m* straw boss; **P.wechsel** *m* pro-forma bill

profund *adj* profound

Prognose *f* forecast, prediction, prognosis, projection; **P. erster Ordnung** first-order forecast; **P. oberer und unterer Grenzwerte** multi-forecasting

düstere Prognose gloomy forecast; **konjunkturelle P.** economic forecast; **mittelfristige P.** medium-term assessment, intermediate-range forecast; **rollende P.** rolling forecast

Prognose|bericht *m* forecast; **P.daten** *pl* forecast data; **P.fähigkeit** *f* predictive power; **P.fehler** *m* forecast(ing) error; **P.genauigkeit** *f* forecasting accuracy; **P.gleichung** *f* ▦ forecast equation; **P.gültigkeit** *f* predictive validity; **P.institut** *nt* forecasting institute; **P.korridor** *m* prediction interval; **P.methode** *f* forecasting method; **P.modell** *nt* forecasting model; **P.qualität** *f* predictive power; **P.rechnung** *f* forecast; **P.spektrum** *nt* range of forecasts, prognostic range; **P.verfahren** *nt* forecasting technique; **~ für kurzfristige Bedarfsvorhersage** ▦ exponential smoothing; **P.wert** *m* 1. predicted figure; 2. prognostic value; **P.zahl** *f* predicted figure; **P.zeitraum** *m* forecast period

Prognost|iker *m* forecaster, prognosticator; **p.isch** *adj* prognostic, forecasting

Prognostizier|barkeit *f* predictability; **p.en** *v/t* to forecast/predict/prognosticate

Programm *nt* 1. program(me), scheme, plan, agenda; 2. 💻 routine, program; 3. *(Fernsehen)* channel

Programm zur Ausschaltung der Gewerkschaften deunionization programme; **~ Erneuerung von Produktionsmitteln** capital replacement programme; **~ Konjunkturbelebung** economic recovery programme; **~ Qualitätsverbesserung** quality improvement programme; **~ Schaffung von Arbeitsplätzen; ~ Stützung des Arbeitsmarktes** employment support programme; **~ Umweltverbesserung** environmental improvement programme; **P. zum Wiedereintritt in den Beruf** re-entry scheme

vom Programm absetzen to take off the programme; **P. ankündigen** to bill; **P. auflegen** to launch/administer a programme; **P. aufstellen** to (draw up a) programme; **P. einlesen** 💻 to load a program; **P. erstellen** 💻 to generate a program; **jdm nicht ins P. passen** *(fig)* not to suit so.'s book *(fig)*; **P. übertragen** *(Radio/Fernsehen)* to transmit a programme; **P. vertreten** to support a programme; **P. verwalten** to administer a programme; **P. zusammenstellen** to arrange a programme

gezieltes Programm selectively targeted programme;

hinweisendes P. illustrative program; **interpretierendes P.** interpretative program; **politisches P.** political programme/platform, platform, ticket *[US]*; **umfangreiches P.** *(Angebot)* wide range; **umfassendes P.** comprehensive programme; **vielfältiges P.** flexible-purpose programme; **vollständiges P.** complete routine; **wiederverwendbares P.** reenterable program

Programmablauf *m* programme flow/run; **während des P.s** at object time; **P.plan** *m* programme flow chart

Programm|abschnitt *m* control section; **P.aktivierung** *f* job entry; **P.analyse** *f* programme analysis; **P.anbieter** *m* software/program supplier; **P.änderung** *f* change of programme, programme modification

Programma|tik *f* programme; **p.tisch** *adj* programmatic(al)

Programm|aufteilung *f* programme subdivision; **P.ausrüstung** *f* software; **P.auswahl** *f* programme selection; **P.auswahltaste** *f* program level key; **P.band** *nt* program tape; **P.baustein** *m* programme unit/module; **P.bereich** *m* program area, region of programme; **P.bereinigung** *f* streamlining of the range, ~ production programme; **P.berichtigung** *f* debugging; **P.beschreibung** *f* programme description; **P.bezeichnung** *f* program identification; **P.breite** *f* range of production; **P.budget** *nt* 1. programme budget, budgeting system; 2. programming, planning; **P.durchlauf** *m* run; **P.ebene** *f* program level; **P.einblendung** *f* fading-in, blurb; **P.eingabe** *f* information input; **P.einheit** *f* program unit; **P.einrichtung** *f* program device; **P.element** *nt* program(me) item; **P.erprobung** *f* program proving; **P.erstellung** *f* 1. software development; 2. producing of a programme; **P.erweiterung** *f* diversification; **P.fehler** *m* program error; **P.feld** *nt* control field; **P.firma** *f* program company; **P.formular** *nt* coding sheet; **P.füller** *m* filler; **P.gang** *m* program cycle; **p.gebunden** *adj* program-based; **p.gemäß** *adj* according to plan, as arranged; **P.gestalter** *m* programmer; **p.gesteuert** *adj* computer-controlled; **P.handel** *m (Börse)* programme trading; **P.heft** *nt* programme; **P.hilfe** *f* programme aid; **P.hinweise** *pl* programme notes

programmier|bar *adj* programmable; **interaktives P.en** conversational-mode programming; **p.en** *v/t* 1. to program; 2. to set out/include in a programme; **P.er** *m* programmer; **P.fehler** *m* programming error; **zusätzliche P.hilfe** advanced programming

Programmiersprache *f* computer/program(ming) language; **höhere P.** high-level language; **maschinenorientierte P.** computer-orient(at)ed language, assembler; **symbolische P.** symbolic language; **vereinfachte P.** subset

Programmiersystem *nt* programming system

Programmierung *f* programming

dynamische Programmierung dynamic programming; **ganzzahlige P.** integer programming; **gemischtzahlige P.** mixed-integer programming; **lineare P.** *(OR)* linear programming; **nicht ~ P.** non-linear programming; **parametrische P.** parametric programming; **quadratische P.** quadratic programming; **stochastische P.** stochastic programming

Programmierungs|ablauf *m* programming flow chart; **P.fehler** *m* programming error; **P.grammatik** *f* syntax; **P.verfahren** *nt* programming method

Programmierwort *nt* user-defined/non-reserved word

Programm|impuls *m* program exit; **P.karte** *f* program control card; **P.kode** *m* function code; **P.lauf** *m* program run; **P.leiter** *m* programme director; **P.paket** *nt* software/program package; **P.phase** *f* programme phase; **P.planung** *f* programme planning; **P.protokoll** *nt* program listing; **P.prüfung** *f* program testing; **P.punkt** *m* item (on the agenda); **P.redaktion** *f* programme planning department; **P.rede** *f* keynote speech; **P.residenz** *f* program residence; **P.satz** *m* sentence; **unbedingter P.satz** imperative sentence; **P.schalter** *m* program switch; **P.schema** *nt* coding sheet/form; **P.schritt** *m* program step; **P.speicher** *m* program storage, programmable memory; **P.steuersprache** *f* job control language; **P.steuerung** *f* program/sequential control; **P.straffung** *f* streamlining of the product range, ~ production programme; **P.taste** *f* program selector; **P.text** *m* programme text; **P.tiefe** *f* depth of programm/range, vertical range of production; **P.trommel** *f* programme drum; **P.überlappung** *f* processing overlap; **P.übersicht** *f* run-down of the programme; **P.umfang** *m* program length; **P.umsetzer** *m* assembler; **P.unterteilung** *f* segmentation; **P.vertrag** *m* planning contract; **P.verweilzeit** *f* program residence time; **P.verzahnung** *f* multi-programming; **P.vordruck** *m* coding sheet; **P.wahl** *f* choice of programmes; **P.wechsel** *m* 1. change of programme; 2. job turnround; **P.wiederholung** *f* 1. programme repeat; 2. repeat; **P.zyklus** *m* program cycle

Progression *f* progression, progressive scale; **arithmetische P.** arithmetical progression; **geometrische P.** geometrical progression; **steile P.** steep progression

Progressions|effekt *m* progressive effect; **P.satz** *m* rate of progression; **P.steuer** *f* progressive tax; **P.stufe** *f* stage in the progressive scale; **P.tarif** *m* progressive scale; **P.vorbehalt** *m (Steuer)* provision concerning progression, saving clause as to progression; **P.wirkung** *f* effect of the progressive scale; **P.zone** *f* higher tax bands/brackets

progressiv *adj* 1. progressive, graduated; 2. *(Tarif)* sliding-scale; 3. go-ahead, forward-looking; **P.lohn** *m* progressive wage rate

Prohibition *f* prohibition

prohibitiv *adj* prohibitive; **P.preis** *m* prohibitive price; **P.satz** *m* prohibitive rate; **P.steuer** *f* penalty tax; **P.zoll** *m* prohibitive tariff/duty

Projekt *nt* project, scheme, plan, venture, undertaking; **P. mit langer Fertigstellunsgzeit** long-gestation project

Projekt abwickeln to carry out a project; **P. in Gang bringen** to get a project under way; **P. durchführen** to implement a scheme/project; **in ein P. einsteigen** to embark on a project; **P. fallen lassen** to abandon a project;

P. finanzieren to fund a project; **P. fördern** to promote a project; **P. konzipieren** to formulate a project; **P. realisieren** to realize a project; **P. vorantreiben** to push a scheme

langfristiges Projekt long-term project; **schlüsselfertiges P.** turnkey project; **unsolides P.** unsound scheme; **wasserwirtschaftliches P.** water-resource project

Projekt|abkommen *nt* project agreement; **P.abrechnung** *f* billing of a project, project billing; **P.anzeige** *f* project notification; **P.arbeit** *f* project work; **P.auswahl** *f* project identification; **P.beauftragter/P.bearbeiter** *m* project officer; **P.berater** *m* project consultant/analyst; **P.bericht** *m* project report; **P.bewertung** *f* project evaluation/appraisal; **P.bewilligung** *f* project approval; **P.bewilligungsverfahren** *nt* project approval procedure; **p.bezogen** *adj* project-linked, project-tied; **P.bindung** *f* project tying; **P.dauer** *f* project life; **P.durchführung** *f* project implementation; **~ in eigener Regie** force account; **P.finanzierung** *f* project finance/financing; **P.fördermittel** *pl* project promotion funds; **P.förderung** *f* project promotion/aid; **p.gebunden** *adj* tied (to a specific project), project-linked, project-tied; **P.gemeinschaft** *f* joint venture; **P.gesellschaft** *f* joint-venture/project company; **P.gruppe** *f* project team; **~ bilden** to pick/select a team; **P.hilfe** *f* project aid

projektier|en *v/t* to plan/project, to lay plans for; **P.ung** *f* planning, projection; **P.ungskosten** *pl* planning cost

Projektingenieur *m* project engineer

Projektion *f* 1. projection; 2. *(Film)* screening

Projektions|apparat/P.gerät *m/nt* projector; **P.bild** *nt* projected image; **P.fläche** *f* projection area; **P.leinwand** *f* screen

Projekt|kontrolle *f* project control; **P.kosten** *pl* project cost; **P.kredit** *m* project loan; **P.lage** *f* project status; **P.lagebericht** *m* project status report; **P.leiter** *m* project manager, job leader; **P.leitung/P.management** *f/nt* project/venture/operative management; **P.organisation** *f* project(-type) organisation; **p.orientiert** *adj* project-orient(at)ed, job-oriented; **P.partner** *m* project participant; **P.planung** *f* project/object scheduling; **P.planungsphase** *f* project planning period; **P.reife** *f* pre-implementation stage; **P.standort** *m* project site; **P.steuerung** *f* project management/scheduling; **P.studie** *f* feasibility/pre-investment study, blueprint; **P.suche** *f* project identification; **P.teilnehmer** *m* project participant; **P.träger** *m* product sponsor; **P.überwachung** *f* project control; **P.unternehmer** *m* project contractor; **P.vorbereitung** *f* project preparation; **P.vorlauf** *m* definition phase; **P.vorschlag** *m* project proposal, draft scheme; **P.vorstudie** *f* feasibility study; **P.zeitraum** *m* project period

projizier|en *v/t* to project; **nach außen p.** to externalize; **P.ung** *f* projection

Prokla|mation *f* proclamation; **p.mieren** *v/t* to proclaim

Pro-Kopf|- per capita *(lat.)*; **quantitativer P.-Ausstoß** physical production per head; **P.-Bedarf** *m* per capita demand; **P.-Betrag** *m* per capita amount; **P.-Einkommen** *nt* per capita income; **P.-Exportleistung** *f* per capita exports; **P.-Investition(en)** *f/pl* per capita investment; **P.-Leistung** *f* per capita output; **P.-Produktionsfunktion** *f* per capita production function; **P.-Umsatz** *m* per capita sales; **P.-Verbrauch** *m* per capita consumption/intake; **P.-Verschuldung** *f* per capita indebtedness

Prokura *f* 1. power of attorney; 2. procuration, proxy; **per P.** by procuration, per proxy; **P. erteilen** to transfer/give procuration, to confer authority to sign; **per P. zeichnen** to sign per procuration (p.p.); **P.indossament** *nt* restrictive/representative/collection endorsement; **P.unterschrift** *f* per procuration signature

Prokurist(in) *m/f* authorized signatory, managing/signing clerk, accountant general, company officer, assistant vice president *[US]*

Prolet *m* *(coll)* prole(tarian); **P.ariat** *nt* proletariat; **P.arier** *m* proletarian; **p.arisch** *adj* proletarian

Prolog *m* prologue

Prolongat *nt* prolongation, renewal bill

Prolongation *f* *(Börse)* prolongation, renewal, continuation, extension, backwardation, carryover, carrying-over; **in P. geben** to give on stock; **~ nehmen** to take in stock; **glatte P.** carrying-over; **stillschweigende P.** tacit prolongation/renewal/continuation

Prolongations|abkommen *nt* extension agreement; **P.abschnitt** *m* prolongation bill; **P.akzept** *nt* renewal bill; **p.fähig** *adj* renewable, continuable; **P.gebühr** *f* contango (rate), renewal charge, backwardation, commission on contango, respite money; **P.geschäft** *nt* carryover, prolongation/contango/carrying-over business; **P.klausel** *f* 1. renewal clause; 2. *(Vers.)* non-forfeiture clause; **P.kosten** *pl* renewal costs, contango money *[GB]*; **P.kredit** *m* renewal/prolongation loan; **P.preis** *m* making-up price; **P.provision** *f* renewal commission; **P.recht** *nt* right of renewal; **P.satz** *m* renewal/carryover rate; **P.schein** *m* certificate of renewal; **P.tag** *m* contango/continuation day; **P.wechsel** *m* renewal/renewed/continuation bill; **P.zusage** *f* assurance of prolongation

prolongier|bar *adj* renewable; **p.en** *v/t* to prolong/renew/extend/contango, to carry/hold over, to roll forward, to postpone payment; **P.ung** *f* prolongation

pro memoria *(lat.)* pro memoria *(lat.)*

Promemoria *nt* memo(randum); **P.konto** *nt* memorandum account

Promesse *f* promissory note, due bill, advance commitment; **offene P.** outstanding promise of credit

Promille *f* per thousand/mille; **P.gehalt** *m* blood alcohol content; **P.grenze** *f* blood alcohol limit

prominent *adj* outstanding, prominent

Prominenz *f* top people, bigwigs *(coll)*

Promotion *f* doctorate, PhD, graduation; **P.sschrift** *f* (doctoral) thesis, dissertation

promovier|en *v/i* to take a doctor's degree, to graduate; **p.t werden** to be awarded a doctor's degree

prompt *adj* prompt, quick, with dispatch; **P.geschäft** *nt* prompt transaction, prompt-settlement business, sale for quick delivery; **P.heit** *f* promptness

prononciert *adj [frz.]* decided, definite
Propaganda *f* propaganda, publicity; **staatsgefährdende P.** seditious propaganda
Propagandalabteilung *f* publicity department; **P.feldzug** *m* publicity campaign; **P.maschinerie** *f* propaganda machine; **P.material** *nt* promotion matter; **P.wert** *m* publicity value; **P.wesen** *nt* propagandism; **P.woche** *f* propaganda week
Propagandistl(in) *m/f* product demonstrator, propagator, propagandist; **p.isch** *adj* propagandist(ic)
propagieren *v/t* to propagate/push/publicize/hawk
Propan *nt* ⛭ propane
proper *adj* neat and tidy; **P.handel** *m* dealing for one's own account; **P.händler** *m* trader for own account
Prophet *m* prophet, predictor; **p.isch** *adj* prophetic, predictive
prophezeilen *v/t* to prophecy/presage/bode; **P.ung** *f* prophecy
prophylaktisch *adj* preventive, prophylactic, as a precaution
Proportion *f* proportion; **umgekehrte P.** inverse proportion
proportional *adj* proportional, proportionate, pro rata; **nicht p.** unproportional; **umgekehrt p. (zu)** inversely proportional/proportionate (to), in inverse ratio (to)
Proportionallbereich *m (Steuer)* proportional band, basic rate; **P.besteuerung** *f* proportional taxation
Proportionalitätsmethode *f* method of allocating joint product costs
Proportionallregel *f (Vers.)* (condition of) average clause; **P.satz** *m* proportional/flat rate; **P.schrift** *f* proportional spacing; **P.steuer** *f* proportional tax; **P.system** *nt* proportional system; **P.wahlrecht** *nt* proportional representation; **P.zone** *f (Steuer)* basic rate
Proporz *m* proportional representation
Propregeschäft *nt* 1. own account business; 2. *(Makler)* broker's market
pro rata *adv (lat.)* pro rata *(lat.)*, proportionate; **P.klausel** *f* average clause; **P.teilung** *f* pro-rating
Proratisierung der Leistungen *f* pro-rating of benefits
Prorektor *m (Universität)* vice chancellor
Prorogation *f* § prorogation of jurisdiction, mutual agreement as to jurisdiction, prorogated jurisdiction, answer to jurisdiction; **P.svertrag** *m* jurisdiction agreement
prosaisch *adj* pedestrian, down to earth, matter of fact, bread and butter
Prospekt *m* 1. brochure; 2. *(Zettel)* leaflet, handout, flyer; 3. *(Mappe)* folder; 4. *(Börse)* prospectus; **P.e** literature; **P. über die Ausgabe von Obligationen** bond circular; **P. für die Börsenzulassung** prospectus; **~ den Handel** trade folder
Prospektlbefreiung *f* exemption from prospectus requirement; **P.gesellschaft** *f* prospectus company *[GB]*; **P.haftung** *f* prospectus liability
prospektierlen *v/t* to prospect; **P.ung** *f* prospecting; **P.ungskosten** *pl* finding costs; **P.ungsvertrag** *m* prospecting contract
Prospektion(stätigkeit) *f* prospecting
prospektiv *adj* prospective
Prospektlmaterial *nt* (sales) literature, descriptive material; **P.prüfung** *f* audit of prospectus; **P.zwang** *m* obligation to issue a prospectus
Prosperität *f* prosperity
protegierlen *v/t* 1. protect/shield, to take under one's wing; 2. to sponsor; **P.te(r)** *f/m* protegé *[frz.]*
Protektion *f* 1. protection; 2. patronage; **P. genießen** to have friends in high quarters
Protektionlismus *m* protectionism; **P.ist** *m* protectionist; **p.istisch** *adj* protectionist; **P.swirtschaft** *f* protectionism
Protektor *m* 1. protector; 2. patron; **P.at** *nt* 1. protectorate; 2. *(Förderung)* patronage; **völkerrechtliches P.at** protectorate under international law
Protest *m* (act of) protest, representation, reclamation, remonstrance; **aus P. gegen** in protest at; **mangels P.es** in the absence of protest; **nach P.** supra protest; **ohne P.** no protest, protest waived *[US]*, not to be noted *[GB]*; **unter P.** under protest
Protest mangels Abnahme; P. wegen Nichtannahme *(Wechsel)* protest for non-acceptance; **P. mangels Sicherheit** protest for lack of security; **P. zwecks weiterer Sicherheiten bei Zahlungsunfähigkeit des Akzeptanten** protest for better security; **P. mangels Zahlung** protest for non-payment, ~ refusal of payment
sofort zum Protest *(Wechsel)* to be protested at once; **zu P. gegangen** protested; **zum P. vorgemerkt** noted for protest
unter Protest akzeptieren to accept under protest; **P. anzeigen** to give notice of protest; **P. anmelden** to register a protest; **P. aufnehmen lassen** to notify protest, to have a bill noted; **P. einlegen/erheben** 1. to lodge/raise a protest; 2. *(schriftlich)* to enter a protest; **zu P. gehen** to go to protest; **~ lassen** to protest/dishonour (a bill); **P. hinausschieben** to defer a protest; **sich über P.e hinwegsetzen** to ignore protests; **mit P. zurückgehen lassen** to return under protest
zu spät erhobener Protest past-due protest; **massiver P.** sharp/strong protest; **rechtzeitiger P.** due protest; **scharfer P.** sharp/strong protest; **verspäteter P.** retarded/past-due protest
Protestlanzeige *f (Wechsel)* note/notice of protest, advice of dishonour; **P.aufnahme** *f* protesting/noting of a bill, protestation; **P.beamter** *m* protesting official; **P.benachrichtigung** *f* notice of protest *[US]*; **P.erhebung** *f* protesting, noting and protest, act of protest; **P.erklärung** *f* 1. notice of dishonour; 2. protestation, protesting; **P.erlass** *m* waiver of protest; **p.fähig** *adj* protestable; **P.frist** *f* period allowed for protest, time within which protest must be made; **P.gebühr** *f* protest fee; **P.geschrei** *nt* howl(s) of protest; **P.gläubiger(in)** *m/f* protester
protestierlen *v/ti* to protest/object/remonstrate, to raise a protest; **nicht p.t** *adj (Wechsel)* unprotested
Protestlkosten *pl (Wechsel)* protest charges/fees, costs of protest; **ohne P.kosten** protest waived; **P.kundgebung** *f* protest demonstration/rally; **P.lokal/P.ort/P.stelle** *nt/m/f* place of protest; **P.note** *f* note of protest;

P.schreiben *nt* letter of protest, protest letter; **P.spesen** *pl* protest charges/fees; **P.streik** *m* protest strike; **P.sturm** *m* storm/howl of protest; **P.tag** *m* day of protest; **P.urkunde** *f* (bill/deed/certificate/note/act of) protest, (notarial) protest certificate; **P.vermerk** *m* protest note; **P.versammlung** *f* protest meeting; **P.zeit** *f* period of protest, protesting hours

Prothese *f* $ artificial limb, prothesis

Protokoll *nt* 1. minutes, (certified) record; 2. *(Politik)* protocol; 3. memorandum, registry, log, listing; 4. § transcript, transactions; 5. ▣ printout, protocol; **P.e** written proceedings; **P. über die Beweisaufnahme** record of the evidence; **P. einer Verhandlung** § transcript of proceedings; **nicht für das P.** off the record; **aus dem P. gestrichen** deleted from the record

Protokoll abfassen/aufsetzen to write the minutes, to draw up a protocol/the minutes; **P. aufnehmen** to take down the minutes; **ins P. aufnehmen** to enter in the minutes, to place on record; **P. beifügen** to attach the minutes; **P. bekommen** *(Verkehr)* to get a ticket *[US]*; **zu P. erklären** to depose; **P. führen** to minute, to keep the minutes, to protocol; **zu P. geben** to place/put on record; **~ nehmen** to take down in writing/on record, to record in the protocol, to minute; **P. verlesen** to read out the minutes; **im P. vermerken** to place/put on record, to record in the minutes

ausführliches Protokoll verbatim record; **notarielles P.** notarially attested record; **polizeiliches P.** police report

Protokollabschrift *f* copy of the proceedings

Protokollant(in) *m* 1. secretary; 2. § record(ing)/court clerk, recorder

protokollarisch *adj* 1. recorded, on record; 2. minuted; 3. *(Politik)* ceremonial

Protokoll|aufnahme *f* recording; **P.buch** *nt* record/minute book; **P.einheit** *f* logging device; **P.eintragung** *f* entry; **P.führer** *m* 1. secretary; 2. (record(ing)) clerk, recorder, reporter, registrar; **P.führung** *f* keeping the minutes; **p.gemäß** *adj* according to protocol

protokollier|en *v/ti* 1. to record, to take down in writing; 2. to keep/take the minutes, to minute; 3. to register/protocol; **~ lassen** to place/leave on record; **P.ung** *f* recording, drawing-up of the minutes, registration

Protokollnotiz *f* note in the minutes

Prototyp *m* prototype

protz|en *v/i* to show off; **P.erei** *f* ostentation, ostentatiousness; **p.ig** *adj* showy, flashy, ostentatious

Provenienz *f* provenance, origin; **P.zertifikat** *nt* certificate of origin

Proviant *m* provisions, supplies, victuals; **P.amt** *nt* supply department; **P.beutel** *m* knapsack; **P.korb** *m* food hamper; **P.lager** *nt* supply depot; **P.schiff** *nt* store ship

Provinz *f* province; **in der finstersten P. leben** to live at the back of beyond *(coll)*

Provinz|- provincial, regional; **P.bank** *f* provincial/country/interior *[US]* bank; **P.behörden** *pl* provincial authorities; **P.börse** *f* regional stock exchange, out-of-town market *[US]*, country exchange; **P.filiale** *f* country branch; **P.hauptstadt** *f* provincial capital

provinziell *adj* provincial, regional

Provinzialismus *m* provincialism

Provinzler *m* provincial, rustic; **p.isch** *adj* parochial

Provinz|nest *nt* backwater; **P.regierung** *f* provincial government; **P.stadt** *f* provincial town; **P.wechsel** *m* country bill; **P.zentrum** *nt* provincial centre

Provision *f* 1. commission (charge), fee, percentage, factorage, rake(-off) *(coll) [US]*; 2. *(Makler)* brokerage; **franko P.** free of commission/charge; **ohne P.** no commission

Provision des Auktionators auctioneer's fee; **~ Befrachters** address commission; **P. aus Konsortialbeteiligung** underwriting commission; **P. für Überziehungskredite** overdraft commission

Provision berechnen to charge (a) commission; **P. beziehen** to draw a commission; **P. gewähren** to accord a commission; **P. verdienen** to earn a commission; **gegen P. verkaufen** to sell on commission; **P. verlangen** to charge a commission

einmalige Provision flat (fee); **erzwungene P.** kickback *[US]*; **vorbehaltlose P.** straight commission

Provisionierungssystem *nt* commission plan

Provisions|abrechnung *f* commission statement; **P.agent** *m* commission/delcredere agent; **P.anspruch** *m* accrued commission; **P.aufkommen** *nt* brokerage income; **P.aufstellung** *f* commission statement; **P.aufwendung** *f* fee and commission expense; **P.aufwendungen** commissions paid; **P.basis** *f* commission basis; **auf P.basis** on (a) commission (basis); **P.belastung** *f (Investmentfonds)* load; **~ bei Ersterwerb** front-end loading; **P.beleg** *m* commission note/slip; **p.berechtigt** *adj* entitled to a commission; **P.beteiligung durch den Versicherungsmakler** *f* rebate; **p.bezogen** *adj* commission-related; **P.einkünfte/P.einnahmen** *pl* commission revenues, commission(s) received; **P.ertrag** *m* commission earnings/earned, fee and commission income; **P.forderungen** *pl* accrued commissions, commissions receivable; **p.frei** *adj* free of commission; **P.gebühr** *f* 1. commission (fee); 2. *(Makler)* brokerage; **P.geschäft** *nt* transaction on a commission basis, commission business; **P.geschäfte machen** to buy and sell on commission; **P.grundlage** *f* commission basis; **P.guthaben** *nt* credit balance on commission account; **P.gutschrift** *f* commission note; **P.höhe** *f* level of commission; **P.konto** *nt* commission account; **P.makler** *m* commission broker; **P.nachlass** *m (Vers.)* commission rebate; **p.pflichtig** *adj* commissionable, commission-bearing, subject to a commission; **P.rechnung** *f* commission note; **P.reisender** *m* commercial traveller; **P.satz** *m* commission/commercial rate, rate of commission; **P.spanne** *f* commission margin; **P.staffel** *f* scale of commission; **P.teilung** *f* commission splitting; **erzwungene P.teilung** kickback; **P.überschuss** *m* net commissions received/income; **P.versicherung** *f* commission insurance; **P.vertreter** *m* commission agent; **P.zahlung** *f* commission payment

provisorisch *adj* provisional, temporary, makeshift, stopgap, rough-and-ready, tentative

Provisorium *nt* makeshift/provisional arrangement
Provoka|teur *m* provocateur; **P.tion** *f* provocation; **p.tiv/p.torisch** *adj* provocative
provozier|en *v/t* to provoke; **p.end** *adj* provocative; **P.ung einer strafbaren Handlung** *f* § entrapment
Prozedur *f* procedure; **P. über sich ergehen lassen** to suffer an ordeal; **P. mitmachen** to go through the motions; **interne P.** internal procedure; **langwierige P.** lengthy business; **P.anweisung** *f* procedure statement; **P.aufruf** *m* procedure reference; **P.kopf** *m* procedure heading
Prozent *nt* percentage, per cent (p.c.); **P.e** rake-off *(coll)*; **gegen P.e** on a percentage basis; **in P.(en)** in percentage terms, percentaged; **frei von gewissen P.en** *(Vers.)* free from certain percentage points
auf Prozent|basis *f* on a percentage/commission basis; **P.bruchteil** *m* fraction of one per cent
prozentig *adj* per cent
Prozent|kurs/P.notierung *m/f* percentage quotation; **P.punkt** *m* percentage point; **um ... P.punkte zulegen** to increase by ... percentage points; **P.rechnung** *f* 1. percentage arithmetic/calculation; 2. interest account
Prozentsatz *m* percentage (rate); **P. der Kranken** sick rate; **konstanter P.** fixed percentage
Prozentspanne *f* percentage margin
prozentual *adj* percentage(d), in percentage terms, on a percentage basis, percental
Prozent|verteilung *f* percentage distribution; **P.zeichen** *nt* percentage sign, per cent mark
Prozess *m* 1. process; 2. § lawsuit, (legal) action, legal proceedings/procedure, litigation, suit; 3. *(Strafverfahren)* criminal proceedings, trial; **P. wegen einer Berühmung** jactitation suit; **P. der Selbstauslese** self-selection process; **P. wegen Umweltverschmutzung** environmental lawsuit; **solange der P. schwebt** pendente lite *(lat.)*, pending the lawsuit
Prozess anfechten to contest an action; **P. anstrengen (wegen)** to go to court, to institute legal proceedings, to bring a suit *[US]*, to file a lawsuit, to sue (for), to have recourse to law; **P. gegen jdn anstrengen** to bring an action against so., to bring/institute a suit against so.; **P. aufgeben** to drop a suit; **P. neu/wieder aufnehmen** to reopen/retry a case, to reopen trial, to continue/resume the case, to resume proceedings; **P. auslösen** to trigger an action; **P. aussetzen** to suspend proceedings; **mit einem P. bedrohen** to threaten to take legal action; **sich an einem P. beteiligen** to become party to an action; **einem P. beitreten** to join an action; **P. betreiben** to carry on/conduct a lawsuit, to prosecute an action, to institute legal proceedings; **sich in einen P. einlassen** to enter an appearance, to plead to the charge; **P. einleiten** to take out a writ, to institute an action, to start/institute legal proceedings; **P. einstellen** to discontinue/stop a suit; **P. führen** to litigate, to conduct a lawsuit/case, to maintain an action, to carry on a lawsuit; **P. als Beklagter führen** to defend a suit; **P. gewinnen** to win a case/lawsuit; **P. durch Versäumnis gewinnen** to win a case by default; **jdm einen P. an den Hals hängen** to land so. with a lawsuit; **es auf einen P. ankommen lassen** to risk litigation; **P. leiten** to conduct a trial; **jdm den P. machen** to put so. on trial; **kurzen P. machen mit jdm** *(fig)* to give so. short shrift, to make short shrift/work with so.; **P. anhängig machen** to institute legal proceedings/an action; **P. unterbrechen** to suspend proceedings, to discontinue an action; **im P. unterliegen** to lose a case, to be defeated in a lawsuit, ~ unsuccessful; **P. verhandeln** to try a case; **P. verlieren** to lose a case; **P. durch Versäumnis verlieren** to lose a case by default; **P. vermeiden** to avoid litigation; **P. verschleppen** to protract a case/an action, to delay proceedings; **in einen P. verwickeln** to involve in a lawsuit; **~ verwickelt sein** to be involved in a lawsuit
anhängiger Prozess pending lawsuit; **betriebliche P.e** operations; **chemischer P.** chemical process; **expansiver P.** expansionary movement, business cycle expansion; **kontraktiver P.** contractionary process, business (cycle) contraction; **laufender/schwebender P.** pending case/action/lawsuit; **schikanöser P.** vexatious suit; **streitiger P.** defended suit; **unerledigter P.** pending action/lawsuit
Prozess|ablauf *m* proceedings; **P.abweisung** *f* dismissal of an action; **P.akten** *pl* case records/files; bundle of documents; **P.analyse** *f* activity analysis; **P.anordnung** *f* production process arrangement; **P.antrag** *m* interlocutory application, formal motion; **P.anwalt** *m* barrister *[GB]*, trial lawyer; **~ instruieren** to brief a barrister; **P.aufrechnung** *f* set-off during court proceedings; **P.aussetzung** *f* suspension of a case; **P.automatisierung** *f* industrial automation; **P.beender** *m* terminator; **P.beendigung** *f* conclusion of a trial, nonsuit; **P.befugnis** *f* entitlement to sue; **P.beginn** *m* inception of the proceedings, beginning of the action
Prozessbehauptung *f* statement (to the court), allegation, assertion, contention; **nicht zur Sache gehörende P.** impertinent averment; **unerhebliche P.** immaterial averment; **wesentliche P.** material allegation
Prozess|beistand *m* 1. counsel; 2. *(Minderjährige)* next friend, guardian ad litem *(lat.)*; **P.beitritt** *m* 1. intervention; 2. joinder of issue; **P.beratungsgebühr** *f* 1. retainer, retaining fee; 2. refresher; **P.beteiligte(r)** *f/m* party to a case; **P.betrug** *m* deceitful plea, deceiving the court, malicious use of process; **P.bevollmächtigte(r)** *f/m* plaintiff's counsel, pleader, attorney of record, ~ for the action, procurator *[US]*; **als ~ für den Beklagten erscheinen** to appear for the defendant; **P.dampf** *m* waste steam
Prozessdaten *pl* process variables; **P.rechner** *m* process control computer; **P.verarbeitung** *f* process control
Prozess|dauer *f* duration of proceedings/a lawsuit; **p.determiniert** *adj* process-determined; **P.eid** *m* oath in litem *(lat.)*; **P.einstellung** *f* abatement of an action; **P.energie** *f* process energy; **P.entschädigung** *f* reimbursement for non-court costs; **P.entschlagung** *f* withdrawal from action; **P.entwicklung** *f* process development; **P.ergebnis** *nt* result of the proceedings; **P.eröffnungsbeschluss** *m* writ of summons; **p.fähig** *adj* 1. actionable, suable; 2. legally capable of conducting proceedings

Prozessfähigkeit *f* ability/entitlement to take legal action; **aktive P.** legal capacity to sue; **passive P.** legal capacity to be sued

Prozess|fall *m* court case; **P.folgeprinzip** *nt (Produktion)* flow principle; **P.forderung** *f* liquidated claim; **p.führend** *adj* litigant; **P.führer** *m* 1. litigant; 2. plaintiff

Prozessführung *f* conduct/handling of a case; **streitige P.** litigious proceedings; **P.sbefugnis** *f* standing to sue

Prozess|gebühr *f* term/docket fee; **P.gegenstand** *m* subject of litigation, matter of dispute, subject (matter) of an action; **P.gegner(in)** *m/f* opponent, opposing/adverse party, adversary, the other side; **P.geld** *nt* term fee *[GB]*; **P.gerade** *f* process ray; **P.gericht** *nt* trial court; **P.geschwindigkeit** *f* production process speed; **P.gestaltung** *f* process scheme; **P.gleichung** *f* process equation; **P.handlung** *f* step in the proceedings; **p.hängig** *adj* litigious; **P.hansel** *m (coll)* vexatious litigant, litigious person; **P.hilfe** *f* legal aid; **p.hindernd** *adj* impeding/barring an action; **P.hindernis** *nt* impediment to an action, bar of trial

Prozessieren *nt* litigation; **mutwilliges P.** *(obs.)* barratry; **p.** *v/i* to litigate/sue/proceed, to have recourse to law, to go to court; **miteinander p.** to interplead

Prozess|immunität *f* freedom from legal action; **P.inhalt** *m* issue of a suit; **P.innovation** *f* process/industrial innovation

Prozession *f* procession

Prozess|kaution *f* security for costs; **P.klausel** *f* suability clause, **P.kopplung** *f* process interfacing

Prozesskosten *pl* costs (of lawsuit), legal/law charges, legal costs, costs of an action/litigation/proceedings; **P. auferlegen** to order to pay costs; **P.aufstellung** *f* bill of costs; **P.hilfe** *f* legal aid; **P.kaution/P.sicherheit** *f* security for costs; **P.versicherung** *f* legal costs insurance; **P.vorschuss** *m* advance payment of costs, suit money

Prozess|lage *f* stage of proceedings; **P.lawine** *f* spate/flood of lawsuits, flood of litigation; **P.leitung** *f* 1. § direction of the proceedings; 2. process control; **P.liste** *f* docket, cause list; **in die ~ eintragen** to enter into the cause list, to docket; **P.mandat** *nt* counsel's/trial brief; **P.maximen** *pl* procedural principles; **P.missbrauch** *m* malicious litigation, ~ use of process; **P.niveau** *nt (OR)* level of activity/process; **P.ökonomie** *f* procedural economy; **P.optimierung** *f* process automation/optimization

Prozessor *m* processor, jumbo *(coll)*; **P.chip** *m* processor chip

Prozess|ordnung *f* procedural rules, standing rules of court, rules of procedure; **P.partei** *f* litigant, party to a case/suit, contending/contesting/litigating party, litigator; **fiktive/fingierte P.partei** fictitious plaintiff; **P.pfleger** *m* 1. receiver pendente lite *(lat.)*; 2. *(Minderjährige)* guardian ad litem *(lat.)*; **P.planung** *f* scheduling, production sequencing; **P.politik** *f* regulatory policy; **P.praxis** *f* practice of the courts; **P.protokoll** *nt* minutes of the proceedings, docket; **P.rechner** *m* process (control) computer; **P.recht** *nt* procedural law, law of procedure; **P.register** *nt* roll, cause list; **P.risiko** *nt* litigation risk, risk of litigation, ~ losing a case; **P.sache** *f* case, contentious business, cause; **P.schriftsätze** *pl* pleadings; **P.serie** *f* series of court cases; **P.sprache** *f* process control/processing language; **P.standschaft** *f* representative action; **P.standschaftsklage** *f* class suit, derivative action *[US]*; **P.steuerung** *f* 1. process control; 2. task management; **P.stoff** *m* matter of dispute; **P.strafe** *f* penalty for non-observance of procedural requirements; **P.sucht** *f* litigiousness, vitiligatiousness; **p.süchtig** *adj* litigious, vitiligatious; **~ sein** to vitiligate; **P.technik** *f* process engineering; **p.technisch** *adj* procedural, processural; **P.teilnehmer** *m* party to a suit/trial; **P.trennung** *f* severance of an action; **P.typen** *pl* types of industrial processes

prozessual *adj* procedural; **p.istisch** *adj* processual

prozess|unerheblich *adj* irrelevant; **p.unfähig** *adj* incapable of acting in legal proceedings

Prozessunfähigkeit *f* procedural incapacity, disability to sue and be sued; **aktive P.** incapacity to sue; **passive P.** incapacity to be sued

Prozess|unterbrechung *f* discontinuance; **P.urteil** *nt* judgment (on procedural grounds); **klageabweisendes P.urteil** dismissal without prejudice, ~ of action; **P.verarbeitung** *f* process control; **P.verbindung** *f* joinder of actions

Prozessverfahren *nt* legal/judicial proceedings; **fehlerhaftes P.** mistrial; **schikanöses P.** vexatious proceedings

Prozess|vergleich *m* court settlement, consent decree, compromise in court; **P.verhalten** *nt* 1. trial conduct; 2. behaviour in court; **P.verlauf** *m* course of a lawsuit, ~ the proceedings; **P.verschleppung** *f* protraction of a lawsuit/case, dilatory methods, delaying the proceedings; **P.vertreter** *m* counsel; **P.vertretung** *f* counsel, legal representation in court; **P.verwaltung** *f* task management; **P.verzeichnis** *nt* case book; **P.verzicht** *m* waiver of action; **P.vollmacht** *f* warrant/power of attorney, letter of authority, authority to represent a party in an action; **P.voraussetzungen** *pl* procedural requirements; **P.vorbereitung** *f* preparation of the case, instructions for brief; **P.vorschriften** *pl* rules of procedure; **P.wärme** *f* process heat(ing); **P.wesen** *nt* legal procedure; **P.zinsen** *pl* interest on claims during litigation

prozyklisch *adj* procyclical

Prüf|- → **Prüfungs-**; **P.anlage** *f* test facility, testing station; **P.anstalt** *f* 1. testing institute/laboratory; 2. *(Edelmetall)* assayer; **P.anweisung** *f* inspection order; **P.assistent** *m* assistant auditor; **P.attest** *nt* inspection certificate; **p.bar** *adj* testable; **P.beamter** *m* (factory) inspector; **P.bedingung** *f* sense condition; **P.bedingungen** testing conditions; **P.befund** *m* test result; **P.behörde** *f* certification/examining board; **P.belastung** *f* test load; **P.bericht** *m* 1. (audit) report; 2. test/acceptance report; 3. survey; **P.bescheid** *m* test report; **P.daten** *pl* test data; **P.diagramm** *nt* inspection diagram; **P.einrichtung** *f* 1. test facility; 2. checking feature

Prüfen *nt* proving; **P. unter Grenzbedingungen** *nt* marginal checking

prüfen *v/t* 1. to test/check/inspect; 2. to examine; 3. to look at/into/over/through, to investigate/verify; 4. to consider/try/survey; 5. to screen; 6. to inquire into; 7. *(genau)* to scrutinize; 8. *(Revision)* to audit

eingehend prüfen to examine closely, to go into sth.; **Sache erneut p.** to go into a matter again; **genau p.** to vet; **gründlich p.** to scrutinize; **mündlich p.** to examine orally; **nochmals p.** to reexamine/double-check/recheck; **sorgfältig p.** to sift, to go over sth. with a fine (tooth-)comb *(fig)*; **ständig p.** to monitor; **stichprobenweise p.** to test-check; **wohlwollend p.** to consider favourably

prüfend *adj* searching

Prüfer *m* 1. examiner; 2. inspector, tester; 3. scrutineer; 4. *(Bilanz)* auditor

betriebseigener/innerbetrieblicher Prüfer internal/staff auditor; **externer P.** independent auditor; **rechtskundiger P.** legally trained/qualified examiner; **regierungsamtlicher P.** *(z.B. Kakao)* government grader; **sachverständiger p.** *(Bilanz)* competent auditor; **unabhängiger P.** external auditor/examiner; **technisch vorgebildeter P.** *(Pat.)* technical examiner; **zollamtlicher P.** jerquer *[GB]*

Prüferbilanz *f* (tax) auditor's balance sheet

Prüf|ergebnis *nt* test result; **P.exemplar** *nt* inspection copy; **P.feld** *nt* testing ground; **P.funktion** *f* test function; **P.gang** *m* tour of inspection; **P.gebühr** *f* examination fee; **P.gegenstand** *m* 1. test item; 2. subject of audit; **P.gerät** *nt* testing instrument/device, tester; **automatisches P.gerät** automatic screening device; **P.größe** *f* test statistic; **P.hinweis** *m* 🖳 diagnostic flag; **P.ingenieur** *m* testing engineer; **P.kartensatz** *m* 🖳 test deck; **P.kosten** *pl* inspection costs; **P.last** *f* test load; **P.ling** *m* (examination) candidate, examinee; **P.liste** *f* check-list; **P.los** *nt* inspection lot; **P.maß** *nt* test statistic; **P.normen** *pl* (inspection) standards; **P.nummer** *f* check number; **P.objekt** *nt* 1. test object; 2. subject of audit; **P.panel** *nt* ▦ control panel; **P.phase** *f* test phase; **P.plan** *m* sampling plan; **zweiseitiger P.plan** bilateral sampling (plan); **P.posten** *m* inspection lot; **P.programm** *nt* test/audit/check programme; **P.punkt** *m* checkpoint; **P.siegel** *nt* seal of approval; **P.stand** *m* test bed/bench/bay; **P.stein** *m (fig)* acid test *(fig)*; **P.stelle** *f* 1. inspection authority/agency; 2. auditing agency, auditor; **zolltechnische P.stelle** customs laboratory; **P.stempel** *m* inspection stamp; **P.stoff** *m* 1. data to be audited; 2. search file; **P.stück** *nt* 1. *(Buch)* inspection copy; 2. test piece, specimen; **P.umfang** *m* means/amount of inspection; **mittlerer P.umfang** average amount of inspection

Prüfung *f* 1. test, check, inspection; 4. examination; 3. control, verification, screening; 4. survey; 5. tally; 6. audit, auditing; **bei P.** on examination/inspection

Prüfung des Abhängigkeitsberichts audit of the officer's report of dependence; **P. der Angebote** bid analysis; **~ Antworten** scrutinizing of responses; **~ Arbeitsabläufe** operational auditing; **betriebsfremde ~ Arbeitsqualität** peer review; **P. am Aufstellungsort** on-site inspection; **vollständige P. einer Beleggruppe** block vouching test; **P. der Beschaffenheit** qualitative examination; **~ Betriebsabläufe/-tätigkeit** operational audit(ing); **~ Bilanz** balance sheet audit, audit of the balance sheet; **~ Bücher** audit of financial records; **~ Buchungsunterlagen** voucher audit; **~ Echtheit** verification of authenticity; **P. des Erfinderanspruchs** patent examination, examination of invention; **~ Geschäftsberichts** audit of the (annual) report; **P. der Geschäftsbücher** inspection of the books; **~ Geschäftsführung und Organisation** management audit; **~ Gewinn- und Verlustrechnung** audit of the income statement, ~ profit and loss account; **P. vor Inbetriebnahme** pre-operation inspection; **P. der Investitionsvorhaben** investment appraisal; **P. des Jahresabschlusses** audit of the financial statements, annual/general audit; **P. der Kasse** cash audit; **P. des internen Kontrollsystems** audit of the internal control system; **~ Konzernabschlusses** audit of the consolidated financial statements; **P. durch den Lieferanten** vendor inspection; **P. der Möglichkeiten** review of options; **~ Neuheit** *(Pat.)* novelty search, examination as to novelty; **P. an Ort und Stelle** spot check; **P. des Rechnungswesens** financial audit; **P. der Richtigkeit** verification; **P. des Teilkonzernabschlusses** audit of the partially consolidated financial statements; **P. der wirtschaftlichen Verhältnisse** audit of the economic position; **nach erfolgter ~ Vermögensverhältnisse** means-tested; **~ Vermögenswerte** certification of assets; **P. von Vollmachten** verification of credentials; **P. der Vorräte** inventory audit, audit of inventories; **~ Vorratsinventur** examination of physical inventory; **~ eingegangenen Ware** examination of the goods received; **P. durch unabhängigen Wirtschaftsprüfer** external audit

Prüfung abhalten to hold an examination; **P. ablegen** to take an examination/a test, to sit for an examination; **sich zur P. anmelden** to register for an examination; **P. bestehen** to pass the examination/test; **P. nicht bestehen; durch eine P. fallen** to fail the examination/test; **P. durchführen** 1. to make checks; 2. to make/perform an audit; **P. machen** to take an examination; **sich zu einer P. melden** to apply for an examination; **einer P. standhalten** to bear examination; **der P. unterliegen** to be subject to inspection; **sich einer P. unterziehen** to go in for an examination; **einer P. unterzogen werden** to come under scrutiny; **jdn auf eine P. vorbereiten** to coach so. for an examination

abermalige Prüfung recheck(ing); **abgebrochene P.** ▦ curtailed inspection; **akademische P.** university examination; **amtliche P.** official examination, government inspection; **aperiodische P.** aperiodical audit; **artikelbezogene P.** commodity test; **aufgeschobene P.** *(Pat.)* deferred patent examination; **automatische P.** 1. 🖳 automatic/built-in check; 2. automatic screening device; **betriebsfremde P.** external audit(ing); **betriebsinterne P.** internal audit(ing); **zum Jahresende durchgeführte P.** complete audit; **eingehende P.**

scrutiny, close/thorough inspection, detailed appraisal; **flüchtige P.** look-over; **freiwillige P.** non-statutory audit; **genaue P.** scrutiny; **100-prozentige P.** inspection in toto; **innerbetriebliche P.** internal audit/inspection; **lückenlose P.** detail test, detailed examination; **materielle P.** substantive examination; **mündliche P.** oral (examination), viva voce *(lat.)*; **nachträgliche P.** subsequent verification; **bei näherer P.** on closer inspection; **nochmalige P.** reexamination, countercheck, reconsideration; **oberflächliche P.** sight test, cursory inspection, look-over; **periodische P.** repeating audit; **permanente P.** continuous audit; **pflichtgemäße P.** statutory audit; **planmäßige P.** routine inspection; **progressive P.** progressive audit; **retrograde P.** retrograde audit; **schriftliche P.** written examination; **schwere P.** *(fig)* ordeal; **sorgfältige P.** close/careful examination; **staatliche P.** state examination; **strenge P.** stiff test; **umfassende P.** comprehensive examination; **verschobene P.** deferred examination; **verzerrte P.** biased test; **vorbeugende P.** preventive inspection; **vorläufige P.** provisional/preliminary examination

Prüfungs|ablauf *m* *(Revision)* audit procedure; **P.abschnitt** *m* period under audit; **P.abteilung** *f* 1. inspection department; 2. examining division; 3. auditing department; **P.akten** *pl* examination records; **P.amt** *nt* examination board; **P.anforderungen** *pl* examination standards; **zolltechnische P.- und Lehranstalt** customs laboratory and training college; **P.antrag** *m* request for examination; **P.anweisung** *f* audit instructions; **P.arbeit** *f* examination paper; **P.art** *f* type of audit; **P.aufgabe** *f* test item, examination question; **P.aufsicht** *f* invigilation; **P.auftrag** *m* 1. inspection order; 2. audit assignment/engagement/mandate; **P.aufwand** *m* examination work/cost(s); **P.ausschuss** *m* 1. board of examiners; 2. examination board; 3. auditing board, audit committee; **P.beamter** *m* 1. inspection officer; 2. auditor

Prüfungsbericht *m* 1. inspector's/acceptance report, survey; 2. *(Revision)* auditor's/accountant's report, audit certificate, (long-form) audit report; **P. ohne Beanstandungen** clean report of findings; **(un)eingeschränkter P.** (un)qualified audit report

einwandfreier Prüfungs|bescheid clean audit; **P.bescheinigung** *f* 1. inspection/test certificate, certificate of analysis; 2. *(Revision)* accountant's certificate; **P.beurteilung** *f* post-audit review; **P.ergebnis** *nt* 1. examination result, test score; 2. audit result; **nach Maßgabe des P.ergebnisses** *(Pat.)* in accordance with the examination results; **p.fähig** *adj* capable of being examined; **P.gebiet** *nt* audit field/area; **P.gebühr** *f* 1. examination/inspection/survey fee; 2. *(Revision)* audit fee; **P.gehilfe** *m* assistant, junior accountant; **P.gesellschaft** *f* auditing company; **P.gremium** *nt* board of examiners, examination board; **P.grundsätze** *pl (Revision)* accounting/audit(ing) principles, ~ standards; **P.handlungen** *pl* auditing procedures; **ergänzende P.handlungen** alternative procedures; **P.honorar** *nt* audit fee; **P.jahr** *nt (Revision)* audit year; **P.kandidat** *m* examination candidate; **P.kommission** *f* 1. examination board, board of examiners; 2. inspection committee; **P.kosten** *pl* 1. inspection fees; 2. audit fees/expenses, auditing costs; **P.land** *nt* examining country; **P.leistung** *f* 1. examination result; 2. test performance; **P.methode** *f* 1. testing method; 2. auditing method, audit procedure; **P.muster** *nt* specimen, sample; **P.note** *f* examination result; **P.ordnung** *f* examination rules, rules for the conduct of an examination; **P.personal** *nt* 1. inspection staff; 2. *(Revision)* auditing staff; **P.pfad** *m* audit path; **P.pflicht** *f* statutory/obligatory inspection, mandatory audit (obligation), statutory audit; **p.pflichtig** *adj* subject to inspection; **P.plan** *m (Revision)* audit programme; **P.planung** *f* audit planning; **P.posten** *m* 1. inspection item; 2. audit item; **P.programm** *nt* 1. inspection programme; 2. auditing programme, audit report; **P.protokoll** *nt* 1. test certificate/report; 2. auditor's report, accountant's certificate; **P.prozess** *m* audit procedure; **P.punkt** *m* 1. indifference quality; 2. point of control; **P.recht** *nt* 1. right of inspection; 2. audit privilege; **P.richtlinien** *pl (Revision)* auditing standards; **P.schein** *m (Lager)* inspection certificate; **P.siegel** *nt* inspection stamp; **P.stelle** *f* 1. inspection office; 2. auditing agency; 3. examiner; **P.stoff** *m* data to be audited; **P.termin** *m* 1. examination date; 2. inspection date; 3. audit date; 4. *(Konkurs)* public examination; **P.umfang** *m (Revision)* audit scope, scope of audit; **P.unterlagen** *pl* examination papers; **laufende P.unterlagen** carryover file; **(genossenschaftlicher) P.verband** *m* (cooperative) auditing association; **P.verfahren** *nt* 1. examination procedures; 2. appraisal/approval/investigation procedure, screening process, test, testing method; 3. *(Revision)* auditing/audit procedure; **maschinelle P.verfahren** mechanical testing facilities

Prüfungsvermerk *m* 1. *(Revision)* audit/accountant's certificate, auditor's note/certificate, audit report, certificate of audit, short-form *[US]*; 2. test-note; **eingeschränkter P.** qualified audit report; **teilweise ~ P.** piecemeal opinion; **negativer P.** negative audit report/assurance: **uneingeschränkter P.** unqualified audit (report/certificate)

Prüfungs|vorschriften *pl* 1. examination regulations; 2. *(Abnahme)* acceptance specifications, test requirements; 3. *(Revision)* audit standards, auditing requirements; **P.wesen** *nt* auditing; **öffentliches P.wesen** public accounting; **P.zeit(raum)** *f/m (Revision)* audit period; **P.zettel** *m* inspection ticket; **P.zeugnis** *nt* examination certificate; **P.ziel** *nt* objective of the audit; **P.zyklus** *m* cycle test

Prüf|urteil *nt* audit opinion; **P.werkstatt** *f* test shop; **P.wert** *m (Edelmetall)* assay; **P.wiederholung** *f* reverification; **P.zahl** *f* check figure; **P.zeichen** *nt* 1. tick; 2. check character; 3. *(Metall)* assay mark; 4. certification mark

Prüfziffer *f* check digit; **P.n** self-checking numbers; **P.nrechnung** *f* check digit calculation

Prügel *pl* thrashing, hiding, whipping; **P. beziehen** to get a hiding; **kräftige P.** a good thrashing; **P.knabe** *m* scapegoat, whipping boy; **P.strafe** *f* corporal punishment

Prunk *m* splendour, glitter; **p.end** *adj* ostentatious; **P.gemach** *nt* stateroom; **p.haft** *adj* ostentatious; **P.stück** *nt* showpiece

Pseudo|- pseudo, sham; **P.datei** *f* dummy data set; **P.einkommen** *nt* pro-forma income; **P.ertrag** *m* pro-forma yield; **P.konto** *nt* fictitious account; **P.neuheit** *f* me-too-product; **P.nym** *nt* pseudonym; **P.satz** *m* dummy record

Psychia|ter *m* psychiatrist; **P.trie** *f* psychiatry; **p.trisch** *adj* psychiatric

psychisch *adj* psychic

Psycholog|e/P.in *m/f* psychologist; **P.ie** *f* psychology; **gerichtliche P.ie** forensic psychology; **p.isch** *adj* psychological

Psycho|path(in) *m/f* psychopath; **P.pharmaka** *pl* psychiatric drugs

Psychose *f* psychosis

Psycho|therapeut(in) *m/f* psychotherapist, **P.therapie** *f* psychotherapy

Public-Domain-Programm *nt* public domain program

Publicity *f* billing, publicity

Public Relations (PR) *pl* public relations (PR)

publik *adj* public; **p. machen** to publicize/advertise, to make public

Publikation *f* publication, organ; **P.sorgan** *nt* gazette; **P.spflicht** *f* compulsory disclosure; **P.srechte** *pl* publishing rights

Publikum *nt* public, audience, community, private sector; **P. in seiner Gesamtheit** the public at large; **beim P. ankommen/Anklang finden** to go down well with the audience; **P. anlocken** to pull in the crowds; **P. fesseln** to captivate the audience

breites Publikum the public at large; **inländisches P.** resident public; **privates P.** general public; **Anlage suchendes P.** investment-seeking public; **verständnisvolles P.** appreciative audience

Publikums|aktie *f* popular/leading share, ~ stock; **P.aktiengesellschaft** *f* → **Publikumsgesellschaft**; **P.analyse** *f* audience/readership analysis; **P.anlage** *f* popular investment; **P.beteiligung** *f* audience participation; **P.erfolg** *m* box office success, hit, winner

Publikumsfonds *m* public/retail fund; **P.geschäft** *nt* retail fund business; **P.vermögen** *nt* retail fund assets

Publikums|geschäft *nt* *(Bank)* retail banking; **P.geschmack** *m* popular/public taste; **P.gesellschaft** *f* public company/corporation *[US]*/enterprise, quoted company, publicly traded company, open corporation *[US]*; **in eine ~ umwandeln** to go public; **P.-KG** *f* public limited partnership; **P.verkehr** *m* opening hours; **P.werbung** *f* advertisement to the public; **P.werte** *pl* popular stocks, leading shares; **p.wirksam** *adj* with public appeal; **P.zusammensetzung** *f* audience profile

publizieren *v/t* to publish/publicize/disclose

Publizist *m* journalist; **P.ik** *f* journalism; **p.isch** *adj* journalistic

Publizität *f* 1. publicity; 2. *(Gesellschaft)* disclosure; **auf P. bedacht** publicity-minded; **beschränkt meldepflichtige P.** soft disclosure; **negative P.** adverse/negative publicity

Publizitäts|bestimmungen *pl* rules of disclosure; **P.erfordernisse** *pl* disclosure/publicity/filing requirements; **p.freudig/p.freundlich** *adj* welcoming publicity, forthcoming, volunteering information; **P.gesetz** *nt* disclosure act; **P.kampagne** *f* publicity campaign; **P.mangel** *m* underexposure; **P.mittel** *nt* publicity instrument/tool; **P.pflicht** *f* disclosure requirements/rules/duty, duty of disclosure, ~ to disclose, statutory (public)/compulsory disclosure, reporting requirements; **~ der Unternehmen** corporate disclosure requirement; **p.pflichtig** *adj* disclosable, obliged to disclose, requiring disclosure/publication, subject to disclosure requirements; **~ sein** to be subject to the disclosure rule; **P.prinzip** *nt* principle of public disclosure; **p.scheu** *adj* publicity-shy, reluctant to disclose; **p.süchtig** *adj* publicity-seeking; **p.trächtig** *adj* publicity-prone; **P.vorschriften** *pl* statutory disclosure/publicity requirements, rules of disclosure, reporting/disclosure rules; **P.welle** *f* tide of publicity

Puffer *m* 1. buffer; 2. cushion

Puffer|bestände *pl* buffer stocks; **P.funktion** *f* buffer function; **P.lager/P.vorrat** *nt/m* buffer stock(s); **P.rolle** *f* buffering role; **P.speicher** *m* 1. buffer storage/store; 2. cache (memory), buffer memory; **P.staat** *m* *(Völkerrecht)* buffer state; **P.zeit** *f* slack/buffer/float time; **gesamte/maximale P.zeit** total float; **P.zone** *f* buffer zone

Pulpe *f* pulp

Puls *m* pulse; **p.ieren** *v/i* to pulsate

Pump *m* *(coll)* credit, tick *(coll)*; **auf P.** *(coll)* on credit/tick/cuff *[US]* *(coll)*, on the nod/never-never *(coll)*; **~ kaufen** *(coll)* to buy on credit/tick/cuff; **~ leben** to live on credit/tick/cuff

Pump|e *f* pump; **p.en** *v/t* 1. to pump; 2. to borrow/lend, to take on tick *(coll)*/cuff *(coll)* *[US]*; **P.station** *f* pumping station

Punkt *m* 1. point, dot, stop; 2. item, spot

in allen Punkt|en on all points; **P. für P.** in detail, one by one, point by point; **P., von dem aus es kein Zurück mehr gibt** point of no return; **P. der Minimaldauer** crash point; **~ Tagesordnung** item on the agenda

Punkt für Punkt darlegen to article; **P.e erzielen** to score; **an einen toten P. gelangen** to reach/come to a deadlock; **P.e gewinnen** *(Kurs)* to gain points; **an einen wunden P. rühren** to touch a sore point; **ohne P. und Komma reden** *(coll)* to talk nineteen to the dozen *(coll)*; **toten P. überwinden** to end the impasse

der springende Punkt ist the point is

außergewöhnlicher Punkt non-recurring item; **günstiger P.** vantage point; **heikler P.** sensitive issue, sticking point; **höchster P.** summit; **kritischer P.** peril point, juncture, hinge, sticking point; **letzter P.** *(Tagesordnung)* final item; **mittlerer P.** midpoint; **neuralgischer P.** troublespot, sore point; **springender P.** crucial/salient/decisive point; **strittiger/umstrittener P.** point at/of issue, sticking point; **toter P.** 1. deadlock, stalemate, log jam, impasse; 2. breakeven point; **unerledigte P.e** *(Geschäftsordnung)* unfinished business; **wesentlicher/wichtigster P.** key point; **wesentliche**

P.e essentials; ~ **eines Falles** merits of a case; **wichtiger P.** important item; **wunder P.** sore/weak point, tender spot, Achilles heel
Punkt|bewertung *f* 1. factor credit; 2. point rating; **P.bewertungsverfahren** *nt* scoring technique; **P.elastizität** *f* point elasticity; **P.esystem** *nt* point system; **p.gleich** *adj* equal on points
punktiert *adj* dotted
pünktlich *adj* 1. punctual, on time/schedule, prompt; 2. accurate, exact; *adv* duly; **P.keit** *f* accuracy, punctuality; ~ **im Bezahlen** readiness in paying
Punkt|linie *f* dotted line; **P.lohnsystem** *nt* point wage system; **P.markt** *m* spot market; **P.masse** *f* population of point data/cumulative data; **P.matrix** *f* 🖳 dot matrix; **P.matrixdrucker** *m* dot matrix printer
n punkto as regards
Punkt|produkt *nt* scalar product; **P.prognose** *f* point forecast; **P.rasterverfahren** *nt* dot-scanning method; **P.schätzung** *f* ⊞ point estimate; **P.schraffierung** *f* stipple; **P.schweißen** *nt* spot welding; **P.stichprobenverfahren** *nt* ⊞ point sampling; **P.streik** *m* selective strike (action); **P.system** *nt* points system
punktuell *adj* selective; *adv* at a certain point
Punkt|wert *m* points score/value; **P.wertung** *f* points rating; **P.zahl** *f* score; **P.ziel** *nt* pinpoint target; **festgeschaltete P.-zu-P.-Leitung** point-to-point leased line; **P.-zu-P.-Verbindung** *f* point-to-point connection
pur *adj* pure
purzeln *v/i* *(Preise)* to tumble/collapse
Putativ|delikt *nt* § putative crime, imaginary offence; **P.ehe** *f* putative marriage; **P.gefahr** *f* imaginary danger; **P.notstand** *m* imaginary necessity; **P.notwehr** *f* imaginary self-defence
Putsch *m* uprising, revolt, coup d'état *[frz.]*; **p.en** *v/i* to revolt, to carry out a coup d'état; **P.ist** *m* participant in a coup d'état
Putz|macher(in) *m/f* milliner; **P.waren** *pl* millinery
Pyramide *f* pyramid
Pyrolyse *f* pyrolysis
Pyrrhussieg *m* Pyrrhic victory

Q

Quader *m* square stone, ashlar
Quadrat *nt* square; **im Q.** square; **q.isch** *adj* square, quadratic; **Q.meter** *m* square metre; **Q.netz** *nt (Karte)* graticule
Quadratur des Kreises *f* squaring the circle; ~ **Zirkels erreichen** to square the circle
Quadrat|wurzel *f* square root; **Q.zahl** *f* squre number
Qual *f* agony, anguish, torment; **Q. der Wahl haben** to be spoilt for choice
quälen *v/t* to plague/torment/pester/victimize; *v/refl* to struggle/agonize (over sth.); **q.d** *adj* tantalizing
Quälerei *f* torture, cruelty
Qualifikation *f* 1. qualification, capacity, standing, level of qualification/ability; 2. eligibility (description); 3. § classification; **Q. der Arbeitskräfte** qualification of labour; **Q. erwerben** to acquire/gain a qualification; **berufliche Q.** job/occupational qualification; **erforderliche Q.** necessary qualification; **fachliche Q.** professional qualification; **überfachliche Q.** general qualification
Qualifikations|aktien *pl (Vorstand)* qualification shares; **Q.anforderung** *f* qualification requirement; **Q.bedürfnis** *nt* need of qualification; **Q.defizit** *nt* lack of qualifications; **Q.ebene** *f* level of qualification/performance; **Q.erfordernis** *nt* eligibility requirement, required qualification; **Q.freiheit** *f* § freedom to construe; **Q.konflikt** *m* conflict of qualification; **Q.merkmal** *nt* performance ability; **Q.niveau** *nt* skill level; **Q.offensive** *f* skills upgrading scheme; **Q.potenzial** *nt* qualification capacity; **Q.profil** *nt* qualification profile; **Q.rückstufung** *f* downgrading of skills; **Q.spektrum** *nt* skill range; **Q.struktur** *f* qualification pattern, job qualification structure; **Q.zulage** *f* differential allowance
qualifizier|en *v/t* 1. to qualify/specify; 2. *(Verbrechen)* § to aggravate, to apply the appropriate law; *v/refl* to qualify, to become eligible; **q.t** *adj* qualified, competent, eligible, fit, skilled; **nicht q.t** ineligible, unfit
Qualifizierung *f* qualification, eligibility; **Q.smangel** *m* skill shortage; **Q.soffensive** *f* drive to improve qualifications, skills upgrading scheme
Qualität *f* quality, grade, class, standing, mark; **Q. der Arbeit** workmanship; **gute Q. und Beschaffenheit** good merchantable quality and condition; **Q. eines Erzeugnisses** product quality; **Q. des Schuldners** standing of the debtor; **die Q. der Ware liegt weit unter der des Musters** the goods are far below (the) sample; **nicht der Q. entsprechend** not up to/below standard; **nach Q. ordnen** to grade; **Q. prüfen** to check quality; **über Q. verfügen** to have one's good points
allererste Qualität top quality; **ästhetische Q.** esthetic quality; **(aus)erlesene Q.** choice quality; **von ausgesuchter Q.** choice; **bessere Q.** superiority; **beste/erste Q.** top grade, A 1, first-rate, prime quality, superior quality; **durchschnittliche Q.** standard/average quality; **erlesene Q.** choice quality; **erstklassige Q.** first-rate/first-class/prime quality; **gängige Q.** current quality; **geringere Q.** inferior quality; **von guter Q.** high-quality; **handelsübliche Q.** commercial/good/merchantable quality; **handwerkliche Q.** workmanship; **von hervorragender Q.** in prime condition; **höchste Q.** A 1, top quality; **mangelhafte Q.** defective quality; **marktübliche Q.** merchantable quality; **von minderer Q.** low-grade, of inferior quality; **minderwertige Q.** inferior/poor quality; **mittlere Q.** medium quality; **von mittlerer Q.** medium-grade; **niedrige/schlechte/unzureichende Q.** inferior/poor quality, ~ workmanship; **ungleiche Q.** varying in quality; **vereinbarte Q.** agreed quality; **vorzügliche Q.** prime/superior quality; **zugesicherte Q.** promised/assured quality
qualitativ *adj* qualitative

Qualitäts|abnahmeschein *m* certificate of inspection; **Q.abweichung** *f* variation in quality; **Q.anforderung** *f* quality standard, standard(s) of quality; **Q.anpassungskoeffizient** *m* ⊖ quality conversion factor; **Q.-anspruch** *m* requirements as to quality; **Q.arbeit** *f* workmanship, quality work; **Q.artikel** *m* high-quality product; **Q.audit** *nt* quality audit; **first-party-Q.audit** first-party audit; **Q.aufzeichnung** *f* quality record; **Q.beanstandung** *f* complaint about the quality; **Q.-benzin** *nt* high-grade/high-octane petrol; **Q.bescheinigung** *f* certificate of quality; **Q.bestimmung** *f* (quality) grading; **Q.beurteilung/Q.bewertung** *f* quality rating/ assessment/appraisal; **q.bewusst** *adj* quality-conscious; **Q.bewusstsein** *nt* quality awareness; **Q.bezeichnung** *f* quality description; **Q.differenz** *f* quality difference; **Q.erhaltung** *f* quality assurance; **Q.erzeugnis** *nt* high-grade/quality product; **Q.fehler** *m* defective quality; **Q.forderung** *f* quality specification; **Q.förderung** *f* quality promotion; **Q.garantie** *f* guarantee of quality; **Q.gestaltung** *f* quality design; **Q.grad** *m* degree of quality; **q.günstig** *adj* favourable as regards quality; **Q.gütezeichen** *nt* quality mark; **Q.handbuch** *nt* quality manual; **Q.kennzeichen** *nt* grade label; **Q.kennzeichnung** *f* grade labelling; **Q.klasse** *f* grade

Qualitätskontrolle *f* 1. quality control, inspection; 2. ▦ acceptance sampling; **Q. während der Produktion** in-process quality control; **Q. des Warenausgangs** outgoing quality control; **~ Wareneingangs** incoming quality control; **verfahrensbegleitende Q.kontrolle** in-process quality control

Qualitäts|kontrollstandard *m* quality control standard; **Q.kosten** *pl* ▦ quality costs; **(wahre) mittlere Q.lage** *(Fertigung)* true process average; **Q.lenkung** *f* quality control; **Q.management** *nt* quality management; **Q.managementsystem** *nt* quality management system; **Q.mangel** *m* 1. quality defect/failure; 2. *(Garantie)* breach of warranty; **Q.marke** *f* brand, mark of quality; **Q.markt** *m* quality market; **Q.maßstab** *m* quality standard; **Q.merkmal** *nt* quality characteristic, mark of quality; **Q.niveau** *nt* standard, quality level; **toleriertes/zulässiges Q.niveau** acceptable quality level; **Q.norm** *f* quality standard, standard of quality; **Q.normen erfüllen** to meet quality standards; **Q.planung** *f* quality planning; **Q.prämie** *f* quality bonus; **Q.preis** *m* quality award; **Q.probe** *f* sample; **Q.produkt** *nt* high-grade/high-quality product; **Q.prüfung** *f* quality audit/test/control; **~ vornehmen** to check the quality; **Q.risiko** *nt* quality risk; **Q.rüge** *f* quality complaint; **Q.schulung** *f* training on quality; **Q.schutz** *m* quality protection; **Q.schwankungen** *pl* fluctuations in quality

Qualitätssicherung (QS) *f* computer-aided quality insurance (CAQ), quality assurance (QA), quality control/protection/management, total quality management; **Q.smanagement** *nt* quality assurance management; **Q.sverfahren** *nt* quality assurance procedure

Qualitäts|siegel *nt* inspection stamp; **Q.sorte** *f* superior grade; **Q.stahl** *m* quality steel; **Q.standard** *m* standard of quality; **q.steigernd** *adj* quality-enhancing; **Q.-steigerungs-** quality-enhancing; **Q.stempel** *m* inspection stamp; **Q.steuerung** *f* quality control; **Q.strategie** *f* quality-based strategy; **Q.stufe** *f* (quality) grade; **Q.technik** *f* quality engineering; **Q.test** *m* quality check; **Q.typ** *m* commodity grade; **Q.übereinstimmung** *f* quality conformance; **Q.überwachung** *f* quality control/management; **Q.überwachungsprogramm** *nt* quality management plan; **Q.unterschied** *m* difference in quality; **Q.urteil** *nt* quality assessment; **Q.verbesserung** *f* improvement in quality, quality enhancement, betterment; **Q.verschlechterung** *f* deterioration in quality; **Q.vorschrift** *f* quality specification; **den Q.vorschriften entsprechen** to match up to quality standards; **Q.vorsprung** *m* qualitative edge, quality advantage; **Q.wahrnehmung** *f* quality perception; **Q.ware** *f* quality/high-grade goods, choice articles, goods of first-class quality; **Q.wettbewerb** *m* quality competition; **Q.zeichen** *nt* quality/kite *[GB]* mark; **Q.zertifikat/Q.zeugnis** *nt* certificate of quality; **Q.ziel** *nt* quality target/goal/objective; **Q.zirkel** *m* quality (control) circle, ~ control group; **Q.zuschlag** *m* quality supplement/mark-up; **Q.zusicherung** *f* quality assurance, guarantee

Qualm *m* smoke; **q.en** *v/i* to smoke

Quanten|sprung *m* quantum leap; **Q.theorie** *f* quantum theory

quantifizier|bar *adj* quantifiable; **nicht q.bar** unquantifiable; **q.en** *v/t* to quantify, to put a figure to sth.; **Q.ung** *f* quantification

Quantil *nt* quantile

quantitativ *adj* quantitative, in volume terms, in terms of quantity/volume

Quantität *f* quantity

Quantitäts|bestimmung *f* quantification; **Q.gleichung** *f* quantitative/transaction/monetary equation, quantity equation of exchange, income velocity of money equation; **Q.mangel** *m* shortage, deficiency; **Q.notierung** *f* indirect quotation

Quantitätstheorie *f* quantity theory (of money); **Q. des Geldes** quantity theory of money; **naive Q.** crude quantity theory

Quantitäts|zeichen *nt* quantity mark; **Q.zusatzprämie** *f* production bonus

Quantum *nt* quantum, quota, quantity; **sein Q. beitragen** to contribute one's share; **geringes Q.** small amount; **tägliches Q.** daily ration; **Q.srechnung** *f* quantity accounting

Quarantäne *f* quarantine; **Q. aufheben** to lift quarantine restrictions; **aus der Q. entlassen** to discharge from quarantine; **in Q. legen; unter Q. stellen** to (put under) quarantine; **~ liegen** to be in quarantine; **Q. verhängen** to quarantine, to place under quarantine; **Q. verletzen** to break quarantine regulations

Quarantäne|arzt *m* quarantine officer; **Q.bestimmungen** *pl* quarantine regulations; **Q.flagge** *f* quarantine/yellow flag; **Q.hafen** *m* quarantine port; **Q.lazarett** *nt* isolation hospital; **q.pflichtig** *adj* subject to quarantine; **Q.prüfung** *f* quarantine inspection; **Q.risiko** *nt* quarantine risk; **Q.sperre** *f* sanitary cordon; **Q.station** *f* 1.

⚓/⚕ lazaret; 2. isolation ward; **Q.verletzung** *f* breach/violation of quarantine regulations, breaking quarantine; **Q.vorschriften** *pl* quarantine regulations; **Q.zeit** *f* quarantine period

Quartal *nt* quarter, term, three-month period; **drittes Q.** q3; **im dritten Q.** third-quarter; **erstes Q.** q1; **im ersten Q.** first-quarter; **letztes Q.** closing/final quarter; **viertes Q.** q4; **im vierten Q.** fourth-quarter; **zweites Q.** q2; **im zweiten Q.** second-quarter

Quartals|- quarterly; **Q.abrechnung** *f* quarterly statement/account; **Q.abschluss** *m* 1. quarterly account, ~ balance sheet; 2. end of the quarter; **Q.ausweis** *m* quarterly statement; **Q.bericht** *m* quarterly report/statement/survey; **Q.betrag** *m* quarterage; **Q.dividende** *f* quarterly dividend; **zum Q.ende kündigen** *nt* to give notice to the end of the quarter; **Q.geld** *nt* quarterly allowance; **Q.gericht** *nt* quarter session *[GB]*; **Q.gewinn** *m* quarterly profit/surplus, profit for the quarter; **Q.konto** *nt* quarterly account; **Q.medio** *nt* half quarter; **Q.miete** *f* quarterly rent; **Q.rechnung** *f* quarterly account; **Q.schluss** *m* end of the quarter; **Q.statistik** *f* quarterly statistics; **Q.steuertermin** *m* quarterly tax payment date; **Q.tag** *m* quarter/term day; **Q.termin** *m* term; **Q.überschuss** *m* quarterly surplus; **Q.verlust** *m* quarterly loss, loss for the quarter; **Q.verrechnung** *f* quarterly account; **q.weise** *adj* quarterly; **Q.zahlen** *pl* quarter figures; **Q.zahlung** *f* quarterly payment, quarterage

Quartawechsel *m* fourth bill of exchange

Quart|blatt/Q.format *nt* 📖 quarto

Quartier *nt* 1. accommodation, quarters; 2. ✈ billet; **Q. für die Nacht** a night's lodging; **Q. beschaffen** to arrange for accommodation; **Q. beziehen** to take up quarters; **Q. nehmen** to take lodgings; **Q.beschaffungsstelle** *f* accommodation office; **Q.meister** *m* quartermaster (general), accommodation officer; **Q.sleute** *pl* warehousemen

Quartil *nt* quartile; **Q.abstand** *m* ▦ interquartile range; **halber Q.abstand** quartile deviation; **Q.schiefemaß** *nt* quartile measure of skewness

Quarz *nt* quartz

Quasi|- quasi; **Q.-Aufwertung** *f* backdoor revaluation; **q.-begebbar** *adj* quasi-negotiable; **Q.delikt** *nt* quasi-tort

Quasigeld *nt* quasi-money, near money *[US]*; **Q.bestand** *m* quasi-money holdings; **Q.volumen** *nt* quasi-money

Quasi|körperschaft des öffentlichen Rechts *f* quasi-public company; **Q.monopol** *nt* quasi-monopoly, near-monopoly; **Q.monopolgewinne** *pl* windfall profits; **q.-öffentlich** *adj* quasi-public; **Q.rente** *f* economic rent; **q.-übertragbar** *adj* quasi-negotiable; **Q.verbindlichkeit** *f* quasi-obligation; **q.vertraglich** *adj* quasi-contractual

Quäst|or *m* bursar; **Q.ur** *f* bursary, bursar's office

Quecksilber *nt* mercury, quicksilver

Quelle *f* 1. spring, well; 2. source, origin; 3. well; **an der Q. abgezogen** *(Steuer)* deducted at source

sich auf eine Quelle berufen to refer to a source; **an der Q. besteuern/erheben** to levy/tax at source; **aus zuverlässiger Q. erfahren** to learn authoritatively; **neue Q.n erschließen** to open up new sources; **an der Q. kaufen** to buy at source; **~ sitzen** to have direct access to, to be on the inside; **aus zuverlässiger Q. stammen** to come from a reliable source; **aus guter/sicherer/zuverlässiger Q. wissen** to know from a good source, to have it on good authority

authentische Quelle reliable source; **aus bester Q.** on the best authority; **aus erster Q.** first-hand, straight from the horse's mouth *(coll)*; **finanzielle Q.n** financial resources; **aus guter/gut unterrichteter Q.** on good authority, from a good quarter; **heiße Q.** thermal spring; **aus sicherer/zuverlässiger Q.** from a reliable source, from reliable sources, on good authority; **unzuverlässige Q.** unreliable source; **verlässliche Q.** reliable source; **aus vertraulicher Q.** through private channels; **wohlunterrichtete Q.** well-informed sources; **zuverlässige Q.** reliable authority

Quellen|abzug *m* *(Steuer)* deduction/stoppage at source, withholding (at source) *[US]*, pay-as-you-earn-system (PAYE) *[GB]*, pay-as-you-go-system; **Q.angabe** *f* 1. credit line; 2. reference, acknowledgement of copyright; **q.besteuert** *adj* deducted at source; **Q.besteuerung** *f* taxation/withholding *[US]*/deduction/collection/stoppage at source; **Q.forschung** *f* study of source material; **Q.material** *nt* source material; **Q.nachweis** *m* references, list of source material; **Q.prinzip** *nt* source principle; **Q.programm** *nt* 💻 source program; **Q.sprache** *f* source language; **Q.staat** *m* country of origin, source state

Quellensteuer *f* pay-as-you-earn (PAYE)/withholding *[US]* tax, tax (deducted) at source; **Q. auf Zinserträge** composite rate tax (CRT); **Q. erheben** to tax at source, to withhold tax *[US]*; **Q.abzug** *m* tax deducted at source, deduction/withholding at source, tax withholding, pay-as-you-earn (PAYE) *[GB]*

Quellen|text *m* source text; **Q.verzeichnis** *nt* bibliography

Quell|gebiet *nt* headwaters; **Q.sprache** *f* source language; **Q.wasser** *nt* spring water

quer *prep* across; **Q.addition** *f* cross adding/checking

jdm in die Quere kommen *f* to get in so.'s way

Quer|einstieg *m* direct appointment, appointment of an outsider; **q.feldein** *adj* cross-country; **Q.format** *nt* broadsize; **Q.gang** *m* traverse; **Q.klassifikation** *f* ▦ cross classification; **Q.kopf** *m* awkward customer *(coll)*; **Q.kurs** *m* cross rate; **q.legen** *v/refl* to obstruct/oppose sth., to be awkward; **Q.lieferungsverbot** *nt* prohibition of cross delivery; **Q.motor** *m* 🚗 east-west/transverse engine; **q.rechnen** *v/t* to crossfoot; **Q.rechnen/Q.rechnung** *nt/f* crossfooting

Querschnitt *m* cross-section, profile; **gesamtindustrieller Q.** industrial average/cross-section; **repräsentativer Q.** representative cross-section

Querschnitt|analyse/Q.untersuchung *f* cross-section analysis; **Q.saufgabe** *f* cross-sectional assignment/task; **q.sgelähmt** *adj* ⚕ paraplegic; **Q.slähmung** *f* paraplegia; **Q.programm** *nt* cross-section programme;

Q.stafel *f* current table; **Q.stechnologie** *f* cross-sectional technology; **Q.sthema** *nt* cross-sectional topic; **Q.zeichnung** *f* sectional drawing

Querlschreiben *nt (Scheck)* crossing; **q.schreiben** *v/t* 1. to cross; 2. *(Wechsel)* to accept a bill of exchange; **Q.spalte** *f* horizontal line; **q.stellen** *v/refl* to be obstructive; **Q.straße** *f* crossroad; **Q.subvention(en)** *f/pl* cross-subsidization; **q.subventionieren** *v/t* to cross-subsidize; **Q.summe** *f* cross total, horizontal check sum; **Q.summenkontrolle** *f* parallel balance; **Q.treiber** *m* obstructionist, pettifogger; **Q.treiberei** *f* obstruction

Querulant *m* 1. quareller, querulous person, troublemaker, pettifogger; 2. [§] barrator

Querlverbindung/Q.verbund *f/m* interconnection; **Q.verbundsunternehmen** *nt (Versorgungswirtschaft)* combination utility; **Q.verweis** *m* cross reference; **mit Q.verweisen versehen** to cross-reference

Quetschung *f* ⚕ bruise, contusion

Quicktest *m* quick test

Quintessenz *f* quintessence

Quintole *f* quintuplet

quitt *adj* square, even; **q. sein** to be quits, ~ all square

quittieren *v/t* 1. to receipt/acknowledge, to make out a receipt; 2. *(Dienst)* to quit; 3. to react

quittiert *adj* receipted; **dankend q.** received with thanks; **nicht q.** unreceipted

Quittung *f* 1. (acknowledgement of) receipt, acknowledgement, bill, voucher, (ac)quittance, release; 2. *(Einzahlung)* deposit slip; **gegen Q.** against/on receipt; **ohne Q.** unreceipted

Quittung über den gesamten Betrag receipt in full; **Q. des Gerichtsvollziehers** seizure note; **Q. über Kontoabhebung** withdrawal receipt; **~ die Restzahlung** receipt for the balance

Quittung ausstellen/erteilen to (issue/make out a) receipt; **seine Q. bekommen** *(fig)* to get one's come-uppance *(coll)*

laut beiliegender Quittung as per receipt enclosed; **doppelte Q.** duplicate receipt; **endgültige Q.** receipt in full; **förmliche Q.** formal receipt; **gültige Q.** good receipt; **löschungsfähige Q.** *(Grundbuch)* deed of release, statutory receipt *[GB]*, satisfaction piece, memorandum of satisfaction *[GB]*; **ordnungsgemäße/rechtsgültige/richtige Q.** proper receipt; **unausgefüllte Q.** blank receipt; **vorbehaltlose Q.** clean receipt; **gesetzlich vorgeschriebene Q.** statutory receipt; **vorläufige Q.** interim receipt

Quittungslaussteller *m* receiptor; **Q.austausch** *m* exchange of acknowledgment signals; **Q.blankett** *nt* receipt form; **Q.block/Q.buch** *m/nt* receipt book; **Q.formular für Barabhebungen vom Scheckkonto** *nt* counter check *[US]*; **Q.inhaber** *m* receipt holder; **Q.karte** *f* receipt card; **Q.stempel** *m* receipt stamp; **Q.vordruck** *m* receipt form

Quiz *nt* quiz

Quorum *nt* quorum; **erforderliches Q.** required quorum

quotal *adj* in proportion, proportionate, pro rata, partial

Quote *f* 1. quota, allocation, share, contingent; 2. rate, ratio, proportion, portion, proportional/underwriting share; 3. *(Konkurs)* dividend; **nach Q.n** proportionally, pro rata; **Q. des Konsortialführers** *(Anleihe)* lead manager's commitment; **Q. der beendeten Unternehmen** business mortality; **Q.n beseitigen** to eliminate quotas; **Q. einhalten** to keep within a fixed quota; **Q.n festlegen** to fix quotas; **~ zuteilen** to allocate quotas; **anteilmäßige Q.** pro-rata share

Quotenlabdeckung *f* quota cover; **Q.abrechnung** *f* quota account; **Q.absprache** *f* quota agreement; **Q.aktie** *f* unvalued share, no(n)-par-value stock *[US]*, fractional certificate; **Q.anteil** *m* quota share; **Q.auftrag** *m* quota share order; **Q.auswahl** *f* quota sampling/sample; **Q.beschränkung** *f* quota limit; **Q.einwanderer** *m* quota-immigrant *[US]*; **Q.ermittlung** *f* quota determination, ascertainment of quota; **Q.exzedentenvertrag** *m* quota reinsurance agreement; **Q.kartell** *nt* commodity restriction scheme, corner; **Q.konsolidierung** *f* proportional consolidation; **Q.limit** *nt* quota limit; **q.mäßig** *adj* proportional, pro rata; **Q.politik** *f (Notenbank)* acceptability policy; **Q.regelung/Q.system** *f/nt* quota regime/allocation/system, system of quotas; **Q.rückversicherung** *f* fixed-share/quota-share reinsurance; **Q.senkung** *f* quota reduction; **Q.stichprobe** *f* quota sample; **Q.träger** *m* quota holder; **Q.überschreitung** *f* exceeding the quota; **Q.urteil** *nt* distributive finding of the issue; **Q.vereinbarung** *f* quota agreement; **Q.verfahren** *nt* ▦ quota sample procedure; **Q.vertrag** *m* quota-share insurance/treaty; **Q.vorrecht** *nt (Vers.)* preferential quota of damages; **Q.zuteilung/Q.zuweisung** *f* quota allocation

Quotient *m* quotient; **kritischer Q.** ▦ critical ratio

quotierlen *v/t* 1. to allocate/allot; 2. *(Börse)* to quote/list; **Q.ung** *f* quotation, listing

Quotitätssteuer *f* percentage tax

R

Rabatt *m* discount, rebate, allowance, reduction, deduction, abatement; **abzüglich R.** less discount; **auf/mit R.** at a discount; **ohne R.** net, without discount/abatement, straight

Rabatt für Angestellte employee discount; **R. bei Barzahlung** cash discount, discount for cash; **R. für Einzelhändler** trade discount; **~ Firmenangehörige** employee discount; **R. bei Mengenabnahme** volume/quantity discount; **R. für Stammkunden** patronage discount; **~ Wiederverkäufer** trade discount/allowance

Rabatt abziehen to deduct a discount; **R. bewilligen/gewähren/zugestehen** to allow/grant a discount, to make an allowance

handelsüblicher Rabatt trade discount

Rabattlabweichung *f* quantity rebate variance; **R.bedingungen** *pl* discount terms; **r.fähig** *adj* subject to a discount, discountable; **R.geschäft** *nt* discount store;

R.gesetz *nt* rebates act; **R.gesetzverstoß** *m* infringement of discount and rebate regulations

Rabattgewährung *f* granting a discount; **R. bei Inzahlungnahme** trade-in allowance; **R. aus Wettbewerbsgründen** competitive discounting

Rabatt|gutschein *m* discount voucher; **R.gutschrift** *f* discount credit (note)

rabattieren *v/t* to (allow a) discount/rebate

Rabatt|karte *f* discount card; **R.kartell** *nt* discount/rebate cartel, cartel to enforce uniform rebates; **R.kauf** *m* employee's reduced- price purchase; **R.kunde** *m (Anzeige)* rate holder; **R.laden** *m* discount store; **R.marke** *f* (trading) stamp; **R.markensystem** *nt* (trading) stamp scheme; **R.methoden** *pl* discounting practices; **alle R.- und Vorzugsplatzierungen aufheben** to nullify rate and position protection; **R.preis** *m* discount price; **R.rechnung** *f* discount; **R.rückbelastung** *f (Werbung)* short rate; **R.satz** *m* discount rate; **R.spanne** *f* margin of discount; **R.sparverein** *m (Handel)* patronage savings association; **R.staffel** *f* 1. discount schedule/table, sliding scale; 2. accretion of discount; **R.system** *nt* discount/rebate system; **R.unwesen** excessive use of discounts; **R.vereinbarung** *f* rebate agreement

rabiat *adj* ruthless

Rache *f* revenge, vengeance; **R. nehmen** to take revenge; **R.akt** *m* act of revenge/vengeance

Rachen *m* ⚕ throat, pharynx

rächen *v/t* to revenge; *v/refl* to take revenge, to retaliate

Rach|gier *f* lust for revenge; **r.süchtig** *adj* vengeful, vindictive

Rad *nt* 1. wheel; 2. *(Fahrrad)* bike; **auf Rädern** on wheels; **R. der Geschichte zurückdrehen** to put the clock back *(fig)*

Radar *nt* radar; **mit R. ausgerüstet** radar-equipped

Radar|anlage/R.ausrüstung/R.gerät *f/nt* radar (equipment); **R.antenne** *f* radar aerial; **R.bake** *f* radar beacon; **R.empfänger** *m* radar receiver; **R.falle** *f* 🚗 radar/speed trap; **r.gelenkt** *adj* radar-guided; **R.kontrolle** *f* radar control; **R.lotse** *m* ⚓ radar pilot; **R.mast** *m* radar mast; **R.navigation** *f* radar navigation; **R.ortung** *f* radar location; **R.schirm** *m* radar screen; **R.störung** *f* radar jamming; **R.strahl** *m* radar beam; **R.turm** *m* radar tower; **R.warnsystem** *nt* radar warning system

Rädchen im Getriebe *nt* cog in the machinery

Rad|dampfer *m* ⚓ paddle steamer; **R.druck** *m* wheel pressure

radebrechen *v/t* to speak broken (English, German etc.)

Rädelsführer *m* § principal, ringleader, leader of a gang

Räderwerk *nt* machinery, gears

Radfahr|en *nt* cycling; **r.en** *v/i* to cycle; **R.er(in)** *m/f* cyclist; **R.weg** *m* cyclepath, cycle track

radial *adj* radial; **R.ablage** *f* radial stacker

Radier|auflage *f* erasing table; **r.en** *v/t* to erase, to rub out; **R.gummi** *m* eraser, rubber; **R.messer** *nt* eraser knife; **R.stelle** *f* erasure

radikal *adj* 1. radical, drastic, sweeping, swingeing, wholesale; 2. complete; **R.e(r)** *f/m* radical, extremist; **R.ismus** *m* radicalism, extremism; **R.kur** *f* drastic cure; **R.lösung** *f* radical/drastic solution

Radio *nt* radio, wireless; **im R.** on the air/wireless; **~ sprechen** to go on the air

radioaktiv *adj* radioactive; **R.ität** *f* radioactivity

Radio|amateur *m* radio ham *(coll)*; **R.apparat** *m* wireless set; **~ mit Plattenspieler** radiogram(me); **R.durchsage/R.meldung** *f* radio announcement; **R.empfang** *m* radio reception; **R.empfänger** *m* radio receiver; **R.empfangserlaubnis** *f* broadcast receiving license; **R.geschäft** *nt* radio shop; **R.gramm** *nt* radiogram(me); **R.kompass** *m* radio compass; **R.logie** *f* ⚕ radiography; **R.reklame** *f* radio advertising; **R.röhre** *f* radio valve; **R.sender/R.station** *m/f* radio transmitter/station; **~ stören** to jam a radio station; **R.sendung** *f* broadcast; **R.techniker** *m* radio/wireless engineer; **R.telefonie** *f* radio/wireless telephony; **R.telegramm** *nt* radiogram(me), wireless telegram(me); **R.telegrafie** *f* radiotelegraphy, wireless telegraphy; **R.übertragung** *f* broadcast, radio transmission; **R.uhr** *f* radio clock; **R.welle** *f* airwave; **R.werbung** *f* radio advertising

Radius *m* radius, range

Radixschreibweise *f* radix notation

Rad|last *f* wheel load; **R.nabe** *f* hub; **R.weg** *m* cyclepath, cycle track; **R.wegenetz** *nt* network of cycleways

raffen *v/t* 1. *(Geld)* to grab; 2. to grasp/hoard/amass; 3. *(Text)* to summarize/concentrate/shorten

Raffgier *f* greed, money grubbing; **r.ig** *adj* greedy, money-grubbing

Raffinade *f* 1. refining; 2. refined sugar

Raffinement *nt* refinement

Raffinerie *f* refinery; **R.betrieb/R.firma** *m/f* refiner(y); **R.erzeugnis** *nt* refined product; **R.kapazität** *f* refinery capacity; **R.öl** *nt* refined oil; **R.produkte** *pl* refined products

Raffineur *m* *(Edelmetall)* melter

raffinieren *v/t* to refine/purify

raffiniert *adj* 1. sophisticated, subtle, tricky, slick, sharp; 2. ⛽ refined; **nicht r.** unrefined; **R.heit** *f* sophistication, subtlety, cleverness

Raffinierung *f* *(Öl/Metall)* refinement

Raffke *m* *(coll)* money-grubber

Raffprobe *f* ▦ chunk sampling

Rahm *m* cream; **R. abschöpfen** to cream off, to skim off the cream; **R.abschöpfen** *nt (fig)* cream-skimming

Rahmen *m* 1. frame(work), structure, limit; 2. *(Bereich)* scope, scale, purview; 3. mounting; 4. terms of reference; **außerhalb des R.s** beyond the scope; **im R. von** within the framework/scope/limits of

im Rahmen des Abkommens under the agreement; **~ der Aufgabe** within the terms of reference, as part of; **~ ihrer Befugnisse** within the limits of their authority/powers; **~ ihrer ordentlichen Geschäftstätigkeit** in the ordinary course of their business; **R. des Gesetzes** scope of a law; **im ~ Gesetzes** for the purpose(s) of the act; **im ~ Möglichen** within the range of possibility; **~ Vertrages** scope of the contract; **im R. seiner Vertretungs-/Vollmacht** within the scope of one's authority; **~ der Zuständigkeit** within the terms of reference

aus dem Rahmen fallend out of the ordinary, exceptional, abnormal

aus dem Rahmen fallen 1. to be out of place/line; 2. *(Person)* to be the odd one out; **im R. seiner Vollmachten handeln** § to act intra vires *(lat.)*; ~ **Arbeit liegen** to fall within the scope of one's work; **in den R. passen** to fit into the set-up; **R. des Üblichen sprengen** to go beyond the limits of established practice; **R. stecken** to fix a ceiling

im engeren Rahmen within narrow bonds; **finanzieller R.** financial scope/framework, scope of (available/required) finance; **gerasterter R.** backed frame; **gesetzlicher R.** legal framework; **im kleinen R.** small-scale; **monetärer R.** monetary environment; **politischer R.** political setting/scope; **zeitlicher R.** time frame

Rahmenabkommen *nt* skeleton/umbrella/basic/framework/outline agreement

Rahmenbedingungen *pl* 1. basic conditions, underlying situation, general setting/situation, external environment, regulatory/situational framework; 2. terms of reference; **R. schaffen** to create a positive setting

gesamtwirtschaftliche Rahmenbedingungen macroeconomic environment; **konjunkturelle/wirtschaftliche R.** (prevailing) economic conditions/framework, business conditions/environment, general situation; **steuerliche R.** general tax rules; **unternehmerische R.** entrepreneurial environment, environment for entrepreneurial activity; **vertragliche R.** scope of a contract

Rahmen|bestimmung *f* framework provision; **R.daten** *pl* skeleton/outline data; **allgemeine R.einfuhrgenehmigung** open general licence; **R.finanzierungsvertrag** *m* block financing agreement; **R.frachtabkommen** *nt* master freight agreement; **R.garantievertrag** *m* master guarantee agreement

Rahmengesetz *nt* skeleton/framework/global law, omnibus act *[US]*; **R.entwurf** *m* omnibus bill *[US]*; **R.gebung** *f* skeleton/framework legislation

Rahmen|kompetenz *f* *[D]* competence (of the federal parliament) to issue framework legislation; **R.kredit** *m* credit line, block/blanket/global/framework credit; **R.kreditvertrag** *m* open-to-borrow arrangement; **R.liefervertrag** *m* general supply contract; **R.lizenz** *f* open licence; **R.organisation** *f* skeleton organisation; **R.parität** *f* limited-spread parity; **R.personal** *nt* skeleton staff; **R.plan** *m* skeleton/master/strategic/corporate/outline plan, overall economic plan, framework accord; **operativer R.plan** operating budget; **R.planung** *f* overall planning; **volkswirtschaftliche R.planung** overall economic planning; **R.police** *f (Lebensvers.)* master policy; **R.programm** *nt* 1. basic/umbrella/outline programme, framework; 2. social events; **R.strafe** *f* § indeterminate sentence; **R.tarif** *m* 1. skeleton tariff; 2. *(Lohn)* skeleton wage agreement; **R.tarifvertrag** *m* skeleton/basic/framework agreement, industry-wide wage agreement; **R.übereinkunft** *f* umbrella agreement; **R.verbot** *nt* § blanket injunction; **R.vereinbarung** *f* basic/outline agreement; **R.versicherungsvertrag** *m* general insurance contract; **R.vertrag** *m* framework/basic/overall/outline/master/general agreement, skeleton contract; **R.vorschrift** *f* general rule; **R.vorschriften** general regulations; **R.werk** *nt* framework; **R.zusage** *f (Kredit)* basic commitment block credit assurance

Raiffeisen|bank/R.kasse *f* agricultural credit cooperative, ~ cooperative bank, ~ cooperative credit society *[GB]*, rural credit union, mutual agricultural credit fund

Rallonge *f* rallonge

Rampe *f* ramp, platform; **R.nbeleuchtung** *f* footlights; **R.nlicht** *nt* limelight, spotlight

ramponier|en *v/t* *(Image)* to knock (about), to batter; **r.** *adj* in tatters *(coll)*

Ramsch *m* junk, rubbish, rummage, trash

Ramsch|artikel *m* reject; *pl* junk; **R.händler** *m* junk dealer; **R.kauf** *m* job lot buying; **R.laden** *m* junk shop; **R.markt** *m (Buchhandel)* oddments market; **R.partie** *f* job lot; **R.verkauf** *m* rummage/oddments/jumble sale; **R.ware** *f* junk, oddments, rummage goods, rejects, odds and ends

Rand *m* 1. edge, brink, verge; 2. fringe, periphery; 3. *(Papier)* margin; 4. side; **am R.** on the brink

außer Rand und Band out of hand; **am R.e des Bankrotts** on the verge of bankruptcy; **oberer/unterer R. der Schlange** *(EWS)* snake's upper/lower limit; **am R. der Stadt** on the outskirts; **oberer/unterer R. des Zielkorridors** top/bottom (end) of target range

am Rand|e bemerkt by the way; **bis zum R. gefüllt** filled to the brim; **es versteht sich am R.e** it goes without saying

Rand abschneiden to bleed; **am R.e bemerken** to remark in passing; **an den R. drücken** to marginalize; **außer R. und Band geraten** to get out of hand/control; **nicht zu R.e kommen** not to manage; **R. lassen** to leave a margin; **am R.e sein von** to teeter on the verge of; ~ **vermerken** to marginalize; **mit einem R. versehen** to margin

oberer Rand top/head margin; **punktierter R.** stippled frame; **unterer R.** bottom margin

Rand|- marginal, peripheral; **R.aktivitäten** *pl* fringe, peripheral/extraneous activities

randalier|en *v/i* to (go on a) rampage, to run wild/riot, to make a row; **R.er** *m* rioter, hooligan, rowdy, disorderly person

Rand|ausgleich *m* justification; **R.bedingungen** *pl* initial conditions; **R.bemerkung** *f* marginal/side note, a word in edgeways; **mit R.bemerkungen versehen** to marginalize; **R.beschriftung** *f* end printing; **R.bevölkerung** *f* fringe population; **R.bezirk** *m (Stadt)* outer suburb; **R.breite** *f* marginal space; **R.einstellung** *f* margin setting; **R.einteilung** *f* marginal classification

Rändelung *f* *(Münze)* milling

Rand|erscheinung *f* marginal phenomenon; **R.figur** *f* minor/marginal figure

Randgebiet *nt* fringe (area), peripheral area/region, outskirts; **R.e** *(fig)* fringe activities; ~ **eingemeinden** to absorb neighbouring districts

Rand|glosse *f* marginal note; **R.gruppe** *f* fringe group; **R.klasse** *f* marginal category; **R.lage** *f* fringe/peripheral location; **R.leiste** *f* border; **R.lochkarte** *f* margin punched card; **R.lochung** *f* marginal perforation; **R.markt** *m* marginal market segment

Random|-Buchführung *f* random accounting; **R.isierung** *f* ▦ randomization; **R.-Walk-Theorie** *f (Aktienkursanalyse)* random walk model

Rand|problem *nt* peripheral problem; **R.quadrat** *nt* boundary square; **R.region** *f* outlying region; **R.schrift** *f (Münze)* edge lettering, inscription on the rim; **R.segment** *nt* marginal segment; **R.siedlung** *f* suburban housing estate; **R.sortiment** *nt* fringe line; **R.staat** *m* peripheral state; **R.stein** *m* kerb *[GB]*, curb *[US]*; **R.streifen** *m (Straße)* shoulder; **befestigter R.streifen** hard shoulder; **R.verteilung** *f* marginal distribution; **r.voll** *adj* filled to capacity, full to the brim, ~ overflowing, brimful, chock-a-block; **R.werbung** *f* accessory advertising; **R.wertproblem** *nt* boundary value problem; **R.zeiger** *m* margin indicator; **R.zone** *f* fringe (area), peripheral region/zone

Rang *m* 1. status, degree, position, rank, standing, station, grade, tier, echelon; 2. preference, priority; **dem R.e entsprechend/nach** according to priority/rank; **R. einer Forderung** rank/priority of a debt; **R. der Gläubiger** ranking of creditors; **R. einer Hypothek** rank of a mortgage, priority status of a mortgage

jdm den Rang ablaufen to get the better of so.; **hohen R. bekleiden** to occupy a high position; **ersten R. einnehmen** to rank first, to take pride of place; **besseren R. einräumen** *(Grundbuch)* to grant prior rank; **jdn im R. erhöhen** to elevate so. to a higher rank, to upgrade so.; **im R. folgen** to rank next to; **gleichen R. haben; im ~ stehen** to rank equal; **im R. vorgehen lassen** *(Kredit)* to grant prior rank, to rank before, ~ prior to; **jdm den R. streitig machen** to rival so.; **im R. nachgehen/-stehen** to rank after

ersten Rang|es first-rate, of the first order; **hoher R.** high rank; **von hohem R.** high-ranking, of a high order; **höherer R.** seniority (of position); **höhere/niedere Ränge** ✈ higher/lower echelons

Rang|abzeichen *pl* insignia of rank; **r.älter** *adj* senior; **R.änderung** *f* change of priority; **r.besser** *adj (Grundbuch)* of prior rank; **R.bestimmung von Gläubigern** *f* marshalling of creditors; **R.einräumung** *f* postponement of priority; **R.einteilung** *f* ranking, rating

Rangel|ei *f* tussle, wrangling; **r.n** *v/i* to wrangle

rang|entsprechend *adj* according to priority; **r.erst** *adj* ranking first, first priority

Rangfolge *f* ranking, priority, order of preference, order/rule of precedence, sequence, league table

Rangfolge von Forderungen priority of debts; **~ Gläubigern** ranking of creditors; **~ Konkursforderungen** arrangement of claims; **~ Konkursgegenständen** marshalling of assets; **~ Pfandrechten** marshalling of liens; **~ Sicherheiten** marshalling of securities

Rangfolge|kriterium *nt* rank criterion; **R.verfahren** *nt* job ranking method/system

rang|gleich *adj* of equal rank; **R.gleichheit** *f* equality of rank; **R.größe** *f* ▦ order statistic; **r.höchst** *adj* highest-ranking; **r.höher** *adj* senior (to), next in seniority, of prior rank

Rangier|ablauf *m* 🚂 shunting/marshalling operation; **R.arbeiter** *m* 🚂 shunter *[GB]*, yardman *[US]*; **R.-bahnhof** *m* marshalling/shunting *[GB]*/switch *[US]*/ railway yard, shunting station; **R.betrieb** *m* shunting/ switching operation

Rangieren *nt* 1. 🚂 shunting *[GB]*, switching *[US]*; 2. *(Forderungen)* marshalling; **r.** *v/t* 1. 🚂 to shunt/ switch; 2. to class(ify); 3. *(Forderungen)* to marshall; *v/i* to rank; **an erster Stelle r.** to rank foremost

Rangierer *m* 🚂 shunter *[GB]*, switchman *[US]*

Rangier|gleis *nt* shunting *[GB]*/switching *[US]* track; **R.lokomotive** *f* shunter, switcher; **R.meister** *m* yardmaster, yard conductor *[US]*; **R.technik** *f* shunting technology; **R.vorgang** *m* shunting/marshalling operation

rang|jünger/r.niedriger *adj* 1. junior, subordinate in rank; 2. § *(Pfandrecht)* puisne; **R.klasse** *f* class, category; **R.korrelation** *f* ▦ rank correlation; **R.korrelationskoeffizient** *m* Kendall's tau; **R.kriterium** *nt* rank criterion; **R.liste** *f* ranking list; **R.listenverfahren** *nt* rating system; **r.mäßig** *adj* according to/by rank

Rangordnung *f* 1. ranking, order of rank/precedence, preference scale, hierarchy; 2. line of authority

Rangordnung der Ansprüche ranking of claims; **~ Bedürfnisse** scale of preferences; **~ Gläubiger** ranking of creditors; **~ Hypotheken** ranking of mortgages; **R. von Pfandrechten** ranking of liens; **~ Sicherheiten** *(Konkurs)* marshalling of assets; **~ Zielen** hierarchy of goals

Rangordnungsgrad *m* ▦ grade

Rang|prinzip *nt* ranking principle; **R.reihenmethode** *f* ranking method; **R.reihenverfahren** *nt* rank-sequence method, factor-comparison system

Rangrücktritt *m (Grundbuch)* postponement of priority; **R. einer Belastung** postponement of a charge; **R.serklärung** *f* deed/letter of postponement

Rang|stelle/R.stufe *f* rank; **R.stellenvermerk** *m (Grundbuch)* priority notice; **R.stufe** *f* rank; **R.stufenprinzip** *nt* ranking method; **R.test** *m* ▦ ranking test; **R.unterschied** *m* difference in rank; **R.verhältnis** *nt* order of preference, rank, priority; **~ der Gläubiger** ranking of creditors; **R.verlust** *m* loss/forfeiture of priority, forfeiture of seniority; **R.vermerk** *m* priority entry; **R.vorbehalt** *m* reservation of priority; **R.vormerkung** *f (Grundbuch)* priority caution; **R.vorrang erreichen** *m (Pfandrecht)* to tack; **R.vorrecht** *nt* priority (right); **gemeinsame R.zahlen** ▦ tied ranks

Ränke *pl* intrigues

Rankenwerk *nt* side issues

Ränke|schmied *m* schemer, plotter, intriguer; **R.spiel** *nt* intrigue, frame-up

Ranking *nt* ranking

rapide *adj* rapid, fast

Raps *m* 🚜 rape, cole; **R.öl** *nt* rapeseed oil

rar *adj* rare, scarce; **sich r. machen** to make o.s. scarce; **R.ität** *f* rarity, curiosity

rasant *adj* headlong, wild

rasch *adj* rapid, swift, ready

Rasse *f* 1. race; 2. 🚜 breed, pedigree; **menschliche R.** mankind

Rassen|diskriminierung *f* racial discrimination; **R.fanatiker** *m* racist, racialist; **R.frage** *f* racial question; **R.gesetzgebung** *f* racial legislation; **R.gleichheit** *f* racial equality; **R.hass** *m* racial hatred; **R.hetze** *f* stirring-up/incitement to racial hatred; **R.kampf/R.konflikt** *m* racial conflict; **R.krawall** *m* race riot; **R.mischung** *f* miscegenation; **R.politik** *f* racial policy; **R.problem** *nt* racial problem; **R.schranke/R.trennung** *m* racial segregation, colour bar; **R.unruhe** *f* race riot, racial unrest; **R.verfolgung** *f* racial persecution; **R.vorurteil** *nt* racial prejudice

rassisch *adj* racial

Rassismus *m* racism, racialism

Rassist *m* racist, racialist; **r.isch** *adj* racist

Rast *f* rest, break; **kurze R. einlegen** to have a short rest, to take a short break

rasten *v/i* to rest, to take a break

Raster *nt* grid, screen; **R.druck** *m* 📖 half-tone printing; **R.fahndung** *f* search for wanted persons by screening/scanning devices, dragnet (technique); **R.ung** *f* *(Fernsehen)* scanning; **R.verfahren** *nt* grid method

Rast|haus *nt* 🚗 roadhouse; **R.hebel** *m* detent lever; **r.los** *adj* restless, indefatigable; **R.platz** *m* 🚗 1. lay-by; 2. picnic area; **R.stätte** *f* roadside inn, service area, services

Rat *m* 1. advice, counsel, tip, guidance; 2. *(Gremium)* council, board; 3. *(Person)* councillor; **R. für gegenseitige Wirtschaftshilfe** Council for Mutual Economic Aid (Comecon); ~ **die Zusammenarbeit auf dem Gebiet des Zollwesens** *(Brüsseler Zollrat) [EU]* Customs Cooperation Council (CCC)

jdn um Rat angehen to seek so.'s advice; **(jdm) mit R. und Tat beistehen** to advise and assist, to assist so. in word and deed; **um R. bitten** to seek advice; **R. einholen** to take/seek advice; **fachmännischen R. einholen** to take expert advice; **juristischen R. einholen** to take legal advice; **R. erteilen** to advise, to give advice; **um R. fragen** to seek advice, to consult; **mit sich selbst zu R.e gehen** to do a lot of heart-searching; **auf einen R. hören** to listen to advice; **R. in den Wind schlagen** *(fig)* to throw advice to the winds *(fig)*; **im R. sitzen** to be on the council; **zu R.e sitzen** to be in council; **immer R. wissen** never to be at a loss; **keinen R. mehr wissen; weder R. noch Hilfe wissen** to be at one's wits' end, ~ the end of one's tether; **(jdn) zu R.e ziehen** to consult, to call in, to seek so.'s advice

ärztlicher Rat medical advice; **fachmännischer R.** expert advice; **juristischer R.** legal advice; **kostenloser R.** gratuitous advice; **sachlicher R.** objective advice

Ratazins *m* broken-period interest

Ratchet-Effekt *m* ratchet effect

Rate *f* 1. quota, ratio, rate, proportion; 2. instalment *[GB]*, installment *[US]*, part payment, payment on account; 3. *(Konkurs)* dividend; **auf/in R.n** in instalments, on deferred terms *[US]*; **marginale R. des Ertragsüberschusses über die Kosten** marginal rate of return over cost; **R. der aufgeklärten Fälle** *(Polizei)* clear-up/detection rate

in Raten zahlbar payable in instalments

in Raten bezahlen to pay in/by instalments; **mit seinen R. im Rückstand bleiben** to fall behind with one's instalments; **auf R. kaufen** to buy on easy terms, ~ the instalment system, ~ the never-never *(coll)*; **in R. verringern** to reduce by successive amounts

bequeme Rateln easy terms; **degressive R.n** tapering rates; **erste R.** *(Anzahlung)* deposit, first instalment, down payment; **fällige R.** instalment due; **gängige R.** going rate; **gleichbleibende R.n** level payments; **jährliche R.** annual rate; **kurzfristige R.n** instalments at short intervals; **letzte R.** final instalment, terminal payment; **in monatlichen R.n** in monthly instalments; **rückständige R.n** instalments in arrears, outstanding/back instalments; **überfällige R.** past-due instalment; **aufs Jahr umgerechnete R.** annualized rate

raten *v/ti* 1. to advise/counsel; 2. to guess

Raten|analyse *f* continuous analysis; **R.anleihe** *f* instalment loan, loan repayable in (equal) instalments; **R.beginn** *m* first instalment due; **R.darlehen** *nt* hire purchase credit *[GB]*, deferred payment credit *[US]*; **R.(ein)kauf** *m* hire/instalment purchase, instalment buying, purchase on deferred terms *[US]*; **R.geschäft** *nt* instalment business; **R.hypothek** *f* instalment/repayment mortgage; **R.kaufvertrag** *m* hire/instalment purchase contract

Ratenkredit *m* instalment/hire purchase *[GB]* credit, ~ loan, deferred payment credit *[US]*; **R.bedingungen** *pl* hire purchase terms; **R.vertrag** *m* hire purchase agreement

Raten|preis *m* hire purchase/instalment price; **R.rückstände** *pl* hire purchase/instalment arrears; **R.schein** *m* instalment coupon; **R.sparen** *nt* instalment saving, deferred savings; **R.sparvertrag** *m* automatic savings plan, premium-aided savings scheme, save-as-you-earn (SAYE) scheme *[GB]*; **R.vereinbarung** *f* hire purchase/instalment contract; **R.verpflichtung** *f* hire purchase commitment; **R.verzug** *m* hire purchase/instalment arrears; **R.wechsel** *m* bill payable in instalments, multi-maturity bill of exchange; **r.weise** *adj* in instalments

Ratenzahlung *f* 1. instalment (payment), hire purchase, spaced/deferred/time *[US]* payment, payment in/by instalments; 2. (retail) instalment credit; **R. leisten** to pay an instalment; **gestundete R.** deferred payment; **letzte R.** last/final instalment, terminal payment

Ratenzahlungs|bedingungen *pl* hire purchase/instalment/deferred payment *[US]* terms; **R.geschäft** *nt* hire purchase business/sale, instalment business/sale/buying/transaction/lending, deferred payment business/sale *[US]*; **R.gesetz** *nt* Hire Purchase Act *[GB]*; **R.kauf** *m* hire purchase *[GB]*, deferred payment purchase *[US]*, instalment buying; **R.kredit** *m* hire purchase/(retail) instalment/deferred payment *[US]* credit; **R.verkauf** *m* hire purchase/instalment/deferred payment *[US]* sale; **R.vertrag** *m* hire purchase/instalment (purchase)/deferred payment *[US]* contract; **R.verträge** *(Bilanz)* instalment receivables; **R.wechsel** *m* hire purchase bill *[GB]*

Raterei *f* guesswork

Raterteilung *f* counselling

Ratgeber *m* adviser, advisor, counsel(l)or; **steuerlicher R.** tax guide

Rathaus *nt* town/city hall; **R.verbot** *nt* prohibition to enter the town hall

Ratifikation *f* ratification; **der R. bedürfen** to be subject to ratification; **R.surkunde** *f* instrument of ratification, ratification instrument; ~ **hinterlegen** to deposit the instrument of ratification; **R.sverfahren** *nt* ratification proceedings

ratifizier|bar *adj* ratifiable; **r.en** *v/t* to ratify/validate/confirm; **R.ende(r)** *f/m* ratifier; **noch nicht r.t** *adj* unratified; **r.t sein** to stand approved

Ratifizierung *f* ratification, validation, validating statute; **R.surkunde** *f* instrument of ratification

Ration *f* 1. ration; 2. portion, share, allowance

Rationen ausgeben to issue/dole out rations; **R. beziehen** to draw rations; **R. kürzen** to cut rations; **auf kurze R. setzen** to put on short rations/commons *(coll)*; **in R. zuteilen** to ration

eiserne Ration iron/reserve/emergency ration; **kleine R.en** short rations/commons *(coll)*

rational *adj* rational, efficient

rationalisieren *v/t* to rationalize/modernize/streamline, to improve productivity, to make cost efficiencies

Rationalisierung *f* 1. rationalization, modernization, productivity improvements, labour-saving measures; 2. 🏭 streamlining of operations; **R. des Verfahrens** 🏭 improvement of process efficiency; **betriebswirtschaftliche R.** industrial rationalization; **innerbetriebliche R.** streamlining/rationalizing of internal operations; **technische R.** value engineering

Rationalisierungs|anstrengung *f* rationalization effort; **R.aufwand/R.ausgaben** *pl* rationalization expenditure; **R.druck** *m* pressure to improve productivity/efficiency, ~ to rationalize; **R.effekt** *m* rationalization/rationalizing effect, effect produced by rationalization; **R.einsparung(en)** *f/pl* efficiency gains; **R.erfolg** *m* efficiency benefits, improvement of efficiency, success in achieving greater efficiency, rationalization effect; **R.fachmann** *m* efficiency engineer/expert; **R.gewinn** *m* efficiency/productivity gain, economies of scale; **R.güter** *pl* rationalization goods; **R.investition(en)** *f/pl* modernization/investive investment, capital investment for increased effciency, ~ rationalization purposes, productivity-orient(at)ed capital outlays, capital expenditure on rationalization, investment in depth; **R.kampagne** *f* efficiency drive; **R.kartell** *nt* rationalization cartel, cartel for rationalization purposes; **R.konjunktur** *f* rationalization boom; **R.kosten** *pl* rationalization costs; **R.kuratorium** *nt* rationalization board/committee; ~ **der deutschen Wirtschaft** Rationalization Committee of the German Economy; **R.maßnahmen** *pl* rationalization/modernization/streamlining measures; **R.plan** *m* efficiency/restructuring/rationalization plan; **R.potenzial** *nt* efficiency-improving capacity, potential for productivity increases/rationalization; **R.prinzip** *nt* principle of rationalization; **R.programm** *nt* modernization programme; **R.prüfung** *f* efficiency audit; **R.reserve** *f* potential for productivity increases, ~ rationalization; **R.schutzabkommen** *nt* rationalization safeguard agreement; **R.verband** *m* rationalization association; **R.vorhaben** *nt* modernization programme; **R.vorteil** *m* rationalization advantage; **R.wesen** *nt* efficiency engineering; **R.zweck** *m* rationalization purpose

Rationalität *f* rationality, efficiency and simplicity; **eingeschränkte R.** bounded rationality

Rational|prinzip *nt* efficiency rule; **R.verhalten** *nt* rational behaviour

rationell *adj* rational, efficient, streamlined, economic(al)

Rationenkürzung *f* cutting of rations

rationier|en *v/t* 1. to ration/allocate/allot; 2. *(Aktien)* to scale down; **r.t** *adj* rationed, on coupons

Rationierung *f* rationing, allocation; **R. durch Karten** card rationing; **R. von Produktgruppen** point rationing; ~ **Waren** rationing of goods; **preisbezogene R.** value rationing

Rationierungs|karte *f* ration card; **R.marke** *f* (ration) coupon; **R.maßnahme** *f* rationing device; **R.system** *nt* rationing system

Rationskürzung *f* ration cut; **R. durchführen** to cut/slash rations

ratsam *adj* advisable, expedient, recommendable; **nicht r.** inadvisable; **R.keit** *f* advisability, expedience, expediency

Ratsbeschluss *m* council resolution

Ratschlag *m* (piece of) advice, counsel, hint, tip; **brauchbare/vernünftige Ratschläge** sound advice; **nützliche Ratschläge** worthwhile advice

Rätsel *nt* riddle, puzzle, mystery, enigma; **jdm ein R. aufgeben**; **jdn vor ~ stellen** to baffle/puzzle so., to have so. puzzled; **R. lösen** to solve a problem; **vor einem R. stehen** to be baffled

rätselhaft *adj* mysterious, enigmatic; **es ist mir völlig r.** I am mystified

Rats|entscheidung *f* *[EU]* council decision; **R.herr/R.mitglied** *m/nt* councillor *[GB]*, councilman *[US]*; ~ **sein** to be on the council; **R.präsident** *m [EU]* president of the council; **R.saal/R.zimmer** *m/nt* council chamber; **R.sitzung/R.treffen/R.versammlung** *f/nt/f* council meeting; ~ **abhalten** to meet in council; **R.vorsitzende(r)** *f/m* council chairwoman/chairman/chairperson

Raub *m* 1. robbery, grab raid, depredation; 2. *(Beute)* loot, booty; **R. von Lohngeldern** payroll robbery; **R. aufteilen** to share out the loot; **R. begehen** to commit robbery; **bewaffneter R.** § armed robbery; **schwerer R.** § robbery with aggravation

Raubbau *m* 1. *(Rohstoffe)* predatory/wasteful exploitation, overexploitation, unconsidered exhaustion, waste of natural resources, robber economy; 2. ⚒ overmining; 3. *(Ackerbau)* overcropping; 4. *(Weidewirtschaft)* overgrazing; 5. 🌲 overfelling; **R. betreiben** 1. to overexploit; 2. to overcrop; **mit seinen Kräften R. treiben** to burn the candle at both ends *(fig)*

Raubdruck *m* 📖 pirate(d)/private edition, (book) piracy; **r.sicher** *adj* pirate-proof

rauben *v/t* to rob/foray/raid/maraud, to commit robbery

Räuber *m* robber, raider, highwayman, bandit; **r.isch** *adj* predatory, rapacious

Raub|gut *nt* stolen goods, loot; **R.kopie** *f* 🕮 pirated edition/copy; **R.kopiererei** *f* piracy; **R.mord** *m* robbery with murder, murder and robbery, ~ in conjunction with robbery; **R.mörder** *m* robber and murderer, murderous robber; **R.platte** *f* pirate record; **R.ritter** *m* robber baron/knight; **R.überfall** *m* 1. holdup, robbery with violence, armed robbery, grab raid, fray; 2. bank raid; 3. *(Straßenpassant)* mugging *[GB]*, stick-up *[US]*; **R.überfallversicherung** *f* robbery insurance; **R.zug** *m* foray

Rauch *m* smoke, fume(s); **beißender R.** acrid smoke; **R.belästigung** *f* smoke nuisance; **R.bildung** *f* formation of smoke; **R.boje** *f* ⚓ smoke buoy; **R.emission** *f* smoke emission

rauchen *v/i* to smoke; **R. verboten** no smoking

Rauch|entwicklung *f* smoke development/emission; **R.fahne** *f* plume of smoke; **R.fang** *m* flue, chimney; **r.frei/r.los** *adj* smokeless, free of smoke

Rauchgas *nt* fumes, flue gas; **R.entschwefelung** *f* (flue gas) desulphurization (DeSox); **R.reinigung** *f* flue gas treatment, flue scrubbing

Rauch|plage *f* smoke nuisance; **R.säule** *f* pillar of smoke; **R.(schutz)schleier** *m* smokescreen; **R.schwaden** *pl* wisps of smoke; **R.verbot** *nt* 1. ban on smoking, smoking ban, prohibition of smoking; 2. no smoking; **R.-vergiftung** *f* smoke poisoning/inhalation; **R.versicherung** *f* smoke insurance; **R.waren** *pl* 1. tobacco products; 2. *(Pelze)* furs and hides; **R.wolke** *f* pall of smoke

rauh *adj* 1. rough, coarse; 2. *(Person)* abrasive

Raum *m* 1. space, room; 2. *(Fläche)* area, region; 3. *(Laderaum)* hold; 4. *(Inhalt)* volume, capacity; 5. scope; 6. *(Unterbringung)* accommodation; **R. für Verbesserung** scope for improvement; **Räume im oberen Stockwerk** upstairs rooms; **R. bieten** to accommodate, to offer space

begrenzter Raum confined space; **freier R.** 🕮 blank space; **in Anspruch genommener R.** utilized space; **gewerblich genutzter R.; gewerbliche Räume** business/commercial/industrial premises; **leerer R.** blank/void/empty space; **luftleerer R.** vacuum; **peripherer R.** peripheral area; **rechtsfreier R.** unlegislated area; **transportintensiver R.** high-volume transport area; **umbauter R.** 🏛 walled-in/enclosed space, building volume, cubic content

Raum|anordnung/R.aufteilung(splan) *f/m* 🏛 floor plan; **R.arbitrage** *f* arbitrage in space; **R.ausgleichsfunktion** *f* zoning balance factor; **R.ausstatter(in)** *m/f* interior decorator; **R.bedarf** *m* space requirement(s); **R.bild** *nt* stereoscopic picture; **R.charter** *f* tonnage affreightment; **R.einheit** *f* volume/spatial/regional unit, unit of volume/space; **R.einsparung** *f* economy of space; **R.element** *nt* spatial unit

räumen *v/t* 1. to clear/vacate/quit, to move out, to surrender (premises), to yield up; 2. to dispossess/evacuate; 3. to deplete; 4. *(Hotel)* to check out

Raum|ersparnis *f* saving of space; **R.fähre** *f* space shuttle

Raumfahrt *f* space travel/flight; **bemannte R.** manned space flight

Raumfahrt|forschung *f* space travel research; **R.industrie** *f* space industry; **R.ingenieur** *m* aerospace engineer; **R.konzern** *m* aerospace group; **R.programm** *nt* space program(me); **R.projekt** *nt* aerospace project; **R.station** *f* space station/platform; **R.unternehmen** *nt* aerospace company; **R.wissenschaften** *pl* space science

Raum|fahrzeug *nt* spacecraft; **R.flug** *m* space flight; **bemannter R.flug** manned space flight; **R.förderungsprogramm** *nt* regional development programme; **R.forschung** *f* space research; **R.fracht** *f* freight on a measurement basis, ~ assessed on the basis of cubic measurement; **R.frachtvertrag** *m* tonnage-space freight contract; **R.gebühr** *f* tonnage space charges; **R.gestalter(in)** *m/f* interior designer/decorator; **R.gestaltung** *f* interior decoration, architectural design; **R.heizung** *f* 1. *(Gerät)* space heater; 2. space heating; **R.inhalt** *m* volume, capacity, cubic content, cubage, cubature; **R.kapsel** *f* space capsule; **R.kosten** *pl* cost of office and workshop space, expenses for premises, space cost(s)

räumlich *adj* 1. spatial; 2. regional, geographical; **R.keiten** *pl* premises

Raum|mangel *m* lack of space; **R.maß** *nt* cubic measure, unit of capacity; **R.maße** cubic dimensions; **R.meter** *m* cubic metre; **R.meterpreis** *m* cubic metre price; **R.miete** *f* space rental; **R.nebenkosten** *pl* incidental accommodation cost(s); **R.not** *f* shortage of space

Raumordnung *f* regional planning/policy, town and country planning

Raumordnungs|behörde *f* regional planning authority; **R.gesetz** *nt* (regional) planning act, Town and Country Planning Act *[GB]*; **R.modell** *nt* regional planning model; **R.plan** *m* development plan; **R.politik** *f* urban and regional policy, town and country planning policy, area planning policy; **R.recht** *nt* planning law

Raumpflege *f* cleaning; **R.rin** *f* cleaner, charwoman

Räumpflicht *f* *(Schnee etc.)* duty to clear the street

Raum|plan *m* 1. *(Haus)* layout, floor plan; 2. room guide; 3. regional policy plan; **R.planung** *f* 1. regional planning, town and country planning; 2. 🏭 intra-plant layout; **R.programm** *nt* regional planning program(me); **R.recht** *nt* space law; **R.schiff** *nt* spaceship, spacecraft; **R.schifffahrt** *f* space travel; **R.sicherungsvertrag** *m* storage security contract; **R.sonde** *f* space probe; **r.sparend** *adj* space-saving; **R.station** *f* space station; **R.struktur** *f* spatial structure; **R.- und Siedlungsstruktur** settlement structure; **R.tarif** *m* bulk freight tariff; **R.temperatur** *f* room temperature; **R.tiefe** *f* depth of a room; **R.tonne** *f* measured ton

Räumung *f* 1. *(Lager)* clearing, clearance; 2. vacation, removal, evacuation; 3. § eviction, dispossession, ejection, ejectment; **R. des Lagers** inventory clearance; **auf R. klagen** to sue for eviction; **R. verzögern** to hold over; **zur R. zwingen** to evict; **gewaltsame R.** forcible eviction; **verzögerte R.** holding over

gerichtliche Räumungs|anerkenntnis consent rule;

R.anordnung/R.befehl/R.beschluss *f/m* 1. § eviction order; 2. *(Hypothekengeber)* repossession order; **R.anspruch** *m* right to have premises vacated, ~ dispossess a tenant; **R.aufschub** *m* stay of eviction; **R.ausverkauf** *m* clearance/clearing/closing-down sale; **R.frist** *f* time set for vacation, deadline for vacating the premises; **R.gläubiger(in)** *m/f* evictor; **R.klage** *f* 1. eviction/dispossession proceedings, action for eviction/possession/ejectment/evictment, repossession/eviction suit; 2. *(Land)* writ of entry; **R.kosten** *pl* eviction costs, evacuation expenses; **R.schlussverkauf** *m* clearance/closing-down sale; **gesetzlicher R.schutz** statutory tenancy; **R.titel/R.urteil** *m/nt* eviction order, judgment for (re)possession; **R.verfahren** *nt* eviction proceedings; **R.verkauf** *m* (stock) clearance/closing-down/winding-up sale, sales; **~ wegen Geschäftsaufgabe** going-out-of-business sale

Raum|verschwendung *f* waste of space; **R.verteilungsplan** *m* floor plan

Raupe; **R.nfahrzeug** *f/nt* 1. track-laying vehicle; 2. caterpillar, crawler; **R.nschlepper** *m* caterpillar (tractor)

Rauschgift *nt* drugs, narcotics, dope *(coll)*; **R. schmuggeln** to traffic in (narcotic) drugs

Rauschgift|dezernat *nt* drugs/narcotics squad; **R.handel** *m* drug trafficking, drugs traffic, narcotics trade; **R.händler** *m* drug trafficker/dealer, dope merchant; **R.schmuggel** *m* drug smuggling/trafficking; **R.sucht** *f* drug addiction; **R.süchtige(r)** *f/m* drug addict, narcotic; **R.täter** *m* drug offender; **R.vergehen** *nt* drugs/narcotics/trafficking offence

Rausch|mittel *nt* intoxicant, narcotic; **R.mittelsteuer** *f* narcotics tax; **R.tat** *f* offence committed in the state of intoxication

raus|fliegen *v/i*; **r.geschmissen/r.geworfen werden** to be sacked, to get the sack/push, to go on the road; **r.rücken (mit)** *v/i* to cough up *(coll)*; **(jdn) r.schmeißen** *v/t (coll)* to oust/fire/sack, to give so. the sack/his cards/the chuck/the order of the boot; **R.schmeißer** *m (coll) (Lokal)* bouncer, chucker-out; **R.schmiss** *m* 1. *(coll)* sack(ing), ouster, chuck *(coll)*; 2. bounce

Rayon *m* *[A]* department; **R.chef(in)** *m/f* head of department

Razzia *f* raid, round-up, crackdown; **R. vornehmen** to raid

Reagens *nt* reactant

Reagenzglas *nt* test tube

reagi|bel *adj* responsive, reacting; **R.ilität** *f* responsiveness

reagieren *v/i* to react/respond; **r. auf** to be responsive to

empfindlich reagieren auf to be sensitive to; **falsch r.** to get one's wires crossed *(fig)*; **heftig r.** to move violently; **überhaupt nicht r.** not to take the slightest notice; **schnell r.** to be quick off the mark; **sofort r.** to take immediate action

reagierend (auf) responsive/respondent (to); **leicht r.** *(Börse)* sensitive

Reaktion *f* reaction, response, answer; **R. an der Börse** market response; **als R. auf** in response to; **R. auslösen** to trigger a move

heftige Reaktion 1. excited reaction; 2. rebound; **zu ~ R.** overreaction; **Ja-Nein-R.** *(Befragung)* quantal response; **klassische R.** normal reaction; **kompetente R. auf Kundenwünsche** efficient consumer response; **(markt)technische R.** *(Börse)* technical reaction/decline/rebound; **unwiderstehliche R.** *(Strafrecht)* uncontrollable impulse

Reaktionär *m* reactionary; **r.** *adj* reactionary

Reaktions|bereich *m* domain of response; **R.bereitschaft** *f* responsiveness; **r.freudig** *adj* reactive, responsive; **R.funktion** *f* response function; **R.geschwindigkeit** *f* speed of response/reaction; **R.gleichung** *f* behavioural equation; **R.information** *f* response information; **R.mittel** *nt* reactant; **r.schnell** *adj* quick off the mark, ~ on the trigger *(coll)*; **r.träge** *adj* sluggish, slow to react; **R.training** *nt* sensitivity training; **R.zeit** *f* 1. reaction/response time, speed of reaction, period of adjustment; 2. thinking time; **R.zeitmessung** *f* response time measuring

reaktivieren *v/t* to reactivate/revive

Reaktivierung *f* 1. reactivation, restoration to activity, revival; 2. *(Bilanz)* revaluation of assets; **R. von Industrieflächen** industrial land recycling

Reaktor *m* reactor, breeder; **R.block** *m* reactor block; **R.kern** *m* reactor core; **R.projekt** *nt* reactor project/scheme; **R.sicherheit** *f* reactor safety, safety of nuclear reactors; **R.technik** *f* reactor technology

real *adj* real, effective, actual, tangible, material, substantial, practical; *adv* in real terms

Real|abgabe *f* non-personal tax; **R.abwertung** *f* effective devaluation; **R.akt** *m* § physical act; **R.akzept** *nt* acceptance by performance; **R.angebot** *nt* tender; **R.aufwertung** *f* effective revaluation; **R.ausgaben** *pl* real outlay; **R.austauschverhältnis** *nt* terms of trade; **R.besteuerung** *f* real taxation, taxation of property

Realeinkommen *nt* real income/earnings/(spendable) pay; **verfügbares R.** real disposable income

Realeinkommens|einbuße *f* cut in real income; **R.lücke** *f* real-income gap; **R.vergleich** *m* real-income comparison; **R.zuwachs** *m* increase in real income

Real|erlös *m* real proceeds/return; **R.ersparnis** *f* tangible-asset saving; **R.gemeinde** *f* real property organisation; **R.güterprozess** *m* logistic process

Realien *pl* real property/estate

Real|injurie *f* § assault and battery, insult by physical act; **R.investition** *f* fixed/real investment, investment in material assets

Realisation *f* 1. realization; 2. liquidation, sale, selling

Realisations|gewinn *m* liquidation gain; **R.konto** *nt* realization and liquidation account; **R.prinzip** *nt* 1. *(Bilanz)* realization rule, first-in-first-out (fifo) method; 2. retail valuation method; **R.verkauf** *m* liquidation sale; **R.welle** *f* wave/bout of selling; **R.wert** *m* realization/salvage/realizable value

realisierbar *adj* 1. practicable, feasible, viable; 2. realizable, convertible, marketable; **leicht r.** easily marketable; **nicht r.** unrealizable, unmarketable; **sofort r.** readily convertible

Realisierbarkeit *f* feasibility, practicability

realisieren *v/t* 1. to implement/realize, to carry out, to put into practice, to get off the ground; 2. to cash/liquidate/sell, to convert into cash/money, to turn into money, to take profits
realisiert *adj* realized, earned; **nicht r.** unrealized, paper; **sich ~ haben** to have come unstuck *(coll)*; **r. werden** to see the light of day *(fig)*
Realisierung *f* 1. implementation, carrying out; 2. realization, liquidation, sale, profit-taking; **R. einer Forderung** successful collection; **R. eines Herausgabeanspruchs** [§] reduction into possession; **R. wirtschaftspolitischer Ziele** economic performance, implementation of economic targets
Realisierungs|gewinn *m* profit on realization, gain realized by a sale; **R.wert** *m* liquidation/salvage value; **R.zeit** *f* time of realization
Realismus *m* realism
Realist|(in) *m/f* realist; **r.isch** *adj* realistic, down to earth *(coll)*
Realität *f* reality, actuality; **R.en anerkennen** to face facts; **R.enhändler/R.makler/R.vermittler** *m [A]* estate agent *[GB]*, realtor *[US]*
realiter *adv* in reality, in fact
Realkapital *nt* fixed/physical/non-monetary capital, tangible assets; **R.bildung** *f* productive investment; **R.export** *m* real capital export(s)
Real|kasseneffekt *m* wealth effect; **R.kassenhaltungseffekt** *m* real balance effect; **R.kauf** *m* cash/executed sale; **R.konkurrenz** *f (Strafrecht)* cumulation; **in R.konkurrenz** cumulative; **~ mit** [§] in conjunction with; **R.konsum** *m* real consumption; **R.kosten** *pl* real cost, actual costs; **R.kostenaustauschverhältnis** *nt* real cost terms of trade
Realkredit *m* 1. secured credit, collateral/lombard loan, loan on securities; 2. real-estate loan, credit on real estate/property; **R.geschäft** *nt* real-estate loan business, mortgage business; **R.institut** *nt* mortgage bank, real-estate loan institution, ~ credit institute
Reallast *f* 1. ground rent; 2. land charge; **eingetragene R.** registered charge; **städtische R.** municipal lien
Reallohn *m* real wage(s), ~ spendable pay; **R.kürzung** *f* cut in real wages; **R.summe** *f* aggregate real wage
Real|offerte *f* offer by performance; **R.produkt** *nt* real product; **R.rechte** *pl* real-estate rights/encumbrances, appurtenances; **R.rendite** *f* real yield; **R.schule** *f* secondary (modern) school *[GB]*, high school *[US]*; **R.servitut** *nt* real servitude, easement; **R.splitting** *nt (Steuer)* de facto *(lat.)* splitting; **R.statut** *nt* real statute
Realsteuer *f* impersonal/real/property tax; **R.bescheid** *m* municipal assessment notice; **R.kraft** *f* real/property tax base
Real|tausch *m* barter; **R.teilung** *f (Steuer)* de facto *(lat.)* splitting, gavelkind *(obs.)*; **R.vermögen** *nt* real estate/assets/wealth, property; **reproduzierbares R.vermögen** reproducible assets; **R.vertrag** *m* executed contract; **R.verzinsung** *f* real yield; **R.wachstumstempo** *nt* real growth rate; **R.wachstumsziffer** *f* effective growth figure; **R.wert** *m* real/actual value, equity (value), real asset; **r.wirtschaftlich** *adj* non-monetary; **R.wissenschaft** *f* factual science
Realzeit *f* → **Echtzeit** 🖳 real time, realtime; **R.zins(satz)** *m* real interest rate, interest rate in real terms; **negativer R.zins** negative real interest rate
Reassekuranz *f* reinsurance, reassurance
Rebe *f* 🚜 vine
Rebell *m* rebel, insurgent; **r.ieren** *v/i* to rebel; **R.ion** *f* rebellion, insurgence, revolt, insurrection; **r.isch** *adj* rebellious
Reb|sorte/R.stock *m* 🚜 vine
Rechen *m* 🚜 rake
Rechenanlage *f* computer, data processing equipment; **R. der Finanzverwaltung** tax-processing computer; **R. für gespeicherte Programme** stored-program computer; **arbeitende R.** active computer; **elektronische R.** electronic computer
Rechen|aufgabe *f* sum, arithmetic(al) problem; **R.aufwand** *m* computational effort; **R.automat** *m* 1. comptometer; 2. computer; **R.bedarf** *m* computational requirements; **R.brett** *nt* abacus
Recheneinheit *f* 1. unit of account (U/A); 2. data processing machine; **internationale R.** international unit of account; **zentrale R.** central processing unit (CPU)
Rechen|fehler *m* miscalculation, error of calculation computation error, miscount; **R.funktion** *f* computational function; **R.gerät** *nt* computer; **R.geschwindigkeit** *f* calculating/computing/processing speed; **R.größe** *f* operand; **R.kapazität** *f* computer capacity; **r.kundig** *adj* numerate; **R.kunst** *f* arithmetic; **R.locher** *m* 🖳 calculating punch; **R.maschine** *f* calculator, calculating machine, comptometer; **R.operation** *f* arithmetic(al) operation; **R.probe** *f* mathematical check; **R.programm** *nt* computer program
Rechenschaft *f* account; **R. (ab)legen** to render account; **~ über** 1. to account for; 2. to give an account of; **~ müssen; (jdm für etw.) R. schuldig sein** to be accountable, to answer to so. for sth.; **von jdm R. fordern; jdn zur R. ziehen** to hold/call so. to account; **R. verlangen** to demand an explanation
Rechenschaftsablegung *f* accounting
Rechenschaftsbericht *m* account (rendered), (business/directors') report, financial statement, statement of account, report and accounts; **R. über die Hauptversammlung** report on the general meeting; **R. des Vorsitzenden** chairman's report/statement; **R. und Jahresabschluss annehmen** to adopt the report and accounts; **jährlicher R.** annual report/returns; **öffentlicher R.** public accounts
Rechenschafts|jahr *nt* business/fiscal year; **R.legung** *f* accounting, publication of accounts; **R.pflicht** *f* accountability, reporting requirements; **~ der öffentlichen Hände** public accountability; **r.pflichtig** *adj* accountable
Rechen|schieber/R.stab *m* slide rule; **R.stanzer** *m* calculator; **R.system** *nt* data-processing system/centre; **R.tabelle** *f* ready reckoner; **R.tafel** *f* abacus; **R.vorgang** *m* mathematical operation/calculation, computing process; **R.vorzeichen** *nt* operational sign; **R.werk**

nt 1. (set of) accounts, set of (accounting) figures; 2. arithmetical logical unit, arithmetic and logical unit; **R.zeit** *f* computer/machine time; **R.zentrum** *nt* computer/computing centre, data(-processing) centre

Recherche *f* investigation, inquiry, search; **R. zum Stand der Technik** search of the prior art; **R.n anstellen** to make inquiries

Recherchen|anfrage *f* request for investigation; **R.bericht** *m* search report; **R.frage** *f* search question; **R.gebühr** *f* search fee

Rechercheur *m* interviewer, investigator, searcher

recherchieren *v/t* to make enquiries/inquiries, to search

Rechnen *nt* arithmetic, calculating, reckoning; **des R.s kundig; sicher im R.** numerate; **kaufmännisches R.** commercial/business mathematics, business arithmetic

rechnen *v/ti* to count/calculate/reckon; *v/refl* to work out, to add up, to make economic sense; **sich nicht r.** to not add up; **r. mit** to reckon on/with; **nicht r. mit** to rule out; **fest/sicher r. mit** to count/bank on; **r. zu** to rank with; **auf etw. r.** to rely on sth.; **mit etw. r. müssen** to face sth.; **mit jdm r.** to count on so.; **mit allem r.** to be prepared for anything; **falsch r.** to miscalculate; **gut r. können** to be good at figures; **(zu) knapp r.** to cut it (too) fine *(coll)*

Rechner *m* 🖳 processor, computer, calculator, calculating unit; **guter R. sein** to be good at figures; **tragbarer R.** laptop computer; **zentrale R.einheit** central processing unit (CPU); **R.familie** *f* computer family; **r.gesteuert** *adj* computer-controlled, computerized; **r.gestützt** *adj* computer-aided

rechnerisch *adj* arithmetical, mathematical, algebraical, calculated, computed; **rein r.** arithmetically, in figures

Rechner|kapazität *f* computer capacity/power; **R.programm** *nt* computer program; **R.sprache** *f* computer language; **r.unabhängig** *adj* off-line

Rechnerverbund *m* computer network; **R.betrieb** *m* multi-processing; **R.system** *nt* multi-computer network

Rechnung *f* 1. count, calculation, sum, tab, tally; 2. invoice, (sales) bill/check *[US]*; 3. (statement of) account (A/C, a/c); 4. note, memorandum; **R. über/von** account of (a/o); **auf R.** on account; **für R. von** for account of, on behalf of; **laut R.** as per account/invoice

Rechnung in doppelter Ausfertigung invoice in duplicate; **R. für Erneuerungsauftrag** renewal order; **auf R. und Gefahr** for account and risk; **~ des Käufers** at buyer's account and risk, ~ risk and expense; **für R. des Remittenten** account of payee; **nur ~ Schecknehmers** account payee only

für Rechnung wen es angeht for account of whom it may concern; **in R. gestellt** invoiced, billed; **nicht ~ gestellt** unbilled, uncharged

Rechnung ablegen to render account, to account for; **R. abschließen** to close the books, to settle an account; **R. anerkennen** to pass an account; **auf eigene R. arbeiten** to work on one's own account; **R. aufmachen/aufsetzen/ausfertigen/ausschreiben/ausstellen** to make out an invoice/a bill, to make out/up an account, to invoice/bill, to draw up an account/invoice; **R. über große Havarie aufmachen** to prepare the general average statement, to draw up the statement, to make up the adjustment; **R. ausgleichen** to balance an account, to settle an invoice/a bill; **R. zum Schein ausstellen; vorläufige R. ausstellen** to make out a pro-forma invoice; **R. bearbeiten** to handle/process the invoice; **R. in Ordnung befinden** to pass an account; **R. begleichen** to settle an invoice/account/a bill, to shoulder/foot a bill; **alte R. begleichen** *(coll)* to settle an old score *(coll)*; **R. belasten** to debit an account; **auf R. bestellen** to order against invoice, ~ on account; **auf eigene R. betreiben** to operate on one's own account; **R.(en) bezahlen** to settle/clear an account, to pay/honour/foot a bill, to straighten accounts, to pick up the bill/tab; **in R. bringen** to pass to account; **R. in Ordnung bringen** to put an account right; **R.en durchgehen/-sehen** to go through the accounts; **etw. in die R. einbeziehen** to take account of sth.; **R. einbuchen** to factor in; **für neue R. erkennen** to carry forward to new account; **R. erteilen** to render account; **R. führen** to keep accounts; **auf R. kaufen** to buy/purchase on account, ~ credit; **auf feste R. kaufen** to buy/purchase on firm account; **auf fremde R. kaufen** to buy for third account; **auf monatliche R. kaufen** to buy on monthly account; **auf zukünftige R. kaufen** to take/buy on future account; **auf seine R. kommen** to get one's money's worth; **R. anwachsen lassen** to run up a score; **R. auflaufen lassen** to run up a bill, to chalk it up *(coll)*; **R. legen** to render account; **R. liquidieren** to settle an account; **R. für jdn fertig machen** to get so.'s bill ready; **R. ohne den Wirt machen** *(coll)* to count one's chickens before they are hatched *(coll)*; **Strich durch die R. machen** *(fig)* to thwart so.'s plans; **R.(en) prüfen** 1. to check the invoice/bill; 2. to audit (the accounts); **R. quittieren** to receipt a bill; **R. saldieren** to balance an account; **R. schließen** to settle an account; **R. schreiben** to (make out an) invoice, to (make out a) bill; **auf R. schreiben** to debit an account; **auf die R. setzen** to charge to an account, to enter on the invoice, to chalk up; **R. skontieren** to allow/deduct a discount; **auf eigene R. spekulieren** *(Börse)* to trade from the floor; **R. spezifizieren** to itemize an account/a bill, to state an account; **auf der R. stehen** to appear in the account, to be on the bill; **in R. stellen** 1. to charge/invoice/bill/debit, to place/put/carry to account, to make a charge, to account; 2. *(berücksichtigen)* to allow for, to take into consideration/account; **jdm etw. ~ stellen** to bill so. for sth.; **Betrag ~ stellen** to bill a charge; **jdm Ware ~ stellen** to book goods to so.'s account; **zu hoch/viel ~ stellen** to overcharge; **zu wenig ~ stellen** to undercharge; **etw. R. tragen** to allow for sth., to take sth. into account, ~ account of sth.; **etw. voll R. tragen** to do justice to sth.; **R. überprüfen** to verify an account, to check an invoice; **auf neue R. über-/vortragen** to carry forward to a new account; **R. vereinfachen** to simplify computation; **auf R. verkaufen** to sell on account; **für eigene R. verkaufen** to sell for one's own account; **R. verlangen** to ask for a bill; **R. vor-**

legen to render account, ~ a bill; **R. zahlen** to settle an account, to pick up the bill/tab *(coll)*

abgeänderte Rechnung amended invoice; **alleinige R.** sole account; **auf alte R.** on former account; **aufgeschlüsselte R.** itemized bill; **ausgestellte R.** account rendered; **laut ausgestellter R.** as per account (rendered); **außenwirtschaftliche R.** foreign trade account; **ausstehende R.** invoice not yet received; **~ R.en** *(Bilanz)* 1. accounts receivable; 2. accounts payable; **im Rückstand befindliche R.** account in arrears; **beglaubigte R.** certified invoice; **beglichene R.** settled account; **gemäß beigefügter R.** as per invoice enclosed; **nicht beitreibbare R.** uncollectable account; **berichtigte R.** corrected invoice; **betriebswirtschaftliche R.** analytical account; **bezahlte R.** paid invoice/bill, account settled; **~ R.en** clear accounts; **detaillierte R.** itemized account; **auf/für eigene R.** on one's own account, for one's own hand; **eingehende/einlaufende R.** inward/incoming invoice; **laut eingeschickter R.** as per account rendered; **einperiodische R.** single-period accounts, financial statement for the period; **fällige R.en** *(Wechsel)* bills/accounts payable; **längst ~ R.** past-due account; **auf feste R.** at a fixed price; **fingierte R.** pro-forma invoice; **fremde R.** third(-party) account; **für ~ R.** on/for third(-party) account, on/for (the) account of (a) third party, on behalf of another person, for another's account, in a representative capacity; **frisierte R.** doctored account; **gemeinsame R.** joint account; **auf/für ~ R.** on/for joint account: **gesamtwirtschaftliche R.** national accounts; **getrennte R.en** separate bills; **getürkte R.** bogus invoice; **gültige R.** valid invoice; **laufende R.** current/open/revolving/running/drawing account, open current; **monatliche R.** monthly account; **neue R.** after account; **auf ~ R.** on new account; **offene/offen stehende R.** 1. open/outstanding/current/running account, outstanding invoice; 2. unpaid invoice/bill; **offizielle R.** official reckoning; **pagatorische R.** cash (basis of) accounting; **quittierte/saldierte R.** receipted bill; **regulierte R.** settled account; **nicht ~ R.** unpaid invoice; **spezifizierte R.** itemized account; **überfällige R.** overdue/past-due account; **überhöhte R.** exorbitant bill; **unbezahlte/unerledigte R.** outstanding account, unpaid invoice/bill; **~ R.en** delinquent accounts, outstanding bills/invoices; **ungefähre R.** approximate calculation; **volkswirtschaftliche R.** national account; **vordatierte R.** antedated/postdated bill; **vorgelegte R.** account rendered; **laut vorgelegter R.** as per account rendered; **vorläufige R.** provisional/pro-forma invoice

Rechnungsabgrenzung *f* *(Bilanz)* accruals and deferrals, accrued expenses and deferred charges, deferral; **R. zum Jahresende** end-of-year adjustment; **als R. behandeln** to defer

aktive Rechnungsabgrenzung accruals, accrued income/revenue; **~ R.en** deferred charges; **passive R.** deferrals, deferred income, accrued expense; **~ R.en** deferred credits; **transitorische R.** deferral, deferment

Rechnungsabgrenzungsposten *pl* 1. accruals and deferrals, accrued and deferred items, accrued expenses and deferred charges, prepayment and accrued income, suspense items, net carrying amount; 2. *(Aktiva)* accruals, accrued expenses/items/income, prepaid expenses; 3. *(Passiva)* deferrals, deferred expenses/items/income/charges/credits; **aktive R.** prepayments and accrued income, prepaid expenses; **passive R.** accruals and deferred income, deferred credits

Rechnungs|ablage *f* 1. invoice filing; 2. *(Rechnungslegung)* statement; **R.abnahme** *f* audit(ing); **R.abnehmer** *m* auditor

Rechnungsabschluss *m* 1. accounts, balance (sheet), balance of accounts; 2. closing/balancing of accounts, making up of the accounts; **R. machen** to do the books; **R. testieren** *(Wirtschaftsprüfer)* to approve the balance sheet, ~ the annual accounts; **festgestellter R.** account(s) agreed upon; **vierteljährlicher R.** quarterly accounts

Rechnungs|abschnitt *m* 1. accounting period; 2. invoice apron; **R.abschrift** *f* copy of an invoice, duplicate invoice; **R.abteilung** *f* accounts/billing department; **R.amt** *nt* audit office; **R.aufstellung** *f* rendering of accounts, (accounting) statement; **spezifizierte R.aufstellung** *(Einkäufer)* bill of parcels; **R.ausfertigung** *f* billing; **R.ausgangsbuch** *nt* invoice register; **R.ausgleich** *m* settlement, payment/settlement of accounts; **R.ausschuss** *m* accounts committee; **R.ausstellung** *f* invoicing, billing; **R.austausch** *m* substitution of invoices; **R.auszug** *m* statement/extract/abstract of account, billing statement; **R.automat** *m* computer; **R.beamter** *m* auditor, accountant; **R.begleichung** *f* settlement of an account; **R.beleg** *m* accounting record, voucher; **R.belege** documentary evidence/support; **R.bericht** *m* auditor's report

Rechnungsbetrag *m* invoice total/amount, amount of invoice, amount invoiced, invoiced/invoicing amount, merchandise cost; **R. der verkauften Ware** gross cost of merchandise sold; **R. kassieren** to collect an account/a bill

Rechnungs|bogen *m* tally sheet; **R.buch** *nt* book of accounts, invoice/accounts book, (accounts) ledger; **gesetzlich vorgeschriebene R.bücher** statutory books; **R.datei** *f* billing file; **R.datum** *nt* date of invoice, invoice/billing date; **R.defizit** *nt* accounting deficit; **R.doppel** *nt* duplicate invoice; **R.durchschlag** *m* invoice copy, copy of the invoice; **R.eingang** *m* receipt of invoice

Rechnungseinheit (RE) *f* unit of account (U/A), accounting unit; **Europäische R. (ERE)** European unit of account; **grüne R.** *[EU]* agricultural unit of account

Rechnungseinzug *m* account collection; **R.spapier** *nt* account collection instrument; **R.sverfahren** *nt* direct debiting system, account collection procedure

Rechnungs|empfang *m* receipt of invoice; **R.ergebnis** *nt* accounting/financial result; **R.erhalt** *m* receipt of invoice; **nach R.erhalt** after receipt of invoice; **R.erstellung** *f* invoicing, billing; **R.erteilung** *f* invoicing, rendering an account; **R.formular** *nt* invoicing form; **gedrucktes R.formular** billhead; **R.führer** *m* bookkeeper, (chief) accountant, accounting officer, pay clerk; **R.führung** *f* accounting, accountancy; ~ **prüfen** to audit the accounts; **R.gebühr** *f* accounting fee/charge; **R.geld** *nt* money of account, fiat money *[US]*; **R.gewicht** *nt* billed weight; **R.größe** *f* factor of calculation; **R.grundlage** *f* basis of a calculation; **R.gutschein** *m* bill voucher; **R.gutschrift** *f* credit memorandum/note; **R.halbjahr** *nt* half of the financial year; **R.hof/R.kammer** *m/f* court of auditors, audit office/court/division *[US]*, state auditor, Commissioner of Audits *[GB]*, National Audit Office/Commission *[GB]*, Auditor General's Office *[GB]*, General Accounting Office (GAO) *[US]*; **oberster R.hof** Exchequer and Audit Department *[GB]*, General Accounting Office *[US]*; **staatlicher R.hof** National Audit Office *[GB]*; **R.jahr** *nt* financial/accounting/business/fiscal *[US]*/tax year; **laufendes R.jahr** current financial year; **R.kauf** *m* purchase on account; **R.kontrolle** *f* control of accounts; **R.kontrolleur** *m* comptroller, auditor; **R.kopf** *m* billhead; **R.kopie** *f* invoice copy, copy of the invoice; **R.kosten** *pl* billed costs; **R.lage** *f* account

Rechnungslegung *f* (financial) reporting, accounting (matters), presenting accounts, rendering of account, account of sales; **Angelegenheiten/Fragen der R.** accounting matters

Rechnungslegung nach Anschaffungskostenprinzip historical cost accounting principles; **R. mit erhöhter Aussagefähigkeit** disclosure accounting; ~ **Bewertung zum unternehmenstypischen Wert** current cost accounting; ~ **Bewertung zum Zeitwert** current/present value accounting; ~ **fortlaufender Bewertung** continuously contemporary accounting; **R. über den Nachlass** residuary account; **R. im Prozess** rendering an account during the litigation; **R. als Sachwalter Dritter** stewardship reporting; **R. eines Treuhänders** charge and discharge statement; **R. des Unternehmens** company reporting; **R. zu Wiederbeschaffungskosten** replacement cost accounting; **R. nach dem Wiederbeschaffungswertprinzip** current cost accounting principle

zur Rechnungslegung verpflichtet accountable

Rechnungslegung der öffentlichen Hände prüfen to audit the public accounts

beschönigende Rechnungslegung creative accounting; **gesellschaftsbezogene R.** corporate socio-economic accounting; **inflationsbereinigte/-neutrale R.** inflation accounting; **kaufkraftindizierte R.** general/current purchasing power accounting; **wertmäßige R.** accounting by value

Rechnungslegungs|beschluss *m* order for an account; **R.einheit** *f* profit centre; **einzeln erfass-/isolierbare R.einheit** accountable profit centre; **R.grundsätze** *pl* accounting rules; **R.klage** *f* action for an account; **R.norm** *f* accounting standards; **R.pflicht** *f* accountability, duty to render account, reporting requirements; **r.pflichtig** *adj* accountable; **R.praxis** *f* accounting practice(s); **R.regeln** *pl* accounting standards; **R.vorschriften** *pl* accounting provisions, statutory accounting requirements

rechnungs|mäßig *adj* for accounting purposes, in accordance with the accounts; **R.münze** *f* money of account; **R.nachlass** *m* rebate on an account; **R.nachweis** *m* accounting evidence; **R.nummer** *f* invoice number; **R.periode** *f* accounting/billing period; **r.pflichtig** *adj* accountable; **R.plan** *m* accounting plan; **handels- und steuerrechtliche R.politik** accounting policy for financial and tax purposes; **R.position** *f* item on the account

Rechnungsposten *m* item (on the account); **R. einer Organgesellschaft** intercompany item; **R. abziehen** to deduct items from an account; **R. anerkennen** to allow an item in an account; **einzelne R. angeben** to itemize an account; **R. kontrollieren** to verify items of an account; **R. nachprüfen** to dot accounts; **einmaliger R.** non-recurring item

Rechnungs|preis *m* invoice price; ~ **minus Rabatt** invoice cost

Rechnungsprüfer *m* auditor, (public/chartered) accountant, comptroller; **betrieblicher R.** internal accountant; **satzungsmäßiger R.** statutory auditor; **staatlicher R.** state auditor; **vereidigter R.** certified public accountant

Rechnungsprüfung *f* audit, auditing (accounts), accounting control, auditing/checking of accounts; **R. durchführen/vornehmen** to audit the accounts; **innerbetriebliche R.** internal audit

Rechnungsprüfungs|amt *nt* audit office; **R.ausschuss** *m* auditing committee, Public Accounts Committee *[GB]*; **R.organ** *nt* audit body; **R.wesen** *nt* auditing

Rechnungs|quartal *nt* quarter of the financial year; **automatische R.regulierung** automatic settlement; **R.revisor** *m* auditor, comptroller; **R.rückstand** *m* account in arrears; **R.sachverständiger** *m* accounting expert; **R.saldo** *m* balance (of invoice); **R.stelle** *f* accounts/accounting department, ~ office; **R.stellung** *f* invoicing, billing; **R.summe** *f* amount invoiced, invoiced amount; **R.tag/R.termin** *m* 1. date of invoice; 2. audit day; **R.talon** *m* invoice apron; **R.theorie** *f* accounting theory; **R.überschlag** *m* rough estimate; **R.überschuss** *m* accounting surplus; **R.übersicht** *f* statement of accounts; **R.übertrag** *m* invoice continued, amount carried forward, carryover; **R.unterlagen** *pl* accounting records; **R.vierteljahr** *nt* quarter of financial year; **R.vordruck** *m* billhead; **R.vorgang** *m* accounting operation; **R.vorlage** *f* submission of accounts; **R.währung** *f* money of account, invoice currency; **R.werk** *nt* accounts; **R.wert** *m* invoice(d) value/amount, value as per invoice

Rechnungswesen *nt* accounting (system), accountancy, bookkeeping

Rechnungswesen des Gesamtunternehmens enterprise/corporate accounting; **R. zur Kontrolle der Wirtschaftlichkeit der einzelnen Verantwortungs- und Funktionsbereiche** responsibility/activity accounting; **R. für besondere Zwecke der Unternehmensleitung** management/managerial accounting (for decision-making purposes)

betriebliches Rechnungswesen 1. business/cost/internal accounting; 2. costing department; **externes R.**

financial accounting; **industrielles R.** industrial/industry accounting; **internes R.** managerial/management/internal/cost accounting; **kaufmännisches R.** commercial accounting; **öffentliches R.** public accounting/accounts; **städtisches R.** municipal accounting; **volkswirtschaftliches R.** national/(aggregate) economic accounting

Rechnungs|zeitraum *m* accounting period; **R.ziel** *nt* accounting objective; **R.zinsfuß** *m* interest rate calculated, assumed rate of interest

Recht *nt* 1. law, justice; 2. right, title, due; 3. claim; 4. authority; **im R.** in the right; **von R.s wegen** by rights

Recht des Aberntens *(Pächter)* right to emblement; **R. auf Ablehnung eines Richters/Schöffen** right to challenge, ~ of rejection; **~ Abschrift** right to a copy; **~ Abtretung der Ersatzansprüche** right of subrogation; **~ Arbeit** right to work; **~ Aufrechnung** right to set-off; **R. zum Auftreten vor Gericht** right of audience in court; **R. auf Auskunft** right to (demand) information; **R. des Ausschlusses der Öffentlichkeit** right of privacy; **R. auf Aussicht** right of unimpaired view; **~ abgesonderte/vorzugsweise Befriedigung** right to preferential satisfaction/settlement; **~ Benennung von Beobachtern** right to designate observers; **~ Benutzung** usufructuary right, right to use, ~ of user; **~ Benutzung von Marken** right to use trademarks; **R.e aus dem Beschäftigungsverhältnis** employment rights; **R. zur Beschau der angemeldeten Waren** right to examine the goods declared; **R. auf Besitz** possessive right, right to possession; **~ ausschließlichen Besitz** right to exclusive possession; **R. der früheren Besitznahme** prior right of occupancy; **R. des Bestellers zur Ersatzvornahme** option of owner to complete works, right of customer to effect a substitute performance; **R. der Beweisführung** law of evidence; **R. auf Bildung** right to education; **R. und Billigkeit** law and equity; **nach ~ Billigkeit** according to law and justice; **R. auf Brennholzentnahme** estovers; **R.e aus Derivaten** rights from derivatives; **R.e Dritter** third-party rights; **R.e der Ehefrau/des Ehemanns** marital/conjugal rights; **R. auf geistiges Eigentum** intellectual property right; **R. auf Einsichtnahme** right of inspection, ~ to inspect the documents; **~ in die Bücher** right to inspect the books; **R. auf Entnahme** right of withdrawal; **R. der Erfindereigenschaft** right of inventorship; **R. an der Erfindung** right to exploit the invention; **R. des Erfüllungsortes** law of the place of performance; **R. auf die Ernte** right to emblement; **dingliches R. kraft Ersitzung** prescriptive title; **R. der Erstgeburt; R. des Erstgeborenen** (rule of) primogeniture; **R. auf/der Freizügigkeit** freedom of movement; **~ Gegendarstellung** right of reply; **~ Gegenseitigkeit** right of reciprocity; **R. auf rechtliches Gehör** right of audience (in court), ~ to be heard; **R. des Gerichtsortes/-standes** lex fori *(lat.)*; **R. der Gesetzgebung** legislative powers; **R. auf Gestellung eines Pflichtverteidigers** benefit of counsel; **R. am eingerichteten und ausgeübten Gewerbebetrieb** right ensuing from one's business establishment; **R.e der Gewerkschaften** union rights; **R. auf Gewinnbeteiligung** right to participation in profits; **auflösend bedingtes R. an Grundbesitz** determinable interest; **R. an einem Grundstück** interest/right in land, real estate right, chattels real; **dingliches ~ Grundstück** real right in land, estate; **R. auf Handel** commercial privilege; **R. des Handelsregisters** company registration law; **R. der Handelsvertretung** agency law; **~ fahrlässigen Handlung** law of negligence; **~ unerlaubten Handlungen** law of torts; **R.e aus unerlaubten Handlungen oder Vertrag** rights arising from tort or contract; **R. auf Hinzuziehung eines Verteidigers** right to counsel; **~ Inbesitznahme** right of entry; **~ Inventareinrichtung** right to have an inventory drawn up: **R. der Kapitalgesellschaften** company law *[GB]*; **R. des Kaufvertrages** 1. law of sales; 2. right of emption; **R. auf Klageerhebung** right to sue; **~ Lebenszeit** life interest; **~ Leistung** right to demand contractual performance; **~ Leistungsverweigerung** right of refusal to perform; **~ Licht** right of light; **~ freie Meinungsäußerung** freedom of speech; **R.e der Minderheit** minority rights; **R. auf Minderung** abatement of the purchase price; **~ Nachlassbeschränkung** benefit of inventory; **R. der Niederlassung** right of domicile/settlement, ~ to establish a business/practice; **R. auf ungestörte Nutzung** right to quiet enjoyment; **~ zukünftige Nutzung** vested interest; **R. und Ordnung** law and order; **R.e niederer Ordnung** minor interests; **R. auf das Patent** right to (apply for) a patent; **R. einer dritten Person** jus tertii *(lat.)*; **R.e und Pflichten** rights and duties/liabilities, powers and responsibilities; **unsere beiderseitigen ~ Pflichten** our several rights and obligations; **vertragliche ~ Pflichten** contractual rights and duties; **R. auf Prüfung der Bücher** right to inspect books and records; **R. der belegenen Sache** lex situs *(lat.)*; **R. an beweglichen Sachen** chattel interest; **~ unbeweglichen Sachen** title in real/landed property, real estate right; **R.e an fremder Sache** jura in re aliena *(lat.)*; **R. des Schadensersatzes** law of damages; **R. auf Schadenersatz** right to recover damages; **R. der Schadensherabsetzung** right to reduction of damages; **~ Schuldverhältnisse** contractual law, law of contract/obligations; **R. auf Schutz der Intimsphäre** right of privacy; **~ persönliche Sicherheit** right to personal safety; **~ unverbaubare Sicht** § right to unobstructed view; **R. der Stellvertretung** law of agency; **R. auf Streik** right to strike, freedom of strike; **~ Umwandlung einer Zeitrente in eine Barabfindung** commutation right; **zu R. oder Unrecht** rightly or wrongly; **R. des Urhebers** author's right(s); **R.e der Verbraucher** consumer rights; **R. des Verkaufs** power of sale; **R.e und Verpflichtungen aus einem Vertrag** rights and obligations under a contract; **R. des Vertragsortes** lex loci contractus/actus *(lat.)*; **R. der Vertretung** law of agency; **~ ersten Wahl** right of first choice; **R. an der Ware** title to the goods; **R.e aus dem Wechsel** rights under a bill; **R.e des Wechselinhabers** holder's rights; **R. der Wiedergabe durch Bild- und Tonträger** right of communicating the work by means of sound and visual recordings; ~ **von Funksendungen** right of communicating broadcasts; **R. des Wohnsitzes** law of domicile; **R. zur freien Würdigung** right of free appraisal; **R. der freien Zufahrt** ingress, egress and regress; **R. des freien Zugangs zum Meer** right of free access to the sea; **R. auf Zusammenschluss in einer Gewerkschaft** right to form a union; ~ **ungehinderten Zutritt** right of free entry

Recht auf right/title/claim to; **ausschließlich aller R.e** *(Wertpapier)* ex all, excluding all rights; **einschließlich ~ R.e** *(Wertpapier)* cum all, including all rights; **mit allen R.en** with all rights; **alle R.e vorbehalten** all rights reserved; **von R.s wegen** as of rights, according to law, legally, by law/right(s)

hiermit wird zu Recht erkannt it is hereby ordered and adjudged; **das R. ist erloschen** the right has lapsed; ~ **fällt an** the right arises/accrues; ~ **geht unter** the right extinguishes; ~ **steht jdm zu** the right accrues to so.

Recht zu plädieren right of audience; **R., gehört zu werden** locus standi *(lat.)*; **R., die Nutzung aus einem fremden Grundstück zu ziehen** profit à prendre *[frz.]*

jdm ein Recht aberkennen to deprive so. of a right; **jdm das R. abstreiten** to dispute so.'s right; **R. abtreten (an)** to assign/cede a right (to); **R. anerkennen** to acknowledge a right; **sich ein R. anmaßen** to arrogate a right; **jds R.e antasten** to encroach upon so.'s rights; **R. anwenden** to apply the law, to administer justice; **R. aufgeben** to relinquish/abandon/release a right; **R. zu weit auslegen** to stretch the law; **R. ausüben** to exercise a right; **R. beanspruchen** to claim; **jds R.e beeinträchtigen** to encroach upon so.'s rights, to infringe (upon) a right, to prejudice so.'s rights; **für R. befinden** to find; **sich eines R.es begeben** to divest o.s. of a right, to surrender a claim, to put o.s. out of court; **R. begründen** to constitute a right; **sein R. begründen** to substantiate one's claim; **R. behalten** 1. to be right after all; 2. to maintain one's right; **auf seinem R. beharren** to insist/stand on one's right; **sein R. behaupten** to assert one's rights; **jdn eines R.es berauben** to deprive so. of a right, to disentitle so.; **sich auf ein R. berufen** to assert a right; **R.e berühren** to affect rights; **R. beschneiden** to curtail a right; **auf seinem R. bestehen** to assert one's right, to insist/stand on one's right; **zu R. bestehen** to be valid (in law), ~ good in law; **R. bestreiten** to challenge a right; **R. beugen** to pervert (the course of) justice; **R. durchsetzen** to enforce the law; **in fremde R.e eingreifen** 1. to infringe (upon)/encroach on/invade so.'s rights; 2. to trespass; **R.e einklagen** to sue for one's rights, to enforce one's rights by legal action; **R. einräumen** to grant a right; **jdn wieder in seine R.e einsetzen** 1. to restore so.'s rights; 2. to reinstate so.; **in jds R.e eintreten** to succeed to so.'s rights, to be so.'s successor in law; **sich seiner R.e entäußern** to forego one's rights; **R. entziehen** to deprive (so.) of a right; **für R. erkennen** to find/hold/decree/adjudicate; **R. erwerben** to acquire a right; **sein R. fordern** to claim/demand one's right; **R. geben** to qualify; **jdm R. geben** to prove so. right; **eines R.es verlustig gehen** to forfeit/lose a right, to become disentitled; **R. genießen** to enjoy a right; **gleiche R.e genießen** to enjoy equal rights; **R. gewähren** to grant a right; **R. haben** 1. to hold a right; 2. to be right, to have (got) a point; **kein R. haben** to have no business *(coll)*; **R. haben auf** to be entitled to, to have a title to; **R. auf seiner Seite haben** to have the law on one's side; **R. herleiten von** to derive (one's) title from; **R. innehaben** to have a right; **zu seinem R. kommen** to have redress, to come into one's own/rights; **R. erlöschen/verfallen lassen** to allow a right to lapse, to forfeit a right; **von seinem R. Gebrauch machen** to exercise one's right, to avail o.s. of a right; **R. geltend machen** to insist on/assert/vindicate one's right, to assert a title, to claim one's due; **R.e aus einem Vertrag ~ machen** to enforce a contract; **jdm ein R. streitig machen** to challenge/contest so.'s right; **seine R.e missbrauchen** to exceed one's authority; **sich das R. nehmen** to arrogate to o.s.; **R. in Anspruch nehmen** to take up an entitlement; **R. für sich ~ nehmen** to claim a right; **es mit dem R. nicht so genau nehmen** to stretch the law; **sich das R. nicht nehmen lassen; auf sein R. pochen** to insist/stand on one's rights; **R. schaffen** to produce legal effect, to create law, ~ a legal precedent; **R.e schmälern** to curtail rights; **im R. sein** to have the law on one's side, to be within one's rights; **R. sprechen** to adjudicate/judge, to administer/dispense justice, to deal out justice, to administer law, to establish a right; **R. studieren** to study law; **R. stützen auf** to establish a right on a basis of; **R. mit Füßen treten** to fly in the face of the law; **R.e übergehen lassen auf** to subrogate; **R.e übertragen an jdn** to transfer/assign rights to so.; ~ **auf jdn** to confer rights on so.; **R.e und Pflichten aus einem Pachtvertrag übertragen** to assign a lease; ~ **Wechsel übertragen** to transfer one's rights under a bill; **nationalem R. unterliegen** to be subject to national law; **R. verdrehen** to pervert the course of justice, to twist the law; **R. verkürzen** to curtail a right; **R. verleihen** to confer/grant/vest a right, to grant a privilege; **dem R. Wirksamkeit verleihen** to enforce the law, to make the law effective; **R. verletzen** to infringe (upon) a right, to violate a right; **jds R.e verletzen** to encroach/trespass upon so's rights; **R. verlieren/verwirken** to forfeit a right; **sich R. verschaffen** to obtain justice; **sich selbst R. verschaffen** to take the law into one's own hands; **auf ein R. verzichten** to waive/renounce/release/disclaim a right; **durch Unterschrift ausdrücklich ~ verzichten** to sign away a right; **sich das R. vorbehalten; R. wahren** to reserve the right; **seine R.e wahren** to safeguard/preserve one's rights; **R. wiederherstellen** to restore a right; **R. zedieren** to assign a right; **R. zugestehen** to grant/concede a right; **von einem R. zurücktreten** to waive a right

abdingbares Recht disposable right; **abgeleitetes R.** derivative right; **abgetretenes R.** assigned right; **absolutes R.** absolute right/interest, right in rem *(lat.)*; **abtretbares R.** transferable right; **akzessorisches R.** accessory/incidental/secondary right; **alleiniges R.** sole right; **altes R.** ancient law; **älteres R.** 1. prior right; 2. *(Sachrecht)* permanent title; **anerkanntes R.**

1. established law; 2. vested right; **allgemein ~ R.** 1. common right, generally accepted right; 2. general/ common law; **angeborenes/angestammtes R.** birthright, inherent right; **anwendbares R.** applicable/ governing law; **für den Vertrag ~ R.** law of the contract, applicable law; **ausländisches R.** foreign law; **ausschließliches R.** exclusive/absolute right; **bedingtes R.** conditional right, contingent interest; **beeinträchtigendes R.** adverse right; **mit Mängeln behaftetes R.** defective title; **auf früheren Entscheidungen beruhendes R.** case law, law of precedent; **beschränktes R.** limited right/interest, qualified right/title; **bestehendes R.** valid law; **nebeneinander bestehende R.e** concurrent rights; **bindendes R.** binding law; **bürgerliches R.** civil/private law; **bürgerliche R.e** civil rights; **dienstbarkeitsähnliches R.** quasi easement

dingliches Recht real/property right, right in rem *(lat.)*; **aufschiebend bedingt d. R.** executory interest; **beschränkt d. R.** 1. equitable interest in property; 2. property interest limited to its holder; 3. lien, encumbrance; **subjektiv d. R.** right in rem *(lat.)*

dispositives Recht optional rules, flexible law; **gerichtlich durchsetzbares R.** enforceable/litigious right; **eheliches R.** marital/conjugal right; **einklagbares R.** (legally) enforceable right; **einschlägiges R.** pertinent law, relevant provisions; **einwandfreies R.** clear title; **einzelstaatliches R.** *[EU]* national/state *[US]* law, national legislation; **entstehendes R.** inchoate right; **erloschenes R.** lapsed right; **ersessenes R.** prescriptive right; **erworbenes R.** 1. acquired right; 2. *(Vers.)* accrued right; **gutgläubig ~ R.** right acquired in good faith; **formelles R.** procedural/adjective law, law of procedure, law adjective, legal/strict right; **fremdes R.** 1. foreign law; 2. right of another; **in fremdem R.** en autredroit *[frz.]*; **verfassungsmäßig garantiertes R.** constitutional right; **an Besitz gebundenes R.** chose in possession; **gegenseitige R.e** reciprocal rights; **gegenwärtiges R.** present right; **geldwertes R.** financial claim

geltendes Recht existing/valid/established/applicable law, law of the land, law in force for the time being; **nach geltendem R.** under the law as it stands, ~ in force, under existing/current law, as the law stands, de lege data *(lat.)*; **allgemein g. R.** general right; **subsidiär g. R.** subsidiary law

gemeines Recht common law; **richterlich geschöpftes R.** case law; **geschriebenes R.** statute/statutory/written law; **vorläufig geschütztes R.** provisionally protected right; **gesetztes R.** contract law; **widerruflich gewährtes R.** revocable law; **grundstücksgleiches R.** equivalent title of land, title equivalent to land, full legal title to land; **grundstücksunabhängiges R.** right in gross; **gültiges R.** valid law; **herrschendes R.** governing law; **immaterielles R.** intangible right; **inländisches/innerstaatliches R.** 1. national/domestic law; 2. national legislation; **internationales R.** international law, law of nations; **kanonisches R.** canon law; **kodifiziertes R.** codified/statute law; **nach künftigem R.** de lege ferenda *(lat.)*; **lebenslängliches R.** life interest; **mangelhaftes R.** defect of title; **materielles R.** substantive law; **nach materiellem R.** upon its/their merits; **nachgewiesenes R.** proved claim; **nachgiebiges R.** flexible law; **nationales R.** *[EU]* national/domestic law; **natürliches R.** natural law, inherent right; **objektives R.** objective/impartial law; **obligatorisches R.** 1. relative right; 2. right arising out of an obligation, ~ in personam *(lat.)*; **offenbares R.** clear/manifest right; **öffentliches R.** public law; **originäres R.** original/natural/inherent right; **persönliches R.** 1. private law; 2. personal right; **höchst ~ R.** 1. right of persons; 2. strictly personal right, untransferable right, personal servitude; **politisches R.** political right; **positives R.** positive law; **possessorisches R.** possessory right; **privates R.** private law; **ranghöchstes R.** absolute/inalienable/paramount law; **relatives R.** personal right, right in personam *(lat.)*; **reversibles R.** reversible right; **römisches R.** Roman law; **sachliches R.** substantive law; **sämtliche R.e** 1. all rights, all the interest; 2. all the estate; **staatliches R.** public law, law of the country; **staatsbürgerliche R.e** civic/citizen's/civil rights, rights of citizenship; **stärkeres R.** title paramount, better right; **streitiges R.** disputed right; **strenges R.** strict law, ius cogens *(lat.)*; **strittiges R.** litigious right; **subjektives R.** entitlement, an individual's right; **subsidiäres R.** subsidiary right; **übertragbares/-tragungsfähiges R.** transferable/assignable right; **nicht ~ R.** inalienable right; **unabdingbares R.** peremptory/unalienable right; **unangreifbares/unantastbares R.** indefeasible/established/unimpeachable right; **unbestrittenes R.** clear title; **uneingeschränktes R.** absolute right/law, full legal right; **ungeschriebenes R.** unwritten law; **unübertragbares/unveräußerliches R.** inalienable/inherent right; **unverjährbares R.** permanent right, right that cannot become statute-barred; **unvollkommenes R.** imperfect right; **veräußerliches R.** alienable right; **verbrieftes R.** chartered/contractual right, chartered/vested interest; **gesetzlich ~ R.** statutory right; **mit einem Grundstück verbundene R.e** rights that run with the land; **vererbliche R.e** incorporeal hereditaments; **verfassungsmäßiges R.** constitutional right; **vergleichendes R.** comparative law; **verliehenes R.** chartered title; **vertragliches R.** contractual law; **verwandtes R.** related law; **verwirktes R.** forfeited right; **vorbeugendes R.** preventive law; **im Rang vorgehendes R.** senior title; **absolut/unbeschränkt wirksames R.** absolute right; **wohlerworbenes R.** acquired/vested right, ~ interest; **zukünftiges R.** future right, expectant interest; **zustehendes R.** appendant; **zwingendes R.** binding/cogent law; **zwischenstaatliches R.** international law, law of nations

recht *adj* right, just, lawful, legitimate; **r. und billig** fair/just and equitable, fair and proper; **es allen/jedem r. machen** to please everybody, to be all things to all men

Rechteck *nt* rectangle; **r.ig** *adj* rectangular, oblong

rechtens *adv* lawfully, by law, legally right

rechtfertigen *v/t* to explain/justify/warrant/substantiate/vindicate, to make good; *v/refl* to justify o.s.; **erneut r.** to revindicate/reaffirm; **nicht zu r.** unjustifiable

Rechtfertigung *f* justification, defence, vindication, apology, reason; **zur R.** in defence; **R. einer unerlaubten Handlung** justifying a tortious act; **R. des eigenen Verhaltens** self-justification; **R. der Vollstreckung des Vermieters/Verpächters** avowry; **überhaupt keine R. haben; ~ vorweisen können** not to have a leg to stand on *(coll)*; **gesellschaftliche R.** societal justification

Rechtfertigungsgrund *m* defence of privilege, legal justification, lawful excuse, responsible cause, ground of justification; **Rechtfertigungsgründe** 1. justification; 2. *(Kartell)* gateways; **ohne R.** without lawful excuse; **absoluter R.** absolute privilege

Rechtfertigungs|vorbringen unter Anerbieten des Wahrheitsbeweises *nt* plea of justification; **R.zwang** *m* need for justification, ~ to justify one's actions

recht|gläubig *adj* orthodox; **r.haberisch** *adj* (self-) opinionated

rechtlich *adj* 1. legal; 2. lawful, judicial, in law, in contemplation of law, de jure *(lat.)*; **r. oder tatsächlich** in law or in fact; **r. und tatsächlich** in law and in fact

rechtlos *adj* 1. lawless, rightless; 2. without rights, ~ legal remedy; **R.igkeit** *f* lawlessness

rechtmäßig *adj* lawful, legal, as of right, by rights/statute, legitimate; **für r. erklären** to legitimate; **R.keit** *f* 1. lawfulness, legitimacy, legality, validity, warrantableness; 2. *(Entscheidung)* soundness; **~ eines Anspruchs** validity of a claim; **~ der dienstlichen Handlungen** legality of official acts

Rechts|- legal; **R.abbiegen** *nt* 🚗 right turn; **R.abteilung** *f* legal department; **R.abtretung** *f* assignment (of rights), cession; **R.akt** *m* act of law; **R.amt** *nt* (municipal) legal department; **R.analogie** *f* (application of) analogous law; **R.änderung** *f* change of law/title, alteration of rights; **R.änderungsklage** *f* action for modification of rights; **R.angelegenheit** *f* case, legal matter, matter of law, ~ for legal consideration; **R.angleichung** *f* harmonization/unification/approximation of laws *[GB]*; **R.anmaßung** *f* arrogation of a right; **R.anschauung** *f* legal view

Rechtsanspruch *m* (legal) title/claim, legal right/entitlement, statutory entitlement, jurisdictional claim, claim of right; **ohne R.** untitled; **R. auf staatlichen Grundbesitz** land claim *[US]*

Rechtsanspruch ab-/herleiten von etw. to use sth. as a legal precedent; **sich eines R.s begeben** to waive a claim; **R. bestreiten** to dispute a claim; **R. dartun** to clarify a title; **R. erheben** to make a legal claim; **R. haben auf** to have a title to, to be legally entitled to; **keinen R. haben** to have no redress in law; **R. unwirksam werden lassen** to extinguish a title; **R. geltend machen** to enter a claim; **jds R. streitig machen** to dispute so.'s title/claim; **R. prüfen** to check title; **R. verlieren** to forfeit a claim; **auf einen R. verzichten** to waive a claim

abgeleiteter Rechtsanspruch derivative title; **einheitlich begründeter R.** unity of title; **besserer R.** superior title; **einwandfreier R.** clear title; **gültiger R.** valid/good title; **klägerischer R.** plaintiff's title; **mangelnder R.** lack of title; **ruhender R.** dormant title; **unverzichtbarer R.** indefeasible right; **unwirksamer R.** invalid claim; **verjährter R.** statute-barred right

Rechts|anwalt; R.anwältin *m/f* lawyer, solicitor *[GB]*, (practising) barrister *[GB]*, advocate, attorney/counsellor at law *[US]*, (legal) counsel *[US]*

Rechtsanwalt des Beklagten counsel for the defence/defendant; **~ Klägers** counsel for the plaintiff; **R. in Richterfunktion** recorder *[GB]*; **R. als Staatsanwalt** prosecuting solicitor; **R. eigener Wahl** solicitor/counsel of one's own choice

als Rechtsanwalt auftreten to act as counsel (for); **R. beauftragen** to engage a lawyer; **R. beiordnen** to assign a counsel; **R. bestellen** to brief a counsel *[GB]*; **R. mandieren; sich einen R. nehmen** to retain (the services of) a lawyer; **sich als R. niederlassen** to set up as a lawyer; **etw. dem R. übergeben** to place/put sth. in the hands of the solicitor/a lawyer; **R. zu Rate ziehen** to take legal advice

mit der ständigen Vertretung beauftragter Rechtsanwalt standing lawyer; **beratender R.** counsel in chambers, office lawyer *[US]*; **gegnerischer R.** opposing counsel; **klägerischer R.** counsel for the plaintiff, plaintiff's counsel; **praktizierender R.** practising lawyer; **auf Versicherungssachen spezialisierter R.** insurance lawyer

Rechtsanwalts|anderkonto *nt* solicitor's trust account *[GB]*; **R.beruf** *m* legal profession; **sich auf den ~ vorbereiten** to study for the bar; **R.büro** *nt* firm of solicitors

Rechtsanwaltschaft *f* 1. (the) bar; 2. the legal profession

Rechtsanwalts|firma *f* firm of solicitors *[GB]*; **R.gebühr(en)** *f* solicitor's/lawyer's fee(s), retainer, legal fees; **R.kammer** *f* chamber of lawyers, the Bar *[GB]*, Law Society *[GB]*, Bar Association *[GB]*; **R.kanzlei** *f* law firm/office *[US]*, chambers *[GB]*; **R.praxis** *f* legal practice; **R.sozietät** *f* law firm/partnership; **R.volontär** *m* articled clerk

Rechts|anwendung *f* dispensation of justice, application/administration of law; **einheitliche R.anwendung** uniform application of the law; **R.argument** *nt* legal argument, point of law; **R.auffassung** *f* legal opinion/conception/viewpoint; **R.aufgabe** *f* waiver of rights; **R.aufsicht** *f* legal supervision, supervision on points of law, supervisory control; **R.aufsichtsbehörde** *f* supervisory authority (on points of law); **R.ausdruck** *m* legal term

Rechtsausführungen *pl* legal arguments/submissions; **mündliche R.** oral argument/pleadings; **schriftliche R.** legal brief, brief on points of law

Rechts|auskunft *f* legal advice/information; **R.auslegung** *f* legal interpretation; **R.ausschließung** *f* foreclosure; **R.ausschluss** *m* exclusion of a right; **R.ausschuss** *m* law/legal committee, committee on legal affairs

Rechtsausübung *f* exercise of a right; **missbräuchliche**

R. misuse of a legal right; **unzulässige R.** inadmissible/improper exercise of a right

Rechts|ausweis *m* evidence of title, proof of ownership; **R.basis** *f* legal basis/foundation; **R.befugnis** *f* competence, authority; **R.begehren** *nt* 1. petition, application, claim for a legal decision, request for a legal remedy; 2. *(Scheidung)* prayer of a petition; **R.begriff** *m* legal term/concept; **unbestimmter R.begriff** gray legal concept; **r.begründend** *adj* constitutive, law-creating, establishing a right

Rechtsbehelf *m* (legal/judicial) remedy, remedy in law, legal redress, defence, appeal, plea, relief, demurrer; **R. in bürgerlichen Rechtsstreitigkeiten** civil remedy; ~ **Verwaltungsangelegenheiten** administrative remedy; **billigkeitsrechtliche R.e unterliegen eigenem Ermessen** equitable remedies are discretionary; **R. einlegen** to lodge an appeal; **auf einen R. verzichten** to waive a remedy

ausreichender Rechtsbehelf adequate remedy; **außergerichtlicher R.** extrajudicial remedy, administrative appeal; **kein R.** no recourse (to law); **summarischer R.** speedy remedy; **vorläufiger R.** provisional remedy; **wahlweise zulässiger R.** alternative/permissible remedy; **zusätzlicher R.** cumulative remedy

Rechtsbehelfsbelehrung *f* advice/information on applicable remedies

Rechts|beistand *m* 1. (legal) counsel, legal adviser, attorney (at law), solicitor, counsel(l)or *[US]*; 2. legal assistance/advice; **unentgeltlicher R.beistand** (free) legal aid; **r.bekundend** *adj* evidencing a legal fact; **R.belehrung** *f* 1. instructing so. on his legal rights; 2. *(Strafrecht)* caution; **R.berater** *m* legal adviser, (legal) counsel

Rechtsberatung *f* legal advice/counselling; **R.skosten** *pl* legal expenses; **R.smissbrauch** *m* unlicensed legal practice; **R.sstelle** *f* legal aid office, ~ advice centre

Rechts|bereinigung *f* repeal of obsolete statutes; **R.beschwerde** *f* appeal on points of law; **R.beschwerdeverfahren** *nt* appellate procedure; **R.besitzer** *m* holder of a right; **R.besorgung** *f* conduct of legal matters; **R.bestand** *m* legal existence; **r.beständig** *adj* valid, lawful; **R.beständigkeit** *f* validity; **R.bestimmungen** *pl* provisions of the law; **R.betreuung** *f* legal assistance; **R.beugung** *f* perversion/miscarriage of (the course of) justice, perversion of law, intentional misconstruction of the law; ~ **begehen** to pervert the course of justice

Rechtsbeziehung *f* legal relationship, privity; **R.en** legal relations; ~ **Dritten gegenüber** legal relationship to third parties; **innere/interne ~ der Parteien** the rights of the parties inter se; **unmittelbare R.** privity of contract

Rechts|bezirk *m* jurisdiction; **R.brauch** *m* legal custom; **R.brecher** *m* 1. lawbreaker, transgressor, offender, criminal; 2. trespasser; **R.bruch** *m* violation/breach/infringement of the law; **R.buch** *nt* lawbook; **r.bündig** *adj* 1. right-aligned, flush right; 2. ▯ right-justified

rechtschaffen *adj* righteous, virtuous, law-abiding, honest, upstanding; **R.heit** *f* 1. integrity, virtue, honesty; 2. equity; 3. probity

Rechtscharakter *m* legal character/nature, status in law

Rechtschreib|fehler *m* spelling mistake; **R.hilfe** *f* ▯ 1. spell(ing) check; 2. *(Programm)* spell(ing) checker; **R.ung** *f* orthography, spelling

Rechtschutz *m* → **Rechtsschutz**

Rechts|darstellung *f* 1. brief; 2. statement of law; **R.denken** *nt* legal thinking; **R.dezernat** *nt* legal department; **R.dokument** *nt* legal document/instrument; **R.durchsetzung** *f* law enforcement; **R.einrichtung** *f* legal institution; **R.eintritt** *m* subrogation of rights; **R.eintrittsklausel** *f* subrogation clause

Rechtseinwand *m* 1. objection, demurrer (at law); 2. estoppel, common bar, plea; **R. erheben/vorbringen** to demur, to put in a plea, to interpose a demurrer; **auf Formfehler zurückzuführender R.** special demurrer

Rechts|empfinden *nt* sense of justice, ~ what is right and wrong; **gesundes R.empfinden** natural sense of justice/equity; **R.entscheid** *m* legal decision; **r.erheblich** *adj* legally relevant, material, relevant in law; **R.erheblichkeit** *f* relevance in law; **R.erklärung** *f* statement of law; **einseitige R.erklärung** deed poll; **R.erwerb** *m* acquisition of title, ~ a right; **r.erzeugend** *adj* constitutive; **R.experte** *m* legal expert/practitioner; **R.extremismus** *m* right-wing extremism; **R.extremist(in)** *m/f* right-wing extremist

rechtsfähig *adj* judicable, capable, legally responsible, competent, having legal capacity, possessing legal personality; **r. sein** to have legal status; **nicht r.** not competent to contract, unincorporated

Rechtsfähigkeit *f* legal capacity/status/responsibility, capability, competence, juristic personality; **R. verleihen** to incorporate, to grant juristic personality, ~ a charter; **mangelnde R.** legal incapacity; **staatlich verliehene R.** general franchise; **völkerrechtliche R.** international personality

Rechts|fahrgebot *nt* 🚗 rule to keep to the right; **R.fakultät** *f* law faculty/school, faculty of law

Rechtsfall *m* (law/court) case; **schwebender R.** pending case; **vorliegender R.** case in hand

Rechtsfehler *m* → **Rechtsirrtum** legal mistake, error in/of law; **R. der Vorinstanz** error coram vobis *(lat.)*; **offensichtlicher R.** error apparent of record; **unerheblicher R.** harmless error; **r.haft** *adj* incorrect on a point of law, legally mistaken

Rechts|figur *f* legal entity/concept; **R.fiktion** *f* legal fiction, fiction in law; **R.findung** *f* findings of the court, legal finding; ~ **behindern** to obstruct the course of justice; **R.folge** *f* legal consequense/sequence; **R.folgen ausschließen** to refuse to accept legal responsibility; **R.folgerung** *f* legal implication; **R.form** *f* legal form; ~ **der Unternehmung** *f* form of business organisation/enterprise, type of business ownership/unit, ~ commercial undertaking; **R.formalismus** *m* legalism; **R.formalität** *f* legal formality; **R.formularbuch** *nt* precedent book, book of legal forms/precedents; **R.fortbildung** *f* 1. updating of the law; 2. (advanced) legal training

Rechtsfrage *f* legal question/issue/problem, issue in law, question/point of law; **jdn in R.n beraten** to advise so. on legal points; **R. entscheiden** to adjudge a point of law; **R. erörtern** to argue a point of law; **R.n klären** to settle points of law; **streitige R.** issue of law, controversial legal point

rechts|frei *adj* unlegislated; **R.frieden** *m* law and order, public peace; **R.gang** *m* course of law, legal procedure; **R.garantie** *f* warranty deed, legal guarantee, warranty of title; **R.gebiet** *nt* field of law, legal sphere; **R.gedanke** *m* 1. legal concept; 2. policy of the law; **R.gefährdung** *f* impediment to the law, danger to justice; **R.gefühl** *nt* sense of justice, ~ what is right or wrong; **unkörperlicher R.gegenstand** (legal) chose in action; **R.gelehrsamkeit** *f* jurisprudence, law; **r.gelehrt** *adj* versed in law, skilled in the law; **R.gelehrter** *m* 1. legal scholar, jurist, jurisconsult, scholar in the field of law; 2. student of law; **R.geltungswille** *m* intended legal effect; **R.gemeinschaft** *f* 1. community of rights, unity of interests, legal community, joint title/holding; 2. privity; **R.- und Interessengemeinschaft** community of rights and interests; **r.genügend** *adj* legally sufficient; **R.genuss** *m* enjoyment of a right; **R.gesamtheit** *f* aggregate of rights

Rechtsgeschäft *nt* (legal) transaction, legal/juristic act, contract, dealing, act of law, ~ (the) party, act under the law; **R.e unter Lebenden** transactions inter vivos *(lat.)*; **R. von Todes wegen** transaction mortis causa *(lat.)*; **R.e des Vorstandes** legal acts of the management; **R. abschließen** to engage in/enter into a transaction; **R. beurkunden** to record a deed

nicht abgeschlossenes Rechtsgeschäft incomplete transaction; **abstraktes R.** abstract transaction, ~ juristic act; **anfechtbares R.** voidable act/transaction; **konkursrechtlich anfechtbare R.e** transactions not protected; **angefochtenes R.** contested transaction; **annahmebedürftiges R.** legal act requiring acceptance; **bedingtes R.** conditional (legal) transaction; **befristetes R.** act subject to time limit; **einseitiges R.** unilateral contract/transaction, ~ juristic act; **entgeltliches R.** transaction for value; **fiduziarisches R.** trust/fiduciary transaction, fiduciary contract; **genehmigtes R.** authorized act; **kaufähnliches R.** quasi purchase; **kausales R.** underlying transaction, valuable consideration; **nichtiges R.** void transaction, ~ legal act; **sittenwidriges R.** transaction contrary to public policy/morality, immoral/unconscionable transaction, transaction contra bonos mores *(lat.)*; **steuerpflichtiges R.** taxable transaction; **unerlaubtes R.** illicit transaction; **der Konkursanfechtung unterliegendes R.** unprotected transaction; **unwirksames R.** void and voidable transaction; **unzulässiges R.** inadmissible transaction, unlawful transaction/act; **verbotenes R.** prohibited transaction; **verbundene R.e** linked transactions; **verdecktes R.** concealed transaction; **einseitig verpflichtendes R.** unilaterally binding legal transaction; **zustimmungsbedürftiges R.** legal transaction subject to approval; **zweiseitiges R.** bilateral/two-party transaction

rechts|geschäftlich *adj* contractual, by act of party; **gemeinsamer R.geschäftswille** concurrence of intentions, meeting of minds; **R.geschichte** *f* legal history, history of the law; **R.gespräch** *nt* legal discussion; **r.gestaltend** *adj* legally operative; **R.gestaltungsklage** *f* action to change the legal status; **R.- und Sachmängelgewähr** *f* warranty of title and quality; **R.gewinnung** *f* growth of a body of law; **R.gewohnheit** *f* legal/judicial custom; **R.gleichheit** *f* legal equality, equality before the law, ~ of rights; **R.grenze** *f* jurisdictional boundary

Rechtsgrund *m* legal basis/justification, cause in law; **aus Rechtsgründen** for legal reasons; **R. einer Forderung** consideration of a debt; **einheitlicher R.** unity of title; **R.lage** *f* legal basis/foundation, underlying law, lawful title

Rechtsgrund|satz *m* legal principle/maxim, principle/axiom of the law; **allgemeine R.sätze** general(ly accepted) legal principles; **bestehende R.sätze** established principles of law

rechtsgültig *adj* legal, legally valid/binding, effective, effectual, valid/good in law, good (and valid); **für r. erklären; r. machen** to validate; **r. sein** to be in force, ~ good in law; **R.keit** *f* legality, legal force, validity (in law), lawfulness; **~ verleihen** to legalize

Rechts|gut *nt* legal asset, object of legal protection, ~ an action, valuable right; **R.gutachten** *nt* legal/counsel's opinion, opinion of counsel, legal expertise/report; **~ einholen** to take counsel's opinion; **R.güterabwägung** *f* weighing the legal merits; **R.handel** *m* lawsuit, litigation, action; **R.handlung** *f* 1. legal act/action, lawful act; 2. legally significant act; **anfechtbare R.handlung** voidable transaction; **r.hängig** *adj* pending at law, ~ in court, sub judice *(lat.)*, undetermined

Rechtshängigkeit *f* pendency, lis pendens *(lat.)*; **nach R.** post litem motam *(lat.)*; **vor R.** before pendency of the claim; **während R.** pending action, ~ final decision, while proceedings are pending, pendente lite *(lat.)*

rechts|hemmend *adj* dilatory; **r.herum** *adj* clockwise

Rechtshilfe *f* 1. relief, legal aid/assistance/redress; 2. inter-court/juridical assistance, mutual judicial/administrative assistance; **R. in Strafsachen** mutual assistance in criminal matters; **sich gegenseitig soweit wie möglich R. leisten** to afford each other the widest measure of mutual assistance; **kostenlose R.** free legal aid; **R.abkommen** *nt* agreement providing for mutual judicial assistance; **R.ersuchen** *nt* letters rogatory, writ of commisssion

Rechts|hindernis *nt* legal bar; **R.hoheit** *f* jurisdiction, legal sovereignty; **unter der ~ einer der Vertragsparteien stehen** to be under the jurisdiction of a contracting party; **R.inhaber(in)** *m/f* 1. holder of a right, entitled person; 2. bailee; **R.institut** *nt* legal institution; **steuerliches R.institut** tax-modifying device; **R.irrtum** *m* → **Rechtsfehler** judicial error, error in/of law, mistake/misconception of the law; **R.klarheit** *f* clear legal principles; **R.kollision** *f* conflict of laws; **Internationale R.kommission (IRK)** International Law Commission (ILC); **R.konsulent(in)** *m/f* solicitor, legal adviser, procurator; **R.konstruktion** *f* legal arrangement; **R.kosten** *pl* legal costs, ~ fees and charges, cost(s) of litigation; **R.- und Beratungskosten** legal and consultant's fees

Rechtskraft *f* 1. legal force/validity, power of the law; 2. unappealability, finality of a decision

der Rechtskraft berauben to outlaw; **R. erlangen** 1. to come into force, to obtain legal force, to become final and absolute, ~ non-appealable; 2. *(Urteil)* to be docketed; 3. to become law; **R. haben** to be in force; **R. verleihen** to give legal effect to, to make absolute

formelle Rechtskraft irreversibility, non-appealability; **materielle R.** law of the case, res judicata *(lat.)*; **mit materieller R.** with prejudice; **verbindliche R.** binding power

rechtskräftig *adj* (legally) valid, effective, good, final (and conclusive), undefeasible, unappealable; **r. machen** to legalize; **r. sein** to have legal force; **r. werden** to become valid; **formell r.** irreversible, unappealable, non-appealable; **materiell r.** res judicata *(lat.)*; **noch nicht r.** pending appeal

Rechts|kraftwirkung *f* res judicata *(lat.)* effect; **R.-kreis** *m* legal system; **R.kunde** *f* jurisprudence; **r.kundig** *adj* versed in law; **R.kundige(r)** *f/m* legal practitioner, jurist, person versed in law; **R.lage** *f* legal position/situation, juridical position; **nach der R.lage** as the law stands; **R.lasser(in)** *m/f* assignor; **R.leben** *nt* legal system/affairs, law; **R.lehrbuch** *nt* compendium of law, legal textbook; **R.lehre** *f* jurisprudence; **R.lehrer** *m* 1. professor of law; 2. lecturer in law; **R.lücke** *f* deficiency/gap/shortcoming in the law

Rechtsmangel *m* deficiency/defect in title, lack of title, flaw in a title, bad title, legal infirmity; **R. beseitigen** to remove a deficiency/defect of title, ~ cloud from title; **arglistiger R.** fraud in law

Rechtsmängel|garantie/R.gewähr/R.haftung *f* warranty of title/quiet enjoyment, liability for sound title; **Rechts- und Sachmängelgewähr** warranty of title and quality; **übliche R.gewährhaftung** usual covenant

Rechts|maxime *f* legal maxim; **R.missbrauch** *m* abusive exercise of a right, abuse of the law/rights/title, conduct subject to estoppel

Rechtsmittel *nt* (legal) remedy, right of appeal, resort to a higher court, means of legal redress; **R. der Berufung/Revision** right of appeal (on a point of law); **R. nach Billigkeitsrecht** equitable remedy; **durch R. anfechtbar** appealable, appellate; **R. ausgeschlossen** without appeal; **ein R. ist nicht gegeben** leave to appeal refused, no appeal shall be; **kann mit R.n nicht angefochten werden** there is no judicial remedy against

Rechtsmittel einlegen to appeal, to lodge/enter/bring an appeal; **R. ergreifen** to resort to a remedy; **des R.s verlustig gehen** to lose one's right to appeal; **einem R. stattgeben** to uphold an appeal; **~ unterliegen** to be subject to an appeal; **auf R. verzichten** to waive the right to appeal; **R. zurücknehmen** to withdraw an appeal

außerordentliches Rechtsmittel prerogative writ *[US]*, extraordinary resort to an upper court; **urkundliche R.** muniments

Rechtsmittel|begründung *f* appellant's brief to support the appeal; **R.behörde** *f* board of review; **R.belehrung** *f* 1. caution, cautioning as to rights; 2. instructions about rights to appeal, explanation on rights of appeal; 3. statement of rights of redress; **R.einlegung** *f* lodging an appeal, appeal against a court order; **R.entscheidung** *f* decision upon appeal, ~ of the appellate instance; **r.fähig** *adj* appealable, appellate; **R.fähigkeit** *f* appealability; **R.frist** *f* time/period (prescribed) for appeal; **R.gericht/R.instanz** *nt/f* court of appeal, appellate court, appeal authority; **R.verfahren** *nt* appeal/appellate procedure, appellate proceedings; **R.verzicht** *m* waiver of legal remedy; **R.zulassung** *f* leave to appeal, writ of review

Rechtsnachfolge *f* legal succession, succession in title, subrogation, devolution; **R. durch Erbgang** devolution; **ständige R.** *(unabhängig vom Wechsel der Person)* perpetual succession; **R.klausel** *f* subrogation clause; **R.r(in)** *m/f* legal successor, successor in title, assign(ee), heir/successor and assign, grantee, transferee, personal/real representative

Rechts|nachteil *m* legal detriment/prejudice/disadvantage; **R.nachweis** *m* proof of a right; **R.natur** *f* legal nature/status; **R.norm** *f* legal rule/norm, rule of law, statutory provision, judicial norm; **geltende R.normen** laws of the land; **R.objekt** *nt* chose in action; **R.ordnung** *f* 1. legal system, the laws; 2. regime; **~ der Vornahme der Handlung** lex loci actus *(lat.)*; **R.partei** *f* right-wing party; **R.person** *f* legal entity

Rechtspersönlichkeit *f* (legal) entity, body corporate, legal body/person/personality/status, corporate/judicial personality, judicial/juristic person, person in law; **R. der juristischen Person** corporate entity; **R. haben** to be a legal entity, ~ a subject of law; **private R.** private law personality

Rechtspflege *f* administration of justice, ~ the law, judicature, judicial practice; **~ ausüben** to administer justice; **R.r** *m* 1. judicial officer, clerk of court, *(High Court)* chancery master *[GB]*; 2. *(Hinterlegungsstelle)* receiver; 3. referee/registrar in bankruptcy

Rechtspflicht *f* legal duty/obligation; **R. zum Handeln** legal duty to act; **gesetzliche R.** statutory duty

Rechts|philosophie *f* legal philosophy, philosophy of law; **R.politik** *f* legal policy, policy of law; **r.politisch** *adj* pertaining to legal policy; **R.position** *f* legal position/situation; **R.positivismus** *m* legal positivism, positivist theory of law; **R.praktikant(in)** *m/f* articled clerk; **R.praxis** *f* practice of the courts, legal practice,

Rechtsprechung *f* jurisdiction, court practice, legal decisions, precedents, case law, judicature, adjudication; 2. dispensation/administration of justice; **nach der R.** as specified by the courts; **R. der Berufungsinstanz** appellate jurisdiction; **R. zu einem Fall** precedents of a case; **R. der ersten Instanz** original jurisdiction; **R. und Rechtslehre** legal authorities; **die R. betreffend** jurisdictional

anerkannte Rechtsprechung ruling cases, established case law; **aufgegebene R.** overruled precedents; **nebeneinander bestandsfähige R.** co-extensive jurisdiction; **erstinstanzliche R.** original jurisdiction; **feststehende R.** case law, established/settled practice; **nach geltender R.** stare decisis *(lat.)*; **herrschende R.** prevailing case law; **höchstrichterliche R.** supreme court practice, precedents of the highest courts of the land; **ständige R.** invariable practice, unchanged line of case law, consistent court decisions

Rechtsprechungs|organ *nt* court; **R.sammlungen** *pl* law reports

Rechts|presse *f* right-wing press; **R.prinzip** *nt* legal principle; **R.quellen** *pl* sources of (the) law, books of authority; **R.radikale(r)** *f/m* right-wing extremist; **R.regeln** *pl* regulations; **R.referendar(in)** *m/f* articled clerk, trainee lawyer; ~ **sein** to be under articles; **R.reform** *f* law/legal reform; **R.regierung** *f* right-wing government; **R.ruck** *m* swing to the right

Rechtssache *f* 1. (law) case, lawsuit, litigation; 2. judicial problem, legal matter; **anhängige R.** pending case, lis pendens *(lat.)*; **bürgerliche R.** civil case; **nichtstreitige R.** non-contentious legal matter

Rechtssatz *m* legal rule/provision/norm, rule of law; ~ **der Auslegung gegen den Urkundenaussteller** contra proferentem *(lat.)* rule

Rechtsschein *m* appearance of a legal position, ~ legality, ostensible existence of a right, colour of law, legal fiction, prima facie *(lat.)* entitlement; **R.sanspruch** *m* colourable title; **R.svollmacht** *f* representation/agency by estoppel

rechts|schöpferisch *adj* law-creating; **R.schöpfung** *f* lawmaking, creation of laws, legal innovations; ~ **durch die Gerichte** judicial lawmaking, judge-made law

Rechtsschutz *m* 1. protection of law/title, legal protection/relief/redress, protection from litigation; 2. insurance for legal costs; **R. nach Billigkeitsrecht** equitable relief; **gewerblicher R.** 1. protection of industrial property (rights), industrial property protection; 2. industrial property law; **vorläufiger R.** interlocutory relief

Rechtsschutz|anspruch *m* remedial right, right to judicial relief; **R.bedürfnis** *nt* legitimate interest to take legal action; **R.begehren** *nt* 1. petition for relief by the court; 2. the relief sought; **R.interesse** *nt* legitimate interest in the proceedings; **R.police** *f* legal expenses policy; **R.versagung** *f* non-enforceability; **R.versicherer** *m* legal defence insurer; **R.versicherung** *f* legal protection/defence insurance, insurance for legal costs, legal (costs and) expenses insurance, legal expenses policy/cover(age), insurance against the risk of legal pressures

Rechtssetzung *f* legislation, lawmaking; **einseitige R.** unilateral legislative action; **R.sverfahren** *nt* lawmaking (system)

Rechts|sicherheit *f* 1. security/certainty of the law, certainty of justice, legal certainty/security, predictability of legal decisions; 2. public safety, law and order; **steuerliche ~ für den Steuerpflichtigen** stability in the fiscal situation; **R.sinn** *m* legal meaning, juristic sense; **R.sprache** *f* legal jargon/language/parlance/terminology

Rechtssprechung *f* court decisions; **R. nach Billigkeitsrecht** chancery *[US]*; **arbeitsgerichtliche R.** employment law jurisdiction

Rechtsspruch *m* judgment, award, court ruling/decision, sentence, verdict, legal decision

Rechtsstaat *m* constitutional state, state governed by the rule of the law, state where law and order prevails; **r.lich** *adj* constitutional, determined by the rule of law; **R.lichkeit** *f* constitutionality, (supremacy of the) rule of law, rule-of-law principle; **R.sprinzip** *nt* rule of law (principle), principle of the due course of law

Rechts|stand/R.status *m* legal status; **R.standpunkt** *m* legal viewpoint, ~ point of view; **R.statut** *nt* statute; **r.stehend** *adj* right-wing; **R.stellung** *f* legal position/status; **R.steuerung** *f* 🚗 right-hand drive/steering

Rechtsstreit *m* (law)suit, litigation, court case, (legal) proceedings/dispute, action; **R. in einem anderen Bundesstaat** out-of-state case *[US]*

einem Rechtsstreit beitreten to join an action; **R. fortsetzen** to maintain a suit; **R. führen** to litigate; **in einen R. verwickelt sein** to be involved in a lawsuit; **zu den Kosten des R.s verurteilt werden** to be ordered to pay (the) costs

anhängiger Rechtsstreit pending lawsuit, lis pendens *(lat.)*; **bügerlicher R.** civil action; **dinglicher R.** proceedings in rem *(lat.)*; **petitorischer R.** action to enforce performance; **wirtschaftlicher R.** business dispute

Rechtsstreitigkeit *f* → **Rechtsstreit**

Rechts|streitverweisung *f* 1. *(Ablehnung)* dismissal; 2. *(Verweisung)* referral; **R.student(in)** *m/f* law student; **R.studium** *nt* (study of) law; **R.subjekt** *nt* legal entity/personality/subject, entity, person in law, ~ a legal transaction, holder of rights; **R.system** *nt* legal/judicial system, law; **einheitliches R.system** uniform legal system; **R.tendenz** *f* drift to the right; **R.terminologie** *f* legal terminology

Rechtstitel *m* (legal) title, legal claim, deed, instrument

absoluter Rechtstitel just title; **besserer R.** better title; **einwandfreier/hinreichender/unangreifbarer R.** good title; **mangelhafter R.** defective/bad title; **nicht originärer R.** derivative title; **unanfechtbarer R.** root of a good title; **unsicherer R.** defective title; **urkundlicher R.** clear title of record, document of title, muniments; **vollgültiger R.** good title; **zweifelhafter R.** doubtful title

Rechtstitelüberprüfung *f* title search

Rechtstitelversicherung *f* title insurance; **R.sgesellschaft** *f* title company *[US]*; **R.spolice** *f* title guarantee policy

Rechts|tod *m* civil death; **R.träger** *m* 1. legal entity; 2. contracting party; 3. holder of a right; **öffentlicher R.träger** public body

Rechtsübergang *m* 1. subrogation, transference/transfer (of title), assignment, transmission of rights; 2. *(Erbschaft)* devolution of title; **gesetzlicher R.** statutory subrogation; **ungültiger R.** erroneous assignment; **R.sklausel** *f* subrogation clause

Rechts|überlieferung *f* legal tradition; **R.übertragung**

f conveyance/transfer/assignment of title, transfer/transmission/assignment of a right

rechtsuchend *adj* seeking justice

Rechts|umfang *m* *(Grundbesitz)* quality of estate; **r.unerheblich** *adj* immaterial, irrelevant (to the issue)

rechtsunfähig *adj* incapable; **für r. erklären** to incapacitate; **r. machen** to disable; **r. sein** to lie under a disability; **R.keit** *f* (legal) incapacity/disability

rechtsungültig *adj* void, invalid; **r. machen** to annul; **R.keit** *f* invalidity

Rechts|unkenntnis *f* ignorance of (the) law; ~ **vorschützen/vortäuschen** to plead ignorance of the law; **r.unkundig** *adj* not versed in law; **R.unsicherheit** *f* legal uncertainty, uncertainty of justice, ~ as to what the law is, ~ about one's legal position; **R.unterzeichner(in)** *m/f* signatory to the right; **R.unterworfene(r)** *f/m* person subject to the law

rechtsunwirksam *adj* invalid, void, ineffective, inoperative, not binding in law, destitute of legal effect, nugatory; **r. machen** to render invalid, to annul/outlaw/rescind/vitiate; **R.keit** *f* invalidity

Rechts|urkunde *f* legal document; **R.vakuum** *nt* legal vacuum, unregulated area; **r.verbindlich** *adj* 1. legally binding, obligatory, binding in law; 2. *(Auskunft)* legally valid; **R.verbindlichkeit** *f* legal force, binding effect, bindingness; **R.verdreher** *m* prevaricator, pettifogger; **R.verdrehung** *f* prevarication, pettifogging, legal trick, chicanery; **R.vereinheitlichung** *f* unification of law, harmonization of laws; **R.verfahren** *nt* (law)suit, action, legal procedure; **R.verfahrensregeln** *pl* forms of legal procedure; **R.verfolgung** *f* prosecution of an action; **R.verfolgungskosten** *pl* costs of an action

Rechtsvergleich *m* legal comparison; **r.end** *adj* comparing laws, legally comparative; **R.ung** *f* 1. comparison of laws; 2. comparative jurisprudence/law

Rechtsverhältnis *nt* legal relationship/relations; **R.se** legal circumstances/status/position; **vertragsähnliches R.** quasi-contractual relationship

Rechts|verkehr *m* 1. legal relations/matters; 2. 🚗 right-hand traffic/driving; **im zwischenstaatlichen R.verkehr** interjurisdictional; **R.verletzer** *m* trespasser, lawbreaker

Rechtsverletzung *f* 1. violation/breack of a law, lawbreaking, offence, infringement of a right; 2. trespass; injury; **R. verfolgen** to sue for an infringement; **mittelbare R.** relative injury

Rechtsverlust *m* loss/forfeiture/lapse of a right, lapse of (a) title; **R. eines Konkursschuldners** disqualification of a bankrupt; **R. durch Zeitablauf** extinctive prescription

Rechtsvermutung *f* legal presumption, presumption of law; **unabweisliche/unwiderlegbare R.** irrebuttable presumption; **widerlegbare R.** rebuttable presumption

Rechts|verordnung *f* decree, bylaw, statutory/administrative order, ~ instrument *[GB]*, regulation; **R.verordnungen** rules and orders; **R.verpflichtung** *f* legal obligation; **R.vertreter** *m* 1. proxy, law agent/representative, legal representative; 2. counsel, attorney (at law), solicitor; **R.verweigerung** *f* refusal/denial of justice; **R.verwirkung** *f* forfeiture (of a right), estoppel; ~ **geltend machen** to estop; **R.verzicht** *m* disclaimer, waiver, relinquishment/renunciation of a right; ~ **auf eine Konkursvorzugsstellung** surrender of a preference; **R.vorbehalt** *m* legal reservation/proviso, reservation of rights/title; **R.vorgang** *m* legal process/case/matter, case history, judicial business; **R.vorgänger(in)** *m/f* predecessor in title, transferor, grantor

Rechtsvorschrift *f* legal/statutory provision; **R.en** laws, legal requirements, legislation (in force); **Rechts- und Verwaltungsvorschriften** legal regulations and administrative rules; **materielle R.** substantive rule

Rechts|vorteil *m* legal benefit, benefit of law; **R.wahlklausel** *f* choice-of-law clause; **R.wahlmöglichkeiten** *pl* choice of law; **R.wahrung** *f* safeguarding of rights

Rechtsweg *m* 1. legal proceedings/process/action, course of law, litigation; 2. recourse to the law/courts, resort to the courts, access to courts of law; **der R. ist ausgeschlossen** the decision is final

Rechtsweg ausschließen to bar legal proceedings; **R. ausschöpfen** to exhaust the judicial remedies; **R. beschreiten** to take legal action/measures, to have recourse to the law, to institute legal proceedings, to resort to litigation, to go to law; **auf dem R. betreiben** to enforce by legal proceedings; **R. für zulässig erklären; R. zulassen** to allow legal proceedings/action

innerstaatliche Rechtsweg|e domestic remedies; **ordentlicher R.** recourse to the general courts of law; **auf dem ordentlichen R.** in due course of the law

Rechtsweg|entscheidung *f* decision as to the course of justice; **R.garantie** *f* guarantee of access to the courts

Rechtswesen *nt* legal/judicial system, administration of justice

rechtswidrig *adj* illegal, unlawful, illicit, contrary to law, tortious; **R.keit** *f* illegal act, illegality, offence, unlawfulness, tort

rechtswirksam *adj* 1. legally effective/valid, operative, effective in law; 2. *(Urteil)* final, with effect as of; **r. machen** to validate; **r. werden** to become effective; **nicht r.** imperfect; **R.keit** *f* (legal) validity, legal force/effect, operative date, coming into effect/force, operativeness

Rechtswirkung *f* legal effect, (legal) operation; **ohne R.** invalid; **R.en eines Konkurses** incidents of a bankruptcy case

Rechtswissenschaft *f* jurisprudence, (science of) law; **R. studieren** to read/study law; **vergleichende R.** comparative jurisprudence/(science of) law; **R.ler(in)** *m/f* jurist, legal academic; **r.lich** *adj* jurisprudential

Rechts|wohltat *f* benefit of the law; ~ **des Zweifels** benefit of the doubt; **R.zug** *m* instance, (recourse to) legal process; **R.zustand** *m* legal state/condition/situation/status/position; **R.zuständigkeit** *f* juridical competence, jurisdiction

recht|winklig *adj* 1. rectangular; 2. *(quadratisch)* square; **r.zeitig** *adj* punctual, timely, seasonable, well-timed; *adv* in good/due time, in/on time, duly

recycelbar *adj* recyclable; **R.keit** *f* recyclability

recyceln *v/t* to recycle
Recycling *nt* recycling; **R. von organischen Abfällen** organic waste recycling; ~ **Hausmüll** domestic/household waste recycling; **R. von Wertstoffen; werkstoffliches R.** recycling of recoverable materials
Recycling|anlage *f* recycling plant; **R.anteil** *m* recycling rate; **R.betrieb** *m* 1. recycling operation; 2. recycling company/plant, recycler; **r.fähig** *adj* recyclable; **R.-produkt** *nt* 1. recycled product; 2. recycling product; **R.quote** *f* recycling rate; **R.unternehmen** *nt* recycler; **R.wirtschaft** *f* 1. recycling economy; 2. recycling industry
Redakteur *m* (copy) editor; **R. im Studio** commentator, (studio) presenter; **R. des Wirtschaftsteils** financial/City *[GB]* editor
Redaktion *f* 1. editing; 2. editorial staff/office, newspaper office; **r.ell** *adj* editorial
Redaktions|abteilung *f* editorial department; **R.angestellte** *pl* editorial staff; **R.arbeit** *f* editorial work; **R.assistent(in)** *m/f* assistant editor, editorial assistant; **R.ausschuss** *m* editorial committee; **R.büro** *nt* editor's office; **R.geheimnis** *nt* press secret, editor's privilege, right of editor not to disclose his source of information; **R.konferenz** *f* editorial/editors' conference; **R.mitarbeiter(in)** *m/f*; **R.mitglied** *nt* staff member, staffer, sub-editor; **R.politik** *f* editorial policy; **R.schluss** *m* deadline, time of going to press; **vor R.schluss** before going to press; **R.stab** *m* editorial staff; **R.tätigkeit** *f* editorial work; **R.tisch** *m* copy desk
Rede *f* 1. speech; 2. *(Ansprache)* address; **R. und Gegenrede** address and rejoinder; **R. nach Tisch** after-dinner speech, **R. ans Volk** *(coll)* harangue; **(nicht) der R. wert** (not) worth mentioning; **langer R. kurzer Sinn** the long and the short of it, the gist of it
Rede ab-/beschließen to wind up a speech; **R. aufsetzen/ausarbeiten/entwerfen** to draft a speech; **große R.n führen** to talk big; **R. halten** to make/deliver a speech; **R. und Antwort stehen** to justify o.s., to account for sth.; **zur R. stellen** to call to account, to take to task, to tackle; **R. verfassen** to draft/compose a speech
endlose Rede peroration; **erste R.** maiden speech; **in freier R.** off the cuff; **grundsätzliche/programmatische R.** keynote speech; **mitreißende R.** stirring speech; **schwülstige R.** bombastic speech; **vorbereitete R.** set speech
rede|berechtigt *adj* entitled to speak; **r.- und stimmberechtigt** entitled to vote and speak; **R.duell** *nt* battle of words; **lautstarkes R.duell** slanging/shouting match; **R.entwurf** *m* draft of a speech; **R.fluss** *m* flow of speech; **R.floskel** *f* expression, cliché
Redefreiheit *f* freedom of speech; **Rede- und Versammlungsfreiheit** freedom of speech and assembly; **R. unterdrücken** to suppress free speech
Rede|gabe *f* eloquence, gift of the gab *(coll)*; **r.gewandt** *adj* eloquent; **R.gewandtheit** *f* eloquence; **R.konzept** *nt* draft of a speech; **R.kunst** *f* rhetoric
reden *v/t* to speak/talk
ganz anders reden to change one's tune; **fortgesetzt/ununterbrochen r.** to talk nineteen to the dozen *(coll)*; **offen r.** to speak one's mind, ~ candidly, to be honest with one another, to talk turkey *(coll) [US]*; **unverbrämt r.** not to mince matters; **aneinander vorbei r.** to be at cross purposes; **mit sich r. lassen** to be open to argument/advice/persuasion; **von sich r. machen** to be in the news
Redensart *f* phrase, figure of speech, expression; **bloße R.** mere figure of speech
Redenschreiber *m* ghostwriter
Rede|pflicht des Abschlussprüfers *f* auditor's duty to report; **R.recht** *nt* right to speak, ~ address a meeting; **R.schlacht** *f* battle of words; **R.schwall** *m* torrent of words; **R.unterricht** *m* elocution lessons; **R.verbot** *nt* ban on speaking; ~ **erteilen** to ban (so.) from speaking; **R.verpflichtung** *f* speaking engagement
Redeweise *f* mode of speaking; **feststehende R.** set/stock phrase; **idiomatische R.** idiom; **unanständige R.** improper language; **unverblümte R.** plain talk
Redewendung *f* figure of speech; **idiomatische R.** idiom; **stehende R.** set/stock phrase
Redezeit *f* speaking time; **R. beschränken** to limit speaking time
redigier|en *v/t* 1. to edit; to sub-edit; 2. *(überarbeiten)* to revise; **r.t** *adj* edited; **R.ung** *f* editing
Rediskont *m* 1. rediscount; 2. unaccrued interest
rediskontfähig *adj* rediscountable, eligible for rediscount(ing); **nicht r.** unacceptable; **R.keit** *f* eligibility for rediscount
Rediskontfazilität *f* discount window
rediskontieren *v/t* to rediscount
Rediskontierung *f* rediscount(ing); **R.sfähigkeit** *f* eligibility for rediscount; **R.sreserve** *f* rediscount contingency
Rediskontkontingent *nt* rediscount quota/line/ceiling; **R. zur Verfügung stellen** to act as lender of last resort; **freies R.** unused rediscount quota
Rediskont|kredit *m* rediscount credit; **R.linie** *f* rediscount line; **R.möglichkeiten** *pl* rediscount facilities; **R.obligo** *nt* liability on rediscounts; **R.papier** *nt* rediscountable paper; **R.plafond** *m* rediscount line/limit/ceiling; **R.politik** *f* rediscount policy; **R.rahmen** *m* rediscount limit; **R.richtlinien** *pl* eligibility rules; **R.satz** *m* rediscount(ing) rate; **R.stelle** *f* rediscount agency; **R.titel** *m* rediscountable bill/paper; **R.verschuldung** *f* rediscount liabilities; **R.zusage** *f* assurance of rediscount
redistributiv *adj* redistributive
redlich *adj* honest, fair, good, in good faith; **R.keit** *f* integrity, good faith, probity, fidelity, plain dealing; **eidliche R.keitserklärung** oath of calumny
Redner|(in) *m/f* speaker; **R. stören** to heckle a speaker; **R.bühne** *f* rostrum, platform; **improvisierte R.bühne** soapbox; **r.isch** *adj* rhetorical, oratorical; **R.liste** *f* list of speakers; **R.pult** *nt* rostrum, speaker's desk; **R.-tribüne** *f* rostrum, platform
redselig *adj* talkative, communicative, voluble, loquacious
Reduktion *f* reduction, diminution, run-down; **R. der Belegschaft** employee cutback, staff cut; **R.swert** *m* *(Vers.)* paid-up value

redundan|t *adj* redundant; **R.z** *f* redundancy
reduzierbar *adj* reducible, diminishable; **nicht r.** irreducible
reduzieren *v/t* 1. to reduce/diminish/cut/decrease/lower/shorten, to rein in (on sth.), to knock off, to scale down/back, to bring down, to downsize; 2. *(Kosten)* to drive down; 3. *(Aktivität)* to wind down; **r. um** to slice off
reduziert *adj* reduced, cut-rate
Reduzierung *f* reduction, cutback, decrease, lowering; **R. des Personals** employee cutback; **R. der Treibhausgasemissionen** greenhouse gas emission cut; **starke R.** *(Preis)* slashing
Reede *f* ⚓ roadstead, roads; **auf der R. ankern** to anchor off the port; **~ liegen** to lie in the roads; **offene R.** open roadstead; **R.hafen** *m* open roadstead port
Reeder *m* shipowner, shipper; **R. und Befrachter** owner and charterer
Reederei *f* shipping company/line/business, steamship company; **R.en** *(Börse)* shipping issues/shares *[GB]*/ stocks *[US]*
Reederei|agent *m* ship's agent; **R.agentur** *f* shipping agency; **leitender R.angestellter** shipping executive; **R.aufwendung** *f* ship-operating expenditure; **R.betrieb** *m* shipping interest/business; **R.brief** *m* certificate of registry; **R.flagge** *f* house flag; **R.geschäfte** *pl* shipping interests; **R.haftpflicht/R.haftung** *f* shipowner's liability; **R.haftpflichtversicherung** *f* protection and indemnity insurance; **R.interessenversicherung** *f* owner interest insurance; **R.liegeplatz** *m* ⚓ accommodation berth; **R.recht** *nt* shipping law; **R.vertrag** *m* contract of shipment, ~ with the shipowner; **R.vertreter** *m* shipping (line)/ship's agent; **R.vertretung** *f* shipping agency/office
Reedertonnage *f* commercially owned tonnage
reell *adj* 1. straight; 2. reasonable, square, sound, good; 3. *(Preis)* realistic, fair
Reentflechtung *f* reversal of decartelization
Reexpedition *f* reforwarding
Reexport *m* re-export; **r.ieren** *v/t* to re-export
REFA (Reichsausschuss für Arbeitsstudien) *f* work study association; **R.-Fachmann** *m* time and motion expert, work study man; **R.-Studie** *f* time and motion study; **R.-Zeitaufnahme** *f* time study
Refaktie *f* breakage, shrinkage, tret, refund
Referat *nt* 1. paper, report; 2. *(Abteilung)* department, section; **R. halten** to present/read a paper; **R.sleiter** *m* head of department
Referendar|(in) *m/f* post-graduate civil service trainee; ~ judicial service trainee; **R.examen** *nt* state examination; **R.zeit** *f* 1. teacher training; 2. § time under articles
Referendum *nt* referendum, plebiscite
Referent|(in) *m/f* 1. speaker; 2. referee, aide, adviser, expert; 3. *(Abteilung)* head of department, section head; 4. assistant secretary; **persönliche(r) R.(in)** private/personal secretary, personal aide, Man/Girl Friday *(coll)*; **R.enentwurf** *m (Gesetz)* draft bill, officials' draft
Referenz *f* reference, credentials; **R.en** trade references, credentials
Referenz|en angeben/beibringen/nennen to furnish/give/supply/quote references; **jdn als R. angeben** to give so.'s name as a reference; **um eine R. bitten** to ask for a reference; **R. einholen** to take up a reference
einwandfreie Referenz|en impeccable references/credentials; **geschäftliche R.** business reference; **persönliche R.** character reference
Referenz|bank *f* reference bank; **R.buch** *nt* rating book *[US]*; **R.jahr** *nt* year under review, reference year; **R.menge** *f* ▦ datum quantitiy; **R.monat** *m* reference month; **R.periode** *f* reference period
Referenzpreis *m* reference price; **rohölbezogener R.** crude oil parity price; **R.system** *nt* reference price system
Referenz|schreiben *nt* testimonial, letter of appraisal, reference; **R.sorte** *f (Öl)* reference blend; **R.stichtag** *m* reference date; **R.tarif/R.zoll** *m* ⊖ reference tariff; **R.zeit(raum)** *f/m* reference period
referieren *v/t* to report, to read a paper
refinanzier|bar *adj* rediscountable, eligible as collateral; **r.en** *v/t* 1. to refinance/recapitalize, to obtain funding; 2. to rediscount
Refinanzierung *f* 1. refinancing, refinance, refunding; 2. rediscounting; **R. von Verbindlichkeiten** refinancing; **(laufzeit)kongruente R.** maturities-matching/coterminous refinancing
Refinanzierungs|anleihe *f* refunding bond; **R.antrag** *m* application for refinancing; **R.basis** *f* refinancing potential; **R.bedarf** *m* refinancing requirements; **r.fähig** *f* rediscountable; **R.fazilitäten** *pl* rediscounting facilities; **R.gelder** *pl* refinancing funds; **R.gesellschaft** *f* refinancing company; **R.hilfe** *f* rediscount assistance; **R.institut der letzten Instanz** *nt* lender of last resort; **R.kontingent** *nt* refinancing quota; **R.kosten** *pl* cost of refinancing/funds; **R.kredit** *m* refinancing loan, rediscount credit; **R.limit** *nt* refinancing limit, rediscount quota; **R.mittel** *pl* refinancing funds/capital; **R.möglichkeiten** *pl* refinancing facilities; **R.obligo** *nt* total recourse; **R.papier** *nt* commercial paper; **R.periode** *f* refinancing period; **R.plafonds** *m* refinancing line, rediscount limit; **R.quelle** *f* source of refinancing; **R.quote** *f* refinancing ratio; **R.rahmen** *m* refinancing/rediscount line; **R.satz** *m* refinancing rate, federal borrowing rate *[US]*; **R.stelle** *f* refinancing agency; **R.verkauf** *m* fund-raising sale; **R.volumen** *nt* total recourse; **R.zinsen** *pl* interest paid/payable for borrowed funds; **R.zins(satz) einer Bank** *m* interbank rate; **R.zusage** *f* refinancing promise
Reflation *f* reflation; **R.s-** reflationary; **R.smarge** *f* reflationary margin
Reflektant *m* 1. prospective buyer, prospect *[US]*; 2. *(Kandidatur)* prospective candidate
reflektieren *v/ti* 1. to reflect; 2. to be interested; **auf etw. r.** to have one's eyes on sth.
Reflexion *f* reflection
Reform *f* reform, overhaul; **R.en des Gesetzgebers** legislative reforms; **R. an Haupt und Gliedern** root-

and-branch/top-to-bottom reform, shake-up; **R. des Strafvollzugs** penal reform; **durchgreifende/gründliche/umfassende/weitgehende R.** sweeping/top-to-bottom reform; **einschneidende R.** trenchant reform

Reformation *f* reformation

reform|bedürftig *adj* in need of reform; **R.bewegung** *f* reform movement; **r.feindlich** *adj* anti-reform; **R.gesetz** *nt* 1. reform act; 2. *(Vorlage)* reform bill; **R.haus** *nt* health (food) shop *[GB]*, natural food store *[US]*

reformier|en *v/t* to reform/overhaul/amend/regenerate; **R.ung** *f* reformation, regeneration

Reform|kommission *f* review group; **R.maßnahmen** *pl* reform measures; **R.paket** *nt* reform package; **R.plan** *m* reform blueprint; **R.vorlage** *f* reform bill; **R.vorschlag** *m* reform proposal

Refundierung *f* refund; **R.sanleihe** *f* refunding loan

Regal *nt* 1. *(Gestell)* shelf, rack(ing), stack; 2. § royalty, royal prerogative; 3. state monopoly; **R.e** shelving, racking system; **R. ausräumen** to clear a shelf

Regal|auffüllung *f* product replenishment; **R.aufstellung** *f* shelving; **R.bediengerät** *nt (Lager)* stacker crane; **R.beschicker/R.großhändler** *m* rack jobber/merchandiser, service merchandiser; **R.beschickung durch den Hersteller** *f* rack jobbery; **R.bestücker** *m* rack jobber; **R.bestückung** *f* rack jobbing; **R.fläche** *f* shelf space; **R.großhandel** *m* rack merchandising; **R.pflege des Herstellers** *f* merchandising; **R.positionierung/R.präsentation** *f* shelf exposure; **R.schild** *nt* shelf label

rege *adj* 1. brisk, active, alive, busy; 2. *(Börse)* buoyant; **geistig r.** alert

Regel *f* 1. rule, canon; 2. ga(u)ge; **in der R.** usually, as a rule, normally; **nach der R.** according to the rule (book)

Regel|n und Bestimmungen rules and regulations; ~ **des Seerechts** sea laws; ~ **der Technik** *(Pat.)* state of the art, engineering standards; ~ **für den lauteren Wettbewerb** fair trade rules; **2:1 R.** banker's ratio/rule *[US]*

Regel anwenden to apply a rule; **R. aufstellen** to lay down/establish a rule; **R.n großzügig auslegen** to bend the rules; **R. beachten** to observe a rule; **R.n beachten/befolgen; sich an die ~ halten** to adhere to/abide by the rules; ~ **festlegen/formulieren** to frame rules; **es sich zur R. machen** to make it a rule; **die R. sein** as a rule, to be the case; **R. verletzen** to break a rule; **gegen eine R. verstoßen** to infringe/transgress a rule; **zur R. werden** to become the rule

feste/unabänderliche/verbindliche Regel hard and fast rule, fixed/standing rule; **klassische R.n** accepted rules; **organisatorische R.** organisational rule; **starre R.** rigid rule

Regel|abweichung *f* deviation (from the rule), deviate; **bleibende R.abweichung** steady-state error, sustained deviation; **R.anfrage** *f [D] (Person)* security/automatic vetting; **R.anwendung** *f* operation/application of a rule; **R.arbeitszeit** *f* normal working time/hours; **R.ausführung** *f* standard model; **R.beförderung** *f* automatic promotion; **R.fall** *m* normal case; **im R.fall** normally; **R.festsetzung** *f* rule making; **R.förderung** *f* normal aid; **r.gebunden** *adj* 1. bound by rules; 2. *(Geld-, Fiskalpolitik)* incremental; **R.größe** *f* ▦ controlled variable; **R.klasse** *f (Tarif)* standard tariff; **R.kreis** *m* control circuit/loop/system, controlled process, feedback; **R.leistung** *f (Krankenkasse)* normal/minimum benefit; **R.lohn** *m* regular earnings; **r.los** *adj* irregular

regelmäßig *adj* regular, periodic, constant, orderly; **r. tun** to make it a rule; **R.keit** *f* regularity, regularly recurring feature; orderliness

regeln *v/t* 1. to regulate/order/arrange/provide/settle/fix, to straighten sth. out; 2. *(Gesetz)* to govern

es mit jdm regeln to fix it up with so.; **außergerichtlich r.** to settle out of court; **endgültig r.** to clinch, to settle for good; **im Einzelnen r.** to specify; **gesetzlich r.** to provide for by law, to subject to legislation; **gütlich r.** to settle amicably; **sich von selbst/selbstständig r.** to take care of itself, to adjust itself automatically; **vertraglich r.** to stipulate in writing, ~ by contract

regelnd *adj* regulatory

regel|recht *adj* 1. regular, normal; 2. proper, correct; **R.satz** *m* standard/regular rate; **R.sätze** rules; **R.satzverordnung** *f* ordinance on regular maintenance/payment amounts; **R.spannung** *f* ϟ standard/control voltage; **R.spartarif** *m (Bausparkasse)* schedule for regular deposits; **R.spur** *f* 🚃 standard ga(u)ge; **R.steuersatz** *m* standard tax rate; **R.strafandrohung** *f* normal penalty provided by law; **R.strecke** *f* controlled system; **R.system** *nt* control system; **R.tarif** *m* standard rate; **R.technik** *f* control engineering; **R.- und Steuerungstechnik** control system engineering; **R.techniker** *m* control engineer

Regelung *f* 1. regulation, control(ling); 2. arrangement(s), disposition; 3. regime, rule, ruling, adjustment; 4. settlement; 5. *(Vertragsbestimmung)* provision

Regelung des Anspruchs adjustment (of a claim); ~ **Devisenverkehrs** exchange arrangements; **R.en der gesetzlichen Erbfolge** canons of descent; **R. der Grenzfrage** settlement of the border question; **R. des Innenverhältnisses** *(Unternehmen)* indoor management; **R.en für den Krankheitsfall** sickness arrangements; **R. von Rechtsstreitigkeiten** settlement of disputes; **vergleichsweise R. vor Urteilsverkündigung** § pre-judgment settlement, composition; **R. von Verbindlichkeiten** settlement of obligations; **R. eines Versicherungsfalles** claim settlement; **R. für die Zahlung von Entlassungsgeld** redundancy payment scheme

Regelung aushandeln to negotiate a settlement; **R. erzielen** to reach a settlement; **R. haben** to operate a scheme; **R.en treffen** to adopt rules; **vergleichweise R. treffen** to make a composition

außergerichtliche Regelung out-of-court settlement; **ausgleichende R.** compensatory adjustment; **bergrechtliche R.en** mining regulations; **bestehende R.en** existing arrangements; **einstweilige R.** interim arrangement; **einvernehmliche/gütliche R.** amicable settlement, composition; **endgültige R.** absolute rule;

fallweise R. ad-hoc *(lat.)* arrangement/regulation; **friedensvertragliche R.** peace settlement; **generelle R.** general rule; **gesetzliche R.** legal provision(s)/regulation, statutory regulation, regularization; **abweichende ~ R.en** legal regulations to the contrary; **zur Abwendung der Produzentenhaftung getroffene R.** product liability settlement; **organisatorische R.** organisational rule/standard/norm; **rechtliche R.** legal arrangements; **selbsttätige R.** ▦ automatic control; **steuerliche R.(en)** fiscal regime/rules; **steuerrechtliche R.** revenue regulation; **tarifvertragliche R.** wage/pay settlement, collectively agreed provision/rule; **vergleichsweise R.** compromise, agreed settlement, § composition; **vertragliche R.** contractual settlement/arrangement/determination/rule/scheme, contract settlement; **vorläufige R.** interim arrangement

Regelungs|lücke *f* gap in the provisions of the agreement; **R.technik** *f* control engineering; **R.wert** *m* settlement value

Regel|unterhaltszahlung *f* affiliation payment; **R.verletzung** *f* infraction of the rules; **R.verstoß** *m* breach of the rules/regulations, rule infringement; **R.voraussetzung** *f* standard requirement/qualification; **R.werk** *nt* ✿ code

regelwidrig *adj* 1. irregular, anomalous; 2. against the rules; **für r. erklären** to rule out of order; **R.keit** *f* 1. irregularity, abnormality; 2. violation/breach of the rules

Regelzeit *f* recovery time

Regen *m* rain; **warmer R.** *(fig)* windfall; **saurer R.** acid rain; **strömender R.** pouring rain, downpour

regen *v/refl* 1. to move/stir; 2. to bestir o.s.; **sich nicht r.** to give no sign of life

regen|arm *adj* arid, dry; **R.bö** *f* rain squall; **R.dach** *nt* canopy; **r.dicht** *adj* rain-proof

Regeneration *f* 1. regeneration; 2. *(Land)* reclamation; **R.sfähigkeit** *f* regeneration/regenerative capacity; **R.szeit** *f* regeneration time

regenerier|bar *adj* 1. regenerative, regenerating, reclaimable; 2. *(Rohstoff)* reproducible; **r.en** *v/t* 1. to regenerate; 2. *(Altmaterial)* to recycle/reclaim; **r.t** *adj* regenerated; **R.ung** *f* 1. regeneration; 2. *(Altmaterial)* recycling, reclaiming

Regen|fälle *pl* rainfall; **r.fest** *adj* rain-resisting; **R.kleidung** *f* rainwear; **R.mantel** *m* raincoat, mackintosh; **R.menge** *f* rainfall; **r.reich** *adj* wet, rainy; **R.rinne** *f* gutter

Regent *m* regent, ruler

Regentonne *f* water butt

Regentschaft *f* regency

Regen|versicherung *f* rain/pluvious insurance; **R.wald** *m* rain forest; **R.zeit** *f* wet/rainy season, the rains

Regie *f* 1. administration, management; 2. monopoly; 3. production, direction; **in eigener R.** on one's own account, independently

Regie|- government-run; **R.arbeit** *f* scheduled work; **R.betrieb** *m* publicly operated undertaking, government(-controlled)/state(-run) enterprise, nationalized company/firm, state-controlled company; **öffentlicher R.betrieb** public(-law) corporation; **R.kosten** *pl* overhead charges, administrative cost(s), oncost, working expenses

regierbar *adj* governable; **nicht r.** ungovernable; **R.keit** *f* governability

regieren *v/ti* to govern/rule/reign; **r.d** *adj* governing, ruling; **sich selbst r.d** self-governing

Regierung *f* government, administration *[US]*; **an der R.** in power; **unter/zwischen den R.en** inter-governmental; **R. eines Mitgliederstaates** member government

Regierung anerkennen to recognize a government; **aus der R. ausscheiden** to leave the government; **R. bilden** to form a government; **R. zu Fall bringen; R. stürzen** to bring down/overthrow a government; **R. übernehmen** to take over the government; **R. umbilden** to reshuffle the cabinet

die amtierende/jeweilige Regierung the government of the day; **aufständische R.** insurgent government; **ausscheidende/demissionierende R.** outgoing government; **beitretende R.** acceding government; **geschäftsführende/provisorische/vorläufige R.** caretaker government; **neue R.** incoming government; **parlamentarische R.** parliamentary government; **rechtmäßige R.** legitimate/de jure *(lat.)* government; **verfassungsmäßige R.** constitutional government; **vertragsschließende R.** contracting government

Regierungs|- governmental, ministerial; **R.abkommen** *nt* intergovernmental/executive agreement; **R.abteilung/R.amt** *f/nt* government department/office; **r.amtlich** *adj* governmental

Regierungsanleihe *f* government bond, tap stock (issue) *[GB]*; **kurzfristige R.** short tap; **~ der Bank von England** deficiency bill *[GB]*

Regierungs|antritt *m* assumption of office; **R.apparat** *m* government machinery, machinery/machine of government; **R.aufsicht** *f* governmental supervision/control; **R.auftrag** *m* government contract; **R.ausgaben** *pl* government spending; **R.ausschuss** *m* government committee; **R.bank** *f (Parlament)* front/Government *[GB]* bench; **R.beamter** *m* government official; **R.behörde** *f* government agency/authority/body; **R.beihilfe** *f* government grant; **R.bezirk** *m* administrative district; **R.bildung** *f* formation of the government; **R.bürgschaft** *f* government guarantee; **R.büro** *nt* government office; **R.chef(in)** *m/f* government leader, head of government; **(leitender) R.direktor** *m* senior government official; **R.ebene** *f* government level; **R.entscheidung** *f* governmental decision; **R.entwurf** *m* government/cabinet bill, consultation paper; **R.erklärung** *f* statement of government policy, Queen's Speech *[GB]*; **r.feindlich** *adj* anti-government; **R.form** *f* (form/system of) government, governmental system, governance; **r.freundlich** *adj* pro-government; **R.gebäude** *nt* government building/house; **R.gewalt** *f* governmental power/authority, governance; **höchste R.gewalt** supreme authority; **R.hauptstadt** *f* administrative capital; **R.hilfe** *f* government aid; **R.investitionen** *pl* government investment/capital expenditure, capital expenditure of the government;

R.kauf *m* government procurement; **R.koalition** *f* government coalition; **R.kommissar** *m* state commissioner; **R.kommission** *f* government commission; **R.konferenz** *f* intergovernmental conference; **R.kreise** *pl* governmental circles; **R.krise** *f* government crisis; **R.kunst** *f* statesmanship; **R.mannschaft** *f* cabinet; **R.maschinerie** *f* wheels of government; **R.maßnahme** *f* government measure; **exportfördernde R.maßnahmen** export targeting; **R.mehrheit** *f* government majority; **R.mitglied** *nt* member of the government; **R.mitteilung** *f* government communiqué; **R.partei** *f* party in power, ruling party; **R.präsident** *m* chairman of the regional council; **R.politik** *f* government policy; **R.sachverständiger** *m* government expert; **R.sitz** *m* seat of the government; **R.sprecher(in)** *m/f* government spokesman/-woman/-person; **R.stelle** *f* government agency/authority/body; **örtliche Regierungs- und Verwaltungsstellen** local government authorities; **R.sturz** *m* fall/overthrow of the government; **R.system** *nt* system of government, regime, governance; **r.treu** *adj* loyal; **R.umbildung** *f* government/cabinet reshuffle; **R.verlautbarung** *f* government communiqué; **R.vertreter** *m* government representative; **R.vorlage** *f* government/ministerial bill; **R.wechsel** *m* change of government; **R.zeit** *f* term of government; *(Monarchie)* reign; **R.zuschuss** *m* government grant; **nicht zweckgebundener ~ an Kommunen** block grant *[GB]*

Regiestufe *f* level of management

Regime *nt* regime; **R. der Manager** managerial capitalism

Region *f* region, area; **R. wiederbeleben** to renovate a region; **benachteiligte R.** handicapped region; **strukturschwache R.** structurally weak region

regional *adj* regional, provincial

Regionallanalyse *f* area study, regional analysis; **R.bank** *f* regional/provincial bank; **R.behörde** *f* area board; **R.beihilfe(n)** *f* regional grant/aid; **R.börse** *f* country exchange; **R.direktor(in)** *m/f* area/regional manager, regional director; **R.entwicklung** *f* regional development; **R.flughafen** *m* regional airport; **R.fonds** *m* regional fund; **R.förderung** *f* area/regional development; **R.institut** *nt* regional bank; **R.kasse** *f* regional bank, ~ paying agent

Regionalismus *m* regionalism

Regionallleiter(in) *m/f* divisional organiser; **R.ökonomie** *f* regional economics; **R.park** *m* regional park; **R.planung** *f* regional (economic) planning, town and country planning; **R.politik** *f* regional (development) policy; **R.presse** *f* provincial press; **r.spezifisch** *adj* area-specific; **R.struktur** *f* regional structure, structure of a region; **R.verband** *m* regional association; **R.verkaufsleiter** *m* area/regional sales manager; **R.verkehr** *m* regional traffic/transport; **R.vertreter** *m* distributor; **R.vorstand** *m* local board; **R.wirtschaft** *f* regional economy; **R.wissenschaft** *f* regional economics; **R.-zeitung** *f* provincial newspaper *[GB]*; **R.zeitungen** regional press

Regisseur *m* stage manager, producer, director

Register *nt* 1. register, record, roll, registry; 2. ledger, index; 3. cartridge; *pl* registry books; **R. für Aktienverkäufe** register of transfers *[GB]*; **~ Grundstücksbelastungen** register of charges, Land Charges Register *[GB]*; **R. mit Inhaltsangabe** § docket

zum Register anmelden to register, to file/apply for registration; **R. bereinigen** to rectify a register; **in ein R. eintragen** to (make an entry in a) register; **im R. löschen** to strike off/delete from/cancel in the register; **alle R. ziehen** *(fig)* to pull out all the stops *(fig)*, to make an all-out effort; **R. zusammenstellen** to compile an index

allgemeines Register general register; **amtliches R.** official register; **öffentliches R.** public register/book; **zentrales R.** national/central register

Registerlabschrift/R.auszug *f/m* certificate of registration, extract from the register, copy of the register; **R.amt** *nt* registration department, registrar; **R.beamter** *m* registrar; **R.behörden** *pl* registry authorities; **R.brief** *m* ⚓ certificate of registry, ship's register; **R.buch** *nt* 1. § docket; 2. register folio; **R.einsicht** *f* inspection of the register; **R.eintragung** *f* registration, entry in the register; **R.führer** *m* registrar, keeper of records; **R.führung** *f* keeping of records; **R.gebühr** *f* registration fee; **R.gericht** *nt* registrar of companies; registry court; **R.hafen** *m* port of register/registry; **R.löschung** *f* cancellation of an entry; **R.pfandrecht** *nt* lien of record; **R.recht** *nt* registry law; **R.richter** *m* registrar; **R.schiff** *nt* registered ship; **R.schiffsraum/R.tonnage** *m/f* registered tonnage; **R.schrank** *m* filing cabinet; **R.tonne** *f* register ton

Registrator *m* registrar, recorder, filing clerk, greffier *[frz.]*

Registratur *f* 1. registry, filing/record/register/registrar's office, filing department; 2. file management; 3. depository, archives, files; **R. nach Sachgebieten** subject filing; **R.angestellte(r)/R.gehilfe/R.gehilfin** *f/m* filing/file *[US]* clerk; **R.behörde** *f (Gewerkschaften)* certification officer *[GB]*; **R.einrichtungen** *pl* filing equipment; **R.system** *nt* filing system

Registrierlapparat *m* recorder; **R.buchungsautomat** *m* automatic listing and bookkeeping machine; **R.einrichtung** *f* logger

registrieren *v/t* to register/enrol/log/record/file/enter/tally; **sich r. lassen** to enrol; **gerichtlich r.** to register with the court

registrierlfähig *adj* registrable, recordable; **R.gerät** *nt* recording device, logger; **R.kasse** *f* cash register; **R.stelle** *f* registrar, registration office

registriert *adj* registered, listed, incorporated, on record, inscribed; **nicht r.** unregistered

Registrierung *f* 1. registration, recording, filing, registry; 2. enrolment; **R. von Aktien** inscription *[GB]*; **R. einer Gesellschaft** company registration *[GB]*, incorporation *[US]*; **internationale R. von Übereinkünften** registration of accords; **R. des Urheberrechts** copyright registration; **unterlassene R.** non-registration, failure to register

Registrierungslausweis/R.bescheinigung *m/f* certificate of registration/bond; **r.fähig** *adj* registrable; **R.-**

gebühr *f* enrolment fee; **R.land** *nt* country of registration, registration country; **R.pflicht** *f* duty to register; **r.pflichtig** *adj* subject to registration; **R.system** *nt* recording/registration system; **R.unterlagen** *pl* enrolment records; **R.verfahren** *nt* registration procedure; **R.zwang** *m* compulsory registration

Reglement *nt* (set of) regulations/rules

reglementierlen *v/t* 1. to regulate/control/regiment, to subject to (state) control; 2. *(Preise)* to administer, to put under control; **R.ung** *f* control, administration, reglementation

Regler *m* ✪ regulator, control(ler)

Regress *m* 1. [§] redress, recourse (to); 2. claim to damages, regress; **ohne R.** no/without recourse; **R. mangels Annahme** recourse for want of acceptance; **~ Zahlung** recourse in default of payment; **R. geltend machen** to seek recourse; **R. nehmen** to recourse/recover, to seek recovery, to have recourse

Regressl- recourse; **R.anspruch** *m* right of recourse/relief, claim for damages/compensation; **ohne R.anspruch** without recourse; **~ durchsetzen** to enforce a recourse claim; **R.ansprüche geltend machen** to seek redress/recourse; **~ verlieren** to forfeit the right of redress; **sich ~ vorbehalten** to reserve the right of redress; **R.anspruchversicherung** *f* recourse indemnity insurance

Regresslerlös *m* claims proceeds, recoveries; **R.forderung** *f* recourse claim; **R.haftung/R.verpflichtung** *f* recourse liability, liability to recourse

Regression *f* regression, retrogression; **bedingte R.** conditional regression; **lineare R.** linear regression; **nicht ~ R.** curvilinear regression; **multiple R.** multiple regression; **partielle R.** partial regression

Regressionslanalyse *f* regression analysis; **R.ansatz** *m* regression formula; **R.fläche** *f* regression surface; **R.gerade** *f* straight regression line; **R.gleichung** *f* equation of regression; **R.koeffizient** *m* regression coefficient; **R.kurve** *f* regression curve; **R.parameter** *m* regression parameter; **R.rechnung** *f* regression computing; **R.schätzwert** *m* regression estimate

regressiv *adj* regressive, progressively decreasing; **R.ität** *f* regressivity

Regresslklage *f* [§] recovery suit, action for recourse, common recovery; **r.los** *adj* non-recourse; **ohne R.-möglichkeit** *f* without recourse; **R.nahme** *f* recovery; **R.nehmer** *m* recoverer, person seeking recourse

Regressor *m* regressor, predicted variable, predictor

Regresspflicht *f* liability to recourse, third-party indemnity; **r.ig** *adj* liable to recourse, ~ for compensation; **jdn ~ machen** to have recourse against so.; **R.ige(r)** *f/m* recoveree, indemnitor, party liable to recourse

Regresslrecht *nt* right of recourse; **~ wahren** to preserve recourse; **R.risiko** *nt* third-party risk; **R.schuldner(in)** *m/f* indemnitor, party liable to recourse; **R.urteil** *nt* judgment over *[US]*; **R.vereinbarung** *f* recourse agreement; **R.versicherung** *f* third-party insurance

Regressverzicht *m* waiver of recourse; **R.sabkommen** *nt (Vers.)* knock-for-knock/waiver-of-recourse agreement; **R.sgrenze** *f* limit for knock-for-knock agreements

auf dem Regresswege *m* by way of recovery

regulär *adj* 1. regular, scheduled, normal; 2. basic, ordinary; 3. proper, above board; **nicht ganz r.** not quite above board *(coll)*

Regulalrien *pl* rules; **R.tiv** *nt* regulator, counterbalance; **r.tiv** *adj* regulatory; **R.tor** *m* regulator

regulierbar *adj* adjustable; **R.keit** *f* adjustability

regulieren *v/t* to regulate/control/adjust/administer; to settle/pay; **leicht zu r.** manageable; **r.d** *adj* regulative; **sich selbst r.d** self-adjusting

reguliert *adj* 1. adjusted; 2. settled; **nicht r.** unadjusted

Regulierung *f* 1. settlement, payment; 2. adjustment, control, regulation

Regulierung ohne Anerkennung einer Rechtspflicht *(Vers.)* settlement without prejudice; **R. eines Anschreibekontos** charge-account payment; **R. in bar** cash settlement; **R. von Preisen** price adjustment; **R. eines Schadens(falles)/Versicherungsfalles** claim settlement, settlement of a claim

Regulierunglen vornehmen to make settlements; **pauschale R.** lump-sum settlement

Regulierungslabkommen *nt* settlement agreement; **R.aufwendungen** *pl (Vers.)* claims costs; **R.beamter/R.beauftragter** *m (Vers.)* adjuster, loss adjuster/assessor, claims inspector/representative; **R.diskont** *m* settlement discount; **R.kosten** *pl* claims cost(s)/expense; **R.kurs** *m* settlement/settling rate; **R.mittel** *nt* settlement medium; **R.personal** *nt* claims staff

Regung *f* motion, movement

Rehabililtation *f* → **Rehabilitierung** 1. $ rehabilitation; 2. *(Ruf)* vindication; 3. comeback; **r.tieren** *v/t* to rehabilitate

Rehabilitierung *f* rehabilitation; **R. eines Gemeinschuldners** discharge of a bankrupt; **~ Konkursschuldners** discharge in bankruptcy *[US]*; **berufliche R.** vocational rehabilitation

Rehabilitierungslantrag *m (Konkurs)* application for discharge; **R.beschluss** *m* [§] discharge order; **R.schein** *m* bankrupt's certificate, certificate of misfortune; **R.zentrum** *nt* $ re-establishment/rehabilitation centre

Reibach machen *m (coll)* to make a fortune/pile/killing *(coll)*/bomb/fast buck *(coll) [US]*

reiben *v/t* to rub; **(sich) an etw. r.** to take offence at sth.

Reibereien *pl* friction

Reibung *f* friction; **r.slos** *adj* trouble-free, smooth, without a hitch; **R.sverlust** *m* frictional loss, loss by friction

reich *adj* 1. wealthy, rich, affluent, prosperous; 2. fertile; 3. prolific, abounding; **r. werden** to grow rich

die Reichen *pl* the rich; **~ schröpfen** to soak/squeeze the rich

reichen *v/t* to pass/hand/reach; *v/i* to be sufficient, to suffice/last, to go round

reichhaltig *adj* 1. ample, plentiful, rich, abundant; 2. well-assorted, well-stocked

reichlich *adj* 1. ample, plentiful, abundant, substantial; 2. generous, abounding, well-stocked; 3. lavish, aplenty, flush; **r. vorhanden** abundant

Reichs|abgabenordnung *f* German tax code; **R.versicherungsordnung** *f* German social security insurance code

Reichtum *m* 1. wealth, property, fortune, money, affluence; 2. opulence, plentifulness, plenty; **Reichtümer** riches; **R. an Ideen** wealth of ideas

Reichtum anbeten to worship the golden calf *(fig)*; **zu R. gelangen** to make a fortune; **dem R. nachjagen** to scramble for wealth; **mit seinem R. protzen; seinen R. zur Schau stellen** to flaunt one's wealth; **Reichtümer sammeln** to amass (great) riches; **im R. schwelgen** to live in the lap of luxury

natürliche Reichtümer natural resources; **unerhörter Reichtum** untold wealth

Reichweite *f* 1. range, scope; 2. *(Werbung)* coverage *[GB]*, reach *[US]*; 3. ✈ cruising range/radius; **außer R.** out of reach/range, beyond one's reach; **in R.** within reach/range; **R. der Erstausbildung** durability of initial training; **in R. des Ladegeschirrs** ⚓ shipside; **R. der Materialvorräte** inventory range; **mittlere R.** mean range

reif *adj* mature, ripe, ready; **gerade r.** in season

Reife *f* 1. maturity, ripeness; 2. ripening

Reifen *m* tyre *[GB]*, tire *[US]*

reifen *v/i* to mature, to come to fruition, to gestate; **r. lassen** to age

Reifen|abnutzung/R.verschleiß *f/m* tyre/tire wear; **R.druck** *m* tyre/tire pressure; **R.kontrolle** *f* tyre/tire check; **R.panne** *f* flat tyre/tire, puncture; **R.verschleißwert** *m* tyre/tire wear rate; **R.wechsel** *m* tyre/tire change

Reife|phase *f* maturity stage; **R.prüfung** *f* A-level examination *[GB]*, finals *[US]*; **R.stadium** *nt* stage of maturity; **R.zeit** *f* gestation period

Reifungsprozess; Reifwerden *m/nt* gestation, maturing

Reihe *f* 1. row, series, sequence, serial; 2. range, queue, procession, string, variety, number; **aus der R. (fallend)** out of the ordinary; **außer(halb) der R.** out of turn, ~ the usual way of things; **in einer R.** in a line; **der R. nach; nach der R.** in turn, successively, in/by rotation, in order/series, sequential(ly), according to the order of sequence, one at a time, first come first served; **R. von Belegen** chain of documentation; **in Reih und Glied** in rank and file

ganze Reihe abnehmen to buy the whole series; **in einer R. anstehen; R. bilden** to queue *[GB]*/line *[US]* up; **an die R. kommen** to be one's turn, to come up; **R.n lichten** to thin the ranks; **R.n schließen** to close ranks; **aus der R. tanzen** to step out of line, to break ranks, to be different, to have it one's own way

arithmetische Reihe arithmetic series; **endliche R.** finite series; **geometrische R.** geometrical progression; **geordnete R.** ▦ ordered series; **eng geschlossene R.n** serried ranks; **gleichlaufende R.** coincident series; **harmonische R.** harmonic series; **nachlaufende R.** lagging series; **spätzyklische R.** lagging series; **statistische R.** statistical series; **unendliche R.** infinite series; **vorderste R.** forefront

Reihen|- sequential; **R.abschluss** *m (Börse)* chain transaction; **R.anfertigung** *f* serial/mass production; **R.eigenheim** *nt* terraced *[GB]*/row *[US]* house; **R.fabrikation/R.fertigung** *f* serial/mass/flow-shop production

Reihenfolge *f* order (of sequence), (operating) sequence; **der R. nach** in sequence

Reihenfolge der Abstimmungen sequence of votes; **~ Aufführungen** *(Bilanz)* order of presentation; **in der R. des Eingangs/Einlaufs** on a first-come-first-served basis, in order of receipt; **R. der Eintragungen** order/sequence of registration; **~ Pfandrechte** marshalling of liens; **~ Wichtigkeit** order of merit

in einer Reihenfolge anordnen to sequence

absteigende Reihenfolge descending order/sequence; **alphabetische R.** alphabetic(al) order/sequence; **in der angegebenen R.** in the order specified; **aufsteigende R.** ascending order/sequence; **in derselben R.** respectively; **in der richtigen R.** in order; **umgekehrte R.** reverse order/sequence; **zeitliche R.** chronological order

Reihenfolge|modell *nt* sequencing model; **R.planung** *f* sequencing, priority routing, job shop scheduling; **R.problem** *nt* sequencing problem; **R.verfahren** *nt* first-come-first-served method

Reihen|geschäft *nt* chain/serial transaction; **R.haus** *nt* terrace(d) *[GB]*/row *[US]* house; **kleines R.haus** two-up-two-down *(coll) [GB]*; **R.konstellation** *f* serial constellation; **R.korrelation** *f* ▦ serial correlation; **R.motor** *m* 🚗 in-line engine; **R.nummer** *f* serial number; **R.regress/R.rückgriff** *m (Wechsel)* recourse in order of endorsers, ~ consecutive order; **R.stichprobenprüfung** *f* sequential sampling inspection; **R.untersuchung** *f* 1. recurrent/continuous investigation; 2. ⚕ mass screening; **r.weise** *adj* 1. in series; 2. in large numbers

im Reihumverfahren *nt* on a rota basis

rein *adj* 1. clean, clear, straight, pure, neat, spotless; 2. net; 3. unadulterated; 4. genuine; 5. unbiased; 6. uncontaminated, emission-free; 7. ⚗ elemental; **garantiert r.** warranted pure, ~ free from adulturation

Rein|auslagen *pl* net expenditures; **R.betrag** *m* net/clear amount; **R.bilanz** *f* net balance; **R.dividende** *f* net dividend

ins Reine bringen to tidy up; **mit jdm ~ kommen** to get even with so.; **mit sich selbst ~ kommen** to get one's act together; **~ schreiben** to make a fair copy

Rein|einkommen *nt* net income; **R.einnahme** *f* net revenue

Reine|machfrau *f* cleaning woman, charwoman; **als ~ arbeiten** to char; **großes R.machen** spring cleaning

Rein|ergebnis *nt* net profit/loss; **R.erlös** *m* net proceeds/profit

Reinertrag *m* net profit/earnings/yield/proceeds/income/amount, net/clear income; **R.sübersicht** *f* statement of net proceeds; **R.sverwendung** *f* application of net proceeds

Reinfall *m* 1. non-event, flop, failure, disaster, washout; 2. *(Börse)* plunge, flier; **R. erleben** to draw a blank *(fig)*; **R. sein** to (be a) flop; **glänzender R.** washout

reinfallen *v/t* to come a cropper *(coll)*; **auf jdn r.** to be taken for a ride by so. *(coll)*

Rein|fracht *f* dead freight; **R.gehalt** *m* ⚒/⚗ standard/degree of purity; **R.gewicht** *nt* net weight (nt. wt.)

Reingewinn *m* net profit/earnings/gain/proceeds/income, clear profit/gain, net (income), business income, operating result, trading surplus, earnings after tax(es), pure profit; **den R. der Periode nicht beeinflussend** neutral, below the line; **für das Geschäft zur Verfügung stehender R.** trading cash flow; **R. vor Fusion** profit prior to consolidation; **R. nach Steuern/Versteuerung** net (trading) profit; **R. vor Steuern/Versteuerung** net (trading) surplus; **R. abwerfen/erzielen/haben** to net

ausgewiesener Reingewinn declared net earnings; **ausschüttungsfähiger R.** unappropriated net earnings; **unverteilter R.** unappropriated net earnings, (~ earned) surplus, surplus/retained earnings, unappropriated/surplus profit; **verfügbarer R.** profit available for distribution

Reingewinn|ausweis *m* stated net profit; **R.ermittlung** *f* net income calculation; **R.zuschlag** *m* profit mark-up

Reinhaltung der Luft *f* clean air maintenance, keeping the air clean

Reinheit *f* purity; **R. garantiert** warranted free from adulteration; **R.sgehalt/R.sgrad** *m* degree of purity

reinigen *v/t* 1. to clean/cleanse/purify/scour; 2. *(Öl/Metall)* to refine; **chemisch r.** to dry-clean

Reiniger *m* cleaner

Reinigung *f* 1. clean-up, purification, clean(s)ing; 2. *(Öl/Metall)* refinement; **chemische R.** 1. dry-cleaning; 2. *(Geschäft)* dry-cleaner's

Reinigungs|anlage *f* purifier, emission control device; **R.anstalt** *f* cleaners; **R.eid** *m* purgative oath; **R.grad** *m* purification efficiency, degree of purity/purification; **R.mittel** *nt* ⚗ clean(s)ing agent, cleaner; **R.- und Körperpflegemittelindustrie** *f* cleaning and personal hygiene goods industry; **R.prozess** *m* shake-out; **R.stufe** *f* treatment step

rein|legen *v/t* *(coll)* to cheat/diddle/fox; **R.machefrau** *f* cleaner, charwoman, cleaning woman; **R.nachlass** *m* residue, residuary (estate), net estate; **R.saldo** *m* net balance

Reinschrift *f* fair copy, engrossment; **R. anfertigen; in R. übertragen** to copy fair, to write out a fair copy

Reinte|gration *f* reintegration; **r.grieren** *v/t* to reintegrate

Rein|überschuss *m* net surplus; **R.umsatz** *m* net sales/turnover; **R.verdienst** *m* net earnings/income; **R.verlust** *m* net loss, operating result; **R.vermögen** *nt* net assets/capital/worth, actual assets; **~ der Gesellschafter** shareholders' *[GB]*/stockholders' *[US]* equity

reinvestieren *v/t* to reinvest, to plough back

Reinvestition *f* reinvestment, plough(ing)-back, capital replacement, replacement investment; **R.srücklage** *f* reinvestment reserve

rein|waschen *v/t* *(fig)* to whitewash *(fig)*; **r.zeichnen** *v/t* *(Konnossement)* to sign clean

Reis *m* rice

Reise *f* 1. journey, trip; 2. ⚓ voyage; **R. ins Ausland** trip abroad; **R. mit vielen Zwischenaufenthalten** whistle-stop tour

Reise antreten to start a journey; **zu einer R. aufbrechen** to set out on a journey; **R. machen/unternehmen** to travel, to take/make a trip; **auf R.n sein** to be travelling; **R. unterbrechen** to break a journey; **jdm eine gute R. wünschen** to wish so. a happy journey

einheitliche Reise ⚓ continuous voyage; **große R.** long journey; **zusammengesetzte R.** combined voyage

Reise|agentur *f* travel agency/agent; **R.akkreditiv** *nt* traveller's letter of credit; **R.anbieter** *m* tour operator; **R.andenken** *nt* travel/holiday souvenir; **R.antritt** *m* 1. beginning of a journey; 2. ⚓ embarkation; **R.apotheke** *f* medicine chest; **R.artikel** *pl* traveller's requisites; **R.ausgaben/R.auslagen** *pl* travelling expenditure(s), spending on travel; **R.ausweis** *m* travel document; **R.bedürfnisse** *pl* travel necessities; **R.begleiter(in)** *m/f* 1. courier; 2. travelling companion; **R.beilage** *f* *(Zeitung)* travel supplement; **R.bericht** *m* account of the journey; **R.beschränkungen** *pl* travel restrictions, restrictions on movement; **R.beschreibung** *f* itinerary; **R.bestimmungen** *pl* travel regulations, passenger clause; **R.bilanz** *f* travel account; **R.buchhandel** *m* itinerant book trade

Reisebüro *nt* travel agency/agent/bureau, tourist agency; **R.kaufmann/R.kauffrau** *m/f* travel agent; **R.verband** *m* travel offices'/agents' association

Reise|bus *m* coach; **R.charter** *f* ⚓ voyage charter; **R.devisen** *pl* travel funds; **R.dienst** *m* travel service; **R.diplomatie** *f* shuttle diplomacy; **R.entschädigung** *f* travel allowance; **R.ergebnis** *nt* ⚓ voyage earnings; **R.ermäßigungen** *pl* travel concessions; **r.fähig** *adj* fit to travel; **r.fertig** *adj* ready to start; **R.flughöhe** *f* ✈ cruising altitude; **R.fracht** *f* ⚓ voyage freight; **R.frachtvertrag** *m* voyage charterparty; **R.führer** *m* 1. courier; 2. guidebook, handbook, travel book; **amtlicher R.führer** official guide; **R.gebiet** *nt* *(Vertreter)* territory; **R.gefährte/R.gefährtin** *m/f* travelling companion, fellow passenger; **R.geld** *nt* 1. travel/holiday funds; 2. § conduct money; 3. ⚓ deadheading allowance; **R.genehmigung** *f* travel permit

Reisegepäck *nt* (traveller's) luggage *[GB]*/baggage *[US]*; **R.diebstahl** *m* theft of luggage, larceny of baggage; **R.versicherung** *f* personal effects protection insurance, luggage/(tourist) baggage insurance, tourist floating/baggage policy, personal effects floater

Reise|gerät *nt* ⊖ travel requisites; **R.geschwindigkeit** *f* 1. 🚂 line speed; 2. 🚗/✈ cruising speed; **R.gesellschaft** *f* 1. touring company; 2. touring party, *(Bus)* coach party; **R.gesellschaftstarif** *m* group charter rate

Reisegewerbe *nt* itinerant trading, peddling; **R.treibende(r)** *f/m* itinerant trader/peddler; **R.karte** *f* itinerant trade licence

persönliches Reise|gut ⊖ personal effects; **R.handbuch** *nt* guidebook, handbook; **R.handel** *m* travelling salesmen's trade; **R.inspektor** *m* travel inspector; **R.journalist** *m* travel editor; **R.kasse** *f* holiday/travel funds; **R.koffer** *m* travelling case; **R.konjunktur** *f* tourist boom

Reisekosten *pl* travel(ling) expenses; **R. übernehmen/vergüten** to pay/refund travel(ling) expenses

Reisekosten|abrechnung *f* travel expense report; **R.-entschädigung** *f* travelling allowance; **R.erstattung** *f* refund of travel expenses, disbursement of travelling expenses; **R.pauschale/R.pauschbetrag** *f/m* travel(ling) allowance, blanket allowance for travelling; **R.regelung** *f* disbursement/refund of travelling expenses; **R.vergütung** *f* 1. travel(ling) allowance, reimbursement of travelling expenses; 2. § conduct money; **R.vorschuss** *m* travel advance; **R.zuschuss** *m* travel(ling) allowance

Reise|krankheit *f* travel sickness; **R.kreditbrief** *m* traveller's/circular/non-commercial letter of credit (L/C); **R.lagerversicherung** *f* insurance of travelling salesman's merchandise/collection; **R.land** *nt* holiday/tourist country; **R.leiter(in)** *m/f* courier; **R.leitung** *f* 1. courier; 2. organisation of the tourist party; **R.lektüre/R.literatur** *f* travel literature, reading matter, sth. to read on the journey; **R.lust** *f* travel urge/bug, wanderlust, itchy feet *(coll)*; **R.mitbringsel** *nt* travel/holiday souvenir; **R.mittlungsbetrieb** *m* tourist agency; **R.muster** *nt* traveller's sample

Reisen *nt* travelling, touring; **r.** *v/ti* to travel/tour; **aufwendig r.** to travel in state/style; **geschäftlich r.** to travel on business

Reisende(r) *f/m* 1. traveller, tourist; 2. representative, commercial traveller, (travelling) salesman, agent; **R. auf Spesenkonto** expense-account traveller; **als R. arbeiten**; **R. sein** to travel; **ankommender R.** incoming passenger; **erfahrener R.** seasoned traveller

Reise|omnibus *m* coach; **R.pass** *m* passport; **gültiger R.pass** valid passport; **R.plan** *m* schedule; **R.planung** *f* route planning; **R.police** *f* ⚓ voyage policy; **R.prospekt** *m* travel brochure; **R.proviant** *m* travel ration, food for the journey; **R.redakteur** *m* travel editor; **R.revisor** *m* travelling auditor; **R.route** *f* itinerary, route; **R.ruf** *m* personal message; **R.sack** *m* travelling bag; **R.saison** *f* tourist season; **R.scheck** *m* traveller's/circular cheque, traveler's check *[US]*; **R.schreibmaschine** *f* portable typewriter; **R.sperre** *f* travel ban

Reisespesen *pl* travel(ling) expenses; **R.abrechnung** *f* travel expense report; **R.satz** *m* per-diem *(lat.)* travel allowance

Reise|statistik *f* tourist statistics; **R.stipendium** *nt* travelling scholarship; **R.tag** *m* day of departure; **R.tasche** *f* travelling/overnight bag, holdall, carryall *[US]*; **R.tätigkeit** *f* travelling; **r.üblich** *adj* incidental to a journey; **R.unfallversicherung** *f* traveller's/travel accident insurance; **R.unkosten** *pl* travel expenses; **R.unterlagen** *pl* travel documents; **R.unterbrechung** *f* travel break, stopover; **R.unternehmen/R.unternehmer** *nt/m* tour operator, travel organiser; **R.utensilien** *pl* travel requisites; **R.veranstalter** *m* (package) tour operator/organiser, holiday travel company, travel agent/organizer, operator, tourist agency; **R.verbot** *nt* travel ban; **R.vergütung** *f* travel allowance; **R.verhaltensforschung** *f* tourist behaviour research

Reiseverkehr *m* 1. tourism, (tourist) travel; 2. tourist/passenger/holiday traffic; 3. *(Leistungsbilanz)* (foreign) travel, tourist expenditures/disbursements; **grenzüberschreitender R.** international travel

Reiseverkehrs|ausgaben *pl* 1. travel outlays; 2. *(Bilanz)* tourist/travel debits; **R.bilanz** *f* tourist balance, tourism account, balance of tourist travel, net tourism/travel; **R.einnahmen** *pl* 1. tourist receipts; 2. *(Bilanz)* tourist/travel receipts; **R.statistik** *f* tourist travel statistics

Reiseversicherung *f* travel/tourist/voyage policy, voyage/travel insurance; **R.spolice** *f* travel policy; **R.sprämie** *f* voyage premium

Reise|vertrag *m* 1. tourist travel agreement; 2. travel contract, contract of tourism; **R.vertreter** *m* commercial traveller, travelling salesman/representative; **R.-vorbereitungen** *pl* travel arrangements; **R.wagen** *m* 🚗 touring car, tourer; **R.welle** *f* travel boom, wave of tourists; **R.wetterversicherung** *f* tourist weather insurance; **R.zahlungsmittel** *pl* travel funds, traveller's/tourist's payment media; **R.zeit** *f* 1. tourist season, holiday period/time; 2. travel(ling) time, ⚓ voyage time; **R.zeitkosten** *pl* travel time charge; **R.ziel** *nt* destination (for travel); **R.zugwagen** *m* 🚂 carriage, coach; **R.zuschuss** *m* travel grant

Reißbrett *nt* drawing *[GB]*/drafting *[US]* board; **R.stadium** *nt* blueprint stage

reißen *v/t/i* 1. to tear, to rip off; 2. to break; **an sich r.** to monopolize/usurp/grasp; **unrechtmäßig ~ r.** to grab; **mit sich r.** to carry away; **sich um etw. r.** to scramble for sth.

Reißer *m* 1. 🎭 box office success; 2. *(Film)* thriller; 3. *(Buch)* best-seller; 4. *(Ware)* hot item; **r.isch** *adj* 1. *(Verkauf)* high-pressure; 2. sensational, loud

Reiß|feder *f* drawing/ruling pen; **R.festigkeit/R.grenze** *f* breaking/tensile strength; **R.nagel/R.zwecke** *m/f* drawing pin *[GB]*, thumb tack *[US]*; **R.verschluss** *m* zip *[GB]*, slide *[US]*; **R.wolf** *m* shredder; **R.zeug** *nt* drawing set, set of drawing instruments

Reiter *m* *(Kartei)* tab; **R.chen** *nt* rider

Reit|wechsel *m* kite, windbill, fictitious bill, windmill

Reiz *m* attraction, temptation, stimulus; **R. des Neuen** charm of novelty

reizen *v/t* to attract/tempt/appeal; **jdn bis zum Äußersten r.** to provoke so. beyond endurance; **r.d** *adj* attractive, charming, delightful

Reiz|klima *nt* bracing climate; **R.mittel** *nt* stimulant, irritant; **R.schwelle** *f* 1. stimulus threshold; 2. sales resistance

Reizung *f* irritation

reizvoll *adj* attractive, appealing

Rekapitul|ation *f* recapitulation, summing up; **r.ieren** *v/t* to recapitulate, to sum up

rekapitalisier|en *v/t* to recapitalize; **R.ung** *f* recapitalization

Reklamant *m* § reclaimant

Reklamation *f* 1. complaint, claim, reclamation, query; 2. protest, objection; 3. *(Mängelrüge)* complaint; **R.en** representations; **R. annehmen/erkennen** to admit a claim; **R.en entgegennehmen** to receive complaints; **R. zurückweisen** to reject a complaint/claim

Reklamationslabteilung/R.stelle *f* complaints/claims department; **R.brief/R.schreiben** *m/nt* letter of complaint; **R.frist** *f* time for complaint; **R.recht** *nt* right of complaint; **R.verfahren** *nt* complaints procedure

Reklame *f* ➔ **Werbung** advertising, publicity, promotion, propaganda, build-up; **R. machen** to advertise/publicize/boost, to beat the drum *(fig)*; **für etw. R. machen** to push sth.

aufdringliche Reklame puff; **einwandfreie R.** clean advertising; **ganzseitige R.** full-page advertisement; **gemeinsame R.** association advertising; **irreführende/täuschende R.** misleading advertising; **marktschreierische R.** puffing advertising; **scherzhafte R.** facetious advertising; **überregionale R.** nationwide/national advertising

Reklamel- ➔ **Werbe-** advertising, promotional; **R.-agentur** *f* advertising agency; **R.anschlag** *m* posting; **R.anzeige** *f* advertisement; **R.artikel** *m* free sample/gift, sales gimmick *(pej.)*; **R.auslage** *f* advertising display; **R.beilage** *f* advertising supplement; **R.beleuchtung** *f* advertising lights; **R.blatt** *nt* flying sheet, flyer; **R.brief** *m* advertising letter; **R.broschüre** *f* advertising brochure; **R.broschüren** sales literature; **R.büro** *nt* advertising agency; **R.drucksache** *f* advertising matter; **R.feldzug** *m* advertising campaign; **R.film** *m* commercial, advertising film; **R.fläche** *f* 1. billboard, hoarding; 2. advertising space; **genehmigter R.fonds** advertising appropriation; **R.fritze** *m (coll)* huckster *(coll)*; **R.geschenk** *nt* free gift; **R.kosten** *pl* advertising cost(s); **R.macher** *m* booster; **R.masche** *f* advertising stunt; **R.material** *nt* advertising/promotional material; **R.-nachlass** *m* advertising allowance; **R.plakat** *nt* advertising poster, showbill; **R.post** *f* direct mail; **R.preis** *m* loss leader/knockdown price; **R.prospekt** *m* leaflet, handbill, (advertising) brochure; **R.rummel** *m* ballyhoo; **R.rundschreiben** *nt* (advertising) circular; **R.schild** *nt* advertising/publicity sign; **R.schlager** *m* (publicity) stunt; **R.schlepp** *m* ✈ air poster towing; **R.schrift** *f* advertising type; **R.sendung** *f* 1. *(Radio/Fernsehen)* commercial (break); 2. advertising letter; **R.steuer** *f* advertising tax; **R.tafel** *f* hoarding, billboard, sandwich board; **R.tätigkeit** *f* advertising activity; **R.technik** *f* advertising technique; **R.teil** *m (Zeitung)* advertising columns; **R.text** *m* advertising copy; **R.texter** *m* copywriter; **R.träger** *m* advertising medium; **R.trick** *m* advertising stunt/gimmick; **R.trommel rühren** *f (fig)* to beat the drum *(fig)*, to drum up business; **R.überschrift** *f* advertising headline; **R.unkosten** *pl* advertising expenditure; **R.unternehmen** *nt* advertising agency; **R.verbot** *nt* advertising ban, ban on advertising; **R.verfasser** *m* copywriter; **R.verkauf** *m* bargain sale; **R.wand** *f* billboard, hoarding; **R.wert** *m* attention value; **R.zeichner** *m* 1. commercial/advertising artist; 2. *(Schildermaler)* signwriter; **R.zettel** *m* leaflet, handbill, flyer, throwaway; **R.zweck** *m* advertising purpose

reklamierlbar *adj* claimable; **r.en** *v/t* 1. *(beanstanden)* to complain, to make a complaint; 2. *(beanspruchen)* to claim; 3. *(Einspruch erheben)* to protest; **bei jdm schriftlich r.en** to file/lodge a claim with so.

Rekonstitution *f* reconstitution; **R.spflicht** *f* reconstitution provisions

rekonstruieren *v/t* to reconstruct

Rekonstruktion *f* reconstruction; **R. eines Verbrechens** reconstruction of a crime

Rekonvaleszenz *f* ⚕ convalescence

Rekonzentration *f* reconcentration

Rekord *m* record, all-time high; **R. aufstellen** to set (up) a record; **R. brechen/überbieten** to break/beat a record; **alle R.e schlagen** to reach an all-time high

Rekordl- record, all-time; **R.absatz** *m* record sales; **R.aufkommen** *nt* record yield/revenue/amount; **R.besuch** *m* record attendance; **R.betrag** *m* record amount; **R.ergebnis** *nt* record result, historic yield, bumper performance; **R.ernte** *f* record/bumper crop, bumper harvest; **R.ertrag** *m* record yield; **R.gewinn** *m* record profit; **R.höchststand** *m* all-time/record high

Rekordhöhe *f* record level, all-time high, peak; **R. an Ausleihungen** record lendings; **R. erreichen** to peak; **auf R. stehen** to be at an all-time high

Rekordlinhaber *m* record holder; **R.jahr** *nt* record year; **R.leistung** *f* record performance; **unerreichte R.leistung** all-time high; **R.marke/R.niveau/R.stand** *f/nt/m* record level; **R.preis** *m* record price; **R.produktion** *f* record production/output; **R.satz** *m* record rate; **R.tiefststand** *m* record/all-time low; **R.überschuss** *m* record surplus; **R.umsatz** *m* record sales; **R.verbrauch** *m* record consumption; **R.zahl** *f* record number; **R.zeit** *f* record time; **R.ziffer** *f* record figure; **R.zinsen** *pl* record level of interest rates; **R.zuwachs** *m* record growth/gain

Rekrut *m* ✈ recruit, private

rekrutierlen *v/t* to recruit/enlist; **sich r.en aus** to consist of, to be composed of; **R.ung** *f* recruiting; **R.ungspraxis** *f* recruitment methods

Rektalindossament *nt (Wechsel)* restrictive/conditional endorsement; **R.klausel** *f* restrictive clause/endorsement, non-negotiable/not-to-answer clause; **R.konnossement** *nt* straight bill of lading (B/L); **R.lagerschein** *m* non-negotiable warehouse receipt; **R.papier** *nt* 1. non-negotiable/non-transferable instrument, non-negotiable note; 2. *(Aktie)* registered security; **R.-scheck** *m* non-negotiable cheque *[GB]*/check *[US]*; **R.schuldverschreibung** *f* registered debenture; **R.-wechsel** *m* non-negotiable bill of exchange

Rektifikationsletat *m* supplementary budget; **R.posten** *m* adjustment/valuation item

rektifizieren *v/t* to rectify

rektograd *adj* 1. inverse; 2. top-down

Rektor *m* (head)master, principal, president, rector; **R.at** *nt* headship, rectorate; **R.in** *f* headmistress

rekultivierlbar *adj* reclaimable; **r.en** *v/t (Land)* to recultivate/rehabilitate/reclaim; **R.ung** *f* recultivation reclamation, reinstatement

rekurrieren *v/t* § to appeal

Rekurs *m* recourse; **R.ionsverfahren** *nt* roll-back method

Relais *nt* ϟ relay; **R.betrieb** *m* relay operation; **R.station** *f* relay station; **R.übertragung** *f* relay transmission

Relation *f* 1. ratio; 2. *(Verkehr)* route, voyage; 3. relation(ship); **technische R.** engineering relationship; **R.smodell** *nt* relational data model; **R.sprinzip** *nt (Inventur)* first-in-first-out (fifo) principle

relativ *adj* relative, comparative; **r.ieren** *v/t* to temper/qualify/modify, to put in(to) perspective; **R.ierung** *f* 1. modification; 2. 💻 relocation

Relativität *f* relativity; **R.stheorie** *f* relativity theory

Releg|ation *f* relegation, expulsion; **r.ieren** *v/t* to relegate/expel, to send down

rele|vant *adj* relevant, material, pertinent, considerable, appreciable, to the point; **R.vanz** *f* relevance, pertinence

Relief *nt* relief; **R.druck** *m* 📖 surface printing, relief print; **R.karte** *f* relief map

Religion *f* religion, denomination, belief, creed; **R.sfreiheit** *f* religious freedom; **R.sgemeinschaft** *f* religious community/organisation; **R.szugehörigkeit** *f* denomination

Relikt *nt* relic

Reling *f* ⚓ (deck) rail

Rembours *m (Bank)* reimbursement, commercial letter of credit (L/C), documentary acceptance credit

Rembours|abteilung *f* commercial credit department; **R.auftrag** *m* instructions to open a documentary acceptance credit; **R.bank** *f* merchant/commercial/accepting bank; **R.benachrichtigung** *f* documentary payment advice; **R.ermächtigung** *f* reimbursement authorization, documentary payment authorization; **R.geschäft** *nt* merchant banking, documentary acceptance/credit transactions, refund/repayment credit business

Rembourskredit *m* commercial/documentary letter of credit (L/C), (documentary/banker's) acceptance credit, reimbursement/draft credit, credit on security; **R.geschäft** *nt* merchant banking; **R.institut** *nt* merchant/commercial bank

Rembours|linie *f* acceptance credit line; **R.provision** *f* documentary commission; **R.regress/R.rückgriff** *m* reimbursement recourse; **R.schuldengesetz** *nt* documentary credit liabilities act; **R.schuldner** *m* documentary credit debtor; **R.stelle** *f* paying agent; **R.schutz** *m* protection of documentary credit liability; **R.tratte** *f* documentary draft; **R.verbindlichkeit/R.verpflichtung** *f* indebtedness on documentary acceptance credit; **R.verschuldung** *f* documentary credit indebtedness; **R.wechsel** *m* documentary draft/bill; **R.zusage** *f* agreement to reimburse

Remedium *nt (Münzen)* tolerance, remedy

Remedur *f* correction, remedy, redress; **R. schaffen** to remedy the situation, to cure ills

Remise *f* 1. shed; 2. coach

Remissier *m* intermediate broker

Remission *f* return; **körperlose R.** token return; **R.srecht** *nt* right of return

Remittende *f* 1. returned article; 2. *(Buch)* return copy; **R.en** returns, remainders, return copies; **als ~ abgeben** to remainder; **R.enexemplar** *nt* return copy

Remittent *m* payee (of a bill), consignor, remitter; **fingierter R.** fictitious payee

remittieren *v/t* 1. to remit, to make a remittance; 2. *(Waren)* to return

remonetisier|bar *adj* remonetizable; **R.ung** *f* remonetization

Remontage *f* re-erection; **R.kredit** *m* re-equipment loan

Renaissance *f* revival

Rendite *f* 1. yield, profit, return income *[US]*, (income) return, return on capital/equity, (book) rate of return, effective rate (earned), payback; 2. *(aus Obligation)* covering

Rendite einer langfristigen Anlage maturity yield; **R. des Eigenkapitals** return on net worth, ratio of earnings to equity; **R. der Gewinnvergleichsrechnung** accounting rate of return; **R. einer Schuldverschreibung** debenture yield; **R. nach Steuern** after-tax yield, return after tax; **R. vor Steuern** pre-tax yield

geringe Rendite abwerfen to yield little; **gute R. abwerfen** to yield/give a good return, to bring a good yield; **hohe R. erbringen/ergeben** to yield high returns; **(gute) R. erwirtschaften/erzielen** to get a (good) return

angemessene Rendite fair return; **angenommene R.** proper rate of return; **effektive R.** net yield; **erwartete R.** expected return; **feste R.** fixed yield/rate of return; **geringe R.** low yield/rate of return; **nachhaltig gute R.** good longer-term yield; **mit hoher R.** high-yield; **jährliche R.** annual yield; **laufende R.** current/flat yield; **rechnerische R.** accountant's return, book rate of return; **sinkende R.** diminishing return

Rendite|abstand *m* yield gap; **R.abweichung** *f* yield difference; **R.aktie** *f* high-yield share *[GB]*/stock *[US]*; **R.angleichung/R.anpassung** *f* yield adjustment; **R.anhebung** *f* upward yield adjustment; **R.basis** *f* profit basis; **etw. auf ~ betreiben** to run sth. for profit; **r.bewusst** *adj* yield-conscious; **R.denken** *nt* thinking in terms of high yield; **R.differenz** *f* yield differential, margin between yields; **R.ermäßigung** *f* downward yield adjustment; **R.erwartung** *f* profit expectation; **R.fonds** *m* income fund; **R.forderungen** *pl (Kapitalgeber)* required rate of return; **R.gefälle** *nt* yield gap/differential; **negatives/umgekehrtes R.gefälle** reverse yield gap; **R.gefüge** *nt* yield structure; **R.gesichtspunkt** *m* yield aspect; **R.kalkulation** *f* rate of return calculation; **R.kennziffer** *f* profitability ratio; **R.kurve** *f* yield curve; **R.liegenschaft** *f* income-producing property

Renditen|differenz *f* gap in yields; **R.haus** *nt* tenement house/building; **R.höchststand** *m* record yield level

Renditeniveau *nt* yield level

Renditen|spanne *f* yield differential/spread; **r.stark** *adj* high-yield(ing); **R.statistik** *f* yield statistics; **R.struktur** *f* yield structure

Rendite|objekt *nt (Immobilie)* high-yield/income-producing property, lucrative investment; **R.satz** *m* rate of return; **R.spitze** *f* top/peak yield; **R.staffelung** *f* scaling of yields; **r.stark/r.trächtig** *adj* high-yield(ing); **R.tabelle** *f* yield table; **R.tabellen** basic books; **R.überlegung** *f* thinking in terms of yield; **R.unterschied** *m* yield differential; **R.verhältnis** *nt* investment return ratio, yield ratio; **R.verschlechterung** *f* deterioration of yields; **R.vorsprung** *m* yield advantage; **R.wert** *m* high-yield stock

Rennen *nt* race; **im R.** in the running; **R. machen** to win in the end; **gut im R. liegen/sein** to be well placed; **wieder im R. sein** *(fig)* to be back in the lists *(fig)*; **totes R.** dead heat, tie

rennen *v/i* to run/race

Renner *m* top-selling item, hit, winner

Rennwett|- und Lotteriegesetz *nt* racing-bets and lotteries act; **R.steuer** *f* betting tax/levy, tax on betting

Renommee *nt* reputation, renown, name, fame

renommier|en *v/i* to talk big, to show off; **R.stück** *nt* showpiece, (so.'s) pride and joy; **r.t** *adj* renowned, famous

renovieren *v/t* to renovate/refurbish/renew

Renovierung *f* renovation, refurbishment, repair, facelift; **R.sdarlehen** *nt* home improvement loan; **R.szuschuss** *m* home improvement grant

rentabel *adj* profitable, profit-making, profit-earning, profit-yielding, lucrative, remunerative, paying, viable, productive; **knapp r.** marginal; **nicht mehr r.** submarginal; **r. werden** to achieve profitability; **wirtschaftlich r.** economically viable

Rentabilität *f* 1. (rate of) profitability, rate of return, return/rate on investment (ROI), return on capital employed (ROCE), profit ratio; 2. earning power, remunerativeness, earning(s) capacity; 3. viability, productivity, (profitable) efficiency; **R. des Betriebs** operating return; **~ Eigenkapitals** equity return, return on equity; **R. der Investition** return on investment (ROI); **R. beeinträchtigen** to damage profitability; **erwartete R.** expected return; **normale R.** fair return; **verbesserte R.** improved profitability

Rentabilitäts|analyse *f* profitability analysis, return on investment analysis; **R.berechnung** *f* 1. cost accounting, costing, profitability estimate/calculation, calculation of profits, ~ earning power; 2. computation of cost(s); **R.denken** *nt* thinking in terms of earning power/profitability; **bei reinem R.denken** on a strictly commercial basis; **R.diagramm** *nt* profitability graph; **R.einbuße** *f* loss of earning power; **R.engpass** *m* profitability squeeze; **R.entwicklung** *f* profitability trend; **R.faktor** *m* profitability factor; **R.gesichtspunkt** *m* profitability aspect; **R.grenze** *f* break-even point, margin, marginal profits; **R.größe** *f* profitability ratio; **R.grundlage** *f* cost basis; **R.index** *m* index of profitability; **R.interesse des Betreibers** *nt* operator's profitability objective; **R.kalkül** *nt* investment appraisal, pre-investment analysis; **R.kennzahl** *f* efficiency ratio; **R.kriterium** *nt* profitability criterion; **R.lage** *f* profitability situation; **R.lücke** *f* profitability gap; **r.mäßig** *adj* in terms of yield/earning power; **R.niveau** *nt* level of profitability; **r.orientiert** *adj* aiming at profitability; **R.prüfung** *f* break-even/profitability analysis; **R.-rechnung** *f* cost accounting, costing, investment appraisal, profitability estimate, pre-investment analysis, calculation of earning power, ~ net returns; **R.rückgang** *m* loss of earning power, decline in productivity; **R.schätzung** *f* costing, cost accounting; **r.schwach** *adj* low-profitability; **R.schwelle** *f* break-even point; **~ erreichen** to break even; **R.steigerung** *f* earnings increase; **R.studie/R.untersuchung** *f* profitability study; **R.tabelle** *f* break-even chart; **R.trend** *m* profitability trend; **R.verbesserung** *f* earnings improvement, improvement in profitability; **R.vergleich** *m* earnings comparison, comparison of profitability; **R.vergleichsrechnung** *f* accounting/average-return/return-on-investment method, calculation of net returns; **R.zeitpunkt** *m* break-even date; **R.ziel** *nt* target rate of return; **R.ziffer** *f* 1. break-even figure; 2. *(Kurzvers.)* rental figure; **in der R.zone** *f* in the black *(fig)*; **R.zuwachs** *m* increase in profitability, ~ earning power

Rentamt *nt* bursar's office, bursary

Rente *f* 1. (old age) pension, annuity, superannuation, retired pay; 2. economic rent; 3. *(Kapitalertrag)* yield, return, revenue; **R.n** bonds and debentures

Rente|n auf Grund früherer Arbeitsverhältnisse annuities in respect of past employment; **R. mit Barausschüttung nicht erschöpfter Prämienzahlungen** cash refund (life) annuity; **R. ohne Beitragspflicht** non-contributory pension; **R. mit vollem Beitrag nach dem Todesjahr** complete annuity; **R. im Falle der Berufskrankheit** industrial injury pension; **R. an Ehegatten und Überlebenden** joint and survivor annuity; **R. für Familienangehörige** dependants'/dependents' pension; **R. mit Gewinnbeteiligung** participating annuity; **R. auf Hypothekenbasis** home income plan; **R.n und dauernde Lasten** annuities and permanent burdens; **R. mit unbestimmter Laufzeit** contingent annuity; **R. auf verbundene Leben** annuity on joint lives; **R.n nach Mindesteinkommen** pensions based on minimum incomes; **R. auf den Überlebensfall** reversionary annuity; **R. mit variablen Zahlungen** variable annuity; **R. auf bestimmte Zeit** terminable annuity

Rente ablösen to redeem an annuity; **R. abwerfen** to yield interest; **in R.n anlegen** to invest in bonds; **für jdn eine R. aussetzen** to settle an annuity on so.; **R. bekommen/beziehen** to draw/receive a pension; **zu einer R. berechtigen** to carry a pension; **R. zum Ruhen bringen** to have pension payments suspended; **R. erhalten** to be awarded a pension; **R. neu festsetzen/stellen** to reassess/revalue a pension; **in R. gehen** to retire on a pension, to go into retirement; **vorzeitig ~ gehen** to take early retirement; **R. gewähren** to pay/grant an annuity; **R. kapitalisieren** to capitalize an annuity; **von einer R. leben** to live on a pension; **in R. sein** to be retired; **R. tilgen** to redeem a pension

abgebrochene Rente curtate annuity; **abgekürzte R.** terminable annuity; **ablösbare R.** redeemable annuity; **aufgeschobene R.** deferred/intercepted annuity; **aufgewertete R.** revalorized annuity; **ausländische R.n** foreign bonds; **bedingte R.** contingent annuity; **zeitlich befristete R.** termed annuity; **sofort beginnende R.** immediate annuity; **beitragsfreie R.** non-contributory pension; **beitragspflichtige R.** contributory pension; **dynamische/einkommensbezogene R.** earnings-related/wage-related/index-linked/indexed pension; **ewige R.** 1. perpetual annuity, perpetuity; 2. irredeemable bond; **sofort fällige R.** immediate annuity/maturity; **später ~ R.** deferred annuity; **festverzinsliche R.n** fixed-interest-bearing securities; **gestaffelte R.** graduated pension; **gleichbleibende R.** level pension; **individuelle R.** personal pension; **kündbare R.** terminable/redeemable annuity; **lebenslängliche R.** life/perpetual annuity, perpetuity; **nachschüssige R.** ordinary annuity, annuity immediate; **nominelle R.** *(Miete)* peppercorn rent; **ökonomische R.** economic rent; **steuerfreie R.** clear/non-taxable annuity; **übertragbare R.** portable annuity; **umwandlungsfähige R.** convertible annuity; **unablösbare R.** irredeemable annuity; **unterbrochene R.** non-continuous annuity; **veränderliche R.** variable annuity; **verbundene R.** joint-life annuity; **(volks)wirtschaftliche R.** economic rent; **vorgezogene/vorzeitige R.** early retirement pension; **vorschüssige R.** annuity due; **zeitliche R.** termed annuity

Renten|ablösung *f* commutation of a pension, commutation/redemption of an annuity; **R.abteilung** *f* annuity department; **R.alter** *nt* pension(able)/retirement age; **gesetzliches R.alter** statutory pension/retirement age; **R.anhebung** *f* pension increase; **R.anlage** *f* investment in bonds; **R.anleihe** *f* annuity bond, perpetual annuity/bond, ~ government loan; **R.anpassung** *f* pension indexation/adjustment, revaluation of a pension; **R.anpassungsgesetz** *nt* pensions indexation/adjustment act

Rentenanspruch *m* pension claim/rights/entitlement, eligibility for a pension; **mit R.** entitled to/eligible for a pension; **ohne R.** ineligible for a pension; **individueller R.** individual retirement account; **ruhender R.** frozen pension; **übertragbarer R.** portable pension claim; **unübertragbarer R.** unassignable pension claim; **R. haben** to qualify for a pension; **r.sberechtigt** *adj* pensionable; **R.sberechtigte(r)** *f/m* person entitled to a pension, annuitant

Renten|anstalt *f* life-annuity company; **R.antrag** *m* application for a pension; **R.antragsteller(in)** *m/f* pension applicant; **R.anwartschaft** *f* (retirement) pension expectancy, pension claim/entitlement/prospect; **R.aufbesserung** *f* pension increase; **R.aufwand** *m* annuity cost; **R.ausgleichsforderung** *f* pension equalization claim; **R.ausweis** *m* pension book; **R.auszahlung** *f* pension payment; **R.automatismus** *m* automatic pension increase; **R.baisse** *f* slump in the bond market; **R.bank** *f* mortgage/annuity bank; **landwirtschaftliche R.bank** agricultural/farm mortgage bank; **R.barwert** *m* annuity value; **R.beginn** *m* starting date of pension payments; **R.beitrag** *m* pension contribution; **R.bemessung** *f* pension assessment; **R.bemessungsgrundlage** *f* pension assessment base; **R.berater(in)** *m/f* pension/retirement adviser; **R.beratung** *f* pensions advice, consultation on pension rights; **R.berechnung** *f* computation of pensions; annuity computation; **r.berechtigt** *adj* pensionable, entitled to a pension, eligible for a pension; **R.berechtigte(r)** *f/m* person entitled to a pension; **R.berg** *m* pension hump; **R.bescheid** *m* pension notice, award of annuity/pension, pension approval certificate; **R.besitzer(in)** *m/f* fixed-interest security holder; **R.bestand** *m* 1. *(Vers.)* annuity portfolio; 2. *(Börse)* bond holdings/portfolio; **R.bestellung** *f* annuity settlement; **R.besteuerung** *f* taxation of pensions; **R.betrag** *m* 1. amount of pension/annuity; 2. *(Vers.)* annuity portfolio; 3. bond holdings/portfolio; **R.bewilligung** *f* granting of a pension; **R.bezieher(in)** *m/f* → **R.empfänger**; **R.bezüge** *pl* pensions; **R.brief** *m* annuity bond; **R.buch** *nt* pension book; **R.dauer** *f* term of annuity; **R.deckungsrückstellung** *f (Vers.)* allocation to reserves for annuities; **R.depot** *nt* bond deposit, fixed-income portfolio; **R.dienst** *m* bond service; **R.dynamik** *f* indexation/earnings-relation/flexibility of pensions, automatic/index-linked pension increase, pension indexation; **R.einkommen** *nt* 1. *(Miete)* rental income; 2. unearned income, retirement and other social security pensions; **R.empfänger(in)** *m/f* 1. pensioner, pension recipient, recipient of a pension; 2. annuitant, rentier; **R.endwert** *m* (accumulated) amount of annuity, (total) accumulation of an annuity, final value of annuity; **R.entziehung/R.entzug** *f/m* forfeiture of a pension; **R.erhöhung** *f* pension increase; **R.fachmann** *m (Börse)* bond analyst; **r.fähig** *adj* 1. pensionable; 2. eligible for retirement; **R.fall** *m* pension case; **R.fälle** number of pensions (awarded); **R.finanzen** *pl (Vers.)* pension fund finances; **R.flaute** *f* sluggish bond market; **R.folge** *f* annuity series; **R.fonds** *m* fixed-income fund, pension/annuity/bond fund; **R.fondsanteil** *m* bond; **R.formel** *f* pension formula; **R.führer** *m* bond guide; **R.geschäft** *nt* annuity business, fixed-interest security business; **R.gesetzgebung** *f* pensions legislation; **R.gut** *nt* farm paid for by terminable annuity, estate charged with an annuity; **R.handel** *m* bond trading; **R.händler** *m* bond dealer; **R.händlerfirma** *f* bond house; **R.hausse** *f* upsurge in bond prices; **R.höhe** *f* pension level, annuity rate; **R.kapitalversicherung** *f* endowment assurance/insurance, annuity life insurance; **R.kasse** *f* retirement plan; **R.konto** *nt* pensioner's account; **R.kurs** *m* bond price; **R.last** *f* pension costs, annuity charge; **R.lastquote** *f* annuity charge; **R.leistungen** *pl* pension benefits/payments, annuity payment

Rentenmarkt *m* bond/fixed-interest market, forward market for loans; **R. in Anspruch nehmen** to tap the bond market; **R.analytiker** *m* bond market analyst; **R.geschehen** *nt* bond trading; **R.titel** *m* fixed-interest security, bond

Renten|nachzahlung *f* supplementary pension (payment); **R.neufestsetzung** *f* revaluation/reassessment of a pension, pension review/revaluation; **R.neuordnung/R.neuregelung** *f* pension reform; **R.niveau** *nt* pension level(s); **R.notierungen** *pl* bond prices; **R.option** *f* annuity option, option for annuity

Rentenpapier *nt* bond, fixed-income security, fixed-interest security/stock/annuity; **R.e** bonds and debentures; **~ mit vertraglichen Bedingungen** contractual securities

Renten|pfändung *f* garnishment of a pension; **R.police** *f* annuity policy; **R.politik** *f* pension policy; **R.porte-**

feuille *nt* bond holdings; **R.rate** *f* annuity payment; rent; ~ **pro Jahr** annual rate of annuity; **R.rechnung** *f* computation of annuities; **R.recht** *nt* pension law; **R.-reform** *f* pension reform; **R.reihe** *f* annuity series; **R.-rendite** *f* bond yield; **R.rückforderung** *f* repayment claim for pensions; **R.rückkaufwert** *m* surrender/annuity value; **R.rückzahlung** *f* annuity repayment; **R.-schein** *m* 1. annuity certificate/coupon; 2. interest coupon

Rentenschuld *f* annuity charge; **R.forderung** *f* annuity charge claim; **R.verschreibung** *f* annuity bond

Renten|schwäche *f* weakness in bond prices; **R.sparer** *m* bond-buying saver; **R.stammrecht** *nt* vested pension rights; **R.steigerungsbetrag** *m* pension increment; **R.titel** *pl* bonds and debentures, annuity bonds; **R.träger** *m* pension funding/paying institution; **R.umlauf** *m* total bonds outstanding; **R.umsätze** *pl* bond sales/turnover; **R.urteil** *nt* judgment for periodical payments

Rentenversicherung *f* old-age (benefit) insurance, ~ pension fund, pension scheme/plan, pensions insurance, annuity insurance/assurance/contract; **R. abschließen** to buy an annuity; **beitragsfreie R.** non-contributory pension scheme/plan; **beitragspflichtige R.** contributory pension scheme/plan; **einkommensbezogene R.** earnings-related pension scheme; **gesetzliche ~ R.** state earnings-related pension scheme (SERPS) *[GB]*; **gesetzliche R.** statutory pension (insurance) fund/scheme; **öffentliche/staatliche R.** public pension scheme, state pension plan; **private R.** pension scheme, ~ insurance fund

Rentenversicherungs|anspruch *m* pension entitlement; **R.beitrag** *m* superannuation contribution, national insurance contribution (NIC), social security contribution *[GB]*/tax *[US]*; **R.pflicht** *f* compulsory pension scheme; **R.träger** *m* pension fund, ~ insurance institution

Renten|vertrag *m* annuity contract/agreement, contract of annuity; **R.verzeichnis** *nt* rent roll; **R.vorziehung** *f* (taking) early retirement; ~ **aus gesundheitlichen Gründen** breakdown pension; **R.wahlrecht** *nt* annuity option; **R.wert** *m (Börse)* fixed-interest security, debenture, bond; **R.zahlung** *f* pension/annuity payment; **R.zugangsalter** *nt* pensionable age

Rentier *m* 1. rentier, annuitant; 2. pensioner

rentieren *v/refl* to pay, to be profitable/worthwhile, to yield a return, to make money; **sich gut r.** to pay well; **r.d** *adj* profitable

rentierlich *adj* profitable, remunerative, profit-yielding, viable, yielding a return; **R.keit** *f* profitability

Rentner *m* (old-age) pensioner (OAP), senior citizen, retiree, rentier, annuitant; **im Ausland lebender R.** remittance man *(coll)*; **R.dichte** *f* pensioner ratio; **R.-haushalt** *m* pensioner household; **R.krankenversicherung** *f* pensioner's health insurance (scheme)

Renvoi *nt* § renvoi

Reorganisation *f* 1. reorganisation, restructuring, reconstruction; 2. reshaping, readjustment; 3. *(Personal)* shake-up; **R. von Geschäftsabläufen** business process reengineering; **strukturelle R.** restructuring, structural reorganisation; **R.sprogramm** *nt* restructuring plan; **R.sverfahren** *nt* restructuring procedure

reorganisieren *v/t* to reorganise/reconstruct/restructure/reshape/remodel/regroup/revamp

Reparation *f* reparation(s); **R.en leisten** to make reparations

Reparations|abkommen *nt* reparation agreement; **R.anleihe** *f* reparation loan; **R.forderungen** *pl* reparation claims; **R.gläubiger(in)** *m/f* country entitled to reparations; **R.leistungen/R.zahlungen** *pl* reparation payments, reparations (made); **R.schulden** *pl* reparation debts

Reparatur *f* repair (work), mending; **R. nach Anruf** per-call service; **R. von Unfallschäden** 🚗 crash repair; **R. und Wartung** repair and servicing; **laufender R.en bedürfen** to be in constant need of repair; **R.en durchführen/vornehmen** to effect/carry out repairs; **in R. geben** to have repaired; ~ **sein** to be under repair; ⚓ to be in dock

üblicherweise anfallende Reparatur|en ordinary repairs; **bauliche R.en** building repairs; **zu Lasten des Eigentümers gehende R.en** repairs chargeable to the owner; **geringfügige/kleinere R.en** minor repairs; **größere R.en** major repairs; **laufende R.en** current repairs; **umfangreiche R.en** extensive repairs

Reparatur|abteilung *f* repair department; **r.anfällig** *adj* prone to break down; **R.anfälligkeit** *f* proneness to break down; **R.anlagen** *pl* repair facilities; **R.anstalt** repair shop

Reparaturarbeit(en) *f/pl* repair work; **zu R.en einlaufen** ⚓ to put in for repairs; **wegen R.en geschlossen** closed for repairs

Reparatur|auftrag *m* repair order; **R.aufwand** *m* repair costs; **außerordentlicher R.aufwand** extraordinary repairs; **R.ausrüstung** *f* repair kit/outfit

reparaturbedürftig *adj* in need of repair, repairable, for want of repair, in disrepair; **r. sein** to need repair, to be out of kilter; **R.keit** *f* disrepair, unrepair

Reparatur|dienst *m* repair service; **r.fähig** *adj* repairable; **R.fahrzeug** *nt* 1. 🚗 breakdown van; 2. repair vehicle; **R.ferien** *pl* close-down for repairs; **R.kosten** *pl* 1. *(Bilanz)* repairs; 2. cost(s) of repairs; **R.lager** *m* service depot; **R.leistungen** *pl* repair services, repairs; **R.liste** *f* repair list; **R.mannschaft** *f* repair crew; **R.möglichkeiten** *pl* repair facilities; **R.rechnung** *f* repair bill; **R.rücklage** *f* provisions for repairs; **R.schicht** *f* 🏭 maintenance shift; **R.vertrag** *m* contract for repairs; **R.werft** *f* ⚓ ship-repair yard, dockyard; **R.werkstatt** *f* repair (work)/maintenance shop, 🚗 garage, service station; **R.zettel** *m* repair tag

reparierbar *adj* repairable, retrievable; **nicht r.** beyond repair

reparieren *v/t* to repair/mend/overhaul/fix; **zu r.** repairable; **nicht mehr zu r.** beyond repair

repartier|en *v/t* 1. to allot; 2. *(Aktien)* to apportion, (re)allot, to scale down; **R.ung** *f* 1. allocation; 2. *(Aktien)* apportionment, (re)allotment, scaling down

repatriieren *v/t* 1. to repatriate; 2. to relocate, to bring home

Repatriierung *f* repatriation, bringing home; **R.sbeihilfe** *f* relocation/repatriation grant; **R.sprämie** *f* repatriation bonus

Repertoire *nt* repertoire, repertory

Repetierfaktor *m* consumption factor, consumable factor of production

Repetitor *m* tutor, coach, crammer

repetitiv *adj* repetitive

Replik *f* 1. rejoinder, reply, answer; 2. [§] replication

Repo-Geschäft *nt [D]* repo, repurchase agreement

Report *m (Kursabschlag)* contango (day), premium, carryover, delayed acceptance penalty; **in R. geben** to give in continuation; **~ nehmen** to take in continuation, to carry over

Reportage *f* reporting, account

Report|arbitrage *f* commodity arbitrage; **R.effekten** *pl* contango securities

Reporter *m* reporter

Report|geber *m* rate-payer of contango; **R.gebühr** *f* contango rate; **R.geld** *nt* contango money; **R.geldmarkt** *m* carryover loan market; **R.geschäft** *nt* contango/carryover business; **R.geschäfte abschließen** to contango

reportier|en *v/t* to trade on margin, to carry over; **R.ung** *f* trading on margin, contango business

Report|makler *m* contango broker; **R.nehmer** *m* giver; **R.prämie** *f* continuation rate, contango (rate); **R.satz** *m* contango/carryover rate, forward premium rate; **R.-tag/R.termin** *m* contango/make-up/making-up/carryover day

Repo-(Zins)Satz *m [D]* repo rate (securities repurchase rate)

Repräsentant|(in) *m/f* 1. representative; 2. salesman, exponent; **lokaler R.** local agent; **R.enhaftung** *f* representative's liability; **R.enhaus** *nt* House of Representatives *[US]*

Repräsentanz *f* 1. representation; 2. agent, agency, representative office, branch

Repräsentation *f* representation

Repräsentations|aufwand/R.aufwendungen *m/pl* entertainment expense(s), representation expenditure; **R.denken** *nt* status-mindedness; **dem ~ verhaftet** statusy; **R.erhebung** *f* 1. representative survey; 2. ▦ sample statistics; **r.fähig** *adj* representable; **R.figur** *f* figurehead; **R.fonds** *m* representation allowance; **R.geschenk** *nt* prestige/prestigious gift; **R.grad** *m* ▦ degree of representativeness; **R.haftung** *f* vicarious liability; **R.inserat** *nt* image advertisement; **R.kosten** *pl* entertainment expenses, cost of entertainment; **R.pflichten** *pl* social duties; **R.prinzip** *nt* representation principle; **R.umfrage** *f* representative survey; **R.werbung** *f* institutional/image advertising; **R.zulage** *f* entertainment allowance, duty entertainment expense

repräsentativ *adj* representative, typical

Repräsentativ|auswahl *f* 1. ▦ representative selection; 2. *(Verfahren)* sampling; **R.befragung** *f* sample poll; **R.erhebung** *f* sample survey/investigation, representative sampling; **R.statistik** *f* sample statistics, sampling; **R.umfrage** *f* sample inquiry/poll, representative survey

repräsentieren *v/t* 1. to represent/typify; 2. to perform official duties

Repressalie *f* reprisal, (act of) retaliation; **R.n** retaliation, retaliatory measures; **als R.** in reprisal; **R.n ergreifen gegen** to take reprisals against, to make reprisal(s) upon

Reprise *f* 1. re-run; 2. *(Börse)* recovery

reprivatisier|en *v/t* to (re)privatize/denationalize, to return to private ownership, to hive off; **R.ung** *f* (re)privatization, denationalization, return/reversion to private ownership, ~ private enterprise, hiving off

Reproduktion *f* 1. reproduction; 2. replica

Reproduktions|faktor *m* reproduction factor; **roher R.index** gross reproduction rate; **R.kosten** *pl* reproduction cost(s); **R.rate/R.ziffer** *f* reproduction rate; **R.technik** *f* 1. reproduction technique; 2. reproduction technology; **R.wert** *m* replacement value, reproduction cost value; **~ abzüglich Abschreibungen** physical value

reproduzier|bar *adj* reproducible, printable; **R.barkeit** *f* reproducibility; **r.en** *v/t* to reproduce/copy

Reptilienfonds *m* slush/secret/unvouchered fund

Republik *f* republic; **r.anisch** *adj* republican

Reputationsverlust *m* loss of reputation

requirier|en *v/t* to requisition/commandeer; **R.ung** *f* requisition(ing)

Requisition *f* requisitioning, commandeering; **R.sbescheid** *m* notice of requisitioning

Reservat *nt* reservation, preserve; **R.recht** *nt* discretionary powers

Reserve *f* 1. reserve, stockpile, backlog; 2. reserve fund, savings; **R.n** provisions, potential; **in R.** in reserve

Reserve an Arbeitskräften labour reserve; **R.n einer Bank** bank reserves; **R. für Dubiose** doubtful reserves; **R. im Falle der Liquidation** reserve capital; **R. für besondere Fälle** contingency fund; **R.n für zweifelhafte Forderungen** bad-debt/doubtful reserves; **stille R.n durch Istkostenkalkulation** current cost reserve; **R. zweiten Ranges** second reserve; **R. für schwebende Versicherungsfälle** reserves for claims pending; **~ Wechselfälle** reserve against contingencies

Reserven angreifen to draw on the reserves; **R. anlegen** to make provisions (for); **finanzielle R. anreichern** to build up a nest egg *(fig)*; **stille R. anreichern/stärken** to increase hidden/undisclosed reserves; **R. ansammeln/aufstocken** to build up reserves; **R. auffüllen** to replenish reserves; **R. auflösen** to retransfer reserves; **stille R. auflösen** to liquidate hidden/secret reserves; **R. ausschöpfen** to exhaust/run down reserves; **R. bilden** to build up/create reserves, to provide for reserves; **R. darlegen** to disclose reserves; **aus seiner Reserve heraustreten** to thaw *(fig)*; **R. mobilisieren** to liquidate/mobilize reserves; **R. stärken** to bolster reserves; **R. unterhalten** to maintain reserves; **letzte R. verbrauchen** to scrape the barrel *(fig)*; **R. vorhalten** 1. to carry reserves; 2. to keep/maintain buffer stocks; **von den R. zehren** to draw on the reserves; **auf seine R. zurückgreifen** to fall back on one's reserves

amtliche Reserve|n official reserves; **angesammelte R.n** accumulated reserves; **ausgewiesene R.n** declared reserves; **außerordentliche R.** provident reserve fund; **bare R.** cash reserve; **eigene R.** own/fully owned reserve; **eiserne R.** contingency reserve, asset of the last resort; **flüssige R.n** liquid reserves/resources; **freie R.n** available/free reserves, reserves at disposal; **aus Höherbewertung gebildete R.** revaluation surplus; **aus Reingewinn ~ R.n** earned surplus account; **gesetzliche R.** *(Bank)* statutory/legal reserve; **hinreichende R.** adequate reserve(s); **innere R.n** inner reserves; **knappe R.n** low reserves; **nachgewiesene R.n** proven reserves; **offene R.(n)** disclosed/official/published/general/open/declared reserve(s); **satzungsgemäße R.(n)** statutory reserve(s); **stille R.n** hidden/undisclosed/secret/invisible/concealed/inner/latent reserves, dormant/hidden assets; **stillgelegte R.n** blocked reserve assets; **strategische R.** strategic stockpile; **technische R.** *(Vers.)* technical reserve, underwriting reserves; **überschüssige R.(n)** surplus/excess reserve(s); **unsichtbare/versteckte R.n → stille Reserven**; **gesetzlich vorgeschriebene R.** statutory/legal/lawful *[US]* reserves; **vorhandene R.** available reserve; **zentrale R.n** official reserves

Reserve|- spare, standby; **R.abgänge** *pl* outflow of reserves; **r.ähnlich** *adj* reserve-like, quasi-reserve; **R.aktivum** *nt* reserve asset/instrument; **R.anlage** *f* standby plant; **R.ausweis** *m* reserve statement; **R.bank** *f* reserve bank; **R.bedarf** *m* reserve requirements/needs; **R.betrag** *m* appropriated surplus; **~ für unvorhergesehene Fälle** contingency fund; **R.betrieb** *m* 🖳 back-up operation; **R.bildung** *f* accumulation/creation/build-up of reserves, appropriation of a surplus; **R.disposition** *f* reserve management; **R.einheit** *f* 1. reserve asset; 2. *(IWF)* reserve unit; **kollektive R.einheit** collective reserve unit; **R.einrichtungen** *pl* reserve facilities; **R.entnahme** *f* withdrawal from reserves; **R.fläche** *f* reserve land

Reservefonds *m* reserve/surplus fund, rest capital set aside; **R. für unvorhergesehene Verluste** contingent account; **freier R.** free reserve fund

Reserve|forderung *f* 1. reserve asset; 2. *(IWF)* reserve claim; **R.form** *f* asset; **R.funktion** *f (Währung)* reserve role; **R.gerät** *nt* standby (unit); **R.guthaben** *nt (IWF)* reserve holding/assets/deposit; **R.haltung** *f* reserve management/deposits, back-up; **R.instrument** *nt* reserve instrument/medium; **R.-Ist** *nt* actual reserve; **R.kapazität** *f* spare/standby/reserve capacity; **R.kapital** *nt* investment/capital/revenue reserve, rest capital, contingent property; **R.klasse** *f* reserve category; **R.komponente** *f* reserve asset, kind of reserve; **R.konto** *nt* reserve/contingent account; **auf ~ verbuchen** to put to reserve; **R.lager** *nt* reserve/buffer stock(s); **R.-leistung** *f* reserve capacity; **R.medium** *nt* reserve asset/facility; **grundlegendes R.medium** basic reserve asset; **R.meldeverfahren** *nt* reserve reporting (procedure); **R.meldung** *f* reserve status report, ~ statement; **R.mittel** *nt* reserve medium/asset/facility; **offizielle R.mittel** official reserve assets

Reserven|berechnung *f (Vers.)* valuation; **R.bildung** *f* **→ Reservebildung**; **R.erhöhung** *f* reserve increase; **R.verlust** *m* reserve loss, loss of reserves; **R.zuwach** *m* reserve gain

Reserve|pflicht *f* reserve requirement; **r.pflichtig** *ad* subject to reserve requirements; **R.position** *f (IWF)* reserve position, net fund position; **R.polster** *nt* reserv facility; **R.posten** *m* reserve item; **R.rechner** *m* stand by computer; **R.satz** *m* reserve ratio; **R.satzstaffel** *(Bank)* reserve ratio scale, legal reserve ratio *[US]* **R.soll** *nt* minimum reserve requirement(s), required re serve(s), statutory reserves; **R.speicher** *m* 1. 🖳 spar memory; 2. back-up store; **R.stellung** *f* 1. allocation t reserves; 2. reserve position; **R.system** *nt* standby sys tem; **R.teil** *nt* spare (part); **R.transaktion** *f* reserv transaction; **R.veränderung** *f* change of reserves; **R. vorschriften** *pl* reserve requirements; **R.wachstum** *n* reserve growth

Reservewährung *f* reserve currency; **R.sguthaben** *n* reserve currency balance; **R.sland** *nt* reserve currenc country

reserve|wertig *adj* qualifying as reserves; **R.zentrum** *nt* reserve centre; **R.zuweisung** *f* allocation to reserve

reservier|en *v/t* to reserve/book, to set aside; **r.t** *adj* 1 *(besetzt)* engaged, occupied; 2. *(zurückhaltend)* reservec reluctant, cautious

Reservierung *f* reservation, (advance) booking; **R rückgängig machen** to cancel a reservation; **zentral R.** centralized reservation system; **R.sgebühr** *f* book ing/reservation fee; **R.sstelle** *f* booking/reservation of fice

Reservoir *nt* pool, reservoir; **verfügbares R. an Fach kräften** skilled personnel

Residenz *f* residence; **R.pflicht** *f* residence requiremen

residieren *v/i* to reside

Residual|ansprüche *pl* residual claims; **r.bestimmt** *ad* residual; **R.faktor** *m* residual factor; **R.gewinn für Stammaktionäre** *m* residual net income

Residuen *pl* ▦ residual variables

Resig|nation *f* 1. resignation; 2. surrender; **r.nieren** *v/* to resign

resolut *adj* determined, resolute

Resolution *f* resolution, vote, motion; **R. ablehnen** t reject a motion; **R. annehmen/verabschieden** to pas a motion; **R. einbringen** to move a resolution; **R. vor legen** to table a resolution/motion

Resonanz *f* 1. resonance; 2. *(fig)* echo, response; **R. fin den** to achieve resonance

resor|bieren *v/t* to re(ab)sorb/sbsorb; **R.ption** *f* reab sorption

resozialisier|en *v/t* to rehabilitate; **R.ung** *f* rehabilitatio

Respekt *m* respect, esteem; **bei allem R.** with due re spect; **mit allem schuldigen R.** with all due submis sion; **R. einflößen** to inspire/command respect; **R schulden** to owe respect

respektabel *adj* respectable

Respekt|blatt *nt* ▯ flyleaf; **R.blattbogen** *m* ▯ endorse ment sheet; **R.frist** *f (Wechsel)* period/days of grace

respektieren *v/t* 1. to respect; 2. *(Wechsel)* to honour

respektive *adv* respectively

respekt|los *adj* irreverent, disrespectful; **R.losigkeit**

disrespect, lack of respect; **R.sperson** *f* person to be respected, person in authority; **R.tage** *pl (Wechsel)* days of grace/respite; **ohne R.tage** without days of grace, fixed; **r.voll** *adj* respectful

Ressentiment *nt* (feeling of) resentment, hard feeling(s), sense of grievance

Ressort *nt* (government) department, portfolio, division, organisational unit, competence; **eigenständiges R.** separate unit

Ressort|- (inter)department(al); **R.abkommen** *nt* interdepartmental agreement; **R.bearbeiter** *m* desk officer; group executive; **R.besprechung** *f* interdepartmental conference; **R.chef** *m* head of department; **R.egoismus** *m* excessive departmentalization, selfishness among government departments; **r.eigen** *adj* departmental; **R.gespräch** *nt* interdepartmental talks

ressortieren bei *v/prep* to fall within the province of

Ressort|kollegialität *f* interdepartmental cooperativeness; **R.leiter(in)** *m/f* head of department, group executive; **r.mäßig** *adj* departmental; **R.minister(in)** *m/f* departmental minister; **r.spezifisch** *adj* departmental; **R.statistik** *f* government department statistics; **r.übergreifend** *adj* cross-departmental, transdepartmental, interministerial

Ressourcen *pl* resources, capabilities; **natürliche R.** natural resouces; **ökonomische R.** economic resources; **strategische R.** strategic resources; **volkswirtschaftliche R.** economic resources

Ressourcen|allokation *f* allocation of resources; **R.bereitstellung** *f* resourcing; **R.fluss** *m* flow of resources; **R.inanspruchnahme** *f* resource absorption; **R.nutzung** *f* deployment of resources; **R.planung** *f* capability planning; **R.schonung** *f* conservation/saving of resources; **R.transfer** *m* transfer of resources

Rest *m* 1. rest, remainder, leftover(s), odd-come-shorts; 2. balance, surplus, residue, arrears; **R.e** remains, remnants, odds and ends, oddments, pickings; **~ und Gelegenheitskäufe** remnants and oddments; **für den R. des Lebens** [§] for life; **R. absorbieren** to mop up; **R. aufbringen** to put up the rest; **R. begleichen/bezahlen** to pay (off) the balance/rest, to put up the rest; **nicht abgeschriebener/aufteilbarer R.** unamortized balance; **kläglicher R.** all that is left; **spärlicher R.** scanty remainder; **sterbliche R.e** mortal remains

Rest|- residual, residuary; **R.abschreibung** *f* balancing allowance; **R.abwicklung** *f* residual clearance; **R.anlagenwert** *m* residual cost/value

Restant *m* defaulter, delinquent debtor, debtor in arrears/default; **R.en** 1. slow-moving items, leavings, odd lots; 2. *(Buchung)* suspense items; 3. *(Effekten)* leftovers

Rest|arbeitslosigkeit *f* hard-core/residual unemployment; **R.auflage** *f* remainders, remaindered stock

Restaurant *nt* restaurant; **R. mit Selbstbedienung** self-service restaurant; **R. betreiben** to run a restaurant; **im R. essen** to lunch/eat out; **R.besitzer** *m* restaurant owner; **R.betrieb** *m* catering business; **R.kette** *f* restaurant chain, catering group; **R.rechnung** *f* restaurant bill

Restaurateur *m* 1. caterer; 2. *(Kunst)* restorer

Restauration *f* 1. *(Kunst)* restoration, renovation; 2. restaurant, catering; **R.sbetrieb** *m* catering business

restaurativ *adj* restorative, reactionary

restaurier|en *v/t* to restore/renovate; **R.ung** *f* restoration, renovation

Restaurator *m* restorer

Rest|bestand *m* 1. remainder, balance, residual, holding; 2. remainder of a stock, remaining stock/amount; 3. pay-off amount; **~ an Arbeitslosigkeit** hard-core unemployment; **R.beteiligung** *f* residual stake

Restbetrag *m* residual amount/quantity, amount left, (undrawn/remaining) balance, balance account, remainder, residue, remaining/outstanding sum, remaining/pay-off amount; **R. zahlen** to pay the balance; **geschuldeter R.** balance due; **unbezahlter R.** arrears, arrearage; **verbleibender R.** any assets remaining; **R.srente** *f* modified refund annuity

Rest|buchhandel *m* remainders book trade; **R.buchwert** *m* residual (book) value, net/remaining/year-end book value, unrecovered/unamortized cost, depreciated value, carrying rate of asset; **R.darlehen** *nt* residual loan, remaining balance (of the loan); **R.deckungsbeitrag** *m* residual contribution margin; **R.dividende** *f* dividend balance

Reste|ausverkaufstag *m* remnants day; **R.händler** *m* piece broker

Resteinzahlungsverpflichtung *f* uncalled capital, liability for remaining calls

Reste|laden *m* oddments/remnants store; **R.lager aus Konkursen** *nt* bankrupt stocks; **R.partie** *f* odd lot; **R.verkauf** *m* remnants sale; **R.waren** *pl* remnants, oddments

Rest|fach *nt* reject pocket; **R.finanzierung** *f* residual financing; **R.forderung** *f* residual claim, claim for the remaining balance, ~ outstanding amount, ~ unpaid balance; **R.gas** *nt* tail gas; **R.gewinn** *m* balance/residue of profit; **R.größe** *f* ▦ residual amount/term; **R.gut** *nt* remnants of an estate; **R.guthaben** *nt* remaining credit balance

restieren *v/t* to remain

restituieren *v/t* to restitute/refund/restore

Restitution *f* restitution, restoration, refund

Restitutions|anspruch *m* restitutory right/claim, claim for restitution; **R.klage** *f* action for a retrial, proceedings for restitution; **R.prozess** *m* restitution case; **R.recht** *nt* restitutory right

Rest|jahr *nt* part/remaining year; **R.kapital** *nt* remaining/residual capital, principal outstanding, remaining investment, ~ capital value

Restkauf|darlehen *nt* purchase-money loan; **R.geld** *nt* residual purchase money, balance of purchase price; **R.-hypothek** *f* purchase-money mortgage, vendor's lien; **R.preis** *m* balance of purchase money; **R.preisforderung** *f* claim to residue of purchase money; **R.rente** *f* purchase annuity; **R.schuldschein** *m* purchase-money bond; **R.versicherung** *f* house purchase insurance

Rest|kosten *pl* residual cost(s); **R.kostenrechnung** *f* residual value costing; **R.kredit** *m* residual loan, remaining balance of the loan; **R.lager von Konkursen** *nt* bankrupt stocks

Restlaufzeit *f* unexpired/residual term, time to maturity, remaining maturity/life; **mit einer R. von ... Jahren** with ... years remaining to maturity; **mit kurzer R.** maturing

Rest|lebensdauer *f* unexpired life, remaining (useful) life, ~ life expectancy; **r.lich** *adj* remaining, residuary, odd; **R.lieferung** *f* back order; **R.lohn** *m* outstanding wage; **r.los** *adj* complete, total; **R.masse** *f* remaining assets, residue; **R.menge** *f* rest, residue, remainder; **verfügbare R.menge** *(Kontingent)* available balance

Restmüll *m* residual waste; **R.aufkommen** *nt* volume of residual waste, arising residual waste; **R.behandlung** *f* residual waste treatment; **R.menge** *f* residual waste volume; **R.verarbeitung/R.verwertung** *f* waste processing

Rest|nachfrage *f* residual demand; **R.nachlass** *m* residual/residuary estate

Restnutzungs|dauer *f* remaining (useful) life, unexpired life; **wahrscheinliche R.dauer** probable life; **R.wert** *m* scrap value

Rest|paket *nt* *(Aktien)* residual holding; **R.partie** *f* odd lot; **R.posten** *m* 1. residual item; 2. *(Bilanz)* balancing/accommodating item, errors and omissions (item); *pl* remnants, remaining stock, rummage goods; **R.preis** *m* residual value/price; **R.prozess** *m* § residue of action; **R.quote** *f* residual quota, final payment/dividend

Restriktion *f* restriction, constraint; **R.en von Bankkrediten** corset *(fig)*; **~ aufheben** to remove controls; **finanzielle R.** money restraint; **wirtschaftliche R.en** economic constraints

Restriktions|grad *m* restrictiveness; **R.kurs** *m* restrictive policy/course; **auf ~ gehen** to adopt restrictive measures; **R.maßnahme** *f* restrictive measure

restriktiv *adj* restrictive, tight

Restrisiko *nt* balance of risk, residual/acceptable risk

restrukturier|en *v/t* to restructure/reorganise; **R.ung** *f* restructuring, reorganisation

Rest|saldo *m* (remaining) balance, rest; **R.schlange** *f* *(Währung)* truncated snake; **R.schuld** *f* residual/remaining/surviving debt, residual/remaining debit balance, unpaid balance, outstanding (credit) debt, ~ capital, remainder of a debt; **R.schuldversicherung** *f* residual debt insurance; **R.strafe** *f* remainder of the sentence, unserved portion of the penalty; **R.summe** *f* remainder, remaining/outstanding sum, undrawn balance, balance account, arrearage; **verbleibende R.summe** balance remaining, outstanding balance; **R.umlauf** *m* *(Banknoten)* remaining notes in circulation; **R.urlaub** *m* terminal leave, remaining/residual holiday entitlement; **R.varianz** *f* residual variance; **R.vermächtnis** *nt* residual gift/legacy; **R.vermögen** *nt* residual assets/estate, remaining assets; **R.vollmachten** *pl* residual powers; **~ ausüben** to exercise residual powers; **R.waren** *pl* remnants, rummage goods

Restwert *m* 1. residual/book/depreciated/recovery/scrap value; 2. *(Abschreibung)* salvage (value); **kalkulatorischer R.** calculated residual value; **R.abschreibungsmethode** *f* reducing-fraction method of depreciation; **R.rechnung** *f* residual value costing; **R.versicherung** *f* residual value insurance

Rest|wirtschaft *f* rump economy; **R.zahlung** *f* 1. payment of the balance; 2. *(Rate)* final instalment; **R.zahlungssumme** *f* (remaining) balance to be paid; **R.zeit** residue

Resultat *nt* 1. result, outcome, consequence, findings 2. net position; **R.e ergeben** to show results

resultieren aus *v/i* to result from, to be resultant from

Resümee *nt* summary, resumé

resümieren *v/t* to summarize, to sum up

Retentionsrecht *nt* right of retention

Retorsion *f* 1. *(Völkerrecht)* retorsion; 2. ⊖ retaliation reprisal; **R.smaßnahme** *f* retaliatory measure; **R.srecht** *nt* ⚓/§ law of marque; **R.szoll** *m* ⊖ retaliatory duty/tariff

Retorte *f* 1. ⚗ retort; 2. *(Reagenzglas)* test tube; **R.n-** synthetic; **R.nbaby/R.nkind** *nt* test-tube baby

Retourbillet *nt* → **Retourfahrkarte**

Retoure *f* return, returned consignment/shipment; **R.n** returns, goods returned, returned purchases/sales/merchandise; **~ und Rabatte** returns and allowances; **~ an Lieferanten** returns outwards

Retouren|buch/R.journal *nt* (sales) returns journal, returns book; **R.gutschrift** *f* returns credit voucher **R.konto** *nt* (purchase) returns account; **R.- und Nachlasskonto** returned sales and allowance account

Retour|fahrkarte *f* return *[GB]*/round-trip *[US]* ticket **R.fracht** *f* cargo homeward *[GB]*, returned shipment *[US]*

retournier|en *v/t* *[A]* to return; **r.t werden** *(Scheck/Wechsel)* to bounce

Retour|provision *f* return commission; **R.rechnung** *f* return account, banker's ticket; **R.scheck** *m* returned cheque *[GB]*/check *[US]*; **R.sendung** *f* cargo homeward *[GB]*, returned shipment *[US]*; **R.spesen** *pl* back charges; **R.waren** *pl* returns, goods returned; **R.wechsel** *m* returned bill, redraft

retro|spektiv *adj* retrospective; **R.zedent** *m* retrocedent; **r.zedieren** *v/t* to retrocede, to sign back

Retrozession *f* retrocession, reassignment; **R.är** *m* retrocessionaire, retrocessionary; **R.sbeitrag** *m* *(Vers.)* retrocession premium

retten *v/t* 1. to rescue/save/bail out; 2. 🖳 to recover/retrieve; 3. ⚓/🏭 to salvage; **nicht mehr zu r.** past redemption; **sich ~ r. können vor etw.** *(coll)* to be swamped with sth.; **r., was zu r. ist** to make the best of a bad job

Retter|(in) *m/f* rescuer; **R. in höchster Not** *(Übernahmekampf)* white knight *(fig)*

Rettung *f* 1. rescue (operation), recovery; 2. ⚓/🏭 salvage, **die R. sein** to save the day

Rettungsaktion *f* rescue/bailing-out/salvage operation, bailout; **R. starten** to mount a rescue operation; **finanzielle R.** financial rescue package

Rettungs|anker *m* *(fig)* lifeline; **R.arbeit** *f* rescue work; **R.boje** *f* lifebuoy; **R.boot** *nt* lifeboat; **R.dienst** *m* rescue/ambulance service; **R.fahrzeug** *nt* ambulance, rescue/emergency vehicle; **R.floß** *nt* life raft; **R.flugzeug** *nt* rescue plane; **R.geld des neuen Nehmers** *nt* prize money; **R.gürtel** *m* lifebelt; **R.hubschrauber** *m* rescue helicopter; **R.kolonne** *f* rescue party/team, search party; **R.kosten** *pl* cost(s) of rescue operation; **R.leine** *f* lifeline; **R.lohn** *m* salvage money; **r.los** *adj* beyond help; **R.mannschaft** *f* rescue party/team/squad; **R.maßnahme** *f* rescue/salvage operation; **R.mission** *f* rescue mission; **R.plan** *m* rescue plan; **R.ring** *m* lifebuoy, lifebelt; **R.schiff** *nt* lifeboat; **R.schwimmer** *m* lifesaver; **R.station** *f* 1. rescue centre; 2. first-aid station; **R.trupp** *m* rescue party/team, search party; **R.unternehmen** *nt* rescue/salvage operation; **R.versuch** *m* rescue bid/attempt; ~ **unternehmen** to mount a rescue bid; **R.wache** *f (Küste)* lifeguard *[US]*; **R.wagen** *m* ambulance, rescue vehicle; **R.weg** *m* 1. escape way, rescue route; 2. *(Feuer)* fire exit/escape; **R.zentrum** *nt* emergency centre

Retuschle *f* touching up; **r.ieren** *v/t* to touch up

Reue *f* repentance, remorse, contrition, penitance; **tätige R.** active regret/repentance; ~ **bei Falschaussage** § timely correction of a false statement

reuen *v/t* to regret/repent

Reulfracht *f* dead freight; **R.geld** *nt* penalty, forfeit/conscience/option money, vindictive damages; **r.mütig** *adj* penitent, repentant, remorseful

reüssieren *v/i* to succeed; **nicht r.** to fail

Revalierungsklage *f* action for indemnity

revalorisieren *v/t* to revalorize, to restore a currency

Revaluation *f* → **Aufwertung** revaluation, upvaluation

Revanche *f* 1. revenge, retaliation; 2. reciprocation; **R. nehmen** to square accounts *(fig)*

revanchieren *v/refl* 1. to retaliate; 2. *(Gegendienst)* to reciprocate

Revers *m* 1. bond, undertaking; 2. declaration; 3. *(Konnossement)* letter of indemnity, back letter; 4. *(Münze)* reverse; **R. ausstellen** to give a written declaration; **R.bindung** *f* commitment by written undertaking

reversiblel *adj* reversible; **R.ilität** *f* reversibility

revidierlen *v/t* 1. to review/revise/amend/overhaul, to work over; 2. to audit/check; **nach oben r.en** to revise upwards; **nach unten r.** to revise downwards; **R.ung** *f* 1. revision; 2. auditing

Revier *nt* 1. district, area, territory; 2. ⚒ coalfield; 3. ⚓/⚕ sick bay; 4. *(Polizei)* beat; 5. (police) station, station house *[US]*; 6. *(Briefträger)* round; **R.buch** *nt* stand records; **R.förster** *m* forester, forest ranger *[US]*; **R.gefahr** *f (Vers.)* port area risk; **R.wache** *f (Polizei)* duty room; **P.wachtmeister** *m* duty sergeant

Revindilkation *f* action for recovery of property; **r.zieren** *v/t* to revindicate

Revirement *nt* 1. shake-up; 2. *(Kabinett)* reshuffle

revisibel *adj* 1. revisable, reviewable; 2. § reversible, appealable, subject to review; **nicht r.** not subject to review

Revision *f* 1. review, revision, overhaul, reviewal; 2. *(Bilanz)* audit(ing) (of accounts), inspection, examination, accounting (control); 3. § appeal (on points of law), judicial review, appellate proceedings, (writ of) certiorari *(lat.)*; **R. der Bilanz** balance sheet audit; ~ **Geschäftsbücher** inspection of the books; ~ **Kasse** cash audit; **von der R. nicht erfasst** unaudited

Revision abschließen to conclude an audit; **R. durchführen** to audit; **R. einlegen** § to (lodge an) appeal; **einer R. stattgeben** § to uphold an appeal; ~ **unterziehen** to review; **R. verwerfen/zurückweisen** § to dismiss an appeal; **R. vornehmen** 1. to audit; 2. to investigate; **R. zulassen** § to grant leave to appeal, to allow an appeal

außerbetriebliche/betriebsfremde/externe Revision external audit(ing); **außerplanmäßige R.** special audit; **betriebseigene/interne R.** internal/administrative/operational audit(ing); **stichprobenhafte R.** random audit(ing); **zollamtliche R.** customs examination

Revisionslabteilung *f* audit(ing) department; **R.abzug** *m* 📄 foundry proof; **R.antrag** *m* § appeal, motion for judgment in an appeal; ~ **abgelehnt** § certiorari *(lat.)* denied, leave to appeal denied; **R.anwalt** *m* appeal court counsel; **R.attest** *nt* certificate of classification; **R.auftrag** *m* auditing order; **R.aufzeichnung** *f* audit log; **R.begründung** *f* § reasons for appeal; **R.behörde** *f* review body/board, commission of review; **R.beklagte(r)** *f/m* § respondent, appellee; **R.bericht** *m* audit/accountant's/auditor's report, audited accounts; **R.beschluss** *m* § (writ/order of) certiorari *(lat.)*; **R.beschwerde** *f* § appeal (on points of law) against a court order; **R.bogen** *m* 📄 clean proof; **R.buch** *nt* audit book; **R.büro** *nt* auditor's office; **R.entscheidung** *f* § appellate decision in a case under legal review; **R.erwiderung** *f* § joinder of error; **r.fähig** *adj* 1. reviewable, revisable; 2. auditable; 3. § appealable; **R.fähigkeit** *f* auditability; **R.fehler** *m* auditing error; reversible error; **R.firma** *f* (firm of) auditors; **R.frist** *f* § time for appeal, statutory period for (lodging an) appeal; **R.gebühren** *pl* audit fee; **R.gericht** *nt* 1. court of appeal/error, appellate court; 2. court of last resort; **R.gesellschaft** *f* auditing company, (firm of) auditors; **R.grund** *m* § grounds/reasons for appeal; **R.instanz** *f* 1. § court/stage of appeal, higher/appellate instance, appellate body/division; 2. court of last resort; **in die ~ gehen** to (lodge an) appeal; **R.jahr** *nt* audit year; **R.kläger(in)** *m/f* § appellant, appellor; **R.klausel** *f* § re-opener clause; **R.kommission** *f* committee of auditors; **R.lehre** *f* auditing; **R.leiter** *m* accountant in charge; **R.organ** *nt* auditing department; **R.pflicht** *f* auditing requirement(s); **R.protokoll** *nt* audit certificate; **R.recht** *nt* 1. audit privilege; 2. § rules concerning appeals on points of law; **R.richter** *m* appellate judge; **R.richtlinien** *pl* audit(ing) standards; **R.sache** *f* § appealed case, case on appeal; **R.schacht** *m* 🏛 inspection chamber; **R.schrift** *f* § appeal brief; **R.termin** *m* audit date; **R.unterlage** *f* basis for audit; **R.urteil** *nt* § judgment on appeal; **R.verband** *m* auditing association; **R.verfahren** *nt* 1. auditing procedure; 2. § appeal procedure, appellate proceedings; 3. procedure for revision; **R.verhandlung** *f* § hearing of an appeal; **R.vermerk** *m* accountant's report; **R.vorschriften** *pl* audit(ing) standards; **R.wesen** *nt* auditing; **R.zeitraum** *m* auditing period; **R.zulassung(sbeschluss)** *f/m* § order granting leave to appeal

Revisor *m* 1. auditor, comptroller, accountant; 2. inspector; **öffentlich zugelassener R.** chartered accountant *[GB]*, certified public accountant *[US]*

Revokationszoll *m* ⊖ contractual tariff

Revolt|e *f* revolt, insurrection; **r.ieren** *v/i* to revolt

Revolution *f* revolution; **bürotechnische R.** office (technological) revolution; **grüne R.** green revolution; **industrielle R.** industrial revolution

Revolutionär(in) *m/f* revolutionary, red; **r.** *adj* revolutionary, red

revolutionieren *v/t* to revolutionize

Revolutionsgericht *nt* revolutionary tribunal

revolvierend *adj* *(Kredit)* revolving

Revolverkredit; Revolving-Kredit *m* revolving credit

Revue *f* 1. revue; 2. review

Rezen|sent(in) *m/f* reviewer; **r.sieren** *v/t* to review

Rezension *f* review; **gute R.** write-up; **R.sexemplar** *nt* review(er's) copy

Rezept *nt* 1. formula; 2. recipe; 3. ⚕ prescription; **auf R.** on prescription; ~ **abgeben** ⚕ to dispense; **R. ausstellen** to make out a prescription; **konjunktur-/wirtschaftspolitisches R.** economic policy solution

Rezept|block *m* ⚕ prescription book/pad; **R.buch** *nt* prescription book, formulary; **R.fälscher** *m* prescription forger; **R.formel** *f* prescription formula; **r.frei** *adj* non-prescription; **R.gebühr** *f* prescription charge

rezeptieren *v/t* ⚕ to prescribe

Rezeption *f* 1. *(Hotel)* reception (desk); 2. registration/front desk; 3. information desk

rezeptiv *adj* receptive

rezeptpflichtig *adj* ⚕ ethical, obtainable only on prescription

Rezeptur *f* 1. formula; 2. *(Apotheke)* dispensary, dispensing

Rezession *f* (business) recession, slump, economic downturn/downswing/depression/setback, cyclical contraction/depression, recessive dip, contraction of the economy; **vor der R.** pre-slump

in die Rezession abrutschen to move into recession; **R. durchstehen** to pull through/ride out the recession; **aus der R. (heraus)führen** to bring out of the recession; **von der R. betroffen sein** to feel the pinch *(coll)*; **in eine R. stürzen** to topple into a slump; **R. überstehen** to weather the slump

von der Rezession betroffen recession-hit

schleichende Rezession creeping recession; **schwere R.** deep recession; **sich verschärfende R.** deepening recession; **weltweite R.** global/world(wide) recession, global downturn

Rezessions|- recessionary; **r.bedingt** *adj* recession-induced; **R.einfluss** *m* recessionary influence; **r.empfindlich** *adj* vulnerable to recession; **R.faktor** *m* recessionary factor; **r.geschädigt** *adj* recession-plagued; **R.jahr** *nt* recession year; **R.periode** *f* period of recession; **R.phase** *f* recession phase; **R.politik** *f* contractionary policy; **tiefster R.punkt; R.talsohle** *f* bottom of the recession; **r.resistent/r.sicher** *adj* recession-resistant; **R.tendenz** *f* recessionary trend; **R.tief** *nt* recessionary trough; **r.unempfindlich** *adj* recession-proof

rezessiv *adj* recessionary

reziprok *adj* reciprocal

Reziprozität *f* reciprocity; **R.sklausel** *f* reciprocity clause; **R.sversicherung** *f* reciprocal insurance **R.svertrag** *m* reciprocity treaty, reciprocal agreement

R-Gespräch *nt* ✆ reversed *[GB]*/transferred *[US]* charge call, collect(ion) call *[US]*

Rheto|rik *f* rhetoric; **r.risch** *adj* rhetorical

Rheuma *nt* ⚕ rheumatism; **r.tisch** *adj* ⚕ rheumatoid

Rhythmenabstimmung *f* rhythm coordination

Rhythmus *m* rhythm, rate, pace, timing

Ricambio *m* → **Rikambio**

Richt|antenne *f* directional aerial; **R.arbeitsplatz** *m* benchmark/key job; **R.bestand** *m* target inventory level; **R.betrieb** *m* consulting establishment

richten *v/t* § to judge/adjudge/adjudicate, to sit in judgment; **r. an** to address/send to; **sich r. an** to focus on, to be directed towards; **r. auf** to aim at, to direct/point to; **sich r. nach** to follow, to conform with, to correspond to/with, to act (up)on, to go by; **sich selbst r.** to commit suicide

Richter|(in) *m/f* judge, justice, sheriff *[Scot.]*; *pl* the judiciary, the Bench *[GB]*

Richter und Advokaten the Bench and the Bar *[GB]*; **R. kraft Auftrages** commissioned judge; **R. am Berufungsgericht** appeal court judge; ~ **obersten Gerichts** high court judge *[GB]*; **R. der ersten Instanz** trial judge; **R. auf Lebenszeit** judge for life; **R. in Nachlassangelegenheiten** probate judge; **R. auf Probe** judge on probation; **R. in der Rechtsmittelinstanz** appellate judge; **R. auf Zeit** judge for a limited period, ad hoc *(lat.)* judge

zum Richter ernannt elected to the Bench *[GB]*

Richter wegen Befangenheit ablehnen to object to/challenge a judge; **vor den R. bringen** to take to court, to bring to justice; **jdn als R. einsetzen; jdn zum R. ernennen** to appoint/elevate so. to the Bench; **vor den R. kommen** to be brought before a judge; **R. sein** to be on the Bench; **dem R. vorführen** to bring/haul before the judge; **zum R. ernannt werden** to be raised to the Bench

aufsichtsführender Richter supervisory judge; **ausscheidender R.** retiring judge; **beauftragter R.** 1. commissioned judge; 2. official referee; **befangener R.** partial judge; **beigeordneter/beisitzender R.** associate judge/justice, puisne judge *[US]*; **berichterstattender R.** reporting judge; **ehrenamtlicher R.** 1. lay judge/magistrate; 2. member of the jury; **einfacher R.** *(High Court)* puisne judge *[GB]*; **im Büroweg entscheidender R.** judge in chambers; **erkennender R.** trial judge; **gerechter R.** even-handed judge; **gesetzlicher R.** legally competent judge; **hauptamtlicher R.** full-time/permanent judge; **kommissarischer R.** commissioned judge; **nebenamtlicher R.** part-time judge; **ordentlicher R.** regular judge, Judge Ordinary *[US]*; **parteiischer R.** unfair/biased/partial judge; **strenger R.** severe judge; **unvoreingenommener R.** impartial judge; **vorgesetzter R.** supervising judge; **vorsitzender R.** presiding/chief judge; **zuständiger R.** competent judge

Richter|ablehnung *f* objection to a judge; **R.amt** *nt* judicial office/function, office of a judge, judgeship, justiceship, the Bench *[GB]*; **vom ~ ausschließen** to disqualify a judge; **R.anklage** *f* impeachment of a judge; **R.bank** *f* judge's seat, (judicial) Bench *[GB]*; **R.bestechung** *f* bribery of a judge, corruption of judges; **R.dienst** *m* judicial service; **R.gesetz** *nt* statutes concerning the judiciary, Judicature Act *[GB]*; **R.kollegium** *nt* body of judges, the Bench *[GB]*; **r.lich** *adj* judicial, judiciary, judicatory, adjudicative; **R.rat** *m* council of judges; **R.recht** *nt* case law, judge-made law; **R.schaft/R.stand** *f/m* judiciary, judicature, the Bench; **R.spruch** *m* sentence, judgment, court finding, judge's decision, judicial finding/decision/pronouncement; **R.stuhl** *m* the Bench; **R.tag** *m* annual congress of judges; **R.vorlage** *f* case stated; **R.wahlausschuss** *m* judicial appointments committee; **R.würde** *f* justiceship, dignity of a judge; **R.zimmer** *nt* chambers, judge's office

Richt|fernrohr *nt* telescope; **R.fest** *nt* 🏛 topping-out ceremony; **R.feuer** *nt* directional beacon; **R.funk** *m* directional radio; **R.geschwindigkeit** *f* 🚗 recommended (maximum) speed; **R.grenze** *f* indicative limit; **R.größe** *f* guideline, yardstick, benchmark, parameter, criterion; **R.größen** terms of reference

richtig *adj* true, right, proper, correct, appropriate, accurate, due, pertinent; **genau/haarscharf r.** spot on *(coll)*; **sachlich r.** with objective correctness; **r. erhalten** duly received; **etw. für r. halten** to think/see fit

Richtigbefund *m* verification, approval, certification of correctness

genau das Richtig|e just the (right) thing; **r.gehend** *adj* fully-fledged

Richtigkeit *f* accuracy, correctness, truth, regularity, verity, veracity

für die Richtigkeit der Abschrift certified as a true copy, ~ to be a true and correct copy of the original; **~ wird beglaubigt** certified true copy, ~ correct; **R. einer Addition prüfen** to refoot; **R. seiner Angaben beweisen** to prove one's statements to be true; **sich für die R. der Angaben verbürgen** to vouch for the truth of a statement; **R. einer Aufstellung bestätigen** to verify a statement/list; **~ Aussage bestätigen** to verify a statement; **~ Aussage bezweifeln** to doubt the truth of a testimony; **~ Behauptung bestreiten** to controvert a statement; **R. eines Kontoauszugs bestätigen** to verify a statement of account, ~ an account; **R. einer Rechnung anerkennen** to approve an account

sachliche Richtigkeit substantive accuracy/correctness

Richtigkeitsprüfung *f* 🖳 accuracy control

richtig stellen *v/t* to rectify/correct/right/amend, to straighten out; **nachträglich r. stellen** to put the record straight; **r.stellend** *adj* corrective

Richtigstellung *f* correction, rectification, adjustment; **R. einer Urkunde** rectification of a document; **R.sbuchung (am Ende der Rechnungsperiode)** *f* (period-end) adjusting entry

Richt|kosten *pl* standard cost; **R.kurs** *m* reference rate

Richtlinie *f* guideline, directive, guiding principle, guidance, direction; **R.n** regulations, code of practice/rules, instructions, rules of action/conduct, rule book

Richtlinien zur Abwicklung von Schiedssachen arbitration rules; **R. über die Berufsausübung** rules of professional conduct; **R. für die Einkommensteuerveranlagung** rules of assessment; **~ Führung von Anderkonten** solicitor's trust account rules *[GB]*; **einheitliche R. und Gebräuche für Dokumentenakkreditive** uniform customs and practices for commercial documentary credits; **R. für das Inkassogeschäft** uniform rules for the collection of commercial papers; **~ die Kreditvergabe** lending guidelines; **~ die Vergütung von Arbeitnehmererfindungen im privaten Dienst** directives on the compensation to be paid for employees' inventions made in private employment

Richtlinien aufstellen to lay down rules, to set standards, to formulate a policy; **R. genau befolgen** to stick to the rules; **R. erlassen** to issue directives; **sich innerhalb der R. halten** to keep within the guidelines; **R. lockern** to relax rules; **R. missachten** to defy the rules

allgemeine Richtlinie general policy; **einheitliche R.n** uniform rules; **geeignete R.n** appropriate directives; **internationale R.n** international standards; **obligatorische R.n** binding guidelines; **staatliche R.n** government guidelines; **standesrechtliche R.n** professional standards, ethical rules of conduct

Richtlinien|ausschuss *m* policy committee, general purposes committee; **R.entwurf** *m* draft directive; **R.grenze** *f* guideline limit; **R.katalog** *m* catalogue of guidelines; **R.kompetenz** *f* 1. authority to establish guidelines, ~ decide on government policy; 2. guideline powers; **R.ziffern** *pl* guideline figures

Richt|maß *nt* standard, ga(u)ge; **R.meister** *m* erecting engineer; **R.menge** *f* target quantity; **R.plafond** *m* *[EU]* indicative ceiling

Richtpreis *m* target/marker/benchmark/administered *[EU]*/institutional/leading/standard/recommended price; **empfohlener R.** recommended retail price; **unverbindlicher R.** suggested price

Richt|rohr *nt* telescope; **R.satz** *m* standard/target rate, guiding ratio; **R.sätze** comparative data; **R.satzmiete** *f* standard rent

Richtschnur *f* guide(line), guiding principle, rule, directory, yardstick; **R. des Handelns** guiding principle; **als R. dienen** to serve as a rule; **grobe R.** rough guide

Richt|stätte *f* place of execution; **R.strahl** *m* radio beam; **R.summe** *f* target sum/amount

Richtung *f* direction, tendency, trend, drift, track, course; **in R. auf/nach** in the direction of; **aus allen R.en** from all directions; **in eine R.** unidirectional; **R. ändern** to change course/tack, to deviate; **neue R. einschlagen** to change tack; **allgemeine R.** tendency, trend; **liberalistische R.** laissez-faire/Manchester school

Richtungs|änderung *f* change of direction, shift in direction; **politische R.änderung** policy shift; **R.anzeige** *f* directional sign; **R.anzeiger** *m* indicator; **R.empfang** *m* direction reception; **R.gewerkschaft** *f* trade union with party-political or religious affiliations;

R.gleis *nt* classification siding/track; **R.kämpfe** *pl* factional disputes; **R.losigkeit** *f* lack of purpose; **R.sinn** *m* sense of direction; **R.sucher** *m (Radio)* direction finder; **R.wechsel** *m* change of direction, change in/of course, policy change; **r.weisend** *adj* significant, trend-setting

Richt|wert *m* standard, target (value), benchmark, guideline; **oberer R.wert** indicative limit; **R.zahl** *f* index, approximate/guideline/ballpark figure *[US]*

einen guten Riecher haben *m (coll)* to have a good nose for sth. *(fig)*

Riegel *m* bar; **einer Sache den R. vorschieben** *(fig)* to forestall/scotch, to put an end/a stop to sth., to crack down on sth.

Riese *m* giant; **schlafender R.** slumbering giant

Rieselfeld *nt* sewage farm

rieseln *v/i* to trickle

Riesen|- jumbo, bumper; **R.dividende** *f* melon *(coll) [US]*; ~ **auszahlen** to cut a melon; **R.erfolg** *m* resounding success, smash hit; **R.fehler** *m* colossal blunder; **R.format** *nt* blow-up; **R.geschäft** *nt* jumbo/mega deal; **R.gewinn** *m* 1. thumping profit; 2. cleanup *(coll) [US]*; ~ **machen** to make a killing *(fig)*; **r.groß/r.haft** *adj* (of) gigantic (dimensions), giant; **R.kaufhaus** *nt* superstore; **R.konzern** *m* mammoth group, giant combine; **R.kredit** *m* vast loan; **R.packung** *f* giant packet; **R.projekt** *nt* mega-project; **R.schritt** *m* giant step/stride; **mit R.schritten vorankommen** to progress by leaps and bounds; **R.sprung** *m* quantum leap/jump; **R.tanker** *m* supertanker, very large crude carrier; **R.unternehmen** *nt* giant concern, corporate giant; **R.vorhaben** *nt* large-scale project

riesig *adj* gigantic, giant, tremendous, colossal, immense, vast, phenomenal, jumbo, mammoth

rigoros *adj* rigorous, drastic

Rikambio; R.wechsel *m [I]* redraft, re-exchange, redrafted bill; **R.note** *f* account of re-exchange; **R.rechnung** *f* cross account *[GB]*

Rimesse *f* 1. provision, remittance; 2. bill/note receivable *[US]*; **R. machen** to make remittance; **dokumentarische R.** documentary remittance; **einfache R.** clean remittance

Rimessen|brief *m* letter of remittance; **R.buch** *nt* book of remittances, bill book; **R.konto** *nt* remittance account, bills receivable account *[US]*

Rinder *pl* cattle; **R.herde** *f* herd of cattle; **R.zucht** *f* cattle breeding

Rind|fleisch *nt* beef, red meat; **R.sleder** *nt* cowhide

Ring *m* 1. ring, pool; 2. group, syndicate, cartel, combine, round; 3. *(Börse)* pit, stock/bond market; **R. der Mittagsbörse** afternoon ring; **R. bilden** to pool; **in den R. steigen** *(fig)* to enter the arena, to join the fray

Ringbuch *nt* ring book/binder, loose-leaf notebook; **R.einlage** *f* loose-leaf page

Ringen *nt* battle, struggle; **r. mit** *v/i* to grapple/wrestle with

Ring|geschäft *nt* circular forward transaction; **R.makler** *m* floor broker; **R.mappe** *f* spring-back binder; **R.mitglied** *nt* ringster; **R.netz** *nt* ring network; **R.stelle** *f* coop; **R.straße** *f* ring road, orbital road/route; **R.tausch** *m* 1. bartering; 2. roundabout exchange; **R.verkehr** *m (Markt)* mutual dealing; **R.vertreter** *m (Börse)* market representative

rinnen *v/i* to pass/run/trickle

Rinn|sal *nt* trickle; **R.verlust** *m* leakage, ullage

Rippe *f* rib; **R.nbruch** *m* fractured rib(s); **R.fellentzündung** *f* pleurisy

Risiko *nt* 1. risk, hazard, (loss) exposure, danger, peril, (ad)venture, jeopardy; 2. gamble; **auf R. von** at the risk of; **auf eigenes R.** at one's own risk; **ohne R.** no risk (n/r)

Risiko im Ausland cross-border exposure; **R. des Eigentümers** owner's risk (O.R.); **R. zur Entscheidung durch die Direktion** *(Vers.)* referral risk; **R. höherer Gewalt** fundamental risk; **auf R. des Käufers** at buyer's risk, caveat emptor *(lat.)*, let the buyer beware; ~ **Spediteurs** carrier's risk (C.R.); ~ **Zeichners** caveat subscriptor *(lat.)*

frei von jedem Risiko bei gewaltsamer Wegnahme, Beschlagnahme, Aufruhr und Revolution free of capture, seizure, riots and civil commotion (f.c.s.r. & c.c.); **kein R. eingehend** safe; **(gegen) alle Risiken** all risks (a/r, A/R), against all risks (a.a.r.), all average recoverable (a.a.r.)

Risiko (ab)decken to cover a risk, to underwrite; **R. abwägen** to calculate a risk; **Risiken ausgleichen** to spread risks; **R. ausschalten** to eliminate a risk; **sich einem R. aussetzen** to run a risk; **auf eigenes R. befördern** to carry at one's own risk; **R. eingehen** to (incur/run a) risk, to take a risk/chance; **kein R. eingehen** to take no risks, to play safe; **R. eingrenzen** to hedge, to reduce the risk; **zum R. erklären** to class as a risk; **als gutes R. gelten** to be a good credit risk; **R. minimieren** to minimize the risk; **R. auf sich nehmen** to run a risk; **sich vor einem R. schützen** to insure o.s. against a risk; **Risiken streuen/verteilen** to spread risks, to diversify; **R. tragen** to bear/carry the risk; **ins R. treten** to risk it; **R. übernehmen** *(Vers.)* to take a line, to accept/assume a risk, to bear the risk; **R. versichern** to (under)write a risk; ~ **bei** to place a risk with

nicht abgelaufenes Risiko unexpired risk; **von der Lebensdauer abhängiges R.** life contingency; **akutes R.** imminent risk; **anomales R.** substandard risk; **attraktives R.** target risk; **ausgenommenes/ausgeschlossenes R.** hazard not covered, excepted/excluded risk; **außergewöhnliches R.** contingency risk; **begrenztes R.** fixed odds; **bekanntes R.** *(Vers.)* known risk; **berufliches R.** occupational hazard; **auf einen Einzelfall beschränktes R.** particular risk; **besonderes R.** special risk; **noch bestehendes R.** *(Vers.)* unexpired risk; **betriebswirtschaftliches R.** commercial risk; **deckungsfähiges R.** coverable risk; **echtes R.** genuine risk; **einseitiges R.** unilateral risk; **erhebliches R.** substantial risk; **erhöhtes R.** 1. aggravated risk; 2. classified risk; 3. *(Lebensvers.)* impaired life; **erkennbares R.** obvious/foreseeable risk; **finanzielles/finanzwirtschaftliches R.** financial risk/leverage; **gedecktes R.** risk covered; **gemeinschaftliches R.** collective/joint risk; **geschäftliches R.** commercial risk; **gesundheitliches R.** health risk; **gezeichnetes R.** risk covered; **gutes R.** good pay; **handelsübliches R.** customary risk; **juristisches R.** legal hazard; **kalkulatorisches R.** imputed risk; **kalkulierbares R.** *(Vers.)* insurable and imputed risk, calculable gamble; **laufendes R.** current/pending risk; **leistungswirtschaftliches R.** operating leverage; **normales R.** standard risk; **objektives R.** physical hazard; **offensichtliches R.** obvious risk; **politisches R.** political risk; **noch nicht platziertes R.** *(Vers.)* balance of risk; **schlechtes R.** substandard/poor risk; **selbstbehaltenes R.** retained risk; **spekulatives R.** bilateral risk; **subjektives R.** *(Vers.)* moral hazard; **systematisches R.** systematic risk; **tätigkeitsbedingtes R.** special risk; **technisches R.** technical risk; **überschaubares R.** calculable/perceivable/measurable risk; **übliches R.** customary risk; **unbekanntes R.** unknown risk; **unerwartetes R.** unexperienced risk; **ungedecktes R.** uninsured risk; **unkalkulierbares R.** non-commercial/poor risk; **unterdurchschnittliches R.** substandard risk; **unternehmerisches R.** business/entrepreneurial risk; **unvermeidbares R.** systematic risk, unavoidable hazard; **unversicherbares R.** prohibited/excepted risk; **unversichertes R.** excepted/uninsured risk; **unvorhergesehenes R.** unexperienced risk; **vermeidbares R.** unsystematic/diversifiable risk; **versicherbares R.** insurable/fair risk; **nicht ~ R.** prohibited class risk; **schwer ~ R.** target risk; **zwangsweise schwer ~ R.** assigned risk; **vertretbares R.** good risk; **verwandtes R.** kindred risk; **wahrgenommenes R.** perceived risk; **wirtschaftliches R.** economic risk; **wohlabgewogenes R.** calculated risk; **zweifelhaftes R.** bad risk; **zweiseitiges R.** bilateral risk

Risikolabdeckung/R.absicherung *f* risk covering/coverage, hedging (operation); **R.abgrenzung** *f* risk limitation; **R.abschätzung** *f* risk appraisal; **R.abteilung** *f (Vers.)* underwriting department; **R.abwälzung** *f* shifting of a risk; **R.aktiva** *pl* risk-weighted assets; **R.analyse** *f* risk analysis; **R.änderung** *f* change in the risk; **R.anfälligkeit** *f* exposure to risks; **r.äquivalent** *adj* risk-equivalent; **r.arm** *adj* low-risk, risk-averse, unspeculative; **R.aufschlag** *m* risk premium/surcharge

Risikoausgleich *m* risk sharing, spreading/compensation of risks, hedge against risks, balancing of portfolio; **R. im Kollektiv und in der Zeit** balancing and compensation of risks in portfolio and in course of time; **R.sprozess** *m* risk-compensation process; **R.sversicherung** *f* risk-compensation insurance

Risikolauslese *f* selection of risks; **positive R.auslese** market/skim creaming; **R.ausschluss** *m* exclusion of risks, elimination of a risk, exception, policy exclusion/exception; **R.ausschlussklausel** *f* excepted peril/risks clause; **R.auswahl** *f* selection of risks, risk selection; **R.beginn** *m* commencement/attachment of risk; **R.begrenzung** *f* risk limitation; **R.begrenzungsklausel** *f* limitation of risks clause; **r.behaftet** *adj (Investition)* high-risk, risky, risk-entailing; **R.beherrschung** *f* risk management; **r.bereinigt** *adj* on a risk-adjusted basis, risk-adjusted; **r.bereit** *adj* ready to take a risk, venturesome; **R.bereitschaft** *f* risk-taking, readiness to take risks; **R.beschreibung** *f* § representation; **R.beseitigung** *f* elimination of a risk; **R.besichtigung** *f* examination of the risk (to be covered)

Risikobeteiligung *f* retained/uninsured percentage (of loss); **R. des Auftragnehmers** contractor's retention; **~ Exporteurs** exporter's retention; **~ Garantienehmers** insured's retention; **~ Leasinggebers** lessor's retention

Risikolbetrag *m* *(Lebensvers.)* net amount of risk; **R.beurteilung/R.bewertung** *f* risk rating/assessment, estimate of risk; **R.diversifizierung** *f* risk diversification; **R.einschätzung** *f* risk assessment; **R.einstufung** *f* rating of risks, risk rating; **R.ende** *nt* cessation/termination of risks; **R.entgelt** *nt (Auftrag)* contract premium; **R.erhöhung** *f* increase of the risk; **R.erklärung** *f* ⚓ bill of adventure; **R.ermittlungssystem** *nt* analytic schedule; **R.-Ertrags-Beziehung** *f* risk-return relationship; **R.faktor** *m* risk factor; **r.feindlich** *adj* risk-averse; **R.formular** *nt* reporting form; **r.freudig** *adj* venturesome, willing to take risks; **R.funktion** *f* risk function; **R.garantie** *f* indemnity; **r.gerecht** *adj* fair, appropriate; **R.gemeinschaft** *f* risk-sharing collaboration; **R.geschäft** *nt* 1. speculative undertaking, adventure; 2. *(Lebensvers.)* substandard business; **R.- und Dienstleistungsgeschäft** risk and service business; **r.gewichtet** *adj* risk-adjusted, risk-weighted; **R.grad** *m* risk exposure; **R.grundsatz** *m* risk principle; **R.gruppe** *f* high-risk group; **R.häufung** *f* (ac)cumulation of risks; **R.horizont** *m* risk horizon; **R.investition** *f* investment in venture capital, risk/equity investment, venture capital investment

Risikokapital *nt* venture/risk(-bearing)/equity capital, risk-bearing cash

Risikokapitallanlage *f* investment of risk-bearing/venture capital; **R.beteiligung** *f* direct venture capital; **R.engagement** *nt* venture capital involvement; **R.finanzierung** *f* venture/risk capital financing; **R.fonds** *m* venture capital fund; **R.geber** *m* venture capitalist; **R.gesellschaft** *f* venture capital company; **R.markt** *m* venture capital market

Risikolklausel *f* peril clause; **R.konstellation** *f* risk profile; **R.kosten** *pl* risk-induced cost; **R.lebensversicherung** *f* term assurance, temporary assurance *[GB]*/insurance *[US]*, term/temporary/credit life insurance; **~ mit abnehmender Summe** decreasing term assurance *[GB]*/insurance *[US]*; **r.los** *adj* risk-free, riskless; **R.management** *nt* risk management; **R.marge** *f* margin of risk; **R.minderung** *f* risk reduction/spreading; **R.mischung** *f* risk spreading/diversification; **R.papier** *nt* equity (stock), risk paper; **R.politik** *f* risk management; **R.polster** *nt* buffer to cushion risks; **R.präferenzfunktion** *f* risk-preference function; **R.prämie** *f* risk/net premium, premium/bonus for special risks, hazard bonus, expected loss ratio; **R.punkt** *m (Transport)* point where the risk passes to the buyer; **r.reich** *adj* high-risk, risky, hazardous, fraught with risks, chancy *(coll)*; **R.rücklage/R.rückstellung** *f* contingency reserve; **R.scheu** *f* risk aversion; **r.scheu** *adj* risk-averse; **R.schwelle** *f* perilous point; **R.selektion** *f* risk selection; **R.sozialisierung** *f* socialization of risks, transfer of risk to public authorities; **R.steigerung** *f* increase of hazard; **R.steuerung** *f* risk management/controlling; **R.streuung** *f* spread(ing)/pooling of risks, diversification (of risks), risk-spreading; **R.summe** *f* amount of/at risk; **r.trächtig** *adj* risk-prone, risk-entailing; **R.trächtigkeit** *f* risk-proneness; **r.tragend** *adj* risk-bearing, risk-entailing; **R.träger** *m* risk bearer/taker; **R.transformation** *f* shift in risk spreading; **R.übergang** *m* transfer/passage of risk; **R.übernahme** *f* risk taking, acceptance/assumption of risk; **volle R.übernahme** full cover(age); **R.übertragung** *f* risk transfer; **R.umfang** *m* 1. scope/degree of risk; 2. *(Vers.)* exposure; **R.umtauschversicherung** *f* convertible term insurance/assurance; **R.unternehmen** *nt* venture capital company; **R.verbindung** *f* linkage of risks; **R.vergütung** *f* compensation for risks incurred; **R.vermeidung** *f* avoidance of risks; **R.verminderung** *f* improvement of risks; **R.vermögen** *nt* risk-entailing assets

Risikoversicherung *f* 1. term/temporary assurance *[GB]*, ~ insurance *[US]*, contingency insurance; 2. risk underwriting; **reine R.** term insurance/assurance; **globale R.spolice** *f* all-risks insurance policy

Risiko|verteilung *f* spread(ing)/pooling/distribution of risks; **R.vertrag** *m* § hazardous/aleatory contract; **R.vorsorge** *f* 1. provision against contingencies, ~ for risks, ~ for losses on loans and advances; 2. risk management; **~ für schwebende Geschäfte** risk coverage for pending business; **~ treffen** to provide for risks; **R.zulage** *f* danger money; **R.zuschlag** *m* risk surcharge/mark-up/premium; **R.zuweisung** *f* risk allocation

riskant *adj* dangerous, hazardous, risky, venturesome, wildcat, dicey *(coll)*, § aleatory; **r. sein** to be touch and go *(coll)*; **r.e Sache sein** to be a gamble

riskieren *v/t* to risk/venture/hazard/dare/gamble, to run a risk, to stick one's neck out, to take a gamble; **alles r.** to play double or quits, to go nap *(fig)*, ~ for broke *(coll)*; **viel r.** to play for high stakes

Riss *m* crack, rift, fissure, tear, rupture; **R.e verkleistern** *(fig)* to paper over the cracks *(fig)*; **r.ig** *adj* cracked; **R.wunde** *f* $ laceration

ristornieren *v/t* to cancel, to reverse a contra entry

Ristorno *nt* return (of premium), reversal of a contra entry; **R.gebühr** *f* charge for return of premium

Rival|e/R.in *m/f* rival, competitor

rivalisieren *v/i* to compete; **r.d** *adj* rival

Rivalität *f* rivalry

Robe *f* robe, gown

Roboter *m* robot, iron-collar worker *(coll)*; **R.steuerung** *f* robot control; **R.technik** *f* robotics, robot technology

robust *adj* robust, sturdy, tough; **R.heit** *f* toughness

Rodemaschine *f* land-clearing/scrub-clearing machine

roden *v/t* 1. to clear, to deforest/disafforest, to fell; 2. *(Kartoffeln)* to lift

Rodung *f* 1. deforestation, disafforestment, disafforestation, felling of trees, (land) clearing; 2. *(Kartoffeln)* lifting

Roggen *m* rye

roh *adj* 1. rough, uncivilized; 2. unmanufactured, unrefined, crude; 3. gross

Roh|abwasser *nt* raw sewage; **R.abzug** *m* first proof; **R.aluminium** *nt* primary aluminium; **R.aufwand** *m* gross expenditure/expenses

Rohbau *m* skeleton, shell, bare construction, (building) carcass; **R.arbeiten** *pl* construction/building work; **R.gewerbe** *nt* primary building trade; **R.gewerk** *nt* carcass/shell construction work

Roh|baumwolle *f* cotton wool, raw/natural cotton; **R.-betrag** *m* gross amount; **R.betriebsvermögen** *nt* total gross value

Rohbilanz *f* rough/trial balance, work sheet *[US]*; **R. ohne Aufwand und Ertrag** post-closing trial balance; **R. erstellen** to take a trial balance; **berichtigte R.** adjusted trial balance

Roh|block *m* ingot; **R.bogen** *m* unbound sheet; **R.diamant** *m* uncut/rough/primary diamond; **R.einkommen/R.einkünfte** *nt/pl* gross revenue; **R.einnahme(n)** *f/pl* gross receipts; **R.eisen** *nt* crude/pig iron; **R.energie** *f* basic energy; **R.entwurf** *m* rough draft/drawing; **erster R.entwurf** scribble; **R.ergebnis** *nt* gross profit/loss; **R.erlös** *m* gross proceeds

Rohertrag *m* gross profit/earnings/proceeds/revenue/receipts/yield; **erweiterter R.** amplified gross earnings

Rohertrags|aufstellung *f* trading report; **R.beteiligung** *f* gross proceeds sharing payment; **R.einbuße** *f* decline in gross yield; **R.marge** *f* gross yield margin; **R.wert** *m* gross rental value

Roh|faser *f* raw fibre *[GB]*/fiber *[US]*; **R.gewicht** *nt* gross weight

Rohgewinn *m* gross profit/proceeds/margin, gross profit on sales, balance of the profits, net profit from operations; **R.analyse** *f* gross profit analysis; **R.aufschlag** *m* mark-up, gross profit extra; **R.quotient** *m* gross profit ratio; **R.spanne** *f* gross margin

Roh|gummi *nt* crude/raw rubber; **R.heit** *f* 1. crudeness, coarseness; 2. brutality; **R.holz** *nt* round timber; **R.kaffee** *m* green coffee; **R.kost** *f* uncooked food, raw fruit and vegetables; **R.last** *f* gross load; **R.ling** *m* 1. blank; 2. flan

Rohmaterial *nt* raw material, stock; **R.anforderung** *f* raw materials requisition; **R.lager** *nt* raw materials stores

Roh|metall *nt* crude/pig metal; **R.miete** *f* gross rent; **R.öl** *nt* crude (oil), petroleum; **R.preis** *m* gross price; **R.probe** *f* gross sample; **R.produkt** *nt* 1. raw produce; 2. primary commodity

Rohr *nt* tube, pipe; **in R.en leiten** to pipe; **R.bau** *m* pipeline construction; **R.bruch** *m* pipe burst, burst pipe

Röhrchen *nt* *(Test)* test tube; **ins R. blasen** to be breathalyzed, to breathalize

Röhre *f* 1 tube, pipe; 2. *(Radio)* valve; **R.nembargo** *nt* embargo on pipe sales; **r.nförmig** *adj* tubular; **R.nwerk** *nt* tube/pipe mill, tube works

Rohr|erzeugnisse *pl* tubular products; **R.fernleitung** *f*

(long-distance) pipeline; ~ **verlegen** to lay pipes; **R.förderband** *nt* rope conveyer; **r.förmig** *adj* tubular

Rohrleitung *f* pipe(line), conduit; **R.sbau** *m* pipeline engineering/construction; **R.snetz/R.ssystem** *nt* pipeline system; **R.sverkehr** *m* pipeline transport

Rohr|möbel *pl* wicker furniture; **R.post** *f* pneumatic post/dispatch; **R.postbüchse** *f* pneumatic dispatch carrier; **R.produktion** *f* tube/pipe production; **R.verleger** *m* pipelayer; **R.verlegung** *f* pipelaying; **R.zucker** *m* cane sugar

Roh|saldo *m* rough balance; **R.seide** *f* raw silk; **R.silber** *nt* crude/unrefined silver; **R.skizze** *f* rough sketch

Rohstahl *m* crude/natural steel; **R.erzeugung** *f* crude steel production; **R.kapazität** *f* crude steel capacity; **R.produktion** *f* crude steel output

Rohstoff *m* commodity, raw material, primary product/material, staple; **R.e** (basic) commodities, (input/raw) materials, non-manufactures, mineral resources; **Roh- und Betriebsstoffe** materials and supplies; **Roh-, Hilfs- und Betriebsstoffe** 1. raw materials and consumables/supplies; 2. *(Bilanz)* stores

chemischer Rohstoff commodity chemical, feedstock; **gewerblicher R.** industrial raw material; **halb-/unverarbeitete R.e** primary commodities; **inländische R.e** indigenous raw materials; **sensible R.e** sensitive raw materials

rohstoff|abhängig *adj* resource-based; **R.abhängigkeit** *f* dependence on raw materials; **R.abkommen** *nt* commodity agreement/pact; **R.aktien** *pl* resource issues; **r.arm** *adj* poor in raw materials, with few mineral resources; **R.aufbereitung** *f* processing of raw materials; **R.ausfuhr** *f* raw material exports; **R.ausgleichslager** *nt* buffer stocks; **R.basis** *f* raw material basis; **R.bedarf** *m* raw material requirements; **R.beschaffungskosten** *pl* cost of raw materials; **R.bestände** *pl* raw material(s) stocks/inventory; **R.bevorratung** *f* stockpiling; **R.bezug** *m* supply of raw materials; **R.-börse** *f* commodity exchange, commodities market; **R.chemikalie** *f* commodity chemical; **R.eindeckungsplan** *m* materials purchasing plan; **R.einfuhr** *f* raw material imports; **R.erzeugung** *f* primary production; **R.export** *m* raw materials exports; **R.fonds** *m* commodity fund; **R.gehalt** *m* 1. raw materials content; 2. ⚒ recovery grade; **r.gewinnend** *adj* extractive; **R.gewinnung** *f* primary production, extraction of raw materials; **R.gewinnungsbetrieb** *m* extractive enterprise; **R.handel** *m* commodity trade; **R.händler** *m* commodity trader; **r.hungrig** *adj* resource-hungry; **R.import** *m* raw materals import; **R.industrie** *f* extractive/natural resources industry; **R.intensität** *f* raw materials intensity; **r.intensiv** *adj* resource-intensive, raw materials-intensive; **R.interessen** *pl* resource interests; **R.kartell** *nt* commodities cartel; **R.käufe** *f* raw material purchases; **R.knappheit/R.mangel** *f/m* scarcity of raw materials; **R.konto** *nt* commodity account; **R.kreditgeschäft** *nt* raw material credit business; **R.lager** *nt* stock of raw materials; **R.land** *nt* primary producing country, raw material country; **R.lieferant** *m* supplier of raw materials; **R.lieferland** *nt* raw materials supplying country; **R.makler** *m* commodity broker; **R.mangel** *m* shortage of raw materials; **R.markt** *m* commodity/raw materials market; **R.marktforschung** *f* commodities marketing research; **r.nah** *adj* upstream; **R.preis** *m* commodity price, price of raw materials; **R.preisindex** *m* commodity price index; **R.preisniveau** *nt* commodity prices; **R.produktion** *f* primary materials production; **R.produzent** *m* primary producer; **R.quellen** *pl* natural resources; **ungenutzte R.quellen** untapped resources; **R.reserven** *pl* reserves of raw materials; **R.titel** *pl (Börse)* resource issues; **R.verarbeitung** *f* processing of raw materials; **R.verbrauch** *m* 1. raw materials used; 2. consumption of raw materials; **mit hohem R.verbrauch** resource-hungry; **R.verknappung** *f* resource scarcity; **R.versorgung** *f* supply of raw materials; **R.verteuerung** *f* increase of commodity prices; **R.vorkommen** *nt* raw material deposit, primary stocks; **R.vorräte** *pl* raw materials supplies, primary stocks; **strategische R.vorräte** strategic buffer stocks of raw materials; **R.werte** *pl (Börse)* resource issues

Roh|tabak *m* unmanufactured tobacco, raw leaf tobacco; **R.überschuss** *m* gross surplus/earnings; **R.übersetzung** *f* rough translation; **R.umsatz** *m* gross sales; **R.verlust** *m* gross loss; **R.vermögen** *nt* gross assets/wealth; **R.ware** *f* commodity, *(Textil)* grey cloth; **R.warenpreisniveau** *f* level of commodity prices; **R.wolle** *f* staple; **R.zins** *m* pure interest; **R.zucker** *m* cane/raw sugar; **R.zustand** *m* crude/rough/unprocessed state

Roll|backverfahren *nt* roll-back method; **R.bahn** *f* ✈ runway, taxiway

Rolle *f* 1. 🎭 role, rôle, part; 2. function, importance; 3. ⚙ reel, coil; 4. *(Walze)* roller; 5. *(Möbel)* castor, caster; **R. der Angeklagten** calendar; **R. Banknoten** bundle of banknotes, bankroll *[US]*; **R. Pergament** scroll of parchment; **R. des Vertriebs** distribution function

Rolle zugewiesen bekommen 🎭 to be cast as; **R. mitübernehmen** 🎭 to double a part; **in jds R. schlüpfen** to inherit so.'s mantle *(fig)*; **R. spielen** 1. to play/act a part; 2. to figure, to be a reason, ~ at work; **auch eine R. spielen** to come into the picture; **bedeutende R. spielen** to figure prominently; **entscheidende R. spielen** to be a crucial factor, ~ instrumental (in), to play a pivotal part; **große R. spielen** to loom large; **keine R. spielen** to be immaterial; **auf R.n transportieren** to use rollers

angemaßte Rolle usurped role; **entscheidene R.** crucial role; **führende R.** leading part/role; **kleine/untergeordnete R.** minor role/part; **wichtige R.** major role, important function

rollen *v/ti* 1. to roll; 2. ✈ to taxi; 3. *(aufrollen)* to reel

rollen|gelagert *adj* mounted on roller bearings; **R.konflikt** *m* role conflict; **R.lager** *nt* ⚙ roller bearings; **R.marke** *f* ✉ coil stamp; **R.nummer** *f* roll number; **R.struktur** *f* structure of rôles; **R.tausch** *m* change of rôles; **R.verteilung** *f* 🎭 cast

Roll|erlaubnis *f* ✈ taxi clearance; **R.feld** *nt* ✈ taxiway, landing ground/strip; **R.film** *m* roll film

Rollfuhr *f* cartage (service)

Rollfuhr|auftrag *m* cartage order; **allgemeine R.bedingungen** general cartage conditions; **R.dienst** *m* 1. carting service/agent, haulage/cartage contractor; 2. road-rail haulage; **bahnamtlicher R.dienst; bahnamtliches R.unternehmen** contract carrier, official cartage contractor to the railways; **R.tarif** *m* cartage rate; **R.unternehmen/R.unternehmer** *nt/m* carter, haulage/cartage contractor, haulier, carrier, carting agent; **R.versicherungsschein** *m* cartage insurance policy

Roll|gebühr *f* cartage; **R.geld** *nt* cartage, portage, drayage *[US]*, carriage, truckage, wheelage; **R.gut** *nt* 1. carted goods; 2. 🚂 freight

rollierend *adj* rolling, moving

Roll|kran *m* travelling crane; **R.kutscher** *m* carrier, carter, drayman *[US]*; **R.-over-Kredit** *m* roll-over credit; **R.palette** *f* wheeled pallet; **R.pult** *nt* roll-top desk; **R.schrank** *m* roll-front(ed) cabinet; **R.schreibtisch** *m* roll-top desk; **R.splitt** *m* loose chippings; **R.steig** *m* travelator, mobile walkway *[US]*; **R.stuhl** *m* wheelchair, wheel armchair; **R.tabak** *m* tobacco plug; **R.trailer** *m* roller trailer; **R.treppe** *f* escalator

ROM *nt* 💻 ROM (read only memory)

Römische Verträge *pl* Treaty/Treaties of Rome

röntgen *v/t* to x-ray

Röntgen|aufnahme *f* x-ray; **R.behandlung** *f* ⚕ radiotherapy; **R.bild** *nt* radiograph, x-ray; **R.gerät** *nt* x- ray machine; **R.kunde** *f* ⚕ radiology; **R.ologe** *m* ⚕ radiologist; **R.strahl** *m* x-ray; **R.verfahren** *nt* radiography

RoRo|-Schiff *nt* roll on/roll off ship; **R.-Verkehr** *m* roll-on/roll-off service *[GB]*, ⚓ fishy-back/🚂 piggy-back service *[US]*

rosig *adj* rosy

Rosine *f* 1. raisin; 2. *(fig)* plum; **sich die R.n (aus dem Kuchen) herauspicken** *(fig)* to take the pick of the bunch, to practice cherry-picking *(fig)*, to cherry-pick; **R.npicken** *nt (fig)* cream skimming, cherry-picking

Ross *nt* horse; **vom hohen R. herunterklettern** to climb down; **R. und Reiter nennen** to name names; **auf dem hohen R. sitzen** to be on one's high horse; **R.kur** *f* drastic remedy/cure; **R.täuscher** *m* horse-trader, phon(e)y businessman

Rost *m* 1. rust; 2. *(Ofen)* grate; 3. *(Grill)* grid, grill; **r.beständig** *adj* rust-resistant, rustproof; **R.bildung** *f* rust formation; **r.en** *v/i* to rust

rösten *v/t* to roast

nicht rostend; rostfrei *adj* stainless, rustproof

rostig *adj* rusty

Röstofen *m* kiln

Rostschutz *m* rust prevention, rust-proofing; **R.farbe** *f* anti-rust paint

Rotaprint *m* 🖨 rotary printing

Rotation *f* rotation

Rotations|druck *m* 🖨 rotary printing; **R.maschine** *f* rotary press, rotary printing machine; **R.papier** *nt* newsprint; **R.presse** *f* rotary press; **R.tiefdruck** *m* rotagravure; **R.tisch** *m* spinning table

Rotbuch *nt* *(politisch)* Red Book

röten *v/i* 1. *(Grundbuch)* to cancel; 2. to redden

rotieren *v/i* to rotate; **r.d** *adj* rotary

Rotor *m* ⚡ rotor

Rotpreise *pl* reduced prices

Rotstift *m* red pencil; **R. ansetzen; mit dem R. an etw. gehen** *(fig)* to (wield the) axe *(fig)*; **R.politik** *f* cost-cutting/cut-back policy

Rotte *f* gang, band; **R.nführer** *m* foreman, gang boss, ganger

Rot|welsch *nt* thieves' latin/cant; **R.wild** *nt* red deer

Route *f* route, track, routing, itinerary; **R.nplanung** *f* routing; **R.nstichprobe** *f* ▦ route sample; **R.nverlauf** *m* routing

Routine *f* routine, rote, experience; **in eine R. hineinwachsen** to settle into a routine

Routine|- day-to-day, run-of-the-mill; **R.angelegenheit** *f* routine business/matter; **R.arbeit** *f* routine job/work; **R.aufgaben** *pl* routine duties; **R.befehl** *m* routine order; **R.besprechung** *f* routine conference; **R.funktion** *f* routine function; **r.mäßig** *adj* routine; **R.sache** *f* routine (matter); **R.schriftwechsel** *m* routine correspondence; **R.untersuchung** *f* 1. mundane test; 2. routine examination

Routinier *m* old hand, professional

routiniert *adj* versed, experienced

Routinisierung *f* routinization

Rowdy *m* rowdy, hooligan, vandal, hoodlum; **R.tum** *nt* hooliganism, vandalism

Rübe *f* beet, turnip, mangel; **R.n** root crop

Rubrik *f* column, heading, rubric, category, bracket; **in die gleiche R. einordnen** to bracket; **mit R.en versehen** to rubricate

rubrizier|en *v/t* to categorize, to put under a heading; **R.ung** *f* categorization

Rubrum *nt* heading, category

Rübsamen *m* rape

ruch|bar *adj* known; **~ werden** to transpire, to become known; **r.los** *adj* wicked

Rück|- rear; **R.abtretung** *f* reconveyance, reassignment, return assignment, retrocession; **R.abtretungsempfänger(in)** *m/f* retrocessionary; **R.abwicklung** *f* (finalizing a) reversed transaction; **R.ansicht** *f* rear view; **R.anspruch** *m* (right of) recourse, counter-claim

Rückantwort reply; **R. bezahlt** ✉ reply paid; **R.karte** *f* self-addressed card; **R.schein** *m* (international) reply coupon; **R.telegramm** *nt* prepaid telegram

Rück|assekuranz *f* reassurance, reinsurance; **R.auflassung** *f* § reconveyance, redemise; **R.äußerung** *f* reply; **R.bau** *m* reconversion; **R.beeinflussung** *f* feedback; **R.behalt** *m* retention money; **R.behaltungsrecht** *nt* retention; **R.belastung** *f* return debit, billback, reversal; **R.belastungsaufgabe** *f* return debit voucher; **R.berufung** *f* 1. recall; 2. § avocatory letter; 3. *(Anlagen)* repatriation; **R.beziehung** *f* § relation back; **r.bezüglich** *adj* reflexive; **R.bildung** *f* 1. decline, reduction, fall; 2. *(Preis)* coming down; **R.blende** *f* 1. *(Film)* flashback; 2. review position; **R.blick** *m* retrospect; **r.buchen zu** *v/t* to write back to, to reverse an entry; **R.buchung** *f* write-back, reverse entry, counter-entry, counterbalance, reversal, cancellation; **R.bürge** *m* counter-surety, counter-security, counter-guarantor, collateral surety, surety for a surety; **r.bürgen** *v/t* to counter-secure; **R.bürgschaft** *f* suretyship, counter-security, counter-guarantee, back bond, counterbond, back-to-back guarantee; ~ **leisten für** to counter-secure; **r.datieren** *v/t* to date back, to antedate/backdate/postdate; **R.datierung** *f* backdating, postdating; **r.-decken** *v/t* 1. to cover; 2. *(Vers.)* to reinsure; 3. to repurchase; **R.deckung** *f* reinsurance cover(age); **in ~ nehmen** to reinsure, to provide reinsurance cover; **r.diskontieren** *v/t* to rediscount; **R.diskontierung** *f* rediscounting; **R.einfuhr** *f* reimportation

Rückekosten *pl* ♣ extraction cost(s)

Rücken *m* back; **mit dem R. gegen die Wand** up against the wall, with one's back to the wall; **R. an R.** back to back

jdm den Rücken decken *(fig)* to shield so.; **sich ~ decken** to play safe; **(jdm) in ~ fallen** *(fig)* to stab (so.) in the back; **R. kehren** to turn one's back; **hinter dem R. reden** to backbite; **jdm den R. stärken** to back/buoy so. up, to stiffen so.'s resolve, to give so. moral support

rücken *v/ti* to move (on/up), to shift/budge; **höher r.** to rise in rank; **nach vorn r.** to move up front

Rücken|deckung *f* backing, support; **R.schmerzen** *pl* $ backache; **R.stärkung** *f* moral support

Rück|enteignung *f* expropriation for restitution purposes; **R.entflechtung** *f* decartelization, demerger, reconcentration; **R.entwicklung** *f* retrogression, downward trend, backward movement

Rückenwind *m* tailwind

Rück|erbittung *f* request for return; **unter R.erbittung** please return, to be returned; **R.ersatz** *m* reimbursement

rückerstatten *v/t* 1. to refund/reimburse, to pay back; 2. to restitute/replace

Rückerstattung *f* 1. refund(ing), reimbursement, payback, refund cheque *[GB]*/check *[US]*, refundment; 2. return, restitution, restoration, redelivery; **R. für Auslagen** reimbursement of expenses; **R. in bar** cash refund; **R. von Steuern** tax refund; ~ **auf ausländische Erträge** overspill relief; **R. von Vermögen** restitution of property

Rückerstattungs|angebot *nt* refund offer; **R.anspruch** *m* restitutory right, claim for reimbursement/restitution, right to refund; **R.antrag** *m* 1. request for reimbursement, refund application; 2. ⊖ drawback application; **R.berechtigte(r)/R.empfänger(in)** *f/m* restituee; **R.beschluss** *m* § restitution order; **r.fähig** *adj* refundable; **R.garantie** *f* money back guarantee; **R.gericht** *nt (Steuer)* court of claims; **R.klausel** *f* provision of rebate; **R.pflicht** *f* obligation to reimburse/repay; **r.-pflichtig** *adj* liable to refund, ~ make restitution; **R.pflichtige(r)** *f/m* restitutor; **R.prozess** *m* restitution case; **R.recht** *nt* 1. law of restitution; 2. restitutory right; **R.urteil** *nt* § restitution order; **R.verfahren** *nt* 1. reimbursement procedure; 2. § restitution proceedings; **R.vergleich** *m* restitution settlement; **R.verpflichtete(r)** *f/m* restitutor

Rückerwerb *m* repurchase; **r.en** *v/t* to repurchase

Rückfahr|karte/R.schein *f/m* return *[GB]*/round-trip *[US]* ticket; **R.scheinwerfer** *m* 🚗 reversing *[GB]*/back-up *[US]* light(s)

Rückfahrt *f* 1. way back, return (trip/journey/voyage); 2. ⚓ inward voyage; **auf der R.** ⚓ inbound

Rückfall *m* 1. setback; 2. $ relapse; 3. *(Heimfall)* reversion; 4. *(Verbrechen)* recidivism, second offence; **R.anspruch** *m* reversionary interest; **R.bedingungen** *pl* fall-back terms; **R.diebstahl** *m* larceny recidivism; **R.gut** *nt* reversionary estate

rückfällig *adj* 1. *(Verbrechen)* recidivist; 2. *(Heimfall)* revertible; **r. werden** 1. to relapse/backslide; 2. *(Verbrechen)* to recidivate; **R.e(r)** *f/m* subsequent offender, recidivist, backslider; **R.keit** *f* recidivism

Rückfall|kriminalität *f* recidivism; **R.recht** *nt* reversionary interest, reversion; **R.schärfung/R.strafe** *f* tougher sentence for habitual offenders; **R.tat/R.vergehen** *f/nt* repeated/second offence; **R.täter(in)** *m/f* recidivist, second and subsequent offender; **R.verjährung** *f* non-applicability of spent convictions

Rückflug *m* return flight; **R.karte** *f* return (air) ticket

Rückfluss *m* reflux, reflow, return flow; **Rückflüsse** reimbursements; **diskontinuierlicher R. von Barmitteln** discounted cash flowback; **R.quote** *f* return ratio; **R.stücke** *pl* securities repurchased

Rückforderung *f* reclamation, reclaim, claim for recovery; **R.sanspruch** *m* restitutory claim; **R.sklausel** *f* recovery clause; **R.srecht** *nt* right to restitution

Rück|fracht *f* return cargo/freight/load, back load, cargo homeward, back/homeward freight, freight home; **R.frage** *f* query, counter-inquiry; ~ **halten** to query; **bei jdm r.fragen** *v/i* to check with so.; **r.führen** *v/t* 1. to repatriate; 2. *(Kredit)* to redeem/repay

Rückführung *f* 1. repatriation, repayment, reduction; 2. *(Kredit)* repayment; **R. eines Abzahlungsvertrages** hire-purchase *[GB]*/deferred-payment *[US]* repayment; **R. der Arbeitslosigkeit** reduction of unemployment; **R. des Fremdkapitalanteils** reduction of gearing; **R. von Kapital** repatriation of capital; **R. der Kreditaufnahme** borrowing cut

Rückführungs|betrag *m* redemption sum, amount of reduction; **R.gebühr** *f (Mietwagen)* return/drop-off charge; **R.plan** *m (Schulden)* redemption plan; **R.soll** *nt* required reduction

Rückgabe *f* return, restoration, restitution, redelivery; **R. der Klageschrift an die Gerichtskanzlei** § retour *[Scot.]*; **R.beleg** *m* return receipt; **r.pflichtig** *adj* returnable; **R.prämie** *f* return premium

Rückgaberecht *nt* return privilege, right of return; **mit R.** on sale or return; ~ **verkaufen** to send on memorandum, ~ sale or return

Rückgabeschein *m* 1. materials returned note, stores credit note, materials credit slip; 2. return slip; **R.vermerk** *m* return note

Rückgang *m* 1. decline, decrease, reduction, drop(-off), fall(-back), fall(ing)-off, slowdown, shrinkage, abatement, shortfall; 2. *(Konjunktur)* recession, contraction, downswing, downturn, rate of decline, downward adjustment, setback, slippage; 3. *(Gewinn)* drop, turndown, lessening; 4. *(Preise)* setback

Rückgang der Aktienkurse stock market decline; ~ **Arbeitslosigkeit** drop in unemployment; ~ **Ausfuhr/Exporte** decline in exports; **R. im Außenhandel** downturn in (foreign) trade; **R. der Beschäftigtenzahl** drop in employment figures, ~ the number of employed; ~ **Einfuhr/Importe** decline in imports; ~ **Erträge** drop in earnings; **R. auf breiter Front** *(Börse)* widespread decline; **R. der Geburtenrate/-ziffer** falling birth rate, decline of the birth rate, ~ in the number of births; ~ **Gewinne** slump in profits; ~ **Kurse** drop in prices; **R. im Mengenabsatz** volume slide; **R. der Nachfrage** decline in demand; ~ **Steuereinnahmen** drop-off in tax revenue; ~ **Umsätze** decline in sales; **R. des sekundären Wirtschaftssektors** deindustrialization; **R. der Wirtschaftstätigkeit** recession

Rückgang erfahren to experience a decline; **R. erleiden/hinnehmen** to suffer a decline

ausgeprägter/deutlicher Rückgang marked decline/drop; **beträchtlicher R.** material recession; **drastischer R.** sharp fall; **geringfügiger R.** slight dip; **konjunkturbedingter/konjunktureller R.** cyclical decline/downswing; **saisonaler/saisonbedingter R.** seasonal slump/dip; **scharfer/starker R.** sharp/heavy fall, break, slump, plunger *(coll)*; **schneller R.** rapid decline; **wesentlicher R.** material recession

rückgängig *adj* declining, falling, retrograde; **r. machen** to cancel/countermand/rescind/annul/reverse/withdraw, to go back on sth., to call off, to take revocatory action; **R.machung** *f* cancellation, rescission, reversal, redhibition; ~ **eines Kaufs** cancellation of sale

Rückgangstempo *nt* rate of decline

Rück|garantie *f* counter-guarantee, back-to-back guarantee; **R.gewähr** *f* refund, return of premium; **R.gewährbetrag** *m (Vers.)* amount refunded; **r.gewähren** *v/t* to restitute/restore; **R.gewährspflicht** *f* obligation to refund; **R.gewährung** *f* 1. refunding, reimbursement; 2. restitution, restoration; **r.gewinnbar** *adj* recoverable

Rückgewinnung *f* 1. recovery; 2. *(Land)* reclamation; 3. *(Rohstoffe)* recycling; **R. des investierten Kapitals** cost/investment recovery; **R.sanlage** *f* recycling plant; **R.sverfahren** *nt* recovery process

rückgliederln *v/t* to reintegrate/reincorporate; **R.ung** *f* reintegration, reincorporation

Rückgrat *nt* 1. $ backbone, spine; 2. mainstay; **ohne R.** spineless; **R. brechen** to break the back; **kein R. haben** to be spineless; **jdm das R. stärken** to back so. up; **R. zeigen** to stand up and be counted, to have the courage of one's convictions; **moralisches R.** moral fibre

Rückgriff (auf) *m* recourse (to); **ohne R.** without recourse

Rückgriff mangels Annahme recourse for non-acceptance; **R. gegen Dritte** recourse against third parties; **R. auf öffentliche Gelder** recourse to public funds; ~ **die Reserven** drawing on the reserves; **R. des Staates gegen den Beamten** recourse of the state against the civil servant; **R. mangels Zahlung** recourse for want of payment

Rückgriff nehmen gegen to have recourse to, to recourse

Rückgriffsanspruch *m* claim under a right of recourse; **mit R.** with recourse; **ohne R.** without recourse

Rückgriffs|forderung *f (Wechsel)* right of recourse, recource claim, claim for indemnification; **R.haftung** *f* liability to recourse, recourse liability; **mit R.haftung** with recourse; **R.möglichkeit** *f* 1. recourse basis; 2. backup facilities; **keine R.möglichkeit** no-recourse basis; **R.prinzip** *nt* recourse principle; **R.recht** *nt* right of recourse/relief; **R.reserve** *f* standby reserve; **R.-schuldner(in)** *m/f* recourse debtor; **R.verpflichtung** *f* recourse liability

Rückgut *nt* returns

Rückhalt *m* support, backing; **finanzieller R.** financial backing; **moralischer R.** moral support; **zahlenmäßiger R.** numerical support; **r.los** *adj* unreserved, wholehearted, unstinting

Rückhol|logistik *f* reverse logistics; **R.system/R.verfahren** *nt* 1. *(Steuer)* clawback system; 2. ⊝ drawback system

Rückindossament *nt* endorsement to prior endorser

Rückkauf *m* 1. repurchase, buy-back; 2. retirement; 3. *(Einlösung)* redemption, buying back; **R. von Schuldverschreibungen** bond redemption; **freihändiger R.** *(Börse)* repurchase in the open market; **vorzeitiger R.** repurchase prior to maturity

Rückkauf|agio *nt (Vorzugsaktie)* call premium, premium on redemption; **R.angebot** *nt* repurchase/redemption offer; **r.bar** *adj* redeemable; **nicht r.bar** irredeemable; **R.betrag** *m* repurchase amount; **R.disagio** *nt* repurchase/redemption discount

rück|kaufen *v/t* to repurchase/redeem; **R.käufer** *m* repurchaser, redeemer

Rückkauf|frist *f* period for repurchase; **R.geschäft** *nt* buy-back deal, repurchase agreement; **R.gewinn** *m* surrender profit; **R.neigung** *f* inclination to repurchase/redeem

Rückkaufs|ankündigung *f* notice of redemption; **R.berechtigung** *f (Vers.)* surrender privilege; **R.disagio** *nt* discount on repurchase; **R.fonds** *m* capital redemption reserve fund; **R.frist** *f* repurchase period; **R.garantie** *f* buy-back guarantee; **R.gebühr** *f (Lebensvers.)* surrender penalty; **R.klausel** *f* call provision; **R.kurs/R.preis** *m* redemption/buy-back/retirement/call price; **R.recht** *nt* right of repurchase/redemption; ~ **des Hypothekenschuldners** equity of redemption; **R.vereinbarung** *f* repurchase/buy-back agreement; **R.verlust** *m* redemption loss; **R.vertrag** *m* repurchase agreement; **R.wert** *m* 1. *(Vers.)* cash value, (cash) surrender value; 2. cash-in/redemption value, bid price; ~ **einer Police** surrender value of a policy; **R.zeitpunkt** *m* call date

Rückkaufvereinbarung mit den Kunden *f* customer repurchase arrangements

Rückkehr *f* return, comeback; **R. zur Rentabilität** return to profitability; **R. an den Verhandlungstisch** return to the negotiating table; **R. zu festen Wechselkursen** return to fixed parities

rück|koppeln *v/t* to feed back; **R.kopplung** *f* feedback;

R.kopplungsschleife *f* closed loop; **R.kredit** *m* back-to-back loan; **R.kunft** *f* return; **R.ladung** *f* return cargo/load

Rücklage *f* reserve (fund), provision, appropriation, surplus (reserve); **R.n** 1. *(Firma)* provisions, retained earnings, capital reserves; 2. savings, nest egg *(fig)*, rainy-day reserves

Rücklage für Abschreibungen depreciation fund; **R.n zur Abschreibung langfristiger Anlagegüter** amortization fund; **R. für eigene Aktien** reserve for own shares; ~ **Auslandsrisiken** reserve for foreign risks; ~ **Betriebserneuerungen** reserve for additions, betterments and improvements; **R.n für das Betriebskapital** operating cash reserve; **offene R.n und Bilanzgewinn** earned surplus; **R. für Dubiose** doubtful reserves; ~ **die Erneuerung des Anlagevermögens** reserve for renewals and replacements, ~ plant extension; ~ **Ersatzbeschaffung** replacement reserve; **R.n für zweifelhafte Forderungen** bad debts reserves; ~ **ausstehende/schwebende Geschäfte** reserve for uncompleted transactions; ~ **Gewährleistungsansprüche** warranty reserves; **R.n und Guthaben bei Banken** cash liquidity reserves; **überschüssige gesetzliche** ~ **Banken** excess primary reserves; **R. für (aufgeschobene) Instandhaltung** reserve for repairs; ~ **Kostenüberschreitung** end money; ~ **Kursverluste und -schwankungen** investment reserve; ~ **Preissteigerungen** renewal fund, price level change provision, reserve for price increases; ~ **Reinvestitionen** reserve for reinvestments; ~ **laufende Risiken** *(Vers.)* loss reserve; ~ **Steuern** tax reserves; ~ **den Tilgungsfonds** sinking fund reserve; ~ **unvorhersehbare Verluste** (reserve for) contingencies; **R. aus kostenlosem Vermögenserwerb** donated surplus; **R. für Wagnisse** reserve for contingencies; ~ **Werkerhaltung** reserve for works maintenance

Rücklagen angreifen to draw on/dip into reserves; **R. auffüllen** to replenish reserves; **R. auflösen** to liquidate reserves, to dissolve/liquidate/retransfer liability reserves, to return reserves to source; **R. gewinnerhöhend auflösen** to retransfer reserves to taxable income; **R. bilden** to create/set up/build up/form/establish (liability) reserves, to set up a reserve; **R. darlegen** to disclose reserves; **R. dotieren** to add/put/transfer to reserves; **in die R. einstellen** to appropriate to reserves; **R. in Anspruch nehmen** to draw on/dip into reserves; **R. speisen** to fund reserves; **R. stärken** to increase/beef up reserves; **R. in Kapital umwandeln** to capitalize/retransfer reserves; **den R. zuführen** to transfer/carry to reserves; ~ **zuweisen** to appropriate to reserves

allgemeine Rücklage unappropriated surplus, general provision; ~ **R.n** general purpose (contingency) reserves; **andere (außergesetzliche) R.n** excess reserves; **ausgewiesene R.n** declared/published reserves; **bilanzmäßig** ~ **R.n** balance sheet reserves; **bei der Liquidation ausschüttbare R.n** reserve capital; **nicht** ~ **R.n** capital reserve; **außerordentliche R.** extraordinary/excess/surplus reserve, contingency fund, provident reserve fund; **besondere R.** special contingency reserve; **aus Sanierung/Kapitalherabsetzung entstandene R.(n)** recapitalization surplus; **freie R.n** free/voluntary/available/uncommitted reserve, voluntary reserve fund, non-statutory capital reserves, free surplus; **freiwillige R.n** non-statutory capital reserves; **gesetzliche R.** 1. statutory/legal/lawful reserve, non-distributable reserves; 2. *(von Mitgliedsbanken bei der Zentralbank)* collected balances; **offene R.n** disclosed/declared/open/published/official/general reserves, general resources, published reserve fund; **satzungsmäßige R.** statutory reserve(s)/appropriations *[US]*; **statuarische R.** statutory reserves; **steuerfreie R.n** tax-exempt/untaxed reserves; **stille R.n** hidden/undisclosed/secret reserves, hidden assets; **versicherungstechnische R.(n)** actuarial/technical reserves; **vorvertragliche R.n** reserves set up prior to date of agreement; **zusätzliche R.** supplementary/additional reserve; **zweckgebundene R.** appropriated (retained) earnings, surplus reserve *[US]*, reserved surplus *[US]*, appropriated (earned) surplus/reserves

Rücklageanteile zur Entnahme *pl* revenue reserves

Rücklagefonds *m* reserve/general/guarantee fund; **R. für drohende Verluste** *(Vers.)* specific reserve fund; **außerordentlicher R.** provident reserve fund

Rücklageguthaben *nt* reserve balance

Rücklagen|anteil *m* reserve element; **R.auflösung** *f* dissolution/liquidation/retransfer of reserves; **R.bewegung** *f* allocation to or liquidation of reserves; **R.bildung** *f* creation/formation of reserves, surplus appropriation; **gewinnmindernde R.bildung** profit-reducing appropriation to reserves; **R.dotierung** *f* allocation/transfer to reserves; **R.konto** *nt* reserve/contingent account; **R.satz** *m* reserve ratio; **R.soll** *nt* reserve target; **R.(ver)stärkung** *f* bolstering of reserves; **R.vermögen** *nt* reserve assets; **R.vortrag in der Gewinn- und Verlustrechnung** *m* income statement charges to reserves; **R.zuführung/R.zuweisung** *f* allocation/charge to reserves; **außerordentliche R.zuführung/R.zuweisung** extraordinary charge to reserves

Rücklagevermögen *nt* reserve assets

Rücklauf *m* 1. response, return; 2. return on investments (ROI); **R.gebühr** *f* charge on returned bill/cheque; **R.gewinn** *m (Vers.)* surrender profit, profit from surrender

rückläufig *adj* declining, falling, decreasing, weakening, receding, slipping, easing, downward, regressive, recessive, retrograde, retrogressive, on the decline; **r. sein** to be on the decline, to dwindle/ease/slip/shrink; **R.keit** *f* downward trend, decline

Rücklaufquote *f* 1. response rate, proportion of replies; 2. ratio of returns

rückliefern *v/t* to return

Rücklieferung *f* (sales) return(s), return delivery/shipment; **R.sauftrag** *m* return shipment order *[US]*; **R.sklausel** *f* redelivery clause; **R.slizenz** *f* grant-back licence *[US]*

Rück|marsch *m* retreat; **R.meldung** *f* acknowledgment, response, echo, feedback; ~ **von den Nutzern** user feedback

Rücknahme *f* 1. taking-back, repurchase; 2. withdrawal; 3. *(Wertpapiere)* redemption; 4. *(Widerruf)* revocation; **keine R.** not returnable

Rücknahme eines Angebots withdrawal/revocation of an offer; **R. der Anklage** withdrawal of the charge; **R. von Anteilen** redemption of shares; **R. eines Auftrages** withdrawal of an order; **R. der Berufung/des Rechtsmittels** withrawal/abandonment of appeal; **R. einer Erklärung** withdrawal of a statement; **~ Klage** withdrawal/abandonment of an action; **~ Kündigung** withdrawal of a notice; **R. eines Strafantrages** withdrawal of a charge, ~ petition for prosecution; **R. der Widerklage** discontinuance of the counterclaim; **~ Zulassung** revocation of the licence to practice

Rücknahme|anspruch *m* right of repurchase; **R.garantie** *f* repurchase/redemption guarantee; **zuwachsgebundene R.gebühr** *(Fonds)* performance fee; **R.klausel** *f* repurchase/redemption clause; **R.kurs/R.preis** *m* repurchase/redemption/reserve *[EU]*/cash-in/withdrawal/bid price; **R.- und Ausgabepreis** bid and asked price; **R.recht** *nt* right to the return of sth., ~ of redemption; **R.satz** *m* repurchase/buying rate; **R.spesen** *pl (Fonds)* redemption charges; **R.verpflichtung** *f* repurchase obligation, liability to take back; **R.wert** *m* bid price/value, trade-in value; **R.zeitpunkt** *m* time of withdrawal

Rück|porto *nt* return postage; **~ bezahlt** reply paid; **R.prall** *m* rebound

Rückprämie *f* put/return premium, seller's option, put (option), premium for the put; **Rück- und Vorprämie** put and call; **R. verkaufen** to give for the put; **R.ngeschäft** *nt* put (option) business, trading in puts; **R.nkurs** *m* put price; **R.nverkäufer** *m* giver for a put

Rückrechnung *f* 1. return account, re-account; 2. *(Wechsel)* re-exchange; **R. eines Wechsels** account of redraft; **R.sverfahren** *nt* grossing-up procedure

Rückreichung *f* handing back, resale

Rückreise *f* return trip/journey/⚓ voyage, way back; **auf der R. (befindlich)** ⚓ inward-bound, homeward-bound; **R.tag offen** *m* open-dated; **R.verkehr** *m* homebound traffic

Rückruf *m* recall, call back, repatriation; **R.srecht wegen Nichtausübung** *nt* 1. right of repurchase for non-use; 2. right of revocation by reason of non-exercise; **~ gewandelter Überzeugung** right of revocation by reason of changed conviction; **R.aktion** *f* 🚗 recall campaign

Rucksack *m* rucksack, knapsack; **R.tourist** *m* backpacker

Rück|schaltwerk *nt* *(Schreibmaschine)* back space; **R.schau** *f* retrospect; **r.schauend** *adj* in retrospect, retrospective; **R.scheck** *m* returned cheque *[GB]*, rubber check *[US]*; **R.schein** *m* 1. return copy, counterbond, advice of receipt form, advice of delivery; 2. ✉ answer registered, recorded delivery slip

Rückschlag *m* 1. setback, reversal, rebound, backlash, reaction, reverse, recession; 2. ⚕ relapse; **Rückschläge an der Inflationsfront** setbacks in the fight against inflation; **R. ausgleichen** to make good a setback; **R. erleiden** to suffer a setback/reversal, to relapse; **momentaner R.** temporary setback; **rezessiver R.** business/trade recession, economic dip

rück|schleusen *v/t* *(Geld)* to recycle; **R.schleusung** *f* 1. recycling; 2. retransfer, resale; **R.schluss** *m* conclusion, inference; **R.schlüsse ziehen** to draw conclusions; **R.schlusswahrscheinlichkeit** *f* ▦ inverse probability; **R.schreiben** *nt* reply, answer; **R.schrift** *f* discharging entry; **R.schritt** *m* step backwards, retrograde step; **r.schrittlich** *adj* backward, retrograde, retrogressive, reactionary

Rückseite *f* 1. back, rear, reverse (side); 2. ▯ verso; **auf der R.** overleaf; **~ unterzeichnen/vermerken** *(Wechsel)* to endorse; **R.nvermerk** *m* endorsement

rückseitig *adj* on the back/reverse

rücksend|en *v/t* to return, to send back; **R.ung** *f* return(s), return consignment/cargo, sending back; **R.ungen** goods returned, returned sales

Rücksicht *f* consideration, regard; **mit R. auf** considering, in consideration of, out of consideration for; **ohne R. auf** irrespective/regardless of; **~ die Ladung** *(Vers.)* lost or not lost; **R. walten lassen** to use discretion; **R. nehmen** to be considerate, to pay attention; **gehörige R.** due regard

Rücksicht|nahme *f* consideration; **mangelnde R.nahme** unconcern; **r.slos** *adj* inconsiderate, reckless, ruthless, heedless; **R.slosigkeit** *f* lack of consideration, recklessness, ruthlessness; **r.svoll** *adj* considerate

Rück|siedler *m* repatriate; **R.siedlung** *f* repatriation; **R.signal** *nt* echo; **R.spesen** *pl* return/back charges

Rücksprache *f* consultation(s); **nach R. mit** after consulting with; **R. halten** to confer (with so.), to consult (so.); **mit jdm R. nehmen** to have a word with so., to consult so.

Rück|sprung *m* return; **R.sprungstelle** *f* re-entry point; **r.spulen** *v/t* to rewind; **R.spulgeschwindigkeit** *f* rewind speed

Rückstand *m* 1. arrears, shortfall, remainder, lag, backwardness, arrearage; 2. *(Arbeit)* arrears of work; 3. *(Aufträge)* backlog; 4. ⚗ residual matter, residue, sediment; **Rückstände** 1. residuary substances, wastes; 2. remains; **im R.** 1. in arrears, behind schedule, behindhand; 2. *(Zahlung)* delinquent; **beträchtlich im R.** considerably overdue

Rückstand aufarbeiten/aufholen to work/clear off arrears (of work), to clear/process the backlog; **Rückstände begleichen** to settle arrears; **im R. bleiben** to remain behind; **mit der Zahlung ~ bleiben** to default (in payment), to fall behind with one's payments; **Rückstände eintreiben** to collect/recover outstanding debts; **in R. geraten** to fall behind, ~ into arrears; **im R. sein** to be in arrears, to default

aufbereitungsfähige/zur Aufbereitung geeignete Rückstände fertile wastes; **technischer/technologischer Rückstand** technological gap/backwardness; **verlorene R.** lost debts

rückständig *adj* 1. *(Rechnung)* outstanding, unpaid; 2. *(Zahlung)* overdue, delinquent; 3. *(Land)* underdeveloped, backward; 4. ⚗ residuary; **R.keit** *f* backwardness

Rückstands|liste *f* 1. schedule of arrears; 2. unfilled orders list; **R.rechnung** *f* statement of account; **R.zahlung** *f* payment of arrears

Rückstau *m* 1. *(Verkehr)* tailback, hold-up; 2. backlog

Rückstell|len *nt* *(Schreibmaschine)* backspacing; **r.en** *v/t* 1. *(Reserven)* to allocate, to make provisions; 2. to backspace, to space back; **R.muster** *nt* reference sample; **R.taste** *f (Schreibmaschine)* backspacer

Rückstellung *f* 1. reservation; 2. *(Bilanz)* reserve, provision, accrued/deferred liability, contingency, reserve for specific risks, allowance; 3. *(Bank)* loan loss reserve; **R.en** allocation to reserves, provisions for liabilities and charges, accruals, deductions, withheld accounts

Rückstellung|en für Abnutzungen/Abschreibungen depreciation reserve(s); **~ die Abschreibung langfristiger Anlagegüter; ~ Amortisationen/Anlagenerneuerung** amortization reserve, reserve for amortization, fixed asset replacement reserve; **~ genehmigte Ausgaben** reserve(s) for authorized expenditures; **~ unvorhergesehene Ausgaben** contingent reserve/ fund, contingency fund, provision(s) for contingencies; **~ Ausgleichsforderungen** equalization reserve(s); **~ uneinbringliche Außenstände** bad debts provisions, reserve for bad debts; **R. für Beitragsrückerstattung** *(Vers.)* bonus reserve; **R.en für Bergschäden** reserve for mining damage; **~ Betriebsreserven** operating reserve(s); **~ Betriebsunfälle** industrial accident reserve; **~ Bürgschaftsverpflichtungen** reserve for guarantees; **~ Dividendenausschüttungen** reserve for dividend payments; **~ Dubiose** doubtful/ bad debt provision, allowance for doubtful/bad debts; **~ Einkommenssteuer** deferred income tax; **~ Ersatzbeschaffungen** replacement reserve, provision for renewals; **(allgemeine) ~ Eventualverbindlichkeiten/-verpflichtungen** (general) contingency reserves; **~ dubiose/uneinbringliche/zweifelhafte Forderungen** bad (and doubtful) debt provision(s)/reserve(s), provision(s)/reserve(s) for bad/doubtful debts; **~ Garantie- bzw. Kulanzleistungen** *(Bilanz)* sales allowance *[US]*; **~ Gemeinkosten** reserve for overheads; **~ Gewährleistungen** reserve for warranties; **~ Grundstücksbelastungen** reserve for encumbrances; **~ Haftungsverpflichtungen** reserve for third-party liability commitments; **~ Kommissionen** accrued commissions; **R.en mit verschiedenen Komponenten** mixed reserve; **~ für Konsolidierungsaufgaben** funding provision; **~ für Kreditausfälle/-verluste**; **~ im Kreditgeschäft** loan loss provisions/reserves, provisions for possible loan losses; **R.en für noch nicht abgewickelte Versicherungsfälle** reserve for pending claims; **~ Lagerabwertungen** inventory reserve; **~ Mindereinnahmen** deficiency reserve; **~ Neubewertungen** revaluation reserve; **~ Nichtvorgesehenes** contingent reserve; **R. für Patentverletzungen** reserve for patent infringements; **R.en für Pensionsverpflichtungen** provisions for pensions; **R. für Preisnachlässe** reserve for price reductions/discounts; **~ Prozesskosten** reserve for litigation costs; **~ unbekannte Risiken** (reserve for) contingencies; **R.en für Ruhegeldverpflichtungen** pension reserve(s); **~ schwebende Schäden; ~ (noch nicht regulierte) Schadensfälle** claims reserve(s), *(Vers.)* reserve(s) for outstanding claims; **~ zweifelhafte Schulden** bad debt provision(s)/reserve(s); **R. für Schuldentilgung** reserve for debt redemption; **~ zweifelhafte Schuldner** reserve for contingent liabilities; **R.en für Sonderfälle** provident reserve(s); **R. für Steuern** deferred tax provision, deduction for taxes, taxation reserve, accrued taxes; **~ Substanz(ver)minderung** reserve for depletion; **~ Tilgungsfonds** sinking fund reserve; **~ ungewisse Verbindlichkeiten** contingency/contingent/liability reserve(s), provisions for contingent liabilities; **R. für Verluste** loss reserve(s); **~ drohende Verluste aus schwebenden Geschäften** reserve(s) for impending losses from uncompleted transactions; **~ Vertragsveränderungen** renegotiation reserve; **R.en für Wechselhaftung** reserves for liabilities under drafts; **~ Wertberichtigungen** (re)valuation reserves, operating reserve; **~ Wiederbeschaffung** replacement reserve

Rückstellungen auflösen to liquidate/retransfer reserves, to write back provisions; **R. bilden/machen/ vornehmen** to make provisions for, to set up/form a liability reserve; **~ in Höhe von ...** to set aside ...; **R. für Risiken bilden** to charge against risks; **der Rückstellung für Verluste zuführen** to make allowance for losses

allgemeine Rückstellungen deferred compensation; **außerbetriebliche R.** non-operating reserves; **besondere R.** special/provident reserves; **den Rücklagen gleichzusetzende R.** provisions equivalent to reserves; **kurzfristige R.** short-term provisions; **langfristige R.** long-term provisions; **zweckgebundene R.** appropriated reserve(s)

Rückstellungs|auflösung *f* liquidation/retransfer/dissolution of reserves; **R.bedarf** *m* reserve requirements; **R.betrag** *m* reserve item; **R.bildung** *f* creation of reserves; **r.fähig** *adj* eligible for provision; **R.fonds** *m* reserve fund; **R.konto** *nt* reserve/appropriation account; **~ für unvorhergesehene Verpflichtungen** contingencies account; **R.posten** *m* reserve item; **R.soll** *nt* required provision; **R.zuführung/R.zuweisung** *f* reserve allocation

Rück|strahlung *f* reflection; **R.stoß** *m* 1. rebound; 2. *(Gewehr)* recoil; **R.strom** *m* return (flow), reflux; **R.stufung** *f* downgrading, relegation; **~ von Arbeitsplätzen** dilution of labour; **R.taste** *f (Schreibmaschine)* backspacer; **R.trag** *m* carryback; **R.transport** *m* return (transport); **R.tratte** *f* redraft, re-exchange

Rücktritt *m* 1. resignation, retirement; 2. *(Vertrag)* withdrawal, rescission, § revocation; **R. von einer Treuhanderrichtung** revocation of a trust; **R. vom Versuch** § abandoning an attempt; **~ Vertrag** repudiation/revocation/rescission/cancellation of contract, withdrawal from a contract; **R. vorbehalten** subject to withdrawal; **R. anbieten** to offer to resign; **jdn zum R. auffordern** to call for so.'s resignation; **R. einreichen/erklären** to hand in/send in/tender one's resignation; **jdn zum R. zwingen** to force so. to resign

Rücktritts|bedingungen *pl* conditions of avoidance; **R.berechtigte(r)** *f/m* rescinding party; **R.bestimmung** *f* escape clause; **R.drohung** *f* threat of resignation; **R.erklärung** *f* 1. resignation; 2. notice of repudiation of contract, ~ withdrawal/rescission, advice of cancellation; **schriftliche R.erklärung** written notice of withdrawal; **R.frist** *f* 1. escape period, period (allowed) for cancellation/withdrawal; 2. cooling-off period; **R.gebühr** *f* cancellation charge; **R.gesuch** *nt* (letter of) resignation; ~ **einreichen** to send in/hand in/tender one's resignation; **R.grund** *m* cause of rescission; **R.klage** *f* § rescissory action; **R.klausel** *f* escape/cancellation clause; **R.mitteilung** *f* notice of withdrawal; **R.recht** *nt* right of rescission/cancellation/avoidance, right to cancel a contract, ~ withdraw from a contract; **vertragsgemäßes R.recht** right of rescission under contract; **R.schreiben** *nt* (letter of) resignation; **R.versicherung** *f* cancellation cover; **R.vorbehalt** *m* escape clause, reservation of the right to cancel/rescind, option of withdrawal; **R.zeitpunkt** *m* time of withdrawal

rückübereignen *v/t* *(Grundstück)* to reconvey

Rückübereignung *f* reconveyance, retransfer of ownership; **R.sanspruch des Sicherheitsgebers** *m* equitable interest

rückübersetz|en *v/t* to retranslate; **R.ung** *f* retranslation

Rückübertrag *m* carryback; **r.en** *v/t* to retransfer

Rückübertragung *f* 1. *(Grundstück)* reconveyance; 2. reassignation, retrocession; 3. retransfer, redemise; **R.sklausel** *f* grant-back clause; **R.sverpflichtung** *f* counter letter

rücküberweis|en *v/t* to retransfer; **R.ung** *f* retransfer, return remittance

Rückumschlag *m* (business) reply envelope; **adressierter R.** ✉ self-addressed envelope; **freigemachter, adressierter R.** ✉ stamped addressed envelope (SAE)

Rück|umwandlung *f* reconversion; **R.valuta** *f* backvalue; **R.valutierung** *f* retrospective valuation; **R.verbürgung** *f* counterguarantee; **R.verflechtung** *f* recartelization, reconcentration, reversal of decartelization

rückvergüten *v/t* to refund/reimburse/repay, to pay back

Rückvergütung *f* 1. refund, reimbursement, repayment; 2. *(Vers)* rebate, allowance, reversionary bonus; 3. ⊖ drawback; 4. *(Kundentreue)* patronage dividend; **R. von Steuern** tax refund; **R.sgarantie** *f* money-back guarantee

Rück|verkauf *m* backselling; **R.verkettung** *f* backward linkage; **r.verlagern** *v/t* *(Kapital)* to repatriate; **R.verlagerung** *f* repatriation; **r.vermieten/r.verpachten** *v/t* to lease back; **R.vermietung/R.verpachtung** *f* leaseback; **r.verschiffen** *v/t* to reship; **R.verschiffung** *f* reshipment; **r.versetzen** *v/t* to transfer/put back

Rückversicherer|er *m* reinsurer, coinsurer, accepting company; **R.erkette** *f* string of reinsurers; **r.n** *v/t* to reinsure/reassure/coinsure, to buy reinsurance; *v/refl* 1. to take out reinsurance, to effect/place reinsurance; 2. to check up/back; **R.te(r)** *f/m* the reinsured, ceding company

Rückversicherung *f* 1. reassurance; 2. reinsurance, coinsurance, counter-insurance; 3. reinsurer, reinsurance company; **R. mit Selbstbehalt** participating/share reinsurance

Rückversicherung abschließen to take out reinsurance, to effect/place reinsurance; **in R. geben** to reinsure, to enter into a reinsurance contract; ~ **nehmen** to reinsure, to provide reinsurance cover; **R. übernehmen** to accept/assume reinsurance

automatische Rückversicherung automatic reinsurance; **obligatorische R.** obligatory/mandatory reinsurance, automatic/obligatory treaty; **unbegrenzte R.** excess of loss reinsurance

Rückversicherungs|anstalt *f* reinsurance company; **abzüglich der R.anteile** *pl* net of reassurance recoveries; **R.bestand** *m* reinsurance portfolio; **R.geschäft** *nt* reinsurance business/transaction; **R.gesellschaft** *f* reinsurance/direct-writing company; **R.konsortium** *nt* reinsurance syndicate/pool; **R.konzern** *m* reinsurance group; **R.makler** *m* reinsurance broker; **R.markt** *m* surplus line market; **R.nachweis** *m* certificate of reinsurance; **R.option** *f* facultative reinsurance; **R.police** *f* reinsurance policy; **R.prämie** *f* reinsurance premium; **R.provision** *f* reinsurance commission; **R.quote** *f* quota share; **R.risiko atomisieren** *nt* to spread the risk; **R.schutz** *m* reinsurance protection; **R.träger** *m* reinsurer, reinsurance company; **R.vertrag** *m* reinsurance contract/treaty; **R.wirtschaft** *f* reinsurance industry

Rückverweis|(ung) *m/f* 1. crossreference, reference back; 2. § renvoi *[frz.]*, remand; **r.en** *v/ti* to refer back

Rück|wälzung *f* backshifting, backward shifting, shift backward; **R.wand** *f* 1. rear/back wall; 2. ✿ back plate; **R.wanderer** *m* remigrant; **R.wanderung** *f* 1. remigration; 2. *(Geld)* repatriation

Rückwaren *pl* returns, returned goods; **R. und Ersatzlieferungen** returns and replacements; **R.buch** *nt* 1. *(Verkäufe)* sales return journal, goods returned journal; 2. *(Einkäufe)* purchase returns book; **R.schein** *m* return form

rück|wärtig *adj* rear; **r.wärts** *adv* backwards

Rückwärts|analyse *f* backdating analysis; **R.bewegung** *f* regression, retrograde movement; **plötzliche R.bewegung** backlash; **R.fahrt** *f* ⚓ sternway; **R.gang** *m* 🚗 reverse (gear); **R.integration** *f* backward integration, ~ vertical merger, upstream expansion; **R.-lesen** *nt* reverse reading

Rückwechsel *m* redraft, return draft, re-exchange, returned/cross/counter bill; **R.konto** *nt* account of redraft; **R.spesen** *pl* redraft charges

Rückweg *m* way back/home, return

Rück|weisewahrscheinlichkeit *f* probability of rejection; **R.weisungsfach** *nt* reject pocket; **R.weisungsrate** *f* reject rate

rückwirken *v/i* to have retroactive effect; **r.d** *adj* retroactive, retrospective, now for then; ~ **von** backdated to

Rückwirkung *f* 1. retroactive effect/force, retroactivity, retrospectiveness; 2. repercussion, reaction; 3. § relation back; **R.sschaden** *m* consequential damage

rückzahlbar *adj* 1. repayable, refundable, reimbursable, returnable; 2. *(Einlage)* recoverable; 3. *(Anleihe)* redeemable; **auf Abruf/Verlangen r.** repayable on demand; **nicht r.** 1. non-repayable; 2. *(Anleihe)* irredeemable; **r. werden** to become payable

Rückzahlbuch *nt* debenture book

rückzahlen *v/t* 1. to repay/refund/reimburse, to pay back; 2. *(Anleihe)* to redeem

Rückzahlung *f* 1. (re)payment, refund(ing), reimbursement, payback, return; 2. *(Anleihe)* redemption; **zur R. fällig** due for repayment

Rückzahlung durch Auslosung drawing; **R. eines Darlehens** repayment of a loan; **vorzeitige ~ Darlehens** repayment of a loan before it is due; **R. bei Endfälligkeit** final redemption, redemption at term; **R. vor Fälligkeit** redemption before due date; **R. in voller Höhe** full repayment; **R. einer Hypothek** repayment/redemption of a mortgage; **R. des Kapitals** repayment of the principal; **R. einer Kapitalschuld** repayment of a capital debt; **R. eines Kredits** repayment of a loan/credit; **R. zum Nennwert** redemption at par; **R. in Raten** repayment by/in instalments; **R. einer Schuld** repayment/extinction of a debt; **periodische R. von Schulden** amortization of a debt, periodic repayment of debt; **R. in einer Summe** *(Kredit)* bullet repayment; **~ gleichen Tilgungsraten** straight-line redemption

zur Rückzahlung aufrufen to call for redemption; **~ auslosen** to redeem by lot; **~ kommen** to be repaid; **R. leisten** to refund

fristgemäße Rückzahlung repayment on due date; **gestaffelte R.** repayment by instalments; **planmäßige R.** straight repayment; **vorzeitige R.** prepayment, prior repayment

Rückzahlungs|agio *nt* redemption premium, premium payable on redemption; **R.ankündigung** *f* notice of withdrawal; **R.anspruch/R.antrag** *m* repayment claim; **R.anweisung** *f* repayment order; **R.aufforderung** *f* demand for repayment; **R.bedingungen** *pl* conditions of repayment; **R.betrag** *m* amount repayable; **R.datum** *nt* repayment date; **R.disagio** *nt* discount on redemption; **R.frist** *f* repayment period, time/deadline for repayment; **R.gewinn** *m* gain on repayment; **R.gewohnheit** *f* repayment habit; **R.gutschein** *m* refund voucher; **R.klausel** *f* redemption clause; **R.kurs** *m* redemption price/value, rate of redemption, retirement rate; **R.möglichkeit** *f (Konto)* withdrawal facility, repayment option; **R.option** *f* option of repayment; **r.pflichtig** *adj* repayable; **nicht r.pflichtig** non-repayable; **R.plan** *m* repayment schedule; **R.prämie** *f* redemption premium; **R.preis** *m* redemption price; **R.provision** *f* redemption commission; **R.rate** *f* (repayment) instalment, payback rate; **R.rendite** *f* redemption yield, yield to maturity; **R.schein** *m* withdrawal slip; **R.summe** *f* amount repayable; **R.tag** *m* due date; **R.termin** *m* repayment/redemption/maturity date, date of repayment/redemption; **R.verfügung** *f* repayment order; **R.verpflichtungen** *pl* sinking fund requirements; **den ~ nachkommen** to meet repayments; **R.wert** *m* redemption value; **R.zeitraum** *m* repayment/payback period

Rück|zieher *m* retraction, climbdown; **~ machen** to climb/back down, to back out, to backtrack/backpedal; **R.zinsen** *pl* interest returned

Rückzoll *m* ⊖ (customs/duty) drawback; **r.berechtigt** *adj* debentured; **R.bescheinigung** *f* debenture; **R.buch** *nt* debenture book; **R.güter** *pl* debenture(d) goods; **R.schein** *m* customs debenture, debenture (bond)

Rückzug *m* 1. retreat, withdrawal; 2. climbdown, pull(-)out; **R. antreten** to beat a retreat; **geordneter R.** orderly retreat; **taktischer R.** operating retrenchment; **R.sgefecht** *nt* rearguard action; **R.slinie** *f* line of retreat

Rudel *nt* herd

Ruder *nt* 1. ⚓ rudder; 2. *(Steuer)* helm; **am R.** at the helm/wheel

am Ruder bleiben *(politisch)* to remain in power; **R. fest in der Hand haben** to (be) master (of) the situation; **ans R. kommen** *(fig)* to come to power; **aus dem R. laufen** *(fig)* to get out of control; **am R. sein** 1. to be at the helm; 2. *(fig)* to be in power; **R. übernehmen** to take over the helm

rudimen|tär *adj* rudimentary; **R.te** *pl* rudiments

Ruf *m* 1. reputation, standing, repute, fame; 2. call, shout; **dem R.e nach** by repute; **R. in bezug auf Wohnraumbeschaffung** housing record

jds Ruf beeinträchtigen to tarnish/cloud so.'s reputation; **guten R. besitzen** to have a good name; **jdn um seinen R. bringen** to damage so.'s reputation; **sich einen R. erwerben** to win a reputation, to make a name for o.s.; **~ guten R. erwerben** to gain a good reputation; **einem R. folgen** to respond to a call; **guten/schlechten R. haben; ~ genießen** to have a good/bad name; **seinen guten R. retten** to save one's reputation; **jds R. schaden** to damage so.'s reputation; **jds guten R. schädigen; jds R. verunglimpfen** to cast a slur on so.'s reputation; **auf seinen R. bedacht sein** to be mindful of one's reputation; **seinen R. verlieren** to lose one's reputation; **~ wahren** to protect one's name

geschäftlicher/kaufmännischer Ruf credit standing; **guter R.** good/established reputation, high standing, renown, credit; **lädierter R.** tarnished reputation; **makelloser R.** spotless reputation; **moralischer R.** moral standing; **schlechter R.** 1. bad reputation/name, disrepute, discredit; 2. *(Firma)* negative goodwill; **tadelloser/unbescholtener/untadeliger R.** unblemished/perfect reputation; **übler R.** ill repute; **ungeschmälerter R.** unimpaired credit; **zweifelhafter R.** doubtful standing

Ruf|anlage *f (Personen)* paging system/network; **R.bereitschaft** *f* being on call/standby

rufen *v/t* 1. to call; 2. to shout; **r. lassen** to send for

Rüffel *m (coll)* rebuke, ticking off *(coll)*; **r.n** *v/t (coll)* to rebuke, to tick off *(coll)*

Ruf|mord *m* character assassination; **R.mordkampagne** *f* smear campaign; **R.name** *m* forename, first/given/Christian name

Rufnummer *f* (tele)phone/call/subscriber's number, dial exchange; **R. vergeben** to allocate a number; **R. wählen** to dial a number; **gebührenfreie R.** free phone number

Ruf|säule *f* emergency telephone; **r.schädigend** *adj* §

defamatory; **R.schädigung** *f* defamation, disparagement, damage to the reputation, detraction, injurious falsehood; **R.system** *nt* paging system; **R.taste** *f* ringing key; **R.ton/R.zeichen** *m/nt* 1. ✆ ringing/call tone; 2. call signal

Rüge *f* rebuke, reprimand, censure, reprehension; **R. mangelnder Schlüssigkeit** § general demurrer; **~ Substanziierung** § application for further and better particulars; **R. der Unzuständigkeit** § challenge of the court's jurisdiction; **R. aussprechen/erteilen** to issue a reprimand, to rebuke; **berechtigte R.** well-founded complaint; **scharfe R.** stinging rebuke; **R.frist** *f* period for claims/complaints

rügen *v/t* 1. to rebuke/reprimand/censure; 2. to denounce/object/criticize; 3. *(Mangel)* to notify a defect

Rüge|pflicht *f* requirement to give notice of defects; **R.recht** *nt* right to make a claim, ~ raise an objection

Ruhe *f* 1. silence, tranquillity, calm(ness), quiet, peace; 2. rest, restfulness; 3. privacy; **nicht aus der R. zu bringen** unflappable; **öffentliche R. und Ordnung** peace and quiet, public order/peace; **~ und Sicherheit** public peace (and quiet)

der Ruhe bedürfen to need (a) rest; **R. bewahren** to keep one's temper, ~ calm; **um R. bitten** to ask for silence; **zur R. bringen** to calm (down); **R. kehrt in das Geschäft ein** *(Börse)* activity is quietening down; **R. erkaufen** to buy off trouble; **zur R. kommen** to quieten; **in aller R. prüfen** to examine at leisure; **R. selbst sein** to be as cool as a cucumber *(coll)*; **sich zur R. setzen** to go into retirement, to retire (from work); **sich vorzeitig ~ setzen** to take early retirement, to retire early; **R. stören** to disturb the peace; **öffentliche R. stören** § to break the peace; **~, Sicherheit und Ordnung wiederherstellen** to restore order

absolute Ruhe complete silence; **innere R.** peace of mind; **unbedingte R.** strict silence; **wohlverdiente R.** well-earned rest

Ruhegehalt *nt* (retirement) pension, superannuation, retired pay, public service pension; **R. wegen Dienstunfähigkeit** breakdown/invalidity pension; **jdm ein R. aussetzen/gewähren** to settle a pension on so.; **betriebliches R.** company/occupational pension

Ruhegehalts|alter *nt* retiring/pensionable age; **R.anspruch** *m* pension right, eligibility for a pension, right to a pension; **~ aberkennen** to deprive so. of his right to a pension; **R.empfänger(in)** *m/f* old-age pensioner (OAP); **r.fähig** *adj* pensionable, superannuable, eligible for a pension

Ruhegeld *nt* (retirement/old-age) pension, superannuation, retirement benefits/allowance, retired pay

Ruhegeld|alter *nt* pensionable/retiring age; **R.anspruch** *m* pension claim, right to a pension; **R.anwartschaft** *f* pension entitlement, vested pension plan; **R.bestimmungen** *pl* superannuation provisions; **R.bezüge** *pl* retirement income; **R.empfänger(in)** *m/f* pensioner (OAP); **r.fähig** *adj* pensionable, superannuable; **R.ordnung** *f* pension/superannuation scheme; **betriebliche R.ordnung** company pension scheme; **R.verpflichtung** *f* pension commitment/liability; **betriebliche R.verpflichtung** employer's pension commitment

Ruhe|lage *f* rest position; **r.los** *adj* restless, hectic

Ruhen *nt* suspension; **R. der Geschäfte** suspension of dealings; **R. des Strafverfahrens** suspension/stay of prosecution; **~ Verfahrens** suspension of (the) proceedings; **R. der Verjährung** suspension of the period of limitation

ruhen *v/i* 1. to rest; 2. to be at a standstill; 3. to be dormant/suspended; 4. § to be in abeyance; **Sache r. lassen** to let a matter rest

ruhend *adj* 1. resting, inactive; 2. § dormant, suspended; 3. idle; 4. stationary

Ruhensbestimmungen *pl* suspension of proceedings provisions

Ruhepause *f* 1. rest (period/break); 2. slack/quiet period, lull, breathing space, breather; **R.n pro Woche; wöchentliche R.n** weekly restbreaks; **R. einschieben** to take a break; **R. verordnen** to prescribe a rest

Ruhe|platz *m* resting place; **R.posten** *m* sinecure, cushy job; **R.raum** *m* rest room; **R.sitz** *m* retreat

Ruhestand *m* retirement, superannuation; **im R.** retired, superannuated

im Ruhestand leben to live in retirement; **in den R. treten** to retire, to go into retirement; **~ R. versetzen** to superannuate, to pension off; **~ wohlverdienten R. versetzen** to put out to pasture *(fig)*; **jdn vorzeitig ~ R. versetzen** to pension so. off prematurely, to retire so. early

vorzeitiger Ruhestand early/voluntary retirement, preretirement

Ruheständler *m* pensioner, retired person, retiree

Ruhestands|alter *nt* retiring/retirement/pensionable age; **R.beamter** *m* retired civil servant; **R.jahre** *pl* retirement years; **R.liste** *f* retired list; **R.regelung** *f* pension scheme/plan; **R.versicherung** *f* retirement insurance; **R.versorgung** *f* retirement pension

Ruhe|stätte *f* resting place; **R.stellung** *f* ✿ normal, neutral, off position; **R.störer** *m* rioter, disturber of the peace, disorderly person; **(öffentliche) R.störung** *f* § breach/disturbance of (the) peace, disorder, disorderly behaviour; **nächtliche R.störung** disturbance of the peace of night; **R.tag** *m* 1. day off, rest day; 2. *(Geschäft)* closing day; **R.zeit** *f* rest period, idle/unused/unattended time; **ununterbrochene R.zeit** daily rest period; **R.zone** *f* rest area

ruhig *adj* 1. silent, quiet, calm, smooth, steady, dead; 2. peaceable; **r. und gehalten** *(Börse)* quietly steady; **ganz r. bleiben** to play it cool

Ruhm *m* glory, fame, renown, kudos; **sich mit R. bedecken** to cover o.s. with glory

rühmen *v/t* to praise/laud/extol; *v/refl* to boast; **sich einer Sache r.** to pride o.s. on sth.

Ruhmes|blatt *nt* glorious chapter; **R.halle** *f* hall of fame, pantheon

ruhm|los *adj* inglorious; **R.sucht** *f* hankering after glory

Ruhr *f* ⚕ dysentery

rühren *v/t/v/refl* to stir; **sich nicht r.** to stay put, to mark time; **r.d** *adj* moving, touching

rührig *adj* active, go-ahead; **R.keit** *f* activity
Ruin *m* ruin, crash, downfall; **vor dem R. stehen** to be faced with ruin
Ruine *f* ruin, wreck(age)
ruinier|en *v/t* 1. to ruin/undo/spoil; 2. to bankrupt; 3. to break; **finanziell r.en** to smash; **r.t** *adj* 1. bankrupt, ruined, broke(n); 2. in tatters *(coll)*; **r.t sein** to be in ruins
ruinös *adj* 1. ruinous; 2. *(Preise/Wettbewerb)* cutthroat
Rummel *m* ballyhoo, razmatazz *(coll)*; **R.platz** *m* amusement park
Rumoren *nt* rumblings; **r.** *v/i* to rumble, to make a noise
Rumpf *m* 1. body; 2. ⚓ hull, rump, shell; 3. ✈ fuselage; **R.-** skeletal; **R.belegschaft** *f* core workforce, skeleton staff; **R.geschäftsjahr** *nt* short/abbreviated financial year, rump year, short business year, short/stub period; **R.gesellschaft** *f* rump company; **R.konzern** *m* rump group; **R.mannschaft** *f* skeletal team; **R.parlament** *nt* rump parliament; **R.plan** *m* skeleton plan; **R.wirtschaftsjahr** *nt* short fiscal/business year
rumsprechen *v/refl* to become known
Run *m* run, rush, flood
rund *adj* round, circular; *adv (ungefähr)* approximately, about, in round terms
Rund|bau *m* 🏛 rotunda; **R.blick** *m* panorama, panoramic view; **R.brief** *m* 1. circular, newsletter; 2. *(Umlauf)* round robin; **R.druck** *m* 📄 rotary printing
Runde *f* 1. round, turn; 2. *(Wettkampf/Rennen)* round, lap; 3. *(Polizei)* beat
Runde ausgeben/bezahlen/spendieren/stiften to pay (for)/stand a round; **über die R.n bringen** to bring to a successful conclusion; **jdm ~ helfen** to tide so. over; **~ kommen** 1. to survive, to remain on one's feet; 2. *(fig)* to make ends meet *(fig)*; **gerade noch ~ kommen** to make both ends meet; **die R. machen** to circle; **überall ~ machen** *(Gerücht)* to spread from mouth to mouth
runden *v/t* to round (off), to express in round figures; **nach oben r.** to round up(ward); **nach unten r.** to round down(ward)
Rund|erlass *m* circular (order); **r.erneuern** *v/t* 1. to remold; 2. *(Reifen)* to retread; **R.fahrt** *f* round trip, circular tour; **~ machen** to tour, to make a round trip, ~ circular tour; **R.flug** *m* round-trip flight; **R.frage** *f* survey, opinion poll
Rundfunk *m* broadcasting, radio, wireless; **durch R.** on the air; **im R. sprechen** to be on the air; **durch/im R. übertragen** to broadcast
Rundfunk|abteilung *f* radio division; **R.anlage** *f* wireless installation; **R.ansage** *f* radio announcement; **R.ansager(in)** *m/f* radio announcer, broadcaster; **R.anstalt** *f* broadcasting corporation; **R.antenne** *f* aerial; **R.bericht** *m* radio report; **R.empfang** *m* radio reception; **R.frequenz** *f* radio frequency; **R.gebühr/R.genehmigung** *f* radio/wireless licence; **R.gerät** *nt* wireless set; **R.gesellschaft** *f* broadcasting company; **R.journalist(in)** *m/f* radio journalist; **R.programm** *nt* radio programme; **R.recht** *nt* broadcasting law/legislation; **R.reklame** *f* radio advertising; **R.reporter(in)** *m/f* radio reporter; **R.sender** *m* radio station/transmitter; **~ stören** to jam a radio station; **R.sendung** *f* (radio) broadcast, radio transmission; **R.sprecher(in)** *m/f* broadcaster, announcer; **R.station** *f* radio station; **R.steuer** *f* wireless/radio tax, wireless licence fee; **R.störung** *f* interference; **R.techniker** *m* radio engineer; **R.übertragung** *f* radio broadcast/transmission, broadcasting; **R.werbung** *f* radio advertising, broadcasting publicity
Rund|gang *m* 1. *(Besichtigung)* tour; 2. *(Runde)* round, patrol, beat; **r.heraus** *adv* point-blank; **R.holz** *nt* round timber, logs; **R.kurs** *m* circuit
Rundreise *f* round trip, (circular/sightseeing/linear) tour, circuit; **auf R. gehen** to tour the country; **R.fahrschein/R.ticket** *m/nt* circular/round-trip ticket; **R.kosten** *pl* round trip cost(s), ⚓ turn(a)round cost(s)
Rundschau *f* review
Rundschreiben *nt* circular (letter), newsletter, mail shot; **durch R. bekanntmachen/benachrichtigen; R. versenden** to circularize
Rundstahl *m* ✏ round bar
Rundumschlag *m* overkill, sweeping blow
Rundung *f* π rounding; **R.sfehler** *m* rounding error
Rundverfügung *f* circular order
Runge *f* stanchion; **R.nwagen** *m* 🚃 stanchion wag(g)on, platform/flat car
runter|fahren *v/t* to scale back/down; **jdn r.putzen** *v/t (coll)* to carpet so. *(coll)*
rupfen *v/t* 1. *(fig)* to fleece; 2. *(Federvieh)* to pluck
Ruß *m* soot; **R.ablagerung** *f* deposit of rust; **R.teilchen** *nt* soot particle
Rüsten *nt* 🏭 set-up, tooling-up; **r.** *v/t* 1. to equip, 🏭 to tool up; 2. ✈ to arm; 3. 🏛 to scaffold; *v/refl* to prepare (for)
rustikal *adj* rustic
Rüst|kosten *pl* 🏭 set-up/preproduction/tooling-up cost(s), cost(s) of changeover; **R.prozess** *m* preproduction measure
Rüstung *f* 1. armament; 2. *(Waffen)* arms; **vollständige R.** *(fig)* panoply
Rüstungs|aktien *pl* defence shares *[GB]*/stocks *[US]*, war securities; **R.anleihe** *f* defence loan; **R.arbeiter** *m* armament/war worker; **R.auftrag** *m* defence/military contract, armament order; **R.ausgaben** *pl* arms expenditure, defence spending; **R.begrenzung/R.beschränkung** *f* arms limitation, limitation of armaments; **R.betrieb/R.fabrik** *m/f* arms/ordnance *[GB]* factory; **R.etat** *m* defence budget; **R.firma** *f* arms/armaments manufacturer; **R.güter** *pl* arms, armaments, defence equipment; **R.industrie** *f* armament(s)/arms industry; **R.konversion** *f* arms conversion; **R.produktion** *f* defence production; **R.programm** *nt* armament programme; **R.titel/R.werte** *pl* → **R.aktien**; **R.verminderung** *f* arms reduction; **R.wettlauf** *m* arms race; **R.wirtschaft** *f* arms industry
Rüst|zeit *f* 🏭 set-up/tooling-up/changeover/tear-down time; **~ nach Arbeitsschluss** 🏭 shut-down time; **R.zeug** *nt* equipment
rutschen *v/i* to slide/skid
rutsch|fest/r.sicher *adj* skid-proof, non-skid, non-slip; **R.spur** *f* 🚗 skid mark

S

Saal *m* hall; **S. verlassen** to walk out; **aus dem S. verweisen** to expel/relegate, to order to leave; **S.diener/ S.ordner** *m* usher, steward; **S.miete** *f* hall hire

Saat *f* 1. seed; 2. seeding, sowing; **S.enstand** *m* state of the crop(s); **S.gut** *nt* (agricultural) seeds, seed(corn); **S.guthändler** *m* seed merchant; **S.zeit** *f* seed time

Sabotage *f* sabotage; **S. treiben** to sabotage; **S.abwehr** *f* counter-sabotage; **S.akt** *m* act of sabotage; **S.verdacht** *m* suspicion of sabotage

Saboteur *m* saboteur

sabotieren *v/t* to sabotage

Sach|- factual; **S.abschreibung** *f* fixed asset depreciation; **S.angaben** *pl* statement of facts

Sachanlage|(n) *f/pl* 1. real (estate) investment, investment in fixed/material/physical assets; 2. property, plant and equipment, fixed/tangible/physical assets; ~ **und immaterielle Anlagewerte** property, plant, equipment and intangibles, tangible and intangible assets; ~ **pro Aktie** tangible assets per share; **bewegliche S.n** non-real-estate fixed assets; **S.buch** *nt* plant/property ledger; **S.güter** *pl (Bilanz)* tangible/fixed assets, land, buildings and machinery *[GB]*, plant and machinery

Sachanlagen|abgang *m* retirement of fixed assets; **S.abschreibung** *f* depreciation of fixed assets; **S.buch** *nt* plant/property ledger; **S.erneuerung** *f* replacement of fixed assets; **S.intensität** *f* ratio of tangible fixed assets to total assets; **S.investition(en)** *f/pl* capital expenditure, investment in fixed assets; **S.konto** *nt* fixed assets account; **S.zugang** *m* addition to fixed assets

Sachanlagevermögen *nt* 1. tangible (fixed) assets, physical capital/assets; 2. *(Bilanz)* plant (,property) and equipment; **S. insgesamt** total (fixed) assets

Sach|antrag *m* § action for relief, motion for judgment *[GB]*; **S.argument** *nt* material argument, point of substance; **S.aufgabe** *f* 1. provision of goods; 2. non-financial task; **S.aufklärung** *f* § clarification of the facts and circumstances; **S.aufklärungspflicht** *f* § duty to clarify the case; **S.aufruf** *m* § calling of a case, calendar call; **S.aufteilung** *f* subject heading; **S.aufwand/ S.aufwendungen** *m/pl* operating expenditure/expenses, material expenditure(s), expenditure on materials, ~ in kind, tangible benefits; **S.ausgaben** *pl* administrative expenses; **S.ausschüttung** *f* distribution in kind, non-cash distribution; **S.-Bargründung** *f* formation on the basis of cash and non-cash contributions

Sachbearbeiter(in) *m/f* 1. specialist, clerk, official/officer/person in charge, processor; 2. *(Sozialarbeit)* case worker; **S. für Jugendarbeit** youth employment officer; ~ **Öffentlichkeitsfragen** public relations officer; ~ **Personaleinstellungen** recruitment officer; **S. eines Werbeetats** account executive

Sach|bearbeitung *f* handling, processing; **S.befugnis** *f* § authority to claim, entitlement to a cause of action, accrual of substantive claim to plaintiff; **S.beihilfe** *f* aid in kind; **S.bereich** *m* 1. scope; 2. § field of jurisdiction, sphere, purview; **S.bericht** *m* 1. (factual) report; 2. § case report

Sachbeschädigung *f* property damage, damage/injury to property; **mutwillige S.** vandalism; **schwere/vorsätzliche S.** criminal damage (to property); **strafbare S.** criminal damage

Sach|besitz *m* effects, material assets; **S.besitzer** *m* material asset holder; **S.besteuerung** *f* taxation of specific property; **S.beweis** *m* § material/relevant evidence; **S.bezeichnung** *f* physical description; **s.bezogen** *adj* relevant, pertinent, task-orient(at)ed; **S.bezüge** *pl* payment/remuneration in kind, income paid in kind, non-cash compensation; **S.buch** *nt* non-fiction book

Sachdarstellung *f* statement of facts; **einleitende S.** § recital; **falsche S.** misstatement of facts; **kurze S.** brief (account); **objektive S.** factual statement

Sach|depot *nt* impersonal security deposit; **S.depotbuch** *nt* register of security deposits; **s.dienlich** *adj* relevant, pertinent, to the point, appropriate, suitable, expedient; **S.dienlichkeit** *f* relevance, pertinence, suitability, expediency; **S.dividende** *f* dividend in kind, commodity dividend

Sache *f* 1. matter, object; 2. affair, business; 3. case; 4. concern, point, cause, kind; **S.n** goods, chattels, things in possession; **in der S.** on the merits; **in S.n** § re, in the matter/case of; **der S. nach** on the real facts, in reality; **S. des Geschmacks** question of taste; **S.n und Rechte** *(Treuhandverwaltung)* trust property; **S. für sich** matter apart; **S. des Umweltschutzes** environmental cause

in eigener Sache on one's own behalf, in one's own case; **nach Lage der S.** as things stand; **neben der S. liegend** § irrelevant, not pertinent; **nicht jedermanns S.** not everybody's cup of tea *(coll)*; **zur S. gehörig** § relevant, pertinent, to the point, at issue; **nicht ~ gehörig** § irrelevant, immaterial, beside the point; **die S. ist untergegangen** the goods have perished

Sache abschließen to close a matter; **S. absetzen** § to discontinue the proceedings; **sich einer S. annehmen** to attend to sth., to take a matter in hand; **sich eine S. ansehen** to look into a matter; **S. aufrufen** § to call the next case; **zur S. selbst ausführen** § to plead the merits; **sich zur S. äußern** § to refer to the merits of the case, to talk to the point; **S. begründen** to make out a case for sth.; **S. im Auge behalten** to keep an eye on things, ~ track of a matter; **einer S. beitreten** to join sth.; **S. besprechen** to discuss a matter; **bei der S. bleiben** to keep/stick to the point; **S. auf sich beruhen lassen** to let the matter rest; **S. deichseln** *(coll)* to wangle sth. *(coll)*; **sich in fremde S.n einmischen** to meddle in other people's affairs; **sich einer S. entledigen** to divest o.s. of sth.; **einer S. etw. entnehmen** to note from sth.; **S. entscheiden** § to give judgment; **einer S. erliegen** to succumb to sth.; ~ **gedenken** to recall sth.; ~ **auf den Grund gehen** to get to the bottom of a matter; ~ **gerecht werden** to do justice to sth.; **jdn für eine S. gewinnen** to enlist so.'s support (for a case); **unver-**

richteter S. heimgehen to go home empty-handed; **an eine S. herangehen** to go about sth.; **um eine S. herumreden** to beat about the bush; **für eine gute S. kämpfen** to fight for a good cause; **zur S. kommen** to come to the point, to talk business, to get down to business, ~ brass tacks *(coll)*; **gleich ~ kommen** to come straight to the point; **sich um seine eigenen S.n kümmern** to mind one's own business *(coll)*; **S. auf sich beruhen lassen** to let the matter rest; **S. fallen lassen** to let a matter drop; **sich eine S. angelegen sein lassen** to make it one's business; **gemeinsame S. machen** to make common cause; **S. anhängig machen** § to institute legal proceedings; **S. noch schlimmer machen** to add insult to injury; **einer S. nachgehen** to look into a matter; **S. in Angriff nehmen** to take sth. on; **zur S. reden** to talk to the point; **S. anders sehen** to take a different view of sth.; **an einer S. beteiligt sein** to have a hand in sth.; **einer S. gewachsen sein** to be equal to sth.; **nicht zur S. gehörig sein** 1. § to be irrelevant, not ~ relevant, ~ out of court; 2. to be wide off the mark; **einer S. sicher sein** to be positive about sth.; **~ überdrüssig sein** to be fed up of/with sth.; **für und wider eine S. sprechen** to cut both ways; **zur S. sprechen** to speak to the point; **hinter einer S. stehen** to mastermind sth., to be at the bottom of sth.; **S. verhandeln** § to hear a case; **seine S. verstehen** to know the ropes *(coll)*; **S. vertreten** 1. to uphold a cause; 2. § to plead a case; **S. verweisen** § to remit a case; **S. vorbringen** § to state a case; **S. zurückverweisen** § to remand a case

abgekartete Sache put-up job *(coll)*; **abgemachte S.** cut and dried; **anhängige S.** § pending case, lis pendens *(lat.)*; **anrüchige S.** shady business; **ausgemachte S.** foregone conclusion; **aussichtslose S.** nonstarter *(coll)*; **belegene S.** property situated at; **beschlagnahmte S.n** attached property; **bewegliche S.** 1. chattel, movable; 2. § chose in possession; **~ S.n** personal property, things personal; **eingebrachte S.n** contributed items, tenant's personal property; **einträgliche S.** moneymaker, money-spinner; **rechtskräftig entschiedene S.** res judicata *(lat.)*; **faule S.** *(fig)* fishy business, bad egg *(fig)*; **fragliche S.** the case in question; **fremde S.n** third-party property, outside assets; **gut funktionierende S.** going concern; **gemeinsame S.** common cause; **gerechte S.** just cause; **gestohlene S.n** stolen property; **gewagte S.** touch and go *(coll)*, risky business; **gute S.** good cause; **herrenlose S.n** ownerless property; **hinterlegte S.** deposited property, bailment; **knappe S.** close-run thing, cliffhanger *(fig)*; **klare/leichte S.** plain sailing *(fig)*; **öffentliche S.** public property; **persönliche S.n** personal effects, things personal; **schwankende/schwebende S.** § pending case, lis pendens *(lat.)*; **sichere S.** safe bet *(coll)*; **nicht streitige S.** § non-litigious case; **tolle S.** smasher *(coll)*, grand thing; **unbewegliche S.n** immovables, real property, things real; **unpfändbare S.n** nonattachable property, property exempt from execution; **unveräußerliche S.** non-transferable/unalienable property; **einseitig zu verhandelnde S.** undefended case; **verkehrsfähige S.** marketable item; **versicherte S.** insured interest/item, subject matter insured; **vertretbare S.n** fungibles; **nicht ~ S.n** non-fungible things, specific property items; **vorliegende S.** matter in hand; **verpfuschte S.** bungle, botch-up *(coll)*

Sach|eigentum *nt* tangible assets, ownership of property; **S.einbringung** *f* contribution in kind, non-cash contribution

Sacheinlage *f* contribution/subscription/investment/assets in kind, non-cash (capital) contribution, contribution other than cash; **S.n der Gesellschafter** property contributed by the partners; **S.aktie** *f* non-cash share

Sacheinleger *m* non-cash capital contributor

Sachen|mehrheit *f* plurality of things; **S.recht** *nt* law of property/things, real law

Sach|entscheidung *f* § decision on the merits (of the case), ~ on facts, substantive decision; **S.entziehung** *f* removal/deprivation of property; **S.fahndung** *f* tracing of stolen property; **S.fehler** *m* factual error; **S.firma** *f* non-personal/objective firm name; **S.form** *f* non-monetary form; **S.frage** *f* issue, factual question, question of merit; **s.fremd** *adj* irrelevant; **S.früchte** *pl* § natural fruits

Sachgebiet *nt* subject (area/matter), (special) field, field of work/application/reference, area of speciality; **nach S.en anordnen** to arrange by subject matter; **S.sablage** *f* subject filing; **S.steil** *m* subject section

Sach|gegenstand *m* subject matter; **S.geld** *nt* commodity money; **s.gemäß** *adj* appropriate, pertinent, proper, suitable, as it should be; **s.gerecht** *adj* appropriate, proper, on its merits; **S.gesamtheit** *f* impersonal entity, group of assets, aggregate of things; **s.geschädigt** *adj* materially damaged; **S.geschädigte(r)** *f/m* person having suffered property damage; **S.geschäft** *nt (Vers)* non-life business; **S.gesellschaft** *f (Vers.)* property insurance company; **S.gründung** *f* formation on the basis of non-cash capital contributions; **S.gründungsbericht** *m* non-cash contribution report; **S.gruppe** *f* category, group of subjects; **S.gruppenindex** *m* classified index

Sachgut *nt* tangible/physical/non-monetary asset, material good

Sachgüter *pl* tangible/physical/non-monetary assets, products, physical/material goods; **S.erzeugung/S.produktion** *f* goods production, production of (physical) goods

Sachgutumschlag *m* physical asset turnover

Sach|haftung *f* liability for risks arising from property; **S.hauptbuch** *nt* impersonal ledger; **S.hehlerei** *f* § receiving stolen property; **S.herrschaft** *f* § possession, physical control; **uneingeschränkte S.herrschaft** quiet enjoyment of possession; **S.hilfe** *f* aid in kind; **S.inbegriff** *m* conglomeration of property; **S.index** *m* subject index; **S.information(en)** *f/pl* factual/material information; **S.investition(en)** *f/pl* capital expenditure on physical assets, real/fixed investment, investment in material/physical/fixed assets, spending on fixed assets; **S.kapazität** *f* fixed asset

Sachkapital *nt* real/non-monetary/physical capital,

capital equipment, permanent assets, capital subscribed in kind, physical goods; **landwirtschaftliches S.** dead stock; **S.bildung** *f* real capital formation; **S.erhöhung** *f* capital increase through contributions in kind; **S.geber** *m* provider of real capital

Sach|katalog *m* subject catalogue; **S.kenner** *m* expert, authority; **S.kenntnis(se)** *f/pl* expert knowledge, know-how, expertise, proficiency, knowledge of the facts; **S.kompetenz** *f* technical skill; **S.kontenbuchhaltung** *f* inventory accounting; **S.konto** *nt* 1. nominal/general/impersonal/inventory/ledger account; 2. property/real account; **S.kosten** *pl* material expenses/cost(s), equipment material cost(s), cost(s) of materials, non-personal cost(s); **S.kostenstruktur** *f* materials cost structure, composition of costs of materials; **S.kredit** *m* collateral credit/loan; **S.kunde** *f* expert knowledge

sachkundig *adj* informed, versed, proficient, skilled, (technically) competent; **wenig s.** ill-informed; **sich s. machen** to inform os.

Sachlage *f* (facts and) circumstances, situation, (factual) position, state of affairs, lie of the land *(fig)*; **je nach S.** as the case may be; **S. darstellen** to state the facts; **nach S. entscheiden** to decide as matters stand, ~ a case on its merits/facts; **sich mit der S. vertraut machen** to acquaint o.s. with the facts

Sachlegitimation *f* legitimacy as the proper party, accrual of substantive claim to plaintiff

Sachleistung *f* in-kind/non-cash benefit, specific performance, payment/benefit/allowance/performance in kind, non-cash contribution, supply of goods and services, store pay *[US]*; **als S.; durch S.en** non-cash; **S.sbetrieb** *m* manufacturing plant, enterprise supplying goods and services; **S.skosten** *pl* 1. cost of in-kind benefits; 2. cost of providing goods/services; **Sach- und Dienstleistungskosten** cost of materials and services; **S.svertrag** *m* contract for the supply of goods and services, ~ work and labour services

sachlich *adj* 1. factual, real, relevant, material, technical; 2. unbiased, objective, to the point; 3. businesslike, down-to-earth, matter-of-fact, no-nonsense; *adv* 1. § on the merits; 2. by its/their nature; **s. richtig** (certified as) factually correct; **s. bleiben** to keep to the point; **S.keit** *f* 1. impartiality, objectivity, objectiveness; 2. reality; 3. realism

Sach|lieferung *f* performance in kind; **S.lohn** *m* wage/ payment in kind; **S.mangel** *m* fault, defect of quality, material deficiency/defect, redhibitory defect; **S.mängelausschluss** *m* all faults, caveat emptor *(lat.)*; **S.mängelhaftung** *f* warranty of quality, express warranty, liability for defects, liabilities for material deficiencies/ defects, implied warranty for proper quality; **S.miete** *f* hire; **S.mittel** *pl* non-monetary/non-cash/physical resources, objects, materials, equipment; **S.nähe** *f* factual relationship; **S.nießbrauch** *m* § (perfect) usufruct; **S.nummer** *f* code/reference/subject index number; **S.patent** *nt* product patent; **S.position** *f* subject item; **S.problem** *nt* factual issue; **S.prüfung** *f* examination of the case; **S.register** *nt* (subject) index, table of contents; **S.rückversicherung** *f* property reinsurance; **S.rüge** *f* assignment of error

Sachschaden *m* 1. material/property/physical damage, damage/injury to property, material injury, actual loss, loss of property; 2. *(Vers.)* non-life claim; **S.deckungssumme** *f* amount insured (for damage to property), ~ physical damage

Sachschäden-Haftpflichtversicherung *f* property damage liability insurance

Sachschaden|risiko *nt* property risk; **S.versicherung** *f* property-damage/property-casualty insurance, material damage insurance

Sach|schuld *f* obligation in kind; **S.sicherung** *f* material safeguard; **S.sparer** *m* physical asset saver; **S.sparte** *f (Vers.)* property business, non-life branch; **S.spende** *f* donation in kind; **S.steuer** *f* impersonal/property tax; **S.übernahme** *f* acquisition in kind, ~ of assets upon formation; **S.urteil** *nt* § judgment on the merits (of the case); **klageabweisendes S.urteil** dismissal with prejudice; **S.vergütung** *f* payment in kind

Sachverhalt *m* problem, situation, (state of) facts, facts of the case/matter, statement of facts, (facts and) circumstances; **S. darstellen** to state the facts; **im Urteil festgestellter S.** findings of fact; **wahrer/wirklicher S.** the real/true facts; **zuständigkeitsbegründender S.** § jurisdictional facts

Sachvermögen *nt* tangible property/assets, fixed capital, material/non-financial assets, tangibles, material wealth; **bewegliches S.** movables, chattels; **S.sbildung** *f* formation of tangible assets, ~ material wealth, productive investment, real capital formation; **S.sversicherung** *f* property insurance

Sach|versicherer *m* property insurance (company)

Sachversicherung *f* property/business/non-life insurance, property damage insurance, general business; **S.sgeschäft** *nt* non-life business; **S.ssparte** *f* non-life underwriting, general business

Sachverstand *m* know-how, expert knowledge, expertise; **ökonomischer S.** economic expertise

sachverständig *adj* competent, skilled, expert, professional, prudential; **nicht s.** non-professional

Sachverständigen|aussage *f* expert testimony; **S.ausschuss** *m* committee of experts, jury; **S.beirat** *m* advisory council/body, committee of experts; **S.bericht** *m* expert opinion; **S.beweis** *m* expert evidence; **S.gremium** *nt* panel of experts; **S.gruppe** *f* expert group, brain(s) trust; **S.gutachten** *nt* expertise, expert appraisal/opinion, expert's report; **S.rat** *m* committee/panel of experts, council of economic experts *[D]*, brain(s) trust; **S.vergütung** *f* compensation for the expert, specialist's fee(s)

Sachverständige|(r) *f/m* 1. (technical) expert, authority, specialist, referee; 2. *(Vers.)* surveyor, appraiser, valuer; 3. *(Pat.)* person skilled in the art; 4. *(Edelmetall)* assay master; 5. § expert witness; **nach Ansicht des S.n** according to the expert; **durch einen ~ begutachten lassen** to ask for an (expert) opinion; **~ bei-/hinzuziehen** to call in/for an expert; **~ bestellen/bestimmen** to appoint an expert; **~ zu Rate ziehen** to consult an expert; **als ~ zugelassen** approved (as expert)

amtlicher Sachverständiger official referee, officially appointed expert; **beeidigter S.** sworn expert/appraiser; **gerichtlich bestellter S.** court(-appointed) expert; **öffentlich ~ S.** publicly appointed expert; **juristischer S.** legal expert; **medizinischer S.** medical referee; **technischer S.** surveyor; **unabhängiger S.** independent surveyor; **vereidigter S.** *(Edelmetall)* assay master

Sach|verweis *m* subject reference; **S.verzeichnis** *nt* subject index, table of contents, inventory; **S.vortrag** *m* 1. statement of facts, ~ a case, factual statement; 2. § averment, allegations; **S.- und Rechtsvortrag** § submittal, submissions (of the parties); **S.walter** *m* trustee, agent, administrator, private attorney

Sachwert *m* commodity/real/asset/intrinsic value, physical asset/resource; **S.e** material/tangible/resource-based assets, material/physical resources; **in S.en** in kind; **~ bezahlen** to pay in kind; **bloße S.e** § mere equities

Sachwert|anleihe *f* material value loan; **s.bezogen** *adj* related to real value; **S.denken** *nt* thinking in terms of real value; **S.dividende** *f* dividend in kind, property dividend; **S.garantie** *f* security in the form of property; **s.gesichert** *adj* secured by real assets; **S.investmentfonds** *m* material asset investment fund; **S.klausel** *f* escalator clause, property-value index clause; **S.konto** *nt* real account; **S.leistung** *f* material asset provision; **S.schwankungen** *pl* fluctuations in real value; **S.sparen** *nt* physical asset saving; **S.verfahren** *nt* asset value method; **S.vermögen** *nt* property, tangible assets; **S.versicherung** *f* property/non-life insurance

Sach|widrigkeit *f* impropriety, incorrectness, unfitness for the particular purpose; **S.wörterbuch** *nt* encyclopaedia, specialist dictionary; **S.wucher** *m* profiteering, racketeering

Sachziel *nt* substantive goal; **S.e** products and services; **s.orientiert** *adj* task-orient(at)ed, task-focused

Sach|zusammenhang *m* (factual) connection; **S.zuwendung** *f* payment/allowance in kind, in-kind contribution; **S.zwang** *m* inherent necessity/pressure; **S.zweig** *m (Vers.)* non-life branch

Sack *m* bag, sack, sackful; **mit S. und Pack** *(coll)* with bag and baggage *(coll)*, lock, stock and barrel *(coll)*; **in Säcke abfüllen** to sack/bag; **jdn in den S. stecken** *(fig)* to get the better of so.

Sackbahnhof *m* 🚆 terminus *[GB]*, terminal *[US]*

sacken *v/i* to slide/sag/sink

Sackgasse *f* 1. 🚗 cul-de-sac *[frz.]*, no through road; 2. *(fig)* impasse *[frz.]*, stalemate, blind alley, deadlock, dead end; **in eine S. geraten** to end in/reach a deadlock, to come to a dead end; **aus der S. herauskommen** to end the impasse *[frz.]*, to break the deadlock; **sich in die S. manövrieren** to finish up in a blind alley

Sack|gut *nt* bag(ged) cargo; **S.gutumschlag** *m* bag cargo handling; **S.karre** *f* barrow, (bag) truck, porter's trolley; **S.leinen** *nt* sackcloth; **S.leinwand** *f* sacking, burlap *[US]*; **S.voll** *m* sackful

Säen *nt* 🚜 seeding, sowing; **s.** *v/t* to seed/sow

Safe *m* safe, strongbox; **S. mieten** to rent a safe (deposit box); **S.aufbewahrung** *f* safekeeping; **S.gebühr/S.miete** *f* safe-custody fee

Säge *f* sawmill; **ab S.** ex sawmill: **s.n** *v/t* to saw; **S.mehl** *nt* sawdust; **S.mühle** *f* sawmill, lumber/timber mill

das Sagen haben to be in the driver's seat *(fig)*, to call the shots *(fig)*

sagen *v/t* to say/tell; **sage und schreibe** believe it or not, no less than, as much as; **alles s.** to speak for itself; **es sich gesagt sein lassen** to take a hint; **s. wollen** to suggest

Sägewerk *nt* sawmill, timber *[GB]*/lumber *[US]* mill; **ab S.** ex sawmill

Saison *f* season; **außerhalb der S.** in the off-season; **der S. angemessen** seasonable; **tote/stille S.** off/dead season

saison|abhängig *adj* seasonal, depending on the season, subject to seasonal influences; **S.abschlag** *m* seasonal reduction; **S.abweichung** *f* seasonal variation

saisonal *adj* seasonal

Saisonarbeit *f* seasonal employment/work; **S.er(in)/S.nehmer(in)** *m/f* seasonal worker; *pl* seasonal labour/workers; **S.skräfte** *pl* seasonal labour (force); **S.slosigkeit** *f* seasonal unemployment; **S.splatz** *m* seasonal job

Saison|artikel *pl* seasonal goods/articles/products; **S.aufschlag** *m* seasonal surcharge; **S.aufschwung** *m* seasonal upswing; **S.auftakt** *m* beginning of the season; **S.ausgleich** *m* seasonal adjustment; **S.aushilfe** *f* seasonal worker; **S.ausschläge** *pl* seasonal variations/deviations; **S.ausverkauf** *m* end-of-season (clearance) sale; **s.bedingt** *adj* seasonal; **S.bedingtheit** *f* seasonality; **S.bedarf** *m* seasonal requirements; **S.beginn** *m* start of the season; **S.belegschaft** *f* seasonal labour force, ~ employees; **s.bereinigt** *adj* seasonally adjusted; **S.bereinigung** *f* seasonal adjustment; **S.beruf** *m* seasonal occupation; **S.beschäftigung** *f* seasonal employment; **S.betrieb** *m* 1. seasonal enterprise/business; 2. high season; **S.bewegung** *f* seasonal variation(s); **S.charakter** *m* seasonality; **S.eröffnung** *f* opening of the season; **s.gebunden/s.gemäß** *adj* seasonal; **S.geschäft/S.gewerbe** *nt* seasonal trade/business; **S.index** *m* seasonal index; **S.industrie** *f* seasonal industry; **S.korridor** *m* ▦ seasonal band, high-low path; **S.kredit** *m* seasonal loan/credit; **s.mäßig** *adj* seasonal; **S.normale** *f* ▦ normal seasonal movement; **s.reagibel** *adj* sensitive to seasonal influences; **S.-rhythmus** *m* recurring seasonal movement; **S.schluss** *m* end of (the) season; **S.schlussverkauf** *m* seasonal closing-down sale *[GB]*, ~ clearance sale *[US]*, seasonal/end-of-season sale; **s.schwach** *adj* seasonally weak; **S.schwankung** *f* seasonal variation/fluctuation; **gleitende S.schwankung** moving seasonal variation; **S.spitze** *f* seasonal peak; **S.stellung** *f* seasonal occupation/job; **S.tendenz** *f* seasonal tendency/trend; **S.tief** *nt* seasonal low; **s.üblich** *adj* seasonal; **s.unabhängig** *adj* non-seasonal, independent of the season; **S.verbrauch** *m* seasonal consumption; **S.verkauf** *m* seasonal sale(s); **S.wanderung** *f* seasonal migration; **S.ware** *f* seasonal goods; **S.waren** seasonal goods/articles/products; **S.werbung** *f* seasonal advertising; **s.widrig** *adj* counter-seasonal; **S.zoll** *m* ⊖ seasonal duty; **S.zuschlag** *m* seasonal supplement

Sakrileg *nt* sacrilege
sakrosankt *adj* sacrosanct
säkular *adj* secular
säkularisierlen *v/t* to secularize; **S.ung** *f* secularization
Salamitaktik *f* 1. salami tactics; 2. *(Tarifverhandlungen)* bargaining creep
Salär *nt* salary
Saldenlabstimmung *f* balance reconciliation; **S.abtretung** *f* assignment of a balance; **S.anerkenntnis** *f* reconciliation statement, confirmation of balance; **S.aufnahme** *f* balance pick-up; **S.aufstellung** *f* balance of account statement
Saldenausgleich *m* settlement of balances, balance of payments settlement; **innergemeinschaftlicher S.** *[EU]* intra-Community settlements; **offizieller S.** official settlements
Saldenlauszug *m* statement; **S.bestätigung** *f* confirmation of balances, ~ accounts receivable and payable, verification statement, circularization; **S.bilanz** *f* trial balance sheet, list of balances, trial balance (of balances); **S.bild** *nt* net position; **S.datei** *f* balance file, open-item balance; **S.drehung** *f* swing; **negative S.-drehung** reversal of net position, changeover from net inflows to outflows; **S.karte** *f* balance card; **S.kartei** *f* balance file; **S.liste** *f* list/report of balances, balance ledger, trial balance; **S.prüfung** *f* balance control; **S.spalte** *f* balance/residual column; **S.stand** *m* balance; **S.steuerung** *f* counter balance control; **s.technisch** *adj* for accounting purposes; **S.umbuchung** *f* carry-forward; **S.verrechnung** *f* clearing-house settlement
Saldierbuch *nt* balance book
saldierlen *v/t* 1. to balance/settle/square/pay, to set off, to net out; 2. *(Konto)* to liquidate; **nicht s.t** *adj* unbalanced
Saldierung *f* settlement, striking of a balance, balancing of accounts, offsetting, netting out; **S.sverbot** *nt [D]* prohibition to net debit with credit balances
Saldo *m* 1. accounting/account balance, balance of account, bottom line, difference; 2. *(Rest)* remainder; **S. (oder -)** bracketed figure; **per S.** on balance
Saldo aus Einnahmen und Ausgaben cash flow; **S. des Einschusskontos** margin account balance; **S. zu jds Gunsten** balance due to so.; **S. der Kapitalbilanz** balance of capital transactions; **S. zu Ihren Lasten** your debit balance; **S. der Leistungsbilanz** current balance, balance on current account; **S. nicht erfassbarer Posten; ~ erfasster Posten und statistischer Ermittlungsfehler** net errors and omissions; **S. der laufenden Posten** balance of current transactions; **~ amtlichen Rechnungen** official settlements balance; **S. auf neue Rechnung** balance carried forward; **S. nicht aufgliederbarer Transaktionen** errors and omissions; **S. der statistisch nicht aufgliederbaren Transaktionen** accommodating items, balance of unclassifiable transactions; **~ statistisch erfassten Transaktionen** balance of recorded transactions; **~ Transferzahlungen** net current transactions; **~ laufenden Übertragungen** net current transfers; **~ Zahlungsbilanz** balance of payments surplus/deficit
Saldo anerkennen to accept a statement of account; **S. aufstellen** to strike a balance; **S. aufweisen** to show/leave a balance; **S. zu Ihren Gunsten aufweisen** to show a balance to your credit; **~ Lasten aufweisen** to show a balance to your debit; **S. ausgleichen** to clear the balance; **S. begleichen** to pay off the balance; **S. gutschreiben** to balance in favour; **per S. gutschreiben** to credit by balance; **~ quittieren** to receipt in full; **~ trassieren** to draw per appoint; **S. übertragen** to carry over the balance; **S. überweisen** to remit the balance; **S. vortragen** to carry forward; **S. ziehen** to strike the balance, to cast accounts
berichtigter Saldo adjusted balance; **debitorischer S.** debit balance; **derzeitiger S.** current balance; **effektiver S.** actual balance; **fälliger S.** account payable; **kreditorischer S.** credit balance; **kumulierte Salden** cumulative balances; **negativer S.** adverse/minus balance; **offener S.** current balance, balance due; **positiver S.** surplus; **reiner S.** net balance; **täglicher S.** daily balance; **umsatzloser/ungenutzter S.** dormant/uncovered balance; **vorgetragener S.** carry-forward; **voriger S.** account rendered
Saldolabdeckung *f* payment of a balance; **S.anerkenntnis** *f* confirmation of balance, acknowledgment of debt; **S.anschaffung** *f* remittance; **S.anzeige** *f* statement of account, balance statement; **S.ausgleich** *m* settlement of an account, ~ the balance; **S.auszug** *m* statement of account; **S.bescheinigung** *f* certificate of balance; **S.bilanz** *f* net balance; **S.forderung** *f* balance claim; **S.guthaben** *nt* credit balance, balance in favour; **S.methode** *f (Zins)* daily balance method; **S.mitteilung** *f* balance notification; **S.rimesse** *f* remittance per account; **S.schuld** *f* balance due; **S.übertrag** *m* balance carried forward; **(Per)-S.verlust** *m* net loss; **S.vortrag** *m* balance brought forward, ~ carried forward/down (bal. c/d), account carried forward; **S.wechsel** *m* balance bill, appoint; **S.zahlung** *f* payment per account
Saline *f* salt works/mine
Salon *m* 1. lounge, drawing room, parlour *[GB]*, parlor *[US]*; 2. 🚗 show; **s.fähig** *adj* reputable, respectable; **S.löwe** *m (coll)* socialite; **S.wagen** *m* 🚂 pullman car
salopp *adj* casual, sloppy, slipshod
Salpeter *m* ⚗ nitre *[GB]*, niter *[US]*, saltpetre *[GB]*, saltpeter *[US]*; **S.säure** *f* nitric acid
salvatorisch *adj* § safeguarding
salvieren *v/t* to get off without a loss
Salz *nt* salt; **S.bergwerk** *nt* salt mine; **s.haltig** *adj* salty, saline; **S.lake/S.sole** *f* brine; **S.säure** *f* ⚗ hydrochloric acid; **S.steuer** *f* salt tax, excise duty on salt; **S.stock** *m* salt dome
Sämaschine *f* 🚜 seed drill
Samen *m* 1. seed(s); 2. ⚕ sperm; **S.händler** *m* 🚜 seed merchant; **S.handlung** *f* seed shop; **S.korn** *nt* seedcorn
Sämereien *pl* seeds
Sämling *m* seedling
Sammellabrechnung *f* unit billing; **S.abschreibung** *f* group depreciation; **~ von geschlossenem Bestand** closed-end account; **S.aktie** *f* global share, multiple share *[GB]*/stock *[US]* certificate; **S.aktion** *f* fund-

raising drive; ~ **starten** to launch a fund-raising drive, to pass the hat round *(fig)*; **S.analyse** *f* cluster analysis; **S.anerkennung** *f (Wertpapiere)* collective validation/recognition; **S.anleihe** *f* joint loan (issue); **S.anschluss** *m* ✆ private branch exchange (PBX), party line *[GB]*, collective number *[US]*; **S.antrag** *m* composite/collective application; **S.anzeige** *f* composite advertisement; **S.aufgabe** *f (Vers.)* bordereau *[frz.]*; **S.aufgabeformular** *nt (Bank)* listing form; **S.aufstellung** *f* collective list; **S.aufwendung** *f* collective expenditure; **S.auftrag** *m* 1. *(Bank)* collective order; 2. bulk order; **S.ausfuhrgenehmigung** *f* general export licence; **S.ausgabe** *f* omnibus edition; **S.auskunftsbuch** *nt* rating book; **S.auslieferung** *f* consolidated delivery; **S.ausweis** *m* collective permit; **S.auszug** *m* unit statement of account; **S.avis** *nt* summary advice; **S.ballen** *m* collective pack; **S.band** *m* anthology, omnibus volume; **S.bank** *f (Wertpapier)* collective security deposit bank; **S.becken** *nt* reservoir; **S.begriff** *m* collective name, generic term; **S.behälter** *m* 1. *(Auftrag)* assembly bin; 2. *(Umwelt)* collection bin, recycling container; **S.beleg** *m* collective entry voucher; **S.bescheinigung** *f* collective certificate; **S.bestand** *m* 1. collective security holdings; 2. *(Aufträge)* total orders on hand; **S.bestandanteil** *m* share in collective holding; **S.besteller** *m* central buyer; **S.bestellung** *f* 1. collective/omnibus order; 2. *(Bücher)* multi-copy order; 3. centralized buying; **S.bewertung** *f* collective/group valuation; **S.blatt/S.bogen** *nt/m* grouping/combination/recapitulation sheet; **S.buch** *nt* general journal; **S.büchse** *f* collection box, collecting box/tin; **S.buchung** *f* compound (journal) entry; **S.buchungen** collective postings; **S.container** *m* → **S.behälter**; **S.daten** *pl* aggregate data; **S.dauerauftrag** *m* collective standing order; **S.depot** *nt* 1. collective/joint (securities) deposit, collective safe custody account; 2. *(Fracht)* bulk segregation; **S.depotkonto** *nt* collective deposit account; **S.druck** *m (Werbung)* combination run; **S.einbürgerung** *f* group naturalization; **S.einkauf** *m* centralized/group buying; **S.fahrschein/S.fahrkarte** *m/f* party/collective/multi-journey ticket; **S.faktura** *f* monthly billing; **S.fonds** *m* fund pool; **S.formel** *f* collective formula; **S.formular** *nt* collective form; **S.fracht** *f* consolidated/group freight; **S.frachtbrief** *m* collective consignment note, general bill of lading; **S.gang** *m* 🖳 group printing; **S.gebiet** *nt* catchment area; **S.genehmigung** *f* collective authorization; **S.geschäft** *nt (Bankdiskont)* block discounting; **S.gespräch** *nt* ✆ conference call, collective telephone call; **S.gesprächsschaltung** *f* conference call hook-up

Sammelgut *nt* mixed/consolidated/groupage consignment, mixed/bulk sending, collected goods; **S.ladung** *f* consolidated shipment

Sammelgutschrift *f* collection credit, credit for collected items

Sammelgut|spediteur *m* groupage agent, consolidator; **S.verkehr** *m* groupage service, collective traffic

Sammel|inkasso *nt* group/centralized collection; **S.journal** *nt* general journal; **S.kabel** *nt* coaxial cable; **S.kanal** *m (Abwasser)* circular service duct, ~ collecting main; **S.karte** *f* 1. 🖳 packed card; 2. 🚂 party ticket; **S.kasse** *f* general pay office; **S.kauf** *m* bulk buying/purchase, centralized buying; **S.klausel** *f* omnibus/dragnet clause; **S.konnossement** *nt* groupage/grouped/omnibus/collective/consolidated *[US]* bill of lading (B/L); **S.konto** *nt* collective/general/omnibus/absorption/mixed/central(izing)/concentration/assembly/summarizing/summary/control(ling) account, intermediate clearing account; **S.kontoblatt** *nt* control account sheet; **S.ladegeschäft** *nt* joint cargo business, collective consignment business; **S.lader** *m* pool car service

Sammelladung *f* group(age)/consolidated/collective/grouped/mixed consignment, consolidation, grouped load, mixed/collective/bulk load(ing), joint cargo, consolidated/aggregate shipment; **S. zur Aufteilung auf Bestimmungsorte** split consignment; **S. zerlegen** to break bulk; **S.en zusammenstellen** to group freight *[GB]*, to consolidate shipments *[US]*

Sammelladungs|agent *m* consolidator; **S.konnossement** *nt* combined/general/global bill of lading (B/L); **S.spediteur** *m* group consignment/freight forwarder, grouping agent, consolidator *[US]*; **S.spedition** *f* grouped consignment forwarding; **S.tarif** *m* group rate; **S.verkehr** *m* groupage/grouped traffic

Sammel|lager *nt* consolidation warehouse, collective/collecting/central(izing)/general depot; **S.lagerung** *f* collective storage; **S.lebensversicherung** *f* group life assurance *[GB]*/insurance *[US]*; **S.leitung** *f* ✆ collective line; **S.liste** *f* collective/general/centralizing/summary list; **S.mappe** *f* loose-leaf binder, file

Sammeln *nt* collecting; **S. des Zahlenmaterials** data collecting/gathering

sammeln *v/t* to collect/gather/accumulate/cull; *v/refl* to gather/assemble; **für etw./jdn s.** to pass the hat round *(fig)*

Sammel|name *m* collective name; **S.nummer** *f* ✆ private branch exchange (PBX), party line, collective call number, main number; **S.objekt** *nt* collector's item; **S.paket** *nt* package parcel; **S.partei** *f* omnibus party; **S.pass** *m* collective passport; **S.platz/S.punkt** *m* 1. assembly/rallying point; 2. alarm post; 3. ⚓ muster station; **S.police** *f* combined/general/group/collective policy; **S.posten** *m (Bilanz)* group/omnibus/collective item; **S.rechnung** *f* 1. collective invoice; 2. unit billing; **S.revers** *m* collective undertaking; **S.rückstellung** *f* general contingent reserve; **S.schau** *f* collective show; **S.scheküberweisung** *f* bank giro; **S.schuldbuchforderung** *f* collective debt register claim; **S.schuldverschreibung** *f* general mortgage bond; **S.schuppen** *m (Hafen)* consolidation shed; **S.sendung** *f* collective/mixed/joint consignment, ~ sending; combined/bulk shipment, collective/mixed conveyance; **ab ~ schicken** to send part load; **S.stecker** *m* ⚡ universal plug; **S.stelle** *f* 1. collecting depot/point/station/agency, collective/central/centralizing depot; 2. *(Deponie)* dump; 3. ⚓ muster station; ~ **für Leergut** recycling centre; **S.stimme** *f* block vote; **S.stück** *nt* 1. collector's item; 2. *(Wertpapier)* collective certificate

Sammelsurium *nt* hotchpotch, ragbag, omnium gatherum, motley assortment

Sammel|system *nt (Müll)* collection system; **S.tarif** *m* group rate, collective tariff; **S.tasche** *f* collecting bag/sack; **S.transport** *m* group/collective transport *[GB]*, consolidated/general shipment *[US]*; **S.überschrift** *f* general heading; **S.überweisung** *f* collective/combined transfer; **S.umschlag** *m* collective envelope/cover; **S.unfallversicherung** *f* group accident insurance; **S.urkunde** *f* collective deed/instrument, ~ document of title, global/stock certificate; **S.verfügung** *f* comprehensive order; **S.verkehr** *m (Fracht)* group transport, groupage traffic; **S.verladung** *f* block loading; **S.versicherung** *f* group/collective insurance, insurance block; **S.versicherungsvertrag** *m* general policy, collective insurance; **S.verwahrer** *m* collective custodian; **s.verwahrfähig** *adj* eligible for collective custody; **s.verwahrt** *adj* held in collective deposit; **S.verwahrung** *f* 1. collective deposit/custody; 2. *(Fracht)* bulk segregation; **S.visum** *nt* collective visa; **S.waggon** *m* 🚂 consolidated *[US]*/pool car; **S.werbung** *f* 1. joint/cooperative advertising; 2. association/group advertising; **S.werk** *nt* compilation

Sammelwert *m* aggregated/consolidated value; **S.berichtigung** *f* global value adjustment, reserve for bad debts method, general reserve; **S.berichtigungen** *(Bank)* reserve for loan losses

Sammel|wut *f* collecting mania; **S.zahlungsauftrag** *m* combined payment order; **S.zertifikat** *nt* global certificate, collective instrument, ~ document of title; **S.zinsschein** *m* collective interest coupon; **S.zollanmeldung** *f* ⊝ collective customs declaration

Sammler *m* 1. collector, gatherer; 2. *(Geld)* fund raiser; **S.ausweis** *m* collecting card; **S.münze** *f* numismatic coin/specimen; **S.objekt/S.stück** *nt* collector's item; **S.wert** *m* collector's value

Sammlung *f* 1. collection; 2. gathering; 3. *(Literatur)* anthology; 4. *(Texte)* compendium; **S. unterbringen** to house a collection; **S. veranstalten** to pass the hat round *(fig)*; **S.sspediteur** *m* group carrier

Samstag *m* Saturday; **langer/verkaufsoffener S.** late-closing Saturday, Saturday afternoon opening

Samt *m* velvet; **S.papier** *nt* velvet paper; **S.stoff** *m* pile fabric; **in S.struktur** *f* velvet-structured

Sanatorium *nt* ⚕ sanatorium, nursing/convalescent home

Sand *m* sand; **S. im Getriebe** *(fig)* grit in the works *(fig)*; **wie S. am Meer** *(fig)* as thick as peas *(fig)*; **auf S. gebaut** built on sand; **~ laufen** ⚓ to run aground; **S. ins Getriebe streuen** *(fig)* to throw a spanner into the works *(fig)*; **im S. verlaufen** *(fig)* to peter/fizzle out, to come to nothing, to go up in smoke *(fig)*

Sand|abbau *m* sand quarrying; **S.bank** *f* sand bank, shallows, shoal; **auf eine ~ geraten** to strike the sands; **S.grube** *f* sandpit; **S.hose** *f* sand spout; **S.kastenspiel** *nt* 1. simulation; 2. ✈ sand-table exercise; **S.papier** *nt* sand paper; **S.strand** *m* sand(y) beach; **S.werke** *pl* sand quarry

sanieren *v/t* to restructure/reorganise/rehabilitate/recapitalize/reconstruct/redevelop/refloat/rescue/revitalize/revamp/readjust, to put new life into (sth.), to bale out *(fig)*; *v/refl* to line one's pockets

Sanierer *m* rescuer; **rigoroser S.** hatchet man *(coll)*

Sanierung *f* 1. (capital) reconstruction, (quasi-)reorganisation, rehabilitation, restructuring, (rescue) operation, rehabilitation (proceedings), (re)development, baling-out *(fig)* operation, recapitalization of a business, stabilization; 2. *(Stadt)* slum clearance; 3. *(Boden)* remediation, reclamation, cleanup operation

Sanierung von Altlasten derelict land clearance, reclamation of contaminated sites; **~ Elendsvierteln** slum clearance; **S. einer Gesellschaft** company reorganisation; **S. der Kapitalverhältnisse** capital reconstruction; **S. auf Kosten des Steuerzahlers** taxpayer bail-out; **S. von brachliegendem Land** derelict land clearance; **S. der Rentenfinanzen** consolidation of social security finances

doppelstufige Sanierung capital writedown and immediate increase; **finanzielle S.** reconstruction, recapitalization, financial rehabilitation; **gesamtwirtschaftliche S.** overall (economic) recovery; **wirtschaftliche S.** (economic) recovery/readjustment

Sanierungs|abkommen *nt* rescue deal; **S.aktion** *f* rescue operation; **S.anstrengungen** *pl* rehabilitation efforts; **S.aufwand** *m (Umwelt)* cleanup costs; **S.ausschuss** *m (Gläubiger)* reorganisation committee; **s.bedürftig** *adj* in need of reorganisation; **S.bericht** *m* reorganisation report; **S.bilanz** *f* reorganisation/capital reconstruction statement, reconstruction accounts; **S.bündel** *nt* rescue package; **S.darlehen** *nt* reorganisation loan, reorganisation/reconstruction credit; **S.fähigkeit** *f* reorganisation capacity; **S.fall** *m* company requiring capital reconstruction; **S.fonds** *m* rescue/reorganisation fund; **S.fusion** *f* reorganisation merger; **S.gebiet** *nt* 1. (re)development area; 2. *(Stadt)* slum clearance area; **industrielles S.gebiet** industrial redevelopment/improvement area; **S.gesellschaft** *f* reconstruction/redevelopment company; **S.gewinn** *m* 1. recapitalization gains, reorganisation surplus; 2. profit from property speculation in a redevelopment area; **S.konsortium** *nt* backing syndicate; **S.konto** *nt* reorganisation account; **S.konzept** *nt* rescue/restructuring/recovery plan, recovery strategy, reconstruction package; **S.kosten** *pl* 1. restructuring costs; 2. redevelopment costs; **S.kredit** *m* reorganisation loan/credit; **S.maßnahmen** *pl* rescue package, reorganisation measures, austerity measures/programme; **S.methoden** *pl* reorganisation methods; **S.objekt** *nt (Gebäude)* slum property; **S.phase** *f* period of restructuring/reconstruction; **S.plan** *m* 1. rescue plan/scheme/package, reorganisation/rehabilitation/bale-out plan, redevelopment scheme/plan; 2. *(Kapitalumschichtung)* recapitalization plan, capital reconstruction scheme, ~ restructuring programme; **S.programm** *nt* rescue package, rescue/reorganisation/restructuring/austerity program(me), ~ plan, reorganisation/capital reconstruction scheme , austerity measures; **S.projekt** *nt* redevelopment scheme; **S.prospekt** *m* reorganisation prospectus; **S.schuldverschreibung** *f* reorganisation bond; **S.status** *m* reconstruction balance sheet; **S.übersicht** *f* reorganisation statement; **S.umgründung** *f* company reorganisation; **S.vereinbarung** *f* rescue deal; **S.verfahren** *nt (Umwelt)* reclamation method; **S.vergleich** *m* composition (agreement) with creditors; **S.versuch** *m* rescue bid; **S.viertel** *nt* slum clearance area; **S.vorhaben** *nt* redevelopment scheme/project; **s.würdig** *adj* worthy of reorganisation

sanitär *adj* sanitary, hygienic; **S.artikel** *pl* bathroom ware/products

Sanitäter *m* ambulance man, medical orderly

Sanitätslauto/S.fahrzeug *nt* ambulance vehicle; **S.behörde** *f* public health authority; **S.material** *nt* medical stores; **S.tasche** *f* first-aid bag/kit; **S.wache** *f* ambulance/first-aid station

Sanktion *f* sanction, penalty; **S.en anwenden** to apply sanctions; ~ **auferlegen/verhängen** to impose sanctions; ~ **aufheben** to lift sanctions; **S. festsetzen gegen jdn** to fine so.; **finanzielle S.en** pecuniary sanctions

sanktionierlen *v/t* 1. to sanction; 2. to legitimize/legitimate/approve/ratify/confirm/countersign/rubberstamp *(coll)*; **S.ung** *f* legitimation

Sanktionslbefugnis *f* power to impose sanctions; **S.bestimmungen** *pl* sanctions; **S.gebiet** *nt* territory affected by sanctions; **S.maßnahmen** *pl* sanctions, peaceful pressure; **S.umgehung** *f* evasion of sanctions, sanctions busting *(coll)*

Satellit *m* satellite; **S.enbild** *nt* satellite picture; **S.enfernsehen** *nt* satellite television; **S.enschüssel** *f* satellite dish; **S.enstadt** *f* satellite/new town; **S.ensteuer** *f* satellite tax; **S.enübertragung** *f* satellite transmission

satinlieren *v/t* to glaze; **S.papier** *nt* glazed paper

Sattel *m* 1. saddle; 2. anticline

Sattellanhänger *m* articulated trailer, semitrailer; **S.auflieger** *m* semitrailer; **S.dach** *nt* saddle roof; **s.fest** *adj* 1. firm; 2. well versed in sth.; ~ **sein** to know the ropes *(fig)*; **S.punkt** *m* point of saturation; **S.punktsatz** *m* minimax theorem; **S.schlepper/S.zug** *m* articulated lorry *[GB]*, artic *(coll) [GB]*, semi-trailer (truck) *[US]*, semi; **S.zugmaschine** *f* truck tractor

sättigen *v/t* 1. *(Markt)* to saturate; 2. to satiate; **s.d** *adj* substantial

Sättigung *f* 1. saturation, satiation; 2. glut; 3. rate of public acceptance; **S. des Marktes** market saturation; **S. der Verbrauchernachfrage** satiation of consumer demand

Sättigungslerscheinung *f* saturation symptom; **S.gesetz** *nt* law of satiety; **S.grad** *m* saturation point/level, degree of saturation, rate of public acceptance; ~ **erreichen** to become saturated; **S.grenze** *f* saturation/absorption (point); **S.menge** *f* volume of saturation; **S.-nachfrage** *f* saturation demand; **S.punkt** *m* saturation/absorption point, point of saturation; **S.tendenzen** *pl* saturation trends; **S.werbung** *f* saturation advertising

saturieren *v/t* to saturate

Satz *m* 1. composition, (type)setting; 2. *(Gebühr)* rate, price; 3. ⊖ duty; 4. wage rate, rate of pay; 5. set, *(von 20 Stück)* score; 6. § clause; 7. jump, leap, bound

zugelassener Satz der Ausfuhrabschöpfung tendered rate of export levy; **Sätze unter Banken** interbank rates; **S. Dokumente** set of documents; **S. Gewichte** set of weights; **S. für Sichtwechsel** sight rate; **voller S. Seefrachtbriefe** full set of ocean bill of lading; **S. für Tagesgeld** call/overnight rate; **S. Verschiffungspapiere** commercial set; **S. Wechsel** set (of bills) of exchange; **S. Werkzeuge** tool kit; **S. für Wertpapierpensionsgeschäfte** repo rate; **S. mit Zubehörteilen** attachment set

mit einem Satz *(coll)* to put it in a nutshell; **zu einem festen S.** at a fixed rate; ~ **ermäßigten S.** at a reduced rate; **am ... geltender/gültiger S.** rate applicable on ...; **zu niedrigen Sätzen** at low rates

zum niedrigsten Satz ausweisen *(Bilanz)* to state at the lower of cost; **Sätze festlegen/-setzen** to determine the rates, to establish/prescribe rates; **in S. geben** to give to the printer(s); **S. umstellen** to rephrase a sentence

abgelegter Satz dead matter; **attraktiver S.** inducement/attractive rate; **druckfertiger S.** live matter; **eingerückter S.** hanging indent; **einheitlicher S.** 1. flat/standard rate; 2. *(Steuer)* standard/uniform rate; **ermäßigter S.** 1. reduced rate; 2. *(Steuer)* reduced rate band; **fester S.** fixed rate; **fetter S.** bold type; **gängiger/geltender S.** going/current rate; **gestaffelter S.** graduated rate; **glatter S.** straight text; **gültige Sätze** rates in operation; **günstiger S.** inducement/attractive rate; **halbfetter S.** semi-bold type; **handelsüblicher S.** commercial rate; **höchster S.** maximum/top rate; **kumulativer S.** compound rate; **niedriger S.** low rate; **extrem ~ S.** *(Zins)* knockdown rate; **ortsüblicher S.** local rate; **üblicher S.** going/standard rate; **unterschiedliche Sätze** differentials; **voller S.** full set; **vorgeschriebener S.** prescribed rate

Satzlabzug *m* letterset proof; **S.adresse** *f* record address; **S.anordnung** *f* typological layout; **S.arbeit** *f* composing; **S.art** *f* recording mode; **S.beschreibung** *f* record description entry; **S.ende** *nt* end of record; **S.fehler** *m* misprint; **S.folge** *f* record sequence; **S.gruppe** *f* grouped records; **S.herstellung** *f* composition; **S.kosten** *pl* composition costs; **S.maschine** *f* type-setting machine; **S.muster** *nt* composition pattern; **S.probe** *f* type specimen; **S.prüfung** *f* record checking; **S.spiegel** *m* type/printed page, type area (of page); **S.struktur** *f* record layout; **S.technik** *f* typesetting; **S.type** *f* type; **S.überlauf** *m* record overflow

Satzung *f* 1. statute(s), regulations, (standing) rules, rule book, constitution, charter; 2. *(Unternehmen)* Articles/Memorandum of Association, memorandum and articles, articles of incorporation, corporate law; 3. *(Gemeinde)* by(e)-law, convenant; **außerhalb der S.** § ultra vires *(lat.)*; **laut S.** according to regulations; **im Rahmen der S.** § intra vires *(lat.)*; **S. der Gesellschaft** articles of association *[GB]*, articles/certificate of incorporation *[US]*; **gemäß S. berechtigt** authorized by statute; **S. erfüllen** to comply with the statutes; **S. verleihen** to grant a charter; **autonome S.** autonomous legislation, local statutes

Satzungs|änderung *f* amendment of the statutes/charter, alteration of the articles of association; **S.autonomie** *f* 1. freedom to form articles of association; 2. autonomous regional legislation; **S.befugnisse einer juristischen Person** *pl* corporate powers; **~ überschreiten** to act ultra vires *(lat.)*; **S.berichtigung** *f* rectification of the articles of association; **S.bestimmung** *f* provision of the articles, statutory provision; **S.erfordernisse** *pl* statutory requirements; **s.gemäß** *adj* statutory, regular, in conformity with the statutes/articles, in accordance with the regulations, laid down in the regulations, according to the rules, intra vires *(lat.)*; **S.hoheit** *f* sovereignty in matters of by(e)-law; **s.mäßig** *adj* statutory, by statute; **S.recht** *nt* statutory law; **S.vorschrift** *f* stipulation/provision in the articles of association; **S.verletzung** *f* violation of the memorandum and articles, infringement of the charter; **s.widrig** *adj* contrary to the statutes, against the rules; **S.zweck/S.ziel** *m/nt* statutory object

Satzvorlage *f* manuscript

Sau *f* sow

sauber *adj* 1. clean(ly), tidy, neat, shipshape; 2. unpolluted; **S.keit** *f* cleanliness, tidiness; **S.keitsnorm** *f* standard of cleanliness

säubern *v/t* 1. to clean/cleanse/scour, to mop up, to flush out; 2. *(politisch)* to purge

Säuberung *f* 1. cleanup, cleaning; 2. *(politisch)* purge; **S.saktion** *f* mopping-up operation; **S.swelle** *f* massive purge

sauer *adj* 1. sour; 2. *(fig)* mad; 3. acidic

Sauerstoff *m* oxygen; **S.anreicherung** *f* enriching with oxygen aeration; **S.apparat/S.gerät** *m/nt* $ breathing apparatus, respirator, resuscitator; **S.flasche** *f* oxygen cylinder; **S.mangel** *m* oxygen deficiency; **S.patrone** *f* oxygen cartridge; **S.zufuhr** *f* oxygen supply

saug|fähig *adj* absorbent; **S.fähigkeit** *f* absorbency; **S.gut** *nt* suction-elevator cargo

Säugling *m* infant, baby

Säuglings|alter *nt* infancy; **S.fürsorge** *f* infant welfare; **S.nahrung** *f* baby food; **S.pflege** *f* babycare; **S.schwester** *f* $ infant nurse; **S.sterblichkeit** *f* infant mortality

Saug|papier/S.post *nt/f* mimeograph/manifold/absorbent paper

Säule *f* 1. pillar, *(freistehend)* column; 2. mainstay; 3. *(Diagramm)* bar; **S. der Gesellschaft** pillar of society; **tragende S.** mainstay, (fundamental) pillar; **S.nbriefkasten** *m* pillar box, columnar letter box; **S.ndarstellung/S.ndiagramm/S.ngrafik** *f/nt/f* histogram, bar chart, column/block diagram

säumig *adj* 1. dilatory, remiss, negligent, tardy; 2. *(Zahlung)* outstanding, overdue; 3. *(Schuldner)* defaulting, in default; **s. sein** to default (on one's payments), to be in default; **s. werden** to fall behind; **S.keit** *f* tardiness, dilatoriness

Säumnis *nt* 1. dilatoriness; 2. default, delinquency, delay

Säumnis|gebühr *f* default fee; **S.urteil** *nt* § default judgment; **S.verfahren** *nt* default proceedings; **S.zuschlag** *m* interest on arrears, penalty surcharge, delinquency charge, extra charge for overdue payment

Saumpfad *m* mule track

Säure *f* acid; **S.abfall** *m* acid waste; **s.beständig/s.fest** *adj* acid-resistant; **S.bildung** *f* acidification; **s.frei** *adj* acid-free; **S.gehalt** *m* acidity, acid constant; **s.haltig** *adj* acidic; **s.löslich** *adj* acid-soluble

Sauregurkenzeit *f* *(coll)* dead/silly season, off-season

in Saus und Braus leben to live on the fat of the land, to lord it

S-Bahn *f* suburban railway *[GB]*, city railroad *[US]*

scannen *v/t* to scan

Scanner *m* scanner; **S.-Kassensystem** *nt* checkout scanner

schäbig *adj* 1. *(Bezahlung)* shabby, poor; 2. *(Geiz)* niggardly, mean, stingy

Schablone *f* stencil, mould, pattern, cutout; **nach der S.** *(fig)* mechanically; **mit der S. anbringen/beschriften** to (mark with) stencil; **s.nhaft** *adj (fig)* mechanical, stereotype; **S.npapier** *nt* stencil paper; **S.nvervielfältiger** *m* stencil duplicator

Schach *nt* 1. *(Spiel)* chess; 2. *(Situation)* check; **jdm S. bieten** to defy so.; **in S. halten** to keep in check, to hold/keep at bay; **s.artig** *adj* checkered; **S.brettplanung** *f* checkerboard planning

Schacher|lei *f* haggle; **S.er** *m* haggler, bargainer; **s.n (um)** *v/i* to haggle (about/over), to bargain/traffic (for)

Schacht *m* 1. pit, (mine-)shaft; 2. well; **S. abteufen** to sink a shaft; **S.anlage** *f* pit, colliery; **S.betrieb** *m* mining operation; **S.eingang** *m* pithead

Schachtel *f* 1. box, case, package, packet, pack; 2. *(Aktien)* block, parcel; **in S.n verpackt** boxed

Schachtel|aktionär *m* holder of a qualifying minority; **S.aufsichtsrat** *m* interlocking directorate; **S.besitz/S.beteiligung** *m/f* interlocking interest, intercorporate stockholdings *[US]*, (qualifying minority) holding; **S.dividende** *f* intercompany tax-reduced dividend; **S.ertrag** *m* intercompany tax-reduced income; **S.gesellschaft** *f* interlocking company/corporation, consolidated corporation; **S.paket** *nt* qualifying minority stake; **S.privileg** *nt* interlocking rights, intercorporate *[US]*/affiliation/participation privilege

Schachtelung *f* nest(ing)

Schachtel|unternehmen *nt* interrelated company *[GB]*, consolidated corporation *[US]*; **S.vergünstigung** *f* intercompany privilege, ~ tax concession

Schachtöffnung *f* pithead

Schachzug *m* move, manoeuvre, gambit; **geschickter/kluger/schlauer S.** clever move/stroke, shrewd move

Schädel *m* $ skull; **S.bruch** *m* fractured skull

Schaden *m* 1. § injury; 2. damage, loss, average, claim; 3. (machine) breakdown, fault, disorder; 4. harm, trouble, disservice, disadvantage, detriment, prejudice, demerit; **mit S.** at a loss/sacrifice; **ohne S. für** without prejudice to; **zum S. von** to the detriment/prejudice/damage/loss/disadvantage of, at the expense of; **zu seinem S.** at one's peril

Schaden jeder Art *(Vers.)* loss or damage, all kinds of damage; **S. wirtschaftlicher Art** material damage; **S. im Einzelfall** special damage; **S. infolge höherer Gewalt** damage due to an Act of God, ~ force majeure *[frz.]*; **frei von Schäden in besonderer Havarie** free of particular average (FPA); **S. durch inneren Verderb** damage by intrinsic defects; **S. ohne Verschulden** damage caused without fault

Schaden (ab)decken to settle the (damage) claim, to cover/make good a loss; **S. abfinden/abwickeln** to settle/adjust a claim; **S. abschätzen** to assess/estimate damages; **S. abwenden** to avert damages; **S. anmelden** to file a claim, to give notice of a claim; **S. anrichten** to do/inflict damage, to do mischief/harm; **schweren S. anrichten** 1. to cause serious damage; 2. *(Sturm)* to cause havoc; **für einen S. aufkommen** to make good a damage, to be accountable for a loss; **S. aufnehmen/ begutachten** to assess a damage; **S. ausbessern** to repair the damage; **S. bearbeiten** to process/handle a damage, ~ a claim; **S. begrenzen** to cut one's losses; **S. beheben** to rectify/remedy a defect, to repair a damage; **S. beilegen** to adjust a damage; **S. ersetzt bekommen** to recover damages; **S. berechnen/bestimmen** to assess/compute the damage, to assess the loss; **S. beseitigen** 1. to make good a damage; 2. to repair a damage; **S. besichtigen** to inspect the damage; **S. bewerten** to estimate a loss; **S. auf ... beziffern** to put a loss at ...; **ohne S. davonkommen** to escape unhurt/unharmed/unscathed, to get off without a loss; **für einen S. eintreten** to accept liabilty for a loss, to answer for a loss; **S. erledigen** to adjust a damage, to settle a claim; **S. erleiden** to suffer/sustain/experience/incur a loss, to fall into a loss, to suffer (harm); **S. ermessen/ermitteln** to assess a damage; **S. ersetzen** to make good a damage, to refund/compensate/balance/reimburse/repair a damage; **S. festsetzen/-stellen** 1. to assess the damage; 2. to assess/ascertain damages, to ascertain a loss; 3. *(Seevers.)* to calculate the individual contributions; **S. amtlich feststellen** to determine/tax/value/fix the damage; **S. haben** to suffer/sustain a loss; **S. zu vertreten haben; für Schäden haften** to be liable for damages; **S. inspizieren** to inspect a damage; **zu S. kommen** to come to grief; **zum eigenen S. unbeachtet lassen** to ignore at one's peril; **S. regulieren/vergüten** to settle a claim, to make good/adjust a damage; **S. tragen** to bear a loss, to pay for the damage; **mit S. verkaufen** to sell at a loss; **gegen S. versichern** to insure against loss; **S. vertreten** to answer/be responsible for a damage, to accept the responsibility for a damage; **S. verursachen** to cause (a) damage/loss, to occasion a loss; **S. wieder gutmachen** to make good/remedy a damage, to afford compensation for a damage, to make restitution; **S. zufügen** to damage, to inflict injury/damage/ a loss, to harm/wrong

abschätzbarer Schaden *m* estimable loss; **in Geld abzulösender S.** constructive loss; **adäquater S.** proximate damage; **allgemeiner S.** general damage, ordinary damages; **gesetzlich anerkannter S.** lawful damages; **lang anhaltender S.** protracted loss; **beglichener S.** liquidated damage(s); **auf Brandstiftung beruhender S.** incendiary loss; **beträchtlicher S.** extensive damage; **direkter S.** direct damage; **drohender S.** imminent peril; **eigentlicher S.** *(Vers.)* actual loss; **eingetretener S.** loss incurred, actual damage or loss; **bereits ~ S.** detriment already incurred; **noch nicht ~ S.** unaccrued damage; **einklagbarer S.** actionable loss, civil injury; **empfindlicher S.** serious damage/loss; **entstandener S.** damage/loss incurred, resulting damage; **durch Brandbekämpfung ~ S.** firefighting damage; **tatsächlich ~ S.** actual damage/loss; **äußerlich nicht erkennbarer S.** damage that is not externally apparent; **erheblicher S.** heavy loss; **erlittener S.** sustained loss, damage (or loss) suffered; **ernstlicher S.** serious loss; **ersetzbarer S.** compensable injury/loss; **nicht ~ S.** irreparable loss; **erstattungsfähiger S.** recoverable/reimbursable damage or loss, damage eligible for compensation; **fahrlässiger S.** accidental injury/loss; **festgestellter S.** proved/known/ ascertained damage; **amtlich ~ S.** officially declared/ established damage; **in Geld feststellbarer S.** pecuniary loss; **finanzieller/geldwerter S.** pecuniary loss, financial prejudice; **fingierter S.** constructive loss; **formaler S.** petty/pro-forma damage; **als Totalverlust geltender S.** constructive total loss; **geringfügiger S.** nominal loss, negligible/small/insignificant/minimal/minor damage; **amtlich geschätzter S.** officially estimated damage; **ideeller/immaterieller S.** nonphysical/non-material/intangible/nominal damage, nominal loss; **indirekter/mittelbarer S.** indirect/remote damage, lost gain/profit/advantage; **konkreter S.** actual loss; **materieller S.** physical damage, actual damage or loss; **mittelbarer S.** indirect/consequential damage; **nachgewiesener S.** proved damage; **nominaler S.** nominal damage/loss; **pauschalierter S.** pactional damages; **physischer S.** actual/physical loss; **regulierter S.** *(Vers.)* settled claim; **schätzungsbedürftiger S.** unliquidated damages; **schwebender S.** unadjusted/unsettled claim; **schwerer S.** serious/great/ important damage; **seelischer S.** mental distress; **substanziierter S.** substantiated damage; **tatsächlicher S.** actual/real damage; **unbedeutender/unerheblicher S.** negligible/minor damage; **uneinbringlicher/unersetzbarer S.** irretrievable/irrecoverable loss, irretrievable damage; **unfallbedingter S.** accidental loss; **ungeahnter S.** untold harm; **unmittelbarer S.** direct/actual damage, direct damage or loss; **unübersehbarer S.** incalculable loss; **versicherter S.** insured loss; **nicht ~ S.** uninsured loss; **durch Konkurrenz verursachter S.** wastes of competition; **durch monopolistische Konkurrenz ~ S.** waste in monopolistic competition; **schuldhaft ~ S.** culpable damage; **voraussehbarer S.** speculative damage; **nicht ~ S.** remote/unforeseeable damage; **nicht wieder gutzumachender S.** irreparable loss/damage, irretrievable damage; **wirtschaftlicher S.** economic loss; **zufälliger S.** accidental loss; **zufallsbedingter S.** accidental damage; **zukünftiger S.** real damage; **zurückgestellter S.** pending claim

schaden *v/i* to damage/injure/hurt/harm, to inflict

damage; **sich selbst s.** to harm o.s., to shoot o.s. in the leg *(fig)*; **mehr s. als nützen** to do more harm than good

Schaden|- ➔ **Schadens|-; S.abfindung** *f* claim adjustment, indemnification, compensation, satisfaction; **S.abwendunsgpflicht** *f* duty/obligation to prevent a loss; **S.anfall** *m* loss incidence/experience; **S.aufmachung** *f* average statement/adjustment; **S.aufwand** *m* claims/loss expenditure; **S.bearbeitungskosten** *pl* loss adjustment expenses, claim processing cost(s); **s.bedingt** *adj* accidental, resulting from a loss/damage; **S.bereinigungskosten** *pl* claims settlement cost(s), loss adjustment cost(s); **S.bericht** *m* loss/damage report; **S.betrag** *m* damages; **S.einschuss** *m* cash loss payment; **S.eintritt** *m* incidence/occurrence of loss, occurrence of the damaging event; **S.eintrittswahrscheinlichkeit** *f* probability of loss; **S.entwicklung** *f* claims experience; **verbesserte S.entwicklung** recovery of damages; **S.ereignis** *nt* damaging event, loss-entailing occurrence; **S.erfahrung** *f* loss/claims experience

Schadenersatz *m* (compensatory) damages, indemnification, compensation (for damage), redress, restitution

Schadenersatz wegen Annahmeverweigerung damages for non-acceptance; **S. für Aufwendungen bei Vertragserfüllung** incidental damages; **~ Folgeschäden** consequential/special damages; **S. in Geld** pecuniary damages; **S. für entgangenen Gewinn** consequential damages; **S. wegen unerlaubter Handlung** § damages in tort; **~ ausgebliebener Lieferung** damages for non-delivery; **~ übler Nachrede** libel damages; **~ Nichterfüllung** damages for non-performance/non-fulfilment; **S. für Spätfolgen** remote damages; **S. wegen arglistiger Täuschung** damages for (the tort of) deceit or fraud; **S. des Verkehrswertes** commercial indemnity

Schadenersatz aberkennen to disallow damages; **S. ausschließen** to exclude damages, ~ any damage claim; **S. beanspruchen/beantragen** to apply for/claim damages, to put in a claim for damages; **S. zugesprochen bekommen** to be awarded damages; **wegen S. belangen** to sue for damages; **S. erhalten** to obtain/recover damages; **auf S. erkennen** to award damages; **S. erlangen** to obtain redress; **S. erwirken** to recover/collect damages; **S. feststellen** to lay damages; **S. fordern** to claim damages; **auf S. klagen** to sue for damages/indemnity, to institute proceedings for damages; **S. leisten** to pay damages/compensation, to indemnify/compensate/redeem, to make good, to pay an indemnity, to reimburse for/repair a damage, to make restitution, to restitute a damage; **jdn auf S. in Anspruch nehmen** to claim damages from so.; **auf S. verklagen** to sue for damages; **S. verlangen** to claim damages; **jdn zum S. gegenüber jdm verpflichten** § to award damages against so.; **zu S. verurteilen** to order to pay damages; **zum S. verurteilt werden** to be ordered to pay damages; **S. zahlen** to pay damages; **S. zubilligen/zuerkennen/zusprechen** § to award damages

angemessener Schadenersatz fair damages; **ausgleichender S.** compensatory damages; **der Höhe nach bestimmter/bezifferter S.** liquidated damages; **feststellungsbedürftiger/der Höhe nach unbestimmter S.** unliquidated damages; **gesetzlicher S.** damages at law; **pauschalierter S.** lump-sum/liquidated damages; **symbolischer S.** nominal damages; **üblicher S.** general/ordinary damages; **vereinbarter S.** agreed damages; **vertraglich ~ S.** stipulated damages; **verschärfter S.** punitive/exemplary damages; **zuerkannter S.** award(ed) damages; **im Ermessungswege ~ S.** discretionary damages; **rechtlich ~ S.** legal award; **zugesprochener S.** damages awarded/granted

Schadenersatzanspruch *m* claim for damages, indemnity/damage(s)/restitution/compensation claim, right of recovery/indemnity/action, claim for loss/indemnity/compensation; **S. aus unerlaubter Handlung** tort claim, damage claim in tort; **S. wegen positiver Vertragsverletzung** damage claim for breach of contract, claim for defaulting in performance of contract

Schadenersatzanspruch feststellen to adjust damages; **S. haben** to be entitled to damages; **S. geltend machen** to claim (for) damages, ~ compensation, to assert damages; **S. regulieren** to adjust damages; **S. stellen** to claim damages

gesetzlich begründeter Schadenersatzanspruch lawful damages; **berechtigter S.** legitimate claim for damages; **betrügerischer S.** fraudulent claim; **eingetretener/entstandener S.** damages sustained; **festgestellter S.** proved damages; **gesetzlicher S.** damages at law; **verschärfter S.** punitive damages; **bedingt zuerkannter S.** contingent damages

schadenersatz|berechtigt *adj* entitled to damages; **S.berechtigte(r)** *f/m* indemnitee, injured party, party entitled to damages; **S.bestimmungen** *pl* compensation provisions; **S.betrag** *m* amount of damages; **~ feststellen** to assess damages; **S.erklärung** *f* letter *[GB]*/bond *[US]* of indemnity

Schadenersatzforderung *f* claim for damages, damage claim; **S. wegen Fahrlässigkeit** negligence claim, claim for negligence; **S. aufstellen** to make out a claim

Schadenersatzklage *f* suit/action for damages, remedial action; **S. wegen Nichterfüllung** action for damages due to non-performance; **S. einreichen** to file a claim for damages

Schadenersatzklausel *f* loss-payable clause

Schadenersatzleistung *f* indemnification, compensation, payment/recovery of damages; **S. mit Sanktionscharakter** punitive damages; **zur S. verurteilen** § to order to pay damages; **maximale S.** aggregate indemnity

Schadenersatz|limit *nt* aggregate limit; **S.pflicht** *f* liability to pay damages, ~ for damages, ~ to make good a loss, obligation to compensate; **~ ablehnen** to disclaim liability; **s.pflichtig** *adj* liable/answerable for damages, liable to indemnify, ~ in tort/damages, ~ for a compensation/damage; **sich ~ machen** § to render o.s. liable; **S.pflichtige(r)** *f/m* § tort-feasor; **S.prozess** *m* action for damages; **S.recht** *nt* tort law, law of torts, civil damages law; **materielles S.recht** substantive tort law; **S.summe** *f* (amount of) damages; **S.urteil** *nt* compensation order; **S.vereinbarung** *f* compensation agreement; **S.verfahren** *nt* proceedings/procedure/method of indemnification; **S.verpflichtung** *f* liability for damages/compensation; **S.versicherung** *f* indemnity/liability insurance

Schaden|exzedent *m* excess loss; **S.exzedentenrückversicherung** *f* excess-loss insurance; **S.festsetzung** *f* claims assessment, assessment of damages, adjustment of claims; **S.feststellung** *f* ascertainment of loss/damage; **S.feuer** *nt* hostile fire; **S.freiheitsrabatt** *m* no-claims discount/bonus; **S.freude** *f* glee; **S.maximum** *nt* loss limit, maximum damage; **S.minderungsklausel** *f* sue and labour clause; **S.minderungspflicht** *f* duty/obligation to minimize the loss; **S.politik** *f* claims handling policy; **S.portefeuille** *nt* claims portfolio/mix; **S.quittung** *f* claims receipt; **S.quote** *f* loss ratio, claims percentage; **S.rechnung** *f* claims statement; **S.rückversicherung** *f* excess-loss insurance

Schadens|- → **Schaden|-**; **S.abgeltung** *f* liquidated damages; **S.abrechnung** *f* 1. settlement/adjustment of a claim; 2. claim statement; **S.abschätzer** *m* claims adjuster/appraiser; **S.abschätzung** *f* loss assessment, appraisal of damage(s); **S.abteilung** *f* claims/loss department; **S.abwälzung** *f* redistribution of loss; **S.abwicklung** *f* claims settlement/adjustment, loss adjustment; **S.akte** *f* claims file, loss record; **S.andienung** *f* notification of a claim; **S.anfall** *m* incidence/occurrence of loss; **S.anfälligkeit** *f* susceptibility to loss; **S.anmeldung** *f* notification of loss, report on damage(s); **S.anspruch** *m* claim for damages, insurance claim; **S.anteil** *m* contribution; **S.anzeige** *f* notice of claim/loss, advice/notice of damage, notification of a loss, claims notice/report; **sofortige S.anzeige** immediate notice; **S.art** *f* type of loss/fault; **S.attest** *nt* certificate of damage/loss, ⛟ survey report

Schadensatz *m* loss ratio

Schadens|aufmachung *f* loss/average adjustment; **S.aufnahme/S.aufstellung** *f* statement of damages; **S.aufwendung** *f* indemnity, compensation; **S.ausgleich** *m* 1. claims settlement, compensation for damages; 2. *(Seevers.)* contributions; **S.ausmaß** *nt* extent of damage; **S.ausschluss** *m* excepted perils; **S.bearbeiter** *m* (claims/loss) adjuster; **S.bearbeitung** *f* claims management/handling, processing of claims, loss adjustment; **S.bearbeitungspersonal** *nt* claims staff; **S.begleichung** *f* claims settlement; **S.begrenzung** *f* damage control/limitation; **s.begründend** *adj* damaging, causing damage; **S.begutachtung** *f* loss appraisal, appraisal of damage(s); **S.behebungspflicht** *f* duty to rectify the loss, requirement to make good a loss; **S.bekämpfung** *f* minimizing losses, moves to prevent damage; **S.bemessung/S.berechnung** *f* assessment of damages; **S.bereinigung** *f* loss adjustment; **S.besichtigung** *f* damage survey; **S.beteiligung** *f* contribution, participation in loss; **S.betrag** *m* damages, amount of loss; ~ **anteilsmäßig aufgliedern** to average one's losses; **S.bevorschussung** *f* advance compensation; **S.bewertung** *f* assessment of damages, loss evaluation; **S.büro** *nt* claims/adjustment office, ~ department

Schadenselbstbehalt *m* loss retention

Schadens|ergebnis *nt* claims result; **S.erledigung** *f* claims settlement/adjustment; **S.ermittler** *m* investigator; **S.ermittlung** *f* ascertainment of damage(s); **S.erwartung** *f* expectation of loss; **S.experte** *m* surveyor

Schadensexzedent *m* excess of loss; **S.enabdeckung** *f* excess of loss insurance; **S.endeckung** *f* loss excess cover; **S.enrückversicherung** *f* excess of loss reinsurance; **S.envertrag** *m* excess of loss treaty

Schadens|fall *m* case of damage, loss, claim, damaging/loss-entailing event; **im S.fall** in the event of damage or loss, ~ a claim; **S.fälle bearbeiten** to handle claims; **aufgetretene S.fälle** claims incurred; **ausstehende S.fälle** outstanding claims

Schadens|festsetzung *f* adjustment (of a claim); **S.feststeller** *m* loss adjuster; **S.feststellung** *f* 1. *(Wert)* assessment of damage; 2. *(Tatsache)* ascertainment/discovery of damage; **S.feststellungsantrag** *m* claim tracer; **S.folgen** *pl* consequential damages/loss; **S.folgenversicherung** *f* consequential loss insurance; **S.forderung** *f* claim for damages, damage claim; **S.formular** *nt* claim form/blank *[US]*

schadensfrei *adj* no-claim(s), claim-free; ~ **stellen** to indemnify

Schadensfreiheit garantieren *f* to warrant free from average; **S.(s-)** no-claim(s); **S.srabatt** *m* no-claim(s) discount/bonus *[GB]*, preferred risk plan *[US]*

Schadens|frequenz *f* incidence of loss, losses incurred; **S.größe** *f* size of loss; **S.gutachten** *nt* survey report; **S.haftung** *f* liability for losses/damages; **S.häufigkeit** *f* incidence of losses, losses incurred, claims frequency, frequency of damaging events; **S.häufung** *f* loss cumulation; **S.höhe** *f* level of claims, amount of loss, extent of damage; **durchschnittliche S.höhe** average/loss ratio

Schadens|leistung *f* claims/loss payment; **maximale S.** aggregate indemnity; **S.svertrag** *m (Rückvers.)* quota contract

Schadens|liquidation *f* settlement of claims, liquidation of damage(s); **S.meldung** *f* notice of loss, advice/notice/declaration of damage, claims/damage report, notification of a claim; **S.milderung/S.minderung** *f* 1. minimizing loss, minimization of loss/damage, reduction/mitigation of damage; 2. mitigated damages; **S.mitteilung** *f* notice/advice of damage; **S.möglichkeit** *f* contingency; **S.nachweis** *m* proof of loss, preliminary proof; ~ **erbringen** to substantiate a loss; **S.niveau/S.quote** *nt/f* incidence of damage; **S.protokoll** *nt* certificate of damage; **S.prüfung** *f* damage survey; **S.rechnung** *f* statement of damage; **S.referent** *m* claims agent; **S.regulierer** *m* insurance claims adjuster, average/claims/loss/public adjuster, ~ inspector, ~ assessor, ~ representative, claims/settling agent, ⚓ average taker; **gewerblicher S.regulierer** adjustment bureau; **S.regulierung** *f* claims settlement/adjustment, adjustment (of claims/damages), loss settlement/adjustment, settlement of a claim, average adjustment; **S.regulierungskosten** *pl* loss adjustment expenses; **S.rente** *f* accident benefit

Schadensreserve *f* claims/underwriting reserve, loss provisions; **S. erhöhen** to strengthen loss provisions; **S.- und Exzedentenrückversicherung** *f* excess loss insurance

Schadens|rückstellung *f* claims/loss/underwriting reserve, provision for claims; **S.sachbearbeiter** *m* (claims/loss) adjuster; **S.sachverständiger** *m* appraiser, (claims) adjuster; **S.schätzer** *m* claims adjuster/agent; **S.schätzung** *f* appraisal of damage(s); **S.selbstbeteiligung** *f* policy franchise; **S.stätte** *f* 🚗 scene of the accident

schadenstiftend *adj* damaging, § damage-feasant

Schadens|stifter *m* § tortfeasor, damaging party; **S.summe** *f* amount of claim/loss; **festgesetzte S.summe** liquidated damages; **S.teilungsabkommen** *nt* repartition agreement; **S.teilungsvereinbarung** *f* knock-for-knock agreement; **S.umfang** *m* extent of damage/loss; **S.umschichtung** *f* redistribution of loss; **S.unterlagen** *pl* 1. claim documents; 2. ⚓ average documents; **S.untersuchung** *f* damage survey

Schadensursache *f* cause of loss; **unmittelbare S.** immediate cause; **vorwiegende S.** proximate/decisive cause of injury

Schadens|verhältnis zu verdienter Prämie *nt* claims ratio to earned premium; **S.verhütung** *f* prevention of loss, loss prevention

Schadensverlauf *m* (loss/claims) experience; **S. eines Einzelversicherers** individual experience; **S. im Kalenderjahr** calendar year experience; **S. der Versicherer** aggregate experience

Schadens|versicherung *f* insurance against losses; **S.verteilung** *f* loss repartition; **S.verursachung** *f* causing the damage; **S.wahrscheinlichkeit** *f* probability of loss, likelihood of damage(s); **S.ware** *f* defective goods; **S.zertifikat** *nt* survey report; **S.zufüger** *m* § tortfeasor, damage-feasant/damage-faisant party; **S.-zufügung** *f* infliction of damage, imposing a damage

Schaden|überschuss *m* excess of loss; **S.vergütung** *f* indemnification (for loss); **S.versicherer** *m* property insurer; **S.versicherung** *f* indemnity/casualty insurance; **S.versicherungssumme** *f* insurance cover; **S.wahrscheinlichkeit** *f* probability of future loss

schadhaft *adj* defective, faulty, damaged; **S.igkeit** *f* 1. defectiveness; 2. 🏛 disrepair

schädigen *v/t* to damage/injure/impair/harm/hurt, to cause damage, to have a detrimental effect

Schädiger *m* § tortfeasor, damaging party, wrongdoer

Schädigung *f* damage, injury, infringement, impairment, harm; **erhebliche S** material/detriment injury; **fahrlässige S.** actionable negligence; **sittenwidrige S.** immoral injury; **vorsätzliche S.** wilful damage; **S.sabsicht/S.svorsatz** *f/m* actual malice, intent to cause damage

schädlich *adj* 1. damaging, prejudicial (to), detrimental, harmful; 2. *(Gesundheit)* injurious; 3. *(Luft)* noxious; **S.keit** *f* 1. harmfulness; 2. noxiousness

Schädling *m* parasite, vermin, pest; **S.sbefall** *m* incidence of pest; **S.sbekämpfung** *f* pest/insect control; **~ per Flugzeug** 🚜 crop dusting; **S.sbekämpfungs-/S.svertilgungsmittel** *nt* pesticide

schadlos *adj* free from loss; **s. halten** to indemnify/compensate/reimburse, to save harmless, to hold so. safe and harmless; *v/refl* to repay o.s., to recoup one's losses; **sich ~ an jdm** to recover damages from so.

Schadlos|bürge *m* collection guarantor; **S.bürgschaft** *f* collateral/deficiency guarantee, guarantee of collection *[US]*, indemnity bond *[US]*

Schadloshaltung *f* indemnification, indemnity, recourse, recoupment; **S.sklausel** *f* hold harmless clause; **S.ssumme** *f* indemnity; **S.svereinbarung** *f* indemnity agreement

Schadstoff *m* pollutant, contaminant, harmful/hazardous/noxious substance; **s.arm** *adj* low-pollutant, low-emission; **S.ausstoß/S.emission** *m/f* discharge/emission of pollutants, ~ noxious substances/fumes; **~ filtern** to clean up emissions; **S.belastung/S.gehalt** *f/m* level of pollution, pollution load; **S.fracht** *f* pollutant load; **s.frei** *adj* emission-free, non-polluting; **S.konzentration** *f* concentration of pollutants; **S.messung** *f* measurement of toxic substances, ~ pollutants; **S.minderung** *f* reduction of pollution

Schaf *nt* sheep; **schwarzes S.** *(fig)* black sheep *(fig)*, cowboy operator *(coll)*; **seine Schäfchen ins Trockene bringen** *pl (fig)* to feather one's nest *(fig)*, to line one's pockets *(fig)*

Schäfer *m* shepherd; **S.ei** *f* sheep-breeding, sheep-rearing

Schaf|farm *f* sheep farm; **S.fell** *nt* sheepskin

Schaffen *nt* creation

schaffen *v/t* to create, to set up, to establish/make/accomplish; **es s.** to get there, to manage/succeed, to make it, ~ the grade; **es gerade noch s.** to cut it fine, to scrape through; **beiseite s.** to put aside; **sich an etw. zu s. machen** to monkey around/tamper with sth. *(coll)*; **jdm schwer zu s. machen** to give so. a lot of trouble

Schaffens|drang *m* creative urge; **S.kraft** *f* creative power

Schaffleisch *nt* mutton

Schaffner *m* conductor, ticket collector, (rail) guard; **S.in** *f* conductress

Schaffung *f* creation, establishment, origination; **S. von Arbeitsplätzen** job creation/generation, creation of jobs/employment; **~ Ausbildungsplätzen** creation of training places/openings

Schaf|haltung/S.zucht *f* sheep-breeding, sheep-rearing, sheep husbandry, wool growing; **S.weide** *f* sheep-run; **S.züchter** *m* sheep farmer/breeder, wool grower

schal *adj* stale, insipid

Schall *m* sound; **S.dämmung** *f* 🔊 1. sound absorption; 2. soundproofing; **s.dämpfen** *v/t* to silence; **S.dämpfer** *m* 🚗 silencer *[GB]*, muffler *[US]*; **S.dämpfung** *f* noise reduction/abatement, silencing; **s.dicht** *adj* soundproof; **S.druckmesser** *m* phonometer; **S.geschwindigkeit** *f* speed of sound; **S.grenze** *f* sound barrier

schallisolier|en *v/t* to sound-proof, to silence; **s.t** *adj* sound-proof; **S.ung** *f* soundproofing

Schall|mauer *f* sound barrier; **~ durchbrechen** *(fig)* to go through the roof; **S.messgerät** *nt* sonometer; **S.minderung** *f* noise abatement/reduction; **S.pegel** *m* noise/sound level, sound volume

Schallplatte *f* record, disc, disk

Schallplatten|archiv *nt* record archive; **S.hülle** *f* record sleeve; **S.industrie** *f* record industry; **S.firma** *f* label; **S.sammlung** *f* record collection; **S.werbung** *f* record advertising

Schall|quelle *f* source of noise; **s.schluckend** *adj* sound-absorbing; **S.schutz** *m* sound insulation/protection, soundproofing, sound-deadening; **S.trichter** *m* horn, megaphone; **S.welle** *f* soundwave

Schalt|anlage *f* switch; **S.brett** *nt* switchboard

schalten *v/i* 1. to switch; 2. 🚗 to change gear; **nach Belieben s. und walten** to do as one pleases; **jdn ~ lassen** to give so. plenty of rope *(fig)*

Schalter *m* 1. desk, counter, service facility, window, paybox, latch; 2. *(Fahrkarte)* ticket window; 3. ⚡ switch; **am S.** over the counter; **~ handeln** to trade over the counter; **~ verkaufen** to sell over the counter

Schalter|- *(Börse)* over-the-counter (OTC); **S.anlagen** *pl* counter facilities; **S.anweisung** *f* 💻 alter statement; **S.auszahlung** *f* payment over the counter; **S.beamter** *m* 1. *(Bank)* teller, cashier, counter clerk; 2. booking/ticket clerk, passenger agent; **S.buchungsmaschine** *f* teller machine; **S.dienst** *m* 1. counter service; 2. *(Bank)* customer service; **S.einheit** *f* switch unit; **S.endgerät** *nt* 💻 counter terminal; **S.fach** *nt (Bank)* post box; **S.geschäft** *nt* 1. across-the-counter/counter transaction(s); 2. *(Börse)* over-the-counter (OTC) trade/transaction/business; **S.halle** *f* 1. *(Bank)* (banking/counter) hall; 2. 🚆 booking hall, concourse; 3. ✉ (central) hall; **S.handel** *m* over-the-counter (OTC) selling/trading; **S.leiste** *f* 💻 switch panel; **S.maschine** *f (Bank)* teller terminal; **S.personal** *nt* 1. counter staff, staff in customer contact roles; 2. *(Bank)* line personnel; **S.provision** *f (Wertpapiere)* selling commission, commission for issuing syndicate member(s); **S.quittungsmaschine** *f* teller receipting machine; **S.raum** *m (Bank)* hall; **S.schluss** *m* (window-)closing time; **S.steuerung** *f* 💻 switch control; **S.stücke** *pl* counter stock; **S.stunden** *pl* 1. *(Bank)* banking hours, hours of business; 2. opening/office hours; **S.terminal** *nt* teller terminal; **S.umsätze** *pl* counter sales; **S.verkauf** *m* over-the-counter (OTC) sale/trade; **S.verkehr** *m* over-the-counter (OTC) trading/trade; **S.verkehrsmarkt** *m (Börse)* over-the-counter market; **S.zeiten** *pl* → **S.stunden**

Schalt|feld *nt* 💻 control panel; **S.funktion** *f* switching function; **S.gerät(e)** *nt/pl* switchgear; **S.geschwindigkeit** *f* switching speed; **S.glied** *nt* gate; **S.hebel** *m* 1. switch lever; 2. 🚗 gear lever; **~ der Macht** *(fig)* corridors of power *(fig)*; **S.jahr** *nt* leap year; **S.kasten** *m* ⚡ panel; **S.knüppel** *m* 🚗 gear lever, ✈ joystick *(coll)*; **S.kreis** *m* ⚡ circuit; **integrierter S.kreis** integrated circuit; **S.möglichkeiten** *pl* circuit facilities; **S.plan** *m* ⚡ switch/wiring diagram, circuit layout, layout circuit; **S.pult** *nt* switchboard; **S.schema** *nt* ⚡ switch/circuit diagram; **S.stelle** *f* switching centre; **S.tafel** *f* switchboard, (operator) panel; **S.tafelsteuerung** *f* 💻 panel control; **S.tag** *m* leap/odd day; **S.uhr** *f* time switch

Schaltung *f* 1. ⚡ circuit; 2. 🚗 gear change/box; **S.en** ⚡ circuitry *(coll)*; **integrierte S.(en)** integrated circuit(s)

Schalt|zeit *f* operating/switching time; **S.zeiten** circuit speed; **S.zentrale** *f* 1. central station; 2. *(fig)* head office

Schaluppe *f* ⚓ sloop

Schande *f* disgrace, dishonour, ignominy, opprobrium

Schandfleck *m* 1. blemish, blot, taint; 2. black spot, blight, eyesore

schändlich *adj* 1. disgraceful, shameful; 2. opprobrious

Schand|mal *nt* stigma; **S.maul** *nt* 1. loose tongue; 2. scandalmonger; **S.tat** *f* outrage

Schankbier *nt* draught beer, beer on tap

Schänke *f* public bar

Schankerlaubnis *f* 1. publican's licence *[GB]*, liquor/table/excise *[US]* licence; 2. on-licence; **ohne S.** unlicensed; **S. für Speiserestaurant** table licence; **S.steuer** *f* licence fee

Schank|gesetz *nt* licensing act; **S.gewerbe** *nt* licensed trade; **S.kellner** *m* bartender; **S.kellnerin** *f* barmaid; **S.konzession/S.lizenz** *f* publican's *[GB]*/excise *[US]* licence; **S.lokal** *nt* licensed premises *[GB]*, saloon *[US]*; **S.ort** *m* licensed premises; **S.raum/S.stube** *m/f* tap room, saloon *[US]*, snuggery; **S.recht** *nt* licence; **S.steuer** *f* excise duty, restaurant tax; **S.wirt** *m* publican *[GB]*, saloon keeper *[US]*, licensed victualler *[GB]*, barkeeper *[US]*; **S.wirtschaft** *f* public house *[GB]*, pub *(coll)*, saloon *[US]*, licensed house/premises *[GB]*

Schar *f* crowd, swarm, flock, drove; **in S.en** in droves; **~ herbeiströmen** to crowd in

scharf *adj* 1. sharp, severe, fierce, acute; 2. poignant, drastic, stringent, strict; 3. *(Wettbwerb)* keen, strong, tough, stiff; 4. pointed, trenchant, acrimonious; 5. *(Geruch)* pungent; **s. sein auf** to be keen on

Scharfblick *m* discernment, perspicacity, keen insight

Schärfe *f* 1. sharpness, severity, stringency, strictness, violence; 2. ▦ power; **S. eines Tests** power of a test

schärfen *v/t* 1. to sharpen/whet; 2. ⚙ to hone

Schärflein *nt* widow's mite *(fig)*

Scharf|macher *m* hawk; **s.macherisch** *adj* hawkish; **S.schütze** *m* marksman; **s.sichtig** *adj* discerning; **S.sinn** *m* acumen, acuity, penetration; **über ~ verfügen** to be quick-witted; **s.sinnig** *adj* astute, perceptive, quick-witted, subtle, incisive

Scharlach *m* ⚕ scarlet fever

Scharlatan *m* charlatan, quack, impostor

Scharte auswetzen *f* *(coll)* to make amends, to repair a mistake

Schatten *m* 1. shade; 2. shadow; **ohne den S. eines Beweises** without a shadow of proof; **nicht der S. eines Verdachts** not a breath of suspicion; **~ Zweifels** without a shadow of doubt; **jdm wie ein S. folgen** to shadow so.; **(etw.) in den S. stellen** to outclass/dwarf/overshadow/outshine/outpace/eclipse, to put sth. in the shade; **S. werfen auf** 1. to cast a shadow on; 2. *(fig)* to impair

Schatten|boxen *nt* shadow boxing; **S.dasein** *nt* shadowy existence; **~ führen** to lead a drab existence; **S.faktor** *m* shadow factor; **s.haft** *adj* shadowy; **S.kabinett** *nt* shadow cabinet; **S.ökonomie** *f* → **S.wirtschaft**; **S.organisation** *f* shadow organisation; **S.preis** *m* shadow/

accounting price; **S.seite** *f* 1. dark/flip side; 2. drawback, undesirable feature; **auf der S.seite** *(Konjunktur)* in the doldrums; **S.wirtschaft** *f* hidden/black/parallel/dual/underground/irregular/informal/moonlight *(fig)* economy, sub-economy

schattierlen *v/t* to shade; **S.ung** *f* shading, tone, line; **politische S.ung** political complexion

Schatulle *f* 1. casket, box; 2. coffer(s); **private S.** privy purse

Schatz *m* treasure, hoard (of money); **Schätze** 1. riches, wealth; 2. resources; **~ des Meeres** resources of the sea; **~ ansammeln** to amass riches; **S. hüten** to guard a treasure; **auf einen S. stoßen** to hit upon a treasure; **gefundener S.** treasure trove; **verborgener S.** buried treasure

Schatzamt *nt* Treasury *[GB]*, Exchequer *[GB]*, Treasury Department *[US]*, bursary; **S.sanleihe** *f* Treasury Loan *[GB]*; **S.sbrief** *m (verzinslich)* treasury deposit receipt

Schatzanleihe *f* exchequer stock *[GB]*, treasury bond *[US]*

Schätzannahme *f* estimation, estimate, estimated value

Schatzanweisung *f* treasury bill/note/bond/warrant, bill of exchequer, certificate of indebtedness *[US]*, currency certificate; **kurzfristige S.** exchequer bill *[GB]*, revenue bond; **langfristige S.** exchequer *[GB]*/treasury *[US]* bond; **unverzinsliche S.** non-interest-bearing treasury bill *[GB]*/bond *[US]*, discounted treasury bond; **(kurzfristig) verzinsliche S.** exchequer bill *[GB]*

schätzlbar *adj* assessable, estimable, appreciable; **S.beamter** *m* assessor, appraiser; **S.betrag** *m* estimate, estimated amount

Schatzbrief *m* savings bond, treasury bill

Schätze *pl* ➔ **Schatz**

schätzen *v/t* 1. to estimate/appreciate, to regard highly; 2. *(berechnen)* to assess/calculate, to guess; 3. *(bewerten)* to rate/appraise/value/valuate/tax, to put a value on, to put at; 4. *(Personen)* to esteem, to think highly (of); **zu hoch s.** to overestimate; **von neuem s.** to revaluate/reassess/revalue/reappraise; **zu niedrig s.** to underestimate/undervalue; **im Voraus s.** to anticipate; **zu s. wissen** to be appreciative of, to appreciate

schätzenswert *adj* valuable, estimable

Schätzer *m* 1. *(Vers.)* assessor, appraiser; 2. valuer, (e)valuator, appreciator; 3. ⊖ appraising officer

Schätzlfehler *m* error of assessment/estimation, ~ in the estimate; **S.firma** *f* appraisal company

Schatzfund *m* treasure trove

Schätzfunktion *f* ▦ estimator; **beste S.** best estimator; **stets erwartungstreue S.** absolutely unbiased estimator; **hocheffiziente S.** most efficient estimator; **konsistente S.** consistent estimator; **lineare S.** linear estimator; **verzerrende S.** bias(s)ed estimator

Schätzlgebühr *f* valuation/appraisal fee; **S.gleichung** *f* ▦ estimating equation

Schatzgräber *m* treasure seeker/hunter

Schätzlgröße *f* estimator; **S.gutachten** *nt* valuer's report

Schatzlkammer *f* vault; **S.kanzler** *m* Chancellor (of the Exchequer) *[GB]*, Secretary to the Treasury *[US]*

Schätzklausel *f* appraisal clause

Schatzkonto *nt* exchequer account

Schätzkosten *pl* estimated cost

Schatzmeister *m* treasurer, bursar; **S. entlasten** to accept/pass the treasurer's account; **ehrenamtlicher S.** honorary treasurer; **S.amt** *nt* bursary

Schätzmethode *f* method of estimation

Schatzpapiere *pl* treasury certificates

Schätzlpreis *m* estimated/assessed price; **S.rechnung** *f* estimate

Schatzlschein *m* currency *[GB]*/treasury *[US]* note; **S.suche** *f* treasure hunt; **S.sucher** *m* treasure hunter; **S.truhe** *f* treasure chest

Schätzung *f* 1. estimate, gues(s)timate *(coll)*; 2. estimation, guesswork *(coll)*; 3. appraisal (report), assessment, valuation (estimate), calculation; **S. von Besteuerungsgrundlagen** estimate of tax bases, estimated assessment; **S. des Grundsteuerwertes** rating (valuation) *[GB]*; **S. von Grundstücken** real estate appraisal; **S. des Parameters** parameter estimate; **durch S. feststellen** to ascertain by valuation; **S.(en) nach oben/unten korrigieren** to upgrade/downgrade estimates

amtliche Schätzung official estimate/appraisal; **angemessene S.** fair estimate; **annähernde S.** approximation; **effiziente S.** ▦ efficient estimate; **erneuerte S.** reassessment, revaluation; **fundierte S.** informed estimate; **gerichtliche S.** judicial valuation; **grobe S.** gues(s)timate *(coll)*, rough estimate; **gutacht(er)liche S.** expert appraisal; **zu hohe S.** overestimate; **lineare S.** ▦ linear estimate; **marktgerechte S.** market valuation; **niedrige S.** low estimate; **zu ~ S.** underestimate, undervaluation; **offizielle S.** official estimate; **sachliche S.** fair estimate; **ungefähre S.** rough estimate; **volumetrische S.** volumetric estimate; **vorläufige S.** preliminary/provisional estimate; **vorliegende S.** current estimate; **vorsichtige S.** conservative/safe estimate

Schätzungslausschuss *m* appraisal committee; **S.beamter** *m* 1. rating/valuation officer; 2. ⊖ merchant appraiser; **S.befugnis** *f* authority for appraisal; **S.bericht** *m* appraisal report; **S.betrag** *m* estimated amount, appraisement

Schätzungsfunktion *f* ▦ estimator; **tendenzfreie S.** unbias(s)ed estimator; **verzerrende S.** bias(s)ed estimator

Schätzungslgrundlage *f* valuation basis; **S.kommission** *f* appraisal committee; **S.kosten** *pl* appraisal cost(s), cost(s) of appraisal; **S.methode** *f* valuation method; **S.sache** *f* valuation case; **S.skala** *f* appraisal scale; **S.tabelle** *f* valuation table; **S.theorie** *f* theory of estimation; **s.weise** *adv* approximately, roughly

Schätzunsicherheit *f* margin of error

Schatzwechsel *m* treasury/exchequer/tap bill, treasury note; **regelmäßig angebotene S.** tender bills *[GB]*; **laufend ausgegebene S.** tap stock *[GB]*; **kurzfristiger S.** anticipation warrant, treasury bill; **mittelfristiger S.** treasury note; **S.emission** *f* treasury issue; **S.kredit(e)**

m/pl loan/borrowing on treasury bills, treasury bill credit; **S.kurs** *m* treasury bill price; **S.satz/S.zins** *m [D]* treasury bill rate *[GB]*, tap rate *[GB]*

Schätzwert *m* 1. estimate, appraisement, estimated/appraised/appraisal/assessed value, valuation; 2. ▦ estimator; **voller S.** full extended value

Schau *f* 1. show; 2. exhibition, display; **S. abziehen** *(coll)* to make a splash *(coll)*; **jdm die S. stehlen** *(fig)* to steal so.'s limelight *(fig)*, to upstage so. *(coll)*, to steal a march on so. *(coll)*; **sich ~ lassen** to give the show away; **zur S. stellen** 1. to exhibit/display; 2. to parade

Schau|bild *nt* diagram, graph, (flip)chart, flow sheet; **S.bilder** visual display; **S.bude** *f* booth, stall; **S.budenbesitzer** *m* proprietor of a booth; **S.bühne** *f* stage, theatre

Schauer *m* *(Regen)* shower; **S.leute** *pl* dock workers, dockers *[GB]*, stevedores *[GB]*, longshoremen *[US]*; **S.mann** *m* docker *[GB]*, dock worker, stevedore *[GB]*, longshoreman *[US]*

Schaufel *f* 1. shovel; 2. ✿ scoop; **S.bagger** *m* ⚓ shovel dredger; **S.lader** *m* shovel dozer; **s.n** *v/t* to shovel; **S.rad** *nt* 1. ⚓ paddle wheel; 2. *(Turbine)* impeller; **s.weise** *adv* in shovelfuls

Schaufenster *nt* shop *[GB]*/store *[US]*/display/show window; **S. ansehen** to go window-shopping, to window-shop; **im S. ausstellen** to display (in the shop window); **S. dekorieren/gestalten** to dress a shop window

Schaufenster|arrangement *nt* window-dressing, window display; **S.- und Ladentischaufsteller** *m* point-of-sale (POS)/point-of-purchase advertising; **S.auslage** *f* window display; **S.beleuchtung** *f* shop window lighting; **S.bummel** *m* window-shopping; **~ machen/unternehmen** to go window-shopping, to window-shop; **S.bummler** *m* window-shopper; **S.dekorateur** *m* window-dresser; **S.dekoration** *f* window-dressing, window display; **S.einbruch** *m* smash-and-grab raid; **S.gestalter** *m* window-dresser, display designer; **S.gestaltung** *f* window-dressing; **S.puppe** *f* dummy; **S.reklame** *f* shop window advertising; **S.scheibe** *f* shop window pane; **S.schmuck** *m* window-dressing; **S.streifen** *m* window streamer; **S.ware** *f* displayed goods; **S.werbung** *f* shop window advertising; **S.wert** *m* showpiece value; **S.wettbewerb** *m* window-display competition

Schau|flug *m* air display; **S.geschäft** *nt* show business/biz *(coll)*; **S.karton** *m* display box; **S.kasten** *m* showcase, display cabinet/case

Schaukel|börse *f* see-saw market; **s.n** *v/i* 1. to swing/see-saw; 2. ⚓ to roll; 3. 🚗 to jolt; **S.politik** *f* seesaw/stop-go policy; **S.wirkung** *f* back-and-forth effect

Schau|linie *f* ▦ curve; **S.loch** *nt* inspection hole; **s.lustig** *adj* curious

Schaum *m* 1. foam, froth, lather; 2. *(Bier)* head; **S. schlagen** *(fig)* to boast, to lay it on thick *(coll)*, ~ with a trowel *(coll)*; **S.blase** *f* bubble

Schaum|feuerlöscher *m* foam fire extinguisher; **S.gummi** *nt/m* foam rubber; **S.krone** *f* *(Bier)* head; **S.schläger** *m* *(fig)* braggart, windbag; **S.schlägerei** *f* bragging, boasting; **S.stoff** *m* foam material; **S.wein** *m* sparkling wine; **S.weinsteuer** *f* champagne tax

Schau|objekt *nt* exhibit; **S.packung** *f* dummy (display/pack(age)); **S.platz** *m* scene (of the event), arena, theatre; **~ des Verbrechens** scene of the crime; **S.prozess** *m* show trial

Schauspiel *nt* (stage) play, drama, spectable; **S.direktor** *m* stage director

Schauspieler *m* actor, player; **S.in** *f* actress; **S.karriere** *f* acting career; **S.truppe** *f* theatrical company

Schau|spielhaus *nt* theatre, playhouse; **S.steller** *m* 1. exhibitor; 2. *(Kirmes)* showman; **S.stellung** *f* display; **S.stück** *nt* showpiece; **S.tafel** *f* (display) chart; **S.zeichen** *nt* visual sign

Scheck *m* cheque *[GB]*, check *[US]*, draft

Scheck ohne (volle) Deckung cheque/check without funds, ~ cover, uncovered cheque/check, dud, kite, stunner *(coll)*, rubber check *[US]*; **S.s im Einzug** float; **S. von begrenzter Höhe** limited cheque/check; **S. zum Inkasso** cheque/check for collection; **S. über das Kreditlimit** overcheque, overcheck; **S. mit geprüfter Unterschrift** initialled cheque/check; **S. nur zur Verrechnung** crossed cheque/check

Schecks und Wechsel werden nur zahlungshalber angenommen cheques/checks and bills are accepted only as an undertaking to pay; **S. gesperrt** payment countermanded

Scheck anerkennen to meet a cheque/check; **S. ausfüllen/ausschreiben/ausstellen** to write/make out a cheque/check, to draw/issue a cheque/check; **S. auf den Überbringer ausstellen** to make a cheque/check payable to bearer; **ungedeckten S. ausstellen** to overcertify; **S. bestätigen** to certify a cheque/check; **mit einem S. bezahlen** to pay/remit by cheque, ~ check; **S. durchkreuzen** to cross a cheque/check; **S. einlösen** to cash/pay/honour a cheque, ~ a check; **S. nicht einlösen** to dishonour a cheque/check; **S. bei der Bank einreichen** to present a cheque/check at the bank; **S. (bei der Bank) einzahlen** to cash a cheque/check; **S. einziehen** to collect a cheque/check; **S. entgegennehmen** to accept a cheque/check; **S. fälschen** to forge/counterfeit a cheque, ~ check; **S. girieren** to endorse a cheque/check; **S. gutschreiben** to credit a cheque/check; **S. honorieren** to honour/pay a cheque, ~ check; **S. kreuzen** to cross a cheque/check; **S. platzen lassen** to bounce a cheque/check; **S. schreiben** to make out a cheque/check; **S. sperren** to stop (payment of) a cheque/check, to earmark a cheque/check; **S. stornieren** to cancel a cheque/check; **S. zum Einzug überreichen** to lodge/send a cheque/check for collection; **S. einer Bank ~ überreichen** to lodge a cheque/check with a bank for collection; **S. zum Ausgleich einer Rechnung übersenden** to send a cheque/check in settlement; **S. verfolgen** to trace a cheque/check; **S. vernichten** to truncate a cheque/check; **S. verrechnen** to clear a cheque/check; **S. mit Verrechnungsvermerk versehen** to cross a cheque/check; **S. vordatieren** to antedate a cheque/check; **S. zur Zahlung vorlegen** to present a cheque/check for payment; **per S. zahlen** to pay by cheque/check; **S. ziehen auf** to draw a cheque/check against; **S. auf eine Bank ziehen** to draw a cheque/check on a bank; **S. zurückdatieren** to postdate a cheque/check; **S. an den Aussteller zurückgeben** to refer a cheque/check to (the) drawer; **S. zurückweisen** to reject a cheque/check

abgerechneter Scheck cleared cheque/check, cheque/check accounted for; **noch nicht ~ S.** uncleared cheque/check; **annullierter S.** cancelled cheque/check; **nicht vollständig ausgefüllter S.** inchoate cheque/check; **als Sicherheit ausgestellter S.** memorandum cheque/check; **avisierter S.** advised cheque/check; **bankbestätigter S.** certified cheque/check; **bankgarantierter S.** cashier's/official cheque, ~ check; **bestätigter S.** certified check *[US]*, marked cheque *[GB]*; **eingelöster/entwerteter S.** cancelled cheque/check; **fehlerhafter S.** defective cheque/check; **durch die Bank garantierter S.** bank-certified cheque/check; **gedeckter S.** certified cheque/check; **gefälschter S.** forged cheque/check, stunner *[GB]*; **durch Werterhöhung ~ S.** raised cheque/check; **gekreuzter S.** crossed cheque/check; **allgemein/besonders ~ S.** generally/specially crossed cheque/check; **geplatzter S.** bounced cheque/check, bounce; **gesperrter S.** stopped cheque/check; **girierfähiger S.** negotiable cheque/check; **girierter S.** endorsed cheque/check; **zum Inkasso hereingenommener S.** cheque/check with deferred credit; **auf den Namen lautender S.** non-negotiable cheque/check; **auf den Überbringer ~ S.** bearer cheque/check; **nachdatierter S.** *(zurückdatiert)* postdated/*(vorausdatiert)* antedated cheque, ~ check; **notleidender S.** dishonoured cheque/check; **offener S.** open/blank cheque, ~ check; **protestierter S.** protested cheque/check; **überfälliger S.** overdue cheque/check; **unausgefüllter S.** blank cheque/check; **undatierter S.** 1. undated cheque/check; 2. outstanding cheque/check; **uneingelöster S.** dishonoured cheque/check; **ungedeckter S.** 1. bouncer, bad cheque/check, uncovered/dud cheque, ~ check, kite (cheque/check); 2. bum cheque *(coll)*, rubber check *[US]*, cheque/check without cover, ~ provision, ~ sufficient funds; **vorsätzlich ausgestellter ~ S.** flash cheque/check; **verfallener S.** overdue/stale cheque, ~ check; **verjährter S.** stale cheque/check; **noch nicht verrechneter S.** uncleared/uncollected cheque, ~ check; **nicht verrechnete S.s** uncleared items; **vordatierter S.** *(zurückdatiert)* postdated/*(vorausdatiert)* antedated cheque, ~ check, memorandum cheque/check; **weißer S.** white cheque/check; **wertloser S.** fly-back

Scheckabhebung *f* cheque encashment

Scheckabrechnung *f* cheque/check clearance, ~ clearing; **S.smaschine** *f* cheque/check processor, proof machine; **S.ssatz** *m* clearing house rate; **S.sstelle** *f* clearing house; **S.sverkehr** *m* cheque/check clearing

Scheck|abschnitt *m* counterfoil, stub; **S.abteilung** *f* cheque/check department; **S.ausgangsbuch** *nt* cheque/check register; **S.aussteller** *m* maker/writer/drawer of a cheque/check, cheque/check writer; **S.ausstellung** *f* drawing/issuing of a cheque/check; **S.austauschstelle** *f* clearing house; **S.begünstigte(r)** *f/m* payee of a cheque/check; **S.bereicherungsanspruch** *m* compensation claim for uncollectable cheque/check against drawer; **S.bestand** *m* cheques/checks in hand; **S.bestätigung** *f* cheque/check certification; **S.bestätigungsabteilung** *f* certification department; **S.betrag** *m* amount of the cheque/check; **S.betrug** *m* cheque/check fraud, issuing bad cheques/checks, paper hanging; **S.betrüger(in)** *m/f* cheque/check trickster, person issuing bad cheques/checks; **S.bezogene(r)** *f/m* drawee; **S.buch** *nt* cheque/check book; **S.bürgschaft** *f* cheque/check guarantee; **S.deckung** *f* cheque/check cover(age); **S.deckungsanfrage** *f* cheque/check authorization; **S.diskontierung** *f* discounting of cheques/checks; **S.duplikat** *nt* duplicate cheque/check; **S.eingang** *m* incoming cheques; **S.eingangs- und Ausgangsbuch** *nt* cheque/check ledger; **S.einlage** *f* 1. *(Konto)* current account deposit; 2. *(Gerät)* cheque/check chute; **S.einlösegebühr** *f* cheque/check encashment charge

Scheckeinlösung *f* cheque/check cashing, ~ encashment, cashing/encashment of a cheque/check; **gebührenlose S.** cheque/check payment at face value; **S.sgebühr** *f* exchange charges

Scheck|einreichung *f* presentation of a cheque/check, cheque/check in-payment; **S.einreichungsformular** *nt* credit slip, cheque/check paying-in slip; **S.einziehung/S.einzug** *f/m* collection of cheques/checks, cheque/check collection; **S.einzugsauftrag** *m* cheque/check collection order; **S.empfänger(in)** *m/f* payee of a cheque/check; **S.endnummer** *f* cheque/check ending number; **S.erlös** *m* cheque/check proceeds; **s.fähig** *adj* 1. competent to be a drawer; 2. withdrawable by cheque/check; **S.fähigkeit** *f* capacity to draw or endorse a cheque/check; **S.fälscher** *m* cheque/check forger; **S.fälschung** *f* cheque/check forgery, forgery/alteration of cheques, ~ checks; **S.formular** *nt* cheque/check form, blank cheque/check; **S.gegenwert** *m* cheque/check proceeds; **S.geld** *nt* cheque/check money; **S.gesetz** *nt* cheques/checks act; **S.guthaben** *nt* current *[GB]*/drawing *[US]* account balance; **S.handelssatz** *m* clearing house rate; **S.heft** *nt* cheque/check book; **S.inhaber(in)** *m/f* bearer of a cheque/check; **S.inkasso** *nt* cheque/check collection, collection of cheques/checks; **S.inkassospesen** *pl* cheque/check collection charges

Scheckkarte *f* cheque/check/banker's/bank card, cash/cheque gurantee card; **S.nbetrug/S.nmissbrauch** *m* cheque/check card fraud; **S.ninhaber(in)** *m/f* holder of a cheque/check card; **S.nscheck** *m* cheque-card cheque, check-card check

Scheck|klage *f* summary action based on a cheque/check; **S.klausel** *f* cheque/check clause; **S.kontoninhaber(in)** *m/f* cheque/check account depositor

Scheckkonto *nt* cheque/check(ing) *[US]*/drawing *[US]* account; **persönliches S.** personal checking account *[US]*; **S.auszug** *m* checking statement *[US]*; **S.inhaber(in)** *m/f* cheque/check account depositor

Scheckkontroll|abteilung *f* certification department; **S.eur** *m* receiving teller; **S.liste** *f* cheque/check ledger

Scheck|kredit *m* cheque/check credit; **besondere S.kreuzung** special crossing; **S.kunde/S.kundin** *m/f* current account customer; **S.kurs** *m* clearing house rate, cheque/check/cash rate; **S.leiste** *f* counterfoil, stub; **S.liste** *f* cheque/check register; **S.missbrauch** *m* cheque/check fraud; **S.nehmer(in)** *m/f* payee; **S.nummer** *f* cheque/check number; **S.obligo** *nt* cheques/checks discounted; **S.prozess** *m* cheque/check (payment enforcement) proceedings; **S.quittungsheft** *nt* chequelet; **S.recht** *nt* law of cheques/checks, negotiable intruments law concerning cheques/checks; **S.reiterei** *f* cheque-kiting, check-kiting

Scheckrückgabe *f* return of unpaid cheques/checks; **S. mangels Deckung** return of cheque/check for lack of funds; **S.abkommen** *nt* returned cheque/check agreement

Scheck|schutz *m* cheque/check protection; **S.schutzvorrichtung** *f* cheque/check protecting device; **S.sicherung** *f* cheque/check protection; **S.sortiermaschine** *f* cheque/check sorter; **S.sperre** *f* stopping a cheque/check, countermand, payment stop, stop payment order; **S.sperrung** *f* cheque/check stopping; **S.stempel** *m* cheque/check stamp; **S.steuer** *f* stamp duty, duty on cheques/checks; **S.sünderkartei** *f* cheque/check offenders' index; **S.umlauf** *m* cheques/checks in circulation; **S.unterschriftenmaschine** *f* cheque-signing/check-signing machine; **S.verkehr** *m* cheque/check transactions; **S.- und Wechselverkehr** cheque/check and bill transactions

Scheckverrechnung *f* cheque/check clearing; **S. auf Provinzbanken** country clearing; **S.sstelle** *f* clearing house; **S.sverkehr** *m* cheque/check clearing system

Scheck|vordruck *m* cheque/check form, blank/preprinted cheque, ~ check; **verschriebener S.vordruck** spoiled cheque/check; **S.wechselverfahren** *nt* cheque-bill/check-bill exchange procedure; **S.widerruf** *m* cheque/check stopping; **S.zahlung** *f* payment by cheque/check; **S.zahlungsavis** *nt* cheque/check remittance; **S.zuführung** *f* cheque/check feed

Scheffel *m* bushel

scheffeln *v/t* 1. *(Geld)* to scoop, to rake in; 2. *(Gold)* to accumulate, to pile up

scheffelweise *adj* in stacks, by the sackful

Scheibchen|finanzierung *f* partial/tranche financing; **s.weise** *adv* little by little, bit by bit

Scheibe *f* 1. disc, disk, plate; 2. slice; 2. (wind)screen; 4. *(Glas)* pane; **sich von jdm eine S. abschneiden** *(fig)* to take a leaf out of so.'s book *(fig)*; **S. einsetzen** to fit a pane

Scheiben|bremse *f* disk brake; **S.glas** *nt* sheet glass

Scheide|anstalt *f* refinery; **S.geld** *nt* subsidiary coin; **S.linie** *f* dividing line; **S.mittel** *nt* ⚗ separating agent; **S.münze** *f* subsidiary/base *[US]*/small/divisional coin, fractional currency; **S.münzen** small change; **minderwertige S.münzen** small change, coppers

scheiden *v/t* 1. to divide/separate; 2. to divorce; *v/i* to depart; **sich s. lassen** to obtain/get a divorce, to get divorced; **s.d** *adj* outgoing

Scheide|wasser *nt* ⚗ nitric acid; **S.weg** *m* crossroads; **S.wert** *m* dividing value

Scheidung *f* 1. separation; 2. divorce, dissolution of marriage

Scheidung im gegenseitigen Einvernehmen § divorce/separation by mutual consent; **S. aus beiderseitigem Verschulden** divorce with both parties being at fault; **S. ohne Verschulden** no-fault divorce; **S. wegen Verschuldens** divorce on the grounds of guilt; **S. nach dem Zerrüttungsprinzip** divorce on the grounds of irretrievable breakdown, ~ without reference to fault

Scheidung aussprechen to grant a divorce; **S. beantragen/begehren/einreichen; auf S. klagen** to seek a divorce, to sue for (a) divorce, to file a petition for divorce; **S. einleiten** to start divorce proceedings; **auf S. erkennen** to grant a divorce; **S. erlangen** to obtain a divorce; **der S. widersprechen** to oppose the divorce

einverständliche Scheidung divorce by mutual consent; **streitige S.** defended divorce

Scheidungs|antrag/S.begehren *m/nt* divorce petition, petition for (a) divorce; **S.beklagte(r)** *f/m* respondent; **S.gericht** *nt* divorce court; **S.grund** *m* grounds for (a) divorce; **S.klage** *f* petition for divorce, divorce suit; **~ einreichen** to petition for divorce; **S.kläger(in)** *m/f* petitioner; **S.prozess** *m* divorce proceedings; **S.quote/S.rate** *f* divorce rate; **S.recht** *nt* divorce law; **S.richter** *m* divorce judge; **S.sache** *f* divorce proceedings/case

Scheidungsurteil *nt* decree of divorce; **S. erwirken** to obtain a divorce; **bedingtes/vorläufiges S.** decree nisi *(lat.) [GB]*; **endgültiges/rechtskräftiges S.** (non-appealable) decree absolute (of divorce)

Scheidungs|vereinbarung *f* divorce settlement; **S.verfahren** *nt* divorce proceedings/suit; **S.vertrag** *m* divorce agreement; **S.widerklage** *f* cross-petition for divorce; **S.ziffer** *f* divorce rate

Schein *m* 1. *(Anschein)* appearance, semblance, sham; 2. *(Dokument)* document, certificate, bill; 3. *(Papier)* paper, slip, coupon; 4. *(Geld)* note; **zum S.** ostensibly: **S. wahren** to keep up appearances, to put up a front; **laut beiliegendem S.** as per certificate enclosed; **gegen doppelten S.** on double receipt: **schmaler S.** slip

Schein|- phoney, sham, spurious, dummy *[US]*; **S.adoption** *f* fictitious adoption; **S.aktiva** *pl* fictitious assets; **S.angebot** *nt* sham offer, dummy tender, by-bid; **S.anleger** *m* sham investor; **S.anspruch** *m* colourable title; **S.antrag** *m* § sham plea; **S.argument** *nt* spurious/dummy argument; **S.asylant(in)** *m/f* bogus asylum seeker; **S.auktion** *f* sham/mock auction; **s.bar** *adj* apparent, ostensible, seeming, specious; **S.befehl** *m* dummy instruction; **S.beweis** *m* specious proof; **S.bieter** *m (Auktion)* straw/mock bidder, by-bidder; **S.-bilanz** *f* fictitious balance sheet; **S.blüte** *f* spurious/specious prosperity, illusory boom; **S.dividende** *f* sham/fictitious dividend; **S.ehe** *f* sham/fictitious/mock marriage; **S.einrede** *f* § sham defense; **S.einwand** *m* § sham plea; **S.ereignis** *nt* dummy event; **S.faktura** *f* pro-forma invoice

scheinen *v/i* to appear/seem

Schein|firma *f* sham/bogus/paper/dummy company, sham/bogus firm, phoney/dummy corporation *[US]*; **S.forderung** *f* fictitious/specious claim; **S.gebot** *nt* sham/straw/rigged bid; **S.gefecht** *nt* sham fight; **S.gerichtsverfahren** *nt* mock trial; **S.geschäft** *nt* paper/dummy/bogus/sham/ostensible transaction, fictitious deal/bargain, bogus deal, wash sale; **S.gesellschaft** *f* → **Scheinfirma**; **S.gesellschafter(in)** *m/f* nominal/ostensible/holding-out partner, quasi-partner

Scheingewinn *m* paper/fictitious/phantom/illusory/inflationary/fool's profit; **S.e** illusory earnings; **S.e aus Lager-/Vorratshaltung** phantom inventory gains; ~ **Vorratsbewertung** phantom inventory profit

Schein|grund *m* 1. pretext, pretence; 2. spurious reason; **S.gründung** *f* fictitious/sham/bogus (company) formation; **S.handel** *m* bogus deal, sham transaction; **S.handlung** *f* sham act

scheinheilig *adj* hypocritical, innocent; **S.e(r)** *f/m* hypocrite; **S.keit** *f* hypocrisy

Schein|kauf *m* pro-forma/sham/fictitious purchase; **S.käufer** *m* button *(coll)*; **S.kaufmann** *m* ostensible merchant; **S.konflikt** *m* spurious conflict; **S.kurs** *m* fictitious quotation/price; **S.klage** *f* § sham plea; **S.konjunktur** *f* specious boom; **S.konto** *nt* fictitious account; **S.korrelation** *f* illusory correlation; **s.krank** *adj* malingering; **S.kranke(r)** *f/m* malingerer; **S.problem** *nt* pseudo-problem; **S.prozedur** *f* dummy procedure; **S.prozess** *m* mock trial, fictitious action; **S.quittung** *f* pro-forma receipt; **S.rechnung** *f* pro-forma invoice; **S.selbstständigkeit** *f* bogus self-employment; **S.souveränität** *f* illusory sovereignty; **S.tod** *m* apparent death, $ suspended animation; **S.transaktion** *f* sham/bogus transaction, ~ deal; **S.unternehmen** *nt* dummy concern, shell company; **S.urteil** *nt* sham judgment; **S.variable** *f* dummy variable; **S.verfahren** *nt* 1. dummy procedure; 2. § mock trial; **S.verkauf** *m* sham/pro-forma sale; **S.verlust** *m* fictitious loss; **S.vertrag** *m* fictitious/sham/simulated/feigned contract; **S.vertreter** *m* ostensible agent, agent by estoppel; **S.vertretung** *f* ostensible agency; **S.vollmacht** *f* sham/apparent authority, agency by estoppel, ostensible agency; **S.vorgang** *m* pseudo/dummy activity; **S.wahl** *f* mock election; **S.wechsel** *m* bogus/pro-forma bill

Scheinwerfer *m* 1. floodlight(s); 2. spotlight; 3. headlight(s); **von S.n angestrahlt** floodlit; **im S.licht stehen** *nt (fig)* to be in the limelight *(fig)*

Schein|wert *m* fictitious value; **S.wettbewerb** *m* fictitious competition; **S.zahlung** *f* fictitious payment

Scheitel|punkt *m* peak, summit, zenith, apex; **S.wert** *m* peak value

Scheiterhaufen *m* stake, funeral pile/pyre; **vor einem S. stehen** *(fig)* to face ruin

Scheitern *nt* 1. failure, breakdown, collapse, miscarriage; 2. flop *(coll)*; 3. *(Ehe)* breakup; **S. der Lohnverhandlungen** breakdown of pay talks; **S. des Sühneversuchs** § failure to reach reconciliation; **S. der Verhandlungen** failure of negotiations; **zum S. bringen** to wreck; ~ **verurteilt** doomed to fail(ure), ill-fated, self-defeating, moribund; **(von Anfang an) ~ verurteilt** doomed from the start

scheitern *v/i* 1. to break down, to collapse/fail/flop/founder, to be abortive, to fall through; 2. *(Verhandlungen)* to end in deadlock; 3. *(Ehe)* to break down irretrievably; **s. lassen** to abort

Schelfgewässer *nt* offshore waters

Schelle *f* bell

Schellen *nt* ringing tone; **s.** *v/i* to ring

Schelte *f* dressing-down; **s.n** *v/i* to scold, to take to task

Schema *nt* 1. table, diagram, chart; 2. schedule, scheme, plan; 3. method, system; 4. form, layout, pattern, formula, array; **nach S. F** stereotyped, as a matter of routine; **im ganzen S.** ⊖ throughout the nomenclature; **S.brief** *f* form letter, set-pattern letter

schematisch *adj* diagrammatic, schematic(al), rigid, formalized

schematisier|en *v/t* to standardize; **s.t** *adj* idealized, standardized

schemenhaft *adj* phantom(-like)

Schenke *f* pub, tavern

Schenkel *m* π side

schenken *v/t* to give as a present, to make a gift, to donate/give/endow; **jdm etw. s.** to bestow sth. on so.; **sich selbst nichts s.** not to spare o.s.

Schenkende(r)/Schenker *f/m* donor, donator, benefactor, giver

Schenkung *f* 1. donation, gift (transfer), present(ation), giveaway; 2. bestowal, bestowment, dotation; 3. foundation; **S. unter Auflagen** qualified donation, gift sub modo *(lat.)*, gift subject to a burden; **S. unter Lebenden** § gift inter vivos *(lat.)*, ~ between the living; **S. zu Lebzeiten** lifetime gift; **S. in Erwartung des Todes; S. von Todes wegen** § donatio/gift mortis causa *(lat.)*, testamentary gift, gift under the apprehension of death; **S. für karitative/mildtätige Zwecke** charitable donation; **S. machen** to make a gift, to donate; **S. widerrufen** to revoke a donation

bedingte Schenkung gift sub modo *(lat.)*, conditional donation; **bedingungslose S.** outright gift; **indirekte S.** indirect donation; **karitative S.** charitable donation/gift; **letztwillige S.** testamentary gift; **mildtätige S.** charitable gift; **private S.** private gift, donation; **remuneratorische S.** remunerative gift; **steuerfreie S.** tax-free gift; **steuerpflichtige S.** taxable gift; **testamentarische S.** testamentary gift; **unentgeltliche S.** gratuitous donation; **verschleierte S.** concealed donation; **vollzogene S.** vested gift; **sofort ~ S.** executed donation, outright gift; **vorbehaltslose S.** outright gift; **widerrufene S.** revoked donation; **wohltätige S.** charitable donation/gift

Schenkungs|anfechtung *f* contesting a donation, avoidance of a gift; **S.annahme** *f* acceptance of a gift; **S.bilanz** *f (VWL)* balance on transfer account, unilateral payments; **S.brief** *m* deed of gift; **S.empfänger(in)** *m/f* donee; **S.land** *nt* donor country; **S.steuer** *f* gift tax, tax on donations; **S.steuererklärung** *f* gift tax return *[US]*; **S.urkunde/S.vertrag** *f/m* deed of covenant/gift, deed/contract of donation; **S.vermutung** *f* presumption of a gift; **S.versprechen** *nt* promise to make a gift, executory donation; **s.weise** *adj* as a free gift, by way of (a) gift/donation; **S.widerruf** *m* revocation of a gift/donation

Scherbe *f* piece, ✿ fragment; **S.ngericht** *nt* ostracism

Schere *f* 1. scissors; 2. ✿ shears; 3. gap, divergence; **s.n** *v/t* to shear: **S.nbewegung** *f* scissor movement

Scherereien *pl* trouble
Scherflein *nt* mite; **sein S. beitragen** to contribute one's mite
scheuen *v/t* to shy away from, to shun; *v/refl* to shrink from, to ba(u)lk at
Scheuklappen *pl* blinkers; **mit S. versehen** blinkered
Scheune *f* barn
Schicht *f* 1. layer, coating, film, overlay; 2. tier, level; 3. *(Bevölkerung)* rank, class; 4. *(Arbeit)* shift, stint; 5. stratum; **aus allen S.en der Bevölkerung** from all walks of life; **breite ~ Bevölkerung** large sections of the population; **in einer S.** without interruption, in one go; **S. arbeiten** to work (in) shifts, to do shift work; **S. machen** *(coll)* to knock off
abwechselnde Schicht rotating shift; **bürgerliche S.** middle class(es); **nicht durchgehende S.** split shift; **gebildete S.** educated class; **gesellschaftliche S.** social stratum/class; **herrschende S.** ruling class; **ölführende S.** oil reservoir: **periodische S.** rotating shift; **soziale S.** social stratum/class; **verfahrene S.** shift worked
Schichtarbeit *f* shift work; **S. am Tag** day work; **überlappende S.** coupling-up; **voll kontinuierliche S.** fully continuous shift work; **S.er(in)** *m/f* shift worker; **S.szuschlag** *m* bonus for shift work
Schicht|ausfall *m* shift(s) not worked; **S.ausgleich** *m* shift differential
Schichtbetrieb *m* (multiple) shift operation; **im S. laufen** to run full time; **voll kontinuierlicher S.** fully continuous shift operation
schichten *v/t* 1. to pile/stack; 2. to stratify
Schichten|bilanz *f* stratified balance sheet; **S.bildung** *f* stratification
Schicht|freizeit *f* free shift: **S.führer/S.leiter/S.meister** *m* shift manager/controller/foreman; **S.geld/S.lohn** *nt/m* shift pay, ~ work rate; **S.kosten** *pl* cost of extra shift; **S.leistung** *f* output per manshift; **S.plan** *m* shift plan/schedule; **S.prämie** *f* shift premium; **S.system** *nt* shift system
Schichtung *f* 1. stratification; 2. stacking; **S. mit verschiedenen Stichprobengruppen** stratification with variable sampling fraction; **einfache S.** single stratification; **mehrfache S.** multiple stratification; **nachträgliche S.** stratification after sampling; **tiefgegliederte S.** deep stratification; **S.seffekt** *m* stratified sampling
Schicht|wechsel *m* shift change, turning of shifts; **~ haben** to change shifts; **s.weise** *adj* 1. in shifts; 2. in layers, layered; **S.zeit** *f* shift working time; **S.zulage/S.zuschlag** *f/m* shift allowance/premium
Schick *m* chic, elegance; **s.** *adj* smart
schicken *v/t* to send/forward/dispatch/despatch/consign/supply; *v/refl* to acquiesce
schicklich *adj* decent, proper, pertinent, becoming; **S.keit** *f* decency, propriety
Schicksal *nt* fortune, fate, lot, destiny; **unentrinnbares S.** inevitable fate; **unglückliches S.** adverse fortune(s); **s.haft** *adj* fatal, fateful
Schicksals|frage *f* vital matter, matter of life and death; **S.gemeinschaft** *f (Vers.)* common adventure; **S.prüfung** *f* trial, ordeal; **S.schlag** *m* blow, reversal of fortune, great misfortune; **S.schläge** vicissitudes of life
Schickschuld *f* debt to be discharged by remittance, obligation the dispatch of which is owed
schieben *v/t* 1. to push/shift; 2. *(Schwarzmarkt)* to profiteer/graft, to traffic in; 3. to manipulate; **beiseite s.** *(Einrede)* to thrust aside
Schieber *m* profiteer, racketeer, jobber, black-market operator, trafficker, smuggler, slide, spiv *(coll)*
Schieberegister *nt* shift register
Schieberei *f* illegal transaction, racketeering, profiteering racket, traffic(king); **S.en** under-the-counter dealings
Schiebergeschäft *nt* illegal transaction; **S.e machen** to profiteer
Schiebe|tür *f* sliding door; **S.wand** *f* sliding wall; **S.wandöffnung** *f* sliding wall aperture
Schiebung *f* 1. illegal transaction, profiteering, racket(eering), graft *[US]*, fiddle, wangling, jobbing, underhand dealing; 2. *(Börse)* continuation, backwardation, carryover; **S.sgeschäft** *nt* 1. put-up job, graft, profiteering; 2. *(Börse)* continuation *[GB]*, carry(ing-)over *[GB]*; **S.ssatz** *m* carryover rate
schiedlich *adj* by arbitration; **s.-friedlich** *adj* by amicable arrangement, amicably
Schieds|abkommen *nt* arbitration agreement; **S.abrede** *f* arbitration/arbitral clause; **S.amt** *nt* arbitration/conciliation board, board of arbitration/conciliation; **S.angelegenheit** *f* matter for arbitration; **S.antrag** *m* request for arbitration; **S.ausschuss** *m* arbitration panel/committee/board, conciliation board, board of arbitration/conciliation; **S.- und Vermittlungsausschuss** arbitration and mediation committee; **S.bestimmung** *f* arbitration clause; **S.eid** *m* decisive oath; **S.gebühr** *f* arbitration fee
Schiedsgericht *nt* 1. court of arbitration, arbitral court/tribunal, mediation board, (arbitration) tribunal; 2. *(Amtsgericht)* magistrate's court; **S. anrufen** to have recourse to arbitration, to go/refer to arbitration; **durch ein S. regeln** to settle by arbitration; **an ein S. verweisen** to refer to arbitration; **gemischtes S.** mixed arbitration board; **paritätisches S.** arbitration tribunal on a parity basis; **ständiges S.** permanent court of arbitration
schiedsgericht|lich *adj* arbitral, arbitrational, by arbitration; **S.sabkommen** *nt* arbitration agreement
Schiedsgerichtsbarkeit *f* arbitration, arbitral jurisdiction; **gewerbliche S.** industrial arbitration; **internationale S.** international arbitration
Schiedsgerichts|bestimmungen *pl* arbitration provisions; **S.entscheidung** *f* arbitration ruling, decree arbitral *[Scot.]*; **s.fähig** *adj* arbitrable; **S.gebühren** *pl* arbitration charges; **S.hof** *m* court of arbitration, arbitration tribunal, arbitral court; **S.instanz** *f* court of arbitration, arbitration tribunal
Schiedsgerichtsklausel *f* arbitration clause; **internationale S.n** international clauses of arbitration; **vertraglich vereinbarte S.** contractual arbitration clause
Schiedsgerichts|kosten *pl* arbitration costs; **S.ordnung** *f* rules of arbitration, arbitration code; **S.spruch** *m*

award of arbitrators; **S.termin** *m* time appointed for an arbitration hearing; **S.vereinbarung** *f* arbitration agreement, agreement to arbitrate; **S.verfahren** *nt* arbitration/ arbitral proceedings, ~ procedure, arbitration; **bindendes S.verfahren** binding adjudication; **S.vertrag** *m* arbitration agreement, contract of arbitration; **S.wesen** *nt* (system of) arbitration; **S.zwang** *m* compulsory arbitration

Schieds|gremium *nt* arbitration panel; **S.gutachten** *nt* arbitrator's award; **S.gutachter** *m* arbitrator, arbiter, adjudicator, independent expert; **S.hof** *m* court of arbitration, arbitration tribunal; **S.instanz** *f* court of arbitration, arbitral body; **letzte S.instanz** final arbiter; **S.klausel** *f* arbitration/arbitral/mediation clause, future disputes clause; **S.kommission** *f* arbitration committee; **S.mann** *m* 1. arbitrator, arbiter, umpire; 2. official referee; 3. § Justice of the Peace (J.P.) *[GB]*; **S.obmann** *m* umpire, third arbitrator; **S.ordnung** *f* arbitration statute(s)/rules, rules of arbitration; **S.organ** *nt* arbitral body; **S.ort** *m* place of arbitration; **S.partei** *f* party to arbitration; **S.recht** *nt* arbitration law

Schiedsrichter *m* arbitrator, adjudicator, arbiter, umpire, referee; **S. in Schifffahrtsangelegenheiten** maritime arbitrator; **S. einsetzen/ernennen** to appoint an arbitrator; **als S. fungieren** to arbitrate/adjudicate/umpire; **an einen S. verweisen** to refer to an arbitrator; **S. vorschlagen** to nominate an arbitrator

Schiedsrichter|amt *nt* arbitratorship, umpireship; **S.ausschuss** *m* panel of arbitrators; **S.kollegium** *nt* board of arbitration; **s.lich** *adj* arbitral, arbitrational

Schiedssache *f* arbitral case; **S.n** arbitration matters

Schiedsspruch *m* arbitration/arbitral/arbitrage/arbitrator's award, arbitration

Schiedsspruch anerkennen/befolgen to abide by an award; **S. aufheben** to set aside an award; **durch S. beilegen** to settle by arbitration, to arbitrate; **~ entscheiden** to arbitrate/mediate/intervene; **S. erlassen/fällen** to make an award; **durch S. schlichten** to settle by arbitration; **sich einem S. unterwerfen** to submit to arbitration; **S. vollstrecken** to enforce an award; **durch S. zuerkennen** to award

gerichtlicher Schiedsspruch judicial arbitration; **gewerblicher S.** industrial award; **staatlicher S.** state award

Schiedsspruchwert *m* *(Gesellschaft)* value determined by arbitration

Schiedsstelle *f* arbitration/arbitrative board, ombudsman; **S. für Arbeitskämpfe** Advisory, Conciliation and Arbitration Service (ACAS) *[GB]*; **gesetzliche S.** statutory tribunal

Schieds|tätigkeit *f* arbitration service; **S.urteil** *nt* (arbitration/arbitral) award; **S.vereinbarung** *f* arbitration agreement; **S.verfahren** *nt* arbitration (proceedings/ scheme), arbitral proceedings/procedure, arbitrage; **S.vergleich** *m* arbitral settlement, settlement in arbitration proceedings; **S.vertrag** *m* agreement to go to arbitration, arbitration agreement; **S.- und Schlichtungsvertrag** treaty of arbitration and conciliation; **auf dem S.wege** *m* by arbitration; **S.wesen** *nt* arbitration (system)

schief *adj* lopsided, askew; **s. gehen** to go wrong/awry, to come unstuck; **S.e** *f* asymmetry; **~ der Verteilung** skewness

Schiefer *m* slate, shale; **S.tafel** *f* slate

Schieflage *f* 1. overextension, financial difficulties; 2. *(Börse)* gone-stale position

Schiene *f* bar, rail; **S.n** 🚂 metals; **frei S.** free on rail (f.o.r.); **aus den S.n springen** to be derailed; **S.n verlegen** to lay track

Schienen|anbindung *f* rail link; **S.bus** *m* rail bus

Schienenfahrzeug *nt* rail/tracked vehicle; **S.e** rolling stock; **S.bau** *m* tracked vehicle manufacturing; **S.markt** *m* market for rolling stock

Schienen|fernverkehr *m* long-distance rail transport (service); **s.gebunden** *adj* tracked, rail-bound; **S.infrastruktur** *f* rail infrastructure; **S.netz** *nt* rail network, railroad system, railway network/system; **S.oberkante** *f* height above rail; **S.personennahverkehr** *m* surburban rail traffic; **S.räumer** *m* cowcatcher *[US]*; **S.strang** *m* track; **S.transport** *m* carriage by rail, railage, rail transport/movement

Schienenverkehr *m* rail(way) *[GB]*/railroad *[US]* traffic, transportation by rail; **S.sgesellschaft** *f* railway/ railroad company; **S.snetz** *nt* rail network; **S.sprojekt** *nt* rail development project

Schienenwagen *m* trolley

Schiene-Straße|-Güterverkehr *m* combined transport freight traffic, intermodal/multimodal transport; **~-Verkehr** *m* rail-road traffic/transport

Schießbefehl *m* shoot-to-kill order

schießen *v/ti* 1. to shoot/fire; 2. *(Pflanze)* to sprout; **scharf s.** to shoot to kill

Schießerei *f* shooting, shoot-up

Schiff *nt* ship, vessel, craft, boat; **ab S.** ex ship/steamer; **auf dem S.** on board ship; **S. mit voller Bemannung** fully manned vessel; **S. unter fremder Flagge** foreign vessel; **S. für den Nahverkehr** local vessel; **S. in Seenot** ship in distress; **frei S.** free on board (f.o.b.); **~ ab S.** free ex ship; **~ ans/längsseits S.** free alongside ship (f.a.s.), franco quay, free at wharf; **~ (ins) S.** free on steamer (f.o.s); **von längsseits S.** from alongside ship/vessel: **S. muss schwimmend löschen** discharge afloat

Schiff abwracken to break up a ship; **S. anbohren** to scuttle a ship; **S. aufbringen** to arrest a ship; **S. aufgeben** to abandon a ship; **S. ausflaggen** to flag out a ship; **S. ausklarieren** to clear a ship; **S. ausrüsten** to fit out a ship; **S. mit Papieren ausstatten** to document a ship; **S. bauen** to build a ship; **S. beflaggen** to flag a ship; **per S. befördern** to ship; **S. befrachten** to load/lade a ship; **S. beidrehen** to bring a ship to; **S. mit Beschlag belegen** to arrest/embargo a ship; **S. in den Hafen bringen** to put a ship into port; **S. chartern** to charter a vessel; **S. durchsuchen** to search a vessel/ship; **S. einmotten** *(fig)* to mothball *(fig)*/lay up a ship; **S. entern** to board/ enter a vessel, ~ ship; **S. entladen** to unload a ship, to clear a ship of her cargo; **S. entmotten** *(fig)* to recommission a ship; **S. für seeuntüchtig erklären** to condemn a ship; **zu S. fahren** to sail; **S. festmachen** to make a ship fast, to moor a ship; **S. auflaufen lassen** to run a ship aground; **S. vom Stapel laufen lassen** to launch a ship; **S. an die Kette legen** to arrest a ship; **S. auf Kiel legen** to lay down a ship; **längsseite S. liefern** to deliver alongside the vessel; **S. löschen** to unload a ship; **klar S. machen** to clear the decks; **S. in Fracht nehmen** to charter a ship; **S. wieder in Dienst stellen** to recommission a ship; **S. verchartern** to freight out a vessel/ship; **S. verlassen** to abandon ship, ~ a shipment; **S. verproviantieren** to provision a vessel/ship; **S. verschrotten** to break up a ship; **S. versenken** to sink a ship; **S. vertäuen** to moor a ship; **S. aus der Fahrt ziehen** to lay up a ship

abgehendes Schiff outgoing vessel; **abgetakeltes S.** ship in ordinary; **aktionsunfähiges S.** crippled ship; **aufbringendes S.** captor; **aufgebrachtes S.** prize; **aufgegebenes S.** abandoned ship; **ausfahrendes/auslaufendes S.** outgoing/outward-bound vessel; **ausländisches S.** foreign vessel, foreigner; **in Gefahr/Seenot befindliches S.** ship in distress; **auf der Heimreise ~ S.** outward-bound ship; **voll beladenes S.** fully laden vessel; **nach X bestimmtes S.** ship bound for X; **für den Heimathafen ~ S.** homeward-bound/inward-bound ship; **eingemottetes S.** laid-up vessel, mothballed ship; **im Überseeverkehr eingesetztes S.** foreign-going vessel; **im Linienverkehr fahrendes S.** liner; **nicht ~ S.** tramp; **fob S.** f.o.b. vessel; **gechartertes S.** chartered vessel/ship; **in Seenot geratenes S.** ship in distress; **außer Dienst gestelltes S.** laid-up vessel; **gestrandetes S.** stranded vessel; **havariertes S.** wrecked ship, ship under average; **auf Reede liegendes S.** ship anchored in the roadstead; **neutrales S.** free ship; **promptes S.** spot voyage; **registriertes S.** registered ship; **schiffbrüchiges S.** shipwreck; **seetüchtiges S.** seaworthy ship; **seeuntüchtiges S.** unseaworthy ship; **stilliegendes S.** idle vessel; **unbeladenes S.** light vessel; **versichertes S.** interest vessel; **vorfahrtberechtigtes S.** privileged vessel; **wrackes S.** shipwreck; **zurückfahrendes S.** inward-bound/homeward-bound vessel

Schiffl- → **Schiffsl-**

schiffbar *adj* navigable; **nicht s.** unnavigable; **S.keit** *f* navigability; **S.keitsgrenze** *f* navigation head

Schiffbau *m* → **Schiffsbau** 1. shipbuilding (industry), naval construction; 2. *(Technik)* naval architecture; **S.er** *m* 1. shipbuilder; 2. *(Handwerker)* shipwright

Schiffbaulindustrie *f* shipbuilding industry; **S.ingenieur** *m* naval architect; **S.region** *f* shipbuilding area; **S.werk** *nt* ship under construction, ~ on the stocks

Schifflbedarfshandlung *f* ship chandlery; **S.befrachtungsvertrag** *m* contract of affreightment; **S.bruch** *m* (ship)wreck; ~ **erleiden** to be shipwrecked; **s.brüchig** *adj* shipwrecked; **S.brüchige(r)** *f/m* castaway; **S.bruchsgüter** *pl* shipwrecked goods

Schiffer *m* 1. master, (small) shipowner, shipper; 2. *(Lastkahn)* bargee; **S.börse** *f* shipping (and freight) exchange; **S.patent** *nt* master's certificate

Schifffahrt *f* navigation; shipping (industry), cross-trade

Schifffahrtsl- maritime; **S.abgaben** *pl* navigation dues; **S.abkommen** *nt* shipping/navigation agreement, treaty of navigation; **S.agent** *m* shipping agent; **S.agentur** *f* shipping agency; **S.aktien** *pl* shipping issues/shares *[GB]*/stocks *[US]*; **S.angelegenheiten** *pl* maritime affairs; **S.angestellter** *m* shipping clerk; **S.behörde** *f* maritime authority; **S.börse** *f* shipping exchange; **S.dienste** *pl* shipping services; **S.dienstleistung** *f* shipping service; **sofort nach S.eröffnung** *f* first open water (f.o.w.) chartering; **S.gericht** *nt* naval/navigation court; **S.geschäft** *nt* shipping business; **S.gesellschaft** *f* shipping company/line, steamship company; **S.gesetz** *nt* Merchant Shipping Act *[GB]*, Navigation Act *[GB]*; **S.kanal** *m* ship canal; **S.konferenz** *f* shipping/liner/steamship/freight conference; ~ **der Trampschifffahrt** Baltic and International Maritime Conference; **S.kontor** *nt* shipping agency; **S.kunde** *f* nautics, navigation; **S.land** *nt* seafaring country; **S.linie** *f* 1. shipping line; 2. *(Weg)* shipping route; **S.linien** shipping services; **S.nachrichten** *pl* shipping information; **S.nation** *f* maritime/seafaring nation; **S.- und Flussordnung** *f* navigation and river regulations; **Zwischenstaatliche Beratende S.organisation** Intergovernmental Maritime Consultative Organisation (IMCO); **S.protektionismus** *m* protectionism for shipping; **S.recht** *nt* maritime/shipping/navigation law; **S.regeln** *pl* rules of navigation; **S.regelung** *f* navigation laws; **S.register** *nt* register of shipping; **S.rinne** *f* mid-channel; **S.risiko** *nt* marine/navigation risk, marine peril; **S.route** *f* shipping route, ocean track; **S.sachverständiger** *m* nautical assessor; **S.straße** *f* shipping lane, waterway; **S.unternehmen** *nt* shipping company; **S.verbindungen über den Atlantik** *pl* transatlantic services; **S.verkehr** *m* shipping service; **S.versicherung** *f* marine insurance; **S.vertrag** *m* maritime contract, treaty of navigation; **S.weg** *m* (shipping/sea) lane, navigable waterway, ocean route; **S.werte** *pl (Börse)* shipping issues/shares *[GB]*/stocks *[US]*

Schiffpark *m* shipping fleet, total tonnage

Schiffsabfahrt *f* sailing time; **voraussichtliche S.** expected to sail (ets); **S.sliste** *f* sailing/shipping list

Schiffslabgaben *pl* navigation/shipping dues, ship's charges; **S.agent** *m* shipping agent, ship broker, ship's husband; **S.agentengebühr** *f* husbandage; **S.agentur** *f* shipping agency; **S.angelegenheiten** *pl* maritime affairs; **S.ankunftsavis** *nt* arrival note; **S.anlegeplatz/-stelle** *m/f* landing stage; **S.anteil** *m* share in a vessel/ship; **S.arrest** *m* restraint/seizure of a ship; **S.artikel** *pl* shipping/ship's articles; **S.arzt** *m* ship's doctor; **S.aufgabe** *f* abandonment of a vessel/ship; **S.auftrag** *m* ship order; **S.ausrüster** *m* ship's chandler; **S.ausrüstung** *f* equipment of ships; **S.ausrüstungsgeschäft** *nt* ship chandlery; **S.bank** *f* ship mortgage bank

Schiffslbau *m* → **Schiffbau** shipbuilding; **S.bauauftrag** *m* naval/ship order; **S.bauingenieur** *m* naval architect, marine engineer; **S.baum** *m* derrick; **S.baunation** *f* shipbuilding nation

Schiffsbedarf *m* ship's fuel and stores; **S.sgeschäft** *nt* ship chandlery; **S.shandlung** *f* ship chandling operations; **S.slieferant** *m* ship chandler

Schiffslbefrachter *m* charterer, freighter; **S.befrach-**

tungsvertrag *m* charter party; **S.behälter** *m* naval container; **S.beleihungsbank** *f* ship mortgage bank; **S.bergung** *f* salvage; **S.besatzung** *f* crew, ship's company; **vollständige S.besatzung** ship complement; **S.beschlagnahme** *f* arrest/seizure of a vessel; **S.besichtiger** *m* marine surveyor; **S.bestand** *m* shipping, tonnage; **S.beteiligung** *f* interest in a vessel; **S.bewegungen** *pl* movements of ships; **S.boden** *m* bottom; **S.brief** *m* ship letter, registration certificate, ship's passport; **S.brücke** *f* bridge; **S.bücher** *pl* ship's papers; **S.darlehen** *nt* ship loan; **S.deck** *nt* deck, board; **S.disponent** *m* shipping manager; **S.dokumente** *pl* ship's papers; **S.durchsuchung** *f* search of a vessel; **S.eigentümer/S.eigner** *m* shipowner; **S.eignervereinigung** *f* chamber of shipping; **S.einheit** *f* unit; **S.empfangsschein** *m* ship's/mate's receipt (M.R.)

Schiffsfracht *f* shipload, cargo, ship's freight; **S.en** freights, shipping services; **S.brief** *m* bill of lading (B/L); **S.vertrag** *m* affreightment, charter party

Schiffs|führer *m* (ship)master, captain, skipper; **S.führung** *f* navigation; **fahrlässige S.führung** [§] negligent navigation; **S.funker** *m* wireless operator; **S.garnierung** *f* dunnage; **S.gefährdung** *f* jeopardizing/endangering a ship; **S.geleit** *nt* convoy; **S.geschirr** *nt* ship's gear; **S.gesetz** *nt* ship's law; **S.gläubiger(in)** *m/f* maritime lienor/lienholder, bottomry holder, ship's creditor; **S.gläubigerrecht** *nt* maritime lien; **S.glocke** *f* ship's bell; **S.güter** *pl* shipload, cargo, freight; **S.haftpflichtversicherung** *f* protection and indemnity insurance; **S.hebewerk** *nt* ship lift/elevator; **S.herr** *m* shipowner; **S.hypothek** *f* ship mortgage, mortgage of a vessel; **S.hypothekenbank** *f* ship mortgage bank; **S.information** *f* shipping information; **S.ingenieur** *m* engineer (of a ship); **S.inspektion** *f* inspection of a vessel; **S.inspektor** *m (Vers.)* marine inspector; **S.inventar** *nt* ship's inventory; **S.junge** *m* cabin boy, callboy; **S.kapitän** *m* (ship)master, captain, skipper; **S.karte** *f* 1. chart; 2. passenger ticket; **~ lösen** to book a passage

Schiffskasko *m* hull; **S.versicherer** *m* hull underwriter; **S.versicherung** *f* hull coverage marine insurance

Schiffs|katastrophe *f* naval catastrophe; **S.klasse** *f* category of ship; **S.klassenattest** *nt* classification certificate; **S.klassifikation/S.klassifizierung** *f* classification of ships; **S.kollision** *f* collision between vessels; **seitliche S.kollision** allision; **S.kompass** *m* ship's compass; **S.körper** *m* hull; **S.kran** *m* derrick; **S.kredit** *m* 1. ship loan; 2. lending on ships; **S.kreisel** *m* gyrostabilizer; **S.küche** *f* galley; **S.kurs** *m* course of a vessel; **S.laderaum** *m* hold

Schiffsladung *f* cargo, shipment, boatload, shipload; **S. deklarieren** ⊖ to enter a cargo; **unverpackte S.** bulk cargo; **S.sverzeichnis** *nt* (ship's) manifest

Schiffs|landeplatz *m* quay, berth; **S.laterne** *f* top light; **S.lazarett** *nt* sick bay; **S.leiter** *f* accommodation ladder; **S.lieferant** *m* ship chandler; **S.liegeplatz** *m* berth, ship mooring; **S.liste** *f* sailing/shipping list; loading list; **S.logbuch** *nt* ship's log; **S.luke** *f* hatch; **S.maat** *m* shipmate

Schiffsmakler *m* ship/chartering broker, shipping agent; **S. und Spediteur** shipping and forwarding agent (S.&F.A.); **S.büro** *nt* shipping office; **S.geschäft** *nt* ship brokerage

Schiffs|manifest *nt* (ship's) manifest; **S.mannschaft** *f* crew, ship's company; **gesamte S.mannschaft** full complement, all hands; **S.maschinenbau** *m* marine engineering; **S.maschinist** *m* marine engineer; **S.mast** *m* mast; **S.meldung** *f* ship's report; **S.messbrief/-schein** *m* tonnage certificate; **S.miete** *f* charter money, freight (frt.); **S.mieter** *m* charterer; **S.mietvertrag** *m* charter party, charter of a vessel; **S.motor** *m* marine engine; **S.musterrolle** *f* ship's articles, muster roll; **S.name** *m* name of a ship; **S.neubau** *m* new building; **S.notsignal** *nt* ship's distress signal; **S.offizier** *m* 1. ship's officer; 2. ✈ naval officer; **S.ort** *m* position; **S.ortung** *f* position finding; **S.papiere** *pl* shipping documents, ship's papers; **S.part** *m* share in a ship; **S.partenkapital** *nt* partial ship ownership capital; **S.pass** *m* ship's passport; **S.passage** *f* sailing, voyage; **S.passagegeld** *nt* passage money; **S.passagier** *m* (ship's) passenger

Schiffspfand|brief *m* ship mortgage bond, bottomry bond; **S.kredit** *m* maritime credit; **S.recht** *nt* ship's mortgage, maritime/ship lien

Schiffs|pfändung *f* arrest/seizure of a ship; **S.police** *f* ship's policy; **S.position** *f* ship's position; **S.post** *f* surface/ship's mail; **S.profos** *m* master-at-arms

Schiffsraum *m* 1. shipping space; 2. tonnage; 3. *(Fracht)* hold; **leerer S.** waste tonnage; **ungenutzter S.** marginal tonnage; **verfügbarer S.** available tonnage, ~ freight space; **S.ausnutzung** *f* ship utilization; **S.mangel** *m* scarcity of tonnage

Schiffs|rechtegesetz *nt* ship rights law; **S.reeder** *m* shipowner; **S.reederei** *f* shipping company

Schiffsregister *nt* 1. ship's register, register of shipping; 2. maritime register; **S.amt** *nt* maritime registry office; **S.auszug** *m* certificate of registry; **S.brief** *m* ship's register/certificate; **S.ordnung** *f* ship register code, marine registry regulations

Schiffs|registrierung *f* registration of vessels; **S.reise** *f* ocean voyage; **S.reparaturgeschäft** *nt* ship repair deal; **S.reparaturwerft** *f* ship repair yard, dockyard; **S.rettung** *f* salvage; **S.rolle** *f* quarter bill; **S.rumpf** *m* hull, hulk, body of a ship; **S.sachverständiger** *m* marine surveyor, nautical assessor; **S.schraube** *f* (ship's) propeller; **S.schweiß** *m* ship's sweat; **S.schweißbeschädigung** *f* sweat damage; **S.seite** *f* shipside; **s.seitig** *adj* shipside; **S.tagebuch** *nt* (ship's) log; **S.taufe** *f* launching ceremony; **S.tonnage** *f* tonnage; **S.transport** *m* seaborne traffic, ocean transport; **S.trümmer** *pl* wreckage; **S.unfall** *m* marine casualty, collision at sea; **S.verkehr** *m* shipping traffic/movements/service, navigation (traffic); **wirtschaftlicher S.verkehr** economically viable shipping; **S.verladekosten** *pl* lading charges; **S.verlust** *m* loss of a ship at sea; **S.verlustliste** *f (Lloyd's)* casualty book; **S.vermietung** *f* chartering, freighting; **S.verpfändung** *f* bottomry; **S.verschrotter** *m* shipbreaker; **S.verschrottung** *f* shipbreaking; **S.versicherung** *f* marine insurance, insurance on the vessel;

S.versicherungsmakler *m* marine insurance broker; **S.verzeichnis** *nt* shipping list/register; **S.verzollung** *f* ⊖ clearance; **S.vorräte** *pl* ship's stores; ~ **wieder auffüllen** to replenish a ship's stores; **S.wache** *f* watch; **S.wand** *f* bulwark; **S.wechsel** *m* bottomry bond; **S.-werft** *f* shipyard, shipbuilding yard, dockyard; **S.werte** *pl (Börse)* shipping shares *[GB]*/stocks *[US]*/issues; **S.wrack** *nt* wreck; **S.zahlmeister** *m* purser; **S.zertifikat** *nt* ship's register, registration certificate, certificate of register; **S.zettel** *m* shipping (s.n.)/receiving note, delivery permit *[US]*, shipping order; **S.zimmermann** *m* shipwright, ship carpenter; **S.zubehörhändler** *m* ship chandler

Schikane *f* chicanery, vexation; **S. und Belästigung** annoyance and inconvenience; **mit allen S.n** *(coll)* with all the mod. cons. *(coll)*, ~ trimmings, bang-up-to-date *(coll)*; **etw. aus S. tun** to do sth. out of spite

schikanier|en *v/t* to harass/vex/annoy/victimize/bully/mob; **S.ung** *f* harrassment, victimization, mobbing

schikanös *adj* harrassing, vexatious, spiteful, bullying, bloody-minded

Schild *f* sign, label, signboard, ticket, nameplate; **S. mit Preisangabe** price tag; **sein S. heraushängen** to put up one's shingle *[US]*; **etw. im S.e führen** *(fig)* to be up to sth.; **jdn auf den S. heben** *(fig)* to choose so. as leader; **durch S.er kenntlich machen; mit S.ern markieren** to signpost; **mit einem S. versehen** to label/ticket

Schild|beschriftung *f* sign writing; **S.chen** *nt* tag, label, tab, ticket

Schilddrüse *f* ⚕ thyroid gland; **S.n** thyroids

Schilder|hersteller *m* sign maker; **S.maler** *m* sign painter/writer

schildern *v/t* to describe/depict; **anschaulich s.** to give a graphic/vivid description

Schilderträger *m* sandwich man

Schilderung *f* description, (re)presentation, portrayal; **eingehende S.** detailed description; **lebhafte S.** vivid description

Schilderwald *m* jungle of signs

Schildsteuer *f* scutage *(obs.)*

Schimmel *m* mo(u)ld, mildew; **s.n** *v/i* to mo(u)ld, to go mouldy

Schimpf *m* abuse, insult; **mit S. und Schande** in disgrace

schimpfen *v/i* to grumble; **s. und fluchen** to curse and swear

Schimpf|kanonade *f* torrent of abuse; **s.lich** *adj* disgraceful, dishonourable, ignominious; **jdn mit S.namen belegen** *pl* to call so. names

Schimpfwort *nt* invective, dirty word; **S.e** abusive/foul language, vituperation; ~ **gebrauchen** to use bad language

schinden *v/t* to slave-drive/ill-treat (so.); *v/refl* to slave (away)

Schinder *m* slave-driver, taskmaster; **S.ei** *f* slavery

mit etw. Schindluder treiben *nt* *(coll)* to abuse sth.

Schirm *m* 1. umbrella; 2. screen; 3. protection

Schirmbild *nt* x-ray (picture); **S.gerät** *nt* display; **S.stelle** *f* x-ray unit

Schirm|dach *nt* awning; **S.herr** *m* sponsor, patron, sponsoring body

Schirmherrschaft *f* sponsorship, patronage, auspices, aegis; **unter der S.** under the auspices; **S. übernehmen** to sponsor

Schirm|raster *nt* screen pattern; **S.ständer** *m* umbrella stand

Schlacht *f* battle; **S.bank** *f* slaughtering block

Schlachten *nt* slaughter; **s.** *v/t* to slaughter/butcher

Schlachter *m* butcher; **S.ei** *f* butcher's shop

Schlächter *m* slaughterer

schlacht|erprobt *adj* battle-hardened; **S.feld** *nt* 1. battlefield; 2. *(fig)* shambles; **S.fleisch** *nt* butcher's meat; **S.gewicht** *nt* dressed weight; **S.haus/S.hof/S.-und Viehhof** *nt/m* abattoir *[frz.]*, slaughterhouse, stockyard *[US]*; **S.plan** *m* plan of action; **s.reif** *adj* ready for slaughter; **S.rinder** *pl* beef cattle; **S.schwein** *nt* hog; **S.tiere/S.vieh** *pl/nt* 🚜 slaughter stock, fatstock, animals for slaughter; ~ **lebend erwerben** to buy cattle on the hoof

Schlacke *f* slag, dross; **S.nberg** *m* slag heap

Schlaf *m* sleep; **etw. im S. beherrschen** *(coll)* to know sth. backwards, ~ the ins and outs; **S.abteil** *nt* 🚃 sleeping compartment

schlaff *adj* 1. slack, flagging, limp; 2. *(Börse)* dull, listless; 3. *(Disziplin)* lax; **S.heit** *f* slackness

Schlaf|gelegenheit/S.möglichkeit *f* sleeping accommodation; **S.koje** *f* ⚓/🚃 berth, sleeping cabin; **S.-krankheit** *f* ⚕ sleeping sickness; **s.los** *adj* sleepless; **S.losigkeit** *f* sleeplessness, insomnia; **S.mittel** *nt* ⚕ sleeping drug, soporific; **S.quartier** *nt* sleeping quarters; **S.sitz** *m* ⚓/✈ slumberette; **S.stadt** *f* dormitory *[GB]*/bedroom *[US]*/commuting town; **S.stelle** *f* sleeping place, bunk; **S.sucht** *f* ⚕ hypersomnia

Schlafwagen *m* 🚃 sleeping car, sleeper, Pullman car *[US]*; **S.abteil** *nt* sleeping compartment; **S.bett/S.platz** *nt/m* berth; **S.gesellschaft** *f* sleeping car company; **S.karte** *f* sleeper ticket; **S.schaffner** *m* sleeping car attendant; **S.zug** *m* night sleeper, sleeper train

Schlag *m* blow, knock, stroke, punch, slap; **S. ins Gesicht** slap in the face; ~ **Kontor** *(fig)* body blow; **S. auf S.** in quick succession; **S. ins Wasser** *(fig)* flop, non-event, washout; **auf einen S.; mit einem S.** at a stroke/(single) blow, at one sweep, at a (fell) swoop; **vom gleichen S.e** of the same stamp; **wie ein S. aus heiterem Himmel** like a bolt from the blue; **einen schweren (finanziellen) S. abbekommen** to take a knock; **S. austeilen/versetzen** to deal a blow; **empfindlicher S.** heavy blow; **schwerer S.** body blow

Schlag|abtausch *m* exchange of blows; **S.anfall** *m* ⚕ stroke; **s.artig** *adj* all of a sudden; **S.baum** *m* barrier, toll bar/gate, turnpike *[US]*

schlagen *v/t* 1. to strike/beat/hit/knock/bang/punch; 2. *(Münze)* to coin; **sich gut/tapfer s.** to do well, to stand one's ground, to acquit o.s. well, to give a good account of o.s., to put up a good fight; **kahl s.** *v/t* to clear/deforest; **kurz und klein s.** to knock to pieces; **vernichtend s.** to hammer, to (put to) rout

Schlager *m* hit; **S.parade** *f* hit parade; **S.preis** *m* rock-bottom price

schlagfertig *adj* quick-witted

Schlagkraft *f* clout, power; **S. im Vertrieb** marketing power; **S. stärken** to improve (the) efficiency

schlag|kräftig *adj* effective, powerful; **S.licht** *nt* spotlight, highlight; ~ **werfen auf** to spotlight/highlight/pinpoint; **S.loch** *nt* 🚗 pothole

Schlagseite *f* ⚓ list; **mit S.** *(fig)* lopside(d); **S. bekommen/haben** ⚓ to list, to be listing

Schlagwort *nt* 1. slogan, byword, catchword, keyword; 2. headword; **S.katalog** *m* subject catalogue; **S.verzeichnis** *nt* subject index

Schlagzeile *f* headline, head(ing), caption; **S.n liefern/machen** 1. to make/hit/catch the headlines; 2. to make/hit the news; **mit ~ versehen** to headline

Schlamassel *m* *(coll)* trouble, mess, mix-up, scrape, caboodle *(coll)*, snafu *(coll) [US]*; **in einem S.** in the soup *(coll)*

Schlamm *m* 1. mud, mire; 2. *(Abwasser)* sludge; **im S. festsitzen** to be stuck in the mud; ~ **versinken** to get bogged down in the mud

Schlamm|kohle *f* coal slurry; **S.schlacht** *f (fig)* mudslinging *(fig)*

Schlamperei *f* 1. slovenliness; 2. sloppy/slipshod work

schlampig *adj* 1. slovenly, sloppy; 2. shoddy, slipshod

Schlange *f* 1. snake; 2. *(Anstehen)* queue *[GB]*, line *[US]*, line-up; 3. procession; 4. ⚙ coil; **S. im Tunnel** *(EWS)* snake in the tunnel; **S. ohne Tunnel** *(EWS)* block floating; **sich in die S. einreihen** to join the queue *[GB]*, to line up *[US]*; **S. stehen** to queue (up) *[GB]*, to stand/wait in line *[US]*/a queue *[GB]*, to line up *[US]*

Schlangenwährung *f* *(EWS)* snake currency; **S.sland** *nt* snake country

Schlangestehen *nt* queuing *[GB]*, standing in line *[US]*

schlank *adj* 1. slim, slender; 2. lean; **s. werden** to slim; **s.er machen** 1. to slim down; 2. to streamline, to make leaner

Schlankheitskur *f* dieting; **S. machen** to slim/diet

schlankweg *adv* point-blank

schlapp *adj* languid, listless; **s. machen** to flag

Schlappe *f* 1. defeat, rout; 2. setback

Schlaraffenland *nt* fool's paradise, land of milk and honey

schlau *adj* shrewd, clever, astute, smart, prudent, cute *(coll)*, diplomatic; **aus etw. nicht s. werden** not to be able to make head or tail of sth., not to know what to make of sth.; **viel zu s. sein** to be too clever by half *(coll)*; **s.er sein** to outwit/outsmart; **genauso s. sein wie zuvor** to be none the wiser (for it)

Schlauberger *m* *(coll)* smart alech/alick, clever dick

Schlauch *m* 1. tube, pipe; 2. 🚗 inner tube; 3. *(Wasser)* hose(pipe); **S.boot** *nt* inflatable ((rubber) dinghy)

(jdn) schlauchen *v/t* to wear (so.) out

Schläue *f* shrewdness, cunning, craftiness, cleverness; **an S. übertreffen** to outwit/outsmart

Schlau|heit *f* → **Schläue**; **S.meier** *m* clever sticks *(coll)*

Schlawiner *m* 1. *(coll)* smooth operator; 2. (artful) dodger

schlecht *adj* 1. bad, ill, foul, grim; 2. *(Qualität)* poor, inferior; 3. *(Lebensmittel)* rotten, decayed; **s. und recht** of sorts, after a fashion; **mehr s. als recht** in a rough-and-ready manner; **sehr s.** thoroughly bad; **s. dran sein** 1. to be in a poor/bad state, ~ badly off; 2. *(finanziell)* to be in a tight situation; 3. ⚕ to be in a bad way; **s. machen** *v/t* to decry/disparage; **jdn s. machen** to speak ill of so.; **s. werden** to go bad/off; **s.er werden** to deteriorate/worsen

sich zum Schlechten wenden to take a turn for the worse

Schlechterfüllung *f* malperformance, inferior/defective performance, default, misperformance, non-performance

Schlechterstellung *f* discrimination, inferior position

schlecht|gläubig *adj* mala fide *(lat.)*; **S.macherei** *f* mudslinging *(fig)*; **S.stück** *nt* defective item/unit, reject

Schlechtwetter|bedingungen *pl* adverse weather conditions; **S.front** *f* bad-weather front; **S.gebiet** *nt* bad-weather zone; **S.geld/S.zulage** *nt/f* bad-weather allowance/compensation, hard-weather allowance; **wirtschaftliche S.lage** economic depression; **S.periode** *f* spell of bad weather; **S.versicherung** *f* weather insurance

Schlechtzahl *f* rejection number

schleichen *v/i* to creep/sneak

Schleicher *m* creeper

Schleich|handel *m* illegal traffic/trade, illicit/contraband trade, smuggling, black trading; **S.händler** *m* illicit/clandestine trader, trafficker, black marketeer, smuggler; **S.weg** *m* secret path; **S.werbung** *f* plug, camouflaged advertising, product placement; ~ **machen/treiben** to (put in a) plug

Schleier *m* veil; **S. lüften** to lift the veil; **s.haft** *adj* mysterious

Schleife *f* loop, kink, bend; **getrennte S.** disjoint(ed) loop

Schleifen *nt* grinding, sanding; **s.** *v/t* to grind/polish/hone

Schleif|mittel *nt* abrasive (product); **S.mittelindustrie** *f* abrasives industry; **S.stein** *m* grindstone

Schleim *m* 1. slime; 2. ⚕ mucus

Schlendrian *m* 1. rut; 2. inefficiency, sloppiness

in Schlepp 1. ⚓ in tow; 2. 🚗 on tow

Schlepp|anker *m* ⚓ drag anchor; **S.dampfer** *m* ⚓ (steam) tug, tugboat; **S.dienst** *m* towage (service)

Schleppen *nt* tow(age)

schleppen *v/t* to tow/tug/trail; *v/refl (Entwicklung)* to drag; **s.d** *adj* 1. slow; 2. *(Absatz)* slack, sluggish; 3. *(Geschäft)* dragging; ~ **gehen** to drag

Schlepper *m* 1. 🚗 (motor) tractor; 2. ⚓ tug (boat); 3. *(Menschen)* tout, runner

Schlepp|fischerei *f* trawling; **S.flug** *m* aerotow flight; **S.gebühr** *f* towage; **S.kahn** *m* (canal) barge; **S.kosten** *pl* towage cost(s); **S.lohn** *m* 1. 🚗 towage charges; 2. ⚓ tug charge; **S.netz** *nt* dragnet; **S.netzfahndung** *f* dragnet technique

Schleppschiff *nt* tug(boat); **S.fahrt** *f* tugging, towage; **S.fahrtsunternehmen** *nt* towage contractor

Schleppseil *nt* towrope

Schlepptau *nt* 1. towrope; 2. guide rope; 3. pull *(fig)*; **im S.** in tow; **ins S. nehmen** to take in tow

Schlepp|trosse *f* towrope; **S.zug** *m* tow, barge train

Schleuder|angebot *nt* cut-rate offer; **S.artikel** *m* catchpenny article; **S.ausfuhr** *f* (export) dumping; **S.bewegung** *f* 🚗 skid

Schleuderer *m* underseller

Schleudern *nt* 🚗 skid; **ins S. geraten/kommen** to (get into a) skid; **s.** *v/i* to skid; *v/t* to hurl

Schleuder|preis *m* giveaway/throwaway/knockdown/knockout/ruinous/slaughtered price; **zu S.preisen verkaufen** to dump; **s.sicher** *adj* 🚗 non-skid; **S.spur** *f* skid mark; **S.verkauf** *m* 1. sale at giveaway prices; 2. *(Export)* dumping; **S.ware** *f* loss leader(s), catchpenny/cut-price goods

Schleuse *f* lock, sluice(gate), floodgate; **S. öffnen** to open the floodgates

schleusen *v/t* 1. to sluice; 2. *(Geld)* to inject; 3. *(Inflation)* to import; 4. *(herauf/herunter)* to adjust the level

Schleusen|gebühr/S.geld *f/nt* lock charge(s)/dues, lockage; **S.hafen** *m* wet dock; **S.kammer** *f* lock (basin); **S.meister** *m* lock master; **S.preis** *m* sluicegate/threshold price; **S.system** *nt [EU]* level-adjusting system, lockage; **S.tor** *nt* lock-gate, sluicegate, floodgate, dock gate; **S.wärter** *m* lock-keeper

Schlich *m* trick, dodge, device; **S.e** scheming; **jdm die ~ beibringen** *(coll)* to show so. the ropes *(coll)*; **alle ~ kennen** *(coll)* to know the ropes *(coll)*, ~ a thing or two *(coll)*; **jdm auf die ~ kommen** *(coll)* to see through so.'s (little) game

schlicht *adj* simple, plain, unsophisticated, unpretentious, no frills

schlichten *v/t* to settle (amicably), to arbitrate/conciliate/mediate/intervene/arrange/reconcile/arbitrage

Schlichter *m* (friendly) arbitrator, conciliator, mediator, arbiter, referee, peacemaker, troubleshooter; **staatlicher S.** government arbitrator/mediator

Schlichtung *f* arbitration, (re)conciliation, (dispute) settlement, mediation, arbitrage, arrangement; **S. in Arbeitsstreitigkeiten** labour/industrial arbitration; **S. von Streitigkeiten** settlement of conflicts; **zur S. (an ein Schiedsgericht) überweisen** to refer/take to arbitration; **staatliche S.** government arbitration

Schlichtungs|abkommen *nt* arbitration/conciliation agreement; **S.amt** *nt* conciliation/arbitration *[US]* board; **S.angebot** *nt* mediation offer; **S.ausschuss** *m* conciliation/mediation board, arbitration/grievance/(re)conciliation/mediation committee, board of arbitration, arbitral/dispute panel; **ständiger S.ausschuss** Central Arbitration Committee (CAC) *[GB]*; **S.befugnis** *f* power to negotiate for a settlement; **S.behörde** *f* Advisory, Conciliation and Arbitration Service (ACAS) *[GB]*, (Federal) Mediation and Conciliation Service *[US]*; **S.bestimmungen** *pl* arbitration/mediation provisions; **S.einrichtungen** *pl* conciliation facilities; **S.entscheidung** *f* arbitration ruling; **S.ergebnis** *nt* arbitration result; **freiwillige S.instanz** voluntary conciliation facility; **S.kammer** *f* court of arbitration; **S.klausel** *f* arbitration clause; **S.kommission** *f* arbitration committee, conciliation board; **S.ordnung** *f* arbitration/conciliation rules; **S.protokoll** *nt* conciliation agreement; **S.runde** *f* conciliation proceedings; **S.stelle** *f* arbitration/conciliation board, industrial court, Board of Arbitration *[GB]*; **staatliche S.stelle** government arbitration board; **S.tätigkeit** *f* conciliation services; **S.vereinbarung** *f* arbitration award/arrangement, reconciliation agreement; **S.verfahren** *nt* 1. arbitration/conciliation proceedings, arbitration procedure; 2. *(Arbeitskonflikt)* grievance procedure; **S.verfügung** *f* arbitral award; **S.verhandlungen** *pl* arbitration proceedings; **S.versuch** *m* attempt to conciliate/mediate; **S.vertrag** *m* arbitration agreement; **S.vorschlag** *m* mediation offer/proposal; **S.wesen** *nt* 1. § arbitral jurisdiction; 2. *(Wirtschaft)* industrial conciliation

Schlick *m* mud

Schließen einer offenen Position *nt (Börse)* cover(ing)

schließen *v/ti* 1. to close/shut; 2. *(Betrieb)* to close (down), *(zeitweilig)* to shut down; 3. to discontinue/finish; 4. *(beenden)* to conclude, to wind up; 5. *(schlussfolgern)* to conclude/reason/gather/infer/deduce; **s. aus** to infer from; **in sich s.** to imply/involve/embrace; **s. lassen auf** to suggest, to be indicative of, to point to; **fest s.** *(Börse)* to close (on a) firm (note); **schwächer s.** *(Börse)* to close lower

automatisch schließend *adj* self-locking

Schließer *m* doorkeeper, locker, janitor

Schließfach *nt* 1. locker; 2. safe(-deposit) box, private/lock box; 3. ✉ post office box, P.O. Box

Schließfach|aufbewahrung *f* safe-deposit keeping; **S.gebühr** *f* safe-deposit fee; **S.gesellschaft** *f* safe-deposit company; **S.klausel** *f (Vers.)* safe clause; **S.miete** *f* safe-deposit rent, box rent *[US]*; **S.versicherung** *f* safe-deposit (box) insurance

Schließung *f* 1. closing (down), winding-up; 2. *(Betrieb)* closure, *(zeitweilig)* shutdown; 3. conclusion; **S. des Betriebs** plant closure/shutdown; **bei S. unserer Bücher** on closing our books; **S. des Devisenmarktes** closing-down of the foreign currency market; **S. während der Ferien** holiday/vacation shutdown; **S. eines Kontos** closing of an account; **S. des Werks** shutdown of the enterprise; **S. der Zinsschere** convergence of interest rates; **von der S. bedroht sein** to be threatened with closure, to face the axe *(fig)*; **ferien-/urlaubsbedingte S.** holiday/vacation *[US]* shutdown; **saisonbedingte S.** seasonal shutdown

Schließungs|kosten *pl* closure/abandonment costs; **S.prämie** *f* closure premium; **S.verfügung** *f* shutdown/closure order; **S.zeiten** *pl* hours of business

Schliff *m* polish; **etw. den letzten S. geben** to put the finishing touches to sth., to finish sth.; **letzter S.** finishing touches, master touch

schlimm *adj* bad, ill, parlous, nasty; **s. dran sein** to be in a bad way

schlimmer *adj* worse; **etw. noch s. machen** to add insult to injury; **s. werden** to worsen; **immer s. werden** to go from bad to worse

das Schlimmste hinter sich haben to have broken the back of sth, ~ seen the worst, to be over/past the worst; **sich auf ~ gefasst machen** to prepare for the worst; **mit dem S.n rechnen** to be prepared for the worst; **aus ~ heraus sein** to be out of the wood *(fig)*

schlimmstenfalls *adj* if the worst comes to the worst, at worst

Schlinge *f* loop, snare; **S. des Gesetzes** the meshes of the law

sich in der eigenen Schlinge fangen *(fig)* to be caught in one's own trap *(fig)*; **in die S. gehen** *(fig)* to walk into a trap *(fig)*; **jdm die S. um den Hals legen** to put the noose around so.'s neck; **S. machen** to loop

Schlingenlegen *nt* snaring

Schlingern *nt* ⚓ roll, lurch; **s.** *v/i* to roll/lurch/wallow

Schlips *m* *(coll)* tie; **jdm auf den S. treten** *(coll)* to tread on so.'s toes *(coll)*

Schlitten *m* sled(ge), skid; **mit jdm S. fahren** *(fig)* to take so. for a ride *(fig)*, to haul so. over the coals *(fig)*, to have so. on the carpet *(fig)*, to ride roughshod over so.

schlittern *v/i* to skid/slip/slither

Schlitz *m* slot, aperture, slit; **S.ohr** *nt (coll)* smooth operator, shark *(coll)*, artful dodger *(coll)*

Schloss *nt* 1. lock; 2. *(Gebäude)* palace, chateau *[frz.]*; **hinter S. und Riegel** under lock and key, behind bars; **jdn ~ bringen** to put so. behind bars

Schlosser *m* locksmith, fitter, metal worker; **S.ei** *f* metalworking/locksmith's shop; **S.handwerk** *nt* metalworking; **S.meister** *m* master fitter

Schlot *m* 1. chimney, smokestack; 2. ⚓ funnel

Schluck *m* sip, swallow, swig, dram, gulp

schlucken *v/t* 1. to swallow; 2. *(Profit)* to mop up

Schluck|impfstoff *m* ⚕ oral vaccine; **S.impfung** *f* oral vaccination; **S.specht** *m (coll)* 🚗 gas guzzler *[US]*

Schluder|arbeit *f* rush/botched-up job, slipshod work; **s.ig** *adj* slipshod, slapdash, shoddy

schludern *v/i* to skimp

Schlupf *m* slack

schlüpfen *v/i* 1. to slip; 2. ❀ to hatch

Schlupfloch *nt* 1. *(fig)* loophole; 2. bolthole

Schlüpfungsverlust; Schlupfverlust *m* slippage

Schlupf|winkel *m* cache, haunt, hiding place, hideout, nook; **S.zeit** *f* slack time

Schluss *m* 1. end, finish, close; 2. termination, conclusion; 3. *(Logik)* deduction, inference; 4. *(Börse)* bargain, contract unit, round amount *[GB]*/lot *[US]*, dealing lot, unit of trading; **zum S.** in the end, in conclusion; **S. auf Abruf** *(Börse)* negotiation on/at call; **S. der Beweisführung** close of argument; **~ Debatte** closure; **am ~ Rechnungsperiode** at the close of the period; **S. einer Rede** winding up of a speech; **~ Sitzung** end of a meeting; **S. folgt** *(Fortsetzungsgeschichte)* to be concluded

Schluss der Debatte beantragen to move the closure; **zum S. bringen** to bring to a conclusion; **~ gelangen; zu dem S. kommen** to conclude, to come to the conclusion; **S. machen** *(coll) (Arbeit)* to call it a day, to finish, to knock off *(coll)*; **S. nahelegen/zulassen** to suggest; **zum S. notieren mit** *(Börse)* to close at; **S. vermitteln** *(Börse)* to negotiate a deal; **S. ziehen aus** to conclude from, to draw a conclusion from; **Schlüsse ziehen** to make inferences; **lehrreiche ~ ziehen aus** to draw lessons from; **voreilige ~ ziehen** to jump to conclusions

fester Schluss *(Börse)* firm closing, steady close; **gebrochener S.** *(Börse)* odd lot; **induktiver S.** inductive inference; **kausaler S.** causal inference; **runder/voller S.** *(Börse)* even/round lot; **unvermeidbarer S.** foregone conclusion

Schluss|- final, inferential; **S.abnahme** *f* 🏛 final acceptance, ~ architect's certificate

Schlussabrechnung *f* *(Kommissionär)* final account/billing/statement, account of settlement, account sales, audit; **S.stag** *m (Börse)* settlement day; **S.sverfahren** *nt* completed-contract method

Schluss|absatz *m* closing paragraph; **S.abschreibung** *f* balancing allowance; **S.abstimmung** *f* final vote; **S.akte** *f* final act; **S.alter** *nt (Vers.)* final age; **S.ansprache** *f* final/winding-up speech, ~ address; **S.antrag** *m* conclusion, submission; **S.aussage** *f (Werbung)* base line; **S.ausschüttung** *f* final distribution; **S.bearbeitung** *f* 🏭 finish(ing); **S.bemerkung** *f* concluding remark; **S.bericht** *m* final report; **S.besprechung** *f* final conference/meeting, concluding discussion, postmortem *(lat.) (fig)*; **S.bestand** *m* closing stock/inventory, ending/end-of-period inventory; **S.bestimmungen** *pl* final provisions/clauses; **S.- und Übergangsbestimmungen** concluding and transitional provisions; **S.betrag** *m* final amount; **S.bilanz** *f* final/annual/closing balance, closing balance sheet; **S.bilanzkonto** *nt* closing balance account; **S.börse** *f* terminal/final market; **S.brief** *m* 1. sales *[GB]*/sold *[US]* note; 2. *(Charter)* fixing letter; 3. commodity contract, purchase and sale memorandum; **S.buchung** *f* closing entry; **S.dividende** *f* 1. final dividend; 2. *(Vers.)* terminal bonus; **gehaltene S.dividende** maintained final dividend; **S.einheit** *f (Börse)* dealing lot, unit of trading; **S.einzahlung** *f (Börse)* final call

Schlüssel *m* 1. key; 2. code; 3. clue; 4. *(Verteilung)* ratio, scale, quota; 5. criterion, formula; **S. zur Arbeitsplatzbewertung** job evaluation scale; **S. zum Erfolg** secret of success, door to success; **S. der Kostenverteilung** basis of allocation; **nach einem bestimmten S. zuteilen** to prorate

Schlüssel|- key; **S.arbeit** *f* key job; **S.arbeiten** reference operations; **S.arbeiter** *m* key worker; **S.bart** *m* key bit; **S.bedingungen** *pl* key provisions; **S.begriff** *m* key concept; **S.bein** *nt* ⚕ collarbone; **S.beteiligung** *f* key holding; **S.betrieb** *m* key plant; **S.blatt** *nt* code sheet; **S.branche** *f* key/bellwether *[US]* industry; **S.brett** *nt* keyboard; **S.bund** *m* bunch of keys; **S.dienst** *m* key service; **S.einrichtungen** *pl* key installations; **S.element** *nt* key element; **S.fähigkeit/S.fertigkeit** *f* core competency; **s.fertig** *adj* turnkey, ready for use/occupation, ~ immediate occupancy; **S.figur** *f* key figure/man/person, king pin; **S.funktion** *f* key rôle; **~ einnehmen** to be a keystone; **S.geschäft** *nt* core business; **S.gewalt** *f* § *(Ehefrau)* agency of necessity, authorization to purchase necessaries; **S.größe** *f* ▦ basis of distribution; **S.gruppe** *f* code group; **S.industrie** *f* key/basic/bellwether *[US]*/anchor/core industry; **S.informationen** *pl* key information; **S.katalog** *m* code sheet; **S.kennzeichnung** *f* key identification;

S.kind *nt* latchkey child; **S.kosten** *pl* spread-type/apportionable cost(s); **S.kraft** *f* executive; **S.kräfte** key staff/personnel; **S.lohnsatz** *m* key job rate; **S.maschine** *f* scrambler; **S.nummer** *f* code number; **S.organ** *nt* key organ; **S.personal** *nt* key staff/personnel; **S.position** *f* key position; ~ **erreichen** to get into a key position; **S.punkt** *m* key point; **S.qualifikation** *f* key qualification; **S.ring** *m* key ring; **S.rohstoff** *m* core commodity; **S.rolle** *f* pivotal/key role; **S.stellung** *f* key position, keystone; **jdn für eine ~ vorsehen** to earmark so. for a key position; **S.system** *nt* key code system; **S.tätigkeit** *f* key job/activity; **S.technologie** *f* key/core technology; **S.telegramm** *nt* cipher telegram; **S.text** *m* cipher text, cryptotext

Schlüsselung *f* assignment

Schlüssel|variable *f* key variable; **S.verfahren** *nt* code system; **S.verzeichnis** *nt* scoring manual; **S.währung** *f* key currency; **S.währungsland** *nt* reserve country; **S.wort** *nt* key word; **S.wortkatalog** *m* 🖳 thesaurus; **S.zahl** *f* 1. code number; 2. key factor/figure; 3. *(Safe)* combination; **S.zentrale** *f* code centre; **S.ziffern** *pl* key data; **S.zins für Termingelder** *m* key period rate; **S.zuweisung** *f* rate support grant *[GB]*, quota allocation

schluss|endlich *adv* to conclude, in conclusion; **S.erbe** *m* final/reversionary heir; **S.ergebnis** *nt* final result, upshot

Schlussexamen *nt* final examination; **sein S. machen** to take one's finals; **juristisches S.** bar final

schlussfolgern *v/t* to conclude/deduce/infer

Schlussfolgerung *f* conclusion, deduction, inference; **logische S.en pro Sekunde** logical influences per second (LIPS); **S. ziehen** to infer, to put two and two together *(coll)*; **übereilte/voreilige S.en ziehen** to jump to conclusions; **rechtliche S.** conclusion of law; **tatsächliche S.** conclusion of fact; **zwingende S.** stringent/inescapable conclusion

Schluss|form *f* *(Brief)* ending; **(höfliche) S.formel** *f* 1. complimentary close, closing phrase; 2. § final clause; **S.gewinnanteil** *m (Vers.)* terminal/final bonus; **S.haltung** *f (Börse)* final note

schlüssig *adj* conclusive, logical, coherent, cogent, convincing; **nicht s.** 1. inconclusive, irrelevant (to the issue); 2. *(Klage)* demurrable; ~ **sein** *(Klage)* to have no merits; **sich s. werden** to make up one's mind

Schlüssigkeit *f* conclusiveness, closeness; **S. eines Anspruchs prüfen** to examine the merits of a claim; **mangelnde S.** inconclusiveness

Schluss|inventar *nt* (closing) inventory; **S.inventur** *f* closing/ending/year-end inventory, final stocktaking; **S.kapitel** *nt* final chapter; **S.klausel** *f (Urkunde)* testimonium *(lat.)*; **S.kurs** *m* close, closing price/quotation/rate, last (transacted) price, final/last/late quotation, market closing rate; **S.kurse** *(Börse)* closing call/level; ~ **des Vortages** previous day closing prices; **S.licht** *nt (fig)* 1. tail-ender; 2. ▦ bottom of the table; 3. 🚗 rear/tail light(s); **S.markt** *m* terminal market

Schlussnote *f* 1. *(Makler)* sales/bought/confirmation note, (broker's) contract note; 2. *(Börse)* floor slip, broker's note/memorandum, call; **S.nregister** *nt* bargain book; **S.nstempel** *m* contract stamp *[GB]*, transfer tax *[US]*

Schluss|notierung/S.notiz *f* last transacted price, closing price/quotation, final/last/late quotation; **S.notierungen** *(Börse)* closing level; **S.plädoyer** *nt* § summing up, (argument in) summation, closing address, final submissions; ~ **halten** to sum up; **S.protokoll** *nt* final protocol; **S.prüfung** *f* final examination/inspection; **S.quartal** *nt* closing/final quarter; **S.quittung** *f* final receipt, receipt in full; **S.quote** *f* final/liquidation dividend; **S.rate** *f* final instalment; **S.rechnung** *f* final/closing/last/definite/definitive account, final settlement; **S.rede** *f* closing speech; **S.regel** *f* rule of inference; **S.saldo** *m* closing balance; **S.satz** *m* concluding sentence

Schlussschein *m (Makler)* sales/bought note, (broker's) contract note, bought and sold note, broker's memorandum, call; **S.buch** *nt* contract book; **S.stempel** *m* contract stamp

Schluss|sitzung *f* final/closing session, last meeting; **S.spalte** *f* last column; **S.stein** *m* 🏛 keystone; **S.strich ziehen** *m* to settle sth. for good; ~ **unter etw. ziehen** *(fig)* to let bygones be bygones; **S.summe** *f* grand/final total, terminal/closing sum; **S.tag** *m* final day/date, deadline *[US]*/closing/last day, closing/trading date; ~ **einer Ausschreibung** closing date; **S.tendenz** *f (Börse)* final tone/note; **S.termin** *m* deadline, closing/final/latest date, time limit; **S.überschussanteil/-beteiligung** *m/f* terminal/final bonus; **S.urteil** *nt* final judgment; **S.vereinbarung** *f* final accord; **S.verfügung** *f* final order/decree; **S.vergütung** *f (Lebensvers.)* terminal bonus; **S.verhandlung** *f* § final hearing; **S.verkauf** *m* 1. sale(s), end-of-season sale; 2. *(Ausverkauf)* closing/clearance sale; ~ **wegen Geschäftsaufgabe** closing-down sale; **S.versammlung** *f* final meeting; **S.verteilung** *f (Nachlass/Konkurs)* final settlement/payment; **S.vortrag** *m* final address; **S.wort** *nt* last word, close; **S.zahlung** *f* final/clearing/balloon/terminal/pick-up payment, terminal settlement, last inpayment; **S.zeile** *f* last line, catchline; **S.zettel** *m* broker's/contract note, delivery ticket; **S.ziffer** *f* ▦ cut-off point, terminal figure; **S.ziffer(n)verfahren** *nt* terminal figure method

Schmach *f* disgrace, shame, dishonour; **S. und Schande** shame and disgrace

schmächtig *adj* slight

schmachvoll *adj* disgraceful, shameful

schmackhaft *adj* tasty, palatable

Schmähbrief *m* defamatory/libellous letter

schmähen *v/t* to disparage/abuse/revile

schmäh|lich *adj* disgraceful, shameful; **S.rede** *f* invective, calumny; **S.schrift** *f* libellous publication

Schmähung *f* abuse, calumny, invective; **jdn mit S.en überhäufen** to heap insults upon so.

schmal *adj* narrow, thin

schmälern *v/t* 1. to narrow; 2. to curtail/reduce/detract, to cut (down); 3. *(Rechte)* to restrain; 4. *(Ruf)* to disparage/diminish

Schmälerung *f* 1. curtailment, cut, reduction, diminution, retrenchment; 2. *(Ruf)* disparagement

Schmalfilm *m* cine film; **S.kamera** *f* cine camera

Schmalspur *f* 🚂 narrow ga(u)ge; **S.-** narrow-ga(u)ge; **S.bahn** *f* narrow-gauge railway *[GB]*, narrow-gage railroad *[US]*; **s.ig** *adj* narrow-ga(u)ge

schmarotz|en *v/i* *(coll)* to sponge (on so.), to scrounge *(coll)*; **S.er** *m* sponger, parasite, scrounger, freeloader *(coll)*

schmecken *v/i* to taste/relish; **es sich s. lassen** to tuck in *(coll)*

Schmeichel|ei *f* flattery, flattering remark, fair words; **s.haft** *adj* flattering

schmeicheln *v/i* to flatter/soft-soap *(coll)*

Schmeichler|(in) *m/f* flatterer, wheedler; **s.isch** *adj* flattering, fawning, wheedling, mealy-mouthed

schmeißen *v/t* *(coll)* to throw/chuck

Schmelze *f* 1. melting; 2. ✐ smelting; **s.n** *v/ti* 1. to melt; 2. ✐ to smelt; **S.r** *m* smelter

Schmelz|hütte *f* ✐ smelting plant, smeltery; **S.käse** *m* soft/processed cheese ; **S.lohneinnahmen** *pl* commission smelting revenue; **S.ofen** *m* smelter, furnace; **elektrischer S.ofen** electric furnace; **S.punkt** *m* melting point; **S.tiegel** *m* 1. crucible; 2. *(fig)* melting pot; **S.wasser** *nt* melted snow; **S.wert** *m* breakup value

Schmerz *m* 1. pain; 2. *(psychologisch)* distress; **S. lindern/mildern** to alleviate pain; **S. verursachen** to cause distress; **großer/heftiger S.** violent pain; **stechender S.** pang, stab; **S.empfinden** *nt* sense of pain

schmerzen *v/ti* to hurt/ache, to (cause) pain

Schmerzensgeld *nt* injury damages, compensation for pain and suffering

Schmerz|grenze *f* pain threshold/barrier; **s.haft** *adj* painful; **s.lich** *adj* painful, distressing; **S.linderung** *f* pain relief; **S.linderungsmittel/S.tablette** *f* palliative, pain killer; **s.unempfindlich** *adj* insensitive to pain

Schmied *m* (black)smith

Schmiede *f* 1. *(Industrie)* forge; 2. smithy; **S.eisen** *nt* wrought iron; **S.meister** *m* forgemaster

schmieden *v/t* to forge

Schmiede|ofen *m* forging furnace; **S.stück** *nt* forging

schmiegsam *adj* pliable, flexible

Schmier|block *m* scribbling pad/block, scratch/sketch pad; **S.dienst** *m* ✿ lubrication service

Schmiere *f* lubricant; **S. stehen** *(coll)* to be on the look-out

Schmieren *nt* 1. lubrication; 2. *(Bestechung)* bribery; **s.** *v/t* 1. ✿ to lubricate; 2. *(Fett)* to grease; 3. *(bestechen)* to bribe, to grease the palm, to pay graft money; 4. *(verschmutzen)* to smear; 5. *(Schrift)* to scribble/scrawl; 6. *(Aufstrich)* to spread

Schmiererei *f* scrawling

Schmier|fett *nt* (lubricating) grease; **S.fleck** *m* smudge

Schmiergeld *nt* bribe, slush/push *[US]* money, graft (money) *[US]*, backhander *(coll)*, sweetener, kickback, (corporate) pay-off; **S.er** slush fund, bribe money, boodle, payola *(coll)*; **S.fonds** *m* slush fund; **S.zahlung** *f* payment of a bribe

schmierig *adj* greasy

Schmier|kladde *f* sketchbook; **S.mittel** *nt* lubricant, lubricator; **S.öl** *nt* lubricating oil; **S.papier** *nt* scribbling/scratch paper; **S.seife** *f* soft/yellow soap; **S.stoff** *m* lubricant

Schmierung *f* lubrication

Schmierzuschlag *m* lubricating allowance

Schmirgel|n *nt* sanding; **s.n** *v/t* to sand(paper); **S.papier** *nt* sand/abrasive/emery paper; **S.scheibe** *f* sanding disk

Schmu *m* 1. *(coll)* rubbish; 2. *(Geld)* fiddling; **S. machen** to cheat/fiddle

Schmuck *m* jewellery *[GB]*, jewelry *[US]*; ornament, embellishment; **unechter S.** imitation jewellery/jewelry; **s.** *adj* trim, spruce, neat, tidy; **S.blatttelegramm** *nt* ✉ greetings/de luxe telegram; **S.diamant** *m* gem, ornamental diamond

schmücken *v/t* to decorate/adorn/trim/embellish

Schmuck|gegenstand *m* trinket; **S.gegenstände** jewellery, jewelry *[US]*; **S.geschäft** *nt* jeweller's shop *[GB]*, jewelry store *[US]*; **S.händler** *m* jeweller; **S.kassette** *f* jewellery/jewelry box; **S.leiste** *f* 📖 printer's flower; **S.sachen** *pl* trappings; **S.waren** *pl* jewellery, jewelry, ornaments and trinkets; **S.warenindustrie** *f* jewellery/jewelry industry

schmuddelig *adj* dirty, filthy

Schmuggel *m* smuggling, illegal trade; **S. von Kunstgegenständen** art smuggling; **bandenmäßiger S.** organised smuggling; **gewerbsmäßiger S.** regular/organised smuggling

Schmuggel|- contraband; **S.bande** *f* gang of smugglers; **S.bekämpfung** *f* prevention of smuggling; **S.fahrt** *f* smuggling run; **S.gut** *nt* contraband, smuggled goods; **S.hafen** *m* smuggling port

schmuggeln *v/t* to smuggle, to run contraband

Schmuggel|schiff *nt* smuggler; **S.ware** *f* contraband, smuggled/undeclared goods, prohibited article(s); **S.werbung** *f* camouflaged advertising

Schmuggler *m* smuggler, contrabandist, runner

Schmutz *m* dirt, filth, squalor, grime; **jdn mit S. bewerfen** *(fig)* to sling mud at so. *(fig)*; **im S. herumrühren** *(fig)* to muckrake; **vor S. starren** to be full of dirt; **im S. steckenbleiben** to be stuck in the mud; **in den S. zerren/ziehen** *(fig)* to drag down, ~ through the mud, to disparage

schmutz|abweisend *adj* dirt-resistant; **S.betrieb** *m* 🏭 polluter; **S.blatt** *nt* 📖 flyleaf

schmutzen *v/t* to soil

Schmutz|fänger *m* 1. dust trap; 2. 🚗 mud flap; **S.fleck** *m* spot, stain, smear; **S.fracht** *f (im Wasser)* pollutant load, contaminants; **S.geld** *nt* dirt money, extra pay for dirty work

schmutzig *adj* dirty, filthy, muddy; **s. werden** to soil

Schmutz|kampagne *f* smear campaign; **S.kittel** *m* smock; **S.lappen** *m* cleaning rag; **S.literatur** *f* obscene literature, smutty books; **S.presse** *f* gutter press; **S.stoff** *m* contaminant, pollutant; **S.seite** *f* 📖 sham page; **S.titel** *m* 📖 sham title page; **S.wasser** *nt* (industrial/sanitary) sewage; **S.zulage** *f* dirt money/allowance/pay, dirty work bonus

Schnäppchen *nt* *(coll)* (real) bargain, bargain buy; **S. machen** *(coll)* to get a bargain; **S.jagd** *f* bargain hunting; **S.jäger** *m* bargain hunter

schnappen *v/t* 1. to grab/snatch; 2. *(Verbrecher)* to catch/nail; 3. to snap (up)

Schnaps *m* liquor; **hochprozentiger S.** hard liquor; **S.brenner** *m* distiller; **S.brennerei** *f* distillery; **S.bude** *f* gin shop; **S.flasche** *f* liquor bottle; **S.idee** *f* nutty/crackpot idea

Schnecke *f* 1. snail; 2. *(ohne Haus)* slug; **im S.ntempo** *nt* at snail's pace, crawl

Schnee *m* snow; **S. von gestern** *m (fig)* water under the bridge *(fig)*, old hat *(fig)*; **vom S. eingeschlossen; im S. liegengeblieben** snowbound

Schneeball *m* snowball; **S.effekt** *m* snowball effect; **S.verkaufssystem** *nt* snowball sales system, pyramid selling (scheme)

Schneelfall *m* snowfall; **S.grenze** *f* snow line; **S.ketten** *pl* snow chains; **S.matsch** *m* slush; **S.pflug** *m* snow plough; **S.räumpflicht** *f* legal obligation to remove snow; **S.räumung** *f* snow removal; **S.regen** *m* sleet; **S.schauer** *m* flurry; **S.sturm** *m* blizzard, snowstorm; **S.verwehung/S.wehe** *f* snow drift; **von einer S.wehe eingeschlossen** snowbound

Schneide *f* cutting edge; **auf des Messers S.** razor edge; **~ stehen** to be touch and go

schneiden *v/t* to cut/clip; *v/refl (Linien)* to intersect

Schneider *m* tailor; **aus dem S. sein** *(fig)* to be out of the wood(s) *(fig)*; **S.meister** *m* master tailor

Schneidltechnik *f* cutting technology; **S.waren** *pl* cutlery

Schneise *f* 1. path, glade; 2. firebreak

schnell *adj* 1. fast, rapid, swift, speedy, quick, prompt; 2. *(Verkauf)* brisk; **äußerst s.** at top speed; **so s. wie möglich** fast as can (f.a.c.), as fast as possible, with all (possible) speed; **~ platzüblich** fast as can as customary (f.a.c.a.c.); **doppelt so s.** at double the rate; **s.er als geplant** ahead of schedule; **s. machen** to hurry; **s. werden** to pick up/gather speed

Schnelll- high-speed; **S.ablage** *f* speed filing; **S.abschreibung** *f* rapid depreciation; **S.aufzug** *m* high-speed lift *[GB]*, express elevator *[US]*; **S.ausbildung** *f* crash training/course; **S.bahn** *f* high-speed railway; **S.bauweise** *f* rapid erection method; **S.bericht** *m* cursory report; **S.boot** *nt* speedboat; **S.dampfer** *m* express steamer, ocean greyhound; **S.dienst** *m* express/quick service; **S.dienstgebühr** *f* expressage; **S.dreher** *m (Produkt)* high-stockturn/fast-selling item, high-volume product, fast seller/mover, fast-moving article/item; **S.drucker** *m* high-speed printer; **S.fahrer** *m* speed merchant *(coll)*; **S.fahrspur** *f* fast lane; **S.fahrstrecke** *f* 🚂 high-speed line; **S.gaststätte** *f* fast food restaurant; **S.gericht** *nt* 1. § police court, summary court of jurisdiction; 2. *(Restaurant)* short order, convenience/fast food; **S.gerichtsbarkeit** *f* § summary jurisdiction; **S.gespräch** *nt* no-delay call; **S.gut** *nt* speed goods *[GB]*, fast freight *[US]*; **S.guttarif** *m* expressage; **S.hefter** *m* letter file, sheet holder, folder

Schnelligkeit *f* 1. speed, velocity; 2. rapidity, promptness, speediness; **S.srekord** *m* speed record

Schnellimbiss *m* snack; **S.betrieb** *m* fast food business; **S.halle/S.stube** *f* fast food restaurant, snack bar

Schnelllkochtopf *m* pressure cooker; **S.kurs** *m* crash/condensed course; **S.laster** *m* high-speed truck; **s.laufend** *adj* high-speed, fast-running; **S.läufer** *m* → **Schnelldreher**; **s.lebig** *adj* short-lived, fast-living; **S.lesen** *nt* speed reading; **S.leser** *m* 🖳 high-speed reader; **S.nachweis** *m* speedy reference; **S.paket** *nt* express parcel *[GB]*, ~ handling parcel *[US]*, high-speed (postal) parcel; **S.paketzustellung** *f* express delivery; **S.postgut** *nt* express postal delivery *[GB]*; **S.presse** *f* (high-speed) printing machine; **S.rechner** *m* high-speed computer; **S.reinigung** *f* express cleaner's, ~ cleaning service

Schnellrestaurant *nt* fast food restaurant/outlet, cafeteria; **S.kette** *f* fast food chain; **S.pächter** *m* fast food franchise holder

Schnelllrichter *m* magistrate *[GB]*, police judge *[US]*; **S.schiff** *nt* clipper; **S.schreiben** *nt* speedwriting; **S.speicher** *m* 🖳 quick-access storage, scratch-pad/high-speed memory; **S.stanzer** *m* automatic gang punch; **S.straße** *f* clearway, expressway, motor road; **S.straßennetz** *nt* expressway/motorway network; **S.suchlauf** *m* rapid search; **S.testverfahren** *nt* sample check procedure; **S.übertrag** *m* 🖳 high-speed carry; **S.verband** *m* ⚕ first-aid dressing; **S.verbindung** *f* express service; **S.verfahren** *nt* 1. acclerated/summary procedure, short cut; 2. § summary proceedings/trial

Schnellverkehr *m* 1. *(Bank)* direct telex transfer; 2. fast traffic; 3. express service; **S.sstraße** *f* expressway; **S.sverbindung** *f* 1. motorway link; 2. transit service

Schnellzug *m* express/fast/high-speed train; **S.zuschlag** *m* 1. supplementary charge; 2. supplementary ticket

jdm ein Schnippchen schlagen *nt* *(coll)* to outwit so., to steal a march on so.

Schnipsel *m/nt* snip, scrap

Schnitt *m* 1. cut, cross-section; 2. *(Durchschnitt)* average; 3. section; 4. sectional drawing; 5. design; 6. 🚜 crop; 7. *(Film)* editing; **im S.** on the average; **guten S. machen** *(coll)* to make a packet *(coll)*; **minimaler S.** minimum cut

Schnittlansicht *f* sectional view; **S.blumen** *pl* cut flowers; **S.darstellung** *f* cutaway view; **S.ebene** *f* π sectional plane; **S.ebenenverfahren** *nt* cutting-plane method; **S.holz** *nt* sawn wood, timber; **S.holzausbeute** *f* sawn wood recovery; **S.kante** *f* cutting edge; **S.menge** *f* intersection; **S.muster** *nt* dressmaker's/paper pattern; **S.punkt** *m* (point of) intersection, convergence, interchange; **S.stelle** *f* 1. 🖳 interface; 2. interchange; **S.verletzung/S.wunde** *f* ⚕ cut

Schnittware *f* yard/piece goods, drapery; **S.nhändler** *m* draper, mercer; **S.nhandel** *m* mercery

Schnittlzeichnung *f* sectional drawing; **S.zeile** *f* cut row

Schnitzel *nt* 1. chip; 2. *(Fleisch)* pork steak

Schnitzer *m* blunder, clanger; **grober S.** howler, stumble; **S. machen** to blunder

schnorrlen *v/t* *(coll)* to sponge/cadge/scrounge; **S.er** *m* freeloader, cadger, scrounger

schnüffleln *v/i* to snoop/pry, to nose around; **S.ler** *m* snooper, spy, private eye

Schnupfen *m* cold, running nose

Schnur *f* 1. string, twine, cord, wire; 2. ⚡ flex, lead

wie am Schnürchen *nt* like clockwork; ~ **klappen/laufen** to run smoothly, ~ like clockwork, to go off smoothly, ~ without a hitch
schnüren *v/t* to tie (up), to lace
schnur|gerade *adj* dead straight; **s.stracks** *adv* point-blank
Schober *m* stack, rick
Schock *m* 1. shock, jolt; 2. three score, sixty; **s.artig** *adj* abrupt; **S.behandlung** *f* shock treatment
schockieren *v/t* to shock/scandalize; **s.d** *adj* shocking
Schock|therapie *f* shock treatment; **S.variable** *f* random disturbance/perturbation, shock; **S.zustand** *m* state of shock
Schöffe/Schöffin *m/f* § member of the jury, juror, juryman, jurywoman, lay assessor; **die S.n** the jury; **zum S.n berufen** to empanel; **S. sein** to be on the jury
Schöffen|amt *nt* jury service; **S.auslosung** *f* selection of jurors; **S.bank** *f* the jury; **S.gericht** *nt* 1. magistrate's court; 2. trial by jury; **S.liste** *f* panel of jurors
Schokoladenseite *f* *(fig)* sunny side
Schonbezug *m* dust cover, anti-macassar
Schöndruck *m* first run
schönen *v/t* *(Zahlen)* to dress up, to brighten
schonen *v/t* 1. *(Markt)* to nurse; 2. to look after, to treat gently; 3. *(Leben)* to spare; **s.d** *adj* gentle, lenient, careful, merciful
Schoner *m* *(Möbel)* cover, anti-macassar
schön|färben *v/t* *(fig)* to whitewash, to gloss over; **S.färberei** *f* *(fig)* window-dressing, whitewash, glossing over, sugar coating; **s.färberisch** *adj* whitewash
Schon|frist *f* 1. period of grace/recovery; 2. *(Jagd)* close(d) season; ~ **haben** *(Tiere)* to be out of season; **S.gang** *m* overdrive
Schönheit *f* beauty; **landschaftliche S.** scenic beauty
Schönheits|chirurgie *f* cosmetic surgery; **S.fehler** *m* *(fig)* flaw, blemish; **S.mittel** *nt* cosmetic; **S.operation** *f* facelift; **S.pflege** *f* beauty care/culture; **S.salon** *m* beauty parlow; **S.wettbewerb** *m* beauty contest
Schon|klima *nt* gentle climate; **S.kost** *f* diet; **besondere S.kost** special diet; **S.kur** *f* period of abstinence
schön|reden *v/t* to talk sth. up; **S.schrift** *f* letter quality, calligraphy
Schonung *f* 1. (woodland) nursery, forest plantation area; 2. *(Geld)* economizing; 3. sparing, saving, nursing; 4. forbearance; **s.slos** *adj* 1. ruthless, merciless; 2. with the gloves off
Schönungsteich *m* polishing/sewage lagoon
Schonungszeit *f* period of recovery
Schönwetter|branche *f* bellwether industry; **S.lage** *f* *(Konjunktur)* favourable economic climate; **S.periode** *f* 1. spell of fair weather; 2. *(Konjunktur)* period of prosperity; **S.tage** *pl* halcyon days
Schonzeit *f* 1. *(Jagd)* close(d) season; 2. period of respite, halcyon days
etw. beim Schopf ergreifen *m* to jump/leap at sth.; ~ **fassen** *(Gelegenheit)* to seize an opportunity, to snap at sth.
Schöpfbrunnen *m* draw well
schöpfen *v/t* to create; **aus dem vollen s.** to draw upon unlimited resources
Schöpfer|(in) *m/f* 1. creator, maker, inventor; 2. author(ess); 3. designer, stylist; 4. *(Mode)* couturier, couturière; **s.isch** *adj* creative, productive, fertile, original, inventive
Schöpfung *f* creation, invention; **persönliche geistige S.en** personal intellectual creations
Schornstein *m* 1. chimney, smokestack; 2. ⚓ funnel; **in den S. schreiben** *(coll)* to write off; **S.brand** *m* chimney fire; **S.feger** *m* chimney sweep; **S.industrie** *f* smokestack industry
Schößling *m* shoot
Schott(endeck) *nt* ⚓ bulkhead
Schotter *m* chippings, crushed stone; **S.straße** *f* unpaved road; **S.werke** *pl* stone-breaking works, stone-crushing plant
schraffier|en *v/t* to shade/hatch; **s.t** *adj* shaded, hatched
Schraffur *f* shading, hatching
schräg *adj* slanting, askew, diagonal; **s. gedruckt** *adj* in italics; **s. stellen** *v/t* to tilt; **S.druck** *m* italics
Schräge *f* slant
Schräg|lage *f* 1. slant, tilt; 2. ⚓ list; 3. financial difficulties; **S.schrift** *f* 1. sloping/slanting hand; 2. italics; **S.stellung** *f* inclination; **S.strich** *m* left oblique, slash, (oblique) stroke
Schramme *f* scratch, scar; **s.n** *v/t* to scratch
Schrämmmaschine *f* shearer
Schrank *m* 1. cabinet, cupboard; 2. *(Kleider)* wardrobe
Schranke *f* barrier, bar; **S. des Gerichts** bar; **in den S.n des Gesetzes** within the bounds of the law; **S. errichten** to set up a barrier; **in S.n halten** to curb/contain/restrain; **S. herunterlassen** to close the barrier; **sich über alle S.n hinwegsetzen** to know no bounds; **S. hochziehen** to lift the barrier; **jdn in seine S.n weisen** to put so. in his place; **obere S.** ceiling
schranken|los *adj* unrestained, without limits; **S.wärter** *m* gatekeeper; **S.wert** *m* officially quoted security
Schrankfach *nt* 1. safe (box); 2. compartment; **S.gebühr** *f* safe deposit fee; **S.miete** *f* safe deposit rent
Schrank|koffer *m* trunk; **S.wand** *f* wall unit
Schraube *f* 1. screw, vice, vise *[US]*; 2. *(mit Mutter)* bolt; 3. ⚓/✈ propeller; **S. anziehen** to tighten the screw; **S. lösen** to loosen a screw
schrauben *v/t* to screw
Schrauben|dreher *m* screwdriver; **S.mutter** *f* nut; **S.schlüssel** *m* spanner, wrench; **S.winde** *f* jack screw; **S.zieher** *m* screwdriver
Schraubstock *m* ✿ vice *[GB]*, vise *[US]*
Schreber|garten *m* allotment; **S.gärtner** *m* allotment holder
Schrecken *m* terror, horror, fright, scare; **S.sbotschaft/S.nachricht** *f* horror news; **S.sherrschaft** *f* terror regime, reign of terror
Schreck|gespenst *nt* nightmare, spectre; **s.lich** *adj* terrible, dreadful, horrible, horrid, awful, grim; **S.schuss** *m* warning shot, deterrent action; **S.sekunde** *f* reaction time, moment of shock
Schrei *m* cry, shout, scream; **S. der Entrüstung** cry/howl of indignation; **der letzte S. sein** to be all the go/rage
Schreib|- secretarial, clerical; **S.abteilung** *f* typing

pool; **S.achse** *f* 🖳 print shaft; **S.anschluss** *m* 🖳 (document) writing feature; **S.anweisung** *f* 🖳 write statement; **S.arbeit** *f* clerical/paper/writing work, clerical job; **S.auslagen** *pl* clerical expenses; **S.automat** *m* 🖳 word processor; **S.bedarf** *m* stationery (articles), writing materials/supplies; **S.befehl** *m* 🖳 write instruction; **S.beihilfe** *f* secretarial allowance; **S.block** *m* memo-pad, scribbling/writing pad, notebook; **S.breite** *f* line width; **S.buchungsautomat** *m* typewriter bookkeeping machine; **S.büro** *nt* typing agency; **S.computer** *m* interrogating typewriter; **S.dichte** *f* 🖳 recording density; **S.dienst** *m* clerical service; **zentraler S.dienst** typing pool

Schreibe *f* *(coll)* literary style

Schreiben *nt* 1. letter, missive, note, communication, memorandum; 2. writing; **S. nach Diktiergerät** audio-typing; **S. und Rechnen** writing and arithmetic, literacy and numeracy; **bezugnehmend auf Ihr S.** referring/with reference to your letter; **aus einem S. herauslesen** to read into a letter

amtliches Schreiben official letter; **beanstandetes S.** minded letter; **beiliegendes S.** enclosed letter; **beleidigendes S.** libellous letter; **dringendes S.** urgent letter; **fingiertes S.** fictitious letter; **förmliches S.** formal letter; **formloses S.** formless letter; **im Bezug genanntes S.** letter indicated in the reference; **getrenntes S.** separate letter; **kurzes S.** note

schreiben *v/t* 1. to write/correspond, to inform in/by writing; 2. *(Zahlen)* to chalk up; **für jdn anonym s.** to ghost(write); **blind s.** to touch-type; **einander s.** to correspond; **falsch s.** to misspell; **groß s.** *(Orthografie)* to capitalize; **gut s.** to write well; **klein s.** to write with a small letter; **krank s.** to issue a sick note; **leserlich s.** to write a legible hand, ~ legibly; **neu s.** to rewrite/retype; **richtig s.** to spell/write correctly; **zu viel s.** to overwrite

Schreiber *m* writer, clerk, scrivener; **S.ling** *m* 1. pen-pusher; 2. *(Autor)* hack; **S.stelle** *f* clerkship

schreib|faul sein *adj* to be a lazy correspondent; **S.feder** *f* writing pen, quill; **S.fehler** *m* typing/clerical/literal error, slip of the pen, spelling mistake; **S.garnitur** *f* inkstand; **S.gebühr** *f* writing/copying fee; **S.gerät** *nt* writing utensil(s), logger; **S.heft** *nt* exercise book, copybook; **S.hilfe** *f* secretarial help, clerical assistance

Schreibkopf *m* recording/write/writing head, print element; **S.abdeckplatte** *f* head platform; **S.rücklauf** *m* carriage/carrier return

Schreib|kraft *f* (shorthand/copy) typist, writing clerk, secretarial help, girl Friday; **S.kräfte** secretarial/clerical staff, typing personnel; **S.krampf** *m* writer's cramp; **S.-Lese-Einrichtung** *f* write-read unit; **S.-locher** *m* 🖳 (printing) card punch; **S.mappe** *f* writing/document case; **S.marke** *f* 🖳 cursor

Schreibmaschine *f* typewriter; **mit der S. schreiben** to type; ~ **geschrieben** typed, typewritten; **elektrische S.** electric typewriter; **elektronische S.** electronic typewriter

Schreibmaschinen|band *nt* ribbon; **S.hülle** *f* dust cover; **S.manuskript** *nt* typescript; **S.papier** *nt* typewriting/typewriter paper; **festes S.papier** bound paper; **S.prüfung** *f* typewriting examination; **S.schrift** *f* typescript; **S.stuhl** *m* typist's chair; ~ **mit Rückenstütze** posture chair; **S.tisch** *m* typewriter/typist('s) desk, typist('s) table; **S.unterlage** *f* typewriter pad; **S.zeugnis** *nt* certificate of typing; **S.zubehör** *nt* typewriter accessories

Schreib|material *nt* stationery, writing materials; **S.papier** *nt* writing/note paper; **gutes S.papier** ledger paper; **S.personal** *nt* secretarial/typing staff; **S.pult** *nt* desk; **S.rad** *nt* print wheel, daisywheel; **S.saal** *m* typing/writing pool; **S.schrift** *f* handwriting, longhand; **S.sicherung** *f* proof feature; **S.-/Lesespeicher** *m* 🖳 random access memory (RAM); **S.station** *f* 🖳 printer terminal; **S.stelle** *f* print position; **S.steuerung** *f* 🖳 print entry control; **S.tätigkeit** *f* typing occupation; **S.telegraf** *m* writing telegraph

Schreibtisch *m* (writing) desk, writing table, bureau *[US]*; **S. mit Rollverschluss** roll-top desk; ~ **Zentralverschluss** desk with centre drawer locking system; **an den S. gebunden** desk-bound

Schreibtisch|arbeit *f* desk work; **S.forschung** *f* desk research; **S.garnitur** *f* inkstand; **s.groß** *adj* desk-sized; **S.lampe** *f* desk/bureau *[US]* lamp; **S.sessel** *m* (writing) desk armchair; **S.tätigkeit** *f* desk/office work; **S.test** *m* 🖳 desk check, dry run; **S.unterlage** *f* desk/writing pad

Schreib|übung *f* writing exercise; **S.unterlage** *f* desk/writing pad; **S.unterricht** *m* writing lesson; **S.utensil** *nt* writing utensil; **S.verfahren** *nt* 🖳 recording mode; **S.vorbereitung** *f* preparations for typing; **S.vorlage** *f* (rough) copy; **S.wagen** *m* carriage

Schreibwaren *pl* stationery; **S.geschäft/S.handlung** *nt/f* stationer's (shop), stationery store *[US]*; **S.händler** *m* stationer

Schreib|weise *f* 1. style; 2. spelling; 3. notation; **halblogarithmische S.weise** floating-point representation; **S.weite** *f* line width; **S.werkzeug** *nt* writing utensil; **S.zeit** *f* typing hours; **S.zentrale/S.zimmer** *f/nt* typing/secretarial/writing pool, typists' room; **S.zeug** *nt* writing materials

Schreiner *m* joiner

Schrift *f* 1. writing, hand writing; 2. publication; 3. type(face), font

beschimpfende/ehrenrührige Schrift libel, libellous publication; **fette S.** ▯ bold type; **halbfette S.** ▯ secondary bold (type), blank face; **krakelige S.** spidery handwriting; **kursive S.** ▯ italics; **lichte/magere S.** ▯ light(-faced) type; **leserliche S.** legible handwriting; **miserable S.** atrocious handwriting; **normale S.** standard type; **obszöne S.** obscene publication; **schlechte S.** bad hand; **schmale S.** ▯ lean type; **staatsgefährdende/verfassungsfeindliche S.en** seditious literature; **unleserliche S.** illegible handwriting

Schrift|art/S.bild *f/nt* typeface, script, font; **S.bildträger** *m* image master

Schriften|leser *m* character reader; **S.nachweis/S.verzeichnis** *m/nt* bibliography; **S.reihe** *f* publication series; **S.vertrieb** *m* 1. dispatching service; 2. dissemination of publications

Schriftform *f* written form; **in S.** in writing; **gesetzliche**

S. writing prescribed by law; **S.klausel** *f* written form clause; **S.pflicht** *f* statutory written form

Schriftführer *m* recorder, recording/(record) clerk, reporter, secretary (to the board); **ehrenamtlicher S.** honorary secretary

Schrift|größe *f* type size; **S.guss** *m* letter founding; **S.gut** *nt* documents and records; **S.gutachten** *nt* graphological analysis; **S.gutregistratur** *f* filing system for written material; **S.information** *f* written information, information in writing; **S.kopf** *m* type font; **S.leiter** *m* editor; **S.leitung** *f* 1. editorial staff/board, board of editors; 2. editorship

schriftlich *adj* written, in writing, by letter, in black and white, under one's own hand

Schriftlichkeit *f* written form, requirement that sth. be put in writing; **S.sprinzip** *nt* principle of documentation

Schrift|linie *f* print line; **unter der S.linie** inferior; **S.muster/S.probe** *nt/f* type specimen, specimen of writing; **S.sache** *f* written matter; **S.sachverständiger** *m* graphologist, forensic handwriting examiner

Schriftsatz *m* 1. composition; 2. [§] brief, statement of the case, written plea, pleading; **S. aufsetzen** to draw up a pleading; **S. einreichen** to submit/file a brief, to submit a written statement; **jdm einen S. zustellen** to serve a writ on so.

ergänzender Schriftsatz bill of particulars, supplemental pleading; **erweiterter S.** supplemental bill; **gefertigter S.** filed proceedings; **handgesetzter S.** hand composition; **maschinengesetzter S.** machine composition; **nachgereichter S.** subsequently filed brief; **vorbereitete Schriftsätze** briefs, pleadings

Schrift|schild *nt* name-board, shingle *[US]*; **S.schreiben** *nt* lettering; **S.seite** *f (Münze)* reverse; **S.setzen** *nt* typesetting, composition; **S.setzer** *m* typesetter, compositor; **S.setzerei** *f* composition, composing; **S.spiegel** *m* type face

Schriftsteller *m* author, writer, man of letters; **produktiver S.** prolific author; **S.beruf** *m* literary profession; **S.ei** *f* writing; **von der ~ leben** to live by the pen; **S.honorar** *nt* royalty; **s.isch** *adj* literary; **s.n** *v/i* to write; **S.name** *m* pen name, nom de plume *[frz.]*; **S.tantieme** *f* royalty

Schriftstück *nt* document, paper, instrument, memorandum, act, (piece of) writing; **S.e** papers; **~ der Gesellschaft** (official) documents of the company; **S. abfassen** to draft a document, to compose a piece of writing; **amtliches S.** official document; **amtliche S.e** official papers, state documents; **angeführte S.e** cited documents; **ausgefülltes S.** completed document; **eigenhändiges S.** holograph; **maschinengeschriebenes S.** typescript; **vertrauliches S.** confidential document

Schrift|träger *pl* written records; **S.tum** *nt* literature; **S.tumsnachweis** *m* bibliography; **S.vergleich** *m* comparison of handwriting; **S.verkehr** *m* (commercial) correspondence; **amtlicher S.verkehr** official correspondence; **S.waren austauschen** *pl* to exchange documents; **S.wart** *m* secretary

Schriftwechsel *m* correspondence, exchange of letters; **S. erledigen** to handle the correspondence; **amt-/dienstlicher S.** official correspondence; **bisheriger S.** previous correspondence; **laufender S.** current correspondence; **unerledigter S.** unsettled/pending correspondence

Schrift|zeichen *nt* character, type, graphic sign; **S.zug** *m* lettering

Schritt *m* 1. step, move; 2. pace; 3. footstep; **S. zur friedlichen Beilegung** peace move; **S. zum Erfolg** step up the ladder; **S. in die richtige Richtung** step in the right direction; **S. für S.** step by step, gradually; **S. in die Selbstständigkeit** venture into independence, setting up on one's own; **S. nach vorn** stride forward

Schritt fahren! dead slow

jdm gerichtliche Schritt|e ankündigen to serve so. with notice of legal action; **S.e einleiten** to inititate moves, to take steps; **gerichtliche ~ einleiten/ergreifen** to institute legal proceedings, to bring legal action, to take legal steps; **umgehend ~ ergreifen** to take immediate steps; **S. fahren** to crawl; **jdm auf S. und Tritt folgen** to shadow so.; **S. halten mit** to keep abreast of/with, ~ pace/in step with; **den ersten S. tun** to make the first move, to take the initiative; **S.e unternehmen** to take action/steps; **gerichtliche ~ unternehmen** to take legal action/steps, to commence/institute legal proceedings; **vermittelnde ~ unternehmen** to mediate/intercede; **weitere ~ unternehmen** to take further steps/proceedings; **S. vorankommen** to make headway/progress; **den entscheidenden S. wagen** to take the plunge; **auf S. und Tritt verfolgt werden** to be shadowed everywhere; **in kleinste S.e zerlegen** *(Arbeit)* to fragment

diesbezügliche Schritt|e steps in this direction; **einleitende S.e** preliminary steps; **erforderliche S.e** required measures, remedial action; **erster S.** first step, approach; **geeignete S.e** appropriate action; **gerichtliche S.e** legal action/proceedings; **juristische/rechtliche S.e** legal steps/moves; **steuerliche S.e** tax moves

Schrittmacher *m* pacemaker, pacesetter; **S.dienste** *pl* pacemaking; **S.rolle** *f* pacemaker's role

Schritt|maß *nt* pace, speed; **S.tempo** *nt* dead slow; **s.weise** *adj* gradual, step-by-step, piecemeal, progressive, by degrees, stage by stage; **S.zähler** *m* step counter

schroff *adj* 1. abrupt, brusque, short-spoken; 2. steep; **S.heit** *f* abruptness, brusqueness, shortness

schröpfen *v/t (coll)* to fleece *(coll)*, to squeeze money out of so.

Schrot *m* 1. pellet, buckshot; 2. wholemeal

Schrott *m* scrap (metal), waste, wastage, junk; **S. und Abfall** scrap and waste; **zu S. erklären** to junk

Schrott|berg *m* scrap pile/heap, pile of scrap; **S.eisen** *nt* scrap iron; **S.erlös** *m* proceeds from scrap sales; **S.firma** *f* scrap company; **S.handel** *m* scrap trade; **S.händler** *m* scrap merchant/dealer; **S.haufen** *m* scrap heap/pile; **auf den ~ werfen** to scrap; **S.markt** *m* scrap metal market; **S.platz** *m* scrap/junk yard; **S.preis** *m* scrap price; **S.presse** *f* scrap/junk press; **s.reif** *adj* ready for the scrap heap; **S.rücklauf** *m* return of scrap; **S.verarbeiter** *m* scrap (metal) processor; **S.verarbeitung** *f* scrap processing; **S.verkäufe** *pl* scrap sales; **S.wert** *m* 1. scrap/recovery/residual/junk/salvage value; 2. ⚓ break-up value; **S.wertanrechnung** *f (Vers.)* salvage; **S.zettel** *m* scrap ticket

Schrumpfen der Margen/Spannen *nt* slippage in/of margins; **s.** *v/i* to contract/shrink/dwindle/decline/diminish/downsize, to tail off, to slim down; **s.d** *adj* dwindling, contracting

Schrumpf|folie *f* shrunk foil, skrink-wrap; **in ~ verpacken** to shrink-wrap; **S.prozess** *m* rundown

Schrumpfung *f* 1. contraction, shrinkage; 2. diminution, decline, slimming-down process, negative growth; **S. der Auftragsbestände** falling orders; **S.sprozess** *f/m* contractive/contractionary process; **konjunktureller S.sprozess** cyclical contraction; **S.srate** *f* rate of contraction

Schub *m* 1. push, shove; 2. jump, wave; 3. *(Anzahl)* batch; 4. *(Rakete)* thrust; **inflationärer S.** inflationary push

Schub|einheit *f* *(Binnenschifffaht)* pusher-tug unit; **S.fach** *nt* drawer, pigeonhole; **S.kahn** *m* push(er) barge; **S.karre** *f* wheelbarrow, pushcart; **S.kraft** *f* ✈ thrust

Schublade *f* drawer; **in der S. liegen** *(fig)* to be kept in reserve; **S.npatent** *nt* blocking patent; **S.nplan** *m* contingency plan; **S.nplanung** *f* contingency planning

Schubs *m* *(coll)* push, shove

Schub|schiff *nt* push(er) barge, ⚓ push vessel; **S.schifffahrt** *f* pusher navigation; **S.verarbeitung** *f* 🖳 batch processing; **~ von externen Zwischenspeichern** remote job entry, ~ computing; **S.verband** *m* ⚓ pusher unit/formation; **S.wanderung** *f* migratory movement; **s.weise** *adj* in batches

Schuft *m* villain, scoundrel, blackguard

schuften *v/i* *(coll)* to slave/beaver away, to toil/graft/plod, to be hard at work

Schufterei *f* *(coll)* drudge(ry)

Schuh *m* 1. shoe; 2. boot; **jdm etw. in die S.e schieben** *(fig)* to lay the blame at so.'s door *(fig)*, to put the blame on so.; **nicht in jds S.en stecken mögen** not to like to be in so.'s shoes; **wissen, wo der S. drückt** to know where the shoe pinches

Schuh|bedarfsartikel *pl* footwear requisites; **S.einzelhandelsunternehmen** *nt* shoe retailer; **S.industrie** *f* footwear industry; **S.karton** *m* shoe box; **S.waren/S.werk/S.zeug** *pl/nt* footwear

Schulabgang *m* school-leaving; **Schulabgänger(in)** *m/f* school leaver; **S.salter** *nt* school-leaving age; **S.szeugnis** *nt* school-leaving certificate

Schul|amt *nt* local education authority, education office *[GB]*, school board *[US]*; **S.amtsleiter(in)** *m/f* director of education; **S.anmeldung** *f* enrolment; **S.arbeit(en)/S.aufgabe(n)** *f/pl* homework; **~ machen** to do homework

Schulaufsicht *f* school/education inspectorate, school inspection department; **S.sbehörde** *f* (local) education authority, board of education; **S.srat** *m* board of governors, school board

Schul|ausbildung *f* school education; **S.ausflug** *m* school trip/excursion; **S.ausgaben** *pl* educational expenses; **S.ausschuss** *m* education committee; **S.-bank** *f* bench; **~ drücken** to go to school; **S.bedarf** *m* school requirements; **S.beginn** *m* 1. beginning of the school year; 2. beginning of the term; **S.behörde** *f* education authority *[GB]*, school board *[US]*; **S.beispiel** *nt* test case, perfect example; **S.besuch** *m* school attendance; **S.bezirk** *m* school district, catchment area *[GB]*; **S.bildung** *f* (academic/school) education, educational qualifications; **S.buch** *nt* school book, textbook; **S.buchsektor** *m* educational publishing; **S.buchverlag** *m* educational publisher; **S.bus** *m* school bus

Schuld *f* → **Schulden** 1. debt, liability, (sum) due, obligation, money owing; 2. *(Verschuldung)* indebtedness; 3. blame, fault; 4. guilt, wrong; **S. älteren Datums** old debt; **S. mit Konventionalstrafklausel** penal obligation; **S. aus gesiegeltem Vertrag** specialty debt

Schuld abarbeiten to work off a debt; **S. abführen** to settle a debt; **S. ablösen** to redeem a debt: **S. absichern** to secure a debt; **S. durch Hypothek absichern** to secure a debt by mortgage; **~ Pfandbestellung absichern** to collaterate a debt; **S. abstreiten** to deny blame/responsibility; **S. abtragen/abzahlen** to redeem a debt; **S. auf einen anderen abwälzen** to put the blame on(to) so. else; **S. anerkennen** 1. to acknowledge/recognize/admit a debt; 2. to admit reponsibility; 3. § to plead guilty; **S. nicht anerkennen** 1. to repudiate/renounce a debt; 2. § to plead not guilty; **S. anstehen lassen** to defer payment; **S. anwachsen lassen** to allow a debt to grow; **jdm die S. aufbürden** to put the blame on(to) so.; **S. ausgleichen** to balance/compensate a debt; **S. auswechseln** to substitute a debt; **S. avalieren** to stand security for a debt; **S. begleichen** to settle/discharge/satisfy a debt, to fund; **S. beitreiben** to recover a debt; **S. bestreiten** to dispute a claim; **S. hinreichend beweisen** to establish the guilt beyond reasonable doubt; **S. bezahlen** to pay (off)/retire a debt; **seine S.en bezahlen** to meet one's debts, to discharge one's liabilities; **S. nicht bezahlen** to default on a debt; **für eine S. bürgen** to stand security for a debt; **S. einfordern** to claim a debt; **S. eingehen** to contract a debt, to incur a liability; **S. einklagen** to sue for a debt; **S. einlösen** to redeem a debt; **für eine S. einstehen** to guarantee/answer (for) a debt; **S. eintreiben** to collect/recover a debt; **jdn einer S. entheben** to release so. from a liability; **S. entrichten** to discharge a debt; **S. erfüllen** to satisfy a debt, to perform an obligation; **S. erlassen** to waive/relinquish/remit/forgive a debt; **S. feststellen** to establish fault, to fix the blame; **jdm die S. geben** to blame so., to put the blame on so.; **S. haben** to be at fault, ~ responsible, the fault lies with so.; **für eine S. haften** to be liable for a debt; **S. konsolidieren** to fund a debt; **S. anwachsen lassen** to run up debts; **S. leugnen** 1. to deny responsibility; 2. § to plead not guilty; **S. löschen** to pay off/cancel a debt; **S. auf sich nehmen** to take the blame, to admit responsibility; **S. auf jdn schieben** to shift the blame onto so.; **S. von sich schieben** to deny one's guilt; **s. sein; S. tragen** to be to blame, ~ at fault; **tief in jds S. stecken** to be deeply indebted to so.; **S. tilgen** to redeem/amortize a debt; **S.**

übernehmen to assume a claim; **S. umwandeln** to convert a debt; **sich für eine S. verbürgen** to guarantee a debt; **S. wiedergutmachen** to right a wrong; **S. zugeben** to confess, to admit guilt/responsibility; **S. zurückzahlen** to pay off/repay/retire a debt; **jdm die S. zuschieben/zuweisen** to blame so., to lay/put/stick the blame on so.

abgetragene Schuld paid-up debt; **gerichtlich anerkannte S.** judgment debt; **antizipative/antizipatorische S.** accrued liability; **aufgelaufene S.** accumulated debt; **aufteilbare S.** severable obligation, classifiable debt; **ausstehende S.** outstanding debt/balance; **beglichene S.** settled debt; **beitreibbare S.** recoverable debt; **in Schuldverschreibung bestehende/fundierte S.** bonded debt; **bestehende S.** existing debt; **bevorrechtigte S.** preferred/privileged/senior/secured debt; **bewehrte S.** penal obligation; **bezahlte S.** liquidated debt; **buchmäßige S.** book debt; **dingliche S.** real obligation; **drückende S.** pressing debt; **einklagbare S.** enforceable debt; **erhebliche S.en** heavy debts; **fällige S.** debt owing, matured debt/liability; **faule S.** bad debt; **festgestellte S.** liquidated debt; **gerichtlich ~ S.** judgment debt; **frühere S.** antecedent/previous debt; **fundierte/konsolidierte S.** funded/consolidated/unified/permanent debt; **dinglich gesicherte S.** debt secured by collateral, ~ by mortgage or pledge; **hypothekarisch ~ S.** mortgaged debt; **getilgte S.** discharged debt; **kurzfristige S.** short-term debt; **langfristige S.** long-term debt; **laufende S.** current/pending debt; **nachrangige S.** subordinate debt; **obligatorische S.** civil debt; **öffentliche S.** public debt; **persönliche S.** personal obligation, private debt; **reine S.** net indebtedness; **rentierliche S.** interest-bearing debt; **restliche S.** surviving debt; **rückständige S.** arrears; **schwebende S.** unsettled/pending/floating/unfunded debt, floating charge, short-term debt; **städtische S.** municipal debt; **stehende S.** consolidated/funded debt; **überwiegende S.** § predominance of guilt; **unablösliche S.** perpetual debt; **unbediente S.** unserviced debt; **uneinbringliche S.** irrevocable/bad debt; **unfundierte S.** floating debt; **ungedeckte/ungesicherte S.** unsecured debt; **ungetilgte S.** unredeemed debt; **unverbriefte S.** non-bonded debt; **unverzinsliche S.** passive/non-interest-bearing debt; **verbriefte S.** specialty/bonded debt; **verjährte S.** (statute-)barred/stale debt; **vertagte S.** deferred debt; **verwirkte S.** stale debt; **verzinsliche/zinstragende S.** active/interest-bearing debt; **eventuell zu zahlende S.** contingent debt

Schuld|abänderung *f* change of obligation; **S.ablösung** *f* refunding of a debt; **S.abtreter** *m* expromissor; **S.abtretung** *f* expromission

Schuldanerkenntnis *f* 1. bill of debt, acceptance/acknowledgment/recognition of a debt, acknowledgment/certificate of indebtedness, recognizance, IOU (I owe you); 2. § confession statement; **abstrakte S.** § express assumpsit; **deklaratorische S.** IOU (I owe you); **negative S.** full discharge, acknowledgment of non-indebtedness; **schriftliche S.** cognovit *(lat.)* note; **S.erklärung** *f* § confession statement; **S.klage** *f* special assumpsit *(lat.)*; **S.schein** *m* judgment note

Schuld|anerkennung *f* certificate/bond/acknowledgment of indebtedness; **S.arrest** *m* detention/committal for debt(s); **S.aufnahme** *f* borrowing; **S.ausgleich** *m* clearing/compensation of a debt; **S.ausschließungsgrund** *m* § lawful excuse, reason precluding punishability; **S.ausschluss** *m* exemption from liability for negligence; **S.auswechslung** *f* substitution of debt; **s.befreiend** *adj* debt-discharging; **S.befreiung** *f* discharge of debt; **S.begleichung** *f* settlement/payment/clearing of a debt; **S.begleichungsurkunde** *f (Hypothek)* satisfaction piece; **S.beitreibung** *f* collection of a debt; **S.beitritt** *m* cumulative assumption of debts; **S.bekenntnis** *nt* § plea of guilty, admission of guilt; **S.bereinigung** *f* clearing of a debt; **S.bescheinigung** *f* certificate of indebtedness; **S.betrag** *m* amount owing/owed; **verbleibender S.betrag** balance due

Schuldbeweis *m* proof of guilt, inculpatory evidence; **S. nicht erbracht** not proven; **der S. ist nicht gelungen** the guilt has not been established beyond reasonable doubt

Schuld|bewusstsein *nt* 1. consciousness of guilt, guilty knowledge; 2. mens rea *(lat.)*; **S.brief** *m* borrower's/mortgage note, certificate of indebtedness

Schuldbuch *nt* debt register; **S.eintragung** *f* entry in the debt register; **S.forderung/S.titel** *f/m* registered debt, debt register claim; **S.giroverkehr** *m* debt register claim giro transfer system

Schuldeingeständnis *nt* confession of guilt

Schulden *pl* → **Schuld** debts, liabilities, indebtedness, arrears, (the) red, accounts receivable/payable, arrearage; **ohne S.** unencumbered, in the black; **bis über die/beide Ohren in S.** up to the eyes in debt; **frei von S.** unencumbered; **~ allen S.** clear of all debts; **mit S. belastet** encumbered, bonded; **S. der AG** corporate debts; **öffentliche S. ohne Auslandsverbindlichkeiten** internal public debt; **S. der Firma** company debts; **~ Gesellschaft** partnership debt; **~ öffentlichen Hand** public (authorities') debt; **S. zu variablen Zinssätzen** floating-rate debt

Schulden abbauen to reduce debts; **S. abbezahlen** to pay off debts; **S. (ab)decken** to cover debts; **S. abschreiben** to write off debts; **S. abtragen/abzahlen** to pay off debts; **S. anhäufen** to pile up debts; **S. annullieren** to wipe off debts; **S. aufnehmen** to contract debts; **S. begleichen** to pay/discharge/clear/settle debts, to settle/honour obligations, to meet one's debts; **S. beitreiben** to recover debts; **S. bevorschussen** to factor debts; **S. bezahlen** to pay/liquidate debts, to pay dues; **S. eingehen** to contract/incur/acquire debts; **ausstehende S. einkassieren** to recover outstanding debts; **S. gerichtlich eintreiben** to enforce payment; **S. erlassen** to abate debts; **S. haben bei jdm** to be indebted to so.; **massig S. haben; S. wie Sand am Meer haben** *(coll)* to be head over heels in debt *(coll)*; **S. zu vertreten haben; für S. haften** to be liable for debts; **S. konsolidieren** to consolidate debts; **S. kontrahieren** to incur debts; **S. auflaufen lassen** to accumulate debts; **S. machen** to contract/incur debts, to fall/run into debt, to go tick *(coll)*, to run up a score; **S. niederschlagen** to waive debts; **seine S. regeln** to settle one's debts; **in S. stecken** to be in the red; **bis über die/beide Ohren ~ stecken; tief ~ stecken** to be up to the ears in debt, ~ head over heels in debt; **sich ~ stürzen** to run up debts, to plunge into debt; **S. tilgen** to pay off/redeem debts, to repay/liquidate a debt, to satisfy one's liabilities; **S. durch Vergleich tilgen** to compound; **S. übernehmen** to assume debts; **S. zurückzahlen** to repay/discharge one's debts, to pay off a debt

antizipative Schulden accrued liabilities; **aufgelaufene S.** accumulated debts; **aufgenommene S.** borrowings; **vor der Masseverteilung zu begleichende/ bevorrechtigte S.** preferred/preferential debts; **buchmäßige S.** accounts payable (for supplies and services); **(er)drückende S.** heavy/pressing/crippling debts; **eingegangene S.** debts contracted; **eingetriebene S.** debts recovered; **nach dem Ausscheiden entstandene S.** post-retirement debts; **faule S.** bad debts; **feste S.** fixed debt(s); **gerichtlich festgestellte S.** judgment debts; **fundierte S.** funded/fixed debts; **gesamtschuldnerische S.** joint and several debts; **gestundete S.** deferred liabilities; **haushohe S.** *(fig)* vast debts; **kurzfristige S.** floating debt; **laufende S.** running debts; **nachweisbare S.** provable debts; **persönliche S.** private debts; **kurzfristig rückzahlbare S.** quick liabilities; **schwebende S.** running debts; **uneinbringliche S.** irrecoverable debts; **ungewisse S.** contingent liabilities/debts; **unsichere S.** uncertain debts; **unverzinsliche S.** passive debts; **zweifelhafte S.** bad debts

schulden *v/t* to owe, to be in debt

Schulden|abbau *m* reduction of debts, debt retirement/reduction; **S.abkommen** *nt* agreement on debts, debt agreement, arrangement with creditors; **S.ablösung** *f* redemption of debts; **S.anteil** *m* debt portion; **S.art** *f* debt category; **S.aufnahme** *f* borrowing, debt issue, contraction of debts; **staatliche S.aufnahme** government/public(-sector) borrowing, government debt issue; **S.begleichung** *f* payment/liquidation of debts; **S.beitreibung** *f* collection of debts; **s.belastet** *adj* encumbered, burdened with debts; **S.belastung** *f* encumbrance; **S.bereinigung** *f* debt settlement

Schuldenberg *m* mountainous debts, debt overhang/ burden/mountain; **riesiger S.** vast debts; **einen riesigen S. vor sich herschieben** to be weighed down with enormous debts

Schuldendeckel *m* debt limitation

Schuldendienst *m* 1. debt service/servicing/costs, debt servicing charges, debt service payments/bill; 2. *(Anleihe)* service costs; **S. der öffentlichen Hand** public sector debt servicing; **S. leisten** to service a debt; **S.belastung/S.last** *f* burden of service cost, debt service burden; **S.leistungen** *pl* debt service payments; **S.moratorium/S.unterbrechung** *nt/f* moratorium on principal and interest; **S.quote** *f* debt service ratio; **S.rechnung** *f* debt service statement

Schulden|eintreiber *m* debt collector; **S.eintreibung/S.einziehung** *f* debt collection; **S.erlass** *m* remission of debts, acquittance, release from debt(s), bad debt release/relief; **S.falle** *f* debt trap; **s.frei** *adj* 1. unindebted, debt-free, free of debt, without debt, clear (of debts), free and clear; 2. *(Hypothek)* unencumbered, unmortgaged, free from encumbrances; **~ sein** to be out of debt; **S.haftung** *f* liability for debts; **S.handhabung** *f* debt management; **S.höhe** *f* debt burden; **S.konsolidierung** *f* debt funding, consolidation of debts; **S.konto** *nt* debtor account; **S.krise** *f* debt crisis; **S.last** *f* burden of debts, debt burden/load/charge, accounts payable (for supplies and services); **große S.last** heavy debt; **S.liste** *f* debt collection letter; **S.macher** *m* contractor of debts; **S.management** *nt* debt management; **S.manager** *m* debt manager; **S.markt** *m* debt market; **S.masse** *f* liabilities, total of indebtedness; **S.moratorium** *nt* debt moratorium, deferral of repayment; **S.nachlass** *m* debt relief; **S.nachweis** *m* proof of debt; **S.politik** *f* 1. borrowing policy; 2. debt management; **S.quotient** *m* debt gross assets ratio; **S.regelung** *f* 1. debt agreement; 2. arrangement concerning one's debts, ~ with creditors; **S.regelungsvertrag** *m* deed of composition; **S.regulierung** *f* settlement of debts; **S.rückführung** *f* debt reduction; **S.rückstand** *m* arrears; **S.rückzahlung** *f* repayment of debts, debt redemption/retirement; **periodische S.rückzahlung** amortization; **S.saldo** *m* debt/ debit balance; **S.seite** *f* (the) red; **S.senkung** *f* debt reduction; **S.stand** *m* level of indebtedness, debt position; **S.standserhebung** *f* debt census; **S.streichung** *f* extinguishment of debt; **S.tausch** *m* debt swap

Schuldentilgung *f* debt repayment/redemption/clearance, discharge/repayment/extinction of debts, amortization; **S.sfonds/S.skasse** *m/f* sinking fund; **S.splan** *m* redemption plan; **S.srate** *f* sinking-fund instalment; **S.srücklage** *f* sinking-fund reserve

Schuldentlastung *f* discharge of an obligation

Schulden|überhang *m* net debt, excess of debt over assets, overhang of debt; **S.umwandlung** *f* debt rescheduling/conversion; **S.verwaltung** *f* debt management; **S.verzeichnis** *nt* schedule of debts; **S.zahlung** *f* payment of debt; **S.zuwachs** *m* debt expansion

Schuld|erlass *m* debt relief, remission of debt, (ac)quittance; **teilweiser S.erlass** abatement of debts; **S.fähigkeit** *f* § criminal responsibility, culpability; **verminderte S.fähigkeit** diminished responsibility; **S.feststellung** *f* determination of fault

Schuldforderung *f* claim (for payment of a debt); **S.en** accounts receivable; **S. abtreten** to assign a debt; **uneintreibbare S.** irrecoverable debt

Schuld|frage *f* question of guilt; **S.geständnis** *nt* 1. admission/confession of guilt; 2. § plea of guilty; **s.haft** *adj* culpable, negligent, faulty; **S.höhe** *f* amount of indebtedness

schuldig *adj* 1. § guilty; 2. blameworthy, to blame; 3. owing, payable; **nicht s.** not guilty; **jdn für s. befinden/erkennen/erklären** to find so. guilty, to convict; **sich s. bekennen** to plead guilty; **jdm nichts s. bleiben** to give so. tit for tat; **sich für nicht s. erklären** to plead not guilty; **s. sein** 1. to be guilty; 2. to be at fault; **jdm etw. s. sein** to owe so. sth.; **zu gleichen Teilen s. sein** to be equally to blame; **(jdn) s. sprechen** to find guilty, to return a verdict of guilty

Schuldige(r) *f/m* 1. offending/guilty party; 2. party at fault, culprit

Schuldig|erklärung *f* § plea of guilty, nolo contendere *(lat.)*; **S.keit** *f* duty; **seine ~ tun** to do one's part/duty; **S.sprechung** *f* § conviction

Schuldirektor *m* headmaster, principal; **S.in** *f* headmistress

Schuld|kapital *nt* borrowed capital; **S.klage** *f* action of debt; **S.konto** *nt* debit balance; **S.lehre** *f* § doctrine of guilt; **s.los** *adj* innocent, not guilty, blameless, guiltless; **S.losigkeit** *f* innocence; **S.mitübernahme** *f* cumulative assumption of debt; **S.nachlass** *m* remission/cancellation of debt

Schuldner|(in) *m/f* 1. debtor, borrower, payer, liable party; 2. *(Obligation)* obligor, obligator; **S. bedrängen** to dun a debtor; **als S. eintreten** to assume liability as debtor

bedrängter Schuldner hard-pressed debtor; **in Verzug befindlicher S.** defaulter, cessor; **fauler S.** bad debtor; **flüchtiger S.** absconding/fugitive debtor, absconder; **gepfändeter S.** attached debtor; **persönlicher S.** personal/contractual debtor; **pfändungsfreier S.** poor debtor; **säumiger S.** debtor in arrears/default, defaulter, defaulting/slow/delinquent debtor; **schlechter S.** bad debtor; **unsicherer S.** dubious debtor; **unbekannt verzogener S.** absconding debtor; **zahlungsfähiger S.** solvent debtor; **zahlungsunfähiger S.** defaulter, insolvent/bad/defaulting debtor

Schuldner|adresse *f* borrower; **S.arbitrage** *f* debtor arbitrage; **S.begünstigung** *f* preference of debtors; **S.benachrichtigung** *f* notice to the debtor; **S.firma/S.gesellschaft** *f* debtor company; **S.gewinn** *m* debtor's gain

Schuldnerin *f* debitrix, female debtor

Schuldner|land *nt* debtor/borrowing country, debtor nation; **S.mehrheit** *f* plurality of debtors; **S.position** *f* debtor position; **S.quote** *f (EWS)* debtor quota; **S.-schaft** *f* debtorship; **S.schutz** *m* protection of debtors, mitigation of hardship for innocent debtors; **S.staat** *m* debtor nation; **S.vermögen** *nt* debtor's property; **S.vernehmung** *f* § questioning of a debtor, discovery in aid of execution; **S.verpflichtung** *f* debtor's duty; **S.verzeichnis** *nt* defaulter book; **S.verzug** *m* default, debtor's delay, culpable delay by obligor; **S.zentralbank** *f* debtor central bank

Schuld|papier *nt* debt security; **S.posten** *m* debit (item), liability item; **S.prinzip** *nt (Scheidung)* fault principle; **S.recht** *nt* law of contract/obligations, contract law, obligatory right; **auf Vermögensausgleich gerichtetes S.recht** remedial obligatory right; **s.rechtlich** *adj* contractual, under the law of obligations; **S.rest** *m* balance due; **S.saldo** *m* debit balance; **S.salden** *(EWS)* debtor balances

Schuldschein *m* 1. bond, promissory note (P.N.), IOU (I owe you), (demand) note *[US]*, note (of hand), certificate/bond of indebtedness; 2. debenture, (bond of) obligation, capital/borrower's/government/loan note, credit instrument/security/document, commercial paper, bill of accommodation/debt, bill under its own bond, recognizance, memorandum of debt, instrument of credit, single-name paper

Schuldschein mit gleichbleibenden Bedingungen closed bond; **kurzfristige S.e von Körperschaften** short-term corporate notes; **S. mit dem Recht vorzeitiger Rückzahlung; ~ vorzeitiger Rückzahlungsmöglichkeit** acceleration note; **~ Tilgung kurz vor Fälligkeit** balloon note; **~ Unterwerfungsklausel** *(Teilzahlungsgeschäft)* judgment/instalment *[US]* note; **~ variabler Verzinsung; ~ Zinsanpassung; ~ variablem Zinssatz** floating rate note; **~ Zinsschein** coupon bond

durch Schuldschein gesichert bonded, debentured; **S. ausstellen** to sign a bond; **S. einlösen** to discharge a bond

erstklassig abgesicherter Schuldschein iron-clad note; **abgezinster S.** discounted note; **bedingter S.** conditional bond; **erneuerter S.** lock-up note; **gesicherter S.** secured note; **dinglich ~ S.** collateral note; **hypothekarisch ~ S.** principal note; **kurzfristiger S.** short(-term) note *[US]*, interim bond; **lombardgesicherter S.** secured note; **nachrangiger S.** junior/subordinated note; **steuerfreier S.** National Savings Bond *[GB]*, tax-exempt note *[US]*; **uneingeschränkter S.** absolute bond; **ungesicherter S.** 1. unsecured bond/note, bill of credit, plain bond; 2. junk bond *[US]*; **verlängerter S.** renewed note; **vorläufiger S.** interim bond

Schuldschein|aussteller *m* recognizor; **S.besitzer** *m* bondholder, warrant creditor; **S.darlehen** *nt* note/debenture/private loan, borrower's note loan, loan on bond, ~ against promissory note; **fortlaufend prolongiertes S.darlehen** revolving credit; **S.forderung** *f* bonded debt, claim covered by promissory note, schuldschein claim; **S.geschäft** *nt* borrower's note business; **S.inhaber** *m* bondholder, note holder, warrant creditor; **S.markt** *m* borrower's note loan market; **S.rahmenarrangement** *nt* note issuance facility (NIF); **S.zertifikat** *nt* certificate of indebtedness

Schuldspruch *m* § conviction, verdict of guilty, guilty verdict, finding of guilt; **S. aufheben** § to quash a conviction; **S. bestätigen** to uphold a verdict/conviction; **S. fällen/verkünden** to return a verdict (of guilty)

Schuld|strafrecht *nt* (system of) criminal law based on the requirement of personal guilt; **S.summe** *f* sum owed, amount/level of debt; **S.teil** *m* debt item; **S.teile** liabilities, accounts payable; **S.tilgung** *f* debt redemption, discharge of debt; **S.titel** *m (Wertpapier)* debt instrument, instrument of indebtedness; enforceable legal document; **vollstreckbarer S.titel** § writ of execution for service

Schuldübernahme *f* assumption (of debt/liability), assumed liability, substitution of debt; **befreiende S.** perfect delegation, assumption of debt with full discharge of original debtor; **nicht ~ S.** imperfect delegation; **kumulative S.** cumulative assumption of debt; **S.verhandlung** *f* loan rescheduling negotiation(s); **S.vertrag** *m* indemnity contract, assumption agreement

Schuld|übernehmer *m* substituted debtor, expromissor; **S.übertragung** *f* assignment of debt, transfer of indebtedness; **~ für Fremdeinzug** debts passed on for collection; **S.überweisung** *f* delegation; **S.umwandlung** *f* conversion of debt, novation

Schuldurkunde *f* bond, debt instrument/certificate, instrument of indebtedness, acknowledgement of debt, mortgage deed; **S. mit festgesetzter Konventionalstrafe** penal bill; **hypothekarisch gesicherte S.** mortgage note

Schuldurteil *nt* judgment for the recovery of a debt

Schuldverhältnis *nt* § contractual obligation/relationship, obligatory relationship, obligation; **S. aus unerlaubter Handlung** delictual obligation; **doppelseitiges S.** mutual indebtedness; **gesetzliches S.** obligation created by operation of law; **rechtsgeschäftliches S.** contractual obligation, obligation under contract; **ursprüngliches S.** original liability; **vererbliches S.** heritable obligation

Schuld|vermächtnis *nt* legacy by acknowledgement of debt; **S.vermutung** *f* § presumption of guilt

Schuldverpflichtung *f* liability, obligation; **seinen S.en nachkommen** to meet one's commitments; **S. unter Eid zurückweisen** to forswear a debt; **persönliche S.** personal obligation; **übernommene S.** assumed liability

Schuldverschreibung *f* 1. bond, debenture, promissory/capital note, debenture/lien bond, (bond of) obligation, debt certificate, due bill, handbill; 2. *(Bankier)* delegation; **S.en** debenture stocks

Schuldverschreibung zur Ablösung ungültig ausgegebener Garantien rescission bond; **S. eines Amortisationsfonds** sinking-fund bond; **S. zur Beschaffung von Ausrüstungsgegenständen** equipment bond *[US]*; **S. mit Bezugsrecht auf Aktien** option bond; ~ **zusätzlicher Bürgschaft** bond with surety; ~ **variablem Ertrag** variable-yield bond; **S. über eine bevorrechtigte Forderung** trust bond/debenture; **S. mit Gewinnbeteiligung** profit-sharing bond; **S. ohne Gewinngarantie** debenture income bond; **S. der öffentlicher Hand** public bond, civil bond/stock *[US]*; **S. auf den Inhaber** bearer bond; **S. einer Kapitalgesellschaft** collateral trust bond; **S. mit niedrigem Nennwert (von bis zu $100)** baby bond; **S. zweiten Ranges** second debenture; **S. mit Tilgungsverpflichtung** redeemable bond/debenture, callable bond; **S. ohne Tilgungsverpflichtung** irredeemable bond/debenture, annuity/perpetual bond; **S. mit steigender Verzinsung** improvement bond; ~ **Zinsen auf Einkommensbasis;** ~ **ertragsabhängiger Zinszahlung** adjustment income bond *[US]*

durch Schuldverschreibung gesichert bonded, debentured

Schuldverschreibung ablösen to discharge a debenture; **S. ausgeben** to issue a bond; **mit S. belasten** to bond; **S. auf den Markt bringen** to float a bond; **S.en einlösen/tilgen** to redeem/retire/meet bonds, ~ debentures; **S. kündigen** to call (in) a debenture; **S. umwandeln** to convert a bond

ablösbare Schuldverschreibung redeemable bond; **ausgegebene S.** issued bond; **in Serien ~ S.en** classified bonds; **ausstehende S.en; in Umlauf befindliche S.en** outstanding bonds; **begebbare S.** negotiable bond; **hypokratisch besicherte S.** mortgage-backed debt obligation; **nachrangig ~ S.** subordinated bond; **bevorrechtigte S.** preferred bond; **börsennotierte S.** quoted *[GB]*/listed *[US]* bond; **bürgschaftgesicherte S.** endorsed bond; **eingetragene S.** registered bond; **einjährige S.** yearling bond; **gemeinsam emittierte S.** joint bond; **erststellige S.** senior bond; **festverzinsliche S.** fixed-interest-bearing bond, fixed-interest debenture; **durch Dritten/Wechsel garantierte S.** endorsed bond; **gesicherte S.** secured bond/debenture, collateral trust bond, bond with surety; **durch bewegliches Anlagevermögen ~ S.** equipment bond *[US]*; **durch Bürgschaft ~ S.** guaranteed bond/debenture, assumed bond; **durch Gesamthypothek ~ S.** consolidated bond; **erstrangig ~ S.** first-lien bond; **hypothekarisch ~ S.** mortgage bond/debenture, secured bond; **nicht ~ S.** unsecured loan stock; **gewinnberechtigte S.** participating debenture; **gleichrangige S.** pari passu *(lat.)* bond; **in Serien herausgegebene S.en** classified stocks; **hochriskante (private) S.** junk bond *[US]*; **industrielle S.** industrial bond; **kommunale S.** local govenment/municipal bond; **konvertierbare S.** convertible bond; **(vorzeitig) kündbare S.** redeemable bond/debenture, callable bond; **kurzfristige S.** 1. short-term debenture, short-dated bond; 2. *(Industrie)* commercial paper; **langfristige S.** long-term bond; **auf Gold lautende S.** gold bond; **auf den Inhaber ~ S.** bearer bond; **auf den Namen ~ S.** registered bond; **mündelsichere S.** trustee *[GB]*/legal *[US]* bond; **nachrangige S.** subordinated debenture; **nennwertlose S.** non-paper debenture; **öffentlich-rechtliche S.** public *[GB]*/civil *[US]* bond; **projektgebundene S.** project-related loan, funding bond; **prolongierte S.** renewed/continued/extended bond; **rückzahlbare S.** repayable bond; **in Serie ~ S.** serial bond; **tarifbesteuerte S.en** bonds subject to normal tax rates; **ungesicherte S.** unsecured bond, ~ loan stock, (naked/simple) debenture bond, naked/simple debenture, corporate paper; **unkündbare S.** irredeemable bond/debenture, perpetual debenture; **unverzinsliche S.** non-interest-bearing/zero/passive/discount bond; **verkehrsfähige S.** negotiable/marketable bond; **verzinsliche S.** interest-bearing bond; **vorläufige S.** provisional bond; **wertpapiergesicherte S.** collateral bond

Schuldverschreibungs|agio *nt* bond premium; **S.buch** *nt* register of debenture holders; **S.darlehen** *nt* debenture loan; **S.gläubiger(in)/S.inhaber(in)** *m/f* bondholder, debenture holder; **S.kapital** *nt* debenture capital; **S.urkunde** *f* debenture stock certificate, bond indenture; **S.vorverkauf** *m* pre-issue bond sale

Schuldversprechen *nt* promissory note (P.N.), promise (to pay/perform), general assumpsit *(lat.)*, recognition of liability; **abstraktes S.** abstract promise to perform, ~ contractual performance; **mündliches S.** parol promise; **schriftliches S.** promissory note

Schuldvertrag *m* debt contract, contract for personal liability, obligation-imposing contract; **einseitiger S.** unilateral contract; **synallagmatischer S.** reciprocal contract; **zweiseitiger S.** bilateral contract

Schuld|verzicht *m* remission of debts; **S.vorwurf** *m* blame, imputation of wrong; **S.währung** *f* money of account

Schuldwechsel *m* bill/note payable (B/P); **S. gegenüber Fremden** notes payable to third parties; **S.buch** *nt* bills payable journal

Schuld|zahlung *f* payment of debt; **S.zinsen** *pl* interest (cost(s)), interest(s) due, debt interest, interest on borrowings/indebtedness, fixed charges; **S.zinsenabzug** *m (Steuer)* tax relief on loan interest; **S.zuweisung** *f* allocation/apportionment of blame; **gegenseitige S.zuweisung** recrimination(s)

Schule *f* school; **außerhalb der S.** extramural, extracurricular; **S. mit Internat** boarding school; **der alten S. angehörend** old-line

von der Schule abgehen to leave school; **S. besuchen; zur S. gehen** to go to/attend school; **S. machen** *(fig)* to catch on, to be emulated, to serve as a model; **aus der S. plaudern** to tell tales out of school, to blab; **S. schwänzen** to play truant; **von der S. verweisen** to expel from school, to send down

allgemeinbildende Schule school providing general education; **berufsbildende S.** vocational school; **höhere S.** secondary *[GB]*/collegiate *[US]* school; **öffentliche/staatliche S.** state *[GB]*/public *[US]* school; **private S.** private/independent/public *[GB]* school; **weiterführende S.** secondary school

Schul|ausschuss *m* education committee; **S.einzugsbereich** *m* catchment area

schulen *v/t* to teach/train/instruct/school; **s.d** *adj* disciplinary

Schul|entlassene(r) *f/m* school-leaver; **S.entlassungsalter** *nt* school-leaving age; **S.entlassungszeugnis** *nt* school-leaving certificate

Schüler|(in) *m/f* 1. pupil, schoolboy, schoolgirl, school child; 2. *(Oberschule)* student, disciple; **ehemaliger S.** old boy; **S.austausch** *m* school exchange, exchange of pupils; **S.fahrtkosten** *pl* school fare(s); **S.in** *f* pupil, schoolgirl; **S.-Lehrer-Verhältnis** *nt* pupil-teacher ratio; **S.zahl** *f* school roll

Schul|fach *nt* subject; **S.fall** *m* test case; **S.ferien** *pl* school holidays *[GB]*/vacation *[US]*; **S.fernsehen** *nt* educational television; **S.fibel** *f* primer; **S.freund(in)** *m/f* schoolfriend; **S.funk** *m* educational broadcasting; **S.gebäude** *nt* school building

Schulgeld *nt* school/tuition fee(s); **S.beihilfe** *f* tuition assistance *[US]*; **S.freiheit** *f* free school education, exemption from school fees; **S.versicherung** *f* educational endowment assurance *[GB]*/insurance *[US]*; **S.zuschuss** *m* educational assistance

Schul|heft *nt* exercise book; **S.hof** *m* school yard; **S.inspektor** *m* school inspector

schulisch *adj* educational, at school

Schul|jahr *nt* school year/session; **S.kind** *nt* pupil, school child; **S.klasse** *f* (school) form; **S.lehrer(in)** *m/f* schoolteacher, schoolmaster, schoolmistress; **S.leiter(in)** *m/f* headmaster *[GB]*, headmistress *[GB]*, principal, schoolmaster, schoolmistress, head (teacher), preceptor *(obs.)*; **S.leiterstelle** *f* headship; **S.meister** *m* schoolmaster; **s.meisterlich** *adj* pedantic; **S.milch** *f* school milk; **S.ordnung** *f* school rules/regulations; **S.pflegschaft** *f* parent-teacher association (PTA) *[GB]*; **S.pflicht** *f* compulsory education/schooling, ~ school attendance; **S.rat** *m* school inspector, inspector of schools; **S.reife** *f* school age; **S.rektor(in)** *m* → **S.leiter(in)**; **S.schiff** *nt* training ship; **S.schluss** *m* end of school; **S.schwänzer** *m* truant; **S.schwänzerei** *f* truancy; **S.sparkasse** *f* school savings bank; **S.speisung** *f* school meals; **S.steuer** *f* school tax; **S.stiftung** *f* educational trust; **S.stunde** *f* lesson; **S.tafel** *f* blackboard; **S.tag** *m* school day; **S.tasche** *f* school bag, satchel

Schulter *f* shoulder

jdm auf die Schulter klopfen to pat so. on the back; **etw. auf die leichte S. nehmen** to make light of sth., to treat sth. lightly; **auf jds S.n ruhen** to rest on so.'s shoulders; **jdm auf die S. schlagen** to slap so. on the shoulder; **jdm die kalte S. zeigen** to cold-shoulder/snub so., to turn a cold shoulder (up)on so., to give so. the cold shoulder; **mit den S.n zucken** to shrug one's shoulders

ausgerenkte Schulter ⚕ dislocated shoulder; **kalte S.** *(fig)* cold shoulder

Schulterschluss *m* serried ranks; **den S. wahren** to keep in step with, to stay in line

Schulung *f* training, instruction, schooling; **S. von Führungskräften** executive training; **berufliche S.** vocational/industrial/professional training; **betriebliche S.** in-plant/in-house/in-service training; **firmeninterne S.** in-company training; **praktische S.** on-the-job training

Schulungs|dauer *f* training period; **S.einrichtungen** *pl* training facilities; **S.kosten** *pl* training costs; **S.kurs/S.lehrgang** *m* training course; **S.lager** *nt* training camp; **S.leiter(in)** *m/f* training manager/supervisor/coordinator, trainer; **S.maßnahme** *f* training/education scheme; **S.material** *nt* training aids; **S.möglichkeiten** *pl* training facilities; **S.programm** *nt* training programme/plan, educational programme; **S.raum** *m* classroom; **S.stätte** *f* training centre/establishment/institution/facility; **S.unterlage** *f* instruction material; **S.veranstaltung** *f* training course; **S.zentrum** *nt* training centre; **S.- und Fortbildungszentrum** skill centre *[GB]*

Schul|unterricht *m* schoolteaching; **S.verlag** *m* educational publisher; **S.versäumnis** *nt* non-attendance, truancy; **S.verwaltung** *f* school administration; **S.vorsteher(in)** *m/f* headmaster *[GB]*, headmistress *[GB]*, schoolmistress, principal *[US]*; **S.weisheit** *f* book knowledge; **S.werdegang** *m* school career

Schulwesen *nt* school system, system of education, schooling; **berufsbildendes S.** system of vocational schools; **öffentliches S.** public education

Schul|zeit *f* school time; **S.zeugnis** *nt* school report/certificate, report card *[US]*; **S.zwang** *m* compulsory education

schummeln *v/i* to cheat

Schund *m* trash, rubbish, inferior merchandise; **S.literatur** *f* obscene literature; **S.roman** *m* penny dreadful

[GB], dime novel *[US]*; **S.ware** *f* trash, catchpenny articles *[GB]*
Schuppen *m* shed, shack, hut
Schur *f* *(Schaf)* shearing, clip; **S.aufkommen** *nt (Wolle)* clip
schüren *v/t* 1. to fan/rake/poke; 2. *(Unruhe)* to foment
Schürfbetrieb *m* ⚒ prospecting operation(s)
Schürfen *nt* prospecting; **s. (nach)** *v/ti* 1. to prospect/explore; 2. *(Erz)* to mine, to dig (for)
Schürfer *m* prospector
Schürf|erlaubnis *f* prospecting licence; **S.gesellschaft** *f* prospecting company; **S.kohle** *f* small-pit coal; **S.- und Abbaukonzession** *f* exploration and mining lease; **S.recht** *nt* 1. prospecting right/licence, mining claim/right, right of search, mineral right, right to work minerals; 2. *(Öl)* drilling right; **S.stelle** *f* prospect; **S.tätigkeit** *f* prospecting operations
Schürfung *f* prospecting; **S.svorhaben** *nt* prospecting programme
Schürf|vertrag *m* prospecting contract; **S.wunde** *f* ⚕ graze
Schurke *m* villain, scoundrel, rogue, miscreant; **abgefeimter/ausgemachter S.** out-and-out rogue
Schuss *m* shot; **S. ins Blaue** shot in the dark; **S. vor den Bug** shot across the bow; **S. Ironie** touch of irony; **S. in den Ofen** *(fig)* (complete) waste of time
in Schuss bringen *(coll)* to straighten; **wieder ~ bringen** *(coll)* to lick into shape *(coll)*; **gut ~ halten** *(coll)* to keep in good working order; **~ sein** *(coll)* to be going strong, ~ in good shape/nick *(coll)*; **S. nach hinten sein** *(fig)* to be self-defeating/counterproductive; **S. in den Ofen sein** *(fig)* to misfire *(fig)*, to go off at half-cock *(coll)*
Schüssel *f* bowl, dish
Schuss|linie *f* firing line; **in der ~ stehen** to be in the firing line; **s.sicher** *adj* bullet-proof; **S.waffe** *f* firearm; **S.waffengebrauch** *m* use of firearms
Schuster *m* cobbler, shoemaker
Schute *f* ⚓ lighter, barge; **S.ngeld** *nt* lighterage; **S.ntransport** *m* lighterage
Schutt *m* rubbish, rubble, debris; **in S. und Asche** *(fig)* in ruins; **S. abladen** to dump (rubbish), to tip; **in S. und Asche legen** to reduce to rubble; **~ versinken** to be reduced to ashes; **S.abladen** *nt* dumping, tipping; **~ verboten** no tipping; **S.abladeplatz** *m* 1. dumping ground; 2. rubbish dump
Schütt-aus-hol-zurück-Methode *f* pay-out-take-back policy
schütteln *v/t* to shake; *v/refl* to shudder
schütten *v/t* 1. to tip; 2. *(Flüssigkeit)* to pour
Schüttgut *nt* 1. dry bulk/cargo/freight, bulk cargo/goods/commodities, loose material; 2. aggregates; **als S. verladen** to bulk; **S.ladung** *f* bulk cargo; **S.tarif** *m* bulk rate; **S.transporter** *m* bulk carrier; **S.wagen** *m* 🚂 hopper car *[US]*
Schutt|halde *f* 1. tip, dump; 2. ⚒ slag heap; **S.haufen** *m* rubbish heap
Schutz *m* 1. protection, safeguard, safety; 2. *(Umwelt)* conservation; 3. harbourage, shelter; 4. custody
im Schutz der Dunkelheit under cover of darkness; **S. geistigen Eigentums** protection by copyright, ~ of intellectual property; **S. wissenschaftlicher Entdeckungen** protection of scientific discoveries; **S. der Familie** protection for the family; **S. eines Patents** scope of a patent; **S. der Persönlichkeit** privacy; **S. des Persönlichkeitsrechts; S. der Privatsphäre** right of privacy; **S. der natürlichen Ressourcen** protection of natural resources; **S. gegen Umweltverschmutzung** environmental protection; **S. des Verfahrenserzeugnisses** extension of process protection to products; **S. von Werken der Literatur und Kunst** protection of literary and artistic works; **S. durch Zölle** tariff protection
sich jds Schutz anvertrauen to place o.s. under so.'s protection; **mittelbaren S. genießen** to benefit from incidental protection; **S. gewähren** 1. to afford protection; 2. *(Vers.)* to provide cover; **in S. nehmen** to defend/shield, to stand up for; **S. suchen** to seek shelter
begehrter Schutz protection sought; **diplomatischer S.** diplomatic protection; **einstweiliger S.** provisional cover/protection; **gerichtlicher S.** court protection; **durch ein Patent gewährter S.** protection conferred by a patent; **konsularischer S.** consular protection; **persönlicher S.** bodyguard; **rechtlicher S.** legal defence; **staatlicher S.** government protection; **steuerlicher S.** tax shelter; **urheberrechtlicher S.** copyright protection; **vertraglicher S.** contractual protection; **voller/vollständiger S.** complete protection
Schutz|- protective; **S.ablauf** *m (Pat.)* expiration; **S.aktien** *pl* protective shares; **S.anordnungen** *pl* safety regulations; **S.anstrich** *m* protective coat/paint; **S.anteil** *m* ⊖ protective element; **S.anzug** *m* protective clothing; **S.bedürftigkeit** *f* need of protection; **soziale S.bedürftigkeit** requiring social protection; **S.befohlene(r)** *f/m* 1. custodee; 2. *(Mündel)* ward, charge; **S.behauptung** *f* self-serving declaration; **S.bekleidung** *f* protective clothing
Schutzbereich *m* 1. restricted/protected area; 2. *(Pat.)* scope; **örtlicher S.** territorial scope of protection; **sachlicher S.** extent/scope of protection
Schutzbestimmung *f* protection clause/provision; **S.en** safety regulations, protection provisions *[EU]*; **vertragliche S.en** contractual safeguards
Schutz|blatt *nt* *(Buch)* end paper; **S.brief** *m* letter of safe conduct, safeguard; **S.brille** *f* goggles; **S.(- und Trutz) bündnis** *nt* defensive alliance; **S.dach** *nt* 1. canopy; 2. shelter; **S.damm** *m* dike; **S.dauer** *f (Pat.)* time/duration of protection; **S.deckel** *m* protective cover
Schütze *m* rifleman, marksman
Schutzeinrichtung *f* safeguard
schützen *v/t* 1. to guard/shield/secure, to provide security for; 2. *(Vers.)* to protect/safeguard/cover, to afford protection; 3. to ensure; **gesetzlich/patentrechtlich s.** to patent; **urheberrechtlich s.** to copyright
schützend *adj* protective
Schützen|graben *m* ✈ trench; **im vordersten S.graben** in the firing line; **S.hilfe** *f* support, backing; **~ leisten** to support/back
schutz|fähig *adj* 1. capable of being protected; 2. pat-

entable; 3. *(Buch)* copyrightable; **S.fähigkeit** *f* 1. protectability, eligibility for protection; 2. patentability; **S.farbe** *f* protective paint; **S.flagge** *f* distinctive flag; **S.frist** *f* 1. period of protection, term, duration; 2. life of a patent; 3. *(Buch)* copyright period; **S.gatter** *nt* barrier; **S.gebiet** *nt (Umwelt)* conservation/protected area; 2. *(Politik)* protectorate, dependency; **S.gebühr** *f* token fee, nominal sum/charge; **S.geländer** *nt* guard rail; **S.geld** *nt* protection money, protective charge; **S.gelderpressung** *f* protection racket; **S.geleit** *nt* safe conduct, escort; **S.gemeinschaft** *f* protective association; **S.gesetz** *nt* protective law, ~ legislative provision; **S.gitter** *nt* protective grid; **S.glas** *nt* safety glass; **S.gürtel** *m* protective belt; **S.hafen** *m* port of refuge; **S.haft** *f* § detention, protective custody, preventive arrest/custody; **S.helm** *m* 1. protective helmet; 2. 🏛 hard hat; 3. *(Motorrad)* crash helmet; **S.herr** *m* patron, protector; **S.hoheit** *f* suzerainty; **S.hülle** *f* wrapper, jacket, loose cover *[GB]*, slipcover *[US]*, slipover cover; **S.hütte** *f* refuge, mountain hut; **S.impfung** *f* (preventive) vaccination; **S.klausel** *f* protective/escape/safeguard/hedge/saving clause; **verfassungsrechtliche S.klausel** entrenchment clause/provision; **S.kleidung** *f* protective clothing

Schützling *m* 1. protégé *[frz.]*; 2. *(Kind)* charge

schutz|los *adj* defenceless, unprotected; **S.macht** *f* protecting power/state; **S.mann** *m* policeman *[GB]*, patrolman *[US]*

Schutzmarke *f* trademark (name), mark, brand, label; **eingetragene S.** registered trademark; **nationale S.** national/nationally advertised brand; **S. eintragen** to register a trademark; **S.ninhaber** *m* trademark owner; **S.nverletzung** *f* infringement of trademarks

Schutz|maske *f* protective mask; **S.maßnahme** *f* preventive/protective/protectionist/defensive measure; **handelspolitische S.maßnahmen** protectionist measures, measures to protect trade; **S.mauer** *f* protective/fire wall; **S.mittel** *nt* preventive, means of protection; **S.plane** *f* tarpaulin; **S.polizei** *f* police force, constabulary; **S.polizist** *m* policeman *[GB]*, patrolman *[US]*; **S.prinzip der Gerichtsbarkeit** *nt* protective principle of jurisdiction; **S.raum** *m* shelter

Schutzrecht *nt* industrial property right, proprietary/protective right, right of protection, protected privilege, immunity; **S.e** *(Pat.)* patent rights; **gewerbliches S.** industrial property/proprietary/trademark right; **vorläufiges S.** *(Pat.)* right of provisional protection

Schutzrechts|inhaber *m* registered proprietor, owner of a patent/copyright, proprietor of industrial rights; **S.kosten** *pl* royalties; **S.politik** *f* protective rights policy; **S.streitigkeit** *f* protective/industrial rights dispute; **S.urkunde** *f* instrument of privilege; **S.verletzung** *f* industrial property right infringement

Schutz|schicht *f* protective coating/layer; **S.schild** *m* 1. protective screen; 2. *(Polizei)* riot shield; **S.stätte** *f* sanctuary; **S.streifen** *m* protective strip (of land); **S.system** *nt* protectionism; **S.umfang** *m* scope of protection; ~ **eines Patents** scope of a patent; **S.umschlag** *m* 1. wrapper; 2. (book) jacket, dust cover; **S.verband** *m* 1. trade protection society; 2. ⚕ protective bandage/dressing; **S.vereinigung** *f* (trade) protection association/society; ~ **für allgemeine Kreditsicherung (Schufa)** *[D]* credit protection agency; **S.verpackung** *f* protective packing/wrapping; **S.vorkehrung/S.vorrichtung** *f* safety/protective device, safeguard; **S.vorschrift** *f* safety/protective regulation; **S.wache** *f* escort; **S.wall** *m* protective wall/barrier; **S.wirkung** *f* protective character; **s.würdig** *adj* worthy of/meriting protection; **S.zeichen** *nt* trademark, brand, protection symbol; **S.ziffer** *f* 💻 guard digit

Schutzzoll *m* protective (import) duty/tariff, prohibitive/safeguarding duty, protection; **niedrigster S.** least protective tariff; **S.-** protectionist

Schutzzöllner *m* protectionist; **s.isch** *adj* protectionist

Schutzzoll|politik *f* protectionism, protective tariff policy, protection, tariff reform *[GB]*; **S.politiker** *m* protectionist; **S.system** *nt* protection(ism), prohibitive system; **S.tarif** *m* protective tariff

schwach *adj* 1. weak, faint, feeble, frail; 2. mild, slim, soft; 3. poor; 4. *(Börse)* flagging, sagging, lacklustre; 5. *(Nachfrage)* sluggish, slack; 6. unsound, lame, tenuous; **s. (ausgeprägt)** *adj* flat; **s. werden** 1. to weaken, to run down; 2. *(Versuchung)* to be tempted

Schwäche *f* 1. weakness, faintness, feebleness; 2. infirmity, frailty; 3. *(Börse)* dullness; 4. slackness; **zur S. neigend** *adj (Börse)* bearish; **jds S. erkennen** to put one's finger on so.'s weak spot; **S. für etw. haben** to have a soft spot for sth., ~ penchant for sth., to be partial to sth.; **menschliche S.** human foible; **strukturelle S.** structural weakness; **S.anfall** *m (Börse)* bout of weakness

schwächen *v/t* to weaken/impair/undermine/lessen/dilute/cripple

Schwäche|neigung *f* *(Börse)* bearish tone/mood/tendency; **S.periode/S.phase** *f (Börse)* bout of weakness; **konjunkturelle S.phase** temporary economic slowdown

geringfügig schwächer *(Börse)* a fraction easier; **s. werden** 1. to ease/weaken; 2. to die down; 3. *(Licht)* to fade

Schwächetendenz *f* *(Börse)* bearish tendency

Schwachlastzeit *f* ⚡ off-peak period

schwächlich *adj* frail, feeble, puny

Schwach|punkt *m* weak point; **s. radioaktiv** *adj* low-radioactive; **S.stelle** *f* weak spot/point, area of weakness, flaw, loophole; **S.stellenanalyse** *f* weak-point analysis; **S.strom** *m* ⚡ low-voltage current, low power

Schwächung *f* weakening

Schwacke-Liste *f* *[D]* Glass's Guide *[GB]*

Schwaden *m* fume, vapour

schwafeln *v/i* to waffle/drivel

Schwager *m* brother-in-law

Schwäger|in *f* sister-in-law; **S.schaft** *f* relations by marriage

Schwall *m* volley, gush, spate, flood, torrent

Schwamm *m* 1. sponge; 2. 🏛 dry rot

schwanger *adj* pregnant; **s. werden** to become pregnant, to conceive

Schwangerengeld *nt* aid for/to expectant mothers
Schwangerschaft *f* pregnancy; **späte S.** late pregnancy
Schwangerschaftsabbruch *m* abortion, termination of pregnancy; **künstlicher S.** $ induced abortion; **S.gesetz** *nt* Abortion Act *[GB]*
Schwangerschafts|beihilfe *f* maternity benefit, aid to expectant mothers; **S.test** *m* pregnancy test; **S.urlaub** *m* maternity/prenatal/pregnancy leave
Schwanken *nt* → **Schwankung**
schwanken *v/i* 1. to fluctuate/vary/range; 2. *(Person)* to hesitate/falter/vacillate, to be in two minds; 3. *(Physik)* to oscillate; **s. bei** *(Preise)* to hover around; **saisonal s.** to fluctuate according to the season; **stark s.** *(Kurs)* to fluctuate widely
schwankend *adj* 1. *(Markt/Preis)* volatile, unsettled, unsteady, fluctuating, erratic, unstable; 2. indecisive, hesitant, wavering, unsure
Schwankung *f* 1. fluctuation, volatility, movement, range, floating, variance; 2. *(Währung)* swing; 3. faltering, vacillation; 4. oscillation; **S.en der (Börsen)Kurse** market volatility; **S. im Handelsverkehr** leads and lags of trade; **S. der Wechselkurse** exchange rate fluctuation/volatility; **S.en oder Änderungen der Weltmarktpreise** fluctuations or variations in world prices; **kalenderbedingte ~ in der Zahl der Arbeitstage** calendar variations; **~ auffangen** to cushion fluctuations; **~ unterworfen sein** to be subject to fluctuations, to (be liable to) fluctuate
jahresbedingte/-zeitliche Schwankung|en seasonal fluctuations; **konjunkturelle S.en** cyclical fluctuations; **minimale S.** ripple *(fig)*; **saisonale/saisonbedingte S.** seasonal fluctuation/variation; **starke S.** big swing; **zufallsbedingte S.** chance fluctuation
Schwankungs|bereich *m* range (of variation), variation; **S.breite** *f* fluctuation margin, swing, band/margin/degree of fluctuation, spread, range, variations, variation limit, volatility; **S.grenze** *f* fluctuation limit; **S.kurs** *m* fluctuating rate; **S.marge** *f* margin of fluctuation; **S.markt** *m* variable-price/volatile market; **S.maß** *nt* measure of variation; **S.reserve/S.rückstellung** *f (Vers.)* claims/loss equalization reserve, fluctuation provision; **S.spitze** *f* maximum fluctuation; **S.werte** *pl (Börse)* variable-price/volatile securities
Schwanz *m* 1. tail; 2. 🚂 tail (end); **kein S.** *(coll)* not a living soul
Schwänze *f (Börse)* corner; **S. herbeiführen** to (create a) corner
Schwänzen *nt (Schule)* truancy; **s.** *v/t* 1. *(Börse)* to corner; 2. to play truant
Schwanz|fläche *f* ✈ tail area; **s.lastig** *adj* tail-heavy
Schwarm *m* swarm, drove, flock
schwärmen *v/i* to dream/swarm/flock; **s. für** to be enthusiatic about
Schwärmer *m* dreamer, fan; **s.isch** *adj* enthusiastic, rapturous
schwarz *adj* black; **s. auf weiß** in black and white; **in den S.en** *(coll)* in the black; **ins S.e treffen** *nt* to hit the mark, ~ bull's eye
Schwarzarbeit *f* 1. illicit/clandestine work, work on the side, moonlighting; 2. double employment, twilight shift, cash job *(coll)*; 3. black economy/labour, clandestine labour; **S. machen/verrichten** to work on the side, to moonlight *(coll)*, to do a foreigner *(coll)*
schwarzarbeiten *v/i* to work on the side, to moonlight *(coll)*, to do a foreigner *(coll)*
Schwarzarbeiter(in) *m/f* moonlighter *(coll)*, fly-by-night worker *(coll)*; *pl* clandestine labour; **(als) S. beschäftigen** to employ off the books
Schwarzarbeitsmarkt *m* black/hidden economy
Schwarz|blech *nt* blackplate; **S.brenner** *m* illicit distiller; **S.brennerei** *f* illicit distillery/still
Schwarzes Brett *nt* notice/bulletin *[US]* board
Schwarz|fahren *nt* joyriding, fare-dodging, fare evasion, obtaining transport by fraud; **s.fahren** *v/i* to dodge the fare, to avoid/evade payment on public transport; **S.fahrer(in)** *m/f* joyrider, free rider, fare dodger, passenger without ticket, deadhead *[US]*; **S.geld** *nt* black money, illegal earnings; **S.handel** *m* 1. black market, clandestine/illicit/underhand trade, illegal traffic; 2. black-marketing, trafficking; **S.handelsgeschäft** *nt* black market operation; **S.händler** *m* black marketeer, ~ market operator, trafficker, spiv *(coll)*; **S.hörer** *m* 1. *(Radio)* licence dodger; 2. *(Hochschule)* student attending classes without paying tuition fees; **s.malen** *v/i* to be pessimistic
Sschwarzmaler *m* doom merchant, pessimist; **S.ei** *f* gloomy talk; **s.isch** *adj* pessimistic
Schwarzmarkt *m* black market; **S.geschäft** *nt* cash job *(coll)*; **S.geschäfte** black marketeering; **S.handel** *m* trafficking; **S.händler** *m* → **Schwarzhändler**; **S.kauf** *m* black market purchase; **S.kurs/S.preis** *m* black market rate/price
Schwarz|schlachtung *f* unlawful slaughtering; **S.seher** *m* 1. pessimist; 2. *(Fernsehen)* licence dodger; **S.seherei** *f* pessimism; **S.sender** *m* pirate radio/transmitter, unlicensed transmitter; **S.verkauf** *m* illicit sale; **S.wirtschaft** *f* black/hidden economy
Schwebe *f* suspense, poise; **in der S.** 1. pending, unsettled, in the balance, in abeyance; 2. § pendent; **~ bleiben** to be (left) in abeyance; **~ lassen** 1. to keep in suspense; 2. § to hold in abeyance; **~ sein** to be/hang in the balance, to pend, to be poised, ~ in abeyance
Schwebebahn *f* suspension/suspended railway
Schweben *nt* 1. floating; 2. § pendency; **freies S. der Wechselkurse** float; **s.** *v/i* 1. to float/hover; 2. to be pending, ~ in abeyance; **s. bei** *(Preis)* to hover around
schwebend *adj* 1. *(Schuld)* unfunded, floating; 2. *(Verbindlichkeiten)* unadjusted; 3. provisional, in abeyance; 4. suspended; 5. § pending; **s. unwirksam** provisionally ineffective/invalid
Schwebe|posten *m (Bilanz)* suspense item; **S.stoff** *m* ⚗ suspended matter; **S.zeit** *f* 1. transition period, period of suspense; 2. § pendency; **S.zustand** *m* abeyance
Schwefel *m* ⚗ sulphur; **S.dioxyd** *nt* sulphur dioxide; **s.haltig/s.ig** *adj* sulphurous; **s.n** *v/t* to sulphurize; **S.säure** *f* sulphuric acid
Schweigegeld *nt* hush money
Schweigen *nt* silence; **S. bewahren** to keep mum *(coll)*;

sein S. brechen to break one's silence; **zum S. bringen** to silence; **sich in S. hüllen** to wrap o.s. in silence; **jdn zum S. verpflichten** to enjoin/swear so. to secrecy; **beredtes S.** eloquent silence; **betretenes S.** embarrassed silence; **ohrenbetäubendes S.** *(coll)* deafening silence *(coll)*; **unheilvolles S.** ominous silence

schweigen *v/i* 1. to be silent; 2. to keep quiet; **ganz zu s.** let alone

Schweigepflicht *f* obligation to (preserve) secrecy, duty of discretion/secrecy, professional secrecy, requirement of confidentiality; **der S. unterliegen** to be sworn to secrecy; **ärztliche S.** medical confidentiality

Schweigerecht *nt* § right to silence

schweigsam *adj* 1. silent, quiet; 2. secretive; 3. discreet

Schwein *nt* 1. pig, hog *[US]*; 2. *(Schimpfwort)* swine

Schweine|bauch *m* pork belly; **S.farm** *f* piggery; **S.fleisch** *nt* pork, red meat; **S.geld** *nt (coll)* pile of money; ~ **verdienen** *(coll)* to make a packet *(coll)*; **S.mästerei** *f* piggery

Schweinerei *f* *(coll)* mess

Schweine|zucht *f* pig/hog breeding; **S.zuchtanlage; S.züchterei** *f* piggery; **S.züchter** *m* pig breeder; **S.zyklus** *m* pig/hog cycle, feast and famine cycle

Schweins|galopp *m* *(coll)* indecent haste; **S.leder** *nt* pigskin

Schweiß *m* sweat, perspiration; **im S.** *(Wolle)* in the greasy state; **im S.e seines Angesichts** in the sweat of one's brow; **S.bildung** *f* 1. *(Transport)* condensation; 2. ⚓ sweating

Schweißen *nt* welding; **s.** *v/t* to weld

Schweißer *m* welder; **S.ei** *f* welding shop

Schweiß|naht/S.stelle *f* weld; **S.technik** *f* welding technique; **S.wolle** *f* grease wool

Schweizer *m* milker, dairyman, cowman

Schwelbrand *m* smouldering fire

schwelen *v/i* to smoulder

schwelgen in *v/i* to indulge in, to feast

Schwelle *f* 1. threshold, barrier; 2. 🏛 doorstep, barrier; 3. 🚂 sleeper *[GB]*, tie *[US]*; 4. *(Straße)* ramp

schwellen *v/i* to swell

Schwellen|angst *f* fear of embarking on sth. new; **S.einkommen** *nt (Steuer)* cut-off point; **S.land** *nt* threshold country, newly industrialized country (NIC), developing/emerging country (DC); **S.preis** *m* activating/threshold/trigger price; **S.vereinbarung** *f* threshold agreement; **S.wert** *m* 1. ▦ cut-off; 2. threshold value

Schwellung *f* 1. swell; 2. ⚕ swelling

Schwemme *f* glut

Schwemmland *nt* alluvial soil/land

Schwengel *m* handle

Schwenk|arm *m* swivel arm; **s.bar** *adj* swivelling; **S.bereich** *m* jib range

schwenken *v/t* 1. to wave; 2. to swing; 3. to swivel

Schwenkkran *m* swing crane

Schwenkung *f* about-turn, switch(ing)

schwer *adj* 1. heavy, weighty; 2. serious, severe, hard, onerous, hefty; 3. difficult; 4. grave; 5. § aggravated; 6. *(Aktie)* high-priced; 7. *(Strafe)* stiff; 8. *(Wein)* full-bodied; 9. *(Boden)* rich; **s. fallen** to find it hard; **es s. haben** to have a hard time **es jdm s. machen** to make it hard for so.; **sich s. tun** to be hard put (to do sth.)

Schwer|arbeit *f* hard work, drudgery; ~ **verrichten** to labour; **S.arbeiter** *m* heavy worker, manual labourer; **s.behindert/s.beschädigt** *adj* (severely) disabled; **S.behinderte(r)/S.beschädigte(r)** *f/m* (severely) disabled person; *pl* severely disabled people; **S.behindertenrente** *f* severe disablement pension; **S.beschädigtengeld** *nt* severe disablement allowance; **S.betrieb** *m* heavy duty

Schwere *f* 1. severity; 2. weight (wt.); 3. gravity; **durchschnittliche S. von Unfällen** accident severity rate; **s.los** *adj* weightless; **S.losigkeit** *f* weightlessness

schwer|fällig *adj* 1. cumbersome, unwieldy; 2. clumsy, heavy-handed; 3. *(Text)* ponderous; 4. *(Markt)* sluggish; 5. *(Wertpapier)* lame; **S.fälligkeit** *f* ponderousness, laboriousness; **S.gewicht** *nt* 1. heavyweight; 2. emphasis, stress, focus, accent, (main) weight, preponderance; ~ **verlagern** to shift the balance

Schwergut *nt* heavy goods/cargo/lift, dead weight (dwt)

Schwergut|aufschlag *m* heavy lift charge; **S.fracht** *f* heavy lift cargo; **S.ladefähigkeit** *f* deadweight (loading) capacity; **S.schiff** *nt* heavy lift ship; **S.transport** *m* heavy lift transport, heavy haulage

schwer|hörig *adj* heard of hearing; **S.industrie** *f* heavy/smokestack industry, heavy manufacturing; **S.karton(behälter)** *m* cardboard box; **S.laster/S.lastwagen** *m* heavy goods vehicle (HGV), heavy-duty truck, juggernaut *(coll)*; **S.lastkran** *m* heavy lift crane; **S.lasttransport** *m* heavy load, bulk transport, heavy lift/goods transport; **S.maschinen** *pl* heavy equipment; **S.maschinenbau** *m* heavy engineering; **S.metall** *nt* heavy metal; **S.metallbelastung** *f* heavy metal pollution; **S.öl** *nt* heavy oil, residual fuel *[US]*

Schwerpunkt *m* 1. emphasis, (main) focus, keynote, central/main element; 2. centre of gravity; **S. der Interessen** focus of interest/attention; **S. setzen** to concentrate on; **wirtschaftlicher S.** important industrial centre

Schwerpunkt|- selective; **S.aktionen** *pl* selective action(s); **S.arbeitsgang** *m* key/primary operation; **S.arbeitsplatz** *m* key work centre; **S.aufgabe** *f* main function; **S.bildung** *f* concentration (of emphasis); **S.industrie** *f* main industry; **s.mäßig** *adj* with emphasis on; **S.maßnahme** *f* priority measure; **S.ort** *m* 1. priority location; 2. core area; **S.programm** *nt* point-of-main-effort program(me); **S.sektor** *m* key sector; **S.streik** *m* selective strike (action), key/rolling/staggered strike, job action; **örtlicher S.streik** selective local(ized) strike; **S.thema** *nt* key topic; **S.verlagerung** *f* 1. shift of emphasis; 2. diversification step

Schwerst|arbeiter *m* heavy labourer; **S.arbeitszulage** *f* penalty rate *[US]*

Schwert des Damokles *nt* Sword of Damocles; **zweischneidiges S.** *(fig)* mixed blessing

Schwer|transport *m* heavy load; **S.transporter** *m* heavy goods vehicle (HGV), heavy-duty truck/vehicle; **S.verbrecher** *m* felon, major criminal; **S.verletzte(r)**

f/m seriously injured person; **S.weberei** *f* heavy (fabric) weaving; **s.wiegend** *adj* 1. serious, grave, of weight; 2. § gross

Schwester *f* 1. sister; 2. ⚕ nurse

Schwester|bank *f* sister institution; **S.firma** *f* affiliated/related/sister company; **S.filiale** *f* fellow branch; **S.gesellschaft** *f* affiliated/sister company, ~ corporation, affiliate, fellow subsidiary, co-subsidiary, fellow group member (company); **S.gruppe** *f* fellow group; **S.institut** *nt* fellow bank, affiliated organisation; **S.-schiff** *nt* sister ship

Schwieger|mutter *f* mother-in-law; **S.sohn** *m* son-in-law; **S.tochter** *f* daughter-in-law; **S.vater** *m* father-in-law

schwierig *adj* 1. difficult, hard, complicated, challenging, laborious, dicey *(coll)*; 2. *(Problem)* tricky, knotty, sticky; 3. *(Prüfung)* stiff; 4. *(Person)* fractious, troublesome; **etw. s. finden** to make heavy weather of sth. *(coll)*; **s. sein** to be hard going, ~ fraught with difficulties

Schwierigkeit *f* 1. difficulty, complexity; 2. problem, challenge, knot, quandary, hitch *(coll)*; **trotz der S.** in the face of difficulties; **in S.n (befindlich)** in difficulties/trouble, troubled; **von S.n geplagt** beset by difficulties/problems; **ohne S.en** smoothly

Schwierigkeiten beheben/bereinigen/beseitigen to iron out/overcome difficulties, to iron out snags *(coll)*; **S. bereiten** to cause/make difficulties; **jdn in S. bringen** to cause/create difficulties for so.; **S. bewältigen** to overcome difficulties; **S. gegenüberstehen** to face difficulties; **in S. geraten** to run/get into trouble; **S. haben** to experience difficulties, to get into a jam; **S. mit etw. haben** to labour under sth.; **jdm aus S. heraushelfen** to pull so. through; **S. machen** to cause trouble, to be obstructive, to play up; **in S. sein** to be hard-pressed/troubled; **in finanziellen S. sein** to be in distress; **in großen S. sein** to be in dire trouble; **~ finanziellen S. sein** to be in dire straits, ~ up a gumtree *(coll)*; **vorübergehend in S. sein** to be in temporary difficulties; **mit S. verbunden sein** to entail difficulties; **auf S. stoßen** to meet with difficulties; **mit S. überhäufen** to beset with difficulties; **S. überwinden** to overcome difficulties

zu erwartende Schwierigkeiten trouble in store; **finanzielle S.** financial/pecuniary difficulties, financial problems, troubled waters *(fig)*; **preispolitische S.** price difficulties; **technische S.** technical difficulties, hitch; **verfassungsrechtliche S.** constitutional difficulties

Schwimm|bad *nt* swimming pool/bath; **S.becken** *nt* swimming pool; **S.container** *m* seabu; **S.dock** *nt* ⚓ floating/hydraulic dock

schwimmen *v/i* 1. to swim; 2. *(treiben)* to float; 3. *(fig)* to be (all) at sea *(fig)*; **in etw. s.** *(fig)* to be awash with sth.; **s.d** *adj* floating, ⚓ afloat (aflt)

schwimm|fähig *adj* 1. floatable; 2. *(Material)* buoyant; **S.fahrzeug** *nt* amphibious vehicle; **S.flugzeug** *nt* seaplane; **S.gürtel** *m* life belt; **S.halle** *f* indoor pool; **S.käfig** *m (Fischwirtschaft)* fish trap; **S.kran** *m* floating crane; **S.weste** *f* life jacket *[GB]*/preserver *[US]*

Schwindel *m* swindle, fraud, racket(eering), wangle, take-in, bubble, con *(coll)*, foul play *(fig)*, tip-off *(coll)*; **S. aufdecken** to give the show away

Schwindel|bank *f* bogus bank; **S.firma/S.gesellschaft** *f* bogus firm/company *[GB]*, dummy corporation *[US]*, wildcat company; **S.geschäft** *nt* fraudulent/bogus transaction, bubble; **s.haft** *adj* fraudulent, bogus, wildcat

schwind(e)lig *adj* dizzy, giddy

Schwindelmethode *f* confidence trick

schwindeln *v/i* to swindle/cheat/diddle *(coll)*

Schwindel|preis *m* astronomical/exorbitant price; **S.unternehmen** *nt* bogus company *[GB]*, dummy corporation *[US]*, wildcat enterprise, bucket shop

Schwinden *nt* 1. dwindling; 2. evaporation *(fig)*; **s.** *v/i* to dwindle (away), to vanish, to wear away, to be (up)on/in the wane, to tail off

Schwindler *m* swindler, crook, confidence man/trickster, con-man *(coll)*, trickster, deceiver, fiddler, phon(e)y, shark, fabricator, juggler, impostor; **s.isch** *adj* fraudulent

schwingen *v/ti* to swing/sway/oscillate

Schwingung *f* oscillation, vibration; **s.slos** *adj* non-oscillatory; **S.sschreiber** *m* oscillograph

schwirren *v/i* *(Gerücht)* to go round

schwitz|en *v/ti* to sweat, to be hot; **S.feuchtigkeit/S.wasser** *f/nt* condensation

schwören *v/i* to swear/vow; **jdn s. lassen** to administer the oath; **s., die reine Wahrheit zu sagen, nichts zu verschweigen und nichts hinzuzufügen** to swear to tell the truth, the whole truth and nothing but the truth; **falsch s.** to swear falsely, to forswear

Schwulitäten *pl* *(coll)* mess, fix, scrape, stew; **jdn in S. bringen** *(coll)* to put so. into a fix *(coll)*, ~ on the spot *(coll)*; **~ sein** *(coll)* to be in a stew *(coll)*

schwülstig *adj* bombastic, pompous

Schwund *m* 1. decrease, decline, drop; 2. shrinkage, wastage, waste; 3. *(Behälter)* leakage, ullage; **S. des Eigenkapitals** dwindling assets, erosion of assets; **S. durch Einsickern** soakage

Schwund|geld *nt* scalage, scrip *[US]*/depreciating money; **S.rate** *f* 1. *(Arbeitsmarkt)* attrition/dropout rate; 2. rate; **S.satz** *m* rate of wastage; **S.verlust** *m* leakage, waste, loss

Schwung *m* momentum, drive, initiative, impetus, zest; **auf einen S.** at one (fell) swoop; **in vollem S.** (at) full tilt

in Schwung bringen to get going, to pep up; **S. in den Laden bringen** *(fig)* to make things hum; **neuen S. in etw. bringen** to breathe new life into sth.; **an S. gewinnen** to gather momentum/strength/steam, to gain momentum; **keinen S. haben** to lack pep; **in S. halten** to keep going; **~ kommen** to gather momentum/steam, to get into one's stride, ~ under way, to swing into motion; **an S. verlieren** to lose momentum/face, to run out of steam

schwung|haft *adj* active, flourishing, roaring; **S.kraft** *f* momentum, dynamics, buoyancy; **~ bewahren** to maintain the momentum; **s.los** *adj* listless, dull; **s.voll** *adj* dynamic, buoyant

Schwur *m* 1. oath; 2. vow; **S. leisten** to take/swear an oath; **vorsätzlich falscher S.** perjury

Schwur|gericht *nt* 1. crown court *[GB]*, court of assizes *[Scot.]*; 2. trial by jury; **S.gerichtsverfahren** *nt* (jury) trial, trial by jury; **S.hand** *f* uplifted hand

Script-Writer *m* scriptwriter

Sechser|gemeinschaft *f* Community of the Six; **S.packung** *f* pack of six, six-pack

Sechs|monatsgeld *nt* six-month money; **S.prozenter** *pl (Wertpapiere)* sixes; **S.spaltenausweis** *m* six-column(s) statement

See *f* 1. sea, ocean; 2. *m* lake; **auf S.** at sea; **an der S. gelegen** seaside; **zur S. gehen** to go to sea; **in S. stechen** to put to sea, to sail; **hohe S.** open sea(s); **die ~ S.** the high seas, the Main; **auf hoher/offener S.** on the high seas

See|- marine, maritime; **S.amt** *nt* 1. maritime court; 2. Trinity House *[GB]*; **S.assekuranz** *f* marine insurance; **S.ausnahmetarif** *m* special seaport rate scale; **S.bad** *nt* seaside/coastal resort; **S.bahnhof** *m* marine/harbour station; **S.beben** *nt* seaquake; **S.beförderung** *f* ocean transport; **S.berufsgenossenschaft** *f* seafarer's association; **s.beschädigt** *adj* averaged, damaged at sea; **S.blockade** *f* naval blockade; **S.brief** *m* clearance certificate; **S.diebstahl** *m* taking at sea; **s.fahrend** *adj* seafaring, maritime; **S.fahrer** *m* seafarer, sailor, mariner; **S.fahrervolk** *nt* seafaring nation

Seefahrt *f* navigation, seafaring; **S.sbuch** *nt* discharge book; **S.sschule** *f* nautical school/college

see|fertig *adj* ready for sea; **s.fest** *adj* seaworthy; **S.feuer** *nt* sea light(s); **S.fischerei** *f* (deep-)sea fishing; **S.flughafen** *m* seadrome; **S.flugzeug** *nt* seaplane

Seefracht *f* cargo, ocean/marine freight, seafreight; **S.- und Landfracht** freight and carriage *[GB]*

Seefracht|brief *m* (ocean) bill of lading (B/L), sea way bill; **~ durchführen/fertigstellen** to accomplish a bill of lading; **S.führer** *m* marine carrier; **S.geschäft** *nt* carriage of goods by sea, affreightment, ocean shipping trade; **S.gut** *nt* sea cargo; **S.güter** seaborne goods; **S.handel** *m* ocean/floating trade; **S.papier** *nt* sea transport document; **S.rate** *f* shipping rate, marine/ocean freight rate; **S.recht** *nt* law of carriage by sea; **S.satz** *m* ocean freight rate; **S.versicherung** *f* marine cargo insurance; **S.vertrag** *m* contract of affreightment, ~ carriage by sea, voyage charter party

See|freiheit *f* freedom of the seas; **S.funk** *m* marine radio; **S.funkdienst/-verkehr** *m* marine radio service; **S.gang** *m* swell; **hoher S.gang** heavy sea(s), rough sea; **S.gebiet** *nt* waters; **S.gebräuche** *pl* uses and customs of the sea, maritime customs; **S.gefahr** *f* marine risk, maritime peril/risk; **S.gefahrgut** *nt* hazardous maritime good; **S.gefecht** *nt* naval action/engagement; **S.geleitschein** *m* navy certificate; **S.gericht** *nt* naval/marine/admiralty court; **S.gerichtsbarkeit** *f* maritime jurisdiction; **s.gestützt** *adj* sea-based; **innere S.gewässer** inshore waters, internal sea(s); **S.gewohnheiten** *pl* → **S.gebräuche**

Seegüter|transport *m* ocean transport; **S.umschlag** *m* volume of seaborne goods handled; **S.versicherung** *f* marine cargo insurance

Seehafen *m* seaport, ocean/maritime port, sea terminal; **S.bahnhof** *m* harbour/marine station; **S.betreiber** *m* seaport operator; **S.betrieb** *m* seaport operation; **S.-platz** *m* seaport town; **S.spediteur** *m* shipping/land *[GB]* agent

Seehaftpflichtversicherung *f* marine liability insurance

Seehandel *m* ocean/sea(borne)/maritime trade, shipping industry, merchant service; **S.sgesellschaft** *f* shipping company; **S.sgüter** *pl* seaborne goods; **S.skredit** *m* maritime trade credit; **S.srecht** *nt* maritime/shipping law

See|handlung *f* shipping house; **S.herrschaft** *f* naval supremacy; **S.hoheitsgebiet** *nt* territorial waters, maritime domain; **S.kabel** *nt* submerged cable; **S.kadett** *m* naval cadet; **S.kanal** *m* interoceanic canal; **S.karte** *f* nautical/sea/ocean chart, marine map; **S.kaskogeschäft** *nt* ocean hull business; **S.kaskoversicherung** *f* (marine/ocean) hull insurance; **S.(kranken)kasse** *f* sailors' health insurance scheme; **s.klar** *adj* ready for sea; **S.klima** *nt* maritime climate; **S.konnossement** *nt* marine/sea/ocean bill of lading (B/L); **s.krank** *adj* seasick; **S.krankheit** *f* seasickness, nausea

Seekrieg *m* naval warfare; **S.sakademie** *f* naval academy/college; **S.srecht** *nt* law of naval warfare

See|küste *f* seashore; **S.ladeschein** *m* sea/marine/ocean bill of lading (B/L)

Seele *f* soul; **schwer auf der S. liegen** to weigh heavy on one's mind; **sich etw. von der S. reden** to make a clean breast of it

Seelen|frieden *m* peace of mind; **S.massage** *f* 1. moral suasion, open-mouth policy; 2. *(Wirtschaftspolitik)* jawboning; **S.stärke** *f* fortitude, strength of mind; **S.verkäufer** *m* ⚓ old tub *(coll)*, sieve *(coll)*

Seeleute *pl* seafarers

seelisch *adj* emotional, psychic

Seelsorge *f* pastoral care

Seemacht *f* sea/naval/maritime power

Seemann *m* sailor, seaman, mariner, seafarer, shipman

seemännisch *adj* seamanlike

Seemanns|amt *nt* seamen's employment agency; **S.-amtsleiter** *m* shipping master *[GB]*/commissioner *[US]*; **S.brauch** *m* maritime custom; **S.erfahrung** *f* seamanship; **S.heim** *nt* sailors' home; **S.heuer** *f* seamen's wage(s); **S.leben** *nt* life at sea; **S.ordnung** *f* maritime regulations, regulations for masters and seamen; **Internationale S.ordnung** international seamen's code

seemäßig *adj* seaworthy

Seemeile *f* (= 1,852 km) nautical/sea mile, knot; **S. pro Stunde** knot; **große S.** *(= 3 km)* marine league

Seenot *f* distress; **in S. geraten** to get into distress

Seenotrettung *f* sea rescue; **S.sdienst** *m* (air-)sea rescue service; **S.sflugzeug** *nt* sea rescue plane

Seenotruf *m* distress call, S.O.S., Mayday

See|offizier *m* naval officer; **S.pass** *m* ship's passport; **S.passagevertrag** *m* sea passage contract; **S.pfandrecht** *nt* maritime lien; **S.police** *f* marine (insurance) policy; **S.prämie** *f* marine (insurance) premium; **S.prisenrecht** *nt* naval prize law; **S.promenade** *f* seaside/lakeside promenade; **S.protest** *m* captain's/master's/ship's/extended protest; **S.raub** *m* piracy

Seeräuber *m* 1. pirate, freebooter, buccaneer; 2. rover *(obs.)*; **S.ei** *f* piracy; **s.n** *v/i* to pirate

Seeraum *m* ocean space

Seerecht *nt* maritime/sea/shipping law, laws of the sea; **s.lich** *adj* marine

Seerechts|abkommen; internationale S.konvention *nt/f* Law of the Sea Convention, maritime treaty; **S.-fall/S.sache** *m/f* § maritime case/matter, admiralty case *[GB]*; **S.gericht** *nt* Law of the Sea Tribunal; **S.-konferenz** *f* Conference on the Law of the Sea

See|reise *f* 1. (ocean) voyage, sea trip; 2. cruise; **S.risiko** *nt* marine risk, § perils of the sea; **S.rückbehaltungsrecht** *nt* maritime lien; **S.sack** *m* kit bag

Seeschaden *m* average, damage by/at sea; **S.sberechnung** *f* adjustment of average; **S.ssumme** *f* maritime claim; **S.stransportversicherung** *f* marine policy, marine/sea insurance; **S.sversicherung** *f* (ocean) marine insurance

Seeschiedsgericht *nt* maritime arbitral tribunal

Seeschiff *nt* sea-going/ocean-going vessel, ~ ship; **S.fahrt** *f* maritime navigation, ocean/seasborne shipping (industry), sea transport, seaborne shipping; **S.fahrtsstraßenordnung** *f* navigation rules; **S.sregister** *nt* sea-going ship register; **S.sverkehr** *m* ocean-going/seaborne shipping (traffic)

See|spediteur *m* ocean shipper, shipping company, merchant marine company, water carrier; **S.straße** *f* ocean/sea lane, seaway; **S.straßenverordnung** *f* rules of the road (at sea), Regulations for Preventing Collisions at Sea; **S.strecke** *f* sea turn; **kurze S.strecke** short sea turn; **S.streitkraft** *f* ✈ naval force; **S.stützpunkt** *m* ✈ naval base

Seetransport *m* carriage/transport by sea, ocean transport(ation), sea(borne) transport, shipment (shpt.)

Seetransport|bilanz *f* sea transport record; **S.gefahr** *f* maritime risk; **S.geschäft** *nt* shipping (trade), marine transport; **S.gesellschaft** *f* shipping company; **S.leistungen** *pl* marine transport services; **S.risiko** *nt* marine risk; **S.versicherer** *m* marine underwriter

Seetransportversicherung *f* marine/sea insurance *[GB]*, ocean marine insurance *[US]*; **S.sgesetz** *nt* Marine Insurance Act *[GB]*; **S.spolice** *f* marine policy; **S.svertrag** *m* marine insurance contract

See|trift *f* flotsam; **s.tüchtig** *adj* 1. seaworthy, seagoing, in navigable condition; 2. *(Vers.)* well; **nicht s.tüchtig** unseaworthy; **S.tüchtigkeit** *f* seaworthiness; **s.untüchtig** *adj* unseaworthy; **S.untüchtigkeit** *f* unseaworthiness; **S.unfall** *m* disaster/accident at sea; **S.-verbindung** *f* sea route/service; **S.verkehr** *m* 1. ocean/maritime traffic; 2. maritime transport market; **S.verkehrswirtschaft** *f* ocean/maritime transport; **S.vermessung** *f* hydrographic survey; **s.verpackt** *adj* sea-packed; **S.verpackung** *f* seaworthy packing; **S.versicherer** *m* marine underwriter/insurer

Seeversicherung *f* marine/sea/maritime insurance *[GB]*, ocean marine insurance *[US]*; **S.sgeschäft** *nt* marine underwriting; **S.sgesellschaft** *f* marine insurance underwriter; **S.smakler** *m* marine insurance broker; **S.spolice** *f* marine (insurance) policy, term policy; **übertragbare S.spolice** transferable marine (insurance) policy; **S.srecht** *nt* marine insurance law; **S.svertrag** *m* marine insurance contract

See|völkerrecht *nt* international law of the sea; **S.völkerrechtsabkommen** *nt* maritime treaty; **S.warentransport** *m* carriage of goods by sea; **S.warte** *f* hydrographic institute/office; **s.wärtig** *adj* seaward, seaborne, maritime; **S.wasser** *nt* sea water; **S.wasserschaden** *m* sea-water damage, damage by sea water; **S.wechsel** *m* bottomry bond

Seeweg *m* sea lane/route; **auf dem S.** by sea, seaborne; **~ befördern** to transport by sea; **~ schicken** to ship

See|wesen *nt* maritime affairs; **S.wetterbericht** *m* marine weather report, shipping weather forecast; **S.wetterdienst** *m* marine/shipping weather service; **S.wind** *m* onshore wind; **S.wurf** *m* jettison/jetsam (of cargo); **S.zeichen** *nt* sea mark, buoy; **S.zollhafen** *m* port of entry; **S.zollzone** *f* customs maritime zone

Segel *nt* sail; **S. streichen** *(fig)* to give in; **S.boot** *nt* sailing boat

segeln *v/i* to sail; **s. nach** to sail for

Segel|schiff *nt* sailing boat/vessel; **S.schiffkonnossement** *nt* bill of lading for shipment by sailing vessel; **S.tuch** *nt* canvas

Segen *m* blessing; **sich nachträglich als S. herausstellen** to be a blessing in disguise; **s.sreich** *adj* beneficial

Segment *nt* segment, sector; **in S.e teilen** to segment; **s.al** *adj* segmental; **S.berichterstattung** *f* divisional reporting, segment information; **S.erschließungsstrategie** *f (Marketing)* segment marketing (strategy)

segmentier|en *v/t* to segment; **S.ung** *f* segmentation, segmenting

Seh|- visual; **S.bereich** *m* range of vision

Sehen *nt* sight, vision; **vom S. her kennen** to know by sight; **plastisches S.** three-dimensional vision; **räumliches S.** stereoscopic vision

sehen *v/t* to see/look/view/watch/observe; **sich s. lassen können** to be presentable, to command respect; **etw. einseitig sehen** to take a narrow view of sth.; **zu spät s.** to realize too late

Sehenswürdigkeit *f* sight, place of interest; **sich die S.en ansehen** to go sightseeing

Seh|fähigkeit *f* vision; **S.linse** *f* viewing lens

Sehne *f* ⚕ tendon

Seh|schärfe *f* sharpness of vision; **S.störung** *f* impaired vision; **S.vermögen** *nt* vision, (eye) sight

es sei denn, dass unless, barring, save that

seicht *adj* shallow

Seide *f* silk; **echte/reine S.** pure/real silk

Seiden|druck *m* silk print(ing); **S.- und Textilhändler** *m* mercer; **S.papier** *nt* tissue paper; **S.talar** *m* silk gown; **S.warenhandel** *m* mercery; **s.weich** *adj* silken

Seife *f* soap; **S.nblase** *f (fig)* bubble; **S.nindustrie** *f* soap industry; **S.npulver** *nt* soap-powder

Seil *nt* 1. rope, cord, line, tether; 2. *(Abschleppen)* towrope, towline; **mit S.en absperren** to rope off; **~ am Kai festmachen** to moor to the quay; **auf einem S. tanzen** to walk the tightrope

Seil|absperrung *f* rope barrier; **S.bahn** *f* cableway, cable railway, funicular
Seiler *m* ropemaker; **S.ei** *f* ropemaking
Seil|fähre *f* cable ferry; **S.tänzer** *m* tightrope walker
seinerzeit *adv* at the/that time
Seite *f* 1. side, flank; 2. page; 3. aspect; **alle S.n einer Frage** the ins and outs of a question; **S. einer Gleichung** π member of an equation; **die angenehmen S.n des Lebens** the bright side of life; **die andere S. der Medaille** the other side of the coin; **S. an S.** abreast; **auf umstehender S.** overleaf; **von allen S.n** from all sides; **nach einer S. hängend** lopsided
beide Seite|n anhören § to give both sides a hearing; **neue S. aufschlagen** *(fig)* to turn over a new leaf; **von allen S.n beleuchten** to view from all sides; **etw. von der angenehmen S. betrachten** to look at the bright side of it/sth.; **auf die S. bringen** to make away with, to stash away; **auf die S. legen** to put on the side; **sich ~ legen** ⚓ to keel over; **sich auf die andere S. schlagen** to change sides; **auf jds S. stehen** to back/support so.; **jdm zur S. stehen** to assist so.; **sich auf jds S. stellen** to side with so.; **sich von der besten S. zeigen** to be on one's best behaviour; **auf seine S. ziehen** to win over to one's side, to nobble
erste Seite first/front page; **Gelbe S.n** ✆ yellow pages; **von glaubwürdiger S.** on good authority; **leere S.** blank page; **letzte S.** back page; **von maßgeblicher S.** from authoritative sources; **menschliche S.** human factor; **auf der nächsten S.** ▯ overleaf; **schwache S.** weakness; **starke S.** strong point, forte; **vordere S.** front page
von seiten on the part of
Seiten|abstand *m* lateral distance; **S.abstimmung** *f* reconciliation of numbers/figures; **S.abzug** *m* ▯ page proof; **S.ansicht** *f* side view, profile; **S.aufriss** *m* 🏛 end elevation; **S.ausgang** *m* side exit; **S.begrenzung** *f* page limit; **S.bezeichnung** *f* paging; **S.bordmotor** *m* sideboard engine; **S.drucker** *m* 🖳 page printer; **S.eingang** *m* side entrance; **S.erbe/S.erbin** *m/f* collateral heir; **S.flügel/S.gebäude** *m/nt* wing; **S.format** *nt* page format; **S.gestaltung** *f* page layout; **S.gleis** *nt* 🚃 siding *[GB]*, sidetrack *[US]*; **S.hieb** *m* jibe; **S.kanal** *m* lateral canal; **S.kopf** *m* page heading; **S.lader** *m* sideloader; **S.leser** *m* optical page reader; **S.licht** *nt* 🚗 sidelight(s); **S.linie** *f* 1. branch line; 2. *(Verwandtschaft)* collateral line; **in der ~ verwandt** related in the collateral line; **S.mitte** *f* centre (of a) page; **S.neigung** *f* ⚓ heel, list; **S.nummer** *f* page number; **S.nummerierung** *f* pagination, page numbering; **S.preis** *m* page rate; **S.rand** *m* margin; **S.ruder** *nt* ✈ rudder
seitens *prep* by, on the part of
Seiten|speicher *m* 🖳 page buffer, memory block, real storage; **S.steg** *m* ▯ side reglet; **S.straße** *f* side street; **S.streifen** *m (Straße)* verge, hard shoulder; **S.stück** *nt* tally, companion piece; **S.tarif** *m* page rate; **S.überlauf** *m* ▯ page overflow; **S.umbruch** *m* ▯ paging, page layout; **s.verkehrt** *adj* inverted; **S.verkleidung** *f (Maschine)* end cover; **S.verwandte(r)** *f/m* collateral relative; **S.verweis** *m* page reference; **S.vorschub** *m* 🖳 form feed; **S.wand** *f (Container)* side wall; **S.wechselspeicher** *m* 🖳 paging device; **S.weg** *m* byway; **S.wind** *m* cross wind
Seitenzahl *f* page number; **ohne S.** unpaged; **mit S.en versehen** to page
Seiten|zähler *m* page counter; **S.zweig** *m* sideline, offshoot
seitlich *adj* lateral
Seitwärts|bewegungen *pl (Börse)* side-stepping; **S.kanal** *m (Börse)* sidestepping
Sekante *f* secant
Sekretär(in) *m/f* 1. secretary, clerk; 2. *(Möbel)* desk, bureau *[US]*; **geprüfte(r) S.** chartered secretary
Sekretariat *nt* secretariat, secretary's office
Sekretariats|- secretarial; **S.ausbildung** *f* secretarial training; **S.kräfte** *pl* secretarial staff; **S.tätigkeit** secretarial work; **S.zuschuss** *m* secretarial allowance
Sekretärinnen|- secretarial; **S.ausbildung** *f* secreterial training; **S.diplom** *nt* secretarial diploma; **S.tätigkeit** secretarial work/occupation
Sektion *f* section, branch, department; **S.schef** *m* head of department, chief of section
Sektkellerei *f* champagne cellars
Sektor *m* 1. sector, section, division; 2. trade, field, line of business; **S. öffentliche Haushalte** government sector; **S. Privathaushalte** household sector; **S. Staat** public sector; **S. Unternehmen** business sector
abgebender Sektor supplying sector; **aufbringender S.** financing sector; **kommunaler S.** local authorities; **notleidender S.** ailing industry; **öffentlicher S.** public sector/services/industry; **aufgeblähter ~ S.** bloated public sector; **privater/privatwirtschaftlicher S.** private sector; **produktiver S.** wealth-creating sector; **staatlicher S.** state sector; **tertiärer S.** service industry/industries, tertiary sector; **wirtschaftlicher S.** economic sector, branch of economic activity
sektoral *adj* sectoral
Sektoren|- sectoral; **S.gliederung** *f* breakdown by industries; **S.grenze** *f* sector boundary; **konsolidierte zusammengefügte S.konten** consolidated sector accounts
sektoriell *adj* sectoral
Sektorstrategie *f* sectoral strategy
Sekt|steuer *f* tax on sparkling wines, champagne tax; **S.wirtschaft** *f* sparkling wine trade
Sekunda *f (Wechsel)* second (of exchange); **girierte S.** second in course
sekundär *adj* secondary, derivative
Sekundär|bedarf *m* secondary requirements/demand, non-essential requisites; **S.bereich** *m* capital goods sector, secondary/industrial sector; **S.daten** *pl* secondary data; **S.forschung** *f* desk research; **S.geschäft** **S.handel** *nt/m* trading in existing securities; **S.güterproduktion** *f* secondary production; **S.haftung** *f* secondary liability; **S.liquidität** *f (Bank)* secondary reserve liquidity; **S.markt** *m* secondary (trading) market; **~ für Optionen** secondary options market; **S.material** *nt* secondary information; **S.metalle** *pl* secondary metals; **S.reserve** *f* secondary reserve(s); **S.rohstoff (Sero)** *m*

secondary/recycled raw material; **S.rohstoffgewinnung** *f* secondary raw materials extraction; **S.schlüssel** *m* secondary key; **S.sparen** *nt* secondary saving; **S.sprache** *f* second language; **S.statistik** *f* derived statistics; **S.träger** *m* secondary medium; **S.verteilung** *f* secondary distribution; **S.wirkung** *f* secondary effect; **S.zentrum** *nt* neighbourhood centre

Sekundawechsel *m* second (of exchange)

Sekunde *f* second; **auf die S.** on the dot

Sekunden|bruchteil *m* split second; **in S.schnelle** *f* in a flash; **S.zeiger** *m* second hand

selbst *pron* self; **von s.** of one's/its own accord; **um ihrer/seiner s. willen** for its own sake

Selbst|abholer sein *m* to collect one's own mail; **S.abholung** *f* collection by the customer/hand; ~ **(gegen Kasse)** cash and carry (system); **S.abholgroßhandel** *m* cash and carry wholesaler; **S.achtung** *f* self-esteem, self-respect; **S.anfertigung** *f* self-manufacture, own make; **S.anklage/S.anzeige** *f* 1. self-incrimination, self-accusation; 2. *(Steuer)* voluntary declaration; **S.anschlussamt** *nt* ✆ automatic exchange; **s.auferlegt** *adj* self-imposed; **S.auflösung** *f* voluntary liquidation; **S.aufopferung** *f* self-sacrifice; **S.ausbildungsverfahren** *nt* pick-up method; **S.auskunft** *f* voluntary disclosure; **S.auslöser** *m (Foto)* automatic release; **S.ausschalter** *m* automatic cut-off; **S.bedarf** *m* personal needs

Selbstbedienung *f* self-service, self-selection; **auf S. umstellen** to go self-service

Selbstbedienungs|gerät *nt* self-service terminal; **S.geschäft** *nt* self-service shop *[GB]*/store *[US]*; **S.großhandel** *m* self-service wholesale trade, cash and carry; **S.laden** *m* supermarket, self-service shop *[GB]*/store *[US]*; **kleiner S.laden** superette *[US]*; **S.restaurant** *nt* self-service restaurant, cafeteria; **S.station** *f* self-service station; **S.system** *nt* self-service system; **S.tankstelle** *f* self-service filling station *[GB]*, gaseteria *[US]*; **S.warenhaus** *nt* self-service (department) store; **S.wäscherei** *f* launderette, washeteria

Selbstbehalt *m* 1. retention; 2. *(Vers.)* deductible average, own risk, excess insurance; **S. abziehen** to deduct the retention

Selbstbehalts|bestimmung *f* deductible provision; **S.betrag** *m (Vers.)* retention figure; **S.klausel** *f* deductible/own-risk/franchise clause; **S.prämie** *f* retained premium; **S.quote** *f* quota share; **S.satz** *m (Exportkredit)* retained proportion, retention ratio; **S.tabelle** *f (Vers.)* retention table

Selbst|behauptung *f* self-assertion; **s.beherrscht** *adj* self-restrained, self-possessed; **S.beherrschung** *f* self-control, self-restraint, self-command, self-possession; ~ **verlieren** to lose one's temper; **S.belastung** *f* § self-incrimination; **S.belieferung** *f* self-supply; **S.belieferungsvorbehalt** *m* reservation as to oneself obtaining the supplies; **S.bescheidung** *f* self-restraint, self-control; **S.beschleunigung** *f* self-acceleration, snowball growth

Selbstbeschränkung *f* self-restraint, self-restriction; **freiwillige S.** voluntary restraint; ~ **im Export** voluntary export restraint, ~ ceiling/limits on exports; **S.sabkommen** *nt* voluntary restraint agreement, orderly marketing agreement

Selbst|beschuldigung *f* § self-incrimination, self-accusation; **s.bestimmend** *adj* self-determining; **s.bestimmt** *adj* self-determined; **S.bestimmung** *f* self-determination; **S.bestimmungsrecht** *nt* right of self-determination

Selbstbeteiligung *f* 1. *(Vers.)* own risk, excess (coverage), percentage excess, accidental damage excess, co-payment, co-insurance *[US]*; 2. *(Exportkredit)* retention, own share; **S.sklausel** *f* excess cover(age), partial limitation clause; **S.starif** *m* percentage excess policy

Selbst|betrug *m* self-deceit; **S.beweihräucherung** *f* self-congratulation; **S.bewirtschaftung** *f* 🏠 owner-occupancy; **s.bewusst** *adj* self-confident, self-assured; **S.bewusstsein** *nt* self-confidence, self-assurance, perkiness *(coll)*; **S.bezichtigung** *f* § self-incrimination, self-accusation; **S.bild** *nt* self-image; **S.bindung** *f* self-engagement, unilateral engagement; **S.biografie** *f* autobiography; **S.darstellung** *f* self-portrayal, showmanship; **s. eingeladen** *adj* self-invited; **S.einschätzung** *f* self-assessment, self-rating, self-appraisal

Selbsteintritt *m* self-contracting, self-dealing, contracting for one's own account; **unzulässiger S.** *(Makler)* cross sale; **S.sangebot** *nt* crossed order; **S.srecht** *nt* right to enter into contract with o.s.

Selbst|entfaltung *f* self-development, self-fulfil(l)ment; **S.entleibung** *f* suicide, self-destruction; **S.entzündung** *f* spontaneous combustion; **S.erhaltung** *f* self-preservation; **S.erhaltungstrieb** *m* survival instinct; **S.erhitzung** *f* self-heating

selbst ernannt *adj* self-appointed, self-proclaimed, self-styled; **sich s. erneuernd** *adj* self-perpetuating; **s. erstellt** *adj* self-provided, self-constructed, company-manufactured; **s. erwirtschaftet** *adj (Geldmittel)* self-generated; **s. erzeugend** *adj* self-generating; **s. erzeugt** *adj* self-generated

Selbstfahrer *m* 1. owner-driver; 2. ⚓ self-propelled/motorized barge

Selbstfinanzierung *f* self-financing, auto-financing, own/internal financing, own funding, plough-back, internal capital generation, earnings retention, retention of earnings

Selbstfinanzierungs|anteil *m* investor's own resources; **S.kraft** *f* self-financing ability, internal financing ability; **S.mittel** *pl* internally generated funds, internal equity; **S.möglichkeiten** *pl* capacity for self-financing; **S.quote** *f* 1. self-financing ratio; 2. *(Exportkredit)* exporter's retention (rate); **S.spielraum** *m* scope for internal financing

selbst gebildet *adj* self-educated; **S.gefährdung** *f* self-endangering; **s.gefällig** *adj* complacent, smug; **S.gefälligkeit** *f* complacency, smugness; **s. gefertigt** *adj* company-produced; **S.gefühl** *nt* self-esteem, self-confidence; **s.gehend** *adj* self-starting; **s. gelernt** *adj* self-taught; **s. gemacht** *adj* home-made; **s.genügsam** *adj* self-sufficient; **S.genügsamkeit** *f* self-sufficiency; **s.gerecht** *adj* self-righteous; **S.gerechtigkeit** *f* self-righteousness; **S.gespräche führen** *pl* to talk to o.s.; **s.gezogen** *adj* 🚜 home-grown; **s.haftend** *adj* 1. at one's own risk, liable oneself; 2. (self-)adhesive; **S.heilungskraft** *f* self-healing power, self-regulating force; **s.herrlich** *adj* arbitrary, high-handed, with a high hand, opinionated; **S.herrschaft** *f* autocracy, independent rule; **S.herrscher** *m* autocrat(ic ruler); **S.herstellung** *f* in-firm production

Selbsthilfe *f* 1. self-help, mutual aid; 2. *(Schaden)* self-redress; **zur S. schreiten** to take the law into one's own hands

Selbsthilfe|einrichtung *f* mutual assistance institution; **S.methode** *f* do-it-yourself method; **S.organisation** *f* self-help organisation; **S.programm** *nt* self-help program(me); **S.recht** *nt* right of self-redress; **S.sparen** *nt* self-help saving; **S.verkauf** *m* self-help sale

Selbst|intensivierung *f* self-expansion, snowball growth; **S.interesse** *nt* self-interest; **S.justiz** *f* arbitrary law; **S.klebeetikett** *nt* self-adhesive label; **s.klebend** *adj* self-adhesive, self-sealing; **S.klebeumschlag** *m* self-seal envelope; **S.kontrahent(in)** *m/f* principal, self-contracting party; **S.kontrahieren** *nt* self-contracting, self-dealing, acting as principal and agent; **S.kontrolle** *f* 1. self-control; 2. self-regulation; 3. 💻 automatic check; **S.korrektur** *f* self-adjustment; **s.korrigierend** *adj* self-adjusting

Selbstkosten *pl* 1. prime/direct/actual/original cost, total production cost, cost price; 2. *(Handel)* cost of sales; **S. veranschlagen** to cost; **unter S. verkaufen** to sell below cost(s); **nachträglich berechnete S.** historic(al) cost(s); **niedrige S.** low cost(s); **S.berechnung** *f* prime cost calculation; **S.beteiligung** *f (Vers.)* excess; **S.betrag** *m* (amount/rate of) prime costs

Selbstkostenpreis *m* cost price, first cost, cost of production/manufacture; **zum S.** at cost (price), marginal; **~ einkaufen** to buy at cost price; **~ einsetzen** to value at cost; **unter dem S. verkaufen** to sell under/below cost price; **zum S. verkaufen** to sell at cost price; **S.methode** *f* cost-plus method

Selbstkostenrechnung *f* cost accounting, costing, calculation of cost

Selbst|kritik *f* self-criticism; **s.kritisch** *adj* self-critical; **S.läufer** *m (Produkt)* fast-selling item; **s.los** *adj* disinterested; **S.losigkeit** *f* disinterestedness; **S.machen** *nt* do-it-yourself (DIY); **S.medikation** *f* ⚕ self-medication; **S.mitleid** *nt* self-pity

Selbstmord *m* suicide, self-destruction; **S. begehen** to commit suicide, to take one's life

Selbstmörder(in) *m/f* suicide; **s.isch** *adj* suicidal

selbstmord|gefährdet *adj* suicidal; **S.klausel** *f* suicidal clause; **S.versuch** *m* attempted suicide

Selbst|organschaft *f* self-organ principle, organic unity; **S.potenzierung** *f* snowball growth, self-multiplication; **s.prüfend** *adj* self-checking; **S.prüfung** *f* 1. 💻 built-in check; automatic check; 2. introspection; **S.rechtfertigung** *f* self-justification; **s.regelnd** *adj* self-adjusting; **S.regenerierungskräfte der Natur** *pl* nature's power of self-regeneration; **s.regiert** *adj* self-governed; **S.regierung** *f* self-government, home rule; **s.registrierend** *adj* self-recording; **s.regulierend** *adj* self-regulating, self-regulatory, self-correcting; **S.regulierung** *f* self-regulation, self-adjustment; **S.regulierungsmechanismus** *m* self-regulatory mechanism; **s.reinigend** *adj* self-cleaning; **S.reinigung** *f* self-purification; **S.reinigungseigenschaften** *pl* self-cleaning properties; **S.risiko** *nt* own risk; **S.risikoquote** *f (Exportkredit)* exporter's retention; **S.schuldner** *m* primary debtor/obligor, principal debtor, debtor on one's own account; **s.schuldnerisch** *adj* directly liable/suable/enforceable, owing as a principal debtor; **S.schutz** *m* self-protection

selbstsicher *adj* self-assured, self-confident; **zu s.** overconfident; **S.heit** *f* self-assurance, self-confidence

selbstständig *adj* 1. independent, autonomous; 2. self-employed, self-reliant, self-sufficient, on one's own, unaided, single-handed; 3. self-governing, self-governed; 4. *(Unternehmen)* unaffiliated; 5. freestanding; 6. original; 7. distinct; **nicht s.** *(Arbeit)* dependent; **wirtschaftlich s.** economically independent; **s. tätig** in business, self-employed; **sich s. machen** to set up (in business/on one's own), to branch/strike out on one's own, to become self-employed, to set up as a self-employed man/woman; **s. sein** to be self-employed, to self-start

Selbstständigeneinkommen *nt* self-employed person's income

Selbstständige(r) *f/m* self-employed (person)

Selbstständigkeit *f* 1. independence; 2. self-employment; 3. self-reliance, self-sufficiency; **wirtschaftliche S.** economic independence

Selbst|steigerung *f* automatic growth; **S.steuerung** *f* automatic control, self-control; **S.steuerungsfähigkeit** *f* self-righting quality; **S.studium** *nt* private study; **S.sucht** *f* selfishness; **s.süchtig** *adj* selfish; **s.tätig** *adj* automatic, self-acting; **S.täuschung** *f* self-deceit; **S.tötung** *f* suicide; **s.tragend** *adj* 1. self-supporting; 2. *(Aufschwung)* self-sustaining, self-feeding; **S.unterricht** *m* self-study; **S.veranlagung** *f* self-assessment, self-rating, self-appraisal; **s.veranlagungspflichtig** *adj* self-assessable; **S.verantwortung** *f* own responsibility; **~ des Management** management commitment; **S.verbrauch** *m* private/own/internal consumption; **S.verbraucher** *m* private consumer; **nur an S.verbraucher** *(Waren)* not for resale; **s. verdient** *adj* own earned himself/herself; **S.verkäufer** *m* manufacturer and retailer; **S.verladung** *f* loading effected by sender himself; **S.verlag** *m* author and publisher; **im ~ erschienen** published by the author; **S.verleugnung** *f* self-denial; **S.verpfleger** *m* self-caterer; **S.verpflegung** *f* self-catering; **S.verpflichtung zum Umweltschutz** *f* environmental commitment; **S.verschulden** *nt* one's own fault; **S.versenkung** *f* ⚓ scuttling; **S.versicherer** *m* self-insurer, co-insurer; **s.versichert** *adj* self-insured; **S.versicherung** *f* self-insurance, co-insurance; **S.versicherungsrücklage** *f* insurance reserve; **s.versorgend** *adj* self-catering, self-supplying; **S.versorger** *m* self-supporter; **~ sein** *m* to be self-sufficient/self-reliant

Selbstversorgung *f* 1. self-sufficiency, self-support; 2. *(Land)* autarchy, autarky; 3. *(Urlaub)* self-catering; **S.sgrad** *m* degree of self-sufficiency; **S.slandwirtschaft** *f* subsistence farming; **S.swirtschaft** *f* autarchy, autarky

selbstverständlich *adj* self-evident, it goes without saying; **als s. hinnehmen** to take for granted; **S.keit** *f* matter of course, foregone conclusion

Selbst|verständnis *nt* self-image, way of seeing o.s.; **S.verstärkung** *f* self-reinforcement, snowball growth; **S.verstümmelung** *f* self-inflicted injury/wound(s), self-mutilation; **S.verteidigung** *f* self-defence

Selbstvertrauen *nt* self-confidence, self-assurance; **S. haben** to be sure of o.s.; **übermäßiges S.** overconfidence; **s.d** *adj* self-confident, self-assured

selbst verwaltet *adj* self-governed

Selbstverwaltung *f* 1. self-government, self-administration, decentralized administration; 2. autonomy, home rule; 3. *(Wertpapiere)* self-management, self-administration; **kommunale/städtische S.** local self-government; **paritätische S.** joint management; **S.skörperschaft** *f* self-governing body, autonomous corporation; **S.sorgan** *nt* self-governing/self-regulatory body, self-regulating authority

Selbst|verwirklichung *f* self-fulfil(l)ment, self-realization, self-actualization *[US]*; **S.vollzug** *m* self-constitution; **S.vorwurf** *m* self-reproach; **S.wahl** *f* self-selection

Selbstwähl|amt *nt* ✆ automatic exchange; **S.betrieb/S.dienst** *m* subscriber trunk dialling (STD), automatic dialling; **S.er(in)** *m/f* ✆ automatic dialler; **S.-ferndienst/S.(fern)verkehr** *m* direct distance dialling (DDD), subscriber trunk dialling (service) (STD) *[GB]*, toll line dialing *[US]*, subscriber dialling, automatic operation; **S.fernsprecher** *m* dial telephone; **S.vermittlung** *f* dial exchange

Selbst|zahler *m* *(Vers.)* self-pay patient; **S.zahlungszeit** *f* payback period; **S.zerfleischung** *f* self-laceration; **S.zerstörung** *f* self-destruction; **S.zucht** *f* self-discipline; **s.zufrieden** *adj* complacent, self-assured, self-contented; **S.zufriedenheit** *f* complacency, self-assurance, self-content; **S.zweck** *m* end in itself

Selektion *f* selection

selektiv *adj* selective

Selenzelle *f* photoelectric cell

Selfmademan *m* self-made man

selten *adj* rare, scarce; *adv* seldom; **sehr s.** far-between; **S.heit** *f* rarity; **S.heitswert** *m* scarcity value

Semester *nt* semester, half, term; **S. belegen** to enrol for a term; **S. studieren** to keep a term; **älteres S.** *(coll)* senior; **jüngeres S.** *(coll)* junior; **S.ferien** *pl* vacation; **S.ultimo** *nt* mid-year

Semi-Containerschiff *nt* semi-container ship

Seminar *nt* 1. seminar, workshop, discussion group, class; 2. *(Universität)* department; **S.arbeit** *f* essay; **S.bibliothek** *f* institute/departmental library; **S.leiter(in)** *m/f* tutor; **S.teilnehmer(in)** *m/f* student, participant

wie warme Semmeln weggehen *pl* to sell like hot cakes

Senat *m* 1. senate, Senate *[US]*; 2. § division; **S.sausschuss** *m* senate committee; **S.senquete** *f* senate inquiry; **S.smitglied** *nt* senator

Sende|abruf/S.aufruf *m* 🖳 polling; **S.anlage** *f* transmitter; **S.antenne** *f* transmitter aerial; **S.bereich** *m* broadcasting area, transmission range; **S.betrieb** *m* transmit mode; **S.erlaubnis** *f* broadcasting permit, broadcast transmitting licence; **S.folge** *f* series, radio programme; **S.frequenz** *f* broadcasting frequency; **S.gebiet** *nt* service/transmission area; **S.gerät** *nt* transmitter (set); **S.leiter** *m* programme director, producer

senden *v/t* 1. *(Transport)* to forward/ship/send/despatch/dispatch/consign; 2. *(Brief)* to send/address; 3. *(Geld)* to convey/remit; 4. *(Rundfunk)* to broadcast/transmit; 5. *(Fernsehen)* to screen; 6. *(Strahlung)* to emit; **nicht s.** *(Radiosender)* to be off the air; **portofrei s.** to send prepaid; **weiterhin s.** *(Radio)* to stay on the air

Sendepause *f* 1. interval, intermission; 2. *(fig)* deathly silence

Sender *m* 1. forwarder, consignor, consigner, sender; 2. *(Radio)* (radio) transmitter/station; 3. *(Fernsehen)* channel; **S. und Empfänger** transceiver; **S. einstellen** *(Radio)* to tune in; **privater S.** private (radio/television) station

Sende|raum *m* (broadcasting) studio; **S.recht** *nt* broadcasting licence/right; **S.reihe** *f* (radio/tv) series

Sender|einstellung *f* tuning; **S.frequenz** *f* radio frequency; **S.gruppe** *f* broadcasting network; **S.netz** *nt* radio network; **S.programm** *nt* radio programme

Senderöhre *f* transmitting valve

Senderstandort *m* transmitter site

Sende|saal *m* studio; **S.schluss** *m* sign-off; **S.spesen** *pl* dispatch charges; **S.stärke** *f* transmitting power; **S.station** *f* transmitting terminal; **S.streifen** *m* *(Radio)* transmitting tape; **S.studio** *nt* broadcasting studio; **S.teil** *nt* *(OR-Knoten)* emitter; **S.verlust** *m* transmitting loss; **S.zeichen** *nt* signature (tune)

Sendezeit *f* air time; **S. für Werbung** advertising time; **S. belegen** *(Werbung)* to buy time

Sendschreiben *nt* message, missive

Sendung *f* 1. *(Partie)* consignment, shipment, batch, lot, parcel; 2. *(Handlung)* forwarding, despatch, dispatch; 3. *(Geld)* remittance; 4. *(Radio/Fernsehen)* transmission, programme, broadcast(ing); **S. als Frachtgut** dispatch by ship/rail; **S. von Geld** remittance; **S. gegen Nachnahme** cash *[GB]*/collect *[US]* on delivery (C.O.D./c.o.d.); **S. des Werbefunks** commercial (broadcast)

Sendung abrufen to call forward a shipment; **S. ausstrahlen** to broadcast (a programme); **S. beenden** *(Radio)* to go off the air; **S. beginnen** *(Radio)* to go on the air; **auf S. gehen** to go live; **S. umleiten** to reroute a shipment; **S. unterbrechen** to interrupt the programme

bahnlagernde Sendung consignment to be called for at the railway *[GB]*/railroad *[US]* station; **beliebte S.** popular programme; **direkte S.** live broadcast; **eingeschriebene S.** ✉ registered item; **fehlende S.** missing item/consignment; **gemischte S.** mixed shipment; **neue S.** new shipment; **portofreie S.** prepaid consignment; **postlagernde S.en** ✉ parcels/letters to be called for, general delivery *[US]*; **nicht im Studio produzierte S.** outside broadcast; **stationseigene S.** *(Funk)* sustaining programme; **unverlangte S.** unsolicited consignment; **unzustellbare S.** undeliverable consignment; **zollfreie S.** duty-free consignment

Sendungs|bewusstsein *nt* sense of mission; **S.gewicht** *nt* weight of parcel; **S.kennzeichnung** *f* transport marking

Senior *m* senior (citizen); **S.betriebsobmann** *m* senior steward, convenor; **S.chef** *m* senior partner/director; **S.enwohnungen** *pl* sheltered housing/accommodation

Seniorität *f* (job) seniority

Seniorpartner *m* senior partner

senken *v/t* 1. *(Preis)* to bring/mark/level down, to reduce/decrease/lower/clip, to knock off *(coll)*, to roll back, to depress; 2. *(Kosten)* to cut (down), to drive down, to shave, to trim back/down; *v/refl* to drop/fall/sag, to give way; **laufend s.** to lower progressively

Senk|grube *f* cesspool, cesspit, sump; **S.kasten** *m* 🏛 caisson *[frz.]*; **s.recht** *adj* vertical, upright, perpendicular; **S.rechte** *f* perpendicular; **S.rechtstart** *m* vertical takeoff; **S.rechtstarter** *m* 1. *(fig)* highflier, whiz(z) kid; 2. ✈ vertical takeoff plane

Senkung *f* 1. reduction, decrease, lowering, cut, rundown; 2. *(Preis)* marking down, knock-off; 3. *(Boden)* subsidence

Senkung des Diskontsatzes lowering/reduction of the bank rate, ~ discount rate; **S. der Geldsätze** cheapening of money; **~ Kommunalsteuer** rate capping *[GB]*; **~ Kosten** cost cutting; **~ Preise** price cut; **~ Steuer** tax cut; **~ Treibhausgasemissionen** greenhouse gas emission cut

Senkungsschaden *m* subsidence (damage)

Sensalie; Sensarie *f* *[A]* courtage, brokerage fee

Sensation *f* sensation; **kurzlebige S.** nine day's wonder *(coll)*

sensationell *adj* sensational, exciting, newsworthy

Sensations|bedürfnis *nt* craving for sensation; **S.blatt** *nt* tabloid; **S.hai** *m (Presse)* muckraker; **S.mache** *f* sensationalism; **S.presse** *f* yellow press; **S.stück** *nt* thriller, shocker; **S.werbung** *f* gimmick

sensibel *adj* sensitive

Sensibilität *f* sensitivity; **S.sanalyse** *f* sensitivity analysis; **S.stheorie** *nt* sensitivity theory

Sensor *m* sensor; **S.bildschirm** *m* touch screen; **S.taste** *f* touch button

separat *adj* separate, self-contained; **S.druck** *m* 📖 offprint *[GB]*, separate *[US]*; **S.friede** *m* separate peace; **S.konto** *nt* separate account

septisch *adj* septic

Sequenz|analyse/S.prüfung *f* sequence/sequential analysis

Sequenzialtest *m* sequential test

Sequester/Sequestor *m* sequestrator, official receiver, trustee, administrator; **S.maßnahme** *f* sequestration measure; **S.pfandrecht** *nt* official receiver's lien; **S.vermögen** *nt* sequestered property; **S.verwaltung** *f* receivership

Sequestration *f* sequestration, official (temporary) receivership; **gerichtliche S.** receiving order

Sequestratur *f* sequestration

sequestrier|en *v/t* to sequester/sequestrate; **S.ung** *f* sequestration

Serie *f* 1. series, serial, sequence, run; 2. lot, batch, production series; **S. von Prozessen** string of lawsuits; **in S. herstellbar** mass-producible; **~ hergestellt** mass-produced, manufactured; **S. auflegen** to run a production series; **in S. gehen** to go into production; **in S.(n) herstellen** to mass-produce, to manufacture; **große S.** large/long production run; **kleine S.** short (production) run

seriell *adj* serial

Serien|- serial; **s.ähnlich** *adj* quasi-serial; **S.anfertigung** *f* mass/large-scale/batch production; **S.anleihe** *f* serial/class/term bond; **S.anzeige** *f* serial advertisement; **S.artikel** *m* mass-produced article; **S.ausführung** *f* standard model; **S.auslosung** *f* serial draw; **S.bau** *m* mass-construction; **S.betrieb** *m* 💻 serial operation; **S.brief** *m* standard letter; **S.erzeugnis** *nt* mass product; **S.fabrikat** *nt* standard product; **S.fabrikation/S.fertigung** *f* mass/serial/series/lot-order/batch/multiple/duplicate production, serialization, continuous series-type production, serial/wholesale manufacture; **S.fälligkeit** *f* serial maturity; **S.folge** *f* series; **S.freigabe** *f* release for series production; **S.geschäft** *nt* mass production, series-produced goods business; **S.größe** *f* batch size; **S.güter** *pl* mass-produced/series-produced goods; **S.herstellung** *f* → **S.fabrikation**; **S.kalkulation** *f* batch costing; **s.mäßig** *adj* standard, regular, in series; **S.modell** *nt* standard/production model; **S.muster** *nt* representative sample; **S.nummer** *f* serial number; **S.preisgeschäft** *nt* chain store; **S.produkt** *nt* standard product; **S.produktion** *f* mass/series/serial production, manufacturing in series; **in ~ hergestellt** mass-produced; **S.prüfung** *f* routine inspection; **S.rabatt** *m* serial discount; **s.reif** *adj* ready for production, ~ to go into production; **S.reife** *f* production stage; **S.renten** *pl* serial bonds; **S.schaltung** *f* ⚡ series connection; **S.sequentierung** *f* batch sequencing; **S.stückzahl** *f* serial number; **S.umfang** *m* batch size; **S.verarbeitung** *f* 💻 serial processing; **S.ware** *f* standard articles; **S.wechsel** *m* batch changeover allowance; **s.weise** *adj* in series

seriös *adj* serious, reputable, reliable, sound, respectable; **S.ität** *f* reliability

Sero (Sekundärrohrstoff) *m* secondary/recycled raw material

Serpentine *f* serpentine

Service *m* 1. service; 2. after-sales service; 3. *(Geschirr)* service, set; **S.abteilung** *f* support division; **s.freundlich** *adj* easy to service; **S.gesellschaft** *f* after-sales service company; **S.grad** *m* service level; **S.leistungen** *pl* after-sales service, services; **~ für die Kunden** customer service, service to customers; **S.mechaniker/S.techniker** *m* service engineer; **S.(stellen)netz** *nt* service station network; **S.prozessor** *m* service processor; **S.tätigkeit** *f* service activity

Servieren *nt* waiting; **s.** *v/t* to serve

Servier|fenster *nt* service hatch; **S.tisch** *m* sideboard

servil *adj* servile, obsequious
Servitut *nt* easement, servitude; **öffentlich-rechtliches S.** public easement
Servo|- servo, power-assisted
sesshaft *adj* 1. permanent, resident, established; 2. sedentary; **s. werden** to settle down; **S.igkeit** *f* 1. settled way of life; 2. sedentariness
Setzen *nt* typesetting, composition
setzen *v/t* 1. to set/put/place; 2. to typeset/compose; 3. *(Wette)* to stake; *v/refl* 1. to sit down; 2. to settle/sag; **s. auf** to rely on, to pin one's hopes on, to go for; **alles daran s.** to make an all-out effort; **gesperrt s.** to space out; **kompress s.** to set solid; **neu s.** to re-set
Setzer *m* typesetter, typographer, compositor; **S.ei** *f* composing room
Setz|fehler *m* typographical error, misprint; **S.kasten** *m* letter case; **S.ling** *m* 1. seedling; 2. sapling; **S.maschine** *f* typesetter, typesetting machine; **S.riss** *m* subsidence crack
Seuche *f* epidemic, disease, plague; **S.ngesetz** *nt* epidemic control act; **S.npolizei** *f* sanitary authorities
Sexual|- sex(ual); **S.delikt** *nt* sexual offence; **S.proportion** *f* sex ratio; **S.trieb** *m* sex drive; **S.verbrechen** *nt* sex crime
sexuell *adj* sexual
sezieren *v/t* to dissect
Shareholder-Value *m* shareholder value; **S.-Prinzip** *nt* shareholder value concept
Sheriff *m* sheriff
Shredder(anlage) *m/f* shredder, shredding plant; **s.n** *v/t* to shred
Sichabfinden *nt* acceptance
sicher *adj* 1. certain, sure; 2. safe, secure; 3. firm, sound, reliable; 4. good, positive, definite; 5. confident; **s. sein** to rest assured; *v/refl* to be positive; **absolut/hundertprozentig s.** failsafe; **s.gehen** *v/i* to be/err on the safe side; **s.gestellt** *adj* secured; **nicht s.gestellt** unsecured
Sicherheit *f* 1. certainty; 2. security, safety; 3. guarantee, guaranty *[US]*, surety, assurance, pledge; 4. reliability; 5. *(Kredit)* security, deposit, cover, collateral (security *[US]*); 6. confidence level; **gegen S.** against security/bail, by way of security; **in S.** safe, out of harm's way; **zur S.** by way of security, for good measure
Sicherheit am Arbeitsplatz industrial/occupational safety, (on-the-)job safety, safety at work; **S. des Arbeitsplatzes** job security, security of employment; **S. in Form von Effekten** stock exchange collateral; **S. für eine Forderung** security for debt; **S.en an Grundstücken** real securities; **S. durch Hinterlegung guter Effekten** regular collateral; ~ **Hinterlegung von Industrieaktien** industrial collateral; **S. für einen Kredit** security for a loan; **S. des Luftraums** air safety; **S. und Ordnung** law and order, public safety and order; **S. für Prozesskosten** security for costs; **S. zur See** maritime safety
zur Sicherheit bestellt pledged; **nur zur S.** *(Wechsel)* for deposit only
Sicherheit anbieten to offer security; **S.en aufteilen** to marshal securities; **S. auswechseln** to float a security; **S. bestellen** to register a security, to put up/supply collateral, to collaterate, to provide security; **S. bieten** to offer security/collateral; **in S. bringen** to bring to safety, to put in a safe place; **als S. dienen** to serve as collateral; **S. fordern** to demand security; **S. freigeben** to release/discharge the security; **S. geben** to stand security; **S. gewähren** to secure; **als S. hingeben** to turn over as security; **S. hinterlegen** to deposit as security; **S. leisten** to furnish/provide/give security, ~ collateral, to furnish a guarantee, to stand surety, to pledge; **für jdn S. leisten** § to stand bail for so.; **S. in Anspruch nehmen** to call up a guarantee; **mangels S. protestieren** *(Wechsel)* to protest for lack of security; **S. stellen** 1. to stand/furnish/provide/give security, ~ collateral; 2. *(Gericht)* to file a bond; **gegen S. verkaufen** *(Wertpapiere)* to sell on margin; **auf eine S. verzichten** to abandon a security; **öffentliche S. wahren** to keep the peace; **sich in S. wiegen** to lull o.s. into a false sense of security; **S. zurückkaufen** *(Treuhänder)* to redeem a security; **S. zurückziehen** to revoke a security; **S.en zusammenfassen** to tack securities
akzessorische Sicherheit collateral (security), asset cover; **angemessene S.** fair/reasonable/adequate security, adequate collateral; **auswechselbare S.** floating security; **bankmäßige S.** bankable/collateral security; **bankübliche S.** banking collateral, normal banking security; **berufliche S.** job/employment security; **dingliche S.** collateral/material/real/underlying security, lien secured by property, § security in rem *(lat.)*; **erstklassige S.en** gilt-edged *[GB]*/trustee *[US]* securities; **erststellige S.** first-charge security; **geeignete S.** eligible security; **gemeinsame S.** joint collateral; **genügende S.** ample security; **gleichwertige S.en** equivalent safeguards; **grundbuchliche S.** security of entry into the land register; **hinreichende S.** sufficient security; **hinterlegte S.** security deposited; **hochwertige S.** high-grade security; **hypothekarische S.** mortgage security, security by real estate mortgage; **innere S.** *(psychologisch)* poise; **nachrangige S.** junior security; **nationale S.** national security; **öffentliche S.** public security; **persönliche S.** personal safety/security; **reale S.** real security; **restliche S.** residual security; **soziale S.** social security; **statistische S.** confidence coefficient/factor; **mit tödlicher S.** as sure as death; **überschüssige S.** excess security; **verpfändete S.en** securities pledged; **vertragliche S.** contractual security; **verwertete S.** liquidated collateral; **vorrangige S.** prior security; **wertlose S.** dead security; **zusätzliche S.** additional/collateral security; **zweitrangige S.** junior security
Sicherheiten|bewertung *f* valuation of securites; **S.empfänger(in)** *m/f* warrantee; **S.formular** *nt (Bank)* security form; **S.verwertung** *f* pledge of securities
Sicherheits|abkommen *nt* *(Politik)* security agreement, defence alliance; **S.abstand** *m* safety/safe distance; **S.anforderungen** *pl* safety standards; **den ~ genügen** to meet safety standards; **S.äquivalent** *nt* certainty equivalent; **S.arrest** *m* § safe/preventive custody, arrest of a debtor; **S.auflage** *f* safety standards/

requirement, diligence requirement; **S.ausweis** *m* safety card; **S.beamter/S.beauftragter** *m* security/safety officer; **S.bedürfnis** *nt* safety need; **S.berater** *m* security adviser; **S.bereich** *m* sensitive area; **S.beschlagnahme** *f* seizure for security; **S.bestand** *m* inventory buffer/reserve/cushion, inventory safety stock, minimum inventory level, reserve stock, safety level, protective inventory; **S.bestände** buffer/emergency stocks; **S.bestimmungen** *pl* 1. safety regulations/requirements; 2. *(Firma)* security regulations; **s.bewusst** *adj* 1. safety-conscious; 2. security-conscious; **S.code** *m* 🖳 redundant code; **S.depot** *nt* 1. contingency fund; 2. *(Vers.)* premium reserve; **S.dienst** *m* secret/intelligence service, safety department; **S.einrichtungen** *pl* safety features/equipment; **S.einstufung** *f* security rating; **S.erfordernisse** *pl* 1. safety standards; 2. *(Börse)* margin requirements; **S.erklärung** *f* guarantee bond; **S.faden** *m (Banknote)* security filament; **S.faktor** *m* safety factor, margin of safety; **S.fonds** *m* safety fund; **S.garantie** *f* safety guarantee; **S.geber** *m* warranter, warrantor, guarantor; **S.glas** *nt* safety glass; **S.grad** *m* degree of certainty/accuracy; **S.grenze** *f* safety/tolerance limit; **S.gurt** *m* safety/seat belt; ~ **anlegen** to fasten one's safety/seat belt; **s.halber** *adv* preventive, for reasons/by way of security, for good measure, to be on the safe side; **S.hinterlegung** *f* guarantee deposit; ~ **von Aktien** guaranty stock *[US]*; **S.ingenieur** *m* safety engineer; **S.interessen** *pl* interests of security; **S.kapital** *nt (Vers.)* surplus to policyholders; **S.kapitalpolitik** *f* reserve policy; **S.kette** *f* safety chain; **S.klausel** *f* escape clause; **S.koeffizient** *m* margin of safety; **S.kontrolle** *f* security check/clearance; **S.kräfte** *pl* security guards/forces; **S.lager** *nt* buffer stock(s); **S.lampe** *f* ⚒ miner's lamp

Sicherheitsleistung *f* 1. *(Börse)* margin; 2. furnishing/deposit of security, safety bond, recognizance, undertaking, import deposit(s); 3. § bail, judicial/appeal bond, caution *[Scot.]*; **gegen S.** by way of security, on security

Sicherheitsleistung für Anerkennung recognizance; **S. durch Bürgschaft** security by bond; **S. bei Gericht** judicial bond; **S. für Gerichtskosten** security for costs; **S. durch Nachlassverwalter/Testamentsvollstrecker** administrative bond; **S. des Submittenden** performance bond; ~ **Vollstreckungsschuldners** forthcoming bond; **S. im Zivilprozess** civil bail, security in a civil case

Sicherheitsleistung ablehnen to refuse bail; **S. anordnen** to grant bail; **gegen S. entlassen** to release on bail; **S. erhöhen** to enlarge bail; **gegen S. kaufen** *(Börse)* to buy on margin; **S. verfallen lassen** to abscond bail; **gegen S. verkaufen** *(Börse)* to sell on margin; **zur S. zulassen** to replevy; **gepfändete Sachen gegen S. zurückerhalten** to replevy

Sicherheits|linie *f* safety line; **S.marge** *f* safety margin

Sicherheitsmaßnahme *f* safety/security measure, precaution(ary measure); **S.n** security arrangements; ~ **treffen** to take precautions

Sicherheits|maßregeln *pl* security/precautionary measures; **S.matrix** *f* 🖳 access matrix; **S.nehmer(in)** *m/f* warrantee; **S.netz** *nt* safety net; **soziales S.netz** social security system, ~ net(work); **S.normen** *pl* safety standards/rules; **einheitliche S.normen** uniform safety standards; **S.organe** *pl* the police, public safety services; **S.pakt** *m* security/defence pact; **S.pfand** *nt* pledge; **S.pfändung** *f* seizure for security; **s.politisch** *adj* with regard to security; **S.programm** *nt* security programme; **S.prüfung** *f* safety check/inspection; **S.rat** *m (UN)* Security Council; **S.riegel** *m* safety bolt; **S.risiko** *nt* security risk; **(allgemeine) S.rücklage** *f* contingency fund/reserve, contingent fund; **S.schleuse** *f* security door system; **S.schloss** *nt* safety/security lock, deadlock, check-lock; **S.spanne** *f* 1. *(Börse)* safety margin; 2. ▦ margin of error; **S.stufe** *f* ▦ significance level; **S.summe** *f (Börse)* margin, retention money; **S.technik** *f* security and alarm systems; **s.technisch** *adj* safety, concerning safety regulations; **S.titel** *m* guarantee voucher; **S.übereignung/S.übertagung** *f* transfer as a guarantee; **S.überprüfung** *f* 1. security clearance, vetting; 2. ✿ safety check; **S.urteil** *nt* cautionary judgment; **S.ventil** *nt* safety valve; **S.vereinbarung** *f* collateral agreement; **S.verschluss** *m* safety catch; **S.versprechen** *nt* security pledge, § recognizance; **S.verwahrung** *f* safe/preventive custody; ~ **anordnen** to place under restraint

Sicherheitsvorkehrung *f* safety/security precaution, safety arrangement; **S.en erhöhen** to increase security; ~ **treffen** to take precautions; ~ **verstärken** to tighten security

Sicherheits|vorrichtung *f* safeguard, safety device; **S.vorschriften** *pl* safety regulations; **S.wechsel** *m* collateral bill, bill of security, guaranteed bill of exchange; **S.zone** *f* sensitive area; **S.zuschlag** *m (Vers.)* safety loading/factor, excess clause, loading for contingencies, margin of safety

sicherlich *adv* no doubt, certainly

sichern *v/t* 1. to safeguard/protect/cover/secure; 2. to assure/ensure/guarantee; 3. to indemnify (against/from); 4. to provide security, to collateralize; 5. *(Börse)* to hedge; 6. 🖳 to save; *v/refl* 1. to hedge; 2. *(Ware)* to snap up; 3. *(Zinssatz)* to lock in; **dinglich s.** to secure by collateral, ~ by pledge/mortgage; **hypothekarisch s.** to secure by mortgage

sicherstellen *v/t* 1. to secure; 2. to make certain/sure, to guarantee/ensure/ascertain; 3. to (re)cover/insure/indemnify; 4. *(beschlagnahmen)* to impound; 5. to detain, to put in safe custody; *v/refl* to secure o.s.; **hypothekarisch s.** to mortgage; **s.d** *adj* indemnificatory

Sicherstellung *f* 1. security; 2. guarantee; 3. indemnification, indemnity, cover; **gegen S.** against security; **S. der Vollbeschäftigung** securing full employment; **S. von Vermögenswerten** protection of assets; **S.sdepot** *nt* security *[GB]*/collateral *[US]* deposit, contingency fund

Sicherung *f* 1. *(Kredit)* security, consolidation; 2. provision of security, hedging; 3. *(Interessen)* protection, safeguard(ing); 4. *(Verschluss)* safety catch; 5. ⚡ (safety) fuse

Sicherung der Arbeitsplätze safeguarding of jobs; **S. des Arbeitsplatzes** job security/protection; **S. und Besserung** public security and correction; **S. des Beweises** perpetuation of evidence; **S. der Eigenkapitalposition** maintaining the equity base; ~ **Geldwertstabilität** stabilization policy, safeguarding monetary stability; **S. gegen Geldwertschwund** inflation-proofing; **S. der Realeinkommen** safeguarding real incomes; **S. gegen Verlust** cover against loss; **S. der Vollbeschäftigung** securing full employment; ~ **Währung** safeguarding of the currency; ~ **Wettbewerbsfähigkeit** preserving the competitive position/strength

zur Sicherung abtreten/übereignen/-tragen to assign for security; **aus der S. entlassen** to release from pledge

bankmäßige Sicherung normal banking security; **grundpfandrechtliche S.** mortgage-backed security; **soziale S.** social security

Sicherungs|abkommen *nt* security agreement; **S.abtretung** *f* assignment of/for security, ownership transfer, blanket bond, assignment of accounts receivable; **S.bereich** *m* security zone; **S.beschlagnahme** *f* attachment by way of security; **S.bestimmung** *f* safeguard provision; **S.eigentum** *nt* ownership by way of security, ~ a chattel mortgage; **S.eigentümer(in)** *m/f* owner of collateral security; **S.formen** *pl* security arrangements; **S.geber(in)** *m/f* principal, provider of security, mortgagor of chattel, transferor of title to property; **S.gegenstand** *m* collateral, item serving as collateral; **~, der nicht zum Umlaufvermögen gehört** non-inventory collateral; **S.geld** *nt* penalty; **S.gelder** funds pledged as security; **S.geschäft** *nt* hedging (operation), hedge, security/covering transaction; ~ **abschließen** to hedge (against); **S.grenze** *f* protection ceiling; **S.grundschuld** *f* debt-securing/cautionary land charge; **S.gut** *nt* equitable lien, mortgaged property, item serving as security; **S.haft** *f* (protective) detention; **S.hypothek** *f* trust/covering/cautionary/claim-securing mortgage; **S.instrument** *nt* hedging tool; **S.kauf** *m* hedging operation, hedge buying; **S.klausel** *f* security/escape/safeguard clause; **S.kontrakt** *m* hedge contract; **S.kopie** *f* 🖳 back-up copy; **S.maßnahme** *f* safety/security measure, safeguard provision; **S.- und Überwachungsmaßnahmen** safeguards and controls; **S.mittel** *pl* means of security; **S.nehmer(in)** *m/f* mortgagee, secured party, recipient of security; **S.patent** *nt* confirmation patent; **S.pfandrecht** *nt* charging lien; **S.-pflicht** *f* safety obligation; **S.recht** *nt* charging lien, security right/interest, factoring, right to protection from risks; **hypothekarisches S.recht** equitable mortgage; **S.reserve** *f* deposit security reserve; **S.schein** *m* trust letter; **S.schlüssel** *m* security code; **S.stempel** *m* authentication stamp

sicherungsübereignen *v/t* to give in/assign/pledged as security

Sicherungsübereignung *f* collateral assignment, chattel mortgage/loan, trust deed, ownership transfer by way of security, assignment by bill of sale as security for a debt; **S. aufheben** to release from trust; **S.svertrag** *m* (conditional) bill of sale, letter of lien, fiduciary contract, trust agreement *[US]*

Sicherungs|verfahren *nt* attachment procedure; **S.verkauf** *m* hedge selling; **S.vertrag** *m* bill of sale; **S.verwahrung** *f* (preventive) detention; **S.vorkehrungen** *pl* security/safety provisions, security arrangements, protective measures; **S.vorrichtung** *f* security/safety device; **S.wechsel** *m* collateral bill; **S.wert** *m* value as security; **S.zahlung** *f* hedge payment; **S.zession** *f* fiduciary assignment; ~ **einer Forderung** assignment of account

Sicht *f* 1. sight; 2. visibility, view; **bei S.** at sight, on demand, a vista *[I]*; **in S.** in sight/prospect, in the offing; **nach S.** after sight; **aus meiner S.** from my point of view; **30 Tage nach S.** 30 days after sight; **zahlbar bei S.** payable on demand/presentation, ~ at sight; ~ **nach Sicht** payable after sight

Sicht behindern/nehmen to obstruct the view; **in S. kommen** to come into sight; ~ **sein** to be forthcoming, ~ in the offing; **S. versperren** to blot out/obstruct the view; **bei S. fällig werden** to mature upon presentation; ~ **zahlen** to pay at sight

charttechnische Sicht chartist's point of view; **ferne S.** *(Börse)* distant delivery; **kurze S.** short sight; **auf ~ S.** in the short run/term, at short sight, short-dated, short-term; **lange S.** long sight; **auf ~ S.** in the long run/term, long(-term); **auf längere S.** in the long(er) term; **auf mittlere S.** in the medium term; **aus steuerlicher S.** taxwise; **auf weite S.** in the long run/term, long-range

Sicht|akkreditiv *nt* sight letter of credit, reimbursement credit; **S.anweisung** *f* sight bill, cash order (C/O); **S.anzeige** *f* 🖳 visual display, readout; **S.anzeigegerät** *nt* display device

sichtbar *adj* 1. apparent, visible, conspicuous, evident, obvious, manifest; 2. disclosed, published; **s. sein** to meet the eye; **weithin s.** dominant; **S.keitsmesser** *m* visibility meter; **S.machung** *f* visualization

Sicht|bedingungen *pl* (conditions of) visibility; **S.behinderung** *f* obstruction of view, visual obstruction; **S.bereich** *m* range of vision; **S.blende** *f* screen

Sichteinlage *f* call/demand/sight deposit, now account *[US]*, current (account) deposit, bank demand deposit, bank money; **S.n** checking deposits, deposits/cash at call, current accounts, check book money *[US]*; **Sicht- und Termineinlagen** *(US-Reservebanken)* bank credit proxy; **primäre S.n** high-powered dollars *[US]*; **S.nkonto** *nt* call/sight deposit account

Sichten von Land *nt* ⚓ landfall; **s.** *v/t* 1. to sight; 2. to inspect/examine, to look through; 3. *(ordnen)* to sift/screen

Sicht|feld *nt* field/range of vision; **S.gerät** *nt* 🖳 visual display unit (VDU), display device; **S.geschäft** *nt* forward transaction; **S.grenze** *f* limit of visibility; **S.guthaben** *nt* 1. sight/demand balances; 2. *(Bilanz)* credit balance maintained; **S.kartei** *f* visible card index, visual file; **S.konto** *nt* now account *[US]*; **S.kontrolle/S.prüfung** *f* visual check/inspection, sight check; **S.kreditbrief** *m* sight letter of credit (L/C); **S.kurs** *m* *(Devisenhandel)* sight/spot/demand rate; **S.papier** *nt* sight item, demand instrument/note/paper; **S.packung** *f* blister pack(age); **S.schuldschein** *m* sight bill/draft; **S.tage** *pl* days of grace; **S.tratte** *f* sight draft (S.D., S/D)/bill, demand draft, draft (payable) at sight

Sichtung *f* 1. sighting; 2. inspection, examination, looking through; 3. sifting; **S. der Angebote** bids valuation

Sicht|verbindlichkeiten *pl* sight/demand liabilities, liabilities payable at sight; **S.verhältnisse** *pl* (conditions of) visibility; **S.verkauf** *m* display selling; **S.vermerk** *m* visa; **~ der Zollbehörde** customs endorsement/stamp; **S.verpflichtungen** *pl* current liabilities

Sichtwechsel *m* sight/demand bill, sight draft (S.D., S/D), draft/bill (payable) at sight, demand draft (DD, D/D), bill on demand, cash order; **S. und Konnossement beigefügt** sight draft, bill of lading attached (S.D.B.L.); **S. zur Vorlage nach Ankunft der Ware** after-arrival-of-goods draft; **S. auf jdn ziehen** to draw on so. at sight; **S.kurs** *m* sight rate, ~ exchange (rate)

in dieser Sichtweise *f* in this view

Sichtweite *f* visibility, range of vision, (range of) sight; **außer S.** out of sight

Sickergrube *f* cesspool, cesspit

Sickern *nt* seepage; **s.** *v/i* to seep/soak

Sicker|quote *f* leakage; **marginale S.quote** marginal leakage; **S.verlust** *m* leakage; **S.wasser** *nt* soakage

Sieb *nt* 1. sieve, strainer; 2. screen; **S.druck** *m* screen print(ing)

sieben *v/t* 1. to strain/screen/sift; 2. to be selective, to pick and choose

Siebener-Gemeinschaft *f* Community of the Seven

Sieben|meilenstiefel *pl* seven-league boots; **S.sachen** *pl (coll)* bits and pieces, odds and ends, belongings

Siebschablonendruck *m* silk screen printing

Siebung *f* screening

siedeln *v/i* to settle; **wild s.** to squat

sieden *v/i* to boil

Siedepunkt *m* boiling point

Siedler *m* 1. settler; 2. 🚜 smallholder; **S. ohne Rechtstitel; unberechtigter S.** squatter; **S.stelle** *f* settler's holding; **S.verein** *m* housing association

Siedlung *f* 1. (land) settlement, colony; 2. housing estate

Siedlungs|abfall *m* residential waste; **S.bau** *m* (housing) estate building; **S.behörde** *f* resettlement administration; **S.brei** *m (fig)* urban sprawl; **S.fläche** *f* settlement area; **S.form** *f* form of settlement; **S.gebiet** *nt* settlement/settled area; **S.gefüge** *nt* settlement structure; **S.genossenschaft/S.gesellschaft** *f* housing association/cooperative/company, land settlement society; **S.gesetz** *nt* Housing Development Act *[GB]*; **S.kredit** *m* land settlement financing loan, credit for settlers; **S.plan** *m* settlement project; **S.planung** *f* community planning, town and country planning; **S.politik** *f* settlement policy; **S.programm/S.projekt** *nt* development project, land settlement scheme; **S.struktur** *f* settlement structure; **S.wesen** *nt* (land) settlement; **ländliches S.wesen** land settlement

Sieg *m* victory, win; **S. nach Punkten** victory on points; **S. davontragen** to carry/win the day; **leichten S. davontragen** to win hands down; **S. erringen** to win, to emerge victorious, to score a victory; **glänzenden S. erringen** to come off with flying colo(u)rs; **auf S. setzen** to pick a winner; **leichter S.** walkover; **moralischer S.** moral victory; **trügerischer S.** hollow victory; **überwältigender S.** overwhelming/landslide victory

Siegel *nt* seal, signet; **unter dem S. der Verschwiegenheit** under the seal of secrecy; **S. abnehmen/entfernen** to take off a seal, to unseal; **S. anbringen** to affix a seal; **S. aufdrücken** to impress a seal/stamp; **S. brechen** to unseal, to break a seal; **S. verletzen** to break a seal; **mit S. versehen** 1. to seal; 2. sealed; **unverletztes S.** unbroken seal

Siegel|abdruck *m* impression of a seal; **S.abnahme** *f* unsealing; **S.beamter** *m* sealer; **S.bruch** *m* breaking the seal; **S.fälschung** *f* forging a seal; **S.führung** *f* use of a seal; **S.lack** *m* sealing wax; **S.marke** *f* wafer

siegeln *v/t* to (affix a) seal

Siegelring *m* signet ring

Siegelung *f* sealing, affixing/impressment of a seal

siegen *v/i* to win

Sieger|(in) *m/f* winner, victor; **S.macht** *f* victorious power

sieges|sicher *adj* confident of victory; **S.trophäe** *f* scalp

siegreich *adj* victorious

siehe see, vide *(lat.)*; **s. oben** see above; **s. unten** see below

Siel *m/f* sluice; **in den S.en sterben** *(fig)* to die in harness *(fig)*

Siemens-Martinsofen *m* ✐ open-hearth furnace

siezen *v/t* to use the formal term of address

Signal *nt* 1. signal, pointer, sign; 2. 🖳 signal element; **S. aussenden** to signal; **akustisches S.** audible alarm/signal

Signal|anlage *f* signalling equipment/system, signal installation; **S.bake** *f* signal beacon; **S.buch** *nt* ⚓ signal/code book; **Internationales S.buch** ⚓ International Code; **S.feuer** *nt* ⚓ signal fire; **S.flagge** *f* signal flag; **S.gast** *m* ⚓ signalman, flagman; **S.geber** *m* flagman; **S.glocke** *f* warning bell; **S.horn** *nt* horn

signalisieren *v/t* to signal/indicate/mark

Signal|lampe/S.laterne *f* signal lantern; **S.licht** *nt* signal light; **S.maat** *m* ⚓ yeoman of signals; **S.pfeife** *f* (signal) whistle; **S.schuss** *m* warning shot; **S.tafel** *f* *(Hotel)* teleseme; **S.technik** *f* signalling technology; **S.verzerrung** *f* signal distortion; **S.wärter** *m* signalman; **S.wirkung** *f* signalling/announcement effect

Signatar *m* signatory; **S.macht** *f* signatory power; **S.staat** *m* signatory (state)

Signatur *f* 1. signature; 2. *(Bibliothek)* signatory, class number

Signet *nt* publisher's monogram

Signieren *nt* coding, marking; **s.** *v/t* to sign/autograph/mark/initial

Signier|kreide *f* marking crayon; **S.stift** *m* marking pencil

Signierung *f* marking, coding, autographing, initialling

signifikant *adj* significant

Signifikanz *f* significance, significant difference; **S.grad** *m* significance level; **statistische S.prüfung** test of significance; **S.schwelle** *f* significance level; **S.stufe** *f* ▦ test size, size of test

Signum *nt* logo
Silage *f* 🚜 silage
Silbe *f* syllable; **S.n pro Minute** words per minute (wpm); **S.ntrennung** *f* word division; **S.nzahl** *f* shorthand speed
Silber *nt* silver; **feuervergoldetes S.** vermeil; **gediegenes S.** solid silver; **legiertes S.** alloyed silver; **ungemünztes S.** silver bullion
Silber|anteil *m* silver content; **S.auflage** *f* silver-plating; **S.barren** *m* silver bullion/bar; **S.bergwerk** *nt* silver mine; **S.börse** *f* (silver) bullion market: **S.dollar** *m* cartwheel *[US]*; **S.erzförderung** *f* silver mining; **S.faden** *m (Banknote)* thread mark; **S.gehalt** *m* silver content; **s.glänzend** *adj* silvery; **s.haltig** *adj* 1. ⚒ silver-bearing, argentiferous; 2. containing silver; **S.hochzeit** *f* silver wedding; **s.legiert** *adj* white; **S.legierung** *f* silver alloy; **S.ling** *m* silver coin, piece of silver; **S.markt** *m* (silver) bullion market; **S.münze** *f* silver coin; **S.papier** *nt* silver paper; **S.schmied** *m* silversmith; **S.streifen** *m* silver lining; **S.währung** *f* silver currency/standard/base/basis; **S.waren** *pl* silverware
Silhouette *f* silhouette, outline(s), skyline
Silikose *f* ⚕ silicosis, pneumoconiosis
Silizium *nt* silicon
Silo *m/nt* silo, elevator *[US]*; **im S. einlagern** to ensilage; **S.einspeicherung** *f* ensilage; **S.futter** *nt* 🚜 (en)silage
Silvesterputz *m (Bilanz)* (year-end) window-dressing
simpel *adj* simple, plain, unsophisticated, simple-minded
Simplex|methode *f* simplex method; **S.verfahren** *nt* simplex transmission
Simulant(in) *m/f* ⚕ malingerer, simulator
Simulation *f* simulation, mock-up
Simulator *m* simulator
simulieren *v/t* 1. to simulate/feign; 2. ⚕ to malinger, to sham illness; 3. to swing the lead *(fig)*
simultan *adj* simultaneous
Simultan|arbeit *f* 1. parallel work; 2. 💻 parallel programming; **S.dolmetschen** *nt* simutaneous translation/interpreting; **S.dolmetscher(in)** *m/f* simultaneous translator; **S.gründung** *f* single-step formation; **S.haftung** *f* simultaneous liability, direct and primary liability; **S.planung** *f* simultaneous planning; **S.rechner** *m* parallel computer; **S.schätzung** *f* simultaneous estimate; **S.übersetzung** *f* simultaneous translation; **S.verarbeitung** *f* parallel processing
Sinekure *f* sinecure
singulär *adj* singular, unique, rare; **nicht s.** non-singular
Sinken *nt* sinking, decline, slump, drop, fall, easing-off; **S. der Arbeitslosigkeit** employment gains; **~ Erträge** drop in earnings; **~ Preise** falling prices; **im S. begriffen sein** to be on the decline
sinken *v/i* 1. to sink; 2. to decrease/fall/drop/decline/recede/diminish/dwindle/sag/dip, to go/look down, to be on the decrease/decline; 3. ⚓ to sink/founder, to go down; **plötzlich s.** to slump
Sink|flug *m* ✈ descent; **S.kasten** *m* gully; **S.stoff** *m* settlable matter
Sinn *m* 1. sense, mind; 2. meaning, significance, purport, liking; 3. *(Brief)* tenor; **dem S. nach** in spirit; **im S.e von** for the purposes of, within the meaning of
Sinn eines Briefes purport of a letter; **S. des Gesetzes** purport/meaning/spirit of the law; **im S.e der Gesetzgebung** in accordance with the purpose of the legislation; **S. der Rede** tenor of the speech; **~ Sache/Übung** object/aim of the exercise; **ohne S. und Verstand** without rhyme or reason; **im S.e des Vertrages** contemplated by the contract; **~ Vorschlags** on the lines of the proposal; **S. und Zweck** the whole point
in diesem Sinne to this effect; **im wahrsten S. des Wortes** literally
Sinn entstellen to distort the meaning; **(keinen) S. ergeben** to make (no) sense; **im S.e haben** to intend to do; **in jds. S.e handeln** to act in accordance with so.'s wishes; **jdm in den S. kommen** to come to so's mind, to occur to so.; **jdm plötzlich ~ kommen** to cross so.'s mind; **S. einer Vernehmung verfälschen** § to verbal
im eigentlichen/engeren Sinn|e strictly speaking, in the narrower sense; **im juristischen/rechtlichen S.e** in the legal sense, for legal purposes; **im strengen S.e** in the strict sense; **im übertragenen S.** figuratively; **im weitesten S.e** in the broadest sense
Sinnbild *nt* symbol, emblem; **s.lich** *adj* symbolic(al)
sinnen auf *v/i* to devise
Sinnes|organ *f* sense organ; **S.täuschung** *f* mental delusion; **S.wandel** *m* change of mind/heart
sinn|fällig *adj* manifest, obvious; **S.gebung** *f* interpretation; **s.gemäß** *adj* 1. analogous; 2. giving the gist; **s.los** *adj* useless, meaningless, senseless, pointless, futile, nonsense, hollow, self-defeating; **S.losigkeit** *f* senselessness, futility; **s.reich** *adj* ingenious; **s.voll** *adj* meaningful, sensible; **~ sein** to make sense
Sintflut *f* deluge
Sinus *m* π sine; **S.kurve** *f* sine curve
Sippe *f* tribe, clan, family, kin; **S.nanhänger** *m* kinsman
Sippschaft *f* kinship, tribe, clan, clique; **die ganze S.** *(coll)* the whole lot *(coll)*
Sirene *f* siren, hooter
sistieren *v/t* § 1. to arrest/stop; 2. *(Verfahren)* to suspend/stay/postpone/adjourn
Sistierung *f* 1. § arrest, apprehension; 2. stay of execution, adjournment; **S. eines Verfahrens** stay of proceedings
Sitte *f* custom, usage; **S.n und Gebräuche** established customs, customs and traditions; **~ untergraben** to demoralize; **gegen die guten ~ verstoßen** 1. to forget one's manners, to offend against common decency; 2. § to be contra bonos mores *(lat.)*; **gute S.n** good manners, public morals
Sitten|dezernat *nt* vice department; **S.gesetz** *nt* moral law, rules of ethics; **S.kodex** *m* moral code; **S.lehre** *f* ethics, morals; **s.los** *adj* immoral, dissolute, profligate; **S.polizei** *f* vice squad; **S.strafrecht** *nt* criminal law of immorality; **S.strolch** *m* sex molester/fiend, sexual deviate; **S.verfall** *m* decline in moral standards, demoralization; **s.widrig** *adj* 1. immoral, unethical, unconscionable; 2. improper, unfair; **S.widrigkeit** *f* immorality, violation of moral principles

sittlich *adj* moral, ethical

Sittlichkeit *f* morality, decency; **S.sdelikt** *nt* offence against morality, sexual offence; **S.sempfinden** *nt* moral standards; **S.sverbrechen** *nt* sex crime; **S.sverbrecher** *m* sex offender; **S.svergehen** *nt* sexual offence, act of indecency

Situation *f* situation, state, position, circumstances, set-up; **S. des knappen Geldes** tight money conditions; **S. in den Griff bekommen** to cope with a situation; **kritische S. meistern** to turn the corner; **der S. nicht gewachsen sein** not to be up to a situation; **S. sofort überblicken; S. mit einem Blick übersehen** to sum up the situation at a glance; **S. verschlimmern** to make things worse; **sich einer S. gewachsen zeigen** to be equal/rise to the occasion

ausweglose Situation impasse *[frz.]*; **finanzielle S.** financial position; **finanzpolitische S.** financial environment; **heikle/prekäre S.** tricky situation, touch and go *(coll)*; **individuelle/persönliche S.** personal circumstances; **konjunkturelle S.** economic situation; **gedrückte ~ S.** depressed economic situation; **kreditpolitische S.** credit situation; **kritische S.** critical situation, emergency; **schwierige S.** predicament, plight; **verfahrene S.** impasse *[frz.]*; **vertragliche S.** contractual environment/situation; **wirtschaftliche S.** economic situation

Situations|analyse *f* situation(al) analysis; **s.bedingt** *adj* due to the current situation; **S.bericht** *m* situation report

situativ *adj* ad hoc *(lat.)*

gut situiert *adj* well off, well-to-do

Sitz *m* 1. seat; 2. domicile, residence, abode, home base; 3. *(Unternehmen)* headquarters, head office, domicile, residence, residency *[US]*, registered/head/main office; 4. [§] situs *(lat.)*; 5. *(Standort)* site, location; 6. principal place of business; 7. *(Kleidung)* fit; **mit S. in** *(Firma)* domiciled/based in

Sitz im Aufsichtsrat seat on the board; **S. der Geschäftsleitung** headquarters; **~ Gesellschaft** registerd *[GB]*/corporate *[US]* office, residence of the corporation; **S. einer Industrie** site of an industry; **S. der gewerblichen Niederlassung** domicile; **~ Organe** seat of the institutions

Sitz belegen to occupy a seat; **S. neu besetzen** to fill a vacancy; **seinen S. in X haben** to be domiciled/incorporated/based in X; **S. und Stimme haben** to have seat and vote; **S. reservieren** to reserve a seat; **S. verlegen** to relocate headquarters

eingetragener Sitz registered office; **freier/freigewordener S.** vacancy, vacant seat; **juristischer S.** *(Firma)* registered office, (legal) domicile; **satzungsmäßiger S.** registered office; **ständiger S.** permanent abode; **steuerlicher S.** domicile for tax purposes, fiscal domicile; **verstellbarer S.** adjustable seat; **vollkommener S.** *(Kleidung)* perfect fit

Sitz|anordnung *f* seating plan; **S.arbeit** *f* sedentary work

sitzen *v/i* 1. to sit, to be seated; 2. *(Kleidung)* to fit; 3. *(Gefängnis)* to do time; **wie angegossen s.** *(coll)* to fit like a glove *(coll)*; **s. auf** *(Ware)* to be left with; **genau s.** *(Kommentar)* to go home; **s. bleiben** *v/i* 1. to remain seated; 2. *(Schule)* to stay down, to repeat a year; **~ auf** *(Ware)* to be left with

sitzend *adj* sedentary

kein Sitz|fleisch haben *nt (fig)* to be always on the move; **S.gelegenheiten** *pl* seating (facilities); **S.kapazität** *f* seating capacity; **S.kilometer** *m* seat mile; *pl* seat mileage; **S.ladefaktor** *m* seat/passenger load factor; **S.land** *nt (Firma)* country of incorporation/domicile; **S.ordnung** *f* seating plan/arrangement(s); **S.platz** *m* seat; **S.plätze** seating (accommodation); **~ bieten für** to seat; **S.reihe** *f* row of seats; **S.staat** *m (Firma)* country of incorporation/domicile; **S.streik** *m* 1. ⛏ stay-in strike; 2. sit-down strike, sit-in

Sitzung *f* 1. meeting, conference, session, sitting; 2. [§] proceedings, hearing, session; **in einer S.** at one sitting; **S. des Aufsichtsrates** board meeting; **S. unter Ausschluss der Öffentlichkeit** closed session; **S. des Direktoriums/Vorstands** board meeting; **S. hinter verschlossenen Türen** closed-door meeting; **S. des Verwaltungsrates** board meeting, meeting of the (board of) directors

Sitzung abbrechen to break off a meeting; **S. abhalten** 1. to hold a meeting, to meet; 2. *(Gericht)* to sit, to be in session; **S. anberaumen** to call a meeting; **S. ansetzen** to schedule a meeting; **S. auflösen** to break up a meeting; **S. beenden/beschließen** 1. to end/close a meeting; 2. *(vertagen)* to adjourn; **einer S. beiwohnen** to attend a meeting; **S. einberufen** to call/convene a meeting; **S. eröffnen** 1. to open a meeting; 2. *(Gericht)* to open the court; **S. leiten** to chair/conduct a meeting, to preside over a meeting, to be in the chair; **S. schließen** to close a meeting; **an einer S. teilnehmen** to attend a meeting; **S. unterbrechen** *(Gericht)* to suspend proceedings; **S. vertagen** to adjourn a meeting

außerordentliche Sitzung special/extraordinary session; **gemeinsame S.** joint session; **geschlossene S.** meeting behind closed doors; **konstitutive S.** constituent session; **öffentliche S.** open session; **nicht ~ S.** closed session; **in öffentlicher S.** *(Gericht)* in open court/session; **in nicht ~ S.** *(Gericht)* in chambers/camera *(lat.) [GB]*; **ordentliche S.** regular session, ordinary meeting; **routinemäßige S.** routine conference; **satzungsmäßige S.** compulsory/statutory meeting; **turnusmäßige S.** regular meeting; **vertagte S.** adjourned meeting

Sitzungs|bericht *m* minutes (of the meeting), transactions, protocol, written proceedings; **S.ergebnis** *nt* results/outcome of the meeting; **S.geld** *nt* (meeting) attendance fee/allowance; **S.gewalt** *f* authority to maintain order; **S.leiter** *m* chair, chairman (of the meeting), chairperson; **S.leiterin** *f* chairwoman; **S.leitung** *f* chair(manship); **S.mitglied** *nt* conference member; **S.niederschrift** *f* minutes (of the meeting); **S.pause** *f* recess

Sitzungsperiode *f* 1. session, sittings; 2. *(Gericht)* law term *[GB]*; **außerordentliche S.** extraordinary session; **ordentliche S.** regular session

Sitzungs|programm *nt* agenda, order paper; **S.protokoll** *nt* 1. minutes (of the meeting); 2. *(Gericht)* court records; ~ **führen** to keep the minutes; **S.saal** *m* 1. conference room/hall; 2. *(Vorstand)* boardroom; 3. floor; ~ **des Direktoriums** boardroom; **S.schluss** *m* close of meeting; **S.tag** 1. *(Parlament)* day of session; 2. *(Gericht)* date of the hearing; 3. *(Börse)* (trading) session; **S.unterbrechung** *f* adjournment of a meeting; **S.unterlagen** *pl* meeting documents; **S.verlauf** *m (Börse)* session; **im S.verlauf** *(Börse)* in the course of the session; **S.zimmer** *nt* 1. conference room; 2. boardroom; **S.zwang** *m* compulsory (attendance at a) meeting

Sitz|unternehmen *nt* domiciled firm; **S.verlegung** *f* transfer of place of business; **S.verstellung** *f* seat adjustment; **S.verteilung** *f* allocation/distribution of seats

Skadenz *f* maturity/value date

Skala *f* 1. scale; 2. dial; 3. *(fig)* range, gamut; **ganze S. durchlaufen** to run the whole gamut; **gleitende S.** sliding scale

Skalar|organisation *f* line/scalar organisation; **S.produkt** *nt* scalar product

Skalen|ablesung *f* scale reading; **S.analyse** *f* scale analysis; **S.einstellung** *f* scale setting; **S.einteilung** *f* scale gradation; **S.elastizität** *f* scale elasticity

Skalenerträge *pl* economies of (large) scale, scale economies, returns to scale; **abnehmende S.** diminishing/decreasing returns to scale; **konstante S.** constant returns to scale; **steigende/zunehmende S.** increasing returns to scale

Skalen|faktor *m* scale factor, catch-all variable; **S.messbereich** *m* scale span; **S.scheibe** *f* dial; **S.technik** *f* scale analysis; **S.vorteile** *pl* economies of scale

skalier|en *v/t* to scale; **S.ungsverfahren** *nt* scale analysis

Skandal *m* scandal; **S. auslösen/hervorrufen** to create a scandal; **S. enthüllen** to blow the lid *(fig)*; **S. erregen** to scandalize; **S. machen** to kick up a row; **S. vertuschen** to hush up a scandal; **S.blatt** *nt* gutter paper; **s.ös** *adj* scandalous, disgraceful; **S.presse** *f* gutter/yellow press

Skelett *nt* 1. skeleton; 2. framework; **S.schrift** *f* ▯ skeleton face

Skepsis *f* scepticism; **mit S. betrachten** to take a dim view

Skepti|ker(in) *m/f* sceptic; **s.sch** *adj* sceptical, incredulous; **S.zismus** *m* scepticism, incredulity

Ski *m* ski; **S. laufen** to ski; **S.gebiet** *nt* ski(ing) area; **S.lift** *m* ski lift; **S.(urlaubs)ort** *m* ski resort; **S.piste** *f* ski run; **S.urlaub** *m* skiing holiday

Skizze *f* 1. sketch, draft, outline, skeleton; 2. artist's impression; **flüchtige S.** rough sketch; **maßstabgetreue S.** sketch to scale; **S.nblock** *m* sketch pad

skizzier|en *v/t* to outline/sketch/delineate; **s.t** *adj* in outline; **S.ung** *f* outlining, delineation

Sklave *m* slave; **sich zum S.n machen** to enslave o.s.; **wie ein S. schuften** *(coll)* to slave away (at sth.)

Sklaven|arbeit *f* slave/sweated labour, slavery, drudgery; **S.aufseher** *m* slave-driver; **S.halter** *m* slaveholder; **S.handel** *m* slave trade; **S.händler** *m* slave-trader; **S.markt** *m* slave market

Sklaverei *f* slavery

Sklavin *f* (female) slave

sklavisch *adj* slavish

Skonti *pl* → **Skonto**

skontieren *v/t* to (allow/give a) discount, to square

Skontierung *f* discounting, settlement; **S.stag** *m (Börse)* name day

Skonto *nt/m* (cash/trade/sales) discount, discount for cash, purchase account; **Skonti** discounts, returns; **abzüglich S.** less discount; **mit S.** at a discount; **S. bei Barzahlung** cash discount; **zusätzlicher/-s S. bei vorzeitiger Zahlung** anticipation rate; **S. abziehen** to deduct discount, to take a cash discount; **zu viel S. abziehen** to take too large a cash discount; **S. ausnutzen/in Anspruch nehmen** to take (advantage of) a (cash) discount; **S. einräumen/gewähren** to allow/grant/accord a (cash) discount; **echter/-s S.** primary discount; **nicht in Anspruch genommene Skonti** discounts lost

Skonto|abzug *m* (deduction of) discount; **ungerechtfertigter S.abzug** taking unearned cash discounts; **S.aufwendungen** *pl* discounts allowed, cash discounts paid; **S.ausnutzung** *f* use of discounts; **S.bedingungen** *pl* discount terms; **S.erträge** *pl* discounts earned, cash discounts received; **S.frist** *f* discount period; **S.gewährung** *f* allowance of (a) discount; **S.linie** *f* discount line; **S.prozentsatz** *m* cash discount percentage; **S.schinderei** *f* discount piracy; **S.verlust** *m* lost discount; **S.zeitraum** *m* discountable period

Skontration *f* settlement (of accounts), clearing, perpetual inventory

skontrieren *v/t* to settle/clear/square

Skontrierung *f* settlement; **S.stag** *m* settlement/ticket day

Skontro *nt* stock record, auxiliary ledger; **S.tag** *m* settlement/ticket day; **S.zettel** *m* (balance) ticket

Skript(um) *nt* 1. handout; 2. script; 3. (lecture) notes

Skrupel *m* scruple; *pl* qualms; **ohne S.** unscrupulous; **s.los** *adj* unscrupulous, unprincipled, unconscionable

Slang *m* slang

Slogan *m* slogan

Slum *m* slum; **S.sanierung** *f* slum clearance

Smog *m* smog; **S.alarm** *m* smog alarm; **S.bildung** *f* smog formation; **S.verordnung** *f* smog ordinance; **S.warnung** *f* smog warning

Snackbar *f* snack bar

Snob *m* snob; **S.ismus** *m* snobbery

Sockel *m* 1. foundation, base, basis; 2. ✿ header; 3. pedestal; **hoher S.** high base; **S.arbeitslosigkeit** *f* hard-core unemployment, underlying rate of employment; **S.betrag** *m* basic amount; **S.gehalt** *nt* basic salary; **S.geschoss** *nt* basement; **S.kosten** *pl* cost base; **S.rente** *f* basic pension

Soda *nt* soda; **S.wasser** *nt* soda water

sofern *conj* provided (that); **s. nicht** unless

sofort *adv* 1. immediately, straightaway, instantly, forthwith, on the spot, in no time, at a moment's notice, at a minute's warning; 2. *(Brief)* by return (of) mail/post; 3. *(Bezahlung)* on the nail *(coll)*; **per s.** immediately

Sofort|- instant, ad-hoc; **S.abschreibung** *f* immediate charge-off, initial allowance, write-off; **S.abzug** *m* deduction at source; **S.aktion** *f* instant action; **S.auftrag** *m* 1. rush job; 2. *(Börse)* fill-or-kill order; **S.bedarf** *m* immediate need(s); **S.bezug** *m* immediate subscription; **S.buchhaltung** *f* immediate bookkeeping; **S.-darlehen** *nt* immediate loan; **S.einlagen** *pl* demand deposits; **S.entscheid** *m* on-the-spot decision; **S.gericht(e)** *nt/pl* instant food

Soforthilfe *f* emergency/relief aid; **S.maßnahmen** *pl* emergency package; **S.programm** *nt* emergency aid programme

sofortig *adj* immediate, instant, prompt, quick, instantaneous

Sofort|informationssystem *nt* 🖳 online information system; **S.kasse** *f* spot/ready/prompt cash; **gegen S.kasse** for prompt cash; **S.kauf** *m* spot purchase; **S.kontrolle** *f* spot check; **S.kredit** *m* emergency loan; **S.lieferung** *f* immediate/spot supply, prompt delivery; **S.liquidität** *f* spot cash; **S.maßnahme** *f* immediate/prompt/instantaneous measure, emergency aid measure; **S.maßnahmen** immediate steps; **S.novelle** *f* emergency amendment; **S.programm** *nt* emergency/immediate/crash programme; **S.rabatt** *m* immediate rebate; **S.reaktion** *f* crash/prompt reaction; **S.rente** *f* immediate annuity; **S.sache** *f* immediate matter/article; **S.stopp** *m* 🖳 high-speed stop; **S.verarbeitung** *f* 🖳 real-time processing; **S.verarbeitungssystem** *nt* real-time/operational system; **S.verfahren** *nt* § summary proceedings; **S.vollzug** *m* § immediate execution; **S.zahlung** *f* down payment, cash down; **S.zugriff** *m* 🖳 immediate access

Software *f* software; **S.anwender** *m* software user; **S.engineering** *nt* software engineering; **S.entwicklung** *f* software development; **S.entwicklungswerkzeug** *nt* software development tool; **S.hersteller** *m* software house; **S.paket** *nt* software package; **S.unternehmen** *nt* software company

Sog *m* 1. suction; 2. ⚓ undertow

sogenannt *adj* so-called

Sogwirkung *f* bandwaggon effect

Sohle *f* 1. ⚒ floor, working level; 2. *(Schuh)* sole

Sojabohne *f* soja bean, soybean

solange *conj* as long as, for such periods

Solar|- solar; **S.energie** *f* solar energy; **S.strom** *m* solar power; **S.zelle** *f* solar cell, photovoltaic panel

Solawechsel *m* 1. sole bill (of exchange), single bill, promissory note (P.N.), single name paper, note (of hand), demand note; 2. *(Bank von England)* bank post bill; **S. der Finanzinstitute** finance paper; **diskontierter S.** discounted note; **gesamtschuldnerischer S.** joint and several promisssory note; **zusätzlich girierter S.** approved endorsed note; **nicht honorierter S.** returned note; **S.wechselkredit** *m* loan against borrower's note

Sold *m* pay; **S. beziehen** to draw one's pay; **in S. nehmen** to hire; **in jds S. stehen** to be in so.'s pay

Soldat *m* 1. soldier, serviceman; 2. *(Mannschaftsdienstgrad)* private; **S.en anwerben** to recruit/enlist soldiers; **S. werden** to enlist, to join up; **entlassener/gedienter S.** ex-serviceman; **gemeiner S.** private; **kriegsversehrter S.** disabled serviceman *[GB]*/veteran *[US]*; **S.enberuf** *m* military profession; **S.enleben** *nt* military life

soldatisch *adj* military

Sold|buch *nt* pay book; **S.einbehaltung** *f* deferred pay

Söldner *m* ✈ mercenary

Solemnitätszeuge/S.zeugin *m/f* § attesting witness

Solidar|- joint; **S.beitrag** *m* insurance contribution; **S.bürge** *m* joint surety/warrantor; **S.bürgschaft** *f* joint security/warranty, collateral guarantee, joint and several guarantee; **S.gemeinschaft** *f* 1. mutual benefit association; 2. the insured; **S.gläubiger** *m* co-creditor; **S.haftung** *f* § joint and several responsibility, joint (and several) liability/obligation

solidarisch *adj* joint and several, solidary

Solidarität *f* 1. solidarity; 2. class feeling; **S.saktion** *f* solidarity action; **S.sbeitrag** *m* emergency contribution; **S.sfonds** *m* solidarity fund; **S.sstreik** *m* sympathy/sympathetic strike; **S.szuschlag** *m [D]* solidarity surcharge

Solidar|kasse *f* mutual benefit fund; **S.pakt** *m* solidarity pact; **S.schuld** *f* joint and several debt; **S.schuldner(in)** *m/f* joint/fellow/co-principal debtor, co-debtor; *pl* joint and several debtors; **S.verpflichtung** *f* joint and several obligation

solide *adj* 1. sound, genuine, good, steady, responsible; 2. creditable, respectable, bona fide *(lat.)*; 3. *(fest)* solid

Solidität *f* 1. soundness, standing, responsibility; 2. stability; 3. solidity

Soll *nt* 1. debit, balance due, debtor; 2. debit side/column; 3. *(Plan)* target, quota; 4. *(Haushalt)* estimate; **im S.** on the debit side; **S. und Haben** 1. assets and liabilities; 2. debit(or)s and credit(or)s, credit(s) and debit(s); **hinter dem S. zurück** short of the target

im/ins Soll buchen to debit, to enter on the debit side, to pass (an amount) to the debit; **sein S. erfüllen** to do one's share, to fulfil(l) one's quota; **S. nicht erreichen** to undershoot the target; **über dem S. liegen** to be above target; **unter ~ liegen** to be below target; **im S. stehen** to be in the red; **hinter dem S. zurückbleiben** to be short of the target

Soll|abgrenzungsposten *pl* deferred income items, accruals; **S.arbeitszeit** *f* regular working hours; **S.aufkommen** *nt* target/budgeted yield; **S.ausbringung** *f* planned/budgeted output; **S.ausgaben** *pl* budgeted expenditure; **S.beleg** *m* debit voucher; **S.bestand** *m* target/nominal/prescribed inventory, stock in/on hand as shown on stock record cards; **S.besteuerung** *f* imputed taxation; **S.bilanz** *f* total debits; **S.buchung** *f* debit entry; **S.eindeckungszeit** *f* acquisition lead time plus safety margin; **S.einlage** *f* targeted/budgeted contribution; **S.einnahmen** *pl* budgeted/estimated receipts; **S.etat** *m* budget estimates; **S.fertigungszeit** *f* planned direct labour; **S.gemeinkostenzuschlagsatz** *m* predetermined overhead rate; **S.gewicht** *nt* standard weight; **S.-Ist-Vergleich** *m* actual versus estimated, variance analysis, target-performance/target-actual comparison, comparison between the budgeted and realized result,

~ of estimates and result, performance report; **S.kapazität** *f* rated capacity; **S.kaufmann** *m* businessman by registration; **S.kosten** *pl* budgeted/target cost(s), ideal/current/attainable standard cost(s); **S.kostenrechnung** *f* standard/budget accounting; **S.kurve** *f* nominal curve; **S.leistung** *f* planned/standard/rated output, budgetary/base/planned/rated performance; **S.menge** *f* 1. *(Produktion)* target production (provided); 2. standard/planned quantity, quantity of base; **S.nachweis** *m* justificatory record/list/statement; **S.posten** *m* debit item/entry; **S.produktion** *f* target output; **S.qualität** *f* ▦ programme quality; **S.saldo** *m* debit balance; **S.seite** *f* debit side; **S.spalte** *f* debit column; **S.stärke** *f* required strength; **S.stellung** *f* budget/book position; **S.summenliste** *f* debit sum list; **S.system der Rechnungslegung** *nt* accrual accounting; **S.termin** *m* target date; **S.umsätze** *pl* debit activity; **akkumulierte S.umsätze** accumulated debit activity; **S.vorgabe** *f* (set) target; **S.vorschrift** *f* directive provision; **S.wert** *m* nominal amount, reference input, set point, desired/rated/target/set value; **S.-Wird-Vergleich** *m* comparison between target and estimated performance; **S.zahlen** *pl* target figures; **S.zeit** *f* standard/required/targeted time; **S.ziffer** *f* target figure

Sollzins *m* 1. debtor interest/debit rate; 2. debit interest, interest charges, interest on debit balances; **S.en** interest receivable/charges/expenses, interest owing; **S. für erste Adressen** prime lending rate; **S.en der Banken** bank lending rates; **Soll- und Habenzinsen** interest pro and contra, debit and credit interest; **S.enverbesserung** *f* improvement of debtor interest rates; **S.fuß/S.rate/S.satz** *m/f/m* borrowing/debit rate, debtor interest rate

solo *adj* solo; **S.geschäft** *nt (Börse)* outright purchase/transaction; **S.terminkurs** *m (Börse)* outright price

Solvabilität *f* solvency (margin)

solvent *adj* solvent, sound, liquid, good, responsible

Solvenz *f* solvency, soundness, ability to pay; **S.erklärung** *f* declaration of solvency; **S.vorschriften** *pl* solvency regulations

Sommer *m* summer

Sommer|ausflug *m* summer outing; **S.bevorratung** *f* summer stockpiling; **S.fahrplan** *m* summer timetable; **S.ferien** *pl* summer holidays *[GB]*/vacations *[US]*; **S.frische/S.kurort** *f/m* summer resort; **S.früchte** *pl* spring crops; **S.getreide** *nt* spring cereal; **S.kleidung** *f* summer clothing; **S.loch** *nt* summer slack season, summertime blues; **S.messe** *f* summer fair; **S.pause** *f* 1. summer break; 2. *(Parlament)* summer recess; 3. summer slack season; **S.preise** *pl* summer prices; **S.saison** *f* summer season; **S.schlussverkauf** *m* summer sale(s); **S.urlaub** *m* summer holiday(s) *[GB]*/vacation(s) *[US]*; **S.wetter** *nt* summer weather; **S.wohnsitz** *m* summer residence; **S.zeit** *f* summertime, daylight saving time *[US]*

Sonde *f* probe

Sonder|- special, extra, customized, tailor-made, bespoke

Sonderabfall/Sonderabfälle *m/pl* ➔ **Sondermüll** 1. pollutive/special/hazardous waste; 2. toxic/poisonous waste; **S.entsorgungsanlage** *f* hazardous/special waste disposal plant; **S.menge** *f* quantity/volume of hazardous waste, ~ special waste; **S.verbrennungsanlage** *f* hazardous/special waste incineration plant

Sonder|abgabe *f* surcharge, special levy/charge; **S.abkommen** *nt* special agreement; **S.abmachung** *f* side/separate agreement; **S.abnehmer** *m* special rate consumer; **S.abrechnung** *f* special settlement; **S.abreden** *pl* special clauses; **S.abschlag** *m (Steuer)* special allowance; **S.abschöpfung** *f* special levy

Sonderabschreibung *f* extraordinary/accelerated/special/supplementary/additional depreciation, additional capital allowance, special write-off; **S. für Anlagevermögen** business assets relief; ~ **Investitionen** investment depreciation; ~ **Neuanschaffungen** initial allowance; **erhöhte S.** initial allowance; **steuerfreie S.** initial depreciation allowance; **steuerliche S.** fast/accelerated tax write-off; **verkürzte S.** accelerated write-off; **S.sbetrag** *m* special depreciation charge; **S.smöglichkeit** *f* special depreciation facility

Sonder|abteilung *f* special department/branch; **S.aktion** *f* special scheme; **S.anfertigung** *f* custom-built/purpose-built/tailor-made/customized product, special manufacture, item made to order

Sonderangebot *nt* special offer/bargain, bargain (offer)/sale; **im S.** on sale *[US]*; **S. für treue Kunden** loyality package; **S.stisch** *m* bargain counter

Sonder|anlagefonds *m* special assessment fund; **S.arbeit** *f* special/extra work; **S.artikel** *m (Zeitung)* special feature; **S.asservat** *nt* special suspense account; **S.aufgabe** *f* special task/assignment, extra-duty assignment; **S.auftrag** *m* special order; **S.aufwendung** *f* extra cost; **S.ausbildung** *f* special(ized) training

Sonderausgabe(n) *f/pl* 1. special allowance/expenses, additional/extra expenses, incidental charges/expenses/expenditure; 2. *(Text)* special edition/publication; **voll abzugfähige S.n** fully deductible special expenses; **pauschalierte S.n** lump-sum allowance for special expenditure

Sonderausgaben|abzug *m* deduction of special expenses; **S.freibetrag** *m* special allowance, expenditure relief; **S.pauschale** *f* standard tax deduction; **S.pauschbetrag** *m* blanket allowance for special expenses; **S.vorwegabzug** *m* standard deduction

Sonder|ausrüstung *f* special equipment; **S.ausschuss** *m* select/special/ad hoc *(lat.)* committee; **S.ausschüttung** *f* special dividend/distribution; **S.ausstattung** *f* extras, special/optional equipment, ~ fittings; **S.ausstellung** *f* 1. special exhibition/show; 2. side show; **S.ausweis** *m* special pass; **S.bearbeitung** *f* special treatment; **S.beauftragte(r)** *f/m* special investigator; ~ **mit geheimer Mission** confidential agent; **S.bedingungen** *pl* preferential/special terms; **S.befreiungsvorschriften** *pl* exemption provisions; **S.begünstigte** *pl* special interests *[US]*; **S.behandlung** *f* special/preferred/preferential treatment; **S.beilage** *f (Zeitung)* supplement; **S.beitrag** *m* special contribution; **S.belastung** *f* 1. extra charge; 2. special burden; 3. separate debiting; **S.berater(in)** *m/f* special adviser; **S.berechtigung** *f* special permit

Sonderbericht *m* special-purpose report; **S. über die Führung der Gesellschaft** special report on management operations; **S.erstatter** *m* special correspondent

Sonder|beschluss *m* special resolution; **S.bestellung** *f* special order; **S.besteuerung** *f* special tax levy; **S.bestimmungen** *pl* special provisions/terms; **S.betriebsmittel** *pl* special equipment, beneficially owned third-party assets; **S.betriebsvermögen** *nt* special property; **S.bevollmächtigter** *m* special agent/envoy, plenipotentiary; **S.bilanz** *f* special-purpose balance sheet, special statement; **S.bonus in bar** *m* cash bonus; **S.botschafter** *m* special envoy; **S.chemikalie** *f* speciality chemical; **S.darlehen** *nt* special loan; **verzinsliches S.darlehen** special interest-bearing loan; **S.depot** *nt* special/specific depot; **S.dividende** *f* extraordinary/special dividend, extra (dividend), (special) bonus, superdividend; **mit S.dividende** cum bonus; **S.druck** *m* separate print, offprint; **S.eigentum** *nt* separate/individual ownership; **S.einfluss** *m* erratic item; **S.einheit** *f* task force; **S.einkünfte/S.einnahmen** *pl* extraordinary income, special revenue; **S.einlage** *f* special deposit; **S.einlagenverpflichtung** *f* special deposit liability; **S.einrichtung** *f* special feature/device; **S.eintragung** *f* special registration; **S.einwendung** *f* § special exception; **S.einzelkosten** *pl* 1. special direct costs, supplementary costs; 2. *(Fertigung)* special production costs; **S.entwicklung** *f* separate development; **S.erhebung** *f* special inquiry, separate census; **S.erlaubnis** *f* special permission/permit/licence; **S.ermächtigung** *f* special powers/authorization; **S.ermäßigung** *f* special reduction; **S.erträge** *pl* extraordinary items/income; **S.fahrpreis** *m* excursion fare; **S.fahrt** *f* excursion, tour; **S.faktor** *m* special factor; **S.fall** *m* special case, exception; **S.fazilitäten** *pl (IWF)* special facilities; **S.fertigung** *f* → **Sonderanfertigung**; **S.fonds** *m* special/imprest fund; **S.forschungsbereich** *m* special field of research; **S.forschungsprojekt** *nt* task force development project; **S.freibetrag** *m (Steuer)* special allowance, excess deduction; **S.friede** *m* separate peace; **S.funktion** *f* special function; **S.gebühr** *f* surcharge, extra charge, supplement, supplementary charge/fee; **S.gefahren** *pl (Vers.)* extraneous perils; **s.gefertigt** *adj* customized, custom-made, purpose-built, bespoke; **S.gehaltszahlung** *f* extra salary payment; **S.gemeinkosten** *pl* special overhead expenses; **S.genehmigung** *f* special permission/permit/licence; **S.gericht** *nt* special court/tribunal; **S.gerichtsbarkeit** *f* special/limited/emergency jurisdiction, jurisdiction of special tribunals; **S.geschäft** *nt* special transaction; **S.gesetz** *nt* special act/statute; **S.gesetzgebung** *f* special legislation; **S.gewinn** *m* excess/windfall profit; **S.gewinnsteuer** *f* excess-profits tax; **S.gut** *nt* 1. separate property; 2. *(Ehevertrag)* separate estate; **S.gutachten** *nt* special/minority report; **S.gutschein** *m* special voucher; **S.haushalt** *m* special budget; **S.heft** *nt* special issue; **S.honorar** *nt* special fee; **S.institut** *nt* specialized institution; **S.jury** *f* special jury; **S.kalkulation** *f* special-purpose cost estimate; **S.kasse** *f* special fund; **S.kennzeichnung** *f* special labelling/marking; **S.kommando** *nt* task force, special squad; **S.kommission** *f* special commission; **S.konditionen** *pl* special/concessional terms; **S.konjunktur** *f* area/industry-specific boom; **S.kontingent** *nt* special quota; **S.konto** *nt* special/separate/segregated account; **~ für Emissionsagio** share premium account; **S.konzession** *f* special concession; **S.korrespondent** *m* special correspondent; **S.kosten** *pl* special/extra cost

Sonderkredit *m* 1. special credit/loan, project-tied loan, non-recurring appropriation; 2. special credit operation; **S.institut** *nt* special-purpose credit institution; **S.plafond** *m* special credit line

Sonder|kultur *f* special crop; **S.kurs** *m (Börse)* put-through price; **S.lasten** *pl* special charges; **S.leistung** *f* extra (performance); **s.lich** *adj* particular, special; **S.lieferung** *f* special delivery; **S.ling** *m* peculiar person, oddball *(coll)*; **S.liquidation** *f (Börse)* special settlement; **S.lombard(kredit)** *m* special lombard facility/advance; **S.lombardfenster** *nt* special lombard window/facility; **S.marke** *f* ✉ special/commemorative stamp; **S.masse** *f (Konkurs)* special fund; **S.maßnahme** *f* special measure; **S.meldung** *f* special announcement; **S.metall** *nt* special metal; **S.minister** *m* minister without portfolio; **S.mittel** *pl* special funds

Sondermüll *m* → **Sonderabfall** pollutive waste, special refuse; **industrieller S.** industrial hazardous/special/toxic waste; **S.abgabe** *f* fee/levy for hazardous waste; **S.beseitigung/S.entsorgung** *f* hazardous waste disposal; **S.deponie** *f* hazardous waste landfill; **S.lagerung** *f* hazardous/special/toxic waste storage; **S.transport** *m* hazardous/special/toxic waste transportation; **S.verbrennung** *f* hazardous/special/toxic waste incineration; **S.wirtschaft** *f* hazardous/special/toxic waste disposal industry

Sonder|nachfolge *f* § individual succession; **S.nachlass** *m* special discount; **S.niederschrift** *f* special record; **S.nummer** *f (Zeitung)* special issue/edition; **S.nutzung** *f* special use; **S.opfer** *nt* special sacrifice; **S.organisation** *f (UN)* special agency; **S.pachtverhältnis** *nt* special lease; **S.packung** *f* special package; **S.pfanddepot** *nt* special pledged securities deposit; **S.plafond** *m* special line/limit; **S.platzierung** *f (Inserat)* preferred position; **S.postamt** *nt* special post office; **S.posten** *m (Bilanz)* exceptional/extraordinary/erratic/special/off-the-line item, special charges/credits; **~ mit Rücklagenanteil** special reserve, ~ item including reserves; **S.prämie** *f* extra premium; **S.preis** *m* special/preferential/exceptional price; **S.privileg** *nt* exemption; **S.programm** *nt* extra/special programme; **S.prüfer** *m* special auditor; **S.prüfung** *f* special audit/investigation; **~ zu Übernahmezwecken** purchase investigation; **S.rabatt** *m* special discount

Sonderrecht(e) *nt/pl* privilege, special rights; **mit S.en (ausgestattet)** privileged; **S.sklausel** *f* subrogation/liberties clause; **S.snachfolge** *f* subrogation, assignment, succession to specific rights and obligations; **S.snachfolger(in)** *m/f* subrogee, singular successor, successor in interest, ~ to specific rights and obligations

Sonderreferat *nt* special department/branch

Sonderregelung *f* special provision/treatment; **einer S. unterliegen** to be subject to specific rules; **betriebliche S.** company-specific rule; **verfahrensmäßige S.** special rule

Sonder|reisezug *m* excursion train; **S.reserve** *f (Zentralbank)* special deposit; **S.revision** *f* special audit; **S.risiko** *nt (Vers.)* special hazard, extra-hazardous risk; **S.rücklage** *f* special(-purpose) reserve/deposits, (special) contingency reserve, surplus reserve, capital reserves(s); **~ für Emissionsagio** statutory capital reserve; **S.rückstellung** *f* special reserves, specific reserve, exceptional provision; **S.satz** *m* special rate; **S.schau** *f* special exhibition/show; **S.schaugestell** *nt* gondola; **S.schicht** *f* extra/special shift; **~ einlegen** to work an extra shift; **S.schreiben** *nt* separate letter; **S.schuldverschreibung** *f* special bond; **S.schule** *f* remedial/special school; **S.seite** *f* special page; **S.sitzung** *f* extraordinary/special meeting; **~ anberaumen/einberufen** to call a(n) extraordinary/special meeting; **S.sparform** *f* special-purpose savings facility; **S.sparte** *f* special line (of business); **S.status** *m* special status; **S.statut** *nt* special statute/law; **S.stelle** *f* special agency; **S.stellung** *f* exception, special/exceptional case; **S.stempel** *m* ✉ commemorative postmark; **S.steuer** *f* special tax; **S.strafkammer** *f* special criminal division; **S.studium** *nt* special course of studies

Sondertarif *m* special rate/tariff, preferential rate; **S. für Großabnehmer** bulk tariff; **S.kunde** *m* ⚡/*(Gas)*/💧 special customer

Sonder|tilgung *f* extraordinary redemption payment; **S.umfrage** *f* special survey; **S.umlage** *f* special levy/assessment; **S.umsatzsteuer** *f* special turnover tax, export levy; **S.urlaub** *m* extra/special leave; **~ aus familiären Gründen** compassionate/casual/special leave; **S.vereinbarung** *f* special agreement, separate covenant; **S.verfahren** *nt* § special proceedings; **S.vergünstigung** *f* extra benefit; **S.vergünstigungen** 1. fringe benefits; 2. special terms; **S.vergütung** *f* bonus, gratuity, extra pay, perquisites; **~ in bar** cash bonus; **S.verkauf** *m* bargain sale; **S.vermächtnis** *nt* specific legacy

Sondervermögen *nt* special/separate assets, separate property/estate, several estate, trust, special (equalization) fund; **S. des Bundes** special assets of the Federal Government *[D]*; **S. der Ehefrau** paraphernalia, paraphernal property; **~ Kapitalanlagegesellschaft** investment company portfolio; **vom Vertragsstaat errichtetes S.** fund created by the contracting state

Sonder|verpackung *f* special package/packaging/wrapping; **S.versichertendividende** *f* reversionary bonus; **S.versicherungstarif** *m* preferred risks rate

Sondervertrag *m* separate covenant, special contract; **S.sbereich** *m* separate agreement/covenant sector; **S.skunde** *m* separate agreement customer

Sonder|vertretung *f* special agency; **S.vertretungsvollmacht** *f* special proxy; **S.verwahrung** *f* separate safe custody, special deposit; **S.vollmacht** *f* separate power, special powers/authority; **S.vordruck** *m* special form; **S.vorrecht** *nt* special privilege; **S.vorschrift** *f* special provision; **S.vorschriften für bestimmte Beamtengruppen** special provisions for specific civil service classes; **S.vorschuss** *m* special advance; **S.vorstellung** *f* special performance; **S.vorteile** *pl* special advantages; **S.vorzugsaktie** *f* prior preferred stock *[US]*; **S.vorzugsangebot** *nt* extra special offer; **S.votum** *nt* dissenting opinion; **S.wertberichtigung** *f* special value adjustment, ~ allowance; **S.werte** *pl (Börse)* special stocks; **S.widerruf** *m* special revocation; **S.wunsch** *m* special request, concession

Sonderzahlung *f* special/bonus/ex gratia *(lat.)* payment; **S. an Aktionäre** constructive dividend; **betriebliche S.** bonus payment; **freiwillige S.** ex gratia *(lat.)* payment

Sonder|zeichen *nt* special character; **S.ziehungskonto** *nt (IWF)* special drawing account; **S.ziehungsrecht** *nt* Special Drawing Right (SDR), paper gold; **S.zins** *m* special interest (rate); **S.zoll** *m* specific duty, import surcharge; **S.zug** *m* special (train); **S.züge einsetzen** to put/lay on extra trains; **S.zulage** *f* (special) bonus, incentive wage, special supplement, merit increase; **S.zuschlag** *m* extra charge; **S.zustellung** *f* special delivery; **S.zuteilung/S.zuweisung** *f* special allocation; **S.zuwendung** *f* bonus, special allowance, gratuity; **S.zweck** *m* special purpose

sondieren *v/t* 1. to explore/probe, to sound out, to take soundings; 2. to prospect/fathom/plumb; **jdn s.** to pump so.; **vorsichtig s.** to put out feelers *(fig)*; **s.d** *adj* exploratory

Sondierung *f* sounding, probe; **S.en** soundings, exploratory talks; **S.sgespräche** *pl* exploratory talks, talks about talks *(coll)*

Sonnabend *m* Saturday; **geschäftsfreier S.** Saturday closing; **verkaufsoffener S.** late-closing Saturday

sonnen *v/refl* to bask; **sich in etw. s.** *(fig)* to bathe in sth. *(fig)*

Sonnen|- solar; **S.aufgang** *m* sunrise, sunup *[US]*; **S.blende** *f* 🚗 sun visor; **S.dach** *nt* awning; **S.deck** *nt* ⚓ sun/observation deck; **S.einstrahlung** *f* solar radiation; **S.energie** *f* solar energy/power; **durch ~ betrieben** solar-powered; **S.flecken** *pl* sunspots; **S.fleckentheorie** *f (Konjunktur)* sunspot theory; **S.heizsystem** *nt* solar heating system; **s.klar** *adj* crystal clear; **S.kollektor** *m* solar collector/panel, photovoltaic panel; **S.schein** *m* sunshine; **S.schutz** *m* sunshade; **S.seite** *f* sunny side; **S.strahlung** *f* solar radiation; **S.untergang** *m* sunset, sundown *[US]*

sonnig *adj* sunny

Sonntag *m* Sunday; **Sonn- und Feiertage** Sundays and public holidays; **verkaufsoffener S.** Sunday opening/trading

sonntags *adv* on Sunday; **s. und feiertags** on Sundays and public holidays; **S.anzug** *m* Sunday clothes; **S.arbeit** *f* Sunday work(ing), work on Sundays; **S.arbeitsverbot** *nt* prohibition of work on Sundays; **S.ausflug** *m* Sunday outing; **S.ausgabe** *f* Sunday edition; **S.beilage** *f* Sunday supplement; **S.blatt** *nt* Sunday paper; **S.braten** *m* Sunday joint; **S.dienst** *m* Sunday duty; **S.fahrer** *m* Sunday driver; **S.fahrverbot** *nt* prohibition to drive on Sundays and public holidays; **S.kleider/S.kluft** *pl/f*

Sunday clothes; **S.rede** *f* after-dinner-speech; **S.ruhe** *f* Sunday closing/observance; **~ einhalten** to keep the Sunday laws; **S.stunden** *pl* Sunday hours; **S.verkauf** *m* Sunday trading/opening; **S.verkaufsverbot** *nt* prohibition of Sunday trading; **S.zeitung** *f* Sunday paper

sonst *adv* otherwise, failing which

sonstig *adj* other, miscellaneous, sundry; **S.es** *nt* miscellaneous

Sore *f (coll)* score, loot

Sorge *f* 1. concern, worry, anxiety, apprehension; 2. care, custody; **in S.** concerned, worried; **ohne S.n leben** to live in clover *(fig)*; **sich S.n machen** to worry/fret; **S. tragen für** to take care of, to secure, to see to it (that), to make provisions for; **elterliche S.** parental care; **ernste S.** grave disquiet; **größte S.** overriding concern; **s.berechtigt** *adj* entitled to custody; **S.berechtigte(r)** *f/m* custodian, guardian

sorgen to take care, to make provisions; **s. für** to take care of, to provide/cater for, to safeguard/ensure/tend; **für jdn s.** to take care of so.; **dafür s., dass** to arrange/ensure/safeguard, to see to it that; **für sich selbst s.** to look after o.s.

sorgen|frei *adj* comfortable, carefree; **S.kind** *nt* problem child; **S.last** *f* burden of care; **s.voll** *adj* worried, anxious

Sorgepflicht *f* obligation to care

Sorgerecht *nt* (legal) custody, right of custody (and care of a child); **S. beantragen** to apply for (legal) custody; **S. zugesprochen bekommen** to be awarded custody; **S.sverfahren** *nt* custody/wardship proceedings

Sorgfalt *f* care, diligence, accuracy, carefulness, circumspection, prudence, heed; **S. eines ordentlichen Kaufmanns** attention of a conscientious businessman, diligence of a prudent businessman; **mit der ~ Kaufmanns** according to the principles of sound stewardship; **mangelnde S. des Spediteurs** carrier negligence; **S. anwenden; S. walten lassen** to exercise/take care; **S. verwenden** to bestow care

angemessene Sorgfalt reasonable/due care; **mit angemessener S.** with reasonable care; **im Verkehr angemessene S.** reasonable care and skill; **ausreichende S.** adequate care; **berufsübliche S.** due professional care; **mit der erforderlichen/gebührenden S.** with due care/diligence/attention; **gebührende S.** due diligence/attention; **hinreichende S.** proper care; **höchste S.** utmost care; **mangelnde S.** lack of care, ~ due diligence; **notwendige S.** due care; **peinliche S.** meticulous care; **übliche S.** ordinary diligence; **verkehrsübliche S.** due diligence, ~ care and attention, ordinary/customary care, ~ diligence; **zumutbare S.** reasonable care

sorgfältig *adj* careful, diligent, accurate, painstaking, thorough

Sorgfaltspflicht *f* duty of care, ~ to exercise proper care, (duty to take) care, diligence; **S. des Reisenden** caveat viator *(lat.)*, let the wayfarer beware; **allgemeine S.** common duty of care; **S.sverletzung** *f* negligence, infringement of the duty to exercise due care

Sorghum *nt* sorghum; **S.getreide für Futterzwecke** *nt* forage

sorglos *adj* carefree, improvident, happy-go-lucky, unheeding, perfunctory; **S.igkeit** *f* carelessness

sorgsam *adj* careful, anxious, attentive

Sorte *f* 1. sort, type, kind; 2. *(Ware)* variety, type, brand, make, line, run, order, description; 3. *(Qualität)* grade, quality; 4. strain; 5. *(Öl)* blend; **S.n** foreign (bank) notes and coins, ~ currency/money, ~ exchange, currencies; **von jeder S.** of every description; **nach S.n einteilen** to grade

ausländische Sorte|n foreign currency; **beste/erste/erstklassige S.** top grade/quality, top-grade quality; **feinste S.** choice brand, grade A; **geringe S.** inferior quality; **mittlere S.** medium quality; **minderwertige/schlechtere S.** inferior quality; **prima S.** prime quality; **von der schlimmsten/übelsten S.** of the worst kind; **vertraglich vereinbarte S.** contract grade; **vorzügliche S.** choice brand

Sorten|abteilung *f* foreign currency/money department; **S.bezeichnung** *f* quality description; **S.ertragstafel** *f* assortment yield table; **S.fertigung** *f* batch production; **S.geschäft** *nt* foreign exchange dealings, buying and selling of foreign money, dealings in foreign notes and coins, foreign notes and coins business; **S.gliederung** *f* assortment distribution; **S.handel** *m* currency/foreign exchange/forex dealings; **S.händler** *m* currency/foreign exchange dealer; **S.kalkulation** *f* batch-tape costing; **S.kasse** *f* foreign money department; **S.konto** *nt* specie account; **S.kurs** *m* exchange/banknote rate; **S.kurszettel** *m* bill of specie; **S.liste** *f* 1. foreign exchange list; 2. grades list; **S.provision** *f* foreign exchange commission; **S.programm** *nt* batch sequencing; **s.rein** *adj* unmixed; **S.rolle** *f* register of plant varieties; **S.schutz** *m (Pat.)* plant varieties protection, varieties patent; **S.skontro** *nt* foreign notes and coins holding ledger; **S.umschichtung** *f* batch changeover; **S.verzeichnis** *nt* bill/note of specie; **S.wahl** *f* grade selection, grading; **S.wechselkosten** *pl* batch changeover cost; **S.zettel** *m* (foreign) exchange list, bordereau *[frz.]*

Sortier|anlage *f* sorting facility; **s.bar** *adj* sortable; **S.datei** *f* sort file

Sortieren *nt* sorting, grading; **s.** *v/t* to sort/grade/assort/sequence

Sortierer *m* sorter, grader, stapler

Sortier|fach *nt* 1. pigeonhole; 2. sorter pocket; **S.feld** *nt* control field; **S.folge** *f* 1. marshalling sequence; 2. collating sequence; **S.gerät** *nt* sorter, grader; **S.kriterium** *nt* sort key/criterion; **S.lauf** *m* sort run; **S.maschine** *f* 1. sorter, sorting machine; 2. *(Größe)* sizer; **S.merkmal** *nt* sorting criterion; **S.modell** *nt* sort pattern; **S.postamt** *nt* sorting office, mail exchange; **S.programm** *nt* sort program; **S.prüfung** *f* screening; **S.regal** *nt* card rack; **S.schalter** *m* mode switch

sortiert *adj* 1. assorted; 2. graded; **gut s.** well stocked; **reich s.** *adj* well-assorted, well-stocked

Sortierung *f* 1. (as)sorting; 2. grading, classification; **interne S.** on-line sorting

Sortierverfahren *nt* sorting method

Sortiment *nt* 1. assortment (of goods); 2. range (of products/goods), product assortment/mix/range, line of products/merchandise, sales mix, choice; 3. collection, set; **S. abrunden** to round off/complete the (product) range; **S. bereinigen/straffen** to streamline/simplify the (product) range, to trim back product lines; **S. umstellen/umstrukturieren** to change the product mix
ausgelaufenes Sortiment discontinued line; **breites S.** wide range, ~ assortment of items, diversified product range; **gemischtes S.** mixed assortment; **großes S.** wide range; **mit gutem S.** well-stocked; **hochwertiges S.** upmarket product range; **straffes S.** streamlined product range; **tiefes S.** highly-specialized range
Sortimenter *m* 1. retail bookseller; 2. single-line wholesaler
Sortimentslabrundung *f* rounding off the product range; **S.abstufung** *f* gradation; **S.abteilung** *f* new books department; **S.analyse** *f* (merchandise) assortment analysis; **S.anhebung** *f* trading up; **S.auslese** *f* product mix selection; **S.ausweitung** *f* diversification, product range/line extension, broadening of the range; **S.bereinigung** *f* product range simplification, product (mix) reduction, streamlining of the range of goods; **S.breite** *f* range, breadth of assortment; **S.buchhandel** *m* retail booksellers; **S.buchhändler** *m* retail bookseller; **S.buchhandlung** *f* retail bookshop; **S.darbietung** *f* presentation, display; **S.differenzierung nach oben** *f* trading up; **S.erweiterung** *f* → **S.ausweitung**; **S.fülle** *f* wide range; **S.geschäft** *nt* single-line store; **S.gestaltung** *f* assortment shaping; **S.großhändler** *m* single-line/general-line wholesaler; **S.handel** *m* wholesale/single-line trade; **S.kontrolle** *f* product mix audit; **S.marke** *f* associated trademark; **S.planung** *f* assortment planning, planning the range of production; **S.politik** *f* product mix/assortment policy; **S.qualität verbessern** *f* to trade up; **~ verringern** to trade down; **S.schwerpunkt** *m* emphasis in assortment; **S.struktur** *f* product mix; **S.tiefe** *f* depth of range, product depth, vertical range; **S.umstellung/S.umstrukturierung** *f* restructuring the range, ~ product mix; **S.verbund** *m* assortment interrelationship; **S.vereinfachung** *f* product range simplification; **S.verlagerung/S.verschiebung** *f* shift in the range, ~ product mix/range; **~ zugunsten höherwertiger Erzeugnisse** *f* trading up; **S.versender** *m* general merchandise mail order house; **S.vielfalt** *f* (broad) range; **nicht quantifizierbare S.wirkungen** hidden costs
SOS *nt* Mayday; **S. funken** to put out an SOS; **S.-Ruf** *m* distress signal
Souffleur; Souffleuse *m/f* 🎭 prompter
soufflieren *v/i* to prompt
Souterrain *nt* basement; **S.wohnung** *f* basement flat
Souvenir *nt* souvenir; **S.laden** *m* gift shop
Souverän *m* sovereign; **s.** *adj* 1. sovereign; 2. extremely good
Souveränität *f* statehood, sovereignty; **S.sakt** *m* act of sovereign state; **S.sbeschränkung** *f* restriction of sovereign rights; **S.srechte** *pl* sovereign rights; **S.sverletzung** *f* violation of sovereign rights
Sovereign *m* *(Münze)* goldfinch *(coll)* *[GB]*
soviel wie *adv* tantamount to
Sowchos(e) *m/f* *[UdSSR]* state farm
soweit *adv* to such an extent as, subject to
Sowjetl- Soviet; **s.isch** *adj* Soviet
sowohl ... als auch both ... and
sozial *adj* social, caring, socially just, public-spirited
Soziall- social (security), welfare; **S.abbau** *m* cut in social services; **S.abfindung** *f* redundancy payment, severance pay; **S.abfindungsgesetz** *nt* Redundancy Payments Act *[GB]*; **S.abgaben** *pl* social security contributions/payments/taxes *[US]*/levy, welfare charges/contributions, security costs; **S.abteilung** *f* 1. welfare department; 2. *(Betrieb)* employee benefit and service division; **S.akademie** *f* workers' college; **S.amt** *nt* social services department, (public) relief office, health and welfare department *[US]*, social security office *[GB]*, welfare office/department/agency *[US]*; **S.anspruch** *m* right to social benefits, benefit claim; **S.arbeit** *f* social/welfare/case work, welfare activity; **S.arbeiter(in)** *m/f* social/welfare/case worker, welfare officer; **S.aufwand/S.aufwendungen/S.ausgaben** *m/pl* social/welfare expenditure(s), social security expenditure, welfare spending, social spending/disbursement(s); **S.ausschuss** *m* welfare/social committee; **S.beamter** *m* social security official, welfare officer; **S.behörde** *f* social security office *[GB]*, welfare agency *[US]*; **S.beihilfe** *f* social assistance; **S.beirat** *m* social security advisory council; **S.beitrag** *m* social security contribution *[GB]*, old age benefit tax *[US]*; **S.belastung** *f* social burden; **S.bericht** *m* social/socio-economic/welfare report, report on staff and welfare; **S.beruf** *m* caring profession; **S.bestimmungen** *pl* welfare/social security provisions; **S.betreuer(in)** *m/f* social/welfare/case worker; **S.betreuung** *f* social/welfare/case work; **S.bewusstsein** *nt* social consciousness; **S.beziehungen** *pl* industrial relations; **betriebliche S.beziehungen** labour relations; **S.bilanz** *f* 1. social accounting/audit/report, corporate social/socio-economic accounting; 2. socio-economic balance sheet; **S.bindung** *f* property rights restriction for social reasons; **S.bonus** *m* social discount; **S.budget** *nt* social security/welfare budget, social spending (programme); **S.demokrat** *m* Social Democrat; **S.demokratie** *f* Social Democracy; **S.diagnose** *f* social diagnosis; **S.dienst** *m* community service; **S.dumping** *nt* social dumping; **S.einkommen** *nt* 1. social security payment, income from public sources, supplementary security income *[US]*; 2. transfer income
Sozialeinrichtung *f* welfare institution; **S.en** social services, welfare/social facilities; **betriebliche S.** staff establishment, plant welfare facilities
Soziallenquete *f* social inquiry; **S.etat** *m* social (security/welfare) budget, social spending (programme); **S.fall** *m* welfare/hardship case
Sozialfonds *m* 1. welfare/social/charitable fund; 2. employee benefit trust; **betrieblicher S.** employee benefit trust; **Europäischer S.** *[EU]* European Social Fund
Soziallforscher(in) *m/f* social scientist/investigator; **S.forschung** *f* social research

Sozialfürsorge *f* social welfare (work), ~ assistance, welfare payment(s); **der S. anheimfallen** to become a welfare case; **in der S. tätig sein** to do welfare work; **betriebliche S.** industrial welfare

Sozialfürsorger(in) *m/f* social/welfare/case worker, welfare officer

Sozial|gebäude *nt* welfare building; **S.geheimnis** *nt* confidentiality in social matters; **S.gericht** *nt* social security tribunal, welfare/industrial tribunal, local appeal tribunal *[GB]*; **S.gerichtsbarkeit** *f* jurisdiction for social insurance litigation; **S.geschichte** *f* social history; **S.gesetze** *pl* welfare legislation; **S.gesetzbuch** *nt* social security code; **S.gesetzgebung** *f* welfare/social legislation; **S.haushalt** *m* social services/security/welfare budget, social spending (programme); **S.helfer(in)** *m/f* case/social/welfare worker

Sozialhilfe *f* 1. social/public assistance, social welfare (benefits), supplementary benefit(s) *[GB]*, welfare aid *[US]*/subsidy, outdoor relief *[GB]*, National Assistance *[GB]*, income support *[GB]*; 2. supplemental security income *[US]*, public aid *[US]*; **der S. anheimfallen** to become a welfare case; **S. beantragen** to claim social security; **S. beziehen** to be on social security *[GB]*, ~ welfare *[US]*; **S. empfangen/erhalten** to draw social security; **von der S. leben** to live on social security

Sozialhilfe|abteilung *f* Supplementary Benefits Commission *[GB]*; **S.anspruch** *m* social security claim *[GB]*, welfare claim *[US]*; **S.aufwendungen** *pl* social security spending, supplementary benefit expenditure; **s.berechtigt** *adj* eligible for social security *[GB]*, ~ welfare aid *[US]*; **S.empfänger(in)** *m/f* welfare/social security recipient; **~ sein** to be on supplementary benefit, ~ welfare aid *[US]*, ~ national assistance; **S.gesetz** *nt* Supplementary Benefits Act *[GB]*; **S.leistungen** *pl* 1. social security *[GB]*/welfare *[US]* benefits; 2. *(Betrieb)* employee benefits; **S.niveau** *nt* supplementary benefit level *[GB]*; **S.programm** *nt* social welfare programme; **S.recht** *nt* public welfare law; **S.satz** *m* standard benefit rate

Sozial|hygiene *f* public health/hygiene; **S.imperialismus** *m* social imperialism; **S.investitionen** *pl* social capital investments, socially useful investments

Sozialisation *f* socialization

sozialisieren *v/t* 1. to nationalize; 2. to socialize/communalize

Sozialisierung *f* 1. nationalization; 2. socialization, communalization; **kalte S.** backstairs socialization

Sozialismus *m* socialism; **theoretischer S.** theoretical socialism; **wissenschaftlicher S.** scientific socialism

Sozialist|(in) *m/f* socialist; **S. reinsten Wassers** dyed-in-the-wool socialist; **s.isch** *adj* socialist

Sozial|kapital *nt* social capital; **S.konflikt** *m* labour conflict; **S.konsum** *m* use of social services; **S.kontrakt** *m* social contract/compact; **S.kosten** *pl* social/welfare costs, welfare expenditure; **S.kunde** *f* welfare studies; **S.lasten** *pl* 1. social security contributions/taxes; 2. welfare/social expenditure(s), social benefit cost, social costs/charges, ~ costs and benefits; **S.lehre** *f* sociology

Sozialleistung *f* 1. state benefit, social (security) benefit, ~ insurance payment; 2. social expenditure; **S.en** 1. social security payments/expenditure, welfare payments, social services; 2. *(Betrieb)* social/fringe benefits; **~ an Jugendliche** young persons benefits *[GB]*; **~ empfangen/erhalten** to draw social security

betriebliche Sozialleistungen company benefits; **freiwillige S.** fringe benefits, voluntary social contributions, perquisites, perks *(coll)*; **gesetzliche S.** statutory benefits, obligatory welfare payments; **innerbetriebliche S.** staff benefits; **öffentliche/staatliche S.** social security/state benefits, public welfare; **tarifliche S.** contractual social benefits

innerbetriebliches Sozialleistungs|paket staff benefits plan; **S.quote** *f* social expenditure ratio; **S.recht** *nt* social services legislation

Sozial|lohn *m* social wage; **S.maßnahmen** *pl* social measures; **S.miete** *f* subsidized/council *[GB]* rent; **S.mieter** *m* council/regulated tenant *[GB]*; **S.minister** *m* Social Services Secretary *[GB]*, Social Welfare Minister *[US]*; **S.ministerium** *nt* Department of Health and Social Security (DHSS), ~ Social Security (DSS) *[GB]*; **S.ökologie** *f* social ecology; **S.ökonomie** *f* social economics; **s.ökonomisch** *adj* socioeconomic; **S.ordnung** *f* social system/order; **S.pädagogik** *f* educational sociology; **S.paket** *nt* benefits package; **S.parteien/S.partner** *pl* management and labour, employers and employees, ~ employed, unions and employers/management, both sides of industry, the parties to wage agreements, ~ engaged in labour negotiations; **S.partnerschaft** *f* social partnership; **S.pflichtigkeit** *f* social obligation

Sozialplan *m* redundancy scheme/programme/plan, social (compensation) plan; **S. aufstellen** to work out a social compensation plan; **S.leistungen** *pl* benefits under the social compensation plan

Sozial|planung *f* social engineering; **S.politik** *f* social policy; **S.politiker(in)** *m/f* social politician; **s.politisch** *adj* socio-political; **S.prestige** *nt* social standing

Sozialprodukt *nt* national product, aggregate output, economic pie *(coll)*; **S. ohne Budgeteinfluss** pure-cycle income; **S. steigern** to enlarge the national product; **nominales S.** national product in money terms; **verteilbares S.** economic pie *(coll)*; **S.einheit** *f* national product unit; **S.rechnung** *f* national product accounting

Sozial|psychologie *f* social psychology; **S.quote** *f* social expenditure ratio; **S.rabatt** *m* social discount; **S.rat** *m* social council; **S.raum** *m* rest/recreation room; **S.recht** *nt* social welfare law, ~ legislation; **S.referent(in)** *m/f* welfare officer; **S.reform** *f* social reform; **S.rente** *f* state/national pension *[GB]*, social insurance/supplementary pension; **S.rentner** *m* social insurance pensioner, social security/welfare recipient, annuity holder; **S.richter** *m* social insurance tribunal judge; **S.rücklagen** *pl* social reserves; **S.rückstellungen** *pl* provisions for welfare expenditure; **auf S.schein** *m* on social security; **S.staat** *m* welfare state; **S.staatsprinzip** *nt* principle of social justice and the welfare state; **S.station** *f* health and advice centre; **S.statistik** *f* social/sociological statistics; **S.stelle** *f (Betrieb)* welfare department; **S.-struktur** *f* social structure, fabric of society; **S.system** *nt* welfare state; **S.tarif** *m* subsidized rate; **S.unterstützung** *f* social security, public assistance; **S.untersuchung** *f* social research (project); **S.verbindlichkeiten** *pl* pension and welfare liabilities; **S.verhalten** *nt* social behaviour; **S.vermögen** *nt* national/social wealth; **s.-versichert** *adj* covered (by social security); **S.versicherte(r)** *f/m* person covered by national/social insurance

Sozialversicherung *f* social security (insurance), National Insurance Scheme *[GB]*, Old Age, Survivors, Disability and Health Insurance (OASDHI) *[US]*; **gesetzliche S.** 1. statutory social security; 2. Federal Insurance *[US]*

Sozialversicherungs|abgabe *f* social security contribution, national insurance contribution (NIC) *[GB]*; **S.amt** *nt* social security office *[GB]*, welfare agency *[US]*; **örtliches S.amt** local DHSS office *[GB]*; **S.anspruch** *m* social security claim *[GB]*, public assistance claim *[US]*; **S.anstalt** *f* social insurance institution; **S.anteil** *m* social security contribution share; **S.aufsichtsamt** *nt* National Insurance Commission *[GB]*, Social Security Board *[US]*; **S.ausgaben** *pl* social security expenditure(s); **S.ausweis** *m* national insurance card, social security card; **S.beitrag** *m* social insurance contribution(s), ~ security contribution *[GB]*/tax *[US]*, national insurance contribution (NIC)/surcharge *[GB]*; **S.bestimmungen** *pl* national insurance provisions *[GB]*, social security provisions *[US]*; **S.empfänger(in)** *m/f* social security recipient; **S.gesetz** *nt* National Insurance Act *[GB]*, Federal Insurance Contribution Act *[US]*; **S.gesetzgebung** *f* social security legislation; **S.grenze** *f* (income) limit for social insurance; **S.haushalt** *m* social insurance sector; **S.karte** *f* National Insurance Card *[GB]*, social security card *[US]*; **S.kosten** *pl* social security costs

Sozialversicherungsleistung *f* (social security) benefit, social/national insurance benefit; **lohnabhängige S.en** earnings-related social security benefits; **pauschale S.en** flat-rate social security benefits

Sozialversicherungs|marke *f* national insurance stamp *[GB]*; **S.nummer** *f* social security number, national *[GB]*/social *[US]* insurance number; **s.pflichtig** *adj* subject to social insurance; **S.pflichtige(r)** *f/m* national insurance contributor; **S.reform** *f* social security reform; **S.rente** *f* national pension *[GB]*, social security pension; **S.schutz** *m* social security coverage *[US]*; **S.steuer** *f* social security tax(es) *[US]*, Social Insurance Tax *[US]*; **S.stock** *m* national insurance fund, social security fund; **S.system** *nt* social security system, national security scheme; **S.träger** *m* social insurance institution; **S.zweig** *m* social security sector

Sozial|versorgung *f* social security, welfare; **S.vertrag** *m* social contract/compact; **S.verträglichkeit** *f* social acceptability/compatibility; **S.verwaltung** *f* social security/welfare administration; **S.vorschriften** *pl* social provisions; **S.wahl** *f* social insurance assembly elections; **S.werk** *nt* social/welfare institution; **S.wesen** *nt* social services; **S.wirtschaft** *f* social economy

Sozialwissenschaft *f* sociology, social science; **S.ler(in)** *m/f* sociologist, social scientist; **s.lich** *adj* sociological

Sozial|wohnung *f* subsidized flat/apartment, council house/flat *[GB]*; **S.wohnungswesen** *nt* council tenancy/housing *[GB]*, publicly assisted/welfare housing; **S.zulage** *f* family allowance, special welfare bonus; **betriebliche S.zulage** fringe benefit; **S.zuschuss** *m* welfare grant; **S.zuwendung** *f* welfare payment

Sozietät *f* 1. (co)partnership, non-trading/professional partnership; 2. firm of solicitors, professional/law firm; **S.svertrag** *m* partnership agreement

Soziolog|e/S.in *m/f* sociologist, social scientist; **S.ie** *f* sociology, social science; **s.isch** *adj* sociological

Sozio|metrie *f* sociometrics; **s.-ökonomisch** *adj* socioeconomics; **s.-technisch** *adj* socio-technical

Sozius *m* partner; **S.fahrer** *m (Motorrad)* pillion rider; **S.sitz** *m* pillion (seat)

sozusagen *adv* in a manner of speaking, as it were

spähl|en *v/i* to spy; **S.trupp** *m* patrol

Spalier *nt* guard of honour; **S.obst** *nt* espalier fruit

Spalt *m* gap, opening, crack, chink; **s.bar** *adj* ⚛ fissionable

Spalte *f* 1. column; 2. fissure, crack, cleft, aperture, rift; **in S.n** columnar; **S. für letzte Meldungen** stop-press; **S. "Umbuchungen"** adjustment column; **S.n füllen** to fill the columns; **von einer S. auf die andere übertragen** to extend; **linke S.** left-hand column; **rechte S.** right-hand column

spalten *v/t* to split/divide/separate/disrupt; *v/refl* to split

Spalten|abzug *m* ▯ galley proof; **S.anzeiger** *m* column indicator; **S.breite** *f* column width; **in S.form** *f* columnar; **S.höhe** *f* column depth; **s.lang** *adj* covering several columns; **S.linie** *f* dividing rule; **S.maß** *nt* column measure; **voller S.satz** full measure; **S.überschrift** *f* column head(ing); **S.wähler** *m* column selector; **s.weise** *adj* columnar

Spaltergewerkschaft *f* breakaway union

spalterisch *adj* divisive

Spalt|gesellschaft *f* breakup company; **S.material** *nt* ⚛ fissionable material; **S.pilz** *m (fig)* seed of discord; **S.produkt** *nt* ⚛ fission product

Spaltung *f* 1. split(ting), split-up, division; 2. disruption, divide, rift; 3. *(Physik)* fission; 4. *(Öl)* cracking; **S. überwinden** to heal the rift; **tiefe S.** serious rift

Span *m* 1. chip; 2. ✐ swarf; **Späne** chippings, shavings; **S.ferkel** *nt* sucking pig

Spann|beton *m* 🏛 pre-stressed concrete

Spanne *f* 1. span, stretch; 2. margin, spread *[US]*; 3. *(Preis)* mark-up; 4. *(Börse)* touch; **S. zwischen Ausgabe- und Rücknahmekurs** bid-offer spread; **S. des Emissionpreises** issue price spread; **S. zwischen Geld- und Briefkurs** bid-ask spread; **S. des Lebens** lifespan, span of life; **S. zwischen Tageshöchst- und -tiefstkurs** day's spread; **S.n auf ein Minimum senken** to cut margins to the bone; **freie S.** free mark-up; **gebundene S.** restricted margin; **geringe S.** narrow margin

spannen *v/t* 1. to stretch; 2. to tighten

spannend *adj* dramatic, exciting, thrilling; **es für jdn s. machen** to keep so. on tenterhooks
Spannenkalkulation *f* mark-up pricing
Spannkraft *f* resilience, elasticity, buoyancy; **voller S.** resilient
Spann|kurs *m* *(Rohstoffbörse)* spread, straddle; **S.stift** *m* ✿ tension pin
Spannung *f* 1. tension, tenseness, strain, stress, friction; 2. ϟ voltage; **unter S.** ϟ live; **S.en im Handel** trade frictions; **S. abbauen** to reduce tension; **S. erzeugen** to generate tension; **in großer S. sein** to be all agog *(coll)*; **inflationäre S.en** inflationary pressure/strains/squeeze/forces; **nervöse S.** nervous tension; **niedrige S.** ϟ low voltage
Spannungs|abfall *m* ϟ drop in voltage, line drop, brownout *[US]*; **S.feld/S.gebiet** *nt* area of tension; **s.frei** *adj* harmonious, tension-free; **s.geladen** *adj* tense; **S.kurs** *m* spread quotation; **S.moment** *nt* tension factor; **S.preis** *m (Börse)* spread price; **S.verhältnis** *nt* strained relationship, tension; **S.verlust** *m* → **S.abfall**
Spannweite *f* 1. range, span; 2. ✈ wingspan; 3. ▦ range; **geistige S.** intellectual range; **geometrische S.** ▦ geometric range; **halbe S.** 1. semi-range; 2. ▦ mid-range; **mittlere S.** mean range
Spannweiten|darstellung *f* ▦ high-low graph; **S.kontrollkarte** *f* range chart; **S.mitte** *f* centre of range
Spanplatte *f* chipboard, beaverboard *[US]*
Spar|- savings *[GB]*, thrift *[US]*; **S.abteilung** *f* savings/thrift department; **S.angebot** *nt* range of saving facilities; **S.anlage** *f* savings deposit; **S.anleihe** *f* savings bond; **S.anreiz** *m* incentive to save; **S.apostel** *m* advocate of budget cuts; **S.aufkommen** *nt* savings volume, total savings; **S.auto** *nt* economy car; **S.beschlüsse** *pl* cuts; **S.betrag** *m* amount saved, savings investment; **s.bewusst** *adj* economy-minded, budget-minded; **S.bildung** *f* (formation of) savings; **S.bond** *m* national savings certificate *[GB]*; **S.bonus** *m* saving bonus
Sparbrief *m* savings certificate/bond, small saver certificate, National Savings Certificate *[GB]*, U.S. Savings Bond; **S. mit kurzer Laufzeit** short certificate; **indexgebundener S.** index-linked savings certificate, granny bond *[GB]*; **S.konto** *nt* savings certificate account; **S.umlauf** *m* outstanding savings certificates, savings certificates in circulation
Sparbuch *nt* savings/bank book, passbook; **S.eintragung** *f* passbook entry; **S.saldo** *m* passbook balance
Spar|büchse/S.dose *f* money/thrift box, kitty, piggy bank *(coll)*; **S.eckzins** *m* basic savings (deposit) rate, standard savings interest rate; **S.eingänge** *pl* savings inflow
Spareinlage *f* savings (deposit), thrift/notice deposit *[US]*; **S.n** deposit funds, thrift account deposits, pool of savings; **~ mit gesetzlicher Kündigungsfrist** savings deposits at statutory notice; **befristete S.** time deposit; **sofort fällige S.n** demand savings deposits; **mündelsichere S.n** trustee savings, gilt-edged savings deposits; **private S.n** private savings; **verfügbare S.n** supply of savings, ready savings
Spareinlagen|abgänge *pl* (savings) withdrawals; **S.-abhebungsquote** *f* (savings) withdrawal rate; **S.bildung** *f* accumulation of savings/reserves; **S.verzinsung** *f* return/yield on savings; **S.zinsfuß** *m* interest rate on savings deposits; **S.zugang** *m* savings deposits accrual; **S.zuwachs** *m* growth in savings deposits
Spareinleger *m* savings depositor
Sparen *nt* saving, thrift, economy; **S. am falschen Ende** false economy; **S. der privaten Haushalte** consumer saving; **anonymes S.** anonymous saving; **dynamisches S.** indexed saving; **geplantes S.** intended saving; **indexiertes S.** index-linked saving; **institutionelles S.** saving through institutions; **negatives S.** negative saving; **prämienbegünstigtes S.** contractual saving; **steuerbegünstigtes S.** tax-favoured saving
sparen *v/t* 1. to save, to put aside/by; 2. *(Energie)* to save/economize; *v/i* to retrench/stint/scrimp; **am falschen Ende s.** to be pound foolish
Sparentwicklung *f* development of savings
Sparer *m* 1. saver, depositor; 2. *(Fonds)* planholder; **S.freibetrag** *m* savers' tax-free amount; **S.genossenschaft** *f* deposit *[GB]*/thrift *[US]* society; **S.publikum** *nt* savers; **S.schicht** *f* class of savers; **S.vereinigung** *f* investors' (investment) club
Spar|fähigkeit *f* saving capacity, ability to save; **S.feldzug** *m* economy campaign/drive
Sparflamme *f* pilot light/flame; **auf S.** *(fig)* going easy, just ticking over, on low gas *(fig)*, on the back burner *(fig)*; **~ kochen** 1. to go easy, to soft-pedal; 2. *(fig)* to run a (pretty) tight ship *(fig)*
Sparförderung *f* savings promotion; **S.sgesetz** *nt* savings promotion act; **staatliches S.sprogramm** National Savings Scheme *[GB]*
Spar|form *f* savings instrument/facility/vehicle; **vertragsgebundene S.form** contractual form of saving; **S.freudigkeit** *f* propensity to save; **S.funktion** *f* savings function; **S.gang** *m* 🚗 overdrive; **S.gelder** *pl* savings/thrift deposits, (total volume of) savings; **S.gemeinschaft** *f* savings association; **S.gemisch** *nt* 🚗 lean mixture; **S.geschäft** *nt* saving business; **S.geschenkgutschein** *m* savings gift credit voucher; **S.gesellschaft** *f* thrift society; **S.gewohnheiten** *pl* saving habits; **S.giroverkehr** *m* savings banks giro system; **S.groschen** *m* nest egg *(fig)*; **S.guthaben** *nt* savings/thrift (account) deposits; **private S.guthaben** personal savings; **S.gutschein** *m* national savings certificate *[GB]*; **S.hang** *m* propensity to save; **S.haushalt** *m* austerity/contractionary budget; **S.institut/S.institution** *nt/f* savings institution, thrift society; **S.intensität** *f* actual saving ratio; **S.-Ist** *nt* actual saving
Sparkapital *nt* savings (capital); **noch nicht angelegtes S.** fluid savings; **neues S.** fresh savings (capital); **S.basis** *f* savings capital base; **S.bildung** *f* savings capital formation, accumulation of savings
Sparkasse *f* savings/municipal/provident/penny bank, thrift institution, trustee savings bank *[GB]*, savings association; **die S.n** thrift industry; **Spar- und Darlehenskasse** loan and savings bank *[GB]*, savings and loan association *[US]*; **S. auf Gegenseitigkeit** mutual savings bank; **S. leiten** to operate a savings bank;

gemeinnützige S. trustee *[GB]*/mutual *[US]* savings bank; **genossenschaftliche S.** cooperative savings bank; **kommunale/städtische S.** municipal savings bank; **öffentliche/öffentlich-rechtliche S.** public savings bank

Sparkassen|abteilung *f* savings bank department, special interest department *[US]*; **S.angestellte(r)** *f/m* savings bank clerk; **S.aufsichtsbehörde** *f* savings banks supervisory authority; **S.brief** *m* savings certificate; **S.buch** *nt* savings bank book; **S.einlagen** *pl* savings (bank) deposits; **S.fonds** *m* savings bank fund; **S.gelder** *pl* savings bank money; **S.gesetz** *nt* savings bank act, Trustee Savings Bank Act *[GB]*; **S.guthaben** *nt* savings bank deposit(s); **S.hypothek** *f* savings bank mortgage (loan); **S.konto** *nt* savings bank account; **S.kredit** *m* savings bank credit; **S.leiter** *m* savings bank manager; **S.obligation** *f* savings bank bond; **S.ordnung** *f* savings bank regulations; **S.organisation** *f* (association of) savings banks; **S.prüfung** *f* savings bank audit; **S.rat** *m* savings bank's board of directors; **S.-recht** *nt* savings bank legislation; **S.sektor** *m* savings banks; **S.statistik** *f* savings banks statistics; **S.tag** *m* savings banks' congress; **S.verband** *m* savings banks association; **S.- und Giroverband** savings banks and giro association; **S.wesen** *nt* savings banking

Spar|klasse *f* thrift class; **S.klima** *nt* conditions for saving; **S.klub** *m* savings club; **S.kommissar** *m* hatchet man *(coll)*

Sparkonto *nt* savings *[GB]*/thrift *[US]*/passbook account, savings deposit, special interest account *[US]*; **kombiniertes Spar- und Girokonto** checking savings account; **S. mit Steuerbefreiung** tax-exempt savings account; **normales S.** ordinary account; **steuerbefreites S.** tax-exempt special savings account (TESSA) *[GB]*; **S.inhaber** *m* savings/thrift account holder

Sparleistung|en *pl* (total/passbook) savings; **heimische/private S.** *(VWL)* domestic savings

spärlich *adj* scarce, frugal, scant(y), thin (on the ground), poor

Spar|lücke *f* savings gap; **S.marke** *f* savings *[GB]*/thrift *[US]* stamp

Sparmaßnahme *f* economy (measure), cost-cutting/cost-saving exercise, ~ measure, belt-tightening measure; **S.n** austerity measures, economy drive; **~ durchführen** to retrench; **von den ~ betroffen sein** to feel the pinch *(coll)*; **strenge S.n** economic stringency, stringent economies

Spar|menge *f* volume of savings, amount saved; **S.mittel** *pl* savings (deposits); **S.modell** *nt* economy model; **S.möglichkeiten** *pl* ways of savings; **S.neigung** *f* propensity to save, savings propensity; **S.packung** *f* economy size/pack; **S.paradoxon** *nt* paradox of thrift; **S.pfennig** *m* nest egg *(fig)*

Sparplan *m* (savings/thrift) plan, savings scheme; **individueller S. zur Altersabsicherung** individual retirement account; **vertraglicher S.** contractual savings

Spar|politik *f* austerity policy; **~ der öffentlichen Hand** fiscal restraint policy; **S.potenzial** *nt* savings capacity

Sparprämie *f* 1. savings bonus/premium; 2. *(Lebensvers.)* initial reserve; 3. *(Vers.)* premium not absorbed by risk; **S.nlos/S.nobligation** *nt/f* premium bond *[GB]*; **S.nvertrag** *m* contractual savings contract

Spar|preis *m* thrift price; **S.privileg** *nt* saver's privilege; **S.programm** *nt* 1. savings scheme; 2. austerity package/programme, economy drive, thrift program *[US]*, cost-cutting/cost-saving programme; **~ mit einmaligem Anlagebetrag** single payment plan; **~ der öffentlichen Hand** austerity programme/measures, fiscal restraint programme

Sparquote *f* savings rate, rate of saving(s), saving(s) (income) ratio, propensity to save; **durchschnittliche S.** average propensity to save; **gesamt-/volkswirtschaftliche S.** aggregate/overall savings ratio; **individuelle S.** personal savings rate; **marginale S.** marginal propensity to save; **private S.** personal savings ratio

Sparrate *f* saving(s) ratio, rate of saving

Sparre *f* 🏛 rafter

sparsam *adj* 1. economical, thrifty, saving, frugal, parsimonious, provident, husbandly; 2. *(Treibstoff)* fuel-efficient; **allzu s.** overeconomical; **s. im Kleinen und verschwenderisch im Großen** penny-wise and pound-foolish; **~ Verbrauch** economical; **s. leben** to economize; **(sehr) s. sein** to be tightfisted; **s. umgehen mit** to husband; **s. verteilen** to dole out; **s. wirtschaften** to economize

Sparsamkeit *f* economy, thrift(iness), thrifty management, husbandry, parsimony, providence; **zu S. zwingen** to enforce cuts; **falsche S.** false economy; **strenge/strengste S.** rigid economy; **übertriebene S.** scrimpiness

Spar|schuldverschreibung *f* savings bond; **S.schwein/S.strumpf** *nt/m (fig)* piggy bank; **S.schwein schlachten** to break one's piggy bank; **S.schwelle** *f* savings threshold; **S.soll** *nt* savings target; **S.stellennetz** *nt* savings points network, network of deposit-taking institutions; **S.summe** *f* total savings

spartanisch *adj* Spartan

Spartarif *m* economy rate/tariff/fare

Spartätigkeit *f* saving(s) (activity); **S. privater Haushaltungen** saving by private individuals; **S. anregen/fördern** to spur/encourage savings; **sich hemmend auf die S. auswirken** to discourage saving; **laufende S.** current savings; **private S.** personal savings

Sparte *f* 1. branch, area, field, line of business, category; 2. *(Konzern)* business unit, arm, division

Sparten|- divisional; **S.aufgliederung** *f* breakdown by branches/divisions; **S.aufschlüsselung** *f* divisional breakdown; **S.controller(in)** *m/f* divisional controller; **S.ergebnis** *nt* divisional result(s); **S.gliederung** *f* divisional structure; **S.leiter** *m* division(al) manager, divisional (managing) director, head of division, manager; **S.leitung** *f* divisional management; **S.limit** *nt (Vers.)* class/branch limit; **s.mäßig** *adj* according to branches, by division; **S.organisation** *f* divisional organisation, divisionalization; **S.struktur** *f* divisional structure; **S.trennung** *f* branch separation, divisionalization

Spar|trieb *m* urge to save; **S.verein/S.vereinigung** *m/f*

savings association *[GB]*, thrift institution *[US]*; **S.-verkehr** *m* saving (business); **S.verhalten** *nt* savings habits; ~ **fördern** to spur savings; **S.versicherung** *f* capital redemption insurance; **S.vertrag** *m* savings contract/agreement/plan, investment/accumulation plan, Save-As-You-Earn (SAYE) contract; **S.volumen** *nt* volume of savings; **S.vorgang** *m* saving; **S.welle** *f* economy wave; **S.werk** *nt* savings scheme; **S.wesen** *nt* savings; **S.willigkeit** *f* willingness to save; **S.zertifikat** *nt* savings certificate/bond; **S.ziel** *nt* 1. object of saving; 2. savings target; **S.zins** *m* savings rate; **S.zinsen** *pl* interest on savings (deposits), interest rate for savings accounts; **S.zugang** *m* accrual of savings, growth in savings deposits; **S.zulage** *f* savings bonus; **S.zwang** *m* compulsory saving

Spasmus *m* ⚕ spasm

Spaß *m* 1. fun; 2. trick, jest; **S. beiseite** joking apart; **ziemlich teurer S. sein** *(coll)* to cost a pretty penny *(coll)*; **S. verderben** to be a spoilsport, to spoil the fun; **keinen S. verstehen** to have no sense of humour, not to be able to take a joke

spät *adj* late; **reichlich s.** late in the day *(coll)*; **so s.** at this late stage; **zu s.** late

Spät|ausgabe *f* late edition, late night final; **S.einlieferungsgebühr** *f* late fee

Spaten *m* spade; **den ersten S.stich tun** *m* 1. to turn the first sod; 2. to break new ground *(fig)*

Spätentwickler *m* late developer/starter

später *adj* later, subsequent, thereafter

spätestens *adv* at the latest

Spät|folgen *pl* *(Verletzung)* remote consequences; **S.-lese** *f (Wein)* late vintage

Spatienkeil *m* ▯ spaceband

Spätindikator *m* lagging/late indicator, lagger, laggard

spationier|en *v/t* ▯ to space (out); **S.ung** *f* ▯ spacing

Spatium *nt* space

Spät|kapitalismus *m* late capitalism, post-industrial society; **S.meldung** *f* late entrant; **S.schaden** *m* belated claim; **S.schalter** *m (Bank)* late counter; **S.schicht** *f* night/late/evening/twilight/swing *[US]* shift, back-shift; **S.sommer** *m* Indian summer; **S.verzinsung** *f* retarded interest payment; **S.vorstellung** *f* late(-night) performance; **S.wirkung** *f* delayed effect; **S.zünder** *m* *(fig)* late developer/starter; ~ **sein** to be slow on the uptake; **S.zündung** *f* 1. delayed effect; 2. 🚗 retarded ignition; **S.zustellung** *f* late delivery; **s.zyklisch** *adj* lagging

Speckgummi *nt* soft rubber

spedieren *v/t* to truck

Spediteur *m* 1. carrier, (freight) forwarder, freighter, shipper, transport company; 2. 🚗 (road) haulier, haulage contractor/operator, trucker; 3. transport/forwarding/shipping/carrying/freight/express *[US]* agent; 4. (furniture) remover; 5. warehouse keeper/man; **S. mit eigenem Fuhrpark** own fleet operator; **bahnamtlicher S.** contract/common *[US]* carrier, railway express agency *[GB]*; **privater S.** private carrier; **übernehmender S.** on-carrier; **zustellender S.** delivery carrier

Spediteur|bedingungen *pl* terms of forwarding/carriage; **S.bescheinigung** *f* carrier's receipt; **S.doku mente** *pl* forwarder's documents; **S.durchfrachtpa pier** *nt* forwarding agent's certificate of transport **S.durchkonnossement** *nt* forwarder's through bill o lading (B/L); **internationales S.durchkonnossemen** forwarding agent's certificate of receipt (FCR); **S. Frachtführer** *m* freight forwarder; **S.geschäft** *nt* car rier's business; **S.haftpflichtversicherung** *f* carrier' liability insurance; **S.haftung** *f* carrier's liability **S.kommission/S.provision** *f* forwarder's/forwardin agent's comission; **S.konnossement** *nt* forwarder' bill of lading (B/L); **S.offerte** *f* carrier's quotation, for warder's offer; **S.pfandrecht** *nt* carrier's lien; **S.rech nung** *f* forwarder's note of charges; **S.sammelgut** *n* forwarder's collective consignment; **S.sammelgut verkehr** *m* forwarding agent's collective shipment **S.übernahmebescheinigung** *f* forwarder's receipt forwarding agent's receipt, ~ certificate of receip (FCR)

Spedition *f* 1. (public/freight) carrier, forwarding/haul age company, (freight) forwarder, shipper, haulag contractor, truckage company; 2. forwarding/ship ping/freight agent, transport/forwarding/shippin agency; 3.carriage, shipping, forwarding, transporta tion, transporting; 4. dispatch; 5. removal firm; 6 freight corporation *[US]*; **internationale S.** 1. interna tional forwarding agent; 2. foreign freight forwarder

Speditions|- forwarding, shipping; **S.abteilung** *f* for warding/dispatch department; **S.agent** *m* forwarding forwarder's agent; **S.angestellter** *m* freight clerk **S.auftrag** *m* forwarding/shipping/dispatch order, for warding note; **S.betrieb** *m* forwarding/haulage/truck ing company, carriers; **S.bogen** *m* forwarding sheet **S.branche** *f* haulage industry; **S.bücher** *pl* books o conveyance; **S.buchführung** *f* transport accounting **S.büro** *nt* forwarding office, shipping agency; **S.firm** *f* 1. forwarding agency; 2. forwarders, haulage/truck age company, haulage contractor, haulier, public car rier, shipper; 3. removal firm; **S.gebühren** *pl* forward ing/carrier's charges, haulage; **S.geschäft** *nt* haulage forwarding business, carrying trade/business, shippin trade; **S.gesellschaft** *f* forwarding company, freigh corporation *[US]*; **S.gewerbe** *nt* haulage industry/trade forwarding/shipping trade; **S.güter** *pl* freight, goods t be forwarded; **S.handel** *m* haulage industry, shippin trade; **S.kaufmann** *m* forwarding merchant; **S.kont** *nt* carrying account, account of conveyance; **S.konzes sion** *f* operator's licence; **S.kosten** *pl* forwarding/carry ing charges, haulage costs; **S.leistung** *f* transport/for warding service; **S.lizenz** *f* operator's licence; **S.provi sion** *f* forwarding commission; **S.rechnung** *f* bill o conveyance, forwarder's note; **S.satz/S.tarif** *m* haul age tariff; **S.übernahmebescheinigung** *f* forwarder' receipt, forwarding agent's certificate of receipt (FCR) **S.unternehmen** *nt* carrier, forwarder, forwardin company, haulier, haulage firm, shipping agency **S.verkehr** *m* forwarding/shipping trade; **S.versiche rung** *f* forwarding/haulage insurance, forwarder's ris insurance; **S.versicherungsschein** *m* forwarding in surance cover/policy; **S.vertrag** *m* contract of carriage, shipping/forwarding contract; **S.vertreter** *m* 1. forwarding/shipping agent; 2. ✈ ramp agent

Speichel *m* ⚕ saliva

Speicher *m* 1. storage, warehouse, storehouse, store, repository, entrepôt *[frz.]*, magazine, dump; 2. 🖳 memory chip/storage/(device), storage feature; 3. *(Wasser)* reservoir *[frz.]*; 4. *(Dachboden)* attic; **S. mit schnellem Zugriff** 🖳 high-speed storage; **auf den S. bringen** to store; **energieunabhängiger S.** 🖳 unerasable storage; **magnetischer S.** 🖳 magnetic storage; **öffentlicher S.** public warehouse; **peripherer S.** peripheral storage; **virtueller S.** virtual storage/memory

Speicher|abgabe *f* 🖳 storage out; **S.abzug** *m* memory dump; **S.adresse** *f* memory address; **virtuelle S.adressierung** virtual storage addressing; **S.arbeiter** *m* warehouseman; **S.ausstattung** *f* storage utilization/efficiency; **S.bank** *f* memory bank; **S.batterie** *f* storage battery; **S.becken** *nt* reservoir; **S.belegung** *f* memory occupancy; **gemeinsame S.benutzung** shared storage; **S.bereich** *m* storage area; **S.chip** *m* storage/memory chip; **S.eingabe** *f* read-in storage; **S.einheit** *f* data bank holder, storage device; **S.empfang** *m* storage in; **S.erweiterung** *f* memory expansion; **s.fähig** *adj* storable; **S.fähigkeit** *f* storability; **S.gebäude** *nt* storage building; **S.gebühren** *pl* warehousing charges, warehouse rates; **S.geld** *nt* storage; **S.größe** *f* 1. storage capacity; 2. memory capacity; **S.inhalt** *m* storage contents; **S.kapazität** *f* 1. storage capacity/space; 2. memory capacity/size; **optische S.karte** optical card; **S.kopplung** *f* memory link; **S.kraftwerk** *nt* storage power station; **S.miete** *f* warehouse rent

speichern *v/t* 1. to store, to stock (up), to warehouse/dump/file; 2. to memorize/retain/save

wirtschaftliche Speicher|nutzung storage economy; **starr fortlaufende S.organisation** 🖳 sequential organisation; **optische S.platte** optical disk; **S.platz** *m* 1. storage location/place; 2. storage space; 3. 🖳 memory location; **S.platzzuordnung** *f* storage allocation, allocation of storage; **S.programm** *nt* stored program; **S.puffer** *m* memory buffer; **S.raum** *m* storage/warehouse space; **S.sachen** *pl* goods in storage; **S.schreibsperre** *f* memory protection; **S.schutzschlüssel** *m* protection key; **S.schreibmaschine** *f* electronic/interrogatory typewriter; **kommunikationsfähige S.-schreibmaschine** communicating memory typewriter; **S.schutz** *m* storage protection; **S.seite** *f* page; **S.stelle** *f* storage location; **S.technik** *f* memory/storage technology; **virtuelle S.technik** paging

Speicherung *f* storage; **gestreute S.(sform)** random organisation; **S.sdichte** *f* storage density; **S.szeitraum** *m* storage period

Speicher|vermittlung *f* 🖳 switching centre; **S.verwalter** *m* warehouse keeper; **S.verwaltung** *f* 🖳 memory management; **S.vorrang** *m* storage priority; **S.werk** *nt* storage unit; **S.zelle** *f* storage cell; **S.zugriff** *m* memory access; **S.zugriffsschutz** *m* fetch protection; **S.zuordnung** *f* storage/memory allocation

Speise *f* food, nourishment, fare; **kochfertige S.n** convenience foods; **warme und kalte S.n** hot and cold dishes

Speise|haus *nt* eating house; **S.kammer** *f* pantry, larder; **S.karte** *f* menu, bill of fare; **S.kartenfrage** *f* multiple-choice/precoded/cafeteria *(coll)* question; **S.kartoffel** *f* edible potato; **S.lokal** *nt* restaurant, eating house

speisen *v/i* to dine/eat/feed; **auswärts s.** to dine/eat out

Speisen|aufzug *m* dumb waiter, service lift; **S.folge** *f* menu

Speise|raum *m* dining room; **S.saal** *m* dining hall/room; **S.wagen** *m* 🚂 restaurant/refreshment/dining car, diner *[US]*; **S.wasser** *nt* ⚙ feedwater

Spektakel *nt* 1. spectacle, show; 2. rumpus, fuss

Spektrum *nt* spectrum, panoply

Spekulant *m* 1. speculator, gambler; 2. *(Börse)* market operator, operator in a market, punter; 3. *(Hausse)* bull; 4. *(Baisse)* bear; 5. *(Neuemission)* stag; 6. commercial adventurer; **erfolgreicher S.** *m* money-spinner; **kleiner S.** dabbler; **unerfahrener S.** lamb; **waghalsiger S.** plunger; **wilder S.** wildcatter; **windiger S.** shady speculator; **zahlungsunfähiger S.** (lame) duck

Spekulation *f* 1. speculation; 2. supposition, conjecture; 3. gambling, gamble, venture; 4. punt *(coll)*

Spekulation auf Baisse bear speculation/trading; ~ **Hausse** bull speculation/trading; **S. mit Immobilien** real estate/property speculation; **S. auf lange Sicht** long pull; **S. in Staatspapieren** fund mongering; ~ **Terminpapieren** speculation in futures

Spekulation anheizen to boost/fuel speculation, to fan the speculative flames; **S. dämpfen/lähmen** to dampen speculation; **der S. den Boden entziehen** to douse speculation; ~ **neue Nahrung geben** to revive speculation; **auf S. kaufen** to buy on spec(ulation)

berufsmäßige Spekulation professional speculation; **übermäßige S.** overtrading; **wilde S.** wildcat finance, wildcatting

Spekulations|aktie *f* speculative share *[GB]*/stock *[US]*; **begehrte S.aktie** speculative favourite; **s.bedingt** *adj* speculative; **S.bewegung** *f* flutter, speculative movement; **S.druck** *m* speculative pressure; **S.fieber** *nt* speculative fervour; **S.frist** *f* period of capital gains tax liability

Spekulationsgeld *nt* speculative money; **S.er** speculative funds; **kurzfristige S.er** short-term betting money

Spekulationsgeschäft *nt* 1. speculative transaction/operation/dealing, gamble, adventure; 2. *(Börse)* privilege; **S.e** *(Börse)* (stock)jobbing

Spekulationsgewinn *m* speculative profit/gain, trading profit, (short-term) capital gains; **hoher S.** killing *(coll)*; ~ **erzielen** to make a killing *(coll)*

Spekulations|handel *m* speculative trading; **S.interesse** *nt* speculative interest; **S.kapital** *nt* venture/risk capital; **S.kasse** *f* idle balances/money, speculative balances/holdings; **S.kauf** *m* speculative purchase; **S.käufe** speculative buying; ~ **auslösen** to attract speculative buying; **S.kredit** *m* speculative credit; **S.kurs** *m* speculative price; **S.leidenschaft** *f* speculative fervour; **S.lust** *f* speculative spirit; **S.objekt** *nt* venture; **als ~ kaufen** to buy as a speculation; **S.papier** *nt* speculative stock/security; **S.preis** *m* speculative price; **S.ring** *m* corner; **S.risiko** *nt* speculative risk; **S.steuer** *f* (short-term) capital gains tax; **S.steuerfrist** *f* period of capital gains tax liability; **S.tätigkeit** *f* speculation; **S.unternehmen** *nt* speculative venture; **S.verkauf** *m* speculative sale; **S.verkäufe** speculative selling; **S.verlust** *m* speculative loss; **S.versicherung** *f* speculative underwriting; **S.vertrag** *m* hazardous contract; **S.welle** *f* flood of speculation; **S.wert** *m* 1. speculative issue/security, hot issue; 2. speculative value

spekulativ *adj* speculative, wildcat; **sehr s.** high-risk

Spekulieren *nt* speculation

spekulieren *v/i* to speculate/gamble/job/operate/venture, to play the market, to have a flutter *(coll)*; **ein bisschen s.** to dabble in stocks and shares; **falsch s.** to speculate on the wrong side; **sinnlos/waghalsig s.** to plunge

Spende *f* 1. contribution, donation, gift, dole, offering, collection; 2. *(Stiftung)* endowment; **durch S.** by public subscription; **S. an politische Parteien** contributions to political parties; **S.n und Schenkungen** contributions and donations; **S. für mildtätige Zwecke** charitable contributions; **um eine S. bitten** to ask for a contribution; **S.n entgegennehmen** to accept contributions; **durch ~ finanzieren** to finance by voluntary subscriptions; **von ~ leben** to live on alms; **~ sammeln** to pass the hat around *(fig)*; **freiwillige S.** voluntary contribution; **politische S.** political contribution; **steuerabzugsfähige S.** tax-deductible contribution; **wohltätige S.** charitable gift; **vertraglich zugesicherte S.** convenanted donation

spenden *v/t* to contribute/donate/give/nominate, to make a contribution/donation; **jdm etw. s.** to bestow sth. on so.; **reichlich s.** to give freely

Spenden|abzug *m* deductions allowed for gifts to charity; **S.affäre** *f* political donations scandal; **S.aktion** *f* fund raising (exercise); **sich an einer ~ beteiligen** to subscribe to an appeal; **S.appell/S.aufruf** *m* appeal for funds; **S.aufkommen** *nt* revenue from donations; **S.beschaffung** *f* procuring of donations; **S.empfänger** *m* nominee; **S.fonds** *m* charity fund; **S.konto** *nt* subscription/donations account; **S.quittung** *f* receipt (for a donation); **S.sammler** *m* fund raiser; **S.strom** *m* flood of donations

Spender *m* 1. donor, donator, subscriber, benefactor, giver; 2. *(Automat)* dispenser

spendieren *v/t* to stand (sth.); **jdm etw. s.** to treat so. to sth.

Spendierhosen anhaben *pl* *(fig)* to be in a generous mood, to go on a spending spree

Sperr|aktie *f* golden share *[GB]*; **S.auftrag** *m* stop (order); **S.betrag** *m* frozen/blocked amount; **S.bezirk** *m* restricted/no-go *(coll)* area, prohibited area (for prostitution); **S.depot** *nt* blocked (security) deposit; **S.-druck** *m* ▯ space type

Sperre *f* 1. barrier, lock, gate; 2. *(Handel)* embargo; 3. *(Scheck)* stop; 4. *(Konto)* blocking (period); 5. *(Hindernis)* impediment, obstacle, blockade; 6. *(Verbot)* ban; 7. *(Polizei)* cordon, road block; 8. *(geistig)* blackout *(fig)*

Sperren *nt* ▯ letter spacing

sperren *v/t* 1. to close off, to obstruct; 2. *(Konto)* to block/freeze; 3. *(Scheck)* to stop; 4. *(Warenverkehr)* to embargo; 5. ▯ to space; 6. *(Verbot)* to ban/stop/countermand; 7. ✆/ϟ to cut off, to disconnect; 8. *(Polizei)* to block, to cordon off; **sich s.** to refuse (obstinately)

Sperrenbescheinigung *f* blocking certificate

Sperr|frist *f* 1. qualifying/blocking/holding period; 2 *(Vers.)* waiting period; 3. *(Wertpapiere)* immobilization period, period of non-negotiability; 4. period of embargo; **S.gebiet** *nt* prohibited/restricted area, no-go area *(coll)*; **zum ~ erklären** to declare off limits, to place out of bounds; **S.geld** *nt* 1. frozen funds; 2. ⊖ tolerance; **S.gürtel** *m (Polizei)* cordon; **S.gut** *nt* bulky goods/freight; **S.guthaben** *nt* 1. blocked funds/deposit/balances; 2. *(durch Forderungspfändung)* garnished account; **S.hebel** *m (Schreibmaschine)* detent arm, lever; **S.holz** *nt* plywood, laminated wood; **S.holzkiste** *f* plywood box

sperrig *adj* bulky, unwieldy; **S.keit** *f* bulkiness; **S.keitszuschlag** *m* bulky goods surcharge

Sperr|impuls *m* ▭ disable pulse; **S.jahr** *nt* one-year waiting period; **S.kette** *f* 1. chain; 2. cordon; **S.klausel** *f* restriction/saving/blocking/barring clause; **S.klinke** pawl; **S.klinkeneffekt** *m* bottom stop, ratchet effect downward rigidity; **S.kontakt** *m* ▭ disabling contact **S.konto** *nt* frozen/blocked account; **S.liste** *f (Scheck)* stop card, blacklist; **S.mauer** *f* dam, barrage; **S.minorität** *f* blocking/vetoing minority, blocking equity stake, vetoing stock; **S.müll** *m* bulk(y) refuse, bulk waste; **S.müllabfuhr** *f* collection/removal of bulky refuse; **S.patent** *nt* blocking patent; **S.punkt** *m (Werbung)* cut-off point; **S.riegel** *m* safety bolt; **S.satz** *m* ▯ spaced composition; **S.sitz** *m* ⊖ stalls, parquet *[US]* **S.stück** *nt (Wertpapier)* blocked security; **S.stunde** curfew

Sperrung *f* 1. freeze, stop(ping), closure, closing off; 2 *(Handel)* embargo, blockade; 3. *(Scheck)* stoppage; 4 *(Verbot)* prohibition, ban; 5. ▯ letter spacing; 6. ✆/ϟ disconnection; **S. eines Kontos** freezing/blocking of an account; **~ Schecks** stopping (of) a cheque *[GB]*/check *[US]*; **S. aufheben** to lift an embargo/a blockade; **S. verhängen** to impose an embargo/a freeze

Sperrventil *nt* stop valve

Sperrvermerk *m* non-negotiability notice/clause, restricted notice, blocking note; **S. in einem Register** inhibition; **S. eintragen lassen** *(Grundbuch)* to vacate a registration

Sperr|vermögen *nt* frozen/blocked assets; **~ freigeben** to release blocked assets; **S.verpflichtung** *f* obligation to hold blocked; **S.vorrichtung** *f* ✿ blocking mechanism, cut-off; **S.vorschrift** *f* blocking regulation; **S.widerstand** *m* ϟ inverse resistance; **S.wort** *nt* password; **S.zeit** *f* 1. *(Vers.)* period of disqualification; 2. period of embargo; 3. ▭ retention cycle, idle period; **S.zoll** *m* prohibitive tariff; **S.zone** *f* prohibited/sensitive area, danger/exclusion zone

Spesen *pl* 1. (out-of-pocket/business) expenses, charges, fees, cost(s), expenditure; 2. bank charges; **ab an S.;**

abzüglich der S. charges to be deducted, less expenses; **einschließlich aller S.** including all charges; **franko S.** free of charges; **zuzüglich S.** plus expenses

Spesen abrechnen to account for expenses; **S. absetzen** to deduct expenses; **S. aufschlüsseln** to break down expenses; **S. begleichen** to settle expenses; **für S. belasten** to expense, to charge for expenses; **jds S. bestreiten** to defray so.'s expenses; **jdm die S. ersetzen** to reimburse so.'s expenses; **S. erstatten** to refund expenses; **S. herabsetzen** to cut down (on) expenses; **S. nachnehmen** to charge expenses forward; **auf S. reisen** to travel on expenses; **S. in Rechnung stellen** to charge expenses; **S. vergüten/zurückerstatten** to refund/reimburse expenses

abzugsfähige Spesen deductible expenses; **aufgelaufene S.** accrued expenses; **diverse/verschiedene S.** sundries, sundry expenses; **einmalige S.** non-recurring expenses; **erwachsene S.** accrued expenses; **feste S.** fixed charges; **fremde S.** third-party fees; **kleine S.** petty expenses, small charges; **laufende S.** current expenses

Spesen|abrechnung *f* expense account/report/sheet, statement of expenses; **nach S.abzug** *m* 1. after allowing for expenses; 2. § ultra reprisal; **S.abzüge** expense account deductions; **S.anschlag** *m* budgeted expense; **S.aufgliederung** *f* breakdown of expenses; **S.aufstellung** *f* statement of expenses; **S.belastung** *f (Vers.)* expense loading; **S.belastungsformular** *nt* sundries debit form; **S.beleg** *m* expense voucher; **S.erstattung** *f* reimbursement of expenses incurred; **S.etat** *m* expense budget; **S.faktor** *m* expense factor; **S.fonds** *m* expense fund; **s.frei** *adj* free of charge, clear of charges; **S.kasse** *f* petty cash, imprest fund; **S.konto** *nt* expense/drawing account, account of expenses/charges; **S.kontrolle** *f* expense control; **S.nachnahme** *f* carriage/charges forward; **S.note** *f* charges note; **S.pauschale** *f* expense allowance; **S.platz** *m (Bank)* place entailing expenses for bill/cheque *[GB]*/check *[US]* collection; **S.posten** *m* expense item; **S.rechnung** *f* 1. bill of expenses/costs, statement of expenses; 2. expense account; 3. expenses form; **S.richtlinien** *pl* expense account rules; **S.ritter** *m (coll)* expense account traveller; **S.rückerstattung** *f* reimbursement of expenses; **S.satz** *m* expense allowance/rate; **S.unwesen** *nt* malpractices in connection with expenses; **S.vergütung** *f* reimbursement/refund of charges; **S.vorschuss** *m* expenses advance(d), imprest; **diskrete S.zahlungen** discreet expense payments; **S.zettel** *m* expense slip/record, cost record; **S.zuschuss** *m* expense allowance

Spezial|- customized, custom-made, tailor-made, purpose-built; **S.abteilung** *f* 1. special department; 2. *(Polizei)* special branch; **S.anbieter** *m* specialty supplier; **S.anfertigung** *f* custom-built/purpose-built/special manufacture, tailor-made product; **S.artikel** *m* speciality; **S.artikelgeschäft** *nt* speciality shop *[GB]*/store *[US]*; **S.ausbildung** *f* special(ized)/specialist training; **S.ausdruck** *m* technical term/expression; **S.ausführung** *f* custom-built/customized article, special model/version; **S.ausrüstung(en)** *f/pl* specialized equipment; **S.bank** *f* specialized/special-purpose bank; **S.berufe** *pl* skilled trades; **S.börse** *f* special exchange; **S.chemikalie** *f* speciality chemical; **S.container** *m* special container; **S.einheit** *f* ✈ task force; **S.erzeugnis** *nt* speciality product; **S.fach** *nt* speciality, special line; **S.fahrzeug** *nt* special-purpose vehicle; **S.fall** *m* special case; **S.fonds** *m* special fund; **S.fracht** *f* special cargo; **S.gebiet** *nt* special subject/field, speciality; **S.geschäft** *nt* speciality shop *[GB]*/store *[US]*, special(ist) shop, single-line/one-line store *[US]*; **S.gesetz** *nt* special law, private statute; **S.güter** *pl* specialities; **S.handel** *m* specialized trade; **S.hersteller** *m* speciality manufacturer; **S.indossament** *nt* special endorsement

spezialisier|en (auf) *v/refl* to specialize (in); **s.t** *adj* specialist, specialized

Spezialisierung *f* specialization; **berufliche S.** job specialization; **S.sgrad** *m* degree of specialization; **S.skurs** *m* specialization course

Spezialist|(in) *m/f* 1. specialist, expert, master hand; 2. ⚕ consultant; **S.en zuziehen** to call in/consult a specialist; **S.enausbildung** *f* specialist training; **S.entum** *nt* professionalism

Spezialität *f* speciality, special branch; **S.engeschäft** *nt* speciality shop *[GB]*/store *[US]*; **S.enrestaurant** *nt* speciality restaurant

Spezial|journal *nt* day book; **S.kenntnisse** *pl* know-how, specialized knowledge; **S.konto** *nt* special/separate account; **S.kraft** *f* skilled worker; **S.kräfte** skilled labour; **S.kreditinstitut** *nt* special-purpose/specialized bank; **S.literatur** *f* trade/special literature; **S.markt** *m* specialized market; **S.maschine** *f* special-purpose machine; **S.papier** *nt* 1. speciality paper; 2. *(Börse)* special stock; **S.prävention** *f* § deterrent effect on a particular offender; **S.preis** *m* special rate; **S.rate** *f* 1. special rate; 2. *(Fracht)* special freight rate; **S.rechner** *m* special-purpose computer; **S.reserve** *f* special/provident reserve fund; **S.risiko** *nt* special risk; **S.rückversicherung** *f* special risk reinsurance; **S.stahl** *m* special(ity) steel; **S.strafgesetzbuch** *nt* special penal statute; **S.tankschiff** *nt* special-purpose tanker; **S.tarif** *m* special rate; **S.transport** *m* special transport; **S.transportunternehmen** *nt* special commodity carrier; **S.verfahren** *nt* special process; **S.verpackung** *f* special packing; **S.versender** *m* speciality-line mail oredr house; **S.versicherung** *f* special insurance; **S.vollmacht** *f* special powers/agency/authorization; **S.wagen** *m* 🚃 special-purpose freight car; **S.warengeschäft** *nt* speciality shop *[GB]*/store *[US]*; **S.werte** *pl* special shares *[GB]*/stocks *[US]*, specialities; **S.wissen** *nt* expert/specialist knowledge

speziell *adj* special, specific, particular

Spezies|kauf *m* sale of ascertained goods; **S.sachen** *pl* specified goods; **S.schuld** *f* specific/determinate obligation; **S.verkauf** *m* sale of specified goods; **S.vermächtnis** *nt* specific legacy

Spezifikation *f* 1. specification, statement of particulars; 2. itemization, classification; **S.skauf** *m* sale to specification(s), ~ by description; **S.spaket** *nt* specification

package; **S.sprozedur** *f* 🖳 descriptive procedure; **S.s-symbol** *nt* specifier
Spezifikum *nt* specific feature
spezifisch *adj* specific(al), characteristic (of)
spezifizier|en *v/t* to specify/itemize/detail/enumerate; **nicht s.t** *adj* unspecified
Spezifizierung *f* specification, itemization, detailed statement; **S. von Patentansprüchen** notice of oppositions/objections
Sphäre *f* sphere, province, purview; **in höheren S.n schweben** to live in the clouds
Spiegel|bild *nt* mirror image; **S.bildkonten** *pl* suspense accounts; **S.fechterei** *f* eyewash; **s.glatt** *adj* as smooth as a mirror
spiegeln *v/t* to reflect/mirror/echo
Spiegel|reflexkamera *f* reflex camera; **S.schrift** *f* mirror writing; **S.strich** *m (Text)* bullet point
Spiegelung *f* reflection
spiegelverkehrt *adj* mirror-inverted
Spiel *nt* 1. game, play, gaming; 2. *(Sport)* match; 3. *(Wetten)* gambling; 4. ▦ clearance; **auf dem S.** at risk/stake; **S. mit dem Feuer** brinkmanship; **S. der Kräfte** play of forces; **freies ~ Marktkräfte** free play of market forces; **freies S. des Wettbewerbs** unrestrained competition; **S. und Wette** gaming and wagering
Spiel aufgeben to throw up one's cards; **aus dem S. bleiben** to keep out; **ins S. bringen** to bring into play; **jds S. durchschauen** to see through so.'s (little) game, to be up to so.'s tricks; **sich in das S. einschalten** to get in on the act; **leichtes S. haben** to make short work; **S. gewonnen haben** to be home and dry *(coll)*; **ins S. kommen** to become involved; **jdn aus dem S. lassen** to leave so.'s name out; **leichtes S. für jdn sein** to be easy game for so.; **aufs S. setzen** 1. to (put at) risk, to hazard/jeopardize/venture/compromize, to gamble with; 2. *(Geld)* to stake (money) on; **auf dem S. stehen** to be at stake, ~ involved; **gefährliches S. treiben** to play a dangerous game; **trügerisches S. treiben** to play false; **S. verderben** to spoil the game
abgekartetes Spiel put-up job, frame-up; **kooperatives S.** *(OR)* cooperative game; **leichtes S.** walkover, child's play; **von vornherein verlorenes S.** losing game
Spiel|art *f* variant; **S.automat** *m* gaming machine, one-armed bandit *(coll)*; **S.ball** *m (fig)* shuttlecock *(fig)*; **S.bank** *f* casino, gambling house; **~ halten** to hold the bank; **S.einsatz** *m* stake
Spielen *nt* gaming, gambling; **S. in einer Wettgemeinschaft** pool betting
spielen *v/i* 1. to gamble; 2. to play; 3. 🎭 to act; **fair s.** to play the game; **falsch s.** to cheat; **hoch s.** to play for high stakes; **s.d** *adv* hands down
Spieler *m* 1. gambler, punter; 2. player; **S.ei** *f* play; **technische S.eien** gadgetry
Spiel|film *m* feature film; **S.folge** *f* program(me); **S.geld** *nt* play money; **S.geschäft** *nt* futures gambling; **S.gewinn** *m* gambling profit; **S.halle** *f* amusement/penny *[GB]* arcade; **S.höhle/S.hölle** *f* gambling den; **S.karte** *f* playing card; **S.kartensteuer** *f* tax on playing cards; **S.kasino** *nt* casino; **S.klub** *m* gambling club; **S.leidenschaft** *f* gambling passion; **S.leiter** *m* games master, quizmaster; **S.leitung** *f* 🎭 stage management; **S.lokal** *nt* gambling hall; **S.marke** *f* token, chip; **S.papiere** *pl* speculative securities; **S.pause** *f* 🎭 intermission; **S.plan** *m* 🎭 repertory
Spielraum *m* 1. scope, room for manoeuvre, margin, leeway, range, flexibility, elbow-room; 2. 🏭 backlash, tolerance; 3. ✿ reach, clearance; **S. voll ausschöpfen** to use the scope to the full; **mehr S. erhalten** to get more leeway; **jdm großen S. lassen** to give so. wide scope, ~ plenty of rope *(fig)*; **finanzieller S.** financial scope/limits; **finanzpolitischer S.** fiscal leverage, room for fiscal manoeuvre; **großer S.** ample scope; **preispolitischer S.** price-fixing scope; **zinspolitischer S.** scope of interest rates; **zulässiger S.** permissible clearance; **S.theorie** *f* theory of range
Spielregeln *pl* rules of the game, ground rules; **S. zu seinem Gunsten auslegen** to bend the rules; **sich an die S. halten** to play the game, ~ by the rules
Spiel|saal *m* gaming room; **S.sachen** *pl* toys; **S.salon** *m* gambling hall; **S.schuld** *f* gambling debt, debt of honour; **S.steuer** *f* gambling/gaming duty; **S.- und Wettsteuer** gambling duty; **S.theorie** *f* game theory, theory of games; **S.tisch** *m* gambling/games table; **S.verderber** *m* spoilsport, killjoy, dog-in-the-manger *(fig)*; **S.verlust** *m* gambling loss; **S.vertrag** *m* gambling contract
Spielwaren *pl* toys; **S.geschäft** *nt* toy shop *[GB]*/store *[US]*; **S.handel** *m* toy trade; **S.hersteller** *m* toy manufacturer/maker; **S.industrie** *f* toy industry; **S.messe** *f* toy fair
Spielwiese *f (fig)* playground *(fig)*
Spielzeit *f* 🎭 season; **S.kontingent** *nt* screen quota
Spielzeug *nt* toy(s), plaything; **S.eisenbahn** *f* toy train/railway; **S.laden** *m* toy shop *[GB]*/store *[US]*; **S.waffe** *f* imitation firearm; **S.waren** *pl* toys
Spieß *m* 1. spit; 2. ⛏ pick; **vom S.** roasted; **S. umdrehen** *(fig)* to turn the tables *(fig)*; **S.bürger** *m* philistine, bourgeois *[frz.]*; **s.bürgerlich** *adj* philistine, provincial
Spießer *m* philistine, bourgeois *[frz.]*
Spießgeselle *m (coll)* accomplice
spießig *adj* provincial, bourgeois *[frz.]*
Spießruten laufen *pl* to run the gauntlet
Spillage *f* spillage
Spind *m* locker
Spindel *f* spindle
spinnen *v/i* to spin
Spinnerei *f* spinning mill/works, mill, spinner; **S.arbeiter(in)** *m/f* mill hand
Spinn|rad *nt* spinning wheel; **S.stofffabrik** *f* spinning mill/works; **S.webmodell** *nt* cobweb model
Spin|-off-Gründung *f* spin-out flo(a)tation; **S.-off-Unternehmen** *nt* spin-off company; **S.-out-Unternehmen** *nt* spin-out company
Spion *m* 1. spy, ferret *(coll)*; 2. 🏛 spyhole
Spionage *f* espionage, spying
Spionage|abwehr *f* secret service, counter-intelligence, espionage; **S.affäre** *f* spy scandal; **S.anklage** *f* spy charge; **S.geschäft** *nt* espionage; **S.netz** *nt* spy network

S.organisation/S.ring *f/m* spy ring; **S.prozess/S.verfahren** *m/nt* spy trial; **S.skandal** *m* spy scandal; **S.-tätigkeit** *f* espionage

spionieren *v/i* to spy

Spirall- spiral(-bound); **S.bohrer** *m* twist drill

Spirale *f* spiral, twist, coil; **deflatorische S.** deflationary spiral

Spiralwirkung *f* spiral effect

Spirituosen *pl* liquor, spirits; **S.geschäft/S.handlung** *nt/f* off-licence *[GB]*, liquor shop *[GB]*/store *[US]*, package store *[US]*; **S.industrie** *f* alcoholic drinks industry

spitz *adj* pointed, sharp; **s. kriegen** *v/t* to get wind of/wise to sth.

Spitzlboje *f* conical buoy; **S.bube** *m (coll)* rascal, rogue, scoundrel; **S.dach** *nt* pointed roof

Spitze *f* 1. point, peak, edge, top (end), apex; 2. *(Börse)* remainder; 3. *(Führung)* lead; 4. *(Rückvers.)* excess; 5. *(Textil)* lace; 6. *(Zipfel)* tip; **S.n** *(Börse)* odd lots, fractional shares; **an der S.** ahead, in the lead, at the wheel; **S. des Eisbergs** tip of the iceberg; **S.n der Gesellschaft** high society, bigwigs *(coll)*; **an der S. stehend** paramount (to)

jdm die Spitze bieten to defy so.; **S. erreichen** to peak; **an die S. gelangen** to reach the top of the ladder; **an der S. liegen** to be in front; **die S. nehmen** to defuse *(fig)*, to take the edge off, to blunt the edge (of sth.); **an der S. stehen** 1. to head/lead/spearhead, to be to the fore; 2. *(Liste)* to top; **an die S. treten** to take the lead

Spitzel *m* (common) informer, undercover agent, snooper, ferret *(coll)*

spitzeln *v/i* to ferret

spitzen auf *v/refl* to be keen on

Spitzenl- 1. peak, top(-level/-line/-class/-flight); 2. *(Position)* top-ranking; 3. *(Manager)* top-hat *(coll)*; **S.absatz** *m* peak sales; **S.angebot** *nt* 1. top offer; 2. *(VWL)* marginal supply; **S.anfall** *m* peak volume/demand; **S.anlage** *f* first-class investment; **S.artikel** *m* first-class article; **S.ausgleich** *m* 1. *(Bezugsrechte)* smoothing, settlement of fractions, ~ fractional amounts, consolidation of fractional entitlements, adjustment to avoid fractional share entitlements; 2. evening out of peaks; **S.beamter** *m* top/senior official, ~ civil servant; **S.beanspruchung** *f* ϟ peak load; **S.bedarf** *m* peak demand, marginal requirements

Spitzenbelastung *f* ϟ peak load, maximum charge; **S.szeit** *f* peak hours; **außerhalb der S.szeit** off-peak

Spitzenlbetrag *m* maximum/fractional amount; **S.betrieb** *m* top plant; **S.ebene** *f* top level; **S.einkommen** *nt* top/peak income; *pl* top income brackets; **S.ergebnis** *nt* record/peak result; **S.fabrikat** *nt* top-quality article, top/first-rate/first-class product; **S.finanzierung** *f* peak/residual financing; **S.firma** *f* blue-chip/cutting-edge company; **S.forschung** *f* high-tech research; **S.führungskraft** *f* top executive; **S.funktionär** *m* top-level official; **S.gehalt** *nt* top salary; **S.geschwindigkeit** *f* top/maximum speed; **S.gesellschaft** *f* parent/leading company; **S.gespräch** *nt* top-level talks; **S.gewinn** *m* top/marginal gain; **S.gremium** *nt* chief executive body, top team/committee; **S.gruppe** *f* top/leading group, top bracket; **S.institut** *nt* leading bank; **S.jahr** *nt* record/peak/vintage/bumper year; **S.kandidat** *m* frontrunner; **S.kennzahl** *f* key ratio; **S.klasse** *f* top grade; **S.kraft** *f* top executive, high achiever; **S.lage** *f (Grundstück)* prime/plum site, prime area; **S.last** *f* peak load; **S.lastplanung** *f* peak load planning; **S.leistung** *f* 1. ✿ maximum/peak output, maximum capacity, top efficiency; 2. *(Person)* top-rate/first-class performance; 3. record/top/peak performance; **technologische S.leistung** technological excellence; **S.lohn** *m* maximum wage/rate, top wages, top wage rate, wage ceiling; **S.manager** *m* top manager/executive; **S.-mannschaft** *f* top team; **S.marke** *f* brand leader, premium brand; **S.modell** *nt* top(-of-the-line/-of-the-range) model; **S.nachfrage** *f* peak demand, top-out; **S.organisation** *f* parent/head/umbrella organisation; **gewerkschaftliche S.organisation** top union organisation; **S.papier** *nt (Börse)* blue chip, leading share *[GB]*/stock *[US]*, first-rate security, top performer; **S.platz** *m* top spot *(coll)*; **S.politiker** *m* front-rank politician; **kommunaler S.politiker** civic leader; **S.-position** *f* leading/top/executive position, top management position; **S.preis** *m* premium/top price; **S.produkt** *nt* first-rate/first-class product; **S.produktion** *f* maximum/peak output; **S.qualität** *f* top/prime/best quality; **S.rating** *nt* top rating; **S.regulierung** *f* evening up, settlement of fractional amounts; **S.reiter** *m* 1. leader, frontrunner; 2. *(Börse)* market leader; 3. *(Ware)* top seller; **S.rendite** *f* top yield; **S.satz** *m* top rate; **steuerlicher S.satz** top marginal tax rate; **S.stand** *m (Börse)* all-time/record high, peak-level

Spitzenstellung *f* top/leading position, lead; **S. behaupten** to maintain the leading position; **S. erreichen** to reach the top

Spitzenlsteuersatz/-tarif *m* top income tax rate, top marginal rate; **S.strom** *m* ϟ peak-load electricity; **S.tarif** *m* peak rate; **S.technik/S.technologie** *f* high tech(nology), hi-tech, advanced/state-of-the-art technology; **S.umsatz** *m* record sales; **S.unternehmen** *nt* top name group, blue-chip/cutting-edge company; **S.verband** *m* central/umbrella/head organisation; **S.verbände der Industrie** industry lead bodies; **S.verbrauch** *m* maximum consumption; **S.verdiener** *m* top earner; **S.verdienst** *m* top salary/earnings; **S.verkauf(szahlen)** *m/pl* peak sales; **S.verkäufer** *m* top salesman; **S.verkehr** *m* rush-hour/peak traffic; **S.versorgung** *f* ϟ standby supply; **S.vertreter** *m* top level representative; **S.verwertung** *f* disposal of fractional entitlements; **S.wein** *m* vintage wine; **S.wert** *m (Börse)* blue chip (stock), leading share/equity, leader, high quality stock, top performer, favourite

Spitzenzeit *f* 1. peak time/period; 2. record time; **außerhalb der S.** off-peak; **S.bedarf** *m* peak period demand

spitzfindig *adj* subtle, sophisticated; **s. sein** to quibble; **S.keit** *f* subtlety, sophistry, quibble; **juristische S.keit** pettifogging

Spitzlgiebel *m* pointed gable; **S.hacke** *f* pick

Split *m* split(-up); **S.charter** *f* split charter

splitten *v/t* to split
Splitter *m* 1. chip, flake, splinter; 2. fragment; **S.aktionär** *m* very small shareholder; **S.gruppe** *f* faction; **S.partei** *f* splinter/fringe party; **S.siedlung** *f* scattered housing; **S.wirkung** *f* fragmentation
Splitting *nt* splitting; **S.verfahren** *nt* splitting method/procedure
sponsern *v/t* to sponsor
Sponsor(in) *m/f* sponsor
spontan *adj* spontaneous, unprompted, voluntary; *adv* offhand, on impulse; **S.kauf** *m* impulse buying/purchase; **S.käufer** *m* impulse buyer
sporadisch *adj* sporadic, intermittent
sich seine Sporen verdienen *pl* *(fig)* to get one's wings *(fig)*, to win one's spurs *(fig)*
Sport|anlagen *pl* sports facilities; **S.artikel** *pl* 1. sportswear; 2. sporting equipment/goods; **S.artikelgeschäft** *nt* sportswear shop; **S.ausrüstung** *f* sporting/sports equipment
Sporteln *pl* emoluments, appointments, perks *[GB]*
Sport|fachhandel *m* specialist sports goods trade; **S.feld** *nt* sports ground; **S.geschäft** *nt* sports shop *[GB]*/store *[US]*, sporting goods store *[US]*; **S.halle** *f* gym(nasium); **S.kleidung** *f* sportswear; **S.liga** *f* league table; **S.platz** *m* sports ground; **S.redakteur** *m* sports editor; **S.stätte** *f* sporting arena; **S.urlaub** *m* sports holiday; **S.veranstaltung** *f* sporting event; **S.verletzung** *f* $ sports injury; **S.wagen** *m* sports car; **S.warengeschäft** *nt* sports shop *[GB]*/store *[US]*, sporting goods store *[US]*; **S.warenindustrie** *f* sports goods industry
Spot *m* commercial, ad(vertisment); **S.geschäft** *nt* spot transaction; **S.kurs** *m* spot price/rate; **S.markt** *m* spot market; **S.preis** *m* spot price
Spott *m* scorn, mockery, ridicule, derision; **s.billig** *adj* dead cheap, dog-cheap, dirt-cheap, as cheap as dirt; **~ sein** to be a bargain
spötteln *v/i* to mock/scoff/jibe
spotten *v/i* to mock; **über jdn s.** to poke fun at so.; **über etw. s.** to sneer at sth.
Spott|figur *f* laughing stock; **S.geld** *nt* paltry sum
spöttisch *adj* scornful, derisive, facetious
Spottpreis *m* bargain (basement price), knockdown price
Spotware *f* *(Optionshandel)* cash commodity
Sprach|anweisung *f* 🖳 language statement; **S.ausgabe** *f* 🖳 voice output; **S.barriere** *f* language barrier; **s.begabt sein** *adj* to have a gift for languages; **S.beherrschung** *f* command of a language, language proficiency
Sprache *f* language, tongue; **S.n der Gemeinschaft** *[EU]* Community languages; **S. der Wirtschaft** business jargon
Sprache beherrschen to master a language; **etw. zur S. bringen** to bring up/raise a subject, to take the matter up, to broach/moot sth; **mit der S. herausrücken** *(coll)* to come clean *(coll)*, to own up *(coll)*; **nicht ~ wollen** to hum and haw *(coll)*; **zur S. kommen** to come up for discussion; **deutliche S. reden** to be plain/frank; **einer S. mächtig sein** to master a language; **jdm die S. verschlagen** to leave so. speechless, to dumbfound so.; **S. wiedergewinnen** to recover one's speech
alte Sprache ancient language; **blumenreiche S.** florid style; **chiffrierte S.** coded language; **gesprochene S.** spoken language; **harte S.** tough talk; **lebende/neuere S.** modern language; **maßvolle S.** temperate language; **schwülstige S.** inflated language; **tote S.** dead language; **unflätige S.** filthy language; **verschlüsselte S.** coded language
Spracheingabe *f* 🖳 voice input
Sprachen|atlas *m* linguistic atlas; **S.dienst** *m* language service/department; **S.gemisch** *nt* medley of languages; **S.gewirr** *nt* confusion of tongues; **S.karte** *f* linguistic map; **S.klasse** *f* language class; **S.lernen** *nt* language learning; **S.problem** *nt* language problem; **S.zulage** *f* language allowance
Sprach|erkennung *f* 🖳 voice recognition, speaker identification; speech identification/recognition; **S.erwerb** *m* language learning; **S.familie** *f* linguistic family; **S.fehler** *m* speech defect/impediment; **S.forscher** *m* linguist; **S.führer** *m* phrase book; **S.gebrauch** *m* usage, parlance; **s.gewandt** *adj* linguistically proficient, articulate; **S.gewandtheit** *f* linguistic proficiency; **S.gewohnheit** *f* parlance; **S.grenze** *f* language border; **S.gruppe** *f* family of languages; **S.insel** *f* linguistic enclave; **S.kenntnisse** *pl* knowledge of languages, linguistic proficiency; **S.kommunikation** *f* voice communication; **S.kompetenz** *f* linguistic competence; **s.kundig** *adj* linguistically proficient; **S.kurs** *m* language course; **S.labor** *nt* language laboratory; **S.lehrer(in)** *m/f* language teacher
sprach|lich *adj* linguistic; **s.los** *adj* speechless, dumbfounded; **völlig s.los** flabbergasted *(coll)*
Sprach|minderheit *f* linguistic minority; **S.niveau** *nt* language level; **S.raum** *m* language area; **S.regelung** *f* official version; **verbindliche S.regelung** language of contract, authentic language; **S.reise** *f* language-learning holiday; **S.rohr** *nt* 1. *(fig)* mouthpiece, voice, organ; 2. megaphone; **S.schatz** *m* vocabulary; **S.schule** *f* language school; **S.speicherung** *f* voice store; **S.störung** *f* speech impediment; **S.studium** *nt* study of languages; **S.talent** *nt* gift for languages; **S.übermittlung** *f* speech filing; **maschinelle S.übersetzung** mechanical translation; **S.urlaub** *m* language-learning holiday; **S.unterricht** *m* language teaching/tuition; **S.verwirrung** *f* confusion of tongues; **S.werke** *pl* literary works; **S.wissenschaft** *f* linguistics; **S.wissenschaftler** *m* linguist; **S.zentrum** *nt* language centre *[GB]*/center *[US]*
Spray *m* spray; **S.dose** *f* aerosol can
Sprech|anlage *f* intercom; **S.blase** *f* bubble; **S.brief** *m* phonepost
jdn zum Sprechen bringen *nt* to make so. talk
sprechen *v/ti* to speak
dafür sprechen to have merit, to have sth. going for it *(coll)*; **viel ~ s.** to have much/a lot going for it; **alles spricht dafür** the odds are; **gegen etw. s.** to militate against; **es sprach sich herum** word got round; **für jdn s.** to speak for so., ~ on behalf of so.; **~ nicht zu s. sein** to have no time for so.; **mit jdm s.** to talk to so.; **s. über** to discuss; **deutlich/lauter s.** to speak up; **frei s.** to speak off the cuff, ~ without notes; **geringschätzig**

über jdn s. to disparage so.; **kurz mit jdm s.** to have a word with so.; **lauter s.** to raise one's voice; **leise s.** to speak in a low voice; **nicht miteinander s.** not to be on speaking terms; **schlecht über jdn s.** to talk ill of so.; **für sich selbst s.** to speak for itself; **stundenlang s.** to talk for hours on end; **undeutlich s.** to speak indistinctly, to mumble; **unvorbereitet s.** to speak off the cuff, to extemporize

Sprecher *m* 1. spokesperson; 2. spokesman, speaker, orator; 3. announcer, newscaster; **maßgeblicher S.** leading spokesman; **sozialpolitischer S.** social services spokesman; **wirtschaftlicher S.** trade (and industry) spokesman; **S.ausschuss** *m* executives' representative body, committee of representatives

Sprecherin *f* spokeswoman

Sprech|erlaubnis *f (Gefängnis)* visitor's permit; **S.fenster** *nt* window

Sprechfunk *m* radiotelephony; **durch S.** by radio; **S.gerät** *nt* radiotelephone; **tragbares S.gerät** walkie-talkie

Sprech|gebühr *f* ✆ call charge; **S.kanal** *m* telephone channel; **S.kreis** *m* speech circuit; **S.muschel** *f* mouthpiece; **S.pause** *f* speech pause; **S.probe** *f* audition; **S.stelle** *f* telephone/call station; **öffentliche S.stelle** public telephone station; **S.stunde(n)** *f/pl* consulting/⚕ surgery hours; **S.stundenhilfe** *f* receptionist; **S.tag** *m* open day; **S.taste** *f* talk button; **S.verbindung** *f* voice communication; **S.verbot** *nt* ban on speaking, speaking prohibited; **S.zeit** *f* 1. ✆ speaking time; 2. consulting/⚕ surgery hours; **S.zimmer** *nt* 1. consulting room; 2. ⚕ surgery

Spreizeffekt *m* straddle effect

Spreizung *f* straddle

Sprengel *m* parish

Sprengen *nt* blasting; **s.** *v/t* 1. to burst/blast/dynamite; 2. to water/sprinkle; *v/i* to explode/blast

Spreng|kammer *f* mine chamber; **S.kapsel** *f* percussion cap, detonator; **S.kommando** *nt* demolition party/squad; **S.körper/S.ladung** *m/f* explosive charge; **S.kraft** *f* explosive force; **S.meister** *m* blaster; **S.mittel** *nt* explosive; **S.pulver** *nt* black powder; **S.satz** *m* demolition charge; **S.stoff** *m* explosive, dynamite; **S.stoffanschlag** *m* bomb attempt; **S.trichter** *m* mine crater

Sprengung *f* explosion, blasting

Spreng|wirkung *f* explosive effect; **S.zünder** *m* fuse

Spreu vom Weizen trennen *f (fig)* to winnow/separate the chaff from the wheat *(fig)*, to separate the good from the bad, to sort the wheat from the chaff

Sprich|wort *nt* 1. proverb; 2. byword, adage; **s.wörtlich** *adj* proverbial

sprießen *v/i* to sprout/burgeon

springen *v/i* to jump/leap/skip; **etw. s. lassen** *(coll)* to fork sth. out *(coll)*

Springer *m* 1. *(Beruf)* job hopper; 2. stand-in, stand-by/utility man; *pl* call workforce, *(Verkaufspersonal)* floating sales staff

Spring|flut *f* spring tide; **s.lebendig** *adj* full of beans *(coll)*; **S.taste** *f (Schreibmaschine)* skip key

Sprinkleranlage *f* sprinkler

Sprit *m (coll)* petrol, fuel, gas *[US]*, juice *(coll)*

Spritze *f* 1. injection, shot in the arm; 2. needle, syringe; 3. *(fig)* fillip, stimulus

spritzen *v/ti* 1. to inject; 2. to spray; 3. to sprinkle; 4. to squirt; 5. to splash; **S.haus** *nt* fire station

Spritz|er *m* splash; **S.guss** *m* injection moulding

spritzig *adj* 1. witty; 2. sparkling

Spritz|lack *m* spraying varnish; **S.pistole** *f* spray gun, paint sprayer; **S.tour** *f (coll)* joy ride, spin, jaunt

spröde *adj* 1. brittle; 2. *(Person)* reserved, aloof

Spross *m* issue, scion

Sprosse *f* rung

Sprössling *m* offspring, offshoot

Spruch *m* 1. saying, adage, dictum *(lat.)*; 2. § verdict, sentence; 3. *(Schiedsspruch)* award, verdict; **S. fällen** 1. to make an award; 2. § to pronounce a sentence; **Sprüche klopfen** *(coll)* to talk big; **S.band** *nt* banner; **S.kammer** *f* 1. board of arbitration; 2. trial court; **S.richter** *m* trial judge

Sprudel *m* mineral water; **s.n** *v/i* to bubble/gush; **s.nd** *adj* 1. bubbling, fizzy; 2. productive, effervescent

Sprühdose *f* aerosol can

sprühen *v/i* to sparkle; *v/t* to spray

Sprühregen *m* drizzle *[GB]*, mist *[US]*

Sprung *m* 1. jump, leap, plunge, skip; 2. *(Riss)* crack, rift; **S. ins Ungewisse** leap in the dark; **S. nach vorn** leap forward; **S. haben** to be cracked; **auf einen S. kommen** to pay a flying visit; **den S. schaffen von ... nach** to make the grade from ... to; **auf dem S. sein** to be poised (for); **den S. (ins kalte Wasser) wagen** *(fig)* to take the plunge *(fig)*

Sprung|adresse *f* 💻 branch address; **s.artig** *adj* by leaps and bounds, by fits and starts; **S.befehl** *m* 💻 skip/jump instruction; **s.bereit** *adj* ready to go; **S.brett** *nt* 1. *(fig)* springboard, jumping-off base; 2. diving board

jdm auf die Sprünge helfen to give so. a helping hand; **~ kommen** to be up to so.'s tricks; **keine großen S. machen können** to live in narrow circumstances

sprunghaft *adj* 1. erratic, by leaps and bounds, volatile, skittish, spasmodic; 2. rapid sharp; **S.igkeit** *f* 1. volatility; 2. rapidity

Sprung|kosten *pl* semi-variable cost, fixed cost rising in skips; **S.regress** *m* recourse to prior endorser; **S.revision** *f* § leapfrogging, leapfrog appeal; **S.tuch** *nt (Feuerwehr)* life net; **s.weise** *adj* by leaps and bounds, by fits and starts

Spur *f* 1. trace, track, sign; 2. tread; 3. *(Aufklärung)* lead, clue, scent, suggestion; 4. trail, mark; 5. 🚂 ga(u)ge; 6. 🚗 lane; 7. *(Bremsen)* 🚗 skidmark

von der Spur abbringen to throw off the scent; **S. aufnehmen** to take up the trail; **seine S.en hinterlassen** to leave one's mark; **einer Sache auf die S. kommen** to get wind of sth.; **jdm auf der S. sein** to be on so.'s trail; **auf der falschen S. sein** to be on the wrong track; **falsche S. verfolgen** to bark up the wrong tree *(fig)*; **S.en verwischen** to cover up one's tracks; **S. wechseln** 🚗 to change lanes

ausgefahrene Spur beaten track; **falsche S.** red herring *(fig)*; **frische/heiße S.** hot scent/trail

spürbar *adj* noticeable, notable, appreciable; **S.keitsgrenze** *f* pain threshold
Spur|breite *f* 🚂 ga(u)ge; **S.dichte** *f* tracks per inch
spüren *v/i* to sense/notice
Spuren|kontrolle *f* 💻 tracking control; **S.sicherung** *f* preservation/securing of evidence
spurgebunden *adj* 🚂 railborne, tracked
Spürhund *m* sniffer/tracker dog
spurlos *adj* traceless, without a trace
Spurweite *f* 🚂 ga(u)ge; **normale S.** standard ga(u)ge
Staat *m* 1. state, government (sector); 2. country; **S. als Eigentümer** state-ownership; **~ Erbe** last heir *[GB]*; **S. eines Staatenbundes** confederated state; **S. als Unternehmer** public enterprise; **nördliche S.en der USA** frostbelt; **südliche ~ USA** sunbelt: **vom S. finanziert** state-run, state-financed; **~ unterhalten** state-run; **dem S. anheim fallen; an den S. heimfallen** to revert to the state, § ~ by escheat; **dem S. dienen** to serve the country; **~ gehören** to be state-owned; **S. machen mit** to show off with
abhängiger Staat dependent state; **Anspruch stellender S.** claimant state; **Antrag stellender S.** applicant state; **assoziierter S.** associate country/state; **autarker S.** self-supporting state; **autoritärer S.** authoritarian state; **befreundeter S.** friendly nation/state; **befürwortender S.** sponsoring state; **beitretender S.** acceding state; **beklagter S.** § responding state; **besteuernder S.** taxing state; **blockfreier S.** non-aligned/non-committed state, ~ nation; **dritter S.** third state; **ersuchender S.** applicant state, requesting party; **ersuchter S.** requested party; **geschädigter S.** injured state; **junger S.** infant state; **klagender S.** § initiating state; **Krieg führender S.** belligerent state; **neutraler S.** neutral state; **selbstständiger S.** independent state; **souveräner S.** sovereign state; **totalitärer S.** totalitarian state; **unabhängiger S.** independent state; **Sanktionen verletzender S.** sanctions breaker/buster *(coll)*; **Vertrag schließender S.** contracting state/power
Staaten|bildung *f* formation of states; **S.bund** *m* confederation, confederacy; **S.haftung** *f* liability of states; **~ aus Verschulden** inculpation of states; **s.los** *adj* stateless; **S.lose(r)** *f/m* stateless person; **S.losigkeit** *f* statelessness; **S.verantwortlichkeit** *f* state/governmental responsibility; **S.verbindung** *f* union of states
staatlich *adj* 1. state, governmental, national, public, official; 2. by the state
Staats|- state, governmental; **S.abgaben** *pl* inland revenue, fiscal dues; **S.abkommen** *nt* treaty; **s.ähnlich** *adj* parastatal; **S.akt** *m* act of state, governmental act; **S.aktion** *f* major operation; **~ aus etw. machen** *f (fig)* to make a fuss about sth.; **S.amt** *nt* office of state
Staatsangehörige|(r) *f/m* national, subject, citizen; **den eigenen S.n gleichstellen** to accord the same treatment as one's own nationals; **ausländischer S.r** foreign national
Staatsangehörigkeit *f* nationality, citizenship, national status; **jdm die S. aberkennen** to deprive so. of his nationality, to denaturalize so.; **S. aufgeben** to renounce one's nationality/citizenship; **S. beantragen** to apply for citizenship; **S. erwerben** to become naturalized; **doppelte S.** double nationality, dual nationality/citizenship; **durch Geburt erworbene S.** nationality by birth; **gültige S.** effective nationality
Staatsangehörigkeits|ausweis *m* certificate of citizenship; **S.gesetz** *nt* Nationality Act *[GB]*; **S.nachweis** *m* proof of nationaly; **S.recht** *nt* law of nationality and citizenship: **S.urkunde** *f* certificate of naturalization/nationality; **S.verzicht** *m* renunciation of citizenship, waiver of national status
Staats|angelegenheiten *pl* affairs of states, state affairs; **S.angestellte(r)** *f/m* public servant/employee; **S.anlass** *m* state occasion
Staatsanleihe *f* government bond/loan *[GB]*, state bond *[US]*/loan, government security/stock/paper/annuity, government coupon security, public loan/stock/bond; **S.n** 1. government funds, state securities, treasury stocks; 2. gilts; **fundierte/konsolidierte S.n** consolidated annuities, consols; **S.nmarkt** *m* government loan market, market for government stocks
Staats|anstellung *f* government appointment, public office; **S.anteil** *m* public sector share; **S.anwalt** *m* counsel for the prosecution, prosecuting counsel/attorney, public prosecutor *[GB]*, District Attorney *[US]*, Procurator Fiscal *[Scot.]*; **S.anwaltschaft** *f* prosecution, Director of Public Prosecution (DPP) *[GB]*, Office of District Attorney *[US]*, Procurator Fiscal *[Scot.]*; **(langfristige) S.anweisung** *f* Exchequer bond *[GB]*; **S.anzeiger** *m* official gazette, Federal Register *[US]*; **im ~ bekanntgeben** to gazette; **S.apparat** *m* government machinery; **aufgeblähter S.apparat** inflated state machinery; **S.archiv** *nt* Public Records Office *[GB]*, Federal/State Archives *[US]*
Staatsaufsicht *f* government/state supervision; **unter S.** state-controlled; **S.sbehörde** *f* supervisory authority
Staatsauftrag *m* government contract/order
Staatsausgaben *pl* public/government spending, ~ expenditure, public sector/national expenditure; **unmittelbare S.** direct government expenditure; **S.gleichung** *f* government spending equation; **S.kürzung** *f* public spending cut; **S.multiplikator** *m* government spending multiplier; **S.quote** *f* government activity rate, public sector share in the gross national product
Staats|bahn *f* state railway(s); **S.bank** *f* national/government/state bank; **S.bankett** *nt* state banquet; **S.bankpräsident** *nt* Governor of the Bank of England *[GB]*, Federal Reserve Chairman *[US]*; **S.bankrott** *m* national bankruptcy; **S.beamter** *m* government officer, civil servant *[GB]*/officer *[US]*; **S.beauftragter** *m* public agent, Royal Commissioner *[GB]*; **S.bedienstete(r)** *f/m* public(sector)/government employee, civil servant *[GB]*/officer *[US]*; **S.begräbnis** *nt* state funeral; **S.behörde** *f* public authority; **S.beihilfe** *f* government aid, subsidy
Staatsbesitz *m* 1. public/state ownership; 2. public property; **in S.** state-owned, government-owned; **~ überführen** to nationalize, to bring under public ownership
Staats|besuch *m* state visit; **S.beteiligung** *f* state holding; **S.betrieb** *m* government(-owned)/state enterprise,

nationalized firm, state-owned company, state holding, public business; **defizitärer S.betrieb** lame duck *(coll)* *[GB]*; **S.budget** *nt* national budget

Staatsbürger|(in) *m/f* national, subject, citizen; **S. kraft Einbürgerung** nationalized citizen; **s.lich** *adj* civic, civil, political

Staatsbürgerschaft *f* nationality, citizenship; **doppelte S.** dual nationality/citizenship; **fremde S.** alienage *[US]*

Staatsbürgerurkunde *f* certificate of citizenship

Staats|bürgschaft für Firmengründer *f* loan guarantee scheme *[GB]*; **S.chef** *m* head of state; **S.- und Regierungschefs** heads of state and government; **S.darlehen** *nt* state loan; **S.defizit** *nt* public deficit; **S.diener** *m* public servant

Staatsdienst *m* civil/public/state service; **in den S. eintreten** to join the civil service; **~ übernommen werden** to become a civil servant

Staats|dokumente *pl* government documents/papers; **S.domäne** *f* crown *[GB]*/public *[US]* land, public domain; **S.druckerei** *f* Her Majesty's Stationery Office (HMSO) *[GB]*, Government Printing Office *[US]*; **s.-eigen** *adj* state-owned, government-owned

Staatseigentum *nt* 1. public/state ownership; 2. state/government property; **in S.** state-owned; **~ überführen** to nationalize, to bring under public ownership

Staats|eingriffe/S.einmischung *pl/f* state interference; **regulierender S.eingriff** regulatory interference; **S.einkauf** *m* public procurement/purchasing; **S.einkommen** *nt* public revenue; **S.einkünfte/S.einnahme(n)** *pl/f/pl* public/internal/national/government revenue(s); **S.einnahmen und -ausgaben** revenue(s) and expenditure(s); **S.einrichtung** *f* state institution; **S.empfang** *m* state reception; **~ geben** to roll out the red carpet *(fig)*; **S.erbrecht** *nt* § escheat; **S.etat** *m* national budget; **S.examen** *nt* state examination; **S.feierlichkeit** *f* state occasion; **S.feiertag** *m* national holiday; **S.feind** *m* public enemy; **s.feindlich** *adj* subversive, anarchist; **S.finanzen** *pl* public/national finance(s), state financing; **S.finanzierung** *f* state/government financing; **S.finanzwirtschaft** *f* governmental finance; **S.flagge** *f* national flag; **S.fonds** *m* national fund; **S.förderung** *f* government aid/promotion; **S.form** *f* system of government; **S.führung** *f* government; **S.funktionär** *m* government official; **S.garantie** *f* government guarantee; **S.gebiet** *nt* national territory; **S.gefangene(r)** *f/m* prisoner of state, political prisoner; **S.gefängnis** *nt* state prison; **S.geheimnis** *nt* state/official secret; **~ ausspähen** to obtain an official secret by espionage; **S.gelder** *pl* public funds/money, state funds; **S.geschäfte** *pl* official business; **~ führen** to hold the reins of government; **S.gewalt** *f* government power, state authority, authority of the state; **S.gläubiger(in)** *m/f* public/state creditor; **S.grenze** *f* national/state border, national boundary; **S.gründung** *f* foundation of a state; **S.gut** *nt* crown *[GB]*/state *[US]* property; **S.haftung** *f* public/government liability; **in S.hand** *f* state-owned

Staatshandel *m* state trading; **S.sgebiet** *nt* state trading territory; **S.sland** *nt* state trading country

Staatshaushalt *m* (national/government/state) budget, public accounts; **S. eines Einzelstaates** state budget *[US]*; **S. einbringen** to introduce the budget; **S.sführung** *f* public budgeting; **S.splan** *m* national budget

Staats|hilfe *f* government assistance/aid, state aid; **S.hoheit** *f* sovereignty, sovereign power; **S.hoheitsakt** *m* act of state, sovereign act; **S.industrie** *f* nationalized/public-sector industry; **S.interesse** *nt* public/national interest; **s.intern** *adj* intra-state, intra-government(al); **S.intervention** *f* state/government intervention; **S.-kanzlei** *f* state chancellery; **S.kapitalismus** *m* state capitalism; **s.kapitalisitsch** *adj* state-capitalist; **S.kasse** *f* (public) treasury, public purse, internal/inland revenue, Exchequer/Treasurer *[GB]*, Federal Treasury *[US]*, consolidated fund *[GB]*; **leere S.kasse** empty coffers; **S.kauf** *m* government procurement; **S.kirche** *f* established *[GB]*/state church; **S.kirchenrecht** *nt* public law concerning religious bodies; **S.kommissar** *m* state commissioner; **S.konkurs** *m* national bankruptcy; **S.konto** *nt* public account; **S.kontrolle** *f* state/government control; **S.konzern** *m* government-owned/public sector group; **auf S.kosten** *pl* at public expense; **S.kredit** *m* state loan; **S.kunde** *f* politics; **S.kunst** *f* statesmanship, statecraft; **S.ländereien** *pl* crown *[GB]*/public domain *[US]* land(s); **S.lasten** *pl* public burden; **S.lehre** *f* political science; **S.lenkung** *f* state management, government (control); **S.lieferant** *m* government contractor, contractor to the government; **S.lotterie** *f* state/national lottery; **S.macht** *f* state/governmental power; **S.mann** *m* statesman; **s.männisch** *adj* statesmanlike; **S.maschinerie** *f* government machinery; **S.maxime** *f* political maxim; **S.minister** *m* minister of state, junior minister *[GB]*; **S.mittel** *pl* public funds; **S.monopol** *nt* state/government/fiscal monopoly; **S.nachfrage** *f* government/public demand; **S.notstand** *m* national emergency; **S.oberhaupt** *nt* 1. head of state; 2. *(Monarchie)* sovereign; **S.obligation** *f* Exchequer bond *[GB]*; **S.obligationen** government bonds/stocks; **S.ordnung** *f* system of government; **S.organ** *nt* state institution, government organ; **S.organisation** *f* government organisation

Staatspapier *nt* government stock/bond/security/paper, annuity; **S.e** (government) funds, gilt-edged/Federal *[US]*/public securities, gilts, public bonds/securities, state papers; **ausgeloste S.e** redeemed bonds; **fundierte S.e** government *[GB]*/federal *[US]* funds; **konsolidierte S.e** consolidated stocks; **kurzfristige S.e** government bills

Staats|pension *f* public service/state pension; **S.pensionär** *m* public service/state pensioner; **s.politisch** *adj* political; **S.polizei** *f* state police; **S.präsident(in)** *m/f* (state) president; **S.prozess** *m* state trial; **S.prüfung** *f* 1. *(Beamte)* civil service examination; 2. state examination; **S.quote** *f* government expenditure rate, share in the gross national product, public share; **S.räson** *f* reasons of state, national interest(s); **S.rat** *m* 1. state councillor; 2. Privy Council *[GB]*, Council of State *[US]*; **S.rechnungswesen** *nt* governmental accounting

Staatsrecht *nt* public/constitutional law; **S.ler** *m*

specialist in constitutional law; **s.lich** *adj* 1. constitutional; 2. in national law

Staats|regierung *f* government of state; **S.religion** *f* established/state religion; **S.renten** *pl* government annuities, consols *[GB]*; **S.rentner** *m* public service/state pensioner; **S.rundfunk** *m* state radio; **S.säckel** *nt* public/common purse, (state) coffers; **S.schatz** *m* public/national treasury

Staatsschuld *f* public/national/government/state/sovereign debt; stock; **fundierte S.** public *[GB]*/federal *[US]* funds; **durch Sachvermögen gedeckte S.** reproductive debt; **konsolidierte S.** consolidated/long-term public debt; **schwebende S.** floating national debt, short-term public debt; **S.buch** *nt* public debt register, Great Ledger *[GB]*, National Debt Register *[US]*

Staatsschulden|aufnahme *f* state/public sector borrowing; **S.dienst** *m* servicing of government debt(s); **S.politik** *f* public debt management policy; **S.tilgungsplan** *m* sinking fund

Staatsschuld|schein *m* state/government note; **S.titel** *m* government bond; **S.verschreibungen** *pl* government/state bonds

Staats|schutz *m* state security; **S.sekretär** *m* state secretary, secretary of state, undersecretary *[US]*, permanent secretary *[GB]*, junior minister; **beamteter S.-sekretär** permanent secretary of state; **S.sicherheit** *f* national/state security, security of the state; **S.sicherheitsdienst/-polizei** *m/f* state security police, special branch *[GB]*; **S.siegel** *nt* state seal; **S.sozialismus** *m* state socialism; **S.stellung** *f* government appointment/job; **S.steuer** *f* state tax; **S.stipendium** *nt* state scholarship; **S.streich** *m* coup d'etat *[frz.]*; **S.symbol** *nt* national emblem; **S.system** *nt* governmental system; **S.titel** *pl* government bonds/securities; **S.trauer** *f* national/public mourning; **s.treu** *adj* loyal; **S.treue** *f* allegiance to a state; **S.unternehmen** *nt* state(-owned) company, national/public enterprise, public corporation; **S.unterstützung** *f* state aid/subsidy; **S.verbrauch** *m* public/government/national/collective consumption, government purchases of goods and services, ~ current expenditure on goods and services; **S.verbrechen** *nt* 1. crime against the state; 2. *(fig)* major crime; **S.verbrecher** *m* state criminal; **S.verdrossenheit** *f* disaffection; **S.verfassung** *f* constitution of the state; **S.verleumdung** *f* defamation of the state; **S.vermögen** *nt* government/public/crown *[GB]* property, public sector/national assets, public funds

Staatsverschuldung *f* public/national/state debt, state indebtedness; **chronische S.** perpetual public debt; **innere/interne S.** domestic borrowing

Staatsversicherung *f* national insurance; **S.sgesetz** *nt* National Insurance Act *[GB]*

Staatsvertrag *m* treaty, convention; **S. mit unmittelbarer innerstaatlicher Wirkung** self-executing treaty; **einem S. beitreten** to accede to a treaty; **normativer S.** normative treaty

Staats|verwaltung *f* public/governmental administration; **S.volk** *nt* leading national group; **S.vorbehalt** *m* reservation for the state; **S.wald** *m* state forest; **S.wappen** *nt* national coat of arms; **S.wesen** *nt* body politic state

Staatswirtschaft *f* 1. public (sector of the) economy; 2. statist economy; **S.slehre** *f* political economy; **S.sprinzip** *nt* statism

Staatswissenschaft *f* political science, politics, science of government; **S.ler** *m* political scientist; **s.lich** *adj* politico-scientific

Staatswohl *nt* national interest, public weal; **S.zugehörigkeit** *f* nationality, citizenship; **S.zuschuss** *m* government grant, state subsidy; **S.zuweisung** *f* government allocation

Stab *m* 1. *(Personal)* staff (division); 2. *(Stange)* rod, bar; **S. von Mitarbeitern** staff, group/crew of collaborators; ~ **Sachverständigen** panel of experts; **S. über jdn brechen** *(fig)* to condemn so.; **diplomatischer S.** diplomatic staff; **technischer S.** engineering staff

Stab|diagramm *nt* ▦ bar chart, block/column diagram, histogram; **zusammengesetztes S.diagramm** compound/complex/component bar chart; **unter der S.-führung von** *f* under the leadership of

stabil *adj* 1. stable; 2. *(fest)* sturdy, solid; 3. *(Preis/Kurs)* steady, firm, robust; 4. *(Markt)* stiff; **s. bleiben** *(Preis)* to hold firm/steady/up; **s. halten** *(Preis)* to maintain

Stabilisator; Stabilisationsfaktor *m* stabilizer

stabilisieren *v/t* to stabilize/steady, to make stable; *v/refl* 1. to stabilize, to level off; 2. *(Preis/Kurs)* to firm/steady

Stabilisierung *f* 1. stabilization; 2. *(Preis/Kurs)* firming; 3. *(Börse)* steadying of the tone; **S. der Ertragslage** stabilization of earnings/profits; ~ **Konjunktur** firming of the economy, economic stabilization; ~ **Märkte** stabilization of markets; **S. auf hohem Niveau** levelling off; ~ **niedrigem Niveau** bottoming out; **S. des Preisniveaus** stabilization of the overall price level; **wirtschaftliche S.** economic stabilization

Stabilisierungs|anleihe *f* stabilization loan; **S.bemühungen** *pl* efforts to stabilize economic growth; **ausgeprägte S.bewegung** *(Börse)* marked recovery; **S.erfolg** *m* positive result on stabilization; **S.faktor** *m* stabilization factor; **S.fonds** *m* stabilization fund; **S.fortschritt** *m* progress towards stabilization; **S.maßnahmen** *pl* anti-inflationary package; **S.politik** *f* stabilization policy; **S.programm** *nt* stabilization program(me)

Stabilität *f* 1. stability; 2. *(Währung)* soundness; 3. *(Wirtschaft)* strength; **mangelnde S. der Austauschverhältnisse im Außenhandel** instability in the terms of trade; **S. des Geldwertes** monetary stability; **S. der Währungen** currency stability; **S. gefährden** to prejudice stability; **außenwirtschaftliche S.** external stability; **binnenwirtschaftliche S.** internal stability; **politische S.** stable policy environment; **wirtschaftliche S.** economic stability

Stabilitäts|abgabe *f* stabilization levy; **S.anleihe** *f* stabilization loan; **S.bedingungen** *pl* convergence conditions; **s.bewusst** *adj* stability-conscious; **S.bonus** *m* stability bonus; **S.erfolg** *m* success in stabilizing the economy; **S.fonds** *m* balanced fund; **S.fortschritt** *m* progress towards stabilization; **S.gefälle** *nt* stability differential; **S.gesetz** *nt* stability act; **S.haushalt** *m* stabilizing budget; **S.krise** *f* stabilization crisis; **S.kurs** *m* stabilization programme/policy; **S.land** *nt* high-stability country; **s.orientiert** *adj* stability-orient(at)ed; **S.periode** *f* period of stability; **S.politik** *f* stabilization/stability policy, policy of stability; **s.politisch** *adj* in terms of stability policy; **S.problem** *nt* stability problem; **S.programm** *nt* deflationary program(me); **S.vorsprung/S.vorteil** *m* stability advantage; **S.ziel** *nt* stability target; **S.zuschlag** *m* stability levy

Stabinstanz *f* staff section

Stablinien|organisation *f* line-and-staff/staff-line organisation; **S.prinzip** *nt* line-and-staff principle; **S.-verhältnis** *nt* line-staff relationship

Stabs|abteilung *f* staff/management/service department, staff division/unit; **S.angehörige(r)** *f/m* staff member; **S.arbeit** *f* staff work; **S.assistent(in)** *m/f* staff assistant; **S.aufgaben** *pl* staff duties; **S.besprechung** *f* staff conference; **S.funktion** *f* staff function; **S.gruppe** *f* staff group; **S.kräfte** *pl* staff; **S.leiter(in)** *m/f* staff manager; **S.offizier** *m* ✈ staff officer; **S.organisation** *f* staff organisation; **S.papier** *nt* staff paper; **S.personal** *nt* staff personal; **S.-Projektmanagement** *nt* staff project management; **S.-Projektorganisation** *f* staff project organisation; **S.quartier** *nt* headquarters; **S.sekretariat** *nt* staff secretariat; **S.sitzung** *f* staff meeting; **S.stelle** *f* 1. staff department/unit; 2. staff position/post; **S.tätigkeit** *f* staff activity/activities; **S.teil** *m* echelon

Stabstraße *f* ✐ rod mill

Stabsvorgesetzte(r) *f/m* staff manager

Stadium *nt* stage, phase, state; **S. erreichen** to reach a stage; **im fortgeschrittenen S.** at an advanced stage; **kritisches S.** critical stage; **spätes S.** lateness

Stadt *f* 1. town, city, municipality; 2. *(Verwaltung)* (town) council, corporation; **innerhalb der S.** within the city walls; **S. mit Marktrecht** market town *[GB]*; **in der S. aufgewachsen** city-bred; **nicht in der S.** out of town

Stadt eingemeinden to incorporate a town; **in die S. gehen** to go to town, ~ downtown *[US]*; **bei der S. angestellt sein** to be a municipal employee; **aus einer S. stammen** to be a native of a town/city; **außerhalb der S. wohnen** to live out of town

aufstrebende Stadt boom town; **befestigte S.** walled town; **betriebseigene S.** company town; **freie S.** free city; **gastgebende S.** host city; **an der Grenze gelegene S.** border town; **kreisangehörige S.** urban/non-country borough; **kreisfreie S.** country borough, autonomous town, incorporated city; **offene S.** open city; **tote S.** dead city; **verlassene S.** ghost town/city

Stadt|- urban, municipal; **S.anleihe** *f* local government stock, city *[US]*/municipal bond, local authority loan, corporation stock; **S.archiv** *nt* local archive(s); **S.ausgabe** *f (Zeitung)* city edition; **S.ausschuss** *m* city committee; **s.auswärts** *adv* out of town; **S.auto** *nt* runabout; **S.autobahn** *f* urban motorway *[GB]*/expressway *[US]*/clearway; **S.bad** *nt* municipal swimming pool; **S.bahn** *f* metropolitan/suburban/city railway, city railroad *[US]*; **S.bank** *f* municipal bank

Stadtbau|amt *nt* town planning/surveyor's office; **S.ordnung** *f* building *[GB]*/zoning *[US]* code; **S.rat** *m* town/city surveyor

Stadt|behörde *f* municipal authority, municipality; **s.bekannt** *adj* known all over the town; **S.bereich** *m* urban area; **S.bevölkerung** *f* urban population, townspeople, townsfolk; **S.bewohner** *m* city/town dweller; **S.bezirk** *m* 1. urban district; 2. *(London)* borough; **S.bezirksrat** *m* urban district council; **S.bibliothek** *f* municipal library; **S.bild** *nt* cityscape, townscape; **S.brief** *m* local letter; **S.bücherei** *f* municipal/public library

Städtchen *nt* township

Stadtdirektor *m* town clerk *[GB]*, chief executive *[GB]*, ~ officer (CEO)/official, city manager *[US]*

Städteballung *f* conurbation

Städtebau *m* urban development, town/city planning; **S.förderung** *f* promotion of urban renewal, urban renewal and town development; **S.förderungsgesetz** *nt* Town and Country Planning Act *[GB]*; **s.lich** *adj* town, urban; **S.ministerium** *nt* ministry of town and country planning; **S.mittel** *pl* urban development fund(s); **S.politik** *f* urban development policy

Städtelandschft *f* urban landscape, conurbation, townscape, cityscape

stadt|einwärts *adv* into town; **S.entwässerung** *f* town drainage

Stadtentwicklung *f* urban development; **S.sgesellschaft** *f* urban development corporation; **S.splanung** *f* urban development planning

Städteplanung *f* town/urban planning

Städter|(in) *m/f* city/town dweller, townee; *pl* townspeople, townsfolk

Städtetag *m* *[D]* convention of municipal authorities

Stadt|erneuerung *f* urban renewal/regeneration/rehabilitation/redevelopment/revitalization, gentrification; **S.erweiterung** *f* urban development/growth/expansion

Städte- und Verkehrssanierung *f* urban renewal and transport reform

Stadt|fahrt *f* journey within a town/city; **S.filiale** *f* city branch; **S.flucht** *f* exodus (from the cities); **S.gärtner** *m* city gardener; **S.gas** *nt* town gas; **S.gebiet** *nt* urban/municipal/built-up area, town region; **S.gefängnis** *nt* town jail; **S.gemeinde** *f* municipality, town/city community, township, burgh *[Scot.]*; **S.gericht** *nt* municipal court, petty sessional court; **S.gespräch** *nt* 1. talk of the town; 2. ✆ local call; **S.grenze** *f* city boundary, corporate limit *[US]*; **S.guerilla** *f* urban terrorists; **S.halle** *f* city/guild/town hall; **S.haus** *nt* town house; **S.haushalt** *m* municipal/city budget; **S.inspektor** *m* city inspector

städtisch *adj* municipal, urban

Stadt|jugendamt *nt* youth welfare department; **S.kämmerer** *m* city/borough/council treasurer *[GB]*, city chamberlain *[US]*, chamberlain *[Scot.]*; **S.kämmerei** *f* treasurer's office *[GB]*, city tax collector *[US]*, ~ treasurer's department; **S.kasse** *f* 1. city branch; 2. municipal treasury; 3. (city/borough) treasurer's departement

Stadtkern *m* city centre *[GB]*/center *[US]*, inner city, urban centre; **erstklassige S.lage** prime town centre site; **S.sanierung** *f* inner city renewal, renewal of inner cities, urban rehabilitation

Stadt|kind *nt* townee; **S.klatsch** *m* talk of the town; **S.kleidung** *f* townwear; **S.kreis** *m* urban borough/district; **S.küche** *f* municipal catering department; **S.lage** *f* city(-centre) position; **S.lager** *nt* city warehouse; **S.landschaft** *f* townscape, cityscape; **S.leben** *nt* city life; **S.leute/S.menschen** *pl* townspeople, townsfolk; **S.magazin** *nt* entertainment and events guide; **S.mitte** *f* city/town centre *[GB]*, ~ center *[US]*; **S.müll** *m* urban refuse; **S.park** *m* city/town/corporation *[GB]* park; **S.parlament** *nt* city/borough/town council, municipal assembly; **S.plan** *m* street directory/plan, town map, map of the city; **S.planer** *m* city/town planner; **S.planung** *f* city/town/urban planning; **S.planungsamt** *nt* city/town planning department; **S.polizei** *f* city/urban/municipal police (force); **S.privileg** *nt* municipal privilege

Stadtrand *m* outskirts; **S.-** edge-of-town; **S.lage/S.standort** *f/m* edge-of-town location; **in S.lage** edge of town, **S.siedlung** *f* suburban housing estate; **S.vorort** *m* outer suburb; **S.wanderung** *f* migration into suburban districts; **S.zentrum** *nt* suburban centre

Stadtrat *m* 1. city/town council, urban district council, city parliament; 2. city fathers; 3. town councillor, member of the local council; **S.smitglied** *nt* councillor, alderman *[GB]*; **S.ssitzung** *f* council meeting; **S.swahlen** *pl* council elections

Stadt|rechte *pl* charter of a city, municipal laws; **S.reinigung** *f* urban cleansing; **S.reinigungsamt** *nt* cleansing department; **S.richter** *m* recorder *[GB]*; **S.rundfahrt** *f* city/sightseeing tour; **S.säckel** *m* city coffers; **S.sanierung** *f* urban renewal/revitalization, slum clearance; **S.schlüssel** *pl* keys of the city; **S.siedlung** *f* urban settlement; **S.sparkasse** *f* municipal (savings) bank; **S.staat** *m* city state; **S.steueramt** *nt* municipal treasury, (city/borough) treasurer's department; **S.streicher(in)** *m/f* city tramp; **S.syndikus** *m* Town Clerk *[GB]*, city recorder *[GB]*/attorney *[US]*; **S.teil** *m* suburb, district, quarter; **heruntergekommener S.teil** run-down district; **S.telegramm** *nt* local telegram(me); **S.väter** *pl* city fathers; **S.verkehr** *m* urban/town/city traffic; **S.verordnetenversammlung** *f* city/borough council, urban district council; **S.verordnete(r)** *f/m* member of the local council, councillor *[GB]*, council(wo)man *[US]*, bailee *[Scot.]*; *pl* city fathers; **S.verordnung** *f* (municipal) bylaw/bye-law; **S.vertretung** *f* city agency; **S.verwaltung** *f* local/municipal authority *[GB]*, municipal government/offices/administration *[US]*, municipality, local government, civic centre, corporation; **S.viertel** *nt* town quarter, district, ward; **S.waage** *f* weighhouse; **S.wald** *m* city wood; **S.wappen** *nt* city/borough coat of arms; **S.werke** *pl* public utility, municipal undertakings; **S.wohnung** *f* town/city flat, ~ apartment; **S.zentrum** *nt* town/city centre *[GB]*, ~ center *[US]*; **S.zweigstelle** *f* city sub-branch

Staffel *f* 1. scale; 2. crew, group; **sich verringernde S.** reducing scale

Staffel|- graduated; **S.anleihe** *f* graduated bond, graduated-interest loan; **S.ausgang** *m* equated abstract of account; **S.bauordnung** *f* zoning ordinance; **S.begünstigung** *f (Steuer)* taper relief; **S.besteuerung** *f* progressive taxation; **S.bestimmungen** *pl (Steuer)* tapering provisions; **S.bild** *nt* ▦ histogram; **S.form (der Gewinn- und Verlustrechnung)** *f* vertical/report/running/customary/narrative/reducing-balance form; **S.gebühr** *f* graduated rate/tariff; **S.gebühren** scale fees; **S.gewinnanteil** *m* graded profit commission; **S.lohn** *m* differential wage; **S.methode** *f* scaling method, daily balance method; **S.miete** *f* staggered/graduated rent

staffeln *v/t* 1. to scale/graduate/grade/differentiate; 2. *(Arbeitszeit/Zahlungen)* to stagger

Staffel|preis *m* sliding-scale/graduated/adjustable price; **S.preise** quantity prices; **S.provision** *f* staggered commission; **S.rechnung** *f* single-column account, equated accounts, equated interest (account); **S.rente** *f* graduated pension; **S.sätze** *pl* progressive/differential rates; **S.skonto** *m/nt* progressive discount rate, adjusted discount; **S.spannen** *pl* graduated mark-up scheme; **S.steuer** *f* progressive/graduated tax; **S.summe** *f* progressive total; **S.tarif** *m* sliding scale, graduated/differential tariff, tapering rate(s)

Staffelung *f* 1. scale, graduation, grading, staging, spacing out, differentiation; 2. *(Arbeitszeit/Zahlungen)* stagger(ing); **zeitliche S.** timing

Staffel|vergünstigung *f (Steuer)* taper relief; **s.weise** *adj/adv* (on a) sliding scale

Staffelzins|(en) *m/pl* staggered/tiered rate of interest, sliding-scale/graduated/compound interest, tiered interest rates; **S.rechnung** *f* equated calculation of interest, day-to-day interest rate calculation

Staffettenverkehr *m* relay traffic, shuttle service

Stagflation *f* stagflation; **verstärkte S.** slumpflation

Stagnation *f* stagnation, sluggishness, lull, stalemate, stagnancy; **S.sphase** *f* period of stagnation; **S.sthese** *f* mature economy thesis, secular stagnation theory

stagnieren *v/i* 1. to stagnate, to be at a standstill; 2. *(Börse)* to remain stable/static, to drag, to be static, ~ in a stalemate, ~ the doldrums *(fig)*, to mark time; 3. *(Kurs)* to languish; **s.d** *adj* stagnant, sluggish

Stahl *m* steel; **einfacher S.** basic steel; **legierter S.** alloy steel; **nicht rostender/rostfreier S.** stainless steel

Stahl|aktien *pl* steel shares *[GB]*/stocks *[US]*, steels; **S.arbeiter** *m* steel worker; **S.band** *nt* steel tape; **S.baron** *m* steel baron; **S.bau** *m* steel construction; **S.- und Leichtmetallbau** steel and light metal construction; **S.bauweise** *f* skeleton construction; **S.bedarf** *m* demand for steel; **S.beton** *m* reinforced concrete; **S.blech** *nt* sheet steel; **S.block** *m* ingot of steel; **S.branche** *f* steel industry; **in der S.branche** in steel; **S.draht** *m* steel wire; **S.erzeuger** *m* steelmaker; **S.erzeugnis** *nt* steel product; **S.erzeugung** *f* steel production/output, steelmaking; **S.erzeugungsanlage** *f* steel (production) plant; **S.fach** *nt* strongbox, safe (deposit) box; **S.fachaufbewahrung** *f* safe deposit keeping; **S.firma** *f* steel company; **s.gepanzert** *adj* steel-plated; **S.gerippe** *nt* steel skeleton; **S.großhandel** *m* wholesale steel trade; **S.großhändler** *m* steel wholesaler/stockholder/stockist; **S.handel** *m* steel trade/trading; **S.händler** *m* steel stockholder/stockist; **s.hart** *adj* as hard as steel; **S.hersteller** *m* steelmaker; **S.herstellung** *f* steelmaking, steel production; **S.hochbau** *m* 1. structural steel engineering; 2. steel superstructure; **S.hütte** *f* steelworks, steel plant/mill; **S.industrie** *f* steel industry; **in der S.industrie** in steel; **S.kammer** *f* (bank) strongroom, bank vault, safe deposit; **S.kammeraufbewahrung** *f* safe deposit keeping; **S.kapazität** *f* steelmaking capacity; **S.kartell** *nt* steel cartel; **S.kassette** *f* strongbox; **S.knappheit** *f* steel shortage; **S.kocher** *m (coll)* steelmaker; **S.konjunktur** *f* 1. steel boom; 2. state of the steel industry; **S.konsortium** *nt* steel consortium; **S.konstruktion** *f* steel construction; **S.kontingent** *nt* steel quota; **S.kontingentierung** *f* steel output limitation; **S.konzern** *m* steel group; **S.krise** *f* steel crisis; **S.lager** *nt* steel stocks; **S.lagerist** *m* steel stockist; **S.lieferung** *f* steel supply; **S.möbel** *pl* steel furniture; **s.nah** *adj* steel-related; **S.panzerung** *f* steel plate/plating; **S.produktion** *f* steel production/output; **S.produzent** *m* steel producer; **S.rohr** *nt* steel tube, tubular steel; **S.rohrmöbel** *pl* tubular steel furniture; **S.schrank** *m* safe, steel/strong/metallic cabinet; **S.sektor** *m* steel industry; **S.standort** *m* steel location; **S.träger** *m* 🏛 steel girder; **s.verarbeitend** *adj* steel-processing, steel-using; **S.verarbeiter** *m* steel user; **S.verarbeitung** *f* steel processing; **S.verbrauch** *m* steel consumption; **S.verbraucher** *m* steel consumer/user; **S.verformung** *f* steel forming; **S.walzwerk** *nt* steel (rolling) mill; **S.werk** *nt* steelworks, steel plant/mill, steel production plant, steelmaking shop; **S.werte** *pl* steel shares *[GB]*/stocks *[US]*, steels

Stamm *m* 1. *(Baum)* trunk, log; 2. *(Abstammung)* stock, lineage; 3. *(Volk)* tribe, race; 4. *(Kunden)* regular customers; **Stämme** *(Aktien)* ordinary shares, shares of common stock; **nach Stämmen** *(Erbrecht)* per stirpes *(lat.)*

Stammabschnitt *m* counterfoil, control sheet, stub

Stammaktie *f* ordinary share *[GB]*/stock *[US]*, common (capital) stock, nominal/common/primary/senior share, equity (share); **nachrangige S.n** subordinated common stock; **stimmberechtigte S.n** voting common stock; **nicht ~ S.n** non-voting common stock; **S.nkapital** *nt* ordinary share capital; **nicht stimmberechtigtes S.nkapital** non-voting common stock

Stamm|aktionär *m* ordinary/common shareholder *[GB]*, ~ stockholder *[US]*; **S.anmeldung** *f* 1. basic application; 2. *(Pat.)* parent application; **S.anteil** *m* equity share, capital contribution; **S.anteile** (shareholders' *[GB]*/stockholders' *[US]*) equity; **S.arbeiter** *m* regular/core worker; **S.auflage** *f* regular circulation; **S.bank** *f* parent bank; **S.band** *nt* master tape; **S.baum** *m* 1. pedigree, family tree; 2. *(Material)* flowsheet; **S.belegschaft** *f* regular/core workforce, skeleton/permanent staff, core workers; **S.besetzung** *f* ⚓ permanent crew; **S.betrieb** *m* parent plant; **S.blatt** *nt* counterfoil; **S.buch** *nt* 1. family register; 2. *(Züchter)* herdbook, studbook; **jdm etw. ins ~ schreiben** *(fig)* to drive sth. home to so.; **S.datei** *f* master file

Stammdaten *pl* 💻 master/key/primary data; **S.satz** *m* master file; **S.verwaltung** *f* master data management

Stamm|dividende *f* common stock/ordinary dividend; **S.einlage** *f* capital contribution, original share/participation/investment, basic/fixed/guaranteed deposit

stammen aus/von *v/i* 1. to originate in/from, to be derived from; 2. to spring/stem/arise/emanate from; 3. to date from; **aus der Zeit vor ... s.** to predate

Stammentschädigung *f* basic compensation

Stammesrecht *nt* tribal lands law

Stamm|firma *f* parent company/firm, principal firm; **S.gast** *m* regular (visitor); **S.geschäft** *nt* 1. core/bread-and-butter business; 2. main branch; **S.gesellschaft** *f* parent company; **S.gut** *nt* family estate; **S.halter** *m* son (and heir)

Stammhaus *nt* 1. parent company/establishment, principal firm; 2. head/home office, headquarters; **S.firma** *f* parent firm/company; **S.personal** *nt* headquarters staff

Stammkapital *nt* equity/authorized/ordinary/share/original/nominal/proprietor's/subscribed *[GB]* capital, (joint) stock, (common) capital stock *[US]*, original funds, capital fund; **verdecktes S.** quasi-equity capital; **S.beteiligung** *f* equity interest

Stamm|karte *f* master/initial/principal/original card, master file; **S.kneipe** *f* local *[GB]*; **S.konto** *nt* main/general account

Stammkunde *m* regular/old/steady customer, regular, patron; **S. sein** to patronize; **langjähriger S.** regular customer of many years' standing

Stamm|kundschaft *f* 1. regular customers/clientele; 2. goodwill; **S.land** *nt* country of origin; **S.leitung** *f* ✆ trunk line; **S.lieferant** *m* regular supplier; **S.liste** *f* basic/principal list; **S.miete** *f* charter money; **S.nummer** *f* employee pay number; **S.papier** *nt* original instrument; **S.patent** *nt* original/parent/pioneer patent; **S.personal** *nt* core workforce, skeleton/regular/permanent staff, cadre of personnel; **S.police** *f (Vers.)* master policy; **S.register** *nt (Scheckheft)* stub; **S.rolle** *f* roll, register; **S.sitz** *m* 1. (group) headquarters; 2. family seat; **S.tisch** *m* group of regulars, table reserved for the regulars; **S.tischpolitiker** *m* armchair politician; **S.vater** *m* ancestor; **S.vermögen** *nt* capital stock; **S.versicherungsschein** *m* master policy/certificate; **S.werk** *nt* parent plant/works; **S.wert** *m* original value; **S.würzgehalt** *m* original gravity

stampfen *v/i* 1. ⚓ to heave and set; 2. *(Maschine)* to pound

Stand *m* 1. place, position, stand; 2. *(Stellung)* stand(ing), status, rank, station; 3. footing, foothold; 4. *(Konto)* balance, amount; 5. *(Kurs)* level; 6. *(Beruf)* profession; 7. *(Ausstellung)* booth, stand; 8. degree, class; 9. *(Lloyd's)* box; 10. *(Börse)* post, pitch; 11. ✿ reading; **S. vom** position/situation as per; **aus dem S.** offhand

Stand der Aktiva und Passiva statement of assets and liabilities; **S. des Barometers** barometer reading; **S. oder Beruf** profession or business; **S. der Dinge** state of affairs, juncture; **beim gegenwärtigen/jetzigen ~ Dinge** as things stand (now/at present), at this juncture; **S. unter freiem Himmel** open-air stand; **S. der Konjunktur** state of business, ~ the economy; **~ Kurse/ Preise** level of prices; **S. vor der Rezession** pre-recession level; **S. der Technik** level of technology, state of the art, progress of the arts, *(Pat.)* prior art; **bisheriger ~ Technik** background art; **S. des Verfahrens** [§] stage of proceedings; **S. der Verhandlungen** stage of negotiations; **~ Wissenschaft** level of technology, state of the art; **~ Zahlungsbilanz** state of the balance of payments

auf den letzten Stand gebracht updated

Stand abbauen to dismantle/remove a stand; **S. aufbauen** to put up/install a stand; **S. von ... aufweisen** to show a balance of ...; **auf den neuesten S. bringen** to update/upgrade/review, to bring up-to-date; **S. von etw. ermitteln** to establish the state of sth.; **höchsten S. erreichen** to (reach a) peak; **niedrigsten S. erreichen** to reach/touch bottom; **festen S. haben** to have a firm foothold; **auf dem neuesten S. halten** to keep up-to-date; **ledigen S.es sein** to be unmarried; **in den S. setzen** to enable; **in den vorigen S. setzen** to restore to the prior condition; **S. umlagern** to besiege a stand; **jdn in den S. versetzen** to enable so. (to do sth.); **früheren S. wiederherstellen** to restore the former status

bürgerlicher Stand middle class; **der Dritte S.** the Third Estate; **ehelicher S.** married state; **finanzieller S.** financial rating; **gegenwärtiger S.** state of the game *(coll)*; **auf dem höchsten S.** at its highest level; **hoher S.** high level; **von hohem S.** of high standing, high-ranking; **jetziger S.** present level; **auf dem jüngsten S.** updated; **kumulativer S.** cumulative total; **lediger S.** single state; **der letzte S.** the latest; **auf dem neuesten S.** up-to-date, up-to-the-minute; **niedriger S.** low level; **niedrigster S.** bottom; **Vierter S.** the Fourth Estate; **im vorigen S.** [§] in statu quo ante *(lat.)*

Standard *m* standard (grade/quality); **S.-** standard, staple; **S.abweichung** *f* standard variance/deviation; **S.aktie** *f* leading/established share, blue chip *(coll) [GB]*, leader, large cap, barometer stock; **S.artikel** *m* standard line, standard(ized) product; **S.aufgabe** *f* routine function; **S.ausführung** *f* standard model/version/option; **S.ausgabe** *f* standard edition; **S.ausrüstung** *f* standard equipment; **S.bestimmung** *f* standard provision; **S.brief** *m* standard letter, *(DIN)* Post Office Preferred (POP) letter; **S.chip** *m* 🖳 standard chip; **S.deckung** *f* standard/normal cover(age); **S.dienstvertragsbedingungen** *pl* terms and conditions of employment; **S.einrichtung** *f* standard feature; **S.erzeugnis/ S.fabrikat** *nt* standard product/item; **S.fehler** *m* standard error; **S.finanzierung** *f* standard form of financing, ready-to-wear financing; **S.form** *f* standard form; **S.format** *nt* standard format; **S.formular** *nt* standard form; **S.funktion** *f* routine function; **S.gemeinkosten** *pl* standard overheads; **S.gesamtheit** *f* ▦ standard population; **S.gewicht** *nt* standard weight; **S.größe** *f* standard/stock size; **S.gut** *nt (Geld)* numéraire *[frz.]*; **S.handelseinheit** *f* standard unit of dealings

standardisierlen *v/t* to standardize; **S.ung** *f* standardi zation

Standardlkabine *f* standard cabin; **S.kalkulation** standard costing; **S.klausel** *f* standard clause; **S.korbtechnik** *f (IWF)* basket technique

Standardkosten *pl* standard costs, cost standard **S.rechnung** *f* standard cost accounting, ~ costing; **auf Vollkostenbasis** standard absorption costing **S.satz** *m* standard cost rate

Standardlkurs *m* reference/standard price, ~ rate **S.leistungsgrad** *m* standard rating; **S.lektüre** *f* basic reading; **S.lohn** *m* basic wage; **S.maschinenstunde** standard machine hour; **S.modell** *nt* standard model **S.münzen** *pl* standard coinage; **S.muster** *nt* 1. standard pattern; 2. basic grade; **S.normalverteilung** *f* ▦ standard normal distribution; **S.normstempel** *m* kite mark *[GB]*; **S.prämie** *f (Vers.)* manual rate; **S.preis** *m* regular/standard price; **S.qualität** *f* standard quality; **S.satz** *m* standard rate; **S.selbstkosten** *pl* standard mill cost **S.sendung** *f* ✉ surface mail *[GB]*; **S.software** *f* packaged software; **S.sorte** *f* basic/standard grade; **S.steuersatz** *m* basic tax rate; **S.system** *nt* standardized system; **S.type** *f* standard type; **S.vereinbarung** *f* 🖳 default option; **S.verfahren** *nt* standard operating procedure; **S.vertrag** *m* standard form contract; **S.ware** staple/standard goods; **S.werk** *nt* standard work **S.wert** *m (Börse)* leading/established share, leading equity, blue chip *(coll)*, leader, barometer/representative stock, seasoned security; **marktbreiter S.wert** blue chip; **S.zeichen** *nt* kite mark *[GB]*; **S.zeit** *f* standard time

Standarte *f* standard, banner

Standlaufbau *m* stand erection; **S.bein** *nt (fig)* base plank *(fig)*, foothold; **~ der Wirtschaft** backbone of the economy; **S.bild** *nt* statue; **S.bremse** *f* 🚗 parking brake **S.by-Kredit** *m* standby credit

Stander *m* banner, pennant

Ständer *m* rack

Standesamt *nt* registry (office) *[GB]*, marriage licence bureau *[US]*, vital statistics office *[US]*, registrar's office; **s.lich** *adj* registry office; **S.sregister** *nt* register of births, deaths and marriages

Standeslbeamter *m* registrar, Registrar of Births, Deaths and Marriages *[GB]*; **s.bewusst** *adj* 1. class-conscious 2. proud of one's craftsmanship; **S.bewusstsein** *nt* class-consciousness; **S.dünkel** *m* professional pride, (social) snobbery; **S.ehre** *f* professional honour; **S.erwägungen** *pl* considerations of class; **S.ethik** *f* professional ethics; **s.gemäß** *adj* suitable to one's station; **S.genosse** *m* compeer; **S.gepflogenheiten** *pl* professional etiquette; **S.gericht** *nt* professional/domestic *[GB]* tribunal; **S.gerichtsbarkeit** *f* jurisdiction of professional tribunals **S.kennzeichen** *nt* status symbol; **die S.kollegen** *pl* the profession; **S.ordnung** *f* code of ethics; **S.organisation** *f* professional association/body; **S.person** *f* person of rank; **S.pflichten** *pl* 1. professional ethics; 2. [§] legal ethics; **S.privileg** *nt* class privilege; **S.recht** *nt* canons of professional etiquette; **S.regeln** *pl* professional ethics code/rules of ~ conduct, canons of ~ etiquette

Ständestaat *m* corporate state

Standes|unterschied *m* class distinction/difference; **S.vereinigung** *f* professional association; **S.vertreter** *m* professional representative; **S.vertretung** *f* professional/representative association, occupational/professional representation, professional organisation/body; **s.widrig** *adj* unprofessional, unethical; **S.widrigkeit** *f* malpractice, misconduct

Stände|tag/S.versammlung *m/f* diet

standfest *adj* steady, firm, stable; **S.igkeit** *f* 1. stability; 2. staying power, stamina; **mangelnde S.igkeit** lack of backbone/stamina

Stand|fläche *f (Messe)* exhibition space; **S.flächenvermietung** *f* space renting; **S.gebühr** *f* stall money, stallage; **S.geld** *nt* 1. stall money, stallage, toll; 2. demurrage; 3. 🚃 siding rent; **S.gericht** *nt* court martial; **vor ein ~ bringen** to court-martial; **S.gestaltung** *f* stand design; **S.guss** *m* ✏ static casting; **s.haft** *adj* firm, staunch, steadfast; **s.halten** *v/i* to hold one's ground, to stand (up to), to withstand

ständig *adj* 1. constant, permanent, regular; 2. steady, standing; 3. persistent, chronic; 4. perpetual, on a continuing basis

Stand|inhaber *m* stall holder, stallkeeper; **S.leitung** *f* ✆ leased telephone line, point-to-point circuit, ~ leased line; **S.licht** *nt* 🚗 parking/side/town light(s); **S.linie** *f* base; **S.miete** *f* stand rent, space rental; **S.motor** *m* stationary engine

Standort *m* 1. (plant/store) location, site; 2. position; 3. base; 4. depot; 5. § situs *(lat.)*; **S. des Außenlagers** warehouse location; **S. der Erzeugung** place of production; **~ Mietsache** location of leased equipment; **S. in der Provinz; S. außerhalb des Zentrums** non-metropolitan location; **S. auf der grünen Wiese** greenfield site; **S. bestimmen/finden** to site/locate

alternativer Standort location alternative; **außerstädtischer S.** out-of-town site; **betrieblicher S.** plant location; **industrieller S.** industrial location; **innerbetrieblicher S.** intra-company location; **mit verschiedenen S.en** spatially distributed

standort|abhängig *adj* tied to a specific location; **S.analyse** *f* locational analysis, site screening; **S.änderung** *f* relocation; **S.anforderungen** *pl* locational requirements; **S.angebot** *nt* locations/sites on offer; **s.bedingt** *adj* locational, due to location; **S.bedingungen** *pl* local conditions, industrial environment; **S.berater** *m* site consultant; **S.beratung** *f* site/location consultancy (service); **S.bestimmung** *f* 1. ⚓ position finding; 2. site determination; 3. *(fig)* definition of the position; **S.bestimmungsgerät** *nt* direction finder; **S.betreiberdienst** *m* facility management company; **S.bewertung** *f* locational evaluation; **S.bindung** *f* locational pull/ties; **S.daten** *pl* 1. site data; 2. locational data; **S.dienst** *m* site service; **S.eigenschaft** *f* locational quality; **S.entscheidung** *f* locational decision; **S.entwicklung/S.erschließung** *f* site development; **S.erkundung** *f* site survey; **S.faktor** *m* location(al) factor; **S.flexibilität** *f* flexibility of location; **S.frage** *f* locational factor; **s.gebunden** *adj* site-bound, location-specific, tied to a location; **S.gemeinde** *f* local community; **s.günstig** *adj* favourably located; **S.hilfe** *f* site location assistance; **S.konzeption** *f* locational concept; **S.lehre** *f* economics of location; **s.mäßig** *adj* local, locational; **S.merkmale** *pl* locational characteristics; **S.nachteil** *m* locational disadvantage; **S.planung** *f* locational planning; **innerbetriebliche S.planung** plant/production layout; **S.politik** *f* location policy, regional economic policy; **S.präferenz/S.priorität** *f* locational preference; **S.problem** *nt* location problem; **S.profil** *nt* locational profile; **S.programm** *nt* site development programme; **S.qualität** *f* locational quality; **S.schutz** *m* safeguarding of a location; **S.sicherung** *f* safeguarding/securing a location; **S.situation** *f* locational conditions; **S.spaltung** *f* split of location(s); **s.spezifisch** *adj* site-specific, location-specific; **S.struktur** *f* locational pattern; **S.studie** *f* locational study; **S.suche** *f* search for a location; **S.theorie** *f* location theory; **s.typisch** *adj* site-specific, location-specific; **s.unabhängig** *adj* locationally independent; **S.untersuchung** *f* economic location study; **S.veränderung/S.verlegung** *f* relocation, change of location; **S.verzeichnis** *nt* site list; **S.voraussetzung** *f* locational prerequisite(s); **S.vorteil** *m* locational advantage, advantage of site; **S.wahl** *f* choice of location, site selection, locational choice; **S.wechsel** *m* relocation; **S.werbung** *f* location/site publicity; **S.wunsch** *m* locational preference; **S.zeichen** *nt (Regal)* shelf mark

Stand|pauke *f* dressing-down, talking-to; **S.personal** *nt (Messe)* staff on the stand; **S.platz** *m* 1. stand; 2. *(Börse)* trading post; 3. taxi rank

Standpunkt *m* point of view, viewpoint, stance, position, stand, attitude, angle; **seinen S. aufgeben** to backtrack; **auf seinem S. beharren** to remain adamant; **seinen S. darlegen** to define one's position; **sich auf den S. stellen** to take the view; **den S. vertreten** to hold/take the view (that); **seinen S. nachdrücklich vertreten** to press one's point

Standrecht *nt* martial law; **S. verhängen** to proclaim martial law; **s.lich** *adj* under martial law

Stand|rohr *nt* standpipe; **S.seilbahn** *f* cable/funicular railway; **S.verbindung** *f* point-to-point connection, dedicated connection; **S.zeit** *f* ✿ service life

Stange *f* rod, pole; **von der S.** *(Konfektion)* off the shelf, off-the-peg, ready-to-wear; **ordentliche/schöne S. Geld** tidy sum; **S. Zigaretten** carton of cigarettes; **bei der S. bleiben** *(coll)* to stick to it, ~ it out, ~ to one's guns, to stay in line; **jdn ~ halten** to keep/hold so., to make so. stick it out; **jdm die S. halten** to back so.; **von der S. kaufen** to buy off the peg, ~ ready-made; **eine schöne S. Geld kosten** to cost a pretty penny; **eine S. Geld verdienen** to make a pile of money, ~ packet; **S.ngold** *nt* gold ingots; **S.nsilber** *nt* silver ingots

Stanniolpapier *nt* tinfoil

Stanzeinheit *f* 💻 punching unit

stanzen *v/t* 1. to punch/perforate; 2. ✿ to press

Stanzer *m* 1. 💻 puncher; 2. ✿ press worker

Stanz|loch *nt* 💻 punch hole; **S.prüfung** *f* punch checking; **S.speicher** *m* punch storage; **S.station** *f* punch station; **S.stempel** *m* punch magnet; **S.steuerung** *f* punch adapter

Stapel *m* 1. batch; 2. pile, stack; 3. depot, store; 4. stock, pack, mound; **S. Arbeit** stacks/loads of work; **vom S. (laufen) lassen** ⚓ to launch; ~ **laufen** to be launched; **auf S. legen** to lay down

Stapel|ablage *f* pile delivery; **S.arbeit/S.betrieb** *f/m* batch/serial processing; **S.artikel** *pl* staples; **s.bar** *adj* stackable; **S.bestand** *m (Wertpapiere)* stockpile; **S.dichte** *f* stacking density; **S.fernverarbeitung** *f* remote batch processing, remote job entry; **S.gerät** *nt* stacking equipment/machine; **S.gerechtigkeit** *f* staple privilege; **S.güter** *pl* staples, staple commodities/goods; **S.hafen** *m* staple port; **S.handel** *m* staple trade; **S.kaufmann** *m* stapler; **S.lauf** *m* ⚓ launch(ing)

stapeln *v/t* to stack/pack

Stapel|palette *f* stacking pallet; **S.platz** *m* 1. depository, entrepôt *[frz.]*, staple (location), storing place, depot; 2. settled market; **S.programm** *nt* batch program

Stapelung *f* stacking, storing; **S.sgewicht** *nt* stacking weight

Stapel|verarbeitung *f* batch processing; **S.verkehr** *m* batch traffic; **S.ware** *f* staple (goods); **S.waren** staples, staple commodities/goods; **s.weise** *adj* in stacks

Stapler *m* stacker

Star *m* star; **grauer S.** $ cataract; **grüner S.** $ glaucoma; **schwarzer S.** $ amaurosis; **S.auftritt** *m* star turn; **S.besetzung** *f* all-star turn

stark *adj* 1. strong, powerful; 2. heavy; 3. great; 4. severe; 5. intensive, intense; 6. forceful, hefty; 7. stiff, sturdy; 8. potent; **stärker werden** to gather strength; **S.bier** *nt* strong beer

Stärke *f* 1. strength, power; 2. intensity; 3. strong point; 4. *(Durchmesser)* diameter; 5. *(Wind)* force; 6. starch; **S. der Belegschaft** personnel strength; **an S. gewinnen** to go from strength to strength; **finanzielle S.** financial muscle; **grundlegende S.** strength in depth; **innere S.** underlying strength; **strukturelle S.** structural strength; **in voller S.** in (full) strength

stärke|haltig *adj* starchy; **S.meldung** *f* strength report/return; **S.n-Schwächen-Profil** *nt (BWL)* profile of company strengths and limitations

stärken *v/t* 1. to strengthen/fortify/encourage/bolster, to shore/beef up; 2. to solidify/stiffen; *v/refl* to refresh o.s.

Stärkeverhältnis *nt* relative power

Starkstrom *m* power current; **S.kabel** *nt* power cable; **S.leitung** *f* power line

Stärkung *f* 1. strengthening, reinforcement, support; 2. refreshment; **S. der Mitarbeiterverantwortung** empowerment; **S.sgetränk/S.smittel** *nt* tonic

starr *adj* 1. rigid, inelastic, stiff; 2. inflexible, intransigent, adamant, rigorous; 3. resistant

Starr|heit *f* 1. rigidity; 2. inflexibility, rigour; ~ **der Reallöhne nach unten** downward rigidity of real wages; **s.köpfig** *adj* bone-headed; **S.sinn** *m* obstinacy, stubbornness; **s.sinnig** *adj* obstinate, stubborn

Start *m* start, launching, takeoff, liftoff; **S. ins Leben** start in life; **S. freigeben** ✈ to clear for take-off; **glänzenden S. haben** to stage a bright debut; **fliegender S.** flying start

Start|adresse *f* start address; **S.automatik** *f* choke; **S.bahn** *f* ✈ runway; **S.- und Landebahn** runway, airstrip; **S.bedingungen** *pl* starting conditions; **S.befehl** *m* 1. initial instruction; 2. ✈ takeoff order; **S.beihilfe** *f* front-end subsidy/grant; **s.bereit** *adj* 1. ready to start; 2. ✈ ready for takeoff

Starten *nt* 1. ✈ takeoff; 2. *(Rakete)* launch(ing); **s.** *v/t* 1. to start/launch/activate; 2. to take off; **mit nichts s.** to start from scratch

Start|ereignis *nt* start event; **S.erlaubnis** *f* 1. permission to start; 2. ✈ takeoff clearance; **S.fehler** *m* inherent error; **S.finanzierung** *f* front-end financing, start-up finance; **S.gebühr** *f* ✈ takeoff charge; **S.geschwindigkeit** *f* ✈ takeoff speed; **S.hilfe** *f* pump-priming *(fig)*, launch(ing)/starting-up aid, initial aid/support, initial/original investment, send-off; **S.jahr** *nt* start-up year; **S.kapital** *nt* start-up/seed/launch/initial capital, float, launching funds; **S.kapitalfonds** *m* seed capital fund; **s.klar** *adj* 1. all set, ready to start; 2. ✈ ready for takeoff; **S.knopf** *m* activate button; **S.knoten** *m* starting node; **S.kosten** *pl* start-up/launching costs; **in den S.löchern** *pl* under starter's orders; **S.löcher graben** *(fig)* to prepare the ground; **in den S.löchern hocken** *(fig)* to be set to do; **S.position** *f* ✈ takeoff point; **S.schuss** *m* signal; ~ **geben** to give the go-ahead; **S.schwierigkeiten** *pl* start-up problems, teething troubles, starting trouble, initial difficulties; **S.taste** *f* start bar; **S.triebwerk** *nt* ✈ booster engine

Startverbot *nt* ✈ grounding; **mit S. belegt** grounded; **S. erteilen** to ground (an aircraft); **S.sverfügung** *f* grounding order

Start|vorsprung *m* head start; **S.zeichen** *nt* starting signal; ~ **geben** to give the go-ahead; **(festgelegte) S.zeit** *f* ✈ (takeoff) slot

Statik *f* statics, static analysis; **komparative S.** comparative statics

Statiker *m* structural engineer

Station *f* 1. station, stage; 2. $ (hospital) ward; **auf S.** *(Radio)* on station; **nicht auf S.** off station; **frei S.** free station; **gegen freie S. arbeiten** to work for one's keep; **an jeder S. halten** to call at every station; **S. machen** to break one's journey; **ambulante S.** $ outpatient department/clinic; **bemannte S.** manned station; **freie S.** free board and lodging; **meteorologische S.** meteorological station

stationär *adj* 1. stationary, rigid, non-moving, fixed-location; 2. *(Handel)* over-the-counter; 3. $ in-patient; **nicht s.** non-stationary

stationier|en *v/t* to station/position/deploy/site/base; **S.ung** *f* stationing

Stations|arzt *m* ward physician; **S.bestimmung** *f* station identification; **S.gebäude** *nt* station building; **S.schwester** *f* $ ward/head nurse, ward sister; **S.vorsteher** *m* station master

statisch *adj* static

Statistik *f* 1. statistics (department); 2. statistical survey; 3. set of statistics; **S. der Zentralbank** central bank statistics; **S.en angleichen** to harmonize statistics; **S. auf-/zusammenstellen** to compile statistics; **S. auswerten** to evaluate statistics; **S.en vergleichen** to collate statistics

amtliche Statistik official statistics; **analytische/induktive/schließende S.** inferential/inductive statistics; **betriebswirtschaftliche S.** business statistics; **geschönte S.** massaged figures *(coll)*; **homograde S.** attribute-based statistics; **theoretische S.** theory of statistics; **verteilungsfreie S.** non-parametric statistics

Statistiker *m* statistician

Statistikmaschine *f* electronic statistical machine

statistisch *adj* statistical; **S.es Landesamt** *[D]* State Statistical Office, land statistical office; **s.-technisch** statistical

Stätte *f* place, site; **S. der Ausbeutung von Bodenschätzen** place of extraction of natural resources; ~ **Gelehrsamkeit** seat of learning; ~ **Geschäftsleitung** place of management, head office

stattlfinden *v/i* to take place, to be held; **S.gabe** *f* permission; **s.geben** *v/i* to allow/accept/permit/grant; **nicht s.geben** to overrule; **s.haft** *adj* admissible, permissible, allowed, allowable, admissive, available; **S.haftigkeit** *f* admissibility, permissibility; **S.halter** *m* governor, deputy; **S.halterschaft** *f* governorship; **s.lich** *adj* 1. personable, majestic; 2. impressive, handsome

statuieren *v/t* to establish/constitute, to lay down

Status *m* 1. status, standing, state; 2. *(Bilanz)* accounting status, statement of affairs, ~ assets and liabilities, financial statement; **S. quo (ante)** *(lat.)* status quo (ante); **S. des Beamten** (established) civil servant status; **S. eines Gemeinschuldners** bankrupt's statement of affairs; **S. erstellen** *(Buchhaltung)* to prepare a statement

ehelicher Status married status; **europäischer S.** European status; **finanzieller S.** financial condition/position; **gesellschaftlicher S.** social status; **gesetzlicher/rechtlicher S.** legal status/standing; **halbstaatlicher S.** semi-government status; **neutraler S.** neutrality

Statuslangelegenheit *f* status question, case concerning legal status; **S.bedürfnis** *nt* social aspiration, status-seeking; **S.güter** *pl* positional goods; **S.prüfung** *f* status inquiry; **S.sache** *f* personal/legal status case; **S.symbol** *nt* status symbol; **S.urteil** *nt* personal status judgment; **S.verlust** *m* loss of status; **S.zahlen** *pl* balance sheet figures

Statut *nt* 1. statute, rules (and regulations), regulations, covenant, charter, by-laws, byelaws; 2. *(AG)* articles of incorporation and by-laws, (memorandum and) articles of association; **S. der Beamten** staff regulations of officials

statutarisch *adj* according to regulations, laid down in the regulations

statutenlgemäß *adj* statutory; **S.kollision** *f* conflict of laws; **S.wechsel** *m* change of jurisdiction; **s.widrig** *adj* contrary to statutes

Stau *m* 1. bottleneck, (log)jam, hold-up, stoppage, accumulation; 2. *(Verkehr)* traffic jam/queue, congestion, tailback; **S. auflösen** 1. to relieve a congestion; 2. *(Produktion)* to clear a bottleneck; **S.attest** *nt* ⚓ stowage certificate

Staub *m* dust; **S. aufwirbeln** to cause a stir; **viel S. aufwirbeln** to kick up/raise a lot of dust, to attract a lot of attention; **sich aus dem S. machen** *(fig)* to clear off *(coll)*, to take to one's heels *(fig)*, to show a clean pair of heels *(fig)*; **radioaktiver S.** radioactive dust

Staublbelästigung *f* dust nuisance; **S.belastung** *f* dust pollution; **s.dicht** *adj* dust-proof; **S.dichtung** *f* dust seal

Staubecken *nt* reservoir

Staublemission *f* dust emission; **S.filter** *m* dust filter; **S.gehalt** *m* dust content; **s.geschützt** *adj* dust-proof

staubig *adj* dusty

Staublluft *f* dust-laden air; **S.lunge** *f* ⚒/$ pneumoconiosis, black lung; **S.nebel** *m* dust haze; **S.plage** *f* dust nuisance; **S.sauger** *m* vacuum cleaner, hoover ™; **S.schicht** *f* layer of dust; **S.teilchen** *nt* dust particle; **S.tuch** *nt* dustcloth; **S.wolke** *f* dust cloud

Staudamm *m* (river) dam, barrage

Stauen *nt* ⚓ stowage; **s.** *v/t* 1. ⚓ to stow/trim; 2. *(Fluss)* to dam; *v/refl* 1. to pile up/accumulate; 2. *(Verkehr)* to become congested; **seemäßig s.** to trim the hold

Stauer *m* stevedore, stower; **S.ei** *f* stevedoring; **S.lohn** *m* stowage charges

Staulgebühr/S.geld *f/nt* stowage; **S.güterkontrolleur** *m* tally clerk, tallyman *(coll)*; **S.holz** *nt* dunnage; **S.lage** *f* trimming; **S.lücke** *f* broken stowage; **S.maß** *nt* stowage factor; **S.mauer** *f* dam; **S.meister** *m* stevedores' foreman

Staunen *nt* amazement, astonishment, wonder; **s.** *v/i* to be amazed, to wonder/marvel

Staulplan *m* stowage plan; **S.raum** *m* 1. storage space; 2. ⚓ hold; 3. stowage capacity; **S.schein** *m* stevedore's certificate; **S.see** *m* reservoir; **S.stufe** *f* dam and reservoir

Stauung *f* 1. ⚓ stowage; 2. hold-up, jam, bunching up, bottleneck; 3. *(Verkehr)* traffic jam/queue, congestion

stechen *v/t* 1. *(Zeituhr)* to clock in/out; 2. *(Karte)* to come up trumps; **s.d** *adj (Geruch)* pungent, keen, acrid

Stechlkarte *f* time card, (time) clock card; **S.kartensystem** *nt* clocking in; **S.uhr** *f* time (stamping) clock, control/punching clock, attendance/time recorder, bundy *[AUS]*; **S.zirkel** *m* dividers

Stecklanschluss *m* plug-in connection, plug and socket connection; **S.baugruppe/S.einheit** *f* plug-in unit; **S.brief** *m* warrant of arrest, "wanted" circular; **S.dose** *f* ϟ power point, socket; **S.einheit** *f* plug-in unit

stecken *v/t* to put/place; **jdm etw. s.** to give so. a hint; **hinter etw. s.** to lie behind sth., to mastermind sth.; **mitten in etw. s.** to be in the throes of sth.; **s. bleiben** *v/i* to be stuck/stranded, to get bogged down, to come unstuck

Steckenpferd *nt* hobby (horse); **sein S. reiten** to ride one's hobby horse

Stecker *m* ϟ plug

Steckling *m* 🚜 shoot, cutting

aus dem Stegreif *m* off the cuff, extempore, impromptu *[frz.]*; ~ **sprechen** to speak extempore, ~ off the cuff, to extemporize

Steh|ablage *f* lateral filing; **S.bild** *nt* slide; **S.empfang** *m* standing reception
zum Stehen bringen *nt* to bring to a halt; **~ kommen** 1. to come to a halt; 2. *(geräuschvoll)* to grind to a halt
stehen *v/i* 1. to stand; 2. *(Preis/Kurs)* to rule; 3. to be finished/settled; **wie es steht und liegt** as is; **Wie es steht und liegt-Klausel** § rebus sic stantibus *(lat.)* clause; **hinter jdm s.** to back so.; **~ etw. s.** to mastermind sth.; **über jdm s.** to be above so., ~ superior to so.; **zu jdm s.** to side with so.; **zu jdm/etw. s.** to stand fast by so./sth.
stehen bleiben *v/i* to stop, to come to a standstill; **zu s. kommen** to cost; **s. lassen** 1. to leave behind; *(Schulden)* to leave/keep on tick *(coll)*; **alles s. und liegen lassen** to drop everything
gut stehen *(Aktien)* to be firm; **jdm ~ s.** to suit so.; **sich ~ s.** to be well off; **sich ~ miteinander s.** to get along well/nicely, to be on good terms with so., to hit it off well; **sich finanziell ~ s.** to be in funds; **hoch s.** *(Kurse)* to rule high; **höher denn je s.** to be at an all-time high; **kurz vor etw. s.** to come close to sth.; **niedrig s.** to be low; **niedriger s.** to be down; **obenan s.** to head the list, to be top of the list; **sich schlecht s.** to fare badly
stehend *adj* stationary, standing
Steh|kragenberuf *m* white-collar job; **S.leiter** *f* stepladder
Stehlen *nt* thieving; **beim S. ertappen** to catch stealing; **s.** *v/t* to steal/purloin, to commit larceny, to nab *(coll)*
Stehlsucht *f* kleptomania
Steh|platz *m* standing room; **S.pult** *nt* (high) desk; **S.satz** *m* 🗍 standing type; **S.vermögen** *nt* staying power, stamina, mettle
steif *adj* 1. rigid, stiff, tight, constrained; 2. formal; **S.heit** *f* 1. rigidity, stiffness; 2. formality
Steigen *nt* rise, increase, upturn, climb, lift; **S. und Fallen** up(s) and down(s); **im S. begriffen sein** to be on the increase/rise
steigen *v/i* 1. to rise/mount/climb/ascend; 2. to improve; 3. *(Kurs/Preis)* to rise/increase/boom/soar/advance, to scale/look up, to go up, to be on the way up; **s. und fallen** to fluctuate; **um durchschnittlich ... s.** to rise by an average of; **explosionsartig s.** to explode; **langsam s.** to creep up; **plötzlich s.** to spurt; **schnell/stark s.** *(Kurs)* to move briskly ahead, to soar; **schneller s. als (erwartet)** to move/run ahead of (expectations); **sprunghaft s.** to soar/surge/skyrocket/jump, to rise by leaps and bounds, to shoot up
steigend *adj* 1. increasing, rising, buoyant, upward(s); 2. *(Kurs)* advancing, bullish; **automatisch s.** incremental; **langsam s.** gradual; **unaufhaltsam s.** *(Preis)* soaring
Steiger *m* ⚒ pit deputy/overman
Steigerer *m* bidder, auctioneer
Steigern *nt* bidding; **s.** *v/t* to increase/raise/lift/intensify/improve/fuel/enhance/heighten/augment/uprate/boost/hoist, to step up; *v/refl (Leistung)* to increase
Steigerung *f* 1. increase, rise, advance, gain, improvement, enhancement, increment, appreciation, hike *(coll)*; 2. *(Inflation)* speed-up; **S. der Arbeits-/Kapitalintensität** resources investment; **~ Beschäftigung** growth of employment; **S. verzeichnen** to show a rise; **inflationsbedingte S.** inflationary increase; **sprunghafte S.** rise by leaps and bounds
Steigerungs|betrag *m* increment; **s.fähig** *adj* improvable; **S.fähigkeit** *f* augmentability; **S.faktor** *m* increment factor; **S.klausel** *f* escalator clause; **S.korridor** *m* growth bracket; **S.menge** *f* increment; **S.rabatt** *m* deferred rebate; **S.rate/S.satz** *f/m* growth/increment rate, rate of growth/increase; **S.tendenz** *f* upward tendency
Steig|geschwindigkeit *f* rate of ascent/climb; **S.leitung** *f* rising mains; **S.rohr** *nt* riser
Steigung *f* gradient, slope, incline; **starke S.** steep gradient; **S.swinkel** *m* pitch angle
steil *adj* steep, precipitous
Steil|ablage *f* vertical filing; **S.hang** *m* precipice; **S.kurs** *m* crash course; **S.küste** *f* cliffs, steep coast; **S.wand** *f* steep face
Stein *m* 1. stone, brick; 2. *(Kiesel)* pebble; **S. des Anstoßes** *(fig)* bone of contention *(fig)*, stumbling block, offending object; **S.e und Erden** non-metallic minerals; **~ für den Straßenbau** roadstone
Stein ins Rollen bringen *(fig)* to set/start the ball rolling *(fig)*; **keinen S. auf dem anderen lassen** to smash everything to pieces/bits; **jdm S.e in den Weg legen** *(fig)* to put a spoke in so.'s wheel *(fig)*; **S. und Bein schwören** to swear by all that's holy; **ersten S. werfen** to cast the first stone
Steinbruch *m* quarry; **im S. arbeiten** to quarry; **S.arbeiter** *m* quarry worker; **S.betrieb** *m* stone quarrying
Steindruck(verfahren) *m/nt* lithograph(y)
Steingut *nt* pottery, earthenware, stoneware, crockery; **S.industrie** *f* pottery/ceramics industry
steinig *adj* stony
Steinkohle *f* pit/hard/mineral/bituminous coal; **S.förderung** *f* hard coal output; **S.kraftwerk** *nt* coal-fired power station; **S.nbergbau** *m* coal mining; **S.nbergwerk** *nt* coalmine, colliery; **S.neinheit** *f* (SKE) energy/coal equivalent, coal unit; **S.ngerechtsame** *f* coal rights; **S.nkoks** *m* coke; **S.nrevier** *nt* coalfield
stein|reich *adj* *(coll)* rolling in money *(coll)*; **S.salz** *nt* rock salt; **S.salzwerke** *pl* rock salt plant; **S.schlag** *m* falling rocks
Stellage *f* *(Börse)* put and call, straddle, spread; **S.geber** *m* seller of a put and call, ~ a spread; **S.geschäft** *nt (Optionshandel)* put and call (option) (P.a.C.), straddle, spread, privilege, double (option), strap; **~ mit Kaufoption** strip; **S.kurs** *m* put and call price; **S.nehmer** *m* buyer of a spread
Stelle *f* 1. point, place, spot, station, space, location; 2. *(Arbeitsplatz)* position, situation, appointment, job, post, billet *(coll)*; 3. *(Behörde)* agency, office, authority; 4. *(Zahlen)* digit; 5. *(Text)* passage, reference; **an S. von** in exchange for, in lieu of; **auf der S.** on the spot/nail, outright, at the drop of the hat *(coll)*
Stelle mit hohen Anforderungen high-pressure job; **S.n für Anhänger** jobs for the boys *(coll)*; **S. ohne Aufstiegsmöglichkeiten** terminal job; **S. als Buchhalter** accountantship; **S.n hinter dem Komma** fractional part; **S. auf Lebenszeit** job for life; **S., von der es kein Zurück mehr gibt** point of no return

an anderer Stelle elsewhere; **an dieser S.** at this juncture; **an jds S.** in so.'s place; **S.n gesuch** *(Zeitung)* situations wanted

Stelle|n abbauen to shed/cut jobs, to curb manpower; **S. ablehnen** to turn down a job; **S. annehmen** to accept a job; **jdm eine S. antragen** to offer so. a position/job; **S. antreten** to start on a job, to take up a position; **S. aufgeben** to leave, to resign a post; **in eine höhere S. aufrücken** to rise to a higher position; **S. aufwerten** to upgrade a job; **S. ausbauen** to consolidate a position; **leere S.n ausfüllen** to fill in (the) blanks; **S. ausschreiben** to advertise a vacancy/job/position, to invite applications for a vacancy; **S. bekleiden** to occupy a post; **S. bekommen** to get a job, to obtain a position; **S. neu beschreiben** to redesign/redefine a position; **(freie) S. besetzen** to fill a post/vacancy; **sich eine S. besorgen** to land a job; **jdm ~ besorgen** to get/find so. a job; **sich um ~ bewerben** to apply for a position/job; **auf der S. bleiben** to mark time; **jds S. einnehmen** to take so.'s place, to step into so.'s shoes *(fig)*; **S. festigen** to consolidate a position; **S. finden** to find employment/a job; **S. zu vergeben haben** to have a vacancy; **S. innehaben** to hold a job/an appointment; **an seiner S. kleben** to stick to one's position; **nicht von der S. kommen** 1. *(Verhandlung)* to be in a deadlock; 2. to mark time; **an die zuständige S. leiten** to refer to the appropriate quarters; **sich für eine S. melden** to apply for a job; **sich zur S. melden** to report present; **an jds S. rücken** to take so.'s place; **zur S. sein** to be on the scene; **an die S. setzen von** to substitute for; **S.n sichern** to safeguard jobs; **offene ~ sperren** to freeze vacancies; **an erster S. stehen** to come/rank first, to head the field; **S. streichen** to abolish a post; **S.n streichen** to reduce the staff, to cut jobs; **S. suchen** to look for a job, to look for/seek employment; **jdn an einer empfindlichen S. treffen** to touch so.'s raw nerve; **an die S. treten** to supersede/replace/substitute, to be substituted for; **auf der S. treten** to mark time; **S. übernehmen** to take a position; **S. wechseln** to change job/employment/position; **häufig die S. wechseln** to job-hop; **nicht von der S. weichen** not to budge an inch; **S. zitieren** to quote a passage

amtliche Stelle authority, official agency, government office; **von amtlichen S.n** from official quarters; **ausgebesserte S.** mend; **ausgeschriebene S.** advertised job/post/position; **beratende S.** advisory body; **von berufener S.** on good authority; **bescheinigende S.** certifying authority; **sofort zu besetzende S.** immediate opening; **gut bezahlte/dotierte S.** well paid/plum *(coll)* job, well-paid position; **empfangende S.** recipient; **an erster S.** in the first instance, first and foremost; **~ stehend** paramount (to); **federführende S.** managing agency, responsible body/authority; **fehlerhafte S.** flaw; **freie S.** 1. (job) vacancy, opening, vacant/open position; 2. *(Formular)* blank space; **~ S.n** jobs on offer; **plötzlich frei gewordene S.** casual vacancy; **führende S.** key position; **ganze S.** full-time job; **gehobene S.** more senior position; **hohe/höhere S.** senior position; **informierte S.n** informed sources; **innerstaatliche S.** *[EU]* national authority; **Konto führende S.** account-holding branch; **Kredit gebende S.** lender; **Kurs regulierende/stützende S.** price-supporting agency; **leere S.** vacancy; **leitende S.** executive/managerial/senior position; **maßgebende S.** authoritative quarters, the powers that be; **nachgeordnete/-rangige S.** subsidiary body/agency/authority, subordinate unit; **neue S.n** extra jobs; **niedrige S.** subordinate position; **oberste S.** headship; **offene S.** (unfilled) vacancy, vacant post, (job) opening vacant/unfilled job, job open for a bid; **~ S.n** jobs on offer, unfilled jobs, job vacancies; **gemeldete ~ S.n** vacancies notified; **öffentliche/öffentlich-rechtliche S.** public body/authority, official/government agency; **zentrale ~ S.n** central and regional authorities; **passende S.** suitable position; **private S.** private body; **quasi-öffentliche S.** quasi-public authority; **schadhafte S.** defect, flaw; **schmale S.** ⚓ narrows; **schwache S.** weak spot/point; **seichte S.** ⚓ shallows; **staatliche S.** government agency/authority/unit; **nicht ~ S.** non-governmental body; **statistische S.** statistical heading; **übergeordnete S.** superior unit, higher authority; **unbesetzte S.** vacancy, unfilled/vacant post; **undichte S.** leak; **unschöne S.** eyesore; **untergeordnete S.** 1. subsidiary agency/authority; 2. subordinate/junior position; **verbrannte S.** burn; **verfügbare S.** available post; **vorbehaltene S.** reserved post; **vorhandene S.n** available employment/jobs; **wunde S.** ⚕/*(fig)* sore point; **zitierte S.** quotation; **zusätzliche S.n** additional/extra jobs; **zuständige S.** proper/appropriate quarters, competent/appropriate authority, authority concerned

stellen *v/t* 1. to put/place; 2. to supply/provide, to account for, to stand; 3. *(Gas/Wasser)* to lay on; *v/refl* § to surrender; **sich jdm s.** *(Gegner)* to take so. on; **sich besser/schlechter s.** to be better/worse off; **sich dumm s.** to play stupid; **sich freiwillig s.** *(Polizei)* to give o.s up; **sich mit jdm gut s.** to put o.s. right with so.; **schlechter s.** to discriminate; **schriftlich s.** *(Antrag)* to give notice in writing

Stellen|abbau *m* job cuts, staff/manpower/personnel cut, ~ reduction, shedding of jobs; **S.anbieter** *m* job advertiser; **S.anforderungen** *pl* job requirements; **S.angebot** *nt* 1. vacancy, jobs on offer, job supply/offer; 2. offer of employment; **S.angebote** vacancies, situations/appointments vacant, unfilled jobs, availability of jobs; **S.anhebung** *f* upgrading; **S.anzeige** *f* job advertisement, help wanted/employment ad; **S.aufkündigungsmitteilung** *f* redundancy notice *[GB]*

Stellenausschreibung *f* advertisement of a vacancy, job/recruitment advertisement; **interne S.** in-house posting/bidding; **S.spflicht** *f* obligation to give notice of vacancies

Stellen|aussonderung *f* ▦ ordinal selection; **S.beschreibung** *f* job profile/description/specification, position guide; **S.besetzung** *f* staffing, appointment, filling a post, ~ of a vacancy; **S.besetzungsplan** *m* staffing schedule, manning table, job cover plan; **S.bewerber(in)** *m/f* job applicant, applicant (for a position); **S.bewerbung** *f* application (for a job); **S.bezeichnung**

f job title; **S.börse** *f* job centre *[GB]*/center *[US]*; **S.ebene** *f (in der Hierarchie)* job level; **S.einsparung** *f* staff cut/reduction; **S.einzelkosten** *pl* direct cost centre cost(s); **S.freisetzung** *f* job shedding/killing, redundancy; **S.gemeinkosten** *pl* departmental overhead(s)/ burden, cost centre overhead(s); **S.gesuch** *nt* job application, application (for a position); **S.gesuche** *(Zeitung)* situations wanted; **S.gliederung** *f* cost centre classification; **S.impuls** *m* 🖳 digit pulse; **S.inhaber (in)** *m/f* job holder, encumbent, incumbent, postholder; **S.jagd** *f* job-hunting, place-hunting; **S.jäger** *m* job/place/ office *[US]* hunter; **S.kosten** *pl* departmental cost(s); **indirekte S.kosten** departmental overhead(s)/burden, cost centre overhead(s); **S.kürzung** *f* staff cut/reduction, manning cut, jobs cutback; **S.leiter** *m* activity head; **s.los** *adj* unemployed, jobless, out of a job; **S.markt** *m* employment/job market; **S.nachweis** *m* labour exchange, job centre *[GB]*, employment bureau; **S.plan** *m* staffing schedule, manning table, position chart; **S.rechnung** *f* cost-centre accounting; **S.rotation** *f* job/staff rotation, rotation of staff; **S.schreibweise** *f* positional representation; **S.streichung** *f* staff/manning cut, staff reduction, job cut; **S.suche** *f* job search/ hunt(ing), search for employment, work hunt, office hunting *[US]*; **s.suchend** *adj* job-seeking; **S.suchende(r)/S.sucher(in)** *f/m* job hunter/seeker, office seeker; **S.umlage** *f* departmental charge; **S.tausch** *m* job rotation; **S.vergaberecht** *nt* patronage; **S.vermehrung** *f* increase of jobs; **S.vermittler** *m* employment/placement officer

Stellenvermittlung *f* employment agency, placement agency/service/bureau, appointments bureau, job placement; **private S.** *f* job bank, body shop *(coll)*; **staatliche S. (für leitende Stellungen)** appointments board *[GB]*; **S.sbüro** *nt* employment/placement *[US]* agency, registry; **S.smonopol** *nt* job placement monopoly

Stellenverzeichnis *nt* job list

Stellenwechsel *m* change of job/position, job change/switch; **häufiger S.** job-hopping; **innerbetrieblicher S.** shift of position(s)

Stellen|wechsler *m* job changer/mover; **s.weise** *adv* in places, here and there

Stellenwert *m* importance, significance; **hohen S. haben** to rank high; **S.schreibung** *f* π radix notation

Stellenzuwachs *m* increase in the number of jobs

Stell|fläche *f* shelf space; **S.geld** *nt* premium for double options; **S.geschäft** *nt (Börse)* put and call (option), spread *[US]*, privilege, straddle; **S.kurs/S.preis** *m* put and call price; **S.macher** *m* wheelwright; **S.platz** *m* 1. *(Container)* slot; 2. container depot; 3. 🚗 (reserved) parking space

Stellung *f* → **Stelle** 1. position, job, situation, post, office; 2. status, rank, standing, state, grade; 3. foothold; 4. capacity; 5. attitude; **ohne S.** unemployed, jobless, out of a job, unplaced; **S. eines Antrags** filing of an application; **S. ohne Aufstiegsmöglichkeiten** terminal/blind-alley job; **S. im Beruf** occupational status, professional standing; **S. in der Hierarchie** position in the organisation; **S. im Markt** competitive position; **S. gesucht** *(Inserat)* situations wanted

Stellung ablehnen to turn down a job; **S. annehmen** to accept a job/position; **S. anstreben** to seek a position; **S. antreten** to start on a job, to take up a position; **S. aufgeben** to resign, to quit a job; **S. ausbauen** to consolidate one's position; **S. behaupten** to hold one's own; **S. beibehalten** to stay on/in the job; **S. bekleiden** to fill/hold a position, to hold office, to occupy a post; **S. bekommen** to get a job, to obtain a position; **sich um eine S. bemühen/bewerben** to apply for a position/ job; **jdn in eine S. berufen** to appoint so. to an office; **S. für jdn besorgen** to find/get so. a job; **S. beziehen** to take a stand, to voice one's opinion; **S. einnehmen** to occupy a position; **jdn seiner S. entheben** to relieve/dismiss so. from his post; **S. ergattern** to grab a job *(coll)*; **S. erhalten/erlangen** to get a job/position; **S. festigen** to consolidate a position; **S. finden** to find work, to land a job *(coll)*; **~ für jdn** to fix so. up with a job; **S. (inne)haben** to occupy a position; **beherrschende S. (inne)haben** to have a predominant position; **erstklassige S. (inne)haben** to have a first-rate job; **S. halten** to keep the flag flying *(fig)*; **seine S. halten** to hold down a job; **S. kündigen** to give notice (to one's employer); **jdm eine S. nachweisen/verschaffen; jdn in einer S. unterbringen** to find so. a job; **S. nehmen** to comment, to give an opinion, to take/express a view; **ohne S. sein** to be out of a job, ~ jobless; **nach einer S. suchen** to seek a position, to look for employment; **S. übernehmen** to take a position; **sich nach einer S. umsehen** to look for a job; **S. verlieren** to lose one's job; **S. wechseln** 1. to change jobs/position; 2. *(häufig)* to job-hop *(coll)*; **jdn in seine S. wiedereinsetzen** to reinstate so.

amtliche Stellung *f* official position; **begehrenswerte S.** plum job *(coll)*; **beherrschende S.** dominant position; **bequeme S.** flat/cushy job *(coll)*; **besoldete S.** salaried position; **bevorzugte S.** privileged position; **gut bezahlte S.** well paid position; **hoch dotierte S.** highly paid job; **feste S.** permanent position; **freie S.** vacancy, open position; **führende S.** executive/managerial/leading position; **gehobene(re) S.** senior position; **gesellschaftliche S.** social position/status; **grundbuchrechtliche S.** position in the land register; **güterrechtliche S.** status of marital property; **hierarchische S.** position in the organisation; **hohe/höhere S.** senior position, seniority; **leitende S.** management/ executive/senior/managerial position; **in leitender S.** in managerial capacity; **Markt beherrschende S.** dominant market/trading position; **niedrige S.** subordinate position; **passende S.** suitable position; **privatrechtliche S.** private legal status; **rechtliche S.** legal position; judicial office; **senkrechte S.** upright position; **sichere S.** 1. footing; 2. safe job *(coll)*; **soziale S.** social situation/status, class; **statusrechtliche S.** legal status; **unbedeutende S.** minor position; **unkündbare S.** (life) tenure, permanent appointment; **untergeordnete S.** inferior/subordinate position; **verantwortliche S.** position of responsibility; **verantwortungsvolle S.** responsible position; **vorgeschobene S.** advance position; **vorübergehende S.** temporary position

Stellungnahme *f* comment, reaction, view, statement, declaration, (advisory) opinion, approach, return; **keine S.** no comment; **zu Ihrer S.** for your comments; **gerichtliche S. über einen nicht angetretenen Beweis** judicial comment on failure to give evidence

Stellungnahme abgeben to make a statement, to deliver/give an opinion; **S. ablehnen** to decline to comment; **S. bekannt geben** to submit views; **S. einholen** to ask for an opinion; **sich jeder S. enthalten** to refrain from comment(ing); **S. veröffentlichen** to publish/issue a statement; **sich eine S. vorbehalten** to be non-committal

ablehnende Stellungnahme rejection, dissenting opinion; **abweichende S.** dissenting opinion/view; **erläuternde S.** explanatory statement; **gutachterliche S.** expert appraisal, expert/advisory opinion; **negative S.** unfavourable opinion; **positive S.** favourable opinion; **sachliche S.** comments as to the merits; **schriftliche S.** comments in writing, written observations; **mit Gründen versehene S.** reasoned opinion

Stellungs|befehl *m* ✈ call-up, enlistment order; **S.geber** *m* 🖳 position encoder; **S.gesuch** *nt* application for a position; **S.krieg** *m* trench warfare; **s.los** *adj* unemployed, jobless, out of a job, unplaced; **S.lose(r)** *f/m* unemployed (person), jobless (person), workless (person); **S.suche** *f* job hunting; **auf ~ sein** to be looking for a job; **S.suchende(r)** *f/m* job hunter/seeker, work searcher; **S.wechsel** *m* change of position/job(s)/employment; **häufiger S.wechsel** job hopping *(coll)*

stellvertretend *adj* vice-, deputy, acting, deputizing, substitutional, substitutionary, vicarious; **für jdn s. handeln** to act on so.'s behalf; **~ sprechen** to speak on so.'s behalf

Stellvertreter|(in) *m/f* 1. deputy, number two, representative, substitute, agent, assistant; 2. § attorney-in-fact; 3. *(HV)* proxy; **als S.** substitutional, substitutionary; **~ auftreten/fungieren/handeln** 1. to deputize, to act as deputy; 2. *(HV)* to stand proxy; **selbst kontrahierender S.** self-contracting agent; **S.kampf/S.krieg** *m* proxy/agents' war; **S.stimme** *f (HV)* proxy vote

Stellvertretung *f* 1. representation, agency, substitution; 2. *(HV)* proxy; **S. ausüben** to stand proxy; **halb offene S.** partially disclosed agency; **mittelbare S.** indirect agency; **offene S.** disclosed agency; **verdeckte S.** undisclosed agency; **wirkliche S.** actual agency; **S.srecht** *nt* § law of agency

Stellwerk *nt* 🚂 signal box *[GB]*, switch tower *[US]*, positioner

Stelze *f* stilt

sich gegen etw. stemmen *v/refl* to set one's face against

Stempel *m* 1. stamp, seal, mark, imprint; 2. ✉ postmark; 3. *(Ware)* brand; 4. ⚒ prop; **mit einem S. versehen** *(Waren)* branded; **S. aufdrücken** to stamp/imprint; to leave one's mark *(fig)*; **S. tragen** to bear the mark

Stempel|abgabe *f* stamp duty *[GB]*/tax *[US]*; **S.amt** *nt* stamp office; **S.aufdruck** *m* imprint; **S.bruder** *m (coll)* dole drawer *[GB]*; **S.farbe** *f* (stamping) ink; **s.frei** *adj* exempt from stamp duty; **S.freiheit** *f* exemption from stamp duty; **S.gebühr** *f* stamp duty *[GB]*/tax *[US]*; **S.geld** *nt* dole (money), unemployment benefit; **S.karte** *f* time/clock/attendance card; **S.kissen** *nt* ink(ing)/stamp pad; **S.marke** *f* (duty) stamp; **S.maschine** *f* stamping/cancelling machine

stempeln *v/t* 1. to stamp/mark; 2. *(Arbeitsantritt/Arbeitsschluss)* to clock in/on/out; **s. gehen** to be/go on the dole

Stempel|papier *nt* stamped paper; **s.pflichtig** *adj* subject to stamp duty; **S.ständer** *m* stamp rack

Stempelsteuer *f* stamp duty *[GB]*/tax *[US]*; **s.frei** *adj* exempt from stamp duty; **S.gesetz** *nt* Stamp Act *[GB]*; **S.marke** *f* inland revenue stamp; **s.pflichtig** *adj* subject to stamp duty

Stempel|uhr *f* time clock, attendance recorder; **S.zeichen** *nt* countermark

Steno *f* shorthand; **S. aufnehmen** to take down in shorthand

Steno|aufnahme *f* shorthand dictation; **S.block** *m* shorthand notebook/pad, steno pad, jotter; **S.graf(in)** *m/f* shorthand writer, stenographer, amanuensis *(lat.)*; **S.grafie** *f* shorthand, stenography; **s.grafieren** *v/t* to take down in shorthand; **S.grafiermaschine** *f* stenotype; **s.grafiert** *adj* in shorthand; **s.grafisch** *adj* shorthand, stenographic; **S.gramm** *nt* shorthand (draft); **~ aufnehmen** to take shorthand; **S.kontoristin** *f* shorthand clerk; **S.sekretärin** *f* shorthand secretary; **S.typist(in)** *m/f* (shorthand) typist, stenographer

Sterbe|alter *nt* age at death; **S.beihilfe** *f* death benefit/grant; **S.bett** *nt* deathbed; **S.buch** *nt* death register

Sterbefall *m* death, decease, decedent *[US]*; **S. anzeigen** to notify a death; **S. beurkunden** to register a death; **S.überschuss** *m (Vers.)* excess mortality; **S.versicherung** *f* life assurance *[GB]*/insurance *[US]*

Sterbe|geld *nt* death/funeral benefit, ~ grant, payment due on death; **S.geldversicherung** *f* death benefit insurance, funeral costs insurance, ~ expense assurance; **S.häufigkeit** *f* mortality (rate); **S.hilfe** *f* $ euthanasia; **altersspezifische S.intensität** force of mortality; **S.-jahr** *nt* year of death; **S.kasse** *f* funeral society/association; **S.kurve** *f* mortality curve

Sterben *nt* death; **S. ohne Hinterlassung eines Testaments** intestacy; **s.** *v/i* to die/decease; **kinderlos s.** to die without issue; **vorher s. als** § to predecease

Sterbende(r) *f/m* decedent *[US]*

Sterbe|ordnung *f (Vers.)* life table; **S.rate** *f* death rate; **S.register** *nt* register of deaths, death register; **S.risiko** *nt* death risk; **S.statistik** *f* mortality statistics

Sterbetafel *f* mortality/life table, mortality chart, graduated life table; **S. nach abgekürzter Berechnung; abgekürzte S.** abridged life table

Sterbe|urkunde *f* death certificate; **S.versicherung** *f* funeral insurance; **S.wahrscheinlichkeit** *f (Vers.)* expected mortality

Sterbeziffer *f* mortality/death rate; **allgemeine S. (pro 1000 Personen)** crude death/mortality rate; **altersspezifische/reine S.** refined death rate

Sterbezuschuss *m* death grant

sterblich *adj* mortal; **S.e(r)** *f/m* mortal; **S.keit** *f* mortality; **~ nach Berufsgruppen** occupational mortality

Sterblichkeits|erwartung *f* expected mortality; **S.gewinn** *m (Vers.)* mortality profit; **S.kurve** *f* mortality curve; **S.quotient** *m* mortality ratio; **S.rate** *f* mortality (rate), rate of mortality; **hohe S.rate** high mortality; **S.risiko** *nt* mortality risk; **S.rückgang** *m* decline in mortality (rates); **S.tabelle** *f* 1. mortality/life table; 2. *(Vers.)* experience table; **S.tafel** *f* actuarial table; **amtliche S.tafeln** American Experience Tables *[US]*; **S.überhang** *m* excess mortality; **S.verlauf** *m (Vers.)* mortality experience; **S.ziffer** *f* mortality (rate)

Stereo *nt* stereo; **S.anlage** *f* stereo set, hi-fi equipment; **S.aufnahme** *f* stereo recording; **S.bandgerät** *nt* stereo tape recorder; **S.empfang** *m* stereo reception; **S.gerät** *nt* stereo set; **S.fonie** *f* stereophony; **s.fonisch** *adj* stereo(phonic); **S.sendung** *f* stereo broadcast; **s.typ** *adj* stereotype(d)

steril *adj* sterile, barren; **S.isation der Frau** *f* $ hysterectomy; **s.isieren** *v/t* to sterilize

Sterilisierung *f* sterilization; **S. des Mannes** $ vasectomy; **S.skosten** *pl (Geld)* cost of sterilizing

Sterling *m* sterling; **S.ausländer** *m* sterling area non-resident; **S.block** *m* sterling area/bloc; **S.einlage** *f* sterling deposit; **S.gebiet/S.raum** *nt/m* sterling area; **S.guthaben** *nt* sterling balance; **S.obligation** *f* sterling bond; **S.saldo** *m* sterling balance; **S.silber** *nt* sterling silver; **S.wertpapier** *nt* sterling security; **S.zone** *f* scheduled territories, sterling area

Stern *m* star; **unter einem schlechtem S. (stehend)** ill-starred, ill-fated; **es steht in den S.en** *(coll)* it's anybody's guess *(coll)*; **S.chen** *nt* 1. *(*)* asterisk; 2. *(Film)* starlet

Stern|deuter *m* astrologer; **S.enbanner** *nt* Stars and Stripes, Star-Spangled Banner *[US]*; **s.förmig** *adj* radial; **s.hagelvoll** *adj (coll)* punch-drunk; **S.motor** *m* ✈ radial engine; **S.stunde** *f* great moment (in history); **S.warte** *f* observatory

stetig *adj* 1. steady, consistent; 2. continuous, continued, steadfast; 3. chronic; **s. fortschreitend** progressive; **S.keit** *f* 1. consistency; 2. continuity; 3. stability; **formelle und materielle S.keit** *(Bilanz)* consistency

stets *adv* invariably

Steuer *f* 1. tax, duty, levy, taxation, impost; 2. *(coll)* the tax people/authorities, the Inland *[GB]*/Internal *[US]* Revenue; 3. 🚗 (steering) wheel; 4. ⚓ helm, rudder; **S.n** taxation, taxes; *nt* steering

abzüglich Steuer|n less tax(es); **am S.** *(fig)* 1. in the driving seat *(fig)*; 2. at the wheel/helm; **einschließlich S.** tax included; **frei von S.n** tax-exempt; **nach S.n** 1. net of tax, after tax, tax paid; 2. post-tax; **netto S.** net of tax; **vor S.n** before tax, untaxed, pre-tax, gross of tax; **zuzüglich S.** plus tax

Steuer|n und Abgaben taxes and dues, ~ other fiscal charges; **S. auf Bodenerzeugnisse** severance tax; **S.n vom Einkommen und Ertrag** taxes on income and profit; **~ Einkommen, Ertrag und Vermögen** tax on income and property, ~ income, profits and net worth; **S.n und sonstige Einkünfte** general fund; **S. mit örtlichem Geltungsbereich** tax applied locally; **S. auf alkoholische Getränke** alcoholic beverage tax *[GB]*, liquor excise *[US]*; **~ Gewerbekapital** trading capital tax; **~ einbehaltene Gewinne** accumulated profits tax; **~ Grundbesitz** property tax; **S. für unbebaute Grundstücke** development land tax; **S. auf kurz-/langfristige Kapitalgewinne** short-term/long-term capital gains tax; **~ Kursgewinne** capital gains tax; **S. mit negativem Leistungsanreiz** regressive tax; **S.n einschließlich der Nebenabgaben** taxes together with any duties or charges accessory to them; **S.n für Rechnung eines Vertragsstaates erheben** to impose taxes on behalf of a contracting state; **S.n von Schenkungen** taxes on donations; **S. auf Selbstverbrauch** temporary investment tax; **progressive S. mit Stufentarif** graduated tax; **S.n und Umlagen** rates and taxes; **S. auf Veräußerungsgewinne** capital gains tax; **~ bewegliches Vermögen** personal property tax; **~ Vermögensübertragungen** capital transfer tax; **S.n vom Wertzuwachs** taxes on capital appreciation; **S.n, Zölle und Abgaben** taxes, duties imposts and excises *[US]*; **S. auf Zufallsgewinne** windfall (profits) tax

von der Steuer befreit tax-exempt, non-taxable *[US]*

Steuer abführen 1. to pay/surrender tax; 2. *(Quelle)* to pay/surrender tax at source; **von der S. absetzen** to set off, to allow/offset against tax, to deduct from tax; **S. abwälzen** to shift tax; **S. anrechnen** to impute (a) tax; **S. auferlegen** to impose tax; **S. aufheben** to abandon/scrap a tax; **S. aufschlüsseln** to break down a tax; **von der S. befreien** to exempt from taxation/tax(es); **S. beitreiben** to collect tax; **mit S.n belasten** to burden with taxes, to load tax on; **mit einer S. belegen** to tax, to impose/lay/put a tax on, to burden with a tax; **nicht ~ belegen** to zero-rate; **S. berechnen** to assess tax; **S.n bereitstellen** to allow for taxation, to make provisions for taxation; **S.(n) bezahlen** to pay tax(es); **bei der S. in Abzug bringen** to allow against tax; **S. einbehalten** to withhold/retain tax; **S.n einbringen** to raise taxes; **S. einführen** to impose (a) tax; **S.n einnehmen/eintreiben/einziehen** to raise/collect/levy tax(es); **von der S. entlasten** to relieve of duty; **S.n entrichten** to pay taxes; **~ erheben** to impose (a) tax, to (charge) tax, to collect/raise revenue, to levy/administer tax, to exact taxes; **hohe ~ erheben** to levy stiff taxes; **S.(n) erhöhen** to raise tax, to increase taxes/taxation; **S. erlassen** to remit a tax; **S. ermäßigen** to cut/reduce tax; **S. erstatten** to refund (a) tax; **S. festsetzen** to assess (a) tax; **S. herabsetzen** to cut/reduce (a) tax, ~ taxation; **jdn zur S. heranziehen** to tax so.; **S.(n) hereinholen** to collect tax(es); **S. herumreißen** *(fig)* to change course; **S.n hinterziehen** to evade tax, to defraud the revenue; **~ kassieren** to collect tax; **jdn ans S. lassen** 🚗 to let so. drive; **S. legen auf** to levy/impose (a) tax on; **S.n nach(be)zahlen** to pay back tax, ~ tax arrears; **S. niederschlagen** to drop/waive a tax; **S. pauschalieren** to determine tax at a flat rate; **S. rückvergüten** to refund a tax; **S.n senken** to cut/reduce taxes, ~ taxation; **sich ans S. setzen** 🚗 to take the wheel; **S.n sparen** to save tax(es); **~ stunden** to defer payment of taxes; **S. übernehmen** 1. to take over; 2. to take the helm/wheel; **S. überwälzen** to pass on/shift tax; **S. umgehen** 1. to avoid (paying) tax, to dodge tax; 2. *(illegal)* to evade tax; **S.n umlegen** to apportion taxes; **der S. unterliegen** 1. to be liable for tax, ~ subject to tax(ation); 2. *(Waren)* to attract tax/duty; **nicht ~ unterliegen** to be tax-exempt; **~ unterwerfen** to subject to tax(ation); **zur S. veranlagen** to assess tax; **S. verlangen** to charge tax/duty; **S. vermeiden** to avoid/dodge tax; **S.n verwalten** to administer taxes; **S. wenden** ⚓ to change course; **S.n zahlen** to pay tax; **zu wenig ~ zahlen** to underpay taxes; **~ zurückerstatten** to refund tax; **für ~ zurückstellen** to make provisions for taxation

abzuführende Steuer|n tax to be paid over; **abzuziehende S.** tax to be deducted; **allgemeine S.** general/broad-based tax; **angefallene S.n** accrued taxes; **anrechenbare S.** imputable tax; **anteilmäßige S.** pro-rata/proportional tax; **aufgeteilte S.** apportioned tax; **ausgewiesene S.n** declared taxes; **zu bezahlende S.** tax due, payable tax; **zu viel bezahlte S.** excess tax, overpaid taxes; **zu wenig ~ S.n** underpaid taxes; **bundesstaatliche S.** federal tax *[US]*; **degressive S.** degressive tax; **direkte S.(n)** direct tax(ation)/taxes; **persönliche ~ S.n** personal direct taxes; **doppelte S.** double tax; **drückende S.n** oppressive taxes; **einbehaltene S.(n)** Pay-As-You-Earn (PAYE) *[GB]*/withholding *[US]* tax, withholdings; **einheitliche S.** uniform tax; **einmalige S.** non-recurring tax; **einzelstaatliche S.** state tax *[US]*; **entstandene S.n** taxes incurred; **erhobene S.n** tax levied; **im Quellenabzugsverfahren ~ S.** withholding tax; **erstattungsfähige S.** refundable tax; **ertrags-/gewinnabhängige S.n** income tax, tax on profits/income; **ertragsunabhängige S.n** *(Bilanz)* other taxes; **fällige S.** tax due, payable tax; **geschätzte S.** estimated tax; **gesparte S.n** tax savings; **gestaffelte S.** progressive tax; **gestundete S.n** deferred tax; **gezahlte S.(n)** tax paid; **minus ~ S.n** net of taxation paid; **im Ausland ~ S.n** foreign tax; **zu viel ~ S.n** excess/overpaid tax; **grenzüberschreitende S.** cross-border tax; **harmonisierte S.n** *[EU]* harmonized taxes; **hinterzogene S.n** evaded/defrauded tax; **indirekte S.** indirect tax, excise duty; **~ S.n** indirect taxation/taxes, outlay tax; **inländische/innerstaatliche S.** internal/national tax; **kommunale S.n** rates *[GB]*, local taxes *[US]*; **konfiskatorische S.** confiscatory tax; **latente S.** deferred tax; **leistungshemmende S.** repressive tax; **negative S.** negative tax; **neutrale S.** neutral tax; **objektbezogene S.n** in rem *(lat.)* taxes; **örtliche S.n** rates *[GB]*, municipal/city/local tax(es); **pauschalierte S.** composition tax; **persönliche S.** direct/personal tax; **progressive S.** progressive tax; **prohibitive S.** prohibitive/penalty tax; **redistributive S.** redistributive tax; **regressive/rückwirkende S.** regressive tax; **rückerstattungsfähige S.** recoverable tax; **rückständige S.** tax arrears, unpaid/delinquent tax; **(zu)rückvergütete S.** tax refund, refunded tax; **ruinöse S.n** confiscatory taxes; **spezielle S.n** narrow-based taxes; **staatliche S.** state tax; **städtische S.n** rates *[GB]*, municipal/local taxes; **übermäßige S.** excessive tax; **überzahlte S.** excess/overpaid tax; **veranlagte S.** assessed tax, tax levied by assessment; **laufend ~ S.n** currently assessed taxes; **nicht ~ S.n** unassessed tax; **verdeckte S.** hidden tax; **vermögensabhängige S.n** taxes dependent on net worth; **zu zahlende S.** tax payable/bill *(coll)*; **zusätzliche S.** surtax, additional/supplementary/extra tax, supertax; **zweckgebundene S.** apportioned/hypothecated tax

Steuer-ABC *nt* tax primer; **S.abfindung** *f* tax settlement; **S.abführung** *f* tax payment; **S.abgabe** *f* levy; **s.abgabepflichtig** *adj* 1. taxable, dutiable; 2. *(Kommunalsteuer)* rat(e)able; **S.abkommen** *nt* tax agreement/convention; **S.ablieferung** *f* tax payment, revenue transfer; **S.ablösung** *f* commutation of taxes; **S.abschlag** *m* tax abatement; **S.abschluss** *m* tax balance sheet; **S.abschnitt** *m* fiscal period; **S.abschreibung** *f* tax write-off; **~ auf Vorräte** stock relief; **S.abteilung** *f* tax department; **S.abwälzung** *f* tax burden transfer, tax shift; **S.abwehr** *f* tax avoidance

Steuerabzug *m* tax deduction/relief/credit *[US]*; **nach S.** net of tax, after tax, post-tax; **vor S.** before tax, pretax; **S. für Eheleute** marital deduction *[US]*; **S. bei Kapital-/Lohnertrag** tax withholding; **S. über die Lohnentwicklung hinaus** overwithholding; **S. an der Quelle** tax deduction/deducted at source; **~ vornehmen** to deduct tax at source

Steuerabzugs|bescheid *m* withholding tax notice; **S.betrag** *m* amount of withholding tax; **s.fähig** *adj* tax-deductible, eligible for tax relief; **S.verfahren** *nt* Pay-As-You-Earn (PAYE) *[GB]*/withholding tax *[US]* system

Steuer|akte *f* tax file; **S.amnestie** *f* tax amnesty, amnesty for tax offenders; **S.amortisation** *f* tax amortization/capitalization; **S.amt** *nt* 1. tax/revenue office; 2. *(Stadt)* rate collector's office *[GB]*, city tax collector *[US]*; **S.änderungen** *pl* tax changes, changes in taxation; **S.änderungsgesetz** *nt* tax amendment; **S.anfall** *m* 1. tax incidence; 2. *(Ertrag)* tax yield; **S.anfangsbetrag** *m* tax threshold; **S.angelegenheit** *f* tax matter; **S.angelegenheiten** tax affairs; **S.angleichung** *f [EU]* tax harmonization; **S.anmeldung** *f* tax return; **S.anpassung** *f* coordinating taxation, tax adaptation/harmonization; **S.anpassungsgesetz** *nt* tax adaptation act

Steueranrechnung *f* tax imputation/credit *[US]*; **indirekte S.** indirect tax credit; **S.sanspruch** *m* right to claim a tax credit; **S.smethode** *f* tax credit system *[US]*; **S.sverfahren** *nt* tax credit procedure

Steuer|anreiz *m* tax/fiscal incentive; **S.anschlag** *m* tax assessment; **S.anspruch** *m* tax claim; **S.anstoß** *m* tax impact; **S.anteil** *m* revenue quota; **S.anwalt** *m* attorney/solicitor/lawyer specializing in tax matters, tax lawyer; **S.anweisung** *f* 💻 control statement/record; **S.anwendungsgebiet** *nt* tax ambit; **S.apparat** *m* 💻 selector; **S.arithmetik** *f* fiscal arithmetic; **S.arrest** *m* attachment for tax debts, distress for non-payment of taxes; **S.art** *f* type of tax; **S.aufgliederung** *f* breakdown of taxes; **S.aufkommen** *nt* tax returns/yield/receipts/collections/take/haul *(coll)*/proceeds/intake, (tax) revenue, (revenue from) taxation, yield of taxes, inland/internal *[US]* revenue; **~ erhöhen** to swell the tax haul; **S.aufschlag** *m* surtax, tax surcharge; **S.aufschub** *m* tax deferment/deferral

Steueraufsicht *f* fiscal control; **S.sbehörde** *f* fiscal authority; **S.sverfahren** *nt* tax supervision proceedings

Steuer|aufstellung *f* tax statement; **S.aufteilung** *f* tax apportionment; **S.aufwand** *m* tax expenditure; **S.ausfall** *m* tax/revenue deficit, revenue shortfall/loss, lost revenue, shortfall in tax revenue, tax revenue deficit

Steuerausgleich *m* revenue sharing; **S.sbetrag** *m* compensatory relief; **S.skonto** *nt* tax value equalization account; **S.srücklage** *f* taxation equalization reserve/account

Steuer|ausländer *m* non-resident for tax purposes; **S.ausschuss** *m* fiscal/tax committee; **S.ausweichung** *f* tax avoidance; **S.ausweis** *m* tax statement; **S.ausweitung** *f* fiscal expansion; **S.bandbreite** *f* tax band; **S.banderole** *f* revenue stamp; **s.bar** *adj* 1. taxable, liable for taxation, ~ to tax, assessable; 2. *(Kommunalsteuer)* rat(e)able *[GB]*; 3. dutiable; 4. ⚓ steerable, manoeuvrable; 5. controllable; **S.barkeit** *f* 1. taxability, liability for taxation; 2. *(Kommunalsteuer)* rat(e)ability *[GB]*; 3. manoeuvrability; **S.basis** *f* tax base; **S.beamter** *m* tax official/officer/assessor/inspector/collector, revenue officer, taxman *(coll)*; **komunaler S.beamter** rating officer; **S.bedürfnisse** *pl* tax requirements; **S.befehl** *m* 🖳 control command; **s.befreit** *adj* tax-exempt, tax-free, franked; **S.befreiter** *m* non-taxpayer

Steuerbefreiung *f* tax exemption/concession/exclusion/dispensation, exemption/immunity from tax(es), ~ taxation; **S. bei der Ausfuhr** exemption of export deliveries; **~ Einfuhr** tax exemption of import deliveries, ~ in case of importation; **zeitweilige S.** tax break/holidays

steuer|begünstigt *adj* tax-privileged, tax-deductible, tax-advantaged, tax-favoured, tax-sheltered, qualified/eligible for tax relief; **~ sein** to qualify for tax relief, to be taxed at a lower rate; **S.begünstigung** *f* tax privilege/shelter/concession, favourable tax treatment

Steuerbehandlung *f* treatment for tax purposes, tax treatment; **unterschiedliche S.** tax discrimination

Steuerbehörde *f* 1. revenue/tax(ing)/fiscal authority, tax authorities/collector/commission *[US]*, taxman *(coll)*, Inland Revenue *[GB]*, Internal Revenue Authority/Service *[US]*; 2. *(Kommunalsteuer)* rating authority *[GB]*; **Oberste S.** Board of Inland Revenue *[GB]*

Steuer|beitreiber *m* tax collector; **S.beitreibung** *f* tax collection

Steuerbelastung *f* tax burden/load/take, burden of tax(ation), tax(ation) charge, fiscal charges, tax take, impact of tax, incidence of taxation; **die S. senken** to ease fiscal reins; **erhöhte S.** increased taxation; **hohe S.** prohibitive tax(ation), tax grab *(coll)*; **höhere S.** increased taxation, heavier tax burden; **ungleiche S.** tax code/charge inequity; **S.squote** *f* tax load ratio

Steuer|beleg *m* tax voucher; **S.bemessung** *f* tax computation; **S.bemessungsgrundlage** *f* tax base, taxable amount; **S.benachrichtigung** *f* tax notice; **S.berater** *m* tax adviser/consultant/counsellor, (tax) accountant, tax return preparer *[US]*; **S.beraterhonorar** *nt* tax return preparation fee *[US]*

Steuerberatung *f* 1. tax accountancy/counselling *[US]*/consultancy; 2. tax return preparation *[US]*; **S.skosten** *pl* tax consultancy costs, ~ consultant's fees; **S.spraxis** *f* tax counselling business

Steuer|berechnung *f* tax assessment/computation/accounting; **S.berechnungsgrundlage** *f* tax base; **s.bereinigt/s.berichtigt** *adj* tax-adjusted; **S.bereinigung/S.berichtigung** *f* tax(ation) adjustment; **S.bescheid** *m* tax assessment (notice)/note, notice of assessment, tax bill/demand, bill of taxes; **endgültiger S.bescheid** final notice of assessment; **S.bescheinigung** *f* certificate for tax purposes, tax receipt, tax clearance certificate; **S.bestimmungen** *pl* tax provisions/requirements, tax collection regulations; **S.betrag** *m* tax amount, assessment; **anrechenbarer S.betrag** tax credit; **S.betrug** *m* tax evasion/fraud/dodge; **S.bevollmächtigter** *m* agent in tax matters, tax consultant/councillor; **S.bewilligungsausschuss** *m* Committee of Ways and Means *[GB]*; **S.bezirk** *m* assessment district/area; **s.bezogen** *adj* tax-based; **S.bilanz** *f* tax balance sheet, tax statement/balance/report; **S.bilanzgewinn** *m* taxable income; **S.block** *m* 🖳 control block; **S.bord** *nt* ⚓ starboard; **S.buchführung/-haltung** *f* tax accounting; **S.bürger(in)** *m/f* taxpayer; **S.daten** *pl* 🖳 control data; **S.defizit** *nt* tax/revenue deficit, ~ shortfall; **S.degression** *f* tax degression; **S.delikt** *nt* tax/revenue/fiscal offence; **S.depot** *nt* excise warehouse; **S.differenzierung** *f* tax differentiation; **S.diskriminierung** *f* tax discrimination; **S.distrikt** *m* tax district; **S.druck** *m* pressure of taxation, tax burden; **größerer S.druck** increased taxation; **S.drückeberger** *m (coll)* tax dodger; **S.durchführungsgesetz** *nt* Tax Management Act *[GB]*; **s.ehrlich sein** *adj* to be an honest taxpayer; **S.ehrlichkeit** *f* compliance *[US]*; **S.einbehaltung** *f* withholding of tax, tax deduction; **S.eingang** *m* tax revenue/receipts; **S.einheit** *f* 1. taxable object, taxing unit; 2. 🖳 file control, terminal block, control unit; **zentrale S.einheit** central control unit; **S.einkommen/S.einkünfte** *nt/pl* 1. taxable income; 2. *(Staat)* fiscal revenue(s), tax receipts/yield

Steuereinnahme(n) *f/pl* (inland/tax/fiscal) revenue, tax receipts/(in)take, revenue from taxation; **S.prognose** *pl* tax revenue forecast/projection; **S.quelle** *f* source of tax revenue

Steuer|einnehmer *m* 1. (tax) collector, collector/receiver of taxes, exciseman *(coll)*, taxman *(coll)*; 2. toll gatherer; **S.einschätzung** *f* tax assessment; **S.einsparung** *f* tax saving(s); **S.einspruch** *m* tax appeal; **S.einstufung** *f* tax classification; **S.eintreiber/S.einzieher** *m* tax collector/gatherer; **S.eintreibung** *f* tax collection/gathering

Steuereinziehung *f* tax collection/gathering, collection of taxes; **S.sbestimmungen** *pl* tax collection regulations; **S.sstelle** *f* tax collection office; **S.sverfahren** *nt* tax collection procedure

Steuer|elastizität *f* tax elasticity; **S.entlastung** *f* tax relief/benefit/break; **~ für Hypothekenzinsen** mortgage interest tax relief; **S.entrichtung** *f* payment of tax; **S.erfordernisse** *pl* fiscal requirements; **S.ergänzungs-**

tabelle *f* cumulative tax table; **S.ergebnis** *nt* tax result; **S.erheber** *m* tax collector

Steuererhebung *f* tax collection/gathering/imposition, levy, administration of taxes; **S. an der Quelle; S. nach dem Quellenprinzip** taxation/collection at source, deduction of tax at source, Pay-As-You-Earn (PAYE) *[GB]*/withholding *[US]* tax system *[GB]*; **S.srecht** *nt* right to levy taxes

Steuererhöhung *f* tax increase/increment/hike, rise in taxes

Steuererklärung *f* tax return *[GB]*/sheet/report, return; **S. abgeben** to file/submit a tax return, ~ one's annual tax return; **gemeinsame S. abgeben** to file jointly; **S. ausfüllen** to fill in one's tax return; **S. einreichen** to file a tax return

gemeinsame Steuererklärung 1. joint (tax) return; 2. filing of joint returns; **getrennte S.** separate (tax) return; **jährliche S.** annual (tax) reurn; **konsolidierte S.** consolidated (tax) return; **unrichtige S.** false (tax) return; **vorläufige S.** provisional (tax) return

Steuer|erklärungsfrist *f* filing period for taxpayers; **S.erlass** *m* tax remission/abatement/exemption

Steuererleichterung *f* tax relief/reduction/concession; **S. auf Arbeitseinkommen** earned income relief; **S.en für kleine Einkommen** small income relief; **~ kinderreiche Familien** tax privileges for large families; **~ Hypothekenschulden** mortgage tax relief; **~ Investitionen** investment tax credit; **~ gewerbliche Unternehmen** business relief; **~ mittelständische Unternehmen** small business (investment) relief; **~ Versicherungsprämien** premium tax relief; **~ Zinsausgaben** interest relief; **gesetzliche S.en** statutory taxation concessions

Steuerermäßigung *f* tax reduction/sheltering; **S. auf Arbeitseinkommen** earned income relief; **S. bei Auslandsvermögen** reduction of net worth for foreign business property; **S. der Ehefrau** wife's earned income relief; **S. auf ausgeschütteten Gewinn** distribution relief; **S. für erhöhte Lagerbewertung** stock appreciation relief; **S. beantragen** to claim tax relief; **S. erhalten** to receive tax shelter; **S. gewähren** to afford relief from tax; **degressive S.** graduated tax relief

Steuer|ermittlung *f* tax assessment; **S.ermittlungsverfahren** *nt* tax investigation proceedings; **S.ersparnis(se)** *f/pl* tax saving(s)

Steuererstattung *f* tax refund/rebate, refund of tax; **S. für ausländische Erträge** overspill relief; **S.sanspruch** *m* claim to tax rebates, tax (refund) claim

Steuer|ertrag *m* tax yield/proceeds, yield of taxes; **S.ertragshoheit** *f* revenue-raising power; **S.experte/S.fachmann** *m* tax expert/specialist; **S.exil** *nt* tax exile; **s.fähig** *adj* taxable; **S.fahnder** *m* tax investigator/inspector/ferret *(coll)*; **S.fahndung** *f* tax investigation/search; **S.fall** *m* taxation matter; **S.falle** *f* tax trap; **S.fehlbetrag** *m* tax/revenue deficit; **S.ferien** *pl* tax break/holiday(s)

Steuerfestsetzung *f* tax assessment, assessment notice; **ausgesetzte S.** suspended tax assessment; **endgültige S.** final tax assessment; **vorläufige S.** preliminary tax assessment

Steuer|feststellung *f* tax assessment; **S.flexibilität** *f* elasticity of tax revenue; **S.flucht** *f* 1. *(Hinterziehung)* tax evasion/dodging; 2. *(Vermeidung)* tax avoidance; **S.flüchtiger/S.flüchtling** *m* tax exile/dodger; **S.folgen** *pl* tax implications

Steuerforderung *f* tax claim/demand/accrual; **ausgesetzte S.** deferred tax claim; **fällige S.en** accrued taxes, tax accruals; **uneinbringliche S.en** uncollectible taxes

Steuer|formular *nt* tax (return) form; **S.fortwälzung** *f* tax shifting; **S.frage** *f* tax(-related) question

steuerfrei *adj* 1. tax-exempt, tax-free, free/clear of tax, with no tax deducted, exempt from taxation, zero-rated, non-taxable; 2. duty-free, relieved of duty

Steuerfreie(r) *f/m* non-taxpayer

Steuerfreibetrag *m* tax-exempt/tax-free amount, (tax/personal/tax-free) allowance, tax credit *[US]*, exemption

Steuerfreibetrag für Dubiose recovery exclusion; **~ mitverdienende Ehefrau** wife's earned income allowance; **~ Familienangehörige** dependency exemption; **~ Hausangestellte/Haushaltshilfe** housekeeper allowance/relief; **~ Kinder** child tax allowance, children's exemption *[US]*; **~ Lebensversicherung** life assurance *[GB]*/insurance *[US]* relief; **~ Ledige** single allowance; **~ Rentner** age allowance *[GB]*; **~ die Schaffung neuer Arbeitsplätze** new jobs credit; **~ Sozialabfindungen** redundancy rebate *[GB]*; **~ Umweltschutzmaßnahmen** pollution control tax credit *[US]*; **~ Verheiratete** married allowance; **~ bestimmte Zeiträume** tax holidays; **~ wohltätige Zwecke** tax exemption for charitable purposes

Steuerfreibetrag aufteilen to split an allowance; **S. gewähren** to grant tax exemption; **S. in Anspruch nehmen** to claim an allowance; **S. übertragen auf** to confer a tax credit (up)on

angerechneter Steuerfreibetrag tax-credit relief *[US]*; **sonst gewährte Steuerfreibeträge** allowances against other income; **persönlicher S.** personal (tax) allowance

Steuerfreigrenze *f* exemption/tax-free limit

Steuerfreiheit *f* (tax) exemption, exemption/immunity from taxation, fiscal immunity; **S. genießen** to be exempt from tax; **S. gewähren** to grant tax exemption

Steuer|freijahre *pl* tax holidays; **S.funktion** *f* control function; **S.fuß** *m* tax base; **S.gebiet** *nt* tax district; **S.gefährdung** *f* minor tax fraud, negligent tax evasion; **S.gefälle** *nt* tax difference/differential; **S.gefüge** *nt* tax structure; **S.gegenstand** *m* taxable unit/event, subject of taxation; **S.geheimnis** *nt* tax secret, tax/fiscal secrecy; **S.gelder** *pl* tax(payer's)/public money; **S.gerät** *nt* ✿ control unit

Steuergerechtigkeit *f* tax equity/justice, equitable tax burden, equal distribution of taxes; **horizontale S.** horizontal equity; **vertikale S.** vertical equity

Steuergericht *nt* tax court, revenue tribunal; **S.sbarkeit** *f* jurisdiction of the tax courts; **S.sverfahren** *nt* revenue tribunal proceedings

Steuergeschenk *nt* tax handout/giveaway

Steuergesetz *nt* tax law, Finance *[GB]*/Revenue *[US]*

Act; **S.e** tax legislation/code *[US]*; **gemäß den S.en** under/pursuant to tax law, in accordance with tax regulations; **S.entwurf** *m* tax bill; **S.gebung** *f* fiscal/tax legislation; **S.vorlage** *f* revenue bill

Steuer|gesichtspunkt *m* tax angle; **unter S.gesichtspunkten** taxwise; **S.gewinn** *m* taxable profit; **S.-gläubiger(in)** *m/f* tax creditor; **S.gleichheit** *f* equal tax burden; **S.grenze** *f* ⊝ tax/customs frontier; **S.gründe** *pl* reasons of taxation; **aus S.gründen** for tax purposes, for reasons of taxation; **S.grundlage** *f* tax base; **S.grundsätze** *pl* principles of taxation; **S.gruppe** *f* tax bracket; **S.guthaben** *nt* tax credit; **S.gutschein** *m* certificate of tax deposit *[GB]*, tax voucher/bond *[US]*, tax anticipation note/warrant *[US]*; **handelbarer S.gutschein** negotiable tax credit certificate, ~ tax voucher

Steuergutschrift *f* tax credit/voucher; **S. für Arbeitseinkommen** earned income credit/relief; **S. enthalten** to carry a tax credit; **S. übertragen auf** to confer a tax credit (up)on

Steuer|haftung *f* tax liability; **S.harmonisierung** *f* tax harmonization, harmonization of taxes; **S.häufung** *f* tax accumulation; **S.hebebezirk** *m* tax district; **S.hebeliste** *f* assessment/tax roll; **S.hehler** *m* tax receiver, tax fraud abettor; **S.hehlerei** *f* tax receiving; **S.helfer** *m* tax expert; **S.herabsetzung** *f* tax cut/reduction; **S.hinterzieher** *m* tax evader/dodger, defrauder

Steuerhinterziehung *f* tax evasion/dodging/fraud, evasion of tax, fiscal evasion, defraudation of the revenue; **S. und sonstige Steuerverkürzungen** fiscal fraud or fiscal evasion; **S. begehen** to defraud the revenue

Steuerhöchst|grenze *f* tax limit; **S.satz** *m* marginal/maximum tax rate; **~ für Spitzenverdiener** top marginal tax rate

Steuerhoheit *f* fiscal sovereignty/jurisdiction, taxing power/authority, power to levy tax; **abgeleitete S.** derived taxing power; **S.sgebiet** *nt* tax jurisdiction

Steuer|immunität *f* immunity from taxation; **S.index** *m* tax index; **S.indexierung** *f* tax indexation; **S.inflation** *f* tax inflation; **S.inländer** *m* resident taxpayer; **S.inspektor** *m* tax inspector, inspector of taxes; **S.interesse** *nt* fiscal interest; **S.inzidenz** *f* tax incidence/burden, incidence of taxation; **S.-Ist** *nt* actual tax revenue; **S.jahr** *nt* tax/fiscal/financial year, fiscal accounting year, year of assessment; **laufendes S.jahr** current taxable year; **S.jurist** *m* tax lawyer; **S.kalender** *m* tax calendar; **S.karte** *f* 1. tax sheet/card; 2. 🖳 pilot/parameter card; **S.kasse** *f* revenue fund; **S.kataster** *m/nt* tax roll; **S.kenntnisse** *pl* tax knowledge; **S.kennziffer** *f* tax code/coding; **S.klasse** *f* 1. tax bracket/group/band/position; 2. filing status *[US]*; **S.klassifikation** *f* grouping of taxes; **S.kniffe** *pl* (tax) tricks/dodges; **S.knüppel** *m* ✈ joystick; **S.kraft** *f* 1. tax-raising/revenue-raising power, 2. tax base, taxable capacity; **nachlassende S.kraft** shrinking tax base; **S.kriminalität** *f* tax crime; **S.kuchen** *m (fig)* revenue total

Steuerkurs *m (Wertpapiere)* taxable value, price for tax purposes; **S.wert** *m* taxable market value; **S.zettel** *m* tax-purposes price list

Steuer|kürzung *f* tax cut/reduction; **S.lager** *nt* excise/bonded warehouse

Steuerlast *f* tax/fiscal burden, burden/weight/pressure of taxation, burden of tax, tax incidence/load/bill *(coll)*; **S.quote (pro Kopf der Bevölkerung)** *f* tax load ratio, per capita tax burden/load, level of taxation; **S.verteilung** *f* distribution of tax burden

Steuer|lehre *f* tax(ation) theory; **betriebswirtschaftliche S.lehre** business/corporate taxation; **S.leistung** *f* tax yield; **S.leistungsfähigkeit** *f* taxable capacity

steuerlich *adj* tax, fiscal; **nicht s.** non-tax; **s. gesehen** taxwise

Steuer|liste *f* tax roll/list; **S.lochkarte** *f* 🖳 pilot card; **S.lücke** *f* tax loophole; **S.mahnung** *f* tax reminder; **S.manipulation** *f* fiscal manipulation

Steuermann *m* ⚓ helmsman, mate, navigator; **S.spatent** *nt* mate's certificate; **S.squittung** *f* mate's receipt (M.R.)

Steuer|marke *f* (internal) revenue stamp, tax stamp; **S.markenfälschung** *f* forgery of a revenue stamp; **S.maßnahme** *f* tax measure; **geplante S.maßnahme** tax proposal; **S.maßstab** *m* standard of taxation; **S.-maxime** *f* principle of taxation; **S.mechanismus** *m* control mechanism; **S.mehrbetrag** *m* increased tax; **S.mehreinnahme** *f* increased tax receipt; **S.mehreinnahmen** higher tax receipts/revenue, excess tax intake; **S.meldepflicht** *f* legal obligation to file tax returns; **S.merkmal** *nt* tax feature/coding

Steuermess|bescheid *m* tax assessment notice; **S.betrag** *m* tax rate, tentative tax, ratal; **S.wert** *m* 1. taxable value; 2. *(Kommunalsteuer)* rat(e)able value; **S.zahl** *f* basic rate of tax; **allgemeine S.zahl** general basic rate

Steuer|methode *f* taxation method; **S.milderung** *f* tax abatement; **S.mindereinnahme(n)** *f/pl* revenue shortfall, shortfall in tax revenue, lower tax revenue/receipts, smaller tax intake; **s.mindernd** *adj* tax-reducing, revenue-reducing; **S.minderung** *f* tax deduction/reduction; **S.mindestsatz** *m* minimum taxation rate; **S.mittel** *pl* taxpayer's money, tax revenue/proceeds, revenue fund; **S.modus** *m* ✿ control mode; **S.monat** *m* tax(-payment) month; **S.monopol** *nt* fiscal/tax monopoly; **S.moral** *f* taxpayer's honesty, tax morale, attitude to taxation, compliance *[US]*; **S.multiplikator** *m* tax multiplier

steuern *v/t* 1. ⚓ to navigate/steer/pilot; 2. to control; 3. to guide/direct

Steuernachforderung *f* additional tax demand

Steuernachlass *m* tax relief/rebate, (tax) abatement, remission; **S. für unterhaltsberechtigte Angehörige** allowance for dependents/dependants; **~ Betriebsverluste** relief for trading purposes; **S. im Konzernverband** group relief

Steuer|nachteil *m* tax disadvantage; **S.nachveranlagung** *f* tax reappraisal; **S.nachzahlung** *f* payment of tax arrears; **anonyme S.nachzahlung** conscience money; **s.neutral** *adj* not affecting/attracting tax; **S.normen** *pl* tax provisions; **S.nöte** *pl* fiscal problems; **S.novelle** *f* tax (amending) bill; **S.nummer** *f* tax (identifying) number, tax office reference number; **S.oase/S.paradies**

f/nt tax haven/shelter; **S.objekt** *nt* taxable unit; **s.optimierend** *adj* tax-favourable, tax-reducing; **s.optimiert** *adj* tax-optimized, tax-efficient; **S.optimierung** *f* tax efficiency; **S.ordnung** *f* tax system; **S.ordnungswidrigkeit** *f* fiscal violation, breach of tax regulations; **s.orientiert** *adj* guided by tax considerations; **S.paket** *nt* tax package; **S.pauschale** *f* lump-sum tax; **~ zahlen** *f* to compound for a tax; **S.pauschalierung** *f* lump-sum taxation; **S.pauschalsatz** *m* lump-sum tax rate; **S.periode** *f* fiscal period; **S.pfandrecht** *nt* tax lien; **S.pfändung** *f* tax foreclosure, distress

Steuerpflicht *f* taxability, liability for tax, ~ to pay tax, tax liability; **der S. unterliegen** to be liable for tax, ~ taxable; **beschränkte S.** limited tax liability; **erweiterte S.** extended tax liability; **latente S.** contingent/latent tax liability; **unbeschränkte S.** full tax liability; **ungemilderte S.** unreduced tax liability

steuerpflichtig *adj* 1. liable for tax(ation), ~ to pay tax, taxable, subject to tax(ation), assessable, tax-attracting; 2. dutiable, listable, chargeable; 3. *(Kommunalsteuer)* rat(e)able; **nicht s.** tax-free, non-taxable, non-taxpaying, non-assessable, untaxable; **unbeschränkt s.** subject to unlimited tax liability

Steuerpflichtige(r) *f/m* (legal) taxpayer, taxable person; **S. im unteren Proportionalbereich** basic-rate taxpayer; **inländischer S.** resident/domestic taxpayer; **säumiger S.** dilatory taxpayer; **im Ausland wohnhafter S.** non-resident taxpayer

Steuer|pflichtigkeit *f* taxability, liability for tax; **S.politik** *f* fiscal/tax(ation) policy; **zurückhaltende S.politik** fiscal restraint; **s.politisch** *adj* fiscal; **S.posten** *m* tax item; **S.präferenz** *f* tax preference/privilege; **S.prinzip** *nt* principle of taxation; **S.privileg** *nt* tax privilege; **S.problem** *nt* tax-related question; **S.programm** *nt* 1. tax program(me); 2. 🖳 control program; **S.progression** *f* tax progression, progressive taxation, fiscal drag; **S.prozess** *m* tax lawsuit/litigation; **S.prüfer** *m* tax investigator/inspector *[GB]*/auditor *[US]*; **S.prüfung** *f* tax investigation/inspection *[GB]*/audit *[US]*/probe; **~ durchführen** to conduct a tax audit; **S.pult** *nt* ϟ/🖳 control desk, console (control unit)

Steuerquelle *f* source of tax revenue, revenue raiser; **S.n erschließen** to open up new sources of tax revenue; **sprudelnde S.n** productive sources of revenue

Steuerquittung *f* tax bond *[US]*

Steuerquote *f* rate of taxation, tax (load)/taxation ratio, per capita tax burden; **gesamtwirtschaftliche S.** overall tax receipts; **individuelle S.** individual tax ratio

Steuer|rabatt *m* tax rebate; **S.rad** *nt* 🚗 steering wheel; **S.rate** *f* tax instalment, rate of duty

Steuerrecht *nt* tax(ation)/revenue law, law of taxation; **internationales S.** international law of taxation; **s.lich** *adj* fiscal; **S.sänderung** *f* change of tax law; **S.rechtssprechung** *f* court rulings in tax matters

Steuerreferent(in) *m/f* tax expert/specialist

Steuerreform *f* tax reform/revision *[US]*; **große S.** comprehensive tax reform; **kleine S.** minor tax reform; **S.bündel/S.paket** *nt* tax reform package; **S.gesetz** *nt* tax reform bill, Tax Reform Act *[US]*

Steuer|regelung *f* tax law/provision; **S.register** *nt* tax register; **S.regression** *f* tax regression; **S.relais** *nt* ϟ control relay; **S.revision** *f* tax inspection *[GB]*/audit *[US]*, inland revenue inspection, tax field audit; **S.revisor** *m* tax inspector; **S.rhythmus** *m* timing of tax payments; **S.richtlinie** *f* tax guideline/rule/regulation; **S.rolle** *f* tax roll

Steuerrückerstattung *f* tax refund; **S. beantragen** to claim tax back; **S.santrag stellen** *m* to file a refund claim

Steuerrück|lage *f* provision for tax, tax(ation) reserve; **S.stand** *m* tax arrears, overdue/back taxes; **S.stände** arrears of taxes

Steuerrückstellung *f* tax reserve, deferred tax provision; **S.en** tax accruals, provision/reserve for taxes, provisions for deferred taxes/taxation, taxes reserved; **~ vornehmen** to make provisions for tax; **überhöhte S.** overprovision of tax, tax overprovided

Steuer|rückvergütung *f* tax refund, drawback; **S.rückvergütungsanspruch** *m* tax refund claim; **S.rückwälzung** *f* passing back of taxes; **S.rückzahlung** *f* tax refund/rebate; **S.sache** *f* tax matter; **S.sachverständiger** *m* tax specialist/expert/counsellor

Steuersatz *m* 1. tax rate, rate/level of tax(ation), rating, rate of assessment; 2. ⊖ rate of customs/duty; **S. anheben** to raise the tax rate

anwendbarer Steuersatz applicable tax rate; **effektiver S.** effective rate (of tax); **einheitlicher S.** flat tax rate; **ermäßigter S.** reduced tax rate; **gespaltener S.** split tax rate; **gestaffelter S.** progressive/sliding-scale tax rate; **höchster S.** maximum tax rate; **nicht progressiver S.** non-progressive tax rate; **tatsächlicher S.** effective rate (of tax); **verkürzter S.** reduced tax rate

Steuer|säumnis *nt* dilatoriness in effecting tax payments, tax delinquency *[US]*; **S.säumniszuschlag** *m* tax penalty; **S.schätzer** *m* tax assessor; **S.schätzung** *f* tax assessment, (tax) revenue estimate/forecast/projection; **S.schein** *m* ⊖ customs house bond; **S.schlupfloch** *nt* tax loophole; **S.schlüssel** *m* tax code; **S.schraube** *f* tax screw; **~ anziehen** to turn the tax screw, to squeeze the taxpayer

Steuerschuld(en) *f/pl* (amount of) tax due/payable, accrued taxes, tax(es) owing, tax(ation) liability, fiscal liabilities, tax obligations; **S. des Rechtsnachfolgers** transferee liability; **latente S.en** deferred taxes/taxation

Steuer|schuldner(in) *m/f* tax debtor, person liable to taxes; **S.schuldverhältnis** *nt* government-taxpayer relationship; **s.schwach** *adj* fiscally weak; **S.schwelle** *f* tax threshold; **S.schwemme** *f* revenue glut; **S.schwindel** *m* tax ramp *(coll)*; **S.schwindler** *m* tax cheat; **S.senkung** *f* tax cut/reduction, reduction of taxes; **lineare S.senkung** across-the-board/all-round tax cut; **S.situation** *f* tax situation; **S.sitz** *m* domicile for tax purposes; **S.skala** *f* tax scale; **S.skandal** *m* tax scandal; **S.soll** *nt* revenue target, tax due; **s.sparend** *adj* tax-saving, tax-efficient; **S.sparmodell** *nt* tax-saving/tax relief scheme; **S.spezialist** *m* taxation specialist; **S.staffelung** *f* graduated taxation; **s.stark** *adj* fiscally strong; **S.status** *m* tax status; **S.stelle** *f* tax collection office; **S.stempel** *m* revenue stamp; **S.steppe** *f (fig)* high-tax country; **S.strafe** *f* tax penalty/fine, penalty for a tax offence

Steuerstraf|recht *nt* law on criminal prosecution for tax offenders; **S.sache** *f* revenue/tax offence (case); **S.tat** *f* tax/revenue offence; **S.verfahren** *nt* criminal prosecution of a tax offence

Steuer|streik *m* taxpayer's strike; **S.streitfrage** *f* tax dispute; **S.struktur** *f* structure of taxation

Steuerstufe *f* tax bracket; **höchste S.** top tax bracket; **hohe S.** high tax bracket

Steuer|stundung *f* tax deferment/deferral *[US]*/moratorium, deferred taxation, tax spare loan; **S.subjekt** *nt* taxpayer, taxable entity; **S.sünder** *m* tax offender; **S.sünderfonds** *m* conscience fund *[US]*

Steuersystem *nt* tax system/regime/structure, fiscal/taxation system; **investitionsförderndes Steuer- und Abgabensystem** tax system encouraging new investments; **gespaltenes S.** two-tier tax system; **proportionales S.** proportional tax system

Steuer|systematik *f* tax planning; **S.systematiker** *m* tax planner; **S.tabelle** *f* 1. tax table/schedule, rate schedule; 2. ▭ control dictionary

Steuertarif *m* tax scale/rate/schedule, rate of taxation; **progressiver S.** progressive rate of taxation; **proportionaler S.** proportional rate of taxation

Steuer|taste *f* ▭ control key; **S.tatbestand** *m* taxable event; **S.technik** *f* 1. machinery of taxation; 2. control mechanism; 3. cybernation; **S.- und Regeltechnik** control engineering; **s.technisch** *adj* tax, revenue; **S.termin** *m* tax deadline, tax maturity/payment date; **großer S.termin** major tax payment date; **S.theorie** *f* tax(ation) theory; **S.träger** *m* 1. tax-levying authority; 2. taxpayer; **S.transparenz** *f* transparency of the tax system; **S.trick** *m* tax ploy/dodge; **S.überlegungen** *pl* tax considerations; **S.überprüfung** *f* tax inspection *[GB]*/audit *[US]*; **S.überschuss** *m* revenue surplus; **S.überwälzung** *f* tax shift(ing), passing forward; **S.überzahlung** *f* overpayment of tax; **s.umgehend** *adj* tax-avoiding; **S.umgeher** *m* tax avoider/dodger; **S.umgehung** *f* tax avoidance/dodge; **unerlaubte S.umgehung** tax evasion; **S.umlage** *f* tax levy

Steuerung *f* 1. 🚗 steering; 2. ⚓ navigation, piloting; 3. guidance, direction, management; 4. regulator, control (system); **numerische S. mit Computern** computerized numerical control (CNC); **S. des Entscheidungsprozesses** decision control; **S. der Liquiditätsströme** finance engineering; **S. des Materialdurchlaufs** materials management; **S. von Produktionsprozessen** process control; **automatische S.** 🚗 servo-control, ✈ auto-pilot; **elektronische S.** electronic control; **offene S.** feed forward

Steuerungs|ablauf *m* ▭ control sequence; **S.ausschuss** *m* steering/ruling committee; **S.funktion** *f* 1. control function; 2. allocative function; **S.instrument** *nt* control instrument; **S.rechner** *m* process control computer; **S.system** *nt* control/guidance system; **S.technik** *f* control engineering; **klassische S.technik** conventional methods of credit control

steuer|unschädlich *adj* not attracting tax, tax-avoiding; **S.unterlagen** *pl* tax papers/digest; **S.unterschied** *m* tax difference; **S.untersuchung** *f* tax investigation/probe; **s.unwirksam** *adj* not affecting/attracting tax

Steuerveranlagung *f* 1. tax assessment, taxation; 2. *(Kommune)* rating; **S.sbeamter** *m* 1. tax assessor; 2. *(Kommune)* rating officer; **S.sbezirk** *m* assessment district; **S.sstelle** *f* assessment office; **S.szeitraum** *m* assessment period

Steuer|verbindlichkeiten *pl* tax liabilities/obligations, taxes payable; **aufgeschobene/passivierte S.verbindlichkeiten** deferred tax; **S.verbund** *m* tax pool; **S.vereinbarung** *f* tax convention; **S.vereinfachung** *f* tax simplification, simplification of taxation; **S.vereinheitlichung** *f* harmonization of taxation; **S.verfahren** *nt* tax (collection) procedure; **S.verfügung** *f* tax assessment note; **S.vergehen** *nt* tax offence/violation; **S.vergleich** *m* tax comparison

Steuervergünstigung *f* tax allowance/relief/concession/credit/break/benefit/advantage, tax(ation) privilege, favourable tax treatment, stimulative exemption

Steuervergünstigung für Berufstätige earned income relief; **~ Betriebskredite** business credit relief *[GB]*; **S.en für Investitionen** investment tax credit; **S. an Offshore-Plätzen** offshore tax concession; **S. für Schuldenrückzahlung** relief for debts *[GB]*; **~ Zinsen** relief in respect of interest paid

Steuervergünstigung|en auslaufen lassen to phase out tax relief; **S. in Anspruch nehmen** to claim tax relief; **S.srichtlinien** *pl* tax relief *[GB]*/credit *[US]* rules

Steuer|vergütung *f* tax rebate/refund; **S.verkauf** *m* tax-induced sale; **S.verkürzung** *f* 1. tax reduction; 2. tax/fiscal evasion, unlawful curtailment of taxes; **S.verlagerung** *f* tax shift; **S.verlust** *m* tax/revenue loss, lost revenue; **S.verlustvortrag** *m* tax loss carry-forward, ~ carryover *[US]*; **S.vermeidung** *f* tax avoidance; **S.verpachtung** *f* tax farming; **latente S.verpflichtungen** contingent tax liabilities; **S.verpflichtungsgrund** *m* taxable event; **S.verschiebung** *f* tax shift; **S.verschuldung** *f* fiscal indebtedness; **S.versicherung** *f* tax insurance; **S.verteilung** *f* apportionment of taxes/revenue; **S.verteilungsschlüssel** *m* tax apportionment formula

Steuerverwaltung *f* tax authority, taxation department, tax/fiscal administration, Board of Inland Revenue *[GB]*, Internal Revenue Service (IRS) *[US]*; **S.sakt** *m* administrative fiscal act; **S.sbezirk** *m* tax district

Steuer|verzicht *m* tax waiver; **S.vollmacht** *f* tax warrant; **S.vollstreckungsrecht** *nt* tax enforcement law; **S.voranschlag/S.vorausschätzung** *m/f* tax/revenue estimate; **S.vorauszahlung** *f* prepayment of tax, advance tax payment/instalment, deferred tax; **S.vordruck** *m* tax form; **S.vorgriff** *m* tax anticipation; **S.vorgriffsschein** *m* tax anticipation bond *[US]*; **S.vorlage** *f* finance *[GB]*/revenue *[US]*/tax bill; **S.vorschriften** *pl* tax regulations; **S.vorteil** *m* tax advantage/privilege/benefit/break, fiscal advantage; **S.vortrag** *m* tax carry-forward *[GB]*, tax carryover *[US]*; **S.wagen** *m* 🚆 driving van trailer; **S.werk** *nt* ▭ control unit; **S.wert** *m* 1. taxable/assessed value, value for tax purposes; 2. *(Kommunalsteuer)* rat(e)able value *[GB]*; **S.wesen** *nt* taxation, tax/fiscal system; **S.widerstand** *m* resistance to taxation; **s.wirksam** *adj* tax-efficient, tax-effective, tax-affecting, revenue-efficient *[GB]*; **S.wirkung** *f* tax effect/impact; **S.wirtschaftslehre** *f* economic theory of taxation; **S.wohnsitz** *m* fiscal domicile, residential status for tax

Steuerzahler *m* 1. taxpayer; 2. *(Gemeinde)* ratepayer *[GB]*; **S. im unteren Proportionalbereich** basic-rate taxpayer; **S. in der Spitzenklasse** top-rate taxpayer; **säumiger S.** dilatory taxpayer

Steuerzahllast *f* amount of tax payable

Steuerzahlung *f* tax payment; **von der S. Befreite(r)** exempt taxpayer; **sich vor der S. drücken** to evade paying tax; **anonyme S.** conscience money; **zurückgestellte S.en** *(Bilanz)* deferred taxes

Steuer|zeichen *nt* 1. 🖳 control character; 2. revenue stamp; **S.zeichenfälschung** *f* forgery of a revenue stamp; **S.zeitschrift** *f* tax journal

Steuerzuschlag *m* (tax) surcharge, surtax, supertax; **S. für Kapitaleinkünfte/-erträge** investment income surcharge; **mit S. belegen** to surcharge; **rückzahlbarer S.** loan levy

Steuer|zuwachs *m* increased tax revenue; **S.zuwiderhandlung** *f* tax offence, violation of the tax laws; **S.-zwangsverkauf/-versteigerung** *m/f* tax sale; **S.zwecke** *pl* tax purposes

Steven *m* ⚓ stem

Steward *m* steward, porter *[US]*; **S.ess** *f* stewardess, (air) hostess

stibitzen *v/t* *(coll)* to pinch/pilfer/filch

Stich *m* 1. *(Nadel)* prick; 2. *(Messer)* stab; 3. *(Gravur)* engraving; 4. ⚕ *(Insekt)* bite; **im S. gelassen sein** to be left holding the baby *(coll)*

Stich|bahn *f* 🚆 spur line; **S.datum** *nt* key/critical/collection date; **S.entscheid** *m* casting vote, tie-break *[US]*, final ballot; **S.gleis** *nt* 🚆 spur track

stichhaltig *adj* valid, sound, relevant, substantive, solid, cogent, conclusive; **(nicht) s. sein** (not) to hold water *(fig)*; **S.keit** *f* validity, soundness, conclusiveness

Stich|kartei *f* visible record; **S.kupon** *m* renewal coupon; **S.kurs** *m* declaration day price; **S.leitung** *f* branch line; **S.monat** *m* relevant month

Stichprobe *f* 1. (random) sample, sample taken offhand; 2. spot check/test, test, sample test/check; 3. sample survey; **S. mit/ohne Zurücklegen** sampling with/without replacement; **S. (ent)nehmen/ziehen** to take/draw a sample, to sample; **S. hochrechnen** to blow up/raise a sample, to extrapolate; **S.n machen** to spot-check

angepasste/ausgewogene Stichprobe balanced sample; **subjektiv ausgewählte S.** judgment sample; **einseitig betonte S.** biased sample; **gekoppelte S.n** linked samples; **gemischte S.** mixed sample; **geschichtete S.** stratified sample; **bewusst gewählte S.** purposive sample; **zufällig ~ S.** random sample; **gewichtete S.** balanced/differential sample; **gezielte S.** precision sample; **zu große S.** oversample; **ineinandergreifende S.n** integrating sample, network of samples; **konkordante S.** concordant sample; **kontinuierliche S.n** continuous sampling; **kontrollierte S.** controlled sample; **mehrstufige S.** multi-stage/multiple/nested sample, network of samples; **permanente S.** panel; **planlose S.n** chunk sampling; **repräsentative S.** representative sample/selection, average/adequate sample; **sequenzielle S.** sequential/item-by-item sample; **systematische S.** systematic sample; **unendliche S.** infinite sample; **ungeschichtete S.** simple sample; **unkontrollierte S.n** haphazard sampling; **unverzerrte S.** unbiased sample; **unvollständige S.** defective sample; **verbundene S.n** matched samples; **verzerrte S.** biased sample/sampling; **nicht zufällige S.** non-random selection; **zweistufige S.** two-stage sample/sampling, double sample

Stichproben|aufteilung *f* allocation of samples; **S.auswahl** *f* random sample selection; **S.befragung** *f* haphazard sampling; **S.einheit** *f* sample/sampling unit, unit of sampling

Stichprobenentnahme *f* sampling; **S. aus der Masse** bulk sampling; **indirekte S.** indirect sampling; **planlose S.** chunk sampling

Stichproben|erhebung *f* sample survey, random sampling/sample; **S.erhebungsgrundlage** *f* frame; **S.fehler** *m* sampling error; **S.gruppe** *f* sampling fraction; **S.inventur** *f* sampling inventory, random sample inventory, ~ stocktaking; **S.kenngröße** *f* sample statistic; **S.kontrolle** *f* spot check, sampling inspection; **S.kosten** *pl* cost of sample; **S.maßzahl** *f* sample statistic; **S.methode** *f* sampling method; **S.mittelwert** *m* sample mean; **S.nahme** *f* sampling; **direkte S.nahme** direct sampling; **S.netz** *nt* sample network

Stichprobenplan *m* sample/sampling plan, sample design; **geschichteter S.** stratified sampling probe; **zweistufiger S.** double/two-tier sampling

Stichproben|population *f* sample population; **S.prüfplan/S.prüfung** *m/f* random test, sampling (inspection), sample testing; **abgebrochene S.prüfung** curtailed sampling; **S.raum** *m* sample space; **S.struktur** *f* sampling structure; **S.technik** *f* sampling technique; **S.theorie** *f* theory of sampling; **S.umfang** *m* sample size/number, range of sample; **S.untersuchung** *f* spot survey; **S.variable** *f* sample value

Stichprobenverfahren *nt* sampling (procedure/technique); **S. im Gittermuster** lattice sampling; **S. mit Klumpenauswahl** nested sampling; **~ Unterauswahl** sub-sampling

einfaches/ungeschichtetes Stichprobenverfahren simple sampling; **einstufiges S.** unitary sampling; **gemischtes S.** mixed sampling; **geschichtetes S.** stratified sampling; **mathematisches S.** statistical sampling; **mehrstufiges S.** multi-stage sampling; **sequenzielles S.** sequential sampling; **unkontrolliertes S.** haphazard/accidental sampling; **zufallsähnliches S.** quasi-random sampling; **zweistufiges S.** double/two-phase sampling

Stichproben|vergleich *m* sample comparison; **S.verteilung** *f* sampling distribution; **s.weise** *adv* at random, as a sample; **S.zählung** sample census, microcensus

Stichstraße *f* access/accommodation/spur road

Stichtag *m* 1. deadline, closing/reference/effective/call/target/qualifying/key/record/cut-off date, appointed day; 2. date of survey/reference; 3. settlement/account day; **S. des Auszugs** statement date

Stichtags|bewertung *f* closing/opening/current-year assessment; **s.bezogen** *adj* 1. as per balance sheet date; 2. cut-off date, on a fixed day; **S.ergebnis** *nt* result on the relevant date; **S.inventur** *f* periodical/end-of-period inventory; **S.kurs** *m* market price on reporting date; **S.methode** *f* reporting date method; **S.voraussetzungen** *pl* conditions to be met by the qualifying date

Stichwahl *f* casting/decisive vote, run-off ballot, tie-break *[US]*

Stichwort *nt* 1. keyword, cue, code word; 2. *(Wörterbuch)* headword, password; **S. verpassen** to miss one's cue; **S.katalog** *m* subject catalogue; **S.verzeichnis** *nt* subject index/catalog(ue), key-word index; **S.zettel** *m* cue card

Stichzahl *f* code/test number, quota

Stickstoff *m* ⚗ nitrogen; **S.monoxyd** *nt* nitrogen monoxide; **S.oxyd** *nt* nitric/nitrogen oxide

Stief|(bruder/S.mutter etc) step(brother/mother etc.); **S.kind** *nt (fig)* Cinderella *(fig)*

Stiege *f* 1. crate; 2. staircase, (flight of) stairs

Stier *m* bull, steer; **S. bei den Hörnern packen** *(fig)* to take the bull by the horns *(fig)*, to grasp the nettle *(fig)*

Stift *m* 1. stick, pin, stud, plug; 2. *(Lehrling) (coll)* apprentice; *nt (Stiftung)* foundation

stiften *v/t* to found/endow/donate, to make a contribution/donation, to put up

Stifter *m* founder, donor, sponsor, donator, benefactor, settler, grantor *[US]*; **S.verband für die Deutsche Wissenschaft** *m* Founders' Association for German Science

Stiftplotter *m* 🖳 pen plotter

Stiftsschule *f* foundation/endowed school

Stiftung *f* foundation, (public) trust, endowment, donation, establishment, endowed institute, institution, charity

Stiftung für Erziehungszwecke educational trust; **S. mit bestimmten begünstigten Personen** private trust; **S. des bürgerlichen Rechts** incorporated foundation; **~ öffentlichen Rechts** public trust, foundation under public law; **S. Warentest** consumer goods testing foundation

Stiftung errichten to create/set up a foundation, ~ trust

zu Lebzeiten errichtete Stiftung inter vivos *(lat.)* trust; **testamentarisch ~ S.** testamentary trust; **auf unbegrenzte Zeit ~ S.** perpetual trust; **gemeinnützige S.** non-profit foundation; **kündbare S.** revocable trust; **leihrechtliche S.** ecclesiastical charitable trust; **milde/mildtätige S.** charitable foundation, charity; **nicht öffentliche S.** private endowment; **öffentlich-rechtliche S.** public foundation/trust; **private S.** private foundation; **rechtsfähige S.** incorporated foundation; **unselbstständige S.** endowment fund; **unwiderrufliche S.** irrevocable trust; **wohltätige S.** charitable foundation, charity

Stiftungs|aufsicht *f* 1. supervision of a foundation; 2. Charity Commissioners *[GB]*; **S.aufsichtsbehörde** *f* supervisory authority for foundations and endowments; **S.beirat** *m* board of trustees; **S.einkünfte** *pl* trust income; **S.feier/S.fest** *f/nt* anniversary celebration(s); **S.fonds** *m* endowment/trust fund; **S.-gelder/S.kapital** *pl/nt* 1. trust money/capital; 2. *(Universität)* college endowment; **S.gesetz** *nt* endowments and foundations act; **S.rat/S.vorstand** *m* board of trustees; **S.recht** *nt* law on foundations and endowments; **S.register** *nt* register of charities; **S.satzung** *f* charter of a foundation; **S.treuhänder** *m* (charity) trustee; **S.urkunde/S.vertrag** *f/m* deed of covenant/settlement/donation/gift, trust deed/settlement, (foundation) charter, endowment contract; **S.vermögen** *nt* trust/endowment fund, estate trust, trust estate/property

Stil *m* style; **S. der neuen Sachlichkeit** functional style; **in großem S.** in a big way; **~ leben** to lord it, to live in great style; **gespreizter S.** pretentious style; **knapper S.** terse style; **schwülstiger S.** inflated style; **umständlicher S.** ponderous style

Stilblüte *f* howler, bloomer

stilisieren *v/t* to stylize

stilistisch *adj* stylistic

still *adj* 1. silent, quiet, calm, dead; 2. undisclosed, dormant; 3. *(Reserven)* hidden, secret

Stille *f* 1. silence, quiet, tranquillity; 2. *(Markt)* lull, slackness; **in aller S.** on the quiet; **S. vor dem Sturm** calm before the storm; **absolute S.** dead silence

stillen *v/t* 1. *(Durst)* to quench; 2. *(Neugierde)* to satisfy; 3. *(Säugling)* to breast-feed/nurse

Still|geld *nt* nursing benefit, nursing mothers' allowance; **s.gelegt** *adj* 1. *(Fabrik)* closed, disused, non-operating; 2. *(Geld)* idle, tied-up, immobilized; 3. 🚜 *(Fläche)* set-aside; 4. ⚓ laid-up, mothballed, decommissioned; 5. 🏭 off line

Stillhalte|abkommen *nt* 1. moratorium, standby/standstill/cooling-off agreement, blocking arrangement; 2. trade pledge; **S.anordnung** *f* moratorium instructions, standstill order; **S.erklärung** *f (Gläubiger)* letter of licence; **S.gläubiger(in)** *m/f* standstill creditor; **S.-konsortium** *nt* supporting syndicate; **S.kredit** *m* standstill credit

Stillhalten *nt (Löhne)* voluntary freeze; **s.** *v/i* 1. *(Kredit)* to grant a respite/moratorium; 2. to postpone enforcement of claims; 3. to sell at option

Stillhalter *m* 1. grantor, writer; 2. *(Optionsgeschäft)* seller/taker of an option *[GB]*, seller of a privilege *[US]*; **S.position** *f* short position

Stillhalte|schulden *pl* frozen debts; **S.vereinbarung** *f* moratorium, standstill agreement; **S.verfügung** *f* standstill order; **S.zusage** *f* standby facilities

Stillhaltung *f* prolongation of credits; **S. eines Kredits** prolongation of a credit

stilllegen *v/t* 1. *(Betrieb)* to close (down); 2. *(zeitweilig)* to shut down; 3. *(Anlage)* to decommission; 4. ⚓ to lay up, to mothball; 5. *(Verkehr)* to immobilize; 6. 🚜 *(Fläche)* to set aside

Stilllegung *f* 1. closure, (plant) closing, abandonment, rundown; 2. *(zeitweilig)* shutdown; 3. *(Anlage)* decommissioning; 4. ⚓ mothballing, laying-up; 5. *(Geld)*

neutralization, immobilization, tie-up; 6. 🚜 *(Fläche)* set-aside; **S. einer Bahnlinie** rail/line closure; **S. von Geldzuflüssen** sterilization of inflows; **~ Goldbeständen** gold sterilization; **~ Steuereinnahmen** immobilization of tax receipts; **S. eines Unternehmens** closure; **S. in der Urlaubszeit** holiday shutdown

Stillllegungs|beihilfe *f* plant closure aid/grant; **S.fläche** *f* 🚜 set-aside acreage/land; **S.kosten** *pl* closing-down cost(s)/expenses, abandonment/closure costs; **S.prämie** *f* closure premium; **S.programm** *nt* closure(s) program(me); **landwirtschaftliches S.programm** *[EU]* set-aside scheme, land retirement program(me), acreage reduction program(me); **S.verfügung** *f* shutdown/closure order; **S.verlust** *m* closure/terminal loss

Stillliegekosten *pl* idle-plant costs

Stillliegen *nt* 1. ⚙ down time(s); 2. ⚓ lay-up time; **s.** *v/i* 1. to be/stand idle, to be immobilized, ~ at a standstill; 2. ⚓ to be laid up/mothballed; **s.d** *adj* idle

Stillliegerisiko *nt* lay-up risk

Stillschweigen *nt* silence; **jdm S. auferlegen** to impose silence on so.; **S. bewahren** to maintain silence; **sich in S. hüllen** to wrap o.s. up in silence; **etw. mit S. übergehen** to pass over sth. in silence; **jdn zum S. verpflichten** to enjoin so. to secrecy; **verabredetes S.** conspiracy of silence

stillschweigend *adj* 1. silent, tacit; 2. implicit, implied, by implication; **s. mitverstanden** understood

Stillstand *m* 1. standstill; 2. *(Entwicklung)* halt, interruption, stagnation, pause, slackness; 3. 🏭 stoppage, stop, logjam, tie-up; 4. *(Verhandlung)* deadlock, stalemate; 5. *(Flaute)* dullness; **S. der Anlage** system downtime; **S. des Geschäftsverkehrs** suspension of business; **wirtschaftlicher S. bei gleichzeitiger Inflation** stagflation; **zum S. bringen** 1. to bring to a standstill/halt, to stem; 2. *(Verhandlungen)* to stalemate; **~ kommen** 1. *(Verkehr)* to come to a standstill; 2. *(Motor)* to stall; 3. *(Verhandlungen)* to reach deadlock; **geräuschvoll ~ kommen** to grind to a halt; **völliger S.** deadlock, dead stop

Stillstands|bericht *m* idle-time report; **S.kosten** *pl* idle-time/down-time cost(s), idle plant expenses; **S.versicherung** *f* business interruption insurance, use and occupancy insurance; **S.zeit** *f* 1. idle/down/dead/lost time, idle/down period, stoppage; 2. *(Produktion)* production downtime; **störungsbedingte ~ der Maschine** machine downtime

stillstehen *v/i* 1. to be at a standstill, ~ idle; 2. *(Geschäft)* to be stagnant; 3. *(Verkehr)* to be jammed; **s.d** *adj* idle

Still|möbel *pl* period/repoduction furniture; **s.voll** *adj* stylish; in style

Stimmabgabe *f* voting, vote, poll, ballot(ing), polling; **S. durch Handzeichen** (vote by) show of hands; **~ Stellvertreter/-vertretung** vote by proxy, proxy vote; **~ Zuruf** vote by acclamation; **zur S. berechtigt** entitled to vote; **sich der S. enthalten** to abstain

betrügerische Stimmabgabe fraudulent voting; **freie S.** free vote; **geheime S.** secret ballot; **geschlossene S.** block vote; **geteilte S.** split vote; **kumulative/mehrfache S.** cumulative vote/voting; **mündliche S.** voice vote; **namentliche S.** 1. roll-call vote; 2. *(Parlament)* division *[GB]*; **offene S.** open ballot; **postalische S.** postal ballot; **schriftliche S.** written ballot/vote

stimmberechtigt *adj* 1. entitled to vote, enfranchised; 2. *(Aktie)* voting, with voting rights; **nicht s.** 1. voiceless, disenfranchised, disqualified from voting; 2. *(Aktie)* non-voting; **S.e(r)** *f/m* elector, voter

Stimmberechtigung *f* right to vote, franchise; **eingeschränkte S.** contingent voting power

Stimm|bevollmächtigte(r) *f/m* *(HV)* proxyholder; **S.bevollmächtigung** *f* proxy; **S.bezirk** *m* electoral district; **S.bindungsvertrag** *m* voting trust agreement; **S.bindungszertifikat** *nt* voting trust certificate; **S.bürger** *m* voter

Stimme *f* 1. voice; 2. vote; **S.n der Belegschaft** shopfloor vote; **S. des Gewissens** dictates of conscience; **S.n der Landbevölkerung** rural vote; **S. der Vernunft** dictates of common sense; **S. des Volkes** public/grassroots opinion

(seine) Stimme abgeben to (cast one's) vote; **S. durch Stellvertreter abgeben lassen** *(HV)* to vote by proxy; **S.n auszählen** to count the votes; **~ einbüßen** to lose votes; **sich der S. enthalten** to abstain; **S.n fälschen** *(Wahl)* to rig a ballot; **jdm seine S. geben** to vote for so.; **auf die S. der Vernunft hören** to listen to reason; **um S.n werben** to electioneer, to canvass (for votes); **S.n zählen** to count votes

abgegebene Stimme vote cast; **abweichende S.** dissenting vote; **ausschlaggebende S.** casting/deciding/tie-breaking *[US]* vote; **beratende S.** consultative voice; **mit beratender S.** in a consultative/advisory capacity; **einfache S.** basic vote; **einsame S.** lone voice; **entscheidende S.** casting vote; **gültige S.** valid vote; **innere S.** inner voice; **vergeblich mahnende S.** voice in the wilderness; **übertragbare S.** transferable vote; **ungültige S.** spoilt/spoiled vote

stimmen *v/i* 1. to vote; 2. to be correct, ~ in order; 3. *(übereinstimmen)* to tally; **es stimmt** it is true; **gegen jdn s.** to blackball so. *(fig)*; **jdn freundlich s.** to win so. over; **nicht genau s.** ⚙ to be out of truth; **geschlossen s.** to vote unanimously; **jdn nachdenklich s.** to make so. think; **nicht s.** *(Kasse)* not to add up, ~ balance; **ungefähr s.** to be about right

Stimmen|anteil *m* proportion of votes; **S.anzahl** *f* number of votes; **S.auszähler** *m* scrutineer; **S.auszählung** *f* count(ing of votes); **erneute S.auszählung** re-count; **S.block** *m* block vote; **S.fang** *m* canvassing, vote-catching; **S.gewinne** *pl (Wahl)* gains

Stimmengleichheit *f* tie (vote), equality of votes; **bei S.** in the event of an equal division of votes; **~ entscheiden** to have the casting vote; **S. ergeben** to be deadlocked

Stimmen|häufung *f* cumulative voting; **S.jäger** *m* vote hunter; **S.kauf** *m* vote-buying, vote-trafficking, traffic in votes

Stimmenmehrheit *f* majority of votes; **mit S.** 1. *(HV)* with the majority of shares; 2. with the majority of votes; **~ ablehnen** to vote down; **durch S. besiegen** to outvote; **S. haben; über eine S. verfügen** to have the majority on one's side, to control a majority of votes;

einfache S. simple majority (of votes); **qualifizierte S.** qualified majority (of votes); **relative S.** relative majority (of votes)

Stimmen|minderheit *f* minority of votes, minority vote; **S.teilung** *f* vote-splitting

Stimmenthaltung *f* abstention

Stimmen|verhältnis *nt* proportion of votes, voting figures; **S.verlagerung** *f* shift of votes; **S.wägung** *f* weighting (of votes); **S.werber** *m* canvasser; **S.werbung** *f* canvassing, touting; **S.zahl** *f* number of votes (cast); **S.zähler** *m* vote counter, teller, scrutineer; **S.zählung** *f* count, vote counting

Stimm|erkennung *f* 💻 voice print/recognition; **S.gewicht** *nt* voting power; **S.karte** *f* voting card/paper; **S.kartenausgabe** *f (HV)* issue of voting tickets; **S.liste** *f* electoral list

Stimmrecht *nt* 1. voting right/power, suffrage, franchise, voice; 2. *(stellvertretend)* proxy; **ohne S.** non-voting; **S. eines Grundbesitzers** property franchise; **mit S. ausgestattet** *(Aktie)* voting

jds Stimmrecht aberkennen; jdm das S. entziehen to disqualify so. from voting, to dis(en)franchise, to deprive so. of his right to vote; **sein S. ausüben** to exercise one's vote; **~ lassen** *(Stellvertreter)* to vote by proxy; **S. besitzen** to have a vote; **S. erteilen/gewähren/verleihen** to enfranchise; **seines S.s verlustig gehen**; **S. verlieren/verwirken** to forfeit one's right to vote, ~ voting right; **S. haben** to be entitled to vote; **doppeltes S. haben** to have the casting vote; **von seinem S. Gebrauch machen** to exercise one's voting rights; **S. übertragen** to transfer one's voting right

abgeleitetes Stimmrecht derivative vote; **allgemeines S.** universal suffrage; **doppeltes S.** double vote; **eingeschränktes S.** *(HV)* contingent voting power; **erhöhtes/gewichtetes S.** *(HV)* weighted voting power; **gewogenes S.** weighted voting; **kumulatives S.** cumulative voting right; **mehrfaches S.** multiple voting right; **übertragbares S.** transferable vote

Stimmrechts|aktie *f* voting share *[GB]*/stock *[US]*; **S.ausübung** *f* exercise of the voting right; **~ durch Vertreter; ~ auf Grund einer Vollmacht** voting by proxy; **S.beschränkung** *f* restriction of the voting right/power, voting restriction; **S.bevollmächtigte(r)** *f/m* proxy; **S.bindung** *f* voting commitment; **S.entzug** *m* dis(en)franchisement

Stimmrechtsermächtigung *f* proxy; **auf zwei Personen ausgestellte S.** two-way proxy; **auf eine Hauptversammlung beschränkte S.** special proxy; **S. widerrufen/zurückziehen** to revoke a proxy; **S.swiderruf** *m* revocation of proxy

Stimmrechts|formular *nt* *(HV)* proxy form, form of proxy; **S.karte** *f* proxy card; **s.los** *adj* 1. *(Aktie)* nonvoting; 2. dis(en)franchised; **S.missbrauch** *m* abuse of voting rights; **S.treuhänder** *m* proxy, voting trustee *[US]*; **S.übertragung** *f* 1. proxy; 2. enfranchisement, transfer of voting rights; **S.vereinbarung** *f* proxy agreement; **S.vertreter(in)/S.vertretung** *m/f* proxy; **S.vollmacht** *f* (shareholder's *[GB]*/stockholder's *[US]*) proxy, voting proxy; **~ ausüben** to exercise proxy votes; **S.vorschlag** *m* voting proposal

Stimmschein *m* 1. ballot (paper); 2. *(HV)* certificate of proxy

Stimmung *f* 1. mood, spirit, temper, humour, feelings, frame of mind; 2. *(Börse)* tone, sentiment; **S. beim Anlagepublikum; S. in Anlegerkreisen** investor sentiment; **S. in der Belegschaft** employee morale; **~ Öffentlichkeit** climate of public opinion; **S. des Vortags** *(Börse)* overnight confidence; **S. ausfindig machen** to feel the pulse *(coll)*

festliche Stimmung festive mood; **flaue S.** *(Börse)* bearish mood; **freundliche S.** *(Börse)* cheerful mood/tone; **gedrückte S.** gloom, depressed mood/tone, market dullness; **in gedrückter S.** *(Börse)* on a subdued note; **in gehobener/lustiger S.** in high spirits; **lustlose S.** *(Börse)* lacklustre performance; **optimistische S.** 1. *(Börse)* bullish mood/tone; 2. spirit of optimism; **uneinheitliche S.** *(Börse)* irregular/unsteady/mixed tendency; **vorherrschende S.** prevailing mood/tone; **zurückhaltende S.** dull mood/tone/tendency; **zuversichtliche S.** confident mood

Stimmungs|abgabe *f* *(Börse)* impulse selling; **S.barometer** *nt* barometer of public opinion; **S.besserung** *f* improvement of market sentiment; **S.kauf** *m* impulse buying; **S.lage** *f* mood, tone, sentiment; **S.mache** *f* cheap propaganda; **S.macher** *m* cheerleader; **S.tief** *nt* low; **S.umschwung** *m* 1. change of mood; 2. shift in sentiment, turn in the market; **S.urteil** *nt* sentimental judgment; **S.verschlechterung** *f* deterioration of sentiment; **S.wandel/S.wechsel** *m* 1. change of mood/tone; 2. change of tendency

Stimm|vieh *nt* 1. *(coll)* gullible voters; 2. *(Parlament)* lobby fodder *(coll)*; **S.vollmacht** *f* proxy; **S.zählapparat** *m* vote-counting machine; **S.zelle** *f* polling/voting booth

Stimmzettel *m* ballot (paper/form), voting paper/card/slip/ticket; **S. abgeben** to cast a ballot; **leeren S. abgeben** to return a blank ballot paper; **durch S. abstimmen (lassen)** to ballot; **ungültiger S.** void ballot/voting paper, spoiled ballot paper

Stimulans *nt* stimulant

stimulieren *v/t* to stimulate/revitalize; **s.d** *adj* stimulant, stimulating

stinken *v/i* to stink

stink|faul *adj* *(coll)* bone-idle; **s.langweilig** *adj (coll)* dreadfully boring; **s.reich** *adj (coll)* stinking rich; **s.vornehm** *adj (coll)* posh; **S.wut** *f (coll)* great rage

Stipendiat(in) *m/f* scholarhip holder/boy, fellow, stipendiary

Stipendienprogramm *nt* grant scheme

Stipendium *nt* scholarship, (student) grant, bursary; **S. erhalten** to get a grant, to win a scholarship; **S. stiften** to found a scholarship; **S.sprüfung** *f* scholarship examination

Stippvisite *f* flying visit, look-in *(coll)*; **bei jdm eine S. machen** to drop in on so.

Stirn *f* forehead; **die S. bieten** to show a bold front; **jdm ~ bieten** to defy so.; **~ haben** to have the face/cheek/impudence/effrontery

Stirnhöhle *f* ⚕ sinus; **S.nkatarrh** *m* sinusitis

Stirnwand *f* front wall
stöbern *v/i* 1. to rummage/root; 2. *(Laden)* to browse
stochastisch *adj* random, stochastic
stochern *v/i* to poke
Stock *m* 1. stick; 2. *(Etage)* storey *[GB]*, story *[US]*, floor; **am S. gehen** 1. to use a stick; 2. *(fig)* to be in dire straits
Stockdividende *f* stock/scrip dividend, capital bonus
Stocken *nt* stagnation, standstill; **ins S. geraten** to stagnate/falter, to come to a halt; **s.** *v/i* 1. *(Handel)* to stagnate/falter/slacken, to drop off; 2. to make no progress, to mark time; 3. *(Maschine)* to stall/fail/balk; 4. *(Verkehr)* to become congested; **s.d** *adj* stagnating, faltering, stagnant, slack; *adv* by fits and starts
Stockung *f* 1. stagnation, stagnancy; 2. *(Verhandlung)* breakdown, deadlock, stalemate; 3. *(Handel)* slackening, recession; 4. interruption, hold-up; 5. *(Verkehr)* congestion, jam, standstill; **allgemeine S.** general slackness; **S.sspanne** *f* recessive interval
Stockwerk *nt* storey *[GB]*, story *[US]*, floor; **ein(ige) S.(e) niedriger** downstairs; **oberstes S.** top floor; upstairs; **unterstes S.** bottom floor; **S.sanzeiger** *m* floor indicator; **S.seigentum** *nt* freehold flat *[GB]*, condominium *[US]*
Stockzins *m* ♣ stumpage
Stoff *m* 1. cloth, fabric, textile; 2. material, substance; 3. matter, stuff; 4. subject (matter), topic; **S.e** soft/dry goods; **S. zum Nachdenken** food for thought; **S.e oder S.gemische** substance or composition; **bedruckte S.e** printed goods; **fremdbezogene S.e** bought-in materials; **gefährliche S.e** dangerous substances; **kanzerogener S.** $ cancerogenic; **pflanzlicher S.** vegetable matter; **tierischer S.** animal product
Stofflabteilung *f* textile department; **S.anspruch** *m* product claim; **S.aufwand** *m* supplies; **S.bahn** *f* width of material; **S.ballen** *m* bale of cloth; **s.bezogen** *adj* cloth-covered; **S.druck** *m* fabric/cloth printing; **S.effizienz** *f* materials efficiency; **S.einsatz** *m* materials input, expenditure on materials; **S.handel** *m* drapery *[GB]*, dry goods business *[US]*; **S.händler** *m* draper *[GB]*, dry goods dealer *[US]*; **S.kosten** *pl* cost of materials; **s.lich** *adj* material; **S.management** *nt* materials management; **S.muster** *nt* pattern; **S.patent** *nt* (chemical) compound patent; **S.rest** *m* remnant; **S.sammlung** *f* collection of materials; **S.schutz** *m* product protection; **S.umwandlung** *f* conversion (of resources); **S.verbindung** *f* compound, composition; **S.verbrauch** *m* materials input; **S.wechsel** *m* $ metabolism; **S.wert** *m* *(Münze)* intrinsic/metal value; **S.wirtschaft** *f* materials distribution/management
Stöhnen *nt* moaning (and groaning); **s.** *v/i* 1. to moan/groan; 2. to complain
Stollen *m* ⚒ drift, gallery, passage; *pl* mine workings; **S. vorantreiben** to tunnel; **S.bergwerk/S.betrieb** *nt/m* drift mine
Stolperdraht *m* trip wire
stolpern *v/i* to stumble/founder, to trip up; **jdn über etw. s. lassen** to trip so. up over sth.
Stolperstein *m* stumbling block
stopfen *v/t* 1. to stuff; 2. *(voll)* to cram
Stop-lossl-Auftrag/Order *m/f* stop-loss order, cutting limit order; **S.-Rückversicherung** *f* stop-loss reinsurance
Stopp *m* 1. stop, freeze, halt; 2. stoppage, ban, suspension, control, freeze; **S.befehl** *m* 🖳 halt instruction
stoppen *v/i* to stop/halt/pull up; *v/t* to freeze/ban/peg, to put a ceiling on
Stopper *m* timekeeper
Stopplkurs *m* stop price, ceiling quotation/price; **S.licht** *nt* 🚗 brake/stop light(s); **S.preis** *m* ceiling price/quotation, stop/controlled price; **S.preissubvention** *f* price-limiting subsidy; **S.signal** *nt* halt/stop signal; **S.schild** *nt* halt/stop sign; **S.straße** *f* secondary road, stop street *[US]*; **S.strecke** *f* braking distance; **S.tag** *m* record date; **S.uhr** *f* stopwatch; **S.zeit** *f* stop time
Stöpsel *m* plug
Störlaktion *f* disruptive action; **S.anfall** *m* disruption; **s.anfällig** *adj* susceptible/likely to break down; **S.anfälligkeit** *f* breakdown susceptibility, susceptibility to disruption, probability of failure
stören *v/t* 1. to disrupt/disturb/interfere/inconvenience/bother/pester; 2. *(Radiosendung)* to jam; **jdn s.** to disturb so.'s privacy; **s.d** *adj* 1. inconvenient, disruptive; 2. disturbing, interfering; 3. objectionable, offensive
Störlfaktor *m* disrupting/unsettling factor, bug *(coll)*; **S.fall** *m* disruption (of operations), malfunction; **S.filter** *m (Radio)* wave trap; **S.frequenz** *f* interference frequency; **S.funk** *m* jamming station; **S.geräusch** *nt* background noise; **S.größe** *f* ▦ random disturbance/perturbation
Storni *pl* → **Storno**
stornierbar *adj* cancellable; **nicht s.** non-cancellable
stornieren *v/t* 1. to cancel/countermand/rescind/revoke/withdraw/counterorder; 2. *(Buchführung)* to delete/reverse, to make a correcting entry, to cancel an entry
Stornierung *f* 1. cancellation, withdrawal, counterorder, countermand; 2. *(Buchführung)* reversal, correcting entry, cancellation of an entry; **S. eines Auftrags** cancellation of an order; **S.sbuchung/S.seintrag** *f/m* counter/contra entry, reversal; **S.sgebühr** *f* cancellation charge/fee; **S.ssatz** *m* cancellation rate; **im S.swege** *m* by way of cancellation
Storno *nt* 1. cancellation, countermand, withdrawal; 2. *(Buchführung)* reversal, correcting/reversing entry, cancellation of an entry; 3. contra-entry; 4. *(Vers.)* return; **S. vor Ablauf** *(Vers.)* flat cancellation; **S. mit höherer als zeitanteiliger Prämie** short-rate cancellation; **~ zeitanteiliger Prämie** pro-rata cancellation
Stornolbeleg *m* reversal voucher; **S.buchung** *f* counter/reversing/reverse/cross/contra entry, write-back; **~ vornehmen** to reverse an entry; **S.gebühr** *f* cancellation charge/fee/cost(s); **S.gewinn** *m (Vers.)* profit from lapses, lapse/withdrawal profit; **S.grund** *m* reason for cancellation; **S.klausel** *f* lapse provision; **S.quote** *f* cancellation rate; **S.recht** *nt* right to cancel; **S.umsatz** *m* reversal entry
Störpegel *m* noise level
störrisch *adj* obstinate, stubborn, pig-headed *(coll)*

Störlschutz *m* noise suppression; **S.sender** *m* jamming station; **S.sendung** *f* radio jamming; **S.signal** *nt* interfering signal; **S.streik** *m* walkout

Störung *f* 1. disruption, interruption, interference, annoyance, nuisance; 2. disturbance, disorder, perturbance, obstruction, trouble spot; 3. breakdown, malfunction, failure, hitch, *(coll)* hiccup/hiccough; 4. *(Eindringen)* intrusion; 5. § trespass

Störung des Arbeitsfriedens disturbance of peaceful industrial relations; **S. im Besitz** § trespass; **S. öffentlicher Betriebe** disturbing public services; **S. der Geistestätigkeit** $ mental disorder; **S. des Gleichgewichts** disequilibrium, imbalance; **unbillige S. der normalen Handelsinteressen** undue disturbance of normal commercial interests; **S. des freien Marktgeschehens** disturbance of the market; **S. der Mieter** disturbance of tenants; **S. im letzten Moment** last-minute hitch; **S. der Nachtruhe** disturbing the peace at night; **~ öffentlichen Ordnung** § public disturbance, disorderly behaviour; **~ Ruhe** § breach of the peace; **~ Sicherheit und Ordnung** § disturbance of the peace; **~ Sonntagsruhe** violation of the sabbath; **S. des Verkehrs** traffic jam, disruption of traffic; **S. in der Wirtschaft** disturbance in the economy

Störung abstellen/beheben to remedy a fault, to abate a nuisance, to debug sth. *(coll)*; **ohne S. verlaufen** to go off without a hitch; **S. verursachen** to cause a disturbance

atmosphärische Störung atmospherics *[GB]*, statics *[US]*; **geistige S.** $ mental disorder; **nervöse S.** nervous disorder; **rechtserhebliche S.** actionable nuisance; **rechtswidrige S.** nuisance per se *(lat.)*; **technische S.** technical fault, hitch

Störungslanzeiger *m* malfunction/fault indicator; **S.aufzeichnung** *f* failure logging; **S.bericht** *m* failure report; **S.dienst** *m* breakdown service, fault repair service; **S.einfluss** *m* interference, disturbance, failure; **S.element** *nt* disturbing factor; **s.frei** *adj* trouble-free, undisturbed, disturbance-free, unimpeded; **~ verlaufen** to go off without a hitch; **S.rate** *f* rate of failure; **bedingte S.rate** hazard rate of failure; **S.stelle** *f* 1. fault service; 2. repair department; **S.suche** *f* troubleshooting; **S.sucher** *m* troubleshooter; **S.zeit** *f* downtime

Störlvariable *f* random disturbance/perturbation, disturbance variable; **S.welle** *f (Radio)* jamming wave; **S.widerstand** *m* jam resistance

Stoß *m* 1. knock, push, thrust, jolt, blow; 2. rush; 3. *(Haufen)* pile, stack; **S. abwehren** to ward off a blow; **auf einen S. kommen** to come in a batch; **plötzlicher S.** jerk

Stoßlaktion *f* one-shot promotion; **S.angebot** *nt (Börse)* concentrated offer, massive offering; **S.arbeit** *f* intermittent work; **S.arbeiter** *m* shock worker; **s.artig** *adj* abrupt; **S.auftrag** *m* rush order/job; **S.bedarf** *m* heavy/deferred/pent-up demand; **S.betrieb** *m* intermittent working; **S.brigade** *f* shock brigade *[US]*; **S.-dämpfer** *m* shock absorber; **S.dämpfung** *f* shock absorption; **s.empfindlich** *adj* sensitive to shock

stoßen *v/t* to push/thrust/jerk/knock/jar; **sich s. an** to take exception to; **(zufällig) s. auf** to come across, to encounter/find, to meet with, to stumble (up)on/across

stoßlfest *adj* shock-proof; **S.festigkeit** *f* shock resistance; **S.geschäft** *nt* peak-load business; **S.kraft** *f* impact, force, thrust, push, momentum; **~ gewinnen** to gather momentum; **S.produktion** *f* intermittent production; **S.richtung** *f* thrust (of a plan), direction of impact; **S.stange** *f* bumper *[GB]*, fender *[US]*; **S.verkehr** *m* peak/rush-hour traffic; **s.weise** *adj* spasmodic, sudden, intermittent, by fits and starts; **S.werbung** *f* impact advertising; **S.wirkung** *f* impact, shock effect; **S.zeit** *f* peak/rush hour, peak period, busy time; **außerhalb der S.zeit(en)** off-peak

auf Stottern *nt* *(coll)* on the never-never *(coll)*; **~ kaufen** to buy on the never-never; **s.** *v/i* to splutter

Strafl- § corrective, penal, punitive; **S.akten** *pl* case records; **S.aktion** *f* punitive action; **S.änderung** *f* commutation of sentence, change of penalty; **s.androhend** *adj* comminatory

Strafandrohung *f* commination, punitive sanction, warning of criminal proceedings, threat of punishment; **unter S.** under penalty of; **jdn ~ (vor)laden** to subpoena so.

Straflanrechnung *f* allowance for the served part of another sentence; **S.anstalt** *f* prison, penal institution/establishment, penitentiary *[US]*, jail, gaol; **S.antrag** *m* demand for prosecution/a penalty; **~ stellen** to institute criminal proceedings; **S.antritt** *m* beginning of imprisonment, commencement of the prison sentence; **S.anzeige** *f* (criminal) information; **~ erstatten/stellen** 1. to bring a charge, to prefer a criminal information; 2. to report an offence; **S.arrest** *m* imprisonment; **S.aufschub** *m* suspension of sentence, respite of punishment, reprieve, suspension/stay of execution; **~ gewähren** to reprieve; **S.ausschließungsgründe** *pl* legal reasons for exemption from punishment

Strafaussetzung *f* stay/suspension of execution, suspension of sentence, respite in punishment; **S. zur Bewährung** probation; **bedingte S.** conditional discharge; **S.sbeschluss zur Bewährung** *m* probation order

strafbar *adj* punishable, liable to prosecution/penalty, criminal, penal, disciplinable; **sich s. machen** 1. to commit a criminal offence; 2. to incur a penalty, to render o.s. liable to proceedings; **s. sein** to carry a penalty; **S.barkeit** *f* 1. punishability, penal liability; 2. criminal nature

Straflbefehl *m* fine, order of summary punishment; **S.befugnis** *f* punitive power(s); **S.beginn** *m* commencement of a sentence; **S.bemessung** *f* determination/fixing of the penalty, assessment of punishment; **S.bescheid** *m* administrative order of penalty; **S.beschluss** *m* order to inflict punishment; **S.bestimmung** *f* 1. penalty clause/provision, sanction, penal statute; 2. *(Testament)* comminatory clause; **S.buch** *nt* default book; **S.buchauszug** *m* defaulter sheet; **S.dauer** *f* prison term, duration of punishment

Strafe *f* 1. penalty, punishment, judgment, retribution; 2. *(Geld)* fine; 3. *(Urteil)* sentence; 4. forfeit; **bei S. von**

under/on penalty of; **S. auf Bewährung** suspended sentence; **S. ohne Freiheitsentzug** non-custodial sentence; **S. unbestimmter Höhe** indeterminate sentence; **keine S. ohne Gesetz** nulla poena sine lege *(lat.) [GB]*

von einer Strafe absehen to refrain from punishment, to remit an offence; **S. absitzen** to serve one's sentence/time; **jdm eine S. aufbrummen** *(coll)***/auferlegen** to impose a fine on so., to inflict a punishment on so.; **S. aussetzen** to reprieve/respite; **jds S. zur Bewährung aussetzen** to suspend a sentence on probation, to place so. on probation, to put so. on parole, to bind so. over (on parole); **mit S. bedroht sein** to carry a penalty; **mit einer S. belegen** to penalize; **der S. entgehen** to escape punishment; **sich ~ entziehen** to escape/evade punishment; **seine gerechte S. erhalten** to get one's just deserts; **auf S. erkennen** to award a sentence; **S. erlassen** to remit a penalty/sentence; **S. herabsetzen** to reduce a sentence; **S. mildern** to mitigate a punishment/penalty; **S. nachlassen** to grant a remission; **in S. nehmen** to penalize; **bei S. verboten sein** to be a punishable/prosecutable offence; **mit S. verbunden sein** to carry/incur a penalty; **unter S. stehen** to be a punishable offence; **etw. ~ stellen** to make sth. a punishable offence, ~ liable to a penalty; **S. umwandeln** to commute a sentence; **S. verbüßen** to serve one's sentence, to do one's time; **S.en werden gleichzeitig verbüßt** sentences run concurrently; **S. voll verbüßen** to complete one's sentence; **S. verdienen** to deserve one's/a punishment; **S. verhängen** to impose a penalty/punishment, to inflict a penalty, to pass a sentence; **zusätzliche S. verhängen** to superimpose a punishment; **zu einer S. verurteilen** to sentence, to impose a penalty; **S. vollstrecken** to execute/administer a punishment; **S. zahlen** to pay a fine; **S. zuerkennen** to award a punishment; **S. zumessen** to mete out punishment

abgesessene Strafe spent conviction; **vom Gesetz angedrohte S.** punishment laid down in the law; **angemessene S.** adequate/appropriate punishment; **auferlegte S.** sentence imposed; **ausgesetzte S.** suspended sentence; **nicht zur Bewährung ~ S.** immediate sentence; **empfindliche S.** severe punishment; **entehrende S.** dishonourable penalty; **erkannte S.** sentence awarded/imposed; **exemplarische S.** exemplary punishment; **gerechte S.** just and lawful sentence; **geringfügige S.** mild punishment, modest penalty; **gesetzliche S.** penalty, lawful punishment; **harte S.** severe punishment; **übermäßig ~ S.** harsh/excessive sentence; **körperliche S.** corporal punishment; **lebenslängliche S.** life sentence; **leichte/milde S.** mild/lenient punishment; **schwere/strenge S.** heavy/severe punishment, ~ sentence; **verjährte S.** penalty barred by lapse of time; **verschärfte S.** increased penalty; **verwirkte S.** incurred/forfeited penalty, sentence awarded; **vollzogene S.** enforced/executed sentence; **zulässige S.** lawful punishment

strafen *v/t* 1. to punish/penalize; 2. *(Urteil)* to sentence; **s.d** *adj* punitive, corrective

Strafenhäufung *f* cumulative sentence

Strafentlassene(r) *f/m* discharged prisoner; **auf Bewährung bedingt S.** probationer

Strafentlassung *f* discharge (from prison); **S. auf Bewährung; bedingte S.** release on parole

Straf|erhöhungsmerkmal *nt* aggravating circumstance; **S.erkenntnis** *f* sentence

Straferlass *m* remission of sentence/penalty, pardon; **allgemeiner S.** amnesty; **bedingter S.** conditional discharge, parole; **teilweiser S.** remission of part of sentence

Straf|ermäßigung *f* remission/reduction/commutation of sentence, abatement of penalty; **s.erschwerend** *adj* aggravating; **S.erschwerungsgrund** *m* aggravating circumstance; **S.expedition** *f* punitive expedition

straff *adj* 1. tight, strict; 2. *(Konzern)* firmly-knit; 3. *(Kostenkontrolle)* tough

Straffall *m* criminal case

straffällig *adj* delinquent, culpable; **s. werden** to commit a crime; **erneut s. werden** to relapse

Straffällige|(r) *f/m* offender, delinquent; **S.n eingliedern** to resettle an offender; **erstmalig S.(r)** first(-time) offender; **jugendliche(r) S.(r)** juvenile delinquent

Straffälligkeit *f* delinquency, liability to punishment; **S. unter Jugendlichen** juvenile delinquency

straffen *v/t* to streamline/tighten, to take up the slack

Straf|festsetzung *f* fixing the penalty/sentence; **S.-fracht** *f* freight penalty

straffrei *adj* unpunished, exempt from punishment, scot-free *(coll)*; **~ ausgehen** to go unpunished/scot-free; **S.heit** *f* impunity, immunity from prosecution/punishment, amnesty

Straffung *f* streamlining, tightening; **S. der Aktivitäten** consolidation of activities; **~ Betriebsabläufe** streamlining of operations; **~ Kreditzügel** tightening of credit policy; **S. des Programms/Sortiments** streamlining of the range; **~ Urmaterials** 🖳 condensation of data; **organisatorische S.** streamlining

Straf|gebühr *f* penalty, surcharge; **S.gefangene(r)** *f/m* convict, prisoner, prison inmate; **entlassener S.gefangener** ex-convict, discharged prisoner; **S.gefängnis** *nt* convict prison; **S.geld** *nt* penalty, fine; **S.gericht** *nt* criminal court/division, Crown Court *[GB]*; **S.gerichtsbarkeit** *f* criminal jurisdiction/justice, penal jurisdiction; **S.gesetz** *nt* criminal/punitive law, penal law/statute; **S.gesetzbuch** *nt* penal code/law, criminal code; **S.gesetzgebung** *f* penal legislation; **S.gewalt** *f* punitive power, power of sentencing/sentence; **S.haft** *f* confinement, imprisonment in the second degree *[GB]*; **S.haftentschädigung** *f* compensation for unjustified imprisonment; **S.herabsetzung** *f* reduction of sentence; **S.höhe** *f* sentence; **S.hoheit** *f* penal jurisdiction; **S.justiz** *f* criminal/penal justice; **S.kammer** *f* criminal court/division; **S.klage** *f* penal action/suit, plea of the crown *[GB]*; **S.klausel** *f* 1. penalty/penal clause; 2. *(Testament)* comminatory clause; **S.kolonie** *f* penal colony; **S.lager** *nt* prison camp

sträflich *adj* penal, punishable, culpable

Sträfling *m* convict, prisoner, prison inmate; **S.sarbeit** *f* convict labour; **S.skleidung** *f* prison clothing

straflos *adj* unpunished, exempt from punishment, with impunity; **s. bleiben** to go unpunished; **S.igkeit** *f* impunity, immunity, exemption from punishment

Straf|mandat *nt (Parken)* (parking) ticket; **S.maß** *nt* sentence, degree of penalty; **S.maßnahme** *f* punitive measure; **wirtschaftliche S.maßnahmen** economic sanctions; **s.mildernd** *adj* mitigating, extenuating

Strafmilderung *f* mitigation of punishment, extenuation; **für S. plädieren** to plead in mitigation; **S.sgründe** *pl* extenuating circumstances, grounds for mitigation

strafmündig *adj* accountable, of criminally responsible age; **S.keit** *f* accountability, (age of) criminal responsibility, doli capax *(lat.)*; **S.keitsalter** *nt* age of discretion, ~ criminal responsibility; **~ erreichen** to come of age

Straf|nachlass *m* remission/reduction of a sentence; **S.porto** *nt* ✉ excess postage, surcharge; **S.predigt** *f* lecture, severe reprimand

Strafprozess *m* 1. criminal proceedings/procedure; 2. criminal case/action, penal suit; **S. führen** to try a case; **S.kosten** *pl* costs of criminal proceedings; **S.ordnung** *f* 1. rules/law of criminal procedure, Federal Rules of Criminal Procedure *[US]*; 2. penal code; **S.recht** *nt* law of criminal procedure

Straf|punkt *m* 🚗/§ penalty; **S.rahmen** *m* range of punishment(s)/sentence

Strafrecht *nt* criminal/penal law; **formelles S.** law of criminal procedure; **materielles S.** substantive criminal law; **S.ler** *m* penologist; **s.lich** *adj* criminal, penal

Strafrechts|bestimmung *f* penal provision; **S.gesetz** *nt* penal act, Criminal Law Act *[GB]*; **S.irrtum** *m* mistake of law in a criminal case; **S.lehre** *f* penology; **S.notstand** *m* plea of necessity; **S.pflege** *f* criminal justice; **S.reform** *f* penal reform; **S.system** *nt* penal system; **S.theorie** *f* theory of criminal jurisprudence

Strafregister *nt* criminal/judicial record(s), register of convictions; **im S. tilgen** to delete in the criminal record, ~ in the register of convictions; **S.auszug** *m* extract from judicial records, ~ the register of convictions

Straf|richter *m* magistrate, recorder *[US]*; **S.sache** *f* criminal case, crown case *[GB]*; **S.sachverständige(r)** *f/m* penologist; **s.schärfend** *adj* aggravating; **S.schärfung** *f* aggravation (of sentence), increasing the severity of the sentence; **S.schärfungsgründe** *f* aggravating circumstances; **S.schutz** *m* protection by penalty; **S.senat** *m* high criminal court, criminal division (of the court of appeal); **S.steuer** *f* penalty tax; **S.tarif** *m (Steuer)* penalty rate

Straftat *f* crime, (criminal/indictable) offence, criminal/tortious/punishable act, tort; **S. eines Ersttäters** first offence; **S. gegen Leib und Leben** offence against the person; **S. im Rückfall** second offence; **S. anzeigen** to report an offence; **S. begehen** to commit an offence/a crime

auslieferungsfähige Straftat extraditable offence; **mit Geldstrafe bedrohte S.** offence punishable by a fine; **gemeinsam begangene Straftat** joint offence; **(bestimmte) einleitende S.en** inchoate offences; **erhebliche S.** notable crime, serious offence; **erstmalige S.** first offence; **fahrlässige S.** negligent offence; **zur Last gelegte S.** alleged offence; **fortgesetzte S.** continued offence; **geringfügige S.** petty offence/crime; **kautionsfähige S.** bailable offence; **leichte S.** *(Schnellverfahren)* summary offence; **schwere S.** grave/serious offence; **unvollendete S.** inchoate crime; **vollendete S.** accomplished crime

Straftatbestand *m* (facts constituing an) offence; **angenommener/hypothetischer S.** construed offence; **gesetzlicher/gesetzlich normierter S.** statutory offence

Straftäter *m* offender, criminal, delinquent; **jugendlicher S.** juvenile delinquent/offender

Straf|tenor *m* accusatory part; **S.text** *m* penal clause; **S.tilgung** *f* extinction of previous convictions, wiping the slate clean *(coll)*; **S.umwandlung** *f* commutation/remission of a sentence; **s.unmündig** *adj* non-accountable, unamenable to law, below the age of criminal responsibility; **S.unmündigkeit** *f* age below criminal responsibility, criminal incapacity, doli incapax *(lat.)*; **S.unterbrechung** *f* interruption of sentence; **S.urlaub erhalten** *m* to be allowed out on parole

Strafurteil *nt* 1. sentence, conviction and sentence; 2. *(Geschworenengericht)* verdict; **S. aufheben** to quash a conviction; **S. bestätigen** to uphold a conviction; **S. fällen** to pass a sentence, *(Geschworenengericht)* to return/render a verdict; **zur Bewährung ausgesetztes S.** suspended sentence

Straf|verbüßung *f* serving one's sentence, ~ term of imprisonment; **S.vereitelung** *f* prevention of punishment, obstruction of criminal execution, aiding and abetting the perpetrator of an offence

Strafverfahren *nt* criminal/committal/penal proceedings, trial, criminal/penal suit, criminal action/case; **S. betreiben** to pursue criminal proceedings; **S. einleiten** to institute criminal proceedings; **S. einstellen** to drop a charge/prosecution; **S. über sich ergehen lassen** to stand trial; **S. nach sich ziehen** to result in prosecution; **abgekürztes S.** speedy/summary trial; **anhängiges S.** pending prosecution, ~ criminal proceedings/case; **gemeinsames S.** joint trial; **S.sablauf** *m* trial proceedings; **S.srecht** *nt* law of criminal procedure

Strafverfolgung *f* (criminal) prosecution; **von der S. ausgeschlossen** *(Person)* immune from prosecution

auf Strafverfolgung dringen to press charges (against so.); **S. einleiten** to initiate criminal proceedings; **S. einstellen** to drop a charge, to discontinue the prosecution; **sich der S. entziehen** to evade prosecution/justice; **S. niederschlagen** to quash the proceedings; **der S. ausgesetzt sein** to be liable to prosecution; **S. veranlassen** to authorize prosecution

böswillige Strafverfolgung malicious prosecution; **öffentliche S.** official prosecution

Strafverfolgungs|beamter *m* prosecutor, prosecution officer; **S.behörde** *f* prosecution, Director of Public Prosecutions (DPP) *[GB]*, District Attorney *[US]*; **S.verjährung** *f* limitation of criminal prosecution

Straf|verfügung *f* penal order, disciplinary penalty; **S.verhandlung** *f* trial proceedings, hearing before a criminal court; **S.verjährung** *f* limitation of time, bar to prosecution due to lapse of time; **S.verkürzung** *f* reduction of a sentence; **S.verlangen** *nt* demand for punishment; **S.vermerk** *m* 1. entry of a penalty; 2. *(Führerschein)* endorsement; **s.verschärfend** *adj* aggravating, in aggravation of penalty

Strafverschärfung *f* aggravation of penalty/sentence; **zur S. führen** to lead to the imposition of a heavier fine, ~ passing of a heavier sentence; **S.sgrund** *m* aggravating circumstance

Straf|versetzung *f* transfer for disciplinary reasons; **S.verteidiger** *m* defence lawyer/counsel, counsel for the defence *[GB]*, defending counsel *[US]*, criminal lawyer; **S.verteidigerkosten** *pl* fees charged by the defence counsel; **S.verteidigung** *f* criminal defence

Strafvollstreckung *f* execution of a sentence; **S. aussetzen** to suspend the execution of a sentence; **S.sanstalt** *f* penal establishment/institution; **S.saufschub** *m* reprieve

Strafvollzug *m* 1. penal/penitentiary system; 2. imprisonment, execution of sentence; **S. in einer Jugendstrafanstalt** youth custody, borstal training *[GB]*; **S. aussetzen** to stay/suspend execution of a sentence; **offener S.** open prison, non-confinement facility

Strafvollzugs|- corrective; **S.anstalt** *f* prison, penal institution; **offene S.anstalt** attendance centre *[GB]*; **S.beamter** *m* prison officer/guard/inspector; **S.behörden** *pl* prison authorities; **S.dienst** *m* prison service; **S.gesetz** *nt* treatment of offenders act, Prison Act *[GB]*; **S.ordnung** *f* prison regulations; **S.recht** *nt* law of prison administration; **S.verwaltung** *f* prison administration; **S.wissenschaft** *f* penology

Straf|vorschrift *f* penal provision; **s.würdig** *adj* punishable, indictable; **S.würdigkeit** *f* qualification for punishment; **S.zeit** *f* prison/penal term, time to serve, stretch *(coll)*; ~ **unterbrechen** to suspend a sentence; **S.zettel** *m* 🚗 (parking) ticket; **S.zins** *m* penal/negative interest; ~ **für vorzeitige Rückzahlung** repayment with penalty; **S.zoll** *m* penal duty/tariff

Strafzumessung *f* assessment/determination/fixing of a penalty, award of punishment; **zusätzliche S.** accumulative sentence; **S.sregeln** *pl* sentencing rules

Straf|zuschlag *m* penal surcharge; **S.zuständigkeit** *f* criminal jurisdiction; **S.zweck** *m* object of punishment, aim of sentence

Strahl *m* 1. *(Wasser)* jet, gush; 2. ray, beam; 3. π straight line; 4. *(Blitz)* flash

strahlen *v/i* 1. to radiate; 2. to beam; 3. *(funkeln)* to sparkle/flash/scintillate

Strahlen|behandlung *f* $ radiotherapy; **S.belastung** *f* radiation; **S.dosis** *f* radiation dose; **s.förmig** *adj* radial; **S.gefährdung** *f* radiation hazard; **S.geschädigte(r)** *f/m* radiation victim; **S.kunde** *f* $ radiology; **S.messung** *f* radiometry, radiation measurement; **S.schädigung** *f* radiation injuries/damage; **S.schutz** *m* radiological/ radiation protection; **S.schutzbehörde** *f* radiological protection board; **s.sicher** *adj* radiation-proof; **s.verseucht** *adj* contaminated with radiation

Strahl|flugzeug *nt* jet plane; **S.triebwerk** *nt* jet engine

Strahlung *f* radiation; **S.sabschirmung** *f* radiation barrier; **s.sarm** *adj* low-radiation; **S.sdosis/S.sgrad/S.sintensität** *f/m/f* radiation level, irridation; **S.skrankheit** *f* radiation sickness; **S.sschaden** *m* radiation damage; **S.sschädigung** *f* radiation injury; **s.ssicher** *adj* radiation-proof

stramm *adj* 1. tight, close, stalwart; 2. *(Arbeit)* strenuous, tough; **S.heit einer Korrelation** *f* closeness of correlation

Strand *m* beach, shore; **auf den S. laufen** ⚓ to run on the beach; ~ **lassen** to beach

Stranden *nt* ⚓ beaching, grounding; **s.** *v/i* ⚓ to run aground/ashore, to founder/strand, to be wrecked; **s. lassen** to beach

Strandgebiet *nt* beach area

Strandgut *nt* flotsam and jetsam; **S. im Meer (mit Boje markiert)** ⚓ lagan; **S.jäger** *m* beachcomber

Strand|hotel *nt* beach hotel; **S.promenade** *f* seaside promenade; **S.recht** *nt* right of salvage

Strandung *f* *(Vers.)* stranding, running aground; **S.sordnung** *f* law of wreckage

Strand|vogt *m* wreck commissioner *[GB]*/master *[US]*; **S.wächter** *m* lifeguard, lifesaver

Strang *m* rope, cord; **am gleichen S. ziehen** to be in the same boat *(fig)*, to pull together

Strangguss *m* ✐ continuous casting; **S.anlage** *f* continuous caster, ~ casting line; **S.verfahren** *nt* continuous casting process

Strangpressen *nt* extrusion

strangulier|en *v/t* to strangle; **S.ung** *f* strangulation

Strapaze *f* strain, exertion

strapazier|en *v/t* to strain/tax, to be a strain on; **s.fähig** *adj* hard-wearing, durable, tough, heavy-duty

strapaziös *adj* strenuous

Straße *f* 1. road, street; 2. ⚓ straits; **auf der S.** on the road, in the steet; **per S.** by road; **S. mit zwei Fahrbahnen** dual carriageway, two-lane road; ~ **Gegenverkehr** two-way street; **S. erster Ordnung** classified road, A road *[GB]*; **S.-Schiene-Verbund** *m* road-rail link; **S. gesperrt** road closed

von der Straße abkommen 🚗 to veer off the road; **S. absperren** to cordon off a street; **S. für den Verkehr freigeben** to open a road to traffic; **auf die S. gehen** *(Protest)* to take to/hit *[US]* the streets; **abseits der S.(n) liegen** to be off the beaten track; **auf der S. liegen** *(coll)* to be on the road; **die S.n säumen** to line the streets; **auf die S. setzen** to turn out, to evict/oust; **S. sperren** to close a road; **auf die S. stürzen** to rush onto the street; **auf der S. transportieren** to truck, to transport by road; **S. dem Verkehr übergeben** to open a road to traffic; **S. überqueren** to cross the road

abgelegene Straße back street; **nicht befahrbare S.** impassable road; **befestigte/gepflasterte S.** paved road; **belebte S.** busy road; **ebene S.** level road; **gebührenpflichtige S.** toll *[GB]*/turnpike *[US]* road; **für den Verkehr gesperrte S.** road closed to traffic; **gewundene/kurvenreiche S.** twisty/windy road; **holprige S.** bumpy road; **leere S.n** deserted streets; **auf offener S.** in broad daylight; **öffentliche S.** public highway/road/thoroughfare; **nicht ~ S.** private road; **ruhige S.** quiet road; **unbefestigte S.** dirt track, unpaved road; **vereiste S.** icy/frozen road; **verstopfte S.** congested road; **vorfahrtsberechtigte S.** major road

Straßenlabgaben *pl* road taxes; **S.anlieger** *m* frontager; **S.anliegergebühren** *pl* frontage assessment; **S.anschluss** *m* road link, connection by road; **S.anzug** *m* business/lounge suit; **S.arbeiten** *pl* road works; **S.- und Tiefbauarbeiten** civil engineering works; **S.arbeiter** *m* road worker, roadman; **S.atlas** *m* road atlas/book; **S.aufseher** *m* road surveyor/inspector; **S.aufsichtsbehörde** *f* commissioner of roads; **S.ausbau** *m* road improvement; **S.ausbauprogramm** *nt* road improvement programme; **S.ausbesserungsarbeiten** *pl* road repairs

Straßenbahn *f* tram(way) *[GB]*, streetcar *[US]*; **S.depot** *nt* tram depot; **S.fahrer** *m* tram driver *[GB]*, motorman *[US]*; **S.gesellschaft** *f* tramway company *[GB]*, streetcar corporation *[US]*; **S.haltestelle** *f* tram *[GB]*/ streetcar *[US]* stop; **S.linie** *f* tram *[GB]*/streetcar *[US]* line; **S.wagen** *m* tramcar *[GB]*, streetcar *[US]*

Straßenbau *m* road building/construction, roadmaking; **S.amt** *nt* road construction office, highways department; **Straßen- und Wasserbauamt** roads and waterways office; **S.arbeiten** *pl* roadworks; **S.arbeiter** *m* road worker, roadman; **S.behörde** *f* highway authority, highways department

Straßenbauer *m* road builder, roadmaker

Straßenbauletat *m* road construction budget; **S.fonds** *m* road construction fund; **S.ingenieur** *m* highway engineer; **S.investitionen** *pl* capital expenditure on road building; **S.kosten** *pl* road construction cost(s); **S.maschine** *f* road-building machine; **S.programm** *nt* road construction programme; **S.trupp** *m* road (construction) gang; **S.unternehmen/S.unternehmer** *nt/m* road builder/contractor; **S.verwaltung** *f* highway construction department; **S.wesen** *nt* highway engineering

Straßenlbehörde *f* highway authority; **S.belag** *m* road surface; **S.belastung** *f* road use; **S.beleuchtung** *f* street lighting; **S.benutzer** *m* road user; **S.benutzung** *f* use of a road; **S.benutzungsbebühr** *f* toll *[GB]*, highway (user) tax *[US]*, road (charge) toll, road-use tax; **~ für LKW** lorry/truck toll rate; **S.beschaffenheit** *f* road condition; **S.börse** *f* kerb *[GB]*/curb *[US]*/street market; **S.breite** *f* width of a road; **S.damm** *m* causeway, roadway; **S.decke** *f* road surface; **S.dichte** *f* density of the road system; **S.dienst** *m* 🚗 road service

Straßenfahrzeug *nt* road vehicle, automobile, motorcar; **gewerbliches S.** commercial road vehicle; **S.bau** *m* vehicle building/construction

Straßenlfalle *f* *(Polizei)* speed trap; **S.fernverkehr** *m* long-distance road traffic; **S.fertigung** *f* line production; **S.flucht** *f* building line; **S.frachtführer** *m* road carrier; **S.front** *f* road frontage; **S.führung** *f* route, routing; **S.gabelung** *f* bifurcation; **S.gewerbe** *nt* street industry; **S.glätte** *f (Schild)* slippery road; **S.graben** *m* ditch

Straßengüterlfernverkehr *m* long-distance road haulage; **S.transport/S.verkehr** *m* road haulage/transport, haulage business/trade, carriage of goods by road; **gewerblicher S.verkehr** road haulage (industry); **S.verkehrssteuer** *f* haulage trade tax, road haulage tax; **S.verkehrsunternehmen** *nt* road haulage company, haulier

Straßenlhandel *m* street sale/trading/marketing; **S.händler** *m* street vendor/trader/seller, itinerant salesman, barrow man/boy, hawker, huckster *(coll)*; **S.instandhaltung/-setzung** *f* road maintenance; **S.kämpfe** *pl* street fighting; **S.karte** *f* road/street map; **S.kehrer** *m* road sweeper; **S.kehrmaschine** *f* road sweeper/cleaner; **S.kleidung** *f* outdoor garments; **S.kontrolle** *f* road check; **S.kreuzer** *m (coll)* battleship *(coll)*; **S.kreuzung** *f* crossroads, street crossing, intersection *[US]*; **S.lage** *f* 🚗 road holding; **S.lärm** *m* road noise; **S.laterne** *f* street lamp/light; **S.leuchtnagel** *m* cat's eye, reflector stud; **S.markierung** *f* road marking; **S.markt** *m* street market; **S.meister** *m* surveyor of highways, highways superintendent; **S.meisterei** *f* road maintenance department; **S.name** *m* street name; **S.netz** *nt* road network/system, network of roads, roadway system; **S.niveau** *nt* street level; **S.pflaster** *nt* paving; **S.plan** *m* street plan/map

Straßenrand *m* roadside, wayside, road verge; **befestigter S.** hard shoulder; **unbefestigter S.** shoulder

Straßenlraub *m* street/highway robbery, mugging; **S.räuber** *m* street robber, highwayman, mugger; **S.recht** *nt* law of public streets and roads; **S.reiniger** *m* road sweeper; **S.reinigung** *f* street-cleaning; **S.reklame** *f* outdoor advertising; **S.rennen** *nt* road race; **S.restaurant** *nt* roadside restaurant; **S.rinne** *f* gutter; **S.roller** *m* wag(g)on-carrying trailer; **S.sammlung** *f* street collection; **S.schild** *nt* road sign; **S.schlacht** *f* street battle; **S.sicherheit** *f* road safety; **S.sperre** *f* road block; **S.sperrung** *f* blocking of the road; **S.tankfahrzeug** *nt* road tanker; **s.tauglich** *adj* roadworthy; **S.tauglichkeit** *f* roadworthiness; **S.test** *m* road test

Straßentransport *m* road transport/haulage, truck haulage, carriage (of goods) by road, trucking operation, motor transport; **im S.** by road; **zum S. geeignet** roadable; **S.gewerbe** *nt* motor transport, trucking/road haulage industry; **S.unternehmer** *m* road haulier

straßenltüchtig *adj* roadworthy; **S.tunnel** *m* (road) tunnel; **S.überfall** *m* hold-up; **S.überführung** *f* flyover; **S.übergang** *m* pedestrian crossing, crosswalk *[US]*; **S.überquerung** *f* road crossing; **S.unterführung** *f* underpass, *(Fußgänger)* subway; **S.unterhaltung** *f* road maintenance; **S.verbesserung** *f* road improvement(s); **S.verbindung** *f* road link; **S.verbreiterung** *f* road widening; **S.verhältnisse** *pl* road conditions; **S.verkauf** *m* street vending/trading/sale, take-away *[GB]*/take-out *[US]* sales, hawking, peddling; **S.verkäufer** *m* street vendor/trader/seller, huckster; **S.verkaufsstand/-stelle** *m/f* stall, take-away *[GB]*, take-out *[US]*

Straßenverkehr *m* (road) traffic, transport by road

Straßenverkehrslamt *nt* road traffic licensing department; **S.behörde** *f* road traffic authority; **S.betrieb** *m* road transport undertaking; **S.delikt** *nt* traffic/motoring offence; **S.gesetz** *nt* Road Traffic Act *[GB]*; **S.gewerbe** *nt* road (haulage) industry; **S.lage** *f* road report; **S.netz** *nt* road network; **S.ordnung** *f* (road) traffic code/regulations/act, Highway Code *[GB]*; **S.recht** *nt* road traffic law, law of the road; **S.regeln** *pl* traffic regulations; **S.schild** *nt* traffic sign; **S.sicherheit** *f* road safety; **S.teilnehmer** *m* road user; **S.vorschriften** *pl* road traffic regulations; **S.zulassung** *f* road permit; **S.zulassungsordnung** *f* road transport licensing regulations

Straßen|verstopfung *f* traffic congestion/jam; **S.verwaltung** *f* road administration; **S.verzeichnis** *nt* street directory, index of street names; **S.wacht** *f* road patrol; **S.walze** *f* road roller; **S.wärter** *m* roadman; **auf dem S.weg** *m* by road; **S.zoll** *m* road toll, toll rate; **S.zustand** *m* road condition(s); **S.zustandsbericht** *m* road report

Stratege *m* strategist

Strategie *f* strategy, plan of campaign; **S. der neuen Produkte** new product strategy; **S. einschlagen** to embark on a strategy; **S. entwickeln** to map out/formulate/chart a strategy; **dominante S.** dominant strategy; **gemischte S.** mixed strategy; **S.entwicklung** *f* strategy formation; **S.papier** *nt* policy paper, strategy document

strategisch *adj* strategic

Stratosphäre *f* stratosphere

sträuben *v/refl* to be reluctant

Strazze *f* blotter, daybook

Streb *m* ⚒ (coal)face; **S.arbeiter** *m* face worker

Strebe *f* 1. prop; 2. strut, stay

Streben *nt* pursuit, ambition, quest, aspiration; **S. nach** pursuit of, approach to; **~ Glück** pursuit of happiness; **~ Wissen** pursuit of knowledge; **s.** *v/i* to strive, to pursue, to aim, to endeavour, to aspire

Streber *m* careerist, climber

strebsam *adj* ambitious, industrious, aspiring, assiduous, diligent

Strecke *f* 1. route, distance, stretch; 2. 🚆 track, permanent way, section; 3. ✆ line; 4. ⚒ drift, gallery; 5. *(Jagd)* kill(ing); **S. des Zeitungsboten** paper round

Strecke abgehen 1. to pace off a distance; 2. 🚆 to inspect the track; **S. abstecken** to lay out a line; **S. zweigleisig ausbauen** 🚆 to double the track; **auf der S. bleiben** *(fig)* to be left behind, to fall by the wayside; **zur S. bringen** to track, to hunt down; **über lange S.n transportieren** *(coll)* to trunk; **S. eingleisig zurückbauen** 🚆 to single the track; **S. zurücklegen** to cover a distance

stark befahrene Strecke 🚆 heavily used line; **eingleisige S.** 🚆 single track; **auf freier S.** on the open track/road; **auf halber S.** 1. midway; 2. mid-stream; **landwirtschaftlich reizvolle S.** scenic route; **zurückgelegte S.** distance covered

strecken *v/t* 1. to stretch/extend/protract; 2. *(Ausgaben)* to space/eke out

Strecken|abschnitt *m* 1. section; 2. *(Tarif)* fare stage; **S.arbeiter** *m* 🚆 tracklayer, trackman *[US]*, platelayer; **S.aufseher** *m* lineman, trackwalker; **S.ausbau** *m* 🚆 upgrading (of a line); **S.bau** *m* line construction; **S.begehung** *f* line inspection, track walking; **S.belastung** *f* 🚆 traffic load; **S.(benutzungs)gebühr** *f* trackage; **S.betrieb** *m* ⚒ drift mining; **S.bilanz** *f (Transport)* operating result; **S.fracht** *f* distance freight; **S.führung** *f* routing, route; **S.gebühr** *f* trackage; **S.geher** *m* line/track walker; **S.geschäft** *nt* transfer order(s), drop shipment *[US]*, entrepôt *[frz.]* trade; **S.handel** *m* direct-to-customer trading; **S.karte** *f* route map; **S.kilometer** *m* kilometre/mile of track; **S.läufer** *m* 🚆 trackwalker; **S.lizenz** *f* route licence; **S.markierung** *f* route marking; **S.masse** *f* ▦ population of non-cumulative data; **S.netz** *nt* 1. network; 2. route system, railway network/system; **S.planung** *f* routing; **S.stilllegung** *f* line/rail closure; **S.tarif** *m* line rate; **S.umsatz** *m* sales without stockkeeping; **S.unterhaltung** *f* 🚆 track maintenance; **S.versand** *m* drop shipment *[US]*; **S.wärter** *m* lineman, trackwalker; **S.wartung** *f* track maintenance; **s.weise** *adj* in parts/places

Streckung *f* 1. stretching; 2. *(Arbeit)* spreading; **S.sdarlehen** *nt* stretching loan

Streich *m* 1. blow, slap; 2. prank, trick, practical joke; **S. spielen** to play a trick; **übler S.** dirty trick; **auf einen S.** at a stroke

Streichen *nt* ➔ **Streichung**; **s.** *v/t* 1. to delete, to cross out/off, to strike off/out; 2. to axe/cut; 3. *(absetzen)* to cancel; 4. *(Farbe)* to paint

Streichholz *nt* match; **S. entzünden** to strike a match

Streichung *f* 1. deletion; 2. cancellation; 3. abatement, pruning; 4. *(Geldmittel/Stellen)* cut; **S. aus der Arbeitslosenstatistik** removal from the unemployment register; **S. von der Mitgliederliste** striking off the roll; **S. der amtlichen Notierung** suspension, delisting, removal from the stock exchange list; **S. von Vergünstigungen** clawback; **S.saktion** *f* series of cuts

Streifband *nt* 1. (postal) wrapper, 2. *(Wertpapier)* jacket; **S.depot** *nt* general/jacket/individual deposit, segregation *[US]*, securities under special wrapper; **S.(depot)verwahrung** *f* safekeeping on special deposit, jacket custody, segregation *[US]*; **S.gebühr** *f* individual deposit fee

Streife *f* patrol, beat

Streifen *m* strip(e), band, streak

Streifen|anzeige *f* strip, banner; **S.code** *m* bar code; **S.diagramm** *nt* band chart/diagramm; **S.dienst** *m* patrol duty; **S.dienstwagen/S.fahrzeug** *m/nt* patrol car; **S.drucker** *m* perforator; **S.führer** *m* patrol leader; **S.gang** *m (Polizei)* beat; **~ machen** to patrol, to be on the beat; **S.leser** *m* tape reader, bar code scanner; **S.locher** *m* key/tape punch (unit); **S.rolle** *f (Kasse)* journal roll; **S.stanzer** *m* tape punch; **S.steuer** *f* revenue strip tax; **S.wagen** *m* patrol car; **S.zuführung** *f* tape feed

Streif|licht *nt* sidelight; **S.schuss** *m* graze; **S.zug** *m* raid

Streik *m* strike, work stoppage, stoppage (of work), walkout, tie-up

Streik, Aufruhr und bürgerliche/innere Unruhen strike, riot and civil commotion (s.r.& c.c.); **S. ohne vorherige Ankündigung** lightning strike; **S. der öffentlichen Bediensteten; S. im öffentlichen Dienst** civil service strike, public sector strike; **S. mit verheerenden Folgen** crippling strike (action); **S. der Steuerzahler** taxpayers' strike; **S. mit Unterbrechungen** stop-go strike; **S. durch Verlangsamung der Arbeit** go-slow

vom Streik betroffen strike-bound, strike-hit; **~ geplagt** strike-dogged, dogged by strike

Streik abblasen/abbrechen/aufheben to call off/lift a strike; **S. abwenden** to avert a strike; **S. anordnen** to order a strike; **zum S. aufrufen** to call a strike, ~ out on strike, ~ for a strike; **S. auf weitere Betriebe ausdehnen** to extend picketing action; **S. auslösen** to trigger off a strike; **S. ausrufen** to call a strike; **S. ausweiten** to extend picketing action; **S. beenden** to end/call off/terminate a strike; **sich im S. befinden** to be on strike; **S. beschließen** to decide to strike; **S. brechen** to break a strike, to cross the picket line; **S. vom Zaun brechen** to launch/trigger a strike; **S. durchführen** to stage a strike; **in einen S. eintreten** to go on strike; **S. fortsetzen** to continue a strike; **S. genehmigen** to authorize/approve a strike; **S. organisieren** to organise/stage a strike; **S. proklamieren** to call a strike; **S. schlichten** to settle a strike; **an einem S. teilnehmen** to participate in a strike; **in den S. treten** to (go on) strike, to come/go out on strike, to down tools, to lay down one's tools; **S. unterbrechen** to suspend a strike; **S. untersagen** to prohibit/ban a strike; **jdn zum S. veranlassen** to bring s.o. out on strike; **S. verbieten** to prohibit/ban a strike; **S. verkürzen** to shorten a strike

abbröckelnder Streik crumbling strike; **begrenzter S.** limited strike; **örtlich ~ S.** localized strike, local selective strike; **zeitlich ~ S.** limited duration strike; **gewerkschaftlich genehmigter S.** official/authorized strike; **nicht ~ S.** unofficial strike; **sich lang hinziehender S.** protracted strike; **illegaler S.** illegal/snap strike; **landesweiter S.** national strike/stoppage; **langwieriger S.** protracted strike; **legitimer S.** lawful/legal/official strike; **mittelbarer S.** secondary strike; **offizieller S.** official strike; **organisierter S.** organised/official strike; **nicht ~ S.** wildcat/unofficial/illegal strike, unauthorized/unconstitutional stoppage of work; **örtlicher S.** local strike; **politischer S.** political strike; **rollender S.** chain/rolling/rotating strike; **schwelender S.** festering strike; **spontaner S.** wildcat/spontaneous/lightning strike; **symbolischer S.** token strike; **totaler S.** all-out strike; **unangekündigter S.** wildcat strike; **unbefristeter S.** indefinite/unlimited strike; **ungesetzlicher S.** illegal/wildcat/unofficial strike, unconstitutional/unauthorized stoppage of work; **versteckter S.** camouflaged/hidden strike; **24-stündiger S.** one-day strike; **widerrechtlicher S.** illegal strike; **wilder S.** wildcat/unofficial/illegal/outlawed/spontaneous/unauthorized strike, unauthorized/unconstitutional stoppage of work; **zusammenbrechender S.** crumbling strike

Streik|abkommen *nt* strike agreement; **S.absicht** *f* intention to go on strike; **S.abstimmung** *f* strike vote/ballot; **S.abwendung** *f* prevention of a strike; **s.ähnlich** *adj* strike-like; **S.aktion** *f* strike action/campaign; **S.aktionen an ausgewählten Orten** selective strikes; **S.androhung** *f* strike threat, threat of strike; **s.anfällig** *adj* strike-prone; **S.anführer** *m* strike leader; **S.ankündigung** *f* strike notice; **S.anordnung** *f* strike instruction; **~ missachten** to defy the strike instruction; **S.aufruf** *m* strike call, call for a strike; **~ billigen** to endorse a strike call; **S.ausschuss** *m* strike committee; **überbetrieblicher S.ausschuss** umbrella strike committee; **s.bedingt** *adj* strike-induced; **S.beendigung/S.beilegung** *f* settlement of a strike; **S.befehl** *m* strike order; **S.beginn** *m* start of a strike; **S.beihilfe** *f* strike pay, dispute benefit; **S.beschluss** *m* strike decision/resolution; **S.beteiligung** *f* strike turnout; **S.bewegung** *f* strike movement; **S.bilanz** *f* strike record, record of strikes; **S.brecher** *m* strikebreaker, blackleg, scab *(coll)*, knobstick *(coll)*, fink *(coll) [US]*; **~ sein** to blackleg; **S.bruch** *m* strike breaking; **S.dauer** *f* duration of a strike; **S.dienst** *m* picket duty; **S.drohung** *f* strike threat; **~ zurücknehmen** to lift the strike threat; **S.einstellung** *f* termination of a strike; **S.einstellungsbeschluss** *m* vote to end a strike

streiken *v/i* to go/be on strike, to stage a strike, to strike, to walk out, to come out on strike, to down tools; **s.d** *adj* on strike, striking

Streikende *nt* end/termination of a strike; **vorzeitiges S.** early break in the strike

Streikende(r) *f/m* striker

Streik|fonds *m* strike fund; **S.fortsetzung** *f* continuation of a strike; **S.fortsetzungsbeschluss** *m* vote/call to continue a strike; **S.freiheit** *f* right to strike; **S.freudigkeit** *f* propensity to strike; **S.führer** *m* strike leader; **S.führung** *f* 1. *(Verhalten)* conduct of a strike; 2. *(Leitung)* strike committee; **S.gefahr** *f* danger/risk of a strike; **S.geld** *nt* strike pay/benefits, dispute benefit; **S.gesetzgebung** *f* strike legislation; **S.grund** *m* strikable issue; **S.kasse** *f* strike fund; **S.klausel** *f* strike clause; **S.leitung** *f* strike committee/leadership; **S.lokal** *nt* strike committee room; **s.lustig** *adj* strike-prone

Streikmaßnahmen *pl* strike action/measures; **S. aufheben/beenden** to lift a strike; **S. einleiten** to take strike action

streik|müde *adj* strike-weary; **S.müdigkeit** *f* strike-weariness; **S.parole** *f* strike slogan

Streikposten *m* (strike) picket; *pl* picket line; **durch S. absperren; S. aufstellen** to picket; **S. abziehen** to lift pickets; **S. nicht beachten** to cross the picket line; **S. stehen** to picket; **betriebsfremde S.** secondary pickets; **fliegender S.** flying/roving picket; **großes S.aufgebot** mass picketing; **S.kette** *f* picket line

Streik|recht *nt* right/freedom to strike, strike law; **S.risiko** *nt* risk of a strike; **S.schlichtung** *f* settlement of a strike, conciliation agreement to end a strike; **S.statistik** *f* strike statistics; **S.tage** *pl* man-days of strike idleness; **verlorene S.tage** number of working days lost through industrial action; **S.termin** *m* strike date; **S.unterbrechung** *f* suspension of a strike; **S.unterstützung** *f* strike pay/benefit(s); **S.urabstimmung** *f* strike ballot; **~ durchführen** to ballot so. on a strike

Streikverbot *nt* strike ban, ban on strikes, prohibition of strikes; **in der Verfassung verankertes S.** constitutional ban on strikes; **S.sklausel** *f* no-strike clause

Streik|vereinbarung *f* strike agreement; **S.verlängerung** *f* continuation of a strike; **S.versammlung** *f* strike meeting; **S.versicherung** *f* strike insurance; **S.verzichtsabkommen** *nt* no-strike agreement; **S.verzichtsklausel** *f* no-strike clause; **S.vorschlag** *m* strike proposal; **S.wache** *f* picket; **S.waffe** *f* strike weapon; **S.welle** *f* wave of strikes; **plötzliche S.welle** rash of strikes; **S.ziel** *nt* strike aim

Streit *m* row, dispute, conflict, controversy, argument, disagreement, quarrel, struggle, squabble, wrangle, strife; **im S. mit** at odds with; **S. um des Kaisers Bart** *(fig)* quarrel about nothing; **S. über die Einhaltung der Formvorschriften** battle of the forms (in contract); **S. um den Zuständigkeitsbereich** demarcation dispute; **im S. befangen** § in litigation; **noch ~ befangen** unadjudged

Streit mit jdm austragen to have it out with so.; **S. beenden/beilegen** to make/patch up the differences, ~ a quarrel, to solve a dispute; **S. vom Zaun brechen; S. provozieren** to pick a quarrel; **S. haben mit** to be at loggerheads with; **mit jdm im S. liegen** to be at issue/odds/loggerheads with so.; **S. schlichten** to settle/solve a dispute; **S. schüren** to foment strife; **S. suchen** to pick a quarrel, to be asking for trouble; **S. verhindern** to head off a quarrel; **S. verkünden** *(Zivilprozess)* to interplead/implead *[US]*; **S. wegen mitwirkenden Verschuldens verkünden** to serve notice of contribution and indemnity; **bei einem S. vermitteln** to intervene in a dispute

häuslicher Streit domestic dispute; **juristischer S.** legal dispute; **konfessioneller S.** sectarian feud

streit|bar *adj* aggressive, quarrelsome, militant, warlike; **s.befangen** *adj* in litigation

streiten *v/i* to contend/dispute/argue/struggle/wrangle/squabble, § to litigate; *v/refl* to squabble, *(Kleinigkeiten)* to quibble; **sich mit jdm über etw. s.** to be at odds with so. over sth.; **s.d** *adj* litigant, contending

Streiter *m* fighter

Streiterei *f* wrangle, wrangling, quarrelling

Streitfall *m* 1. *(Prozess)* action, lawsuit, litigation; 2. dispute, conflict, contest, case, divide; **im S.** in case of dispute; **S. bearbeiten** to deal with a case; **S. beilegen** to settle a dispute; **maritimer S.** shipping dispute

Streitfrage *f* controversy, contentious issue, (matter in) dispute, point at issue/of controversy; **rechtliche S.** issue at law

Streitgegenstand *m* subject of action/litigation, subject matter of the dispute, object at issue, matter in dispute/controversy, ~ for dispute, bone of contention *(fig)*; **S. festsetzen** to define an issue

streit|gegenständlich *adj* belonging to the case; **S.gehilfe** *m* intervening party

Streitgenosse *m* joint plaintiff/party/litigant, co-plaintiff; **S. ohne eigenes Prozessinteresse** nominal party; **als S.n haftbar machen** to render jointly liable; **notwendige S.n** necessary parties, privies in law

Streitgenossenschaft *f* joinder of parties, majority of plaintiffs; **notwendige S.** compulsory joinder; **unzulässige S.** misjoinder of parties

Streit|hahn *m* squabbler; **S.helfer** *m* intervening party

streitig *adj* litigious, contentious, litigable, questionable, in dispute, at issue; **nicht s.** non-contentious, uncontroversial; **s. machen** to dispute/contest/challenge; **s. sein** to be contested

Streitigkeit *f* dispute, controversy, quarrel; **S. aus dem Arbeitsvertrag** labour dispute; **S. beilegen** to settle a dispute, to adjust; **S.en schlichten** to settle disputes by arbitration; **arbeitsrechtliche S.** labour/industrial dispute; **nicht justiziable S.** non-justiciable dispute; **öffentlich-rechtliche S.** public-law dispute; **vermögensrechtliche S.** pecuniary case; **nicht ~ S.** non-pecuniary dispute; **wirtschaftliche S.en** commercial disputes

Streit|kasse *f* indemnity fund; **S.kräfte** *pl* armed forces; **S.macht** *f* force, posse; **S.objekt** *nt* point at issue, bone of contention, matter in dispute; **S.patent** *nt* litigious patent; **S.punkt** *m* contentious point, bone of contention, point at issue/of dispute, § question; **S.regelungs-/S.schlichtungsverfahren** *nt* disputes procedure, ~ settlement machinery; **S.sache** *f* 1. matter in controversy/dispute; 2. § litigation, lawsuit, action; ~ **aufrufen** to call up a case; **S.schrift** *f* pamphlet; **s.süchtig** *adj* quarrelsome, combative, pugnacious, cantankerous; **S.summe** *f* amount in litigation; **S.verfahren** *nt* litigious procedure, lawsuit, contentious proceedings; **S.verhältnis** *nt* plaintiff-defendant relationship, relation between litigants; **S.verkünder** *m* applicant of interpleader; **S.verkündigung** *f* interpleader, third-party notice, citation *[GB]*, impleader *[US]*; **S.verkündigungsverfahren** *nt* interpleader proceedings; **S.wert** *m* amount involved, value of matter in controversy, amount in controversy/litigation; **S.wertfestsetzung** *f* assessment of the value in dispute

streng *adj* strict, severe, stern, hard, rigid, stringent, rigorous, stiff, exacting

Strenge *f* strictness, severity, rigour, rigidity, stringency, precision, harshness; **S. des Gesetzes** rigour/severity of the law; **S. eines Tests** strength of a test

strenggläubig *adj* orthodox

Stresemann *m* morning dress/suit

Stress *m* stress; **s.frei** *adj* stress-free; **s.geplagt** *adj* under stress, highly stressed

Streu|abdeckung *f* coverage; **S.bereich** *m* dispersion area

Streubesitz *m* *(Aktien)* diversified/scattered/widely spread (share)holdings, widely held stock; **sich in S. befinden** to be widely spread; **landwirtschaftlicher S.** scattered fields

Streu|bild *nt* scatter diagram; **S.breite** *f* spread, coverage, dispersion area; **S.diagramm** *nt* scatter diagram; **S.dichte** *f* coverage, density of circulation

streuen *v/t* 1. to spread/scatter/disperse/diversify/disseminate; 2. *(Straße)* to grit

Streu|grenzen *pl* ▦ limits of variation; **S.kauf** *m* widely spread buying; **S.kosten** *pl* coverage costs

Streu|plan *m* space schedule; **S.prüfung** *f* media evaluation; **S.punktdiagramm** *nt* scatter diagram; **S.sendung** *f* throwaway; **S.siedlung** *f* scattered settlement

Streuung *f* 1. spread, dispersal, diversification, variation; 2. ▦ scatter, variance; **einheitlich in der S.** homoscedastic; **S. der Aktien** distribution of shares; **S. des Handels mit einer Ware** distribution of trade in a product; **S. von Industriebetrieben** deglomeration; **räumliche ~ Produktionsstätten** spatial dispersion of production units; ~ **Zufallsvariablen** scattering of random variables

endliche Streuung finite variance; **geografische S.** geographic spread, geographical diversification/distribution; **günstige S.** favourable variance; **lineare/mittlere S.** mean deviation; **quadratische S.** variance; **regionale S.** *(Anzeige)* regional dispersion/dispersal; **überlappende S.** *(Werbung)* distribution, overlapping circulation; **ungünstige S.** unfavourable variance

Streuungs|bereich *m* range; **S.breite** *f* spread, range (of dispersion); **S.dichte** *f* coverage; **S.diagramm** *nt* scatter diagram; **S.erfassung** *f* census of distribution; **nicht s.fähig** *adj (Risiko)* non-diversifiable; **S.koeffizient** *m* scatter coefficient; **S.korridor** *m* ▦ dispersion band; **S.kosten** *pl* coverage cost, space charge; **S.maß** *nt* ▦ variance, variation, (measure of) dispersion; **S.matrix** *f* ▦ dispersion matrix; **S.quadrat** *nt* variance; **s.ungleich** *adj* heteroscedastic; **S.ungleichheit** *f* heteroscedasticity; **S.verhältnis** *nt* variance ratio; **S.zerlegung** *f* analysis of variance

Streu|verlust *m* leakage; **S.werbung** *f* non-selective advertising; **S.wirkung** *f* dispersed effect; **S.zeichnung** *f* spot drawing

Strich *m* 1. stroke, line; 2. *(Stoff)* grain; **gegen den S.** against the grain; **unter dem S.** 1. at the final count; 2. *(Bilanz)* below the line, at the bottom line; **nach S. und Faden** *(coll)* left, right and centre

unter dem Strich ausweisen to show below the line; **auf den S. gehen** *(coll)* to walk the streets; **gegen den S. gehen** to go against one's grain, to stick in one's throat; **S. durch die Rechnung machen** *(fig)* to upset/thwart/foil (so.'s plans); **S. unter etw. ziehen** to turn over a new leaf *(fig)*; ~ **Vergangenes ziehen** to let bygones be bygones

Strichätzung *f* line etching

Strichcode *m* bar code; **S.etikett** *nt* bar code label; **S.kennzeichnung; S.kodierung** *f* bar coding, ~ code marking; **S.lesegerät/S.leser** *nt/m* bar code scanner; **S.scanning** *nt* bar code scanning

stricheln *v/t* to draw in broken lines

Strichelverfahren *nt* tally-sheet method

Strich|klischee *nt* line block/cut; **S.linie** *f* broken line; **S.liste** *f* check list, tally (sheet); **S.markierung** *f* tally, bar code; **S.schlüssel** *m* bar code; **S.skala** *f* graduated scale; **S.stärke** *f* line width; **S.zeichnung** *f* line drawing

Strick *m* rope, cord, tether; **wenn alle S.e reißen** *(coll)* if the worst comes to the worst, if all else fails; **jdm einen S. aus etw. drehen** to trip so. up with sth.; **am gleichen S. ziehen** to fight the same battle

Strickerei *f* 1. knitting mill, knitwear factory; 2. knitting

strikt *adj* strict, severe, rigid, stringent, hard and fast; **S.heit** *f* strictness, rigidity, rigour

Strickwaren *pl* knitwear; **S.industrie** *f* knitwear/knitting industry

Strippe *f (coll)* telephone (line); **an der S. hängen** *(coll)* to be phoning (all the time)

strittig *adj* controversial, contentious, disputed, disputable, contested, litigious, in dispute, at issue; **s. sein** to be at/in issue, ~ in dispute, ~ open to argument; **S.keit** *f* disputability, contestable nature

Stroh *nt* 1. straw; 2. 🏛 *(Dach)* thatch; **S.ballen** *m* bale of straw; **S.dach** *nt* thatched roof; **S.feuer** *nt (fig)* flash in the pan *fig)*; ~ **sein** to be a flash in the pan, ~ short-lived

Strohhalm *m* straw; **nach einem S. greifen** to clutch at a straw; **sich an jeden S. klammern** to clutch at every straw

Strohmann *m* front/straw man, dummy, front, man of straw, figurehead, nominee, ostensible partner, stalking horse *(fig)*; **als Aktionär vorgeschobener S.** nominee shareholder *[GB]*/stockholder *[US]*; **S.aktie** *f* nominal share; **S.beteiligung** *f* nominee shareholding; ~ **zwecks Übernahme** warehousing

Stroh|männerfirma/-gesellschaft *f* nominee company, dummy corporation *[US]*; **S.puppe** *f* straw doll; 🚜 scarecrow; **S.sack** *m* straw mattress

Strolch *m* vagabond, tramp, bum *(coll)*, hoodlum *(coll)* *[US]*

Strom *m* 1. ⚡ current, electricity, juice *(coll)*; 2. river; **gegen den S.** against the current, upstream; **mit dem S.** with the current, downstream; **S. von Besuchern** flood of visitors; ~ **Nutzungen** flow of services; **unter S. stehend** ⚡ live

Strom abschalten to cut off electricity, to switch off the current; **S. abzapfen** to abstract electricity; **S. einschalten** to switch on the current; **gegen den S. schwimmen** *(fig)* to swim against the tide/current *(fig)*, to buck a trend; **S. sparen** to save electricity/energy; **S. unterbrechen** ⚡ to break the current; **mit S. versorgen** to supply with electricity

elektrischer Strom electric current; **güterwirtschaftliche Ströme** flow of goods; **interne Ströme** internal flows; **reißender S.** torrent; **schiffbarer S.** navigable river

strom|ab *adv* downstream; **S.abfall** *m* ⚡ current drop, brownout *[US]*; **S.abgabe** *f* power supply; **S.ableser** *m* electricity meter reader; **S.abnehmer** *m* 1. *(Verbraucher)* electricity user/consumer; 2. 🚆 current collector, pick-up, pantograph; **S.absatz** *m* electricity sales; **S.abschaltung** *f* power cut; **s.abwärts** *adv* downstream; **S.anliegerstaat** *m* riparian state; **S.anschluss** *m* mains connection; **S.anschlusskosten** *pl* power installation costs; **s.aufwärts** *adv* upstream; **S.ausfall** *m* power failure, blackout, breakdown, outage *[US]*; **teilweiser S.ausfall** greyout, brownout *[US]*; **S.ausschalter** *m* contact breaker; **S.bedarf** *m* power requirements, electricity need(s); **S.bedingungen** *pl* flow conditions; **S.belastung** *f* power load; **S.bezug** *m* purchase of electricity, current consumption; **S.durchleitung** *f* electricity transmission; **S.durchleitungserträge** *pl* income from transmission; **S.einnahmen** *pl* electricity sales revenue

strömen *v/i* to flood/flow/gush/throng

Strom|entnahme *f* electricity consumption; **S.erlöse** *pl* electricity sales proceeds; **S.erzeuger** *m* (electricity) generator; electricity-generating/power company; **S.erzeugung** *f* electricity/power generation, electric power production, electrical/electricity output; **s.führend** *adj* ⚡ live; **S.gebühren** *pl* power/electricity charges; **S.größe** *f* flow (variable), rate of flow;

S.größenrechnung *f* statement of flows; **S.impuls** *m* current impulse; **S.kabel** *nt* power cable

Stromkreis *m* circuit; **S. unterbrechen** to break contact; **offener S.** open circuit

Strom|kürzung *f* brownout *[US]*; **S.leistung** *f* power output; **S.leitung** *f* power cable; **S.lieferung** *f* electricity/power supply; **S.lieferungsvertrag** *m* contract for the supply of electricity

Stromlinie *f* streamline; **S.nform** *f* streamline shape/design; **s.nförmig** *adj* streamlined; **S.nkarosserie** *f* 🚗 streamlined body

strom|los *adj* dead; **S.messer** *m* electricity/current meter; **S.mitte** *f* midstream; **S.netz** *nt* mains, electrical grid, power supply system; **überregionales S.netz** power grid; **S.preis** *m* electricity/power rate; **S.rationierung** *f* electricity rationing; **S.rechnung** *f* 1. electricity bill; 2. statement of flows; **S.schiene** *f* 🚆 conductor/live/third rail; **S.schifffahrt** *f* river navigation; **S.schwankungen** *pl* current fluctuations; **S.sicherung** *f* fuse; **S.spannung** *f* voltage, tension; **s.sparend** *adj* power-saving, energy-saving; **S.sperre** *f* power cut, blackout; **S.stärke** *f* amperage; **S.stoß** *m* current impulse; **S.tarif** *m* electricity tariff, power rate, electric utility rate; **S.transport** *m* electricity transmission; **S.transportgebühren** *pl* electricity transmission charges; **S.übertragung** *f* power transmission; **S.umsatz** *m* electricity sales

Strömung *f* 1. current, drift; 2. trend, tendency, direction; **S.sgleichgewicht** *nt* shifting equilibrium; **S.sgröße** *f* rate of flow, flow (variable)

Strom|unterbrecher *m* contact breaker; **S.unterbrechung** *f* power cut; **S.verbrauch** *m* power/electricity/current consumption; **S.verbraucher** *m* electricity consumer/user; **S.verbund** *m* electricity supply grid, electric(al) grid; **S.versorger** *m* electricity supply company, electric utility, power utility (company)

Stromversorgung *f* power/electricity supply; **öffentliche S.** commercial power supply; **S.sanlage** *f* generating plant; **S.sgebiet** *nt* supply area; **S.skabel** *nt* power cable; **S.snetz** *nt* electric grid; **S.sunternehmen** *nt* → **Stromversorger**; **S.swirtschaft** *f* electricity supply industry

Strom|verteilung *f* electricity/power distribution; **S.-wirtschaft** *f* electricity/power industry; **S.zähler** *m* electric(ity) meter; **S.zölle** *pl* river dues; **S.zufuhr** *f* electricity/power supply

Strudel *m* whirlpool; **in einen S. geraten** to be caught up in a whirlpool; **in den S. reißen/ziehen** to draw into the whirlpool

Struktogramm *nt* structural diagram

Struktur *f* 1. structure, organisation, set-up, make-up, structural shape, pattern, constitution; 2. pattern of the portfolio; 3. texture, fabric; **S. der Tarifverhandlungen** collective bargaining structure; ~ **Weisungsbeziehnungen** lines of authority; **divisionale S.** divisional structure; **grundlegende S.** framework; **regionale S.** regional structure; **wirtschaftliche S.** economic structure

Struktur|- structural; **S.analyse** *f* structural analysis; **S.änderung** *f* structural change, change of structure; **S.anpassung** *f* structural adjustment; **S.aufwendungen** *pl* structural expenditures, restructuring costs; **s.bedingt** *adj* structural; **S.beihilfe** *f* restructuring grant; **S.bereinigung** *f* restructuring; **S.bereinigungsprozess** *m* streamlining; **S.bericht** *m* report on structural change; **S.berichterstattung** *f* reporting on structural change; **S.dimension** *f* structural aspect; **S.effekt** *m* structural effect

strukturell *adj* structural

Struktur|erkennung *f* pattern recognition; **S.fehler** *m* structural shortcoming; **s.gefährdet** *adj* structurally endangered; **S.gleichung** *f* structural equation; **S.hilfe** *f* structural/restructuring aid

strukturieren *v/ti* to structure/organise; **neu s.** to rejig

strukturiert *adj* structured; **nicht s.** unstructured

Strukturierung *f* structuring, patterning; **S. der Arbeitsaufgaben** job design; **räumliche S.** spatial patterning

Struktur|koeffizient *m* structural coefficient; **S.konzept** *nt* structural plan; **S.kredit** *m* structural loan; **S.krise** *f* structural crisis; **S.mangel** *m* structural shortcoming; **S.maßnahme** *f* structural measure; **S.merkmal** *nt* structural characteristic; **S.nachteil** *m* structural disadvantage; **S.norm** *f* structural norm; **S.parameter** *m* structural parameter; **S.plan** *m* structural plan; **S.politik** *f* structural/adjustment/development area policy; **s.politisch** *adj* structural; **S.prinzip** *nt* 1. structural principle; 2. *(Ästhetik)* motif *[frz.]*; **S.problem** *nt* structural problem; **S.reform** *f* structural reform; **s.schwach** *adj* lacking in infrastructure, structurally weak; **S.schwäche** *f* lack of infrastructure, structural weakness; ~ **in ländlichen Gebieten** *f* rural deprivation; **S.umbruch** *m* structural change; **S.unterschied** *m* structural difference; **S.variable** *f* structural variable; **S.veränderung** *f* 1. structural change, change in structure; 2. 🏛 structural alteration; **S.verbesserung** *f* structural improvement; **S.verschiebung/S.wandlung** *f* structural change, change(s) in/of structure; **S.vorteil** *m* structural advantage; **S.wandel** *m* change in structure, structural change/reorganisation; ~ **im Einzelhandel** changing retail pattern; **S.zuschuss** *m* structural grant

Strumpf *m* stocking; **im S. sparen** to keep one's money under the mattress *(fig)*; **S.geld** *nt* hoarded notes and coins; **S.händler** *m* hosier; **S.waren** *pl* hosiery

Stube *f* room; **gute S.** (front) parlour; **auf der S. hocken** *(coll)* to stay at home

Stuben|arrest *m* ✈ confinement to quarters, ~ one's room; **S.dienst** *m* ✈ barrack room duty; **S.genosse** *m* roommate; **S.mädchen** *nt* chambermaid

Stuck *m* 🏛 stucco *[I]*

Stück *nt* 1. piece, item, unit; 2. *(Teil)* segment, portion, bit, part; 3. slice, stretch, lump; 4. *(Wertpapier)* certificate; 5. *(Land)* plot; 6. *(Vieh)* head; 7. 🎭 play; **S.e** *(Wertpapiere)* securities, stocks and shares; **aus einem S.** of one piece; **in S.n zu** in denominations of; **je/per/pro S.** each, apiece

schweres Stück Arbeit tough job; **S. Land** plot/spread/

parcel/tract of land; **S. pro Million** parts per million (ppm); **S. Papier** piece/scrap/slip of paper; **S. (Rind)Vieh** head of cattle; **S. Seife** tablet/bar of soap; **großes S. Seife** bath-size tablet; **S. Zucker** lump of sugar; **S. vom Kuchen** slice; **S. für S.** piecemeal, one at a time, bit by bit

Stück aufführen to stage a play; **S. besetzen** to cast a play; **große S.e halten von** to think well of, to have a high opinion of; **schönes S. Geld kosten** to cost a pretty penny; **in S.e reißen** to pull/tear to pieces; **sich ~ lassen für jdn** to do everything for so.; **~ schlagen** to smash up; **~ schmettern** to smash to pieces; **~ springen** to be fragmented; **nach dem S. verkaufen** to sell by the piece; **in S.e zerreißen** to tear to shreds

effektive Stück|e physical securities; **einmaliges S.** one of a kind; **einwandfreies S.** *(Börse)* good delivery; **fehlerfreies S.** effective unit; **fehlerhaftes S.** reject, defective item/unit; **zugelassene Zahl fehlerhafter S.e** allowable defects; **freie S.e** *(Börse)* negotiable/sal(e)able/freely disposable securities; **aus freien S.en** of one's own accord/free will, voluntary, voluntarily; **gesperrtes S.** blocked security; **handelbare S.e** *(Börse)* free float; **kleines S.** *(Börse)* small denomination; **lieferbares S.** *(Börse)* good delivery security; **sofort lieferbare S.e** *(Börse)* spot parcels; **nasses S.** *(Börse)* unsold bond; **nicht passendes S.** misfit; **schlechte S.e** spotty quality; **trockene S.e** mortgage bonds in circulation; **winziges S.** morsel; **zugkräftiges S.** drawing card; **zurückfließende S.e** *(Börse)* bonds coming level

Stück|akkord *m* piecework; **S.aktie** *f* individual share certificate; **S.arbeit** *f* piece/task work, jobbing; **S.arbeiter** *m* piece worker; **S.ausziehung** *f* retail drawing

Stückchen *nt* particle, morsel

Stück|deckungsbeitrag *m* unit contribution margin; **S.dividende** *f* dividend per share; **S.depot** *nt* custody account of fungible securities; **S.edruck** *m* printing of bond/share certificates; **S.einheit** *f* unit, piece; **S.ekonto** *nt* securities account

stückeln *v/t* 1. to denominate, to divide (up); 2. *(Anlagefonds)* to unitize

stückelos *adj* without physical securities, no-certificate

Stückelung *f* *(Wertpapiere)* denomination, breakdown; **in S.en von** in denominations of; **S. von Obligationen** denominations of bonds; **in kleiner S.** in small denominations

Stückemangel *m* scarcity of securities, shortage of offerings

Stückerfolg *m* unit profit/loss; **S.srechnung** *f* job-order cost accounting, unit profit statement

Stücke|schreiber *m* playwright; **S.verkehr** *m (Börse)* physical transfer; **S.verzeichnis** *nt* 1. list of items; 2. *(Inventar)* inventory; 3. *(Sortenzettel)* bill of specie; 4. *(Börse)* statement of securities deposited; 5. dispatch note; **namentliches S.verzeichnis** specification; **S.zuteilung** *f* allocation of securities

Stück|fertigung *f* job production, production to specification; **S.fracht** *f* mixed/general cargo; **S.frachtbox** *f* smallest container, flexilink; **S.frachtverbindung** *f* flexilink service; **S.gebühr** *f* charge per item; **S.gedinge** *nt* lump bargain; **S.geld** *nt* notes and coins; **S.geldakkord** *m* money rate; **S.gewicht** *nt* weight per item; **S.gewinn** *m* profit per unit

Stückgut *nt* mixed/general cargo, piece goods, part load, general freight, less-than-carload lot (LCL) *[US]*, parcel; **Stückgüter** general/mixed cargo, parcels; **konventionelles S.** general cargo

Stückgut|aufkommen *nt* LCL/sundry traffic; **S.bahnhof** *m* parcels station; **S.befrachtung** *f* general/berth freighting; **S.begleitbrief** *m* astray freight waybill; **S.container** *m* general cargo container; **S.dampfer** *m* general cargo liner; **S.fracht** *f* general/mixed cargo, less-than-carload (LCL), package freight, freighting by the case; **S.frachter** *m* general cargo vessel/ship; **S.frachtgeschäft** *nt* mixed/general freighting, less-than-carload (LCL) business; **S.hafen** *m* unit-load port; **S.ladung/S.partie** *f* general/mixed cargo, less-than-carload (LCL); **S.lager** *nt* parcels depot; **S.lieferung** *f* drop shipment, less-than-carload (LCL) delivery; **S.markt** *m* piece market; **S.raum** *m* general cargo capacity; **S.sendung** *f* package freight, less-than-carload (LCL) shipment *[US]*, parcels, part-load consignment; **S.spediteur** *m* general freight carrier; **S.tarif** *m* general cargo rate, less-than-carload (LCL) lot rate(s), part-load/berth/commodity *[US]* rate(s); **S.umschlag** *m* general cargo handling/movement; **S.umschlagsanlage** *f* general cargo handling facility; **S.verkehr** *m* part load/parcels/sundry traffic, less-than-carload (LCL) traffic/business *[US]*; **S.versand** *m* berth freighting, less-than-carload (LCL) shipment; **S.vertrag** *m* bill of lading contract; **S.zustellung** *f* parcels/less-than-carload (LCL) delivery

Stück|kalkulation *f* unit/item/product costing, unit calculation; **S.kauf** *m* purchase of specified/specific goods; **S.kaufpreis** *m* unit price; **S.kohle** *f* lump coal

Stückkosten *pl* unit/piece costs, cost per unit, costs of article produced, average cost, unit production cost; **fixe S.** fixed cost per unit; **geringste S.** minimum unit cost; **variable S.** unit variable costs, variable unit costs; **S.belastung** *f* cost load per output unit; **S.kalkulation** *f* item/product costing; **S.nachteile** *pl* disadvantages of higher cost units

Stückkostenrechnung *f* item/unit/product costing, job-order cost accounting; **S. für Einzelfertigung** job-order costing; **~ Massenfertigung** process costing; **~ (Serien- und) Sortenfertigung** operation costing

Stück|kurs *m* price per share, unit quotation; **S.leistung** *f* output per unit; **S.liste** *f* parts list, (master) bill of materials/quantities, specification, list of items; **S.listenauflösung** *f* bill explosion; **S.listenverwaltung** *f* parts list management; **S.lizenz** *f* per-unit fee/royalty

Stücklohn *m* piece(work) rate/wage(s), payment by piece rates, wage on piecework basis; **S. erhalten** to be paid by the piece; **S.arbeit** *f* piecework, **S.arbeiter** *m* pieceworker; **S.faktor** *m* basic piece rate; **S.satz** *m* piece rate; **S.verdienst** *m* piecework earnings; **S.verfahren** *nt* differential piece rate system

Stück|muster *nt* sample; **S.notiz/S.notierung** *f (Börse)* unit quotation, quotation per unit; **S.nummer** *f* serial/

certificate number; **S.preis** *m* unit price, price per piece/item/unit; **S.produktion** *f* unit production; **S.rechnung(ssystem)** *f/nt* unit cost accounting, product/unit costing; **S.schuld** *f* specific/defined/determinate obligation; **S.spanne** *f* item-related profit margin; **S.steuer** *f* specific duty/tax; **S.tarif** *m* unit/piece rate; **S.verkauf** *m* retail sale; **S.verladevorrichtung** *f* unit loading facility; **S.verzeichnis** *nt* 1. specification; 2. *(Börse)* bordereau *[frz.]*; **S.ware** *f* piece goods; **s.weise** *adj* piecemeal, in bits and pieces, in parcels; **S.werk** *nt* piecework, patchwork; **S.wertaktie** *f* share quoted per unit

Stückzahl *f* number (of units/items), piece, quantity, production run; **feste S. für den Handel** *(Börse)* board lot; **börsenübliche S.** marketable parcel; **gerade S.** *(Börse)* round lot; **große S.** long production run; **~ S.en** large numbers; **hohe S.en** large product numbers, ~ production run; **kleine S.** short production run; **rationelle S.** economic lot size; **ungerade S.** *(Börse)* odd lot; **verkaufte S.** unit sales

Stückzeit *f* job/unit time; **S.akkord** *m* piece-time rate

Stückzinsen *pl* accrued interest, bond interest accrued, running interest; **ex/ohne S.** ex/without interest, flat *[US]*; **mit/plus S.** cum/and interest

Stückzoll *m* ⊝ specific duty, duty per article

Student *m* student; **S. in der Ausbildung** undergraduate (student); **S. mit Examen** graduate (student); **S. im ersten Semester** freshman, fresher; **S. relegieren** to expel a student, to send a student down *[GB]*; **auswärtiger S.** *(Gasthörer)* extramural student *[GB]*, auditor *[US]*; **ehemaliger S.** alumnus *(lat.)*; **examinierter S.** graduate (student)

Studenten|ausschuss *m* student committee/union *[GB]*; **S.austausch** *m* student exchange; **S.ausweis** *m* student card, student's union card *[GB]*; **S.beihilfe** *f* student grant; **S.bude** *f* digs *(coll)*; **S.förderung** *f* student grant; **S.(wohn)heim** *nt* student hostel, hall of residence *[GB]*, dormitory *[US]*; **S.schaft** *f* student body/union *[GB]*; **S.werk** *nt* student welfare organisation

Studentin *f* female student

studentisch *adj* student

Studie *f* study, survey; **S. über Verbraucherausgaben** consumer expenditures study; **vergleichende S.** comparative study

Studien|abteilung *f* study section; **S.aufenthalt** *m* study visit; **S.ausgabe** *f* textbook edition; **S.ausschuss** *m* study committee; **S.beihilfe** *f* grant, scholarship, studentship *[US]*; **S.berater** *m* study adviser; **S.bescheinigung** *f* study certificate; **S.direktor** *m* director of studies, *(Schule)* head of department; **S.einrichtungen** *pl* study facilities; **S.fach** *nt* subject, study; **S.fahrt** *f* study/field excursion; **S.förderung** *f* study grant; **S.freund** *m* college friend; **S.gang** *m* course of studies; **S.gebiet** *nt* study area, field of studies; **S.gebühr** *f* tuition fee; **S.gruppe** *f* study group; **S.inhalt(e)** *m/pl* course contents; **S.kollege** *m* fellow student; **S.kommission** *f* study commission; **S.kreis** *m* study group; **S.leiter** *m* 1. director of studies; 2. tutor; **S.objekt** *nt* study; **S.plan** *m* curriculum, syllabus; **S.platz** *m* university/college place; **zentrale S.platzvergabe** Universities' Central Council on Admissions (UCCA) *[GB]*; **S.rat/S.rätin** *m/f [D]* grammar school teacher; **S.reform** *f* educational reform; **S.referendar(in)** *m/f* trainee teacher; **S.reise** *f* study trip/visit, educational tour; **S.schwerpunkt** *m* area of study; **S.semester** *nt* semester, term; **S.stiftung** *f* educational trust/foundation, scholarship; **S.urlaub** *m* sabbatical (leave), study leave; **S.versicherung** *f* educational endowment assurance *[GB]*/insurance *[US]*; **S.zeit** *f* 1. college years; 2. duration of the course (of studies)

studier|en *v/t* 1. to study/read, to do a degree, to be a student; 2. to examine carefully; 3. to train; **s.t** *adj* educated

Studierzimmer *nt* study

Studio *nt* studio; **S.einrichtungen** *pl* studio facilities

Studium *nt* 1. study; 2. scrutiny; **eingehendes S.** comprehensive study; **gründliches S.** detailed study

Stufe *f* 1. step, level, stage, bracket, tier, phase, echelon *[frz.]*; 2. *(Grad)* grade; **in S.n** on a phased basis; **auf gleicher S.** on a level; **S. der Fertigstellung** stage of completion; **S.n der Gehälter** scale of salaries; **~ Karriereleiter** rungs of the managerial ladder; **S. der Unternehmensführung** level of management; **S.n abkürzen** to curtail the stages; **in S.n einführen** to phase in; **auf gleicher S. mit jdm stehen** to be on a level with so.; **auf dieselbe S. stellen** to bracket together; **höchste S.** top of the ladder; **kritische S.** critical stage

Stufen|akkord *m* step bonus; **s.artig** *adj* gradual; **S.ausbildung** *f* step-by-step training; **S.bezeichnung** *f* level indicator; **S.diagramm** *nt* staircase chart; **S.flexibilität** *f (Wechselkurse)* crawling/moving peg, moving parity, managed flexibility; **limitierte S.flexibilität** adjustable peg system; **S.gründung** *f* company formation by incorporators and subscribers; **S.leiter** *f* gradation, gamut; **~ zum Erfolg** ladder to success; **S.leiterverfahren** *nt* step-ladder method; **S.plan** *m* 1. graduated scheme, multi-stage/phased plan; 2. *(Kostenplanung)* tabular form; **S.preise** *pl* staggered prices; **S.produktion** *f* staggered production; **S.rabatt** *m* chain discount; **S.satz** *m (Vers.)* step rate; **S.tarif** *m* graduated rate/scale; **s.weise** *adj* progressive, step-by-step, stepwise, in stages, gradual, staggered, phased, on a phase basis; **S.wertzahlverfahren** *nt* point(s) (rating) system

Stuhl *m* chair; **sich zwischen die Stühle setzen** *(fig)* to fall between two stools *(fig)*; **jdm den S. vor die Tür setzen** *(fig)* to show so. the door *(fig)*, to turn so. out

Stühlerücken im Vorstand/auf der Vorstandsetage *nt (coll)* boardroom shake-up, management change(s), corporate reshuffling

Stümper *m* dilettante *[frz.]*, bungler; **S.ei** *f* bungling; **s.haft** *adj* amateurish, dilettante *[frz.]*, slipshod; **s.n** *v/i* to bungle, to make a mess/hash of things

stumpf *adj* blunt, dull; **S.gleis** *nt* 🚂 siding *[GB]*, sidetrack *[US]*; **S.sinn** *m* apathy, dullness; **s.sinnig** *adj* dull, drab, tedious, apathetic

Stunde *f* 1. hour; 2. *(Unterrichts)* lesson; **pro S.** per hour; **jede S.** at hourly intervals; **ein paar S.n arbeiten** to put in a few hours; **nach S.n bezahlen** to pay by the hour; **S.n geben** to give lessons; ~ **nehmen** to take lessons; **jede S. verkehren** to run every hour

zur rechten Stunde at the right time; **zur verabredeten S.** at the appointed time/hour; **verfahrene S.n** hours worked; **verkehrsreiche S.** rush hour; **verkehrsschwache S.n** off-peak hours; **zur vollen S.** on the hour; **zu vorgerückter S.** at a late hour

stunden *v/t* to grant/accord a respite, to allow time, to hold over, to defer payment

Stunden|- hourly; **S.durchschnitt** *m* hourly average; **S.einkommen** *nt* hourly wage, wage per hour; **S.hotel** *nt* house of ill fame; **S.kilometer** *pl* kilometres/miles *[GB]* per hour; **s.lang** *adj* endless, for hours (on end); **S.leistung** *f* hourly output/rating; **S.liste** *f* time sheet

Stundenlohn *m* wage(s) per hour, hourly wage(s)/earnings, time wage, earned/hourly rate (of pay); **Stundenlöhne** hourly rate labour costs; **gegen S. beschäftigter Arbeiter** hourly-paid worker; **S.arbeit** *f* time work; **S.kosten** *pl* hourly wage costs; **S.satz** *m* hourly wage rate, time work rate

Stunden|plan *m* timetable, schedule *[US]*; **S.produktivität** *f* productivity per man-hour; **S.satz** *m* hourly rate; **S.verdienst** *m* wage per hour, hourly wage(s)/earnings, compensation per hour worked, earned rate; **s.weise** *adj* hourly, by the hour, part-time; **S.zeiger** *m* hour hand; **S.zettel** *m* time sheet

stündlich *adj* hourly, every hour, at hourly intervals

Stundung *f* 1. respite (of debts), moratorium, deferment/prolongation of payment, extension (of credit), grant of delay; 2. *(Wechsel)* indulgence, for(e)bearance; **S. von Forderungen** prolongation of debts; **S. des Kaufpreises** deferred payment; **S. beantragen** to apply for a (term of) respite; **um S. bitten** to ask for/request an extension; **S. gewähren** to (grant a) respite

Stundungs|antrag *m* request for a respite; **S.frist** *f* period of grace/deferral, days of grace; **S.gesuch** *nt* request/application for a respite; ~ **stellen** to apply for a respite; **S.konto** *nt* deferred payment account; **S.nehmer(in)** *m/f* respitee; **S.vereinbarung/S.verlängerung** *f* letter of respite; **S.vergleich** *m* moratorium, composition through deferment of creditors' claims; **S.vertrag** *m* letter of respite, extension agreement; **S.zinsen** *pl* moratorium interest, interest for delayed payment

Stunk *m* *(coll)* fuss; **S. machen** *(coll)* to kick up a fuss

stur *adj* stubborn, obstinate, stolid, bone-headed; **s. und steif behaupten** to swear black and blue; **sich s. stellen** to dig one's heels in *(fig)*; **S.heit** *f* obstinacy

Sturm *m* 1. storm, gale, blast; 2. ☙ assault, attack, charge; **S. auf die Bank** run on the bank; **S. und Drang** storm and stress; **S. der Entrüstung** storm of indignation; **S. von Protesten** storm of protest; **S. im Wasserglas** storm in a teacup

Sturm entfachen to stir up a storm; **S. der Entrüstung entfesseln** to raise a storm of indignation; ~ **hervorrufen** to provoke outrage; **S. laufen gegen (etw.)** *(fig)* to be up in arms against (sth.) *(fig)*; **S. läuten** to ring the alarm; **im S. nehmen** to take by assault; **S. überstehen** to ride out/weather a storm

Sturm|bö *f* squall; **S.deck** *nt* weather deck

stürmen *v/ti* to storm/rage

Sturm|fahne *f* warning flag; **s.fest** *adj* storm-proof; **S.flut** *f* spring tide; **S.glocke** *f* storm/weather bell

stürmisch *adj* 1. stormy, tempestuous, blustery; 2. *(fig)* turbulent, violent, vehement, vigorous, brisk, rapid

Sturm|laterne *f* storm lantern, hurricane lamp; **S.läuten** *nt* sounding the alarm; **S.schaden** *m* (wind)storm damage; **S.schadenversicherung** *f* storm and tempest insurance, tornado insurance *[US]*; **im S.schritt** *m* ☙ at the double; **s.sicher** *adj* storm-proof; **S.signal** *nt* storm signal; **S.versicherung** *f* windstorm insurance; **S.warnung** *f* gale warning; **S.wind** *m* gale; **S.zentrum** *nt* storm centre *[GB]*/center *[US]*; **S.zone** *f* storm belt

Sturz *m* 1. (down)fall; 2. *(Kurs/Preis)* fall, drop, collapse, tumble, plunge, slump, overturn; **S.acker** *m* newly ploughed/plowed *[US]* field; **S.bach** *m* torrent

stürzen *v/ti* 1. to fall; 2. *(Preis/Kurs)* to fall/collapse/drop/slump/tumble/plummet/nosedive, to (take a) plunge; 3. *(Regierung)* to overthrow/topple; **nicht s.!** this side up, upright; **sich s. auf** *(Börse)* to pile into; **sich auf jdn s.** to pounce on so.; **sich in etw. s.** to dive/plunge into sth.; **sich kopfüber in etw. s.** to rush headlong into sth.

Sturzflug *m* ✈ nosedive; **S. machen** to (nose-)dive

Sturzgüter *pl* bulk goods; **S.befrachtung** *f* bulk loading; **S.sendung** *f* bulk shipment

Sturz|helm *m* crash helmet; **S.see** *f* breaker, surge, roller

Stütz|- supportive; **S.balken** *m* prop

Stütze *f* 1. support, pillar, prop; 2. underpinning; 3. help(er); **S. der Expansion** support for the expansion; **S. des Geschäfts** mainstay of the business; **S. der Gesellschaft** pillar of society

Stutzen *m* ✿ connecting piece, muff

stutzen *v/t* 1. to trim/clip/balk/prune/truncate, to pare back; 2. *(Lohn)* to dock; *v/i* to become suspicious, to hesitate

stützen *v/t* 1. to support/back/peg/sustain/underpin, to prop/shore/hold up; 2. to subsidize; 3. *(Theorie)* to base/found (on); **(sich) s. auf** 1. to rely upon, to be reliant on, to base/lean/rest on; 2. *(Gesetz/Vertrag)* to invoke; **sich auf nichts s. können** to have nothing to go on/by; **s.d** *adj* supportive

Stützfrucht *f* supporting crop

jdn stutzig machen *adj* to make so. wonder/hesitate; **s. werden** to grow suspicious

Stütz|käufe *pl* support buying, intervention buying support; **S.kurs** *m* supported price; **S.mauer** *f* 🏛 retaining wall; **S.pfahl** *m* prop; **S.pfeiler** *m* 🏛 buttress; **S.preis** *m* support/subsidized/supported price; **S.punkt** *m* base, foothold, centre

Stutzung *f* truncation

Stützung *f* support, backing; **S. der Agrarpreise** farm price support; **S. des Kurses/Preises** price support; **S. der Währung** currency backing; **S. des Wechselkurses** exchange rate support

Stützungs|aktion *f* support operation; ~ **durch die Bank** banking support; **S.aktivitäten** *pl* support measures; **S.angebot** *nt* support; **S.auftrag** *m* supporting order; **S.fonds** *m* deposit guarantee fund

Stützungskauf *m* supporting/pegging purchase; **Stützungskäufe** support buying/intervention, support(ed)/price supporting purchases, (official) support, buying-in, backing; **~ der Konsorten** pool support; **~ der Zentralbank** central bank support, official buying-in; **~ unternehmen** to hold the market; **außerbörsliche Stützungskäufe** support buying in the outside market
Stützungs|konsortium *nt* backing syndicate; **S.kredit** *m* stand-by credit, emergency credit/loan; **S.kurs** *m* support price; **S.maßnahmen** *pl* support measures; **~ für eine Währung** currency support operations; **S.-operation** *f* support operation; **S.politik** *f* support policy; **S.preis** *m* support price; **S.vereinbarung** *f* standby agreement; **S.verpflichtung** *f* support commitment
Styropor TM *nt* styrofoam, polystyrene
sub|altern *adj* subaltern, subordinate; **S.hastation** *f* [§] judicial sale, *(Grundstück)* foreclosure
Subjekt *nt* subject, legal entity; **übles S.** nasty individual; **verdächtiges S.** suspicious character; **verkommenes S.** reprobate
subjektiv *adj* subjective, individual, theoretical
Subjektsteuern *pl* personal taxes
Subkontinent *m* subcontinent
Submission *f* submission, tender, bid, invitation to bid/tender; **bei einer S. leer ausgehen** to lose out on a tender; **S. ausschreiben** to invite tenders; **in S. (ver)geben; S. veranstalten** to put out to tender, to allocate by tender; **an einer S. teilnehmen** to tender
Submissionsabsprache *f* collusive tendering
Submissionsangebot *nt* bid, tender, bidding; **versiegeltes S.** sealed tender/bid; **S. machen** to tender
Submissions|anzeiger *m* contract journal; **S.aufforderung** *f* invitation to tender; **S.bedingungen** *pl* terms of tender, tender terms; **S.bewerber** *m* tenderer, bidder; **S.frist** *f* bidding/tender period; **S.garantie** *f* guarantee of tender, performance/bid bond; **S.gebot** *nt* tender, bid; **S.kartell** *nt* bidding cartel; **S.offerte** *f* tender, bid; **~ einreichen** to put in/make a tender; **S.preis** *m* tender/offering/contract price; **S.schluss** *m* bid closing date; **S.termin** *m* tendering/submission/opening date; **S.unterlagen** *pl* tender documents; **S.verfahren** *nt* competitive bidding, bidding process, tender procedure, public tender; **S.vergabe** *f* award (of a contract); **S.verkauf** *m* sale by (sealed) tender/bid; **S.versicherung** *f* contract insurance; **S.vertrag** *m* tender agreement
auf dem Submissionswege *m* by tender; **im S. ausschreiben** to invite tenders; **~ vergeben** to put out to contract/tender, to allocate by tender
Submittent *m* bidder, tenderer; **erfolgreicher S.** successful bidder
subordiniert *adj* subordinate
Subordination *f* subordination; **S.skonzern** *m* subordinative group; **S.squote** *f* chain of command, span of control/command
Subrogation *f* subrogation
subsidiär *adj* subsidiary, subordinate, alternative
Subsidiarität *f* subsidiarity, subsidiary nature/character; **S.sprinzip** *nt* subsidiary principle, principle of secondary liability
Subsidien *pl* subsidies; **S.vertrag** *m* subsidiary treaty; **S.wirtschaft** *f* subsidy system
Subsistenz|landwirtschaft *f* subsistence farming; **S.minimum** *nt* subsistence level
Subskribent *m* subscriber; **S.en sammeln** to solicit subscriptions, to canvass subscribers; **möglicher S.** prospective subscriber; **S.enliste** *f* subscription list; **S.ensammler** *m* canvasser, solicitor for subscriptions, book agent *[US]*
subskribieren *v/t* to subscribe
Subskription *f* subscription; **für eine S. werben** to canvass for a subscription
Subskriptions|abteilung *f* subscription department; **S.angebot** *nt* subscription offer; **S.anzeige** *f (Wertpapier)* prospectus; **S.aufforderung** *f* invitation to subscribe; **S.auftrag** *m* subscription order; **S.ausgabe** *f* 📖 subscription edition; **S.bedingungen** *pl* subscription terms; **S.buch** *nt* subscription book; **S.dauer** *f* subscription period; **S.dienst** *m* subscription service; **S.einladung** *f* invitation to subscribe; **S.erneuerung** *f* renewal of subscription; **S.formular** *nt* subscription form; **S.frist** *f* subscription period; **S.gebühr** *f* subscription fee; **S.liste** *f* subscription list; **S.preis** *m* 1. subscription price; 2. 📖 pre-publication price; **S.recht** *nt* privilege of subscription; **S.schein** *m* subscription warrant; **S.summe** *f* amount subscribed, subscription; **S.verein** *m* proprietary association; **S.verfahren** *nt* subscription process
substanziell *adj* → **substanziell**
Substanz *f* 1. substance, (material) assets; 2. capital assets, assets (base), matter, intrinsic value; 3. *(Gebäude)* fabric; **in der S. abschreibbar** depletable; **S. angreifen** to draw on reserves; **an die S. gehen** to be a drain on one's resources/capital; **S. haben** to be of substance; **von der S. leben** to live on capital; **psychotropische S.** psychotropic substance
Substanz|abgabe *f* levy on material assets; **S.anreicherung** *f* addition to net worth; **S.aushöhlung** *f* erosion of the real asset(s) base; **S.ausschüttung** *f (Fonds)* distribution of capital gains; **vorsätzliche S.beschädigung** active waste; **S.besteuerung** *f* taxation of property; **S.bewertung** *f* real asset valuation; **S.bildung** *f* accumulation of capital/assets; **S.denken** *nt* thinking in real value terms
Substanzerhaltung *f* maintenance of assets, ~ real asset values, preservation of substance, material asset value maintenance, physical capital maintenance; **S.srechnung** *f* inflation accounting; **S.srücklage** *f* inflation reserve
Substanz|genussrecht *nt* equity enjoyment right; **s.gesichert** *adj* backed by material assets
substanziell *adj* substantial, material, essential, fundamental
substanziier|en *v/t* to substantiate, to give full details, to state full particulars; **S.ung** *f* substantiation, statement of particulars; **mangelnde S.ung** failure to state full particulars
Substanz|kurs *m* material-value rating; **S.minderung** *f* depletion, loss of capital/assets; **S.polster** *nt* asset base;

S.schaden *m* material loss; **S.schädigung** *f* material damage; **S.schwund** *m* dwindling assets; **S.steuern** *f* capital levy, tax on non-income values, ~ non-capital income; **werterhöhende S.veränderung** ameliorative waste; **S.verlust** *m* depletion, asset erosion, real asset loss, loss of substance/material; **S.verringerung** *f* depletion; **S.verzehr** *m* consumption, depletion (of assets/capital), (asset) erosion, erosion of assets, ~ the assets base, real asset wastage

Substanzwert *m* 1. real/(physical) asset/breakdown value, net value of tangible assets; 2. *(Fonds)* net asset value; **S.anlage** *f* real asset investment; **S.zuwachs** *m* real asset growth

Substanzzuwachs *m* growth in asset volume

substituierbar *adj* substitutable; **S.keit** *f* substitutability; **~ der Produktionsfaktoren** factor mobility

substituieren *v/t* to substitute

Substitut *nt* substitute (good/product); **S.(in)** *m/f (Laden)* supervisor, deputy/assistant manager, departmental assistant/deputy; 3. sub-agent

Substitution *f* substitution; **periphere S.** peripheral substitution

substitutional *adj* substitutional; **S.ität** *f* substitutionality

Substitutions|beziehung *f* substitutional relation; **S.effekt** *m* substitution effect

Substitutionselastizität *f* elasticity of (technical) substitution; **konstante S.** constant elasticity of substitution; **variable S.** variable elasticicty of substitution

Substitutions|gut *nt* substitute (good); **S.güter** substitutes; **S.koeffizient** *m* substitution coefficient; **S.konkurrenz** *f* substitute competition; **S.konto** *nt* substitution account; **S.kosten** *pl* substitution/opportunity cost(s); **S.kostentheorie** *f* theory of substitution cost(s); **S.kredit** *m* substitution credit; **S.kurve** *f* trade-off curve; **S.lücke** *f* gap in the substitution chain; **S.produkt** *nt* substitute; **S.rate** *f* rate of (commodity) substitution; **technische S.rate** rate of technical substitution

substitutiv *adj* substitute

sub|sumieren *v/t* to subsume, to include; **S.sumtion** *f* subsumption; **S.system** *nt* sub-system

subtil *adj* subtle; **S.ität** *f* subtlety, sophistication

subtrahieren *v/t* to subtract

Subtraktion *f* subtraction; **S.sanweisung** *f* 💻 subtract statement; **S.smethode** *f* residual value costing; **S.szeichen** *nt* subtraction sign

subtropisch *adj* sub-tropical

Subunternehmen *nt* subcontractor

Subunternehmer *m* 1. subcontractor, contractor, subber *(coll)*; 2. *(Fracht)* subcarrier; **als S. fungieren/tätig sein** to carry out subcontracting work; **S.tätigkeit** *f* subcontracting work; **S.vertrag** *m* subcontract

Subvention *f* subsidy, grant, government aid, subvention (payment), bounty; **S.en für Investitionsvorhaben** investment subsidies; **S. bewilligen** to grant a subsidy; **diskriminierende S.** discriminatory subsidy; **offene S.** overt subsidy; **staatliche S.** state subsidy, government grant/subsidy; **standortgebundene S.** location-specific subsidy; **versteckte S.** hidden subsidy

subventionier|en *v/t* to subsidize/support/subventionize, to pay subsidies; **s.t** *adj* subsidized, grant-aided; **öffentlich/staatlich s.t** state-subsidized; **S.ung** *f* subsidization, subsidizing, featherbedding

Subventionismus *m* practice of subsidizing

Subventions|abbau *m* cut/reduction of subsidies; **s.bedürftig** *adj* in need of subsidies; **S.bericht** *m* report on subsidies; **S.betrug** *m* subsidy fraud; **S.empfänger** *m* recipient of subsidies, tax-eater *(coll)*; **S.genehmigung/S.vergabe** *f* granting a subsidy; **S.konto** *nt* subsidy account; **S.regelung** *f* system of subsidies; **S.wesen** *nt* subsidy system, bounty feeding *(coll)*; **S.wettlauf** *m* subsidy race; **S.zahlung** *f* subsidy payment; **S.zweck** *m* subsidy purpose

subversiv *adj* subversive

Such|anzeige *f* want(ed) ad; **S.auftrag** *m* tracing order; **S.baum** *m* 💻 menu; **S.begriff** *m* search word; **S.dienst** *m* tracing service

Suche *f* search, investigation, quest; **auf der S. nach** in quest/search of; **S. nach Arbeit** job-hunting; **~ Bodenschätzen** prospecting; **~ Führungskräften** executive search, head-hunting *(coll)*; **sich auf die S. nach etw. machen** to go in search of sth.; **auf der S. sein nach** to be on the lookout for

Sucheinrichtung *f* detection device

Suchen *nt* search; **binäres S.** 💻 binary search; **sequenzielles S.** sequential search; **s.** *v/t* to search/seek, to look (for)

Sucher *m* 1. detection device; 2. *(Foto)* (view-)finder

Such|karte *f* 💻 search card; **S.kartei** *f* tracing file; **S.meldung** *f* wanted persons announcement; **S.operation** *f* 1. search operation; 2. 💻 seek operation; **S.-scheinwerfer** *m* searchlight

Sucht *f* addiction, mania

Suchtheorie *f* theory of search

süchtig *adj* addicted, hooked *(coll)*; **S.e(r)** *f/m* addict; **S.keit** *f* addiction

Suchtrupp *m* search party

Suchtstoff *m* narcotic drug

Such|verfahren *nt* 💻 retrieval strategy; **S.vorgang** *m* search process; **S.zeit** *f* search time; **S.zettel** *m* tracer

Süd|erweiterung *f* *[EU]* expansion of the southern flank, southern expansion; **S.früchte** *pl* tropical and subtropical fruits

Sudhaus *nt* brewing room

Süd|pol *m* South Pole; **S.staaten** *pl* Southern States *[US]*; **S.wind** *m* south wind

süffisant *adj* smug, complacent

suggerieren *v/t* to suggest

Suggestion *f* suggestion

Suggestiv|frage *f* leading/loaded question; **S.werbung** *f* suggestive advertising

Suggestopädie *f* suggestopedia

Sühne *f* conciliation, expiation, atonement; **S.gericht** *nt* conciliation court

sühnen *v/t* to atone/expiate, to make up for

Sühne|richter *m* judge at a conciliation hearing; **S.termin** *m* conciliation hearing; **S.verfahren** *nt* conciliation proceedings; **S.verhandlung** *f* conciliation hearing; **S.versuch** *m* attempt at reconciliation

Suite *f* suite
Sukzession *f* succession
sukzessiv *adj* successive; **S.gründung** *f* company formation by incorporators and subscribers; **S.lieferung** *f* multiple delivery; **S.liefer(ungs)vertrag** *m* open-end contract, continuing sales/multi-delivery/open-end contract, apportionment of contract; **S.planung** *f* multistage planning
Sultanat *nt* sultanate
Summa (Su) *f* total, amount
summarisch *adj* § summary
erkleckliches/hübsches/nettes/stattliches Sümmchen tidy sum (of money)
Summe *f* sum, (sum) total; **S. aus** aggregate of
Summe der Abweichungsquadrate ▦ deviance; ~ **ausgegebenen Aktien** issued capital stock; ~ **Aktiva** assets total; **S. Bruttoanlage- und Lagerinvestitionen** realized investment; **S. der Einkünfte der Ehegatten** combined net income of the spouses; ~ **Einzelkosten** total product cost(s); **S. laufender Erträge** total operating income; **volle S. einer Forderung** principal and charges; **S. der zweifelhaften Forderungen** unidentified bad and doubtful debts; ~ **Leerverkäufe** *(Börse)* short account; **S. aus Staatsverbrauch und öffentlichen Investitionen** exhaustive expenditure; **doppelte S. bei Unfalltod** *(Vers.)* accidental death benefit; **S. Verbindlichkeiten** *(Bilanz)* total liabilities; **S. des privaten Verbrauchs** personal consumption expenditure
ansehnliche/beträchtliche Summe considerable/round sum; **armselige/geringfügige/läppische S.** paltry sum; **ausgesetzte S.** amount allowed; **einbehaltene S.** amount retained; **eingezahlte S.** amount deposited; **einmalige S.** lump sum; **erhebliche/erkleckliche S.** appreciable sum; **fällige S.** amount due; **fehlende S.** deficit; **gesamte S.** sum total; **geschuldete S.** sum payable/due, amount owing; **glatte S.** round sum; **globale S.** aggregate amount; **hinterlegte S.** amount deposited; **horrende S.** huge/hefty *(coll)* sum; **kleine S.** pittance; **laufende S.** running total; **negative S.** negative total; **ordentliche S.** tidy sum; **restliche S.** remainder, residual amount; **runde S.** round sum; **überschüssige S.** surplus; **überwiesene S.** remittance; **veranschlagte S.** estimate; **vereinbarte S.** stipulated sum; **vom Gericht zugesprochene S.** sum adjudged
Summe abführen to pay over a sum; **mit einer S. aufrechnen** to settle per contra; **jdn ~ belasten** to charge so. with an amount; **fehlende S. ergänzen** to make up a deficiency; **S. gutschreiben** to credit an amount; **S. hinterlegen** to deposit a sum; **S. überweisen** to remit a sum; **für eine hohe S. verkaufen** to sell for a high figure; **ungeheure S.n verschlingen** to cost vast sums of money; **S. vortragen** to carry forward an amount
Summen *nt* buzz, hum; **s.** *v/i* to buzz/hum
Summen|aktie *f* fixed amount share certificate; **automatische S.anpassung** *(Vers.)* indexation, index-linking; **gleitende S.anpassung** *(Vers.)* automatic cover; **S.bilanz** *f* turnover balance, statement of account transactions, trial balance (of totals); **S.bildung** *f* computation of total; **S.exzendentenrückversicherung** *f* excess of line reinsurance, surplus reinsurance; **S.häufigkeit** *f* ▦ cumulative frequency; **S.häufigkeitsverteilung** *f* cumulative frequency distribution; **gewogener S.index** index of weighted aggregatives; **S.karte** *f* 💻 summary card, asset control account; ~ **der Anlagenkartei** asset control account; **S.kontrolle** *f* summation check; **S.kurve** *f* summation/cumulative curve; **S.probe** *f* summation check; **S.rabatt** *m* quantity discount; **S.rückversicherung** *f* reinsurance of the sum insured; **S.speicher** *m* 💻 distributive memory; **S.tabelle** *f* cumulative table; **S.übertragung** *f* total transfer; **S.verdopplung bei Unfalltod** *f* double indemnity; **S.vermächtnis** *nt* monetary proceeds of assets from an estate *[US]*; **S.versicherung** *f* valued policy, fixed-sum insurance, insurance of fixed sums; **S.verteilung** *f* cumulative sum distribution; **S.verwahrung** *f* deposit of fungible securities; **S.wahrscheinlichkeit** *f* cumulative probabilitiy; **S.zeichen** *nt* π summation sign; **S.zeile** *f* total line
(einfacher) Summenzuwachs *m (Vers.)* (simple) reversionary bonus; **kumulativer S.** compound reversionary bonus (system); **S.rate** *f (Vers.)* reversionary bonus rate
Summer *m* (signal) buzzer
summierbar *adj* summable
summieren *v/t/v/refl* to add/mount up, to total/accumulate, to tot up; **sich s.d** *adj* accumulative
Summierung *f* accumulation, summation; **S.smethode** *f* summation method
Summ|ton *m* buzzing; **S.zeichen** *nt* buzz
Sumpf *m* swamp, bog; **S. trockenlegen** to drain a swamp; **S.land** *nt* marshland; **S.landrückgewinnung** *f* swamp reclamation
Sünde *f* sin; **kleine S.** peccadillo *[E]*
Sündenbock *m* scapegoat; **S. abgeben** to carry the can *(fig)*
alter Sünder *m* old offender
Super|-; super|- super
Super|benzin *nt* four-star/premium petrol *[GB]*; **S.cargo** *m* ⚓ supercargo; **S.dividende** *f* surplus/special dividend, superdividend; **S.exzedentenrückversicherung** *f* remaining excess reinsurance; **S.kraftstoff** *m* four-star/premium petrol *[GB]*
Superlativ *m* superlative; **S.werbung** *f* puff advertising, hype
Supermarkt *m* supermarket; **kleiner S.** superette *[US]*; **S.filiale** *f* supermarket branch
super|modern *adj* ultra-modern; **s.modisch** *adj* ultra-fashionable; **S.provision** *f* overriding commission; **S.rechner** *m* super computer; **S.tanker** *m* supertanker; **S.vollbeschäftigung** *f* overfull employment
Suppe *f* soup, broth; **S. auslöffeln** *(coll)* to face the music *(coll)*, to carry the can *(coll)*; **sich eine schöne S. einbrocken** *(coll)* to make a mess of sth.; **jdm in die S. spucken; jdm die S. versalzen** *(fig)* to spoil so.'s fun
Supplement *nt* supplement; **S.band** *m* 📖 supplementary volume
supranational *adj* supra-national; **S.ität** *f* supra-nationality

Surrogat *nt* surrogate, substitute
Surrogation *f* surrogation, substitution, replacement; **S.srecht** *nt* right of substitution
Surrogatsteuer *f* tax on a substitute product
suspekt *adj* suspect
suspendier|en *v/t* to suspend/stay; **s.t** *adj* suspended
Suspendierung *f* suspension, stay, reprieve, respite; **S. aus disziplinarischen Gründen** disciplinary suspension; **mit S. rechnen müssen** to face suspension
Suspensiv|bedingung *f* suspensive condition; **S.effekt/S.wirkung** *m/f* suspensory effect
süß *adj* sweet, sugary
Süßigkeiten *pl* sweets, candies *[US]*; **S. lieben** to have a sweet tooth *(coll)*
Süß|speise *f* dessert; **S.stoff** *m* sweetener
Süßwaren *pl* confectionery; **S.arbeiter(in)** *m/f* confectionery worker; **S.geschäft/S.handlung** *nt/f* confectioner's (shop), sweat shop *[GB]*, candy store *[US]*; **S.händler** *m* confectioner, confectionist; **S.hersteller** *m* confectionery maker; **S.industrie** *f* confectionery industry
Süßwasser *nt* fresh/sweet water; **S.schaden** *m* freshwater damage, damage by fresh water; **S.verseuchung** *f* pollution/contamination of fresh water supplies
Swap *nt* swap; **revolvierende S.s** revolving swaps
Swap|abkommen *nt* swap agreement; **S.abschluss** *m* swap transaction; **S.bedingungen** *pl* swap terms; **zu ~ Geld aufnehmen** to borrow on swap; **S.fazilität** *f* swap facility; **S.geschäft** *nt (Währung)* (currency) swap; **S.-händler** *m* swap dealer; **S.konditionen** *pl* swap terms; **S.kredit** *m* swap credit; **S.(kredit)linie** *f* swap (credit) line, ~ facility; **S.kurs/S.satz** *m* swap rate, forward margin; **S.markt** *m* swap market; **sekundärer S.markt** secondary swap market
swappen *v/t* to swap
Swap|rahmen *m* swap facility; **S.verbindlichkeiten** *pl* swap liabilities; **S.vereinbarung** *f* swap agreement
Swing *m* swing (credit), permanent credit; **S.guthaben** *nt* clearing assets; **S.überschreitung** *f* swing overdraft
switchen *v/t* to switch
Switch|geschäft *nt* switch transaction; **S.geschäfte** switch dealings; **S.prämie** *f* switch premium
Sylvesterputz *m* end-of-year window-dressing
Symbol *nt* 1. symbol, token, hallmark; 2. 💻 icon; **S.-**token; **s.isch** *adj* symbolic, token, notional
symmetrisch *adj* symmetric(al)
Sympathie *f* sympathy, affection; **S.aussperrung** *f* sympathy lockout; **S.streik** *m* sympathy/sympathetic strike, secondary picketing; **S.werbung** *f* prestige advertising
Sympathisant(in) *m/f* sympathizer, well-wisher
sympathisch *adj* sympathetic, lik(e)able, nice, congenial
mit jdm sympathisieren *v/i* to sympathize with so.
Symposion/Symposium *nt* symposium
Symptom *nt* symptom, sign; **an den S.en herumdoktern** to tinker with the symptoms
symptomatisch *adj* symptomatic, indicative, characteristic
synchron *adj* synchronous, in step; **S.isation** *f* 1. synchronization; 2. *(Film)* dubbing; **s.isieren** *v/t* 1. to synchronize; 2. *(Film)* to dub; **S.verfahren** *nt* synchronous transmission
Syndikalismus *m* syndicalism
Syndikat *nt* syndicate, consortium, association, market-sharing cartel; **sich zu einem S. zusammenschließen** to (form a) syndicate
Syndikats|bank *f* underwriting bank; **S.beteiligung** *f* syndicate interest; **S.bildung** *f* syndication; **S.finanzhilfe** *f* syndicated support credit; **S.mitglied** *nt (Lloyd's)* underwriting member; **S.vertrag** *m (Lloyd's)* underwriting agreement
Syndikus *m* 1. corporate/house/company/corporation *[US]* lawyer, corporate/in-house councel, corporate attorney, syndic; 2. company secretary *[GB]*; **S.anwalt** *m* permanently employed legal adviser
syndizier|en *v/t* to syndicate; **S.ung** *f* syndication
Syndrom *nt* ⚕ syndrome
Synergie *f* synergy; **S.effekt** *m* synergistic effect; **S.potenzial** *nt* synergistic potential; **S.vorteil** *m* synergistic advantage
Synode *f* synod
Synopse *f* synopsis
synoptisch *adj* synoptic
Syntax *f* syntax
Synthese *f* synthesis; **S.gas** *nt* synthetic gas; **S.rohstoff** *m* ⚗ commodity chemical
synthetisch *adj* synthetic
System *nt* 1. system, scheme, method, framework, regime; 2. *(Regierung)* governance; **innerhalb des S.s** intra-system
System der freien Marktwirtschaft free enterprise system; **S. zur Messung der Luftverschmutzung** air pollution measuring system; **S. niederer Ordnung** operating unit; **S. des gespaltenen Steuersatzes** double rate system; **S. der vorläufigen Steuerfestsetzung** fast tax system; **S. flexibler Wechselkurse** floating; **S. gespaltener Wechselkurse** multiple rate/currency system, system of split exchange rates; **S. gleitender Wechselkurse** crawling peg system; **S. vorbestimmter Zeiten** basic motion time system
System betreiben to operate a scheme
außerbetriebliches System out-plant system; **dualistisches S.** dual system of bookkeeping, ~ accounting system; **föderatives S.** federal structure; **gemischtwirtschaftliches S.** mixed economy; **geschlossenes S.** closed-loop system; **innerbetriebliches S.** in-plant system; **kapitalistisches S.** capitalist(ic) system; **marktwirtschaftliches S.** (system of a free) market economy; **logistisches S.** industrial/business logistics, logistics of a firm; **metrisches S.** metric system; **auf das metrische S. umstellen** to go metric; **monistisches S.** tied-in system; **ökologisches S.** ecosystem; **parlamentarisches S.** parliamentary system
System|abgang *m* system output; **S.analyse** *f* feasibility study, systems analysis; **S.analytiker** *m* systems analyst; **S.anbieter** *m* systems seller
Systematik *f* system(atics), systematic arrangement; **S.er** *m* systematizer

systematisch *adj* systematic, methodical

systematisieren *v/t* to system(at)ize

System|aufruf *m* 🖳 system call; **S.ausfall** *m* system failure; **S.auslastung** *f* system loading/utilization; **S.bauweise** *f* modular assembly; **s.bedingt** *adj* inherent (in the system); **S.berater** *m* systems engineer; **S.beratung** *f* systems engineering; **S.beschreibung** *f* systems specification; **s.bezogen** *adj* systemic; **s.eigen** *adj* system-specific; **S.einführung** *f* 🖳 computerization, system introduction; **gemeinsam genutzte S.einrichtungen** shared facilities; **S.element** *nt* 🖳 resource; **S.entwicklung** *f* 🖳 systems design/development; **S.-fehler** *m* system error; **S.forschung** *f* systems research; **s.fremd** *adj* alien, outside, foreign; **S.führer** *m* systems leader; **s.gerecht** *adj* in accordance with the system; **S.gestaltung** *f* systems design; **s.immanent** *adj* inbuilt, inherent (in the system); **S.ingenieur** *m* system(s) engineer; **s.konform** *adj* in conformity with the system; **S.kritiker** *m* critic of the system; **s.kritisch** *adj* critical of the system; **s.los** *adj* unsystematic; **S.lösung** *f* system solution; **S.möbel** *pl* systems furniture; **s.orientiert** *adj* system-orient(at)ed; **S.organisation** *f* system-orient(at)ed structure; **S.planer** *m* systems engineer; **S.planung** *f* systems engineering; **S.programmierer** *m* system programmer; **S.programmierung** *f* systems design; **S.prüfung** *f* system check; **S.residenz** *f* 🖳 system residence; **S.software** *f* systems software; **S.spezialist** *m* 🖳 system specialist; **S.stapel** *m* 🖳 system pack; **S.steuerprogramm** *nt* 🖳 system control program, supervisor; **S.technik** *f* systems technique/technology; **S.techniker** *m* system engineer; **S.theorie** *f* system(s) theory, theory of economic systems; **S.veränderung** *f* change in the system; **S.weiterentwicklung** *f* ongoing system development; **S.zugang** *m* system input; **S.zwänge** *pl* structural constraints

Szenario *nt* scenario

Szene *f* scene; **hinter der S.** off-stage; **S. machen** to make a scene; **sich in S. setzen** to put o.s. in the limelight, to play to the gallery; **auf offener S.** *(fig)* in broad daylight; **städtische S.** townscape, cityscape

Szenenwechsel *m* change of scene(ry)

T

T-Konto *nt* skeleton/"T"-account

Tab(ulator) *m* tab(ulator)

Tabak *m* tobacco; **T.beutel** *m* tobacco pouch; **T.börse** *f* tobacco exchange; **T.ernte** *f* tobacco crop; **T.ersatz** *m* tobacco substitute; **T.geschäft** *nt* tobacconist's shop/store; **T.händler** *m* tobacconist; **T.industrie** *f* tobacco industry; **T.regie** *f* tobacco monopoly; **T.steuer** *f* excise duty on tobacco, tobacco duty/tax; **T.verarbeitung** *f* tobacco processing; **T.vergiftung** *f* ⚕ nicotine poisoning

Tabakwaren *pl* tobacco goods/products; **T.geschäft/T.laden** *nt/m* tobacconist's shop/store, tobacco shop/store; **T.händler** *m* tobacconist

tabellarisch *adj* tabular, schedular, in tabular form

tabellarisier|en *v/t* to tabulate; **T.ung** *f* tabulation

Tabelle *f* 1. table, chart, diagram; 2. index, schedule, scheme, data sheet; 3. *(Einsatzplan)* roster; 4. *(Sport)* league table; **T. der unbedingt Nachschusspflichtigen** list of contributories; **~ Verbrauchergewohnheiten** scale of preferences

Tabelle anführen to head the table; **T. anlegen** to tabulate; **T. aufstellen** to compile a table

genealogische Tabelle genealogical chart; **mathematische T.** mathematical table; **statistische T.** statistical table; **synoptische T.** synoptic table; **verkürzte T.** short table; **versicherungsstatistische T.** actuarial table

Tabellen|auszug *m* *(Kredit)* extract from the schedule of debts; **T.buchhaltung** *f* tabular bookkeeping, columnar form of accounting; **T.eintrag(ung)** *m/f* table entry/item; **T.erster** *m* top of the table; **T.form** *f* columnar/tabular form, table format; **t.förmig** *adj* tabulated; **T.kalkulation** *f* 🖳 spreadsheet analysis; **T.kalkulationsprogramm** *nt* spreadsheet program; **T.letzter** *m* bottom of the table; **T.platz** *m* place/position in the (league) table; **T.position** *f* item in the table; **T.programm** *nt* program of tabulation, table program; **T.-satz** *m* tablework; **T.suchzeit** *f* table search time; **T.verarbeitung** *f* table handling; **T.werk** *nt* tables; **T.zeitwert** *m* synthetic time standard

tabellier|en *v/t* to tabulate, to arrange in a table; **T.maschine** *f* tabulator, accounting/tabulating machine

Tablar *nt* *[CH]* tray

Tableau *nt* *[frz.] (Börse)* price-marking board, tableau

Tablett *nt* tray, salver

Tablette *f* ⚕ tablet, pill

Tabu *nt* taboo

Tabulator *m* tabulator, tab; **T.rücksprung** *m* backtab; **T.sprung** *m* tab; **T.taste** *f* tab key

tabulier|en *v/t* to tabulate/tab; **T.ung** *f* tabulation; **mechanische T.ung** machine tabulation

Tacheles reden *nt* *(coll)* to be blunt (with so.), to do some straight talking, to talk turkey *(coll) [US]*

Tacho|graf *m* 🚗 tachograph, spy in the cab *(coll)*; **T.meter** *m* speedometer; **T.meterstand** *m* speedometer reading

Tadel *m* reproach, rebuke, reprimand, censure, black mark, animadversion; **ohne T.** above reproach; **sanfter T.** gentle rebuke; **scharfer T.** stinging rebuke

tadel|haft *adj* objectionable, reprehensible; **t.los** *adj* perfect, impeccable, immaculate, unexceptionable, flawless, pristine

Tadeln *nt* vituperation; **t.** *v/t* to reproach/rebuke/reprimand/blame/lecture/censure/vituperate; **an allem etw. zu t. finden** to find fault with everything; **scharf t.** to lambast; **t.d** *adj* vituperative; **t.swert** *adj* reprehensible, blameworthy

Tadelsantrag *m* *(Parlament)* censure motion

Tafel *f* 1. table, board; 2. scale, schedule; 3. ✿ panel; 4. *(Platte)* slab; 5. *(Schule)* blackboard; **T. Schokolade** bar of chocolate; **T. abwischen** to clean/wipe the blackboard; **mehrfach gegliederte T.** ▦ complex table

Tafel|- *(Börse)* over-the-counter (OTC); **T.apfel** *m*

eater, eating apple; **T.besteck** *nt* cutlery, (best) silver; **T.druck** *m* block print; **t.fertig** *adj* ready-to-serve; **T.geschäft** *nt* over-the-counter (OTC) sale/transaction; **T.geschäfte** over-the-counter (OTC) selling/business/trade/trading; **T.geschirr** *nt* tableware, flatware; **T.glas** *nt* sheet/plate glass; **T.methode** *f* actuarial/table method

tafeln *v/i* to feast/banquet

Tafel|obst *nt* (dessert) fruit; **T.runde** *f* round table; **T.salz** *nt* table salt; **T.schokolade** *f* chocolate bar; **T.silber** *nt* silver (plate), silverware; **T.waage** *f* weighbridge; **T.wasser** *nt* table water; **T.wein** *m* table wine; **T.ziffer** *f (Vers.)* actuarial/corrected/standardized rate

Tag *m* day; **am T.e** by day; **pro T.** per day/diem *(lat.)*; **über T.e** ⚒ surface, above ground; **unter T.e** ⚒ underground; **während des T.es** (in the) daytime

Tag der Abrechnung day of settlement; **T. vor dem Abrechnungstag** *(Börse)* ticket day; **T. des Abschlusses** contract day; **T.e nach Akzept** days after acceptance (d/a); **T. der Arbeit** May *[GB]*/Labor *[US]* Day; **~ Ausschüttung** *(Dividende)* distribution date; **T. und Ort der Ausstellung** date and place of issue; **T. des Außerkrafttretens** expiry/termination date; **T. der Besitzübertragung** vesting date; **letzter ~ Bezugsfrist** *(Aktien)* final call; **T. nach dato** day's date (d/d); **T.e nach dato** days after date (d/d); **T. der Einbringung/Vorlage des Haushalts** Budget Day *[GB]*; **T. des Einzugs** date of moving in; **letzter T. der Handelsperiode** last day of dealings; **T. des Inkrafttretens** effective/operative/enactment date; **T. mit hektischen Kursausschlägen** roller-coaster day; **letzter T. des Monats** ultimo; **T. der Lieferung** date of delivery; **~ Rechnungsstellung** invoice date; **T.e nach Sicht** days after sight (d/s); **T. der offenen Tür** open day; **~ Ziehung** date of drawing

Tag für Tag day after day; **der T. davor** the previous day; **... T.e gültig** *(Wechsel)* available for acceptance for ... days; **von einem T. auf den anderen** from one day to the next, overnight

unter Tag|e arbeiten ⚒ to work down the mine, ~ underground; **T. und Nacht arbeiten** to work day and night, ~ round the clock; **T. aussetzen** to take a day off; **T. begehen** to celebrate a day; **den ganzen T. beanspruchen** to take the whole day; **T. bestimmen/festsetzen** to appoint/fix a day; **an den T. bringen** to bring to light; **sich einen T. freinehmen** to take a day off; **die T.e sind gezählt** the days are numbered; **freien T. haben** to have a day off/a holiday; **großen T. haben** to have a field day; **an den T. kommen** to come to light; **sich einen guten T. machen** to make a day of it; **von einem T. auf den anderen schieben** to postpone from one day to another; **ganzen T. geöffnet sein** to be open all day; **so verschieden wie T. und Nacht sein** to be as different as chalk and cheese *(coll)*; **pro T. verlangen** to charge per day

arbeitsreicher Tag busy day; **aufreibender T.** trying day; **besonderer/denkwürdiger T.** red-letter day *(coll)*; **bestimmter T.** appointed day; **am bestimmten T.** on the appointed day; **an einem ~ T.** on a given day; **am betreffenden T.** on the day in question; **eingeschalteter T.** intercalary day; **ereignisreicher T.** field day; **festgesetzter T.** appointed/term day; **freier T.** day off, holiday; **gerichtsfreier T.** non-judicial day; **am helllichten T.** in broad daylight; **jeden T.** daily, day by day; **laufende T.e** consecutive days; **eines schönen T.es** one fine day; **steuerfreier T.** tax holiday; **vierzehn T.e** fortnight; **volle T.e** *(Kündigung)* clear days; **jeder zweite T.** every other day

tag|aktuell *adj (Geschäft)* day-to-day, nuts and bolts *(coll)*; **T.arbeit** *f* daywork, day labour; **t.aus, t.ein** day in, day out; **T.- und Nachtdienst** *m* 24-hour service

Tagearbeiter *m* day man

Tagebau *m* 1. ⚒ *(Betrieb)* open-cast/open-cut/open-pit/strip/surface mine; 2. *(Verfahren)* open-cast/open-pit/strip *[US]* mining; **(im) T.** surface; **im T. abbauen** to stripmine *[US]*; **T.betrieb** 1. surface mine; 2. open-cast/strip *[US]* mining; **T.grube** *f* open-cast/open-pit mine

Tage|berichtsbuch *nt* blotter; **T.blatt** *nt* daily paper

Tagebuch *nt* 1. diary, day book; 2. (business) diary, blotter, posting medium, (general) journal; 3. ⚓ log; **T. führen** to keep a diary; **T.blatt** *nt* record sheet; **T.eintragung** *f* journal entry

Tagegeld *nt* 1. daily/per diem *(lat.)*/living allowance; 2. *(Vers.)* daily benefit; 3. *(Krankenhaus)* room fee; **T.versicherung** *f* daily benefit insurance

Tagelohn *m* (a) day's wage, daily wage; **im T. arbeiten** to be paid by the day; **in T. nehmen** to hire by the day

Tagelöhner *m* casual/day labourer, day worker, daily paid worker, jobber, jobbing man

Tagelohnsatz *m* day(work) rate

tagen *v/i* 1. to meet, to hold a meeting; 2. [§] to sit, to be in session; 3. *(Parlament)* to be sitting

Tageöffnung *f* ⚒ pithead

Tages|- daytime; **T.ablauf** *m* daily routine/round; **T.abrechnung** *f (Spedition)* daily (cash) settlement; **T.abschluss** *m* daily balance; **T.anbruch** *m* daybreak, dawn; **T.angebotspreis** *m* daily offer price; **T.anzug** *m* business suit; **T.arbeit** *f* day's work, day labour; **T.arbeitszettel** *m* daily time record sheet; **T.auftrag** *m (Börse)* day order; **T.ausflug** *m* day's outing; **T.ausstoß** *m* daily output; **T.auszug** *m* daily statement; **auf T.basis** *f* on a daily/per diem *(lat.)* basis; **T.bau** *m* → **Tagebau**; **T.bedarf** *m* daily requirement(s); **T.bedeutung** *f* ephemeral importance; **T.befehl** *m* order of the day; **T.belastung** *f* daily load; **T.bericht** *m* daily report, statement of condition; **T.bestand** *m* daily balance; **T.besuch** *m* day attendance; **T.betreuung** *f* day care; **T.bilanz** *f* daily balance sheet, today's balance, statement of condition; **T.datum** *nt* current date; **~ der Buchhaltung** accounting date; **T.dienst** *m* day duty; **T.durchsatz** *m* daily throughput; **T.durchschnitt** *m* daily average, average per day; **T.einlage** *f* call deposit; **T.einnahme(n)** *f/pl* day's takings, daily receipts/returns/takings; **T.ereignisse** *pl* current affairs; **T.fertigung/T.förderung** *f* daily output/production; **T.finanzstatus** *m* day finance status; **T.fragen** *pl* current problems; **T.gage** *f* daily fee; **T.gast** *m* day guest; **T.gebühr** *f* day rate

Tagesgeld *nt* 1. *(Bank)* call/demand/day-to-day/overnight money, demand deposit, money at call, overnight loans/funds; 2. *(Kredit)* demand/call/day-to-day loan, on-call credit; 3. *(Spesen)* daily/per diem *(lat.)*/subsistence allowance; **T.er** next-day maturity; **T. unter Banken** interbank call money; **T. gegen ungesicherten Schuldschein** morning loan; **Tage- und Übernachtungsgeld** daily and overnight accommodation allowance

Tagesgeld|fixing *nt* Frankfurt Interbank Overnight Average (FIONA); **T.handel** *m* 1. call money transactions; 2. *(Börse)* day trading; **T.markt** *m* call *[GB]*/overnight *[US]* market, day-to-day money market; **T.-(zins)satz** *m* (banker's) call (money) rate, overnight rate; **~ zwischen Banken** overnight interbank interest rates

Tages|geschäft *m* 1. day-to-day business/operations/activities, daily returns/business; 2. day order; **T.geschäfte führen** to handle the day-to-day operations; **T.gespräch** *nt* 1. talk of the town; 2. ✆ daytime call; **T.gewinn** *m* gain on the day; **T.hilfe** *f* day help

Tageshöchstkurs *m* day's high/best; **unter T.en abschließen** to finish below the day's best; **zu T.en schließen** to close at the day's best

Tages|höchststand *m* intra-day high; **T.kalkulation** *f* current cost calculation; **T.karte** *f* 1. day ticket; 2. today's menu, menu of the day; **T.kasse** *f* 1. daily cash receipts, counter cash; 2. 🎭 box office; **T.kauf** *m* cash purchase; **T.kopie** *f* live letter; **T.kosten** *pl* current cost

Tageskurs *m* 1. daily/market/going/day's/today's rate, current exchange/price, market/day's/going/actual/transfer price, rate of the day, current rate (of exchange), quotation of the day, daily quotation; 2. ⊖ spot rate; **zum T.** at value, at the current exchange, ~ current market price; **T. für Berufstätige** day-release course; **T.zettel** *m* (daily) official quotations

Tagesleistung *f* 1. daily production/output/🚜 yield; 2. daily workload

Tageslicht *nt* daylight; **bei T.** by day; **ans T. bringen** to bring to light, to unearth; **~ kommen** to come to light; **T.aufnahme** *f* daylight shot; **T.projektor** *m* overhead projector (OHP); **T.zeit** *f* daylight hours

Tages|lohn *m* day's pay, daily/day wage; **T.lohnsatz** *m* daily wage rate; **T.losung** *f* 1. drawing, daily takings, daily cash receipts; 2. ✈ password; **T.meldung** *f* daily report; **T.mutter** *f* child minder; **T.nachrichten** *pl* news of the day; **T.notierung** *f* rate/quotation of the day, day rate, daily quotation

Tagesordnung *f* 1. agenda, order of the day, order of business, business to be transacted; 2. § docket; **an der T.** the order of the day

von der Tagesordnung absetzen to remove from/strike off the agenda; **T. annehmen** to adopt the agenda; **in die T. aufnehmen; auf die T. setzen** to put/place on the agenda, to include in the agenda; **T. aufstellen** to draw up the agenda; **T. behandeln** to proceed with the business of the day; **in die T. eintreten** to get down to business; **T. festlegen** to fix the agenda; **an der T. sein** to be the order of the day; **auf der T. stehen** 1. to be on the agenda; 2. § to be on the docket; **zur T. übergehen** 1. to proceed to the order of the day; 2. to carry on as usual

gewöhnliche Tagesordnung ordinary business; **schriftliche T.** order paper; **übliche T.** ordinary business; **vorläufige T.** provisional agenda

Tagesordnungspunkt (TOP) *m* item on the agenda; **behandelte T.e** business transacted; **unerledigte T.e** unfinished business

Tages|pauschale *f* fixed daily amount; **T.pensum** *nt* daily stint; **T.politik** *f* current affairs; **T.post** *f* daily mail; **T.preis** *m* current/market/ruling/actual price, current exchange; **T.presse** *f* daily press; **T.produktion** *f* daily output/production; **T.programm** *nt* 1. daily programme/schedule; 2. order paper; **T.rate** *f* daily rate, amount per day; **T.ration** *f* daily ration; **T.raum** *m* day room; **T.redakteur** *m* day editor; **T.reise** *f* 1. day's journey; 2. day trip; **T.rohbilanz** *f* today's tentative balance; **T.routinearbeit** *f* daily stint; **T.rückfahrkarte** *f* 🚂 day return (ticket); **T.rückfahrpreis** *m* day return fare; **T.ruhezeit** *f* daily rest period; **T.saldo** *m* daily balance; **T.satz** *m* day/daily/per diem *(lat.)*/day's/today's/current rate, market price, rate of the day; **T.schau** *f* television/tv news; **T.schicht** *f* day shift; **T.schule** *f* day school; **T.schüler(in)** *m/f* day boy/girl/pupil; **T.schwankungen** *pl* intraday fluctuations; **T.schwester** *f* day nurse; **T.spesen** *pl* daily allowance, per diem *(lat.)* charges; **T.stempel** *m* date stamp; **T.stunde** *f* day hour; **T.tiefstkurs** *m* day's low; **T.tonnen** *pl* tons per day; **T.übersicht über die Marktlage** *f* market lead; **T.umsatz** *m* daily turnover/sales; **T.umsatzliste** *f* daily transaction register; **T.unterricht** *m* *(Auszubildende)* day release (school); **T.urlaub** *m* one-day leave; **T.verbrauch** *m* daily consumption; **T.verdienst** *m* daily earnings; **T.verkauf** *m* daily sales; **T.verpflegung** *f* daily ration; **T.versand** *m* daily shipment(s); **T.vorgabe** *f (Akkord)* measured day rate; **T.vorrat** *m* daily supply/supplies; **T.wechsel** *m* fixed-date bill; **T.wert** *m* replacement cost, current/market/present value, market price/quotation, value on the day

Tageszeit *f* daytime; **zu jeder T.** at any time; **~ T.- und Nachtzeit** at all hours; **zu einer unmöglichen T.** at an ungodly hour

Tages|zeitung *f* daily newspaper, daily (paper); **T.zinsen** *pl* daily interest

tageweise *adj* by the day, per diem *(lat.)*, on a daily basis

Tagewerk *nt* 1. day's work, stint, day labour; 2. *(Arbeitseinheit)* manday; **ordentliches T.** a good day's work; **T.honorar** *nt* renumeration for a day's work

tagfertig *adj* *(Buchhaltung)* updated

täglich *adj* daily, per day/diem *(lat.)*, day-to-day, day by day; **zweimal t.** semi-daily

Tag|schicht *f* day shift; **T.- und Nachtstromtarif** *m* ϟ night and day tariff; **t.süber** *adv* by day, during the day; **t.täglich** *adj* day-to-day, day after day

Tagung *f* congress, meeting, (residential) conference, session, symposium, convention, sitting(s)

Tagung abhalten to hold a meeting; **T. einberufen** to call/convene/convoke/summon a conference; **T. eröffnen** to open a meeting; **T. leiten** to preside at a conference;

an einer T. teilnehmen to attend a conference; **T. veranstalten** to hold a meeting

Tagungs|- conference; **T.ablauf** *m* conference proceedings; **T.ausweis** *m* conference pass; **T.bericht** *m* conference report, symposium, proceedings; **T.dauer** *f* session; **T.halle** *f* conference hall; **T.leiter** *f* conference director, chairman, chairperson; **T.leitung** *f* chair (manship); **T.mitglied/T.teilnehmer(in)** *nt/m/f* conference member/delegate, conference participant, participant in a conference, conferee; **T.ort** *m* meeting place, venue; **T.raum/T.saal** *m* conference hall; **T.unterlagen** *pl* conference documents; **T.zentrum** *nt* conference centre *[GB]*/center *[US]*

Tagwechsel *m* day/term bill, bill payable on/at a fixed date

Taifun *m* typhoon

Takelage *f* ⚓ apparel and tackle

Takt *m* 1. tact, discretion, delicacy; 2. 🏭 phase, cycle, timed sequence; 3. 🚗 stroke

Takt angeben *(fig)* to call the tune, to set the trend; **jdn aus dem T. bringen** to discomfit so.; **T. erfordern** to require careful handling; **aus dem T. kommen** to lose one's stride; **über T. verfügen** to show tact

Takt|fahrplan *m* clockface timetable; **T.fertigung** *f* 🏭 cycle operation(s); **T.gefühl** *nt* (sense of) tact

taktieren *v/i* to manoeuvre; **hinhaltend t.** to employ delaying tactics, to drag one's feet *(fig)*, to temporize

Taktik *f* tactics, policy, line of attack; **T.er** *m* tactician

taktisch *adj* tactical, strategic

taktlos *adj* tactless, indiscreet, indelicate; **T.igkeit** *f* lack of tact, indiscretion, bad taste; **~ begehen** to drop a brick/clanger *(coll)*

Takt|steuerung *f* 🏭 sequential control; **T.straße** *f* 🏭 assembly/transfer line; **T.verkehr** *m* regular service; **im T.verkehr** at regular intervals; **t.voll** *adj* tactful, diplomatic, discreet; **T.zeit** *f* 🏭 cycle/clock time; **ungenutzte T.zeit** balance time

Tal *nt* valley; **t.abwärts** *adv* down the valley

Talar *m* gown, § robe

Talent *nt* talent, gift, aptitude, competence, competency, faculty, vocation; **T. für effektvolle Darbietung** showmanship; **T. haben zu** to have a gift for; **ungenutztes T.** wasted talent

talentiert *adj* talented, gifted

Talentsuche *f* talent hunting/spotting; **T.r** *m* talent spotter/scout

Talfahrt *f* 1. *(Kurs)* (downward) slide, downward drift; 2. *(Konjunktur)* downswing, downturn; 3. 🚗 downhill run; **T. der Kurse** downswing/slide of prices; **T. fortsetzen** *(Kurse)* to continue to slide; **auf T. sein** *(Börse)* to slide/give; **T. stoppen** to halt the slide; **konjunkturelle/wirtschaftliche T.** economic downturn/downswing; **rasante T.** rapid downslide

Talg *m* tallow

Talisman *m* talisman

tallieren *v/t* to tally/check

Tallyman *m* tally clerk/man

Talmi *nt* pinchbeck, sham, gold brick; **T.ware** *f* imitation goods

Talon *m* 1. talon, stub, counterfoil, apron, butt, counterstock, counter-tally; 2. *(Wertpapiere)* certificate of renewal, renewal coupon; **T.buch** *nt* counterfoil book; **T.steuer** *f* coupon/talon tax

Talsohle *f* 1. *(Konjunktur)* trough, bottom, low; 2. *(fig)* low ebb; **in der T.** at rock-bottom, in the doldrums; **die T. durchschreiten** 1. to bottom out; 2. *(fig)* to transgress the bottom of the valley *(fig)*; **T. erreichen** *(fig)* to touch bottom, to bottom out; **konjunkturelle T.** bottom, economic tailspin

Tal|sperre *f* reservoir, barrage, (river) dam; **T.station** *f* valley station; **T.weg** *m* valley path

Talzeit *f* 1. off-peak (time/period); 2. ϟ off-peak hours; **T.auslastung** *f* off-peak loading; **T.tarif** *m* off-peak fare/rate

Tamtam *nt* ballyhoo, fuss

Tand *m* tinsel, glitter, junk, rubbish, trash

Tandem *nt* tandem; **T.betrieb** *m* tandem operation

Tangente *f* 1. tangent; 2. 🚗 ring road

tangieren *v/t* to touch/affect

Tank *m* tank; **T. auffüllen** to fill up a tank; **T.aufenthalt** *m* 🚗 fuel stop; **T.container** *m* tank container

Tanken *nt* (re-)fuelling; **t.** *v/ti* to (re)fuel, to fill up, to tank

Tanker *m* tanker; **T.fahrt** *f* tanker trade/traffic; **T.flotte** *f* tanker fleet; **T.tonnage** *f* tanker tonnage

Tank|fahrzeug/T.laster/T.lastzug *nt/m* (road) tanker, tank truck; **T.flugzeug** *nt* tanker plane; **T.inhalt** *m* tank capacity; **T.lager** *nt* storage tank, fuel depot, tank farm; **T.pause** *f* fuel stop; **T.säule** *f* petrol *[GB]*/gasoline *[US]* pump; **T.scheck** *m* filling station check *[US]*; **T.schiff** *nt* tanker; **T.schifffahrt** *f* tanker shipping

Tankstelle *f* petrol *[GB]*/gas(oline) *[US]*/service/filling station, garage (forecourt); **freie T.** independent petrol/filling station

Tankstellen|besitzer *m* petrol *[GB]*/gas(oline) *[US]* station owner, garage proprietor; **T.betreiber** *m* petrol retailer *[GB]*; **T.hof** *m* garage forecourt; **T.netz** *nt* service station network, **T.preis** *m* pump price

Tank|uhr *f* fuel ga(u)ge; **T.verschluss** *m* filler cap; **T.wagen** *m* 1. (road/petrol) tanker, tank truck/car; 2. 🚆 tank wag(g)on/car; **T.wart** *m* petrol *[GB]*/gas(oline) *[US]* station attendant; **T.zug** *m* → **Tankfahrzeug**

Tante-Emma-Laden *m* corner shop *[GB]*, pop and mom store *[US]*

Tantieme *f* 1. share in profits, percentage; 2. (management) bonus, remuneration, emoluments; 3. *(Künstler)* royalty; 4. fee, poundage; 5. *(Öl)* override; **T.n** royalty income; **gewinnabhängige T.** profit-related bonus, percentage of profits; **leistungsbezogene T.** performance-related bonus; **produktionsgebundene T.** production bonus

Tantiemen|abgabe *f* royalty tax; **T.abrechnung** *f* royalty statement; **T.anteil** *m* royalty interest; **T.aufteilung** *f* fee splitting; **T.auszahlung** *f* royalty/bonus payment; **T.einkünfte** *pl* royalty/bonus income; **T.forderung** *f* royalty demand; **T.regelung** *f* bonus scheme; **T.steuer** *f* royalty tax; **T.transfer** *m* royalty remittance; **T.vereinbarung** *f* bonus arrangement; **T.vergütung** *f* royalty/bonus payment

Tanz *m* dance; **T. aufführen** *(coll)* to make a song and dance (about sth.)

etw. aufs Tapet bringen *nt* to broach a subject, to bring sth. up

Tapete *f* wallpaper

Tapeten|geschäft *nt* wallpaper shop; **T.industrie** *f* wallpaper industry; **T.rolle** *f* roll of wallpaper; **T.wechsel** *m (coll)* change of air/scenery

tapezier|en *v/t* to (wall)paper, to hang wallpaper, to decorate; **T.er** *m* decorator, paperhanger

tapfer *adj* courageous, brave, plucky; **T.keit** *f* bravery, courage, pluck, prowess

im Dunkeln tappen *v/i* to grope about in the dark, *(fig)* to be (all) at sea

Tara *f* tare; **T. und Gutgewicht** tare and tret; **T. abrechnen; für T. vergüten** to allow for tare; **(handels)übliche T.** customary tare; **reine T.** net/clear tare; **umgerechnete T.** converted tare; **verifizierte T.** verified tare; **wirkliche T.** real tare

Tara|gewicht *nt* tare weight; **T.rechnung** *f* tare account/note; **T.tarif** *m* tare tariff; **zusätzliche T.vergütung** supertare

tarieren *v/t* to tare

Tarif *m* 1. *(Gas)*/ϟ/💧 tariff, rate; 2. *(Gebühr)* scale (of charges); 3. *(Personenbeförderung)* fare; **laut T.** as per tariff

Tarif für Durchgangsgüter transit rate; **~ Expressgüter** rate for express freight; **~ Fluggäste ohne Reservierung** standby fare; **~ Großkunden** bulk tariff; **~ gewerbliche Kunden** business tariff; **~ Mustersendungen** sample rate; **~ Normalverbraucher** ϟ meter rate; **~ den Personenverkehr** passenger tariff/fare(s); **T. außerhalb der Saison** off-season fare; **T. für Sammelladungen** groupage rate; **~ Stückgüter** all-commodity rate, mixed cargo *[GB]*/carload *[US]* rate; **~ Verträge mit kurzer Laufzeit** short rate; **T. unabhängig von Warenart** freight all kind (f.a.k.)

Tarif|e angleichen to standardize/harmonize rates; **T. aufstellen** to tariff; **nach T. bezahlen** to pay according to the (union) rate; **über/unter T. bezahlen** to pay above/below the (union) rate; **T. erheben** to levy a rate; **T. erhöhen** to raise a tariff; **T. festlegen/-setzen** 1. to set a fare; 2. ⊖ to fix a tariff; **T.e freigeben** to deregulate tariffs; **T.e herabsetzen/senken** to cut rates

Als-ob-Tarif tariff fixed to meet potential competition; **gesetzlich anerkannter T.** lawful rate; **anzuwendender T.** applicable rate; **ausgehandelter T.** conventional tariff; **mit der Gewerkschaft ~ T.** union rate; **ausgehender T.** ⚓ outward tariff; **autonomer T.** 1. autonomous tariff; 2. ⊖ single tariff; **besonderer T.** *(Vers.)* specific rate; **degressiver T.** sliding-scale tariff, tapering rate; **einheitlicher T.** standard rate; **ermäßigter T.** 1. reduced rate; 2. discounted/reduced fare; **zum gegenwärtigen T.** at the present rate; **geltender T.** valid rate; **gemischter T.** mixed tariff; **genehmigter T.** authorized tariff; **gespaltener T.** two-part tariff; **gestaffelter T.** graduated tariff, tapered rates; **gleitender T.** sliding-scale tariff, decreasing rate; **gültiger T.** valid rate; **halber T.** half rate; **hereinkommender T.** ⚓ inward/homeward tariff; **kombinierter T.** combined tariff; **örtlicher T.** local rate; **pauschaler T.** flat rate; **progressiver T.** sliding(-scale) tariff; **saisonaler/saisonbedingter T.** seasonal tariff; **verbilligter T.** reduced rate; **zu verbilligtem T.** cut-rate; **verbrauchsunabhängiger T.** ϟ straight-line rate; **gesetzlich zulässiger T.** lawful tariff

Tarif|abbau *m* rate cutting; **T.abkommen** *nt* 1. pay deal, wage settlement/agreement, labor pact *[US]*, collective (bargaining) agreement; 2. ⊖ tariff agreement; **T.abnehmer** *m* ϟ normal rate consumer

Tarifabschluss *m* pay/wage settlement, settlement package, pay/wage deal, pay award, conclusion of a pay agreement, union/labor contract *[US]*; **T. in Höhe des Produktivitätsfortschritts** *m* productivity deal; **T. auf Werksebene** agreement at factory level; **wegweisender T.** pace-setting settlement

Tarif|änderung *f* 1. *(Personenverkehr)* revision of fares; 2. ϟ/💧/⊖ tariff revision/amendment/change; **T.angebot** *nt* pay offer; **gebündeltes T.angebot** pay package; **T.angestellter** *m* standard wage earner; **T.angleichung** *f* 1. wage adjustment, adjustment of collective pay scales; 2. ϟ/💧/⊖ adjustment of tariffs; **T.anhebung** *f* tariff/wage increase; **T.anpassung** *f* tariff adjustment; **T.anwendung** *f* 1. application of rates; 2. payment in line with a collective pay agreement

tarifär *adj (Handel)* tariff

Tarif|arbeit *f* bargain work; **T.aufschlag** *m* surcharge; **T.aufsicht** *f (Vers.)* insurance rate regulation; **T.aufstellung** *f* list of tariffs; **T.auseinandersetzung** *f* wage/industrial dispute, pay dispute/confrontation; **T.ausgangspunkt** *m (Spedition)* base point; **T.ausnahme** *f* exemption; **T.ausschuss** *m* 1. tariff committee; 2. wages council; **gewerkschaftlicher T.ausschuss** collective bargaining committee; **T.autonomie** *f* freedom of collective bargaining, collective/free wage/free pay bargaining, autonomy in negotiating pay agreements, free wage determination by employers and employed; **T.begrenzung** *f* wage/pay control; **steuerlich t.begünstigt** *adj* taxed at a preferential rate; **T.begünstigung** *f* tariff preference; **T.belastung** *f* 1. tariff rate burden; 2. *(Steuer)* tax rate burden; **T.berechnung** *f* rate assessment; **T.bereich** *m (Steuer)* rate band; **t.besteuert** *adj* taxed at the standard rate, subject to standard tax; **T.besteuerung** *f* taxation at the standard rate; **T.bestimmungen** *pl* 1. tariff regulations/rules/provisions; 2. provisions of a collective pay agreement; **T.bezirk** *m* 1. collective bargaining district; 2. ⊖ tariff area; 3. *(Vers.)* rating area; **T.bildung** *f* rate making; **T.bindung** *f* obligation to pay in line with a collective pay agreement; **T.bruch** *m* violation/infringement of a collective pay agreement; **T.buch** *nt* rate book; **T.diskriminierung** *f* tariff discrimination; **T.einkommen** *nt* standard earnings

Tarifeinstufung *f* 1. salary/wage classification; 2. tariff rating; **höhere T.** upgrading; **niedrigere T.** downgrading

Tarifentgelt *nt* standard rate of remuneration/pay

Tariferhöhung *f* 1. standard wage increase; 2. fare

increase/rise; 3. tariff adjustment/increase; **T. auf Grund von Produktivitätssteigerungen** *(Lohn)* annual improvement factor; **T. vornehmen** to raise a tariff

Tariflermäßigung *f* tariff reduction; **t.fähig** *adj* capable of being a party in collective bargaining; **T.fähigkeit** *f* pay negotiating capacity; **T.festsetzung** *f* rating, price-fixing, tariffing; **T.forderung** *f (Lohn)* wage demand, pay claim; **T.formel** *f* wage/tariff formula; **T.fracht** *f* tariff rate; **T.freibetrag** *m* general allowance; **T.freigabe** *f* deregulation; **T.freiheit** *f* 1. free wage bargaining; 2. *(Vers.)* rating freedom; **T.frieden** *m* industrial peace; **T.front der Arbeitgeber** *f* the employers; **T.gebiet** *nt* 1. tariff zone; 2. *(Vers.)* rating area; **T.gebühr** *f* tariff charge; **t.gebunden** *adj* 1. bound by collective agreement; 2. tariff-bound; **T.gebundenheit** *f* being bound by wage agreement; **T.gefälle** *nt* tariff differential; **T.gefüge** *nt* rate/fare structure; **T.gehalt** *nt* standard pay, standard/scale *[US]* salary, union rate; **T.gehälter** collectively agreed salaries; **T.gemeinschaft** *f* tariff community; **T.gestaltung** *f* rate making, tariffication; **T.grenze** *f (Personenbeförderung)* fare stage; **T.grundlage** *f* tariff basis; **T.grundlohn** *m* (total) job rate

Tarifgruppe *f* 1. wage bracket/group/class, salary/pay bracket, grade; 2. *(Einkommenssteuer)* income bracket; 3. ⊖ tariff category; **in eine höhere T. einstufen** to upgrade; **~ niedrigere T. einstufen** to downgrade

Tariflharmonisierung *f* harmonization of rates and tariffs; **T.herabsetzung** *f* rate cutting; **T.höhe** *f* tariff level; **T.hoheit** *f* (free) collective bargaining, autonomy in negotiating pay agreements, free wage determination by employers and employed, right to conclude collective agreements

tarifieren *v/t* to rate/classify

Tarifierung *f* (tariff) classification, rating, tariffing, tariffication; **T. der Legierungen** classification of alloys; **T. zusammengesetzter Waren** ⊖ classification of composite articles

Tarifierungslfrage *f* tariffing problem; **T.grundlage** *f* rate base; **allgemeine T.vorschriften** *[EU]* ⊖ rules for the interpretation of the nomenclature

Tariflkampf *m* 1. tariff/rate war; 2. *(Löhne)* wage dispute; **T.kategorie** *f* tariff category; **T.klasse** *f* 1. tariff class; 2. wage bracket; **T.kommission** *f* collective bargaining committee, pay commission, Wages Council *[GB]*; **große T.kommission** *(Gewerkschaft)* executive/central (wage) bargaining committee; **T.konflikt** *m (Löhne)* wage/industrial/trade/pay/labour dispute, wage/labour conflict; **gemeinschaftliches T.kontingent** *[EU]* Community tariff quota; **T.kontrollgesetz** *nt (Vers.)* rate regulatory/rating law; **T.krieg** *m* 1. tariff war; 2. *(Personenbeförderung)* fares war; **T.kunde** *m* ⚡/💧/*(Gas)* tariff/regular/normal rate customer; **T.kündigung** *f* termination of a collective wage agreement, collective contract termination *[US]*; **T.kürzung** *f* tariff reduction, rate reduction/cutting

tariflich *adj* collectively agreed, standard, wage scale, contractual, provided under a collective pay agreement

Tarifliste *f* schedule of rates

Tariflohn *m* standard/scale/scheduled wage(s), agreed/union wage rate, standard (union)/class/negotiated rate, agreed/standard pay, wage per scale, payment in line with a collective pay agreement, standard earnings; **gewerkschaftlich ausgehandelter T.** union wage; **vereinbarter T.** negotiated/agreed wage

Tariflohnlerhöhung *f* standard/scale wage increase; **T.kosten** *pl* standard wage cost; **T.satz** *m* standard wage rate; **T.vereinbarung** *f* collective wage agreement; **T.verhandlungen** *pl* collective wage negotiations

tariflmäßig *adj* tariff-wise, in accordance with the tariff; **T.mauer** *f* ⊖ tariff wall; **T.merkmale** *pl* pay bracket characteristics; **T.missbrauch** *m* abuse of rate scales; **T.nummer** *f* ⊖ tariff heading, customs tariff number; **T.ordnung** *f* pay scale; **T.paket** *nt* pay package deal; **T.partei** *f* industrial partner, bargaining unit, party to a wage/collective pay agreement, ~ in collective bargaining; **T.parteien/T.partner** *pl* the two/both sides of industry, employers and employees, the employers and employed, the unions and the employers, parties to a collective pay agreement, parties engaged in labour negotiations, wage bargainers, unions/labour and management, industrial/tariff partners; **T.politik** *f* 1. rate policy; 2. *(Löhne)* pay/wage policy; 3. ⊖ tariff policy; **gewerkschaftliche T.politik** union wage policy; **T.position/T.posten** *f/m* tariff item/heading/line; **unter eine(n) ~ einreihen** to classify under a tariff item; **T.prämie** *f* 1. rate, premium/schedule(d) rate; 2. *(Akkord)* base pay; **T.preis** *m* standard price, scale rate; **T.progression** *f* progressive scale; **T.rat** *m* Wages Council *[GB]*; **T.recht** *nt* collective bargaining law; **t.rechtlich** *adj* under collective bargaining law; **T.reform** *f* 1. tariff reform, revision of charges; 2. reform of the pay structure; **T.regulierung** *f* tariff regulation; **T.rente** *f* collectively agreed retirement pension; **T.runde** *f* pay/negotiating/wage round, round of wage claims; **T.satz** *m* 1. standard/tariff rate; 2. *(Spedition)* freight rate; **T.schema** *nt* ⊖ nomenclature; **T.schiedsgericht** *nt* wage arbitration board, collective bargaining arbitration tribunal; **T.schiedsspruch** *m* wage award; **T.senkung** *f* cutting of tariffs, rate-cutting, fare/tariff cut; **T.spanne** *f* rate/tariff range; **T.sprung** *m* 1. *(Steuer)* jump in the tax scale; 2. ⊖ change of tariff heading; **T.staffel** *f* scale of rates; **T.staffelung** *f* scale gradation, tariff/rate scale; **T.statistik** *f* tariff/pay-scale statistics; **T.stelle** *f* ⊖ sub-heading; **T.streit** *m* 1. wage dispute; 2. ⊖ tariff issue; **T.struktur** *f* 1. structure of collective pay scales; 2. structure of charges/rates, rate structure; 3. ⊖ tariff structure; **T.stufe** *f* 1. *(Löhne)* pay/salary grade; 2. *(Bezahlung)* rate increase; 3. *(Steuer)* tax band, tax scale increment; **T.stunde** *f* standard hour; **T.stundenlohn** *m* standard hourly wage/rate; **T.system** *nt* 1. collective pay agreements system, rating/wage-rate system; 2. ⊖ tariff system; **T.tabelle** *f* scale of tariffs/rates/charges; **T.tonnenkilometer** *m* ton-kilometre charged; **T.trägerverband** *m* rate-making pool; **T.überwachung** *f* wage control, control regarding compliance with collective pay scales; **T.unterbietung** *f* 1. *(Löhne)* pay cut; 2. rate cutting, price cut; **T.unterschied** *m* pay differential, pay scale discrepancy; **T.urlaub** *m* collectively agreed holiday, paid holiday (agreed under a collective pay agreement); **T.verband** *m* 1. *(Löhne)* collective bargaining; 2. *(Vers.)* tariff organisation/bureau, rating organisation, rate-making association; 3. ⊖ tariff association; **T.verdienst** *m* standard earnings/rate, agreed earnings; **T.vereinbarung** *f* 1. *(Löhne)* wage settlement/agreement, collective bargaining agreement; 2. *(Fracht)* rating agreement; 3. ⊖ tariff agreement; **~ im öffentlichen Bereich** public-sector pay settlement; **T.vereinheitlichung** *f* standardization of tariffs; **T.vereinigung** *f (Löhne)* collective bargaining association; **T.vergünstigung** *f* ⊖ tariff preference

Tarifverhandlungen *pl* 1. pay/(wage) contract *[US]*/ collective negotiations, pay/wage talks, collective/labour/pay bargaining; 2. ⊖ tariff negotiations; **T. auf Betriebsebene** single-plant bargaining; **T. für einen Industrie-/Wirtschaftszweig** industry-wide bargaining; **T. führen** *(Löhne)* to conduct wage negotiations

freie Tarifverhandlungen free collective/pay bargaining, autonomy in negotiating pay agreements, free wage determination by employers and employed; **verantwortungsvoll geführte T.** responsible pay bargaining; **regionale T.** area-wide bargaining; **uneingeschränkte T.** free pay bargaining

Tarifverhandlungs|bevollmächtigter *m* collective bargaining agent; **T.verfahren** *nt* bargaining process

Tarifverstoß *m* violation/infringement of a collective pay agreement, contravention of collectively agreed provisions

Tarifvertrag *m* 1. (collective) wage/pay/salary/trade agreement, collective bargaining agreement/contract, collective/wage/union/pay contract, labor contract/ pact *[US]*; 2. ⊖ tariff treaty; **T. mit Indexklausel** threshold agreement; **T. aushandeln** to negotiate a settlement; **unternehmensspezifischer T.** house agreement; **zustimmungsbedürftiger T.** collective labour agreement requiring consent

tarifvertraglich *adj* under the collective wage agreement, collectively agreed

Tarifvertrags|bestimmung *f* collective agreement provision; **T.entwurf** *m* draft agreement; **T.freiheit** *f* free collective bargaining; **T.klausel** *f* 1. collective wage agreement clause; 2. ⊖ tariff provision; **T.partei** *f* party to a wage/salary agreement; **T.parteien/T.partner** → **Tarifparteien**; **T.politik** *f* collective bargaining policy; **T.recht** *nt* law governing collective bargaining; **T.vereinbarung** *f* collective *[GB]*/contractual *[US]* bargaining agreement; **T.verhandlungen** *pl* collective bargaining; **T.vollmacht** *f* bargaining power; **T.wesen** *nt* collective bargaining; **t.widrig** *adj* contrary to the provisions of the collective agreement

Tarif|vertreter *m* bargaining agent; **T.vertretung** *f* bargaining agency; **T.vorschriften** *pl* ⊖ tariff regulations; **T.währung** *f* tariff currency; **T.wert** *m* ⊖ tariff value; **T.werte** *(Börse)* utilities; **T.wert festsetzen** to tariff; **T.wesen** *nt* wages and salaries, collective bargaining system; **T.zoll** *m* tariff duty; **T.zone** *f* 1. ✉ zone; 2. *(Steuer)* rate band; **T.zuschlagsvereinbarung** *f* catch-up settlement; **T.zwang** *m* compulsory character of a collective bargaining agreement

Tarn|anstrich *m* 1. ✈ camouflage; 2. ⚓ dazzle; **T.bezeichnung** *f* code name

tarnen *v/t* 1. to disguise; 2. ✈ to camouflage

Tarn|fabrik *f* shadow factory; **T.organisation** *f* front organisation

Tarnung *f* 1. disguise; 2. ✈ camouflage

Tarn|werbung *f* camouflaged advertising; **T.zahl** *f* code number

Tasche *f* 1. pocket, bag; 2. *(Aktentasche)* (brief)case; 3. *(Schultasche)* satchel; **aus eigener T.** out of one's own pocket

in die eigene Tasche arbeiten; sich die T.n füllen to line one's own pocket(s); **aus eigener T. bezahlen** to pay out of one's own pocket; **jdm in die T.n greifen** to dip into so.'s pockets; **tief/tüchtig ~ greifen** to splash out; **schwer ~ greifen müssen** *(coll)* to have to pay through the nose; **in der T. haben** *(coll)* to be in the bag; **etw. wie die eigene T. kennen** *(coll)* to know sth. like the back of one's hand; **in die T. langen** to dip into one's pockets; **jdm auf der T. liegen** *(coll)* to live on so.'s income, ~ at so.'s expense; **in die T. stecken** to pocket/bag; **jdn ~ stecken** *(coll)* to be more than a match for so.; **in die eigene T. wirtschaften** to line one's pockets; **jdm etw. aus der T. ziehen** to relieve so. of sth.

Taschenausgabe *f* pocket edition

Taschenbuch *nt* pocket book, paperback; **T.ausgabe** *f* pocket (book) edition/issue, paperback edition; **T.format** *nt* paperback size; **T.verlag** *m* paperback publishers

Taschendieb *m* pickpocket, purloiner, purse-snatcher, diver *(coll)*; **T.stahl** *m* picking so.'s pocket, pickpocketing; **~ begehen** to pick so.'s pocket

Taschen|fahrplan *m* pocket timetable; **T.feuerzeug** *nt* pocket lighter; **T.format** *nt* pocket-size(d)

Taschengeld *nt* pocket/spending money, allowance; **T. für die Frau** pin money; **T.paragraf** *m* § pocket money rule for minors

Taschen|kalender *m* pocket calendar; **T.lampe** *f* torch, flashlight *[US]*; **T.locher** *m* port-a-punch; **T.messer** *nt* pocket knife; **T.pfändung** *f* attachment of the debtor's purse, pocket execution, levying upon the debtor's purse; **T.rechner** *m* (pocket) calculator; **T.spieler** *m* juggler; **T.spielerei/T.spielertrick** *f/m* sleight of hand; **durch T.spielertricks** by sleight of hand; **T.uhr** *f* pocket watch; **T.wörterbuch** *nt* pocket dictionary

Tasse *f* cup; **t.nfertig** *adj (Getränk)* instant

Tastatur *f* keyboard, keypad; **tragbare T.** 💻 keypad; **T.eingabe** *f* keyboard entry

Taste *f* key, bar; **automatische T.** repeat key

tasten *v/i* to grope; *v/t* 💻 to key

Tasten|anschlag *m* keystroke; **T.bedienung** *f* key operation; **mit T.bedienung** key-operated

tastend *adj* tentative

Tasten|feld *nt* keyboard; **tragbares T.feld** 💻 keypad; **T.geber** *m* transmitter; **T.hebel/T.heber** *m* key lever; **T.knopf** *m* key button; **T.reihe** *f* key bank; **T.steuerung** *f* key control; **T.telefon** *nt* push-button telephone

Tastfehler *m* keying error

Tat *f* 1. deed, act, action; 2. *(Straftat)* offence, crime; **nach der T.** after the fact; **vor der T.** before the fact; **jdn auf frischer T. ertappen/erwischen** 1. to catch so. red-handed *(coll)*, ~ in the (very) act; 2. § *(Ehebruch)* to catch flagrante delicto *(lat.)*; 3. to catch and bring to book; **~ ertappt** found committing; **in die T. umsetzen** to put into action, to go ahead (with sth.), to implement/effectuate

einmalige Tat unrepeated act; **ein und dieselbe T.** one and the same act; **auf frischer T.** 1. in the (very) act, red-handed *(coll)*; 2. § *(Ehebruch)* flagrante delicto *(lat.)*; **zur Last gelegte T.** alleged offence; **offenkundige T.** overt act; **verruchte T.** abomination; **vollendete T.** accomplished/completed offence; **wohlüberlegte T.** 1. § premeditated offence; 2. act of faith

Tatbericht *m* statement of facts

Tatbestand *m* 1. fact(s) of the case/matter, findings, statement of facts; 2. § statutory definition of an offence; **T. einer strafbaren Handlung** § statutory offence

Tatbestand aufnehmen/feststellen § to establish/take down/ascertain the facts; **T. erfüllen** to constitute an offence, to satisfy a criterion; **T. einer strafbaren Handlung erfüllen** to constitute a crime; **T. der Verletzung der Beiwohnungs-/Kohabitationspflicht erfüllen** to have deserted so.; **T. ermitteln** to ascertain the facts

objektiver Tatbestand § overt act, actus reus *(lat.)*; **subjektiver T.** 1. mens rea *(lat.)*, mental elements of an offence; 2. culpability

Tatbestandsǀangaben *pl* particulars of a case/the charge; **T.aufnahme** *f* 1. factual report, fact finding; 2. § procès verbal *[frz.]*, committal proceedings; **T.fehler** *m* error in fact; **T.feststellungen** *pl* findings of fact; **T.handlung** *f* § actus reus *(lat.)*; **T.irrtum** *m* error in fact, factual mistake, mistake as to the type of offence; **T.merkmal** *nt* constituent fact/element of an offence, relevant fact; **T.merkmale** merits of a case, operative facts *[US]*; **T.urkunde** *f* ⚓ *(Kollision)* preliminary act; **rechtswidrige T.verwirklichung** § actus reus *(lat.)*

Tatǀbeteiligte(r) *f/m* accomplice, accessory; **T.beweis** *m* proof of the fact; **in T.einheit mit** *f* § in conjunction/coincidence with, concomitanly with

Tatenǀdrang *m* energy, drive; **voller T.drang** energetic, full of beans *(coll)*; **t.durstig** *adj* enterprising; **t.los** *adj* idle, inactive, passive

Täter(in) *m/f* offender, perpetrator, culprit, delinquent, tortfeasor, malefactor; **T. mit dem weißen Kragen** white-collar criminal; **T. verfolgen** to prosecute an offender; **als T. verdächtigt werden** to be a suspect

jugendlicher Täter juvenile delinquent/offender; **mittelbarer T.** indirect perpetrator; **rückfälliger T.** recidivist, persistent offender, second and subsequent offender; **unbekannte(r) T.** person or persons unknown; **unmittelbarer T.** actual offender; **vorbestrafter T.** offender with a previous conviction; **nicht ~ T.** first offender

Täterpersönlichkeit *f* personal characteristics of the offender

Täterschaft *f* 1. commission of the offence; 2. guilt; **in mittelbarer T. handeln** to act through an agent; **T. leugnen** to plead not guilty

Tätertyp *m* type of offender/perpetrator

Tatǀfrage *f* question/point of fact; **T.gehilfe** *m* § aider and abettor, accessory; **am Tatort anwesender T.gehilfe** § principal in the second degree

tätig *adj* active, busy, acting, engaged in, operative, operating; **anwaltschaftlich t.** practising as a lawyer; **beruflich t.** employed; **freiberuflich t.** freelance; **ganztägig/vollberuflich t.** full-time; **selbstständig t.** self-employed; **weltweit t.** *(Firma)* operating worldwide, global, globally operating

tätig sein to act/work/function/operate/trade; **für jdn t. sein** to work for so.; **amtlich t. sein** to act ex officio *(lat.)*, ~ in an official capacity; **beruflich t. sein** to follow a trade; **ehrenamtlich t. sein** to be employed in an honorary capacity; **bei einer Firma t. sein** to be in the employ of a firm; **freiberuflich t. sein** to (work) freelance; **geschäftlich t. sein** to be (engaged) in business; **gewerblich t. sein** to follow/ply a trade; **offiziell t. sein** to work in an official capacity; **t. werden** to take action, to act/move; **amtlich t. werden** to act ex officio *(lat.)*, ~ in an official capacity; **in der Sache t. werden** to act on the matter; **von sich aus t. werden** to take the initiative

tätigen *v/t* to make/effect/transact, to carry out

freiberuflich Tätige(r) *f/m* professional person, freelance

Tätigkeit *f* 1. activity, action, operation, performance; 2. job, occupation

Tätigkeit außerhalb der Dienststunden work out of hours; **T. des Exportbasissektors** base activity; **T. als Führungskraft** managerial/executive work; **T. vor dem Militärdienst** pre-service occupation; **T. im Rahmen der öffentlichen Gewalt** activity as public authority

Tätigkeit aufgeben to give up a job; **T. aufnehmen** to take up one's duties, to enter upon/engage in an activity; **T. wieder aufnehmen** to resume work; **T. ausüben** to be engaged in an activity; **auf einer erfinderischen T. beruhen** to involve an inventive step; **bei seiner T. bleiben** to stick to one's business; **T. einschränken** to curtail an activity; **T. einstellen** to discontinue an activity; **einer T. nachgehen** to pursue an occupation; **keiner geregelten T. nachgehen** to have no regular occupation

angemessene Tätigkeit suitable employment/work; **anstrengende T.** trying work; **anwaltliche T.** law practice, practice of law, attorneyship; **regelmäßig ausgeübte T.** regular occupation; **außerberufliche T.** outside activity; **bankfremde T.** non-banking activity; **beratende T.** advisory capacity; **berufliche T.** occupation; **bisherige T.** previous activity; **ehrenamtliche T.** honorary capacity; **entgeltliche T.** paid work; **ergänzende T.** ancillary activity; **erwerbsorientierte T.** gainful employment, income-seeking activity; **freiberufliche T.** profession, freelance work, professional services, self-employment; **freiwillige T.** voluntary work; **führende T.** excecutive capacity; **gefahrgeneigte/gefährliche T.** hazardous work/employment; **geistige T.** mental activity; **gesamtwirtschaftliche T.** aggregate/overall economic activity, overall business activity; **geschäftliche T.** commercial activity; **gewerbliche T.** industrial/business/commercial activity, manufacturing occupation, pursuit of a trade; **gewerkschaftliche T.** union activity; **gewinnbringende T.** gainful occupation, productive activity, profit/money spinner; **handwerkliche T** handicraft trade; **hauptberufliche T.** full-time job; **häusliche T.** housework; **herstellerische T.** manufacturing operation; **industrielle T.** industrial employment; **karitative T.** charitable work; **kaufmännische T.** commercial activity/occupation; **landwirtschaftliche T.** agricultural activity; **langjährige T.** many years of work; **leitende T.** executive work; **literarische T.** literary activity; **mechanische T.** routine job; **nachfassende T.** follow-up; **nachgeschaltete T.** 🏭 downstream activity; **nebenberufliche T.** sideline (job); **privatwirtschaftliche T.** private-sector activity, self-employment; **nicht ruhegehaltsfähige T.** non-pensionable service; **richterliche T.** judicial function/rôle; **schöpferische T.** creative work/activity; **schriftstellerische T.** writing; **selbstständige T.** self-employment, activity as a self-employed person; **sitzende T.** sedentary work; **sonstige T.** non-key job, non-trade-related activity; **soziale T.** social work; **staatsfeindliche/subversive/umstürzlerische T.** subversive activity; **treuhänderische T.** fiduciary activity; **überwiegende T.** *(Steuer)* paramount activity; **unproduktive T.** make-work; **unqualifizierte T.** unskilled work; **unselbstständige T.** dependent/paid employment; **verfassungsfeindliche T.** activity against the constitutional order; **verlegerische T.** publishing; **vorgeschaltete T.** 🏭 upstream activity; **werbende T.** productive activity; **wirtschaftliche T.** economic activity, business (activity); **zumutbare T.** reasonable work

Tätigkeits|analyse *f* job/task analysis; **T.anforderungen** *pl* job requirements

Tätigkeitsausweitung *f* job diversification; **horizontale T.** job enlargement; **vertikale T.** *(in vor- bzw. nachgelagerte Bereiche)* job enrichment

Tätigkeits|bereich *m* 1. sphere/field/range of activity, sphere of operations, activities; 2. § purview; **erfolgreicher T.bereich** profitable area of operation; **T.bericht** *m* progress/activity report; **T.beschreibung** *f* job description; **t.bezogen** *adj* vocation-oriented; **T.delikt** *nt* § offence by commission; **T.erweiterung** *f* job enrichment

Tätigkeits|feld/T.gebiet *nt* 1. business (sector), operation, line, sphere of activity; 2. § purview; **sein T. ausdehnen** to extend the scope of one's activities; **geografisches T.** geographical coverage of business area

Tätigkeits|gruppe *f* job cluster; **T.merkmale** *pl* job characteristics; **T.nachweis** *m* performance record; **t.orientiert** *adj* vovation-oriented; **T.profil** *nt* job profile; **T.schwerpunkt** *m* focus (of activity/ooperation); **T.zeit** *f (REFA)* occupied/activity time

Tätigung *f* 1. conclusion, effecting, making; 2. transaction; **T. von Investitionen** investing

Tätigwerden *nt* action

Tat|irrtum *m* mistake of fact; **T.kraft** *f* energy, drive, vigour, pep *(coll)*, go *(coll)*; **t.kräftig** *adj* 1. energetic, vigorous; 2. *(Hilfe)* active

tätlich *adj* violent; **t. werden** to assault (so.)

Tätlichkeit *f* § assault, battery; **T.en** assault and battery, physical violence; **~ gegen Familienangehörige** domestic violence

Tat|mehrheit *f* § joinder of offences, plurality of acts; **T.mensch** *m* man of action; **T.motiv** *nt* motive (for the crime); **T.ort** *m* scene of the crime; **T.ortbesichtigung** *f* viewing the scene of the crime; **T.richter** *m* trial judge

Tatsache *f* fact, circumstance; **T.n** (hard) facts; **angesichts der T.** seeing that, in view of the fact, given the fact; **den T.n entsprechend** right; **neue T.n und Beweismittel** fresh facts and evidence; **T., die den Verlust eines Rechts nach sich zieht** divestitive fact

sich mit den Tatsache|n abfinden to (learn to) live with the facts, to face (up to) the facts; **T.n anführen** to state facts; **neue ~ berücksichtigen** to take fresh facts into consideration; **auf ~ beruhen** to be founded on facts; **T. beschwören** to swear to a fact; **T. beweisen** to establish a fact; **sich der T. bewusst werden** to wake up to the fact; **den T.n entsprechen** to be in accordance with the facts; **T.n entstellen** to distort/misrepresent the facts; **~ feststellen** to ascertain the facts; **sich an die ~ halten** to stick to the facts; **als T. hinstellen** to present as a fact; **T.n leugnen** to deny the facts; **alle rechtserheblichen ~ offen legen** to disclose all material facts; **~ registrieren** to state the facts; **~ ins Auge/Gesicht schauen; ~ sehen** to face the facts; **T. unterdrücken/-schlagen** to suppress/conceal a fact; **wesentliche T.n unterdrücken** to conceal material facts; **T.n verdrehen/verfälschen** to pervert/distort facts; **~ verkennen** to misapprehend facts; **~ verschleiern** to disguise facts; **sich den ~ verschließen** to be blind to the facts; **T. verschweigen** to conceal a fact; **neue T.n vorbringen** to adduce new facts; **falsche T.n vorspiegeln** to make false pretences; **T.n zusammentragen** to gather facts

belastende Tatsache incriminatory fact; **belegte T.** matter of record; **beweiserhebliche T.** probative/evidentiary fact; **bewiesene T.** proven fact; **entlastende T.** exculpatory fact; **entscheidende T.** decisive fact; **nicht entscheidungserhebliche T.** immaterial fact; **erhebliche T.** relevant fact; **falsche T.** fabricated fact; **festgestellte T.** ascertained fact; **feststehende T.** established fact; **gerichtsnotorische T.** fact of which the court has judicial notice; **grundlegende T.** basic fact; **~ T.n** fundamental data; **handelsmäßige T.n** commercial facts; **harte T.** fact of life *(coll)*; **nackte T.n** hard facts; **nachweisliche T.** established fact; **nüchterne T.n** bare facts; **offenkundige T.** obvious fact; **rechtsändernde T.** dispositive fact; **rechtsbegründende T.** constitutive/investitive fact, fact establishing a right; **rechtserhebliche T.** relevant/material fact; **strittige T.** contested fact; **unbestreitbare T.** irrefutable fact;

unerhebliche/unwesentliche T. irrelevant/immaterial fact; **ungeschminkte/unumstößliche T.n** cold/hard facts; **unzweifelhafte T.** established fact; **verbürgte T.** matter of record, established fact; **vollendete T.** accomplished fact, fait accompli *[frz.]*; **wesentliche T.** material fact; **wirtschaftliche T.** economic fact; **zugestandene T.** admitted fact

Tatsachen|- factual; **T.angaben machen** *pl* to state the facts; **T.behauptung** *f* allegation of facts, averment, statement of fact, factual claim; **T.bericht** *m* 1. factual account/report; 2. documentary (report); **T.beweis** *m* § factual/circumstantial evidence; **T.dokument** *nt* factsheet; **T.feststellung** *f* fact-finding, conclusion of fact; **T.frage** *f* question in fact; **T.instanz** *f* 1. trial court; 2. *(Zivilrecht)* interlocutory hearing *[GB]*; 3. *(Strafrecht)* committal proceedings *[GB]*; **T.irrtum** *m* factual error; **T.material** *nt* body of facts, factual evidence; ~ **zusammenstellen** to piece together facts; **T.verdrehung** *f* subreption, travesty of facts; **T.verkennung** *f* misapprehension of the facts; **T.vermutung** *f* presumption of a fact; **T.vortrag** *m* 1. submission of the facts, recital of facts; 2. § allegations; **t.widrig** *adj* counterfactual, contrary to the facts

tatsächlich *adj* 1. real, actual, true, factual, virtual; 2. effective; *adv* in fact, de facto *(lat.)*, in effect/reality, in the event, as a matter of fact, in point of fact; **t. und rechtlich** in fact and in law

Tat|schuld *f* responsibility for the act; **T.umstand** *m* (factual) circumstance; **T.umstände** facts of the case

Tatverdacht *m* suspicion; **mangels T. freisprechen** to acquit for lack of evidence; **unter T. stehen** to be under suspicion

kein ausreichender Tatverdacht not proven *[Scot.]*; **dringender T.** strong suspicion; **wegen dringendem T.** on strong suspicion; **hinreichender T.** reasonable and probable cause, prima facie *(lat.)* case to answer

Tat|verdächtige(r) *f/m* suspect, suspected person; **flüchtige(r) T.verdächtige(r)** fugitive suspect; **T.vorsatz** *m* premeditated design; **T.waffe** *f* 1. weapon used for the crime; 2. *(Mord)* murder weapon; **T.zeit** *f* time of the crime/offence; **T.zeuge** *m* witness to a crime

Tau *nt* *(Seil)* rope

taub *adj* 1. deaf; 2. *(Kälte)* numb; **sich t. stellen** to feign deafness

Taube *f* 1. pigeon; 2. *(fig)* dove; **T.nschlag** *m* dovecote, pigeon loft

taubstumm *adj* deaf and dumb; **T.enanstalt** *f* institute for the deaf and dumb; **T.ensprache** *f* sign language

tauchen *v/i* to dive/dip

Taucher *m* diver; **T.anzug** *m* diving suit; **T.ausrüstung** *f* diving equipment; **T.brille** *f* diving goggles; **T.glocke** *f* diving bell; **T.helm** *m* diver's helmet; **T.kugel** *f* bathysphere

Tauch|fahrt *f* dive; **T.sieder** *m* ϟ immersion heater; **T.station** *f* diving station; **T.tiefe** *f* 1. diving depth; 2. ⚓ navigable depth

Taufe *f* 1. baptism, christening; 2. ⚓ launching (ceremony); **aus der T. heben** *(fig)* to inaugurate

taufen *v/t* to baptize/christen

Tauf|name *m* Christian *[GB]*/given *[US]* first name; **T.register** *nt* baptismal register

taufrisch *adj* fresh, as fresh as a daisy

Taufschein *m* certificate of baptism, baptismal certificate

taugen *v/i* to be suitable, to be good for sth.; **zu nichts t.** to be good for nothing

tauglich *adj* 1. fit, capable, qualified; 2. ✪ serviceable, suitable

Tauglichkeit *f* 1. fitness, capability, qualification, efficiency; 2. suitability, usefulness; **T. zum gewöhnlichen Gebrauch** merchantable quality; ~ **vertragsmäßigen Gebrauch** fitness for the agreed use; **körperliche T.** physical fitness; **T.sbescheinigung/T.szeugnis** *f/nt* certificate of fitness; **T.sgewährleistung** *f* warranty of fitness

Tausch *m* 1. exchange, swap; 2. *(Handel)* barter; 3. *(Währung)* conversion; **in T. geben** to barter, to trade in, to give in exchange; ~ **nehmen** to take in exchange, to barter

Tausch|abkommen *nt* barter deal/agreement; **T.depot** *nt* security deposit; **T.einheit** *f* barter unit

tauschen *v/t* 1. to exchange/swap/trade (off); 2. to barter; 3. *(Wert/Geld)* to change; 4. *(Währung)* to convert

täuschen *v/t* to deceive/delude/trick/mislead/dupe, to cheat/to hoodwink/rook *(coll)*; *v/refl* to delude o.s.; **leicht zu t.** easily misled

täuschend *adj* deceptive, misleading, fallacious; **sich selbst t.** self-deceiving

Tausch|exemplar *nt* exchange copy; **t.fähig** *adj* exchangeable, barterable; **T.gegenstand** *m* bartering object, object of exchange; **T.gemeinschaft** *f* free-exchange community; **T.geschäft** *nt* 1. barter/switching deal, exchange, swap, trade-off; 2. *(Handel)* bartering, barter transaction/deal, counter trade, switch, switching deal, switching/trading operation; **T.geschäfte machen** to swap/switch/truck *[US]*; **T.gesellschaft** *f* barter society/company; **T.gewinn** *m (Börse)* exchange gain, gain from exchange; **T.gleichgewicht** *nt* equilibrium of exchange

Tauschhandel *m* barter (trade), bartering, trading, trucking, trade-off, swap; **T. treiben** to barter/truck *[US]*

Tauschhandels|abkommen *nt* barter(ing) agreement; **T.geschäft** *nt* barter transaction; **fingiertes T.geschäft** dry exchange; **T.kredit** *m* barter credit

Tausch|händler *m* barterer; **T.kurve** *f* offer curve; **T.mittel** *nt* means/medium of exchange, currency/circulating medium; **T.mittelfunktion** *f* exchange function; **T.möglichkeitskurve** *f* exchange possibility line; **T.objekt** *nt* unit of exchange, bargaining counter; **T.operation** *f* switching operation, swap, asset switching; **T.optimum** *nt* exchange optimum; **T.transaktion** *f* equity switching

Täuschung *f* 1. deception, deceit, subterfuge; 2. delusion, illusion; 3. sham, disguise, cheat *(coll)*; 4. *(Betrug)* fraud, fraudulent misrepresentation; **zum Zwecke der T.** with intent to deceive; **T. bei der Eheschließung** procurement of marriage by deception;

T. über einen Nebenumstand collateral deceit; ~ **wesentlichen Umstand** material deceit; **T. vernichtet die Genehmigung** § deception vitiates permission

sich einer Täuschung hingeben to cherish an illusion; **einer T. unterliegen** to be/labour under an illusion; **jdn durch T. zu etw. verleiten** to trick so. into doing sth.

absichtliche/arglistige/bewusste/vorsätzliche/wissentliche Täuschung wilful deception/fraud/deceit, positive fraud, malicious deceit, fraudulent misrepresentation; **optische T.** optical illusion

Täuschungs|absicht *f* intent(ion) to deceive; **T.handlung** *f* (act of) deception; **T.manöver** *nt* diversion, red herring *(coll)*; **T.versuch** *m* attempted deception, attempt to deceive

Tausch|vertrag *m* barter agreement; **T.verwahrung** *f* exchangeable custody; **T.waren** *pl* barter goods; **T.wert** *m* exchange/exchangeable value, value in exchange; ~ **für Inzahlungsnahme** trade-in value; **T.wirtschaft** *f* barter/exchange/truck *[US]*/non-monetary economy

tausend *adj* thousand, K (=Kilo); **T.sassa** *m (coll)* jack-of-all-trades; **T.satz** *m (Anzeigen)* cost per thousand, milline *[US]*

Tau|wetter *nt* thaw; **T.ziehen** *nt* tug of war, wrangle, tussle

Taxameter *m* taximeter

Taxamt *nt* valuation court/board

Taxator *m* valuer, appraiser, (e)valuator, assessor, estimator, appreciator; **vereidigter T.** sworn valuer

Taxe *f* 1. valuation, estimate, government-fixed price; 2. *(Gebühr)* valuation/appraisal fee, duty, charge, tax; 3. *(Vers.)* amount of loss to be paid; **T. über dem Wert** overvaluation; **T. unter dem Wert** undervaluation; **T. aufstellen** to draw up a valuation; **nach T. verkaufen** to sell at valuation price; **unter T. verkaufen** to sell at a discount

Taxenstand *m* taxi rank

Tax|gebühr *f* valuer's fee; **T.gewicht** *nt* appraised/chargeable weight

Taxi *nt* taxi, taxicab, cab, hackney carriage *[GB]*; **T. heranwinken** to hail a taxi/cab

taxierbar *adj* assessable, taxable, appraisable

taxieren *v/t* 1. to value/assess/rate/appraise/estimate/tax/valuate; 2. to prize, to sum up; **jdn t.** to sum so. up; **zu hoch t.** to overvalue/overestimate; **zu niedrig t.** to undervalue/underestimate

Taxierer *m* valuer, appraiser

Taxierung *f* (e)valuation, valuation (estimate), appraisal, appraisement, rating; **T. des Anlagevermögens** fixed-asset valuation; **T. zu Steuerzwecken** appraisal for taxation purposes

Taxi|fahrer *m* taxi/cab driver, cabby *(coll)*; **T.fahrgast** *m* fare; **T.fahrt** *f* taxi ride; **T.konzession** *f* taxi licence, licence to operate a taxi; **T.preis** *m* taxi fare; **T.stand** *m* taxi/cab rank, cabstand *[US]*

Tax|kurs *m* estimated price; **T.ordnung** *f* scale of fees; **T.police** *f* valued policy; **T.preis** *m* assessed/estimated price, appraisal value; **T.wert** *m* assessed/appraised/estimated value, ~ valuation

Team *nt* team; **eingespieltes T.** experienced team

Team|arbeit *f* teamwork, team working, working in a teams, team effort; **in ~ machen** to do by teamwork; **T.beteiligung** *f* team involvement; **T.engagement** *nt* team involvement/commitment; **T.fähigkeit** *f* capacity for teamwork; **T.leiter** *m* team leader; **T.orientierung** *f* team focus; **T.theorie** *f* theory of teams; **T.work** *nt* teamwork

Technik *f* 1. *(Gerät)* technology, engineering; 2. *(Methode)* technique, method, procedure; **T. wissenschaftlichen Arbeitens** methods of scientific investigation; **etw. auf umweltfreundliche T. umstellen** to green sth.; **energiesparende T.** energy efficiency/energy-saving/energy-efficient technology; **fortschrittliche T.** advanced technology; **umweltfreundliche T.** clean technology, environmentally friendly technology

Techniker *m* technician, engineer, technologist, engineering worker, operator

technikfeindlich *adj* hostile to new technology

Technikolor *f* technicolo(u)r

Technikum *nt* technological college, college of technology

technisch *adj* technological, engineering, technical; **Technischer Überwachungsverein (TÜV)** technical control/supervisory board

technisieren *v/t* to automate/mechanize

Technisierung *f* automation, mechanization; **T.sgrad** *m* degree of mechanization

Technokrat *m* technocrat; **T.ie** *f* technocracy; **T.iemodell** *nt* model of technocracy, technocratic model; **t.isch** *adj* technocratic

Technologe *m* technologist

Technologie *f* technology; **allerneueste T.** latest technology; **arbeitssparende T.** labour-saving/labour-replacing technology; **energiesparende T.** energy efficiency/energy-saving/energy-efficient technology; **erneuerbare T.** renewable technology; **moderne T.** state-of-the-art technology; **modernste T.** hi-tech; **ressourcensparende T.** resource-saving technology; **saubere/umweltfreundliche T.** clean/eco-friendly/environmentally friendly technology; **weiche T.** small-scale/soft technology; **umweltbelastende T.** pollutive technology

Technologie|aktie *f (Börse)* (hi-)tech issue/share *[GB]*/stock *[US]*; **T.berater** *m* technology consultant; **T.bewertung** *f* technology assessment; **T.folgenabschätzung** *f* technology assessment; **T.förderung** *f* promotion of new technologies; ~ high technology; **T.fortschritt** *m* technological progress; **t.intensiv** *adj* technology-intensive; **T.lücke** *f* technology gap; **T.park** *m* science/technology park, business and information centre; **T.politik** *f* policy of technological development; **T.titel/T.wert** *m (Börse)* → **Technologieaktie**; **T.transfer** *m* technology transfer, transfer of technology; **T.überlassungsvertrag** *m* technology transfer agreement; **T.vertrag** *m* agreement for the exchange of technological know-how; **T.wirkungsanalyse** *f* technology assessment; **T.zentrum** *nt* science/technology park

technologisch *adj* technological
Technostruktur *f* technical structure
Tee *m* tea; **T.kiste** *f* tea chest
Teenager *m* teenager; **T.alter** *nt* the teens
Teepause *nt* tea break
Teer *m* tar; **t.en** *v/t* to tar; **T.pappe** *f* 🏛 tarred felt
Teelservice *nt* tea set/service; **T.steuer** *f* excise duty on tea; **T.stube** *f* tearoom; **T.wagen** *m* tea trolley, tea wagon *[US]*; **T.zeit** *f* tea time
Teflonl- ™ non-stick
Teich *m* pond; **der große T.** *(coll)* the pond *(coll)*
Teil *m* 1. part, share, portion, section, proportion, division, fraction, lot; 2. area, district; 3. leg, stretch; 4. § party; *nt* (spare) part, component, piece, segment, section; **T. von** part of; **zum T.** in part, in some cases, partly
technischer Teil des Angebots engineering proposal; **wesentlicher T. einer Beschwerde** § sum and substance of a complaint; **überwiegender T. der Bevölkerung** majority of the population; **T. einer Fertigungseinheit** sub-assembly; **für einen T. des Jahres** for part of the year; **nicht rückversichterter T. eines Risikos** retained risk; **einleitender T. einer Urkunde** recital, whereas clauses; **T. einer Versuchsgruppe** *(Marktforschung)* subsample; **einleitender T. eines Vertrags** lien of a covenant; **aus allen T.en der Welt** from all over the world; **T.e und Zubehör** parts and accessories
für meinen Teil for my part; **in allen T.en verbindlich** binding in its entirety
seinen Teil abbekommen to get one's share; **~ beitragen** to pull one's weight *(coll)*, to do one's bit; **T. bilden** to form (a) part; **sich seinen T. denken** to have one's own thoughts about sth., to draw one's own conclusions; **seinen T. erhalten** to get one's share; **keinen T. an etw. haben** to have no part in sth.; **beide T.e hören** to hear both sides; **zu gleichen T.en beteiligt sein** to have equal shares; **T. des Risikos übernehmen** *(Lloyd's)* to participate in the risk; **in T.e zerlegen** to take to pieces, to dismantle; **T. seines Einkommens zurücklegen** to set aside (a) part of one's income
ausgewechseltes Teil replaced part; **auswechselbares T.** interchangeable part; **beide T.e** both sides; **für ~ verlustreich** internecine; **beklagter T.** defendant, defending party; **beleidigter T.** offended party; **beweglicher T.** moving part; **einbaufertiges T.** mountable part; **einleitender T.** 1. opening; 2. *(Urkunde)* recital; **innerhalb eines Jahres fälliger T.** *(Obligation)* current maturity; **fehlerhaftes T.** defective part; **fertiges T.** component part; **fester T.** fixed portion; **fremdbezogene T.e** brought-in supplies, purchased parts/components; **durch Subunternehmer gefertigte T.e** subcontracted components; **geschäftlicher T.** business end; **geschädigter T.** injured party; **zu gleichen T.en** in equal parts/shares, equally, equiproportionately; **größter T.** the bulk, the greater part; **kennzeichnender T.** characterizing part; **klagender T.** plaintiff; **leidtragender T.** aggrieved party; **oberer Teil** head; **patentfähiger T.** patentable part; **pfändbarer T.** judgment portion, leviable part; **rechtsgestaltender T.** operative part; **redaktioneller T.** editorial (part); **risikoreicherer T.** *(Kapitalanlage)* aggressive portion *[US]*; **risikoschwächerer T.** *(Kapitalanlage)* defensive portion *[US]*; **schuldiger T.** 1. *(Scheidung)* guilty party; 2. *(Unfall)* party at fault; **nicht ~ T.** innocent party, party not at fault; **streitender T.** litigant, party; **überlebender T.** *(Vers.)* surviving party; **variabler T.** variable portion; **verfügbarer T.** *(Erbschaft)* available portion, **vertragschließender T.** contracting party, contractant, stipulator; **vierter T.** quarter; **wesentlicher T.** substantial part
Teill- partial; **t.abgeschrieben** *adj* partly written off/depreciated; **T.abhebung** *f* partial withdrawal; **T.abkommen** *nt* partial agreement; **T.abladung** *f* part shipment; **T.abnahme** *f* partial acceptance; **T.abrechnung** *f* partial account/billing; **T.abschnitt** *m* section, portion, instalment, fraction; **T.abschreibung** *f* partial depreciation/write-down; **T.abschwächung** *f* localized recession; **T.abtretung** *f* partial assignment; **T.aktie** *f* stock scrip, subshare; **T.aktion** *f (Streik)* local/guerilla/rolling/rotating/chain strike; **T.akzept/T.annahme** *nt/f* partial acceptance; **T.amortisation** *f* partial amortization; **T.anlage** *f* (plant) section; **T.anlieferung** *f* part shipment/delivery; **T.anmeldung** *f (Pat.)* partial/divisional application; **T.ansicht** *f* sectional view; **T.anspruch** *m* partial claim, part interest
Teilarbeitslgang/T.vorgang *m* (work) element; **T.losigkeit** *f* short-time work, sectoral unemployment, underemployment; **T.markt** *m* sectoral labour market; **t.unfähig** *adj* partially incapacitated, ~ unable to work
Teillaspekt *m* aspect; **T.aufgabe** *f* subtask; **T.auftrag** *m* sub-order; **T.ausbau** *m* partial extension; **T.ausfall** *m* partial breakdown; **T.ausführung** *f* partial execution; **T.ausgabe** *f (Anleihe)* tranche, slice; **T.ausgleich** *m* partial compensation; **T.ausschreibung** *f* partial invitation to tender
teilbar *adj* divisible, separable, severable; **T.keit** *f* divisibility, separability
Teillbaugenehmigung *f* partial building permit; **T.bedarfsrechnung** *f* 1. parts requirements planning; 2. tax-based gross receipts calculation; **T.befrachtung** *f* partial freighting; **T.befriedigung** *f* partial satisfaction; **T.bereich** *m* sub-section; **betrieblicher T.bereich** department, division; **T.beschäftigte(r)** *f/m* part-time employee, part-timer; **T.beschäftigung** *f* part-time employment; **T.bescheid** *m* interim decision; **T.besitz** *m* part-ownership, part-possession; **T.besitzer(in)** *m/f* part-owner
Teilbetrag *m* 1. fractional/partial amount, instalment, quota, tranche, part; 2. sub-total; **beweglicher T.** ⊖ variable component; **fester T.** ⊖ fixed component; **zeitlich gestaffelte Teilbeträge** timed instalments
Teillbetrieb *m* division; **T.betriebsergebnis** *nt* divisional result, partial operating result; **T.beweis** *m* partial evidence; **T.bilanz** *f* partial balance sheet, section
Teilbudget *nt* sectional budget, functional subplan; **~ des Absatzbereichs** sales and marketing budget; **~ Fertigungsbereichs** manufacturing budget; **~ Verwaltungsbereichs** office and administration budget

Teilcharter *f* part(ial)/split charter; **T.verkehr** *m* part-charter traffic; **T.vertrag** *m* part-charter party
Teilchen *nt* particle
Teil|datei *f* subfile; **T.deckung** *f* 1. partial backing; 2. *(Vers.)* partial cover(age); **T.diebstahl** *m* partial theft; **T.disposition** *f* part disposal
Teile|familie *f* family of parts; **T.fertigung** *f* component/parts manufacture, manufacture/production of parts, ~ sub-assemblies, parts production; **T.gruppe** *f* sub-assembly, sub-group
Teil|eigentum *nt* part-ownership; **T.eigentümer** *m* part-owner; **t.eingezahlt** *adj* partly paid; **T.einheit** *f* operating unit
Teile|lager *nt* parts inventory/stock(s)/store; **T.lieferant** *m* parts/component supplier; **T.liste** *f* parts list
Teilemission *f* partial issue
Teilemontage *f* components assembly
teilen *v/t* 1. to divide/share out/split/separate/pool; 2. *(Raum)* to partition; *v/refl* 1. to share/split; 2. *(Straße)* to fork/divide; **sich in etw. t.** to share sth.; **zu gleichen Teilen t.** to share and share alike *(coll)*, to go halves *(coll)*
Teilentschädigung *f* partial indemnification
Teilenummer *f* part number
Teiler *m* π divisor, factor; **gemeinsamer T.** common divisor
Teil|erbschein *m* certificate of inheritance for a portion of the estate; **T.erfolg** *m* partial success; **T.erfüllung** *f* part(ial) performance; **T.ergebnis** *nt* 1. π sub-total; 2. partial result; **T.erhebung** *f* partial/sample survey, incomplete/partial census; **T.erneuerung** *f* partial renovation; **T.errichtungsgenehmigung** *f* restricted planning permission, partial construction/building permission; **T.ersatz** *m* partial replacement
Teilestammdatei *f* component master file
Teil|etat *m* sectional budget; **T.fabrikat** *nt* component; **T.finanzierung** *f* instalment/partial financing; **T.finanzierungskredit** *m* hire-purchase/instalment purchase credit; **T.fläche** *f* partial area; **T.forderung** *f* part claim; **T.fracht** *f* part cargo; **T.gebiet** *nt* sub-district, area, section; **T.genehmigung** *f* partial permission; **T.gesamtheit** *f* ▦ fractional population, sub-population, portion, sub-sample, stratum; **T.gesellschaft** *f* subsidiary (company); **T.geständnis** *nt* partial admission; **T.gewinnabführungsvertrag** *m* agreement to transfer (a) part of the profits; **t.gezahlt** *adj* partly paid; **T.grundstück** *nt* part of a plot of land; **T.gültigkeitsklausel** *f* separability clause; **T.gutschein** *m* fractional certificate; **T.gutschrift** *f* part credit (note); **T.gutschriftskonto für ausländische Wechsel** *nt* marginal deposit account *[GB]*
Teilhabe *f* share, sharing, participation, communion; **angemessene T.** fair share
teilhaben *v/i* to share/participate, to have an interest, ~ a share; **nicht t.d** *adj* non-participating
Teilhaber(in) *m/f* partner, joint partner/owner/proprietor, associate, copartner, shareholder, sharer, party, participant, participator
Teilhaber abfinden/aus(be)zahlen to buy out a partner; **als T. aufnehmen** to take in a partner, ~ into partnership, to admit as a partner; **~ ausscheiden** to withdraw from a partnership; **~ eintreten** to join a partnership, to become a partner; **jdn zum T. machen** to take so. into partnership; **T. sein** to have a share (in sth.)
abwickelnder Teilhaber liquidating partner; **aktiver T.** working partner; **nicht ~ T.** nominal partner; **älterer T.** senior partner; **ausgeschiedener T.** former partner; **ausscheidender T.** outgoing/retiring partner; **ehemaliger/früherer T.** former partner; **neu eintretender T.** incoming partner; **Gesellschaftsverhältnis fortsetzender T.** surviving partner; **in Konkurs gegangener T.** bankrupt partner; **geschäftsführender T.** managing/active/acting partner; **nicht ~ T.** silent/sleeping/dormant partner; **haftender T.** general partner; **beschränkt ~ T.** limited/special partner; **persönlich/unbeschränkt/voll ~ T.** general/unlimited/ordinary/associated partner; **nicht persönlich ~ T.** subordinate partner *[GB]*; **inaktiver/passiver/stiller T.** silent/sleeping/dormant partner; **jüngerer T.** junior partner; **tätiger T.** active/acting partner; **verantwortlicher T.** general partner; **verbleibender T.** continuing partner; **verstorbener T.** deceased partner; **zahlungsunfähiger T.** partner in default, defaulting partner
teilhaber|ähnlich *adj* partner-like; **T.anspruch auf das Gesellschaftsvermögen zur Schuldendeckung** *m* equity of partners; **T.betrieb** *m* 💻 online system, transaction mode; **T.effekten** *pl* variable income securities; **T.konto** *nt* partnership account; **T.papier** *nt* variable-income security; **T.rente** *f* shared annuity
Teilhaberschaft *f* partnership, copartnership, participation, associateship; **T. durch Erwerb von Aktien** contributory partnership; **T. auflösen** to dissolve a partnership; **T. eingehen** to enter into partnership
auf mündlicher Vereinbarung beruhende Teihaberschaft oral partnership; **jederzeit kündbare T.** partnership at will; **stille T.** silent/sleeping/dormant partnership
Teilhaber|spedition *f* participating carriers; **T.vergütung** *f* partner's remuneration; **T.versicherung** *f* business life insurance, partnership assurance *[GB]*/insurance *[US]*; **T.vertrag** *m* contract of partnership/copartnery, partnership agreement; **T.verzeichnis** *nt* index of members
Teil|hafter *m* limited/special partner; **T.haftung** *f* partial/limited liability; **T.haushalt** *m* departmental/sectional/sectoral budget, household department, sub-budget, sub-plan; **T.havarie** *f* ⚓ particular average (p.a.); **T.herstellungskosten** *pl* direct costs; **T.index** *m* sub-index; **T.indikator** *m* partial indicator; **T.indossament** *nt* partial endorsement; **T.invalidität** *f* partial disablement/disability/incapacity/invalidity; **T.inventur** *f* 1. departmental stocktaking; 2. *(Stichprobe)* test inventory; **T.kapitel** *nt* sub-chapter; **T.kaskoversicherung** *f* 1. partial coverage insurance; 2. ⚓ partial hull insurance; 3. 🚗 part comprehensive cover(age); **T.käufe machen** *pl (Börse)* to buy on a scale; **T.klage** *f* § part action, action for part of the claim; **T.klasse** *f* sub-class; **T.kompensation** *f* partial compensation;

T.konnossement *nt* partial bill of lading (B/L); **T.konsolidierung** *f* partial consolidation

Teilkonzern *m* sub-group, part-group, part of a group; **T.abschluss** *m* part-group/sub-group (consolidated) accounts; **konsolidiertes T.ergebnis** consolidated sub-group accounts; **T.geschäftsbericht** *m* part-group/sub-group report; **T.lagebericht** *m* sub-group annual report

Teilkosten *pl* portion of overall cost; **T.rechnung** *f* direct (sectional)/marginal costing; **~ auf der Basis von variablen Kosten** variable costing

Teil|krise *f* localized crisis; **T.kündigung** *f (Anleihe)* part redemption; **T.ladung** *f* less than car/container load (LCL), part load, partial load/shipment; **T.lagerschein** *m* part warrant; **T.leistung** *f* part(tial) performance

Teillieferung *f* instalment/part/partial delivery, ~ shipment, delivery by instalments; **in T.en einführen** ⊖ to import in successive consignments; **T.svertrag** *m* instalment contract

Teil|liquidation *f* partial settlement; **T.lizenz** *f* ⊖ extract; **T.losgröße** *f* split lot; **simultane T.losfertigung** dovetail scheduling; **T.lösung** *f* partial solution; **T.-markt** *m* market segment, sub-market; **repräsentativer T.markt** test market; **T.meldung** *f* part report; **t.möbliert** *adj* partly furnished; **T.monatsbezüge** *pl* partial monthly pay; **T.monopol** *nt* partial/shared monopoly; **T.montage** *f* sub-assembly

Teilnahme *f* 1. participation, attendance, turnout; 2. [§] complicity; 3. *(Beileid)* sympathy; **T. an einer strafbaren Handlung** partnership/complicity in a crime; **T. am Verlust** loss participation; **seine T. ausdrücken** to condole with so.; **von der T. ausschließen** to disqualify; **jdm seine T. versichern** *(Beileid)* to express one's sympathy/condolence to so.; **aktive T.** active part; **in aufrichtiger T.** in deep/sincere sympathy; **offizielle T.** official participation; **persönliche T.** personal participation

Teilnahme|bedingungen *pl* entry conditions; **t.berechtigt** *adj* eligible, entitled to participate; **nicht t.berechtigt** ineligible; **T.berechtigte(r)** *f/m* entitled person; **T.berechtigung** *f* eligibility, entry qualifications; **T.bescheinigung/T.bestätigung** *f* certificate of attendance; **T.beschränkung** *f* eligibility restriction; **T.formular** *nt* entry form; **T.gebühr** *f* attendance/participation fee; **T.lehre** *f* [§] principal and accessory/complicity/participation in crime concept; **T.vergütung** *f* attendance allowance

teilnahmslos *adj* unconcerned, indifferent, listless; **T.igkeit** *f* indifference, listlessness

teilnehmen *v/i* 1. to take part, to participate; 2. to attend; 3. to share (in); 4. to enter; 5. to assist; **aktiv t. an** to take an active part in; **t.d** *adj* 1. participating, attending; 2. *(Beileid)* sympathetic

Teilnehmer(in) *m/f* 1. participant, partner; 2. *(Wettbewerb)* competitor, entrant; 3. ✆ subscriber; 4. [§] accomplice, accessory; *pl* those attending

Teilnehmer im Abrechnungsverkehr participating bank; **T. an einer strafbaren Handlung** [§] party to a crime/an offence, joint offender/tortfeasor, accomplice; **~ einem Kommandounternehmen** raider; **T. eines Verbrechens** [§] party to a crime

Teilnehmer|anschluss *m* ✆ subscriber's line; **T.ausweis** *m* member's card; **T.betrieb** *m* 🖳 time-sharing system; **T.erkennung/T.identifikation** *f* subscriber identification; **T.gebühr** *f* attendance fee; **T.karte** *f* admission ticket; **T.land** *nt* participant country; **T.liste** *f* list of participants, entry list; **T.nummer** *f* ✆ subscriber's number; **T.rechner** *m* time-sharing computer; **T.regierung** *f* participating government; **T.sprechstelle** *f* ✆ subscriber's station; **T.staat** *m* participating state, member country/state; **T.system/T.verfahren/T.verkehr** *nt/m* 🖳 timesharing; **T.verzeichnis** *nt* 1. attendance register; 2. ✆ telephone directory; **T.währung** *f* member currency

Teilnehmerzahl *f* attendance figure; **beschlussfähige T.** quorum; **tatsächliche T.** turnout

Teil|nichtigkeit *f* 1. separability, severability; 2. partial nullity; **T.nichtigkeitsklausel** *f* separability clause; **T.pacht** *f* 🚜 share farming/cropping *[US]*/leasing/tenancy, crop share, métayage; **T.pächter** *m* share-farmer, sharecropper *[US]*, share/crop-share tenant, métayer; **T.pachtgut** *nt* farm held in share tenancy; **T.paket** *nt (Dienstleistung)* service module; **T.pauschalierung** *f* part compounding; **T.pension** *f* half-board; **T.periode** *f* sub-period; **T.plan** *m* sub-plan, sub-budget; **T.planung** *f* functional planning; **t.privatisieren** *v/t* to hive off; **T.privatisierung** *f* hiving off, partial privatization/denationalization; **T.problem** *nt* sub-problem; **T.produktionswert** *m* net asset value, reproduction value; **T.programm** *nt* sub-programme; **T.provision** *f* partial commission; **T.prozess** *m* sub-process; **T.prüfung** *f* sampling inspection; **T.quantum** *nt* quota; **T.quittung** *f* 1. part receipt; 2. *(Bank)* marginal note for receipt; **T.rechnung** *f* marginal costing

Teilrecht *nt* *(Aktie)* partial right; **T.e aus Ansprüchen auf Gratisaktien** fractional interests; **T.snachfolge** *f* partial succession

Teil|regelung *f* piecemeal arrangement; **T.region** *f* subregion; **T.revision** *f* partial audit; **T.risiko** *nt* partial risk; **~ übernehmen** *(Vers.)* to take a line; **T.rückerstattung** *f* partial refund; **T.rücktritt** *m* partial cancellation; **T.rückzahlung** *f* partial repayment

teils *adv* partly

Teil|saldo *m* sub-total; **T.satz** *m* partial rate

Teilschaden *m* 1. partial loss/damage; 2. *(Seevers.)* particular average; **mit T.; T. eingeschlossen** with (particular) average (w.(p.)a.); **T.sverlust** *m* ⚓ particular average (loss) (p.a.)

Teil|schein *m* part delivery order; **T.schicht** *f* broken shift; **T.schließung** *f* part-closure

Teilschuld|schein *m* partial bond *[US]*; **T.verhältnis** *nt* fraction of an obligationary debt, partial obligation

Teilschuldverschreibung *f* fractional debenture, (partial) debenture/bond; **zum gleichen Termin fällige T.** straight bond; **zu verschiedenen Terminen ~ T.** serial bond; **ungesicherte T.** unsecured loan stock

Teil|sektor *m* sub-sector; **T.selbstbedienung** *f* partial self-service; **T.sendung** *f* part(ial) shipment, part delivery; **T.sendungen** ⊖ successive consignments; **T.staat** *m* constituent state; **T.steuersatz** *m* components-based tax rate; **T.stichprobe** *f* sub-sample; **T.stilllegung** *f* partial closure; **T.storno** *nt* part(ial) cancellation

Teilstrecke *f* 1. section, leg, stretch; 2. *(Tarif)* (fare) stage, zone; **T.nfahrkarte** *f* zone ticket; **T.ngrenze** *f* fare stage

Teil|streik *m* sectional/local/partial strike; **aufeinanderfolgende T.streiks** chain strike(s); **T.strich** *m (Skala)* scale line/mark; **T.stück** *nt* 1. section, part, fragment, component; 2. ▦ plot; **T.summe** *f* sub-total; **T.system** *nt* sub-system; **T.übertrag** *m* partial carry-forward

Teilung *f* division, separation, partition, split, splitting; **wirtschaftliche T. Europas** economic division of Europe; **T. der Kosten** cost sharing/allocation; **T. eines Nachlasses** division of an estate, partition of a succession *[US]*; **T. der Patentanmeldung** division of a patent application; **jdm bei der T. zufallen** to fall to so.'s share

Teilungs|- divisional; **T.begehren** *nt* notice of desire to sever; **T.einrede** *f* § plea for apportionment; **T.klage** *f* § action for partition; **T.masse** *f (Konkurs)* assets available for distribution, estate; **T.plan** *m* § scheme of inheritance/apportionment; **T.urkunde** *f* deed of partition; **T.verfahren** *nt* action of partition; **T.versteigerung** *f* compulsory partition by public auction; **T.vertrag** *m* 1. deed of separation, partition agreement; 2. *(Völkerrecht)* partition treaty

Teil|untergang *m* partial destruction; **T.unternehmen** *nt* part enterprise; **T.untersuchung** *f* partial investigation; **T.unwirksamkeit** *f* partial invalidity; **T.urteil** *nt* partial verdict, part judgment; **t.variabel** *adj* semi-variable, semi-fixed; **T.veräußerung** *f* part disposal; **inneres T.verhältnis** internal ratio; **T.verkauf** *m* partial sale; **T.verladung** *f* part(ial) shipment; **T.verlust** *m* 1. partial loss (p.l.); 2. *(Seevers.)* particular average (p.a.); **T.versand/T.verschiffung** *m/f* part/partial shipment; **t.versichert** *adj* partially insured; **T.versicherung** *f* partial insurance; **T.verurteilung** *f* verdict on a part of the charge/indictment; **T.vollmacht** *f* limited power of attorney; **T.vollstreckung** *f* execution in part; **T.vorausfestsetzungsbescheinigung** *f* ⊖ additional advance fixing certificate; **T.vorgang** *m (Arbeit)* (job) element; **bestimmender T.vorgang** governing element; **T.waggonladung** *f* 1. 🚃 less-than-carload (LCL) lot; 2. 🚗 part trucker load; **T.warteschlange** *f* sub-queue; **t.weise** *adj* partial, localized; *adv* partly, in part; **T.weiterbehandlung** *f* continuation in part

Teilwert *m* fraction(al)/going-concern value, value to the business, reduced current value; *(Vers.)* part value

Teilwert|abschlag/T.abschreibung *m/f* special write-off, write-down (to going-concern value); **T.berichtigung** *f* write-down, adjustment to going concern value; **sofortige T.berichtigung** write-off; **T.ermittlung** *f* assessment of value as a going concern; **T.rechnung** *f* components-based tax calculation; **T.vermutung** *f* presumption of fraction value

Teil|wiederausfuhr *f* split reexportation; **T.wiedereinfuhr** *f* split reimportation

Teilzahlung *f* 1. part/partial payment, payment on account; 2. *(Anlagenbau)* progress payment; 3. *(Rate)* instalment *[GB]*, hire purchase *[GB]*, deferred payment *[US]*; **als T.** on account; **auf T.** by instalments; **T. in Anerkennung einer Schuld/Verpflichtung** token payment

als Teilzahlung annehmen to take in part payment; **T.en einhalten** to meet the instalments; **auf T. kaufen** to buy on hire purchase *[GB]*, ~ the instalment plan *[GB]*, ~ the deferred payment system *[US]*, ~ the never-never *(coll)*; **T. leisten** to make a part-payment, to pay an instalment; **T. auf Aktien leisten** to pay a call

ausstehende Teilzahlungen instalment receivables; **monatliche T.** monthly instalments

Teilzahlungs|aktie *f* partly paid share *[GB]*/stock *[US]*; **T.bank** *f* (consumer-)finance/sales-finance company, ~ house, consumer credit bank, fringe/secondary bank, money shop, instalment credit institution; **T.- und Finanzierungsbanken** secondary banks; **T.bedingungen** *pl* hire-purchase terms *[GB]*, deferred payment terms *[US]*, instalment credit terms; **T.beschränkung** *f* hire-purchase/instalment restriction; **T.darlehen** *nt* instalment credit; **T.einkauf** *m* instalment buying; **T.finanzierung** *f* instalment plan/finance, retail/instalment financing; **T.forderungen** *pl (Bilanz)* instalment debtors; **T.garantie** *f (Projekt)* progress payment guarantee; **T.geschäft** *nt* hire-purchase transaction *[GB]*, instalment/deferred payment sale *[US]*, instalment buying/transaction/business; **T.institut** *nt* instalment credit institution, finance company; **T.kauf** *m* instalment buying/sale, hire-purchase *[GB]*

Teilzahlungskredit *m* hire-purchase credit/loan, instalment/deferred credit, discount/instalment loan, deferred payment loan *[US]*; **T. mit Zinsaufschlag** add-on instalment loan

Teilzahlungskredit|bank *f* finance company, hire-purchase finance house; **T.geschäft** *nt* fringe banking, instalment lending; **T.institut** *nt* instalment credit institution, hire-purchase finance company, industrial bank, (personal) finance company, money shop *(coll)*; **T.versicherung** *f* instalment credit insurance

Teilzahlungs|kunde *m* hire-purchase *[GB]*/deferred payment *[US]* customer; **T.plan** *m* instalment/hire-purchase plan, partial/deferred payment *[US]* plan; **T.preis** *m* hire-purchase *[GB]*/instalment price, total instalment contract price; **T.rate** *f* hire-purchase instalment; **T.system** *nt* hire-purchase *[GB]*/deferred payment *[US]* system, instalment system/plan, tally system; **T.verkauf** *m* instalment/hire-purchase *[GB]*/deferred payment *[US]* sale, sale on hire-purchase terms; **T.verpflichtungen** *pl* hire-purchase *[GB]*/deferred payment *[US]* commitments; **T.vertrag** *m* hire-purchase agreement, conditional sales contract, instalment contract/purchase rate; **T.verträge** *(Bilanz)* instalment receivables *[US]*; **T.wechsel** *m* instalment sale finance bill *[US]*

Teilzeichnung *f* detail drawing

Teilzeit|- part-time; **T.arbeit** *f* part-time work(ing)/employment; **T.arbeiter(in)/T.(arbeits)kraft/T.beschäftigte(r)** *m/f* part-timer, part-time employee/worker; *pl* part time, staff members; **t.beschäftigt sein** *adj* to work part-time; **T.beschäftigung** *f* part-time employment/work/job; **angebotene T.beschäftigung** part-time vacancy; **berufsbegleitende T.schule** day release school

teil|zerlegt *adj* partly dismantled; **T.ziel** *nt* sub-goal, sub-objective; **T.zinsspanne** *f* sectional interest margin; **T.zone** *f* sub-zone; **T.zusammenstellung** *f* sub-assembly; **T.zuteilung** *f* partial allotment

Telearbeit *f* telework(ing), telecommuting; **T.er(in)** *m/f* teleworker, telecommuter; **T.splatz** *m* teleworking job

Tele|brief *m* teletex letter, telemessage, mailgram *[US]*; **T.einkauf** *m* teleshopping, armchair/home shopping

Telefax *nt* telefax, facsimile transmission; **T.gerät** *nt* telefax machine/terminal, fax machine; **T.nummer** *f* fax number; **T.teilnehmer** *m* fax subscriber

Telefon *nt* telephone; **durch/per T.** over/by/on the (tele) phone

Telefon abhören to tap a phone; **T. anschließen** to install a telephone; **T. haben** to be on the phone; **sich am T. melden** to answer the phone; **ans T. rufen** to call to the phone; **jdn am T. verlangen** to want so. on the telephone; **draht-/schnurloses T.** cordless telephone

Telefon|aktien *pl* telephone shares *[GB]*/stocks *[US]*; **T.anlage** *f* telephone/call system; **T.annahme** *f* telephone desk

Telefonanruf *m* phone call, buzz *(coll)*, tinkle *(coll)*; **T. entgegennehmen** to answer the phone; **automatischer T.beantworter** answering machine, answerphone, ansafone *[GB]*

Telefonansage(dienst) *f/m* telephone information service

Telefonanschluss *m* telephone (connection), subscriber telephone connection, exchange line; **T. haben** to be on the phone; **gemeinsamer T.** party line; **T.gebühr** *f* connection charge

Telefon|anzapfung *f* telephone tapping; **T.apparat** *m* telephone (set)

Telefonat *nt* (telephone/phone) call

Telefon|auftrag *m* telephone order; **T.auftragsdienst** *m* telephone answering service; **T.auskunft** *f* directory inquiries/assistance, information *[US]*; **T.banking** *nt* telephone banking; **T.bedienung** *f* telephone service/duty; **T.befragung** *f* 1. telephone survey; 2. *(Radio)* coincidental; **T.benutzer** *m* telephone user; **privater T.benutzer** residential telephone user; **T.beratung** *f* hotline, helpline; **T.buch** *nt* telephone directory, phone book *(coll)*; **nicht im ~ verzeichnet** ex-directory *[GB]*, unlisted *[US]*; **T.dienst** *m* telephone service/duty; **T.diktiergerät** *nt* teledictation unit; **T.einrichtungen** *pl* telephone equipment; **T.fräulein** *nt* operator, hello girl *(coll)*; **T.gabel** *f* cradle; **T.gebühren** *pl* 1. telephone charges/rates; 2. call charges; **T.geheimnis** *nt* secrecy of telephone communications; **T.gesellschaft** *f* telephone company *[GB]*/corporation *[US]*

Telefongespräch *nt* (telephone/phone) call, telephone conversation; **T. in der verbilligten Tarifzeit** off-peak call; **T. mit jdm abbrechen** to cut so. off; **T. abhören** to intercept/tap a call; **T. anmelden** to book *[GB]*/place *[US]* a call; **T. annehmen** to accept a call; **T. führen** to have a telephone conversation; **T. umlegen** to transfer a call; **handvermitteltes T.** operator-assisted call

Telefon|grundgebühr *f* telephone subscription rate, line charge, telephone rental, exchange line rental; **T.handel** *m (Börse)* telephone trading/switching, inter-office trading; **T.häuschen** *nt* telephone kiosk/booth, phone/public call box, pay station *[US]*; **T.hörer** *m* telephone handset/receiver

Telefonie *f* telephony

telefonieren *v/i* to call, to (tele)phone, to make a call

telefonisch *adj* telephone, over the telephone, by phone, telephonic

Telefonist(in) *m/f* telephonist, switchboard operator

Telefon|kabel *nt* telephone cable; **T.klingel** *f* telephone bell; **T.konferenz** *f* conference (telephone) call, teleconference; **T.kunde** *m* telephone subscriber/user; **privater T.kunde** residential telephone user

Telefonleitung *f* telephone line; **T. anzapfen** to tap a telephone line; **T. überprüfen** to check a telephone line; **T. unterbrechen** to disconnect a telephone line

Telefon|marketing *nt* marketing by telephone, telephone merketing; **T.nebenstelle** *f* telephone extension; **T.nebenstellenanlage** *f (Firma)* private branch exchange (PBX)

Telefonnetz *nt* telephone network/system; **öffentliches T.** dial-up network; **T.betreiber** *m* telephone carrier

Telefon|notruf *m* emergency call; **T.notrufnummer** *f* emergency number, 999 *[GB]*; **T.nummer** *f* (tele)phone/subscriber's/call number; **~ wählen** to dial a (tele)phone/subscriber's/call number; **T.rechnung** *f* telephone bill, account of telephone charges and rentals; **durchschnittliche T.rechnung** median residential customers' bill; **T.rechnungsstelle** *f* telephone accounting service; **T.register** *nt* telephone/phone-side directory, register of call numbers, telephone index; **T.reihenanlage** *f* series communications system; **T.satellit** *m* telecommunications satellite; **T.schalter** *m* ✉ telephone counter; **T.schaltung** *f* telephone hook-up; **T.sperre** *f* telephone withdrawal; **T.spesen** *pl* telephone expenses; **T.störung** *f* telephone breakdown; **T.tarif** *m* telephone rates; **T.teilnehmer** *m* telephone subscriber; **T.tischchen** *nt* telephone stand; **T.verbindung** *f* telephone connection/link; **~ herstellen** to put so. through; **T.verkauf** *m* telephone selling, telemarketing, direct telephone sale; **T.verkäufer** *m* telephone salesman

Telefonverkehr *m* 1. telephone communications/operations/service; 2. *(Börse)* inter-office dealings/trading, third market, unofficial securities dealing; **im T. handeln** to trade in the unofficial market; **vorbörslicher T.** morning curb *[US]*/kerb *[GB]*

Telefon|vermarktungsoffensive *f* telemarketing initiative; **T.vermittlung** *f* telephone exchange; **T.vermittlungsanlage** *f* switchboard; **T.vertrieb** *m* telemarketing; **T.verzeichnis** *nt* telephone directory; **T.werbung**

f telephone advertising; **T.zähler** *m* telephone meter; **T.zelle** *f* telephone booth, pay station *[US]*, (public) phone/coin/call box, telephone box/kiosk; **T.zentrale** *f* 1. operator, (telephone) exchange, switchboard, central telephone/switching office *[US]*; 2. *(firmenintern)* private branch exchange (PBX); ~ **anrufen** to call the operator

Telegraf *m* telegraph; **T.empfänger** *m* telegraph receiver

Telegrafen|agentur/T.büro *f/nt* telegraph office, dispatch agency; **T.alphabet** *nt* telegraph(ic) alphabet; **T.amt** *nt* telegraph office; **T.arbeiter** *m* wireman; **T.beamter** *m* telegraph operator/clerk; **T.bilddienst** *m* phototelegraph service; **T.bote** *m* telegraph boy; **T.dienst** *m* telegraph service; **T.draht** *m* telegraph wire; **T.geheimnis** *nt* secrecy of telegraph communications; **T.kabel** *nt* telegraph wire; **T.leitung** *f* telegraph line/wire; **T.mast** *m* telegraph pole/post; **T.schlüssel** *m* telegraph code; **T.stange** *f* telegraph pole/post

Telegrafie *f* telegraphy; **drahtlose T.** wireless telegraphy

Telegrafieren *nt* telegraphing, wiring; **t.** *v/t* to telegraph/wire/cable

telegrafisch *adj* telegraphic, by telegram/wire/cable

Telegrafist(in) *m/f* telegrapher, telegraph operator, telegraphist

Telegramm *nt* telegram, cable(gram), wire; **T. ohne Leitvermerk** unrouted telegram; **T. im Ortsverkehr** local telegram; **T. mit bezahlter Rückantwort** reply-paid telegram

Telegramm abfangen to intercept a telegram; **T. abschicken/aufgeben/expedieren/schicken** to dispatch/tender a telegram, to file a cable; **T. chiffrieren** to code a telegram; **T. fernmündlich/telefonisch durchgeben** to telephone a telegram; **T. kollationieren** to repeat back a telegram; **T. zustellen** to deliver a telegram

vom Empfänger zu bezahlendes Telegramm collect cable; ~ **bezahltes T.** telegram sent collect *[US]*; **chiffriertes T.** cipher telegram; **drahtloses T.** wireless/radio telegram; **dringendes T.** priority telegram; **kollationiertes T.** repetition-paid telegram; **offenes T.** straight telegram; **postlagerndes T.** telegram to be called for; **fernmündlich/telefonisch zugestelltes T.** telephoned telegram, telegram by (tele)phone

Telegramm|adresse *f* telegraphic/cable address; **T.annahme** *f* telegram reception; **T.anschrift** *f* cable address; **T.aufgabe** *f* dispatch of a telegram; **T.austausch** *m* exchange of telegrams; **T.beförderung** *f* transmission of telegrams; **T.bote** *m* telegraph boy; **T.formular** *nt* telegram form; **T.gebühr** *f* telegram rate; **T.kode** *m* cable code; **T.schalter** *m* ✉ telegrams counter; **T.-schlüssel** *m* telegraph(ic) code, telegraphic key; **T.spesen** *pl* telegram expenses; **T.stil** *m* telegraphic style, telegraphese; **T.übermittlung** *f* telegraphic transfer; **T.verkehr** *m* telegraph service; **T.verschlüsselung** *f* coding of a telegram; **T.verstümmelung** *f* mutilation of a telegram; **T.zusteller** *m* telegram messenger/carrier/boy; **T.zustellung** *f* delivery of a telegram

Telekommunikation *f* telecommunications; **T.snetz** *nt* telecommunications network; **T.stechnik** *nt* telecommunications technology; **T.sunternehmen** *nt* telecommunications company, telco *(coll)*

Telekonferenz *f* teleconference

Telekopierler/T.gerät *m/nt* telecopier, facsimile terminal; **T.service** *m* telecopying service

Tele|marketing *nt* telemarketing; **T.matik (Telekommunikation + Informatik)** *f* telematics; **T.post** *f* bureaufax; **T.shopping** *nt* teleshopping

Teleskop *nt* telescope; **T.auge** *nt* telescope eye

Tele|text *m* videotext, teletex service; **T.textteilnehmer** *m* teletex subscriber; **T.verkauf** *m* tele selling

Telex *nt* telex; **T.anschluss** *m* telex (line); **T.anschrift** *f* telex address; **T.nummer** *f* telex number; **T.system** *nt* telex system; **T.teilnehmer** *m* telex subscriber; **T.verbindung** *f* telex connection/line; **T.vermittlung** *f* telex exchange

Teller *m* plate; **(flache) T.** *pl* flatware; **T.untersatz** *m* place mat; **T.wäscher** *m* dishwasher

tel quel sale as is, ~ with all faults, run of mine; **T.-Klausel** *f* tel quel clause; **T.-Kurs** *m* tel quel rate

Temperament *nt* temperament, disposition; **T. haben** to be full of spirits/beans *(coll)*; **sein T. zügeln** to control one's temper; **ungezügeltes T.** violent temper; **t.voll** *adj* lively

Temperatur *f* temperature; **hohe T.** high temperature

Temperatur|abnahme *f* temperature drop; **T.anstieg** *m* temperature rise; **T.anzeiger** *m* temperature ga(u)ge; **t.empfindlich** *adj* temperature-sensitive; **T.gefälle** *nt* difference in temperature; **t.geführt** *adj* temperature-controlled; **T.kurve** *f* temperature curve; **T.rückgang/T.sturz** *m* temperature drop, sudden fall in temperature; **T.schwankung** *f* temperature variation; **T.-unterschied** *m* difference in temperature

Tempo *nt* 1. speed, pace, rate, tempo; 2. *(Inflation)* velocity growth

Tempo angeben to set the pace; **T. beschleunigen/forcieren** to force the pace; **T. drosseln** to decelerate, to slow down; **T. durchhalten** to keep up/stand the pace; **in gleichem T. vorwärts gehen** to progress in step; **an T. gewinnen** to gather speed, to pick up speed, to forge ahead; **T. steigern** to speed up, to accelerate; **T. verlangsamen/vermindern/verringern** to slow down

in gemächlichem Tempo at a leisurely pace; **halsbrecher-/mörderisches T.** breakneck speed/pace; **in schnellerem T.** at a faster rate

Tempodrosselung *f* deceleration; **T.limit** *nt* speed limit

temporär *adj* temporary

Tendenz *f* 1. tendency, trend, drift, direction, course, bias, slant; 2. *(Börse)* sentiment; 3. *(Wetter)* outlook; **T. der Aktienkurse** stock trend; **politische T. einer Zeitung** political colour of a newspaper

steigende Tendenz aufweisen to show buoyancy; **inflationäre T.en bekämpfen** to counteract inflationary tendencies; **T. erkennen lassen** to show a tendency; **fallende T. zeigen** to tend downward; **steigende T. zeigen** to tend upward

allgemeine Tendenz general tendency/trend; **ausgeprägte T.** distinct tendency; **deflationistische T.** deflationary tendency/trend; **zum Umsatz disproportionale**

T. leverage; **fallende T.** 1. downtrend, downward trend/tendency; 2. *(Börse)* bearish tendency; **feste T.** firm tendency; **herrschende T.** prevailing tendency; **inflationäre/inflationistische T.** inflationary trend/expectations; **konjunkturelle T.** cyclical tendency/trend; **lebhafte T.** brisk tendency; **lustlose T.** 1. dull tendency; 2. *(Börse)* dull tone; **rückgängige/-läufige T.** downward trend; **saisonale/saisonbedingte T.** seasonal tendency/trend; **schwache T.** *(Börse)* despondent note; **steigende T.** uptrend, upward trend/tendency, buoyancy; **unfreundliche T.** *(Börse)* bearishness; **unterschwellige T.** undercurrent; **vorherschende T.** prevailing tendency; **allgemeine wirtschaftliche T.** broad economic trend; **zurückhaltende T.** tone of restraint

Tendenz|bereinigung *f* bias adjustment; **T.besserung** *f (Börse)* firming, steadying of the tone; **T.betrieb** *m* enterprise serving political purposes

tendenziell *adj* slight, with a tendency to

tendenziös *adj* tendentious, biased

tendenzlos sein *adj (Börse)* to mark time, to sidestep

Tendenz|umschwung/T.wende *m/f* trend reversal, turnaround, change of direction; **T.veränderer** *m* trend breaker; **T.wandel** *m* change of tendency/tone

Tenderverfahren *nt* tender procedure, sale by tender

tendieren *v/i (Börse)* to tend; **fester t.** to firm/harden; **leichter t.** to ease, to incline easier; **niedriger t.** to drift lower; **nach oben t.** to tend upwards; **schwächer t.** to edge down; **leicht uneinheitlich t.** to be narrowly mixed; **nach unten t.** to tend downwards

Tenor *m* tenor, purport, wording; **T. einer Gerichtsverfügung** § substance of a writ; **T. einer Rede** drift of a speech; **T. des Urteils** § substance of the judgment

Tensororganisation *f* tensor organisation

Teppich *m* carpet; **T.e** carpeting; **auf dem T. bleiben** *(coll)* to keep on the ground; **unter den T. kehren** to sweep under the carpet; **nahtloser, auf breitem Webstuhl gewebter T.** broadloom; **kleiner T.** rug; **roter T.** red carpet; **T.boden** *m* wall-to-wall carpeting, fitted carpet; **T.kehrmaschine** *f* carpet sweeper; **T.material/T.stoff** *nt/m* carpeting

Termin *m* 1. appointment, engagement; 2. *(Frist)* deadline, (target) date, appointed/designated time, term/appointed day, term, expiry of a term; 3. day of payment; 4. § (date for) hearing, trial date; **auf T.** forward; **per T.** for future delivery

Termin beim Einzelrichter date of reference; **T. der Fertigstellung** completion date; **~ Hauptverhandlung** § day of appearance, date of trial; **T. für die Rücksendung** return date

am vereinbarten Termin zu entrichten payable on the agreed date; **auf T. ge-/verkauft** forward bought/sold

Termin absagen to cancel/break an appointment; **T. absetzen** 1. to postpone an engagement; 2. § to adjourn a hearing; **T. anberaumen/ansetzen** 1. to appoint a day/date, to fix/assign a date, to stipulate a time; 2. § to fix a hearing; **T. ausmachen** to arrange/make an appointment; **T. bestimmen** to fix a date; **um einen T. bitten** to ask for an appointment; **T. einhalten** 1. to keep a date; 2. to meet the deadline, to comply with the timing; **T. nicht einhalten** 1. to break an appointment; 2. to exceed the deadline; **zu einem T. nicht erscheinen** § to fail to appear at a hearing; **T. festlegen/(fest)setzen** 1. to appoint a day/time; 2. to fix a date/deadline, to set a term; **T. haben** to have an appointment; **per T. handeln** to trade for future delivery; **auf/per T. kaufen** to buy/purchase forward; **T. überschreiten** to exceed/miss a deadline, to exceed the time limit; **T. vereinbaren** to fix an appointment/a date; **auf/per T. verkaufen** to sell forward, ~ for future delivery; **T. verlängern** to extend a term; **T. verlegen** 1. to postpone/change a date; 2. § to adjourn a hearing; **T. versäumen** 1. to miss an appointment; 2. to fail to appear; 3. to fail to meet the deadline, to miss a cut-off date; 4. *(Zahlung)* to default; **T. nicht gerade richtig wählen** to be a little off on timing; **T. wahren** to meet the deadline; **T. wahrnehmen** to keep an appointment

abgelaufener Termin expired term; **angesetzter T.** appointed date; **zum angesetzten T.** at the appointed time; **angestrebter T.** target date; **äußerster T.** deadline; **zu einem bestimmten T.** at a set date/time; **nicht eingehaltener T.** broken appointment; **erster T.** § preliminary hearing; **fester T.** fixed term; **zum festgelegten T.** at term; **festgesetzter T.** appointed day/date; **gerichtlicher T.** hearing; **knapper T.** tight deadline; **letzter T.** 1. deadline, closing/cut-off date, last day; 2. *(Zahlung)* net day; **neuer T.** § adjournment day; **zu einem späteren T.** at a future date; **vereinbarter T.** agreed date; **vertraglich ~ T.** contract date

Termin|ablage *f* tickler file; **T.abschlag** *m* forward discount; **T.abschluss** *m* futures/forward contract; **T.abteilung** *f* option(s) department

Terminal *m* ✈ air terminal; **T.ausstattung** *f* 🖳 terminal facilities

Termin|anberaumung *f* assigning/fixing a date; **T.angabe** *f* mentioning of a date/deadline, stated date; **ohne T.angabe** without a time limit; **T.arbeit** *f* scheduled work; **T.auftrag** *m* deadline/forward order; **T.bearbeiter** *m* progress chaser; **t.bedingt** *adj* date-induced; **T.bestimmungen** *pl* time clauses/provisions; **T.börse** *f* futures/options exchange, forward market/exchange; **T.buch** *nt* diary; **T.buchung** *f* forward posting; **T.büro** *nt* progress report department; **T.deckungsgeschäft** *nt* long hedge; **T.devisen** *pl* forward (foreign) exchange, foreign exchange futures; **T.dollars** *pl* forward dollars; **T.druck** *m* time pressure; **unter ~ arbeiten** to work to a deadline; **T.effekten** *pl* forward stocks; **T.einlage** *f* term/time deposit, ~ money, fixed deposit; **T.einlagenzertifikat** *nt* time deposit certificate; **T.engagement** *nt* forward commitment/position, commitment for future delivery; **T.festsetzung** *f* § assigning a day for a court hearing; **t.gebunden** *adj* scheduled, fixed for a given date

Termingeld *nt* time money/deposit, term money, fixed-term deposit, forward rate; **fällige T.er** mature fixed deposit funds; **T.anlagen** *pl* time deposit/fixed-deposit investments; **T.konto** *nt* term account, time deposit account; **T.markt** *m* time money market, forward market for loans; **T.satz** *m* time deposit rate; **T.zinsen** *pl* interest for time deposits

terminlgemäß/t.gerecht *adj* in due time, on time/schedule, on the due date, according to schedule, at the due term, conformable to due term, when due

Termingeschäft *nt* 1. future/forward operation, ~ transaction, forward contract/option/deal, futures contract, bargain for account, time bargain/purchase; 2. futures; **T.e** futures/option(s) trading, forward options/business, dealings for the account, gambling in futures, future gambling; **~ abwicklen** *nt* to buy/sell forward; **bedingtes T.** option business; **einfaches T.** outright forward transaction; **festes T.** fixed-date bargain

aus Terminlgründen *pl* for reasons of timing, due to prior engagements; **T.guthaben** *nt* time/term deposit(s); **T.handel** *m* 1. option(s) trading; 2. *(Waren)* futures/contract/forward trading, trading in futures, trade for future delivery, forward operations; **T.händler** *m* future/option(s) trader

terminierlen *v/t* to schedule/time, to set/fix a date; **t.t** *adj* at fixed term, fixed; **T.ung** *f* timing, setting a deadline

Terminljäger *m* (progress) chaser, accelerator, expediter; **T.kalender** *m* engagement book/calendar/diary, (terms) calendar, appointments book/diary; **voller T.kalender/T.plan** full schedule; **T.karte** *f* appointments/progress card; **T.kartei** *f* tickler (file)

Terminkauf *m* forward/time purchase, purchase for future delivery; **Terminkäufe** futures/forward buying; **T. und -verkauf** double option(s); **T. tätigen** to buy forward; **T.absicherung/T.deckungsgeschäft** *f/nt* long hedge

Terminlkäufer *m* forward/futures buyer; **T.kommissionär** *m* futures commission broker; **T.konto** *nt* term/time/forward account

Terminkontrakt *m* futures/time/forward contract, contract for futures, ~ future delivery; **T.e** commodity futures, futures (trading); **T.preis** *m* futures price

Terminlkontrolle *f* progress control; **T.kredit** *m* time loan; **T.kurs** *m* 1. future(s)/forward/striking price, forward/liquidating rate; 2. *(Devisen)* forward exchange rate, quotation for forward delivery; **aktueller T.kurs** current forward, spot rate; **T.lieferung** *f* forward/future delivery; **T.lieferungsauftrag** *m* futures order; **T.liste** *f* 1. § cause/fixture list; 2. *(Vers.)* ag(e)ing schedule; **T.mappe** *f* tickler/suspense file, folder for term matters; **T.markt** *m* futures/forward/terminal market, options exchange, market for future deliveries; **t.mäßig** *adj* with regard to other commitments; **T.metall** *nt* forward metal; **T.monat** *m* futures month

Terminologie *f* terminology, nomenclature; **juristische T.** legal terminology/terms

Terminlnot *f* timing trouble; **T.notierung** *f* forward/futures quotation, ~ price, quotation for forward delivery; **T.papiere** *pl* forward securities; **T.pfund** *nt* forward pound, future sterling; **T.plan** *m* appointments card, schedule

Terminplanung *f* time scheduling, timing; **personelle T.** manpower scheduling; **T.sbogen** *m* schedule chart; **T.smethode** *f* milestone method

Terminposition *f* forward commitment; **T. der Zentralbank** official commitment; **offene T.** open forward position; **verlängerte T.** extended futures market

Terminlpreis *m* forward/futures price; **T.sätze** *pl* forward/futures rates; **T.schluss** *m* deadline; **T.schwierigkeit** *f* timing difficulty; **T.sicherung** *f* hedging transaction/operation, forward cover/rate fixing, futures hedging; **T.spekulation** *f* speculation/gambling in futures, futures speculation/gambling; **T.tag** *m* term; **T.treue** *f* faithfulness to a deadline, schedule effectiveness, due date reliability; **T.überprüfung** *f* calendar inspection; **T.überschreitung** *f* exceeding the deadline, non-compliance with a time limit; **T.überwacher** *m* 1. record/progress chaser, expediter; 2. *(Versand)* traffic manager

Terminüberwachung *f* 1. progress supervision/control, expediting, stock chasing; 2. tracing of maturities; 3. *(Auftrag)* follow-up (of orders); **EDV-gestützte T.** computer-aided time scheduling; **T.sliste** *f* deadline control list

Terminlunterschreitung *f* working ahead of schedule; **T.verbindlichkeiten** *pl* time liabilities; **T.- und langfristige Verbindlichkeiten** deposit liabilities; **T.verfolgung** *f* progress/expediting control; **T.verfolgungsplan** *m* follow-up plan; **T.verkauf** *m* forward/futures sale, sale for account; **T.verkäufer** *m* forward seller; **T.verkaufsdeckungsgeschäft** *nt* short hedge; **T.verlängerung** *f* prolongation (of a term), extension; **T.verlegung/T.verschiebung/T.vertagung** *f* postponement, adjournment, deferment, shifting of target dates; **T.versäumnis** *nt/f* 1. failure to meet the deadline; 2. § non-appearance, failure to appear; **T.vertrag** *m* forward/futures contract; **T.verzögerung** *f* delay; **T.vorgabe** *f* scheduled date; **T.vorschau** *f* schedule outlook report; **T.ware** *f (Rohstoff)* forward/future commodity; **T.wechsel** *m* time draft; **T.werte** *pl* forward securities, futures; **T.zettel** *m* appointments card

Terms of Trade *pl* terms of trade; **~-Index unter Einbeziehung der Dienstleistungsbilanz** current account terms of trade index

Terrain *nt* terrain, ground, site, plot of land; **sich auf vertrautem T. bewegen** to be on home ground; **T. gewinnen** to gain ground; **T. sondieren** to see how the land lies *(coll)*; **T. verlieren** to lose ground; **verlorenes T. wiedergewinnen/zurückerobern** to make up/regain lost ground; **verlorenes T.** ground

Terrainlaufnahme *f* (topographical) survey; **T.beschreibung** *f* topographical description; **T.gesellschaft** *f* real-estate company *[GB]*/corporation *[US]*

Terrasse *f* terrace, patio; **T.nfeldbau** *m* 🚜 terrace cultivation; **t.nförmig** *adj* terraced; **~ anlegen** to terrace

territorial *adj* territorial; **T.besitz** *m* territorial possessions; **T.gebiet** *nt* territorial property; **T.gerichtsbarkeit** *f* territorial jurisdiction; **T.gewässer** *pl* territorial waters; **T.grenzen** *pl* territorial limits; **T.hoheit** *f* territorial sovereignty

Territorialität *f* territoriality; **T.sprinzip/T.srecht** *nt* principle of territoriality, territorial principle, regional law, jus soli *(lat.)* *[GB]*

Territoriallmacht *f* territorial power; **T.regierung** *f*

territorial government; **T.statut** *nt* § locus regit actum *(lat.)*; **T.system** *nt* territorial system

Territorium *nt* territory

Terror *m* terror; **T.akt** *m* act of terrorism; **T.herrschaft** *f* reign of terror

terrorisieren *v/t* to terrorize

Terrorismus *m* terrorism; **T.bekämpfung** *f* suppression of terrorism, fight against terrorism

Terrorist|(in) *m/f* terrorist; **T.engesetz** *nt* anti-terrorist act/law, laws against terrorist activity; **t.isch** *adj* terrorist

tertiär *adj* tertiary; **T.bereich/T.sektor** *m* 1. tertiary/service sector, tertiary industry; 2. tertiary education

Tertiawechsel *m* third of exchange

Tesafilm TM *m* adhesive tape, sellotape TM, scotch TM (tape)

Test *m* 1. test, trial (run); 2. survey, analysis, indication, pointer; **T. eines Befragtenkreises** sampling test; **T. unter Grenzbedingungen** marginal testing; **T. am Verkaufsort** in-store test; **T. erfolgreich bestehen** to pass a test; **T. durchführen** to conduct a test; **einem T. unterzogen werden** to undergo trials

bedingter Test conditional test; **bester T.** optimum test; **einseitiger T.** one-sided/single-tail test; **geeigneter T.** suitable test; **nicht parametrischer T.** distribution-free test; **psychologischer T.** mental/psychological test; **unzuverlässiger T.** biased test; **verteilungsfreier T.** distribution-free test/method; **zuverlässiger T.** valid test; **zweiseitiger T.** two-way test

Testaktion *f* test campaign

Testament *nt* (last) will, testament; **kraft T.es** by will; **ohne T.** intestate

Testament (ab)ändern to change/alter a will; **T. anfechten** to contest/dispute a will; **T. aufheben** to revoke a will; **T. aufsetzen** to make/draw up/draft a will; **in einem T. bedacht werden** to benefit under a will; **jdn in seinem T. bedenken** to include so. in one's will; **T. gerichtlich bestätigen (lassen)** to prove/probate a will; **T. einreichen** to file a will; **T. für kraftlos/ungültig erklären** to invalidate a will; **~ rechtswirksam erklären lassen** to probate a will; **T. eröffnen** to open/read (out)/probate a will; **T. errichten/erstellen** 1. to draw up/make a will, to testate; 2. *(notariell)* to register a will; **T. hinterlegen** to deposit a will; **T. machen** to make a will; **T. prüfen** to prove a will; **ohne T. sterben** to die intestate; **T. umstoßen** to revoke/vitiate a will; **T. unterschlagen/-drücken** to suppress a will; **durch T. vermachen** to bequeath; **T. vollstrecken** to administer a will, to implement/execute (the provisions of) a will; **T. widerrufen** to revoke a will

anerkanntes Testament proved will; **anfechtbares T.** voidable will; **bedingtes T.** conditional will; **beglaubigtes T.** certified will; **notariell ~ T.** notarial will; **Berliner T.** mutual testament/will of spouses; **notariell beurkundetes/errichtetes T.** notarial will; **eigenhändiges T.** holographic will; **mündlich vor Zeugen errichtetes T.** nuncupative will; **formloses T.** informal will; **gegenseitiges T.** mutual will/testament, double/reciprocal will; **gemeinschaftliches ~ T.** joint mutual will; **gemeinsames T.** joint will; **gültiges T.** genuine will; **holografisches T.** holographic testament; **jüngeres T.** later will; **mündliches T.** verbal testament, nuncupative will; **öffentliches T.** will made in the presence of and recorded by a notary; **ungültiges T.** invalid will; **vor Zeugen unterschriebenes T.** attested will; **unverständliches T.** unintelligible will; **unwirksames T.** invalid will; **wechselbezügliches T.** joint and mutual will; **widerrufenes T.** revoked will; **(jederzeit) widerrufliches T.** ambulatory will

testamentarisch *adj* testamentary

testamentlos *adj* intestate

Testaments|abschrift *f* probate; **T.änderung** *f* alteration of will; **T.anfechtung** *f* contesting a will; **T.anhang** *m* codicil; **T.aufhebung** *f* revocation of a will; **T.auslegung** *f* construction of a will; **T.beamter** *m* registrar of wills *[US]*

Testamentsbestätigung *f* probate; **T. erwirken** to obtain probate; **einfache T.** probate in common form; **gerichtliche T.** grant of probate; **verweigerte T.** probate denied; **wortgetreue T.** facsimile probate

Testaments|bestimmung *f* testamentary clause, devise, clause of a will; **T.bestimmungen** terms of a will; **T.entwurf** *m* draft of a will; **T.erbe** *m* testamentary heir, devisee; **T.ergänzung** *f* codicil; **T.eröffnung** *f* 1. opening/reading/probate of a will; 2. *(Gericht)* proving a will; **T.errichtung** *f* making a will; **T.gesetz** *nt* Wills Act *[GB]*; **T.hinterlassung** *f* testacy; **T.hinterlegung** *f* depositing a will; **T.hinterlegungsstelle** *f* probate registry; **T.klausel** *f* testamentary clause; **aufhebende T.klausel** derogatory clause; **T.kosten** *pl* testamentary expenses; **T.nachtrag** *m* codicil; **als T.nachtrag** codicillary; **T.recht** *nt* probate law; **T.sache** *f* probate action; **T.unkosten** *pl* testamentary expenses; **T.urkunde** *f* testamentary instrument; **T.verfasser** *m* author of the inheritance; **T.verwaltung** *f* administration of wills

Testamentsvollstrecker *m* executor, administrator, trustee testamentary *[US]*, testamentary trustee; **T. mit beschränkten Befugnissen** limited executor; **T. und Vermögensverwalter** executor and trustee; **T. bestellen/einsetzen** to appoint an executor

alleiniger Testamentsvollstrecker sole executor; **nicht autorisierter T.** executor de son tort *[frz.]*; **gerichtlich bestellter T.** court-appointed administrator, nominated executor; **ordnungsgemäß eingesetzter T.** rightful executor

Testamentsvollstrecker|amt *nt* executorship; **T.bestellung** *f* executor's decree, § decree dative; **T.in** *f* executrix, administratrix; **T.kaution** *f* executor's bond; **T.konto** *nt* executorship account; **T.recht** *nt* executorship law; **T.zeugnis** *nt* grant of probate, letters testamentary, ~ of administration

Testaments|vollstreckung *f* execution/administration of a will, executorship; **T.vorlage** *f* production of a will; **T.widerruf** *m* revocation of a will; **T.zeuge/T.zeugin** *m/f* witness to a will; **T.zusatz** *m* codicil

Testangebot *nt* trial offer

Testat *nt* 1. testimonial, (official) certificate, attestation, confirmation; 2. *(Bilanz)* certificate of audit, accountant's/

audit/auditor's certificate, (audit) opinion, accountant's report, short-form audit report; **T. einschränken** to qualify the audit certificate; **T. versagen** to refuse the audit certificate; **eingeschränktes/einschränkendes T.** qualified report/opinion, with-the-exception-of opinion, qualified audit certificate; **negatives T.** negative confirmation; **positives T.** positive confirmation; **uneingeschränktes T.** unqualified audit certificate, ~ opinion/audit; **versagtes T.** disclaimed opinion

Testator *m* 1. testator, bequeather, legator, author of an inheritance; 2. *(Grundbesitz)* devisor

Test|befragung *f* opinion poll; **T.bericht** *m* survey, test report; **T.betrieb** *m* 1. test farm/factory; 2. ▭ test mode; 3. field trial; **T.daten** *pl* test data; **T.einrichtungen** *pl* test installations, testing facilities

Testen *nt* testing; **t.** *v/t* to test/check/survey/analyze

Tester(in) *m/f* tester

Test|ergebnis *nt* test result; **T.erhebung** *f* pilot survey; **T.fall** *m* test case; **T.frage** *f* probing/probe question; **T.gebiet** *nt* test area

testierbar *adj* devisable, bequeathable

Testieren *nt* attestation; **t.** *v/t* 1. to testify/attest/certify/testate; 2. *(vermachen)* to bequeathe; **T.de(r)** *f/m* testator, person making a will

testierfähig *adj* having testamentary capacity, testable, of sound and disposing mind *[US]*, capable of making a will; **nicht t.** intestable; **T.keit** *f* testamentary capacity/power, power of testation, testacy, ability to make a will, disposing capacity *[US]*

testiert *adj* 1. certified; 2. *(Bilanz)* audited; **nicht t.** unaudited

testierunfähig *adj* incapable of making a will; **T.keit** *f* testamentary incapacity

Test|interview *nt* pre-test interview; **T.kampagne** *f* test campaign; **T.kauf** *m* test purchase; **T.laden** *m* audit store; **T.lauf** *m* pre-launch trial; **T.marke** *f* test brand; **T.markt** *m* test market; **T.methode** *f* test method; **T.muster** *nt* test specimen; **T.person** *f* subject of a test; **T.pilot** *m* test pilot; **T.probe** *f* test sample; **T.programm** *nt* ▭ test program; **T.reihe** *f* series of tests; **T.schärfe** *f* power of a test; **T.serie** *f* trial series; **T.stadium** *nt* trial stage; **T.stärke** *f* strength of a test; **T.strecke** *f* test track; **T.strenge** *f* ▦ strength of a test; **T.unterlagen** *pl* survey findings; **T.verbraucher** *m* test consumer; **T.verfahren** *nt* test method; **T.werbung** *f* pilot advertising; **T.zeichen** *nt* test mark

teuer *adj* 1. dear, expensive, costly, pricey, high-priced; 2. precious, valuable; **nicht t.** inexpensive; **sündhaft t.** shockingly/awfully expensive; **zu t.** beyond so.'s means, priced too high; **t. zu stehen kommen** to cost dear; **t. sein** to command a high price; **sündhaft t. sein** to be frightfully expensive; **t. werden** to go up

Teuerung *f* 1. price increase, rising prices, inflation, dearness; 2. *(Knappheit)* dearth

Teuerungs|ausgleich *m* cost-of-living adjustment; **T.rate** *f* inflation rate, rate of inflation, ~ price increases; **T.rückgang** *m* slowdown of price increases; **T.welle** *f* 1. wave/round of price increases; 2. period of soaring prices; **T.wert** *m* increment(al) value; **T.zulage** *f* cost of living bonus/allowance/supplement, dearness allowance; **T.zuschlag** *m* inflation surcharge

Teufe *f* ⚒ depth

Teufel *m* devil; **in T.s Küche geraten** *(coll)* to get into trouble; **zum T. gehen** *(coll)* to go to hell *(coll)*; **jdn ~ jagen** *(coll)* to send so. packing *(coll)*; **sich einen T. um etw. kümmern** *(coll)* not to give a hoot about sth. *(coll)*, to let things go hang *(coll)*; **der T. ist los** *(coll)* hell is let loose *(coll)*; **wie der T. hinter etw. her sein** *(coll)* to be hell-bent on sth. *(coll)*; **sich den T. um etw. scheren** *(coll)* not to care a damn *(coll)*

Teufels|kreis *m* vicious circle/spiral; **T.werk** *nt* work of the devil

teuflisch *adj* devilish, fiendish, diabolic(al), satanic

Text *m* 1. text; 2. *(Worlaut)* wording; 3. *(Werbung)* copy; 4. *(Bildunterschrift)* caption; **T. eines Wechsels** tenor of a bill

Text auslegen to interpret a text; **T. entstellen** to distort a text; **sich an den T. halten** to stick to the text; **etw. in einen T. hineinlesen** to read sth. into a text; **T. umranden** to box a text in; **T. verarbeiten** to word-process; **T. verbessern** to amend a text; **T. verfassen** to compose/write/draft a text; **T. mit Anmerkungen versehen** to annotate a text

abgekürzter Text abridged text; **abweichender T.** different wording; **kommentierter T.** annotated text; **maschinengeschriebener T.** typescript; **maßgeblicher T.** autoritative/authentic text; **verbesserter T.** revised text; **verschlüsselter T.** coded text, text in coded language; **vollständiger T.** unabridged text

Text|abfassung *f* *(Werbung)* copywriting; **t.abhängig** *adj* contextual; **T.abschnitt** *m* passage; **T.abteilung** *f* *(Werbung)* copy department; **T.analyse** *f* *(Werbung)* content analysis; **T.anmerkungen** *pl* annotations; **T.anzeige** *f* reading notice, reader advertisement; **T.ausgabe** *f* (text) edition; **T.automat** *m* ▭ word processor; **T.berichtigung** *f* emendation; **T.blase** *f* bubble; **T.block** *m* text block; **T.buch** *nt* 1. textbook; 2. *(Film)* script; 3. 🎭 playbook; 4. *(Oper)* libretto; **T.eingabe** *f* ▭ keyboarding; **T.einschub** *m* insertion

texten *v/t* 1. to write/script; 2. *(Werbung)* to copywrite

Textentwurf *m* draft text

Texter *m* *(Werbung)* script-writer, copywriter

Text|erfasser(in) *m/f* keyboarder; **T.erfassung** *f* ▭ text input, keyboarding; **T.erstellung** *f* text production; **T.fehler** *m* textual error; **T.feld** *nt* description field; **T.formatierung** *f* text formating; **T.gestaltung** *f* text layout

Textil|- textile; **T.abteilung** *f* textile department; **T.arbeiter** *m* textile worker; **T.branche** *f* 1. textile industry; 2. textile trade; **T.einzelhändler** *m* clothing retailer, draper; **T.erzeugnisse** *pl* textiles; **T.fabrik** *f* textile mill; **T.fabrikant** *m* textile manufacturer, mill owner; **T.fachhandel** *m* textile trade; **T.faser** *f* fibre *[GB]*, fiber *[US]*; **T.firma** *f* textile company; **T.geschäft** *nt* 1. draper's/drapery shop, dry goods store *[US]*; 2. textile sales; **T.gewerbe** *nt* textile industry; **T.handel** *m* textile trade, drapery (business), dry goods business *[US]*; **T.hersteller** *m* textile manufacturer

Textilien *pl* textiles, fabrics, textile/soft/dry *[US]* goods; **handgewebte T.** handloom textiles

Textil|industrie *f* textile industry; **in der T.industrie** in textiles; **T.kaufmann** *m* draper; **T.laden** *m* → **Textilgeschäft**; **T.messe** *f* textile goods fair; **T.pflege** *f* textile maintenance; **T.verarbeitung** *f* textile processing; **T.veredlung** *f* textile finishing; **T.waren** *pl* textiles, fabrics, dry/soft goods *[US]*; **T.werte** *pl (Börse)* textiles; **T.wirtschaft** *f* textile industry/trade

Text|information *f* textual information; **T.kommunikation** *f* text communication; **T.kritik** *f* textual criticism; **T.modus** *m* text mode; **T.prozessor** *m* word processor; **T.prüfung** *f (Werbung)* copy testing; **T.sammlung** *f* compendium; **T.schlüssel** *m* text key; **T.schreiber** *m (Werbung)* script-writer, copywriter; **T.seite** *f* text page; **T.spalte** *f* (explanation) column; **T.stelle** *f* passage; **T.tabelle** *f* table in the text; **T.teil** *m (Zeitung)* editorial (pages); **T.teilanzeige** *f* textual advertisement

Textur *f* texture

Textverarbeitung *f* word/text processing; **T.sautomat** *m* word processor, ~ processing machine; **T.sprogramm/T.software** *nt/f* word processing software/ program; **interaktives T.ssystem** communicating word processor

Text|verbesserung *f* emendation; **T.verdrehung** *f* distortion of a text; **T.vergleich** *m* textual comparison, collation; **T.werbung** *f* reader advertising; **T.zeile** *f* 1. body line; 2. *(Bild)* caption; **T.zusatz** *m* addendum *(lat.)*; *pl* addenda

Theater *nt* 1. theatre *[GB]*, theater *[US]*, playhouse; 2. *(fig)* fuss, hassle; **T. machen** to create a fuss

Theater|- theatrical; **T.agent** *m* theatrical agent; **T.agentur** *f* theatrical agency; **T.aufführung** *f* theatrical performance; **T.besuch** *m* playgoing; **T.besucher** *m* theatregoer, playgoer; **T.kasse** *f* box office, ticket window; **T.loge** *f* box; **T.plakat/T.programm** *nt* playbill, theatre programme; **T.probe** *f* rehearsal; **T.publikum** *nt* theatre audience; **T.vorstellung** *f* (theatrical) performance; **T.werbung** *f* theatre publicity

theatralisch *adj* theatrical

Theke *f* 1. counter; 2. bar; **T.naufsteller** *m* counter card; **T.naufstellung** *f* counter display; **T.nverkauf** *m* over-the-counter selling

Thema *nt* subject, topic, theme, heading, subject matter

Thema abhandeln to deal with a subject; **vom T. abkommen/abweichen** to digress, to go off on a tangent; **T. angehen** to address an issue, to approach a subject; **T. anschneiden/ansprechen/zur Sprache bringen** to raise a matter/an issue/a subject, to broach a subject; **sich zu einem T. auslassen/äußern** to give one's opinion on a subject; **T. behandeln** to deal with a subject, to address an issue; **beim T. bleiben** to stick/keep to the point, to keep to the subject; **T. fallen lassen** to drop a subject; **auf einem T. herumreiten** to harp on a subject; **T. kurz streifen** to touch a subject; **am T. vorbeigehen** to be beside the point; **T. wechseln** to change the subject

aktuelles Thema topical subject; **brisantes T.** explosive issue; **das eigentliche T.** the matter in hand; **heikles T.** delicate subject, sensitive issue; **heißes T.** hot issue; **strittiges T.** controversial subject

Thematik *f* subject (matter)

thematisch *adj* thematic

Themaüberschrift *f* subject heading

Themen|kreis *m* topics, subjects; **t.spezifisch** *adj* subject-specific

Theorem *nt* theorem

Theoretiker *m* theorist

theoretisch *adj* theoretical, abstract, notional, armchair *(coll)*, in theory

Theorie *f* theory, argument; **in der T.** in theory, on paper

Theorie der öffentlichen Entscheidung theory of public choice; ~ **Bestimmung von Ersatzinvestitionen** replacement theory; **T. des Gegenwartswerts** present-value theory; ~ **allgemeinen Gleichgewichts** general equilibrium theory; ~ **partiellen Gleichgewichts** partial equilibrium theory; **T. der Grenzproduktivität** theory of marginal productivity; **T. öffentlicher Güter** theory of public goods; **güterwirtschaftliche T. des internationalen Handels** pure theory of international trade; ~ **Haushalts** consumer theory; **T. der monopolistischen Konkurrenz** theory of monopolistic competition; **T. des verfügbaren Kreditangebots** availability doctrine; **T. der Lagerhaltung** stockkeeping theory; **ökonomische ~ Politik** new political economy; ~ **fallenden Profitrate** falling-rate-of-profit theory; **T. des Rationalverhaltens** theory of rational behaviour; ~ **Rechnungswesens** accountancy; **T. der Statistik** statistical theory; ~ **vollständigen Steuerüberwälzung** diffusion theory of taxation; **T. des Stichprobenverfahrens** theory of sampling; **T. der Unternehmensführung** management theory; ~ **Verbraucherpräferenzen** theory of consumer preferences; ~ **Wahlakte** theory of choice; ~ **Wertübertragung** transfer theory; **T. linearer Wirtschaftmodelle** theory of linear economic models; **T. der zeitlichen Zinsstruktur** term structure theory of interest rates

Theorie über Bord werfen to abandon a theory; **gesamtwirtschaftliche T.** aggregative theory; **volkswirtschaftliche T.** economic theory

Therapeut|(in) *m/f* therapist; **t.isch** *adj* therapeutic(al)

Therapie *f* therapy, corrective treatment

Thermal|bad *nt* spa; **T.brunnen/T.quelle** *m/f* thermal spring(s)

Thermo|drucker *m* thermal printer; **T.dynamik** *f* thermodynamics; **T.meter** *nt* thermometer; **T.papier** *nt* thermal paper; **T.stat** *nt* thermostat; **T.transferzeichendrucker** *m* thermal transfer character printer

thesaurier|bar *adj* retainable, accumulative; **t.en** *v/t (Gewinne)* to retain/reinvest, to plough back, to store (up), to hoard; **t.t** *adj* retained, reinvested, undistributed

Thesaurierung *f* earnings/income retention, accumulation, reinvestment, hoarding; **T. von Gewinnen** profit retention; **unzulässige T.** *(Treuhänder)* excessive accumulation

Thesaurierungs|fonds *m* growth/accumulation/accumulating/trust fund, accumulation unit (trust); **T.fondsanteil** *m* accumulative unit; **T.politik** *f* policy of profit accumulation, resource-conserving policy; **T.treuhand** *f* accumulating trust; **T.vollmacht** *f* power to accumulate; **T.zeitraum** *m* accumulation period

These *f* 1. theory, view, argument, proposition; 2. hypothesis

Thron *m* throne; **T. besteigen** to succeed to the throne

Thron|anwärter/T.erbe/T.folger *m* heir to the throne, heir apparent; **T.besteigung** *f* accession to the throne; **T.folge** *f* succession (to the throne); **T.rede** *f* King's/Queen's Speech *[GB]*

Tick *m* *(coll)* fad, mania

ticken *v/i* to tick

Ticker *m* *(Börse)* (stock) ticker; **T.dienst** *m* ticker service; **T.notierung** *f* tape quotation

Tief *nt* depression, low; **wirtschafliches T.** (economic) depression; **t.** *adj* deep, low, profound

Tiefbau *m* 1. civil/underground engineering; 2. underground structure; **T.arbeiten/T.tätigkeit** *pl/f* civil engineering work/activities; **T.arbeiter** *m* navvy; **T.auftrag** *m* civil engineering contract; **T.ingenieur** *m* civil engineer; **T.- und Ingenieurbau** *m* civil engineering; **T.maschinen** *pl* civil engineering machinery

Tief|bett- 🚗 low-bed, flat-bed; **T.decker** *m* ✈ low-wing aircraft

Tiefdruck *m* 1. 🗋 photogravure; 2. ☁ depression, low pressue; **T.gebiet** *nt* depression, low pressure area; **flaches T.gebiet** shallow depression; **T.maschine/T.presse** *f* 🗋 intaglio/photogravure press; **T.rinne** *f* ☁ trough of depression, ~ low pressure

Tiefe *f* depth, vertical range; **T. des Ozeans** ocean deep

Tiefebene *f* lowland plain

Tiefen|analyse *f* in-depth analysis; **T.interview** *nt* depth/qualitative interview; **T.messung** *f* sounding; **T.psychologe** *m* depth psychologist; **T.psychologie** *f* depth psychology; **T.schärfe** *f* depth of focus

Tiefer|(ein)stufung *f* demotion, relegation; **t.gehend** *adj* more profound

Tief|flieger *m* low-flying aircraft; **T.flug** *m* low-level flight

Tiefgang *m* 1. ⚓ draught *[GB]*, draft *[US]*; 2. *(beladen)* load draught/draft; 3. *(leer)* light draught/draft; 4. *(fig)* depth; **... Fuß T. haben** to draw ... feet of water; **großen T. haben** to draw deep, ~ much water; **geringer T.** shallow draught/draft; **mittlerer T.** mean depth/draught/draft; **T.smarke** *f* high-water mark

Tief|garage *f* underground garage, ~ car park; **t.gefrieren** *v/t* to deep-freeze; **t.gefroren** *adj* deep-frozen, quick-frozen; **t. gehen** *v/i* ⚓ to draw deep, ~ much water; **t. gehend** *adj* 1. ⚓ deep-drawing; 2. profound; **t.gekühlt** *adj* 1. chilled; 2.frozen; **T.geschoss** *nt* basement; **~ mit Sonderangeboten** *(Kaufhaus)* bargain basement; **t. greifend** *adj* far-reaching, profound, fundamental; **t.gründig** *adj* profound, recondite; **T.konjunktur** *f* depression; **T.kühlanlage** *f* freezer centre/facility; **t.kühlen** *v/t* to deep-freeze/quick-freeze

Tiefkühl|fach *nt* deep-freeze/freezer compartment; **T.gemüse** *nt* frozen vegetables; **T.gericht** *nt* frozen meal; **T.industrie** *f* refrigeration industry; **T.kette** *f* frozen food chain; **T.kost** *f* frozen food; **T.kostgeschäft** *nt* cold store, freezer centre; **T.lastwagen** *m* refrigeration lorry/truck *[US]*, reefer *[US]*; **T.nahrungsmittelbetrieb** *m* frozen food manufacturer; **T.schiff** *nt* refrigerator ship, reefer *[US]*; **T.schrank/T.truhe** *m/f* (deep) freezer (cabinet), deep freeze

Tiefkühlung *f* cold storage, refrigeration

Tiefkühl|verfahren *nt* freezing process; **T.waggon** *m* refrigerator car, reefer *[US]*; **T.waren** *pl* frozen goods

Tief|ladeanhänger *m* low-bed lorry; **T.lader/T.ladewagen** *m* 🚗/🚆 low loader, 🚗 flat-bed trailer/lorry; **T.parterre** *f* basement; **T.preis** *m* low price

Tiefpunkt *m* bottom, low (point), nadir, trough; **T. der Rezession** bottom of the trough; **T. erreichen** to strike bottom; **absoluter T.** rock bottom

Tief|schlag *m* blow below the belt; **t. schürfend** *adj (fig)* profound

Tiefsee *f* deep sea; **T.bergbau** *m* deep-sea/seabed mining; **T.boden** *m* (deep) ocean floor; **T.fischerei** *f* deep-sea fishing; **T.forschung** *f* deep-sea research; **T.hafen** *m* deep-water port, ocean terminal; **T.kabel** *nt* submarine cable; **T.taucher** *m* deep-sea diver

Tiefstand *m* 1. (rock) bottom, low, trough, ebb, nadir; 2. slack season; **T. erreichen** to hit a low, to hit/touch bottom; **T. verbuchen** to record a low; **absoluter/äußerster/historischer T.** 1. all-time/record low; 2. *(Börse)* double bottom

Tiefstapelei *f* understatement; **t.n** *v/i* 1. to understate; 2. to keep a low profile

Tiefst|- rock-bottom *(coll)*; **T.kurs/T.preis** *m* bottom/rock-bottom/lowest price, (all-time) low; **T.punkt** *m* bottom; **T.stand durchschreiten** *m* to bottom out; **T.wert** *m* lowest value

Tief|tagebau *m* deep opencast mining; **T.wasserhafen** *m* deep-water port; **T.wasserrinne** *f* ⚓ deep channel; **T.wasserzeichen** *nt* low-water mark; **T.ziehqualität** *f* ✎ *(Stahl)* high tensile (quality)

Tier *nt* animal; **T. halten** to keep an animal

ausgestorbenes Tier extinct animal; **hohes T.** *(coll)* VIP (very important person) *(coll)*, big shot *(coll)*, bigwig *(coll)*; **hohe T.e** *(coll)* top brass *(coll)*; **jagdbare T.e** game; **lebende T.e** live animals

Tier|art *f* species; **T.arzt** *m* veterinary surgeon, vet *(coll)*; **t.ärztlich** *adj* veterinary, vet *(coll)*; **T.asyl** *nt* animal home; **T.besatz** *m* animal stocking (rate); **T.bestand** *m* livestock figures/level; **T.futtermittel** *pl* animal feeds/feedstuffs; **T.haftung** *f* liability for animals; **T.halter** *m* keeper of an animal; **T.halterhaftung** *f* liability for animals; **T.haltung** *f* 1. keeping of animals; 2. keeping pets; **T.handlung** *f* pet shop; **T.heilkunde** *f* veterinary medicine/science; **T.heim** *nt* animal home

tierisch *adj* animal, *(fig)* beastly

Tier|kadaver/T.körper *m* (animal) carcase *[GB]*/carcass *[US]*; **T.klinik** *f* veterinary clinic; **T.körperverwerter** *m* knacker *[GB]*; **T.mast** *f* livestock fattening; **T.produktion** *f* livestock farming; **T.quälerei** *f* cruelty to animals; **T.rasse** *f* breed; **T.reich** *nt* animal kingdom; **T.reservat** *nt* wildlife sanctuary; **T.schutzgesetz**

nt animal protection act, Protection of Livestock Act *[GB]*; **T.transport** *m* animal transport; **T.versicherung** *f* livestock insurance; **T.welt** *f* wildlife, animal world; **T.zucht** *f* livestock farming, stock/animal breeding, animal husbandry; **T.züchter** *m* breeder; **T.- und Pflanzenzüchtungen** *pl* animal breeds and plant varieties

TIF-Übereinkommen *nt* 🚂 TIF Convention

tilgbar *adj* redeemable, repayable, amortizable; **nicht t.** irredeemable; **vorzeitig t.** repayable in advance; **T.keit** *f* redeemability

tilgen *v/t* 1. *(Schuld)* to redeem/amortize/discharge/repay/settle/liquidate/cancel, to pay off/back/up; 2. *(beseitigen)* to strike/clear off, to wipe out; 3. *(Schrift)* to delete/erase; **vorzeitig t.** 1. *(Hypothek)* to pay off early; 2. *(Anleihe)* to retire early

Tilgung *f* 1. redemption, repayment, amortization, liquidation, paying back/off, discharge, extinction, retirement, acquittance, satisfaction; 2. *(Schrift)* deletion, erasure

Tilgung einer Anleihe bond redemption; **T. durch Auslosung** redemption by drawing; **T. eines Darlehens** repayment of a loan; **T. vor Fälligkeit** redemption before maturity; **T. in voller Höhe** repayment in full, full repayment; **T. einer Hypothek** repayment/redemption of a mortgage; **T. eines Kredits** repayment of a credit; **T. in Raten** repayment in instalments; **~ gleichen Raten** straight-line redemption; **T. von Schuldverschreibungen** redemption/retirement of bonds, ~ debentures; **T. im Strafregister** deletion of an entry for previous convictions; **T. von Verbindlichkeiten** discharge of liabilities, payment of debts; **T. vertraglicher Verpflichtungen** payment under deed of covenant; **T. von Vorzugsaktien** capital redemption; **T. einer Wechselverbindlichkeit** discharge of a bill; **T. durch Ziehungen** amortization by lot

zur Tilgung aufgerufen called for redemption; **zur T. fällig** due for redemption

außerplanmäßige Tilgung extraordinary/off-schedule redemption (payments); **planmäßige T.** regular redemption, scheduled repayment; **verstärkte T.** accelerated redemption; **vorzeitige T.** advance/premature/early/prior/anticipated redemption

Tilgungs|abkommen *nt* redemption agreement; **T.anleihe** *f* redemption/amortizable/sinking-fund loan, redeemable/redemption/callable bond; **T.aufforderung** *f* call for redemption; **T.aufgeld** *nt* call/redemption premium; **T.aufschub** *m* deferral of redemption payments; **T.aussetzung** *f* suspension of redemption payments; **T.bedarf der öffentlichen Hand** *m* public-sector repayment requirement; **T.bedingungen** *pl* redemption terms, terms of amortization; **T.beihilfe** *f* redemption grant; **T.bescheinigung/T.bestätigung** *f* certificate of redemption; **T.bestimmungen** *pl* redemption terms; **T.betrag** *m* sum to be amortized/redeemed, amount for redemption; **T.darlehen** *nt* redeemable/amortizable loan; **T.datum** *nt* redemption date; **T.dauer** *f* period of repayment/redemption, redemption term, payback period; **T.dienst** *m* redemption payments/service, amortization payments; **T.eingang** *m* redemption proceeds, incoming redemption; **T.eintragung** *f (Grundstück)* registration of satisfaction; **T.erlös** *m* redemption yield; **T.fälligkeit** *f* redemption date

Tilgungsfonds *m* redemption/sinking/amortization fund, capital redemption reserve fund; **T. für Anleihen** bond sinking fund; **T.hypothek** *f* sinking fund redemption loan; **T.konto** *nt* sinking-fund account; **T.kredit** *m* redemption fund loan; **T.versicherung** *f* sinking-fund assurance *[GB]*/insurance *[US]*

tilgungs|frei *adj* redemption-free, free of amortization; **T.freijahr** *nt* redemption-free period; **T.frist** *f* amortization term, time of redemption; **T.gebühr** *f* redemption charge; **T.gesetz** *nt* redemption act; **T.gewinn** *m* gain on redemption; **T.hypothek** *f* redemption/sinking-fund loan, amortization/repayment/redeemable/sinking-fund mortgage; **T.kapital** *nt* redemption/sinking-fund capital; **T.kasse** *f* sinking fund; **T.klausel** *f* redemption clause; **T.konto** *nt* redemption/repayment account; **T.kredit** *m* redemption/amortization/amortisable/amortizing term loan; **T.kurs** *m* redemption price/rate; **T.- und Zinslast** *f* debt-servicing burden; **T.lebensversicherung** *f* mortgage redemption life assurance; **T.leistung** *f* amortization/redemption payment, repayment; **T.mittel** *pl* redemption funds; **T.modalitäten** *pl* terms of redemption, repayment terms; **T.möglichkeit** *f* repayment option; **T.periode** *f* repayment period

Tilgungsplan *m* redemption/sinking-fund table, (sinking fund) instalment plan, terms of redemption, redemption/repayment/amortization plan, ~ schedule, repayment scheme; **vertraglicher T.** contractual repayment schedule; **t.mäßig** *adj* according to the redemption schedule

Tilgungs|prämie *f* redemption premium; **T.progression** *f* amortization schedule; **T.protokoll** *nt* redemption record; **T.quote** *f* redemption rate; **T.rate** *f* redemption/sinking fund instalment, redemption/repayment/amortization rate, annuity rental; **fällige T.rate** maturity; **T.rechnung** *f* sinking-fund calculation; **T.recht** *nt* right of redemption, call right; **T.rente** *f* redeemable annuity; **T.rückflüsse** *pl* redemption payments received; **T.rücklage** *f* redemption reserve, sinking-fund (reserve), reserve for sinking fund; **T.rückstand** *m* repayment/redemption in arrears; **T.satz** *m* redemption/amortization rate; **T.schein** *m* certificate of redemption; **T.schema** *nt* redemption plan/table/schedule

Tildungsschuld *f* redemption/amortization/indemnity loan; **restliche T.** remaining investment; **T.verschreibung** *f* redemption bond

Tilgungs|soll *nt* redemption requirement; **T.stock** *m* sinking/amortization fund; **T.streckung** *f* rescheduling of debts, stretching of the redemption period, repayment deferral; **T.streckungsdarlehen** *nt* rescheduling loan; **T.stück** *nt* bond acquired for redemption; **T.tabelle** *f* repayment table/schedule; **T.termin** *m* redemption/repayment date; **T.vereinbarung** *f* redemption agreement; **T.verpflichtung** *f* redemption/repayment commitment; **T.verpflichtungen nachkommen** to meet repayments; **T.versicherung** *f* mortgage protection policy; **T.volumen** *nt* total redemption; **T.wert** *m* redemption value; **T.zahlung** *f* redemption/liquidation payment, payment of the principal; **rückständige T.zahlungen** redemption arrears; **T.zeit** *f* pay-back period; **T.zeitplan** *m* redemption table/schedule; **T.zeitraum** *m* period of redemption, repayment/pay-back period; **für T.zwecke bereitstellen** *pl* to designate for redemption

Timesharing *nt* time sharing

Tinktur *f* tincture

Tinte *f* (writing) ink; **in der T.** *(coll)* in trouble; **mit roter T. schreiben** to write red figures, to be in the red; **mit schwarzer T. schreiben** *(fig)* to write black figures *(fig)*, to be in the black *(fig)*; **noch ~ schreiben** to stay in the black; **dokumentenechte/unauslöschliche/urkundenechte T.** indelible ink; **leitfähige T.** electographic ink; **unsichtbare T.** invisible ink

Tinten|fass *nt* ink pot; **T.glas** *nt* ink bottle; **T.kuli** *m* ballpoint pen; **T.radiergummi** *nt* ink eraser; **T.stift** *m* ink/indelible pencil; **T.strahldrucker** *m* 🖳 ink jet printer

Tip *m* 1. hint, pointer; 2. *(Polizei)* tip-off; **T. für den Markt** market pointer; **T. befolgen** to take the hint

tippen *v/t* 1. to type(write); 2. 🖳 to tap out, to punch/key in

Tipp|fehler *m* typing/literal error, keying mistake; **T.se** *f (coll)* (copy)typist

tipptopp *adj* tiptop, immaculate

TIR|-Schild/T.-Tafel *nt/f* 🚗/⊖ TIR plate; **T.-Transport/T.-Verfahren** *m/nt* TIR operation

Tirade *f* harangue

Tisch *m* table; **T. und Bett** bed and board; **von ~ Bett** § a mensa et thoro *(lat.)*

unter den Tisch fallen to be dropped, to go by the board; **vom T. fegen/wischen** *(Vorschlag)* to squash; **zu T. gehen** to have lunch/dinner; **auf den T. des Hauses legen** *(coll)* to pay on the dot; **auf dem T. liegen** *(Angebot)* to be on offer; **reinen T. machen** *(coll)* 1. to wipe the slate clean; 2. to make a clean sweep; **vom T. sein** to be (cleared) out of the way; **bar auf den T. zahlen** to pay on the nail

ausziehbarer Tisch extension table; **bestellter T.** reserved table; **am grünen T.** 1. at the conference/negotiating table; 2. armchair; **runder T.** round table

Tisch|- desk-top; **T.abroller** *m* desk dispenser; **T.apparat** *m* ✆ desk set, table/desk telephone; **T.computer** *m* desk-top computer; **T.drucker** *m* table-top printer; **T.empfänger** *m* table set; **t.fertig** *adj* ready-to-serve; **T.feuerzeug** *nt* table lighter; **T.gast** *m* diner; **T.geschirr** *nt* tableware; **T.gesellschaft** *f* company at table; **T.gespräch** *nt* table talk; **T.glocke** *f* call/dinner bell; **T.kalender** *m* desk diary/calendar, table calendar; **T.karte** *f* place card; **T.lampe** *f* table/desk lamp; **T.leindeckdich** *nt* magic table

Tischler *m* joiner; **T.ei** *f* 1. joinery, woodwork; 2. joiner's shop; **T.handwerk** *nt* joinery

Tisch|nachbar(in) *m/f* neighbour/partner at table; **T.ordnung** *f* seating plan; **T.platte** *f* table-top; **T.rechenmaschine/T.rechner** *f/m* desk computer, desktop calculator/computer; **T.rede** *f* after-dinner speech; **T.telefon** *nt* desk telephone; **T.tuch** *nt* tablecloth; **T.vorlage** *f* handout; **T.wäsche** *f* table linen; **T.wein** *m* table wine

Titel *m* 1. title, degree; 2. heading; 3. § title, enforceable instrument, decision, claim; 4. *(Liste)* item; 5. *(Wertpapier)* security, paper; **mit dem T.** entitled; **T. des Haushaltsplans** budget item

jdm einen Titel aberkennen to strip so. of his title; **jdn mit seinem T. anreden** to address so. by his title; **T. aufgeben** to renounce a title; **T. erwirken** § to obtain judgment; **T. führen** to bear a title; **T. tragen** *(Buch)* to be entitled; **jdm einen T. verleihen** to confer a title upon so.; **mit einem T. versehen** 📖 to head

erloschener Titel extinct title; **erstklassiger T.** *(Börse)* top-grade security; **falscher T.** bogus title; **geldwerter T.** near-money; **hochtrabender T.** high-sounding title; **auf ... lautender T.** *(Anleihe)* ...-denominated paper; **liquide T. (höchster Ordnung)** liquidity (of last resort); **private T.** private paper; **rollender T.** *(Inserat)* roller caption; **umlaufende T.** *(Börse)* outstanding securities; **ehrenhalber verliehener T.** honorary title; **verpfändeter T.** pledged security; **vollstreckbarer T.** § enforceable legal document, ~ decision

Titel|auswahl *f* *(Börse)* stock picking; **T.bild** *nt* cover design, frontispiece; **T.blatt** *nt* cover, title/front page

Titelei *f* 📖 title sheet, prelims, oddments, front matter

Titel|figur *f* front-page figure; **T.geschichte** *f* cover/feature story; **T.inhaber** *m* title bearer/holder; **T.insert** *nt* caption; **T.kopf** *m* head(ing), headline, rubric; **T.leiste** *f* 📖 masthead; **T.melodie** *f* signature tune *[GB]*, theme song *[US]*; **T.nachricht** *f* front-page news; **T.rolle** *f* title role/part; **T.schrift** *f* 📖 display type; **T.schutz** *m* copyright; **T.seite** *f* front/title page, (front) cover; **auf der ~ bringen** to carry on the front page; **T.selektion** *f* stock picking; **T.träger** *m* title bearer/holder; **T.überschrift** *f* headline; **T.verleihung** *f* conferment of a title; **T.vorspann** *m* opening titles, credits, acknowledgments; **T.wort** *nt (Nachschlagewerk)* headword; **T.zeile** *f* heading, headline, top-line, masthead

Titularrang *m* nominal rank

titulier|en *v/t* to address; **t.t** *adj (Forderung)* legally enforceable

Toast *m* toast; **T. anbringen** to propose a toast

starker Tobak *(coll)* strong stuff *(coll)*

Tochter *f* 1. daughter; 2. *(Firma)* daughter/subsidiary (company), offshoot, arm; **hundertprozentige T.** fully-owned/wholly-owned subsidiary

Tochter|bank *f* subsidiary bank; **T.betrieb** *m* subsidiary plant/operation

Tochtergesellschaft *f* subsidiary (company *[GB]*/corporation *[US]*/undertaking), affiliated/controlled/daughter company, affiliate, subcompany *[US]*, offshoot, arm; **T. mit Betriebsrechten für die Muttergesellschaft** underlying company; **T. im Mehrheitsbesitz** majority-owned subsidiary

ausländische Tochtergesellschaft foreign subsidiary;

in den Konsolidierungskreis einbezogene T. consolidated subsidiary; **fünfzigprozentige T.** associate company; **gemeinsame T.** jointly-owned subsidiary; **gewinnschwache T.** marginal subsidiary; **hundertprozentige T.** wholly-owned/fully-owned subsidiary; **konsolidierte T.** consolidated subsidiary; **durch Mehrheitsbesitz kontrollierte T.** majority-owned subsidiary

Tochter|institut *nt* (banking) subsidiary; **T.organisation** *f* subsidiary

Tochterunternehmen *nt* → **Tochtergesellschaft**

Tochtervertriebsgesellschaft *f* marketing subsidiary

Tod *m* 1. death, demise, decease; 2. *(Vers.)* loss of life; 3. $ exitus *(lat.)*; **gelegentlich seines T.es** on the occasion of his death; **bei früherem T.** *(Vers.)* on prior death; **nach dem T.** posthumous(ly), post-mortem *(lat.)*; **von T.es wegen** on account of death, mortis causa *(lat.)*

Tod durch gewaltsame äußere Einwirkung death through external, violent and accidental means; **~ Erfrieren** death by exposure, hypothermia; **~ Ertrinken** death by drowning; **~ Fahrlässigkeit** § negligent homicide; **~ Strang** death by hanging; **~ Unfall** § accidental death; **~ Unglücksfall** death by misadventure

sich zu Tod|e arbeiten to work o.s. to death; **~ ärgern** to be extremely annoyed; **dem T. knapp entgehen/entrinnen** to narrowly escape death; **jds T. feststellen; T. bei jdm feststellen** to record so.'s death, to pronounce so. dead; **bei einem Unfall den T. finden** to be killed in an accident; **zu T.e reiten** *(fig)* to do to death; **sich ~ schuften** to sweat one's guts out; **eines gewaltsamen T.es sterben** to die a violent death; **eines natürlichen T.es sterben** to die a natural death; **T. durch grob fahrlässiges Fahren verursachen** § to cause death by reckless driving; **zum T.e verurteilen** to condemn/sentence to death; **mit dem T. bestraft werden** 1. to be sentenced to death; 2. *(Vergehen)* to carry the death penalty

bürgerlicher Tod civil death; **gewaltsamer T.** violent death; **natürlicher T.** natural death; **sofortiger T.** instantaneous death

todbringend *adj* fatal, mortal

Todes|anzeige *f* obituary notice *[GB]*, funeral letter *[US]*; **T.ausfallversicherung** *f* whole life assurance *[GB]*/insurance *[US]*; **T.beweis** *m* proof of death; **T.datum** *nt* day/date of death; **T.erklärung** *f* (official) declaration of death

Todesfall *m* death, decease, fatality, case/event of death, bereavement; **im T.** if death occurs, upon death; **jds T. anzeigen** to notify so.'s death; **beim T. übergehen** to devolve upon death, to pass on death; **angenommener T.** *(Vers.)* expected death; **eingetretener T.** *(Vers.)* actual death; **T.bonus** *m (Vers.)* mortuary dividend

Todesfalle *f* death trap

Todesfall|kapital/T.summe *nt/f* (capital) sum payable on death; **T.prämie** *f (Vers.)* mortuary *[US]*/post-mortem dividend; **T.risiko** *nt* death risk

Todesfallversicherung *f* whole life assurance *[GB]*, assurance payable at death, straight/whole life insurance *[US]*; **T. als Kreditsicherheit** credit life insurance; **abgekürzte/kurze/kurzfristige T.** term assurance, temporary/term life insurance *[US]*, ~ assurance *[GB]*; **normale T.** whole life assurance *[GB]*/insurance *[US]*, assurance payable at death *[US]*

Todes|fallziffer *f* fatality rate; **T.feststellung ohne Angabe von Gründen** *f* § open verdict; **T.folge** *f* fatal outcome/result; **T.gefahr** *f* mortal danger; **T.jahr** *nt* year of death; **T.kampf** *m* agony; **T.krankheit** *f* fatal/terminal illness; **T.nachrichten** *pl* obituary notice(s); **T.nachweis** *m* proof of death; **T.opfer** *nt* fatality, casualty; **T.ort** *m* scene of death; **T.schuss** *m* fatal shot; **T.stoß** *m* death/fatal blow; **etw. den ~ versetzen** *(fig)* to spell the end of sth.; **T.strafe** *f* capital punishment, death penalty/sentence; **mit der ~ bedroht** punishable by death; **T.stunde** *f* hour of death; **T.tag** *m* day of death; **T.urkunde** *f* death certificate; **T.ursache** *f* cause of death; **~ unbekannt** § open verdict; **T.urteil** *nt* 1. death sentence; 2. *(Vollstreckungsbefehl)* death warrant; **T.verachtung** *f* contempt of death

Todesvermutung *f* presumption of death; **gleichzeitige T.** *(Vers.)* common calamity; **T.sklausel** *f* common calamity disaster clause

Todes|zeit(punkt) *f/m* time of death; **T.zelle** *f* death cell; **T.ziffer** *f* death toll

Tod|feind *m* mortal enemy; **t.geweiht** *adj* moribund; **t.krank** *adj* fatally ill; **t.langweilig** *adj* dead boring

tödlich *adj* 1. fatal, deadly, mortal; 2. *(Gift)* lethal; **nahezu t.** near-fatal

tod|müde *adj* dead tired; **t.schick** *adj (coll)* stylish, swell *(coll)*; **t.sicher** *adj* dead certain; **t.sichere Sache** dead certainty

Tohuwabohu *nt* chaos, ruction

Toilette *f* toilet, lavatory, water closet; **öffentliche T.n** public conveniences *[GB]*, comfort station *[US]*; **T.nartikel** *pl* toiletries, toiletry products; **T.nwärter(in)** *m/f* lavatory attendant

Toleranz *f* 1. tolerance, toleration; 2. *(Abweichung)* deviation; 3. *(Maß)* allowance; **zeitliche T.** time tolerance; **zulässige T.** ✿ total tolerance

Toleranz|breite *f* range; **T.dichte** *f* tolerance density; **T.faktor** *m* tolerance factor; **T.grenze** *f* tolerance limit; **T.klausel** *f* 1. deviation clause; 2. minor merger clause; **T.prüfung/T.versuch** *f/m* 1. marginal check; 2. tolerance test

tolerieren *v/t* to tolerate; **etw. nicht t.** not to stand for sth.

toll *adj* tremendous, mad, crazy, wild; **t.kühn** *adj* foolhardy, reckless, rash; **T.wut** *f* $ rabies, hydrophobia

Tombola *f* tombola, raffle, prize draw

Ton *m* 1. sound, tone; 2. voice; 3. *(Material)* clay

Ton angeben to set the keynote, to give a/the lead; **anderen T. anschlagen** to change one's tune; **besorgten T. anschlagen** to sound a note of alarm; **falschen T. anschlagen** to strike a false note; **nicht zum guten T. gehören** not to be done; **in den höchsten Tönen loben** to praise to the skies; **große Töne spucken** *(coll)* to boast/brag, to talk big; **richtigen T. treffen** 1. to hit the right tone, to touch the right chord; 2. *(Publikum)* to strike a responsive chord

ausfallender Ton abusive/foul language; **gemäßigter T.** measured language

Ton|abnehmer/T.arm *m* pickup; **t.angebend** *adj* leading, setting the tone; **~ sein** to set the tone; **T.archiv** *nt* sound archive(s); **T.assistent** *m* sound operator; **T.aufnahme/T.aufzeichnung** *f* sound recording; **T.aufnahmegerät** *nt* sound-recording device; **T.ausblendung** *f* fade; **T.ausfall** *m* loss of sound, sound breakdown

Tonband *nt* (magnetic) tape; **auf T. aufgenommen** taped; **~ aufnehmen; T. besprechen** to tape(-record), to record on tape

Tonband|aufnahme *f* tape recording; **elektronische T.aufnahme** electronic recording; **T.diktat** *nt* tape-recorded dictation; **T.gerät** *nt* tape recorder; **T.kassette** *f* tape cassette; **T.kopie** *f* tape transcript; **T.spule** *f* tape reel

Toneffekt *m* sound effect

tönen *v/i* to sound; **groß t.** to lay it on thick *(coll)*

Ton|fall *m* intonation, accent; **T.film** *m* sound motion picture, talking film *[US]*; **T.frequenz** *f* audio frequency; **T.ingenieur** *m* sound engineer; **T.kunst** *f* music

Tonnage *f* 1. ton, tonnage; 2. ⚓ displacement; **aufgelegte T.** idle tonnage; **T.kontingent** *nt* tonnage quota; **T.verlust** *m* loss of shipping/tonnage

Tonne *f* 1. ton(ne), cask, short ton *[US]*; 2. *(Boje)* buoy; **T. Fracht** freight ton; **T. Leergewicht** deadweight ton; **T. Wasserverdrängung** displacement ton; **gesetzliche T.** imperial ton *[GB]* (=1016,05 kg); **metrische T.** metric ton

Tonnen|fracht *f* ton freight; **T.gehalt** *m* tonnage, capacity, measurement; **amtlicher T.gehalt** register tonnage; **T.geld** *nt* tonnage, warpage; **T.kilometer** *m* ton (ne) kilometre; **geleistete/verkaufte T.kilometer** tonne-kilometres performed; **T.leistung** *f* tonnage output; **T.meile** *f* ton mile; **t.weise** *adj* by the ton, in tons; **T.zahl** *f* tonnage; **T.zoll** *m* tonnage duty

Ton|spur *f* sound track; **T.störung** *f* (sound) interference; **T.studio** *nt* recording studio; **T.technik** *f* sound engineering; **T.techniker** *m* sound engineer

Tontine *f* *(Vers.)* tontine

Ton|träger *m* sound carrier; **mit ~ aufgenommen** sound-recorded; **T.treue** *f* high fidelity; **T.übertragung** *f* sound transmission; **T.untermalung** *f* background music; **T.wiedergabe** *f* sound reproduction

Topf *m* pot; **alles in einen T. werfen** to lump everything together

Töpfer *m* potter; **T.waren** *pl* pottery, ceramics

Toplage *f* *(Grundstück)* prime/plum site

Topografie *f* topography

Toppflagge *f* ⚓ masthead flag

Tor *nt* 1. gate; 2. *(fig)* gateway; **vor den T.en** outside; **T.e schließen** to close down; **T.durch-/T.einfahrt** *f* gateway; **knapp/kurz vor T.esschluss** *m* at the last moment, at the eleventh hour

Torf *m* peat; **T.gerechtigkeit** *f* [§] common of turbary; **T.kohle** *f* peat coal

töricht *adj* foolish, fatuous

Tornado *m* tornado

Tornister *m* knapsack

torpedieren *v/t* to torpedo

Torschlusspanik *f* last-minute panic

Torsionskurve *f* twisted curve

Torso *m* 1. torso; 2. *(fig)* skeleton

Torten|diagramm/T.grafik *nt/f* pie chart

Tortur *f* ordeal, torture; **jdn der T. unterwerfen** to torture so.

tosen *v/i* to roar/thunder

tot *adj* 1. dead, lifeless; 2. *(Todesfall)* deceased, departed; 3. *(nicht investiert)* dormant; 4. *(fast)* dead, unladen; 5. *(erloschen)* extinct, defunct; **jdn für t. erklären** to declare so. dead; **sich t. stellen** to feign death; **bürgerlich t.** dead; **klinisch t.** clinically dead

total *adj* total, outright, downright, all-out

Total|abschöpfungszahlung *f* total skimming-off payment; **T.abschreibung** *f* complete/total write-off; **T.analyse** *f* general/total analysis; **T.ansicht** *f* general/panoramic view; **T.ausfall** *m* 1. total loss/breakdown; 2. ϟ black failure, blackout; **T.ausverkauf** *m* closing-down/clearance/winding-up sale, going-out-of-business sale; **~ wegen Geschäftsaufgabe** closing-down sale; **T.betrag** *m* sum/grand total, total amount; **T.bilanz** *f* overall balance; **T.erhebung** *f* ▦ complete population survey; **T.erlös/T.gewinn** *m* total proceeds/profit/income; **T.fracht** *f* lump-sum freight; **T.fusion** *f* total merger; **T.geschädigte(r)** *f/m* totally disabled person; **T.gleichgewicht** *nt* total/complete equilibrium, unique steady-state equilibrium; **T.invalidität** *f* total invalidity/disability/disablement

Totalisator *m* totalizator, tote *(coll)*

totalitär *adj* totalitarian

Totalitarismus *m* totalitarianism

Total|kapazität *f* total capacity; **T.leistung** *f* gross output; **T.liquidation** *f* wholesale liquidation; **T.modell** *nt* comprehensive/overall/total model; **T.periode** *f* life of a company; **T.planungsrechnung** *f* comprehensive budgeting; **T.rechnung** *f* total-life accounting, statement for the whole life of a company

Totalschaden *m* dead/total/outright loss, (complete) write-off; **nur bei T.** total loss only (t.l.o.); **T. verursachen** to wreck (sth.); **konstruktiver T.** constructive total loss

Totalstreik *m* all-out strike/action/stoppage, total strike

Totalverlust *m* dead/total loss; **nur gegen T. (versichert)** total loss only (t.l.o.); **angenommener/fingierter T.** *(Vers.)* constructive total loss; **wirklicher T.** actual total loss

Tote(r) *f/m* 1. dead person, deceased; 2. *(Leiche)* (dead) body, corpse; 3. *(Unfall)* victim, casualty

töten *v/t* 1. to kill, to put to death; 2. *(Tier)* to put down; *v/refl* to take one's life, to commit suicide; **heimtückisch t.** to kill treacherously

Toten|feier *f* exequies, funeral rites; **T.gräber** *m* gravedigger; **T.halle** *f* mortuary, morgue; **T.hemd** *nt* shroud; **T.kopf(symbol)** *m/nt* skull and crossbones; **T.liste** *f* death roll; **T.maske** *f* death mask; **T.register** *nt* register of deaths; **T.schein** *m* death certificate; **T.starre** *f* rigor mortis *(lat.)*; **T.stille** *f* deadly silence; **T.urne** *f* (funerary) urn; **T.wache** *f* deathwatch

tot geboren *adj* stillborn; **T.geburt** *f* stillbirth; **T.last** *f* dead load/weight

Toto *nt* (football) pools; **T.gewinner** *m* pools winner

Totschlag *m* 1. § manslaughter *[GB]*, homicide *[US]*, murder in the second degree *[US]*; 2. culpable homicide *[Scot.]*; **T. kraft gesetzlicher Vermutung** § constructive manslaughter; **T. verüben** to commit manslaughter/homicide

Tot|schläger *m* 1. killer, homicide, person committing manslaughter; 2. *(Waffe)* bludgeon; **t.schlagen** *v/t* to kill/slay; **T.schlagsversuch** *m* attempted manslaughter/homicide; **t.schweigen** *v/t* to hush up, to keep mum; **t.stellen** *v/refl* to feign death; **T.taste** *f* dead key

Tötung *f* killing, homicide, manslaughter, kill

Tötung im Affekt voluntary manslaughter; **T. der Leibesfrucht** feticide, abortion; **T. in/aus Notwehr** homicide/killing in self-defence; **T. auf Verlangen** killing another person at his own request; **T. bei Vorliegen von Rechtfertigungsgründen** justifiable homicide

fahrlässige Tötung § involuntary/negligent manslaughter, ~ homicide; **grob ~ T.** § (grossly) negligent manslaughter, killing by gross negligence; **gerechtfertigte T.** justifiable homicide; **rechtlich notwendige T.** homicide by necessity; **unverschuldete T.** killing by misadventure; **versuchte T.** homicide attempt, attempted manslaughter/homicide; **vorsätzliche T.** wilful manslaughter/homicide/killing; **nicht ~ T.** § involuntary manslaughter; **zufällige T.** § involuntary manslaughter

Tötungs|absicht/T.vorsatz *f/m* intention/intent to kill; **T.delikt** *nt* culpable homicide; **T.verbrechen** *nt* felonious homicide; **T.versuch** *m* homicide attempt, attempted manslaughter/homicide

Tot|versand *m* 🐄 carcass delivery; **T.zeit** *f* dead time

Tour *f* 1. tour, trip, excursion; 2. round of visits; 3. *(Runde)* turn, round; 4. *(Trick)* trick, dodge; 5. *(Umdrehung)* revolution; **in einer T.** at one go

auf Tour|en bringen to speed up; **auf T. gehen** *(Vertreter)* to go out on business; **auf T.en kommen** to pick up (speed); **auf die dumme T. kommen** to con people; **auf volle T.en kommen** to get into top gear *(coll)*; **auf vollen T.en laufen** to run at full speed, to go full tilt *(fig)*; **in einer T. reden** to talk nineteen to the dozen *(coll)*; **auf T. sein** to be out (on the road); **T. unternehmen** to make an excursion; **jdm die T. vermasseln** *(coll)* to thwart so.'s plans; **es auf die sanfte T. versuchen** to try the soft sell *(coll)*

auf hohen Tour|en at high speed; **krumme T.** *(coll)* funny business, crooked ways; **auf die schnelle T.** *(coll)* in a hurry; **weiche T.** soft sell

Touren|plan *m* route schedule; **T.planer(in)** *m/f* route planner; **T.planung** *f* route planning, routing; **T.-schreiber** *m* 🚗 tachograph, spy in the cab *(coll)*; **T.zahl** *f* number of revolutions; **~ pro Minute** number of revolutions per minute (r.p.m.); **T.zähler** *m* 🚗 tachometer; **T.zusammenstellung** *f* routing

Tourismus *m* tourism, tourist traffic/travel; **sanfter T.** soft tourism; **T.ausgaben** *pl* tourist/travel debits; **T.betrieb** *m* tourist business/operation; **T.bilanz** *f* tourist balance; **T.branche/T.geschäft/T.gewerbe** *f/nt* tourist industry/trade; **T.einnahmen** *pl* travel credits; **T.einrichtungen** *pl* tourist facilities; **T.messe** *f* tourism fair; **T.organisation** *f* tourist organisation

Tourist *m* tourist, visitor

Touristen|abteil *nt* ✈ economy compartment; **T.ausgaben** *pl* tourist expenditure; **T.bilanz** *f* tourist balance, net tourism; **T.fluggast** *m* tourist air passenger; **T.führer** *m* tourist guide; **T.gepäckversicherung** *f* tourist luggage *[GB]*/baggage *[US]* policy; **T.gruppe** *f* party of holidaymakers; **T.gutschein** *m* tourist voucher; **T.hotel** *nt* tourist hotel; **T.kabine** *f* tourist cabin; **T.klasse** *f* tourist/economy/coach *[US]* class; **T.kurs** *m* tourist rate; **T.land** *nt* tourist country; **T.menu** *nt* tourist menu; **T.ort** *m* tourist resort; **T.quartier** *nt* tourist accommodation; **T.saison** *f* tourist season; **T.straße** *f* scenic road; **T.strom** *m* tide/wave of tourists; **T.tarif** *m* excursion rate; **T.visum** *nt* tourist visa; **T.werbung** *f* tourist advertising; **T.zentrum** *nt* tourist spot, tourist centre *[GB]*/center *[US]*

Touristik *f* tourism, tourist industry; **T.branche/T.industrie** *f* tourist industry/trade; **T.einnahmen** *pl* tourist receipts; **T.unternehmen/T.unternehmer** *nt/m* tour operator

Tournee *f* 🎭 tour; **auf T.** on tour; **~ gehen** to go on tour; **T.gruppe** *f* 🎭 touring company

Toxin *nt* toxin

toxisch *adj* toxic

Toxizität *f* toxicity

jdn auf Trab bringen *m* *(coll)* to get so. going; **jdn in T. halten** to keep so. going; **immer ~ sein** to be always on the move/go

Trabant *m* satellite; **T.ensiedlung** *f* satellite town; **T.enstadt** *f* overspill/satellite/new town

Tracht *f* traditional costume; **T. Holz** load of wood; **T. Prügel** good hiding, sound thrashing; **gehörige ~ bekommen** *(Kritik)* to get plenty of stick *(fig)*

Trachten *nt* aspiration, endeavour; **t.** *v/ti* to aim/endeavour/aspire

traditio brevi manu *(lat.)* § transfer of title by constructive delivery

Tradition *f* tradition, convention; **T. neu beleben** to revive a tradition; **mit der T. brechen** to break with tradition

Traditionalist *m* traditionalist

traditionell *adj* traditional, conventional; **t.erweise** *adv* traditionally

Traditions|bewusstsein *nt* traditionalism; **t.gemäß** *adj* traditional; **T.markt** *m* traditional market; **T.papier** *nt* document of title, title deed, transferable title-conferring instrument, negotiable instrument; **t.reich** *adj* old-established

tragbar *adj* 1. portable; 2. tolerable, reasonable, acceptable, bearable; **finanziell t.** affordable; **wirtschaftlich t.** (economically) viable/feasible

träge *adj* 1. idle, lazy; 2. *(Geschäft)* sluggish, dull; 3. *(Physik)* inert

tragen *v/t* 1. to carry/bear/support; 2. *(Kleidung)* to wear; 3. *(Verlust etc.)* to underwrite; 4. *(Rendite)* to yield; 5. *(Kosten)* to defray/bear/carry; 6. *(Risiko)* to take; **zum T. kommen** to take effect; **sich selbst t.** to pay for itself, to be self-supporting; **sich gut t.** to wear well

tragend *adj* 1. 🏛 load-bearing, weight-bearing; 2. 🐄 pregnant; **sich selbst t.** self-supporting

Tragepackung *f* carry-home container

Träger *m* 1. carrier, bearer, supporter; 2. *(fig)* vehicle; 3. *(Institution)* (supporting) institution, funding body, sponsor, supporting/sponsoring organisation, ~ authority; 4. § subject, agent; 5. *(Titel)* bearer, holder; 6. 🏛 *(Holz)* beam, *(Stahl)* girder; 7. *(Last)* porter

Träger der Arbeitsvermittlung labour exchange; **T. öffentlicher Belange** government body, public authority; **T. der Finanzhoheit; ~ finanziellen Hoheit** holder of financial power; **T. von Kaufkraft** conferrer of purchasing power; **T. des wirtschaflichen Lebens** business leader; **~ Markenrechts** owner of the trademark; **T. von Rechten und Pflichten** subject of rights and duties; **T. der finanziellen Schlüsselgewalt** guardian of the public purse; **~ Sozialversicherung** social insurance institution; **~ Unfallversicherung** accident insurance company

forderungsberechtigter Träger rightful claimant; **gemeinnütziger T.** non-profit institution

Trägerfrequenz *f* ✆ carrier frequency; **T.telefonie** *f* carrier telephony; **T.telegrafie** *f* carrier telegraphy; **T.übertragung** *f* carrier transmission

Träger|gebühr *f* porter's fee, porterage; **T.gesellschaft** *f* sponsoring/supporting company; **T.kosten** *pl* cost of product; **T.lohn** *m* porterage; **T.organisation** *f* sponsoring organisation

Trägerschaft *f* sponsorship

Träger|sprache *f* 🖳 host language; **T.welle** *f* carrier wave

Trage|tasche/T.tüte *f* carrier bag, holdall *[GB]*, carryall *[US]*; **T.tier** *nt* pack animal, beast of burden

tragfähig *adj* 1. 🏛 load-carrying; 2. workable, acceptable; **nicht t.** unacceptable, unviable; **T.keit** *f* 1. tonnage, carrying/load/deadweight capacity, payload, tons deadweight (tdw); 2. *(Kran)* lifting capacity; 3. *(fig)* acceptability, workability; **T.keitstonnage** *f* deadweight tonnage

Tragfläche *f* ✈ wing; **T.nboot** *nt* ⚓ hydrofoil

Trägheit *f* 1. *(Markt)* sluggishness, dullness; 2. *(Person)* slackness, laziness, lassitude; 3. *(Physik)* inertia; **systemimmanente T.** in-built inertia

Trägheits|faktor *m* *(Verkauf)* inertia factor; **T.moment** *nt* moment of inertia; **T.reserve** *f* inertia reserve

Trag|korb *m* pannier; **T.kraft** *f* carrying capacity; **maximale T.kraft** maximum load; **T.last** *f* load (capacity)

Tragseil *nt* supporting cable

zur Tragung der Kosten verurteilen *f* § to order a party to pay (the) costs

Tragweite *f* scope, extent, implications, range; **von großer T.** momentous, having wide implications

Trailer *m* trailer; **T.einheit** *f* 🚗 trailer unit; **T.schiff** *nt* roll-on-roll-off ship

Trainee *m* trainee; **T.programm** *nt* training scheme, trainee programme

Trainer *m* trainer, coach

trainieren *v/t* to train/coach

Training *nt* training; **T.sanzug** *m* tracksuit; **T.slager** *nt* training camp; **T.sstätte/T.szentrum** *f/nt* training centre

Trajekt *nt* ferry (service); **T.schiff** *nt* ferry

Trakt *m* 1. 🏛 tract, section; 2. 🚗 stretch

Traktanden *pl* agenda; **T.nliste** *f* agenda paper

Traktat *nt* tract

(jdn) traktieren *v/t* *(Fragen)* to pester (so.)

Traktor *m* (motor) tractor

Tramp *m* tramp; **T.dampfer** *m* ⚓ tramp (steamer)

Trampelpfad *m* beaten path/track

trampen *v/i* to hitchhike; ⚓ to tramp

Tramper *m* 1. hitchhiker; 2. ⚓ tramp

Tramp|(schiff)fahrt/T.geschäft/T.verkehr *f/nt/m* ⚓ tramping (trade/shipping/traffic), tramp shipping; **T.-reeder** *m* tramp shipowner; **T.schiff** *nt* tramp (steamer)

Tranche *f* tranche, portion, part, slice; **T. einer Anleihe** tranche/slice of a loan; **T. eines Kontingents** ⊖ quota share

Tränke *f* watering place; **t.n** *v/t* to water

Transaktion *f* 1. transaction, (commercial) operation, deal, business, dealing; 2. *(Zuteilung)* draw-down; **T. zwischen Banken** interbank transaction; **T. in verschiedenen Effekten** spreading operation; **T. am freien Markt** open-market operation; **T. zum Zwecke des Zusammenschlusses** linking transaction; **T. abwickeln** to carry out a transaction; **T. durchführen** to effect a transaction; **ungedeckte T.en vornehmen** to operate without cover

abgeschlossene Transaktion executed transaction, *(Börse)* round turn; **gesamte außenwirtschaftliche T.en** total external transactions; **autonome T.** *(Außenhandel)* regular transaction; **banktechnische T.** banking transaction; **finanzielle T.** financial transaction; **induzierte T.en** settling transactions, accommodating movements; **kompensatorische T.en** offsetting transactions; **nachbörsliche T.** after-market sale; **neutrale T.** blank transaction; **ökonomische T.** economic transaction; **reale T.** physical sale; **schwebende T.en** pending transactions; **steuerbegünstigte T.** tax shelter *[US]*; **unerlaubte T.** illegal transaction; **unsichtbare T.** invisible transaction; **unterstellte T.** imputation

Transaktions|kasse *f* transactions balance(s); **T.kosten** *pl* conversion charge; **T.kurs** *m* transaction rate; **T.leistung** *f* transaction capacity; **T.motiv** *nt* transaction motive; **T.prozess** *m* transfer process; **T.volumen** *nt* volume of (economic) transactions; **T.währung** *f* trading/transaction currency; **T.wert** *m* transaction value

Transatlantik|- transatlantic; **T.flug** *m* transatlantic flight; **T.fracht** *f* ocean freight; **T.kabel** *nt* transatlantic cable; **T.verkehr** *m* ocean transport

transatlantisch *adj* transatlantic

Transfer *m* transfer; **T. von Devisen** currency transfer; **~ Kapital** capital transfer; **~ Ressourcen** transfer of resources; **bargeldloser T.** cashless (money) transfer; **einseitiger T.** unilateral transfer

Transfer|abkommen *nt* transfer agreement; **T.agent** *m* transfer agent; **T.aufschub** *m* delay in transit; **T.ausgaben** *pl* transfer expenditure/payments; **T.begünstigte(r)** *f/m* transferee, remittee; **T.beschränkungen** *pl* restrictions on transfers, transfer restrictions; **T.bewilligung** *f* transfer permit/licence, exchange licence; **T.bilanz** *f* balance on transfer account, unilateral payments; **T.dienst** *m* transfer service; **T.einkommen/T.einkünfte** *nt/pl* transfer(red) income; **T.erleichterung** *f* transfer facility; **t.fähig** *adj* transferable; **T.garantie** *f* transfer guarantee; **T.gebühr** *f* transfer fee; **T.genehmigung** *f* transfer permit

transferierbar *adj* transferable; **T.keit** *f* transferability

transferier|en *v/t* 1. to transfer/transmit; 2. *(Geld ins Heimatland)* to repatriate; **T.ung** *f* transfer (trf.), transference; 2. repatriation

Transfer|klausel *f* transfer clause; **T.konto** *nt* transfer account; **T.leistung** *f* 1. transfer (payment); 2. transfer capacity; **T.leistungen der Privatwirtschaft** private transfers; **T.lockerung** *f* easing of transfer (restrictions); **T.moratorium** *nt* suspension of transfers; **T.multiplikator** *m* transfer multiplier; **T.politik** *f* redistribution policy; **T.preis** *m* transfer price; **T.risiko** *nt* currency/transfer risk; **T.spesen** *pl* transfer/remittance expenses; **T.stelle** *f* transfer agent/agency; **T.straße** *f* 🏭 automatic assembly line, transfer line/system; **T.theorie** *f* theory of transfers; **T.wirtschaft** *f* transfer economy

Transferzahlung *f* transfer payment; **T.en des Staates** government transfer payments; **~ der Unternehmen** business transfer payments; **kompensatorische T.en** *(IWF)* compensatory financing

Transformations|funktion *f* transformative/transformation function; **T.kurve** *f* trade-off curve, product frontier; **T.prozess** *m* process of transformation, transformation process

Transformator *m* ⚡ transformer

transformieren *v/t* to transform

Transhumanz *f* 🚜 transhumance

Transistor *m* transistor; **T.gerät** *nt* transistor set

Transit *m* (passage in) transit, through transport; **T.abfertigung** *f* ⊖ transit clearance; **T.abgabe** *f* transit duty/charge; **T.ausfuhr** *f* third-country export; **T.bahnhof** *m* transit station; **T.beförderung** *f* through transport; **T.bescheinigung** *f* transit certificate/bond; **T.bestand** *m* stock in transit; **T.blatt** *nt* ⊖ transit counterfoil; **T.dauer** *f* duration of transit; **T.deklaration/T.erklärung** *f* ⊖ transit entry/declaration; **T.einfuhr** *f* third-country import; **T.einkauf** *m* purchase in third country; **T.erlaubnis** *f* transit permit; **T.erlös** *m* merchanting trade proceeds; **T.fracht** *f* transit/through freight; **T.frachtsatz** *m* transit/through freight rate; **T.gebühr** *f* transit levy/charge; **T.genehmigung** *f* transit permit; **T.geschäft** *nt* merchanting transaction/trade, third-country business; **T.gut** *nt* 1. goods/merchandise in transit, transit goods/cargo; 2. ⚓ afloats; **T.hafen** *m* port of transit, transit/intermediate port; **T.halle** *f (Personen)* transit lounge

Transithandel *m* entrepôt *[frz.]*/transit/merchanting/third-country trade, international merchandise jobbing; **T. auf inländische Rechnung** transit trade for account of residents

aktiver Transithandel international jobbing, active transit trade; **gebrochener T.** international jobbing, interrupted/third-country/merchanting trade; **passiver T.** international jobbing, passive transit trade; **ungebrochener T.** international jobbing

Transithandels|aktivitäten *pl* merchanting activity; **T.genehmigung** *f* transit trade permit; **T.geschäft** *nt* merchanting transaction, trade arbitrage transaction; **T.gut** *nt* goods in transit; **T.land** *nt* merchanting country

Transit|händler *m* merchanting trader, transit agent/trader, middleman engaged in transit trade; **T.kapital** *nt* transit capital; **T.klausel** *f* trans(s)hipment clause; **T.konnossement** *nt* transit/through bill of lading (B/L); **T.konto** *nt* transit account; **T.kosten** *pl* transit costs; **T.ladung** *f* transit/through cargo; **T.lager** *nt* 1. transit shed/ware-house, entrepôt *[frz.]*; 2. ⊖ bonded warehouse; **T.land** *nt* transit country

transitorisch *adj* transitory, deferred

Transit|papiere *pl* transit documents; **T.preis** *m* transit rate; **T.raum** *m (Personen)* transit lounge; **T.recht** *nt* right of transit, transit privilege; **T.reisende(r)** *f/m* transit/through passenger; **T.schalter** *m* transit desk; **T.schein** *m* permit of transit, transit bill; **T.sendung** *f* through shipment; **T.spediteur** *m* transit agent; **T.spesen** *pl* transit charges; **T.stelle** *f* transit point; **T.straße** *f* transit road; **T.strecke** *f* transit route; **T.tarif** *m* transit rate; **T.transport** *m* through transport; **T.umschlag** *m* trans(s)hipment (volume); **T.verfahren** *nt* transit system; **T.vergünstigung** *f* transit privilege; **T.verkauf** *m* sale in a third country; **T.verkehr** *m* merchanting trade, through transport/traffic, transit traffic/trade; **T.versand** *m* transit dispatch; **T.versicherung** *f* transit insurance; **T.visum** *nt* transit visa; **T.waren** *pl* goods/merchandise in transit, transit goods/cargo; **T.weg** *m* transit route; **T.zeit** *f* transit time; **T.zoll** *m* transit duty

Transkri|bent *m* amanuensis; **t.bieren** *v/t* to transcribe

Trans|lokation *f (Vers.)* translocation; **T.missionsriemen des Kapitals** *m* transmission function of capital; **t.national** *adj* transnational

Transparent *nt* 1. transparency; 2. *(Demonstration)* banner; **t.** *adj* transparent, lucid, intelligible

Transparenz *f* transparency, clarity, intelligibility

Transpiration *f* 1. ⚕ perspiration; 2. 🌿 transpiration

transponieren *v/t* 1. to transfer/convert; 2. *(Mus.)* to transpose

Transport *m* 1. transport, transportation, carriage; 2. *(Fracht)* shipment, haul(age), shipping, carrying, conveyance, transit, portage; 3. *(Maschine)* feed; **auf dem T.** in transit, in the pipeline; **beim T.; während des T.s** in transit

Transport per Bahn rail transport, carriage/transport by rail; **~ Container** unitized handling, container transport; **T. zwischen Flughafen und Stadtbüro** city terminal service; **T. per Flugzeug** air(borne) transport; **T. als Frachtgut** freight (frt.); **T. auf Gefahr des Bestellers** transport at buyer's risk; **~ dem Landweg; T. zu Lande**

land transport/carriage, carriage/transport by land; **T. auf dem Land- und Seeweg** surface transport; **T. per LKW** road transport/haulage, carriage/transport by road; **T. von LKW-Anhängern/LKWs per Eisenbahn** piggyback service; ~ **auf Fährschiffen** fishyback service; **T. in der Luft; T. auf dem Luftwege** air transport, transport by air; **T. von Massengütern** bulk transport; **T. per Schiene** rail transport; ~ **Schiff** waterborne transport; **T. zur See** maritime transport, carriage/ transport by sea; **T. zu Wasser** water transport(ation), waterborne transport, carriage/transport by water; **T. ab Werk** collection from works

beim Transport beschädigt damaged in transit; **auf dem T. verloren gegangen** lost in transit

Transport abwickeln to handle shipments; **T. gut vertragen** to travel well; **auf dem T. beschädigt werden** to be damaged in transit

loser Transport bulk transport

transportabel *adj* removable

Transport|ablauf *m* transport process; **T.abteilung** *f* forwarding/shipping department, materials handling department; **T.abwicklung** *f* freight/passenger handling, transport procedure; **T.agentur** *f* transport(ation) agency; **T.anlage** *f* 🏭 conveyor plant, (materials) handling equipment; **T.anweisung** *f* forwarding/shipping/transport instruction(s); **T.arbeit** *f* transport operations

Transportarbeiter *m* transport worker; **T.gewerkschaft** *f* Transport and General Workers' Union (TGWU) *[GB]*; **T.streik** *m* transport workers' strike

Transport|art *f* mode of transport/conveyance; **T.aufgabe** *f* transport tark/consignment, dispatch; **T.aufkommen** *nt* transport volume, carryings; **T.auftrag** *m* forwarding/shipping/transport order; **innerbetrieblicher T.auftrag** move card/ticket; **T.ausrüstung** *f* transport equipment; **T.band** *nt* conveyor belt, assembly/transport line, band conveyor, transporter; **T.bedingungen** *pl* terms of transport, freight terms; **T.bedürfnis** *nt* transport needs/requirements; **T.behälter** *m* (freight) container; **T.beratung** *f* transport consulting; **T.beschränkung** *f* transport constraint; **T.betriebslehre** *f* (science of) transport management; **T.bewegung** *f* transport operation; **T.bilanz** *f* net position on transport, shipping account; **T.branche** *f* freight industry; **T.dienstleister** *m* provider of transport services; **T.dienstleistung** *f* transport service; **T.disposition** *f* transport/freight planning, ~ management; **T.dokument** *nt* transport/freight document; **kombiniertes T.dokument** combined transport bill of lading (B/L); **T.einheit** *f* unit of transport, container, bin; **T.einrichtung** *f* transport facility; **T.empfangsschein** *m* freight receipt; **T.entfernung** *f* haul(age) distance

Transporter *m* 🚗 transporter, pick-up (truck)

Transporteur *m* transport/shipping agent, common carrier, transport operator

transportfähig *adj* transportable, moveable; **nicht t.** untransportable; **T.keit** *f* transportability

Transport|fahrzeug *nt* commercial/transport vehicle; **T.fehler** *m* 🖳 misfeed; **T.firma** *f* haulage company, common carrier; **T.flotte** *f* fleet of transport vehicles; **T.flugzeug** *nt* freight/cargo/transport plane; **T.führer** *m* carrier; **T.funktion** *f* materials handling function; **T.gebühren** *pl* carriage charges; **T.gefahren** *pl* 1. transport risks; 2. ⚓ marine perils; **T.gefährdung** *f* wilfully endangering public transport, endangerment of transportion; **T.gefäß** *nt* container; **T.genehmigung** *f* transport permit; **T.gerät** *nt* transport equipment

Transportgeschäft *nt* carriage, shipping/carrying trade, haulage (business); **T.e** transport activities/operations; **T. zu Lande** ground transport operations

Transport|geschwindigkeit *f* 🏭 rate of feed/travel; **T.gesellschaft** *f* transport/shipping/haulage company, carrier; **T.gewerbe** *nt* transport/haulage/freight industry, carrying trade; **T.gut** *nt* cargo, freight, merchandize, shipment; **T.güter** goods in transit; **T.haftpflichtgesetz** *nt* Carriers' Liability Act *[GB]*; **T.haftung** *f* carrier's liability

transportierbar *adj* conveyable, transportable; **nicht t.** untransportable

Transportieren *nt* transportation; **t.** *v/t* to carry/ship/ haul/transport/convey; 2. *(LKW)* to truck; 3. *(Rollfuhr)* to cart; 4. *(Förderband)* to move/feed; **zu weit t.** to overcarry

Transport|intensität *f* transport intensity; **t.intensiv** *adj* transport-intensive; **T.kapazität** *f* shipping/transport/haulage capacity; **T.kartonage** *f* cardboard packaging for transport; **T.kette** *f* transport chain, integrated transport (system), chain of transportation; **kombiniertes T.konnossement** combined transport bill; **multimodales T.konnossement** multimodal bill of lading (B/L)

Transportkosten *pl* 1. freight/transport/carrying charges, transport/transportation costs, cost of transport/transportation, carriage (charges), haulage (cost); 2. *(Zustellung)* cartage, portage; **T. bezahlt** carriage paid; **T. zu Lasten des Absenders** carriage paid; ~ **Empfängers** carriage forward; **T. trägt Versender** carriage paid home; **t.intensiv** *adj* entailing high freight charges; **T.rechnung** *f* freight account

Transport|leistung *f* transport performance, distance/haulage capacity; **T.leistungen** transport services, carryings; **T.leiter(in)** *m/f* transport manager, head of the transport department; **T.leitung** *f* transport management; **T.logistik** *f* transportation logistics, logistics in transport; **T.makler** *m* forwarding/shipping agent, freight broker; **T.medium** *nt* means of transport; **T.menge** *f* transport volume; **T.methode** *f* transportation method

Transportmittel *nt* means of transport/transportation, mode of transport, (means of) conveyance; **grenzüberschreitende T.** international means of transport; **T.industrie** *f* transport facilities industry; **T.verwaltung** *f* transport fleet management

Transport|modell *nt* transportation model; **T.möglichkeiten** *pl* transport facilities; **fehlende/mangelnde T.möglichkeiten** lack of transport; **T.monopol** *nt* transport(ation) monopoly; **T.nachfrage** *f* demand for transport services, traffic requirements; **T.netz** *nt*

transport network; **T.palette** *f* transport pallet; **T.papiere** *pl* transport/shipping documents; **T.planung** *f* transport planning, vehicle scheduling; **innerbetriebliche T.planung** planning of intra-plant handling; **T.police** *f* ⚓ marine policy; **T.politik** *f* transport policy; **T.preis** *m* freight rate, carriage charge; **T.problem** *nt* transport problem; **T.probleme** transportation difficulties; **T.prüfung** *f* 🖳 feed check; **T.rationalisierung** *f* rationalization of transport; **T.raum** *m* cargo/shipping/freight space, transport capacity; **T.raupe** *f* crawler, caterpillar truck; **T.risiko** *nt* transport(ation) risk, risk of transport; **T.rolle** *f* (feed/transport) roll; **T.sachverständiger** *m* transport(ation) expert; **T.schaden** *m* damage in transit, transport loss/damage; **T.schadensforderung** *f* loss and damage claim; **T.schein** *m* waybill, consignment note; **T.schicht** *f* transport layer; **T.schiff** *nt* cargo vessel, transport vessel/ship; **T.schwierigkeiten** *pl* transportation difficulties; **T.spediteur** *m* (common) carrier, shipper; **T.spesen** *pl* transport charges, carriage; **T.steuer** *f* transportation tax *[US]*; **T.steuerung** *f* 🚂 scheduling, pathing; **T.stockung** *f* transport holdup; **T.system** *nt* transport(ation)/conveying system, handling equipment; **T.tank** *m* transport tank; **T.tarif** *m* haulage/freight rate; **T.technik/T.technologie** *f* transport technology; **T.überwachung** *f* supervision of the movement of goods, transportation control

Transportunternehmen *nt* 1. shipping company, transport undertaking, common carrier, freight carrier/forwarder; 2. *(LKW)* haulage company/contractor, haulier, truckage company *[US]*; **T. mit Langzeitkontrakten** contract carrier; **betriebliches T.** industrial carrier; **gewerbliches T.** common carrier

Transportunternehmer *m* (common) carrier, haulage contractor, freighter, haulier; **freier T.** common carrier; **T.haftung** *f* carrier's liability; **auf der Basis der T.haftung** on carrier's risks terms

Transport|verbot *nt* ban on transport; **T.vereinbarungen** *pl* transport arrangements; **T.verpackung** *f* transport packaging; **t.versichert** *adj* insured against transport risks

Transportversicherung *f* 1. transport/transportation/transit/cargo insurance; 2. ⚓ marine insurance; **industrielle T.** industrial transport insurance; **T.sgesellschaft** *f* transport insurance company; **T.sklausel** *f* warehouse-to-warehouse clause *[US]*; **T.spolice** *f* ⚓ marine policy

Transport|vertrag *m* contract of carriage/transport(ation); **T.verzögerung** *f* delay in transit, transport delay; **T.volumen** *nt* freight volume, total transports; **T.vorgang** *m* transport operation; **T.vorschriften** *pl* shipping/forwarding instructions; **T.vorteil** *m* transportation advantage

Transportweg *m* 1. route; 2. ⚓ voyage; 3. haul; **auf dem T.** in transit; **T.klausel** *f* routing order (clause)

Transport|wesen *nt* transport(ation), materials handling; **innerbetriebliches T.(- und Lager)wesen** intraplant materials handling; **T.zeit** *f* transport(ation)/move time; **T.zeitenmatrix** *f* transporting time matrix

Trara *nt (coll)* ballyhoo, fanfare *(coll)*

Trassant *m* drawer, drafter, maker

Trassat *m* drawee, payer

Trasse *f (Verkehrsweg)* line, route

Trassieren *nt (Wechsel)* drawing; **t.** *v/t* to draw; **(in) blanko t.** to make out/draw in blank; **al pari t.** to draw at par

Trassierung *f* 1. drawing; 2. *(Verkehrsweg)* line, route

Trassierungskredit *m* drawing/draft credit; **dokumentarisch gesicherter T.** documentary (acceptance) credit; **nicht ~ T.** clean/open credit

Trassierungsprovision *f* drawing commission

Tratte *f* draft, bill (of exchange)

Tratte zur Annahme draft for acceptance; **T. mit Dokumenten** documentary bill/draft; **T. ohne Dokumente** clean draft; **~ Respekttage** fixed draft; **T. des Verladers** carrier's draft; **T. mit beigefügten Verschiffungsdokumenten** arrival draft; **~ Zinsvermerk** interest-bearing draft

Tratte akzeptieren to accept a draft; **T. nicht akzeptieren** to dishonour a draft; **T. ankaufen** to negotiate a draft; **T. ankündigen/anmelden** to advise a draft; **T. ausstellen/begeben** to make out/negotiate a draft; **T. einlösen/honorieren** to discharge/honour a draft; **T. protestieren** to have a draft protested; **T. schützen** to protect a bill; **T. mit Akzept versehen** to provide a draft with acceptance; **T. zum Akzept vorlegen** to submit a draft for acceptance

angezeigte Tratte addressed/advised draft; **nicht ~ T.** non-addressed/non-advised draft; **vor Lieferung ausgestellte T.** advance bill; **dokumentäre T.** documentary draft; **nicht ~ T.** clean draft; **domizilierte T.** domiciled draft/bill; **bei Warenankunft einzulösende T.** arrival draft; **reine T.** clean bill/draft; **ungesichterte T.** unsecured/clean draft

Tratten|ankauf *m* negotiation of a draft; **T.ankaufskredit** *m* negotiation credit; **T.avis** *nt* advice of draft; **T.buch** *nt* bills payable journal; **T.deckung** *f* cover of draft; **T.inkasso** *nt* collection of drafts; **T.kopierbuch** *nt* bill register/book/ledger, notes receivable ledger *[US]*; **T.kredit** *m* acceptance credit; **T.umlauf** *m* bills in circulation

Traube *f* grape; **T.nsaft** *m* grape juice

Trauer *f* mourning, grief, sorrow

Trauer|anzeige *f* obituary (notice) *[GB]*, funeral letter *[US]*; **T.fall** *m* death, bereavement; **T.feier** *f* funeral service, obsequies; **T.gast** *m* mourner; **T.gottesdienst** *m* funeral service; **T.kleidung** *f* mourning (apparel); **T.liste** *f* register of condolences; **T.rand** *m* 🗍 heavy frame; **T.zug** *m* funeral procession

Traum *m* dream

Trauma *nt* trauma

Traumberuf *m* dream job *(coll)*

träum|en *v/i* to dream; **T.er** *m* dreamer

Traum|grenze *f (fig)* sound barrier *(fig)*; **~ überschreiten** to go through the roof; **T.job** *m* dream/plum job; **T.welt** *f* dream world

traurig *adj* sad, sorry, grieved, gloomy

Trau|ring *m* wedding ring; **T.schein** *m* marriage licence/lines/certificate

Trauung *f* marriage/wedding (ceremony); **T. vollziehen** to solemnize a marriage; **kirchliche T.** church wedding; **standesamtliche T.** civil wedding/marriage, registry office marriage

Trauzeuge *m* best man, witness at a marriage

Travellerscheck *m* traveller's cheque *[GB]*/check *[US]*

Treasury-Management *nt* treasury managment

Trecker *m* tractor

Treffen *nt* meeting, gathering, rally, reunion, get-together; **T. veranstalten** to hold a meeting; **informelles/zwangloses T.** informal meeting/get-together

treffen *v/t* 1. *(Ziel)* to strike/hit; 2. to meet (with), to encounter; *v/refl* to meet; **jdn schwer t.** to be a hard blow for so.; **jdn unvorbereitet t.** to catch so. unawares; **jdn zufällig t.** to bump/run into so. *(coll)*

treffend *adj* fitting, appropriate, apt, poignant, incisive, trenchant

Treffer *m* hit, success, strike; **T. erzielen** to score a hit; **T.kontakt** *m* successful contact

Treff|genauigkeit *f* accuracy; **T.punkt** *m* meeting place, venue; ~ **vereinbaren** to arrange a meeting place

Treib|anker *m* drift/drag anchor; **T.eis** *nt* floating/drift ice

Treiben *nt* 1. drift; 2. hustle and bustle; **t.** *v/i* 1. to drift/float; 2. *(antreiben)* to propel; **nach oben t.** to drive/force up; **zu weit t.** to overshoot/overdo

Treiber *m* 1. pusher, taskmaster; 2. *(Jagd)* beater; 3. 💻 drive

Treib|gas *nt* propellant; **T.gut** *nt* flotsam and jetsam, driftage

Treibhaus *nt* greenhouse, hothouse; **T.effekt** *m* greenhouse effect; **T.gas** *nt* greenhouse gas; **T.gasemission** *f* greenhouse gas emission

Treib|holz *nt* driftwood; **T.netz** *nt* driftnet; **T.riemen** *m* driving belt; **T.sand** *m* quicksand(s)

Treibstoff *m* 1. (transportation) fuel; 2. ⚓ bunker fuel; 3. *(Rakete)* propellant; **T. laden** ⚓ to bunker/fuel; **fester T.** solid fuel; **flüssiger T.** liquid fuel

Treibstoff|bedarf *m* fuel requirements; **T.depot** *nt* fuel depot; **T.einsparung** *f* fuel economy; **T.einspritzung** *f* 🚗 fuel injection; **T.ersparnis** *f* fuel saving(s); **T.knappheit** *f* fuel shortage; **T.kosten** *pl* fuel costs; **T.lager** *nt* fuel depot/dump; **T.lagerung** *f* fuel storage; **T.preis** *m* fuel price; **T.rechnung** *f* fuel bill; **t.sparend** *adj* fuel-effcient, fuel-saving; **T.steuer** *f* tax on hydrocarbon fuels, fuel tax; **T.tank** *m* fuel tank; **T.verbrauch** *m* fuel consumption; **T.verknappung** *f* fuel shortage; **T.versorgung** *f* fuel supply; **T.vorräte** *pl* fuel stocks

treidel|n *v/t* to tow; **T.pfad** *m* towpath, bridle path

Trend *m* trend; **sich dem T. anschließen** to fall into line; **voll im T. liegen** to follow the trend; **T. umkehren** to reverse the trend; **gegen den T. verlaufen** to buck the trend *(coll)*

zu Grunde liegender Trend underlying/basic trend; **linearer T.** linear trend; **nicht ~ T.** curvilinear/nonlinear trend; **säkularer T.** secular trend; **stagnierender T.** stagnating tendency; **visueller T.** visual trend

Trend|analyse *f* trend analysis; **T.artikel** *m* trendy/fashionable article; **T.ausschaltung** *f* trend elimination; **T.bereinigung** *f* trend adjustment; **T.bruch** *m* break in the trend; **übereinstimmende T.einschätzung** consensus projection estimate; **T.ermittlung** *f* trend determination; **T.extrapolation** *f* extrapolating the trend line; **T.hochrechnung** *f* trend extrapolation; **T.kurvenglättung** *f* ▦ fitting the trend line; **T.linie** *f* trend line; **T.schätzung** *f* trend estimation; **T.setter** *m* trendsetter; **T.umkehr** *f* reversal of a trend, turnaround; **T.verlagerung** *f* shift in the trend; **T.verlauf** *m* trend path; **T.wende** *f* trend reversal, new trend, turnaround; **T.wert** *m* trend value

Trenn|- divisional; **T.abschnitt** *m* ⊖ voucher; **T.analyse** *f* ▦ discriminatory analysis; **T.anlage** *f* 🏭 separation plant; **t.bar** *adj* separable, detachable, severable, divisible

trennen *v/t* to separate (from)/detach/remove/sever/segregate/divorce/divide; *v/refl* 1. to separate/dissociate, to split up; 2. to part with sth., to divest o.s. of sth.; **sich von jdm t.** to part company with so.; **t. von** to bar from

Trenn|funktion *f* ▦ discriminator; **T.karton** *m* divider card; **T.linie** *f* dividing line; **T.mauer** *f* § party wall; **t.scharf** *adj* 1. ▦ most accurate, powerful; 2. selective

Trennschärfe *f* 1. selectivity; 2. ▦ power; **T. eines Tests** power of a test; **T.nfunktion** *f* ▦ power function

Trenn|scheibe *f* 1. *(Glas)* glass partition; 2. ✿ Carborundum wheel; **T.taste** *f* disconnecting key

Trennung *f* 1. separation, severance; 2. segregation; 3. gulf; 4. dissociation; 5. divorce; 6. *(Abschied)* parting

Trennung nach Funktionsmerkalen functional grouping; **T. der Gewalten** division/separation of powers; ~ **Rassen** racial segregation; **T. mehrerer Rechtsstreitigkeiten** severance of actions; **T. von Tisch und Bett** § judicial/legal separation, divorce a mensa et thoro *(lat.)*; **T. von Verfahren** § severance of actions

eheliche Trennung separation; **einverständliche T.** separation by consent; **gerichtliche T.** judicial separation; **räumliche T.** physical separation

Trennungs|entschädigung/T.geld *f/nt* severance pay/benefit, separation/accommodation allowance, distance compensation; **T.linie/T.strich** *f/m* dividing line; **klaren/sauberen T.strich ziehen** *(fig)* 1. to make a clean break (with sth.); 2. to make a clear distinction; **T.stunde** *f* parting hour; **T.urkunde** *f* deed of separation; **T.vereinbarung** *f* separation agreement; **T.zaun** *m* § party fence; **T.zulage** *f* severance pay/benefit, separation allowance

Trennwand *f* partition (wall)

Treppe *f* stairs, staircase, steps, stoop *[US]*; **T. herauffallen** *(coll)* to be kicked upstairs *(coll)*

Treppen|absatz *m* landing; **T.aufgang** *m* stairway, staircase, flight of stairs; **T.diagramm** *nt* histogram; **T.flucht** *f* flight of stairs; **T.geländer** *nt* railing, bannister; **T.haus** *nt* staircase *[GB]*, stairwell *[US]*; **T.konzern** *m* pyramiding company; **T.kredit** *m* graduated interest loan; **T.leiter** *f* stepladder; **T.leiterverfahren** *nt* stepladder method; **T.stufe** *f* step

Tresen *m* bar

Tresor *m* (bank) vault, strongroom, stromgbox, safe (deposit); **etw. im T. haben** to have sth. in safekeeping

Tresor|abteilung *f* safe-deposit department; **T.anlagen** *pl* safe-deposit facilities; **T.fach** *nt* safe (deposit), safe-deposit box, strongbox; **T.fachmiete** *f* safe-deposit charge(s); **T.geschäft** *nt* safe-letting business; **T.guthaben** *nt* safe-deposit balance; **T.knacker** *m (coll)* safe buster *(coll)*; **T.miete** *f* safe-deposit rent; **T.raum** *m* strongroom, safety vault; **T.schloss** *nt* safe lock; **T.schlüssel** *m* safe-deposit/strongroom key; **T.vermietung** *f* letting of safe-deposit facilities; **T.versicherung** *f* safe contents insurance

treten *v/i* 1. to tread; 2. to kick; **kurz/kürzer t.** *(fig)* to economize, to cut spending; **leise t.** to soft-pedal

Tretmühle *f* treadmill

Treu und Glauben *f* 1. trust, good faith; 2. equity; **auf/nach ~ Glauben** bona fide *(lat.)*, in good faith, on trust, binding in honour only; **wider ~ Glauben** in breach of good faith; **auf ~ Glauben hinnehmen** to take on trust; **auf ~ Glauben versprechen** to pledge one's word; **gegen ~ Glauben verstoßen** to act in breach of good faith

treu *adj* faithful, loyal, staunch; **T.bruch** *m* 1. breach of faith/trust, disloyalty; 2. defection; 3. *(Ehe)* infidelity

Treue *f* 1. loyalty, allegiance, faithfulness; 2. fidelity; **einer Sache die T. halten** to remain loyal to sth.; **eheliche T.** conjugal fidelity

Treue|eid *m* oath of allegiance; **T.erklärung** *f* declaration of trust; **T.karte** *f (Handel)* loyalty card; **T.pflicht** *f* 1. allegiance, trust, loyalty; 2. duty of fidelity; **T.pflichtverletzung** *f* breach of trust; **T.prämie** *f* seniority benefit/bonus, long-service/loyality bonus; **T.rabatt** *m* trade/patronage/fidelity/loyalty rebate, ~ discount, aggregated rebate; **T.verhältnis** *nt* fiduciary relationship; **vertragliches T.verhältnis** privity of contract

Treu|geber *m* 1. trustor, donor, bailor, settlor, grantor of trust; 2. *(Sicherheit)* beneficial owner; **~ und -nehmer** trustee and beneficiary; **T.giroverkehr** *m* accounts receivable clearing transactions; **T.gut** *nt* trust capital/property, (property held on) trust

Treuhand *f* trust; **T. mit Stimmrecht** voting trust; **~ Tätigkeitspflicht** active trust; **T. ohne Verwaltungsfunktion** passive trust; **auf letztwilligem Wunsch beruhende T.** § precatory trust; **gemeinnützige T.** § charitable/public trust

Treuhand|abkommen *nt* trust agreement; **T.abteilung** *f* executor and trustee department, trust department; **T.anleger** *m* trust investor; **T.anstalt** *f* trust agency; **T.bank** *f* custodian bank, trustee savings bank *[GB]*, trust company *[US]*; **T.begünstigte(r)** *f/m* 1. beneficiary, equitable owner; 2. § cestui que *[altfrz.]* trust; **T.bericht** *m* trust report; **T.bestätigung** *f* trust receipt; **T.besteller** *m* entruster

letztwillige Treuhandbestellung testamentary trust; **unwiderrufliche T.** irrevocable trust; **widerrufliche T.** revocable trust

Treuhand|beteiligung *f* trusteeship participation; **T.bindung** *f* trust obligation; **T.dauer** *f* trust period; **T.dienstleistung** *f* fiduciary service; **T.eigenschaft** *f* fiduciary capacity; **T.eigentum** *nt* 1. trust (property); 2. *(Sicherungsübereignung)* equitable lien; **fingiertes T.eigentum** constructive trust; **T.eigentümer** *m (Liegenschaft)* statutory owner, owner as trustee; **T.einkommen** *nt* trust income; **T.einlage** *f* fiduciary bank deposit

Treuhänder *m* trustee, fiduciary, custodian, receiver, depositary, escrower, holder on trust; **T. von hinterlegten Dokumenten** escrow agent; **T. eines Grundstücksvertrags** escrow holder; **T. von Mündelvermögen** custodian trustee

Treuhänder bestellen/bestimmen/einsetzen/ernennen to appoint a trustee; **T. entlasten** to discharge a trustee; **als T. handeln** to act in a fiduciary capacity; **etw. auf einen T. übertragen** to vest sth. in a trustee; **als T. verwalten** to hold on/in trust

amtierender Treuhänder acting trustee; **amtlicher/amtlich bestellter T.** judicial trustee; official receiver; **zur Stimmrechtsausübung ~ T.** voting trustee; **urkundlich ~ T.** trustee under a deed; **einstweiliger T.** interim trustee; **weisungsgebundener T.** bare trustee

Treuhänder|abrechnung *f* trustee's accounts; **T.amt** *nt* office of trustee; **T.aufgaben** *pl* fiduciary duties; **T.ausschuss** *m* board of trustees; **T.bank** *f* trustee savings bank *[GB]*, trust company *[US]*; **T.beirat** *m* trustee board; **T.bestimmungen** *pl* trustee provisions; **T.depot** *nt* third-party security deposit, trust deposit; **T.dienst** *m* fiduciary service; **T.eigenschaft** *f* fiduciary capacity; **T.fonds** *m* trust fund; **~ errichten** 1. to set up a trust fund; 2. to place a fund in escrow; **T.gremium** *nt* board of trustees; **T.haftung** *f* trustee's liability

treuhänderisch *adj* fiduciary, in trust; *adv* at third-party risk

Treuhänder|kaution *f* trustee's security; **T.konto** *nt* trust/nominee *[GB]* account; **T.pflichten** *pl* trustee's duties; **T.rat** *m* board of trustees

Treuhanderrichtung *f* creation of a trust

Treuhänder|schaft *f* trusteeship, custodianship; **unter ~ stellen** to place under trusteeship/custodianship; **T.status** *m* trustee status; **T.vertrag** *m* trust agreement; **T.vollmacht** *f* trustee's powers

Treuhandfonds *m* trust/escrow fund; **T. mit freier Ertragsverwendung** expendable trust fund; **T. auf Lebenszeit** protective trust *[GB]*; **unwiderruflicher T.** irrevocable trust fund

Treuhand|gebiet *nt* trusteeship/trust territory; **T.gebühren** *pl* trustee's/trust fees; **T.gelder** *pl* trust fund(s)/money, money in trust, funds on trustee accounts; **T.geschäft** *nt* trust transaction; **T.gesellschaft** *f* trust/trustee/fiduciary company; **~ zur Verwaltung einer Teilhaberversicherung** business life assurance trust; **T.giro** *nt* trustee endorsement; **T.gut** *nt* 1. estate trust, trust estate/deed/fund/property/asset; 2. *(Sicherungsübereignung)* equitable lien; **T.guthaben** *nt* trust fund; **T.immobilienvermögen** *nt* real estate assets; **T.indossament** *nt* trust endorsement; **T.kapital** *nt* trust capital; **T.konto** *nt* trust/managed/nominee/custodial/custody/custodian/third-party/agency/fiduciary/

escrow account; **T.kredit** *m* loan on a trust basis, ~ for third-party account; **T.nehmer(in)** *m/f* beneficiary; **T.pflichten** *pl* fiduciary obligations, trustee duties; **T.quittung** *f* trust receipt; **T.schaft** *f* trusteeship; **T.schein** *m* trust letter; **T.sonderkonto** *nt* trust account; **T.sondervermögen** *nt* trust and agency fund; **T.stelle** *f* trustee('s) office, trust agency; **öffentliche T.stelle** trust corporation *[GB]*; **T.stellung** *f* trusteeship position; **T.urkunde** *f* trust indenture, covering/trust deed; **T.verband** *m* trust association; **T.verbindlichkeiten** *pl* trust liability; **T.vereinbarung** *f* trust agreement; **T.vergütung** *f* trustee's remuneration

Treuhandverhältnis *nt* [§] fiduciary relation(ship), trust; **T. begründen** to establish a trust; **bedingtes T.** contingent trust; **stillschweigend begründetes T.** implied trust; **gewillkürtes T.** express trust; **vermutetes T.** constructive/implied trust; **gesetzlich ~ T.** resulting trust

Treuhand|vermögen *nt* trust (estate/fund/assets/property), estate trust, assets held on trust; **~ errichten** to create a trust; **T.verpflichtung** *f* trust liability; **T.vertrag** *m* trust deed/indenture/agreement/instrument, deed of trust, fiduciary contract; **~ mit aufschiebender Bedingung** [§] escrow

Treuhandverwaltung *f* fiduciary/trust management, ~ administration, assigneeship, trusteeship; **T. für bestimmte Begünstigte** private trust; **~ Einzelgegenstände** particular trust; **~ einer Gesellschaft** corporate trust; **auftragsgebundene T.** special trust; **lebenslängliche T.** living trust *[US]*

Treuhand|vollmacht *f* trustee's authority; **T.zertifikat** *nt* trust certificate

treu|los *adj* disloyal; **T.nehmer** *m* beneficiary, settlee; **T.satzung** *f* articles of a trust; **t.widrig** *adj* in breach of trust

Tribunal *nt* tribunal

Tribüne *f* tribune, platform, stand

Tribut *m* tribute, toll; **T. fordern** to take one's toll; **T. zollen** *(fig.)* to pay tribute *(fig.)*

Trichter *m* funnel; **auf den T. kommen** *(coll)* to get the hang of it *(coll)*

Trick *m* trick, gimmick, ploy, dodge, sleight of hand, knack; **T.s** scheming, special efforts; **übler T.** dirty trick; **üble T.s** skulduggery, shenanigans *(coll)*

Trick|betrug *m* confidence trick; **T.betrüger(in)/T.dieb(in)** *m/f* trickster; **T.film** *m* animated film; **t.reich** *adj* full of tricks, clever

Trieb *m* instinct, impulse, urge; **T.fahrzeug** *nt* 🚂 motive power unit; **T.fahrzeuge** motive power *[US]*; **T.feder** *f* mainspring, prime mover, driving force; **~ des Wachstums** main growth factor, mainspring of growth; **T.handlung** *f* instinctive behaviour; **T.kraft** *f* driving/propelling force, prime mover, motor; **T.wagen** *m* 🚂 railcar, multiple unit; **T.wagenführer** *m* motorman; **T.werk** *nt* 1. ✈ (aircraft) engine; 2. power unit

Trift *f* 🚜 pasture

triftig *adj* 1. plausible, sound, convincing, conclusive, cogent; 2. *(Grund)* satisfactory; **T.keit** *f* plausibility, soundness, validity, cogency

Trikotagen *pl* knitwear, hosiery

Trimester *nt* term

trimmen *v/t* 1. to trim; 2. 🚗 to tune

trinkbar *adj* drinkable, potable

Trinken *nt* drinking; **t.** *v/t* to drink

Trinkgeld *nt* tip, (staff) gratuity; **T. geben** to tip; **T.geben** *nt* tipping

Trink|gewohnheiten *pl* drinking habits/patterns; **T.glas** *nt* tumbler; **T.spruch** *m* toast; **~ ausbringen** to propose a toast

Trinkwasser *nt* drinking water; **T.verseuchung** *f* contamination of fresh water supplies; **T.versorgung** *f* supply/provision of drinking water

Trip *m* 1. trip; 2. jaunt

Triplik *f* [§] surrejoinder

Triptyk *nt* ⊖ triptych, triptyque *[frz.]*

trist *adj* dismal, miserable

Tritt *m* footstep, kick; **außer T.** out of step; **T. fassen** 1. ⚔ to fall into step; 2. *(fig)* to gather momentum; **wieder T. fassen** *(fig)* to recover; **aus dem T. geraten** to lose momentum/pace

Trittbrett *nt* 🚗/🚂 running board; **T.fahren** *nt (coll)* fare-dodging, free riding; **T.fahrer** *m* 1. *(coll)* free rider, fare-dodger, joyrider; 2. *(fig)* freeloader *(coll)* *[US]*

Triumph *m* triumph

trivial *adj* trivial, trite

trocken *adj* dry, arid; **auf dem T.en** *nt (fig)* high and dry *(fig)*; **~ sitzen** *(fig)* to be stranded *(fig)*

Trocken|batterie *f* ⚡ dry-cell battery; **T.dock** *nt* ⚓ dry dock, drydock; **ins ~ bringen** to drydock; **T.fahrt** *f* dry cargo traffic; **T.fäule** *f* 🏛 dry rot; **T.fracht** *f* dry cargo; **T.frachter** *m* dry-cargo carrier; **T.frachtmarkt** *m* dry cargo market; **T.futter** *nt* 🚜 dehydrated fodder; **T.gebiet** *nt* dry/arid region; **t.gefrieren** *v/t* to freeze-dry; **T.gemüse** *nt* dehydrated vegetables; **T.gestell** *nt* drying frame; **T.gewicht** *nt* dry weight, net weight (nt. wt.); **T.gut** *nt* dry cargo; **T.gutfrachter** *m* dry ship; **T.haube** *f* hairdryer; **T.heit** *f* drought, dryness, aridity; **T.kammer** *f* drying chamber; **T.kopieren** *nt* electro-static copying; **T.ladung** *f* dry cargo; **t.legen** *v/t* *(Land)* to drain/reclaim; **T.legung** *f* drainage; **T.mauer** *f* dry-stone wall; **T.milch** *f* dried milk, milk powder; **T.ofen** *m* kiln; **T.periode** *f* drought; **T.rasierer** *m* electric shaver/razor; **T.schiff** *nt* dry-cargo ship; **T.sortiment** *nt (Lebensmittel)* dry foods; **T.wirtschaft** *f* dry farming; **T.zeit** *f* dry season

trocknen *v/t* to dry

Trocknungsofen *m* kiln

Trödel *m* jumble, junk, trash; **T.geschäft/T.laden** *m/nt* junk shop, swagshop; **T.markt** *m* 1. car boot sale; 2. rag fair; **T.waren** *pl* junk

Trödler *m* 1. junk dealer; 2. *(Bummler)* laggard

Trog *m* trough, tub

Troika *f* troika

Trommel *f* drum; **T. rühren** to beat the drum; **T.feuer** *nt* ⚔ barrage, drumfire

trommeln *v/i* to drum

Trommler *m* drummer

Tropen|- tropical; **T.holz** *nt* tropical timber; **T.klima** *nt* tropical climate; **T.krankheit** *f* tropical disease; **T.wald** *m* tropical forest

Tröpfchen *nt* droplet; **T.nebel** *m* water fog; **t.weise** *adj* in driblets, in dribs and drabs

Tröpfeln *nt* trickle; **t.** *v/i* to trickle, to come in dribs and drabs

Tropfen *m* drop; **T. auf den heißen Stein** *(fig)* drop in the bucket/ocean *(fig)*; **t.** *v/i* to drip/leak

Trophäe *f* trophy

tropisch *adj* tropical

Trosse *f* hawser, towrope

Trost *m* consolation, comfort, solace; **T. finden** to take solace; **T. schöpfen aus** to take comfort from; **jdm T. zusprechen** to comfort so.; **schwacher T.** cold comfort

trösten *v/t* to comfort/console/relieve

trost|los *adj* dismal, desolate, bleak; **T.pflaster** *nt* consolation; **T.preis** *m* consolation prize

Trott *m* trot, rut

Trottoir *nt* *[frz.]* footpath *[GB]*, sidewalk *[US]*

Trotz *m* defiance, obstinacy, stubbornness; **... zum T.** in defiance of; **T. bieten** to defy; **t.** *prep* notwithstanding, despite, in defiance of; **t.en** *v/t* to defy; **t.ig** *adj* defiant, obstinate, stubborn, truculent

trübe *adj* dim, gloomy, bleak, dismal

Trubel *m* hubub, throng, razmatazz *(coll)*

trüben *v/t* to dim/cloud

Trübung *f* turbidity

ins Trudeln kommen *nt* to lose control; **t.** *v/i* ✈ to spin

Trugbild *nt* delusion, phantom, mirage; **einem T. nachlaufen** to pursue a phantom

trügerisch *adj* deceptive, specious

Trugschluss *m* fallacy, false conclusion

Truhe *f* chest

Trümmer *pl* 1. 🚗/✈ wreckage; 2. 🏛 rubble, debris; **T. beseitigen** to clear the rubble; **aus T.n entstehen** to rise from the ashes *(fig)*; **in T.n liegen** *(fig)* to be in ruins *(fig)*; **T.beseitigung** *f* rubble clearance; **T.haufen** *m* pile of rubble; **T.schutt** *m* rubble; **T.verwertung** *f* rubble salvage

Trumpf *m* trump (card); **T. bei Verhandlungen** bargaining chip; **alle Trümpfe in der Hand halten** to hold all the cards

Trunkenheit *f* drunkenness, intoxication; **T. am Steuer** 1. driving under the influence of alcohol *[GB]*; 2. driving while intoxicated *[US]*; **T.sdelikt** *nt* 🚗/§ drink-drive offence; **T.stäter** *m* drink-drive offender

Trunk|sucht *f* (chronic) alcoholism, habitual drunkenness; **T.süchtiger** *m* alcoholic, habitual drunkard

Trupp(e) *m/f* gang, group, party, squad; **T.en** troops; **~ ausheben** to levy an army

Trust *m* trust, combine; **T. mit beschränkter Kapitalanlage** rigid trust; **unmittelbar bindender T. zum Verkauf** trust for sale *[GB]*; **an den ursprünglichen Eigentümer zurückfallender T.** resulting trust

Trust|bank *f* finance company; **T.bildung** *f* trustification; **T.dienst** *m* trust service; **T.fonds** *m* trust fund

Tube *f* tube; **auf die T. drücken** *(coll)* 🚗 to step on it, ~ the gas *[US]*

Tuch *nt* cloth; **rotes T.** red rag

Tuch|ballen *m* bale of cloth; **T.fabrik** *f* cloth factory, (cotton/wool) mill; **T.fabrikant** *m* cloth manufacturer; **T.fühlung** *f* *(fig)* close touch; **~ haben** to be cheek by jowl *fig)*; **T.geschäft/T.handlung** *nt/f* draper's shop, dry goods store; **T.händler** *m* draper, cloth merchant

tüchtig *adj* competent, efficient, capable, able, fit; **T.keit** *f* competence, competency, efficiency, proficiency, aptitude, fitness; **~ in der Organisation** organisational efficiency

Tuch|waren *pl* cloths; **T.weber** *m* cloth manufacturer; **T.weberei** *f* weaving mill

Tücke *f* 1. spite, malice, deceit, guile; 2. snag

tückisch *adj* treacherous, vicious

tüfteln *v/i* to tinker, to fiddle about

Tüftler *m* tinker(er)

Tugend *f* virtue; **t.haft** *adj* virtuous

Tummelplatz *m* stamping ground, hotbed

Tumor *m* ⚕ tumour; **bösartiger T.** malignant tumour; **harmloser T.** ⚕ benign tumor

Tumult *m* tumult, commotion, riot, turmoil, uproar, welter; **T.risiko** *nt* risk of civil commotion; **T.schäden** *pl* riot damage; **T.versicherung** *f* riot and civil commotion insurance

Tun *nt* doing, activity; **sich zu strafbarem T. verabreden** to conspire

tun *v/t* to do; **so t. als ob** to make as if, to pretend; **etw. t. für jdn** to accommodate so.; **~ dürfen** to be at liberty to do sth.; **mit jdm zu t. haben** to deal with so., to have dealings with so.; **nichts ~ haben** *(coll)* to have no truck with so.; **weiterhin t.** to continue to do

Tünche *f* whitewash, varnish, veneer; **t.n** *v/t* to (white) wash/paint

tunlich *adj* advisable, suitable; **für t. halten** to think fit

Tunnel *m* tunnel; **T. bohren** to bore a tunnel; **T.boden** *m (EWS)* floor; **T.decke** *f (EWS)* ceiling; **T.gebühr** *f* tunnel toll

Tüpfelchen *nt* dot

Tür *f* door

Tür aufbrechen to force a door (open); **T. aufstoßen** to push a door (open); **offene T. einrennen** *(fig)* to kick at/force an open door, to flog a dead horse *(fig)*; **jdm mit der T. ins Haus fallen** to spring a surprise on so.; **überall offene T.en finden** to be welcome everywhere; **zuerst vor der eigenen T. kehren** *(coll)* to put one's own house in order first; **einer Sache T. und Tor öffnen** *(fig)* to open the door wide to sth.; **hinter verschlossenen T.en tagen** to meet behind closed doors; **von T. zu T. verkaufen** to peddle

feuerfeste Tür fire door; **hinter verschlossenen T.en** behind closed doors, in camera *(lat.)*

Turbine *f* turbine; **mit T.nantrieb** *m* turbine-powered

Turbo|lader *m* 🚗 turbo-charger; **T.strahltriebwerk** *nt* ✈ turbojet engine

turbu|lent *adj* turbulent; **T.lenz** *f* turbulence, turmoil

Tür|glocke *f* doorbell; **T.höhe** *f* door height; **T.hüter/T.steher** *m* doorman, doorkeeper

Türklinke *f* door handle; **T.n putzen** *(coll)* 1. *(hausie-*

ren) to peddle/hawk; 2. *(Werben)* to canvass; **sich die T. in die Hand geben** to call in rapid succession

türmen *v/t/v/refl* to pile up; *v/i (coll)* to clear off, to decamp

turm|hoch *adj* towering, lofty; **T.kran** *m* pillar crane

Turnus *m* rota, turn, cycle; **im T.** on a rota basis, in/by rotation; **t.mäßig** *adj* on a rota basis, by rotation, according to the order of sequence, recurrent, rotatory, regular

Tür|pfosten *m* doorpost; **T.querträger** *m* (container) door-header; **T.riegel** *m* bolt; **T.schild** *nt* name plate; **T.schloss** *nt* door lock; **T.schlüssel** *m* door key; **T.schwelle** *f* threshold; **T.steher** *m* janitor, doorkeeper

Tusche *f* India(n)/China/Chinese/drawing ink

tuscheln *v/i* to whisper

Tüte *f* (paper) bag, sack; **das kommt nicht in die T.** *(coll)* nothing doing, no way; **in T.n abfüllen** to sack/bag

Tutor(in) *m/f* tutor

TÜV (Technischer Überwachungsverein) *m* *(coll)* vehicle testing station; **T.-Untersuchung** *f* 🚗 M.O.T. test *[GB]*

Twenmarkt *m* twen/youth market

Typ/T.e *m/f* 1. type, model, make; 2. exponent; 3. person, type; 4. *(Schrift)* character

Typen|ausrichtung *f* type alignment; **T.bereinigung** *f* production mix reduction, type standardization/simplification; **T.bescheinigung des Herstellers** *f* production/maker's certificate; **T.beschränkung** *f* variety reduction, reduction of types; **T.bezeichnung** *f* ✿/🚗 model code; **T.bild** *nt* ▯ face; **T.drucker** *m* type printer; **T.druckerei** *f* stamp typeset; **T.hebel** *m (Schreibmaschine)* type bar

Typenkopf *m* typehead; **T.hälfte mit Großbuchstaben** *f* upper case hemisphere; **~ Kleinbuchstaben** lower case hemisphere

Typen|muster *nt* representative sample, standard grade/quality sample; **T.normung** *f* standardization; **T.programm** *nt* range of models; **T.prüfung** *f* type approval; **T.rad/T.scheibe** *nt/f* print/type/daisy wheel; **T.raddrucker** *m* (daisy) wheel printer; **T.reihe** *f* production series; **T.reiniger** *m* type cleaner; **T.schema** *nt* type classification; **T.schild** *nt* type/name/identification plate; **T.setzmaschine** *f* typesetting machine; **T.träger** *m* print member; **T.verminderung** *f* variety reduction; **T.vielfalt** *f* variety (of models)

Typhus *m* ⚕ typhoid (fever)

typisch *adj* typical, representative, generic; **t. sein für** to typify

typisieren *v/t* 1. to typify; 2. *(Produkt)* to standardize

Typisierung *f* standardization; **kritisches T.smaß** critical degree of standardization

Typogra|fie *f* typography, typographic art; **t.fisch** *adj* typographical

Typung *f* standardization; **T.skartell** *nt* standardization cartel

Tyrann *m* tyrant, bully; **T.ei** *f* tyranny; **t.isch** *adj* tyrannical; **t.isieren** *v/t* to tyrannize, to domineer

Tz → **Teilzahlung**

U

U-Bahn *f* underground (railway), tube, subway *[US]*; **U-Boot** *nt* submarine; **U-Schätze** *pl* short-time/short-term treasury bills

Übel *nt* grievance, evil, ill, misfortune; *pl* ills; **das kleinere Ü.** the lesser evil; **Ü. an der Wurzel packen** to get down to the root of the trouble; **empfindliches Ü.** great discomfort; **soziales Ü.** social evil

übel *adj* bad, ill, vile; **ü. beleumdet** *adj* ill-reputed; **ü. gelaunt** *adj* ill-tempered, moody; **ü. gesonnen** *adj* ill-disposed; **ü. nehmen** *v/t* to resent, to take amiss; **ü. riechend** *adj* evil-smelling, foul

Übelstand *m* grievance; **einem ~ abhelfen** to redress a grievance; **Ü.tat** *f* misdeed, offence, wrong, misdemeanour; **Ü.täter(in)** *m/f* 1. wrongdoer, offender, malefactor, transgressor; 2. villain of the piece *(fig)*

Üben *nt* exercise, practice; **ü.** *v/t* 1. to exercise/practice; 2. 🎭 to rehearse

über *prep* 1. above, exceeding, in excess of; 2. *(Route)* via; 3. *(betreffend)* concerning; **ü. ... hinaus** beyond, over and above

Überabschreibung *f* overdepreciation, overprovision of depreciation

überall *adv* everywhere; **ü. in** throughout

über|altert *adj* obsolete; **Ü.alterung** *f* 1. obsolescence; 2. *(Bevölkerung)* ag(e)ing; **Ü.angebot** *nt* 1. glut, oversupply, surplus, excessive/excess supply, surplus stock(s); 2. overbid, overhang; **~ an Arbeitskräften** surplus manpower; **ü.ängstlich** *adj* overanxious, panicky; **Ü.ängstlichkeit** *f* oversolicitude; **ü.anstrengen** *v/t* to stretch/overtax/overstrain/overlabour; *v/refl* to overexert/overwork o.s.; **Ü.anstrengung** *f* overexertion, overwork, overtoil, overpressure; **ü.antworten** *v/t* 1. to commit; 2. to surrender; **Ü.antwortung** *f* 1. committal; 2. surrender; 3. commitment, submittal; **Ü.arbeit** *f* overwork

überarbeiten *v/t* to revise/redraft/rework, to work over; *v/refl* to overwork o.s.; **technisch ü.** to re-engineer

über|arbeitet *adj* 1. overwrought; 2. *(Buch)* revised; **Ü.arbeitung** *f* 1. (occupational) fatigue, overwork, overtoil; 2. ✿ reworking; 3. *(Text)* revision; 4. *(Buch)* revised edition; **technische Ü.arbeitung** re-engineering; **Ü.bau** *m* superstructure; **ü.bauen** *v/t* to overbuild

überbeanspruch|en *v/t* 1. to overtax/overstrain/overuse; 2. to overwear; **ü.t** *adj* overstretched; **Ü.ung** *f* overload(ing), overuse, overtaxing, overstraining; **~ des Kapitalmarktes** crowding out of the capital market

Über|bedarf *m* excessive demand; **Ü.bekleidung** *f* overclothes, overgarments; **ü.belasten** *v/t* 1. to overdebit/overcharge; 2. to overload; 3. to overtax/overburden; **finanziell ü.belastet** *adj* top-heavy; **Ü.belastung** *f* overcharge, overload(ing)

überbeleg|en *v/t* to overbook; **ü.t** *adj* overbooked, overcrowded; **Ü.ung** *f* overbooking, overcrowding

über|belichten *v/t* *(Foto)* to overexpose; **Ü.belichtung** *f (Foto)* overexposure; **ü.beliefern** *v/t* to oversupply/overstock; **Ü.belieferung** *f* oversupply; **ü.beschäftigt** *adj* overemployed; **Ü.beschäftigung** *f* overemployment, overfull employment

überbesetz|en *v/t* to overman/overstaff; **ü.t** *adj* 1. overmanned, overstaffed; 2. *(Branche)* overcrowded; **(personelle) Ü.ung** *f* overmanning, overstaffing, featherbedding *(coll)*

Über|bestand *m* 1. surplus (stock(s)), excessive stock(s), excess inventory (of current assets); 2. *(Börse)* long position; **ü.besteuern** *v/t* to overtax; **Ü.besteuerung** *f* overtaxation, excessive taxation; **ü.betonen** *v/t* to overemphasize/overplay; **ü.betrieblich** *adj* above plant/company level, inter-company, inter-plant, industry-wide; **ü.bevölkert** *adj* overpopulated; **Ü.bevölkerung** *f* overpopulation; **ü.bevorraten** *v/t* to overstock; **Ü.bevorratung** *f* overstocking

überbewert|en *v/t* to overestimate/overrate/overvalue/overprice/overassess; **ü.et** *adj* 1. overvalued, overrated, overpriced; 2. *(Wertpapiere)* top-heavy; **Ü.ung** *f* 1. overrating, overestimate, overstatement, overvaluation; 2. *(Wertpapiere)* top-heaviness

überbezahl|en *v/t* to overpay; **ü.t** *adj (Börse)* overbought; **Ü.ung** *f* overpayment

überbezirklich *adj* supra-regional

überbiet|en *v/t* to outbid/overbid; **sich gegenseitig ü.en** to leapfrog; **Ü.ende(r)/Ü.er(in)** *f/m* outbidder, counterbidder; **Ü.ung** *f* overbidding, outbidding

über|bleiben *v/i* 1. to remain; 2. to be left over; **Ü.bleibsel** *nt* remnant, remainder, rest, residue, fragment, oddment, vestige; *pl* leftovers, odd-come-shorts, leavings; **einige Ü.bleibsel** (some residuary) odds and ends; **ü.blenden** *v/t* 1. *(ausblenden)* to fade out; 2. to superimpose

Überblick *m* 1. overview, outline, review, overall view; 2. survey, synopsis, summary; **Ü. geben** to outline, to give a review; **Ü. völlig verlieren** to lose track of things; **sich einen Ü. verschaffen** to get a general idea; **allgemeiner Ü.** general survey; **umfassender Ü.** comprehensive survey

überblicken *v/t* to survey/review; **flüchtig ü.** to scan

überbord *adv* overboard, overside; **Ü.ablieferung** *f* overside delivery; **Ü.auslieferungsklausel** *f* overside delivery clause

über|bordend *adj* excessive; **Ü.bordwerfen** *nt* jettison(ing); **ü.bringen** *v/t* to deliver/transmit/carry

Überbringer *m* 1. deliverer, conveyer, carrier; 2. *(Scheck)* bearer; 3. *(Wechsel)* presenter; **an Ü.** to bearer; **durch Ü.** per bearer; **Ü. eines Briefes** bearer of a letter; **Ü. dieser Dokumente/Unterlagen** [§] bearer of these presents; **auf den Ü. lautend** made out to bearer, in bearer form; **zahlbar an Ü.** payable to bearer; **Ü.klausel** *f* bearer clause; **Ü.scheck** *m* bearer cheque *[GB]*/check *[US]*, withdrawal slip, cheque/check to bearer

Über|bringung *f* delivery, surrender; **ü.brücken** *v/t* to bridge (over), to tide over; **Ü.brückung** *f* 1. bridging, stopgap; 2. *(Meinungsverschiedenheit)* reconciliation

Überbrückungs|- bridging, standby; **Ü.abkommen** *nt* standby agreement; **Ü.darlehen** *nt* bridging loan, stand-by credit; **Ü.fazilität** *f* bridging facility; **Ü.finanzierung** *f* bridge-financing, bridging finance; **Ü.geld** *nt* tide-over allowance, transitional relief, end-of-service pay; **Ü.hilfe** *f* bridging finance, temporary assistance; **Ü.kredit** *m* tide-over/temporary/short/interim/hold-over/intermediate/transitional credit, bridging/bridge/short/stop-gap loan, accommodation credit/loan, bridge-over accommodation (endorsement) loan; **Ü.maschine** *f* relief machine; **Ü.maßnahme** *f* stop-gap measure; **Ü.reserve** *f* carryover; **Ü.zahlung** *f* transitional/interim payment

über|buchen *v/t* to overbook; **Ü.buchung** *f* overbooking; **ü.bürden** *v/t* to overburden; **ü.dauern** *v/t* to survive/outlast/outlive; **ü.decken** *v/t* 1. to cover up, to conceal; 2. to overlap; 3. *(Plane)* to tilt; **Ü.deckung** *f* 1. *(Vers.)* excess (cover); 2. over-absorption, over-covering; 3. *(Plane)* tilt; **ü.dehnen** *v/t* to overstretch; **ü.denken** *v/t* to reconsider/review/rethink, to think again

Über-die Verhältnisse-Leben *nt* dissaving

über|dimensional/ü.dimensioniert *adj* oversized, excessively large, superdimensioned; **Ü.dividende** *f* surplus/super dividend; **ü.dosieren** *v/t* to overdose/overdo; **Ü.dosis** *f* overdose, excessive amount; **Ü.-druck** *m* 1. excessive pressure; 2. ✿ overpressure; 3. 🗋 overprint, surprint; **~ der Nachfrage** pressure of excess demand; **ü.drucken** *v/t* to overprint/surprint; **ü.drüssig** *adj* weary; **ü.durchschnittlich** *adj* above(-)average, above standard, better/higher than average, above/over the odds; **Ü.eifer** *m* 1. overenthusiasm; 2. oversolicitude, overzeal, officiousness; **ü.eifrig** *adj* overzealous, officious

übereignen *v/t* to assign/convey/alienate, to make over, to transfer ownership, to pass title; **sicherheitshalber ü.** to pledge as security, to place in escrow

Übereignung *f* 1. assignment, transfer(ance) of title/ownership; 2. *(Urkunde)* making-over, bill of sale; 3. *(Grundstück)* conveyance; **Ü. eines Grundstücks** conveyance of property; **Ü. durch Mittler** mesne conveyance; **Ü. frei von allen Rechten** absolute conveyance; **Ü. im Todesfall** transfer on death; **Ü. vornehmen** to convey

bedingte Übereignung conditional conveyance; **fiduziarische Ü.** trust receipt *[US]*; **unentgeltliche Ü.** voluntary conveyance; **urkundliche Ü.** grant by deed

Übereignungs|anspruch *m* claim to conveyance; **Ü.register** *nt* register of bills of sale; **Ü.urkunde** *f* deed of conveyance, bill of sale; **Ü.vertrag** *m* (absolute) bill of sale

übereil|t *adj* precipitate, rash, hasty; **Ü.ung** *f* precipitation

Übereinkommen *nt* → **Übereinkunft** 1. agreement, accord, settlement, understanding, deal, convention; 2. *(Vergleich)* composition; 3. *(Völkerrecht)* treaty; **laut Ü.** as agreed; **Ü. abschließen** to negotiate an agreement; **Ü. erzielen/treffen** 1. to reach agreement, ~ an accommodation, to compact; 2. *(Vers.)* to compound; **gemäß Ü. vorgehen** to act under an agreement;

stillschweigendes Ü. tacit agreement, implicit understanding; **vorläufiges Ü.** stop-gap agreement

übereinkommen *v/i* to agree/settle, to reach agreement

Übereinkunft *f* 1. agreement, understanding, arrangement, accord, convention, stipulation, bargain; 2. *(Vertrag)* compact, instrument, pact; **laut Ü.** as agreed; **mangels Ü.** in default of/failing agreement; **Ü. mit Gläubigern** arrangement (with the creditors); **Ü. zwischen Regierungen** intergovernmental agreement; **Ü. erzielen** to strike a deal; **zu einer Ü. gelangen** to reach agreement; **Ü. treffen** to strike an agreement; **in gegenseitiger Ü.** by mutual consent; **stille Ü.** tacit agreement; **vorläufige Ü.** interim accord

Übereinschlag *m* 🌲 excessive felling

übereinstimmen *v/i* 1. to correspond/tally/agree/concur; 2. *(passen)* to match; 3. *(Pläne)* to dovetail; **ü. mit** *v/prep* 1. *(Person)* to agree with, to concur in, to share so.'s views, to go along with, to find o.s. in agreement with; 2. *(Sache)* to conform with/to, to tally/accord/coincide with, to be in line with; **hundertprozentig ü.** to agree completely; **nicht ü. (mit)** 1. *(Person)* to dissent from; 2. *(Sache)* to be out of line

übereinstimmend (mit) *adj* 1. corresponding, consistent, coincident(al), conformable, unanimous; 2. pursuant (to), concordant (with); **im Wesentlichen ü.** in substantial agreement

Übereinstimmung *f* 1. *(Person)* agreement, accord, consensus, concurrence; 2. *(Sache)* conformity, uniformity, coincidence, correspondence, compatibility; **in Ü. mit** in conformity/agreement/line/accordance/consultation/concert/keeping/compliance with; **~ der Geschäftsordnung** in order; **Ü. von Warenzeichen** similarity of trademarks; **in Ü. bringen** 1. to harmonize/conform; 2. *(Konten)* to reconcile; **Ü. erzielen** to reach agreement/consensus; **einer Ü. zustimmen** to be a party to an agreement

allgemeine Übereinstimmung general agreement; **beste Ü.** ▦ best fit; **doppelseitige Ü.** double coincidence; **teilweise Ü.** partial agreement; **zeitliche Ü.** synchronization

Übereinstimmungskoeffizient *m* coefficient of concordance/agreement

Überlemission *f* overissue, unsubscribed/undigested securities; **ü.emissionieren** *v/t* to overissue; **ü.empfindlich** *adj* hypersensitive; **ü.engagiert** *adj (Bank)* overcommitted; **ü.entwickeln** *v/t* to overdevelop; **ü.erfüllen** *v/t (Plan/Soll)* to overfulfil; **Ü.erfüllung** *f* overfulfilment; **Ü.erlös** *m* surplus proceeds; **ü.fahren** *v/t* 1. 🚗 to run over; 2. *(Signal)* to ignore

Überfahrt *f* ⚓ crossing, passage, transit; **ruhige Ü.** smooth passage; **stürmische Ü.** stormy crossing, rough passage/crossing; **Ü.sgeld** *nt* passage, ferriage, fare

Überfall *m* 1. *(Raub)* raid, robbery, hold-up, attack, assault; 2. *(Person)* mugging; **Ü. auf eine Bank** bank robbery/raid; **Ü. im Morgengrauen** *(Aktienaufkauf)* dawn raid; **Ü. am Spätnachmittag** twilight raid; **bewaffneter Ü.** armed raid; **nächtlicher Ü.** assault at night-time; **räuberischer Ü.** armed robbery

überfallen *v/t* to raid, to hold up, to attack/assault; **ü. und ausrauben** to mug

überfällig *adj* overdue, past due; **längst ü.** long overdue; **ü. sein** *(Wechsel)* to lie over; **Ü.keiten** *pl* debt(s), arrears

Überfalllkommando *nt (Polizei)* flying *[GB]*/riot *[US]* squad; **Ü.nummer** *f* ✆ emergency number; **Ü.ruf** *m* ✆ emergency *[GB]*/riot *[US]* call; **Ü.versicherung** *f* riot and civil commotion insurance *[GB]*, personal hold-up insurance *[US]*

Überlfinanzierung *f* overfinancing; **ü.fischen** *v/t* to overfish; **Ü.fischung** *f* overfishing, depletion/overexploitation (of fish stocks); **Ü.fliegen** *nt* overflight; **ü.fliegen** *v/t* 1. ✈ to overfly; 2. *(Text)* to scan/skim, to glance over; **Ü.flieger** *m (fig)* high-flyer; **Ü.fliegungsrechte** *pl* ✈ right of overflight; **Ü.fließen** *nt* overflowing; **ü.fließen** *v/i* to overflow; **Ü.fließlager** *nt* flow-over inventory; **Ü.flug** *m* ✈ overflight; **ü.flügeln** *v/t* to surpass/outstrip/overtake/outdistance

Überfluss *m* 1. (over)abundance, glut, surplus(age), oversupply, plentifulness, overplus; 2. *(Luxus)* affluence, luxuriance, opulence; 3. *(Essen)* surfeit; **im Ü.** affluent, galore *(coll) [Scot.]*; **~ vorhanden** (in) plentiful (supply)

Überfluss haben an to abound in; **Ü. an Geld haben** to be flush with money; **im Ü. leben** to live in affluence; **~ schwimmen** *(coll)* to live in the lap of luxury; **~ vorhanden sein** to abound, to overhang the market

Überflussgesellschaft *f* affluent society

überflüssig *adj* superfluous, abundant, redundant, surplus (to requirements); **Ü.keit** *f* redundancy, superfluity

überlfluten *v/t* to flood/inundate/overrun; *v/i* to overflow; **Ü.flutung** *f* flood(ing), inundation; **ü.fordern** *v/t* 1. to overcharge/overload; 2. *(Markt)* to overstrain; 3. *(Person)* to overtax; **ü.fordert** *adj* 1. overtaxed; 2. *(beruflich)* overemployed; **Ü.forderung** *f* 1. excessive demand; 2. overcharge, surcharge, excess charge; 3. overtaxing; **Ü.fracht** *f* overfreight, excess freight; **ü.fremden** *v/t (Markt)* to swamp; **Ü.fremdung** *f* 1. foreign control/penetration; 2. swamping; **ü.führen** *v/t* 1. to convey/transfer; 2. § to prove so.'s guilt; **ü.führt** *adj* § convicted; **~ sein** to stand convicted

Überführung *f* 1. § conviction; 2. transportation; 3. *(Immobilie)* conveyance, transfer; 4. 🚗 overpass, flyover; **Ü. in städtischen Besitz** municipalization; **~ Gemeineigentum** nationalization, communization, communalization, socialization; **Ü.skosten** *pl* haulage/forwarding charges; **Ü.srisiko** *nt (Transport)* towage risk

Überlfülle *f* glut, overabundance, profusion, surfeit; **ü.füllen** *v/t* to congest/overcrowd/glut; **ü.füllt** *adj* congested, (over)crowded, packed, jammed; **Ü.füllung** *f* congestion, overcrowding, surfeit; **~ des Hafens** port congestion; **ü.füttern** *v/t* to overfeed; **Ü.fütterung** *f* 1. overfeeding, satiation; 2. *(Markt)* glutting

Übergabe *f* surrender, delivery, hand(ing)-over, presentation, transfer, submission, disposition, disposal; **bis zur Ü.** pending delivery

Übergabe durch Abtretung des Herausgabeanspruches § longa manu *(lat.)* delivery, delivery with the long hand; **Ü. als Sicherheit** delivery by way of security;

Ü. der/des Verfolgten surrender of the person to be extradited; **Ü. durch Zeichen** transfer by written instrument

übertragbar durch Übergabe transferable by delivery; **nur gegen Ü. des Frachtbriefdoppels abzugeben** to be delivered only against return of the duplicate copy of the consignment note; **bei Ü. zahlbar** cash *[GB]*/collect *[US]* on delivery (c.o.d.); **gegen Ü. der Dokumente zahlbar** payable against surrender of documents

aufgeschobene Übergabe postponed surrender; **bedingte Ü.** conditional surrender; **bedingungslose Ü.** unconditional delivery/surrender; **fiktive/fingierte Ü.** fictitious/symbolic delivery; **mittelbare Ü.** constructive delivery

Übergabe|bedingungen *pl* terms of surrender; **Ü.bescheinigung/Ü.bestätigung** *f* transfer/consignment note, delivery receipt; **Ü.bilanz** *f (Fusion)* pre-merger balance sheet; **Ü.frist** *f* time of delivery; **Ü.gleis** *nt* 🚂 exchange siding; **Ü.klausel** *f* delivery clause; **Ü.papier** *nt* document of title, title deed; **Ü.pflicht des Verkäufers** *f* seller's duty to deliver; **Ü.stelle** *f* interchange point; **Ü.surrogat** *nt* § substitute for delivery; **Ü.wert** *m* transfer value

Übergang *m* 1. transition, switch(-over); 2. § transfer, devolution, subrogation of rights, traverse; 3. *(Wechsel)* transition, change, switch; 4. 🚗/🚂 crossing, passage; 5. *(Grenze)* checkpoint

Übergang des Eigentums devolution of title, passage of ownership; **~ Ersatzanspruchs** subrogation; **Ü. für Fußgänger** pedestrian crossing; **Ü. der Gefahr** passage of risk; **Ü. kraft Gesetzes** assignment by operation of law; **Ü. zur Handarbeit/-fertigung** manualization; **Ü. von Todes wegen** devolution upon death, transfer by death; **~ Vermögen** transfer of property

schienengleicher Übergang level *[GB]*/grade *[US]* crossing

Übergangs|- transitional; **Ü.abkommen** *nt* transitional agreement; **Ü.bahnhof** *m* transfer station; **Ü.bereich** *m* transient area; **Ü.bedingungen** *pl* conditions of acceptance; **Ü.bestimmungen** *pl* provisional/temporary regulations, transition(al) provisions/arrangements, temporary/transitory provisions; **Ü.- und Schlussbestimmungen** transitional and concluding provisions; **Ü.erscheinung** *f* temporary phenomenon; **Ü.fahrkarte** *f* transfer ticket; **Ü.finanzierung** *f* interim finance; **Ü.funktion** *f* 🖳 transient response; **Ü.geld** *nt* severance pay; **Ü.gesetz** *nt* provisional/interim law; **Ü.haushalt** *m* interim/transitional budget; **Ü.hilfe** *f* stop-gap/interim aid; **Ü.jahr** *nt* transitional year; **Ü.kabinett** *nt* caretaker cabinet; **Ü.kleidung** *f* interseasonal clothing; **Ü.konto** *nt* transit/suspense account; **ü.los** *adj* without a transition; **Ü.lösung** *f* interim solution, temporary arrangement; **Ü.maßnahme** *f* transitional measure; **Ü.mechanismus** *m* transitional mechanism; **Ü.periode** *f* interim/transition period; **Ü.phase** *f* transition/transitional period, transitional stage; **Ü.posten** *m* deferred/suspense item(s); **Ü.punkt** *m* crossing point; **Ü.regelung** *f* interim/transitional arrangement; **Ü.regierung** *f* caretaker/provisional government; **Ü.stadium** *nt* transition(al) stage/period, limbo; **Ü.station** *f* 🚂 transfer station; **Ü.stelle** *f* checkpoint, crossing point; **Ü.stellung** *f (Personal)* staging post; **Ü.tarif** *m* interim rate; **Ü.vergütung** *f* carry-over payment; **Ü.verwaltung** *f* interim administration; **Ü.vorschriften** *pl* transitional provisions; **Ü.wahrscheinlichkeit** *f* ▦ transition probability; **ü.weise** *adj* transitional; **Ü.wert** *m* ⊖ frontier-crossing value; **Ü.zahlung** *f* transitional payment; **Ü.zeit** *f* transition(al) period/stage/phase, interim/intervening period; **Ü.zustand** *m* transitional state

übergeben *v/t* to surrender/transfer/deliver/commit, to hand/turn over; *v/refl* to vomit, to throw up; **ü.** *adj* delivered, surrendered

Über|geber(in) *m/f* § surrenderor; **Ü.gebot** *nt* overbid, higher bid; **ü.gebührlich** *adj* undue

Übergehen *nt* *(in der Reihenfolge)* leapfrogging; **ü.** *v/t* 1. to pass (over), to skip, to leave out; 2. to leapfrog; 3. to ignore/neglect; **ü. auf** 1. to pass to; 2. § to devolve on/upon; **ü. in** to pass/merge into; **ü. zu** to switch/proceed to; **stillschweigend ü.** to pass over in silence; **stufenweise ü. lassen** to gradate

Übergehung *f* 1. disregard; 2. *(Erbschaft)* preterition, pretermission

über|gekauft *adj* *(Börse)* overbought; **ü.genau** *adj* fussy, overparticular, meticulous, punctilious; **ü.geordnet** *adj* 1. overriding, paramount (to); 2. senior, higher-ranking; 3. *(Stelle)* higher; **Ü.gepäck** *nt* excess luggage *[GB]*/baggage *[US]*; **ü.geschäftig** *adj* overbusy; **Ü.gewicht** *nt* 1. overweight, surplus/excess weight; 2. prevalence, preponderance, overbalance; 3. ✈ excess baggage; **zahlenmäßiges Ü.gewicht** weight of numbers; **Ü.gewinn** *m* 1. excess profit; 2. *(Goodwill)* surplus earnings; **Ü.gewinnsteuer** *f* excess profits tax; **ü.greifen** *v/i* 1. § to encroach/infringe (upon sth.), to spread; 2. to straddle; **ü.greifend** *adj* comprehensive, general; **Ü.grenzprovision** *f* commission for additional sales; **Ü.griff** *m* 1. encroachment, infringement, impingement, inroad, incursion; 2. § trespass; **ü.groß** *adj* 1. outsized, oversize(d); 2. enormous; **Ü.größe** *f* outsize, king-size, overproportion, oversize; **in Ü.größe** oversized

Überhandnehmen *nt* prevalence, spread; **ü.** *v/i* to spread/proliferate, to be rife/rampant, to get out of control

Überhang *m* 1. backlog, overhang; 2. surplus, excess, glut; **Ü. der Aktiva** excess of assets; **Ü. an Arbeitskräften** surplus labour, overmanning; **~ Aufträgen** backlog of orders; **Ü. alter Bauvorhaben** carry-over of old projects

überhängen *v/i* to overhang; **ü.d** *adj* overhanging, projecting

Überhangmandat *nt* *(Parlament)* excess seat

überhäuf|en *v/t* to swamp/deluge/overstock/overheap/overwhelm/plaster *(coll)*; **jdn mit etw. ü.en** to lavish sth. on so.; **ü.t** *adj* glutted, swamped, inundated; **Ü.ung** *f (Markt)* glut

überheblich *adj* overbearing, high-handed, arrogant, presumptuous; **ü. sein** to domineer; **Ü.keit** *f* overbearance, high-handedness, arrogance

überhitz|en *v/t* to overheat; **Ü.ung** *f* overheating, overheated boom, overstrain

überhöht *adj* excessive, inflated, exorbitant; **preislich ü.** overpriced

Überhöhung *f* exaggerated rise

Überholen *nt* overtaking, passing; **Ü. verboten** no overtaking/passing; **ü.** *v/t* 1. to overtake/pass; 2. to get ahead of so., to outpace/outstrip/outrun; 3. to overhaul/recondition; **gründlich ü.** to overhaul thoroughly

Überholspur *f* overtaking/inside/fast lane

überholt *adj* 1. obsolete, outdated; 2. reconditioned

Überholung *f* overhaul, reconditioning; **Ü. der Beförderungsmittel** ⊖ boarding and searching of means of transport; **technische/technisch-wirtschaftliche/wirtschaftliche Ü.** obsolescence; **ü.sbedürftig** *adj* in need of overhaul

Überhol|verbot *nt* no overtaking/passing; **Ü.vorgang** *m* overtaking, passing

überhören *v/t* to ignore, to turn a deaf ear (to sth.)

Über|industrialisierung *f* overindustrialization; **ü.investieren** *v/i* to overinvest

Überinvestition *f* overinvestment, excessive investment; **güterwirtschafliche/reale Ü.stheorie** nonmonetary overinvestment theory; **monetäre Ü.stheorie** monetary overinvestment theory

Überkapazität *f* excess/surplus/redundant capacity, overcapacity, capacity overshoot; **branchenweite Ü.** industry overcapacity

überkapitalisier|en *v/t* to overcapitalize; **ü.t** *adj* overcapitalized, top-heavy, highly geared; **Ü.ung** *f* overcapitalization, high gearing

über|kauft *adj* *(Markt)* saturated; **Ü.kompensation** *f* overcompensation; **ü.kompensieren** *v/t* to overcompensate, to more than compensate; **Ü.konjunktur** *f* runaway boom, overheating (of the economy), overstrain; **ü.korrekt** *adj* overcorrect; **ü.kreditieren** *v/t* to overcredit

Überkreuz|kompensation *f* cross-offsetting; **Ü.mandat** *nt (AG)* interlocking directorate; **Ü.verflechtung** *f* interlocking relationships/shareholding, corporate interlock

über|kritisch *adj* ultra-critical, hypercritical; **ü.laden** *v/t* 1. to overcharge; 2. to overload/overburden/overheap, to weigh down; *adj* surcharged, overweighted, overladen; **Ü.ladung** *f* 1. overcharge, surcharge; 2. overloading; **Bord/Bord-Ü.ladung** ship-to-ship trans(s)hipment; **ü.lagern** *v/t* 1. to overlap; 2. to superimpose; 3. to disguise/conceal

Überlagerung *f* 1. overlapping; 2. overlay; **Ü.seffekt** *m* carry-over effect; **Ü.sfenster** *nt* pop-up window

Überland|- overland, cross-country, interurban; **Ü.bus** *m* country bus, coach; **Ü.fracht** *f* trucking shipment; **Ü.frachtsatz** *m* truck rates *[US]*; **Ü.leitung** *f* 1. long-haul land line; 2. power line; 3. cross-country line; **Ü.netz** *nt* (national) grid; **Ü.omnibus** *m* motor coach; **Ü.post** *f* overland mail *[US]*; **Ü.sendung** *f* trucking shipment *[US]*; **Ü.straße** *f* cross-country road; **Ü.-strom** *m* long-distance electricity; **Ü.transport** *m* long-distance transport/haulage; **Ü.verkehr** *m* overland transport; **Ü.weg** *m* overland route

überlapp|en *v/t* to overlap/interleave; **Ü.ung** *f* overlap(ping)

überlassen *v/t* 1. to surrender/cede/relinquish/leave/yield; 2. to abandon; **jdm etw. ü.** to relinquish sth. to so.; **jdn sich selbst ü.** to leave so. to his (own) devices *(coll)*; **entgeltlich ü.** to sell for a consideration; **käuflich ü.** to sell; **leihweise ü.** to lend; **mietweise ü.** to let (for hire)

Überlassung *f* 1. surrender, cession, relinquishment, transfer, abandonment; 2. assignment; 3. sale

Überlassung der Erfindung permitting the use of the invention; **Ü. zum allgemeinen Gebrauch** dedication; **Ü. zur Nutznießung** assignment for beneficial use; **Ü. von Verkaufsrechten** franchising; **~ Wirtschaftgütern** transfer of assets or their use

schenkungsweise Überlassung donation; **unentgeltliche Ü.** gift, gratuitous surrender; **bedingte zollamtliche Ü.** conditional release

Überlassungs|nehmer *m* transferee; **Ü.urkunde** *f* transfer deed, instrument of transfer; **unterzeichnete Ü.urkunde** executed instrument of transfer; **Ü.vertrag** *m* agreement of transfer of possession

Überlast *f* 1. overload, overburden; 2. surcharge; **ü.en** *v/t* 1. to overload/overtax/overburden; 2. to surcharge; **sich ü.en** to bite off more than one can chew *(fig)*; **ü.et** *adj* overloaded, overweighted, overladen, strained

Überlastung *f* 1. overloading, overburden; 2. overcharge, surcharge; 3. stress, strain; **Ü.sgeld** *nt* excess luggage *[GB]*/baggage *[US]* charge

Überlauf *m* overflow; **Ü.anzeiger** *m* overflow indicator; **Ü.behälter** *m* overflow basin; **Ü.effekt** *m* spillover effect

Überlaufen *nt* 1. overflowing, spillage; 2. desertion, defection; **ü.** *v/i* 1. to overrun/overflow; 2. to desert/defect; *adj* overcrowded, overrun

Überläufer *m* turncoat, deserter, renegade, defector

Überlauf|rohr *nt* overflow pipe; **Ü.satz** *m* nonhome/overflow record; **Ü.ventil** *nt* overflow valve

Überleben *nt* survival; **Ü. der Menschheit** survival of mankind; **es geht ums Ü.** it's a matter of life and death; **wirtschaftliches Ü.** economic survival

überleben *v/t* to survive/outlast/outlive; **ü.d** *adj* surviving; **Ü.de(r)** *f/m* survivor

Überlebens|ausrüstung *f* survival kit; **Ü.chance** *f* chance(s) of survival; **Ü.fall** *m* survivorship, case of survival; **ü.groß** *adj* above life-size; **Ü.kampf** *m* struggle for survival; **Ü.klausel** *f* survivorship clause; **Ü.plan** *m* survival plan; **Ü.rate** *f* survival rate

Überlebensrente *f* survivorship annuity; **einseitige Ü.** reversionary/survivorship annuity; **gemeinsame Ü.** joint and survivor annuity

Überlebens|tafel *f* survivorship table; **Ü.vermutung** *f* *(Lebensvers.)* presumption of survival; **Ü.versicherung** *f* survivorship insurance; **wechselseitige Ü.versicherung** joint (life/survivorship) insurance; **Ü.wahrscheinlichkeit** *f* survivorship probability

überlebt *adj* antiquated, out of date, obsolete, outdated; **sich ü. haben** to have had one's day

überlegen *v/t* to consider/think/reflect/deliberate; *v/refl* to give thought to sth.; **sich etw. noch einmal gut ü.** to think twice about (doing) sth.; **etw. hin und her ü.** to look at sth. from every angle; **nochmals ü.** to reconsider; **sich etw. reiflich ü.** to think twice about sth., to give sth. careful consideration

überlegen *adj* superior; **weit ü.** streets ahead *(coll)*; **zahlenmäßig ü.** superior in number; **jdm ü. sein** to be a cut above so. else, to have the edge on so., ~ the advantage of so.; **jdm haus-/turmhoch ü. sein** to be head and shoulders above so. *(coll)*; **jdm weit ü. sein** to outclass so.; **zahlenmäßig ü. sein** to outnumber, to have the advantage of numbers

Überlegenheit *f* superiority, ascendancy; **technische Ü.** engineering superiority

überlegt *adj* 1. deliberate, considerate; 2. § prepense; **sich etw. noch einmal ü. haben** to have had second thoughts about sth.; **gut ü.** well advised; **Ü.heit** *f* prudence

Überlegung *f* consideration, deliberation, reflection, calculation

finanzielle Überlegung|en financial considerations; **bei nochmaliger Ü.** on second thought(s); **preispolitische Ü.en** considerations of price policy; **reifliche/sorgfältige Ü.** careful consideration; **nach reiflicher/sorgfältiger Ü.** after due consideration, after careful/due deliberation; **steuerliche Ü.en** tax considerations; **aus steuerlichen Ü.en** for tax reasons

Überlegungsfrist *f (Streik)* cooling-off period, compulsory delay *[US]*

überleiten (auf) *v/ti* 1. to switch (to), to lead up (to); 2. to transfer to

Überleitung *f* transition, transference; **Ü. von ... zu** passage from ... to

Überleitungs|anzeige *f* notice of transfer; **Ü.bestimmungen/Ü.vorschriften** *pl* transition(al) provisions; **Ü.gesetz** *nt* transitional act; **Ü.regelung** *f* transitional regulation; **Ü.vertrag** *m* transition agreement

überlesen *v/t* 1. to peruse, to glance over; 2. to skip/miss

überliefer|n *v/t* to transmit, to hand down; **Ü.ung** *f* tradition; **mündliche Ü.ung** oral tradition

Überliege|gebühr/Ü.geld *f/nt* ⚓ demurrage; **Ü.(geld)-klausel** *f* demurrage clause; **Ü.tage/Ü.zeit** *pl/f* demurrage days

Über|liquidität *f* excess/surplus liquidity; **ü.listen** *v/t* to outsmart/outwit; **Ü.lochung** *f* 💻 overpunch; **ü.machen** *v/t* 1. to make over; 2. to remit/transfer; **Ü.macht** *f* superiority, supremacy; **ü.mächtig** *adj* superior, powerful; **Ü.machung** *f* 1. making over; 2. transfer, remittance

Übermaß *nt* excess, overmeasure; **im Ü.** to excess; ~ **produzieren** to overproduce

über|mäßig *adj* 1. excessive, undue, unreasonable, heavy; 2. *(Preis)* extortionate, exorbitant; **ü.mechanisiert** *adj* overmechanized; **Ü.mensch** *m* superman; **ü.menschlich** *adj* superhuman; **ü.mitteln** *v/t* to send/communicate/convey/relay/transmit/forward

Übermittlung *f* sending, transmission, communication, transmittal; **Ü. von Beweisstücken** transmitting articles to be produced in evidence; ~ **Daten** data dissemination/communication; **unrichtige Ü.** mistaken transmittal; **Ü.sfehler** *m* transmission error; **Ü.sgebühr** *f* remittance fee; **Ü.szeit** *f* transmission time

über|müdet *adj* dead tired, worn out; **Ü.müdung** *f* excessive fatigue; **Ü.mut** *m* exuberance; **ü.mütig** *adj* exuberant, perky

Übernachfrage *f* excess/surplus demand, excess of demand; **Ü.inflation** *f* demand-pull inflation

übernachten *v/i* to stay overnight/the night, to put up for the night; **im Freien ü.** to sleep rough, to rough it *(coll)*

Übernachtung *f* overnight stay; **Ü. mit Frühstück** bed and breakfast (B&B); **Ü.sgeld** *nt* overnight allowance; **Ü.skosten** *pl* overnight/hotel expenses; **Ü.smöglichkeiten** *pl* overnight accommodation; **Ü.szahl** *f* number of overnight stays, occupancy rate

Übernahme *f* 1. take-up, adoption, taking on board; 2. *(Firma)* takeover, acquisition, taking-over; 3. receipt; 4. taking of possession; 5. *(Pflicht)* assumption; 6. *(Verantwortung)* acceptance; 7. *(Risiko)* underwriting; **seit Ü.** since taking over; **vor der Ü. sicher** bid-proof

Übernahme eines Amtes assumption of office; **Ü. in das Angestelltenverhältnis** transfer to the salary payroll; **Ü. einer Anleihe** negotiation of a loan; **Ü. des Ausfallrisikos** assumption of credit risk; **Ü. an Bord** taking on board; **Ü. von Bürgschaften** granting of guarantees; ~ **Effektenemissionen** underwriting of new issues; **Ü. durch Gebietsfremde** foreign takeover; ~ **die Geschäftsführung** management takeover; **Ü. der Haftung** assumption of liability; ~ **Hypothek** assumption of mortage; **Ü. von Industrieschuldverschreibungen** corporate underwriting; **Ü. der Kurssicherung** fixing the forward exchange rates; ~ **Macht** assumption of power; **Ü. durch das Management** management buy-out (MBO)/takeover; **Ü. eines Nachlasses** assumption of a succession; **Ü. einer Publikumsgesellschaft durch eine Personengesellschaft** reverse takeover; **Ü. der Regierungsgewalt** assumption of government; **Ü. eines Risikos** assumption of a risk; **Ü. des Schadens durch die jeweilige Versicherungsgesellschaft** knock-for-knock agreement; **Ü. von Schulden** assumption of liabilities, taking over of debts; **Ü. durch den Staat** state takeover; **Ü. eines großen Unternehmens durch ein kleineres** reverse takeover; **Ü. als Unterversicherer/-versicherung** sub-underwriting; **Ü. von Verbindlichkeiten** assumption of liabilities; **Ü. einer Versicherung** underwriting of a policy

unfreundliche Übernahme vereiteln to frustrate an unwelcome takeover

feste Übernahme *(Emission)* underwriting guarantee, firm commitment underwriting; **freundliche Ü.** friendly takeover; **umkämpfte/umstrittene Ü.** contested takeover; **unfreundliche Ü.** hostile/unfriendly takeover; **vertikale Ü.** vertical takeover

Übernahmeabkommen *nt* 1. takeover agreement; 2. *(Emission)* underwriting agreement

Übernahmeangebot *nt* bid, takeover bid/offer, tender offer *[US]*, corporate takeover proposal; **Ü. mit Barabfindung und Aktientausch** cash and equity offer; **Ü. ohne Vorverhandlungen** bear hug *(coll)*; **Ü. un-**

terbreiten to launch a takeover bid; **erfolgloses Ü.** abortive bid; **feindliches Ü.** hostile bid; **rivalisierendes Ü.** rival bid; **unangefochtenes Ü.** uncontested bid

Übernahme|bedingungen *pl* conditions of acceptance, bid terms, underwriting conditions; **Ü.bescheinigung (des Spediteurs)** *f* forwarder's receipt, confirmatory note *[US]*; **Ü.beschluss** *m (AG)* takeover resolution; **Ü.betrag** *m (Börse)* subscription price/quota, amount subscribed; **revolvierende Ü.fazilität** revolving underwriting facility (RUF); **Ü.garantie** *f (Emission)* underwriting guarantee; **Ü.gebühr** *f (Effekten)* underwriting fee; **Ü.gerüchte** *pl* takeover speculation, bid talk; **Ü.gesetz** *nt* adopting law; **Ü.gewinn** *m* takeover gain; **Ü.gründung** *f* foundation in which founders take all shares; **Ü.interesse** *nt* predatory interest; **Ü.interessent** *m* prospective buyer, would-be bidder; **Ü.kampf** *m* takeover/bid battle; **Ü.kandidat** *m* takeover candidate/target; **Ü.konnossement** *nt* received-for-shipment bill of lading (B/L)

Übernahmekonsortium *nt* 1. takeover consortium, board company, purchase/sponsoring group, purchasing/takeover syndicate; 2. *(Vers.)* underwriting syndicate/group; **Ü. für nicht abgesetzte Bezugsrechte** standby underwriters; **~ Obligationen** bonding underwriters

Übernahme|kurs/Ü.preis *m* takeover/underwriting/negotiation/transfer price; **Ü.offerte** *f* takeover bid; **Ü.provision** *f* underwriting commission; **Ü.prüfung** *f* acquisition review; **Ü.recht** *nt* right to take over; **Ü.risiko** *nt* takeover risk, risk of non-acceptance; **Ü.satz** *m* lump sum; **Ü.schein** *m* 1. (certificate of) receipt; 2. ⚓ dock receipt; **Ü.schlacht** *f* takeover/bid battle, merger contest; **Ü.spesen** *pl* underwriting fee; **Ü.spezialist** *m* buyout specialist; **Ü.strategie** *f* acquisition strategy; **Ü.syndikat** *nt* underwriting syndicate; **Ü.transaktion** *f* takeover transaction; **ü.verdächtig** *adj* bid-prone; **Ü.verhandlungen** *pl* takeover negotiations; **Ü.verlust** *m* loss on takeover; **Ü.verpflichtung** *f* underwriting commitment/obligation

Übernahmevertrag *m* 1. purchase contract, subscription/takeover/acquisition agreement, indenture of assumption; 2. *(Emission)* underwriting contract; **Ü. für nicht abgesetzte Bezugsrechte** standby agreement; **~ ein leeres Schiff** bareboat charter

Übernahmezeitpunkt *m* date of acquisition

über|national *adj* supranational; **ü.natürlich** *adj* supernatural, miraculous

übernehmen *v/t* 1. to take over/up, to adopt/accept; 2. *(Aufgabe)* to undertake/assume, to take on; 3. *(Kosten)* to bear; 4. *(Ladung)* to take delivery, ~ on board; *v/refl* to overdo it, to overextend/overreach o.s., to overwork, to put o.s. out, to burn the candle at both ends *(fig)*

fest übernehmen to take firm; **sich finanziell ü.** to overstretch one's resources, to become overextended; **freiwillig ü.** to volunteer to do; **voll ü.** *(Emission)* to subscribe in full

Übernehmer *m* 1. surrenderee, receiver, consignee; 2. *(Bezogener)* drawee; 3. *(Wechsel)* endorsee; 4. *(Rechtsnachfolge)* assignee; **Ü. einer beweglichen Sache** § bailee

über|ordnen *v/t* to give priority (to), to superordinate/super(im)pose; **Ü.organisation** *f* overorganisation; **ü.organisieren** *v/t* to overorganise; **ü.örtlich** *adj* supralocal

Überpari|- above par; **Ü.ausgabe/Ü.emission** *f* above-par issue, capital in excess of par value, issue above par, ~ at a premium; **Ü.kurs** *m* above-par price

Über|parität *f* 1. supra parity; 2. *(Gewerkschaften)* union dominance; **ü.parteilich** *adj* non-party, non-partisan, above party lines; **ü.penibel** *adj* overparticular; **ü.periodisch** *adj* extra-periodic; **Ü.pfändung** *f* excessive distraint; **ü.planmäßig** *adj* unscheduled, supernumerary, non-schedule; **Ü.prämie bei Kündigung durch Versicherungsnehmer** *f* short rate; **Ü.preis** *m* surcharge, premium/supplementary/excessive price, overcharge; **Ü.produktion** *f* overproduction, surplus/excess production; **landwirtschaftliche Ü.produktion** farm overproduction/surplus; **ü.produzieren** *v/t* to overproduce; **Ü.proportion** *f* overproportion; **ü.proportional** *adj* disproportionate, exponential; **Ü.provision** *f (Vers.)* overriding commission

überprüfen *v/t* 1. to review/examine/revise/check (up)/scrutinize; 2. to make checks, to look over/through; 3. to cross-check; 4. to approve; 5. *(Person)* to vet/screen; 6. *(Bilanz)* to audit; 7. *(Entscheidung)* to reconsider; 8. to overhaul; **doppelt ü.** to double-check; **erneut ü.** to re-examine, to take a fresh look (at sth.); **genau ü.** to scrutinize; **genauestens ü.** to cross-check

überprüft *adj* audited, verified; **nicht ü.** unaudited; **ü. werden** to be under investigation

Überprüfung *f* 1. review, revision, examination, check, verification, investigation; 2. check-up, checking, inspection, tally; 3. *(Person)* screening, vetting; 4. *(Bilanz)* scrutiny, audit; 5. overhaul

Überprüfung einer Aussage verification of a statement; **Ü. von Berichtsdaten** referencing; **Ü. der Betriebsabläufe** operational review; **~ Betriebsfähigkeit** operational audit; **~ Betriebssicherheit** safety inspection; **~ Geschworenen** § jury vetting; **~ Kostenrechnung** review of costs; **~ Lage** review of the situation; **~ Managementfunktionen** management review; **~ Personalien** *(Polizei)* identity check; **Ü. des Personalwesens** personnel audit; **Ü. der Politik** policy review; **Ü. durch Stichproben** sampling inspection; **Ü. eines Urteils durch die Rechtsmittelinstanz** review on appeal; **gerichtliche Ü. von Verwaltungsakten; Ü. der Vorinstanzentscheidung** § judicial review

zur Überprüfung anstehen to come up for review; **einer Ü. standhalten** to stand up to examination; **~ nicht standhalten** not to bear looking into; **zur gerichtlichen Ü. vorlegen** to submit for judicial review

betriebliche Überprüfung operational audit(ing); **flüchtige Ü.** cursory examination; **genaue Ü.** scrutiny, close check; **gerichtliche Ü.** judicial review; **jährliche Ü.** annual review; **letzte Ü.** checkout; **bei näherer Ü.** on closer examination; **sorgfältige Ü.** scrutiny; **stichprobenartige Ü.** spot check

Überprüfungs|ausschuss *m* review board; **Ü.befug-**

nis(se) *f* powers of audit; **Ü.behörde** *f* review board, board of review; **Ü.kommission** *f* review panel; **ü.-pflichtig** *adj* subject to inspection; **Ü.recht** *nt* right of inspection; **Ü.verfahren** *nt* review procedure; **Ü.vermerk** *m* approval; **Ü.vorgang** *m* review/auditing procedure

über|quellen *v/i* to spill over, to overflow/abound; **ü.queren** *v/t* to cross/overpass; **Ü.querung** *f* crossing

überragen *v/t* to dwarf/outdo/top/overtower/overreach; **jdn haushoch ü.** to be head and shoulders above so.; **ü.d** *adj* 1. excellent, brilliant; 2. paramount, preeminent, commanding

jdn überrasch|en *v/t* to take/catch so. by surprise, to catch so. unawares; **total ü.en** to nonplus; **ü.end** *adj* surprising, striking, unexpected, astonishing; **ü.t** *adj* surprised, astonished, taken aback, taken by surprise, non-plussed

Überraschung *f* surprise, surprisal; **unangenehme Ü.** nasty surprise, rude shock

Überraschungs|angriff *m* 1. swoop, surprise attack; 2. *(Börse)* dawn raid; **Ü.besuch** *m* cold call; **Ü.coup** *m* dawn raid; **Ü.gewinn** *m* windfall profit; **Ü.prüfung der Kasse** *f* surprise cash count; **Ü.streik** *m* lightning strike; **Ü.verluste** *pl* windfall losses

über|reagieren *v/i* to overreact/overshoot; **Ü.reaktion** *f* overreaction

Überreden *nt* (per)suasion; **ü.** *v/t* to persuade/coax; **jdn. ü.** to win so. over/around, to convince so.; **jdn zu etw. ü.** to talk/cajole so. into (doing) sth.; **sich ü. lassen** to come round

Überredung *f* persuasion, suasion; **Ü.s-** persuasive; **Ü.skünste** *pl* 1. powers of persuasion; 2. sales talk

über|regional *adj* nationwide, supraregional, national; **ü.reichen** *v/t* to present, to hand (sth. to so.), to hand over; **ü.reichlich** *adj* ample, overabundant, lavish; **Ü.reichung** *f* presentation; **ü.reif** *adj* overripe; **ü.repräsentiert** *adj* overrepresented

Überrest *m* residue, remains, remainder, fragment; **Ü.e** *(Vers.)* salvage; **sterbliche Ü.e** mortal remains

über|rollen *v/t* to roll over; **Ü.rollungsbudget** *nt* rollover budget; **jdn ü.rumpeln** *v/t* to catch so. by surprise, ~ on the hop *(coll)*; **Ü.rumpelungstaktik** *f* surprise tactics; **ü.runden** *v/t* to outrun/overtake/outdistance; **ü.sät mit** *adj* littered with; **ü.sättigen** *v/t* to glut

Über|sättigung *f* 1. glut, oversaturation; 2. *(Person)* surfeit; ~ **mit Reklame** oversaturation with advertising; **Ü.säuerung** *f* ⚗ over-acidification; **Ü.schaden** *m* excess of loss

Überschall|- supersonic; **Ü.(verkehrs)flugzeug** *nt* supersonic airliner; **Ü.knall** *m* ✈ sonic bang/boom

über|schatten *v/t* to overshadow; **ü.schätzen** *v/t* 1. to overestimate/overvalue/overrate/overprize; 2. *(Steuer)* to overassess; **Ü.schätzung** *f* 1. overvaluation, overestimate; 2. *(Steuer)* overassessment; ~ **des Kapitals** overcapitalization; **Ü.schau** *f* survey, overview, synopsis; **ü.schaubar** *adj* clear, manageable, limited, straightforward; **ü.schäumen** *v/i* to boil over; **Ü.-schicht** *f* extra shift; **ü.schießen** *v/t* to exceed/surpass

Überschlag *m* rough estimate, computation; **im Ü.** roughly; **Ü. machen** to make an estimate; **annähernder Ü.** *m* approximate calculation; **grober Ü.** rough estimate

überschlagen *v/t* to (make an) estimate, to compute/project; *v/refl* to overturn, to turn over/turtle *(fig)*

über|schlägig/ü.schläglich *adj* ground, rough

Überschlags|rechnung *f* rough estimate/calculation; **Ü.zahlen** *pl* rough figures, ball park figures *[US]*

Überschmutzung *f* contamination

überschneid|en *v/refl* 1. to overlap/intersect/coincide; 2. to slash; **Ü.ung** *f* 1. overlap(ing), intersection; 2. clash

Überschreiben *nt* 1. transfer; 2. overwriting; **ü.** *v/t* 1. to transfer/deed *[US]*; 2. to make over; 3. to overwrite; **jdm etw. ü.** to settle sth. on so.

Überschreibung *f* 1. transfer, settlement; 2. *(Grundstück)* conveyance; **Ü. von Eigentum** settlement of property; **Ü.surkunde** *f* deed of conveyance

nicht überschreitbar *adj* unextendable

Überschreiten *nt* 1. § transgression; 2. *(Grenze)* crossing; **Ü. der zulässigen Geschwindigkeit** 🚗 exceeding the speed limit, speeding; ~ **geplanten Kreditaufnahme der öffentlichen Hand** overshoot of the public sector borrowing requirement (PSBR)

überschreiten *v/t* 1. to exceed/top; 2. to surpass/overstep/pass; 3. to go beyond; 4. to stretch; 5. to overstep; 6. § to transgress

Überschreitung *f* 1. overrun, excess; 2. § transgression

Überschreitung der Amtsbefugnisse/-gewalt abuse of authority; **Ü. verliehener Befugnisse** § ultra-vires *(lat.)* act; **in Ü. der Bestellung** in excess of order; ~ **Enteignungsbefugnis** excessive condemnation; **Ü. des Etats/Haushalts** exceeding the budget, budget overrun; **Ü. der Höchstgeschwindigkeit** 🚗 speeding, exceeding the speed limit *[GB]*, speeding violation *[US]*; **Ü. des Kostenvoranschlags** cost overrun; **Ü. der Notwehr** non-justifiable self-defence; ~ **Satzungsbefugnisse/Vollmachten** acting ultra vires *(lat.)*, ultra vires act, excess of authority, exceeding one's powers; ~ **Zuständigkeit** exceeding one's competence

überschrieben *adj* 1. headed; 2. *(Grundstück)* conveyed

Überschrift *f* heading, caption, headline, title, head; **Ü.szeile** *f* column head

überschuld|en *v/refl* to overextend os.; **ü.et** *adj* 1. overindebted, overborrowed, debt-ridden, overextended; 2. *(Haus)* heavily mortgaged, encumbered

Überschuldung *f* 1. overindebtedness, excessive indebtedness/debts, overextension; 2. *(Bilanz)* excess of liabilities over costs/assets, liabilities in excess of assets; 3. heavy mortgaging, encumbrance; 4. *(Kapital)* impairment; **Ü.sbilanz** *f* statement of overindebtedness; **Ü.snachweis** *m* proof of insolvency/encumbrance

Überschuss *m* surplus, glut, excess, spillover, overrun, balance, margin; **Überschüsse** surplus funds

Überschuss der Aktiva über die Passiva surplus of assets over liabilities; **Ü. an Arbeitskräften** labour surplus; **Ü. der Dienstleistungsbilanz; Ü. im Dienst-**

leistungsverkehr surplus on invisibles; **Ü. der Einnahmen über Ausgaben** surplus of receipts over expenditures; **Überschüsse und Fehlbeträge** shorts and overs; **Ü. der Geburten über die Todesfälle** excess of births over deaths; **Ü. in der Handelsbilanz** balance of trade surplus; **Ü. des Kaufpreises über den Buchwert** acquisition excess; **Ü. geplanter Kosten über Istkosten** favourable difference; **Ü. in der Leistungsbilanz** current account (balance) surplus; **Ü. im Warenverkehr** surplus on visibles; **Ü. der Zahlungsbilanz** balance of payments surplus, external surplus; **Ü. aus Zinsen und Provisionen** net income from interest and commissions

mit einem Überschuss abschließen to close with a surplus; **Ü. aufweisen** to show a surplus; **Ü. erwirtschaften/erzielen** to make/strike/run a surplus; **Ü. verzeichnen** to be in the black, ~ in surplus, to show a surplus

angesammelte Überschüsse surpluses accrued; **buchmäßiger/rechnerischer Überschuss** book surplus; **einbehaltener Ü.** retained surplus; **landwirtschaftlicher Ü.** agricultural surplus; **reiner Ü.** net surplus; **strukturbedingter/struktureller Ü.** structural surplus; **(versicherungs)technischer Ü.** technical underwriting profit; **frei verfügbarer Ü.** disposable surplus

Überschuss|- surplus, spare; **Ü.aktien** *pl* excess shares; **Ü.anteil** *m* profit share; **Ü.ansammlung** *f* surplus accumulation; **Ü.bestände** *pl* surplus stocks

Überschussbeteiligung *f* surplus/profit sharing; **ohne Ü.** non-participating; **Ü.ssystem** *nt* surplus sharing scheme

Überschuss|betrag *m* surplus amount, (amount of) excess; **Ü.bildung** *f* surplus formation; **Ü.dividende** *f* surplus dividend; **Ü.dumping** *nt* surplus dumping; **Ü.einnahmen** *pl* surplus receipts; **Ü.erzeugnisse** *pl* surplus products; **Ü.finanzierung** *f* cash flow financing; **Ü.fonds** *m* surplus fund; **Ü.gebiet** *nt* surplus production area; **Ü.gelder** *pl* surplus funds; **Ü.güter** *pl* surplus goods; **Ü.guthaben** *nt* surplus/excess balance, net accumulation

überschüssig *adj* excess, surplus, abundant, excessive, spare, redundant

Überschuss|kasse *f* bank liquidity, liquidity of a bank; **Ü.konto** *nt* surplus account; **Ü.land** *nt* surplus country; **Ü.marge** *f (Effektenkredit)* excess equity; **Ü.maß** *nt (Portfolio)* excess return measure; **Ü.material** *nt* excess material; **Ü.menge** *f* amount in excess; **Ü.nachfrage** *f* excess demand; **Ü.nachfrageinflation** *f* excess demand inflation; **Ü.posten** *m* surplus item; **Ü.produkte** *pl* surplus products; **Ü.produktion** *f* surplus production, excess output; **Ü.rechnung** *f* cash receipts and disbursements method, bill of receipts and expenditures; **Ü.reserve** *f* surplus fund(s), excess reserves/cash, idle money; **ohne Ü.reserven** *(Fonds)* fully invested; **Ü.risiko** *nt* excess return; **Ü.rückstellung** *f (Vers.)* bonus reserve, life profit reserve; **Ü.sparen** *nt* surplus saving; **Ü.zahlung** *f* dividend payment

überschütten *v/t* to shower/overwhelm/plaster; **jdn mit etw. ü.** to lavish sth. on so.

Über|schwang *m* rapture, exultation; **Ü.schwappeffekt** *m* spillover effect; **ü.schwappen** *v/i* to spill over; **ü.schwemmen** *v/t* 1. to flood/swamp; 2. *(fig)* to inundate/deluge/glut; 3. to congest/overrun

Überschwemmung *f* flood(ing), deluge, overflow

Überschwemmungs|gebiet *nt* flooded area; **Ü.gefahr** *f* danger of flooding; **Ü.katastrophe** *f* flood disaster; **Ü.risiko** *nt* flood risk; **Ü.schaden** *m* flood damage; **Ü.versicherung** *f* flood insurance

Übersee overseas; **aus/von Ü.** from overseas; **in/nach Ü.** overseas; **nach Ü. gehen** to go overseas

Übersee|- ➔ **Auslands-**; **Ü.auftrag** *m* overseas order; **Ü.bank** *f* overseas bank; **Ü.container** *m* ISO container; **Ü.dampfer** *m* ocean-going steamer/vessel; **Ü.darlehen** *nt* overseas loan; **Ü.erzeugnis** *nt* overseas product; **Ü.filiale** *f* overseas branch; **Ü.fracht** *f* ocean freight; **Ü.gebiet** *nt* overseas territory; **Ü.geschäft** *nt* overseas business/transaction; **Ü.gespräch** *nt* ✆ overseas call; **Ü.hafen** *m* ocean port; **Ü.handel** *m* deep-sea/overseas trade, overseas business; **Ü.hilfe** *f* overseas aid; **Ü.investition** *f* overseas investment

überseeisch *adj* overseas, transoceanic, transatlantic

Übersee|kabel *nt* transatlantic cable; **Ü.koffer** *m* trunk; **Ü.kunde** *m* overseas customer; **Ü.markt** *m* overseas market; **Ü.produkt** *nt* overseas product; **Ü.reise** *f* ocean voyage; **Ü.schiff** *nt* ocean-going vessel; **Ü.schifffahrt** *f* ocean navigation; **Ü.spekulant** *m* merchant (ad)venturer; **Ü.tarif** *m* transatlantic rate; **Ü.transport** *m* ocean transport; **Ü.tratte** *f* bill of overseas drawee; **Ü.umsätze** *pl* overseas sales; **Ü.verbindung** *f* transatlantic service; **Ü.verkehr** *m* ocean transport, overseas traffic; **Ü.verpackung** *f* seaworthy/maritime packing; **Ü.versicherung** *f* overseas insurance; **Ü.vertrag** *m* overseas contract; **Ü.vertretung** *f* overseas agency

überseh|bar *adj* 1. foreseeable; 2. *(Kosten)* assessable; **ü.en** *v/t* to overlook/ignore/miss/neglect, to leave out, to fail to see

übersenden *v/t* 1. to send /transmit; 2. *(Geld)* to remit; 3. to consign/forward; **in bar ü.** to make a cash remittance; **anbei/an-/beiliegend/hiermit ü. wir** please find enclosed, enclosed/attached please find

Übersender *m* 1. sender, forwarder, consignor; 2. *(Geld)* remitter

Übersendung *f* 1. sending, transmission; 2. forwarding, shipment, conveyance; 3. *(Geld)* remittance; **Ü. des Betrags eines Auslandswechsels** bank post remittance; **Ü.skosten** *pl* transport(ation) charges; **Ü.schreiben** *nt* letter of transmittal

übersetz|bar *adj* translatable; **Ü.en** *nt* 1. translating, translation; 2. 🖳 compilation; 3. ⚓ crossing

übersetzen *v/ti* 1. to translate/convert; 2. 🖳 to compile; 3. ⚓ to cross (over); **falsch ü.** to mistranslate; **frei ü.** to translate freely; **sinngemäß ü.** to give the general meaning; **wortgetreu/wörtlich/wortwörtlich ü.** to translate literally, ~ word by word; **sich gut ü. lassen** to translate well; **von maschinenorientierter in problemorientierte Sprache ü.** 🖳 to assemble

Übersetzer(in) *m/f* 1. translator; 2. 🖳 compiler, compilor; **be-/vereidigte(r) Ü.** sworn translator; **freiberufliche(r) Ü.** freelance translator

übersetzt *adj* 1. translated; 2. ✿ geared

Übersetzung *f* 1. translation, rendering; 2. ✿ transmission, gear ratio; **Ü. anfertigen** to make a translation

annähernde Übersetzung rough translation; **autorisierte Ü.** authorized version; **beglaubigte Ü.** certified translation; **falsche Ü.** mistranslation; **freie Ü.** free translation; **genaue Ü.** close/exact/accurate translation; **mündliche Ü.** interpretation; **schlechte Ü.** poor translation; **sinngemäße Ü.** free translation; **ungenaue Ü.** inaccurate translation; **maschinell unterstützte Ü.** machine-aided translation; **wortgetreue/wörtliche/wortwörtliche Ü.** literal/word-for-word translation

Übersetzungs|abteilung *f* translation department; **Ü.anlage** *f* 🖳 source computer; **Ü.büro** *nt* translation agency/bureau; **Ü.fehler** *m* translation error; **Ü.gebühr** *f* translation charge; **Ü.programm** *nt* 🖳 translating routine, compilor, compiler; **Ü.rechte** *pl* translation rights; **Ü.verhältnis** *nt* ✿ gear ratio, gearing; **Ü.zeit** *f* 🖳 compile time

Übersicherung *f* over-securing

Übersicht *f* 1. survey, summary, overview, review, outline, scheme; 2. *(Statistik)* breakdown, chart, table; 3. *(Bilanz)* statement, abstract, rundown; **Ü. über die Vermögenslage** § *(Konkurs)* statement of affairs; **Ü. völlig verloren haben** to be utterly confused, ~ all at sea *(fig)*

analytische Übersicht analytical table; **gedrängte Ü.** condensed review; **kurze Ü.** summary, abstract, profile; **statistische Ü.** statistical table; **tabellarische Ü.** synopsis, table; **vergleichende Ü.** synopsis

übersichtlich *adj* clear

übersichts|artig *adj* synoptic; **Ü.blatt** *nt* general chart; **Ü.darstellung** *f* outline; **Ü.karte** *f* key/general map; **Ü.konto** *nt* summary account; **Ü.plan** *m* plan of site, general plan; **Ü.tabelle** *f* synoptic table; **Ü.tafel** *f* chart; **Ü.zeichnung** *f* outline drawing, layout plan

übersiedeln *v/ti* to (re)settle

Übersiedlung *f* removal, relocation; **Ü.sbeihilfe** *f* removal/relocation allowance; **Ü.sgenehmigung** *f* permission to resettle/relocate; **Ü.sgut** *nt* migrant's effects; **Ü.skosten** *pl* removal/relocation expenses

über|spannen *v/t* to (over)stretch/straddle; **ü.spannt** *adj* overstrained, excessive; **Ü.spannung** *f (Markt)* overstraining; **Ü.spekulation** *f* overtrading; **ü.spielen** *v/t* to overcome/circumvent; **ü.spitzt** *adj* excessive, overstated, overdone, oversimplified; **Ü.spezialisierung** *f* job dilution; **Ü.springen** *nt* leapfrogging; **ü.springen** *v/t* to leapfrog/skip/jump; **Ü.sprung** *m* skip; **ü.staatlich** *adj* supranational; **ü.stehen** *v/t* to survive/weather, to sail through, to ride out; **ü.steigen** *v/t* 1. to exceed, to be in excess of, to top/surpass, to go beyond; 2. to best *[US]*; **wertmäßig ü.steigen** to exceed in value

übersteiger|n *v/t* 1. to overbid/outbid; 2. to raise unduly; **ü.t** *adj* excessive; **Ü.ung** *f* 1. outbidding, overbid; 2. exaggeration

überstell|en *v/t* 1. to transfer, to hand over; 2. § to commit/remand; **Ü.ung** *f* 1. transfer, handing over; 2. § commitment; **Ü.ungsbeschluss** *m* § committal order

Über|sterblichkeit *f (Vers.)* excess mortality; **Ü.steuer** *f* supertax; **ü.steuert** *adj* overgeared; **Ü.steuerung** *f* overloading; **ü.stimmen** *v/t* to outvote/countervote/overrule, to vote down; **ü.strahlen** *v/t* to outshine; **ü.strömen** *v/ti* to overflow

Überstunde(n) *f/pl* overtime

Überstunden abbauen to reduce overtime; **Ü. abgelten** to pay for overtime; **Ü. leisten/machen** to do/work overtime, to put in/clock up overtime; **~ müssen** to be placed on overtime

bezahlte Überstunde paid overtime; **geleistete/verfahrene Ü.n** put-in overtime, overtime hours worked

Überstunden|abbau *m* reduction of overtime; **Ü.arbeit** *f* overtime work(ing); **Ü.ausgleich** *m* compensatory time, time off in lieu; **Ü.betrag** *m* overtime rate; **Ü.bezahlung/Ü.geld/Ü.lohn** *f/nt/m* overtime pay/allowance, premium rate; **Ü.lohnsatz** *m* overtime rate; **Ü.prämie** *f* overtime premium; **Ü.satz/Ü.tarif** *m* overtime rate, rate of overtime pay; **Ü.stopp/Ü.streik/Ü.verbot/Ü.verweigerung** *m/m/nt/f* overtime ban; **Ü.verdienst** *m* overtime earnings; **Ü.vergütung** *f* overtime pay/allowance; **Ü.zeit** *f* overtime hours; **Ü.zulage** *f* → **Überstundenzuschlag**

Überstundenzuschlag *m* time and a half, overtime supplement/allowance/pay/bonus/premium, premium rate; **fünfundzwanzigprozentiger Ü.** time and a quarter; **fünfzigprozentiger Ü.** time and a half; **hundertfünfzigprozentiger Ü.** overtime at time and a half; **zweihundertprozentiger Ü.** overtime at double time

überstürz|en *v/t* to precipitate/rush; **ü.t** *adj* rash, precipitate, headlong; **Ü.ung** *f* rush(ing)

Übertage|- ⚒ surface; **Ü.arbeiter** *m* surface worker; **Ü.belegschaft** *f* surface workers

Über|tara *f* excess (of) tare; **ü.tariflich** *adj* above/beyond the agreed scale, in excess of scale, outside-tariff

überteuer|n *v/t* 1. to overcharge; 2. *(Preis)* to inflate, to force up; **ü.t** *adj* 1. overexpensive; 2. inflated, excessive; **Ü.ung** *f* 1. surcharge, overcharging; 2. forcing up, (over)inflation

übertölpeln *v/t* to dupe

Übertrag *m* 1. balance brought/carried forward, carried down (c.d.), carried over; 2. *(Seitenende)* brought down/forward, carry over/forward, amount carried forward, transfer (trf.); **Ü. auf Bilanzkonto** balance carried to balance sheet; **~ neue Rechnung** brought forward to new account; **Ü. machen** to carry forward; **vollständiger Ü.** complete carry

übertragbar *adj* 1. negotiable, transferable, assignable, grantable, alienable, conveyable; 2. *(Anspruch)* portable; 3. ⚕ infectious, communicable; **ü. durch Urkunde** transferable by deed; **direkt ü.** *(Berührung)* ⚕ contagious; **formlos/frei ü.** freely transferable; **nicht ü.** non-negotiable, non-transferable, not negotiable, unassignable, untransferable, unalienable; **nur urkundlich ü. sein** to lie in grant

Übertragbarkeit *f* 1. negotiability, transferability, assignability, descendibility, alienability; 2. *(Anspruch)* portability; **Ü. des Urlaubsanspruchs (aufs neue**

Jahr) portability of leave; **freie Ü.** free transferability, negotiability

übertragen *v/t* 1. *(Buchung)* to carry forward/over, to post; 2. *(Aufgaben/Amt)* to confer/assign/vest/delegate; 3. § to devolve, to make over, to convey/release/commit; 4. *(Geld)* to transfer/transmit; 5. ☏ to communicate, to pass on; 6. *(Schrift)* to transcribe; 7. *(Radio/Fernsehen)* to broadcast/relay/transmit; 8. to translate/render; **jdm etw. ü.** to entrust so. with sth.; **blanko ü.** to assign in blank; **direkt ü.** *(Radio/Fernsehen)* to broadcast live; **formlos ü.** to negotiate by delivery only; **frei ü.** to transfer freely; **käuflich ü.** to transfer by way of sale; **rechtsgeschäftlich ü.** to transfer title to property, to alienate; **urkundlich ü.** to assign; **wieder ü.** to reassign

übertragen *adj* 1. carried forward/over; 2. *(Bedeutung)* figurative; **ü. werden** to pass

Übertragende(r)/Überträger(in) *f/m* 1. transferor, assignor, endorser, settlor; 2. ☏ carrier

Übertragsbestand *m* carry-over stock(s)

Übertragung *f* 1. *(Buchung)* posting; 2. *(Aufgabe)* delegation, assignment, vesting; 3. § transfer (trf.), conveyance, devolution, cession, alienation, settlement, assignation, release; 4. *(Geld)* transfer (trf), remittance; 5. ☏ communication; 6. *(Schrift)* transcription; 7. *(Radio)* transmission, broadcast, relay; 8. *(Text)* translation, rendering; 9. *(Wechsel)* negotiation; **Ü.en** transfer payments, unilateral transfers

Übertragung durch Abtretung transfer by assignment; **Ü. von Akkordzeiten** cross booking; ~ **Aktien** transfer of shares *[GB]*/stocks *[US]*; ~ **Anteilen** stock transfer; ~ **Aufgaben** assignment of duties; ~ **Befugnissen** delegation of powers; **Ü. durch Begebung** transfer by negotiation; **Ü. zwischen Ehegatten** interspousal transfer; **Ü. von Eigentum** property transfer; **Ü. durch Erbschaft** inheritance transfer; **Ü. einer Forderung** assignment of a claim/debt; **Ü. eines Gesellschafteranteils** assignment of a share in partnership; **Ü. kraft Gesetzes** assignment by operation of law; **Ü. durch Giro** transfer by endorsement; **Ü. von Grundbesitz** conveyance; ~ **öffentlichem Grundeigentum auf Privatpersonen** (private) land grant; ~ **Grundstücksrechten** assurance of property, common assurance; ~ **Gütern** transfer of goods; **Ü. in das Hauptbuch** ledger posting; **Ü. zwischen Haushalten** interpersonal transfer; **Ü. von Haushaltsmitteln** transfer of budget funds; **Ü. der Konkursmasse** surrender of a bankrupt's property; **Ü. von Landbesitz** § livery of seisin; **Ü. zu Lebzeiten** § transfer inter vivos *(lat.)*; **Ü. an Ort und Stelle** § conveyance in pais; **Ü. eines Patents** assignment of a patent; ~ **Rechts** conveyance of title; **Ü. auf die Reserve** ⊖ transfer to (the) reserve(s); **Ü. einer Sachgesamtheit** bulk transfer; **Ü. eines Saldos** carryforward, transfer of balance; **Ü. des Stimmrechts** enfranchisement; **Ü. im Todesfall** transfer on death; **Ü. des Treuhandvermögens** vesting of trust property; ~ **Urheberrechts** conveyance of copyright; **Ü. durch letztwillige Verfügung** disposition by testament/will; **Ü. von Vermögen** transfer of assets; **Ü. auf Zeit** *(bewegliche Sache)* § bailment; **Ü. der Zuständigkeit** § transfer of jurisdiction; **Ü. von Zuständigkeiten** conferring of powers

echte Übertragung|en actual transfers; **einseitige Ü.** unilateral transfer; **falsche Ü.** *(Text)* mistranscription; **fiktive Ü.en** imputed transfers; **gesetzliche Ü.** conveyance by operation of law; **öffentliche Ü.en** public transfers; **private Ü.en** private transfers; **rechtsgeschäftliche Ü.** transfer by act of the party; **reihenweise Ü.** stream transmission; **sachenrechtliche Ü.** transfer by agreement and delivery; **satzweise Ü.** 🖳 record transmission; **schuldrechtliche Ü.** transfer by assignment and delivery; **serielle Ü.** 🖳 serial transmission; **staatliche Ü.en** government transfers; **teilweise Ü.** partial assignment; **uneingeschränkte Ü.** absolute transfer; **unentgeltliche Ü.** gratuitous/unrequited transfer; **unwiderrufliche Ü.** irrevocable assignment; **vereinfachte Ü.** simplified transfer of ownership; **blanko vorgenommene Ü.** blank endorsement; **wertpapiermäßige Ü.** negotiation

Übertragungs|angebot *nt* transfer offer; **Ü.anlagen** *pl* *(Radio)* transmission facilities; **Ü.anspruch** *m* § claim to conveyance, ~ transfer of property; **Ü.anweisung** *f* transfer order; **Ü.anzeige** *f* notice of assignment; **Ü.bedingungen** *pl* terms of assignment; **Ü.beleg/Ü.bescheinigung** *m/f* transfer voucher, certification of transfer; **Ü.bilanz** *f* net transfer/unilateral payments, balance on transfer account; **Ü.bilanzdefizit** *nt* deficit on transfers; **Ü.dauer** *f (Text)* transcription time; **Ü.einkommen** *nt* transfer income; **Ü.empfänger(in)** *m/f* assignee, transferee; **Ü.erklärung** *f* 1. deed of transfer; 2. *(Treuhänder)* vesting declaration; **ü.fähig** *adj (Wechsel/Scheck)* negotiable; **Ü.fehler** *m (Text)* transcription/transmission error; **Ü.formular** *nt* transfer form; **Ü.gebühr** *f* 1. *(Aktien)* registration/transfer *[US]* fee; 2. *(Telefax)* transmission charge; **Ü.geschwindigkeit** *f* 🖳 bit/transfer/data (signalling) rate, transmission speed; **Ü.gewinn** *m* transfer gain; **Ü.hinweis** *m* posting reference; **Ü.kontrolle** *f* transfer check; **Ü.kosten** *pl* transfer charges; **Ü.leistung** *f* transfer capacity; **Ü.modus** *m* 🖳 move mode; **Ü.netz** *nt* ↯ transmission grid, network; **Ü.quittung** *f* transfer receipt; **Ü.rate** *f* transfer rate/speed; **Ü.register** *nt* transfer book/register; **Ü.schein** *m* transfer certificate; **Ü.-schwierigkeit** *f* transmission difficulties; **Ü.sicherung** *f* 🖳 protection of transmitted data; **Ü.spesen** *pl* transfer expenses; **Ü.stelle** *f* transmission agent; **Ü.steuerung** *f* 🖳 transmission control; **Ü.system** *nt* transmission system; **Ü.technik** *f* transmission systems; **Ü.urkunde** *f* § deed of conveyance/release/escrow/assignment, (transfer) deed, certificate/instrument of transfer, vesting instrument/deed; ~ **eines Hauses** deeds of a house; **Ü.verfügung** *f* § vesting order; **Ü.vermerk** *m* 1. transfer entry; 2. *(Wechsel)* endorsement; **Ü.vordruck** *m* letter of transmittal; **Ü.vorgang** *m* transmission procedure; **Ü.wagen** *m* radio van; **Ü.weg** *m* transmission path; **Ü.wirtschaft** *f* grants economy; **Ü.zahlung** *f* transfer payment; **Ü.zeit** *f* 1. *(Text)* transcription time; 2. 🖳 transfer time

übertreffen *v/t* 1. to exceed/excel/outperform/surpass/outweigh/top/outstrip/beat; 2. to leave behind, to better/outdo/outdistance/outrun/outpace/trump/best *[US]*; **leistungsmäßig ü.** to outperform; **sich selbst ü.** to excel o.s.; **weit ü.** to outclass

übertreiben *v/t* to exaggerate/overstate/overdo, to make a meal of *(coll)*; **ganz schön ü.** to lay it on (a bit) thick *(coll)*

Übertreibung *f* exaggeration, overstatement; **sprachliche Ü.** hyperbole

Übertreten *nt* contravention, trespass; **ü.** *v/t* to contravene/trespass/infringe/transgress/violate; *v/i* to defect

Übertreter *m* trespasser, transgressor

Übertretung *f* 1. breach, violation; 2. § trespass, offence, infringement, transgression, misdemeanour; **Ü. der Geschwindigkeit** speeding (offence); **Ü. des Gesetzes** breach of the law; **Ü. der Machtbefugnis** breach of privilege, acting ultra vires *(lat.)*; **~ Steuerbestimmungen** tax offence *[GB]*/offense *[US]*; **Ü. begehen** to commit an offence, to trespass/transgress

im Übertretungs|fall *m* in the event of non-compliance; **Ü.urkunde** *f* assignment

über|trieben *adj* excessive, exorbitant, immoderate, unreasonable; **Ü.tritt (zu)** *m* defection (to); **nur ü.troffen werden von** to be second only to; **ü.trumpfen** *v/t* to outdo; **Ü.verdienst** *m* extra gain; **ü.verkauft** *adj (Börse)* oversold; **(sich) ü.versichern** *v/t/v/refl* to overinsure; **Ü.versicherung** *f* overinsurance; **Ü.versorgung** *f* oversupply, overabundance, overprovision; **~ mit Ressourcen** overprovision of resources; **ü.völkert** *adj* overpopulated, overpeopled, overcrowded; **Ü.völkerung** *f* overpopulation; **ü.voll** *adj* flush, overfull; **Ü.vollbeschäftigung** *f* hyper-employment, overfull employment; **Ü.vorrat** *m* overstock; **ü.vorsichtig** *adj* overcareful, overcautious; **~ sein** to err on the side of caution; **ü.vorteilen** *v/t* to defraud/overreach/overcharge/cheat *(coll)*; **Ü.vorteilung** *f* defraudation, double-dealing, taking unfair advantage, cheating *(coll)*

überwachen *v/t* to control/supervise/oversee/police/survey/review/monitor, to keep in check, ~ a check on; **jdn ü.** *v/t* to keep tabs on so.; **laufend ü.** to monitor; **streng ü.** to keep a beady eye (on so./sth.); **jdn ~ ü.** to keep a sharp eye on so.

nicht überwacht *adj* unattended

Überwachung *f* 1. control, surveillance, supervision, policing; 2. follow-up, monitoring

Überwachung der Betriebsabläufe operational control; **~ Buchhaltung** accounting control; **gemeinschaftliche ~ Einfuhr** *[EU]* Community surveillance of imports; **~ Grenzen** border control(s); **Ü. des Kassenbestands** cash control; **Ü. der Kreditfähigkeit** credit checking; **~ Liquidität** cash limit control; **~ Märkte** market monitoring; **~ Mieten** rent control; **Ü. des Rechnungswesens** internal auditing; **Ü. und Steuerung der Fertigung** computer-aided manufacturing (CAM); **laufende Ü. der Verwaltung der Gesellschaft** permanent control of the management of the company; **Ü. des Wareneingangs** inspection of incoming merchandise; **~ Zahlungseingangs** follow-up of invoices; **Ü. der Zahlungsfähigkeit** cash limit control

unter zollamtlicher Überwachung zerstören to destroy under customs supervision

ärztliche Überwachung medical surveillance; **betriebsinterne Ü.** internal/in-house control; **finanzielle Ü.** financial control; **gemeinschaftliche Ü.** common surveillance; **gesundheitspolizeiliche Ü.** medical control/supervision; **laufende Ü.** monitoring; **nationale Ü.** *[EU]* national surveillance; **polizeiliche Ü.** police surveillance; **strenge Ü.** close supervision; **technische Ü.** factory/engineering inspection; **zentrale Ü.** centralized control; **zollamtliche Ü.** custom surveillance/control/supervision

technische Überwachungs|abteilung safety engineering department; **Ü.aufgabe** *f* supervisory duty/function, monitoring function; **Ü.ausschuss** *m* supervisory/watchdog committee; **Ü.beamter** *m* superintendent, supervisor; **Ü.befugnis** *f* supervisory authority/powers, power of supervision; **Ü.behörde** *f* enforcement agency/authority, supervisory authority; **technischer Ü.dienst** factory inspectorate; **Ü.einrichtungen** *pl* monitoring facilities; **Ü.funktionen** *pl* supervisory duties; **Ü.gerät** *nt* monitor; **Ü.instanz** *f* surveillance authority; **Ü.instrument** *nt* verificatory tool; **Ü.kosten** *pl* supervisory costs; **Ü.maßnahmen** *pl* policing measures, safeguards; **Ü.organ** *nt* watchdog (body), supervisory organ; **Ü.pflicht** *f* duty of supervision; **Ü.recht** *nt* right of inspection; **Ü.stelle** *f* control office, board of control, oversight committee; **Ü.system** *nt* monitoring system

Überwachungstätigkeit *f* supervisory activity; **finanzielle Ü.** financial control; **technische Ü.** control engineering

Überwachungs|verfügung *f* § supervision order; **Ü.vorrichtung** *f* monitoring device, monitor; **Ü.zeit** *f (Maschine)* (machine) attention time; **Ü.- und Wegezeit** patrol time; **Ü.zentrum** *nt* control centre *[GB]*/center *[US]*; **Ü.zollstelle** *f* customs office of surveillance; **Ü.zone** *f* control zone

über|wältigen *v/t* to overwhelm/overpower; **ü.wältigend** *adj* overwhelming; **ü.wälzen** *v/t* 1. to roll forward, to shift; 2. *(Kredit)* to roll over; 3. *(Kosten)* to pass (on); **voll ü.wälzen** to pass on fully

Überwälzung *f* 1. shift; 2. *(Steuer)* shifting of taxes; 3. *(Kosten)* passing on (cost increases); **versteckte Ü.** hidden shifting of tax; **Ü.seffekt** *m* spillover effect; **Ü.sspielraum** *m* shifting potential

Über|wasserfahrzeug *nt* surface ship/vessel; **ü.wechseln** *v/i* 1. to change (to), to go over; 2. *(Personal)* to transfer; **Ü.weidung** *f* overgrazing

überweisen *v/t* 1. *(Geld)* to remit/transfer/mandate; 2. to endorse/transmit/refer; **ü. an** to refer to; **brieflich ü.** to remit by mail/letter; **telegrafisch ü.** to telegraph/cable

überweisend *adj* remitting, remittent; **Ü.e(r)** *f/m* remitter

Überweisung *f* 1. *(Geld)* (bank) transfer (trf.), remittance; 2. *(Vorgang)* referral; 3. *(Vers.)* cession; 4. § committal, commitment, remission, relegation

Überweisung|en ausländischer Arbeitskräfte foreign worker remittances; **Ü. an einen Ausschuss** referral (to a committee); **automatische Ü. geschuldeter Beträge** automatic debit transfer; **Ü. des Erlöses/Gegenwerts** remittance of proceeds; **Ü. von Geld** cash remittance; **schwebende Ü. und Inkasso** float; **Ü. durch die Post** remittance by post, mail transfer *[US]*; **~ Sammelverkehr** bank giro; **Ü. (eines Falls/einer Sache) an ein Schiedsgericht** reference to arbitration; **~ Schwurgericht** § committal for trial

zur Überweisung bringen; Ü. vornehmen to remit, to make a remittance

bankmäßige Überweisung bank/interbank transfer; **bargeldlose Ü.** (cashless) money transfer, transfer by cheque *[GB]*/check *[US]*; **briefliche Ü.** mail payment/transfer (M/T); **postalische Ü.** postal order *[GB]*, mail transfer *[US]*, remittance by post; **rückläufige Ü.** automatic debit transfer; **telegrafische Ü.** telegraphic transfer (TT), cable transfer, cable/telegraphic remittance

Überweisungs|abschnitt *m* transfer slip; **Ü.abteilung** *f* (giro) transfer department; **Ü.anordnung/Ü.befehl** *f/m* § committal warrant; **Ü.anweisung** *f* transfer instruction; **Ü.anzeige** *f* remittance advice; **Ü.auftrag** *m* remittance/banker's/payment/transfer order, credit transfer instruction, order for remittance; **Ü.beleg** *m* remittance/transfer slip; **Ü.buch** *nt* book of remittances; **Ü.empfänger** *m* remittee, transferee; **Ü.formular** *nt* remittance form, transfer slip/voucher, giro slip , credit transfer form; **Ü.gebühr** *f* remittance fee/charges; **Ü.konto** *nt* remittance account; **Ü.möglichkeit** *f* possibility of transfer; **Ü.posten** *m* item remitted; **Ü.provision** *f* transfer commission; **Ü.scheck** *m* transfer cheque *[GB]*/check *[US]*; **Ü.schein** *m* 1. credit transfer form, transfer note/slip; 2. ⚕ letter of referral; **Ü.spesen** *pl* transfer fee(s)/charge(s); **Ü.träger** *m* remittance form/slip, (bank) transfer form/slip/voucher; **Ü.verkehr** *m* 1. credit transfer, cashless transfer payments, giro/money transfer business; 2. clearing system; **belegloser Ü.verkehr** electronic/voucherless funds transfer, cashless transfers; **Ü.vordruck** *m* transfer/remittance form

sich mit jdm überwerfen *v/refl* to fall out with so.

Überwiegen *nt* preponderance; **ü.** *v/i* to predominate/prevail/outweigh/outbalance; **zahlenmäßig ü.** to outnumber; **ü.d** *adj* prevailing, predominant, predominating

über|wiesen *adj* transferred, remitted; **ü.winden** *v/t* to overcome/surmount/negotiate; **mühelos ü.winden** to take in one's stride *(fig)*; **ü.wintern** *v/i* to hibernate/(over)winter; **ü.wuchern** *v/t* to overgrow

Überzahl *f* numerical superiority; **in der Ü.** superior in number, in the majority

überzahlen *v/t* to overpay, to pay too much

überzählig *adj* superfluous, redundant, surplus, odd, (in) excess, spare, supernumerary

Überzahlung *f* overpayment

überzeich|nen *v/t* 1. *(Emission)* to oversubscribe; 2. to overstate/exaggerate; **Ü.nung** *f* oversubscription

überzeugen *v/t* 1. to convince/persuade, to carry conviction; 2. to satisfy; *v/refl* to satisfy o.s., to make sure; **sich ü. lassen** to allow o.s. to be persuaded, to be open to conviction

überzeugend *adj* convincing, persuasive, conclusive, cogent, forcible; **ü. klingen/sein** to carry conviction; **wenig ü.** lame, unimpressive; **~ sein** to lack conviction

überzeugt *adj* 1. convinced, positive, confident; 2. *(Anhänger)* staunch; **nicht ü.** unpersuaded; **sich davon ü. haben** to be satisfied; **ü. sein** to be satisfied/positive, to feel confident, to trust

Überzeugung *f* conviction, belief, persuasion; **zur Ü. des Gerichts** to the satisfaction of the court; **für seine Ü. ein-/geradestehen** to have the courage of one's convictions, to stand up for one's convictions; **zu der Ü. gelangen** to arrive at the conclusion; **aus Ü. handeln** to act from conviction; **ich bin der Ü.** it is my belief; **politische Ü.** political conviction(s); **religiöse Ü.** religious belief(s)

Überzeugungs|kraft *f* 1. power(s) of persuasion; 2. salesmanship; 3. § persuasive force; **Ü.werbung** *f* persuasive advertising

überziehen *v/t* 1. *(Konto)* to overdraw *[GB]*/overcheck *[US]*; 2. *(Zeit)* to overrun; *v/refl* ☁ to overcloud, to become overcast

Überzieher *m* overcoat

Überziehung *f* 1. *(Konto)* overdraft, overdrawing, overchecking *[US]*; 2. *(Zeit)* overrun; **Ü.sbetrag** *m* overdraft, amount overdrawn; **Ü.sfinanzierung** *f* overdraft finance; **Ü.sgrenze** *f* overdraft limit

Überziehungskredit *m* 1. overdraft (facility), bank overdraft, command/cash/encashment/service credit, cheque credit plan; 2. *(Handel)* swing; **kurzfristiger Ü.** overnight loan; **Ü.satz** *m* overdraft rate; **Ü.zinsen** *pl* interest on overdrafts

Überziehungs|limit *nt* overdraft limit; **Ü.liste** *f* overdraft list; **Ü.möglichkeit** *f* overdraft facility; **Ü.provision** *f* commission on overdrafts, overdraft commission; **Ü.recht** *nt* overdraft facility/privilege; **Ü.scheck** *m* overcheque *[GB]*, overcheck *[US]*; **Ü.zinsen** *pl* overdraft interest

überzogen *adj* 1. *(Forderung/Preis)* excessive, exorbitant, immoderate, stiff; 2. *(Konto)* overdrawn, in the red; 3. *(Kredit)* overstretched

Überzug *m* cover, coating, overlay

üblich *adj* usual, normal, general, common, standard, customary, routine, accepted, conventional, habitual, traditional, orthodox; **allgemein ü.** in common use, universal, standard/common/general practice; **nicht ü.** non-standard; **ü. sein** to be common practice, to obtain

das Übliche *nt* the usual, the order of the day

üblicherweise *adv* customarily, as a general rule, traditionally, in the ordinary way

übrig *adj* remaining, spare, residual, residuary; **ü. haben** to spare; **nichts für jdn/etw. ü. haben** to have no room for so./sth. *(fig)*; **ü. bleiben** *v/i* to remain/survive, to be left over; **ü. bleibend** *adj* residual

das Übrige *nt* the rest/remainder

übrigens *adv* by the way, incidentally

Übrig|gebliebenes *nt* 1. holdover; 2. *(Essen)* leftovers; **ü. lassen** *v/t* to leave over

Übung *f* exercise, practice, usage, custom, rote, drill; **aus der Ü.** out of practice; **Ü. macht den Meister** *(prov.)* practice makes perfect *(prov.)*; **bestehende Ü.** established practice(s); **~ und einheitliche Ü.** established and uniform practices

Übungs|aufgabe *f* exercise; **Ü.buch** *nt* excercise book; **Ü.firma** *f* simulated business enterprise; **Ü.kurs** *m* training course; **Ü.stunde** *f* study hour; **Ü.werkstatt** *f* apprentices' training shop, vestibule school *[US]*

Ufer *nt* 1. *(Fluss)* bank; 2. *(Meer)* shore; **am/ans U.** ashore; **von U. zu U.** *(Vers.)* from shore to shore; **am U. gelegen** *(Fluss)* riverside, riparian, *(Meer)* littoral; **über das U. treten** *(Fluss)* to overflow its banks; **steiles U.** steep bank, bluff *[US]*

Ufer|- riparian; **U.anlieger** *m (Fluss)* riparian, *(Meer)* littoral; **U.anliegerrechte** *pl* riparian rights; **U.bezirk** *m* waterfront; **U.geld** *nt* pierage; **U.grundstück** *nt* waterfront/riverside property; **U.linie** *f* shoreline; **u.los** *adj* endless, boundless; **U.mauer** *f* quay; **U.rechte** *pl* riparian rights; **U.staat** *m (Fluss)* riparian/*(Meer)* littoral state

Uhr *f* clock, watch, timepiece *(obs.)*; **gegen die U.** against time; **pünktlich wie die U.** as regular as clockwork; **rund um die U.** round the clock; **null U.** midnight; **U. nachstellen** to set back a clock/watch; **sich nach der U. richten** to go by the clock; **U. vorstellen** to put the clock forward; **U. zurückstellen** to put the clock back

Uhren|fachmesse *f* watch and clock fair; **U.geschäft** *nt* watchmaker's shop; **U.industrie** *f* watchmaking industry, watch and clockmaking

Uhr|macher *m* watchmaker; **U.werk** *nt* clockwork mechanism, (timepiece) movements

Uhrzeiger *m* hand; **gegen den U.sinn** *m* anti-clockwise, counter-clockwise; **im U.sinn** clockwise

Uhrzeit vergleichen *f* to check/synchronize watches

Ukas *m* decree

Ulk *m* (practical) joke, lark, prank; **u.ig** *adj* funny

ultima ratio *f* *(lat.)* last resort

ultimativ *adj* final, as an ultimatum

Ultimatum *nt* deadline, ultimatum; **U. stellen** to deliver an ultimatum

Ultimo *m* ultimo, year-end, end of the month, net day, last trading day of the month; **U.abrechnung/U.abschluss/U.abwicklung** *f/m/f* monthly settlement; **U.-anforderungen** *pl* monthly demands, end-of-month requirements; **U.ausgleich** *m* end-of-month/end-of-year adjustment; **U.ausschläge** *pl* end-of-month fluctuations; **U.bedarf** *m* monthly requirements; **u.bedingt** *adj* caused by monthly settlement; **U.bedingungen** *pl* end-of-month/end-of-year terms; **U.differenz** *f* difference between forward and settlement rate; **U.disposition** *f (Börse)* end-of-month transaction; **U.fälligkeiten** *pl* monthly accruals; **U.geld** *nt* money around, repayment money, end-of-month settlement loan; **U.geschäft** *nt* end-of-month business, last-day dealings; **U.glattstellung** *f* squaring of end-of-month positions; **U.klemme** *f* end-of-month tightness; **U.kurs** *m* end-of-month price; **U.liquidation** *f* monthly settlement; **U.preis** *m* end-of-month/account price; **U.regulierung** *f* monthly settlement; **U.rendite** *f* yield at the end of the period; **U.stand** *m* end-of-month figures/position; **U.wechsel** *m* bill payable at the end of the month

Ultra|filtration *f* ⚗ ultrafiltration; **U.kurzwelle (UKW)** *f* very high frequency (VHF); **u.modern** *adj* ultra-fashionable, ⚙ state-of-the art; **U.schall** *m* ultrasound; **U.stabilität** *f* ultra-stability

um *prep* about; **um ... willen** for the sake of

umadressier|en *v/t* to readdress/redirect/reconsign; **U.ung** *f* redirection

um|ändern *v/t* to alter/convert/modify; **U.änderung/U.arbeitung** *f* alteration, conversion, revision; **u.arbeiten** *v/t* to work over, to revise/remake; **u.basieren** *v/t* 1. to re-base/re-source; 2. *(Bilanz)* to restate; **U.basierung** *f* restatement

Umbau *m* 1. conversion, reconstruction, renovation; 2. alterations, modification; 3. 🏛 makeover; **wegen U. geschlossen** closed for renovation; **U.auftrag** *m* conversion/rebuilding contract, reconditioning order/contract

umbauen *v/t* 1. to convert/rebuild; 2. 🏛 to renovate/remodel (a building) *[US]*; 3. ⚙ to modify

umbau|fähig *adj* convertible, suitable for conversion; **U.finanzierung** *f* financing of reconstruction work; **U.maßnahmen** *pl* alterations, rebuilding, renovation

umbenenn|en *v/t* to rename/redesignate; **U.ung** *f* change of name

umbesetz|en *v/t* to redeploy/reshuffle; **U.ung** *f* redeployment, (re)shuffle, shake-up; **~ in der Führungsetage/im Vorstand/auf der Vorstandsetage** boardroom reshuffle/shake-up

umbestellen *v/t* to change one's order

umbild|en *v/t* to reorganise/reshape/refashion/(re)shuffle; **U.ung** *f* reorganisation, (re)shuffle

um|binden *v/t* to strap; **u.blättern** *v/t* to turn over (the page); **u.brechen** *v/t* 🗍 to make up; **u.bringen** *v/t* to kill, to put to death

Umbruch *m* 1. upheaval, radical change, trend reversal; 2. 🗍 page make-up; **im U.** changing; **sich ~ befinden** to undergo radical changes; **U. machen** 🗍 to make up; **U.abzug** *m* page proof; **U.korrektur** *f* make-up proof; **U.redakteur** *m* copyreader, copy editor

umbuchen *v/t* 1. to rebook/repost/transfer/reclassify; 2. to change a reservation, to change/alter/switch a booking

Umbuchung *f* 1. rebooking, reposting, cross entry, (book) transfer (trf.), reclassification; 2. *(Konto)* virement; 3. change of booking; **U. vorhandener Reserven** transfer of reserves; **U. freier Rücklagen** transfer of disclosed reserves; **U.smitteilung** *f* advice of transfer

um|codieren *v/t* to transliterate; **u.datieren** *v/t* to redate, to change the date; **u.definieren** *v/t* to redefine

Umdenken *nt* rethink; **u.** *v/i* to rethink, to change one's views

umdeut|en *v/t* to reinterpret, to give a different/new interpretation; **U.ung** *f* reinterpretation, § conversion

um|dirigieren *v/t* to redirect/reroute; **u.disponieren** *v/t* to rearrange/switch, to make other/modify arrangements; **U.disposition** *f* rearrangement, switch, shift

umdrehlen *v/t* to turn over/round, to reverse; **U.ung** *f* 1. revolution, rotation; 2. turnabout; **U.ungen pro Minute (UpM)** ✿ revolutions per minute (r.p.m.)

Umdruck *m* reprint; **u.en** *v/t* to reprint; **U.markierung** *f* 🖳 marking device; **U.originalpapier** *nt* master paper; **U.papier** *nt* offset paper; **U.vervielfältiger** *m* liquid (spirit) duplicator

umlfahren *v/t* 1. 🚗 to bypass, to drive round; 2. ⚓ to circumnavigate; **u.fallen** *v/i* 1. to drop/overturn; 2. *(politisch)* to rat *(coll)*; 3. to fall, to topple over

Umfang *m* 1. scope, extent, scale, range, size, volume, capacity; 2. circumference; **im U.e von** on a scale of; **in vollem U.** full-scale

Umfang der Ausleihungen volume of credit; **U. einer Charge** batch size; **U. des Deckungsschutzes** *m (Vers.)* extent of cover; **U. der Ermessensbefugnis** scope of discretion; **U. des Fertigungsprogramms** range of products; **U. einer Garantie** extent of warranty; **U. der Geschäftstätigkeit** trading level; **~ Haftung** extent of liability; **~ Investitionen** volume of investment; **~ Nutzungsrechte** scope of a licence; **U. eines Patents** scope of a patent; **U. der Produktion** scale of production; **~ Revision** scope of audit; **U. des Schadens** extent of damage; **~ Verschuldens** extent of the fault; **U. einer Versicherung** scope of a policy, cover (age) of an insurance; **U. der Vertretungsmacht** scope of an agent's authority; **~ Vollmacht** extent/scope of power of attorney; **~ Wirtschaftstätigkeit** economic activity rate

in vollem Umfang haften to be fully liable; **an U. zunehmen** to grow in (terms of) volume

abnehmender Umfang degressivity; **in angemessenem U.** on an appropriate scale, adequately; **von außergewöhnlichem U.** exceptionally large; **von beschränktem U.** on a limited scale; **in geringem U.** on a small scale; **in gleichem U. (wie)** commensurate (with); **in großem U.** on a large scale; **in vollem U.** to the full extent, in its entirety

umfangreich *adj* ample, voluminous, large-scale, bulky, major, wide; **u.er werden** to increase

Umfangsvorteile *pl* economies of scale

umfassen *v/t* to comprise/cover/include/contain/involve/entail/comprehend/enclose

umfassend *adj* comprehensive, ample, extensive, wide-ranging, general, sweeping, extended, large-scale, thorough, complete; **alles u.** all-embracing, sweeping, full-scale, comprehensive, universal

Umfeld *nt* 1. environment, associated area; 2. surroundings; **berufliches U.** job environment; **betriebliches U.** business environment; **interkulturelles U.** intercultural environment; **organisatorisches U.** organisational environment; **stabiles politisches U.** stable policy environment; **soziales U.** social environment; **unternehmerisches U.** environment for entrepreneurial activity, corporate ecosystem; **wirtschaftliches U.** economic environment; **U.bedingungen** *pl* environmental situation

umfinanzierlen *v/t* to refinance/refund/reschedule, to switch funds; **U.ung** *f* refinancing, refunding, rescheduling

umfirmierlen *v/t* to rename, to change the name; **U.ung** *f* change of name

umlformatieren *v/t* to reformat; **U.formatierung** *f* reformattimg; **u.formen** *v/t* to transform/convert/reform/adjust; **u.formulieren** *v/t* to rephrase/restate/reword/redraft; **U.formulierung** *f* rephrasing, restatement, redrafting; **U.formung** *f* transformation, conversion

Umfrage *f* survey, (public opinion) poll, inquiry; **U. durchführen** to conduct a survey; **postalische U.** postal survey

Umfragelantwort *f* survey response; **U.beantworter** *m* respondent; **U.daten** *pl* opinion poll data; **U.ergebnis** *nt* opinion poll rating, poll findings, result of a survey; **U.test** *m* inquiry by questionnaire

umfriedlet *adj* enclosed, fenced in; **U.ung** *f* enclosure, fence

Umfuhr *f* cartage, handling and conveyance

umfunktionieren *v/t* to convert, to change the function

Umgang *m* dealing(s), relations, contacts; **im U. mit** in one's dealings with; **U. mit dem Personal** dealings with staff; **mit jdm U. pflegen** to entertain relations with so., to associate with so.; **gesellschaftlicher U.** social intercourse; **sparsamer U.** economizing; **unsachgemäßer U.** improper handling, mistreatment *[US]*

umgänglich *adj* sociable, companionable, affable, emollient; **U.keit** *f* affability

Umgangsformen *pl* manners; **gesellschaftliche U.** social etiquette/habits; **schlechte U.** bad manners

Umgangssprache *f* colloquial speech, common parlance

umgeben *v/t* to surround/encompass

Umgebung *f* 1. environment, surroundings, environs, vicinity, precincts; 2. *(Personen)* entourage; **ländliche U.** rural environment; **nähere U.** vicinity, purlieu; **U.sfaktoren** *pl* environmental factors

Umgegend *f* environs, surrounding area

umgehbar *adj* avoidable

umgehen *v/t* to avoid/evade/bypass/dodge/circumvent/sidestep, to steer clear (of), to elude; **u. mit** to handle/manage; **leichtfertig mit etw. u.** to trifle with sth.; **pfleglich ~ u.** to husband sth.; **sparsam ~ u.** to economize/spare; **es ließ sich nicht u.** there was nothing else for it *(coll)*

umgehend *adj* prompt, immediate; *adv* forthwith, by return (of post/mail), by return post/mail

Umgehung *f* 1. *(Verkehr)* bypass(ing); 2. § circumvention; **U. der Finanzinstitute** financial disintermediation; **U. von Haftungsbestimmungen** avoidance of liability; **U. eines Patents** circumvention of a patent; **U. von Sanktionen** sanctions busting; **U. einer Steuer** 1. *(legal)* tax avoidance; 2. *(illegal)* tax evasion; **illegale U.** evasion; **legale U.** avoidance, elusion

Umgehungslbestimmungen *pl* avoiding provisions; **U.geschäft** *nt* transaction for the purpose of evading the law, *(Konkurs)* unprotected transaction; **U.straße** *f* bypass, ring road; **ringförmige U.straße** orbital road

umgekehrt *adj* reverse, vice versa, reciprocal, opposite; **das U.e** *nt* the reverse/opposite
umgemeindlen *v/t* to change the boundaries of a local community; **U.ung** *f* reallocation of local communities
umgerechnet *adj* the equivalent of, converted, translated, rebased; **quartalsmäßig u.** on a quarterly basis
umgestalten *v/t* to reorganise/transform/alter/rearrange/modify/reshape/regenerate/remodel/refashion/reconfigure/refurbish
Umgestaltung *f* reorganisation, transformation, change, alteration, rearrangement, reform, transfer, modification, remodelling, reformation, regeneration, refurbishment; **marktwirtschafliche U.** market-focused reorganisation
umgliederln *v/t* to reorganise/regroup/reclassify/rearrange; **U.ung** *f* reorganisation, regrouping, reclassification, rearrangement
umgründlen *v/t* *(Gesellschaft)* to convert/refound/reform/reorganise; **U.ung** *f* conversion, re-formation, reorganisation
umgruppieren *v/t* 1. to reclassify; 2. to rearrange; 3. *(Personal)* to redeploy/regroup
Umgruppierung *f* 1. reclassification, regrading, change in classification; 2. rearrangement, turnover, restructuring; 3. *(Personal)* redeployment, regrouping, reshuffle; **U. vornehmen** to reshuffle
umherreisen *v/i* to tour; **u.d** *adj* peripatetic, touring
umherziehend *adj* *(Gewerbe)* itinerant
umlhören *v/refl* to make inquiries; **u.hüllen** *v/t* to wrap (in); **U.hüllung** *f* wrapping
umkämpft *adj* 1. contested, embattled; 2. *(Markt)* competitive; **hart u.** keenly contested; **heiß u.** *(Markt)* highly/fiercely competitive
Umkarton *m* master carton
Umkehr *f* return, reversal, turn(a)round, U-turn; **U. der Beweislast** § reversal/shifting of the burden of proof; **U. des Lagerzyklus** turn in the stock cycle
umkehrbar *adj* reversible; **nicht u.** irreversible, non-reversible; **U.keit** *f* reversibility
umkehren *v/ti* to return/reverse/inverse; *v/refl* to go into reverse
Umkehrlfilm *m* reversible film; **U.funktion** *f* ▦ reversal function; **U.koeffizient** *m* ▦ tilting coefficient; **U.matrix** *f* inverse matrix; **U.probe** *f* π reversal test; **U.prozess** *m* reversal process; **U.schalter** *m* reversing switch; **U.schluss** *m* converse conclusion
Umkehrung *f* reversal, reversion, inversion; **U. der Beweislast** § reversal/shifting of the burden of proof
Umkehrlwechsel *m* return(ed) bill; **U.wert** *m* inverse volume; **U.zeit** *f* 1. reverse time; 2. ⚓ turn(a)round time
umlkippen *v/ti* to overturn/overbalance/tip, to keel over; **u.klammern** *v/t* to clasp/clutch; **U.klammerung** *f* clutch, stranglehold; **u.klappbar** *adj* folding, collapsible; **u.klappen** *v/t* 🚗 *(Rücksitz)* to fold down
umkleidlen *v/refl* to change; *v/t* to cover; **U.eraum** *m* 1. dressing room; 2. 🏭 locker room; **U.ung** *f* cover(ing)
Umkreis *m* 1. perimeter, ciruit; 2. surroundings, area; **im U. von** within a radius of
umlkreisen *v/t* to revolve around, to circle; **u.krempeln** *v/t* 1. to turn inside out; 2. *(Organisation)* to shake up; **völlig u.krempeln** to revolutionize
Umladelanlage *f* trans(s)hipment installation/facility; **U.bahnhof** *m* transfer station; **U.bühne** *f* trans(s)hipment platform; **U.erklärung** *f* trans(s)hipment entry; **U.gebühr** *f* trans(s)hipment/reloading charge; **U.genehmigung** *f* trans(s)hipment permit; **U.geschäft** *nt* trans(s)hipment, switching operation; **U.gut** *nt* goods for trans(s)hipment; **U.hafen** *m* trans(s)hipment port, port of trans(s)hipment; **U.klausel** *f* trans(s)hipment clause; **U.konnossement** *nt* trans(s)hipment bill of lading (B/L)
Umladen *nt* trans(s)hipment, handling, transfer; **u.** *v/t* to tran(s)ship/transfer/shift/reload/handle
Umladelplatz *m* trans(s)hipment/transfer point, reloading station; **U.spedition** *f* switching carrier; **U.station** *f* transfer station; **U.stelle** *f* place of trans(s)hipment; **U.verkehr** *m* trans(s)hipment traffic; **U.vorgang** *m* trans(s)hipment, transfer
Umladung *f* trans(s)hipment, transfer, reloading; **U.skosten** *pl* transfer/trans(s)hipment charges; **U.sschein** *m* transfer note
Umlage *f* levy, charge, apportionment, rating, allocation, contribution, encumbrance; **U. von Gemeinkosten** allocation of indirect costs; **von der U. befreien** *(Kommunalsteuer)* to derate *[GB]*; **zu einer U. heranziehen** to rate *[GB]*; **allgemeine U.** *[EU]* general perequation levy; **städtische U.** city levy; **~ U.en** rates *[GB]*
Umlagelbefreiung *f* *(Kommunalsteuer)* derating *[GB]*; **U.behörde** *f* assessment/rating office, ~ authority; **U.beitrag** *m* contribution; **U.bestimmung** *f* *(Vers.)* contribution clause; **U.erhebung** *f* rating, assessment; **U.ermäßigung** *f* rate reduction; **U.finanzierungsverfahren** *nt* assessment financing; **u.frei** *adj* rate-exempted; **U.kosten** *pl* assessment costs; **U.pflicht** *f* rat(e)ability; **u.pflichtig** *adj* rat(e)able *[GB]*; **U.prinzip** *nt* *(Vers.)* principle of adjustable contributions; **U.register** *nt* rate book *[GB]*
umlagern *v/t* to shift/restore
Umlagerung *f* shift, transfer, restorage, redistribution, redisposal, switching; **U.skaution** *f* ⊖ removal bond
Umlagelsatz *m* assessment rate, rate of contribution; **U.schlüssel** *m* apportionment/allocation formula, basis of apportionment; **U.schuldner(in)** *m/f* assessee; **U.stelle** *f* assessment office, rating authority *[GB]*; **U.veranlagung** *f* (rating) assessment; **U.vereinbarung** *f* assessment contract
Umlageverfahren *nt* 1. assessment system, (cost) allocation method; 2. current disbursement; 3. *(Sozialvers.)* funding principle; 4. *(Vers.)* pay-as-you-go system, proportionate contributions system; **direktes U.** direct allocation method; **stufenweises U.** step-down allocation method
Umlagelvermögen *nt* assessment fund; **U.verpflichtung** *f* assessment bond; **U.vertrag** *m* rating agreement; **U.zeitraum** *m* assessment period
Umland *nt* surrounding area, environs; **städtisches U.** surrounding countryside

Umlauf *m* 1. circulation, flow; 2. ⚓ turn(a)round; 3. 🚂 roster; 4. *(Schreiben)* circular; **im U. (befindlich)** circulating, in circulation, outstanding, floating; **nicht im U.** non-current; **zum U. nicht mehr geeignet** *(Geld)* unfit for circulation

in Umlauf bringen to circulate, to put into circulation; **versuchsweise ~ bringen** to float; **~ sein** to circulate, to be in circulation, to float; **nicht mehr ~ sein** to be out of circulation; **außer U. setzen** to withdraw from circulation; **in U. setzen** 1. to circulate/float/issue/emit, to put into circulation; 2. *(Kapital)* to mobilize

Umlaufbahn *f* orbit

umlaufen *v/i* to circulate/float; **zu pari u.** to pass at par; **u.d** *adj* current, circulating, in circulation, outstanding

umlauf|fähig *adj* marketable, negotiable; **U.fähigkeit** *f* marketability, negotiability; **U.fonds** *m* revolving fund; **U.frist** *f* currency, validity, life; **U.geld** *nt* current money; **U.geschwindigkeit** *f (Geld)* velocity of circulation/transactions, circuit velocity; **~ des Geldes** transactions velocity; **U.grenze** *f* circulation/issuing limit; **U.haushalt** *m* current financing; **U.kapital** *nt* circulation/circulating/working/trading/rolling/current/floating/fluid capital; **U.mappe** *f* circulating file; **U.markt** *m (Börse)* secondary market, market for securities outstanding; **U.material** *nt (Börse)* floating supply, offerings; **U.mittel** *pl/nt* current funds, circulating/currency medium; **U.münze** *f* coin in circulation; **U.rendite** *f* current/net yield, yield on bonds outstanding; **~ für festverzinsliche Wertpapiere** current yield of fixed-interest securities; **U.schreiben** *nt* circular (letter), tracer, round robin *[GB]*

Umlaufvermögen *nt* current/circulating/working/floating/liquid/quick/revolving/fluid assets, current funds/receivables, gross working capital; **U. abzüglich Verbindlichkeiten** net working capital; **U. ohne laufende Verbindlichkeiten** working capital; **kurzfristiges U.** current assets; **monetäres U.** current financial assets; **normales U.** regular working capital; **unbares U.** non-cash current assets

Umlauf|wert *m* circulating value; **U.zeit** *f* 1. *(Transport)* transit time; 2. ⚓ turn(a)round time; **U.zettel** *m* circular, round robin *[GB]*

Umlege|kalender *m* desk calendar; **U.mappe** *f* flip-flop (file)

umlegen *v/t* 1. to apportion/allocate/prorate/distribute; 2. *(Kommunalsteuer)* to rate; 3. to kill instantly

Umlegung *f* 1. allocation, apportionment, distribution, assessment; 2. *(Strecke)* rerouting; **U. von Gemeinkosten** allocation of indirect cost(s); **~ (Un)Kosten** apportionment of cost(s)

Umlegungs|ausschuss *m* assessment committee; **U.bestimmungen** *pl (Vers.)* contribution clause; **U.schlüssel** *m* apportionment formula; **U.verfahren** *nt* assessment system

umleiten *v/t* 1. 🚗 to divert/reroute; 2. ✉ to redirect/rechannel

Umleitung *f* 1. 🚗 diversion *[GB]*, detour *[US]*, rerouting, deviation; 2. ✉ re-direction; **U. einer Sendung** reconsignment; **U.sschild** *nt* 🚗 diversion *[GB]*/detour *[US]* sign

umlenken *v/t* to deflect/reroute/divert/rechannel/redirect

Umlenkung *f* deflection; **U. von Geldmitteln** redirection of funds; **U. der Handelsströme** deflection of trade

Umlern|en *nt* retraining; **u.en** *v/i* to retrain/relearn; **U.prozess** *m* reorientation/retraining process

umliegend *adj* surrounding, outlying, neighbouring

ummantel|n *v/t* ✿ to coat/lag; **U.ung** *f (Leitung)* lagging

ummeld|en *v/t* to reregister; **U.ung** *f* reregistration, registration of one's new address

um|modeln *v/t* to remodel/reshape/change; **u.nummerieren** *v/t* to renumber; **u.nutzen** *v/t* to change the use; **U.nutzung** *f* change of use; **u.ordnen** *v/t* to rearrange/reorder

Umorgani|sation *f* reorganisation, rearrangement, shake-up, rebuilding; **u.sieren** *v/t* to reorganise/rearrange/reshape

umorientier|en *v/t* to reorient/realign; **U.ung** *f* reorientation, realignment

Umpacken *nt* 1. repacking; 2. *(Großhandel)* breaking bulk; **u.** *v/t* 1. to repack; 2. *(Großhandel)* to break bulk

umplatzieren *v/t* *(Börse)* to place afresh

umpräg|en *v/t* to recoin; **U.ung** *f* recoinage

umprogrammier|en *v/t* to reprogramme; **U.ung** *f* reprogramming

umquartier|en *v/t* to rehouse; **U.ung** *f* rehousing

umrahm|en *v/t* to box; **U.ung** *f* 1. ▯ box; 2. setting

umrand|en *v/t* ▯ to box (in), to border; **U.ung** *f* border

um|räumen *v/t* to rearrange/move; **u.rechenbar** *adj* convertible; **u.rechnen** *v/t* to convert/translate/rebase

Umrechnung *f* conversion, translation, rebasing; **U. von brutto auf netto** netback; **U. aufs Jahr** annualization; **U. in fremde Währung** conversion/translation into a foreign currency

Umrechnungs|differenz *f* translation gain/loss; **U.faktor** *m* conversion factor, translation ratio; **U.gewinn** *m* (currency) translation gain/profit

Umrechnungskurs *m* rate of exchange/conversion, (foreign) exchange rate, parity, conversion rate/price; **zum U. von** at the parity of; **amtlicher U.** official rate of exchange; **fester U.** fixed rate of exchange, direct exchange; **grüner U.** *[EU]* green rate

Umrechnungs|methode *f* method of conversion; **U.preis** *m* conversion price; **U.programm** *nt* 💻 conversion routine; **U.regeln** *pl* rules of conversion; **U.routine** *f* conversion routine; **U.satz** *m* conversion rate, rate of conversion; **U.tabelle** *f* conversion table, table of exchanges, ~ exchange rates; **U.verhältnis** *nt* conversion/exchange ratio; **U.verlust** *m* translation loss; **U.wert** *m* exchange value

umreißen *v/t* to outline/sketch; **genau u.** to pinpoint

Umriss *m* outline, contours; **grobe U.e** rough outline; **in groben U.en** broadly, in broad outline; **~ skizzieren** to make a rough sketch

umriss|haft *adj* in outline; **klar u.en** *adj* well-defined, clear-cut; **U.planung** *f* outline planning; **U.zeichnung** *f* outline drawing

Umrüsten *nt* tooling-up, set-up; **u.** *v/t* 1. to reequip/convert/retrofit/refit; 2. 🏭 to rejig, to tool up

Umrüstung *f* ✎ conversion, retrofit; **U. von Altanlagen** refitting of existing plants; **U.skosten** *pl* changeover cost(s)

Umrüstzeit *f* tooling-up/set-up time

umsatteln *v/i* to switch/change (jobs)

Umsatz *m* 1. turnover, sales (revenue), transactions, volume of business/sales, trading volume; 2. *(Börse)* dealings, trading (volume), business done, activity; 3. *(Werbung)* billings; **bei einem U. von** on a turnover of, on sales of; **ohne U.** no dealings/sales

Umsatz des Betriebskapitals working capital turnover; **U. mit Dritten** customer sales; **U. aus Eigenerzeugung** 1. sale of self-produced goods; 2. sale of domestic products; **Umsätze im Einzelhandel** retail sales; **U. im Großhandel** wholesale trading; **U. am Kassamarkt** *(Börse)* spot sales; **Umsätze auf Kreditbasis** charge-to sales; **~ in Kurzläufern** dealings in shorts

Umsatz bremsen to slow down sales; **U. bringen** to pull in sales; **gute Umsätze erzielen** to make good sales; **U. haben/machen** to turn over, to pick up business; **glänzende Umsätze machen** to do a roaring trade *(coll)*; **gute ~ machen** to make good returns; **U. steigern** to lift turnover, to boost/increase sales; **U. verlieren an jdn** to lose sales to so.

direkter Umsatz direct sales; **fakturierter U.** invoiced sales; **fingierter U.** fictitious sales; **fremder U.** external sales; **gedrückte Umsätze** flat sales; **geringe/geringfügige Umsätze** *(Börse)* quiet/thin trading; **bei geringen Umsätzen** *(Börse)* on thin trading (volume); **geschrumpfter U.** reduced turnover; **guter U.** brisk/buoyant sales; **interner U.** intra-group/intercompany sales, internal deliveries/turnover; **jährlicher U.** annual sales; **lebhafte Umsätze** *(Börse)* active/broad market, brisk/heavy trading; **bei lebhaften Umsätzen** *(Börse)* in active trading; **mäßiger U.** moderate turnover; **mäßige Umsätze** *(Börse)* moderate trading; **mengenmäßiger U.** sales volume, quantity turnover; **produktionsfremde Umsätze** revenue from sources other than production; **rascher U.** early/quick returns; **reger U.** brisk/buoyant sales; **rückläufiger U.** declining sales; **schneller U.** rapid turnover, quick turnover/returns; **schwache Umsätze** *(Börse)* light trading; **bei schwachen Umsätzen** on thin trading (volume); **sinkender U.** contracting turnover; **sinkende Umsätze** declining sales; **starke Umsätze → lebhafte Umsätze**; **bei starken Umsätzen** *(Börse)* in heavy trading; **steuerbare Umsätze** taxable activities, qualifying transactions; **steuerfreier U.** tax-exempt sales/turnover; **steuerpflichtiger/zu versteuernder U.** taxable sales/turnover; **unsichtbarer U.** invisible transactions; **voraussichtliche Umsätze** potential sales; **wirtschaftlicher U.** sales on an accrual basis; **wöchentlicher U.** *(Börse)* weekly trading

Umsatz|- sales-related, turnover-related; **U.abbau** *m* reduction in turnover; **U.abgabe** *f* sales/purchase/turnover tax; **prozentuale U.abgabe** percentage levy on sales; **U.abschwächung** *f* decline in sales; **U.abstriche hinnehmen** *pl* to accept a drop in turnover; **U.analyse** *f* sales/turnover analysis, ~ breakdown; **U.anstieg** *m* increase in sales, expansion of turnover; **U.anstrengungen** *pl* sales drive; **U.anteil** *m* share of turnover; **u.arm** *adj* low-volume; **U.aufgliederung/U.aufschlüsselung/U.aufstellung** *f* sales breakdown, statement of turnover; **U.aufwendungen** *pl* cost of sales, ~ goods sold; **U.ausfall** *m* loss of sales, sales shortfall; **U.ausgleichssteuer** *f* countervailing duty, turnover equalization tax; **U.ausweis** *m* trading statement; **U.ausweitung** *f* sales expansion, expansion of sales, increase in turnover, turnover growth; **U.auswertung** *f* sales analysis/breakdown; **U.band** *nt* transaction tape; **U.belebung** *f* increase in sales; **U.bemühungen** *pl* sales efforts; **U.beschleunigung** *f* turnover increase; **U.besteuerung** *f* taxation of turnover; **U.beteiligung** *f* sales/seller's commission, sales sharing payment, percentage of sales; **U.betrag** *m* sales volume; **u.bewusst** *adj* sales-minded; **u.bezogen** *adj* sales-related, turnover-related; **U.bilanz** *f* statement of sales, ~ account transactions; **U.bonifikation/U.bonus** *f/m* turnover allowance, annual quantity discount; **U.bonussystem** *nt* sales-based bonus system; **U.budget** *nt* sales/turnover budget; **U.dichte** *f* sales density; **U.dynamik** *f* sales momentum; **U.einbruch/U.einbuße** *m/f* drop in sales, decline in turnover, sales shortfall; **U.eingabe** *f* transaction input

Umsatzentwicklung *f* 1. sales trend/pattern/development; 2. *(positiv)* increase in sales/turnover; 3. *(negativ)* decline in sales/turnover; **differenzierte U.** mixed sales trend; **rückläufige U.** falling sales

Umsatz|erfolg *m* profit-sales ratio; **U.ergebnis** *nt* sales results; **U.ergiebigkeit** *f* percentage return on sales; **U.erhöhung** *f* rise in sales; **U.erlös/U.ertrag** *m* sales revenue/proceeds, proceeds on turnover, gross receipts, net sales; **U.erwartungen** *pl* expected sales; **U.fall** *m* slump in sales; **U.flaute** *f* stagnating sales; **U.förderung** *f* sales promotion; **U.fortschritte machen** *pl* to increase sales; **U.garantie** *f* sales guarantee; **U.gebühr** *f* turnover charge; **U.geschäfte** *pl* commercial transactions; **U.geschwindigkeit** *f* velocity of turnover, rate of (merchandise) turnover, trading pace

Umsatzgewinn *m* profit on sales, net income from sales; **Umsatz-Gewinn-Diagramm** *nt* profit-volume chart; **U.rate** *f* percentage return on sales

Umsatz|gigant *m* sales giant; **U.gliederung** *f* sales breakdown; **U.grenze** *f* sales limit; **U.größenklasse** *f* turnover category; **U.häufigkeit** *f* rate of turnover; **U.höhenflug** *m* record sales; **U.index** *m* sales index; **U.intensität** *f* sales intensity; **U.kapazität** *f* sales potential; **U.kapital** *nt* acting/floating/working capital; **U.karte** *f* accounting detail card; **U.kasse** *f* transaction balance; **U.kennzahl/-ziffer** *f* sales indicator, turnover ratio; **u.kongruent** *adj* in line with turnover; **U.konto** *nt* active account; **U.konzentration** *f* concentration of turnover; **U.kosten** *pl* costs of goods sold; **U.kostenverfahren** *nt* cost of sales type of (short-term results) accounting; **U.kurve** *f* sales trend/curve, trend of sales; **U.lage** *f* turnover situation; **U.leverage** *f* operating leverage; **U.liste** *f* transaction list; **u.los** *adj* no sales;

U.marge *f* selling profit margin; **U.maximierung** *f* sales maximization; **U.miete** *f* sales-related/turnover-related rent; **U.milliardär** *m* company with a turnover of more than 1 billion; **U.pacht** *f* percentage lease; **U.plan** *m* turnover plan; **U.planung** *f* sales budget; **U.plus** *nt* sales/turnover increase, higher sales/turnover; **U.prämie** *f* sales premium; **U.prognose** *f* sales prediction/forecast; **U.provision** *f* sales/seller's commission, commission on turnover; **U.prozentsatz** *m* sales percentage; **U.quote** *f* turnover rate; **U.rechnung** *f* profit-and-loss (p & l) account; **U.rekord** *m* sales record; **U.rendite** *f* turnover-yield/profit-sales/profit-turnover ratio, return/profit on sales, profit margin on turnover/sales, net income percentage of sales; **U.renner** *m* hot seller, high-volume product/item, moneymaker; **U.rentabilität** *f* net profit ratio, (percentage) return on sales, profit margin/percentage; **U.rückgang** *m* decline/shortfall/fall-off/drop in sales, drop/decline/decrease in turnover, loss of sales, sales slump; **starker U.rückgang** slump in sales; **U.schätzung** *f* sales estimate; **U.schwäche** *f (Börse)* lull; **U.schwankungen** *pl* sales fluctuations; **U.schwund** *m* slump in sales; **U.-spitzenreiter** *m* 1. volume leader, top-selling item; 2. company/product with the highest turnover; 3. most actively traded share/stock; **U.sprung** *m* leap in sales, jump in turnover; **U.stagnation** *f* stagnation in sales; **u.stark** *adj* 1. fast-selling, high-turnover, high-volume; 2. *(Börse)* actively traded; **U.statistik** *f* sales statistics/analysis, turnover/transaction statistics; **U.steigerung** *f* increase in turnover, advance/growth/increase in sales; ~ **erzielen** to boost sales

Umsatzsteuer *f* purchase/sales/turnover/transaction tax, tax on turnover, compensating use tax *[US]*, output tax, VAT (value added tax); **U. im Einzelhandel** retail sales tax; **der U. unterwerfen** to subject to sales tax; **allgemeine U.** general sales tax *[US]*; **kumulative U.** cumulative turnover tax; **veredelte U.** refined turnover tax

Umsatzsteuer|anteil *m* sales tax element; **U.aufkommen** *nt* sales tax revenue; **u.befreit** *adj* exempted from sales tax; **U.befreiung** *f* exemption from sales tax; **U.-belastung** *f* sales tax burden; **U.bescheid** *m* turnover tax notice; **U.durchführungsbestimmung** *f* turnover tax regulation; **U.erhöhung** *f* sales tax increase; **U.erklärung** *f* sales/turnover tax return, VAT return; **U.erstattung** *f* rebate of sales tax; **U.erträge** *pl* sales/turnover tax revenues; **u.frei** *adj* zero-rated, exempted from sales tax, non-chargeable; **U.freibetrag** *m* sales tax relief *[US]*; **U.freiheit** *f* exemption from sales tax; **U.genehmigung** *f* sales tax permit; **U.gesetz** *nt* turnover tax law; **U.harmonisierung** *f* harmonization of turnover tax; **U.identifikationsnummer** *f* VAT registration number, sales tax identification number; **U.pflicht** *f* sales tax liability; **u.pflichtig** *adj* liable to sales tax; **U.prüfung** *f* sales tax audit; **U.recht** *nt* sales tax law; **U.reform** *f* sales tax reform; **U.rückerstattung/U.vergütung** *f* sales/turnover tax refund; **U.satz** *m* sales tax rate; **U.schuld** *f* sales tax liability; **U.statistik** *f* sales/turnover tax statistics; **U.voranmeldung** *f* sales tax advance return; **U.vorbelastung** *f* previously charged turnover tax; **U.zahlung** *f* payment of sales tax

Umsatz|struktur *f* sales pattern; **U.stufe** *f* turnover stage; **U.tantieme** *f* bonus; **lustlose U.tätigkeit** *(Börse)* flat trading; **rege U.tätigkeit** active trading; **schwache U.tätigkeit** *(Börse)* subdued/thin trading; ~ **aufweisen** to remain thin; **U.träger** *m* mainstay of sales; **U.überschuss** *m* net sales, funds from operations, cash flow; **U.überschussrechnung** *f* cash flow statement; **U.verhältnis** *nt* turnover ratio; **U.verlust** *m* lost revenue; **U.verteilung** *f* distribution of turnover; **U.volumen** *nt* sales volume, volume of trade/turnover/transactions; **U.voraussage** *f* sales forecast; **U.vorgabe** *f* budgeted sales, sales target; **U.wachstum** *nt* sales growth, increase in turnover; **U.welle** *f* wave of selling, upsurge of sales; **U.werte** *pl* sales figures; **U.zahl/U.ziffer** *f* sales/turnover figure; **U.zahlen** volume figures; **U.ziel** *nt* sales target; **U.zunahme** *f* turnover increase, growth in sales; **U.zuwachs** *m* sales/turnover growth, increase in sales, turnover gain; **U.zuwachsrate** *f* sales growth rate

Umschaltcode *m* 💻 switch code

umschalten *v/ti* 1. to switch/shift; 2. 🚗 to change gear

Umschalter *m* shift key, (alteration) switch

Umschalt|hebel/U.taste *m/f* shift lever/key

Umschaltung *f* 1. shift, changeover; 2. *(Schreibmaschine)* upper case - lower case, lower case - upper case

Umschau *f* lookout; **U. halten** to be on the lookout; **u.en** *v/refl* 1. to look around; 2. *(Einkauf)* to shop around

umschichten *v/t* 1. to shift/switch/regroup/restructure; 2. *(Anlage)* to redeploy; 3. to restack; **u. in** to shift into; **kurzfristig u.** *(Kredit)* to roll over

umschichtig *adj* in shifts/turns

Umschichtung *f* 1. reorganisation, rearrangement, switching, restructuring, shake-up, shifting; 2. *(Personal)* redeployment; 3. *(Portefeuille)* reshuffle, switch; 4. restacking; 5. *(Bilanz)* retranslation

zeitliche Umschichtung der Ausgaben rephasing of expenditure; **U. des Eigentums** redistribution of income; **U. von Ressourcen** reallocation of resources; **U. des Sozialprodukts** shifting of the national product; **U. von Verbindlichkeiten** debt management/rescheduling/restructuring; ~ **Vermögenswerten** redeployment of assets

interne Umschichtung internal staff transfer; **zeitliche U.** rephasing

Umschichtungs|auftrag *m* *(Börse)* switch order; **U.finanzierung** *f* debt restructuring/rescheduling; **U.transaktion** *f* switching transaction

umschiff|en *v/t* 1. to circumnavigate/round; 2. *(Fracht)* to transfer/trans(s)hip; **U.ung** *f* 1. circumnavigation; 2. transfer, trans(s)hipment

Umschlag *m* 1. *(Brief)* envelope; 2. *(Artikel)* wrapper, wrapping; 3. *(Buch)* jacket; 4. *(Güter)* stockturn, (cargo) handling; 5. (volume of) traffic; 6. *(Umladung)* transfer, trans(s)hipment; 7. *(Wandel)* change, reversal; **U. des Eigenkapitals** equity turnover; ~ **Kapitals** capital turnover; ~ **investierten Kapitals** ratio of sales to total capital employed

Umschlag adressieren to address an envelope; **mit einem U. versehen** to put into an envelope

in besonderem Umschlag under separate cover; **frankierter U.** stamped/prepaid envelope; **in neutralem U.** under plain cover; **offener U.** unsealed envelope; **mit schnellem U.** *(Ware)* fast-moving; **überstehender U.** extended cover; **verschlossener/versiegelter U.** sealed envelope; **wattierter U.** padded envelope

Umschlag|- ➔ **Umschlags|-; U.anlage** *f* trans(s)hipment facility, cargo handling facility, terminal; **U.n** handling facilities; ~ **für Behälterverkehr** container terminal

Umschlag|bahnhof *m* 🚂 trans(s)hipment station/terminal; **U.bild** *nt* cover picture; **U.blatt** *nt* cover; **U.dauer von Debitoren/Forderungen** *f* days of receivables; ~ **Kreditoren** days of payables; **U.deckel** *m* 📖 cover; **U.einrichtungen** *pl* handling facilities

umschlagen *v/t* 1. to trans(s)hip/transfer/reload; 2. *(Güter)* to handle; 3. *(umsetzen)* to turn over

Umschlag|fähigkeit der Forderungen *f* receivables turnover; ~ **des Warenbestandes** inventory turnover; **U.foto** *nt* cover photo; **U.gebühren** *pl* trans(s)hipment charges, wharfage, charges for loading/discharge/trans(s)hipment; **U.gerät** *nt* transfer equipment, trans(s)hipment device/facility; **U.geschäft** *nt* freight handling (operations); **U.geschwindigkeit** *f* stock turnover, rate/velocity of (merchandise) turnover; **U.hafen** *m* port of trans(s)hipment; **U.häufigkeit** ➔ **Umschlagshäufigkeit**; **U.kapazität** *f* handling capacity; **U.kennziffer** *f* turnover ratio; **U.kosten** *pl* 1. cargo handling charges, transfer charges; 2. ⚓ turnaround cost(s); **U.lager** *nt* sales warehouse, entrepôt; **U.papier** *nt* wrapping paper; **U.platz** *m* 1. terminal, transfer point, entrepôt *[frz.]*, place of trans(s)hipment; 2. trade centre; **U.seite** *f* 📖 cover

Umschlags|erlaubnis *f* trans(s)hipment permit; **U.funktion** *f* turnover function; **U.geschwindigkeit** *f* speed/rate of turnover, receivables turnover *[US]*

Umschlagshäufigkeit *f* turnover ratio/rate/frequency, stockturn rate, frequency of goods turnover, rate of (inventory) turnover; **U. des Eigen-/Gesamtkapitals** rate of equity turnover, assets turnover; ~ **Lagerbestandes** inventory sales ratio; ~ **Warenbestandes** inventory sales ratio, rate of merchandise turnover

Umschlags|kapazität *f* handling capacity; **U.kapital** *nt* working capital; **U.kennzahl der Debitoren** *f* receivables turnover ratio, accounts receivable turnover ratio; **U.leistung** *f* volume of goods handled; **U.methode** *f* handling method; **U.spediteur** *m* switching carrier; **U.spesen** *pl* handling charges

Umschlag|station/U.stelle *f* trans(s)hipment/transfer station, (~) terminal; ~ **für Containerexpresszüge** 🚂 freightliner terminal; ~ **für Hochsee-Containerschiffe** ocean container terminal

Umschlags|technik *f* cargo handling, materials handling technology; **U.verkehr** *m* trans(s)hipment traffic, trans(s)hipments; **U.zeit** *f* 1. turnover/stockturn/replacement period, transit time; 2. ⚓ turnaround time

Umschlagzentrum *nt* trans(s)hipment centre *[GB]*/center *[US]*

umschließen *v/t* to surround/encircle/embrace

Umschließung *f* 1. encirclement; 2. ⊖ package, wrapping; **gefüllt eingeführte U.en** *[EU]* packages imported full

umschlüssel|n *v/t* to recode; **U.ung** *f* recoding

umschmelz|en *v/t* to recast/refine/resmelt; **U.metall** *nt* secondary metal

umschnüren *v/t* to strap

Umschreibegebühr *f* 1. transfer/registration fee; 2. *(Börse)* transfer stamp duty

umschreiben *v/t* 1. to transcribe/transfer/rewrite; 2. *(Besitz)* to convey; 3. *(verbal)* to paraphrase

Umschreibestelle *f* transfer agency

Umschreibung *f* 1. transfer (trf.), transcription, transference; 2. *(Besitz)* conveyance; 3. *(verbal)* paraphrase; **U. im Aktienbuch** transfer entry in the share register

Umschreibungs|buch *nt (AG)* transfer book; **U.formular** *nt* transfer form; **U.gebühr** *f* 1. registration/transfer fee; 2. *(Börse)* transfer stamp duty; **U.register** *nt* transfer register; **U.stelle** *f (Wertpapiere)* transfer office/agent; **U.tag** *m* transfer day; **U.zertifikat** *nt* transfer warrant

Umschrift *f* legend, circumscription

umschulden *v/t* 1. to reschedule/refund/restructure/refinance (debt), to roll over/convert a debt; 2. *(Hypothek)* to remortgage

Umschuldung *f* 1. rescheduling/restructuring/conversion of debts, debt rescheduling/conversion/refinancing, refinancing, reorganization of loans, (debt) refunding; 2. § novation

Umschuldungs|abkommen *nt* debt rescheduling agreement; **U.aktion** *f* rescheduling scheme/operation, funding operation; **U.anleihe** *f* conversion loan, funding bonds/loan; **U.anspruch** *m* conversion privilege; **U.bedarf** *m* rescheduling requirement; **U.bestimmungen** *pl* conversion provisions; **U.darlehen** *nt* rescheduling loan; **U.guthaben** *nt* conversion balance; **U.kandidat** *m* candidate for debt rescheduling; **U.kasse** *f* conversion office; **U.kredit** *m* refunding/conversion credit; **U.plan** *m* rescheduling plan; **U.satz** *m* conversion price; **U.verhandlungen** *pl* loan rescheduling negotiations; **U.vorgang** *m* funding operation

umschulen *v/t* to retrain/rehabilitate

Umschüler(in) *m/f* trainee

Umschulung *f* (occupational/vocational/job) retraining, (vocational) rehabilitation, vocational conversion; **berufliche U.** vocational rehabilitation, occupational retraining

Umschulungs|beihilfe *f* (re)training allowance; **U.einrichtungen** *pl* retraining facilities; **U.lehrgang** *m* retraining course; **U.maßnahme** *f* retraining measure/scheme; **U.programm** *nt* retraining scheme; **U.stätte/U.werkstatt** *f* rehabilitation centre

umschwenken *v/i* to turn round

Umschwung *m* turn, about-turn, reversal, change of course, reaction, rebound, turnaround, swing; **U. in den Lagerpositionen** reversal in stockpiling

umsehen *v/refl* 1. to look around/about, to have a look round; 2. to shop around

umseitig *adj* overleaf, on the reverse; **wie u.** as over

umsetz|bar *adj* 1. sal(e)able, marketable; 2. negotiable, convertible, translatable; **u.en** *v/t* 1. to sell/turnover; 2. to transfer/translate/convert; 3. *(Personal)* to redeploy; **U.er** *m* 1. converter; 2. 🖳 translator; 3. *(Radio/Fernsehen)* transponder

Umsetzung *f* 1. conversion; 2. *(Personal)* redeployment, transfer, relocation to another job, transferral; **U. von Arbeitskräften** manpower dislocation; **U. in nationales Recht** *(EU-Richtlinie)* transposition; **U.en auf der Vorstandsetage** boardroom (re)shuffle; **innerbetriebliche U.** intra-plant transfer; **U.sprobleme** *pl* labour mobility problems; **U.szuschuss** *m* 🏭 relocation grant

Umsicht *f* prudence, circumspection, vigilance, discretion, propriety; **u.tig** *adj* prudential, prudent, circumspect, discreet, vigilant, with due care, judicious

um|siedeln *v/ti* to relocate/move/settle; **U.siedler** *m* repatriate

Umsiedlung *f* relocation, resettlement, resettling; **U.sbeihilfe** *f* removal costs allowance, resettlement allowance

umsonst *adv* 1. *(gratis)* free (of charge), gratuitous, for nothing/free, without payment, buckshee *(coll)*; 2. *(vergeblich)* in vain, futile; **etw. u. bekommen** to get sth. free; **völlig u. sein** *(Anstrengung)* to be a complete waste of time *(coll)*

jdn um|sorgen *v/t* to take care of so.; **u.sortieren** *v/t (Buchhaltung)* to regroup; **u.spannen** *v/t* 1. to span/ comprise; 2. ϟ to transform; **U.spannwerk** *nt* ϟ transformer station

Umstand *m* circumstance, factor, case; **Umstände** circumstances, details, particulars, fuss; **~ des Einzelfalls** circumstances of the case

in Anbetracht der Umstände in the circumstances; **ohne (viel) U.** without formalities; **ohne weitere U.** without further ado; **unter U.n** circumstances permitting; **unter allen U.n** by hook or by crook *(coll)*; **unter diesen U.n** in/under the circumstances; **unter den gegebenen/gegenwärtigen U.n** as things stand, in the present circumstances, under the given conditions, for the time being; **~ jeweiligen U.n** in the light of the prevailing circumstances; **unter keinen U.n** on no account, under no circumstances

alle Umstände darlegen to go into details; **sich auf die U. einstellen** to accommodate o.s. to the circumstances; **wenn es die U. erfordern** if circumstances so require; **U. machen** to (kick up a) fuss, to bother; **nicht viel U. machen** to make short work; **jdm U. verursachen** to give so. much trouble; **strafmildernde U. vortragen** to plead in mitigation; **mildernde U. zubilligen** to allow mitigating/extenuating circumstances; **soweit es die U. zulassen** circumstances permitting

außenwirtschaftliche Umstände external factors; **äußere U.** external facts/factors; **außergewöhnliche U.** exceptional circumstances; **belastender/erschwerender Umstand** § incriminating/aggravating circumstance, (matter of) aggravation; **erheblicher Umstand** § material circumstance; **erkennbare U.** recognizable facts; **in gesicherten U.n** in easy circumstances; **gravierende U.** aggravating circumstances; **individuelle U.** personal circumstances; **maßgeblicher Umstand** determining factor; **mildernde U.** mitigating/extenuating circumstances, mitigating factors; **mitverursachende U.** contributory causes; **nähere U.** details, particulars; **obskure U.** suspicious circumstances; **persönliche U.** personal circumstances; **strafverschärfende U.** § aggravating circumstances; **vom Parteiwillen unabhängige U.** events beyond reasonable control of the parties; **unberechenbare U.** imponderables; **ungewöhnliche U.** unusual circumstances; **unvorhergesehene U.** unforeseen circumstances; **wesentlicher Umstand** § material circumstance; **wichtigste U.** key factors; **widrige U.** adverse circumstances; **trotz aller widrigen U.** against all the odds; **wirtschaftliche U.** economic circumstances; **zufälliger Umstand** random circumstance

um|ständehalber *adv* owing to circumstances; **u.ständlich** *adj* circumstantial, tortuous, lengthy, (over)elaborate, cumbersome

Umstauen *nt* handling; **u.** *v/t* to handle

umstehend *adj* overleaf, on the reverse

Umsteigefahr|karte/U.schein *f/m* through ticket

Umsteigen *nt* changing, transfer; **u.** *v/i* 1. 🚆 to change; 2. *(Investitionen)* to switch/shift; **alles u.!** all change

Umsteigeoperation *f* *(Börse)* switching transaction

umstellen *v/t* 1. to convert/shift/change/switch/modify/adjust; 2. to reorder/reorganise/rearrange; **sich u. auf** to adapt o.s. to, to switch to

Umstellkosten *pl* changeover cost(s)

Umstellung *f* change, changeover, conversion, modification, switch(around), turnover, rearrangement, rehabilitation, reorientation, reorganisation

Umstellung des Betriebes change of operation, changeover; **U. auf elektrischen Betrieb** electrification; **~ Computer** computerization; **~ Containerverkehr** containerization; **~ Dauerbeschäftigung** decasualization; **~ Dieselbetrieb/-verkehr** dieselization; **~ den Euro** conversion to the Euro; **U. des Förderungsmodus** change in the method of assistance; **U. auf Gelegenheitsarbeit** casualization; **~ verstärkten Inlandsanteil** indigenization; **verstärkte ~ Inlandsbezug/-produktion** indigenization; **~ Paletten** palletization; **~ das Prinzip der Freiwilligkeit** voluntarization; **U. der Produktion** conversion of production; **U. auf Serienferigung** scale-up to commercial production; **U. im Wertpapierbesitz** portfolio switch

innerbetriebliche Umstellung internal reorganisation; **organisatorische U.** organisational change

Umstellungs|angebot *nt* conversion offer; **U.beihilfe** *f* conversion grant; **U.bilanz** *f* conversion sheet; **U.guthaben** *nt* conversion ballance; **U.investitionen** *pl* changeover/retooling/reequipment investment; **U.konto** *nt* conversion account; **U.kosten** *pl* conversion costs, costs of change; **U.kurs** *m* conversion price; **U.lohn** *m* conversion wage; **U.maßnahme** *f* changeover; **U.prozess** *m* process of readjustment; **U.rechnung** *f* conversion account; **U.verhältnis** *nt (Wäh-*

rungsreform) conversion ratio; **U.verluste** *pl* readjustment losses; **U.zuschlag** *m* changeover allowance

Umstelllzeichen *nt* transpose; **U.zeit** *f* changeover time

umlstempeln *v/t* to restamp; **jdn u.stimmen** *v/t* to win so. round

umstoßlbar *adj* reversible; **u.en** *v/t* 1. to upset; 2. § to overrule/overturn/overthrow/annul/reverse/rescind/override

umstritten *adj* controversial, contentious, contested; **u. sein** to be open to dispute

umstrukturieren *v/t* 1. to restructure/reorganise/repackage/regroup; 2. *(Personal)* to redeploy/reshuffle

Umstrukturierung *f* 1. restructuring, reorganisation, shake-up; 2. *(Personal)* redeployment; **U. der Kredite** reorganisation of loans; **U. des Portefeuille** asset reallocation; **U.shilfe** *f* restructuring aid; **U.smaßnahme** *f* restructuring measure; **U.sprozess** *m* restructuring process

umstuflen *v/t* to regrade/reclassify; **U.ung** *f* regrading, reclassification

Umsturz *m* upheaval, overthrow, overturn; **U.bewegung** *f* subversive movement

umstürzlen *v/ti* 1. to overturn/overthrow; 2. to fall down; **U.ler** *m* revolutionary; **u.lerisch** *adj* subversive, revolutionary

Umsturzversuch *m* attempted overthrow

Umtausch *m* exchange, barter, swap, conversion, replacement; **kein U.** all sales final; **U. von Aktien der Muttergesellschaft in die der Tochtergesellschaft** split-off, split-up; **U. zum Nennwert** conversion at face value; **U. jederzeit möglich** no quibble guarantee; **zum/zwecks U. übergeben** to surrender for exchange

Umtauschlagent *m* conversion agent; **U.aktion** *f* conversion scheme, conversion/swap operation, swap transactions; **U.angebot** *nt* conversion/swap/exchange offer; **U.anleihe** *f* conversion issue/loan

umtauschbar *adj* convertible, exchangeable, returnable; **nicht u.** non-convertible, non-returnable

umtauschen *v/t* to exchange/change/swap/commute/convert/switch; **u. in** to switch into

Umtauscherklärung *f* notice of conversion

umtauschfähig *adj* exchangeable, convertible, returnable; **nicht u.** non-convertible; **U.keit** *f* convertibility

Umtauschlfazilität *f* *(IWF)* substitution account; **U.frist** *f* conversion period, period of exchange; **U.kosten** *pl* cost of exchange; **U.kurs** *m* exchange rate, (commercial) rate of exchange; **amtlicher U.kurs** official exchange rate; **U.obligation** *f* redemption bond; **U.operation** *f* swap/repurchase operation, reshuffle; **U.pfandbrief** *m* converted mortgage bond; **U.preis** *m* exchange price; **U.quittung** *f* refund cheque *[GB]*/check *[US]*; **U.recht** *nt (Optionsanleihe)* conversion right, option to convert, right to exchange; **U.relationen** *pl* terms of trade; **U.satz** *m (Währung)* conversion/cross/swap rate; **U.stelle** *f* conversion office/agent; **U.titel** *m* conversion paper; **U.transaktion** *f* conversion, switch; **U.verfahren** *nt* conversion scheme; **U.vergütung** *f* conversion bonus; **U.verhältnis** *nt* → **U.satz** ratio; **~ von 1 : 1** one-to-one rate of exchange; **U.versicherung** *f* convertible assurance *[GB]*/insurance *[US]*, versatile policy; **mit U.vorbehalt** *m* subject to change; **U.vorrecht** *nt* conversion privilege, exchange proviso

Umtriebe *pl* activities, machinations; **staatsfeindliche U.** subversive activities

Umtriebslalter *nt* rotation age; **U.zeit** *f* rotation period

Umtrunk *m* drink

umtun (nach) *v/refl* to look/shop around (for)

umverteilen *v/t* to redistribute

Umverteilung *f* redistribution, reallocation, reshuffle; **U. des Steuerkuchens** redistribution of tax revenues

Umverteilungsl- redistributive; **U.haushalt** *m* redistribution mechanism; **U.komponente** *f* redistribution element; **U.politik** *f* redistribution policy; **U.prozess** *m* process of redistribution

umwälzlen *v/t* 1. to change radically; 2. to revolutionize; **u.end** *adj* revolutionary; **U.ung** *f* upheaval, radical change

umwandelbar *adj* convertible; **U.keit** *f* convertibility

umwandeln *v/t* 1. to change/convert/transform, to turn into; 2. § to commute; **u. in** to convert (in)to

Umwandlung *f* 1. conversion, transformation, change; 2. *(Strafe)* commutation; 3. *(Gesellschaft)* reconstruction, reorganisation, change of corporate form

Umwandlung des Aktienaufgeldes in Aktienkapital capitalization of share premium account; **U. einer Aushilfsarbeitsstelle in eine Dauerbeschäftigung** decasualization; **U. des Beamtenverhältnisses** change of civil service status; **U. einer Gesellschaft** reorganisation of a company; **U. in eine Gesellschaft(sform)** conversion into a company; **~ Kapitalanlagegesellschaft** unitization; **schrittweise U. einer Mehrheits- in eine Minderheitsbeteiligung** fading-out; **U. von Rücklagen** transfer of reserves; **~ Schulden in Eigenkapital** debt-equity swap, conversion of debt into equity; **U. einer schwebenden in eine feste Schuld** crystallization; **U. (kurzfristiger) in langfristige Schulden** long funding; **U. einer Strafe** § commutation of a sentence; **U. von Vermögensformen** asset transformation; **~ Wertpapieren** conversion of debentures

formwechselnde Umwandlung transformation of a company

Umwandlungslangebot *nt* conversion offer; **U.antrag** *m* request for conversion; **U.arbitrage** *f* conversion arbitrage; **U.bereich** *m* conversion area; **U.beschluss** *m* resolution approving the reorganisation; **U.bilanz** *f* reorganisation balance sheet; **U.gebühr** *f (Pat.)* conversion fee; **U.gesetz** *nt* transformation/reorganisation law; **U.gewinn** *m* reorganisation gain, profit on amalgamation; **U.klausel** *f* commutation/convertibility clause; **U.liste** *f* postlist; **U.prozess** *m* process of transformation; **sich in einem ~ befinden** to be in a state of flux; **U.recht** *nt* right of conversion, ~ to convert, commutation right; **U.tabelle** *f* conversion table; **U.verkehr** *m [EU]* processing under customs control; **buchtechnischer U.verlust** accounting loss on reorganisation; **U.wert** *m (Vers.)* paid-up value

umwechsel|bar *adj* convertible; **u.n** *v/t* to change/convert/exchange/shift

Umwechslung *f* conversion, exchange; **U.skurs** *m* rate of exchange, exchange rate

Umweg *m* detour, indirect method; **auf U.en** by indirect means, indirectly; **U. machen** to make a detour; **U.finanzierung** *f* indirect financing; **U.produktion** *f* indirect/roundabout production

Umwelt *f* environment, outside world; **U. am Arbeitsplatz** job/working environment; **U. beeinträchtigen** to harm the environment; **U. belasten/verschmutzen** to pollute the environment

berufliche Umwelt job/working environment; **betriebliche U.** business environment; **externe U.** external environment; **feindliche U.** hostile environment; **gegenständliche U.** physical environment; **gesellschaftliche U.** social environment; **interne U.** internal environment; **kulturelle U.** cultural environment; **natürliche U.** natural environment; **saubere U.** clean environment; **soziale U.** social environment; **verschmutzte U.** polluted environment; **verseuchte U.** contaminated environment

Umwelt|- environmental; **U.abgabe** *f* environmental levy; **U.alarm** *m* environmental alarm; **U.amt** *nt* environmental office; **U.audit** *nt* eco-audit; **U.auflagen** *pl* environmental regulations/restrictions, ecological requirements; **U.ausschuss** *m (Parlament)* Environment Select Committee *[GB]*; **U.auswirkung** *f* environmental effect; **U.beauftragter** *m* pollution inspector, environment officer; **u.bedingt** *adj* environmental; **U.bedingung** *f* environmental force; **U.bedingungen** environmental conditions/constellation; **U.bedrohung** *f* ecological menace/threat; **U.beeinträchtigung** *f* environmental nuisance/intrusion; **U.behörde** *f* environmental office/authority; **u.belastend** *adj* polluting, harmful, noxious, detrimental to the environment; **U.belastung** *f* environmental pollution/burden/stress; **U.beobachtung** *f* monitoring of the environment; **U.beratung** *f* environmental counselling/consulting; **U.berichterstattung** *f* green/environmental reporting; **u.bewusst** *adj* environment-minded, ecology-minded, environment-conscious, environment-orient(at)ed, conservation-minded; **U.bewusstsein** *nt* ecological/environmental awareness, conservation-mindedness, environmental consciousness; **U.beziehungen** *pl* environmental relationships; **U.bilanz** *f* environmental accounts; **U.bundesamt** *nt [D]* federal environment office; **U.chemie** *f* environmental chemistry

Umwelt|einfluss *m* environmental effect/impact; **U.einflüsse** environmental influence/factors; **~ am Arbeitsplatz** environmental working conditions

Umwelteinwirkung *f* environmental impact; **U.engagement** *nt* environmental engagement/commitment; **U.engel** *m* environmental label; **U.entlastung** *f* environmental relief; **U.erfordernis** *nt* ecological requirement; **U.erhaltung** *f* environmental preservation, conservation; **U.erziehung** *f* education in environmental problems; **U.etikett** *nt* eco-label; **U.experte** *m* environmental professional; **globale U.fazilität** global environment facility; **u.feindlich** *adj* polluting, (ecologically) harmful, noxious; **U.folgen** *pl* environmental impact; **U.forscher** *m* ecologist; **U.forschung** *f* environmental research, ecology; **U.frage** *f* environmental issue/question; **u.freundlich** *adj* non-polluting, clean, ecologically beneficial, anti-pollution, environmentally friendly/compatible, environment-friendly, eco-friendly, harmless; **U.freundlichkeit** *f* environmental compatibility; **U.gefahr** *f* ecological hazard; **u.gefährdend** *adj* harmful to the environment; **u.gerecht** *adj* environmentally compatible/sound; **u.geschädigt** *adj* polluted; **U.gesetzgebung** *f* environmental legislation; **U.gestaltung** *f* environmental planning; **u.gestört** *adj (soziologisch)* maladjusted; **U.gift** *nt* contaminant, environmental pollutant; **U.gruppe** *f* environmental group; **U.hygiene** *f* environmental health; **U.hygieneamt** *nt* environmental health office; **U.initiative** *f* environmental initiative; **U.investitionen** *pl* anti-pollution investment; **U.katastrophe** *f* ecological disaster/catastrophe, ecodoom, ecocatastrophe; **U.konferenz** *f* environment conference; **U.konstellation** *f* combination of environmental forces; **U.kontrolle** *f* pollution/environmental control; **U.krankheit** *f* disease caused by pollution; **U.kriminalität** *f* environmental crime(s); **U.krise** *f* environmental/ecological crisis, ecocrisis; **U.lärm** *m* noise pollution; **U.lehre** *f* ecology; **U.lobby** *f* environmental lobby; **U.management** *nt* eoc-management; **U.minister** *m* environment minister/secretary, minister of the environment; **U.ministerium** *nt* ministry of the environment, Department of the Environment (DoE) *[GB]*; **U.normen** *pl* environmental norms; **U.nutzen** *m* environmental benefit; **U.ökonomie** *f* environmental economics; **U.organisation** *f* environmental group; **U.planung** *f* environmental/ecological planning; **U.politik** *f* 1. environmental/environment policy; 2. ecopolitics; **U.politiker(in)** *m/f* ecopolitician; **u.politisch** *adj* ecological, environmental, ecopolitical; **U.problem** *nt* environmental problem/issue/question, pollution problem; **U.produkt** *nt* clean/eco-friendly product; **U.programm** *nt* environmental programme; **U.qualität** *f* environmental quality, quality of life; **U.qualitätsziel** *nt* environmental quality target; **U.recht** *nt* environmental law; **U.restriktionen** *pl* environmental restrictions; **U.richtlinien** *pl* environmental guidelines; **U.risiko** *nt* environmental hazard/risk; **U.schaden** *m* damage to the environment, environmental damage; **U.schadenshaftung** *f* liability for environmental damage; **u.schädigend** *adj* polluting; **U.schädigung durch Wärme** *f* thermal pollution; **u.schädlich** *adj* (ecologically) noxious/harmful, harmful to the environment; **U.schädling** *m* pollutant; **u.schonend** *adj* clean, non-polluting, anti-polluting, low-pollution, eco-friendly, ecologically friendly; **U.schonung** *f* conservation

Umweltschutz *m* environmental protection/conservation, nature conservancy, (ecological) conservation, pollution/environmental control, pollution prevention, preservation of the environment, conservation efforts;

U.aktivitäten *pl* environmental protection activities, conservation activities; **U.auflagen/U.bestimmungen** *pl* environmental regulations; **U.beauftragte(r)** *f/m* environmental protection officer; **U.behörde** *f* pollution-control agency, Environmenntal Protection Agency (EPA) *[US]*; **U.bewegung** *f* ecological/ecology/environment movement, environmentalism

umweltschützend *adj* anti-pollution

Umweltschützer(in) *m/f* environmentalist, environmental campaigner, conservationist

Umweltschutz|erfordernisse *pl* environmental requirements; **U.experte/U.fachmann** *m* ecological expert, ecologist; **U.gesetz** *nt* Pollution Act, Environmental Protection Act *[GB]*; **U.gruppe** *f* environmental group; **U.industrie** *f* pollution control industry; **U.ingenieur** *m* environmental engineer; **U.investition** *f* anti-pollution investment; **U.konferenz** *f* environment conference; **betriebliche U.leistungen** corporate environmental performance; **U.maßnahme** *f* environmental measure; **U.organisation** *f* environmental action group, ecology group; **U.papier** *nt* recycled paper; **U.politik** *f* environmental protection policy; **U.problem** *nt* environmental/pollution problem; **U.programm** *nt* environment-protection programme; **U.recht** *nt* environmental law; **U.technik/U.technologie** *f* pollution-control/conservation technology; **U.vorschriften** *pl* environmental standards

Umwelt|situation *f* environmental situation; **U.spezialist(in)** *m/f* ecologist, ecological expert; **U.standards** *pl* environmental standards; **U.statistik** *f* environmental statistics; **U.steuer** *f* ecology tax, eco-tax; **U.störung** *f (Soziologie)* maladjustment; **U.studie** *f* ecological/environmental study; **U.sünder** *m* polluter, environmental offender; **U.technik/U.technologie** *f* environmental technology; **U.thema** *nt* environmental issue; **U.tourismus** *m* ecotourism; **U.überwachung** *f* environmental control; **U.veränderung** *f* environmental change; **U.verantwortung** *f* environmental responsibility; **U.verbesserung** *f* environmental improvement; **U.verhalten** *nt* environmental behaviour/performance; **gesunde U.verhältnisse** ecological balance; **u.verschmutzend** *adj* polluting, pollutive; **U.verschmutzer** *m* pollutant, polluter; **u.verschmutzt** *adj* polluted

Umweltverschmutzung *f* (environmental) pollution/contamination; **U. durch Auspuffgase** 🚗 exhaust pollution; **~ die Industrie** industrial pollution; **~ die Landwirtschaft** agricultural pollution; **der U. Einhalt gebieten** to stem pollution; **industrielle U.** industrial pollution

umwelt|verseucht *adj* environmentally contaminated, polluted; **U.verseuchung** *f* environmental contamination; **U.verstöße** *pl* environmental offences

umweltverträglich *adj* environmentally compatible, non-polluting, harmless, (environmentally) sustainable; **U.keit** *f* environmental compatibility/sustainability; **U.keitsprüfung** *f* environmental compatibility control

Umwelt|zeichen *nt* environmental label, eco-label; **u.zerstörend** *adj* ecocidal; **U.zerstörung** *f* destruction of the environment, ecocide, environmental destruction; **U.zertifikat** *nt* pollution licence; **U.ziel** *nt* environmental target; **U.zustand** *m* environmental constellation

umwerben *v/t* to court/solicit/woo

umwerfen *v/t* to upset/overturn; **u.d** *adj (coll)* mind-boggling *(coll)*; **nichts U.des** *nt* nothing to write home about *(coll)*

umwert|en *v/t* to revalue/reassess; **U.ung** *f* revaluation, reassessment

umwidmen *v/t* 1. to rededicate; 2. *(Gebäude/Fläche)* to redesign/rezone

Umwidmung *f* 1. rededication; 2. *(Fläche)* rezoning; **U.sstrategie** *f* store type reorientation strategy

um|winden *v/t* to twist; **u.zäunen** *v/t* to enclose, to fence in

Umzäunung *f* enclosure, fence, fencing; **U.spatent** *nt* fencing patent

Umziehen *nt* 1. removal, move; 2. change of clothes; **u.** *v/i* to move/shift, to move house, to relocate; *v/refl* to change; **u. nach** to (re)move to

Umzug *m* removal, move, relocation

Umzugs|anzeige *f* notice of removal; **U.beihilfe/U.geld/U.hilfe** *f/nt/f* removal/relocation grant, mobility/removal/relocation allowance, relocation assistance; **U.gut** *nt* household effects in the course of removal; **persönliches U.gut** ⊖ removables articles imported on transfer of residence

Umzugskosten *pl* removal cost, relocation expenses, removal/moving expense; **U.beihilfe** *f* removal allowance/grant; **U.entschädigung** *f* relocation allowance

Umzugs|spediteur/U.spedition/U.unternehmen/U.unternehmer *m/f/nt/m* removal firm/contractor; **U.versicherung** *f* furniture-in-transit insurance

unab|änderlich/u.dingbar *adj* unalterable, irreversible, mandatory, irrevocable, vested, indispensible, absolute, beyond/past recall; **U.dingbarkeit** *f* indispensability, absoluteness, unchangeability

unabhängig *adj* 1. independent, impartial, unaffiliated, middle-of-the-road, severable; 2. *(Person)* self-supporting, free-lance; 3. *(Haus)* self-contained, free-standing; 4. *(Gerät)* separate, stand-alone; 5. 💻 offline; **u. von** regardless/irrespective of, independently of; **finanziell u.** self-supporting; **voneinander u.** separate; **u. sein** to be one's own master

Unabhängige(r) *f/m* independent, self-employed person

Unabhängigkeit *f* 1. independence, freedom, autonomy; 2. self-reliance; **U. der Gerichte** independence of the courts; **richterliche U.** judicial independence; **wirtschaftliche U.** self-sufficiency, autarchy; **U.sbewegung** *f* independence movement; **U.serklärung** *f* declaration of independence

unabkömmlich *adj* busy, non-available, indispensable; **u. sein** to be engaged; **U.keit** *f* non-availability

unab|lässig *adj* ceaseless, unremitting, incessant; **u.lösbar** *adj* irredeemable, perpetual; **u.sehbar** *adj* unforeseeable, incalculable; **u.setzbar** *adj* 1. *(Steuer)* non-deductible; 2. *(Person)* irremovable; **u.sichtlich** *adj* unintentional, inadvertent

unabtretbar *adj* inalienable, unassignable, non-transferable, non-assignable; **U.keit** *f* non-assignability, non-transferability, inalienability
unabweisbar *adj* unobjectionable, irrefutable
unabwendbar *adj* inevitable, inescapable, unavoidable; **U.keit** *f* inevitability
unachtsam *adj* careless, negligent, neglectful, unheeding; **U.keit** *f* carelessness, negligence; **~ des Fußgängers** § jay-walking
un|adressiert *adj* unaddressed, undirected; **u.ähnlich** *adj* dissimilar; **u.akzeptiert** *adj* unaccepted
unanfechtbar *adj* 1. § incontestable, non-appealable, inappellable; 2. watertight, indisputable, unassailable; *adv* beyond exceptation; **U.keit** *f* incontestability, non-appealability; **U.keitsklausel** *f* incontestable clause
unan|gebracht *adj* inappropriate, out of place, inopportune, unsuitable, misguided; **u.gefochten** *adj* undisputed, unchallenged, uncontested; **u.gemeldet** *adj* unannounced, without notice
unangemessen *adj* 1. unreasonable, undue, unfair; 2. inadequate, unsuitable, inappropriate; **U.heit** *f* 1. unreasonableness; 2. inadequacy, unsuitability, inappropriateness
unan|genehm *adj* unpleasant, disagreeable, objectionable, annoying, unwelcome, tiresome, unpalatable, sticky, nasty; **u.getastet bleiben** *adj* 1. to remain untouched; 2. *(Rechte)* not to be violated; **u.gezapft** *adj* untapped; **u.greifbar** *adj* 1. unassailable, unchallengeable; 2. *(Pat.)* incontestable; **u.klagbar** *adj* unimpeachable
unannehmbar *adj* unacceptable; **U.keit** *f* unacceptability, objectionability
Unannehmlichkeit(en) *f/pl* unpleasantness, inconvenience, trouble; **~ bekommen; sich ~ zuziehen** to get into trouble; **jdm ~ bereiten/verursachen** to inconvenience/discomfit so.
unansehnlich *adj* unattractive, plain
unanständig *adj* indecent, improper, unseemly, obscene; **sich u. benehmen** to behave improperly; **U.keit** *f* indecency, impropriety, obscenity
unantastbar *adj* untouchable, inviolable, indefeasible, irreproachable, sacrosanct; **U.keit** *f* inviolability, indefeasibility, sanctity
unanwendbar *adj* inapplicable; **U.keit** *f* inapplicability
Unart *f* bad habit
unauf|dringlich/u.fällig *adj* unobtrusive, inconspicuous, discreet, low-key, nondescript; **u.findbar** *adj* untraceable; **u.gebbar** *adj (Forderung)* unnegotiable; **u.gefordert** *adj* unsolicited, unrequested, of one's own accord, on one's own initiative; **u.geführt** *adj* 1. *(Liste)* unlisted; 2. unquoted; **u.geschlossen** *adj* unreceptive; **u.haltsam** *adj* unstoppable, inexorable; **u.hebbar** *adj* § non-appealable, non-repealable, indefeasible; **u.hörlich** *adj* ceaseless, unremitting, unabated; **u.lösbar/u.löslich** *adj* indissoluble, perpetual; **u.merksam** *adj* inattentive
unaufrichtig *adj* insincere; **U.keit** *f* insincerity
un|aufschiebbar *adj* urgent, pressing, irreprievable; **u.aufspürbar** *adj* untraceable; **u.ausbleiblich** *adj* inevitable; **u.ausdehnbar** *adj* unextendable
unausführbar *adj* impracticable, not feasible, unfeasible; **U.keit** *f* impracticality
unaus|gebildet *adj* untrained; **u.gefertigt** *adj* blank; **u.geführt** *adj* unexecuted; **u.gefüllt** *adj* blank, unfilled; **~ lassen** to leave blank
unausgeglichen *adj* unbalanced, disproportionate, unequal, unoffset; **U.heit** *f* imbalance, maladjustment, disequilibrium
unaus|gegoren *adj (Plan)* immature, half-baked *(coll)*; **u.gelastet** *adj* underused; **u.genutzt** *adj* idle, unused; **u.gereift** *adj* unripe, immature; **u.geschrieben** *adj* blank; **u.geschüttet** *adj (Dividende)* unappropriated; **u.gesprochen (enthalten)** *adj* implicit, implied
unausgewogen *adj* unbalanced, ill-balanced, biased, uneven; **U.heit** *f* imbalance, bias; **strukturelle U.heiten** structural imbalances
unaus|kömmlich *adj* insufficient, inadequate; **u.rottbar** *adj* ineradicable; **u.sprechlich** *adj* unspeakable; **u.stehlich** *adj* unbearable; **u.weichlich** *adj* inevitable, unavoidable, inexorable, necessary
un|bändig *adj* unruly, unrestrained; **u.bar** *adj* non-cash, cashless, by cheque *[GB]*/check *[US]*/credit card; **u.barmherzig** *adj* 1. pitiless, merciless, ruthless; 2. *(Wettbewerb)* cutthroat
Unbarposten *m* non-cash item
un|beabsichtigt *adj* unintentional, unintended, accidental, unconscious, inadvertent, unwilling, unwitting; **u.beachtet** *adj* unnoticed, unheeded, unnoted; **etw. ~ lassen** to take no notice of sth., to disregard sth.; **u.beachtlich** *adj* § irrelevant; **u.beanstandet** *adj* unopposed, unobjected, without objection; **u.beantwortet** *adj* unanswered, unacknowledged, without reply; **u.bearbeitet** *adj* 1. crude, unmachined, unmanufactured, raw; 2. *(Markt)* virgin; 3. *(Fall)* pending; 4. 🚜 unworked; **u.beaufsichtigt** *adj* uncontrolled, without supervision/surveillance; **u.bebaubar** *adj* 1. 🚜 uncultivable, untillable; 2. *(Grundstück)* unsuitable for development; **u.bebaut** *adj* 1. *(Grundstück)* vacant; 2. unbuilt, undeveloped; 3. 🚜 uncultivated, unreclaimed, unimproved
unbedacht *adj* ill-considered, ill-judged, improvident; **u.sam** *adj* improvident; **U.samkeit** *f* improvidence
un|bedarft *adj* inexperienced; **u.bedenklich** *adj* unobjectionable
Unbedenklichkeits|bescheinigung/U.erklärung *f* 1. clearance (certificate), certificate/declaration of non-objection; 2. *(Umweltgift)* certificate of non-toxity; **U.bestätigung** *f* clean report of findings; **U.prüfung** *f* ⊖ objectionability test; **U.zeugnis** *nt* ⚓ *(Geleitschein)* navicert
un|bedeutend *adj* negligible, insignificant, unimportant, petty, puny, fractional, paltry, little; **u.bedingt** *adj* absolute, unconditional, safe, unqualified, necessary, peremptory; **u.bedruckt** *adj* blank; *(Stoff)* unprinted; **u.beeidigt** *adj* unsworn; **u.beeindruckt** *adj* unimpressed, unruffled; **sich ~ zeigen** to shake off worries; **u.beeinflusst** *adj* unaffected, uninfluenced; **u.beeinträchtigt** *adj* unimpaired; **u.befahrbar** *adj* 1. impassable; 2. unnavigable; **u.befangen** *adj* unprejudiced,

unbiased, impartial, naive, objective; **U.befangenheit** *f* impartiality, objectiveness, absence of bias; **u.befrachtet** *adj* empty; **u.befriedigend** *adj* unsatisfactory; **u.befriedigt** *adj* 1. dissatisfied; 2. *(Schuldner)* unsatisfied; **u.befristet** *adj* undated, indefinite, perpetual, unlimited, for an unlimited period, ~ indefinite time, without specified maturity; **u.befugt** *adj* 1. unauthorized, incompetent, unlicensed; 2. § ultra vires *(lat.)*; **U.befugte(r)** *f/m* unauthorized person; **u.begabt** *adj* untalented, ungifted; **u.begeben** *adj* unissued, unsold; **u.beglaubigt** *adj* uncertified, unauthenticated, unaccredited, unattested, parol; **u.begleitet** *adj* unaccompanied; **u.beglichen** *adj* unsettled, unpaid, outstanding, undischarged, **u.begreiflich** *adj* incomprehensible, inconceivable; **u.begrenzt** *adj* 1. unlimited, indefinite, unrestricted, open-end(ed), without limits, ad infinitum *(lat.)*; 2. *(Mühe/Lob)* unstinting; **u.begründet** *adj* groundless, unfounded, ill-founded, unsubstantiated, without (just) cause; **u.begütert** *adj* impecunious

Unbehagen *nt* misgivings, disquiet, uneasiness, discomfort, unease; **öffentliches U.** public disquiet

un|behaglich *adj* uncomfortable, uneasy, ill-at-ease; **u.behandelt** *adj* untreated; **u.behelligt** *adj* undisturbed, unmolested; **u.beherrscht** *adj* uncontrolled, intemperate; **u.behindert** *adj* unrestricted, unfettered; **u.behoben** *adj* unclaimed, unremedied

unbeholfen *adj* clumsy, unwieldy; **sprachlich u.** inarticulate; **U.heit** *f* awkwardness, clumsiness

unbeirr|bar/u.t *adj* unwavering, steadfast, unswerving

unbekannt *adj* unknown, strange; **U.te** *f* π unknown (term); **U.e(r)** *f/m* unknown person

un|bekömmlich *adj (Nahrung)* indigestible; **u.bekümmert** *adj* unconcerned, careless, happy-go-lucky; **u.beladen** *adj* empty, light, unladen; **u.belastet** *adj* unencumbered, uncharged, unmortgaged, clear, debtless

unbelebt *adj* slack, dull, lifeless, sluggish; **U.heit** *f* slackness, sluggishness

unbe|legt *adj* unoccupied, free; **u.leuchtet** *adj* unlit; **u.lichtet** *adj (Film)* unexposed

unbeliebt *adj* unpopular, disliked; **U.heit** *f* unpopularity

unbe|lohnt *adj* unrewarded, unrequited, unrecompensed; **u.mannt** *adj* 🚆 crewless, unmanned; **u.merkt** *adj* unnoticed; ~ **bleiben** to go unnoticed, to escape notice

unbemittelt *adj* impecunious, without funds; **gänzlich u.** destitute; **U.heit** *f* destitution

un|benannt *adj* innominate; **u.benutzt** *adj* unused, unoccupied, unemployed, idle; **u.beobachtet** *adj* unobserved; ~ **bleiben** to escape notice

unbequem *adj* uncomfortable, inconvenient; **U.lichkeit** *f* inconvenience

unberechenbar *adj* incalculable, unpredictable, erratic, skittish; **U.keit** *f* unpredictability, incalculability, skittishness; **U.keiten** imponderables

un|berechnet *adj* free of charge; **u.berechtigt** *adj* 1. *(unbefugt)* unauthorized, unlicensed; 2. *(grundlos)* unfounded; 3. unjustified, unwarranted; 3. unentitled; **u.bereinigt** *adj* unadjusted, uncleared; **u.berichtigt** *adj* uncorrected, unsettled, unrectified; **u.berücksichtigt** *adj* unnoticed, not taken into account; ~ **lassen** to disregard/discount, to leave out of account; **u.berührt** *adj* unaffected, without prejudice to; **u.beschadet** *prep* without prejudice to, notwithstanding, irrespective/regardless of, saving; **u.beschädigt** *adj* 1. undamaged, intact; 2. unspoilt; 3. sound; 4. *(Vers.)* free of damage (f.o.d.), ⚓ free from average; **U.beschäftigte(r)** *f/m* non-employee; **u.beschäftigt** *adj* unemployed, idle, unoccupied, out of work

unbescheiden *adj* immodest; **U.heit** *f* immodesty

unbescholten *adj* 1. unblemished, fair, spotless; 2. *(Frau)* chaste; **U.heit** *f* 1. integrity, good name; 2. *(Frau)* chastity; **U.heitszeugnis** *nt* certificate of good character

un|beschränkt *adj* unlimited, unrestricted, absolute, without limits/restraint, ad infinitum *(lat.)*; **u.beschrieben** *adj* blank; **u.beschwert** *adj* footloose, light-handed; **u.besehen** *adj* (sight) unseen, unexamined; *adv* simply; **u.besetzt** *adj* vacant, unoccupied, unfilled, unmanned; **u.besichert** *adj* unsecured; **u.besiedelt** *adj* unsettled, peopleless; **u.besiegbar** *adj* invincible; **u.besoldet** *adj* 1. unpaid, unsalaried; 2. *(ehrenamtlich)* honorary; **u.besonnen** *adj* rash, ill-considered, injudicious, heedless; **u.besorgt** *adj* unconcerned; **u.besprochen** *adj* unventilated

unbeständig *adj* 1. volatile, instable, mercurial, inconsistent, unsteady, fickle; 2. *(Wetter)* variable, unsettled; **U.keit** *f* volatility, instability, inconsistency, variability, unsteadiness

unbestätigt *adj* unconfirmed, unattested, unacknowledged

unbestechlich *adj* incorruptible, unbribable, proof against bribes; **U.keit** *f* incorruptibility

unbestellbar *adj* undeliverable; **U.keitsmeldung** *f* advice of non-delivery

un|bestellt *adj* unordered; **u.besteuert** *adj* untaxed, taxfree, zero-rated

unbestimmbar *adj* indeterminable, indefinable

unbestimmt *adj* 1. vague, uncertain, indefinite, unsettled, undetermined, unascertained; 2. intangible; **U.heit** *f* uncertainty; **U.heitsmaß** *nt* coefficient of nondetermination

un|bestraft *adj* unpunished; ~ **bleiben** to go unpunished, to escape scot-free; **u.bestreikt** *adj* strike-free; **u.bestreitbar** *adj* undeniable, indisputable, unquestionable, incontestable, unassailable; **u.bestritten** *adj* unquestioned, undisputed, uncontested; **u.beteiligt** *adj* not involved, unconcerned; **U.beteiligte(r)** *f/m* outsider

un|beträchtlich *adj* inconsiderable; **u.betroffen** *adj* unaffected, unafflicted; **u.beugsam** *adj* unbending, unyielding, uncompromising, rigid, inflexible; **u.bewacht** *adj* 1. unguarded; 2. unattended; **u.bewaffnet** *adj* unarmed; **u.bewässert** *adj* unirrigated

unbeweglich *adj* immovable, stationary, fixed, nonvariable, immobile; **u.e Sachen** immovables; **U.keit** *f* immobility

un|beweisbar *adj* unprovable; **u.bewertet** *adj* unvalued, unassessed; **u.bewiesen** *adj* unproved, unproven, not proven; **u.bewirtschaftet** *adj* unmanaged, uncontrolled; **u.bewohnbar** *adj* uninhabitable, unfit for (human) habitation; **für ~ erklären** to condemn; **u.bewohnt** *adj* vacant, unoccupied, deserted; **u.bewusst** *adj* unconscious, involuntary, unwitting; **u.bezahlbar** *adj* invaluable, priceless, unpayable, prohibitively expensive; **u.bezahlt** *adj* unpaid, unsettled, uncleared, nil paid; *adv* without pay; **u.bezeichnet** *adj* undesignated; **u.bezweifelt** *adj* unquestionable

unbillig *adj* unfair, unreasonable, undue, inequitable; **U.keit** *f* iniquity, unreasonableness

unbotmäßig *adj* insubordinate, recalcitrant, disorderly; **U.keit** *f* insubordination, recalcitrance, recalcitrancy *[US]*

unbrauchbar *adj* useless, unserviceable, obsolete, unemployable, inapplicable, unfit for use; **für u. erklären** to condemn; **u. machen** to spoil; **u. werden** to become unserviceable; **U.keit** *f* impracticability, inapplicability

un|bürokratisch *adj* unbureaucratic; **u.chiffriert** *adj* plain

Und-Zeichen *nt* ampersand

Undank *m* ingratitude; **u.bar** *adj* ungrateful; **U.barkeit** *f* ingratitude

un|datiert *adj* undated; **u.definierbar** *adj* indeterminable; **u.deklariert** *adj* ⊖ undeclared

Understatement *nt* understatement

un|deutlich *adj* vague, dubious, dim; **u.dicht** *adj* leaky, pervious; **~ sein** to leak; **u.differenziert** *adj* 1. uniform; 2. *(Warenangebot)* uncomprehensive

Unding *nt* absurdity

undiszipliniert *adj* unruly, undisciplined

und/oder a/o (and/or)

undurch|dringlich *adj* impenetrable, impervious, opaque; **u.lässig** *adj* impermeable, proof

undurchführbar *adj* impracticable, unworkable; **U.keit** *f* impracticability

undurch|setzbar *adj* 1. unenforceable; 2. § imperfect; **u.sichtig** *adj* 1. obscure, impenetrable, non-transparent; 2. muddled, higgledy-piggledy *(coll)*

uneben *adj* uneven, rough, bumpy

unecht *adj* false, fake(d), mock, phon(e)y, counterfeit, base, imitation, artificial; **U.heit von Noten** *f* counterfeit notes

unedel *adj* base

unehelich *adj* illegitimate, born out of wedlock; **U.keit** *f* illegitimacy

Unehre *f* dishonour, disgrace; **u.nhaft** *adj* dishonourable, ignominious

unehrlich *adj* dishonest, insincere; **U.keit** *f* dishonesty

uneidlich *adj* unsworn, not on oath

uneigennützig *adj* disinterested, altruistic; **U.keit** *f* disinterestedness, altruism

uneinbring|bar/u.lich *adj* irrecoverable, unrecoverable, uncollectible, irredeemable; **U.liche** *pl* uncollectibles; **U.lichkeit** *f* uncollectibility; **~ der Forderungen durch Konkurs** impossibility of collection due to bankruptcy

unein|gelöst *adj* unredeemed, dishonoured, uncollected, unpaid; **u.geschränkt** *adj* 1. unrestricted, unlimited, unqualified, unconditional, unfettered; 2. no holds barred *(fig)*; 3. *(Unterstützung)* unreserved, unstinting; 4. *(Vollmacht)* plenary; 5. *(Streik)* all-out; **u.heitlich** *adj* 1. irregular, erratic, unsettled, inconsistent, patchy, mixed; 2. *(Bild)* sketchy; **~ sein** to lack uniformity

Uneinigkeit *f* discord, disagreement

unein|klagbar *adj* unenforceable, not actionable; **u.lösbar/u.löslich** *adj* 1. irredeemable; 2. *(Bürgschaft)* irreplevi(s)able; **u.nehmbar** *adj* impregnable; **u.sichtig** *adj* unreasonable

uneinträglich *adj* unprofitable, profitless; **U.keit** *f* unprofitableness, profitlessness

unein|treibbar *adj* irrecoverable; **u.einziehbar** *adj* uncollectible

unelastisch *adj* inelastic, rigid; **vollkommen u.** perfectly inelastic

Unelastizität *f* inelasticity; **vollständige U. (von Angebot und Nachfrage)** complete/perfect inelasticity

unempfänglich *adj* unreceptive, unresponsive, insensible

unempfindlich *adj* insensible, impervious, tough; **u. gegen** immune to; **u. sein gegen** to be proof against

unendlich *adj* endless, infinite; **U.keit** *f* infinity

un|entbehrlich *adj* indispensable, essential; **u.entdeckt** *adj* 1. undiscovered; 2. *(Ressourcen)* untapped

unentgeltlich *adj* free, gratuitous, no charge, free of charge (f.o.c.), without return/payment; **U.keit** *f* gratuitousness

unentschädigt *adj* unindemnified

Unentschieden *nt* *(Sport)* draw; **U.e** *pl* don't knows; **u.** *adj* 1. undecided, in abeyance; 2. § pending, unadjudged; **u. lassen** to hold in abeyance

unentschlossen *adj* undecided, indecisive, tentative; **u. sein** to vacillate, to sit on the fence *(fig)*; **U.heit** *f* indecision, infirmity of purpose

un|entschuldbar *adj* inexcusable, unpardonable; **~ sein** to admit of no excuse; **u.entschuldigt** *adj* without cause/excuse, unauthorized; **u.entwirrbar** *adj* complex, inextricable; **u.entzifferbar** *adj* indecipherable

unerbittlich *adj* inexorable, relentless, adamant, implacable, grim, unrelenting; **U.keit** *f* grimness

unerfahren *adj* inexperienced, unversed, unacquainted, unseasoned, unskilled; **U.heit** *f* inexperience, lack of experience

un|erforscht *adj* unexplored; **u.erfreulich** *adj* unpleasant; **u.erfüllbar** *adj* unrealizable, impossible; **u.erfüllt** *adj* unfulfilled, unperformed

unergiebig *adj* unproductive, ineffective, uneconomical; **U.keit** *f* unproductiveness, ineffectiveness

unergründlich *adj* inscrutable, unfathomable; **U.keit** *f* inscrutability

unerhältlich *adj* unobtainable, not available; **U.keit** *f* non-availability

unerheblich *adj* irrelevant, negligible, immaterial, trivial, beside the point; **U.keit** *f* irrelevance

un|erhoben *adj* uncollected, unlevied; **u.erhört** *adj* outrageous, scandalous, unprecedented; **u.erkannt** *adj* unrecognized, incognito; **u.erklärlich** *adj* inexplicable

unerlässlich *adj* indispensable, essential, imperative, necessary; **u. sein** to be a must; **U.keit** *f* indispensability

unerlaubt *adj* 1. illegal, illicit, unauthorized, prohibited, not permitted, unlicensed, unlawful; 2. § tortious

unerledigt *adj* 1. unfinished; 2. *(Rechnung/Auftrag)* outstanding, pending, unfilled, unsettled, not cleared; 3. ✉ unanswered; **u. bleiben** to wait; **U.es** *nt* 1. pending files; 2. *(Tagesordnung)* unfinished business

un|ermesslich *adj* immense, vast, immeasurable; **u.ermüdlich** *adj* indefatigable, tireless, unremitting; **u.erprobt** *adj* untried, untested; **u.erquicklich** *adj* unpleasant; **u.erreichbar** *adj* unattainable, inaccessible, beyond one's reach; **u.erreicht** *adj* unmatched, unrivalled, unique, non-pareil *[frz.]*; **u.ersättlich** *adj* insatiable; **u.erschlossen** *adj* 1. untapped, unexplored; 2. *(Gelände)* undeveloped; 3. *(Boden)* unexploited; **u.erschöpflich** *adj* inexhaustible

unerschütterlich *adj* unwavering, unswerving, steadfast, unflappable; **U.keit** *f* unflappability

un|erschüttert *adj* unshaken; **u.erschwinglich** *adj* unaffordable, prohibitive, exorbitant, out of reach

unersetzbar *adj* 1. irreplaceable, irretrievable, irrecoverable; 2. indispensable; **U.keit** *f* irretrievability

unersitzbar *adj* § imprescriptible; **U.keit** *f* § imprescriptibility

un|erträglich *adj* unbearable, intolerable; **u.erwähnt** *adj* unmentioned; **u.erwartet** *adj* unforeseen, unexpected; **u.erwidert** *adj* ✉ unanswered

unerwiesen *adj* ill-founded, unproven, not established by evidence; **U.heit** *f* lack of proof, disputability

un|erwünscht *adj* undesired, unwelcome, unwanted, undesirable, unacceptable; **u.erzogen** *adj* ill-bred; **u.fachmännisch** *adj* unprofessional, unworkmanlike, amateurish, inexpert

unfähig *adj* unable, incapable, incompetent, inept, inefficient, unfit, weak; **für u. erklären** to disqualify (from); **u. machen** to incapacitate

Unfähigkeit *f* inability, incapacity, incompetence, incompetency, ineptitude, inefficiency, incapability, unfitness; **U. der Amtsausübung** inability to act; **U. zur Bekleidung eines öffentlichen Amtes** disqualification from/incapability of holding public office

unfair *adj* unfair

Unfall *m* accident, casualty, accidental event, misadventure; **U. ausgenommen** barring accident(s); **gegen Unfälle versichert** insured against accidents

Unfall außerhalb des Arbeitsplatzes/der Arbeitszeit off-the-job/non-occupational accident; **U. mit Arbeitsausfall** lost-time accident; **U. innerhalb der Arbeitszeit** industrial accident; **U. mit tödlichem Ausgang/Todesfolge** fatal accident; **~ Verletzten** injury accident

bei einem Unfall den Tod finden to be killed in an accident; **U. haben** to have an accident, to come to grief; **U. herbeiführen/verursachen** to cause an accident; **U. melden** to report an accident; **U. verhüten** to prevent an accident

außerberuflicher Unfall non-occupational accident; **betrieblicher U.** industrial accident; **dienstlicher U.** occupational accident; **leichter U.** minor accident; **die Erwerbstätigkeit mindernder U.** debilitating accident; **mittelbarer U.** accident to third parties; **schrecklicher U.** terrible accident; **schwerer U.** serious accident; **tödlicher U.** fatal accident, accidental death; **unbedeutender U.** minor accident; **unvermeidlicher U.** unavoidable accident; **nicht zum Schadenersatz verpflichtender U.** non-compensable accident

Unfall|abteilung *f* *(Krankenhaus)* emergency/casualty ward; **U.analyse** *f* accident analysis; **u.anfällig** *adj* accident-prone; **U.anzeige** *f* notification of an accident; **U.arzt** *m* specialist for accident injuries; **U.ausgleich** *m (Vers.)* accident benefit; **U.ausrüstung** *f* first-aid equipment/kit; **U.beihilfe** *f* accident/injury benefit; **U.bericht** *m* accident report; **U.berufsgenossenschaft** *f* employers' liability insurance association; **U.beteiligte(r)** *f/m* accident victim, person involved in an accident; **U.bilanz** *f* accident figures/statistics; **U.datum** *nt* date of (the) accident; **U.entschädigung** *f* accident benefit; **betriebliche U.entschädigung** industrial accident benefit; **U.fahrer(in)** *m/f* driver at fault in accident; **U.fahrzeug** *nt* 🚗 wreckage; **U.flucht** *f* hit-and-run offence, unlawfully leaving the scene of the accident, failure to stop after an accident, absconding after an accident; **U.flüchtige(r)** *f/m* hit-and-run driver; **U.fluchtsache** *f* hit-and-run case; **U.folgen** *pl* results of an accident; **U.forderung** *f* accident claim; **U.forschung** *f* research into accidents; **u.frei** *adj* accident-free; **U.fürsorge** *f* accident compensation; **U.gefahr** *f* accident risk; **u.gefährdet** *adj* accident-prone; **betriebliche U.gefährdung** occupational hazards; **U.gefahrenpunkt** *m* 🚗 accident black spot; **U.gegner(in)** *m/f* plaintiff for damages; **U.geld** *nt* injury benefit

Unfallhaftpflicht *f* 1. accident liability; 2. *(Grundstück)* occupier's liability; **U. des Arbeitgebers** employer's liability; **U.versicherung** *f* third-party accident insurance

Unfall|haftung *f* accident liability; **U.häufigkeit(sziffer)** *f* accident (frequency) rate/frequency, frequency of accidents, industrial accident rate; **U.klinik/U.krankenhaus** *f/nt* emergency/acute hospital; **U.kosten** *pl* accident costs; **U.meldung** *f* accident report/notification; **~ erstatten** to report an accident; **U.opfer** *nt* casualty; **U.ort** *m* scene of the accident; **U.police** *f* accident policy; **U.protokoll** *nt* accident report; **U.quote/U.rate** *f* accident rate; **U.rente** *f* accident benefit; **U.reparatur** *f* 🚗 crash repair; **U.rettungsdienst** *m* rescue service; **U.risiko** *nt* accident risk/hazard; **U.rückstellung** *f* reserve for accidents; **U.sache** *f* accident; **U.schaden** *m* casualty loss *[US]*, accidental loss/damage; **U.schadenversicherung** *f* casualty insurance; **U.schutz** *m* 1. accident prevention, personal injury protection, protection against accidents; 2. accident insurance; **U.schutzmaßnahmen** *pl* safety precautions; **U.schwerpunkt** *m* accident blackspot; **u.sicher** *adj* accident-proof; **U.station** *f (Krankenhaus)* emergency/casualty ward, emergency room *[US]*;

U.statistik *f* accident statistics/record; **U.stelle** *f* scene of the accident; **U.tag** *m* accident date; **U.tod** *m* accidental death, casualty, death by misadventure; **bei U.tod** in the event of death by misadventure; **U.tote(r)** *f/m* victim, casualty; **u.trächtig** *adj* accident-prone; **U.ursache** *f* cause of an accident; **U.ursachenforschung** *f* accident analysis; **U.vergütung** *f* industrial compensation

Unfallverhütung *f* accident control/prevention, prevention of accidents; **U.skampagne** *f* safety campaign; **U.smaßnahmen** *pl* safety precautions; **U.svorschriften** *pl* safety regulations

Unfall|verletzte(r) *f/m* casualty; **U.verletzung** *f* industrial/accidental injury; **U.verlust** *m* accidental loss; **U.vermeidung** *f* accident prevention; **U.versicherer** *m* casualty insurer

Unfall|versicherung *f* 1. accident insurance/policy; 2. casualty/disablement insurance, workmen's compensation *[US]*, personal injury protection; **U.- und Krankenversicherung für Angestellte** commercial insurance; **gesetzliche U.** statutory accident insurance; **gewerbliche U.** industrial accident insurance; **persönliche/private U.** personal accident insurance, bodily injury insurance

Unfallversicherungs|leistung *f* accident benefit; **U.police** *f* accident policy; **U.prämie** *f* casualty premium

Unfall|versorgung *f* emergency treatment; **U.vertrauensmann** *m* employees' safety representative; **U.verzeichnis** *nt* [§] list of accidents; **U.zahl** *f* number of accident; **U.zeuge** *m* witness of an accident; **U.ziffer** *f* accident (frequency) rate; **U.zulage** *f* accident benefit; **U.zusatzversicherung** *f* supplementary accident insurance; **U.zwangsversicherung** *f* statutory/compulsory accident insurance

unfassbar *adj* inconceivable

unfehlbar *adj* infallible, unerring; **U.keit** *f* infallibility, immunity from error

un|fein *adj* unrefined; **u.fertig** *adj* unfinished, incomplete, premature, partly finished; **u.formatiert** *adj* 💻 unformatted; **u.förmig** *adj* bulky, cumbersome; **u.frankiert** *adj* ✉ unstamped, unpaid; **u.frei** *adj* 1. carriage forward (carr. fwd., c/f), freight forward/collect, not prepaid; 2. *(Aktie)* non-free; 3. ✉ unfranked; **u.freiwillig** *adj* involuntary, unintended, unconscious

unfreundlich *adj* unfriendly, adverse; **U.keit** *f* severity, unfriendliness

un|frisiert *adj* *(Bilanz)* undoctored; **U.friede** *m* strife, discord

unfruchtbar *adj* 1. 🚜 barren, unproductive; 2. ⚕ sterile; **U.keit** *f* 1. 🚜 barrenness; 2. ⚕ infertility

Unfug *m* mischief; **grober U.** public mischief, public/common nuisance

un|fundiert *adj* 1. unconsolidated, unfunded; 2. *(Schuld)* floating; 3. *(Behauptung)* unfounded, specious; **u.geachtet** *prep* notwithstanding, despite, regardless/irrespective of, in defiance of

un|geahndet *adj* unpunished; **u.geahnt** *adj* undreamt-of; **u.gebeten** *adj* unsolicited, self-invited; **u.gebildet** *adj* uneducated, ignorant, untutored; **u.geboren** *adj* unborn

ungebräuchlich *adj* unusual, uncommon, disused; **u. werden** to fall into disuse, ~ out of use

un|gebraucht *adj* unused, idle; **u.gebrochen** *adj* unbroken, uninterrupted

Ungebühr *f* impropriety; **U. vor Gericht** [§] contempt of court; **u.lich** *adj* improper, disorderly, undue

un|gebunden *adj* 1. unattached, independent; 2. *(Gelder)* footloose, untied, uncommitted; **u.gedeckt** *adj* uncovered, unsecured, short, not covered; **u.gedruckt** *adj* unprinted

Ungeduld *f* impatience; **u.ig** *adj* impatient

ungeeignet *adj* 1. unsuitable, unfit, ill-adapted, improper, inept; 2. *(Person)* incompetent, ill-qualified, unsuited, incapable; **u. für** not qualified for

ungefähr *adj* approximate, rough; *adv* about, in the neighbourhood of; **so u.** thereabouts; **nicht von u.** not for nothing, not surprisingly; **u. dort** thereabouts

un|gefährdet *adj* safe and sound; **u.gefährlich** *adj* harmless; **u.gefärbt** *adj* undyed; **u.gefügig** *adj* untoward; **u.gefüttert** *adj (Umschlag/Kleidung)* unlined; **u.gegerbt** *adj* untanned; **u.gegliedert** *adj* unstructured; **u.gegoren** *adj* unfermented

ungehalten *adj* annoyed, indignant; **U.heit** *f* indignation

un|gehemmt *adj* 1. unrestrained, uninhibited; 2. *(Wachstum)* unbridled; **u.geheuer** *adj* tremendous, immense, vast; **u.geheuerlich** *adj* monstrous, flagrant, tremendous, enormous; **U.geheuerlichkeit** *f* flagrancy; **u.gehindert** *adj* 1. unhindered, unimpeded, unhampered, free and unfettered; 2. [§] without let or hindrance; **u.gehobelt** *adj* unpolished, uncouth, churlish

ungehörig *adj* improper, imperinent, indelicate; **U.keit** *f* impropriety, impertinence, indecency

Ungehorsam *m* disobedience, [§] contumacy; **bürgerlicher U.** civil disobedience; **u.** *adj* disobedient

unge|kannt *adj* unprecedented; **u.klärt** *adj* unsettled, unresolved; **u.kreuzt** *adj (Scheck)* open, uncrossed; **u.kündigt** *adj* not under notice; **u.kürzt** *adj* unabridged, complete

ungelegen *adj* inconvenient, ill-timed; **U.heit** *f* inconvenience

unge|lenkt *adj* undirected; **u.lernt** *adj* unskilled, untrained; **u.locht** *adj* unperforated; **u.löst** *adj* unsettled, unresolved; **u.mischt** *adj* 1. unblended; 2. *(Metall)* unalloyed; **u.münzt** *adj* unminted, uncoined; **u.nannt** *adj* anonymous, unnamed, undisclosed

ungenau *adj* inaccurate, incorrect, vague, rough; **U.igkeit** *f* inaccuracy

un|geniert *adj* unembarrassed; **u.genießbar** *adj* inedible, unpalatable; **u.genormt** *adj* non-standardized; **u.genügend** *adj* insufficient, inadequate, unsatisfactory; **u.genutzt/u.genützt** *adj* unused, unemployed, idle, waste, underdeveloped, unexploited; **~ bleiben** to be idle, to go to waste; **u.geöffnet** *adj* unopened; **u.geordnet** *adj* disordered, unsorted, unregulated; **u.gepflastert** *adj* unpaved; **u.geplant** *adj* unplanned, unintended; **u.geprägt** *adj* uncoined; **u.geprüft** *adj* 1. untested, unexamined, untried, unverified; 2. *(Bilanz)* unaudited; **u.gerade** *adj* π odd, uneven; **u.gerechnet** *adj* not including/counting; **u.gerecht** *adj* unfair, unjust, inequitable, iniquitous; **u.gerechtfertigt** *adj* unwarranted, unjustified, unfair

Ungerechtigkeit *f* injustice, unfairness, inequity; **grobe U.** gross injustice; **schreiende U.** manifest injustice

un|geregelt *adj* unregulated, unscheduled; **u.gereimt** *adj* inconsistent; **U.gereimtheit** *f* anomaly, inconsistency; **u.gerichtet** *adj* undirected

ungern *adv* reluctantly, with reluctance; **etw. (nur) u. tun** to dislike doing sth., to be reluctant to do sth.

un|geschätzt *adj* unvalued, unassessed; **u.geschickt** *adj* clumsy, heavy-handed, hamfisted, ill; **u.geschliffen** *adj* unent, unpolished; **u.geschmälert** *adj* unimpaired, undiminished; **u.geschminkt** *adj* blunt, plain; **u.geschoren** *adj* scot-free; **u.geschrieben** *adj* unwritten; **u.geschuldet** *adj* undue; **u.geschult** *adj* untrained; **u.geschützt** *adj* exposed, unprotected, bleak, vulnerable, unguarded; **u.geschwächt** *adj* unmitigated; **u.gesellig** *adj* unsociable

ungesetzlich *adj* 1. illicit, illegal, unlawful, wrongful, non-legal, illegitimate; 2. *(Handel)* under the counter; **für u. erklären** to outlaw; **U.keit** *f* illegality, lawlessness, unlawfulness; **~ des Vertragszwecks** illegality of purpose

ungesetzmäßig *adj* contrary to the law; **U.keit begehen** *f* § to trespass

un|gesichert *adj* 1. unsecured, simple; 2. *(Notenausgabe)* fiduciary; **u.gesiegelt** *adj* unsealed; **u.gesittet** *adj* ill-mannered, ill-bred; **u.gestempelt** *adj* unstamped; **u.gestört** *adj* undisturbed, uninterrupted; **u.gestraft** *adj* unpunished, with impunity; **u.gesühnt** *adj* unpunished, unatoned, unexpiated; **u.gesund** *adj* unhealthy, unsound

ungeteilt *adj* undivided; **U.heit** *f* entirety

unge|tilgt *adj* 1. unredeemed, outstanding, uncleared; 2. § unacquitted; **u.trübt** *adj* clear, undisturbed; **u.übt** *adj* 1. untrained, unskilled; 2. out of practice; **u.webt** *adj* non-woven; **u.wertet** *adj* unvalued

ungewiss *adj* uncertain, doubtful, unsure, dubious, indeterminate, dodgy *(coll)*; **u. sein** to hang in the balance; **im U.en** *nt* all at sea *(fig)*, in the dark *(fig)*

Ungewissheit *f* uncertainty, contingency; **U.sgrad** *m* state of ignorance; **U.sstufe** *f (Alarmstufe 1)* uncertainty phase

Ungewitter *nt* tempest, storm

un|gewogen *adj* unweighted; **u.gewöhnlich** *adj* extraordinary, unusual, uncommon, exceptional, anomalous, freak; **U.gewöhnliches** *nt* novelty; **u.gewohnt** *adj* unfamiliar; **u.gewollt** *adj* unintentional, inadvertent; **u.gezählt** *adj* uncounted; **u.gezähmt** *adj* untamed, wild; **u.gezeichnet** *adj* unsigned, unsubscribed; **U.geziefer** *nt* vermin, pest; **u.gezügelt** *adj* unrestricted, unbridled, wild

ungezwungen *adj* casual, unrestrained, informal, unceremonious, unconventional; **U.heit** *f* ease, casualness, informality

un|giftig *adj* non-poisonous; **u.giriert** *adj* unendorsed; **u.glaubhaft** *adj* incredible, unbelievable

ungläubig *adj* incredulous; **U.keit** *f* disbelief, incredulity

unglaubwürdig *adj* discredited, implausible, untrustworthy; **U.keit** *f* implausibility, untrustworthiness, unreliability

ungleich *adj* unequal, different, disparate, diverse, uneven; **u.artig** *adj* disparate, dissimilar; **U.behandlung** *f* discrimination

Ungleichgewicht *nt* disequilibrium, imbalance; **U. der Handelsbilanzen** commercial imbalance; **U. in der Zahlungsbilanz** balance-of-payments disequilibrium, disequilibrium in the balance of payments; **~ beseitigen** to offset a balance-of-payments disequilibrium

außenwirtschaftliches Ungleichgewicht external imbalance; **fundamentales U.** fundamental disequilibrium; **marktwirtschaftliches U.** disequilibrium of the market economy; **regionales U.** regional disparity; **strukturelles U.** structural imbalance; **wirtschaftliches U.** economic disequilibrium

ungleichgewichtig *adj* unbalanced

Ungleichgewichtsmodell *nt* disequilibrium model; **dynamisches U.** model of disequilibrium dynamics

Ungleich|heit *f* inequality, disparity, odds; **u.mäßig** *adj* uneven, irregular

Ungleichung *f* π inequation

Unglück *nt* 1. accident, fatality, disaster, catastrophe; 2. misfortune, mishap, misadventure, ill(-fortune); **U. verhüten** to avert a catastrophe

unglücklich *adj* unlucky, unhappy, hapless, ill-fated, untoward; **u.erweise** *adv* unfortunately

Unglücks|fall *m* calamity, casualty, fatality, misadventure; **U.serie** *f* run of misfortune; **U.stätte** *f* scene of the disaster; **U.tag** *m* black-letter day

Ungnade *f* disfavour; **in U. fallen** to fall out of favour; **~ gefallen sein/stehen** to be in the doghouse *(fig)*, ~ in disgrace

ungnädig *adj* ungracious

ungültig *adj* invalid, expired, cancelled, (null and) void, inoperative; **für u. erklären** to invalidate/rescind/declare void/cancel/vacate/abrogate/reverse; **u. machen** to invalidate/void/cancel/annul/nullify/quash/avoid/vitiate, to make invalid; **u. sein** to stand void, to be no longer valid; **u. werden** to expire

Ungültigkeit *f* invalidity, voidness, nullity; **U. wegen Formmangels** voidness due to lack of prescribed form

Ungültigkeits|- § annulling; **U.bestimmung** *f* condition of avoidance; **U.erklärung** *f* annulment, cancellation, rescission; **~ eines Vermächtnisses** ademption; **U.faktoren** *pl* vitiating factors; **U.klausel** *f* annulling/derogatory clause

Ungültig|machen/U.machung *nt/f* 1. invalidation, cancellation, nullification; 2. § vitiation

Ungunst *f* 1. disadvantage, disfavour; 2. adversity; **zu jds U.en** to so.'s disadvantage; **~ sprechen** to tell against so.

ungünstig *adj* 1. adverse, unfavourable, disadvantageous, untoward, ill(-fated); 2. *(Zeitpunkt)* awkward, unseasonable; 3. *(Termin)* inconvenient; 4. *(Preis)* expensive; **sich u. auswirken** to have an unfavourable effect

un|haltbar *adj* untenable, unsustainable; **u.handlich** *adj* unwieldy, bulky, unmanageable

Unheil *nt* evil, mischief, frustration; **kein U.** nothing untoward; **U. anrichten/stiften** to do mischief, to bring about disaster; **u.bar** *adj* incurable, past recovery
unhöflich *adj* impolite, disobliging; **U.keit** *f* impoliteness, discourtesy
unhygienisch *adj* unhygienic, unsanitary
Uni *f (coll)* Varsity *(coll) [GB]*
Uniform *f* uniform; **u.** *adj* uniform; **u.iert** *adj* uniformed; **U.ierte(r)** *f/m* person in uniform; **U.verbot** *nt* ban on uniforms
Unikat *nt* unique copy/item
un|intelligent *adj* unintelligent; **u.interessant** *adj* uninteresting, devoid of any interest; **wirtschaftlich u.interessant** economically unattractive; **u.interessiert** *adj* uninterested
Union *f* union; **U. für den Schutz des gewerblichen Eigentums** Union for the Protection of Public Property; **U.spriorität** *f (Pat.)* convention agreement/priority
universal *adj* universal; **U.-** 1. general purpose, all-purpose; 2. *(Vers.)* composite
Universalbank *f* universal/multi-purpose/all-purpose/department-store/wholesale bank; **U.geschäft** *nt* one-stop banking *[US]*; **U.system** *nt* universal/multi-purpose banking system
Universal|darlehen *nt* multi-purpose loan; **U.erbe/U.erbin** *m/f* sole heir, heir general *[US]*, universal/sole legatee; **U.erbfolge** *f* universal succession; **U.gerät** *nt* multi-purpose machine; **U.hafen** *m* all-purpose port
Universalisierung *f* universalization
Universalität *f* universality, all-round nature
Universal|kreditgenossenschaft *f* multi-purpose credit association; **U.maschine** *f* multi-purpose machine; **U.messe** *f* general/universal trade fair; **U.mittel** *nt* universal remedy, cure-all; **U.police** *f* all-risks policy; **U.rechner** *m* 🖳 mainframe (computer); **U.schlüssel** *m* master key; **U.spediteur** *m* all-purpose shipper; **U.sukzession** *f* universal legacy/succession, general succession; **U.unternehmen** *nt* all-round firm; **U.verkaufsrecht** *nt* sole right of selling; **U.vermächtnis** *nt* universal legacy; **U.versicherer** *m* composite insurer/company/office, multiple-line underwriter; **U.versicherung** *f* all-risks policy, comprehensive/composite insurance; **U.versicherungsgesellschaft** *f* composite/general insurance company
universell *adj* universal, all-purpose, pervasive
Universität *f* university; **außerhalb der U.** extra-mural; **jdn von der U. (ver)weisen** to send so. down *[GB]*
Universitäts|abschluss *m* university examination/degree; **U.aufnahmeprüfung** *f* university entrance examination; **U.(aus)bildung** *f* university education/training; **U.behörden** *pl* university authorities; **U.buchhandlung** *f* university bookshop/bookstore *[US]*; **U.examen** *nt* university examination; **U.gebühren** *pl* university fees; **U.gelände** *nt* university campus; **U.grad** *m* university degree; **U.laufbahn** *f* university career; **U.leben** *nt* academic life; **U.lehrer** *m* professor, tutor; **U.professor** *m* university professor; **U.prüfung** *f* university examination; **U.satzung/U.statut** *f/nt* university statute(s); **U.studium** *nt* university/college education; **U.verwaltung** *f* university administration
Universum *nt* 1. universe, cosmos; 2. ▦ total population; 3. whole market
un|kalkulierbar *adj* incalculable; **u.kaufmännisch** *adj* uncommercial, unbusinesslike
unkenntlich *adj* unidentifiable, beyond recognition; **u. machen** 1. to disfigure/deface; 2. 🖳 to obliterate; 3. *(Urkunde)* to spoliate; **bis zur U.keit** *f* beyond recognition; **U.machung** *f* obliteration, spoliation
Unkenntnis *f* ignorance; **in U.** unaware
Unkenntnis des Gesetzes ignorance of the law; **~ entschuldigt nicht** § ignorantia juris haud excusat *(lat.)*; **~ schützt vor Strafe nicht** ignorance of law is no excuse for a crime; **U. nebensächlicher Umstände** accidental ignorance; **U. tatsächlicher Umstände** ignorance of facts; **U. wesentlicher Umstände** essential ignorance
sich auf Unkenntnis (des Gesetzes) berufen; U. vorgeben/vorschützen § to plead ignorance (of the law); **in U. sein über etw.** to be ignorant about sth.; **schuldhafte U.** culpable ignorance; **völlige U.** complete ignorance
unklagbar *adj* unactionable, unenforceable; **U.keit** *f* non-actionability
unklar *adj* 1. vague, unclear, dubious, indeterminate, obscure; 2. *(zweideutig)* ambiguous; **jdn im U.en lassen** *nt* to leave so. in the dark; **U.heit** *f* 1. obscurity, uncertainty; 2. *(Zweideutigkeit)* ambiguity
un|klug *adj* unwise, ill-advised, imprudent, injudicious, ill-judged, unintelligent; **u.kompensiert** *adj* unoffset, unadjusted, uncompensated; **u.kompliziert** *adj* straightforward, unsophisticated
unkontrollierbar *adj* unmanageable, uncontrollable, runaway; **U.keit** *f* non-controllability
un|kontrolliert *adj* 1. uncontrolled, unfettered, haphazard; 2. *(Inflation)* unchecked, runaway; 3. no holds barred *(fig)*; **u.konventionell** *adj* unconventional, informal, off-beat, unagreed; **u.konvertierbar** *adj* inconvertible, not convertible; **u.konzessioniert** *adj* unlicensed, non-licensed; **u.körperlich** *adj* intangible, incorporeal; **u.korrekt** *adj* improper
Unkosten *pl* ➔ **Kosten** expenditure(s), expenses, charges, costs; **abzüglich U.** charges deducted, less charges
Unkosten der Bürounterhaltung office expenditure(s); **~ Geschäftsführung** management expenses; **~ Verwaltung** administrative expenditure(s); **~ Zentrale** head office expenditure(s)
als Unkosten abbuchen to enter as expenses; **von den U. absehen** to take no account of expenses; **U. abwälzen** to pass costs on; **U. abziehen** to deduct expenses; **U. aufschlüsseln** to break down expenses; **U. bestreiten** to defray expenses; **für U. in Abzug bringen** to allow for costs; **als U. buchen** to enter as expenditure; **U. decken** to meet/cover costs; **U. erstatten** to refund expenses; **U. haben** to incur expenses; **U. hereinwirtschaften** to recover one's outlay; **U. senken** to cut costs; **sich in U. stürzen** to incur some/great expense, to go to a lot of expense; **U. tragen/übernehmen** to bear the costs, to foot the bill *(coll)*; **U. umlegen/verteilen** to allocate/apportion costs; **U. verursachen** to cause expense(s)

absetzbare Unkosten deductible expenses; **allgemeine U.** overheads, general expenses, overhead charges, oncost *[GB]*; **außerordentliche U.** extra charges; ~ **und betriebsfremde U.** extraordinary and outside expenditure; **bare U.** out-of-pocket expenses; **diverse U.** sundry expenses, sundries; **effektive U.** primary cost(s); **einmalige U.** non-recurring expenses; **entstandene U.** expenses incurred; **feste U.** fixed cost(s); **generelle/indirekte U.** indirect expenses/cost(s); **kapitalisierte U.** capitalized expenses; **kleine U.** petty expenses; **laufende U.** current expenses/cost(s), running cost(s); **sonstige/verschiedene U.** sundry expenses, sundries; **voraussichtliche U.** prospective cost(s); **zusammengefasste U.** pooled cost(s); **zusätzliche U.** additional cost(s)

Unkosten|abzug *m* deduction of expenses; **U.anfall** *m* cost accrual; **U.anteil** *m* share of costs; **U.aufgliederung** *f* cost breakdown/analysis; **U.aufstellung** *f* statement of expenses; **U.aufteilung** *f* cost allocation; **U.aufwand** *m* expenditure(s); ~ **berechnen** to cost (a job); **U.beitrag** *m* service charge, contribution to cost(s); ~ **leisten** to contribute to expenses; **U.belastung** *f* 1. expense charge; 2. *(Vers.)* expense loading *[US]*; **U.beleg** *m* cost record; **U.berechnung** *f* 1. calculation of expenses; 2. charge for expenses; **U.beteiligung** *f* cost sharing; **U.betrag** *m* amount of expenses; **U.buch** *nt* book of charges; **u.deckend** *adj* at cost; **U.ersparnis** *f* 1. cost saving; 2. *(Vers.)* loading profit; **U.erstattung** *f* cost refund, reimbursement of expenses; **U.etat** *m* expense budget; **U.faktor** *m* cost/expense factor; **U.fonds** *m* expense fund; **U.gebühr** *f* service charge; **U.hauptbuch** *nt* expenses ledger; **U.kalkulation** *f* cost estimate, computation of costs; **U.koeffizient** *m* net expense ratio; **U.konto** *nt* expense account, account of expenses/charges; **auf ~ belasten** to charge to expense(s); **U.posten** *m* cost/expenditure item; **U.rechnung** *f* bill of costs/charges, account of charges; **U.satz** *m* expenditure rate; **U.senkung** *f* cost cutting, cutting down of expenses; **U.spezifizierung** *f* breakdown of expenses; **U.tabelle** *f* cost chart; **U.tarif** *m* list of charges; **U.umlegung** *f* allocation/apportionment of costs; **U.vergütung** *f* cost refund, reimbursement of expenses; **U.verringerung** *f* cost reduction, cost-cutting (exercise); **U.zuschlag** *m (Vers.)* (expense) loading

unkritisch *adj* uncritical; **u.kultiviert** *adj* 1. unrefined; 2. unreclaimed; 3. 🚜 unimproved

unkündbar *adj* 1. *(Anleihe)* irredeemable, unredeemable, non-callable, non-cancellable; 2. *(Mitarbeiter)* permanent, undismissible, tenured; 3. *(Vertrag)* binding, not terminable; 4. *(Schuld)* permanent; 5. *(Wertpapier)* undated; 6. *(Rente)* perpetual; **U.keit** *f* irredeemability

un|kundig *adj* ignorant; **u.längst** *adv* recently; **u.lauter** *adj* 1. unfair; 2. dishonest; **u.legiert** *adj* unalloyed; **u.lenkbar** *adj* 1. ungovernable, uncontrollable; 2. unsteerable

unlenksam *adj* intractable, unmanagable, ungovernable; **U.keit** *f* intractability

unles|bar/u.erlich *adj* illegible, unreadable; **U.barkeit/U.erlichkeit** *f* illegibility

un|leugbar *adj* undeniable, indisputable, incontestable; **u.limitiert** *adj* 1. unlimited; 2. *(Börse)* at the market; **u.liniert** *adj* unlined, unruled; **u.logisch** *adj* illogical, incoherent; **u.lösbar** *adj* insoluble, unsolvable; ~ **sein** to defy solution; **u.löschbar** *adj* indelible, non-erasable

Unlust *f* 1. reluctance; 2. *(Börse)* slackness; **u.ig** 1. reluctant; 2. *(Börse)* dull, slack

un|maßgeblich *adj* § not authoritative; **u.mäßig** *adj* excessive, immoderate, exorbitant

Unmenge *f* vast quantity; **U.n** masses, shoals

un|menschlich *adj* inhuman; **u.merklich** *adj* imperceptible

unmessbar *adj* immeasurable; **U.keit** *f* immeasurability

unmissverständlich *adj* unmistakable, unequivocal; *adv* in no uncertain terms, in plain language; **u. sagen** to make o.s. clear

unmittelbar *adj* immediate, direct, outright, instant, first-hand, proximate, instantaneous; **u. nach** in the wake of; **U.keit** *f* immediacy; **U.keitsprinzip** *nt* immediate recognition principle

un|möbliert *adj* unfurnished; **u.modern** *adj* old-fashioned, outmoded, unfashionable, superannuated

unmöglich *adj* impossible; **so gut wie/praktisch u.** well-nigh impossible; **objektiv u.** physically impossible; **rechtlich u.** legally impossible; **für u. erklären** § to put in a plea of impossibility

Unmögliches schaffen *nt* to square the circle *(fig)*; **U./nach Unmöglichem verlangen** to cry for the moon *(fig)*, to ask for the impossible

Unmöglichkeit *f* impossibility; **U. der Erfüllung** impossibility of performance; ~ **Leistung einwenden** § to put in a plea of impossibility; ~ **Vertragserfüllung** *(Schuldrecht)* frustration of contract, impossibility of performance of a contract

absolute/faktische/materielle Unmöglichkeit absolute/physical impossibility; **nachfolgende/-trägliche U.** 1. § supervening impossibility; 2. *(Schuldrecht)* supervening frustration, subsequent frustration/impossibility; **objektive U.** 1. impossibility of performance; 2. *(Schuldrecht)* frustration; **relative U.** relative impossibility; **subjektive U.** inability to perform; **tatsächliche U.** absolute impossibility, impossibility in fact; **teilweise U.** partial impossibility of performance; **ursprüngliche U.** *(Schuldrecht)* initial/original frustration, ~ impossibility

Unmöglichwerden einer Leistung *nt* impossibility of performance

Un|moral *f* immorality; **u.moralisch** *adj* immoral; **u.motiviert** *adj* unmotivated, motiveless

unmündig *adj* minor, under-age, not of age; **U.e(r)** *f/m* minor, infant; **U.keit** *f* infancy, minority, § nonage

Unmut *m* discontent, irritation, annoyance, dislike

unnachahm|bar/u.lich *adj* inimitable

unnachgiebig *adj* rigid, uncompromising, intransigent, inflexible, adamant, unbending, implacable, unaccommodating; **U.keit** *f* rigidity, intransigence, intransigency, inflexibility

un|nachsichtig *adj* strict; **u.nahbar** *adj* reserved; **u.natürlich** *adj* unnatural, abnormal; **u.normal** *adj* abnormal; **u.notiert** *adj* unquoted *[GB]*, unlisted *[US]*; **u.nötig** *adj* unnecessary, undue, non-essential; **etw. ~ machen** to obviate the need for sth.; **u.nütz** *adj* useless, fruitless; **u.ökonomisch** *adj* 1. uneconomic; 2. uneconomical

unordentlich *adj* untidy, messy, slovenly, slipshod, disordered; **U.keit** *f* slovenliness

Unordnung *f* disorder, disarray, intidiness, tumble, mess; **U. beseitigen** to clear up the mess; **in U. bringen** to upset, to mess up; **U. machen** to make a mess

unorganisch *adj* ⚗ inorganic

unorganisiert *adj* 1. disorganised, unorganised; 2. *(Gewerkschaft)* non-union; **U.e(r)** *f/m* non-unionized employee

un|orthodox *adj* unorthodox; **u.paarig** *adj* unmatched, unpaired

unparteilisch *adj* neutral, impartial, equitable, non-partisan, unbiased, disinterested, indifferent, unprejudiced; **U.ische(r)** *f/m* arbitrator, umpire, referee; **U.lichkeit** *f* impartiality

un|passend *adj* unsuitable, unappropriate, ill-suited, improper, inept, inconvenient, ill-timed, unseasonable; **u.passierbar** *adj* impassable

unpässlich *adj* indisposed; **U.keit** *f* indisposition, ailment

unpersönlich *adj* impersonal

unpfändbar *adj* unseizable, non-attachable, non-forfeitable, exempt from execution/garnishment, non-leviable, privileged from distress; **U.keit** *nt* immunity/exemption from seizure, ~ from execution, non-forfeitability; **U.keitsbescheinigung** *f* execution returned

un|planmäßig *adj* unplanned, unscheduled; **u.platzierbar** *adj* unmarketable; **u.plombiert** *adj* ⊖ unsealed; **u.politisch** *adj* non-political; **u.populär** *adj* unpopular; **u.präjudiziell** *adj* without prejudice; **u.praktikabel** *adj* inoperable, impractible; **u.praktisch** *adj* impractical, inconvenient; **u.problematisch** *adj* undemanding

unproduktiv *adj* non-productive, idle, inefficient, barren; **U.ität** *f* unproductiveness, non-productiveness, idleness, inefficiency, barrenness

un|programmgemäß *adj* non-scheduled; **u.proportioniert** *adj* disproportionate, out of proportion

unpünktlich *adj* unpunctual, slow; **U.keit** *f* unpunctuality

unqualifiziert *adj* 1. unqualified, unfit; 2. incompetent; **U.heit** *f* incompetence

un|quittiert *adj* unreceipted; **u.raffiniert** *adj* unrefined

Unrat *m* refuse, garbage, litter

unrationell *adj* inefficient

unratsam *adj* inadvisable, ill-advised; **U.keit** *f* inadvisability

unrealistisch *adj* unrealistic

Unrecht *nt* 1. injustice, wrong; 2. § tort; **zu U.** wrongfully; **jdm geschieht U.** so. suffers an injustice

einem Unrecht abhelfen; U. beseitigen/wieder gutmachen to redress/right a wrong; **jdn zu U. beschuldigen** to accuse so. wrongly; **U. erleiden** to suffer a wrong; **sich ins U. setzen** to put o.s. in the wrong; **jdn ~ setzen** to put so. in the wrong

vorsätzlich begangenes Unrecht positive wrong, wilfully committed wrong; **bitteres U.** grievous wrong; **schreiendes U.** flagrant injustice, travesty of justice; **völkerrechtliches U.** international delinquency

unrechtmäßig *adj* wrong(ful), illegitimate, illegal; **U.keit** *f* illegitimacy, illegality

Unrechtsbewusstsein *nt* guilty knowledge; **fehlendes U.** inability to perceive a (legal) wrong

Unrechtstatbestand *m* illegality

unredllich *adj* dishonest, in bad faith, mala fide *(lat.)*; **U.lichkeit** *f* dishonesty; **U.samkeit** *f* ⚓ barratry

unreell *adj* 1. unsound, unfair, unreliable; 2. dishonest

unregelmäßig *adj* 1. irregular, patchy, aperiodic, spasmodic; 2. improper; **U.keit** *f* 1. irregularity, anomaly; 2. impropriety

un|regierbar *adj* ungovernable; **u.reguliert** *adj* unregulated

unreif *adj* 1. 🚜 unripe; 2. immature, green *(coll)*; **U.e** *f* immaturity

unrein *adj* 1. impure, foul, polluted, dirty; 2. *(Konnossement)* claused, foul, unclean; **U.heit** *f* impurity

unrentalbel *adj* uneconomic(al), unprofitable, loss-making, profitless, unremunerative, marginal, unpayable; **U.bilität** *f* unprofitability, profitlessness, wastefulness

unrichtig *adj* wrong, incorrect, false, mistaken, inaccurate; **U.keit** *f* incorrectness, inaccuracy

Unruhe *f* unrest, turmoil, disquiet, turbulence, riot

Unruhe in Betrieben industrial unrest; **U. unter Kapitalanlegern** investor nervousness; **U. im Lande** civil commotion; **U. in den Märkten** volatility in the markets; **U. auf den Währungsmärkten** monetary turmoil

Unruhe stiften to cause trouble/havoc

betriebliche Unruhe industrial unrest; **bürgerliche U.** civil commotion; **innere U.n** § civil commotion/strife; **nervöse U.** fidget; **soziale U.n** social unrest

Unruhelherd *m* troublespot; **U.stifter** *m* troublemaker, mischief maker, disturber; **U.stiftung** *f* § (criminal) mischief

un|ruhig *adj* disturbed, restless, uneasy, restive, fretful, twitchy; **innerlich u.ruhig** uneasy; **u.rühmlich** *adj* inglorious, ignominious; **u.sachgemäß** *adj* improper; **u.sachlich** *adj* irrelevant, subjective; **u.sagbar/u.säglich** *adj* untold, unspeakable; **u.saldiert** *adj* unbalanced, unoffset; **u.sanft** *adj* rough; **u.sauber** *adj* dirty, foul, messy, impure

unschädlich *adj* harmless, innocuous, having no detrimental effect; **u. machen** to neutralize; **U.keit** *f* harmlessness, innocuousness; **U.keitszeugnis** *nt* clearance certificate; **U.machung** *f* neutralization

unscharf *adj* vague, obscure, hazy, out of focus, blurred, fuzzy

Unschärfe *f* blurredness, fuzziness; **U.bereich** *m* range of inexactitude

un|schätzbar *adj* 1. invaluable, priceless; 2. incalculable;

u.scheinbar *adj* inconspicuous, nondescript, plain, innocuous

unschicklich *adj* improper, unseemly; **U.keit** *f* impropriety

unschlagbar *adj* unbeatable

unschlüssig *adj* 1. indecisive, dubious; 2. undecided, unresolved, undetermined; 3. *(Beweis)* inconclusive; 4. *(Klage)* demurrable; **u. sein** to be in two minds; **U.keit** *f* 1. indecision; 2. *(Beweis)* inconclusiveness; **U.keitseinrede** *f* § general exception

unschön *adj* unsightly

Unschuld *f* innocence; **seine U. beteuern/versichern** to proclaim/protest one's innocence; **U. vorschützen** to pretend innocence; **be-/erwiesene U.** proven innocence

unschuldig *adj* innocent, not guilty, blameless; **u. im Sinne der Anklage** innocent of a charge

sich für unschuldig erklären § to plead not guilty; **jdn ~ halten** to presume so. to be innocent; **jdn im Zweifelsfall ~ halten** to give so. the benefit of the doubt; **U.en mimen** to play the innocent

Unschulds|beteuerung *f* protestation of innocence; **U.vermutung** *f* presumption of innocence

unschwer *adv* easily

unselbstständig *adj* employed, dependent, subject, helpless; **U.keit** *f* dependence, helplessness

unsererseits *adv* on our part

un|seriös *adj* unsound, unreliable, untrustworthy, dubious, shady, not above board; **u.sicher** *adj* 1. uncertain, unsecure, unsound, unstable, dubious, doubtful; 2. chancy *(coll)*, dodgy *(coll)*, dicy *(coll)*; *(Börse)* sensitive; **~ sein** to be (all) at sea *(fig)*

Unsicherheit *f* uncertainty, insecurity; **währungsbedingte U.** currency-induced instability; **U.sfaktor** *m* element of uncertainty; **U.smarge** *f* margin of uncertainty

un|sichtbar *adj* invisible, latent; **u.signiert** *adj* unsigned

Unsinn *m* 1. nonsense, rubbish *(coll)*; 2. mischief; **für U. erklären** to rubbish *(coll)*; **U. reden/verzapfen** to talk rubbish *(coll)*; **völliger U.** utter nonsense

unsinnig *adj* absurd, unreasonable

Unsitte *f* bad habit

unsittlich *adj* indecent, immoral; **U.keit** *f* indecency, immorality

unsolid|e *adj* unsound, unreliable, unsafe; **U.ität** *f* unreliability

un|sortiert *adj* unassorted, unsorted; **u.sozial** *adj* unsocial, anti-social; **u.spezifisch** *adj* non-specific; **u.stabil** *adj* unstable, unsettled

unstatthaft *adj* improper, inadmissible, impermissible, irregular; **U.igkeit** *f* inadmissibility, irregularity, impropriety

un|sterblich *adj* immortal; **u.stet** *adj* unsteady, unsettled, discontinuous, vagrant, unbalanced

Unstetigkeit *f* discontinuity; **U.sstelle** *f* point of discontinuity

un|stillbar *adj* 1. *(Hunger)* insatiable; 2. *(Durst)* unquenchable; **u.stimmig** *adj* different, at variance

Unstimmigkeit *f* 1. discrepancy, inconsistency, variance, anomaly; 2. *(Streit)* difference, disagreement, dissent, friction, disarray, dissonance, unpleasantness; **U. zwischen Konten** discrepancy between accounts; **U.en anerkennen** to waive discrepancies

un|streitig *adj* non-contentious, undisputed, unquestionable, undenied, beyond dispute; **u.strukturiert** *adj* non-structured, unstructured

Unsumme *f* vast amount/sum; **U.n kosten** to be frightfully expensive *(coll)*

un|sympathisch *adj* disagreeable; **u.systematisch** *adj* unsystematic(al), unmethodical

untadelig *adj* impeccable, spotless, beyond criticism/reproach, blameless, irreproachable; **U.keit** *f* spotlessness

untalentiert *adj* untalented

Untat *f* misdeed

untätig *adj* idle, passive, inactive, dormant; **u. bleiben** to remain idle

Untätigkeit *f* idleness, passivity, inaction, failure to act; **U. der Unternehmensführung** management inertia; **U.sbeschwerde** *f* complaint about inaction; **U.sklage** *f* proceedings against an implied decision

untauglich *adj* unfit, unsuitable, ineffective, inefficient, incompetent, incapable, insufficient; **für u. erklären** to disqualify (for); **u. machen** to disqualify/incapacitate; **u. sein (für)** to be disqualified (for); **U.keit** *f* unfitness, unsuitability, incompetence, incompetency, incapacity, disqualification

untaxiert *adj* unassessed, unvalued, unrated

unteilbar *adj* indivisible; **U.keit** *f* indivisibility; **~ von Gütern** non-appropriability of goods; **~ der Produktionsfaktoren** indivisibility of factors of production

unten *adv/prep* 1. below, herein; 2. *(Seite)* at the foot, at the bottom end, bottom; **nach u.** downwards; **siehe u.** see below; **von u.** from scratch; **~ nach oben** down-up, bottom-up; **weiter u.** thereinafter; **u. genannt/stehend** *adj* undermentioned, below(-mentioned), following

unter *prep* under, below, subject to; *adj* lower; **u. uns gesagt** confidentially speaking

Unter|- sub-; **U.abnehmer** *m* subpurchaser; **U.absatz/U.abschnitt** *m* subsection, subparagraph; **U.abschreibung** *f* underdepreciation; **U.abteilung** *f* subdivision, subsection, section, sub-category; **U.agent** *m* subagent; **U.agentur** *f* subagency; **U.akkreditiv** *nt* back-to-back credit, ancillary letter of credit (L/C); **U.aktionär** *m* indirect shareholder/stockholder; **U.anbieter** *m* sub-supplier; **U.angebot** *nt* insufficient supply, lack; **U.anspruch** *m* subordinate/dependent claim, subclaim; **U.art** *f* sub-type

Unterauftrag *m* subcontract, order unit; **Unteraufträge vergeben** to farm/contract out, to subcontract; **U.nehmer(in)** *m/f* subcontractor; **U.sprodukt** *nt* subcontracted product

Unter|auslastung *f* underutilization, underemployment, idle capacity, underloading; **U.ausschuss** *m* subcommittee; **ständiger U.ausschuss** standing sub-committee; **U.auswahl** *f* sub-sample; **U.bau** *m* 1. substructure, foundation, grounding, groundwork; 2. lower tier; **U.baugruppe** *f* 🏭 sub-assembly

unterbefrachtlen *v/t* to underfreight; **U.er** *m* underfreighter; **U.ung** *f* underfreighting

Unterlbelastung *f* underload; **u.belegt** *adj* underoccupied, *(Kurs)* undersubscibed; **U.belegung** *f* underoccupancy; **u.beschäftigt** *adj* underemployed, operating below supply capacity, underutilized; **U.beschäftigung** *f* underemployment, underutilization, short-time work, undercapacity, operating below capacity; **U.beschäftigungseinkommen** *nt* underemployment income; **u.besetzt** *adj* undermanned, understaffed, shortstaffed; **U.besetzung** *f* undermanning, understaffing; **U.bestellung** *f* sub-order; **U.beteiligung** *f* 1. indirect holding, sub-partnership, sub-participation; 2. *(Emission)* sub-underwriting; **u.bevölkert** *adj* underpopulated; **U.bevölkerung** *f* underpopulation

unterbevollmächtiglen *v/t* to subdelegate (power), to delegate one's authority, to appoint a subagent; **U.te(r)** *f/m* subagent; **U.ung** *f* delegation of powers

unterbewertlen *v/t* to undervalue/underrate/underestimate/understate; **U.ung** *f* undervaluation, underrating, underestimation, understatement, underpricing; ~ **von Vermögensgegenständen** undervaluation of assets

unterlbewusst *adj* subconscious; **U.bewusstsein** *nt* subconsciousness; **u.bezahlen** *v/t* to underpay; **U.bezahlung** *f* underpayment; **U.bezirk** *m* sub-district

unterbietlen *v/t* to undercut/underbid/underquote/undersell; **U.er** *m* undercutter, underbidder; **U.ung** *f* price-undercutting, underbidding, cutting, underselling, buying-in

Unterlbilanz *f* adverse/deficit balance, deficiency (statement), deficit, capital impairment; **mit ~ arbeiten** to work at a loss; **u.binden** *v/t* to prevent/stop/suppress/scotch/inhibit/forestall/restrain; **U.bindung** *f* prevention, stoppage, disruption; **U.bindungsgewahr** *m* § preventive custody; **u.bleiben** *v/i* to stop/cease, to be omitted; **u.brechen** *v/t* 1. to interrupt/discontinue/suspend/disrupt, to cut off; 2. *(Reise)* to stop off (at); 3. ✆ to cut off, to disconnect

Unterbrechung *f* 1. pause, break, interruption; 2. suspension, discontinuance, discontinuation; 3. *(Arbeit)* stoppage, disruption; 4. *(Veranstaltung)* intermission, interval; 5. § adjournment; 6. rest, let-up; 7. *(fig)* hiccup; 8. *(Reise)* break, stopover; **mit U.en** intermittent; **ohne U.** without respite, non-stop *(coll)*

Unterbrechung der Arbeit break; ~ **Berufstätigkeit** break from work; ~ **diplomatischen Beziehungen** suspension of diplomatic relations; ~ **Geschäftstätigkeit** disruption of business; ~ **Handelsbeziehungen** disruption of commercial relations; **U. des Handelsverkehrs** disruption of trade; ~ **Kursanstiegs** discontinuation of the rise; **U. des Prozesses/Verfahrens** § suspension of proceedings, interruption of the sitting; **U. einer Sitzung** adjournment of a meeting; **U. des Strafvollzuges** § suspension/stay of execution; **U. der Tiefkühlkette** disruption of the cold chain; ~ **Verjährung** interruption of the statutes of limitation, ~ limitation period, tolling of the statute, revival of the right of action

vorübergehende Unterbrechung temporary cessation

unterbreiten *v/t* to submit/present/unfold

Unterbreitung *f* submission; **U. eines Angebots** submission of a tender, ~ an offer; **U. einer Frage zur schiedsrichterlichen Entscheidung** submission of a question to arbitration; **U. zu einer Rechtssache** § submission on a case

unterbringen *v/t* 1. to accommodate/lodge/house, to put up; 2. *(vermitteln)* to place; 3. *(Termin)* to slot/fit in; 4. *(Aktien)* to place; 5. *(Ware)* to sell; **jdn u.** to accommodate so., to fix so. up; **schwer unterzubringen** *(Wechsel)* difficult to negotiate; **privat u.** to place privately; **sicher u.** to stow away

Unterbringung *f* 1. accommodation, housing; 2. *(Vermittlung)* placement, placing; 3. *(Geld, Anleihe)* negotiation, placement; 4. *(Verkauf)* sale; 5. *(Krankenhaus)* confinement; 6. *(Gefängnis)* commitment

Unterbringung von Aufträgen placing orders; **U. in Einzelzimmern** single-room accommodation; **U. einer Emission** placement/placing of an issue; **U. im Hotel** hotel accommodation; **U. für eine Nacht** a night's lodging; **U. beim Publikum** *(Aktien)* public placement/placing; **U. für Verheiratete** married accommodation, ✈ ~ quarters; **U. eines Wechsels** discounting a bill; **U. von Wertpapieren** placement/placing of securities

Unterbringung einer Emission garantieren to guarantee the placement of an issue

anderweitige Unterbringung alternative accommodation; **auswärtige U.** out-of-town accommodation; **dauerhafte U.** *(Wertpapiere)* first placement/placing; **glatte U.** *(Aktien)* ready placement/placing; **kostenlose U.** free accommodation; **private U.** 1. *(Aktien/Anleihe)* private placement/placing; 2. *(Nächtigung)* private accommodation

Unterbringungslbefehl *m* § hospital order; **U.möglichkeit** *f* accommodation; **U.provision** *f* underwriting/placing commission; **U.risiko** *nt* placing risk

Unterldeck *nt* ⚓ lower deck; **U.deckung** *f* deficient cover, undercovering, insufficient funds (I/F), cover shortage; **U.deklaration/U.deklarierung** *f* ⊖ short entry; **u.disponieren** *v/t* 1. to underorder; 2. to order less than normal; **U.druck** *m* suction; **u.drücken** *v/t* 1. to repress/stifle/subdue, to hold back; 2. *(Aufruhr)* to crush/quell; 3. *(Nachricht)* to suppress; 4. *(politisch)* to oppress; **U.drücker** *m (politisch)* oppressor; **u.drückerisch** *adj* oppressive, repressive; **U.druckmesser** *m* ✿ vacuum ga(u)ge

Unterdrückung *f* 1. *(politisch)* oppression, repression; 2. *(Nachricht)* suppression, holding-up

Unterdrückung von Beweismaterial suppression of evidence; **U. der Meinungsfreiheit** suppression of opinion; **U. wesentlicher Tatsachen** concealment of material facts; **U. eines Testaments** suppression of a will; **U. einer Urkunde** suppression of a document; **U. von Vermögenswerten** concealment of assets

unterldurchschnittlich *adj* sub-standard, below-average, below standard, ~ the mark; **U.einheit** *f* sub-unit; **wirtschaftliche U.einheit** economic sub-unit; **U.einkaufspreisverkäufe** *pl* below-cost sales; **U.einstandspreis** *m* sub-delivery price; **U.einteilung** *f* subdivision;

u.entwickelt *adj* underdeveloped, developing, backward; **geistig u.entwickelt** mentally retarded; **U.entwicklung** *f* underdevelopment, backwardness; **u.-ernährt** *adj* malnourished, undernourished, underfed; **U.ernährung** *f* malnutrition, undernourishment

Unterfangen *nt* venture, undertaking; **groß angelegtes U.** large-scale undertaking; **aussichtsloses U.** nonstarter *(coll)*; **gewagtes U.** daring undertaking; **mühseliges/schwieriges U.** fraught business, uphill struggle *(fig)*

Unter|feld *nt* sub-field; **u.fertigen** *v/t* to undersign; **U.fertigter(in)** *m/f* signatory, the undersigned; **U.finanzierung** *f* underfinancing; **U.fischen** *nt* underfishing; **jdn u.fordern** *v/t* not to stretch so. sufficiently; **U.format** *nt* subsize; **U.frachtvertrag** *m* subcharter, contract of recharter; **U.führung** *f* subway *[GB]*, underpass; **U.funktion** *f* subnormal functioning

Untergang *m* 1. ⚓ sinking, shipwreck, loss; 2. destruction, collapse, decay, ruin; **U. eines Pfandes** extinguishment of a lien; **U. von Sachen** loss of goods; **U. des Vertragsgegenstandes** destruction of the subject matter of contract; **zum U. verurteilt** moribund, doomed; **vor dem U. stehen** to face ruin; **ökologischer U.** ecodoom; **teilweiser U.** partial loss; **zufälliger U.** accidental loss

Unter|garantie *f* contract bond; **u.gärig** *adj (Bier)* bottom-fermented; **U.gebene(r)** *f/m* subordinate, inferior, underling *(coll)*; **die U.gebenen** down the line; **U.gebot** *nt* underbid, lower bid

unter|gebracht *adj* placed, accommodated; **schlecht u.gebracht** ill-housed; **u.gegangen** *adj* ⚓ lost; **u.gehen** *v/i* ⚓ to sink, to be lost, to go under/down; **u.geordnet** *adj* 1. subordinate, subsidiary, minor, collateral; 2. *(Arbeit)* menial; 3. junior, secondary, ancillary, accessory; **u.geschoben** *adj (Urkunde)* counterfeit

Unter|geschoss *nt* basement; **U.gesellschaft** *f* subsidiary (company), controlled company; **U.gewicht** *nt* underweight, short weight; ~ **haben** to be underweight; **u.gewichtig** *adj* underweight

untergliedern *v/t* to subdivide/classify, to break down; **tiefer u.** to subdivide further

Untergliederung *f* subdivision, breakdown, classification; **funktionelle U.** functional grouping

unter|graben *v/t* to subvert/sap/undermine; **U.graph** *m* sub-graph; **U.grenze** *f* cut-off point, lower limit, floor

Untergrund *m* 1. underground; 2. subsoil, substratum; **U.-** underground; **U.bahn** *f* underground (railway), tube, subway *[US]*; **U.tätigkeit** *f* undercover activities; **U.wirtschaft** *f* black/subterranean economy

Untergruppe *f* 1. sub-group, sub-category; 2. 🏭 subassembly

Unterhalt *m* 1. upkeep, maintenance; 2. keep, support, livelihood, living; 3. *(Alimente)* alimony, aliment *[Scot.]*; **ohne U.** unsupported; **U. einer Familie** maintenance of a family; **U. und Instandsetzung** maintenance and repair; **zum U. dienend** alimentary

für seinen Unterhalt arbeiten to work for a/one's living; **seinen U. bestreiten/verdienen** to earn one's keep/living/livelihood; **U. fordern** to claim maintenance; **U. gewähren** 1. to provide maintenance; 2. *(Ehefrau)* to pay alimony; **auf U. klagen** to sue for maintenance; **U. für eine Familie leisten** to support a family; **U. zahlen** to pay alimony, to aliment; **U. zuerkennen** to award maintenance/alimony

angemessener Unterhalt reasonable subsistence; **auskömmlicher U.** sufficiency; **ehelicher U.** matrimonial maintenance; **freier U.** free board and lodging; **gesetzlicher U.** legally required maintenance; **laufender U.** *(Alimente)* permanent alimony; **notdürftiger U.** necessaries of life, bare necessities of life; **provisorischer/vorläufiger U.** temporary alimony, alimony pendente lite *(lat.)*

unterhalten *v/t* 1. to maintain/support/keep (up)/sustain; 2. to run/operate/have; 3. to entertain/divert; **jdn u.** to support so.; **sich u.** to talk; ~ **über** to discuss

Unterhalter *m* entertainer

unterhaltsam *adj* amusing, entertainig

Unterhalts|anspruch *m* 1. maintenance claim; 2. § right of support/maintenance; ~ **geltend machen** to claim maintenance/alimony; **U.bedürfnisse** *pl* necessities of life; **u.bedürftig** *adj* dependent, necessitous, requiring maintenance; **U.bedürftigkeit** *f* necessitous circumstances; **U.befugnis** *f* power of maintenance; **U.beihilfe** *f* family maintenance grant, supplementary benefit *[GB]*, income support, subsistence money, maintenance assistance; **u.berechtigt** *adj* dependent, entitled to maintenance; **U.berechtigte(r)** *f/m* dependent relative, (legal) dependent, person entitled to maintenance; **U.betrag** *m* maintenance allowance, alimony; **U.bezüge und Renten** *pl* annuities; **U.empfänger(in)** *m/f* 1. maintenance recipient; 2. *(Sozialhilfe)* welfare recipient; **U.fonds** *m* alimentary trust, spendthrift trust; **U.forderung** *f* claim for maintenance; **U.geld** *nt* maintenance allowance; **U.gewährung** *f* provision of maintenance; **U.gläubiger(in)** *m/f* support creditor; **U.klage** *f* § maintenance suit, affiliation proceedings, action for maintenance/support *[US]*; **U.kläger(in)** *m/f* plaintiff in a maintenance case; **U.kosten** *pl* 1. maintenance cost(s); 2. 🚜 running costs; **U.lasten** *pl* 🏭 maintenance charges; **U.leistung** *f* 1. maintenance payment/allowance; 2. *(Alimente)* alimony; **U.mittel** *pl* means of subsistence; **unentbehrliche U.mittel** strict necessaries; **U.pension** *f* alimentary endowment

Unterhaltspflicht *f* liability to provide maintenance/support *[US]*, obligation to maintain; **gesetzliche U.** statutory obligation to support, legal duty to support; **u.ig** *adj* liable to provide maintenance, ~ maintain; **U.ige(r)** *f/m* person obliged/liable to provide maintenance

Unterhalts|prozess *m* § affiliation proceedings; **U.-rente** *f* maintenance allowance; **lebenslängliche U.rente** permanent alimony; **U.rückstände** *pl* maintenance arrears; **U.sache** *f* affiliation/bastardy *[US]*/maintenance case; **U.schuldner(in)** *m/f* support debtor; **U.urteil** *nt* § affiliation/maintenance/bastardy *[US]* order; **U.verfahren** *nt* 1. § maintenance proceedings; 2. *(Vaterschaft)* affiliation/bastardy *[US]* proceedings; **U.verfügung** *f* § affiliation/bastardy *[US]* order;

U.verletzung *f* breach of maintenance obligation, neglect to maintain; **u.verpflichtet** *adj* liable to pay/provide maintenance, ~ alimony; **U.verpflichtete(r)** *f/m* person obliged/liable to pay maintenance; **U.verpflichtung** *f* obligation to provide maintenance/alimony, support obligation

Unterhaltszahlung *f* 1. maintenance/alimony payment; 2. separate maintenance; **U. für die geschiedene Ehefrau** compassionate allowance; **~ Kinder** child support payment

Unterhalts|zusage *f* maintenance bond; **U.zuschuss** *m* maintenance grant/award, supplementary benefit *[GB]*, subsistence money/allowance; **~ gewähren** to grant an allowance

Unterhaltung *f* 1. maintenance, upkeep, support; 2. operation; 3. *(Gespräch)* talk, conversation; 4. *(Vergnügen)* entertainment, diversion; **U. von Gebäuden** building maintenance; **U. und Instandsetzung** maintenance and repair; **flüchtige U.** brief conversation; **laufende U.** current upkeep/maintenance; **lebhafte/rege U.** animated conversation

Unterhaltungs|- conversational; **U.aufwand** *m* maintenance costs; **U.aufwandskonto** *nt* maintenance expense account; **U.elektronik** *f* consumer electronics, home entertainment equipment, audio systems; **U.industrie** *f* show business, entertainment industry; **U.kosten** *pl* maintenance cost(s), upkeep (cost); **U.kostenumlage** *f* maintenance charge; **U.künstler** *m* entertainer; **U.lasten** *pl* maintenance charges; **U.literatur** *f* light reading, fiction; **U.musik** *f* light music; **U.pflicht** *f* 1. maintenance obligation; 2. covenant of repair; **U.zustand** *m* state of repair/maintenance; **U.-zyklus** *m* maintenance cycle

unter|handeln *v/t* to negotiate; **U.händler** *m* negotiator, go-between, intermediary, mediator, sub-dealer; **U.-handlung** *f* negotiation

Unterhaus *nt* *(Parlament)* lower house/chamber, House of Commons *[GB]*, House of Representatives *[US]*; **für das U. kandidieren** to stand for Parliament *[GB]*; **U.abgeordnete(r)/U.mitglied** *f/m/nt* Member of Parliament (MP), ~ the House of Commons *[GB]*; **U.ausschuss** *m* (House of) Commons committee; **U.wahl** *f* general election *[GB]*

Unter|holding *f* sub-holding; **u.höhlen** *v/t* to undermine; **U.holz** *nt* 🌳 undergrowth; **U.investition** *f* underinvestment; **u.irdisch** *adj* subterranean, underground; **u.jochen** *v/t* to subject/subjugate; **U.jochung** *f* subjection, subjugation; **U.kapazität** *f* capacity shortage, undercapacity; **U.kapitel** *nt* subchapter

unterkapitalisier|en *v/t* to undercapitalize; **u.t** *adj* underfunded, capital-starved, undercapitalized, low-geared; **U.ung** *f* undercapitalization, underfunding, low gearing

Unter|kasse *f* subordinated accounting agency; **U.klasse** *f* sub-class, sub-type; **U.kleidung** *f* underwear; **u.kommen** *v/i* 1. to find accommodation; 2. to find employment; **U.kommission** *f* sub-committee; **U.konsorte** *m* sub-underwriter, syndicate member; **U.konsortium** *nt* sub-syndicate; **U.konsumtion** *f* underconsumption; **U.konto** *nt* companion/adjunct/auxiliary/detail account, sub-account, sub-item; **U.kontonummer** *f* subsidiary account number; **U.kontrahent** *m* subcontractor; **U.kostenangebot** *nt* offer at below cost price; **U.kostenstelle** *f* cost sub-centre

Unterkunft *f* 1. accommodation, lodging, housing; 3. ✈ billet, living quarters; 2. *(Obdach)* shelter; **U. mit Gemeinschaftseinrichtungen** serviced accommodation; **~ Selbstverpflegung** self-catering accommodation; **U. und Verpflegung** board and lodging; **freie ~ Verpflegung** free board and lodging; **jdm U. gewähren** to put so. up; **ohne feste U.** without fixed address, of/with no fixed abode; **möblierte U.** furnished accommodation; **vermietete U.** let accommodation; **U.smöglichkeit** *f* accommodation

Unterlage *f* 1. datum, record, basis; 2. pad, bolster; 3. *(Sicherheit)* security, deposit; **U.n** 1. records, data, (supporting) documents, papers, evidence, file, documentation literature; 2. *(Angebot)* descriptive documents; **aus den U.n** from the records; **U.n für den Eigentumsnachweis** title deeds; **~ Eignungsnachweis** pre-qualification documents; **U.n der Kreditauskunftei** rating book; **~ Lohnbuchhaltung** payroll records

Unterlagen anfordern to ask for (the) documents; **U. aufbewahren** to keep (the) records; **U. beibringen** to furnish documents; **U. in Ordnung bringen** to sort out papers; **keine U. haben** to have nothing to go by; **U. zu den Prozessakten nehmen** to submit documents for incorporation in the bundle of pleadings; **U. übermitteln** to furnish data, to make data available; **U. vernichten** to destroy documents; **U. zusammenstellen** to prepare documents

amtliche Unterlagen official documents; **aussagekräftige U.** substantiating documents; **außerbetriebliche U.** external data; **beizubringende U.** documents to be furnished; **~, Nachweise und Bescheinigungen** documentation requirements; **beweiserhebliche U.** evidentiary documents; **beweiskräftige Unterlage** substantiating document; **buchungstechnische U.** accounting records; **entsprechende U.** pertinent data; **finanzielle U.** financial records; **geschäftliche U.** commercial documents, business records; **persönliche U.** private papers; **schriftliche Unterlage** written proof; **~ U.n** written records; **statistische U.** statistical data/documentation; **technische U.** technical data; **vertrauliche U.** confidential documents, proprietary information, sensitive material; **vorschriftsmäßige U.** regular documents

Unterlage|hypothek *f* security mortgage; **U.nmaterial** *nt* back-up material; **U.summe** *f* security sum

ohne Unterlass *m* without letup

Unterlassen *nt* § neglect, failure to do sth., forbearance, omission, non-feasance; **schuldhaftes U.** culpable neglect, passive neglicence; **u.** *v/t* to to fail to do, to leave undone, to omit/neglect/forbear/default, to abstain/refrain/desist from; 2. *(Wettbewerb)* to cease and desist *[US]*; **nichts u.** to leave no stone unturned *(coll)*

Unterlassung *f* 1. failure (to do sth.), neglect, omission, forbearance, default, non-performance; 2. § laches;

bei U. in case of default; **U. einer Anzeige** § misprision; **pflichtwidrige ~ Anzeige** negative misprision; **U. der Anzeige einer strafbaren Handlung** failure to report a criminal offence; **U. und Beseitigung** injunctive relief; **U. der Hilfeleistung/-stellung** failure to render aid/assistance; **U. einer Klage** forbearance to institute proceedings; **~ Meldung/Mitteilung** failure to render report, nondisclosure; **U. der Unterrichtung(spflicht)** failure to instruct; **~ erforderlichen Vorsichtsmaßregeln** failure to take the proper precautions

auf Unterlassung klagen to apply for a prohibitive injunction, to petition for a restraining injunction

vertraglich ausbedungene Unterlassung negative condition; **fahrlässige U.** passive negligence *[US]*, careless omission; **pflichtgemäße U.** duty to refrain; **pflichtwidrige U.** non-feasance, neglect; **schuldhafte U.** wrongful failure to act, culpable neglect; **vorsätzliche U.** wilful default/neglect

Unterlassungs|anordnung/U.befehl *f/m* § prohibitive injunction *[GB]*, cease and desist order *[US]*, order to refrain; **U.anspruch** *m* right to a forbearance, ~ refrain so. from acting; **U.bestimmung** *f* negative provision; **U.delikt** *nt* omission default, crime by omission; **U.erklärung** *f* declaration of forbearance; **im U.fall** *m* 1. in the event of non-compliance; 2. *(Text)* failing which; **U.klage** *f* injunction suit/proceedings, action for restraint, ~ for an injunction, suit for discontinuance; **vorbeugende U.klage** prohibitory suit/action; **U.pflicht** *f* negative condition/duty, duty to refrain from sth.; **U.sünde** *f* sin of omission; **endgültiges U.urteil** final injunction; **vorbeugendes U.urteil** preventive injunction; **U.verbot** *nt* injunction, cease and desist order *[US]*; **vorbeugendes U.verfahren** quia timet *(lat.)* proceedings; **U.verfügung** *f* prohibitive injunction, cease and desist order *[US]*; **vorbeugende U.verfügung** writ of prevention; **U.verpflichtung** *f* restrictive/negative condition; **U.versprechen** *nt* negative covenant; **U.vertrag** *m* negative contract

unterlaufen *v/ti* 1. *(Fehler)* to occur; 2. *(Regelung)* to evade/avoid/undermine

unterlegen *v/t* 1. *(Sicherheit)* to secure/guarantee, to provide security; 2. to put underneath, to underlay; 3. to support; *adj* inferior; **U.heit** *f* inferiority

Unterlegung *f* 1. provision of security, putting up security; 2. support; **U. eines Kredits** providing security for a loan, putting up security in support of a loan

Unterlieferant *m* subcontractor, subsupplier, subber *(coll)*; **als U. fungieren/tätig sein** to carry out subcontracting work; **U.entätigkeit** *f* subcontracting work; **U.envertrag** *m* subcontracting agreement

unterlieg|en *v/i* 1. to be subject/liable to; 2. to be governed by; 3. ⊖/*(Steuer)* to be dutiable/taxable; 4. *(verlieren)* to go to the wall, to be defeated, to lose; **u.end** *adj* 1. subject to; 2. § unsuccessful; **U.er** *m* 🏛 downstream resident

Unterlizenz *f* sublicence; **U. erteilen; (in) U. vergeben** to sublicense; **U.geber** *m* sublicensor; **U.nehmer** *m* sublicensee

Unter|makler *m* intermediate broker; **musikalische U.malung** background music; **u.mannt** *adj* undermanned; **U.maß** *nt* short measure

untermauer|n *v/t* to substantiate/support/underpin/corroborate; **statistisch u.n** to support by statistics; **U.ung** *f* substantiation, support, underpinning, corroboration

Untermenü *nt* 💻 submenu

Untermiete *f* subtenancy, undertenancy, sublease; **in U. vergeben** to sublet

Untermieter|(in) *m/f* lodger, subtenant, undertenant, sublettee, roomer *[US]*, underlessee, sublessee, sitting tenant; **U. aufnehmen** to take in lodgers/roomers *[US]*

Untermiet|verhältnis *nt* subtenancy, undertenancy; **U.vertrag** *m* sublease, subtenancy contract

unter|minieren *v/t* to undermine/sap/subvert; **U.modell** *nt* submodel; **U.nachfrage** *f* deficiency/shortfall of demand

Unternehmen *nt* 1. (business) enterprise, business, firm, establishment, company, corporation, organisation, shop; 2. activity, operation, venture, undertaking; **U. an sich** enterprise in its own right

Unternehmen mit breit gestreuten Absatzmärkten multi-market company; **~ hoher (Dividenden)Ausschüttung** high(-)payout firm; **U. im Familienbetrieb** family enterprise; **U. mit hohem Fremdkapitalanteil** highly geared/leveraged company; **U. nach der Fusion** post-merger firm; **U. mit niedriger Gewinnausschüttung** low(-)payout firm; **U. der öffentlichen Hand** publicly owned undertaking; **U. mit diversifizierter Kapitalstruktur** multiple capital structure company; **U. in Mehrheitsbesitz** majority-owned enterprise; **U. gegen die verfassungsmäßige Ordnung** activities against the constitutional order; **U. mit mehreren Produktionsstätten** multi-plant corporation; **~ breiter Produktpalette** multiple-product company; **U. privaten Rechts** private-law enterprise; **U. ohne eigene Rechtspersönlichkeit** unincorporated enterprise; **U. der Spitzentechnologie** high-tech enterprise; **U. in Staatsbesitz** public undertaking/enterprise; **führendes U. in der Vertriebskette** channel captain; **U. von Weltgeltung/-ruf** world-renowned enterprise/company; **U. der gewerblichen Wirtschaft** commercial enterprise

in ertragbringenden Unternehmen anlegen to invest in productive enterprises; **U. aufgeben** to abandon an enterprise; **im U. belassen** *(Gewinn)* to plough back *(fig)*; **sich an einem U. beteiligen** to participate in a business; **U. betreiben** to run a business; **U. für die Rechnung eines anderen betreiben** to manage a business for another's account; **in ein U. eintreten** to join a firm; **U. gründen** to start/form a company, to set up/establish a business; **U. leiten** to manage a firm; **U. liquidieren** to wind up a company; **U. sanieren** to turn round a company; **an einem U. beteiligt sein** to have a share in a business, ~ an interest in a company; **U. in den Bankrott treiben** to drive/force a company into bankruptcy; **U. übernehmen** to take over a company; **U. verdrängen** to crowd out a company; **U. weiterführen** to carry on a business; **sich zu einem U. zusammenschließen** to merge (to form a company)

abhängiges Unternehmen controlled enterprise, dependent company; **alteingesessenes U.** old-established firm; **angegliedertes U.** affiliated/associated corporation; **groß angelegtes U.** large-scale undertaking; **kostendeckend arbeitendes U.** self-supporting enterprise; **assoziiertes U.** associated company; **aufgegebenes U.** discontinued company; **international ausgerichtetes U.** non-national company; **ausländisches U.** foreign enterprise/company; **in Betrieb befindliches/bestehendes U.** going concern; **in Händen der Gründerfamilie befindliches U.** first concern; **befreundetes U.** correspondent enterprise; **beherrschendes U.** controlling company/enterprise, dominant enterprise; **beherrschtes U.** controlled enterprise/company; **bestreiktes U.** strike-bound enterprise; **beteiligtes U.** participating enterprise; **wechselseitig beteiligte U.** interlocking enterprises; **privatwirtschaftlich betriebenes U.** private enterprise; **vom Staat betriebenes U.** state-run enterprise; **selbstständig bilanzierendes/buchführendes U.** accounting entity; **blühendes U.** flourishing enterprise; **börsennotiertes U.** quoted company *[GB]*, listed corporation *[US]*; **defizitäres U.** loss-maker; **dynamisches U.** go-ahead company, dynamic enterprise; **gut eingeführtes U.** well-established firm; **eingegliedertes U.** integrated entity/company; **eingestelltes U.** discontinued business; **einheimisches U.** indigenous/domestic enterprise; **eingesessenes U.** established firm; **einstufiges U.** single-stage business; **erfolgreiches U.** successful venture, going business; **erwerbswirtschaftliches U.** business corporation *[US]*; **finanzschwaches U.** shoestring company; **florierendes/gut gehendes U.** going concern, prosperous enterprise; **fruchtbares U.** *(fig)* wild-goose chase; **führendes U.** business leader, leading firm; **gut fundiertes U.** sound firm, well-established enterprise; **öffentlich gebundene U.** regulated industry; **breit gefächertes U.** diversified enterprise; **geldwirtschaftliches/geld- und kreditwirtschaftliches U.** financial enterprise; **gemeinnütziges U.** nonprofit(-making) corporation/organisation/enterprise, public entity undertaking, company not for gain; **gemeinsames U.** joint undertaking/(ad)venture; **gemischtwirtschaftliches U.** mixed enterprise/undertaking, quasi-public company, semi-public corporation; **genossenschaftliches U.** industrial cooperative (society), cooperative association/enterprise; **geschäftliches U.** business enterprise/venture; **gesundes U.** sound enterprise/business; **gewagtes U.** 1. venture, speculation, gamble; 2. daring undertaking; **gewerbliches U.** manufacturing/commercial establishment, industrial undertaking, trading company, business enterprise/entity/unit/firm, industrial/commercial enterprise; **nicht ~ U.** non-profit-making enterprise; **gewerkschaftseigenes U.** union enterprise; **gewinnbringendes U.** profitable enterprise; **globales U.** global player; **großes U.** major company; **neu zu gründendes U.** greenfield company; **halbstaatliches U.** semi-public/quasi-governmental enterprise; **heimisches U.** domestic company; **herrschendes U.** controlling company, dominant/controlling enterprise; **industrielles U.** industrial company; **inländisches U.** domestic enterprise/company; **junges U.** fledgling/new company, incoming enterprise; **kapitalintensives U.** high-cost enterprise; **kapitalistisches U.** capitalist enterprise; **kaufmännisches U.** commercial company/undertaking; **konsolidiertes U.** consolidated company; **kontrolliertes U.** controlled company; **staatlich ~ U.** state-controlled company; **konzernverbundenes U.** affiliated enterprise; **konzessioniertes U.** licensed undertaking; **kränkelndes/krankes U.** ailing company/enterprise/firm; **kreditaufnehmendes U.** borrowing company; **kreditwirtschaftliches U.** financial enterprise; **laufendes U.** going concern; **lebensfähiges U.** viable enterprise; **lukratives U.** paying concern, cash cow; **marktbeherrschendes U.** dominant firm; **marodes U.** ailing company/enetrprise/firm; **mehrstufiges U.** multi-stage business; **mitbestimmtes U.** co-determined enterprise; **mittelständisches U.** small/medium-sized business, ~ company, ~ firm; **mittleres U.** medium-sized enterprise; **multinationales U.** multinational company/corporation/enterprise (MNE), international firm; **neues U.** incoming enterprise, fledgling company; **notiertes U.** quoted company *[GB]*, listed corporation *[US]*; **notleidendes U.** ailing company/enterprise/firm; **öffentliches U.** public(-sector) enterprise/undertaking, publicly owned/state-owned/local government enterprise, public/crown (CAN) corporation; **örtliches U.** local firm; **preisbindendes U.** fair trader *[US]*; **privates U.** private enterprise; **renommiertes U.** well-reputed firm; **rentables U.** paying concern; **riskantes/spekulatives U.** speculative venture; **schlankes U.** lean company/corporation; **schuldenbeladenes U.** debt-ridden company; **schwieriges U.** delicate enterprise/undertaking; **selbstständiges U.** independent enterprise/undertaking, separate enterprise; **sieches U.** ailing/battered company; **solides U.** sound enterprise/company; **staatliches U.** publicly owned/state-owned enterprise, nationalized/state company, nationalized firm *[GB]*, government corporation *[US]*; **städtisches U.** municipal undertaking/enterprise; **weltweit tätiges U.** global player *(coll)*; **tollkühnes U.** risky undertaking; **übernommenes U.** absorbed/acquired company; **unrentables U.** unprofitable/marginal enterprise; **unsicheres U.** dubious undertaking, wildcat *(coll)*; **untergegangenes U.** defunct company; **verbundenes U.** 1. associate/related/allied/affiliated company, affiliate, affiliated/associated corporation, associated firm, related undertaking; 2. ⊖ associated house; **hoch verschuldetes U.** thin corporation; **verstaatlichtes U.** nationalized enterprise/company; **stark verzweigtes U.** multi-division corporation; **waghalsiges U.** risky undertaking, plunge; **weltbekanntes U.** world-renowned company; **wettbewerbsfähiges U.** competitive undertaking; **windiges U.** cowboy outfit *(coll)*; **wirtschaftliches U.** commercial undertaking, business; **zahlungsfähiges U.** solvent firm; **zusammengeschlossene U.** consolidated companies; **zweifelhaftes U.** fly-by-night *(coll)*

unternehmen *v/t* 1. to undertake/venture/attempt/move; 2. to take action; **nichts u. (gegen)** to take no action (against); **u.d** *adj* enterprising, go-ahead, speculative

Unternehmens|- corporate; **U.abschluss** *m* company's annual accounts; **wettbewerbsbeschränkende U.-absprache** anti-competitive agreement between companies; **U.aktivitäten** *pl* corporate activities; **U.althandel** *m* trade in second-hand factory equipment; **U.aufkauf** *m* buyout, acquisition; **mit Krediten finanzierter U.aufkauf** leveraged buyout; **U.aufkäufer** *m* (corporate) raider; **U.auflösung** *f* company liquidation; **U.aufwand** *m* corporate expenditure; **U.befragung** *f* poll of business enterprises; **U.beherrschung durch Holdinggesellschaften** *f* pyramiding

Unternehmensberater *m* 1. management/business consultant, business counsellor; 2. *(Personal)* executive search consultant; **geprüfter U.** certified management accountant (CMA)

Unternehmensberatung *f* 1. management consultancy/consulting, firm of consultants, (business) consulting; 2. executive search consultancy; **U. durch Informationsbeschaffung** business intelligence consulting; **U.sfirma** *f* consulting firm, business/management consultancy; **U.sgesellschaft** *f* business consultant(s)

Unternehmens|bereich *m* 1. (group) division, sector; 2. operation; **U.bericht** *m* company/annual report; **U.besteuerung** *f* company/corporate taxation, taxation of corporations; **U.beteiligung** *f* interest, participation (in a firm), stake; **U.beteiligungsgesellschaft** *f* holding company; **U.bewertung** *f* business appraisal, operations audit, valuation of the enterprise as a whole; **U.-bilanz** *f* corporate/company balance sheet, company statement; **U.ebene** *f* company level; **u.eigen** *adj* 1. corporate; 2. captive; **U.einheit** *f* 1. business unit; 2. profit centre; **U.einkommen** *nt* company/corporate earnings, income/earnings of an enterprise; **U.entscheidung** *f* management decision; **U.entscheidungssystem** *nt* management control system; **U.entwicklung** *f* corporate performance/development; **U.erfolg** *m* company/corporate success; **U.erfolgsfaktor** *m* corporate success factor; **U.ergebnis** *nt* company/corporate result(s); **U.erlös** *m* group sales revenue; **U.erscheinungsbild** *nt* corporate identity (CI); **U.ertrag** *m* company/corporate earnings, business earnings/profit, corporate profit; **U.ethik** *f* corporate ethics; **u.feindlich** *adj* anti-business; **U.finanzen** *pl* company/corporate finance; **U.finanzierung** *f* 1. company/corporate/business enterprise financing, business/enterprise/corporate finance; 2. company funding; **U.fixkosten** *pl* general company period costs; **U.förderung** *f* business promotion; **U.form** *f* form of enterprise, form/type of business organisation, type of business ownership/unit/commercial undertaking, corporate structure; **U.forschung** *f* operations research (OR)/analysis, management research; **U.fragen** *pl* entrepreneurial matters; **U.freiheit** *f* freedom of enterprise; **u.fremd** *adj* not related to the company; **u.freundlich** *adj* pro-business

Unternehmensführung *f* 1. business/company management, administration; 2. management science, corporate management/governance; 3. stewardship of management

Unternehmensführung durch Delegierung management by delegation; ~ **Erfolgsmessung** management by results; ~ **Erkenntnis** management by perception; ~ **Zielvorgaben** management by objectives

aufgeklärte Unternehmensführung enlightened form of management; **autokratische U.** Caesar management *(coll)*; **mehrgleisige U.** multiple management; **umweltbewusste U.** environmentally oriented management; **wissenschaftliche U.** scientific management; **zielgesteuerte U.** management by objectives

unternehmens|gefördert *adj* company-assisted; **U.geschichte** *f* company history; **U.gewinn(e)** *m/pl* corporate *[US]*/trading/business/company *[GB]* profit, company's surplus, corporate earnings, profit/net income from operations; **U.gewinnbeteiligung** *f* company profit-sharing payment/scheme; **U.gigant** *m* corporate giant; **U.gliederung** *f* departmental structure; **U.größe** *f* company size; **U.gründer** *m* company promoter

Unternehmensgründung *f* business start-up/formation, formation/flo(a)tation of a company, company formation/promotion; **U.sbeihilfe/U.szuschuss** *f/m* start-up grant; **U.sdarleh(e)n** *nt* start-up loan; **U.sfinanzierung** *f* start-up finance; ~ **auf Aktienbasis** start-up equity finance; **U.szentrum** *nt* company nursery

Unternehmensgruppe *f* group (of companies), business group, economic unit; **konsolidierte U.** consolidated group of enterprises, consolidation

Unternehmens|haftung *f* corporate/enterprise liability; **U.hierarchie** *f* corporate hierarchy; **U.image** *nt* corporate image/identity (CI); **u.intern** *adj* intercorporate, intra-firm, in-house; **U.investitionen** *pl* corporate/industrial investment; **U.kapital** *nt* equity, equity/company capital (stock), total capital; **U.kaufvertrag** *m* acquisition agreement; **U.kern** *m* firm's core; **U.kombination** *f* company merger; **U.kommunikation** *f* corporate communications; **U.konkurs** *m* corporate/business failure; **U.konzentration** *f* business concentration; **vertikale U.konzentration** vertical takeover; **U.konzept** *nt* business concept; **U.konzeption** *f* business concept; **U.kultur** *f* corporate culture (CC); **U.kundschaft** *f* corporate customers; **U.leistung** *f* company/corporate results; **U.leiter** *m* manager, business executive, industrial leader; **U.leitlinien/U.-leitsätze** *pl* corporate principles, corporate mission statement, company guidelines

Unternehmensleitung *f* administration, management (organ), company management/board, board (of directors/management); **gemeinschaftliche U.** cooperative management; **oberste U.** top/administrative management

Unternehmens|lenkung *f* corporate governance; **U.-liquidität** *f* corporate liquidity; **U.logistik** *f* corporate logistics; **U.makler** *m* business/merger broker; **U.mitteilung** *f* company release; **U.modell** *nt* company/enterprise model; **U.optimum** *nt* company/corporate optimum; **U.organisation** *f* business/company organisation; **U.philosophie** *f* 1. company/corporate philosophy, mission statement; 2. corporate culture (CC)

Unternehmensplan *m* corporate plan; **U.spiel** *nt* business/executive/operational/management decision/simulation game, decision exercise

Unternehmensplanung *f* business/corporate/company/managerial/entrepreneurial planning; **absatzorientierte U.** sales-orient(at)ed managerial planning; **integrierte U.** planning-programming-budgeting-system (PPBS); **kundenorientierte U.** customer-orient(at)ed managerial planning; **kurzfristige U.** short-term corporate planning; **langfristige U.** long-term corporate planning; **marktorientierte U.** market-orient(at)ed managerial planning; **strategische U.** strategic managerial planning; **vorausschauende U.** forward-looking corporate planning

Unternehmenspleite *f* company/corporate failure

Unternehmenspolitik *f* business/corporate/company/firm policy, corporate/company strategy; **einheitliche U.** uniformity of corporate policy; **kurzfristige U.** short-term corporate/company policy; **langfristige U.** long-term lines of approach, ~ corporate/company policy

unternehmens|politisch *adj* corporate; **U.projekt** *nt* corporate project; **U.prospekt** *m* company prospectus; **U.rat** *m* company/works council; **zentraler U.rat** central company council; **U.rechnung** *f* management accounting; **U.recht** *nt* company/corporate law; **U.rentabilität** *f* corporate profitability; **U.revision** *f* corporate audit; **U.risiko** *nt* business/commercial/entrepreneurial risk; **umweltbedingtes U.risiko** environmentally determined business risk; **U.ruf** *m* 1. goodwill; 2. public relations; **U.sanierung** *f* financial reorganization, restructuring; **U.satzung** *f* company statutes/memorandum; **U.sektor** *m* corporate/business sector; **U.simulation** *f* business simulation; **U.sitz** *m* headquarters, registered office, domicile; **u.spezifisch** *adj* company-specific; **U.spitze** *f* top management; **U.sprecher** *m* company spokesman; **U.standort** *m* company location; **U.statut** *nt* company statute(s); **U.steckbrief** *m* company profile; **U.steuerung** *f* management control; **U.stil** *m* corporate identity (CI)/behaviour; **U.strategie** *f* corporate/business/shareholder-value strategy; **U.struktur** *f* company/corporate structure; **U.substanz** *f* company assets, company's intrinsic value; **U.symbolik** *f* corporate design; **U.tätigkeit** *f* company's operational activities, corporate activities; **U.teil** *m* division; **U.teile abstoßen** to hive off operations; ~ **ausgründen** to spin off operations; **U.theorie** *f* theory of the firm; **U.titel** *m (Börse)* corporation paper; **u.übergreifend** *adj* cross-company; **U.umwelt** *f* business environment; **U.veranlagung** *f* company rating; **U.verband** *m* association of undertakings/enterprises; **britischer U.verband** Confederation of British Industry (CBI); **U.verbindungen** *pl* interlocking relationships; **U.verbund** *m* group; **U.vereinbarung** *f* company agreement; **U.vereinigung** *f* association of undertakings/enterprises; **U.verfassung** *f* company/corporate structure, company constitution, corporate governance; **U.verflechtung** *f* company/corporate affiliation; **U.verhalten** *nt* corporate behaviour; **U.verlagerung** *f* business relocation; **U.verluste** *pl* company losses; **U.verschuldung** *f* corporate indebtedness; **U.vertrag** *m* affiliation/intercompany agreement, agreement between enterprises; **U.verwaltung** *f* (business) management; **staatliche U.verwaltung** National Enterprise Board (N.E.B.) *[GB]*; **U.-vorstand** *m* board (of directors), the management; **U.wachstum** *nt* corporate growth; **u.weit** *adj* company-wide, corporate; **U.werbung** *f* institutional advertising; **U.wert** *nt* value as a going concern, goodwill; **U.zentrale** *f* company/corporate headquarters; **U.ziel** *nt* business/corporate objective, ~ goal, object of the enterprise, enterprise goals/objective(s); **oberste U.ziele** top corporate goals; **U.zugehörigkeit** *f* affiliation to a company, corporate affiliation; **U.zusammenbruch** *m* collapse, business failure

Unternehmenszusammenschluss *m* merger, combine, (business) combination, tie-up; **lockerer U.** loose combination; **vertraglicher U.** contract combination

Unternehmens|zweck *m* object/nature/purpose of the company; **U.zweig** *m* arm

Unternehmer *m* 1. industrialist, entrepreneur, businessman, enterpriser; 2. employer, contractor, operator; *pl* business community; **U. und Arbeitnehmer** both sides of industry, employer and employed/employees; **U. in der Ölbranche** oilman

angehender Unternehmer aspiring/budding/candidate/would-be entrepreneur; **mittelständischer U.** small businessman; **selbstständiger U.** independent contractor; **unseriöser U.** cowboy operator *(coll)*

Unternehmer|befragung *f* business opinion poll; **U.disposition** *f* entrepreneurial action; **U.eigenschaften** *pl* managerial qualities; **U.einkommen** *nt* business/entrepreneurial income, earnings from the ownership of an enterprise, income of entrepreneurs; **U.- und Selbstständigeneinkommen** business and professional income *[US]*; **U.entnahme** *f* entrepreneur's withdrawal; **U.erfahrung** *f* managerial experience; **U.erwartung** *f* entrepreneurial expectation; **u.feindlich** *adj* anti-business; **U.firma** *f* contracting firm; **U.fonds** *m* employers' fund; **U.freiheit** *f* free enterprise; **u.-freundlich** *adj* pro-business; **U.funktion** *f* managerial function; **U.geist** *m* entrepreneurial spirit; **U.gewinn(e)** *m/pl* business/corporate/employer's profit, business earnings, employer's surplus; **U.haftpflicht/U.haftung** *f* employer's liability; **U.haftpflicht-/U.haftungsgesetz** *nt* Employer's Liability Act *[GB]/[US]*; **U.haftpflichtversicherung** *f* employers' liability insurance; **U.haftpflicht- und Sachschadenversicherung** employers' liability and property damage insurance

Unternehmer|in *f* businesswoman; **U.interesse** *nt* business interest; **u.isch** *adj* entrepreneurial, managerial, enterprising, managemental; **U.kapital** *nt* equity capital; **U.kaution** *f* contract/master *[US]* bond; **U.kreise** *pl* business/industrial circles; **U.leistung** *f* entrepreneurial performance, management

Unternehmerlohn *m* entrepreneurial profit/income, entrepreneur's profit/renumeration, normal profit, management/managerial wages, wages of management, proprietor's income; **U.löhne** wages of entrepreneurship; **kalkulatorischer U.** imputed entrepreneurial/entrepreneur's/management wages, fictitious compensation, directors' valuation

Unternehmer|nachfrage *f* producer demand; **U.organisation** *f* employer's association/federation; **U.pessimismus** *m* business pessimism; **U.pfandrecht** *nt* mechanic's/artisan's lien; **U.philosophie** *f* entrepreneurial/free-enterprise philosophy; **U.reingewinn** *m* net profit; **U.risiko** *nt* business hazard, entrepreneurial risk; **U.risikoversicherung** *f* commercial risk insurance; **U.schaft** *f* entrepreneurship, employers; **U.-schicht** *f* entrepreneurial class; **U.schulung** *f* management training; **U.tätigkeit** *f* entrepreneurial activity

Unternehmertum *nt* 1. industrialists; 2. entrepreneurship; 3. capital; **U. und Arbeiterschaft** capital and labour; **freies U.** free/private enterprise; **initiatives U.** enterprising employers

Unternehmer|unfallversicherung *f* employers' liability insurance, workman's compensation insurance *[US]*; **U.verantwortung** *f* managerial responsibility; **U.verband** *m* employers'/trade association, ~ federation; **U.vertreter** *m* employer's representative; **U.vertretung** *f* employers' representative/representation; **U.wagnis** *nt* entrepreneurial/business risk, commercial hazard; **U.wirtschaft** *f* enterprise/entrepreneur economy, system of private enterprise

Unternehmung *f* undertaking, business (enterprise/undertaking), (commercial) enterprise, firm, operation; **gemeinschaftliche U.** concerted action; **gemeinwirtschaftliche U.** non-profit organisation; **geschäftliche U.** commercial operation, business activity; **gewagte U.** speculative venture; **interessenmonistische U.** single-constituency corporation; **interessenpluralistische U.** multi-constituency corporation; **öffentliche/öffentlich-rechtliche U.** public undertaking/enterprise/corporation, state-owned enterprise, local government enterprise; **privatrechtliche U.** company under private law

Unternehmungs|- → **Unternehmens|-**; **U.aufspaltung** *f* business split; **U.form** *f* form of business organisation/enterprise, type of company/business ownership/unit; **U.führung** *f* (business) management; **U.-geist** *m* entrepreneurial spirit, enterprise, initiative, go-ahead; **ohne U.geist** unenterprising; **U.leitung** *f* (business) management; **u.lustig** *adj* enterprising, go-getting, go-ahead; **nicht u.lustig** unenterprising; **U.verfassung** *f* corporate constitution/structure/governance, company charter; **U.ziel** *nt* corporate/company objective

Unter|offizier *m* ✈ non-commissioned officer (NCO); **u.ordnen** *v/t* 1. to subordinate; 2. to postpone; **U.ordnung** *f* subordination, subjection; **U.ordnungskonzern** *m* subordinated/vertical/subordinative group, vertically integrated group; **U.organisation** *f* subsidiary organisation, sub-organisation; **U.pacht** *f* subtenancy, sublease, undertenancy, underlease; **U.pächter** *m* subtenant, sublessee, underlessee, undertenant; **U.pachtvertrag** *m* sublease; **U.pariausgabe/-emission** *f* issue (at) below par, issue at a discount; **U.pfand** *nt* 1. pledge, deposit; 2. underlying security; 3. sub-mortgage; **U.pflasterbahn** *f* underground tramway; **u.pflügen** *v/t* to plough under; **U.position** *f* sub-item; **U.preisverkauf** *m* sale at below cost (price); **u.privilegiert** *adj* underprivileged; **U.produktion** *f* underproduction; **u.proportional** *adj (Kosten)* degressive; **U.programm** *nt* 🖳 sub-program, sub-routine; **U.prozessbevollmächtigter** *m* deputy lawyer, substitute counsel; **u.qualifiziert** *adj* underqualified

Unterredung *f* talk, conversation, interview, parley; **jdm eine U. gewähren** to grant so. an interview; **mit jdm eine persönliche U. führen** to talk to so. in private; **persönliche U.** private conversation; **telefonische U.** telephone conversation

Unterrepräsent|ation *f* underrepresentation; **u.iert** *adj* underrepresented

Unterricht *m* lessons, classes, school, tuition, instruction; **U. erhalten/nehmen** to have lessons; **U. erteilen/geben** to give lessons, to teach; **U. schwänzen/versäumen** to play truant *[GB]*/hooky *[US]*; **am U. teilnehmen** to attend classes; **programmierter U.** programmed course/instruction

unterrichten *v/t* 1. to inform/advise/notify/brief/post; 2. to teach/educate/instruct; **jdn von etw. u.** to acquaint so. with sth.; **falsch u.** to misinform; **jdn laufend u.** to keep so. posted; **unverzüglich u.** to inform without undue delay

Unterrichter(in) *m/f* § puisne judge

unterrichtet *adj* informed, posted; **falsch u.** misinformed; **gut u.** well-informed; **nicht u.** uninformed

unterrichtlich *adj* didactic

Unterrichts|- educational; **U.anstalt** *f* educational/training establishment; **U.betrieb** *m* classes, teaching; **U.brief** *m* correspondence lesson; **U.einheit** *f* teaching unit; **U.erfahrung** *f* teaching experience/practice; **U.fach** *nt* (teaching) subject; **U.gebühr** *f* tuition fee; **U.material** *nt* teaching material(s); **U.methode** *f* teaching method; **U.minister** *m* minister of education, secretary of state for education, education secretary; **U.- und Wissenschaftsminister** Secretary of State for Education and Science *[GB]*; **U.ministerium** *nt* ministry of education, Department of Education *[GB]*, Office of Education *[US]*; **U.- und Wissenschaftsministerium** Department of Education and Science *[GB]*; **U.mittel** *nt* teaching aid; **U.programm** *nt* curriculum, training programme, prospectus; **U.raum** *m* lecture room; **U.sprache** *f* language/medium of instruction; **U.stoff** *m* subject matter; **U.stunde** *f* lesson, period *[US]*; **U.veranstaltung** *f* 1. lesson; 2. lecture; **U.wesen** *nt* (system of) education

Unterrichtung *f* 1. notification, briefing, instruction; 2. information; **ohne vorherige U.** without prior notice; **rechtzeitige U.** due notice

Unterroutine *f* 🖳 sub-routine

untersag|en *v/t* to forbid/prohibit/bar/ban/interdict; **strengstens u.t** *adj* strictly prohibited

Untersagung *f* prohibition, injunction, interdiction; **U.srecht** *nt* right to forbid; **U.sverfügung** *f* [§] negative injunction, prohibitive order

fahrbarer Unter|satz *(coll)* car, conveyance; **U.schall-** subsonic; **u.schätzen** *v/t* to underestimate/undervalue/underrate; **U.schätzung** *f* underestimation/underestimate/undervaluation/underrating

unterscheiden *v/t* to distinguish/differentiate/discriminate, to draw/make a distinction; *v/refl* to differ; **nicht zu u.** indistinguishable

Unterscheidung *f* distinction, differentiation; **U. von Markierungen** mark discrimination; **feine U.** fine distinction; **klare U.** sharp distinction

unterscheidungsfähig *adj (Warenzeichen)* distinctive; **nicht u.** non-distinctive

Unterscheidungs|fähigkeit/U.kraft *f (Warenzeichen)* distinctiveness; **mangelnde U.kraft** lack of distinctiveness; **U.merkmal** *nt* distinctive/distinguishing feature; **U.vermögen** *nt* discernment, discriminatory powers; **U.zeichen** *nt* distinctive mark

Unter|schicht *f* lower class(es); **jdm etw. u.schieben** *v/t* to attribute/impute sth. to so.; **U.schiebung** *f* imputation; ~ **eines Kindes** foisting/substituting of a child (upon another)

Unterschied *m* difference, distinction, disparity, differential, odds, variance; **mit dem U., dass** except for the fact that; **ohne U.** indiscriminate(ly), regardless; ~ **der Person** without distinction of person(s); **U. ausgleichen** to make up the difference; **U.e berichtigen** to adjust differences; **entscheidenden U. machen** to make all the difference

bemerkenswerter Unterschied significant difference; **branchenmäßige U.e** divergencies between different trades; **feiner U.** nice/subtle distinction; **geringfügiger U.** minor difference; **großer U.** major difference; **himmelweiter U.** a world of difference; **kleine U.e** niceties; **signifikanter U.** significant difference; **sozialer U.** social difference; **struktureller U.** structural disparity; **wesentlicher U.** material/major difference; **zeitliche U.e** different time horizons

unterschied|lich *adj* different, variable, varied, discriminating, dissimilar, unequal, discrete; **U.lichkeit** *f* dissimilarity, difference; **u.slos** *adj* indiscriminate, indiscriminating

Unterschieds|betrag *m* differential, difference; ~ **begleichen/bezahlen** to make up the difference, to settle/pay the balance; **U.merkmal** *nt* distinguishing/distinctive feature

unterschlagen *v/t* to embezzle/defraud/misappropriate/abstract/misapply/peculate/defalcate

Unterschlagung *f* 1. *(Geld)* embezzlement, fraud, defraudation, misappropriation, fraudulent/dishonest appropriation, abstraction, misapplication, peculation, defalcation; 2. *(Dokument)* suppression, fraudulent concealment

Unterschlagung im Amt malversation, embezzlement in office; **U. von Beweismaterial** suppression of evidence; ~ **Geld** misappropriation of funds; ~ **Geldern** abstraction of money; ~ **Kassenbeständen** *(Laden)* till offence; **U. eines Testaments** suppression of a will

Unterschlagungs|fall *m* case of embezzlement; **U.prüfung** *f* audit for defalcation; **U.versicherung** *f* fidelity insurance

Unterschlupf *m* refuge, shelter; **jdm U. gewähren** to harbour so.; **U. suchen** to seek shelter; **U.gewährung** *f* concealment of a criminal

unterschreiben *v/t* to sign (one's name), to subscribe/undersign, to affix one's signature; **blanko u.** to sign in blank; **blind u.** to sign on the dotted line; **eigenhändig u.** to autograph, to sign personally; **einzeln u.** to sign individually; **u. lassen** to submit for signature

unterschreit|en *v/t* to undercut/undershoot, to drop/fall below; **U.ung** *f* undercutting, dropping/falling below, undershoot

unterschrieben *adj* (under)signed; **eigenhändig u.** signed personally; **nicht u.** unsigned; **ordnungsgemäß u.** duly signed; **rechtsverbindlich u.** properly executed/subscribed; **u. und versiegelt** under hand and seal, signed and sealed

Unterschrift *f* 1. signature; 2. *(Bild)* caption; **laut U.** as per signature; **laut meiner U.** witness my hand; **ohne U.** unsigned

Unterschrift eines Analphabeten; U. durch Handzeichen mark signature; **U. des Ausstellers** drawer's signature; **U. ohne Bevollmächtigung** unauthorized signature; **U. per Prokura** procuration signature; **U. und Siegel** hand and seal; **U. als Stellvertreter** proxy signature; **U. ohne Vertretungs-/Vollmacht** unauthorized signature

Unterschrift fehlt signature missing; **U. unbekannt** signature unknown

Unterschrift anerkennen to acknowledge one's/a signature; **seine U. nicht anerkennen** to disown one's signature; **U. avalieren** to stand security for a signature; **U. beglaubigen** to authenticate a signature; **U. fälschen** to forge a signature; **U. geben** to sign; **U. leisten; mit seiner U. versehen** to sign, to affix/append one's signature; **U.en sammeln** to collect signatures; **U. setzen unter** to affix/append one's signature to, to sign; **U. unter den Vertrag setzen** to sign the treaty/contract; **U. tragen** to bear a signature; **zur U. vorlegen** to submit/present for signature

beglaubigte Unterschrift attested signature; **berechtigte U.** authorized signature; **echte U.** genuine signature; **eigenhändige U.** personal signature, autograph; **faksimilierte U.** facsimile/specimen signature; **gefälschte U.** falsified/forged signature; **gemeinsame U.** joint signature; **genehmigte U.** approved signature; **ungefälschte U.** genuine signature; **vervielfältigte U.** facsimile signature

Unterschriften|karthotek *f* signature card file; **U.liste/U.verzeichnis** *f/nt* list of signatures; **U.mappe** *f* signature folder; **U.probe** *f* facsimile/specimen signature

Unterschrifts|befugnis *f* authority/power to sign; **U.beglaubigung** *f* certification/confirmation/attestation of signature, verification of execution; **u.berechtigt** *adj* authorized/entitled to sign; **U.berechtigte(r)** *f/m* authorized signatory, person lawfully authorized to sign; **U.berechtigung** *f* authority/power to sign; **U.bestätigung**

f confirmation of signature; **U.fälschung** *f* forgery of signature, forged signature; **U.karte** *f* signature card; **U.leistende(r)** *f/m* subscriber to a document; **U.leistung** *f* signature, signing; **U.liste vorlegen** *f* to petition; **U.mappe** *f* signature folder; **U.probe** *f* specimen (of) signature, facsimile signature; **U.prüfung** *f* signature verification; **U.recht** *nt* authority to sign; **u.reif** *adj* ready for signing, ~ to be signed; **U.stempel** *m* signature stamp; **U.verzeichnis** *nt* signature book, list of signatures; **U.vollmacht** *f* authority to sign, signatory authority/power; **U.zeuge** *m* attesting witness

Unterschuss *m* shortfall, deficit, undershoot; **U. machen** to make a deficit, to undershoot

unterschwellig *adj* underlying, subliminal

Unterseelboot *nt* submarine; **u.isch** *adj* undersea, submarine; **U.frachter** *m* cargo submarine; **U.kabel** *nt* submarine cable

Unterlsortiment *nt* substandard lot; **U.spalte** *f* subdivision; **U.spediteur** *m* sub-forwarder, sub-carrier; **U.staatssekretär** *m* undersecretary; **U.stand** *m* shed, shelter

das Unterste zuoberst kehren *nt* to turn everything upside down

unterstehen *v/i* to be subordinate to, ~ governed by, ~ under the control of, to come under the jurisdication of; **jdm (disziplinarisch) u.** to report to so.; **sich u., etw. zu tun** to have the impudence to do sth.

unterstellen *v/t* 1. to impute/imply/insinuate/assume/presume; 2. *(unterordnen)* to subordinate, to put under the control of; **jdm etw. u.** to impute sth. to so.; **schlüssig u.** to presume conclusively; **etw. als wahr u.** to take sth. for granted

Unterstellmöglichkeit *f* shelter

jdm unterstellt *adj* reporting to, under the control of; ~ **sein** 1. to report to so., to be responsible to so., responsibility is to so.; 2. to be answerable to so.

Unterstellung *f* 1. imputation, implication, insinuation, assumption, presumption, innuendo, supposition; 2. *(Unterordnung)* subordination; **U. zu jds Gunsten** presumption in favour of so.; **U.sverhältnisse** *pl* order of authority/command

Unterlsterblichkeit *f* light mortality; **u.steuern** *v/t* 🚗 to understeer; **U.stichprobe** *f* sub-sample; **u.streichen** *v/t* 1. to underline/underscore, to score under; 2. to stress/emphasize/highlight; **U.streichung** *f* 1. underlining; 2. emphasis, stress; **U.struktur** *f* minor structure

unterstützen *v/t* 1. to assist/support/back (up)/help, to be supportive of sth.; 2. *(Staat)* to subsidize; 3. to sustain/favour/encourage/foster; 4. *(Verhandlungen)* to facilitate; 5. *(Antrag)* to second; 6. *(Geld)* to sponsor/underpin; 7. *(Laden)* to patronize; 8. § to aid (and abet); 9. to shore up; **finanziell u.** to back with money; **voll u.** to give full backing, to throw one's weight behind

unterstützlend *adj* supportive; **U.er** *m* backer, supporter

unterstützt *adj* receiving benefit/relief; **staatlich u.** state-subsidized

Unterstützung *f* 1. support, assistance, help, backing, back-up, encouragement, supportive response; 2. subsidization, subvention, aid, subsidy; 3. *(sozial)* benefit, maintenance (payment), handout; 4. *(Antrag)* secondment; 5. *(Laden)* patronization, patronage; 6. underpinning; **ohne U.** unsupported; **zur U. von** in support/aid/furtherance of

Unterstützung für Alleinerziehende one parent benefit; **U. der Armen** poor relief; **staatliche ~ wirtschaftlichen Entwicklung** governmental assistance to promote economic development; **U. in Geld** cash benefit; **U. durch die Konzernmutter/Mutter(gesellschaft)** parental support; **U. für verwitwete Mütter** widowed mothers' allowance; **U. in Notfällen** emergency support; **U. durch beide Parteien** *(Politik)* bipartisan support; **U. einer Prozesspartei gegen Zusicherung einer Erfolgsbeteiligung** § champerty *[US]*; **U. durch Werbung** advertising support; **U. aus der Wirtschaft** business support

jdn um Unterstützung angehen to ask so. for assistance; **U. beziehen** to draw benefit(s); **U. gewähren; U. angedeihen lassen; U. zuteil werden lassen** to (grant) support; **auf U. angewiesen sein** to be dependent on support; **U. verdienen** to deserve support, ~ a fair wind *(coll)*; **U. verstärken** to bolster support (for sth.); **um U. werben** to drum up/muster support

finanzielle Unterstützung financial support/backing, accommodation; **gegenseitige U.** mutual assistance; **geldliche U.** pecuniary aid; **konkrete U.** tangible support; **mangelnde U.** lack of support; **materielle U.** financial aid; **moralische U.** moral support; **öffentliche U.** public welfare/relief/assistance, national assistance *[GB]*; **politische U.** political backing; **staatliche U.** government support/aid/assistance/backing, state support/aid, subsidy; **technische U.** technical assistance; **verkaufsfördernde U.** promotional support; **werbemäßige/werbliche U.** advertising relief/support; **wesentliche U.** material support; **wirtschaftliche U.** economic aid/support

Unterstützungsl- supportive; **U.angebot** *nt* offer of assistance; **U.anspruch** *m (Sozialhilfe)* benefit claim; ~ **geltend machen** to claim benefit(s); **U.aufwendungen** *pl* benefits, assistance, relief expenditure(s); **u.bedürftig** *adj* needy, indigent; **u.berechtigt** *adj* eligible for benefit; **nicht u.berechtigt** ineligible for benefit; **U.berechtigung** *f* eligibility for relief/benefit; **U.darlehen** *nt* assistance loan; **U.einrichtung** *f* welfare fund, provident institution; **U.empfänger(in)** *m/f* welfare recipient, beneficiary, tax eater *(coll)*; **U.fall** *m* welfare case; **U.fonds/U.kasse** *m/f* welfare/relief/benevolent/provident/aid fund, pension trust, friendly society; **U.gelder** *pl* subsidies; **U.gesuch** *nt* application for relief; **U.höhe** *f* level of relief; **U.käufe** *pl (Börse)* support buying; **U.konto** *nt* relief account; **U.kürzung** *f* benefit cut; **U.leistung** *f* benefit, assistance, grant; **U.leistungen** *(Sozialvers.)* social security/welfare benefits; **U.linie** *f* support level/line; **U.periode** *f* benefit period; **U.plan** *m* relief plan; **U.programm** *nt* aid program(me); **U.satz** *m* relief rate; **U.schwindler** *m* dole fiddler, scrounger; **U.stelle** *f* welfare office/agency; **U.verein** *m* provident/benefit society, benefit/

beneficiary association, benefit club *[US]*; ~ **auf Gegenseitigkeit** mutual (provident) society; **U.zahlung** *f* maintenance/welfare/transfer/support/benefit payment; ~ **im Todesfall** death grant/benefit; **U.zeitraum** *m* benefit period

untersuchen *v/t* 1. to look into, to examine/study/sift; 2. to inspect/investigate/inquire/probe (into)/survey/analyze/scrutinize/test, to conduct a study; **eingehend u.** to examine closely; **fortlaufend u.** to conduct a continuous study; **genau/gründlich u.** to go into, to scrutinize/vet/probe; **näher u.** to examine in detail; **zollamtlich u.** to jerque *[GB]*

untersuchlend *adj* exploratory; **u.t** *adj* examined; **nicht u.t** unquestioned

Untersuchung *f* 1. inspection, examination, going over, view (of/on), sifting; 2. investigation, inquiry, enquiry, exploration, analysis, research, scrutiny, survey, probe, study, test; 3. *(Unfall/Verbrechen)* inquest

Untersuchung zum Abstammungsbeweis paternity test; **U. über die Beschäftigungslage** employment/workload survey; **U. der Sachlage/Umstände** inquiry into the circumstances; **gerichtliche ~ Todesursache** postmortem *(lat)*; ~ **Verbrauchergewohnheiten** (consumer) habit survey; **U. des Verbraucherverhaltens** consumer behaviour probing; **U. der Werbewirksamkeit** impact study

Untersuchung abschließen to complete an investigation; **U. anordnen** to order an inquiry; **U. anstellen/durchführen/vornehmen** to make/hold an inquiry, ~ an enquiry, to conduct an investigation, to investigate/scrutinize; **U. einleiten** to set up an inquiry

amtliche Untersuchung official inquiry/investigation; **ärztliche U.** medical examination; **demoskopische U.** (public) opinion poll; **eingehende/genaue/gründliche U.** scrutiniy, comprehensive study, in-depth study/investigation, close investigation, thorough examination; **gerichtliche U.** judicial/legal inquiry, judicial investigation; **informelle U.** informal survey; **körperliche U.** bodily/strip search; **mehrstufige U.** multi-stage survey; **nachfassende U.** follow-up (investigation); **oberflächliche U.** cursory inspection; **objektive U.** impartial investigation; **öffentliche U.** public inquiry; **ordnungsgemäße U.** proper/due inquiry; **polizeiliche U.** police investigation; **qualitative U.** qualitative analysis; **sorgfältige U.** scrutiny; **steuerliche U.** tax investigation/probe; **systematische U.** systematic investigation; **umfassende U.** extensive inquiry, detailed study; **vergleichende U.** comparative study; **vertrauensärztliche U.** examination by medical referee, ~ public health commissioner; **wissenschaftliche U.** scientific research (study); **zollamtliche U.** customs examination/inspection

Untersuchungsl- 1. investigative, fact-finding; 2. [§] inquisitorial; **U.ausschuss** *m* committee of investigation, fact-finding mission/commission/committee, commission/court/board of inquiry, investigation committee, inquiry team, review group/body; ~ **einsetzen** to set up a court of inquiry; **U.beamter** *m* (special) investigator; **U.befund/U.ergebnis** *m/nt* findings; **U.bericht** *m* report; **U.einheit** *f* ▦ sampling unit; **kleinste U.einheit** elementary unit; **U.ergebnis** *nt* findings; **U.fall** *m* investigatory matter; **U.gefangene(r)** *f/m* remand prisoner, prisoner on remand, ~ before trial, ~ at the bar, ~ held in pre-trial confinement; **U.gefängnis** *nt* remand prison; ~ **für Jugendliche** remand centre; **U.gegenstand** *m* subject under investigation; **U.geheimnis** *nt* investigatory secret; **U.gericht** *nt* court of inquiry, ~ preliminary investigation *[GB]*; **U.grundsatz** *m* inquisitorial system

Untersuchungshaft *f* custody, pre-trial detention *[US]*/confinement, imprisonment before trial, detention pending trial, (commitment on) remand

Untersuchungshaft anrechnen to make allowance for the pre-trial confinement; **in U. bleiben** to be remanded in custody; ~ **nehmen** to remand (in custody/on bail), to commit for trial, to arrest pending further investigations; ~ **sein** to be on remand, ~ held in pre-trial confinement; **aus der U. vorgeführt werden** to appear on remand; **in U. zurückschicken** to remand (in custody)

Untersuchungslhäftling *m* detainee, remand prisoner; **U.kommission** *f* → **Untersuchungsausschuss**; **U.kosten** *pl* investigation costs; **U.- und Analysekosten** ⊝ inspection and analysis fees; **U.maßnahmen** *pl* investigative steps, preparatory inquiries; **U.methode** *f* 1. method of investigation; 2. research method; **U.population** *f* ▦ survey population; **U.protokoll** *nt* minutes of the investigation; **U.recht** *nt* right of search; **U.richter** *m* examining/committing/investigating magistrate; **sich im U.stadium befinden** *nt* to be under investigation; **U.stichtag** *m* basis date; **U.tätigkeit** *f* investigative work; **U.verfahren** *nt* investigative process, inquisitorial procedure; **U.vollmacht** *f* power of investigation; **U.zeitraum** *m* 1. period under investigation, ~ investigated; 2. ▦ sample period; **U.ziel** *nt* study objective; **U.zyklus** *m* test cycle

Untertagel- underground; **U.arbeit** *f* underground work; **U.arbeiter** *m* underground worker, faceworker; **U.bau/U.betrieb** *m* underground mining/working/mine, deep mining/mine; **U.bergwerk** *nt* deep-mine pit; **U.deponie** *f* underground dump; **U.vermessung** *f* minerals surveying

Unterltan *m* subject; **treuer U.tan** loyal subject; **u.tariflich** *adj* below agreed rates; **u.tauchen** *v/i* to submerge/disappear; **u.teilen** *v/t* to split up, to subdivide, to break down; **U.teilung** *f* subdivision, breakdown, partition; **U.titel** *m* subtitle, caption, subhead(ing); **u.tourig** *adj* below normal speed; **u.treiben** *v/t* to understate; **U.treibung** *f* understatement; **u.tunneln** *v/t* to tunnel; **U.überschrift** *f* subtitle; **U.verband** *m* sub-association; **U.verbrauch** *m* underconsumption; **U.vercharterung** *f* sublet; **u.verfrachten** *v/t* to subcharter/underfreight; **U.verfrachter** *m* underfreighter; **U.vergabe** *f* subcontracting; **u.vergeben** *v/t* to subcontract; **U.verkauf** *m* sub-sale; **U.vermächtnis** *nt* sublegacy

Untervermietlen *nt* subletting; **u.en** *v/t* to sublet/sublease/underlet/sub-hire; **U.er(in)** *m/f* sublessor, subletter, underlessor

Untervermietung *f* subletting, sublease, underlease; **U.**

eines Grundstücks sublease; **U.srecht** *nt* right to sublet; **U.sverhältnis** *nt* subtenancy

unter|verpachten *v/t* to sublease/underlet/sublet; **U.verpächter** *m* underlessor; **U.verpachtung** *f* sublease, underlease; **u.verpfänden** *v/t* to submortgage/repledge; **U.verpfändung** *f* submortgage

unterversicher|n *v/t* to underinsure; **U.er** *m* sub-underwriter; **u.t** *adj* underinsured

Unterversicherung *f* 1. underinsurance; 2. sub-underwriting; **U.sbeteiligung** *f* sub-underwriting commission; **U.sklausel** *f* standard average clause; **U.sprovision** *f* sub-underwriting commission

Unter|versorgung *f* supply shortage, deficiency supply, shortage of supply, inadequate provision; **U.vertrag** *m* subcontract, subsidiary contract; **~ vergeben** to contract out, to subcontract; **U.vertreter** *m* subagent, under-agent; **U.vertretung** *f* subagency; **U.vollmacht** *f* delegated authority, sub-delegated power, substitute power of attorney; **~ erteilen** to delegate powers; **u.wandern** *v/t* to infiltrate; **U.wanderung** *f* infiltration; **U.wasser-** undersea, submarine; **U.wasserkabel** *nt* submarine cable

unterwegs *adv* 1. away; 2. *(Waren)* in transit, en route *[frz.]*; 3. under way, in the pipeline, on the way, forthcoming; **geschäftlich u. sein** to travel on business, to be on the road; **U.kosten** *pl* charges en route *[frz.]*

unterweisen *v/t* to instruct/direct/teach/train

Unterweisung *f* direction, instruction, guidance, lesson, training; **programmierte U.** programmed instruction

Unterwelt *f* underworld

unterwerfen *v/t* to subject to, to subordinate/subjugate; *v/refl* to submit, to toe the line, to knuckle down

Unterwerfung *f* subjection, subjugation, submission; **stillschweigende U.** tacit submission

Unterwerfungs|entscheidung *f* consent decree; **U.erklärung** *f (Schuldner)* statement of confession; **U.klausel** *f* 1. cognovit *(lat.)* clause *[US]*; 2. *(Hypothekenbrief)* sharp clause; **U.schuldschein** *m* judgment note; **U.verfahren** *nt* repressive procedure, voluntary submission to (tax) penalty proceedings

unterwertig *adj* inferior, low-value

unterworfen *adj* subject to; **u. sein** to be subject to; **u. werden** to become subject to

unterwürfig *adj* submissive, subservient, obsequious, humble, menial; **U.keit** *f* subservience, subordination, obsequiousness

unterzeichnen *v/t* 1. to sign/undersign/subscribe/endorse/indorse; 2. *(Vers.)* to underwrite; **handschriftlich u.** to sign manually; **u.d** *adj* signatory; **U.de(r)** *f/m* **→ Unterzeichner**

Unterzeichner|(in) *m/f* signatory, the undersigned, subscriber, signer; **U. von** signatory to; **U.regierung** *f* signatory government; **U.staat** *m* signatory state

unterzeichnet *adj* undersubscribed, (under)signed; **von mir u.** witness my hand; **eigenhändig ~ u.** given under my hand and seal

der/die Unterzeichnete/n *m/f/pl* 1. the undersigned; 2. subscriber(s)

Unterzeichnung *f* signature, signing, subscription, execution; **U. einer Urkunde** execution of a deed; **U. auf Grund einer Vollmacht** signing by proxy; **zur U. ausliegen** to be open for signature; **U.sbevollmächtigte(r)** *f/m* authorized signatory; **U.surkunde** *f* instrument of signature

unter|ziehen *v/t* to subject to; *v/refl* to undergo; **U.ziel** *nt* sub-goal, sub-objective

Un|tiefe *f* shallows, shoal; **u.tilgbar** *adj* irredeemable, unreedemable; **U.tilgbarkeit** *f* irredeemability; **u.tragbar** *adj* intolerable, unbearable, prohibitive; **U.tragbarkeit** *f* intolerability; **u.trennbar** *adj* inseparable, inseparably linked; **U.trennbarkeit** *f* inseparability; **u.treu** *adj* disloyal, unfaithful

Untreue *f* 1. infidelity, breach of trust, unfaithfulness, disloyalty; 2. § embezzlement; 3. ⚓ barratry, dishonest dealings; **U. im Amt** malpractice; **U.versicherung** *f* surety insurance

untrinkbar *adj* non-potable

untüchtig *adj* ineffective, inefficient, incapable; **U.keit** *f* inefficiency

Un|tugend *f* bad habit; **u.tunlich** *adj* impracticable, inexpedient

unüber|brückbar *adj* unbridgeable, unsurmountable, irreconcilable; **u.legt** *adj* ill-considered, ill-advised, rash, imprudent; **u.sehbar** *adj* 1. incalculable; 2. all-too obvious; **u.setzbar** *adj* untranslatable; **u.sichtlich** *adj* unclear, vague

unübertragbar *adj* non-transferable, inalienable, non-negotiable; **U.keit** *f* non-transferability, inalienability

unüber|trefflich/u.windbar *adj* insuperable, unbeatable, unsurmountable; **u.troffen** *adj* unsurpassed, unmatched, second to none, unrivalled, unequalled; **u.windlich** *adj* unsurmountable, impregnable

unüblich *adj* uncommon, unusual, not customary

unumgänglich *adj* inevitable, unavoidable; **U.keit** *f* necessity, inevitability

un|umkehrbar *adj* irreversible; **u.umschränkt** *adj* absolute, full; **u.umstößlich** *adj* unalterable, irreversible, irrevocable, cast-iron, hard and fast; **u.umstritten** *adj* undisputed, non-controversial, uncontested; **u.unterbrochen** *adj* uninterrupted, continuous, endless, without interruption/a break, straight, steady, in straight succession, in a row; **u.unterscheidbar** *adj* indistinguishable

unveränderlich *adj* 1. invariable, fixed, unalterable, immutable; 2. *(Börse)* firm; 3. *(Anleihe)* closed; **U.keit** *f* unchangeability, invariability

unverändert *adj* 1. unchanged, unaffected; 2. stationary; **fast u.** *(Börse)* barely changed; **u. bleiben/sein** to remain stationary

unverantwortlich *adj* irresponsible, unjustifiable; **U.keit** *f* lack of responsibility, irresponsibility

unver|arbeitet *adj* crude, unfinished, unprocessed, raw, unmanufactured; **u.ausgabt** *adj* unspent; **u.äußerlich** *adj* 1. § inalienable, indefeasible; 2. unsal(e)able, unmarketable; 3. not for sale; 4. *(Grundstück)* entailed

Unveräußerlichkeit *f* indefeasibility, inalienability; **U. eines Erblehens aufheben** § to break the entail; **U.sverfügung** *f* § perpetuity

unver|besserlich *adj* incorrigible, incurable; **u.bessert** *adj* uncorrected, unrectified, unamended

unverbindlich *adj* 1. *(Angebot)* not binding, no/without obligation, subject to confirmation, without any commitment/engagement; 2. tentative, non-committal; 3. free; **U.keit** *f* 1. non-binding character, freedom from obligation; 2. non-commitment

unver|bleit *adj* lead-free, unleaded; **u.blümt** *adj* outspoken, forthright, pointed, blunt; **u.borgen** *adj* patent; **u.braucht** *adj* 1. unconsumed, unused; 2. unspent; **u.brieft** *adj* unsecured, unchartered; **u.brüchlich** *adj* steadfast; **u.bürgt** *adj* unwarranted, unconfirmed, unauthenticated; **u.dächtig** *adj* unsuspected, beyond suspicion; **u.daulich** *adj* indigestible; **u.daut** *adj* undigested, unabsorbed; **u.derblich** *adj* non-perishable, unperishable; **u.dient** *adj* undeserved, unmerited; **u.dorben** *adj* unspoilt; **u.dünnt** *adj* 1. undiluted; 2. *(Alkohol)* neat; **u.edelt** *adj* unimproved, unprocessed; **u.ehelicht** *adj* single, unmarried

unvereinbar (mit) *adj* incompatible/inconsistent/irreconcilable (with), incommensurate with, at variance with; **U.keit** *f* incompatibility, inconsistency

unver|erblich *adj* not heritable; **u.fallbar** *adj* non-forfeitable, non-lapsable; **U.fallbarkeit** *f* non-forfeitability, non-forfeiture; **u.fälscht** *adj* genuine, unadulterated, undistorted, sterling *[GB]*; **u.fänglich** *adj* uncontroversal, innocuous, harmless, bland

unverfolgbar *adj* § 1. unenforceable; 2. exempt from prosecution; **U.keit** *f* 1. unenforceability; 2. exemption from prosecution

unverfroren *adj* impudent, audacious, cheeky *(coll)*, barefaced, unabashed; **U.heit** *f* impudence, cheek *(coll)*

unver|gänglich *adj* undying, immortal; **u.gesslich** *adj* unforgettable; **u.gleichlich** *adj* incomparable, matchless, unrivalled, unique, without a peer, beyond compare; **u.gütet** *adj* unindemnified, unpaid

unverhältnismäßig *adj* disproportionate, out of all proportion, unproportional, excessive; **U.keit** *f* disproportion, disparity, unreasonableness

unver|heiratet *adj* unmarried, single; **u.hofft** *adj* unhoped-for; **u.hohlen** *adj* undisguised, candid; **u.hüllt** *adj* open, unconcealed, undisguised; **u.jährbar** *adj* § not subject to the statutes of limitation(s), not statute-barred; **u.jährt** *adj* still valid

unverkäuflich *adj* 1. unsal(e)able, unmarketable, unmerchantable, non-sal(e)able, not merchantable, unsellable; 2. not for sale; 3. *(Besitz)* inalienable; **U.keit** *f* unsal(e)ability, unmarketability

unver|kauft *adj* unsold, undisposed, remaining; **~ bleiben** to remain unsold, ~ on the shelf; **u.kennbar** *adj* unmistak(e)able; **u.kürzt** *adj* 1. unabbreviated; 2. *(Text)* unabridged; **u.langt** *adj* unsolicited, voluntary, gratuitous; **u.letzbar/-lich** *adj* 1. invulnerable, inviolable; 2. § indefeasible

Unverletzlichkeit *f* 1. inviolability, sanctity; 2. § indefeasibility; **U. des Vertrags** sanctity of contract; **~ freien Vertragsschlusses** sanctity of free contract

unver|letzt *adj* 1. unhurt, unscathed; 2. *(Siegel)* unbroken, intact; **u.lost** *adj* unallotted; **u.mehrbar** *adj* non-duplicable

unvermeid|bar/u.lich *adj* unavoidable, inevitable, inescapable, ineluctable; **U.barkeit** *f* inevitablity, ineluctability; **sich ins U.liche fügen/schicken** *nt* to bow/submit to the inevitable

unver|mengt *adj* unmingled; **u.mietbar** *adj* unlettable; **u.mietet** *adj* 1. untenanted, tenantless, off-hire; 2. *(leerstehend)* vacant; **u.mindert** *adj* undiminished, unabated, unrelenting; **u.mischt** *adj* 1. separate, unmixed, pure, neat, unadulterated; 2. *(unlegiert)* unalloyed

Unvermögen *nt* inability, incapability, incapacity; **U., zu zahlen** insolvency; **kostenbedingtes U.** cost disability

unver|mögend *adj* impecunious, destitute, moneyless, out of funds; **im U.mögensfall** *m* in case of insolvency; **u.mutet** *adj* unexpected, unforeseen, sudden; **U.nunft** *f* nonsense; **u.nünftig** *adj* unreasonable, senseless, ill-judged, irrational; **u.öffentlicht** *adj* unpublished; **u.packt** *adj* unpacked, loose, open, bulk; **u.pfändet** *adj* unpledged, unmortgaged, unencumbered; **u.plant** *adj* unplanned, unbudgeted; **u.rechnet** *adj* uncharged; **u.richterter Dinge** *adv* without success; **u.rückbar** *adj* fixed, immovable

unverschämt *adj* impudent, impertinent, insolent, outrageous, cheeky, barefaced, presumptuous; **U.heit** *f* impudence, impertinence, insolence, cheek *(coll)*; **die ~ haben** to have the cheek *(coll)*

unver|schmutzt *adj* unpolluted, uncontaminated, clean; **u.schlossen** *adj* 1. unlocked; 2. *(Brief)* unsealed; **u.-schlüsselt** *adj* uncoded; **u.schuldet** *adj* 1. without debts, free from debt; 2. *(Grundstück)* unencumbered; 3. without negligence/fault, blameless

unversehrt *adj* 1. intact, safe, undamaged, in good condition; 2. ⊖ complete; **U.heit** *f* 1. sound condition; 2. integrity; 3. ⊖ completeness; **territoriale U.heit** territorial integrity

unver|seucht *adj* uncontaminated, unpolluted, clean; **u.sicherbar** *adj* uninsurable; **u.sichert** *adj* uninsured, uncovered; **u.siegelt** *adj* unsealed; **u.söhnlich** *adj* irreconcilable, intransigent, implacable; **u.sorgt** *adj* 1. unprovided (for), without means; 2. *(Vieh)* untended; 3. unsupplied; **u.sperrt** *adj* unobstructed; **U.stand** *m* lack of judgment, senselessness; **u.ständig** *adj* injudicious

unverständlich *adj* incomprehensible, unintelligible, obscure; *adv* beyond comprehension; **U.keit** *f* obscurity

Unverständnis *nt* lack of understanding; **etw. mit U. und Schadenfreude quittieren** to meet/counter sth. with incredulity and malicious joy

unver|steuert *adj* untaxed, before tax(ation), with no tax deducted; **nichts u.sucht lassen** *adj* to make every effort, to leave no stone unturned *(fig.)*; **u.teilt** *adj* undistributed, retained, unallocated, unappropriated, non-distributed; **u.träglich** *adj* inconsistent, incompatible; **u.traut** *adj* strange, unfamiliar; **U.trautheit** *f* unfamiliarity; **u.tretbar** *adj* untenable, indefensible, unwarrantable; **u.wässert** *adj* undiluted; **u.wechselbar** *adj* distinctive, unmistakeable; **u.wendbar** *adj* unusable; **u.wertbar** *adj* non-negotiable, unsal(e)able; **u.-wertet/u.wirklicht** *adj* unrealized; **u.wundbar** *adj* invulnerable; **u.wundet** *adj* unhurt, unscathed

unverwüstlich *adj* durable, indestructible, tough, resilient; **U.keit** *f* resilience
unver|zerrt *adj* undistorted, unbiased; **u.zichtbar** *adj* 1. indispensible, vital, without undue delay; 2. § inalienable; ~ **sein** to be of the essence; **u.zinslich** *adj* interest-free, non-interest-bearing; **u.zögert** *adj* unlagged; **u.zollbar** *adj* non-dutiable, duty-free; **u.zollt** *adj* duty unpaid/forward, uncleared, bonded, in bond, unentered, undeclared; **u.züglich** *adj* prompt, immediate; *adv* 1. without delay, soon, forthwith, with all dispatch; 2. § without let or hindrance
unvollendet *adj* incomplete(d), unfinished
unvoll|kommen/u.ständig *adj* incomplete, imperfect, defective, fragmentary, inadequate, inchoate; **U.kommenheit** *f* imperfection, insufficiency; **U.ständigkeit eines Vertrages** *f* incompleteness of a contract
unvoll|streckbar *adj* § unenforceable; **u.streckt** *adj* unexecuted; **u.zählig** *adj* incomplete; **u.ziehbar** *adj* unenforceable; **u.zogen** *adj* executory, unconsummated
unvor|bereitet *adj* 1. unprepared, offhand; 2. *(Rede)* extempore, off the cuff *(coll)*; **u.eingenommen** *adj* detached, unbiased, unprejudiced, impartial, open-minded, without bias; ~ **sein** to have an open mind; **U.eingenommenheit** *f* impartiality, freedom from bias; **u.hergesehen** *adj* unforeseen, unexpected, unplanned; **u.hersehbar** *adj* unpredictable, unforeseeable; **u.sätzlich** *adj* unpremeditated; **u.schriftsmäßig** *adj* improper, not in keeping with the regulations; **u.sichtig** *adj* careless, imprudent, incautious, improvident, unguarded; **U.sichtigkeit** *f* carelessness, imprudence; **u.stellbar** *adj* unimaginable, inconceivable; **u.teilhaft** *adj* disadvantageous, unprofitable, unfavourable
unwägbar *adj* imponderable; **U.keit** *f* imponderable, imponderability
unwählbar *adj* ineligible; **U.keit** *f* ineligibility
unwahr *adj* untrue, false, incorrect, untruthful; **U.heit** *f* 1. untruth(fulness); 2. § falsehood; **böswillige/vorsätzliche U.heit** § (malicious) falsehood
unwahrscheinlich *adj* improbable, unlikely, implausible; **U.keit** *f* improbability, implausibility
un|wandelbar *adj* unalterable; **u.wegsam** *adj* impassable; **u.weigerlich** *adj* inevitable; **u.weit** *prep* not far from; *adv* a stone's throw *(fig)*
Unwesen *nt* nuisance, harmful activity
unwesentlich *adj* immaterial, irrelevant, non-essential, trivial, extraneous
Unwetter *nt* (thunder)storm; **U.schäden** *pl* storm damage
unwichtig *adj* unimportant, insignificant, immaterial, irrelevant, beside the point; **U.keit** *f* insignificance, irrelevance
unwiderlegbar *adj* irrefutable, irrebuttable, conclusive; **U.keit** *f* irrefutability, inconclusiveness
unwider|legt *adj* unrefuted; **u.rufen** *adj* unrescinded
unwiderruflich *adj* irreversible, irrevocable, indefeasible, beyond/past recall, unrecallable; **U.keit** *f* irrevocability, indefeasibility
unwider|sprochen *adj* unchallenged, unprotested; **u.stehlich** *adj* irresistible, magnetic, compelling
unwiederbringlich *adj* irretrievable, irrecoverable, irreparable, past recovery; **U.keit** *f* irretrievability
unwiederholbar *adj* unrepeatable
Unwille *m* 1. reluctance, unwillingness; 2. displeasure, ill-feeling, ill-will; **jds U.n erregen** to incur so.'s displeasure
unwillig *adj* unwilling, reluctant, with bad grace
unwill|kommen *adj* unwelcome, undesired; **u.kürlich** *adj* instinctive, unconscious, spontaneous
unwirklich *adj* unreal
unwirksam *adj* 1. ineffective, invalid; 2. inefficient; 3. *(Vertrag)* inoperative; 4. § null and void, not binding in law, nugatory, without effect, void; **schwebend u.** provisionally invalid; **für u. erklären** to declare (null and) void; **u. machen** to invalidate; **u. werden** to become void
Unwirksamkeit *f* 1. ineffectiveness, invalidity; 2. § voidness, nullity; **U. eines Vermächtnisses** extinguishment of a legacy; **U. von Verträgen durch lange Nichtanwendung** desuetude of treaties; **relative U.** ineffectiveness as between the parties; **U.serklärung** *f* annulment, repudiation, rescission
unwirtlich *adj* inhospitable, desolate
unwirtschaftlich *adj* uneconomic(al), unproductive, inefficient, unremunerative, wasteful; **U.keit** *f* inefficiency, wastefulness, unproductiveness
unwissend *adj* ignorant
Unwissenheit *f* ignorance; **U. schützt vor Strafe nicht** ignorance is no defence/excuse in law; **sich auf U. berufen; sich mit U. entschuldigen; U. als Grund vorbringen; U. vorschützen** to plead ignorance
un|wissenschaftlich *adj* unscientific; **U.wissenschaftlichkeit** *f* unscientific nature/character; **u.wissentlich** *adj* unknowing, unwitting; **u.wohl** *adj* $ not well, unwell; **sich ~ fühlen** 1. $ to feel indisposed; 2. *(Gesellschaft)* to feel ill at ease; 3. *(Angelegenheit)* to feel uncanny (about sth.); **u.würdig** *adj* unworthy
Unzahl *f* vast number, welter
unzählig *adj* countless, uncountable, numberless; **u.e Male** numbers of times
Unze (=28.35 g) *f* ounce; **U. fein** troy ounce
zur Unzeit *f* ill-timed, untimely, at the wrong time, inopportune; **u.gemäß** *adj* outmoded, inopportune, untimely
un|zensiert *adj* uncensored; **u.zerbrechlich** *adj* unbreakable, non-breakable; **u.zeremoniell** *adj* informal; **u.zerstörbar** *adj* indestructible; **u.zertrennlich** *adj* inseparable; **u.ziemlich** *adj* unseemly, improper; **U.zierde** *f* eyesore; **u.zivilisiert** *adj* uncivilized, wild
Unzucht *f* 1. indecency, illicit sexual practices; 2. § sexual offence; **U. mit Abhängigen** indecency with dependants; ~ **Minderjährigen** indecency with minors, statutory rape; **gewerbsmäßige U.** prostitution; **grobe/schwere U.** § gross indecency
unzüchtig *adj* indecent, obscene; **U.keit** *f* obscenity
unzufrieden *adj* dissatisfied, discontented, unsatisfied, malcontent; **U.heit** *adj* dissatisfaction, discontent, unrest; ~ **am Arbeitsplatz** job dissatisfaction
unzugänglich *adj* 1. inaccessible; 2. *(Person)* unamenable

unzulänglich *adj* unsatisfactory, inadequate, insufficient, inefficient, substandard, deficient; **völlig u.** wholly inadequate; **u.erweise** *adv* improperly; **U.keit** *f* inadequacy, insufficiency, inefficiency, poorness, deficiency; **U.keiten** shortcomings

unzulässig *adj* inadmissible, prohibited, unlawful, illegitimate, undue, out of order, improper, barred, not allowed; **rechtlich u.** illegal; **für u. erklären** § to disallow, to declare inadmissible *[GB]*, to rule out *[US]*

Unzulässigkeit *f* § inadmissibility, illegitimacy, estoppel, incompetence, incompetency; **U. der Ausübung eines Rechts auf Grund eigenen Verhaltens** estoppel by conduct; **~ Klage** barring of actions, the action does not lie; **~ Strafvollstreckung** bar to the execution of a sentence; **~ Zwangsvollstreckung** bar to the execution; **U. feststellen** to declare unlawful

unzumutbar *adj* unacceptable, unreasonable, outrageous; **U.keit** *f* unreasonableness, unacceptability

unzurechnungsfähig *adj* mentally defective/abnormal, insane, incompetent, not criminally responsible, incapable of criminal intentions; **jdn für u. erklären** to declare so. insane, to certify so. as being insane/mentally abnormal; **U.e(r)** *f/m* 1. insane/mentally abnormal person; 2. person of unsound mind, ~ not criminally responsible for his/her action(s)

Unzurechnungsfähigkeit *f* mental abnormality/incapacity, legal incapacity, unsoundness of mind; incapability of forming intent; **U. wegen Geistesschwäche oder Geistesgestörtheit** mental incapacity; **U. einwenden** § to enter a plea of insanity; **altersbedingte U.** senile dementia/incapacity

unzu|reichend *adj* inadequate, insufficient, unsatisfactory, deficient; **~ sein** to fall short; **völlig ~ sein** to be woefully inadequate; **u.sammenhängend** *adj* incoherent, desultory; **u.ständig** *adj* not competent, incompetent; **sich für ~ erklären** 1. to disclaim competence; 2. § to decline jurisdiction

Unzuständigkeit *f* 1. incompetence, incompetency, non-competence; 2. § lack of jurisdiction/competence, want of jurisdiction; **funktionelle U.** lack of jurisdiction over the type of case; **örtliche U.** lack of local jurisdiction, improper venue; **sachliche U.** lack of jurisdiction over the subject matter

unzustellbar *adj* 1. ✉ undeliverable; 2. § service impossible, no trace; **falls u. zurück an** if undelivered return to; **U.keit** *f* 1. undeliverability; 2. § impossibility of service

unzu|träglich *adj* unwholesome, unhealthy; **u.treffend** *adj* 1. inapplicable; 2. unfounded; **U.treffendes streichen** *nt* delete as required/applicable

unzuverlässig *adj* 1. *(Person)* unreliable, untrustworthy; 2. unsafe, unsound; **U.keit** *f* unreliability, untrustworthiness

unzweckmäßig *adj* unsuitable, inappropriate, inexpedient; **U.keit** *f* inexpediency

unzweifelhaft *adj* undoubted, unquestionable, decided, beyond doubt, indubitable

üppig *adj* opulent, abundant, lavish, lush, luxuriant, rank, rampant; **Ü.keit** *f* abundance, opulence, luxuriance

Ur|- primordial, primeval; **U.ablader** *m* first/original shipper

Urabstimmung *f* 1. (strike) ballot/vote, secret ballot; 2. plebiscite; **U. am Arbeitsplatz** workplace ballot; **U. der Bergleute** pithead ballot; **U. abhalten/durchführen** to (conduct a) ballot, to ballot workers on a strike, to take a strike ballot; **geheime U.** secret ballot

Uran *nt* uranium; **U.erz** *nt* uranium ore

Ur|aufführung *f* 1. 🎭 first (night) performance, premiere *[frz.]*; 2. *(Film)* first showing

Urauf|schreibung/U.zeichnung *f* *(Lohnabrechnung)* prime/primary record, original document, record of original entry

urbanisier|en *v/t* to urbanize; **U.ung** *f* urbanization

Urbanistik *f* urban economics/studies

urbar *adj* 🚜 arable; **u. machen** 🚜 to reclaim/cultivate; **U.isierung** *[CH]*/**U.machung** *f* (land) reclamation, cultivation

Ur|beleg *m* source document; **U.bevölkerung** *f* natives, aborigines *[AUS]*; **U.eingabe** *f* 🖳 bootstrap; **U.einwohner** *m* native, aborigine *[AUS]*; **U.erzeuger** *m* primary producer; **U.erzeugung** *f* primary production; **U.form** *f* prototype; **U.gestein** *nt* primary rocks

Urheber *m* author, initiator, originator; **U. des Schadens** person responsible for the damage; **U. von Werken der Literatur, Wissenschaft und Kunst** authors of literary, scientific and artistic works; **~ etw. sein** to be at the bottom of sth. *(fig)*; **geistiger U.** author

Urheber|bezeichnung *f* author's designation; **U.lizenz** *f* copyright (royalty); **U.persönlichkeitsrecht** *nt* moral rights of the author

Urheberrecht *nt* 1. copyright, literary property, author's/proprietary right; 2. *(Pat.)* patent right; **U.e** intellectual property rights; **U. an literarischen Werken** literary copyright; **~ literarischen, künstlerischen oder wissenschaftlichen Werken** copyright of literary, artistic or scientific works; **U. erwerben** to obtain a copyright; **U. verlängern** to renew the copyright; **U. verletzen** to infringe a copyright; **gesetzliches U.** statutory copyright; **internationales U.** international copyright

urheberrechtlich *adj* on/by copyright; **u. nicht mehr geschützt** out of copyright

Urheberrechts|abkommen *nt* copyright convention; **U.anspruch** *m* copyright claim; **U.eintragung** *f* copyright registration; **U.erneuerung** *f* renewal of copyright; **u.fähig** *adj* copyrightable; **U.gebühr** *f* copyright fee; **U.gesetz** *nt* Copyright Act *[GB]*/Statute *[US]*; **U.inhaber(in)** *m/f* copyright holder; **U.klage** *f* action for copyright; **U.lizenz** *f* (copyright) royalties; **U.-schutz** *m* copyright protection, protection by copyright; **U.streitsache** *f* copyright case; **U.übertragung** *f* copyright assignment; **U.vereinbarung** *f* copyright deal; **U.verfahren** *nt* copyright procedure; **U.verlängerung** *f* copyright renewal; **U.verletzung** *f* copyright infringement; **U.vermerk** *m* copyright notice; **U.vertrag** *m* copyright/publishing contract; **U.verwertungsgesellschaft** *f* copyright association; **U.verzicht** *m* waiver of copyright

Urheber|rolle *f* register of copyrights; **U.schaft** *f* authorship; ~ **verleugnen** to disclaim authorship; **U.-schein** *m* inventor's certificate

Urheberschutz *m* copyright/patent protection; **U.eintragung** *f* copyright registration; **u.fähig** *adj* copyrightable; **U.frist** *f* term of copyright; **U.recht** *nt* copyright; **U.zeichen** *nt* copyright sign

Urindustrie *f* primary industry

Urkunde *f* document, deed, certificate, (written) instrument, record, act, bill, title, indenture

Urkunde über einen Depotvertrag memorandum of deposit; ~ **Ehreneintritt** act of honour; ~ **die Einsetzung eines Erbschafts-/Nachlass-/Testamentsverwalters** § letters of administration, letters testamentary; ~ **die Gewährung von Zahlungsaufschub** letter of licence; **U. des Handelsverkehrs** commercial instrument; **U. über einen Hinterlegungs-/Verwahrungsvertrag** memorandum of deposit; ~ **die Zulassung zur Anwaltschaft** practising *[GB]*/attorney's *[US]* certificate

auf Grund vorliegender Urkunde § by these presents; **zu U. dessen** in testimony/witness whereof; **durch U. belegt** documentary; **übertragbar durch U.** transferable by deed

Urkunde anerkennen to recognise a deed; **U. aufsetzen/ausstellen** to draw up a document/an instrument, to engross a document; **U. ausfertigen** to execute a document; **U. aushändigen** to deliver a deed; **U. rechtsgültig ausstellen** to execute a deed; **U. begeben** to deliver a document; **U. beifügen** to append a document; **U. beschaffen** to supply a document; **durch U. beweisen** to prove by documentary evidence; **U. einsehen** to inspect a document; **U. eintragen (lassen)** to register a document; **U. entwerfen** to draw up/engross a document; **durch U. erhärten** to vouch by document; **U. für ungültig/unzulässig erklären** to defeat a deed/document; **U. fälschen** to forge a document; **U. hinterlegen** to lodge a document, to place an instrument in escrow; **U.n kollationieren** to compare documents; **U. aufbewahren lassen** to place documents on deposit; **U. vom Notar aufnehmen lassen** to register a deed; **U. beglaubigen lassen** to have a document certified; **U. legalisieren** to authenticate a deed; **U. zu den Akten legen** to place a document on file, to file a document; **U.n offen legen** to disclose documents; **U. siegeln** to seal a document; **U. stempeln** to stamp a document; **U. einem Treuhänder übergeben** to place a document/an instrument in escrow; **U. unterdrücken** to suppress a document; **U. unterfertigen/-schreiben; U. mit Unterschrift versehen** to affix/append one's signature to a document, to sign a document; **U. unterzeichnen** to execute a deed/document; **durch U. verbriefen** to evidence by document; **U. verfälschen** to forge an instrument/document; **U. zu Beweiszwecken vorlegen** to submit a document for evidence; **U. mit einem Siegel versehen** to put a seal on a document; **U. zustellen** to serve a deed/document

abhanden gekommene Urkunde lost document; **amtliche U.** official document; **ausgefüllte U.** complete instrument; **vom Konsulat ausgestellte U.** consular document; **zur Sicherung eines Vorbehaltes ~ U.** conditional instrument; **ausländische U.** foreign document; **begebbare U.** negotiable instrument; **beglaubigte U.** certified/authenticated document; **beiliegende U.** appended document; **beweiserhebliche U.** documentary evidence, relevant/evidentiary document; **echte U.** authentic document; **gefälschte U.** false/fictitious instrument, forged document; **gerichtliche U.** judicial document; **eigenhändig geschriebene U.** holograph; **nicht gesiegelte U.** document under hand; **gültige U.** effective instrument; **vorläufig hinterlegte U.** § escrow; **kaufmännische U.** commercial document; **maßgebende U.** authoritative document; **notarielle U.** notarial act/instrument/deed; **öffentliche/öffentlich-rechtliche U.** public/official document; **rechtserhebliche U.** relevant document; **rechtsgültige U.** valid deed; **rechtsverkörpernde U.** title deed; **übertragbare U.** assignable/negotiable instrument; **unechte U.** fabricated document; **uneingeschränkte U.** *(Eigentum)* clear title; **ungültige U.** invalid document; **unterzeichnete U.** executed document; **unvollständige U.** 1. incomplete document; 2. *(Eigentum)* inchoate instrument/title; **verfälschte U.** forged instrument; **einseitig verpflichtende U.** deed poll; **vollstreckbare U.** enforceable instrument, execution deed; **vorliegende U.** these presents; **zusätzliche U.** ancillary document

Urkunden|anhang *m* rider, appendix; **U.aufbewahrung** *f* safekeeping of documents; **U.ausfertigung** *f* engrossment; **U.auszug** *m* title abstract; **U.beamter/U.beamtin** *m/f* registrar; **U.beglaubigung** *f* attestation of a deed; **U.beweis** *m* documentary proof/evidence, written evidence; ~ **führen** to document; **U.einsicht** *f* inspection of documents; **U.fälscher** *m* counterfeiter, forger, falsifier; **U.fälschung** *f* forgery of documents/instruments; ~ **begehen** to forge a document; **U.-führung** *f* keeping of records; **U.- und Registergericht** *nt* chancery; **U.hinterlegung** *f* depositing of documents; **U.kassette** *f* deed box; **U.kopierer** *m* engrosser; **U.mappe** *f* document folder; **U.prozess** *m* summary proceedings, trial by the record, proceedings restricted to documentary evidence; **U.prüfung** *f* inspection of documents; **U.register** *nt* register of deeds; **U.rolle** *f* deed book, register of deeds, document register; **U.stempel** *m* deed/documentary stamp; **U.steuer** *f* 1. contract stamp duty; 2. *(Wechsel)* stamp duty; **U.tinte** *f* indelible ink; **U.unterdrückung/-schlagung** *f* suppression of deeds/documents; **U.vergleich** *m* comparison/collation of documents; **U.vernichtung** *f* destruction of a document; **U.vorlage** *f* production of documents; **U.zeugen** *pl* subscribing witnesses

urkundlich *adj* 1. documentary, authentic; 2. by deed/document; **u. dessen** § in witness/testimony whereof

Urkunds|beamter/U.beamtin/U.person *m/f* registrar, recorder, certifying/authenticating/notarial officer, authenticator, keeper of (the) records, notary (public), commissioner for oaths *[GB]*, witness to a document/

deed; ~ **der Geschäftsstelle** clerk of the court's office; **U.sachen** *pl* cases restricted to documentary evidence

Urlaub *m* holiday, leave, vacation *[US]*; **auf/im U.** on holiday/vacation; **U. aus familiären/sozialen Gründen** compassionate leave/holiday; **U. von der Haftanstalt** ticket-of-leave system

Urlaub abbrechen/vorzeitig beenden to cut one's holiday short; **U. antreten** to go on holiday/leave; **U. aufteilen** to stagger holidays; **U. beantragen** to apply for leave; **auf/in Urlaub gehen** to go on holiday/vacation/leave; **U. genehmigen/gewähren** to grant a holiday; **U. haben; auf U. sein** to be on leave/holiday/vacation; **U. machen** to go on holiday, to take a holiday, to vacation *[US]*; **seinen U. nehmen** to take one's holiday; **U. verlängern** to extend/increase a holiday

bezahlter Urlaub paid holiday/leave, leave with pay; **voll ~ U.** full-pay leave; **genehmigter U.** leave of absence; **längerer U.** extended holiday; **tariflicher U.** paid/agreed holiday; **unbegrenzter U.** indefinite leave; **unbezahlter U.** leave/vacation without pay; **ungenehmigter U.** absence without leave; **verlängerter U.** extended/longer holiday(s); **zusätzlicher U.** additional leave

Urlauber *m* tourist, holidaymaker, vacationist *[US]*; **U.gruppe** *f* party of holidaymakers

Urlaubs|abgeltung *f* payment in lieu of vacation/holiday; **U.adresse/U.anschrift** *f* holiday/vacation address *[US]*; **U.andrang** *m* holiday rush; **U.anspruch/U.berechtigung** *m/f* leave/holiday entitlement, vacation eligibility *[US]*/privilege, leave claim; **U.antrag** *m* holiday application, application for leave; **U.anwalt** *m* vacation barrister *[US]*; **U.aufenthalt** *m* holiday stay; **U.bestimmungen** *pl* holiday/vacation provisions; **U.bezahlung** *f* holiday/vacation pay; **U.budget** *nt* holiday/vacation budget; **U.dauer** *f* holiday/vacation length; **U.einrichtungen** *pl* holiday facilities; **U.entgelt** *nt* holiday/vacation pay; **U.etat** *m* holiday budget; **U.gast** *m* paying guest; **U.geld** *nt* holiday allowance/pay/money/remuneration, vacation pay(ment)/benefit/allowance; **U.geldrückstände** *pl* accrued holiday pay; **U.gesuch** *nt* holiday application, application for leave, vacation request *[US]*; **U.häufung** *f* bunching of holidays; **U.industrie** *f* holiday/vacation trade, ~ industry; **U.jahr** *nt (Universität)* sabbatical year; **U.karte** *f* 🚆 holiday ticket; **U.land** *nt* holiday/tourist country; **U.liste** *f* leave book; **U.lohn** *m* holiday/vacation *[US]* pay; **U.ordnung/U.plan** *f/m* holiday/vacation schedule, leave plan; **U.ort** *m* tourist resort/spot, holiday resort; **U.pause** *f* holiday break/dullness; **U.plan** *m* holiday/vacation plan; **U.planung** *f* holiday arrangements, vacation scheduling; **U.quartier** *nt* holiday/tourist accommodation; **U.regelung** *f* holiday provisions; **U.reise** *f* vacation/holiday travel; **U.reisende(r)** *f/m* holidaymaker, vacationist *[US]*; **U.reservierung** *f* holiday booking; **U.saison** *f* tourist/holiday season; **U.schein** *m* ✈ pass; **U.staffelung** *f* staggering of holidays; **U.tag** *m* holiday, day off; **U.überschreitung** *f* absence over leave; **U.vergütung** *f* holiday/vacation *[US]* pay; **U.verkehr** *m* tourist/holiday/vacation *[US]* traffic; **U.verlängerung** *f* extension of holiday; **U.versicherung** *f* holiday insurance; **U.vertreter(in)** *m/f* holiday deputy, vacation substitute; **U.vertretung** *f* holiday/vacation *[US]* replacement, replacement during vacation, vacation substitute; **U.woche** *f* week of the holiday/vacation; **U.zeit** *f* holiday season/time/period, vacation period *[US]*; **U.zulage/U.zuschlag** *f/m* holiday/vacation *[US]* allowance, ~ benefit, ~ bonus

Urmaterial *nt* primary data; **statistisches U.** original statistical material

Urne *f* 1. *(Wahl)* ballot box; 2. *(Begräbnis)* urn; **an die U. gehen** to vote; **U.nauswahl** *f* ▦ lottery sampling

Urprodukt *nt* primary product

Urproduktion *f* primary production/sector; **U.sbetriebe** *pl* extractive industries

Ursache *f* cause, reason, ground, root, causation; **U. des Maschinenausfalls** cause of mortality; **U. und Wirkung** cause and effect; **U. sein für** to cause

adäquate Ursache adequate cause; **dazwischentretende U.** intervening cause; **eigentliche U.** real/ultimate/root cause; **entfernte/mittelbare/schadensunerhebliche U.** remote cause; **mitwirkende U.** instrumental cause; **schadensbegründende/unmittelbare U.** proximate/immediate cause; **unabwendbare U.** unavoidable cause; **nicht vorhergesehene U.** unforeseen cause; **wirkende U.** efficient cause; **zurechenbare U.** assignable cause

Ursachenzusammenhang *m* causal connection

ursächlich *adj* causal, causative; **U.keit** *f* causality

Urschrift *f* original (copy/script); **U. der Vereinbarung** original agreement; **u.lich** *adj* original

Ursprung *m* origin, source, root, derivation, provenance; **U. einer Ware** nationality/origin of a product; **wirklichen U. unrichtig angeben** to misrepresent the true origin; **seinen U. haben in** to emanate from; **tatsächlicher U.** true origin

ursprünglich *adj* original, primary, initial, primitive, primeval

Ursprungs|- original; **U.angabe** *f* statement of origin; **U.anstalt** *f* issuing bank; **U.bedingungen** *pl* conditions of origin; **U.bescheinigung** *f* certificate/statement of origin; **U.besteuerung** *f* taxation in the country of origin; **U.bestimmung** *f* determination of origin; **U.beweis** *m* proof of origin; **U.bezeichnung** *f* designation/marks of origin; **U.daten** *pl* raw data; **U.drittland** *nt [EU]* non-member country of origin; **U.eigenschaft erwerben** *f [EU]* to acquire the status of originating product; **U.eintragung** *f (Warenzeichen)* home registration; **U.erklärung** *f* ⊖ declaration/statement of origin; **U.erzeugnis** *nt [EU]* originating product; **U.finanzierung** *f* initial finance; **U.kapital** *nt* initial capital; **U.karte** *f* source card; **U.kriterien** *pl* origin criteria; **U.land** *nt* country of origin/source, producing country; **ins ~ zurückführen** *(Geld)* to repatriate; **U.nachweis** *m* (documentary) evidence of origin, certification mark; **U.ort** *m* point/place of origin; **U.-patent** *nt* pioneer/original patent; **U.programm** *nt* 💻 source program; **U.protokoll** *nt [EU]* protocol on originating products; **U.regeln** *pl* rules of origin; **U.sprache** *f* 💻 source language; **U.staat** *m* state of origin; **U.text** *m* source text; **U.vermerk** *m* statement of origin; **U.wert** *m* original/unadjusted value; **U.zeichen** *nt* mark of origin; **U.zeugnis** *nt* certificate of origin, indication (of the country) of origin; **U.zuerkennung** *f* qualification of origin; **U.zustand** *m* original state

Ur|start *m* ▭ cold start; **U.stoff** *m* primary matter

Urteil *nt* 1. opinion; 2. § sentence, verdict, judgment, award, (court) ruling, (court/legal) decision, finding(s), decree, adjudication; **nach meinem U.** in my opinion

Urteil betreffend dingliche Ansprüche judgment in rem *(lat.)*; **U. zu Gunsten des Beklagten** verdict for the defendant; **U. in der Berufung** judgment of the appeal court *[US]*, ~ court of appeal *[GB]*; **U. zu Gunsten des Klägers** judgment for the plaintiff; **U. auf Schadensersatz** judgment for damages; **U. des Schwurgerichtes** jury verdict; **U. zur Unterhaltszahlung** maintenance order; **U. im Vaterschaftsprozess** affiliation order; **~ abgekürzten/summarischen Verfahren** summary judgment; **~ unstreitigen Verfahren** consent judgment; **U. auf Wiederherstellung der ehelichen Lebensgemeinschaft** decree for the restitution of conjugal rights; **U. mit Wirkung für und gegen alle** judgment in rem *(lat.)*; **U. auf Zahlung** money judgment; **U.e, die Geldstrafe oder ersatzweise Gefängnisstrafe verhängen** alternative verdicts

Urteil abändern to vary/alter a judgment; **sich mit einem U. abfinden** to accept a verdict/judgment; **sein U. abgeben** to give one's opinion; **mit dem U. abwarten** to reserve judgment; **U. anfechten** to appeal against a judgment; **U. aufheben** to reverse/quash a judgment, to quash a conviction; **U. aufrechterhalten/bestätigen** to uphold a verdict/judgment/conviction; **U. auslegen** to interpret a verdict; **U. aussetzen** to stay/suspend a sentence; **U. aussprechen** to render a judgment; **U. bekannt geben** to deliver a judgment; **über ein U. beraten** to deliberate on a judgment; **sich mit einem U. bescheiden** to acquiesce in a judgment; **U. bestätigen** to confirm a judgment/sentence; **sich ein U. bilden** to form one's judgment, to judge; **U. eintragen** *(Vollstreckung)* to enter judgment; **sich eines U. enthalten** to refrain from giving one's opinion; **U. ergänzen** to amend a judgment; **U. für nichtig/ungültig erklären** to invalidate/quash a judgment; **~ vollstreckbar erklären** to issue a writ of execution; **U. erlangen** to obtain a judgment; **U. erlassen** 1. to pass/render judgment; 2. *(Strafmilderung)* to remit a sentence; **U. erwirken** to secure/obtain judgment; **U. gegen den Beklagten erwirken** to recover judgment against the defendant; **U. fällen/sprechen** to render/return a verdict, to judge, to pass judgment/(a) sentence, to deliver a ruling, to enter/hand down/give/pronounce/render/deliver a judgment, to adjudicate; **U. kassieren/umstoßen** to quash a verdict/judgment; **einem U. nachkommen** to satisfy a judgment; **mit seinem U. rasch bei der Hand sein** to be rash in one's judgment; **U. sprechen (über)** to pronounce judgement (on); **U. überprüfen** to review a judgment; **U. umwandeln** to commute a sentence; **U. verhängen** to make out a sentence; **U. verkünden → U. fällen**; **U. verlesen** to read a judgment; **(aus einem) U. vollstrecken** to enforce/execute a judgment, to execute a sentence; **~ lassen** to enforce a judgment; **einem U. vorgreifen** to prejudice the determination by a court; **durch U. zuerkennen** to award by judgment; **sich mit einem U. zurückhalten** to reserve judgment; **U. zustellen** to serve judgment/an order

abänderndes Urteil altering judgment; **abschließendes U.** final verdict; **absprechendes U.** judgment of dismissal; **abweichendes U.** dissenting judgment/opinion; **abweisendes U.** adverse verdict, judgment of dismissal; **anfechtbares U.** voidable judgment; **aufgehobenes U.** quashed verdict; **ausgeglichenes U.** balanced judgment; **zur Bewährung ausgesetztes U.** suspended sentence; **bedingtes U.** 1. conditional judgment; 2. *(Scheidung)* decree nisi; **bestätigendes U.** confirmatory decision (of the appellate court); **gerichtlich bestätigtes U.** confirmed award; **deklaratorisches U.** declaratory judgment; **einstimmiges U.** unanimous verdict; **empirisches U.** judgment of experience; **endgültiges U.** final judgment, definitive ruling; **erstinstanzliches U.** 1. judgment (by the court) of the first instance; 2. judgment by the trial court; **fachmännisches U.** expert opinion; **freisprechendes U.** acquittal; **früheres U.** prior/previous judgment; **gesundes U.** sound judgment; **von der Mehrheit getragenes U.** majority verdict; **hartes U.** severe sentence, harsh judgment; **irriges U.** erroneous judgment; **klageabweisendes U.** judgment of dismissal/nonsuit; **letztinstanzliches U.** final judgment; **mildes U.** lenient sentence; **nichtiges U.** void judgment; **nüchternes U.** sober judgment; **obsiegendes U.** favourable judgment; **parteiisches U.** biased judgment; **rechtsfehlerhaftes U.** erroneous judgement, perverse verdict; **rechtsgestaltendes U.** judgment changing the legal status; **rechtskräftiges U.** 1. absolute/final decree, fixed/final/non-appealable judgment; 2. *(Ehescheidung)* decree absolute; **noch nicht ~ U.**; **revisibles U.** 1. judgment subject to appeal; 2. appealable judgment; **richterliches U.** judgment; **sachliches U.** objective judgment; **schuldrechtliches U.** judgment in personam *(lat.)*; **strenges U.** severe/heavy sentence; **subjektives U.** subjective judgment; **übereinstimmendes U.** unanimous verdict; **unüberlegtes U.** rash judgment; **unumstößliches U.** irrevocable judgment; **verneinendes U.** negative proposition; **(vorläufig) vollstreckbares U.** (provisionally) enforceable judgment; **vollstrecktes U.** enforced judgment; **nicht ~ U.** dormant judgment; **vorläufiges U.** 1. provisional/interim decree, interlocking injunction; 2. *(Ehescheidung)* decree nisi *(lat.)*; **vorschnelles U.** rash judgment

urteilen *v/i* to judge/find/hold, to deliver/render a judgment; **zu schnell/vorschnell u.** to be rash in one's judgment, to jump to conclusions

Urteiler *m* rater, appraiser

Urteils|abänderung *f* amendment of a judgment; **U.abschrift** *f* estreat *[GB]*; **U.aufhebung** *f* quashing of a judgment; **U.ausfertigung** *f* court-sealed/engrossed copy of a judgment; **vollständige U.ausfertigung**

judgment execution; **U.auslegung** *f* construction of a sentence; **U.aussetzung** *f* arrest/suspension of judgment; ~ **zur Bewährung** arrest/suspension on probation; **U.begründung** *f* declaratory part of the judgment, reasons for the judgment, findings of law, opinion (of the court), legal analysis; **U.beratung** *f* deliberation of the judgment; **U.berichtigungsbeschluss** *m* writ of error coram nobis *(lat.)*; **U.bestätigung** *f* confirmation of a judgment; **U.betrag** *m* sum adjudged, awarded, award; **U.bildung/U.findung** *f* formation of a judgment; **U.ergänzung** *f* amendment/supplementation of a judgment; **u.fähig** *adj* able to judge, discerning, discriminating; **U.fähigkeit** *f* discernment, conceptual skill, strength of judgment; **U.fällung** *f* passing/delivery of judgment, rendition *[US]*; ~ **aussetzen** to arrest/suspend judgment; **U.findung** *f* reaching a verdict; **U.forderung** *f* judgment debt/claim; **U.formel** *f* operative provisions, ~ part of a judgment; **U.gebühr** *f* court fee for the judgment; **U.gläubiger(in)** *m/f* judgment creditor; **U.gründe** *pl* opinions (of the court), findings of law, reasons/grounds for a judgment; **U.kraft** *f* strength/faculty of a judgment, discernment; **mangelnde U.kraft** lack of judgment; **U.register/U.sammlung** *nt/f* judgment/case book *[England]*, session of cases *[Scot.]*; **u.reif** *adj* ready for judgment; **U.resumee** *nt* syllabus; **U.schelte** *f* attack on the court's ruling; **U.schuld** *f* judgment debt; **U.schuldner(in)** *m/f* judgment debtor; **U.sistierung** *f* arrest of judgment; **U.-spruch** *m* 1. finding(s); 2. *(Geschworene)* verdict; 3. *(Strafe)* sentence; 4. *(Schiedsgericht)* award; **U.stichprobe** *f* judgment sample; **U.steuer** *f* operative part of a judgment; **U.summe** *f* sum awarded/recovered; **U.verfahren** *nt* proceedings leading to a judgment; **U.verkünd(ig)ung** *f* passing/pronouncement/delivery/rendition of judgment; ~ **aufschieben/aussetzen/verschieben** to suspend/reserve/defer a sentence; **ausgesetzte U.verkünd(ig)ung** deferred sentence, reserved judgment

Urteilsvermögen *nt* discernment, power(s)/strength of judgment; **eingeschänktes U.** impaired judgment; **kaufmännisches U.** commercial judgment

Urteils|vollstreckung *f* execution/enforcement of a judgment; **U.zustellung** *f* service of judgment

Ur|text *m* original (text); **U.versender/U.verlader** *m* first shipper; **U.wahl** *f* direct election, election by direct suffrage/vote; **U.wald** *m* primeval forest, jungle; **seit U.zeiten** *pl* since time immemorial; **U.zustand** *m* original state; **im U.zustand** primeval

US|-Börsenaufsicht *f* Securities and Exchange Commission (SEC); **U.-Papiere** dollar stocks *[GB]*

Usance *f* custom (of the trade), usage, practice, rule; **U. der Börse** stock exchange regulations; **einheitliche U.n** uniform customs; **völkerrechtliche U.n** comity of nations, international usage

Usance|abstimmung *f* customary clause; **u.gemäß** *adj* according to custom; **U.geschäft** *nt* cross deal; **U.handel** *m* cross dealing; **U.kredit** *m* usage credit; **U.kurs** *m* cross rate; **u.mäßig** *adj* customary; **U.wechsel** *m* usance bill

Usowechsel *m* usance bill

Usur|pation *f* usurpation; **U.pator** *m* usurper; **u.pieren** *v/t* to usurp

Usus *m* usage, custom

Utensil *nt* utensil, implement; **U.ien** utensils, implements, outfit

Utilitaris|mus *m* utilitarianism; **u.tisch** *adj* utilitarian

Uto|pie *f* utopia; **u.pisch** *adj* utopian

V

Vabanquespiel *nt* hazardous game, risky business *(coll)*

Vagabund *m* vagabond, tramp; **V.enleben** *nt* vagrancy

Vagabundieren *nt* vagrancy; **v.** *v/i* to vagabond; **v.d** *adj (Gelder)* footloose

vage *adj* vague, intangible

vakant *adj* vacant, unfilled; **v. werden** to fall vacant

Vakanz *f* vacancy, vacant position; **V. ausschreiben** to advertise a vacancy; **V. (neu) besetzen** to fill a vacancy; **V.rate** *f* vacancy rate

Vakuum *nt* vacuum, limbo; **v.verpackt** *adj* vacuum-packed, airtight; **V.verpackung** *f* vacuum pack, shrink-wrap; **v.versiegelt** *adj* vacuum-sealed

Valenz *f* valence

validier|en *v/t* to validate; **V.ung** *f* validation

Valoren *pl* 1. securities, shares *[GB]*, stocks *[US]*; 2. *(Wertsachen)* valuables; **V.versicherung** *f* insurance of value, valuables insurance

valori|sieren *v/t* to valorize, to raise in value; **V.sierung/V.sation** *f* valorization; **V.sierungs-/V.sationsfaktor** *m* increment factor

Value-at-Risk *m* value-at-risk

Valuta *f* 1. *(Datum)* availibility/value date; 2. *(Wertsachen)* value (date); *pl* 1. foreign currency/exchange, (medium/rate of) exchange; 2. *(Darlehen)* amount, (loan) proceeds; 3. *(Gegenwert)* consideration; **Valuta → Valuten** 1./2. ; **franko V.** free of value/payment, franco *[GB]*; **V. kompensiert** value compensated; **V. in Gold** value in gold; **V. für einen Wechsel anschaffen** to give consideration for a bill; **für V. zahlen** to pay for value received; **in V. zahlen** to pay in foreign currency

ausländische Valuta foreign currency/exchange; **feste V.** fixed rate/standard; **gegenwärtige V.** current rate; **goldwertige V.** gold currency; **in harter V.** in hard cash; **sichere V.** stable currency

Valuta|bescheinigung *f* estoppel certificate; **V.abschluss** *m* currency transaction; **V.akzept** *nt* foreign currency bill/acceptance; **V.anleihe** *f* currency bond, foreign currency loan; **V.ausgleich** *m* exchange equalization; **V.bestände** *pl* currency holdings; **V.dumping** *nt* exchange dumping; **V.entwertung** *f* devaluation; **V.exporttratte** *f* foreign currency export draft; **V.forderung** *f* currency claim; **v.gerecht** *adj* on correct value date; **V.geschäfte** *pl* currency transactions, ~ exchange business, business in foreign notes and coins;

V.gewinn *m* currency gain, foreign exchange earnings; **V.guthaben** *nt* foreign currency holdings, currency assets; **V.klausel** *f* currency/value-given clause; **V.-knappheit** *f* currency shortage; **V.konto** *nt* foreign currency account, exchange account; **V.kredit** *m* (foreign) currency loan, ~ exchange credit; **V.kupon** *m* foreign currency coupon; **V.kurs** *m* exchange rate, rate of exchange; **V.mangel** *m* currency shortage; **V.notierung** *f* quotation of foreign exchange rates; **V.obligation** *f* currency bond; **V.papier** *nt* foreign (currency) security; **V.politik** *f* currency policy

valutarisch *adj* foreign-currency

Valuta|risiko *nt* exchange/currency risk; **V.schuld** *f* foreign currency debt; **echte V.schuld** real foreign currency debt; **v.schwach** *adj* weak-currency; **V.schwankungen** *pl* currency fluctuations; **V.schwierigkeiten** *pl* currency troubles; **V.spekulant** *m* currency speculator; **V.spekulation** *f* currency speculation; **v.stark** *adj* hard-currency; **V.tag** *m* value/availability *[US]* date; **V.trassierungskredit** *m* foreign currency acceptance credit; **V.umstellung** *f* currency change-over; **V.verbindlichkeiten** *pl* currency liabilities; **V.verhältnis** *nt* monetary relationship; **V.verlust** *m* currency/exchange loss; **V.versicherung** *f* foreign currency insurance; **V.wechsel** *m* currency bill/draft; **V.zahlung** *f* currency payment; **V.zeitraum** *m* value period

Valuten *pl* ➔ **Valuta** foreign exchange/currencies; **V.arbitrage** *f* currency arbitrage; **V.geschäft** *nt* foreign exchange transaction; **V.geschäfte** foreign exchange dealings, dealings in foreign notes and coins; **V.konto** *nt* currency account; **V.kurs** *m* rate of exchange; **V.saldo** *m* foreign exchange balance

valutieren *v/t* 1. to apply/fix a value date, to amount to; 2. to extend a loan; 3. to value/appraise

Valutierung *f* 1. fixing of the value/availability *[US]* date; 2. extension of a loan; **V. feststellen** to fix a value date; **V.stag** *m* 1. value/availability *[US]* date; 2. date of loan extension

Valvation *f* valuation; **V.stabelle** *f* valuation table

valvieren *v/t* to state the value

Vandal|e *m* vandal; **V.ismus** *m* vandalism

variabel *adj* 1. variable, adjustable; 2. *(Zinsen)* negotiable

Variabilität *f* variability

Variable *f* variable; **nicht aufgabenorientierte V.** non-task variable; **ausgabenorientierte V.** task variable; **beobachtbare V.** ▦ observance variable; **erklärende V.** ▦ explanatory variable; **exogene V.** exogenous variable; **induzierte V.** induced variable; **ökonomische V.** economic variable; **stochastische V.** random variable; **unabhängige V.** independent variable; **ursächliche V.** cause variable; **verzögerte V.** lagged variable; **vorgegebene V.** predictor, regressor, predictive/predicted variable; **vorherbestimmte V.** predetermined variable

Variablen|kontrolle *f* sampling by variables; **V.prüfung** *f* variable ga(u)ge, inspection by variables

Variante *f* variant, version; **V.nmontage** *f* assembly of variants; **V.nreichtum** *m* wealth of variants; **V.n-stückliste** *f* list of variants, variant bills of material; **V.nteil** *nt* variant part; **V.nvorteil** *m* economy of scope

Varianz *f* variance; **V. der Grundgesamtheit** parent variance; **V. innerhalb der Gruppe** within-group variance; **V. zwischen den Gruppen** between-group variance; **V. innerhalb einer Klasse** intra-class variance; **V. zwischen den Klassen** interclass variance; **V. der Stichprobe(neinheit)** sampling variance; **empirische V.** sample variance; **V.analyse** *f* variance analysis, analysis of variance; **V.karte** *f* ⚓ variance chart; **V.-komponente** *f* § component of variance

Variation *f* variation; **V. des Produktäußeren** face-lifting of a product; **V.sbreite** *f* range; **V.skoeffizient** *m* variation coefficient/ratio, coefficient of variation

Variator *m* factor of expense variability

variieren *v/ti* to vary/differ/diversify

Vater *m* father; **V. Staat** the government; **mutmaßlicher V.** putative father

Vater|figur *f* father figure; **V.haus** *nt* parental home; **V.land** *nt* mother/parent country, native land; **v.ländisch** *adj* patriotic; **V.landsliebe** *f* patriotism

väterlich *adj* paternal, fatherly; **v.erseits** *adv* on the father's side

Vatermord *m* patricide, parricide

Vaterschaft *f* paternity, fatherhood; **V. ableugnen/bestreiten** to deny paternity; **V. anerkennen** to acknowledge paternity; **V. behaupten** to claim paternity; **V. eines Kindes feststellen** to (af)filiate a child (to so.), to establish paternity; **jdm die V. eines unehelichen Kindes zuschieben** to affiliate a child to so.

Vaterschafts|anerkenntnis *f* acknowledgment/recognition of paternity; **V.anfechtungsklage** *f* suit contesting paternity; **V.ermittlung/V.feststellung** *f* affiliation; **gerichtliche V.feststellung; V.urteil** *f/nt* (af)filiation order; **V.klage/V.prozess** *f/m* affiliation/paternity proceedings, paternity suit; **V.nachweis** *m* affiliation, proof/establishment of paternity; **V.vermutung** *f* presumption of paternity

Vater|stadt *f* home town; **V.tag** *m* Father's Day

Vegetarier(in) *m/f* vegetarian

Vegetation *f* vegetation; **kümmerliche V.** sparse vegetation; **V.speriode/V.szeit** *f* vegetative period

vegetieren *v/i* 1. to vegetate; 2. *(fig)* to live in poverty

vehement *adj* vehement

mit Vehemenz *f* strongly

Vehikel *nt* vehicle

Vektorrechnung *f* π vector/array processor

Vene *f* ⚕ vein; **V.nentzündung** *f* ⚕ phlebitis

Ventil *nt* 1. ✿ valve; 2. outlet; **V.ation** *f* ventilation; **V.ator** *m* fan, ventilator; **v.ieren** *v/t* 1. to air/ventilate; 2. *(fig.)* to give sth. an airing

Venture|gesellschaft *f* venture capital company/corporation; **V.kapital** *nt* venture/risk capital

verabreden *v/t* 1. to arrange/appoint/fix, to agree upon; 2. *(Termin)* to make an appointment; 3. § to collude in

verabredet *adj* arranged; **heimlich v.** collusive; **stillschweigend v.** implicit, implied, understood; **v.e Sache** put-up job *(coll)*

Verabredung *f* 1. arrangement, agreement; 2. *(Termin)* appointment, engagement; 3. [§] collusion; **auf/nach V.** by appointment; **V. zur Begehung eines Verbrechens; V. zu einer strafbaren Handlung** [§] criminal conspiracy; **V. zum Betrug** [§] conspiracy to defraud; **~ Mittagessen** luncheon engagement; **~ Mord** conspiracy to commit murder; **V. zur Rechtsbeugung** conspiracy to prevent the course of justice

Verabredung absagen to cancel an appointment; **V. einhalten** to keep an appointment; **V. nicht einhalten** to break an appointment, to stand so. up *(coll)*; **V. haben** to have an appointment; **V. treffen** to make arrangements, to fix an appointment; **V. versäumen** to miss an appointment

anderweitige Verabredung previous engagement; **geschäftliche V.** business appointment; **unerlaubte V.** collusion

verabredungsgemäß *adj* as arranged

verablreichen *v/t* ⚕ to administer; **v.säumen** *v/t* to neglect/omit/fail; **v.scheuen** *v/t* to detest/loathe; **v.-scheuungswürdig** *adj* contemptible, abominable

verabschiedlen *v/t* 1. *(Gesetz)* to pass/enact/vote/adopt; 2. *(Beamter)* to discharge, to pension off; 3. *(entlassen)* to dismiss; *v/refl* to take one's leave, to bow out; **v.et** *adj (Gesetz)* passed, enacted

Verabschiedung *f* 1. discharge, dismissal, send-off; 2. *(Gesetz)* passage, enactment, passing; 3. *(Haushalt)* adoption; **V. von Gesetzesvorlagen** enactment of legislation, passage of bills; **V.stermin** *m (Gesetz)* enactment date

verachten *v/t* to despise/scorn, to hold in contempt; **nicht zu v.** *(coll)* not to be scoffed/sneezed at *(coll)*

verachtfachlen *v/t/v/refl* to increase eightfold, to octuple, to octuplate; **V.ung** *f* eightfold increase, octupling, octuplication

verächtlich *adj* contemptuous, disparaging, derisive, despicable; **v. machen** to bring into contempt, to disparage

Verächtlichmachung *f* disparagement; **V. des Gerichts** contempt of court; **V. der Konkurrenz** disparagement of competitors; **V. einer Person** defamation of so.'s character

Verachtung *f* contempt, scorn

verallgemeinerln *v/t* to generalize; **V.ung** *f* generalization; **grobe/pauschale V.ung** sweeping generalization

Veralten *nt* obsolescence; **geplantes V.** built-in/planned obsolescence; **vorzeitiges V.** obsolescence; **wirtschaftliches V.** economic obsolescence; **v.** *v/i* 1. to become obsolete; 2. to fall out of use; 3. *(Mode)* to go out of date; **v.d** *adj* obsolescent

Veralterung *f* obsolescence; **V. von Betrieben** *(Einzelhandel)* store erosion; **geplante V.** planned obsolescence; **technische V.** obsolescence; **V.sabschreibung** *f* depreciation for obsolescence; **V.srisiko** *nt* risk of obsolescence

veraltet *adj* 1. ✿ obsolete; 2. outmoded, out of fashion, antiquated; 3. out of date, outdated, dated; 4. run-down, disused; 5. superannuated *(fig)*

Veranda *f* veranda(h), patio

veränderlich *adj* 1. changeable, fluctuating, variable; 2. volatile; **nicht v.** invariable, non-negotiable; **V.keit** *f* 1. adjustability, variability; 2. volatility

verändern *v/t* to vary/alter/change, modify; *v/refl* to change/alter; **sich geringfügig nach beiden Seiten v.** to fluctuate narrowly; **sich nachteilig v.** to deteriorate/worsen; **von unten her v.** to change from the bottom up

verändert *adj* changed, modified; **leicht v.** adapted

Veränderung *f* change, alteration, modification, variance, shift, variation; **V. nach** shift towards

Veränderung im Anlagevermögen capital gains and losses; **V. in der Besteuerung** tax changes, changes in taxation; **~ Gesellschaft** social change; **werterhöhende ~ Grundstückssubstanz** ameliorating waste; **V. der Konzernrücklage** change in consolidated reserves; **~ Meereshöhe** *(Umwelt)* sea level change; **V. in Prozent** percentage change; **V. der Rechtsgrundlage** change of the legal basis; **~ Rücklagen** reserve transfers; **~ Satzung** *(Gesellschaft)* alteration of the articles of association; **V.en nach beiden Seiten** *(Börse)* up and down fluctuations; **V. des Steuersatzes** tax rate change; **V.en im Vorstand** management/boardroom changes

Veränderung bewirken to work/effect a change; **auf V.en reagieren** to respond to changes; **V.en in Kraft setzen** to implement changes; **~ unterliegen** to be subject to change(s); **~ vornehmen** to make changes; **unzulässige ~ an etw. vornehmen** to tamper with sth.

angeordnete Veränderung institutional change; **bauliche V.** structural change; **baurechtliche V.en** change in building regulations; **jahreszeitlich bedingte V.** seasonal change; **berufliche V.** change of job; **friedliche V.** peaceful change; **geringfügige V.en** 1. minor modifications; 2. *(Kurs)* fractional changes; 3. *(Warenzeichen)* coloured imitation; **gewaltsame V.** violent change; **grundlegende V.** sweeping changes, sea change; **irreversible V.en** irreversible change; **konjunkturelle V.** cyclical change; **kosmetische V.** cosmetic change; **mengenmäßige V.en** quantum changes; **personelle V.en** manpower changes; **planrechtliche V.** change in planning jurisdiction; **prozentuale V.** percentage change; **radikale V.** upheaval; **strukturelle V.** structural change; **wesentliche V.** *(Dokument)* material alteration; **wichtigste V.** key change; **zeitliche V.** time path

Veränderungslausweis/V.bilanz *m/f* statement of changes in financial position, ~ source and application of funds, funds statement; **V.bereitschaft** *f* willingness for change; **V.druck** *m* pressure to change; **V.karte** *f* detail card; **V.kultur** *f* culture of change; **V.management** *nt* change management, management of change; **V.nachweis** *m* modification note; **V.notwendigkeit** *f* need for change; **V.rate** *f* rate of change; **V.sperre** *f* 🏛 conservation order, development freeze

verängstigen *v/t* to intimidate/frighten/scare

verankern *v/t* 1. ⚓ to anchor/position; 2. [§] to incorporate/establish/root/embody; **gesetzlich v.** to enshrine/embody in law; **tariflich v.** to incorporate in a collective pay agreement

fest verankert *adj* firmly entrenched; **gesetzlich v.** enshrined/inscribed in law, statutory, laid down by statute

veranlagbar *adj* assessable

veranlagen *v/t* 1. to rate; 2. *(Steuer)* to assess/tax; 3. to invest/employ (funds); **anteilig/anteilmäßig v.** *(Steuer)* to prorate; **einkommensteuermäßig v.** to assess for income tax; **gemeinsam v.** to assess jointly; **sich ~ lassen** to file joint returns; **getrennt v.** to assess separately; **sich ~ lassen** to file separate returns; **zu hoch v.** to overassess; **körperschaftssteuerlich v.** to assess for corporation tax; **neu v.** to reassess; **steuerlich v.** to assess for tax; **zusammen v.** to assess jointly; **sich ~ lassen** to file joint returns

veranlagt *adj* 1. *(Steuer)* assessed; 2. *(talentiert)* talented, gifted; 3. *(Neigung)* inclined, prone; **getrennt v.** taxed separately; **gewalttätig v.** violent-tempered; **nicht laufend v.** *(Steuer)* non-recurring; **nicht v.** *(Steuer)* unassessed; **praktisch v.** practically minded; **~ sein** to have a practical turn of mind, to turn one's hand to sth.; **schöpferisch v. sein** to have a creative mind; **steuerlich v.** tax paying; **~ nicht v.** non-tax paying

Veranlagte(r) *f/m* 1. taxpayer, assessed person; 2. *(Kommunalsteuer)* ratepayer

Veranlagung *f* 1. *(Steuer)* assessment, taxation, rating; 2. *(Mittel)* employment; 3. *(Neigung)* (pre)disposition, inclination; 4. *(Talent)* gift, talent; **V. zur Einkommensteuer** assessment for income tax; **~ Kommunalsteuer** rating *[GB]*; **V. durchführen** to assess

anteilmäßige Veranlagung pro-rata assessment; **erbliche V.** hereditary predisposition; **geistige V.** mental disposition; **gemeinsame V.** *(Steuer)* filing of joint returns; **getrennte V.** separate assessment, splitting; **krankhafte V.** pathological (pre)disposition; **kriminelle V.** criminal disposition; **zu niedrige V.** underassessment; **steuerliche V.** tax assessment, assessment for tax purposes

Veranlagungs|aktiva *pl* employed assets; **V.basis** *f (Steuer)* basis of assessment; **V.beamter** *m* assessor; **V.bescheid** *m* notice of assessment, tax assessment notice; **V.bezirk** *m* assessment area; **v.fähig** *adj (Steuer)* taxable, chargeable; **V.grenze** *f* assessment limit; **V.grundlage** *f* assessment basis; **V.jahr** *nt (Steuer)* tax year, year of assessment; **V.kosten** *pl* assessment costs; **V.liste** *f* tax roll, assessment list; **V.methode** *f* method of assessment; **V.objekt** *nt* object/property/income to be assessed; **V.pause** *f* hold-up in tax assessment; **V.periode** *f* assessment period, period of assessment; **v.pflichtig** *adj* 1. assessable, taxable, liable to tax; 2. *(Kommunalsteuer)* rat(e)able *[GB]*; **nicht v.pflichtig** non-assessable; **V.position** *f* asset item; **V.reserve** *f* assessment reserve; **V.richtlinien** *pl* assessment directives, rules of assessment; **V.rücklage** *f* tax reserve; **V.satz** *m* rate of assessment; **kasuistische V.simulation** casuistic assessment simulation; **V.stelle** *f* tax authority; **V.steuer** *f* assessed tax; **V.tag** *m* date of assessment; **V.tätigkeit** *f* investment activity; **V.verfahren** *nt* assessment procedure; **V.vorschriften** *pl* assessment provisions; **V.wert** *m* 1. assessed value; 2. *(Kommunalsteuer)* rat(e)able value *[GB]*; **V.zeitpunkt** *m* date of assessment, effective assessment date; **V.zeitraum** *m* assessment/tax(able)/rating period, period of assessment

veranlassen *v/t* to arrange/ensure/encourage/prompt/cause/induce/impel, to give occasion to sth., to arrange for sth. to be done; **jdn v., etw. zu tun** to get/lead/induce so. to do sth.

Veranlasser *m* initiator

Veranlassung *f* 1. cause, reason, occasion; 2. inducement, instigation, origination; **auf V. von** at the behest/instance/instigation of, on the initiative of; **ohne jede V.** without any reason, unprovoked; **auf V. des Gerichts** upon the court's own motion; **zur sofortigen V.** for immediate attention; **zur weiteren V.** for appropriate/further action

veranschaulich|en *v/t* to illustrate, to highlight; **V.ung** *f* illustration

veranschlagen *v/t* to estimate/assess/value/rate/appraise/peg; **v. auf** to pitch/value/estimate at; **zu hoch v.** to overestimate/overvalue/overrate; **zu niedrig v.** to underestimate/underrate/undervalue

veranschlagt *adj* assessed, rated, valued

Veranschlagung *f* estimation, assessment, valuation, rating, estimate; **V. der Baukosten** building estimate

veranstalten *v/t* 1. to organise/arrange; 2. to hold/operate

Veranstalter *m* organiser, promoter

Veranstaltung *f* function, event, meeting, occasion, organisation; **V. am Rande** *(Konferenz)* fringe meeting; **außerschulische V.en** out-of-school/extra-curricular activities; **festliegende V.** fixture; **gesellschaftliche V.** social event/function

Veranstaltungs|kalender *m* calendar/list of events; **V.leiter(in)** *m/f* organiser, chairman, chairwoman, chairperson; **V.ort** *m* venue; **V.rhythmus** *m* sequence of events/meetings; **V.termin** *m* venue date; **V.verzeichnis** *nt* propspectus

verantworten *v/t* to be responsible, to answer, to account for; *v/refl* 1. to defend o.s.; 2. § to stand trial

verantwortlich *adj* 1. responsible, answerable, accountable, blameworthy; 2. in charge, acting; 3. liable; **nicht v.** unaccountable, unanswerable; **voll v.** fully responsible; **sich v. halten für** to hold o.s. liable; **jdn v. machen** to hold so. responsible, to blame so., to lay the blame on so.'s doorstep, to pin the blame on so.; **jdn persönlich v. machen** to hold so. personally responsible; **v. sein für** to be responsible/liable for, ~ in charge of, to answer for; **jdm (gegenüber) v. sein** to report to so., responsibility is to so.; **v. gemacht werden für** to be held responsible

die Verantwortlichen *pl* those responsible

Verantwortlichkeit *f* responsibility, answerability, accountability; **V. delegieren** to delegate responsibility; **V. feststellen** to establish fault; **alleinige V.** sole/undivided responsibility; **strafrechtliche V.** penal liability *[US]*, criminal responsibility *[GB]*

Verantwortung *f* (load of) responsibility, liability, charge; **V. der Leitung**; **soziale ~ Unternehmen** corporate social responsibility; **auf eigene V.** at one's own risk, on one's own responsibility; **auf Ihre V.** on your head be it *(coll)*

Verantwortung ablehnen to disclaim responsibility; **V. abschieben/abwälzen** to pass the buck *(coll)*, to shuffle off responsibility; **jdm die V. aufbürden** to saddle so. with the responsibility; **sich eine V. aufladen; sich mit einer V. belasten** to saddle o.s. with a responsibility; **sich vor der V. drücken; sich der V. entziehen; sich aus der V. stehlen** to shirk responsibility, to pass the buck *(coll)*; **jdn von einer V. entlasten** to relieve so. of his responsibilities; **V. haben** to be in charge; **V. auf sich nehmen** to shoulder responsibility; **in der V. liegen von** to be the responsibility of; **V. liegt bei** responsibility rests with; **V. tragen** to be responsible, ~ in charge, to bear the responsibility; **V. übernehmen** to assume/accept/take the responsibility, to take charge; **V. übertragen** to delegate/devolve responsibility; **jede V. von sich weisen** to disclaim all responsibility; **jdn zur V. ziehen** to hold so. liable/accountable/responsible for, ~ to blame, to make so. accountable; **jdm die V. zuschieben für etw.** to lay the blame on so., to put the onus for sth. onto so.

behördliche Verantwortung administrative responsibility; **berufliche V.** job responsibility; **finanzielle V.** accountability; **gemeinsame/kollektive V.** collective responsibility; **hohe/schwere V.** heavy responsibility; **persönliche V.** personal responsibility; **soziale V.** social responsibility; **strafrechtliche V.** criminal responsibility *[GB]*, penal liability *[US]*; **unternehmerische V.** entrepreneurial responsibility; **zivilrechtliche V.** liability, civil responsibility

Verantwortungs|bereich *m* sphere/area of responsibility, remit, responsibility centre, area of accountability; § jurisdiction; **in den ~ von ... fallen** to be(come) the responsibility of; **V.bereitschaft/V.freude** *f* willingness to assume responsibility, readiness to take responsibility; **v.bewusst** *adj* responsible, conscientious; **V.bewusstsein/V.gefühl** *nt* sense of responsibility; **v.freudig** *adj* willing to take responsibility; **V.gebiet** *nt* area/sphere of resonsibility; **V.kontrollrechnung** *f* responsibility accounting; **v.los** *adj* irresponsible; **V.losigkeit** *f* irresponsibility; **V.stufe** *f* authority level; **v.voll** *adj* responsible; **(betriebliches) V.zentrum** *nt* responsibility centre; **V.zuweisung** *f* assignment of responsibility

verarbeitbar *adj* 1. processable; 2. *(mit Maschinen)* machinable; **gut v.** easy to handle/process

Verarbeiten nach Prioritäten *nt* priority processing

verarbeiten *v/t* 1. to use; 2. ✿/▟ to process/manufacture/finish/treat/work; 3. to consume; **maschinell v.** to machine; **schubweise v.** to batch

Verarbeiter *m* 1. processor, manufacturer; 2. *(Öl)* refiner

verarbeitet *adj* processed, finished, wrought; **fest v.** hard-finished; **fachmännisch/handwerklich gut v.** well-crafted

Verarbeitung *f* 1. processing; 2. *(Qualität)* workmanship, finish; 3. manufacturing/processing industry; 4. *(Prozess)* conversion, treatment, tailoring; **nach V.** *(Öl)* downstream; **vor V.** *(Öl)* upstream

Verarbeitung landwirtschaftlicher Erzeugnisse processing of agricultural products; **V. an Ort und Stelle** on-the-spot processing, processing on the spot; **V. angeschlossen an das übrige System** 💻 on-line processing

verzahnt ablaufende Verarbeitung concurrent processing, multi-processing; **dezentrale V.** distributed processing; **starr fortlaufende V.** sequential/consecutive processing; **gleichzeitige V.** in-line processing; **gute V.** good workmanship; **hervorragende V.** excellent workmanship; **industrielle V.** (industrial) manufacturing; **interaktive V.** 💻 interactive processing; **interne V.** 💻 internal processing; **on-line V.** 💻 on-line processing; **schlechte V.** poor finish/workmanship; **schub-/stapelweise V.** batch processing; **serielle V.** 💻 serial processing; **synchrone V.** 💻 synchronous operation; **systemabhängige V.** 💻 on-line processing; **systemunabhängige V.** 💻 off-line processing; **unmittelbare V.** 💻 demand processing; **verzahnt verlaufende V.** concurrent processing, multi-processing; **zeitlich verzahnte V.** 💻 time sharing; **frei wählbare/wahlfreie V.** 💻 random processing; **wesentliche V.** *[EU]* substantial transformation

Verarbeitungs|- processing; **V.abteilung** *f* processing department; **V.anlage** *f* processing plant; **V.art** *f* processing mode; **V.bereich** *m* processing operations/area; **V.bestand** *m* working stock, stock in progess; **V.betrieb** *m* processing/manufacturing plant, processor; **V.betriebe** industrial sector; **V.diagramm** *nt* flow chart/sheet; **V.erzeugnis** *nt [EU]* processed product; **V.fehler** *m* manufacturing fault, faulty workmanship; **V.genehmigung** *f* processing permit; **V.geschwindigkeit** *f* processing speed, speed of operation; **V.grad** *m* degree of processing; **V.industrie** *f* processing/manufacturing industry; **V.kaution** *f [EU]* processing security, amount of (the) processing security; **V.kosten** *pl* processing/manufacturing cost(s); **V.leistung** *f* 1. performance; 2. 💻 processing performance/capability; **V.menge** *f* throughput; **V.ort** *m* place of manufacture; **V.preis** *m* manufacturing price; **V.produkt** *nt* processed product; **V.programm** *nt* processing program(me); **V.qualität** *f* workmanship, finish; **V.rechner** *m* host/central computer; **V.schritt** *m* processing step; **V.-spanne** *f* manufacturing cost(s) margin; **V.steuer** *f* processing tax *[US]*; **V.stufe** *f* processing/production stage, stage of manufacture; **erste V.stufe** first-stage processing; **V.tiefe** *f* processing stage, range of manufacture; **V.überlappung** *f* processing overlap; **V.verfahren** *nt* finishing process; **V.vorgang** *m* processing operation; **V.vorschrift** *f* processing prescription; **V.zeit** *f* processing time, manufacturing throughput time; **V.zentrum** *nt* processing centre *[GB]*/center *[US]*; **V.zustand** *m* processing state; **V.zyklus** *m* programme cycle

jdm etw. ver|argen *v/t* to hold sth. against so., to blame so. for sth.; **v.ärgern** *v/t* 1. to irritate/annoy/provoke/infuriate/antagonize/incense; 2. to ruffle so.'s feathers *(fig)*; **v.ärgert** *adj* 1. annoyed, irritated, angry, incensed; 2. *(Kunde)* disgruntled

Verärgerung *f* annoyance, irritation, anger, aggravation, disgruntlement, huff *(coll)*; **V. des Kunden** customer irritation

verarmlen *v/i* to impoverish; **v.t** *adj* impoverished, destitute, poverty-stricken, moneyless, impecunious; **völlig v.t** (utterly) destitute

Verarmung *f* impoverishment, pauperization; **V.s-wachstum** *nt* immiserizing growth

verlarzten *v/t* ⚕ to fix/patch up; **v.ästeln** *v/refl* to branch out, to ramify

Verästelung *f* ramification, branching out; **etw. in allen V.en kennen** to know the ins and outs of a matter

verausgaben *v/t* to expend/disburse/spend, to lay out; *v/refl* 1. to overspend; 2. to burn the candle at both ends *(fig)*; **linear v.** to expend at a constant rate; **nicht zu v.** unspendable

verausgabt *adj* spent, disbursed; **nicht v.** unspent

Verausgabung *f* disbursement, expenditure

verauslagen *v/t* to disburse/expend/spend

veräußerbar *adj* disposable, sal(e)able, for sale; **V.keit** *f* sal(e)ability

Veräußerer *m* 1. seller, vendor, disposer, alienor, alienator; 2. § transferor

veräußerlich *adj* sal(e)able, alienable, for sale; **nicht v.** not for sale, for keeps *(coll)*; **V.keit** *f* sal(e)ability, alienability

veräußern *v/t* to dispose of, to sell off, to sell/alienate/realize/transfer/assign, to convert into cash, to divest o.s. of

Veräußerung *f* sale, disposal, disposition, realization, alienation, divestment, divestiture, transfer, assignment

Veräußerung von Anlagen asset disposal; **~ Anlagevermögen** fixed-asset spending; **~ Beteiligungen** divestiture of assets, sale of trade investments, ~ share holdings; **V. eines Betriebes** sale of an entire business; **V. von Betriebseinheiten** business disposal; **ungesetzliche V. gepfändeten Eigentums** breach of arrestment; **V. an industrielle Erwerber** *(Privatisierung)* trade sale; **V. von Grundbesitz** land sale; **~ Grundstücken** amortization; **V. an die tote Hand** *(Grundstück)* amortization, alienation in mortmain; **V. des gesamten Vermögens** bulk sale; **V. mit dem Ziel der Gläubigerbenachteiligung** fraudulent assignment

freie Veräußerung open-market sale, sale in the open market; **freihändige V.** sale by private treaty; **gerichtliche V.** judicial sale; **unentgeltliche V.** gratuitous transfer

Veräußerungslanzeige *f* sale advertisement; **V.bedingungen** *pl* conditions of sale; **V.befugnis** *f* authority to sell, power of disposition/alienation, dispositive power; **V.beschränkung** *f* restriction on disposal; **V.-beschränkungen** sales restrictions, restrictions on the right of disposal; **V.erlös** *m* sales proceeds; **V.erträge** *pl* disposal proceeds, proceeds from divestments; **V.geschäft** *nt* sale

Veräußerungsgewinn *m* gain on disposal/sale, realization/capital gain, capital/sales profit; **fingierte V.e** fictitious disposal gains; **realisierte V.e** realized capital gains

Veräußerungslkette *f* sales chain; **V.kosten** *pl* selling cost(s); **V.preis** *m* transfer/sales price, current exit value; **V.recht** *nt* right of disposal/alienation, right to dispose of sth.; **V.sperre** *f* sales ban, prohibition to sell, temporary restraint on alienation; **V.termin** *m* date of sale; **V.treuhand** *f* trust for sale; **V.treuhänder** *m* trustee for sale

Veräußerungsverbot *nt* 1. prohibition to sell (or dispose of assets), restraint on alienation, prohibition of transfer; 2. *(Konkurs)* receiving order *[GB]*; **V. für Gemeinschuldner** bankruptcy inhibition; **V. erlassen** to impose restraint on alienation; **gesetzliches V.** restraining order, statutory prohibition of alienation

Veräußerungslverlust *m* loss on sale/disposal; **V.vollmacht** *f* authority to sell; **V.wert** *m* 1. realization/liquidation/sale/disposal value, proceeds of disposal; 2. scrap/salvage/residual/recovery value

Verballbeleidigung/V.injurie *f* § 1. gross/verbal insult, verbal injury; 2. *(mündlich)* slander; 3. *(schriftlich)* libel; **V.beschreibung** *f* narrative description; **V.note** *f (Diplomatie)* note verbale *[frz.]*

Verband *m* 1. (trade) association, (con)federation, union, syndicate, organisation, league; 2. ⚕ dressing, bandage; **im V.** ⚓ in convoy

Verband der leitenden Angestellten management union; **~ Arbeitgeber** employers' association/federation; **~ Arbeitgeber im Baugewerbe** Building Employers' Confederation *[GB]*; **~ britischen Bekleidungs- und Textilindustrie** British Apparel and Textile Confederation; **~ Europäischen Landwirtschaft** European Confederation of Agriculture; **~ Hypothekenbanken** Council of Mortgage Lenders *[GB]*; **V. mit eigener Kontrollfunktion** self-regulatory organisation; **Internationaler V. für Meinungsforschung** International Association for Public Opinion Research; **V. der Obligationäre** bondholders' association; **V. zum Schutz des gewerblichen Eigentums** union for the protection of industrial property; **V. der Steuerzahler** National Tax Association *[US]*; **~ britischen Versicherer** Association of British Insurance (ABI); **~ Individualversicherer** *(bei Lloyd's)* Association of Lloyd's Underwriters *[GB]*; **~ Wirtschaftsprüfer** Chartered Association of Certified Accountants (CACA) *[GB]*; **~ Wohnungsbaunternehmer/n** House Builders' Federation *[GB]*

Verband anlegen ⚕ to bandage; **V. bilden/gründen** to form an association

ad-hoc Verband single-purpose association; **angeschlossener V.** affiliated association; **gemeinnütziger V.** non-profit(-making) association; **karitativer V.** charitable association, charity; **wohnungswirtschaftlicher V.** housing association

Verbandbetrieb *m* compound/interconnected/linked operation

Verbandslabkommen *nt* association agreement; **V.absatz** *m* association marketing; **V.anmeldung** *f (Pat.)* convention application; **V.arbeit** *f* association work; **V.beitrag** *m* trade association fee; **V.direktor** *m* association chairman *[GB]*/president *[US]*; **V.geschäft** *nt* association store *[US]*; **V.geschäftsführer** *m* association manager/director; **V.kasse** *f* association funds; **V.kasten** *m* $ first-aid box; **V.klage** *f* § class/representative action, legal action by an association; **V.land** *nt* member/convention country; **V.marke** *f (Pat.)* collective mark; **V.material** *nt* $ dressing (material); **V.mitglied** *nt* member of an association; **V.mitgliedschaft** *f* association membership; **V.organ** *nt* trade paper; **V.organisation** *f* organisation of an association; **V.präsident(in)** *m/f* president of an association; **V.preis** *m* combine/syndicate/cartel price; **V.priorität** *f (Pat.)* convention priority; **V.prüfung** *f* association audit; **V.satzung** *f* articles of association; **V.sprecher(in)** *m/f* association spokesman/spokeswoman; **V.staat** *m* union/federation state; **V.statistik** *f* association statistics; **V.syndikus** *m* association lawyer; **V.tag** *m* association congress; **V.tarif** *m* 1. joint/collective wage scale; 2. *(Vers.)* bureau rates; **V.versammlung** *f* association meeting; **V.vertreter(in)** *m/f* association representative; **V.vertrieb** *m* association marketing; **V.vorsitzende(r)** *f/m* association chairman *[GB]*/president *[US]*/chairperson; **V.vorstand** *m* association (managing) board; **V.wesen** *nt* association system; **V.zeichen** *nt* 1. collective/certification trade mark; 2. *(Artikelgruppe)* brand name; **V.zeitschrift** *f* trade paper/journal; **V.zeug** *nt* $ dressing (material); **V.zugehörigkeit** *f* association membership

verbannlen *v/t* to banish/proscribe/exile; **V.te(r)** *f/m* outcast, exile; **V.ung** *f* ban(ishment), exile, deportation

verbarrikadierlen *v/t* to barricade; *v/refl* to entrench o.s.; **V.ung** *f* entrenchment

jdn verbeamtlen *v/t* to appoint so. civil servant; **v.et werden** to become a civil servant

verbauen *v/t* 1. to obstruct/block; 2. *(Geld)* to use for building; 3. *(Material)* to use in building

verbergen *v/t* to hide/conceal/screen/mask, to cover up; **v. vor** to shield from; **nichts zu v. haben** to have nothing to hide, to be in the clear

verbessern *v/t* 1. to improve/upgrade/better/enhance/strengthen; 2. to revise/amend/correct/rectify/reform; *v/refl* 1. to improve, to better o.s.; 2. *(Kurse)* to rally; **sich um x Punkte v.** *(Kurse)* to gain x points; **falsch v.** to miscorrect

verbessert *adj* improved, revised, updated; **v. um** *(Börse)* to the good

Verbesserung *f* 1. improvement, upgrading, pick-up, enhancement, advance; 2. rectification, correction, amendment; 3. *(finanziell)* betterment; 4. *(Boden)* amelioration; 5. *(Buch)* revision

Verbesserung des Ausbildungsstandes educational upgrading; **V. bei der Beschaffung** increase in the procurement performance; **V. der Betriebsabläufe** operational improvement(s); **V. eines Fehlers** correction of a mistake; **V. der Handelsspanne** improvement in margins; **V. eines Patents** amendment of a patent; **V. der Rentabilität** improvement in profitability; **V. im Versicherungsgeschäft** underwriting improvement; **V. der Wohnverhältnisse** housing improvement; **~ Zinsspanne** improvement in margins

Verbesserungen machen to make improvements

aktivierte Verbesserung capitalized improvement; **allgemeine V.** general improvement; **anhaltende V.** sustained improvement; **bauliche V.** structural improvement; **betriebliche V.en** operational improvements; **durchgreifende V.** significant improvement; **vor kurzem eingetretene V.** recent improvement; **grundlegende V.** fundamental improvement; **konstruktive V.** improvement in design; **kontinuierliche V.** continuous improvement; **merkliche V.** marked improvement; **nennenswerte V.** significant improvement; **organisatorische V.** organisational improvement; **patentfähige V.** patentable improvement; **städtebauliche V.** urban improvement; **stetige V.** constant improvement; **stufenweise V.** incremental innovation; **technische V.** technical/technological improvement

Verbesserungslaufwand *m* cost of improvement; **V.erfindung** *f* improvement invention; **v.fähig** *adj* capable of improvement, reclaimable; **nicht v.fähig** incapable of improvement; **V.investition(en)** *f/pl* deepening investment, capital deepening; **V.patent** *nt* improvement patent; **V.potenzial** *nt* opportunity for improvements; **V.verfahren** *nt* corrective procedure; **V.vorschlag** *m* suggestion for improvement(s); **technische V.vorschläge** technical improvement proposals; **V.vorschlagssystem** *nt* employee suggestion system

verbeuglen *v/refl* to bow; **V.ung** *f* bow, obeisance

verbiegen *v/t* to twist

verbieten *v/t* to forbid/prohibit/ban/bar/disallow/outlaw/proscribe/enjoin, to put a ban on; **sich von selbst v.** to be out of the question; **v.d** *adj* inhibitory

verbilliglen *v/t* to cut/reduce the price, to reduce/lower/cheapen/abate; *v/refl (Preise)* to get/become cheaper, to go down; **v.t** *adj* reduced, lower-priced, at a reduced price/rate, concessionary

Verbilligung *f* price cut/reduction, reduction in price, abatement; **V.sbeitrag** *m* price-reducing contribution; **V.szuschuss** *m* price-reducing grant

verbinden *v/t* 1. to combine/link/connect/match/join/couple/unite/associate; 2. $ to bandage; *v/refl* to team up (with), to join forces; **jdn v.** ✆ to put so. through; **miteinander v.** to interconnect/join; *v/refl* to associate/conjoin; **untereinander v.** to interconnect

Verbindendes *nt* common ground

verbindlich *adj* 1. binding, obligatory, compulsory, mandatory, firm, hard and fast; 2. *(Auskunft)* reliable; 3. *(Text)* authoritative; 4. *(Umgang)* obliging, courteous, bland; **allgemein v.** generally binding; **nicht v.** free, without engagement/obligation, not binding; **v. bleiben** to remain binding, ~ in full force and effect; **für v. erklären** to declare to be binding; **v. machen** to make binding; **v. sein** 1. to have binding force; 2. *(Text)* to be authoritative; **juristisch v. sein** to have legal force

Verbindlichkeit *f* 1. obligation, commitment, engagement; 2. (accrued) liability, negative asset; 3. binding force/power, legal validity; 4. *(Auskunft)* reliability; 5. *(Text)* authoritativeness; 6. *(Höflichkeit)* courtesy; 7. *(Versprechen)* § assumpsit *(lat.)*; **V.en** liabilities, debts, loans, creditors, debts/accounts payable (for supplies and services), payables, responsibilities, indebtedness, creditors' equity; **ohne V.** 1. without prejudice, subject to confirmation; 2. *(Giro)* without recourse; **V. gegenüber** amount due to

Verbindlichkeiten aus Akzeptkrediten acceptance liabilities; **~ der Annahme gezogener Wechsel** *(Bilanz)* liabilities from the acceptance of bills; **~ Akzeptverpflichtungen** liabilities on account of acceptances; **V. für weiterbegebene Auslandswechsel** liabilities for foreign bills negotiated; **V. aus der Ausstellung eigener Wechsel** notes payable *[US]*; **V. gegenüber Banken** bank debits, due to banks; **V. aus dem Bankgeschäft** banking liabilities; **~ der Begebung und Übertragung von Wechseln** *(Bilanz)* liabilities from the issue and endorsement of bills; **V. gegenüber Beteiligungsgesellschaften** due to associated companies; **V. aus Bürgschaften** liabilities on guarantees; **~ Bürgschaften und Gewährleistungsverträgen** *(Bilanz)* liabilities arising from guarantee and warranty contracts; **~ Depositkonten/Einlagen** *(Bilanz)* deposit liabilities, deposits; **~ beschlossener Dividende** dividend payables; **V. gegenüber Dritten** liabilities to outsiders; **V. und Eigenkapital/-mittel** liabilities and (shareholders') equity; **V. zum Eigenkapitalverhältnis** debt(s)-equity ratio; **V. mit unbestimmten Fälligkeiten** indeterminate-term liabilities; **V. einer Gesellschaft** partnership/company debts; **V. aus Gewährleistungsverträgen** liabilities under warranties; **~ Giroverpflichtungen** liabilities on account of endorsements; **V. gegenüber Konzerngesellschaften** due to affiliated companies, inter-company liabilities; **~ Kreditinstituten** liabilities/due to banks, amounts owed to credit institutions; **V. aus Kreditlinien** facility debts; **V. gegenüber Kunden** 1. amounts owed to depositors; 2. *(Bankbilanz)* current deposits and other accounts; **V. mit einer Laufzeit von ...** liabilities with a term of ...; **V. aus Lieferungen und Leistungen** creditors, accounts receivable, trade accounts payable, trade payables, accounts payable for goods and services; **~ Pensionsansprüchen** liabilities for pension rights; **V. juristischer Personen** corporate liabilities; **V. mit kurzer Restlaufzeit** maturing liabilities; **V. gegenüber verbundenen Unternehmen** payables to affiliates, intercompany payables, accounts payable to affiliated companies; **Verbindlichkeit eines Vertrages** validity of a contract; **V. aus Währungstermingeschäften** liabilities on forward exchange contracts; **~ Warenlieferungen** suppliers, trade accounts payable; **~ Warenlieferungen und Leistungen** (trade) accounts payable, trade creditors/liabilities; **~ (noch nicht eingelösten) Wechseln** bills (of exchange) payable; **~ diskontierten Wechseln** liabilities on bills discounted; **V. für weiterbegebene Wechsel** liabilities on bills negotiated; **V. wegen Wertpapierentleihe** liabilities on securities holding

Verbindlichkeit/en abdecken to meet liabilities; **V. aufheben** to nullify an obligation; **V.en begleichen** to discharge liabilities, to honour debts/liabilities; **V.(en) eingehen** to incur debts/an obligation/a liability, to contract debts/liabilities, to commit o.s., to take on/assume obligations; **V. erfüllen** 1. fulfil one's obligations/commitments; 2. to meet/discharge an obligation, to repay a debt, to cover liabilities; **V. nicht erfüllen** to default; **einer V. nachkommen** to meet/discharge an obligation, ~ a liability; **V.en ordnen** to settle accounts; **~ übernehmen** to assume liabilities

aufgelaufene Verbindlichkeiten accrued debts/liabilities; **aufschiebende V.** floating liabilities; **ausgewiesene V.** declared liabilities; **ausstehende V.** outstanding liabilities/obligations; **bedingte V.** contingent liabilities/obligations; **befristete V.** time/term liabilities, dated amounts; **eingegangene V.** liabilities incurred; **entstandene (noch nicht fällige) V.** 1. accrued liabilities; 2. *(Bilanz)* accruals; **fällige Verbindlichkeit** mature(d) liability; **sofort ~ V.** sight liabilities; **täglich ~ V.** liabilities payable on demand; **feste V.** fixed liabilities; **fiktive V.** notional liabilities; **fremde V.** third-party liabilities; **fundierte V.** funded liabilities; **nicht ~ V.** unfunded liabilities; **mit gegenseitiger Verbindlichkeit** mutually binding; **gemeinsame Verbindlichkeit** joint liability; **gesamtschuldnerische Verbindlichkeit** joint and several liability; **geschäftliche V.** trade debts/obligations; **(ab)gesicherte V.en** secured liabilities; **dinglich ~ Verbindlichkeit** debt secured by real property; **gleichbleibende V.** fixed liabilities; **gleichrangige V.** liabilities of equal priorities; **hypothekarische V.** mortgages payable, mortgage debts; **konsolidierte Verbindlichkeit** funded liability; **kurzfristige V.** short-term/current/floating/quick liabilities, debts, short-term borrowings, current/floating debt; **langfristige V.** deferred/non-current/fixed/long-term/funded/capital liabilities, long-term/fixed indebtedness, long-term loans/debts/borrowings; **innerhalb eines Jahres fällige ~ V.** current maturity/maturities of long-term debts; **laufende V.** short-term/current liabilities; **mindestreservepflichtige V.** reserve-carrying liabilities; **mittelfristige V.** medium-term loans, middle-term liabilities; **monetäre V.** monetary liabilities; **nachrangige V.** subordinated debenture/liability/loan stock; **offene V.** outstanding debts; **private V.** personal liabilities; **reservepflichtige V.** reserve-carrying liabilities, liabilities subject to reserve requirements; **schwebende V.** unadjusted liabilities; **sichergestellte V.** secured liabilities; **solidarische Verbindlichkeit** joint and several liability/responsibility; **sonstige V.** sundry/other liabilities, ~ creditors; **terminierte V.** time liabilities; **unbestrittene und unbedingte Verbindlichkeit** direct liability; **ungesicherte V.** unsecured liabilities; **ungewisse V.** contingent/uncertain liabilities; **unvollkommene V.** imperfect liabilities; **verbriefte V.** liability evidenced by paper; **vertragliche V.** contractual obligations; **verzinsliche V.** interest-bearing liabilities; **fällig werdende V.** maturing liabilities

Verbindlichkeitserklärung *f* declaration of commitment

Verbindung *f* 1. link(age), (inter)connection; 2. tie-up, link-up, combination; 3. affiliation, association, union, amalgamation; 4. *(Personen)* contact, liaison *[frz.]*; 5. ✆ line; 6. 🚂/✈ service, connection; 7. § joinder; 8. ⚙ joint; **in V. mit** 1. § in conjunction with; 2. in touch with; **ohne V. zur Außenwelt** incommunicado *[E]*; **V. von Klagen** § joinder of actions

Verbindung abbrechen to sever a connection/link; **V. aufnehmen** to contact/liaise, to get in touch (with); **V. bekommen** ✆ to get through; **in V. bleiben** to keep in touch; **~ bringen mit** to associate with, to relate to; **jdn ~ brinegen mit** to put so. in touch with; **V.en haben** to have connections; **geschäftliche ~ mit** to transact business with; **V.en herstellen** to arrange (the) contacts; **telefonische V. herstellen** to put so. through; **V. lösen** to sever a link; **V. pflegen** to nurse a connection; **sich in V. setzen mit** to contact, to get in touch with; **sich mit jdm fernmündlich ~ setzen** to contact so. by phone; **~ stehen mit** to be in communication/touch with; **~ treten** to get in touch; **mit jdm ~ treten** to enter into relations with so.; **V. unterbrechen** to cut communications, to sever links

briefliche Verbindung correspondence; **chemische V.** (chemical) compound; **dingliche V.** *(Grundstück)* running with the land; **direkte V.** 🚂/✈ through connection; **eheliche V.** matrimonial bond, matrimony; **enge V.** close link(s), amalgam; **in enger V.** in close contact; **funktionelle V.** functional linkage; **öffentliche V.** public relations; **telefonische V.** telephone link, telephonic communications

Verbindungs|abbau *m* 💻 connection cleardown; **V.aufbau** *m* 💻 connection setup/buildup; **V.ausschuss** *m* liaison committee; **V.bahn** *f* 🚂 junction line; **V.büro** *nt* liaison/representative office, contact bureau; **V.gang** *m* passage; **V.glied** *nt* (connecting) link, linkage; **V.kabel** *nt* ⚡ connection cable, 🚗/⚡ jump lead; **V.kapazitätsmatrix** *f* branch capacity matrix; **V.konto** *nt* control account; **V.lehrer** *m* (home-school) liaison teacher; **V.leitung** *f* link circuit; **V.linie** *f* 1. ✆ line of communication; 2. connecting line; **V.mann** *m* intermediary, *(Agent)* contact, liaison officer; **als ~ agieren/fungieren** to liaise, to act as go-between; **V.netz** *nt* network; **V.offizier** *m* ✈ liaison officer; **V.rente** *f* joint life annuity; **V.stelle** *f* liaison office; **V.straße** *f* connecting road; **V.stück** *nt* 1. joint, connecting piece; 2. ⚡ junction; **V.tür** *f* communicating door; **V.weg** *m* communication path

ver|bissen *adj* tenacious; **sich etw. v.bitten** *v/refl* to refuse to tolerate sth.; **v.blassen** *v/i* to fade/wane/discolour, to wear thin

Verbleib *m* whereabouts; **zum V.** to be retained

verbleiben *v/i* to remain; **v.d** *adj* remaining, residual

Verbleibsnachweis *m* proof of whereabouts

verblüff|en *v/t* to baffle/nonplus/amaze/stun; **v.end** *adj* amazing, striking; **v.t** *adj* flabbergasted, non-plussed; **V.ung** *f* surprise

ver|bluten *v/i* to bleed to death; **v.bodmen** *v/t* ⚓ to hypothecate; **V.bodmung** *f* hypothecation

verbohrt *adj* stubborn, obstinate; **V.heit** *f* stubbornness, obstinacy

verborgen *adj* hidden, concealed, dormant, latent, clandestine, covert; **nicht v.** manifest, overt; **~ bleiben** not to escape one's notice; **V.heit** *f* secrecy, seclusion

Verbot *nt* ban, prohibition, interdict(ion), proscription; **V.e** prohibitive rules

Verbot unterschiedlicher Behandlung ban on discriminatory treatment; **V.e und Beschränkungen** prohibitions and restrictions; **V. der Doppelbestrafung** double jeopardy clause; **~ Kinderarbeit** prohibition of child labour; **~ Leistung von Zahlungen an einen Dritten** garnishment; **~ Marktaufspaltung** prohibition of market splitting; **ärztliches V. einer Patientenentlassung durch nächste Angehörige** § barring certificate; **V. rückwirkender Strafgesetze** § ex post facto *(lat.)* clause, prohibition of retroactive criminal legislation; **V. eines Streikes** strike ban; **V. der Vorausverfügung** restraint on anticipation; **~ Werbung** prohibition to advertise; **V. des freien Wettbewerbs** restraint of trade

Verbot aufheben to lift a ban, to un-ban; **V. aussprechen/erlassen/verhängen; mit einem V. belegen** to impose/put a ban on; **durch V. hindern** to ban

auf Unterlassung gerichtetes Verbot prohibitory injunction; **gerichtliches V.** (negative) injunction, prohibitory order; **gesetzliches V.** statutory prohibition; **grundsätzliches V.** general ban; **polizeiliches V.** police ban

verboten *adj* forbidden, prohibited, illegal, illicit, banned; **gesetzlich v.** forbidden by law; **streng/strengstens v.** strictly prohibited

Verbots|- prohibitory; **V.bestimmungen** *pl* prohibitory provisions; **V.gesetz** *nt* prohibition act, negative statute; **V.gesetzgebung** *f* proscriptive legislation; **V.hinweis** *m* prohibition notice; **V.irrtum** *m* error as to the prohibited nature of an act; **V.prinzip** *nt* prohibition per se, doctrine of per se illegality, principle of proscription, per se approach; **V.recht** *nt* right to prohibit; **V.schild/V.zeichen** *nt* notice, prohibition/prohibitory sign; **V.verfügung** *f* § prohibitory injunction; **V.zone** *f* prohibited zone

verbrämen *v/t* to gloss over

Verbrauch *m* 1. use, usage, (rate of) consumption; 2. expenditure; **V. von Dienstleistungen** expenditure on services; **V. im Inland** home/domestic consumption; **V. pro Kopf** per-capita consumption; **V. von mineralischen Stoffen** fossil fuel consumption; **V. für zivile Zwecke** (public) consumption for civil purposes; **zum baldigen/sofortigen V. bestimmt** for immediate use, to be used immediately; **V. drosseln/drücken** to curb/depress consumption

durchschnittlicher Verbrauch average consumption; **eigener V.** personal/own consumption; **einheimischer/inländischer V.** home/domestic consumption; **erwarteter V.** projected usage; **gewerblicher V.** industrial consumption; **letzter V.** ultimate/final consumption; **mangelnder V.** underconsumption; **nachlassender V.** fall in consumption; **öffentlicher V.** public/government consumption, public expenditure on goods and services; **zum persönlichen V.** for personal use; **privater V.** private consumption, personal consumption (expenditure); **staatlicher V.** government consumption; **zu starker V.** overconsumption

verbrauchen *v/t* 1. to consume, to use (up)/exhaust, to get through; 2. to spend; *v/refl* to wear down; **vollständig v.** to exhaust

Verbraucher *m* consumer, user; **gewerblicher/industrieller V.** industrial/business/non-domestic user; **informationsaktiver V.** information seeker; **inländischer V.** domestic user; **letzter V.** final/ultimate consumer; **potenzieller V.** prospective user

Verbraucher|abgabe *f* excise duty; **V.analyse** *f* consumer research; **V.anwalt** *m* consumer advocate; **V.aufklärung** *f* consumer guidance; **V.aufnahmebereitschaft** *f* consumer acceptance, propensity to consume; **V.ausgaben/V.aufwand** *pl/m* consumer spending/expenditure, consumption expenditure; **reale V.ausgaben** real consumer spending; **V.auskunftei** *f* consumer investigation agency; **V.ausstellung** *f* consumer's fair; **V.bedarf** *m* consumer demand; **V.bedürfnisse** *pl* consumer wants/needs; **V.befragung** *f* consumer research/interview/survey; **V.beihilfe** *f* aid to consumption; **V.beratung** *f* consumer counselling/advice, ~ advisory service; **V.beratungsdienst** *m* consumer advisory service; **V.beschwerde** *f* consumer complaint; **V.bewegung** *f* consumerism, consumer movement; **v.bewusst** *adj* consumer-conscious, market-conscious; **V.bewusstsein** *nt* consumer awareness/consciousness; **V.bildung** *f* consumer education; **V.boykott** *m* consumer boycott; **V.budget** *nt* consumer budget; **V.darlehen** *nt* consumer loan; **V.einheit** *f* consumer unit; **V.einkommen** *nt* consumer income; **V.elektronik** *f* consumer electronics; **V.erwartungen** *pl* consumer sentiment; **v.feindlich** *adj* anti-consumer, not in the interest of the consumer; **V.festpreis** *m* fixed consumer price; **V.forschung** *f* consumer research; **V.fragen** *pl* consumer affairs/questions; **v.freundlich** *adj* consumer-minded, serving the consumers' interests; **V.freundlichkeit** *f* consumer consciousness; **V.geldparitäten** *pl* consumer parities; **V.genossenschaft** *f* cooperative society *[GB]*, consumer cooperative/society *[US]*; **v.gerecht** *adj* 1. consumer-orient(at)ed; 2. handy; **V.geschmack** *m* consumers' taste; **V.gewohnheiten** *pl* consumer habits; **V.großmarkt** *m* hypermarket; **V.gruppe** *f* consumer group; **mittlere V.gruppe** medium-income consumer group; **V.güter** *pl* disposables; **V.handel** *m* retail trade; **V.haushalt** *m* consumer household; **V.hinweise** *pl* consumer information; **V.höchstpreis** *m* retail ceiling price; **V.identifikation** *f* consumer location; **V.industrie** *f* consumer/user industry; **V.information(en)** *f/pl* consumer guide/information; **V.interesse** *nt* consumer interest; **V.kapital** *nt* consumer capital; **V.käufe** *pl* consumer buying; **V.kaufkraft** *f* consumer spending capacity, ~ purchasing power; **V.konjunktur** *f* consumer boom; **V.konsum** *m* consumer spending

Verbraucherkredit *m* consumer credit/loan, small-scale/consumption credit, point-of-sale finance; **V.beschränkung** *f* consumer credit restriction; **V.gewerbe** *nt* consumer credit industry; **V.gesetz** *nt* Consumer Credit Act *[GB]*; **V.nehmer** *m* consumer-borrower; **V.vertrag** *m* consumer credit agreement; **V.werbung** *f* consumer credit advertising

Verbraucher|land *nt* consuming country; **V.leitung** *f* ϟ service line; **V.markt** *m* hypermarket, superstore, (cut-price) consumer/consumption market, convenience store *[US]*, shopping centre; **V.meinungsforschung** *f* consumer-opinion research; **V.meinungstest** *m* consumer opinion test; **V.nachfrage** *f* consumer/consumption demand; **v.nah** *adj* near-consumer; **V.nähe** *f* closeness to the consumer; **V.organisation** *f* consumer organisation; **v.orientiert** *adj* consumer-orient(at)ed, consumer-focussed; **V.panel** *nt* consumer panel; **V.politik** *f* consumer policy

Verbraucherpreis *m* consumer price, price paid by the consumer; **V.index** *m* consumer/retail price index (RPI); **V.niveau** *nt* retail price level

Verbraucher|promotion *f* consumer promotion; **V.psychologie** *f* consumer psychology; **V.risiko** *nt* consumer risk; **V.schaft** *f* consuming public, consumers; **V.schau** *f* consumers' fair; **V.schicht** *f* class of consumers, consumer category

Verbraucherschutz *m* consumer protection, consumerism; **V.bewegung** *f* consumerism; **V.gesetz** *nt* consumer protection act; **V.gesetzgebung** *f* consumer protection legislation; **V.kommission** *f* consumer protection commission; **V.organisation** *f* consumer protection/champion organisation

Verbraucher|seite *f* sales end; **V.statistik** *f* consumer statistics; **V.steuer** *f* consumer tax, excise duty/tax; **V.stichprobe** *f* consumer sample; **V.streik** *m* buyers'/consumers' strike; **V.studien** *pl* consumer studies; **V.subvention** *f* subsidy on consumption; **V.test** *m* consumer test; **V.testgruppe** *f* consumer panel; **V.trend** *m* consumer trend; **V.umfrage** *f* consumer research/survey; **V.unterrichtung** *f* consumer information; **V.untersuchung** *f* consumer research; **V.verband/V.vereinigung** *m/f* consumer association/organisation; National Consumer Council *[GB]*; **V.verhalten** *nt* consumer/consumption behaviour, consumer buying habits; **V.verschuldung** *f* consumer debt; **V.versorgung** *f* consumer goods supply, supply to consumers; **V.vertrauen** *nt* consumer confidence; **V.vertretung** *f* consumer representation, consumers' association; **V.verzicht** *m* deferred consumption; **V.wahl** *f* consumer choice; **V.werbung** *f* consumer advertising; **V.widerstand** *m* consumer/user resistance; **V.wirtschaft** *f* consumer economics; **V.wünsche** *pl* consumer wants/desires; **V.zeitschrift** *f* consumer magazine; **V.zentrale** *f* 1. consumer advice centre; 2. National Consumer Council *[GB]*; **V.zurückhaltung** *f* consumer reticence/resistance

Verbrauchs|abgabe *f* excise (duty), consumption/excise tax, tax on consumption; **v.abhängig** *adj* usage-based; **V.abweichung** *f* budget variance/variation, usage/flexible-budget/spending (budget)/controllable/expense variance; **v.arm** *adj (Treibstoff)* fuel-efficient, economical; **V.artikel** *pl* consumer goods, consumables; **V.aufwand/V.ausgaben** *m/pl* consumption/consumer expenditure, consumer spending; **reale V.ausgaben** real consumer spending; **V.ausweitung** *f* increased consumption; **V.bedarf** *m* consumer demand/needs; **V.bereich** *m* consumer sector; **V.bereitschaft** *f* propensity to consume, consumer acceptance; **V.beschränkungen** *pl* restriction on consumption; **V.bild** *nt* pattern of consumption; **V.bogen** *m* materials consumption record sheet; **V.einheit** *f* unit of consumption; **V.einkommen** *nt* consumer income; **V.expansion** *f* expansion of consumption; **V.faktor** *m* consumption factor; **v.fertig** *adj* ready for consumption; **V.fläche** *f* sales area, floor/commodity space; **V.forschung** *f* consumer research, research in(to) consumer habits; **V.freudigkeit** *f* propensity to consume; **V.-funktion** *f* consumption/input function; **V.gebiet** *nt* area of consumption; **V.gegenstände** *pl* consumer goods; **V.gerade** *f* consumption line; **V.gestaltung** *f* consumption shaping; **v.gesteuert** *adj* consumption-driven; **V.gewohnheiten** *pl* consumer habits, consumption patterns, consuming ways, habits of consumption

Verbrauchsgüter *pl* consumer/consumption/consumable/non-durable goods, means of consumption, goods of first order, ~ for consumption, consumer non-durables; **dauerhafte/haltbare/langlebige/technische V.** durable consumer goods, consumer durables; **gewerbliche V.** industrial consumer goods, industrially produced consumer goods; **handelsfähige V.** consumer tradables; **kurzlebige V.** perishables, perishable/non-durable goods, non-durables

Verbrauchsgüter|bereich *m* consumer goods sector; **V.gewerbe/V.industrie/V.sektor** *nt/f/m* consumer goods industry/sector; **V.hersteller** *m* consumer goods manufacturer; **V.konjunktur** *f* consumer boom, boom in consumer goods; **V.markt** *m* consumer (goods) market; **V.panel** *nt* consumer goods panel

verbrauchs|intensiv *adj* consumption-intensive; **V.intensivierung** *f* intensification of consumption; **V.konjunktur** *f* consumer boom, boom in consumption; **V.lage** *f* consumption pattern; **V.land** *nt* country of consumption; **V.lenkung** *f* consumption control; **V.markt** *m* consumer market; **V.material** *nt* expendable items, consumables; **V.menge** *f* consumed index; **V.nachfrage** *f* consumer demand; **private V.nachfrage** private consumption, ~ consumer demand; **V.neigung** *f* propensity to consume; **V.niveau** *nt* level of consumption; **v.orientiert** *adj* consumption-orient(at)ed, usage-oriented, producing for consumption; **V.ort** *m* place of consumption; ~ final use; **V.plan** *m* consumption plan; **V.planung** *f* consumption planning; **V.preis** *m* retail/sales price; **V.prognose** *f* consumption forecast; **V.quote** *f* consumption ratio; **V.-rate** *f* 1. rate of consumption, usage rate; 2. wage rate; **V.recht** *nt* right of consumption; **V.reduktion** *f* reduction of consumption; **V.reserve** *f* margin for consumption increase; **V.richtung** *f* consumption trend; **V.-rückgang** *m* drop/fall in consumption; **V.sättigung** *f* saturation of consumer demand; **V.schätzung** *f* estimated consumption; **V.schema** *nt* consumption pattern; **V.sektor** *m* consumer goods sector/industries; **V.stand** *m* level of consumption; **V.steigerung** *f* increase in consumption

Verbrauchssteuer *f* excise (duty)/tax, purchase/use *[US]*/consumption/consumer tax, retailer's excise tax, taxes on expenditure; **allgemeine V.- und Ausgabensteuer** expenditure tax; **V.- und Umsatzsteuern** sales tax *[US]*; **V.aufkommen** *nt* excise revenue, consumer taxes; **v.frei/nicht v.pflichtig** *adj* exempt from excise duty, non-excisable; **V.ung** *f* usage control; **v.pflichtig** *adj* liable to excise duty, ~ consumer tax, excisable

Verbrauchs|stoffe *pl* materials; **V.struktur** *f* pattern of consumption; **V.stufe** *f* stage of consumption; **V.-symptom** *nt* consumption indicator; **V.trend** *m* consumption trend; **V.umschichtung/V.verlagerung** *f* shift in consumption; **V.verhalten** *nt* pattern of consumption; **V.waren** *pl* consumer goods; **V.werbung** *f* consumer advertising; **V.wert** *m* consumption/usage value; **V.wirtschaft** *f* consumer economics; **V.wirtschaftsplan** *m* purchase plan; **V.zahlen/V.ziffern** *pl* consumption figures; **V.zähler** *m* usage meter; **V.zentrum** *nt* centre of consumption; **V.zunahme/V.zuwachs** *f/m* increased consumption; **V.zweck** *m* purpose of consumption, intended consumption/use

verbraucht *adj* spent, used (up), obsolete, worn-out; **nicht v.** unspent

Verbrechen *nt* crime, criminal act, outrage, felony, indictable offence

Verbrechen im Amt misdemeanour in office; **V. und Vergehen im Amt** felonies and misdemeanours in office; **V. gegen den Frieden** crime against peace; ~ **die Menschlichkeit** crime against humanity; **V. am untauglichen Objekt** abortive crime; **V. und Vergehen gegen die öffentliche Ordnung** felonies and misdemeanours against the public order; ~ **Sittlichkeit** felonies and misdemeanours against morality and decency

jdn zu einem Verbrechen anstiften to instigate so. to commit a crime; **V. aufdecken/aufklären** to detect a crime; **V. begehen** to commit/perpetrate a crime; **V. gestehen** to confess (to) a crime; **jdn in ein V. hineinziehen** to implicate so. in a crime; **einem V. Vorschub leisten** to aid and abet (so. in a crime); **in ein V. verwickelt sein** to be implicated in a crime; **jdn eines V.s schuldig sprechen; ~ überführen** to find so. guilty of a crime, to convict a person of a crime; **V. untersuchen** to investigate (into) a crime; **jdn zu einem V. verleiten** to entice so. into committing a crime; **V. vertuschen** to cover up a crime; **V. verüben** to commit/perpetrate a crime

gemeingefährliches Verbrechen felony, crime entailing a danger to the community; **organisiertes V.** organised crime; **politisches V.** political crime; **scheußliches/schreckliches V.** atrocious/horrible/hideous crime; **selbstständiges V.** independent crime, substantive felony; **todeswürdiges V.** capital crime; **unaufgeklärtes V.** unsolved crime; **versuchtes V.** attempted crime; **vollendetes V.** accomplished crime; **nicht ~ V.** inchoate crime

Verbrechens|aufklärung *f* crime detection; **V.begünstigung** *f* abetment of a crime; **V.bekämpfung** *f* fight against crime, combatting crime; **vorbeugende V.bekämpfung** crime prevention; **V.häufung** *f* accumulation of crime; **V.verhütung** *f* crime prevention; **V.rate/V.ziffer** *f* crime rate; **V.statistik** *f* crime statistics; **V.vorsatz** *m* felonious intent; **unterstellter V.vorsatz** constructive malice

Verbrecher(in) *m/f* criminal, delinquent, felon, culprit; **V. zur Strecke bringen** to nail a criminal *(coll)*; **einem V. Unterschlupf gewähren; V. verbergen** to harbour/conceal a criminal

erstmaliger Verbrecher first offender; **gemeingefährlicher V.** dangerous criminal, public enemy; **jugendlicher V.** juvenile delinquent, teenage offender; **politischer V.** political offender; **rückfälliger V.** recidivist, second and subsequent offender; **überführter V.** convict; **unverbesserlicher V.** incorrigible criminal

Verbrecher|album *nt* rogues' gallery *(coll)*; **V.bande** *f* gang of criminals; **v.isch** *adj* criminal, delinquent, felonious, outrageous; **V.jagd** *f* hunt for criminals; **V.laufbahn** *f* criminal career; **V.tum** *nt* 1. criminals; 2. criminality; **berufsmäßiges V.tum** professional crime; **V.welt** *f* underworld

verbreiten *v/t* 1. to spread/disperse; 2. *(Nachrichten)* to disseminate/propagate; 3. to discribute/circulate; 4. *(Idee)* to bandy about; *v/refl* to permeate/spread; **sich ausführlich über etw. v.** to elaborate on sth.; **sich rasend schnell v.** to catch on like wildfire *(coll)*

verbreitern *v/t* to widen/broaden/enlarge/spread/extend

Verbreiterung *f* widening, broadening, enlargement, diffusion; **V. des Angebots** broadening of the range; **V. der unternehmerischen Basis** broadening the corporate base

verbreitet *adj* common, current, prevalent; **allgemein/weit v.** 1. widespread, general; 2. customary, pervasive; 3. popular, widely spread; 4. prevalent, rife; **weit v. sein** *(Zeitung)* to have a wide circulation

Verbreitung *f* 1. spread, dispersal, dissemination, propagation, coverage; 2. *(Zeitung)* distribution, circulation, incidence; **V. einer verleumderischen Behauptung; V. eines Gerüchts** publication of a libel; **V. von falschem Geld** putting counterfeit money into circulation; **V. einer Krankheit** spread of a disease; **V. von Nachrichten** circulation of news; **V. unzüchtiger Schriften** dissemination of obscene publications; **weite V.** prevalence, wide distribution

Verbreitungs|analyse *f* circulation analysis; **V.dichte** *f* circulation density; **V.gebiet** *nt* circulation area; **V.mittel** *nt* means of distribution; **V.recht** *nt* right of distribution

verbrennbar *adj* inflammable, combustible

verbrennen *v/t* 1. to burn/incinerate; 2. *(Treibstoff)* to combust; 3. *(Leiche)* to cremate; 4. *(versengen)* to scorch

Verbrennung *f* 1. burning, incineration, combustion, firing; 2. ⚕ burn; 3. *(Leiche)* cremation; **V. ersten Grades** ⚕ first-degree burn

Verbrennungs|anlage *f* incinerator, incineration plant; **V.kammer** *f* combustion chamber; **V.maschine/V.motor** *f/m* internal combustion engine; **V.ofen** *m* incinerator; **V.produkt** *nt* fuel; **V.prozess/V.vorgang** *m* combustion process

verbriefen *v/t* 1. to guarantee; 2. *(Forderung)* to securitize/confirm/evidence; 3. to document; 4. to (grant by) charter

verbrieft *adj* chartered, licensed, documented; **nicht v.** non-bonded, non-evidenced

Verbriefung *f* 1. documentary evidencing; 2. securitization; **V. von Forderungen/Schulden** securitization

Verbringen *nt* → **Verbringung**; **v.** *v/t* 1. *(Ware)* to import; 2. *(Zeit)* to spend; 3. to convey; 4. § to take/commit

Verbringung *f* 1. transfer, conveyance; 2. § committal; 3. *(Ware)* importation; **V. an Bord** ⚓ taking on board; **~ Land** ⊖ discharge, landing; **V. von Waren in das Zollgebiet** *nt [EU]* introduction of goods into the customs territory, importation; **V.sort** *m* ⊖ place of introduction

Verbuch|en *nt* booking, entering; **v.en** *v/t* to enter/book/register/post, to chalk (up), to carry (in the books), to rcognize/record, **~ bei** to book to; **nicht v.t** *adj* unentered

Verbuchung *f* entry, booking, posting, recording, recognition; **nachträgliche V.** post-entry

Verbuchungs|art *f* recording method; **V.datum** *nt* value date; **V.kurs** *m* bookkeeping rate; **V.stelle** *f* accounting title/position; **V.termin** *m* value date; **V.titel** *m* accounting heading; **V.zeitraum** *m* accounting period

Verbund *m* 1. combine, link, interlinked system, integrated set-up, tie-in; 2. association, combination; 3. compound; **V.absatz** *m* cross-selling; **V.anlage** *f* 1. compound plant; 2. ⚡ grid installation; **V.bau** *m* ⚡ composite (method of) building; **V.bereich** *m* 🏛 interconnected supply area; **V.betrieb** *m* compound/grid/interconnected operation; **V.darlehen** *nt* joint loan (extension); **V.direktorium** *nt* interlocking directorate; **V.effekt** *m (Werbung/Warenzeichen)* composite effect

verbunden (mit) *adj* joint, common, composite, connected/associated with, attendant on/upon, incidental to; **falsch v.** ✆ wrong number; **miteinander v.** interrelated; **v. sein** to be connected; **~ mit** to be attached to, to involve; **miteinander v. sein** to interrelate

verbünden *v/refl* to join hands, to get together

Verbundenheit *f* attachment, solidarity, connectivity

verbündet *adj* allied; **V.e(r)** *f/m* ally, confederate

Verbund|(fahr)karte *f* travel pass, conjunction ticket; **V.fertigung** *f* joint production; **V.forschung** *f* joint research; **V.gefüge** *nt* coherent structure; **V.geschäft** *nt* ⚡ interconnected supply business; **V.gesellschaft** *f* combine; **V.glas** *nt* laminated glass; **V.glaswindschutzscheibe** *f* 🚗 laminated windscreen *[GB]*/windshield *[US]*; **V.kontenkonsolidierung** *f* consolidation of group accounts; **V.konzern** *m* vertical trust *[US]*; **V.lieferung** *f* 1. intercompany shipment; 2. ⚡ linked supply; **V.lochkarte** *f* dual card; **V.marketing** *nt* physical tie-in; **V.modell** *nt* model of interrelationship; **V.netz** *nt* 1. ϟ grid (system); 2. 🖳 mixed network; **V.partner** *m* associate; **V.platte** *f* 🏛 sandwich panel; **V.produkt** *nt* joint product; **V.produktion** *f* joint production; **V.rechner** *m* terminal computer; **V.schulden** *pl* group liabilities; **V.stahl** *m* laminated steel; **V.system** *nt* compound/interlinked system; **V.tarif** *m* joint rate; **V.unternehmen** *nt* 1. group/affiliated company, affiliate, associate; 2. ϟ related utility; **V.verkauf** *m* cross selling; **V.verkehr** *m* intercompany traffic; **V.vertrag** *m* ϟ interconnected supply contract; **V.werbung** *f* joint/association/combined advertising; **V.-wirtschaft** *f* 1. integrated economy; 2. interlinked system, vertical trust/integration; 3. ϟ interconnected supply arrangement

verbürgen *v/t* to guarantee/warrant/vouch/ensure, to furnish/stand security; **sich für jdn v.** to stand security for so.; **sich selbstschuldnerisch v.** to stand surety as principal

verbürgt *adj* warranted; **staatlich v.** *adj* state-guaranteed

Verbürgung *f* bailment

verbüßen *v/t* to serve (a sentence)

Verbüßung einer Strafe *f* serving one's sentence; **gleichzeitige V. zweier Freiheitsstrafen** concurrent sentence

ver|buttern *v/t* 1. *(Geld)* to squander; 2. *(coll)* to dissipate; **v.chartern** *v/t* to charter/freight out, to let; **V.charterung** *f* chartering out; **v.chromen** *v/t* to chromium-plate

Verdacht *m* 1. suspicion; 2. *(Gefühl)* hunch; **auf V.** on spec *(coll)*, on the off-chance; **V. der Unregelmäßigkeit** suspected irregularity; **V. des abgestimmten Verhaltens** charge of collusion; **über jeden V. erhaben** above suspicion

in falschen Verdacht bringen to wrongfully suspect; **V. erregen** to arouse suspicion; **jdn vom V. eines Verbrechens freisprechen** to clear so. of a crime; **in V. geraten** to become suspect; **V. hegen/nähren** to entertain/harbour a suspicion; **V. lenken auf** to cast a suspicion on; **jdn von einem V. reinigen/reinwaschen** to clear so. of a suspicion; **V. schöpfen** to suspect sth., to smell a rat *(coll)*; **im V. stehen** to be suspected; **V. von sich weisen** to repudiate a suspicion; **V. zerstreuen** to dispel a suspicion

begründeter Verdacht well-founded suspicion; **auf bloßen V.** on mere suspicion; **dringender V.** strong suspicion; **grundloser/unbegründeter V.** groundless/unfounded suspicion; **hinreichender V.** reasonable (grounds for) suspicion; **leiser V.** sneaking *(coll)*/slight suspicion

verdachterregend *adj* suspicious

verdächtig *adj* suspicious, suspected, suspect, fishy *(coll)*, ominous; **v.en** *v/t* to suspect; **V.e(r)** *f/m* suspect; **der Mittäterschaft V.e(r)** conjunct person; **v.t** *adj* suspected; **V.ung** *f* (casting) suspicion

Verdachts|grund *m* ground for suspicion; **V.moment** *m* suspicious fact/factor/circumstance; **V.person** *f* suspect

verdamm|en *v/t* to condemn; **v.enswert** *adj* damnable, despicable; **v.t** *adj* damned; **V.ung** *f* damnation

Verdampf|en *nt* evaporation; **v.en** *v/i* to evaporate/vaporize; **V.er** *m* ✿ vaporizer; **V.ung** *f* ✿ vaporization

verdanken *v/i* to owe

verdau|en *v/t* to digest; **v.lich** *adj* digestible; **schwer v.lich** hard to digest

Verdauung *f* $ digestion; **V.sbeschwerden** *pl* digestion trouble; **V.skanal/V.strakt** *m* digestive tract, **V.ssaft** *m* gastric juice; **V.sspaziergang** *m* constitutional; **V.sstörung** *f* indigestion

Verdeck *nt* 1. tilt, awning; 2. *(LKW)* tarpaulin; 3. 🚗 hood, soft top

verdeck|en *v/t* to hide/conceal/mask/screen/disguise, to cover up; **v.t** *adj* hidden, concealed

Verderb *m* spoilage, decay, deterioration, **drohender V.** imminent condemnation; **innerer V.** inherent vice/deterioration/decay; **üblicher V.** normal decay

verderben *v/i* to deteriorate/decay/spoil, to go bad/off, to become ruined; *v/t* 1. to spoil/ruin; 2. *(Moral)* to corrupt/deprave; 3. *(Brand)* to blight; **es mit jdm v.** to fall out with so.; **leicht v.** to be liable to spoil

verderblich *adj* 1. *(Ware)* perishable; 2. destructive, demoralizing, pernicious; **V.keit** *f* perishableness

verderbt *adj* foul, rotten; **V.heit; Verderbung** *f* depravation, depravity; **moralische V.heit** moral turpitude

verdeutlich|en *v/t* to highlight/elucidate, to show clearly, to spell out, to explain; **V.ung** *f* elucidation

verdichten *v/t* 1. to compact/condense/consolidate/merge; 2. 🚗 to compress; 3. 🖳 to collate; 4. to intensify; *v/refl (Spekulation)* to mount

Verdichtung *f* 1. merger, consolidation; 2. ✿ compression; 3. 🖳 collation; 4. intensification; **V. der städtischen Siedlung** urbanization; **hierarchische V.** 🖳 hierarchic(al) collation

Verdichtungs|ebene *f* level of consolidation; **V.faktor** *m* 🖳 packing factor; **V.gebiet** *nt (Bevölkerung)* conurbation, agglomeration, centre; **V.kennzeichen** *nt* consolidation code; **V.methode** *f* packing method; **V.programm** *nt* compressor/condensing program; **V.raum** *m* 1. *(Bevölkerung)* conurbation; 2. agglomeration, densely populated area, high-density/core area; **industrieller V.raum** industrial agglomeration

verdienen *v/t* 1. to earn/gain/make/pocket/win; 2. to merit/deserve; **brutto v.** to gross; **gut v.** to earn good money; **netto v.** to net/clear, to take home; **wieder ordentlich v.** *(Unternehmen)* to make a healthy return; **schwer v.** to make a pile *(coll)*; **zusätzlich v.** to supplement one's income

Verdiener *m* earner, breadwinner; **V. mit mittlerem Einkommen** middle-income earner

Verdienst *m* 1. earnings, pay, salary, wage, income, breadwinning; 2. gains, profit; *nt* merit, desert, credit; **V.e** services (to); **jds ~ um etw. anerkennen** to give so. credit for sth.; **sich etw. als V. anrechnen** to take credit for sth; **sich V.e um etw. erwerben** to make a contribution to; **jds. V.e schmälern** to detract from so.'s merits; **nach seinem V. eingeschätzt werden** to be judged according on one's merits; **durchschnittlicher V.** average earnings; **geringer V.** pin money

verdienst|abhängig *adj* earnings-related; **V.absicherung** *f* earnings guarantee

Verdienstausfall *m* loss of earnings/wages/pay/income, lost pay, income loss; interruption of earnings, earnings shortfall; **V.entschädigung** *f* compensation for loss of earnings; **V.versicherung** *f* loss of earnings insurance

Verdienst|bescheinigung *f* statement/proof of earnings, wage/earnings certificate; **v.bezogen** *adj* earnings-related; **V.chance** *f* potential earnings, opportunity for earning (money); **V.durchschnitt** *m* average earnings; **V.garantie** *f* guaranteed income; **V.grenze** *f* earnings cap, pay ceiling; **V.kreuz/V.orden** *nt/m* order of merit; **V.kurve** *f* wage curve; **V.möglichkeit** *f* → **V.chance**; **V.potenzial** *nt* earning power; **V.schutz** *m* protection of earnings; **V.sicherungsklausel** *f* wage maintenance clause; **V.spanne** *f* profit margin, margin of profit; **kaufmännische V.spanne** dealer mark-up; **V.staffelung** *f* graduation of earnings; **V.stufe** *f* earnings bracket; **v.voll** *adj* meritorious, commendable, (well-)deserving, **V.zeitraum** *m* earnings span

verdient *adj* 1. earned; 2. well-deserved; **nicht v.** unearned; **redlich/sauer/schwer v.** hard-earned; **nicht voll v.** *(Dividende)* short-earned

Verdikt *nt* § court finding(s), verdict

verdingen *v/t* 1. to farm/contract out; 2. to put into service; *v/refl* to hire o.s. out, to enter into service

Verdingung *f* contracting out, invitation to bid, request for bids; **V.skartell** *nt* contracted cartel; **V.sordnung** *f* regulations governing construction works contracts; **~ für Bauleistungen (VOB)** regulation governing construction works contracts, award rules for building and construction work, standard building contract terms

verdolmetsch|en *v/t* to interpret; **V.ung** *f* interpretation

ver|donnern *v/t* *(coll)* § 1. to sentence; 2. *(Geldstrafe)* to fine; **v.doppeln** *v/t* to (re)double/duplicate; *v/refl* to double

Verdopp(e)lung *f* doubling, duplication; **V. der Lebensversicherungssumme bei Tod** double indemnity

verdorben *adj* spoiled, spoilt, deteriorated, damaged, rotten, depraved; **durch und durch v.** rotten to the core

verdraht|en *v/t* ϟ to wire (up)/cable; **V.ung** *f* wiring, cabling

verdräng|en *v/t* to crowd/push/squeeze out, to displace/oust/supplant/replace/repress/eliminate; **v.t** *adj* expelled

Verdrängung *f* 1. crowding out; 2. ⚓ displacement; **V. aus dem Besitz** dispossession; **V. von Gewerkschaften aus den Betrieben** de-unionization *[US]*; **V.seffekt** *m* crowding-out effect; **V.stonnage** *f* ⚓ displacement tonnage; **V.stonne** *f* ⚓ displacement ton; **V.swettbewerb** *m* crowding out, cutthroat/ruinous/eliminatory/predatory competition, elimination of competition

verdrehen *v/t* to misrepresent/distort

Verdrehung *f* misrepresentation, distortion; **V. der Tatsachen** distortion of facts; **~ Wahrheit** perversion of the truth

verdreifach|en *v/t/v/refl* to triple/triplicate/treble; **V.ung** *f* trebling, triplication

verdrieß|en *v/t* to annoy/irritate; **v.lich** *adj* sullen, peevish, irksome, fretful

verdrossen *adj* sullen, morose, disaffected; **V.heit** *f* disaffection, unwillingness, reluctance

ver|drucken *v/t* 🕮 to misprint; **V.druss** *m* annoyance, frustation; **v.dunkeln** *v/t* 1. to dim, to black out; 2. § to cover up, to prevaricate/obscure

Verdunkelung *f* 1. blackout; 2. § suppression of evidence; **V. des Sachverhalts** collusion of facts; **V.sgefahr** *f* danger of collusion

verdünn|en *v/t* to dilute/thin, to water down; **V.ung** *f* dilution, watering down; **~ der Kaufkraft** thinning/watering down of purchasing power

verdunst|en *v/i* to evaporate/vaporise; **V.ung** *f* evaporation, vaporization

ver|dutzt *adj* non-plussed; **v.ebben** *v/i* to abate/subside, to slacken off

Veredel|er *m* processor; **v.n** *v/t* 1. to process/refine/finish/upgrade, to finish off/up; 2. 🚜 to graft; **v.t** *adj* refined, processed

Vered(e)lung *f* processing, finishing, refining, product improvement; **V. landwirtschaftlicher Erzeugnisse** processing of agricultural products; **V. an Ort und Stelle** on-the-spot processing, processing on the spot; **in der V. tätig sein** *f* to operate downstream; **aktive V.** inward processing; **passive V.** outward processing

Vered(e)lungs|arbeit *f* processing; **V.betrieb** *m* process (ing) plant; **V.erzeugnis** *nt [EU]* finished/compensating product; **V.industrie** *f* process(ing)/finishing industry, finishing sector; **V.kosten** *pl* cost of materials improvement; **V.land** *nt* processing country; **V.lohn** *m* payment for processing; **V.produkt** *nt* finished/processed product; **V.prozess** *m* finishing process; **V.-steuer** *f* processing tax; **V.stufe** *f* processing stage; **in der ~ tätig sein** to operate downstream; **V.technologie** *f* processing/refining technology; **V.verfahren** *nt* finishing process

Vered(e)lungsverkehr *m* temporary exportation/importation for processing, processing trade/traffic, exportation and importation of goods for processing purposes; **aktiver V.** inward processing (traffic/trade), temporary importation for processing; **passiver V.** outward processing (traffic), temporary exportation for processing

Vered(e)lungs|vorschriften *pl* processing regulations; **V.ware** *pl* processed goods; **V.werk** *nt* finishing plant/works; **V.wert** *m* value added by processing; **V.wirtschaft** *f* improvement/processing industry, processing sector

Veredler *m* → **Veredeler**

Veredlung *f* → **Veredelung**

verehr|t *adj* esteemed, honoured; **V.ung** *f* veneration, worship

vereidig|en *v/t* to swear in, to put on oath, to administer an oath; **v.t** *adj* sworn; **vorschriftsmäßig v.t** duly sworn

Vereidigung *f* swearing in, administration of an oath; **nach ordnungsgemäßer V.** being duly sworn

Verein *m* society, association, club, union, organisation; **im V. mit** § in conjunction with; **V. auf Gegenseitigkeit** friendly/mutual society; **V. des bürgerli-**

chen Rechts civil-law association; **V. auflösen** to disincorporate a club; **einem V. beitreten** to join a society/club; **V. eintragen lassen** to register/incorporate a club, ~ an association

eingetragener Verein registered society/association *[GB]*/club, incorporated society/association *[US]*; **nicht ~ V.** unincorporate(d) association; **gemeinnütziger V.** non-profit association *[GB]*/corporation *[US]*; **rechtsfähiger V.** incorporated society, registered association, non-stock company/corporation *[US]*; **nicht ~ V.** unincorporated voluntary association, unregistered society; **wirtschaftlicher V.** commercial association; **wohltätiger V.** charitable association, charity

vereinbar *adj* compatible, consistent, commensurate

vereinbaren *v/t* 1. to agree/stipulate/arrange/settle/bargain/covenant; 2. *(Widersprüche)* to reconcile; **ausdrücklich v.** to stipulate expressly; **förmlich v.** to indent; **miteinander v.** to reconcile; **schriftlich v.** to stipulate in writing; **stillschweigend v.** to stipulate tacitly, ~ by implication; **vertraglich v.** to covenant, to agree/establish/stipulate by contract; **vorher v.** to prearrange

Vereinbarkeit *f* compatibility, consistancy

vereinbart *adj* agreed, stipulated; **wie v.** as stipulated; **es gilt als v., dass** it is understood that; **es wird v.** it is agreed; **falls/soweit nicht anderweitig v.** unless otherwise agreed; **früher als v.** ahead of schedule; **ad hoc v.** negotiated; **fest v.** definitely agreed; **gesetzlich v.** established by law; **tarifvertraglich v.** contractual; **vertraglich v.** conventional, established by contract, contractually agreed

Vereinbarung *f* 1. agreement, arrangement, accord, stipulation, undertaking, understanding; 2. contract, deal, covenant, agreed formula, memorandum, declaration; **gemäß der V.** as per arrangement; **laut V.** as agreed; **mangels V.** failing agreement; **nach V.** by appointment; **je ~ V.** as may be agreed; **nur ~ V.** *(Termin)* by appointment only

Vereinbarung von Auflagen covenant; **V. über den Austausch von Submissionsinformationen** information agreement; ~ **einen Bereitschaftskredit** standby arrangement; ~ **eine Firmenrente** occupational pension scheme; **V. auf Gegenseitigkeit** reciprocal agreement; ~ **Grund einerGerichtsanordnung** judicial convention; **V. über das Getrenntleben** § separation agreement, deed of separation *[GB]*; **informelle ~ Getrenntleben** § separation by informal agreement; ~ **Gewerkschaftszwang** union membership agreement (UMA) *[GB]*; ~ **die Gewinnbeteiligung** profit-sharing deed; **V. einer Konventionalstrafe** penalty clause; **V. über die Marktaufteilung** market-sharing agreement; ~ **Nichtteilnahme an der Ausschreibung** knockout agreement; **V. zwischen den Parteien** interparty agreement; **V. über Preisabsprachen** price-fixing agreement; ~ **die Preisbindung** resale price (maintenance) agreement; **V. des pauschalisierten Schadenersatzes** liquidated damages clause; **V. eines Schiedsvertrages** arbitration agreement; **V.en für den Transport** transport arrangement/agreements; **V. auf Treu und Glauben** gentlemen's agreement; **V. einer Unterbeteiligung** *(Vers.)* subunderwriting agreement; ~ **Vertragsstrafe** stipulation of a penalty; **vertragliche V. über Unterlassungspflichten** § restrictve covenant; **V. über den Vorbehalt aller Rechte** non-waiver agreement; **V. mit dinglicher Wirkung** § covenant held to touch and concern the land; **V. über die Zahlungsmodalitäten** stipulation of payment; ~ **Zusammenarbeit** cooperation agreement; ~ **Zusammenarbeit in der Forschung** cooperative research agreement

Vereinbarung mit jdm abschließen to enter into an agreement with so.; **V. aufheben** to abrogate an agreement; **V. bestätigen** to confirm an agreement; **V. brechen** to renege on an agreement; **V. nicht einhalten** to break an agreement; **V. erzielen** to reach agreement; **sich an eine V. halten** to abide by an agreement; **zu einer V. kommen** to come to an agreement; **V. schließen** to enter into a convention/contract; **V. treffen** to enter into/conclude an agreement, to reach an understanding

schriftlich abgefasste Vereinbarung memorandum of agreement; **mangels abweichender/anderweitiger V.** unless otherwise agreed; **ausdrückliche V.** express agreement; **mangels ausdrücklicher V.** in the absence of any express agreement; **außergerichtliche V.** out-of-court settlement; **besondere V.** particular covenant; **bestehende V.** existing agreement; **auf mehrere Währungen bezogene V.** multi-currency clause; **bindende V.** binding agreement; **formlose V.** informal arrangement/agreement; **freiwillige V.** voluntary agreement; **frühere V.** prior engagement; **gegenseitige V.** mutual agreement; **mangels gegenteiliger V.en** unless otherwise agreed (upon); **geschäftliche V.** business deal; **gesellschaftliche V.** social compact; **grundlegende V.** agreement in principle; **gütliche V.** amicable settlement; **internationale handelspolitische V.** agreement affecting international trade policy; **(konzern)interne V.** house/intercompany agreement; **kartellähnliche V.** cartel-like agreement; **mehrseitige/multilaterale V.** multilateral agreement; **mündliche V.** oral/verbal agreement; **nachträgliche V.** subsequent agreement; **schriftliche V.** agreement in writing, written agreement; **schuldrechtliche V.** contractual agreement; **stillschweigende V.** tacit agreement; **tarifvertragliche V.** collective agreement; **ungültige V.** void agreement; **unwiderrufliche/verbindliche V.** binding agreement; **ursprüngliche V.** original agreement; **vertragliche V.** contractual obligation/agreement/arrangement; **völkerrechtliche V.** convention, treaty; **vorläufige V.** interim/provisional agreement, ~ arrangement; **wesentliche V.** essential contract arrangements; **wettbewerbsbeschränkende V.** restrictive agreement, agreement in restraint of competition; **zwischenstaatliche V.** international convention

Vereinbarungs|darlehen *nt* contractual loan; **v.gemäß** *adv* as agreed

vereinfach|en *v/t* 1. to simplify; 2. π to reduce; **zu sehr v.en** to oversimplify; **grob v.t** *adj* oversimplified

Vereinfachung *f* 1. simplification; 2. π reduction; **V. der Lohnstruktur** banding; **allzu große V.** oversimplification; **aus V.sgründen** *pl* for the sake of simplicity

vereinheitlich|en *v/t* to simplify/standardize/harmonize/unify, to secure uniformity; **v.t** *adj* unified, standardized; **nicht v.t** non-standardized

Vereinheitlichung *f* simplification, standardization, harmonization, unification, achievement of uniformity

vereinig|en *v/t* 1. to combine/unite/pool/aggregate/unionize; 2. to consolidate/merge/associate/incorporate/amalgamate; *v/refl* to combine/unite/merge; **auf sich v.en** to account for; **v.t** *adj* united, joint, aggregate, corporate, amalgamated, associated

Vereinigung *f* 1. union, unification, integration, pool, body; 2. merger, combine, consortium, consolidation, affiliation, amalgamation; 3. association, federation

Vereinigung der Arbeitgeber employers' federation; **V. auf Gegenseitigkeit** mutual association, **V. von Gläubiger und Schuldner in einer Person** confusion of rights; **V. britischer Handelskammern** Association of British Chambers of Commerce (ABCC); **V. von Hypotheken** pooling of mortgages; **V. beratender Ingenieure** British Consultants Bureau *[GB]*; **V. Südostasiatischer Nationen** Association of South-East Asian Nations (ASEAN); **V. von Unternehmen** association of enterprises

bergbautreibende Vereinigung mining association; **berufliche V.** professional association; **gemeinnützige V.** non-profit-making/*(Wohlfahrt)* charitable association; **kassenärztliche V.** association of panel doctors; **korporative V.** [§] corporate body, body corporate; **kriminelle V.** criminal society; **rechtsfähige V.** incorporated association; **verbotene V.** prohibited association; **wirtschaftliche V.** commercial association, economic union; **wohltätige V.** charitable association, charity, benevolent society

Vereinigungs|freiheit *f* freedom of association; **V.-menge** *f* π union/join of sets; **V.recht** *nt* right of association

vereinnahm|en *v/t* 1. to collect/receive/take, to show as revenue/receipt; 2. to make demands (on so.); **nicht v.t** *adj (Steuer)* uncollected

Vereinnahmung *f* collection; **V.svermerk** *m* note of receipt

Vereins|beitrag *m* (club) subscription; **V.börse** *f* securities exchange maintained by a private-law association; **V.gelder** *pl* association funds; **V.grundstück** *nt* club premises; **V.gründung** *f* foundation of a club; **V.haus** *nt* club house; **V.kasse** *f* society funds; **V.lokal** *nt* club premises; **V.mitglied** *nt* club member; **V.mitgliedschaft** *f* club membership; **V.raum** *m* clubroom; **V.-register** *nt* register of societies/associations; **V.satzung** *f* club rules; **V.sparen** *nt* club/association saving; **V.vermögen** *nt* club funds; **V.vorstand** *m* club executive; **V.zugehörigkeit** *f* club membership

vereint *adj* combined, united

Vereinte Nationen United Nations (UN)

ver|einzelt *adj* single, isolated, sporadic, detached, solitary, far-between; **v.eisen** *v/i* to ice (up); *v/t* $ to freeze; **v.eist** *adj* iced-up, icebound, frozen

Vereisung *f* freezing up, icing; **v.sfrei** *adj* ice-free; **V.sgefahr** *f* danger of icing

vereiteln *v/t* to thwart/foil/prevent/frustrate/counteract/forestall/balk/stymy/cross/defeat

Vereitelung *f* frustration, prevention; **V. der Zwangsvollstreckung** frustration of attachment

verelenden *v/i* to sink into poverty

Verelendung *f* impoverishment, pauperization, immiseration; **V.stheorie** *f* theory of pauperization, pauperization theory

verengen *v/t/v/refl* to narrow

Verengung *f* narrowing, contraction; **V. der Ertragsspanne** narrowing of margins; **V. am Geldmarkt** money market squeeze, tight money market

vererbbar *adj* hereditary, (in)heritable, hereditable; **V.keit** *f* hereditability

vererben *v/t* to leave/bequeath/will/devise

vererblich *adj* devisable, (in)heritable; **V.keit** *f* inheritability

Vererbung *f* devise, descent, inheritance; **V. des Urheberrechts** inheritance of copyright

verewigen *v/t* to eternalize/immortalize/perpetuate

Verfahren *nt* 1. process, practice; 2. *(Vorgehen)* procedure, technique, system, method, operation, mode, approach, course; 3. machinery *(fig)*; 4. [§] proceedings, lawsuit, action; 5. *(Strafrecht)* trial

Verfahren der zeitlichen Abgrenzung cut-off method; **~ beschleunigten Abschreibung** accelerated cost recovery system; **V. in familienrechtlichen Angelegenheiten** [§] family proceedings; **V. zur Beilegung von Arbeitskonflikten/Streitigkeiten** disputes procedure; **technisches ~ Bekämpfung der Umweltverschmutzung** anti-pollutive technology; **V. bis zur Bekanntmachung** [§] ex parte *(lat.)* proceedings; **V. in Ehesachen** [§] matrimonial proceedings; **V. der Eintragung** registration procedure; **~ Ergänzung fehlender Werte** ▦ missing plot technique; **V. zwecks Erlass einer einstweiligen Verfügung** [§] injunction proceedings; **V. zur Festsetzung einer Folgeprämie** renewal procedure; **~ Feststellung eines Prioritätsrechts** *(Pat.)* [§] interference proceedings; **V. in Forderungspfändungen** [§] garnishment/garnishee proceedings; **V. wegen unerlaubter Handlung** [§] proceedings in tort; **V. zur Herstellung** method of manufacture; **V. wegen Konzessionserschleichung** [§] information in the nature of a quo warranto *(lat.)*; **V. der beschleunigten Kostenabschreibung** accelerated cost recovery system; **V. wegen eines Kunstfehlers** [§] malpractice suit; **V. mit geschlossenem Kreislauf** ⚗/🏭 closed-loop process; **~ offenem Kreislauf** open-loop system; **V. der Leistungsmessung** performance management system; **V. zur Lohnfindung** wage-fixing system; **V. wegen Mordes** [§] murder trial; **V. in Nachlassangelegenheiten** [§] administration suit; **~ Nichtigkeitssachen** [§] nullity suit; **V. nach der Prozessordnung** [§] judicial proceedings; **V. der Rechnungslegung** accounting procedure; **V. bei Rechtshilfeersuchen** [§] procedure for letters rogatory; **V. zur Regelung von Streitigkeiten** disputes procedure; ~

Versicherungsansprüchen claims procedure; **V. der Stückkostenrechnung** product costing system; ~ **Transitbeförderung** through transport system; ~ **Verrechnung von innerbetrieblichen Leistungen bei gegenseitigem Leistungsaustausch** reciprocal allocation method; ~ **Vorratsbewertung** costing method of inventories; **V. in Zivilsachen** § civil proceedings; **vorgeschriebenes V. für die Zollwertermittlung** prescribed method of valuation for duty purposes

Verfahren eingestellt § case dismissed

Verfahren abkürzen to cut corners *(fig)*; **V. durch Vergleich abschließen/beilegen** to settle an action; **V. absetzen** to discontinue proceedings; **V. abtrennen** to separate a case; **V. anstrengen/einleiten** to institute proceedings, to launch a suit; **V. aussetzen** to suspend/stay proceedings, to arrest judgment, to stay an action, to drop a case; **V. beschleunigen** to speed up proceedings; **V. betreiben** to pursue a case; **V. in Gang bringen** to institute proceedings; **V. durchführen** to conduct proceedings; **neues V. einführen** ✪ to introduce a new process; **V. einleiten** to institute/commence/ initiate proceedings, to file a lawsuit; **V. gegen jdn einleiten** to bring a case against so.; **V. einstellen** 1. to dismiss a case, to quash proceedings; 2. *(zeitweilig)* to stay an action/the proceedings; **V. wegen Geringfügigkeit einstellen** to dismiss a case; **V. eröffnen** to open a case; **V. ersinnen** to devise a scheme; **V. hemmen** to stay proceedings; **V. anhängig machen** to bring an action; **V. niederschlagen** to quash proceedings; **V. überprüfen** to revive proceedings; **V. unterbrechen** to suspend proceedings; **sich einem V. unterwerfen** to submit to proceedings/a procedure; **einem schiedsrichterlichen V. unterwerfen** to submit to arbitration; **V. vereinigen/zusammenfassen** to consolidate proceedings; **V. verschleppen** to delay proceedings; **auf ein V. verzichten** to waive proceedings; **V. wieder aufnehmen** to reopen a case, to reinstate an action

abgekürztes Verfahren summary proceedings/procedure; **abgetrenntes V.** separate proceedings/trail; **analytisches V.** analytical method; **angemessenes V.** proper procedure; **abhängiges V.** case at law, pending case, instituted proceedings; **beschleunigtes V.** accelerated proceedings; **bilanzanalytisches V.** balance sheet analysis; **chemisches V.** chemical process; **dingliches V.** proceedings in rem *(lat.)*; **disziplinarisches V.** disciplinary proceedings; **dynamisches V.** *(Kostenrechnung)* time-adjusted method; **einzelstaatliches V.** *[EU]* national procedure; **empirisches V.** trial and error method, empirical method; **festgelegtes V.** set procedure; **einheitlich ~ V.** established uniform procedure; **geeignetes V.** appropriate machinery; **geltendes V.** operative procedure; **anhängig gemachtes V.** instituted proceedings; **gerechtes V.** fair trial; **gerichtliches V.** legal proceedings, (law)suit, court case; **gesetzlich geschütztes V.** proprietary (industrial) process; **getrenntes V.** separate proceedings; **gewerbliches V.** industrial production method; **gleichbleibendes V.** routine; **industrielles V.** industrial process; **konkursrechtliches V.** bankruptcy proceedings; **kontinuierliches V.** 🏭 flow process; **kontradiktorisches V.** § trial, contentious proceedings; **langwieriges V.** lengthy proceedings; **maschinelles/mechanisches V.** mechanical process; **mündliches V.** verbal/oral procedure, ~ proceedings; **normales V.** ordinary proceedings; **objektives V.** in rem *(lat.)* proceedings; **ordentliches V.** regular proceedings; **ordnungsgemäßes V.** due process of law; **parlamentarisches V.** parliamentary proceedings; **patentfähiges V.** patentable process; **patentiertes V.** patented process; **progressives V.** bottom-up approach; **quantitatives V.** quantitative procedure; **rechtsstaatliches V.** due process of law; **regressives V.** top-down approach; **schiedsgerichtliches/-richterliches V.** arbitration proceedings; **schleppendes V.** drag; **schriftliches V.** written procedure; **schwebendes V.** pending action; **in einem schwebenden V.** pendente lite *(lat.)*; **strafrechtliches V.** criminal proceedings; **streitiges V.** litigation; **nicht ~ V.** non-contentious proceedings; **summarisches V.** summary proceedings; **technisches V.** technical process; **übliches V.** general/standard practice, usual procedure; **allgemein ~ V.** established procedure; **vereinfachtes V.** *[EU]* simplified procedure; **verteilungsunabhängiges V.** distribution-free method; **vorgeschriebenes V.** statutory proceedings/procedure; **zivilrechtliches V.** civil proceedings

verfahren *v/i* to proceed/act; *v/t (Zeit/Geld)* to spend in travelling; *v/refl* 🚗 to lose one's way; **mit jdm v.** to deal with so.; **v. nach** to act by; **schonend v.** to act with consideration; **wie üblich v.** to proceed as usual

verfahren *adj* muddled

Verfahrens|- procedural; **V.ablauf** *m* procedure; **V.abschnitt** *m* stage of procedure; **V.abweichung** *f* nonstandard operation variance; **V.änderung** *f* procedural change, change of procedure; **V.angelegenheit** *f* procedural matter; **V.antrag** *m* 1. procedural motion; 2. § interlocutory application; **V.anweisungen** *pl* § general orders; **allgemeine V.anweisungen** practice directions; **V.art** *f* mode of procedure; **V.aussetzung** *f* § stay of proceedings; **V.beschluss** *m* § procedural order; **V.bestimmungen** *pl* § procedural rules; **V.beteiligte(r)** *f/m* § party to the proceedings; **V.dauer** *f* § duration of proceedings; **V.einrede/V.einwand** *f/m* § (plea of) exception; **V.einstellung** *f* § dismissal/stay of proceedings, nolle prosequi *(lat.)*, sist *[Scot.]*; **einstweilige V.einstellung** stay of proceedings; **V.eröffnung** *f (Konkurs)* institution of bankruptcy proceedings, granting a receiving order; **V.fehler** *m* procedural error; **(betriebliche) V.forschung** *f* operations research; **V.frage** *f* technical/procedural question, point of order, matter of form; **V.gang** *m* course of procedure; **V.gebühren** *pl* procedural fees; **V.gegenstand** *m* subject matter; **V.geschäft** *nt* ⚗ chemical engineering business; **V.gründe** *pl* procedural grounds; **V.hürde** *f* procedural hurdle/impediment; **V.ingenieur** *m* process engineer; **V.innovation** *f* process innovation; **V.kombination** *f* procedural combination; **V.kosten** *pl* (process) cost(s), cost(s) of proceedings; ~ **verteilen** § to apportion the costs; **V.mangel** *m* procedural error, material defect of legal proceedings; **v.mäßig** *adj* procedural; **V.modus** *m* mode of procedure; **durchschnittlicher V.nachteil** adverse minimum; **V.norm** *f* 1. code of practice; 2. § procedural norm; **formelle V.normen und Grundsätze** *(Bilanz)* promulgated principles; **V.nummer** *f* processing number; **V.ordnung** *f* § rules/code of procedure, procedural rules; **v.orientiert** *adj* procedure-orient(at)ed; **V.patent** *nt* process patent

Verfahrensrecht *nt* § procedural/adjective law, law of procedure; **innerstaatliches steuerliches V.** internal taxation procedures; **v.lich** *adj* procedural

Verfahrensregel *f* procedural rule, rule of procedure; **V.n** 1. code of practice, procedures; 2. § rules of court; **~ des höchsten Gerichts** § Rules of the Supreme Court (R.S.C.) *[US]*; **V. bei der Verteilung von Nachlässen unter Berücksichtigung der Vorausempfänge** § hotchpot rule; **allgemeine V.** general rule

Verfahrens|revision *f* § appeal on a point of law; **V.rüge** *f* objection on the grounds of procedural error; **V.sprache** *f* language of the proceedings; **V.streitigkeiten** *pl* procedural wrangles; **V.technik** *f* process engineering/technology; **chemische V.technik** chemical engineering; **V.techniker** *m* planning/process engineer; **v.technisch** *adj* procedural; **V.trennung** *f* § severance of (an) action; **V.vereinbarung** *f* procedure agreement

Verfahrensvorschrift *f* procedure provision, procedural requirement, rule of practice; **allgemeine V.** general rule; **gerichtliche V.en** rules of (the) court

Verfahrens|wahl *f* process selection; **V.weg** *m* procedural mechanism

Verfahrensweise *f* policy, practice, process, course of action, modus operandi *(lat.)*; **geschäftliche V.** business procedure; **wettbewerbsfeindliche V.** restrictive/anti-competitive practice(s)

Verfahrenszuschlag *m* controlled cycle/excess work/process allowance

Verfall *m* 1. *(Termin/Frist)* (date of) expiration/expiry, maturity, lapse; 2. § forfeiture; 3. *(Kurs)* slump; 4. *(Niedergang)* decline, slide, ebb; 5. 🏛 decay, disrepair, dilapidation, deterioration, dereliction; **bei V.** when due, at/on maturity; **V. des Geldwerts** currency depreciation; **V. der Innenstädte** urban decay; **V. eines Patents** forfeiture of a patent; **V. einer Police** lapse of a policy; **V. des Stadtkerns/-zentrums** inner-city decay; **zahlbar bei V.** payable at/on maturity; **in V. geraten** 🏛 to fall into dispair; **etw. dem V. preisgeben** to let sth. go to (w)rack and ruin; **fortschreitender V.** continuing decay

verfallbar *adj* forfeitable; **V.keit** *f* forfeitability

Verfall|buch *nt* 1. maturity index/tickler; 2. (bill) diary; **~ für Akzepte** acceptance diary *[GB]*, maturity tickler *[US]*; **V.datum** *nt* due/expiry/expiration/renunciation date, date of maturity

verfallen *v/i* 1. *(Termin)* to expire; 2. to become invalid; 3. § to lapse/forfeit; 4. to deteriorate/decline; 5. 🏛 to decay, to fall into disrepair; **v. auf** to hit/pitch on; *adj* 1. forfeited, overdue, lapsed; 2. 🏛 derelict, run-down, dilapidated; **für v. erklären** *(Hypothek)* to foreclose; **v. sein** to be forfeited, to lapse, to become void

verfallend *adj* § caduc(i)ary

Verfall|erklärungsverfahren *nt* *(Hypothek)* foreclosure proceedings; **V.index** *m* maturity index; **V.kartei** *f* maturity file; **V.klausel** *f* forfeiture/expiration/determination clause; **V.mitteilung** *f* lapse/forfeiture notice

Verfalls|datum *nt* 1. expiration/expiring date; 2. *(Haltbarkeit)* eat-by/use-by/best-before/sell-by *[GB]* date; **V.erklärung** *f* foreclosure, confiscation; **V.tag/V.termin** *m* expiry/due/expiration/cut-off date, expiry/due/accrual day, day/date of maturity, ~ a bill, ~ expiry, ~ expiration, ~ falling due; **mittlerer V.tag** average due date

Verfallzeit *f* *(Wechsel)* maturity, tenor, term, expiry date; **zur V.** when due; **mittlere V.** mean due date

verfälsch|en *v/t* 1. *(Nachricht)* to distort; 2. *(Banknote)* to counterfeit/falsify/forge; 3. *(Münze)* to debase; 4. *(Lebensmittel)* to adulterate; **V.er** *m* 1. forger, faker; 2. *(Banknote)* counterfeiter; **v.t** *adj* 1. forged; 2. distorted

Verfälschung *f* 1. distortion; 2. forgery, falsification, counterfeit, fake; 3. adulteration; **V. durch den Befrager** interviewer bias; **V. von Nahrungsmitteln** adulteration of food; **V. des Wettbewerbs** distortion of competition; **V.smittel** *pl* adulterant

verfangen *v/refl* to become entangled, to get caught; **(bei jdm) nicht v.** *v/i* to have no effect (on so.), not to cut any ice (with so.) *(fig)*

verfänglich *adj* tricky

verfärb|en *v/t/v/refl* to discolour; **V.ung** *f* discolouration

verfassen *v/t* to draft/compose, to draw/make up

Verfasser|(in) *m/f* author(ess), writer; **V. einer Flugschrift** pamphleteer; **V. eines Vertrages** author of an agreement/a treaty; **~ Wörterbuches** lexicographer; **ungenannter V.** anonymous author; **V.anteil** *m* royalty; **V.tantiemen** *pl* author's royalties

Verfassung *f* 1. § constitution; 2. *(Zustand)* condition, state; 3. *(Börse)* mood, tone of the market; **V. der Aktiengesellschaft** constitution of the stock corporation; **V. des Marktes** pattern of the market, market-sentiment

Verfassung ändern to amend a constitution; **feste V. aufweisen; sich in fester V. präsentieren** to make a firm showing; **unter eine V. fallen** to come within the framework of a constitution; **in glänzender/guter V. sein** *(Börse)* to be strong, to show strong form, to be in fine fettle; **in labiler V. sein** *(Börse)* to be weak; **in schlechter V. sein** *(Börse)* to be in the doldrums

allgemeine Verfassung *(Börse)* undertone; **in bester V.** 1. in perfect condition; 2. ⚕ in perfect health, as fit as a fiddle *(coll)*; **bundesstaatliche V.** federal constitution; **feste V.** *(Börse)* firm showing; **finanzielle V.** financial state; **geistige V.** frame of mind; **geistig-seelische V.** morale; **geschriebene V.** written constitution; **gute V.** *(Börse)* bullish mood; **in guter V.** in (a) good state, in good order and condition, ~ shape/nick *(coll)*/trim *(coll)*, in fine fettle *(coll)*; **in kläglicher V.** in a sorry state; **körperliche V.** physical constitution/shape; **gute ~ V.** fitness; **nervöse V.** feverish state; **in**

schlechter V. in a poor state; **schwache V.** *(Börse)* bearish mood; **technische V.** *(Börse)* technical pattern; **uneinheitliche V.** *(Börse)* volatile trading; **ungeschriebene V.** unwritten constitution
verfassunggebend *adj* constituent
Verfassungs|änderung *f* constitutional amendment; **V.anhang** *m* schedule; **V.ausschuss** *m* constitutional committee; **V.beschwerde** *f* 1. constitutional complaint; 2. complaint of unconstitutionality, appeal on a constitutional issue; **V.bestimmung** *f* constitutional provision; **V.bruch** *m* breach of constitution; **V.entwurf** *m* draft constitution; **v.feindlich** *adj* anticonstitutional; **V.garantie** *f* constitutional guarantee; **v.gebend** *adj* constituent; **v.gemäß** *adj* constitutional, in accordance with the constitution; **V.gemäßheit** *f* constitutionality; **V.gericht(shof)** *nt/m* constitutional court, Supreme Court *[US]*; **V.gerichtsbarkeit** *f* jurisdiction on constitutional questions; **V.geschichte** *f* constitutional history; **V.gesetz** *nt* constitutional law; **V.-grundsatz** *m* constitutional principle; **V.klage** *f* constitutional court action; **V.konflikt** *m* constitutional conflict; **v.konform** *adj* in accordance with the constitution; **V.krise** *f* constitutional crisis; **v.mäßig** *adj* constitutional; **V.mäßigkeit** *f* constitutionality; **V.organ** *nt* constitutional entity; **V.recht** *nt* constitutional law; **v.rechtlich** *adj* constitutional; **V.reform** *f* constitutional reform; **V.richter** *m* constitutional court judge, justice *[US]*; **V.schutz** *m* intelligence services; **V.streit** *m* constitutional conflict; **v.treu** *adj* loyal to the constitution; **V.treue** *f* loyalty to the constitution; **V.urkunde** *f* constitutional charter; **V.verletzung** *f* infringement of the constitution; **V.verrat** *m* treason against the constitution; **V.vorschrift** *f* constitutional provision; **v.widrig** *adj* anticonstitutional, unconstitutional; **V.widrigkeit** *f* unconstitutionality, contravention of the constitution; **V.wirklichkeit** *f* constitutional reality; **V.zusatz** *m* constitutional amendment
verfaul|en *v/i* to decompose/putrefy/rot/decay; **v.t** *adj* decomposed, putrid, putrefied, rotten, decayed
verfecht|bar *adj* defensible, maintainable; **v.en** *v/t* to maintain/advocate/contend
Verfechter(in) *m/f* advocate, champion, partisan, proponent, upholder; **V. des Freihandels** free/liberal trader; **V. einer harten Linie** hardliner, hawk; **~ weichen Linie** dove; **V. der freien Marktwirtschaft** free marketer; **~ Metallwährung** metallist
verfehl|en *v/t* to miss/fail; **v.t** *adj* inappropriate, abortive, amiss
Verfehlung *f* 1. misconduct, misdemeanour, offence; 2. failure; 3. § vice; **V. des Allokationsoptimums** inefficient allocation of resources; **V. im Amt** malfeasance (in office); **schwere V.** gross misconduct; **sittliche V.** immoral conduct
verfeind|en *v/t* to estrange; **v.et** *adj* at daggers drawn *(fig)*
verfeiner|n *v/t* to refine/improve/elaborate/polish; **v.t** *adj* refined, sophisticated; **V.ung** *f* refinement, refining, improvement, elaboration, sophistication
verfertig|en *v/t* to manufacture/fabricate/produce; **V.er** *m* fabricator, manufacturer, producer

ver|festigen *v/refl* to solidify/harden/strengthen; **v.feuern** *v/t* to burn; **v.filmen** *v/t* to film
Verfilmung *f* 1. filming; 2. screening, film version; **V. eines Werkes** cinematographic adaptation of a work; **V.srechte** *pl* screen/film rights
verflach|en *v/i/v/refl* to level out/off, to peter out, to slacken/flatten; **V.ung** *f (Handel, Konjunktur)* slackening, weakening, flattening
verflechten *v/t* to integrate/amalgamate/(inter)link
Verflechtung *f* integration, amalgamation, (inter)linkage, (inter)linking, mutual dependence, interlocking, interconnection, interdependence, interpenetration
Verflechtung von Interessen interlocking interests; **V. internationaler Märkte** integration of international markets; **V. mit nachgelagerten Sektoren/Wirtschaftszweigen** forward linkage; **~ vorgelagerten Sektoren/Wirtschaftszweigen** backward linkage; **V. von Unternehmen** integration, interrelationship; **~ Volkswirtschaften** interpenetration of national economies; **V. der Weltmärkte** integration of world markets, globalization
absatzmäßige Verflechtung forward linkage; **außenwirtschaftliche V.en** foreign trade links, interdependence of foreign trade; **beschaffungsmäßige V.** backward linkage; **binnenwirtschaftliche V.** domestic economic interrelations; **enge V.** tight interlocking; **finanzielle V.** financial links/interpenetration; **internationale V.en** international integration/interrelations; **investive V.** cross investment; **kapitalmäßige V.** cross/interlocking holdings, capital tie-up; **vertikale V.** vertical integration; **weltwirtschaftliche V.** world-wide economic interdependence; **wirtschaftliche V.(en)** economic integration/linkages
Verflechtungs|bilanz *f* interlocking/interlacing balance; **V.koeffizient** *m* input-output coefficient; **volkswirtschaftliche V.matrix** input-output table
verflochten *adj* 1. integrated, interlacing, interlinked, interlocked, concentrated, merged; 2. entangled; **eng v.** integrated; **miteinander v.** intertwined
ver|flossen *adj* past; **v.fluchen** *v/t* to curse/damn; **v.flüchtigen** *v/refl* 1. to evaporate; 2. to disappear, to vanish into thin air; **v.flüssigen** *v/t* 1. *(Kapital)* to liquidate/sell/realize; 2. ⚗ to liquefy
Verflüssigung *f* 1. *(Kapital)* liquidation, realization, mobilization, improvement of liquidity, sale; 2. ⚗ liquefaction; **V. des Geldmarktes** increasing liquidity; **V. von Vermögenswerten** liquidation
Verflüssigungs|faktor *m* liquidity-increasing factor; **V.periode** *f* period of growing liquidity; **V.politik** *f* liquidity-promoting policy; **saisonale V.tendenz** seasonal tendency to greater liquidity; **V.welle** *f* surge of liquidity; **V.wirkung** *f* liquidity-producing effect
im Verfolg von *m* in pursuance of
verfolgbar *adj* 1. § actionable; 2. *(Strafrecht)* triable; **gerichtlich v.** actionable, cognizable; **strafrechtlich v.** indictable, triable
verfolgen *v/t* 1. to pursue/follow; 2. *(Logistik)* to track/trace; 3. § to prosecute; 4. *(Minderheit)* to persecute; **von Anfang bis Ende v.** to follow through;

beharrlich v. to dog; **genau v.** to keep under review; **gerichtlich/strafrechtlich v.** § to prosecute; **steckbrieflich v.** to circulate a wanted poster

Verfolger(in) *m/f* pursuer, follower

verfolgt werden von *adj* to be dogged by; **steckbrieflich v. werden** to be wanted by the police; **V.e(r)** *f/m* the person sought

Verfolgung *f* 1. pursuit, pursuance; 2. *(Logistik)* tracking, tracing; 3. § prosecution; 4. *(Minderheit)* persecution; **ohne V. eines Erwerbszwecks** on a non-profit-making basis; **strafrechtliche V. auf Strafantrag** § private prosecution; **V. Unschuldiger** prosecution of innocent persons; **V. von Zuwiderhandlungen** prosecution for contraventions; **sich strafrechtlicher V. aussetzen** to render o.s. liable to prosecution; **sich der gerichtlichen V. entziehen** to evade justice; **außer V. setzen** § to discharge; **strafrechtliche V. veranlassen** to authorize prosecution; **disziplinarische V.** disciplinary proceedings; **gerichtliche V.** legal proceedings; **strafgerichtliche V.** criminal prosecution

Verfolgungs|jagd *f* chase, hot pursuit; **V.recht** *nt* § right of stoppage in transitu *(lat.)*; **V.verjährung** *f* limitation of prosecution; **V.zwang** *m* compulsory prosecution of criminal offences

verform|en *v/t* to deform; **V.ung** *f* deformation

verfrachten *v/t* 1. to (af)freight/consign/ship, to send as freight; 2. ⚓ to hire out on charter

Verfrachter *m* consignor, consigner, shipper, carrier, shipowner; **V. und Befrachter** owner and charterer; **gewerbsmäßiger V.** common carrier

Verfrachtung *f* shipping, consignment, carriage of goods, freighting, freightage; **V. nachweisen** to evidence shipment; **V.svertrag** *m* contract of carriage/affreightment, charter party

ver|fressen *adj* gluttonous; **v.früht** *adj* premature, untimely, early days

verfügbar *adj* 1. available, ready, disposable, forthcoming, at (so.'s) disposal; 2. *(Geld)* on call; **aktuell v.** currently available; **frei v.** discretionary, uncommitted, disposable, free and clear; **jederzeit/sofort v.** readily available; **kurzfristig v.** 1. available at short notice; 2. *(Geld)* on short call; **nicht v.** unavailable; **v. sein** to be on hand

Verfügbarkeit *f* availability; **V. von Arbeitskräften** labour availability; **~ Betriebsmitteln** working capital availability; **~ Land** land availability; **V. der Mittel** availability of appropriations; **V. von Reserven** resource availability; **sofortige V.** 1. ready availability; 2. *(Geldanlage)* instant liquidity; **V.sklausel** *f* availability clause; **V.skontrolle** *f* availability control

verfügen *v/t* to order/rule/decree/direct/instruct/impose/ordain; **v. über** 1. to dispose of, to have/use, to be in possession of, to have available, ~ at one's command, ~ at the disposal; 2. *(Konto)* to operate; **gesetzlich v.** to enact/decree; **letztwillig/testamentarisch v.** to devise/bequeath, to dispose by will, to make a will, to direct by last will and testament; **nicht v. über** to lack; **im Voraus v.** to predispose

gerichtlich/richterlich verfügt *adj* judge-enforced

Verfügung *f* 1. § decree, order, ruling, injunction, ordinance, statutory instrument, provision; 2. disposal, disposition, decision, direction; **laut V.** as decreed; **zu jds V.** at so.'s disposal/disposition

Verfügung einer behördlichen Aufsicht § supervision order; **V. des Gerichts** § adjudication order; **V.en von hoher Hand** § acts of authorities, restraints of princes; **gerichtliche V. an untere Instanz** § writ/order of mandamus *(lat.)*; **V. über ein Konto** drawing on an account; **V. unter Lebenden** § disposition inter vivos *(lat.)*; **V. eines Nichtberechtigten** disposition by a non-entitled party; **V. über Sachwerte** disposition of property; **V. von Todes wegen** § disposition in view of death, ~ mortis causa *(lat.)*; **V. auf Unterlassung** § prohibitory injunction; **gerichtliche V. zur Vornahme oder Unterlassung einer Handlung** § mandamus *(lat.)*

zur Verfügung stehend available

durch gerichtliche Verfügung anordnen to enjoin; **V. aufheben** to lift an injunction; **einstweilige V. aufheben** to reverse an injunction; **(einstweilige) V. beantragen** to petition for an order, to seek an injunction, to take out a writ; **V. befolgen** to comply with an (interim) order; **V. durchführen** to execute a writ; **(einstweilige) V. erlassen** to grant an injunction, to make/grant an order; **V. auf Antrag erlassen** to make an order on a petition; **gerichtliche V. erlassen** to issue a writ, to make an order; **(einstweilige) V. (gegen jdn) erwirken** to take out a writ against so., to obtain an injunction; **zur V. haben** to have at one's disposal; **etw. zur alleinigen V. haben** to have exclusive use of sth.; **zur V. halten für jdn** to hold at so.'s disposal; **sich ~ halten** to be ready; **V. herausgeben** to issue a writ; **auf V. klagen** to seek an injunction; **zur V. stehen** to be available, ~ of service; **jdm ~ stehen** to be at so.'s disposal/command; **~ stellen** to provide/allocate, to make available; **sich ~ stellen** to volunteer; **jdm etw. ~ stellen** to place sth. at so.'s disposal, to make sth. available; **V. treffen** to issue an order, to decree; **durch richterliche V. verbieten** to enjoin (so.) to refrain from doing sth.; **(gerichtliche) V. zustellen** to serve a writ/an injunction/an order (on)

amtliche/behördliche Verfügung decree; **eherechtliche V.** matrimonial order *[GB]*; **einseitige V.** ex parte *(lat.)* injunction; **einstweilige V.** interim court remedy, (preliminary/interlocutory) injunction, interim/provisional order; **auf Unterlassen/Unterlassung gerichtete ~ V.** restraining/cease-and-desist order; **globale ~ V.** blanket injunction; **endgültige V.** final order; **freie V.** free disposal; **zu jds freien V.** at so.'s free disposal; **gerichtliche V.** (court) injunction, writ, court/judicial/adjudication order, court ruling; **auf Grund gerichtlicher V.** by order of the court; **berufungsunfähige gerichtliche V.** non-appealable court order; **vollzogene ~ V.** executed writ; **gesetzliche V.** ordinance, decree, statutory instrument, enactment; **letztwillige V.** 1. (last) will, testament, testation, testamentary disposition; 2. *(Grundeigentum)* devise; **im Wege letztwilliger V.** by will; **nachträgliche V.** amending instruction; **polizeiliche V.** police ordinance; **rechtsgeschäftliche V.** voluntary disposition; **richterliche V.** (court) ruling, court order, injunction, estoppel, judicial writ; **befristete ~ V.** temporary injunction; **schriftliche V.** order in writing; **testamentarische V.** (last) will, testament, bequest, testamentary disposition; **verfahrenseinleitende V.** originating process; **zwingend vorgeschriebene V.** mandatory provision; **vorläufige V.** provisional injunction; **wechselseitige V.en** reciprocal dispositions

Verfügungs|alter *nt* vesting age, age of discretion; **V.befugnis** *f* power of disposition/disposal; **v.berechtigt** *adj* authorized to dispose; **V.berechtigte(r)** *f/m* person/party entitled to dispose; **V.berechtigung** *f* 1. power of disposition, right of disposal; 2. *(Konto)* drawing authorization, right to operate an account, authorization/power to draw; **V.beschränkung** *f* restraint, restriction on disposal; **V.betrag** *m (Konto)* payout amount; **V.einkommen** *nt* disposable amount, discretionary/net income; **V.fähigkeit** *f* power of disposal, capacity to dispose; **V.faktor** *m* availability (factor); **V.freiheit** *f* discretion; **V.geschäft** *nt* disposition

Verfügungsgewalt *f* 1. power of disposal/control, disposition, discretion; 2. *(Konto)* right to withdraw; **freie V.** discretionary power of disposition; **unbeschränkte V.** full and absolute control

Verfügungs|klausel *f* disposition clause; **V.limit** *nt* ceiling, limitation of disposition; **V.macht** *f* power of disposal/control, authority to dispose; **absolute V.macht** outright disposition; **V.papier** *nt* document of title

Verfügungsrecht *nt* 1. right of disposal/disposition, title; 2. *(Konto)* drawing right; **V. über etw. haben** to be entitled to dispose of sth.; **alleiniges V.** sole right of disposition

Verfügungs|sperre *f* 1. § restraining order; 2. *(Konto)* blocking; **V.verbot** *nt* restraining/garnishee order, restraint on disposition; **V.verfahren** *nt* § injunction procedure; **V.verhältnisse** *pl* signing powers; **V.vorbehalt** *m* reservation of right of disposal

verführen *v/t* 1. to tempt; 2. to seduce/mislead

Verführer *m* seducer; **geheimer V.** *(Werbung)* hidden persuader; **V.in** *f* seductress; **v.isch** *adj* 1. tempting, tantalizing; 2. seductive

Verführung *f* 1. temptation; 2. seduction; **V. einer/eines Minderjährigen** seduction of a minor

verfüll|en *v/t* 1. to fill in; 2. ⚓ to stow; **V.ung** *f* 1. filling; 2. ⚓ stowing

verfünffach|en *v/t/v/refl* to increase fivefold, to quintuple/quintuplicate; **V.ung** *f* fivefold increase, quintupling, quintuplication

verfüttern *v/t* to use as fodder, to feed

Vergabe *f* 1. *(Auftrag)* award (of a contract), contract award/letting, letting of contract, placing; 2. extension of credit; 3. *(Lizenz)* issuance; 4. *(Arbeit)* allocation; **V. von Mitteln** allocation of funds; **~ Staatsaufträgen** government contracting; **~ Streckenlizenzen** route licensing; **V. im Submissionswege** allocation by tender; **V. von Unteraufträgen** subcommissioning; **freihändige V.** competitive bidding/tendering

Vergabe|ausschuss *m* committee of awards; **V.bedingungen** *pl* award conditions; **V.frist** *f* period for order placing; **V.praxis** *f* order placing, awarding of contracts; **v.reif** *adj* ready for contract award; **V.stelle** *f* contract-awarding authority; **V.verfahren** *nt* competitive tendering/bidding, contract awarding procedure; **V.richtlinien/V.verordnungen/V.vorschriften** *pl* contract award regulations; **V.volumen** *nt* awards total; **öffentliches V.wesen** public procurement

vergangen *adj* past, bygone; **V.es ruhen lassen** *nt* to let bygones be bygones

Vergangenheit *f* 1. past, history; 2. *(Person)* record; **der V. angehören** to be a thing of the past: **berufliche V.** job record; **einwandfreie V.** clean record; **kriminelle V.** police/criminal record

vergänglich *adj* transitory, fleeting, passing

vergas|en *v/t* 1. to gas; 2. *(Kohle)* to gasify; **V.er** *m* 🚗 carburettor; **V.ung** *f* gasification

vergeben *v/t* 1. *(Auftrag)* to place/award/allot; 2. *(Stelle)* to allocate; 3. *(Arbeit)* to assign; 4. to forgive/pardon/condone; **nach außerhalb v.** *(Auftrag)* to award outside, to farm out, to outsource; **einseitig v.** *(Geldmittel)* to tilt *[US]*; **noch nicht v.** *adj (Stelle)* still vacant

vergebens; vergeblich *adv/adj* abortive, (in) vain, futile, useless, of no avail, to no purpose

Vergebung *f* 1. *(Auftrag)* award; 2. pardon

vergegenwärtigen *v/refl* to realize/visualize

Vergehen *nt* § tort, offence, irregularity, misdemeanour, delinquency, misprision; **V. im Amt** misdemeanour in office, malfeasance; **V. gegen die öffentliche Ordnung** public order offence; **~ das Staatsgesetz** violation of state law

mit Geldstrafe bedrohtes Vergehen § fin(e)able offence; **mit Freiheitsentzug bestraftes V.** arrestable offence; **geringes/geringfügiges/leichtes V.** minor offence, petty misdemeanour *[US]*/crime; **politisches V.** political offence; **qualifiziertes V.** aggravated offence; **schweres/strafbares V.** indictable offence; **strafrechtliches V.** criminal offence; **vorsätzliches V.** wilful offence

ver|gehen *v/i (Zeit)* to elapse/pass; *v/refl* to commit an offence; **v.gelten** *v/t* to reward/reciprocate/repay

Vergeltung *f* 1. retaliation, retribution, reprisal; 2. *(Belohnung)* reward; **V. üben** to retaliate

Vergeltungs|- retaliatory; **V.aktion** *f* reprisal (action)

Vergeltungsmaßnahme *f* reprisal, retaliatory action/measure, punitive action, retaliation; **als V.** in reprisal/retaliation; **V.n ergreifen gegen** to make reprisals upon, to retaliate against, to take retaliatory action against; **~ hinnehmen** to suffer retaliation; **wirtschaftliche V.** economic reprisal

Vergeltungs|prinzip *nt* § principle of retaliation; **V.zoll** *m* retaliatory tariff/duty

vergesellschaft|en *v/t* to nationalize/socialize *[US]*/commun(al)ize/municipalize, to take into public ownership; **V.ung** *f* nationalization, socialization *[US]*, conversion into a publicly owned company, *(Kommunalisierung)* municipalization, taking into public ownership

vergessen *v/t* to forget; **nicht v.** to bear in mind; *adj* forgotten; **V.heit** *f* oblivion; **in ~ geraten** to fall into oblivion

vergeud|en *v/t* to squander/waste, to fritter away; **v.erisch** *adj* wasteful; **V.ung** *f* squandering, wastage, waste, dissipation

vergewaltig|en *v/t* to rape; **V.er** *m* rapist; **V.ung** *f* rape; **~ nach Einladung** date rape

ver|gewissern *v/refl* to satisfy o.s., to make sure/certain; **v.giften** *v/t* to poison/contaminate/gas; **V.gifter** *m* poisoner

Vergiftung *f* poisoning, contamination; **V.serscheinung** *f* symptom of poisoning; **V.sunfall** *m* accidental poisoning

verglas|en *v/t* to glaze; **voll v.t** *adj* 🏛 glass-clad; **V.ung** *f* glazing

Vergleich *m* 1. comparison, parallel; 2. [§] composition, scheme of arrangement, compromise, (amicable) settlement, settlement package, accord; **im V. zu** compared with, as against, relative to; **V. zur Abwendung des Konkurses** composition/arrangement with creditors; **außergerichtlicher V. mit Gläubigern** composition by deed of arrangement; **V. auf Grund gerichtlicher Verfügung** consent order

Vergleich abschließen to compound, to effect a composition, to make an arrangement; **V. mit Gläubigern abschließen** to come to terms with one's creditors, to compound with one's creditors; **im V. günstig abschneiden mit** to compare favourably with; **~ schlecht abschneiden** to contrast unfavourably; **V. anmelden** to petition for institution of composition proceedings; **V. annehmen** to agree to a settlement; **V.e anstellen** to compare, to draw comparisons, to make a comparison; **V. aufheben** [§] to set aside a composition; **V. aushalten** to stand/bear comparison; **sich im V. ausnehmen** to compare; **V. beantragen** [§] to propose a settlement, to seek court protection from creditors; **V. bestätigen** [§] to confirm a settlement; **V. durchführen** [§] to satisfy an accord; **V. eingehen; zu einem V. gelangen/kommen** [§] to come to/reach a settlement, to compound/settle; **durch V. erledigen** to settle by arrangement; **V. erschweren** to obscure comparison; **durch V. regeln** to settle by composition, to compound; **V. schließen** to settle/compromise/compound, to arrange o. s. with, to reach a settlement

mit den Konkursgläubigern abgeschlossener Vergleich composition in bankruptcy; **außerbetrieblicher V.** interplant comparison; **außergerichtlicher V.** out-of-court/amicable/voluntary settlement; **freiwilliger V.** voluntary arrangement; **gerichtlicher V.** court composition/settlement, settlement by court, composition/arrangement after receiving order; **gütlicher V.** [§] amicable settlement, private arrangement; **innerbetrieblicher V.** intra-firm comparison; **im internationalen V.** by international standards; **reiner V.** bald comparison; **schiedsgerichtlicher V.** settlement by arbitration; **schiefer V.** false analogy; **schriftlicher V.** [§] composition deed; **umfassender V.** [§] comprehensive settlement; **zwischenbetrieblicher V.** comparative external analysis, interfirm/interplant comparison

vergleichbar *adj* comparable, matchable, like-for-like; **bedingt v.** comparable only in part; **nicht v.** incomparable

Vergleichbarkeit *f* comparability; **V. der Einkommen/Gehälter/Löhne** pay comparability

vergleiche confer (cf.)

vergleichen *v/t* to compare/check/match/collate/liken; *v/refl* [§] to settle/compound, to reach a compromise, to effect/make a composition; **v. mit** to check against; *v/refl* to come to an arrangement, to compound, to come to/make terms, to split the difference; **sich v. lassen** to compare; **sich mit jdm v.** to (get) square with so.; **sich außergerichtlich v.** to make an out-of-court settlement, to settle a matter out of court; **sich gütlich v.** to make an amicable settlement; **postenweise v.** *(Bilanz)* to reconcile items

vergleichend *adj* 1. comparative; 2. fiducial

Vergleichs|- comparative; **V.abkommen** *nt* [§] composition (deed); **V.abschlüsse** *pl* comparative statements; **V.angebot** *nt* settlement offer, offer of composition; **V.anmeldung** *f* declaration of insolvency; **V.antrag** *m* [§] petition for composition, application for court protection from creditors; **~ stellen** to file a petition for composition; **V.arbeitsplatz** *m* benchmark job; **V.ausschuss** *m* reconciliation committee; **V.basis** *f* basis of composition, base line; **V.bedingungen** *pl* [§] terms of composition/settlement; **V.bestätigung** *f* court recognition of composition proceedings; **V.betrachtung** *f* comparison; **V.bilanz** *f* comparative balance sheet; statement of affairs; **V.daten** *pl* comparative data; **V.eröffnung** *f* [§] institution/opening of composition proceedings; **V.feld** *nt* match(ing) field; **V.forderung** *f* liquidated demand; **V.formel** *f* compromise formula; **V.gericht** *nt* court for composition proceedings; **V.gewinn** *m* composition gains; **V.gläubiger(in)** *m/f* creditor in a settlement, ~ composition proceedings; **V.größe** *f* benchmark; **V.grundlage** *f* basis of comparison; **V.gruppe** *f* ▦ control group; **V.jahr** *nt* ▦ reference/basis year; **V.kalkulation** *f* comparative costing; **V.konto** *nt* arrangement *[GB]*/reorganisation *[US]* account; **V.lauf** *m* 🖳 benchmark run; **V.liste** *f* check list; **V.lösung** *f* [§] settlement arrangement; **V.maßstab** *m* standard of comparison, yardstick, benchmark; **V.masse** *f* assets in composition proceedings; **V.miete** *f* equivalent/comparative/reference rent; **V.monat** *m* reference month; **~ im Vorjahr** the same month a year ago; **V.muster** *nt* reference sample; **V.niveau** *nt* reference level; **V.ordnung** *f* court composition act, insolvency law(s), composition code; **V.- und Schiedsgerichtsordnung** *(Handelskammer)* rules of conciliation and arbitration; **V.periode** *f* ▦ reference/comparative/basic period; **V.probe** *f* matching sample; **V.quote** *f* [§] composition/liquidation dividend, instalment of composition; **V.rechnung** *f* comparative cost accounting; **V.regelung** *f* [§] composition (settlement), scheme of arrangement; **V.sache** *f* matter of arrangement; **V.schablone** *f* ▦ reference model; **V.schuldner** *m* compounding debtor, debtor in composition proceedings; **V.status** *m* statement of affairs; **V.stichprobe** *f* matching sample; **V.summe** *f* composition quota/dividend, comparative amount/sum; **V.tarif** *m* comparative rate; **V.termin** *m* 1. settlement day; 2. *(Konkurs)* hearing date; **V.test** *m* comparison test; **V.urkunde** *f* deed of arrangement, composition deed, letter of licence; **V.vereinbarung** *f* deed of arrangement, composition

Vergleichsverfahren *nt* § deed/scheme of arrangement, insolvency/composition/settlement/rehabilitation proceedings, composition/conciliation procedure, method of comparison; **V.- und Schiedsverfahren** insolvency/composition/reorganization *[US]* proceedings; **außergerichtliches V.** settlement out of court; **gerichtliches V.** judicial court-supervised composition proceedings, ~ debt settlement

Vergleichs|vertrag *m* deed of arrangement, letter of licence, composition agreement/deed; **V.verwalter** *m* trustee under a deed of arrangement, administrator/trustee (in composition proceedings), estate manager, trustee, reorganization trustee *[US]*; **~ mit Geschäftsführerfunktion** receiver-manager; **V.vorschlag** *m* 1. compromise proposal; 2. scheme of arrangement, offer of a settlement; **~ zur Abwendung des Konkurses** proposal in composition proceedings; **auf dem V.wege** *m* by reaching a settlement; **v.weise** *adj* comparative; **V.wert** *m* benchmark, comparative value/figure, base/liquidation value; **V.werte des Vorjahres** figures for the previous year; **V.zahl** *f* comparable/comparative/benchmark figure; **V.zahlen des Vorjahres** last year's figures; **V.zeitraum** *m* reference/comparable/corresponding/base/given/equivalant/the like period; **V.ziffern** *pl* comparative figures

Vergleichung *f* collation; **V.stag** *m (Börse)* settlement day

verglichen mit compared with, as against

Vergnügen *nt* pleasure, amusement; **zum V.** for the fun of it; **kein reines V.** not all beer and skittles *(coll) [GB]*; **V. bereiten** to afford pleasure; **teures V. sein** *(coll)* to cost a pretty penny *(coll)*

vergnüg|en *v/refl* to amuse o.s.; **v.lich** *adj* entertaining; **v.t** *adj* jolly, merry

Vergnügung *f* entertainment, amusement

Vergnügungs|aktien *pl* entertainment issues/shares *[GB]*/stocks *[GB]*; **V.ausflug** *m* pleasure trip, jaunt; **V.betrieb** *m* amusement business; **V.branche** *f* entertainment industry; **V.dampfer** *m* pleasure boat; **V.-fahrt** *f* 1. ⚓ pleasure cruise; 2. 🚗 joy ride; **V.gelände/V.park** *nt/m* amusement park, pleasure ground; **V.industrie** *f* show business, amusement/entertainment industry; **V.lokal** *nt* pleasure house; **V.park mit thematischem Schwerpunkt** *m* theme park; **V.reise** *f* pleasure trip; **V.reisen** pleasure travel; **kleine V.reise** jaunt; **V.stätte** *f* place of entertainment; **V.steuer** *f* entertainment/amusement/cabaret/admission tax; **v.süchtig** *adj* pleasure-seeking; **V.titel/V.werte** *pl (Börse)* entertainment issues/shares *[GB]*/stocks *[ ]GB*

vergold|en *v/t* to gold-plate/(over)gild; **v.et** *adj* gilded, gilt, gold-plated; **V.ung** *f* gold-plating

ver|graben *v/t* to bury; **v.graulen** *v/t* to put/scare off; **v.greifen** *v/refl* to mispick; **sich an etw. v.greifen** to tamper with sth.; **v.griffen** *adj* out of print/stock, sold out; **v.gröbern** *v/t* to coarsen/roughen

vergrößer|n *v/t* 1. to increase; 2. to enlarge/magnify; 3. to extend; 4. to augment/heighten; 5. to expand; *v/refl* 1. to increase; 2. to branch out, to expand; **maßstabgerecht v.n** to scale up; **v.t** *adj* increased, enlarged, expanded

Vergrößerung *f* 1. increase, extension, expansion, enlargement, gain, magnification; 2. *(Foto)* enlargement, blow-up; **V. des Tätigkeitsbereiches** job enlargement; **V.sglas** *nt* magnifying/reading glass, magnifier

Vergünstigung *f* 1. concession, privilege, benefit, favour, perquisite; 2. relief, allowance; 3. *(Preis)* reduction, special rate; **V.en** 1. facilities, preferential treatment; 2. perks *(coll)*; **~ für Mitarbeiter** employee benefits; **~ Verbraucher** consumer benefits; **~ mitnehmen** to jump on the bandwaggon *(fig.)*; **~ streichen** to claw back benefits; **betriebliche V.en** fringe benefits; **dingliche V.** benefit in kind; **steuerliche V.** tax privilege/concession/benefit; **V.starif** *m* preferential tariff

vergüten *v/t* 1. to compensate/reimburse/indemnify/refund, to make up; 2. to remunerate/pay/reward/recompense/allow; **voll v.** to allow in full

vergütet *adj* remunerated, paid for, stipendiary

Vergütung *f* 1. compensation, reimbursement, indemnity, indemnification, refund; 2. pay(ment), remuneration (package), emoluments, reward/salary/pay package, reward, consideration, allowance, perquisites, return; 3. commission, fee; 4. discount; 5. ⊖ drawback; **gegen V.** for a consideration, for payment, remunerated

Vergütung für leitende Angestellte executive allowance; **~ unverschuldete(n) Arbeitsausfall/Ausfallzeiten** delay allowance; **sämtliche V.en an Arbeitnehmer neben Lohn und Gehalt** fringe benefits; **V. für Bruchwaren** breakage (allowance); **als ~ Ihre Dienste** as payment for your services; **V. im öffentlichen Dienst** public sector pay; **V. für den Firmenwert** goodwill allowance; **V. an Gesellschafter** salaries to owner; **V. für Leergut** refund for empties; **~ Schwund (durch Ausströmen)** leakage; **V. von Spesen** reimbursement of expenses; **V. nach Tarif** payment in line with the collective pay agreement; **V. für Teilleistung** 1. compensation for part performance; 2. § quantum meruit *(lat.)*; **V. von Überstunden** overtime pay, payment of overtime; **V. mit Wahl des Verhältnisses von Grundgehalt und Nebenleistungen** cafeteria system; **V. nach Zeit oder Leistung** dual pay system; **V. von Zöllen** refund of duties, customs drawback

Teil der Vergütung sein to come/go with the job

angemessene Vergütung 1. fair and reasonable compensation; 2. § quantum meruit *(lat.)*; **erfolgsabhängige V.** performance-related earnings, profit-related pay (PRP); **erfolgsbezogene V.** performance-related pay; **feste V.** fixed remuneration; **als Entgelt gezahlte V.** payment made instead of remuneration; **immaterielle V.** reward value; **leistungsbezogene V.** performance pay; **leistungsgerechte V.** payment by results;

tägliche V. per diem *(lat.)* allowance; **tarifliche V.** agreed/standard pay; **übertarifliche V.** pay above the general scale; **wiederkehrende V.en** periodic payments; **zusätzliche V.** supplementary allowance

Vergütungs|anspruch *m* right to/claim for compensation; **V.ausschuss** *m* compensation committee; **V.bestandteil sein** *m* to come/go with the job; **V.betrag** *m* amount of consideration; **V.gruppe** *f* (pay) grade; **V.klausel** *f* charging clause; **V.komponente** *f* pay component; **V.modell** *nt* compensation system; **V.paket** *nt* wage/pay package; **V.satz** *m* rate of remuneration/compensation; **V.system** *nt* compensation/remuneration system; **V.tabelle** *f* scale of remuneration; **V.tarif** *m* rate of remuneration

verhaften *v/t* to arrest/imprison/apprehend, to take into custody, to nab *(coll)*; **erneut v.** to rearrest; **vorübergehend v.** to remand

verhaftet *adj* arrested; **einer Sache v. sein** to be (closely) attached to sth.; **V.e(r)** *f/m* detainee

Verhaftung *f* arrest, apprehension, committal, commitment; **V. auf frischer Tat** immediate arrest; **V. ohne Haftbefehl** arrest without a warrant; **V., während man gegen Kaution frei ist** § committal on bail; **erneute V.** rearrest

Verhalten *nt* behavio(u)r, conduct, attitude, demeanour, reaction; **standeswidriges V. eines Anwalts** legal malpractice; **V. auf dem Markt** behaviour/conduct in/on the market; **friedliches V. der Streikposten** peaceful picketing; **gesetzwidriges ~ Streikposten** unlawful picketing

aalglattes Verhalten oiliness; **(aufeinander) abgestimmtes V.** concerted action: **aufrührerisches V.** § riotous behaviour; **außerdienstliches V.** behaviour outside one's official functions; **beleidigendes V.** § insulting behaviour; **berufswidriges V.** professional misconduct; **berufswürdiges V.** professional conduct; **betrügerisches V.** fraudulent way of acting; **dienstliches V.** behaviour in office; **drohendes V.** threatening behaviour; **ehrloses V.** § infamous behaviour; **fahrlässiges V.** negligence; **generatives V.** reproductive behaviour; **gesetzwidriges V.** illegal conduct; **gewerkschaftsfeindliches V.** anti-union behaviour; **gleichförmiges V.** level/parallel behaviour; **konkludentes V.** implied consent; **korrektes V.** correct conduct; **korruptes V.** malversation; **kurzsichtiges V.** short-termism *(coll)*; **marktgerechtes V.** behaviour in line with market practices; **mittelbares V.** passive manifestation of will; **niederträchtiges V.** § infamous conduct; **ökonomisches V.** economic behaviour; **opportunistisches V.** temporization; **ordnungsgemäßes V.** correct conduct; **ordnungswidriges V.** impropriety; **preisaggressives V.** aggressive pricing; **preisbewusstes V.** price-conscious behaviour; **rechtswidriges V.** illegal conduct; **schlüssiges V.** passive manifestation of will; **schuldhaftes V.** culpable conduct/behaviour; **sittenwidriges V.** immoral conduct; **soziales V.** social behaviour; **standesgemäßes V.** professional/ethical conduct; **standeswidriges V.** 1. malpractice; 2. professional misconduct, unethical behaviour; **strafbares V.** criminal conduct; **unangemessenes V.** § unreasonable behaviour *[GB]*; **unbotmäßiges/ungehöriges V.** disorderly behaviour/conduct, misconduct; **unmittelbares V.** outward act; **vertragswidriges V.** acting in breach of contract; **wettbewerbsbeschränkendes/-verhinderndes V.** restrictive practices, retraint of trade, conduct inhibiting competition; **wettbewerbsfeindliches/-schädliches/-widriges V.**. anti-competitive behaviour/practices, restrictive practices; **wirtschaftliches V.** economic behaviour; **zyklisches V.** cyclicality

verhalten *v/t* to rein in; *v/refl* to act, to behave/conduct o.s.; **sich abwartend v.** to wait and see; **sich konform(istisch) v.** to fall into line, to stay in line; **sich opportunistisch v.** to temporize; **sich ordnungswidrig v.** to act improperly; **sich ruhig/still v.** to keep quiet/calm; **sich trendwidrig v.** to buck the trend *(coll)*; **sich unauffällig v.** to keep a low profile; **sich unsolidarisch v. (gegen)** to blackleg; **sich vorbildlich v.** to set an example; **sich vorschriftsmäßig v.** to go by the book

verhalten *adj* restrained, muted

Verhaltens|- behavioural; **V.flexibilität** *f* action flexibility; **V.forscher** *m* behaviourist; **V.forschung** *f* behavioural science/research; **V.gitter** *nt* managerial grid; **V.gleichung** *f* π behavioural equation; **V.hypothese** *f* behavioural assumption; **V.kodex** *m* code of conduct/practice/behaviour; **freiwilliger V.kodex** voluntary code of practice; **v.lenkend** *adj* behaviour-guiding; **V.maßregel** *f* rule of conduct; **V.merkmal** *nt* behavioural factor; **V.modell** *nt* behavioural model; **wettbewerbliche V.motivation** spirit of competition; **V.muster** *nt* conduct/behaviour pattern; **V.normen** *pl* code of conduct, behavioural norms; **völkerrechtliche V.normen** international standards; **V.psychologie** *f* behavioural psychology; **V.regel** *f* rule of conduct, directive rule, policy; **V.richtlinien** *pl* rules of conduct; **V.störung** *f* behaviour(al) disorder; **V.theorie** *f* behavioural theory

Verhaltensweise *f* behavio(u)r, habit, (course of) conduct; **(aufeinander) abgestimmte V.n** concerted practices; **moralische V.** moral conduct; **übliche V.** usual procedure; **unzulässige V.** unfair practice; **wettbewerbsbeschränkende V.** restrictive practice(s)

Verhaltenswissenschaft *f* behavioural science

Verhältnis *nt* 1. π ratio; 2. relationship, proportion, equation; 3. rapport, status, footing; 4. *(Affäre)* affair; **V.se** 1. conditions, circumstances; 2. *(Vermögen)* means; **für jds V.se** by one's standards; **im V. von** π in/at a ratio of; **~ zu** relative to, in proportion to, related to, proportionately to, by direct reference to; **nach V.** pro rata, proportionate

Verhältnis von Aktienkurs zu Gewinnzuwachs price-earnings growth (PEG); **V. des Aktienkurses zum Reingewinn** price-earnings ratio (p/e); **V. der Aktiva zu den Passiva** equity ratio; **~ flüssigen Aktiva zu den laufenden Verbindlichkeiten** working capital ratio; **~ kurzfristigen Aktiva zu den kurzfristigen Verbindlichkeiten** current ratio; **~ liquiden Aktiva zu den laufenden Verbindlichkeiten** acid test; **V. des Anlage-**

zum Umlaufvermögen fixed/current assets ratio; **V. von Arbeitern und Angestellten** labour mix; **~ Arbeitgebern und Arbeitnehmern** labour/industrial relations; **V. Auftragseingang zu Absatz** book-to-bill ratio; **V. Aufwand zu Umsatzerlös** expense ratio; **V. betriebliche Aufwendungen zu Nettoerlösen** operating cost ratio; **V. von Auslands- und Inlandsproduktbestandteilen** mixing quota; **~ Bestands- zu Stromgrößen** stock-flow ratio; **V. Dividende zu Aktienkurs** dividend-price ratio; **V. von Eigen- zu Fremdkapital** leverage, gearing; **~ Einlagen zu Kapital** deposit-capital/capital-deposit ratio; **~ Familie und Beruf** home-work interface; **~ Forderungen zu Einkäufen** ratio of accounts payable to purchases; **~ Forderungen zu Umsatz** debtors to sales ratio; **V. zwischen Fremd- und Eigenkapital** debt(-to)-equity ratio; **~ Fremd- zu Eigenmitteln** loan-to-capital ratio; **~ Geldmenge zu Geldbasis** money multiplier; **V. der Gesamtabschreibungen zu den Anschaffungskosten** depreciation reserve ratio; **V. veränderlicher Geschäftsunkosten zu Roheinnahmen** operating ratio; **V. von Gewinn zu Dividende** earnings-dividend ratio, (dividend) cover, dividend times covered; **V. einbehaltene Gewinne zu Gewinn nach Steuern** retention rate; **V. Gewinn-Umsatz** sales-profit ratio; **V. unversteuerte Gewinne zu Umsatz** earnings-to-sales ratio; **V. Gewinn vor Steuern zu Zinsen für Festverzinsliche** coverage; **V. von Kapital zu Anlagevermögen** ratio of capital to fixed assets; **~ langfristigem verzinslichen Kapital zu Eigenkapital** gearing; **~ bevorrechtigtem Kapital zu Stammaktien** gearing ratio; **~ Kapital zu Volkseinkommen** capital-income ratio; **~ Kosten und Ertrag** cost-income ratio; **V. fixe Kosten und Reingewinn zu Umsatz** earnings-value ratio; **V. zwischen Kreditvolumen und Aktiva** *(Bank)* loan-asset ratio; **~ Kunde und Lieferant** customer-client relationship; **V. von Lagerhaltung zu Umsatz** inventory-sales ratio; **~ Nettoumsatz zu Anlagevermögen ohne Abschreibungen** fixed-assets turnover; **~ Nettoumsatz zu Nettoumlaufvermögen** working capital turnover; **~ Obligationen und Vorzugsaktien zu Stammaktien** leverage; **V. Reingewinn zu Festzinsen und Dividenden** fixed-interest cover; **~ zu Nettoerlös** net profit ratio; **V. zwischen den Sozialpartnern** labour/industrial relations; **~ Staatsschuld und Volkseinkommen** debt-income ratio; **V. der Stammaktien zur Summe der Aktien und Obligationen** common stock ratio; **~ Standardlohneinzelkosten zu Istkosten** labour cost ratio; **V. zwischen den Tarifparteien/-partnern** labour/industrial relations, labour-management relations; **V. von Termin- und Spareinlagen zu Gesamteinlagen** liability composition; **V. zwischen Umlaufvermögen und kurzfristigen Schulden** current ratio; **V. des Umlaufvermögens zu den laufenden Verbindlichkeiten** quick ratio; **V. von Umsatz zu Eigenkapital und Schuldverschreibungen** investment turnover; **V. zwischen Umsatzerlösen und Betriebsgewinn** operating margin of profit ratio; **~ variablen Kosten** variable cost ratio; **V. von Verbindlichkeiten zu Sichteinlagen** deposit turnover; **V. der Vorräte zur Gesamtproduktion** stock-output ratio; **V. zwischen Vorsteuergewinn und Zinsaufwand** interest coverage

in keinem Verhältnis (zu) out of proportion (to); **~ stehend** out of all porportion, disproportionate

sich den Verhältnis|sen anpassen to adapt to circumstances; **nach dem V. berechnen** to pro-rate; **seinen V.sen entsprechen** to be within one's means; **~ entsprechend leben** to live within one's means/income; **in ärmlichen V.sen leben** to live in poverty; **in beengten V.sen leben** to live in cramped conditions; **in dürftigen V.sen leben** to be close to the poverty line; **in gespannten V.sen leben** to live at daggers drawn *(fig)*; **in guten V.sen leben** to be well off, to live in easy circumstances, ~ at ease; **in jämmer-/kümmerlichen V.sen leben** to live in misery and want; **in ordentlichen V.sen leben** to live in decent conditions; **über seine V.se leben** to live beyond one's means/income; **seine V.se ordnen** to settle one's affairs, to arrange o.s.; **aus kleinen V.sen stammen** to have a humble background; **in keinem V. stehen** to bear no relation to; **geänderten V.sen Rechnung tragen** to face up to altered circumstances

anarchische Verhältnis|se free-for-all; **ärmliche V.se** indigent circumstances; **außereheliches V.** extramarital relations; **beschränkte V.se** narrow circumstances; **unter den bestehenden V.sen** as things stand; **ehebrecherisches V.** adulterous relationship; **eheliches V.** conjugal relations; **finanzielle V.se** financial circumstances/situation; **in freundschaftlichem V.** on friendly terms, on a friendly footing; **in gesicherten V.sen** in easy circumstances; **gespanntes V.** strained relations/relationship; **gesundes V.** healthy relationship; **im gleichen V.** in equal proportions; **in guten V.sen** well circumstanced; **gutnachbarliches V.** good neighbo(u)rliness; **häusliche V.se** domestic circumstances; **aus kleinen V.sen** of humble origin; **kümmerliche V.se** miserable circumstances; **obligatorisches V.** contractual relationship; **örtliche V.se** local conditions; **rechtliche V.se** legal situation; **sanitäre V.se** hygienic/sanitary conditions; **soziale V.se** social conditions; **umgekehrtes V.** inverse proportion; **in umgekehrtem V.** inversely proportional, in reverse proportion to; **unausgeglichenes V.** disproportion; **ungeordnete V.se** disorder, mess; **veränderte V.se** changing conditions; **vermögensrechtliche V.se** pecuniary circumstances; **vertragliches V.** contractual relationship; **vertragsähnliches V.** quasi contract; **wettbewerbsgerechte V.se** competitive conditions; **wirtschaftliche V.se** economic situation; **zerrüttete V.se** *(Vermögen)* decayed circumstances; **zivilrechtliches V.** privity

Verhältnis|anteil *m* proportionate share; **V.größe** *f* ratio variable; **V.klausel** *f* average clause; **v.mäßig** *adj* proportionate, relative, pro rata, comparative, proportional, commensurate, prorat(e)able; **V.mäßigkeit** *f* commensurability; **~ der Gerichtsentscheidung** reasonableness of the decision; **V.mäßigkeitsgrundsatz**

m principle of reasonableness; **V.schätzfunktion** *f* ratio estimator; **V.schätzung** *f* ratio estimate; **V.steuerung** *f* ratio control; **V.tabelle** *f* ratio chart; **V.-Verkauf** *m (Option)* ratio write; **V.wahlrecht** *nt* proportional representation

Verhältniszahl *f* ratio, figure, coefficient, factor, proportion, relative; **betriebliche V.en** operating ratios; **spezifische V.** specific rate

Verhältnisziffer *f* proportion

verhandelbar *adj* 1. negotiable; 2. § *(Zivilrecht)* actionable; 3. *(Strafrecht)* triable

Verhandeln *nt* bargaining; **v.** *v/t/i* 1. to negotiate/bargain/confer/discuss; 2. § to hear; **v. mit** to deal/parley with; **über eine Sache v.** § to hear/try a case, to sit on a case; **erneut/neu v.** to renegotiate; **gut/schlecht v. können** to be a good/bad bargainer; **hart v.** to drive a hard bargain; **mündlich v.** § to plead/conduct a hearing, to hear a case; **nicht öffentlich v.** § to hear in private/camera *(lat.)*

verhandelt werden 1. § to bring into court, to come up for judgment; 2. *(Strafrecht)* to come on/up for trial; **öffentlich v.** tried in open court; **~ werden** to be tried in open court

Verhandler *m* negotiator

Verhandlung *f* 1. negotiation, conference, parley, record; 2. § hearing, proceedings; **V.en** 1. (session of) negotiations/talks, discussions; 2. § transactions; **durch V.en** by negotiation; **in V.** under negotiation; **während der V.en** pending negotiations

Verhandlung über einen Antrag hearing of an application; **V. unter Ausschluss der Öffentlichkeit** § hearing in camera *(lat.)*; **V. einer Berufungssache** hearing of an appeal; **V.en auf Betriebsebene** plant(-level)/shop-floor bargaining; **~ höchster Ebene** top-level negotiations; **V. eines Falles** hearing of a case; **V.en über unrealistische Forderungen** blue-sky bargaining; **~ ein Forderungspaket** package bargaining; **V. vor Geschworenen** trial by jury; **V. ohne Geschworene** petty sessions; **V. zwischen mehreren Gewerkschaften und einem/mehreren Arbeitgebern** coalition bargaining *[US]*; **V. vor der Kammer** § proceedings before the full court; **V.en über die Normleistungsmenge** effort bargaining; **V.en unabhängiger Partner** arm's length bargaining; **V. über eine Sache** hearing of a case; **V.en zwischen den Tarif-/ Sozialpartnern** collective bargaining/negotiations

zu Verhandlungen bereit open to negotiations

Verhandlung|en abbrechen to break off negotiations; **V.en abschließen** to conclude negotiations; **V. absetzen** to remove a case from the cause list, to cancel a hearing; **V. anberaumen** to fix a hearing; **zur V. ansetzen** to assign for a hearing; **~ anstehen** to come up for trial; **V.en aufnehmen** to open talks, to begin/undertake negotiations, to enter into negotiations; **~ wieder aufnehmen** to resume negotiations/§ proceedings; **von der V. ausschließen** to exclude from the courtroom; **V. aussetzen** to stay proceedings; **durch V. beilegen** to settle by negotiation(s); **einer V. beiwohnen** to attend a hearing; **V.en einleiten; in ~ eintreten** to open/enter into negotiations, to negotiate; **in die mündliche V. eintreten** to proceed to hear the case; **V.en eröffnen** 1. to open negotiations; 2. § to open the hearing; **durch ~ festsetzen** to determine by negotiations; **~ führen/leiten** to conduct negotiations; **bei einer V. den Vorsitz führen** to preside at a hearing; **zur V. kommen** to come up for trial; **V. schließen** to close the hearing, to conclude legal proceedings; **in V.(en) stehen** to be negotiating; **zur V. überweisen** *(Strafrecht)* to commit for trial; **V. unterbrechen** 1. § to stay/suspend proceedings, to suspend a hearing; 2. to adjourn negotiations; **in zäher V. vereinbaren** to hammer out; **V.en verschleppen** to delay negotiations; **~ vertagen** 1. § to adjourn/defer a hearing; 2. to adjourn negotiations

abgetrennte Verhandlung *(Strafrecht)* separate trial; **außergerichtliche V.en** out-of-court negotiations; **erneute V.** revision, re-trial; **geheime V.en** private negotiations; **gerichtliche V.** court hearing, trial; **im Wege gütlicher V.** by amicable agreement; **langwierige V.en** protracted negotiations; **laufende V.en** on-going negotiations; **mündliche V.** oral procedure/pleading/hearing; **neue ~ V.** further hearing; **nochmalige V.** re-hearing, re-trial; **öffentliche V.** public hearing/trial; **in öffentlicher V.** in open court; **nicht öffentliche V.** hearing/trial in camera *(lat.)*, private hearing; **in nicht öffentlicher V.** in camera *(lat.)*; **streitige V.** defended trial; **nicht ~ V.** non-contentious hearing, undefended case, proceedings in an uncontested case; **vertagte V.** postponed case, deferred hearing; **zähe V.en** tough negotiations/talks

Verhandlungs|ablauf *m* negotiating process; **V.angebot** *nt* offer to negotiate; **V.auftrag** *m* negotiating mandate; **gemeinsamer V.ausschuss** joint negotiation committee; **V.basis** *f* 1. negotiating basis, basis for negotiations; 2. *(Anzeige)* negotiable; **V.beginn** *m* beginning of negotiations; **v.bereit** *adj* ready to negotiate

Verhandlungsbereitschaft *f* willingness/readiness to negotiate; **mangelnde V.** reluctance to negotiate; **V.s-erklärung** *f* letter of preparedness

Verhandlungs|bericht *m* protocol, transactions; **V.bevollmächtigte(r)** *f/m* plenipotentiary, authorized negotiator; **V.buch** *nt* minute book; **V.delegation** *f* negotiating team; **V.dolmetscher(in)** *m/f* conference interpreter; **V.erfahrung** *f* negotiating experience; **V.erfolg** *m* negotiating success; **V.ergebnis** *nt* result of the negotiation; **v.fähig** *adj* 1. negotiable; 2. § judicable, able to stand trial; **V.fähigkeit** *f* 1. capacity to negotiate; 2. § fitness to plead, ability to follow the hearing, ~ stand trial; **V.frieden** *m* negotiated peace; **V.führer** *m* chief negotiator; **V.führung** *f* 1. conduct of negotiations; 2. § conduct of trial; **V.gegenstand** *m* 1. matter at issue, item; 2. § case; **V.geschick** *nt* negotiating skill; **V.gremium** *nt* negotiating body; **V.grundlage** *f* basis of negotiation; **V.gruppe** *f* negotiating group; **V.hürde** *f* hurdle in the negotiations; **V.instrument** *nt* bargaining counter; **V.kalender** *m* § cause list; **V.klima** *nt* climate/atmosphere of the talks; **V.kommission (der Gewerkschaft)** *f* (union) negotiating committee; **V.künste**

pl negotiating skills; **V.leitung** *f* 1. chairmanship, the chair; 2. [§] conduct of a case; **V.list** *f* bargaining ploy; **V.liste** *f* [§] cause list; **V.macht** *f* bargaining/negotiating power(s); **ungleiche V.macht** inequality of bargaining power(s); **V.mandat** *nt* negotiating mandate/brief, authority to negotiate; **V.materie** *f* object of negotiation; **V.niederschrift** *f* 1. minutes of the meeting; 2. [§] record/minutes of the proceedings; **V.objekt** *nt* bargaining point; **V.ort** *m* [§] venue; **V.paket** *nt* negotiating package; **V.partei** *f* negotiating party; **V.partner** *m* 1. negotiator, negotiating partner/party; 2. *(Tarifverhandlungen)* (collective) bargaining agent; **V.pause** *f* break; **V.phase** *f* bargaining round; **V.position** *f* bargaining position/pose, negotiating position; **V.protokoll** *nt* 1. bargaining records; 2. [§] minutes/ record of the proceedings, transcript (of proceedings); **~ abfassen** to write the minutes, to draw up a protocol; **V.prozedur** *f* negotiating machinery; **V.prozess** *m* negotiation process; **V.punkt** *m* bargaining point; **V.rahmen** *m* terms of reference; **V.raum/V.saal** *m* 1. conference room; 2. [§] courtroom; **V.recht** *nt* negotiating right; **ausschließliches V.recht** exclusive negotiating right; **V.richtlinien** *pl* rules of order; **V.runde** *f* negotiating session/round, bargaining table/round/game; **V.sache** *f* 1. matter of negotiation; 2. *(Anzeige)* negotiable; 3. [§] case; **bei V.schluss** *m* at the close of negotiations; **V.schrift** *f* statement, record; **V.schriftsatz** *m* [§] brief; **v.sicher (in Englisch)** *adj* fluent (in spoken English); **V.spielraum** *m* bargaining powers/range/ room/zone *[US]*, negotiating range, room to negotiate/for manoeuvre; **V.sprache** *f* language used for negotiation; **V.stand** *m* state of negotiations; **V.stärke** *f* bargaining strength/power, negotiating strength; **V.struktur** *f* bargaining structure; **V.tag** *m (Strafrecht)* trial day; **V.taktik** *f* negotiating tactics; **V.talent** *nt* negotiating skill; **V.team** *nt* negotiating team, bargaining unit; **V.termin** *m* [§] *(Zivilrecht)* hearing/*(Strafrecht)* trial date; **~ anberaumen** to fix a date for the hearing, to assign a day for trial; **V.tisch** *m* bargaining/negotiating table; **v.unfähig** *adj* unfit to plead, unable to stand trial, ~ follow the hearing; **V.unfähigkeit** *f* inability to attend the proceedings; **V.verfahren** *nt* procedure of negotiations; **V.vollmacht** *f* negotiating/bargaining powers, authority to negotiate; **auf dem V.weg** *m* by (way of) negotiation; **V.ziel** *nt* objective of negotiations

verhängen *v/t* *(Maßnahme)* to impose/inflict

Verhängnis *nt* calamity; **v.voll** *adj* fatal, disastrous, calamitous, ominous

Verhängung *f* 1. *(Maßnahme)* imposition; 2. infliction; **V. einer Strafe** imposition of a sentence; **V. von Zollstrafen** imposition of customs fines and penalties

ver|harmlosen *v/t* to belittle; **v.harren** *v/i* to persist; **V.harrungszeit** *f* steady state

verhärt|en *v/t/v/refl* to toughen/stiffen/harden; **V.ung** *f* stiffening, toughening, hardening

ver|hasst *adj* hated, loathed, repugnant; **v.hätscheln** *v/t* to cosset/pamper/coddle; **v.hauen** *v/t* to clobber *(coll)*; **v.heddern** *v/refl* to get into a tangle

verheer|en *v/t* to devastate/ravage, to lay waste; **v.end** *adj* disastrous, devastating, dreadful; **V.ung** *f* devastation, havoc, ravage

verhehlen *v/t* to conceal/hide; **es lässt sich nicht v., dass** there is no hiding the fact that

verheilen *v/i* ⚕ to heal

verheimlich|en *v/t* to conceal/hide/suppress, to cover up; **V.ung** *f* concealment, cover-up

verheirat|en *v/t* to marry off; *v/refl* to get married, to marry; **v.et** *adj* married

Verheiratete *pl* married couple; **V.nabzug** *m* marital deduction *[US]*; **V.nfreibetrag** *m* married allowance

ver|heißen *v/t* to augur/promise; **v.heißungsvoll** *adj* promising, auspicious, favourable; **v.heizen** *v/t* to burn; **v.helfen zu** *v/i* to enable; **v.herrlichen** *v/t* to glorify; **v.hetzen** *v/t* to incite/instigate; **V.hetzung** *f* incitement, instigation; **v.hext** *adj* bedevilled

verhindern *v/t* to prevent/stop/hinder/forestall/frustrate/foil/discourage/hamper/bar/circumvent, to stave off; **v.d** *adj* preventive

verhindert *adj (Person)* unavailable, unable to come; **geschäftlich v.** held up by business; **v. sein** to be engaged

Verhinderung *f* prevention, hindrance, restraint, impediment; **bei seiner V.** if he is prevented; **V.sgründe** *pl* reasons for inability to attend

verhöhn|en *v/t* to ridicule/gibe; **V.ung** *f* ridicule

verhökern *v/t* to peddle/hawk/huckster/tout *(coll)*

Verhör *nt* interrogation, examination, questioning, screening, grilling *(coll)*; **v.en** *v/t* to interrogate/question; **V.richtlinien für die Polizei** *pl* [§] judges' rules *[GB]*

ver|hundertfachen *v/t* to increase a hundredfold; **v.hungern** *v/i* to starve (to death); **v.hüten** *v/t* to prevent/avert; **v.hütend** *adj* preventive; **v.hütten** *v/t* ⚒ to smelt

Verhüttung *f* ⚒ smelting; **V.svorstoff** *m* smelting input material(s)

Verhütung *f* prevention; **V. von Arbeitsunfällen** prevention of accidents at work; **V.smaßnahme** *f* preventive measure; **V.smittel** *nt* 1. preventive; 2. ⚕ contraceptive

verifizier|bar *adj* verifiable; **v.en** *v/t* to verify

verjährbar *adj* prescriptable, subject to limitation, ~ the statutes of limitation(s); **V.keit** *f* unenforceability due to lapse of time, limitation (of actions), prescription under the statutes of limitation(s)

verjähr|en *v/i* [§] to become statute-barred/stale/prescribed, to expire by limitation, to be in lapse, to fall under the statutes of limitation(s); **v.t** *adj* [§] prescribed, out of time, statute-barred, statute-run, stale, (time-) barred, lapsed

Verjährung *f* [§] statutes of limitation(s), statutory period/limitation, limitation of liability in time, limitation (of action), (negative) prescription; **V. von Geldforderungen** limitation of actions for debt; **V. der Strafverfolgung** limitation of prosecution; **~ Strafvollstreckung** bar to execution due to lapse of time; **V. einwenden/geltend machen** to plead/invoke the statutes of limitation(s); **V. hemmen/unterbrechen** to bar, to toll the statutes of limitation(s), to suspend the limitation period; **der V. unterliegen** to be subject(ed) to the statutes of limitation(s); **anspruchsvernichtende V.** exclusion due to limitation

Verjährungs|beginn *m* commencement of the limitation period; **V.bestimmungen** *pl* limitation provisions; **V.einwand** *m* plea of lapse of time, ~ the statutes of limitation(s); **~ erheben** to plead the statutes of limitation(s)

Verjährungsfrist *f* 1. statutory/limitative period, period of limitation/prescription, term of prescription, statutes of limitation(s); 2. *(Vers.)* limitation period, time law; **V. hemmen** to suspend the running of the period of limitation; **gesetzliche V.** statutory period of limitation

Verjährungs|gesetz *nt* statute of limitation(s), Limitation Act *[GB]*; **V.recht** *nt* prescription/prespective right; **V.tabelle** *f* limitations table; **V.vorschriften** *pl* statutory limitations provisions/rules; **V.zeit/V.zeitraum** *f/m* statutory/limitation period

verjüngen *v/t* to rejuvenate; *v/refl (Form)* to taper off; **sich v.d** *adj* tapering

Verjüngung *f* rejuvenation, regeneration; *(Form)* tapering; **V.skur** *f (fig)* facelift *(fig)*

verkabel|n *v/t* 1. to cable/wire; 2. to connect up; **V.ung** *f* cabling, wiring

ver|kalkulieren *v/refl* to miscalculate; **v.kapseln** *v/t* to encapsulate

Verkauf *m* 1. sale, disposal, sell-off; 2. selling; 3. sales department; 4. market; 5. *(Börse)* offloading; **Verkäufe** sales, selling, transactions; **zum V.** for sale/disposal

Verkauf auf Abruf *(Rohstoffmarkt)* buyer's call; **~ Abzahlungsbasis** instalment sale, hire purchase *[GB]*, deferred payment sale *[US]*; **unzulässiger V. von Anlagegütern** asset stripping *(coll)*; **Verkäufe institutioneller Anleger** *(Börse)* commercial/institutional selling; **V. gegen Anschreiben** charge sale; **V. mit Anzahlung** sale on account; **V. im Ausschreibeverfahren** sale by tender; **V. à la/auf Baisse** bear *[GB]*/short *[US]* selling, ~ sale, bearing, bearish sale, selling for a fall; **V. gegen bar** cash sale; **V. in Bausch und Bogen** outright sale; **V. auf Besichtigung** sale on inspection; **V. ohne Bestellung** inertia selling; **V. von Beteiligungen** disposal of trade investments; **V. gegen sofortige Bezahlung** outright sale; **V. von Bezugsrechten** selling of subscription rights; **V. am Bildschirm** teleselling; **V. von Billigwaren** trading down; **V. ohne Deckung** short sale, shortselling; **V. zu Deckungszwecken** hedging sale; **selbstständiger V. an Dritte** *(Verhältnis zwischen Mutter- und Tochtergesellschaft)* arm's length sale; **V. mit sofortigem Eigentumsübergang** immediate sale, sale with immediate effect; **V. mit/unter Eigentumsvorbehalt** conditional/qualified sale, bailment lease; **V. unter Einkaufspreis** below-cost sales; **V. im Einzelhandel** retail sale; **Verkäufe von Festverzinslichen** gilt sales; **V. von Fondsanteilen** unit sales; **V. im Freiverkehr** over-the-counter market/sale; **V. wegen Geschäftsaufgabe** liquidation/winding-up/closing-down sale; **V. an Gewerbetreibende** trade buying; **V. mit/zwecks Gewinnmitnahme** profit-taking sale; **V. durch den Großhandel** wholesale (transaction); **V. unter der Hand** underhand/private sale; **V. von Haus zu Haus** door-to-door selling; **nachträglicher V. an Höherbietende** *(trotz vorheriger Verkaufszusage)* gazumping *(coll)*; **V. durch inoffizielle Kanäle** backdoor selling; **~ ein Kartell** pool selling; **V. gegen Kasse** cash sale; **V. auf Kommissionsbasis** consignment sale, sale on consignment; **Verkäufe zwischen Konzerngesellschaften** intercompany sales; **V. auf Kredit(basis)** credit sale; **V. über den Ladentisch** over-the-counter sale; **V. ab Lager** cash and carry (sale); **V. von Lagerbeständen** sale of surplus stocks, stock sale; **V. auf Lieferung** *(Börse)* forward sale, sale for account; **V. zur sofortigen Lieferung** sale for immediate delivery; **Verkäufe auf dem heimischen Markt** home sales; **V. am offenen Markt** open-market sale; **V. nach Muster** pre-selection; **V. gegen Nachnahme** cash-on-delivery *[GB]* collect-on-delivery (sale), C.O.D./c.o.d. sale; **V. an Ort und Stelle** spot sale; **V. in Partien** sale by lots; **V. von kleinen Partien** small-lot selling; **V. zu herabgesetzten Preisen** bargain sale; **~ konkurrenzlosen Preisen** undercutting; **V. auf/nach Probe** sale on approval; **V. auf Rechnung** sale on account; **V. mit Rückkaufsrecht** sale with option to repurchase; **V. und Rückmiete; V. mit gleichzeitiger Rückmiete** sale and leaseback, leaseback sale; **V. einer Rückprämie** taking for a call; **V. zu Schleuderpreisen** loss selling, sale at giveaway prices; **V. nach dem Schneeballsystem** pyramid selling; **V. unter Selbstkosten** sale below cost price; **V. zum Selbstkostenpreis** marginal sale, sale at cost (price); **V. von Staatsanleihen** gilt sale; **V. auf offener Straße** street vending; **V. durch Submission** sale by tender; **V. per Telefon** telephone selling; **V. auf Termin** forward/credit sale; **Verkäufe zur Vermeidung von Verlusten** stop-loss selling; **V. bei gleichzeitiger (Rück)Vermietung an den Verkäufer** leaseback sale; **V. im Wege der Versteigerung** sale by auction; **V. nach erfolgter Verzollung** duty-paid sale; **V. unter Vorbehalt** conditional sale; **V. feuerbeschädigter Waren** fire sale; **V. eines Wechsels** sale of a bill; **V. unter Wert** sale at undervalue; **V. an Wiederverkäufer** trade sale; **V. nur an Wiederverkäufer** sale only to the trade; **V. auf/gegen (Zahlungs)Ziel** sale on credit, ~ for the account, credit/charge sale *[US]*; **V. ab Zolllager** ex-bond sale; **V. mit Zugaben** premium offers; **V. durch Zusendung unverlangter Ware** inertia selling; **V. ohne Zwischenhandel** direct selling

zum Verkauf bestimmt on/for sale; **~ geeignet** sal(e)able, merchantable; **nicht ~ geeignet** unsal(e)ble, unmerchantable; **Verkäufe erfolgen F.O.B. Versandort** sales (to be made) f.o.b. point of shipment

Verkauf abschließen to effect/consummate/negotiate a sale; **V. abwickeln** to effect a sale; **zum V. anbieten** to put up/offer for sale, to put on the market, to vend/pitch; **V. ankurbeln** to spur/boost sales; **V. annullieren** to rescind a sale; **zum V. anstehen** to be/come up for sale; **V. anzeigen** to advertise a sale; **zum V. auflegen** to display for sale; **~ bringen** to put up for sale; **V. einstellen** to suspend sales; **V. fördern** to promote sales; **zum V. gelangen/kommen** to go on sale, to come up for sale; **~ stehen** to be up for sale; **~ stellen** to put up/offer for sale; **freibleibend ~ stellen** to offer for sale without obligation, ~ subject to change without notice; **V. tätigen** to sell, to execute/effect/negotiate a sale; **durch V. übergehen** § to pass by sale

bedingter Verkauf conditional sale; **betrügerischer V.** fraudulent sale; **charttechnische Verkäufe** *(Börse)* chartist selling; **direkter V.** direct sale/selling; **fester V.** firm sale; **freibleibender V.** conditional sale; **freihändiger V.** open-market/direct/private sale, sale in the open market, direct offering; **gemeinsamer V.** joint selling; **gerichtlicher V.** judicial sale; **illegaler V.** backdoor selling; **kommissionsweiser V.** consignment marketing; **kreativer V.** creative selling; **kursgesicherter V.** hedged sale; **langsamer V.** slow sale; **lebhafter V.** brisk sale; **leichter V.** quick sale; **persönlicher V.** personal selling; **persuasiver V.** forced selling; **schneller V.** brisk sale; **spekulative Verkäufe** speculative selling/sales; **stoßartiger V.** *(Börse)* unloading; **technische Verkäufe** *(Börse)* technical selling; **tel-quel V.** blind selling; **umfassende Verkäufe** *(Börse)* widespread selling; **verluststoppender V.** stop-loss selling; **vollständiger V.** clearance sale; **vorrangiger V.** priority sale; **zwangsweiser V.** compulsory sale

Verkaufen *nt* selling

verkaufen *v/t* to sell/vend/market/unload/place, to sell out, to part with, to convert into cash, to dispose (of sth.); *v/refl* to make a bad buy; **zu v.** on/for sale, on offer; **nicht zu v.** unsal(e)able, unmerchantable, unrealizable, not for sale; **sich (gut) v. lassen** to find a (ready) sale, to sell (well)

außerbörslich verkaufen to sell on the kerb *[GB]*/curb *[US]*; **gegen bar v.** to sell for cash, ~ over the counter, to liquidate; **sich besser v. als** to outsell; **bestens v.** to sell at the best price, ~ at best; **billig v.** to sell cheap(ly)/low; **blanko v.** to shortsell, to sell short; **en detail v.** to sell by the piece, to retail; **einzeln v.** to sell by the piece; **fest v.** to sell outright; **freihändig v.** to sell by private contract/treaty; **gerichtlich v.** § *(Auktion)* to sell by subhastation; **en gros v.** to (sell) wholesale; **sich gut v.** to sell well; **im Kleinen v.** to retail, to sell by/at retail, ~ by the piece; **sich leicht v.** to sell readily/freely; **loko v.** to sell for spot delivery, ~ on the spot; **mehr v. als** to outsell; **meistbietend v.** to sell to the highest bidder; **sich nicht v.** to find no sale; **partieweise v.** to sell in lots; **sich rasch v.** to find a ready market; **schwarz v.** to tout; **sich schwer v. lassen** to be hard to sell, to run into heavy selling; **spottbillig v.** to sell dirt-cheap *(coll)*; **stückweise v.** to sell by the piece; **teuer v.** to sell at a high price; **sich teurer v. als** to outsell; **vorab v.** to presale; **vorteilhaft v.** to sell to good advantage

Verkäufer *m* 1. seller, vendor *[US]*, disposer; 2. *(Laden)* salesman, salesperson, shop/sales assistant, sales/store *[US]* clerk, shopman, counterman; 3. account representative, marketer, market man; 4. *(Außendienst)* salesman, salesperson, representative; 5. *(Börse)* giver; *pl* sales force/people/staff; **V. im Außendienst** travelling salesman, field worker; *pl* field staff; **V. einer Rückprämie** taker for a call; **unternehmensgebundener V. und Vertreter** dependent agent

beratender Verkäufer merchandizer *[US]*; **erster V.** chief clerk *[US]*; **letztinteressierter V.** final seller; **stummer V.** dispenser, dummy salesman; **technischer V.** sales engineer, engineer salesman; **ungenannter V.** undisclosed seller

Verkäuferin *f* sales girl/woman/lady, shop woman, shopgirl; **erste V.** chief clerk

Verkäufer|kredit *m* vendor credit; **V.land** *nt* selling country; **V.markt** *m* seller's market; **V.option** *f* seller's option; **V.pfandrecht** *nt* seller's lien; **V.pflichten** *pl* seller's duties; **V.ring** *m* price ring; **V.schulung** *f* sales training

verkäuflich *adj* sal(e)able, marketable, negotiable, merchantable, for/on sale, on offer, selling, realizable, vendible; **frei v.** *(Medikament)* over-the-counter; **gut/leicht v.** fast-moving, fast-selling, easy to sell, current; **nicht v.** not for sale; **schlecht/schwer v.** slow-moving, slow-selling, slow of sale, hard to sell; **v. sein** to be on sale

Verkäuflichkeit *f* sal(e)ability, marketability, merchantability, merchantableness, vendibility

Verkaufs|abkommen *nt* marketing agreement; **V.abrechung(en)** *f* 1. account sales, sales accounting/note; 2. *(Börse)* sold note; **V.abschluss** *m* 1. sales contract; 2. closing the sale, conclusion of a sale; **V.abteilung** *f* sales division/department, customer/distribution department; **V.agent** *m* sales agent; **V.agentur** *f* sales agency; **V.aktion** *f* (sales) drive/campaign/action, marketing/promotion exercise; **V.analyse** *f* sales analysis; **V.angebot** *nt* sales offer, offer for sale, announcement of sale, selling tender; **festes V.angebot** firm offer; **V.anreiz** *m* selling point; **V.anstrengungen** *pl* sales effort(s)/endeavours, selling efforts; **verstärkte V.anstrengungen** sales drive; **V.anzeige** *f* sales ad(vertisement), announcement of sale; **V.apparat** *m* 1. vending machine; 2. *(Personal)* sales force/staff

Verkaufsargument *nt* selling point, sales pitch; **V.e** sales talk; **einmaliges V.** unique selling proposition (UPS)

Verkaufs|assistent(in) *m/f* sales assistant; **V.aufgabe** *f* selling task; **V.auflage** *f* sold circulation

Verkaufsauftrag *m* contract for sale, selling order; **V. zum Marktpreis** market order; **V. für kleine Mengen** on bid; **V. mit Preisbegrenzung** stop order; **limitierter V.** selling order at limit

Verkaufs|aufwand/V.aufwendungen/V.ausgaben *m/pl* selling expenditure/expense(s); **V.ausbildung** *f* sales training; **V.auslage** *f* sales display; **V.aussage** *f* sales message; **V.außendienst** *m* sales force, field workers/staff; **V.aussichten** *pl* selling prospects; **V.ausstellung** *f* (sales) exhibition, trade fair/show; **V.automat** *m* automat, vending/dispensing/(penny-in-the-)slot machine, vendor; **V.avis** *nt (Börse)* sold note; **V.beauftragte(r)** *f/m* consignee

Verkaufsbedingungen *pl* terms/conditions of sale and delivery, terms and conditions; **Verkaufs- und Lieferbedingungen** standard conditions of sale; **Allgemeine V.** General Conditions of Sale

Verkaufs|befugnis *f* authority to sell; **V.begabung** *f* sales talent/ability; **V.belebung** *f* sales revival; **V.beleg** *m* sales slip; **V.bemühungen** *pl* sales efforts; **V.berater(in)** *m/f* marketing consultant/counsellor, sales consultant; **V.berechtigung** *f* right to sell; **V.bereich** *m* sales area/section; **v.bereit** *adj* ready to sell; **V.bereitschaft** *f* readiness to sell; **V.bericht** *m* sales report; **V.bescheinigung** *f* sales ticket; **V.beschränkungen** *pl* selling/sales restrictions; **V.bezirk** *m* sales area/territory/district/zone; **v.bezogen** *adj* sales-orient(at)ed; **V.buch** *nt* sales book/journal, day/cash book; **V.bude** *f* sales booth; **V.budget** *nt* sales budget; **V.büro** *nt* (branch) sales office, agency; **V.chancen** *pl* sales prospects; **V.daten** *pl* sales data; **V.datenerfassung** *f* sales data gathering; **V.datum** *nt* date of sale; **V.diagramm** *nt* sales chart; **V.dichte** *f* sales density; **V.direktor** *m* sales manager/director; **V.druck** *m* selling pressure; **V.einrichtung** *f* selling unit; **V.empfehlung** *f* sell recommendation; **V.entwicklung** *f* sales development; **V.erfahrung** *f* selling experience; **V.erfolg** *m* 1. selling/track/sales record; 2. *(Ware)* moneymaker; **~ eines Mitarbeiters** sales pitch

Verkaufsergebnis *nt* sales result; **V. in der Vergangenheit** marketing record; **nachweisbares V.** proven marketing record; **rückläufiges V.** sales slump

Verkaufs|erlaubnis *f* licence to sell; **V.erlös** *m* sale(s) proceeds/revenue/income, proceeds of sale; **V.ertrag** *m* sales return(s); **V.erwartungen** *pl* sales expectations; **V.etage für Sonderangebote** *f (Kaufhaus)* bargain basement; **V.etat** *m* sales budget; **V.fachmann** *m* marketing expert

verkaufsfähig *adj* sal(e)able, marketable, merchantable; **nicht v.** unmarketable, unsal(e)able, unmerchantable, untradable; **V.keit** *f* sal(e)ability, marketability, merchantability

Verkaufs|fahrer *m* travelling salesman; **V.faktura** *f* sales invoice; **V.feldzug** *m* sales campaign; **v.fertig** *adj* sal(e)able, marketable, ready for sale; **V.filiale** *f* branch (store); **~ eines Fabrikationsbetriebs; betriebseigene V.filiale** manufacturer's own shop, factory outlet; **V.finanzierung** *f* sales financing; **V.firma** *f* sales company; **V.fläche** *f (Laden)* floor area, sales floor/area, selling space/area, retail/sales/floor space; **V.flächennutzung** *f* sales area utilization; **V.flaute** *f* stagnant sales; **v.fördernd** *adj* sales-promoting, promotional; **V.förderer** *m* sales promoter

Verkaufsförderung *f* 1. sales promotion, merchandising, promotional work; 2. sales promotion department; **V. durch Nachlässe** below-the-line promotion; **V.saktion** *f* sales promotion campaign; **V.saufwendungen** *pl* sales promotion expenditure; **V.sbemühung** *f* sales promotion/drive/efforts; **V.setat** *m* sales promotion budget; **V.smaterial** *nt* promotion(al) material; **V.sstrategie** *f* promotional strategy; **V.szentrum** *nt* marketing support centre

Verkaufs|forschung *f* marketing research; **V.frist** *f* subscription period; **V.garantie** *f* sales guarantee

Verkaufsgebiet *nt* marketing area, sales territory; **V. des Vertreters** agent's territory; **V.e erschließen** to open up new markets

Verkaufs|gebot *nt* sell offer; **V.gebühr** *f* sales/loading charge, loading fee; **V.gegenstand** *m* article of sale, item, merchandise; **V.gelegenheit** *f* sales opportunity; **V.gemeinschaft** *f* marketing/sales/selling association; **V.genehmigung** *f* licence to sell; **V.genossenschaft** *f* marketing cooperative, cooperative selling association; **V.geschäfte** *pl* sales transactions; **V.- und Geschäftskosten** *pl* selling and administrative expenses; **V.gesellschaft** *f* sales organisation/company, marketing company; **V.gesichtspunkt** *m* selling point, sales angle/approach

Verkaufsgespräch *nt* sales talk/patter *(coll)*/interview, personal selling; **aggressives V.** high-pressure sales talk, pitch; **programmiertes V.** programmed sales talk

Verkaufs|gewandtheit *f* salesmanship; **V.gewicht** *nt* selling weight; **V.gewinn** *m* sales profit; **V.gewohnheiten** *pl* sales habits; **V.gruppe** *f* selling group; **V.handbuch** *nt* sales manual; **V.hedge** *f* short hedge; **V.hilfe** *f* selling/dealer aid; **finanzielle V.hilfe** financial sales incentive; **V.hinweis** *m* sales notice/shortcut/lead; **V.ingenieur** *m* sales engineer; **V.insel** *f* island counter; **V.instinkt** *m* instinct for selling; **V.instrument** *nt* selling tool; **v.intensiv** *adj* fast-selling; **V.interesse** *nt* interest in selling, sales interest; **V.interessent** *m* prospective seller; **V.interview** *nt* sales interview; **V.jahr** *nt* year of sale; **V.jargon** *m* sales talk/patter *(coll)*; **V.journal** *nt* sales register; **V.kalkulation** *f* sales estimate, determination of purchase price; **V.kampagne** *f* sales campaign/drive; **V.kartell** *nt* price ring, marketing cartel, sales syndicate; **V.katalog** *m* sale(s) catalogue; **V.kategorie** *f* sales bracket; **V.klima** *nt* sales climate; **V.kodex** *m* code of selling practice; **V.kommission** *f* sales commission; **V.kommissionär** *m* commission merchant, factor, consignee, selling agent; **V.konsortium** *nt* 1. *(Kartell)* price ring; 2. *(Emission)* underwriting syndicate; **V.kontenbuch** *nt* sales ledger; **V.kontingent** *nt* marketing quota; **V.konto** *nt* trading account; **V.kontor** *nt* sales office/agency, selling subsidiary; **statistische V.kontrolle** statistical sales control; **V.kontrollformular** *nt* sales control form; **V.kontrollverfahren** *nt* sales control procedure; **V.konzession** *f* selling concession, licence to sell; **V.kosten** *pl* distribution/selling/marketing expenses, cost(s) of goods sold, selling cost(s); **V.kraft** *f* shop assistant; **V.kunst** *f* salesmanship; **V.kurs** *m* 1. selling rate/price, drawing/check rate; 2. *(Anleihe)* offering price; **V.kurve** *f* sales curve; **V.lager** *nt* (sales) depot; **V.land** *nt* selling country; **V.lehrgang** *m* sales training course

Verkaufs|leistung *f* sales performance/efficiency/record; **V. in der Vergangenheit** marketing record; **nachgewiesene V.** proven marketing record

Verkaufs|leiter *m* sales manager/director/executive, head the of sales department, director of sales; **V.leitung**

f sales management; **V.lenkung** *f* sales control; **V.liste** *f* sales list; **V.literatur** *f* sales/promotional literature; **V.lizenz** *f* selling licence, licence to sell; **V.lokal** *nt* salesroom; **V.lücke** *f* market group; **V.makler** *m* sales broker; **V.mannschaft** *f* sales team/force; **V.marge** *f* profit margin; **V.markt** *m* market, outlet; **V.masche** *f* sales pitch/ploy; **V.maximierung** *f* sales maximization; **V.menge** *f* quantity sold, sales volume; **V.mengenabweichung** *f* sales volume variance/variation; **V.messe** *f* trade fair; **V.methode** *f* selling/sales/merchandising method, selling technique, method/way of selling, sell; **aggressive V.methoden** high-pressure sales tactics, hard sell(ing); **V.mitarbeiter(in)** *m/f* member of the sales staff/team; **V.mitteilung** *f (Börse)* sold note; **V.modalitäten** *pl* terms of sale; **V.möglichkeit** *f* sales opportunity, opening; **V.monopol** *nt* sales monopoly; **V.muster** *nt* sample; **V.neigung** *f* propensity to sell; **V.netz** *nt* distribution/sales network; **V.niederlage** *f* depot; **V.niederlassung** *f* sales branch; **v.offen** *adj* open for business; **V.offerte** *f* sales offer; **V.option** *f (Börse)* put, put/seller's option; **V.- und Kaufoption** put and call option; **V.order** *f* sell order; **V.organisation** *f* sales/selling organisation, marketing company; **v.orientiert** *adj* sales-orient(at)ed; **V.ort** *m* point of sale (POS)/purchase; **V.pavillon** *m* kiosk; **V.personal** *nt* sales staff/force/personnel, sales people; **V.plan** *m* marketing scheme/plan; **V.planung** *f* sales planning/forecast; **V.planziel** *nt* sales objective

Verkaufspolitik *f* marketing/sales/merchandising policy; **aggressive V.** aggressive merchandising, hard sell(ing); **zurückhaltende V.** policy of restraint in sales

Verkaufsprämie *f* sales premium, push money

Verkaufspreis *m* 1. selling/sales/offer/disposal/retail price; 2. *(Investmentzertifikat)* offering price; ~ **ab Fabrik** ex works sales price; **V. mit Gewinnaufschlag auf Selbstkosten** 1. cost plus fixed fee; 2. cost-plus pricing; ~ **Prozentzuschlag auf Selbstkosten** cost-plus-percentage fee; **V. ab Schacht** ⚒ pithead price; **gültiger V.** actual selling price; **höchster V.** maximum selling price

Verkaufs|preisabweichung *f* sales price variance; **V.problem** *nt* marketing problem; **V.produkt** *nt* sal(e)able product; **V.produktion** *f* 1. marketable production; 2. 🚜 cash crop; **V.prognose** *f* sales forecast; **V.programm** *nt* marketing programme, product range; **V.projekt** *nt* sales scheme; **V.prospekt** *m* 1. sales brochure; 2. *(Börse)* offering prospectus; *pl* sales/promotional literature; **V.provision** *f* 1. selling/sales commission, selling brokerage; 2. *(Fonds)* front-end payment; **V.psychologie** *f* sales psychology; **V.punkt** *m* point of sale (POS); **V.quote** *f* sales quota; **V.rabatt** *m* sales discount; **V.raum** *m* salesroom, showroom; **V.rechnung** *f* sales invoice, account of sales; **V.recht** *nt* right of sale, right to sell, selling/sales right, licence; **v.reif** *adj* ready for sale; **V.reinerlös** *m* net sales proceeds; **V.reklame** *f* sales promotion; **V.rekord** *m* sales record; **V.risiko** *nt* sales risk; **V.rückgang** *m* fall/drop in sales; **V.sachbearbeiter(in)** *m/f* sales assistent; **V.schätzung** *f* sales estimate/forecast; **V.schlager** *m* bestseller, money-spinner, fast-moving article, runner, big seller, winner, smash hit, top-selling item, article of quick sale; **V.schulung** *f* sales training; **V.signal** *nt* sell signal; **V.slogan** *m* key sales message; **V.soll** *nt* sales target; **V.sperre** *f* sales ban, prohibition to sell; **V.spesen** *pl* selling expenses; **V.spezialist** *m* marketing specialist; **V.spitze** *f* sales peak; **V.sprache** *f* sales talk/patter *(coll)*; **V.stab** *m* sales staff/force/team

Verkaufsstand *m* stand, pitch, stall; **V. aufschlagen** to pitch; **mobiler V.** fly pitch

Verkaufs|ständer *m* rack; **v.stark** *adj* fast-selling; **v.stärkst** *adj* biggest-selling; **V.statistik** *f* sales statistics/analysis; **V.stätte** *f* sales/marketing outlet; **V.steigerung** *f* sales increase

Verkaufsstelle *f* 1. *(Laden)* point of sale (POS), sales outlet/branch/unit, pitch, selling agent; 2. *(Filiale)* branch sales office, sales outlet/office/agency; 3. *(Bank)* subscription agent; **V. für den Fabrikverkauf** factory outlet centre (FOC); ~ **Mitarbeiter** industrial store; **V. für abgabefreie Waren** duty-free/tax-free shop; **ambulante/mobile V.** mobile shop, ~ selling unit; **V.nnetz** *nt* branch network

Verkaufs|steuer *f* purchase *[GB]*/sales *[US]* tax; **V.-strategie** *f* sales strategy/pitch; **aggressive V.strategie** hard sell strategy; **V.studie** *f* market study; **V.stützpunkt** *m* sales station, selling centre; **V.syndikat** *nt* sales/selling syndicate; **V.tag** *m* sales/selling day; **V.taktik** *f* sell; **aggressive V.taktik** hard sell; **V.talent** *nt* salesmanship; **V.team** *nt* sales team; **V.technik** *f* salesmanship, sales pitch; **argumentative V.technik** soft sell; **V.tendenz** *f* sales trend; **V.termin** *m* date of sale; **zum ~ buchen** to recognize at the time of sale; **V.tisch** *m* shop board; **V.trainer** *m* sales trainer; **V.training** *nt* sales training; **V.tratte** *f* sales bill; **V.-treuhand** *f* trust for sale; **V.trick** *m* sales gimmick; **V.umfang** *m* sales volume; **V.umsatz** *m* turnover, sales; **V.unkosten** *pl* sales costs; **V.unterstützung** *f* sales back-up; **technische V.unterstützung** sales engineering; **V.urkunde** *f* bill of sale; **V.veranstaltung** *f* sales event; **V.verband** *m* marketing association; **V.verbot** *nt* prohibition to sell, ban on sales; **V.vereinbarung** *f* selling agreement; **V.verfahren** *nt* selling process; **V.vergütung** *f* selling commission; **V.verhandlung** *f* sales conference; **V.verpackung** *f* sales package/packaging; **V.vertrag** *m* agreement/contract of sale, selling agreement; **V.vertreter** *m* sales agent/representative, selling agent; **V.vollmacht** *f* authority/power to sell; **V.volumen** *nt* sales volume, volume of sales; **V.volumenabweichung** *f* sales volume variance/variation; **V.voraussage** *f* sales forecast; **V.vorführung** *f* sales demonstration; **V.vorschau** *f* sales forecast; **V.vorstand** *m* sales management; **einzigartiger V.vorteil** unique selling position/proposition (USP); **V.wagen** *m* mobile shop; **V.wege** *pl* channels of distribution; **V.welle** *f* bout of selling, selling frenzy/wave; **V.werbung** *f* sales advertising/promotion/publicity; **V.wert** *m* market(able)/sal(e)able/sales value, selling price; **V.wettbewerb** *m* sales contest;

V.widerstand *m* buying/sales resistance; **starke V.widerstände** stiff sales resistance; **V.woche** *f* sales week; **V.zahlen** *pl* sales figures; **wachsende V.zahlen** incremental sales; **mit den zweitbesten V.zahlen** second-best selling; **V.zeiten** *pl* opening hours; **günstigsten V.zeitpunkt verpassen** *m (Börse)* to overstay the market; **V.zettel** *m* sales ticket/slip; **V.ziel** *nt* sales target; **V.ziffern** *pl* sales figures; **V.zwang** *m* compulsory sale

verkauft *adj* sold; **nicht v.** unsold; **spottbillig v. werden** to go for a song *(coll)*

Verkehr *m* 1. traffic, services; 2. transport, transportation, transport operations; 3. communication(s), contact; 4. *(Umlauf)* circulation; 5. trade, dealings, business; 6. *(Börse)* trading, dealing; 7. *(Beziehungen)* intercourse; **außer V.** *(Banknoten)* withdrawn from circulation; **im V. mit** in one's dealings with

Verkehr mit ungebrochener Fracht ⊖ through traffic; **persönlicher ~ Kindern** *(Geschiedene)* personal access to children; **V. von und nach** transport to and from

aus dem Verkehr gezogen withdrawn from circulation

zum freien Verkehr abfertigen ⊖ to clear for home use; **zum zollamtlichen V. anmelden** to enter for free circulation; **V. aufhalten/behindern** to hold up/to obstruct (the) traffic, to cause an obstruction; **in V. bringen** to put into circulation, to introduce/market/sell; **betrügerisch ~ bringen** to sell goods fraudulently; **sich in den fließenden V. einreihen** to filter into moving traffic; **für den V. freigeben** to open to traffic; **zum freien V. freigeben** to release for free circulation; **V. lahm legen** to paralyze traffic; **V. regeln** to control/direct traffic; **im V. sein** *(Banknoten)* to circulate; **für den V. sperren** to close for traffic; **in V. stehen** to communicate; **in brieflichem V. stehen** to correspond; **V. stören** to disrupt traffic; **dem V. übergeben** to open to traffic; **V. umleiten** to divert traffic; **aus dem V. ziehen** 1. *(Geld)* to withdraw/recall from circulation, to immobilize/retire/cancel; 2. 🚗 to take off the road, ~ out of service

amtlicher Verkehr *(Börse)* official trading; **außerbörslicher V.** over-the-counter/open/inofficial/street market, interoffice dealing, non-exchange trading; **bargeldloser V.** cashless (money) transfer, clearing system; **brieflicher V.** correspondence; **dichter V.** heavy traffic; **einkommender V.** incoming traffic; **einspuriger V.** single-lane traffic; **entgegenkommender V.** oncoming traffic, *(Baustelle)* contraflow; **fahrplanmäßiger V.** regular/scheduled service; **fließender V.** moving traffic; **flutender V.** surging traffic; **freier V.** *(Waren)* free circulation, open market; **in freiem V.** *(Börse)* on the kerb *[GB]*/curb *[US]* market; **gebrochener V.** combined transportation, transportation by two or more carriers; **gesellschaftlicher V.** social intercourse; **gewerblicher V.** commercial transport; **grenzüberschreitender/internationaler V.** cross-border/international transport, ~ traffic; **großstädtischer V.** city traffic; **Haus-zu-Haus-V.** door-to-door (delivery) service, store-door delivery service; **innerstädtischer V.** urban traffic; **kombinierter/multimodaler V.** combined/integrated/intermodal/multimodal transport, intermodal traffic *[US]*; **lebhafter V.** *(Börse)* brisk trading; **öffentlicher V.** public transport *[GB]*/transportation *[US]*; **reger V.** busy traffic; **ruhender V.** stationary vehicles/traffic; **schwacher V.** light traffic; **städtischer V.** urban traffic; **starker V.** heavy traffic; **dauerhaft umweltverträglicher V.** sustainable mobility; **zähflüssiger V.** slow-moving traffic, near-standstill

verkehren *v/i* 1. *(Handel)* to trade; 2. *(Route)* to ply/operate/run/fly; 3. *(umkehren)* to pervert; 4. *(Beziehungen)* to have intercourse, to associate; **mit jdm v.** to deal with so.; **brieflich v.** to correspond; **fahrplanmäßig v.** to be a scheduled service; **pünktlich v.** to run on time *[GB]*/schedule *[US]*; **stündlich v.** to run every hour; **ungezwungen mit jdm v.** to be at ease with so.

Verkehrs|abkommen *nt* transport agreement; **V.abnahme** *f* drop in traffic; **V.abwicklung** *f* traffic handling; **V.ader** *f* 🚗 arterial/trunk road; **V.aktie** *f* transport share *[GB]*/stock *[US]*; **V.ampel** *f* traffic lights; **V.amt** *nt* tourist office *[GB]*/bureau *[US]*, (tourist) information centre; **V.analyse** *f* performance analysis

Verkehrsanbindung *f* access road, traffic links, transport connections; **innerörtliche V.** inner-city traffic links; **überörtliche V.** regional and national transport connections

Verkehrs|angebot *nt* transport capacity offered; **V.anlagen** *pl* transport facilities; **V.apparat** *nt* transport system; **v.arm** *adj* slack, quiet; **V.aufgaben** *pl* (strategic) transport planning; **V.aufkommen** *nt* traffic (volume), transport volume, amount carried, volume of traffic, total traffic, cargo handling turnover; **höheres V.aufkommen** increase in the volume of traffic; **V.aufseher** *m* 🚗 traffic warden; **V.auftrag** *m* transport/forwarding order; **V.ausgaben** *pl* travel, fares; **V.auskunft** *f* traffic/tourist information; **V.ausschuss** *m* transport *[GB]*/transportation *[US]* committee; **V.bau** *m* communications building; **V.bedarf** *m (Geld)* circulation demand; **V.bedingungen** *pl* traffic conditions; **V.bedürfnisse** *pl* traffic requirements; transport needs; **V.behinderung** *f* obstruction (of traffic); **V.behörde** *f* traffic authority; **V.belebung** *f* increase in the volume of traffic; **V.bericht** *m* traffic/road report; **v.beruhigt** *adj* traffic-calmed; **V.beruhigung** *f* reduction of traffic, traffic calming; **V.beschränkungen** *pl* traffic restrictions; **V.bestimmungen** *pl* traffic regulations

Verkehrsbetrieb *m* transport undertaking/company/service; **städtische V.e** urban transport undertaking; **V.slehre** *f* transport management science

Verkehrs|bilanz *f* primary balance sheet; **V.brache** *f* derelict traffic area; **V.büro** *nt* tourist (information) office/bureau *[US]*; **V.chaos** *nt* traffic chaos, chaos on the roads, snarl-up *(coll)*; **V.delikt** *nt* § motoring/driving/traffic offence *[GB]*, ~ violation *[US]*; **V.dezernat** *nt* traffic department; **V.dezernent** *m* traffic manager

Verkehrsdichte *f* traffic density, volume of traffic; **V. im Güterverkehr** freight density; **~ Personenverkehr** passenger density; **zunehmende V.** traffic growth

Verkehrs|disziplin *f* traffic discipline, road behaviour; **V.drehscheibe** *f* hub, traffic centre; **V.durchsage** *f* *(Radio)* traffic announcement; **V.einheit** *f (Börse)* unit of trade; **V.einnahmen** *pl* traffic/transport receipts; **V.einrichtungen** *pl* transport facilities; **V.engpass** *m* bottleneck; **V.entwicklung** *f* traffic/transport development; **V.erschwernisse** *pl* traffic restrictions; **V.erträge** *pl* transport/traffic revenue, ~ yield; **V.erziehung** *f* road safety campaign/training; **V.experte** *m* traffic expert; **v.fähig** *adj* 1. *(Ware)* marketable, merchantable; 2. *(Währung)* current; 3. *(begebbar)* negotiable; **V.-fähigkeit** *f* 1. marketability, merchantability; 2. currency; 3. negotiability; **V.- und Aussagefähigkeit des Bestätigungsvermerks** *(Bilanz)* value and relevance of the opinion; **V.fläche** *f* traffic/transport area; **V.fliegerei** *f* commercial aviation; **V.flughafen** *m* commercial airport; **V.flugzeug** *nt* (civil) airliner, commercial/passenger/civil aircraft, passenger plane; **V.fluss** *m* flow of traffic, traffic circulation/flow/movement; **V.förderung** *f* transport subsidies; **V.führer** *m* transport pilot; **V.funk** *m* 🚗 radio traffic service; **V.gebühr** *f* tax on merchantable goods; **v.gefährdend** *adj* dangerous; **V.gefährdung** *f* 1. 🚗/§ dangerous driving; 2. hazard to traffic; **V.geltung** *f* general acceptance in trade; **V.gericht** *nt* traffic court; **V.gesellschaft** *f* transport company *[GB]*, transportation agency *[US]*; **V.gesetz** *nt* Transport *[GB]*/Road Traffic *[GB/US]* Act; **V.gesetzgebung** *f* traffic legislation; **V.gestaltung** *f* organisation of transport; **V.gewerbe** *nt* transport *[GB]*/transportation *[US]* industry; **V.gleichung** *f* quantity equation (of exchange), transaction equation; **soziale V.grundsätze** sound commercial practices; **v.günstig** *adj* accessible, convenient; **V.haftpflicht** *f* legal liability in transport and traffic, liability of common carrier; **V.hilfsgewerbe** *nt* auxiliary transportation industry/enterprises; **V.hindernis** *nt* obstruction; **V.hinweis** *m* 1. road report; 2. *(Schild)* road sign; **V.hypothek** *f* ordinary/common mortgage; **V.information** *f* motoring information; **V.infrastruktur** *f* transport/traffic infrastructure, transport network; **V.ingenieur** *m* traffic engineer; **V.insel** *f* 🚗 central reservation, traffic island; **V.investitionen** *pl* capital expenditure on communications; **V.knotenpunkt** *m* hub, traffic junction; **V.kontrolle** *f* traffic control, road check; **V.konzept** *nt* transport concept/policy

Verkehrslage *f* traffic situation/conditions, road situation; **in günstiger V.** easily accessible; **V.bericht** *m* road/traffic report

Verkehrs|landeplatz *m* airfield; **V.lärm** *m* traffic noise; **V.leistung** *f* 1. volume of traffic; 2. transport volume, traffic performance; 3. transport capacity/service; **verkaufte V.leistung** ✈ revenue load; **V.leitung** *f* traffic control; **V.logistik** *f* logistics in transport, traffic logistics; **V.luftfahrt** *f* commercial aviation; **V.management** *nt* traffic management; **V.meldung** *f (Radio)* traffic announcement; **V.minister** *m* minister of transport, transport secretary; **V.ministerium** *nt* ministry of transport, transport department, Department of Transport (DoT) *[GB]*/Transportation, Transportation Department *[US]*

Verkehrsmittel *nt/pl* means of transport *[GB]*/transportation *[US]*/communication, transport equipment; **öffentliche V.** public transport *[GB]*/transit *[US]*; **städtisches V.** municipal/corporation transport, city transportation *[US]*

Verkehrs|monopol *nt* transport monopoly; **V.nachfrage** *f* 1. traffic requirements; 2. transportation needs; **V.netz** *nt* 1. traffic/transport network, communications system; 2. road network; 3. rail network; **V.nutzer** *m* (traffic) user; **V.ökonom** *m* transport economist; **V.opfer** *nt* road casualty; **V.ordnung** *f* traffic regulations, regulatory system of transport, Highway Code *[GB]*, Road Traffic Act *[GB]*; **V.papier** *nt* negotiable/chattel paper; **V.planung** *f* traffic/transport planning, traffic engineering; **V.politik** *f* transport(ation) policy; **gemeinsame V.politik** *[EU]* common transport policy; **V.polizei** *f* traffic police; **V.polizist** *m* traffic policeman; **V.problem** *nt* traffic problem; **V.recht** *nt* traffic law(s); **V.regeln** *pl* traffic regulations, Highway Code *[GB]*; **v.reich** *adj* busy; **V.richter** *m* magistrate; **V.richtung** *f* direction of traffic; **V.risiko** *nt* traffic hazard; **V.rowdy/V.rüpel** *m* road cowboy/hog; **V.-rückgang** *m* decrease in traffic; **V.sache** *f* § traffic case; **V.sachverständiger** *m* traffic expert; **V.schild** *nt* road sign; **v.schwach** *adj* off-peak; **v.sicher** *adj* 1. 🚗 roadworthy; 2. safe; **V.sicherheit** *f* 1. road/transport safety; 2. 🚗 roadworthiness; **V.sitte** *f* (general/common) usage, local conventions; **V.sitten im Handelsverkehr** customary trade practices; **V.situation** *f* road situation; **V.sperre** *f* traffic embargo, stoppage of traffic; **V.spitze** *f* peak traffic period, rush hour(s); **V.sprache** *f* official language, lingua franca *(lat.)*; **V.statistik** *f* traffic statistics; **V.stau/V.stauung/V.stockung** *m/f* traffic jam/queue/congestion, tailback, snarl-up *(coll)*; **V.steuer** *f* 1. road fund licence *[GB]*, transport tax *[US]*; 2. transfer duty/charge/fee, transaction tax *[US]*, stamp duty *[GB]*; **allgemeine V.steuer** general transactions tax; **V.steuerung** *f* traffic control; **V.störung** *f* dislocation/disruption of traffic; **V.strafsache** *f* § motoring/traffic case; **V.straße** *f* public road; **V.streife** *f* road patrol; **V.streik** *m* transport workers' strike; **V.strom** *m* traffic flow; **V.sünder** *m* § (road) traffic offender; **V.sünderkartei** *f* official register of traffic offenders; **V.system** *nt* transport(ation)/communications system; **V.tafel** *f* traffic sign; **V.tarife** *pl* transport charges; **v.tauglich/v.tüchtig** *adj* 🚗 roadworthy; **V.-tauglichkeit/V.tüchtigkeit** *f* 🚗 roadworthiness; **V.-technik** *f* traffic technology; transportation engineering; **V.technologie** *f* transport technology; **V.teilnehmer** *m* 🚗 road user; **V.telematik** *f* traffic telematics; **V.tod** *m* road death/casualty; **V.tote** *pl* road deaths/casualties; **V.träger** *m* carrier, transport operator; **V.übertretung** *f* § motoring/traffic offence, traffic violation *[US]*; **V.überwachung** *f* traffic control; **v.üblich** *adj* customary; **V.umfang** *m* traffic volume; **V.umleitung** *f* diversion (of traffic); **v.unfähig** *adj* 1. *(nicht verkäuflich)* unmarketable, unsal(e)able; 2. *(nicht begebbar)* non-negotiable; **V.unfall** *m* road accident; **kleiner V.unfall** bump; **V.unfallprozess** *m* 🚗 motoring accident case, personal injury case/action; **verschuldete V.untauglichkeit** liability for dangerous chattels; **V.unternehmen/V.unternehmer** *nt/m* transport company/undertaking, common carrier, haulage contractor; **V.unterricht** *m* road safety/traffic instruction; **u.untüchig** *adj* unroadworthy; **V.verband** *m* transport pool; **V.verbindung** *f* traffic connection, transport(ation) link; **V.verbot** *nt* prohibition of traffic; **V.verbund** *m* integrated/interconnecting transport system; **V.verein** *m* tourist board; **V.vergehen** *nt* § motoring/(road) traffic/driving offence, traffic violation *[US]*; **V.verlagerung** *f* 1. deflection in/of trade; 2. deflection of traffic; **V.vertrag** *m* transport contract; **V.volumen** *nt* volume of traffic; **V.vorschriften** *pl* traffic regulations

Verkehrsweg *m* traffic route, transport route/channel, line of communication; **V.enetz** *nt* transport infrastructure, traffic network; **V.epolitik** *f* policy for transport and communications

Verkehrs|werbung *f* tourist advertising; **V.wert(igkeit)** *m/f* 1. (fair) market/trade-in/current/sal(e)able value; 2. *(Vers.)* sound value; **V.wertermittlung/-schätzung** *f* market value appraisal; **V.wesen** *nt* transport system, transport and communications; **öffentliches V.wesen** public transport *[GB]*/transit *[US]*; **v.widrig** *adj* contrary to traffic regulations; **V.widrigkeit** *f* § motoring/traffic/driving offence, traffic violation *[US]*; **V.wirtschaft** *f* 1. transport(ation) industry; 2. exchange economy, business, commerce; **V.wirtschaftler(in)** *m/f* transport economist; **V.zählung** *f* traffic census/count; **V.zeichen** *nt* road sign; **V.zentralregister** *nt* central register for traffic offences; **V.zuwachs** *m* increase in traffic

verkehrt *adj* wrong, reverse, topsy-turvy; **v. herum** upside down

Verkehrung *f* reversal

verkenn|en *v/t* to misunderstand/misjudge/misconceive/misapprehend; **V.ung** *f* misapprehension

verkett|en *v/t* to link up, to chain/concatenate; **v.et** *adj* interlocking, chained; **V.ung** *f* linkage, interlocking, linking, chaining, concatination; **~ von Umständen** chain of events

ver|ketzern *v/t* to denounce; **v.klagbar** *adj* § suable

verklagen *v/t* § to sue, to institute legal proceedings, to bring an action, to take to court, to article/implead; **jdn. v.** to sue so. at law; **v. auf** to sue for; **einzeln v.** to sue separately

gemeinschaftlich verklagt werden to be sued jointly

verklapp|en *v/t* to dump/dispose at sea; **V.ung** *f* dumping/disposal (of waste) at sea, ocean dumping/disposal, offshore dumping

verklaren *v/t* to extend protest

Verklarung *f* extended/ship's/captain's protest, maritime declaration; **V. ablegen** to extend protest; **V.sprotokoll** *nt* captain's protest

verklausulier|en *v/t* to hedge by clauses, to express circuitously; **v.t** *adj* hedged by clauses, expressed circuitously; **V.ung** *f* hedging by clauses

verkleid|en *v/t* 1. to disguise; 2. *(Fassade)* to clad; 3. *(Leitung)* to lag; **V.ung** *f* 1. disguise, cover, shroud; 2. *(Fassade)* cladding, weather boarding, sheeting; 3. *(Leitung)* lagging

verkleinern *v/t* to scale down, to downsize/reduce/diminish, to thin out; **maßstabgerecht v.** to scale down

Verkleinerung *f* reduction, downsizing; **V. des Unternehmens** organisational contraction

ver|kloppen *v/t* *(coll) (verkaufen)* to flog (off) *(coll)*; **v.knappen** *v/t* to run short, to cut back/down

Verknappung *f* shortage, stringency, tightening; **V. am Arbeitsmarkt** labour shortage; **~ Geldmarkt** tight money market; **V. der Kreditmittel** credit squeeze; **V.serscheinung** *f* sign of shortness/tightness

verknüpf|en *v/t* to associate/link; **v.t mit** *adj* associated/linked with

Verknüpfung *f* link-up, linkage, nexus; **V.sbefehl** *m* 🖳 logical instruction; **V.spunkt** *m* link, connection

verkok|en *v/t* to carbonize; **V.ung** *f* carbonization, coking

verkommen *v/i* 1. to degenerate/decay; 2. 🏛 to become dilapidated, to be run down; 3. *(Lebensmittel)* to perish, to go bad/to waste; **v. lassen** § *(Immobilie)* to commit waste; *adj (Charakter)* depraved

verkörper|n *v/t* to embody/personify/typify/epitomize; **V.ung** *f* embodiment, personification, incarnation; **~ des Bösen** devil incarnate

verköstig|en *v/t* to feed/board; **V.ung** *f* feeding, board

sich mit jdm ver|krachen *v/refl* to fall out with so.; **v.kraften** *v/t* to take/absorb/bear/manage/digest, to cope with

verkrampf|t *adj* cramped, tense; **V.ung** *f* tightening, tension; **~ des Geldmarktes** tightness of the money market

Verkrümmung *f* *(Holz)* warpage

verkrüppel|n *v/t* to cripple; **v.t** *adj* crippled, stunted

Verkrustung *f* incrustation

verkümmern *v/i* to go to waste, to atrophy; **v. lassen** *v/t* to stunt

verkünd|en *v/t* 1. to announce/notify; 2. § *(Gesetz)* to promulgate; 3. *(Urteil)* to pronounce, to hand down; **V.igung** *f* 1. announcement, promulgation; 2. § pronouncement; **~ von Wahlergebnissen** announcement of election results; **V.ung** *f* 1. announcement; 2. *(Gesetz)* promulgation; 3. *(Urteil)* pronouncement, proclamation; **V.ungstermin** § judgment date

verkürzen *v/t* 1. to shorten/cut/abbreviate/reduce/curtail, to speed up; 2. *(Text)* to abridge; 3. *(Steuer)* to evade

Verkürzung *f* shortening, reduction, curtailment; **V. der Arbeitszeit** reduction of working hours; **~ Lieferfristen** shortening of delivery periods

Verlade|anlage *f* loading facilities; **V.anweisungen** *pl* 1. loading instructions, broker's order; 2. ⚓ sailing card; **V.anzeige** *f* shipping advice; **V.arbeiter** *m* loader; **V.aufseher** *m* loading officer, chief loader; **V.-bahnhof** *m* 🚂 dispatch station; **V.bedingungen** *pl* loading conditions; **V.beginn** *m* commencing to load; **v.bereit** *adj* ready for dispatch; **V.bescheinigung/V.bestätigung** *f* 1. ⚓ mate's receipt (M.R.), evidence of shipment; 2. consignment note; **V.bestimmungen**

pl loading regulations; **V.betrieb** *m* loading plant; **V.brücke** *f* loading bridge, gantry, transporter; **V.bühne** *f* loading platform; **V.datum** *nt* date of shipment; **V.dauer** *f* loading time; **V.dokument** *nt* freight/loading/shipping document; **reines V.dokument (als Liefernachweis)** clean document in proof of delivery; **V.einrichtung** *f* loading gear/facility, handling equipment; **V.flughafen** *m* airport of dispatch; **V.frist** *f* loading period; **V.gebühr** *f* loading/shipping *[US]* charges; **V.gerät** *nt* loading gear; **V.gerüst** *nt* loading platform; **V.gesellschaft** *f* stevedoring company; **V.gewicht** *nt* loading *[GB]*/shipping *[US]* weight; **V.hafen** *m* port of loading/dispatch/embarkation/shipment, lading port, marine terminal; **frei V.hafen** free shipping port; **V.kai** *m* loading quay/wharf/berth; **V.klasse** *f* freight category

Verladekosten *pl* loading *[GB]*/shipping *[US]* cost(s); **V. und Versicherung** cost insurance (c.i.); **V., Versicherung und Fracht** cost, insurance, freight (c.i.f./cif)

Verladelliste *f* freight list, shipper's manifest; **V.mannschaft** *f* loading crew

Verladen *nt* loading*[GB]*, shipping *[US]*, stowage; **v.** *v/t* to ship/load/lade/dispatch/consign/embark

Verladelnachweis *m* evidence of shipment; **V.ort** *m* place of loading, point of shipment; **V.papiere** *pl* freight/shipping documents, shipping papers; **V.personal** *nt* loading personnel; **V.platz** *m* ⚓ berth; **V.preis** *m* shipping price

Verlader *m* 1. shipper, consigner, consignor, forwarder, packer, freighter; 2. stevedoring company

Verladelrampe *f* loading platform/ramp; **V.raum** *m* ⚓ hold; **V.risiko** *nt* loading risk; **V.schein** *m* 1. ⚓ bill of lading (B/L); 2. confinement/dispatch/shipping note, shipping bill, certificate of receipt; **V.schluss** *m* closure for cargo; **V.station** *f* terminal, place of shipment; **V.stelle** *f* 1. loading *[GB]*/shipping *[US]* point, place of shipment; 2. ⚓ berth; **V.termin** *m* date of shipment; **V.vorrichtung** *f* loading gear/facility; **V.zeit** *f* loading time; **V.zeugnis** *nt* bill of lading (B/L), shipping certificate

Verladung *f* 1. loading, lading, shipment (shpt.), consignment, forwarding, shipping; 4. ⚓ embarkation; 2. 🚂 entrainment; 3. ✈ emplainment; **V. ohne Frachtbrief** overfreight; **V. auf Paletten** palletization; **nicht zur V. gekommen** short-shipped; **für die V. schließen** to close for cargo; **V.sfrist** *f* period for shipment; **V.skosten** *pl* loading charges

Verlag *m* 1. publisher(s), publishing firm/house/company; 2. *(Bier)* sales agency, distributor

verlagern *v/t* 1. to shift/move/displace/reposition, to backload *(fig)*; 2. *(Betrieb)* to relocate; 3. *(Produktion)* to transfer/switch/redeploy; *v/refl* to shift; **v. nach** *(Produktion)* to source to

Verlagerung *f* 1. shift(ing), switch(ing), redeployment, displacement; 2. relocation, transfer; **unzulässige V. von Anlagegütern** asset stripping; **V. von Arbeitsplätzen** job relocation; **V. nach außen** external relocation, outsourcing; **V. der Beweislast** shifting of the burden of proof; **~ Fertigung** production shift; **V. von Investitionen** rescheduling of investment; **V. in Phasen** staggered shift; **V. von Produktionsstätten** relocation of production facilities; **V. des Wohnortes** change of residence; **schwerpunktmäßige V.** relocation of key industries; **V.sbedarf** *m* relocation requirements/needs; **V.skosten** *pl* transfer/relocation costs; **V.szuschuss** *m* relocation grant

Verlagslabteilung *f* publishing department; **V.agent** *m* literary agent; **V.agentur** *f* literary agency; **V.anstalt** *f* publishing house/company/firm; **V.buchhandel** *m* publishing trade; **V.buchhändler** *m* publishing bookseller, publisher; **V.buchhandlung** *f* publishing house/firm; **V.geschäft/V.gewerbe** *nt* publishing trade; **V.gesetz** *nt* publishing act, Copyright Act *[US]*; **V.-haus** *nt* publishing house/company; **V.katalog** *m* publisher's catalogue; **V.kaufmann** *m* publishing manager; **V.konzern** *m* publishing group; **V.leiter** *m* publishing director/manager; **V.lektor** *m* publisher's reader; **V.lektorat** *nt* editorial office; **V.objekt** *nt* publication; **V.ort** *m* place of publication; **V.preis** *m* publisher's price; **V.programm** *nt* publishing programme, list

Verlagsrecht *nt* copyright, publishing rights; **V. verletzen** to infringe a copyright; **internationales V.** international copyright; **V.sablösung** *f* commutation of copyright; **V.sinhaber(in)** *m/f* copyright holder

Verlagslredakteur *m* (publishing) editor; **V.system** *nt* domestic system; **V.unternehmen** *nt* publishing company; **V.veröffentlichung** *f* publication; **V.vertrag** *m* publishing contract/agreement; **V.vertreter** *m* publishing agent; **V.wesen** *nt* publishing (industry/trade); **V.wirtschaft** *f* publishing industry/trade; **V.zeichen** *nt* imprint

verlandlen *v/i* to silt up; **V.ung** *f* silting up

Verlangen *nt* 1. demand, request, desire, wish, craving, aspiration, yearning; 2. § urge, requisition; **auf V.** on request/demand, at the request of; **V. auf zusätzliche Auskunftserteilung über Grundstücksrechte** § requisitions on title; **zahlbar bei V.; auf V. zahlbar** due/payable on demand; **ausdrückliches V.** express request; **billiges V.** reasonable demand; **gesetzlich rechtmäßiges V.** lawful demand; **unbilliges V.** unreasonable demand; **vergebliches V.** vain request

verlangen *v/t* to demand/request/want/ask/require/claim/crave, to call for; **etw. lauthals v.** to clamour for sth.; **zu viel v.** to overcharge

verlängerlbar *adj* renewable, prolongable; **v.n** *v/t* 1. to renew/prolong/extend/lengthen; 2. *(Kredit)* to roll over; **stillschweigend v.n** to extend automatically

Verlängerung *f* renewal, extension, prolongation

Verlängerung des Abonnements renewal of a subscription; **V. der Arbeitszeit** increase of working hours; **~ Abgabefrist** filing extension; **~ Frist** extension of time; **~ Gültigkeitsdauer** extension of validity; **~ Kreditlaufzeit** extension of a credit; **~ Laufzeit** stretchout of a term; **~ Laufzeit eines Darlehens** renewal of a loan; **~ Lieferfrist** extended time of delivery, extension of the delivery period; **V. eines Pachtvertrages** renewal of a lease; **~ Passes** renewal of a passport; **~ Patents** renewal of a patent; **V. der Rechtsmittelfrist**

extension of time for appeal; **V. eines Wechsels** prolongation of a bill of exchange (B/E); **V. des Zahlungsziels** extension of the period of credit; **~ durch Rechnungsvordatierung** dated bill, dating

zur Verlängerung anstehen to be/come up for renewal; **automatische V.** automatic renewal; **stillschweigende V.** tacit renewal/prolongation/extension/exemption

Verlängerungs|abkommen *nt* prolongation agreement; **V.anmeldung** *f* notification of extension; **V.-anzeige** *f* renewal notice; **V.bedingungen** *pl* terms of extension; **v.fähig** *adj* renewable; **V.frist** *f* period of extension; **V.gebühr** *f* renewal fee; **V.kabel** *nt* ϟ extension cable/lead; **V.klausel** *f* 1. renewal clause; 2. *(Marinevers.)* prolongation/continuation clause; **V.mitteilung** *f* renewal notice; **V.option** *f* renewal option; **V.police** *f* renewal/extension policy; **V.prämie** *f* renewal premium; **V.provision** *f* renewal commission; **V.recht** *nt* right of renewal; **V.schnur** *f* ϟ extension cable/lead; **V.stück** *nt (Wechsel)* allonge; **V.wechsel** *m* renewal/renewed bill; **V.zeit(raum)** *f/m* extra time, renewal period; **V.zettel** *m* 1. rider; 2. *(Wechsel)* allonge

verlangsam|en *v/t/v/refl* to slow (down), to decelerate/retard/slacken; **V.ung** *f* slow-down, decelaration, retardation, slackening; **~ des Wachstums** slow-down in growth

verlangt *adj* wanted, in demand; **telefonisch v. werden** to be wanted on the telephone; **das ist ganz schön/ziemlich viel v.** that's a tall order *(coll)*

Verlass (auf) *m* reliance (on), dependence (on)

Verlassen *nt* § desertion; **V. eines Schiffs** abandonment of a ship/vessel; **böswilliges V.** § (wilful) desertion

verlassen *v/t* 1. to leave/quit/abandon, to pull out of; 2. *(Wohnung)* to vacate; 3. 🖳 to exit; 4. § to desert/relinquish, to contract out of; **sich v. auf** to rely (up)on, to depend/count/lean/bank on, to be reliant on; **Sie können sich darauf v.** *(Brief)* you may rest assured; **sich auf sich selbst v.** to be self-reliant

ver|lassen *adj* 1. 🏛 derelict; 2. desolate; 3. deserted; **v.lässlich** *adj* reliable, dependable

Verlässlichkeit *f* reliability, dependability; **V.sgrad** *m* (level/degree of) reliability; **V.skaution** *f* fidelity guarantee

Verlauf *m* course, development, process, run; **im V.** in the course of; **natürlicher V. der Dinge** natural course of events; **im V. des Jahres** later in the year; **~ eines Jahres** during the course of a year; **V. der Konjunktur** cyclical development, business/trade cycle; **~ Krankheit** course of the disease; **im späteren ~ Sitzung** *(Börse)* in later trading; **~ Sterblichkeit** *(Vers.)* mortality experience; **V. abwarten** to wait and see; **guten V. nehmen** to make good progress; **weiterer V.** procedure; **zeitlicher V.** time shape

verlaufen *v/i* to go/run, to pass off; *v/refl* to lose one's way; **befriedigend v.** to turn out satisfactorily; **wie geplant v.** to go according to plan; **glatt/reibungslos/ungestört v.** to go (off) smoothly, ~ without a hitch *(coll)*; **normal v.** to proceed as normal; **parallel v.** to run parallel; **planmäßig v.** to go according to plan; **schleppend v.** *(Absatz)* to be sluggish/dull; **tödlich v.** to end fatally; **ungünstig v.** to go against sth.

langfristige Verlaufs|richtung secular trend; **V.struktur** *f* time path; **zyklische V.struktur** cyclical pattern; **V.ziel** *nt* year-on-year target

verlautbaren *v/t* to announce/disclose/divulge/proclaim, to issue a statement; **v. lassen** to issue/put out a statement

Verlautbarung *f* announcement, press release, (issue of a) statement, claim; **V. bekannt geben/herausgeben** to put out a statement; **amtliche/offizielle V.** official statement/announcement, bulletin; **öffentliche V.** public statement

verlauten *v/i* to transpire; **etw. v. lassen** to let sth. be known; **nichts v. lassen** to keep mum *(coll)*

verleas|en *v/t* to lease out; **V.ung** *f* leasing

verlegbar *adj* relocatable, transferable

verlegen *v/t* 1. *(Termin)* to postpone, to bring forward; 2. *(Betrieb)* to transfer/move/relocate; 3. 📖 to publish/print; 4. to mislay/misplace; 5. *(Leitung)* to instal/lay; **sich v. auf** to resort to, to go in for, to launch upon

verlegen *adj* embarrassed, at a loss, constrained, nonplussed; **jdn v. machen** to embarrass so.

Verlegenheit *f* difficulty, embarrassment, strait(s), nonplus, quandary, awkward/embarrassing situation, predicament; **jdn in V. bringen** to embarrass so., to put so. on the spot, ~ in a bind *(fig)*; **jdn aus einer V. bringen** to get so. off the hook *(fig)*; to throw a lifeline to so. *(fig)*, to help so. out of a predicament; **in V. geraten/kommen** to be hot under the collar *(coll)*, to get into a fix *(coll)*; **jdm aus der V. helfen** to let so. off the hook; **in ziemlicher V. sein** to be hard put to it; **V. verursachen** to pose a dilemma; **finanzielle V.** financial difficulties; **V.slösung** *f* makeshift solution; **V.spause** *f* awkward silence

Verleger *m* 1. publisher; 2. *(Getränke)* distributor; **V.einband** *m* publisher's binding; **V.verband** *m* publishers' association

Verlegung *f* 1. *(Termin)* postponement, bringing forward; 2. transfer, relocation; 3. 📖 publication; 4. *(Leitung)* laying

Verlegung lohnintensiver Fertigung in ein Niedriglohnland offshore sourcing; **V. der Geschäftsleitung** transfer of the place of management; **~ Hauptverhandlung** § postponement of trial; **V. des Sitzes** *(Gesellschaft)* transfer of the seat, relocation of the registered office; **~ Steuersitzes** relocation of the registered office for tax reasons; **~ Unternehmens** company relocation; **~ Wohnsitzes** transfer of residence

Verleih *m* 1. rental, lending, hiring (out); 2. rental/hire company, hire business; 3. *(Film)* distribution

verleihbar *adj* loanable, lendable, grantable

verleihen *v/t* 1. to loan/lend; 2. to lease, to hire/rent out; 3. *(Titel)* to bestow; 4. *(Auszeichnung)* to award; 5. *(Vollmacht)* to vest/confer

Verleiher *m* 1. lender, loaner; 2. credit grantor; 3. hire/rental firm; 4. *(Pfandhaus)* pawnbroker

Verleih|geschäft *nt* renting; **V.gesellschaft** *f* rental company; **V.recht** *nt* lending rights

Verleihung *f* 1. lending; 2. renting, rental, hire; 3. *(Titel)* bestowment, bestowal; 4. *(Auszeichnung)* award, presentation; 5. *(Rechte)* conferment, vesting; **V.surkunde** *f* charter, diploma

verleiten *v/t* 1. to tempt/induce/entice/mislead/encourage; 2. § to suborn; **sich v. lassen** to allow o.s. to be persuaded, to yield to temptation

Verleitung *f* inducement, instigation, encouragement, solicitation; **V. zur Falschaussage** § subornation; ~ **strafbaren Handlung** incitement to commit crimes; **V. zum Meineid** subornation to perjury, incitement to (commit) perjury; ~ **Vertragsbruch** procuring breach of contract

ver|lernen *v/t* to unlearn; **v.lesen** *v/t* to read (out)

Verlesung *f* reading; **auf die V. wird verzichtet** § taken as read; **V.sprotokoll** *nt* § record of a document that has been read out to the parties

verletz|bar *adj* vulnerable; **leicht v.bar** *(psychologisch)* touchy; **v.en** *v/t* 1. to injure/hurt/wound/harm; 2. *(psychologisch)* to offend; 3. § to infringe/transgress/break/violate; **v.end** *adj* offensive; **v.lich** *adj* vulnerable; **v.t** *adj* injured, hurt; **V.er** *m* infringing party

Verletzte|(r) *f/m* § injured/wronged/aggrieved/offended party, injured person; **der/die in seinen/ihren Rechten V.** the aggrieved party

Verletzten|geld *nt* injury grant; **V.rente** *f* injured person's pension

Verletzung *f* 1. $ injury, harm, wound; 2. *(psychologisch)* offence, affront; 3. § violation, infringement, breach, trespass, intrusion, infraction, transgression; **in/unter V. von** in violation/contravention of

Verletzung der Amtspflicht breach of duty, malfeasance; ~ **Amtsverschwiegenheit** breach of official secrecy; ~ **Anzeigepflicht** non-disclosure; ~ **Beiwohnungs-/Kohabitationspflicht** § desertion; **V. des Berufsgeheimnisses** breach of professional secrecy; **schwere V. anwaltlicher Berufspflichten** legal malpractice; **V. der Bestimmungen des Kartellgesetzes** antitrust violation; **V. von Betriebsgeheimnissen** divulging of business/trade/industrial secrets; **V. des Briefgeheimnisses** unauthorized opening of mail; **V. der Dienstpflichten** breach of duty, malfeasance (in office); ~ **Eidespflicht** violation of an oath; **V. des Eigentums** § trespass; **V. von Formvorschriften** infringement of procedural requirements, non-compliance with the procedure; **V. eines Gebrauchsmusters** infringement of a registered design; **V. der Geheimhaltungspflicht** breach of secrecy; **V. eines Gesetzes** breach of a law; **V. der Gewährleistungspflicht** breach of warranty; **V. einer Hauptpflicht** *(Vertrag)* breach of condition; **V. des Immobilienbesitzrechts** § quare clausum fregit *(lat.)*; **V. der Intimsphäre** violation/infringement of privacy; **V. des Luftraums** violation of airspace; **V. der Menschenrechte** violation of human rights; **V. des Mietvertrages** breach of tenancy; **V. einer Nebenpflicht** *(Vertrag)* breach of warranty; **V. der Neutralität** violation of neutrality; **V. des Pachtvertrages** breach of tenancy; **V. eines Patents** infringement of a patent; **V. der Pflichten** breach of obligations; ~ **ehelichen Pflichten** § matrimonial offence; **V. von jds Rechten** encroachment upon/infringement of so.'s rights; **V. der (öffentlichen) Ruhe und Ordnung** breach of the peace, offence against law and order; **V. eines gewerblichen Schutzrechts** violation of a property right; **V. der Schweigepflicht** breach of secrecy; ~ **beruflichen Schweigepflicht** breach of the professional duty of confidentiality; ~ **Sonntagsruhe** non-observance of Sunday; ~ **Sorgfaltspflicht** negligence, lack of care, violation of the duty of care; ~ **gesetzlich vorgeschriebenen Sorgfaltspflicht** statutory negligence *[US]*; ~ **Standespflicht** breach of professional ethics; **V. von jds Stolz** affront to so.'s pride; **V. mit Todesfolge** fatal injury; **V. der Treuepflicht** breach of trust; **V. durch einen Unfall** accidental injury; **V. der Unterhaltspflicht** failure to provide maintenance, non-support *[US]*; **V. des Urheberrechts** infringement of copyright; **V. der Verfassung** breach of (the) constitution; **V. einer Verpflichtung** breach of warranty; ~ **obliegenden Verpflichtung** infringement of an obligation; **V. eines Vertrages; V. der Vertragspflicht** breach of contract; **V. der Vertraulichkeit** infringement of privacy, breach of confidentiality; ~ **Vorfahrt** violation of the right of way; **V. von Vorschriften** breach of regulations; **V. des Wahlgeheimnisses** unauthorized interference with ballot papers; **V. von Warenzeichen** infringement of trademarks; **V. des Zollverschlusses** breaking of the customs seal; **V. der Zollvorschriften** breach of customs regulations, failure to comply with applicable customs laws and regulations

seinen Verletzungen erliegen to die as a result of injuries (sustained); **unter V. eines Rechts handeln** to act in contravention of a law; **jdm eine V. zufügen** to harm so.; **sich V.en zuziehen** to suffer/sustain injuries

absichtliche/böswillige Verletzung § malicious wounding; **ausgeheilte V.** $ healed wound; **äußere V.** external injury; **geringfügige V.** minor injury; **innere V.** internal injury; **lebensgefährliche V.** critical injury; **schwere V.** serious injury; **sichtbare V.** visible injury; **sichtbare, durch äußere Einwirkung entstandene V.** external and visible injury; **tödliche V.** fatal injury; **vorsätzliche V.** 1. wilful injury; 2. § intentional infringement

Verletzungs|absicht *f* intention to cause harm/injury; **V.folgen** *pl* effects of an injury; **V.handlung** *f* injurious/infringing act; **V.klage/V.prozess** *f/m* infringement action/suit; **V.tatbestände** *pl* definition of infringement

verleug|nen *v/t* to deny/repudiate/disown/disclaim; **V.nung** *f* denial, repudiation

verleumd|en *v/t* to slander/libel/defame/detract/malign/smear/calumniate/vilify, to cast aspersions; **V.er(in)** *m/f* slanderer, libeller, detractor, defamer; **v.erisch** *adj* slanderous, libellous, defamatory

Verleumdung *f* slander, libel, defamation, disparagement, aspersion, calumny, vilification; **strafbare V.** criminal libel; **V.skampagne** *f* smear campaign; **V.sklage** *f* libel/slander suit, ~ case; **V.sprozess** *m* libel/slander action

verlieren *v/t* 1. to lose; 2. § to forfeit; *v/refl* 1. *(Wirkung)* to wear off; 2. to lose one's way; **leicht v.** to be liable to lose

Verlierer(in) *m/f* 1. loser; 2. *(Börse)* decliner

Verlies *nt* dungeon

verloben *v/refl* to become/get engaged

Verlöbnis *nt* → **Verlobung**; **V.bruch** *m* breach of promise of marriage

verlobt *adj* engaged; **V.e** *f* fiancée *[frz.]*; **V.er** *m* fiancé *[frz.]*

Verlobung *f* engagement; **V. (auf)lösen** to break (off) an engagement; **V.sanzeige** *f* notice of engagement

verlocken *v/t* to lure/tempt/entice; **v.d** *adj* attractive, tempting, tantalizing, mouth-watering *(fig)*, beguiling, seductive; **wenig v.d** uninviting

Verlockung *f* enticement, temptation, attraction, lure, allurement, seduction

verlogen *adj* mendacious; **V.heit** *f* mendacity

verloren *adj* 1. lost, missing; 2. *(Kredit)* non-performing; **hoffnungslos v.** 1. ⚓ lost without hope; 2. lost beyond/past recovery; **für immer unwiederbringlich v.** irrecoverable, past recovery; **rettungslos v.** past redemption; **v. gegangen** *adj* lost, missing; **v. gehen** *v/i* 1. to go astray, ~ down the drain *(coll)*; 2. to founder

verlosen *v/t* to draw/raffle

Verlosung *f* draw, raffle, lottery; **V.sanleihe** *f* serial bond; **V.sliste** *f (Anleihe)* drawing list; **erster V.stermin** first sinking fund date

Verlust *m* 1. *(Schaden)* loss, damage; 2. *(finanziell)* loss, deficit, deficiency, minus, the red; 3. § forfeit(ure); 4. detriment, deprivation, disadvantage; 5. *(Material)* spoilage, waste, wastage; 6. *(Flüssigkeit)* leakage, ullage; **V.e** *(Tote)* casualties; **bei V.** under pain of; **mit V.** at a loss

Verlust|e aus dem Abgang von Gegenständen des Umlaufvermögens losses due to the disposal of assets; **V. der öffentlichen Ämter** loss of public office(s); **V.e aus Anlageabgängen** losses from the disposal of investments, ~ fixed assets; **V. der Arbeitsfähigkeit** loss of earning capacity; **V. des Arbeitsplatzes** loss of employment/job, job loss; **V. durch Auslaufen** (loss by) leakage, ullage; **V. der Beamtenrechte** forfeiture of civil servant status; **V.e aus Beteiligungen** losses taken over from affiliates; ~ **Bürgschaftsverpflichtungen** surety losses; ~ **Darlehen** credit loss; **V. der bürgerlichen Ehrenrechte** forfeiture of civic rights; ~ **Erwerbsfähigkeit** loss of earning power; ~ **Fähigkeit zur Bekleidung öffentlicher Ämter** forfeiture of the right to assume public office; **V. durch Feuer** fire loss; **V. aus zweifelhaften Forderungen** bad/doubtful debt loss; **V. im nicht operativen Geschäft** non-operating loss; **V. des Geschäftsjahres** loss for the financial year; **V. eines Glieds** *(Vers.)* loss of limb; **V. im ersten Halbjahr; in der ersten Jahreshälfte** midway loss; **V. des Hörvermögens** loss of hearing; **V. aus Krediten** credit loss; **V. von Kundschaft** loss of custom; **V. aus Kursschwankungen** exchange loss; **V. durch Ladendiebstahl** shrinkage; **V. der Ladung** loss of cargo; **V. an Menschenleben** loss of life; **V. im Mietgeschäft** rental loss; **V. des Pensionsanspruches** forfeiture/loss of pension rights; **V. eines Rechtes** forfeiture/loss of a right; **V. des Rechts der Vermögensverwaltung** loss of the right to manage one's estate; **V. im Schifffahrtsbereich** shipping loss; **V. auf See; V. im Seeversicherungsgeschäft** marine loss; **V. des Sehvermögens** loss of sight; **V. der Staatsangehörigkeit** loss of nationality; **V. nach Steuern** aftertax loss; **V. des Stimmrechts** disqualification from voting; **V. pro Stück** unit loss; **V. auf dem Transport(wege)** loss in transit; **V. in der (Weiter)Verarbeitung** downstream loss; **V. aus dem Versicherungsgeschäft** underwriting loss; **V. der Voraussetzung für ein öffentliches Amt** disqualification from public office; **V. des Wahlrechts** dis(en)franchisement, disqualification from voting; **V. der Zeugungsfähigkeit** ⚕ impotence

von Verlusten geplagt loss-stricken

Verlust|e abbauen to cut/trim losses; ~ **abbuchen/abschreiben** to cut (one's) losses, to charge off; **V. abdecken** to cover/make good a loss, to eliminate a deficit; **V. abschätzen** to assess a loss; **mit V. abschließen** to show/report a loss, to close with a loss; ~ **absetzen** to sell at a loss; **V. abwenden** to avert a loss; **mit V. arbeiten** to operate/run/trade/work at a loss, to run up a deficit; **ohne V. arbeiten** to break even, to operate at break-even; **V.e auffangen** to absorb/cushion losses; **für einen V. aufkommen** to be liable for/pay for/make good a loss; **V.e auflaufen lassen** to run up losses; **V. aufweisen** to show a loss; **V. ausgleichen** to make good/up a deficit, to recoup/offset/supply/eliminate a loss, to make good/up a loss; **V.e intern ausgleichen** to cross-subsidize; **V. ausweisen** to show/return/post/report a loss, to show a deficit; **V. berechnen** to assess loss; **V.e berücksichtigen** to make allowance for losses; ~ **beschränken** to cut one's losses; ~ **beseitigen** to eliminate losses; **mit V. betreiben** to run/operate at a loss; **V. bewerten** to estimate/assess a loss; **V. auf ... beziffern** to put the loss at ...; **V.e unter Kontrolle bringen** to contain losses; **als V. buchen** to put down to losses; **V. decken** to make good/cover a loss; **V.e eindämmen** to halt/stem losses; **V. einfahren** to turn in a loss; **jdn für einen V. entschädigen** to compensate so. for a loss; **V. ergeben** to result in a loss; **V. erleiden** 1. to suffer/sustain/incur/fall into a loss; 2. *(Börse)* to catch a cold *(fig)*; 3. ⚔ to suffer casualties; **hohen V. erleiden** *(Börse)* to take a bath/cleaning *(coll)*; **V. ermitteln** to ascertain/assess a loss; **V. ersetzen** to make up/good a loss; **V. erwirtschaften** to chalk up a loss; **V.e haben** to sustain losses, to be in the red; **für einen V. haften** to be liable/accountable for a loss; **V.e in Grenzen halten** to contain losses; **V. hereinholen** to recoup a loss; **aus den V.en kommen** to move/get out of the red, to break even; **mit V. kaufen** to buy at a loss; **V.e machen** to sustain losses, to be in the red, to lose/bleed money; **V. in Kauf nehmen** to take/accept a loss; **V.e reduzieren** 1. to cut/trim a loss; 2. *(Börse)* to average; **gegen V. schützen** to protect against loss; **sich vor V.en schützen** 1. to secure o.s. against loss; 2. *(Börse)* to hedge; **gegen einen V. gedeckt sein** to be insured against a loss; **V. teilen** to share a loss; **V. tilgen** to make good/offset a loss; **V. tragen** to bear the loss; **mit V. unterbringen** to sell at a loss; **V.e verhüten** to cut losses; **mit V. verkaufen** to sell at a loss/discount/sacrifice/disadvantage, to slaughter *(coll)*; **V.e vermindern** to cut losses; **V. verschmerzen** to get over a loss; **V.e verzeichnen** to record losses; **V. vortragen** to carry forward a loss; **V. wettmachen** to retrieve a loss; **V. wieder gutmachen** to recoup a loss; **V. zufügen** to inflict/cause a loss; **V. zurückführen** to carry back a loss

absetzbarer/steuerlich anerkannter Verlust allowable loss; **absoluter V.** dead loss; **anrechenbarer V.** attributable loss; **anteiliger V.** proportional loss; **aufgelaufener V.** cumulative losses; **ausgewiesener V.** reported loss; **betriebsbedingter/-wirtschaftlicher V.** operating loss; **buchmäßiger V.** accounting loss; **drohender V.** impending loss; **eingetretener V.** actual/incurred loss; **einmaliger V.** non-recurring loss; **empfindlicher V.** severe loss; **endgültiger V.** terminal loss; **durch Nichtvermietung entstandener V.** vacancy loss; **erlittener V.** sustained loss; **ersetzbarer V.** recoverable loss; **erwarteter V.** loss provision; **finanzieller V.** financial loss; **fühlbarer V.** appreciable loss; **gedeckter V.** *(Vers.)* insured loss; **großer/harter V.** severe/major loss; **immaterieller V.** intangible loss; **kurzfristiger V.** short-term loss; **laufender V.** current loss; **materieller V.** tangible loss; **mittelbarer V.** consequential loss; **negativer V.** negative loss; **operativer V.** operating loss; **nicht realisierter V.** paper/unrealized loss; **rechnerischer V.** accounting/book/paper loss; **reiner/saldierter V.** clear/net loss; **schmerzlicher/schwerer V.** severe/heavy loss; **steigende V.e** mounting losses; **steuerlicher V.** tax loss; **tatsächlicher V.** actual loss; **totaler V.** outright loss; **überraschender V.** surprise loss; **unbedeutender V.** insignificant/minor loss; **uneinbring-/unersetz-/unwiederbringlicher V.** irrecoverable/dead/irretrievable loss; **unfallbedingter V.** accidental loss; **ungedeckter V.** uninsured loss; **unmittelbarer V.** direct loss; **unermesslicher V.** incalculable loss; **versicherungstechnischer V.** underwriting loss; **durch Brand verursachter V.** loss by fire; **vorgetragener V.** loss carried forward; **wachsende V.e** mounting losses

Verlust|abbau *m* loss reduction; **V.abschluss** *m* deficiency statement; **V.absetzung für die letzten Geschäftsjahre** *f* terminal loss relief *[GB]*; **V.abzug/V.anrechnung** *m/f* loss relief, deductable loss, net loss carryover; **V.anstieg** *m* acceleration of losses; **V.anteil** *m* contribution; **V.anzeige** *f* notice of a loss; ~ **erstatten** to file a proof of loss; **V.artikel** *m* loss leader; **V.attest** *nt* certificate of loss; **V.aufteilung** *f* loss apportionment; **V.auftrag** *m* order at below cost price; **V.ausgleich** *m* loss adjustment, compensation of a loss, offsetting losses, carryback; **interner V.ausgleich** cross-subsidization; **V.ausweis** *m* reporting a loss; **V.begrenzung** *f* loss limitation; **V.beitrag** *m* deficiency contribution; **V.bericht** *m* loss report

Verlustbeteiligung *f* loss sharing, deficit-sharing payment; **V. des Exporteurs** exporter's retention; ~ **Garantienehmers** insured's retention; ~ **Leasinggebers** lessor's retention

Verlust|betrieb *m* loss-making plant/operation; **V.bilanz** *f* adverse balance, deficiency statement; **V.bringer** *m* loss-maker; **v.bringend** *adj* loss-making, unprofitable; **V.deckung** *f* loss cover; **V.faktor** *m* loss-producing factor; **im V.falle** *m* in the event of (a) loss; **V.feststellungsbescheid** *m* deficiency statement; **v.frei** *adj* without loss; **V.funktion** *f* ▦ loss function; **V.gebiet** *nt* deficit area; **V.geschäft** *nt* loss-making business, losing game/bargain

für verlustig erklären *adj* § to declare forfeited; **v. gehen** to forfeit; **V.erklärung** *f* (declaration of) forfeiture

Verlust|jahr *nt* deficit year, year of loss; **V.konto** *nt* deficit/deficiency account; **V.liste** *f* ✈ casualty list; **V.maßstab** *m* loss measure; **V.meldung machen** *f* to report a loss; **V.minderung** *f* mitigation of damage/loss; **V.nachweis** *m* proof of loss; **V.obergrenze** *f* upper loss limit; **V.potenzial** *nt* loss potential; **V.preis** *m* dumping/ruinous price; **V.quelle** *f* money loser; **V.quellen stilllegen** to cut one's losses; **V.quote** *f* loss ratio, wastage, percentage of loss; **v.reich** *adj* (heavily) loss-making; **V.risiko** *nt* risk of loss; **V.rücklage/-stellung(en)** *f/pl* loss/contingency reserve, loss provisions; ~ **erhöhen** to strengthen loss provisions

Verlustrücktrag *m* (loss) carryback; **V. vornehmen** to carry back a loss; **steuerlicher V.** tax loss carryback

Verlust|saldo *m* adverse balance: **V.schein** *m* loss certificate; **V.schwelle** *f* break-even point; **V.seite** *f* loss side; **V.spanne** *f* deficit margin; **V.spitze** *f* marginal loss; **V.steigerung** *f* increased losses; **V.stücke** *pl* 1. lost property; 2. *(Wertpapiere)* lost securities; **V.tal** *nt* deficit period; **V.tilgung** *f* write-off; **V.träger** *m* loss-maker

Verlustübernahme *f* absorption/assumption/transfer of losses, transferred losses, subsidiary's loss assumed by parent company, loss assumption/takeover/transfer; **V. durch Muttergesellschaft** losses taken over by the parent company; **V.vertrag** *m* loss assumption agreement

Verlust|umlage *f* loss apportionment; **V.ursache** *f* cause of the loss; **V.verkauf** *m* loss selling; **V.verwendung** *f* treatment of loss

Verlustvortrag *m* loss brought forward, ~ carryover/carry-forward, ~ carried over/forward, accumulated loss/dividend, debt balance carried forward; **V. aus dem Vorjahr** prior year's loss brought forward; **handelsrecht-/steuerlicher V.** tax loss carry-forward, deficit carried forward, loss brought forward; **verbleibender V.** loss carryover remaining; **vororganschaftlicher V.** pre-consolidation loss carryover

Verlustzeit *f* idle/dead time; **V. durch Fehlbedienung** operating delays; **betriebsbedingte V.** down time; **V.raum** *m* loss-making period

Verlustzone *f* *(Diagramm)* losses wedge; **in der V.** in the red; **V. erreichen; in die V. geraten** to get into the red; **V. überwinden** to get out of the red

Verlust|zunahme *f* acceleration of losses; **V.zurechnung/V.zuweisung** *f* loss allocation; **V.zuweisungsgesellschaft** *f* loss-allocating company

vermach|bar *adj* devisable; **v.en** *v/t* § to bequeathe/leave/devise/legate, to make over

Vermächtnis *nt* bequest, legacy, devise, settlement, demise; **V. nach Abzug der Nachlassverbindlichkeiten** residuary legacy; **V. unter Auflage** contingent/conditional legacy, conditional devise; **V. in Geld** pecuniary legacy; **V. von Grundbesitz** devise; **V. ausschlagen** to disclaim a legacy, to refuse to accept a legacy; **V. aussetzen/hinterlassen** to grant a legacy, to make a bequest

bedingtes Vermächtnis contingent/conditional legacy; **besonderes V.** specific legacy; **betagtes V.** deferred legacy; **gemeinschaftliches V.** joint legacy; **generelles V.** indefinite legacy; **unabdingbares V.** vested legacy; **unbedingtes V.** absolute/unqualified legacy

Vermächtnis|anfall *m* devolution of a legacy; **V.anspruch** *m* claim to a legacy; **V.berechtigte(r)/V.empfänger(in)/V.erbe/V.erbin/V.nehmer(in)** *m/f* legatee, devisee; **V.geber(in)** *m/f* legator, donor, testator; **V.steuern** *pl* death/estate duty, death/inheritance tax

vermähl|en *v/refl* to marry; **V.ung** *f* marriage

vermarkt|bar *adj* marketable; **v.en** *v/t* to market/merchandise/commercialize, to put on the market, to bring to market; **V.er** *m* marketer; **v.et** *adj* marketed

Vermarktung *f* marketing, commercialization

Vermarktungs|bestimmungen *pl* marketing provisions; **V.chancen** *pl* marketing prospects; **v.fähig** *adj* marketable; **V.garantie** *f* marketing guarantee; **V.jahr** *nt* marketing year; **V.normen** *pl* marketing standards; **V.praktiken** *pl* marketing practices; **V.prämie** *f* marketing subsidy; **V.rechte** *pl* marketing rights; **ausschließliche V.rechte** exclusive marketing rights; **V.spanne** *f* marketing margin; **neue V.strategie** *(für ein Produkt)* revival

ver|masseln *v/t* to bungle/botch, to hash up, to make a hash/mess of sth.; **v.massen** *v/ti* 1. to make uniform; 2. to become uniform/stereotyped; **V.massung** *f* deindividualization

vermehr|en *v/t* 1. to augment/increase/heighten; *v/refl* to multiply/reproduce/breed; **sich stark v.en** to proliferate; **v.t** *adj* increased; **V.ung** *f* increase, augmentation, multiplying

vermeid|bar *adj* avoidable, preventable; **v.en** *v/t* 1. to avoid/prevent/evade/eschew/avert; 2. to steer clear of sth. *(coll)*

Vermeidung *f* avoidance, prevention, evasion; **zur V. von** to avoid; **V. der Doppelbesteuerung** prevention of double taxation; **V. von Finanzzöllen** avoidance of revenue duties; **~ Härten** prevention of hardship; **bei V. einer Strafe** on penalty/pain of; **V. der Umweltverschmutzung** pollution prevention; **zur V. weiterer Verluste** *(Maßnahme)* stop loss

ver|meintlich *adj* putative, alleged, reputed, presumed, supposed; **v.melden** *v/t* to report; **V.mengung** *f* confusion

vermenschlich|en *v/t* to humanize; **V.ung** *f* humanization

Vermerk *m* 1. remark, entry, note, (an)notation, statement, endorsement, minute; 2. *(Akte)* return; 3. *(Wechsel/Vorderseite)* enfacement; **V. auf einer Urkunde** annotation; **V. über einen Vertrag** memorandum in writing

vermerk|en *v/t* to note; **V.spalte** *f* annotation column; **nebenstehend v.t** *adj* indicated in the margin

vermessen *v/t* to survey/measure, to map out; *adj* arrogant, bold, audacious; **V.heit** *f* arrogance, boldness

Vermessung *f* survey, surveying, measurement

Vermessungs|amt *nt* surveyor's department/office; **V.arbeiten** *pl* surveying; **V.beamter** *m* surveyor; **V.daten** *pl* surveying data; **V.deck** *nt* ⚓ tonnage deck; **V.gebühr(en)** *f/pl* survey fee/charges; **V.ingenieur** *m* surveyor; **V.kosten** *pl* survey cost(s); **V.länge** *f* ⚓ tonnage length; **V.marke** *f* ⚓ tonnage mark; **V.schein** *m* survey certificate; **V.schiff** *nt* survey ship; **V.wesen** *nt* surveying

vermietbar *adj* rentable, lettable; **nicht v.** unlettable; **V.keit** *f* rentability, lettability, leasability

Vermieten *nt* let(ting), leasing

vermieten *v/t* to let (for rent), to rent/hire/lease out, to lease off, to put out to lease; **zu v.** 1. for hire; 2. *(Immobilien)* to let, rentable; **einzeln v.** to split-let; **gewerblich v.** to let for business purposes; **leer v.** to let unfurnished; **(un)möbliert v.** to let (un)furnished; **neu/wieder v.** to relet; **zu teuer v.** to overrent; **unter Wert v.** to underlet; **sich gut v. lassen** to let well

Vermieter *m* *(Wohnung)* landlord, lessor, letter, hirer; **V. von Elendsquartieren** slum landlord; **V. und Mieter** landlord and tenant; **abwesender V.** absentee landlord; **mitbewohnender V.** resident landlord; **nicht ~ V.** absentee landlord; **V.haftpflicht** *f* landlord's liability; **V.in** *f* landlady; **V.pfandrecht** *nt* landlord's lien, legal mortgage by way of demise; **V.verband** *m* property owners' association

vermietet *adj* let, rented, on hire; **v. werden** to be(come) let

Vermietung *f* 1. let(ting), renting, hireage; 2. *(Gegenstände)* leasing; **V.en** *(Bilanz)* rentals

Vermietung von Ausrüstungs-/Einrichtungsgegenständen equipment leasing; **~ Betriebs-/Industrieanlagen** plant hire/leasing; **V. eines Fahrzeuges** car hire/leasing; **V. für Ferienzwecke** holiday let(ting); **V. vor Fertigstellung** pre-let; **V. eines Fuhrparks** fleet leasing/hire; **V. an Gesellschaften** company let(ting); **V. von Grundstücken** rental of real property; **~ Investitionsgütern** leasing of capital assets, equipment leasing; **~ Lastkraftwagen** truck leasing; **~ Lieferwagen** van hire; **V. zur Überbrückung** interim lease; **V. und Verpachtung** 1. letting and leasing; 2. *(Steuer)* rentals and royalties; **V. von Wohnraum** residential letting

befristete Vermietung contract hire; **gewerbliche V.** commercial lease; **kurzfristige V.** temporary lease

Vermietungs|aufwand *m* letting expenses; **v.fähig** *adj* rentable, tenantable; **V.geschäft** *nt* letting/leasing business; **V.gesellschaft** *f* rental/leasing company; **V.markt** *m* letting market; **V.objekt** *nt* 1. rented property; 2. hired article; **V.provision** *f* rental commission

vermindern *v/t* 1. to reduce/diminish/lessen/decrease/deplete/shorten/narrow/lower, to run down; 2. *(Störung)* to abate; 3. *(Lohn)* to dock; *v/refl* to diminish/decrease/ease

Verminderung *f* reduction, decrease, diminution, retrenchment, decrement, abatement, easing, curtailment, rundown, shortening, depletion

Verminderung des Anlagevermögens capital loss; ~ **Bestands** decrease in inventories; ~ **Bestands an fertigen und unfertigen Erzeugnissen** decrease of stocks of finished goods and work in process; **V. der Erwerbsfähigkeit** reduction of earning capacity; ~ **Geschwindigkeit** reduction of speed; **V. des Gewinns** profit drop/slump; **V. der Gewinnspanne** profit squeeze; **V. des Kapitals** reduction of capital; **V. der Planstellen** reduction of established posts; **V. des Wertes** depreciation; **V. der Zinslast** reduction in the net interest charge

fortschreitende Verminderung continuing reduction, rundown; **V.skoeffizient** *m* coefficient of decrease

vermischlen *v/t* to mix/blend; *v/refl* to commingle; **v.t** *adj* mixed, miscellaneous

Vermischung *f* 1. mixing, mixture; 2. confusion (of goods); 3. blending; 4. intermixture; **V. vertretbarer Sachen** confusion of fungible goods

vermissen *v/t* to miss; **v. lassen** to lack/want; **schmerzlich v.** to miss badly

vermisst *adj* unaccounted for; **V.e(r)** *f/m* missing person; **V.enanzeige erstatten** *f* to report so. missing

vermittelbar *adj* 1. arrangeable; 2. *(Person)* placeable; **schwer v.** difficult to place

vermitteln *v/ti* 1. to mediate/arbitrate/intercede/intervene/moderate, to go between, to use one's good offices, to act as intermediary; 2. *(Kredit)* to arrange; 3. *(Wertpapiere)* to negotiate; 4. ✆ to put through, to connect; 5. *(Stelle)* to place so., to find work/a place/a job for so.; **schwer zu v.** *(Arbeitsloser)* hard to place; **sich v. lassen** *(Stelle)* to be placed

vermittelnd *adj* intermediary, conciliatory, mediatory

vermittels *prep* by means/way of

Vermittlerl(in) *m/f* 1. intermediary, mediating agent, go-between, mediator, conciliator, middleman, arbiter, troubleshooter; 2. *(Anleihe)* negotiator; 3. *(Makler)* broker, agent; **als V.** in a mediatory capacity; **V. von Führungspersonal/-kräften** executive recruiter; **als V. auftreten** to act as an intermediary; ~ **einschalten** to call in as negotiator; ~ **tätig sein; V. spielen** to act as an intermediary, to mediate; **externer V.** third-party promoter

Vermittlerlamt *nt* intermediary capacity; **V.gebühr/V.provision** *f* 1. commission, brokerage; 2. *(Vers.)* (total) production cost; **V.rolle** *f* office/role of mediator

Vermittlung *f* 1. mediation, good offices, conciliation, intervention; 2. *(Kredit)* arrangement; 3. *(Arbeit)* placement; 4. ✆ operator, switchboard, exchange; 5. *(Arbeit/Wohnung)* agency; **durch V. von** through the agency of, ~ good offices of

Vermittlung einer Anleihe negotiation of a loan; **V. von Arbeitskräften** placement of labour; **V. der Befrachtung** freight brokerage; **V. von Führungskräften** executive recruitment; ~ **Geschäften** negotiation of business transactions; ~ **Versicherungen** insurance broking

seine Vermittlung anbieten to offer one's (good) services; **automatische V.** ✆ automatic exchange, selective trunk dialling (STD) *[GB]*; **gewerbsmäßige V.** commercial agency

Vermittlungslagent *m* middleman, mediating/application agent; **V.agentur** *f* agency, bucket shop *(pej.)*; **V.amt** *nt* ✆ telephone exchange, switching centre; **V.angebot** *nt* offer of mediation; **V.anlage** *f* ✆ switchboard; **private V.anlage** private branch exchange (PBX); **V.auftrag** *m (Arbeitsamt)* request for labour; **V.ausschuss** *m* conciliation/mediation board, ~ committee, board of arbitration, arbitration/mediating committee, dispute panel; **V.bemühungen** *pl* efforts to mediate; **V.büro** *nt* 1. broker's office, agency; 2. *(Arbeitskräfte)* employment bureau, placement agency, job centre; **V.dienst** *m* exchange service; **V.dienste** good offices; **v.fähig** *adj (Arbeitssuchender)* employable, placeable; **nicht v.fähig** unemployable; **V.fähigkeit** *f* employability; **V.funktion** *f* mediatory function; **V.gebühr** *f* 1. commission, service/introduction charge(s); 2. *(Anleihe)* procuration fee/money; **V.gehilfe** *m* negotiator of a deal; **V.geschäft** *nt* brokerage (business), broking agency; **firmeneigene V.gesellschaft** *(Vers.)* captive agent; **V.gremium** *nt* mediation board/committee; **V.makler** *m* 1. *(Börse)* unofficial broker; 2. *(Edelmetallhandel)* bullion broker; **V.provision** *f* (intermediary's) commission, finder's fee; **V.schicht** *f* network layer; **V.stelle** *f* 1. *(Konflikt)* mediating agency, conciliation board, intermediary; 2. *(Arbeitsstelle)* employment agency; ~ **für Kreditauskünfte** credit clearing house *[US]*; **V.tätigkeit** *f* conciliation services; **V.verfahren** *nt* conciliation proceedings; **V.versuch** *m* attempt at mediation; **V.vertreter** *m* mediating/negotiating agent; **V.vorschlag** *m* offer of mediation, compromise/conciliatory/settlement proposal, proposed compromise; **V.zeit** *f* mediation period; **V.zentrale** *f* ✆ switching centre, (switchboard) operator

vermodern *v/i* to rot/decay/decompose

Vermögen *nt* 1. fortune, wealth, pile of money *(coll)*; 2. capital, assets, means, funds, estate, property; 3. power, ability, capacity, faculty; 4. net worth

Vermögen der Aktiengesellschaft corporate assets; ~ **Bank** bank assets; ~ **Gesellschaft** corporate/partnership assets; ~ **öffentlichen Hand** public property; **im ~ toten Hand** § in mortmain; **V. des Haushalts** household's stock of wealth; **V. juristischer Personen** corporate assets; **V. natürlicher Personen** assets of natural persons; **V. und Schulden** assets and liabilities; **V. der Unternehmung** 1. assets of the business; 2. *(AG)* corporate assets; ~ **Unterstützungskasse** endowment of a relief fund; **V. unter Zwangsverwaltung** sequestered estate

Vermögen anmelden to declare property; **V. ansammeln** to amass a fortune, to make one's pile *(coll)*;

V. aufzehren to erode assets; **V. beschlagnahmen** to seize assets/property; **V. besitzen** *(Grundbesitz)* to own property; **sein V. für karitative Zwecke bestimmen** to leave one's money to charity; **V. bewerten** to assess property; **V. einziehen** to confiscate property; **V. erben** 1. to succeed to a fortune, to come into money; 2. to inherit property; **Konkurs über jds V. eröffnen** to adjudge so. bankrupt; **V. erwerben** to acquire/obtain property, to make a fortune; **zu V. gelangen** to come into property; **V. haben** to hold property; **bedeutendes V. haben** to have considerable means; **mit seinem ganzen V. haften** to be liable with one's entire assets, ~ to the extent of one's property; **V. machen** to make a fortune/one's pile *(coll)*, to carve out a fortune (for o.s.); **V. retten** to preserve property; **in das V. übergehen** to pass into the assets; **V. übertragen** to transfer assets, to assign/devolve property; **V. verdienen** to earn a fortune; **(betrügerisch) V. verlagern** to asset-strip *(coll)*; **V. verschleudern/verschwenden** to dissipate a fortune, to waste one's assets; **sein V. verteilen** to divide one's property; **V. verwalten** to administrate property; **in jds V. vollstrecken** to distrain upon so.'s property; **V. zurückgeben** to restore property

abgetretenes Vermögen assigned property; **ansehnliches/beachtliches V.** siz(e)able property; **ausländisches V.** foreign assets, assets held abroad; **bares V.** cash (assets); **belastetes V.** encumbered estate; **bescheidenes V.** modest fortune; **beschlagnahmtes V.** confiscated assets; **zum persönlichen Gebrauch bestimmtes V.** personal effects/chattels; **beträchtliches V.** handsome fortune; **betriebsnotwendiges V.** necessary working assets; **bewegliches V.** 1. movable/personal property; 2. § chattels (personal), personalty; **erbrechtlich beschränkbares ~ V.** § entailable personalty; **blockiertes V.** frozen assets/funds; **eheliches V.** matrimonial assets; **eingefrorenes V.** frozen funds/assets; **elterliches V.** patrimony; **erhebliches V.** siz(e)able fortune; **mühsam erworbenes V.** hard-won fortune; **unrechtmäßig ~ V.** ill-gotten fortune; **fiskalisches V.** government property; **flüssiges V.** cash (assets), money capital; **forstwirtschaftliches V.** forest property; **freies V.** 1. unencumbered net/unblocked assets; 2. *(Vers.)* free assets; **gebundenes V.** restricted assets; **gemeinsames V.** joint property/estate; **gemeinschaftliches V.** common property; **gepfändetes V.** seized assets; **gesamtes V.** entire/aggregate property; **gewerbliches V.** industrial/commercial property, industrial assets; **großes V.** great fortune; **hübsches V.** handsome fortune; **immaterielles V.** intangible assets/property; **kleines V.** small fortune; **konkursfreies V.** unattachable property; **land- und forstwirtschaftliches V.** agricultural property; **lastenfreies V.** unencumbered property; **mütterliches V.** maternal property/estate; **öffentliches V.** public property/wealth/assets; **persönliches V.** private property/means/assets; **pfändbares V.** non-exempt property, distrainable assets; **pfändungsfreies V.** unattachable property, exempt(ed) assets; **restliches V.** residual assets; **schuldenfreies V.** unencumbered property; **sonstiges V.** other assets/property; **steuerpflichtiges V.** taxable property/estate/assets; **im Erbgang übertragbares V.** hereditaments; **umlaufendes V.** current assets; **umstrittenes V.** estate in litigation; **unbewegliches V.** realty *[US]*, real estate/property/assets, immovable property, immovables; **väterliches V.** paternal estate/property; **verbleibendes V.** residual assets, remaining property; **verpfändbares V.** mortgageable property; **verselbstständigtes V.** *(Stiftung)* assets which have become independent; **zu versteuerndes V.** 1. taxable estate; 2. *(Kommunalsteuer)* rat(e)able property; **verwaltetes V.** agency fund; **treuhänderisch ~ V.** trust estate/fund; **werbendes V.** earning assets; **zwangsverwaltetes V.** estate in receivership, sequestered estate

vermögen *v/t* to be able/capable; **v.d** *adj* moneyed, wealthy, well-off, substantial

Vermögens|- proprietary; **V.abgabe** *f* capital levy/duty/tax, wealth/property tax, property levy, tax on capital; **V.abschätzung** *f* property valuation; **V.absonderung** *f* segregation of property; **V.abtretung** *f* assignment of property; **V.analyse** *f* investment analysis; **V.anfall** *m* wealth accrual, accession of property, accretion; **einmaliger V.anfall** one-time wealth accrual

Vermögensanlage *f* investment; **V.n** (trade) investments, capital assets, net assets position; **~ in Industriewerten** industrial investment; **V.nstatistik** *f* investment statistics

Vermögens|anmeldung *f* declaration of property; **V.anreicherung** *f* increase of net worth; **V.ansammlung** *f* capital accumulation, accumulation of property; **V.anspruch** *m* possessory title; **V.anteil** *m* share of property; **V.art** *f* asset category; **V.aufbau** *m* capital accumulation, asset structure; **V.aufbauvertrag** *m* capital accumulation contract; **V.aufgabe** *f* surrender of property; **V.aufnahme** *f* property valuation; **V.aufsicht** *f* property control; **V.aufstellung** *f* 1. financial/wealth/property statement; 2. list of assets/investments, schedule/assessment of property, statement of net assets; 3. *(Konkurs)* statement of affairs; **frisierte V.aufstellung** write-up; **V.aufteilung** *f* asset allocation; **V.aufzehrung** *f* erosion of assets; **V.auseinandersetzung** *f* apportionment of assets and liabilities, division of net assets; **V.auskunft** *f* status enquiry; **V.auskehrung** *f* assets paid out; **V.ausweis** *m* financial statement, investment portfolio; **V.ballung** *f* concentration of wealth; **V.belastung** *f* encumbrance; **V.berater(in)** *m/f* investment analyst/adviser; **V.beratung** *f* investment advice/counselling; **V.berechnung** *f* property assessment; **V.beschlagnahme** *f* sequestration of assets, attachment/distraint of property; **V.besitz** *m* property ownership; **V.besitzer(in)** *m/f* property owner; **V.bestand** *m (Konkurs)* available assets; **V.bestandteil** *m* asset, property item; **V.besteuerung** *f* taxation of property, capital taxation; **V.beteiligung** *f* asset/wealth sharing; **betriebliche V.beteiligung** employee capital-sharing (scheme); **V.betrag** *m* amount of assets; **V.bewegung** *f* transfer of assets, capital transaction/transfer; **V.bewertung** *f* valuation of net assets, property valuation/assessment; **V.bilanz** *f* financial statement, property balance, asset and liability statement/position; **v.bildend** *adj* wealth-creating

Vermögensbildung *f* capital/wealth formation, wealth creation, acquisition of personal assets, accumulation of capital, property/capital accumulation, formation of wealth, investment in real and financial assets; **V. der Arbeitnehmer** property-accumulation scheme for employees, staff/employee capital formation, ~ wealth formation; **V. in Arbeitnehmerhand** asset formation by employees; **betriebliche V.** employee/staff capital formation; **volkswirtschaftliche V.** total/aggregate capital formation, ~ wealth formation; **V.sförderung** *f* promotion of wealth creation; **V.sgesetz** *nt* capital formation act, law promoting capital formation by employees

Vermögens|bindung *f* tying-up of assets, immobilization of funds; **V.delikt** *nt* property offence; **V.einbuße** *f* actual loss or damage, loss of property; **V.einkommen** *nt* investment/unearned/property income; **V.einlage** *f* contribution, capital investment/deposit; **V.einziehung** *f* confiscation of property; **V.entziehung/ V.entzug** *f/m* forfeiture of property; **V.erfassung** *f* registration of property; **V.erhalt** *m* maintenance of the asset base; **V.erklärung** *f* 1. property statement, declaration of property; 2. statement of assets; **V.ermittlung** *f* valuation of assets/property; **V.ertrag/V.erträgnisse** *m/pl* investment income, revenue from capital employed, capital gains; **V.ertragssteuer** *f* wealth flow tax; **V.erwerb** *m* acquisition of property; **V.form** *f* form of asset; **V.freigabe** *f* release of (blocked) assets; **V.gebarung** *f* asset administration

Vermögensgegenstand *m* asset, property item

belastete Vermögensgegenstände encumbered assets, assets subject to lien; **bewegliche V.** fungible assets, movable property; **kostenfrei erworbene V.** donated assets; **immaterielle V.** intangible assets; **materielle V.** tangible assets *[GB]*/property *[US]*; **sicherheitsübereignete V.** hypothecated assets; **unbelastete V.** available assets; **unpfändbare V.** exempt property; **vererbliche V.** hereditaments; **zum Deckungsstock zugelassene V.** admitted assets

Vermögens|gerichtsstand *m* § forum rei sitae *(lat.)*, venue established by asset location; **V.gewinn** *m* capital gain(s); **V.gewinnsteuer** *f* capital gains tax (CGT); **ausreichende V.grundlage** sufficiently broad assets base; **V.gut** *nt* asset, property item; **reale V.güter** tangible assets; **V.haftung** *f* financial liability, liability for property; **V.haushalt** *m* capital budget/account; **V.hinterziehung** *f* fraudulent alienation; **V.höhe** *f* 1. amount of assets; 2. *(Bilanz)* assets/net worth position; **V.interesse** *nt* property/pecuniary interest; **V.komplex** *m* body of assets; **V.konto** *nt* property account; **V.konzentration** *f* concentration of wealth; **V.kurs** *m* stockholders' equity; **V.lage** *f* financial status/standing/situation/position/condition, assets/net worth position; **V.-, Finanz- und Ertragslage** assets, liabilities, financial position and profit or loss; **v.los** *adj* impecunious; **V.losigkeit** *f* indigence, lack of funds; **V.masse** *f* § estate, body of assets, conglomeration of property; ~ **ordnen** to wind up an estate; **v.mehrend** *adj* asset-increasing, increasing net worth; **V.mehrung** *f* increase in net worth; **V.minderung** *f* reduction of assets, ~ net worth; **V.nachfolge** *f* succession in property rights; **V.nachfolger(in)** *m/f* successor in property rights; **V.nachteil** *m* pecuniary disadvantage/detriment/loss; **V.nachweis** *m* 1. statement of financial position, fund(s) statement; 2. property qualification; **V.neuanlage** *f* new investment; **V.neubewertung** *f* reassessment of property value; **V.objekt** *nt* asset; **V.offenbarung** *f* disclosure of (a debtor's) assets; **V.pfändung** *f* attachment of funds; **V.plan** *m* capital formation scheme; **V.planung** *f* asset administration planning, estate/financial planning; **V.politik** *f* policy for the distribution of wealth; **V.portfolio** *nt* asset(s) portfolio; **V.position** *f* net asset position, external assets; **V.posten** *m* asset; **V.rechnung** *f* capital account, statement of net worth, gross saving and investment account, internal balance sheet, property/wealth statement; **V.recht** *nt* 1. law of property; 2. proprietary interest/right, economic right; **immaterielle V.rechte** immaterial property; **v.rechtlich** *adj* proprietary; **V.regelung** *f* property settlement; **V.rendite** *f* property dividend, return on assets; **V.reserve** *f* capital/property reserve; **V.risiko** *nt* property risk; **V.rückerstattung/-gabe** *f* restitution of property; **V.sanktion** *f* sequestration of assets; **V.schaden** *m* property/pecuniary damage, damage to property, economic/financial/pecuniary loss; **V.schadensversicherung** *f* consequential loss insurance; **V.schätzung** *f* property assessment; **V.schöpfung** *f* wealth creation; **V.schutz** *m* protection of property; **V.sorge** *f* statutory duty of care for a minor's property, looking after a minor's property; **V.sperre** *f* freezing of assets, blocking of property; **V.stand** *m* net asset position, pecuniary status, wealth statement; **V.standsrechnung/V.status** *f/m* asset and liability statement; **V.statistik** *f* asset and liability statistics

Vermögenssteuer *f* 1. wealth/capital/net worth/asset tax, capital stock tax, share tax *[US]*, capital levy, tax on capital; 2. (personal) property tax; **V.aufwand** *m* estate tax cost; **V.bestimmungen** *pl* wealth tax provisions; **V.bilanz** *f* property tax balance sheet; **V.erklärung** *f* net worth tax return; **V.pauschale** *f* flat-rate determination of wealth tax; **V.pflicht** *f* obligation to pay net worth tax; **V.satz** *m* net worth tax rate

Vermögens|stock *m* capital reserve/stock, fund; **V.strafe** *f* fine levied on property; **V.struktur** *f* financial structure, asset and liability structure; **V.stück** *nt* 1. asset; 2. property item; **V.substanz** *f* 1. total/material assets; 2. *(Investmentfonds)* capital assets; **V.substanzsteuer** *f* capital levy; **V.teil** *m* asset, property portion; **belastete V.teile** onerous property; **V.teilung** *f* division/partition of an estate; **V.träger** *m* 1. asset holder; 2. property owner; **V.transaktion** *f* property/capital transaction; **V.transfer** *m* property/capital transfer; **V.übergang** *m* transfer of (all) assets and liabilities; **V.übernahme** *f* takeover of capital; **V.überschuss** *m* surplus assets, surplus of assets, assets surplus; **V.-übersicht** *f* statement of affairs, ~ assets and liabilities, abstract of balance (sheet); **V.- und Kapitalübersicht** statement of capital employed

Vermögensübertragung *f* asset/capital transfer, transfer of assets and liabilities, ~ property, settlement assignment, assignment of property; **V. zu treuen Händen** trust deeds guaranteed; **V. unter Lebenden** inter-vivos *(lat.)* settlement; **treuhänderische V.** trust settlement

Vermögens|umschichtung/V.umverteilung *f* regrouping/restructuring of assets, redistribution of wealth; **v.unwirksam** *adj* not affecting assets; **V.veränderung** *f* change in net assets; **V.veränderungskonto** *nt* investment account, capital operations account; **V.veranlagung** *f (Sozialhilfe)* means test; **V.veräußerung** *f* sale of assets; **V.verbindlichkeit** *f* capital liability; **V.verfall** *m* dwindling assets, financial collapse; **V.-vergleich** *m* net worth comparison

Vermögensverhältnisse *pl* financial/pecuniary circumstances, financial situation; **V. offenbaren** to disclose one's assets; **in bedrängten V.n sein** to be in dire straits *(fig)*; **zerrüttete V.** decayed circumstances

Vermögens|verkehr *m* property/pecuniary transactions; **V.verkehrssteuer** *f* capital transfer tax; **betrügerischer V.verlagerer** asset-stripper *(coll)*; **betrügerische V.verlagerung** asset-stripping *(coll)*; **V.verlust** *m* pecuniary loss, loss of assets/property; **V.vermehrung** *f* capital appreciation, increase of assets, ~ net worth, property growth; **betrügerische V.verschiebung** fraudulent transfer of assets; **V.verschleierung** *f* concealment of assets; **V.versicherung** *f* property insurance; **V.verteilung** *f* division of assets, distribution of wealth; **V.vertrag** *m* property agreement; **V.verwalter** *m* 1. investment/portfolio/asset/property manager; 2. trustee, custodian (trustee), fiduciary, trust investment officer, manager of an estate; 3. *(Konkurs)* receiver

Vermögensverwaltung *f* 1. assets/estate/property/investment/portfolio management, management/administration of assets, ~ property; 2. *(Bank)* trust business; 3. *(Konkurs)* receivership; **V.sabteilung** *f* trustee department; **V.sgesellschaft** *f* 1. property investment/trustee company; 2. investment management company; **V.skonto** *nt* stewardship account

Vermögens|verzehr *m* dwindling assets, depletion/erosion of assets, ~ the assets base; **V.verzeichnis** *nt* list of assets; **V.vorteil** *m* pecuniary advantage, capital gain; **~ erlangen** to gain a pecuniary advantage

Vermögenswert *m* asset, property value/item, (net) asset value; **V.e** effects, resources, property holdings; **~ der AG** corporate assets; **~ pro Aktie** asset backing; **~ der Bank** bank assets; **~ des Unternehmens** assets of an enterprise; **~ einbringen** to bring assets to; **~ flüssig/zu Geld machen; ~ verkaufen/liquidieren** to realize assets; **~ beiseite schaffen** to abstract assets; **~ umschichten** to redeploy assets

kurzfristig abnutzbarer Vermögenswert wasting asset; **ausländische V.e** foreign assets/possessions; **bare/flüssige V.e** cash/liquid assets; **beitragspflichtige V.e** contributing values; **blockierte V.e** frozen assets; **finanzielle V.e** financial assets; **freie V.e** unencumbered assets; **fungibler V.** marketable asset; **gebundene V.e** blocked/frozen assets; **geldnahe V.e** near-money assets; **betrieblich nicht genutzte V.e** idle assets; **greifbarer V.** tangible asset; **immaterielle V.e** intangible assets, intangibles, incorporeal property; **kurzfristige V.e** 1. current assets; 2. *(Buchhaltung)* chart of assets; **kurzlebige V.e** wasting assets; **landwirtschaftliche V.e** agricultural assets; **materieller V.** tangible/physical assets; **pfändbare V.e** seizable assets; **risikotragender V.** risk-bearing asset; **staatliche V.e** government assets; **stofflicher V.** physical asset; **überseeischer V.** overseas asset; **unbarer V.** illiquid asset; **veräußerter V.** liquidated asset; **verfügbarer V.** ready asset; **frei ~ V.** free assets; **verschleierte V.e** concealed assets

nicht realisierter Vermögenswertzuwachs holding gains

vermögens|wirksam *adj* asset-creating, capital-forming, profitable, profit-yielding; **nicht v.wirksam** non-asset-creating, non-capital-forming; **V.zensus** *m* wealth census; **V.zunahme/V.zuwachs** *f/m* increase of wealth, increased wealth, property growth, capital gain/appreciation/increment, accession of property, accretion; **V.zuteilung** *f* capital allocation

vermurk|sen *v/t* to make a mess of sth.; **v.st** *adj* botch(ed)-up

vermuten *v/t* to assume/presume/suppose/suspect/imagine/surmise; **v. lassen** to suggest

vermutlich *adj* 1. probable, presumable, putative; 2. *(Täter)* suspected

Vermutung *f* 1. presumption, assumption, supposition, conjecture, impression, hypothesis, suspicion, surmise; 2. *(Gefühl)* hunch; **V. der Urheberschaft** presumption of authorship; **~ Vaterschaft** presumption of paternity; **V. im Zweifel für den Angeklagten** presumption of innocence; **es ist reine V.** it's anybody's guess *(coll)*; **V.en anstellen** to conjecture; **V. äußern** to hazard/venture a guess; **V. begründen** to establish a presumption; **in seiner V. falsch gehen** to be wrong in one's surmise; **V. nahe legen** to suggest; **V. widerlegen** to rebut a presumption

begründete Vermutung well-founded presumption; **einfache V.** simple/inconclusive presumption; **gesetzliche V.** § legal/statutory presumption, (general) presumption of law; **gewagte/gezielte V.** shrewd guess; **reine V.** anybody's/wild guess; **tatsächliche und gesetzliche V.** § mixed presumption; **unwiderlegbare V.** § conclusive/absolute presumption; **widerlegbare/-liche V.** § rebuttable/disputable presumption; **wilde V.** wild guess

vernachlässig|en *v/t* 1. to neglect, to be negligent of, to fail in, to let sth. go; 2. to ignore/disregard; **v.t** *adj* 1. untended; 2. 🏛 derelict

Vernachlässigung *f* 1. neglect, disregard; 2. 🏛 dereliction; **V. der Amtspflicht** § neglect of official duties; **~ Aufsichtspflicht** neglect of supervisory duties; **~ elterlichen Pflichten** parental neglect; **V. von Schutzbefohlenen** neglect of persons placed in care/custody;

V. der Unterhaltspflicht § neglect of maintenance, non-support *[US]*; **absichtliche V.** wilful neglect, voluntary waste; **schuldhafte V.** culpable neglect, dereliction

vernebeln *v/t* *(fig)* to obscure/cloud

dem Vernehmen nach *nt* it is understood, rumour/word has it, reputedly

vernehmen *v/t* 1. *(Polizei)* to question/interrogate; 2. *(Gericht)* to hear/examine; **eidlich v.** to hear under oath, ~ on oath taken; **zur Sache v.** to examine with regard to the matter itself; **vorher v.** to pre-examine

vernehmlich *adj* distinct, clear

Vernehmung *f* 1. *(Polizei)* questioning, interrogation; 2. *(Gericht)* examination, hearing

Vernehmung zur Anklage examination concerning the substance of the charge; **V. des Angeklagten zur Sache** examination of the defendant concerning the substance of the charge; **V. der Beteiligten** examination of the parties; **V. zur Person** examination about the personal status; **V. des Sachverständigen** interrogation of the expert; **V. von Zeugen** hearing of evidence, examination/questioning of witnesses

Vernehmung durchführen to conduct a hearing

eidliche Vernehmung examination on/under oath; **öffentliche gerichtliche V.** *(Konkurs)* public examination (of the bankrupt); **öffentliche V.** public examination/hearing; **polizeiliche V.** police interrogation; **richterliche V.** judicial examination

Vernehmungs|beamter *m* (police) interrogator; **v.fähig** *adj* fit to be examined; **V.protokoll** *nt* interrogation records; **V.richter** *m* examining magistrate; **V.termin** *m* date of hearing; **V.unterlagen** *pl* charge sheet

vernein|en *v/t* to deny/negate/negative, to answer in the negative, to refuse to recognize; **v.end** *adj* negative; **V.ung** *f* denial, negation

vernetzen *v/t* 1. to link up, to integrate; 2. 🖳/🌐 to cross-link/network; *v/refl* to network with one another

Vernetzung *f* 1. link-up, integration; 2. 🖳/🌐 cross-linking, networking; **V.sfähigkeit** *f* networking capability

vernichtbar *adj* *(anfechtbar)* voidable; **V.keit** *f* voidability

vernichten *v/t* 1. to wipe out, to kill off, to destroy/demolish/devastate; 2. *(Schädling)* to exterminate; 3. *(Feind)* to annihilate; 4. *(Katastrophe)* to blight; 5. *(Daten)* to purge

vernicht|end *adj* 1. devastating, shattering; 2. *(Kritik)* slashing; **v.et** *adj* lost, destroyed

Vernichtung *f* 1. destruction, devastation, extinction, extermination, annihilation; 2. § vitiation; **V. von Arbeitsplätzen** job killing, elimination of jobs; **~ Daten** erasure of data; **~ Schecks** check truncation *[US]*; **~ Unterlagen** destruction of records; **~ Waren** destruction of goods; **V.sprotokoll** *nt* record of destruction; **V.swettbewerb** *m* cutthroat competition

vernickeln *v/t* to nickel-plate

verniedlichen *v/t* to belittle/minimize, to play down

Vernommene(r) *f/m* interrogatee

Vernunft *f* reason, good sense; **V. annehmen** to listen to reason; **sich der V. beugen** to yield to reason; **jdn zur V. bringen** to bring so. to his senses; **V.ehe** *f* marriage of convenience; **V.grund** *m* rational argument

vernünftig *adj* reasonable, sensible, rational, sound, prudent, modest, judicious

Vernunft|mensch *m* rational person; **v.widrig** *adj* irrational

veröd|en *v/i* 1. to become desolate/deserted; **V.ung** *f* 1. desolation, depopulation; 2. desertification

veröffentlichen *v/t* 1. to publish/release/disclose/publicize, to make public; 2. *(Gesetz)* to promulgate; **periodisch v.** to serialize; **etw. unüberlegt v.** to rush sth. into print

veröffentlicht *adj* published, disclosed; **nicht v.** unpublished, undisclosed, unrevealed

Veröffentlichung *f* 1. publication, publishing, disclosure, announcement, notice, (press) release; 2. *(Gesetz)* promulgation; **bei V.** on publication; **V. in Fortsetzungen** serial publication, serialization; **V. eines Gesetzes** promulgation of a law; **V. des Prospekts** *(Börse)* publication of the prospectus; **nicht zur V. bestimmt** off the record; **~ geeignet** unfit for publication

Veröffentlichung einstellen to cease publication; **V. zeitweilig einstellen** to suspend publication; **zur V. freigeben** to release (for publication); **V. unterdrücken** to suppress a publication; **mit der V. rechtswirksam werden** to become effective upon publication

(regierungs)amtliche Veröffentlichung official/governmental publication, public document; **elektronische V.en** electronic publishing; **hochverräterische V.** § seditious libel; **pornografische V.** obscene publication; **rechtswirksame V.** legal publication; **regelmäßige V.** periodical

Veröffentlichungs|datum *nt* date of publication; **V.-pflicht** *f* statutory public disclosure, ~ duty to disclose, obligation to publish; **v.pflichtig** *adj* disclosable; **V.recht(e)** *nt/pl* publishing rights, copyright, right of publication/dissemination; **V.sprache** *f* publication language; **V.verbot** *nt* prohibition of publication; **V.vorschriften** *pl* disclosure requirements

verord|nen *v/t* to prescribe/net/decree/institute/ordain; **v.net** *adj* institutional, decreed; **ärztlich v.net** ⚕ prescribed

Verordnung *f* 1. decree, ordinance, order, directive, statutory instrument, regulation; 2. ⚕ prescription, medication; **durch V.** by order; **V. mit Gesetzeskraft** statutory instrument, special ministerial order; **V. zeitweilig aufheben** to suspend a regulation; **V.(en) ergehen lassen; V. erlassen** to (issue a) decree, to make regulations; **ärztliche V.** (medical) prescription; **einschränkende V.** restraining statute; **polizeiliche V.** police ordinance; **städtische V.** city bylaw; **V.sblatt** *nt* bulletin, (official) gazette; **V.srecht** *nt* § subordinate legislation, administrative law; **auf dem V.sweg** *m* by decree

verpacht|bar *adj* rentable; **V.en** *nt* letting; **v.en** *v/t* to let/lease (out/off)/rent, to hire out, to let for rent, ~ on lease, to put out to lease, to franchise/demise, to farm out; **zu v.en** rentable

Verpächter *m* lessor; **V. und Pächter** landlord and tenant; **V.pfandrecht** *nt* lessor's lien

verpachtet *adj* rented

Verpachtung *f* let(ting), renting, lease, leasing, farm tenancy/lease; **V. von Grundstücken** rental of real property; **V. eines Patents** lease of a patent; **V.szwang** *m* compulsory lease

Verpacken *nt* packing, packaging, wrapping; **v.** *v/t* to pack (age)/wrap; **sachgemäß v.** to pack in the proper manner

Verpacker *m* packer, packager, packing agent

verpackt *adj* packed; **bahnmäßig v.** packed for rail shipment, ~ carriage by rail; **handelsüblich v.** packed to commercial standards; **nicht v.** loose, (in) bulk; **seemäßig v.** packed for ocean shipment, sea-packed

Verpackung *f* 1. packaging, wrapping, packing (and wrapping); 2. package, wrapper, wrappage, make-up; **ohne V.** unpacked, (in) bulk; **V. in Container** containerization; **V. zum Selbstkostenpreis** packing at cost; **V. eingeschlossen** packing included; **V. frei** packing free; **V. nicht inbegriffen** not including packing, packing extra/not included; **einschließlich V.** packing inclusive, package included; **zuzüglich V.** plus packaging

äußere Verpackung outer/external packing; **fehlende V.** lack of packing; **handelsübliche V.** customary packing; **innere V.** inner/internal packing; **mangelhafte V.** defective/faulty packing; **seemäßige/-tüchtige V.** seaworthy pack(ag)ing, cargo pack; **ungenügende V.** insufficient packing; **unsachgemäße/unzureichende V.** improper/inadequate/defective/careless packing; **verlorene V.** non-returnable container/packing; **vorschriftsmäßige V.** packing in conformity with instructions; **wasserdichte V.** waterproof packing

Verpackungs|abfall *m* packaging waste; **V.abteilung** *f* pack(ag)ing/boxing department; **V.anweisung** *f* packing instructions; **V.art** *f* manner of packing; **V.auftrag** *m* packing order; **V.beilage** *f* package insert; **V.bestimmungen** *pl* pack(ag)ing instructions; **V.betrieb** *m* packing plant; **V.einheit** *f* packing unit; **V.gewicht** *nt* tare/dead weight; **V.glas** *nt* container glass; **V.größe** *f* packaging size; **V.hersteller** *m* packaging manufacturer/producer; **V.industrie** *f* packaging industry; **V.kiste** *f* packing case; **V.konzern** *m* packaging group; **V.kosten** *pl* pack(ag)ing cost(s)/charges; **V.kostenanteil** *m* share of packing cost(s)/charges; **V.leinwand** *f* bale cloth; **V.liste** *f* packing list; **V.maschine** *f* packing/wrapping machine; **V.material/V.mittel** *nt* packing, packaging/packing material; **festes V.material** solid packaging material; **V.mittelindustrie** *f* packaging materials industry; **V.müll** *m* 1. packaging waste; 2. superfluous packaging; **V.muster** *nt* package design; **V.papier** *nt* wrapping paper; **V.raum** *m* packing/wrapping/shipping room; **V.spezialist** *m* cardboard engineer, packaging consultant; **V.technik** *f* package/packaging engineering; **V.test** *m* pack test; **V.verordnung** *f* ordinance on packaging, packaging directive/ordinance; **V.vorschriften** *pl* packing instructions; **V.wertstoff** *m* recyclable packaging material; **V.zettel** *m* packing slip

ver|passen *v/t* 1. to miss (out on sth.); 2. *(Gelegenheit)* to waste; **v.patzen** *v/t (coll)* to botch (sth.), to make a bad job of (sth.); **v.pesten** *v/t* to pollute

verpfändbar *adj* pledgeable, pawnable, mortgageable

verpfänden *v/t* to pawn/pledge/mortgage/bond/hypothecate/impawn, to give in mortgage, to give/put in pledge, ~ in pawn; **sich etw. v. lassen** to take sth. in pawn; **erneut/neu/weiter/wieder v.** to remortgage, to rehypothecate

Verpfänder *m* pawner, pledger, pledgor, mortgagor, bailor; **V.pfandrecht** *nt* legal mortgage by way of demise

verpfändet *adj* pledged, in pawn, pawned, mortgaged, bonded, in hock *(coll)*, up the spout *(coll)*

Verpfändung *f* pawning, pledging, hypothecation, mortgaging, pawnage, pledge, bailment; **V. von Effekten** pledging of securities; **V. der Ernte** crop mortgage; **V. und Abtretung von Forderungen** pledging and assigning of accounts receivable; **V. eines Pachtgrundstücks** leasehold mortgage; **V. beweglicher Sachen** pledge of chattels; **V. eines Schiffes** bottomry; **durch V. besichern** to collateralize; **aus der V. lösen** to take out of pawn; **formlose V.** general equitable charge

Verpfändungs|bestimmungen *pl* terms of pledge; **V.erklärung** *f* contract of pledge; **V.formular** *nt* charge form; **V.grenze** *f* pledging limit; **V.konto** *nt* pledged securities account; **V.urkunde** *f* letter of hypothecation/lien, mortgage deed, bond, deed of trust; **V.vermerk** *m (Grundbuch)* note of charge; **V.vertrag** *m* contract of pledge; **obligatorischer V.vertrag** equitable mortgage; **V.wert** *m* collateral/hypothecation value; **V.zeit** *f* [§] term/period of bailment

verpflanz|en *v/t* ⚕/✿ to transplant; **V.ung** *f* transplant

verpfleg|en *v/t* to cater/board/feed; *v/refl* to victual; **V.er** *m* caterer, catering company

Verpflegung *f* food, board, catering, food supply, victualling, fare; **volle V.** full board

Verpflegungs|betrieb *m* catering business; **V.einrichtungen** *pl* catering facilities; **V.geld** *nt* allowance for board; **V.kontrakt** *m* catering contract; **V.kosten** *pl* catering costs, cost of food; **V.mehraufwand** *m* additional catering costs, ~ meal allowance; **V.portion** *f* ration; **V.satz** *m* ration; **V.schiff** *nt* victualling ship; **V.zuschuss** *m* food/subsistence allowance

verpflichten *v/t* to oblige/pledge/obligate/engage, to put under obligation; *v/refl* to promise/undertake/engage/covenant, to commit/pledge/bind o.s., to sign up, to give an undertaking; **jdn v., etw. zu tun** 1. [§] to bind so. over; 2. to place the onus on so. to do sth., to secure the services of so., to commit so. to sth., to require so. to do sth.; **sich ehrenwörtlich v.** to give one's word; **jdn eidlich v.** to bind so. by oath; **sich schriftlich v.** to covenant; **sich zu sehr v.** to overcommit o.s.; **vertraglich v.** to indenture; **sich ~ v.** 1. to contract/covenant, to sign on, to bind o.s. by contract; 2. *(Ausbildung)* to sign indentures

verpflichtend *adj* binding, mandatory, compulsory, obligatory

verpflichtet *adj* 1. obliged, committed, (duty-)bound, required, liable, beholden; 2. indebted; **eidlich v.** under oath; **gesamtschuldnerisch v.** jointly and severally bound; **gesetzlich/juristisch/rechtlich v.** bound by law, legally bound; **kontrakt-/vertraglich v.** 1. covenanted, contractually bound, liable under contract, bound by contract; 2. *(Lehrstelle)* articled, indentured; **moralisch v.** morally bound; **sich v. fühlen** to feel bound; **v. sein** to be obliged, ~ under a duty; **vertraglich v. sein** 1. to be covenanted; 2. *(Lehrstelle)* to be articled/indentured

Verpflichtete(r) *f/m* debtor, liable party, obligor, obligator

Verpflichtung *f* 1. obligation, commitment, liability, duty, responsibility; 2. undertaking, promise, engagement, bond, covenant, onus, implication; **V.en** 1. indebtedness; 2. liabilities, accounts payable (for supplies and services); **ohne V. für** without commitment for

Verpflichtung|en aus geleisteten Akzepten contingent liabilities in respect of acceptances; **~ gegenüber Dritten** liabilities to outsiders; **~ einer Gesellschaft** partnership/corporate liabilities; **~ des Lehrbriefes** indenture of apprenticeship; **V. zu zukünftigen Leistungen** affirmative covenant; **V. zur Rechenschaftslegung** accountability; **~ Sicherheitsleistung** injunction bond; **~ Unterlassung** negative covenant; **~ Veräußerung** disposal obligation; **bedingte V.en aus bestehenden Verträgen** commitments and contingent liabilities; **V. zur Vornahme einer Handlung** obligation to perform an act; **V. zu Zahlungen** financial obligations

Verpflichtung, nicht in Wettbewerb zu treten obligation to refrain from competition

Verpflichtung abgelten to discharge an obligation; **V. ablehnen** to decline a liability; **laufende V.en ablösen** to compound; **V. anfechten** to dispute an obligation; **V. auferlegen** to impose an obligation; **V. aufheben** to nullify an obligation; **jdn von einer V. befreien** to release/discharge so. from an obligation; **V. eingehen** to commit o.s., to incur an obligation/a liability, to give an undertaking, to enter into a bond/commitment, to undertake a commitment, to contract debts; **vertragliche V.en eingehen** to contract liabilities; **V. einhalten/einlösen** to fulfil an obligation, to meet/honour one's commitments, to adhere to an obligation, to comply with an obligation; **jdn einer V. entbinden** to release so. from/relieve so. of an obligation; **sich einer V. entledigen** to discharge an obligation; **einer V. entsprechen** to comply with an obligation; **sich ~ entziehen** to shirk an obligation; **sich seinen finanziellen V.en entziehen** to repudiate financial obligations, to withdraw from one's financial obligations; **V.en erfüllen; seinen ~ nachkommen** to carry out/honour/settle/discharge/satisfy obligations, to satisfy/discharge/cover liabilities, to meet one's commitments/engagements; **seine ~ nicht erfüllen; seinen ~ nicht nachkommen** to fail in one's obligations, to default; **seine ~ nicht erfüllt haben; seinen ~ nicht nachgekommen sein** to be in default of one's obligations; **sich an ~ halten** to uphold commitments; **jdn von einer V. lossprechen** to release so. from an obligation; **einer vertraglichen V. nachkommen** to meet a contractual obligation; **V. auf sich nehmen** to incur a liability; **V. übernehmen** to accept/incur/assume an obligation, to undertake (to do sth.)

abstrakte Verpflichtung abstract obligation, independent covenant; **akzessorische V.** accessory/secondary contract; **allfällige/bedingte V.** contingent liability; **arbeitsvertragliche V.en** obligations arising from a contract of employment; **aufgelaufene V.en** accrued liabilities; **bare V.** cash obligation; **belastende V.** burdensome requirement; **rechtlich bindende V.** legally binding undertaking; **dingliche V.** real obligation; **rechtlich durchsetzbare V.** perfect/enforceable obligation; **eingegangene V.en** liabilities incurred; **einklagbare V.** § civil/enforceable obligation; **nicht ~ V.** imperfect/non-actionable obligation; **einseitige V.** naked bond, unilateral obligation; **entstandene, aber nicht bezahlte V.en** deferred/accrued expenses; **familiäre V.en** family responsibilities; **feierliche V.** solemn undertaking; **finanzielle V.** financial obligation/commitment; **freiwillige V.** voluntary undertaking; **gegenseitige V.** mutual/reciprocal obligation; **gesamtschuldnerische V.** joint and several liability; **geschäftliche V.en** business commitments; **gesellschaftliche V.** 1. social obligation; 2. *(Termin)* social engagement; **gesetzliche V.** legal/statutory duty; **hypothekarische V.(en)** mortgage (commitment), mortgages payable; **langfristige V.en** long-term commitments; **laufende V.en** current liabilities, running engagements; **mögliche V.en** contingent liabilities; **moralische V.** moral obligation/duty/commitment; **offene V.** pending/outstanding commitment; **öffentliche V.** *(Termin)* public engagement; **öffentlich-rechtliche V.** obligation under public law; **schuldrechtliche V.** civil obligation; **selbstständige V.** independent undertaking; **sonstige V.en** other liabilities; **stillschweigende V.** implied commitment; **tatsächliche V.** actual liability; **unabdingbare V.** absolute obligation; **vertragliche V.** contractual obligation/commitment; **völkerrechtliche V.** requirement under international law; **wechselmäßige/-rechtliche V.** bill (of exchange) liability; **wettbewerbsbeschränkende V.en** obligations restricting competition

Verpflichtungs|anordnung *f* commitment order; **V.anzeige** *f* commitment notice; **V.eid** *m* promissory oath; **V.erklärung** *f* bond, covenant, (letter of) undertaking, formal obligation; **V.ermächtigung** *f (Haushalt)* commitment appropriation/authorization; **V.geschäft** *nt* executory contract/transaction, obligation establishing transaction; **V.klage** *f* action for the issue of an administrative act; **V.klausel** *f* engagement clause, clause of engagement; **V.provision** *f* commitment provision

Verpflichtungsschein *m* bond, certificate of obligation; **kaufmännischer V.** promissory note (PN), merchant's certificate of obligation; **wertloser V.** straw bond

Verpflichtungs|urkunde *f* obligating instrument; **V.-urteil** *nt* § injunction, writ (of mandamus)

verpfusch|en *v/t* to bungle/botch, to hash up, to make a mess (of sth.); **v.t** *adj* botch-up

verplan|en *v/t* to plan/budget for; **V.ung** *f* budgeting; **V.ungsrest** *m* budget residue

ver|plempern *v/t* *(coll)* to waste; **v.plomben** *v/t* to (lead-)seal; **v.pönt** *adj* frowned upon; **v.prassen** *v/t* *(Vermögen)* to dissipate; **(jdn) v.prellen** *v/t* to put so. off, to get so.'s back up *(fig)*, to alienate so.; **v.proviantieren** *v/t* to provision/victual; **v.puffen** *v/i* to fizzle out; **wirkungslos v.puffen** to come to nothing; **v.-quicken** *v/t* to mix up; **v.ramschen** *v/t* to sell off cheap, to flog (off); **in etw. v.rannt** *adj (coll)* obsessed with sth.

Verrat *m* 1. § treason; 2. betrayal, treachery; 3. sellout *(coll)*; **V. an etw.** betrayal of sth.; **V. von Staatsgeheimnissen** betrayal of state secrets; **V. begehen** to commit (an act of) treason

verraten *v/t* to betray/disclose; **alles v.** to spill the beans *(coll)*

Verräter *m* traitor; **V.in** *f* trait(o)ress; **v.isch** *adj* 1. treacherous; 2. § treasonable; 3. *(Zeichen)* telltale

verrechenbar *adj* offsettable

verrechnen *v/t* 1. to set (off) against, to offset/balance/settle/spread/charge; 2. *(Scheck)* to clear; 3. *(Ausgaben/Kosten)* to apportion/allocate; 4. to debit/credit to an account; 5. *(Vers.)* to cede; *v/refl* to miscalculate/miscount; **v. mit** to set off against, to charge/offset/apply against, to net/balance with; **anteilig/-mäßig v.** to prorate/absorb; **endgültig v.** to pass finally to account; **anteilig zu v.** pro-rat(e)able

anteilig/-mäßig verrechnet *adj* pro-rated; **nicht v.** unabsorbed; **noch ~ v.** *(Scheck)* uncleared; **sich v. haben** to be out in one's calculation(s)

Verrechnung *f* 1. offset, offsetting, settlement, charging, distribution; 2. allocation, apportionment, absorption; 3. *(Scheck)* clearing; 4. crediting to/debiting an account; 5. *(Fehler)* miscalculation; **nur zur V.** *(Scheck)* account (A/C) payee only, for deposit only, not negotiable

Verrechnung von Ansprüchen offsetting of claims; **~ Aufwendungen** cost recovery; **~ Explorationskosten als Aufwand** successful effort costing; **~ Kauf- und Verkaufsaufträgen** pairing; **V. zusätzlicher Kosten als eigener Aufwand** cost absorption; **V. der Kosten nach Verantwortungsbereichen** responsibility accounting; **V. betrieblicher Leistungen** distribution of internal services; **V. von Positionen** netting of positions

bilaterale Verrechnung bilateral clearing; **doppelte V.** double distribution; **multilaterale V.** multilateral settlement/compensation/clearing; **schwebende V.** suspense items

Verrechnungs|- accounting; **V.abkommen** *nt* clearing/payments/offset agreement; **bilaterales V.abkommen** *nt* bilateral clearing agreement; **V.abweichungen** *pl* revisions variance; **V.bank** *f* clearing house/bank, bank clearer; **V.beleg** *m* clearing slip; **V.bilanz** *f* clearing balance, offset account balance; **V.defizit** *nt* clearing deficit; **V.devisen** *pl* clearing currency; **V.dollar** *m* offset/clearing dollar; **V.einheit** *f* unit of account (U/A), clearing unit; **V.einrede** *f* offset plea; **V.fonds** *m* settlement funds; **V.geld** *nt* clearing currency; **V.geschäft** *nt* offsetting/clearing transaction; **V.grundlage** *f* allocation base; **V.guthaben** *nt* clearing assets/balance; **V.kasse** *f* clearing office; **V.klausel** *f* offset clause; **V.konto** *nt* clearing/settlement/offset/current/compensating/allocation/issue account; **V.konten** *(Konzern)* intercompany balances; **V.kredit** *m* offset credit; **V.kurs** *m* clearing/settlement rate; **V.land** *nt* agreement country; **V.posten** *m* clearing/offsetting item; **wechselseitige V.posten** mutually offsetting items; **V.postscheck** *m* crossed giro cheque; **V.praxis** *f* clearing/settlement/accounting practice

Verrechnungspreis *m* billing/transfer/internal/costing price, price standard; **fester V.** standard price; **geplanter V.** budgeted transfer price; **innerbetrieblicher/interner V.** shadow price, internal transfer price, intercompany/internal billing price

Verrechnungs|raum *m* clearing area; **V.recht** *nt* right of set-off; **V.saldo** *m* clearing/offset balance; **V.salden** *(Konzern)* intercompany balances; **passiver V.saldo** debit balance on inter-branch account; **V.satz** *m* cost rate; **V.scheck** *m* crossed/clearing/collection-only cheque *[GB]*, cross/voucher check *[US]*, cheque with restrictive endorsement; **~ für Ausgleichsbeträge** redemption check *[US]*; **V.schlüssel** *m* clearing ratio; **V.schuld** *f* clearing debt; **V.spitze** *f* clearing balance/fraction; **V.stelle** *f* clearing house/bank/centre/office; **V.steuer** *f* capital yield(s)/anticipatory tax; **V.summe** *f* clearings; **V.system** *nt* clearing/giro transfer system; **V.tag** *m* settlement/clearing day; **v.technisch** *adj* for accounting purposes; **V.unterlage** *f* supporting voucher; **V.verfahren** *nt* clearing system; **multilaterales V.verfahren** multilateral clearing system; **V.verkehr** *m* clearing (transactions); **regionaler V.verkehr** regional clearing; **V.vorgang** *m* clearing transaction, settlement; **V.währung** *f* agreement/clearing currency; **im V.wege** *m* through clearing channels; **V.wert** *m* trade-in value; **V.- und Kontenführungszentrale** *f* clearing and accounts record centre

ver|reisen *v/i* to go on a journey; **v.reißen** *v/t* 1. *(Kritik)* to tear to pieces, to slate; 2. 🚗 to cause to swerve; **v.renken** *v/t* 1. to twist; 2. ⚕ to dislocate; **V.renkung** *f* ⚕ dislocation; **v.renten** *v/t* to pension off

Verrentung *f* pensioning off, annuitization; **V. der Steuerschuld** payment of tax in annual instalments

verrichten *v/t* to perform/effect/discharge

Verrichtung *f* performance, discharge; **V.sfolge** *f* activity sequence; **V.sgehilfe** *m* § vicarious agent, servant; **V.sgliederung** *f* activity organisation; **V.sprinzip** *nt* functional departmentalization

verriegel|n *v/t* to bolt/latch/lock; **automatische V.ung** interlock

verringern *v/t* 1. to reduce/diminish/decrease/shorten/lessen/narrow/deplete/retrench/trim, to pare (down), to cut back, to slim down, to thin down/out; 2. *(Geschäfts-*

tätigkeit) to wind back/down; 3. *(lindern)* to alleviate; *v/refl* to diminish/narrow, to fall off

Verringerung *f* reduction, decrease, diminution, cutback, depletion, deterioration

Verringerung der Belegschaft employee cutback, reduction of the workforce; **V. des Bestands** reduction in stocks; **V. der Fertigungstiefe** outsourcing; **V. des Fremdkapitalanteils** reduction in gearing; **V. der Geldmenge** monetary deflation, deflation of the currency, reduction of the money supply; **V. des Gewichts** diminution in weight; **V. der Kaufkraft** pay erosion; **V. des Personals** employee cutback; ~ **Spezialisierungsgrades** despecialization; **V. der Umweltbeeinträchtigung** environmental impact reduction; ~ **Umweltbelastung/-verschmutzung** pollution abatement; **V. des Vorrangkapitals** reduced gearing; ~ **Wertes** depreciation

Verriss *m* *(Kritik)* slating review

verrott|bar *adj* putrifiable; **v.en** *v/i* to rot/decompose; **V.ung** *f* rotting, decomposition

verrückt *adj* mad, insane, crazy; **jdn v. machen** to drive so. mad; **v. sein auf etw.** to be mad about/on sth.; **v. spielen/werden** to go haywire/bananas *(coll)*; **V.heit** *f* folly

Verruf *m* disrepute; **in V. bringen** to bring into disrepute; ~ **geraten/kommen** to fall into disrepute; to get a bad name; **v.en** *adj* disreputable, discredited

verrutsch|en *v/i* to shift/slip; **v.t** *adj* off-centre

versachlich|en *v/t* to objectify; **V.ung** *f* objectification

Versagen *nt* 1. failure; 2. ✿ breakdown; **V. der Bremsen** brake failure; **mensch-/persönliches V.** human failure/error/inadequacy; **technisches V.** breakdown; **völliges V.** complete/utter failure

versagen *v/i* 1. to fail/flop *(coll)*, to go wrong; 2. ✿ to break down; 3. to deny/refuse; **mit etw. v.** to fall down on sth.; **beruflich v.** to fail in one's job; **völlig v.** to be a complete failure

Versager(in) *m/f* 1. failure, flop, dud, dead beat, lame duck; 2. *(Produkt)* flop; **V. sein** to be a flop; **völliger V.** complete failure

Versagung *f* denial; **V. des Bestätigungsvermerks** disclaimer of opinion; **V. eines Patents** withholding of a patent

Versalien *pl* ▯ capital letters

versammeln *v/t/v/refl* to assemble/convene/rally/gather/meet/muster; **sich erneut/wieder v.** to reconvene; **sich öffentlich v.** to meet in open assembly

Versammlung *f* 1. assembly, gathering, meeting, convention, convocation, session; 2. *(politisch)* rally; **V. der Aktionäre** shareholders' *[GB]*/stockholders' *[US]* meeting; ~ **Europäischen Gemeinschaft** European Assembly; **V. unter freiem Himmel** open-air meeting; **V. der Masse** 1. mass meeting; 2. *(Konkurs)* compilation of assets, asset compilation

Versammlung abhalten to hold a meeting, to convene an assembly; **V. auflösen** to break up/dissolve a meeting; **einer V. beiwohnen; V. besuchen** to attend a meeting; **V. einberufen** to call a meeting, to convene an assembly/a meeting; **V. leiten** to chair a meeting, to preside at a meeting, to moderate; **V. sprengen** to break up a meeting; **an einer V. teilnehmen** to attend a meeting; **V. untersagen/verbieten** to ban a meeting; **V. vertagen** to adjourn a meeting

aufrührerische Versammlung [§] riotous assembly; **außerordentliche V.** extraordinary meeting; **beratende V.** consultative assembly; **beschlussfähige V.** quorum, quorate (meeting); **gelehrte V.** learned body; **gesetzgebende V.** legislative assembly; **konstituierende V.** 1. constituent assembly; 2. *(Firmengründung)* founders' meeting; **öffentliche V.** public meeting; **ordentliche V.** statutory meeting; **politische V.** political assembly; **scheidende V.** outgoing assembly; **ständige V.** permanent assembly; **stürmische V.** tumultuous meeting; **überfüllte V.** packed meeting; **unerlaubte/ungesetzliche/verbotene V.** [§] unlawful assembly; **verfassungsgebende V.** constituent assembly; **gesetzlich vorgeschriebene V.** statutory meeting; **zulässige V.** lawful meeting

Versammlungs|freiheit *f* freedom/right of assembly; **V.genehmigung** *f* licence to hold a meeting; **V.leiter(in)** *m/f* chairman (of a meeting), chairperson, chair; **V.mitglied** *nt* member of an assembly, assembler; **V.ort** *m* meeting place; **V.protokoll** *nt* minutes of a meeting; **V.raum** *m* 1. assembly hall; 2. *(Hotel)* conference room; **V.recht** *nt* right of assembly; **V.stätte** *f* assembly room; **V.teilnehmer(in)** *m/f* assembler; **V.verbot** *nt* ban on meetings

Versand *m* 1. shipment (shpt.), forwarding, dispatch, despatch, consignment, shipping, sending off, transmission, delivery; 2. transportation/shipping department; **bei V.** on dispatch/shipment

Versand auf Abruf delivery upon request; **V. per Bahn** dispatch by rail; **V. frei Haus** free delivery, delivered free at residence; **V. von Kontoauszügen** statement dispatch; **V. per Land** shipment by land; **V. als/per Luftfracht(gut)** dispatch by air; **V. gegen Nachnahme** cash *[GB]*/collect *[US]* on delivery (C.O.D./c.o.d.); **V. per Post** dispatch by mail; ~ **Schiene** shipment by rail

Versand beschleunigen to expedite shipment; **zum V. bringen** to dispatch; **V. durchführen** to effect shipment; **zum V. gelangen** to be dispatched

portofreier Versand free delivery; **sofortiger V.** prompt/immediate shipment; **zum sofortigen V.** for immediate shipment

Versand|abteilung *f* forwarding/dispatch/shipping *[US]*/traffic/delivery department; **V.abwicklung** *f* dispatch (of goods); **V.anschrift** *f* forwarding address, address for shipment; **V.anmeldung** *f* ⊖ forwarding/transit declaration; ~ **Export** ⊖ export forwarding declaration; **V.anweisung(en)** *f/pl* shipping/forwarding/delivery instructions, instructions for dispatch; **V.anzeige** *f* dispatch/advice/shipping/delivery note, advice of despatch/dispatch/shipment, forwarding/shipping advice, letter of advice; **V.art** *f* method/mode of transport, mode/manner of shipment, mode of carriage; **V.artikel** *m* article for dispatch; **V.artschlüssel** *m* mailing/shipping code; **V.auftrag** *m* dispatch/shipping order;

V.ausfuhrerklärung *f* export shipping declaration; **V.ausschuss** *m [EU]* Committee on Community Transit; **V.avis** *nt* shipping advice; **V.bahnhof** *m* dispatching/forwarding/sending station; **V.bedingungen** *pl* shipping terms, terms of forwarding; **V.behälter** *m* (shipping/dispatch) container; **V.benachrichtigung** *f* shipping advice, advice of shipment; **v.bereit** *adj* ready for dispatch/shipment; **V.bereitstellungskredit** *m* anticipatory/packing credit; **V.bescheinigung** *f* shipping certificate; **V.bestellung** *f* mail-order buying, postal shopping; **V.buch** *nt* forwarding book; **V.buchhandel** *m* mail-order book trade; **V.büro** *nt* forwarding agency; **V.datum** *nt* date of dispatch/shipment; **V.dokumente** *pl* shipping/transport documents; **V.einrichtungen** *pl* distribution facilities

versanden *v/i* 1. to silt up; 2. *(fig)* to peter out

Versand|etikett *nt* shipping label; **v.fähig** *adj* transportable; **v.fertig** *adj* ready for dispatch/shipment; **V.flughafen** *m* airport of dispatch; **V.form** *f* mode of dispatch/forwarding/shipment; **V.gebühren** *pl* shipping/forwarding charges; **V.geschäft** *nt* mail-order firm/business/house; **V.gewicht** *nt* shipment weight; **V.großhändler** *m* mail-order wholesaler; **V.gut** *nt* goods for dispatch; **V.hafen** *m* loading/shipping port, port of dispatch/loading

Versandhandel *m* mail-order trade/selling/business, mail order, home shopping; **V.sbetrieb** *m* mail-order business; **V.sumsätze** *pl* catalog(ue) sales

Versandhändler *m* catalogue retailer

Versandhaus *nt* mail-order firm/house, catalog(ue) company/retailer; **V. mit Ausstellungsräumen** catalog(ue) showroom retailer; **V.katalog** *m* mail-order catalog(ue); **V.konzern** *m* mail-order group; **V.werbung** *f* mail-order advertising

Versand|huckepackgesellschaft *f* consigning piggyback company; **V.industrie** *f* mail-order industry; **V.karton** *m* mailing carton; **V.katalog** *m* mail-order catalog(ue); **V.kaution** *f* transportation bond; **V.kiste** *f* shipping crate; **V.konto** *nt* shipping account; **V.kosten** *pl* forwarding/shipping charges, freight/carriage *[US]* outward, shipping cost(s), cost(s) of transport(ation)/delivery, delivery cost(s); **V.lager** *nt* distribution plant; **V.land** *nt* country of shipment; **V.leistung** *f* volume of shipments; **V.leiter** *m* shipping/dispatch manager, shipping executive; **V.leitung** *f* dispatch management; **V.liste** *f* packing/shipping list; **V.markierung** *f* shipping marks; **V.meister** *m* shipping/dispatch supervisor, shipping foreman; **V.meldung** *f* ready for shipment note; **V.menge** *f* quantity shipped; **V.mitteilung** *f* forwarding note, news of dispatch, advice of shipment; **V.nachweis** *m* evidence of dispatch; **V.note** *f* dispatch note, shipping advice; **V.ort** *m* point of shipment, shipping point, place of consignment/dispatch; **V.papier** *nt [EU]* movement document; **V.papiere** shipping documents/papers, dispatch papers, documents of transport, transport(ation) documents; **gemeinschaftliches V.papier** *[EU]* Community transit document; **V.partie** *f* consignment, shipment; **V.personal** *nt* dispatch staff; **V.plan** *m* forwarding schedule; **V.probe** *f* shipping sample; **V.raum** *m* shipping room/space; **V.rechnung** *f* shipping invoice; **V.rolle** *f* mail(ing) tube; **V.rückgang** *m* drop in deliveries/shipments; **V.-schachtel** *f* shipping case; **V.scheck** *m* out-of-town cheque *[GB]*/check *[US]*

Versandschein *m* consignment note, transit documents/bond note, certificate of shipment; **gemeinschaflicher V.** *[EU]* Community transit document; **interner V.** *[EU]* internal Community transit document

Versand|schlüssel *m* shipping code; **V.spediteur** *m* destination carrier; **V.spesen** *pl* forwarding/shipping/dispatch charges, forwarding expenses; **V.station** *f* forwarding station; **V.stelle** *f* dispatch office/department, place of dispatch/consignment, station of dispatch; **V.stück** *nt* package

versandt *adj* shipped, dispatched, outgoing

Versand|tag/V.termin *m* shipping/shipment date, date of shipment/dispatch; **V.tasche** *f* ✉ padded envelope, jiffy-bag ™; **V.unternehmen** *nt* 1. forwarding agency, shipper; 2. mail order business; **V.vereinbarungen** *pl* shipping arrangements

Versandverfahren *nt* ⊝ transit procedure/operation; **zum gemeinschaftlichen V. abfertigen** to place under Community transit procedure; **gemeinschaftliches V.** *[EU]* Community transit procedure; **internes ~ V.** Community transit operation

Versand|verkauf *m* mail-order/catalog(ue) selling; **V.vermerk** *m* dispatch note; **V.vorgang** *m* ⊝ customs transit operation; **V.vorschriften** *pl* forwarding/shipping/delivery instructions; **V.wechsel** *m* out-of-town bill; **V.weg** *m* forwarding/shipping route, routing; **auf dem V.weg** in transit; **V.weise** *f* method of shipment; **V.weite** *f* transport distance; **V.werbung** *f* package advertising; **V.wert** *m* value of shipment(s); **V.zeichen** *nt* shipping mark; **V.zertifikat** *nt* certificate of mailing; **postalisches V.zertifikat** certificate of mailing issued by the postal authorities; **V.zettel** *m* shipping note; **V.ziel** *nt* (place of) destination; **V.zollstelle** *f* inland customs office

Versatz|amt *nt* pawnshop; **V.geschäft** *nt* pawnbroking; **V.stück** *nt* pledge

versäumen *v/t* to fail/neglect/miss/omit

Versäumnis *nt* failure, neglect, default, omission, lapse, non-attendance; **V. beheben** to cure a default; **fahrlässiges V.** § laches; **schuldhaftes V.** failure through neglect, dereliction

Versäumnisgebühr *f* default fine

Versäumnisurteil *nt* § default judgment, judgment by default, decree in absence; **V. beantragen** to move that a judgment by default be rendered; **V. erlassen gegen jdn.** to declare so. in default; **V. gegen sich ergehen lassen** to suffer default

Versäumnisverfahren *nt* default proceedings

Versäumtes nachholen *nt* to make up (for) lost ground

verschachern *v/t* to peddle, to make a market (of), to trade away, to sell/flog off

verschachtel|n *v/t* to interlock/pyramid; **v.t** *adj* interlocking, interlocked

Verschachtelung *f* 1. interlocking (relationships),

pyramiding, grandfathering; 2. 🖳 nesting; **V. des Aktienkapitals** interlocking stock ownership; **V.sstruktur** *f* pyramid structure

Verschaffen *nt* ➔ **Verschaffung**; **v.** *v/t* 1. to procure/supply/provide; 2. *(Stelle)* to find; *v/refl* to obtain

Verschaffung *f* procurement; **V. der Verfügungsvollmacht** transfer of power for asset disposal

verschandel|n *v/t* to disfigure/despoil/blight; **V.ung** *f* disfigurement, despoliation, visual pollution, blight

verschanz|en *v/t* to fortify; *v/refl* to entrench o.s.; **V.ung** *f* fortification, entrenchment

verschärfen *v/t* 1. to increase/intensify/aggravate/exacerbate, to add fuel (to sth.); 2. *(Kontrolle/Maßnahme)* to strengthen/tighten/stiffen; *v/refl* 1. *(Konflikt)* to intensify; 2. *(Rezession)* to deepen; 3. *(Druck)* to mount

Verschärfung *f* 1. increase, intensification, aggravation, strengthening, reinforcement, acceleration; 2. worsening, deterioration; 3. tightening; **V. der Anleihekonditionen** stiffening of loan conditions; **~ Krise** worsening of the crisis; **~ Lage** aggravation of the situation; **~ Rezession** deepening of the recession; **V. des Wettbewerbs** stiffening/accentuation of competition

ver|schätzen *v/refl* to miscalculate/misjudge; **v.schaukeln** *v/t (coll)* to diddle *(coll)*, to take (so.) for a ride *(coll)*; **v.schenken** *v/t* to give away, to hand out; **v.scheiden** *v/i* to decease; **v.scherbeln/v.scheuern** *v/t (coll)* to flog off *(coll)*; **v.scheuchen** *v/t* to scare off

verschick|en *v/t* 1. to forward/dispatch/ship/consign; 2. to post/mail, to send out/off; **V.ung** *f* dispatch, shipment, forwarding

verschiebbar *adj* 1. movable; 2. *(Termin)* postponable

Verschiebe|bahnhof *m* 🚂 marshalling/railway yard, shunting *[GB]*/switching *[US]* station; **V.befehl** *m* 🖳 shift instruction; **V.einheit** *f* shift unit; **V.lokomotive** *f* 🚂 shunter *[GB]*, switcher *[US]*

verschieben *v/t* 1. *(Termin)* to shift/defer/postpone, to put off; 2. *(Angelegenheit)* to displace/respite/table *[US]*, to hold over; 3. to move, to put on hold; 4. *(Waren)* to sell in/on the black market, to traffic (in); 5. 🚂 to shunt *[GB]*/switch *[US]*; *v/refl* to shift

verschieblich *adj* relocatable

Verschiebung *f* 1. shift, switch, changeover, displacement; 2. relocation; 3. *(Termin)* postponement, deferment; 4. *(Waren)* trafficking; **V.en** *(Zahlungsbilanz)* leads and lags; **V. der Angebotskurve** change in supply, shifting of the supply curve; **V. in der Einkommensverteilung** distributional shift; **V. der Ladung** shift of cargo; **~ Nachfragekurve** change in demand, shifting of the demand curve; **strukturelle V.** structural shift; **zeitliche V.** time lag, difference in timing, postponement; **V.soperator** *m* shift operator

verschieden *adj* 1. different, disparate, dissimilar; 2. several, various, variant, miscellaneous, diverse; 3. π sundry; **v. sein** to differ/vary; **örtlich v. sein** to vary from place to place

verschieden|artig *adj* various, varied, assorted, variegated, miscellaneous; **V.artigkeit/V.heit** *f* variety, disparity, diversity, dissimilarity, distinction; **an V.e** to sundries; **V.es** *nt (Tagesordnung)* miscellaneous, sundries, any other business (AOB)/items

verschiff|bar *adj* shippable; **v.en** *v/t* to ship/transport/freight; **erneut v.en** to reship; **V.er** *m* shipper; **v.t** *adj* shipped

Verschiffung *f* shipment (shpt.), shipping, sailing, dispatch by ship; **zahlbar bei V.** cash on shipment

Verschiffungs|anweisungen *pl* shipping instructions; **V.anzeige** *f* advice note, shipping advice, advice of dispatch/shipment; **V.auftrag** *m* shipping order; **v.bereit** *adj* ready for shipment; **V.bescheinigung** *f* certificate of shipment; **V.dokumente** *pl* shipping documents, commodity papers; **V.genehmigung** *f* shipping permit; **V.gewicht** *nt* shipping weight; **V.hafen** *m* port of shipment/dispatch; **genannter V.hafen** named port of shipment; **V.konnossement** *nt* ocean/shipped bill of lading (B/L); **V.kosten** *pl* shipping charges; **V.kredit** *m* respondentia; **V.land** *nt* country of shipment; **V.muster** *nt* shipping sample; **V.ort** *m* point of shipment; **V.papiere** *pl* shipping documents, documents of transport; **nicht rechtzeitig eingereichte V.papiere** stale shipping documents; **V.provision** *f* shipping commission; **V.spesen** *pl* shipping charges; **V.termin** *m* shipping date; **V.tonne** *f* shipping ton; **V.vorschriften** *pl* shipping instructions; **V.ware** *f* goods for shipment; **V.wert** *m* shipping value; **V.zeitraum** *m* loading period

verschimmeln *v/i* to mould*[GB]*/mold *[US]*

Verschlag *m* 1. *(Kiste)* crate; 2. *(Schuppen)* shed

verschlagen *adj* cunning, wily; **V.heit** *f* cunning

verschlank|en *v/t* to downsize/streamline; **V.ung** *f* downsizing, streamlining

verschlechtern *v/t* to worsen/impair/aggravate/debase; *v/refl* 1. to worsen/deteriorate, to fall off, to take a turn for the worse; 2. *(Preis)* to look down

Verschlechterung *f* 1. worsening, deterioration, fall-off, impairment, setback; 2. *(Wert)* depreciation, debasement

Verschlechterung der Auftragslage fall-off in orders; **~ Finanzlage** worsening of the financial situation; **V. des Geldes** debasement of money; **V. der Gewinnsituation** acceleration of losses, weakening of earnings/profits; **~ Qualität** deterioration of quality; **~ Umweltbedingungen** ecological deterioration; **~ Vermögensverhältnisse** deterioration of the pecuniary situation; **~ Wirtschaftslage** deterioration of the economy, economic slowdown/downturn; **~ Zahlungsbilanz** deterioration in the balance of payments

Verschlechterungsverbot *nt* § prohibition to worsen appellant's position

verschleiern *v/t* to disguise/conceal/veil/mask, to cover up

Verschleierung *f* 1. concealment, disguise, cover(ing)-up; 2. *(Bilanz)* window-dressing; **V.staktik** *f* disguising

Verschleiß *m* 1. wear (and tear), erosion, waste; 2. *(Münze)* abrasion, use; **V. des Produktionsapparates** capital consumption

außergewöhnlicher Verschleiß extraordinary loss of service life; **geplanter V.** planned/built-in obsolescence;

gewöhnlicher V. ordinary loss of utility; **natürlicher V.** natural wear and tear, disuse; **normaler V.** equitable waste; **ruhender V.** disuse; **technischer V.** (ordinary) wear and tear

Verschleiß|anlagen *pl* depreciable assets/property; **V.beständigkeit** *f* wear-resisting properties

verschleißen *v/t* to waste; *v/refl* 1. to wear o.s. out; 2. to wear thin

Verschleiß|entschädigung *f* indemnity for wear and tear; **V.erscheinung** *f* sign of wear; **normale V.erscheinungen** fair wear and tear; **v.fest** *adj* durable, hard-wearing; **V.festigkeit/V.freiheit** *f* resistance to wear, durability; **V.geschwindigkeit** *f* rate of wear; **V.prüfung** *f* wear test; **V.teil** *nt* part subject to wear and tear, expendable part

verschleppen *v/t* 1. *(verzögern)* to obstruct/delay (unduly)/protract/dump/pigeonhole; 2. *(Menschen)* to abduct/kidnap

Verschleppung *f* 1. delay, obstruction, protraction; 2. *(Menschen)* abduction; **V. des Verfahrens** delaying the proceedings; **V.sschriftsatz** *m* [§] frivolous plea; **V.staktik** *f (Parlament)* filibustering

verschleudern *v/t* *(coll)* 1. to dump/undersell, to trade away, to sell/flog off, to sell below cost, ~ dirt-cheap; 2. *(Vermögen)* to dissipate/squander; 3. *(Bestände)* to slaughter

Verschleuderung *f* 1. dumping, underselling, selling at dumping prices; 2. *(Vermögen)* dissipation; 3. *(Bestände)* slaughter

verschließ|bar *adj* 1. lockable; 2. *(Behälter)* closeable, sealable; **v.en** *v/t* 1. to lock (up); 2. to close/shut/seal; **sich einer Sache v.en** to close one's mind to sth., to turn a deaf ear to sth.

verschlimm|bessern *v/t* *(coll)* to miscorrect, to make worse; **v.ern** *v/t* to worsen/exacerbate/aggravate/compound, to make worse; *v/refl* to worsen/deteriorate; **V.erung** *f* aggravation, deterioration, worsening

verschlossen *adj* locked, closed, unopened; **fest v.** sealed; **zollamtlich v.** sealed by customs authorities

verschlucken *v/t* to swallow

Verschluss *m* 1. seal, fastener, fastening, (inter)lock; 2. *(Tank)* cap; 3. ⚕ occlusion; **unter V.** sealed; **~ halten** to keep under wraps *(coll)*, ~ lock and key; **aus dem V. nehmen** ⊖ to take out of bond; **in V. nehmen** ⊖ to bond; **mit automatischem V.** self-locking; **zollamtlicher V.** ⊖ bond; **V.anerkenntnis** *nt* ⊖ certificate of approval

Verschlüsseler *m* cipher clerk, cryptographer

verschlüssel|n *v/t* 1. to code/encipher/scramble/encrypt, to put into code; 2. 🖳 to encode; **v.t** *adj* keyed, in code; **V.ung** *f* coding, ciphering, codification; **~ und Klassifizierung** coding and classifying

Verschluss|klappe *f* flap; **V.mappe** *f* classified file; **V.marke** *f* seal; **V.sache** *f* classified material/information; **V.sachenverordnung** *f* security regulations; **v.sicher** *adj* ⊖ secured by customs sealing, suitable for sealing; **V.streifen** *m* sealing tape; **V.verletzung** *f* breakage/breaking of seals

verschmelzen *v/t* 1. *(Organisation)* to amalgamate; 2. *(Unternehmen)* to merge; 3. to fuse/weld; **sich v. mit** to merge with

Verschmelzung *f* 1. amalgamation; 2. merger, merging, integration, consolidation, fusion, affiliation; **V. durch Aufnahme** merger; **V. gleichartiger Firmen** horizontal merger/integration, lateral integration; **V. durch Neubildung** consolidation; **V.sprüfer** *m* merger auditor; **V.prüfung** *f (Bilanz)* merger audit; **V.svereinbarung** *f* merger agreement/accord; **V.svertrag** *m* merger agreement

verschmiert *adj* smudged

verschmutz|en *v/t* 1. to contaminate/pollute; 2. to soil; **V.er** *f* pollutant, polluter; **v.t** *adj* 1. polluted, contaminated; 2. dirty, soiled

Verschmutzung *f* pollution, contamination; **V. des Bodens** soil pollution; **V. der Flüsse** river pollution; **~ Luft** air pollution; **V. durch Öl** oil pollution; **V. der Umwelt** environmental pollution; **V. des Wassers** water pollution; **V.sgebühren** *f* pollution charges; **V.sgefahr** *f* pollution hazard; **V.sgrad** *m* pollution level; **V.srecht** *nt* pollution right; **V.ssteuer** *f* pollution tax; **V.szertifikat** *nt* pollution/emission permit, pollution certificate

Verschneiden *nt* blending; **v.** *v/t* 1. to blend; 2. *(verfälschen)* to adulterate

verschneit *adj* snowbound

Verschnitt *m* 1. blend; 2. *(Verfälschung)* adulteration

ver|schnüren *v/t* to tie up; **v.schoben** *adj* shelved, on the back burner *(fig)*; **v.schollen** *adj* 1. missing; 2. [§] presumed dead; **V.schollene(r)** *f/m* missing person

Verschollenheit *f* disappearance; **V.serklärung** *f* declaration of death; **V.spflegschaft** *f* curatorship; **V.svermutung** *f* presumption of death

ver|schonen *v/t* to spare/exempt; **v.schönern** *v/t* to brighten up, to beautify/embellish/polish

Verschönerung *f* facelift, brightening up, embellishment, beautification; **V.sarbeiten** *pl* improvements; **V.saufwand** *m* cost of improvements

verschon|t bleiben *adj* to escape; **V.ung** *f* relief, exemption

Verschränkung *f* interconnection, integration

verschreiben *v/t* 1. ⚕ to prescribe; 2. [§] to make over, to assign; *v/refl* to make a slip of the pen

Verschreibung *f* 1. ⚕ prescription; 2. [§] *(Abtretung)* assignment; 3. *(Urkunde)* bond, deed; **v.spflichtig** *adj* ⚕ ethical, only available on prescription

verschrott|en *v/t* 1. to scrap; 2. ⚓ to break up; **V.er** *m* 1. scrap merchant; 2. ⚓ ship-breaker

Verschrottung *f* 1. scrapping, junking, abandonment; 2. ⚓ breakup; **V.srate** *f* scrappage rate

Verschulden *nt* fault, blame, negligence, misconduct, default; **ohne V.** without intention or negligence; **V. bei Vertragsabschluss** negligence in contracting, culpa in contrahendo (c.i.c.) *(lat.)*; **für V. Dritter einstehen müssen** to be vicariously liable

beiderseitiges Verschulden mutual contributory negligence, ~ fault, both-to-blame; **dienstliches V.** malfeasance; **eigenes V.** own fault; **ohne ~ V.** through no fault of one's own; **fahrlässiges V.** negligence; **frem-**

des V. fault of another party; **geringfügiges V.** slight fault; **grobes V.** § gross misconduct/negligence; **konkurrierendes/mitwirkendes V.** contributory negligence; **persönliches V.** personal wrong; **schweres/ schwerwiegendes V.** gross negligence; **strafrechtliches V.** criminal guilt

verschulden *v/t* to cause, to be at fault, ~ responsible for; *v/refl* to incur debts, to run up/into debts, to take on borrowings; **sich neu v. mit** to take on new debt, to raise ... in new debt

Verschuldenshaftung *f* tortious liability, liability in tort, ~ for damage through negligence, ~ based on fault

verschuldet *adj* 1. indebted, in debt, in the red, encumbered; 2. caused by fault of; **hoch v.** deep in debt; **stark/total/völlig v.** debt-ridden, debt-laden; **v. sein** to be in debt; **stark v. sein** to be heavily borrowed/indebted

Verschuldung *f* 1. debt, indebtedness, level of debt/indebtedness, debts incurred/contracted; 2. contraction of debt, debt assumption; **öffentliche V. durch Anleihenaufnahme** deficit spending; **~ ohne Auslandsverbindlichkeiten** internal public debt; **V. des Bundes** federal debt; **V. der öffentlichen Hand** public-sector debt/borrowing, national/public/official debt

äußere Verschuldung borrowing abroad; **ausstehende V.** outstanding debts; **nicht genehmigte V.** unauthorized borrowing; **hohe V.** heavy debt load; **kommunale V.** local authority borrowing, ~ authorities debt; **kurzfristige V.** short-term debt(s); **hohe ~ V.** mountain of short-term debt; **langfristige V.** long-term debts; **laufende V.** current debts; **öffentliche V.** public-sector/government/public debt, public indebtedness; **private V.** private debt(s); **starke V.** heavy exposure

Verschuldungs|bedarf der öffentlichen Hand *m* public-sector borrowing requirement (P.S.B.R.); **V.bereitschaft** *f* propensity to take up credits, borrowing; **V.bilanz** *f* balance of indebtedness; **V.fähigkeit** *f* borrowing ability; **V.frist** *f* period of indebtedness; **V.grad** *m* borrowing position, exposure, gearing, leverage, debt(-equity) ratio, equity-debt/debt-to-net-worth ratio, level of debt, debt-to-owner's equity ratio; **hohen ~ aufweisen** to be highly leveraged/geared; **V.grenze** *f* debt limit/ceiling, borrowing allocation/limit, external financial limits (EFLs); **V.haftung** *f* liability because of negligence; **V.kennziffer** *f* debt ratio; **V.koeffizient** *m* debt-equity/equity-debt ratio; **V.krise** *f* debt crisis; **V.möglichkeit** *f* 1. borrowing capacity; 2. opportunity to borrow; **V.neigung** *f* propensity to incur debts; **V.politik** *f* liability/debt management; **V.potenzial** *nt* borrowing potential; **V.problem** *nt* debt problem; **V.quote/V.rate** *f* debt(-equity) ratio, debt increase rate, debt-to-owner's equity ratio; **V.risiko** *nt* leverage risk; **V.saldo** *m* net indebtedness; **V.spielraum** *m* borrowing/debt margin; **V.vorgang** *m* debt-incurring process; **V.zuwachs** *m* debt increase

verschütt|len *v/t* 1. to spill; 2. *(Menschen)* to bury; **V.ungsquote** *f* spillage rate

verschwäger|t *adj* related by marriage; **V.te(r)** *f/m* in-law, person related by marriage; **V.ung** *f* relationship by marriage

Verschweigen *nt* concealment, non-disclosure, withholding; **V. von Tatsachen** suppression of facts; **V. wesentlicher Tatsachen; V. rechtserheblicher Umstände** material non-disclosure/concealment; **V. wichtiger Umstände** material misrepresentation; **V. der Wahrheit** suppression of the truth; **arglistiges/betrügerisches V.** fraudulent concealment

verschweigen *v/t* to conceal/hide/suppress/withhold, to keep back

verschwend|en *v/t* 1. to waste; 2. *(Geld)* to squander/lavish, to lash out, to throw away; 3. *(Vermögen)* to dissipate; **V.er(in)** *m/f* spendthrift, squanderer, wastrel, wasteful spender; **v.erisch** *adj* 1. *(Geld)* lavish, spendthrift, extravagant, opulent, thriftless, profligate; 2. *(Material)* squandering, wasteful, uneconomic(al), unsparing

Verschwendung *f* 1. extravagance, profligacy; 2. waste, wastage, squandering, wastefulness; 3. *(Vermögen)* dissipation; **V. von Energie** waste of energy; **V. öffentlicher Gelder** waste of public funds; **V. von Ressourcen** wasting of resources; **öffentliche V.** public-sector inefficiency, waste of public funds; **V.ssucht** *f* extravagance, profligacy, wastefulness

verschwiegen *adj* secretive, discreet, close, tight-lipped; **v. sein** to keep one's counsel, ~ mum *(coll)*

Verschwiegenheit *f* secrecy, discreetness, discretion; **unter dem Siegel der V.** under the seal/pledge of secrecy, confidentially; **jdm zur V. verpflichten** to enjoin so. to secrecy; **V.spflicht** *f* duty of secrecy, obligation to maintain secrecy, professional secrecy

Verschwinden *nt* disappearance; **unerklärtes V.** *(Dokumente)* leakage; **v.** *v/i* to disappear/vanish, to hop it *(coll)*; **v. lassen** *(Person)* to whisk away; **v.d** *adj* insignificant

völlig ver|schwitzen *v/t* *(coll)* to forget completely; **v.schwommen** *adj* vague, blurred, dim; **v.schwören** *v/refl* to conspire/plot

Verschwörer|(in) *m/f* conspirator, plotter; **v.isch** *adj* conspiratorial

Verschwörung *f* conspiracy, plot; **V. des Schweigens** conspiracy of silence; **V. anzetteln/aushecken** to (hatch a) plot; **V. aufdecken** to uncover a plot; **kriminelle V.** criminal conspiracy

verschwunden *adj* missing, disappeared

versechsfach|en *v/t/v/refl* to sextuple/sextuplicate, to increase sixfold; **V.ung** *f* sixfold increase, sextupling, sextuplication

Versehen *nt* oversight, error, mistake, negligence, lapse, default; **aus V.** by mistake/accident, by an oversight, inadvertently, in error

versehen *v/t* 1. to provide/furnish/supply; 2. *(Dienst)* to discharge/perform; 3. *(Amt)* to occupy/hold; *v/refl* to make a mistake; **v. mit** to supply/fit with; **überreichlich v.** to oversupply; *adj* provided, furnished; **v.tlich** *adj/adv* inadvertent(ly), in error, by mistake

versehrt *adj* injured, disabled; **V.e(r)** *f/m* disabled person, invalid; **V.engeld** *nt* injury benefit; **V.enrente** *f* disability pension; **V.heit** *f* disablement

verselbstständigen *v/refl* to become independent/self-employed

(organisatorische) Verselbstständigung *f* giving an independent organisation, hiving-off; **wirtschaftliche V.** achievement of economic self-sufficiency

Versenden *nt* forwarding, sending; **v.** *v/t* 1. to despatch/dispatch/forward/ship/consign/transport; 2. ✉ to mail/post, to send out/off

Versender *m* 1. forwarder, consignor, shipper, sender, supplier; 2. mail-order house; **zugelassener V.** authorized consignor

Versendung *f* ➔ **Versand** 1. forwarding, shipping, dispatch, despatch, shipment (shpt.), consignment; 2. ✉ mailing, posting; **V. von Prospekten/Rundschreiben** circularization

Versendungs|anzeige *f* forwarding advice, dispatch note; **V.form** *f* mode of forwarding/dispatch; **V.kauf** *m* sales shipment; **V.kosten** *pl* transport/shipping charges; **V.land** *nt* country of shipment/consignment/origin; **letztes V.land** previous country of shipment/origin; **V.ort** *m* place of consignment, shipping point

versenk|en *v/t* ⚓ to sink; **V.ung** *f* ⚓ sinking; **in der ~ verschwinden** *(fig)* to vanish

versessen auf *adj* 1. keen on; 2. hell-bent on *(coll)*

versetzbar *adj* 1. *(Pfand)* pawnable; 2. *(Person)* relocatable; 3. *(Beamter)* removable

versetzen *v/t* 1. to shift/move; 2. to transfer/post/displace; 3. *(Pfand)* to (im)pawn/pledge, to put in pledge, to hock *(coll)*; **jdn v.** *(warten lassen)* to stand so. up; **zeitweilig v.** to second

versetzt *adj* 1. transferred, moved; 2. *(Pfand)* pawned, up the spout *(coll)*; **zeitweilig v.** on secondment; **v. werden** *(Schule)* to be moved up; **nicht v. werden** to have to repeat a year

Versetzung *f* transfer, transferral, posting, relocation, displacement; **V. in den Anklagezustand** § committal for trial; **~ Ruhestand** retirement, superannuation; **zwangsweise ~ Ruhestand** retirement (on reduced pay); **V. beantragen; um seine V. einkommen** to apply for a transfer; **zeitweilige V.** secondment; **V.sgesuch** *nt* application for a transfer; **V.sliste** *f* transfer list

verseuchen *v/t* 1. to contaminate/pollute; 2. ⚕ to infect

Verseuchung *f* 1. contamination, pollution; 2. ⚕ infection; **V. von Industriestandorten** contamination of industrial sites; **industrielle V.; von der Industrie verursachte V.** industrial contamination; **radioaktive V.** radioactive contamination; **V.sgrad** *m* contamination level; **V.smittel** *nt* contaminant, pollutant

versicherbar *adj* 1. insurable; 2. *(Lebensvers.)* assurable; **nicht v.** non-insurable, uninsurable; **V.keit** *f* insurability

Versicherer *m* 1. (insurance) underwriter, insurer, *(Lebensvers.)* assurer, underwriting agency/office, insurance company/carrier; 2. *(Lloyd's)* name; **als V. tätig sein** to write insurance; **aktiver V.** *(Lloyd's)* working name; **ausländischer V.** alien insurer; **industrie-/unternehmenseigener V.** captive (insurance company); **stiller/passiver V.** *(Lloyd's)* non-working name; **V.gruppe** *f* 1. fleet of companies; 2. *(Lloyd's)* syndicate

versichern *v/t* 1. to insure/underwrite/cover; 2. *(Lebensvers.)* to assure, to effect/write insurance; 3. *(zusichern)* to affirm/declare/assert/guarantee/ensure/represent; *v/refl* to cover o.s., to take out/get cover for sth.; **sich v. gegen** to insure o.s. against; **~ lassen** 1. to take out a policy, to take out/procure/contract/buy insurance, to insure o.s.; 2. to have one's life insured, to assure o.s.

eidesstattlich versichern to make a solemn declaration; **eidlich v.** to depose on oath, to affirm upon oath *[US]*; **erneut v.** to reaffirm; **feierlich v.** to pledge/protest, to make a solemn declaration; **grenzüberschreitend v.** to write international business; **zu hoch v.** to overinsure; **zu niedrig/unter Wert v.** to underinsure; **zu einer niedrigen Prämie v.** to insure at a low premium; **wieder v.** to reinsure/reassure

versichert *adj* 1. insured, covered; 2. *(Lebensvers.)* assured; **freiwillig v.** insured on a voluntary basis; **nicht v.** uninsured; **voll v.** fully insured/covered; **v. sein (bei)** to hold a policy (with), to be insured (with); **Sie können v. sein** you may rest assured

Versicherte(r) *f/m* 1. insured, policyholder, insuree, party insured; 2. *(Lebensvers.)* (party) assured

Versicherten|bestand *m* number of persons insured; **V.dividende** *f* bonus; **V.entgelte** *pl* insured person's earnings; **V.rente** *f* insured person's pension

Versicherung *f* 1. insurance, underwriting; 2. *(Lebensvers.)* assurance; 3. insurance scheme/plan; 4. insurance company; 5. *(Zusicherung)* assurance, assertion, guarantee, undertaking, promise

Versicherung gegen Ansprüche eines unauffindbaren Begünstigten missing beneficiary indemnity insurance; **V. mit Barausschüttung der Dividende** participating insurance; **V. gegen Baubeschränkungen** restrictive covenant insurance; **V. an Eides statt** statutory declaration, affirmation in lieu of oath; **V. auf den Erlebensfall** endowment assurance; **~ und Todesfall** endowment and whole-life assurance; **V. gegen Folgeschäden** consequential damages insurance; **V. ohne Franchise** all-risks clause/policy; **V. gegen alle Gefahren** all-risks insurance, insurance against all risks; **V. auf Gegenseitigkeit** mutual/reciprocal insurance, friendly society; **V. mit Gewinnbeteiligung** with-profits policy, participating policy/insurance; **V. ohne Gewinnbeteiligung** non-participating policy; **V. mit Gewinnbeteiligungsgarantie** guaranteed dividend policy; **V. gegen Haftpflichtschäden** third-party liability insurance; **V. für stationären Krankenhausaufenthalt** hospital *[GB]*/hospitalization *[US]* benefit insurance; **V. gegen schwere Krankheiten** critical illness insurance; **unbegrenzte V. im Krankheitsfall** permanent health insurance, ~ sickness policy; **V. gegen hohe Krankheitskosten** catastrophic health insurance; **~ Kriegsgefahr** war risks insurance; **~ Kunstfehler** malpractice insurance; **V. mit einjähriger Laufzeit** term risk; **V. gegen verborgene Mängel** ⚓ Jason clause; **V. für Personenschäden** no-fault insurance; **V. mit abgekürzter Prämienzahlung** insurance with limited premium; **V. zur Produzentenhaftung**

product liability insurance; **V. auf eigene Rechnung** insurance for own account; **V. für fremde Rechnung** insurance for the account of a third party; **V. von Rechtsansprüchen auf Grundbesitz; V. gegen Rechtsmängel bei Grunderwerb** title insurance; **V. gegen außergewöhnliche/besondere/spezielle Risiken** contingency bond, ~ risks insurance; **V. mit beschränktem Risiko** limited policy; **~ Schadensumlage** assessment insurance; **~ Selbsthaftung/-beteiligung** contributory/participating insurance, co-insurance; **V. auf den Todesfall** whole-life assurance *[GB]*/insurance *[US]*, straight life assurance; **~ Todes- und Erlebensfall** endowment assurance *[GB]*/insurance *[US]*; **V. mit Überschussbeteiligung** with-profits policy; **V. gegen Umweltrisiko** pollution insurance; **V. mit langer Vertragsdauer** long-term-policy; **V. als Vielschutzpaket** all-in/all-risks insurance; **V. von Wasserschäden bei Sprinkleranlagen** sprinkler leakage insurance; **V. auf Zeit** 1. *(Lebensvers.)* term assurance; 2. time policy/insurance

Versicherung abgeben to assure; **eidesstattliche V. abgeben** § to execute an affirmation in lieu of an oath, to make a solemn declaration; **V. abschließen/besorgen** 1. to take out/arrange/contract/procure insurance, to take out/effect an insurance (policy), to insure/assure o.s.; 2. to write premiums, to insure; **V. anbieten** to trade insurance; **abgelaufene V. wieder aufleben lassen** to reinstate a lapsed policy; **V. aufrechterhalten** to carry an insurance; **V. betreiben** to write insurance; **V. decken** to cover insurance; **V. voll einzahlen** to pay up a policy; **V. geben/gewähren** 1. to write/effect insurance; 2. to ensure; **V. nehmen** to insure, to effect insurance; **V. eines Risikos übernehmen** to underwrite a risk; **V. verlängern** to renew an insurance (policy)

abgekürzte Versicherung term insurance; **abgelaufene V.** lapsed/expired policy; **nicht ~ V.** unexpired policy; **abgetretene V.** assigned insurance (policy); **aufgeschobene V.** *(Lebensvers.)* deferred assurance; **aufgestockte V.** extended insurance; **bedingte V.** contingent insurance; **beitragsfreie V.** free policy, paid-up/free insurance; **bestehende V.** insurance carried; **direkte V.** direct insurance; **ehrenwörtliche V.** solemn promise, pledge; **eidesstattliche V.** § statutory/solemn declaration *[GB]*, affirmation in lieu of an oath; **eidliche V.** § affidavit, assertory oath, adjuration; **eingeschränkte V.** restricted cover(age); **voll eingezahlte V.** fully paid-up insurance; **fakultative V.** optional insurance; **fällige V.** matured insurance; **feierliche V.** solemn assertion/assurance; **firmeneigene V.** self-insurance; **freiwillige V.** voluntary/optional insurance; **gebündelte V.** combined insurance; **gegenseitige V.** mutual insurance; **gemischte V.** mixed insurance, multiple cover(age); **gesetzliche V.** statutory scheme; **gewinnbeteiligte V.** participating insurance, with-profits policy; **gültige V.** policy in force; **zu hohe V.** overinsurance; **kombinierte V.** combination policy, comprehensive/multiple-risk insurance; **kurzfristige V.** term/general insurance; **laufende V.** floating/floater/open policy; **mehrfache V.** multiple identical risk cover (age); **zu niedrige V.** underinsurance; **nochmalige V.** reassurance; **obligatorische V.** compulsory insurance; **öffentlich-rechtliche V.** social-insurance institution; **aktienrechtlich organisierte V.** financial corporation; **prämienfreie V.** free/paid-up policy, (fully) paid-up insurance; **prolongierte V.** extended cover(age); **staatliche V.** state insurance, National Insurance (NI) *[GB]*; **in verschiedenen Sparten tätige V.** multiple-line underwriter, composite company/office; **unterhaltene V.** insurance carried; **verfallene V.** lapsed policy; **vorausbezahlte V.** prepaid insurance; **zusätzliche V.** supplementary insurance

Versicherungs|ablauf *m* expiration of policy, end of a policy; **V.abschluss** *m* taking out insurance, conclusion of an insurance policy/contract; **V.abschlüsse tätigen** to write (insurance) business, to effect insurance; **V.abschlussbeleg** *m* insurance/underwriter's slip; **V.abteilung** *f* insurance department; **V.agent** *m* insurance/underwriting agent, policy broker, underwriter, insurance canvasser; **V.agentur** *f* insurance/underwriting agency; **V.akquisiteur** *m* insurance canvasser; **V.aktien** *pl (Börse)* insurance shares *[GB]*/stocks *[US]*, insurances; **V.aktiengesellschaft** *f* joint-stock insurance company *[GB]*, insurance stock corporation *[US]*; **V.alter** *nt* insured's age; **V.amt** *nt* insurance regulator(s); **V.angelegenheit** *f* matter for the insurance; **V.angestellte(r)** *f/m* insurance officer/clerk

Versicherungsanspruch *m* (insurance) claim, right to insurance benefit; **V. des Begünstigten** beneficial interest; **V. befriedigen/erfüllen/regulieren** to pay/adjust/meet a claim, to settle an insurance claim

Versicherungs|anstalt *f* insurance company/office/bank; **V.anteilschein** *m* fractional insurance certificate; **V.antrag** *m* application (for insurance), proposal form; **~ stellen** to apply for insurance; **V.anwalt** *m* insurance lawyer; **technischer V.anwalt** consulting actuary; **V.anzeige** *f* notice to the insurance company; **V.art** *f* class/type of insurance

Versicherungsaufsicht *f* insurance control/regulators; **V.sbehörde** *f* insurance supervisory authority, insurance commissioner; **V.sgesetz** *nt* insurance supervision act; **V.srecht** *nt* insurance supervision law

Versicherungs|auftrag *m* insurance order; **V.aufwertung** *f* insurance revalorization; **V.bedarf** *m* insurance requirements; **V.bedingungen** *pl* provisions, terms/conditions of insurance, insurance terms and conditions, terms of a policy; **allgemeine V.bedingungen** general insurance/policy conditions; **V.beginn** *m* commencement of cover, inception date; **V.begünstigte(r)/V.berechtigte(r)** *f/m* beneficiary (of insurance); **V.beitrag** *m* insurance premium, contribution; **V.beleihung** *f* policy loan; **V.berater(in)** *m/f* actuarial consultant; **V.begrenzung** *f* exclusion; **V.bescheinigung** *f* insurance certificate; **V.bestand** *m* business/policies in force, insurance portfolio, in-force business; **V.bestätigung** *f* cover(age) note, confirmation of cover(age); **V.bestimmungen** *pl* policy provisions; **V.betrag** *m* amount insured; **V.betriebslehre** *f* insurance business management; **V.betrug** *m* insurance fraud; **V.bevollmächtigte(r)** *f/m* underwriting agent; **V.börse** *f* insurance market; **V.branche** *f* insurance industry; **V.büro** *nt* insurance office; **V.darlehen** *nt* 1. policy/actuarial loan, loan from an insurance company; 2. *(Hypothek)* endowment mortgage; **V.dauer** *f* life of a policy, term/period of insurance, period insured, ~ of cover(age); **V.deckung** *f* insurance cover(age); **vorläufige V.deckung** 1. binder; 2. *(Feuer)* covering note; **V.einrichtung** *f* insurance facility; **V.entgelt** *nt* insurance premium; **V.entschädigung** *f* insurance recovery; **V.entschädigungsgewinn** *m* insurance recovery gain; **V.ertrag** *m* underwriting yield; **V.fachmann** *m* actuary, insurance expert

versicherungsfähig *adj* 1. insurable; 2. *(Lebensvers.)* assurable; **nicht v.** non-insurable, uninsurable; **V.keit** *f* insurability

Versicherungs|fall *m* claim, event insured, ~ of loss/damage, insurance case; **entschädigungspflichtiger V.fall** awardable contingency/loss; **V.fonds** *m* insurance fund; **~ auf Gegenseitigkeit** benefit fund; **V.formular** *nt* insurance slip; **v.frei** *adj* exempt from insurance, ~ obligation to insure; **v.fremd** *adj* non-insurance; **V.führer(in)** *m/f* lead(ing) underwriter; **V.geber** *m* 1. insurer, (insurance) underwriter, insurance carrier; 2. assurer; **V.gebühr** *f* insurance fee/charge; **V.gegenstand** *m* (insurable) interest, item covered/insured, subject matter insured; **V.gelder** *pl* insurance companies' funds; **V.genossenschaft** *f* co-operative insurance association

Versicherungsgeschäft *nt* underwriting/insurance business; **V. betreiben** to transact insurance business; **V. unterbringen** to place insurance; **fondsgebundenes V.** linked business; **in Rückdeckung gegebenes V.** reinsured business; **kurzfristiges V.** general insurance

Versicherungsgesellschaft *f* 1. insurance/assurance company *[GB]*, ~ corporation *[US]*, insurance office, insurer, underwriter(s); 2. *(Geldgeschäft betreibendes Unternehmen)* moneyed company *[GB]*/corporation *[US]*; **unternehmenseigene V. im Ausland** offshore captive; **V. auf Gegenseitigkeit** mutual insurance company; **ausländische V.** foreign insurer; **firmen-/unternehmenseigene V.** captive (insurance company); **in der Rechtsform der AG organisierte V.** stock insurance company; **staatliche V.** public insurance company

Versicherungs|gesetz *nt* Insurance Companies Act *[GB]*, Policyholders Protection Act *[GB]*; **V.gewerbe** *nt* insurance industry/business; **V.gewinn** *m* underwriting profit/gain; **technischer V.gewinn** technical underwriting profit; **V.grenze** *f* maximum amount insured; **V.grundlage** *f* basis for insurance; **V.gruppe** *f* insurance group; **V.höchstgrenze** *f (Lloyd's)* line; **V.höhe** *f* amount insured; **V.hypothek** *f* endowment mortgage; **V.industrie** *f* insurance industry; **V.inspektor** *m* insurance claim(s) adjuster/inspector; **V.interesse** *nt* insurable interest; **V.jahr** *nt* underwriting/policy year, underwriting account, year of cover(age); **V.jurist** *m* insurance lawyer; **V.kalkulation** *f* actuarial calculation; **V.kalkulator** *m* actuary; **V.kapital** *nt* insurance stock; **V.karte** *f* 1. *(Sozialvers.)* social security card; 2. ticket; **grüne V.karte** 🚘 green/international insurance card, green card; **V.kartell** *nt* tariff ring; **V.kasse** *f* insurance fund; **V.kaufmann** *m* qualified insurance clerk, insurance broker

Versicherungsklausel *f* insurance/insuring clause; **V. über Ausschluss der Selbstbehaltung** agreed-amount clause; **nur die Ersthypothek begünstigende V.** non-contribution clause

Versicherungs|konsortium *nt* underwriting syndicate/group; **V.konzern** *m* insurance group; **V.kosten** *pl* 1. cost of insurance; 2. ⊖ insurance expenses/charges; **V.kredit** *m* actuarial credit, credit granted by the insurance company; **V.kunden** *pl* insuring public; **V.kündigung** *f* termination of the insurance contract; **V.laufbahn** *f* career in insurance; **V.leistung** *f* insurance/assurance/policy benefit, ~ payout, indemnity payment; **~ im Katastrophenfall** disaster payout; **~ wegen Todes** death benefit; **V.makler** *m* insurance/policy broker; **V.marke** *f* insurance/policy stamp; **V.marketing** *nt* insurance marketing; **V.markt** *m* insurance market/sector; **V.mathematik** *f* actuarial science/mathematics/theory, insurance mathematics; **V.mathematiker** *m* actuary; **amtlicher V.mathematiker** government actuary; **v.mathematisch** *adj* actuarial; **V.mittler** *m* insurance intermediary; **V.möglichkeit** *f* underwriting/insurance capacity; **V.nachtrag** *m* policy endorsement, rider

Versicherungsnehmer *m* 1. policyholder, insured (person/party), party insured, policy owner, insurance holder/consumer, insurant, insuree, beneficiary, enrollee, planholder; 2. *(Lebensvers.)* assured; *pl* insuring public; **gewerblicher V.** commercial policyholder

Versicherungs|neugeschäft *nt* new insurance business; **V.nummer** *f* insurance number; **V.objekt** *nt* insurable interest, object insured; **V.paket** *nt* insurance package; **V.pflicht** *f* statutory/compulsory insurance, obligation to insure; **V.pflichtgrenze** *f* statutory/compulsory insurance limit, *(US-Sozialvers.)* taxable wage base; **v.pflichtig** *adj* liable to pay insurance premiums, subject to compulsory insurance

Versicherungspolice *f* insurance policy, certificate of insurance (c/i), deed of insurance/indemnity

Versicherungspolice für die Dauer von weniger als einem Jahr short-term policy; **V. mit Gewinnbeteiligung** participating (insurance)/with-profits policy; **V. ohne Gewinnbeteiligung** non-participating policy; **V. mit fester Laufzeit** time/term policy; **V. auf den Todes- und Erlebensfall** capital redemption policy; **V. mit Wertangabe** value policy; **V. ohne Wertangabe** open policy

Versicherungspolice abschließen to take out a policy; **V. abtreten/zurückkaufen** to surrender a policy; **V. ausstellen** to issue a policy; **V. einlösen** to cash a policy; **V. erneuern** to renew a policy

abgelaufene Versicherungspolice expired (insurance) policy; **abtretbare V.** assignable (insurance) policy; **für mehr als ein Jahr ausgestellte V.** long-term policy; **auf den Überlebenden ~ V.** survivor policy;

offene V. open policy; **prämienfreie V.** paid-up (insurance) policy; **prolongierte V.** extended policy; **taxierte V.** valued policy; **übertragbare V.** transferable insurance policy; **verfallene V.** lapsed policy; **vorläufige V.** binder

Versicherungs|portefeuille *nt* business in force, in-force business; **V.praktiker** *m* insurance practitioner

Versicherungsprämie *f* insurance premium/rate/money; **V. für Hin- und Rückreise** ⚓ premium out and home; **~ Produzentenhaftung** product liability premium; **V.nsatz** *m* premium rate

Versicherungs|prinzip *nt* principle of insurance; **V.provision** *f* insurance commission; **V.prüfer** *m* insurance auditor; **V.rate** *f* insurance instalment; **V.recht** *nt* insurance law, law of insurance; **V.regulierer** *m* claim(s) adjuster; **V.reisender** *m* insurance traveller; **V.rente** *f* retirement annuity; **~ mit Gewinnbeteiligung** *(zahlbar nach Pensionierung)* with-profits retirement annuity; **V.revisor** *m* insurance auditor; **V.risiko** *nt* insurable/underwriting risk, risk (insured); **V.rückkauf** *m* 1. redemption of policy; 2. *(Lebensvers.)* surrender; **V.rückkaufswert** *m* surrender value; **V.sachbearbeiter(in)** *m/f* insurance administrator; **V.sachverständiger** *m* insurance claim(s) adjuster/assessor, appraiser; **V.satz** *m* insurance premium/rate, rate of insurance

Versicherungsschaden *m* 1. loss, damage; 2. ⚓ average; **V. nach Abzug der geretteten Waren** salvage loss; **V. aufnehmen** to assess/appraise the damage, ~ loss

Versicherungsschein *m* insurance certificate/policy, certificate of insurance; **kombinierter V.** comprehensive policy; **verzinslicher V.** interest policy; **vorläufiger V.** insurance note, binder

Versicherungsschutz *m* (insurance) cover/coverage/protection; **kein V. bei Beschlagnahme** ⚓ free of capture and seizure; **V. gegen Naturkatastrophen** natural disaster cover(age); **V. für Unterhaltsberechtigte** dependency cover(age); **V. geben** to cover; **erweiterter/zusätzlicher V.** extended (insurance) cover(age); **pauschaler/umfassender/voller V.** complete protection, comprehensive cover(age); **sofortiger V.** immediate benefit/cover; **rückwirkende V.klausel** ⚓ lost or not lost

Versicherungs|sektor *m* insurance companies/sector/industry; **V.sparen** *nt* saving through insurance; **V.sparte** *f* line/class/type of insurance, insurance branch/class; **V.spesen** *pl* insurance overheads; **V.statistik** *f* actuarial/insurance statistics; **V.statistiker** *m* actuary; **v.statistisch** *adj* actuarial; **V.stempel** *m* policy stamp; **V.steuer** *f* insurance/policy duty, insurance/premium tax; **V.stock** *m* insurance fund

Versicherungssumme *f* 1. face/insured value, sum assured/insured, capital sum, amount insured, face of policy; 2. *(Todesfall)* reversion; **V. im Todesfall** capital payable on death; **sich die V. auszahlen lassen** to cash a policy; **ausgezahlte V.** policy money; **doppelte V.** *(Unfalltod)* double indemnity; **bei Rückversicherung vorgesehene V.** surplus line

Versicherungs|syndikat *nt* underwriting syndicate; **V.system** *nt* insurance system; **V.tabelle** *f* actuarial table; **V.tarif** *m* insurance rate, tariff; **v.technisch** *adj* actuarial; **V.termin** *m* policy date; **V.träger** *m* 1. insurer, underwriter, (insurance/institution) carrier; 2. assurer; **V.umfang** *m* cover(age), scope of policy; **V.unkosten** *pl* cost(s) of insurance; **V.unterlagen** *pl* insurance records/papers; **V.unternehmen/V.unternehmung** *nt/f* 1. insurance company *[GB]*/corporation *[US]*, office *(coll)*, insurance institution; 2. assurance company; **konzerneigenes V.unternehmen** captive insurer; **V.unternehmer** *m* underwriter, insurance carrier, underwriting office; **V.urkunde** *f* insurance certificate/policy; **V.verband** *m* association of insurers

Versicherungsverein *m* insurance company; **V. auf Gegenseitigkeit (VVaG)** mutual insurance association/society/company, mutual company, benefit/friendly/provident society, beneficiary/benefit association *[GB]*, ~ club *[US]*; **betrieblicher V.** employee benefit association

besondere Versicherungs|vereinbarung rider; **V.verfall** *m* expiration of a policy; **V.verhältnis** *nt* insurance contract/relationship; **V.verlängerung** *f* policy renewal, extension of policy; **V.verlust** *m* underwriting loss; **V.vermittler** *m* insurance broker; **V.vermittlung** *f* insurance brokerage

Versicherungsvertrag *m* contract of insurance, insurance contract, policy; **V. ohne Anpassungsmöglichkeit** closed contract of insurance; **V. mit Einmalprämie** single-premium policy; **V. abschließen** to take out a policy; **V. wieder aufleben lassen** to reinstate a policy; **V. kündigen** to cancel a policy; **einmaliger V.** one-time insurance contract; **vorläufiger V.** binder; **V.srecht** *nt* insurance contract law

Versicherungs|vertreter *m* underwriting/insurance agent, insurance canvasser; **als ~ tätig sein** to sell insurance; **V.vertretung** *f* insurance agency; **V.vorschriften** *pl* policy provisions; **V.vorvertrag** *m* slip, rider; **V.wechsel** *m* 1. insurance draft; 2. change of insurance

Versicherungswert *m* insurance/insured/policy/insurable value, value of insurance, face value of a policy, value insured; **V.e** *(Börse)* insurance (shares *[GB]*/stocks *[US]*); **V. der Fracht** freight insurance value

Versicherungs|wesen *nt* insurance (system); **V.wirtschaft** *f* insurance (business/industry); **V.wirtschaftslehre/V.wissenschaft** *f* insurance science

Versicherungszeit *f* 1. term (of insurance); 2. eligible period; **die V. beginnt** the insurance attaches; **anrechnungsfähige V.en** eligible insured years, ~ periods; **neutralisierte V.en** neutralized periods of cover(age) completed

Versicherungs|zeitraum *m* period of cover(age); **V.-zertifikat** *nt* insurance certificate, certificate of insurance (c/i); **V.zugehörigkeit** *f* membership of an insurance scheme; **V.zweig** *m* insurance branch/line, type/class of insurance; **technische V.zweige** engineering insurance; **V.zyklus** *m* insurance cycle

Versickern *nt* leakage; **v.** *v/i* 1. to leak, to ooze/seep away; 2. *(Interesse)* to dry up; 3. *(Gespräch)* to peter out

versieben|fachen *v/t/v/refl* to increase sevenfold, to septuple/septuplicate; **V.fachung** *f* sevenfold increase, septupling, septuplication

versiegeln *v/t* 1. to seal (up), to encapsulate; 2. [§] to affix the bailiff's seal; **gerichtlich v.** to put under seal

versiegelt *adj* sealed, under seal; **v. und unterschrieben** [§] given under hand and seal

Versiegelung *f* sealing, encapsulation; **amtliche V.** official sealing; **gerichtliche V.** official sealing by court order

versiegen *v/i* to dry up, to run dry

versiert *adj* versed, experienced

versilber|n *v/t* 1. *(coll)* to turn/convert into money, to convert into cash, to monetize; 2. to silver-plate; **v.t** *adj* silver-plated; **V.ung** *f* 1. *(coll)* realization; 2. silver-plating

versinken *v/i* 1. to sink; 2. ⚓ to founder

Version *f* version; **abgespeckte V.** slimmed-down/pared-down version

versöhn|en *v/t* to reconcile/conciliate; *v/refl* to bury the hatchet *(fig)*; **v.lich** *adj* conciliatory

Versöhnung *f* reconciliation; **V.sgeschenk** *nt* peace offering

versorgen *v/t* 1. to provide/furnish/supply/store/accommodate; 2. ✿ to feed, to look after; 3. *(Unterhalt)* to keep/support, to maintain; **jdn. v.** to provide for so., ~ so. with, to fix so. up *(coll)*; **sich selbst v.** to support o.s.; **ungenügend v.** to understock; **sich selbst v.d** *adj* self-supporting

Versorger *m* 1. supplier; 2. provider, breadwinner

versorgt *adj* supplied, provided; **personalmäßig gut v.** well staffed; **v. sein** to be provided for

Versorgung *f* 1. supply, provision, distribution, supplying, service (delivery); 2. subsistence, benefit, pension; 3. ✿ feed; 4. *(Unterhalt)* maintenance; **Ver- und Entsorgung** supply and waste disposal; **V. sicherstellen** to assure the availability of supplies; **ärztliche/medizinische V.** medical service(s)/care/attention, health provision; **ausreichende V.** adequate provision; **lebenslängliche V.** life annuity/pension; **soziale V.** social service(s); **überreichliche V.** oversupply

Versorgungs|agentur *f* supply agency; **V.aktien** *pl* *(Börse)* energy stocks, utility shares *[GB]*/stocks *[US]*, utilities; **V.amt** *nt* 1. supply department; 2. *(Rente)* pension office; **V.anlage** *f* 1. pension contribution; 2. supply facility; **V.anschluss** *m* utility on site; **V.anspruch** *m* 1. maintenance claim, right to maintenance; 2. entitlement to a pension; **V.anstalt** *f* charitable institution; **V.anwärter(in)** *m/f* pension applicant; **V.anwartschaft** *f* eligibility for a pension; **V.ausfall** *m* 1. loss of pension; 2. supply failure; 3. ϟ outage; **V.ausgleich** *m* *(Scheidung)* pension rights adjustment, pension equalization; **V.basis** *f* supply base; **V.bedarf** *m* requirements; **v.berechtigt** *adj* 1. entitled to maintenance; 2. eligible for a pension; **V.bereich** *m* service/supply area; **V.bestimmung** *f* *(Testament)* maintenance clause

Versorgungsbetrieb *m* (public) utility; **gemeinnütziger V.** public utility; **kommunaler V.** municipal utility; **öffentlicher V.** (public) utility (company)

Versorgungs|bezüge *pl* superannuation benefits, benefits received, pensionable emoluments; **V.bilanz** *f* supply position statement; **V.defizit** *nt* supply deficit; **V.dezernat** *nt* supply department; **V.dienstalter** *nt* pensionable age, length of pensionable service; **V.einrichtung** *f* 1. (public) utility; 2. pension/welfare scheme, pension organisation; **V.empfänger(in)** *m/f* beneficiary, benefit recipient, pensioner; **V.engpass** *m* supply bottleneck/shortage, bottleneck in supplies, shortage of supply; **V.fahrzeug** *nt* supply vehicle; **V.fall** *m* 1. *(Sozialfall)* public charge; 2. insured event; **V.fläche** *f* supply area; **V.flugzeug** *nt* supply plane; **V.fonds** *pl* provident/pension fund; **V.freibetrag** *m* age relief; **V.gebiet** *nt* 1. supply area/district; 2. ϟ/*(Gas)*/💧 service area; **öffentliche V.gesellschaft** public service corporation, ~ utility company; **V.gesetz** *nt* pension act; **V.grad** *m* level of satisfaction/utility, satisfaction level; **V.güter** *pl* supply goods, supplies and materials; **V.industrie** *f* public utilities (industry); **V.infrastruktur** *f* supply infrastructure/network; **V.kasse** *f* pension/provident fund; **V.kette** *f* supply chain; **V.klemme** *f* → **V.engpass**; **V.kosten** *pl* service delivery costs; **V.krise** *f* supply crisis; **V.lage** *f* supply situation; **V.lager** *nt* supply depot; **V.last** *f* pension charge; **V.leistung** *f* (welfare) benefit; pension payment; **betriebliche V.leistungen** employee/fringe benefits; **V.leitung** *f* supply pipe(line); **V.leitungen** supply network, mains, hook-up *[US]*; **V.lücke** *f* supply gap; **V.mangel** *m* → **V.engpass**; **V.monopol** *nt* supply monopoly; **V.netz** *nt* 1. supply/distribution network; 2. ϟ/*(Gas)*/💧 supply grid; **V.niveau** *nt* 1. level of supply; 2. pension level; **V.politik** *f* supply policy; **v.politisch** *adj* relating to the supply function; **V.plattform** *f* accommodation rig; **V.preis** *m* supply price; **V.problem** *nt* supply problem/difficulty; **V.quelle** *f* source of supply; **V.regelung** *f* 1. settlement, provision; 2. pension scheme; **V.rente** *f* 1. annuity; 2. national/public assistance; **V.risiko** *nt* 1. security of pensions; 2. supply risk; **V.sache** *f* [§] pension case; **V.satz** *m* pension/maintenance rate; **V.schiff** *nt* store/supply/replenishment/provision/depot ship; **V.schwierigkeiten** *pl* supply shortage(s)/difficulties; **V.sicherheit** *f* security of supplies/supply; **V.situation** *f* supply situation; **V.staat** *m* welfare/all-providing state; **V.stand** *m* level of supply; **V.standard** *m* supply standard; **V.stelle** *f* supply centre; **V.störung** *f* disruption of supplies; **V.strang** *m* supply line; **V.straße** *f* service road; **V.system** *nt* 1. supply system; 2. *(Sozialfürsorge)* benefit system; **V.tarif** *m* ϟ/*(Gas)*/💧 supply rate; **V.titel** *pl* *(Börse)* energy stocks, utility shares *[GB]*/stocks *[US]*, utilities; **V.träger** *m* pension fund, pension-paying institution; **V.unsicherheit** *f* supply uncertainty; **(gemeinnütziges/öffentliches) V.unternehmen** *nt* (public) utility undertaking/company, public service company; **V.-vergütung** *f* superannuation, pensionable emoluments; **V.vermögen** *nt* pension/provident fund; **V.verpflichtung** *f* pension obligation; **V.versicherung** *f* endowment insurance; **V.wege** *pl* channels of supply; **V.werk** *nt* pension plan/scheme, provident fund;

V.werte *pl* → **V.titel**; **V.wesen** *nt* 1. service/supply system; 2. welfare services; **V.wirtschaft** *f* public utilities, energy suppliers; **V.zug** *m* supply train; **V.zusage** *f* 1. pension commitment, promise of a pension; 2. undertaking to provide maintenance; **V.zweig** *m* energy supply industry

verspätlen *v/refl* to be late, ~ behind schedule *[US]*; **v.et** *adj* late, behind schedule *[US]*, delayed, belated

Verspätung *f* delay, lateness, tardiness; **mit V.** behind schedule *[US]*; **V. aufholen** to make up lost time; **V. haben** to be late/delayed, ~ behind schedule *[US]*; **mehrere Stunden V. haben** to be several hours overdue

Verspätungslschaden *m* damage due to delayed performance; **V.zinsen** *pl* interest on arrears; **V.zuschlag** *m* delay penalty, default fine, late payment penalty

verlspekulieren *v/refl* 1. to miscalculate; 2. to lose through speculation; **v.sperren** *v/t* to bar/obstruct, to lock up; **v.spielen** *v/t* 1. *(Verhandlung)* to bargain away; 2. to gamble away; **v.spotten** *v/t* to ridicule/deride

Versprechen *nt* promise, pledge, undertaking, assurance, engagement; **V. brechen/nicht einhalten** to break a promise, to renege on/rat *(coll)* a promise; **V. einlösen/erfüllen/halten** to fulfil/honour/make good a promise, to deliver, to keep one's word/promise; **V. von jdm erzwingen** to wring a promise from so.

akzessorisches Versprechen collateral promise; **ausdrückliches V.** express promise; **bedingtes V.** conditional promise; **bindendes V.** binding promise; **ehrenwörtliches/feierliches V.** solemn promise; **formloses V.** § assumpsit *(lat.)*; **freiwilliges V.** voluntary undertaking; **unbedingtes/vorbehaltloses V.** unconditional/absolute promise; **vertragliches V.** contractual understanding

versprechen *v/t* to promise/pledge, to give an undertaking; **sich viel von etw. v.** to have high hopes of sth.; **sich etw. von einer Sache v.** to pin one's hopes on sth.; **feierlich v.** to pledge/vow; **hoch und heilig v.** to swear by all that is holy

Versprechenslempfänger *m* promisee; **V.geber** *m* promisor

Versprecher *m* slip of the tongue

Versprechung *f* promise; **jdn mit leeren V.en abspeisen** to fob so. off; **leere V.en** empty promises, pie in the sky *(fig)*

verlspriten *v/t* ⚗ to methylate; **v.spüren** *v/t* to sense

verstaatlichlen *v/t* to nationalize *[GB]*/socialize *[US]*, to take into/bring under public ownership; **erneut/wieder v.en** to renationalize; **v.t** *adj* nationalized, state-controlled, state-owned

Verstaatlichung *f* nationalization *[GB]*, socialization *[US]*; **V. von Grund und Boden** land nationalization; **erneute V.** renationalization

verstädterln *v/t* to urbanize/municipalize; **V.ung** *f* urbanization, drift to towns

Verstand *m* reason, mind, intelligence, intellect, brains, wits; **scharfen V. haben** to be quick-witted; **bei klarem V. sein** to be in one's right mind, ~ compos mentis *(lat.)*; **bei vollem V. sein** to be of sound mind; **scharfer V.** keen mind

Verstandeslkräfte *pl* intellectual powers; **v.mäßig** *adj* intellectual; **V.schwäche** *f* mental weakness/deficiency

verständig *adj* reasonable, sensible

verständigen *v/t* to inform/notify/advise; *v/refl* to agree/accord/arrange, to consult one another, to come to an understanding; **in aller Form v.** to notify; **jdn rechtzeitig v.** to give so. fair warning

Verständigung *f* 1. notification; 2. agreement, understanding, communication; **V. erzielen; zu einer V. kommen** to come to an understanding; **heimliche V.** collusion; **V.sbereich** *m* communication area; **V.sfrieden** *m* negotiated peace; **V.sgrundlage** *f* basis of negotiation; **V.sschwierigkeiten** *pl* communication difficulties; **V.ssprache** *f* working language; **V.sverfahren** *nt* mutual agreement procedure, procedure for mutual consultation

verständlich *adj* 1. intelligible, comprehensible; 2. understandable; **sich v. machen** to make o.s. understood; **schwer v.** recondite

Verständlichkeit *f* comprehensibility, lucidity, coherence, intelligibility; **V.sforschung** *f* comprehensibility research

Verständnis *nt* 1. comprehension, understanding, intelligence; 2. appreciation, sympathy; **sich jds V. entziehen** to elude so.'s understanding; **V. haben für** to sympathize with; **v.voll** *adj* appreciative, understanding, sympathetic

verstärken *v/t* 1. to strengthen/reinforce/fortify/stiffen; 2. to intensify/increase/boost/bolster/enhance, to beef up; 3. *(Anstrengungen)* to redouble; *v/refl* 1. to accelerate (the pace); 2. *(Rezession)* to deepen; **v.d** *adj* intensive; **sich selbst v.d** self-propelling, self-reinforcing

Verstärker *m* 1. amplifier; 2. magnifier, booster; **V.anlage** *f* 1. ✆ repeater; 2. amplifying equipment

verstärkt *adj* reinforced

Verstärkung *f* 1. reinforcement, strengthening, hardening; 2. intensification, increase, boost; **V. der eigenen Mittel** strengthening of capital resources

verstaublen *v/i* to gather dust; **v.t** *adj* 1. *(Ware)* shop-soiled *[GB]*, shopworn *[US]*; 2. dusty

verstaulen *v/t* ⚓ to stow (away), to trim; **erneut v.en** to restow; **V.ung** *f* stowage

Versteck *nt* hiding (place), niche, cache, hideout; **baubedingtes V.** ⊖ natural hiding place; **nachträglich eingebautes V.** ⊖ specially contrived hiding place

versteckIen *v/t* to conceal, to hide (away); **v.t** *adj* hidden, concealed, latent, covert

Verstehen *nt* understanding

verstehen *v/t* to understand/grasp/comprehend/see, to get the message *(coll)*; **es versteht sich** it is understood; ~ **von selbst** it goes without saying; **falsch v.** to misunderstand/misinterpret/mistake/misconstrue; **sich gut mit jdm v.** to get on well with so.; **etw. nicht v. können** to be at a loss to understand sth.; **sich von selbst v.** to be obvious; **zu v. geben** to suggest/imply/intimate/infer, to give to understand; **jdm unzweideutig zu v. geben** to make it quite clear to so.

versteifen *v/t/v/refl* to toughen/stiffen/harden; **sich auf etw. v.** to dig one's heels in *(fig)*

Versteifung *f* stiffening, tightening, toughening, hardening; **V. des Geldmarktes** tightening of the money market

Versteigerer *m* auctioneer, vendue master

versteigern *v/t* to auction, to sell by/at auction, to put up at/to auction, to sell off; **meistbietend v.** to auction off/sell to the highest bidder

Versteigerung *f* → **Auktion** auction (sale), public auction; **V. zu fallenden Preisen** veiling; **zur V. anbieten** to put up for auction/sale; **~ anstehen** to be up for auction; **~ bringen** to put up at/for auction; **~ kommen** to come up for auction; **freiwillige V.** private auction; **gerichtliche V.** judicial sale/auction; **holländische V.** Dutch auction; **öffentliche V.** (open) sale, public auction/sale, sale by (public) auction, vendue *[US]*; **durch ~ V.** by public auction

Versteigerungs|ankündigung *f* auction notice; **V.bedingungen** *pl* terms governing the forced sale of real property; **V.erlös** *m* auction proceeds; **V.firma** *f* (firm of) auctioneers; **V.gebühren** *pl* auction fees; **V.gericht** *nt* court in charge of the judicial sale; **V.limit** *nt* bidding limit; **V.liste** *f* auction bill; **V.lokal** *nt* auction/sale room(s); **V.ort** *m* place of auction; **V.preis** *m* auction price; **V.termin** *m* auction day, date of auction sale; **V.vermerk** *m* 1. *(Grundbuch)* entry of judicial sale; 2. auction procedure

verstellbar *adj* adjustable, movable; **nicht v.** non-adjustable; **V.keit** *f* adjustability

verstell|en *v/t* to adjust/alter/change; **V.ung** *f* 1. adjustment, alteration; 2. disguise, dissimilation

verstempel|n *v/t* to stamp; **V.ung** *f* stamping

Ver|steppung *f* desertification; **v.sterben** *v/i* to decease; **v.stetigen** *v/t* to steady/stabilize, to smooth out; *v/refl* to steady

Verstetigung *f* stabilization; **V. des Zinsniveaus** stabilizing of interest rates; **V.sstrategie** *f (Wirtschaftspolitik)* smoothing policy

versteuer|bar *adj* taxable; **v.n** *v/t* to pay tax/duty (on); **zu v.n(d)** taxable, chargeable; **v.t** *adj* duty/tax paid, after tax, net of tax, taxed

Versteuerung *f* taxation, payment of taxes; **V. von Vermögen** taxation of capital; **V.swert** *m* taxable/rat(e)able/assessable/assessed/tax value, value for tax purposes

verstimm|en *v/t* to alienate/depress/damp/deject/unsettle, to put out; **v.t** *adj* annoyed, disgruntled; **V.ung** *f* 1. indisposition, annoyance, deterioration, disgruntlement; 2. *(Börse)* weakening in tone

verstopf|en *v/t* to congest/clog/jam/plug/block; **v.t** *adj* 1. congested; 2. ⚕ constipated; **V.ung** *f* 1. congestion, jam; 2. ⚕ constipation

verstorben *adj* deceased, departed, late, dead; **V.e(r)** *f/m* deceased, departed, decedent

Verstoß *m* breach, contravention, infringement, violation, (technical) offence, irregularity, transgression, disregard

Verstoß gegen Devisenbestimmungen currency offence/violation; **~ die Etikette** breach of etiquette; **~ die Geschäftsordnung** breach of order; **~ das Gesetz** breach of the law; **~ die öffentliche Ordnung** breach of the peace, violation of public peace/order; **~ die Parkbestimmungen** parking offence; **~ die Regeln** breach of the rules; **~ das Schusswaffengesetz** § firearm offence; **~ die guten Sitten** unethical behaviour, infringement of bonos mores *(lat.)*; **~ die Sittlichkeit** act of indecency; **~ die Standesregeln** unprofessional conduct, breach of professional etiquette; **~ die Straßenverkehrsordnung/Verkehrsvorschriften** § motoring offence; **~ Treu und Glauben** act contrary to the rule of good faith; **~ die Vereinbarungen** violation of the conditions agreed; **~ Verfahrensregeln** procedural impropriety; **~ einen Vertrag** breach of contract; **~ die Vorschriften** contravention of the regulations

verstoßen (gegen) *v/i* to infringe/contravene/violate/transgress/disregard, to be contrary to, ~ in contravention of, to run afoul of; *adj* outcast

verstrahl|t *adj* irradiated, radioactive; **V.ung** *f* irradiation, radioactive contamination

ver|streben *v/t* ⚒/🏛 to prop up; **v.streichen** *v/i* to expire/elapse/lapse (away); **v.streuen** *v/t* to scatter/spill/litter; **v.strichen** *adj* lapsed, expired; **v.stricken** *v/t* 1. to entangle; 2. § to inculpate/implicate

Verstrickung *f* 1. entanglement, involvement, attachment by execution; 2. § inculpation, implication; **V.sbruch** *m* § pound breach, interference with attachment

verstrom|en *v/t* to generate electricity, to convert into electricity; **V.ung** *f* electricity generation, conversion into electricity

verstümmel|n *v/t* 1. to cripple/mutilate/maim; 2. *(Nachricht)* to garble; **V.ung** *f* mutilation

verstummen *v/i* *(Gerücht)* to subside, to become silent

Versuch *m* attempt, trial, test, experiment, move, try(-on) *(coll)*; **bei dem V.** in a bid; **V. (der Begehung) einer Straftat** attempt to commit a crime, attempted crime; **V. und Irrtum** trial and error; **V. der Steuerhinterziehung** attempted tax evasion

Versuch anstellen/unternehmen to try/attempt, to carry out a test/an experiment, to have a go/try *(coll)*; **V. aufgeben** to abandon an attempt; **V. darstellen** to constitute an attempt; **V. durchführen** to conduct a test; **V. vereiteln** to fail an attempt

allerletzter Versuch last-ditch effort; **geeigneter V.** suitable test; **lauer V.** half-hearted attempt; **letzter V.** final/last-ditch attempt; **müßiger/nutzloser/vergeblicher V.** futile/vain attempt; **strafbarer V.** punishable attempt; **wiederholbarer V.** repetitive experiment

versuchen *v/t* 1. to attempt/try/test/seek/endeavour, to have a go (at sth.) *(coll)*; 2. to tempt; **es mit etw. v.** to give sth. a try; **etw. noch einmal v.** to have another go/try at sth.; **alles Erdenkliche v.** to make every effort, to leave no stone unturned *(fig)*; **v.d** *adj* tentative

Versuchs|- tentative, experimental; **V.abteilung** *f* test department, experimental station; **V.angebot** *nt* trial offer; **V.anlage** *f* pilot plant, test facility; **V.anordnung** *f* ▦ experimental layout; **V.anstalt** *f* testing station, research institute/department; **V.auftrag** *m* trial/experimental order; **V.aufwand** *m* research expenditure; **V.ballon** *m (fig)* trial balloon, kite, try-on *(coll)*;

~ **aufsteigen lassen** *(fig)* to fly a kite; **auf V.basis** *f* on a trial basis; **V.bedingungen** *pl* test conditions; **V.betrieb** *m* 1. pilot plant; 2. trial operation, pilot plant scale production; **V.bohrung** *f* experimental drilling; **spekulative V.bohrung** wildcat *(fig)*; **V.ergebnis** *nt* test result; **V.fahrt** *f* trial run; **V.fall** *m* § test case; **V.feld/V.gebiet/V.gelände** *nt* testing/proving ground; **V.gruppe** *f* experimental group; **V.handlung** *f* § attempt; **V.jahr** *nt* experimental year; **V.kaninchen** *nt (fig)* guinea pig *(fig)*; **V.- und Entwicklungskosten** *pl* cost(s) of development and experiments; **V.markt** *m* test market; **V.modell** *nt* experimental model; **V.muster** *nt* prototype, dummy; **V.objekt** *nt* 1. test object, guinea pig *(fig)*; 2. ✪ pilot scheme; **V.person** *f (Umfrage)* respondent; **V.plan** *m* ▦ experimental design; **V.produktion** *f* trial production; **V.programm** *nt* test programme; **V.projekt** *nt* pilot project/scheme; **V.-puppe** *f* 🚗 dummy; **V.reaktor** *m* experimental reactor; **V.reihe/V.serie** *f* test series; **V.schacht** *m* ⚒ prospecting shaft; **V.stadium** *nt* experimental/laboratory stage; **V.stand** *m* test bed/bench; **V.station** *f* testing station; **V.strecke** *f* test track; **v.weise** *adj* tentative, on trial/approval, by way of trial, on a trial basis, as an experiment; **V.werbung** *f* test marketing; **V.werkstatt** *f* testing station; **V.zeit** *f* trial period; **V.zweck** *m* experimental purpose

Versuchung *f* temptation; **der V. erliegen** to succumb/yield to temptation

ver|sunken *adj* 1. sunken, immersed; 2. ⚓ submerged; **v.süßen** *v/t* to sweeten

vertag|en *v/t* 1. to adjourn/postpone/defer/remit/demur, to put off; 2. *(Parlament)* to prorogue; *v/refl* to adjourn/recess; **erneut v.en** to readjourn; **v.t** *adj* adjourned, on the table

Vertagung *f* 1. adjournment, postponement, deferment, deferral, remission; 2. *(Parlament)* prorogation *[GB]*; **V. der Berufungsverhandlung** respite of appeal; **V. des Gerichts** rising of the court; **V. auf die nächste Legislaturperiode** prorogation; ~ **unbestimmte Zeit** § adjournment sine die *(lat.)*; **V. beantragen** to move adjournment; **erneute V.** readjournment; **V.santrag** *m* adjournment motion; **V.sbeschluss** *m* § adjournment ruling; **V.srecht** *nt* right to adjourn

vertäuen *v/t* ⚓ to make fast, to moor

vertauschbar *adj* exchangeable, interchangeable; **V.keit** *f* exchangeability

vertauschen *v/t* 1. to exchange/interchange/change/swap; 2. to mix up

Vertauschung *f* 1. exchange, interchange; 2. mix-up; **V. von Waren** ✆ substitution of goods

vertäult liegen *adj* ⚓ to be moored; **V.ung** *f* mooring

verteidigen *v/t* 1. to defend/vindicate; 2. *(Gericht)* to plead; 3. *(Argument)* to maintain; *v/refl* to defend o.s.; **sich geschickt v.** to put up a good defence; **schlecht v.** to misplead; **sich selbst v.** § to conduct one's own defence

Verteidiger|(in) *m/f* 1. defender; 2. § defence counsel, counsel for defence; **V. bestellen** § to appoint/assign a counsel for the defence; **bestellter V.** (privately) appointed/retained defence counsel; **gerichtlich ~ V.** official defence counsel; **öffentlicher V.** § public defender *[US]*

Verteidigung *f* defence *[GB]*, defense *[US]*, vindication; **V. vor Gericht** legal defence, defence in court; **zur V. anführen** to plead in defence; **V. niederlegen** to withdraw from/discontinue the defence; **V. übernehmen** to assume the defence; **sich die eigene V. vorbehalten** to reserve one's defence; **zur V. vorbringen** to plead in defence; **notwendige V.** compulsory representation by defence counsel

Verteidigungs|anleihe *f* defense loan *[US]*; **V.auftrag** *m* defence contract; **V.aufwand/V.ausgaben** *m/pl* defence spending/expenditure; **V.beitrag** *m* defence contribution; **V.bündnis** *nt* defence alliance; **V.einwand** *m* § (incidental) defence plea; **V.etat/V.haushalt** *m* defence budget/appropriation(s); **V.folgekosten** *pl* defence-induced cost(s); **V.gründe** *pl* defence reasons; **V.interesse** *nt* defence interest; **V.investition** *f* capital expenditure on defence; **V.kosten** *pl* defence cost(s); **V.linie** *f* line of defence; **letzte V.linie** last-ditch stand; **V.maßnahme** *f* defensive measure; **V.minister** *m* minister of defence, secretary of state for defence, Defense Secretary *[US]*; **V.ministerium** *nt* Ministry of Defence *[GB]*, War Department *[US]*; **V.mittel** *pl* means of defence; **V.plädoyer** *nt* defence plea; **V.politik** *f* defence policy; **V.rede** *f* § apology, defence plea; **V.schrift** *f* statement of defence; **V.strategie** *f* defensive strategy; **V.taktik** *f* defensive tactics; **V.waffe** *f* defensive weapon; **V.wirtschaft** *f* defence economy

Verteil|anlage *f* sorting machine; **v.bar** *adj* distributable; **V.dienst** *m* distributive service

Verteilen *nt* distribution; **systematisches V. von Anschaffungskosten von Anlagen auf die wirtschaftliche Nutzungsdauer** depreciation accounting

verteilen *v/t* 1. to distribute/divide, to deal/hand/dole out, to dispense; 2. *(zuteilen)* to allocate/allot/apportion; 3. *(streuen)* to scatter/spread (out); **anteilig v.** to pro-rate; **gleichmäßig v.** to share equally, to space out evenly; **gratis v.** to hand out, to give away; **neu v.** to redistribute/reallocate

Verteiler *m* 1. distributor, dispenser; 2. distribution/mailing list; 3. share-out key; **V.dienst** *m* distribution service; **V.dose/V.kasten** *f/m* ⚡ junction box; **V.fahrzeug** *nt* distributing vehicle; **V.funktion** *f* distributive function; **V.genossenschaft** *f* distribution cooperative *[US]*; **V.gewerbe/V.handel** *nt/m* distributive trade; **V.gleis** *nt* 🚂 sorting siding, classification siding *[GB]*/sidetrack *[US]*; **V.hinweise** *pl* routing instructions; **V.kartell** *nt* distribution cartel; **V.kette** *f* distribution chain; **V.lager** *nt* distribution depot; **V.liste** *f* 1. distribution/mailing list; 2. 🖳 switch list; **V.name** *m* 🖳 switch identifier; **V.netz** *nt* distribution network/system; **zusätzliches V.netz** supplementary distribution network; **V.organisation** *f* distributing organisation; **V.postamt** *nt* ✉ sorting office; **V.schlüssel** *m* 1. mailing list; 2. distribution/share-out key, ratio; **V.stelle** *f* 1. distributor, distributing office; 2. 🚜 marketing board

[GB]; **V.straße** *f* distributor road; **V.system** *nt* distributing system; **V.wirtschaft** *f* distributive trade(s); **V.zentrale/V.zentrum** *f/nt* distribution centre; **V.zone** *f* despatch area

verteilt *adj* distributed, allocated, apportioned; **v. auf** spread over; **gleichmäßig v.** evenly spread, equally distributed; **nicht v.** unallotted, unappropriated

Verteilung *f* 1. distribution, share-out, division, dispensation, repartition; 2. *(Zuteilung)* allocation, allotment, apportionment; 3. ▦ breakdown

Verteilung nach Altersgruppen age grouping/distribution; **V. der Anschaffungs- und Herstellungskosten** systematic periodic allocation of cost; **zeitliche V. von Arbeitsgängen** balancing of work; **V. von Arbeitskräften** allocation of manpower; **V. nach Berufen** breakdown by occupations; **V. der Bevölkerung** population distribution, distribution of population; **V. einer Dividende** distribution of a dividend; **V. der Einkommen** income distribution; **V. des Emissionsagios über die Laufzeit** bonds-outstanding method; **V. der Geschäftsunkosten** allocation of overheads; **V. des Gewinns** distribution of profits; **V. der Konkursmasse** distribution of the assets of a bankrupt; **V. von Kontingenten** allocation of quotas; **V. der Kosten** allocation/apportionment of cost(s); **V. von Kostenabweichungen** circulation of cost(s); **V. eines Nachlasses** distribution of a deceased's estate; **V. des Restvermögens** distribution of the remaining assets; **V. der Steuerlast** incidence of taxation; **V. des Volkseinkommens** distribution of the national income

zur Verteilung bringen to distribute; **V. des Nachlasses regeln** to settle an estate

anteilmäßige Verteilung pro-rata distribution; **bedingte V.** conditional distribution; **berufliche V.** occupational distribution/breakdown; **diskontinuierliche V.** ▦ discrete distribution; **eingipflige V.** ▦ unimodal distribution; **steil endende V.** ▦ abrupt distribution; **zweiseitige exponentielle V.** ▦ double exponential distribution; **geometrische V.** ▦ geometric distribution; **gerechte V.** fair/equitable distribution; **gestützte V.** ▦ truncated distribution; **gleichmäßige V.** evenness of diffusion; **kumulative V.** ▦ cumulative distribution; **prozentuale V.** percentage distribution; **räumliche V.** spatial distibution; **schiefe V.** ▦ skew/asymmetric distribution; **singuläre V.** singular distribution; **stationäre V.** stationary distribution; **statistische V.** statistical distribution; **ungleichmäßige V.** uneven distribution; **verbundene V.** ▦ joint distribution; **verhältnismäßige V.** proportional distribution; **zeitliche V.** time spacing/distribution; **zweidimensionale V.** ▦ bivariate distribution; **zyklische V.** ▦ cyclical/circular distribution

Verteilungs|- distributional; **V.amt** *nt* ✉ sorting office; **V.anlagen/V.apparat** *pl/m* distribution facilities; **V.einrichtung** *f* distribution facility; **V.anordnung** *f* § *(Konkurs)* administration order; **V.anpassung** *f* distributional adjustment; **V.bogen** *m* spreadsheet; **V.dichte** *f* ▦ frequency of distribution; **v.fähig** *adj* distributable; **v.frei** *adj* distribution-free; **V.funktion** *f* distribution/distributive function; **~ des Preises** distribution function of prices; **V.gewinn** *m (Gläubiger)* dividend; **V.kampf** *m* conflict of distribution; **V.kartell** *nt* distribution cartel; **V.kette** *f* chain of distribution; **V.konflikt** *m* distribution/allocation conflict; **V.konto** *nt* distribution account; **V.kosten** *pl* distribution costs/expenses; **V.kurve** *f* distribution curve; **V.lager** *nt* distribution warehouse; **V.maße** *pl* measures of distribution; **V.modus** *m* distribution formula; **V.muster** *nt* distribution pattern, pattern of distribution; **V.netz** *nt* network of distribution, distribution system; **V.plan** *m* scheme/plan of distribution; **V.politik** *f* distributional policy; **V.postamt** *nt* sorting office, distributing post office; **V.problem** *nt* transport problem; **V.prozess** *m* process of distribution; **V.punkt** *m* distribution depot; **V.quote** *f* 1. distributive share; 2. *(Liquidation)* liquidation dividend; **funktionelle V.-quoten** factor shares; **V.rechnung** *f* distribution account, earnings and cost approach, incomes received method, income measure; **V.schlüssel** *m* distribution ratio, allocation/apportionment formula, basis of allocation/apportionment, scale; **V.seite** *f* earnings side; **V.spielraum** *m* distributive margin, scope for (income) distribution; **V.stelle** *f* 1. distribution point/agency; 2. 🚜 marketing board; **V.system** *nt* system of distribution; **V.termin** *m* date of distribution; **V.theorie** *f* theory of distribution; **V.verfahren** *nt* distribution process; **V.weg** *m* distribution channel; **V.wege im Ausland** distribution channels abroad

Verteilzeit *f (REFA)* allowance; **persönliche V.** personal (needs) allowance; **sachliche V.** process allowance; **allgemeiner/sachlicher V.zuschlag** *(REFA)* contingency/delay allowance

Verteilzentrum *nt* ✉ (postal) sorting office

vertelefonieren *v/t* to spend on the phone

verteuern *v/t* to raise/increase the price; *v/refl* to become dearer/more expensive

Verteuerung *f* price increase, rise in price; **V.en weiterwälzen** to pass on price increases

verteufel|n *v/t* to disparage/condemn/vilify; **V.ung** *f* disparagement, condemnation

vertief|en *v/t* 1. to deepen; 2. *(Beziehungen)* to develop; *v/refl* to widen/deepen; **v.t** *adj* in-depth; **V.tsein** *nt* preoccupation; **V.ung** *f* 1. depression, dip; 2. deepening

vertikal *adj* vertical; **V.kartei** *f* vertical card index; **V.konzern** *m* vertical group; **V.konzentration/V.verband/V.verflechtung** *f/m/f* vertical combination/integration/link; **V.registratur** *f* vertical filing

ver|tilgen *v/t* to annihilate/destroy; **v.tippen** *v/refl* to make a typing/keying error; *v/t* to mistype; **V.tipper** *m (coll)* typing/keying error; **v.trackt** *adj* tricky, complicated, complex

Vertrag *m* 1. contract, covenant; 2. *(Abmachung)* agreement, deal, compact; 3. *(Völkerrecht)* treaty, pact, convention; 4. *(Urkunde)* instrument, (indenture) deed, indent(ure); 5. *(Versicherung)* policy; **auf Grund eines V.es** contractual, under an indenture; **aus (einem) V.** under a contract, ex contractu *(lat.)*; **laut V.** as per agreement/contract, according to the contract;

vorbehaltlich eines V.es subject to contract; **V. über** contract covering

Vertrag in doppelter Ausführung [§] indenture; **V. auf Betriebsebene** agreement at plant/firm level, plant agreement; **V. zu Gunsten Dritter** third-party beneficiary contract, agreement in favour of a third party; **V. zu Lasten Dritter** contract imposing a burden on a third party; **V. in schriftlicher Form** contract in writing; **V. zwischen General- und Subunternehmer** sub-contract; **V. über Geschäftsaufsicht** deed of inspectorship; **V. zu allgemeinen Geschäftsbedingungen** standard-form contract; **V. für ganze Industriezweige** industry-wide agreement; **V. zu Istkosten zuzüglich Gewinnzuschlag** cost-plus-fee contract; **V. auf Lebenszeit** life contract; **V. mit teilweise offenen Modalitäten** open-end contract; **V. ohne Nebenabreden** contract without any subsidiary agreement; **V. mit Prämie für vorzeitige und Vertragsstrafe für verspätete Fertigstellung** bonus-penalty contract; **~ Preisfestsetzung nach Kosten und Verrechnung fester Zuschläge** cost-plus-a-fixed-fee contract; **~ Preisgleitklausel** cost-plus/fluctuating-price contract; **V. von Rom** *[EU]* Rome Treaty, Treaty of Rome; **V. gegen die guten Sitten** immoral contract, agreement contra bonos mores *(lat.)*; **V. im Stadium der Unterzeichnung** inchoate agreement; **V. auf Werksebene** agreement at factory level, factory agreement; **V. über die internationale Zusammenarbeit auf dem Gebiet des Patentwesens** Patent Co-operation Treaty (PCT); **~ den Zuschlag** purchase award contract

durch Vertrag gebunden bound by contract; **der V. läuft ab/aus** contract expires; **Verträge müssen eingehalten/erfüllt werden** [§] pacta sunt servanda *(lat.)*; **der V. ist dem Recht von ... unterworfen** the contract is governed by the law of ...

Vertrag (ab)ändern to modify/amend/reform a contract; **V. abschließen** to enter (into)/make a contract, to contract, to conclude an agreement/a contract, to enter into an agreement; **V. für die Beförderung von Waren abschließen** to contract for the carriage of goods; **V. nicht anerkennen** to repudiate a contract; **V. anfechten** to challenge/rescind/avoid a contract; **V. annehmen** to accept a contract; **V. annullieren/aufheben** to rescind/annul/nullify a contract; **V. aufkündigen** to terminate an agreement, to pull out of an agreement, to give notice of termination of contract; **V. auflösen** to sever a contract; **in den V. aufnehmen** to write into the contract; **V. aufsetzen/ausfertigen/ausschreiben** to draw up a contract; **V. aushandeln** to negotiate a contract; **V. auslegen** to interpret/construe the terms of a contract; **aus einem V. aussteigen** *(coll)* to withdraw from a contract, to opt out of a contract; **V. beenden** to terminate a contract; **V. als ungültig behandeln** to repudiate a contract; **einem V. beitreten** 1. to become party to a contract; 2. to accede to a treaty/convention; **V. bestätigen** to confirm/affirm an agreement; **auf dem V. bestehen** to hold so. to the contract; **V. brechen** to breach/violate a contract, ~ an agreement; **V. durchführen** to fulfil a contract; **V. eingehen** to enter into an agreement; **V. einhalten** to abide by a treaty/contract, to honour an agreement, to comply with the terms of a contract, to adhere to a contract; **jdn von seinem V. entbinden/entlassen** to release so. from a contract; **V. entwerfen** to draw up/draft a contract; **V. erfüllen** 1. to fulfil/honour/perform/discharge a contract; 2. to deliver the goods *(coll)*; **V. nicht erfüllen** to be guilty of a breach of contract; **sich aus dem V. ergeben** to result from the contract/treaty; **V. (für) ungültig erklären** to vitiate a contract; **V. erneuern** to renew a contract; **unter einen V. fallen** to come within the scope of a contract, to be covered by an agreement; **an einem V. festhalten** to abide by a contract; **im V. festlegen** to set out in the contract/treaty; **V. formulieren** to formulate/draw up a contract; **sich an einen V. halten** to abide by an agreement; **aus einem V. klagen** to enforce a contract, to sue under a contract; **V. kündigen/lösen; sich vom V. lossagen** 1. to rescind/terminate a contract, to terminate an agreement; 2. to denounce a treaty; **V. rückgängig machen** to rescind a contract; **V. ungültig machen** to void a contract; **einem V. nachkommen** to honour a contract; **in/unter V. nehmen** to sign on, to contract; **V. paraphieren** to initial an agreement; **V. ratifizieren** to ratify a treaty; **V. schließen** to enter into a contract, to covenant, to make a pact, to conclude/sign an agreement, ~ a contract; **unter V. stehen** to be under contract; **V. stornieren/umstoßen** to rescind a contract; **V. unterzeichnen** to sign a contract; **V. verlängern** to renew/prolongate a contract; **V. verletzen** 1. to breach a contract; 2. to violate a treaty; **sich durch einen V. verpflichten** to covenant, to commit o.s. by contract; **V. widerrufen** to revoke/rescind/repudiate a contract; **von einem V. zurücktreten** to withdraw from/rescind/repudiate a contract

abgeänderter Vertrag amended/modified contract; **konkludent abgeschlossener V.** implied contract; **abstrakter V.** abstract agreement; **akzessorischer V.** accessory contract; **aleatorischer V.** hazardous/aleatory contract; **anfechtbarer V.** voidable/impeachable contract; **ausdrücklicher V.** express contract; **auslaufender V.** expiring contract; **bedingter V.** conditional agreement/contract, dependent contract; **befristeter V.** fixed-term contract, contract of limited duration; **besiegelter V.** special contract; **bestehender V.** existing contract; **beurkundeter V.** instrument in writing; **durch das Gericht bewirkter V.** contract of record; **bindender V.** binding agreement; **einseitig ~ V.** unilateral contract; **deklaratorischer V.** declaratory contract; **diktierter V.** adhesion contract; **dinglicher V.** real agreement/contract, deed of conveyance, agreement in rem *(lat.)*; **einfacher V.** simple contract; **einklagbarer V.** legally enforceable contract; **einseitiger V.** unilateral/naked/nude contract; **einwandfreier V.** watertight contract; **entgeltlicher V.** onerous contract; **noch zu erfüllender/noch nicht erfüllter V.** executory/unperformed contract; **erfüllter V.** executed contract; **sich aus den Umständen ergebender V.** implied contract; **sich erneuender V.** revolving/rolling contract; **faktischer V.** de facto agreement; **fehlerhafter V.** defective contract; **fester V.** fixed/standing contract; **fingierter V.** fictitious contract; **formbedürftiger/förmlicher V.** speciality/formal contract, ~ deed; **formfreier/-loser V.** informal/parol agreement, ~ contract; **gegenseitiger V.** mutual/reciprocal/bilateral contract; **gemeinschaftlicher V.** joint contract; **gemischter V.** mixed contract; **gerichtlicher V.** judicial convention; **ausdrücklich geschlossener V.** express agreement/contract/covenant; **konkludent/stillschweigend ~ V.** contract concluded by implication, implied contract; **dinglich gesicherter V.** collateral contract; **gesiegelter V.** contract under seal; **objektiv unmöglich gewordener V.** frustrated contract; **gültiger V.** valid contract; **internationaler V.** international treaty; **nicht klagbarer V.** unenforceable contract; **kündbarer V.** terminable contract; **langfristiger V.** long-term contract; **laufender V.** running/current contract; **lebenslänglicher V.** life contract; **leonischer V.** leonine contract; **mehrseitiger V.** multilateral agreement; **mündlicher V.** oral/parol/consensual contract, oral/verbal agreement; **nichtiger V.** void contract; **normierter V.** standard terms contract; **notarieller V.** notarial deed, sealed contract; **obligatorischer V.** obligatory agreement, consensual contract; **öffentlichrechtlicher V.** contract under public law; **rechtsgültiger/-verbindlicher V.** binding contract; **rechtswidriger V.** illegal contract; **rückwirkender V.** retroactive contract/treaty; **schriftlicher V.** agreement/contract in writing, written agreement/contract; **lediglich ~ V.** agreement under hand only; **schuldrechtlicher V.** obligatory covenant/contract; **selbstständiger V.** independent contract; **sittenwidriger V.** immoral contract, agreement contra bonos mores *(lat.)*; **stillschweigender V.** implied contract; **teilbarer V.** divisible contract; **unanfechtbarer V.** unavoidable contract; **unbefristeter V.** contract for an indefinite period of time, indefinite term/open-ended contract; **unentgeltlicher V.** gratuitous contract; **unerlaubter V.** illicit contract; **ungültiger V.** void/bare contract; **~ mangels Gegenleistung** naked contract; **unmöglicher V.** frustrated contract; **unteilbarer V.** indivisible contract; **einseitig unterzeichneter V.** inchoate instrument; **unverbindlicher V.** naked contract; **unvollständiger V.** incomplete/inchoate contract; **unwirksamer V.** void contract; **schwebend ~ V.** provisionally invalid agreement; **unzumutbarer V.** unreasonable contract; **urkundlicher V.** (contract by) deed, special contract; **ursprünglicher V.** original treaty/contract; **verbindlicher V.** binding contract/agreement; **sich automatisch verlängernder V.** rolling contract; **einseitig verpflichtender V.** mutual contract, reciprocal agreement; **völkerrechtlicher V.** treaty; **vorläufiger V.** preliminary agreement, binder; **wesentlicher V.** material contract; **wettbewerbsbeschränkender V.** contract in restraint of trade, restrictive covenant; **widerrechtlicher V.** illegal contract; **zugeteilter V.** *(Bausparen)* loan-awarded contract; **zweiseitiger V.** bilateral agreement/contract; **unvollkommen ~ V.** imperfectly reciprocal contract; **zwischenstaatlicher V.** international treaty

vertragen *v/t* to take/stand/tolerate; *v/refl* to get on with each other; **sich gut mit jdm v.** to hit it off with so. *(coll)*; **sich wieder v.** to make it up

vertraglich *adj* contractual; *adv* by contract/agreement, ex contractu *(lat.)*

verträglich *adj* compatible; **V.keit** *f* compatibility; **soziale V.keit** social acceptability

Vertrags|- contracting, contractual; **V.abfüller** *m* franchise bottler

Vertragsablauf *m* expiration/termination of contract; **nach V.** post-termination; **vor V.** before contract date

Vertrags|abmachungen *pl* articles of an agreement; **V.abnehmer** *m* contract consumer; **V.abrede** *f* contractual stipulation, stipulation of a contract

Vertragsabschluss *m* conclusion of a contract, contracting; **bei V.** on conclusion of the contract; **gültig nur bei V.; vorbehaltlich des V.es** subject to contract; **V. erzielen** to land a contract; **V.provision** *f* initial commission

Vertrags|abschrift *f* copy of a contract; **V.abwicklung** *f* contract implementation; **v.ähnlich** *adj* quasi-contractual; **V.änderung** *f* modification/alteration of (a) contract, amendment to a contract, change in the contract; **V.anfechtung** *f* contestation/rescission/avoidance of contract; **V.angebot** *nt* (contractual) offer; **V.anlass** *m* reason for the contract; **V.annahme** *f* acceptance of contract; **V.annullierung** *f* rescission/cancellation of contract; **V.anspruch** *m* contract(ual) claim; **V.anteil** *m* contractual share; **V.arbeit** *f* contract labour; **V.artikel** *m* clause, stipulation, treaty article; *pl* articles of agreement; **V.arzt** *m* panel doctor; **V.aufhebung** *f* rescission/cancellation/annulment of contract; **auf ~ klagen** to bring an action for rescission; **V.aufkündigung** *f* revocation of a contract, notice of termination of contract; **V.auflösung** *f* termination/cancellation/rescission of contract; **vorzeitige V.auflösung** early/premature termination of contract; **V.ausfertigung** *f* copy of the contract; **unrechtsame V.ausfertigung** unlawful execution of contract; **V.auslegung** *f* construction/interpretation of contract

Vertragsbedingung *f* contractual stipulation/condition; **V.en** conditions/terms of contract, contract(ual)/trade terms, terms of an agreement, terms and conditions of contract, contract conditions; **~ einhalten/erfüllen** to comply with the terms of a contract; **unter die ~ fallen** to come within the terms of a contract; **~ festsetzen** to stipulate the terms of a contract; **sich an die ~ halten** to comply with the terms of a contract; **stillschweigend vereinbarte V.en** implied terms

Vertrags|beendigung *f* termination of contract; **V.beginn** *m* commencement of a contract, effective date; **V.beitritt** *m (Völkerrecht)* accession to a treaty; **V.berechtigte(r)** *f/m* covenantee; **V.bereitschaft** *f* readiness to enter into a contract; **V.bestand** *m (Vers.)* total policies outstanding, ~ in force; **V.bestandteil** *m* part/element of a contract; **V.bestätigung** *f* affirmation/confirmation of (a) contract

Vertragsbestimmung *f* stipulation, (contractual) provision, contract clause; **V.en** terms and conditions of a contract; **vorbehaltlich der V.en** subject to the terms of the contract; **sich an die V.en halten** to comply with the terms of the contract; **V.en verletzen** to infringe the provisions of a contract; **auflösende V.** rescinding clause; **wesentliche V.** material condition

Vertrags|beteiligte(r) *f/m* party to the contract/agreement; **V.beziehung** *f* contractual relationship; **V.bindung** *f* commitment to a contract; **V.brecher** *m* covenant breaker

Vertragsbruch *m* breach of (a) contract/covenant/agreement, rupture of the agreement; **V. begehen** to break a contract; **antizipierter V.** anticipatory breach of contract

vertragsbrüchig sein *adj* to be in breach of contract; **V.e(r)** *f/m* party in breach (of contract)

vertragschließend *adj* contracting, signatory, contractual, contractant; **V.e(r)** *f/m* contracting party, contractant, contractor

Vertragsdatum *nt* contract date

Vertragsdauer *f* 1. term/life of (a) contract, contractual period; 2. *(Geschäft)* life of a transaction; **während der V.** during the term of the contract; **vereinbarte V.** agreed term of contract

Vertrags|dokumentation *f* legal/contract documentation; **V.entwurf** *m* draft agreement/contract/treaty, outline agreement/contract; **revidierter V.entwurf** revised draft/version of the contract; **V.erbe/V.erbin** *m/f* heir by operation of the law; **V.erfordernis** *nt* requirement of (a) contract; **wesentliches V.erfordernis** essence of a contract

Vertragserfüllung *f* implementation/fulfilment/discharge/execution/completion/performance of the contract; **V. durch Erfüllungshilfen** vicarious performance; **die V. ist unmöglich gemacht worden** the contract has become frustrated; **V. ablehnen** to repudiate a contract; **V. unmöglich machen** to frustrate a contract; **ausdrückliche/effektive V.** specific performance; **mangelnde V.** failure to comply with a contract, defective performance, failure to perform; **V.sgarantie** *f* contract performance guarantee

Vertrags|erhöhung *f* *(Vers.)* increase of the amount covered; **V.erneuerung** *f* renewal of contract; **V.erzeugnis** *nt* contractual product, product furnished under contract; **v.fähig** *adj* (legally) capable (of entering into a contract); **V.fähigkeit** *f* contractual capacity, ability to contract; **V.firma** *f* contracting firm; **V.forderung** *f* contract(ual) claim; **V.form** *f* 1. form of a contract; 2. *(Vers.)* type of cover; **V.formalitäten** *pl* formalities of a contract; **V.formeln** *pl* contractual clauses, commercial/trade/shipping terms; **handelsübliche V.formeln** trade terms; **V.formular** *nt* contract form, form of agreement; **V.forschung** *f* contract research; **V.fortsetzung** *f* renewal of contract; **V.freiheit** *f* freedom of contract, contract liberty, free contracts; **V.frist** *f* contract period; **V.garantie** *f* contractual guarantee; **V.gaststätte** *f* tied (public) house *[GB]*; **V.gebiet** *nt* contract area, contractual territory, territory covered by a treaty; **V.gegenstand** *m* object/subject of the contract, contract good; **individualisierter V.gegenstand** specified/ascertained good; **V.gegner(in)** *m/f* contracting party, party to an agreement

vertragsgemäß *adj* conventional, contractual, as contracted, as per contract/agreement, stipulated in the contract/agreement, in accordance with the contract; **nicht v.** non-conforming; **v. sein** to comply with the contract; **V.heit** *f* conformity with the contract

Vertrags|gestaltung *f* 1. preparation of a contract; 2. contractual arrangements; **V.gläubiger(in)** *m/f* contract creditor; **V.großhändler** *m* appointed wholesaler; **V.grundlage** *f* basis of agreement, contract basis; **V.gültigkeit** *f* validity of a/the contract; **V.hafen** *m* contract/treaty port; **V.haftung** *f* contractual liability; **V.handel** *m* authorized trading

Vertragshändler *m* franchised/appointed/authorized/exclusive/franchised dealer, appointed retailer/distributor, concessionary; **ausländischer V.** foreign distributor; **V.vertrag** *m* dealer's contract

richterliche Vertragshilfe judicial assistance for debtors; **V.recht** *nt* debtor-relief legislation; **V.verfahren** *nt* debtor-relief procedure

Vertrags|hindernis *nt* frustrating event; **V.hotel** *nt* contract hotel; **V.hypothek** *f* contract mortgage; **V.inhalt** *m* provisions/subject matter of a contract; **V.interesse** *nt* valuable consideration; **V.irrtum** *m* contract error; **V.jahr** *nt* agreement/contract year; **V.kapazität** *f* capacity to contract; **V.klage** *f* contractual suit, action based on contract; **V.klausel** *f* contract clause, stipulation, covenant; **handelsübliche V.klauseln** trade terms; **v.konform** *adj* as agreed upon, conforming to the contract; **V.konstellation** *f* contractual set-up; **V.konstruktion** *f* contractual arrangement; **V.kontingent** *nt* contract quota; **V.konzern** *m* contractual group, group by contract; **V.krankenhaus** *nt* contract hospital; **V.küche** *f* contract caterer; **V.kunde** *m* contract customer; **V.kündigung** *f* revocation/termination/cancellation of a contract, contract termination; **V.land** *nt* contracting state; **V.laufzeit** *f* term of a contract, contract period; **V.leistung** *f* contract service, consideration; **V.lieferant** *m* authorized/appointed supplier; **V.lücke** *f* loophole (in a contract); **V.macht** *f* treaty power; **v.mäßig** *adj* contractual, covenanted, laid down in the agreements; **V.menge** *f* quantity contracted; **V.merkmale** *pl* features of a contract; **V.muster** *nt* specimen contract; **V.netz** *nt* ϟ supply system, contract network; **V.niederschrift** *f* written text of the agreement; **V.offerte** *f* contractual offer

Vertragspartei *f* contracting party, party to a contract/an agreement, contractant, contractor, covenantor, stipulator; **die Hohen V.en** the High Contracting Parties; **als V. beteiligt** co-contracting party

Vertrags|partner(in) *m/f* party to the contract, contracting/other party, signatory, franchise partner, contract customer/agency; **V.periode** *f* term of a contract, contractual period; **V.pfand(recht)** *nt* conventional lien, lien by agreement; **V.pflicht** *f* contractual obligation/duty; **V.prämie** *f* stipulated premium; **V.preis** *m* contract/cost/firm price, price payable under the contract; **V.punkt** *m* article/point of the contract, article of the agreement; **V.recht** *nt* 1. law of contract, contract law; 2. contractual right, right under a contract; **internationales V.recht** conventional international law; **v.rechtlich** *adj* contractual; **V.reederei** *f* ⚓ contract carrier; **V.regelung** *f* contract settlement, contractual agreement; **V.regierung** *f* contracting government; **V.rückkauf** *m* redemption of policy; **V.rücktritt** *m* rescission/revocation of contract; **V.rückversicherung** *f (Vers.)* treaty reinsurance

Vertragsschluss *m* conclusion/making (of a contract); **vorbehaltlich des V.es** subject to contract; **V.schein** contract note

Vertrags|schuld *f* contract debt; **V.schuldner(in)** *m/f* debtor under an agreement, contract debtor; **V.seite** *f* contracting party; **V.sorte** *f (Ware)* contract grade; **V.sparen** *nt* contractual saving(s) (investments); **V.spediteur/V.spedition** *m/f* contract/limited carrier; **V.staat** *m* contracting state, state party; **V.statut** *nt* lex contractus *(lat.)*; **V.stempel** *m* contract stamp; **V.strafe** *f* (contractual/conventional) penalty, liquidated damages, penalty clause, penalty for breach of contract, ~ non-performance; **V.streitigkeit** *f* dispute arising from a contract; **V.summe** *f* contractual sum, contractually agreed amount; **V.tarif** *m* convention(al) tariff; **V.teil** *m* 1. section of the contract; 2. contracting party; **V.teilnehmer(in)** *m/f* party to a contract, contracting party; **V.termin** *m* contract date/deadline, deadline for performance of contract; **V.text** *m* wording of an agreement, text of a contract; **v.treu** *adj* observant, non-breaching, non-defaulting; **V.treue** *f* compliance with a contract, contractual fidelity, observance of a contract; **V.typ** *m* type of contract; **V.übernahme** *f* taking-over a contract; **V.umfang** *m* scope of a contract; **v.unfähig** *adj* contractually incapable; **V.unfähigkeit** *f* contractual incapacity; **jdn zur V.unterschrift bevollmächtigen** *f* to authorize so. to sign a contract; **V.unterzeichner(in)** *m/f* signatory to a contract; **V.unterzeichnung** *f* signing of the contract; **V.untreue** *f* default

Vertragsurkunde *f* instrument, document of agreement, contractual document, certificate of contract, memorandum, indent(ure) deed, indenture, (deed of) covenant; **V., die bei einem Dritten (Treuhänder) hinterlegt ist und erst nach Vertragserfüllung in Kraft tritt** escrow; **V. in mehrfacher Ausfertigung aufsetzen** to indent; **hinterlegte V.** instrument in escrow

Vertrags|verbindlichkeit *f* contractual obligation/liability; **V.verbund** *m* franchise system; **V.vereinbarung** *f* contractual arrangement

Vertragsverhältnis *nt* contractual relation(ship); **V. beenden** to terminate a contract; **faktisches V.** de facto contractual relationship; **gesetzlich fixiertes V.** statutory/implied contract; **stillschweigendes V.** implied contract; **unmittelbares V.** privity of contract

Vertrags|verhandlungen *pl* contract/treaty negotiations; **V.verlängerung** *f* renewal/extension of contract

Vertragsverletzung *f* breach of contract/treaty, ~ duty to perform, violation of treaty, defection of contract, infringement of a(n) contract/agreement, default; **positive V.** positive breach of contract, defective performance, faulty contractual performance; **wesentliche V.** fundamental breach of contract

Vertrags|verpflichtung *f* contract(ual)/treaty obligation; **von anderen unabhängige V.verpflichtung** severable contract obligation; **V.versicherung** *f* contract/policy-based insurance; **V.versprechen** *nt* contractual promise, assumpsit *(lat.)*; **V.vertrieb** *m* contractual distribution; **V.vollmacht** *f* power to contract; **V.vorbehalt** *m* proviso; **V.vorschriften** *pl* provisions of a contract; **V.währung** *f* currency of a contract; **V.ware** *f* contract goods; **V.werk** *nt* 1. contract, (set of) agreement(s); 2. treaty; **V.werkstatt** *f* 🚗 authorized garage; **V.wert** *m* contract value; **V.wesen** *nt* contractual practice; **v.wesentlich** *adj* material, substantial; **v.widrig** *adj* contrary to the (terms of the) contract/ treaty, in breach/violation of contract, non-conforming to contract, not in accordance with the contract; **V.widrigkeit** *f* infringement/breach of contract, lack of conformity with the contract; **V.wille** *m* tenor of the contract, intention of the parties to the contract; **v.wirksam sein** *adj* to have contractual force; **V.zeit(raum)** *f/m* contractual period; **V.zoll(satz)** *m* conventional duty/tariff, contractual tariff; **V.zusage** *f* contractual undertaking; **V.zusatz** *m* rider, transaction endorsement; **V.zuteilung** *f (Bausparkasse)* award

Vertrauen *nt* confidence, faith, trust, reliance, consideration; **im V.** confidentially, off the record; **~ auf** on the strength of; **V. auf** dependence on; **V. zu** faith in; **V. der Anleger** *(Börse)* investor/buyer confidence; **~ Gläubiger** creditor confidence; **~ Kundschaft** customer confidence; **~ Öffentlichkeit** public confidence; **~ Verbraucher(schaft)** consumer confidence; **~ Wirtschaft** business confidence; **ganz im V.** between you and me and the lamppost/gatepost *(coll)*; **V. erweckend** *adj* trustworthy, inspiring confidence

Vertrauen in etw. aufrechterhalten to maintain confidence in sth.; **V. (nicht) aussprechen** *(Parlament)* to pass a vote of (no) confidence; **V. ausstrahlen** to inspire confidence; **an V. einbüßen** to lose confidence; **V. einflößen/erwecken** to inspire/instil confidence; **sich jds V. erschleichen; sich in jds V. schleichen** to obtain so.'s trust by false pretences, to worm o.s. into so.'s confidence; **V. festigen/stärken** to shore up confidence; **jds V. genießen** to enjoy so.'s confidence; **V. haben zu** to have confidence in; **jds V. missbrauchen** to abuse so.'s confidence; **V. setzen auf** to pin faith on; **V. in jdn setzen** to place confidence in so.; **V. verdienen** to deserve being trusted; **V. wecken** to inspire confidence; **ins V. gezogen werden** to be made privy (to sth.); **V. wiederherstellen** to restore confidence; **V. in die Währung wiederherstellen** to restore confidence in the currency; **jdn ins V. ziehen** to let so. into the secret, to make so. privy (to sth.)

blindes Vertrauen implicit confidence; **mangelndes V.** lack of confidence; **unbedingtes/volles V.** complete/ full confidence; **mit vollem V.** with every confidence

vertrauen *v/i* to trust, to have confidence (in sth./so.)

Vertrauens|anwalt *m* solicitor/counsel of one's choice; **V.arzt** *m* medical examiner/referee; **V.bereich** *m* ▦ confidence belt/interval/region; **V.beweis** *m* mark/token of confidence; **V.beziehung** *f* fiduciary relation; **v.bildend** *adj* confidence-building, shoring up confidence; **V.bruch** *m* breach of trust/confidence/faith, abuse of authority, ~ a fiduciary relationship, sellout *(coll)*; **V.entzug** *m* vote of no confidence; **V.frage** *f (Parlament)* vote of confidence; ~ **stellen** to move a vote of confidence; **V.grenzen** *pl* confidence limits; **V.interesse** *nt* negative interest; **V.kapital** *nt* trust capital; **V.koeffizient** *m* confidence coefficient; **V.krise** *f* crisis of confidence; **V.leute** *pl* shop stewards; **V.leutekörper** *m* 1. *(Unternehmergruppe)* combined committee; 2. shop stewards' committee; **V.lücke** *f* confidence gap; **V.mann** *m* 1. shop steward, trade union representative; 2. confidant, trustman *[US]*, intermediary agent; **gewerkschaftlicher V.mann** shop steward; **V.niveau** *nt* ▦ confidence level; **V.person** *f* confidant(e); **V.position/V.posten** *f/m* position of trust; **V.sache** *f* 1. confidential matter; 2. matter of trust; **V.schaden** *m* negative interest, damage caused by breach of contract; **V.schadensversicherung** *f* 1. fidelity insurance, commercial guarantee insurance, blanket fidelity; 2. banker's commercial blanket bond; **V.schutz** *m* fidelity clause, legal protection of bona fide *(lat.)* acts; **V.schwund** *m* loss/erosion of confidence, lapse in confidence; **v.selig** *adj* trusting; **V.stellung** *f* position of trust, fiduciary position; **V.verhältnis** *nt* confidential/fiduciary relationship, bond of trust, relationship of mutual/personal trust, ~ confidence; **V.verletzung** *f* breach of confidence/trust; **V.verlust** *m* loss of confidence; **v.voll** *adj* trusting, trustful; **V.werbung** *f* public relations, goodwill/prestige/institutional advertising; **v.würdig** *adj* trustworthy, reliable, worthy of trust; **V.würdigkeit** *f* trustworthiness, reliability

vertraulich *adj* 1. confidential, intimate, off the record; 2. friendly; **streng v.** strictly confidential, private and confidential, in strict confidence/privacy, in the strictest confidence; **V.keit** *f* confidentiality

vertraut (mit) *adj* 1. familiar/conversant (with), versed (in); 2. intimate; **v. klingen** to sound familiar; **sich v. machen mit** to familiarize o.s. with, to make o.s. familiar (with), to acquaint o.s. with; **v. sein mit** to be familiar with; **bestens mit etw. v. sein** to have sth. at one's fingertips *(coll)*

Vertraute|e(r) *f/m* 1. confidant(e); 2. intimate friend; **V.heit** *f* familiarity, intimacy

vertreiben *v/t* 1. to drive away, to turn out; 2. *(Stelle)* to oust; 3. to expel; 4. *(Ware)* to sell/distribute/market

Vertreiber *m* marketer, distributor

Vertreibung *f* 1. expulsion; 2. ouster; 3. dispossession, eviction; 4. → **Vertrieb**; **V.sschaden** *m* expulsion damage

vertretbar *adj* 1. reasonable, justifiable, defensible, tenable, warrantable; 2. *(Ware)* fungible; **moralisch v.** ethical; **nicht v.** untenable, indefensible; **rechtlich v.** legally justifiable; **wirtschaftlich v.** economically justifiable; **v.e Sachen** fungible goods, fungibles

Vertretbarkeit *f* 1. justifiability, reasonableness, warrantableness; 2. fungibility; **wirtschaftliche V.** economic feasibility

vertreten *v/t* 1. to represent, to act for/on behalf of; 2. to deputize/substitute/replace, to cover for, to stand in for; 3. § to plead; 4. to justify/support; 5. *(Ware/Firma)* to be an agent (for); **nicht zu v. haben** not to be responsible for, to be beyond one's control; **sich v. lassen** to appoint a proxy; **jdn anwaltlich v.** to act as counsel for so.; **anwaltschaftlich v. sein** to be represented by counsel; **außergerichtlich v.** to represent out of court; **gerichtlich v.** to represent in judicial matters, ~ in court; **rechtlich/rechtsgeschäftlich v.** to represent legally, to act for, to contract on behalf of; **Sache v.** to plead a case; **jds ~ v.** to fight so.'s battle; **sich selbst v.** § to plead one's own case; **jdn vorrübergehend v.** to stand in for so.

vertreten *adj* represented; **nicht v.** unrepresented; **zahlreich v.** thick on the ground *(fig)*; **v. sein/werden** to be represented, to have a presence; **gerichtlich and außergerichtlich v. sein** to be represented in and out of court

Vertretene(r) *f/m* 1. principal; 2. § representee

Vertreter(in) *m/f* 1. representative, deputy, delegate, substitute; 2. agent, (travelling) salesman, (commercial) traveller, representative, rep *(coll)*, canvasser, drummer *[US]*; 3. account representative; 4. insurance agent; 5. § (authorized) agent, proxy, assignee, attorney in fact; 6. *(Apotheker/Arzt)* locum *(lat.)*; 7. *(Verfechter)* supporter, advocate; *pl* sales force, field staff; **als V.** in a representative capacity

Vertreter der Anklage counsel for the prosecution; ~ **Anteilseigner(seite)** ownership representative; ~ **Arbeitnehmer** employee representative; **V. im Außendienst** field agent; *pl* field staff; **V. einer harten Linie** hardliner; **V. auf Provisionsbasis** commission agent; **führende V. von Rat und Verwaltung** civic leaders; **V. für ein Rechtsgeschäft** special agent; **V. des Staates** crown *[GB]*/federal *[US]* agent; ~ **Staatsanwalts** deputy prosecutor; **V. der Staatsanwaltschaft** § prosecuting solicitor; **V. ohne Vertretungs-/Vollmacht** unauthorized agent; **führender V. der Wirtschaft** business leader; ~ **Zentralbank** central banker

Vertreter beschäftigen to retain an agent; **V. bestellen/ernennen** to appoint an agent; **jdn zu seinem V. bestellen** to appoint so. one's agent, to entrust so. with an agency, to confer an agency upon so.; **als V. fungieren/handeln** 1. to act as agent; 2. to deputize; **V. sein** to act as agent, to travel

abhängiger Vertreter dependent agent; **alleinbevollmächtigter V.** *(Verhandlungen)* sole bargaining agent; **alleiniger V.** sole agent; **amtlicher V.** official representative; **ausländischer V.** foreign agent; **berufener V.** accredited representative; **verfassungsmäßig ~ V.** primary/properly constituted agent; **bestellter V.** appointed representative/agent; **bevollmächtigter V.** authorized representative/agent/proxy, accredited agent, official representative; **diplomatischer V.** diplomatic representative/agent; **einheimischer V.** domestic representative; **fauler V.** *(coll)* skiver *(coll)*; **gesetzlicher V.** statutory agent/representative, legal representative; **hauptberuflicher V.** full-time agent; **konsularischer V.** consular agent/representative; **lokaler V.** local agent; **nebenberuflicher V.** part-time agent; **örtlicher V.** local agent; **ortsansässiger V.** resident agent; **parlamentarischer V.** parliamentary representative; **persönlicher V.** private agent; **privatrechtlicher V.** § attorney in fact; **rechtmäßiger V.** lawful representative; **selbstständiger V.** freelance agent; **ständiger V.** permanent representative; **unabhängiger V.** agent of an independent status; **unentgeltlicher V.** gratuitous agent; **unseriöser V.** fly-by-night agent *(coll)*; **zugelassener V.** accredited agent, professional representative

Vertreter|auftrag *m* journey order; **auf V.basis** *f* on an agency basis; **V.bericht** *m* agent's report, call slip; **V.besuch** *m* sales call; **unangemeldeter V.besuch** cold call; **V.bezirk** *m* agent's territory; **V.büro** *nt* representative office; **V.eigenschaft** *f* representative capacity; **V.gebiet** *nt* sales area; **V.gebühr** *f* agency fee; **V.haftung** *f* representative's liability; **V.kosten** *pl* agency costs/expenses, agent's expenses; **V.netz** *nt* agency network; **V.organisation/V.stab** *f/m* sales force, staff of representatives; **V.provision** *f* agency fee, agent's/salesman's commission; **V.tätigkeit** *f* agency work; **V.versammlung** *f* members' meeting; **V.versandhaus** *nt* travelling salesman's trade; **V.vertrag** *m* agency contract/agreement, contract of agency; **V.vertrieb** *m* agency distribution; **V.vollmacht** *f* commission of authority

Vertretung *f* 1. representation, agency; 2. replacement, substitution; 3. *(Person)* deputy; 4. proxy; 5. exclusive dealership, distributorship; 6. delegation, diplomatic mission, legation; 7. *(Arzt/Apotheker)* locum *(lat.)*; **in V. (i. V.)** per pro(curationem) *(lat.)*, for and on behalf of, by proxy

Vertretung der Arbeitnehmer 1. representation of employees; 2. employee representatives; **~ Betriebsführung** management representation; **V. kleiner Firmen durch große** piggybacking *(fig)*; **V. vor Gericht** legal representation; **V. der Gesellschaft** representation/agency of the company; **V. gemeinsamer Interessen** promotion of common interests; **V. vor dem Patentamt** representation before the patent office; **V. kraft Rechtsschein** § agency by estoppel; **V. ohne Vertretungs-/Vollmacht** unauthorized agency; **V. im Vorstand** board-level representation

zu jds Vertretung berufen to appoint to act for so.; **zur V. bevollmächtigen** to appoint so. (as) agent, ~ one's attorney in fact; **V. einrichten** to establish an agency; **in V. für jdn handeln** to act as agent for so.; **V. niederlegen** to resign an agency, to withdraw from representation; **mit einer V. beauftragt sein** § to hold a brief; **zur alleinigen V. berechtigt sein** to have sole power of representation; **V. übernehmen** 1. to deputize; 2. to take up an agency; **V. vor Gericht übernehmen** to take a brief; **jdm eine V. übertragen** to confer an agency upon so., to appoint so. one's agent, to entrust so. with an agency

aktive Vertretung active agency; **alleinige V.** sole power of representation; **amtliche V.** official representation; **anteilmäßige V.** proportional representation; **ausschließliche V.** exclusive representation/agency; **auswärtige V.** diplomatic mission; **beglaubigte V.** accredited mission; **berufsständische V.** professional organisation/body; **beschränkte V.** restricted representation; **diplomatische V.** diplomatic mission, embassy; **gesetzliche V.** legal representation, statutory agency; **juristische V.** legal representation; **konsularische V.** consular mission; **paritätische V.** parity representation, representation in equal numbers; **parlamentarische V.** parliamentary representation; **passive V.** passive agency; **rechtliche V.** legal representation; **unrichtige V.** misrepresentation

Vertretungsauftrag *m* mandate

Vertretungsbefugnis *f* power of attorney/representation/agency, authority to represent, agent's/representative authority; **außerhalb seiner V. handeln** § to act ultra vires *(lat.)*; **eingeschränkte V.** restricted power of representation; **gesetzliche V.** legal authority to represent

vertretungs|berechtigt *adj* authorized; **V.berechtigte(r)** *f/m* authorized representative/agent; **V.berechtigung** *f* → **Vertretungsbefugnis**; **V.eigenschaft** *f* representative capacity; **V.gebiet** *nt (Vertreter)* territory; **V.gebühr** *f* agency fee; **V.grundsatz** *m* principle of representation

Vertretungsmacht *f* § representative/actual authority, power of authority, agency bill; **außerhalb seiner V.** ultra vires *(lat.)*; **V. kraft Rechtscheins** § authority by estoppel; **außerhalb seiner V. handeln** to act ultra vires *(lat.)*; **seine V. überschreiten** to exceed one's authority, to act in excess of one's authority

stillschweigend angenommene Vertretungsmacht implied agency/authority; **ausdrückliche V.** express authority; **gesetzliche V.** statutory agency, agency by operation of the law; **gewillkürte V.** agency by act of the parties; **mangelnde V.** lack of authority; **stillschweigende V.** implicit authority

Vertretungs|monopol *nt* exclusive agency; **V.organ** *nt* representative body, representation; **gesetzliches V.organ** statutory organ of representation; **V.tätigkeit** *f* relief work; **V.verhältnis** *nt* agency; **V.vertrag** *m* contract of agency; **V.vollmacht** *f* power of attorney/agency, proxy; **~ kraft Rechtsscheins** authority by estoppel; **v.weise** *adv* by proxy, as a deputy; **V.zeit** *f* replacement period; **V.zulage** *f* replacement supplement; **V.zwang** *m* mandatory/compulsory representation

Vertrieb *m* 1. distribution, distributive service, sale, selling, marketing; 2. sales/marketing department, distributing operation, dealership

Vertrieb von Agrarprodukten farm marketing; **V. durch Alleinvertretung** exclusive agency distribution; **V. landwirtschaftlicher Erzeugnisse** agricultural marketing; **V. durch ausgewählte Händler** selective distribution; **V. auf dem Kommissionsweg** consignment marketing; **V. von Massenprodukten** mass marketing; **V. nach dem Schneeballsystem** pyramid selling, multi-level distributorship

allgemeiner Vertrieb general distribution; **beschränkter V.** selective distribution; **direkter V.** direct selling; **genossenschaftlicher V.** cooperative marketing; **indirekter V.** indirect selling; **intensiver V.** intensive distribution; **temperaturgeführter V.** temperature-controlled distribution (system); **zweigleisiger V.** marketing at two price levels

vertrieben *adj* 1. outcast, expelled; 2. sold, distributed, marketed; **V.e(r)** *f/m* expellee, refugee, displaced person

Vertriebs|abkommen *nt* marketing agreement; **V.absprache** *f* distribution agreement; **V.abteilung** *f* marketing/sales/distribution/dispatch department, sales division; **V.agentur** *f* sales agency; **V.aktivitäten** *pl* marketing operations; **V.analyse** *f* marketing analysis; **V.anstrengungen** *pl* sales drive; **V.apparat** *m* marketing organisation, distribution service; **V.auffassung** *f* marketing concept; **V.aufgabe** *f* marketing task; **V.auftrag** *m* sales order; **V.aufwand/V.aufwendungen** *m/pl* distribution cost(s), selling expenses; **V.aussichten** *pl* sales prospects; **V.beauftragte(r)** *f/m* marketing/sales representative; **V.bedingungen** *pl* marketing conditions; **V.berater** *m* marketing consultant/counsellor; **V.bereich** *m* distribution area, retail arm, sales function, distributorship; **V.beschränkungen** *pl* sales restrictions; **V.bindung** *f* resale restriction, distributional restraint; **V.büro** *nt* selling agency; **V.direktor** *m* marketing/distribution manager; **V.durchführung** *f* physical distribution; **V.einrichtungen** *pl* distribution facilities; **V.erfahrungen** *pl* marketing experience; **V.erfolg** *m* marketing success; **V.ergebnis** *nt* sales results/proceeds; **V.erlös** *m* sales revenue; **V.fachmann** *m* marketing specialist; **v.fördernd** *adj* sales-promoting; **V.förderung** *f* sales promotion; **V.form** *f* sales/distribution outlet; **V.funktion** *f* marketing/distributive function; **V.gebiet** *nt* sales territory, marketing area; **V.gemeinkosten** *pl* marketing/distribution/selling overheads, selling expense(s)/cost(s), (indirect) distribution cost(s)/expenses; **V.- und Verwaltungsgemeinkosten** general operating expense; **V.gemeinschaft** *f* sales combine, marketing syndicate; **V.genossenschaft** *f* marketing cooperative; **V.gesellschaft** *f* 1. sales/marketing/distributing/distribution company, selling organisation/corporation; 2. *(Fonds)* distributor; **V.gewinn** *m* sales profit; **V.grenze** *f* selling boundary; **V.handbuch** *nt* sales manual; **V.händler** *m* distributor, selling agent; **V.information** *f* sales information; **V.informationssystem** *nt* 💻 sales information system; **V.ingenieur** *m* engineer salesman, sales engineer; **V.instrument** *nt* marketing tool; **V.kanal** *m* channel of distribution, distribution pipeline/channel; **V.kanalstrategie** *f* channel marketing (strategy); **V.kartell** *nt* marketing/sales cartel; **V.kette** *f* chain of distribution, merchandising chain; **V.konsortium** *nt* trading syndicate, selling syndicate/group; **V.kontrolle** *f* distribution control

Vertriebskosten *pl* marketing/distribution/sales/selling/merchandising cost(s), distribution charges, distribution-related/selling/marketing expense(s), cost of sales; **V.analyse** *f* distribution cost analysis; **V.anpassung** *f* cost of sales adjustment; **V.rechnung** *f* distributive costing, sales cost analysis; **V.stelle** *f* sales department cost centre; **V.untersuchung** *f* distribution cost analysis

Vertriebs|kredit *m* sales credit; **V.kunde/V.lehre** *f* marketing; **V.lager** *nt* sales depot; **V.leiter** *m* 1. sales/marketing manager, ~ director, ~ head; 2. *(Verlag)* circulation manager; **~ für einen Markenartikel** brand manager; **V.leitung** *f* distribution/sales/marketing management; **V.logistik** *f* logistics of distribution; **V.mannschaft** *f* sales force/team; **V.mechanismus** *m* distribution network/system; **V.methoden** *pl* selling/marketing methods; **V.mittel** *pl* marketing tools; **V.netz** *nt* distribution/marketing network; **zusätzliches V.netz** supplementary distribution network; **V.niederlassung** *f* sales agency; **V.organisation** *f* sales/marketing/distribution organisation, distribution service; **V.partner** *m* sales partner; **V.personal** *nt* sales force; **V.plan** *m* distribution/marketing plan, sales budget; **V.planung** *f* marketing/sales planning; **V.politik** *f* sales/marketing/distribution policy; **V.preis** *m* selling price; **V.probleme** *pl* marketing difficulties; **V.programm** *nt* sales range, range of products (for sale); **V.provision** *f* sales/selling commission; **V.quote** *f* sales quota; **V.recht** *nt* right of sale, distribution right; **alleiniges V.recht** sole selling right; **V.regelung** *f* distribution arrangements; **V.risiken** *pl* general marketing risks; **V.schulung** *f* marketing training; **V.spanne** *f* sales margin; **V.spesen** *pl* selling expenses; **V.standort** *m* distribution location; **V.stätte** *f* selling unit; **V.stelle** *f* (sales) outlet, sales agency/office; **gemeinsame V.stelle** joint sales office; **V.steuerung** *f* marketing control, controlling of the sales effort; **V.strategie** *f* channel/marketing strategy; **V.struktur** *f* structure of distribution; **V.studie** *f* marketing study

Vertriebssystem *nt* distribution system/structure; **V. im Ausland** distribution channels abroad; **V. des Franchising** dealer franchise; **vertragliches V.** contractual vertical marketing/distribution system

Vertriebs|tätigkeit *f* marketing activity, distribution service; **V.technik** *f* marketing technique; **V.tochter** *f* marketing/selling subsidiary, retail arm; **V.unkosten** *pl* selling expenses; **V.unternehmen** *nt* distributive undertaking; **V.unterstützung** *f* selling aid; **technische V.unterstützung** sales engineering; **V.vereinbarung** *f* marketing agreement; **V.verfahren** *nt* marketing procedure; **V.vertrag** *m* marketing contract; **V.vertreter** *m* selling agent; **V.wagnis** *nt* accounts receivable risk; **V.weg** *m* channel of distribution, distribution route, sales/distributive/trade channel; **V.wege** distribution; **V.wesen** *nt* marketing, distribution; **V.zahlen** *pl* sales figures; **V.zentrum** *nt* centre of distribution, distribution centre

jdn (auf später) vertrösten *v/t* to put so. off

vertusch|en *v/t* to cover/hush up; **V.ung** *f* suppression, cover-up

jdm etw. verübeln *v/t* to hold sth. against so.

verüb|en *v/t* § to commit/perpetrate; **V.ung** *f* 1. commission; 2. *(Verbrechen)* perpetration

verunglimpf|en *v/t* to malign/libel/disparage/slander/defame/revile/denigrate, to cast a slur (on so.); **V.ung** *f* libel, disparagement, slander, detraction, denigration, defamation, smear, revilement
verunglücken *v/i* to have an accident; **tödlich v.** to be killed in an accident
verunreinigen *v/t* to pollute/contaminate
Verunreinigung *f* pollution, contamination; **V.sgrad** *m* level of pollution/contamination; **V.squelle** *f* source of pollution
verunsicher|n *v/t* to make unsure/uncertain; **V.ung** *f* making uncertain, uncertainity
verunstalten *v/t* to disfigure/blemish/despoil/scar
Verunstaltung *f* disfigurement; **V. des Landschaftsbildes** blot on the landscape, scarring the landscape; ~ **Stadtbildes** urban blight
veruntreu|en *v/t* § to embezzle/misappropriate/peculate/defalcate; **V.er(in)** *m/f* embezzler, jobber, peculator, defalcator
Veruntreuung *f* § embezzlement, misappropriation, jobbery, fraudulent conversion, breach of trust/misapplication, malversation, defalcation, peculation; **V. im Amt** misappropriation in (a public) office; **V. von öffentliche Geldern** misappropriation of public funds; ~ **Schiff oder Ladung** ⚓ barratry; **V.sversicherung** *f* fidelity (guarantee) insurance, commercial guarantee insurance, pecuniary loss insurance
verursachen *v/t* to cause/occasion/provoke/perpetrate, to give rise to; **v.d** *adj* causative
Verursacher *m* 1. perpetrator; 2. causative factor, cause; 3. *(Umweltverschmutzung)* polluter; **V.prinzip** *nt (Umwelt)* polluter-pays principle (PPP), perpetrator principle, principle of making the polluter pay
verursacht durch *adj* occasioned/caused by
Verursachung *f* 1. causing, provocation; 2. § causation; **V.s-** causative; **V.sprinzip** *nt* principle of causality
verurteilen *v/t* 1. to sentence/convict; 2. to condemn; **erneut/wieder v.** to reconvict; **jdn kostenpflichtig v.** to award costs against so.; **scharf v.** to condemn strongly; **vorschnell v.** to prejudge; **zivilrechtlich v.** to adjudge
verurteilt *adj* sentenced, convicted; **V.e(r)** *f/m* convicted person; ~ **mit Bewährung** probationer
Verurteilung *f* 1. conviction, sentencing, sentence; 2. condemnation
Verurteilung in Abwesenheit conviction in absentia *(lat.)*; **V. durch Einzelrichter/V. im Schnellverfahren** summary conviction; **V. zu den Kosten** order to bear the costs of the proceedings; **V. zur Leistung des Regelunterhalts** affiliation order; **V. zu Schadenersatz** judgment for damages; **V. wegen einer Straftat** criminal conviction; **V. zum Tode** death sentence
kostenpflichtige Verurteilung judgment with costs; **öffentliche V.** denunciation; **strafrechtliche V.** criminal conviction; **unsichere und unbefriedigende V.** unsafe and unsatisfactory conviction; **zivilrechtliche V.** civil judgment
vervielfältigen *v/t* 1. to multiply/duplicate/manifold; 2. to mimeograph/xerox TM/hectograph, to make copies
Vervielfältiger *m* 1. multiplier, duplicator; 2. duplicating/xerox TM machine, mimeograph
Vervielfältigung *f* 1. duplication, reproduction; 2. mimeographing, xeroxing TM
Vervielfältigungs|apparat/V.gerät/V.maschine *m/nt/f* copier, duplicator, duplicating/xerox TM machine, mimeograph; **V.kosten** *pl* printing costs; **V.recht** *nt* copyright, right of reproduction; **V.verfahren** *nt* copying/duplicating process
vervierfach|en *v/t/v/refl* to quadruple, to increase fourfold; **V.ung** *f* quadrupling, fourfold increase
vervollkomm|nen *v/t* to perfect/finish; **V.nung** *f* perfection, improvement; **V.nungspatent** *nt* improvement patent
vervollständig|en *v/t* to complete/complement/integrate/supplement, to make up, to round off; **V.ung** *f* complement, completion
verwählen *v/refl* ⊖ to dial the wrong number
in Verwahr *m* in (safe) custody; **V.bank** *f* depository bank
verwahren *v/t* 1. to store/shut away, to keep (safe), to hold in safe custody; 2. § to detain; **sich gegen etw. v.** to protest against sth.; **sicher v.** to keep in a safe place, to stow/stash *(coll)* away
Verwahrer *m* safekeeper, depository, depositary, bailee, custodian, keeper; **treuhänderischer V.** trustee; **unentgeltlicher V.** gratuitous bailee; **V.pfandrecht** *nt* bailee's lien; **V.regierung** *f* depositary government; **V.staat** *m* depositary state
verwahrlos|en *v/i* 🏛 to fall into disrepair; **v.t** *adj* neglected, in a state of neglect/disrepair; **V.ung** *f* 1. neglect; 2. 🏛 dilapidation
Verwahr|stelle *f* place of custody, depositary; **V.stück** *nt* deposit, custody item
vorübergehend verwahrt *adj* in temporary store
Verwahrung *f* 1. (safe) custody, safekeeping, deposit(ing); 2. § bailment, custodianship; 3. protest; 4. detention; **zur V.** in/on trust; **V. gegen die Verlängerung des Patents** protest against the extension of a patent; **V. von Wertpapieren** safe custody of securities
Verwahrung einlegen to (enter a) protest; **in V. geben** to deposit/lodge/bail, to deliver in trust, to place in custody; ~ **haben** to have in custody/safekeeping; ~ **nehmen** to take into custody/safekeeping; **in gerichtliche V. nehmen** to impound; **zur V. übergeben** to deliver into the custody (of)
amtliche Verwahrung official/legal custody; **gerichtlich angeordnete V.** judicial deposit; **gerichtliche V.** court custody, impoundage, impounding; **öffentlich-rechtliche V.** public-law deposit; **regelmäßige V.** regular custody; **sichere V.** safekeeping; **unentgeltliche V.** gratuitous bailment, naked deposit; **vorläufige/vorübergehende V.** temporary storage
Verwahrungs|art *f* type of safekeeping/custody; **V.beschluss** *m* custody order; **V.bruch** *m* breach of custody; **V.buch** *nt* custody ledger; **unregelmäßiger V.ertrag** bailment in the nature of a loan; **V.gebühr** *f* custody fee; **V.geschäft** *nt* custody transaction/business; **V.lager** *nt* ⊖ temporary store; **V.ort** *m* depository; **V.quittung** *f*

safe-custody receipt; **V.schein** *m* trustee's certificate; **V.stelle** *f* depository; **~ für treuhänderisch hinterlegte Wertpapiere** escrow depository; **V.stück** *nt* custody item; **V.vertrag** *m* 1. contract for/of custody, ~ deposit, custody agreement; 2. [§] bailment contract

verwaltbar *adj* manageable

verwalten *v/t* 1. to manage/run/operate; 2. to administrate/administer/govern; 3. *(Wertpapiere)* to hold on account; 4. to hold in trust; **schlecht v.** to mismanage/misconduct/maladminister; **treuhänderisch v.** 1. to hold in trust, ~ in a nominee account; 2. to act as trustee; **kommissarisch v. lassen** to put into commission

sich selbst verwaltend *adj* self-governing

Verwalter *m* 1. administrator, trustee, curator, custodian, fiduciary; 2. (farm/estate/property) manager, steward; 3. [§] factor *[Scot.]*; **V. eines Vermögens** property/fund manager; **amtlicher V.** *(Konkurs)* official receiver; **von Amts wegen eingesetzter V.** ex officio *(lat.)* administrator; **gerichtlicher V.** judicial receiver; **treuhänderischer V.** trustee, fiduciary administrator, receiver

Verwalterlamt *nt* 1. administratorship, trusteeship, stewardship; 2. *(Konkurs)* receivership; **V.in** *f* [§] administratrix *(lat.)*; **V.tätigkeit** *f* attendances

treuhänderisch verwaltet *adj* under trust

Verwaltung *f* 1. management, running, administration; 2. administrative department; 3. government; 4. control, ruling; 5. custody, custodianship, stewardship

Verwaltung von Aktienbeteiligungen equity management; **V. eines Amtes** exercise of an office; **V. von Bagatellnachlässen** summary administration; **V. eines landwirtschaftlichen Betriebes** farm management; **V. der Gesellschaft** company management/board; **V. von Kapitalanlagen** investment management; **V. der Mittel** administration of appropriations; **V. eines Nachlasses** administration of an inheritance; **V. von Obligationen** bond management; **V. einer Pensionskasse** pension fund management; **V. der Steuern** tax management; **V. durch Treuhänder** trust management; **V. eines Vermögens** estate/property management; **V. von Versicherungsrisiken** risk management; **V. eines Wertpapierdepots** portfolio management

unter städtische Verwaltung bringen to municipalize

allgemeine Verwaltung general management; **aufgeblähte V.** bloated organization; **bundeseigene V.** federal administration; **gerichtliche V.** judicial administration; **mit zu großer V.** top-heavy; **kommunale V.** local authority/administration; **öffentliche V.** public service/administration/authority; **örtliche V.** local authority/administration; **schlanke V.** lean management; **schlechte V.** mismanagement, maladministration; **unter staatlicher V.** state-controlled; **städtische V.** local/municipal authority, municipal administration; **treuhänderische V.** trust administration

Verwaltungsl- administrative; **V.abkommen** *nt* administrative agreement; **V.abteilung** *f* administrative division/department

Verwaltungsakt *m* administrative act/action/decision; **V. aufheben** to vacate an administrative decision; **angefochtener V.** contested administrative action; **fehlerhafter V.** defective act of administration

Verwaltungslaktien *pl* qualifying/management shares; **V.amt** *nt* administrative office; **V.angelegenheit** *f* administrative business/matter; **V.angelegenheiten** civil affairs; **V.angestellte(r)** *f/m* administrative employee; **V.anordnung/V.anweisung** *f* administrative order/instruction/directive; **V.apparat** *m* administrative machinery/back-up; **V.arbeit** *f* administrative work; **V.assistent(in)** *m/f* administrative assistant; **V.aufbau** *m* administrative structure, structure of public administration; **V.aufgabe** *f* administrative/office function; **V.aufgaben** administrative duties, back-office/administrative work; **V.aufsicht** *f* administrative supervision; **V.aufwand/V.ausgaben** *m/pl* administrative expenditures, administration cost(s)/expense(s), central costs, staff and other operating expenses, general administrative expenses; **V.ausschuss** *m* 1. administration body/committee, executive board; 2. *[EU]* Management Committee; **V.autonomie** *f* self-government; **V.beamter/V.beamtin** *m/f* administrative/government official, ~ officer; **oberster ~ einer Gemeinde** chief executive *[GB]*, town clerk *[GB]*; **V.befugnis** *f* administrative powers; **V.behörde** *f* administration, administrative body/authority, government body, governmental agency; **V.beirat** *m* advisory board/council; **V.bereich** *m* jurisdiction, competence; **V.bericht** *m* administrative report; **V.beschwerde** *f* complaint about an administrative decision; **V.bezirk** *m* administrative district/area, county; **V.büro** *nt* administrative office; **~ eines Mietobjekts** rental office; **V.bürokratie** *f* administrative authorities/bodies; **V.chef** *m* administrative manager

Verwaltungsdienst *m* administrative/civil service, administration; **höherer V.** higher administrative service, senior civil service; **öffentlicher V.** public administrative service(s)

Verwaltungsldirektor *m* (company) secretary, head of administration; **V.ebene** *f* level of administration, government level; **V.einheit** *f* administrative body/entity/unit, governmental unit/entity; **kommunale V.einheit** local government authority; **V.einnahmen** *pl* administrative revenue(s); **V.entscheidung** *f* management decision, administrative ruling/decision; **~ von allgemeiner Bedeutung** administrative ruling of general application; **V.erfahrung** *f* administrative experience; **V.erlass** *m* decree, ordinance, statutory instrument; **V.ermessen** *nt* administrative discretion; **V.ertrag** *m* management income; **V.fachmann** *m* administrator; **V.formalitäten** *pl* administrative formalities; **V.funktion** *f* administrative/house-keeping function

Verwaltungsgebäude *nt* administrative/office building, administration block; **V.- und Gerichtsgebäude** courthouse *[US]*; **zentrales V.** head office building

Verwaltungslgebühr *f* service/administrative/administration/management/handling/up-front charge, management/administrative/handling fee, up-front payment; **V.gemeinkosten** *pl* administrative expense(s)/overheads, management overheads, general and administrative expense(s), general expense(s)/burden; **V.- und Betriebsgemeinkosten** commercial expense(s); **V.gemeinschaft** *f* joint administration/management; **V.- und Vertriebsgemeinschaft** general overheads

Verwaltungsgericht|(shof) *nt/m* administrative court/tribunal; **V.sbarkeit** *f* (system of) administrative jurisdiction, jurisdiction of the administrative court; **V.sordnung** *f* code of administrative procedure

Verwaltungs|gesellschaft *f* management/managing company; **V.gremium** *nt* administrative body; **V.-grenze** *f* administrative boundary; **V.grundsatz** *m* principle of administration; **V.handeln** *nt* administrative acts; **V.handlung** *f* administrative act; **V.haushalt(splan)** *m* administrative (expenditure)/operating/revenue budget, current account; **V.hierarchie** *f* administrative hierarchy; **V.hilfe** *f* administrative assistance; **V.hoheit** *f* sovereignty of administration, ~ in administration matters; **V.honorar** *nt* management/service charge; **V.investitionen** *pl* government capital expenditure, capital expenditure of the administration; **V.jahr** *nt* financial year; **V.klage** *f* [§] administrative (court) action; **V.komitee** *nt* management board; **V.kompetenz** *f* administrative competence; **V.körper** *m* administrative body; **V.körperschaft** *f* governing body

Verwaltungskosten *pl* administrative cost(s)/expense(s)/expenditure, management fee/expenses, administration, cost(s) of management

Verwaltungskosten|anteil/V.satz *m* management expense ratio, portion of administrative expense; **V.beitrag** *m* contribution to management expenses; **V.gewinn** *m* loading profit, profit from loading; **V.kapital** *nt* administrative cost capital; **V.pauschale** *f* lump sum for administrative cost(s); **V.stelle** *f* administrative cost centre; **V.zuschlag** *m* (margin of) loading; **V.zuschuss** *m* administrative expense grant

Verwaltungs|kräfte *pl* administrative staff/personnel; **V.kredit** *m* overhead-expenses credit, transmitted loan; **V.kredite** borrowing to smooth budgetary irregularities; **V.lehre** *f* science of management and administration; **V.management** *nt* administration management; **v.mäßig** *adj* administrative, managerial; **V.maßnahme** *f* administrative action; **V.ordnung** *f* rules; **V.organ** *nt* administrative body/organ, managing body; **V.organisation** *f* administrative/management organisation; **V.personal** *nt* managerial/administrative staff; **mit zu viel V.personal** top-heavy; **V.posten** *m* administrative post; **V.praktiken** *pl* administrative practices; **V.prämie** *f (Kapitalanlagegesellschaft)* management fee/bonus

Verwaltungs|rat *m* governing/executive/ruling council, company/administrative/management board, board of directors/trustees, executive committee/board; **im V.rat** on the board; **außenstehende V.räte** outside directors; **mitarbeitende V.räte** executive/working directors

Verwaltungsrats|bezüge/V.vergütungen *pl* directors' fees/emoluments; **V.mitglied** *nt* board member, director, member of the board; **geschäftsführendes V.mitglied** managing director; **V.posten** *m* directorship; **V.sitzung** *f* board meeting; **V.vorsitzender** *m* chairman of the board (of directors); **~ bei der Bundesreservebank** federal reserve agent *[US]*

Verwaltungsrecht *nt* administrative law; **V. in der Ehe; V. des Ehemanns** marital control; **V.ssprechung** *f* jurisdiction of the administrative courts; **V.sweg** *m* recourse to administrative law/tribunals; **~ ausschöpfen** to exhaust administrative remedies

Verwaltungs|reform *f* 1. administrative reform, reform of administrative functions; 2. *(Staatsdienst)* civil service reform *[GB]*; **V.richter** *m* judge at an administrative court; **V.sache** *f* [§] administrative case; **V.sitz** *m* head office, headquarters, place of administration, registered seat/office, administrative offices; **V.soziologie** *f* administrative sociology; **V.spitze** *f* (top) management, executive; **V.statistik** *f* internal statistical data; **V.stelle** *f* administrative centre/office/agency/authority; **V.strafverfahren** *nt* administrative penal proceedings; **V.streik** *m* administrative strike; **V.stufe** *f* level of administration; **V.tätigkeit** *f* 1. administrative function/work, back-office/non-manual work, office function; 2. practice of administrative agencies; **v.technisch** *adj* administrative; **V.träger** *m* executive/administrative body; **V.treuhand** *f* administrative trust; **V.union** *f* combined administration; **V.unkosten** *pl* administrative expenses; **V.urteil** *nt* administration order; **V.vereinbarung** *f* administrative/interdepartmental agreement; **V.vereinfachung** *f* cutback of red tape; **V.verfahren** *nt* 1. administrative practice(s)/procedure/process; 2. [§] administrative proceedings; **V.-verfügung/V.verordnung** *f* administrative/executive ruling, administrative decree; **V.vertrag** *m* management/investment contract; **V.vollstreckungsverfahren** *nt* administrative enforcement procedure; **V.vorgang** *m* administrative process; **V.vorschlag** *m (HV)* board/management proposal; **V.vorschrift** *f* administrative rule/regulation; **mit einem V.wasserkopf** *m* top-heavy

Verwaltungsweg *m* administrative channels; **auf dem V.e** through administrative channels; **V. einhalten** to use the proper channels

Verwaltungs|wesen *nt* administration; **V.wirtschaft** *f* managed/controlled economy; **V.wissenschaft** *f* administrative science; **V.zentrum** *nt* administrative centre *[GB]*/center *[US]*; **unterschiedliche V.zuständigkeit** administrative splitting; **V.zwangsverfahren** *nt* administrative execution procedure; **V.zweig** *m* administrative department, executive branch

verwand|eln *v/t* 1. to convert/change/transform/turn; 2. [§] to commute/transmute; **V.lung** *f* 1. conversion, transformation, change; 2. commuting

verwandt *adj* allied, related, kindred; **mütterlicherseits v.** related on the mother's side, cognate; **nahe v.** closely related; **väterlicherseits v.** related on the father's side, agnate

Verwandte|(r) *f/m* relative, relation; **angeheiratete(r)**

V.(r) in-law *(coll)*; **arme V.** poor relations; **bedürftige(r) V.(r)** dependent relative; **enge V.** close relations; **entfernte V.** distant relations; **nächste V.** next-of-kin; **nahe V.** near relations; **weitläufige(r) V.(r)** distant relative

Verwandtschaft *f* 1. relationship; 2. relations; 3. kinship, kin(dred); **nahe V.** .1 near relations; 2. close relationship; **V.sbeziehung** *f* relationship, kinship

Verwandtschaftsgrad *m* degree of relationship; **als Ehehindernis geltender V.** levitical degree; **verbotener V.** *(Eherecht)* forbidden degree

Verwandtschaftsverhältnis *nt* kinship

verwarnen *v/t* 1. to caution/warn (off)/reprimand, to issue a caution/reprimand; 2. § to bind over

Verwarnung *f* 1. warning, reprimand, caution; 2. *(Gebühr)* fine; **V. aussprechen** 1. to issue a warning; 2. § to caution; **gebührenpflichtige V.** 1. fine; 2. 🚗 ticket; **gerichtliche V.** injunction; **mündliche V.** § verbal caution; **polizeiliche V.** caution; **V.sgeld** *nt* (exemplary) fine

verwässerln *v/t* to dilute, to water down; **v.t** *adj* diluted, watered

Verwässerung *f* dilution, erosion, watering; **V. des Aktienbesitzes** dilution of the shareholding; ~ **Aktien- und Eigenkapitals** stock watering, dilution of equity; ~ **Stimmrechts** dilution of voting rights

Verwässerungsl- dilutive

verwechseln *v/t* to confuse/mistake/muddle/confound, to mix up

Verwechslung *f* confusion, mix-up; **V. von Warenzeichen** dilution of trademarks; **v.sfähig** *adj* capable of being confused; **V.sgefahr** *f* risk of confusion

verwegen *adj* bold, daring, rash

verweichlichlen *v/ti* to be featherbedded/mollycoddled; **v.t** *adj* effeminate; **V.ung** *f* featherbedding

verweigern *v/t* to refuse/decline/deny, to turn down; **jdm etw. v.** to deny/refuse so. sth.

Verweigerung *f* refusal, denial

Verweigerung des Akzepts refusal of acceptance; **V. der Annahme** non-acceptance; ~ **Arbeitsaufnahme** voluntary unemployment, absenteeism; ~ **Aussage** refusal to make a statement; **V. des Bestätigungsvermerks** denial of opinion, disclaimer of audit opinion; **V. der Eidesleistung** refusal to take an oath; **V. des Gehorsams** disobedience, insubordination; **V. einer Genehmigung** disaffirmance; **V. aus Gewissensgründen** ✍ refusal as conscientious objector; **V. der ehelichen Lebensgemeinschaft** denial of marital community; ~ **Mitarbeit** non-cooperation; **V. von Rechtshilfe** refusal of mutual assistance; **V. eines rechtsstaatlichen Verfahrens** denial of justice; **V. des ehelichen Verkehrs** denial of marital intercourse; **V. der Zahlung** refusal to pay; ~ **Zeugenaussage; V. des Zeugnisses** refusal to testify, ~ give evidence; **V. der Zustimmung** non-placet *(lat.)*

im Verweigerungslfall *m* in case of refusal; **V.liste** *f* denial list

Verweildauer *f* 1. length of stay; 2. ⚓ turn(a)round time; 3. *(Produkt)* dwell/storage time

verweilen *v/i* to stay/sojourn/tarry; **bei etw. v.** to dwell on sth.

Verweilzeit *f* 1. ⚓ turn(a)round time; 2. expected waiting and service time

Verweis *m* 1. reprimand, censure, rebuke, setdown; 2. *(Hinweis)* reference; **V. erteilen** to reprimand/rebuke; **einem V. nachgehen** to look up a reference; **scharfer/strenger V.** severe reprimand, rebuke; **schriftlicher V.** written censure

verweisen *v/t* 1. § to remand; 2. *(ausweisen)* to expel; 3. *(Universität)* to send down; **v. an** to refer to; **v. auf** to refer/point to; **stolz auf etw. v.** to boast about sth.

Verweislklausel *f* reference clause; **V.stelle** *f* referent

Verweisung *f* 1. reference, remission; 2. § referral, remittal, committal, remand; 3. expulsion; **V. an die Berufungsinstanz** referral to a higher court; ~ **ein höheres Gericht zur Straffestsetzung** committal for sentence; ~ **die Kammer für Handelssachen** transfer to the commercial list; **V. eines Rechtsstreits** transfer of a case; **V. an ein Schiedsgericht** referral to arbitration; **V. eines Verfahrens** transfer of proceedings

Verweisungslantrag *m* motion to remit a case to another court; **V.beschluss** *m* committal order, order to transfer an action; **V.verfahren** *nt* committal proceedings

verwendbar *adj* 1. usable, practicable; 2. *(Geld)* appropriable (to), drawable; **beschränkt v.** *(Arbeiter)* of limited employability; **erneut v.** reusable; **frei v.** usable; **gut v.** useful; **jederzeit v.** 💻 re-enterable; **nicht v.** unemployable; **schlecht v.** impractical; **vielseitig v.** versatile, multi-purpose; ~ **sein** to have many uses; **zweifach v.** dual-purpose

Verwendbarkeit *f* use, application, practicability, availability, appropriability; **berufliche V. von Arbeitskräften** employment of workers; **verminderte V.** inadequacy; **vielseitige V.** versatility; **V.sstudie** *f* feasibility study

verwenden *v/t* 1. to use/utilize/employ/occupy, to devote (sth. to sth.); 2. *(Geld)* to appropriate; **sich für jdn v.** to put in a good word for so., to intercede on so.'s behalf, to take up so.'s case; **falsch v.** to misapply; **nutzbringend v.** to turn to good account; **unrechtmäßig/widerrechtlich v.** to misappropriate; **zweckentsprechend und wirtschaftlich v.** to use effectively and commercially

Verwender *m* user

nicht mehr verwendet *adj* disused

Verwendung *f* 1. utilization, use, application, employment; 2. *(Geld)* appropriation

vorübergehende Verwendung bei teilweiser Abgabenerhebung ⊖ temporary importation with partial payment of duty; **V. des Bruttosozialprodukts** expenditure of the gross national product; **unter V. eines Carnet TIR** ⊖ under cover of a TIR carnet; **V. des Erlöses/Ertrags** application of proceeds; ~ **Gegenwerts** application of proceeds; ~ **Gewinns** profit appropriation; **V. von Haushaltsmitteln** budget appropriations; **V. des Jahresgewinns** appropriation of the profit for the year; **V. von Mitteln** use of funds, allocation of resources; **wirtschaftliche ~ Produktionsfaktoren** economic employment of productive resources; **V. des Reingewinns** appropriation of net income; **V. für einen wohltätigen Zweck** charitable use

vielfache Verwendung finden to be employed in a variety of ways, to find many applications; **keine V. für etw. haben** to have no use for sth.

ausschließliche Verwendung exclusive use; **zur bleibenden V.** ⊖ for permanent admission; **endgültige V.** end use; **gewerbliche V.** industrial use; **missbräuchliche/ungehörige/unsachgemäße/unzulässige V.** improper use, misuse; **unrechtmäßige/widerrechtliche V.** misappropriation; **vielseitige V.** versatility; **vorübergehende V.** temporary use; **wirtschaftliche V.** 1. commercial application; 2. *(sparsamer Gebrauch)* economical use; **zukünftige V.** future use

Verwendungs|auflage *f* direction for use; **V.ausweis des Volkseinkommens** *m* flow of funds statement; **V.bereich** *m* (field/range of) application, use; **V.bindung** *f* condition(s) for the appropriation of funds, ties; **V.dauer** *f* service life; **v.fähig** *adj* 1. usable; 2. employable; **nicht v.fähig** unemployable; **V.fähigskeit** *f* usability, usefulness; employability; **v.gebunden** *adj* tied, linked to a specific use; **V.kontrolle** *f* control of application(s); **V.möglichkeit** *f* (possible) use, application; **V.nachweis** *m* 1. *(Geld)* statement of application of funds, proof of employment of funds; 2. *(Bilanz)* sources and application of funds statement; **V.priorität** *f* consumption priority; **V.rechnung** *f* 1. calculation of expenditure; 2. consumption-savings method, consumption plus investment method, expenditure approach, appropriation account; **V.schein** *m [EU]* ⊖ document for temporary importation; **V.seite** *f* expenditure side; **V.vorschriften** *pl* directions for use; **V.zeit** *f* period of use; **V.zwang** *m* mixing and tying arrangements

Verwendungszweck *m* purpose, application, use; **V. der Geldmittel** application of funds; **vorgesehener V.** intended use

verwerfen *v/t* 1. to reject/dismiss, to throw out/overboard; 2. § to disallow/overrule, to turn down; 3. *(Urteil)* to quash; **nicht v.** to accept; **pauschal v.** to dismiss summarily

verwerflich *adj* reprehensible, obnoxious; **V.keit** *f* reprehensibility

Verwerfung *f* 1. dismissal, refusal; 2. § disallowance; 3. *(Urteil)* quashing; 4. ▦ final rejection; 5. distortion; 6. ⚒ fault; **V. der Buchführung** rejection of the accounting system; **V. des Einspruchs** rejection of the notice of opposition

verwertbar *adj* 1. exploitable, usable, applicable; 2. *(verkäuflich)* realizable, marketable, sal(e)able, negotiable; **industriell v. sein** *(Technologie)* to show industrial promise; **nicht v.** unrealizable, unsal(e)able; **schwer v.** *(Aktiva)* sticky; **wirtschaftlich v.** commercial, marketable

Verwertbarkeit *f* 1. exploitability, usability, applicability; 2. marketability, negotiability; **gewerbliche V.** industrial applicability/application, commercial utilization; **wirtschaftliche V.** commercial applicability

verwerten *v/t* 1. to use/utilize/employ/exploit; 2. to sell/realize, to turn into cash, ~ to good account; 3. *(Altmaterial)* to salvage/recycle; **frei(händig) v.** to sell in the open market; **geschäftlich v.** to commercialize; **in körperlicher Form v.** to exploit in a material form; **praktisch v.** to apply; **in unkörperlicher Form v.** to exploit in non-material form

Verwertung *f* 1. utilization, application, employment, exploitation; 2. realization, marketing, sale; 3. *(Altmaterial)* salvage, recycling; **V. von Abfallprodukten** recycling; **V. eines Patents** exploitation/working/use of a patent; **V. von Sicherheiten** realization/valuation of securities

freihändige Verwertung sale by private treaty; **geschäftliche V.** commercial application, commercialization; **gewerbliche V.** industrial/commercial application; **ungenügende V.** underutilization; **zukünftige V.** future use

Verwertungs|aktien *pl* sal(e)able shares; **V.anlage** *f* utilization plant; **V.erlös** *m* 1. realization/exploration proceeds; 2. *(Patent)* royalities; **V.fähigkeit** *f* exploitability; **V.garantie** *f* recycling guarantee; **V.genossenschaft** *f* marketing cooperative; **V.gesellschaft** *f* 1. copyright association; 2. company exploiting third-party rights; **V.gewinn** *m* realization/liquidation gain; **V.klausel** *f* realization clause; **V.konsortium** *nt* marketing/selling syndicate; **V.kosten** *pl* realization cost(s); **V.patent** *nt* utility patent; **V.rechte** *pl* utilization/exploitation rights; **V.sperre** *f* ban on sale/utilization; **V.stelle** *f (Branntweinmonopol)* sales office; **V.treuhand** *f* trust for sale; **V.vertrag** *m* exploitation contract

verwesen *v/i* to decompose/decay/putrefy/rot

Verweser *m* 1. administrator; 2. deputy

verwes|t *adj* decomposed; **V.ung** *f* decomposition, decay, putrefaction, rot

verwickel|n *v/t* to entangle/implicate/complicate; **jdn in etw. v.n** to involve so. in sth.; **v.t** *adj* 1. complex, intricate, complicated, tortuous; 2. involved, entangled

Verwicklung *f* 1. complication, complexity, knot; 2. involvement, entanglement; 3. § implication

Verwiegung *f* weighing; **bahnamtliche V.** weight ascertained by the railway authorities

verwilder|n *v/i* 1. to grow wild; 2. *(Sitten)* to degenerate; **v.t** *adj* wild; **V.ung der Sitten** *f* degeneration

verwinden *v/t* to get over

verwirk|bar *adj* § forfeitable; **nicht v.bar** non-forfeitable; **v.en** *v/t* to forfeit

verwirklich|en *v/t* to realize/implement, to put into practice, to carry/put into effect; *v/refl* to materialize, to come to fruition; **V.ung** *f* realization, implementation, fruition, attainment

Verwirkung *f* forfeit(ure); **V. eines Rechts** forfeiture of a right; **V. des Rechts auf Klage auf eine Forderung, die zu einem früheren Versprechen in Widerspruch steht** promissory estoppel; **~ Rücktrittsrechts** forfeiture of the right of rescission; **V. einer Strafe** incurrence of a penalty; **V.seinrede** *f* plea of estoppel by laches; **V.seinwand** *m* equitable estoppel; **V.sklausel** *f* forfeiture/defeasance clause

verwirr|en *v/t* to confuse/mystify/bewilder, to put out; **v.end** *adj* confusing, bewildering; **v.t** *adj* confused, bewildered

Verwirrung *f* confusion, mystification, turbulence, embarrassment; **V. stiften** to cause havoc/confusion, to sow/cast confusion

ver|wirtschaften *v/t* to dissipate/squander; **v.wischen** *v/t* to blur/fudge; **v.wittern** *v/i* to weather

Verwitterung *f* weathering; **V.sboden** *m* residual soil

verwitwet *adj* widowed

verwöhn|en *v/t* to spoil/pamper/featherbed; **v.t** *adj* spoilt

Verworfenheit *f* turpitude, depravity, depravation; **moralische V.** moral turpitude

verworren *adj* complicated, intricate, tangled, convoluted, involved; **V.heit** *f* intricacy

verwundbar *adj* vulnerable; **V.keit** *f* vulnerability

verwund|en *v/t* to injure/hurt/wound; **v.et** *adj* wounded, injured; **tödlich v.et** fatally injured; **V.ung** *f* wound, injury

verwurzelt *adj* rooted; **fest/tief v.** (well-)entrenched, ingrained, deeply bred

verwüst|en *v/t* to devastate/ravage/demolish, to wreak havoc, to lay waste; **v.et** *adj* desolate, ravaged, demolished; **V.ung** *f* devastation, havoc, ravage(s), demolition, destruction; ~ **anrichten** to cause/wreak havoc

verzählen *v/refl* to miscount

verzahnen *v/t* 1. to interleave/interlink; 2. *(Bretter)* to dovetail; **miteinander v.** to interlock

Verzahnung *f* interdependence, interlacing, interleaving; **V. zwischen System und Struktur** crosswalk

verzehnfach|en *v/t/v/refl* to decuple, to increase tenfold; **V.ung** *f* tenfold increase, decupling

Verzehr *m* 1. consumption; 2. *(Vermögen)* erosion; **V. an Ort und Stelle** consumption on the premises; **zum häuslichen V.** for domestic consumption; **für menschlichen V. (un)geeignet** (un)fit for human consumption

verzehren *v/t* to consume

verzeichnen *v/t* to register/record/score/list/enrol/experience/state/post *[US]*, to notch up; **einzeln v.** to itemize

Verzeichner *m* recorder

Verzeichnis *nt* 1. list, register, schedule, index, table, bill, roll; 2. ✆ directory

Verzeichnis der Aktenstücke in einem Prozess § docket; ~ **Aktionäre** list of shareholders *[GB]*/stockholders *[US]*; ~ **Aktiva und Passiva** schedule of assets and liabilities; ~ **Debitoren** schedule of receivables; **V. zollfreier Gegenstände** free list; **V. der Gläubiger** schedule of creditors; **V. kreditfähiger Kunden** credit list; **V. der Mitglieder** register of members; ~ **Patentklassen** class index of patents; ~ **abzulehnenden Risiken** *(Vers.)* decline list; **V. nicht eingelöster Schecks** unpaid register; **V. der Steuerzahler** tax roll; ~ **Versammlungsteilnehmer** attendance list/register; ~ **Wahlberechtigten** electoral roll; **V. versandter/verschiffter Waren** shipping note; **V. börsengängiger Wertpapiere** official list

Verzeichnis anlegen to compile a list, to table; **V. führen** to keep a list; **tabellarisches V.** table

verzeihen *v/ti* to excuse/pardon/condone/forgive

Verzeihung *f* pardon, excuse, condonation; **um V. bitten** to apologize

verzerr|en *v/t* to distort; **nicht v.end** *adj* ▦ unbiased; **v.t** *adj* 1. distorted, distortionate; 2. ▦ biased

Verzerrung *f* 1. distortion; 2. ▦ bias; 3. perversion, parody; **V. der Austauschrelationen** distortions of the terms of trade; ~ **Einkommensrelationen** distortion of income differentials; **V. des internationalen Handels** non-tariff distortion of international trade; **V. nach oben** ▦ upward bias; **V. der Preisrelationen** distortion of the terms of trade; **V. nach unten** ▦ downward bias; **selektive V.** ▦ selective bias

verzettel|n *v/t* 1. *(Geld)* to fritter away, to dissipate; 2. to catalogue; *v/refl* to dissipate one's energy/resources, to waste time; **V.ung** *f* dispersal

Verzicht *m* waiver, relinquishment, abandonment, renunciation, quitclaim, disclamation, disclaimer, sacrifice

Verzicht auf einen Anspruch relinquishment of a claim; ~ **alle gegenwärtigen und zukünftigen Ansprüche** general release; ~ **Ansprüche aus dem Arbeitnehmerverhältnis** give-back *[US]*; ~ **eine Anwartschaft** release of an expectancy; ~ **Betreibung** waiving of enforced recovery proceedings; ~ **die Einhaltung vorgeschriebener Fristen** waiver of notice; ~ **die Einrede der Vorausklage** waiver of the benefit of discussion; ~ **eine Erbschaft** renunciation/disclaimer of an inheritance; ~ **Ersatzansprüche** waiver of claims for damages; ~ **die Geltendmachung einer bereits eingetretenen Verjährung** waiver of the statutes of limitation(s); **möglicher ~ das Gewährleistungsrecht** option for waiver of warranty; ~ **eine Grunddienstbarkeit** abandonment of an easement; ~ **den Nachweis eines versicherbaren Interesses** interest or no; ~ **ein Patent** surrender of a patent; ~ **ein Recht** relinquishment of a right; ~ **einen Rechtsanspruch** abandonment of a legal title; ~ **den Rückgriff gegen Dritte** waiver of recourse against third parties; ~ **eine Sicherheit** relinquishment/abandonment of a security; ~ **Sozialleistungen** benefit concession *[US]*; ~ **die Staatsangehörigkeit** renunciation of nationality; ~ **Steuerbefreiung** waiver of exemption; ~ **Stundungszinsen** waiver of interest on delinquent taxes; ~ **ein Vorrecht** surrender of a privilege; ~ **Wechselprotest** waiver of protest; ~ **das Zeugnisverweigerungsrecht** waiver of privilege

Verzicht leisten to waive (a claim)/abandon/disclaim/renounce/quitclaim; **auf Waren V. leisten** ⊝ to abandon goods; **ausdrücklicher V.** express waiver; **schmerzlicher V.** bitter sacrifice; **stillschweigender V.** implied waiver

Verzicht|anzeige *f* notice of renunciation; **v.bar** *adj* renounceable

verzichten *v/i* 1. to give up, to do/go without, to dispense with; 2. *(Recht/Anspruch)* to waive/relinquish/abandon/renounce/forego/disclaim/release/resign/quitclaim; **zu Gunsten eines anderen v.** to stand aside

Verzicht|erklärung *f* 1. waiver, renunciation, (notice of) disclaimer; 2. ⚓ notice of abandonment; **V.formular** *nt* renunciation form; **V.klausel** *f* waiver/abandonment clause; **V.leistende(r)** *f/m* disclaimer; **V.leistung** *f* release, waiver, disclaimer, relinquishment, renunciation, quitclaim; **V.recht** *nt* right of disclaimer; **V.-schreiben** *nt* letter of renunciation

Verzichtserklärung *f* → **Verzichterklärung**

Verzichturkunde *f* deed of renunciation

verzink|en *v/t* to galvanize/electroplate; **V.ung** *f* electroplating

verzinsbar *adj* → **verzinslich**

verzinsen *v/t* to pay interest; *v/refl* to earn/carry/yield/bear interest, to yield a return; **sich nicht v.** to lie dormant

verzinslich *adj* interest-bearing, interest-yielding, bearing/yielding interest; **v. mit** bearing interest at a rate of; **v. sein** to bear interest; **fest v.** fixed-interest(-bearing); **hoch v.** high-coupon; **nicht v.** free of interest; **niedrig v.** low-coupon; **variabel v.** floating-rate, on a floating-rate basis

Verzinsung *f* 1. payment of interest; 2. interest, yield, return (on equity); 3. rate of interest/return

Verzinsung der Anschaffungskosten interest on capital outlay; **kalkulatorische V. von Debitoren** computed interest on receivables; **V. des Eigenkapitals** return on equity; **~ eingesetzten Kapitals; V. der Kapitalanlagen** return on capital employed, interest on capital outlay/investment; **V. interner Konten von Tochtergesellschaften** interest on internal accounts of subsidiaries; **V. der laufenden Schulden** interest on current debts; **V. von Spareinlagen** interest on savings deposits

zur Verzinsung ausleihen to put out at interest; **geringe V. erzielen** to yield little

angemessene Verzinsung fair rate of return; **durchschnittliche V.** average yield; **effektive V.** net return/yield; **feste V.** fixed (rate of) interest; **(fort)laufende V.** continuous/running interest, coupon/running yield; **handelsübliche V.** commercial (rate of) interest; **kalkulatorische V.** computed interest; **kontinuierliche/stetige V.** continuous convertible interest; **marktübliche V.** interest at market rates, commercial rate of interest; **tageweise V.** continuous compounding; **variable V.** variable yield, ~ interest rate

Verzinsungs|möglichkeit *f* return on invested capital; **V.verbot** *nt* ban on the payment of interest

verzogen *adj (Holz)* warped; **unbekannt v.** ✉ address unknown, no longer at this address

Verzögern *nt* delay; **schuldhaftes V.** undue delay; **v.** *v/t* to delay/retard/defer/protract, to set back, to hold up

verzögert *adj* delayed, lagged

Verzögerung *f* delay, time-lag, hold-up, deceleration, slippage, retardation; **V. eines Gesetzentwurfes** pocket veto *[US]*; **~ durch Debattieren** filibuster *[US]*; **V. um eine Periode** one-period lag; **ohne weitere V.** without further delay; **V. berücksichtigen/einkalkulieren** to allow for delay; **V. erleiden** to suffer delay; **keine V. zulassen** to brook no delay

betrieblich bedingte Verzögerung inside lag; **schuldhafte V.** undue delay; **unverschuldete V.** excusable delay; **vermeidbare V.** avoidable delay; **zeitliche V.** time-lag; **mit zeitlicher V.** after a time-lag; **verteilte zeitliche V.** distributed lag

Verzögerungs|absicht *f* § intention to delay proceedings; **V.antrag** *m (Parlament)* dilatory motion; **V.einwand** *m* § dilatory plea; **V.dauer** *f* lag length; **V.klausel** *f* delayed terms; **V.leitung** *f* 🖳 delay line; **V.manöver** *nt* 1. procrastination; 2. *(Parlament)* filibuster *[US]*; **V.multiplikator** *m* delay multiplier; **V.schaden** *m* damage caused by delay; **V.taktik** *f* delaying tactics, dilatory policy; **V.taktiker** *m* temporizer; **V.verteilung** *f* lag distribution; **V.zeit** *f* deceleration time

verzollbar *adj* dutiable, declarable

verzollen *v/t* to declare, to pay duty on, to clear through (the) customs; **etw. zu v. haben** to have sth. to declare

verzollt *adj* duty paid (d/p), customs cleared, out of bond; **frachtfrei v.** free of freight and duty; **noch nicht v.** in bond, bonded

Verzollung *f* (customs) clearance, payment of duty; **nach V.** duty paid; **V. bei der Auslagerung** clearance from bonded warehouse; **V. am Bestimmungsort** bonded to destination; **V. nach Gewicht** specific duty; **V. zum Pauschalsatz** flat-rate duty; **V. nach Wert** ad valorem *(lat.)* duty; **zur V. anmelden** to enter for customs clearance, to declare, to file a customs entry, to make an entry; **V. erleichtern** to facilitate customs clearance; **V. vornehmen** to effect customs clearance, to clear; **nachträgliche V.** post entry

Verzollungs|dokumente *pl* clearance papers; **V.formalitäten** *pl* customs clearance formalities; **V.grundlage** *f* tariff base; **V.grundlagen** tariff regime; **V.gebühren/V.kosten** *pl* (customs) clearance charges; **V.hafen** *m* port of clearance; **V.maßstäbe** *pl* basis of customs duties; **V.papiere** *pl* clearance papers/certificates; **V.stelle** *f* duty-collection point; **V.system** *nt* tariff regime; **V.vorschriften** *pl* clearance provisions; **V.wert** *m* declared/current domestic value

Verzug *m* 1. *(Zahlung)* default, arrears; 2. (undue) delay, laches, delayed performance, delay of performance; **bei V.** upon default; **in V.** defaulting, in arrears; **ohne V.** without delay, forthwith; **im V. sein; sich ~ befinden** to (be in) default, to make default; **in V. geraten/kommen** 1. to fall into arrears (with); 2. to default; **jdn ~ setzen** to hold/put so. in default, to serve formal notice of default on so.; **einen V. wieder gutmachen** to cure a default; **anhaltender V.** protracted default; **zeitlicher V.** time-lag

Verzugs|aktie *f* deferred share*[GB]*/stock*[US]*; **V.entschädigung** *f* compensation for delayed performance; **~ geltend machen** to claim default damages; **im V.fall** *m* in (the) case of default; **V.folge** *f* penalty for default; **V.gebühr** *f* late fee/charge; **V.gewährung** *f* forbearance; **V.klausel** *f* ⚓ demurrage clause; **V.kosten** *pl* ⚓ demurrage; **V.schaden** *m* damage caused by delay/default; **V.schadensersatz** *m* damages for delay; **V.strafe** *f* penalty for delay, ~ delayed delivery; **V.tage** *pl (Wechsel)* days of grace/respite; **V.zinsen** *pl* 1. interest on/for arrears, ~ on delinquent accounts, ~ for default, ~ on the sum due, penal/default interest; 2. *(Teilzahlung)* late charge

verzweifelln (an) *v/i* to despair (of); **v.t** *adj* desperate, distraught, in despair

Verzweiflung *f* despair, desperation; **aus reiner V.** out of sheer despair; **jdn zur V. treiben** to drive so. to distraction; **V.stat** *f* act of desperation

verzweiglen *v/t* 💻/*(Leistung)* to branch; *v/refl* to ramify; **v.t** *adj* 1. branched; 2. ramified, intricate, diversified

Verzweigung *f* 1. branching out/off; 2. ramification; 3. 💻 branch, decision; **V.spunkt** *m* branch point

verzwickt *adj* intricate

Veterinär *m* veterinary surgeon, vet *(coll)*; **v.** *adj* veterinary; **V.ausschuss** *m* veterinary committee; **V.medizin** *f* veterinary medicine; **v.polizeilich** *adj* veterinary

Veto *nt* veto, negative; **trotz V.s beschließen** to override a veto; **V. einlegen** to veto; **V. überstimmen** to outvote a veto; **absolutes V.** absolute veto; **aufschiebendes V.** suspensory/suspensive veto; **V.einlegende(r)** *f/m* vetoer, vetoist; **V.recht** *nt* veto (right), right of veto, veto power; ~ **ausüben** to exercise one's veto; **V.stimmrechtsaktie (der Regierung)** *f* golden share *[GB]*

Vetter *m* cousin; **V. ersten Grades** first cousin; **V. zweiten Grades** cousin twice removed; **leiblicher V.** full/first cousin; **V.nwirtschaft** *f* nepotism, patronage, partisanship

Videolaufnahme *f* video recording; **V.aufnahmegerät** *nt* video (tape) recorder; **V.band** *nt* videotape; **V.gerät** *nt* video(tape) recorder; **V.kamera** *f* video camera; **V.kassette** *f* video cassette; **V.konferenz** *f* video conference; **V.text** *m* broadcast teletext/videotext; **V.thek** *f* video rental store; **V.überwachung** *f* closed-circuit television (CCT)

Vieh *nt* cattle, livestock; **V. weiden lassen** to graze cattle; **V. züchten** to breed/raise cattle

Viehlbestand *m* livestock (level/figures), national herd; **V.dieb** *m* rustler *[US]*; **V.farm** *f* ranch *[US]*; **V.frachtliste** *f* cattle manifest; **V.futter** *nt* cattle fodder, forage; **V.haltung** *f* livestock farming, animal husbandry, keeping of cattle/animals; **V.handel** *m* livestock/cattle trade; **V.händler** *m* livestock/cattle dealer; **V.herde** *f* herd of cattle; **V.hof** *m* stockyard

viehisch *adj* beastly

Viehlmarkt *m* cattle/livestock market, market for cattle; **V.pacht** *f* livestock lease; **V.schaden** *m* damage caused by cattle; **V.seuche** *f* cattle plague, livestock disease; **v.seuchenrechtlich** *adj* veterinary; **V.teilpächter** *m* livestock share tenant; **V.transport** *m* animal/cattle transport; **V.transportanhänger** *m* 🚗 cattle trailer; **V.treiber** *m* drover; **V.verlust** *m* loss of livestock; **V.versicherung** *f* livestock/cattle insurance; **V.waage** *f* livestock scales; **V.waggon** *m* 🚃 cattle truck *[GB]*, stock car *[US]*; **V.weide** *f* pasture; **V.wirt** *m* stockman; **V.wirtschaft** *f* livestock farming; **V.-zucht** *f* animal/stock breeding, stock rearing, (live) stock farming/production; **V.zuchtbetrieb** *m* stock farm; **V.züchter** *m* stock farmer/breeder, grazier *[US]*, stockman *[US]*, rancher *[US]*

viell- multi-; **sehr v.** widely; **ziemlich v.** a fair amount; **zu v.** over the limit; **für jdn ~ werden** *(Arbeit)* to get on top of so.

Vielleck *nt* π polygon; **V.ehe** *f* polygamy

vielfach *adj* multiple, manifold; **das V.e** *nt* multiple; **V.leitung** *f* 💻 highway

Vielfalt *f* variety, diversity, complexity, variegation, multiplicity; **biologische V.** biological variety, biodiversity; **kulturelle V.** cultural diversity

vielfältig *adj* various, diverse, varied, variegated; **V.keit** *f* variety, diversity

viellflächig *adj* π polyhedral; **v. gekauft** *adj* frequently bought, much-purchased; **v. gepriesen** *adj* much-vaunted; **v. geschmäht** *adj* much-maligned; **v.gestaltig** *adj* multi-form, polymorph; **V.gestaltigkeit** *f* diversity; **V.gewerkschaftssystem** *nt* multi-unionism; **v.schichtig** *adj* 1. complex; 2. *(Problem)* multi-faceted, multi-layered; **V.schutzversicherung** *f* multiple protection insurance; **v.seitig** *adj* 1. all-round, multilateral, versatile; 2. *(Person)* multi-skilled; **V.seitigkeit** *f* multilateralism, versatility; **v.sprachig** *adj* multilingual, polyglot; **v. verheißend sein** to augur well; **v. versprechend** *adj* encouraging, promising, hopeful, favourable, auspicious; ~ **sein** to augur well, to shape up well; **V.zahl** *f* multitude, multiplicity, plurality; ~ **von** scores of; **V.zweck-** multi-purpose

Vier-Augen-lGespräch *nt* personal/private discussion; **V.Prinzip** *nt* security principle

Viereck *nt* quadrangle; **magisches V.** uneasy quadrangle, magic square (i.e. price stability, growth, full employment, external balance); **V.s-** quadripartite

vierlfach *adj* fourfold, quadruple; **V.farben-** four-colour; **V.farbendruck** *m* four-colour printing; **V.feldertafel** *f* two-by-two table; **V.ganggetriebe** *nt* 🚗 four-speed gearbox; **V.jahresplan** *m* four-year plan; **v.köpfig** *adj* → **Familie**; **V.personen-Arbeitnehmerhaushalt** *m* four-member employed person's household; **V.radantrieb** *m* 🚗 four-wheel drive; **V.schichtenbetrieb** *m* four-shift operation; **v.seitig** *adj* 1. *(Text)* four-page; 2. *(Verhandlungen)* quadripartite; **V.sitzer** *m* 🚗/✈ four-seater; **v.spaltig** *adj* four-column; **v.spurig** *adj* four-lane; **v.stellig** *adj* four-digit; **V.tagewoche** *f* four-day week

Viertel *nt* 1. π quarter; 2. *(Stadt)* quarter, district, neighbourhood

Vierteljahr *nt* quarter, term

Vierteljahreslabrechnung *f* *(Börse)* term settlement; **V.abschluss/V.ausweis/V.bericht** *m (Bank)* quarterly statement/return/report; **V.beitrag** *m* quarterly contribution; **V.bilanz** *f* quarterly balance sheet; **V.dividende** *f* quarterly dividend; **V.durchschnitt** *m* quarterly average; **V.einlage** *f* three months' deposit; **V.frist** *f* term; **V.gehalt** *nt* quarterly salary; **V.geld** *nt* three months' money; **V.prämie** *f* quarterly premium; **V.-rate** *f* quarterly payment; **V.(zeit)schrift** *f* quarterly (magazine); **V.summe** *f* quarterly sum; **V.zahlen** *pl* quarterly figures

viertel|jährlich *adj* quarterly; **V.morgen** *m* 🚜 rood of land; **V.stunde** *f* quarter of an hour; **v.stündlich** *adj* quarter-hour

viert|klassig *adj* fourth-rate; **v.platziert** *adj* fourth-placed

vierzehn|tägig; v.täglich *adj* bimonthly, fortnightly

Vierzigstundenwoche *f* forty-hour week; **V. haben** to work a forty-hour week

Vignette *f* vignette, printer's flower

Villa *f* villa, country house, mansion

Villen|besitzer *m* cottager *[US]*; **V.viertel** *nt* residential district/area; **V.vororte** *pl* stockbroker belt *[GB]*, exurbia *[US]*

Vindikation *f* vindication, return of property; **erfinderrechtliche V.** claim to transfer of property; **V.sklage** *f* action to recover property; **V.szession** *f* assignment of the right to claim the surrender of sth.

vindizieren *v/t* to claim ownership

Vinkulation *f* § restriction of transferability; **V.sgeschäft** *nt* lending on goods in rail transit

vinkulier|len *v/t* *(Aktien)* to restrict shares, ~ the transferability; **v.t** *adj* with limited transferability; **V.ung** *f* restriction of transferability, limitation of transfer; ~ **von Aktien** restriction on shares

Virement *nt* virement

virtuell *adj* 💻 virtual

virulent *adj* $ virulent, contagious

Virus *nt/m* virus

Visier *nt* visor; **ins V. nehmen** to set one's sights on

Vision *f* vision

Visitation *f* 1. $ inspection; 2. search, inspection; **V.srecht** *nt* ⚓ right of appeal

Visitenkarte *f* visiting/calling/business card

visuell *adj* visual

Visum *nt* visa; **V. mit Arbeitserlaubnis** work visa; **V.sabteilung** *f* visa department; **V.santrag** *m* visa application; **V.sausstelllung** *f* issue of a visa; **V.sgebühr** *f* visa fee; **V.sverlängerung** *f* renewal/extension of a visa; **V.szwang** *m* obligation to hold a visa

vital *adj* lively, vital; **V.ität** *f* vitality, nervous energy; **V.pacht** *f* life tenancy

Vitamin *nt* vitamin; **V. B** *(fig)* connections, old-boy network; **V.mangel** *m* vitamin deficiency

Vitrine *f* display case/cabinet, glass case, showcase

Vize|- vice-; **V.kanzler** *m* vice-chancellor; **V.konsul** *m* vice consul; **V.präsident** *m* vice-president, deputy chairman; ~ **des Zentralbankrats** vice-president of the central bank council; **geschäftführender V.präsident** executive vice-president

V-Mann *m* confidential agent

Vogel|perspektive *f* bird's eye view; **V.straußpolitik** *f* refusal to face the facts; ~ **betreiben** to bury one's head in the sand

Volk *nt* 1. nation, people, country; 2. *(Mob)* hoi polloi; **fahrendes V.** travellers; **gemeines V.** common people

Völker|bund *nt* League of Nations; **V.familie** *f* family of nations; **V.gemeinschaft** *f* international community; Commonwealth of Nations *[GB]*; **V.gewohnheit** *f* customary international law; **V.kunde** *f* ethnology; **V.kundler** *m* ethnologist; **v.kundlich** *adj* ethnological; **V.mord** *m* genocide

Völkerrecht *nt* international law, law of nations, ius gentium *(lat.)*; **V.ler** *m* expert on international law; **v.lich** *adj* under international law

Völkerrechts|kommission *f* *(UN)* International Law Commission; **V.praxis** *f* practice of international law; **V.subjekt** *nt* subject under international law; **V.verletzung** *f* violation of international law; **V.vertrag** *m* international treaty; **v.widrig** *adj* contrary to/against international law

Völker|sitten *pl* comity of nations; **V.vertragsrecht** *nt* law of international agreements

volkreich *adj* populous

Volksabstimmung *f* plebiscite, referendum; **V. durchführen** to hold a referendum/plebiscite

Volks|aktie *f* people's share; **V.ausgabe** *f* popular edition; **V.bank** *f [D]* cooperative bank, credit union; **V.befragung** *f* opinion poll; **V.begehren** *nt* (petition for a) referendum, popular initiative; **V.bewegung** *f* popular movement; **V.bildung** *f* 1. national education; 2. adult education; **V.bücherei** *f* public library; **V.charakter** *m* national character; **V.demokratie** *f* people's democracy; **V.eigentum** *nt* public/collective property, property of the people

Volkseinkommen *nt* aggregate/national income, national earnings/dividend, net national product at factor cost; **reales V.** real national income; **V.sausgleichung** *f* income (and expenditure) equation; **V.sgröße** *f* national income magnitude

Volks|entscheid *m* plebiscite, referendum; **V.erhebung** *f* popular uprising; **V.erbe** *nt* national heritage; **V.feind** *m* public enemy; **V.fest** *nt* public festival, fun fair; **V.front** *f* popular front; **V.gesundheit** *f* public/national health; **V.gruppe** *f* ethnic group; **V.gunst** *f* popularity; **V.held** *m* folk hero; **V.herrschaft** *f* democracy; **V.hochschule** *f* night school, adult education system/institute/centre; **V.hochschulkurs** *m* night school class; **V.hochschulwesen** *nt* adult education; **V.justiz** *f* lynch law; **V.küche** *f* soup kitchen; **V.lebensversicherung** *f* prudential (life) assurance; **V.masse** *f* mob; **V.meinung** *f* popular opinion; **V.menge** *f* crowd; **V.partei** *f* popular party; **V.pension** *f* demogrant; **V.redner** *m* tub thumper *(coll)*; **V.rente** *f* state pension *[GB]*; **V.republik** *f* people's republic; **V.schädling** *m* public enemy; **V.schicht** *f* social stratum; **V.schichten** strata of the population; **V.schule** *f* elementary/primary school; **V.schullehrer(in)** *m/f* primary school teacher; **V.schüler(in)** *m/f* primary school pupil; **V.seuche** *f* social disease; **V.souveranität** *f* national sovereignty; **V.stamm** *m* tribe; **V.stimmung** *f* popular feelings; **V.trauertag** *m* national day of mourning, Remembrance *[GB]*/Veterans' *[US]* Day; **v.tümlich** *adj* popular; **V.verführer/V.verhetzer** *m* demagogue, rabble rouser; **V.verhetzung** *f* demagoguery, rabble rousing; **V.vermögen** *nt* national/social wealth; **V.vermögensrechnung** *f* national balance sheet, ~ income accounting; **V.versammlung** *f* public meeting; **V.versicherung** *f* industrial (life) insurance; **V.vertreter(in)** *m/f* member of parliament, deputy; **V.vertretung** *f* parliament; **V.wahl** *f* popular vote; **V.wirt** *m* (political) economist

Volkswirtschaft *f* 1. national/political/sovereign economy, macro-economy, economy as a whole; 2. *(Theorie/Fach)* economics; **V. im Gleichgewicht** balanced economy; **V. mit ungenutzten Kapazitäten** cold economy; **V. eines Landes** national economy; **angewandte V.** applied economics; **auf der Rohstoffproduktion beruhende V.** commodity economy; **entwickelte V.** developed economy; **geschlossene V.** closed economy; **offene V.** open economy; **stationäre V.** steady-state/stationary economy

Volkswirtschaftller(in) *m/f* (political) economist; **v.lich** *adj* (macro)economic, overall, aggregate

Volkswirtschaftsllehre *f* (macro-)economics; **allgemeine V.** economic theory, general/pure economics; **V.plan** *m* national economic plan; **V.politik** *f* social economics; **V.theorie** *f* economic theory, pure political economy

Volkslwohl(fahrt) *nt/f* national/public welfare; **V.-wohlstand** *m* national prosperity; **V.zählung** *f* (national/population) census, census of population; **~ durchführen/vornehmen** to take a census; **V.zugehörigkeit** *f* nationality, ethnic origin

voll *adj* 1. full, crowded; 2. entire, complete, whole; **v. von** replete/awash/littered with; **v. sein** to bulge; **brechend v.** packed (to capacity), crammed; **gestrichen v.** brimful, full to the brim

Volll- plenary; **V.abschreibung** *f* full depreciation, (immediate) write-off; **V.amortisation** *f* full amortization; **V.amortisationsvertrag** *m* full amortization contract, full payout leasing contract; **V.anrechnungssystem** *nt* full credit system; **V.arbeitskraft** *f* full-time worker/employee; **V.arbeitslosigkeit** *f* full(-time) unemployment; **V.auslagerung** *f* complete stock picking; **v.auf** *adv* ample; **V.auslastung** *f* full capacity operation/use; **~ des Produktionskapitals** full capacity use of capital stock; **V.auslastungsstunden** *pl* hours of full-capacity operation; **V.automatik** *f* fully automatic operation; **v.automatisch** *adj* fully automatic; **V.automatisierung** *f* full automation; **V.beendigung einer Gesellschaft** *f* final acts of liquidation; **v.berechtigt** *adj* fully qualified/entitled; **v.beschäftigt** *adj* full-time, fully occupied; **~ sein** to work full-time

Vollbeschäftigung *f* 1. full employment; 2. full capacity utilization/use/employment; **V. sicherstellen** to ensure full employment

Vollbeschäftigungslbudget *nt* full employment budget; **V.defizit** *nt* full employment deficit; **V.garantie** *f* full employment guarantee; **V.haushalt** *m* high-employment budget; **V.jahr** *nt* year of full employment; **V.lücke** *f* gross national product gap; **V.output** *m* potential gross national product (GNP); **V.politik** *f* full employment policy; **V.überschuss** *m* full employment budget surplus; **V.überschussbudget** *nt* full employment surplus budget; **V.wirtschaft** *f* full employment economy; **V.ziel** *nt* full employment target

volllbesetzt *adj* packed, crammed; **V.besitz** *m* full possession; **im ~ seiner geistigen Kräfte** in full possession of one's senses/faculties, of sound mind (and memory); **V.betrieb** *m* 🚜 full-time farm; **V.bewertung** *f* ranking in full value; **V.bremsung** *f* 🚗 full brake application; **v.bringen** *v/t* to accomplish/achieve; **V.charter** *f* complete/full charter (of a vessel)

Volldampf *m* ⚓ full steam/speed; **mit V.** *(fig)* in full swing, at full steam, flat out; **~ arbeiten** *(coll)* to work flat out *(coll)*; **V. voraus** full steam/speed ahead; **V. zurück** full steam/speed astern

Vollldünger *m* 🚜 compound fertilizer; **V.eigentum** *nt* absolute ownership; **V.eigentümer(in)** *m/f* outright/full/absolute owner; **V.eindeckung** *f* unqualified cover; **V.einzahlung** *f (Kapital)* payment in full

aus dem Vollen schöpfen *nt* *(fig)* to draw on unlimited resources, to live on the fat of the land *(fig)*

vollendlen *v/t* 1. to complete/accomplish/consummate/finish; 2. *(krönen)* to crown; **v.et** *adj* complete(d), perfect, accomplished, consummate; **nicht v.et** incomplete, inchoate

Vollendung *f* completion, accomplishment, achievement, consummation, thoroughness; **V. einer Lebensarbeit** consummation of a life's work; **mit/bei V. des ... Lebensjahres** upon attaining the age of ...; **V. eines Versuchs** completion of an attempt; **der V. entgegengehen; vor ~ stehen** to be nearing completion; **V. planen** to schedule for completion

Volllerhebung *f* complete/full census; **V.erwerbsbetrieb/-haushalt** *m* 🚜 full-time farm(ing); **V.erwerbslandwirt** *m* full-time farmer; **V.existenz** *f* full-time business/job; **V.familie** *f* full family; **V.finanzierung** *f* 100 p.c. outside/complete financing; **V.gehalt** *m (Münze)* full value; **im V.genuss seiner Rechte** *m* in full enjoyment of one's rights; **v. getankt** *adj* filled-up; **V.gewicht** *nt* full weight; **V.giro** *nt* special/direct endorsement; **V.gutlager** *nt* finished product warehouse; **v.gültig** *adj* (fully) valid; **V.gummi** *m* solid rubber; **v. haftend** *adj* fully liable; **V.hafter(in)** *m/f* general/associate/responsible partner; **V.haftung** *f* unlimited liability

völlig *adj* complete, entire, full, downright, outright, unmitigated; *adv* altogether, to the full extent

Vollindossament *nt* full/special/unqualified endorsement, endorsement in full; **V. mit Angstklausel/Haftungsausschluss** qualified endorsement; **~ Rektaklausel** restrictive endorsement

voll inhaltlich *adj* on all points, complete; **V.invalide** *m* fully disabled person; **V.invalidität** *f* total disablement/disability/incapacity, complete/total disablement; **v.jährig** *adj* major, adult, of age; **~ werden** to come of age, to attain majority; **V.jährige(r)** *f/m* adult, major

Volljährigkeit(salter) *f/nt* majority, age of discretion/majority, lawful/legal age; **~ erreichen** to come of age; **V.serklärung** *f* declaration of majority, decree of full emancipation

Volljurist *m* fully trained/qualified lawyer

Vollkasko *nt* comprehensive cover(age), full cost system; **V.sparte** *f (Versicherung)* all-in account; **V.versicherung** *f* 1. 🚗 comprehensive (automobile/car) insurance; 2. ⚓ full cover(age) collision insurance; **~ mit Selbstbeteiligung** deductible clause collision insurance

Vollkaufmann *m* general merchant, registered trader

vollkommen *adj* perfect, complete, ideal, accomplished, downright, outright; **V.heit** *f* perfection, completeness

Voll|kompensation *f* full compensation; **V.konsolidierung** *f* full consolidation; **V.kontingent** *nt* full quota; **V.konvertibilität** *f* full/unrestricted convertibility; **V.konzession** *f* unlimited licence

Vollkosten *pl* full cost(s); **V.basis** *f* absorbed cost basis; **V.(preis)kalkulation** *f* full-cost/markup pricing; **V.-prinzip** *nt* full costing principle

Vollkostenrechnung *f* cost absorption, full absorption costing; **flexible V.** modified absorption costing; **starre V.** absorption costing

Vollkostenübernahme *f (Vers.)* (provision of) comprehensive cover(age)

voll laden *v/t* to stow, to lead up; **V.last/V.lauf** *f/m* ✿/ϟ full load; **V.lieferung** *f* complete/full delivery

Vollmacht *f* (private/enabling) power, authority, mandate, warrant; 2. *(Urkunde)* letter/power of attorney, proxy, procuration; **außerhalb der V.** ultra vires *(lat.)*; **in V. von** on behalf of; **innerhalb der V.en** intra vires *(lat.)*; **laut V.** as per authority; **mit V.** with authority; **ohne V.** unauthorized, without mandate; **V. zur Kreditaufnahme** borrowing powers; **V. für einen Rechtsanwalt** power/warrant of attorney; **V. zur Testamentsvollstreckung** § letters testamentary; **auf Grund der mir erteilten V.** pursuant to the powers conferred upon me; **mit absoluten V.en ausgestattet** plenipotentiary; **mit allen V.en ausgestattet** fully authorized; **mit gehöriger V. versehen** duly authorized; **V., etw. zu tun** authority to do sth.

mit Vollmacht ausstatten to authorize, to confer powers upon, to vest powers in, ~ with authority; **V. ausstellen** to execute a power of attorney; **V. nach Ermessen ausüben** to exercise discretionary powers; **V. delegieren** to delegate authority/powers; **jds V. einschränken** to restrict so.'s powers; **V. entziehen** to revoke powers; **jdm seine V. entziehen** to divest/strip so. of his powers; **V. erteilen** to authorize, to confer/delegate authority, to empower, to give procuration; **V.en festlegen** to define powers; **jdm unbeschränkte V. geben** to give so. a blank cheque; *(fig)*; **V. haben** to be authorized, to have full powers; **in jds. V. handeln** to act as so.'s agent; **seine V.en missbrauchen** to abuse one's authority/power; **um V. nachsuchen** to seek authority; **V. niederlegen** to divest o.s. of one's powers of attorney; **seine V. überschreiten** to exceed/overstep one's authority, to act outside one's authority; **V. auf jdn übertragen** 1. to vest authority in so.; 2. to confer/delegate powers on so.; **mit V.(en) versehen** to vest with authority, to authorize; **seine V. vorlegen** to produce one's proxy, to submit evidence of one's authority; **V. widerrufen** to revoke powers, to revoke/cancel a proxy, ~ power of attorney

absolute Vollmacht unlimited power of attorney; **allgemeine V.** general power of attorney; **ausdrückliche V.** express authority/powers; **außerordentliche V.** special powers; **beglaubigte V.** authenticated/certified power of attorney; **beschränkte V.** limited authority; **stillschweigend erteilte V.** implied authority; **faktische V.** de facto *(lat.)* authority; **gesetzliche V.** statutory power(s); **notarielle V.** power of attorney; **ordnungsgemäße V.** rightful authority, proper authorization; **polizeiliche V.** police powers; **schriftliche V.** written authority/authorization, ~ power of attorney; **staatliche V.** government powers; **stillschweigende V.** implied authority; **testamentarische V.** letters testamentary; **treuhänderische V.en** fiduciary powers; **umfassende/unbegrenzte/unbe-/uneingeschränkte V.** plenary authority/power(s), full/sweeping/unlimited powers, carte blanche *[frz.]*; **unumschränkte V.** discretionary powers; **ungültige V.** invalid proxy; **unkündbare V.** irrevocable power of attorney; **unterstellte V.** implied power; **unwiderrufliche V.** *(HV)* irrevocable proxy; ~ power of attorney; **weitgehende/-reichende V.** extensive/far-reaching powers

Vollmacht|- → **Vollmachts|-**; **V.anweisungskarte** *f (HV)* proxy card; **V.bereich** *m* scope of powers; **V.depot** *nt* mandated security holding; **V.geber(in)** *m/f* principal, mandator, appointer; **~ und -nehmer(in)** principal and agent; **V.indossament** *nt* procuration endorsement; **V.nehmer(in)** *m/f* agent, holder of a power of attorney, proxy(holder)

Vollmachts|- → **Vollmacht|-**; **V.aktionär** *m* proxy shareholder; **V.anweisung** *f* proxy statement; **V.auftrag** *m* procuratory *[US]*; **V.austausch** *m* exchange of powers; **V.ausübende(r)** *f/m* appointee; **V.ausübung** *f* exercise of power; **V.beschränkung** *f* limitation of authority; **V.besitzer(in)** *m/f* proxyholder; **V.entzug** *m* withdrawal/revocation of power, ~ authority; **V.erklärung** *f* letter of authority, power of attorney; **V.erteilung** *f* delegation of authority, authorization; **V.formular** *nt* mandate form, form of proxy; **V.grenzen** *pl* limits of authorization; **V.indossament** *nt (Wechsel)* collection by endorsement; **V.inhaber(in)** *m/f* agent, proxyholder, holder of a power of attorney; **V.missbrauch** *m* abuse of power; **V.nachweis** *m* warrant of authority; **V.(über)prüfung** *f* certification of credentials; **V.stimmrecht** *nt* proxy (voting right); **v.überschreitend** *adj* ultra vires *(lat.)*; **V.überschreitung** *f* exceeding one's authority, acting ultra vires *(lat.)*, excess of authority; **V.übertragung** *f* delegation of authority/powers; **V.umfang** *m* scope of authority; **V.urkunde** *f* certificate of authority, letter of attorney, deed of agency, written authority; **V.verwaltung** *f (Bank)* fiduciary management; **V.vordruck** *m* form of authority/proxy; **V.widerruf** *m* revocation/withdrawal of a power of attorney

Voll|matrose *m* able-bodied seaman; **v.mechanisch** *adj* fully mechanized; **V.milch** *f* unskimmed milk; **V.mitglied** *nt* full member; **V.mitgliedschaft** *f* full membership; **V.pension** *f* full board, board and lodging; **V.prüfung** *f* detail test/audit; **v.qualifiziert** *adj* fully qualified; **V.recht** *nt* full legal rights; **V.sitzung** *f* plenary session/sitting; **in ~ tagen** to sit in plenary session; **V.sortiment** *nt* full range (of products); **V.sortimenter** *m* full-line distributor; **V.sortimentversender** *m* full-range mail order house

vollständig *adj* 1. complete, entire, full, all, exhaustive, outright; 2. *(Sitzung)* plenary; **v. machen** to make up

Vollständigkeit *f* completeness, entirety, sufficiency; **der V. halber** to complete the picture; **V.serklärung** *f* letter of representation, (general) representation letter; **~ über die Vorlage der Gesellschafterversammlungsprotokolle** § minute representation letter

vollstopfen *v/t* to stuff/cram/pack

vollstreckbar *adj* 1. § enforceable; 2. *(Hypothek)* foreclosable, valid; **für v. erklären** to grant a writ of execution; **nicht v.** unenforceable; **sofort v.** immediately enforceable; **vorläufig v.** provisionally enforceable, enforceable by anticipation

Vollstreckbarkeit *f* enforceability; **V. von Urteilen auf Gegenseitigkeit** reciprocal enforceability of judgments; **V.sanordnung/V.serklärung** *f* § writ of execution; **V.sverfahren** *nt* § executory proceedings

vollstrecken *v/t* to execute/enforce

Vollstrecker *m* executor, executioner; **V.in** *f* executrix

Vollstreckung *f* execution, enforcement; **auf Grund einer V.** under an execution

Vollstreckung in einen bestimmten Gegenstand special execution; **~ Gegenstände Dritter** foreign attachment; **V. durch Herausgabe an den Gerichtsvollzieher** execution by sequestration; **~ Räumung** eviction; **V. in bewegliche Sachen** general execution, levy of execution; **V. eines Schiedsspruches** enforcement of an (arbitral) award; **V. gegen Sicherheitsleistung** execution on bond; **V. eines Testaments** execution of a will; **~ Todesurteils** execution of a death sentence; **V. aus einem Urteil** execution under a judgment; **gegenseitige V. ausländischer Urteile** extension of judgments; **V. einer Verfügung** enforcement of an order; **V. durch Versteigerung** execution sale

der Vollstreckung unterliegend distrainable

Vollstreckung anordnen to order the enforcement of the decision; **V. aussetzen** to stay/suspend execution (of a decision); **V. beantragen** to apply for/seek execution; **V. betreiben/durchführen** to enforce a judgment, to levy a distraint/an execution; **V. mangels Masse einstellen** to return an execution unsatisfied; **V. vorübergehend einstellen** to suspend an execution; **V. hindern** to hinder and delay; **der V. unterliegen** to be subject to distraint/execution; **V. vornehmen** to levy an execution/a distraint

sofortige Vollstreckung direct enforcement

Vollstreckungs|abwehr-/V.gegenklage *f* foreclosure suit, action opposing judicial enforcement; **V.anordnung** *f* writ of execution; **V.anspruch** *m (Hypothek)* right to foreclose; **V.antrag** *m (Hypothek)* bill of foreclosure; **V.aufschub/V.aussetzung** *m/f* stay of execution, respite, reprieve; **V.aufschubs-/V.aussetzungsgesuch** *nt* petition for a reprieve; **V.auftrag** *m* fieri facias *(lat.)*; **V.beamter** *m* bailiff, sheriff, enforcement officer; **V.befehl** *m* 1. enforcement order/notice; 2. warrant/writ of execution; 3. *(Todesstrafe)* death warrant; **V.behörde** *f* enforcement agency/authority

Vollstreckungs|bescheid/V.beschluss *m* writ of execution, enforcement order/notice; **~ ausstellen** to issue a writ of execution; **~ beantragen** to file an application for a writ of execution; **~ erlassen** to grant/issue a writ of execution

Vollstreckungs|einstellung *f* stay of execution; **v.fähig** *adj* 1. enforceable, distrainable; 2. *(Hypothek)* foreclosable; **V.forderung** *f* judgment debt; **V.gericht** *nt* court for enforcement procedures; **V.gesetz** *nt* enforcement act; **V.gläubiger(in)** *m/f* 1. judgment/enforcement/execution creditor; 2. *(Forderungspfändung)* garnisher; **V.handlung** *f* execution; **V.instanz** *f* enforcement agency/authority; **V.klausel** *f* enforcement clause, order of enforcement; **neue V.klausel** writ of revivor; **V.maßnahme** *f* enforcement measure, forcible tax collection; **gerichtliche V.maßnahme** court enforcement measure; **V.organ** *nt* enforcement agency; **V.pfandrecht** *nt* execution lien; **V.recht** *nt* law of enforcement; **V.schuld** *f* judgment/enforcement debt; **V.schuldner(in)** *m/f* enforcement/judgment/execution debtor, distrainee; **V.schutz** *m* exemption from seizure, ~ judicial enforcement; **V.stelle** *f* enforcement agency; **V.titel** *m* writ of execution/enforcement, enforceable legal document; **V.urteil** *nt* writ of execution, court order for execution; **V.vereitelung** *f* fraudulent alienation, frustration of a writ of execution; **V.verfahren** *nt* execution/enforcement proceedings; **V.verjährung** *f* expiry of enforcement; **V.versteigerung** *f* forced sale; **V.versuch** *m* attempt of enforcement

Voll|streik *m* total strike; **v. tanken** *v/t* to fill/tank up, to refuel; **V.tastatur** *f (Schreibmaschine)* full keyboard; **V.text** *m (Buchführung)* full narrative; **V.treffer** *m* direct hit, bull's eye *(coll)*; **v.trunken** *adj* fully intoxicated; **V.trunkenheit** *f* total intoxication, drunken stupor, total inebriation; **V.unternehmen** *nt* fully-fledged enterprise; **V.versammlung** *f* plenary/full/general/mass meeting, plenary session, general assembly, full conference; **V.versicherung** *f* full-value insurance; **V.versorgung** *f (Rente)* full superannuation; **V.waise** *f* orphan; **v.wertig** *adj* equal, adequate, up to standard, full-value, sterling *[GB]*; **nicht v.wertig** inferior; **V.wertkost** *f* whole foods; **V.wertversicherung** *f* insurance at full value, comprehensive insurance; **V.zahler** *m* person paying the full amount/fare

vollzählig *adj* complete, in full strength; **nicht v.** incomplete; **V.keit** *f* 1. completeness; 2. full attendance

Vollzeit|arbeit *f* full-time work; **V.arbeiter(in)** *m/f* full-time worker; **V.(arbeits)kraft/V.beschäftigte(r)** *f/m* full-time staff member/employee, full-timer; **V.arbeitsstelle** *f* full-time job; **V.beschäftigung** *f* full-time employment; **V.maßnahme** *f (Ausbildung)* full-time scheme

vollziehbar *adj* § enforceable, executable; **V.keit** *f* enforceability, executability

vollziehen *v/t* 1. to carry out, to implement/enforce/execute/fulfil/perform; 2. *(Ehe)* to consummate; *v/refl* to happen/pass/occur, to take place; **v.d** *adj* executive

Vollzieher *m* executor, executant
Vollziehung *f* execution, implementation, fulfilment, performance; **V. der Ehe** consummation of marriage; **V. aussetzen** to suspend enforcement; **in V. eines Gesetzes handeln** acting in compliance with an act/a law; **V.sbeamter** *m* executor; **V.sbefehl** *m* warrant, (writ of) execution; **V.sverordnung** *f* implementing order
Vollzug *m* 1. execution, enforcement, implementation, performance, fulfilment; 2. penal system; 3. *(Ehe)* consummation
Vollzugs|anordnung *f* executive order, implementing ordinance; **V.anstalt** *f* penal institution; **offene V.anstalt** non-confinement facility; **V.ausschuss** *m* executive committee; **V.beamter** *m* law enforcement/executive/prison officer; **V.behörde** *f* enforcement agency; **V.bericht** *m* return; **V.budget** *nt* operative budget; **V.dienst** *m* prison service; **V.gewalt** *f* executive power(s); **V.klausel** *f* executive clause; **V.meldung** *f* report of execution; **V.ordnung** *f* enforcement regulations; **V.organ** *nt* enforcement agency; **V.stand** *m* state of implementation
Volontär(in) *m/f* 1. trainee, student apprentice/trainee, improver, volunteer, unsalaried clerk; 2. *(Anwalt)* articled clerk
Volontariat *nt* traineeship, (practical) training, training post
Volumen *nt* volume, capacity, size, total (amount); **mit geringem V. an berechtigtem Kapital** low-leveraged; **V. der Wohnungsbauleistung** total housing output
Volumen|budget *nt* volume budget; **V.einheit** *f* unit of volume; **V.entwicklung** *f* volume development; **V.gewicht** *nt* volumetric weight; **v.mäßig** *adj* in volume terms; **V.rabatt** *m* quantity discount; **V.reaktion** *f* *(Handel)* adjustment of volumes; **V.steigerung** *f* volume increase; **V.verluste** *pl* losses in business volume; **V.wachstum** *nt* volume growth
Vomhundertsatz *m* percentage
von *prep* ex; **v. hier/jetzt an** hence
vonstatten gehen *v/i* to proceed, to take place
vor *prep* 1. *(zeitlich)* in advance of, prior to, before; *(örtlich)* in front of, outside; **lange v.** well in advance; **weiter v.** ahead
Vor|- prior, [§] interlocutory
vorab *adv* ex ante *(lat.)*, in advance; **V.-** advance; **V.-ausschüttung** *f* advance distribution; **V.bericht/V.bescheid** *m* advance notice, flash report; **V.bestätigung** *f* pre-authentication
Vorabdruck *m* preprint
Vorab|entscheidung *f* [§] preliminary ruling, interlocutory decision; **V.fühlung** *f* pre-sensing; **V.genehmigung** *f* 🏛 outline planning permission; **V.information** *f* advance notice/information; **V.schätzung** *f* pre-estimate; **V.überlegungen** *pl* preliminary considerations; **V.werbung** *f* pre-launch publicity
Vorabzug *m* prior deduction
Vorahnung *f* presentiment, anticipation, intuition, augury, hunch, forebodings; **böse V.** misgivings, forebodings; **düstere V.en** dark forebodings

Vor|akten *pl* previous files; **V.alarm** *m* early warning
voran *adv* ahead; **v.bringen** *v/t* to make progress with
Voranfrage *f* preliminary inquiry
voran|gegangen *adj* preceding; **v.gehen** *v/i* 1. to precede, to take the lead, to go forward/ahead; 2. [§] to have/take precedence; **mit gutem Beispiel v.gehen** to lead the way; **v.gehend** *adj* antecedent, aforegoing; [§] precedent
Vorankommen *nt* progress; **v.** *v/i* to advance, to make headway, to get on, to gather pace, to pick up speed; **beruflich v.** to get on in one's job; **gut v.** to make good progress; **kleckerweise v.** to proceed by fits and starts; **langsam v.** to make slow progress; **schnell/zügig v.** to make good time, to make headway
Vorankündigung *f* advance notice, preannouncement, pre-/advance notification; **V.sfrist** *f* period for advance notice
voranmachen *v/i* *(coll)* to get a move on *(coll)*
Vor|anmelder *m* *(Pat.)* prior/previous applicant; **V.anmeldezeitraum** *m* *(Mehrwertsteuer)* VAT accounting period
Voranmeldung *f* 1. appointment, booking, advance notice; 2. *(Pat.)* previous application; **mit V.** by appointment; **V.sverfahren** *nt* *(Steuer)* preliminary return; **V.szeit** *f* notice
Voranschlag *m* (cost) estimate, calculation, forecast, preliminary budget; **V. aufstellen** to make a cost estimate; **V. einreichen** to submit/put in an estimate; **V. erbitten** to ask for an estimate; **V. überschreiten** to exceed an estimate
voran|schreiten *v/i* to progress; **v.stellen** *v/t* to give precedence; **v.treiben** *v/t* to push/expedite/urge/spur/promote/foster, to go ahead with, to get (sth.) under way; **beschleunigt/energisch v.treiben** to press ahead (with), to hustle
Vor|anzeige *f* advance notice; **V.arbeit** *f* preparatory/preliminary work, groundwork *(fig)*, spadework *(fig)*; **~ leisten** to do the groundwork/spadework *(coll)*
vorarbeiten *v/i* 1. to work in advance; 2. to work one's way forward
Vorarbeiter *m* foreman, overseer, supervisor, charge/lead(ing) hand, sub-foreman, headman, master mechanic/workman, overman, gang boss/leader, ganger; **stellvertretender V.** assistant/petty foreman; **V.in** *f* forewoman; **V.stelle** *f* foremanship, overseership; **V.zulage** *f* chargehand/foreman allowance
vorauf|gegangen *adj* previous; **v.gehend** *adj* preceding
Voraus *nt* advance; **im V.** in advance/anticipation, beforehand, ex ante *(lat.)*; **jdm v. sein** to be/run ahead of so., to have the edge on so., to be one up on so.
Voraus|abschreibung *f* accelerated depreciation; **V.abteilung** *f* advance party, spearhead; **V.abtretung** *f* anticipatory/blank(et) assignment, assignment in advance; **V.abzug** *m* prior deduction; **v.bedingen** *v/t* to stipulate beforehand; **V.beitrag** *m* deposit premium; **V.belastung von Ankaufsgebühren** *f* front-end load; **V.benachrichtigung** *f* advance information; **v.berechenbar** *adj* predictable, precalculable; **v.berechnen** *v/t* to predict/estimate/forecast; **V.berechnung** *f* pre-

calculation, projection; **V.bescheinigung** *f* advance certification; **v.bestellen** *v/t* to order/book in advance; **V.bestellung** *f* advance order/booking, order in advance; **v.bestimmen** *v/t* to predetermine; **v.bewerten** *v/t (Börse)* to discount

vorausbezahl|en *v/t* to prepay, to pay in advance; **v.t** *adj* prepaid (ppd.), forehand paid; **V.ung** *f* advance payment, payment in advance

Voraus|bilanz *f* pro-forma balance sheet; **weit v.-blicken** *v/i* to take a long view; **V.buchung** *f* advance booking; **V.buchungstarif** *m* ✈ advanced purchasing excursion (APEX) tariff; **~ für Charterflüge** ✈ advanced booking charter (ABC) tariff; **V.darlehen** *nt* anticipatory loan; **v.datieren** *v/t* to predate/foredate/antedate; **V.datierung** *f* predating, antedating, foredating, anticipation; **V.datum** *nt* advance date; **V.denken** *nt* foresight; **v.disponieren** *v/t* to make advance arrangements, to predispose, to buy ahead; **V.disposition** *f* advance arrangement/ordering; **V.empfang** *m* § *(Erbe)* advancement; **V.entnahme** *f* prior withdrawal; **V.entrichtung** *f* advance payment, prepayment; **V.exemplar** *nt* advance copy

Vorausfertigung *f* § *(Dokument)* pre-authentication

Voraus|festsetzung *f* ⊖ advance fixing; **V.festsetzungsbescheinigung** *f* advance assessment/fixing certificate; **v.gehen** *v/i* to precede/predate; **einer Sache v.gehen** to antecede sth.; **v.gehend** *adj* prior, previous, preliminary, former; **v.gesetzt** *adv* provided (that), given; **immer ~, dass** always providing that; **v.gezahlt** *adj* prepaid (ppd.); **V.haftung** *f* primary liability; **V.information** *f* advance information/notice; **V.kalkulation** *f* advance calculation; **V.kasse** *f* cash in advance; **V.kauf** *m* advance purchase; **V.klage** *f* § preliminary injunction; **V.kommando** *nt* advance party; **V.leistung** *f* prepayment, advance performance; **V.lieferung** *f* advance delivery; **v.planen** *v/t* to plan ahead, to budget

Vorausplanung *f* 1. advance/forward planning; 2. budgeting; **V. für den Bedarfsfall** contingency planning; **betriebliche V.** business planning

Voraus|platzierung *f* *(Wertpapiere)* advance selling; **V.prämie** *f* advance premium, premium paid in advance; **V.rechnung** *f* pro-forma invoice, advance bill; **v.sagbar** *adj* predictable; **nicht v.sagbar** unpredictable

Voraussage *f* prediction, prognosis, forecast; **V.(n) machen** to prognosticate; **suggestiv wirkende V.** self-fulfilling prophecy

voraus|sagen *v/t* to predict/forecast/foretell/estimate/prognosticate; **V.sagespanne** *f* prediction interval; **v.schätzen** *v/t* to forecast; **grob v.schätzen** to guestimate; **V.schätzung** *f* forecast, pre-assessment, preestimate, forward projection; **V.schau** *f* forecast, prediction, preview, prognosis; **~ über die finanzielle Lage** financial forecasting; **v.schauend** *adj* prospective, forward-looking, provident; **v.schicken** *v/t* 1. to send in advance, to premise; 2. *(Rede)* to point out first; **v.sehbar** *adj* foreseeable; **V.sehbarkeit** *f* foreseeability; **v.sehen** *v/t* to foresee/anticipate/bode; **v.setzen** *v/t* 1. *(annehmen)* to presuppose/presume/assume/premise/hypothesize; 2. *(erfordern)* to require/demand, to rely on, to be dependent upon; **stillschweigend v.setzen** to imply

Voraussetzung *f* 1. presupposition, assumption, premise; 2. (basic) requirement, (necessary) condition, precondition, prerequisite; **unter der V., dass** provided that, on the understanding/assumption that

Voraussetzung für ein Amt eligibility for office; **~ die Einfuhr zu Präferenzzöllen** (requisite condition of) eligibility for entry of goods at preferential rates of duty; **~ den Erwerb der Staatsbürgerschaft** qualification for citizenship; **~ die Genehmigung** licensing requirement(s); **~ Versicherungsleistung** eligibility requirement(s)

von der Voraussetzung ausgehen, dass to work on the assumption/basis that; **V. erfüllen für** 1. to meet/comply with the requirements, to satisfy conditions for; 2. *(Person)* to qualify for, to possess the qualifications, to be eligible for; 3. to be a qualifying customer; **V. für die Gewährung einer Rente/Pension erfüllen** to qualify for a pension; **zur V. haben** to presuppose; **erforderliche V. mitbringen** to have the necessary qualifications; **V. schaffen** to create the premises, to lay the foundations; **günstige V. schaffen** to nurture the environment (for)

erforderliche Voraussetzung *(Stelle)* required qualifications; **flächenmäßige V.** land requirements; **gesetzliche V.en** statutory/legal requirements; **unter gleichen V.en** other things being equal; **institutionelle V.en** institutional requirements; **juristische V.en** legal requirements; **materielle V.** substantive requirement/standards; **satzungsgemäße V.** statutory requirement; **stillschweigende V.** implicit understanding; **technische V.** technical prerequisite(s)/requirements; **unabdingbare V.** essential condition, mandatory requirement; **verfahrensrechtliche/-technische V.** procedural requirement; **verfassungsrechtliche V.** constitutional requirement; **wesentliche V.** essential (condition)

voraussetzungslos *adj* free of preconceptions

Voraus|sicht *f* 1. foresight, prudence; 2. anticipation; **v.sichtlich** *adj* prospective, expected, probable, likely, estimated; **V.veranlagung** *f* advance assessment; **V.verfügung** *f* anticipatory disposal; **V.verkauf** *m* advance sale, forward purchase; **V.vermächtnis** *nt* preferential legacy

Vorauswahl *f* 1. short list, preliminary selection/qualification; 2. *(Handel)* self-selection, pre-selection; **V. treffen** to preselect/shortlist; **V.fragebogen** *m (Ausschreibung)* prequalification questionnaire

Vorauswertung *f* initial valuation

Vorauszahlung *f* advance (payment), payment in advance, prepayment, anticipation/anticipatory payment, cash in advance (c.i.a.), cash before delivery (c.b.d.); **V.en** 1. advance receipts; 2. tax prepayments; **gegen V.** cash with order (c.w.o.); **V. der Akkreditivsumme** anticipatory/packing credit; **unter ~ Fracht** carriage prepaid; **erhaltene V.en** *(Bilanz)* advance payments received

Vorauszahlungs|bescheid *m* notice of tax prepayment; **V.finanzierung** *f* financing by customer advances; **V.garantie** *f* prepayment guarantee; **V.geschäft** *nt* sale against cash in advance; **V.monat** *m* month of prepayment; **V.rabatt** *m* anticipation rebate; **V.regelung** *f* advance payment(s) system

Vorausziehung *f* anticipatory drawing

Vor|avis *nt* advance notice, pre-notice, preliminary advice; **v.bauen** *v/i* to provide (against sth.); **V.bedacht** *m* premeditation, forethought, foresight; **mit/ohne V.bedacht** § with/without intent; **v.bedacht** *adj* 1. premeditated; 2. § prepense; **V.bedingung** *f* prerequisite, precondition, stipulation, qualification; **ohne V.bedingung** unconditional; **V.befassung** *f* § referral for a preliminary ruling

Vorbehalt *m* reservation, proviso, provisions, qualification, caveat *(lat.)*, exception, limiting condition; **mit allem V.** with all reservations; **mit dem V., dass** under the provision that, (always) provided that; **ohne V.** without reservation/reserve, outright, unconditionally; **unter V.** with the reservation/proviso, subject to; **V. der Rechte** reservation of rights; **unter V. sämtlicher Rechte** all rights reserved

Vorbehalt anmelden to make reservations; **ohne V. annehmen** to accept without qualifications; **unter V. annehmen** to accept under protest; **V. ausräumen** to remove reservations; **V. zum Ausdruck bringen** to express reservations; **V. formulieren** to stipulate a reserve; **V. haben** to have reservations; **unter V. handeln** to act under the proviso; **V. machen** to make reservations; **unter V. unterzeichnen** to sign with a proviso/reservation; **~ zustimmen** to agree under protest

geheimer/geistiger/stiller/stillschweigender Vorbehalt mental reservation, hidden intention; **unter üblichem V.** with/under the usual provisions/proviso/reserve

vorbehalten *v/refl* to reserve/retain the right (to do sth.)

vorbehaltlich *prep* subject to, provided that, with reservation as to, with the proviso, except (for); **v.los** *adj* unconditional, unreserved, without any qualification, without reserve/reservation

Vorbehalts|eigentum *nt* privileged property; **V.eigentümer(in)** *m/f* conditional owner; **V.erklärung** *f* reservation, proviso; **V.gut** *nt* 1. separate estate; 2. *(Ehefrau)* paraphernalia; **~ für Ehefrau und Kinder** wife's equity; **V.kauf** *m* conditional sale; **V.käufer(in)** *m/f* conditional buyer/purchaser; **V.klausel** *f* reservation/proviso/saving clause, salvo; **V.lieferant** *m* conditional supplier; **V.preis** *m* reserve price; **V.recht** *nt* reservation, reserve(d) right; **V.urteil** *nt* provisional judgment; **V.verkauf** *m* conditional sale; **V.verkäufer(in)** *m/f* conditional vendor; **V.ware** *f* reserved goods; **V.zahlung** *f* conditional payment

vorbe|handeln *v/t* 1. to pre-treat/pre-process; to precondition; 2. *(durch Lagerung)* to season; **V.handlung** *f* 1. pre-treatment; 2. *(durch Lagerung)* seasoning

vorbei|fahren (an) *v/i/v/prep* to drive past, to pass; **v.fließen** *v/i* to bypass, to flow by/past; **v.gehen** *v/i* to pass; **v.kommen/v.sprechen** *v/i* to call (at); **v.ziehen (an)** *v/i* to pull abreast of, to outstrip; **an sich ~ lassen** to allow o.s. to be overtaken

vorbelast|et *adj* 1. handicapped, at a disadvantage; 2. *(Grundstück)* with prior encumbrance, encumbered; **V.ung** *f* 1. handicap; 2. *(Grundstück)* prior encumbrance/charge, previous charge

Vorbemerkung *f* preliminary remark, introduction, preface, preamble, prefatory note; **V.en** preliminary remarks/notes; **allgemeine V.en** general preliminary notes

vor|benannt *adj* aforesaid; **V.benutzer(in)** *m/f* prior/previous user

Vorbenutzung *f* *(Pat.)* prior use; **offenkundige V.** prior public use; **V.shandlung** *f* act of prior use; **V.srecht** *nt* right of prior use, ~ to use based on prior use

Vorberatung *f* preliminary consultation

vorbereit|en *v/t* to prepare/prime, to set the stage for; *v/refl* to prepare o.s., to gear up; **v.end** *adj* preparatory, preliminary; **v.et** *adj* prepared; **schlecht v.et** ill-prepared

Vorbereitung *f* preparation; **V.en** preparatory arrangements, dispositions; **bei der V. auf** in the run-up to; **in V.** in the pipeline *(fig)*; **~ auf** in preparation of; **V. eines Förderantrags** grant proposal preparation; **V.en treffen** to make preparations/arrangements; **letzte ~ treffen** to finalize; **redaktionelle V.** pre-editing

Vorbereitungs|- preparatory; **V.arbeiten** *pl* preparatory work; **V.dienst** *m* 1. preparatory service; 2. *(Lehramt)* teaching practice; **V.grad** *m* level of preparation; **V.handlung** *f* § preparatory action/act, preparation; **von der ~ zur Ausführungshandlung schreiten** to proceed to perpetrate sth.; **V.kosten** *pl* preparation cost(s); **V.kurs/V.lehrgang** *m* preparatory/pre-entry course; **V.phase** *f* run-up, lead-up (period); **im V.stadium** *nt* in the pipeline *(fig)*, on the drawing board; **V.treffen** *nt* preparatory meeting; **V.zeit** *f* preparation time, run-up/training period; **V.- und Prüfzeit** check time

Vor|bericht *m* preliminary report; **v.beruflich** *adj* prevocational; **V.bescheid** *m* § preliminary ruling/decree, interim order, prior notice, ruling in an interim action; **V.besitzer(in)** *m/f* previous/former owner, prior/previous holder; **an den ~ zurückfallen** to revert to the previous owner; **V.besprechung** *f* briefing, preliminary discussion/meeting; **mündliche ~ des Gerichts** § pre-trial review; **v.bestellen** *v/t* to order/book in advance, to reserve/subscribe; **V.bestellung** *f* advance reservation/order/booking, booking, subscription; **V.bestellungszeit** *f* notice; **v.bestimmt** *adj* predetermined

vorbestraft *adj* previously convicted; **v. sein** to have a (criminal/police) record, to have had (a) judgment against o.s., ~ a previous conviction; **einschlägig v.** previously convicted for the same type of offence; **nicht v.** conviction-free; **~ sein** to be a first-time offender, to have no previous convictions

Vorbestrafte(r) *f/m* ex-offender; **noch nicht V.** first offender

Vorbeuge|haft *f* § (preventive) detention/custody; **V.maßnahme** *f* preventive action/measure

vorbeugen *v/i* to prevent/preempt/forestall/preclude; **v.d** *adj* 1. preventive, preemptive; 2. ⚕ prophylactic

Vorbeugung *f* prevention; **V.smaßnahme** *f* preventive action/measure; **V.smittel** *nt* 1. ⚗ preservative; 2. ⚕ prophylactic

Vorbilanz *f* preliminary balance (sheet)

Vorbild *nt* example, model, lead, paragon; **nach dem V. von** on the model of; **als V. dienen** to serve as a model; **nach dem V. formen/gestalten** to model on; **jdn als V. hinstellen** to hold so. up as an example; **sich jdn zum V. nehmen** to take a leaf out of so.'s book *(fig)*; **V. sein** to set an example

vorbildlich *adj* exemplary, model

Vorbildung *f* educational background; **fachliche V.** professional background

Vorblock *m* ✐ bloom

Vorbörs|e *f* street market, before-hours dealings, market before official hours; **an der ~ verkaufen** to sell in the street; **V.engeschäft(e)** *nt/pl* before-hours dealings; **v.lich** *adj* before hours, in pre-trading activity, on the pre-market, (noted) before official hours, in premarket trading, in the street

Vorbote *m* forerunner, harbinger

Vorbringen *nt* 1. *(Behauptung)* contention, assertion, allegation; 2. § plea, submission; **V. neuer Beweise** production of fresh evidence; **V. von Beweismaterial** submission of evidence; **V. der Parteien** § submissions of the parties

aussichtsreiches Vorbringen § good case; **entscheidungserhebliches V.** relevant allegation; **materiellrechtliches V.** submission on substantive law; **nachträgliches V.** subsequent pleadings; **neues V.** fresh arguments; **schriftsätzliches V.** pleadings; **substanziiertes V.** particular averment; **tatsächliches V.** material allegation, allegation (of fact); **überflüssiges V.** surplusage, superfluous arguments; **unerhebliches V.** immaterial averment, irrelevant pleading; **unzulässiges V.** inadmissible defence; **rechtlich ~ V.** legal defence

vorbringen *v/t* 1. to propose/express/state, to put forward, to bring up; 2. *(behaupten)* to advance/allege/moot/contend; 3. § to submit/plead; **von neuem/wieder v.** to bring up again, to rehash

Vor|buch *nt* daybook, waste book; **V.buchung** *f* prebooking, advance reservation; **v.datieren** *v/t* 1. to foredate/predate/antedate, to date forward; 2. *(Scheck)* to postdate; **V.datierung** *f* 1. predating, antedating; 2. postdating, foredating; **V.denker** *m* guru *(coll) [Hindi]*

Vorder|achse *f* 🚗 front axle; **V.ansicht** *f* front view; **V.deck** *nt* ⚓ foredeck, forecastle; **V.front** *f* 🏛 frontage

Vordergrund *m* foreground; **im V. stehen** to be to the fore; **in den V. treten** to come to the fore

vorder|gründig *adj* on the surface, superficial; **V.haus** *nt* front building; **V.instanz** *f* previous court; **V.liegergebühren** *pl* front-foot charge(s)

Vordermann *m* 1. predecessor; 2. *(Wechsel)* previous holder; **auf V. bringen** *(coll)* to revamp; **jdn ~ bringen** to lick so. into shape *(coll)*, to bring so. to heel *(coll)*; **sich an seinen V. halten** to have recourse to the preceding party

Vorder|richter *m* trial judge *[US]*, previous court; **V.schiff** *nt* foreship; **V.seite** *f* 1. face, front, forefront; 2. *(Dokument)* recto; 3. *(Münze)* obverse

Vor|dienst *m* prior term of office; **V.diplom** *nt* first-part finals *[GB]*, primary *[US]*; **V.dividende** *f* interim/prior-ranking dividend; **v.drängen** *v/i* to advance, to forge ahead; **v.dränge(l)n** *v/refl* to jump the queue *[GB]*, to push to the front of a line *[US]*

Vordring|en *nt* increase, growth; **v.en** *v/i* to advance, to press forward; **v.lich** *adj* urgent, pressing, prior, overriding; **V.lichkeit** *f* urgency, priority

Vordruck *m* form, blank; **V. ausfüllen** to fill in *[GB]*/out *[US]* a form; **amtlicher V.** official form; **handschriftlich ausgefüllter V.** handwritten form; **V.gestaltung** *f* form design/layout; **V.satz** *m* set (of forms), multipart form; **~ mit eingelegtem Einmal-Kohlepapier** one-time carbon set

vor|ehelich *adj* premarital, antenuptial, prenuptial; **V.eid** *m* promissory oath; **V.eigentümer(in)** *m/f* previous owner, predecessor in title; **v.eilig** *adj* precipitate, rash, premature; **V.eindeckung** *f* precautionary buying, covering purchase(s)

voreingenommen *adj* prejudiced, partial, biased, ill-disposed; **v. sein** to be biased; **V.heit** *f* prejudice, partiality, bias, predilection

Vorein|schreibung *f* prequalification; **V.tragung** *f* preceding entry

vorenthalten *v/t* to withhold/detain/deny/conceal; **jdm etw. v.** 1. to deprive so. of sth.; 2. to keep sth. from so.

Vorenthaltung *f* 1. withholding; 2. § detinue; **V. eines rechtsstaatlichen Verfahrens** denial of justice; **widerrechtliche V.** (unlawful) detainer

Vorentscheidung *f* 1. preliminary decision/ruling, interim order; 2. § precedent; **bindende V.** § authoritative precedent; **nicht ~/einschlägige V.** § persuasive precedent

Vor|entwicklung *f* advance development; **V.entwurf** *m* preliminary/rough draft; **V.erbe** *m* first devisee/heir, fiduciary/provisional heir; **V.erbeneinsetzung** *f* entailment; **V.erbschaft** *f* estate in tail, provisional succession; **V.erfinder** *m* prior inventor; **V.erfindung** *f* prior invention; **V.erhebung** *f* exploratory survey, preliminary investigation; **v.erst** *adv* for the time being; **v.erwähnt** *adj* aforesaid, (a)forementioned, above-mentioned, foregoing; **V.erwerbsrecht** *nt* preferential right of purchase; **V.erzeugnis** *nt* primary product; **textilnahe V.erzeugnisse** textile primaries; **V.examen** *nt* first-part finals *[GB]*, primary *[US]*; **v.exerzieren** *v/t* to demonstrate; **V.fabrikat** *nt* primary product; **V.fahr** *m* ancestor, progenitor; **V.fahren** ancestry, for(e)bears; **~ in gerader Linie** lineal ancestors

vorfahren *v/i* 1. 🚗 to drive up; 2. to move forward; 3. to drive in front

Vorfahrt *f* 🚗 right of way; **V. gewähren** 🚗 to give way, to yield the right of way; **V. verletzen** to violate/infringe the right of way

vorfahrts|berechtigt *adj* major, prior; **V.berechtigung/V.recht** *f/nt* right of way, priority; **V.straße** *f* major road; **V.zeichen** *nt* give way sign *[GB]*, yield sign *[US]*

Vorfaktur *f* pro-forma invoice; **v.ieren** *v/t* to prebill; **V.ierung** *f* prebilling

Vorfall *m* incident, occurrence, event, happening; **v.en** *v/i* to occur/happen

Vorfälligkeit *f* pre-maturity; **V.sentschädigung** *f* prematurity compensation; **V.sklausel** *f* prepayment clause

Vorfallmethode *f* incident case method

Vorfeld *nt* 1. ✈ apron; 2. run-up; **im V.** in the forefront/run-up (to), in the events leading up to sth.; ~ **klären** to clear up beforehand; **V.organisation** *f* front-end organisation

vorfertig|en *v/t* to prefabricate/preassemble; **V.ung** *f* prefabrication, preproduction, preassembly, parts manufacture; **V.ungsauftrag** *m* (pre)fabrication order

vorfinanzieren *v/t* to prefinance, to provide advance financing

Vorfinanzierung *f* prefinancing, advance/preliminary financing; **V. einer Kapitalerhöhung** bridge-financing; **V.shilfe** *f* anticipatory financial aid; **V.skredit** *m* preliminary credit; **V.szusage** *f* assurance of interim credit, promise of preliminary credit, interim credit commitment

Vorfracht *f* 1. original freight; 2. pre-carriage/prior carriage charges, pre-departure charges; **V.konnossement** *nt* preliminary freight bill of lading

vorfrankier|en *v/t* ✉ to prepay; **v.t** *adj* prepaid (ppd.); **V.ung** *f* prepayment

bei jdm vor|fühlen *v/i* to sound so. out; **V.führdame** *f* mannequin, model, lady demonstrator

vorführen *v/t* 1. to demonstrate/present, to give a demonstration; 2. ⊖ to produce; 3. § to bring before the judge; 4. *(Film)* to project/screen; 5. 🎭 to perform

Vorführer *m* demonstrator

Vorführ|gerät *nt* demonstration model, projector; **V.kabine** *f (Film)* projection booth; **V.mann** *m* male model; **V.modell** *nt* display modell; **V.raum** *m* demonstration/projection room

Vorführung *f* demonstration, display, presentation, showing, exposure; **V. eines Zeugen** production of a witness; **zwangsweise V.** § compulsory attendance

Vorführungs|befehl *m* § writ of attachment; **V.modell** *nt* demonstration model; **V.recht** *nt* right of representation

Vorführwagen *m* demonstration car

Vorgabe *f* standard, parameter, (performance) target; **V.n** terms of reference; **V. von Zielen durch die Unternehmensleitung** top-down; **globale V.** overall standard; **V.ermittlung/V.kalkulation** *f* determination of standards; **V.kosten** *pl* budgeted/target/ideal standard cost; **V.leistung** *f* (performance) standard; **V.minute** *f* 1. work unit; 2. standard minute; **V.stunde** *f* standard hour

Vorgabezeit *f* allowed/predetermined/standard/incentive time, standard operation time, time allowance; **V. einschließlich Zuschläge** all-in time; **reichlich bemessene V.** loose rate; **vorläufige V.** temporary standard; **V.ermittlung** *f* rate/standard-time setting

Vorgang *m* 1. operation, process, transaction, procedure; 2. activity; 3. occurrence, case; 4. *(Akte)* record, file, dossier; **V. mit Puffer** *(OR)* floater; **betrieblicher V.** in-plant activity; **langsamer V.** slow process; **steuerpflichtiger V.** taxable transaction; **wirtschaftlicher V.** economic process

Vorgänger(in) *m/f* predecessor, forerunner, predecessor company; **V. im Amt** predecessor in office

Vorgangs|element *nt* job element; **freier V.puffer** *(OR)* free float

Vor|garten *m* front garden *[GB]*/yard *[US]*; **v.geben** *v/t* 1. to pretend/purport/affect/allege; 2. *(Zeit)* 🏭 to allow; **v.geblich** *adj* alleged, pretended, would-be; **häufig v.gebracht** *adj* oft-mooted; **v.geburtlich** *adj* prenatal; **v.gedruckt** *adj* preprinted; **v.gefasst** *adj* preconceived, prejudiced; **v.gefertigt** *adj* 1. prefabricated; 2. *(Beton)* precast; **V.gefühl** *nt* presentiment, hunch *(coll)*; **v.gegeben** *adj* given, predetermined

Vorgehen *nt* 1. (line of) action, approach, procedure, proceeding; 2. § priority/precedence; **V. eines Anspruches** priority/precedence of a claim

abgekartetes Vorgehen collusive action; **abgestimmtes/einverständliches/solidarisches/vereinbartes V.** concerted approach; **brutales V.** strong-arm tactics; **eigenmächtiges V.** unauthorized action; **gemeinsames V.** joint effort/action, concerted action; **gerichtliches V.** court action; **gesetzwidriges V.** unlawful act; **werbemäßiges V.** advertising angle

vorgehen *v/i* 1. to proceed/act, to take action; 2. *(Ereignis)* to occur/happen; 3. *(Vorrang)* to precede, to have priority/precedence, to rank prior (to); **v. gegen** to take action against

berufsmäßig vorgehen to professionalize; **disziplinarisch v.** to take disciplinary action; **eigenmächtig v.** to act without authority, to take the law into one's own hands; **energisch v.** to take drastic steps, ~ a tough line; **gemeinsam v.** to act in concert; **gerichtlich v.** to proceed, to take/institute/start legal proceedings, to take legal/judicial action, to file a suit; **scharf/streng gegen etw. v.** to clamp/crack down on sth.; **schrittweise v.** to proceed by stages; **strafrechtlich v.** to prosecute; **summarisch v.** to take summary proceedings

vorgehend *adj* precedent

Vorgehensweise *f* procedure, approach, line/course of action

vorgeladen *adj* summoned, cited; **nicht v.** unsummoned; **V.e(r)** *f/m (Schuldner)* garnishee

vor|gelagert *adj* 1. offshore; 2. 🏭 upstream; **zeitlich v.gelagert** earlier; **v.gelesen, genehmigt und unterschrieben** § read out, agreed to and signed; **v.gelocht** *adj* prepunched; **v.genannt** *adj* abovenamed, aforesaid, aforementioned, aforemnamed; **v.geordnet** *adj* 🏭 up the line, upstream; **v.gerückt** *adj* advanced; **V.geschichte** *f* 1. (case/past) history, background; 2. § antecedents; **V.geschlagene(r)** *f/m* nominee; **V.geschmack** *m* foretaste; **v.geschoben** *adj* ostensible, phoney *[GB]*, dummy *[US]*

vorgeschrieben *adj* mandatory, required, compulsory, set, prescribed; **amtlich v.** officially required; **gesetzlich v.** prescribed by law, statutory; **verbindlich v.** mandatory

vorgesehen *adj* provided, stipulated, designated, earmarked, scheduled; **v. sein** to be programmed, ~ provided for, ~ in line; **es ist v.** it is proposed

Vor|gesellschaft *f* predecessor company; **v.gesetzt** *adj* superior, senior

Vorgesetzte|(r) *f/m* principal, senior, superior, boss *(coll)*; **V.nbeurteilung** *f* appraisal by subordinates; **V.nschulung** *f* supervisory training

Vor|gespräch *nt* preliminary discussion/talk, exploratory talk; **v.getäuscht** *adj* sham; **v.getragen** *adj (Saldo)* carried/brought forward; **V.girant** *m* previous endorser

vorgreif|en *v/i* to anticipate/forestall/prejudice, to act prematurely; **v.end** *adj* anticipatory; **v.lich** *adj* prejudicial

Vorgriff *m* anticipation, look ahead, anticipatory expenditure; **im V. auf** in anticipation of; **V.abschreibung** *f* initial depreciation allowance, investment depreciation; **V.skontingent** *nt* advance quota; **v.sweise** *adj* in anticipation

Vorgründungs|gesellschaft *f* stock company prior to registration; **V.gewinn** *m* profit prior to incorporation/formation; **V.vertrag** *m* pre-formation agreement

Vorhaben *nt* project, scheme, intention, plan; **V. verwirklichen** to implement a scheme; **förderungsfähiges V.** eligible project; **innovatives V.** innovative project; **öffentliches V.** public work(s) programme; **unternehmerisches V.** business venture

vorhaben *v/t* to intend (to do), to plan/contemplate/propose; **fest v.** to intend

Vor|hafen *m* outer harbour, outport; **V.haftung** *f* prior commitment; **V.halle** *f* entrance hall, vestibule, foyer

Vorhalten *nt (Geräte)* provision; **v.** *v/t* 1. *(Kapazität)* to keep in reserve, to hold available, to provide; 2. *(Vorwurf)* to rebuke/reproach

Vorhaltezeit *f* rate time

Vorhaltung *f* 1. reproach, representation, recrimination; 2. ✪ provision; **jdm V.en machen** to remonstrate with so.; **V.skosten** *pl* cost(s) of providing equipment

Vor|hammer *m* sledgehammer; **V.hand** *f* 1. forehand; 2. § first claim

vorhanden *adj* 1. available, in stock; 2. effective, existing, in existence, existent, extant; **wenn v.** if any; **v. sein** to exist; **bereits v.** pre-existing; **nicht v.** non-existent; **noch v. sein** to remain; **reichlich v.** abundant, in good supply; **~ sein** to abound; **spärlich v.** thin on the ground *(fig)*; **überall v.** pervasive; **übermäßig v.** overabundant

Vorhandensein *nt* existence; **gleichzeitiges V.** concomitance

Vorhang *m* curtain; **Vorhänge** drapery *[US]*; **feuersicherer V.** fire curtain

Vorhängeschloss *nt* padlock; **mit einem V. verschließen** to padlock

vorher *adv* before(hand); **v.bestimmt** *adj* predestined; **V.bestimmung** *f* predestination; **v.gehen** *v/i* to precede/antecede/forego; **v.gehend** *adj* precedent (thereto), previous, antecedent, foregoing; **v. genannt** *adj* aforesaid, abovementioned

vorherig *adj* previous, prior, former, preceding

Vorherrschaft *f* predominance, prevalence, domination, dominance, supremacy, mastery

Vorherrschen *nt* prevalence; **v.** *v/i* to prevail/predominate/reign/dominate/obtain; **v.d** *adj* prevailing, prevalent, dominant, predominant, predominating, paramount (to)

Vorhersage *f* forecast, prediction, prognosis, prognostication; **V.n machen** to predict/prognosticate; **technologische V.** technological forecast; **~ V.n** technological forecasting; **V.fehler/V.irrtum** *m* forecast(ing) error; **v.n** *v/t* to predict/forecast; **V.r** *m* prognosticator, forecaster

vorherseh|bar *adj* predictable, foreseeable; **nicht v.bar** unforeseeable; **V.barkeit** *f* predictability; **v.en** *v/t* to foresee/predict

vorherzusagen *adj* predictable

im Vor|hinein *adv* in advance; **V.hof** *m* forecourt; **V.hut** *f* ✈ vanguard

vorig *adj* previous, former, foregoing

Vor|indossant *m* previous endorser; **V.industrie** *f* previous industry; **V.instanz** *f* § lower court

Vorjahr *nt* previous/preceding/prior/last year, year before; **im V.** last year

Vorjahres|- prior year, year earlier; **V.abschnitt** *m* corresponding period last year; **V.basis** *f* preceding-year basis; **V.betrag** *m* last year's amount; **V.bewertung** *f* previous year assessment; **V.endstand** *m* last year's level; **V.ergebnis/V.gewinn** *nt/m* previous year earnings, last year's result/performance, result in the year before; **V.höhe** *f* last year's level; **V.monat** *m* same month last year, ~ in the previous year; **V.niveau** *nt* last year's level; **sich auf ~ bewegen** to be at last year's level; **V.periode** *f* same/corresponding period last year; **V.produktion** *f* last year's output; **V.quartal** *nt* year-earlier quarter; **V.umfang/V.volumen** *m/nt* last year's volume; **V.umsatz** *m* last year's turnover; **V.vergleich** *m* comparison with the previous year, ~ a year earlier; **im V.vergleich** compared with last year; **V.wert** *m* last year's figure, previous year's value; **V.zahlen** *pl* last year's figures; **V.zeit(raum)** *f/m* same/corresponding period last year; **entsprechender V.zeitraum** same period last year

vorjährig *adj* last year's, year-earlier

Vorkalkulation *f* preliminary costing/calculation, advance calculation, (cost) estimate; **V.skarte** *f* product/estimated cost card; **V.ssystem** *nt* estimated cost system; **V.sverfahren** *nt* earned-value approach

Vorkalkulator *m* cost estimator, estimating clerk, calculator; **v.kalkulieren** *v/t* to cost; **V.kämpfer(in)** *m/f* champion; **V.kasse** *f* advance payment, payment/cash in advance, prepayment, cash before delivery (c.b.d.), cash with order (CWO); **~ leisten** to pay in advance

Vorkauf *m* pre-emption, forward purchase, buying in advance; **zum V. berechtigend** pre-emptive; **~ offen** pre-emptible

vor|kaufen *v/t* to pre-empt, to buy in advance; **V.käufer(in)** *m/f* pre-emptor

Vorkaufs|berechtigte(r) *f/m* pre-emptor, pre-emptioner;

V.berechtigung *f* pre-emption right, right of pre-emption; **V.klausel** *f* pre-emption clause; **v.pflichtig** *adj* pre-emptible; **V.preis** *m* pre-emption price; **einem ~ unterliegend** pre-emptible

Vorkaufsrecht *nt* pre-emptive right, preferential purchase right, option (of purchase), right of pre-emption/anticipation, ~ first refusal; **einem V. unterliegend** pre-emptible; **V. erwerben** to acquire a right of pre-emption; **durch V. erwerben** to pre-empt; **sich das V. sichern** to reserve the option (to acquire); **zeitlich begrenztes V.** call protection; **dingliches V.** real right of pre-emption

Vorkaufsvertrag *m* binder

Vorkehrung *f* 1. precaution, preventive measure, safeguard; 2. provision, arrangement, disposition; **V.en für den Transport** transport arrangements; **~ treffen** 1. to take precautions; 2. to make provisions/dispositions/arrangements, to take steps/measures, to arrange; **notwendige ~ treffen** to make the necessary arrangements; **ausdrückliche V.** express provision; **finanztechnische V.en** financial arrangements; **umfangreiche V.en** ample precautions

Vor|kenntnisse *pl* previous knowledge/experience; **V.kolonne** *f* previous column; **V.kommando** *nt* advance party

Vorkommen *nt* 1. incidence, occurrence, event, manifestation, appearance; 2. ⚒ bed, deposit; **erschlossene V.** ⚒ developed reserves; **nutzbares V.** ⚒ exploitable deposit; **unerschlossene V.** undeveloped reserves; **v.** *v/i* to occur/happen, to take place; **V.swahrscheinlichkeit** *f* probability of occurrence

Vor|kommnis *nt* occurrence, incident, event; **V.konferenz** *f* pre-conference; **V.konnossement** *nt* previous/through bill of lading (B/L); **V.konto** *nt* preliminary account; **V.kontrakt** *m (Rohstoffe)* futures contract; **V.kosten** *pl* preliminary cost(s)/expense; **V.kostenstelle** *f* indirect cost centre; **V.kredit** *m* preliminary loan; **V.kriegs-** prewar; **V.kurs** *m* preparatory course

vorladen *v/t* [§] to summon/cite/subpoena/garnish, to issue a summons; **jdn v.** to serve notice on so., to issue a writ against so.; **amtlich v.** to convene; **gerichtlich v.** to summon, to serve notice (on so.); **jdn ~ lassen** to take out a summons against so.

Vorladung *f* [§] summons, citation, subpoena, garnishment; **V. des Beklagten** capias ad respondendum *(lat.) [GB]*; **V. eines Drittschuldners** garnishment; **V. vor Gericht** writ of summons; **gerichtliche V. wegen Nichtzahlens der Urteilsschuld** judgment summons; **V. unter Strafandrohung** (writ of) subpoena; **V. als Zeuge** witness order

Vorladung ergehen lassen/erwirken gegen jdn to take out a summons/writ against so.; **V. erhalten** to be served with a summons; **einer V. Folge leisten; ~ nachkommen** to answer a summons; **V. zustellen** to serve a writ/summons

gerichtliche Vorladung [§] summons, judicial writ; **persönliche V.** peremptory writ; **polizeiliche V.** police summons; **schriftliche V.** letters citatory

Vorladungsbefehl *m* [§] (writ of) summons

Vorlage *f* 1. model, pattern; 2. *(Dokument)* submission, exhibition; 3. *(Wechsel/Scheck)* presentation, production; 4. *(Entwurf)* draft; 5. *(Gesetzentwurf)* bill; 6. *(Geld)* advance(ment); **V.n** ⊖ manufacturing documents; **bei/gegen V.** on presentation/demand/production, at sight, against production; **zur V.** please represent; **~ bei** for submission to

Vorlage zum Akzept; V. zur Annahme presentation/presentment for acceptance; **V. von Beweismaterial** [§] submission of evidence; **V. der Dokumente** presentation/tender of documents; **V. des Geschäftsberichts** presentation of the annual report; **~ Gesetzentwurfs** introduction of the bill; **V. zum Inkasso** presentation for payment/collection; **V. des Jahresabschlusses** presentation of the year-end financial statements; **V. von Urkunden** production of documents, exhibition of deeds; **V. einer Urkunde bei Gericht** profert (in curiam) *(lat.)*; **V. zur Zahlung** presentation for payment; **~ innerhalb einer angemessenen Zeit** presentation for payment within reasonable time

fällig bei Vorlage due on presentation, payable at sight; **zahlbar bei V.** payable on presentation/demand; **~ der Dokumente** payable on presentation of the documents

Vorlage ablehnen *(Parlament)* to kill a bill *(coll)*; **bei V. akzeptieren** to accept upon presentation; **als V. dienen** to serve as a model; **V. durchbringen** to pilot a bill through parliament; **V. einbringen** to introduce a bill; **V. entgegennehmen** [§] to take submissions; **bei V. honorieren** to honour upon presentation; **V. machen/unterbreiten** to make a submission; **in V. treten** to advance (a sum/funds); **V. verabschieden** *(Parlament)* to pass a bill; **V. von Urkunden verlangen** to call for the production of documents; **bei V. zahlbar werden** to be payable on presentation

Vorlage|frist *f* (time) limit for submission; **V.mappe** *f* bring-up file; **V.ort** *m* place of presentation; **V.pflicht** *f* [§] liability to make discovery, ~ to discover/submit, requirement to produce; **V.provision** *f* 1. overdraft; 2. *(Agent)* outlay commission; **V.schreiben an ein höheres Gericht** *nt* letter missive; **V.tag** *m* date of presentation; **V.verzug** *m* delay in presentation, delayed presentation

Vor-, Zwischen- und Nachlagerung *f* transit storage

vorlassen *v/t* to admit; **jdn v.** to let so. pass, ~ go first

Vorlast *f* [§] prior charge/encumbrance; **v.ig** *adj* ⚓ down by the head

Vorlauf *m* 1. run-up; 2. *(Transport)* on-carriage, pre-carriage; 3. pre-production run; 4. 💻 leader; **konjunkturbedingter V.- und Nachlauf** cyclical leads and lags

Vorläufer(in) *m/f* forerunner, predecessor, precursor

Vorlauffinanzierung *f* front-end payment

vorläufig *adj* 1. temporary, pro tem(pore) *(lat.)*; 2. *(Regelung)* provisional, interim, preliminary, tentative; 3. *(Besetzung)* caretaker; 4. [§] interlocutory; *adv* for the time being, for the short term, as a provisional measure

Vorlauf|information *f* header information; **V.karte** *f* header record, lead card; **V.kosten** *pl* 1. run-up/front-end/pre-production costs, preliminary expense; 2. up-front/preliminary payment; **V.modell** *nt* pre-production model; **V.programm** *nt* preparatory programme; **V.transport** *m* pre-carriage; **V.zahlungen** *pl* up-front cash expenditure; **V.zeit** *f* lead time; ~ **der Fertigung** manufacturing lead time

Vorleben *nt* record, past history, background

Vorlegefrist *f* presentation period

vorlegen *v/t* 1. to submit/file/present; 2. *(Dokument)* to tender/furnish; 3. *(Urkunde)* to produce; 4. *(Geld)* to advance, to put up; 5. *(Plan)* to submit/unfold; 6. *(zur Zahlung)* to present; **jdm etw. v.** to place sth. before so.; **nochmals v.** to present again

Vorleger *m* 1. *(Scheck)* presenter; 2. *(Teppich)* rug

Vorlegung *f* → **Vorlage** presentation, production; **V. zum Akzept** presentation for acceptance; **V. zur Zahlung** presentation for payment

Vorlegungs|bescheinigung *f* *(Wechsel)* certificate of presentation; **V.frist** *f (Scheck/Wechsel)* presentation period, period for presentation; **V.gebot** *nt* directions to present; **V.ort** *m* place of presentation; **V.pflicht** *f* obligation to present; **V.verbot** *nt* instruction not to present; **V.vermerk** *m* note concerning presentation

Vorleistung *f* 1. *(Zahlung)* advance (payment), outlay; 2. *(Arbeit)* input, pioneering/preliminary work; 3. *(Politik)* concession; **V.en** purchases of goods and services, input-related expenditure; ~ **erbringen** to make advance deliveries/payments; **V.sbereich** *m* upstream industry; **V.skoeffizient** *m* input coefficient; **V.spflicht** *f* § advance performance obligation

vorlesen *v/t* to read (out)

Vorlesung *f* 1. lecture; 2. reading, recital; **V. besuchen** to attend a lecture; **V. halten** to give/deliver a lecture; **V.sbeginn** *m* commencement of lectures; **V.betrieb** *m* lectures; **V.sboykott** *m* boycott of lectures; **V.sreihe** *f* series of lectures; **V.sstreik** *m* (university) teachers' strike; **V.sverzeichnis** *nt* syllabus; **V.szyklus** *m* course of lectures

vorletzte(r, s) *adj* last but one, penultimate, latest

mit etw. vorlieb nehmen *v/i* to put up with sth.

Vorliebe *f* predilection, liking, preference, like, penchant, inclination, bias; **V. haben für etw.** to have a taste for sth.

Vorlieferant *m* supplier (of vendor)

Vorliegen *nt* existence; **v.** *v/i* 1. to be available/in, to have come in; 2. *(Antrag)* to be on the table; 3. *(Buch)* to be out; **jdm v.** to be with so.; **v.d** *adj* present, on hand, existing, available; **v.de Sache** matter in hand

Vor|listung *f* prelisting; **V.lizenz** *f* interim/preliminary licence

vormachen *v/t* to demonstrate/show; **sich nichts v.** to be under no illusions

Vormachtstellung *f* supremacy, hegemony; **wirtschaftliche V.** economic predominance

vor|malig *adj* formar; **v.mals** *adv* formerly; **V.mann** *m* 1. prior party; 2. *(Scheck/Wechsel)* previous holder, prior/preceding endorser, predecessor in interest; **V.markt** *m* primary market

Vormarsch *m* advance; **V. stoppen** to check/stem the advance

Vormaterial *nt* primary/input material, feedstock(s); **V.verteuerung** *f* price increase of feedstocks, ~ input materials

Vormerk|auftrag *m* provisional booking order; **V.-buch** *nt* notebook, tickler, memo(randum) book

vormerken *v/t* 1. to reserve, to note down; 2. *(Auftrag)* to earmark/book; 3. to put so.'s name down; **sich etw. v.** to make a note of sth.; **sich v. lassen** to put one's name down

Vormerk|gebühr *f* reservation fee; **V.kalender** *m* (scribbling) diary, memo calendar, tickler; **V.kartei** *f* memo(randum) card index; **V.liste** *f* waiting list; **V.provision** *f* booking commission

Vormerkung *f* 1. registration, reservation; 2. *(Grundbuch)* provisional entry, caution, priority notice; **V. zum Protest** *(Wechsel)* note for protest; **V. eintragen lassen** to register a caution, to put in a caveat *(lat.)*; **in V. nehmen** to place on file, to record; **V.sbegünstigte(r)** *f/m (Grundbuch)* cautioner; **V.sberechtigte(r)** *f/m* pre-emptioner; **V.sgebühr** *f* reservation fee

Vormerkverfahren *nt* ⊝ temporary import procedure

Vormittag *m* forenoon, morning; **V.sbörse** *f* morning kerb *[GB]*/curb *[US]*; **V.sleerung** *f* ✉ early collection; **V.spost** *f* morning mail

Vormonat *m* previous month; **im V.** last month; **V.sabschnitt/V.szeitraum** *m* corresponding/same period of last month; **V.sergebnis** *nt* result of the previous month

Vormont|age *f* pre-assembly; **v.ieren** *v/t* to pre-assemble

Vormund *m* § guardian, custodian, curator; **V. und Mündel** guardian and ward; **V. bestellen** to appoint a guardian; **gesetzlicher V.** statutory/legally appointed guardian; **natürlicher V.** natural guardian; **V.bestellung** *f* appointment of a guardian

Vormundschaft *f* guardianship, ward(ship), custodianship, child custody, tutelage; **unter V.** in ward/care, under wardship; ~ **stehen** to be under the care of a guardian; **unter jds V. stehen** to be in ward to so.; **unter gerichtlicher V. stehen** to be a ward of court; **unter V. stellen** to place in care, ~ under the care of a guardian; **gerichtlich bestellte V.** legal custody

vormundschaftlich *adj* custodial, tutelary, curatorial

Vormundschafts|abteilung *f* guardianship department; **V.amt** *nt* curatorship, guardianship; **V.antrag** *m* application of wardship; **V.beihilfe** *f* guardian's allowance; **V.beschluss** *m* § custody/care and protection order; **V.gericht** *nt* guardianship court; **V.gesetz** *nt* Guardianship Act *[GB]*; **V.richter** *m* judge at a guardianship court; **V.sache** *f* guardianship case

vorn *adv* 1. in front; 2. up front; forward, ahead; **von v.** from scratch; ~ **bis hinten** from start to finish

Vornahme *f* execution, undertaking; **V. einer unzüchtigen Handlung** act of indecency

Vorname *m* first/given *[US]*/Christian name, forename; **V.- und Zuname** full name; **zweiter V.** middle name

vornehm *adj* distinguished, refined, prestigious, elegant, stylish, genteel, noble, fashionable, exclusive, plush, posh *(coll)*

vornehmen *v/t* to take in hand, to undertake/effect/apply/make, to carry out; **sich etw. v.** to intend to do sth.; **sich jdn v.** *(fig)* to take so. to task, ~ by the button *(fig)*; **sich zu viel v.** to take on too much

vornehmlich *adv* first and foremost, primarily

von vornherein *adv* form the outset

vornummeriert *adj* prenumbered

Vorort *m* suburb; **V.e** suburbia *[GB]*, exurbia *[US]*; **V.bahn** *f* 🚃 suburban railway/line; **V.sgespräch** *nt* ✆ toll call; **V.(s)verkehr** *m* suburban traffic; **V.werbung** *f* point of purchase advertising; **V.zug** *m* 🚃 suburban/shuttle/commuter train

Vor|papier *nt* ⊝ preceding document; **V.patent** *nt* prior patent; **V.periode** *f* previous period; **v.pfänden** *v/t* to seize under a prior claim; **V.pfändung** *f* prior attachment, provisional garnishment, seizure under a prior claim, preliminary notice of attachment; **v.planen** *v/t* to plan beforehand; **V.planung** *f* preliminary planning; **V.posten** *m* outpost, outstation

Vorprämie *f* *(Optionshandel)* call (premium/option), premium for the call; **V. kaufen** to give for the call; **V. nehmen/verkaufen** to take for the call; **V.ngeschäft** *nt* call option, trading in calls; **V.nkäufer** *m* giver for a call; **V.nkurs** *m* call price

vor|prellen/v.preschen *v/i* to bound ahead; **V.produkt** *nt* primary/preliminary/intermediate product, feedstock, input material, initial product/component; **V.produktpreis** *m* price for input materials, primary product price; **V.produzent** *m* previous producer

Vorprogramm *nt* introductory/supporting programme; **v.ieren** *v/t* to preprogramme; **v.iert** *adj* 1. automatic; 2. predetermined

Vorprojekt *nt* pilot study/scheme; **v.ieren** *v/t* to plan in advance; **V.ion** *f* to plan in advance; **V.ierung** *f* preliminary study

Vor|prospekt *m* advance prospectus; **V.prüfer** *m (Pat.)* primary examiner; **V.prüfung** *f* 1. preliminary examination; 2. *(Bilanz)* preliminary/administrative audit, preaudit; 3. initial appraisal, feasibility study

vorqualifizier|en *v/refl* to prequalify; **v.t** *adj* prequalified; **V.ung** *f (Ausschreibung)* prequalification; **V.ungsunterlagen** *pl* prequalification documents

Vorquartal *nt* previous quarter; **V.sergebnis** *nt* result in the previous quarter

Vorrang *m* precedence, (top) priority, preference, seniority, antecedence; **V. eines Anspruchs** priority of a claim; **V. der Ertragsrechnung** emphasis on income

Vorrang beanspruchen to claim priority; **mit V. behandeln** to give/accord priority treatment; **V. einräumen** to give priority to, to accord/yield precedence; **V. genießen** to enjoy priority; **V. haben (vor)** to take/have priority, ~ precedence, to precede/antecede/prevail (over)

Vorrang|bereich *m* prior-ranking sector; **V.bereitschaft** *f* 🖳 priority alert mode; **V.dividende** *f* preferential dividend; **V.ebene** *f* prior(ity) level; **V.hypothek** *f* underlying/senior mortgage

vorrangig *adj* preferential, senior, prior-ranking, overriding, major, antecedent, paramount; **absolut v.** pre-preferential

Vorrang|matrix *f* *(OR)* precedence matrix; **V.regel** *f* preference rule; **V.saktie** *f* preference share *[GB]*, preferred/classified stock *[US]*

Vorrangstellung *f* precedence, priority, pre-eminence, domination; **V. behaupten** to maintain one's leading position; **V. einnehmen** to take a leading position

Vorrangverarbeitung *f* priority scheduling

Vorrat *m* stock(s) (in/on hand), store, supply, stockpile, bank, holding, reserve, reservoir; **Vorräte** 1. inventory, stocks, resources, goods on hand; 2. *(Lebensmittel)* provisions; **V. an Fertigerzeugnissen** stock of finished goods, finished goods inventory

Vorräte abbauen to destock, to reduce stocks, to cut inventories; **V. angreifen** to touch provisions; **V. anlegen** to lay in provisions/stock(s), to store away, to stockpile; **auf Vorrat arbeiten** to work on stock; **V. auffrischen/auffüllen/aufstocken/ergänzen/erneuern** to replenish stocks/supplies, to restock, to build up the inventory; **auf Vorrat disponieren** to buy for stock; **V. einlagern** to lay in stocks/provisions; **auf V. haben** to have in stock; **zu großen Vorrat haben** to be overstocked; **knappe V. haben** to be in short supply; **zu wenig V. haben** to be understocked; **auf Vorrat kaufen** to stockpile, to stock up with; **~ produzieren** to make for stock; **V. verringern** to destock; **sich einen Vorrat zulegen** to lay in a stock, to stockpile; **auf V. zurückgreifen** to draw on stocks

abbaubare Vorräte ⚒ recoverable/workable reserves; **ausreichende V.** adequate supplies; **erschöpfte V.** depleted stocks; **frische V.** fresh supplies; **getrennt gelagerte V.** bin reserve; **geringer Vorrat** scant supply; **große V.** substantial reserves; **zu großer Vorrat** oversupply; **heimlicher Vorrat** hoard; **knappe V.** stock shortage; **kümmerliche V.** scanty supplies; **reifende V.** *(Spirituosen)* maturing stocks; **sichere V.** proven reserves; **versteckte V.** cache; **vorhandene V.** supply on hand; **wahrscheinliche V.** potential reserves

Vorräte|bewertung *f* inventory pricing; **V.konto** *nt* inventory account; **V.versicherung** *f* inventory insurance

vorrätig *adj* 1. in stock/store/reserve, available, on hand, stocked; 2. *(Buch)* in print; **nicht v.** out of stock; **v. haben** to stock, to keep in store; **nicht v. haben** to be out of stock (of)

Vorrats|abbau *m* destocking, reduction/rundown of stocks, inventory reduction; **V.aktie** *f* reserve/disposable share, share in reserve, reserve stock *[US]*; **V.aktien** company's own shares; **V.anfertigung** *f* production for stock; **V.anlage/V.ansammlung** *f* stockpiling; **V.auffüllung/V.aufstockung** *f* replenishment of stocks, inventory build-up; **V.auftrag** *m* inventory order; **V.bau** *m* 🏛 advance building

Vorratsbewertung *f* inventory valuation/pricing, stock appraisal/valuation; **V. anhand des Rohgewinns** gross profit method (of inventory); **V.srücklage/-stellung** *f* stock adjustment reserve

Vorrats|bewirtschaftung *f* inventory management; **V.bildung** *f* inventory build-up/investment; **V.dispositionen** *pl* stocking arrangements; **V.einkäufe** *pl* stockpiling; **V.emission** *f* issue for stock; **V.entnahme**

f drawing from stock; **V.fertigung** *f* production to stock; **V.grundstücke** *pl* land bank; **V.gruppe** *f (Lifo-Bestandsbewertung)* lifo-pool; **V.haltung** *f* inventory management, stock-keeping, stockpiling; **zu hohe V.haltung** overstocking; **v.intensiv** *adj* inventory-intensive, carrying large stocks; **V.inventur** *f* physical inventory; **V.investitionen** *pl* investment in stocks/inventories, inventory investment, capital expenditure on stocks; **negative V.investitionen** inventory disinvestment; **V.kammer** *f* 1. store room; 2. *(Küche)* pantry, larder; **V.käufe** *pl* 1. stockbuilding purchases, stockpiling demand; 2. *(Börse)* hedge buying; **~ auf lange Sicht** long-term stocking up; **V.konto** *nt* inventory/cash reserve account; **V.kredit** *m* inventory financing, stock-financing loan, credit for financing business stocks

Vorratslager *nt* stocks (on hand), buffer stock(s), inventory, warehouse, depot, stockpile, supply base, substore; **V. anlegen** to lay in stock, to stock up, to stockpile; **öffentliches V.** public store

Vorratsllagerung *f* stockpiling; **V.land** *nt* land held for future building, land bank, non-plant land; **V.patent** *nt* reserve patent; **V.pfändung** *f* collective garnishment of future claims; **V.plan** *m* inventories budget; **V.planung** *f* stock planning; **V.politik** *f* stockpiling policy; **V.produktion** *f* production for inventory/stock, make-to-stock production; **V.raum** *m* stock room, magazine; **V.schiff** *nt* supply ship; **V.speicher** *m* 🚜 *(Getreide)* granary

Vorratsstelle *f* storage/stockpiling agency; **staatliche V.** government storage agency; **V.nwechsel** *m* storage agency bill

Vorratsltank *m* storage tank; **V.überhang** *m* surplus stock(s); **V.veränderungen** *pl* inventory changes; **V.vermögen** *nt* inventories, inventory, stock-in-trade, stock on/in hand, trader's stock, capital stock; **V.verzeichnis** *nt* inventory list; **V.volumen** *nt* inventory volume; **V.wirtschaft** *f* stockpiling, inventory control/management

Vorlraum *m* 1. lobby, foyer; 2. outer office; **V.rechner** *m* 💻 front-end processor

Vorrecht *nt* privilege, prerogative, preferential/prior right, priority, precedence; **V.e, Befreiungen und Immunitäten** privileges, exemptions and immunities; **V. einräumen/gewähren** to grant a privilege; **auf ein V. verzichten** to waive a privilege; **diplomatisches V.** diplomatic immunity; **unabdingbares V.** absolute privilege; **V.saktie** *f* preference share; **V.serklärung** *f* declaration of priority; **V.sforderung** *f* preference claim; **V.sgläubiger(in)** *m/f* preferred creditor

Vorlrede *f* preface, preamble, prefatory remarks; **V.redner(in)** *m/f* preceding/previous speaker; **V.reeder** *m* ⚓ previous carrier; **V.regelung** *f* stipulation in advance

Vorreiter *m* pioneer, pacesetter, leader, trailblazer, precursor; **V. sein** to set the pace; **V.rolle** *f* pioneering role; **V.system bei Tarifverhandlungen** *nt* pattern bargaining

Vorrichtung *f* mechanism, device, gadget, appliance, machine; **V. zur Verringerung der Schadstoffemission** anti- pollution device; **maschinelle V.** mechanical device; **V.spatent** *nt* device patent

Vorrücken *nt* advance; **v.** *v/i* to advance, to move forward

Vorruhestand *m/f* early retirement (scheme), pre-retirement, job release (scheme); **V. bei voller Rentenzahlung ab 55 Jahre** job enhancement scheme; **in den V. treten** to retire early, to take early retirement

Vorruheständler *m* person taking early retirement

Vorruhestandslregelung *f* ➔ **Vorruhestand**; **V.verpflichtung** *f* early retirement obligation

Vorsaal *m* lobby

Vorsaison *f* early/low season; **Vor- und Nachsaison** off-season; **V.-** pre-season

Vorsatz *m* 1. intention, intent, resolution; 2. § criminal intent, wilfulness, premeditation; 3. *(Text)* header; **mit dem V. zu** § with intent to; **mit V. und Überzeugung** § criminal intent; **V. haben** to intend; **bedingter V.** contingent/conditional intent; **konkreter V.** specific intent; **mit verbrecherischem V.** § with malice aforethought; **vermuteter V.** § constructive malice; **V.-blätter** *pl* end papers

vorsätzlich *adj* § premeditated, wilful, deliberate, intentional; *adv* with malice aforethought, with intent, wilfully and knowingly; **v. und schuldhaft** by deliberation and through negligence; **V.keit** *f* wilfulness; **bewusst in Kauf genommene V.keit** constructive wilfulness

Vorschaden *m* previous loss

Vorschaltldarlehen *nt* preliminary loan; **V.gesellschaft** *f* holding company; **V.gesetz** *nt* interim law; **V.konto** *nt* preliminary account; **V.kredit** *m* preliminary credit

Vorschau *f* preview, forecast; **V.bilanz** *f* projected balance sheet; **V.rechnung** *f* budgetary accounting/forecast(ing)

zum Vorschein bringen *m* to reveal/show; **~ kommen** to emerge/appear, to come to light

vorlschieben *v/t* to use as a pretext; **v.schießen** *v/t* *(Geld)* to advance

Vorschlag *m* 1. proposal, proposition, suggestion, recommendation, advice; 2. *(Kandidat)* nomination; **auf V. von** at the proposal of; **V. zur Güte** conciliatory proposal

Vorschlag ablehnen to turn down/reject a proposal; **V. annehmen** to adopt a proposal; **V. ausarbeiten** to draft a proposal; **einem V. beipflichten** to concur with a proposal; **in V. bringen** to propose; **V. zu Fall bringen** to kill/scupper a proposal; **V. einbringen** to table a proposal; **V. einreichen** to put in a proposal; **V. erarbeiten** to hew/hammer out a proposal; **V. zum Beschluss erheben** to adopt a resolution; **V. erläutern** to set out a proposal; **V. genehmigen** to accept a proposal; **V. machen/unterbreiten** to make/submit/put forward a proposal, to make a recommendation; **V. scheitern lassen** to kill/scupper a proposal; **dem V. stattgeben** to adopt a proposal; **V. unterstützen; einem V. zustimmen** to endorse a proposal; **V. verwerfen/zurückweisen** 1. to overrule/reject/turn down a proposal; 2. [§] to rule a suggestion out of court

konkreter Vorschlag practical proposal; **verlockender V.** attractive proposal; **weitgehende Vorschläge** far-reaching proposals

vorschlagen *v/t* 1. to propose/suggest/recommend/advance, to put forward; 2. *(Beschluss)* to move; 3. *(Person)* to nominate; 4. to slate/overture; **jdm etw. v.** to put sth. to so.; **V.de(r)** *f/m* proposer

Vorschlaghammer *m* sledgehammer

Vorschlags|entwurf *m* draft proposal; **V.liste** *f* recommended/proposed list; **V.recht** *nt* right of nomination/proposal; **V.wesen** *nt* suggestion scheme; **betriebliches V.wesen** employee/company suggestion plan, ~ scheme

vorschreiben *v/t* 1. to prescribe/stipulate/specify/dictate/impose, to lay down, to make obligatory, to provide for; 2. [§] to enjoin; **jdm etw. v.** to make sth. mandatory upon so.

Vorschrift *f* 1. *(Gesetz)* regulation, rule, stipulation, instruction, provision, directive, formula; 2. *(Anweisung)* order, instruction, mandatory requirement; **V.en** rule book; **gegen die V.en** in breach of the rules; **laut V.; den V.en entsprechend** according to rule/regulations, in accordance with regulations

Vorschrift|en über die Aufrechterhaltung des Versicherungsschutzes *(Rückkauf der Police)* non-forfeiture provisions; **~ Bildung von Rücklagen** reserve requirements; **V.en des Einkommensteuerrechts** rules of income tax law; **~ über die Kennzeichnung** marking requirements; **V. durch Rechtsverordnung** [§] statutory order; **V.en über die Sortierung, die Einteilung nach Güteklassen und den Absatz von Waren** regulations for the classification, grading or marketing of commodities; **V.en eines Vertrages** contractual provisions, provisions/terms of a contract; **V. x zu Kapitel y** *(Brüsseler Erläuterungen)* note x to chapter y

nach Vorschrift arbeiten to work to rule; **V. zu weit auslegen** to stretch a rule; **V.en nicht beachten** to contravene regulations; **~ einhalten; den ~ genügen** to comply with the regulations/rules; **den ~ entsprechen** to conform to (the) regulations; **~ erlassen** to impose regulations, to adopt provisions; **sich an die ~ halten** to abide by the regulations; **sich an die gesetzlichen ~ halten** to comply with the law; **den ~ Genüge leisten** to comply with the rules; **V. lockern** to relax a rule; **V.en machen** to prescribe; **~ umgehen** to evade rules; **streng nach V. verfahren** to go by the rule book; **V.en verletzen** to break/disobey the rules; **~ verschärfen** to tighten/toughen regulations; **gegen eine V. verstoßen; einer V. zuwiderhandeln** to contravene a rule, ~ regulations

arbeitsrechtliche Vorschriften labour regulations; **bahnamtliche V.** railway regulations; **baupolizeiliche/-rechtliche V.** building regulations, zoning ordinances; **behördliche V.** official regulations; **bilanzrechtliche V.** accounting regulations; **absolut bindende Vorschrift** hard and fast rule; **einführende V.** preliminary provisions; **einschlägige V.** relevant provisions; **gegensätzliche V.** conflicting regulations; **ungeachtet gegenteiliger V.** notwithstanding any provisions to the contrary; **geltende V.** provisions/regulations in force; **gesetzliche V.** statutory provisions/requirements, legal requirements; **gesundheitstechnische V.** health provisions; **innerstaatliche V.** domestic regulations; **konkursrechtliche V.** bankruptcy rules; **lebensmittelrechtliche V.** requirements of food law; **materiell-rechtliche V.** substantive provisions; **nachgiebige V.** non-compulsory provisions; **polizeiliche V.** police regulations; **postalische V.** postal regulations; **prozessuale V.** [§] procedural rules, rules of procedure; **staatliche V.** government regulations; **steuerrechtliche V.** fiscal/tax-law provisions; **verfahrensrechtliche/-technische V.** [§] procedural rules; **verfassungsrechtliche V.** constitutional requirements; **widersprechende V.** conflicting rules; **zwingende V.** binding/peremptory rules, mandatory provisions

Vorschriften|buch/V.sammlung *nt/f* rule book

vorschrifts|gemäß/v.mäßig *adj* correct, regular, statutory; *adv* duly, according to regulations, in due form, as instructed/directed; **nicht v.mäßig** irregular; **v.widrig** *adj* irregular, improper, contrary to regulations; **V.widrigkeit** *f* irregularity, contravention of regulations

Vorschub *m* 1. [§] abetment, aid; 2. 🖳 carriage; 3. ✿ feed; **V. leisten** 1. to encourage; 2. [§] to aid and abet, to abet; 3. *(stillschweigend)* to connive; **V.leistung** *f* aiding and abetting

Vorschul|e *f* infant/private/prep(aratory) *[GB]* school; **V.erziehung** *f* pre-school education

Vorschuss *m* 1. advance (payment)/credit, disbursement, retaining fee; 2. *(Lohn)* wage advance, subsistence money; **V. in bar** cash advance; **V. aus öffentlichen Mitteln** imprest; **V. auf Waren** advance against merchandise; **~ Wertpapiere** advance on securities; **V. bewilligen** to grant an advance; **V. geben/gewähren** to advance; **V. leisten** to make an advance payment, to advance (money); **V. nehmen** to anticipate salary; **V. zahlen** to advance funds; **rückzahlbarer und unverzinslicher V.** repayable and interest-free advance

Vorschuss|dividende *f* interim dividend, dividend on account; **V.genossenschaft** *f* small-loan company

vorschüssig *adj* in advance

Vorschuss|kasse *f* loan office; **V.klausel** *f (Konnossement)* red clause; **V.konto** *nt* advance/imprest account; **V.lorbeeren** *pl* premature praise; **mit ~ bedenken** to give premature praise; **V.provision** *f* overdraft commission; **V.verein** *m* loan/lending society; **V.wechsel** *m* advance/collateral bill; **V.zahlung** *f* advance payment; **V.zins** *m* advance/negative interest, early withdrawal penalty, penalty interest on early settlement

vor|schützen *v/t* to pretend, to put forward as a pretext; **jdm v.schweben** *v/i* to have in mind

vorsehen *v/t* 1. to plan/envisage/schedule/project, to target (for), to provide/cater for, to envision; 2. *(Geld/Kosten)* to earmark/allot, to set aside; 3. *(Gerät)* to design/designate; *v/refl* to watch out, to be careful, to look about

Vorserie *f* pilot lot/production/run

Vorsicht *f* care, caution, prudence, circumspection, vigilance; **V.!** Handle with care; **V.! Glas!** Glass, handle with care; **V.! Nicht knicken** Do not bend; **V.! Zerbrechlich!** Fragile, handle with care; **mit aller gebotenen V.** with all due caution

etw. mit Vorsicht betrachten to take a cautious view of sth.; **mit äußerster V. zu Werke gehen** to proceed with the utmost care; **mit V. genießen** *(fig)* to take with a pinch of salt *(fig.)*; **V. walten lassen** to exercise caution/care; **zur V. mahnen** to strike a note of caution; **~ raten** to recommend caution; **alle V. über Bord werfen** to cast all prudence to the winds, to throw all caution to the winds

angemessene Vorsicht reasonable care; **übertriebene V.** overcaution

vorsichtig *adj* 1. cautious, careful, prudent, circumspect; 2. wary, watchful, vigilant; 3. *(Schätzung)* conservative

Vorsichts|grundsatz *m* conservatism; **v.halber** *adv* as a precaution, to be on the safe side; **V.hinweis** *m* note of caution; **V.kasse** *f* precautionary balance/holding; **V.markierung** *f* caution mark

Vorsichtsmaßnahme *f* safeguard, precaution, precautionary measure; **als V.** as a precaution; **V.n ergreifen/treffen** to take precautions

Vorsichts|maßregel *f* precaution; **V.motiv** *nt* precautionary motive; **V.prinzip** *nt* prudence concept, principle of conservatism/caution; **V.tafel** *f* warning notice

Vorsitz *m* chair(manship), presidency, headship; **V. in der Hauptversammlung** chairmanship in the general meeting; **V. einnehmen** to take the chair; **V. führen/(inne)haben** 1. to preside/chair/moderate/head, to take/occupy the chair, to be in the chair, to act as chairman; 2. § to preside over a trial; **V. niederlegen** to resign as chairman/chairperson; **V. übernehmen** to take the chair

vorsitzen *v/i* to preside (over), to chair

Vorsitzende *f* chairwoman; **V.(r)** *f/m* chairperson: **V.r** *m* 1. chairman, president *[US]*; 2. § presiding judge

Vorsitzender des Aufsichtsrates chairman of the (supervisory) board; **~ Betriebsrats** works convenor *[GB]*; **~ Gerichts** presiding judge; **V. der Vertrauensleute** (works) convener, convenor; **V. des Verwaltungsrats** chairman of the board (of directors); **~ Vorstands** chairman of the executive/management board, president *[US]*, chief executive officer (CEO)

als Vorsitzende|r fungieren to act as chairman, to preside over/chair; **jdn zum V.n wählen** to elect so. chairman; **sich an den V.n wenden** to address the chair

ehrenamtlicher Vorsitzender honorary chairman; **stellvertretender V.** vice-chairman, deputy chairman, vice-president *[US]*

Vorsitzer *m* chairman, chief executive (officer), president *[US]*

Vorsorge *f* 1. provision, precaution, foresight; 2. *(Sparen)* thrift; **V. für Berichtigungen** allowance for readjustments; **V. treffen** to make provisions, to provide, to take precautions; **V. fürs Alter treffen** to make provisions for one's old age; **mangelnde V.** improvidence; **staatliche V.** government provisions

Vorsorge|aufwand/V.aufwendungen *m/pl* expenses of a provident nature; **V.kalkulation** *f* precautionary calculation; **V.kapital** *nt* contingency funds; **V.maßnahme** *f* precautionary measure; **V.motiv** *nt* precautionary motive

vorsorgen *v/i* to provide, to make provisions for

Vorsorge|pauschale/V.pauschbetrag *f/m* contingency sum, blanket allowance; **V.plan** *m* contingency plan/scheme; **V.reserve** *f* 1. contingency reserves; 2. buffer stocks; **V.untersuchung** *f* ⚕ (prophylactic) medical check(up), screening; **V.verein** *m* provident society; **V.versicherung** *f* insurance of future risks

vorsorglich *adj* 1. necessary, precautionary, provident; 2. *(Sparen)* thrifty; *adv* as a precaution

vorsortier|en *v/t* to pre-sort; **V.ung** *f* pre-sorting; **v.t** *adj* presequenced

Vor|spalte *f* previous column; **V.spann** *m (Film)* credits; **V.spesen** *pl (Wechsel)* expenses on returned bill of exchange; **v.spiegeln** *v/t* to pretend/delude

Vorspiegelung *f* pretence, delusion; **V. des Bestehens einer Ehe** § jactitation of marriage; **V. falscher Tatsachen** § false pretence, misrepresentation, fraudulent representations, false statement of facts; **unter ~ Tatsachen** under false pretence

vorsprechen *v/i* to call, to drop in *(coll)*; **wegen etw. v.** to call about sth.

Vorspruch *m* preamble

Vorsprung *m* 1. lead; 2. advance, head start; 3. 🏛 projection; **jds V. einholen** to catch up with so.; **V. vor anderen haben** to be ahead of others; **knapper V.** edge; **zeitlicher V.** forward state

Vorstadt *f* suburb; **V.-** suburban *[GB]*, exurban *[US]*; **V.bereich** *m* suburbia *[GB]*, exurbia *[US]*; **V.bewohner(in)** *m/f* suburbanite *[GB]*, exurbanite *[US]*

vorstädtisch *adj* suburban *[GB]*, exurban *[US]*

Vorstadt|landschaft/V.welt *f* suburbia *[GB]*, exurbia *[US]*

Vorstand *m* 1. company/management/managing board, (board of) management, executive board/committee, board of managing/executive directors, boardroom, governing body, executive; 2. *(Stiftung)* board of trustees, directorate; 3. *(Person)* (managing/executive) director; **im V.** at board level, on the board; **V. einer Gesellschaft** officers of a company/corporation; **V. für das Personalwesen** vice-president for employee relations/personnel

in den Vorstand aufnehmen/berufen to elect/appoint to the board; **jdn zum ordentlichen Mitglied des V.s bestellen** to appoint so. as a full member of the board of managing directors; **in den V. eintreten** to join the board; **V. entlasten; dem V. Entlastung erteilen** to discharge the board, to approve the board's decisions; **im V. sein** to be on the board; **dem V. gegenüber verantwortlich sein** to report to the board; **in den V. wählen** to elect to the board

beschlussfähiger Vorstand quorum of directors; **geschäftsführender V.** executive committee, management board

Vorstands|aktien *pl* management shares *[GB]*/stocks

[US]; **V.amt** *nt* managerial/executive position; **V.anwärter** *m* board candidate; **V.assistent** *m* managerial/management assistant; **V.berater** *m* management consultant; **V.bereich** *m* management control; **V.bericht** *m* directors'/management report, report of the directors; **V.beschluss** *m* management/board decision; **V.bestellung** *f* appointment to the board; **V.beteiligungen** *pl* managers' interests; **V.bezüge** *pl* directors' emoluments, managerial salaries, executive pay, top management rewards/wages, remuneration of managing directors, boardroom pay bill; **V.ebene** *f* executive floor; **auf V.ebene** at board level; **V.etage** *f* (corporate) boardroom, executive suite/floor, management floor; **V.funktion** *f* (top-)executive function; **V.gremium** *nt* management board; **V.kandidat** *m* board candidate; **V.kollege** *m* fellow board member; **V.kollegium** *nt* management board; **V.mehrheit** *f* board majority

Vorstandsmitglied *nt* executive, managing director, member of the (management) board, ~ managing committee, managing board member, officer (of a company/corporation); **V. bestellen** to appoint a member of the board

aktives Vorstandsmitglied working/executive director; **ausscheidendes V.** retiring board member; **lebenslänglich bestelltes V.** life director; **geschäftsführendes V.** managing director; **kaufmännisches V.** commercial manager; **stellvertretendes V.** deputy board member

Vorstands|position/V.posten/V.sitz *f/m* directorship; **V.ressort** *nt* management department/division/control; **V.sekretärin** *f* board secretary; **V.sitzung** *f* board/corporate meeting, meeting of the executive board; **V.sprecher(in)** *m/f* company secretary/spokesman/spokeswoman/spokesperson, chief executive officer (CEO), managing director, executive chairman, president of the managing board, chairman of the management/executive board; **V.stellvertreter** *m* deputy board member; **V.vergütung** *f* → **V.bezüge**; **V.vertrag** *m* management contract; **V.vorsitz** *m* managing directorship

Vorstandsvorsitzender *m* managing director, president, chief executive (officer), chairman of the executive board, executive chairman, chairman/president of the management board; **V. des Konzerns** group chief executive; **designierter V.** chairman elect; **zukünftiger V.** chairman/chief executive designate

Vorstands|wahl *f* board/corporate *[US]* election, election of the board, election to the executive; **V.wechsel** *m* boardroom/management changes; **V.zimmer** *nt* boardroom

vorstehen *v/i* to preside/chair/head/manage; **v.d** *adj* preceding, aforesaid; *adv* thereinbefore, hereinbefore, hereinabove

Vorsteher *m* manager, principal, director, headman, warden, master

vorstellbar *adj* imaginable, conceivable

vorstellen *v/t* to present/introduce; to take the wraps off sth. *[coll]*; *v/refl* to imagine/conceive/see, to have in mind, to form an idea; **sich selbst v.** to introduce o.s.

vorstellig werden *adj* 1. to make representations; 2. to complain, to lodge a complaint

Vorstellung *f* 1. (re)presentation; 2. conception, idea, notion, vision; 3. *(Person)* introduction; 4. 🎭 performance; 5. *(Eisenbahnfahrzeug/Flugzeug)* roll-out; **sich eine falsche V. machen** to misconceive; **feste V. haben** to have a clear conception

falsche Vorstellung misconception; **geistige V.** mental image; **geschlossene V.** 🎭 private performance; **persönliche V.** job interview; **schwache V.** faint idea; **ungefähre V.** rough/general idea; **ungenaue/verschwommene V.** vague idea

Vorstellungs|bild *nt* mental picture; **V.gespräch** *nt* (job)/selection/employment interview; **~ mit jdm führen** to interview so.; **V.kosten** *pl (Bewerber)* interview expenses; **V.kraft/V.vermögen** *f/nt* imagination

Vorsteuer *f* 1. (pre-tax) input, prior tax; 2. *(Mehrwertsteuer)* input tax (VAT), tax prepayment *[GB]*; **V.abzug** *m* input tax reduction, deduction of input, ~ prior turnover tax, pre-tax allowance, input credit; **V.betrag** *m* input tax amount; **V.einkommen** *nt* pre-tax income; **V.gewinn** *m* pre-tax profit, earnings before tax, yield before taxation, profit before tax(ation); **V.kapitalrendite** *f* pre-tax return on equity; **V.pauschale** *f* pre-tax deduction; **V.rendite** *f* pre-tax return; **V.verfahren** *nt* prior turnover tax method; **V.vergütung** *f* prior turnover tax refund

Vor|steuerung *f* pilot control; **V.stoff** *m* 🝪 feedstock, raw/input material

Vorstoß *m* dash, drive, advance, venture; **V. auf einen Markt** move into a market; **V. in ausländische Märkte** push overseas; **v.en** *v/i* to advance/venture

Vorstrafe *f* previous/past/prior conviction; **V.n** police record; **einschlägige V.n** similar previous offences; **V.nregister/V.nliste** *nt/f* criminal/police record, record of convictions, list of previous convictions, slate *(coll)*; **V.nregister tilgen** to wipe the slate clean *(coll)*

vor|strecken *v/t* to advance; **V.studie** *f* feasibility/pilot/preliminary study; **V.stufe** *f* preliminary/early stage; **V.submissionsverfahren** *nt* pre-qualification

Vortag *m* previous day

Vortags|- *(Börse)* yesterday's; **V.einbuße** *f* yesterday's/previous day's loss; **V.gewinn** *m* yesterday's/previous day's gain; **V.niveau** *nt* overnight level; **über/unter V.niveau** above/below overnight levels; **V.schluss** *m* previous close, close of trading on the previous day; **über/unter V.schlusskurs notieren** *m* to close above/below yesterday's finish; **V.stand** *m* yesterday's level; **unter dem V.stand** below yesterday's level; **V.verlust** *m* previous day's loss(es)

Vortat *f* prior offence

Vortäuschen *nt* simulation, feigning; **V. einer Straftat** simulating the commission of a punishable act; **v.** *v/t* to pretend/purport/affect/sham/feign/simulate

Vortäuschung *f* pretence; **~ von Tatsachen** [§] misrepresentation of facts

Vorteil *m* 1. advantage, benefit, gain, convenience, upside; 2. asset; **V. (über)** pull (over); **V. der Massenfertigung** economies of mass production; **Vor- und**

Nachteile pros and cons, assets and drawbacks, advantages and disadvantages, merits and demerits; **zu seinem eigenen V.** for his own good, in his own interest; **auf den eigenen V. bedacht** self-seeking

Vorteil bieten to offer advantages; **V. erringen über jdn** to get an edge over so.; **jdm zum V. gereichen** to turn out to so.'s advantage; **V. haben (von)** to benefit/gain from; ~ **gegenüber** to have the edge on so.; **seinen eigenen V. im Auge haben** to have an eye to the main chance; **V. schlagen aus** to trade on; **im V. sein** to have the edge; **von V. sein** *(Bewerbung)* to be a plus; **mit V. verkaufen** to sell at a profit; **sich einen V. verschaffen** to obtain an advantage; **sich jdm gegenüber einen V. verschaffen** to get the advantage of so.; **sich einen unfairen V. verschaffen** to jump the gun *(fig)*; **seinen eigenen V. zu wahren wissen** to look after one's own interests, ~ number one *(coll)*; **rücksichtslos seinen V. wahren** to drive a hard bargain; **V. ziehen aus** to profit by, to benefit from, to trade on, to turn to account; **ungerechtfertigten V. ziehen** to take improper advantage

eigener Vorteil self-interest; **zum eigenen V.** for one's own gain; **erheblicher V.** material benefit; **unrechtmäßig erlangter V.** unfair advantage; **externe V.e** external benefits/economies; **geldwerter V.** pecuniary advantage, benefit in money's worth; **gewerbesteuerliche V.e** business tax incentive; **handelspolitische V.e** trade benefits; **komparativer V.** comparative advantage; **materieller V.** pecuniary advantage; **steuerlicher V.** tax advantage/benefit; **unangemessener/ungebührlicher V.** undue advantage; **ungerechtfertigter V.** improper advantage

vorteilhaft *adj* advantageous, favourable, beneficial, convenient, propitious, expedient, lucrative, profitable, gainful; **es v. finden** to find it to one's advantage; **V.igkeit** *f* profitability

Vorteilslausgleichung *f* adjustment of profit; **V.kriterium** *nt* yardstick of profitability; **V.nahme** *f* bribe-taking; **V.prinzip** *nt* benefit(s) (received) principle; **V.vergleich** *m* comparison of profitability

Vorltermin *m* previous maturity; **V.test** *m* pre-test

Vortrag *m* 1. lecture, talk; 2. paper; 3. delivery, rendering; 4. § pleadings, submission; 5. *(Buchung)* carry-forward, (balance) brought/carried forward; 6. *(Seitenende)* brought-down

Vortrag der Anklagebehörde § (statement of the) case for the prosecution; **V. auf das Bilanzkonto** balance carried to balance sheet; **V. aus alter/letzter Rechnung** balance carried/brought forward from last account; **V. auf neue Rechnung** balance/account brought forward, ~ carried forward; **V. einschließlich Reingewinn** carry-forward inclusive of net profits

Vortrag halten to give/deliver a lecture, to present/read a paper, to speak/lecture; **V. vornehmen** to carry forward; **mündlicher V.** § oral plea

vortragen *v/t* 1. *(Bericht)* to report; 2. *(Fall)* to present; 3. § to plead/submit; 4. *(Buchung)* to carry forward/over/down, to bring forward; **nochmals v.** § to re-plead; **V.de(r)** *f/m* speaker, lecturer

Vortragslfolge *f* series of lectures; **V.honorar** *nt* lecture fee; **V.kunst** *f* elocution; **V.posten** *m* item carried forward; **V.raum** *m* lecture room; **V.recht** *nt* right of recitation; **V.reihe** *f* lecture course; **V.reise** *f* lecture tour; **V.saal** *m* lecture hall; **V.saldo** *m* balance/account brought forward, ~ carried forward; **V.tätigkeit** *f* lecturing; **V.verpflichtung** *f* speaking engagement; **V.weise** *f* delivery; **V.zyklus** *m* course of lectures

Vortransport *m* pre-carriage

vortrefflich *adj* excellent; **V.keit** *f* excellence

Vorltritt *m* precedence, primacy, antecedence, antecedency; **V.trupp** *m* advance party

vorübergehen *v/i* to pass (off); **v.d** *adj* temporary, passing, foregoing, momentary, transient, as a transitional measure

Vorlüberlegungen *pl* preliminary considerations; **V.umsatz** *m* previous/prior turnover, ~ transaction; **V.untersuchung** *f* § preliminary hearing/investigation, pilot survey; **gerichtliche V.untersuchung** committal proceedings

Vorurteil *nt* prejudice, preconception, bias; **V.e abbauen/überwinden** to overcome prejudices; **v.slos** *adj* open-minded, unbiased, unprejudiced, impartial

Vorlvaluten *pl* forward values; **V.väter** *pl* forefathers, ancestors; **v.verarbeiten** *v/t* 1. to prefabricate; 2. *(spanabhebend)* to pre-machine; **V.verarbeitung** *f* 1. prefabrication, advance processing; 2. *(spanabhebend)* pre-machining; **V.vereinbarung** *f* preliminary agreement; **V.verfahren** *nt* § interlocutory/committal/preliminary proceedings, procedure before trial; **V.verhandlung** *f* § pleadings; **V.verhandlungen** preliminary negotiations; **V.verkauf** *m* advance booking/sale, pre-selling; **im ~ erhältlich** bookable; **v.verkaufen** *v/t* to sell in advance, ~ prior to issue; **V.verkäufer** *m* advance salesman

Vorverkaufslgebühr *f* booking fee; **V.kasse** *f* booking office; **V.klausel** *f* clause of pre-emption; **V.stelle** *f* 🎭 booking office, ticket agent/agency; **V.vertrag** *m* *(Grundstück)* binder, forward sale contract

vorlverlagern *v/t* to shift forward; **v.verlegen** *v/t (Termin)* to bring forward, to advance/accelerate, to antedate; **V.verlegung** *f (Termin)* bringing forward, acceleration; **V.vermächtnis** *nt* executory use; **v.vermieten** *v/t* to prelet; **V.veröffentlichung** *f* prior publication, pre-publication; **V.verrechnung von Kosten** *f* pre-allocation of cost(s); **V.versammlung** *f* preliminary meeting; **V.versicherung** *f* previous insurance; **V.versorgung** *f (Erbschaft)* preferential benefit; **v.verschlüsseln** *v/t* to precode; **v.versterben** *v/i* to predecease; **V.verstorbene(r)** *f/m* the predeceased; **V.versuch** *m* pilot experiment; **V.vertrag** *m* 1. preliminary contract, letter of understanding, tentative agreement, pactum de contrahendo *(lat.)*; 2. *(Vers.)* binder; ~ **abschließen** to precontract; **V.verzollung** *f* pre-clearance

vorwagen *v/refl* to venture forward; **sich zu weit v.** to stick one's neck out *(fig)*

Vorwahl *f* 1. preliminary/primary *[US]* election, preselection; 2. ✆ dialling/area code; **V.nummer** *f* ✆

dialling/area code, subscriber trunk dialling (STD) code, code number

Vorwälzung *f* forward shifting, shift forward

Vorwand *m* 1. pretext, pretence, guise, excuse; 2. stalking horse *(fig)*; **unter dem V.** under the pretext of, on the plea of; **V. abblocken** to counter a pretext; **als V. dienen** to serve as a pretext; **zum V. nehmen** to use as a pretext; **unter falschem V.** under false pretences; **nichtiger V.** flimsy excuse

vorwarnen *v/t* to forewarn

Vorwarnung *f* advance warning/notice; **ohne V. anrufen** ✆ to cold-call; **~ besuchen** to cold-call; **langfristige/termingerechte V.** reasonable notice

vorwärts *adv* onward(s), forward, ahead; **V.analyse** *f* updating indexing; **v. bringen** *v/t* to advance; **v. datieren** *v/t* to compound; **V.gang** *m* 🚗 forward gear; **V.integration** *f* forward/downstream integration, downstream expansion; **vertikale V.integration** forward vertical integration/merger; **v. kommen** *v/i* 1. to advance, to make progress, to get ahead; 2. *(Karriere)* to get on, to better o.s.; **langsam/mühsam v. kommen** to inch ahead, to flounder; **V.strategie** *f* forward strategy; **V.terminierung** *f* forward scheduling; **v. treiben** *v/t* to propel

vorweg *adv* beforehand, at the front

Vorweg|abdeckung *f* pre-treaty insurance; **V.abzug** *m* deduction at source; **V.befriedigungsrecht** *nt* preferential claim; **V.belastung** *f* prior charge; **V.bewilligung** *f* advance appropriation; **V.genehmigung** *f* prior authorization; **V.kauf** *m* advanced purchase; **V.leistung** *f* advance payment; **V.maßnahme** *f* preparatory measure; **V.nahme** *f* anticipation; **(neuheitsschädliche) ~ einer Erfindung** anticipation (of an invention); **v.nehmen** *v/t* 1. to anticipate/pre-empt/prefigure; 2. *(Börse)* to discount; **v.nehmend** *adj* anticipatory; **V.pfändung** *f* anticipated levy of execution; **V.zahlung/V.zuwendung** *f* advance payment, payment in advance

Vorweisen *nt* production; **v.** *v/t* to show/produce/sport

vorwerfen *v/t* to reproach/allege; **jdm etw. v.** to hold sth. against so., to accuse so. of sth.

vor|wiegend *adj* prevailing, prevalent, predominant; *adv* mainly; **V.wissen** *nt* previous knowledge; **V.woche** *f* previous week; **V.wochenschluss** *m* close of trading in the previous week; **V.wort** *nt* preface, foreword, introduction

Vorwurf *m* reproach, charge, imputation, blame, recrimination; **V. des Dumping** dumping charge; **V. erheben/machen** to allege/reproach, to (level a) charge; **v.svoll** *adj* reproachful

vorzählen *v/t* to count sth. out to so.

Vorzeichen *nt* 1. omen, portent, pointer; 2. sign; 3. auspice; **negatives V.** π negative sign; **positives V.** π plus sign; **unter ungünstigem V.** inauspicious

vorzeichnen *v/t* to sketch/map out

vorzeigbar *adj* presentable; **nicht v.** unpresentable

Vorzeigekandidat(in) *m/f* showcase candidate

Vorzeigen *nt* production; **v.** *v/t* to present/produce/sport

Vorzeige|objekt/V.stück *nt* showpiece; **V.r** *m (Wechsel)* bearer

Vorzeigung *f* presentation; **bei V.** at sight

vorzeitig *adj* premature, untimely, early, prior, ahead of schedule, before maturity

Vorzensur *f* pre-censorship

vorziehen *v/t* 1. to prefer, to have a preference for; 2. to give priority to; 3. *(Termin)* to bring/pull forward, to antedate

Vorzimmer *nt* 1. *(Büro)* outer office; 2. anteroom; **V.dame** *f* receptionist

Vorzug *m* advantage, preference, priority, asset, merit; **Vorzüge** *(Börse)* preferred stock, preference shares; **mit einem V. ausgestattet** preferential; **V. geben** to prefer

vorzüglich *adj* excellent, superior, superb, top-notch *(coll)*; **V.keit** *f* excellence

Vorzugs|- preferred, preferential, priority, preference

Vorzugsaktie *f* preference share *[GB]*/stock *[US]*, preferred/priority share *[GB]*, preferred/privileged/senior stock *[US]*; **V.n** preferred (capital) stock

Vorzugsaktie mit beschränkter Dividende limited preferred share/stock; **~ variabler Dividende(nanpassung)** adjustable preferred share/stock; **rückkaufbare ~ Dividendenberechtigung** participating redeemable preference/preferred share, ~ stock; **~ besonderer Dividendenberechtigung** cumulative participating preference/preferred share, ~ stock; **~ zusätzlicher Gewinnbeteiligung** participating preference/preferred share, ~ stock; **V. ohne zusätzliche Gewinnbeteiligung** non-participating preferred/preference share, ~ stock; **V. zweiter Klasse** second preferred share, ~ stock; **V. mit Recht auf Umwandlung in Stammaktie; ~ Umtauschrecht** convertible preferred share/stock; **rückkaufbare ~ Umtauschrecht** convertible redeemable preference/preferred share, ~ stock

erstrangige Vorzugsaktie prior preferred share/stock; **kumulative V.** cumulative preference/preferred share, ~ stock; **nachrangige/-zugsberechtigte ~ V.** deferred cumulative preference share/stock; **nicht ~ V.** non-cumulative preference/preferred share, ~ stock; **zweitrangig ~ V.** deferred cumulative preference/preferred share, ~ stock; **kündbare V.** redeemable preferred/preference share ~ stock; **nachzugsberechtigte V.** cumulative preference/preferred share, ~ stock; **partizipierende V.** participating preference/preferred share, ~ stock; **nicht ~ V.** non-participating preference/preferred share, ~ stock; **rückkaufbare/-zahlbare V.** redeemable/callable preference/preferred share, ~ stock; **nicht stimmberechtigte V.** non-voting preferred/preference share, ~ stock; **wandelbare V.** convertible preference/preferred share, ~ stock

Vorzugs|aktionär *m* preference/preferred shareholder *[GB]*, ~ stockholder *[US]*; **V.angebot** *nt* preferential/exceptional/bargain offer; **V.anpruch** *m* preferential claim; **V.bedingungen** *pl* preferential terms/conditions; **V.behandlung** *f* preferential/preferred treatment; **V.-belieferung** *f* priority delivery; **V.berechtigte(r)** *f/m* priority holder; **V.diskontsatz** *m* preferential discount rate; **V.dividende** *f* preference/preferred dividend,

dividend on preferred/preference share *[GB]*, ~ stock *[US]*; **V.dividendendeckung** *f* times preferred dividend earned; **V.forderung** *f* preferential claim; **V.gläubiger(in)** *m/f* privileged/preferred/preferential creditor; **V.handel** *m* preferential trade; **V.kapital** *nt* preferred stock, preference capital; **V.kauf** *m* accommodation purchase; **V.klage** *f* action for preferential satisfaction; **V.klausel** *f* preference clause; **V.konditionen** *pl* preferential terms; **V.kunde** *m* preferred customer; **V.kurs** *m* preferential price/rate; **V.lieferant** *m* preferred supplier; **V.miete** *f* preferential rent; **V.obligation** *f* preference/preferred/senior/priority bond; **vor den V.obligationen rangierend** pre-preference; **V.pfandrecht** *nt* prior lien; **V.preis** *m* preferential/bargain/exceptional/special/private price; **V.rabatt** *m* preferential discount; **V.recht** *nt* preferential/prior(ity) right, priority/preference claim, privilege; **V.rente** *f* preferential interest; **V.satz** *m* preferential rate; **V.stammaktie** *f* preferred ordinary share *[GB]*/stock *[US]*; **V.stellung** *f* privileged/preferential position; **V.stimmrecht** *nt* preferential voting right(s); **V.tarif** *m* preferential rate, preference tariff; **V.wahlsystem** *nt* preferential voting; **v.weise** *adj* preferably; **V.zahlung** *f* preferential payment; **V.zeichnungsrecht** *nt* preferential right of subscription; **V.zertifikat** *nt* preference certificate; **V.zins** *m* concessionary/preferential interest rate; **V.zoll** *m* preferential (rate of) duty/tariff, preference tariff

Vostro|guthaben/V.konto *nt* vostro account

votieren *v/i* to vote

Votum *nt* vote, opinion, verdict, note of approval; **V. für/gegen** thumbs up/down *(coll)*; **sein V. abgeben** to cast one's vote

Vulkan *m* vocano; **erloschener V.** extinct volcano; **V.ausbruch** *m* volcanic eruption; **v.isch** *adj* volcanic

Vulkanisier|anstalt *f* vulcanization plant; **v.en** *v/t* to vulcanize/sulphurize; **v.t** *adj* vulcanized

W

Waage *f* 1. (pair of) scales, weighing machine; 2. 🚗 weighbridge; 3. *(Apotheke)* balance; **sich die W. halten** to balance each other, to be in balance, ~ on a par; **öffentliche W.** public weighhouse/weighbridge

Waagenmeister *m* weighmaster

waagerecht *adj* horizontal, level, even; **W.e** *f* horizontal (line)

Waageschein *m* bill of weight

Waagschale *f* (scale) pan, (pair of) scales

wach *adj* awake

Wach|ablösung *f* *(fig)* change of government; **W.boot** *nt* patrol boat; **W.buch** *nt* watchbook; **W.dienst** *m* 1. guard duty, security service; 2. ⚓ watch

Wache *f* 1. watch, (security) guard, watchman; 2. *(Polizei)* police station; **auf W.** on watch; **W. einteilen** to assign watches; **W. haben/schieben** *(coll)*/**stehen** to be on guard duty; **W. halten** to keep watch (on), to watch (over)

wachen *v/i* 1. to watch/guard; 2. to wake

Wach|fahrzeug *nt* ⚓ patrol boat; **W.- und Schließgesellschaft** *f* security (service) company; **W.habender** *m* ✈/⚓ watch, duty officer; **W.haus** *nt* guard house; **W.hund** *m* guard dog, watchdog; **W.lokal** *nt* guard room; **W.mann** *m* (security) guard, patrolman; **W.mannschaft** *f* guards; **W.offizier** *m* ⚓ watch/duty officer; **W.personal** *nt* (security) guards; **W.posten** *m* guard

wachrufen *v/t* to arouse

Wachs *nt* wax

wachsam *adj* vigilant, alert, open-eyed, alive; **w. sein** to be on the alert; **W.keit** *f* vigilance, alertness

wachsen *v/i* 1. to grow/increase/heighten; 2. to gather momentum/steam *(fig)*; **lawinenartig w.** to snowball *(fig)*; **w.d** *adj* growing; **rasch w.d** *(Kosten)* escalating

Wachs|matrize/W.platte *f* stencil; **W.papier** *nt* waxed paper; **W.stift** *m* wax crayon

Wachstube *f* 1. guard room; 2. *(Polizei)* duty room

Wachstuch *nt* oilcloth, wax cloth

Wachstum *nt* growth, expansion, increase, development; **W. der Bevölkerung** population growth; ~ **Industrie** industrial growth; **W. aus eigener Kraft** self-generated growth; **W. der Löhne** wage gain; ~ **Mieteinnahmen** rental growth

Wachstum ankurbeln/anregen to stimulate/generate growth; **W. beeinträchtigen** to cramp/crimp growth; **W. fördern** to boost growth; **W. verzeichnen** to register growth

anhaltendes Wachstum sustained growth; **bereinigtes W.** net growth; **diagonales W.** *(Herstellung neuer Produkte auf vorhandenen Anlagen)* diagonal expansion; **durchschnittliches W.** average growth; **exponentielles W.** exponential growth; **exportbedingtes/-induziertes W.** export-led expansion/growth; **externes W.** external growth; **gebremstes/gedrosseltes W.** restrained/slowed-down growth; **gedämpftes W.** prudent/restrained growth; **geringes W.** sluggish growth; **gezieltes W.** planned growth; **gleichgewichtiges/-mäßiges W.** steady/sustained growth; **harmonisches W.** balanced growth; **industrielles W.** industrial growth; **inflationsfreies W.** non-inflationary growth; **konjunkturelles W.** economic growth, expansion of business activity, ~ the economy, strengthening of the cyclical upswing; **langfristiges W.** secular growth; **langsames W.** sluggish/slow growth; **nachfragegesteuertes W.** demand-led growth; **negatives W.** minus growth; **optimales W.** optimum growth; **rasantes/rasches W.** rapid/accelerated growth; **reales W.** net/real growth, advance in real output, growth in unit volume; **selbsttragendes W.** self-propelling growth; **stetiges W.** sustained/steady(-state) growth; **stürmisches W.** rapid expansion; **überdurchschnittliches W.** outperformance; **ungleichgewichtiges W.** unbalanced/unsteady growth; **ungleichmäßiges W.** uneven growth; **verhaltenes W.** restrained growth; **verlangsamtes V.** slower (economic) growth; **vertikales W.** vertical growth; **volkswirtschaftliches W.** overall growth of the national economy; **vorsichtiges W.** prudent growth; **wirtschaftliches W.** economic growth, expansion of business activity, ~ the economy; **zyklisches W.** cyclical growth

Wachstums|- expansionary, incremental; **W.abschwächung** *f* slowdown of growth, economic slowdown; **W.abstand** *m* growth differential; **W.aktie** *f* growth share *[GB]*/stock *[US]*; **spekulative W.aktie** glamour share *[GB]*, glamor stock *[US]*; **W.anleihe** *f* premium-carrying loan, loan repayable at a premium; **W.anstoß** *m* stimulus to growth; **W.aussichten** *pl* growth prospects, prospects for growth; **w.bedingt** *adj* growth-induced; **W.beitrag** *m* contribution to growth; **W.beschleunigung** *f* acceleration of growth, recovery; **W.branche** *f* growth industry/sector, expanding industry; **W.bremse** *f* impediment to growth, expansion curb; **W.chance** *f* growth opportunity/prospect; **verringerte W.chancen** reduced growth opportunities; **W.denken** *nt* thinking in terms of growth; **W.dynamik** *f* growth forces, momentum of growth; **W.erwartung** *f* expected rate of growth, growth expectation; **W.fähigkeit** *f* growth potential, capacity for growth; **W.faktor** *m* growth factor; **W.feld** *nt* growth area; **W.fonds** *m* growth/cumulative/no-dividend fund; **~ aus Stammaktien** common stock fund; **w.fördernd** *adj* growth-producing, growth-promoting, growth-generating; **W.förderung** *f* promotion of growth; **W.gefälle** *nt* growth differential; **W.gebiet** *nt* growth area; **w.gerecht** *adj* growth-conforming, in line with growth; **W.gesellschaft** *f* growth company; **W.gleichgewicht** *nt* steady-state growth; **W.grad** *m* rate of growth; **W.grenze** *f* growth limit; **w.hemmend** *adj* growth-inhibiting, growth-impeding; **W.impuls** *m* growth impulse, impulse for growth; **W.industrie** *f* growth/expanding industry; **w.intensiv** *adj* rapidly growing, growth-intensive; **W.investition** *f* growth capital expenditure; **W.jahr** *nt* year of growth; **W.klima** *nt* climate for growth; **W.koeffizient** *m* growth ratio; **W.kräfte der Wirtschaft** *pl* forces of economic growth; **W.kurs** *m* expansionist/expansionary policy; **auf ~ sein** to be growing, to expand, to be set on a growth path; **W.kurve** *f* growth curve; **W.lokomotive/W.motor** *f/m (fig)* engine of (economic) growth; **W.markt** *m* growth/buoyant/burgeoning/expansive market; **w.mäßig** *adj* developmental; **W.modell** *nt* growth model; **W.möglichkeiten** *pl* growth opportunities/potential; **W.müdigkeit** *f* sluggish growth; **W.mythos** *m* growth myth; **W.nachweis** *m* growth record; **w.orientiert** *adj* growth-orient(at)ed; **W.papier** *nt* growth share *[GB]*/stock *[US]*; **W.periode** *f* growth period, era of growth; **W.perspektive** *f* growth perspective, prospects for growth

Wachstumspfad *m* expansion/growth path, pathway of growth; **goldener W.** complete/total equilibrium, unique steady-state equilibrium, golden age path, growth track; **instabiler W.** knife-edge equilibrium

Wachstums|phase *f* growth phase/stage; **W.plus** *nt* growth rate; **W.politik** *f* expansionary/growth policy; **w.politisch** *adj* in terms of growth; **W.potenzial** *nt* growth potential, potential for growth, strength of the recovery; **W.prognose** *f* growth forecast; **W.projektion** *f* growth projection; **W.prozess** *m* process of growth

Wachstumsrate *f* growth rate, rate of growth/expansion; **W. der Spareinlagen** savings accumulation rate; **natürliche W.** natural rate of growth; **nominale W.** nominal level of growth; **am Nachhaltigkeitsprinzip orientierte W.** sustainable rate of growth; **rückläufige W.** negative growth rate

Wachstums|rausch *m* growth euphoria; **W.renner** *m* fast growth item; **W.reserve** *f* growth reserve; **w.schädlich** *adj* detrimental to growth; **W.schranken** *pl* barriers to economic growth; **W.schub** *m* upsurge, surge of activity, thrust of economic growth; **w.schwach** *adj* slow-growing, flat-growth; **W.schwerpunkt** *m* growth point; **W.sektor** *m* growth sector/industry; **W.signal** *nt* expansion signal; **W.situation** *f* growth situation; **W.spielraum** *m* growth potential, scope for growth; **W.spirale** *f* growth spiral; **W.sprung** *m* leap ahead; **w.stark** *adj* fast-growing; **per W.steigerung das Defizit bekämpfen** *f* to grow one's way out of a deficit; **W.stockung** *f* lull in economic activity; **W.strategie** *f* growth strategy; **W.tabelle** *f* growth rate table; **W.tempo** *nt* rate of increase, growth rate, pace of economic growth; **W.theorie** *f* theory of economic growth; **w.trächtig** *adj* likely to grow; **W.trächtigkeit** *f* growth potential; **W.trend** *m* growth trend, trend rate of growth; **W.unternehmen** *nt* growth company; **W.verlangsamung** *f* flatter trend of growth; **W.verlust** *m* loss of growth; **W.vorausschätzung** *f* growth forecast; **W.wert** *m* growth share *[GB]*/stock *[US]*; **spekulativer W.wert** glamour share *[GB]*, glamor stock *[US]*; **W.zentrum** *nt* growth centre; **W.ziel** *nt* growth target/objective, growth rate target, target for growth; **W.ziffer** *f* growth figure; **W.zyklus** *m* growth cycle

Wacht *f* watch, lookout

Wächter *m* 1. (security) guard, watchman, patrolman *[US]*; 2. custodian

Wacht|meister *m (Polizei)* (police) constable, patrolman *[US]*; **W.turm** *m* watch-tower

wackelig *adj* shaky, wobbly

wackeln *v/i* to wobble/shake

Waffe *f* weapon; **W.n** arms, weapons; **W. bei sich führen** to be armed; **mit gleichen W.n kämpfen** to fight fire with fire *(fig)*; **jdn mit seinen eigenen W.n schlagen** *(fig)* to beat so. at his own game *(fig)*; **W.n tragen** to carry arms; **gefährliche W.** offensive/dangerous weapon; **stumpfe W.** blunt weapon; **tödliche W.** lethal/deadly weapon; **mit vorgehaltener W.** at gunpoint

Waffen|amt *nt* Ordnance Department *[US]*; **W.arsenal** *nt* 1. arsenal, weaponry; 2. *(Staat)* stockpile; **W.ausfuhr/W.export** *f/m* arms exports; **W.beschaffungsamt** *nt* weapons procurement office; **W.besitz** *m* possession of firearms; **unerlaubter W.besitz** unauthorized possession of firearms; **W.depot** *nt* arsenal; **W.embargo** *nt* arms embargo; **W.fabrik** *f* armament plant, ordnance factory; **W.fabrikant** *m* arms manufacturer; **W.gebrauch** *m* use of firearms; **W.geschäft** *nt* arms deal/business/transaction; **W.gesetz** *nt* weapons act; **W.gewalt** *f* force of arms; **W.gleichheit** *f* balance of power; **W.handel** *m* arms trade/trafficking *(pej.)*; **illegaler W.handel** gunrunning; **W.händler** *m* arms dealer; **W.hersteller** *m* arms manufacturer; **W.-kammer** *f* armoury *[GB]*, armory *[US]*; **W.lager** *nt* arsenal; **W.lieferung** *f* supply of arms, arms delivery; **W.ruhe** *f* ceasefire, truce; **W.schein** *m* firearms certificate, gun licence; **W.schmuggel** *m* gunrunning, arms smuggling; **W.schmuggler** *m* gunrunner; **W.stillstand** *m* armistice, truce, ceasefire; **W.system** *nt* weaponry; **W.verkäufe** *pl* arms sales

Wäge|gebühr/W.geld *f/nt* weighage

Wagemut *m* derring-do *(coll)*; **unternehmerischer W.** entrepreneurial derring-do; **w.ig** *adj* daring, audacious, bold, enterprising, venturesome

Wagen *m* 1. vehicle, car, van; 2. cart; 3. 🚃 *(Güterwagen)* wag(g)on *[GB]*, truck *[US]*; 4. *(Einkauf)* trolley; 5. *(Schreibmaschine)* carriage; **frei (auf) W.** 🚃 free on wag(g)on *[GB]*/truck *[US]*; **durchgehender W.** 🚃 through carriage; **firmeneigener W.** company car; **in Zahlung genommener W.** traded-in car; **offener W.** 1. 🚃 open goods wag(g)on; 2. gondola car *[US]*; **stationärer W.** 🚃 non-moving carriage

wagen *v/t* to dare/risk/hazard/venture

wägen *v/t* to weigh

Wagen|bauer *m* 🚗 coachbuilder; **W.besitzer(in)** *m/f* car owner; **W.boden** *m* 🚗 floorboard; **W.gestell** *nt* 1. 🚃 carriage frame; 2. 🚗 chassis; **W.kilometerleistung** *f* vehicle mileage performance *[GB]*; **W.klasse** *f* 🚃 class; **W.ladeschein** *m* 🚃 manifest; **W.ladung** *f* 1. 🚃 wag(g)onload *[GB]*/carload *[US]*; 2. 🚗 truckload, lorryload; **W.ladungstarif** *m* wag(g)onload tariff *[GB]*, carload lot rates *[US]*; **W.meister** *m* wag(g)onmaster; **W.miete** *f* 🚗 car rental; **W.nummer** *f* 🚗 vehicle registration number; **W.papiere** *pl* 🚗 car papers, vehicle documents; **W.park** *m* 1. 🚃 rolling stock; 2. 🚗 car pool, vehicle fleet, fleet (of cars/vans); **W.pflege** *f* car care; **W.plane** *f* tarpaulin, canvas; **W.rücklauf(taste)** *m/f (Schreibmaschine)* carriage return; **W.standgeld** *nt* 🚃 (wag(g)on) demurrage, standby charge, track storage charge; **W.teilladung** *f* 🚃 less-than-carload (l.c.l.); **W.typ** *m* 🚗 type of vehicle; **W.unterstand** *m* 🚗 car port; **W.vermietung** *f* 🚗 car hire/rental; **W.waschanlage** *f* car wash bay; **W.wäsche** *f* car wash; **W.zulassung** *f* car/vehicle registration (book)

Waggon *m* 1. *(Personen)* carriage; 2. *(Güter)* wag(g)on, goods van, truck *[US]*, freight/rail car *[US]*; **ab W.** ex wag(g)on; **frei W. (Abgangsort)** free on wag(g)on *[GB]*, ~ rail (f.o.r./FOR) *[GB]*, ~ truck (f.o.t./FOT) *[US]*; **eigener W.** owned car *[US]*; **gedeckter/geschlossener W.** covered wag(g)on *[GB]*, box car *[US]*; **leerer W.** empty wag(g)on *[GB]*, idler *[US]*, deadhead *[US]*

Waggon|bau *m* wag(g)on/truck/carriage building, construction of rolling stock; **W.bestellung** *f* freight car *[US]*/wag(g)on *[GB]* reservation; **W.fracht** *f* carload freight; **W.frachtsatz** *m* carload freight rate; **w.frei** *adj* free on wag(g)on/rail (f.o.r/FOR)/truck (f.o.t/FOT); **W.ladung** *f* wag(g)onload *[GB]*, carload (c.l.) (lot) *[US]*; **W.laufzeit** *f* turn(a)round time (of wag(g)ons); **W.miete** *f* wag(g)on *[GB]*/truck *[US]* hire charges, rolling stock hire; **W.sendung** *f* carload shipment, carloading; **W.standgeld** *nt* (wag(g)on) demurrage, siding *[GB]*/sidetrack *[US]* rent; **W.tarif** *m* carload rate; **W.waage** *f* railroad weighbridge; **w.weise** *adj* by the wag(g)onload *[GB]*/carload *[US]*

waghalsig *adj* audacious, venturesome, hazardous, daring

Wagnis *nt* risk, hazard, venture, plunge; **buchmäßig angefallenes W.** risk recorded in the books of account; **kalkulatorisches W.** 1. imputed risk (premium); 2. contingency; **sonstige W.se** miscellaneous risks; **eingetretene ~ W.se** miscellaneous encountered risks; **unternehmerisches W.** business risk; **versichertes W.** insured risk

teilweise Wagnis|abgabe *(Rückvers.)* cession; **W.finanzierung** *f* venture financing; **W.finanzierungsgesellschaft** *f* venture capital company; **W.kapital** *nt* (joint) venture/risk capital; **W.kapitalmarkt** *m* venture capital market; **W.-Risikofinanzierung** *f* venture financing; **W.verlust** *m* encountered risk; **W.versicherung** *f* (temporary) life insurance *[US]*, term assurance *[GB]*; **W.verzehr** *m* catastrophic loss of plant and inventory; **W.zuschlag** *m* risk premium, bonus risk

Wägung *f* weighting; **W.sschema** *nt* weighting scheme

Wahl *f* 1. *(Auswahl)* selection, choice, option; 2. election, poll(ing); 3. *(Abstimmung)* vote, ballot; 4. quality; **nach W.** at one's choice; **~ von** at the option of

Wahl des Abschlussprüfers election of the auditor; **W. durch Akklamation** vote by acclamation; **freie W. des Arbeitsplatzes** free choice of employment, free movement of labour *[EU]*; **W.(en) zum Aufsichtsrat** board election(s), election of/to the supervisory board/directors; **W. durch Handaufheben** voting by show of hands; **W. des Käufers** buyer's option; **nach ~ Käufers** at buyer's option; **W. mit Namensaufruf** vote by roll-call; **W.en zum Parlament** parliamentary election(s); **W. zwischen zwei Übeln** stark choice; **W. des Verkäufers** seller's option; **nach ~ Verkäufers** at seller's option/choice; **W. durch das Volk** popular vote; **W. des Vorstands** election of the excutive; **W. in den Vorstand** election to the board; **~ zwei Wahlgängen** double ballot (sytem); **W. durch Wahlmänner** election by electors; **(geschickte) W. des richtigen Zeitpunkts** (smart) timing; **W. durch Zuruf** vote by acclamation

aus freier Wahl of one's own choice; **zu Ihrer W.** at your option

Wahl abhalten to hold an election; **allgemeine W.en abhalten** to go to the country *[GB]*; **in geheimer W. abstimmen** to vote by secret ballot; **~ lassen** to ballot; **W. anberaumen/ansetzen/ausschreiben** to call an election; **W. anfechten** to challenge/contest an election result, to dispute an election; **von der W. ausschließen** to dis(en)franchise; **W. durchführen** to hold an election, to conduct a ballot; **in die engere W. einbeziehen** to shortlist; **W. für ungültig erklären** to declare an election void; **W. fälschen** to rig the ballot; **zur W. gehen** to go to the polls; **keine andere W. haben** to have no alternative; **erste W. haben** to have the first pick; **freie W. haben** to have freedom of choice; **keine W. haben** to have no option; **bei einer W. kandidieren** to stand in an election; **in die engere W. kommen** to be shortlisted, ~ put on the short list, to get onto the short list; **W. lassen** to give the choice; **sich zur W. stellen** to stand for election; **seine W. treffen** to make one's choice; **zur W. vorschlagen** to nominate; **in die engere W. ziehen** to shortlist

allgemeine Wahl|en general election *[GB]*; **plötzlich angesetzte W.** snap election; **direkte W.** direct election/voting; **dritte W.** third-class quality, grade three, thirds; **engere W.** short list; **erste W.** first(class)/prime/top(-grade) quality, grade one, firsts; **freie W.** free choice; ~ **W.en** free elections; **geheime W.** (election by) secret ballot; **indirekte W.** indirect election; **allgemeine unmittelbare W.en** elections by direct universal suffrage; **zweite W.** seconds, second-class/medium quality, slightly imperfect

Wahl|- electoral; **W.abkommen** *nt* electoral pact; **W.agitation** *f* electioneering; **W.akt** *m* vote, voting, election; **W.alter** *nt* voting age; **W.amt** *nt* electoral office; **W.amtsleiter** *m* returning officer *[GB]*; **W.anfechtung** *f* disputing/challenging an election; **W.aufruf** *m* manifesto *[GB]*, election address; **W.ausgang** *m* election result(s); **W.ausschluss** *m* disqualification from voting; **W.ausschreibung** *f* writ (for an election); **W.ausschuss** *m* election board/committee, electoral committee, caucus *[US]*; **W.aussichten** *pl* election prospects; **W.ausweis** *m* polling card

wählbar *adj* eligible; **nicht w.** ineligible; **W.keit** *f* eligibility

Wahl|beamter/W.beamtin *m/f* elected official; **W.beauftragte(r)** *f/m* election commissioner; **W.beeinflussung** *f* influencing election results; **W.behinderung** *f* obstructing the vote; **W.beisitzer** *m* polling clerk; **W.bekanntmachung** *f* notice of election; **W.benachrichtigung** *f* polling card; **(aktiv) w.berechtigt** *adj* entitled to vote; **passiv w.berechtigt** eligible; **W.berechtigung** *f* (right) to vote, franchise, suffrage; **W.bestechung** *f* election bribery

Wahlbeteiligung *f* turnout, poll; **hohe/rege/starke W.** heavy poll, good turnout; **schwache W.** light/poor poll, ~ turnout

Wahl|betrug *m* 1. ballot/election rigging; 2. election fraud; **W.bezirk** *m* election/polling/electoral district, constituency, ward; **W.boykott** *m* election boycott; **W.chancen** *pl* election prospects; **W.datei** *f* optional file; **W.effekt** *m* vote-catching effect

Wählen *nt* voting; **W. durch Stimmenhäufung** cumulative voting; **w.** *v/t* 1. to choose/select/pick/adopt, to opt for, to embark upon; 2. to vote/elect/poll; 3. ✆ to dial; **falsch w.** ✆ to dial the wrong number

Wahlenthaltung *f* abstention (from voting)

Wähler(in) *m/f* 1. voter, elector; 2. selector; *pl* the electorate; **W. eines Wahlkreises** constituent; **W. persönlich ansprechen** to canvass voters

Wahlergebnis *nt* election/ballot result; **W.ergebnisse** election returns/results; **W. fälschen** to rig the ballot; **amtliches W.** officially declared (election) results; **knappes W.** narrow (voting) margin

Wahlerfolg *m* electoral success

Wähler|auftrag *m* mandate; **W.gewohnheiten** *pl* voting habits/patterns

wählerisch *adj* particular, discriminating, selective, choosy *(coll)*, fastidious

Wähler|kollegium *nt* electoral college *[US]*; **W.liste** *f* electoral roll, register of voters; **zentrales W.netz** ✆ central switching network; **W.schaft** *f* electorate; **W.schicht** *f* section of the electorate; **W.umfrage direkt nach Stimmabgabe** *f* exit poll; **W.vereinigung** *f* voters' association; **W.verhalten** *nt* voting behaviour; **W.versammlung** *f* election meeting; **W.verzeichnis** *nt* electoral register/poll/list, register/list of voters, ~ persons entitled to vote; **im W.verzeichnis** on the register

Wahl|fach *nt* optional subject, elective (course); **W.fälschung** *f* ballot rigging; **W.feldzug** *m* election campaign; **W.feststellungen** *pl* § alternative findings; **W.fonds** *m* campaign *[GB]*/caucus *[US]* funds; **w.frei** *adj* optional, elective; **W.freiheit** *f* option, freedom of choice; ~ **bei der Abschreibung** depreciation at choice; **W.gang** *m* ballot; **W.geheimnis** *nt* secrecy of (the) ballot; **W.gelder** *pl* election funds; **W.gerichtsstand** *m* § elective venue, forum of choice; **W.geschenk** *nt* election giveaway; **W.gesetz** *nt* electoral law, Representation of the People Act *[GB]*; **W.gremium** *nt* electoral body; **W.handlung** *f* 1. choice; 2. poll; **W.handlungstheorie** *f* theory/analysis of choice; **W.heimat** *f* adopted country, country of adoption; **W.helfer(in)** *m/f* electoral assistant; **W.hilfe** *f* electoral support; **W.jahr** *nt* election year; **W.kabine** *f* polling/voting booth; **W.kampagne** *f* election campaign

Wahlkampf *m* election campaign, electioneering, hustings; **W. führen** to electioneer; **W.ausgaben/W.kosten** *pl* campaign expenditure(s)

Wahlkämpfer(in) *m/f* campaigner

Wahlkampf|finanzierung *f* campaign financing; **W.fonds** *m* (election) campaign fund; **W.thema** *nt* election issue

Wahl|karte *f* voting ticket, polling card; **W.kollegium** *nt* electoral college; **W.konsul** *m* honorary consul; **W.kontingent** *nt* electoral quota; **W.körperschaft** *f* elective body

Wahlkreis *m* election district, constituency *[GB]*, election precinct *[US]*; **W. mit knapper Mehrheit** marginal constituency *[GB]*; **sich um seinen W. kümmern** to nurse one's constituency; **W. vertreten** to sit for a constituency; **W.änderung** *f* constituency change; **W.grenzen** *pl* constituency boundaries; **W.kandidat** *m* local candidate

Wahl|kugel *f* ballot; **schwarze W.kugel** blackball; **W.leiter** *m* election/returning *[GB]* officer; **W.leitung** *f* 🖳 dial line; **W.liste** *f* 1. electoral roll/register, register of voters; 2. list of candidates; **W.lokal** *nt* polling station; **w.los** *adj* indiscriminate, random; **W.manifest** *nt* election manifesto/platform; **W.manipulation** *f* ballot rigging; **W.mann** *m* elector *[US]*; **W.männergremium** *nt* electoral panel; **W.männerkollegium** *nt* electoral college; **W.modus** *m* mode of election; **W.möglichkeit** *f* alternative, option, choice; **~ einräumen** to grant an option; **W.müdigkeit** *f* electoral apathy; **W.niederlage** *f* election defeat; **W.ordnung** *f* election regulations, electoral statute; **W.organ** *nt* elective body; **W.ort** *m* polling station *[GB]*, poll *[US]*; **W.-parodoxon** *nt* paradox of choice; **W.parole** *f* election slogan; **W.periode** *f* term (of office), electoral period, lifetime of a parliament; **W.pflicht** *f* electoral duty, compulsory vote/voting/option; **W.pflichtfach** *nt* compulsory elective/optional subject; **W.plakat** *nt* election poster; **W.plattform** *f* election platform; **W.praktiken** *pl* electoral practices; **W.prognose** *f* election forecast; **W.programm** *nt* election platform/manifesto *[GB]*, ticket *[US]*; **W.propaganda** *f* election propaganda; **~ machen** to electioneer; **W.protokoll** *nt* election returns; **W.protokollführer** *m* polling clerk, returning officer *[GB]*; **W.prüfer** *m* scrutineer; **W.prüfung** *f* scrutiny; **W.prüfungsausschuss** *m* committee for election supervision; **W.raum** *m* polling station

Wahlrecht *nt* 1. voting right, suffrage, franchise; 2. *(System)* voting system; 3. right of election, (right of) option; **W. für die Entschädigungsform** settlement option; **W. auf beitragsfreie Lebensversicherung** extended-term assurance/insurance; **W. des Schiffseigners** ship's option; **W. der Witwe** *(Nachlass)* widow's election; **W. aberkennen/entziehen** to dis(en)franchise; **W. ausüben** to exercise one's right to vote; **W. einräumen** to grant an option; **W. erteilen/gewähren/verleihen** to enfranchise

aktives Wahlrecht right to vote, suffrage, franchise; **allgemeines W.** universal suffrage; **allgemeines, gleiches, geheimes und direktes W.** universal, equal, secret and direct suffrage; **passives W.** eligibility

Wahlrechts|entziehung *f* dis(en)franchisement; **W.gewährung/W.verleihung** *f* enfranchisement

Wahl|rede *f* election speech, electoral address; **W.reform** *f* electoral reform; **W.register** *nt* election register, electoral roll; **W.reise mit vielen Zwischenaufenthalten** *f* whistle-stop tour *[US]*; **W.risiko** *nt* election risk

Wählscheibe *f* ✆ dial (plate), finger plate

Wahl|schein *m* ballot/voting paper, polling card; **W.schiebung** *f* ballot rigging, jerrymandering; **~ begehen** to rig the ballot; **W.schlager** *m* election hit/winner; **W.schuld** *f* § alternative obligation; **W.schwindel** *m* ballot rigging, election fraud

Wahlsieg *m* election victory; **überwältigender W.** landslide victory

Wahl|spende *f* campaign contribution; **W.spruch** *m* motto; **W.steuer** *f* poll tax

Wahlstimme *f* vote; **in Vertretung abgegebene W.** proxy (vote); **W.nprüfer** *m* scrutineer; **W.nprüfung** *f* scrutiny; **W.nwerber** *m* canvasser

Wahl|system *nt* voting/electoral system; **W.tag/W.termin** *m* polling/election day; **W.taktik** *f* election tactics; **W.umschlag** *m* ballot envelope; **W.unkosten** *pl* election expenses; **W.unterlagen** *pl* 1. voting papers; 2. election records; **W.urne** *f* ballot box; **zu den W.urnen schreiten** to go to the polls; **W.verfahren** *nt* electoral procedure/system; **W.vergehen** *nt* electoral misdemeanour; **W.verhalten** *nt* behaviour at the polls; **W.vermächtnis** *nt* § alternate legacy; **W.versammlung** *f* election meeting, elective assembly; **W.versprechen** *nt* election promise/pledge; **W.verteidiger** *m* counsel of one's own choice; **W.verteidigung** *f* defence by counsel; **W.vordruck** *m* ballot paper; **W.vorgang** *m* polling, election procedure; **W.vorschlag** *m* nomination, electoral proposal; **W.vorsitzende(r)** *f/m* polling/returning *[GB]* officer, registrar of votes; **W.vorstand** *m* electoral committee, election executive committee; **w.weise** *adj* optional, alternative; **W.werbung** *f* canvassing; **W.wiederholung** *f* ✆ automatic redialling; **W.zählung** *f* count

Wählzeichen *nt* ✆ dialling *[GB]*/dial *[US]* tone

Wahl|zelle *f* polling/voting booth; **W.zettel** *m* ballot paper

Wahn *m* delusion; **in einem W. befangen sein** to labour under a delusion; **W.sinn** *m* 1. madness, insanity, lunacy; 2. ⚕ dementia *(lat.)*; **w.sinnig** *adj* insane, demented, mad; *adv* awfully; **W.sinnige(r)** *f/m* madman, lunatic; **W.vorstellung** *f* hallucination; **W.witz** *m* utter madness

wahr *adj* true, real, truthful, veritable

wahren *v/t* to (safe) guard/protect/preserve

während *prep* during, pending; *conj* whilst, while

nicht wahr|genommen *adj* unperceived; **w.haftig** *adj* honest, truthful; **W.haftigkeit** *f* sincerity, honesty, truthfulness

Wahrheit *f* truth; **in W.** in reality; **W. in der Werbung** truth in advertising

Wahrheit beweisen to prove the truth; **bei der W. bleiben** to stick to the truth; **jdn zur W. ermahnen** to admonish so. to tell the truth; **W. ermitteln** to ascertain the truth; **mit der W. herausrücken; W. sagen** to tell the truth, to come clean *(fig)*; **W. unterdrücken/verheimlichen** to suppress the truth; **W. verdrehen** to prevaricate

ein bisschen Wahrheit a grain of truth; **bittere/herbe W.** home/unpalatable truth; **empirische W.** empirical truth; **die ganze W.** the whole truth; **nackte/reine/schlichte/ungeschminkte W.** plain/unvarnished truth, cold facts; **die reine W.** § the plain truth, nothing but the truth; **unverblümte W.** low-down *(coll)*; **volle W.** whole truth

Wahrheits|beweis *m* justification, evidence/proof of truth; **~ antreten** to prove the truth (of sth.); **W.findung** *f* establishment of the truth; **W.gehalt** *m* substance, veracity; **w.gemäß/w.getreu** *adj* true, truthful; **W.-pflicht** *f* obligation to tell the truth; **W.wert** *m* truth value; **w.widrig** *adj* untruthful, false

wahrnehmbar *adj* noticeable, perceptable, discernible, sensible; **nicht w.** imperceptible, indistinguishable; **W.keit** *f* perceptibility

wahrnehmen *v/t* 1. to perceive/discern/observe; 2. to be aware of

Wahrnehmung *f* 1. perception; 2. awareness; **W.en** findings; **W. von Aufgaben** discharge of duties/responsibilities; **W. der Aufsicht** exercising control functions; **W. von Interessen** safeguarding of interests; **W. berechtigter Interesssen** § privilege by reason of occasion *[US]*, justification and privilege, preservation of legitimate interests; **W. von Rechten** protection of rights; **jdn mit der W. der Geschäfte beauftragen** to entrust so. with the management of (the) affairs

soziale Wahrnehmungs|fähigkeit social sensitivity; **W.vermögen** *nt* perceptive faculty

wahrscheinlich *adj* probable, likely, plausible; *adv* on the cards; **sehr w. sein** to be a distinct probability

Wahrscheinlichkeit *f* probability, likelihood; **W. eines Ereignisses** probability of an event; **W. des Kursrückgangs** downside risk; **mit an Sicherheit grenzender W.** with the utmost probability; **mit großer W.** in all probability

A-posteriori Wahrscheinlichkeit ▦ posterior probability; **A-priori W.** ▦ prior probability; **bedingte W.** ▦ conditional probability; **hohe W.** strong chance; **statistische W.** statistical probability; **subjektive W.** expectancy

Wahrscheinlichkeits|aussage *f* probability statement; **W.auswahl** *f* probability sampling; **W.berechnung** *f* π probability calculus/calculation; **W.beweis** *m* probable evidence, proof of likelihood

Wahrscheinlichkeitsdichte *f* probability density; **W. der Ausfallzeit** rate of failure; **W. in einem Punkt** point density

Wahrscheinlichkeits|fläche *f* probability surface; **W.funktion** *f* probability function; **W.grad** *m* degree of probability; **W.grenze** *f* probability limit; **W.kurve** *f* probability curve; **W.modell** *nt* probability model; **W.netz** *nt* probability grid; **W.papier** *nt* probability paper; **W.prüfung** *f* probability check; **W.rechnung** *f* π probability calculus/calculation, calculus/theory of probabilities, theory of chances; **W.satz** *m* π probability theorem; **W.schluss** *m* probability inference; **W.stichprobe** *f* probability sample; **W.theorie** *f* probability theory, theory of probabilities; **W.verhältnistest** *m* probability ratio test; **W.verteilung** *f* probability distribution

Wahrspruch *m* § verdict

Wahrung *f* 1. protection, safeguarding; 2. *(Erhaltung)* preservation

Wahrung des Anstandes observance of the proprieties; ~ **Bankgeheimnisses** safeguarding banker's discretion, preserving banking secrets; **W. gemeinschaftlicher Belange** safeguarding the public interest; **W. von Gläubigerinteressen** protection of creditor's claims; ~ **Interessen** safeguarding/protection of interests; **W. der Preisstabilität** preservation of price stability; ~ **Rechte** safeguarding of rights; **unter W. unserer Rechte** without prejudice to our rights, with a salvo of our rights; **sehr auf die W. seiner Rechte bedacht** jealous of one's rights

Währung *f* currency, exchange (money) standard, value; **W. des Empfängerlandes** investee currency

Währung abwerten to devalue/downvalue/devaluate a currency; **W.en angleichen** to align/adjust currencies; **fremde W. anschaffen** to acquire foreign currency; **W. aufwerten** to revalue/upvalue a currency; **in den Einheiten der jeweiligen W. ausdrücken** to express in units of the respective currency; **W. entwerten** to debase/depreciate a currency; **W. floaten** to float a currency; **W. korrumpieren** to debauch a currency; **W. sanieren** to rescue/restore a currency; **W. stabilisieren** to stabilize a currency; **W. stützen** to support/peg/underpin a currency, to prop up a currency; **W.en in einem festen Block zusammenschweißen** to weld currencies into a tight block

abgewertete Währung devalued/downvalued currency; **auf dem Grundsatz Mark gleich Mark aufgebaute W.** commodity standard *[US]*; **aufgewertete W.** revalued/upvalued currency; **ausländische W.** foreign currency/exchange; **auswärtige W.** offshore currency *[GB]*; **in Gold bestimmte W.** currency expressed in gold; **bewirtschaftete W.** controlled/blocked currency; **elastische W.** elastic currency; **entwertete W.** debased/depreciated currency; **europäische W.** single European currency; **feste W.** hard currency; **fiduziarische W.** fiduciary/fiat *[US]* money; **fiktive W.** token money; **flexible W.** fluctuating standard; **fremde W.** foreign currency; **nicht voll gedeckte W.** credit currency; **für Ziehungen geeignete W.** drawable currency; **künstlich gehaltene W.** pegged currency; **stark gehandelte W.** heavily traded currency; **gelenkte/gesteuerte W.** managed/controlled currency; **geltende/gesetzliche W.** legal tender/currency, lawful money; **gemeinsame W.** common currency; **unter Druck geratene W.** faltering currency; **gesunde W.** sound currency; **harte W.** hard/stable currency, hard money *[US]*; **hinkende W.** limping standard; **inländische W.** home/national *[US]* currency; **knappe W.** scarce currency; **kontrollierte W.** controlled currency; **konvertierbare W.** convertible currency; **frei ~ W.** freely convertible/free currency; **nicht ~ W.** blocked/inconvertible/irredeemable/not convertible currency, inconvertible money; **manipulierte/staatlich reglementierte W.** managed/controlled currency; **marktgängige W.** negotiable currency; **monometallische W.** single standard; **notleidende W.** depreciated currency; **regulierte W.** managed currency; **schwache W.** weak currency; **in solcher W.** § *(Vertrag)* in such a coin or currency; **stabile W.** hard/stable currency, stable money; **stabilisierte W.** stabilized currency; **starke W.** strong currency; **überbewertete W.** overvalued currency; **ungedeckte W.** fiduciary currency; **unterbewertete W.** undervalued currency; **veränderliche W.** floating/fluctuating currency; **weiche W.** soft currency; **zerrüttete W.** dislocated currency

Währungs|- currency, monetary; **W.abfluss** *m* currency outflow; **W.abkommen** *nt* currency/monetary convention, ~ agreement; **W.abschnitt** *m* foreign currency bill; **W.absicherung** *f* currency hedging; **W.absprache**

f currency deal; **W.abstieg** *m* currency decline/deterioration; **W.abteilung** *f* foreign exchange department; **W.abweichung** *f* parity change; **W.abwertung** *f* (currency) devaluation/downvaluation, exchange/currency depreciation; **W.akzept** *nt* foreign currency acceptance; **W.änderung** *f* currency change; **W.änderungsklausel** *f* (multi-)currency clause; **W.angleichung/W.anpassung** *f* currency adjustment/alignment/assimilation, exchange rate adaptation; **W.anleihe** *f* foreign currency/external loan, currency bond; **W.apparat** *m* monetary mechanism; **W.arbitrage** *f* exchange arbitration; **W.arbitragist** *m* exchange arbitrageur; **W.aufruhr** *m* monetary turmoil; **W.aufwertung** *f* currency appreciation/revaluation/upvaluation, upvaluation of a currency

Währungsausgleich *m* monetary compensatory amount, exchange equalization/compensation, equation of exchange; **W.sbetrag** *m* monetary compensatory amount(s); **W.sfaktor** *m* currency adjustment factor; **W.sfonds** *m* exchange equalization/stabilization fund, Exchange Equalization Account *[GB]*, Exchange Stabilization Fund *[US]*; **W.skonto** *nt* exchange equalization account; **W.szollzuschlag** *m* ⊖ exchange compensation duty

Währungs|ausschuss *m* monetary committee, national ~ commission; **W.ausweitung** *f* currency expansion; **W.bandbreiten** *pl* currency bands; **W.bank** *f* bank of issue, currency-issuing bank; **W.barkredit/-vorschuss** *m* currency advance; **w.bedingt** *adj* currency-related, monetary; **W.behörde** *f* currency/monetary authority, monetary institution; **W.behörden** foreign exchange authorities; **W.beirat** *m* monetary council

Währungsbeistand *m* monetary support; **kurzfristiger W.** short-term monetary support; **W.smechanismus** *m* currency support mechanism

Währungs|bereich *m* currency/monetary area; **W.beschluss** *m* monetary decision; **W.beschränkungen** *pl* currency restrictions; **W.bestände** *pl* currency/monetary reserves, foreign currency holdings, holdings of currency; **nicht abgedeckte W.beträge** foreign exchange exposure; **W.beziehungen** *pl* exchange arrangements, monetary relations; **internationale W.-beziehungen** international monetary relations; **W.-block** *m* currency/monetary bloc; **W.buchhaltung** *f* foreign exchange accounting (department); **W.chaos** *nt* currency/monetary chaos, monetary turmoil; **W.deckung** *f* currency cover; **W.delikt** *nt* currency offence; **W.disparitäten** *pl* currency disparities, incongruencies between foreign currencies; **W.dollar** *m* currency/paper dollar; **W.dumping** *nt* currency/exchange dumping; **W.einflüsse** *pl* monetary influences; **W.einheit** *f* monetary/currency unit, ~ standard, primary money, unit of value; **Europäische W.einheit** European Currency Unit (ECU); **W.einlagen** *pl* foreign currency/exchange deposits, deposits in currencies; **W.einrichtungen** *pl* monetary institutions; **W.entwertung** *f* currency depreciation, depreciation of a currency; **W.experte/W.fachmann** *m* currency/monetary expert; **W.fonds** *m* monetary/currency fund; **W.forderungen** *pl* currency receivables; **W.fragen** *pl* currency questions/problems, questions of currency; **W.garantie** *f* (foreign) exchange guarantee, exchange risk guarantee; **W.garantieabkommen** *nt* exchange guarantee agreement; **W.gebiet** *nt* currency/monetary area; **W.gefährdung** *f* jeopardizing the currency; **W.gefälle** *nt* currency differential; **W.gefüge** *nt* currency framework; **W.geld** *nt* standard money, legal tender (money); **w.gemäß** *adj* monetary; *adv* monetarily, as regards the currency; **W.geschäft** *nt* foreign exchange transaction/business, currency transaction, dealings in foreign exchange; **W.geschehen** *nt* monetary/currency transactions; **W.geschichte** *f* monetary history; **W.gesetz** *nt* currency act; **W.gespräche** *pl* money/currency talks; **W.gesundung** *f* monetary stabilization; **W.gewinn** *m* currency/exchange gain, foreign exchange earnings, (foreign) exchange profit; **W.gold** *nt* monetary gold; **W.grenzausgleich** *m* monetary compensation (unit); **W.guthaben** *nt* currency/reserve assets, foreign exchange balances/reserves/assets, currency balance; **W.händler** *m* currency dealer; **W.hoheit** *f* monetary sovereignty; **W.hüter** *m* comptroller/guardian of the currency; **W.hypothek** *f* foreign currency mortgage; **W.inflation** *f* monetary/currency inflation; **~ beseitigen** to deflate; **W.instanzen** *pl* monetary authorities; **W.klausel** *f* currency/exchange/standard clause; **kombinierte W.klausel** combined currency clause; **W.koeffizient** *m* monetary coefficient; **W.kommissar** *m* Comptroller of the Currency *[US]*; **W.kommission** *f* currency commission; **W.konferenz** *f* monetary conference; **w.kongruent** *adj* with matching/identical currencies; **W.kongruenz** *f* monetary congruence, identity of currencies; **W.konto** *nt* (foreign) currency/exchange account; **gegenseitiges W.konto** mutual currency account (m.c.a.); **W.kontrolle** *f* currency/monetary/(foreign) exchange control; **W.konvertibilität** *f* currency convertibility; **freie ~ einführen** to introduce free currency convertibility; **W.korb** *m* currency basket/cocktail, basket of currencies; **~ des EWS (europäischen W.systems)** ECU (European Currency Union) basket; **W.kredit** *m* foreign currency loan; **W.krise** *f* monetary/currency/(foreign) exchange crisis

Währungskurs *m* (foreign) exchange rate; **die (amtlichen) W.e an den Markt angleichen** to equate currency rates to reality; **W.stabilität** *f* currency/exchange stability

Währungs|lage *f* monetary situation; **W.management** *nt* foreign exchange/currency management; **W.manipulation** *f* currency manipulation, manipulation of currency; **w.mäßig** *adj* monetary; **W.maßnahme** *f* monetary measure; **W.mechanismus** *m* monetary mechanism; **W.metall** *nt* coinage/monetary/standard metal; **W.misere** *f* monetary problems; **W.münze** *f* standard coin, legal tender coin; **W.neuordnung** *f* currency/monetary reform, ~ realignment, monetary order; **W.option** *f* currency option; **W.ordnung** monetary system; **W.panik** *f* money/currency panic

Währungsparität *f* currency/monetary parity, par rate of exchange, par value; **W. langsam ändern** to crawl one's parity; **feste W.** fixed parity

Währungspolitik *f* monetary/currency policy; **gemeinsame W.** common monetary policy; **übernationale W.** supra-national currency policy

währungs|politisch *adj* monetary, in terms of monetary policy; **W.polster** *nt* currency reserve(s); **W.problem** *nt* currency problem; **W.raum** *m* currency area; **W.reform** *f* monetary reform, currency reform/conversion/curtailment; **W.relationen** *pl* currency relations; **W.rembours** *m* foreign exchange acceptance credit

Währungsreserven *pl* (foreign) exchange/monetary/currency reserves, foreign exchange holdings, holdings of exchange, reserve assets, reserve (asset) holdings/balances; **amtliche W.** official reserves; **eigene W.** earned reserves; **geliehene W.** borrowed reserves/funds; **internationale W.** international reserves; **öffentliche W.** official reserves

Währungs|risiko *nt* (foreign) exchange (rate) risk, currency risk; **W.risikokategorie** *f* type of foreign exchange exposure; **W.rücklage** *f (Bilanz)* currency reserve(s); **W.sanierung** *f* monetary rehabilitation, reestablishment of the currency; **W.scheck** *m* foreign (currency) cheque *[GB]*/check *[US]*; **W.schlange** *f (EWS)* currency snake, float block, snake in the tunnel; **W.schnitt** *m* cut in the currency; **W.schuldner** *m* foreign currency debtor; **W.schutzgesetz** *nt* currency protection act, law for the protection of the currency; **w.schwach** *adj* weak-currency, monetarily weak; **W.schwankungen** *pl* currency/monetary fluctuations, fluctuations of currencies, ~ in the exchange market, currency movements/gyrations; **W.schwierigkeiten** *pl* monetary difficulties; **W.schwund** *m* monetary erosion

Währungssicherung *f* safeguarding the currency; **W.sgeschäft** *nt* currency hedge/hedging, financial instrument; **W.sklausel** *f* currrency(-safeguarding) clause; **W.skredit** *m* currency hedging loan

Währungs|situation *f* currency situation; **W.souveränität** *f* monetary sovereignty; **W.spekulant** *m* currency operator/speculator; **W.spekulation** *f* foreign exchange/currency speculation; **W.spezialist** *m* currency/foreign exchange expert; **W.stabilisierung** *f* currency/monetary stabilization; **W.stabilität** *f* monetary/currency/exchange stability; **W.standard** *m* monetary standard; **w.stark** *adj* strong-currency; **W.statistik** *f* monetary statistics; **W.stichtag** *m* currency conversion date; **W.strom** *m* currency flow

Währungssystem *nt* currency/monetary system, currency regime; **W. mit elastischer Paritätsanpassung** crawling peg; **internationales W.** international monetary system

Währungs|swap *m* currency swap; **W.tabelle** *f* exchange rate table; **w.technisch** *adj* monetary; **W.terminkontrakt** *m* currency rate futures contract; **W.terminmarkt** *m* currency futures market; **W.theoretiker** *m* monetarist; **W.titel** *m* foreign currency security; **W.turbulenz** *f* monetary instability, currency unrest; **W.umlauf** *m* currency circulation/circuit

Währungsumrechnung *f* currency conversion/translation, translation (of a currency); **W.sdifferenz** *f* differential on currency translation, currency translation loss/gain; **W.srisiko** *nt* currency conversion risk; **W.stabelle** *f* currency conversion table

Währungs|umschichtung *f* currency switching (operation); **W.umstellung** *f* currency changeover/conversion; **W.umtausch** *m* (currency) conversion; **W.ungewissheit** *f* currency uncertainty; **W.union/W.verbund** *f/m* 1. monetary union, currency union/bloc; 2. *(EWS)* snake; **W.unruhe** *f* currency/monetary unrest, exchange market disturbances; **W.unsicherheit** *f* monetary uncertainty; **W.veränderung** *f* currency change; **W.verbindlichkeit** *f* currency liability; **W.verbund** *m* currency link; **W.verfall** *m* currency erosion/decline, decline/depreciation of a currency; **W.verfassung** *f* currency constitution/set-up; **W.verhältnisse** *pl* currency conditions; **stabile W.verhältnisse** stable monetary conditions; **W.verlust** *m* currency loss, loss of exchange; **W.verschiebung** *f* currency realignment; **W.verschlechterung** *f* (currency) depreciation/deterioration; **W.vorschriften** *pl* currency regulations; **W.vorteile** *pl* monetary advantages; **W.wert** *m* currency value; **W.wirtschaft** *f* monetary system; **W.zeichen** *nt* currency symbol/sign; **W.zollzuschlag** *m* ⊝ exchange compensation duty; **W.zufluss** *m* currency inflow; **W.zusammenbruch** *m* collapse of a currency; **W.zuschlag** *m* currency surcharge, exchange mark-up; **W.zwangskurs** *m* controlled rate of exchange

Wahrzeichen *nt* symbol, landmark

Waise *f* orphan; **W.ngeld/W.nrente** *nt/f* orphan's allowance/pension; **W.ngeldempfänger(in)** *m/f* recipient of orphan's pension; **W.nhaus** *nt* orphanage; **W.nkind** *nt* orphan; **W.nzusatzrente** *f* child's insurance benefit *[US]*

Wal *m* whale

Wald *m* forest, wood

Wald|abholzung *f* deforestation; **W.arbeiter** *m* foresty worker, lumberjack *[US]*, forester; **W.bau** *m* silviculture; **W.bau-** silvicultural; **W.bauer** *m* forester; **w.baulich** *adj* silvicultural; **W.besitz** *m* forest property; **W.bestand** *m* 1. forest land, forests; 2. forest crop/stand, tree population; **W.bewertung** *f* forest valuation; **W.bewirtschaftung** *f* forest management; **W.brand** *m* forest fire

Wäldchen *nt* wood, grove, coppice

Wald|ertragswert *m* forest yield value; **W.fläche** *f* wooded/forest area; **W.frevel** *m* offence against forest laws; **W.gebiet** *nt* woodland; **W.land** *nt* woodland, timber/forest land; **W.nutzung** *f* forestry; **W.ökonomie** *f* forest economy; **W.- und Forstordnung** *f* forest by-laws; **W.parzelle** *f* wood lot; **w.reich** *adj* densely forested/wooded, well-wooded; **W.reichtum** *m* abundance of the forests; **W.reinertrag** *m* forest rent; **W.reinertragslehre** *f* forest-rent theory; **W.rentierungswert** *m* forest rent; **W.schaden** *m* damage to forests/woods; **W.schutzgebiet** *nt* forest reserve; **W.sterben** *nt* dying trees/forest(s), foresticide

Waldung *f* woodland, grove

Wald|weg *m* forest path; **W.wegebau** *m* forest road construction; **W.wirtschaft** *f* silviculture, forestry

Wal|fang *m* whaling; **W.fänger** *m* whaler; **W.fangflotte** *f* whaling fleet; **W.fanghafen** *m* whaling port; **W.-fangindustrie** *f* whaling industry; **W.fangquote** *f* whaling quota; **W.fangschiff** *nt* whaling ship, whaler

Walfisch *m* whale; **W.fang** *m* whaling

Wall Street *f [US]* The Street

Walzblech *nt* ✐ sheet (metal), rolled metal

Walze *f* ✿ roller, roll

Walzeisen *nt* ✐ rolled iron

walzen *v/t* 1. to roll; 2. ✐ to roll/mill; **kalt w.** ✐ to cold-roll

Wälzer *m (coll)* tome

Walz|lager *nt* ✿ roller bearing; **W.öl** *nt* roll cooling oil

Walzstahl *m* rolled steel; **W.kontor** *nt* rolled steel office; **W.rolle** *f* steel coil; **W.versand** *m* rolled steel deliveries; **W.werk** *nt* steel rolling mill

Walz|straße *f* ✐ rolling mill/train, mill train; **W.werk** *nt* rolling mill

Wand *f* wall; **jdn an die W. drücken** to push so. to the wall; **W. einziehen** to erect a wall; **an die W. gedrückt werden** *(fig)* to go to the wall *(fig)*; **starke W.** thick wall; **W.apparat** *m* ✆ wall telephone; **W.behang** *m* wall hanging

Wandel *m* 1. change, alteration, shift; 2. vicissitude; **W. der Institutionen** institutional change; **grundlegender/tiefgreifender W.** sea/profound/basic change; **technischer W.** technological change

Wandel|- convertible; **W.anleihe** *f* convertible security/bond/loan (stock), conversion stock/loan; **w.bar** *adj* 1. convertible; 2. changeable; **W.gang** *m* aisle, (covered) walk; **W.geschäft** *nt* callable time bargain, ~ forward transaction; **W.halle** *f* lobby, foyer, walk

wandeln *v/t* to convert; *v/refl* to (undergo a) change

Wandel|obligation *f* ➔ **Wandelanleihe** convertible loan/bond; **W.prämie** *f* conversion premium; **W.recht** *nt* conversion right/privilege

Wandelschuldverschreibung *f* convertible bond/debenture/loan stock, equity-linked bond; **W. mit Aktienbezugsrecht** detachable stock warrant; **garantierte W.** guaranteed convertible debenture; **W.skonditionen** *pl* convertible debt offerings

Wandelstelle *f (Anleihe)* conversion agent

Wandelung *f* ➔ **Wandlung** 1. conversion; 2. § redhibition, cancellation of contract; **W.sklage** *f* § action to dissolve a contract

Wandelvorzugsaktie *f* convertible preferred stock *[US]*, ~ preference share *[GB]*; **rückkaufbare W. mit Dividendennachzahlung** cumulative convertible redeemable preference share

Wander|aktionär *m* transient shareholder; **W.arbeiter/W.arbeitnehmer** *m* 1. migrant/itinerant worker, migrant; 2. hobo *(coll) [US]*; **W.ausstellung** *f* travelling/touring/itinerant/flying exhibition; **W.baustelle** *f* mobile site; **W.bibliothek/W.bücherei** *f* mobile library; **W.bühne** *f* 🎭 touring (theatre) company, road show *[US]*

Wanderer *m* hiker, rambler

Wandergeselle *m* itinerant tradesman

Wandergewerbe *nt* peddling, itinerant trade; **W. betreiben** to peddle; **W.schein** *m* itinerant trade licence; **W.steuer** *f* itinerant trade tax

Wanderhirte *m* nomad

Wandern *nt* rambling; **w.** *v/i* to migrate/hike; **w.d** *adj* itinerant, migratory, vagrant

Wander|schein *m* peddler's licence; **W.tag** *m (Schule)* excursion day

Wanderung *f* 1. migration, migratory movement; 2. *(Bevölkerung)* shift; 3. *(saisonbedingt)* seasonal migration; 4. *(Freizeit)* ramble, hike; **W. der Arbeitskräfte** migration of labour; **W. des Bergbaus** migration of mining

Wanderungs|bewegung *f* migration; **W.bilanz** *f* net migration; **W.gewinn** *m* migration gain, increase in population; **W.saldo** *m* migration balance; **W.ströme** *pl* migratory flows; **W.verlust** *m* migration loss, decrease in population

Wander|viehzucht *f* 🚜 transhumance; **W.wirtschaft** *f* itinerant trade; **W.zirkus** *m* travelling circus

Wandkalender *m* wall calendar

Wandlung *f* 1. change, transformation; 2. conversion; 3. § *(Rücktritt vom Kaufvertrag)* redhibition, cancellation of a contract for work, avoidance/cancellation of (a contract for) sale; **auf W. klagen** to sue for conversion, to institute a redhibitory action

Wandlungs|aufgeld *nt* conversion premium; **W.bedingungen** *pl* conversion terms; **W.erklärung** *f* notice of cancellation; **w.fähig** *f* adaptable; **W.fehler** *m* § redhibitory defect; **W.gewinn** *m* conversion gain; **W.klage** *f* § redhibitory action; **W.kurs/W.preis** *m* conversion price; **W.mitteilung** *f* conversion notice, notice of conversion; **W.prämie** *f* conversion premium; **W.recht** *nt* conversion privilege, right of conversion; **W.tag** *m* conversion day; **W.verfahren** *nt* § redhibitory action; **W.verhältnis** *nt* conversion rate; **W.verlangen** *nt (Anleihe)* request for conversion; **W.zeitraum** *m* conversion period

Wand|malerei *f* mural (painting); **W.plakat** *nt* wall poster; **W.protest** *m (Wechsel)* protest in drawee's absence; **W.schmierereien** *pl* graffiti *[I]*; **W.schrank** *m* fitted cupboard; **W.tafel** *f* 1. (black) board; 2. *(Gedenktafel)* mural tablet

wankelmütig *adj* volatile, fickle

ins Wanken geraten *nt* to begin to totter, to crumble away, to give way; **w.** *v/i* 1. to totter/stagger; 2. *(unsicher)* to falter

Wappen *nt* coat of arms; **W.kunde** *f* heraldry; **W.seite** *f (Münze)* tails

wappnen *v/refl* to prepare o.s., to make provisions (for), to brace o.s. for

Ware *f* commodity, article, product, item, stuff, stock; **W.n** goods, merchandise, wares

Ware zur Ansicht goods (sent) on approval; **W.n nicht kommerzieller Art** goods of a non-commercial character; **~ zur weiteren Bearbeitung** goods subject to further processing; **~ des fallweisen Bedarfs** shopping goods; **W.n und Dienstleistungen** products and services; **W. ausländischer Herkunft** foreign goods; **W.n auf Lager** warehouse goods; **~ außer Lebensmittel**

non-foods; **W. gemäß Muster** tale quale (t/q); **W. zum spottbilligen Preis** real bargain; **W.n der gehobenen Preisklasse/-lage** high-priced goods; ~ **mittleren Preisklasse/-lage** medium-priced goods; ~ **niedrigen Preisklasse/-lage** low-priced goods; **W.n aus inländischer Produktion/inländischen Produktionsquellen** home-produced goods, products supplied from domestic resources; ~ **mittlerer/zweiter Qualität** seconds; **W.n mit geringer Umsatzgeschwindigkeit** slow-moving/slow-selling goods; ~ **hoher Umsatzgeschwindigkeit** fast-moving/fast-selling goods; **W.n pflanzlichen Ursprungs** vegetable products; ~ **tierischen Ursprungs** animal products; ~ **unbestimmten Ursprungs** products of undetermined origin; ~ **ohne Ursprungseigenschaft** non-originating goods; ~ **für den laufenden Verbrauch** convenience goods; ~ **im freien Verkehr** ⊝ *(Freigut)* goods in free circulation; ~ **zur Vermietung** ⊝ goods imported on hire terms; ~ **erster Wahl** top-quality goods; ~ **zweiter Wahl** seconds; ~ **für Zollgutveredelung** goods for process(ing); ~ **unter Zollverschluss** bonded goods, goods in bond; ~ **in schlechtem Zustand** goods in bad order (g.b.o.)

die Ware bleibt bis zur vollen Bezahlung Eigentum des Verkäufers the goods shall remain the property of the seller until full payment

Waren abnehmen to accept goods, to take delivery of goods; **W. absetzen** to sell goods; **W. abstoßen** to sell off goods; **W. zur Verzollung anmelden** to declare goods at the customs; **W. annehmen** to take/accept delivery; **W. auslegen/ausstellen** to display/exhibit goods; **W. ausliefern** to deliver goods; **W. auf einer Messe ausstellen** to exhibit/display goods at a fair; **W. auszeichnen** to price goods; **W. heimlich befördern** ⊝ to smuggle (goods); **W. zollamtlich behandeln** to clear goods through customs; **W. beschlagnahmen** to distrain on/confiscate goods; **W. beschauen** to examine/inspect goods; **W. bestellen** to order goods; **W. bewerten** to value goods; **in W. bezahlen** to pay in truck/kind; **W. beziehen** to procure/obtain goods; **Ware auf den Markt bringen** to launch a product; **zu viel W. einlagern** to overstock; **W. zum freien Verkehr einführen** ⊝ to enter goods for consumption; **W. zollfrei einlassen** ⊝ to admit goods duty-free; **W. einstufen** to grade goods; **W. eintauschen** to transact goods; **W. freigeben** ⊝ to release goods; **W. führen** to stock/handle goods; **W. lagern** to store goods; **W. liefern** to supply goods; **W. wieder in Besitz nehmen** to repossess goods; **W. am Kai niederlegen** to place goods on the dock; **W. pfänden** to distrain on goods; **W. prüfen** to inspect goods; **W. übereignen** to assign goods; **W. umschlagen** to handle goods; **Ware auf den Markt der Gemeinschaft verbringen** *[EU]* to introduce a product into Community commerce; **W. in Kommission verkaufen** to sell goods on a consignment basis; **W. für eigene Rechnung verkaufen** to sell goods for one's own account; **W. versenden** to consign/despatch/ship/forward goods; **W. verzollen** to clear goods (through customs); **W. an neue Adresse weitersenden** to reconsign goods; **W. billig auf den Markt werfen** to dump goods; **in Ware zahlen** to pay in kind; **Ware in Erwartung steigender Preise zurückhalten** to be/go long of the market; **W. zurückschicken** to return goods

aus einem Zolllager zum freien Verkehr abgefertigte Ware goods withdrawn from bonded warehouse for consumption; **nicht abgeholte W.** uncollected goods; **abgepackte W.** package(d) goods; **nicht** ~ **W.** loose items; **absatzfähige W.** marketable commodity; **leicht absetzbare W.** fast-moving goods; **schwer** ~ **W.** slow-moving goods; **angebrochene W.** goods for sale; **anmeldepflichtige W.** ⊝ goods to declare; **auserlesene/ausgesuchte W.** choice goods/articles, selected goods; **ausgeführte W.** exports; **wieder** ~ **W.** re-exports; **ausgehende W.** outgoing lot; **avisierte W.** advised goods; **ausgezeichnete W.** (price-)labelled goods; **beanstandete W.** rejects, rejections; **auf dem Transport/unterwegs befindliche W.** goods in transit; **belastete W.** taxed product; **nach Maß berechnete W.** measurement goods; **beschädigte W.** damaged goods, goods deteriorated or spoiled; **beschlagnahmte W.** seized goods; **bestellte W.** goods on order; **bestreikte W.** black(ed) goods; **bewirtschaftete W.n** rationed/quota goods; **bezogene W.** goods purchased, bought-in goods; **braune W.** ↯ brown goods; **chemische W.n** chemicals; **disponible W.** *(Börse)* cash commodity, spots; **eingehende W.** incoming goods/lot, arrivals; **eingelagerte W.** warehouse/stored goods, goods in warehouse; **einheimische W.** inland commodities; **empfindliche W.n** sensitive goods; **erstklassige W.** high-grade/(top-)quality goods, goods of first-class quality; **fakturierte W.** invoiced goods; **fehlerhafte W.** faulty/defective goods; **fertiggestellte W.** finished goods; **flüssige W.** wet goods; **freie W.** unsubsidized goods; **fungible W.** fungible/merchantable goods; **gängige W.** marketable goods/commodities, goods in general supply; **gediegene W.** sterling goods *[GB]*; **gefährliche W.** hazardous goods; **gehaltene W.** firm stock; **börsenmäßig gehandelte W.n** goods dealt in on the exchange; **gut gehende W.** fast seller, fast-moving/fast-selling item; **schlecht** ~ **W.** slow seller, slow-moving item; **spontan gekaufte W.** impulse goods; **gelagerte W.** stored goods; **gemischte W.n** mixed goods; **gepfändete W.** distrained goods; **geschmuggelte W.** ⊝ contraband; **nicht** ~ **W.** innocent goods; **gleichartige W.** like product; **halbfertige W.n** semi-finished/semi-manufactured goods, goods in progress, semis; **heimische W.** home-produced goods/products; **heiße W.** hot/stolen goods; **fabrikmäßig hergestellte W.** manufactured goods, manufactures; **nicht von Gewerkschaftsmitgliedern** ~ **W.n** unfair goods; **vollständig** ~ **W.n** ⊝ wholly produced goods; **hochwertige W.** high-quality goods; **inflationsempfindliche W.** inflation-prone goods; **instabile W.** perishable goods; **käufliche W.** goods for sale; **knappe W.** scarce goods, goods in short supply; **konkurrenzlose W.** unrivalled goods; **konsignierte W.** consignment/memorandum *[US]* goods; **kontingentierte W.** quota goods, goods subject to a quota;

kriegswichtige W. strategic goods; **kurzlebige W.** non-durable goods; **lagerfähige W.** storable goods; **lebenswichtige W.** essential goods; **lieferbare W.** goods on hand; **sofort ~ W.** 1. spot goods, spots; 2. *(Börse)* prompts, actuals; **unter Zollverschluss liegende W.** goods in bond, bonded goods; **lose W.** loose items/goods, bulk goods/commoditities; **mangelhafte W.** defective goods; **marktgängige W.** merchantable quality; **materielle W.** hardware; **minderwertige W.** inferior products/goods/merchandise, wastrel; **vom Kunden mitgenommene W.** carry-out; **modische W.** fashionable articles, novelties, up-to-date merchandise; **nachgemachte W.** counterfeited/imitation goods; **notleidende W.** distressed merchandise; **patentierte W.** proprietary articles; **physische W.** physical goods; **prima W.** choice goods/quality; **reduzierte W.** cut-price *[GB]*/cut-rate *[US]* goods, goods offered at a reduced price; **rollende W.** rolling freight, goods in transit; **schlechte W.** unsound/inferior goods; **schmuggelanfällige W.n** ⊖ sensitive goods; **schwimmende W.** floating consignment, goods afloat, afloats; **sperrige W.** bulky goods; **unter Einfuhr-/Ausfuhrverbot stehende W.** ⊖ contraband; **zum Verkauf stehende W.** goods for sale; **steuerpflichtige W.** dutiable goods; **unbestellte W.** unsolicited goods; **unbesteuerte W.** zero-rated goods; **unbezahlte W.** unpaid goods; **unsortierte W.** non-sorted products; **unterdurchschnittliche W.** substandard goods; **untergegangene W.n** ⊖ lost goods; **unverdächtige W.** ⊖ innocent goods; **unveredelte W.** ⊖ process/unaltered goods, goods in an unaltered state; **unverkäufliche W.** dead stock, unsal(e)able goods, drag on the market; **unverlangte W.** unsolicited goods, goods not asked for; **unverpackte W.** bulk commodities; **unverzollte W.** bonded/unentered goods; **verarbeitete W.** processed goods; **(leicht) verderbliche W.** perishables, perishable goods; **verdorbene W.** unsound/damaged goods; **veredelte W.** processed goods; **verfügbare W.** stock in hand; **sofort ~ W.** actuals; **vergleichbare W.** ⊖ comparable products/goods; **verkäufliche W.** goods for sale; **leicht ~ W.** fast-moving/fast-selling goods; **schwer ~ W.** slow-moving/slow-selling goods; **ohne Deckung/deckungslos verkaufte W.** shorts, short account; **stückweise ~ W.** piece goods; **vertragsgerechte W.** conforming goods; **nicht vertragsmäßige W.** non-contractual goods; **vertretbare W.n** fungible/merchantable goods; **verzollte W.** cleared goods, customs out of bond; **weiße W.** 1. unbranded products/goods, no-name/white goods, generic products; 2. domestic electrical appliance(s); **wertzollbare W.n** ad valorem *(lat.)* goods; **zerbrechliche W.** fragile goods; **zollfreie W.n** (duty-)free goods; **zollpflichtige W.n** dutiable/duty-bearing goods; **zurückgesandte W.** returns, goods returned; **zurückgewiesene W.** rejects

Warenlabruf *m* calling-forward (notice); **W.abkommen** *nt* commodity/trade agreement; **W.abnehmer** *m* buyer; **W.absatz** *m* sale/marketing/distribution of goods; **W.abschluss** *m* commodity contract; **W.absender** *m* consigner, consignor, shipper; **W.absendung** *f* dispatch/consignment of goods; **W.adresszettel** *m* docket; **W.akkreditiv** *nt* commercial letter of credit (L/C); **W.akzept** *nt* trade acceptance, mercantile paper; **W.analyse** *f* product analysis; **W.anforderung** *f* request for delivery; **W.anfrage** *f* enquiry, inquiry; **W.angebot** *nt* 1. supply of goods, range of goods, selection; 2. consumer level; **W.- und Dienstleistungsangebot** supply of goods and services; **umfangreiches W.angebot** wide range of goods; **W.anmeldung** *f* ⊖ declaration of goods

Warenannahme *f* 1. receipt/acceptance of goods (r.o.g.); 2. receiving room/department, goods inward office, incoming goods department; **W. verweigern** to refuse acceptance/goods, ~ to take delivery; **W.abteilung/W.stelle** *f* (goods) receiving department; **W.schein** *m* goods received note, receiving slip

Warenlannehmer *m* receiving clerk; **W.arbitrage** *f* commodity arbitrage; **W.art** *f* commodity (group), class of goods; **W.aufnahme** *f (Markt)* product acceptance; **W.aufstellung** *f* list of goods; **W.aufzug** *m* 1. service elevator/lift; 2. goods hoist; **W.ausfall** *m* goods produced, finished articles; **W.ausfuhr** *f* visible/merchandise exports, export(ation)

Warenausgang *m* sale or withdrawal of goods, outgoing goods/merchandise; **W.sbuch** *nt* sales book; **W.skonto** *nt* sales account; **W.skontrolle** *f* outgoing lot control; **W.slager** *nt* finished goods warehouse, outgoing merchandise inventory; **W.smeldung** *f* goods issued note

Warenlausgeber *m* issuing clerk; **W.ausgleichslager** *nt* buffer stock(s); **W.auslage** *f* display; **W.auslieferung** *f* delivery of goods; **W.auslieferungslager** *nt* supply depot, consignment stocks; **W.ausstattung** *f* presentation of goods

Warenaustausch *m* 1. trading, exchange of goods, trade in goods; 2. imports and exports, visible trade; 3. *(Ware gegen Ware)* barter trade; **W.geschäft** *nt* barter business/transaction; **W.verhältnis** *nt* commodity terms of trade

Warenlauswahl *f* 1. choice/selection of goods; 2. range of goods; **W.auszeichnung** *f* 1. mark(ing), label(ling); 2. pricing; **W.automat** *m* vending/slot machine; **W.avis** *nt* advice of goods; **W.bedarf** *m* goods requirement

Warenbeförderung *f* carriage/movement of goods; **W. unter Zollverschluss** carriage under customs seal; **W.sschein** *m* waybill

Warenlbegleitpapiere *pl* accompanying/shipping documents; **W.begleitschein** *m* consignment/delivery note, shipping bill, docket, waybill, accompanying document; **mit ~ versehen** to docket; **W.beleihung** *f* lending on goods; **W.benennung** *f* designation; **W.beschaffung** *f* procurement of goods; **W.beschaffungskosten** *pl* merchandise procurement cost; **W.bescheinigung** *f* ⊖ movement certificate; **W.beschlagnahme** *f* arrest of goods; **W.beschreibung** *f* trade description, identification of goods; **W.beschreibungsgesetz** *nt* Trade Description Act *[GB]*

Warenbestand *m* stock (on/in hand), merchandise

inventory *[US]*, stock in trade, inventory goods on hand, inventories, supplies; **überzählige W.bestände** surplus stock; **W.sabschreibung** *f* inventory write-down; **W.saufnahme** *f* stocktaking; **W.skonto** *nt* inventory/stock account; **W.sliste** *f* inventory/stock list

Warenlbestellbuch *nt* order book, book of commissions; **W.bestellung** *f* 1. purchase order; 2. *(Import)* indent; **W.bevorratung** *f* stockbuilding, stockpiling; **W.bevorschusser** *m* factor; **W.bevorschussung** *f* commodity advance, factoring, advances against products; **W.bewegung** *f* 1. movement of goods; 2. commodity movement; **innerbetrieblicher W.bewegungsplan** moving plan; **W.bewirtschaftung** *f* rationing of goods, commodity control; **W.bezeichnung** *f* trade description/name, declaration/identification/description of goods; **tarifliche W.bezeichnung** ⊝ tariff description

Warenbezug *m* procurement of commodities; **W. aus dem Ausland** sourcing overseas; **W.skosten** *pl* cost pertaining to the acquisition and receipt of goods; **W.sschein** *m* purchasing permit

Warenbilanz *f* trade balance, balance of trade in goods, ~ of visible trade, ~ on merchandise trade; **W.- und Dienstleistungsbilanz** balance of payments on current account, ~ visible and invisible items; **W.defizit** *nt* visible trade deficit; **W.überschuss** *m* visible trade surplus

Warenlbonuskredit *m* commercial acceptance credit; **W.börse** *f* 1. commodity exchange/market; 2. *(Chikago)* board of trade; 3. 🚜 produce exchange; **W.bruttogewinn** *m* gross trading profit; **W.buchhaltung** *f* merchandise accounting; **W.darbietung** *f* merchandising, presentation; **W.deckung** *f* commodity cover(age); **W.delkredereversicherung** *f* accounts receivable insurance; **W.depot** *nt* warehouse; **W.diskont** *m* trade discount; **W.disposition** *f* goods/supply management; **W.dividende** *f* commodity dividend, rebate on purchased goods; **W.dokument** *nt* trade document; **W.-durchfuhr** *f* transit of goods, through shipment of goods; **W.eigentümer** *m* owner of (the) goods; **W.einfuhr** *f* merchandise import, importation of goods; **zollfreie ~ gewähren** to admit goods duty-free

Wareneingang/Wareneingänge *m/pl* 1. goods received/inward, incoming merchandise/goods, stock receipts, arrival of goods, receiving purchases; 2. incoming goods department

Wareneingangslabteilung *f* receiving room/department, incoming goods department; **W.bescheinigung** *f* delivery receipt, ~ verification certificate, receiving slip; **W.buch** *nt* merchandise purchases book/journal, goods bought ledger; **W.konto** *nt* purchase account; **W.kontrolle** *f* incoming lot control, inspection of incoming goods; **W.meldung** *f* goods received note, receiving report; **W.menge** *f* (volume/quantity of) goods received; **W.prüfung** *f* inspection of goods/lots received, goods inwards inspection; **W.schein** *m* receiving slip; **W.stelle** *f* goods receiving department, goods inward office

Wareneinheit *f* goods unit, item; **W.sversicherung** *f* combined risk insurance

Wareneinkauf *m* purchase(s), offtake; **W. und Warenverkauf in verschiedenen Währungen** commodity shunting; **W.sbuch** *nt* goods bought ledger; **W.s-konto** *nt* purchases account

Warenleinlagerung *f* warehousing, storage of goods; **W.einsatz** *m* 1. input of goods, sales input; 2. cost of goods sold/bought for resale

Wareneinstandslkosten *pl* cost of goods purchased; **W.preis** *m* cost price; **W.wert** *m* cost of merchandise sold

Warenleinstufung *f* classification of goods; **W.einzelspanne** *f* item-related margin; **W.empfang** *m* receipt of goods; **W.empfänger** *m* consignee; **W.empfangsschein** *m* goods/delivery receipt; **W.empfindlichkeit** *f* sensitivity of goods; **W.entlohnung** *f* truck system *[GB]*, store pay *[US]*; **W.erfolgskonto** *nt* goods income and expenditure account; **W.ertrag** *m* income from sales; **W.exporte** *pl* merchandise/goods exports; **W.finanzierung** *f* merchandise financing; **W.fluss** *m* flow of goods; **W.flusskette** *f* supply chain; **W.forderungen** *pl* (trade) accounts receivable, trade debtors/receivables; **W.forschung** *f* product research; **W.führer** *m* carrier; **W.funktionen** *pl* merchandise functions; **W.gattung/W.gebiet** *f/nt* line of goods; **W.geld** *nt* commodity money; **W.genossenschaft** *f* purchasing/selling cooperative

Warengeschäft *nt* commodity transaction, business in goods, consumer goods business; **W.e** commodity trade; **~ machen** to trade in goods; **spekulatives W.** adventure

Warenlgestaltung *f* merchandising; **W.gewinn** *m* trading profit; **W.gläubiger(in)** *m/f* (trade) creditor; **W.-gold** *nt* commodity gold

Warengruppe *f* product line/group/category, commodity, class of goods; **W.nkonto** *nt* commodity account; **W.nleiter** *m* product group manager; **w.norientiert** *adj* with a focus on a specific product group; **W.nspanne** *f* profit margin of commodity group; **W.nverzeichnis** *nt* schedule of product group

Warengutschein *m* shopping voucher/cheque *[GB]*/check *[US]*

Warenhandel *m* visible/commodity/mercantile/merchandise trade, trade in goods, commodity trading; **W. mit dem Festland** short sea trade *[GB]*; **W. in großen Mengen** mass merchandising

Warenhandelslbetrieb *m* trading establishment; **W.bilanz** *f* balance of trade, (visible) trade balance, visible balance; **W.defizit** *nt* trade deficit; **W.überschuss** *m* trade surplus

Warenhändler *m* commodity dealer, trader

Warenhaus *nt* 1. department*[GB]*/general *[US]* store; 2. emporium *(obs.)*; **frei W.** delivered in store; **W.-dieb(in)** *m/f* shop thief; **W.diebstahl** *m* shoplifting; **W.geschäft** *nt* departmental business/trade; **W.kette** *f* department store chain; **W.konzern** *m* stores group, department store group

Warenlhilfe *f* commodity aid; **W.hilfedarlehen** *nt* commodity aid loan; **W.identifizierung** *f* product identification; **W.importe** *pl* merchandise/goods imports; **W.kalkulation** *f* costing of merchandise sold; **W.katalog** *m* catalog(ue) of goods; **W.kauf** *m* purchase of goods; ~ **mittels Kredit** marginal trading; **W.kenntnisse** *pl* knowledge of goods; **W.kennzeichen** *nt* merchandise mark; **W.kennzeichnungsgesetz** *nt* Trade Description Act *[GB]*; **W.klasse** *f* class of goods; **W.knappheit** *f* shortage of goods; **W.konjunktur** *f* commodity boom; **W.kontingent** *nt* quota of goods

Warenkonto *nt* merchandise/commodity account; **gemischtes W.** merchandise account; **W.buch** *nt* book of merchandise

Waren|kontrolle *f* inspection/examination of goods; **W.korb** *m* ▦ product mix, batch/basket of commodities, shopping/market basket, shopping bag, list/sample of goods

Warenkredit *m* 1. commercial/mercantile/trade/commodity credit, credit/lending on goods, commercial/ commodity loan; 2. 🚜 produce loan; **großer W.** omnibus credit; **kurzfristiger W.** commercial credit

Warenkredit|abteilung *f* commercial credit department; **W.bank** *f* instalment credit institution; **W.betrüger** *m* trade credit defrauder; **W.brief** *m* commercial letter of credit (L/C); **W.bürgschaft** *f* commercial credit guarantee; **W.genossenschaft** *f* consumer credit cooperative; **W.versicherung** *f* commercial/trade credit insurance, trade idemnity insurance, credit loss/sale insurance, open/whole account policy; **W.wechsel** *m* trade note receivable *[US]*

Waren|kreis *m* range of merchandise/goods; **W.kunde** *f* commodity economics, merchandise technology; **W.ladung** *f* commodity cargo

Warenlager *nt* 1. warehouse, stockroom, depository, magazine, packing house/plant; 2. *(Bestand)* stocks merchandise inventory, inventories; **W. wieder auffüllen** to replenish stocks; **W. umschlagen** to turn over stock; **W. verringern** to reduce stocks; **offenes W.** public warehouse; **W.haltung** *f* stockkeeping

Waren|lagerung *f* (commercial) storage; **W.lieferant** *m* supplier/purveyor of goods

Warenlieferung *f* delivery of goods, physical delivery; **W.en** *(Bilanz)* payable to suppliers *[US]*; ~ **und Leistungen** 1. *(aktiv)* trade receivables; 2. *(passiv)* trade payables; **W. über Vertriebssysteme** franchising

Waren|liste *f* stocklist, list of goods, tally; **W.logistik** *f* distribution logistics; **W.lohn** *m* truck *[GB]*/store *[US]* pay; **W.lombard** *m* commodity (collateral) advance, goods advance, advances against merchandise, commodity loan; **W.makler** *m* merchandise/commodity broker; **W.mangel** *m* scarcity of goods; **W.manifest** *nt* goods manifest; **W.marke** *f* trademark, brand; **W.-markt** *m* 1. commodity market; 2. 🚜 produce market; **W.- und Dienstleistungsmarkt** commercial market; **W.menge** *f* quantity of goods; **W.messe** *f* merchandising fair; **W.muster** *nt* (trade) sample; ~ **von geringem Wert** sample of small value; **W.nachnahme** *f* cash *[GB]*/collect *[US]* on delivery (COD; c.o.d.); **W.nebenkosten** *pl* incidental procurement costs; **W.niederlage** *f* depository of goods; **W.norm** *f* product standard; **W.normung** *f* commercial standardization, standardization of commodities; **W.note** *f* prompt note; **W.nummer** *f* article number; **W.palette** *f* range (of goods), commodity coverage; **W.papier** *nt* document of title, trade/shipping document, mercantile paper; **W.partie** *f* lot, parcel of goods; **W.partienummer** *f* ⊖ leading number; **W.pass** *m* ⚓ navicert; **W.pfändung** *f* distraint of goods; **W.platzierung** *f* product positioning; **W.position/W.posten** *f/m* item; **W.posten mit kleinen Fehlern;** ~ **zweiter Wahl** job lot; **W.prämie** *f* trade premium; **erlebnisgerechte W.präsentation** visual merchandising

Warenpreis *m* commodity price; **W. auf Wiederbeschaffungsbasis** commodity price at replacement cost; **W.bewegung** *f* commodity price movement; **W.hausse** *f* commodity boom; **W.index** *m* commodity price index; **W.klausel** *f* stable value clause

Warenprobe *f* pattern, (trade/merchandise) sample, sample of merchandise, specimen; **als W.** ✉ by sample post; **W. zusammenstellen** to make up samples; **kostenlose W.** free sample; **willkürliche W.nverteilung** caravan test

Waren|prüfer *m* quality inspector; **W.prüfstelle** *f* merchandise testing office; **W.prüfung** *f* quality control; **vergleichende W.prüfung** comparative/comparison shopping; **W.qualität** *f* product quality; **W.rechnung** *f* (commercial) invoice; **W.reingewinn** *m* net trading profit, net profit on sales; **W.rembourskredit** *m* commercial acceptance credit; **W.reservewährung** *f* commodity reserve currency; **W.reste** *pl* remnants, oddments; **W.retouren** *pl* goods returned, returns; **W.rohgewinn/-ertrag** *m* gross trading profit, gross margin; **W.rohstoffwert** *m* value of raw materials; **W.rückgabe/-sendung** *f* return of goods; **W.rückgaben/-sendungen von Kunden** (sales) returns; **W.rückvergütung** *f* rebate on purchased goods; **W.schein** *m* 1. consignment note; 2. *(Börse)* warrant; **W.schuld** *f* commercial debt; **W.schulden** trade debts, ~ accounts payable; **W.schuldner** *m* trade debtor

Warensendung *f* 1. shipment (shpt.), consignment; 2. ✉ trade sample; **kommerzielle W.** commercial consignment; **kreditierte W.** credit shipment

Waren|sicherheit *f* commodity collateral; **W.skonto** *m/nt* trade discount/allowance; **W.sorte** *f* category of goods; **W.sortiment** *nt* (line of) goods, assortment of merchandise; **W.speicher** *m* storehouse, magazine; **W.stempel** *m* brand, trademark; **W.steuer** *f* commodity/product tax, excise (duty); **W.strom** *m* flow of commodities/goods; **W.struktur** *f* pattern of goods; **W.substitution** *f* substitution of goods; **W.tausch** *m* barter (trade); **W.technik** *f* commercial engineering

Warentermin|börse *f* (commodity) futures exchange, terminal market; **W.geschäft** *nt* commodity futures transaction; **W.handel** *m* commodity forward dealings/trading; **W.kontrakt** *m* futures contract; **W.-markt** *m* futures/contract market

Warentest *m* product test, goods test/survey; **vergleichender W.** competitive product test; **W.informationen** *pl* product test information

Waren|transaktion *f* commodity transaction; **W.transit** *m* transit of goods; **W.transport** *m* transport of goods; **W.übereignung** *f* assignment of goods; **W.-übergabe** *f* consignment; **W.überschuss** *m* overage; **W.umsatz** *m* commodity sales, merchandise turnover; **W.umsatzsteuer** *f* purchase/sales/turnover tax

Warenumschlag *m* stockturn, turnover of goods, goods turnover; **W.platz** *m* (goods) distribution centre; **W.sanlage** *f* material handling equipment; **W.skredit** *m* goods turnover financing credit, warehousing credit; **W.sziffer** *m* goods turnover ratio

Waren|umschließung *f* packing, packaging, wrapping; **W.untergruppe** *f* product subcategory; **W.untersuchung** *f* analysis of goods; **W.ursprung** *m* origin of goods; **W.verbindlichkeiten** *pl* trade debts *[GB]*, accounts payable *[US]*; **W.verderb** *m* deterioration/spoilage of goods; **W.verfügbarkeit** *f* goods availability

Warenverkaufs|buch *nt* sales book/journal, book of sales; **W.gesetz** *nt* Sale of Goods Act *[GB]*; **W.konto** *nt* (merchandise) sales account; **W.steuer** *f* retail sales tax *[US]*

Warenverkehr *m* movement of goods, visible/goods trade, flow of commodities, merchandise movement/trade; **W.- und Dienstleistungsverkehr** trade and services transactions, exchange/movement of goods and services; ~ **Kapitalverkehr** movement of goods and capital; **begünstigter W.** preferential trade; **freier W.** free trade, free circulation/movement of goods; **grenzüberschreitender W.** 1. cross-border trade, cross-frontier movement of goods; 2. international transport, cross-frontier traffic; **innergemeinschaftlicher W.** *[EU]* intra-Community trade; **W.sbescheinigung** *f* ⊖ movement certificate; **W.slogistik** *f* distribution logistics

Waren|verknappung *f* scarcity of goods; **W.vermittler** *m* middleman; **W.verpackung** *f* pack(ag)ing, wrapping; **W.verpfändung** *f* hypothecation/pledge of goods; **W.versand** *m* dispatch/consignment/movement/shipping/transmission (of goods), transit operation; **W.versender** *m* consignor, consigner, shipper; **W.versicherer** *m* merchandise underwriter; **W.verteillogistik** *f* distribution logistics; **W.verteilung** *f* goods/physical distribution

Warenverzeichnis *nt* 1. ⚓ manifest; 2. stock book; 3. product classification; **Internationales W. für Außenhandel** Statistical and Tariff Classification for International Trade (CST); **W. für die Außenhandelsstatistik** commodity classification for foreign trade statistics; **Revidiertes Internationales ~ Handelsstatistik** Revised Standard International Trade Classification *(UNO)*; ~ **Statistik des Außenhandels der Gemeinschaft und des Handels zwischen Mitgliedsstaaten (NIMEXE)** nomenclature of goods for the external trade statistics of the Community and statistics of trade between Member States (NIMEXE); **internationales Waren- und Güterverzeichnis** international classification of goods and services

Warenvorrat *m* stock-in-trade; **Warenvorräte** merchandise on hand, inventories, goods carried in stock; ~ **abbauen** to destock; ~ **erneuern** to restock, to replenish stocks

Waren|vorschuss *m* advance against merchandise, ~ on goods; **W.währung** *f* commodity currency/standard; **W.wechsel** *m* trade acceptance/bill, commercial bill/note/paper, commodity/business bill, mercantile bill/paper; **bankgirierter W.wechsel** banker's trade acceptance; **W.weg** *m* trade channel(s); **W.werbung** *f* product advertising

Warenwert *m* goods/commodity/invoiced value; **W. angeben** to declare the value (of the goods); **statistischer W.** statistical value of goods

Warenwirtschaftssystem *nt* inventory control system, merchandise information system, merchandise planning and control system, ~ management

Warenzeichen *nt* trademark, brand; **W. ohne Unterscheidungskraft** non-distinctive trademark; **mit einem W. versehen** branded

Warenzeichen anmelden to register a trademark, to apply for the registration of a trademark; **W. eintragen** to register a trademark; **W. löschen** to cancel a trademark; **W. nachahmen** to pirate a trademark; **W. verbinden** to associate a trademark; **W. verletzen** to infringe a trademark

eingetragenes/(gesetzlich) geschütztes Warenzeichen registered trademark; **international geschütztes W.** international trademark; **irreführendes/täuschendes W.** deceptive mark; **verbundene W.** associated trademarks

Warenzeichen|abteilung *f* trademark division; **W.-blatt** *nt* trademark journal; **W.fälschung** *f* commercial counterfeiting; **W.gebühren** *pl* trademark registration fees; **W.gesetz** *nt* trademark act, Trademark Registration Act *[GB]*, Merchandise Marker Act *[US]*; **W.inhaber** *m* registrant, trademark owner; **W.lizenz** *f* trademark licence; **W.löschung** *f* cancellation of a trademark; **W.missbrauch** *m* trademark infringement, infringement of a trademark; **W.politik** *f* branding (policy); **W.recht** *nt* trademark law; **W.rechte** trademark rights; **W.register** *nt* trademark register; **W.rolle** *f* register of trademarks; **W.schutz** *m* trademark protection; **W.streitsache** *f* trademark dispute; **W.verletzung** *f* → **W.missbrauch**; **W.vorschriften** *pl* trademark rules

Waren|zentrale *f* central buying and selling agency; **W.zettel** *m* docket; **W.zoll** *m* customs duty; **W.zufuhr** *f* arrivals of goods; **W.zugang** *m* incoming stocks; **W.zuliefersystem** *nt* supply system; **W.zurückhaltung** *f* holding goods back; **W.zustellung** *f* delivery of goods

Warmbreitbandstraße *f* 🏭 warm/hot strip mill

Wärme *f* heat, warmth; **W. verbreiten** to radiate warmth

Wärme|abgabe/W.ausstrahlung/W.emission *f* heat emission; **W.bedarf** *m* demand for heat(ing), heat consumption; **W.behandlung** *f* heat treatment; **W.belastung** *f* thermal pollution; **w.beständig** *adj* heat-resistant; **W.dämmung** *f* heat insulation; **W.einheit** *f* thermal unit; **W.energie** *f* thermal power/energy;

w.erzeugend *adj* calorific; **W.gehalt** *m* heat content; **W.grad** *m* degree of heat; **w.isoliert** *adj* lagged; **W.-Kraft-Kopplung** *f* ϟ co-generation, combined heat and power; **W.kraftwerk** *nt* caloric/thermal power station, thermal power plant; **W.leistung** *f* thermal output; **W.leiter** *m* heat conductor; **W.markt** *m* fuel/heating market; **W.messer** *m* thermometer; **W.pumpe** *f* heat pump; **W.regler** *m* thermostat; **W.rückgewinnung** *f* heat recovery; **W.schutz** *m* thermal protection; **W.stelle** *f* fuel control department; **W.strahlung** *f* thermal radiation; **W.strom** *m* thermal electricity; **W.technik** *f* heat technology; **W.verlust** *m* loss of heat; **W.wirtschaft** *f* 1. heat supply system, heat economy; 2. commercial heat suppliers

Warm|luftfront *f* ☁ warm front; **W.luftheizung** *f* hot-air heating; **W.miete** *f* rent inclusive of/including heating; **W.start** *m* 🖳 warm start, system restart

Warmwasser *nt* hot water; **W.boiler/W.gerät** *m/nt* (fitted) water heater, geyser *[GB]*; **W.versorgung** *f* hot-water supply

Warn|anlage *f* warning device/system, alarm (system); **W.aussperrung** *f* token/warning lockout; **W.blinkanlage** *f* 🚗 hazard warning flashers, flashing warning lights; **W.dreieck** *nt* 🚗 warning triangle

warnen *v/t* 1. to warn, to sound a warning, to strike/sound a note of warning; 2. § to caution; **jdn w. vor** to warn so. of, to put so. on guard against; **diskret w.** to sound a note of caution; **eindringlich w.** to sound a dire warning

Warn|feuer *nt* ⚓ warning light; **W.flagge** *f* red flag; **W.glocke** *f* warning bell; **W.grenze** *f* peril point, warning limit; **W.klausel** *f* cautionary note; **W.licht** *nt* warning light; **W.schild** *nt* warning sign; **W.schuss** *m* warning shot; **W.signal** *nt* warning/danger/precautionary signal, alert; **W.signale geben** to sound warnings; **W.streik** *m* token/warning/spontaneous/demonstration/deterrent strike, demonstration stoppage; **kurzer W.streik** hit-and-run strike; **W.tafel** *f* 1. warning sign; 2. cautionary board; 3. 🚗 hazard warning panel

Warnung *f* 1. warning, alarm; 2. notice, caveat *(lat.)*; 3. § (word of) caution; **ernste W. aussprechen** to sound a (dire) warning; **W. beachten** to heed a warning; **W. in den Wind schlagen** to make light of a warning; **ernste W.** dire warning; **frühzeitige W.** early warning; **hinreichende W.** ample warning

Warptrosse *f* ⚓ warp (line)

Warrantlombard *m* lending on goods

Warte *f* point of view, standpoint

Warte|aufruf *m* 🖳 wait call; **W.bahn** *f* ✈ holding pattern; **W.frist** *f* waiting period/time, period of delay; **W.geld** *nt* 1. *(Beamter)* half-pay; 2. ⚓ demurrage; **W.halle** *f* 1. ✈ lounge; 2. waiting room; **W.kosten** *pl* opportunity cost(s), cost(s) of waiting time; **W.liste** *f* waiting list, stand-by; **auf der ~ stehen** to be on the waiting list

Warten *nt* waiting; **w.** *v/i* 1. to wait, to hold on; 2. *(Geräte)* to service/attend/maintain; **auf etw. w.** to await sth.; **w., bis man an die Reihe kommt** to wait one's turn; **jdn w. lassen** to keep so. waiting

Wartepflicht *f* duty to remain

Wärter *m* 1. attendant, minder; 2. *(Gefängnis)* warden, guard; **W.in** *f (Gefängnis)* wardress

Warte|raum *m* 1. waiting room; 2. ✈ departure/transit lounge; **W.saal** *m* waiting-room

Warteschlange *f* queue *[GB]*, waiting line *[US]*, line-up; **W. bilden** to form a queue; **W.nmodell** *nt* queuing/waiting-line model; **W.ntheorie** *f* queuing/waiting-line theory, theory of queues; **W.nverlust** *m* queuing loss

Warteschleife *f* ✈ holding pattern, stack

Wartestand *m* *(Beamter)* half-pay; **in den W. versetzen** to put on half-pay; **W.sgeld beziehen** *nt* to be on half-pay

Warte|status *m* 🖳 waiting state; **W.stellung** *f* stand-by position; **W.system** *nt* queuing/waiting-line system; **W.theorie** *f* waiting theory; **~ des Zinses** abstinence theory of interest

Wartezeit *f* 1. standby/wait time, waiting period/time; 2. qualifying period; 3. *(Streik)* cooling-off period; **W. erfüllen** to complete the qualifying period; **ablaufbedingte W.** unoccupied time; **W.minimierung** *f* minimization of waiting time; **W.problem** *nt (Verkehr)* congestion problem

Wartezimmer *nt* waiting-room; **W.verfahren** *nt (Außenhandel)* first-come-first-served method

Wartezustand *m* wait state

Wartung *f* maintenance, servicing, service, attention, maintenance service, attendance, upkeep; **W. durch Fremdfirmen** third-party maintenance; **unterlassene W. und Instandhaltung** deferred maintenance/repairs; **W. von Mietgegenständen** rental maintenance; **W. durchführen** to handle the servicing; **mangelhafte W.** inadequate maintenance; **vorbeugende W.** preventive/planned maintenance; **zentrale W.** centralized maintenance

Wartungs|abkommen *nt* maintenance contract; **W.abteilung** *f* maintenance department; **W.anlagen** *pl* maintenance facilities; **W.arbeit(en)** *f/pl* maintenance/servicing work; **W.arbeiten durchführen** to service; **W.aufwand** *m* maintenance cost(s); **W.bedingungen** *pl* service terms; **W.bericht** *m* service/servicing report; **W.dienst** *m* maintenance department/service; **W.etat** *m* maintenance budget; **W.feld** *nt* 🖳 maintenance control panel; **w.frei** *adj* maintenance-free; **W.freundlichkeit** *f* maintainability; **W.handbuch** *nt* maintenance manual; **W.hilfe** *f* service aid; **W.ingenieur** *m* maintenance/service engineer; **W.intervall** *nt* service/maintenance interval; **W.kosten** *pl* maintenance charges/cost(s), (cost of) upkeep; **W.lohn** *m* maintenance wage; **W.mannschaft** *f* maintenance crew; **W.miete** *f* maintenance leasing; **W.monteur** *m* maintenance man; **W.personal** *nt* maintenance men/staff; **W.programm** *nt* maintenance programme; **W.rückstellung** *f* maintenance reserve; **W.stelle** *f* maintenance shop; **W.techniker** *m* maintenance engineer/man; **W.teile** *pl* maintenance parts; **W.unternehmen** *nt* service contractor; **W.vertrag** *m* servicing/maintenance/service contract, service agreement/lease; **W.zeit**

f maintenance time; **W.zeitraum** *m* maintenance rate/interval; **W.zyklus** *m* maintenance cycle

Waschlanlage *f* 1. carwash; 2. *(Geld)* laundering facility; **W.anleitung** *f* washing instruction; **W.anstalt** *f* laundry; **W.automat** *m* automatic washing machine; **w.bar** *adj* washable; **W.benzin** *nt* $ benzine

Wäsche *f* 1. clothes, linen; 2. wash(ing), laundering, laundry; **schmutzige W.** dirty linen/washing

waschecht *adj* 1. washable; 2. *(farbecht)* (colour-)fast

Wäschelgeschäft *nt* draper's shop; **W.kammer** *f* linen room

waschen *v/t* to wash/launder

Wäscherei *f* 1. laundry; 2. *(Selbstbedienung)* launderette, washeteria, laundromat *[US]*

Wäschelschleuder *f* spin drier; **W.schrank** *m* linen cupboard; **W.trockner** *m* clothes/tumble drier *[GB]*, ~ dryer *[US]*; **W.zeichen** *nt (Name)* name tape

Waschlgelegenheit *f* washing facility; **W.küche** *f* 1. washhouse, laundry room; 2. *(Nebel)* pea soup *(fig)*; **W.maschine** *f* washer, washing machine; **w.maschinenfest** *adj* machine-washable; **W.mittel** *nt* detergent; **W.pulver** *nt* washing powder; **W.raum** *m* washroom; **W.salon** *m* launderette, washeteria, laundromat *[US]*; **W.seide** *f* washable silk; **W.vollautomat** *m* automatic washing machine, ~ washer; **W.wasser** *nt* washing water; **W.zettel** *m (Buch)* blurb

Washingtoner Währungsabkommen *nt* Smithsonian Agreement

Wasser *nt* water

unter Wasser awash, flooded; **zu W. und zu Lande** by sea and land; ~ **befördert** waterborne; **vom W. eingeschlossen** waterbound; **am W. gelegen** waterfront; **ihm steht das W. bis zum Hals** *(coll)* he is up to his neck in it *(coll)*

jdm das Wasser abgraben *(fig)* to cut the ground from under so.'s feet *(fig)*; **W. abstellen** to cut off the water supply; **über W. bleiben** to remain afloat; **ins W. fallen** *(fig) (Termin)* to fall through *(fig)*; **W. fassen** to take water; **sich über W. halten** *(fig)* 1. to make ends meet *(fig)*; 2. to keep afloat, to keep one's head above water; **jdn (finanziell) ~ halten** to tide so. over, to keep so. surfaced; **von W. und Brot leben** to live on bread and water; **jdm das W. reichen können** *(fig)* to hold a candle to so. *(fig)*; **W. aus einem Boot schöpfen** to bail/bale out a boat; **mit allen W.n gewaschen sein** *(coll)* to be up to all the dodges, to know a thing or two *(coll)*; **W. auf jds Mühlen sein** *(fig)* to be grist to so.'s mill *(fig)*; **unter W. setzen** to flood; **ins kalte W. springen** *(fig)* to take the plunge *(fig)*; **mit W. vermischen** to dilute

ablaufendes Wasser *(Meer)* receding tide; **auflaufendes W.** *(Meer)* rising/incoming tide; **fließendes/laufendes W.** running water; **offenes W.** open water; **stehendes W.** stagnant water

Wasserl- aquatic; **W.abfluss** *m* water outlet, drain; **W.abgabe** *f* water rate; **w.abstoßend** *adj* water-repellent; **W.aktie** *f* watered/heavily diluted share; **W.amt** *nt* water authority; **W.- und Schifffahrtsamt** 1. waterways and shipping authority; 2. British Waterways Board *[GB]*; **W.angebot** *nt* water supply; **W.anschluss** *m* 🏛 water mains connection; ~ **haben** to be on the mains; **w.arm** *adj* arid; **W.armut** *f* aridity; **W.aufbereitung** *f* water treatment; **W.aufbereitungsanlage** *f* water treatment plant; **W.ballast** *m* ⚓ water ballast; **W.bau(wesen)** *m/nt* hydraulic engineering, hydraulics; **W.bauingenieur** *m* hydraulic engineer; **W.becken** *nt* water basin; **W.bedarf** *m* water requirements; **W.behälter** *m* cistern; **W.behörde** *f* water authority, Water Board *[GB]*; **W.benutzungsrecht** *nt* water privilege; **w.beständig** *adj* water-proof, water-resistant; **W.blase** *f* $ blister; **W.bruch** *m* $ hydrocele; **W.dampf** *m* steam, water vapour; **W.dargebot** *nt* water supply

wasserdicht *adj* waterproof, watertight; **w. machen** to waterproof; **w. sein** to hold water

Wasserldruck *m* water pressure; **w.durchlässig** *adj* permeable; **W.durchsichtigkeit** *f* purity of water; **W.eimer** *m* bucket, pail; **W.einzugsgebiet** *nt* water catchment area; **W.enthärter** *m* water softener; **W.entnahmerecht** *nt* water right(s)/privilege; **W.fahrzeug** *nt* ⚓ watercraft, vessel; **W.fall** *m* waterfall, cascade; **W.fass** *nt* water cask; **w.fest** *adj* waterproof; **W.flasche** *f* water bottle; **W.flughafen** *m* marine airport; **W.flugzeug** *nt* seaplane, hydroplane

Wasserfracht *f* 1. carriage by water; 2. *(Gebühr)* waterage; **W.führer** *m* water carrier; **W.kosten** *pl* waterage

Wasserlgehalt *m* water content; **w.gekühlt** *adj* water-cooled; **W.geld** *nt* water rate(s) *[GB]*/charges *[US]*; **W.gesetz** *nt* water act; **W.graben** *m* ditch; **W.hahn** *m* water tap/cock, faucet *[US]*; **w.haltig sein** *adj* to contain water; **W.haushalt** *m* water balance, water supply and consumption; **W.haushaltsgesetz** *nt* water resources act; **W.höhe** *f* water level; **W.karte** *f* hydrographic chart; **W.kopf haben** *m (Bürokratie)* to be top-heavy; **W.kosten** *pl* cost of water consumption

Wasserkraft *f* water/hydraulic/hydro-electric power, white coal; **W.anleihe** *f* hydro-electric loan; **W.erzeugung** *f* hydro-electric power production; **W.strom** *m* hydro-electric energy/current; **W.werk** *nt* hydro-electric power station/plant

Wasserlkreislauf *m* water cycle; **W.kühlung** *f* water cooling; **W.kunde** *f* hydrography; **W.lauf** *m* water-course; **W.leitung** *f* water pipe/mains/carrier; **W.linie** *f* ⚓ water line; **höchste W.linie** ⚓ load water line; **W.loch** *nt* water hole; **w.löslich** *adj* water-soluble; **W.mangel** *m* water shortage; **W.messer** *m* water meter; **W.mühle** *f* water mill

wassern *v/i* 1. ✈ to land on water; 2. *(Notlandung)* to ditch

Wasserlnachfrage *f* demand for water; **W.nutzungsrecht** *nt* water privilege/right; **W.oberfläche** *f* water surface; **W.pocken** *pl* $ chickenpox; **W.polizei** *f* water bailiff/guard, river police; **W.pumpe** *f* water pump; **W.qualität** *f* water quality; **W.qualitätsvorschriften** *pl* water-pollution/water-quality standards; **W.rad** *nt* water wheel; **W.recht** *nt* 1. water right(s); 2. law concerning water and waterways; **w.reich** *adj* abounding in water; **W.reservoir** *nt* reservoir; **W.rinne** *f* gutter

Wasserrohr *nt* water-pipe; **W.bruch** *m* pipe burst; **W.bruchversicherung** *f* burst water-pipe insurance

Wasser|säule *f* head of water; **W.schaden** *m* water damage, damage by water; **W.schadensversicherung** *f* water damage insurance; **W.scheide** *f* watershed, water divide; **W.schlauch** *m* water hose, hosepipe; **W.schöpfrad** *nt* water wheel

Wasserschutz *m* water conservation; **W.gebiet** *nt* water conservation/protection area; **W.polizei** *f* water/river police

Wasser|speicher *m* water tank; **W.spiegel** *m* water level; **W.sport** *m* water sport(s)/recreation; **W.spülung** *f* *(WC)* flush(ing)

Wasserstand *m* water level; **W.sanzeiger/W.smesser** *m* water ga(u)ge; **W.smarke** *f* water mark; **W.smeldung** *f* water-level bulletin

Wasser|stelle *f* *(Vieh)* watering place; **W.stoff** *m* ⚗ hydrogen; **W.stoffbombe** *f* hydrogen (H) bomb

Wasserstraße *f* waterway; **W.namt** *nt* Waterways Board *[GB]*; **W.nanschluss** *m* waterway link; **W.nbau** *m* waterways construction; **W.nverwaltung** *f* waterways department

Wasser|tank *m* water tank, cistern; **W.temperatur** *f* water temperature; **W.tiefe** *f* 1. depth of water; 2. ⚓ *(Tiefgang)* draught *[GB]*, draft *[US]*; ~ **peilen** ⚓ to take soundings; **W.träger** *m* water carrier; **W.transport** *m* water carriage/transport; **W.turbine** *f* water turbine; **W.turm** *m* water tower; **W.uhr** *f* water meter; **w.undurchlässig** *adj* waterproof

Wasserung *f* ✈ sea/water landing

Wasser|untersuchung *f* water analysis; **W.verbrauch** *m* water consumption/usage; **W.verbraucher** *m* water user; **W.verdrängung** *f* ⚓ displacement; ~ **bei voller Beladung** load displacement; **W.verschmutzung/W.verseuchung** *f* water pollution/contamination

Wasserversorgung *f* water supply; **städtische W.** municipal water supply; **W.sunternehmen** *nt* water undertaking

Wasser|verunreinigung *f* water pollution; **W.vorrat** *m* water reserve/resources; **W.waage** *f* spirit level; **W.wagen** *m* water cart; **W.weg** *m* waterway, seaway; **auf dem W.weg** by water; **auf dem ~ befördern** to ship, to transport by water; **W.werfer** *m* water cannon; **W.werk** *nt* 1. water works; 2. *(Behörde)* water authority

Wasserwirtschaft *f* 1. water management; 2. water (supply) industry; 3. water engineering, hydraulics; **W.samt** *nt* river/water authority; **W.sfonds** *m* water resources fund; **W.sunternehmen** *nt* water company; **W.sverband** *m* water supply association; **W.sverwaltung** *f* Water Board *[GB]*, water resources administration, river authority

Wasser|zähler *m* water meter; **W.zapfstelle** *f* hydrant, standpipe; **W.zeichen** *nt* watermark; **W.zolldienst** *m* Customs Waterguard Service *[GB]*; **W.zins** *m* water rate; **W.zufuhr** *f* water supply; ~ **sperren** to cut off the water supply

Watt *nt* 1. ⚡ watt; 2. mudflats, foreshore; **eine Milliarde W.** gigawatt

Watte *f* cotton wool *[GB]*/batting *[US]*, absorbent cotton *[US]*

Wattenmeer *nt* 1. mudflats, foreshore; 2. *(Nordsee)* Wadden Sea

wattier|en *v/t* to pad; **W.ung** *f* padding, lining

Watt|leistung *f* ⚡ wattage; **W.messer** *m* wattmeter; **W.stunde** *f* watt-hour; **W.zahl** *f* wattage

Weben *nt* weaving; **w.** *v/t* to weave

Weberei *f* (weaving) mill

Web|erzeugnis *nt* woven product; **W.fehler** *m* weaving fault/flaw; **W.garn** *nt* weaving yarn; **W.pelz** *m* imitation fur; **W.seite** *f* 💻 web site; **W.stuhl** *m* (weaving) loom; **W.waren** *pl* textiles, soft goods

Wechsel *m* 1. change, alteration, exchange, switch, shift, changeover, substitution; 2. rotation; 3. *(Arbeitszeit)* stagger; 4. bill (of exchange) (B/E), draft (dft.), commercial paper, promissory note; 5. *(Kommune)* local authority bill

Wechsel gegen Abtretung der Warenforderung value bill, bill on goods; **W. an erste Adresse** prime commercial paper; **turnusmäßiger W. im Amt** rotation in office; **W. des Arbeitsplatzes** change of job/employment; **W. in mehreren Ausfertigungen; ~ in mehrfacher Ausfertigung** set of exchange, bills in a set; **W. mit Besicherung durch Lagerschein oder Orderkonnossement** commodity paper; **W. im Bestand** bills of exchange on hand; **W. des Dienstpostens** change of job; **W. zum Diskont** bill for discount; **W. gegen Dokumente** bill against documents; **W. in der Führungsspitze** management change; **W. des Gerichtsstandes** change of venue; **W. zum Inkasso** bill for encashment/collection; **W. mit bestimmter Laufzeit** time bill; ~ **anhängenden Papieren** bill with documents attached; ~ **kurzer Restlaufzeit** short bill; **W. auf Sicht** demand/sight draft; ~ **kurze Sicht** short/short-termed/short-dated bill; ~ **lange Sicht** long/long-term/long-dated bill; **W. der Staatsangehörigkeit** change of nationality; ~ **Tarifnummer** ⊝ change of the tariff heading, ~ customs tariff number; **W. im Umlauf** bills in circulation; **W. auf uns** bill on us; **eigener W. mit einer Unterschrift** individual/several note; ~ **zwei oder mehreren Unterschriften** joint note; **W. im Vorstand** management/boardroom change; **W. in ausländischer Währung** foreign/currency bill, bill in foreign currency

Wechsel zahlbar bills payable (B.P.)

Wechsel abgeben to draw value on so.; **W. abrechnen** to discount a bill (of exchange); **W. abweisen** to reject a bill; **W. akzeptieren** to accept a bill; **im W. anbauen** 🚜 to rotate crops; **W. anerkennen/annehmen** to accept/honour a bill; **W. nicht anerkennen/annehmen** to disown/dishonour a bill; **W. ankaufen** to discount a bill; **W. ausfertigen/ausstellen** to draw/issue a bill (of exchange), to make out a bill; **W. an Order ausstellen** to make a bill payable to order; **W. avalieren; für einen W. bürgen** to guarantee a bill; **W. avisieren** to advise a bill; **W. begeben** to negotiate a bill; **W. begleichen/bezahlen** to honour a bill; **W. im Voraus bezahlen** to anticipate a bill; **W. decken** to provide cover for a bill, to honour a bill; **W. diskontieren** to discount a draft/bill; **W. domizilieren** to domicile a bill, to accept a bill, to make a bill payable at a bank; **W. einlösen** to honour/pay/discharge/clear/cash/meet/answer a bill (of exchange), to deal with a bill of exchange, to take up/draw in a bill; **W. in bar einlösen** to encash a bill; **W. nicht einlösen** to dishonour a bill; **W. bei Fälligkeit einlösen** to honour bill, to take up a draft when due; **W. vor Fälligkeit einlösen** to retire a bill; **W. bei Verfall einlösen** to protect a bill at maturity; **W. vor Verfall einlösen** to anticipate a bill; **W. zum Diskont einreichen** to offer a bill for discount; **W. einziehen** to collect/(en)cash a bill; **W. fälschen** to forge a bill; **W. garantieren** to guarantee a bill; **W. zum Diskont/Inkasso geben** to have a bill collected; **W. girieren** to endorse a bill (of exchange); **W. (zum Diskont) hereinnehmen** to accept a bill (for discount), to discount a bill; **W. zum Inkasso hereinnehmen** to accept bills for collection; **W. honorieren** to honour/discharge/clear/meet a bill, to take up a bill, to give protection to a bill, to draw on a bill, to answer a bill of exchange; **W. nicht honorieren** to dishonour a bill; **W. indossieren** to endorse/back a bill of exchange; **W. kassieren** to cash a bill; **W. Not leiden lassen** to dishonour a bill, to keep a bill in suspense; **W. platzen lassen** to dishonour a bill; **W. mit Sichtvermerken versehen lassen** to procure acceptance of a bill; **W. protestieren lassen; W. zu Protest gehen lassen** to have a bill protested, to enter protest of draft, to protest/dishonour/note a bill, to allow a bill to be protested; **für einen W. Bürgschaft leisten** to guarantee a bill, to stand del credere; **W. lombardieren** to pawn a bill; **W. prolongieren** to renew/hold over a bill; **W. protestieren** to protest a bill; **W. rediskontieren** to rediscount a bill; **W. retournieren** to return a bill; **W. schützen** to protect a bill, to give protection to a bill; **W. bei einer Bank zahlbar stellen** to accept a bill, to make a bill payable at a bank, to domicile a bill with a bank; **W. vereinnahmen** to cash a bill; **W. verlängern** to prolong a bill; **W. mit Akzept versehen** to provide a bill with acceptance, to endorse a bill; **W. mit Bürgschaft versehen** to guarantee a bill; **~ Giro versehen** to endorse a bill; **~ Sicht(vermerk) versehen** to sight a bill; **W. vorausdatieren** to antedate a bill; **W. zum Akzept/zur Annahme vorlegen** to present a bill for acceptance, to sight a bill; **W. weitergeben** to rediscount a bill; **W. zahlen** to meet/pay/discharge a bill; **W. ziehen auf jdn** to draw/value a bill (of exchange) on so., to make out a draft on so.; **W. zurückschicken** to return a bill

abgelaufener Wechsel matured bill; **akzeptierter/angenommener W.** (bill of) acceptance; **angekaufter W.** discounted bill; **nicht vollständig ausgefüllter W.** inchoate bill; **auf Usozeit ausgestellter W.** bill at usance; **ausländischer W.** foreign bill (of exchange); **avalierter W.** guaranteed/backed bill; **bankfähiger W.** bankable/discountable/eligible *[US]* bill; **befristeter W.** sight draft (S.D.); **begebener W.** negotiated bill; **bezahlter W.** discharged bill; **diskont(ier)fähiger W.** bankable/discountable/bank bill; **diskontierte W.** discounted bills, discounts; **dokumentarfreier W.** clean bill; **domizilierter W.** domiciled bill (of exchange); **echter W.** real bill; **eigener W.** promissory note, note of hand, simple name paper; **gefälligkeitshalber ausgestellter ~ Wechsel** accommodation note; **eingelöster W.** discharged/honoured bill; **bis zur Fälligkeit nicht ~ W.** investment bill; **einwandfreier W.** clean bill; **einzulösender W.** bill receivable; **erstklassiger W.** prime/fine/first-class bill, first-class/fine paper, approved bill of exchange; **fälliger W.** expired/payable bill; **fällige W.** bills/notes payable; **in Kürze fällig werdender/fälliger W.** bill about to mature; **falscher/gefälschter W.** forged bill, counterfeit bill of exchange; **fauler W.** queer/query bill; **feiner W.** prime/fine bill; **fiktiver W.** accommodation bill; **fingierter W.** bogus bill; **zu Protest gegangener W.** protested bill; **zum Diskont gegebene W.** notes receivable discounted; **zur Annahme geschickter W.** bill out for acceptance; **durch Effekten gesicherter W.** security bill; **nach dato zahlbar gestellter W.** draft after sight; **gewerblicher W.** commercial bill (of exchange); **gezogener W.** (draft-)bill, draft; **auf ausländische Bank ~ W.** foreign domicile bill; **auf die eigene Geschäftsstelle ~ W.** house bill; **auf Getreidelieferungen ~ W.** grain bill; **girierter W.** endorsed/made bill; **handelsfähiger W.** negotiable bill; **indossierter W.** made bill *[GB]*; **inländischer W.** domestic bill; **kurzer/kurzfristiger W.** short/short-sighted/short-dated bill, ~ paper, short-term note; **langer/langfristiger W.** long draft/bill, long-dated/long-term/long-sighted bill, ~ paper; **laufender W.** bill to mature, unmatured bill; **auf Dollar lautender W.** dollar acceptance; **auf den Inhaber ~ W.** bill made out to bearer; **auf Order ~ W.** bill made out to order; **lombardierter W.** pawned bill, bill pledged as security; **notleidender W.** dishonoured/overdue bill, bill in distress; **offener W.** blank bill; **prima W.** first-class paper, prime bill; **prolongierter W.** renewal note; **protestierter W.** protested/noted bill, bill (of exchange) noted for protest; **rediskont(ierungs)fähiger/rediskontierbarer W.** eligible/rediscountable bill; **rediskontierter W.** rediscount(ed) bill; **reiner W.** clean bill of exchange; **sicherer W.** fine *[GB]*/prime *[US]* bill; **sicherungsübereigneter W.** pawned bill of exchange; **trassierter W.** draft, assignment; **trockener W.** promissory note (P.N.), note of hand; **überfälliger W.** overdue bill; **übertragbarer W.** negotiable bill; **nur durch Abtretung ~ W.** non-negotiable bill; **umlaufender W.** circulating bill, bill in circulation; **unakzeptierter W.** dishonoured bill; **ungedeckter W.** uncovered bill; **verfallener W.** past-due bill; **vorausdatierter W.** postdated bill; **zur Zahlung vorgelegter W.** payment bill; **vorzüglicher W.** prime bill; **weitergegebener W.** negotiated/rediscounted bill; **zentralbankfähiger W.** eligible bill, bill eligible for rediscount

Wechsel|abrechnung *f* discount liquidation, bill discount note; **W.abschnitt** *m* bill, note; **W.abschrift** *f* copy of a bill; **W.abteilung** *f* discount/bill department; **W.agent** *m* bill/note *[US]* broker; **W.agio** *nt* discount; **W.akzept** *nt* (trade) acceptance, acceptance of a bill; **W.-akzeptant** *m* acceptor of a bill; **W.allonge/W.anhang**

f/m rider; **W.annahme** *f* acceptance of a bill; **W.arbitrage** *f* exchange arbitration, arbitration of exchange, cross exchange; **W.arbitrageur** *m* jobber in bills; **W.aufbau** *m (LKW)* 🚗 detachable body, swapbody, exchangeable superstructure, load transfer system; **W.aufbauten** swing lifts; **W.ausfertigung** *f* duplicate/copy of a bill; **zweite W.ausfertigung** second (bill) of exchange; **W.aussteller** *m* drafter, drawer of a bill, maker; **bankrotter/zahlungsunfähiger W.aussteller** bankrupt drawer; **W.ausstellung** *f* drawing of a bill, draft issuance; **W.automat** *m (Geld)* change machine/dispenser; **W.bad** *nt* hot-and-cold treatment *(fig)*, alternation of good and bad; **W.balg** *m* changeling; **W.bank** *f* discount/acceptance house, (foreign) exchange bank; **W.basis** *f* bill basis; **W.begebung** *f* negotiation of a bill of exchange; **W.behälter** *m* 🚗 swap/demountable body; **W.besitzer** *m* billholder, noteholder; **W.bestand** *m* bills in hand, portfolio of bills, bill portfolio/holdings; **W.- und Scheckbestand** *(Bilanz)* drafts and cheques *[GB]*/checks *[US]* (in hand); **W.beteiligte(r)** *f/m* party to a bill; **W.betrag** *m* value, face amount (of bill); **W.beziehung** *f* reciprocity, correlation, interrelation, mutual relation; **W.bezogene(r)** *f/m* drawee, payer; **W.blankett** *nt* skeleton/ blank bill; **W.buch** *nt* draft/bill(s) payable book, discount register, acceptance maturity tickler, bill copying book/diary/ledger/register; **~ für Inkassowechsel** bills for collection book; **W.bürge** *m* guarantor, (bill) surety, endorser, collateral acceptor, backer; **W.bürgschaft** *f* bail bond, warranty, bill guarantee, guarantee of a bill (of exchange), aval; **~ leisten** to guarantee the due payment of a bill; **W.büro** *nt* exchange office, bureau de change *[frz.]*; **W.courtage** *f* bill brokerage/ commission; **W.debitoren** *pl* bills receivable; **W.deckung** *f* bill cover; **~ anschaffen** to cover a bill

Wechseldiskont *m* bank discount, rate of discount, discount on a bill; **W.erträge** *pl* revenue from the discounting of bills; **W.geschäft** *nt* bill-broking business; **W.ierer** *m* bill discounter, discount banker; **W.ierung** *f* discounting/negotiation of bills, bill discounting; **W.ierungsspesen** *pl* bill discounting charges; **W.kredit** *m* discount credit; **W.linie** *f* discount line; **W.satz** *m* bank *[GB]*/rediscount *[US]* rate, bill rate/discount

Wechsel|domizil *nt* domicile of a bill; **W.drittausfertigung** *f* third of exchange; **W.duplikat** *nt* duplicate (bill); **W.eingangsbuch** *nt* bill register; **W.einlösung** *f* payment/honouring/protection/retirement of a bill; **W.einnehmer** *m* payer of a bill; **W.einreicher** *m* presenter of a bill, party presenting a bill; **W.einreicherobligo** *nt* customer's liability on bills discounted

Wechseleinzug *m* bill collection, collection of a bill; **W.sauftrag** *m* bill collection order; **W.sspesen** *pl* bill collection charges

Wechsel|empfänger *m* payee, remittee; **W.erneuerung** *f* renewal of a bill; **W.erstausfertigung** *f* first of exchange; **w.fähig** *adj* capable of drawing bills; **W.fähigkeit** *f* capacity to draw a bill, ~ contract by bill; **W.fälle** *pl* vicissitudes; **W.fälligkeit** *f* maturity; **W.fälscher** *m* bill forger; **W.fälschung** *f* bill forgery, forgery/counterfeit of a bill; **W.finanzierung** *f* bill finance; **W.folge** *f* alternation; **W.forderung** *f* claim under a bill, ~ arising from a bill; **(ausstehende) W.forderungen** bills receivable (B.R.), (trade) notes receivable; **(unausgefülltes) W.formular** *nt* bill form, skeleton bill/form; **W.frist** *f* tenor, usance, time limit for payment by bill; **W.garantie** *f* bill guarantee; **W.geber** *m* drawer, drafter, maker

Wechselgeld *nt* 1. (small) change; 2. fractional money; 3. *(Kasse)* float, change fund; **W. herausbekommen** to get change; **jdm nicht genügend/zu wenig W. herausgeben** to short-change so.

Wechsel|geschäft *nt* 1. bill/discount business, bill transaction, agiotage; 2. *(Devisen)* exchange business; **W.gesetz** *nt* Bills of Exchange Act *[GB]*, Negotiable Instruments Law *[US]*; **W.girant** *m* endorser of a bill; **W.giro** *nt* endorsement; **volles W.giro** direct/special endorsement; **W.gläubiger(in)** *m/f* bill creditor/holder; **w.haft** *adj* changeable, wavering, variable; **W.haftigkeit** *f* 1. *(Material)* fatigue strength; 2. vicissitude; **W.haftung** *f* liability on acceptances, ~ under/on a bill, endorser's liability; **W.handel** *m* bill brokerage; **W.-händler** *m* bill/note/discount *[US]* broker; **W.hereinnahme** *f* acceptance of a bill; **W.indossament/W.indossierung** *nt/f* bill endorsement; **W.inhaber(in)** *m/f* bill holder/creditor, holder/bearer of a bill; **W.inkasso** *nt* collection of bills, draft collection; **W.inkassobüro** *nt* bill collector; **W.intervention** *f* acceptance/payment for honour; **W.journal** *nt* bills register; **W.kasten** *m* 🚗 demountable/swap body; **W.kladde** *f* bill book; **W.klage** *f* action on a bill of exchange, suit upon a bill; **~ erheben** to sue on a bill; **W.kommission** *f* bill broking; **W.kontingent** *nt* discount limit; **W.konto** *nt* bills account, account of exchange; **W.kopie** *f* second/third of exchange; **W.kopierbuch** *nt* bills receivable journal, discount register, draft/bill book, acceptance maturity tickler, bill copying book/diary/ledger/register; **W.kosten** *pl* exchange charges

Wechselkredit *m* discount/acceptance/paper/drawing/bill credit; **offener W.** paper credit; **W.brief** *m* marginal letter of credit (L/C); **W.geschäft** *nt* discount business; **W.volumen** *nt* total discounts, credit extended on bills

Wechselkurs *m* (foreign) exchange rate, currency rate, rate/course/par of exchange, commercial par of exchange; **W. am Ende des Berichtszeitraums** period-end rate; **W.e untereinander** *[EU]* cross rates; **W. einer Währung freigeben** to float a currency; **W. in festen Paritäten halten** to peg the exchange rate

amtlicher Wechselkurs official rate of exchange, parity, official/par exchange rate; **diskriminierender W.** discriminating exchange rate; **fester/fixer/fixierter W.** fixed/pegged/stable exchange rate, fixed rate of exchange; **feste W.e** fixity of exchange rates; **im Kassageschäft festgestellter W.** spot market rate; **flexibler/freier/gleitender W.** flexible/floating/fluctuating exchange rate; **gespaltener W.** split/multiple exchange rate, ~ rate of exchange; **gestützter W.** pegged exchange rate; **grüner W.** *[EU]* green currency rate; **indirekter W.** cross rate of exchange; **mehrfache/multiple W.e** multiple exchange rates; **(frei) schwankender W.** flexible/floating/fluctuating exchange rate; **starrer W.** fixed/pegged exchange rate, fixed rate of exchange; **ungebundener W.** (freely) floating exchange rate; **verschiebbare W.e** adjustable peg

wechselkurs|abhängig *adj* exchange rate-dependent; **W.absicherung** *f* exchange rate/forward cover, (currency) hedging operation; **W.abwertung** *f* exchange rate depreciation/devaluation/downvaluation

Wechselkursänderung *f* parity change, exchange rate movement/change; **W.en** exchange rate fluctuations; **schrittweise W.** crawling/sliding peg, gliding parity

Wechselkurs|anpassung *f* exchange rate adjustment/(re)alignment, realignment of parities, ~ exchange rates; **schrittweise W.anpassung** crawling peg, gliding parity; **W.arbitrage** *f* cross dealing, arbitration of exchange; **W.aufwertung** *f* currency appreciation/revaluation/upvaluation; **W.ausschläge** *pl* exchange rate/currency fluctuations; **W.bandbreite** *f* currency band; **w.bedingt** *adj* exchange rate-induced; **W.berichtigung** *f* exchange rate realignment; **W.-bewegung** *f* currency movement; **W.beziehungen** *pl* relationship among currencies; **W.effekt** *m* currency effect; **W.entwicklung** *f* currency development(s), development/movement of exchange rates; **W.feststellung** *f* exchange rate determination; **W.flexibilität** *f* crawling peg (system); **W.freigabe** *f* floating; **W.-garantie** *f* exchange rate guarantee; **W.gefüge** *nt* exchange rate pattern/structure, pattern of exchange rates; **W.kursgewinn** *m* (currency) transaction gain, gain from foreign exchange translation; **W.gleichung** *f* exchange rate equation; **W.klausel** *f* exchange (rate)/currency clause; **W.kontrolle** *f* exchange regime, currency control(s); **W.korrektur** *f* realignment of exchange rates; **W.liste** *f* list of exchange; **W.matrix** *f* parity grid; **W.mechanismus** *m* exchange rate mechanism (ERM); **Europäischer W.mechanismus (EWM)** European exchange rate mechanism (ERM); **W.neufestsetzung/-ordnung** *f* currency realignment, realignment of parities/exchange rates; **W.notierung** *f* exchange (rate) quotation; **W.ordnung** *f* exchange rate regime; **W.parität** *f* exchange (rate) parity; **feste W.parität** fixed parity; **W.politik** *f* exchange rate policy; **W.prognose** *f* exchange rate forecast; **W.regulierung** *f* check on the movement of exchange rates; **W.relationen** *pl* currency parities, exchange rate relations, terms of trade; **W.risiko** *nt* foreign exchange/currency risk, exchange rate risk; **W.satz** *m* par exchange rate; **W.schwankungen** *pl* currency fluctuations/instability/movements/swing, fluctuations in the exchange rate, floating, volatility of exchange rates; **W.sicherung** *f (Devisen)* foreign exchange cover, currency hedge; **W.stabilisierung** *f* stabilizing the exchange rate; **W.stabilität** *f* exchange rate stability

Wechselkurssystem *nt* exchange rate system/structure; **gespaltenes W.** two-tier foreign exchange system; **zweistufiges W.** dual exchange rate system

Wechselkursumrechnung *f* (currency) translation, conversion of exchange rates; **W.sgewinne** *pl* translation gains; **W.sverluste** *pl* translation losses

Wechselkurs|verbund *m* currency block; **europäischer W.verbund** European Monetary System (EMS); **W.vergleich** *m* arbitration of exchange; **W.verhältnis** *nt* parity; **W.verlust** *m* foreign currency/exchange loss, loss on exchange; **W.verschiebung** *f* parity change, exchange rate adjustment(s); **W.versicherung** *f* currency insurance; **W.vorteil** *m* exchange rate advantage; **W.zettel** *m* list of exchange

Wechsel|kurtage *f* bill brokerage; **W.lagen** *pl* ups and downs, alternating phases; **W.laufzeit** *f* tenor, usance, currency of a bill; **W.logierbuch** *nt* acceptance maturity tickler, draft/bill book, discount register, bill copying book/diary/ledger/register; **W.lombard** *m* lending on bills; **W.mahnantrag** *m* § application for default summons based on a bill of exchange; **W.makler** *m* discount/note/bill/running/exchange broker, discounter, factor; **W.markt** *m* discount/bill market; **W.material** *nt* mercantile paper(s), bills

wechseln *v/t* 1. to change/vary, to switch (over); 2. to exchange/substitute; 3. to alternate; **w. zu** to switch to; **turnusmäßig w.** to rotate; **w.d** *adj* 1. variable; 2. rotating, alternating

Wechsel|nehmer *m* taker/payee (of a bill), acceptor; **W.obligationen** *pl* bill commitments; **W.obligo** *nt* 1. liability on bills, bill commitments, bills accepted/discounted, acceptance liability, issuance and transfer of bills, notes payable; 2. *(Bilanz)* contingent liabilities in respect of bills endorsed and in circulation; 3. *(Buch)* draft book, discount ledger/register; **W.obligobuch** *nt* bill commitment record book, draft book; **W.parität** *f* exchange parity, par (rate) of exchange, par exchange rate; **W.pensionsgeschäft** *nt* pledging bills; **W.platte** *f* 💻 removable/floppy disk; **W.portefeuille** *nt* bill holdings/case, bills in hand/portfolio, portfolio of bills; **W.präsentierung** *f* presentment of a bill; **W.prima** *f* first bill (of exchange); **W.pritsche** *f (LKW)* demountable body; **W.prolongation** *f* renewal/prolongation of a bill of exchange

Wechselprotest *m* (bill) protest, protest of a bill of exchange; **W. mangels Annahme** protest for non-acceptance; **~ Zahlung** protest for non-payment; **W. nicht möglich** no noting; **W. einlegen/erheben** to enter protest of a bill, to protest/note a bill (of exchange); **W.anzeige** *f* notice/mandate of protest, protest jacket; **W.kosten** *pl* protest fees

Wechsel|provision *f* bill brokerage, exchange commission; **W.prozess** *m* summary bill enforcement proceedings; **W.rechnung** *f* bill account, computation of discount; **W.recht** *nt* bill of exchange law, law of exchange; **W.rediskontierung** *f* rediscounting (of bills); **W.-register/W.registratur** *nt/f* bill file; **W.regress** *m* recourse to endorser; **W.reiter** *m* bill jobber/doer, jobber in bills; **W.reiterei** *f* kite flying, bill jobbing/dodging, jobbing in bills, cross acceptance/firing, kiting, drawing of kites; **W.rembours** *m* documentary acceptance credit; **W.respekttag** *m* day of respite; **W.respekttage**

days of grace; **W.risiko** *nt* exchange risk; **W.rückgabe** *f* return of a bill to drawer; **~ ohne Protest** § retour sans protêt *[frz.]*; **W.rückgriff** *m* recourse to party liable under a bill; **W.schalter** *m* foreign/currency exchange counter; **W.scheckverfahren** *nt* bill-cheque exchange procedure

Wechselschicht *f* alternating/rotating/alternate/swing shift; **W.arbeit** *f* shift working; **W.arbeiter** *m* shift worker; **W.gruppe** *f* alternating shift; **W.zulage** *f* shift-working supplement

Wechselschuld *f* bill debt; **W.en** bills/notes payable; **W.ner** *m* bill debtor, payer of a bill

wechsel|seitig *adj* mutual, reciprocal, alternate, two-way, commutative; **W.sekunda** *f* second of exchange, duplicate of a bill; **W.serie** *f* set of bills of exchange; **W.skontro** *nt* bill ledger, bill holding record book; **W.spannung** *f* ϟ alternating current (AC) voltage; **W.spekulant** *m* bill jobber; **W.spekulation** *f* bill jobbing; **W.spesen** *pl* discount charges/expenses, bill charges; **W.spiel** *nt* interplay, reciprocal action; **W.sprechanlage** *f* intercom; **W.stelle** *f* exchange office/bureau; **W.stempelmarke** *f* bill stamp; **W.stempelsteuer** *f* stamp duty on bills of exchange; **W.steuer** *f* bill tax/stamp, stamp duty, tax on notes and bills of exchange; **W.steuermarke** *f* bill stamp; **W.strenge** *f* strict formality of law on bills

Wechselstrom *m* ϟ alternating current (AC); **mit W. betrieben** AC-operated; **~ laufen** to operate on AC

Wechsel|stube *f* exchange office, foreign exchange bureau, bureau de change *[frz.]*; **W.stundung** *f* indulgence; **W.summe** *f* amount of bill/note, value; **W.tasche** *f* bill case; **W.text** *m* wording of a bill; **W.trassierung** *f* drawing of a bill; **W.übernehmer** *m* endorsee; **W.übertragung** *f* endorsement of a bill; **W.überweisung** *f* bill remittance; **W.umlauf** *m* bills in circulation, circulation of bills; **W.urkunde** *f* bill document; **W.-valuta** *f* exchange standard

Wechselverbindlichkeiten *pl* 1. bills and notes payable, bills accepted, acceptance commitments, bill debts; 2. *(Bilanz)* contingent liabilities in respect of bills endorsed and in circulation; **W. gegenüber Banken** notes payable to banks; **W. aus Lieferungen und Leistungen** notes payable to trade; **W. eingehen** to enter obligations on a bill of exchange

Wechsel|verbundener *m* party liable on a bill; **W.verfallbuch** *nt* bill/draft book, bill ledger/register/diary, discount register, bill copying book; **W.verfalltag** *m* date of maturity; **W.verjährung** *f* prescription of a bill of exchange; **W.verkehr** *m* exchange; **W.verlängerung** *f* renewal/prolongation of a bill of exchange; **W.verpflichtete(r)** *f/m* bill debtor, party to a bill; **W.verpflichtung** *f* liability on a bill; **W.verzeichnis** *nt* draft register; **W.vordruck** *m* bill form; **W.vorgänger(in)** *m/f* prior party to a bill; **W.vorlage** *f* presentment of a bill; **W.wähler(in)** *m/f* floating voter, floater; *pl* floating vote; **w.weise** *adj* alternative; *adv* in turn; **W.wirkung** *f* (mutual) interaction, interplay, reciprocity; **W.wirtschaft** *f* 🚜 crop rotation, alternate husbandry; **W.wucher** *m* bill usury; **W.zahlung** *f* payment by bill of exchange; **W.zahlungsbefehl** *m* § order to pay bill; **W.ziehung** *f* drawing of a bill; **W.zins** *m* discount; **W.zweitschrift** *f* second of exchange

Wechsler *m* *(Geld)* change machine/dispenser

Weck|dienst *m* alarm/early morning call service; **W.ruf** *m* ✆ alarm call

Weg *m* 1. way, path, track, trail; 2. course, route, channel; 3. distance; 4. journey; 5. *(fig)* road; 6. method; **auf dem W. von; im W.e** by means of, by (way of); **W. ins Verderben** road to ruin; **W. des geringsten Widerstands** line of least resistance, soft option; **auf den W. gebracht** under way

Weg abkürzen to short-cut; **W. bahnen** to pave/clear the way; **sich auf dem W. befinden** to be on the way; **W. beschreiten** to start down a path; **neue W.e beschreiten** to break new ground *(fig)*; **auf den W. bringen** *(fig)* to get off the ground; **zu W.e bringen** *adv* to achieve, to bring about, to pull off *(coll)*, to work out; **W. ebnen** *(fig)* to pave/smoothe the way *(fig)*, to clear the ground/way *(fig)*; **W. einschlagen** to take a course/route, to embark on a course; **richtigen W. einschlagen** to use the right approach; **jdm auf halbem W. entgegenkommen** to meet so. halfway; **sich nach dem W. erkundigen** to ask the way; **W. frei machen** to clear the way; **jdm aus dem W. gehen** to give so. a wide berth; **etw. ~ gehen** to be shy of sth., to dodge/eschew sth.; **W. des geringsten Widerstandes gehen** to take the line/way of least resistance; **verschiedene W. gehen** to go our/your/their separate ways; **auf schlimme W.e geraten** to fall into bad ways; **jds W.e kreuzen** to cross so.'s path; **jdm über den W. laufen** to run into so.; **in die W.e leiten** to set the stage for, to launch/initiate, to set (sth.) on foot, to go ahead/proceed with; **sich auf den W. machen** to set off, to sally forth; **seinen W. machen** to carve out a career for o.s.; **W. markieren** to mark out a road; **aus dem W. räumen** 1. to put away; 2. *(Missverständnis)* to remove, to clear up; **~ schaffen** to remove, to get rid of; **im W. sein** to be in the way; **auf dem besten W. sein** to be heading for; **auf dem falschen/richtigen W. sein** to be on the wrong/right track; **auf dem W. der Besserung sein** to be on the mend; **jdm im W.e stehen** to be in so.'s way; **sich selbst ~ stehen** to be one's own (worst) enemy; **jdm nicht über den W. trauen** not to trust so. an inch; **sich den W. verbauen** to ruin one's chances/prospects; **W. verfolgen** to take a course; **jdm den W. weisen** to show so. the way

ausgetretener Weg well-beaten path, beaten track; **auf diplomatischem W.** through diplomatic channels; **auf friedlichem W.** by peaceful means; **gefährlicher W.** *(fig)* slippery slope *(fig)*; **auf gerichtlichem W.** by judicial means; **auf gütlichem W.** by amicable agreement, amicably; **auf halbem W.** midway, halfway; **kritischer W.** critical path; **krumme W.e** crooked ways; **im kurzen W.** without formality, out of hand; **auf legalem W.** legally; **auf offiziellem W.** through official channels; **auf dem richtigen W.** on the right track; **auf dem schriftlichen W.** in writing; **auf dem üblichen W.** through the usual channels

Weg|abkürzung *f* short-cut; **W.abweichungsklausel** *f* deviation clause; **w.bereitend** *adj* pioneering; **W.bereiter** *m* pioneer, waymaker, forerunner, precursor, trailblazer

wegbleiben *v/i* to stay away, to be absent

Wege|bau *m* road construction/building/making; **W.-gebühr/W.geld** *f/nt* (road) toll, travelling expenses, (toll) traverse; **W.gerechtigkeit** *f* right of way; **W.gesetze** *pl* laws concerning roads and lanes; **W.kosten** *pl* transport costs; **W.kostendeckung** *f* transport cost recovery, recovery of infrastructure costs; **W.lagerer** *m* highway robber, highwayman; **W.lagerei** *f* highway robbery; **W.lagererpatent** *nt* freelance/shotgun *[US]* patent

wegen *prep* owing/due to, on account of, on the grounds of, in response to, for the sake of

Wege|netz *nt* rail/road network; **W.recht** *nt* right of way/passage, wayleave; **W.rechtsgebühr** *f* right of way rent; **W.tonne** *f* ⚓ marker buoy; **W.unfall** *m* travel accident; **W.zeichen** *nt* waymark; **W.zeit** *f* travel(ling)/home-to-office/site-to-quarters time; **W.zoll** *m* road toll

wegfahren *v/i* to depart

Wegfall *m* 1. discontinuation, lapse; 2. cancellation; 3. omission; **W. von Anteilen** retirement of shares; **W. der Gegenleistung** failure of consideration; **~ Geschäftsgrundlage** frustration of contract, lapse of purpose; **W. eines Vermächtnisses** § ademption of a legacy

weg|fallen *v/i* to lapse, to become void, to drop out, to be discontinued, to cease to apply; **schnell w.führen** *v/t* to whisk away

Weg|gang *m* departure; **w.gehen** *v/i* to depart/leave/go (off); **reißend w.gehend** *adj (Verkauf)* hot-selling; **gut w.kommen** *v/i* to come off well; **schlecht w.kommen** to come off badly; **w.lassen** *v/t* to omit, to leave off/out; **W.lassung** *f* omission; **jdn w.loben** *v/t* to prize off so., to kick so. up the stairs; **w.locken** *v/t* 1. to entice (from), to lure away; 2. to headhunt

Wegmarke *f* road mark, marker

Wegnahme *f* 1. removal; 2. seizure, privation; 3. § amotion; **W. als Selbsthilfe** § recaption; **W.recht** *nt* right of seizure

wegnehmen *v/t* 1. to remove; 2. to withdraw/detract; 3. to take away

weg|packen *v/t* to pack/put away; **W.problem** *nt* routing problem; **w.rationalisieren** *v/t (Arbeitsplätze)* to rationalize away, to destroy through rationalization; **W.rationalisierung von Arbeitsplätzen** *f* elimination of jobs; **w.rufen** *v/t* to call away; **w.schaffen** *v/t* to clear away, to remove

Wegscheide *f* crossroads

weg|schicken *v/t* to turn so. away; **w.schließen** *v/t* to lock away/up, to shut away; **w.schmeißen** *v/t (coll)* to chuck out/away *(coll)*; **w.schnappen** *v/t* 1. to snatch away, to grab; 2. to snap up *(coll)*; **absichtlich w.sehen** *v/i* to turn a blind eye; **w.steuern** *v/t* to tax away, to skim off by taxation

Wegstrecke *f* distance, point to point

weg|streichen *v/t* 1. to prune, to strike off; 2. *(Stelle)* to cut/axe; **w.tragen** *v/t* to carry away

Wegweiser *m* guide, signpost, guide post, marker, road sign; **W.tafel** *f* guide board

Wegwerf|- disposable, non-returnable, unreturnable, single-use, one-trip, throwaway, non-refillable; **w.bar** *adj* disposable, ⚓ jettisonable; **W.behälter** *m* one-trip container

wegwerfen *v/t* to throw out/away, to discard, to chuck out/away *(coll)*

Wegwerf|gesellschaft *f* throwaway society; **W.güter** *pl* disposable products, disposables; **W.packung** *f* one-way/disposable/non-returnable pack(age), collapsible container, ex and hop *(coll)*; **W.preis** *m* giveaway price

weg|wischen *v/t* to wipe off; **w.ziehen** *v/i* to move away

Wehr *nt* weir; **sich zur W. setzen** to fight back, to put up a fight; **W.auftrag** *m* defence contract; **W.beauftragter** *m* parliamentary commissioner for the armed forces; **W.bereichsverwaltung** *f* military district office

Wehrdienst *m* national service *[GB]*/duty, military service; **W.befreiung** *f* exemption from national/military service, draft exemption *[US]*; **W.pflicht** *f* liability for military service; **W.pflichtiger** *m* conscript, draftee *[US]*; **w.tauglich** *adj* fit for military service; **w.untauglich** *adj* unfit for military service; **W.verweigerer** *m* conscientious objector, draft dodger *(coll) [US]*; **W.verweigerung** *f* conscientious objection, draft dodging *(coll) [US]*; **W.zeit** *f* military service period

wehren *v/refl* to resist, to stand out (against), to defend o.s.; *v/i* to fight/check

Wehr|erfassung *f* enlistment (for service); **w.fähig** *adj* fit for military service; **W.fähigkeit** *f* fitness for military service; **W.gerechtigkeit** *f* equity in conscription; **W.gesetz** *nt* military service act; **W.hoheit** *f* military sovereignty; **W.kraftzersetzung** *f* 1. demoralization of the armed forces; 2. § incitement to disaffection *[GB]*; **w.los** *adj* defenceless; **W.pass** *m* military service book; **W.pflicht** *f* conscription, compulsory military service; **W.pflichtiger** *m* conscript, draftee *[US]*; **W.recht** *nt* military law; **W.strafgericht** *nt* court martial; **W.-strafgesetz** *nt* military penal code; **W.technik** *f* military technology; **W.überwachung** *f* surveillance of drafting; **W.übung** *f* reserve duty training service; **w.untauglich** *adj* unfit for military service; **W.wirtschaft** *f* military economy

weich *adj* 1. soft, limp; 2. *(Währung)* soft; 3. ⚡ non-unclear; **W.bild** *nt* precincts

Weiche *f* 🚂 points *[GB]*, switch *[US]*, shunt; **W.n stellen** *(fig)* to pave the way

weichen *v/i* to yield, to give way

Weich|holz *nt* soft wood; **W.macher** *m (Waschmittel)* softener; **W.währung** *f* soft currency; **W.währungsland** *nt* soft-currency country

Weide *f* grassland, pasture (ground); **auf die W. treiben** to put out to pasture

Weide|abtrieb *m* driving down of cattle; **W.bewirtschaftung** *f* pasture farming; **W.fläche/W.land** *f/nt* pasture, grassland, pasture/grazing land; **W.gerechtigkeit** *f* § common of pasture; **W.koppel** *f* paddock

weiden *v/i* to graze/pasture
Weide|pacht *f* pastoral lease; **W.recht** *nt* pasture/grazing right, [§] agistment; **nachbarrechtlich begründetes W.recht** [§] pasture pour cause de vicinage *[frz.]*; **W.wirtschaft** *f* grassland farming/utilization, pasture farming, pastoral economy
weigern *v/refl* to refuse
Weigerung *f* refusal; **begründete W.** reasonable refusal; **glatte W.** outright refusal; **W.srecht** *nt* right of refusal
Weiher *m* pond, pool
Weihnachts|abend *m* Christmas Eve; **W.freibetrag** *m* tax-free Christmas allowance; **W.geld/W.gratifikation/W.prämie** *nt/f* Christmas allowance/bonus/handout; **W.geschäft** *nt* pre-Christmas spending/sales, Christmas trade; **W.geschenk/W.präsent** *nt* Christmas present; **W.tag** *m* Christmas Day; **Zweiter W.tag** Boxing Day
Weiler *m* hamlet, township *[Scot.]*
Wein *m* wine; **reinen W. einschenken** *(fig)* to come clean, to make a clean breast of it *(fig)*, to talk cold turkey *(fig) [US]*; **W. keltern** to press the grapes; **W. lesen** to gather in the vintage; **W. panschen** to adulterate wine; **offener W.** wine from the cask; **verschnittener W.** blended wine; **verstärkter W.** fortified wine
Wein|- viticultural; **W.anbau** *m* viticulture, wine-growing; **W.anbaugebiet** *nt* wine-growing area; **W.bau** *m* vinegrowing, viticulture, wine industry; **W.bau-** viticultural; **W.bauer** *m* wine grower, vinegrower; **W.berg** *m* vineyard; **W.brennerei** *f* brandy distillery; **W.ernte** *f* grape harvest, vintage; **W.ertrag** *m* vintage; **W.essig** *m* (wine) vinegar; **W.fass** *nt* wine cask; **W.flasche** *f* wine bottle; **W.gegend** *f* wine-growing area; **W.geschäft** *nt* 1. wine shop; 2. wine trade; **W.gut** *nt* wine-growing estate, winery *[US]*; **W.gut(s)besitzer** *m* wine grower; **W.handel** *m* wine trade; **W.händler** *m* 1. wine merchant; 2. *(Großhandel)* vintner; **W.karte** *f* wine list; **W.keller** *m* wine vault; **W.kellerei** *f* winery; **W.kelter** *f* wine press; **W.lage** *f* vineyard location; **W.land** *nt* vineland; **W.lese** *f* vintage, grape harvest; **W.lesezeit** *f* vintage; **W.probe** *f* wine tasting/sampling; **W.prüfer** *m* wine taster; **W.steuer** *f* wine duty; **W.stock** *m* vine; **W.stöcke** vinery; **W.straße** *f* wine trail/route; **W.traube** *f* grape; **W.wirtschaft** *f* wine industry
Weise *f* manner, fashion, way; **auf diese W.** thus; **in befriedigender W.** satisfactorily; **auf ehrliche W.** by honest/fair means; **in gleicher W.** equally, similarly; **in keiner W.** in no way
weise *adj* wise, judicious
die fünf Weisen *pl* five wise men
weit von sich weisen *v/t* to reject emphatically
Weisheit *f* wisdom; **mit seiner W. am Ende sein** to be at the end of one's tether; **altbekannte W.** truism
weiß *adj (Ware)* noname
weissag|en *v/t* to predict/prophesy/augur; **W.ung** *f* augury, prediction, prophesy
Weiß|blech *nt* tinplate; **W.blechverpackung** *f* packaging in tins; **W.buch** *nt* white paper *[GB]*/book
Weiße-Kragen-Kriminalität *f* white-collar crime
Weiß|fisch *m* white fish; **W.glut** *f* white heat; **W.gold** *nt* white gold; **W.metall** *nt* white alloy; **W.warenhändler** *m* linen draper; **W.zeug** *nt* linen
Weisung *f* 1. directive, instruction, order, direction; 2. [§] order, ruling; **auf W. von** on orders from; **laut W.** as per instructions; **vorbehaltlich anderer W.en** pending other instructions; **mangels gegenteiliger W.** in the absence of instructions to the contrary; **bis auf weitere W.** till further orders; **auf W. und für Rechnung** by order and for the account of; **den W.en entsprechend** according to instructions
von Weisungen abweichen to deviate from instructions; **W. ausführen** to carry out orders; **W. einholen** to ask for instructions; **W. erteilen** to issue instructions; **gegen W. handeln** to disregard instructions; **an W. gebunden sein** to be bound by instructions
Weisungs|befugnis *f* jurisdiction, dispositive/discretionary power(s), right of command, managerial authority, authority to give/issue instructions; ~ **haben über jdn** to have authority over so.; **w.befugt/w.berechtigt** *adj* authorized to give instructions, ~ issue directions, right to issue instructions; **W.charakter** *m* mandatory character; **W.formular** *nt* instruction form; **W.freiheit** *f* exemption from direction; **w.gebunden** *adj* bound by directives/directions, reporting to; **W.gebundenheit** *f* duty to comply with instructions; **w.gemäß** *adj* according to/as per instructions, as instructed; **W.gewalt** *f* authority; **W.kette** *f* chain of command; **W.kompetenz** *f* managerial authority
Weisungsrecht *nt* right of command, ~ to issue instructions; **W. und Kontrolle** supervisory authority; **funktionales W.** functional authority
weisungsunterworfen *adj* subject to control
weit *adj* wide, broad, far; **w. und breit** far and wide; **zu w. gehen** to go too far, to overdo/overstate it, ~ things, to overshoot the mark
Weitblick *m* farsightedness; **w.end** *adj* far-sighted, farseeing
Weite *f* width, distance; **das W. suchen** *(coll)* to clear off, to take to one's heels *(coll)*; **lichte W.** 1. ✿ bore; 2. *(Brücke)* clear span; 3. *(Rohr)* inside diameter
bei weitem by far, far and away; ~ **nicht** nowhere near
weiter *adj* added, additional, onwards(s), further; **so w. gehen** to continue; **bis auf w.es** until further notice, for the time being; **ohne w.es** 1. without more ado, (and) no questions asked *(coll)*, at the drop of the hat *(coll)*, automatic, by implication; 2. [§] ipso iure *(lat.)*
weiter|arbeiten *v/i* to carry on working; **W.beförderer** *m* on-carrier; **w.befördern** *v/t* to (re)forward, to send on; **W.beförderung** *f* on-carriage, (re-)forwarding; **w.befrachten** *v/t* to recharter; **W.befrachtung** *f* recharter; **w.begeben** *v/t* to renegotiate; **W.begebung** *f* renegotiation, further negotiation; **w.behandeln** *v/t* to carry on treating; **W.behandlung** *f* further treatment/processing; **W.behandlungsgebühr** *f* fee for further processing; **W.belastung** *f* on-debiting; **w.benutzen** *v/t* to carry on using; **W.benutzung** *f* continued use; **w.beschäftigen** *v/t* to continue to employ, to keep on;

W.beschäftigung *f* continued employment; **W.bestand/W.bestehen** *m/nt* continued existence, continuance; **w.bestehen** *v/i* to subsist/survive, to remain in existence, to continue to exist; **jdn/sich w.bilden** *v/t/v/refl* to update skills

Weiterbildung *f* further/continuing education, ~ training, advanced training, ~ further education, self-improvement; **W. von Führungskräften** executive/management development, ~ training; **außerbetriebliche W.** off-the-job training; **berufliche W.** advanced vocational training, skill enhancement; **innerbetriebliche W.** in-service/in-house training; **W.sbaustein** *m* training module; **W.skosten** *pl* cost(s) of further training, retraining cost(s)/expenses; **W.smaßnahme** *f* advanced training scheme; **W.möglichkeiten** *pl* training opportunities/arrangements; **W.sstätte** *f* night school

weiter|delegieren *v/t* to delegate (down the line); **w.entwickeln** *v/t* 1. to develop further; 2. *(Konzept)* to fine-tune

Weiterentwicklung *f* (further) development, progression; **W. einfacher Nutzungsrechte** continuing effect of non-exclusive licences; **stufenweise W.** incremental innovation; **technologische W.** technological progress

weiter|fahren *v/i* to drive/go on, to continue; **W.fahrt** *f* ⚓ continuation of the voyage

weiter|fliegen *v/i* to fly on; **W.flug** *m* continuation of the flight

weiterführen *v/t* 1. to continue/pursue; 2. *(Geschäft)* to carry on; **nicht w.** to discontinue; **verstärkt w.** to step up one's efforts

Weiterführung *f* 1. continuation, continuance; 2. extrapolation

Weitergabe *f* forwarding, passing on, transmission; **W. von Falschgeld** passing of counterfeit money; **~ Handelswechseln** rediscounting of commercial bills; **~ Informationen** dissemination of information; **~ Kompetenz von oben nach unten** top-down delegation of authority; ~ **Wechselkursveränderungen** exchange rate pass-through; **nicht zur W. bestimmt** to be retained

weitergeben *v/t* 1. to hand/pass on, to refer (to); 2. to transmit/relay; 3. *(Arbeit)* to job out; 4. *(Wechsel)* to (re-)discount; **nach außen w.** *(Aufträge)* to farm out, to subcontract

Weiter|geber *m* transferor; **w.gehen** *v/i* to proceed, to go on; **w.gelten** *v/i* to continue to apply, ~ be valid; **W.geltung** *f* continuing validity, continuance in force; **W.geltungsklausel** *f* overreaching clause; **jdm w.helfen** *v/i* to help so.

weiterhin *adv* further(more); **w. sein** to continue (to be)

Weiter|kommen *nt* advancement; **w.kommen** *v/i* to make headway/progress, to get somewhere; **w.laufen** *v/i* 1. to keep running; 2. *(Betrieb)* to go on, to continue; 3. *(Gehalt)* to be continued; **w.leihen** *v/t* 1. to on-lend; 2. to go on lending; **w.leiten** *v/t* 1. to pass on, to forward/refer/redirect to, to handle; 2. ⚡ to transmit; 3. *(Zahlung)* to turn over

Weiterleitung *f* 1. passing on, forwarding, onhanding; 2. ✉ redirection; 3. ⚡ transmission; **W. von Daten** data transmission; **W.sinstitut** *nt* transmitting institution; **W.skredit** *m* transmitted/flow-through credit; **W.sstelle** *f* 🚂 forwarding office

Weiter|lieferant *m* subsequent supplier; **W.lieferung** *f* delivery to a third party; **~ an einen dritten Staat** re-exportation to a third state

weitermachen *v/t* to go/press on, to continue/persevere, to keep going; **w. mit** to resume; **unverdrossen w.** to soldier on *(coll)*

weiter|platzieren *v/t* *(Emission)* to subdistribute; **W.rechnung** *f (Kosten)* reallocation; **w.reichen** *v/t* to pass on; **W.reise** *f* continuation of the journey/⚓ voyage; **W.rückversicherer** *m* retrocessionaire; **W.rückversicherungsnehmer** *m* retrocedent; **w.senden** *v/t* to forward/reconsign; **W.sendung** *f* forwarding, reconsignment

Weiterungen *pl* complications, difficulties, inconvenience, extended effects

weiterverarbeit|en *v/t* to finish/(re)process; **W.er** *m* processor, manufacturer; **w.et** *adj* processed

Weiterverarbeitung *f* downstream operations/business, secondary industry, further processing, (re)processing, subsequent manufacturing, manufacturing operation; **maschinelle W.** subsequent machine processing; **W.sbetrieb** *m* processing plant

weiter|veräußern *v/t* to resell, to sell on (to another party); **W.veräußerung** *f* resale, subsequent disposal; **zur freien W.veräußerung** for resale to the public; **w.veredeln** *v/t* to process further; **W.vered(e)lung** *f* supplementary processing; **w.verfolgen** *v/t* to follow up, to pursue further; **W.verfrachter** *m* forwarder, on-carrier, underfreighter; **w.vergeben** *v/t* to subcontract; **W.verkauf** *m* resale, onsale, onward sale, on-trade, reselling; **nicht zum ~ bestimmt** not for resale; **w.verkaufen** *v/t* to resell; **W.verkäufer** *m* reseller; **W.verladung** *f* onward shipment; **W.verleih(ung)** *m/f* on-lending; **w.vermieten** *v/t* to sublet/sublease/underlet/relet; **W.vermietung** *f* subletting, sublease, reletting; **w.vermitteln** *v/t (Führungskräfte)* to outplace; **W.vermittlung** *f* outplacement; **w.verpachten** *v/t* to sublease; **W.verpachtung** *f* sublease; **w.verpfänden** *v/t* to repledge; **W.verpfändung** *f* onward pledging; **W.verrechnung** *f* further settlement; **W.versand/W.versendung** *m/f* forwarding, redispatch, reconsignment, onshipment; **w.versenden** *v/t* to forward/reconsign/redispatch; **w.versichern** *v/t* to continue a policy, to insure further

Weiterversicherung *f* continuation of insurance, continued insurance; **automatische W. nach Schadensfall** automatic loss reinstatement; **freiwillige W.** continued voluntary insurance

Weiterverweisung *f* § renvoi *[frz.]*, referring the case to another court

weiterverwend|bar *adj* re-usable; **w.en** *v/t* to reuse, to continue to use; **W.ung** *f* reuse, continued use

Weiterwälzen *nt* *(Kosten)* passing on; **w.wälzen** *v/t* to pass on

nicht weiter|wissen *v/i* to be at the end of one's tether *(coll)*; **w.wursteln** *v/i* to muddle on; **w.zahlen** *v/t* to continue to pay; **W.zahlung** *f* continuation of payment; **w.ziehen** *v/i* to move on

weitest gehend *adj* most extensive

weit|gefächert *adj* wide-ranging; **w. gehend** *adj* extensive, far-reaching, wide; *adv* largely; **w. gespannt** *adj* far-reaching, widely spread, comprehensive; **w. gesteckt** *adj* ambitious; **w. hergeholt** far-fetched; **w.läufig** *adj* spacious, ample; rambling; **W.läufigkeit** *f* spaciousness; **w. reichend** *adj* wide-ranging, long-range, far-reaching; **w.schweifig** *adj* long-winded, lengthy, verbose; **W.schweifigkeit** *f* verbosity; **W.sicht** *f* foresight; **w.sichtig** *adj* far-sighted; **W.sichtigkeit** *f* far-sightedness; **W.technik** *f* telecommunications; **w. verbreitet** *adj* widespread, widely used, common; **w. verzweigt** *adj* extensive, ramified, with many branches; **W.winkel** *m* wide angle; **w.zeilig** *adj (Schreibmaschine)* double-spaced

Weizen *m* wheat; **jds W. blüht** *(fig)* so. is in clover *(fig)*; **loser W.** bulk wheat

Weizen|abkommen *nt* wheat pact; **Internationales W.abkommen** International Wheat Agreement; **W.anbau** *m* wheat growing; **W.börse** *f* corn exchange *[GB]*, wheat pit *[US]*; **W.ernte** *f* wheat crop; **W.gürtel** *m* wheat belt *[US]*; **W.keim** *m* wheatgerm; **W.keimöl** *nt* wheatgerm oil; **W.lieferung** *f* wheat shipment; **W.mehl** *nt* wheat(en) flour; **W.schrot** *m* wheatmeal

Well|- corrugated; **W.blech** *nt* corrugated iron

Welle *f* 1. wave, flood, surge, spate, rush; 2. ✿ shaft; 3. *(fig)* rash *(fig)*; **W. von Abgaben** *(Börse)* bout of selling; **W. der Ablehnung** chorus of disapproval; **W. von Kapitalerhöhungen** flood of capital increases; **hohe W.n schlagen** *(fig)* to cause quite a stir; **grüne W.** synchronized traffic lights; **weiche W.** *(fig)* soft line

wellen *v/refl* to warp

Wellen|band *nt* wave band; **W.berg** *m* peak; **konjunktureller W.berg** peak in the economic trend; **W.bewegung** *f* undulating movement; **W.brecher** *m* breakwater; **w.förmig** *adj* undulating, wavelike, wavy; **W.länge** *f* wavelength; **auf eine bestimmte ~ einstellen** to tune in; **W.linie** *f* undulating/wavy line; **W.schlag** *m* wash; **W.tal** *nt* trough, low (point); **~ der Konjunktur; konjunkturelles W.tal** trough of economic depression; **W.verteilung** *f (Radio)* frequency allocation

wellig *adj* 1. undulating, wavy; 2. warped

Wellpappe *f* corrugated paper/(card)board; **W.nfabrikant** *m* box maker

Welt *f* world, community; **über die ganze W. verbreitet** worldwide; **aus der W. schaffen** to eliminate/scotch; **dritte W.** third world

welt|abgeschieden *adj* secluded; **W.abschluss** *m* worldwide consolidated accounts, global annual accounts, worldwide financial statements, ~ balance sheet, world figures; **W.agrarmarkt** *m* international agricultural market; **W.all** *nt* universe; **W.anschauung** *f* philosophy, ideology; **materialistische W.anschauung** materialistic ideology; **W.arbeitsamt** *nt* International Labour Office (ILO); **W.arbeitskonferenz** *f* International Labour Conference; **W.ausstellung** *f* world fair/exhibition, international exhibition/exposition, universal exposition; **W.bank** *f* World Bank, International Bank for Reconstruction and Development; **W.bankanleihe** *f* World Bank loan; **w.bekannt/w.berühmt** *adj* world-famous, world-renowned, internationally known; **W.bevölkerung** *f* world population; **nichts W.bewegendes/W.erschütterndes** *nt* nothing to write home about *(coll)*; **W.bilanz** *f* → **W.abschluss**; **W.bruttosozialprodukt** *nt* gross world product; **W.bürger(in)** *m/f* citizen of the world, cosmopolitan; **W.einkommensprinzip** *nt* principle of income-source neutrality; **W.flüchtlingsorganisation** *f* International Refugee Organisation; **w.fremd** *adj* starry-eyed, unworldly; **W.geltung** *f* worldwide respect/reputation/recognition, international/world standing; **W.gerichtshof** *m* World Court; **W.gesundheitsorganisation** *f* World Health Organisation (WHO); **W.getreidehandel** *m* world grain trade; **w.gewandt** *adj* urbane; **W.gewandtheit** *f* urbanity; **W.gewerkschaftsbund** *m* World Federation of Trade Unions

Welthandel *m* world/international trade

Welthandels|- und Entwicklungskonferenz der Vereinten Nationen *f* United Nations Conference on Trade and Development (UNCTAD); **W.konjunktur** *f* cyclical movements in world trade; **W.organisation** *f* World Trade Organisation (WTO); **W.partner** *m* party to worldwide trade; **W.preise** *pl* world prices of traded goods; **W.system** *nt* world trading system; **W.volumen** *nt* volume of world trade; **W.währung** *f* world trading currency; **W.waren** *pl* world market commodities; **W.zentrum** *nt* world trade centre

Welt|herrschaft *f* world supremacy, control of the world; **W.hungerhilfe** *f* freedom from hunger campaign; **W.karte** *f* map of the world; **W.knappheit** *f* world shortage; **W.konferenz** *f* world conference; **W.kongress** *m* world congress; **W.konjunktur** *f* world economic trend, international economic activity; **W.konzernbilanz** *f* consolidated world accounts, global annual accounts; **W.krieg** *m* world war; **W.kugel** *f* globe; **w.lich** *adj* mundane, secular; **W.macht** *f* world power; **W.mann** *m* man of the world, cosmopolitan

Weltmarkt *m* 1. international/world market; 2. global market place; **W.angebot** *nt* supply in the world market, world market supply; **W.anteil** *m* world market share, share in the world market; **W.bedingungen** *pl* world market conditions, conditions of world markets; **W.kurs/W.preis** *m* world market price/rate; **W.notierung** *f* international quotation; **W.orientierung** *f* world market orientation; **W.produktion** *f* world/international production; **W.strategie** *f* world market strategy

im Welt|maßstab *m* by international standards; **W.meer** *nt* ocean; **w.offen** *adj* cosmopolitan, liberal-minded, sophisticated; **W.öffentlichkeit** *f* general public; **W.ordnung** *f* world order; **W.organisation für geistiges Eigentum** *f* World Intellectual Property Organisation (WIPO); **~ Ernährung und Landwirtschaft** Food and Agriculture Organisation (FAO); **W.patent** *nt* world/universal patent; **W.politik** *f* world politics; **w.politisch** *adj* worldwide, international;

W.postverein *m* Universal Postal Union (UPU); **W.postvertrag** *m* Universal Postal Convention; **W.preisniveau** *nt* international price level; **W.presse** *f* world press; **W.produktion** *f* world production; **von W.rang** *m* world-famous; **W.rangliste** *f* world (league) table, world rankings

Weltraum *m* (outer) space; **W.erkundung** *f* space exploration; **W.fahrt** *f* space travel; **W.flug** *m* space flight; **W.forschung** *f* space research; **W.laboratorium** *nt* space lab; **W.rakete** *f* space rocket; **W.recht** *nt* space law; **W.satellit** *m* space satellite; **W.sonde** *f* space probe; **W.station** *f* space station; **W.zeitalter** *nt* space age

Welt|rechtspflegeprinzip *nt* principle of international prosecution; **W.reich** *nt* empire; **W.reise** *f* world tour, tour of the world; **W.revolution** *f* world revolution; **W.rohstoffvorräte** *pl* world resources of raw materials; **W.ruf** *m* worldwide reputation; **W.ruhm** *m* world fame; **W.schiff(s)bau** *m* world shipbuilding (industry); **W.schlager/W.spitze** *m/f* world leader/beater *(coll)*; **W.seehandel** *m* world maritime trade; **W.sicherheitsrat** *m* Security Council; **W.sozialprodukt** *nt* gross world product; **W.spartag** *m* World Savings Day; **W.sprache** *f* world/universal language; **W.stadt** *f* cosmopolitan/metropolitan city, metropolis; **w.städtisch** *adj* cosmopolitan; **W.textilabkommen** *nt* world textile agreement; **w.umfassend/w.umspannend** *adj* worldwide, global; **W.umsatz** *m* world (group) sales, sales worldwide, worldwide consolidated sales; **W.untergang** *m* doom; **W.unternehmen** *nt* international company/corporation; **W.urheberrechtsabkommen** *nt* Universal Copyright Convention; **W.verband** *m* world/international association; **W.verbesserer** *m* utopian; **W.verkehr** *m* world traffic; **W.vorräte** *pl (Rohstoff)* world resources, global reserves

Weltwährungs|fonds *m (IWF)* International Monetary Fund (IMF); **W.reserven** *pl* global reserves; **W.system** *nt* world currency system, international monetary system

Welt|warenindex *m* world commodity price index; **w.weit** *adj* worldwide, global

Weltwirtschaft *f* world/global economy, international economic activity; **w.lich** *adj* world-economic

Weltwirtschafts|gefüge *nt* international economic system(s); **W.gipfel** *m* world economic summit; **W.kommission** *f* World Economic Commission; **W.konferenz** *f* World Economic Conference; **W.krise** *f* 1. worldwide/world depression; 2. *(1929)* Great Depression; **W.lage** *f* world economic situation; **W.lehre** *f* international economics; **W.ordnung** *f* world/international economic order; **W.politik** *f* world economic policy; **W.probleme** *pl* world economic problems

Weltzahlen *pl (Konzern)* world figures

Wende *f* change, turn(a)round, turnabout, reversal; **W. am Arbeitsmarkt** job turn(a)round; **W. in der Ertragslage** profit turnround; **nachhaltige W.** dramatic change; **W.marke** *f* turning point

wenden *v/ti* to turn; **w. an** *v/refl* to apply/turn/refer/appeal to, to approach, to aim at; **sich wegen einer Angelegenheit w. an** to take up a matter with; **sich um 180 Grad w.** to make a U-turn, to turn turtle *(fig)*

Wendepunkt *m* turning point, watershed, landmark, marker, point of inflection; **W. erreichen** to turn the corner; **am unteren W. sein** *(Kurse)* to be in a general area; **konjunktureller W.** turning point in economic activity; **unterer W.** lower turning point

Wende|stelle *f* turnaround; **W.zug** *m* 🚆 push-pull train

wendig *adj* flexible, resourceful, manoeuvrable; **W.keit** *f* resourcefulness, manoeuvrability

Wendung *f* twist, turnabout, change; **W. um 180 Grad** U-turn, about-turn; **~ vollziehen** to turn turtle *(fig)*; **einleitende W.en** introductory terms; **formelhafte W.** set/stock phrase; **plötzliche W.** unexpected turn

weniger less, minus; **deutlich w. als** well down on; **nicht w. als** no less/fewer than; **w. werden** to go down, to diminish in numbers; **allmählich w. werden** to drop away

meine Wenigkeit *(coll)* my humble self *(coll)*

am wenigsten least; **w.s** *adv* at least, at the lowest estimate

wenn auch albeit; **w. nicht** unless, barring; **w. und aber** why and wherefore; **ohne ~ aber** 1. unconditionally; 2. *(coll)* (and) no questions asked *(coll)*

wer auch immer *pron* who(so)ever

Werbe|- promotional, advertising; **W.abteilung** *f* advertising/publicity department; **W.adressbuch** *nt* advertising/trade directory; **W.agent** *m* publicity agent, adman

Werbeagentur *f* advertising agency, advertiser; **W. beauftragen/beschäftigen** to retain an advertising agency; **W. wechseln** to switch an account

Werbeakquisiteur *m* advertising agent, canvasser

Werbeaktion *f* 1. advertising/publicity campaign, promotion exercise; 2. *(Personal)* recruitment drive; **W. starten** to launch an advertising campaign; **begleitende W.** accessory advertising

Werbe|aktiva *pl* advertising assets; **W.analyse** *f* advertising analysis; **unwahre W.angabe** false/misleading (advertising) claim; **W.ansprache** *f* advertising approach; **W.anspruch** *m* claim; **W.anstrengung(en)** *f/pl* advertising effort(s); **W.anteil** *m* advertising share; **W.antwort(dienst)** *f/m* business reply (mail/service); **W.antwortkarte** *f* ✉ business reply card; **W.anzeige** *f* advertisement, ad(vert); **W.appell** *m* advertising appeal; **W.arbeit** *f* advertising activity, publicity (work), promotional work; **W.artikel** *m* giveaway (article), promotion article, free gift; **W.atelier** *nt* commercial (art) studio; **W.auftrag** *m* advertising order, account; **W.aufwand/W.aufwendungen/W.ausgaben** *m/pl* promotional expenditure/spending, spending on advertising, advertising spending/expenditure/outlays, ad spend *(coll)*; **W.auslage** *f* advertising display; **W.aussage** *f* sales message; **W.behauptung** *f* claim; **W.beilage** *f* promotional material, advertising supplement, stuffer; **W.beleuchtung** *f* advertising lights; **W.berater(in)** *m/f* advertising consultant/agent, tout *(coll)*; **W.beratung** *f* promotional advice, advertising counselling/agency; **W.beruf** *m* advertising profession;

W.beschränkung *f* restrictions on advertising, advertising restrictions; **W.bestimmungen** *pl* advertising regulations; **W.blatt** *nt* leaflet; **W.block** *m (Fernsehen)* commercials, TV spots, advertising break; **W.-botschaft** *f* sales message; **W.branche** *f* advertising business/industry

Werbebrief *m* sales/advertising letter, mailing; **nachfassender W.** follow-up letter; **W.reihe** *f* sales series

Werbe|broschüre *f* advertising brochure; **W.budget** *nt* advertising budget; **W.büro** *nt* advertising agency; **W.chef(in)** *m/f* advertising manager; **W.dame** *f* female/ lady demonstrator; **W.dienst** *m* advertising/publicity service; **W.drucke** *pl* printed advertising material; **W.drucksache** *f* advertising matter; **W.durchsage** *f* advertising announcement/spot, trailer; **kurze W.-durchsage** spot; **W.effekt** *m* advertising effect; **W.einblendung** *f* spot (announcement); **W.einkünfte/ W.einnahmen** *pl* advertising revenue/income; **W.entwurf** *m* advertising design; **W.erfahrung** *f* advertising experience; **W.erfolg** *m* advertising result/success/effectiveness; **W.erfolgskontrolle** *f* advertising control/evaluation, keying of advertisements *[US]*, testing the advertising impact, ~ effectiveness of advertising; **W.erfüller** *m* adopter

Werbeetat *m* 1. (sales) promoting/advertising/marketing budget; 2. *(Agentur)* account; **W. gewinnen** to pitch an account; **W. einer anderen Agentur übertragen** to switch an account; **genehmigter W.** advertising appropriation

Werbe|ethik *f* advertising standards; **W.exemplar** *nt* complimentary copy; **W.experte** *m* public relations expert

im Werbefach *nt* in advertising; **W.mann** *m* advertising man/expert/specialist, adman, publicity agent, public relations officer/expert; **W.leute** *pl* admen, ad people; **W.verband** *m* advertising association; **W.zeitschrift** *f* advertising journal

Werbefeldzug *m* publicity/sales/promotional/advertising campaign, ~ drive; **W. für Kapitalanlagen** investment sales drive; **W. starten** to launch an advertising campaign

Werbe|fernsehen *nt* 1. pay *[US]*/commercial *[GB]* television; 2. tv advertisements/commercials; **W.fernsehlizenz** *f* commercial television franchise; **W.figur** *f* advertising character; **W.film** *m* advertising/promotional film; **W.firma** *f* advertising firm/contractor; **W.fläche** *f* advertising space, billboard, hoarding; **W.flugzeug** *nt* advertising aeroplane; **W.fonds** *m* advertising budget/appropriation; **W.forschung** *f* advertising/media research; **W.fritze** *m (coll)* PR man; **W.funk** *m* 1. commercial broadcasting; 2. radio advertising/commercials; **W.funktion** *f* advertising function/performance; **W.gag** *m* publicity/advertising stunt, ~ gimmick; **W.gebiet** *nt* 1. advertising area; 2. *(Personal)* recruiting ground; **W.gebühren** *pl* advertising rates; **W.gemeinschaft** *f* advertising association; **W.geschenk** *nt* free/advertising/goodwill gift, give(-) away (article); **W.gesellschaft** *f* advertising company; **W.gespräch** *nt* sales talk/patter *(coll)*; **W.gestalter (in)/W.grafiker(in)** *m/f* commercial artist; **W.gestaltung** *f* advertising design; **W.grafik** *f* commercial art; **W.grundsätze** *pl* advertising standards, standards of advertising practice; **W.heft/W.informationen** *nt/pl* advertising booklet/brochure; **W.idee** *f* advertising idea; **W.industrie** *f* advertising industry; **W.instrument** *nt* advertising medium; **w.intensiv** *adj (Produkt)* highly advertised; **W.investition** *f* advertising investment; **W.jargon** *m* ad-speak, sales patter *(coll)*

Werbekampagne *f* advertising/publicity/promotional/marketing campaign, publicity build-up; **W. per Post** mail-out; **W. durchführen** to conduct/handle an advertising campaign; **W. starten** to launch an advertising campaign; **großangelegte W.** elaborate campaign

Werbe|kartell *nt* advertising cartel; **W.kaufmann** *m*; **W.kauffrau** *f* trained advertising clerk; **W.kolonne** *f* team of canvassers; **W.konkurrenz** *f* competition through advertising; **W.kontrolle** *f* control of advertising effectiveness; **W.konzeption** *f* advertising concept; **W.kosten** *pl* cost of advertising, advertising expenses, advertisement/publicity cost(s); **W.kostenabrechnung** *f* account billing; **W.kraft** *f* advertising/ customer appeal, pull; **w.kräftig** *adj* catchy, effective; **W.kunde** *m* advertiser; **W.kurzfilm** *m* advertising spot; **W.läufer** *m (mit Doppelplakat)* sandwich man; **W.leistung** *f* advertising performance; **W.leiter(in)** *m/f* advertising/publicity/promotion manager, publicity director, head of the advertising department; **W.lied** *nt* jingle; **W.literatur** *f* advertising literature; **W.manuskript** *nt* advertising matter, copy; **W.markt** *m* advertising (market); **W.masche** *f* publicity/advertising stunt; **W.maßnahmen** *pl* advertising efforts/drive; **W.material** *nt* publicity/advertising material, ~ literature, promotional matter, sales hit *[US]*; **W.medium** *nt* advertising medium; **W.methode** *f* advertising method, promotion technique; **W.minute** *f (Radio/Fernsehen)* commercial spot/minute; **W.mitteilung** *f* advertising/sales message; **~ per Fax** fax shot

Werbemittel *nt* advertising medium (*pl* media)/device, vehicle for advertising, means of advertising, publicity instrument, sales tool; **genehmigte W.** *(Finanzen)* advertising appropriation; **W.analyse** *f* analysis of advertising media; **W.gestaltung** *f* media layout

Werbe|motto *nt* advertising slogan; **W.muster** *nt* advertising sample

werben *v/ti* 1. *(Kunden)* to attract/win/canvass; 2. *(Produkt)* to advertise/promote; 3. *(Arbeitskräfte)* to recruit; **w. für** to advertise/plug *(coll)*; **w. um** to woo; **aufdringlich w.** to tout *(coll)*; **intensiv w.** to push; **marktschreierisch w.** to puff

werbend *adj* 1. promotional; 2. *(Aktiva)* earning

Werbe|neuheit *f* promotional novelty; **W.nummer** *f* complimentary copy/number; **W.offizier** *m* ☙ recruiting officer; **W.plakat** *nt* 1. advertising poster, show bill; 2. *(Schaufenster)* show card; **W.plan** *m* advertising scheme, publicity programme/scheme; **W.planer** *m* account planner; **W.planung** *f* publicity planning, planning of advertising; **W.planvorlage** *f* advertising presentation; **W.politik** *f* advertising policy;

W.praktiken *pl* advertising practices; **W.preis** *m* advertising/knockdown price; **W.programm** *nt* advertising programme; **W.prospekt** *m* advertising folder, handbill, (publicity) leaflet; **W.psychologie** *f* psychology of advertising

Werber\|(in) *m/f* advertiser, canvasser, solicitor; **w.isch** *adj* advertising, promotional; *adv* publicity-wise

Werbe\|rabatt *m* advertising rebate, advertising/promotion allowance; **W.recht** *nt* advertising law; **W.rendite** *f* advertising return; **W.revision** *f* review of promotional activities; **W.riese** *m* media tycoon; **W.rummel** *m* hype *(coll)*, ballyhoo *(coll)*; **W.rundschreiben** *nt* advertising circular, circular letter; **W.sache mit Rückantwort** *f* self-mailer; **W.sätze** *pl* advertising rates; **W.schau** *f* advertising display; **W.schild** *nt* publicity/advertising sign, billboard; **W.schlacht** *f* publicity battle; **W.schlagwort** *nt* advertising slogan; **W.schreiben** *nt* sales letter; **W.schrift** *f* 1. brochure, publicity/advertising leaflet; 2. 🗋 advertising type; **W.seite** *f* advertising page; **W.sektor** *m* advertising sector; **W.sendung** *f* 1. advertising spot, (television) commercial, commercial break/broadcast; broadcast advertising; 2. ✉ advertising mail/letter, mailing; **W.sketch** *m* advertising sketch; **W.slogan** *m* advertising/publicity slogan; **W.spektakel** *nt* hype *(coll)*, ballyhoo *(coll)*; **W.spezialist** *m* advertising agent; **W.spot** *m* (advertising) spot, spot advertisement; **~ zeigen** to screen a television commercial; **W.sprache** *f* ad-speak, sales patter *(coll)*; **W.spruch** *m* (advertising) slogan/jingle; **W.standpunkt** *m* advertising angle; **W.stelle** *f* advertising agency; **W.steuer** *f* advertising tax; **W.strategie** *f* advertising strategy; **W.streuung** *f* media scheduling; **W.stückkosten** *pl* unit advertising cost(s); **W.studio** *nt* commercial studio; **W.tafel** *f* show card; **W.tarif** *m* 1. advertising rate; 2. 🚂/✈ promotional fare; **W.tätigkeit** *f* advertising/promotional activity; **W.technik** *f* advertising technique; **w.technisch** *adj* advertising; **W.teil** *m (Zeitung)* advertising columns

Werbetext *m* 1. (advertising) copy; 2. *(Radio)* script; **W.e schreiben** to write copy; **W. verfassen** to do the copy; **herabsetzender W.** disparaging/knockdown copy; **W.en** *nt* copywriting; **W.er** *m* copywriter

Werbeträger *m* advertising medium/vehicle; **W.analyse** *f* media analysis; **W.auswahl** *f* media selection; **W.bewertung** *f* media evaluation; **W.forschung** *f* media research

Werbe\|treibender *m* advertiser; **W.trick** *m* publicity stunt, advertising gimmick/stunt; **W.trommel rühren** *f* to beat the drum, to drum up/boost business; **W.überschrift** *f* advertising headline; **W.umsatz** *m* billings; **W.unkosten** *pl* advertising expenditure/cost(s); **W.unterlagen** *pl* promotional material; **W.unternehmen** *nt* advertising agency; **W.unterstützung** *f* advertising support; **W.verband** *m* advertising association; **W.verbot** *nt* advertising/publicity ban, ban on advertising; **W.verkauf** *m* promotional sale/selling, bargain sale; **W.vertrag** *m* advertising contract; **W.vertreter** *m* advertising salesman; **W.vorlage** *f* (advertising) copy; **W.wert** *m* publicity/attention value; **W.wesen** *nt* publicity, advertising; **W.wettbewerb** *m* advertising competition

werbewirksam *adj* effective; **W.keit** *f* publicity value; **W.keitsanalyse/-untersuchung** *f* impact analysis, advertising effectiveness survey

Werbe\|wirkung *f* advertising effect/appeal/impact, publicity effect; **eigene W.wirkung** *(Ware)* self-appeal; **W.wirtschaft** *f* advertising industry; **w.wirtschaftlich** *adj* advertising; **W.wissenschaft** *f* science of advertising; **W.woche** *f* promotional/propaganda week; **W.zeichner** *m* 1. advertising artist; 2. *(Schildermaler)* signwriter; **W.zeit** *f (Radio/Fernsehen)* advertising time/slot; **W.zeitschrift** *f* advertising publication; **(kostenlose) W.zeitung** *f* freebee, freebie; **W.zettel** *m* handout, leaflet; **W.ziel** *nt* advertising purpose/goal; **W.zuschuss** *m* advertising allowance; **W.zweck** *m* advertising purpose

werblich *adj* promotional, advertising

Werbung *f* 1. advertising, promotion, publicity, build-up, billing, propaganda; 2. *(Stimmen)* canvassing; 3. *(Kunden)* winning, attracting; 4. publicity department

Werbung von Arbeitskräften recruitment of labour; **W. in Berufskreisen** professional advertising; **direkte W. durch Drucksache** direct mail advertising; **W. im Einzelhandelsgeschäft; W. am Kaufort** point-of-sale (POS) advertising; **W. in Fachzeitschriften** trade paper advertising; **W. im Freien** outdoor advertising; **W. durch Fürsprecher** advocacy advertising; **W. für Industrieerzeugnisse** industrial advertising; **W. mit Kennziffern** keyed advertising; **W. beim Konsumenten** direct advertising; **W. für Markenerzeugnisse** brand advertising; **W. von Mitgliedern** membership drive; **W. durch Muster** sample advertising; **~ Postversand/-wurfsendung** direct mail advertising; **W. am Verkaufsort** point-of-purchase/point-of-sale (POS) advertising; **W. in öffentlichen Verkehrsmitteln** public transport *[GB]*/transit *[US]* advertising

Werbung betreiben/machen to advertise; **W. einschränken** to cut advertising; **aufdringliche W. treiben** to tout *(coll)*

auf Händler/Nachfragereaktion abgestimmte Werbung push(ing) strategy; **aggressive W.** predatory/disparaging advertising; **ansprechende W.** appealing advertising; **belehrende W.** educational advertising; **berichtigende W.** correcting advertising; **betrügerische W.** deceptive advertising; **direkte W.** direct advertising; **diskreditierende W.** disparaging advertising, denigration; **dominante W.** dominant advertising; **einwandfreie W.** clean advertising; **flankierende W.** accessory advertising; **ganzseitige W.** full-page advertisement; **gemeinsame W.** association advertising; **gezielte W.** selective *[GB]*/selectivity *[US]* advertising; **herabsetzende W.** disparaging/knocking advertising; **indirekte W.** *(Film)* product placement; **informative W.** information-based advertising; **irreführende W.** misleading/false/deceptive advertising; **landesweite W.** nationwide advertising; **lautere W.** honest advertising; **marktschreierische/reißerische W.** loud publicity, puff(ing) advertising; **massive W.** massive advertising; **mündliche W.** word-of-mouth advertising; **nachfassende W.** follow-up advertising; **persönliche W.** canvass(ing), personal advertising/promotion; **pulsierende W.** pulsating advertising; **redaktionelle W.** editorial publicity; **sittenwidrige W.** unfair advertising; **täuschende W.** misleading/deceptive advertising; **überregionale W.** national/nationwide advertising; **übertriebene/-zogene W.** puff(ing) advertising, puffing, hype *(coll)*; **unerlaubte W.** illicit advertising; **ungezielte W.** non-selective advertising; **unlautere W.** unfair advertising; **unterschwellige W.** subliminal advertising; **unterstützende W.** accessory advertising; **verdeckte W.** *(Film)* product placement; **vergleichende W.** comparative advertising

Werbungs|aufwand/W.kosten *m/pl* 1. promotional/advertising cost(s); 2. *(Steuer)* professional expenditure/outlay/expenses, income-related expenses; 3. *(Freibetrag)* professional/business allowance; 4. production expenditure; **W.kostenpauschale** *f* lump-sum business expenses allowance; **W.kostenpauschbetrag** *m* blanket deduction for income-related expenses; **W.mittel/W.träger** *nt/m* advertising medium; **W.-mittler** *m* publicity/advertising agent, space buyer, advertising agency; **W.treibender** *m* advertiser

Werdegang *m* career (progression), (life) history, background, curriculum vitae (cv) *(lat.)*; **beruflicher W.** career (development/path/route/background), employment/job history, professional development/career; **schulischer W.** school career

im Werden (begriffen) *nt* in progress

werfen *v/t* to throw/fling/toss; **hin und her w.** *(Wind)* to buffet

Werft *f* shipyard, dockyard, (shipbuilding) yard; **W.en** *(Börse)* shipbuilding; **W.aktien** *pl (Börse)* shipbuildings, shipbuilding issues/shares *[GB]*/stocks *[US]*; **W.anlage** *f* shipbuilding yard; **W.arbeiter** *m* shipyard worker, yardman; **W.besitzer** *m* shipyard owner, shipbuilder; **W.dock** *nt* building basin

Werften|hilfe *f* shipbuilding subsidy; **W.programm** *nt* shipbuilding programme

Werft|hafen *m* building port; **W.liegezeit** *f* shipyard period; **W.reparatur** *f* shipyard repair; **W.schließung/W.stilllegung** *f* yard closure

Werk *nt* 1. work, achievement; 2. factory, works, plant, mill, shop, production/manufacturing facility; **ab W.** ex factory/works/mill/point of origin, loco; **W.e der angewandten Kunst** works of applied art; ~ **bildenden Künste** artistic works; ~ **Musik** musical works; ~ **Tanzkunst** choreographic works

Werk besichtigen to tour a plant; **W. demontieren** to dismantle a plant; **ans W. gehen** to set to work; **W. in Betrieb nehmen** to open a factory; **W. schließen/stilllegen** 1. *(zeitweilig)* to shut down a plant; 2. *(endgültig)* to close (down) a plant; **W. verlegen** to relocate a plant

amtliche Werk|e official works; **chemisches W.** chemical plant; **erschienene W.e** published works; **geschützte W.e** protected works; **pantomimische W.e** works of pantomime; **sämtliche W.e** complete works; **stillgelegtes W.** closed(-down) plant; **verbundene W.e** composite works; **veröffentlichte W.e** published/disseminated works

Werk|anlage *f* manufacturing facility/plant, company plant; **W.aufnahme** *f* industrial photograph; **W.bahn** *f* industrial railway, plant-owned railroad; **W.bank** *f* (work)bench; **W.bankfertigung** *f* customized production; **W.erneuerungsrücklage** *f* plant renewals reserve; **W.fernverkehr** *m* plant-operated/inter-works long-distance transport; **w.fremd** *adj* external; **W.fürsorge** *f* company welfare; **W.handelsgesellschaft** *f* trading subsidiary; **W.leistung** *f* plant output; **W.lieferung** *f* sale under contract for goods and services, contractor's labour and materials; **W.lieferungsvertrag** *m* 1. contract for works, labour and material; 2. work performance contract, contract of location, cost-plus contract; **W.lohn** *m* compensation for work; **W.lohnverfahren** *nt* processing carried out under contract; **W.meister** *m* (works) superintendent, shop supervisor/foreman; **W.nahverkehr** *m* plant-operated/inter-works short-distance transport; **W.norm** *f* plant-developed standard; **W.preis** *m* price ex works/mill/factory

Werks|- inter-works; **W.abholung** *f* factory pick-up; **W.abnahme** *f* quality inspection, factory approval; **W.angehörige(r)** *f/m* employee; *pl* company staff; **W.anlage** *f* manufacturing facility, (company) plant; **W.anlagen** plant facilities; **W.anschluss(gleis)** *m/nt* factory/private siding *[GB]*, ~ sidetrack *[US]*, industrial sidetrack *[US]*; **W.arzt** *m* company/work doctor, works medical officer, company/works/plant physician; **W.bescheinigung** *f* works/mill certificate; **W.besetzung** *f* factory occupation/sit-in; **W.besichtigung** *f* plant/factory visit; **W.bestand** *m* stock at works; **W.buchhalter** *m* works/plant accountant; **W.buchhaltung** *f* plant accounting (department)

Werkschifffahrt *f* private shipping/carriage

Werkschutz *m* factory control, work security

Werks|direktor *m* plant/works/factory manager; **W.-ebene** *f* plant level; **auf W.ebene** at factory/plant level; **w.eigen** *adj* private, company(-owned), in-plant; **W.einrichtungen** *pl* works facilities

Werkselbst|kosten *pl* cost price; **W.verbrauch** *m* (works) consumption of own products

Werks|erneuerung *f* plant renewal; **W.erweiterung** *f* plant/factory extension; **W.fahrer** *m* company/factory driver; **W.ferien** *pl* annual closing, plant/works/mill holidays, vacation shutdown; **W.fürsorge** *f* company welfare; **W.gebäude** *nt* factory building; **w.gefördert** *adj* company-assisted; **W.gelände** *nt* plant/factory site, ~ premises, works area/premises; **fixe W.gemeinkosten** (fixed) factory overhead(s); **W.gemeinschaft** *f* works community; **W.grundstück** *nt* plant site, factory-site land; **W.hafen** *m* (works) private port/dock; **W.halle** *f* work shed, workshop, factory building; **W.inspektion** *f* factory/works inspection; **w.intern** *adj* in(tra)-plant; **W.kantine** *f* factory/works canteen; **W.kapazität** *f* plant capacity; **W.kontrolle** *f* manufacturer's quality control; **W.kosten** *pl* manufacturing cost; **W.laden** *m* company shop *[GB]*/store *[US]*; **W.leistung** *f* plant output; **W.leiter** *m* works/plant/

first-line manager, plant/works director; **W.leitung** *f* plant/works/factory management; **W.ordnung** *f* factory regulations

Werk|sparkasse *f* company savings bank; **W.spionage** *f* industrial espionage

Werks|prospekt *m* prospectus; **W.prüfung** *f* manufacturer's inspection; **W.rabatt** *m* manufacturer's rebate; **W.rente** *f* company pension, company-paid annuity; **W.schließung** *f* plant closure; **W.schutz** *m* works/ plant security, guard; **w.seitig** *adj* by/from the manufacturer, factory-provided; **W.selbstkosten** *pl* plant costs, gross production costs, factory cost price; **W.sicherheit** *f* 1. plant security; 2. *(Unfälle)* industrial safety; **W.siedlung** *f* company housing estate; **W.spedition** *f* private carrier; **W.spionage** *f* industrial espionage; **W.tarifvertrag** *m* company wage contract

Werkstatt *f* shop, workshop, toolroom; **fahrbare W.** mobile workshop; **mechanische W.** engineering shop

Werkstatt|arbeiter *m* shopworker: **W.auftrag** *m* (job) shop order; **W.ausbildung** *f* workshop/vestibule *(US)* training; **W.bestand** *m* shopfloor material; **W.büro** *nt* shop office; **W.fertigung** *f* job shop/intermittent/nonrepetitive production, group technology/working, cellular organisation; **W.fließfertigung** *f* job shop continuous production; **W.hilfsarbeiter** *m* work shifter; **W.leistungen** *pl* production shop services; **W.leiter** *m* workshop manager, works clerk; **W.montage** *f* shop assembly; **W.personal** *nt* toolroom staff; **W.stunden** *pl* shop man-hours; **W.wagen** *m* maintenance vehicle, breakdown truck; **W.zeichnung** *f* workshop drawing

Werkstoff *m* material, feedstock; **W.anforderung** *f* materials requisition; **W.bedarf** *m* materials requirements; **W.bedarfsplanung** *f* materials budget; **W.bestand** *m* direct material(s) inventory; **W.durchlauf** *m* materials flow: **W.eigenschaft** *f* property (of a material); **W.einsatz** *m* materials input; **W.entnahmeschein** *m* materials requisition slip; **W.ermüdung/W.müdigkeit** *f* material fatigue; **W.gemeinkosten** *pl* indirect material cost(s); **W.ingenieur** *m* materials engineer; **W.kontrolle** *f* material(s) testing; **W.kunde** *f* materials science; **W.planung** *f* materials planning; **W.prüfer** *m* materials tester

Werkstoffprüfung *f* material(s) testing; **zerstörende W.** destructive material(s) testing, destructive test; **zerstörungsfreie W.** non-destructive (materials) testing, ~ test

Werkstoff|technik *f* materials engineering; **V.verlust** *m* loss of feedstock; **W.zeit** *f* door-to-door time

Werkstor *nt* plant/factory gate

Werk|stück *nt* workpiece; **W.stücke** *(Urheberrecht)* copies of the works; **W.student(in)** *m/f* working student

Werks|unfall *m* industrial accident; **W.vereinbarung** *f* plant agreement; **W.verkehr** *m* private carriage, ~ freight traffic, company transport; 2. own-fleet operation; **W.verlegung** *f* plant relocation; **W.verpflegung** *f* plant catering (facilities); **W.vertreter** *m* manufacturer's agent, factory representative, missionary salesman; **W.vertretung** *f* exclusive dealership; **~ im Handel** manufacturer's sales branch; **W.wohnung** *f* company flat/dwelling/accommodation, company-owned dwelling, factory-owned flat/apartment; **W.zeitschrift/W.zeitung** *f* company/employee/in-house/ works magazine, house organ; **W.zeugnis** *nt* works/ mill certificate; **W.zugehörigkeit** *f (Zeit)* years of service

Werk|tag *m* workday, working/business day, weekday; **w.täglich** *adj* workaday, each working/business day; **w.tätig** *adj* working; **W.tätige(r)** *f/m* worker, working woman/man; **W.tisch** *m* work table; **W.transport** *m* factory transport system, private carriage, own-fleet operation; **W.unterricht** *m* handicrafts instruction, manual training; **W.verkehr** *m* own transport, works traffic, private carriage; **W.vertrag** *m* contract to/of manufacture, service contract, specific task contract, contract for work and labour/services, ~ a product; **W.verwaltungsgemeinkosten** *pl* plant management overhead(s); **W.zeichnung** *f* workshop drawing; **W.-zeitschrift** *f* → **Werkszeitschrift**

Werkzeug *nt* tool(s), implement(s), gear, stock-in-trade, kit, outfit; **W.e eines Berufszweiges** tools of (the) trade; **W.e, Betriebs- und Geschäftsausstattung** *(Bilanz)* toolings, furniture and fixtures; **W.e und Geräte** tools and implements; **schuldloses W.** [§] innocent agent; **willenloses W.** *(fig)* rubber-stamp *(fig)*, mere instrument

Werkzeug|anforderung *f* tool issue order; **W.auflage** *f* tool rest; **W.ausgabe** *f* tools issue; **W.ausrüstung** *f* tool case/kit, tooling; **W.bau** *m* tool-making; **W.einstellung** *f* tooling(-up); **W.entnahmeschein** *m* tool requisition slip; **W.fabrikant/W.hersteller** *m* tool-maker; **W.geld** *nt* tool allowance; **W.herstellung** *f* toolmaking; **W.industrie** *f* tool-making/machine tool industry; **W.kasten** *m* tool box, repair outfit; **W.kosten** *pl* cost of tools; **W.lager** *nt* tool stores; **W.macher** *m* tool-maker; **W.macherei** *f* 1. toolroom; 2. tool-making

Werkzeugmaschine *f* machine tool; **W.nausstellung** *f* machine tool fair/exhibition; **W.nbau** *m* machine tool engineering (industry); **W.nhersteller** *m* machine tool manufacturer; *pl (Aktien)* machine tools; **W.nindustrie** *f* machine tools industry

Werkzeug|miete *f* tools rent; **W.schrank** *m* tool cabinet; **W.stahl** *m* tool steel; **W.tasche** *f* tool bag; **W.verschleiß** *m* wear of tools; **W.versicherung** *f* tool insurance; **W.zuschlag** *m* tool allowance

Wermut *m* vermouth; **W.stropfen** *m (fig)* bad news, bitter pill *(fig)*

Wert *m* 1. value, worth; 2. figure, equivalent; 3. *(Banknote)* denomination; 4. *(Datum)* value/availability date; 5. merit, desert; **W.e** 1. assets; 2. *(Wertpapiere)* securities, stocks; 3. *(Ziffern)* figures, data; **im W. von; bis zum W. von** 1. to the amount/value of; 2. worth, valued at; **nach W.** ⊖ ad valorem (a.v.) *(lat.)*

Wert des Aktivvermögens asset value; **W. der Anlage** investment value; **W. des Anlagevermögens** asset value, value of fixed assets; **W. der Arbeit** price of labour; **W. bei Außerbetriebnahme** exit price; **W. in bar** cash value; **W. der Beeinträchtigung** nuisance value; **~ Beteiligung** investment value; **tatsächlicher**

W. des Betriebsvermögens intrinsic value of (capital) assets; **W. zum Einzug** *(Wechsel)* value for collection, only for collection; **W. laut Faktura** value as per invoice; **ideeller W. einer Firma** goodwill (of a firm); **W. in Geld** monetary/cash value; **W. der Grundgesamtheit** ▦ parental value; **W. der Handelsmarke** brand value; **W. zum Inkasso** value for collection; **W. des versicherten Interesses** value of the insured interest; **W. nach dem Niederstwertprinzip** market price; **W. der Produktionsmittel** capital value; **W. in Rechnung** *(Wechsel)* value in account; **W. einer Sicherheit** carrying value; **W. des Streitgegenstandes** amount in dispute; **~ fortgeführten Unternehmens** going-concern/enterprise value; **W. bei Wegfall** value on expiration; **W. mit Verzögerungen** ▦ lagged value; **W. bei Wiedererlangung** repossession value; **W. der Zentraltendenz** ▦ central value; **W. einer Zeugenaussage** weight of testimony, value of evidence; **W. in beschädigtem Zustand** damaged value; **~ unbeschädigtem Zustand** sound value

dem Wert entsprechend/nach ad valorem (a.v.) *(lat.)*; **W. erhalten** *(Valutaklausel)* value received; **im W. herabgesetzt** depreciated; **über dem W. versichert** overinsured; **unter dem W. versichert** underinsured

Wert abstoßen to shake out; **W. angeben** to declare/state the value; **W. beeinträchtigen** to impair the value; **nach W. befrachten** to freight ad valorem *(lat.)*; **seinen W. behalten** to hold the value, to stand good; **gute W.e behalten** to maintain a position of sound stocks; **etw. nach seinem eigentlichen W. behandeln** to treat sth. on its merits; **W. beilegen/beimessen** to attach/attribute value to; **einer Sache großen W. beimessen** to set great store by sth.; **W. berechnen** to compute the value; **W. besitzen** to be of value; **W. bestimmen** to appraise/value/evaluate; **unter W. bieten** to underbid; **~ deklarieren** ⊖ to enter short; **~ einschätzen** to underestimate/undervalue; **W. erhöhen** to write up, to appreciate; **W. ermitteln** to assertain/determine the value; **im W. fallen** to depreciate/recede, to lose/fall (in value); **W. festsetzen** to assess the value; **an W. gewinnen** to appreciate/gain; **W. haben** to be of value; **inneren W. haben** *(Option)* to be in the money; **im W. herabsetzen** to depreciate/discount; **W. der Währung herabsetzen** to debase the currency; **W. einer Anlage heraufsetzen** to write up (the value of) an asset; **W. legen auf** to attach value/importance to, to make a point of, to set store by; **besonderen ~ auf** to emphasize; **geringen ~ auf** to set little store by; **großen ~ auf** to set great store by; **im W. gestiegen sein** to show an appreciation; **~ sinken** to diminish in value, to depreciate; **~ steigen** to appreciate/gain/rise, to increase in value; **über dem W. verkaufen** to sell at a premium; **unter W. verkaufen** to undersell, to sell at a discount; **an W. verlieren** to depreciate, to diminish in value, to lose in weight, to go down, to deteriorate; **im W. vermindern** to devalue/debase/depreciate; *v/refl* to deteriorate; **über (den) W. versichern** to overinsure; **unter W. versichern** to underinsure; **im W. zunehmen** to appreciate

abgeleiteter Wert imputed value; **abgeschriebener W.** depreciated value; **steuerlich voll ~ W.** written-down value; **abnehmender W.** diminishing value; **angegebener W.** ⊖ declared value; **angemessener W.** fair value; **angenommener W.** assumed value; **willkürlich ~ W.** arbitrary value; **annähernder W.** approximate value; **beitragspflichtiger W.** contributory value; **beizulegender W.** attributable value; **beliebiger W.** arbitrary value; **beobachteter W.** ▦ observation; **berichtigter W.** absorption value; **bleibender W.** lasting value; **börsengängiger W.** marketable security; **buchmäßiger W.** book value; **chemische W.e** *(Börse)* chemicals; **deklarierter/erklärter W.** ⊖ declared value; **dichtester W.** ▦ mode; **effektiver W.** real/effective/actual value; **ohne eigentlichen W.** *(Option)* out of the money; **eigentlicher W.** intrinsic value; **nicht einziehbare W.e** write-offs; **errechneter W.** computed value; **festgelegter W.** *(Vers.)* agreed value; **festgesetzter W.** assessed value; **gesetzlich ~ W.** statutory value; **feststellbarer W.** ascertainable value; **festverzinslicher W.** fixed-interest security; **fiktiver W.** fictitious value; **finanzieller W.** monetary value; **führender W.** *(Börse)* market/equity leader, leading share *[GB]*/stock *[US]*; **gängiger W.** market value; **gegenwärtiger W.** current value; **gehaltener W.** firm stock; **im Freiverkehr gehandelte W.e** unlisted securities; **lebhaft/stark ~ W.e** active issues, active/high-volume shares *[GB]*, ~ stocks *[US]*; **meist ~ W.e** *(Börse)* most active issues; **gemeiner W.** (fair) market value, value in an open sale; **genauer W.** exact value; **geschätzter W.** estimated value; **gesperrter W.** inaccessible value; **gewichteter/gewogener W.** weighted value; **gewöhnlicher W.** ordinary value; **greifbarer W.** tangible asset; **guter W.** *(Börse)* sound stock; **häufigster W.** ▦ mode; **ideeller/immaterieller W.** *(Firma)* goodwill, intangible asset/value; sentimental value; **inländische W.e** domestic assets, ~ shares *[GB]*/stocks *[US]*; **innerer W.** intrinsic value, net asset value, net worth; **mit innerem W.** in the money; **kapitalisierter W.** capitalized value; **kritischer W.** critical variable; **kumulierter W.** cumulative value; **künstlerischer W.** art value; **maßgebender W.** decisive value; **materieller W.** tangible value; **möglicher W.** potential value; **moralischer W.** moral/ethical value; **mündelsichere W.e** *(Börse)* gilt-edged stocks; **musealer W.** antiquarian value; **notierter W.** *(Börse)* quoted *[GB]*/listed *[US]* security; **höher ~ W.** rising issue; **nicht ~ W.** unquoted *[GB]*/unlisted *[US]* security; **niedriger ~ W.** *(Börse)* decline; **objektiver W.** market/objective/real value; **offizieller W.** central rate; **ökonomischer W.** economic value; **positiver W.** ⊖ positive value; **realer W.** real value; **rechnerischer W.** 1. arithmetical/absolute value; 2. *(Aktie)* accounting par value; **rechnungsfähiger/-mäßiger W.** *(Vers.)* actuarial value; **relativer W.** relative value; **restlicher W.** residual value; **rückzahlbarer W.** *(Börse)* redeemable stock; **scheinbarer W.** face value; **seltenster W.** ▦ antimode; **sicherer W.** sound stock; **solider W.** established stock; **spekulativer W.** speculative share/stock, hot stock; **spezifischer W.**

specific value; **statistischer W.** statistical value; **steuerbarer/-licher/-pflichtiger W.** assessed/rat(e)able/taxable/assessable/tax value, value for tax purposes; **subjektiver W.** subjective value; **tatsächlicher W.** real/effective value; **theoretischer W.** ⊖ notional value; **umsatzstarker W.** high-volume stock; **ungefährer W.** approximate value; **von unschätzbarem W.** invaluable; **unterliegender W.** underlying value; **unternehmenstypischer W.** value to the business; **unverzollter W.** ⊖ bonded value; **ursprünglicher W.** original value; **variabler W.** variable-price security; **veranlagter W.** assessed value; **vereinbarter W.** agreed value; **verhältnismäßiger W.** relative value; **versicherbarer W.** insurable value; **versicherter W.** insured value; **versicherungsmathematischer W.** actuarial value; **hoch verzinslicher W.** high-coupon issue; **niedrig ~ W.** low-coupon issue; **verzollter W.** ⊖ declared value; **wirklicher W.** real/actual value, equity; **wirtschaftlicher W.** economic value, want-satisfying ability; **zollpflichtiger W.** ⊖ dutiable value; **zulässiger W.** allowable/admissible value; **zurückzahlbare W.e** redeemable stocks; **zweitklassiger W.** second liner; **zyklischer W.** cyclical share/stock

wert *adj* worth; **einer Sache w. sein** to merit; **nichts w.** worthless

Wert|abnahme *f* depreciation, lessening of value; **W.-abschlag** *m* reduction in value, writing down, markdown, deduction, discount; **W.abschnitt** *m* denomination; **W.abschreibung** *f* depreciation; **W.abstufung** *f* gradation in value; **W.analyse** *f* value analysis

Wertangabe *f* declaration of value, declared value/valuation; **ohne W.** no value; **W.formular** *nt* declaration form

Wert|annahme *f* *(Scheck)* valuing; **W.anpassungsklausel** *f* adjustment clause

Wertansatz *m* valuation (base), amount stated, value shown; **W. in der Bilanz** figure stated in the balance sheet; **steuerlicher W.** tax valuation

Wert|anstieg *m* rise of value; **prozentualer W.anteil** ad valorem *(lat.)* precentage; **W.anzeige** *f* declaration of value; **W.arbeit** *f* craftsmanship, excellent workmanship; **W.aufbewahrungsmittel** *nt* store-of-value asset; **W.aufholung** *f (Bilanz)* increased valuation; **W.aufstockung** *f* appreciation (in value), revalorization, writing-up; **W.aufruf** *m* call by value; **W.ausdrucksmittel** *nt* standard of value; **W.ausgleich** *m* value adjustment/equalization; **W.basis** *f* value basis; **W.beeinträchtigung** *f* impairment of value; **W.berechnung** *f* valuation, assessment of value; **~ einer Obligation** bond valuation; **W.bereich** *m* range of values; **w.berichtigen** *v/t* to write up/down, to adjust/reassess the value

Wertberichtigung *f* 1. valuation/value/completion adjustment, adjustment for depreciation, ~ of values, revaluation; 2. *(nach oben)* write-up; 3. *(nach unten)* asset write-down; 4. *(Abschreibung)* valuation allowance, depreciation reserve, accrued/accumulated depreciation; **W.en** valuation reserves/items, provisions, depreciation charges

Wertberichtigung für Abnutzung adjustment for wear and tear; **W. auf materielle und immaterielle Anlagegüter** reserve for amortization; **~ das Anlagevermögen** fixed asset valuation adjustment, depreciation provision/reserve, reserve for (the) depreciation of fixed assets, allowance/provision/reserve for depreciation; **~ immaterielle Anlagewerte** reserve for (the) depreciation and amortization of intangibles; **~ Besitzwechsel** reserve for doubtful notes; **~ Beteiligungen** investment reserve, allowance for loss(es) on investments; **aufgelaufene ~ Bodenschätze** accumulated depletion; **~ das Finanzanlagevermögen** write-down of permanent investment; **~ Forderungen** discounts on accounts receivable, allowances for doubtful accounts, ~ possible loan losses; **~ uneinbringliche Forderungen** bad debt provision, allowance/reserve for bad debts; **W. für zweifelhafte Forderungen** debt provision, allowance/reserves for doubtful accounts; **W. auf Istkostenbasis** current-cost adjustment; **~ den Kreditbestand** *(Bilanz)* loan loss provisions; **W.en im Kreditgeschäft** losses on loans; **W. der Lagerbestände** inventory valuation adjustment; **W. auf das Sachanlagevermögen** accumulated depreciation, reserve for (the) depreciation of property, plant and equipment; **~ Substanzverringerung** reserve/allowance for depletion; **~ das Umlaufvermögen** provision for doubtful debt, depreciation of current assets, bad debts provisions, reserve for bad debts, current asset valuation adjustment; **~ Uneinbringliche** bad debt charge; **~ immaterielle Vermögenswerte** accumulated amortization; **~ das Vorratsvermögen** inventory valuation adjustment, inventory reserve; **W. für Wertänderung** asset valuation reserve

Wertberichtigungen vornehmen to make value adjustments, to adjust valuations

individuelle Wertberichtigung individual value adjustment/allowance; **passivierte W.** value adjustment on the liability side

Wertberichtigungs|aktie *f* bonus share; **W.bedarf** *m* revaluation requirements; **W.klausel** *f* stable value clause; **W.konto** *nt* value adjustment/absorption/contra account, qualifying reserve; **W.posten** *m* allowance, valuation item

Wertbescheinigung *f* certificate of value

wertbeständig *adj* of lasting value, stable in value; **w. sein** to keep one's value; **W.keit** *f* stability of value; **W.keitsklausel** *f* stable value clause

Wert|bestimmung *f* (e)valuation, appraisement, assessment; **W.bezeichnung** *f* (value) denomination; **w.bezogen** *adj* in value terms, in terms of value; **W.brief** *m* ✉ insured/money letter

Werte|bereich *m* range; **W.bewusstsein** *nt* sense of right and wrong; **W.forschung** *f* value research

Wert|einbuße *f* loss/decrease in value; **W.einheit** *f* unit of value; **W.eintragung** *f* value clause; **W.element** *nt* ⊖ value element

Werte|kontinuum *nt* continuum of values; **W.menge** *f* set of values

werten *v/t* to rate/judge/value/evaluate/appraise/interpret

Wertentwicklung *f (Anlage/Fonds)* performance; **W.s-garantie** *f* performance guarantee; **W.stabelle** *f* performance statistics

Wert|erfassung *f* value recording; **w.erhaltend** *adj* value-maintaining; **W.erhaltung** *f* maintenance of value; **W.erhaltungsgarantie** *f* maintenance-of-value guarantee; **W.erhöhung** *f* appreciation, increase/improvement of value; **W.erklärung** *f* ⊖ declaration of value; **W.ermittlung** *f* evaluation/assessment of value, appraisal, appraisement, (asset) valuation, ascertainment of value; **W.erneuerungsfonds** *m* reserve for future price increases of plant and machinery; **W.ersatz** *m* indemnification, compensation; **W.ertrag** *m* revenue

werte|schaffend *adj* productive; **W.system** *nt* system of values; **W.wandel** *m* change in values

Wert|faktor *m* price-earnings ratio, factor of value; **W.feststellung/-setzung** *f* assessment, valuation, value determination; **W.fortschreibung** *f* adjustment of assessed value; **W.fracht** *f* ad valorem *(lat.)* freight, freight assessed according to the value of the goods; **w.frei** *adj* 1. unbiased, without prejudices; 2. without charges, free of charge; **W.gegenstand** *m* object of value, valuable item; **W.gegenstände** valuables, objects of value; **W.gegenständeversicherung** *f* art property and jewellery *[GB]*/jewelry *[US]* insurance; **w.gesichert** *adj* protected by stable value clause; **w.gleich** *adj* of equal value; **W.grenze** *f* value limit, maximum value; **W.grenzprodukt** *nt* marginal product in terms of value; **W.karte** *f [A]* phonecard; **W.kartentelefon** *nt* card telephone; **W.kette** *f* value chain; **W.klausel** *f* value/valuation clause; **numerischer W.koeffizient** figure of merit; **W.kontingent** *nt* quota relating to value, ~ expressed in terms of value; **W.korrekturposten** *m* valuation item; **W.kosten** *pl* expenses related to value of transaction; **W.leistungskalkulation** *f* value-transaction costing; **W.liste** *f* 💻 value part

wertlos *adj* 1. worthless, valueless, no-value, of no value, cheap; 2. paltry, rubbishy *(coll)*; 3. hollow; **w. machen** to cancel; **W.igkeit** *f* worthlessness

Wert|marke *f* stamp, token (money/coin), ticket; **w.mäßig** *adv* in terms of value, in value terms, by value; **W.maßstab/W.messer** *m* standard/measure of value, yardstick

Wertminderung *f* depreciation, decrease/diminution/ reduction in value, loss of value/serviceability, lost usefulness/serviceability, shrinkage

Wertminderung von Anlagegegenständen fixed asset expiration; **~ Anlagegütern** capital depreciation; **~ Investitionen** depreciation of investments; **W. durch Landschaftsveränderung** loss of amenity; **~ Schwund** shrinkage loss; **W. im Zeitablauf** decrement, mortality; **W. durch Zeitablauf oder Gebrauch** mortality

technisch bedingte Wertminderung wear and tear; **durch Prüfung ermittelte W.** observed depreciation; **substanzbedingte W.** depletion; **verbrauchsbedingte W.** physical depreciation

Wertminderungs|konto *nt* depreciation account; **W.reserve** *f* depreciation reserve; **W.rückstellung** *f* accrued depreciation; **geschätzter W.verlauf** estimated loss of service life

Wert|münze *f* token coin; **W.münzen** token coinage; **W.nachlass** *m* value relief; **W.nachnahme** *f* delivery against payment; **W.nachweis** *m* evidence of value; **W.objekt** *nt* valuable item; **W.objekte** valuables

Wertpaket *nt* ✉ insured/sealed (postal) parcel; **als W.** by insured parcel post; **W.dienst** *m* compensation fee parcel service

Wertpapier *nt* security, paper, bond/commercial/corporate *[US]* paper, corporate *[US]*/negotiable instrument, investment; **W.e** 1. stocks and shares, shares *[GB]*, stocks *[US]*; 2. *(Bilanz)* investments

Wertpapier|e des Anlagevermögens security/permanent investments, investment/fixed-asset securities, securities classified as fixed assets, long-term portfolio investments; **W.e und Anteile** securities and membership rights; **W.e mit dem Charakter von Anteilsrechten** equity securities; **~ Dividendengarantie** guaranteed securities; **~ zusätzlicher Dividendengarantie** assumed bonds; **W.e im Eigenbesitz** beneficial holding; **~ festem Ertrag** fixed-yield securities; **W. öffentlichen Glaubens** negotiable instrument; **W.e der öffentlichen Hand** funds, public sector papers; **~ im Handelsbestand** trading account securities; **~ ohne Kündigungsrecht** irredeemable stocks; **W. mit starken Kursausschlägen** yo-yo stock; **~ kurzer Laufzeit** short-dated stock; **~ langer Laufzeit** long-dated stock; **~ mittlerer Laufzeit** medium-dated stock; **~ geringem Nominalwert** baby bond *[US]*; **W. ohne Rückkaufrecht** irredeemable stock; **W.e mit festem Rückzahlungstermin** dated securities; **W. für eine Spareinlage** savings certificate; **W.e des Umlaufvermögens** current-asset/marketable securities, current/temporary investments, investments held as current assets; **W. mit geringen Umsätzen** low-volume security; **~ hohen Umsätzen** high-volume stock; **W. ohne Umsatz** dead security

in einem Wertpapier verbrieft embodied in a security, securitized; **W.e, für die Zins- oder Dividendenzahlungen eingestellt wurden** securities in default

Wertpapiere bestmöglich absetzen to sell securities on a "best effort basis"; **W. abstoßen** to dispose of/sell stocks; **W. aufnehmen** to absorb stocks; **laufend W. ausgeben** to issue on tap; **Wertpapier begeben** to float a security; **W. beleihen** to lend money on securities; **W. besitzen** to carry securities; **W. ins Depot einliefern** to deposit securities for safe custody *[GB]*/custodianship *[US]*; **W. hinterlegen** to deposit securities; **W. als Sicherheit hinterlegen** to pledge securities; **W. auf Kreditbasis kaufen** to buy on margin; **W. lombardieren** to lend money on securities; **W. notieren** to quote *[GB]*/list *[US]* securities; **W.e platzieren** to place securities; **in W. spekulieren** to speculate in stocks; **W. umwandeln** to commute securities; **W. veräußern/ verkaufen** to dispose of/sell stocks; **W. vor Emission an Private verkaufen** to beat the gun *(coll)*; **W. in Erwartung steigender Kurse zurückhalten** to be/go long of the market

ablösbares Wertpapier redeemable security; **absetzbares W.** marketable security; **schwer ~ W.** deadweight; **aufgerufenes und für ungültig erklärtes W.** obsolete security; **ausgegebene W.e** securities issued; **mit Vorrechten ausgestattetes W.** senior security; **auf den Inhaber ausgestelltes W.** bearer security; **auslosbares W.** lottery/premium *[GB]* bond; **effektiv im Besitz befindliche W.e** long stock; **begebbares W.** negotiable instrument/paper/security, assignable instrument, commercial paper; **nicht ~ W.** non-negotiable instrument; **beleihungsfähiges W.** eligible security; **beliehene W.e** collateral securities; **bevorrechtigtes W.** senior security; **börsengängige/-notierte W.e** marketable/quoted *[GB]*/listed *[US]*/active/stock exchange/on-board securities, quick assets, realizable stock; **börsengünstiges W.** active security; **nicht börsennotiertes W.** unquoted security; **(nicht) diskontfähiges W.** (in)eligible security; **diskontiertes W.** discounted stock; **dividendenberechtigtes W.** dividend-earning security; **an der Börse eingeführtes W.** listed security; **eingetragenes W.** registered security; **erstklassiges W.** blue chip, prime paper, top-grade security; **festverzinsliche W.e** fixed-interest(-bearing) issues/securities, fixed-yield/fixed-income/debt securities, loan stock/capital, active bonds; **nicht ~ W.e** variable-yield securities; **in Tranchen rückzahlbare ~ W.e** sinking fund bonds; **umlaufende ~ W.e** bonds outstanding; **forderungsbesichertes W.** asset-backed security (ABS); **im Freiverkehr gehandeltes W.** open-market paper, curb stock *[US]*; **im ungeregelten Freiverkehr ~ W.** unregulated security; **international ~ W.** international stock, interbourse security; **täglich gehandelte W.e** active securities/papers; **per Kasse gekauftes W.** purchased paper; **goldgerändertes W.** gilt-edged security *[GB]*, gilt *[GB]*; **handelbares W.** negotiable security; **im Sammeldepot hinterlegte W.e** assented securities; **inländisches W.** domestic paper; **internationale W.e** internationals; **kaufmännisches W.** commercial instrument; **konsolidierte W.e** consolidated bonds; **konvertierbares W.** convertible stock; **kündbares W.** callable stocks; **vorzeitig ~ W.** stock with an optional redemption; **auf den Inhaber lautendes W.** bearer bond; **auf den Namen ~ W.** registered security; **leichtes W.** low-priced security; **lombardfähiges W.** approved security; **lombardierte W.e** collateral/pledged securities; **marktfähiges W.** marketable security/paper; **mündelsichere W.e** gilt-edged *[GB]*/trustee/legal securities, trustee/safety stocks, legal/gilt-edged *[GB]* investment, gilts *[GB]*, widow and orphan stocks; **amtlich notiertes W.** on-board security; **nicht ~ W.** off-board/outside security; **quasi-begebbares W.** quasi-negotiable instrument; **sofort realisierbares W.** liquid security; **gut renommiertes W.** seasoned security; **hoch rentierliches W.** high-yielding security, income stock; **risikoreiche W.e** wildcat securities, cats and dogs *(coll)*; **schuldrechtliches W.** debt instrument; **schweres W.** high-priced security; **schwerfälliges w.** lame duck *(coll)*; **sparkassenfähiges W.** savings bank security; **steuerbegünstigte W.e** tax shelters; **steuerfreie W.e** tax-exempted stocks/bonds/securities, tax exempts; **stimmberechtigte W.e** voting stocks/securities; **(durch Indossament) übertragbares W.** negotiable instrument/security, transferable security; **nicht ~ W.** non-negotiable instrument; **umlauffähiges W.** negotiable instrument; **umsatzschwaches W.** inactive stock; **umsatzstarkes W.** active stock; **unverkäufliches W.** unmarketable title; **verkäufliches W.** negotiable instrument; **ohne Deckung verkaufte W.e** shorts; **vertretbares W.** fungible security; **verzinsliches W.** interest-bearing security; **hoch ~ W.** high-yielding security, high-yield instrument, high-yielder; **niedrig ~ W.** low yielder; **wandelbares W.** convertible security; **wertloses W.** blue-sky security; **zentralbankfähige W.e** eligible papers; **zinstragendes W.** interest-bearing security, active paper; **(an der Börse) zugelassenes W.** registered/listed security; **zweitklassiges W.** second-class paper

körperliche Wertpapier|abnahme physical purchase of securities; **W.absatz** *m* security sales/placing; **W.abschreibung** *f* securities write-off; **W.abteilung** *f* 1. securities department; 2. cage *[US]*; **W.agent** *m* bond salesman; **W.analyse** *f* security analysis; **W.analyst/W.analytiker** *m* investment/security analyst

Wertpapieranlage *f* investing, portfolio/paper/equity-based/securities investment, investment in securities/movables; **konservative W.** defensive investing/investment; **W.beratung** *f* investment counselling; **W.bestand** *m* securities held as financial fixed assets

Wertpapier|arbitrage *f* arbitrage in securities; **W.art** *f* security category; **W.aufstellung** *f* securities statement; **W.auftrag** *m* securities order; **~ ohne Limit** unlimited order; **~ erteilen** to place a securities order; **W.auslieferung** *f* delivery of securities; **W.ausschüttung** *f* stock distribution; **W.bank** *f* securities bank/house; **W.berater** *m* investment consultant/advisor; **W.beratung** *f* investment counselling; **W.bereich** *m* trust area; **W.bereinigung** *f* securities validation; **W.beschreibung** *f* securities description; **W.besitz** *m* security holdings, (investment) portfolio; **W.besitzer** *m* security holder

Wertpapierbestand *m* security holdings, (investment/securities/stock) portfolio, holding/portfolio of securities, securities in hand; **W. der Kapitalanlagegesellschaft** investment company portfolio; **W. bereinigen** to clean house *(coll)*

Wertpapier|bewertung *f* valuation of securities; **W.-bezeichnung** *f* securities description; **W.bilanz** *f* balance of (transactions in) securities; **W.börse** *f* stock exchange/market, securities exchange/market; **W.-darlehen** *nt* security loan, loan on collateral securities; **W.depot** *nt* stock deposit, securities portfolio account, safe custody deposit account, register of securities, security account/deposit; **W.druck** *m* security printing; **W.druckerei** *f* securities printing department; **W.eigengeschäfte** *pl* securities transactions for own account; **W.emission** *f* security issue/flotation; **~ durch ein Konsortium** adventure; **W.engagement** *nt* 1. commitment in securities; 2. securities portfolio; **W.erträge** *pl* income from securities; **W.erwerb** *m* buying/acquiring stocks and shares; **W.experte/W.fachmann** *m* stock/market analyst; **W.finanzierung** *f* financing through securities; **W.firma** *f* securities firm; **W.fonds** *m* securities fund; **W.gattung** *f* description (of securities); **W.gattungsaufnahme** *f* securities listing by categories; **W.geschäft** *nt* securities dealings/business/transaction/operations, operations in securities, security business; ~ **auf neue Rechnung** new time dealing; **W.gesetz** *nt* Negotiable Instruments Act *[US]*; **W.gewinn** *m* gain on securities; **W.girosammelverwahrung** *f* giro-transferable securities collective account; **W.giroverkehr** *m* securities-clearing transactions; **W.handel** *m* securities trading/dealings/transactions, stockbroking, trading/dealing in securities

Wertpapierhändler *m* stockbroker, market maker, investment/securities broker, ~ dealer; **W. auf eigene Rechnung** licensed dealer; **eingetragener W.** registered trader

Wertpapier|information(en) *f/pl* investors' guide; **W.informationssystem** *nt* securities information system; **W.inhaber** *m* stockholder, bondholder, holder of securities

Wertpapierkauf *m* purchase of securities, stock purchase, portfolio investment; **Wertpapierkäufe des Berufshandels** shop buying; **W. auf Einschuss** margin buying; **W. auf/mittels Kredit** margin(al) trading; **W. für baldigen Wiederverkauf** scale buying; **W.abrechnung** *f* bought note

Wertpapier|kennnummer *f* security (identification) number; **W.kommissionsgeschäft** *nt* stockbroking (business), security commission business, stock transaction for third account; **W.konsortialgeschäft** *nt* (securities) underwriting, syndicate business; **W.konto** *nt* securities account; **W.kredit** *m* collateral loan, credit based on securities; **W.kunde** *m* investor, security-holding customer; **W.kurs** *m* security price, stock exchange quotation; **W.kursbericht** *m* stock market report, list of quotations; **W.leihe** *f* securities lending; **körperliche W.lieferung** physical delivery of securities; **W.lombard** *m* lending/loan on securities; **W.-makler** *m* ➔ **Wertpapierhändler**; **W.mangel** *m* scarcity of securities; **W.markt** *m* stock/securities market, securities trading centre; **geregelter W.markt** organised stock market; **W.mitteilungen** *pl* stock market report; **W.notierung** *f* stock market quotation; **W.nummer** *f* stock code; **W.nummerierung** *f* securities numbering; **W.paket** *nt* block of shares

Wertpapierpension *f* sale and purchase; **W.sgeschäft** *nt* sale and repurchase transaction, purchase agreement, carrying-over/repo transaction; **W.ssatz** *m [D]* repo rate

Wertpapier|platzierung *f* placement of securities; **W.platzierungsgeschäft** *nt* placing of securities; **W.-portefeuille** *nt* investment/securities portfolio, security holding; **W.preis** *m* price of security; **W.publikum** *nt* investing/security-buying public; **W.rechnung** *f* current securities account, computation of effective interest rate; **W.recht** *nt* negotiable instruments law; **W.-rendite** *f* investment yield; **W.rückfluss** *m* return flow of securities; **W.rückkauf** *m* repurchase of securities

Wertpapiersammel|bank *f* collective security deposit bank; **W.depot** *nt* collective security deposit; **W.konto** *nt* general deposit

Wertpapier|scheck *m* security cheque *[GB]*/check *[US]*, securities transfer order; **W.schutzvereinigung** *f* investment protection committee; **W.sparen** *nt* portfolio investment, investment/securities-linked saving, saving through investment in securities; **W.sparer** *m* portfolio investor, investment saver; **W.sparvertrag** *m* securities-linked saving scheme; **W.spekulant** *m* stock market speculator; **W.spekulation** *f* stock market speculation; **W.spezialbank** *f* investment bank; **W.statistik** *f* securities statistics; **W.steuer** *f* securities tax/duty; **w.steuerpflichtig** *adj* subject to securities tax; **W.-strazze** *f* securities blotter; **W.stückelung** *f* denomination of securities; **W.tausch** *m* portfolio switching, exchange of stock; **W.termingeschäft** *nt* forward deal in securities; **W.terminhandel** *m* trading in security futures; **W.transaktionen** *pl* dealings in securities; **W.übertragung/W.umschreibung** *f* stock/securities transfer, transmission/transfer of securities; **W.umsatz** *m* trading volume, securities turnover; **W.umsatzsteuer** *f* securities transfer tax *[US]*; **W.unterbringung** *f* security placing; **W.urkunde** *f* stock certificate

Wertpapierverkauf *m* sale of securities; **Wertpapierverkäufe des Berufshandels** shop selling; **W.sabrechnung** *f* sold note

Wertpapier|verkehr *m* trading/dealing in securities; **W.vermögen** *nt* investment/security portfolio, asset value; ~ **insgesamt** total investments; **W.verrechnungskonto** *nt* securities clearing account; **W.verwaltung** *f* investment/portfolio/securities management, securities administration, servicing of securities; **W.zins** *m* security interest; **W.zuteilung** *f* allotment of securities, scaling down

Wert|paradoxon *nt* paradox of value; **W.police** *f* valued policy; **W.post** *f* mail containing valuables; **W.provision** *f* credit commission; **W.rechnung** *f* value computation; **W.recht** *nt* value right, loan stock right; **W.rechtsanleihe** *f* government-inscribed debt; **W.rückgang** *m* depreciation; **W.sache** *f* ✉ article of value; **W.sachen** valuables; **w.schaffend** *adj* asset-creating, productive; **w.schätzen** *v/t* to value, to hold in esteem; **W.schätzung** *f* appreciation, esteem, respect, repute, high regard, estimation; **w.schöpfend** *adj* value-creating

Wertschöpfung *f* increase in value, (net) value added, added value, net product, real net output, value creation; **eigene W. des Unternehmens** value added by the enterprise; **volkswirtschaftliche W.** net domestic product, aggregate value added

Wertschöpfungs|beteiligung *f* value-added sharing payment; **W.kette** *f* value chain; **W.partnerschaft** *f* value-enhancing partnership; **W.prozess** *m* value added process; **W.rechnung** *f* value added statement, statement of net value added; **W.steuer** *f* value added tax (VAT); **W.struktur** *f* value added pattern; **W.volumen** *nt* total value added

Wert|schrift *f* *[CH]* security; **W.schriftenclearing** *nt*

securities clearing; **W.schwankung** *f* fluctuation/variation in value; **W.schwund** *m* dwindling value; **W.sendung** *f* 1. *(Geld)* remittance; 2. valuable consignment, consignment of valuables; **W.sendungsversicherung** *f* insurance of value; **W.sicherung** *f* value guarantee; **W.sicherungsklausel** *f* stable value/escalation/escalator/index clause, value-safeguarding clause; **W.skala** *f* table of values; **W.speicher** *m* store of value; **w.stabil** *adj* of stable value, inflation-proof; **w.steigernd** *adj* value-adding

Wertsteigerung *f* 1. appreciation, enhancement, increase/enhancement in value, appreciation value, gain, accretion, § betterment; 2. *(Grundbesitz)* unearned increment; **W. durch Neubewertung** revaluation surplus; **indexgebundene W.** indexation uplift; **realisierte W.** realized appreciation; **nicht ~ W.** valuation excess; **W.serwartung** *f* expected appreciation; **W.sklausel** *f* escalation clause; **W.stransformation** *f* value-adding transformation

Wertstellung *f* availability date, value (date); **W. bei Einzahlung** same day value; **W.stag/W.stermin** *m* value date; **W.szeitpunkt** *m* availability date

Wert|stempel *m* revenue stamp; **W.steuer** *f* ad-valorem *(lat.)* tax/duty

Wertstoff *m* 1. derivative, by-product; 2. reusable/recyclable/recoverable material; **sortenreiner W.** unadulterated recoverable material

Wertstoff|behälter *m* 1. recycling bin; 2. bin for recyclables; **W.entsorgung** *f* disposal of recoverable material; **W.erfassung** *f* collection of recoverables; **W.hof** *m* collection site for recoverables, ~ recyclable materials; **W.kreislauf** *m* cycle of recoverable materials; **W.recycling** *nt* recycling of reusable/recoverable materials; **W.rückführung** *f* recycling; **W.sammelstelle** *f* recycling centre/bank; **W.tonne** *f* container for recoverable materials, recycling bin

Wert|stück *nt* article of value; **W.system** *nt* value system; **W.taxe** *f* estimate of value; **W.theorie** *f* theory of value; **~ des Zinses** abstinence theory of interest; **W.titelpapier** *nt* security paper; **W.träger** *m* value-constituting asset; **W.transportunternehmen** *nt* security company; **betrieblicher W.umlauf** (intra-company) value cycle; **W.umsatz** *m* value of sales, turnover in terms of value

Wertung *f* (e)valuation, assessment, rating, grading, classification; **W.ssystem** *nt* system of evaluation

Wert|unterschied *m* difference in value; **W.urteil** *nt* value judgment; **W.veränderungen** *pl (Bilanz)* additions and improvements; **W.verbesserungen** *pl* appreciations; **W.verhältnis** *nt* ratio

Wertverlust *m* depreciation, loss of value; **W. von Anlagen** diminution value of assets; **nicht realisierter W.** unrealized depreciation

Wert|verminderung/W.verschlechterung *f* depreciation; **W.versicherung** *f* insurance of value; **W.versicherungspolice** *f* valued policy; **W.verzehr** *m* wear and tear; **W.verzollung** *f* ⊝ customs valuation

wertvoll *adj* valuable, precious; **w. sein** to be of value; **w.er** superior; **~ sein** to outweigh

Wert|vorstellungen *pl* moral concept; **W.zeichen** *nt* 1. ✉ postal stamp; 2. value token; **W.- und Ursprungszertifikat/W.zeugnis** *nt* certificate of value and origin; **kombiniertes ~ Ursprungszertifikat** combined certificate of value and origin *[US]*

Wertzoll *m* ad valorem *(lat.)* (customs) duty; **gemischter W.** compound duty; **w.bar** *adj* subject to ad valorem *(lat.)* duty; **W.recht** *nt* valuation legislation; **W.tarif** *m* ad-valorem *(lat.)* tariff

Wert|zunahme *f* appreciation; **W.zuschlag** *m* valuation charge, value surcharge; **W.zuschlagsklausel** *f* premium escalator clause; **W.zuschreibung** *f* value assignment

Wertzuwachs *m* appreciation/increase/enhancement/rise in value, capital appreciation, accretion; **W. eines Fondsanteils** unit growth; **~ Grundstücks** appreciation of real estate; **W. der Lagerbestände** stock appreciation; **indexgebundener W.** indexation uplift; **unterstellter realisierter W.** constructive realization; **unverdienter W.** unearned increment; **W.fonds** *m* go-go fund; **W.steuer** *f* capital gains tax (CGT), betterment/property increment tax, duty on increment value, increment value duty

Wertzuweisung *f* value assignment, assignment statement

Wesen *nt* being, entity, essence, nature; **W. eines Vertrages** character of a contract; **zu jds W. gehören** to be part of so.'s nature; **einnehmendes W. haben** to have engaging manners; **menschliches W.** human being; **verbindliches W.** *(Umgangsformen)* smooth exterior

rechtliche Wesenheit legal entity

Wesens|art *f* characteristic; **w.fremd** *adj* out of character, foreign, alien; **w.gemäß** *adj* natural; **W.gleichheit** *f* identity; **W.merkmal** *nt* characteristic, criterion; **W.merkmale der Betriebsstätte** essential characteristics of a permanent establishment; **W.zug** *m* characteristic, trait

wesentlich *adj* substantial, essential, material, fundamental, important, relevant, specific, major, substantive, key, vital; **das W.e** *nt* essentials, essence, the basis/gist, the head and front; **im W.en** substantially, essentially

Wesentlichkeits|grundsatz/W.prinzip *m/nt* *(Bilanz)* materiality

Wespennest *nt* *(fig)* hornet's nest *(fig)*; **in ein W. stechen** to stir up a hornet's nest

Weste *f* waistcoat *[GB]*, vest *[US]*; **reine/saubere W.** *(fig)* clean slate *(fig)*; **~ haben** to have a clean slate

Westentasche *f* waistcoat pocket; **etw. wie seine W. kennen** to know sth. inside out, ~ like the back of one's hand; **W.nformat** *nt* pocket size; **im W.nformat** pocket-size, (in) miniature; **W.nselbstbedienungsgeschäft** *nt* midget supermarket

Westeuropäische Union Western European Union (WEU)

Westhandel *m* western trade

Wett|annahme(stelle) *f* betting shop/office; **W.berater** *m (Pferderennen)* tipster *(coll)*

Wettbewerb *m* competition, contest, rivalry, competitive trading; **im W.** in the running; **W. des Auslands** foreign competition; **W. zwischen Banken** interbank competition; ~ **verschiedenen hierarchischen Ebenen** vertical strain; **W. bei der Handelsfinanzierung** competitiveness in commercial financing; **W. zwischen Straße und Schiene** rail-versus-road competition

dem rauhen Wind des Wettbewerbs ausgesetzt sein to be exposed to the chill wind of competition

Wettbewerb aufrechterhalten to maintain competition; **W. ausschalten** to eliminate/check competition; **aus dem W. ausscheiden** to drop out (of a contest); **W. ausschreiben** to invite tenders, to put (sth.) out to (competitive) tender(ing); **sich im W. gegen jdn behaupten/durchsetzen** to compete against so. successfully; **W. behindern** to prevent/restrict/distort competition; **W. beleben** to increase competition; **im W. benachteiligen** to place at a competitive disadvantage; **W. be-/einschränken** to restrain/impair/restrict competition; **(im) W. gegen jdn erfolgreich bestehen** to compete against so. successfully; **sich dem W. entziehen** to avoid competition; **W. erhalten** to preserve competition; **W. fördern** to promote competition; **W. lähmen** to render competition inoperative; **im W. mithalten** to remain competitive; **W. regeln** to regulate competition; **im W. gegen jdn erfolgreich sein** to compete successfully against so.; ~ **nicht zu schlagen sein** to defy all competition; **W. stärken** to reinforce competition; **im W. stehen** to compete, to be in competition (with); **in W. treten mit** to enter into competition with, to compete with, to rival; **freien W. unterbinden** to curb free competition; **W. verdrängen** to eliminate/cut out/check competition; **W. verfälschen/verzerren** to distort competition; **W. verschärfen** to intensify competition

außerpreislicher Wettbewerb non-price competition; **durch Kreditversicherung begünstigter W.** competition benefiting from credit insurance; **be-/eingeschränkter W.** restricted/partial competition; **freier W.** open/free competition, fully competitive condition, free-for-all *(coll)*; **funktionsfähiger W.** workable competition; **harter W.** fierce/keen/sharp/stiff competition; **hemmungsloser W.** unbridled competition, free-for-all *(coll)*; **industrieller W.** industrial competition; **lauterer W.** fair trading/competition; **lebhafter W.** brisk competition; **marktwirtschaftlicher W.** market competition; **mörderischer W.** bruising/cutthroat competition; **nennenswerter W.** reasonable degree of competition; **offener W.** free-for-all *(coll)*; **redlicher W.** fair competition; **ruinöser W.** destructive/ruthless/cutthroat competition; **scharfer/starker W.** keen/fierce/sharp/stiff/severe/intense/strong competition, highly competitive conditions; **schmarotzerischer W.** parasitic competition; **schrankenloser/ungeregelter/unkontrollierter W.** free-for-all *(coll)*; **unbe-/uneingeschränkter W.** unbridled/unlimited/unrestrained/unrestricted/perfect/pure/total competition; **unlauterer W.** unfair/cutthroat/fraudulent competition, unfair trade/trading practices; **von der öffentlichen Hand unterstützter W.** officially supported competition; **unvollkommener/unvollständiger W.** imperfect/artificial competition; **unwesentlicher W.** insignificant competition; **unzulässiger W.** illicit competition; **verbürgter W.** established competition; **verschärfter W.** increasing competition; **vollkommener/vollständiger W.** atomistic/perfect/pure/full/total competition; **härter werdender W.** stiffening competition; **wesentlicher W.** substantial competition; **wirklicher/wirksamer W.** effective/workable competition; **wirtschaftlicher W.** trade competition; **wild wuchernder W.** rampant competition; **allgemein zugänglicher W.** free-for-all *(coll)*; **zunehmender W.** mounting competition

Wettbewerber *m* competitor, contestant, rival; **potenzieller W.** potential competitor

Wettbewerbs|abkommen/W.abrede *nt/f* competition-regulating agreement, agreement on the restraint of trade, ~ restricting competition, non-competition clause; **W.aufsicht** *f* trade watchdog; **W.aufsichtsbehörde** *f* competition watchdog, Director of Fair Trading *[GB]*; **W.ausschluss** *m* exclusivity stipulation; **zentraler W.ausschuss** central competition committee; **w.bedingt** *adj* competitive, resulting from competition

Wettbewerbsbedingungen *pl* conditions/terms of competition, competitive conditions; **W. beeinträchtigen** to adversely affect (the conditions of) competition; **ungleiche W. beseitigen** to eliminate unequal conditions of competition; **W. entzerren** to equalize/harmonize conditions of competition; **W. verfälschen/verzerren** to falsify/distort (the conditions of) competition; **extreme W.** highly competitive conditions

Wettbewerbs|behörde *f* competition authority, Office of Fair Trading (OFT) *[GB]*; **w.beschränkend** *adj* anti-competitive, competition-restraining, restrictive

Wettbewerbsbeschränkung *f* restraint of trade/competition, restrictive practices, restriction of competition; **horizontale W.en** horizontal restraints of competition; **vertikale W.en** vertical restraints of competition

Wettbewerbs|bestimmungen *pl* competition rules; **w.-dämpfend** *adj* competition-restraining, tending to restrain competition; **W.druck** *m* competitive pressure, stress of competition; **zunehmender W.druck** increasingly competitive trading conditions

wettbewerbsfähig *adj* competitive; **w. bleiben** to stay competitive; **w. sein** to be capable of meeting competition, ~ able to compete, to meet competition; **wieder w. werden** to restore one's competitive ability

Wettbewerbsfähigkeit *f* competitiveness, ability to compete, competitive strength/capacity/power/position; **W. der Unternehmen** corporate competitiveness; **W. aufrechterhalten** to remain competitive; **W. fördern** to develop competitiveness; **W. stärken/verbessern** to improve/reinforce one's competitive capacity; **W. steigern** to gain competitiveness; **W. wiederherstellen** to restore competitiveness; **verschlechterte W.** deterioration of competitive strength

Wettbewerbs|faktor *m* factor of competition; **w.feindlich** *adj* anti-competitive; **w.fördernd** *adj* pro-competitve; **W.förderung** *f* promotion of competition; **W.formen** *pl* forms of competition; **W.freiheit** *f* freedom of competition, free competition; **w.freudig** *adj* (highly) competitive; **W.gefährdung** *f* threat to competition, endangering competition; **W.geist** *m* competitive spirit; **w.gerecht** *adj* competitive; **W.gericht** *nt* Restrictive Practices Court *[GB]*; **W.gesetz** *nt* Competition Act *[GB]*, Unfair Trade Practice Act *[US]*; **W.gesetze** competition laws; **W.gesinnung** *f* spirit of competition; **W.gewinn** *m* competitive gain; **W.grad** *m* level of competition; **auf W.grundlage** *f* on a competitive basis; **W.handlung** *f* act of competition; **unlautere W.handlungen** fraudulent trading; **W.hüter** *m* competition watchdog; **W.instrument** *nt* instrument of competition; **absatzwirtschaftliches W.instrument** competitive marketing tool; **w.intensiv** *adj* (highly/broadly) competitive; **W.kartell** *nt* combination in restraint of competition; **W.klausel** *f* competition/exclusive service/no-competition clause, sole/exclusive rights clause, ancillary covenant against competition, covenant in restraint of trade; **~ im Anstellungsvertrag** exclusive service clause; **W.klima** *nt* competitive climate/environment; **W.kodex** *m* trade practices rules; **w.konform** *adj* in line with the principles of free competition; **W.kraft** *f* competitiveness; **W.lage** *f* competitive position/environment; **ungünstige W.lage** competitive disadvantage, unfavourable ~ situation; **W.lohn** *m* competitive wage; **W.markt** *m* competitive market, free and open market; **W.methoden** *pl* competitive practices; **W.möglichkeiten** *pl* competitive prospects, possibilities of competition; **W.nachteil** *m* competitive disadvantage; **w.neutral** *adj* not affecting competition; **sich ~ verhalten** not to influence competition; **W.neutralität herstellen** *f* to eliminate competitive distortion; **~ verletzen** to distort competition; **W.niveau** *nt* competitive level; **W.normen** *pl* trading standards, norms of competition; **W.ordnung** *f* rules of competition, competitive system, system of free competition, ~ regulating competition; **~ erlassen** to enact regulations on competition

Wettbewerbspolitik *f* competition policy; **W. nach dem Verbotsprinzip** preventive antitrust policy; **aktive W.** dynamic competition policy; **gemeinsame W.** common rules on competition

Wettbewerbs|position *f* competitive/market position; **~ halten** to maintain one's competitive strength, ~ market position; **unlautere W.praktiken** unfair competitive practices

Wettbewerbspreis *m* competitive/free price; **freier W.** open-market price; **üblicher W.** ordinary competitive price; **W.bildung** *f* competitive pricing

Wettbewerbs|prinzip *nt* principle of (free) competition; **W.recht** *nt* competition/antitrust law, legislation on competition, restrictive trade practices law, law of competition, fair trade rules

Wettbewerbsregel *f* competition rule, rule on competition; **W.n** trade practices rules, competition rules, code of fair competition; **den ~ entgehen** to evade the rules of competition

Wettbewerbs|relation *f* competitive relationship; **W.risiken** *pl* risks of competition; **W.schutz** *m* guarantee/protection of competition, protection from competition; **w.schwach** *adj* ill-equipped to meet competition; **W.schwächung** *f* decline of competitiveness; **W.situation** *f* competitive position; **angespannte W.-situation** stiff competition, market situation; **w.stark** *adj* with a strong market position; **W.stärke** *f* competitive strength; **W.stärkung** *f* strengthening of competition; **W.stellung** *f* power/capacity to compete, position in the market, competitive position; **W.strategie** *f* competitive strategy; **W.struktur** *f* pattern of competition; **W.system** *nt* competitive system; **W.tarif** *m* competitive tariff, tariff fixed to meet competition; **W.teilnehmer** *m* competitor, rival; **W.theorie** *f* theory of competition; **w.unfähig** *adj* uncompetitive; **~ werden** to price o.s. out of the market; **W.veränderung** *f* changing competitive environment

Wettbewerbsverbot *nt* restraint of trade, prohibition of/ban on competition; **geheimes W.** blacklisting; **W.sklausel** *f* restraint clause, competition limitation agreement

Wettbewerbs|vereinbarung *f* agreement restricting competition; **W.verfälschung** *f* distortion of competition; **W.vergleich** *m* direct competition; **W.verhalten** *nt* competitive behaviour; **W.verhältnisse** *pl* competitive conditions, conditions of competition; **W.verschärfung** *f* keener competition; **W.verschiebung** *f* shift in competitive strength; **W.verstärkung** *f* strengthening of competition; **w.verzerrend** *adj* trade-distorting; **W.verzerrung** *f* distortion of competition, trade distortion, distorted competition; **W.verzerrungen beseitigen** to remove/eliminate distortions of competition; **W.vorschriften** *pl* competition rules, rules of competition; **~ verletzen** to violate competition rules; **W.vorsprung/W.vorteil** *m* competitive advantage/edge/lead; **einzigartiger W.vorteil** unique selling proposition (USP); **wechselkursbedingter W.vorteil** competitive advantage/edge due to favourable exchange rates; **w.widrig** *adj* anti-competitive, detrimental to competition; **W.wirtschaft** *f* market/competitive economy; **freie W.wirtschaft** free-market economy, competitive profit system

Wett|buch *nt* betting book; **W.büro** *nt* betting office/shop *[GB]*, poolroom *[US]*

Wette *f* bet, sweepstake, wager; **W. abschließen** to (make a) bet; **W.n annehmen** 1. to accept bets; 2. *(Pferderennen)* to run a book; **ungleiche W. eingehen** to take the odds; **die W.n gelten nicht mehr** all the bets are off; **abgesicherte W.** hedged bet; **sichere W.** one-way bet

Wetteifer *m* rivalry, competitive zeal; **w.n** *v/i* to rival/compete, to contend with/for, to vie with; **w.nd** *adj* competitive, vying

Wetteinsatz *m* bet, stake

Wetten *nt* betting, gambling; **verbotenes W.** illegal betting; **w.** *v/ti* 1. to bet/gamble/wager; 2. to have a flutter *(coll)*

Wetter *nt* weather; **beständiges W.** stable weather; **mildes W.** mild weather; **schlagende W.** ⚒ firedamp; **schlechtes W.** bad weather; **schönes W.** fine/fair weather; **trübes W.** dull weather; **unbeständiges W.** variable/unsettled weather

wetter|abhängig *adj* depending on the weather; **W.amt** *nt* met(ereological) office, weather bureau; **W.änderung** *f* change in the weather; **W.ausgleichsfonds** *m* weather risk fund; **W.aussichten** *pl* weather prospects/outlook; **W.ballon** *m* metereological balloon; **w.bedingt** *adj* due to the weather; **W.bedingungen** *pl* metereological/weather conditions; **W.bericht** *m* weather report/forecast; **w.beständig** *adj* weatherproof; **W.dach** *nt* canopy; **W.deck** *nt* ⚓ weather deck; **W.dienst** *m* weather service/bureau; **W.ecke** *f* bad-weather area; **W.fahne** *f* weather vane; **w.fest** *adj* weatherproof; **W.front** *f* front; **W.führung** *f* ⚒ (mine) ventilation; **W.karte** *f* weather chart; **W.lage** *f* weather situation; **W.lampe** *f* ⚒ safety lamp; **W.leuchten** *nt* ☁ sheet lightning; **W.meldung** *f* weather report

wettern *v/i* to fulminate; **w. gegen** to rave against

Wetter|satellit *m* metereological satellite; **W.schacht** *m* ⚒ ventilation/air shaft; **W.schaden** *m* weather damage; **W.schiff** *nt* weather ship; **W.station** *f* metereological station; **W.störung** *f* atmospheric disturbance; **W.sturz** *m* sudden fall in temperature; **W.unbilden** *pl* rigours of weather; **W.veränderung** *f* change of/in the weather; **W.verhältnisse** *pl* weather conditions; **ungünstige W.verhältnisse** adverse weather conditions; **W.verschlechterung** *f* deterioration in the weather: **W.versicherung** *f* weather insurance; **W.vorhersage** *f* weather forecast; **W.warte** *f* weather bureau/station, observatory; **w.wendisch** *adj* changeable, volatile; **W.winkel** *m* bad-weather area

Wett|gebühr *f* 1. betting charge, levy; 2. *(Steuer)* betting tax/duty; **W.gemeinschaft** *f* betting pool; **W.gewinne** *pl* betting winnings; **W.kampf** *m* competition; **W.kurs** *m* odds; **W.lauf** *m* race; **W.lokal** *nt* betting shop *[GB]*, poolroom *[US]*; **w.machen** *v/t* to offset/compensate/counteract/recoup/recuperate, to make good/up, to set off; **W.police** *f* wager policy; **W.rennen** *nt* 1. race; 2. *(fig)* scramble *(fig)*; **W.rüsten** *nt* arms race; **W.schuld** *f* betting debt; **W.spiel** *nt* match; **W.spieler** *m* punter *(coll)*; **W.steuer** *f* betting duty/tax, tax on betting; **W.streit** *m* competition/rivalry; **W.vertrag** *m* gambling contract; **W.zettel** *m* betting slip

wichtig *adj* important, significant, essential, relevant, crucial, vital, fundamental, notable, momentous; **äußerst w.** all-important; **nicht so w.** of secondary importance; **ungemein w.** desperately important

Wichtigkeit *f* import(ance), significance, seriousness, gravity, consequence; **außerordentliche W.** crucial importance; **von äußerster/größter/höchster W.** of premier/primary/prime importance; **ungeheure W.** crucial importance

wichtigst *adj* prime, primary, main

wichtigtuerisch *adj* pompous

wickeln *v/t* to wrap

Wider|beklagte(r) *f/m* defendant on cross-petition, respondent of a counterclaim; **W.hall** *m* echo, reverberation, response; **keinen ~ finden** to meet with no response; **w.hallen** *v/i* to echo/reverberate

Widerklage *f* § cross action/suit/claim/petition, counterclaim; **W. erheben** to cross-sue, to advance/file a counterclaim, to bring a cross-action; **w.n** *v/t* to cross an action

Widerkläger(in) *m/f* § plaintiff in the cross, cross-claimant, cross-petitioner

widerleg|bar *adj* refutable, rebuttable, disprovable; **nicht w.bar** irrefutable, irrebuttable; **W.barkeit** *f* inconclusiveness; **w.en** *v/t* to refute/rebut/falsify/belie/disprove, to give the lie to; **W.ung** *f* refutation, rebuttal, disproof

wider|lich *adj* repulsive, repugnant, disagreeable; **w.-natürlich** *adj* unnatural; **w.rechtlich** *adj* unlawful, illegal, illicit, wrongful; **W.rechtlichkeit** *f* unlawfulness, wrongfulness; **W.rede** *f* contradiction

Widerruf *m* 1. revocation, recall, disclaimer, retraction, disavowal, withdrawal; 2. *(Auftrag)* cancellation, rescission, countermand, withdrawal; 3. § avoidance, ademption, abrogation; **bis auf W.** until further notice

Widerruf eines Angebots withdrawal of an offer; **W. falscher Aussagen** retraction of false statements; **W. des Bestätigungsvermerks** revocation of opinion; **W. einer Bestellung** 1. cancellation of an order; 2. *(Amt)* revocation/cancellation of appointment; **~ Einfuhrbilanz** cancellation of an import licence; **W. der Ernennung** cancellation of appointment; **W. eines Geständnisses** retraction of a confession; **W. einer Schenkung** revocation of a gift; **W. der Strafaussetzung zur Bewährung** revocation of probation; **W. eines Testaments** revocation of a will; **W. der Vertretungsvollmacht** revocation of agency; **W. einer Vollmacht** revocation of an authority, cancellation of power of attorney; **W. der Zulassung** revocation of licence to practise

(gültig) bis auf Widerruf valid/good till cancellation, ~ countermanded, until recalled/cancelled, subject to withdrawal; **allgemeiner W.** general revocation; **einseitiger W.** unilateral revocation

widerrufen *v/t* 1. to revoke/retract/withdraw/cancel, to go back on; 2. *(Termin)* to call off; 3. *(Auftrag)* to cancel/rescind/countermand/counterorder; 4. § to annul/void/nullify; **öffentlich w.** to recant; **zu w.** revocable, retractable

widerruf|gültig *adj* valid until cancelled; **w.lich** *adj* revocable; **W.lichkeit** *f* revocability

Widerrufs|anzeige/W.erklärung *f* notice of revocation; **W.befugnis** *f* power of revocation; **W.klausel** *f* revocation clause; **W.recht** *nt* power(s) of revocation; **~ des Käufers** purchaser's right of revocation; **W.vorbehalt** *m (Auftrag)* proviso of cancellation

Widerrufung *f* → **Widerruf**

Widersacher *m* adversary, opponent, rival

widersetzen *v/refl* to resist/oppose/defy, to refuse to comply with

widersetzlich *adj* insubordinate; **W.keit** *f* insubordination

widersinnig *adj* absurd, counterproductive, incongruous; **W.keit** *f* absurdity

widerspiegelln *v/t* to reflect/mirror/echo; **sich w.n in** to be reflected in; **W.ung** *f* reflection

widersprechen *v/i* 1. to object/oppose/contradict/counter/gainsay, to answer back; 2. *(Tatsache)* to be contrary to sth., to fly in the face of sth.; *v/refl* to be at variance with; **jdm w.** to take issue with so.

widersprechend *adj* contradictory, inconsistent, to the contrary; **sich w.** conflicting

Widerspruch *m* 1. objection, protest, opposition, contradiction, dissent, caveat *(lat.)*; 2. inconsistency, discrepancy; **im W. zu** contrary/counter to, at variance with; **~ zur Geschäftsordnung** out of order; **W. zweier Gesetze** antinomy

Widerspruch einlegen/erheben to lodge a protest, to lodge/file an objection, to object/oppose; **W. zu Protokoll geben** to lodge a protest, to have a protest recorded; **zum W. reizen** to invite contradiction; **im W. stehen (zu)** to contravene, to be at odds/variance with, ~ inconsistent (with); **in eklatantem W. stehen zu** to fly in the face of; **auf W. stoßen** to meet with opposition

absoluter Widerspruch *(Zeugenaussage)* positive discrepancy; **begründeter W.** well-founded objection; **innerer W.** inconsistency, contradiction in terms

widersprüchlich *adj* inconsistent, contradictory; **W.keit** *f* inconsistency, incoherence, contradictoriness

Widerspruchslbescheid *m* ruling on an objection; **W.freiheit** *f* consistency; **W.frist** *f* time limit for filing an objection; **W.gebühr** *f* opposition fee; **W.klage** *f* third-party action against execution; **w.los** *adj* without demur; **W.verfahren** *nt* administrative proceedings reviewing an objection to an administrative act; **w.voll** *adj* inconsistent, incoherent

Widerstand *m* resistance, opposition, defiance; **W. der Gewerkschaften** union resistance; **~ Kundschaft** customer resistance; **W. gegen die Staatsgewalt** obstruction of an officer, resistance to state authority; **~ Vollstreckungsbeamte** obstructing enforcement officers

Widerstand aufgeben to give up resistance, to drop one's opposition; **W. brechen** to overcome resistance (by force); **W. entgegensetzen** to offer resistance; **W. leisten** to resist/oppose, to put up/offer resistance; **auf W. stoßen/treffen** to meet with resistance, to run into opposition

erbitterter/hartnäckiger Widerstand stiff resistance/opposition, stubborn resistance; **hinhaltender W.** rearguard action; **nachhaltiger W.** strong resistance; **passiver W.** 1. passive resistance, civil disobedience; 2. *(Betrieb)* ca'canny; **verzweifelter W.** last-ditch defence/resistance

widerstandslfähig *adj* 1. durable, resistant, robust, tough; 2. ✿ hardy; **W.fähigkeit** *f* resistance, strength, robustness; **W.leistung bei Verhaftung** *f* forcible resistance to arrest; **W.linie** *f* line of resistance, resistance line, barrier; **~ bilden** *(Börse)* to base out, to form a base pattern/line; **~ durchbrechen** *(Börse)* to break the resistance level, ~ defence line; **w.los** *adj* non-resistant, without opposition, passive

widerlstehen *v/i* 1. to resist/withstand, to stand (out against); 2. to buck *(coll)*; **W.streben** *nt* reluctance, antagonism; **w.strebend** *adj* reluctant, with reluctance; **W.streit** *m* conflict, clash, antagonism; **w.streitend** *adj* conflicting; **w.wärtig** *adj* offensive, repugnant, repulsive, unpalatable, disgusting; **W.wille** *m* dislike, aversion (to), reluctance, repugnance; **w.willig** *adj* reluctant, unwilling, grudging, with bad grace

widmen *v/t* to dedicate/devote; *v/refl* 1. to devote o.s. to; 2. *(Gäste)* to attend to

Widmung *f* dedication, inscription; **W. als öffentliche Straße** declaration as a public road; **W.sexemplar** *nt* complimentary/author's copy; **W.szweck** *m* purpose

widrig *adj* adverse, ill, unfavouarble; **w.enfalls** *prep* failing which, in default whereof, otherwise

Wiederlabdruck *m* reprint; **W.abtretung** *f* reassignment, retrocession; **W.angleichung** *f* realignment; **W.ankauf** *m* repurchase

Wiederanlage *f* reinvestment, ploughing back; **W. von Ausschüttungen** reinvestment of distributed earnings; **W. der Erlöse** reinvestment of proceeds

Wiederanlagelbereitschaft *f* propensity to reinvest; **W.betrag** *m* amount/dividend income reinvested; **W.fonds** *m* accumulating/recycling fund; **W.plan** *m* recycling plan/scheme; **W.quote** *f* reinvestment ratio; **W.rabatt** *m* reinvestment discount; **W.recht** *nt* reinvestment privilege

Wiederlanlauf *m* restart; **W.anlaufkosten** *pl* restarting cost(s); **W.anmietung** *f* leaseback; **W.annäherung** *f* *(Politik)* rapprochement *[frz.]*; **W.annahme** *f* reacceptance; **W.anpassung** *f* readjustment; **W.anschaffung** *f* replacement; **W.anschaffungswert** *m* replacement value; **W.ansiedlung** *f* resettlement, resettling; **W.anstellung** *f* reinstatement, reappointment, reemployment; **W.anstieg** *m* 1. resurgence; 2. *(Konjunktur)* pick-up, rebound; **W.anwendung** *f* reapplication; **W.-aufarbeitung** *f* recycling

Wiederaufbau *m* reconstruction, rebuilding; **W. der Wirtschaft** economic reconstruction; **W.anleihe** *f* reconstruction loan; **W.arbeit** *f* reconstruction work

wieder aufbauen *v/t* to reconstruct/rebuild

Wiederaufbaulkredit *m* reconstruction loan/credit; **W.lasten** *pl* reconstruction burdens; **W.mittel** *pl* reconstruction funds; **W.phase** *f* period of reconstruction; **W.programm** *nt* reconstruction programme

wieder aufbereitlbar *adj* recyclable; **w. a.en** *v/t* 1. to recycle; 2. ⚛ to reprocess

Wiederaufbereitung *f* 1. recycling; 2. reprocessing; **W.sanlage** *f* 1. recycling plant/facility; 2. reprocessing plant

wieder auferlegen *v/t* *(Steuer)* to reimpose; **W.auferlegung** *f* reimposition; **W.auffinden** *nt* retrieval; **~ von Informationen** *nt* information retrieval; **w. auffinden** *v/t* to retrieve; **W.aufflackern** *nt* resurgence; **w. aufforsten** *v/t* to re(af)forest; **W.aufforstung** *f* (re)afforestation, reforestation; **w.auffüllen** *v/t* to replenish/refill; **W.auffüllung** *f* replenishment, reconstitution, refill; **w.aufheben** *v/t (Gesetz)* to repeal; **W.aufhebung** *f* repeal; **w.aufholen** *v/t* to recover/recoup; **w. aufladbar**

adj ⚡ rechargeable; **w. aufladen** *v/t* to recharge; **W.auflage** *f* 1. 📖 republication; 2. repeat performance *(fig)*

Wiederaufleben *nt* revival, resurgence, reawakening; ~ **einer Versicherung/abgelaufenen Police** reinstatement/revival of a policy; **w. a.** *v/i* 1. to be revived; 2. *(Streit)* to flare up again; ~ **lassen** 1. to revive/resurrect; 2. *(Vers.)* to reinstate; **w. a.d** *adj* resurgent

Wiederauflebungs|klausel *f* § revival clause; **W.police** *f* reinstatement policy

wieder auflegen *v/t* to republish/reissue

Wiederaufnahme *f* 1. resumption, renewal; 2. *(Gerichtsfall)* reopening; 3. *(Mitglied)* readmittance, reacceptance; **W. der Arbeit** return to work, resumption of work; ~ **diplomatischen Beziehungen** resumption of diplomatic relations; ~ **Dividendenzahlung** resumption of dividends, dividend restoration, return to the dividend list; ~ **Geschäftstätigkeit** resumption of business; **W. des Prozesses** § reopening, revivor; ~ **Verfahrens** § new trial, resumption of the proceedings; **W. der Verhandlungen** return to the negotiating table; ~ **mündlichen Verhandlung** § reopening of the hearing, continuation of the trial

Wiederaufnahme|antrag *m* application for revision, motion for a new trial; **W.verfahren** *nt* § retrial, revision, new trial; ~ **beantragen** to file a motion for a new trial

wieder aufnehmen *v/t* 1. to resume/restart/reassume/renew, to take up again; 2. § to reopen; **w. aufrüsten** *v/t* to rearm; **W.aufrüstung** *f* rearmament; **W.aufschwung** *m* economic upswing/revival/recovery; **W.aufstockung des Kapitals** *f* issue of additional stock; **W.auftauchen/W.auftreten** *nt* re-emergence, reappearance; **w. auftauchen** *v/i* to re-emerge

Wiederausfuhr *f* re-exportation, re-export; **W.anmeldung** *f* ⊖ re-export document; **W.behandlung** *f* ⊖ re-exportation clearance; **W.bescheinigung** *f* ⊖ re-exportation certificate; **W.blatt** *nt* ⊖ *(Stamm- und Trennabschnitt)* re-exportation sheet/counterfoil/voucher

wieder ausführen *v/t* to re-export; **W.ausführer** *m* re-exporter

Wiederausfuhr|erzeugnis *nt* certificate of re-export; **W.handel** *m* re-export/entrepôt *[frz.]* trade

Wieder|ausgabe *f* reissue; **w. ausgeben** *v/t* to reissue; **w. ausleihen** *v/t* to relend; **W.auslieferung** *f* reextradition; **w. begebbar** *adj* renegotiable; **w. begeben** *v/t* to renegotiate/reissue; **W.beginn** *m* restart, reopening, resumption; **w. beginnen** *v/ti* to recommence; **w.bekommen** *v/t* to regain/recover/retrieve; **w. beleben** *v/t* 1. to revive/revitalize/resurrect; 2. ⚕ to resuscitate; *v/refl* to revive

Wiederbelebung *f* revival, revitalization, reactivation, resurgence, resuscitation; **W. des Handels** recovery of trade; **W. der Nachfrage nach Vermögensaktiva** revival of investment demand; ~ **Wirtschaft** economic revival

wieder berufen *v/t* to reappoint; **W.berufung** *f* reappointment; **w. beschaffen** *v/t* 1. to replace; 2. to recover

Wiederbeschaffung *f* 1. replacement, renewal; 2. recovery; **abgabenfreie W.** duty-free replacement

Wiederbeschaffungs|kosten *pl* replacement cost(s)/price, cost(s) of replacement/reproduction, recovery/repurchase cost(s), current reproduction cost(s); **W.modell** *nt* replacement model; **W.neuwert** *m* replacement cost(s) new; **W.preis** *m* replacement price; **W.restwert** *m* written-down current replacement cost(s); **W.rücklage** *f* replacement fund/reserve, renewal application; **W.versicherung** *f* replacement insurance; **W.wert** *m* cost(s) of replacement, replacement cost(s)/value; **W.zeit** *f* reorder cycle, replacement time; **W.zyklus** *m (Anlagen)* asset replacement cycle

wieder beschäftigen *v/t* to reemploy/reinstate/rehire; **W.beschäftigung** *f* reemployment, reinstatement, reengagement; **W.beschleunigung der Inflation** *f* reacceleration of inflation; **w. besiedeln** *v/t* to resettle; **W.besiedlung** *f* resettlement; **w.bringen** *v/t* to restore/return; **W.einbau** *m* reinstallation; **w. einberufen** *v/t* to reconvene; **w. einbringen** *v/t* to recoup/restore; **W.einbringung** *f* recoupment, restoration; **W.einbürgerung** *f* repatriation; **w.eindecken** *v/refl (Börse)* to close the position

Wiedereinfuhr *f* reimport(ation), re-entry; **zollfreie W.** ⊖ duty return; **W.blatt** *nt* ⊖ reimportation voucher/sheet/counterfoil

wiedereinführ|en *adv* 1. to reimport; 2. *(Maßnahme)* to reintroduce/reimpose; **W.er** *m* reimporter

Wiedereinfuhr|genehmigung/W.schein *f/m* ⊖ bill of store

Wiedereinführung *f* 1. reintroduction; 2. *(Produkt)* relaunch; **W.skampagne** *f (Produkt)* relaunch campaign

wieder eingliedern *v/t* to reintegrate/rehabilitate

Wiedereingliederung *f* reintegration, rehabilitation, reincorporation; **W. in das zivile Arbeitsleben** resettlement in civil employment; ~ **den Arbeitsprozess/das Berufs-/Erwerbsleben** professional reintegration, industrial/occupational rehabilitation; **berufliche W.** industrial reintegration, occupational rehabilitation; **W.sfonds** *m* reintegration fund

wieder einlagern *v/t* to rewarehouse; **w.einlösen** *v/t* to redeem; **W.einlösung** *f* redemption; **W.einreiseerlaubnis** *f* re-entry permit; **W.einschaltung** *f (Anzeige)* reinsertion; **w. einschiffen** *v/refl* to reembark; **W.einschiffung** *f* reembarkation; **w.einsetzen** *v/t* to 1. reinstate/reinstall/rehabilitate; 2. to revive/restore/reconstitute

Wiedereinsetzung *f* reinstatement, rehabilitation, restoration; **W. in den vorherigen Stand** 1. reinstatement, restoration (to the previous condition), restitutio in integrum *(lat.)*; 2. § restitution to the previous condition; ~ **seine Rechte** restoration of one's rights; **W.santrag** *m* application for restoration; **W.sgebühr** *f* fee for re-establishment of rights

wiedereinstell|en *v/t* to reinstate/reemploy/reengage/rehire/reappoint; **W.ung** *f* reinstatement, reemployment, reengagement, rehiring, reappointment; **W.ungsklausel** *f* reinstatement clause

Wieder|einstieg in den Markt *m* reentry into the market; **W.eintritt** *m* 1. re-entry; 2. § regress; **W.einzahlung** *f* redeposit

Wieder|entdeckung *f* rediscovery; **w.erhalten** *v/t* to regain/retrieve; **W.erhebung** *f* reimposition

wiedererkenn|bar *adj* recognizable; **W.en von Produkten** *nt* product identification; **W.ungsverfahren** *nt* recognition test

wiedererlang|bar *adj* recoverable; **w.en** *v/t* to recover/retrieve/regain; **W.ung** *f* recovery, retrieval; **~ eines gepfändeten Gegenstandes** replevin; **~ der Rentabilität** return to profitability

wieder ernennen *v/t* to reappoint; **W.ernennung** *f* reappointment; **sich zur ~ stellen** to offer o.s. for reappointment; **W.eroberung** *f (Markt)* recapture; **w. eröffnen** *v/t* 1. to reopen; 2. § to resume; **W.eröffnung** *f* 1. reopening; 2. § resumption; **W.erscheinen** *nt* reappearance; **W.erstarkung** *f* resurge, recovery; **w.erstatten** *v/t* to refund/reimburse/repay, to pay back; **W.erstattung** *f* refund, reimbursement, replacement; **W.erteilung der Fahrerlaubnis** *f* reissue of driving licence; **W.erwachen** *nt* reawakening; **W.erwerb** *m* reacquisition; **W.erzeugung** *f* reproduction; **W.fangstichprobe** *f* capture-release sample; **w. finden** *v/t* to retrieve

Wiedergabe *f* 1. *(Bericht)* account, report; 2. *(Text)* interpretation, rendering; 3. *(Übersetzung)* translation; 4. *(Mus.)* playback, reproduction; **getreue W.** faithful reproduction; **öffentliche W.** public communication; **wiederholbare W.** repeated communication; **wörtliche W.** verbatim report; **hohe W.qualität** *(Tonträger)* high fidelity (hi-fi)

wieder|geben *v/t* 1. to give back, to restore/return/restitute; 2. to give an account of; 3. to reproduce; 4. *(zitieren)* to quote; **W.gestellung** *f* ⊖ *(Ware)* production to the customs; **w.gewinnen** *v/t* to recover/retrieve/regain/recapture/reclaim

Wiedergewinnung *f* 1. recovery, retrieval, regeneration, reclamation; 2. *(Altmaterial)* salvage; 3. *(Investition)* payoff; **W. des Besitzes** repossession; **W. der Ertragskraft** return to profitability; **~ Vollbeschäftigung** return to full employment

Wiedergewinnungs|faktor *m* capital recovery factor; **W.zeit** *f* recovery/payback time, payoff/payout/payback period

wieder gutgebracht/gutgeschrieben *adj* re-credited; **w. gutmachen** *v/t* to make good/up, to redress/indemnify/compensate/rectify/redeem/repair, to make reparations; **nicht w. gutzumachen** *adj* irreparable, irretrievable, irrecoverable, incapable of reparation

Wiedergutmachung *f* 1. indemnification, compensation, redress, indemnity; 2. *(Rückgabe)* restitution; 3. retrieval; 4. rectification; 5. *(Politik)* reparation; **als W. für** in satisfaction of; **W. gewähren** to pay damages; **W. verlangen** to seek redress; **angemessene W.** equitable redress

Wiedergutmachungs|abkommen *nt* reparations agreement; **W.anspruch** *m* restitution claim; **W.auflage** *f* § criminal compensation order; **W.beschluss** *m* § compensation/restitution order; **w.fähig** *adj* § redressible; **W.leistung** *f* reparation/restitution (payment); **W.recht** *nt [D]* law of compensation for Nazi persecutees; **W.sache** *f* § restitution case; **W.urteil** *nt* compensation order; **W.zahlung** *f* restitution payment

Wieder|heirat *f* remarriage; **w. herrichten** *v/t* to repair/mend; **w.herstellen** *v/t* 1. to restore/re-establish/reconstitute/renew; 2. to rebuild; 3. to restitute; 4. to restore to health

Wiederherstellung *f* 1. restoration, re-establishment, renewal; 2. recovery, retrieval; 3. rebuilding, reconstruction, rehabilitation; **W. eines Gebäudes** restoration of a building; **W. der ehelichen Lebensgemeinschaft** restitution of conjugal life; **W. eines Rechtes** restitution of a right

Wiederherstellungs|anspruch *m* restitutory right; **W.klausel** *f* replacement clause; **W.kosten** *pl* repair/reproduction/restoration costs; **W.wert** *m* reproduction value

nicht wiederherzustellen irreparable

wiederholbar *adj* repeatable, capable of repetition; **W.keit** *f* repeatability, reproducibility

wiederhol|en *v/t* 1. to repeat/re-run/review/retell; 2. *(Äußerung)* to reiterate; *v/refl* to recur; **sich w.end** *adj* recurrent; **W.er** *m* repeater; **W.prozedur** *f* re-run procedure; **W.punkt** *m* re-run point; **w.t** *adj* repeated, recurrent, renewed; *adv* time and again; **W.teil** *m* repetition part

Wiederholung *f* 1. repetition, recurrence; 2. re-run, repeat (performance); 3. *(Forderung)* reiteration

Wiederholungs|anzeige *f* re-run; **W.aufnahme** *f (Film)* retake; **W.budget** *nt* rollover budget; **im W.fall** *m* in the event of repetition; **W.gefahr** *f* 1. danger of recurrence; 2. § danger of recidivism; **W.käufe** *pl* repeat buying; **W.kurs** *m* refresher course; **W.lauf** *m* re-run; **W.nachfrage** *f* repeat demand; **W.prüfung** *f* reexamination, resit; **~ machen** to resit an examination; **W.rabatt** *m (Anzeige)* repeat advertising rebate, series discount; **W.stichprobe** *f* ▦ replication; **W.taste** *f* repeat key; **W.täter** *m* second offender, § recidivist; **W.verfahren** *nt* test-retest technique; **W.zeichen** *nt* repetition character

Wiederholzahl *f* 🖳 repeat count

Wieder|inbesitznahme *f* 1. § repossession; 2. *(nach Besitzentziehung)* recaption; **W.inbetriebnahme** *f* reopening, restart; **W.indienststellung** *f* ⚓ recommissioning; **w. indossieren** *v/t* to reindorse; **W.ingangsetzung** *f* re-starting; **W.ingangkommen** *nt* resumption; **W.inkraftsetzung** *f* reinstatement, reinactment, renewal; **W.inkurssetzung** *f* remonetization; **W.instandsetzung** *f* repair, refit, reconditioning; **w.käuen** *v/t (fig)* to rehash; **W.käuer** *m* 🐄 ruminant; **W.kauf** *m* repurchase; **unmodifizierte W.käufe** straight rebuys; **w.kaufen** *v/t* to repurchase, to buy back; **W.käufer** *m* repurchaser; **W.kaufsrecht** *nt* redemption right, right of repurchase

Wiederkehr *f* 1. recurrence; 2. comeback, return; **w.en** *v/i* to recur/return

wiederkehrend *adj* recurrent, periodic; **immer w.** continual; **regelmäßig w.** recurring, periodical

Wiederkehrschuldverhältnis *nt* regularly renewed obligation

wieder|kommen *v/i* to return, to come back; **w. öffnen** *v/t* to reopen; **w. prägen** *v/t* to recoin; **W.sehen** *nt* reunion; **W.täter** *m* [§] persistent offender

Wieder|urbarmachung *f* reclamation, recultivation; **W.veräußerung** *f* resale, realienation; **w.vereinigen** *v/t* to reunite; **W.vereinigung** *f* reunification; **W.verflechtung** *f* reconcentration; **w. verfrachten** *v/t* to reship; **W.verfrachtung** *f* reshipment; **w. verflüssigen** *v/t* to reliquefy; **W.verflüssigung** *f* reliquefication; **W.verheiratung** *f* remarriage; **W.verkauf** *m* 1. resale, reselling; 2. retailing; **zum ~ erwerben** to buy for resale; **w. verkaufen** *v/t* 1. to resell/renegotiate; 2. to sell at retail

Wiederverkäufer *m* 1. reseller; 2. retailer, dealer's buyer; 3. *(Zwischenhändler)* middleman; **W. beliefern; an W. liefern** to supply to the trade; **W.preis** *m* trade price; **W.rabatt** *m* trade discount/allowance, discount for resale

wiederverkäuflich *adj* resal(e)able, renegotiable

Wiederverkaufs|gewinn *m* resale profit; **W.preis** *m* trade/resale/reselling/reserved/dealer's/redemption price; **W.rabatt** *m* trade discount/allowance; **W.recht** *nt* right to resell, resale right; **W.skonto** *nt* trade discount; **W.vereinbarung** *f* resale agreement; **W.wert** *m* resale/trade-in/cash-in value

wieder|verladen *v/t* to reship; **W.verladung** *f* reshipment; **W.verleihung der Staatsangehörigkeit** *f* repatriation; **w. vermieten** *v/t* to relet/sublet/re-lease; **W.vermietung** *f* re-let, reletting; **w. veröffentlichen** *v/t* to republish; **W.veröffentlichung** *f* republication; **w. verpachten** *v/t* to relet/re-lease; **W.verpachtung** *f* 1. reletting, re-leasing; 2. relocation *[Scot.]*; **w. verpacken** *v/t* to repack; **W.verpackung** *f* repacking; **w. verpfänden** *v/t* to rehypothecate; **W.verpfändung** *f* rehypothecation; **w. verschiffen** *v/t* to reship; **W.verschiffung** *f* reshipment

wieder|verwendbar *adj* reusable; **w. verwenden** *v/t* to reuse/recycle/regenerate; **W.verwendung** *f* recycling, reuse, reutilization; **~ von Müll** waste recycling; **~ von Verpackungen** reuse of packages

wiederverwert|bar *adj* reusable, renegotiable, recyclable; **W.barkeit** *f* reusability, recyclability

wieder verwerten *v/t* 1. to reprocess/recycle; 2. to renegotiate

Wiederverwertung *f* *(Altmaterial)* salvage, recycling, reprocessing, revalorisation; **stoffliche W.** recycling of materials; **W.squote** *f* recycling ratio

Wieder|vorlage *f* resubmission; **W.vorlagemappe** *f* follow-up/bring-up/tickler file; **w. vorlegen** *v/t* to present again, to resubmit; **W.vorlegungsfrist** *f* period for resubmission; **W.wahl** *f* reelection; **sich zur ~ stellen** to offer o.s. for reappointment; **w. wählen** *v/t* to reelect; **W.wegnahme** *f* [§] recaption; **w.zuerlangen/w.zugewinnen** *adj* retrievable; **w. zulassen** *v/t* 1. to readmit; 2. to reinstate; 3. 🚗 to relicence; **W.zulassung** *f* 1. readmission; 2. reinstatement; 3. relicensing; **w.zuvermieten** *adj* relettable; **W.zusammenschluss** *m* reamalgamation

Wiege *f* cradle; **von der W. bis zur Bahre** from the cradle to the grave

Wiege|bescheinigung *f* attestation of weight, weight attestation; **W.brücke** *f* weighbridge; **W.geld/W.gebühr** *nt/f* weighage, weighing charge; **W.karte** *f* scale ticket; **W.löscher** *m* rocker blotter; **W.meister** *m* weighmaster

Wiegen *nt* weighing; **w.** *v/t* to weigh; **mehr w. als** to outweigh

Wiege|note/W.schein *f/m* bill of weight; **W.stempel** *m* weight stamp; **W.zettel** *m* weight slip

Wiese *f* meadow; **grüne W.** 1. green fields; 2. greenfield site

Wild *nt* game; **jagdbares W.** fair game

wild *adj* 1. wild, illegal, unofficial; 2. fierce, savage, frantic, uncivilized

Wild|bach *m* torrent; **W.bret** *nt* game; **W.dieb** *m* poacher

Wilderei/W.n *f/nt* poaching; **w.n** *v/i* to poach; **W.er** *m* poacher

Wild|frevel *m* poaching; **W.gehege** *nt* game reserve; **W.hüter** *m* gamekeeper, game warden; **W.leder** *nt* suede, buckskin; **W.park/W.reservat/W.schutzgebiet** *m/nt* game reserve, wildlife sanctuary

Wildnis *f* wilderness

Wild|schaden *m* damage caused by game; **w. wachsend** *adj* proliferating

Wildwuchs *m* proliferation; **W. beschneiden** to weed out, to cut out excesses

Wille *m* will, intent(ion), volition, wish; **W. des Gesetzgebers** legislative intent; **W. der Parteien** intention of the parties; **W. zum Wettbewerb** spirit of competition; **beim besten W.n nicht** not for the life of me *(coll)*; **es mangelt nicht an gutem W.n** it is not through want of trying

den guten Willen anerkennen to take the will for the deed; **jdm seinen W. aufzwingen** to will so. to do sth.; **seinen W. bekunden** to manifest one's will/intention; **~ bekommen/durchdrücken/-setzen** to square one's shoulders, to work one's will, to get/have one's way; **jdm ~ lassen** to let so. have his/her way

böser Wille ill will; **erklärter W.** declared intention; **freier W.** free will; **aus freiem W.n** of one's own accord; **letzter W.** (last) will, testament; **wirklicher W.** real intention

willens *adj* ready; **nicht w. sein, zu tun** to be loath to do

Willens|akt *m* act of will; **W.äußerung** *f* expression of one's will; **W.ausübung** *f* exercise of one's will; **W.bereich** *m* range of volition; **w.bildend** *adj* policy-forming

Willensbildung *f* decision-making; **politische W.** policy formation, political decision-making; **unternehmerische W.** managerial decision-making; **W.szentrum** *nt* decision-making centre

Willenseinigung *f* meeting of minds, mutual assent

Willenserklärung *f* 1. declaration/letter/manifestation of intent(ion); 2. [§] act and deed, act of the party, statement producing legal effect

amtsempfangsbedürftige Willenserklärung act requiring communication to an authority; **einseitige W.** unilateral manifestation of intent; **empfangsbedürftige W.** act requiring communication; **nicht ernstlich**

gemeinte W. jocular act; **politische W.** policy statement; **rechtsgeschäftliche W.** (legal) act of the party; **schriftliche W.** letter of intent; **stillschweigende W.** implicit intention, ~ manifestation of intent; **nicht zugegangene W.** uncommunicated intent; **zweiseitige W.** bilateral act of the parties

Willens|freiheit *f* freedom of will; **W.kraft** *f* willpower; **W.mangel** *m* [§] defect of legal intent, deficiency of intention, fault in the intention; **W.organ** *nt* executive; **W.richtung** *f* intention; **W.stärke** *f* willpower, strength of will; **W.therorie** *f* doctrine of real intention; **öffentlicher W.träger** public authority

willentlich *adj* 1. deliberate; 2. [§] wilful, volitional

willfahren *v/i* to comply with

willfährig *adj* compliant, obsequious; **W.keit** *f* compliance

willig *adj* willing

Willkommen *nt* welcome, reception; **w. heißen** to welcome/greet, to embrace

Willkür *f* 1. arbitrariness; 2. *(Politik)* despotism; **jds W. ausgeliefert sein** to be at so.'s mercy; **W.akt/W.handlung** *m/f* arbitrary act/action; **W.herrschaft** *f* 1. despotism, tyranny; 2. arbitrary rule; **W.justiz** *f* arbitrary justice

willkürlich *adj* arbitrary, indiscriminate, irresponsible, wanton; *adv* (at) random, at will; **nicht w.** non-discretionary; **W.keit** *f* arbitrariness

Willkür|maßnahme *f* arbitrary measure; **W.reserve** *f* deliberately established reserve; **W.verbot** *nt* unlawfulness of arbitrary rule

wimmeln von *v/i* to abound in, to teem with

Wimpel *m* pennant, streamer

Wind *m* wind; **wissen, woher der W. bläst** *(fig)* to know how the land lies *(fig)*; **der W. hat sich gedreht** the wind has changed

Wind bekommen von *(fig)* to get wind of *(fig)*; **frischen W. in etw. bringen** *(fig)* to breathe new life into sth. *(fig)*; **W. im Rücken haben** to have the wind behind one; **sein Mäntelchen nach dem W. hängen** *(fig)* to turn one's coat *(fig)*; **viel W. machen** *(fig)* to be full of wind *(fig)*; **W. aus den Segeln nehmen** *(fig)* to let/take the steam out of sth. *(fig)*; **jdm den ~ nehmen** *(fig)* to take the wind out of so.'s sails, to spike so.'s guns *(fig)*; **in den W. reden** *(fig)* to waste one's breath, to talk to the wind *(fig)*; **~ schlagen** *(fig)* to cast to the winds *(fig)*; **~ schreiben** *(fig)* to write off, to waste; **sich wie der W. verbreiten** *(Nachricht)* to spread like wildfire; **in alle W.e verstreut werden** *(fig)* to be blown to the four winds *(fig)*

ablandiger Wind offshore wind; **auflandiger W.** onshore wind; **durchdringender W.** piercing wind; **günstiger W.** fair wind; **scharfer W.** biting wind; **starker W.** stiff wind; **stürmischer W.** gale-force wind

Wind|änderung *f* change of wind; **W.bö** *f* gust (of wind); **W.bruch** *m* windbreak, windfall, blowdown *[US]*; **w.brüchig** *adj* windfallen; **W.druck** *m* wind pressure; **W.druckmesser** *m* wind ga(u)ge, anemometer

Winde *f* ✿ winch, windlass

Windei *nt* *(coll)* non-starter *(coll)*

winden *v/t* to wind/reel; *v/refl* 1. *(Gewässer)* to meander; 2. to wriggle/squirm

Windenergie *f* wind energy/power

in Windeseile *f* in no time; **sich mit W. verbreiten** to spread like wildfire

Wind|fang *m* 1. air trap; 2. 🏛 porch; **W.geschwindigkeit** *f* wind speed; **W.handel** *m* short sale; **W.hose** *f* vortex

Windhund *m* greyhound; **W.kontingent** *nt* ⊖ greyhound quota; **W.prinzip/W.verfahren** *nt* ⊖ greyhound principle, first come-first-served principle/method

windig *adj* 1. windy; 2. phon(e)y *(fig)*

Wind|kanal *m* wind tunnel; **W.laterne** *f* hurricane lamp; **W.kraft** *f* wind power; **W.kraftwerk** *nt* wind power station; **W.licht** *nt* storm lantern; **W.mühle** *f* windmill; **W.pocken** *pl* ⚕ chickenpox; **W.protest** *m* protest for absence (of drawer); **w.richtig** *adj* windward; **W.richtung** *f* direction of the wind; **W.schäden** *pl* wind damage; **W.schatten** *m* ⚓ lee; **W.schutzscheibe** *f* 🚗 windscreen *[GB]*, windshield *[US]*; **W.seite** *f* weather side; **W.stärke** *f* (gale) force; **W.stille** *f* lull, calm; **W.stoß** *m* gust (of wind); **W.turbine** *f* wind turbine

Windung *f* spiral, twist, coil

windwärts *adj* windward

Wink *m* 1. sign; 2. hint, tip, pointer, intimation; **W. mit dem Zaunpfahl** *(fig)* big hint; **W. geben** to (give a) hint, to tip off; **W. verstehen** to take a hint

Winkel *m* angle, corner; **toter W.** blind spot/angle; **W.-** angular; **W.advokat** *m* pettifogger, pettifogging lawyer; shyster *[US]*; **W.börse** *f* bucket shop *(coll)*; **W.makler** *m* street broker; **W.messer** *m* π protractor; **W.zug** *m* manoeuvre; **W.züge** chicanery

Winker *m* 🚗 indicator

strenger Winter severe winter

Winter|ausrüstung *f* winter equipment; **W.bau** *m* winter building/construction; **W.bauförderung** *f* promotion of winter construction; **W.fahrplan** *m* winter timetable; **w.fest** *adj* ✿ hardy; **W.garten** *m* winter garden, conservatory; **W.geld** *nt* winter bonus; **W.getreide** *nt* winter crop; **W.halbjahr** *nt* winter half-year; **W.katalog** *m* winter catalog(ue); **W.kurort** *m* winter resort; **w.lich** *adj* wintry; **W.pause** *f* winter break; **W.quartal** *nt* winter quarter; **W.saat** *f* 🚜 winter seed; **W.saison** *f* winter season; **W.schlussverkauf** *m* winter (clearance) sale; **W.semester/W.trimester** *nt* winter term; **W.spitze** *f (Nachfrage)* winter peak; **W.sport** *m* winter sport(s); **W.weizen** *m* winter wheat; **W.wetter** *nt* wintry weather

Winzer *m* winegrower; **W.fest** *nt* vintage/wine festival; **W.genossenschaft** *f* winegrowers' cooperative

winzig *adj* tiny, minuscule, minute; **W.konto** *nt* petty/ultra-small account

Wirbel *m* 1. fuss *(fig)*; 2. whirl; **großen W. um etw. machen** to make a splash over sth.

Wirbel|knochenentzündung *f* ⚕ spondylitis; **W.säule** *f* ⚕ spinal column; **W.schichtfeuerung** *f* ✿ fluid-bed combustion; **W.schichtverbrennung** *f* fluidized-bed combustion; **W.sturm/W.wind** *m* hurricane, tornado, whirlwind

Wirken *nt* functioning, work
wirken *v/i* 1. to act/work, to have an effect; 2. *(Maßnahme)* to bite; **w. auf** to react to; **anziehend w.** to attract; **dämpfend w.** to act as a brake; **schnell w.** to have a prompt effect
wirkend *adj* operative; **automatisch w.** built-in
Wirkerei *f* knitting mill/department, knitwear manufacture/factory
Wirk|kraft/W.leistung *f* real power, effective force
wirklich *adj* 1. real, actual, genuine, intrinsic, substantive; 2. effective
Wirklichkeit *f* reality, actuality; **in W.** in effect/practice, as a matter of fact; **W. werden** to materialize
wirklichkeits|fremd *adj* unrealistic, unreal, starry-eyed; **w.getreu** *adj* true to nature; **w.nah** *adj* realistic
wirksam *adj* effective, powerful, active, operative, efficient, effectual, efficacious; **w. sein** to be in force; **nicht mehr w. sein** to fall into abeyance; **w. werden** 1. to take effect, to come into effect, to become effective/operative, to enter/come into force; 2. *(Maßnahme)* to begin to bite *(fig)*; **sofort w. werden** to become effective immediately; **steuerlich w.** tax-affecting
Wirksamkeit *f* 1. impact, effectiveness, operative effect, efficacy, efficiency; 2. validity, legal force; **W.skontrolle von Anzeigen** *f* advertisement rating; **W.sprüfung/W.stest** *f/m* impact test
Wirksamwerden *nt* coming into force
Wirkung *f* effect, result, impact, fruit, consequence; **mit W. von** with effect from, effective (from), as from/of; **W. gegenüber Dritten** effect as against third parties; **W. kraft Gesetzes** operating by law, effect by virtue of law; **W. eines Vertrages** effect of a contract, contractual force; **mit W. für und gegen alle** binding on all persons/parties
Wirkung ausüben to produce an effect; **ohne W. bleiben** to be to no effect; **W. haben** to impact; **gegenteilige W. haben** to be counterproductive, to backfire *(fig)*; **W. kompensieren/neutralisieren** to sterilize an effect; **seine W. tun** to strike home; **W. verleihen** to give effect; **W. zeigen** to make an impression, to bite *(fig)*
abschreckende Wirkung deterrent effect; **ähnliche W.** similar effect; **auflösende W.** dissolving effect; **aufschiebende W.** suspensory/suspensive effect; **befreiende W.** discharging effect, discharge of liability; **mit befreiender W.** with the effect of a discharge; **bindende W.** binding effect; **dingliche W.** § in rem *(lat.)*, running with the land; **flächendeckende W.** general effect/impact; **mit gegenteiliger W.** counterproductive; **gesetzliche W.** legal effect; **gesundheitsschädigende W.** adverse health effects; **gleiche W.** equivalent/similar effect; **günstige W.** beneficial effect; **handelsablenkende W.** trade diversion; **Handel schaffende W.** trade creation; **heilsame W.** salutary effect; **illiquidisierende W.** liquidity-reducing effect; **inflatorische W.** inflationary effect; **konstitutive W.** constitutive effect; **konzentrationsfördernde W.** concentrative effect; **kumulative W.** knock-on effect; **mobilitätshemmende W.** locking-in effect; **nachhaltige W.** profound/lasting effect; **negative W.** adverse/unfavourable effect; **optische W.** visual impact; **positive W.** beneficial effect; **publizistische W.** publicity effect; **rechtliche W.** legal effect; **rechtsbegründende/-erzeugende W.** constitutive effect, establishing a legal fact; **sofortige W.** immediate effect; **mit sofortiger W.** with immediate effect, effective immediately, immediately effective; **territoriale W.** territorial effect; **tiefgreifende W.en** profound implications; **verheerende W.** devastating effect; **verzögerte W.** lagged effect
Wirkungs|analyse *f* impact/effect/consequence analysis; **W.bereich/W.gebiet** *m/nt* scope of action, reach, field of activity, circle; **W.forschung** *f* impact/response research
Wirkungsgrad *m* ✿ coefficient, efficiency (level); **energetischer W.** energy efficiency; **gesamtwirtschaftlicher W.** overall economic effect; **technischer W.** physical/technical/engineering efficiency; **W.verbesserung** *f* ϟ efficiency improvement
Wirkungs|intensität *f* *(Werbung)* impact incidence; **W.kraft** *f* appeal, impact; **W.kreis** *m* 1. scope; 2. § purview; 3. sphere of activity; **w.los** *adj* ineffective, inefficient, non-effective, without effect, ineffectual; **W.losigkeit** *f* ineffectiveness, inefficiency, ineffectualness, inefficacy; **W.mechanismus** *m* operating mechanism; **W.multiplikator** *m* impact multiplier; **W.muster** *nt* response/impact pattern; **W.prognose** *f* forecast of market response; **W.stätte** *f* place of activity; **W.variable** *f* ▦ effect variable
Wirkungsverzögerung *f* operational/impact/policy-effect lag; **durchsetzungsbedingte W.** effect/operational lag; **reaktionsbedingte W.** reaction lag
wirkungs|voll *adj* effective, forceful, efficacious; **W.weise** *f* mode of operation; **W.zusammenhang** *m* relationship of cause and effect
Wirkwaren *pl* hosiery; **W.händler** *m* hosier
Wirrwarr *nt* 1. chaos; 2. confusion
Wirt *m* landlord, publican, innkeeper; **W.in** *f* landlady
Wirtschaft *f* 1. economy; 2. business (community/world), trade and industry, industry and commerce; 3. economic activity, business climate; 4. *(Gastwirtschaft)* public house, pub, inn, saloon *[US]*; **W. der Stadt** local economy
Wirtschaft abschotten to insulate the economy; **W. ankurbeln; W. wieder in Gang/auf Trab bringen** to boost business, to prime the pump *(fig)*, to boost/redress the economy; **der W. Geld entziehen** to take money out of circulation; **W. hegen und pflegen** to nurse the economy; **W. sanieren** to revitalize the economy; **W. überfordern** to overstrain the economy
angeschlagene Wirtschaft stricken economy; **arbeitsteilige W.** specialized economy; **atomare W.** nuclear-based industry; **autarke W.** self-contained economy; **blühende W.** flourishing/booming economy; **dienstleistungsorientierte W.** service-based industry/economy; **duale W.** dual economy; **einheimische W.** domestic economy; **entwickelte W.** commercial economy; **exportierende W.** exporters; **freie W.** free/private enterprise, free economy; **zentral geleitete W.** centrally administered economy; **gelenkte W.** con-

trolled/directed economy; **staatlich ~ W.** command economy; **gesunde W.** sound economy; **gemischte W.** mixed economy; **gewerbliche W.** manufacturing industry/sector, trading community, trade and industry, business sector; **heimische W.** domestic economy; **integrierte W.** integrated economy; **kapitalistische W.** capitalist economy; **kranke W.** ailing economy; **mitbestimmte W.** industrial democracy; **mittelständische W.** small business(es)/traders, small and medium-sized businesses; **öffentliche W.** public-sector (economy); **örtliche W.** local economy; **private W.** private enterprise, ~ sector (of the economy); **regionale W.** regional economy; **rezessionsanfällige W.** recidivist economy; **sozialistische W.** socialist economy; **stationäre W.** stationary economy; **nicht ~ W.** non-stationary economy; **statische W.** static economy; **transportierende W.** transport industry; **verladende W.** shipping trade; **wachsende W.** progressive economy

wirtschaften *v/i* to manage/economize, to get along; **schlecht w.** to mismanage; **sparsam w.** to husband one's resources, to economize; **zu Grunde w.** 1. to run down, to ruin; 2. 🚜 to overcrop

Wirtschafter(in) *m/f* 1. *(Verwalter)* manager; 2. *(Haus/Heim)* housekeeper

Wirtschaftler *m* economist

wirtschaftlich *adj* 1. economic; 2. *(sparsam)* economical, low-cost, cost-effective, thrifty, efficient; 3. profitable, remunerative; **nicht w.** 1. *(Güter)* non-economic; 2. uneconomical; **w. gesehen** economically

Wirtschaftlichkeit *f* 1. economics, economy, profitability, remunerativeness; 2.economicalness, thrift(iness), economic efficiency/effectiveness/prowess; **W. der Beförderungsmittel** economic operation of means of transport; **~ Betriebsführung** economy of operation; **~ Haushaltsführung** sound financial management, soundness of financial management; **W. von Prüfungshandlungen** efficiency of auditing procedures

Wirtschaftlichkeits|analyse *f* economic analysis, feasibility study; **W.argument** *nt* economic case; **W.berechnung** *f* feasibility/economy/viability study, calculation of profitability, evaluation of economic efficiency; **W.grad/W.koeffizient** *m* efficiency, efficiency/operating ratio; **W.grenze** *f* break-even point, feasibility threshold; **W.prinzip** *nt* economy-of-effort principle, efficiency rule; **W.prüfung** *f* efficiency audit; **W.rechnung** *f* efficiency calculation/control, feasibility study, profitability calculation, assessment/evaluation of economic efficiency, investment appraisal, pre-investment/production cost analysis, capital budgeting; **W.studie** *f* feasibility/profitability study, economic analysis; **W.überlegungen** *pl* considerations of profitability, economic feasibility considerations; **W.untersuchung** *f* (economic) feasibility study

wirtschaftlich-technisch *adj* techno-economic

Wirtschafts|- → Konjunktur|- economic, commercial; **W.abkommen** *nt* commercial treaty, economic agreement/accord; **W.abkühlung** *f* slowdown of economic activity, ~ the economy, economic slowdown; **W.ablauf** *m* business/trade cycle, economic process, workings of the economy; **W.abordnung** *f* trade delegation; **W.abschwung** *m* economic downturn/slowdown; **W.abteilung** *f* 1. *(Redaktion)* City desk *[GB]*; 2. *(Botschaft)* commercial section; 3. ⚓ cabin department; **W.akademie** *f* commercial college; **W.aktivität** *f* industrial activity; **W.analytiker** *m* business analyst; **w.analytisch** *adj* economico-analytical; **W.ankurbelung** *f* pump priming *(fig)*; **W.anpassung** *f* economic adjustment; **W.anstieg/W.aufschwung** *m* economic upturn/upswing, revival; **W.anwalt** *m* commercial lawyer; **W.auskunft** *f* status inquiry, financial information; **W.auskunftei** *f* commercial/mercantile agency, credit investigation agency; **W.ausschuss** *m* 1. economic council/committee; 2. *(Arbeitgeber und Arbeitnehmer)* trade board *[GB]*; **W.- und Sozialausschuss** *[EU]* Economic and Social Committee; **~ Währungsausschuss** economic and currency committee; **W.aussichten** *pl* economic prospects

Wirtschaftsausweitung *f* expansion, growth; **ausgewogene W.** balanced growth; **beständige W.** steady growth

Wirtschafts|barometer *nt* economic indicator, business barometer; **W.bau** *m* commercial/industrial building, building for trade and industry; **W.bauten** industrial and commercial buildings; **W.belange** *pl* economic interests; **W.belebung** *f* business revival/recovery, economic recovery; **W.beobachter** *m* economic observer; **W.berater** *m* economic adviser, business consultant, efficiency expert

Wirtschaftsberatung *f* business consulting; **W.sausschuss** *m* economic advisory committee; **W.sfirma** *f* business consultancy

Wirtschafts|bereich *m* trade, industry, (industrial) sector, economic sector/zone; **W.bereichspolitik** *f* sectoral economic policy; **W.bericht** *m* economic/commercial/business report, economic survey, financial news; **W.berichterstatter** *m* economic correspondent; **W.betrieb** *m* commercial enterprise, commercial/business undertaking, industrial plant; **öffentlicher W.betrieb** public enterprise

Wirtschaftsbeziehungen *pl* trade/economic/business relations; **grenzüberschreitende W.** cross-border economic links; **internationale W.** international economic links

wirtschafts|bezogen *adj* economic; **W.blatt** *nt* business paper; **W.block** *m* trading/economic bloc; **W.blockade** *f* economic blockade; **W.blüte** *f* boom, prosperity; **konjunkturelle W.blüte** cyclical boom; **W.boykott** *m* trade boycott; **W.bündnis** *nt* economic alliance; **W.daten** *pl* business statistics, economic data; **W.debatte** *f* economic policy debate; **W.delegation** *f* trade/economic delegation; **W.delikt** *nt* white-collar/commercial crime; **W.demokratie** *f* industrial/economic democracy; **W.dynamik** *f* economic movement, ~ motive forces; **W.einheit** *f* economic unit/entity, business entity; **buchhalterisch selbstständige W.einheit** accounting entity/unit; **W.englisch** *nt* business English

Wirtschaftsentwicklung *f* economic trend/movement/development, business/cyclical trend, course of the cycle, trend of business; **rückläufige W.** economic downturn/downswing; **ungünstige W.** sluggish economy

Wirtschafts|ergebnis *nt* (operating) result, profit, loss; **W.erholung** *f* (economic) recovery/upturn/upswing; **abnehmender W.ertrag** diminishing returns; **W.-fachmann** *m* economic expert; **W.fachschule** *f* commercial college; **W.fachsprache** *f* economic jargon; **W.fachverband** *m* trade association; **W.faktor** *m* economic factor, factor of the economy; **W.fakultät** *f* business school, school of economics; **w.feindlich** *adj* anti-commercial, anti-business; **W.flaute** *f* economic recession, flat economy; **W.flüchtling** *m* economic refugee

Wirtschaftsförderung *f* promotion of trade and industry, business promotion (service), promotion of economic development; **W.samt** *nt* economic/industrial development agency; **W.sgesellschaft** *f* industrial development corporation; **W.smaßnahme** *f* measure to develop the economy; **W.sprogramm** *nt* economic development programme

Wirtschafts|form *f* economic system; **gemischte W.form** mixed economy; **W.forscher** *m* research economist

Wirtschaftsforschung *f* economic research; **empirische W.** empirical economic research; **W.sinstitut** *nt* economic research institute

Wirtschafts|fortschritt *m* economic progress; **W.fotografie** *f* industrial photography; **W.frage** *f* economic problem; **W.freiheit** *f* economic freedom; **w.freundlich** *adj* pro-business; **W.führer** *m* business/industrial leader, leading industrialist; **W.führung** *f* 1. management; 2. economic leadership; **gute W.führung** good husbandry; **W.garantie** *f* economic guarantee; **W.gebäude** *nt* 1. commercial/industrial building, building for trade/industry; 2. 🚜 outhouse, farm/estate building

Wirtschaftsgebiet *nt* economic zone/area/market, industry; **fremdes W.** foreign country; **geschlossenes W.** closed economy

Wirtschafts|gefälle *nt* economic differential(s), variation in the level of economic activity; **W.gefüge** *nt* economic structure/framework; **W.geld** *nt* housekeeping money; **W.gemeinschaft** *f* economic union/community; **W.genossenschaft** *f* commercial cooperative, cooperative association; **W.geografie** *f* geonomics, economic/commercial geography; **W.geschehen** *nt* economic activity/process/affairs; **W.geschichte** *f* economic history; **W.gesellschaft** *f* economic society/association; **W.gesetz** *nt* economic law; **W.gesetzgebung** *f* economic laws/legislation; **W.gespräche** *pl* trade talks; **W.gipfel** *m* economic summit; **W.gruppe** *f* business group

Wirtschaftsgut *nt* asset, commodity, economic good; **W.güter** merchandise, assets and liabilities; **~ des Anlagevermögens** fixed assets

abnutzbares Wirtschaftsgut wasting asset; **bewegliches ~ W.** movable non-durable item; **ausgeschiedenes W.** retired/replaced asset; **bewegliche Wirtschaftsgüter** movable goods/assets; **geringfügiges/-wertiges W.** low-value item, minor asset; **immaterielles W.** intangible asset/property/good; **körperliches W.** tangible asset; **kurzlebiges W.** short-lived/wasting asset; **langlebiges W.** consumer durable, long-lived asset; **materielles W.** tangible asset/property, physical asset; **negatives W.** negative asset; **unbewegliches W.** immovable asset

Wirtschafts|hilfe *f* economic assistance/aid/support; **W.hochbau** *m* industrial building; **W.hochschule** *f* business college/school, school of economics; **W.informationen** *pl* business news; **W.informatik** *f* economic/commercial informatics; **W.ingenieur** *m* industrial engineer; **W.- und Währungsintegration** *f [EU]* economic and monetary integration; **W.institut** *nt* economics institute; **W.interessen** *pl* economic/commercial interests; **berechtigte W.interessen** legitimate commercial interests; **W.jahr** *nt* business/fiscal/financial/marketing/tax(able) year, accounting period/year; **vom Kalenderjahr abweichendes W.jahr(esende)** non-coterminous year-end; **W.journalist** *m* business journalist; **W.junior** *m* budding entrepreneur *(fig)*; **W.jurist** *m* commercial/industrial lawyer; **W.kabinett** *nt* economic cabinet; **W.kammer** *f* chamber of commerce; **W.kapazität** *f* economic resources/capacity/strength/power; **W.kapitän** *m* captain of industry; **W.kenntnisse** *pl* commercial knowledge; **W.klima** *nt* economic/business climate, trading environment; **W.-kommissar** *m [EU]* industry commissioner

Wirtschaftskommission *f* economic commission/council; **~ für Afrika** Economic Council for Africa (ECA); **~ Europa** Economic Council for Europe (ECE); **~ Asien und den Fernen Osten** Economic Council for Asia and the Far East (ECAFE); **~ Lateinamerika** Economic Council for Latin America (ECLA)

Wirtschafts|konferenz *f* trade/economic conference; **W.kontrolle** *f* industrial control; **W.konzentration** *f* concentration of economic power; **W.konzept** *nt* economic (policy) concept; **W.konzert** *nt* concerted economy; **W.körper** *m* business entity, undertaking; **W.-korrespondent** *m* business/economic correspondent; **W.kraft** *f* economic power/strength/capacity/clout *(coll)*; **W.kräfte** resources; **expansive W.kräfte** expansive forces; **W.kredit** *m* commercial credit, corporate loan; **W.kredite** loans to business; **W.kreise** *pl* business circles/quarters/community; **W.kreislauf** *m* trade/business/economic/production/industrial cycle, economic circulation/process, circular flow; **volkswirtschaftlicher W.kreislauf** business cycle, circular flow of the economy; **W.krieg** *m* economic warfare, trade war; **W.kriminalität** *f* white-collar crime, fraud, commercial crime/offences/theft; **W.krise** *f* economic crisis/depression, slump; **W.kurs** *m* (general thrust of) economic policy

Wirtschaftslage *f* economic situation/conditions, state of the economy, economic development; **allgemeine W.** state of the economy, general business conditions; **flaue W.** sluggish economic conditions

Wirtschafts|landschaft *f* economic background/scenario/landscape; **W.leben** *nt* business (life), economic life/progress/activity/sphere, trade and industry; **W.-lehre** *f* economics, business studies; **W.leistung** *f* economic output/performance; **W.lenkung** *f* governmental/economic control, governmental planning, planned economy, management of the economy; **W.liquidität** *f* liquidity of the economy; **W.macht** *f* economic power; **W.magazin** *nt* business magazine; **W.-mathematik** *f* business mathematics; **W.minister** *m* 1. minister for economic affairs, economics minister; 2. Trade/Industry Secretary *[GB/US]*; 3. Secretary of Commerce *[US]*; **W.ministerium** *nt* ministry of economic affairs, (Trade and) Industry Department, Department of Trade and Industry (DTI) *[GB]*; **W.monopol** *nt* industrial monopoly; **W.motor in Schwung bringen** *m* to boost the economy, to prime the pump *(fig)*, to give the economy a shot in the arm *(fig)*; **W.nachrichten** *pl* financial/business/City *[GB]* news; **W.nationalismus** *m* economic nationalism; **W.objekt** *nt* economic entity; **W.ordnung** *f* economic order/system/regime, industrial system; **liberale W.ordnung** market economy; **W.pädagogik** *f* economic and business pedagogics; **W.pakt** *m* trade pact; **W.partner** *m* participant in trade/industry; **laufende W.periode** market/instantaneous period

Wirtschaftsplan *m* budget, economic plan; **W.- und Finanzplan** economic and finance plan; **langfristiger W.** long-term management plan

Wirtschaftsplanung *f* economic planning; **staatliche W.** state planning; **W.sinstrumentarium** *nt* economic planning tools

Wirtschaftspolitik *f* economic policy/strategy; **allgemeine W.** principles of economic policy, general economic policy; **angebotsorientierte W.** supply-side economic policy; **antizyklische W.** anti-cyclical economic policy, forestalling; **gemeinsame W.** *[EU]* common economic policy; **inflatorische W.** inflationism; **interventionistische W.** interventionist economic policy; **nachfrageorientierte W.** demand-orient(at)ed economic policy

Wirtschafts|politiker(in) *m/f* economic policy-maker; **w.politisch** *adj* economic, in terms/respect of economic policy; **W.potenzial** *nt* economic potential/resources/strength; **W.präferenz** *f* economic preference; **W.praxis** *f* business (practices), mercantile custom; **W.presse** *f* financial/business press; **W.problem** *nt* economic problem; **W.prognose** *f* economic forecast; **W.programm** *nt* economic programme; **W.prozess** *m* economic process

Wirtschaftsprüfer *m* (chartered) accountant, auditor, certified auditor/accountant, audit controller, (certified) public accountant (CPA) *[US]*; **beeideter/öffentlich bestellter/zugelassener W.** chartered *[GB]*/certified public *[US]* accountant; **sachverständiger W.** competent auditor, ~ chartered accountant; **W.bericht** *m* audit; **W.beruf** *m* accounting profession; **W.gebühr** *f* accountant's fee; **W.ordnung** *f* auditors' code; **W.vereinigung** *f* association of accountants

Wirtschaftsprüfung *f* audit(ing), accounting; **W.sgesellschaft** *f* accountancy firm, auditing company; **W.sstelle** *f* auditing agency; **W.swesen** *nt* accountany, auditing

Wirtschafts|rat *m* council of economic advisers *[US]*; **W.- und Sozialrat** Economic and Social Council (ECOSOC); **~ der Vereinten Nationen** United Nations Economic Council; **W.raum** *m* trading/market/economic area; **W.rechnen** *nt* business mathematics/arithmetic; **W.rechnung** *f* 1. housekeeping account; 2. ▦ sample survey; **W.recht** *nt* 1. commercial/business/economic law; 2. law merchant *[GB]*; **gemeinschaftliches W.recht** *[EU]* economic Community law; **W.redakteur** *m* financial/City *[GB]* editor; **W.redaktion** *f* financial editor, City desk/editor *[GB]*; **W.reform** *f* economic reform; **W.region** *f* economic region/area; **W.reich** *nt* economic empire; **W.ressort** *nt (Ministerium)* industry portfolio *[GB]*; **W.restriktionen** *pl* economic restraints, restraints on the economy; **W.rezession** *f* economic recession; **W.sabotage** *f* economic/industrial sabotage; **W.sachverständiger** *m* economic expert; **W.sanktion** *f* economic sanction; **W.sanktionen** economic reprisals; **W.schrifttum** *nt* trade/economic/industrial literature; **W.schwäche** *f* economic weakness; **W.seite** *f* City *[GB]*/financial/business page; **W.sektor** *m* economic sector, trade, industry; **W.situation** *f* economic situation; **W.sparte** *f* line of business; **W.spion** *m* industrial spy; **W.spionage** *f* industrial (and commercial)/economic espionage, economic spying; **W.sprache** *f* commercialese, business jargon; **W.stabilität** *f* economic stability; **W.-stand** *m* level of economic activity; **W.standort** *m* (industrial) location, location for industry; **W.statistik** *f* business/economic statistics; **W.steuerung** *f* economic control; **W.stockung** *f* economic stagnation

Wirtschaftsstraf|gesetz *nt* economic offences act, Statute of Frauds *[GB]*; **W.kammer** *f* court division for business offences; **W.recht** *nt* criminal business law; **W.sache** *f* fraud case, case involving business offences; **W.tat** *f* white-collar crime

Wirtschafts|strategie *f* economic strategy; **W.struktur** *f* economic structure; **W.strukturatlas** *m* atlas of economic geography; **W.stufe** *f* economic/trade level, stage in the economic process; **W.subjekt** *nt* economic unit/entity/subject

Wirtschaftssystem *nt* economic structure/system; **W. mit starker zentraler Planung** command economy; **kapitalistisches W.** capitalist economy

Wirtschaftstagung *f* economic conference

Wirtschaftstätigkeit *f* economic activity; **W. des Staates** state trading; **intensive W.** high level of economic activity; **nachlassende W.** slackening economic activity

Wirtschafts|teil *m* 1. *(Zeitung)* financial/business/City *[GB]* pages, business (and finance)/financial section, financial columns, City news *[GB]*; 2. 🚜 operating properties; **W.tendenz** *f* economic trend; **W.theoretiker** *m* economic theorist, theoretical economist

Wirtschaftstheorie *f* economic theory, economics;

angebotsorientierte W. supply-side economics; **dynamische W.** dynamic economic analysis, dynamics; **nachfrageorientierte W.** demand-side economics

Wirtschafts|tiefbau *m* civil engineering; **W.träger** *m* economic unit/subject; **w.treibend** *adj* trading; **W.trend** *m* economic trend; **W.treuhänder** *m* business trustee; **W.typ** *m* type of economic unit; **W.überschuss** *m* financial surplus; **W.union** *f* economic union; **W.- und Währungsunion** economic and monetary union; **W.unternehmen** *nt* business/commercial enterprise, industrial concern; **kommunales W.unternehmen** municipal undertaking; **W.verband/W.vereinigung** *m/f* trading/trade/industrial/commercial association, industrial federation, business syndicate; **W.verbrechen/W.vergehen** *nt* white-collar crime, (grave) economic offence; **W.verbrecher** *m* white-collar criminal; **W.verein** *m* commercial/business association; **W.verfassung** *f* economic constitution/system, business constitution; **W.verflechtung** *f* economic interdependence; **W.verhandlungen** *pl* trade talks; **W.verkehr** *m* trade, commerce, commercial traffic; **W.vertrag** *m* trade agreement, commercial treaty; **W.verwaltung** *f* administration of the economy; **W.volumen** *nt* total economic activity; **W.vorschau** *f* business forecasting

Wirtschaftswachstum *nt* economic/industrial growth, economic expansion, expansion of business activity, growth rate of the economy; **W. ankurbeln** to boost/increase economic growth; **W. fördern** to promote economic growth; **beschleunigtes W.** accelerated growth, forced-draught expansion; **intensives W.** rapid economic growth

Wirtschafts|wandel *m* economic change; **W.weg** *m* 🚜 farm road; **W.weise** *f* manner of pursuing economic affairs; **W.welt** *f* business community; **W.werbung** *f* business/commercial advertising; **W.wert** *m* economic value

Wirtschaftswissenschaft|en *pl* economics, business science; **auf Entwicklungsländer ausgerichtete W.** development economics; **W.ler(in)** *m/f* economist; **w.lich** *adj* economic

Wirtschafts|wörterbuch *nt* business dictionary; **W.wunder** *nt* economic miracle; **W.zahlen** *pl* economic data: **W.zeitmaß** *nt* pace of economic advance; **W.zeitreihe** *f* economic time series; **W.zeitschrift** *f* trade publication; **W.zeitung** *f* commercial/business newspaper, financial paper; **W.zentrum** *nt* trade centre; **W.zone** *f* economic zone

Wirtschaftszweig *m* (line of) business, industry, trade, branch of industry/trade/activity/the economy, industrial/economic sector; **in einem W.** industry-wide

inländischer Wirtschaftszweig domestic industry; **junger W.** infant industry; **nicht gewerbliche/industrielle W.e** non-industrial activities; **konjunkturabhängiger W.** cyclical industry; **neuer W.** new industry; **notleidender W.** ailing industry; **nicht standortgebundener W.** footloose industry; **verstaatlichter W.** nationalized industry

Wirtschaftszyklus *m* trade/economic/business cycle

Wirtshaus *nt* inn, tavern, public house *[GB]*, pub *[GB] (coll)*, saloon *[US]*; **brauereifreies W.** free house; **W.genehmigung** *f* publican's licence

Wirtsleute *pl* landlord and landlady

Wiss|begierde *f* inquisitiveness, thirst for knowledge; **w.begierig** *adj* inquisitive

Wissen *nt* knowledge, know-how; **meines W.s** to my knowledge; **mit jds W.** in connivance with so.; **ohne mein W.** without my knowledge; **wider besseres W.** contrary to one's better judgment, against one's better knowledge

mit bestem Wissen und Gewissen (according) to the best of my knowledge/information and belief, to the best of my belief and knowledge; **nach seinem ~ Willen** with his privity and consent; **mit jds ~ Wollen** with so.'s knowledge and consent; **ohne jds ~ Wollen** without so.'s knowledge and consent

profundes Wissen profound knowledge; **verfügbares W.** operational knowledge

wissen *v/t* to know/realize, to be aware of; **nicht w.** to be ignorant of; **bestimmt/genau w.** to be positive, to know for certain, ~ a fact; **weder ein noch aus w.** to be at one's wit's end; **sehr genau/nur zu gut w.** to know full well; **wenig w. von** to have little knowledge of; **jdn w. lassen** to let so. know; **gern w. mögen, ob** to wonder if; **von etw. nichts w. wollen** not to want to hear of sth.; **w., wo was zu holen ist** *(coll)* to know which side one's bread is buttered on *(coll)*

Wissende(r) *f/m* insider

Wissensbereich *m* range of knowledge

Wissenschaft *f* science, academia, academe; **W. der Unternehmensführung** management science; **empirische W.** empirical/factual science; **instrumentelle W.** formal science; **medizinische W.** medical science

Wissenschaftler|(in) *m/f* scientist, academic; **W.kreise** *pl* academia, academe

wissenschaftlich *adj* scientific, academic

Wissenschafts|bereich *m* branch of knowledge, discipline; **W.betrieb** *m* academic life; **W.journalist** *m* science journalist; **W.ministerium** *nt* ministry of science, Department of Education and Science *[GB]*; **W.rat** *m* science council; **W.theorie** *f* general philosophy of science

Wissens|durst *m* thirst for/pursuit of knowledge; **W.gebiet** *nt* branch/field of knowledge; **W.schatz** *m* store of knowledge; **W.stand** *m* level of knowledge; **W.stoff** *m* material

wissentlich *adj* 1. deliberate, intentional; 2. § knowing, wilful, scienter *(lat.)*; **nicht w.** § unwitting

Witterung *f* weather; **w.sabhängig** *adj* depending on the weather; **w.sbedingt** *adj* due to weather, weather-induced; **w.sbeständig** *adj* weather-proof; **W.seinflüsse** *pl* effects of the weather; **W.sschaden** *m* weather damage; **W.sverhältnisse** *pl* weather (conditions); **ungünstige W.sverhältnisse** bad weather, adverse weather conditions

Wittum *nt* § jointure

Witwe(r) *f/m* widow(er)

Witwen|abfindung *f* lump-sum settlement on re-marriage;

W.anteil *m* § dower, jointure; **W.geld** *nt* widow's allowance/benefit/pension; **W.- und Waisengeld** compassionate allowance, life insurance benefits to widows and orphans; ~ **Waisenpapiere** *pl* widow and orphan stocks; **W.pension/W.rente** *f* widow's pension/bounty; **W.pflichtteil** *m* widow's compulsory portion; **W.-schaft** *f* widowhood; **W.unterstützung/W.zuschuss** *f/m* widow's benefit *[GB]*/allowance; **W.- und Waisenversicherung** *f* widows' and orphans' pension insurance/fund; **W.versorgung** *f* widows' pensions

Witwerrente *f* widower's pension

Whisky *m* whisky *[GB]*, whiskey *[US]*

Woche *f* week; **W. mit hoher Anwesenheitsrate** bull week; **kommende W.** next week; **zwei W.n** fortnight; **alle zwei W.n** every two weeks

Wochenabschluss *m* weekly return

Wochenarbeits|lohn *m* week's/weekly pay; **W.zeit** *f* working week, weekly working time; **W.zettel** *m* weekly time record sheet

Wochen|auftakt *m* start of the week; **W.ausklang** *m* *(Börse)* end of the week; **W.ausweis** *m* weekly report/return(s), ~ bank return(s); **konsolidierter W.-ausweis** consolidated weekly return(s); **W.auszug/W.beleg** *m* weekly record; **W.bericht** *m* weekly report; **W.bett** *nt* ⚕ confinement *[GB]*; **W.blatt** *nt* weekly (paper); **W.ende** *nt* weekend

Wochenend|ausflug *m* weekend trip; **W.ausflügler** *m* weekend tripper; **W.ausgabe** *f* weekend edition; **W.beilage** *f* weekend supplement

Wochenender *m* weekender, weekend tripper

Wochenendrückfahrkarte *f* weekend return, weekender

Wochen|geld *nt* 1. weekly allowance; 2. *(Vers.)* weekly benefit; 3. *(Geburt)* maternity benefit; **W.gewinn** *m* weekly gain; **W.hilfe** *f (Geburt)* maternity relief; **W.hilfeleistung** *f* maternity benefit payment; **W.karte** *f* weekly season ticket; **w.lang** *adj* for weeks on end

Wochenlohn *m* weekly wage/earnings/pay; **garantierter W.** guaranteed weekly wage; **W.empfänger** *m* weekly wage earner, *pl* weekly paid staff; **W.index** *m* index of weekly earnings

Wochen|markt *m* weekly market; **(in der) W.mitte** *f* mid-week; **W.rhythmus** *m* recurring week-to-week trend; **W.satz/W.tarif** *m* weekly rate; **W.schau** *f* newsreel; **W.schluss** *m (Börse)* end of the week; **sich zum ~ glattstellen** *(Börse)* to balance weekend positions; **W.-schrift** *f* weekly publication/periodical; **W.stichtag** *m* weekly return date; **W.tag** *m* weekday, day of the week

wöchentlich *adj* weekly, per week

Wochen|verdienst *m* weekly earnings/pay; **durchschnittlicher W.verdienst** average weekly earnings; **im W.verlauf** *m* in the course of the week; **w.weise** *adj* by the week, weekly; **W.zeitschrift/W.zeitung** *f* weekly (paper)

Wöchnerin *f* mother in childbed; **W.nenstation** *f* maternity unit

Woge *f* wave, surge; **W.n glätten** *(fig)* to pour oil on troubled waters *(fig)*

wohingegen *conj* whilst, while, whereas

Wohl *nt* welfare, well-being; **W. der Allgemeinheit** public welfare/interest/weal, common good/weal; ~ **Gesellschaft** public welfare; **auf jds W. trinken** to drink so.'s health; **allgemeines W.** public weal, general welfare; **leibliches W.** creature comforts *(coll)*; **öffentliches W.** public welfare, the public interest/good/weal

wohl *adv* well, arguably; **w. oder übel** willy-nilly

Wohlbefinden *nt* well-being; **leibliches W.** physical well-being/comfort

wohl begründet *adj* well-founded; **w.behalten** *adj* safe (and sound); **w.bekannt (mit)** *adj* well-known, familiar (with)

Wohlergehen *nt* welfare, well-being

wohl erhalten *adj* in good order; **w.erprobt** *adj* 1. well-tested, well-tired; 2. *(Mitarbeiter)* experienced; **w.erwogen** *adj* deliberate;

Wohlfahrt *f* (social) welfare, social services, national assistance; **gesellschaftliche W.** social welfare; **öffentliche W.** public welfare; **messbare ökonomische W.** measurable economic welfare; **soziale W.** social welfare/assistance

Wohlfahrts|amt *nt* social security *[GB]*/relief office; **W.ausschuss** *m* welfare committee; **W.behörde** *f* Charity Commission *[GB]*, National Assistance Board *[US]*; **W.dienst** *m* welfare service; **W.einrichtung** *f* welfare centre/facility, charitable institution; **betriebliche W.einrichtungen** plant welfare facilities; **W.-empfänger(in)** *m/f* social security recipient, welfare recipient; **W.erträge** *pl* welfare returns; **W.fonds** *m* (public) welfare fund, staff provident fund; **W.funktion** *f* public amenity function; **gesellschaftliche W.-funktion** social welfare function; **W.kasse** *f* welfare (benefit) fund; **W.leistungen** *pl* social (security) benefits; **W.marke** *f* ✉ semipostal, charity stamp; **W.ökonomie** *f* welfare economics; **W.optimum** *nt* welfare optimum; **W.organisation** *f* charitable organisation, charity, welfare agency; **W.- und Wiedergutmachungsorganisation der Vereinten Nationen** United Nations Relief and Rehabilitation Administration; **W.pflege** *f* welfare/social work; **freie W.pflege** voluntary welfare arrangements; **W.pfleger(in)** *m/f* welfare worker; **W.programm** *nt* welfare programme; **W.-staat** *m* welfare/nanny *(pej.)* state; **w.staatlich** *adj* welfare, welfarist; **W.system** *nt* welfare (state) system, welfarism; **W.tätigkeit** *f* welfare activity/work; **W.-theorie** *f* welfare economics; **W.unterstützung** *f* welfare payment(s)/relief; **W.unterstützungsempfänger(in)** *m/f* welfare recipient; **W.verband** *m* charitable association/organisation, charity, welfare organisation; **W.wirkungen** *pl* welfare effects

wohl|feil *adj* cheap; **w. fühlen** *v/refl* to feel welcome; **W.gefallen** *nt* delight, pleasure; **sich in ~ auflösen** *(coll)* to come to nothing

wohl|gemeint *adj* well-meaning, well-intentioned; **w.gesonnen** *adj* well-disposed

wohlhaben|d *adj* wealthy, prosperous, rich, affluent, opulent; ~ **sein** to be well off, to live in easy circumstances; **die W.den** *pl* the well-off; **W.heit** *f* prosperity, opulence, affluence

Wohl|leben *nt* high living; **w.meinend** *adj* well-meaning, well-intentioned; **W.sein** *nt* well-being; **w.-situiert** *adj* well off, well-heeled

Wohlstand *m* wealth, prosperity, affluence

Wohlstands|erzeuger *m* wealth creator; **W.gesellschaft** *f* affluent society; **W.güter** *pl* affluent-society goods; **W.index** *m* prosperity index; **W.mehrung** *f* increase of prosperity; **W.müll** *m* refuse of an affluent society; **W.niveau** *nt* level of prosperity

Wohl|tat *f* boon, benefit, good deed; **W.täter** *m* benefactor; **W.täterin** *f* benefactress

wohltätig *adj* charitable, benevolent; **W.keit** *f* charity, benefaction, benevolence

Wohltätigkeits|basar *m* charity bazaar; **W.einrichtung** *f* charitable institution; **W.fonds** *m* benevolent/benefit fund; **W.organisation** *f* charitable institution, do-good organisation *[US]*; **staatlich anerkannte W.-organisation** approved society; **W.stiftung** *f* § charitable trust; **W.veranstaltung/W.vorstellung** *f* charity performance; **W.verkauf** *m* jumble *[GB]*/rummage *[US]* sale; **W.verein** *m* charitable/benefit society; **eingetragener W.verein** registered charity *[GB]*; **W.-zweck** *m* charitable/good cause

wohl|tönend *adj* well-sounding; **w.überlegt** *adj* calculated; **w.verdient** *adj* well-deserved, well-earned

Wohl|verhalten *nt* good conduct/behaviour; **W.verhaltenskodex** *m* code of conduct; **w.verstanden** *adj* properly understood; **w.weislich** *adv* wisely

Wohlwollen *nt* goodwill, sympathy, patronage, friendliness; **sich jds W. verscherzen** to lose so.'s favour; **w.d** *adj* sympathetic, inclined, friendly; **~ gegenüberstehen** to sympathize with; **W.serklärung** *f* letter of comfort

Wohn|- residential; **W.anhänger** *m* trailer *[US]*, caravan *[GB]*; **W.anlage** *f* apartment building

Wohnbau *m* residential/house building; **W.ten** residential buildings; **W.darlehen** *nt* housing loan; **W.-fonds** *m* housing fund; **W.leistung** *f* housebuilding output; **W.tätigkeit** *f* housebuilding/housing activity

Wohn|bedarf *m* home requisites; **unvollkommene W.bedingungen** inadequate housing (conditions); **W.berechtigung(sschein)** *f/m* residence permit; **W.-bevölkerung** *f* resident population; **W.bezirk** *m* residential quarter/area; **W.block** *m* block of flats, apartment house/block *[US]*, tenement; **W.charakter** *m* residential nature; **W.container** *m* Portacabin TM; **W.-dauer** *f* occupancy; **W.dichte** *f* housing/population density; **W.eigentum** *nt* residential property; **selbstgenutztes W.eigentum** owner occupation; **W.einheit** *f* housing/accommodation/dwelling unit, unit of housing; **fertiggestellte W.einheit** completed dwelling unit

Wohnen *nt* living; **freies W.** free lodging; **w.** *v/i* to live/reside/dwell/stay/lodge; **möbliert w.** to live in furnished accommodation/dwellings; **nebenan w.** to live next door

Wohn|erlaubnis *f* residence permit; **W.fläche** *f* living/floor space

Wohngebäude *nt* 1. residential building, tenement (building), living quarters, block of flats; 2. farmhouse; **W.- und Wirtschaftsgebäude** residential and farm buildings; **verbundene W.versicherung** householder's comprehensive insurance

Wohn|gebiet *nt* residential district/area; **W.gebietsplanung** *f* residential area planning; **W.gegend** *f* residential area, neighbourhood; **W.geld(beihilfe/-zuschuss)** *nt/f/m* rent allowance/rebate *[GB]*/subsidy, housing benefit, lodging/(public) housing allowance, allowance for rent; **W.gelegenheit** *f* accommodation; **W.genossenschaft** *f* 1. residential community; 2. flat-sharing *[GB]*; **W.gesellschaft** *f* housing association; **W.-grundstück** *nt* residential property/estate

wohnhaft *adj* resident, domiciled

Wohnhaus *nt* residential building, dwelling/town house; **W. und Nebengebäude; W. mit Nebengebäuden und Landsitz** messuage; **W. einer Siedlungsgenossenschaft** cooperative apartment house *[US]*; **gemeindeeigenes W.** council house *[GB]*; **gemeindeeigene Wohnhäuser** public housing *[US]*; **herrschaftliches W.** mansion; **W.beleihung** *f* lending for residential buildings; **W.komplex** *m* housing estate

Wohn|heim *nt* 1. hostel; 2. *(Student)* hall of residence, dormitory; 3. *(Senioren)* residential home; **W.hochhaus** *nt* (block of) high-rise flats, high-rise; **W.immobilie(n)** *f/pl* residential property; **W.komfort** *m* home comfort; **moderner W.komfort** modern conveniences (mod cons); **W.komplex** *m* housing estate; **W.küche** *f* kitchen-cum-living room; **W.kultur** *f* style of living; **W.lage** *f* residential location/area; **W.landschaft** *f* landscaped interior

wohnlich *adj* liv(e)able, comfortable

Wohn|möbel *pl* house furniture; **W.mobil** *nt* motoring/mobile home, caravette, camper, dormobile TM; **W.möglichkeiten** *pl* housing accommodation

Wohnort *m* 1. domicile, (place of) residence, dwelling place, abode; 2. § situs *(lat.)*; **ständiger W.** permanent (place of) residence, permanent abode/home; **W.s-wechsel** *m* change of address

Wohn|partei *f* occupant, tenant; **W.qualität** *f* quality of housing; **W.quartier** *nt* living quarter(s)

Wohnraum *m* (residential) accommodation, living/residential space; **über zu großen W. verfügend** overhoused; **W. nachweisen; W. zur Verfügung stellen** to provide accommodation; **vermieteter W.** rented accommodation

Wohnraum|bedarf *m* housing/home demand, demand for housing; **W.beschaffung** *f* provision of housing, housing procurement; **W.bewirtschaftung** *f* controlled housing; **W.erstellung** *f* house building; **W.hilfe** *f* housing assistance; **W.kündigungsschutzgesetz** *nt* eviction protection act; **W.mangel** *m* housing shortage; **W.nachfrage** *f* housing demand; **W.zuteilung** *f* housing allocation

Wohnrecht *nt* right of abode/residence, residential right; **dingliches W.** limited personal servitude; **uneingeschränktes W.** permanent right of residence

Wohnschlafzimmer *nt* bed-sitter

Wohnsiedlung *f* housing/residential estate, residential settlement; **geplante W.** housing project/scheme; **kommunale W.** council estate *[GB]*

Wohnsilo *nt* concrete block, high-rise flats *[GB]*
Wohnsitz *m* (place of) residence/abode/domicile, dwelling (place), habitual residence; **mit W. in** residing/domiciled at; **W. im Ausland** residence abroad; **W. der gewerblichen Niederlassung** commercial domicile
Wohnsitz aufgeben to move (away), to relinquish one's domicile, to discontinue a residence; **W. begründen** to take up/establish a residence, to settle; **seinen W. haben in** to reside at, to be resident in, ~ domiciled at; **W. verlegen** to move, to transfer one's residence
bleibender/dauernder Wohnsitz permanent residence, fixed abode; **dienstlicher W.** official residence; **ehelicher W.** conjugal domicile, matrimonial residence; **fester W.** fixed/permanent address, ~ abode, habitual residence; **ohne festen W.** without fixed (place of) abode, of no fixed address/abode; **fiktiver W.** sham domicile; **gesetzlicher W.** legal residence; **ständiger W.** permanent residence/home/abode, fixed address, place of permanent residence; **steuerlicher W.** tax domicile/residence/home, fiscal domicile, country of domicile for tax purposes
Wohnsitz|änderung *f* change of domicile/address; **W.besteuerung** *f* residence taxation; **W.erfordernis** *nt* residence qualification; **W.finanzamt** *nt* local tax office; **W.prinzip** *nt (Doppelbesteuerung)* principle of income source neutrality; **W.staat** *m* country of ordinary residence, state of domicile; **W.veränderung/ W.verlegung/W.wechsel** *f/m* transfer/change of domicile; **W.voraussetzung** *f* residence requirement
Wohn|stätte *f* home, habitation; **ständige W.stätte** permanent home; **W.teil** *m* 🚜 residential properties; **W.turm** *m* tower block; **W.umfeld** *nt* residential/living environment; **W.umfeldverbesserung** *f* residential environment improvement, gentrification
Wohnung *f* flat, apartment, dwelling, abode, domicile, lodging, residential home, living quarters, habitation, place *(coll)*; **W.en** residential accommodation; **W. mit separatem Eingang** self-contained flat
Wohnung beschaffen to provide accommodation/a flat, to house; **neue W. beschaffen** to rehouse; **W. beziehen** to move into a flat/an apartment; **W. einrichten** to furnish a flat; **W. finanzieren** to finance a flat; **W. frei machen/räumen** to vacate a flat; **W. mieten** to rent a flat/an apartment; **W. möblieren** to furnish a flat; **W. suchen** to look for accommodation; **in einer neuen W. unterbringen** to rehouse; **W. vermieten** to let a flat; **W. wechseln** to change address, to move (house)
abgeschlossene Wohnung self-contained flat; **vom Eigentümer bewohnte W.** owner-occupied flat; **eheliche W.** matrimonial home; **frei finanzierte W.** privately financed dwelling, ~ housing unit; **freie W.** 1. *(Steuer)* free living quarters; 2. *(privat)* free lodging; **öffentlich geförderte W.** subsidized flat; **gemeindeeigene W.** council flat *[GB]*; **neu genehmigte W.en** newly approved dwellings; **möblierte W.** furnished flat *[GB]*/apartment *[US]*; ~ **W.en** furnished accommodation; **leer stehende W.** vacant flat, unlet property; **vermietete W.** let accommodation; **werkseigene W.** company flat, company-owned dwelling

Wohnungs|amt *nt* housing office/department/authority, accommodation/rent officer, public housing agency; **W.angebot** *nt* housing stock; **W.anschrift** *f* address; **W.anzeiger** *m* housing directory; **W.ausschuss** *m* housing committee
Wohnungsbau *m* home/residential/housing construction (industry), house/residential building, residential development/building; **frei finanzierter/freier/privater W.** privately financed house building, ~ housing, **freier/privater W.** privately financed housing, private-sector/privately financed house building; **öffentlich geförderter W.** publicly assisted housing, ~ house building; **gewerblicher W.** private-enterprise house building; **kommunaler W.** council house building/construction; **öffentlicher W.** public housing, federal-financed low-cost housing *[US]*, council *[GB]*/public-sector house building; **sozialer W.** public house building, social/subsidized housing construction, council/public-sector/social housing, council house/flat construction *[GB]*
Wohnungsbau|behörde *f* house-building/public-housing authority; **W.beihilfe** *f* housing subsidy/grant; **W.darlehen** *nt* housing/home loan, lending to housebuilders; **W.finanzierung** *f* house-building financing, housing finance; **W.förderung** *f* promotion of housing construction; **W.förderungsanstalt** *f* housing development institution; **W.genehmigung** *f* house-building permit; **W.genossenschaft** *f* residential building/housing cooperative, housing association trust; **W.gesellschaft** *f* development company; **gemeinnützige W.gesellschaft** non-profit-making building society; **W.gesetz** *nt* housing act/law; **W.grundstück** *nt* residential site; **W.hypothek** *f* residential mortgage; **W.investition** *f* housing investment; **W.konjunktur** *f* housing boom; **W.kosten** *pl* accommodation costs; **W.kredit** *m* housing loan; **W.leistung** *f* total housing output; **W.minister** *m* minister of housing; **W.ministerium** *nt* ministry of housing; **W.nebenkosten** *nt* incidental accommodation costs; **W.politik** *f* housing policy; **W.prämie** *f* house-building premium, housing bonus; **W.programm** *nt* housing development program(me)/scheme; **staatliches W.programm** governmental housing programme; **W.projekt** *nt* housing scheme; **W.sektor** *m* housing sector; **W.tätigkeit** *f* housing/residential construction; **W.verband** *m* house-building association; **W.vermögen** *nt* housing fund(s); **W.volumen** *nt* volume of house construction, total housing output; **W.wirtschaft** *f* residential construction industry, house-building industry
Wohnungs|bedarf *m* housing demand/requirements; **W.behörde** *f* housing authority, rent officer; **W.beihilfe** *f* housing allowance; **W.beleihung** *f* housing loan; **W.beschaffung** *f* housing; **W.bestand** *m* housing stock, residential accommodation, total dwellings; **W.-bewirtschaftung** *f* housing control; **W.defizit** *nt* housing shortage; **W.eigentum** *nt* 1. ownership of an apartment, home ownership *[GB]*, residential property; 2. condominium *[US]*; **W.eigentümer(in)** *m/f* flat owner, owner-occupier; **W.eigentümergemeinschaft** *f* con-

dominium owners' association *[US]*; **W.eigentumsgesetz** *nt* Condominium Act *[US]*; **W.einbruch** *m* burglary; **W.einheit** *f* dwelling unit, flat; **W.einrichtung** *f* household furnishings; **W.erhebung** *f* housing census; **W.fertigstellung** *f* completion of residential buildings; **W.finanzierung** *f* housing finance; **öffentliche/staatliche W.fürsorge** publicly assisted/provided housing; **W.geld(zuschuss)** *nt/m* housing benefit/allowance, rent rebate; **W.genossenschaft** *f* housing cooperative/association; **W.gesuche** *pl (Anzeige)* accommodation wanted; **W.größe** *f* dwelling size; **W.grundbuch** *nt* condominium register *[US]*; **W.hypothek** *f* domestic/residential mortgage; **W.inhaber** *m* 1. householder, occupier, tenant; 2. owner-occupier; **W.kauf** *m* purchase of a flat, house purchase; **W.knappheit/W.mangel** *f/m* housing shortage; **W.kosten** *pl* housing costs; **W.krise** *f* housing crisis; **w.los** *adj* homeless; **W.makler** *m* accommodation broker, (real) estate agent, realtor *[US]*; **W.mangel** *m* housing shortage

Wohnungsmarkt *m* housing/residential (property) market; **W. bewirtschaften** to control housing; **bewirtschafteter W.** controlled housing market

Wohnungs|miete *f* rent; **W.- und Städtebauministerium** *nt* department of housing and urban development; **W.nachweis** *m* accommodation registry; **W.neubau** *m* 1. *(Baubeginn)* housing start; 2. new residential building; **W.neubauten** newly constructed housing, new residential construction; **W.not** *f* housing shortage, lack of housing; **W.nutzer** *m* occupant; **W.politik** *f* housing policy; **W.problem** *nt* housing problem; **W.-programm** *nt* housing programme; **W.projekt** *nt* housing project; **W.qualität** *f* housing quality; **bewirtschafteter W.raum** controlled housing; **W.recht** *nt* housing law, law of tenancy; **W.situation** *f* housing situation; **W.statistik** *f* housing statistics; **W.suche** *f* flat/house hunting; **auf ~ sein** to house-hunt/flat-hunt *[GB]*; **W.suchende(r)** *f/m* flat-hunter *[GB]*, house-hunter; **W.tausch** *m* flat swapping; **W.unternehmen** *nt* housing company; **gemeinnütziges W.unternehmen** (non-profit-making) housing society; **W.vermietung** *f* flat letting, rental of dwellings; **W.vermittlung** *f* accommodation bureau/office; **W.versicherung** *f* residence insurance; **W.versorgung** *f* housing supply; **öffentliche/staatliche W.versorgung** publicly provided housing; **W.verwalter** *m* 1. housing manager; 2. *(Siedlung)* estate warden; **W.verwaltung** *f* housing management/administration; **W.wechsel** *m* change of address; **W.wert** *m* assessed value of residential property; **W.wesen** *nt* housing; **subventioniertes W.wesen** subsidized housing; **W.wirtschaft** *f* housing industry; **W.zuschuss** *m* housing allowance, rent rebate; **W.zuweisung** *f* housing allocation; **W.zwangswirtschaft** *f* housing/rent control

Wohn|verhältnisse *pl* living/housing conditions; **W.viertel** *nt* residential district/area/section/quarter/estate; **W.vorort** *m* residential/dormitory suburb; **W.-wagen** *m* 🚗 caravan *[GB]*, trailer *[US]*; **W.wert** *m* residential value, value for residential purposes; **w.wirtschaftlich** *adj* housing; **W.zimmer** *nt* living/sitting room, parlour, lounge; **für W.zwecke** *pl* for residential/housing purposes; **~ ungeeignet** unfit for human habitation

wölb|en *v/refl* to bulge; **W.ung** *f* bulge, curvature

Wolframerz *nt* tungsten ore

Wolke *f* cloud

Wolken|bruch *m* cloudburst; **W.decke** *f* cloud cover; **w.frei/w.los** *adj* cloudless; **W.kratzer** *m* skyscraper, high-rise; **W.kuckucksheim** *nt* cloud-cuckooland

wolkig *adj* cloudy, nebulous

Woll|anfall *m* wool crop; **W.artikel** *m (Kammgarn)* worsted article, woollen; **W.ballen** *m* bale of wool; **W.börse** *f* wool exchange/hall; **W.decke** *f* woolen blanket

Wolle *f* wool; **reine W.** pure wool

wollen *adj* woollen

Woll|ertrag *m (Schur)* (wool) clip; **jährlicher W.ertrag** (annual) wool clip; **W.faser** *f* wool fibre *[GB]*/fiber *[US]*; **W.großhändler** *m* wool stapler; **W.handel** *m* wool trade; **W.händler** *m* wool merchant; **W.industrie** *f* wool(len) industry; **W.jahr** *nt* wool year; **W.kämmerei** *f* wool carding shop; **W.markt** *m* wool market; **W.produzent** *m* wool grower; **W.schuraufkommen** *nt* wool clip; **W.siegel** *nt* Woolmark ™; **W.spinnerei** *f* woolmill; **W.stoff** *m* woollen (material); **W.waren** *pl* worsted articles, woollens; **W.warengeschäft** *nt* wool draper

Wort *nt* word; **im W.** committed; **ohne W.e** no comment

Wörter pro Minute words per minute (wpm); **in Wort und Schrift** in speech and writing; **~ Tat** in word and deed; **Worte, die das Eigentumsrecht bestimmen** § words of limitation

mit anderen Wort|en in other words; **mit einem W.** to sum up

jdm das Wort abschneiden to cut so. short; **W.e abwägen** to weigh one's words; **keiner weiteren W.e bedürfen** to go without saying; **sein W. brechen** to break one's word; **mit seinem W. bürgen** to pledge one's word; **(gutes) W. einlegen für** to put in a (good) word for so., to speak for so., to intercede on so.'s behalf; **jdm das W. entziehen** to ask the speaker to stop, to impose a ban of silence, to stop so. speaking; **W. ergreifen** to (rise/begin to) speak, to take the floor; **jdm das W. erteilen** to allow so. to speak, to admit so. to the floor; **in W.e fassen** to phrase/word, to put into words; **keine W.e finden** to be at a loss for words; **den W.en Taten folgen lassen** to suit one's actions to one's words; **W. haben** to be allowed to speak, to have the floor; **letztes W. haben** 1. § to make the final plea; 2. to have the last word; **sein W. halten** to be as good as one's word; **~ nicht halten** to go back on one's word; **seine W.e auf die Goldwaage legen** *(fig)* to weigh one's words carefully; **nicht viel W.e machen** not to waste words; **sich zu W. melden** to ask leave to speak; **ein W. mitzureden haben** to have a say in the matter; **jdn beim W. nehmen** to take so. at his word; **einer Sache das W. reden** to speak in favour of sth.; **erlösendes W. sprechen** to break the ice *(fig)*; **zu seinen W.en stehen**

to stand by one's words; **sich seine W.e gut überlegen** to weigh one's words; **jdm das W. im Munde verdrehen** to twist so.'s words; **keine W.e verlieren** to waste no words; **W.e verschwenden** to waste one's breath; **auf das W. verzichten** to waive the right to speak

aufmunternde Wort|e pep talk; **beleidigende W.e** injurious/defamatory words; **einführende W.e** introductory words; **ergreifende W.e** moving words; **gebührenpflichtiges W.** *(Telegramm)* chargeable word; **geflügeltes W.** dictum *(lat.)*, saying; **gestrichenes W.** deleted word; **harte W.e** harsh words; **leere W.e** empty words; **rechtsgestaltende W.e** § operative words; **schöne W.e** fair words; **starke W.e** strong language; **tönende W.e** empty words; **wohlgesetzte W.e** well-chosen words; **zusammengesetztes W.** compound word

Wort|abstand *m* spacing; **W.adressierung** *f* word addressing; **W.bank** *f* word bank; **W.begrenzungszeichen** *nt* word separator; **W.bildung** *f* word formation; **W.bruch** *m* breach of promise; **w.brüchig werden** *adj* to renege (on sth.); **ein Wörtchen mitzureden haben** to have a say in the matter; **W.entziehung** *f* order to relinquish the floor

Wörterbuch *nt* dictionary, thesaurus; **W. der Handelssprache** commercial/business dictionary; **W.eintrag** *m* dictionary entry; **W.verfasser** *m* lexicographer

Worterteilung *f* recognition, catching the speaker's eye

Wörterverzeichnis *nt* vocabulary list, glossary

Wort|folge *f* word order; **W.führer(in)** *m/f* spokesman, spokesperson, advocate, protagonist; **W.gebilde** *nt* word mountain; **W.gebühr** *f (Telegramm)* telegramme rate; **W.gefecht** *nt* battle/war of words, cross talk; **w.getreu** *adj* literal, verbatim *(lat.)*; **w.gewandt** *adj* eloquent, (highly) articulate; **wenig w.gewandt** inarticulate; **w.karg** *adj* taciturn; **W.klauber** *m* word splitter

Wortlaut *m* 1. wording, text, terms, purport; 2. *(Brief)* tenor, version; **W. der Gesetze** § statutes at large; **nach dem W. des Gesetzes** by the terms of the act; **W. einer Urkunde** tenor of a deed, facing of an instrument; **W. eines Vertrages** wording of a contract; **W. von Verträgen** language of treaties; **der deutsche W. ist maßgebend** the German text prevails; **jeder W. ist gleichermaßen verbindlich** both texts are equally authentic; **wobei ~ gleichermaßen verbindlich ist** all texts being equally authentic; **folgenden W. haben** to read as follows; **sich genau an den W. halten** to stick to the text; **W. einer Vernehmung verfälschen** § to verbal; **im vollen W. zitieren** to quote verbatim *(lat.)*; **amtlicher W.** official/authorized version, ~ text; **genauer W.** the exact terms; **verbindlicher W.** authentic/authoritative text

wörtlich *adj* 1. literal, verbal, verbatim *(lat.)*; 2. *(Übersetzung)* word-for-word; 3. at face value

Wort|meldung *f* request for leave to speak; **W.protokoll** *nt* verbatim report (of the proceedings); **w.reich** *adj* verbose, wordy; **W.reichtum** *m* verbosity; **W.-schatz** *m* vocabulary; **W.schöpfung** *f* neologism; **W.schwall** *m* torrent/spate of words; **W.spiel** *nt* pun, word play, play on words; **W.stellung** *f* word order; **W.streit** *m* argument; **W.symbol** *nt* 🖳 word delimiter; **W.taktzeit** *f* ✉ word time; **W.tarif** *m (Telegramm)* word rate; **W.verarbeitung** *f* 🖳 word processing; **W.verfälschungen** *(im Vernehmungsprotokoll) pl* § verbals; **W.wechsel** *m* exchange (of words), verbal exchange; **w.wörtlich** *adj* literal, word-for-word, verbatim *(lat.)*; **W.zeichen** *nt* logo; **W.zeit** *f* word time

Wrack *nt* ⚓ (ship)wreck; **W. flottmachen** to float a wreck; **zum W. machen** to wreck; **W. markieren** to buoy a wreck; **W.boje/W.tonne** *f* wreck buoy; **W.gut/W.teile** *nt/pl* wreckage

wringen *v/t* to wring

Wucher *m* usury, profiteering, jobbing, extortion, exorbitance, rip-off *(coll)*; **W. treiben** to practice usury; **W.-** usurious; **W.darlehen** *nt* usurious loan; **W.einwand** *m* § defence of usury

Wucherer *m* profiteer, usurer, money-sponger, money-spinner, loan shark *(coll)*

Wuchergeschäft *nt* usurious transaction, rip-off *(coll)*; **W.e** profiteering; **~ machen** to profiteer

Wucher|gesetz *nt* usury act; **w.isch** *adj* 1. *(Zins)* usurious; 2. *(Preis)* extortionate; **W.miete** *f* extortionate/rack rent

Wuchern *nt* proliferation; **w.** *v/i* to proliferate; to practise usury; **(wild) w.d** *adj* rampant

Wucher|preis *m* cutthroat/exorbitant/extortionate/ransom/usurious price; **~ bezahlen** to pay through the nose *(coll)*; **W.vertrag** *m* usurious contract; **W.zins** *m* usury, usurious/excessive/illegal interest, loan shark rates; **W.zinsforderung** *f* excessive interest charge

Wuchsaktie *f* growth share *[GB]*/stock *[US]*

Wucht *f* momentum, impact; **w.ig** *adj* massive, swingeing

wühlen *v/i* to rummage, to forage around

Wühltisch *m* bargain counter

wund *adj* sore; **W.brand** *m* ⚕ gangrene

Wunde *f* wound; **jdm eine W. beibringen** to inflict a wound on so.; **W.n heilen** to heal the wounds; **tödliche W.** fatal wound

Wunder *nt* miracle, wonder, marvel; **kein W. nehmen/sein** to come as no surprise; **wahre W. vollbringen; W. wirken** to do/work wonders, to work miracles

wunderbar *adj* miraculous, wonderful, prodigious

Wunder|heilung *f* miracle cure; **W.kerze** *f* sparkler; **W.kind** *nt* infant prodigy, whizz kid; **W.mittel** *nt* miracle cure, panacea

wundern *v/refl* to wonder/marvel

Wundstarrkrampf *m* ⚕ tetanus

Wunsch *m* wish, request, desire, ambition; **auf W.** if requested, upon/by/on request; **auf allgemeinen W.** by popular request; **je nach W.** as desired; **der W. ist der Vater des Gedankens** the wish is father of the thought; **nach W. ausfallen** to answer expectations; **einem W. entsprechen/nachkommen** to comply with a wish/request; **jds W. erfüllen** to fall in with so.'s wishes; **nach W. verlaufen** to go according to plan; **brennender W.** fervent desire; **frommer W.** pious wish; **unerfüllbarer W.** pie in the sky *(fig)*

Wünschbarkeit *f* desirability
Wunsch|bild *nt* ideal, rosy illusion; **W.denken** *nt* wishful thinking, pie in the sky *(fig)*
Wünschelrute *f* divining rod
wünschen *v/t* to wish/desire/require; **nichts/viel zu w. übrig lassen** to leave nothing/much to be desired
wünschenswert *adj* desirable, preferable; **nicht w.** undesirable; **volkswirtschaftlich w.** economically desirable
wunsch|gemäß *adj* as requested; **W.katalog/W.liste** *m/f* wish-list, shopping list *(fig)*; **W.traum** *m* pipe-dream, idle wish; **W.vorstellung** *f* wishful thinking, pie in the sky *(fig)*
Würde *f* dignity; **unter meiner W.** beneath my dignity; **richterliche W.** the office of a judge, judgeship, the bench
würdelos *adj* undignified
Würdenträger *m* dignitary
würdevoll *adj* dignified, majestic
würdig *adj* dignified, worthy
würdigen; zu w. wissen *v/t* to appreciate/acknowledge/prize/assess, to do justice to; **w.d** *adj* appreciative
Würdigung *f* appreciation, appraisal, evaluation, estimation; **in W.** in appreciation of; **kritische W.** critical appraisal
Wurf *m* *(Erfolg)* success, hit
Würfel *m* cube; **w.n** *v/t* to play dice; **W.zucker** *m* lump sugar
Wurf|geschoss/W.körper *nt/m* projectile, missile; **W.sendung** *f* mailing, mailshot, direct-mail/unmailed direct advertising, throwaway
Würgegriff *m* stranglehold
Würgen *nt* choke; **w.** *v/t* to strangle/choke
Würger *m* strangler
Wurzel *f* 1. ⚘/π root; 2. *(Grund)* root cause; **mit der W. ausrotten** to eradicate; **W.n schlagen** to (take) root; **W.gemüse** *nt* root crop; **w.n** *v/i* to be rooted; **W.zeichen** *nt* π radical sign
Wüste *f* desert; **jdn in die W. schicken** *(fig)* to send so. into the wilderness *(fig)*; **W.nbildung** *f* desertification
Wut *f* fury, rage; **W.anfall** *m* fit of temper, tantrum; **W.ausbruch haben** *m* to blow one's top *(coll)*
wüten *v/i* to rage/rave
wütend *adj* irate, furious; **w. machen** to infuriate; **w. auf jdn sein** to be mad at sth./so.

X

x-Achse *f* π x-axis, abscissa
Xero|grafie/X.kopie TM *f* xerox TM (copy); **x.grafieren/x.kopieren** TM *v/t* to xerox TM
x-mal *adv* n number of times

Y

y-Achse *f* π y-achsis, ordinate
Yard (=O.914 m) *m* yard; **Y.maß/Y.stock** *nt/m* yardstick

Z

Z-Faktor *m* z-score
zaghaft *adj* timid
zäh *adj* 1. stiff, tough, sticky, tenacious; 2. 🚗 slow-moving; **Z.igkeit** *f* toughness, tenacity, persistence
Zahl *f* number, figure, character
Zahl der getätigten Abschlüsse *(Vers.)* underwriting result; ~ **Arbeitslosen** unemployment figures/register; ~ **Beschäftigten** number of employees, staff number, payroll, labour force; ~ **ausgeübten Bezugsrechte** share *[GB]*/stock *[US]* options exercised; ~ **Eheschließungen** marriage rate, number of marriages; ~ **Enthaltungen** abstentions; ~ **Erwerbspersonen/-tätigen** working population, payroll employment; ~ **ehelichen Geburten** number of legitimate births; **Z.en für das Gesamtjahr** full-year figures; **Z. der Gespräche** ✆ call volume; **Z.en für das erste Halbjahr** half-year figures; **Z. der kündigungsfreien Jahre** call protection; **Z. vor dem Komma** leading figure; **Z. der Mitarbeiter** staff number, payroll, workforce size; ~ **Neuabschlüsse** number of new contracts; ~ **geschätzten Nutzungsjahre** number of years of expected life; ~ **Pflichtaktien** stock qualification; ~ **Sitze/Sitzplätze** seating capacity; ~ **offenen Stellen** unfilled vacancies figure(s); ~ **abgegebenen Stimmen** total votes cast; ~ **Stimmenthaltungen** abstentions; **zugelassene Z. fehlerhafter Stücke** allowable defects; **Z. der Todesopfer** death toll; **Z.en der Vorkalkulation** precalculated figures
große Zahl von scores of; **in Z.en (ausgedrückt)** in numerical terms/figures (figs); **Z.en geschätzt** figures assumed
in die roten Zahl|en absinken to dip into the red; **mit schwarzen Z.en arbeiten** to be in the black, to operate at a profit; **Z. auslassen** to drop a number; **schwarze Z.en erreichen** to break even; **Z.en frisieren** *(coll)* to massage figures *(coll)*; **(nachhaltig/plötzlich) in die roten Z.en geraten** to go/plunge into the red, to chalk up a deficit; **aus den ~ herauskommen** to get out of the red; **wieder in die schwarzen Z.en kommen** to bounce back into surplus; **allmählich ~ kommen** to pigeon-toe into profitability *(coll)*; **Z. nennen** to quote a figure; **in den roten Z.en sein/stecken** to be/operate in the red, to run at a deficit, to write with red ink; **schwarze Z.en schreiben; in den schwarzen Z.en sein** to be in the

black, ~ profitable, to write with black ink, to operate at a profit; **tiefrote Z.en schreiben** to show heavy read ink; **aus den roten Z.en heraus sein** to break even; **an Z. überlegen sein; ~ übertreffen** to outnumber; **in großer Z. vorhanden sein** to abound; **Z.en vergleichen** to check figures

absolute Zahl absolute number; **amtliche Z.en** official figures/returns; **bereinigte Z.en** revised figures; **einstellige Z.** single/monodic/one-digit figure; **fortlaufende Z.** consecutive number; **ganze Z.** π integral number, integer; **in ganzen Z.en** in round numbers; **positive ganze Z.** π positive integer; **gerade Z.** even number; **glatte Z.** round figure; **glaubhafte Z.en** realistic figures; **konkrete Z.en** hard figures; **laufende Z.** running number; **über den Erwartungen liegende Z.en** better-than-expected figures; **mehrstellige Z.** multiple-digit number; **offizielle Z.en** official reckoning; **römische Z.en** Roman numerals; **rote Z.en** *(Bilanz)* red figures; **in den roten Z.en** in the red, in deficit; **in runden Z.en** in round figures; **schwarze Z.en** *(Bilanz)* black figures; **in den schwarzen Z.en** *(fig)* in credit/surplus, in the black; **unbenannte Z.** absolute number; **ungerade Z.** uneven/odd number; **zusammengesetzte Z.** composite number; **zweistellige Z.** two-digit/double-digit number, ~ figure

Zahlagent *m* fiscal agent; **als Z.en bestimmen** to appoint as fiscal agent; **als Z. zurücktreten** to resign as fiscal agent

zahlbar *adj* payable, due; **z. in bar** payable in cash; **z. netto gegen Kasse** payable net cash; **z. bei 90 Tagen Ziel** payable within 90 days

zahlbar stellen *(Wechsel)* to make payable, to domicile/domiciliate; **z. werden** to fall due; **postnumerando z.** payable later/in arrears; **pränumerando/im Voraus z.** payable in advance, prepayable; **sofort z.** spot (cash), due

zählbar *adj* countable

Zahlbarkeit *f* payability; **Z.stag** *m* date of maturity

Zahlbarstellung *f* *(Wechsel)* domiciliation

Zähl|blatt/Z.bogen *nt/m* tally sheet, census paper; **Z.-brett** *nt* money tray; **Z.einrichtung** *f* 🖳 collator counting

zahlen *v/t* 1. to pay/settle/clear, to make/effect payment, to stump up *(coll)*; 2. *(Zinseszins)* to compound; **zu z.** owing, receivable; **z. Sie an mich** *(Scheck)* pay self

anstandslos zahlen to pay up readily; **bar z.** to pay (in) cash, to put down the money; **sich dumm und dämlich z.** *(coll)* to pay through the nose *(coll)*; **mehr z. als notwendig** to pay over the odds; **nach und nach z.** to space out payments; **im Nachhinein z.** to pay in arrears; **pränumerando z.** to prepay, to pay in advance; **prompt z.** to pay promptly, to pay on the nail *(fig)*; **pünktlich z.** to pay punctually/on time/on the dot; **selbst z.** to pay out of one's own pocket; **sofort z.** to pay on the spot/nail *(fig)*; **im Voraus z.** to prepay, to pay in advance; **vorzeitig z.** to pay before maturity; **zu viel z.** to overpay, to pay over the odds

zählen *v/t* to count/tell/number/reckon, to take count of sth.; **z. zu** to rank among; **auf etw./jdn z.** to reckon/count/rely/depend (up) on sth./so.; **falsch z.** to miscount

Zahlen|- numeric(al); **Z.akrobatik** *f* juggling with figures, statistical sleight of hand; **Z.angabe/Z.bild** *f/nt* figures; **Z.beispiel** *nt* numerical example; **Z.bündel** *nt* clutch of figures; **Z.code/Z.kode** *m* numeric code; **Z.feld** *nt* 🖳 digit(al) display; **Z.fetischist** *m* number-cruncher *(coll)*; **Z.filter** *m* 🖳 digit filter; **Z.folge** *f* numerical order; **Z.gleichung** *f* numerical equation; **Z.größe** *f* numerical quantity; **Z.kolonne** *f* column; **Z.lochung** *f* 🖳 numeric punching; **Z.lotto** *nt* numbers pool; **z.mäßig** *adj* numerical, quantitative; **Z.material** *nt* figures, statistics, statistical documentation; **Z.reihe** *f* column of figures, series; **Z.relation/Z.verhältnis** *f/nt* ratio; **Z.schloss** *nt* combination lock; **Z.spiel(erei)** *nt/f* juggling with figures, statistical sleight of hand, numbers game; **Z.stempel** *m* numbering stamp; **Z.system** *nt* numerical/number system; **vollständige Z.-übersicht** full figures; **Z.werk** *nt* (set of) figures; **Z.wert** *m* numerical value; **Z.zusammenstellungen** *pl* accounts

Zahler *m* payer; **fauler Z.** slow payer; **prompter/pünktlicher Z.** good/prompt payer; **rückständiger/säumiger Z.** defaulting/slow/tardy/dilatory/late payer, defaulter; **wichtigster Z.** main contributor

Zähler *m* 1. ⚡ meter; 2. ⚙ counter, tally; 3. π numerator, top; 4. *(Stimmen)* teller; **Z. ablesen** to read the meter

Zähler|ableser *m* meter reader; **Z.ablochung** *f* 🖳 counter punch exit; **Z.ausgang** *m* 🖳 counter exit; **Z.eingang** *m* 🖳 counter entry; **auf Z.messung umstellen** *f* to meter; **Z.saldo** *m* 🖳 counter balance; **Z.stand** *m* ⚙/⚡ meter reading; **Z.stelle** *f* 🖳 counter position; **Z.steuerung** *f* 🖳 counter control

Zahl|fracht *f* cargo, payload; **Z.gast** *m* 1. fare-paying/ticketed passenger; 2. paying guest; **Z.grenze** *f* *(Fahrpreis)* fare stage; **Z.karte** *f* 1. ✉ money order, giro transfer form; 2. *(Postbarscheck)* postal order

Zählkarte *f* score card

Zahl|kasse *f* cash desk: **Z.kellner** *m* head waiter; **Z.kraft** *f (Geld)* legal tender

Zählkraft *f* teller

Zahl|last *f* regular tax burden; **z.los** *adj* countless, innumerable, numberless; **Z.meister** *m* paymaster, purser; **z.reich** *adj* numerous

Zählscheibe *f* recording disc/disk

Zahl|schein *m* payment/deposit slip; **Z.seite** *f (Münze)* tails, reverse

Zahlstelle *f* 1. payments/paying/accounts office, paying/fiscal/transmittal agent, paying agency, cash receiving office; 2. *(Wechsel)* domicile; **frei Z. des Lieferers** ex paying agent of seller

Zahlstellen|abkommen *nt* paying agency agreement; **Z.geschäft** *nt* interest and dividend payout business; **Z.verzeichnis** *nt* list of paying agents; **Z.wechsel** *m* domiciled bill

Zählstrick *m* tally

Zahl|tag *m* 1. payday, date/day of payment; 2. *(Börse)* settlement/account day; **Z.tisch** *m* pay desk

Zähluhr *f* ⚙ meter

Zahlung *f* 1. payment, disbursement, payout; 2. *(Schuld)* satisfaction, settlement, clearance; **an Z.s Statt** in (lieu of) payment; **bis zur Z.** pending payment; **gegen/nach Z. von** (up)on payment of; **mangels Z.** for want/lack/default of payment, in default of payment

Zahlung auf Abruf payment on demand; **Z. ohne Abzug** net cash payment; **Z. durch Akzept** payment by acceptance; **Z. ohne Anerkennung einer Rechtspflicht** ex gratia *(lat.)* payment; **Z. auf erstes Anfordern** payment upon first demand; **Z. bei Auftragserteilung/Bestellung** payment/cash with order (c.w.o.); **~ Ausscheiden** termination of employment payment, golden handshake *(coll)*; **Z. durch Bankwechsel** payment by bank draft; **Z. nach Baufortschritt** progress/milestone payment; **Z. durch Dauerüberweisung** automatic bill paying; **Z. gegen Dokumente** cash against documents (c.a.d.), payment against documents; **Z. der Einnahmen** amounts actually paid; **Z. bei Erfolg** *(Bergung)* ⚓ no cure, no pay; **Z. bei Erhalt der Faktura** payment on receipt of invoice; **~ Versandanzeige** payment on receipt of advice of despatch; **~ Ware** payment on receipt of goods, cash *[GB]*/collect *[US]* on delivery (C.O.D./c.o.d.); **Z. bei Fälligkeit** payment when due; **Z. vor Fälligkeit** prepayment, anticipated/anticipating payment, payment before maturity; **Z. nach Fertigstellung** termination payment; **~ (Herstellungs)Fortschritt** progress/milestone payment; **Z. in Gold/Hartgeld** specie payment; **Z. bei Kaufabschluss** *m* payment on completion of purchase; **Z. der Konventionalstrafe** penalty payment; **Z. mit rückwirkender Kraft** retroactive payment; **Z. von Leistungen** *(Vers.)* payment of benefit(s); **Z. bei Lieferung** cash *[GB]*/collect *[US]* (C.O.D./c.o.d.)/payment on delivery; **Z. vor oder bei Lieferung** cash terms of sale; **Z. gegen 3-Monats-Wechsel** payment against three months' draft; **~ Nachnahme** cash *[GB]*/collect *[US]* on delivery (C.O.D./c.o.d.); **Z. einer Pauschale** flat-rate/lump-sum payment; **Z. gegen Postquittung** payment against postal receipt; **Z. unter Protest** payment supra protest; **Z. in Raten** payment by instalments; **~ offener Rechnung** payment on open account; **Z. nach Rechnungserhalt** payment on (receipt on) invoice; **Z. durch Scheck** payment by cheque *[GB]*/check *[US]*; **Z. gegen Spediteurübernahmebescheinigung** payment against forwarding agent's certificate of receipt; **Z. innerhalb 10 Tagen = 3% Skonto** payment within 10 days = 3 p.c. (cash) discount; **Z. auf Verlangen** payment on demand; **Z. auf Grund zivilrechtlicher Verpflichtungen** payment under deeds of covenant; **Z. bei Verschiffung** cash on shipment (c.o.s.); **Z. im Voraus** advance payment, prepayment, payment in advance; **Z. unter Vorbehalt** payment under reserve; **Z. bei Vorlage** payment on presentation; **~ der Rechnungen** payment of invoices; **Z. Zug um Zug** back-to-back payment, payment on contemporaneous performance; **Z. einer Zwischendividende** interim payment

zur Zahlung fällig due and payable

Zahlung ablehnen to refuse payment; **Z.en abwickeln** to make payments; **Z. anmahnen** to dun for payment; **Z. annehmen** to accept payment; **zur Z. auffordern** to demand payment; **Z.en wieder aufnehmen** to resume payments; **Z. aufschieben** to defer/postpone payment; **Z. aussetzen** to suspend payment; **Z. beantragen** to apply for payment; **Z. beitreiben** to enforce/exact payment; **Z. bescheinigen** to receipt payment; **eingegangene Z.en bestätigen** to acknowledge payments received; **auf Z. bestehen** to insist on payment; **Z. bewirken** to effect payment; **auf/zur Z. drängen** to push/press for payment; **Z. einstellen** 1. to suspend/stop payment; 2. *(Insolvenz)* to default; **Z. gerichtlich eintreiben** to enforce payment; **Z. erbitten** to request payment; **jdn an eine überfällige Z. erinnern** to remind so. of an overdue account; **Z. erleichtern** to facilitate payment; **Z. erzwingen** to enforce payment; **Z. fordern** to demand/claim payment; **in Z. geben** to trade in, to give in part exchange; **mit seinen Z.en in Rückstand geraten** to default (on one's payments); **Z. hinausschieben** to defer payment; **mit seinen Z.en hinterherhinken** to be in arrears with one's payments; **auf Z. klagen** to sue for payment; **mit Z.en in Verzug kommen** to default (on one's payments); **Z. leisten** to effect payment/settlement, to pay/remit, to make payments; **fällige Z.en leisten** to meet payments when due; **vor Verfallszeit Z. leisten; Z. vorfristig leisten** to anticipate payment; **zur Z. mahnen** to demand payment; **in Z. nehmen** to trade/take in, to receive in payment; **zur Z. präsentieren** to present for payment; **Z. quittieren** to receipt payment; **mit seiner Z. in Rückstand/Verzug sein** to default (on one's payment); **Z. sicherstellen** to secure payment; **für Z. sorgen** to provide payment; **Z. sperren** to stop payment; **Z. stunden** to grant/accord a respite in payment; **Z. vereinbaren** to stipulate payment; **Z. verlangen** to request payment; **sich vertraglich zur Z. verpflichten** to contract to pay; **Z.en über eine Periode verteilen** to spread payments over a period; **Z. verweigern** to refuse payment; **Z. eines Wechsels verweigern** to dishonour a bill; **Z. vorenthalten** to withhold payment; **zur Z. vorlegen** to present for payment; **~ der Kosten verurteilt werden** § to be ordered to pay costs; **Z. zurückhalten** to retain payment

abschlägige Zahlung payment on account, instalment; **laufend anfallende Z.en** periodic payment; **anteilige Z.** pro-rata payment; **aufgeschobene Z.** deferred liability/payment; **ausgehende Z.** outpayment; **ausstehende Z.en** receivables, outstanding debts; **bankmäßige Z.** bank payment; **bargeldlose Z.** cashless payment, money transfer, transfer by cheque *[GB]*/check *[US]*; **eingegangene Z.en** receipts; **eingehende Z.en** receipts, takings; **einmalige Z.** one-off/single/once-and-for-all/commutation payment, single/lump sum; **einstweilige Z.** § interlocutory payment; **erhaltene Z.en** payments received; **erste Z.** down/initial payment, deposit; **fällige Z.en** due payments; **freiwillige Z.** ex gratia *(lat.)* payment; **gestaffelte Z.** staggered payment; **gleichbleibende Z.en** level payments; **hinausgeschobene Z.** deferred payment; **internationale Z.en**

international payments/settlements; **laufende Z.en** regular/current payments; **monatliche Z.** monthly payment; **ordnungsgemäße Z.** payment in due course; **pränumerando Z.** payment beforehand; **prompte/schnelle Z.** prompt payment; **rückständige Z.** delinquent/overdue payment; **rückwirkende Z.** back pay; **sofortige Z.** prompt/cash(-down)/spot/immediate payment; **teilweise Z.** part payment; **telegrafische Z.** cable transfer; **verspätete Z.** belated payment, payment behindhand; **volle/vollständige Z.** payment in full, complete payment; **vorzeitige Z.** payment before due date; **wiederkehrende Z.en** periodical/revolving payments; **regelmäßig ~ Z.en** regular payments; **zusätzliche Z.** supplementary payment

Zählung *f* 1. count, calculating, counting; 2. *(Bevölkerung)* census, roll call; **nach dieser Z.** by this count; **fortlaufende Z.** serial count

Zahlungs|abkommen *nt* monetary/payments agreement; **internationales Z.abkommen** international payments agreement; **Z.abschnitt** *m* counterfoil, stub; **Z.abwicklung** *f* settlement; **~ des Außenhandels** settling of foreign trade payments; **Z.adresse** *f* domicile, residence; **Z.anordnung** *f* order to pay; **Z.anspruch** *m* claim/demand for payment, pecuniary claim; **Z.ansprüche befriedigen** to meet demands for payment

Zahlungsanweisung *f* 1. ✉ disbursement/money order, *(Postbarscheck)* postal order; 2. giro/transfer order, banker's draft (b.d.), bank money order, payment/disbursement voucher, pay bill; **Z.en** payment instructions; **per Z. begleichen/zahlen** to pay by order

Zahlungs|anzeige *f* advice of payment; **Z.art** *f* form/manner of payment

Zahlungsaufforderung *f* demand/request/application for payment, notice to pay, demand note, (cash) call; **befristete Z. an Urteilsschuldner unter Androhung eines Konkursverfahrens; richterliche Z. mit Konkursandrohung** bankruptcy notice *[GB]*; **jdm eine Z. zukommen lassen** to draw on so.; **dringende Z.** dunning letter; **erste Z.** 1. first request for payment; 2. *(Aktienbezug)* first call; **letzte Z.** 1. final application; 2. *(Aktienbezug)* final call; **Z.sschein** *m* demand note, call ticket

Zahlungsaufschub *m* respite (of payment/debts), extension/prolongation (of payment), deferment, delay, period of grace/respite; **Z. bewilligen** to grant a respite, ~ deferred payment; **um Z. bitten** to ask for/request an extension; **Z. gewähren** to grant a respite

Zahlungs|auftrag *m* payment order; **Z.ausfallrisiko** *nt* default risk; **Z.ausgang** *m* cash disbursement/payment, outpayment

Zahlungsausgleich *m* settling/clearance of payments, squaring of payments position; **Z. unter Banken** clearing, exchanges; **internationaler Z.** international settlements; **multilateraler Z.** multilateral settlements

Zahlungsavis *nt* remittance advice

Zahlungsbedingungen *pl* 1. terms/conditions of payment, settlement/payment terms; 2. *(Lieferant)* credit terms; **über Z. verhandeln** to negotiate terms of payment; **günstige Z.** easy terms (of payment); **übliche Z.** usual terms of payment

Zahlungs|befehl *m* order/notice to pay, default summons, precept, payment order, writ of execution; **Z.beleg** *m* receipt, payment voucher; **Z.berechtigte(r)** *f/m* payee, party entitled to payment; **Z.bereitschaft** *f* solvency, willingness/ability to pay, liquidity; **Z.beschränkungen** *pl* exchange restrictions; **Z.- und Transferbeschränkungen** exchange restrictions on payments and transfers; **Z.bestätigung** *f* acknowledgment of receipt/payment; **Z.bevollmächtigte(r)** *f/m* paying agent; **Z.bewilligung** *f* payment permit

Zahlungsbilanz *f* balance of payments, payments/foreign balance, external account(s); **Z. im buchhalterischen Sinne** accounting balance of payments; **Z. ex post** accounting balance of payments; **die Z. ist stark angespannt** the balance of payments is under pressure; **~ passiv** external payments are in deficit

aktive Zahlungsbilanz active/favourable balance (of payments); **angespannte Z.** balance of payments stress; **ausgeglichene Z.** balance of payments in equilibrium; **defizitäre/negative/passive Z.** balance of payments deficit, adverse/unfavourable balance of payments, debit balance; **grundlegende Z.** basic balance of payments; **positive Z.** balance of payments surplus; **statistische Z.** account(ing) balance of payments; **technische Z.** balance of payments for patents and royalties; **unausgeglichene Z.** balance of payments disequilibrium, imbalance in payments, disequilibrium in the balance of payments

Zahlungsbilanz|aktivum *nt* balance of payments surplus; **Z.anpassung/Z.ausgleich** *f/m* balance of payments adjustment; **Z.defizit** *nt* (balance of) payments deficit, external deficit; **Z.disziplin** *f* balance of payments discipline; **Z.entwicklung** *f* balance of payments trend; **Z.gefüge** *nt* balance of payments structure; **Z.gleichgewicht** *nt* balance of payments equilibrium; **Z.hilfe** *f* balance of payments aid; **Z.kredit** *m* credit towards squaring the balance of payments; **Z.krise** *f* balance of payments crisis, crisis in the balance of payments; **Z.lücke** *f* balance of payments gap; **Z.mechanismus** *m* payments mechanism; **Z.misere** *f* balance of payments problems; **Z.optik** *f* balance of payments picture; **Z.politik** *f* balance of payments policy; **Z.position** *f* balance of payments position; **Z.probleme** *pl* balance of payments problems/difficulties; **Z.saldo** *m* balance of payments account/outcome; **Z.schema** *nt* balance of payments presentation; **Z.schwäche** *f* unhealthy state of the balance of payments, persistent balance of payments deficit(s); **Z.schwankung** *f* balance of payments fluctuation/swing; **Z.schwierigkeiten** *pl* balance of payments difficulties; **Z.situation** *f* international payments situation; **Z.spielraum** *m* margin for balance of payments fluctuations; **Z.stabilität** *f* balance of payments stability; **Z.statistik** *f* balance of payments statistics; **Z.überschuss** *m* current account/(balance of) payments/external surplus: **Z.ungleichgewicht** *nt* balance of payments disequilibrium; **Z.verschlechterung** *f* deterioration in the balance of payments; **z.wirksam** *adj* affecting the balance of payments

Zahlungs|buchung ohne Zuordnung *f* part payment; **Z.bürgschaft** *f* payment bond; **Z.büro** *nt (Bank)* sub-branch; **Z.datum** *nt* date of payment; **letztes Z. datum** final date of payment; **Z.defizit** *nt* payments deficit; **zulässige Z.differenz** permissible payments deficit

Zahlungseingang *m* inpayment, cash receipt, receipt of payment; **Zahlungseingänge** inpayments, payments received, cash receipts; **vorbehaltlich Z.** reserving due payment; **Z. bestätigen** to acknowledge payments received; **Z. überwachen** to follow up invoices

Zahlungs|einstellung *f* 1. suspension/cessation of payments, stoppage, default; 2. bankruptcy, insolvency, commercial failure; **Z.einwand** *m* objection to payment; **Z.empfänger(in)** *m/f* 1. payee, remittee, recipient (of a payment); 2. *(Abbuchungsverfahren)* originator; **Z.erinnerung** *f* reminder, application for payment

Zahlungserleichterung *f* more convenient method of payment; **Z.en** easy/extended terms (of payment), facilities for payment; **gegen Z.** on easy terms; **besondere Z.en** special facilities of payment

Zahlungs|ermächtigung *f* payment appropriation/authorization, authority to pay; **Z.ersuchen** *nt* application for payment

zahlungsfähig *adj* solvent, able to pay, sound, good, responsible; **Z.keit** *f* solvency, ability to pay, capacity (to pay), debt-paying ability, responsibility; **über seine Z. kaufen** to overbuy

Zahlungs|faktor *m* payments-affecting factor; **z.fällig** *adj* due for payment; **Z.fälligkeit** *f* maturity, payability; **Z.forderung** *f* demand for payment, terms; **Z.form** *f* payment system, mode/method of payment

Zahlungsfrist *f* 1. period/time allowed for payment, credit period, term of payment; 2. *(Nachfrist)* (period of) grace, respite, deferment; **Z. setzen** to fix a date for payment; **Z. verlängern** to grant a respite

Zahlungs|garant im Außenhandelsverkehr *m* confirming house; **Z.garantie** *f* payment guarantee/bond, guarantee of payment; **Z.genehmigung** *f* authorization to pay; **Z.gepflogenheiten/Z.gewohnheiten** *pl* paying/payment habits, prior payment pattern/practice(s); **Z.gleichgewicht** *nt* balance of payments equilibrium; **Z.guthaben** *nt* demand balance; **z.halber** *adv* on account of payment; **Z.intervall** *nt* payment interval; **Z.klage** *f* [§] action for the recovery of money; **Z.klausel** *f* settlement/payment clause; **Z.konto** *m* account used for payment; **z.kräftig** *adj* 1. solvent, sound, good; 2. wealthy; **Z.land** *nt* country of payment; **Z.leistende(r)** *f/m* payer; **Z.leistung** *f* payment; **Z.liste** *f* remittance statement; **Z.meldung/Z.mitteilung** *f* advice of payment, payment report, remittance advice

Zahlungsmittel *nt* means of payment, legal tender, currency/payment medium, money, currency; *pl (Bilanz)* cash and cash equivalent, cash assets, notes and coins; **als gesetzliches Z. gelten** to be receivable; **zum gesetzlichen Z. machen** to monetize; **ausländisches Z.** foreign currency; **bargeldlose Z.** money in account, bank/cheque *[GB]*/check *[US]* book money, deposit currency/money; **gesetzliches Z.** legal tender *[GB]*, lawful money *[US]*; **zulässiges Z.** [§] good tender

Zahlungsmittel|bestand *m* amount of cash and cash equivalents, cash holdings, currency reserve, stock of money; **Z.einheit** *f* currency unit; **Z.erhöhung durch Anleihenaufkauf** *f (Zentralbank)* debt monetizaion; **Z.menge** *f* money supply; **Z.schöpfung** *f* creation of currency; **Z.surrogat** *nt* substitute for cash

Zahlungsmittelumlauf *m* notes and coins in circulation, currency; **Z. ausweiten** to inflate a currency; **Z. einschränken** to deflate a currency; **Z. erhöhen** *(Zentralbank)* to monetize debts

Zahlungs|mittelversorgung *f* currency/money supply; **Z.modalität** *f* payment system; **Z.modalitäten** terms/modalities of payment, payment arrangements/procedures, leads and lags; **Z.modus** *m* form/mode/method of payment; **Z.möglichkeiten** *pl* payment facilities; **Z.moral** *f* paying habits, payment behaviour, readiness in paying; **gute Z.moral** prompt paying habits; **Z.moratorium** *nt* payment standstill, standstill agreement; **Z.nachweis** *m* proof of payment; **Z.obergrenze** *f* maximum limit for payment; **Z.ort** *m* 1. place of payment; 2. *(Wechsel)* domicile; **Z.pflicht** *f* duty/obligation to pay, pecuniary obligation; **z.pflichtig** *adj* liable to payment, obliged to pay; **Z.pflichtige(r)** *f/m* debtor, party liable for payment; **Z.plan** *m* payment plan/schedule; **Z.planung** *f* cash planning; **Z.raum** *m* payment/currency area; **Z.reihe** *f* series of payments; **Z.reserve** *f* reserve available for payment; **Z.rhythmus** *m* payment pattern; **Z.rückstände** *pl* arrears/backlog of payment; **Z.saldo** *m* (net) balance of payments; **Z.scheck** *m* cashable cheque *[GB]*/check *[US]*; **Z.schwierigkeit** *f* (temporary) financial difficulties, temporary shortage of liquid funds, embarassment; **in Z.schwierigkeiten** embarrassed; **Z.seite** *f* payments side; **Z.sicherung** *f* securing payment; **Z.sitten** *pl* payment habits; **Z.sperre** *f (Scheck)* stop payment, stoppage of payment; **Z.stelle** *f* paying agent; **Z.stockung** *f* liquidity crunch, temporary illiquidity, hold-up in payments; **Z.stopp** *m* payments stop, countermand of payments; **Z.strom** *m* cash flow; **Z.ströme** payments; **Z.surrogat** *nt* auxiliary currency; **Z.system** *nt* payments system; **Z.tag** *m* 1. day of payment; 2. *(Börse)* account/settlement day; **z.technisch** *adj* payment

Zahlungstermin *m* 1. day/date/term of payment; 2. payment date/deadline, date for payment; **durchschnittlicher Z.** equation of payments; **letzter Z.** net day; **mittlerer Z.** average due date

Zahlungs|titel *m* item; **Z.turnus** *m* payment cycle; **Z.überschuss** *m* payments surplus; **Z.überweisung** *f* payments transfer

zahlungsunfähig *adj* unable to pay, insolvent, non-solvent, bankrupt; **jdm für z. erklären** to declare bankrupt, to hammer so. *(fig)*; **z. werden** to default; **Z.e(r)** *f/m* insolvent, defaulter, bankrupt

Zahlungsunfähigkeit *f* inability to pay, insolvency, non-solvency, default, bankruptcy; **bei Z.** in case of insolvency; **seine Z. anmelden** to declare o.s. insolvent; **Z.serklärung** *f* cross default

Zahlungs|ungleichgewicht *nt* payments disequilibrium/imbalance; **Z.union** *f* payments union; **z.unwillig**

adj unwilling to pay; **Z.unwilligkeit** *f* unwillingness to pay

Zahlungsverbot *nt* stop/garnishee order, garnishment; **Z. erteilen** to garnish; **endgültiges Z.** § garnishee order absolute; **vorläufiges Z.** § garnishee order nisi *(lat.)*

Zahlungs|vereinbarung *f* stipulation of payment, payment arrangement; **nutzungsbezogenes Z.verfahren** pay-as-you-use principle: **Z.verhalten** *nt* payment performance/attitude/behaviour; **~ in der Vergangenheit** credit history; **Z.verjährung** *f* prescription of tax payments

Zahlungsverkehr *m* payments, monetary/payment transactions, payment system/business, money transfer; **Z. mit dem Ausland** foreign transactions, ~ exchange arrangements, external payments; **Z. zwischen Banken** interbank payments/transactions

bargeldloser Zahlungsverkehr cashless payments, giro system, non-cash/cashless money transfer, non-cash money transmission, transactions without actual currency; **erleichterter Z.** convenience banking; **gebundener Z.** controlled payments, payments in agreed currencies; **internationaler Z.** international payments/settlements, payments to and from foreign countries; **multilateraler Z.** multilateral settlements; **unbarer Z.** cashless payments

Zahlungsverkehrs|abwicklung *f* handling of payments; **Z.leistungen** *pl* payment services

Zahlungs|vermögen *nt* solvency; **z.verpflichtet** *adj* under obligation to pay

Zahlungsverpflichtung *f* (financial) obligation to pay, liability to make payment, payment obligation; **Z. eingehen** to promise to pay; **einer Z. nachkommen** to retire an obligation; **Z.en nachkommen** to meet liabilities/financial obligations; **den ~ nicht nachkommen** to default (on a payment)

Zahlungs|versäumnis *nt* default; **Z.verschiebungen** *pl* shift in payment patterns; **Z.versprechen** *nt* promise to pay; **gesamtschuldnerisches Z.versprechen** joint and several note; **Z.verweigerung** *f* (dishonour by) non-payment, retention/withholding of payment, refusal to pay; **Z.verzögerung** *f* delay in payment; **schikanöse Z.verzögerung** vexatious refusal to pay

Zahlungsverzug *m* delay of payment, default of/in payment, delinquency; **in Z. kommen** to (make) default; **~ sein** to be in arrears/default; **anhaltender Z.** protracted default

Zahlungs|vollmacht *f* authorization to pay; **Z.vordruck** *m* payment form; **Z.vorgang** *m* payment (transaction); **Z.vorschlag** *m* payment proposal; **Z.währung** *f* money of payment; **Z.weg/Z.weise** *m/f* method/form/manner/mode/terms of payment; **vierteljährliche Z.weise** quarterly payment/terms; **Z.zeitpunkt** *m* date of payment, payment time; **Z.wille** *m* willingness to pay

Zahlungsziel *nt* period/time allowed for payment, period of credit/payment, term of payment, credit (period); **Z. einräumen** to grant/accord/extend a credit, to grant a respite, to allow time for payment; **langfristiges Z. einräumen** to allow a long period for payment; **langfristiges Z.** deferred payment term; **langfristige Z.e** long-term credit facilities; **mit offenem Z.** on an open account basis; **offenes Z.** open (account) terms

(mechanisches) Zählwerk *nt* mechanical counter, meter

zahm *adj* tame

zähmen *v/t* to tame/domesticate/subdue

Zahn|arzt/Z.ärztin *m/f* dentist, dental surgeon; **z.ärztlich** *adj* dental; **Z.behandlung** *f* dental treatment; **Z.ersatz/Z.prothese** *m/f* (set of) dentures, false teeth; **Z.fäule** *f* tooth decay, caries; **Z.fehler** *m (Briefmarke)* perforation fault; **Z.fleisch** *nt* gums; **Z.klinik** *f* dental clinic; **Z.krone** *f* crown; **Z.medizin** *f* dentistry; **Z.rad** *nt* gear, cogwheel, sprocket wheel; **Z.radbahn** *f* 🚂 rack-and-pinion railway; **Z.schmerzen** *pl* toothache

Zähnung *f* perforation

Zange *f* pliers; **Z.nbewegung** *f* pincer movement; **Z.npolitik** *f* pincer-like policy

Zank *m* dispute, row, wrangle, quarrel; **Z.apfel** *m* bone of contention

zanken *v/refl* to squabble/bicker/wrangle

zänkisch *adj* quarrelsome, cantankerous

Zäpfchen *nt* ⚕ suppository

Zapfen *m* ⚙ stud, pin

Zapf|hahn *m* tap *[GB]*, faucet *[US]*; **Z.säule** *f* 🚗 petrol/gasolene pump *[US]*; **Z.säulenbereich** *m (Tankstelle)* (garage) forecourt

Zaster *m* *(coll)* lolly *(coll)*, brass *(coll)*, dough *(coll) [US]*

Zäsur *f* break, cut

Zauberer *m* magician

Zauber|formel *f* magic formula; **Z.kunststück** *nt* conjuring trick; **Z.kur** *f* miracle cure

zaubern *v/t* to conjure

Zaudern *nt* hesitation, dithering, foot-dragging; **z.** *v/i* to hesitate/dither, to drag one's feet

Zaum *m* bridle; **im Z. halten** to keep under control

Zaun *m* fence; **Z.gast** *m* onlooker

Zebrastreifen *m* zebra *[GB]*/pedestrian crossing, crosswalk *[US]*

Zeche *f* 1. ⚒ (coal) mine, colliery, pit; 2. *(Rechnung)* reckoning, score, bill check *[US]*; **ab Z.** ⚒ ex mine, at pithead; **Z. (be)zahlen** to foot the bill; **Z. prellen** to leave without paying, to bilk; **Z. schließen/stilllegen** ⚒ to close a mine

Zechen|arbeiter *m* ⚒ miner, mine worker; **Z.besitzer** *m* mine owner; **Z.distrikt** *m* mining district; **z.eigen** *adj* mine-owned; **Z.gas** *nt* mine-produced gas; **Z.gesellschaft** *f* mining company; **Z.halde** *f* slag heap; **Z.koks** *m* by-product/pithead coke; **Z.preis** *m* pithead price; **Z.sterben** *nt* (spate of) pit closures; **Z.stilllegung** *f* pit closure; **Z.strom** *m* mine-generated electricity

Zech|gelage *nt* drinking bout; **Z.preller** *m* bilker, bill dodger; **Z.prellerei** *f* hotel fraud, bill dodging, absconding without paying for one's meal; **Z.tour** *f* pub crawl *[GB]*, toot *[US]*

Zedent *m* 1. assigner, assignor, transferor, granter, grantor, endorser, surrenderer, ceding party/company;

2. original insurer; **freiwilliger Z.** voluntary grantor, volunteer

zedierlbar *adj* assignable, transferable; **z.en** *v/t* 1. to assign/transfer/cede/surrender/convey, to make an assignment; 2. *(Vers.)* to give off; **Z.ung** *f* assignment, transfer, cession

Zehncentstück *nt* dime *[US]*

Zehnerlclub/Z.gruppe *m/f* *(IWF)* Group of Ten, Paris Club; **Z.karte** *f (Verkehrsmittel)* 10-journey ticket; **Z.konferenz** *f* Conference of the Ten; **Z.system** *nt* decimal system; **Z.tastatur** *f* numeric keyboard; **Z.übertrag** *m* 🖳 decimal carry

Zehnfingersystem *nt* *(Schreibmaschine)* touch-typing (method/system)

Zehnjahresl- decennial; **Z.feier** *f* decennial

zehnjährig *adj* decennial

Zehnt *m* tithe

die oberen Zehntausend *pl* the upper class, high society

Zehntellstelle/Z.wert *f/m* decile

zehntpflichtig *adj* tithable

zehren von *v/prep* to live off/on

Zeichen *nt* 1. *(Hinweis)* sign, signal, indication, evidence; 2. feature, mark; 3. symptom, omen; 4. token; 5. *(Brief)* reference; 6. *(Schrift)* character; 7. *(Symbol)* logo; **unser/Ihr Z.** our/your reference; **Z. der Hochachtung** mark of respect; **Z. und Nummern** marks and numbers; **die Z.n stehen auf Sturm** there is a storm brewing

Zeichen angeben to quote the reference; **etw. als günstiges Z. betrachten** to regard sth. as a good omen; **Z. einbrennen** to brand; **seines Z.s etw. sein** *(Beruf)* to be sth. by trade; **gutes Z. sein** to augur/bode well; **Z. setzen** to set an example, to make a symbolic gesture, to put markers down *(fig)*; **im Z. stehen von** to be characterized/marked by

akustisches Zeichen audible alarm/signal; **höchstwertiges Z.** 🖳 most significant character; **untrügliches Z.** unmistakable sign

Zeichenlabfühlung *f* 🖳 mark scanning/sensing, character sensing; **elektronische Z.abtastung** electronic character sensing; **Z.anerkennung** *f* character recognition; **Z.anordnung** *f* character string; **Z.anzeige** *f* character display; **Z.auflösung** *f* character resolution; **Z.block** *m* drawing pad/block; **Z.brett** *nt* drawing board; **Z.büro** *nt* drawing office; **Z.code** *m* character code; **Z.darstellung** *f* character representation, number notation; **Z.dichte** *f* 🖳 pitch; **Z.drucker** *m* 🖳 character printer; **Z.erkennung** *f* character recognition; **optische Z.erkennung** optical character recognition (OCR); **Z.erklärung** *f* 1. key (to symbols), legend; 2. *(Karte)* legend; **Z.feder** *f* drawing pen; **Z.folge** *f* character string; **Z.geld** *nt* token/representative money; **Z.gemeinschaft** *f* trademark association; **Z.gerät** *nt* 1. drawing instrument; 2. 🖳 plotter; **Z.kette** *f* 🖳 character string; **Z.kombination** *f* code combination/configuration; **Z.leser** *m* character reader; **Z.maßstab** *m* plotting scale; **Z.papier** *nt* drawing/plotting paper; **~ mit Maßeinteilung** chart/graph paper; **Z.reihe** *f* string of symbols; **Z.rolle** *f (Warenzeichen)* register of trademarks; **Z.saal** *m* drafting room; **Z.satz** *m* 🖳 character set, font; **Z.schlüssel** *m* key; **Z.schutz** *m* protection of (registered) trademarks; **Z.setzung** *f* punctuation; **Z.sprache** *f* sign language; **Z.steuer** *f* revenue strip tax; **Z.stift** *m* 1. drawing marker; 2. *(Buntstift)* crayon; **Z.system** *nt* notation; **Z.theorie** *f* semiotics; **Z.tinte** *f* drawing ink; **Z.tisch** *m* drawing table; **Z.trickfilm** *m* animated cartoon; **Z.übertragung** *f* letter transmission; **Z.vorlage** *f* original, model; **Z.vorrat** *m* character repertoire/set; **Z.wahl** *f (Schalter)* character select; **Z.wiedergabe** *f* character reproduction

Zeichnen *nt* drawing; **Z. nach Vorlage** object(s) drawing; **punktförmiges Z.** point plotting

zeichnen *v/t* 1. to draw/design/plot/sign; 2. *(garantieren)* to underwrite; 3. *(Wertpapiere)* to subscribe; **maßstabsgerecht z.** to draw to scale; **verantwortlich z.** to be responsible; **nicht voll z.** to undersubscribe

Zeichner *m* 1. drawer, designer; 2. *(Wertpapiere)* subscriber, investor, applicant, allottee; 3. *(Emission)* underwriter; **Z. von Aktien** subscriber of shares; **möglicher Z.** prospective subscriber; **technischer Z.** draughtsman *[GB]*, drafter/draftsman *[US]*, tracer

Zeichnerbank *f* subscribing bank

zeichnerisch *adj* graphical

Zeichnerlkreis *m* category of subscribers; **Z.liste** *f* list of subscribers

Zeichnung *f* 1. drawing, draft, delineation; 2. *(Garantie)* underwriting; 3. *(Wertpapier)* subscription; 4. *(Muster)* patterning; **Z. von Aktien** subscription of shares, application for the allotment of shares; **Z. einer Anleihe** subscription of a loan; **zur Z. aufgelegt** open for subscription

zur öffentlichen Zeichnung anbieten to offer for public subscription; **Z. anfertigen** to make a drawing; **zur Z. auflegen** to offer for subscription, to invite subscriptions; **zur Z. aufliegen** to be open for subscription; **Z. schließen** to close a subscription; **für eine Z. werben** to canvass for a subscription

maßstabsgetreue Zeichnung scale drawing; **öffentliche Z.** general/public subscription; **schematische Z.** skeleton sketch; **technische Z.** technical/engineering drawing

Zeichnungsangebot *nt* subscription offer, public offering, offer for subscription, subscription premium; **Z. für Schatzwechsel** tender for treasury bills; **zur Abgabe von Z.en auffordern** to invite tenders; **öffentliches Z.** public (stock) offering

Zeichnungslantrag *m* subscription application; **Z.aufforderung** *f* invitation to bid/subscribe; **Z.aufkommen** *nt (Anleihe)* subscriptions total; **Z.auflegung** *f* offering for subscription; **Z.bedingungen** *pl* subscription terms, underwriting conditions; **Z.befugnis** *f* authority to sign; **z.berechtigt** *adj* 1. authorized to sign; 2. *(Emission)* entitled to subscribe; **Z.berechtigte(r)** *f/m* officer responsible; **Z.berechtigung** *f* 1. power of signature, authority to sign, signature authorization, signatory power; 2. *(Emission)* subscription right; **Z.bescheinigung** *f* subscription receipt; **Z.betrag** *m* subscription quota/money, amount subscribed, application money; **Z.bevollmächtigte(r)** *f/m* duly authorized signatory, signing clerk; **Z.bogen** *m (Emission)* subscription list; **Z.einladung** *f* invitation to subscribe; **Z.ergebnis/Z.erlös** *nt/m* (stock) subscription level/proceeds; **Z.formular** *nt* subscription blank, subscription/application form; **Z.frist** *f* subscription period; **Z.gebot** *nt* subscription offer; **Z.gebühr** *f* subscription fee/charges; **Z.grenze** *f (Vers.)* underwriting limit; **Z.gründung** *f* formation by subscribers; **Z.höchstgrenze** *f (Vers.)* line; **Z.jahr** *nt* 1. year of subscription; 2. *(Vers.)* underwriting year; **Z.kapazität** *f (Vers.)* underwriting capacity; **Z.kapital** *nt* subscription capital, capital subscribed; **Z.kurs** *m* issue/subscription/offering price, rate of subscription; **Z.liste** *f* application/subscription list; **Z.offerte** *f* public offering; **Z.politik** *f (Vers.)* underwriting (policy); **Z.preis** *m* subscription/issue price, price of issue; **Z.prospekt** *m* issue/subscription/offering prospectus; **Z.publikum** *nt* subscribing public; **Z.recht** *nt* subscription right; **Z.rendite** *f* yield on subscription; **Z.schein** *m* subscription form/blank/slip, application form/blank; **Z.-schluss** *m* closing of subscription; **Z.stelle** *f* subscription agent, bank of issue, subscription-reveiving office; **Z.summe** *f* amount subscribed; **Z.tabelle** *f (Vers.)* underwriting limits table; **Z.tag** *m* date of subscription; **letzter Z.tag** *(Aktien)* renunciation date; **Z.übereinkommen** *nt* underwriting agreement; **Z.urkunde** *f* letter of subscription; **Z.vertrag** *m* subscription contract; **Z.vollmacht** *f* authority/power to sign, signature authority, power of signature, signing power; **Z.volumen** *nt (Emission)* subscription volume; **Z.willige(r)** *f/m* potential subscriber

zeigen *v/t* 1. to demonstrate/show/reveal/display; 2. to reflect/indicate/point/suggest/evidence; *v/refl* to be reflected in, to manifest itself; **sich erkenntlich z.** to show one's gratitude; **sich öffentlich z.** to appear in public

Zeiger *m* 1. indicator, pointer; 2. *(Uhr)* hand; **Z.kennzeichnung** *f* pointer qualification

Zeile *f* line, row: **Z. aussparen** to leave a blank line; **Z. einfügen** to insert a line; **Z. einrücken/einziehen** to indent a line; **jdm ein paar Z.n hinterlassen** to leave so. a note; **zwischen den Z.n lesen** to read between the lines; **jdm ein paar Z.n schreiben** to drop so. a few lines; **zwischen die Z.n schreiben** to interline; **blinde Z.** blank line; **eingerückte Z.** indented line

Zeilen|abstand *m* space, line height/spacing; **doppelter Z.abstand** double space/spacing; **Z.anfang** *m* line start; **Z.befehl** *m* 🖳 line command; **Z.begrenzung** *f* 🖳 overflow; **variable Z.begrenzung** variable-length overflow; **Z.dichte** *f* horizontal spacing; **Z.druck** *m* line printing; **Z.drucker** *m* line printer; **Z.einstellung** *f* line posting; **Z.einzug** *m* 🗍 indentation; **Z.endsignal** *nt* line-end signal; **Z.endsperre** *f* line-end lock; **Z.gebühr** *f (Werbung)* lineage; **Z.grenze** *f* line limit; **Z.honorar/Z.preis/Z.satz** *nt/m* lin(e)age, line rate; **Z.maß** *nt* line measure; **Z.nummer** *f* line number; **Z.schinder** *m* hack; **Z.sprung** *m* jump; **Z.standanzeige** *f* line count; **(automatischer) Z.umbruch** *m* 🖳 word wrapper; **Z.transport** *m* line spacing; **Z.vorschub** *m* line skipping/feed; **Z.vorschubzeichen** *nt* new line character; **automatische Z.wahl** 🖳 selective line printing; **z.weise** *adj* by the line; **Z.zähler** *m* 🖳 line counter

Zeit *f* time; **auf Z.** forward, on term/credit; **zur Z.** at the moment, for the time being, currently, pro term

Zeit der Abwesenheit period of absence; **Z. zum Ausprobieren** trial period; **Z. der Aussetzung** suspension period; **Z. wirtschaftlicher Blüte** boom period; **zur Z. der Drucklegung** at the time of printing; **festgelegte Z. zur Einschaltung von Straßen- und Fahrzeugbeleuchtung** lighting-up time; **Z. der größten Fernsehzuschauerdichte** peak viewing time/hours; **Z. zwischen den Kriegen** interwar period; **für Z.en der Not** for a rainy day *(fig)*; **in ~ Not** in times of need; **in ~ Rezession** in recessionary times; **Z. als Schriftführer** secretaryship; **Z. für auftragsfremde Tätigkeit** diverted time; **Z. jugendlicher Unbefangenheit** salad days *(coll)*; **Z. als Vorsitzender** chairmanship, presidency

Zeit ist Geld time is money; **der Z. voraus** ahead of time; **es gab mal eine Z., als...** time was when; **die Z. wird es lehren** (only) time will tell; **alles zu seiner Z.** all in its time

seine Zeit abdienen *(Lehre)* to serve one's time; **auf Z. abtreten** to assign for a specified period; **günstige Z. abwarten** to bide one's time; **Z. anberaumen** to stipulate a time; **verlorene Z. auf-/einholen** to make up for lost time; **seine Z. dauern** to take its time; **auf eine bestimmte Z. einstellen** to time; **Z. finden, etw. zu tun** to come round to doing sth.; **mit der Z. gehen** to go with the times/tide; **nicht ~ gehen** to be out of step; **schon bessere Z.en gesehen haben; beste Z. hinter sich haben** to be past one's heyday/prime, to have seen better times; **Z. zu gewinnen suchen** to stall for time; **reichlich Z. haben** to have ample time (on one's hands); **jdm über eine Z. hinweghelfen** to tide so. over for a time; **auf Z. kaufen** to buy forward; **für eine Z. langen** to do for some time; **sich Z. lassen** to take one's time, to drag one's feet *(fig)*, to be dilatory; **nicht viel Z. lassen** to give short notice; **sich Z. nehmen** to take one's time; **Z. gut (aus)nutzen** to make the most of one's time, ~ the time available; **Z. schinden** to play for time; **seiner Z. voraus sein** to be ahead of one's time; **Z. sparen** to save time; **auf Z. spielen** to play for time; **Z. totschlagen/überbrücken** to fill in/kill time; **Z. überdauern** to stand the test of time; **Z. überschreiten** to overstay; **Z. vergeuden** to waste time; **auf Z. verkaufen** to sell on credit; **auf unbestimmte/ungewisse Z. verschieben** to postpone indefinitely; **Z. verschwenden; Z. ungenutzt verstreichen lassen** to waste time; **sich auf unbestimmte Z. vertagen** [§] to adjourn indefinitely/sine die *(lat.)*; **viel Z. verwenden** to put in a lot of time; **richtige Z. wählen** to time; **einer Sache seine Z. widmen** to devote one's time to sth.

in absehbarer Zeit in the not too distant future, in the foreseeable future, within a reasonable time; **allerhöchste Z.** high time; **in angemessener Z.** within a reasonable time; **anrechnungsfähige Z.** reckonable period; **arbeitsfreie Z.** time off (duty); **nicht ausgenutzte Z.** dead/idle time; **beitragsfreie Z.** non-contribution period, period when contributions are suspended, ~ of no contributions, lean period for contributions; **benötigte Z.** time required; **bestimmte Z.** designated time; **zur falschen Z.** ill-timed, mistimed; **festgesetzte Z.** appointed time; **zu einer festgesetzten Z.** at a given time; **fragliche Z.** time in question; **freie Z.** spare time; **effektiv gearbeitete Z.** real working time; **zur gegebenen Z.** at the appropriate time, in due course; **genaue Z.** right time; **zu einer genehmen Z.** at a convenient time; **seit geraumer Z.** for quite some time; **gerichtsfreie Z.** court vacation; **geschäftsfreie Z.** dead season; **gleichgestellte Z.en** *(Vers.)* (additional) eligible periods; **höchste Z.** high time; **inflationäre Z.** age of inflation; **zu jeder Z.** at all hours; **in jüngster/letzter Z.; in der letzten Z.** lately, recently, latterly, of late, in recent years, within a recent period; **knappe Z.en** hard times; **kündigungsfreie Z.** *(Kapital)* non-call period; **vor kurzer Z.** a short time ago; **vor ganz ~ Z.** quite recently; **marktschwache Z.** weak/depressed market; **massig Z.** *(coll)* lots of time; **mitteleuropäische Z.** Central European Time; **nutzbare Z.** serviceable time; **zur rechten Z.** at the right time, just in time, in due course/time; **gerade ~ Z.** in the nick of time; **schadensfreie Z.** claim-free period; **schlechte/schwere Z.en** hard times; **schwierige Z.** testing time; **in schwierigen Z.en** in times of need; **steuerfreie Z.** tax holiday; **tilgungsfreie Z.** *(Kredit)* repayment holiday, redemption-free/grace period; **auf unabsehbare Z.** for an unforeseeable length of time; **auf unbegrenzte Z.** in perpetuity; **auf unbestimmte Z.** for an indefinite period, indefinitely; **unbewohnte Z.** void period; **zu einer ungünstigen Z.** ill-timed; **unzumutbare Z.** unsocial hours; **zur verabredeten Z.** at the appointed time; **veranschlagte Z.** time required; **vereinbarte Z.** specified time; **vor der vereinbarten Z.** ahead of schedule; **verkehrsschwache Z.** off-peak time/hours; **verkehrsstarke Z.** rush hours, peak time, peak traffic period; **auftragsfremd verwandte Z.** ineffective time; **viel Z.** plenty of time; **sehr ~ Z.** all the time in the world *(coll)*; **vorbestimmte Z.** predetermined time; **zinsfreie Z.** interest holiday

zeit|abhängig *adj* time-sensitive; **Z.ablauf** *m* lapse/passage/expiration of time, time sequence; **im Z.ablauf** intertemporal; **Z.abschnitt** *m* (period/segment of) time, (time) period, interval, spell

Zeit|abstand *m* interval; **in langen Z.abständen** at long intervals; **in regelmäßigen Z.abständen** periodically, at regular intervals

Zeit|abstimmung *f* timing; **Z.abweichung** *f* time variance; **Z.akkord(lohn)** *m* time incentive wage; **Z.allokation** *f* time allocation; **Z.alter** *nt* age, era, epoch; **technisches Z.alter** age of technology; **Z.angabe** *f* 1. date; 2. time; **Z.ansage** *f* speaking clock; **z.anteilig** *adj* pro rate, for the same period, proportionate to the period, pro rata temporis *(lat.)*

Zeitarbeit *f* temporary work/employment/job, temping; **Z.er(in)** *m/f* agency/temporary worker, temp *(coll)*; **Z.sfirma** *f* temporary/temp/labour agency; **Z.skräfte** *pl* temporary staff, temps

Zeit|arbitrage *f* time arbitrage; **Z.aufnahme** *f* time study; **Z.aufnahmebogen** *m* time observation sheet, ~ study form; **Z.aufstellung** *f* time sheet; **Z.aufwand** *m* 1. time spent; 2. time required; **~ von Führungskräften** executive time; **~ erfordern** to be time-consuming, to take a lot of time; **z.aufwendig** *adj* time-consuming, expensive of time; **Z.ausgleich** *m* bonus time, time allowance, time off; **auf Z.basis** *f* on a time basis; **Z.bedarf** *m* time request/requirement; **z.bedingt** *adj* time-related, dependent on timing; **Z.berechnung** *f* timing; **z.beständig** *adj* timeless; **Z.bestimmung** *f* date term, stipulation as to time; **Z.bombe** *f* time bomb; **Z.charter** *m/f* time charter; **Z.charterfahrt** *f* time charter trip; **Z.dauer** *f* time, duration, time-span, term; **Z.depositenmarkt** *m* certificate of deposit (C/D) market

Zeitdruck *m* pressure of time; **unter Z.** under pressure; **~ arbeiten** to work against time; **~ stehen** to be pushed for time

Zeit|einheit *f* time unit; **z.empfindlich** *adj* time-sensitive; **Z.entgelt** *nt* time wage, time-related payment

Zeiterfassung *f* time measurement/recording/keeping/monitoring; **Z.sgerät** *nt* time recording equipment; **Z.ssystem** *nt* time recording system

Zeit|ermittlung *f* time measurement; **Z.ersparnis** *f* time saved; **Z.fahrkarte** *f* season ticket; **Z.faktor** *m* time/timing factor; **Z.folge** *f* timetable, chronological order; **Z.fracht** *f* time freight; **Z.frachtvertrag** *m* time charter (party); **Z.frage** *f* matter of time; **Z.geber** *m* time emitter, interval timer; **z.gemäß** *adj* timely, up-to-date; **Z.genosse** *m* contemporary; **z.genössisch** *adj* contemporary; **z.gerecht** *adj* timely; **Z.geschäft** *nt* time bargain, futures deal/contract, forward deal/transaction; **Z.geschehen** *nt* current affairs; **Z.geschichte** *f* contemporary history; **Z.geschmack** *m* prevailing taste; **Z.gesetz** *nt* temporary law; **Z.gewinn** *m* time gained, gain/pick-up of time; **z.gleich** *adj* contemporaneous, at the same time, to coincide with; **Z.grenze** *f* time limit; **Z.guthaben** *nt* time credit; **Z.horizont** *m* time horizon, level of time

zeitig *adj* early, in good time

zeitigen *v/t* to produce, to result in

Zeit|intervall *nt* time interval; **Z.karte** *f (Nahverkehr)* commuter/season ticket; **Z.karteninhaber** *m* season ticket holder; **Z.kauf** *m* forward buying, sale on credit terms; **Z.komponenten** *pl* temporal constructs; **Z.kontrolle** *f* timekeeping, time check/study; **Z.kontrolleur** *m* timekeeper, timetaker, time clerk; **Z.kosten** *pl* period cost(s); **Z.kostenrechnung** *f* time cost accounting; **eine Z.lang** *f* for a while; **z.lebens** *adv* lifelong, all one's life; **z.lich** *adj* temporary; *adv* in terms of time, timewise

Zeitlohn *m* time wage/rate/pay, time-related payment; **einfacher Z.** plain time rate; **Z.arbeit** *f* day/time work; **Z.arbeiter** *m* day man; **Z.satz** *m* day/time rate; **Z.stundenanteil** *m* hours per hour, time daywork

zeit|los *adj* timeless; **Z.lupe** *f (Film)* slow motion;

Z.mangel *m* lack of time; **Z.mengenbestand** *m* inventory level as function of time; **Z.messer** *m* 1. timekeeper; 2. *(Uhr)* chronometer; **Z.messung** *f* time measurement, timing; **z.nah** *adj* up-to-date; **Z.nahme** *f* time taking; **Z.nehmer** *m* 1. 🏭 time study man; 2. timekeeper; **Z.netzkarte** *f* commutation ticket *[US]*; **Z.-norm** *f* standard time; **in Z.not geraten** *f* to be hard-pressed for time; **Z.ordnung** *f* working-time regulation; **Z.pacht** *f* leasehold, lease of time; **Z.pächter** *m* leaseholder, fixed-term tenant; **Z.parameter** *m* time parameter; **Z.personal** *nt* temporary staff, temps *(coll)*

Zeitplan *m* timetable, timescale, schedule; **nach einem Z. arbeiten** to work to a timetable/schedule; **knapp bemessener Z.** tight schedule; **Z.regelung** *f* time pattern control

Zeit|planung *f* time scheduling/management; **Z.police** *f* time policy; **Z.präferenz** *f* time preference; **Z.präferenzrate** *f* time rate of preference, ~ preference rate; **Z.prämie** *f* time premium

Zeitpunkt *m* point (of time), juncture, date; **zu diesem Z.** at this juncture; **vom Z. an** from the date on

Zeitpunkt der Anleihebegebung *(Emission)* date/time of issue; ~ **Anmeldung** filing date; **Z. des Beginns** commencement; **Z. der Besteuerung** effective date, tax point; ~ **Einlösung** redemption/encashment date; ~ **Erfolgsrealisation** *(Bilanz)* revenue recognition; **maßgebender Z. für die Ermittlung des Preises** ⊖ time-determining price; **Z. der Fälligkeit** date of maturity; ~ **Fertigstellung** completion date; **Z. des Inkrafttretens** effective date; **Z. der Lieferung** time of delivery; **zum Z. des Todes** at the time of death; **Z. der Veräußerung** time of disposal; ~ **Versandbereitschaft** ready date

richtigen Zeitpunkt abwarten to bide one's time; **Z. festlegen** to appoint/set a time, to specify a date; **Z. wählen** to time; **falschen/ungünstigen Z. wählen** to mistime

angesetzter Zeitpunkt target date; **bestimmter Z.** specified time; **zum festgesetzten Z.** at the appointed/given time; **frühestmöglicher Z.** *(OR)* earlier expected time, inferior limit; **zum gegenwärtigen Z.** at this stage; **gewählter Z.** timing; **spätestmöglicher Z.** deadline, superior limit; **zum jeweils späteren Z.** - whichever may be the later

Zeit|rabatt *m* deferred rebate; **Z.raffer** *m (Film)* quick motion; **Z.raffungsfaktor** *m* acceleration factor; **Z.rahmen** *m* timescale, time frame; **z.raubend** *adj* time-consuming, time-wasting

Zeitraum *m* period (of time), space, term, span; **in einem Z. von** over a period of ... ; **Z. für die Garantieinanspruchnahme** availability period; **begrenzter Z.** limited period; **fortlaufender Z.** continuous period; **kurzer Z.** short period; **längerer Z.** prolonged period; **über einen längeren Z.** over (a) time; **ununterbrochener Z.** continuous period

zeit|reagibel *adj* time-sensitive; **Z.rechnung** *f* chronology, calendar

Zeitreihe *f* ▦ time series, chronology; **wirtschaftsstatistische Z.n** economic time series; **Z.nanalyse** *f* time-series analysis; **Z.nmodell** *nt* time-series model; **Z.nzerlegung** *f* time-series decomposition

Zeit|rente *f* temporary/terminable annuity, annuity certain; **Z.schalter** *m* time switch; **Z.schloss** *nt* time lock; **Z.schreiber** *m* pen watch

Zeitschrift *f* 1. magazine; 2. *(wissenschaftlich)* periodical, journal; **technische Z.** engineering journal

Zeitschriften|abonnement *m* magazine subscription; **Z.händler** *m* newsagent; **Z.markt** *m* periodicals market; **Z.raum** *m* news/periodical room

Zeit|schuld *f* time debit; **Z.sichtwechsel** *m* term bill/draft

Zeitspanne *f* (time) period/span/scale, time-lag, period/length of time; **Z. erhöhter Gefahr** *(Vers.)* apprehensive period; **Z. von ... Jahren** lapse of ... years; **Z. zwischen Störung und ihrer Wirkung** disturbance lag; **Z. der Verdrängung des älteren Produkts** takeover time

zeit|sparend *adj* time-saving; **Z.sparer** *m* time-saver; **Z.sperre** *f* time out; **Z.strafe** *f* § term of imprisonment, temporary penalty; **Z.strömung** *f* trend; **Z.(- und Bewegungs)studie** *f* 🏭 time (and motion) study, work study/measurement; **z.synchron** *adj* synchronized; *adv* at the same time; **Z.tafel** *f* chronological table; **Z.überschreitung** *f* overrun; **Z.uhr** *f* time clock; **Z.umkehrprobe** *f* time reversal test; **Z.umstellung** *f* 1. time change, changing the clock; 2. ✈ jetlag

Zeitung *f* newspaper, journal, gazette; **Z. abbestellen** to stop a newspaper; **Z. abonnieren** to subscribe (to) a newspaper; **Z.en austragen** to do a newspaper round; **Z. beziehen** to take in/subscribe to a newspaper; **einer Z. entnehmen** to see from a paper; **in die Z. setzen** to put into the paper(s); **in der Z. stehen** to be in the paper; **Z. verlegen** to publish a newspaper

amtliche Zeitung official gazette; **täglich erscheinende Z.** daily (paper); **wöchentlich ~ Z.** weekly (paper); **überregionale Z.** national newspaper

Zeitungs|abonnement *nt* newspaper subcription; **Z.annonce/Z.anzeige** *f* newspaper/press advertisement, ad(vert); **Z.artikel** *m* newspaper article; **Z.auflage** *f* newspaper circulation; **Z.ausschnitt** *m* press/newspaper clipping, ~ cutting; **Z.ausschnittbüro** *nt* cutting agency/service; **Z.beilage** *f* newspaper supplement; **Z.bericht** *m* newspaper report; **Z.bezug** *m* newspaper subscription; **Z.bote/Z.botin** *m/f* newspaper boy/girl; **Z.bude** *f* kiosk, news stand; **Z.druck** *m* newspaper printing; **Z.druckpapier** *nt* newsprint; **Z.drucksache** *f* ✉ newspaper post; **Z.ente** *f* (newspaper) hoax, canard *[frz.]*; **großes Z.format** broadsheet; **kleines Z.format** tabloid; **Z.händler** *m* newsagent *[GB]*, news dealer *[US]*; **Z.inserat** *nt* newspaper advertisement; **Z.interview** *nt* newspaper interview; **Z.junge** *m* paper boy; **Z.kiosk** *m* news stall/stand, kiosk; **Z.konzern** *m* newspaper group; **Z.korrespondent(in)** *m/f* newspaper correspondent; **Z.laden** *m* newsagent's (shop), paper shop; **Z.meldung/Z.nachricht/Z.notiz** *f* press report, news item; **Z.papier** *nt* newsprint; **Z.porto** *nt* ✉ newspaper rate; **Z.preis** *m* cover price; **Z.presse** *f* newspapers; **Z.redakteur** *m* newspaper editor; **Z.redaktion**

f editorial office; **Z.reporter** *m* newspaper reporter; **Z.spalte** *f* newspaper column; **Z.sprache/Z.stil** *f/m* journalese; **Z.stand** *m* news stall/stand; **Z.ständer** *m* newspaper rack; **Z.streik** *m* newspaper strike; **Z.syndikat** *nt* newspaper syndicate; **Z.titel** *m* newspaper title; **Z.träger** *m* delivery boy; **Z.verkäufer** *m* news vendor; **Z.verleger** *m* newspaper publisher/proprietor; **Z.-vertrieb** *m* newspaper distribution; **Z.werbung** *f* newspaper/print advertising, press publicity; **Z.- und Zeitschriftenwerbung** publication advertising; **Z.wesen** *nt* journalism, the press; **Z.zar** *m* newspaper tycoon

Zeit|unterschied *m* time difference; **Z.vergeudung/Z.verschwendung** *f* waste of time; **Z.vergleich** *m* inter-temporal comparison, comparison over a period of time; **Z.verhalten** *nt* time behaviour; **Z.verlust** *m* loss of time, delay; ~ **wieder wettmachen** to make up for lost time; **Z.verschiebung** *f* time-lag; **Z.verschleiß** *m* time-based depreciation

Zeitversicherung *f* term insurance, time policy; **Z.- und Reiseversicherung** mixed policy; **Z.spolice** *f* term/time policy

zeit|verteilt *adj* staggered; **Z.- und Wirkungsverteilung** *f* response time distribution; **Z.vertrag** *m* fixed-term contract; **Z.vertreib** *m* diversion, pastime, amusement

Zeitverzögerung *f* time-lag; **politisch bedingte Z.** inside lag; **durchführungsbedingte Z.** intermediate/instrumental/administrative lag; **erkennungsbedingte Z.** recognition lag; **handlungsbedingte Z.** action lag; **wirkungsbedingte Z.** outside lag

Zeit|verzug *m* time-lag, delay; **Z.vorgabe** *f* time allowance/standard; **Z.vorteil** *m* time advantage; **Z.wahl** *f* timing; **Z.wechsel** *m* time bill *[US]*/draft, after-date/tenor bill, certificate of deposit (C/D); **z.weilig/z.weise** *adj* temporary; *adv* at times; **Z.wert** *m* time/current (market)/present/economic/end value; **Z.zähler** *m* time counter; **Z.zeichen** *nt* time signal; **Z.zone** *f* time zone; **Z.zünder** *m* ✈ time fuse

Zeitzuschlag *m* time payment; **Z. für Ausschuss** reject allowance; **Z.sfaktor** *m* allowances factor

Zeitzuteilung *f* 🖳 time-sharing; **Z.sverfahren** *nt* time-sharing processing

Zelle *f* 1. cell; 2. ✆ booth, phone box; 3. cabin; **in Z.n aufgeteilt** cellular; **Z.ngenosse/Z.ngenossin** *m/f* fellow prisoner; **Z.nhaft** *f* confinement (in a prison cell)

Zellophan *nt* cellophane; **Z.klebestreifen** *m* cellophane/Scotch ™ tape

Zellstoff *m* cellulose, (wood/paper) pulp; **Z.werk** *nt* cellulose plant

Zellulose *f* wood pulp, cellulose; **Z.industrie** *f* wood pulp/cellulose industry

Zellwolle *f* cellulose

Zelt *nt* 1. tent; 2. *(Ausstellung)* marquee *[frz.]*; **seine Z.e abbrechen** *(fig)* to pack up; **Z. aufschlagen** to pitch a tent; **Z.ausrüstung/Z.ausstattung** *f* camping gear

Zelten *nt* camping; **z.** *v/i* to camp

Zelt|leinwand *f* canvas; **Z.plane** *f* tarpaulin; **Z.platz** *m* camping site; **Z.platzgebühr** *f* camping fee

Zement *m* cement; **Z.boden** *m* cement floor; **Z.faserplatte** *f* plasterboard; **z.ieren** *v/t* 1. to cement; 2. to perpetuate, to fix permanently; **Z.werk** *nt* cement works

Zenith *m* zenith

zensieren *v/t* 1. *(Noten)* to grade/mark; 2. to censor

Zensor *m* censor, scrutineer

Zensur *f* 1. *(Note)* mark, grade; 2. censorship; **von der Z. freigegeben** passed by the censor; **der Z. unterliegen** to be subject to censorship; ~ **unterwerfen** to submit to censorship

Zensur|behörde *f* censor's office; **Z.bestimmungen** *pl* censorship regulations; **z.pflichtig** *adj* subject to censorship; **Z.verbot** *nt* constitutional prohibition of censorship (of the press); **Z.vorschriften** *pl* censorship regulations

Zensus *m* census; **Z.jahr** *nt* census year

Zentner *m* 1. hundredweight; 2. long hundredweight (*[GB]* = 50.8 kg), cental *[GB]*

zentral *adj* central, key

Zentral|- central, pivotal; **Z.ablage** *f* central file; **Z.abteilung** *f* central/staff department; **z.amerikanische Freihandelszone** Central American Free Trade Area (CAFTA); **Z.amt für Statistik/statistisches Z.amt** Central Statistical Office *[GB]*; **Z.archiv** *nt* central filing department; **Z.ausschuss** *m* central committee

Zentralbank *f* 1. central/banker's bank, government banker; 2. Bank of England *[GB]*; 3. Federal Reserve Board *[US]*; **Z. in Anspruch nehmen** to have recourse to the central bank; **europäische Z. (EZB)** European Central Bank (ECB)

Zentralbank|aufsicht *f* central bank supervision; **Z.bericht** *m* call report; **Z.darlehen** *nt* reserve bank credit; **z.diskontfähig** *adj* eligible for discount at the central bank; **Z.eingriffe** *pl* central bank intervention(s); **z.-fähig** *adj* eligible for rediscount, (at the central) bank, acceptable to monetary authorities

Zentralbankgeld *nt* central bank/high-powered money; **Z.beschaffung** *f* central bank money creation; **Z.menge** *f* monetary base, central bank money stock/supply; **Z.steuerung** *f* central bank money control

Zentralbankguthaben *nt* *(Bank)* uncommitted reserves *[GB]*, federal funds *[US]*; **Z. der Banken** bankers' deposits; **aufgenommene Z.** federal funds purchased *[US]*; **ausgeliehene Z.** federal funds sold *[US]*

Zentralbank|rat *m* central bank board/council, board of governors; **Z.reserven** *pl* central bank reserves; **Z.statistik** *f* central bank statistics; **Z.system** *nt* central banking system, Federal Reserve System *[US]*; **Z.vorschüsse an das Schatzamt** *pl* deficiency advances *[GB]*; **Z.wesen** *nt* central banking (system)

Zentral|bearbeitung *f* centralized processing; **Z.begriff** *m* key concept; **Z.behörde** *f* central authority; ~ **für den gewerblichen Rechtsschutz** central industrial property office, ~ agency for the protection of industrial property; **Z.beirat** *m* central advisory council; **Z.bereich** *m* central division; **Z.betriebsrat** *m* central staff council; **Z.büro** *nt* head/executive office, headquarters

Zentrale *f* 1. (company) headquarters, head/main/principal/central/home *[US]* office, main branch; 2. ✆

operator; 3. *(Firma)* switchboard; 4. ✿ control room; **mit der Z. in** headquartered in; **Z. zur Bekämpfung unlauteren Wettbewerbs** central agency for the prevention of unfair competition, Office of Fair Trading (OFT) *[GB]*

Zentral|einheit *f* ▭ (central) processing unit (CPU), mainframe computer; **~ und Magnetschriftleser** bank processing unit; **Z.einkauf** *m* 1. centralized buying/ purchasing; 2. buying centre, central buying department; **Z.einkäufer** *m* central buyer; **Z.genossenschaft** *f* cooperative wholesale society *[GB]*, central cooperative; **z.gesteuert** *adj* centrally controlled; **Z.heizung** *f* central heating

Zentralis|ation *f* centralization; **z.ieren** *v/t* to centralize

Zentralisierung *f* centralization; **Z.sgrad** *m* degree of centralization; **Z.sprotokoll** *nt* centralization protocol

Zentralismus *m* centralism

zentralistisch *adj* centralist

Zentral|kartei *f* master/central file, central card index; **Z.kasse** *f* central cash office; **Z.kommission für die Rheinschifffahrt** *f* Central Rhine Commission; **Z.komitee** *nt* central committee; **Z.lager** *nt* central warehouse/store; **Z.leitung** *f* central management; **Z.marktausschuss** *m* central market committee; **Z.markthändler** *m* wholesaler; **Z.notenbank** *f* central bank; **Z.obligo** *nt* central commitments file; **Z.organ** *nt* central organ; **Z.planwirtschaft** *f* centrally planned economy; **Z.prozessor/Z.rechner** *m* ▭ mainframe computer, central processing unit (CPU); **Z.rat** *m* central council; **Z.regierung** *f* central government; **Z.register/Z.registratur** *nt/f* 1. master file, central registry/ register; 2. central filing department; **Z.speicher** *m* ▭ main/central storage memory; **Z.stelle** *f* central office/ agency/bureau/authority; **~ für Zollkontingente (ZZK)** Central Tariff Quota Registration Unit *[GB]*; **Z.steuerung** *f* central(ized) control; **Z.verband** *m* umbrella organisation, central association; **Z.verwaltung** *f* central management; **Z.verwaltungswirtschaft** *f* centrally controlled/planned economy; **Z.verriegelung** *f* 🚗 central locking; **Z.wert** *m* median

Zentrier|automatik *f* ▭ automatic centering; **z.en** *v/t* to centre

zentri|fugal *adj* centrifugal; **Z.fuge** *f* centrifuge

Zentrum *nt* 1. centre *[GB]*, center *[US]*; 2. repository

zer|brechen *v/t* to break/disrupt; *v/i* to break/disintegrate; **z.brechlich** *adj* fragile, delicate, breakable; **z.bröckeln** *v/i* to crumble (away); **z.deppern** *v/t (coll)* to smash to pieces; **z.drücken** *v/t* to crush

Zere|monie/Z.moniell *f/nt* ceremony; **z.moniell** *adj* ceremonial; **Z.monienmeister** *m* master of ceremonies

Zerfall *m* 1. decay, decline, fall; 2. disruption, disintegration; 3. 🏛/⚛ decay; 4. ⚘ decomposition; **Z.en der Tage** *nt (Zinsrechnung)* breaking up the time element; **z.en** *v/i* 1. to decay; 2. to disintegrate/disaggregate, to fall apart; 3. to crumble/collapse

Zerfalls|erscheinung *f* sign of decay; **Z.geschwindigkeit** *f* rate of decay; **Z.produkt** *nt* daughter product; **Z.prozess** *m* process of disintegration

zer|fetzen *v/t* to tear to shreds; **z.fleischen** *v/t* to mutilate; **Z.fleischung** *f* mutilation; **z.fließen** *v/i* to melt (away)

Zerfressen *nt* corrosion; **z.** *v/t* to corrode, to savage; **~ werden** to corrode

zer|gehen *v/i* to dissolve; **z.gliedern** *v/t* to dissect/analyse

Zergliederung *f* analysis; **Z. in Einheiten** unitization

zer|hacken *v/t* 1. ϟ to chop; 2. ✆ to scramble; **Z.hacker** *m* 1. ϟ chopper; 2. ✆ scrambler; **z.kleinern** *v/t* to crush; **Z.kleinerungsmaschine** *f* shredder, crusher; **z.legbar** *adj* sectional, knockdown

Zerlegen *nt* 1. analysis; 2. decomposition; **z.** *v/t* 1. *(Kosten)* to break down, to analyse; 2. ✿ to dismantle/disassemble, to take to pieces

zerlegt *adj* dismantled, knocked down (k.d.); **teilweise z.** partly knocked down (p.k.d.), semi-knocked down; **vollständig z.** completely knocked down (c.k.d.)

Zerlegung *f* 1. dismantlement, dismantling, taking apart, disassembly; 2. analysis, breakdown, segmentation; **Z. des Steuermessbetrages** allocation of the tax base; **Z. von Zeitreihen** time series decomposition; **Z.sbescheid** *m (Steuer)* notice of apportionment

zer|lumpt *adj* ragged; **z.malmen** *v/t* to crush, to trample underfoot

zermürben *v/t* to wear ou; **z.d** *adj* gruelling

Zermürbung *f* attrition; **Z.skrieg** *m* war of attrition; **Z.staktik** *f* attrition policy

Zerobond *m* zero coupon bond

zer|platzen *v/i* to burst/explode; **z.quetschen** *v/t* to crush/squash

Zerrbild *nt* caricature, distorted image

zerreden *v/t* to talk down, to denigrate

zerreiß|en *v/t* to tear (up); **z.fest** *adj* tear-resistent; **Z.probe** *f* 1. *(fig)* ordeal, real test; 2. ✿ pull/tensile test

zerren *v/t* to drag/haul; **nach unten z.** to drag down

zerrinnen *v/i* to melt away, to dwindle to nothing

Zerrspiegel *m* *(fig)* distorted image

zerrütt|en *v/t* to ruin/wreck/destroy; **z.et** *adj* ruined

Zerrüttung *f* 1. ruin; 2. disruption, disintegration; 3. *(Ehe)* irretrievable breakdown; **Z.sprinzip** *nt* irretrievable breakdown principle

zer|schellen *v/i* to crash, to be wrecked; **z.schlagen** *v/t* 1. to smash/crush/fragment, to break up, to dash to pieces; 2. to shatter/scupper *(fig)*; *v/refl (Plan)* to come to nothing, to fall through

Zerschlagung *f* break-up, fragmentation, disruption; **Z.swert** *m* break-up price/value

zer|schmettern *v/t* to smash/shatter, to dash to pieces; **z.schneiden** *v/t* to cut up

zersetz|bar *adj* decomposable; **biologisch z.bar** biodegradable; **z.en** *v/t* to corrode/corrupt; *v/refl* to decompose; **z.end** *adj* 1. ⚗ corrosive, solvent; 2. demoralizing, corruptive, disruptive, subversive; **Z.ung** *f* 1. corrosion, decomposition; 2. subversion

zersiedel|n *v/t* to spoil by development; **Z.lung** *f* overdevelopment, urban sprawl

zersplitter|n *v/t* to fragment; **z.t** *adj* fragmented, disunited; **Z.ung** *f* fragmentation, dispersal; **~ von Kompetenzen** excessive subdivision of responsibilities

zer|springen *v/i* to burst, to break up; **z.stampfen** *v/t* to crush; **z.stören** *v/t* 1. to destroy; 2. 🏛 to demolish/wreck; 3. to ruin; 4. *(verwüsten)* to ravage; 5. to wipe out; **mutwillig z.stören** to vandalize

Zerstörer *m* 1. ⚓ destroyer; 2. *(Umwelt)* despoiler; **mutwilliger Z.** vandal

zerstörerisch *adj* destructive

Zerstörung *f* 1. destruction; 2. 🏛 demolition, wrecking; 3. devastation; 4. havoc, ravage; **Z. von Waren (mit verwertbarem Rest)** ⊖ destruction of goods; **schwere Z.en anrichten/verursachen** to wreak/cause havoc; **mutwillige Z.** wilful destruction, vandalism; **Z.swut** *f* vandalism

zerstreu|en *v/t* 1. to scatter/disperse; 2. to dissipate; 3. *(Zweifel/Angst)* to allay/dispel; **z.t** *adj (fig)* 1. scattered, dispersed; 2. absent-minded; **Z.ung** *f* dispersal

zer|stritten sein *adj* to be in disarray, to have fallen out; **z.stückeln** *v/t* to fragment, to break up; **Z.stückelung** *f* fragmentation

Zertifikat *nt* 1. certificate; 2. *(Investment)* unit, investment share; **Z.e ausgeben** *(Fonds)* to unitize

Zertifikats|anleihe *f* certificate loan; **Z.ausgabe** *f (Fonds)* unitization; **Z.besitzer** *m* certificate/unit holder

zertifizier|en *v/t* to certify; **Z.ung** *f* certification; **Z.ungsaudit** *nt* certification audit, third-party quality audit; **Z.ungsstelle** *f* certification body

zer|trümmern *v/t* to wreck/smash; **Z.würfnis** *nt* rift, row, disagreement

Zession *f* assignment, assignation, cession, transfer, demise; **durch Z. übertragbar** transferable by assignment; **fakultative Z.** optional assignment; **obligatorische Z.** compulsory assignment; **offene Z.** absolute/express assignment; **stille Z.** undisclosed/implied assignment

Zessionär *m* 1. assign(ee), cesser, cessor, cessionary, transferee, grantee; 2. reinsurer

Zessions|empfänger *m* assign; **z.fähig** *adj* assignable, alienable; **Z.fähigkeit** *f* assignability; **Z.klausel** *f* cessor/assignment clause; **Z.kredit** *m* assignment credit, advance on receivables; **Z.liste** *f* assignments list; **Z.schuldner(in)** *m/f* assigned debtor; **Z.urkunde** *f* (instrument of) assignment, tranfer deed; **Z.verbot** *nt* prohibition of assignment; **Z.vertrag** *m* deed of assignment, assignment agreement

Zettel *m* 1. slip/piece (of paper), note, chit *(coll)*; 2. *(Reklame)* handout, handbill, leaflet; 3. label, tag; 4. *(Parkverbot)* ticket; **auf einem Z. notieren** to jot down on a slip of paper; **Z.buchhaltung** *f* slip system of accounting; **Z.chen** *nt* note; **Z.katalog** *m* card catalogue/file

Zeug *nt* 1. things, stuff *(coll)*; 2. *(Ausrüstung)* gear, tackle

jdm am Zeug flicken to pick on so.; **Z. zu etw. haben** to have the makings of sth.; **Z. zum Manager haben** to be executive material; **sich tüchtig/mächtig ins Z. legen** to put/set one's shoulders to the wheel *(fig)*, to push o.s., to go all out; **dummes/konfuses Z. reden** to talk rubbish

dummes/unsinniges Zeug nonsense, fiddlesticks *(coll)*, stuff and nonsense *(coll)*, baloney *coll)*, twaddle *(coll)*; **minderwertiges/wertloses Z.** trash, junk, rubbish

Zeugamt *nt* ✈ arsenal, ordnance office

Zeuge; Zeugin *m/f* § witness, deponent, attestor, testifier; **vor Z.n** in the presence of witnesses

Zeuge der Anklage witness for the prosecution; **Z. mit Aussageverweigerungsrecht** privileged witness; **Z. der Gegenseite** counterwitness, hostile/unfavourable witness; **Z. vor Gericht** witness in court; **Z. der Verteidigung** defence witness

Zeugen ablehnen to object to/challenge a witness; **Z. angeben** to name a witness; **Z. anhören** to hear (the evidence of the) witnesses; **als Z. anrufen** to call to witness, ~ in testimony; **Z. aufrufen** to call a witness; **als Zeuge aussagen/erklären** 1. to give evidence, to testify, to take the (witness) stand; 2. *(schriftlich)* to depose as a witness; **Z. beeiden** to swear in a witness; **Z. beibringen** to produce a witness; **Z. beeinflussen/bestechen** to suborn/influence a witness; **Z. benennen** to offer/name a witness; **jdn als Z. benennen** to call so. in evidence, ~ to witness; **Z. einvernehmen** to question/interrogate a witness; **auf einen Z. einwirken** to influence a witness; **Z. zur Wahrheit ermahnen** to admonish a witness to speak the truth; **Z. gegenüberstellen** to confront witnesses; **einem Zn glauben** to believe a witness; **Z. laden** 1. to summon a witness; 2. *(unter Androhung einer Strafe)* to subpoena a witness; **Z. unbeeidigt lassen** to leave a witness unsworn; **Z. ins Kreuzverhör nehmen** to cross-examine a witness; **Z. nennen** to give the names of witnesses; **Z. nötigen** to intimidate witnesses; **Zeuge sein** to witness; **Z. stellen** to produce a witness; **Z. auf die Probe stellen** to try to impeach a witness; **als Zeuge unterschreiben** to witness; **Z. einem Verhör unterziehen; Z. verhören** to question/interrogate/(cross-)examine a witness; **Z. vereidigen** to swear in a witness; **Z. zum Meineid verleiten** to suborn a witness; **Z. vernehmen** to question a witness, to hear evidence; **Z. erneut vernehmen** to recall a witness; **Z. vorführen** to produce witnesses; **als Z. vorladen** to summon (so. to appear as) a witness, to call as witness; **einem Z. gegenübergestellt werden** to be confronted with a witness; **als Zeuge vor Gericht geladen werden** to be called as witness before the court; **Z. zuziehen** to call a witness

als Zeuge beeidigt sworn in as a witness; **Z., dessen Aussage sich als ungünstig herausstellt** unfavourable witness

ausbleibender/nicht erscheinender Zeuge defaulting witness; **unentschuldigt ausgebliebener Z.** contumacious witness; **unter Eid aussagender Z.** deponent; **aussagepflichtiger Z.** compellable witness; **beeidigter Z.** sworn witness; **befangener Z.** biased/prejudiced/challengeable witness; **eigener Z.** friendly witness; **feindselig eingestellter/feindlicher Z.** hostile witness; **falscher Z.** false witness; **geladener Z.** summoned witness; **glaubhafter/-würdiger Z.** credible/reliable witness; **neutraler Z.** disinterested witness; **sachverständiger Z.** expert witness; **übereifriger Z.** swift witness; **unbeeidigter Z.** unsworn witness; **unentbehrlicher Z.** material witness; **unzulässiger Z.** witness incompetent to testify; **verlässlicher Z.** reliable witness; **wichtiger Z.** material witness; **widersetzlicher Z.** unwilling witness

zeugen *v/t* to father; *v/i* to testify, to give evidence

Zeugenablehnung *f* § objection to a witness

Zeugenaussage *f* 1. evidence, testimony; 2. *(schriftlich)* deposition, statement by witness; **Z. bestätigen** to corroborate a witness; **falsche Z. machen** to give false evidence; **Z. widerrufen** to retract a deposition

beschworene Zeugenaussage deposition on oath; **beweiserhebliche Z.** material evidence; **bestätigende Z.** corroborative evidence; **eidliche Z.** testimony on/under oath; **entlastende Z.** exonerating evidence; **falsche Z.** false evidence; **schriftliche Z.** written evidence; **übereinstimmende Z.** concordant deposition; **unbeeidigte Z.** unsworn testimony; **unwiderlegbare/nicht widerlegbare Z.** irrefutable/uncontestable evidence; **widersprechende Z.n** conflicting testimonies

Zeugen|bank *f* witness box *[GB]*/stand *[US]*, witnesses' bench; **Z.beeidigung** *f* swearing-in of witnesses; **Z.beeinflussung** *f* subornation of/tampering with witnesses; **Z.befragung** *f* examination of a witness; **Z.benennung** *f* specification of a witness; **Z.bestechung** *f* bribing of a witness; **Z.beweis** *m* direct evidence, evidence by witness; **Z.eid** *m* oath taken by a witness; **Z.-einvernahme** *f* hearing of evidence/witnesses; **Z.formel** *f* attestation clause; **Z.gebühr/Z.geld/Z.spesen** *f/nt/pl* conduct money, witness allowance; **Z.ladung** *f* (witness) summons; **~ unter Strafandrohung** subpoena; **Z.manipulation** *f* manipulation of witnesses; **Z.nötigung** *f* intimidation of witnesses; **Z.stand** *m* witness box *[GB]*/stand *[US]*; **Z.vereidigung** *f* swearing in of witnesses; **Z.vermerk** *m* attestation; **Z.vernehmung** *f* hearing of evidence/a witness, (viva voce *(lat.)*) examination of witnesses; **erste Z.vernehmung** examination-in-chief; **Z.vorladung** *f* witness order

Zeugin *f* → **Zeuge**

Zeugnis *nt* 1. certificate, testimonial, reference; 2. *(Leistungsbild)* record, qualification, credentials; 3. § evidence, deposition; 4. *(Schule)* report (card) *[US]*; **zum Z.** § in witness whereof; **Z. der regionalen Herkunftsbezeichnung** regional appellation certificate

Zeugnis ablegen to testify, to give evidence, to render account; **~ von** to bear witness to; **falsches Z. ablegen** to bear false witness, to give false evidence; **Z. ausstellen** to (issue a) certificate; **~ lassen** to obtain a certificate; **Z. beibringen** to produce a certificate; **Z. verweigern** § to refuse to give evidence

ärztliches Zeugnis medical/doctor's certificate; **ausgezeichnetes Z.** excellent reference; **schriftliches Z.** testimonial

Zeugnis|abschrift *f* copy of a testimonial/certificate; **z.fähig** *adj* § competent to give evidence; **Z.fähigkeit** *f* competency of a witness; **Z.pflicht** *f* duty to testify, obligation to give evidence; **Z.unfähigkeit** *f* incapacity to testify; **Z.verweigerung** *f* refusal to give evidence; **Z.verweigerungsrecht** *nt* right to refuse to give evidence, privilege of witnesses; **auf sein ~ verzichten** to waive one's privilege

Zeugung *f* 1. procreation; 2. $ conception

Zickzack|form *f* zigzag; **z.förmig** *adj* zigzag; **Z.kurs** *m* zigzag course; **Z.lage** *f* fanfold; **Z.papier** *nt* fanfold paper

Ziegel|(stein) *m* brick; **feuerfester Z.** firebrick; **Z.brenner** *m* brickmaker; **Z.ei** *f* brick works, brickyard; **Z.industrie** *f* brick industry; **Z.steinproduzent** *m* brickmaker

Ziegenzucht *f* goat breeding

Ziehen eines Schecks *nt* drawing of a cheque *[GB]*/check *[US]*

ziehen *v/t* 1. to draw/pull; 2. 🚗 to tow; 3. to trail/drag; 4. *(Probe)* to sample; 5. *(Siedler)* to trek; **auf jdn z.** *(Wechsel)* to draw on so.; **nach sich z.** to involve/entail, to bring in (its) train; **nach unten z.** to pull down; **lang z.** *(Wechsel)* to draw a long-dated bill

Ziehkartei *f* tub file

Ziehung *f* *(Anleihe)* draw(ing), drawdown; **einschließlich Z.** cum drawing; **ex/ohne Z.** ex drawing; **Z. aus der Gemeinschaftsreserve des Kontingents vornehmen** *[EU]* to draw a quota share from the Community reserve; **Z. einer Quote** quota draw; **Z.en der Wirtschaft** business customers' drawings

Bank-auf-Bank-Ziehung bank-on-bank drawing/bill; **Bank-auf Wirtschaft-Z.** bank-on-trader bill; **Wirtschaft-auf-Bank-Z.** trader-on-bank bill; **Wirtschaft-auf-Wirtschaft-Z.** trader-on-trader bill

eigene Ziehungen *(Bank)* bills drawn, own drawings

Ziehungs|avis *nt* draft advice; **Z.ermächtigung** *f* drawing authorization, authority to draw; **Z.linie** *f* drawing line; **Z.liste** *f* list of drawings; **Z.recht** *nt* drawing right

Ziel *nt* 1. target, goal, aim, object(ive); 2. *(Ort)* destination; 3. *(Zahlung)* credit period, time for payment, term; **auf Z.** on term/credit, forward, against future payment; **mit dem Z.** with a view to; **Z. der vorliegenden Erfindung** object of the present invention; **~ Förderung** development objective; **~ Geldpolitik** monetary target; **~ Politik** policy goal; **~ Übernahme** bid target; **Z. eines Übernahmeangebots** target of a takeover bid; **Z.der Unternehmung** corporate objective

auf 1 Monat Ziel at 1 month's credit; **30 Tage Z.** 30 days' credit; **auf Z. gekauft** bought on credit; **hinter dem Z. zurück** short of the target; **weit am Z. vorbei** wide off the mark

das/als Ziel bestimmen to target; **Z. einräumen/gewähren** to grant open account (credit); **Z. erreichen** to accomplish/attain a goal, to hit the target, to attain the objectives, to come to fruition, to carry one's point, to succeed (in one's object); **Z. nicht erreichen** to undershoot the target, to underperform; **Z. festlegen** to lay down an objective; **zum Z. haben** to be designed, to have as an objective; **über das Z. hinausschießen** to overshoot the target; **Z. realisieren** to accomplish/attain a goal; **sich etw. zum Z. setzen** to make sth. one's object; **sich ein hohes Z. setzen** to aim/fly high; **seine Z.e hoch stecken** to aim high; **ins Z. treffen** to strike home; **Z. überschreiten** 1. to overshoot the target; 2. to exceed the credit period; **Z. verfehlen** to miss the mark, to be off target, to misfire; **Z. verfolgen** to pursue a goal/an aim; **erwerbswirtschaftliche Z.e verfolgen** to carry on gainful undertakings; **auf Z. verkaufen** to sell forward/on time; **Z.e verwirklichen** to attain the objectives; **Z. verlängern** to extend the credit period; **Z. vorgeben** to set a target; **hinter dem Z. zurückbleiben** to undershoot the target, to be short of the target

altes Ziel long-standing goal; **ausdrückliches Z.** stated aim; **bedingtes Z.** conditional target; **erklärtes Z.** professed aim; **finanzielles Z.** financial goal/target; **geldpolitisches Z.** monetary target; **quantitatives ~ Z.** monetary growth target; **gesamtwirtschaftliche Z.e** overall economic goals; **hohes Z.** aspiration, ideal; **konjunkturpolitisches Z.** economic policy goal; **konkurrierende Z.e** conflicting goals; **kurzfristiges Z.** short-term target, short-run goal; **langfristiges Z.** long-term/long-run goal; **mittelfristiges Z.** medium-term/medium-rate target; **mittelstandspolitisches Z.** small business policy objective; **oberstes Z.** priority/prime aim; **offenes Z.** *(Kredit)* open account (terms), open book credit; **operatives Z.** specific objective; **steuerpolitisches Z.** fiscal objective; **unmittelbares Z.** proximate goal, primary target; **vorrangiges Z.** prime objective, priority (aim), prior/prime/priority goal; **wichtigstes Z.** top priority; **wirtschaftspolitisches Z.** economic-policy goal, economic goal/target

Ziel|analyse *f* goal analysis; **Z.antinomie** *f* conflicting goals; **Z.ausmaß/Z.band** *nt* target range; **Z.bahnhof** *m* destination; **auf Z.basis** *f* against future payment; **Z.bereich** *m* target range/area; **Z.bestand** *m* target inventory (level); **z.bewusst** *adj* purposeful, single-minded; **Z.beziehungen** *pl* relations between economic goals; **Z.bildung** *f* goal setting; **Z.bündel** *nt* set of objectives; **Z.daten** *pl* target figures; **Z.differenz** *f* difference of goals

zielen (auf) *v/i* to aim (at), to go (for)

Ziel|entscheidungsprozess *m* goal-formation process; **Z.ereignis** *nt* target event; **Z.erfüllung** *f* goal fulfilment; **Z.erfüllungsgrad** *m* degree of goal performance; **Z.erreichung** *f* achievement of objectives; **Z.erreichungsgrad** *m* degree of goal accomplishment; **Z.festlegung** *f* goal setting, setting of objectives; **vorläufige Z.festlegung** preliminary setting of objectives; **Z.feuer** *nt (fig)* purposive action; **Z.finanzierung** *f* export credit financing; **Z.firma** *f* target company; **Z.-flughafen** *m* (airport of) destination; **Z.formulierung** *f* policy formulation, statement of objectives; **Z.funktion** *f* objective function; **Z.gebiet** *nt* target area; **z.gerichtet** *adj* purposeful, goal-directed, targeted; **Z.gesamtheit** *f* ▦ target population; **Z.geschäft** *nt* buying on deferred payment terms; **Z.gewährung** *f* granting longer terms of payment, granting credit, open account terms; **Z.größe** *f* target figure

Zielgruppe *f* target group/market; **als Z. haben** to target; **Z.narbeit** *f* target group activities; **Z.nmarketing** *nt* target group marketing; **z.norientiert** *adj* directed towards a target group, target group-orient(at)ed; **z.nspezifisch** *adj* group-specific

Zielhafen *m* port of arrival/destination; **mit dem Z.** bound for; **vertraglich vereinbarter Z.** contractual destination

Ziel|harmonie *f* compatible/complementary goals; **Z.hierarchie** *f* hierarchy of objectives/goals; **Z.identität** *f* identity of goals; **Z.inhalt** *m* goal content; **Z.kalkül** *nt* target calculation; **Z.katalog** *m* goal system, set of objectives/targets; **Z.kauf** *m* purchase on credit, credit purchase; **Z.knoten** *m* terminal node; **Z.kompatibilität/Z.komplementarität** *f* compatible/complementary goals; **Z.konflikt** *m* conflicting/competing goals, conflict of aims, goal conflict, inconsistency of goals; **Z.korridor** *m* target range/band; **Z.kurszone** *f* *(IWF)* target range; **Z.land** *nt* country of destination; **z.los** *adj* aimless, random, purposeless, desultory; **Z.losigkeit** *f* lack of purpose; **Z.marke** *f* target; **Z.markt** *m* target market; **Z.mitteldichotomie** *f* means-ends dichotomy; **Z.nachfolge** *f* goal succession; **Z.neutralität** *f* indifference of goals; **z.orientiert** *adj* performance-orient(at)ed; **Z.ort** *m* (place of) destination; **Z.planung** *f* goal formation process, target planning; **Z.portfolio** *nt* target portfolio; **Z.preis** *m [EU]* target/norm/guide price; **Z.programm** *nt* target programme; **Z.programmierung** *f* goal programming; **Z.projektion** *f* target projection; **Z.publikum** *nt* target audience; **Z.punkt** *m* arrival point, point of destination; **Z.realisierung** *f* achievement of objectives, accomplishment of goals; **Z.revision** *f* goal analysis and review; **Z.richtung** *f* thrust, goal direction; **Z.scheibe** *f* target, butt *(fig)*

Zielsetzung *f* target, aim, objective, goal, goal/objective setting; **Z.en** priorities; **beschäftigungspolitische Z.en** employment targets; **gesellschaftspolitische Z.en** objects of social policy; **politische Z.** policy target; **soziale Z.** social objectives; **wirtschaftliche Z.** economic objectives/targets

Ziel|spanne *f* target range; **Z.sprache** *f* target language; **z.strebig** *adj* single-minded, determined, purposeful, resolute; **Z.strebigkeit** *f* determination, drive, tenacity of purpose; **Z.suche** *f* goal search; **Z.system** *nt* system/hierarchy of goals, ~ of objectives; **Z.trajektorie** *f* trajectory of objectives; **Z.tratte** *f* term/time draft; **Z.überprüfung** *f* goal review; **Z.überschreitung** *f* overshoot(ing); **Z.unabhängigkeit** *f* independence of goals

Zielvariable *f* 1. target/goal variable; 2. ▦ explained variable; **gesamtwirtschaftliche Z.** economic policy goal; **stellvertretende Z.** target variable

Ziel|vereinbarung *f* agreement on targets; **Z.verschiebung** *f* goal displacement

Zielvorgabe *f* target(-setting); **Z.n** defined goals and objectives; **~ der öffentlichen Finanzwirtschaft** public service goals and objectives; **finanzpolitische Z.n** monetary targetry; **quantitative Z.** quantitative target

Ziel|vorstellung *f* objective, policy goal; **Z.wechsel** *m* time *[US]*/tenor *[GB]* bill, time draft; **Z.widersprüchlichkeit** *f* inconsistency of goals; **Z.zone** *f* target zone; **Z.zonensystem** *nt* target zone system

ziemlich *adv* rather, comparatively, fairly

Zierde *f* adornment

zieren *v/t* to embellish/adorn; *v/refl* to make a fuss

Zierleiste *f* border, trim

Ziffer *f* → **Zahl** 1. number, figure; 2. numeral, digit, cipher; 3. *(Vertrag)* (sub-)section; **Z.n** figures, data; **in rote Z.n geraten** to get into the red; **amtliche Z.n** official figures

Ziffernlanzeige *f* 1. *(Werbung)* keyed advertisement; 2. 🖳 carded display; **Z.auswahl** *f* 🖳 digit selection; **Z.blatt** *nt* dial; **Z.code** *m* numerical code; **Z.darstellung** *f* digital notation; **z.mäßig** *adj* numerical, in terms of figures; **Z.material** *nt* statistical data; **Z.rechenanlage** *f* digital computer; **Z.sprache** *f* numerical/ numeral language; **Z.stelle** *f* digit; **Z.telegramm** *nt* cipher/coded telegram; **Z.umschaltung** *f* figures shift

zig *adj* umpteen *(coll)*; **z. Millionen** *(coll)* zillion *(coll)*

Zigarette *f* cigarette, fag *(coll)*; **Z. drehen** to roll a cigarette

Zigarettenlanzünder *m* cigarette lighter; **Z.automat** *m* cigarette machine; **Z.dose** *f* cigarette tin; **Z.etui** *nt* cigarette case; **Z.marke** *f* cigarette brand; **Z.päckchen** *nt* packet *[GB]*/pack *[US]* of cigarettes; **Z.steuer** *f* excise tax/duty on cigarettes

Zigarre *f* cigar; **Z.nladen** *m* cigar shop *[GB]*/store *[US]*

Zigeuner(in) *m/f* gipsy, traveller *[GB]*

Zimmer *nt* room; **Z. frei** *(Hotel)* vacancies

jdm ein Zimmer besorgen/nachweisen to get/find so. a room; **Z. bestellen/reservieren** to book a room; **Z. mieten** to rent a room; **Z. räumen** to vacate a room; **sich ein Z. teilen** to share a room; **Z. vermieten** to let a room

nett eingerichtetes Zimmer neatly furnished room; **freies Z.** vacant room, vacancy; **möbliertes Z.** furnished room, betsitter; **möblierte Z.** lodgings

Zimmerlantenne *f* indoor aerial; **Z.arrest** *m* home arrest; **Z.bedienung** *f* room service; **Z.bestellung** *f* hotel reservation

Zimmerei(betrieb) *f/m* 1. joinery, joiner's shop; 2. 🏛 carpentry

Zimmerlflucht *f* suite, set of rooms; **Z.gebühr** *f* room fee; **Z.genosse/Z.genossin** *m/f* roommate; **Z.mädchen** *nt* (chamber)maid; **Z.mann** *m* carpenter; **Z.miete** *f* room rent; **Z.nachweis** *m* accommodation service; **Z.nummer** *f* room number; **Z.platz** *m* timber yard; **Z.preis/Z.tarif** *m* room fee/rate; **Z.reservierung** *f* hotel reservation; **Z.schlüssel** *m* room key; **Z.suche** *f* room hunting; **Z.telefon** *nt* room telephone; **Z.temperatur** *f* room temperature; **Z.vermieter/Z.wirt** *m* landlord; **Z.vermittlung** *f* accommodation service; **Z.wirtin** *f* landlady

Zink *nt* zinc; **Z.blech** *nt* galvanized sheet steel; **Z.salbe** *f* ⚕ zinc ointment

Zinn *nt* tin; **Z.abkommen** *nt* tin agreement; **Z.bergbau** *m* tin mining; **Z.blech** *nt* tin plate; **internationales Z.kartell** Tin Council; **Z.legierung** *f* pewter; **Z.pufferpool** *m* tin buffer stock(s)

Zins *m* 1. (rate of) interest, rate; 2. rent; **Z.en** interest(s), interest charges; **auf Z.en** (out) on interest; **mit (laufenden) Z.en** cum interest; **ohne Z.en** ex interest; **Z.en auf 360 Tage Basis** bankers' ordinary interest; **~ 365 Tage Basis** exact interest

Zins für erste Adressen base/prime rate (lending); **Z.en und zinsähnliche Aufwendungen** interests and similar/related expenditure; **Z. für Ausleihungen** lending rate; **Z.en aus Bausparguthaben** interest from savings with building societies; **~ für Festgeld(anlagen)** time deposit rates; **~ auf aufgenommene Gelder** interest on borrowed money; **~ aus Hypotheken und Grundschulden** interest from mortgages and encumbrances of real property; **~ aus Kapitalanlagen** interest on investments; **Z. zum Satz von** interest at the rate of; **Z.en auf Schuldverschreibungen** interest on capital notes; **Z. für kurzfristige Schuldverschreibungen** short rate; **~ langfristige Schuldverschreibungen** long rate; **~ Spareinlagen** rate on deposit account, savings rate; **Z.en für Teilzahlungskredite** carrying charges; **~ aus Teilschuldverschreibungen** interest on bonds; **~ und Tilgung** interest and repayments (of principal); **~ auf Verbindlichkeiten und Einlagen** interest on deposits; **Z. und Zinseszins** cumulative interest

abzüglich der Zinsen less interest (accrued); **auf Z. ausgeliehen** out on interest; **franko Z.** interest charged, flat; **ohne Z. notiert** quoted flat

Zinslen abwerfen/einbringen/tragen to bear/yield/ earn/carry/draw/produce/generate interest; **auf ~ ausleihen** to lend/loan on interest; **~ belasten** to charge interest; **~ berechnen** to charge/calculate/compute/compound interest; **~ nach oben/unten drücken** to put upward/downward pressure on interest rates; **~ eindämmen** to halt/stem the rise of interest rates; **~ erheben** to charge interest; **~ errechnen** to ascertain/calculate interest; **dem Konto ~ gutschreiben** to add interest to the account; **mit einem Z. ausgestattet sein** to carry a coupon; **Z.en senken** to cut the rate(s) of interest, to bring down/cut interest rates; **~ nach oben/unten treiben** to put upward/downward pressure on interest rates; **~ zahlen** to pay interest; **mit Z. und Zinseszins zurückzahlen** to pay back with interest

abgegrenzte Zinslen accrued interest; **angefallene/angesammelte/aufgelaufene Z.en** accrued/lost interest; **auf der Basis von 365 Tagen berechnete Z.en** exact/ordinary/accurate interest; **effektiver Z.** 1. real/ market rate of interest; 2. *(Anleihe)* yield rate; **entgangene Z.en** rolled-up interest; **fällige Z.en** interest(s) due; **vertraglich festgelegter Z.** contract rate of interest; **fiktive Z.en** imputed interest; **freie Z.en** uncontrolled interest rates; **gesetzliche Z.en** legal rate of interest, statutory interest; **gewöhnliche Z.en** simple/ordinary interest; **hohe Z.en** steep interest rates; **interne Z.en** internal interest, ~ rate of return; **kalkulatorische Z.en** implicit/imputed/fictitious interest, interest forecosting; **kapitalisierte Z.en** capitalized interest; **laufende Z.en** 1. running/current interest; 2. interest accrued; **marktübliche Z.en** customary rates of interest; **natürlicher Z.** natural interest rate; **neutraler Z.** neutral rate of interest; **niedrigster Z.** fine rate; **prohibitive Z.en** prohibitive/inhibitory rate of interest; **reiner Z.** pure interest; **risikofreier Z.** risk-free rate of interest; **rückständige Z.en** unpaid/back interest; **schwankender Z.** floating (interest) rate; **sonstige Z.en** other interest income; **transitorische Z.en** deferred interest; **überhöhte Z.en** exorbitant (rate of) interest; **üblicher Z.** conventional interest; **unbezahlte Z.en** outstanding interest; **ungesetzlicher Z.** illegal interest; **unveränderlicher Z.** straight loan; **variable Z.en** variable/floating rate (of interest); **versicherbarer Z.** insurable interest; **zementierte Z.en** hard-and-fast interest rates

Zins|abbau *m* reduction of interest rates; **Z.abfluss** *m* interest payments; **antizipative Z.abgrenzung** deferred interest; **Z.abkommen** *nt* interest rates agreement; **Z.abkopplung** *f* independent interest rate movement/policy; **Z.abrechnung** *f* interest statement; **Z.abschlagssteuer** *f* tax on interest payments, interest discount tax; **Z.abschlagszahlung** *f* interest instalment; **Z.abschnitt** *m* interest coupon; **Z.abschwung/Z.abstieg** *m* downturn/easing of interest rates; **Z.abstand** *m* interest rate differential; **Z.abstimmung** *f* collusive fixing of interest rates; **Z.abzug** *m* discount; **im Voraus vor(weg)genommener Z.abzug** prepaid interest; **z.ähnlich** *adj* interest-like; **Z.änderung** *f* change in interest rates; **Z.änderungsrisiko** *nt* interest risk, interest rate exposure; **Z.anerkenntnis** *nt* recognition of interest; **Z.anhebung** *f* hike in interest rates; **Z.anleihe** *f* loan repayable at a fixed date

Zinsanpassung *f* interest rate adjustment, flexible rate (system); **mit Z.** variable-interest; **Z.sprozess** *m* process of interest rate adjustment

Zins|anreiz *m* attractive interest rates; **Z.anspruch** *m* interest due/claim; **Z.anstieg** *m* rise/upturn in interest rates, rise in the rate of interest, interest rate rise; **scharfer Z.anstieg** jump in interest rates; **Z.anteil** *m* interest element

Zinsarbitrage *f* interest (rate)/forward arbitrage; **kursgesicherte Z.** covered arbitrage; **spekulative Z.** uncovered arbitrage; **Z.geschäft** *nt* interest-rate arbitrage dealings

Zins|arbitrageur *m* interest-rate arbitrager; **Z.aufschub** *m* interest deferral; **Z.aufstellung** *f* interest statement; **Z.auftrieb** *m* rise/upturn/upsurge in interest rates; **Z.auftriebskraft** *f* interest-rate raising force; **Z.aufwand/Z.aufwendungen** *m/pl* interest bill/expenditures/cost(s)/expense/charges/payable/paid; **Z.-ausfall** *m* interest lost/loss; **Z.ausfallrisiko** *nt* interest loss risk; **Z.ausgleich** *m* adjustment of interest, interest equalization; **Z.ausgleichssteuer** *f* interest equalization tax; **Z.ausschläge** *pl* interest rate movements; **Z.außenstände** *pl* interest on arrears; **Z.ausstattung** *f* rate of interest, coupon rate, interest terms; **Z.auszahlungsschein** *m* interest warrant; **Z.bauer** *m* villein *(obs.)*; **z.bedingt** *adj* interest-induced; **Z.bedingungen** *pl* interest terms; **Z.befestigung** *f* hardening of interest rates; **z.begünstigt** *adj* interest-subsidized; **Z.beihilfe** *f* interest subsidy; **Z.belastung** *f* interest burden/charge(s)/expenditure/expense/load; **Z.berechnung** *f* interest computation, computation/calculation of interest; **z.-berechtigt sein** *adj* to rank for interest; **Z.bereich** *m* interest rate category; **Z.bestandteil** *m* interest component; **Z.betrag** *m* amount of interest; **gebundene Z.beträge** interest set aside; **Z.bewegung** *f* interest rate move; **z.bewusst** *adj* interest-conscious; **Z.bewusstsein** *nt* interest-consciousness; **Z.bildung** *f* interest rate development

Zinsbindung *f* pegging of interest rates, interest rate control; **Z. aufheben** to lift interest rate controls; **Z.s-dauer/Z.sfrist** *f* lock-down period for interest rates

Zins|bogen *m* coupon sheet, talon; **Z.bogensteuer** *f* talon tax; **Z.bonifikation** *f* additional interest; **Z.bonus** *m* interest premium; **Z.brief** *m* copyhold deed; **z.bringend** *adj* interest-yielding, interest-earning, interest-bearing, bearing interest; **Z.buch** *nt* rent roll; **Z.buckel** *m* interest rate bulge; **Z.coupon** *m* interest warrant/coupon; **Z.darlehen** *nt* interest-bearing loan; **Z.deckung** *f* interest cover(age); **Z.degression** *f* decline of interest rates; **Z.dienst** *m* interest expense/charges/service/expenditures, loan service; **Z.- und Amortisations-/Tilgungsdienst** interest and amortization payments/service; **Z.differenz** *f* interest (rate) differential; **Z.dirigismus** *m* interest rate regimentation; **Z.diskrepanz** *f* interest differential; **Z.divisor** *m* interest divisor; **Z.-druck** *m* pressure of/on interest rates; **Z.effekt** *m* interest rate effect; **Z.eingänge/Z.einkünfte/Z.einnahmen** *pl* interest receipts/earnings/received/revenue/income, income from interest; **Z.einkünfte aus internationalen Kapitalanlagen** international depositary receipts; **Z.einlage** *f* interest-bearing deposit; **Z.einnahmen** *pl* income from interest; **z.elastisch** *adj* interest-elastic; **Z.elastizität** *f* interest(-rate) elasticity; **z.empfindlich** *adj* interest-sensitive, rate-sensitive

Zinsen|dienst *m* → **Zinsdienst**; **Z.konto** *nt* interest account; **Z.nachlass** *m* interest reduction; **Z.stamm** *m* renewal coupon; **z.tragend** *adj* → **zinsbringend** interest-bearing

Zins|entspannung *f* easing of interest rates; **Z.entwicklung** *f* interest-rate development

Zinsenüberschuss *m* net interest received

Zins|erfolgsrechnung *f* interest income statement; **Z.ergebnis** *nt* net interest income; **Z.erhöhung** *f* rise in the rate of interest, increase/rise in interest rates; **Z.ermäßigung** *f* interest concession, reduction in interest rates; **Z.erneuerungsschein** *m* renewal coupon; **Z.ersparnis** *f* interest saving

Zins|ertrag/Z.erträgnisse/Z.erträge *m/pl* 1. interest (yield/revenue/income/earnings/proceeds/earned/received); 2. *(Vers.)* investment income; **Z.erträge aus Darlehen** interest yield on loans; **~ Wertpapieren** interest on securities; **transitorische Z.erträge** *(Bilanz)* unearned interest

Zinsertrags|bilanz *f* interest income statement; **Z.bilanzsumme** *f* interest earnings balance sheet total; **Z.kurve** *f* yield curve; **z.steuerfrei** *adj* tax-free; **Z.tabelle für Obligationen** *f* bond yield table

Zins|erwartungen *pl* interest rate expectations; **Z.eskalation** *f* interest rate escalation

Zinseszins|(en) *m/pl* compound interest; **Z.periode** *f* accumulation/conversion period; **Z.rechnung** *f* compound calculation/computation of interest; **Z.satz** *m* compound rate; **Z.tabelle** *f* compound interest table

Zins|euphorie *f* interest rate euphoria; **Z.fächer** *m*

interest rate spread; **Z.fälligkeitstag/-termin** *m* due date of interest, interest due date; **Z.fantasie** *f* interest rate expectations; **Z.festschreibung** *f* interest rate guarantee; **Z.flexibilität** *f* interest rate flexibility; **Z.forderung** *f* interest due/receivable; **z.frei** *adj* 1. interest-free, free of interest, non-interest-bearing, bearing no interest, allodial; 2. *(Abgaben)* tax-free, rate-free; 3. *(Pacht)* rent-free; **Z.freigabe** *f* interest rate decontrol, decontrol/freeing of interest rates

Zinsfuß *m* interest rate, rate of interest; **Z. für Tagesgeld** call rate; **Z. erhöhen/heraufsetzen** to increase/ raise the rate of interest; **bequemer Z.** convenient rate/ base; **effektiver Z.** effective rate; **gesetzlicher Z.** legal/ statutory rate of interest; **interner Z.** 1. economic return, marginal rate of return over cost, ~ efficiency of capital, ~ productivity of investment, yield to maturity, internal/marginal/time-adjusted/initial/project/profitability index, ~ interest rate of return; 2. *(Vers.)* actuarial (rate of) return; **interne Z.methode** internal rate of return method, discounted cash flow method, yield method

Zins|future *m* interest rate future; **Z.garantie** *f* guaranteed interest, interest (payment) guarantee

Zinsgefälle *nt* interest rate differential/gap/spread, gap in the interest rates, disparity of interest rates, pattern of interest rate differentials; **internationales Z.** arbitrage margin; **inverses Z.** inverse interest rate differential

Zins|gefüge *nt* structure/pattern of interest rates, interest rate structure; **Z.geschäft** *nt* interest-earning business; **Z.gewinn** *m* net interest earnings/profit, profit from interest; **Z.gipfel** *m* interest rate peak; **Z.gleitklausel** *f* interest escalation clause, sliding rate of interest clause; **obere Z.grenze** interest rate ceiling; **z.günstig** *adj* low-interest, at a favourable rate of interest

Zinsgutschein *m* coupon; **mit einem Z. ausgestattet sein** to carry a coupon; **Z.einlösung** *f* coupon redemption

Zins|gutschrift *f* 1. crediting of interest; 2. interest warrant, credit for accrued interest; **Z.hierarchie** *f* grading of interest rates; **Z.höchstsatz** *m* ceiling rate; **Z.höchstsätze** interest rate ceiling; **Z.höhe** *f* level/amount of interest; **Z.hypothek** *f* interest-bearing/redemption mortgage; **z.induziert** *adj* interest-induced; **Z.inflation** *f* interest inflation; **Z.instrument** *nt* interest rate weapon; **Z.intervention** *f* interference with interest rates; **Z.kapital** *nt* interest-bearing capital; **Z.kapitalisierung** *f* amortization of interest; **Z.klausel** *f* interest clause; **Z.klima** *nt* interest rate climate; **Z.konditionen** *pl* terms of interest, lending terms; **z.kongruent** *adj* at identical interest rates; **Z.konto** *nt* interest account; **z.konstant** *adj* at stable interest rates; **Z.kontrakt** *m* financial futures contract, interest rate future; **Z.konversion** *f* interest conversion, interest rate reduction through conversion; **Z.korrektur** *f* adjustment of interest rates; **Z.kosten** *pl* interest bill/costs/charges; **durchschnittlich anfallende Z.kosten** average interest expense(s); **Z.-Kredit-Mechanismus** *m* interest credit mechanism; **Z.kupon** *m* coupon, interest coupon/warrant, talon, cut; **Z.kurve** *f* yield curve; **Z.last** *f* interest burden/expense/expenditure; **Z.leiste** *f* talon, renewal coupon; **Z.liberalisierung** *f* decontrol of interest rates; **z.los** *adj* 1. interest-free, non-interest-bearing, bearing no interest, free of interest; 2. *(Pacht)* rentless; **Z.management** *nt* interest rate management; **Z.marge** *f* interest (rate) margin, margin between debit and credit interest rates; **~ bei Ausleihungen** lending margin; **Z.maximierung** *f* interest (rate) maximization; **Z.-mehraufwand** *m* net interest paid; **Z.mehrertrag** *m* net interest received; **interne Z.methode** internal rate of return method; **Z.minimierung** *f* interest (rate) minimization; **Z.misere** *f* desolate level of interest rates; **Z.nachlass** *m* interest rebate; **Z.nachzahlung** *f* payment of interest in arrears; **Z.nebenkosten** *pl* interest rate charges/incidentals; **Z.niveau** *nt* interest rate level, level of interest (rates); **Z.note** *f* interest statement; **Z.nutzen** *m* net interest received; **Z.obergrenze** *f* interest ceiling

Zinsoption *f* interest rate option; **Z.en-Kauf** *m* interest rate option purchase; **Z.en-Verkauf** *m* interest rate option sale

Zins|papier *nt* interest-bearing security; **Z.parität** *f* interest parity; **Z.paritätentheorie** *f* theory of interest-rate parity; **Z.periode** *f* interest(-paying)/conversion period; **z.pflichtig** *adj* 1. interest-bearing; 2. *(Pacht)* subject to rent; **Z.- und Tilgungsplan** *m* interest and repayment plan; **Z.plateau** *nt* high level of interest rates; **Z.politik** *f* interest rate policy; **Z.rate** *f* 1. interest rate; 2. *(Ratenzahlung)* interest instalment; **z.reagibel** *adj* interest-sensitive; **Z.reagibilität** *f* interest sensitivity

Zinsrechnung *f* 1. computation/calculation of interest, interest calculation; 2. interest account/bill; **interne Z.** internal interest accounting; **permanente Z.** continuous interest calculation; **progressive Z.** progressive interest calculation

Zins|regelung *f* interest rate regulation; **Z.register** *nt* *(Pacht)* rent roll; **Z.regulierung** *f* interest adjustment, ~ rate control; **Z.relationen** *pl* relative levels of interest rates; **Z.rendite** *f* interest yield; **Z.risiko** *nt* interest-rate risk; **z.robust** *adj* insensitive to interest rate fluctuations; **Z.rückbildung** *f* easing of interest rates; **Z.-rückgang** *m* fall in/downturn of interest rates; **Z.rückschlag** *m* interest rate slump; **Z.rückstände** *pl* interest arrears, overdue interest, arrears of interest; **Z.rückstellungen für langfristige Schulden** *pl* current maturities of long-term debts; **Z.rutsch** *m* slide of interest rates; **Z.saldo** *m* balance of interest, interest balance

Zinssatz *m* rate of interest, interest rate; 2. *(Kredit)* lending rate

Zinssatz für erste Adressen prime/blue-chip rate; **~ Ausleihungen** lending rate; **~ Bankdepositen** deposit rate; **Z. unter den Banken von Singapur** Singapore interbank offered rate (SIBOR); **~ Frankfurter Banken** Frankfurt interbank offered rate (FIBOR); **~ Londoner Banken** London interbank offered rate (LIBOR); **~ Pariser Banken** Paris interbank offered rate (PIBOR); **Z. für Bankkredite** bank loan rate; **~ Debitoren** debtor interest rate; **~ Einlagen mit 7-tägiger Kündigung** banker's deposit rate; **~ Festverzinsliche; ~ festverzins-**

liche Papiere coupon rate; **Z. unter der Inflationsrate** sub-marginal interest; **Z. für Kontenüberziehung** overdraft rate; ~ **Kredite bis zu 3 Monaten Laufzeit** short-term rate; ~ **erstklassige Kunden** prime (interest)/blue-chip rate; ~ **Kurzläufer** short rate; ~ **Langläufer** long rate; ~ **Schatzwechsel** bill rate; ~ **Spareinlagen** savings deposit rate; ~ **Termingelder** period rate

mit festem Zinssatz ausgestattet fixed-interest(-bearing); **mit niedrigem Z. ausgestattet** low-interest, low-coupon; **mit variablem Z. ausgestattet** variable-interest

Zinssatz anheben/erhöhen 1. to increase/raise the interest rate; 2. *(Anleihe)* to increase the coupon; **Z. herabsetzen** to decrease/lower/cut the interest rate, ~ the rate of interest; **mit einem Z. von ... ausgestattet sein** to carry an interest rate of ...

derzeitiger Zinssatz current rate of interest; **effektiver Z.** effective rate; **fester Z.** fixed rate of interest; **vertraglich festgelegter Z.** contract rate of interest; **gesetzlicher Z.** legal (rate of)/statutory interest; **gestaffelter Z.** staggered rate of interest, tiered interest rates; **gegenwärtig gültiger Z.** current coupon, ~ rate of interest; **günstiger Z.** favourable/fine rate; **zu einem günstigen Z.** at a favourable rate; **handelsüblicher Z.** commercial interest rate; **interner Z.** internal rate of return; **landesüblicher Z.** current rate of interest; **marktüblicher Z.** interest at market rates; **normaler Z.** standard interest rate; **schwebender/variabler Z.** floating rate of interest, ~ interest rate; **üblicher Z.** usual rate of interest; **(vertraglich) vereinbarter/vertraglicher Z.** contract (rate of) interest; **vertragsgemäßer Z.** conventional interest

Zinssatzänderung *f* change in interest rate

Zinsschein *m* bond coupon, interest warrant/ticket/coupon; **ohne Z.** ex interest, without coupon; **Z.bogen** *m* coupon sheet; **Z.einlösungsdienst** *m* coupon service; **Z.inkasso** *nt* bond coupon for collection

Zins|schere *f* interest rate gap; **Z.schraube anziehen** *f* to tighten up interest rates; **Z.schub** *m* surge of interest rates; **Z.schwankung** *f* fluctuation in interest rates, interest rate fluctuation; **Z.selbstkostensatz** *m* interest-cost rate

Zinssenkung *f* cut in interest rates, interest rate cut/reduction, lowering of interest rates, reduction of interest; **Z.spotenzial** *nt* margin for interest rate cuts; **Z.srunde** *f* round of interest rate cuts

Zins|sicherungsgeschäft *nt* interest hedge; **Z.sicherungskontrakt** *m* interest rate hedging instrument; **Z.situation** *f* interest rate situation; **Z.sollstellung** *f* interest accruals

Zinsspanne *f* interest margin/spread, spread of interest rates, margin between debit and credit interest rates, rate spread, margin of profit; **gedrückte Z.n** squeezed interest margins; **schrumpfende Z.** contracting margin; **Z.nrechnung** *f* margin costing, interest margin accounting; **Z.nstruktur** *f* pattern of interest differentials

Zins|spiegel *m* interest rate level; **Z.spirale** *f* spiral of interest rate increases; **Z.sprung** *m* jump in interest rates; **Z.stabilisierung** *f* interest rate stabilization, stabilization/stability of interest rates; **Z.staffel** *f* interest table, day-to-day interest statement, interest calculation list, equation of interest; **Z.steigerung** *f* increase in interest rates; **z.steuerbefreit** *adj* tax-exempt, tax-free; **Z.steuerfreiheit** *f* freedom from tax on interest; **Z.stopp** *m* interest freeze; **Z.ströme** *pl* interest flows

Zinsstruktur *f* interest rate structure, structure of interest rates; **inverse Z.** inverse interest rate structure, inverse yield curve; **Z.kurve** *f* yield curve

Zins|sturz *m* nosedive of interest rates; **Z.subvention** *f* interest subsidy; **Z.swap** *m* interest rate swap; **Z.tabelle** *f* interest table, table of interest; **Z.tag** *m* interest/quarter day; **Z.tagberechnung** *f* computing elapsed time in days; **Z.tal** *nt* interest rate trough; **Z.tausch** *m* interest rate swap; **Z.tendenz** *f* development of interest rates; **Z.termin** *m* interest (due)/coupon date, due date for interest payment; **Z.terminkontrakt** *m* interest rate futures contract; **Z.theorie** *f* loanable funds theory, theory of interest; **dynamische Z.theorie** dynamic interest theory; **Z.titel** *m* active paper, debt instrument; **z.tragend** *adj* 1. interest-yielding, interest-bearing; 2. *(Wertpapiere)* active; **nicht z.tragend** non-interest-bearing; **z.treibend** *adj* interest-rate-raising; **Z.trend** *m* development of interest rates; **Z.typ** *m* interest rate type; **Z.überschuss** *m* interest surplus, net interest received/income; **Z.übertragungsmechanismus** *m* cost of capital channel; **Z.umkehr** *f* interest rebound, ~ trend reversal; **Z.umwandlung** *f* conversion of interest; **z.unelastisch** *adj* interest-inelastic; **z.unempfindlich** *adj* interest-insensitive; **Z.unsicherheit** *f* uncertainty about interest rates; **Z.untergrenze** *f* interest floor; **Z.unterschied** *m* interest (rate) differential; **z.variabel** *adj* at variable rates; **z.verbilligt** *adj* 1. interest-subsidized; 2. at a reduced interest rate; **Z.verbilligung** *f* 1. subsidizing of interest rates; 2. interest rebate, reduction in the interest rate; **Z.verbilligungsprogramm** *nt* interest-subsidizing programme; **Z.verbindlichkeiten** *pl* interest payable; **z.verfälschend** *adj* distorting interest rates; **Z.vergünstigung** *f* interest-rate relief; **Z.vergütung** *f* allowance for interest, aid towards the payment of interest; **Z.vergütungsschein** *m* interest certificate; **Z.verlauf** *m* development of interest rates; **Z.verlust** *m* interest lost/loss, lost interest, loss of interest; **Z.versprechen** *nt (Wechsel)* interest clause; **Z.versteifung** *f* firming of interest rates; **Z.verzicht** *m* waiver of interest, interest waiver; **Z.verzug** *m* default of interest; **Z.volatilität** *f* interest rate volatility; **Z.vorausschau** *f* interest rate prospects; **Z.vorauszahlung** *f* prepayment of interest; **Z.wahrheit** *f* interest rate genuineness; **Z.währungsswap** *m* interest rate currency swap; **Z.wandel** *m* change in interest rates; **ewig laufender Z.wechsel** perpetual floater; **z.weise** *adj* as/by way of interest; **Z.wende** *f* turn(a)round in interest rates; **Z.wettbewerb** *m* (interest) rate competition; **Z.wettlauf** *m* interest rate war; **Z.wucher** *m* usurious interest, exorbitant rate of interest, usury; **Z.wucherer** *m* loan shark *(coll)*; **Z.zahlen** *pl* interest/red numbers

Zinszahlung *f* interest payment; **Z.- und Tilgungszah-**

lungen leisten to service debts; **Z. verschieben** to defer interest payments; **halbjährliche Z.** semi-annual coupon; **mit jährlicher Z.** yearly interest coupon; **zweifelhafte Z.** reserved interest; **Z.stermin** *m* interest (payment) date

Zins|zugeständnis *nt* concession on interest rates; **Z.-zuschlag** *m* additional interest; **Z.zuschuss** *m* interest subsidy, aid towards the payment of interest; **Z.zyklus** *m* interest rate cycle

zirka *prep* about, approximately, circa; **Z.auftrag** *m* approximate-limit order; **Z.kurs/Z.preis** *m* approximate price

Zirkel *m* compass(es), circle; **Z.schluss** *m* circular argument

Zirkular *nt* circular; **Z.kreditbrief** *m* circular letter of credit (L/C); **Z.scheck** *m* circular cheque *[GB]*/check *[US]*; **auf dem Z.weg** *m* by postal vote

Zirkulation *f* circulation; **Z.sgeld** *nt* circulation money

zirkulieren *v/t* to circulate/circuit; **z. lassen** to circulate, to pass around; **z.d** *adj* current

Zirrhose *f* $ cirrhosis

Ziseleur *m* engraver

Zisterne *f* cistern

Zitat *nt* quotation, quote

zitierbar *adj* quotable; **nicht z.** unquotable

zitieren *v/t* 1. to quote; 2. § to cite/invoke; **falsch z.** to misquote; **wortwörtlich z.** to quote verbatim

Zitrusfrucht *f* citrus fruit

in Zivil *nt* in plain clothes; **z.** *adj* 1. civil(ian); 2. *(Polizei)* plain-clothes; 3. non-military

Zivil|- 1. civil(ian); 2. plain-clothes; **Z.beamter/Z.beamtin** *m/f* 1. civil servant; 2. *(Polizei)* plain-clothes officer; **Z.behörde** *f* civilian authority; **Z.beruf** *m* civil (ian) profession/trade; **Z.bevölkerung** *f* civilian population; **Z.courage** *f* the courage of one's convictions; **Z.dienst** *m* 1. civil service; 2. *(Ersatzdienst)* community service; **Z.dienstleistender** *m* conscientious objector (doing community service); **Z.ehe** *f* civil marriage; **Z.flughafen** *m* commercial airport

Zivilgericht *nt* civil court; **Z. für Bagatellsachen** small claims court; **jdn vor einem Z. verklagen** to bring a civil action against so.; **Z.sbarkeit** *f* civil jurisdiction

Zivilgesetz|buch *nt* civil code, code of civil law; **Z.gebung** *f* civil legislation

Zivilisation *f* civilization

zivilisieren *v/t* to civilize

Zivilist(in) *m/f* civilian

Zivil|kammer *f* § civil division/chamber; **Z.klage** *f* civil suit/complaint; **Z.leben** *nt* civil life

Zivilluftfahrt *f* civil aviation, ~ air transport; **Z.behörde** *f* Civil Aviation Authority (CAA) *[GB]*, Civil Aeronautics Board (CAB) *[US]*, Federal Aviation Agency *[US]*; **Z.gesetz** *nt* Civil Aviation Act *[GB]*

Zivilperson *f* civilian

Zivilprozess *m* § civil suit/action/proceedings/litigation/case; **Z.ordnung (ZPO)** *f* rules of civil practice, code of civil procedure; **Z.recht** *nt* law/rules of civil procedure

Zivil|recht *nt* civil/private/common law; **Z.rechtler** *m* common lawyer; **z.rechtlich** *adj* civil-law, under/relating to civil/common law; **Z.rechtsfall** *m* civil case; **Z.regierung** *f* civilian government; **Z.richter** *m* civil court judge; **Z.sache** *f* civil case; **Z.sachen** civil proceedings; **Z.senat** *m* civil division (of a superior court); **Z.stand** *m* marital/civil status; **Z.streitigkeiten** *pl* civil litigation; **Z.trauung** *f* civil wedding/marriage; **Z.unrecht** *nt* § tort; **Z.urteil** *nt* judgment in a civil case; **Z.verfahren** *nt* civil procedure/proceedings; **Z.verteidigung** *f* civil defence; **Z.verwaltung** *f* civil administration

Zögern *nt* hesitation, reluctance, dilatoriness, dithering, foot-dragging; **ohne schuldhaftes Z.** without undue delay; **z.** *v/i* to hesitate/delay/falter/dither, to drag one's feet *(fig)*; **z.d** *adj* hesitant, reluctant

Zoll *m* 1. ⊖ customs (authority), duty, tariff, impost; 3. *(Maß)* inch (in.); 2. *(Straße/Brücke)* toll

Zölle und Abgaben customs and excise duties; **~ Belastungen aller Art** customs duties and charges of any kind; **~ Steuern** taxes and duties; **~ Verbrauchssteuern** customs and excise duties

Zoll zu Ihren Lasten duty forward; **~ Lasten des Empfängers** duty for consignee's account

beim Zoll abfertigen to clear (through customs); **~ angeben/deklarieren** to enter/declare (goods); **vom Z. ausnehmen** to exempt from duty; **mit Z. belegen** to tariff, to impose a duty; **Z. bezahlen** to pay duty; **Z. einnehmen** to collect duty; **Z. erheben** 1. to levy customs duties, to charge duty; 2. *(Straße)* to levy a toll; **Z. erlassen** to remit (a) duty; **Z. festsetzen** to assess (a) duty; **Z. legen auf** to levy a duty on; **Z. passieren** to pass through/clear customs; **Z. umgehen** to avoid customs duty; **dem Z. unterliegen** to attract/carry duty, to be subject to duty; **Z. zahlen auf** to pay duty on

anwendbarer Zoll appropriate customs duty; **ausgesetzter Z.** suspended tariff; **autonomer Z.** autonomous tariff; **diskriminierender Z.** discriminatory/discriminating tariff, ~ duty; **einheitlicher Z.** standard duty; **nach Gewicht erhobener Z.** specific duty, poundage; **nach Wert ~ Z.** ad-valorem *(lat.)* duty; **fiskalischer Z.** revenue-raising duty; **gemischter/kombinierter Z.** mixed/compound duty; **gestaffelter Z.** differential duty; **gleitender Z.** sliding-scale duty/tariff, escalator tariff; **spezifischer Z.** specific duty; **suspendierter Z.** suspended tariff; **unsichtbarer Z.** invisible tariff; **wissenschaftlicher Z.** scientific duty

Zoll|abandonierung *f* abandonment; **Z.abbau** *m* tariff dismantlement/reduction, reduction/dismantling of tariffs, duty reduction, elimination of customs duties

Zollabfertigung *f* 1. customs clearance/clearing/control, clearance of goods; 2. customs post/checkpoint

Zollabfertigungs|formalitäten *pl* customs clearance procedure; **Z.formular** *nt* customs clearance form; **Z.gebühren** *pl* clearance charges; **Z.hafen** *m* port of entry/clearance; **Z.kosten** *pl* cost(s) of clearance; **Z.-papier/Z.schein** *nt/m* clearance/clearing certificate, bill of clearance, permit, customs declaration/permit, clearance paper; **Z.stelle** *f* customs house

Zollabgabe|n *pl* 1. (customs) duty; 2. tolerance *[US]*; **z.pflichtig** *adj* dutiable

Zollabkommen *nt* tariff treaty/agreement, customs convention; **Z. über Behälter** Customs Convention on Containers; **Allgemeines Z.- und Handelsabkommen** General Agreement on Tariffs and Trade (GATT)

Zoll|abschätzung *f* customs valuation; **Z.abteilung** *f* customs department; **Z.agent** *m* customs (house) broker/agent; **Z.agentur** *f* customs agency; **z.ähnlich** *adj* quasi-tariff

Zollamt *nt* customs office/house; **an ein Z. weiterleiten** to clear for transit to a customs office; **zuständiges Z.** proper customs house

zollamtlich *adj* customs; **z. erklärt** entered; **z. erledigt/freigegeben** (customs) cleared; **z. geöffnet** opened by the customs; **z. verwahrt** in bond, bonded

Zollamts|bescheinigung *f* customs certificate; **Z.vorsteher** *m* head of customs office

Zoll|angabe *f* customs declaration; **Z.angleichung** *f* tariff adjustment; **Z.anhebung** *f* tariff increase; **Z.anmelder** *m* declarant

Zollanmeldung *f* (customs) entry/declaration; **Z. für die Abfertigung zum freien Verkehr** entry for release for free circulation; **Z. zum Zollgutversand** declaration for customs transit; **schriftliche Z.** entry in writing; **summarische Z.** summary customs declaration

Zoll|anpassung *f* tariff adjustment; **Z.ansageposten** *m* advance post *[GB]*; **Z.ansatz** *m* rate of duty; **Z.anschluss** *m* customs union/territory; **Z.anschlussgebiet** *nt* customs enclave

Zollantrag *m* customs application, bill of entry; **Z. für Inlandsverbrauch** entry for home use; **Z. stellen** to file an entry

Zoll|aufhebung *f* abolition of customs (duty); **Z.aufkommen** *nt* customs revenue; **Z.aufschlag** *m* supplementary duty, customs (sur)charge; **Z.aufschub** *m* deferred duty/payment (of duty); **Z.aufschublager** *nt* deferred-duty/bonded warehouse; **Z.aufseher** *m* customs inspector

Zollaufsicht *f* customs supervision/surveillance; **Z.- und Verbrauchssteueraufsicht** duty and consumption tax control; **Z.sstelle** *f* customs supervisory post

Zoll|ausfuhrdeklaration/-erklärung *f* declaration outwards; **Z.auskunft** *f* tariff information; **Z.ausland** *nt* foreign customs territories; **Z.auslieferungsschein** *m* customs warrant; **Z.ausschlussgebiet** *nt* free zone; **Z.aussetzung** *f* suspension of (customs) duty; **Z.aval** *m* customs guarantee; **Z.beamter/Z.beamtin** *m/f* customs official/officer, revenue officer; **~ im Küstenhandel** coast waiter; **Z.befreiung** *f* exemption from customs/duty, remission of duty, duty-free admission; **Z.befund** *m* certification of customs treatment, result of customs check

Zollbegleit|papiere *pl* bond papers, accompanying customs documents; **Z.schein** *m* bond warrant *[GB]*/note, trans(s)hipment bond, transire, customs bond note; **Z.-scheinheft** *nt* carnet (de passage) *[frz.]*

Zoll|begleitung *f* customs escort; **Z.begünstigung** *f* preferential treatment; **Z.begünstigungsliste** *f* free/preferential tariff list, tariff concession list; **Z.behandlung** *f* customs clearance/treatment; **Z.behörde** *f* customs (authority), Her Majesty's (H.M.) Customs *[GB]*, Bureau of Customs *[US]*; **Z.belange** *pl* customs matters; **Z.belastung** *f* tariff/duty burden, duty, incidence of customs duties; **Z.bemessung/Z.berechnung** *f* assessment of duty; **Z.beschau** *f* customs inspection/examination; **Z.bescheid** *m* notice of assessment; **Z.bescheinigung** *f* customs/clearance certificate; **Z.-beschränkungen** *pl* customs/tariff restrictions; **Z.bestimmung** *f* customs regulation, tariff regulation/provision; **Z.beteiligte(r)** *f/m* party concerned in customs clearance; **Z.betrag** *m* amount of duty; **Z.bewertung** *f* customs valuation, appraisement, valuation for customs purposes, ~ by customs authorities; **Z.bezirk** *m* customs (collection) district; **Z.binnenland** *nt* inland customs territory; **Z.boot** *nt* revenue cutter; **Z.brücke** *f* 🚗 toll bridge; **Z.bürge** *m* (customs) guarantor; **Z.-bürgschaft** *f* customs guarantee, removal bond; **Z.-bürgschein** *m* customs bond; **Z.büro** *nt* custom(s) house; **Z.deklaration** *f* bill of entry, customs declaration/report/entry, (duty) entry, manifest, declaration; **~ für Eigenverbrauch** entry for home use; **Z.delikt** *nt* customs offence; **Z.depot** *nt* bonded warehouse; **Z.-dienst** *m* customs service; **Z.direktion** *f* customs authorities; **Z.disparitäten** *pl* disparities of customs structures; **Z.dokument** *nt* customs document; **Z.doppeltarif** *m* two-column tariff; **Z.durchgangsschuppen** *m* (customs) transit shed; **Z.durchgangsstelle** *f* customs office en route *[frz.]*; **Z.durchlassschein** *m* trans(s)hipment bond, transire; **Z.durchsuchung** *f* customs search; **Z.eigenlager** *nt* private/importer's bonded warehouse; **Z.einfuhrdeklaration/-erklärung/Z.eingangsdeklaration** *f* declaration inwards, (customs) bill of entry, inward manifest; **Z.einfuhr-/Z.eingangsschein** *m* bill of entry; **Z.einlagerer** *m* bonder; **Z.einlagerung** *f* bonding; **Z.einlagerungsstelle** *f* bonding facilities; **Z.einnahmen** *pl* customs revenue(s)/collection/receipts; **Z.einnahmeverlagerung** *f* deflection of customs receipts; **Z.einnehmer** *m* 1. receiver of customs; 2. *(Straße/Brücke)* toll keeper/gatherer/collector; **Z.eintragung** *f* customs endorsement; **Z.entrichtung** *f* payment of customs duty; **Z.erhebung** *f* collection of (customs) duties; **Z.erhöhung** *f* tariff increase, increase in customs duties; **Z.erklärung** *f* duty/customs entry, customs declaration; **nachträgliche Z.erklärung** post-entry; **Z.erlass/Z.ermäßigung** *m/f* abatement/rebate of customs duty, tariff reduction; **Z.erlaubnisschein** *m* bill of sight, customs permit; **Z.erleichterungen** *pl* customs facilities; **Z.ermittlung** *f* duty assessment; **Z.erstattung** *f* customs refund/drawback; **Z.erträge** *pl* customs returns; **Z.fahnder** *m* searcher, customs investigator

Zollfahndung *f* customs search/investigation (department); **Z.sdienst** *m* customs investigation service; **Z.sstelle** *f* customs investigation division

Zoll|faktura *f* customs invoice; **Z.festsetzung** *f* assessment of duty, duty assessment; **wegen ~ klassifizieren** *(Importe)* to impost *[GB]*; **Z.flughafen** *m* airport of entry; **Z.formalitäten** *pl* clearing/customs formalities, customs documentation; **~ erledigen** to attend/see to customs formalities; **Z.förmlichkeit** *f* customs formality; **Z.formular** *nt* customs form; **z.frei** *adj* 1. duty-free, free of duty, exempt from customs, (customs-)exempt, duty-paid, unexcised; 2. zero-rated, tariff-free; 3. *(Straße/Brücke)* toll-free

Zollfreilbetrag *m* duty-free allowance; **Z.gabe** *f* release from bond; **Z.gabeschein** *m* stamp/dandy note; **Z.gebiet** *nt* free (trade) zone; **Z.grenze** *f* 1. duty-free ceiling; 2. non-tariff barrier; **Z.hafen** *m* free port; **Z.heit** *f* exemption from duty, ~ customs duties, customs exemption, duty-free entry, free trade; **Z.kontingent/Z.menge** *nt/f* duty-free quota/allowance/ceiling; **Z.laden** *m* duty-free shop; **Z.lager** *nt* bonded warehouse; **ab Z.lager** ex bond; **Z.liste** *f* free list; **Z.schein** *m* shipping bill, permit; **Z.stellung** *f* exemption from (customs) duty; **Z.zone** *f* bonded/duty-free area

Zolllfuhrschein *m* bill of entry; **Z.garantie** *f* customs bond

Zollgebiet *nt* customs territory/area; **besonderes Z.** separate customs territory; **gemeinsames Z.** *[EU]* common customs territory

Zolllgebühr *f* 1. customs duty, tariff, tolerance *[US]*; 2. clearing expenses, clearance charges; **Z.gebührenrechnung** *f* bill of customs; **Z.geleitschein** *m* customs permit, transire *[GB]*; **Z.gemeinschaft** *f* customs union; **Z.gericht** *nt* customs court; **z.geschützt** *adj* (tariff) protected

Zollgesetz *nt* tariff act/law/code *[US]*, customs law; **Z.e und -bestimmungen** customs laws and regulations; **Z.e ausführen** to implement/carry out the customs laws; **Z.gebung** *f* tariff legislation

Zolllgewahrsam *m* customs custody; **Z.gewicht** *nt* dutiable weight, customs tare/weight; **Z.grenzbezirk** *m* customs district/area/territory, ~ surveillance zone; **Z.grenzdienst** *m* customs frontier service; **Z.grenze** *f* customs frontier

Zollgut *nt* bonded/dutiable goods, goods in bond; **Z.lager** *nt* bonded/customs warehouse; **Z.lagerung** *f* customs warehousing; **Z.umwandlung** *f* conversion of dutiable goods; **Z.veredlung** *f* processing of dutiable goods; **Z.versand** *m* customs transit; **Z.versandanmeldung** *f* customs transit declaration; **Z.verwendung** *f* clearing as bonded goods; **vorübergehende Z.verwendung** clearing temporarily as bonded goods

Zolllhafen *m* place/point/port of entry, customs port; **Z.halle** *f* customs shed/hall; **z.hängig** *adj* uncleared, liable/subject to duty, in the process of clearing; **Z.harmonisierung** *f* 1. tariff harmonization; 2. *[EU]* harmonization of customs duties; **Z.haus** *nt* 1. customs house; 2. 🚗 tollhouse; **Z.herabsetzung** *f* reduction of customs duties; **Z.hinterlegung** *f* customs deposit; **Z.hinterziehung** *f* customs fraud/evasion, defraudation/evasion of (customs) duty; ~ **begehen** to evade customs duty; **Z.hof** *m* customs yard; **Z.höhe** *f* tariff level; **Z.hoheit** *f* tariff/customs jurisdiction; **Z.hund** *m* customs dog; **Z.information** *f* tariff information; **Z.inhaltserklärung** *f* customs declaration, docket; **Z.inland** *nt* domestic customs territory, area inside customs frontier; **Z.innendienst** *m* customs clearance service; **Z.inspektion** *f* customs inspection; **Z.inspektor** *m* customs inspector; **Z.kartell** *nt* customs cartel; **Z.kasse** *f* customs collector's office; **Z.kaution** *f* customs bond; **Z.kennzeichen** *nt* 🚗 customs plate; **Z.kennzeichungsvorschriften** *pl* marking/mark-of-origin requirements; **Z.kommissar** *m* customs commissioner; **Z.kommissariat** *nt* customs commissariat; **Z.kontingent** *nt* (tariff) quota, tariff-rate quota; ~ **eröffnen** to grant a tariff quota; **Z.kontrolle** *f* customs control/inspection; **Z.kontrollzone** *f* customs supervision zone; **Z.konzession** *f* tariff concession; **Z.korrektur** *f* customs adjustment; **Z.kosten** *pl* customs charges; **Z.krieg** *m* tariff war; **Z.kürzung** *f* tariff reduction; **Z.kutter** *m* ⚓ revenue cutter; **Z.ladungsverzeichnis** *nt* customs manifest

Zolllager *nt* bonded/customs/public warehouse, bonded warestore; **privates Z.** bonded warehouse; **Z.frist** *f* bonded/warehouse period

Zolllagerung *f* customs warehouse procedure; **Z.lande-/Z.landungsplatz** *m* ⚓ customs berth/wharf; **Z.makler** *m* customs (house)/custom house broker; **Z.maßnahme** *f* customs action, tariff measure; **Z.mauer** *f* tariff wall *(fig)*; **z.meldepflichtig** *adj* declarable; **Z.nachlass** *m* customs rebate; **Z.nachrichten- und Fahndungsblatt** *nt* customs information and investigation gazette; **Z.nämlichkeitsbescheinigung** *f* certificate for entry of returned goods

Zöllner *m* 1. customs official/officer; 2. 🚗 tollkeeper

Zolllniederlage/Z.niederlassung *f* customs (bonded) warehouse, bonded warehouse, entrepôt *[frz.]*; **Z.nomenklatur** *f* nomenclature; **Z.nummer** *f* customs assigned number

Zollordnung *f* customs regulations/acts; **allgemeine Z.** General Customs Code; **Z.swidrigkeit** *f* breach of customs regulations

Zollpapier *nt* customs document; **Z.e** customs documents/documentation/papers; **Z. für die vorübergehende Einfuhr** temporary importation document; **Z.e bereinigen** to regularize customs papers

Zolllpassierschein *m* 1. bill of sufferance, landing order, docket; 2. *(Triptyk)* triptych; **Z.passierscheinheft** *nt* carnet de passage *[frz.]*; **Z.personal** *nt* customs staff

zollpflichtig *adj* 1. dutiable, customable, liable/subject to duty, rat(e)able; 2. 🚗 tollable; **nicht z.** 1. duty-free; 2. *(Handel)* duty paid; **z. sein** to attract duty; **Z.keit** *f* dutiability, rat(e)ability

Zolllplafond *m* tariff ceiling; **Z.plombe** *f* customs (lead) seal; **Z.politik** *f* tariff/customs policy; **diskriminierende Z.politik** tariff discrimination; **Z.position** *f* tariff heading/item; **Z.posten** *m* customs post

Zollpräferenz *f* tariff/customs preference, customs tariff preference; **Z.regelung** *f* preferential tariff arrangement; **Z.spanne** *f* preference margin

Zolllprüfung *f* customs inspection; **Z.punkt** *m* duty point; **Z.quittung** *f* customs receipt/voucher, (custom(s) house) docket, certificate of the customs house; **Z.rechnung** *f* customs invoice; **Z.recht** *nt* customs law; **gemeinschaftliches Z.recht** *[EU]* Community customs provisions, ~ provisions on customs matters;

Z.reform *f* customs reform; **Z.regelung** *f* customs arrangements; **der ~ unterliegen** to be subject to customs procedures; **Z.revision** *f* customs examination/inspection; **Z.rückerstattung** *f* customs/duty drawback, refund of customs duties; **Z.rück(gabe)schein** *m* debenture certificate, customs debenture; **Z.rückvergütung** *f* (customs) drawback, drawback payment; **Z.runde** *f* round of tariff reductions

Zollsatz *m* tariff rate, rate of duty/customs; **Z. Null** zero rate; **~ anwenden** to zero-rate; **Zollsätze angleichen** to adjust/align tariff rates; **Z. wieder anwenden** to reimpose customs duty

fester Zollsatz fixed duty; **gebundener Z.** bound (rate of) duty; **geltender Z.** applicable rate of duty; **mit hohem Z.** high-duty; **mit niedrigem Z.** low-duty; **pauschaler Z.** flat rate of duty; **spezifischer Z.** specific rate of duty; **vertragsgemäßer Z.** conventional rate of duty

Zollschein *m* clearance/customs receipt; **Z. für Schiffsproviant** victualling bill; **Z.buch/Z.heft** *nt* passbook

Zoll|schiff *nt* revenue cutter; **Z.schloss** *nt* customs lock; **Z.schnur** *f* customs seal string; **Z.schranke** *f* 1. customs barrier/turnpike *[US]*, tariff barrier/wall, duty barrier; 2. 🚗 toll bar/gate; **Z.schranken abbauen** to lower the tariff barriers; **Z.schuld** *f* customs debt, due to customs; **Z.schuldner** *m* party owing customs duty; **Z.schule** *f* customs training centre; **Z.schuppen** *m* customs shed; **Z.schutz** *m* tariff/customs protection; **Z.-senkung** *f* tariff cut/reduction, duty reduction, cutting of tariffs; **lineare Z.senkung** linear tariff cut; **Z.sicherheit** *f* customs security; **Z.siegel** *nt* customs seal; **Z.spediteur** *m* customs agent; **Z.speicher** *m* bonded warehouse; **Z.spesen** *pl* clearing expenses; **Z.station** *f* 🚂 customs station; **Z.statistik** *f* customs figures; **Z.status** *m* customs status

Zollstelle *f* customs office/station; **Z. der Bürgschaftsleistung** office of guarantee; **Z. an der Grenze** customs office at the frontier; **Z. im Landesinneren** inland customs office; **zuständige Z.** competent customs office

Zoll|- und Verbrauchssteuerabteilung *f* Customs and Excise Board *[GB]*; **Z.stock** *m* yardstick; **Z.strafe** *f* customs fine/penalty; **Z.straße** *f* 1. customs-approved route, customs road; 2. 🚗 toll road; **Z.streife** *f* customs squad; **Z.stundung** *f* customs deferment; **Z.system** *nt* tariff system/structure; **Z.tara** *f* customs tare

Zolltarif *m* (customs) tariff, tariff schedule, book of rates; **Z.e angleichen** to harmonize tariffs; **gemeinsamer Z. (GZT)** *[EU]* Common Customs Tariff (CCT); **gemischter Z.** compound duty

Zolltarif|abbau *m* tariff reduction; **Z.änderung** *f* tariff change; **Z.angleichung** *f* tariff adjustment; **Z.auskunft** *f* tariff ruling; **Z.begünstigung** *f* tariff preference; **Z.bestimmungen** *pl* tariff provisions; **Z.gesetz** *nt* Customs and Excise Act *[GB]*

Zolltarifierung *f* customs classification, tariffication

Zolltarif|kennziffer *f* tariff code; **z.lich** *adj* tariff; **nicht z.lich** non-tariff; **Z.linie** *f* tariff line; **Z.position** *f* customs tariff number; **Z.recht** *nt* tariff law; **Z.reform** *f* tariff reform; **Z.satz** *m* tariff; **Z.schema** *nt* customs/tariff nomenclature; **Z.senkung** *f* tariff cut

Zoll|theorie *f* customs tariff theory; **Z.übereinkommen** *nt* customs convention; **Z.übertretung** *f* infringement of customs regulations; **Z.überwachung** *f* customs control; **Z.union** *f* customs/tariff union; **einer ~ beitreten** to enter into/join a customs union; **Z.unterschied** *m* tariff differential; **Z.untersuchung** *f* customs search, rummage; **Z.veredelung** *f* processing in bond; **Z.vereinbarung** *f* tariff agreement

Zollverfahren *nt* customs procedure; **dem Z. zuführen** to place under a customs procedure; **abgekürztes Z.** summary judgment *[US]*; **Z.sbestimmungen** *pl* customs regulations, ~ procedural requirements

Zoll|vergehen *nt* customs offence, infringement of customs regulations; **Z.- und Steuervergehen** fiscal offences; **Z.vergünstigung** *f* tariff preference, preferential tariff; **außertarifliche Z.vergünstigung** non-tariff customs relief; **Z.vergütung** *f* customs drawback; **Z.-verhandlungen** *pl* tariff negotiations; **Z.verkehr** *m* customs procedure; **Z.vermerk** *m* customs visa; **Z.-vermerkverfahren** *nt* temporary admission; **Z.verordnung** *f* customs acts/regulations; **Z.versandgut** *nt* goods in customs transit; **Z.versandschein** *m* customs permit for temporary exportation

Zollverschluss *m* bond, customs seal; **ohne Z.** non-sealed; **unter Z. (liegend)** under/in bond, bonded; **Z. anlegen** to affix a customs seal; **Z. beschädigen** to damage a customs seal; **unter Z. (ein)lagern/legen; in Z. legen** to (place under) bond; **aus dem Z. nehmen** to take out of bond, to release from bond; **Z.bescheinigung/Z.schein** *f/m* warehouse bond; **Z.lager** *nt* locked/bonded warehouse; **Z.system** *nt* customs sealing device; **Z.vorschriften** *pl* bonding requirements; **Z.ware** *f* bonded goods

Zoll|vertrag *m* tariff agreement/treaty; **Z.verwahrung** *f* bonding; **Z.verwaltung** *f* customs authorities/administration, Her Majesty's (H.M.) Customs *[GB]*, Bureau of Customs *[US]*; **Z.verzeichnis** *nt* tariff nomenclature; **Z.vollmacht** *f* customs power of attorney; **Z.vormerklager** *nt* importer-controlled bonded warehouse; **Z.vormerkschein** *m* customs note; **Z.vorschriften** *pl* customs requirements/regulations, ~ laws and regulations, procedural requirements; **Z.vorteil** *m* duty/tariff advantage; **Z.vorzugstarif** *m* preferential tariff; **Z.wache** *f* customs guard

Zollwert *m* customs/dutiable value, value for customs purposes; **erklärter Z.** declared value

Zollwert|anmelder *m* declarant; **Z.ausschuss** *m [EU]* Valuation Committee; **Z.bemessung/Z.festsetzung** *f* customs valuation; **Z.ermittlung** *f* determination of value for customs purposes; **Z.kompendium** *nt* valuation compendium; **Z.nachprüfung** *f* verification of dutiable value; **Z.noten** *pl* valuation notes; **Z.recht** *nt* regulations governing customs value

Zoll|wesen *nt* customs (matters); **Z.zugeständnis** *nt* (tariff) concession; **Z.zugeständnisliste** *f* schedule of concessions; **Z.zuschlag** *m* supplementary/additional duty; **Z.zuwiderhandlung** *f* infringement of/offence

against customs regulations; **zu Z.zwecken** *pl* for duty payment/customs purposes; **Z.zweigstelle** *f* customs sub-office
Zone *f* zone, area; **in Z.n aufteilen/einteilen** to zone; **in die rote Z. geraten** to move into the red; **angrenzende Z.** contiguous zone; **blaue Z.** 🚗 restricted parking area; **tote Z.** blind spot; **verkehrsberuhigte Z.** restricted traffic area
Zonen|- zonal; **Z.grenzgebiet** *nt [DDR]* zonal border area; **Z.lochung** *f* zone punching; **Z.plan** *m* zone plan; **Z.preis** *m* zone price; **Z.preissystem** *nt* zone pricing; **Z.randgebiet** *nt [D]* zonal border development area; **Z.tarif** *m* ✉/✆ zonal rate; **Z.zeit** *f* zonal time
Zonung *f* zone, zoming
Zoolog|ie *f* zoology; **z.isch** *adj* zoological
Zorn *m* anger, rage; **sich jds Z. zuziehen** to incur so.'s wrath; **Z.ausbruch** *m* fit of anger
zornig *adj* angry, furious, irate
zuallererst *adv* first and foremost
zu|arbeiten *v/i* to do so.'s groundwork; **z.bauen** *v/t* 1. *(Lücke)* to fill in; 2. *(Fläche)* to build up
Zubehör *nt* accessories, attachments, equipment, implements, fixtures, fittings, material; **Z. zum unbeweglichen Vermögen** property accessory to immovable property; **Z.teil** *nt* accessory, attachment
Zuber *m* tub
zubereit|en *v/t* to prepare; **Z.ung** *f* preparation, making
zubetonieren *v/t* to concrete over
zubewegen auf *v/refl* to head for; **sich langsam z. auf** to edge towards
zubilligen *v/t* to allow/grant/concede/accord
Zubilligung *f* award, concession; **Z. von Leistungen** award of benefits, benefit payments; **~ Schadenersatz** § damage award
Zubringer *m* 1. *(Straße)* access/approach/feeder road; 2. airport bus, shuttle (bus); **Z.anlage** *f* feeder equipment; **Z.bus** *m* shuttle (bus); **Z.dienst** *m* feeder/shuttle service; **Z.flugzeug** *nt* ✈ feeder liner; **Z.flugdienst** *m* ✈ feeder airline; **Z.gewerbe/Z.industrie** *nt/f* ancillary trade/industry; **Z.linie** *f* feeder; **Z.schiff** *nt* feeder; **Z.straße** *f* feeder/access road; **Z.strecke** *f* feeder line; **Z.verkehr** *m* feeder traffic/service
Zu|brot *nt* sideline, extra income; **~ verdienen** to earn/make a bit on the side *(coll)*; **Z.buße** *f* allowance, call for additional capital; **z.buttern** *v/t (coll)* to chip in, to subsidize, to pay on top
Zucht *f* 1. discipline; 2. 🚜 cultivation, growing; 3. *(Tier)* breeding, rearing; **eiserne Z.** iron hand *(fig)*; **strenge Z.** strict discipline
Zucht|- 🚜 pedigree, **Z.bestimmungen** *pl* breeding regulations; **Z.buch** *nt* 1. 🚜 herd book; 2. *(Pferd)* stud book
züchten *v/t* 1. 🚜 to cultivate/grow; 2. *(Tier)* to breed/rear
Züchter *m* 1. 🚜 cultivator/grower; 2. *(Tier)* breeder
Zuchtfarm *f* 1. stock farm; 2. *(Pferd)* stud farm
Zucht|haus *nt* 1. penitentiary *[US]*; 2. *(Strafe)* penal servitude; **mit ~ bestraft werden** to be punishable with penal servitude; **lebenslänglich Z.haus** life imprisonment; **Z.häusler** *m* convict, jailbird *(coll)*; **Z.hausstrafe** *f* (term of) penal servitude
Zuchtherde *f* 🚜 pedigree herd
züchtigen *v/t* to castigate/chastise, to inflict corporal punishment
Züchtigung *f* correction, chastisement; **Z.srecht** *nt* right to inflict corporal punishment
Zucht|perle *f* cultured pearl; **Z.sau** *f* 🚜 breeding pig; **Z.tier** *nt* breeding animal
Züchtung *f* 1. 🚜 cultivation, growing; 2. *(Tier)* breeding; **Z.en** animal breeds and plant varieties
Zuchtvieh *nt* breeding cattle
Zucker *m* sugar
Zucker|abschöpfung *f [EU]* sugar levy; **Z.berg** *m* sugar mountain, large sugar carryover; **Z.bewirtschaftung** *f* sugar rationing; **Z.börse** *f* sugar exchange; **Z.brot und Peitsche** *nt* carrot and stick, stick and carrot; **Z.fabrik** *f* sugar works; **Z.gehalt** *m* sugar content; **Z.handel** *m* sugar trade; **Z.industrie** *f* sugar industry; **Z.kampagne** *f* sugar campaign
zuckerkrank *adj* ⚕ diabetic; **Z.e(r)** *f/m* diabetic; **Z.heit** *f* diabetes
Zucker|plantage *f* sugar plantation; **Z.raffinade** *f* refined sugar; **Z.raffinerie** *f* sugar refinery; **Z.raffineur** *m* sugar refiner; **Z.rohr** *nt* sugar cane; **Z.rübe** *f* sugar beet; **Z.rübenernte** *f* sugar beet crop; **Z.spiegel** *m* ⚕ (blood) sugar level; **Z.steuer** *f* excise duty on sugar, sugar tax; **Z.werk** *nt* sweets *[GB]*, candies *[US]*; **Z.-wirtschaftsjahr** *nt* sugar crop year
Zuckung *f* ⚕ convulsion
zudecken *v/t* to cover (up)
zudringlich *adj* intrusive; **Z.keit** *f* importunity
zueignen *v/t* to dedicate (sth. to so.); *v/refl* to appropriate; **sich eine Sache rechtswidrig/widerrechtlich z.** to convert sth. unlawfully to one's own benefit, to appropriate sth. unlawfully
Zueignung *f* 1. *(Widmung)* dedication; 2. *(Aneignung)* appropriation; **Z.sabsicht** *f* intention of appropriating sth.
zuerkennen *v/t* 1. *(Preis)* to award/adjudicate/adjudge; 2. *(Recht)* to accord/grant; 3. *(zuteilen)* to allow/allot; 4. *(Strafe)* to impose
Zuerkennung *f* 1. award, adjudication; 2. accordance; **Z. des Anmeldetags** accordance of a filing date; **Z. von Schadensersatz** award of damages; **Z.sverfahren** *nt* § adjudication proceedings
zuerst *adv* first, initially; **z. einmal** to start with
Zuerst|entnahme der alteren Bestände *f (Bilanz)* first-in, first-out (fifo); **~ der neuesten Bestände** last-in, first-out (lifo); **Z.kommende(r)** *f/m* first-comer
Zuerwerb *m* additional/complementary purchase; **Z.sbetrieb** *m* 🚜 part-time farm
zufahren auf *v/prep* to head for, to drive towards
Zufahrt *f* 1. 🚗 drive, approach, driveway; 2. ⚓ approaches, entrance; **Z.srecht** *nt* right of access; **Z.s-straße** *f* approach/access/service road; **Z.sweg** *m* access path
Zufall *m* 1. chance, accident, coincidence, unforeseeable circumstance, random event, contingency; 2. *(Vers.)* fortuitous event; **durch Z.** by chance; **vom Z. bestimmt** haphazard; **etw. dem Z. überlassen** to leave

sth. to chance; **glücklicher Z.** stroke of luck; **reiner Z.** sheer coincidence; **unabwendbarer Z.** [§] act of God, force majeure *[frz.]*; **unglücklicher Z.** mishap, mischance

zufallen *v/i* to accrue to, to devolve upon; **z.d** *adj* incumbent (on/upon)

zufällig *adj* chance, random, accidental, incidental, coincidental, occasional, casual, haphazard; *adv* by coincidence/accident/chance; **nicht z.** non-random

Zufälligkeit *f* chance/accidental occurrence, coincidence, randomness, contingency; **Z.sgrad** *m* degree of randomness

Zufalls|- 1. freak, chance; 2. ▦ random; **Z.abweichung** *f* random variation; **normierte Z.abweichung** deviate; **z.ähnlich** *adj* quasi-random; **Z.anordnung** *f* sampling/random order; **Z.ausschaltung** *f* elimination of random fluctuations; **Z.auswahl** *f* random selection/sampling/sample; **eingeschränkte Z.auswahl** restricted random sample; **z.bedingt** *adj* random, fortuitous; **Z.bekanntschaft** *f* chance acquaintance; **Z.beschränkungen** *pl* ▦ chance constraints; **Z.einflüsse** *pl* random factors; **Z.ereignis** *nt* random event, chance occurrence; **Z.ergebnis** *nt* freak result; **Z.experiment** *nt* random experiment; **Z.fehler** *m* random (sampling) error; **reiner Z.fehler** unbiased error; **Z.folge** *f* random sequence/series; **Z.gewinne** *pl* windfall profits; **Z.-grenze** *f* ▦ critical ratio; **Z.haftung** *f* hazardous liability, liability for fortuitous events; **Z.komponente** *f* random component; **Z.moment** *m* ▦ chance factor; **Z.parameter** *m* ▦ incidental parameter; **Z.pfad** *m (OR)* random walk; **reiner Z.prozess** pure random process; **Z.reihe** *f* random series; **Z.schaden** *m* casualty loss

Zufallsstichprobe *f* ▦ random sample/selection; **einfache Z.** simple sample; **geschichtete Z.** stratified random sample; **uneingeschränkte Z.** unrestricted random sample; **Z.nverfahren** *nt* random sampling

Zufalls|streubereich *m* ▦ random range; **Z.streuung** *f* chance variation; **Z.theorie** *f* chance theory

Zufallsvariable *f* ▦ variate, random/chance/aleatory/stochastic variable; **diskrete Z.** discrete random variable; **kontinuierliche Z.** continuous random variable; **standardisierte Z.** normal deviate

Zufalls|verfahren *nt* ▦ random sample procedure; **Z.verteilung** *f* random distribution; **Z.zahlen** *pl* random (sampling) numbers/digits; **Z.zahlentafel** *f* random number table

zu|fliegen (auf) *v/prep* to fly towards; **z.fließen (auf)** *v/i* to accrue

Zuflucht *f* 1. refuge, shelter, harbourage; 2. recourse; **Z. gewähren** to harbour; **Z. nehmen zu** to have recourse to, to resort to; **Z. suchen** to seek shelter/refuge; **sichere Z.** safe haven

Zufluchts|hafen *m* ⚓ port of refuge; **Z.land** *nt* country of refuge; **Z.ort** *m* refuge, hiding place, niche

Zufluss *m* 1. inflow, influx, afflux, accrual; 2. supply; **Zuflüsse aus Emissionen** accruing proceeds/accruals from new issues; **Z. finanzieller Mittel** financial inflow

zufolge *prep* according to, on the strength of

zufrieden *adj* content, satisfied; **sich z. geben mit** to content o.s. with, to settle for; **z. lassen** to leave in peace

Zufriedenheit *f* satisfaction, contentedness; **Z. im Beruf** job satisfaction; **Z. der Kunden** customer/client satisfaction; **zu meiner restlosen Z.** to my entire satisfaction; **zur vollständigen Z. ausfallen** to give full satisfaction; **berufliche Z.** job satisfaction; **Z.sgrad** *m* level of satisfaction; **Z.sskala** *f* satisfaction scale

zufrieden stellen *v/t* to satisfy/suit, to give satisfaction to; **schwer z. zu stellen** hard to please; **z.stellend** *adj* satisfactory; **nicht z.stellend** unsatisfactory; **Z.stellung** *f* satisfaction

zufüg|en *v/t* to inflict; **Z.ung** *f* infliction

Zufuhr *f* supply, intake; **Z. von Eigenkapital** capital injection; **Z. sperren** to cut off supplies; **geregelte Z.** continuous supplies

Zuführeffekte *pl* injections

zuführen *v/t* 1. to supply/channel/allocate; 2. *(Bilanz)* to make appropriations; 3. *(Kapital)* to inject; 4. ⚙/💻 to feed

Zuführung *f* 1. supply(ing), allocation, appropriation, transfer; 2. *(Kapital)* injection; 3. ⚙ feed

Zuführung neuen Eigenkapitals injection of new equity capital; **Z. von Finanzmitteln** provision of finance, shot in the arm *(fig)*; **~ potenziellen Führungskräften** infusion of management talent; **~ Kapital** capital injection; **Z. zu den (offenen) Reserven/Rücklagen** allocation/appropriation to reserves, addition to surplus; **~ Rückstellungen für Gewährleistungs- und Schadensersatzansprüche** provision for warranty and liability claims; **~ Rückstellungen im Kreditgeschäft** provision for possible loan losses; **~ Rückstellungen für Wechselobligo** provision for accrued notes payable; **~ Wertberichtigungen** transfer to allowance

Zuführungs|betrag *m* inpayment; **Z.fehler** *m* 💻 misfeed; **Z.gang** *m* feed cycle; **Z.prüfung** *f* feed check; **Z.sperre** *f* feed interlock

Zug *m* 1. 🚆 train; 2. 🚚 truck and trailer; 3. *(Person)* feature, characteristic; 4. *(fig)* move; 5. *(Festzug)* procession; 6. *(Luft)* draught; 7. *(Ruck)* tug, jerk; **im Z.e** in the course/wake of; **mit einem Z.** *(fig)* at one go; **Z. mit Schiffanschluss** boat train; **Z. der Zeit** trend of the times

Zug um Zug step by step, hand over hand/fist; **~ leisten** to perform contemporaneously; **~-Bedingung** *f* concurrent condition; **~-Geschäft** *nt* transaction with simultaneous performance; **~-Leistung** *f* contemporaneous performance; **~-Order** *f* alternative order

der Zug ist abgefahren *(fig) (Börse)* you have missed the boat *(fig)*; **Z. anhalten** to stop a train; **auf den fahrenden Z. aufspringen** *(fig)* to jump/climb on the bandwaggon *(fig)*; **Z. besteigen** to board a train; **in groben Zügen darlegen** to (give a rough) outline; **Z. erreichen** to catch/get/make a train; **mit dem Z. fahren** to take the train, to travel/go by train; **zum Z.e kommen** *(fig)* to get one's chance, to become effective; **in den letzten Zügen liegen** to be in the death throes, to breathe one's last; **in groben Zügen schildern** to outline; **am Z.e sein** to be one's turn; **Z. verpassen** to miss the train

bezeichnender/charakteristischer Zug *(fig)* telling point; **direkter/durchgehender Z.** 🚆 direct/through train; **fahrplanmäßiger Z.** 🚆 regular *[GB]*/scheduled *[US]* train; **falscher Z.** wrong move; **geschickter Z.** clever move; **in groben/großen Zügen** in broad outline, broadly; **in kurzen Zügen** briefly; **menschlicher Z.** human characteristic

Zugabe *f* 1. premium, bonus, giveaway, (free) gift, extra; 2. 🎭 encore *[frz.]*; **Z.n** premium selling; **Z.angebot** *nt* premium offer; **Z.artikel** *m* loss leader, free gift; **Z.gutschein** *m* free-gift coupon; **Z.verordnung** *f* gifts regulations; **Z.werbung** *f* gift advertising

Zug|abteil *nt* (train) compartment; **Z.abstand** *m* interval between trains

Zugang *m* 1. access, entrance; 2. *(Eintritt)* admission; 3. *(Zutritt)* admittance; 4. *(Bilanz)* additions; 5. *(Lager)* receipts, quantity received; 6. *(Geld)* accrual(s), credit entry; 7. *(Daten)* file additions

Zugang zum Arbeitsmarkt access to employment; **Z. zur Beschäftigung** access to employment; **Z. bei Beteiligungen** additional investment(s) in subsidiaries; **Z. an Devisen** accrual of foreign currency; **Zugänge zu Einstandspreisen** *(Bilanz)* additions at cost; **Z. zu Finanzmärkten** access to financial markets; **~ den Gerichten** access to the courts of law; **Z. zum Kapitalmarkt** access to the capital market; **Z. der Kündigung** receipt of notice; **ohne Z. zum Meer** landlocked; **Zugänge im Sachanlagevermögen** additions to property, plant and equipment; **~ auf Sparkonten** net inpayments; **Z. an Wohnungen** new housing

kein Zugang no admittance/entry

Zugang gewähren to give access; **Z. haben** to access; **Z. zu den Büchern haben** to have access to the books; **Z. verschaffen** to secure admission; **sich Z. verschaffen** to let o.s. in; **Z. verwehren/verweigern** to refuse/deny access; **Z. zum Arbeitsmarkt verweigern** to deny access to employment

bevorrechtigter Zugang priviliged/preferential access; **freier/unbeschränkter/ungehinderter Z.** 1. unrestricted entry, right of free entry; 2. *(Markt)* free-trade access

Zugänger *m* 1. (new) entrant; 2. 🖳 branch leading to node

zugänglich *adj* 1. accessible, available, open; 2. *(Person)* amenable, responsive, approachable; **z. für** open to; **z. machen** to provide access to, to make available; **schwer z. sein** to be hard to come by; **frei z.** open(-door); **leicht z.** within easy reach

Zugänglichkeit *f* 1. accessibility, availability; 2. amenability, appropriability

zugangs|bedürftig *adj* requiring communication; **Z.-berechtigung** *f* right of access; **Z.beschränkung** *f* restricted access, barrier to entry; **Z.beschränkungen** restrictions of entry; **Z.einheit** *f* 🖳 input; **Z.erleichterungen** *pl (Markt)* easing of entry; **Z.jahr** *nt* year of acquisition; **Z.liste** *f* accession book; **Z.möglichkeiten/Z.weg zur Bank** *pl/m* ways of accessing the bank; **Z.prozess** *m* arrival process; **Z.rate** *f* arrival rate; **Z.- und Abgangsrate** replacement rate; **Z.recht** *nt* right of access; **Z.rente** *f* new pension; **Z.wert** *m* value of additions

Zug|anschluss *m* train connection(s); **Z.artikel** *m* popular article, eye-catcher *(fig)*, article of quick sale; **Z.beanspruchung** *f* ⚙ tensile strength; **Z.begleiter** *m* 🚆 1. (train) guard, conductor; 2. (train) timetable; **Z.begleitpersonal/Z.besatzung** *nt/f* train crew; **Z.-brücke** *f* drawbridge

zugeben *v/t* 1. to acknowledge/admit/concede/grant/accord; 2. *(zusätzlich)* to give as an extra/a bonus, to throw in; **offen z.** to admit freely; **teils z., teils bestreiten** § to approbate and reprobate

zu|gefroren *adj* icebound; **selbst z.gefügt** *adj* self-inflicted; **z.gegeben** *adj* admitted; **z.gegebenermaßen** *adv* admittedly; **z.gegen** *adv* present

zugehen *v/i* to shut/close; **schnurstracks auf jdn/etw. z.** to make a beeline for so./sth.; **nicht mit rechten Dingen z.** to be fishy; **z. lassen** to forward/send

Zugehfrau *f* charwoman, cleaner

zugehör|en *v/i* to belong; **z.end** *adj* inherent in; **z.ig** *adj* 1. belonging (to), accompanying, appropriate, pertinent; 2. affiliated

Zugehörigkeit *f* 1. affiliation; 2. membership; 3. affinity; **Z. zu** adherence to; **~ einer Gewerkschaft** union membership; **Z.sdauer** *f (Firma)* length of service; **Z.sgefühl** *nt* sense of belonging

zu|gekauft *adj* bought-in; **z.geknöpft** *adj (coll)* 1. reserved; 2. *(geizig)* tightfisted

Zügel *m* rein(s), curb, restraint; **einer Sache Z. anlegen** to put a curb upon sth.; **Z. anziehen** to tighten the reins/grip; **am kurzen Z. halten** to keep a tight rein; **Z. locker/schleifen lassen** to keep a slack rein; **Z. lockern** to ease the grip, to loosen the reins; **geldpolitische Z. lockern** to ease monetary restrictions; **Z. straffen** to tighten the reins

zugelassen *adj* 1. licensed, approved, authorized, registered, accredited; 2. admitted; 3. chartered, (legally) qualified, certificated; **amtlich z.** 1. authorized, registered, accredited, chartered, certified; 2. *(Börse)* officially quoted *[GB]*/listed *[US]*; **~ nicht z.** non-certificated; **nicht z.** non-certified, non-licensed, unregistered, non-admitted, unauthorized

zügellos *adj* unrestrained, unbridled, uncontrollable, rampant; 2. *(Person)* wanton, dissolute

zügeln *v/t* to rein in/back, to curb/check, to keep under control

Zügelung *f* restraint, restriction, curb(ing), check(ing)

einer Sache zu|geneigt *adj* well disposed towards sth.; **organisatorisch z.geordnet** *adj (Stelle)* reporting to; **z.gerechnet** *adj* allocated; **nicht z.gerechnet** unallocated; **z.geschnitten auf** *adj (fig)* geared/tailored to, tailor-made; **besonders ~ die Verhältnisse** tailor-made, tailored; **z.geschrieben** *adj* attributed, imputed; **nicht z.geschrieben** *(Bilanz)* unamortized; **z.gesellen** *v/refl* to join; **z.gestanden** *adj* acknowledged, admitted

Zugeständnis *nt* admission, acknowledgment, concession; **Z.e auf dem Gebiet des Zollwesens** tariff concessions; **jdm ein Z. abringen** to wring a concession from so.; **Z.e machen** to make concessions

gegenseitiges Zugeständnis compromise; **geringes Z.** shading; **gleichwertiges Z.** equivalent concession; **handelspolitisches Z.** trade concession; **preisliches Z.** price concession; **steuerliches Z.** tax concession; **umfassendes Z.** far-reaching concession

zu|gestehen *v/t* to admit/acknowledge/concede/grant/accord; **z.gestellt** *adj* 1. ✉ delivered; 2. [§] served; **ordnungsgemäß z.gestellt** duly served; **z.geteilt** *adj* allotted, allocated; **nicht z.geteilt** unallotted, unallocated; **z.gewiesen** *adj* assigned, allocated; **nicht z.gewiesen** unallocated

Zugewinn *m* 1. (accrued) gain, accrual, property increment; 2. *(Ehe)* increase in combined net worth; **Z.-ausgleich** *m* equalization of accrued gains; **Z.ausgleichsanspruch** *m* accrued gains equalization claim; **Z.gemeinschaft** *f* community of goods, statutory property regime, joint ownership by a married couple; **Z.-schaft** *f* statutory property regime

Zugezogene(r) *f/m* newcomer

Zug|fähre *f* train ferry; **z.- und biegefest** *adj (Stahl)* high-tensile; **Z.festigkeit** *f* ✿ tensile strength; **Z.folge** *f* sequence/succession of trains, pathing; **Z.führer** *m* 🚂 (train) guard; **Z.funk** *m* train radio

zügig *adj* speedy, swift, brisk, prompt

Zug|kraft *f* 1. attraction, appeal, pull, pulling power, sell; 2. ✿ traction, tractive effort/power; **~ haben** to pull; **z.kräftig** *adj* attractive; **Z.ladung** *f* 🚂 trainload; **Z.leistung** *f* ✿ traction, tractive effort; **Z.maschine** *f* 1. 🚗 (motor) tractor, traction engine/unit; 2. ⚓ tugmaster; **Z.maschinen** hauling stock; **Z.meile** *f* train mile; **Z.nummer** *f* 1. 🚂 train number; 2. *(fig)* crowd puller *[GB]*, drawing card *[US]*; **Z.personal** *nt* (on-) train staff/crew; **Z.pferd** *nt* 1. *(fig)* crowd puller, drawing card *[US]*; 2. draught *[GB]*/draft *[US]* horse; **Z.-räuber** *m* train robber

frei zum Zugreifen sein *nt* to be up for grabs *(coll)*; **z.** *v/i* 1. *(Ware)* to snap up; 2. to help o.s.; **sofort z.** to leap (at sth.)

Zugrestaurant *nt* dining car

Zugriff *m* 1. 💻 access, range; 2. *(Beschlagnahme)* seizure; **Z. des Staates** state access, seizure by the state; **Z. nehmen (auf)** 1. to seize; 2. *(Konkurs)* to attach; **direkter/wahlfreier Z.** 💻 random/direct access; **unmittelbarer Z.** 💻 immediate access

Zugriffs|art *f* 💻 access mode; **Z.berechtigung** *f* access authorization; **Z.beschränkung** *f* access protection; **Z.geschwindigkeit** *f* data retrieval speed, access time; **Z.matrix** *f* access matrix; **Z.methode** *f* access method; **Z.recht** *nt* access privilege; **Z.schutz** *m* access protection; **Z.schutzschlüssel** *m* protection key; **Z.station** *f* access station; **Z.zeit** *f* access/latency time

zu Grunde gehen *v/i* to perish/decay, to go to pieces, ~ by the board; **~ legen** *v/t* to be guided by, to take as a basis; **~ liegen** *v/i* to underlie; **~ liegend** *adj* underlying; **~ richten** *v/t* to ruin

Zugrundelegung *f* taking as a basis; **unter ~ von** subject to

Zug|schaffner *m* 🚂 ticket collector, conductor; **Z.tier** *nt* draught *[GB]*/draft *[US]* animal; **Z.überwachung** *f* 🚂 automatic warning system, ~ train protection; **Z.unglück** *nt* 🚂 train disaster, railway *[GB]*/railroad *[US]* accident

zu Gunsten von *prep* for the benefit/credit of, on behalf of, in favour of

zugute halten *v/t* to make allowance for; *v/refl* to pride o.s. on; **z. kommen** *v/i* to benefit (from)

Zug|verbindung *f* 🚂 train connection; **Z.verkehr** *m* train service, rail traffic; **Z.vogel** *m* migrant bird, bird of passage; **Z.wagen** *m* towing vehicle; **Z.zusammenstoß** *m* train collision

Zugzwang *m (fig)* tight spot *(fig)*; **jdn in Z. bringen** to force so.'s hand, to put so. on the spot; **in Z. sein** to be in a tight spot

zuhalten auf *v/i* to make/head for

Zuhälter *m* pimp, procurer; **Z.ei** *f* [§] living on earnings of prostitution, ~ off immoral earnings, procuring, pandering

zu Händen (z.Hd./z.H.) Attn. (attention of)

Zuhause *nt* home

Zuhörer(in) *m/f* listener; *pl* audience; **seine Z. packen** to enthral one's audience; **Z.analyse** *f* audience analysis; **Z.beteiligung** *f* audience participation; **Z.schaft** *f* audience, attendance

zujubeln *v/i* to cheer

Zukauf *m* 1. acquisition, additional/complementary purchase; 2. *(Börse)* fresh buying; **Z.teil** *nt* bought-in part

zu|kaufen *v/t* to buy in; **z.kleben** *v/t (Brief)* to seal; **z.-kommen auf** *v/prep* to approach; **jdm etw. ~ lassen** to give/send so. sth.; **auf sich ~ lassen** to take things as they come

Zukunft *f* future; **in Z.** in future; **ohne Z.** without prospects

sich für die Zukunft absichern to cover o.s. forward, to hedge; **in die Z. blicken** to look forward; **Z. eskomptieren** *(Börse)* to discount future developments; **Z. rosig malen** to see the future through rose-coloured glasses; **über die Z. nachsinnen** to muse on the future; **für die Z. sorgen** to provide for the future

düstere Zukunft grim future; **für die nahe Z.** for the short term; **in der nahen/näheren Z.** in the near future; **rosige Z.** bright future

zukünftig *adj* future, prospective, would-be; *adv* hereafter

Zukunfts|aussichten/Z.chancen *pl* future prospects, projection, outlook; **Z.aufgabe** *f* task for the future; **Z.beruf** *m* job for the future; **Z.bilanz** *f* prospective balance sheet, future results; **Z.branche** *f* new/sunrise industry; **Z.erfolgswert** *m* present value of future profits; **Z.erwartung** *f* future prospects, view of the future; **Z.forscher** *m* futurologist; **Z.forschung** *f* futurology; **Z.investition** *f* investment to ensure the future development; **Z.musik** *f (coll)* pie in the sky *(coll)*; **Z.optimismus** *m* optimism about the future; **z.orientiert** *adj* forward-looking; **Z.perspektive** *f* future prospects; **Z.pläne** *pl* plans for the future; **Z.planung** *f* forward planning; **z.reich** *adj* promising; **Z.sicherung** *f* provision for the future; **Z.sicherungen treffen** to provide for the future; **Z.technologie** *f* advance(d)/high/new technology, hi-tech *(coll)*; **z.trächtig** *adj* promising; **Z.trend** *m* future trend; **Z.vorsorge** *f* provision for the future; **z.weisend** *adj* forward-pointing, forward-looking

zulad|en *v/t* to load in more; **Z.ung** *f* 1. additional load; 2. payload, load-carrying capacity

Zulage *f* 1. extra/additional pay, bonus, premium, supplement, increment; 2. allowance, weighting; **Z. für den unterhaltsberechtigten Ehegatten** dependent spouse allowance; **~ Familienangehörige** increase for dependants/dependents; **gewinnabhängige Z.** profit-linked bonus; **Z.npaket** *nt* premium package

zulangen *v/i* to help o.s. (to sth.)

zulassen *v/t* 1. to allow/permit/accept/grant/tolerate/suffer/sanction; 2. *(Zugang)* to admit; 3. *(amtlich)* to license/register/authorize; 4. *(Börse)* to list; **amtlich z.** to license/register; **nicht z.** [§] to rule out of order, to disallow; **wieder z.** to readmit

zulässig *adj* 1. allowed, permitted, permissible, allowable, proper, in order; 2. *(amtlich)* authorized; 3. [§] admissible, permissive; **für z. erklären** [§] to grant leave; **gesetzlich/rechtlich z.** legal, lawful, legitimate, permitted by law, good in law; **nicht z.** inadmissible, non-admissible

Zulässigkeit *f* admissibility, acceptability, permissibility, [§] sufficiency; **Z. der Antragstellung** [§] sufficiency of motion; **Z. eines Beweises/Beweisantrages** admissibility of evidence; **Z. der Eintragung** registrability; **Z. von Rechtsmitteln** admissibility of appeals; **Z. des Rechtsweges** leave to institute legal proceedings; **Z. einer Klage feststellen** to declare an action admissible; **Z.svermerk** *m* [§] sufficient memorandum (note)

Zulassung *f* 1. *(amtlich)* licensing, licence, permit; 2. registration (certificate), authorization, approval, permission, admission; 3. [§] call to the bar *[GB]*; 4. [§] leave; 5. ⚕ admission to practise; 6. 🚗 vehicle registration (document)

Zulassung zur Anwaltschaft admission/call to the bar; **Z. von Arzneimitteln** drugs approval; **Z. zum Börsenhandel; Z. zur Notierung** admission to the stock exchange, official quotation *[GB]*/listing *[US]*; **Z. von Effekten** admission of securities; **Z. der Eintragung** registrability; **Z. zum Geschäftsbetrieb** licence to operate; **~ Gewerbebetrieb** permission to trade; **~ Handel** *(Börse)* listing, acceptance for trading; **Z. einer Klage** court's acceptance of an action; **Z. eines Kraftfahrzeugs** motor vehicle registration/licensing; **Z. als/zum Rechtsanwalt** admission as attorney *[US]*/ solicitor, ~ to the bar *[GB]*; **Z. der Revision** [§] leave to appeal, writ of review; **Z. von Wertpapieren zum Börsenhandel** admission of securities to the stock exchange

Zulassung beantragen to seek admission; **Z. entziehen** 1. *(Anwalt)* to strike off the roll; 2. *(Arzt)* to strike off the register; **Z. erwerben** to take out a licence; **um Z. nachsuchen** to seek admission

ärztliche Zulassung licence to practise (as a physician); **behördliche Z.** concession

Zulassungs|alter *nt* entry age; **Z.anspruch** *m* right of admission; **Z.antrag** *m* 1. application for admission/registration, licensing application; 2. *(Börse)* request for quotation *[GB]*/listing *[US]*; **Z.ausschuss** *m* 1. eligibility committee; 2. *(Börse)* quotations department *[GB]*, listing committee *[US]*; **Z.ausweis** *m* registration certificate; **Z.beamter** *m* admission officer; **Z.bedingungen** *pl* 1. requirements for admission; 2. *(Börse)* listing requirements; **~ für die Einfuhr** eligibility of goods for entry; **Z.bescheid** *m (Börse)* listing notice; **Z.bescheinigung** *f* certificate of approval, permit; **Z.beschluss** *m (Börse)* listing order; **Z.beschränkung** *f* 1. restriction on admission, numerus clausus; 2. barriers to entry; **Z.beschränkungen** licensing restrictions; **Z.bestimmungen** *pl* licensing provisions; **Z.erfordernisse** *pl* licensing requirements; **Z.erteilung** *f* 1. admission; 2. licence, permit; 3. licensing; **z.fähig** *adj* eligible for admission; **Z.frist** *f* period of qualification; **Z.gebühr** *f* 1. admission fee; 2. *(Börse)* listing charge; **Z.gesuch** *nt* application for admission; **Z.land** *nt* country of admission; **Z.nummer** *f* permit/registration number; **Z.ordnung** *f* licensing regulations; **Z.papiere** *pl* registration papers; **Z.pflicht** *f* obligatory admission; **z.pflichtig** *adj* subject to approval; **Z.prospekt** *m (Börse)* prospectus; **Z.prüfung** *f* entrance examination; **Z.quote** *f* admission quota; **Z.regeln/Z.regelung** *pl/f* licensing rules; **Z.schein** *m* admission ticket; **Z.schild** *nt* 1. ✿ approval/licence plate; 2. 🚗 registration/number plate; **Z.statistik** *f* 🚗 registration statistics; **Z.stelle** *f* 1. *(Börse)* listing committee, committee on stock listing; 2. 🚗 registration office; **Z.urkunde** *f* 1. licensing/registration/*(Anwalt)* practising certificate; 2. document of admission; **Z.verfahren** *nt* 1. approval/qualification/licensing procedure; 2. *(Börse)* listing procedure; **Z.verweigerung** *f* non-admission; **Z.voraussetzungen** *pl* eligibility/membership/admission requirements; **Z.-zeichen** *nt* registration mark

Zulauf *m* rush; **großen Z. haben** to be very popular

spitz zu|laufen *v/i* to taper; **~ z.laufend** *adj* tapering; **z.legen** *v/i* 1. to increase/gain, to notch up *(coll)*; 2. *(Börse)* to push ahead; **sich etw. z.legen** to treat o.s. to sth.; **z.leiten** *v/t* 1. to forward, to send on; 2. *(Parlament)* to introduce

Zuleitung *f* 1. conveyance; 2. ⚡ lead; **Z.sauftrag** *m* subsidiary order; **Z.srohr** *nt* ✿ feed pipe

Zulieferant *m* (component) supplier, sub-contractor, sub-supplier

Zuliefer|auftrag *m* sub-contracting order; **Z.betrieb** *m* component/supplying firm, supplier, sub-contractor; **Z.betriebe** ancillary industry, component suppliers

Zulieferer *m* component maker, sub-contractor, sub-supplier, (outside) supplier, supplying enterprise; **Z.-vertrag** *m* supply contract

Zuliefer|geschäft *nt* ancillary equipment business; **Z.-industrie** *f* ancillary/components/sub-contracting/supply(ing) industry; **Z.teil** *nt* (sub-contracted/bought-in/ outsourced) component, supplied part; **Z.vereinbarung** *f* supply contract

Zulieferung *f* supply; **Z. von Roh-, Hilfs- und Betriebsstoffen** physical supply; **interne Z.en** internal supplies

Zulieferungs|auftrag *m* sub-contract, contract to supply components; **~ vergeben** to sub-contract; **Z.industrie** *f* → **Zulieferindustrie**; **Z.vertrag** *m* sub-contract, supply contract

zu|machen *v/t* 1. to seal/fasten; 2. *(zeitweilig)* to shut down; 3. *(endgültig)* to close down, to shut up shop; **z.mauern** *v/t* to wall/brick up; **z.messen** *v/t* 1. *(Kosten)* to allocate/apportion to; 2. *(Anteile)* to allot/award/fix/admeasure; 3. *(Strafe)* to inflict; **Z.messung** *f* 1. allocation, apportionment; 2. *(Anteile)* allotment, awarding, admeasurement; 3. *(Strafe)* infliction

zumutbar *adj* reasonable, appropriate; **Z.keit** *f* reasonableness, appropriateness, equitableness

zumuten *v/t* to expect/demand/exact; **jdm etw. z.** to ask sth. of so.; **sich zu viel z.** to overcommit o.s., to bite off more than one can chew *(fig)*

Zumutung *f* unreasonable demand, imposition

zunageln *v/t* to nail/board up

Zunahme *f* increase, rise, growth, gain, expansion, increment; **Z. der Arbeitslosigkeit** rise in unemployment; **~ Bevölkerung** rise in population; **~ Kosten** rising costs, cost increase; **~ Lagerbestände** stock accumulation, inventory pile-up/build-up; **Z. des Leistungsumfangs** *(Handel)* trading up; **Z. der Produktion** output growth; **~ Spartätigkeit** increase in savings; **~ Währungsreserven der Notenbank** increase in the central bank's monetary reserves; **Z. verzeichnen** to register an increase; **konjunkturell bedingte Z.** cyclical increase; **geringfügige/leichte Z.** minor/slight increase; **ständige/stetige Z.** steady increase; **Z.faktor** *m* growth factor; **Z.rate** *f* growth rate

Zuname *m* surname, last/family name

zünden *v/i* to light/ignite/fire; **z.d** *adj (Rede)* rousing, stirring

Zünder *m* fuse

Zündholz *nt* match(stick); **Z.fabrikant/Z.hersteller** *m* matchmaker; **Z.industrie** *f* matchstick industry; **Z.schachtel** *f* matchbox

Zündstoff *m* explosive (material); **~ bergen** to be an explosive issue

Zündung *f* 🚗 ignition

Zündwaren|monopol *nt* match monopoly, monopoly on matches and lighting materials; **Z.steuer** *f* excise duty on matches

zunehmen *v/i* to grow/increase/rise/mount/expand/accumulate/heighten, to gather steam *(fig)*; **z.d** *adj* increasing, progressive, advancing, mounting; **allmählich z.d** cumulative

Zunft *f* guild, fraternity, livery company; **Z.genosse** *m* guild member; **Z.ordnung** *f* guild regulations; **Z.wesen** *nt* guild system

Zünglein an der Waage bilden/sein *nt (fig)* to tip the scales, to hold the balance (of power)

zunichte machen 1. *(Anstrengung)* to frustrate/eliminate/foil/blight/nullify; 2. *(Hoffnung)* to erode/ruin/dash/shatter, to put paid to, to ride roughshod over; 3. *(zerstören)* to wipe/stamp out, to wreck, to nullify; **z. werden** to come to nothing

sich zunutze machen to take advantage of, to use, to benefit/profit from

zuordnen *v/t* to allocate/assign/attribute, to refer to

Zuordnung *f* allocation, assignment, allotment, attribution; **Z. der Vermögenswerte** appropriation of assets

Zuordnungs|code *m* classification code; **Z.daten** *pl* classification data; **Z.fehler** *m* error of reference; **Z.messzahl** *f* 💻 classification statistic; **Z.methode** *f* allocation method; **Z.problem** *nt* assignment/allocation problem; **Z.tabelle** *f* cross reference list; **Z.test** *m* association test

zupacken *v/i* 1. to grab; 2. *(Arbeit)* to get/knuckle down to doing sth.; **z.d** *adj* straightforward

zurechenbar *adj* chargeable, imputable, attributable, allocable, assignable; **Z.keit** *f* 1. allocability, imputability; 2. § accountability, penal responsibility

zurech|nen *v/t* to allocate/charge/attribute/add/apportion/ascribe, to refer to, to reckon/class among; **Z.nung** *f* allocation, attribution, apportionment, imputation, assignment

zurechnungsfähig *adj* 1. accountable, competent; 2. § sane, of sane mind, master of one's mind, criminally responsible; **geistig z.** mentally competent; **nicht z.** of unsound mind, non compos mentis *(lat.)*, unfit to plead

Zurechnungsfähigkeit *f* 1. competence, accountability; 2. § criminal responsibility; 3. *(Unterscheidungsvermögen)* discernment; **beschränkte Z.** limited (criminal) responsibility; **verminderte Z.** reduced/diminished responsibility

Zurechnungs|fortschreibung *f* adjustment of assessed values on account of changed conditions; **Z.problem** *nt* classification problem; **Z.regeln** *pl* attribution rules; **Z.verfahren** *nt* imputation system; **Z.zeit** *f* imputation/reckonable period

zurecht|finden *v/refl* to find one's bearings/feet, ~ way about/around; **z.kommen** *v/i* to manage, to get by/along, to cope (with), to come to terms (with); **gut ~ mit** to get on well with; **z.machen** *v/t* to prepare; **z.weisen** *v/t* to reprimand/rebuke/carpet *(coll)*, to rap (so.) over the knuckles *(coll)*; **Z.weisung** *f* reprimand, rebuke, setdown

Zureden *nt* suasion; **gütliches Z.** moral suasion; **gut z.** *v/i* to cajole

zurichten *v/t* to prepare/dress; **übel z.** to maul

Zurichterei *f* 🏭 finishing shop/plant

Zurichtung *f* 1. finishing; 2. 🗋 overlay

Zurschaustellung *f* 1. exhibition, display, showing; 2. ostentation, ostentatiousness; **sittenwidrige Z.** § indecent exposure

zurück *adv* back; **hin und z.** there and back, ⚓ out and home; **leer z.** returned/returning empty

zurück|abtreten *v/t* to reassign/retrocede; **z.begeben** *v/t* to renegotiate; *v/refl* to return

Zurückbehalt *m* withholding delivery; **z.en** *v/t* to retain/withhold/recoup, to hold over, to keep back; **Z.ung** *f* retention (of goods), recoupment

Zurückbehaltungsrecht *nt* retention of goods, right to

withhold, recoupment, (retaining/possessory) lien, right of retention/stoppage

Zurückbehaltungsrecht an Aktien charging lien; **Z. der Bank** bank(ers') lien; **Z. an einem bestimmten Gegenstand** special/specific lien; **Z. des Maklers** broker's lien; ~ **Spediteurs** carrier's lien; ~ **Verkäufers** vendor's/seller's lien; **Z. beim gegenseitigen Vertrag** right to refuse performance, ~ of refusal to perform

Zurücksbehaltungsrecht geltend machen to lay a lien on sth.

allgemeines Zurückbehaltungsrecht general lien; **bevorrechtigtes Z.** prior lien; **erstrangiges Z.** first lien; **gesetzliches Z.** lien by operation of the law; **gewerbliches Z.** mechanic's lien; **kaufmännisches Z.** mercantile lien

zurück|bekommen *v/t* to get back, to recover/recoup; **z.belasten** *v/t* to charge back, to redebit; **z.beordern** *v/t* to order back, to recall; **z.berechnen** *v/t* to recharge; **z.berufen** *v/t* to recall; **Z.berufung** *f* recall; **z.bezahlen** *v/t* to pay back, to repay/refund/reimburse/discharge; **z.beziehen** *v/t* to relate back; **z.bilden** *v/refl* to shrink/diminish/decline/decrease

Zurückbleiben *nt* lag; **z.** *v/i* 1. to lag/fall/stay behind; 2. to be left, to remain; **z. hinter** *(Erwartung)* to fall short of; **z.d** *adj* residual

zurück|blickend *adj* retrospective; **z.bringen** *v/t* to bring/take back, to restore/return; **z.buchen** *v/t* to reverse, to write back; **z.chartern** *v/t* to recharter

zurückdatier|en *v/t* to backdate; **Z.ung** *f* back-dating

zurück|disponieren *v/t* *(Geld)* to repatriate; **z.drängen** *v/t* to choke/repress; **Z.drehen des Kilometerzählers** *nt* 🚗 clocking; **z.erhalten/z.erlangen** *v/t* to recover/regain/recoup/retrieve; **Z.erlangung** *f* recovery, recoupment; **z.erobern** *v/t* to recapture/retake/reconquer, to win back; **z.erstatten** *v/t* 1. *(Geld)* to refund/reimburse, to pay back; 2. *(Gegenstand)* to restore/redeliver/return; 3. [§] to restitute; **Z.erstattung** *f* 1. refund, reimbursement, repayment; 2. [§] restitution, restoration, return; **z.erwerben** *v/t* to reacquire/repurchase; **z.fahren** *v/ti* 1. to return; 2. 🚗 to reverse, to drive back; 3. *(Kosten)* to cut; 4. *(Aktivität)* to cut/scale/run back, to wind down

Zurückfallen *nt* [§] reversion; **z.** *v/i* 1. to drop (behind/back), to slip, to fall back; 2. *(Kurse)* to drift back; 3. [§] to revert; 4. to trail/fall behind; **auf jdn z.** to rebound on so.; **z. hinter** to fall below

zurück|fließen *v/i* to flow/come back; **z.fordern** *v/t* 1. to ask for sth. back, to claim back, to reclaim; 2. *(Kredit)* to call in, to redemand, to claw back; 3. [§] to vindicate; **z.führbar** *adj* traceable, attributable; **z.führen** *v/t* 1. *(Kredit)* to reduce (loan commitments); 2. *(Kapital)* to repatriate; ~ **auf** to attribute/trace to, to put down to, to derive from; **Z.führung** *f* 1. reduction; 2. *(Kapital)* repatriation; **z.geben** *v/t* 1. to hand/give back; 2. to return/restore, to redeliver/resell/restitute; **z.geblieben** *adj* backward; **Z.gebliebene(r)** *f/m* laggard; **nicht z.gefordert** *adj* unrecalled

Zurückgehen *nt* diminution, recession, decline

zurückgehen *v/i* *(Preis/Kurs)* to decline/decrease/recede, to fall back/off, to sag/drop/dip/lose/ease/retreat, to give way, to go/come down, to suffer/sustain a loss, to lose ground, to move down, to weaken, to tend lower; **z. auf** to date from; **z. lassen** to send back, to return; **drastisch z.** *(Gewinn)* to (nose)dive/plunmet; **leicht z.** to ease; **stark z.** to slump/drop

zurück|gesandt *adj* returned; **z.gesetzt** *adj (Ware)* reduced, marked down; **z.gestaut** *adj* pent-up; **z.gestellt** *adj* earmarked, shelved, on the table; **z.gewähren** *v/t* 1. *(Geld)* to refund/repay; 2. to return; **rechtskräftig z.gewiesen** *adj* finally refused; **z.gewinnen** *v/t* 1. to win back, to recover/regain/retrieve/recoup/recapture/regenerate; 2. *(Altmaterial)* to reclaim; **Z.gewinnung** *f* 1. recovery, recoupment; 2. *(Altmaterial)* reclamation; **z.gezahlt** *adj* repaid, redeemed; **nicht z.gezahlt** unredeemed; **z.gezogen** *adj* withdrawn, secluded; **Z.gezogenheit** *f* privacy, seclusion; **Z.greifen (auf)** *nt* recourse (to); **z.greifen auf** *v/prep* to fall back on, to resort to, to have recourse to

zurückhalten *v/t* 1. to hold/keep back, to set aside, to hold over, to withhold; 2. to restrain/suppress; *v/refl* to keep a low profile, to remain on the sidelines *(fig)*, to hold one's fire *(fig)*, to pull one's punches *(fig)*; **z.d** *adj* 1. reserved, restrained, withdrawn; 2. reluctant, hesitant; 3. noncommittal, cautious, low-key; 4. *(Börse)* dull

Zurückhaltung *f* 1. restraint, reserve; 2. reluctance, withholding; 3. caution; 4. *(Börse)* dullness

Zurückhaltung der Anleger investors' strike/restraint, buyers' resistance; **widerrechtliche Z. von Grundbesitz** forcible detainer; ~ **Informationen** suppression of information; **Z. bei Lohnforderungen** pay/wage restraint; **wettbewerbsbedingte ~ Preiserhöhungen** competitive restraint on price increases; **Z. eines Schiffes** detention of a ship; **Z. von Zahlungen** withholding of payments

sich Zurückhaltung auferlegen; Z. üben to restrain o.s., to show restraint; **unberechtigte Z.** unlawful detention; **Z.srecht** *nt* lien

zurück|holen *v/t* 1. to claw back, to retrieve; 2. *(Menschen/Kapital)* to repatriate; **sich etw. z.holen** to claw sth. back; **z.kaufen** *v/t* to buy back, to repurchase/redeem/rebuy

zurückkehren *v/i* to come back, to return; **z. zu** to revert to; **langsam z.** to drift back; **unbeladen z.** to return light

zurück|kommen *v/i* to come back, to return; ~ **auf** 1. to refer to; 2. to fall back on; **z.lassen** *v/t* to leave behind; **z.legen** *v/t* 1. to lay/put aside, to put on the side, ~ to one side, to earmark; 2. *(Geld)* to put by/away; **Z.legung von Versicherungszeiten** *f* completion of insurance periods; **z.leiten** *v/t* 1. to feed back; 2. ✉ to return; **z.melden** *v/refl* to report back

Zurücknahme *f* 1. withdrawal; 2. *(Entscheidung)* reversal, revocation; 3. *(Äußerung)* retraction; 4. *(Preis)* marking down; **Z. eines Angebots** revocation of an offer; **Z. einer Klage** withdrawal of an action; ~ **Lizenz** revocation of a licence; **Z. eines Patents** withdrawal of a patent; **Z. bei Zahlungsverzug** repossession; **Z. eines Zugeständnisses** withdrawal of a concession

zurück|nehmbar *adj* retractable; **z.nehmen** *v/t* 1. *(Ware)* to take back; 2. *(Angebot)* to withdraw; 3. *(Preis)* to decrease, to mark down; 4. *(Bestellung)* to cancel; 5. to repurchase; 6. *(Zusage)* to go back/renege on; 7. *(Äußerung)* to retract/revoke; **ich nehme alles zurück** I stand corrected; **z.prallen** *v/i* to rebound; **z.rechnen** *v/t* to count back; **z.reichen** *v/ti* 1. to hand back, to resell; 2. *(Zeit)* to reach back; **z.reisen** *v/i* to travel back; **z.rufen** *v/t* 1. to call in, to recall; 2. ✆ to call/phone back; 3. *(Gelder)* to repatriate/withdraw; **z.schauen** *v/i* to look back; **z.schauend** *adj* retrospective; **z.scheuen vor** *v/prep* to shy away from, to baulk at, to fight shy of; **z.schicken** *v/t* to return, to send back; **z.schlagen** *v/i* to hit/fight back, to retaliate/counter(attack); **z.schleusen** *v/t* to recycle; **z.schneiden/z.schrauben** *v/t* 1. ❀ to prune; 2. to cut back/down, to reduce/diminish, to trim/pare (back); **z.schrecken** *v/i* to recoil; **vor nichts z.schrecken** to stop at nothing, to have no inhibitions; **z.schreiben** *v/ti* 1. to write back; 2. ▦ to project back; **z.senden** *v/t* to return, to send back; **z.setzen** *v/ti* 1. 🚗 to reverse/back; 2. *(Preis)* to reduce, to mark down; **z.springen** *v/i* to rebound; **z.spulen** *v/t* to rewind, to wind back

Zurückstecken *nt* climb-down; **z.** *v/i* to climb down, to soft-pedal, to come down a peg

zurück|stehen *v/i* to take second place, to rank/be behind; **um nicht z.zustehen** not to be outdone; **z.stellen** *v/t* 1. to put/set/lay aside, to reserve/shelve/earmark/defer; 2. *(Entscheidung)* to postpone/delay, to put on ice *(fig)*, ~ the back burner *(fig)*, to hold off/over; 3. 💻 to push down; 4. ⚙ to reset

Zurückstellung *f* 1. *(Bilanz)* allowance, provision; 2. deferment, postponement, grace; **Z. für Abschreibungen** depreciation allowance; ~ **Betriebsunfälle** industrial accident reserve

zurück|stoßen *v/t* to reverse/rebuff; **Z.strömen** *nt* reflux; **z.strömen** *v/i* to flow back; **z.stufen** *v/t* 1. *(Person)* to demote/downgrade/relegate; 2. *(Wert)* to downgrade; **Z.stufung** *f* 1. demotion, relegation; 2. downgrading; **z.telegrafieren** *v/t* to wire back; **z.tragen** *v/t* to carry back

zurücktreten *v/i* 1. to resign/retire, to step/stand down, to leave office; 2. to withdraw, to back/pull out (of); 3. *(Auftrag)* to rescind/cancel; 4. *(Recht)* to renounce; **geschlossen z.** to resign as a body; **z. hinter** to rank inferior to

zurück|übersetzen *v/t* to retranslate; **Z.übersetzung** *f* retranslation; **z.übertragen** *v/t* to reassign/retransfer/retrocede; **z.überweisen** *v/t (Geld)* to repatriate; **Z.-überweisung** *f* repatriation; **z.verfolgen** *v/t* to retrace, to trace back; **Z.verfolgung** *f* retracement; **z.vergüten** *v/t* to reimburse/refund; **Z.vergütung** *f* reimbursement, refund; **z.verkaufen** *v/t* to sell back; **z.verlangen** *v/t* to claim/demand back, to reclaim; **z.verlegen** *v/t (Firmensitz)* to move back; **z.versetzen** *v/t* 1. to demote; 2. *(Stelle)* to move/transfer back; **z.verweisen an** *v/t* 1. to refer back to; 2. [§] to remand; **Z.verweisung** *f* 1. referral; 2. [§] remand; **Z.weichen** *nt* retreat, recess; **z.weichen** *v/i* to retreat/recoil, to back off

zurückweisen *v/t* 1. to turn down/away, to thrust aside, to refuse/reject/repudiate/rebut/rebuff; 2. [§] to dismiss/overrule/disallow/deny, to throw out; 3. *(Einlass)* to turn back; **kostenpflichtig z.weisen** to dismiss with costs

Zurückweisung *f* 1. refusal, rejection, repudiation, rebuff; 2. [§] dismissal, disallowance; **Z. der Anmeldung** rejection of application; **Z.srecht** *nt* right of rejection; **Z.swahrscheinlichkeit** *f* probability of rejection; **Z.szahl** *f* rejection number

zurück|werfen *v/t* to set/thrust back; **z.wirken** *v/i* to react/retroact; **z.wirkend** *adj* retroactive

zurückzahl|bar *adj* 1. repayable; 2. *(Wertpapiere)* redeemable; **z.en** *v/t* 1. to pay back, to repay/refund/reimburse; 2. *(Anleihe)* to redeem/return, to pay off; **vorzeitig z.en** to repay before maturity; **Z.ung** *f* 1. repayment, refund, discharge, reimbursement, rebate; 2. *(Anleihe)* redemption, return

zurückziehbar *adj* retractable

Zurückziehen *nt* 1. withdrawal, retraction, cancellation; 2. *(Klage)* discontinuance, discontinuation; **z.** *v/t* 1. to withdraw, to pull back; 2. *(Äußerung)* to retract; 3. *(Auftrag)* to cancel/countermand; 4. *(Klage)* to discontinue/abandon; *v/refl* 1. to pull out; 2. to withdraw; 3. to retract; 4. ✈ to retire/retrench; **sich aus etw. z.** to pull back/out of sth., to backtrack (on sth.), to back off (from sth.)

Zurückziehung *f* 1. withdrawal, revocation; 2. retirement; **Z. der Anmeldung** cancellation of an application; **Z. einer Bestellung** cancellation of an order; ~ **Garantie** withdrawal of a guarantee; **Z. der Geschworenen** [§] retirement of the jury

zurück|zuführen auf owing/due to; **Z.zug von Anlagekapital** *m* disinvestment; **z.zugeben** *adj* returnable; **z.zugewinnen** *adj* recoverable; ~ **suchen** to woo back; **z.zuzahlen** *adj* repayable

Zuruf *m* *(Börse)* acclamation, open outcry; **z.en** *v/t* to hail

zurüst|en *v/t* to set up, to prepare; **Z.ung** *f* setting up, preparation

Zusage *f* 1. undertaking, promise, pledge, confirmation; 2. *(Kredit)* commitment, assurance, consent, engagement; **Z. einhalten** to deliver, to be as good as one's word; **Z. machen** to give an undertaking; **Z. zurücknehmen** to backtrack (on) sth.

bindende/sichere Zusage binding promise; **freiwillige Z.** voluntary undertaking; **harte/konkrete Z.** firm promise; **unverbindliche Z.** non-committal promise; **unwiderrufliche Z.** irrevocable undertaking; **verbindliche Z.** definite undertaking, firm commitment; **vertragliche Z.** covenant

Zusagegrenze *f* credit line, limit on credit

zusagen *v/ti* 1. to undertake/promise/pledge/confirm; 2. to commit/engage; 3. to accept, to answer in the affirmative; **jdm z.** to please/suit so.; **fest z.** to pledge (o.s.); **z.d** *adj* 1. to one's liking; 2. *(Antwort)* affirmative

Zusage|provision *f* commitment commission; **Z.rahmen** *m* commitment ceiling; **Z.überhang** *m* unpaid credits; **Z.volumen** *nt (Kredit)* total commitments, commitment volume, credit line

zusammen *adv* together, jointly, between them; **z. mit** in conjunction/concurrence/collaboration with, combined with; **alles z.** 1. all told, to sum up; 2. lock, stock and barrel *(coll)*

Zusammenarbeit *f* cooperation, collaboration, liaison *[frz.]*, teamwork; **in Z. mit** in collaboration with

enge Zusammenarbeit mit dem Kunden customer partnership; **Z. auf dem Gebiet des Umweltschutzes** environmental collaboration; **~ Zollwesens** customs cooperation; **Z. mit anderen Unternehmen** cooperation with other companies; **Z. von Wagniskapitalgesellschaften** co-venturing; **Z. auf dem Währungsgebiet** monetary cooperation

weitere Zusammenarbeit erwarten to anticipate further collaboration

gedeihliche Zusammenarbeit fruitful/productive cooperation; **horizontale Z.** horizontal cooperation; **industrielle Z.** industrial cooperation; **öffentlich-private Z.** public-private partnership; **reibungslose Z.** smooth cooperation; **strategische Z.** strategic alliance; **technische Z.** technological cooperation; **vertrauensvolle Z.** trusting cooperation, cooperation based on trust; **währungspolitische Z.** monetary cooperation; **wirtschaftliche Z.** economic cooperation

zusammenarbeiten *v/i* 1. to cooperate/collaborate, to work together; 2. to join forces, to team up; **eng z. mit** to work closely together with; **harmonisch mit jdm z.** to work hand in glove with so. *(fig)*

zusammen|arbeitend *adj* cooperative; **z.ballen** *v/t* to concentrate; **Z.ballung** *f* concentration, conglomeration, conglomerate; **Z.bau** *m* assembly; **z.bauen** *v/t* to assemble, to put together; **wieder z.bauen** to reassemble; **z.brauen** *v/t* to concoct; *v/refl* to loom; **z.brechen** *v/i* 1. *(Firma)* to collapse/crash/fail, to go to pieces, to crack/fold up; 2. *(Verhandlung)* to break down, to founder; 3. 🚗 to come to halt/standstill; **Z.bringen von Käufer und Verkäufer** *nt* matching of buyer and seller; **z.bringen** *v/t* 1. to match, to bring together; 2. *(Geld)* to raise

Zusammenbruch *m* 1. breakdown, bust-up, debacle *[frz.]*, smash, ruin; 2. *(Firma)* collapse, failure, crash; **Z. des Aktienmarkts** stock market crash; **~ Immobilienmarkts** property (market) collapse; **Z. der Versorgung** supply breakdown; **kurz vor dem Z.** on one's last legs *(fig)*; **finanzieller Z.** financial collapse/failure; **ökologischer Z.** ecological collapse, ecocide; **wirtschaftlicher Z.** economic breakdown/failure

zusammenbündeln *v/t* to bundle

Zusammenfallen *nt* overlap, bunching, coincidence; **z.** *v/i* 1. to coincide/overlap; 2. *(Ereignis)* to double up; **zeitlich z.** to coincide; **z.d** *adj* concurrent, coincidental

zusammen|fassen *v/t* 1. to combine/aggregate/pool/amalgamate/consolidate/merge/group, to bunch/tack together; 2. *(Text)* to compile; 3. *(verdichten)* to condense/summarize, to sum up, to subsume/outline; **knapp/kurz z.** to summarize; **z.d** *adj* summary, comprehensive

Zusammenfassung *f* 1. combination, concentration, consolidation, integration, grouping, banding; 2. *(Text)* summary, abstract, brief (outline), rundown; **Z. der Erhebungsergebnisse** final summary table; **~ Grundeigentumsurkunde** § abstract of title; **Z. von Hypotheken** tacking of mortgages; **Z. der Klassen** pooling of classes; **räumliche Z.** (geographical) concentration

zusammen|flicken *v/t* to patch up; **z.fügen** *v/t* to assemble/join/integrate/synthesize; **Z.fügung** *f* § joinder, assemblage; **z.gedrängt** *adj* crowded together; **z.gefasst** *adj* summary, consolidated; **schlecht z.gefügt** *adj* ill-assorted; **Z.gehen** *nt* tie-up, merger, cooperation; **z.gehen** *v/i* to join forces, to merge/unite; **z.gehören** *v/i* to match; **z.gehörig** *adj* related; **Z.hörigkeitsgefühl** *nt* team/communal spirit, (sense of) solidarity; **z.gelegt** *adj* consolidated; **z.genommen** *adj* on aggregate; **alles z.genommen** all in all, all things considered; **z.geschlossen** *adj* amalgamated, consolidated; **z.gesetzt** *adj* 1. composite; 2. ⚗ compound; **z.gestellt** *adj* assorted; **z.gewürfelt** *adj* motley, ill-assorted

Zusammenhalt *m* 1. cohesion; 2. team spirit; **innerer Z.** internal cohesion; **sozialer Z.** social cohesion; **z.en** *v/ti* to hold/keep/stick together

Zusammenhang *m* 1. connection, correlation, coherence, interdependence; 2. link, relationship, cohesion; 3. context; **Zusammenhänge** background, circumstances; **in Z. mit** 1. in conjunction with, related to; 2. in concurrence/correlation with; 3. incident with *[US]*; **in diesem Z.** in this connection/context; **Z. der Fragenfolge** continuity of questionnaire; **in Z. bringen mit** to associate with; **~ stehen mit** to relate to, to be linked with; **innerer Z.hang** interdependence; **sachlicher Z.** factual relationship; **unmittelbarer Z.** direct link; **ursächlicher Z.** causality; **wirtschaftlicher Z.** economic connection

zusammenhängen *v/i* to be connected with; **z.d** *adj* coherent; **mit ... z.d** associated/connected with; **untereinander z.d** interrelated

zusammenhangs|los *adj* incoherent; **Z.losigkeit** *f* incoherence; **Z.index** *m* index of connection

zusammen|heften *v/t* to staple/clip/pin together; **z.kaufen** *v/t* to buy up; **z.klappbar** *adj* folding, collapsible; **z.klappen** *v/ti* to fold flat, to collapse; **z.klemmen** *v/t* to clip together; **z.kommen** *v/i* 1. to convene/meet, to get together; 2. *(sich einigen)* to agree, to come to an egreement; 3. *(Schulden)* to mount up, to accumulate; **~ lassen** to accumulate; **z.krachen** *v/i (coll) (Wirtschaft)* to crash; **z.kratzen** *v/t* to scratch/scrape together

Zusammenkunft *f* 1. assembly, meeting, convention, rally, gathering; 2. *(privat)* get-together, reunion; **Z. abhalten** to hold a meeting; **Z. einberufen** to convene an assembly; **baldige Z.** early meeting; **geheime/heimliche Z.** clandestine meeting; **persönliche Z.** personal/private meeting; **zwanglose Z.** informal meeting

Zusammen|laufen *nt* convergence; **Z.leben** *nt* § cohabitation, coexistence; **z.leben** *v/i* § to cohabit; **z.legbar** *adj* collapsible, knockdown; **z.legen** *v/t* 1. to pool; 2. to centralize; 3. *(Aktien)* to consolidate/reduce; 4. *(Firmen)* to merge/concentrate/amalgamate; 5. *(Grundstück)* to rezone as one

Zusammenlegung *f* 1. pooling; 2. centralization; 3.

(Aktien) consolidation, conversion, reduction; 4. *(Firmen)* merger, concentration, amalgamation; 5. *(Grundstücke)* rezoning, assemblage *[US]*; **Z. von Aktien/des Aktienkapitals** consolidation/grouping of shares; ~ **Betriebsstätten** amalgamation of production facilities; ~ **Kapazitäten** reduction and concentration of production capacities

zusammen|nehmen *v/t* 1. to gather up/together; 2. *(Mut)* to summon up; **z.packen** *v/t* to pack/wrap up (together), to commingle; **z.passen** *v/i* to match/mix/fit, to go together

zusammenpassend *adj* matching; **nicht z.** incongruous; **schlecht z.** ill-matched, ill-sorted, ill-assorted

zusammen|pferchen *v/t* to pen up; **Z.prall** *m* 1. collision; 2. clash *(fig)*; **z.prallen** *v/i* 1. to collide; 2. to clash *(fig)*; **z.pressen** *v/t* to compress; **z.quetschen** *v/t* to squeeze; **z.raffen** *v/t* to scrape together; **z.raufen** *v/refl* to reach (an) agreement, to get one's act together *(fig)*; **z.rechnen** *v/t* to sum/add/tally/tot *(coll)* up, to total; **Z.rechnung** *f* aggregation, addition; **z.rotten** *v/refl* § to riot, to gang up; **Z.rottung** *f* riotous assembly/behaviour; **unzulässige Z.rottung** § unlawful assembly; **z.rücken** *v/i* to close ranks; **z.rufen** *v/t (Versammlung)* to convene/call/assemble/convoke; **z.sammeln** *v/t* to collect/gather together; **z.schalten** *v/t* ⚡ to interconnect; **z.scharren** *v/t* to scratch together; **Z.schau** *f* synopsis, overall view; **z.schließen** *v/t/v/refl* 1. *(Organisation)* to amalgamate/merge/unite/combine/incorporate/integrate; 2. *(Personen)* to join forces, to get/band together, to team up (with); **sich gewerkschaftlich z.schließen** to form a trade union

Zusammenschluss *m* amalgamation, merger, link-up, tie-up, grouping, consolidation *[US]*, (con)federation, association, pool(ing), chain, union

Zusammenschluss zur Abdeckung schwer versicherbarer Risiken assigned risk pool; **Z. von Aktiengesellschaften** corporate merger; ~ **Banken** bank merger; ~ **Einkaufsvereinigungen** voluntary chain; **Z. zwischen Gesellschaften** corporate merger; **Z. zweier oder mehrerer Personen** association of two or more persons; **Z. branchenfremder Unternehmen** conglomerate merger

branchenfremder Zusammenschluss interindustry combination; **forstlicher Z.** forest cooperative; **freiwilliger Z.** 1. voluntary grouping/association; 2. *(Einzelhandel)* voluntary chain; **horizontaler Z.** horizontal integration/merger/combination; **loser Z.** loose combination; **regionaler Z.** regional union; **vertikaler Z.** vertical integration/merger/combination; **vertraglicher Z.** contractual association; **wettbewerbsbeschränkender/-schädlicher Z.** combination in restraint of trade, ~ (restraining) competition; **wirtschaftlicher Z.** economic integration

Zusammenschluss|kontrolle *f* merger control; **Z.vorhaben** *nt* merger project

zusammen|schmelzen *v/i* to melt away, to dwindle; **z.schreiben** *v/t* to consolidate; **Z.schreibung** *f* consolidation; ~ **von Hypotheken** consolidation of mortgages; **z.schrumpfen** *v/i* to dwindle/shrink; **z.schweißen** *v/t* to weld (together); **Z.sein** *nt* meeting, get-together, gathering; **gesellschaftliches Z.sein** social gathering; **z.setzbar** *adj* sectional; **z.setzen** *v/t* 1. ⚙ to assemble, to piece/put together; 2. to make up, to compose; *v/refl* to get together; **sich ~ aus** to be composed of/made up

Zusammensetzung *f* 1. combination, mix, mixture, composition, configuration, make-up; 2. breakdown, pattern of portfolio; 3. 🏭 assembly; 4. ⚗ compound; **Z. des Aufsichtsrats** composition of the supervisory board; ~ **Einkommens** composition of income; ~ **Gerichts** composition of the panel of judges; ~ **Vorstandes** composition of the management board; **in der derzeitigen Z.** as at present constituted; **chemische Z.** chemical compound/composition; **warenmäßige Z.** breakdown by categories of goods

zusammen|sparen *v/t* to save up; **Z.spiel** *nt* 1. interaction; 2. *(pej.)* collusion; **z.stauchen** *v/t (coll)* to slate *(coll)*, to come down on (so.) *(coll)*, to give (so.) a dressing down *(coll)*

Zusammenstellen *nt* assembly, compilation; **z.** *v/t* 1. to compile, to draw up, to make up; 2. to combine/assemble, to piece together; 3. *(Ladung)* to group/collect; 4. 🚂 to marshall; **passend z.** to match; **tabellarisch z.** to tabulate

Zusammenstellung *f* 1. composition, make-up, assortment; 2. *(Daten)* compilation; 3. *(Fracht)* grouping; 4. *(Liste)* list(ing), schedule, statement; **Z. von Anleihekonsortien** syndication of loans; **Z. der Fakten** fact gathering; **Z. eines Kataloges** compilation of a catalog(ue); **Z. der Versicherungslaufbahn** aggregation of insurance periods; **statistische Z.** statistical compilation; **tabellarische Z.** table, tabulation, schedule

zusammenstoppeln *v/t* to cobble together

Zusammenstoß *m* 1. crash, collision, hit, smash(-up); 2. *(Streit)* clash, encounter; **Z. in der Luft** mid-air collision; **Z. auf See** foul; **frontaler Z.** head-on collision; **kleiner Z.** bump

zusammenstoßen *v/i* 1. to collide/crash; 2. ⚓ to foul; 3. to clash/jostle; **z. mit** 1. to impinge on, to come into collision with; 2. *(Gesetz)* to run afoul of

Zusammen|stoßklausel *f* ⚓ collision clause; **z.streichen** *v/t* to slash, to pare down; **z.strömen** *v/i* to converge; **z.stückeln** *v/t* to piece/cobble together; **Z.sturz** *m* collapse; **z.stürzen** *v/i* to collapse; **Z.tragen** *nt* collation, compilation; **z.tragen** *v/t* to compile/collate, to collect together

Zusammentreffen *nt* 1. meeting, conference; 2. coincidence; **Z. mehrerer strafbarer Handlungen** § coincidence of offences; **Z. vermitteln** to arrange a meeting; **z.** *v/i* 1. to meet/assemble; 2. *(zeitlich)* to coincide (with); **z.d** *adj* coincident

zusammen|treiben *v/t (Vieh)* to round up; **z.treten** *v/i* to meet/convene/assemble; **erneut/wieder z.treten** to reconvene/reassemble, to meet again; **z.trommeln** *v/t* to drum/round up; **z.tun** *v/refl* → **zusammenschließen** to team up, to join forces, to go/throw in with, to club/band together; **Z.veranlagung** *f* 1. *(Steuer)* joint return/assessment, splitting; 2. *(Nachlass)* aggregation; **z.wachsen** *v/i* to fuse, to become integrated;

z.werfen *v/t* to pool, to lump together *(coll)*; **z.wickeln** *v/t* to wrap together

Zusammenwirken *nt* cooperation, collaboration, combined effects; **konstruktives Z. der Sozialpartner** constructive/meaningful industrial relations; **bewusstes und gewolltes Z.** § conspiracy; **unerlaubtes Z.** collusion; **z.** *v/i* to cooperate; **unerlaubt z.** to collude

Zusammen|wohnen *nt* § cohabitation; **z.wohnen** *v/i* to cohabit; **z.würfeln** *v/t* to bunch together; **z.zählen** *v/t* to total, to sum/add/tot *(coll)* up; **Z.zählung** *f* summation; **z.ziehen** *v/t* to concentrate/consolidate/abridge; **sich z.ziehend** *adj* contracting; **Z.ziehung** *f* contraction

Zusatz *m* 1. addition; 2. additional remark; 3. *(Text)* supplement, addendum *(lat.)*, annex; 4. § amendment, codicil, rider, adjunct, appurtenance, endorsement; 5. ⚗ additive; **Z. zu einer Police** addendum *(lat.)*/amendment to a policy, endorsement on a policy; ~ **einem Testament** § codicil; **Z. machen** to make an amendment, to endorse; **hinweisender Z.** explanatory remark

Zusatz|- 1. additional, supplementary; 2. ancillary, supplemental; **Z.abgabe** *f* surcharge; **Z.abkommen** *nt* supplementary agreement/treaty; **Z.abschlag** *m (Börse)* markdown ex bonus issue; **Z.abschöpfung** *f* additional levy; **Z.aggregat** *nt* ⚙ booster

Zusatzaktie *f* bonus share, stock dividend; **ex Z.n** ex bonus shares; **Z.nanwärter** *m* bonus candidate

Zusatz|anmeldung *f* additional application; **Z.anteil** *m (GmbH)* bonus share; **Z.antrag** *m (Parlament)* supplemental bill, supplementary application/motion; **unwesentliches Z.argument** makeweight; **Z.artikel** *m* 1. *(Gesetz)* amendment; 2. § rider; 3. supplementary article; **Z.auftrag** *m* additional order; **Z.aufwand** *m* additional expenditure; **Z.ausbildung** *f* additional training; **Z.ausrüstung/Z.ausstattung** *f* 🖳 auxiliary/peripheral/add-on equipment; **mögliche Z.ausstattung** optional extras; **Z.auswertung** *f* additional evaluation; **Z.befehl** *m* additional instruction; **Z.belastung** *f* additional burden; **Z.bescheinigung** *f* supplementary certificate, certificate of addition; **Z.bestellung** *f* additional order; **Z.besteuerung** *f* supplementary tax(ation), (imposing a) surtax; **Z.bestimmung** *f* supplementary ordinance/provision, additional regulation; **Z.betrag** *m* additional amount; **Z.blatt** *nt* continuation sheet; **Z.darlehen** *nt* excess loan; **Z.datensatz** *m* addition record; **Z.dividende** *f* 1. further/additional dividend; 2. *(Vorzugsaktie)* participating dividend, supplementary bonus; **Z.dokument** *nt* rider; **Z.einkommen** *nt* additional income

Zusatzeinrichtung *f* optional/special feature; **Z.en** auxiliary equipment; **wahlweise Z.** optional feature

Zusatz|erfindung *f* additional invention; **Z.etat** *m* supplementary budget; **Z.fahrkarte** *f* supplementary ticket; **Z.faktor** *m* supplementary factor; **Z.forderung** *f* additional demand; **Z.fracht** *f* surplus freight; **Z.frage** *f* supplementary question; **Z.frist** *f* additional/extra time; **Z.gebühr** *f* surcharge, supplemental charge; **Z.gerät** *nt* attachment, adapter; **Z.geräte** add-on/auxiliary/side/🖳 peripheral equipment; **Z.geschäft** *nt* spin-off, additional/ancillary business; **Z.gesetz** *nt* supplementary act; **Z.haushalt** *m* supplementary budget; **Z.information** *f* additional/ancillary information; **Z.investition** *f* marginal investment; **Z.kapazität** *f* excess productive capacity; **Z.kapital** *nt* additional capital; **Z.klausel** *f* rider, additional/add-on/*(Konnossement)* (B/L) superimposed clause; **Z.kontingent** *nt* additional quota

Zusatzkosten *pl* additional cost; **konstante Z.** constant relative costs; **soziale Z.** uncharged disservices, unpaid/uncompensated costs

Zusatz|kredit *m* further/supplementary/additional credit, workout loan; **Z.last** *f* excess burden; **Z.leistung** *f* extra; **Z.leistungen** 1. fringe benefits; 2. *(Vers.)* additional benefits

zusätzlich *adj* additional, supplementary, extra, added, ancillary, complementary, auxiliary; *adv* in addition, over and above, on top of, to boot, into the bargain; **z. zu** further to

Zusatz|lieferant *m* marginal contributor; **ausländische Z.lieferanten** foreign marginal contributors; **Z.lohn** *m* wage supplement, bonus; **Z.markt** *m* fringe market; **Z.mittel** *nt* ⚗ additive; **Z.nutzensortiment** *nt* goods for higher needs; **Z.päckchen** *nt* supplementary pack; **Z.patent** *nt* additional/supplemental/improvement patent, patent of addition; **Z.pension** *f* supplementary pension; **Z.person** *f* supernumerary; **Z.platine** *f* 🖳 daughterboard; **Z.police** *f* additional/supplementary policy; **Z.prämie** *f* additional/extra premium; **Z.programm** *nt* add-on programme; **Z.protokoll** *nt* supplementary protocol; **Z.provision** *f* extra commission, overrider; **Z.prüfung** *f* ▦ penalty test; **Z.qualifikation** *f* additional qualification; **Z.rechnung** *f* supplementary/additional/complementary account, supplementary invoice; **Z.rente** *f* supplemental annuity, supplementary pension; ~ **für Angehörige** supplementary benefit(s); **Z.schicht** *f* additional/extra shift; **Z.speicher** *m* 1. backing/secondary storage; 2. 🖳 extended memory; **Z.steuer** *f* surtax, surcharge, additional/extra/supplementary tax, supertax; ~ **auf Zinseinkünfte** investment income surcharge; **Z.strafe** *f* extra punishment; ~ **verhängen** to superimpose; **Z.stück** *nt (Wechsel)* rider; **Z.tarif** *m* penalty rate; **Z.urkunde** *f* rider, endorsement; **Z.urlaub** *m* extra holiday; **Z.vereinbarung** *f* additional agreement; **Z.vergünstigungen** *pl* fringe benefits; **Z.vergütung** *f* extra pay; **Z.vermächtnis** *nt* cumulative legacy; **Z.vermerk** *m* rider, superimposed clause; **Z.verpflegung** *f* extra rations; **Z.versicherung** *f* supplementary/additional policy, supplementary/additional/collateral insurance; **Z.versorgung** *f* supplementary benefits, ~ pension fund; **Z.vertrag** *m* ancillary/supplementary/accessory contract; **internationaler Z.vertrag** protocol; **Z.verzinsung** *f* extra interest; **Z.zoll** *m* ⊖ import surcharge, additional duty

zu|schalten *v/i* to link up with; **z. Schanden machen** *v/t* to wreck; **Z.schätzung** *f* supplementary estimate

Zuschauer|(in) *m/f* 1. spectator; 2. *(Fernsehen)* viewer; 3. onlooker, bystander; *pl* audience; **Z.sport** *m* spectator sport; **Z.zahl** *f (Sport)* gate

zu|schicken *v/t* to send/forward, ✉ to mail; **z.schießen** *v/t (Geld)* to contribute/subsidize

Zuschlag *m* 1. *(Gebühr)* surcharge, extra, premium, extra/additional/supplemental/supplementary charge; 2. *(Preis)* mark-up; 3. *(Auftrag)* award (of contract), contract award, acceptance (of the tender); 4. *(Zuteilung)* allocation, allotment; 5. *(Lohn/Gehalt)* allowance; 6. *(Auktion)* knockdown, acceptance (of the bid); 7. 🚂 (fare) supplement; 8. § adjudication

Zuschlag für zusätzliche Arbeiten extra work allowance; **Z. bei Auftragswechsel** job changeover allowance; **Z. für Brachzeiten bei Mehrmaschinenbenutzung** interference allowance; **Z. zur Erzielung eines gewogenen Indexes** ▦ loading; **Z. für abhängige Familienmitglieder** *(Sozialleistungen)* dependants' addition; **~ fixe und variable Gemeinkosten** combined overhead rate; **Z. an den Meistbietenden** knockdown to the highest bidder; **Z. bei Serienwechsel** batch changeover allowance; **Z. für Sonntags-, Feiertags- und Nachtarbeit** double time; **~ Überstunden** overtime pay, time and a half; **~ Verwaltungskosten und Gewinn** *(Vers.)* loading, margin; **~ ablaufbedingte Wartezeit** unoccupied time allowance

mit Zuschlag belegen to surcharge; **Z. erhalten** *(Auftrag)* to win/obtain/secure a contract, to be awarded a contract; **Z. erteilen** 1. to award the contract, to accept the tender; 2. *(Ausschreibung)* to bid off; 3. to adjudicate; 4. *(Auktion)* to knock down (a lot); **Z. festsetzen** to impose a surcharge; **Z. geben** to award a contract

verdienstbezogener Zuschlag earnings-related supplement; **betrieblich vereinbarter Z.** policy allowance

zuschlagen *v/t* 1. *(Auftrag)* to award (a contract); 2. *(Zuteilung)* to allocate; 3. *(Auktion)* to knock down

Zuschlag|gebühr *f* surcharge; **Z.karte** *f* 🚂 supplementary ticket; **Z.satz** *m* 🚂 (fare) supplement

Zuschlags|angebot *nt* winning bid; **Z.basis** *f* allocation base; **Z.bescheinigung** *f (Zwangsversteigerung)* certificate of sale; **Z.empfänger(in)** *m/f* 1. *(Ausschreibung)* successful tender(er); 2. *(Auktion)* successful bidder; **Z.erteilung** *f* 1. award of contract, adjudication; 2. *(Auktion)* knockdown; **Z.fahrkarte** *f* 🚂 supplementary (fare) ticket; **Z.fahrpreis** *m* 🚂 supplementary fare; **Z.fracht** *f* extra freight, freight surcharge; **z.frei** *adj* without surcharge; **Z.frist** *f* time of adjudication; **Z.gebühr** *f* surcharge; **Z.grundlage** *f* (allocation) base; **Z.kalkulation** *f* job lot/cost system, ~ order costing, (specific) order cost system, production-order accounting; **Z.karte** *f* 🚂 supplementary ticket; **Z.kosten** *pl (Buchführung)* overhead/indirect cost(s); **Z.marke** *f* ✉ semi-postal; **Z.methode** *f* award system; **z.pflichtig** *adj* subject to a supplement; **Z.porto** *nt* ✉ excess postage; **Z.prämie** *f* 1. additional/supplementary premium; 2. *(Vers.)* loaded premium; **Z.preis** *m* knocked-down/striking price; **Z.satz** *m* costing rate, indirect manufacturing rate; **Z.steuer** *f* surtax; **Z.stoff** *m* 🏛 aggregate; **Z.submission** *f* winning tender/bid; **Z.termin** *m* bid opening date; **Z.zahlung** *f* additional payment; **Z.zoll** *m* additional duty

zu|schließen *v/t* to lock up; **z.schneiden (auf)** *v/t* 1. to cut to size; 2. to tailor/customize (to)

Zuschnitt *m* style, fashion, tailoring, cut; **vom gleichen Z.** *(fig)* on the same lines

zuschreib|bar *adj* attributable, imputable; **z.en** *v/t* 1. to transfer, to sign over; 2. to attribute/impute/accredit/ascribe, to account for; **sich selbst ~ müssen** to have (only) o.s. to blame

Zuschreibung *f (Bilanz)* addition, write-up, value adjustment, revaluation, imputation, appreciation (in value); **Z. zu Gegenständen des Anlagevermögens** addition to fixed assets, appreciation credits to fixed assets, write-up of fixed assets; **Z. aus Höherbewertung** write-up due to appreciation of assets; **Z.sverfahren** *nt* imputation system

Zuschrift *f* 1. letter, reply; 2. charging entry

Zuschuss *m* 1. allowance; 2. grant, subsidy, assistance, grant-in-aid *[US]*; 3. contribution, stipend; **ohne Z.** unendowed

Zuschuss zur Ausbildung training allowance; **Z. für die Betreuung von Invaliden** invalid care allowance; **~ Betreuung pflegebedürftiger Menschen** attendance allowance; **~ lange Dienstzeit** long-service grant; **Z. zur Einstellung von Jugendlichen** youth employment subsidy *[GB]*; **Z. der öffentlichen Hand** subsidy, (government) grant; **Z. in Kapitalform** capital grant; **Z. zu den Lebenshaltungskosten** cost-of-living allowance; **Z. an Staatsbetriebe** grants to government-owned enterprises

Zuschuss bewilligen/gewähren to grant an allowance

erhöhter Zuschuss increased grant; **öffentlicher/staatlicher Z.** government subsidy/grant, state grant, grant-in-aid *[US]*, subvention *[EU]*; **verlorener Z.** non-repayable/irrevocable/outright grant, contribution "à fonds perdu" *[frz.]*; **zusätzlicher Z.** increased grant; **nicht zweckgebundener Z.** discretionary capital grant

Zuschuss|bedarf *m* subsidy requirement; **z.berechtigt** *adj* eligible (for a grant); **Z.betrieb** *m* loss-making operation, subsidized enterprise/business, deficiency/deficient operation; **Z.empfänger(in)** *m/f* awardee, nominee, grantee, (benefit) recipient; **z.fähig** *adj* eligible for a grant/subsidy; **Z.geber(in)** *m/f* giver/donor of an allowance; **Z.gebiet** *nt* deficit/development area; **Z.geschäft** *nt* subsidized undertaking, loss-making business; **Z.kasse** *f* benefit fund; **Z.kontingent** *nt* available subsidies, quota (allocation); **Z.unternehmen** *nt* subsidized/loss-making business; **Z.volumen** *nt* total subsidies available/paid out

bei näherem Zusehen *nt* on closer inspection

zusenden *v/t* to forward/send/✉ to mail

Zusendung *f* delivery, forwarding; **Z. ohne Aufforderung** unsolicited mailing

zusetzen *v/ti* 1. *(Geld)* to shell/pay out; 2. *(bedrängen)* to urge; 3. *(verlieren)* to lose; **z. zu** to credit to; **jdm z.** to lean on so.

zusichern *v/t* 1. to promise/assure, to reassure; 2. *(förmlich)* to warrant/guarantee/pledge/covenant

Zusicherung *f* 1. promise, (re)assurance, (definite) undertaking; 2. warranty, guarantee, commitment, covenant; **Z. des ungestörten Besitzes** § warranty of quiet enjoyment; **Z. einer Eigenschaft** warranty of a quality;

Z. in tatsächlicher Hinsicht affirmation of fact; **Z. handelsüblicher Qualität** warranty of merchantability; **Z. der Richtigkeit der gemachten Angaben** affirmative warranty

ausdrückliche Zusicherung express warranty; **positive Z.** *(Vers.)* affirmative warranty; **vertragliche Z.** contractual undertaking

Zusicherungs|abrede *f* warranty; **Z.klausel** *f (Vers.)* attestation clause; **Z.verfahren** *nt* 🖳 assertion technique

ständiges Zuspätkommen bad timekeeping; **Z.de(r)** *f/m* latecomer

zuspitzen *v/refl* 1. *(Lage)* to worsen, to come to a head; 2. *(Form)* to taper off

Zuspitzung *f* aggravation, worsening; **krisenhafte Z.** highly critical development

zusprech|en *v/t* 1. *(Preis)* to award/adjudicate; 2. *(Auktion)* to knock down (to so.); 3. § to adjudge; **Z.ung** *f* adjudication, award

Zuspruch *m* 1. *(Anklang)* reception, popularity; 2. encouragement; ~ **erfahren/erhalten/finden** to be popular, ~ in great/keen demand

Zustand *m* 1. situation; 2. condition, state (of repair), order, trim; 3. footing, status; **Zustände** conditions, circumstances; **Z. des Verfalls** state of decay

einwandfreier äußerer Zustand apparent good order and condition; **baufälliger Z.** state of neglect/disrepair; **baulicher Z.** state of repair; **in gutem/schlechtem baulichen Z.** structurally sound/unsound; **in beschädigtem Z.** in (a) damaged condition; **betriebsfähiger/einsatzbereiter Z.** operating condition, working order; **in betrunkenem Z.** in a state of intoxication; **einwandfreier Z.** perfect condition; **in gut erhaltenem Z.** in a good state (of repair); **fahrbereiter Z.** 🚗 roadworthy condition; **in gebrauchsfähigem Z.** in commission, usable; **geordnete Zustände** proper state of affairs; **gesetzloser Z.** anarchy; **äußerlich guter Z.** apparent good order; **in gutem Z.** in good repair/order (and condition)/trim; **in handelsfähigem Z.** in (a) merchantable condition; **in kläglichem Z.** in a sorry state; **krisenhafter Z.** crunch; **in makellosem Z.** in mint/showroom condition; **mangelfreier Z.** perfect condition; **mangelhafter Z.** *(Waren)* defective condition; **ordentlicher Z.** good condition; **in ordnungsgemäßem Z.** in proper condition, in good order (and condition); **in schlechtem Z.** in bad order/repair, in poor condition; **in einem schlimmen Z.** in a parlous state; **seelischer Z.** mental state; **in seetüchtigem Z.** in navigable condition; **stationärer Z.** stationary state; **in tadellosem Z.** in mint/showroom condition; **technischer Z.** technical condition; **ursprünglicher/vorheriger Z.** § status quo ante *(lat.)*; **vorzüglicher Z.** prime condition; **in wohnlichem Z.** in tenantable repair

zustande bringen *v/t* 1. to achieve/accomplish/manage, to bring about, to pull off *(coll)*; 2. to effect/procure/negotiate; **z. kommen** *v/i* 1. to materialize, to come about; 2. *(Veranstaltung)* to take place; 3. *(Geschäft)* to go through; **nicht z. kommen** to fail, to fall through

Zustandekommen eines Vertrags *nt* formation of contract; **betrügerisches ~ Vertrags** fraudulent inducement

zuständig *adj* competent, in charge, responsible, relevant, appropriate, concerned, proper; **z. sein** 1. to be in charge, ~ competent/responsible, to cover; 2. § to have jurisdiction; **ausschließlich z. sein** to have exclusive jurisdiction; **sachlich z.** functionally responsible

Zuständigkeit *f* 1. competence, competency, responsibility, capacity, terms of reference; 2. § jurisdiction, scope of authority, cognizance; **außerhalb der Z.** not within the terms of reference, ultra vires *(lat.)*

Zuständigkeit in Berufungssachen appellate jurisdiction; **Z. zur Beurteilung** competence for examination; **Z. in Ehesachen** matrimonial jurisdiction; **Z. des Finanzamts** jurisdiction of the tax office; **Z. der örtlichen Gerichte** jurisdiction of the local courts; **Z. in erster Instanz** original jurisdiction; **~ Nachlass- und Vormundschaftssachen** probate jurisdiction; **Z. als Rechtsmittelinstanz** appellate jurisdiction; **Z. in Strafsachen** criminal jurisdiction; **Z. der Zivilgerichte** jurisdiction of the civil courts

Zuständigkeit begründen to establish jurisdiction; **Z. bestreiten** 1. to disclaim/deny jurisdiction/competence; 2. § to plead incompetence; **unter die Z. fallen von** to come under/be within the jurisdiction of; **Z. regeln** to lay down the terms of reference; **Z. überschreiten** 1. to transgress one's powers/authority; 2. § to act ultra vires *(lat.)*; **Z. übertragen** to give jurisdiction to; **der Z. eines Gerichts unterliegen** to come within the jurisdiction of a court; **~ für etw. vereinbaren** to agree to submit sth. to the jurisdiction of a court; **Z. verneinen** to disclaim competence

allgemeine Zuständigkeit general jurisdiction; **ausschließliche Z.** exclusive jurisdiction/competence; **beschränkte Z.** limited jurisdiction; **in eigener Z.** on one's own responsibility; **einzelrichterliche Z.** summary jurisdiction; **erstinstanzliche Z.** original jurisdiction; **gerichtliche Z.** court jurisdiction; **konkurrierende Z.** concurrent jurisdiction; **konkursrechtliche Z.** bankruptcy jurisdiction; **mangelnde Z.** want of/lacking jurisdiction; **örtliche Z.** 1. local/territorial jurisdiction; 2. *(Steuer)* place for filing returns; **sachliche Z.** jurisdiction in rem *(lat.)*, competence, jurisdiction over a subject matter; **steuerliche Z.** tax jurisdiction; **subsidiäre Z.** subsidiary competence; **unbeschränkte Z.** general jurisdiction; **unmittelbare Z.** direct jurisdiction

Zuständigkeits|ausweitung *f* extension of jurisdiction; **Z.begrenzung** *f* limitation of jurisdiction; **Z.bereich** *m* 1. sphere/area of responsibility, scope, (terms of) reference, province, purview; 2. § jurisdiction, competence; **außerhalb unseres Z.bereichs** outside our reference; **Z.beschränkung** *f* limitation of jurisdiction/authority; **Z.einwand** *m* jurisdictional law, plea/objection to the jurisdiction; **Z.erfordernis** *nt* requirement as to jurisdiction; **Z.erklärung** *f* assumption of authority/jurisdiction; **Z.erweiterung** *f* extension of jurisdiction; **Z.frage** *f* jurisdictional question; **Z.gebiet** *nt* area of jurisdiction/authority; **Z.grenze** *f* ambit, limit of jurisdiction; **Z.klausel** *f* jurisdiction clause; **Z.lücke** *f* jurisdictional gap; **Z.streik** *m* jurisdictional strike *[US]*; **Z.streit (zwischen ordentlichen und Verwaltungsgerichten)** *m* conflict of jurisdiction (between ordinary and administrative courts), jurisdictional dispute; **Z.überschreitung** *f* acting ultra vires *(lat.)*, exceeding one's competence, breach of privilege; **Z.vereinbarung** *f* agreement as to jurisdiction; **Z.verteilung** *f* distribution/allocation of responsibilities; **Z.voraussetzung** *f* requirement as to jurisdiction

Zustands|baum *m* π stochastic tree; **Z.bericht** *m* status report; **Z.parameter** *m* state parameter; **Z.raum** *m* stochastic decision space; **Z.variable** *f* state variable; **Z.wahrscheinlichkeit** *f* state probability

jdm gut zu|statten kommen *adj* to stand so. in good stead; **jdm z.stehen** *v/i* to be so.'s due, ~ entitled to sth.; **z.steigen** *v/i* to board

Zustell|amt *nt* ✉ delivery post office; **Z.anschrift** *f* mailing address; **Z.bereich/Z.bezirk** *m* delivery zone, ✉ postal district/area; **Z.dienst** *m* delivery service

zustellen *v/t* 1. to deliver; 2. § to serve, to notify by service; **jdm etw. z. lassen** § to serve sth. on so.

Zusteller *m* 1. ✉ postman; 2. delivery man/agent; 3. § server

Zustell|fahrzeug *nt* delivery van; **Z.gebühr** *f* 1. delivery/terminal charge; 2. ✉ postage; 3. *(Rollfuhr)* cartage, portage; 4. § fee for service; **Z.nachweis** *m* proof of delivery (note)

Zustellung *f* 1. delivery; 2. § service (of process/notice), serving notification

Zustellung von Amts wegen § official service; **Z. durch Aufgabe zur Post** service by mailing; **Z. im Ausland** § service abroad; **Z. durch Eilboten** express delivery; **Z. an den Empfänger** § personal service; **Z. von Gerichtsdokumenten** service of process; **Z. frei Haus** delivery free house; **Z. durch Hinterlegung** substituted service; **Z. einer Klageschrift/(Vor)Ladung** service of a writ of summons; ~ **Kündigung** § service of notice; ~ **Ladung** *(Fracht)* delivery; **Z. von Paketen** parcel delivery; **Z. durch die Post** postal delivery, notification by post; ~ **unmittelbare Übergabe** notification by delivery by hand; **Z. von Verfahrensurkunden und Gerichtsentscheidungen** service of writs and records of judicial verdicts

Zustellung bewirken § to effect service; **Z. nachweisen** to prove delivery; **Z. an den Beklagten vornehmen** to serve sth. on the defendant; **gerichtliche Z.en vornehmen** to serve process

erneute Zustellung § re-service; **förmliche Z.** § service of process; **freie Z.** free delivery, delivery free; **öffentliche Z.** § substituted service *[GB]*, service by publication *[US]*, public notification; **ordnungsgemäße Z.** § due service; **nicht ~ Z.** irregularity in service; **persönliche Z.** § personal service; **portofreie Z.** ✉ free delivery; **vereinfachte Z.** § simplified service by mail

Zustellungs|adresse *f* 1. mailing address; 2. § address for service; **Z.art** *f* type of service; **Z.beamter** *f* § bailiff, process server; **Z.bescheinigung** *f* 1. § notice of action; 2. *(Urteil)* notice of judgment; **Z.bestätigung** *f* § return of service; **Z.bevollmächtigte(r)** *f/m* domestic representative, person authorized to accept service; **Z.dienst** *m* delivery service/system; **Z.gebühr** *f* delivery charge; **Z.kosten** *pl* delivery cost(s); **Z.mangel** *m* § default of service, defective service, irregularity in the notification; **Z.nachweis** *m* 1. proof of delivery; 2. § proof of service; **Z.organ** *nt* competent agency for effecting service; **Z.ort** *m* place of delivery; **Z.urkunde** *f* § notice of delivery, affidavit/certificate of service; **Z.wohnsitz** *m* § address for service

Zustellverkehr *m* delivery traffic

zusteuern *v/t* to contribute; **z. auf** to head towards/for; **geradewegs/schnurgerade z. auf** to make a beeline for

zustimmen *v/i* to go along with, to agree/consent/approve/assent/concur, to accede to; **jdm z.** to be in agreement with; **formell z.** to sign on the dotted line; **nicht z.** to disagree/disapprove (of)/dissent; **stillschweigend z.** to acquiesce (in sth.); **z.d** *adj* affirmative, positive

Zustimmung *f* agreement, consent, approval, assent, green light, go-ahead, accord, acceptance, concurrence, approbation, indulgence, acclaim; **mit Z. von** with the consent of; **mangels Z.** failing consent

Zustimmung der Aktionäre shareholder approval; **mit ~ Allgemeinheit** by popular consent; **Z. mit Auflagen** conditional approval; **Z. der Eltern** parental consent; ~ **Mehrheit** majority approval; **vorbehaltlich Ihrer Z.** subject to your consent

der Zustimmung bedürfen to require approval; **Z. einholen** to secure agreement; **Z. finden; auf Z. stoßen** to meet with approval; **Z. gewinnen** to win approval; **Z. geben** to consent (to); **seine Z. versagen** to withhold one's consent; **sich jds Z. versichern** to secure so.'s consent; **Z. verweigern/vorenthalten** to veto, to refuse approval, to withhold one's consent

allgemeine Zustimmung general consent; **mit allgemeiner/allseitiger Z.** by common consent/assent; **amtliche/behördliche Z.** official consent; **ausdrückliche Z.** express consent; **bedingte Z.** conditional/qualifying approval; **einhellige/einmütige/einstimmige Z.** unanimous assent/consent; **elterliche Z.** parental consent; **endgültige Z.** final approval; **heimliche Z.** connivance; **königliche Z.** royal assent *[GB]*; **prompte Z.** ready consent; **schriftliche Z.** written consent, consent in writing; **vorherige ~ Z.** prior written approval/consent; **stillschweigende Z.** tacit approval, tacit/implicit consent; **unbedingte/uneingeschränkte Z.** unqualified approval; **ungeteilte Z.** unanimous approval; **vorherige Z.** prior approval, previous/prior consent; **vorläufige Z.** vote on account

zustimmungs|bedürftig *adj* requiring consent; ~ **sein** to require approval; **Z.erklärung (der Aktionäre)** *f* acceptance, declaration of consent; **Z.frist** *f* time allowed for consent; **Z.gesetz** *nt* act of assent; **z.pflichtig** *adj* subject to approval; **Z.vorbehalt** *m* right of veto, reservation of assent

zu|stopfen *v/t* to plug; **z.streben auf** *v/prep* to make/head for; **Z.strom** *m* influx, inflow

zutage treten *v/i* to emerge, to come to light; **plötzlich z. treten** to crop up

Zutat *f* 1. ingredient; 2. extra

zuteilbar *adj* apportionable, allocable, assignable; **nicht z.** unassignable

Zuteilen *nt* allocation, distribution

zuteilen *v/t* 1. to allocate/allot/apportion/distribute/award; 2. *(Aufgabe)* to assign; 3. *(Mittel)* to appropriate/grant; 4. *(Wertpapiere)* to allot, to scale down; 5. *(Rationen)* to dole/ration out; **neu z.** to reallocate/redistribute/reapportion; **voll z.** to allot in full

Zuteilende(r) *f/m* assigner, assignor

Zuteilung *f* 1. allocation, allotment, apportionment, distribution, repartition; 2. *(Aufgabe)* assignment, assignation; 3. *(Mittel)* allowance, appropriation, grant, draw-down; 4. *(Wertpapiere)* allotment, scaling down; 5. *(Bausparen)* loan commitment, draw-down; 6. *(Auftrag)* award; 7. *(Rationen)* ration; **Z. von Aktien** allocation/allotment of shares; **~ Kundschaft** allocation of customers; **~ Mitteln** allocation/appropriation of funds; **Z. (knapper Mittel) über den Preis** rationing by the purse; **Z. von Speicherplätzen** 🖳 storage allocation

zur Zuteilung verfügbar available for allocation

beschränkte Zuteilung limited allotment; **knappe Z.** scant allowance; **unverbindliche Z.** renounceable allotment (letter); **volle Z.** full quota; **vorläufige Z.** preallotment

Zuteilungs|anwartschaft *f* allocation expectancy; **Z.-anzeige/Z.benachrichtigung/Z.brief** *f/m* allotment certificate/letter, letter/certificate of allocation, ~ allotment; **Z.ausschuss** *m* allocation committee; **z.berechtigt** *adj (Aktie)* eligible (for allotment); **Z.betrag** *m* 1. appropriation, allotment money; 2. *(Aktien)* amount of stock allotted/allocated; **Z.empfänger(in)** *m/f* allottee; **Z.fonds/Z.masse** *m/f* allocation fund; **Z.frist** *f* time of allotment, preallocation period; **Z.kurs** *m* allotment price/rate; **Z.menge** *f* allocation, quota; **Z.mitteilung** *f (Aktie)* share allotment letter; **widerrufbare Z.mitteilung** renounceable letter of allocation/allotment; **Z.modus** *m* mode of allocation; **Z.periode** *f* basic period; **Z.plan** *m* allocation scheme; **Z.preis** *m* allotment price; **Z.quote** *f* allocation quota; **Z.recht** *nt* allotment right; **z.reif** *adj (Bausparkasse)* available for drawdown; **Z.schein** *m* allotment letter/certificate, certificate/letter of allocation, ~ allotment; **widerrufbarer Z.schein** *(Aktie)* renounceable letter of allotment/allocation; **Z.schlüssel** *m* allocation formula; **Z.system** *nt* quota/allocation system; **Z.verfahren** *nt* allotment system

zu|tiefst *adv* to the core, profoundly; **z.tragen** *v/refl* to occur, to come to pass; *v/t* to report; **z.träglich** *adj* salutary; **Z.trauen** *nt* confidence, trust; **jdm etw. z.-trauen** *v/t* to credit so. with sth.

zutreffen *v/i* 1. to be true/correct; 2. *(gelten)* to apply/obtain; **z.d** *adj* correct, applicable, accurate, valid; **falls z.d** *(Formular)* if applicable; **nicht z.d** not applicable, inapplicable

Zutritt *m* 1. entrance, access, ingress (to); 2. *(Einlass)* entry, admission, admittance; **Z. im gerichtlichen Auftrag** entry by legal process; **kein Z.; Z. verboten** no admittance/entry/entrance; **Z. erhalten; sich Z. verschaffen** to gain access; **Z. gewähren** to grant admission, to give access/admittance; **Z. haben** to access; **freien Z. haben** to have free access/entrance; **Z. verwehren/verweigern** to deny/refuse admittance, ~ access, ~ admission; **bevorrechtigter Z.** privilege of access, preferential (right of) access; **Z.srecht** *nt* right of access; **Z.sverbot** *nt* 1. no access/admittance; 2. prohibition of access

zu Ungunsten *prep* to the disadvantage of

zuverlässig *adj* 1. *(Person)* reliable, dependable, trustworthy; 2. steady, safe, trusted, sure

Zuverlässigkeit *f* 1. reliability, dependability, trustworthiness; 2. safety; **Prinzip der Z. von Jahresabschlussinformationen** *(Bilanz)* reliability; **Z. der Lieferanten** reliable delivery service; **charakterliche Z.** character fitness; **erwiesene/nachgewiesene Z.** proved/proven reliability; **statistische Z.** statistical reliability

Zuverlässigkeits|angaben *pl* reliability data; **technische Z.bescheinigung** 🚗 roadworthiness certificate; **Z.grad** *m* dependability; **Z.probe** *f* ✿ endurance test; **Z.rechnung** *f* π calculus of reliability; **Z.theorie** *f* reliability theory

Zuversicht *f* hope, confidence; **Z. der Anleger** investor confidence; **~ Unternehmer** business confidence; **z.lich** *adj* 1. confident, optimistic; 2. *(Börse)* bullish

Zuviel an *nt* superfluity; **Z.belastung** *f* overcharge; **Z.einbehaltung** *f* overwithholding

zuvor *adv* before(hand)

Zuvorkommen *nt* anticipation; **z.** *v/i* to anticipate/obviate/preclude/forestall/beat; **jdm z.** to preempt so., to steal a march on so. *(fig)*

zuvorkommend *adj* *(höflich)* courteous, obliging, helpful

Zuwachs *m* 1. increase, rise, (rate of) growth, gain; 2. *(Wert)* appreciation, accretion; 3. *(Lohn)* increment; 4. *(Gewinn)* accrual; **Z. an Arbeitsplätzen** employment gain; **Z. im Fahrgast-/Passagieraufkommen** passenger traffic growth; **Z. an Neugründungen** new company growth; **Z. bei den Werbeausgaben** adspend growth *(coll)*; **Z. aufs Jahr berechnet** annualized increase; **Z. verzeichnen** to witness growth

gebremster Zuwachs restrained growth; **geringer Z.** marginal gain; **inflationsbedingter Z.** inflation-based increase; **jährlicher Z.** annual gain/increment; **mengenmäßiger Z.** rise in volume terms; **realer Z.** increase in real terms

zuwachsen *v/i* to accrue

Zuwachs|kapital *nt* surplus; **Z.konto** *nt (Investment)* growth account; **Z.markt** *m* growth market; **Z.mindestreservesatz** *m* marginal reserve requirements; **Z.modell** *nt* incremental scheme

Zuwachsrate *f* growth/increment rate, rate of growth/increase, margin; **Z. der Investitionen** growth rate of investment; **jährliche Z.** year-to-year growth rate; **vergleichbare Z.** comparative rate of increase

Zuwachs|reserve *f* additional reserve; **Z.steuer** *f* (property) increment tax; **z.trächtig** *adj* growth-promising

Zu|wahl *f* cooption; **z.wählen** *v/t* to coopt, to elect additional members; **Z.wanderung** *f* immigration; **z.weisbar** *adj* assignable, allocable

zuweisen *v/t* 1. to assign/allocate/allot/apportion/confer; 2. *(Mittel)* to appropriate; **jdm etw. z.** to entrust so. with sth.

Zuweisung *f* assignation, allocation, grant-in-aid, allotment, transfer; **Z. von Arbeitskräften** allocation of labour; **Z. des Besteuerungsrechts** attribution of the rights to tax; **Z. an finanzschwache Gemeinden** rate deficiency grant *[GB]*; **Z. von (Geld)Mitteln** allocation of money, appropriation of funds; **Z. an die Reserven/Rücklagen** allocation to reserves; **~ den Tilgungsfonds** sinking-fund allocation; **Z. der Zentralregierung an Kommunen** rate support grant *[GB]*

gerichtliche Zuweisung judicial allocation; **testamentarische Z.** legacy

Zuweisungs|- allocative; **Z.formel** *f* basic-allocation formula; **Z.kürzung** *f (Haushalt)* cut in appropriations

zuwenden *v/t* 1. to grant/bequeath/bestow/allocate; 2. *(Geld)* to give

Zuwendung *f* 1. *(Zahlung)* payment, handout, allowance, benefit, perk, grant; 2. *(Spende)* donation, contribution, gratuity; 3. *(Zuteilung)* allocation, allotment; 4. *(Stiftung)* endowment, bequest, bestowal; **Z. in Form von Waren** benefit in kind; **Z. aus Reingewinn** allocation from profits; **letztwillige Z. eines Restnachlasses** residuary legacy; **Z. von Todes wegen** bequest, disposition mortis causa *(lat.)*; **Z. bei Wiederheirat** remarriage gratuity

außerordentliche Zuwendung|en extraordinary benefits; **bedingungslose Z.** outright gift; **einmalige Z.** non-recurring contribution/allowance; **fiduziarische Z.** voluntary trust; **freiwillige Z.** voluntary payment; **geldliche Z.** appropriation in aid; **letztwillige Z.** legacy; **staatliche Z.** state grant; **steuerpflichtige Z.** taxable gift; **testamentarische Z.** legacy, bequest, legate; **unentgeltliche Z.** (free) gift, donation, voluntary settlement; **wöchentliche Z.** weekly allowance

Zuwendungsempfänger(in) *m/f* beneficiary, (third-party) donee, creditor

zuwider *adv* adverse/contrary to

Zuwiderhandeln *nt* contravention, violation, non-compliance; **z.** *v/i* 1. *(Gesetz)* to contravene/infringe/offend/violate/counteract; 2. *(Gebot)* to defy; **Z.de(r)** *f/m* trespasser, offender, violator

Zuwiderhandlung *f* 1. non-compliance, contravention, trespass, offence, violation, infringement; 2. *[EU]* irregularity; **~ im Straßenverkehr** road traffic offence

einer Sache zuwiderlaufen *v/i* to run counter to, to go directly against, to fly in the face of sth.

zuzahlen *v/t* to pay extra

Zuzahlung *f* addition; **Z. der Aktionäre** additional contribution of shareholders

zu|ziehen *v/ti* 1. to move in; 2. to consult, to call in; **unter Z.ziehung von Zeugen** *f* § in the presence of witnesses; **Z.zug** *m* inflow, influx, arrival (arr.); **z.züglich** *prep* in addition, plus, additional, added

Zuzugs|erlaubnis/Z.genehmigung *f* entry and residence permit, permit to take up residence

zuzu|rechnen/z.schreiben/z.weisen *adj* attributable/referable (to)

Zwang *m* 1. coercion, constraint, duress; 2. obligation; 3. force; 4. restraint, compulsion; **unter Z.** under constraint/duress; **Z. zu Deckungskäufen** squeeze; **Z. der Ereignisse** pressure of events; **Z. des Gesetzes** force of the law; **Z. ausüben** to exert pressure; **unter Z. handeln** to act under duress

gerichtlicher Zwang judicial compulsion; **gesellschaftlicher Z.** social pressure(s); **gesetzlicher Z.** legal restraint; **(widerrechtlicher) physischer Z.** § physical duress; **unmittelbarer Z.** direct enforcement/compulsion; **volkswirtschaftliche Zwänge** constraints on the economy; **wirtschaftlicher Z.** economic pressure

zwanglos *adj* informal, casual, free and easy, relaxed, unconventional, unceremonious; **Z.igkeit** *f* ease, informality, casualness

Zwangs|- 1. compulsory, statutory, mandatory; 2. involuntary, coercive; **Z.abgabe** *f* compulsory/statutory contribution, ~ levy, mandatory imposition; **Z.ablieferung** *f* compulsory delivery; **Z.abtretung** *f* 1. § *(Völkerrecht)* forced cession; 2. *(Privatrecht)* compulsory cession/assignment; **Z.abwicklung** *f* compulsory winding-up; **Z.ankauf** *m* compulsory purchase; **Z.anleihe** *f* compulsory tax loan, investment aid tax, forced loan; **Z.arbeit** *f* 1. forced/slave/hard labour; 2. penal servitude; **Z.arbeitslager** *nt* slave (labour) camp; **Z.auflösung** *f* compulsory winding-up/liquidation, forced liquidation; **Z.ausgleich** *m* compulsory settlement; **Z.beitrag** *m* compulsory contribution, obligatory levy; **Z.beitreibung** *f* distraint, forcible collection; **Z.beurlaubung** *f* compulsory leave; **z.bewirtschaften** *v/t* to regulate/control; **z.bewirtschaftet** *adj* 1. rationed, controlled; 2. *(Wohnung)* rent-controlled

Zwangsbewirtschaftung *f* rationing, control; **Z. der Mieten** rent control; **Z. aufheben** to deregulate/decontrol; **der Z. unterwerfen** to ration/control

Zwangs|eingriff *m* arbitrary action; **Z.einlösung** *f* mandatory redemption; **Z.einziehung** *f (Aktie)* compulsory redemption/retirement

zwangsenteig|nen *nt* to repossess; **Z.nung** *f* repossession, compulsory purchase, expropriation; **~ wegen Baufälligkeit** condemnation; **Z.nungsverfügung** *f* compulsory purchase order

Zwangs|entlassung *f* compulsory redundancy; **z.ernähren** *v/t* force-feed; **Z.erwerb** *m* compulsory purchase/acquisition; **Z.fusion** *f* enforced merger; **Z.geld** *nt* penalty (payment), administrative/coercive fine; **Z.gemeinschuldner** *m* involuntary bankrupt; **Z.haft** *f* § coercive detention, official custody; **Z.handlung** *f* coercive action; **Z.herrschaft** *f* dictatorship; **Z.hypothek** *f* mortgage registered to enforce payment, forced registration of mortgage; **Z.idee** *f* obsession; **Z.jacke** *f* straightjacket; **Z.kapitalbildung** *f* compulsory capital formation; **Z.kartell** *nt* compulsory cartel; **Z.konkurs** *m* involuntary bankruptcy; **Z.konkursverfahren** *nt* involuntary bankruptcy proceedings; **Z.kontingent** *nt* mandatory quota; **Z.konversion** *f* forced conversion; **Z.kurs** *m* controlled rate/course of exchange; **Z.lage** *f* plight, dilemma, predicament, exigency, exigence, necessity

zwangsläufig *adj* inevitable, unavoidable, necessary; **z. tun müssen** to be bound to do

Zwangs|lehre *f* compulsory apprenticeship; **Z.liquidation/Z.liquidierung** *f* compulsory liquidation/winding-up, involuntary liquidation

Zwangslizenz *f* compulsory licence; **Z. wegen Abhängigkeit** compulsory licence by reason of dependence; **Z. von Amts wegen** licence by right, compelled licence; **Z. aus Gründen des öffentlichen Interesses** compulsory licence for the public interest; **Z. wegen Nichtausübung** compulsory licence for lack of exploitation

Zwangslöschung *f* forced discharge

Zwangsmaßnahme *f* 1. measure of constraint, coercive/compulsory measure, enforcement action, penalty; 2. sanction; **Z.n** strong-arm method(s)/tactics; **Z. des Gerichts** legal measure of constraint; **Z. der Verwaltungsbehörden** administrative measure of constraint; **gerichtliche Z.** legal measure of constraint

Zwangs|mieter *m* statutory tenant; **Z.mitgliedschaft** *f* compulsory membership; **Z.mittel** *pl* 1. enforcement measures, coercive methods, means of coercion; 2. sanctions; **Z.nachlass** *m* compulsory rebate; **Z.pause** *f* enforced suspension; **Z.pensionierung** *f* involuntary/compulsory/mandatory retirement; **Z.preis** *m* controlled price; **Z.räumung** *f* eviction, ouster; **~ gegen einen Mieter durchführen** to eject/evict a tenant; **Z.regelung/Z.regulierung** *f (Börse)* bargain enforcement, forced settlement; **Z.rückkauf** *m (Anleihe)* compulsory redemption; **Z.rückversicherung** *f* compulsory reinsurance; **Z.schlichtung** *f* mandatory arbitration/conciliation, compulsory arbitration, ~ settlement of disputes; **Z.sparen** *nt* forced/compulsory saving; **Z.steuerungsmodell** *nt* exogenous business cycle theory; **Z.syndikat** *nt* compulsory syndicate; **Z.übereignungsbeschluss** *m* vesting order *[GB]*; **Z.übertragung/Z.veräußerung** *f* compulsory alienation; **Z.umsiedlung** *f* compulsory resettlement; **Z.veranlagung** *f* compulsory assessment; **Z.veräußerung** *f* forced disposal, (en)forced sale; **Z.verfahren** *nt* compulsory proceedings, enforcement procedure; **Z.vergleich** *m* court/compulsory composition, composition/arrangement in bankruptcy, enforced liquidation, composition after adjudication, legal/compulsory settlement, compulsory composition proceedings

Zwangsverkauf *m* (en)forced/judicial sale, forced selling/disposal, selling out; **steuerlicher Z.** tax sale; **z.en** *v/t* to sell up

Zwangs|verlagerung *f* forced relocation; **z.verpflichtet** *adj* conscript; **Z.verpflichtung** *f* conscription; **Z.-verpachtung** *f* compulsory lease; **Z.versicherung** *f* compulsory insurance; **z.versteigern** *v/t* to put up for compulsory auction, to sell by public auction

Zwangsversteigerung *f* forced sale/selling, judicial/execution sale, compulsory auction; **Z. aus einer Hypothek** foreclosure sale; **gerichtlich angeordnete Z.** judicial/forced sale; **Z.svermerk** *m* foreclosure notice in the land register

Zwangs|verwalter *m* [§] official receiver, sequestrator; **Z.verwalterschaft/Z.verwaltung** *f* receivership, (judicial) sequestration, forced administration, extent *[US]*; **unter ~ stellen** to sequestrate; **Z.verwaltungsverfügung** *f* [§] receiving order; **Z.verwertung** *f (Pat.)* compulsory working; **z.vollstrecken** *v/t* to foreclose; **Z.vollstrecker** *m* receiver

Zwangsvollstreckung *f* 1. distraint, foreclosure, enforcement by writ, seizure by way of execution, (levy of) execution; 2. law enforcement

Zwangsvollstreckung einer Hypothek (mortgage) foreclosure; **Z. aus dem Urteil** enforcement/execution of judgment; **Z. in das bewegliche Vermögen** general execution, levy of execution on movable property; **~ unbewegliche Vermögen** execution imposed on debtor's immovable property; **Z. durch Wegnahme** execution by writ of delivery

der Zwangsvollstreckung unterliegend liable to execution; **nicht ~ unterliegend** exempt from execution

Zwangsvollstreckung durch Zahlung abwenden to satisfy on execution; **Z. aufschieben/aussetzen** to grant (a) stay of execution, to stay execution; **Z. beantragen** to issue execution (against), to levy an execution; **Z. betreiben** to levy a distress; **Z. aus einer Hypothek betreiben** to foreclose a mortgage; **Z. durchführen** to seize under process; **Z. einstellen** to cease process of execution, to stay execution; **~ mangels Masse** to return an execution nulla bona *(lat.)*; **der Z. unterliegen** to be subject to foreclosure

Zwangsvollstreckungs|anordnung *f (Hypothek)* foreclosure decree, writ of execution; **Z.aussetzung** *f* stay of execution; **Z.befehl/Z.beschluss** *m* warrant of attachment/arrest/distress, foreclosure decree; **Z.gläubiger(in)** *m/f* execution creditor; **Z.klage** *f* foreclosure action; **Z.klausel** *f (Hypothek)* foreclosure clause; **Z.kosten** *pl* costs of execution; **Z.maßnahme** *f* enforcement proceedings; **Z.unterwerfung** *f* submission to execution proceedings; **Z.verfahren** *nt (Hypothek)* foreclosure/execution proceedings, executory process; **Z.verkauf** *m* distress sale

Zwangs|vorführung *f (Zeuge)* compulsory attendance; **Z.vorsorge** *f* coercive system of social security; **Z.vorstellung** *f* obsession; **Z.währung** *f* controlled currency; **im Z.wege** *m* compulsorily; **z.weise** *adj* compulsory, forcible, enforced

Zwangswirtschaft *f* (state-)controlled/planned economy, governmental planning; **Z. abbauen** to decontrol; **unter Z. stellen** to control; **z.lich** *adj* controlled(-economy)

Zwanziger-Ausschuss *m (IWF)* group of twenty

Zweck *m* purpose, object(ive), goal, use, aim, end; **zum Z.** for the sake of; **zu diesem Z.** for this purpose, to this end; **zum Z.e der Einführung** for introductory purposes; **dem Z. entsprechend** fit for the purpose

für einen Zweck bestimmen to earmark; **einem Z. dienen/entsprechen** to serve a purpose; **privaten Z.en dienen** to serve some private ends; **Z. erfüllen** to serve the purpose, to do the trick *(coll)*; **für eigene Z.e miss-**

brauchen to divert (sth.) for one's own use; **für seine Z.e gerade richtig sein** to serve one's turn; **für wohltätige Z.e spenden** to contribute/give to charity; **für einen bestimmten Z. vorsehen** to earmark; **einem unerlaubten Z. zuführen** to misappropriate

angeblicher Zweck ostensible purpose; **doppelter Z.** dual purpose; **erlaubter Z.** lawful purpose; **gemeinnütziger Z.** public-benefit purpose; **gewerblicher Z.** commercial purpose, industrial use; **kalkulatorische Z.e** costing purposes; **karitativer/mildtätiger Z.** charitable purpose; **staatspolitische Z.e** aims of public policy; **statistische Z.e** record purposes; **steuerbegünstigter Z.** recognized purpose; **zu technischen Z.en** for industrial purposes; **vorgeblicher Z.** ostensible purpose; **widerrechtlicher Z.** illegal purpose; **wohltätiger Z.** charitable purpose; **gesetzlich zulässiger Z.** lawful purpose

Zweck|bau *m* functional building; **z.bestimmt** *adj* designated, earmarked

Zweckbestimmung *f* intended use, purpose, designation, earmarking, application; **Z. der Geldmittel** appropriation/application of funds; **Z. von Zahlungen** appropriation of payments; **Z.sklausel** *f* objects' clause

zweck|betont *adj* functional, utilitarian; **Z.bindung** *f* earmarking, (project-)tying; **~ von Gewinnen und Rücklagen** appropriation; **Z.definition** *f* purposive definition; **z.dienlich** *adj* useful, expedient, appropriate, pertinent, convenient, to the purpose; **Z.dienlichkeit** *f* expedience, expediency, instrumentality, usefulness; **z.entfremden** *v/t* to misappropriate/alienate/divert/misuse; **Z.entfremdung** *f* misappropriation, alienation, misuse; **z.entsprechend** *adj* appropriate, suitable, instrumental, according to purpose; **Z.fonds** *m* ad hoc *(lat.)* fund; **Z.forschung** *f* applied research; **z.frei** *adj (Forschung)* free; **z.gebunden** *adj* earmarked, (purpose-)tied, *(Geld)* appropriated; **nicht z.gebunden** uncommitted, non-specific; **Z.gliederung** *f* task structuring; **Z.haftigkeit** *f* functionalism; **z.los** *adj* pointless, useless, futile, of no use, to no avail; **z.mäßig** *adj* 1. useful, appropriate, expedient, advisable; 2. suitable, proper, practicable, practical

Zweckmäßigkeit *f* usefulness, expedience, expediency, advisability; **praktische Z.** practical expediency; **Z.serwägung** *f* consideration of expediency; **Z.sfrage** *f* question of expediency; **aus Z.sgründen** *pl* for reasons of expediency, on the grounds of expediency

Zweck|-Mittel-Beziehung *f* means-end relation; **Z.optimismus** *m* purposive/calculated optimism; **Z.pessimismus** *m* purposive/calculated pessimism; **Z.rationalität** *f* instrumental rationality

zwecks *prep* in order to, for the purpose of

Zweck|setzung *f* stated objective; **Z.sparen** *nt* purposive/target saving; **Z.steuer** *f* non-regulatory tax; **Z.stil** *m* functionalism; **Z.verband** *m* special-purpose association, joint body, union; **kommunaler Z.verband** municipal association; **Z.vermögen** *nt* special-purpose fund, trust and agency fund; **z.widrig** *adj* inappropriate; **Z.zuweisung** *f* specific grant; **Z.zuwendung** *f* specific-purpose transfer (of property)

Zwei|behältersystem *nt* two-bin system; **Z.bettkabine** *f* ⚓ two-berth cabin; **Z.bettzimmer** *nt* double room; **z.deutig** *adj* ambiguous, equivocal; **Z.deutigkeit** *f* ambiguity, equivocality, equivocalness; **z.dimensional** *adj* 1. two-dimensional; 2. ▦ bivariate

Zweidrittel|mehrheit *f* two-thirds majority; **Z.wert** *m (Vers.)* two-thirds appraisal

Zweier|anschluss *m* ✆ party line; **in Z.gruppen einteilen** *pl* to pair off; **Z.system** *nt* binary system

Zweietagenwohnung *f* maisonette

zweifach *adj* twofold, double; **das Z.e** *nt* double

Zweifamilienhaus *nt* two-family house

Zweifel *m* doubt; **im Z.** in case of doubt, in dubio *(lat.)*; **ohne Z.** no/without doubt, doubtless, and no mistake *(coll)*; **außerhalb allen Z.s** beyond any doubt; **Z. hinsichtlich** doubt about

Zweifel aufkommen lassen (an) to raise doubts, to cast doubt on; **keinen ~ lassen** to admit of no doubt; **Z. ausräumen/beheben/beseitigen** to dispel/remove doubts; **Z. bekommen** to have second thoughts; **im Z. zugunsten des Angeklagten entscheiden** to give the accused the benefit of the doubt, to decide in dubio pro reo *(lat.)*; **ohne Z. feststehen** to be beyond cavil; **Z. hegen** to entertain doubts; **jdn nicht im Z. lassen** to leave so. in no doubt (about sth.); **einem Z. unterliegen** to be open to doubt; **keinem Z. unterliegen** to admit of no doubt; **Z. zerstreuen** to dispel doubts; **in Z. ziehen** to doubt/query/question, to cast doubt on, to call in question

begründeter Zweifel reasonable/rational doubt; **berechtigte Z.** legitimate doubts; **ernster Z.** grave doubt; **ohne den geringsten Z.** without a/the shadow of a doubt; **nagender Z.** nagging doubt; **nicht unerheblicher Z.** reasonable doubt

zweifel|haft *adj* 1. doubtful, uncertain, questionable; 2. dubious, shady; **z.los** *adv* undoubtedly, unquestionably, doubtless, without/no doubt, decidedly

zweifeln *v/i* 1. to doubt; 2. to distrust; **z.d** *adj* sceptical

Zweifelsfall *m* doubtful/borderline case; **im Z.** in case of doubt; **~ zu jds Gunsten entscheiden** to give so. the benefit of the doubt; **~ lieber vorsichtig sein** to err on the side of caution

zweifelsfrei *adj* § beyond reasonable doubt

Zweig *m* 1. ✿ branch, twig; 2. *(fig)* arm, offshoot *(fig)*, sector; **Z.abteilung** *f* branch section

zweigängig *adj* double-operation, two-phase

Zweig|anstalt *f* branch (establishment); **Z.bahn** *f* 🚂 branch line; **Z.bank** *f* branch bank; **Z.betrieb** *m* branch, branch/subsidiary operation; **Z.büro** *nt* branch office, sub-office; **Z.filiale/Z.geschäft** *f/nt* branch (office/store); **Z.gesellschaft** *f* affiliated company/corporation *[US]*/society, affiliate; **Z.gründung** *f* branch establishment

zwei|gipflig *adj* ▦ bimodal; **z.gleisig** *adj* 🚂 dual-track, double-track, twin-track; **z.gliedrig** *adj* two-tier(ed)

Zweig|linie *f* 🚂 branch line; **Z.niederlage** *f* branch (establishment)

Zweigniederlassung *f* branch (establishment/office), (regional) office, subsidiary; **Z. im Ausland** foreign branch; **selbstständige Z.** independent branch (office)

Zweig|organisation *f* branch organisation, affiliate; **Z.postamt** *nt* sub-post office, branch post office, postal station

Zweigstelle *f* branch (office), agency, service depot, local branch, sub-branch, sub-office; **regionale Z. einer Gewerkschaft** branch, local *[US]*; **fahrbare Z.** mobile sub-branch; **kleine Z.** satellite office; **kontoführende Z.** account-holding branch; **nächstgelegene Z.** local branch

Zweigstellen|bereich/Z.geschäft *m/nt* *(Bank)* branch operations/business; **Z.leiter** *m* branch manager; **Z.-netz** *nt* branch network, network of branches, ~ branch offices; **Z.steuer** *f* branch tax

Zweigunternehmen *nt* subsidiary

Zweigüterfall *m* two-commodity case

Zweig|verein *m* branch (association); **Z.werk** *nt* ancillary/branch/subsidiary plant, branch establishment

Zwei|hundertjahrfeier *f* bicentenary *[GB]*, bicentennial *[US]*; **Z.jahresrhythmus** *m* every two years; **z.jährig** *adj* biennial, two-yearly, every two years; **Z.kammersystem** *nt* bicameralism; **Z.kanal-Abfertigungsverfahren** *nt* ⊖ dual channel system; **Z.kreissystem** *nt* dual accounting system; **Z.länderfall** *m* two-country case; **Z.manngesellschaft** *f* two-man company; **z.monatlich** *adj* bimonthly, every two months; **Z.monatsbilanz** *f* bimonthly balance sheet; **Z.monatsvergleich** *m* two-month comparison; **z.motorig** *adj* ✈ twin-engin(ed); **Z.nationen-** binational; **Z.parteien-** bipartisan, bipartite; **Z.parteiensystem** *nt* two-party system; **Z.phasen-; z.phasig** *adj* two-phase; **Z.preissystem** *nt* two-tier pricing (system); **Z.produkttest** *m* diadic product test; **Z.punktklauseln** *pl* shipping terms where costs and risks devolve on the buyer at two different points; **Z.rad** *nt* two-wheeled vehicle; **Z.radindustrie** *f* bicycle and motorcycle industry; **Z.reihenkorrelation** *f* biserial correlation; **Z.richtungszähler** *m* reversible counter

Zweischicht|enbetrieb *m* double shift working; **z.ig** *adj* two-tier; **Z.ler** *m* two-shift worker; **Z.system** *m* double shift system

zwei|schneidig *adj* double-edged; **z.seitig** *adj* 1. bilateral, bipartite; 2. double-sided; **Z.sektoren-** two-sector; **Z.spaltenjournal** *nt* two-column journal; **Z.spaltentarif** *m* two-column/double-column tariff; **z.spaltig** *adj* (in) double-column(s); **z.sprachig** *adj* bilingual; **Z.sprachigkeit** *f* bilingualism; **z.spurig** *adj* 1. 🚂 twin-track, double-track; 2. 🚗 two-lane(d); **z.stellig** *adj* π two-digit, double-figure, double-digit; **z.stöckig** *adj* two-storey; **Z.stufen-; z.stufig** *adj* two-stage, two-tier, two-phase

Zweit|- second(ary)

Zwei|tagesgeld *nt* two-day money; **z.tägig** *adj* two-day

Zweitakkreditiv *nt* back-to-back credit

Zweitaktmotor *m* ✿ two-stroke engine

Zweitanmelder|medikament/Z.präparat *nt* ⚕ generic drug

Zweitausfertigung *f* 1. duplicate, copy; 2. *(Wechsel)* second (of exchange), second copy; **Z. einer Klage** § concurrent writ; ~ **Urkunde** duplicate document; **Z. eines Vollstreckungsurteils** § alias *(lat.)* writ

Zweit|ausgabe *f* second edition; **Z.auto** *nt* second car; **Z.begünstigte(r)** *f/m* second/contingent beneficiary; **Z.beschäftigung** *f* double/second/subsidiary employment; **Z.besttheorie** *f* second-best theory; **Z.bogen** *m* second sheet

zwei|teilig *adj* two-part, diadic; **Z.teilung** *f* division into two parts; ~ **Europas** division of Europe

Zweit|einkommen *nt* second income

Zweite(r) *f/m* runner-up

Zweit|emission *f* secondary offering; **Z.erwerb** *m* second-hand purchase; acquisition by second taker; **Z.erwerber(in)** *m/f* second/subsequent buyer; **Z.exemplar** *nt* second copy, duplicate; **Z.fahrzeug** *nt* second car; **Z.gutachten** *nt* second opinion; ~ **einholen** to seek a second opinion; **Z.handleasing** *nt* second-hand leasing; **Z.hypothek** *f* second/junior mortgage; **Z.karte** *f* 🖳 secondary card; **z.klassig** *adj* second-rate; **Z.konto** *nt* second account; **Z.korrektur** *f* 🗍 revised proof; **Z.lieferant** *m* second-source supplier; **Z.marke** *f* second(ary) brand (name); **Z.markt** *m* secondary/two-stage/two-tier market

Zweitonner *m* 🚗 two-tonner

zweit|platziert *adj* second-placed; **Z.platzierter(r)** *f/m* runner-up; **Z.produzent** *m* second source; **z.rangig** *adj* second-rate, secondary, of second rank; **Z.rente** *f* second pension; **Z.risikoversicherung** *f* reinsurer, reinsurance company; **Z.schrift** *f* duplicate, (second) copy, duplication, replacement certificate; **Z.schuldner(in)** *m/f* secondary debtor; **Z.sprache** *f* second language; **z.stellig** *adj* junior, second(-ranking); **Z.stimme** *f* second vote; **Z.wagen** *m* second car; **Z.währung** *f* secondary currency; **Z.wohnung** *f* second home/residence, pied-à-terre *[frz.]*

Zweiwegekommunikation *f* two-way communication

Zwerchfell *nt* ⚕ diaphragm

Zwerg *m* dwarf; **Z.betrag** *m* diminutive amount; **Z.betrieb** *m* 1. 🚜 very small farm/holding, croft *[Scot.]*; 2. ultra-small/midget firm; **Z.kontingent** *nt* dwarf quota; **Z.steuer** *f* petty impost; **Z.werk** *nt* ultra-small plant/works

Zwickmühle *f* dilemma, quandary, fix; **in der Z. sitzen** *(fig)* to be in a catch-22 situation

Zwielicht *nt* twilight; **ins Z. geraten** to lay o.s. open to suspicion, to appear in an unfavourable light; **z.ig** *adj* 1. shady, dubious; 2. *(Person)* seedy

Zwiespalt *m* discord, dilemma

zwiespältig *adj* ambivalent, conflicting; **Z.keit** *f* conflicting character

Zwietracht *f* discord, strife; **Z. säen/stiften** to sow discord

Zwilling *m* twin; **Z.s-** twin; **Z.spapiere** *pl* twin stocks; **Z.sprüfung** *f* duplication check; **Z.sreifen** *m* 🚗 twin tire *[US]*/tyre *[GB]*; **Z.sverfahren** *nt* ⚗/🏭 dual treatment process

zwingen *v/t* 1. to force/compel/oblige/constrain/coerce; 2. § to obligate; *v/refl* to will o.s. (to do sth.)

zwingend *adj* 1. urgent, necessary; 2. compulsory, mandatory; 3. *(Grund)* compelling; 4. *(Argument)* stringent; 5. *(Zwang)* coercive; 6. inescapable; 7. § imperative

Zwischen|- 1. intermediary, intermediate, interim; 2. § interlocutory; **Z.abkommen** *nt* interim agreement; **Z.abnahme** *f* in-process inspection; **Z.abrechnung** *f* 1. intermediate account, interim contract report; 2. *(Kommissionär)* account sales; **Z.abschluss** *m* interim balance/statement/result/closing/accounts; **Z.aktie** *f* interim share *[GB]*/stock *[US]* certificate; **Z.anlage** *f* interim investment; **Z.aufenthalt** *m* stopover, transitory stay; **ohne Z.aufenthalt** non-stop; **Z.ausweis** *m* *(Bilanz)* interim return

Zwischenbank|gelder *pl* interbank funds; **Z.einlagen** *pl* interbank deposits, lending to other credit institutions; **Z.kredit** *m* interbank loan; **Z.verflechtung** *f* interbank assets and liabilities

Zwischen|bemerkung machen *f* to interrupt, to chip in *(coll)*; **Z.benutzungsrecht** *nt* intervening rights

Zwischenbericht *m* first-half/half-year/progress report, interim report/accounts/figures/statement; **vor dem Z.** ahead of interim figures; **Z.erstattung** *f* interim reporting

Zwischen|bescheid *m* provisional notification, interim reply; **z.betrieblich** *adj* interplant, intercompany

Zwischenbilanz *f* 1. interim balance (sheet); 2. *(fig)* interim survey, cut statement, struck balance; 3. provisional appraisal; **Z. ziehen** to take stock provisionally, to make an interim stocktaking; **kombinierte Z.** weekly condition statement *[US]*

Zwischen|boden *m* false floor; **Z.buchhandel** *m* intermediate book trade; **Z.budget** *nt* current budget; **Z.-deck** *nt* ⚓ steerage

Zwischendividende *f* 1. interim (dividend), dividend on account, fractional dividend; 2. *(Vers.)* interim bonus; **Z. ausfallen lassen** to pass the interim; **Z. zahlen** to pay an interim; **vierteljährliche Z.** quarter dividend

Zwischen|eintragung *f* intervening entry; **Z.entscheid(ung)** *m/f* § interlocutory decree/decision; **Z.-ergebnis** *nt* 1. interim result/profit/figures, half-yearly figures, half-time/half-term/provisional/intermediate/ preliminary result(s); 2. interim findings; **Z.ergebnisse** interim results, intermediate data; **Z.ernte** *f* intermediate crop; **Z.erzeugnis/Z.fabrikat** *nt* intermediate product, semi-finished article; **Z.erzeugnisse** intermediate goods; **Z.examen** *nt* intermediate exam(ination); **Z.fall** *m* incident; **Z.feststellungsklage** *f* § interpleader, petition for an interlocutory declaration; **Z.-feststellungsurteil** *nt* § interlocutory declaratory judgment; **z.finanzieren** *v/t* to finance at interim

Zwischenfinanzierung *f* interim/intermediate/short-term financing, bridging loan/finance; **Z.skredit** *m* bridging loan; **Z.smittel** *pl* bridging/temporary/interim finance

Zwischen|frage *f* question; **Z.frucht** *f* intermediate crop; **Z.fruchtbau** *m* intercropping; **Z.geschoss** *nt* 🏛 mezzanine (floor); **Z.gesellschaft** *f* intermediate company; **z.gewerkschaftlich** *adj* inter-union; **Z.gewinn** *m* interim/middleman's/intra-group/intercompany profit; **konzerninterne Z.gewinne** intra-group intermediary profits; **Z.girant** *m* intermediate endorser; **Z.größe** *f* in-between size; **Z.gruppenvarianz** *f* ▦ between-group variance; **Z.hafen** *m* port of call, intermediate port; **Z.halt** *m* stopover; **~ machen** to stop over

Zwischenhandel *m* intermediate/intermediary/entrepôt *[frz.]*/transit trade, wholesalers, distribution, on-trade; **Z. ausschalten** to eliminate the middleman; **im Z. verkaufen** to job

Zwischen|händler *m* middleman, wholesaler, distributor, intermediary, jobber, merchant middleman, agent; **Z.hoch** *nt* interim high/peak; **Z.holding** *f* subholding (company), minor/intermediate holding company; **Z.information** *f* intermediate information; **Z.kalkulation** *f* intermediate calculation/costing; **Z.käufer** *m* intermediate buyer; **Z.kommissionär** *m* intermediary agent; **Z.konsolidierung** *f* intercompany consolidation; **Z.konto** *nt* suspense/interim account; **Z.kredit** *m* intermediate/interim/standby/holdover/ bridging/temporary credit, bridging/interim loan; **Z.kreditauszahlung** *f* payment of the interim loan; **Z.kriegs-** interwar

Zwischenlager *nt* entrepôt *[frz.]*, intermediate storage facility/site, storage warehouse, in-process material(s) stores, temporary store; **z.n** *v/t* to store temporarily; **Z.ung** *f* 1. intermediate/temporary/interim storage; 2. in-process storage

zwischen|landen *v/i* ✈ to stop over; **Z.landung** *f* ✈ stopover; **Z.lösung** *f* interim solution/arrangement; **Z.mahlzeit** *f* snack; **Z.makler** *m* intermediate broker, stockjobber; **Z.material** *nt* intermediate materials; **Z.meldung** *f* (news) flash; **Z.monat** *m* intervening month; **Z.nutzung** *f* interim use; **Z.produkt** *nt* interim/semi-finished/intermediate product; **Z.produkte** process materials, intermediate goods; **Z.prüfung** *f* 1. intermediate examination; 2. *(Bilanz)* interim audit; 3. line inspection/check; **Z.quittung** *f* interim/temporary/provisional receipt, receipt of interim; **Z.raum** *m* blank, space, interval; **Z.raumtaste** *f* *(Schreibmaschine)* space bar/key; **Z.rechnung** *f* interim bill; **Z.regelung** *f* interim arrangement; **Z.rendite** *f* interim yield; **Z.ruf** *m* interruption; **durch ~ stören** to heckle; **Z.rufer(in)** *m/f* heckler; **z.schalten** *v/t* to interpose; **Z.schaltung** *f* use as an intermediary, interposition; **Z.schein** *m* 1. interim certificate/receipt, temporary receipt, receipt of interim, provisional certificate; 2. *(Börse)* scrip, temporary stock certificate; **~ für eine Obligation** provisional bond; **Z.spediteur** *m* intermediate forwarder, transit agency; **Z.speicher** *m* 1. intermediate/temporary/working storage; 2. 💻 cache (memory); **Z.spiel** *nt* interlude; **z.staatlich** *adj* international, intergovernmental, interstate *[US]*; **Z.stadium** *nt* intermediate stage, limbo *(fig)*; 2. § interlocutory stage; **Z.station** *f* intermediate station, stopover; **Z.status** *m* interim statement; **Z.stellung** *f* intermediary position; **Z.stockwerk** *nt* 🏛 mezzanine (floor); **mit Z.stockwerken (versehen)** split-level; **Z.stufe** *f* intermediate stage/ level; **mit wenigen Z.stufen** *(Tabelle)* broad-banded; **Z.summe** *f* 1. sub-total, intermediate total; 2. 💻 batch total; **Z.tauschmittel** *nt* medium of exchange; **Z.termin** *m* provisional deadline, intermediate maturity; **Z.tief** *nt* interim low/trough; **Z.titel** *m* subtitle, subhead(ing); **Z.träger** *m* go-between; **Z.transport** *m* interim transportation; **Z.überschrift** *f* subtitle; **Z.umsatz** *m* intercompany/internal/intra-group sales; **Z.-urteil** *nt* § interlocutory decree/order/judgment; **Z.vereinbarung** *f* interim accord; **Z.verfahren** *nt* § interlocutory/mesne proceedings, mesne process; **Z.-verfügung** *f* § interim/interlocutory order; **Z.verkauf** *m* prior/intervening sale; ~ **vorbehalten** subject to prior sale; **Z.verkäufer** *m* intermediate seller; **Z.vertrag** *m* provisional agreement; **Z.verwahrer** *m* intermediate depository; **Z.wand** *f* 🏛 partition (wall); **Z.wert** *m* intermediate value; **Z.zahlen** *pl* interim figures; **Z.zähler** *m* ϟ submeter; **Z.zahlung** *f* § interlocutory/intermediate payment; **Z.zeile** *f* space line; **z.zeilig** *adj* interlinear

Zwischenzeit *f* 1. interim period, intervening period/years; 2. § mesne; **in der Z.** 1. in the meantime, ad interim *(lat.)*; 2. § mesne; **z.lich** *adj* interim, in the meantime

Zwischen|zeugnis *nt* interim report, provisional testimonial; **Z.ziel** *nt* intermediate target; **Z.zielvariable** *f* target variable; **Z.zins** *m* interim/mesne/intermediary's interest, discount on payment before due date; **Z.zollstelle** *f* intermediate customs office; **Z.zyklus** *m* intermediary cycle, intercycle

Zwist *m* dispute, discord; **innerer Z.** infighting

Zwitterstellung *f* hybrid position

Zwölfergemeinschaft *f [EU]* Community of the Twelve

Zwölfmeilenzone *f* twelve-mile limit

Zyklik *f* cyclicality

zyklisch *adj* cyclical

Zyklon *m* ☁ cyclone

Zyklus *m* cycle, loop; **Z. Inflation-Deflation** inflation-deflation cycle; **gegenläufiger Z.** counter-cyclical/anti-cyclical pattern; **z.verstärkend** *adj* pro-cyclical, cycle-enhancing; **Z.zählung** *f* 🖳 cycle count; **Z.zeit** *f* cycle time

Zylinder *m* cylinder; **Z.kopf** *m* 🚗 cylinder head; **Z.-schloss** *nt* cylinder lock

z. Zt. at present, at this juncture, ~ moment in time

Ländernamen Geographical Names

Land	Country	Adjektiv	Adjective	Währung/ Currency	ISO-Code
Afghanistan	Afghanistan	Afghanisch	Afghan	Afghani (Af) = 100 puli	AFA
Ägypten	Egypt	Ägyptisch	Egyptian	Pfund-Pound (E£) = 100 piastres/ 1000 millièmes	EGP
Albanien	Albania	albanisch	Albanian	Lek (Lk) = 100 qindars/qintars	ALL
Algerien	Algeria	algerisch	Algerian	Dinar (AD) = 100 centimes	DZD
Andorra	Andorra	andorrisch	Andorran	Franc (Fr) = 100 centimes, Peseta	
Angola	Angola	angolanisch	Angolan	Kwanza (Kw) = 100 cents	AOR
Argentinien	Argentina	argentinisch	Argentine	Pesos (ArP) = 100 centavos	ARS
Äquatorialguinea	Equatorial Guinea	äquatorial guineisch	Equatorial Guinean	CFA Franc (CFA Fr) = 100 centimes	XAF
Armenien	Armenia	armenisch	Armenian	Dram (ARD) =	AMD
Aserbaidschan	Azerbaijan	aserbaid-schanisch	Azerbaijanian	Aserbaidschan-Manat ($A) =	AZM
Äthopien	Ethiopia	äthiopisch	Ethopian	Ethiopian Birr (Br) = 100 cents	ETB
Australien	Australia	australisch	Australian	Australian Dollar (A$) = 100 cents	AUD
Bahamas	Bahamas	bahamisch	Bahamian	Bahamian Dollar (B$) = 100 cents	BSD
Bahrain	Bahrain	bahrainisch	Bahraini	Bahraini Dinar (BD) = 1000 fils	BHD
Bangladesh	Bangladesh	bangladeschisch	Bangladeshi	Taka (Tk) = 100 poisha	BDT
Barbados	Barbados	barbadisch	Barbadian	Barbados Dollar (BDS$) = 100 cents	BBD
Belgien	Belgium	belgisch	Belgian	Belgischer Franc (bfr) = 100 centimes	BEF
Belize	Belize	belizisch	Belizean	Belize-Dollar (Bz$) = 100 cents	BZD
Benin	Benin	beninisch	Beninese	CFA Franc (CFA Fr) = 100 centimes	XOF
Bermuda	Bermuda	bermudisch	Bermudan	Bermuda Dollar (BMD$) = 100 cents	BMD
Bhutan	Bhutan	bhutanisch	Bhutanese	Ngultrum (NU) = 2 tikchung/ 100 Indian paise	BTN
Birma = Myanmar	Burma	birmanisch	Burmese	Kyat (Kt) = 100 cents	
Bolivien	Bolivia	bolivianisch	Bolivian	Boliviano (Bs) = 100 centavos	BOB

Land	Country	Adjektiv	Adjective	Währung/ Currency	ISO-Code
Bosnien und Herzegowina	Bosnia and Herzegowina	bosnisch und herzegowinisch	Bosnian	Konvertible Mark (KM)	BAM
Botsuana	Botswana	botsuanisch	Botswanan	Pula (Pu) = 100 cents	BWP
Brasilien	Brazil	brasilianisch	Brazilian	Real (R$) = 100 centavos	BRL
Brunei	Brunei (Darussalam)	bruneiisch	Bruneian	Brunei Dollar (BR$) = 100 cents	BND
Bulgarien	Bulgaria	bulgarisch	Bulgarian	Lew (Lw) = 100 stotinki	BGL
Bundesrepublik Deutschland	Federal Republic of Germany	deutsch	German	Deutsche Mark (DM) = 100 Pfennig	DEM
Burkina Faso	Burkina Faso	burkinisch	Burkina Faso	CFA Franc (CFA Fr) = 100 centimes	XOF
Burundi	Burundi	burundisch	Burundi	Burundi Franc (F.Bu.) = 100 centimes	BIF
Ceylon = Sri Lanka					
Cayman Inseln	Cayman Islands	/	Cayman Islands	Cayman Island Dollar (CayI$) = 100 cents	KYD
Chile	Chile	chilenisch	Chilean	Peso (chil $) = 100 centavos	CLP
China	China	chinesisch	Chinese	Renminbi Yuan (¥) = 10 chiao (jiao)/100 fen	CNY
Costa Rica	Costa Rica	costaricanisch	Costa Rican	Colon (CRC) = 100 centimos	CRC
Dänemark	Denmark	dänisch	Danish	Kroner (DKr) = 100 öre	DKK
Dominica	Dominica	dominicanisch	Dominican	East Carribbean Dollar (EC$) = 100 cents	XCD
Dominikanische Republik	Dominican Republic	dominikanisch	Dominican	Peso (DR$) = 8 reals/100 centavos	DOP
Dschibuti	Djibuti	dschibutisch	Djibouti	Djibouti Franc (DjFr) = 100 centimes	DJF
Ecuador	Ecuador	ecuadorianisch	Ecuadorian	Sucre (Su) = 100 centavos	ECS
Elfenbeinküste	Ivory coast/ Côte d'Ivoire	ivorisch	Ivorian	CFA Franc (CFA Fr) = 100 centimes	
El Salvador	El Salvador	salvadorianisch	Salvadorian	Colon (¢) = 100 centavos	SVC
Eritrea	Eritrea	eritreisch	Eritrean	Nakfa (Nfa)	ETN
Estland	Estonia	estnisch	Estonian	Krone (Kroonekr) = 100 senti	EEK

Land	Country	Adjektiv	Adjective	Währung/ Currency	ISO-Code
Europäische Gemeinschaft	European Community			Euro (€)= 100 cents	ECU
Falkland-Inseln (Malwinen)	Falkland Islands			Falkland-Pound (Fl£) = 100 cents	FKP
Fidschi Inseln	Fiji	fidschianisch	Fiji	Fiji Dollar ($F) = 100 cents	FJD
Finnland	Finland	finnisch	Finnish	Markka (FMk) = 100 pennia	FIM
Frankreich	France	französisch	French	Franc (FF) = 100 centimes	FRF
Gabun	Gabon	gabunisch	Gabonese	CFA Franc (CFA Fr) = 100 centimes	XAF
Gambia	Gambia	gambisch	Gambian	Dalasi (D) = 100 butut	GMD
Georgien	Georgia	georgisch	Georgian	Lari	GEL
Ghana	Ghana	ghanaisch	Ghanaian	Cedi (C) = 100 pesewas	GHC
Gibraltar	Gibraltar	gibraltarisch	Gibraltarian	Gibraltar Pound (Gib£) = 100 pence	GIP
Grenada	Grenada	grenadisch	Grenadian	E. Caribbean Dollar (EC$) = 100 cents	XCD
Griechenland	Greece	griechisch	Greek	Drachma (Dr) = 100 lepta	GRD
Großbritannien	Great Britain	britisch	British	Pfund-Pound (£) = 100 pence	GBP
Guatemala	Guatemala	guatemaltekisch	Guatemalan	Quetzal (Q) = 100 centavos	GTQ
Guinea	Guinea	guineisch	Guinean	Guinea Franc (F.G.)	GNF
Guinea-Bissau	Guinea-Bissau	guineisch	Guinea-Bissau	CFA Franc = 100 centimes	XOF
Guyana	Guyana	guyanisch	Guyanese	Guyana Dollar (G$) = 100 cents	GYD
Haiti	Haiti	haitianisch	Haitian	Gourde (Gde) = 100 centimes	HTG
Honduras	Honduras	honduranisch	Honduran	Lempira (L) = 100 centavos	HNL
Hongkong	Hong Kong	/	Hong Kong	Hong Kong Dollar (HK$) = 100 cents	HKD
Indien	India	indisch	Indian	Rupee (Rs) = 100 paise	INR
Indonesien	Indonesia	indonesisch	Indonesian	Rupiah (Rp) = 100 sen	IDR
Irak	Iraq	irakisch	Iraqi	Iraqi Dinar (ID) = 1000 fils	IQD
Iran	Iran	iranisch	Iranian	Rial (RI) = 100 sen	IRR
Irland	Irish Republic	irisch (Eire)	Irish	Punt = 100 pence	IEP

Land	Country	Adjektiv	Adjective	Währung/ Currency	ISO-Code
Island	Iceland	isländisch	Icelandic	Krona (IKr) = 100 aurar	ISK
Israel	Israel	israelisch	Israeli	Shekel (IS) = 100 new agorot	ILS
Italien	Italy	italienisch	Italian	Lira (L) = 100 centesimi	ITL
Jamaika	Jamaica	jamaikanisch	Jamaican	Jamaican Dollar (J$) = 100 cents	JMD
Japan	Japan	japanisch	Japanese	Yen (Y) = 100 sen	JPY
Jemen	Yemen	jemenitisch	Yemeni	Rial (Y. Rl) = 100 fils	YER
Jordanien	Jordan	jordanisch	Jordanien	Dinar (JD) = 1000 fils	JOD
Jugoslawien	Yugoslavia	jugoslawisch	Yugoslav	Dinar (N.Din) = 100 paras	YUM
Kaiman-Inseln = Cayman Inseln					
Kambodscha	Cambodia	kambod-schanisch	Cambodian	Riel (CR) = 100 sen	KHR
Kamerun	Cameroon	kamerunisch	Cameroonian	CFA Franc (CFA Fr) = 100 centimes	XAF
Kanada	Canada	kanadisch	Canadian	Canadian Dollar (Can$) = 100 cents	CAD
Kap Verde	Cape Verde	kapverdisch		Kap-Verde-Escudo (KEsc) = 100 centavos	CVE
Kasachstan	Kazakhstan	kasachstanisch	Kazakh	Tenge (T)	KZT
Katar	Q(u)atar	katarisch	Qatar	Riyal (QR) = 100 dirhams	QAR
Kenia	Kenya	kenianisch	Kenyan	Shilling (KSh) = 100 cents	KES
Kirgisistan	Kyrgyzstan	kirgisisch	Kyrgyz	Som (K.S.)	KGS
Kiribati	Kiribati		Kiribati	Kiribati Dollar ($A/K)	AUD
Kolumbien	Colombia	kolumbianisch	Colombian	Peso (Col$) = 100 centavos	COP
Komoren	Comoros			Franc (FC)	KMF
Kongo	Congo	kongolesisch	Congolese	CFA Franc (CFA Fr) = 100 centimes	XAF
Kongo Demokratische Republik	Congo Democratic Republic	kongolesisch	Congolese	Kongo-Franc (FC)	CDF
Korea	Korea	koreanisch	Korean	Won (W) = 100 jon/chon	North: KPW South: KRW
Kroatien	Croatia	kroatisch	Croatian	Kuna (K)	HRK

Land	Country	Adjektiv	Adjective	Währung/ Currency	ISO-Code
Kuba	Cuba	kubanisch	Cuban	Cuban Peso (Cub$) = 100 cenvantos	CUP
Kuwait	Kuwait	kuwaitisch	Kuwaiti	Dinar (KD) = 1000 fils	KWD
Laos	Laos	laotisch	Laotian	Kip (Kp) = 100 at	LAK
Lesotho	Lesotho	lesothisch	Lesotho	Loti (M) = 100 lisente	LSL
Lettland	Latvia	lettländisch	Latvian	Lats (Ls) = 100 santims	LTL
Libanon	Lebanon	libanesisch	Lebanese	Lebanese Pound (L£) = 100 piastres	LBP
Liberia	Liberia	liberianisch	Liberian	Liberian Dollar (Lib$) = 100 cents	LRD
Libyen	Libya	libysch	Libyan	Dinar (LD) = 1000 dirhams	LYD
Liechtenstein	Liechtenstein	liechtensteinisch	Liechtenstein	Franken (SFr) = 100 Rappen	
Litauen	Lithuania	litauisch	Lithuanian	Litas (LTL) = 100 Centas	LVL
Luxemburg	Luxembourg	luxemburgisch	Luxembourg	Luxembourg Franc (LFr) = 100 centimes	LUF
Macao	Macau	macauisch	Macao	Pataca (Pat) = 100 avos	MOP
Madagaskar	Madagascar	madagassisch	Malagasy	Franc (FMG) = 100 centimes	MGF
Malawi	Malawi	malawisch	Malawian	Kwacha (MK) = 100 tambala	MWK
Malaysia	Malaysia	malayisch	Malaysian	Ringgit (RM) = 100 cents	MYR
Malediven	Maledive Islands	maledivisch	Maledivian	Rufiaa (Rf) = 100 paise	MVR
Mali	Mali Republic	malisch	Malian	CFA Franc = 100 centimes	XOF
Malta	Malta	maltesisch	Maltese	Maltese Pound (Lm) = 100 cents	MTL
Marokko	Morocco	marokkanisch	Moroccan	Dirham (Dh) = 100 centimes	MAD
Mauretanien	Mauritania	mauretanisch	Mauritanian	Ouguiya (UM) = 5 khoums	MRO
Mauritius	Mauritius	mauritisch	Mauritian	Mauritian Rupee (MR) = 100 cents	MUR
Mazedonien	Macedonia	mazedonisch	Macedonian	Denar (Den)	MKD
Mexiko	Mexico	mexikanisch	Mexican	Peso (Mex$) = 100 centavos	MXN
Moldau = Moldawien	Republic of Moldova	moldawisch	Moldavian	Leu (MDL) = 100 Bani	MDL
Monaco	Monaco	monegassisch	Monegasque	Franc (FF) = 100 centimes	FRF

Land	Country	Adjektiv	Adjective	Währung/ Currency	ISO-Code
Mongolei	Mongolia	mongolisch	Mongolian	Tugrek (Tug) = 100 möngös	MNT
Mosambik	Mozambique	mosambikanisch	Mozambican	Metical (MT) = 100 centavos	MZM
Myanmar (Birma)	Myanmar			Kyat (K)	MMK
Namibia	Namibia	namibisch	Namibian	Namibia Dollar (N$) = 100 cents	NAD
Nauru	Nauru	nauruisch	Nauruan	Australian Dollar (A$) = 100 cents	AUD
Nepal	Nepal	nepalesisch	Nepalese	Nepalese Rupee (NR) = 100 paise	NPR
Neukaledonien	New Caledonia	neukaledonisch	New Caledonian	Franc C.F.P. = 100 centimes	XPF
Neuseeland	New Zealand	neuseeländisch	New Zealand	New Zealand Dollar (NZ$) = 100 cents	NZD
Nicaragua	Nicaragua	nicaraguanisch	Nicaraguan	Cordoba (C$) = 100 centavos	NIO
Niederländische Antillen	Netherlands Antilles			Gulden-Guilder (NAF) = 100 cents	ANG
Niederlande	The Nether-lands	niederländisch	Netherlands	Gulden-Guilder (hfl) = 100 cents	NLG
Niger	Niger Re-publik	nigrisch	Niger	CFA Franc (CFA Fr) = 100 centimes	XOF
Nigeria	Nigeria	nigerianisch	Nigerian	Naira (N) = 100 kobo	NGN
Norwegen	Norway	norwegisch	Norwegian	Krone (NKr) = 100 öre	NOK
Oman	Oman	omanisch	Omani	Rial Omani (RO) = 1000 baizas	OMR
Österreich	Austria	österreichisch	Austrian	Schilling (S) = 100 Groschen	ATS
Pakistan	Pakistan	pakistanisch	Pakistani	Pakistani Rupee (PakRe) = 100 paise	PKR
Panama	Panama	panamaisch	Panamanian	Balboa (B/.) = 100 centesimos	PAB
Papua-Neuguinea	Papua New Guinea	papua-neu-guineisch	(of) Papua New Guinea	Kina (K) = toea	PGK
Paraguay	Paraguay	paraguayisch	Paraguayan	Guarani (G) = 100 centimos	PYG
Peru	Peru	peruanisch	Peruvian	Sol (S/.) = 100 centavos	PEN
Philippinen	Philippines	philippinisch	Philippine	Peso (PP) = 100 centavos	PHP
Polen	Poland	polnisch	Polish	Zloty (Zl) = 100 groszy	PLN
Portugal	Portugal	portugiesisch	Portuguese	Esudo (Esc) = 100 centavos	PTE
Puerto Rico	Puerto Rico	puertoricanisch	Puerto Rican	US Dollar (US$) = 100 cents	USD

Land	Country	Adjektiv	Adjective	Währung/ Currency	ISO-Code
Ruanda	Rwanda	ruandisch	Rwandese	Rwanda Franc (RwF) = 100 centimes	RWF
Rumänien	Romania	rumänisch	Romanian	Leu = 100 bani	ROL
Russische Föderation	Russian Federation	russisch	Russian	Rubel (Rbl) = 100 Kopeken	RUR
Salomonen	Solomon Islands			Solomon Dollar (SI$) = 100 cents	SBD
Sambia	Zambia	sambisch	Zambian	Kwacha (K) = 100 ngwee	ZMK
Samoa	Samoa	samoanisch	Samoan	Tala (WS$)	WST
San Marino	San Marino	sanmarinesisch	San Marinese	Lira (L) = 100 centesimi	ITL
São Tomé und Principe	São Tomé and Principe	santomeisch	(of) São Tomé and Principe	Dobra (Db) = 100 centimos	STD
Saudi Arabien	Saudi Arabia	saudiarabisch	Saudi Arabian	Saudi Riyal (S.Rl.) = 100 halalah	SAR
Schweden	Sweden	schwedisch	Swedish	Krona (SKr) = 100 örer	SEK
Schweiz	Switzerland	schweizerisch	Swiss	Franken (SFr) = 100 Rappen	CHF
Senegal	Senegal	senegalesisch	Senegalese	CFA Franc (CFA Fr) = 100 centimes	XOF
Seychellen	Seychelles	seychellisch	(of) Seychelles	Rupee (SR) = 100 cents	SCR
Sierra Leone	Sierra Leone	sierraleonisch	Sierra Leonean	Leone (Le) = 100 cents	SLL
Simbabwe	Zimbabwe	simbabwisch	Zimbabwean	Zimbabwean Dollar (Z$) = 100 cents	ZWD
Singapur	Singapore	singapurisch	Singaporean	Singapore Dollar (S$) = 100 cents	SGD
Slowakei	Slovakia	slowakisch	Slovak(ian)	Krona (Sk) = 100 Heller	SKK
Slowenien	Slovenia	Slowenisch	Slovenian	Tolar (SIT) = 100 Stotin	SIT
Somalia	Somalia	somalisch	Somali	Somali Shilling (SoSh) = 100 cents	SOS
Spanien	Spain	spanisch	Spanish	Peseta (Pa) = 100 centimos	ESP
Sri Lanka	Sri Lanka	srilankisch	Sri Lankan	Rupee (SLRe) = 100 cents	LKR
St. Helena	St. Helena	/	(of) St.Helena	St. Helena Pound (SH£) = 100 pence	SHP
St. Kitts und Nevis	St. Kitts and Nevis	/	(of) St. Kitts and Nevis	E. Caribbean Dollar (ECar$) = 100 cents	XCD

Land	Country	Adjektiv	Adjective	Währung/ Currency	ISO-Code
St. Lucia	St. Lucia	lucianisch	Saint Lucian	E. Caribbean Dollar (ECar$) = 100 cents	XCD
St. Vincent	St. Vincent	vincentisch	(of) Saint Vincent	E. Caribbean Dollar (ECar$) = 100 cents	XCD
Südafrika	South Africa	südafrikanisch	South African	Rand (R) = 100 cents	ZAR
Sudan	Sudan	sudanesisch	Sudanese	Sudanese Dinar (SD) = 100 piastres/1000 millièmes	SDD
Suriname	Surinam	surinamisch	Surinamese	Surinam Guilder (SGld) = 100 cents	SRG
Swasiland	Swaziland	swasiländisch	Swazi	Lilangeni (E) = 100 cents	SZL
Syrien	Syria	syrisch	Syrian	Pound (Syr£) = 100 piastres	SYP
Tadschikistan	Tajikistan	tadschikisch	Tajik	Ruble	TJR
Taiwan	Taiwan	taiwanesisch	Taiwanese	Dollar (T $) = 100 cents	TWD
Tansania	Tanzania	tansanisch	Tanzanian	Shilling (TSh) = 100 cents	TZS
Thailand	Thailand	thailändisch	Thai	Baht (Bt) = 100 satang	THB
Togo	Togo	togoisch/ togo-lesisch	Togolese	CFA Franc (CFA Fr) = 100 centimes	XOF
Tonga	Tonga	tongaisch	Tongan	Pa'anga (T$) = 100 senikti	TOP
Trinidad und Tobago	Trinidad and Tobago	/	(of) Trinidad and Tobago	Trinidad Dollar (T$) = 100 cents	TTD
Tschad	Chad	tschadisch	Chadian	CFA Franc (CFA Fr) = 100 centimes	XAF
Tschechien	Czechia/ Czech Republic	tschechisch	Czech	Koruna (K_) = 100 haleru	CZK
Tunesien	Tunisia	tunesisch	Tunisian	Dinar (TD) = 1000 millimes	TND
Türkei	Turkey	türkisch	Turkish	Turkish Lira (TL) = 100 kurus	TRL
Turkmenistan	Turkmenistan	turkmenisch	Turkmenian	Manat (TMM)	TMM
Uganda	Uganda	ugandisch	Ugandan	Shilling (USh) = 100 cents	UGX
Ukraine	Ukraine	ukrainisch	Ukrainian	Griwna (UAH)	UAH
Ungarn	Hungary	ungarisch	Hungarian	Forint (Ft) = 100 filler	HUF
Uruguay	Uruguay	uruguayisch	Uruguayan	Peso (Urug$) = 100 centesimos	UYU
Usbekistan	Uzbekistan	usebekisch	Uzbek	Sum (U.S.)	UZS
Vanuatu	Vanuatu	vanuatuisch	(of) Vanuatu	Vatu (VT)	VUV

Land	Country	Adjektiv	Adjective	Währung/ Currency	ISO-Code
Venezuela	Venezuela	venezolanisch	Venezuelan	Bolivar (B) = 100 centimos	VEB
Vereinigte Arabische Emirate	United Arab Emirates	/	(of the) United Arab Emirates	U.A.E. Dirham (UAE Dh) = 100 fils	AED
Vereinigtes Königreich = Großbritannien					GBP
Vereinigte Staaten	United States	amerikanisch	American	Dollar (US $) = 100 cents	USD
Vietnam	Vietnam	vietnamesisch	Vietnamese	Dong (D) = 10 hao/100 xu	VND
Weißrussland	Belarus	weißrussisch		Belarus Rouble = 100 Kopeken	BYB
Zentral-afrikanische Republik	Central African Republic	zentral-afrikanisch	(of the) Central African Republic	CFA Franc (CFA Fr) = 100 centimes	XAF
Zypern	Cyprus	zyprisch	Cypriot	Cyprus Pound (Z£) = 100 mils	CYP

Gebräuchliche deutsche Abkürzungen

A

Abl. Amtsblatt official gazette
Abk. Abkürzung abbreviation
ABM Arbeitsbeschaffungsmaßnahme job creation scheme
Abt. Abteilung department, section
abz. abzüglich less
a.D. außer Dienst retired
AdS Absetzung für Substanzverringerung depreciation for asset erosion
ADS Allgemeine Deutsche Seeversicherungsbedingungen general German rules for marine insurance
ADSp Allgemeine Deutsche Spediteurbedingungen general German forwarding agents' conditions
ADV automatisierte Datenverarbeitung automated data processing (ADP)
AE Ausfuhrerklärung export declaration
AfA Absetzung für Abnutzung depreciation for wear and tear
AG Aktiengesellschaft; Aktiengesetz joint stock company; public limited company (plc); companies act
AGB Allgemeine Geschäftsbedingungen general terms and conditions
AHB Außenhandelsbank foreign trade bank
AHK Außenhandelskammer chamber of foreign trade
AK Aktienkapital share capital
AKT automatisches Kassenterminal automatic cashflow teller
AktG Aktiengesetz Companies Act *[GB]*
AKW Atomkraftwerk nuclear power station
Anm. Anmerkung (foot)note
a.o. außerordentlich extraordinary
AO Abgabenordnung fiscal/tax/revenue code
App. Apparat (telephone) extension (ext.)
AR Ausichtsrat supervisory board
a.S. auf Sicht at sight
Ast. Antragssteller applicant
Aufl. Auflage printing, edition (ed.)
Ausg. Ausgabe edition (ed.), issue
AVB Allgemeine Versicherungsbedingungen general insurance conditions
AWG Außenwirtschaftsgesetz foreign trade act
Az. Aktenzeichen reference number (Ref. No.)

B

B Brief many sellers, asked
B bezahlt paid
BAB Betriebsabrechnungsbogen; Bundesautobahn cost apportionment sheet, operation sheet; federal motorway
BAK Bundesaufsichtsamt für das Kreditwesen federal banking supervisory office
BAM Bundesarbeitsministerium federal ministry of labour
BAmt Bundesamt federal bureau
Banz Bundesanzeiger federal gazette
BAT Bundesangestelltentarif federal statutory salary scale
bB; bb bezahlt Brief more sellers than buyers, sellers over
Bbk Bundesbank federal bank
BCF Brutto Cashflow gross cash flow
Bd. Band volume
BDA Bundesverband der Arbeitgeberverbände federal association of employers' federations
BDE Betriebsdatenerfassung factory floor management system
Bdf Bundesministerium der Finanzen federal ministry of finance
BDI Bundesverband der Deutschen Industrie confederation of German industry
Begl. beglaubigt certified, authenticated
BEM Bundesernährungsministerium federal food ministry
ber. berechnet invoiced, charged
bes. besonders especially, particularly
Best. Bestand; Bestellung inventory; order
Betr. Betreff subject, re
Betr. betreffend, betrifft reference (ref.), referring to (re.)
BetrVG Betriebsverfassungsgesetz industrial constitution act
Bez. Bezeichnung; Bezug description; reference, subject
bez. bezahlt; bezüglich paid; prices negotiated; with reference to, concerning, re(garding)
bez.B bezahlt Brief sellers over/ahead
bez.G bezahlt Geld buyers over/ahead
BfA Bundesanstalt für Arbeit federal employment office
BfA Bundesversicherungsanstalt für Angestellte federal pension office
BFH Bundesfinanzhof federal finance office
BFM Bundesfinanzministerium federal finance ministry
b.f.n. brutto für netto gross for net
BfW Bundesministerium für Wirtschaft federal ministry for economic affairs
BG Börsengesetz; Bundesgesetz stock exchange act; federal court
bG; bg bezahlt Geld more buyers than sellers
BGB Bürgerliches Gesetzbuch German civil code
BGH Bundesgerichtshof federal court
BGG Bundesgrenzschutz German border guard
Bhf Bahnhof station
Bio Billion trillion (trn), thousand million
BIP Bruttoinlandsprodukt gross domestic product (gdp)

BIZ Bank für internationalen Zahlungsausgleich Bank for International Settlements (BIS)
BIZ Berufsinformationszentrum career information centre
BJM Bundesjustizministerium federal ministry of justice
BKA Bundeskartellamt; Bundeskriminalamt federal cartel office; federal bureau of investigation
Bll Ballen bale
BLZ Bankleitzahl bank (sort) code
BND Bundesnachrichtendienst German intelligence service
BNP Bruttonationalprodukt gross domestic product (gdp)
BP bezahlt Papier sellers over
BRD Bundesrepublik Deutschland Federal Republic of Germany
BRT Bruttoregistertonne gross register ton(nage) (G.R.T.)
BSP Bruttosozialproduct gross national product (gnp)
BTX Bildschirmtext viewdata, videotext
BuGBl Bundesgesetzblatt federal law gazette
BVG Betriebsverfassungsgesetz works constitution act
BVG Bundesverfassungsgericht German constitutional court
b.w. bitte wenden please turn over
BWL Betriebswirtschaftslehre business administration/management
Bz bezahlt paid
Bzw. beziehungsweise respectively

C

ca. circa circa, approximately

D

DAG Deutsche Angestelltengewerkschaft German union of salaried workers
Dato bis heute to date
DAX Deutscher Aktienindex German share index, German stock market index
DB Deutsche (Bundes)Bahn German (Federal) Railways
DBA Doppelbesteuerungsabkommen double taxation agreement
D.Bbk Deutsche Bundesbank German federal bank
DFÜ Datenfernübertragung teleprocessing, long-distance data transmission
DGB Deutscher Gewerkschaftsbund German Federation of Trade Unions
dgl. dergleichen, desgleichen such; likewise, the same, ditto (do.)
d.h. das heißt that is, id est (i.e.)
DIHT Deutscher Industrie- und Handelstag Association of German Chambers of Commerce and Industry
DIN Deutsche Industrie-Normen German industrial standards
Dipl.-Betr.w. Diplom-Betriebswirt graduate in business administration
Dipl.-Inf. Diplom-Informatiker graduate in information technology
Dipl.-Ing. Diplom-Ingenieur graduate engineer
Dipl.-Kfm. Diplom-Kaufmann graduate in business management
Dipl.-Soz. Diplom-Soziologe graduate in social sciences
Dipl.-Volksw. Diplom-Volkswirt graduate in economics
Dir. Direktor director (dir., Dr.)
d.J. des Jahres of this year
d.M. des Monats of this month, instant
DM/t DM pro Tonne DM per ton
DNA Deutscher Normenausschuss German standards committee
do. dito ditto (do.), the same
DOB Damenoberbekleidung ladies' outwear
Dr. ing. Doktor der Ingenieuwissenschaften doctor of engineering
Dr. jur. Doktor der Rechtwissenschaften doctor of law (LLD)
Dr. med. Doktor der Medizin doctor of medicine (MD)
Dr. phil. Doktor der Philosophie/Philologie doctor of philosophy/philology (PhD)
Dr. rer. oec. Doktor der Wirtschaftwissenschaften doctor of economics
DTB Deutsche Terminbörse German futures market/exchange
Dto dito Æ ; do.
Dtz., Dtzd. Dutzend dozen (dz, doz.)
DV Datenverarbeitung data processing (DP)
Dz Doppelzentner quintal

E

EAN Europäische Artikelnummer European article number
ED ex Dividende ex dividend
Ebd. ebenda ibid(em)
EDV elektronische Datenverarbeitung electronic data processing (EDP)
EE Einfuhrerklärung import declaration
EG eingetragene Genossenschaft registered cooperative
EG Europäische Gemeinschaft European Community (EC)
EGKS Europäische Gemeinschaft für Kohle und Stahl European Coal and Steel Community (ECSC)
eGmbH eingetragene Genossenschaft mit beschränkter Haftung registered cooperative with limited liability
EIB Europäische Investitionsbank European Investment Bank (EIB)
einschl. einschließlich inclusive (of) (inc., incl.)
EK Eigenkapital equity capital

ERE europäische Rechnungseinheit European unit of account (EUA)
ERP europäisches Wiederaufbauprogramm European recovery programme (ERP)
Est. Einkommenssteuer income tax
EU Europäische Union European Union
eV eingetragener Verein registered society/association
EWE Europäische Währungseinheit European Currency Unit (ECU)
EWG Europäische Wirtschaftsgemeinschaft European Economic Community (EEC)
EWI Europäisches Währungsinstitut European Monetary Institute (EMI)
EWS europäisches Währungssystem European Monetary System (EMS)
EWU Europäische Währungsunion European Monetary Union (EMU)
exB ex Bezugsrecht ex right
exD ex Dividende ex dividend
EZB Europäische Zentralbank European Central Bank (ECB)

F

Fa. Firma firm, company
Fbr Frachtbrief consignment note (C/N), freight bill
F&E Forschung und Entwicklung research and development (R & D)
ff. folgende following
FH Fachhochschule polytechnic
Fil.-Nr. Filialnummer branch number (br./brch. no.)
Fm Festmeter cubic metre
Forts. Fortsetzung continuation
frdl. freundlich friendly
Frl. Fräulein Miss
FS Fernschreiben telex

G

G; g Geld bid (price), buyers
g Gramm gram (g, gm, gr)
Gbl Gesetzblatt gazette
GbR Gesellschaft bürgerlichen Rechts partnership under the German civil code
Geb. bez. Gebühr bezahlt postage paid
geb. geboren born
Gebr. Gebrüder brothers (Bros.)
gefl. gefälligst kindly
Gen. Genossenschaft cooperative (co-op.)
gen. genannt called, named
Ges. Gesellschaft; Gesetz company, corporation; society; act, law
ges. gesch. gesetzlich geschützt protected by law, patented, registered (reg.)
gest. gestorben deceased (decd.)
Gew. Gewicht weight (wt)
gez. gezeichnet signed (sgd)
GG Grundgesetz basic law, federal constitution
ggf. gegebenenfalls if appropriate/applicable
GK Grundkapital nominal capital
GKV gesetzliche Krankenversicherung statutary health insurance
GmbH Gesellschaft mit beschränkter Haftung private limited company (Ltd.)
GTZ Gemeinsamer Zolltarif Common Customs Tariff [EU]
GUS Gemeinschaft unabhängiger Staaten Commonwealth of Independent States (CIS)
GuV Gewinn- und Verlustrechnung profit and loss account (P. & L. a/c, income statement)
GV Generalversammlung general meeting
GVO Geschäftsvorfall transaction
GVZ Güterverkehrszentrum freight centre
gzj. ganzjährig all year, yearly

H

HB Handelsbilanz balance of trade, trade balance
HG Handelsgesellschaft trading company/corporation
HGB Handelsgesetzbuch German commercial code
HR Handelsregister register of companies, commercial register
hü handelsüblich customary (in trade)
HUK Haftpflicht, Unfall und Kraftverkehr liability, accident and motor traffic
HV Hauptversammlung (annual) general meeting (AGM)

I

i.A. in Abwicklung; im Auftrage in liquidation; by order of, for
IAA Internationales Arbeitsamt; internationale Automobilausstellung international labour office (ILO); international automobile fair
i.Abw in Abwicklung Æ ; i.A.
id. idem, dasselbe the same
i.Fa. in Firma at/in company
IG Industriegewerkschaft industrial union
IHK Industrie- und Handelskammer chamber of industry and commerce
i.Hs. im Hause on the premises
i.J. im Jahre in the year
i.L. in Liquidation in liquidation
incl. inklusiv, einschließlich inclusive (of) (inc., incl.)
Inh. Inhaber proprietor
inkl. Æ incl.
inl. inländisch domestic, home
i.R. im Ruhestand retired
IRK Internationale Rechtskommission International Law Commission (ILC)
i.S. in Sachen in the matter of, re
ISDN dienstintegriertes Fernmeldenetz Integrated Services Digital Network

ISO **Internationale Standardorganisation** International Standardization Organization (ISO)
IT **Informationstechnologie** information technology (IT)
i.V. **in Vertretung** for, on behalf of, by authority
I.v. **Irrtum vorbehalten** errors (and omissions) excepted (E. & O. E.)
i.V.m. **in Verbindung mit** in connection with
i.W. **in Worten** in words
IWF **Internationaler Währungsfonds** International Monetary Fund (IMF)
I/Z **Ihr Zeichen** your reference (Yr. Ref.)

J

J **Jahr** year (yr.)
jato **Jahrestonnen** tons per year
JD **Jahresdurchschnitt** yearly/annual average
Jg. **Jahrgang** year
j.Js. **jedes Jahr** of every year
jr., jun. **junior** junior

K

K(ap)Est. **Kapitalertragssteuer** capital gains tax (CGT)
KEV **Kurs- und Ertragsverhältnis** price earnings ratio (p/e)
Kfm. **Kaufmann** merchant
kfm **kaufmännisch** commercial, mercantile
Kfz **Kraftfahrzeug** motor vehicle
KG **Kommanditgesellschaft; Kammergericht** limited partnership; court of appeal
kg **Kilogramm** kilogram (kg)
KGaA **Kommanditgesellschaft auf Aktien** partnership partly limited by shares
KGV **Kurs-Gewinn-Verhältnis** price earnings ratio (p.e.r., P/E)
KKW **Kernkraftwerk** nuclear power station
KLV **kombinierter Ladungsverkehr** intermodal Transport
Konn. **Konnossement** bill of lading (B/L)
KSt. **Körperschaftssteuer** corporation tax (C.T.)
Kto. **Konto** account (a/c)
Kto.Nr. **Kontonummer** account number (acct. no.)
KV **kombinierter Verkehr** combined traffic
KW **Kurzwelle** short wave
KWG **Kreditwesengesetz** Banking Act *[GB]*

L

LA **Lastenausgleich** equalization of burdens
LB **Lieferbarkeitsbescheinigung** good delivery certificate
lfd. **laufend** current
lfd. Nr. **laufende Nummer** serial number
Lfg. **Lieferung** delivery (dely., dy.)
LG **Landgericht** district court
Lg. **Lager** warehouse (w'hse)
l.J. **laufenden Jahres** of the current year
LKW **Lastkraftwagen** truck, lorry
loco **hier, am Platz** on the spot
lt. **laut, gemäß** according to
LVA **Landesversicherungsanstalt** state social insurance office
LW **Langwelle** long wave
LZ **Logistikzentrum** logistics centre
LZB **Landeszentralbank** regional central bank

M

m.A. **mangels Abnahme** for want of acceptance
m.d.G.b. **mit der Geschäftsführung beauftragt** in charge of administration
m.d.W.d.G.b. **mit der Wahrnehmung der Geschäfte beauftragt** charged with the conduct of affairs
m.E. **meines Erachtens** in my opinion
mfG **mit freundlichem Gruß** yours sincerely
min. **mindestens** at least
Mio **Million** million (m)
MOE **mittel- und osteuropäisch** central and east European (CEE)
Mrd **Milliarde** billion (bn), thousand million
MS **Motorschiff** motor vessel (M/V), motor ship (M/S) *[US]*
M.T.A. **medizinisch-technische(r) Assistent(in)** medical laboratory assistant
mtl. **monatlich** monthly
MTV **Manteltarifvertrag** framework (wage) agreement
m.W. **meines Wissens** to my knowledge
MW **Mittelwelle** medium wave
MWSt. **Mehrwertsteuer** value added tax (VAT)
m.Z. **mangels Zahlung** for want of payment

N

Nachf. **Nachfolger** successor
nachm. **nachmittags** in the afternoon
N.B. **nota bene, Anmerkung** note well, nota bene (N.B.)
n.b. **nicht bekannt** unknown, not known
NE- **Nichteisen-** non-ferrous
net. **netto** net, nett
NLF **Nutzladefaktor** revenue load factor
nom. **nominal** nominal
NRW **Nordrhein-Westfalen** North Rhine-Westphalia
NSP **Nettosozialprodukt** net national product (N.N.P.)
n.St. **nach Steuer** after tax
n.v. **nicht verfügbar** not available

O

o.a. oben angeführt above-mentioned (a/m)
OFD Oberfinanzdirektion regional revenue office
öff.Hd. öffentliche Hand public sector
o.G. ohne Gewähr without any responsibility, subject to correction, without guarantee
o.g. oben genannt above-mentioned (a/m)
OHG Offene Handelsgesellschaft general partnership
OI Organisation und Information management information system
OIL Organisation, Information und Logistik organisation, information and logistics
OLG Oberlandesgericht higher regional court
OPD Oberpostdirektion regional head post office
oU ohne Umsatz no dealings/sale

P

p.a. pro anno; per annum yearly, annualy, per annum
PA Patentanmeldung patent application
pers. haft. persönlich haftend personally liable
Pf Pfennig pfennig
Pfd. Pfund pound (L; lb)
Pkm Personenkilometer passenger kilometre
PLZ Postleitzahl postal/zip code
p.m. pro memoria; pro mille pro memoria; per thousand
p.M. pro Monat monthly, per month
ppa. per Prokura per proxy, by procuration, per procurationem (p.p., p.pro.)
p.Q. pro Quartal per quarter
PR Public Relations public relations

Q

QS Qualitätssicherung quality assurance

R

RA Rechtsanwalt lawyer
Rae Rechtsanwälte lawyers
rd. rund round, approximately (approx.)
RE Rechnungseinheit unit of account (U/A)
resp. respektive, beziehungsweise respectively
rev. revidiert revised
Rg. Rechnung invoice
RGW Rat für gegenseitige Wirtschafthilfe Council for Mutual Economic Aid (Comecon)
Rhj. Rechnungshalbjahr half of the financial year
Rj. Rechnungsjahr financial/fiscal year

S

s. siehe see
Sa.Nr. Sammelnummer main number
SB Selbstbedienung self-service
Schufa Schutzgemeinschaft für allgemeine Kreditsicherung credit protection agency
Sen. Senior senior
Sero Sekundärrohstoff secondary/recycled raw material
SKE Steinkohleneinheit coal equivalent
SLF Sitzladefaktor passenger load factor
sog. sogenannt so-called
SRO Selbstregulierungsorganisation self-governing body
StA. Stammaktie ordinary share
Std. Stunde; Standard hour; standard
stfr. steuerfrei tax-free, tax-exempt
StGB Strafgesetzbuch German penal code
StK Stammkapital subscribed capital
St.Nr. Steuernummer tax number
StPO Strafprozessordnung rules of criminal procedure
stv. stellvertretend acting
s.u. siehe unten see below
SZR Sondererziehungsrecht special drawing right (SDR)
s.Zt. seinerzeit at the time

T

TA Telegrammadresse cable address
TDM tausend Deutsche Mark thousand deutschmarks
Teilh. Teilhaber partner
teilw. teilweise partly
Tel. Telefon telephone (Tel.)
telef. telefonisch by phone
tgl. täglich daily, per day, per diem *(lat.)* (p.d.)
TH Technische Hochschule technical university
tkm Tonnenkilometer ton kilometre (tk.)
TO Tagesordnung agenda
tsd tausend thousand
TU Technische Universität technical university
TÜV Technischer Überwachungsverein technical control board
Tz Teilzahlung part payment

U

u.A.w.g. um Antwort wird gebeten Répondez s'il vous plait *[frz.]* (RSVP)
UKW Ultrakurzwelle very high frequency (vhf)
ult. ultimo last day of the month
UpM Umdrehungen pro Minute revolutions per minute
usf. und so fort and so forth, et cetera *(lat.)* (etc.)
USt. Umsatzsteuer sales tax
usw. und so weiter and so on, et cetera *(lat.)* (etc.)
UZ unser Zeichen; Ursprungszeugnis our reference; certiticate of origin (C/O)

V

VDE **Verband deutscher Elektrotechniker** association of German electrical engineers
VDI **Verein deutscher Ingenieure** association of German engineers
VE **Verrechnungseinheit** unit of account (U/A)
VeGe **Verkaufsgemeinschaft** sales association
VermSt. **Vermögenssteuer** wealth tax
Verw.Geb. **Verwaltungsgebühr** service charge
vgl. **vergleiche** compare (cf.)
v.H. **von Hundert** per cent (p.c.)
Vj. **Vierteljahr** quarter
VO **Verordnung** decree
Vorm. **Vormittag** morning
Vors. **Vorsitzende(r)** chairman, chairperson
VR **Verwaltungsrat** administrative council
v.St. **vor Steuer** before tax
VVaG **Versicherungsverein auf Gegenseitigkeit** mutual insurance association
VWL **Volkswirtschaftslehre** (theory of) economics

W

w. **wegen** because of
WE **Währungseinheit** monetary unit
Wj. **Wirtschaftjahr** business/accounting year
WKM **Wechselkursmechanismus** exchange rate mechanism (ERM)
WP **Wirtschaftsprüfer** auditor, certified public accountant
Wv **Wiedervorlage** resubmission
Ww. **Witwer** widower
Wwe. **Witwe** widow

Z

ZA **Zahlungsauftrag; Zollamt** payment order; customs office
z.B. **zum Beispiel** for example (e.g.)
z.d.A. **zu den Akten** to be filed
z.G. **zu Gunsten** in favour of
z.H./z.Hd. **zu Händen** for the attention of (attn.)
Zi. **Ziffer** figure
z.K. **zur Kenntnis** for the attention of (attn.)
ZPO **Zivilprozessordnung** rules of civil procedure/practice
Ztg. **Zeitung** newspaper
Ztr **Zentner** hundredweight (cwt.)
zus. **zusammen** together
z.Wv. **zur Wiederverwendung** for reuse

British and American Weights and Measures
Britische und amerikanische Maße und Gewichte

Linear Measures - Längenmaße	**1 line** = 2,12 mm
	1 inch = 12 lines = 2,54 cm
	1 foot = 12 inches = 0,3048 m
	1 yard = 3 feet = 0,9144 m
	1 (statute) mile = 1760 yards = 1,6093 km
	1 (land) league = 3 (statute) miles = 4,827 km
	1 hand = 4 inches = 10, 16 cm
	1 rod (perch, pole) = 5½ yards = 5,029 m
	1 chain = 4 rods = 20,117 m
	1 furlong = 10 chains = 201,168 m
Nautical Measures - Nautische Maße	**1 fathom = 6 feet** = 1,829 m
	1 cable's length = 100 fathoms = 182,9 m
	[GB] **= 608 feet** = 185,3 m
	[US] **= 720 feet** = 219,5 m
	1 nautical mile = 10 cable's length = 1,853 or 1,852 km **= 1.158 (statute) miles**
	1 marine league = 3 nautical miles = 5,56 km
	6 nautical miles = 1 Längengrad am Äquator
Square Measures - Flächenmaße	**1 square inch** = 6,452 cm^2
	1 square foot = 144 square inches = 929,029 cm^2
	1 square yard = 9 square feet = 8361,260 cm^2
	1 acre = 4840 square yards = 4046,8 m^2
	1 square mile = 640 acres = 259 ha = 2,59 km^2

1 square rod (pole/perch) = 30 1/4 square yards = 25,293 m²

1 rood = 40 square rods = 1011,72 m²

1 acre = 4 roods = 4046,8 m²

Cubic Measures - Raummaße

1 cubic inch = 16,387 cm³

1 cubic foot = 1728 cubic inches = 0,02832 m³

1 cubic yard = 27 cubic feet = 0,7646 m³

Shipping Measures - Schiffsmaße

1 register ton = 100 cubic feet = 2,8317 m³

1 freight/measurement/shipping ton =
[GB] **40 cubic feet** = 1,133 m³
[US] **42 cubic feet** = 1,189 m³

1 displacement ton = 35 cubic feet = 0,991 m³

Measures of Capacity - Hohlmaße
GB

1 fluid ounce = 0,0284 l

1 gill = 5 fluid ounces = 0,142 l

1 pint = 4 gills = 0,568 l

1 (imperial) quart = 2 pints = 1,136 l

1 (imperial) gallon = 4 quarts = 4,5459 l

1 peck = 2 gallons = 9,092 l

1 bushel = 4 pecks = 36,368 l

1 quarter = 8 bushels = 290,935 l

1 barrel = 36 gallons = 163,656 l

US

1 gill = 0,1183 l

1pint = 4 gills = 0,4732 l

1 quart = 2 pints = 0,9464 l

1 gallon = 4 quarts = 3,7853 l

1 peck = 2 gallons = 8,8096 l

1 bushel = 4 pecks = 35,2383 l

1 barrel = 31.5 gallons = 119,228 l

1 hogshead = 2 barrels = 238,456 l

1 barrel petroleum = 42 gallons = 158,97 l

Avoirdupois Weights - Handelsgewichte

1 grain = 0,0648 g

1 dram = 27.3438 grains = 1,772 g

1 ounce = 16 drams = 28,35 g

1 pound = 16 ounces = 453,59 g

1 hundredweight = 1 quintal *[GB]* **= 112 pounds** = 50,802 kg
[US] **= 100 pounds** = 45,359 kg

1 long ton *[GB]* **= 20 hundredweights** = 1016,05 kg
[US] **= 20 hundredweights** = 907,185 kg

1 stone = 14 pounds = 6,35 kg

1 quarter ***[GB]*** **= 28 pounds** = 12,701 kg
[US] **= 25 pounds** = 11,339 kg
[US] **1 bushel wheat = 60 pounds** = 27,216 kg
[US] **1 bushel rye/corn = 56 pounds** = 25,401 kg
[US] **1 bushel barley = 48 pounds** = 21,772 kg
[US] **1 bushel oats = 32 pounds** = 14,515 kg

German Weights and Measures
Deutsche Maße und Gewichte

Längenmaße - Linear Measures

1 mm = 0.0394 inch

1 cm = 10 mm = 0.3937 inch

1 dm = 10 cm = 3.9370 inches

1 m = 10 dm = 1.0936 yards

1 dkm = 10 m = 10.9361 yards

1 hm = 10 dkm = 109.3614 yards

1 km = 10 hm = 0.6214 mile

Flächenmaße - Square Measures

1 mm² = 0.00155 square inch

1 cm² = 100 mm² = 0.15499 square inch

1 dm² = 100 cm² = 15.499 square inches

1 m² = 100 dm² = 1.19599 square yards

1 dkm² = 100 m² = 119.5993 square yards

1 hm² = 100 dkm² = 2.4711 acres

1 km² = 100 hm² = 247.11 acres = 0.3861 square mile

1 m² = 1,549.9 square inches

1 a = 100 m² = 119.5993 square yards

1 ha = 100 a = 2.4711 acres

1 km² = 100 ha = 247.11 acres = 0.3861 square mile

Raummaße - Cubic Measures

1 mm3 = 0.000061 cubic inch

1 cm³ = 1000 mm³ = 0.061023 cubic inch

1 dm³ = 1000 cm³ = 61.024 cubic inches

1 m³ = 1000 dm³ = 35.315 cubic feet = 1.3079 cubic yards

Hohlmaße - Measures of Capacity	**1 ml = 1 cm³** = 16.89 minims
GB	**1 cl = 10 ml** = 0.352 fluid ounce
	1 dl = 10 cl = 3.52 fluid ounces
	1 l = 10 dl = 1.76 pints
	1 dkl = 10 l = 2.1998 gallons
	1 hl = 10 dkl = 2.75 bushels
	1 kl = 10 hl = 3.437 quarters
US	**1 ml = 1 cm³** = 16.23 minims
	1 cl = 10 ml = 0.339 fluid ounce
	1 dl = 10 cl = 3.38 fluid ounces
	1 l = 10 dl = 1.06 liquid quarters, or 0.91 dry quart
	1 dkl = 10 l = 2.64 gallons, or 0.284 bushel
	1 hl = 10 dkl = 26.418 gallons
	1 kl = 10 hl = 254.18 gallons
Gewichte - Weights	**1 mg** = 0.0154 grain
	1 cg = 10 mg = 0.1543 grain
	1 dg = 10 cg = 1.543 grains
	1 g = 10 dg = 15.432 grains
	1 dkg = 10 g = 0.353 ounce
	1 hg = 10 dkg = 3.527 ounces
	1 kg = 10 hg = 2.205 pounds
	1 t = 1000 kg *[GB]* = 0.9842 long ton *[US]* = 1. 102 short tons
	1 Pfd. = 500 g = ½ kg = 1.1023 pounds
	1 Ztr. = 100 Pfd. = 50 kg *[GB]* = 0.9842 hundredweight *[US]* = 1.1023 hundredweights
	1 dz = 100 kg *[GB]* = 1.9684 hundredweights *[US]* = 2.2046 hundredweights